Delfzijl
Leeuwarden
Groningen
Winschoten
Bolsward
Assen
Heerenveen
Hoogeveen
Meppel
Coevorden
Hardenberg
Gramsbergen
Zwolle
Almelo
Deventer
Apeldoorn
Enschede
Zutphen
Groenlo
Arnhem
Rijn
Gennep
Eindhoven
Venlo
Weert
Roermond
Sittard
Eupen
Malmédy
St. Vith
Laroche
Houffalize
Clervaux
LUXEMBOURG
Echternach
Ettelbrück
Arlon
LUXEMBOURG
Virton

Dr. B.M. BOEREBACH/J.R.S. CAUBERGHE

NIEUW
NEDERLANDS-FRANS
FRANS-NEDERLANDS
WOORDENBOEK

ZESDE
GEHEEL HERZIENE DRUK
BEWERKT DOOR

Dr. B.M. BOEREBACH

DOCENT AAN DE
UNIVERSITEIT TE NIJMEGEN,
OPLEIDINGSCURSUSSEN VOOR MIDDELBARE AKTEN
TE UTRECHT,
TILBURGSE LEERGANGEN

UITGAVEN BREPOLS
BRUSSEL — TURNHOUT

Deze uitgave werd door de Regering opgenomen in de lijst van de schoolboeken, waarvan het gebruik toegelaten is in de officiële middelbare onderwijsinrichtingen.

Cet ouvrage a été inscrit par le Gouvernement dans la liste des ouvrages classiques dont l'emploi est autorisé dans les établissements officiels d'enseignement moyen.

Voor het al dan niet opnemen van een trefwoord bleef de eventuele bescherming als handels- of fabrieksmerk door een merkenwet uiteraard buiten beschouwing. De opneming van een woord dat ingeschreven is of geweest is als handels- of fabrieksmerk, of dat als zodanig moet worden beschouwd, betekent dus niet dat het een soortnaam in merkenrechtelijke zin zou zijn.

De par sa nature ce dictionnaire ne tient pas compte du fait qu'un terme déterminé ait pu avoir été déposé en vertu d'une loi quelconque réglant l'emploi des marques de fabriques. L'énonciation d'un mot qui est, a été, ou qui doit être considéré comme marque de fabrique ou de commerce, ne signifie donc pas que ce caractère ne lui est pas reconnu.

Printed in Belgium

INHOUDSTAFEL

TABLE DES MATIÈRES

NEDERLANDS-FRANS

NÉERLANDAIS-FRANÇAIS

FRANS-NEDERLANDS

FRANÇAIS-NÉERLANDAIS

WOORD VOORAF
BIJ DE ZESDE DRUK

Door toepassing van een grotere zetspiegel en een compacte zetwijze heeft de zakelijke inhoud van dit woordenboek een uitbreiding kunnen ondergaan van ruim twaalf procent.
Het ontegenzeglijke praktische voordeel, ieder trefwoord op een nieuwe regel te doen beginnen, is hierbij niet opgeofferd. De gebruiker vindt binnen het lemma van een bepaald trefwoord dus slechts de aanduiding van de woordsoort, de overzichtelijk gerangschikte vertalingen van de verschillende betekenissen welke een woord kan hebben (veelal met aanduiding van het gebruiksniveau) en het idioom, voorzover dit niet rechtstreeks is af te leiden uit de betekenisvertalingen. Eventuele samenstellingen zijn alle behandeld als afzonderlijk alfabetisch gerangschikt trefwoord op een nieuwe regel.
De uitbreiding is allereerst ten goede gekomen aan een VERRIJKING VAN DE WOORDENSCHAT, niet slechts met tal van nieuwvormingen of eerst thans in de actualiteit getreden woorden, waaronder vele vreemde en bastaardwoorden waarvan men een meer langdurig gebruik mag verwachten, doch ook met vele « gewone » woorden, die wij in de door ons geraadpleegde woordenboeken tevergeefs hebben gezocht, zoals bijvoorbeeld : afzettingsgesteente, anest(h)esioloog, beeldzoeker, bermbescherming, droogzwemmen, horecabedrijf, kruispeiling, ontsnappingssnelheid, platenhandelaar, platehoes, telelift, testbeeld. Vooral op dit terrein zouden wij aanvullend materiaal van welwillende gebruikers van het woordenboek bijzonder op prijs stellen.
Verouderde woorden of vertalingen werden daarentegen geschrapt of vervangen door hedendaagse vertalingen.
Daar door de voortschrijdende internationalisering van het maatschappelijk verkeer steeds meer vreemde en bastaardwoorden met een miniem, of zonder enig spellingverschil in beide talen voorkomen, is om ruimte te besparen een aantal van deze woorden slechts in het Frans-Nederlandse deel als trefwoord opgenomen. De gebruiker raadplege in voorkomend geval dus ook het Frans-Nederlandse gedeelte, indien het Nederlandse trefwoord niet opgenomen mocht zijn.
Overigens is bij deze herdruk hetzelfde beginsel gevolgd, als reeds uiteengezet in het voorbericht van de eerste uitgave : *de praktische bruikbaarheid.*
Vandaar ook onze blijvende aandacht voor de eisen van handel en bedrijf, en een verruiming van technische, medische en andere wetenschappelijke termen die in het algemeen spraakgebruik zijn doorgedrongen.
Noodzakelijkerwijs moest een gedeelte van de beschikbaar gekomen ruimte worden ingeruimd voor de vele dubbelvormen welke de officiële SPELLINGVOORSCHRIFTEN van de Nederlandse taal toestaan. Zo wordt bijvoorbeeld het trefwoord *chronisch* binnen het lemma onmiddellijk gevolgd door de spellingvorm *kronisch ;* terwijl men in de letter K het trefwoord *kronisch* zal aantreffen, binnen het lemma onmiddellijk gevolgd door de spelling-

vorm *chronisch*. Zowel de gebruiker van de voorkeur- als van de progressieve spelling zal deze herdruk dus met evenveel gemak kunnen raadplegen. Teneinde ruimte te besparen werd, vooral met het oog op het vele idioom, dat anders dubbel zou moeten worden opgenomen, in verscheidene gevallen voor de vertaling verwezen naar een van beide spellingvormen, ofwel naar een reeks spellingvormen, als bijvoorbeeld : *krono-*, *zie chrono-*. In het Frans-Nederlands gedeelte is de voorkeurspelling aangehouden. Ook de spelling van het Frans is in beide delen zorgvuldig vergeleken met de officiële voorschriften, al zijn die dan ook van ouder datum.
Van de spellingherziening is eveneens gebruik gemaakt om de WOORDGESLACHTEN, welke immers aanwijzingen geven voor de voornaamwoordelijke aanduidingen, nauwkeurig te herzien. Voor het Nederlands werden de aanduidingen en richtlijnen van de Woordenlijst van de Nederlandse Taal 1954 thans geheel gevolgd, ook in het Frans-Nederlandse gedeelte. Wij zijn namelijk trouw gebleven aan het praktische beginsel om in beide delen niet slechts de trefwoorden, doch ook de zelfstandige naamwoorden in de vertaling van hun geslachtsaanduiding te voorzien. Slechts wanneer twee of meer naamwoorden van hetzelfde geslacht op elkaar volgen, is het geslacht alleen aangeduid na het laatste woord, behalve wanneer ze ter aanduiding van een betekenisverschil door een cijfer zijn gescheiden.
Behoort de spelling van een woord tot de wezenlijke elementen van een woordenboek, de moderne communicatiemiddelen maken AANWIJZINGEN VOOR DE UITSPRAAK thans bijna even noodzakelijk. Vandaar dat in het Frans-Nederlandse gedeelte *elk* trefwoord tussen vierkante haakjes wordt gevolgd door de uitspraak, waarvoor de op bladzijde 726 aangegeven tekens werden gebruikt. In het Nederlands-Frans gedeelte werd volstaan met de klemtoon van elk woord aan te geven door een superieur accentteken *achter* de beklemtoonde lettergreep : AAGT'APPEL. Bij éénlettergrepige woorden werd het accentteken weggelaten. Meerlettergrepige woorden welke men zonder klemtoonteken aantreft, hebben een wisselend accent. In bepaalde voorkomende gevallen werden nevenaccenten aangegeven door een tweede klemtoonteken.
Vanzelfsprekend was de hierboven omschreven bewerking, waarvoor de gehele tekst woord voor woord moest worden nagezien, een welkome aanleiding om daarbij geconstateerde tekortkomingen systematisch te verbeteren; met name werd het onderscheid tussen bijwoorden en bijvoeglijke naamwoorden duidelijker aangegeven.
Ook het aanhangsel is grondig herzien en aanzienlijk uitgebreid. Men raadplege hiervoor de inhoudsopgave.
Er rest ons ten slotte deze uiteenzetting te beëindigen met een woord van warme dank aan de lexicografische redacteur bij de Uitgeverij Brepols, de heer E. Herkes, zonder wiens hulp dit woordenboek niet geschreven zou zijn.
Voor alle suggesties, opmerkingen, en ook aanmerkingen, die een volgende druk ten goede zouden kunnen komen, betuigen wij bij voorbaat onze hartelijke dank.

DR. B.M. BOEREBACH

AVANT-PROPOS
DE LA SIXIÈME ÉDITION

L'emploi d'un champ de texte plus vaste et d'une composition plus serrée a permis d'augmenter de douze pour cent le texte même du dictionnaire. L'avantage incontestable que présente l'emploi d'un nouvel alinéa pour détacher les mots-souches n'a pas été sacrifié pour autant. Le lemme d'un mot-souche déterminé ne contient, par conséquent, que l'indication de la nature du mot, les différentes traductions distinctement présentées que peut avoir ce mot (si nécessaire avec indication de la fréquence d'emploi) et son emploi idiomatique pour autant que les termes ne se prêtent pas à une traduction textuelle. Les mots composés éventuels sont tous traités comme des mots-souches distincts, classés par ordre alphabétique et ouvrent un nouvel alinéa.

Cette extension a permis tout d'abord d'ENRICHIR CONSIDÉRABLEMENT LE VOCABULAIRE grâce à l'apport d'un grand nombre de néologismes ou de mots nouveaux consacrés par l'actualité. Il s'agit ici, entre autres, de nombreux mots étrangers et hybrides que nous avons jugés susceptibles d'un emploi prolongé mais également d'un certain nombre de mots « courants », que nous avons cherchés en vain dans différents dictionnaires que nous avons consultés, tels que par exemple : afzettingsgesteente, anest(h)esioloog, beeldzoeker, bermbescherming, droogzwemmen, horecabedrijf, kruispeiling, ontsnappingssnelheid, platenhandelaar, platehoes, telelift, testbeeld. C'est surtout dans ce dernier domaine que nous saurions gré aux usagers du présent ouvrage de toute suggestion qui nous permettrait d'en augmenter la valeur.

Par contre nous avons cru utile de supprimer ou de réviser les traductions ou expressions tombées en désuétude.

Du fait du caractère international des relations humaines, on emploie de nos jours, tant en néerlandais qu'en français, des mots d'origine étrangère présentant la même orthographe ou presque. C'est pour gagner de la place que nous n'avons inséré ces termes que dans la partie « français-néerlandais ». L'usager devra donc consulter la partie française du dictionnaire si le mot cherché ne se trouve pas dans la partie néerlandaise.

Par ailleurs nous avons respecté dans cette réimpression le principe exposé déjà dans l'avant-propos de la première édition : *le caractère pratique poursuivi.* D'où l'intérêt tout particulier porté aux exigences du commerce et de l'industrie et l'accroissement important du nombre de termes techniques, médicaux et scientifiques qui se sont progressivement introduits dans le langage courant.

Il était indispensable de consacrer une partie de la place disponible aux nombreuses variantes orthographiques tolérées par LES RÈGLES OFFICIELLES D'ORTHOGRAPHE de la langue néerlandaise. C'est ainsi que le mot-souche *chronisch* est immédiatement suivi dans le lemme de la graphie *kronisch ;* tandis qu'à la lettre K se trouve *kronisch*, suivi de la forme *chronisch.* De cette manière, celui qui emploie l'orthographe préférentielle comme

celui qui se sert de la graphie tolérée trouveront dans cette nouvelle édition la même facilité d'emploi. Cependant, il existe pour certains de ces termes de nombreux emplois idiomatiques qu'il aurait fallu répéter sous chaque variante orthographique; nous avons préféré dans ce cas renvoyer le lecteur à une des graphies ou à une série de formes orthographiques, comme par exemple : *krono-*, *voir chrono-*.
Dans la partie « français-néerlandais » nous avons appliqué systématiquement l'orthographe préférentielle (voorkeurspelling) pour les termes néerlandais.
Dans les deux parties l'orthographe du texte français a été soigneusement revue conformément à la réglementation officielle qui est, il est vrai, déjà plus ancienne.
LE GENRE DES MOTS a été revu méticuleusement sur la base de la réforme orthographique la plus récente. Pour le néerlandais, nous nous sommes conformés strictement aux indications et directives de la « Woordenlijst van de Nederlandse Taal 1954 » et cela dans les deux parties. Nous sommes par conséquent restés fidèles au principe qui nous a paru pratique et qui consiste à indiquer dans les deux parties le genre non seulement après le mot-souche, mais aussi après les substantifs de la traduction. Ce n'est que dans le cas de deux ou plusieurs substantifs d'un même genre que celui-ci n'est indiqué qu'après le dernier terme, à moins qu'ils ne soient séparés par un chiffre pour indiquer une différence de signification.
S'il est vrai que l'orthographe d'un mot fait partie des éléments essentiels d'un dictionnaire, les exigences de la langue parlée rendent l'ORTHOGRAPHE PHONÉTIQUE parfois également nécessaire. C'est pourquoi, dans la partie « français-néerlandais », chaque mot-souche est suivi de la représentation — entre crochets — de sa prononciation. L'alphabet phonétique présenté en page 726 a été employé. Pour la partie « néerlandais-français », nous nous sommes contentés d'indiquer l'accent tonique à l'aide d'un trait vertical *après* la syllabe accentuée : *aagt'appel*. Les mots monosyllabiques sont repris sans indication d'accent tonique. Quant aux polysyllabiques sans signe tonique, ce sont ceux qui ont un accent variable. L'accent secondaire éventuel est indiqué par un deuxième signe tonique.
Il va de soi qu'en révisant cet ouvrage mot à mot, nous avons corrigé systématiquement les erreurs rencontrées. La distinction entre adverbes et adjectifs a été notamment indiquée avec plus de clarté.
Les annexes ont été également revues avec soin et considérablement étoffées. La table des matières le montre clairement.
Il nous reste à remercier chaleureusement M. E. Herkes, rédacteur lexicographique de la maison d'édition Brepols, sans l'aide précieuse de qui ce dictionnaire n'aurait pas vu le jour.
Toutes suggestions ou remarques, même critiques, qui seraient susceptibles d'améliorer le présent ouvrage lors d'une réédition ultérieure seront accueillies avec reconnaissance.

DR. B.M. BOEREBACH

OVERZICHT VAN DE POLITIEKE EN BESTUURSINDELING VAN BELGIË, NEDERLAND EN FRANKRIJK

In België (9.328.000 inwoners, 30.488 km², hoofdstad Brussel), spreekt 60 % van de bevolking Nederlands en 40 % Frans. België is verdeeld in 9 provincies en telt 2.663 gemeenten. De arrondissementen zijn administratieve onderverdelingen van de provincies, zonder enige autonomie ; zij staan onder een arrondissementscommissaris.
Nederland (12.036.000 inwoners, 36.102 km², hoofdstad Amsterdam, zetel van de regering Den Haag) telt 11 provincies en 978 gemeenten. Meer dan de helft van de bevolking is geconcentreerd in de 3 provincies Noord- en Zuid-Holland en Utrecht (Randstad Holland). De nationale strijd tegen het water wordt er voortgezet door de droogmaking van het IJselmeer en de uitvoering van het Deltaplan, opgezet en uitgewerkt na de watersnood van 1953.
Frankrijk (46.700.000 inwoners, 551.255 km², hoofdstad Parijs) is verdeeld in 90 departementen, onderverdeeld in 313 arrondissementen, 3.052 kantons en 37.962 gemeenten.
België en Nederland zijn constitutionele monarchieën, Frankrijk is een parlementaire republiek met een telkens voor 7 jaar gekozen president. De wetgevende macht berust in alle drie de landen bij het uit twee Kamers bestaande parlement : de door rechtstreekse algemene verkiezingen gekozen Kamer van Volksvertegenwoordigers, Tweede Kamer van de Staten Generaal, Assemblée nationale, en de door getrapte algemene verkiezingen gekozen Senaat, Eerste Kamer van de Staten Generaal, Sénat.
De provincies (in Fr. : departementen) en gemeenten bezitten in alle drie de landen autonomie en zelfbestuur met (beperkte) verordenende bevoegdheid. Het bestuur berust er resp. bij de rechtstreeks gekozen Gemeenteraden en de benoemde burgemeesters (in Fr. gekozen door de Gemeenteraad), met als dagelijks bestuur het Schepencollege (in Ndl. : College van B. en W.), en bij de rechtstreeks gekozen Provinciale Raden (in Ndl. : Provinciale Staten) en de benoemde Gouverneur van de Provincie (in Ndl. : Commissaris van de Koningin, in Fr. : préfet), met als dagelijks bestuur de Bestendige Deputatie (in Ndl. : Gedeputeerde Staten).
De drie landen zagen zich na de laatste wereldoorlog gelijkelijk geplaatst tegenover het geleidelijk verloren gaan van hun koloniën en de noodzaak nieuwe economische en politieke structuren op te bouwen. De op 5 september 1944 gesloten Benelux, waarbinnen de samenwerking tussen Nederland en de Belgisch-Luxemburgs Economische Unie zich ontwikkelt tot een volledige economische unie, werd een proefterrein voor de ruimere economische samenwerking in de Gemeenschappelijke Markt (Euromarkt) van het Klein Europa, en in de Raad van Europa (zetel Straatsburg), binnen welke organisaties Frankrijk ook België en Nederland als partner aantreft, evenals in de militaire Noord-Atlantische Verdragsorganisatie.

Zie de op de schutbladen voor- en achterin en de in het midden van het boek afgedrukte kaarten.

*
* *

WISSELKOERSEN *

(Zie de midden in het boek afgebeelde bankbiljetten en munten)

1 Belgische frank =	0,073 Nederlandse gulden =	0,098 Nieuwe Franse frank
1 Nederlandse gulden =	13,81 Belgische frank =	1,36 Nieuwe Franse frank
1 Nieuwe Franse frank =	10,13 Belgische frank =	0,76 Nederlandse gulden

*) gemiddelde koers op 12 jan. 1965.
1 Nieuwe Franse frank = 100 oude Franse frank.

APERÇU DE LA STRUCTURE POLITIQUE ET ADMINISTRATIVE DE LA BELGIQUE, DES PAYS-BAS ET DE LA FRANCE

En Belgique (9.328.000 habitants, 30.488 km², capitale : Bruxelles), 60% de la population parle le néerlandais et 40% le français. Le pays est divisé en 9 provinces et compte 2.663 communes. Les arrondissements sont des subdivisions administratives des provinces sans la moindre autonomie. A leur tête se trouve un commissaire d'arrondissement.
Les Pays-Bas (12.036.000 habitants, 36.102 km², capitale : Amsterdam, siège administratif : La Haye) comptent 11 provinces et 978 communes. Plus de la moitié de la population se trouve concentrée dans les 3 provinces de Hollande du Nord, Hollande du Sud et Utrecht. La lutte éternelle contre l'eau s'y poursuit par l'assèchement de l'Ysselmeer et par l'exécution du plan Delta, conçu et élaboré après les inondations de 1953.
La France (46.700.000 habitants, 551.255 km², capitale : Paris) est divisée en 90 départements, subdivisés en 313 arrondissements, 3.052 cantons et 37.962 communes.
La Belgique et les Pays-Bas sont des monarchies constitutionnelles, la France est une république parlementaire ayant à la tête un président élu pour 7 ans. Le pouvoir est dans les trois États aux mains du parlement composé de deux Chambres : la Chambre des Représentants pour la Belgique, la Deuxième Chambre des États Généraux pour les Pays-Bas, l'Assemblée Générale pour la France ; chacune d'elles étant élue au cours d'élections générales directes tandis que le Sénat ou Première Chambre des États Généraux aux Pays-Bas est élu au suffrage universel par degrés.
Les provinces (nommées départements en France) et les communes possèdent dans les trois pays leur autonomie et leur administration propre avec compétence (limitée) fixée par la loi. Le pouvoir y est assuré par les Conseils Communaux élus directement, les bourgmestres qui sont nommés par le souverain (en France les maires sont cependant choisis par le Conseil Municipal) et sont assistés par un Collège Échevinal (appelé Collège du Bourgmestre et échevins aux Pays-Bas), et par les Conseils Provinciaux (appelés États provinciaux aux Pays-Bas) élus directement et enfin le Gouverneur de Province (appelé en France : Préfet et aux Pays-Bas : Commissaire de la Reine) nommé par le Chef de l'État et assisté par la Députation Permanente (appelée États Députés aux Pays-Bas).
Les trois pays ont dû surmonter après la dernière guerre mondiale la perte progressive de leurs colonies avec l'obligation d'élaborer de nouvelles structures économiques et politiques. L'alliance Benelux réalisée le 5 septembre 1944 entre les Pays-Bas et l'Union Économique belgo-luxembourgeoise est devenue une union économique totale et n'est qu'un premier pas vers une collaboration économique plus vaste au sein du Marché Commun de la Petite Europe (Communauté économique européenne [C.E.E.]), du Conseil de l'Europe ayant son siège à Strasbourg et de l'Organisation du Pacte Nord-Atlantique. La Belgique et les Pays-Bas, tout comme la France sont membres de ces organisations.

Voir les cartes publiées en pages de garde et au milieu du volume.

*
* *

TABLEAU DES CHANGES *

(voir la planche « billets de banque et monnaies » au milieu du volume)

1 franc belge =	0,073 florin hollandais =	0,098 NF français
1 florin hollandais =	13,81 francs belges =	1,36 NF français
1 NF français =	10,13 francs belges =	0,76 florin hollandais

(*) taux moyen au 12.1.1965.
1 Nouveau Franc français = 100 francs français anciens.

AFKORTINGEN - ABRÉVIATIONS

aanw.vnw. aanwijzend voornaamwoord ; *pronom démonstratif.*
aardk. aardkunde ; *géologie.*
aardr. aardrijkskunde ; *géographie.*
adj. adjectif ; *bijvoeglijk naamwoord.*
adv. adverbe ; *bijwoord.*
alg. algemene betekenis ; *sens général.*
arg. argot.
art.déf. article défini ; *bepalend lidwoord.*
a.w. absoluut (gebruikt) werkwoord ; *verbe absolu*
B. België ; *Belgique.*
beeldh. beeldhouwkunst ; *sculpture.*
bep. bepaling ; *complément.*
betr.vnw. betrekkelijk voornaamwoord ; *pronom relatif*
bez.vnw. bezittelijk voornaamwoord ; *pronom possessif.*
Bijb. Bijbel ; *Bible.*
bijv. bijvoeglijk ; *adjectivement.*
bilj. biljart ; *billard.*
b.n. bijvoeglijk naamwoord ; *adjectif.*
boekh. boekhouden ; *comptabilité.*
boomkw. boomkwekerij ; *arboriculture.*
bouwk. bouwkunde ; *architecture.*
bw. bijwoord ; *adverbe.*
cond. conditionnel ; *voorwaardelijk(e wijs).*
conj. conjonction ; *voegwoord.*
damsp. damspel ; *jeu de dames.*
dicht. dichterlijk ; *poétique.*
Dk. dierkunde ; *zoologie.*
drukk. drukkersterm ; *imprimerie.*
eig. eigenlijke betekenis ; *sens propre.*
el. elektriciteit ; *électricité.*
f. féminin ; *vrouwelijk.*
F. Frankrijk ; *France.*
fam. familiaar ; *familièrement.*
fig. figuurlijk ; *sens figuré.*
fot. fotografie ; *photographie.*
gen. geneeskunde ; *médecine.*
gesch. geschiedenis ; *histoire.*
godgel. godgeleerdheid ; *théologie.*
godsd. godsdienst ; *religion.*
gram. grammaticaal ; *grammatical.*
gymn. gymnastiek ; *gymnastique.*
H. handel ; *commerce.*
ij. interjection ; *tussenwerpsel.*
ind. indéfini ; *onbepaald.*
Infin. Infinitif ; *onbepaalde wijs.*
invar. invariable ; *onveranderlijk.*
kaartsp. kaartspel ; *jeu de cartes.*
kath. katholiek ; *catholique.*
klankl. klankleer ; *phonétique.*
landb. landbouw ; *agriculture.*
lett. letterkunde ; *littérature.*
lidw. lidwoord ; *article.*
loc.adv. locution adverbiale ; *bijwoordelijke uitdrukking.*
m. mannelijk, *masculin.*
meetk. meetkunde ; *géométrie.*
mv. meervoud ; *pluriel.*
myth. mythologie ; *mythologie.*
nat. natuurkunde ; *physique.*
n.card. nombre cardinal ; *hoofdtelwoord.*
n.ord. nombre ordinal ; *rangtelwoord.*
N.N. Noord-Nederland ; *Pays-Bas du Nord.*
o. onzijdig ; *neutre.*
onbep. onbepaald ; *indéfini.*
onb.vnw. onbepaald voornaamwoord ; *pronom indéfini.*
onderw. onderwerp ; *sujet.*
ong. ongunstige betekenis ; *péjoratif.*
onp. onpersoonlijk ; *impersonnel.*
ontleedk. ontleedkunde ; *anatomie.*
on.w. onovergankelijk werkwoord ; *verbe intransitif.*
oudh. oudheid ; *antiquité.*
ov.w. overgankelijk werkwoord ; *verbe transitif.*
P. patois ; *dialect.*
part.pr. participe présent ; *tegenwoordig deelwoord.*
pers.vnw. persoonlijk voornaamwoord ; *pronom personnel.*
pl. pluriel ; *meervoud.*
Pl. plantkunde ; *botanique.*
pop. populaire ; *volkstaal.*
pron. pronom ; *voornaamwoord.*
pron.dém. pronom démonstratif ; *aanwijzend voornaamwoord.*
pron.ind. pronom indéfini ; *onbepaald voornaamwoord.*
pron.int. pronom interrogatif ; *vragend voornaamwoord.*
pron.pers. pronom personnel ; *persoonlijk voornaamwoord.*
pron.poss. pronom possessif ; *bezittelijk voornaamwoord.*
pron.rel. pronom relatif ; *betrekkelijk voornaamwoord.*
prot. protestants ; *protestant.*
qc. quelque chose ; *iets.*
qn. quelqu'un ; *iemand.*
rek. rekenkunde ; *arithmétique.*
s. substantif ; *zelfstandig naamwoord.*
sch. scheepvaart ; *navigation.*
schaaksp. schaakspel ; *jeu d'échecs.*
scheik. scheikunde ; *chimie.*
schild. schilderkunst ; *peinture.*
sp. sport ; *sport.*
spoorw. spoorwegen ; *chemin de fer.*
spraakk. spraakkunst ; *grammaire.*
stelk. stelkunde ; *algèbre.*
sterr. sterrenkunde ; *astronomie.*
subj. subjonctif.
taalk. taalkunde ; *linguistique.*
teg.deelw. tegenwoordig deelwoord ; *participe présent.*
tel. telefonie, telegrafie ; *téléphonie, télégraphie.*
telw. telwoord ; *nombre.*
tn. techniek ; *technique.*
tuinb. tuinbouw ; *horticulture.*
tw. tussenwerpsel ; *interjection.*
v. vrouwelijk ; *féminin ;* van, *de.*
v.i. verbe intransitif ; *onovergankelijk werkwoord*
v.imp. verbe impersonnel ; *onpersoonlijk werkwoord.*
visv. visvangst ; *pêche.*
vl. vliegwezen ; *aviation.*
v.(m.) vrouwelijk, doch in Noord-Nederland doorgaans mannelijk ; *féminin, mais en Hollande le plus souvent masculin.*
vnw. voornaamwoord ; *pronom.*
voetb. voetbal ; *football.*
voorn. voorwerp ; *complément.*
v.pr. verbe pronominal ; *wederkerend werkwoord.*
v.t. verbe transitif ; *overgankelijk werkwoord.*
v.v. voorvoegsel ; *préfixe.*
vw. voegwoord ; *conjonction.*
vz. voorzetsel ; *préposition.*
wap. wapenkunde ; *héraldique.*
wet. wetenschap ; *science.*
wijsb. wijsbegeerte ; *philosophie.*
wisk. wiskunde ; *mathématiques.*
w.w. wederkerend werkwoord ; *verbe pronominal.*
zed. zedenleer ; *morale.*
z.n. zelfstandig naamwoord ; substantif.
Z.N. Zuid-Nederland ; *Pays-Bas du Sud.*
z.vnw. zelfstandig voornaamwoord ; *pronom.*

**duidt aan, dat dit deel van het samengesteld woord de meervoudsvorm aanneemt :* indique que cette partie du nom composé prend la marque du pluriel ; coffre*-fort*, coffres-forts ; timbre*-poste, timbres-poste.

* *achter een werkwoord betekent het dat dat werkwoord voorkomt in de lijst van onregelmatige werkwoorden ;* placé après un verbe indique que ce verbe appartient à la Liste des Verbes irréguliers.

' duidt aan dat de voorafgaande lettergreep de klemtoon heeft : indique que la syllabe précédente reçoit l'accent ; AAGT'APPEL, *het accent valt op,* la syllabe accentuée est *:* AAGT.

NEDERLANDS-FRANS

NÉERLANDAIS-FRANÇAIS

ACCENT TONIQUE

L'accent tonique a été indiqué à l'aide d'un trait vertical *après* la syllabe accentuée : *aagt'appel.*

Les mots monosyllabiques sont repris sans indication d'accent tonique.

Quant aux polysyllabiques sans signe tonique, ce sont ceux qui ont un accent variable.

L'accent secondaire éventuel est indiqué par un deuxième signe tonique.

A

a *v.(m.)* **1** *(letter)* a, *m.*; ***wie a zegt moet ook b zeggen,*** puisque (*of* quand) le vin est tiré, il faut le boire; ***doorlezen van a tot z,*** lire d'un bout à l'autre; ***alles van a tot z vertellen,*** tout raconter de fil en aiguille; ***het abc,*** l'alphabet; **2** *(noot)* la, *m.*; **3** ***drie à vier,*** trois ou quatre.
Aaf'je, Aag'je *o.*, **Aagt** *v.* Agathe *f.*; ***een nieuwsgierig Aagje,*** une petite curieuse.
aagt'appel *m.* capendu *m.*
aai *m.* caresse *f.*
aai'en *ov.w.* caresser.
aak *m. en v.* *(groot)* péniche *f.*; *(klein)* chaland *m.*
aaks, aks(t) *v.(m.)* cognée *f.*
aak'schipper *m.* patron *m.* d'une péniche, — d'un chaland.
aal *m.* **1** anguille *f.*; ***hij is zo glad als een —,*** il est glissant comme une anguille; il s'échappe comme une anguille; **2** *zie* ***aalt.***
aal'achtig *b.n.* anguillé.
aal'bes *v.(m.)* groseille *f.*; ***rode —,*** groseille rouge; ***zwarte —,*** groseille *f.* noire, cassis *m.*
aal'bessengelei *v.* gelée *f.* de groseilles.
aal'bessenjam *v.* confiture *f.* de groseilles.
aal'bessenjenever *v.* cassis *m.*
aal'bessenstroop *v.* (sirop de) groseille *m.*
aal'bessentros *m.* grappe *f.* de groseilles.
aal'bessenwijn *m.* vin *m.* de groseilles.
aal'bessesap *o.* jus *m.* de groseilles.
aal'bessestruik *m.* groseillier *m.*
aal'bezie, *zie* ***aalbes.***
aal'fuik *v.(m.)* nasse *f.* à anguilles.
aal'geer *m.* foène *f.*
aal'glad *b.n.* glissant comme une anguille, très glissant; très rusé.
aal'korf *m.* nasse *f.* à anguilles.
aal'moes *v.(m.)* aumône *f.*; ***een — geven, aalmoezen geven,*** donner une aumône, faire l'aumône, faire la charité; ***een — vragen,*** demander l'aumône; ***een —, alstublieft,*** la charité, s'il vous plaît.
aalmoezenier' *m.* aumônier *m.*
aalmoezenier'schap *o.* aumônerie *f.*; qualité *f.* d'aumônier.
aal'puit *m.* lotte *f.*
aal'scholver *m.* cormoran *m.*
Aalst *o.* Alost *m.*; ***uit —,*** alostois.
aal'steken *on.w.* foëner, pêcher à la fo(u)ëne.
aal'steker *m.* foëne, fouëne *f.*
Aal'sters *b.n.* alostois.
aal'streep *v.* raie *f.* d'anguille, — de mulet.
aals'vel *o.* peau *f.* d'anguille.
aalt *v.(m.)* purin *m.*
aal'tje *o.* **1** petite anguille *f.*; **2** *(in azijn, stijfsel)* anguillule *f.*; **3** *(in plantaardige stoffen)* tylenchus *m.*
Aal'tje *v.* Adèle *f.*
aal'vijver *m.* anguillère *f.*
aambeeld(-), *zie* ***aanbeeld(-).***
aam'bei *v.* hémorroïde *f.* *(meestal meervoud).*
aam'beienkruid *o.* herbe *f.* aux hémorroïdes.
aambor'stig *b.n.* asthmatique.
aambor'stigheid *v.* asthme *m.*
aan I *voorz.* **1** *(datief)* à; **2** *(dicht bij)* à (la porte); sur (la Meuse); au bord de (la route); près de (l'église); **3** *(vast tegen)* à, contre, (un mur); **4** *(oorzaak)* de (mourir de fièvre); **5** *(voortduring)* à, en train de, occupé à; ***hij is — het lezen,*** il est en train de lire, *of:* il lit; ***de slag — de Yser,*** la bataille de l'Yser; ***wij hebben de tijd — ons,*** nous avons le temps devant nous; ***men weet niet wat men — hem heeft,*** on ne sait par quel bout le prendre; ***hoe kom ik — dat geld?*** comment me procurer cet argent? ***er is iets — de hand,*** il se passe quelque chose; ***ik heb er niets —,*** **1** *(geen belangstelling)* cela ne m'intéresse pas; **2** *(geen voordeel)* cela ne me rapporte rien; ***hij is er mooi — toe,*** le voilà dans de beaux draps; ***daar ben ik nog niet — toe,*** je n'en suis pas encore là; ***het is — mij,*** c'est mon tour; ***het is — hem om dat te doen,*** c'est à lui de le faire; ***hij is er slecht — toe,*** il est bien bas, il va mal; **II** *bw.* **1** *(licht, vuur)* être allumé, brûler; **2** *(school, enz.)* avoir commencé; **3** *(boot, aangekomen)* être arrivé; ***de deur staat —,*** la porte est entrebâillée (*of* entrouverte); ***de kachel is —,*** le poêle est allumé; ***hij had een bruine overjas —,*** il portait un pardessus brun; il était vêtu d'un pardessus brun; ***doe uw overjas —,*** mets ton pardessus; ***de school is al —,*** la classe a déjà commencé; ***er is niets —,*** ce n'est pas si difficile que ça; ce n'est guère intéressant; ***er is niets van —,*** il n'en est rien, il n'y a pas un mot de vrai là-dedans; ***het is weer —,*** ils ont renoué (leurs fiançailles).
aan'aarden *ov.w.* **1** terrer, butter; **2** *(weg, enz.)* remblayer; **3** *(muur)* terrasser; **4** *(plant)* rechausser.
aan'aarding *v.* buttage; *(weg)* remblayage *m.*; *(muur)* terrassement *m.*; *(plant)* rechaussement *m.*
aan'bakken *on.w.* **1** gratiner, s'attacher au fond; **2** *(sterk vriezen)* geler ferme.
aan'baksel *o.* gratin *m.*
aan'bassen *ov. w.* **1** aboyer contre (qn.); **2** *(fig.)* engueuler, rudoyer, rabrouer (qn.).
aan'beeld, aam'beeld *o.* enclume *f.*; ***steeds op hetzelfde — slaan,*** revenir toujours sur le même chapitre, chanter toujours la même antienne.
aan'beeldje *o.* enclumeau *m.*, enclumette *f.*
aan'beeldsblok *o.* billot *m.*
aan'belanden *on.w.* arriver, aborder; *zie ook:* ***belanden.***
aan'belang *o.* importance *f.*; *zie ook:* ***belang.***
aan'belangen *on.w.* concerner, regarder, toucher, importer; ***wat mij —t,*** quant à moi.
aan'bellen *on.w.* sonner, tirer la sonnette.
aan'benen *on.w.* presser le pas, marcher vite.
aan'besteden *ov.w.* mettre en adjudication.
aan'besteder *m.* adjudicateur *m.*
aan'besteding *v.* adjudication *f.*; marche *m.* à forfait; ***— bij inschrijving,*** adjudication par soumission; ***— met gesloten omslag,*** adjudication sur soumissions cachetées; ***bij —,*** par voie d'adjudication, à forfait.
aan'bevelen I *ov.w.* recommander; ***ik houd mij aanbevolen*** je me recommande; **II** *w.w.* ***zich —,*** se recommander.
aanbevelenswaar'd(ig) *b.n.* recommandable.
aan'beveling *v.* recommandation *f.*; ***op — van,*** à la recommandation de; ***dat heeft geen — nodig,*** cela se recommande tout seul; ***het verdient — om,*** il importe de, on fera bien de.
aan'bevelingsbrief *m.* lettre *f.* de recommandation.
aanbid'delijk I *b.n.* adorable; **II** *bw.* adorablement.
aanbid'delijkheid *v.* qualités *f.pl.* adorables.
aanbid'den *ov.w.* adorer.
aanbid'der *m.* adorateur *m.*
aanbid'ding *v.* adoration *f.*; ***in — neerzinken,*** tomber en adoration (devant).
aan'bieden I *ov.w.* **1** *(diensten, enz.)* offrir; **2** *(geld, voordelen, enz.)* présenter; **3** *(voorstellen; rege-*

ling) proposer; **4** (*telegram*) déposer; **II** *w.w.* ***zich* —,** s'offrir, se présenter; ***iem. een betrekking* —,** offrir un emploi à qn.; **— *ter acceptatie,*** présenter à l'acceptation; ***ter betaling* —,** présenter au paiement; ***te koop* —,** mettre en vente.

aan'bieder *m.* qui offre, qui présente; (*H.*) présentateur *m.*

aan'bieding *v.* **1** (*diensten*) offre *f.*; **2** (*voorstel, regeling*) proposition *f.*; **3** (*H.*; *geld etc.*) présentation *f.*; **4** (*telegram*) dépôt *m.*; ***nieuwe* —*en doen,*** faire des offres nouvelles; ***een speciale* —,** une offre spéciale; **—*en per brief,*** propositions par lettre; ***men heeft ons* —*en gedaan,*** on nous a fait des propositions (*of* des avances).

aan'biedingsprijs *m.* offre *f.*

aan'bijten I *on.w.* mordre (à l'hameçon); **II** *ov.w.* mordre à; ***aangebeten,*** entamé (d'un coup de dent).

aan'binden *ov.w.* **1** lier, attacher; **2** (*schaatsen*) mettre, chausser; ***de strijd* —,** engager le combat; ***de kat de bel* —,** attacher le grelot.

aan'blaffen *ov.w.* **1** aboyer contre (qn.); **2** (*fig.*) engueuler, rudoyer (qn.).

aan'blazen *ov.w.* **1** souffler, activer en soufflant; **2** (*fig.: onenigheid, tweedracht*) souffler; **3** (*hartstochten*) exciter, attiser; ***aangeblazen h,*** h aspiré(e).

aan'blazer *m.* excitateur, boutefeu *m.*

aan'blazing *v.* **1** (*v. letter*) aspiration *f.*; **2** (*fig.*) instigation; inspiration *f.*

aan'blijven *on.w.* **1** (*in betrekking*) rester, ne pas démissionner; **2** (*v. ambtenaar of minister*) rester au pouvoir, rester aux affaires; **3** (*ministerie*) demeurer en place; **4** (*v.vuur*) ne pas s'éteindre; ***de deur moet* —,** il faut que la porte reste entrouverte; ***de lamp moet* —,** la lampe doit rester allumée, il ne faut pas que la lampe s'éteigne.

aan'blik *m.* aspect *m.*, vue *f.*, spectacle *m.*; ***bij de eerste* —,** à (la) première vue, de prime abord.

aan'blikken *ov.w.* regarder, jeter les regards (*of* les yeux) sur.

aan'bod *o.* **1** (*voorstel*) proposition *f.*; **2** (*aanbieding*) offre *f.*; ***vast* —,** (*H.*) offre ferme; ***vrijblijvend* —,** (*H.*) offre sans engagement, sans obligation; ***een* — *doen,*** faire une offre.

aan'bonzen (*tegen*) *on.w.* heurter (*of* donner) contre.

aan'boren *ov.w.* **1** (*petroleum, enz.*) toucher, rencontrer; **2** (*terrein*) forer, mettre en forage; **3** (*v. kaas*) sonder.

aan'botsen *on.w.* heurter contre, donner —, choquer; ***tegen elkaar* —,** se heurter, s'entrechoquer.

aan'bouw *m.* **1** (*het bouwen*) construction *f.*; **2** (*v. gewassen*) culture *f.*; ***in* —,** en (voie de) construction.

aan'bouwen *ov.w.* construire, bâtir; **— *bij,*** ajouter à; **— *tegen*** appuyer (contre); (*v. gewassen*) cultiver.

aan'branden I *on.w.* **1** brûler; **2** (*vuur vatten*) prendre feu; **II** *ov.w.* (*v. kaars*) entamer; ***aangebrand ruiken,*** sentir le brûlé; ***aangebrand smaken,*** avoir un goût de brûlé.

aan'breien I *ov.w.* **1** enter; **2** (*voet v. kous*) rempiéter; **II** *on.w.* (*vlugger breien*) dépêcher le tricotage.

aan'breisel *o.* pièce *f.* entée, allonge *f.*

aan'breken I *on.w.* commencer à poindre (*of* à paraître); **II** *ov.w.*, (*brood, fles, enz.*) entamer; **III** *z.n.* ***bij het* — *van de dag,*** à la pointe (*of* au point) du jour; ***bij het* — *van de nacht,*** à la nuit tombante; ***het* — *van de vrijheid,*** l'aurore de la liberté; ***een nieuw vat* —,** percer un nouveau tonneau, entamer —; ***zijn kapitaal* —,** entamer son capital.

aan'breng *m.* (*bij huwelijk*) apport *m.*

aan'brengen I *ov.w.* **1** (*brengen*) apporter, amener; ***een kapitaal van 50.000 fr.* —,** verser un capital de 50.000 frs. **2** (*maken: weg, opening*) pratiquer; (*versiering, ornament*) placer; (*verandering*) opérer, apporter; **3** (*geven: geluk*) porter; (*ongeluk*) causer; (*voordeel*) donner; **4** (*verklikken*) dénoncer, rapporter; **5** (*werven*) recruter, embaucher; **6** (*v. verwarming, verlichting*) installer; **II** *z.n.* ***het* —,** (*met karren, per as*) le charriage.

aan'brenger *m.* rapporteur, dénonciateur, délateur *m.*

aan'brenging *v.* dénonciation *f.*

aan'brengkantoor *o.* agence *f.* de factage.

aan'brengpremie *v.* prime *f.* de recrutement, — d'embauchage.

aan'brengst *v.* (*bij huwelijk*) apport *m.*; dot *f.*

aan'bruisen *on.w.* (*aanrollen v. golven*) se déferler; ***komen* —,** arriver en mugissant, s'avancer avec bruit.

aan'dacht *v.*(*m.*) **1** attention *f.*; **2** (*ijver, oplettendheid*) application *f.*; **3** (*godsvrucht*) dévotion *f.*, recueillement *m.*; ***de* — *vestigen op,*** attirer l'attention à, sur; appeler l'attention sur; ***iemands* — *afleiden,*** détourner l'attention de qn.; distraire qn.; ***met* —,** avec attention, attentivement; ***zijn* — *wijden aan,*** vouer son attention à.

aandach'tig I *b.n.* attentif, appliqué; **II** *bw.* attentivement.

aan'dachtsstreep *v.*(*m.*) tiret *m.*

aan'deel *o.* **1** (*deel*) part, portion *f.*; quote*-part* *f.*; (*bijdrage*) contingent *m.*; **2** (*in handelszaak*) action *f.*; ***volgestort* —,** action libérée; **3** (*in winst*) part (participation) *f.* aux bénéfices, dividende *m.*; **— *hebben in,*** avoir part à, participer à; **— *nemen in iemands droefheid,*** prendre part à la douleur de qn.; ***een werkzaam* — *nemen in,*** prendre une part active à; (*H.*) **— *aan toonder,*** action au porteur; **— *op naam,*** action nominative; ***preferent* —,** action de priorité, — privilégiée; ***verzekerde met* — *in de winst,*** assuré *m.* participant.

aan'deelbewijs *o.* (*H.*) action *f.*, titre *m.*

aan'deelhebber *m.* participant; copartageant *m.*

aan'deelhouder *m.* actionnaire *m.*

aan'delenkapitaal *o.* (*H.*) capital*-actions *m.*

aan'denken *o.* **1** souvenir *m.*; mémoire *f.*; **2** (*voorwerp*) souvenir *m.*

aan'dienen *ov.w.* annoncer (qn.).

aan'dijken *ov.w.* **1** endiguer; **2** (*door een dijk verbinden*) relier par une digue.

aan'dikken *ov.w.* **1** grossir, renforcer; **2** (*fig.*) (*de trekken*) charger, forcer; (*een feit*) souligner; (*gezegden, met gebaren, enz.*) ponctuer.

aan'dikking *v.* **1** grossissement *m.*; **2** (*fig.*) soulignement *m.*; accentuation *f.*

aan'doen I *ov.w.* **1** (*kleren*) mettre; **2** (*veroorzaken: vreugde*) causer; (*leed, eer*) faire; **3** (*treffen, ontroeren*) émouvoir, émotionner, toucher, attendrir; **4** (*werken op, aanpakken*) affecter; **5** (*v. trein, boot*) s'arrêter à; toucher à, relâcher dans (un port); faire escale à; **6** (*'t licht*) donner l'électricité, tourner le commutateur; ***aangenaam* —,** donner une sensation agréable; ***het oor aangenaam* —,** flatter l'oreille; ***pijnlijk* —,** faire de la peine; ***iemand een proces* —,** intenter un procès à qn.; ***iem. overlast* —,** incommoder qn.; **II** *w.w.* ***zich geweld* —,** se faire violence, se contraindre.

aan'doening *v.* **1** (*gevoel*) sensation *f.*; sentiment *m.*; **2** (*ontroering*) émotion *f.*, attendrissement *m.*; **3** (*gen.*) affection *f.*; ***van* —,** sous le coup de l'émotion.

aandoen'lijk I *b.n.* **1** (*verhaal*) touchant, attendrissant; **2** (*persoon*) impressionnable; sensible, délicat; **II** *bw.* d'une manière touchante.

aandoen'lijkheid *v.* **1** (*v. verhaal*) le pathétique, le caractère émouvant; **2** (*v. persoon*) sensibilité *f.*, délicatesse *f.*, impressionnabilité *f.*

aan'draaien *ov.w.* (*schroef*) tourner, serrer; ***het***

licht* —,** tourner le bouton (de l'électricité), tourner le commutateur; (*fig.*) *zie* ***aansmeren.
aan'dragen *ov.w.* **1** (*aanbrengen*) apporter; **2** (*verklikken*) rapporter, dénoncer.
aan'drang *m.* **1** (*het aandringen*) instance(s), vive sollicitation *f.*; (*opwelling, aansporing*) impulsion *f.*; **2** (*toeloop, gedrang*) foule *f.*, presse *f.*; **3** (*v. bloed*) afflux *m.* (de sang), congestion *f.*; ***met* —,** avec instance, instamment; ***op* — *van,*** sur les instances de; ***uit eigen* —,** de son propre mouvement.
aan'draven *on.w.* ***komen* —,** arriver en trottant; arriver à toute vitesse.
aan'drentelen *on.w.* ***komen* —,** s'approcher lentement (*of* à petits pas), — en flânant.
aan'drift *v.*(*m.*) **1** (*sterke opwekking*) impulsion *f.*; **2** (*ingeboren*) instinct *m.*; **3** (*neiging*) penchant *m.*; **4** (*innerlijke bezieling*) inspiration *f.*
aan'drijven I *ov.w.* **1** (*aansporen*) pousser, presser, inciter, animer; **2** (*spijker*) chasser, enfoncer; **II** *on.w.* ***komen* —,** flotter, arriver en flottant.
aan'drijver *m.* instigateur *m.*
aan'drijving *v.* **1** mise *f.* en marche; propulsion *f.*; **2** (*fig.*) instigation *f.*
aan'dringen I *on.w.* presser; ***op betaling* —,** presser le payement; ***op iets* —,** insister sur qc.; ***bij iemand op iets* —,** insister auprès de qn., presser qn. de faire qc.; ***op maatregelen* —,** réclamer des mesures; **II** *z.n.o.* instance *f.*; ***op* — *van,*** sur les instances de.
aan'druisen *on.w.* heurter violemment, se briser contre.
aan'drukken *ov.w.* presser, serrer (sur son cœur, contre soi); ***zich tegen de muur* —,** se serrer contre le mur.
aan'duiden *ov.w.* **1** indiquer, désigner; **2** (*wijzen op*) marquer, dénoter
aan'duiding *v.* indication *f.*; désignation *f.*; ***een nadere* — *geven,*** préciser.
aan'durven *ov.w.* **1** oser entreprendre; **2** (*een vijand*) oser attaquer; ***iemand* —,** oser tenir tête à qn.; ***hij durft alles aan,*** il ne doute de rien; ***hij durft die taak niet aan,*** il recule devant cette tâche.
aan'duwen *ov.w.* pousser.
aan'dweilen *ov.w.* donner un coup de torchon (à), nettoyer au torchon.
aaneen' *bw.* **1** (*achtereenvolgens*) de suite; **2** (*samen*) ensemble; ***uren* —,** pendant des heures (entières); ***dicht* — *staan,*** être serrés.
aaneen'binden *ov.w.* lier ensemble, attacher —.
aaneen'flansen *ov.w.* **1** réunir, attacher à la hâte; **2** (*genaaid*) coudre (ensemble) à la hâte.
aaneen'geschakeld *b.n.* **1** (*v. tekst*) suivi; **2** (*v. verhaal*) suivi, coordonné; **3** (*v. zinnen*) copulatif; **4** (*v. reeks, evenredigheid*) continu; **5** (*ononderbroken*) ininterrompu.
aaneen'gesloten *b.n.* serré; compact.
aaneen'grenzen *on.w.* être contigu; — attenant.
aaneen'groeien *on.w.* se joindre, se souder.
aaneen'haken *ov.w.* accrocher, attacher (ensemble).
aaneen'hangen *on.w.* tenir ensemble; ***hij hangt van leugens aaneen,*** il ment comme un arracheur de dents; ***het hangt van leugens aaneen,*** ce ne sont que des mensonges.
aaneen'hechten I *ov.w.* **1** joindre, attacher; coller; **2** (*gen.: wond*) suturer; **II** *w.w.* ***zich* —,** se lier.
aaneen'hechting *v.* **1** (*tn.*) soudure *f.*; **2** (*gen.*) suture *f.*
aaneen'ketenen *ov.w.* enchaîner, lier (*of* attacher) avec des chaînes.
aaneen'kleven *on.w.* (se) coller ensemble.
aaneen'klinken *ov.w.* river.
aaneen'knopen *ov.w.* nouer ensemble.
aaneen'koppelen *ov.w.* **1** (*honden*) coupler, accoupler; **2** (*hout*) jumeler.
aaneen'lassen *ov.w.* joindre.
aaneen'leggen *ov.w.* rapprocher; mettre bout à bout.
aaneen'lijmen *ov.w.* coller (ensemble).
aaneen'naaien *ov.w.* coudre ensemble.
aaneen'plakken I *ov.w.* coller ensemble; **II** *on.w.* coller ensemble, se coller.
aaneen'rijgen *ov.w.* **1** (*stoffen*) faufiler; **2** (*paarlen aan snoer*) enfiler; **3** (*fig.*) (*redevoering*) enfiler.
aaneen'schakelen *ov.w.* enchaîner, joindre, attacher l'un à l'autre.
aaneen'schakelend *b.n.* (*gram.*) copulatif.
aaneen'schakeling *v.* **1** enchaînement *m.*; jonction *f.*; **2** (*fig.*) suite, série *f.*; théorie *f.*
aaneen'schrijven *ov.w.* écrire en un mot.
aaneen'sluiten I *ov.w.* **1** joindre, réunir; **2** (*rijen*) serrer; **II** *w.w.* ***zich* —,** (*fig.*) s'unir, serrer les rangs, se solidariser; **III** *on.w.* joindre.
aaneen'smeden *ov.w.* forger ensemble, souder.
aaneen'snoeren *ov.w.* serrer fortement.
aaneen'solde'ren *ov.w.* souder (ensemble).
aaneen'spijkeren *ov.w.* clouer (ensemble).
aaneen'vlechten *ov.w.* tresser.
aaneen'voegen *ov.w.* **1** joindre, réunir; **2** (*planken*) assembler.
aan'fluiting *v.* risée *f.*, objet *m.* de risée.
aan'fok *m.* élevage, nourrissage *m.*
aan'fokken *ov.w.* élever, nourrir.
aan'fokker *m.* éleveur *m.*
aan'gaan I *on.w.* **1** (*vuur, enz.*) s'allumer, prendre feu; **2** (*beginnen*) commencer; **3** (*leven maken*) faire du tapage; (*razen, kijven*) fulminer, tempêter; ***dat gaat niet aan,*** cela ne convient pas; ***bij iemand* —,** passer chez qn.; **II** *ov.w.* **1** (*sluiten*) faire, conclure, contracter; ***een vennootschap* —,** s'associer; constituer une société de commerce; ***een lening* —,** contracter un emprunt; **2** (*betreffen*) concerner, regarder, toucher; ***dat gaat u niet aan,*** cela ne vous regarde pas; ***wat gaat het mij aan?*** que m'importe? ***wat... aangaat,*** quant à...; ***een huwelijk* —,** se marier, contracter mariage.
aangaan'de *vz.* concernant, touchant, au sujet de, pour ce qui est de, quant à.
aan'galoppe'ren *on.w.* ***komen* —,** arriver au galop.
aan'gapen *ov.w.* **1** regarder bouche béante, — bouche bée; **2** (*v. afgrond*) s'ouvrir (devant qn.), menacer d'engloutir.
aangebe'dene *m.-v.* bien-aimée, adorée *f.*
aan'geblazen *b.n.* (*letter*) aspiré(e).
aan'gebonden *b.n.* ***kort* — *zijn,*** avoir la tête près du bonnet.
aan'geboren *b.n.* **1** inné, naturel, infus, originel; **2** (*v. ziekte*) congénital.
aan'gebrand *b.n.* brûlé; **— *smaken, ruiken,*** goûter, sentir le brûlé.
aan'gebreid *b.n.* enté, allongé.
aan'gebroken *b.n.* entamé.
aan'gedaan *b.n.* **1** (*ontroerd*) ému, touché, attendri; **2** (*aangetast*) affecté.
aan'gehuwd *b.n.* par alliance.
aan'geklaagde *m.-v.* accusé(e), prévenu(e) *m.* (*f.*).
aan'gekleed *b.n.* habillé, (bien) mis.
aan'gekomen *b.n.* arrivé; ***de nieuw*** (*of* ***pas***) ***aangekomene,*** le nouvel (*of* frais) arrivé, le nouveau venu.
aan'geleerd *b.n.* appris, étudié; d'emprunt, emprunté.
aan'gelegd *b.n.* construit, aménagé.
aan'gelegen 1 (*aangrenzend*) adjacent, attenant; **2** (*van belang*) important; ***zich iets* — *laten zijn,*** prendre qc. à cœur.
aangele'genheid *v.* **1** (*zaak*) affaire; circonstance *f.*; **2** (*belang*) importance *f.*

aan'genaam I *b.n.* agréable; charmant; ***het is hier —,*** il fait bon ici; ***— kennis te maken,*** enchanté (*of* charmé) de faire votre connaissance; ***het aangename,*** l'agréable; **II** *bw.* agréablement.

aan'genaamheid *v.* agrément *m.*

aan'genomen I *b.n.* **1** (*kind*) adoptif; **2** (*werk*) à forfait; **3** (*naam*) d'emprunt; ***— naam,*** nom de plume, pseudonyme; **II** *vw.* ***— dat,*** supposé que (*met Subj.*).

aan'geschoten *b.n.* **1** (*getroffen*) blessé; **2** (*dronken*) pris de vin; entre deux vins, enluminé, éméché.

aan'geschreven *b.n.* ***goed*** (***slecht***) ***— staan,*** avoir bonne (mauvaise) presse; être bien (mal) vu (de), — bien (mal) noté.

aan'geslagene *m.* imposé *m.*; ***de hoogst —n,*** les plus haut cotés.

aan'gesloten I *b.n.* **1** (*bij telefoon*) abonné; **2** (*bij maatschappij, enz.*) affilié; **3** (*werkman*) syndiqué; **II** *z.n.* ***aangeslotene*** **1** (*bij telefoon*) abonné *m.*; **2** (*bij bond*) syndiqué *m.*

aan'gesneden *b.n.* entamé. [boucle.

aan'gespen *ov.w.* boucler, attacher avec une

aan'gespoeld *b.n.* rejeté sur la côte.

aan'gesprokene *m.* interpellé, interlocuteur *m.*

aan'gestoken *b.n.* **1** (*vat*) en perce; **2** (*vrucht*) entiché; **3** (*tand*) carié.

aan'getekend I *b.n.* recommandé; **II** *bw.* sous pli recommandé, par poste recommandée.

aan'getrouwd *b.n.* par alliance.

aan'geven I *ov. w.* **1** (*aanreiken*) passer; **2** (*aanduiden*) indiquer, nommer; **3** (*bij douane*) déclarer; **4** (*bij politie*) dénoncer; **5** (*bij burg. stand*) faire inscrire, déclarer; **6** (*v. middel, gedachte*) suggérer; **7** (*scheik.*) signaler, indiquer; ***de toon —,*** donner le ton; ***op de kaart —,*** marquer sur la carte; ***zijn bagage —,*** faire enregistrer ses bagages; ***aangegeven waarde,*** valeur déclarée; **II** *w.w.* ***zich —,*** **1** (*bij politie*) se dénoncer, se constituer prisonnier; **2** (*voor 't leger of examen*) se présenter, se faire inscrire.

aan'gever *m.* **1** déclarateur, celui qui déclare, etc.; **2** dénonciateur *m.*

aan'gewezen *b.n.* indiqué; ***ambtshalve —,*** désigné d'office; ***de — persoon,*** la personne tout indiquée; ***op eigen krachten —,*** réduit à ses propres ressources, à ses seuls moyens.

aan'gezet *b.n.* **1** (*v. mes*) affilé; **2** (*aangebrand*) un peu brûlé; **3** (*vervalst*) frelaté; viné.

aan'gezicht *o.* visage *m.*, face, figure *f.*; ***in 't — zeggen,*** dire en (pleine) face; ***in 't — slaan,*** frapper au visage; ***van — kennen,*** connaître de vue; ***van — tot —,*** face à face.

aan'gezichtspijn *v.*(*m.*) névralgie *f.* faciale.

aangezien' *vw.* vu que, attendu que, puisque.

aan'gifte *v.* **1** (*bij douane, belasting*) déclaration *f.*; **2** (*bij gerecht*) dénonciation *f.*; **3** (*voor examen*) inscription *f.*; ***— doen,*** *zie* ***aangeven.***

aan'giftebiljet *o.* feuille *f.* de déclaration.

aan'glijden *on.w.* ***komen —,*** s'approcher en glissant, arriver —; ***— tegen,*** glisser contre.

aan'gloeien *on.w.* prendre feu, s'embraser.

aan'gluren *ov.w.* regarder à la dérobée.

aan'gooien *on.w.* (*v. kledingstuk*) enfiler.

aan'gorden *on.w.* ceindre.

aangren'zend *b.n.* contigu, attenant, adjacent, avoisinant, limitrophe. [grimace à.

aan'grijnzen *ov.w.* regarder en ricanant, faire la

aan'grijpen *ov.w.* **1** saisir; prendre; empoigner; **2** (*aanvallen*) attaquer, assaillir; **3** (*ontroeren*) émouvoir, impressionner, saisir; ***de gelegenheid —,*** saisir l'occasion. [sionnant.

aangrij'pend *b.n.* émouvant, saisissant, impres-

aan'grijpingspunt *o.* **1** (*tn.*) point *m.* d'application; **2** (*mil.*) point *m.* d'attaque.

aan'groei *m.* accroissement *m.*, augmentation *f.*

aan'groeien *on.w.* **1** (s')accroître, (s')augmenter; **2** grandir; grossir; ***weer —,*** repousser.

aan'groeiing *v.* **1** accroissement *m.*, augmentation *f.*; **2** (*gen.*) végétation, incrustation *f.*

aan'haken I *ov.w.* **1** accrocher; **2** (*wagon: aankoppelen*) atteler; **II** *zn.* ***het —,*** l'accrochement *m.*

aan'halen I *ov.w.* **1** (*dichter bij*) attirer; **2** (*nauwer —*) serrer, resserrer; **3** (*woorden, schrijver*) citer; (*tekst*) rapporter; **4** (*in beslag nemen*) saisir; **5** (*vleien*) cajoler, câliner; **II** *on.w.* rapprocher.

aanha'lig *b.n.* câlin, caressant, cajoleur.

aanha'ligheid *v.* câlinerie, cajolerie *f.*

aan'haling *v.* **1** (*v. woord, schrijver*) citation *f.*; **2** (*inbeslagneming*) saisie *f.*

aan'halingstekens *mv.* guillemets *m.pl.*; ***tussen — plaatsen,*** guillemeter, mettre entre guillemets.

aan'hang *m.* parti *m.*, faction *f.*; (*kliek*) coterie *f.*; clan *m.*; ***politieke —,*** clientèle *f.*; ***zijn aanhang (aanhangers),*** ses adhérents, ses partisans, ses affiliés.

aan'hangen *ov.w.* **1** (*iets*) suspendre, accrocher (qc. à); **2** (*een mening*) adhérer, s'attacher à; **3** (*iemand*) être attaché à, être du parti de.

aan'hanger *m.* adhérent, partisan, sectateur, adepte *m.*

aanhan'gig *b.n.* ***een zaak — maken,*** (*bij rechtbank*) saisir le tribunal d'une affaire, intenter une action contre qn.; ***— zijn,*** être pendant, être en instance.

aan'hangmotor *m.* moteur *m.* hors bord; propulseur *m.* amovible.

aan'hangsel *o.* **1** appendice, supplément *m.*; **2** (*v. testament*) codicille *m.*; **3** (*v. polis*) avenant *m.*

aan'hangwagen *m.* (voiture *f.* de) remorque, baladeuse *f.*

aanhan'kelijk *b.n.* dévoué, attaché. [*m.*

aanhan'kelijkheid *v.* attachement, dévouement

aan'harken *ov.w.* râteler, donner un coup de râteau.

aan'hebben *ov.w.* (*v. kleren*) porter, avoir (sur le corps, sur le dos); ***hij heeft zijn overjas aan,*** il a mis son pardessus; ***wij hebben de kachel al aan,*** nous avons déjà allumé le poêle; ***een roes —,*** avoir son plumet, avoir une cuite.

aan'hechten *ov.w.* **1** attacher; **2** (*land*) annexer.

aan'hechting *v.* **1** jonction, réunion *f.*; **2** annexion *f.*

aan'hechtingspunt *o.* point *m.* d'attache; soudure *f.*; (*fig.*) point *m.* de départ.

aan'hef *m.* **1** (*boek, gedicht*) commencement, début *m.*; **2** (*rede*) exorde *m.*; **3** (*muz.*) intonation *f.*; **4** (*brief*) vedette *f.*

aan'heffen *ov.w.* **1** (*rede*) commencer; **2** (*lied*) entonner; **3** (*kreet*) jeter, lancer.

aan'hitsen *ov.w.* **1** exciter, inciter, pousser; **2** (*hond*) agacer; ***— tegen,*** exciter contre. [*m.*

aan'hitser *m.* instigateur, boutefeu, provocateur

aan'hitsing *v.* incitation, excitation, instigation *f.*

aan'hogen *ov.w.* rehausser. [courant.

aan'hollen *on.w.* ***komen —,*** accourir, arriver en

aan'horen *ov.w.* écouter, entendre, prêter l'oreille à; ***ten aanho'ren van,*** en présence de, devant.

aanho'rig *b.n.* appartenant à, dépendant de.

aanho'righeid *v.* dépendance *f.*; annexe *f.*

aan'houden I *ov.w.* **1** (*gevangen nemen*) arrêter, mettre en état d'arrestation; (*in beslag nemen*) saisir; **2** (*niet uittrekken*) garder, ne pas quitter; **3** (*licht, vuur*) laisser brûler, entretenir; **4** (*niet afbreken*) prolonger, filer; **5** (*beslissing*) réserver;

(*zaak*) ajourner; **II** *on.w.* **1** (*niet ophouden*) continuer; **2** (*koorts, ziekte*) persister, persévérer; **3** (*aandringen*) insister (auprès de qn. pour); ***— op,*** (*sch.*) mettre le cap sur; **III** *onp.w.* ***het houdt aan met regenen,*** il continue à pleuvoir, il ne cesse de pleuvoir.
aanhou'dend I *b.n.* continuel; persistant, ininterrompu, constant; **II** *bw.* continuellement, constamment, sans cesse.
aan'houder *m.* qui persiste, qui persévère; ***de — wint,*** la persévérance vient à bout de tout, patience passe science. [(*goederen*) saisie *f.*
aan'houding *v.* **1** (*persoon*) arrestation *f.*; **2**
aan'houdingsbevel *o.* (*Z.N.*) mandat *m.* d'arrêt.
aan'houdingspremie *v.* prime *f.* à l'arrestation.
aan'huwing *v.* alliance *f.* par mariage.
aan'jagen *ov.w.* presser, faire aller plus vite; ***schrik —,*** faire peur, terrifier; ***vrees —,*** intimider.
aan'kap *m.* (*v. bos*) coupe *f.*
aan'kappen *ov.w.* couper, abattre.
aan'kijken I *ov.w.* regarder; ***strak —,*** dévisager; ***met schele ogen —,*** porter envie à, jeter un regard d'envie sur; **II** *w.w.* ***elkaar —,*** se regarder, s'entre-regarder.
aan'klacht *v.*(*m.*) accusation, inculpation *f.*; ***een — indienen,*** porter plainte, déposer une plainte; ***zijn — intrekken,*** retirer sa plainte.
aan'klagen *ov.w.* accuser, dénoncer. [*m.*
aan'klager *m.* accusateur, plaignant; dénonciateur
aan'klampen *ov.w.* **1** (*schip*) aborder; **2** (*persoon*) accoster, aborder.
aan'kleden I *ov.w.* habiller; **II** *w.w.* ***zich —,*** s'habiller, faire sa toilette; ***een kamer —,*** garnir, meubler une chambre.
aan'kleding *v.* **1** habillement *m.*; **2** (*v. boek*) présentation *f.*; **3** (*v. stuk*) mise *f.* en scène.
aan'kleef *m.* *in:* ***met al den aankleve van dien,*** avec tout ce qui s'y rapporte, et toute la séquelle.
aan'kleven *ov.w. en on.w.* coller (à); adhérer (à).
aan'kloppen *on.w.* frapper (à la porte); ***bij iemand —,*** s'adresser à qn., avoir recours à qn.; ***om geld —,*** demander de l'argent.
aan'knopen *ov. w.* **1** nouer, lier; **2** (*gesprek, onderhandelingen*) entamer, engager; ***een briefwisseling —,*** entrer en correspondance; ***er een weekje bij —,*** rester une huitaine de plus.
aan'knopingspunt *o.* **1** point *m.* de contact; **2** (*gesprek*) point *m.* de départ.
aan'koeken *on.w.* s'encroûter.
aan'komeling *m.* **1** (*eig.*) nouveau venu *m.*; **2** (*fig.*) novice, apprenti, néophyte *m.*
aan'komen *on.w.* **1** (*ergens*) arriver; ***ter bestemder plaatse —,*** arriver à destination; **2** (*raak zijn*) porter; **3** (*aanraken*) toucher (à); **4** (*in gewicht toenemen*) engraisser, gagner (en poids); ***het laten — op,*** s'en rapporter à, s'en remettre à, confier (*of* remettre) (l'affaire) à; ***dat heb ik zien aankomen,*** je l'avais prévu, je m'y attendais; ***de slag is goed aangekomen,*** le coup a porté; ***ze zullen hem zien —,*** on le verra venir, on lui fera un bel accueil; ***dat zal op zijn zak —,*** c'est lui qui payera les pots cassés, cela lui coûtera cher; ***hoe bent u aan dat geld gekomen?*** d'où vous est venu cet argent? ***het komt hier op geld aan,*** c'est de l'argent qu'il faut (ici), c'est une question d'argent; ***het komt er bij hem zo nauw niet op aan,*** il n'y regarde pas de si près; ***wat komt het erop aan?*** qu'importe? ***daar is geen — aan,*** **1** impossible de se le procurer; **2** c'est hors de prix, c'est d'un prix inabordable, cela coûte les yeux de la tête; ***het komt er op aan...,*** il importe, il s'agit de...; ***het komt er niet op aan,*** cela n'a aucune importance; ***— tegen,*** donner, heurter contre.
aan'komend *b.n.* **1** (*jong*) jeune, débutant; **2** (*toekomstig*) prochain, futur; **3** (*in vak*) apprenti; **4** (*v. talent, dageraad*) naissant; ***een — schilder,*** un peintre en herbe. [arrivage *m.*
aan'komst *v.* **1** (*personen*) arrivée *f.*; **2** (*schepen*)
aan'kondigen *ov.w.* **1** annoncer, publier, faire savoir; **2** (*officieel*) notifier.
aan'kondiger *m.* **1** celui qui annonce, annonceur, messager *m.*; **2** (*voorbode*) avant-coureur, précurseur *m.*
aan'kondiging *v.* **1** (*in dagbladen*) annonce *f.*; **2** (*v. huwelijk*) publication *f.*; **3** (*officieel*) notification. *f.*; **4** lettre *f.* de faire part; ***tot nadere —,*** jusqu'à nouvel ordre.
aan'koop *m.* achat *m.*, acquisition *f.*
aan'koopsom *v.* prix *m.* d'achat.
aan'kopen *ov.w.* acheter, acquérir.
aan'koper *m.* acheteur, acquéreur *m.*
aan'koppelen *ov.w.* **1** accoupler, apparier; **2** (*v. wagon*) atteler; **3** (*tn.*) embrayer; **4** (*el.*) brancher.
aan'koppeling *v.* **1** accouplement *m.* **2** (*v. wagon*) attelage *m.*; **3** (*tn.*) embrayage *m.*
aan'krijgen *ov.w.* **I** (*v. kleren*) parvenir à mettre, pouvoir mettre; **2** (*v. vuur*) parvenir à allumer; **3** (*v. waren*) recevoir. [te.
aan'kruien *ov.w.* charrier, apporter en brouet-
aan'kuieren *on.w.* ***komen —,*** s'approcher à pas lents.
aan'kunnen *ov.w.* **1** (*werk*) pouvoir faire, — exécuter; **2** (*persoon*) être plus fort que, pouvoir se mesurer avec; valoir; **3** (*kleren*) pouvoir mettre; ***op iemand —,*** pouvoir se fier à qn.; ***veel geld —,*** être très dépensier, faire de grandes dépenses.
aan'kweek *m.* culture *f.*
aan'kweken *ov.w.* cultiver, développer.
aan'kweking *v.* culture, développement *f.*
aan'landen *on.w.* aborder; arriver (au port); ***hij is veilig aangeland,*** il est arrivé à bon port; ***weet u waar hij is aangeland?*** savez-vous ce qu'il est devenu? — où il a échoué?
aan'landing *v.* **1** arrivée *f.*; **2** abordage *m.*
aan'langen *ov. w.* passer, donner.
aan'laten *ov.w.* **1** (*kleren*) ne pas ôter, ne pas quitter, garder; **2** (*vuur, licht*) ne pas éteindre; **3** (*deur*) laisser entrouverte.
aan'leg *m.* **1** (*voornemen*) intention *f.*; projet, dessein *m.*; **2** (*geschiktheid*) disposition, aptitude *f.*; (*gen.*) prédisposition *f.*; **3** (*bouw: brug, spoor*) construction *f.*; (*v. tuin*) plantation *f.*; (*gas*) pose *f.*; (*elektr.*) installation *f.*; **4** (*wijze v. aanleggen*) disposition *f.*; **5** (*plantsoen*) parc *m.*; ***in —*** en voie de construction; ***— hebben voor muziek,*** avoir des dispositions musicales, avoir des dispositions naturelles pour la musique, être doué pour —; ***rechtbank van eerste —,*** tribunal *m.* de première instance.
aan'leggen I *ov.w.* **1** (*aanbrengen: leiding van gas, enz.*) poser; **2** (*maken: weg, brug, enz.*) construire; (*kanaal*) creuser; (*tuin*) planter; (*vuur*) faire; ***hoe het aan te leggen?*** comment s'y prendre? ***het zuinig —,*** y regarder à la dépense; ***het rijk —,*** vivre largement; **II** *on.w.* **1** (*v. schip*) aborder, amarrer; **2** (*in herberg*) s'arrêter, faire halte; **3** (*mikken*) viser; ***leg aan!*** en joue! ***op een haas —,*** ajuster un lièvre; **III** *z.n., o.* ***het —,*** **1** (*het maken*) construction *f.*; établissement *m.*; **2** (*v. schip*) amarrage, accostage *m.*
aan'legger *m.* **1** auteur *m.*; **2** constructeur, entrepreneur *m.*; **3** (*bij rechtbank*) demandeur *m.*; **4** (*v. feest*) organisateur *m.*; **5** (*aanstoker*) fauteur, instigateur *m.*

aan'leghaven *v.(m.)* port *m.* d'escale.
aan'legplaats *v.(m.)* débarcadère *m.*
aan'legsteiger *m.* appontement, débarcadère *m.*
aan'leidend *b.n., in:* ***—e oorzaak,*** cause *f.* motrice, cause occasionnelle.
aan'leiding *v.* occasion *f.*, sujet, lieu *m.*; motif *m.*; ***— geven tot,*** donner lieu à, donner sujet de; ***naar — van,*** à propos de, à l'occasion de; comme suite à, à la suite de; ***naar — van uw advertentie,*** en me référant à votre annonce.
aan'lengen *ov.w.* **1** (*melk, wijn, enz.*) couper; **2** (*likeur*) étendre; **3** (*saus*) allonger; **4** (*verf*) délayer.
aan'lenging *v.* délayage, délayement *m.*
aan'leren I *ov.w.* apprendre; **II** *on.w.* faire des progrès.
aan'leunen *on.w.* ***— tegen,*** s'appuyer contre; ***zich iets laten —,*** se laisser dire qc.
aan'liggend *b.n.* adjacent, contigu, attenant.
aan'lijmen *ov.w.* coller (à, ensemble).
aanlok'kelijk *b.n.* attrayant, séduisant, charmant.
aanlok'kelijkheid *v.* charme(s), attrait(s) *m.(pl.)*.
aan'lokken *ov.w.* **1** allécher, attirer, séduire; **2** (*v. vogel*) amorcer. [amorce *f.*
aan'lokking *v.* **1** allèchement *m.*, séduction *f.*; **2**
aan'loksel *o.* appât *m.*, amorce *f.*
aan'loop *m.* **1** élan *m.*; **2** (*fig.*) préambule *m.*; ***een — nemen,*** prendre son élan, prendre du champ; ***veel — hebben,*** voir beaucoup de monde.
aan'loophaven *v.(m.)* (*sch.*) port *m.* de relâche.
aan'loopkosten *mv.* frais *mpl.* d'établissement.
aan'loopkrediet *o.* crédit *m.* provisoire.
aan'looptijd *m.* période *f.* d'essais.
aan'lopen *on.w.* **1** (*komen —*), accourir; **2** (*vlugger lopen*) marcher plus vite; **3** (*duren*) durer (longtemps, etc.); ***— bij,*** passer chez; ***— tegen,*** heurter contre, donner —.
aan'maak *m.* confection, fabrication *f.*; ***in — zijn,*** être en cours de fabrication.
aan'maakhout *o.* bois *m.* d'allumage.
aan'maken *ov.w.* **1** faire, confectionner; fabriquer; **2** (*bereiden: sla*) faire, fatiguer; (*verf*) préparer; **3** (*aanmengen*) délayer; **4** (*aansteken*) allumer, faire (du feu).
aan'manen *ov.w.* **1** exhorter, exciter, admonester; faire une remontrance (à); **2** sommer de payer.
aan'maning *v.* exhortation *f.*; sommation *f.*, avertissement *m.* [contre.
aan'marcheren *on.w.* (*op*) marcher sur, (*tegen*) —
aan'matigen, *zich—,* *w.w.* s'arroger (un droit); s'attribuer (le droit de).
aanma'tigend I *b.n.* arrogant, insolent; **II** *bw.* avec arrogance.
aan'matiging *v.* arrogance, suffisance *f.*
aan'melden I *ov.w.* annoncer; **II** *w.w.* ***zich —,*** **1** (*bij iemand, voor betrekking*) se présenter; **2** (*bij gerecht*) se constituer prisonnier; **3** (*voor examen*) se faire inscrire.
aan'melding *v.* (*voor examen*) inscription *f.*
aan'mengen *ov.w.* **1** délayer, détremper; **2** (*v. kalk*) gâcher; **3** (*v. sla*) assaisonner, préparer; **4** (*v. kleuren*) broyer.
aan'menging *v.* **1** délayage *m.*; **2** (*v. kalk*) gâchage *m.*; **3** (*v. sla*) assaisonnement *m.*, préparation *f.*; **4** (*v. kleuren*) broyage *m.*
aanmer'kelijk I *b.n.* considérable, notable; **II** *bw.* considérablement, notablement.
aan'merken *ov.w.* **1** remarquer, observer; **2** (*afkeurend*) critiquer, redire (à).
aan'merking *v.* remarque, observation, critique *f.*; ***in — komen,*** compter, entrer en ligne de compte; ***in — nemen,*** considérer le fait, prendre en considération; ***in — genomen,*** eu égard à, vu, étant donné; ***geen —en hebben,*** ne pas trouver à redire; ***—en maken,*** faire des observations.
aan'meten *ov.w.* prendre la mesure de.
aan'meting *v.* mesure *f.* [mant.
aanmin'nig *b.n.* aimable, gentil, gracieux, char-
aanmin'nigheid *v.* charme *m.*
aan'moedigen *ov.w.* encourager, animer.
aan'moedigend I *b.n.* encourageant; **II** *bw.* d'une manière encourageante.
aan'moediging *v.* encouragement *m.* [ment.
aan'moedigingsprijs *m.* prix *m.* d'encourage-
aan'moeten *on.w.* **1** (*v. kleren*) devoir être mis; **2** (*v. vuur, lamp*) devoir être allumé.
aan'mogen *on.w.* **1** pouvoir être mis; **2** pouvoir être allumé; ***mag de kachel aan?*** puis-je allumer le poêle?
aan'monsteren *ov.w.* engager, enrôler, inscrire (sur le rôle d'équipage).
aan'monstering *v.* engagement, enrôlement *m.*
aan'munten *ov.w.* frapper, monnayer, monétiser.
aan'munting *v.* frappe, monétisation *f.*
aan'naaien *ov.w.* coudre (à); attacher.
aan'nagelen *ov.w.* clouer.
aanne'melijk *b.n.* **1** acceptable; **2** (*fig.*) admissible, croyable; ***een — voorwendsel,*** un prétexte plausible.
aanne'melijkheid *v.* admissibilité *f.*
aan'nemeling *m.* **1** (*N.N.: kath.*) premier communiant *m.*; **2** (*prot.*) candidat *m.* à la confirmation.
aan'nemen *ov.w.* **1** (*aanvaarden*) accepter; (*leerling, excuus*) admettre; (*voorstel, ontslag*) agréer; (*maatregel, enz.*) adopter; **2** (*rouw, gewoonte, naam, enz.*) prendre; **3** (*kind*) adopter; **4** (*in dienst*) engager, embaucher; **5** (*levering, werk*) entreprendre; **6** (*wet, besluit*) adopter, voter; **7** (*veronderstellen*) poser, supposer; ***de schijn —,*** faire semblant de; ***iemands jas aannemen,*** débarrasser qn. de son manteau; ***een bijzonder karakter —,*** revêtir un caractère spécial; ***een gewoonte —,*** ***ook:*** contracter une habitude; ***aangenomen dat,*** supposé que; ***dat is niet aan te nemen,*** c'est inadmissible; ***—!*** garçon! garçon, addition s'il vous plaît.
aan'nemer *m.* **1** (*v. werk*) entrepreneur *m.*; **2** (*v. wissel*) accepteur *m.*; **3** (*kelner*) garçon *m.*
aan'neming *v.* **1** acceptation *f.*; **2** admission *f.*; **3** adoption *f.*; **4** entreprise, soumission *f.*; **5** (*in prot. kerk*) confirmation *f.*; *zie* ***aannemen.***
aan'nemingssom *v.(m.)* prix *m.* de soumission.
aan'pakken *ov.w.* **1** prendre, saisir, empoigner; **2** (*beginnen*) entamer, commencer; **3** (*onder handen nemen*) entreprendre (qn.); **4** (*voor 't gerecht*) attaquer en justice; **5** (*ontroeren*) émouvoir, saisir; ***de zaak verkeerd —,*** s'y prendre de travers; ***de ziekte heeft hem aangepakt,*** la maladie l'a éprouvé, il a été bien pincé par la maladie; ***ik weet niet, hoe ik het moet —,*** je ne sais pas comment m'y prendre; ***hij weet van —,*** il n'y va pas de main morte.
aan'palend *b.n.* adjacent.
aan'pappen *on.w.,* ***met iem. —,*** avoir partie liée avec qn., s'aboucher avec qn.; chercher l'amitié de qn.
aan'passen I *ov.w.* **1** (*kleding, schoenen*) essayer; **2** (*geschikt maken*) adapter, ajuster; **II** *w.w.* ***zich —,*** s'adapter.
aan'passing *v.* **1** essayage *m.*; **2** adaptation *f.*; **3** (*v. salarissen*) péréquation *f.*
aan'passingsvermogen *o.* faculté *f.* (*of* pouvoir *m.*) d'adaptation; puissance *f.* assimilatrice.
aan'plakbiljet *o.* affiche *f.*, placard *m.*
aan'plakbord *o.* tableau *m.* d'affichage, porte-affiches *m.*

aan'plakken *ov.w.* afficher; coller, apposer (des affiches).
aan'plakker *m.* afficheur, colleur *m.*
aan'plakking *v.* affichage *m.*; ***door* —,** par voie d'affichage. [lonne*-affiche* *f.*
aan'plakzuil *v.(m.)* colonne *f.* d'affichage, co-
aan'plant *m.* plantation, culture *f.*
aan'planten *ov.w.* planter; boiser.
aan'planting *v.* plantation *f.*, plant *m.* [presser.
aan'porren *ov. w.* **1** aiguillonner; **2** *(fig.)* talonner,
aan'poten *ov.w.* planter.
aan'praten *ov.w.* persuader (d'acheter); ***zijn koopwaar* —,** faire valoir sa marchandise.
aan'prijzen *ov.w.* recommander, vanter, préconiser, faire l'article, — son boniment.
aan'prijzing *v.* recommandation *f.*
aan'punten *ov.w.* **1** *(potlood)* faire une pointe; **2** *(baard)* tailler en pointe; **3** *(stok)* rendre pointu; **4** *(spelden)* empointer, appointir.
aan'punting *v.* empointage, appointissage *m.*
aan'raden *ov.w.* conseiller, recommander, engager à; ***op — van,*** sur l'avis de, sur les conseils de.
aan'raken *ov.w.* toucher; (***even* —**) effleurer, frôler, raser.
aan'raking *v.* attouchement, contact *m.*; ***in — komen met,*** entrer en contact avec, faire la connaissance de; ***in — brengen,*** mettre en contact; ***met de politie in — komen,*** avoir des démêlés avec la police, avoir maille à partir (avec).
aan'rakingspunt *o.* point *m.* de contact.
aan'randen *ov.w.* **1** assaillir, attaquer; **2** *(fig.)* atteindre à, porter atteinte à.
aan'rander *m.* assaillant, agresseur *m.* [sulte *f.*
aan'randing *v.* agression, attaque *f.*; *(fig.)* in-
aan'recht *o. en m.* dressoir *m.*
aan'rechtkeuken *v.(m.)* office *m.*
aan'rechttafel *v.(m.)* dressoir, buffet *m.*
aan'reiken *ov.w.* passer, tendre, remettre, donner.
aan'rekenen *ov.w.* **1** compter, mettre en ligne de compte; porter —; **2** *(fig.)* attribuer, imputer; ***iem. iets* —,** compter qc. à qn.; ***iem. iets als een misdaad* —,** imputer qc. à qn.; ***als een verdienste* —,** déclarer méritoire; ***ik zal hem dat niet als een fout* —,** je ne le lui reprocherai pas.
aan'rennen *on.w.* arriver en courant, accourir; ***op iem.* —,** courir sur qn.; se précipiter vers qn., s'élancer —.
aan'richten *ov.w.* faire, causer.
aan'rijden I *on.w.* ***komen* —,** arriver à cheval (*of* en voiture); ***bij iem.* —,** passer chez qn., s'arrêter —; ***tegen iets* —,** heurter contre qc., donner —; **II** *ov.w.* **1** *(auto)* accrocher, tamponner; **2** *(fietser, voetganger)* renverser, heurter.
aan'rijding *v.* accrochement, tamponnement *m.*; collision *f.* [lacer.
aan'rijgen *ov.w.* **1** enfiler; **2** *(v. korset, schoenen)*
aan'rijpen *on.w.* mûrir.
aan'risten *ov.w.* enfiler.
aan'roep *m.* appel *m.*
aan'roepen *ov.w.* **1** appeler, crier à; **2** *(taxi)* héler; **3** *(God)* invoquer; **4** *(mil.)* crier qui vive (à...).
aan'roeping *v.* invocation, imploration *f.*
aan'roeren *ov.w.* toucher; ***even* —,** effleurer, frôler. [s'approcher.
aan'rollen *on.w.* ***komen* —,** arriver en roulant,
aan'rukken *on.w.* (s')approcher, s'avancer vers, marcher sur; ***een fles laten* —,** commander une bouteille, faire venir une bouteille.
aan'schaffen *ov.w.* acheter, se procurer, se fournir, se pourvoir de.
aan'schaffing *v.* acquisition *f.*; achat *m.*
aan'schellen *on.w.* sonner (à une porte).
aan'schieten I *ov.w.* **1** *(met wapen)* blesser légèrement, atteindre; **2** *(kledingstuk)* mettre à la hâte; **II** *on.w.* ***op iem.* —,** s'élancer sur qn., se ruer sur qn.
aan'schijn *o.* **1** *(gezicht)* face *f.*; **2** *(uiterlijk)* apparence *f.*; air, extérieur *m.*; ***in 't zweet uws —s,*** à la sueur de ton front.
aan'schikken *on.w.* **1** se mettre à table; **2** se serrer.
aan'schoffelen *ov.w.* sarcler, donner un coup de sarcloir.
aanschou'welijk I *b.n.* vivant, clair, intelligible; ***iets — maken,*** donner une idée claire de qc.; ***— onderwijs,*** leçon de choses; ***—e methode,*** méthode intuitive *f.*; **II** *bw.* d'une manière vivante.
aanschou'wen I *ov.w.* contempler; voir, considérer, regarder; ***het levenslicht* —,** voir le jour, naître; ***ten — van,*** en présence de, devant; **II** *z.n., o.* ***het* —,** la contemplation.
aanschou'wer *m.* spectateur; contemplateur *m.*
aanschou'wing *v.* contemplation *f.*; vue, perception *f.*; ***door eigen* —,** par soi-même; ***innerlijke* —,** intuition *f.*; observation *f.* introspective.
aanschou'wingsles *v.(m.)* leçon *f.* de choses.
aanschou'wingsonderwijs, *zie:* ***aanschouwelijk.***
aanschou'wingsvermogen *o.* aperceptivité *f.*
aan'schrappen *ov.w.* marquer (d'un trait, au crayon, etc.).
aan'schrijven *ov.w.* **1** *(kennisgeven)* notifier (à qn.), informer (qn. sur qc.); **2** *(opschrijven)* inscrire, noter, marquer; **3** *(H.)* mettre en compte; ***op — van,*** par circulaire de.
aan'schrijving *v.* **1** (lettre) circulaire *f.*; **2** notification *f.*; **3** *(bisschoppelijk bevelschrift)* mandement *m.*; **4** *(v. vergadering)* convocation *f.*
aan'schroeven *ov.w.* visser, serrer la vis.
aan'schuiven I *ov.w.* **1** *(tafel, kast)* pousser; **2** *(stoelen, enz.)* approcher; **II** *on.w.* **1** se mettre à table; **2** approcher sa chaise; **3** se serrer un peu.
aan'slaan I *ov.w.* **1** *(plankje, bordje)* mettre; *(biljet)* afficher, placarder, coller; **2** *(vat)* mettre en perce; **3** *(v. belasting)* imposer (qn. pour); **4** *(muz.) (noot, instr.)* toucher; *(akkoord)* plaquer; **5** *(schatten)* évaluer, estimer, taxer; **6** *(dieper inslaan)* enfoncer; *(spijker)* chasser; **7** *(v. motor)* lancer; **II** *on.w.* **1** *(v. soldaat)* saluer, faire le salut militaire; **2** *(v. hond)* appeler; **3** *(v. kogel)* ricocher; **4** *(v. paard)* se couper; **5** *(v. ruit)* s'embuer; **6** *(v. ketel)* s'encroûter; **7** *(v. gloeilamp)* noircir; **8** *(v. toets)* parler; **9** *(v. motor)* partir; ***te hoog* —,** surestimer, exagérer, surfaire; ***te laag* —,** déprécier; ***— tegen,*** donner contre, se heurter contre.
aan'slag *m.* **1** *(v. instrum.)* toucher *m.*; **2** *(op het leven, enz.)* attentat *m.*; **3** *(in de belasting)* assiette *f.*, taux *m.* de l'impôt; **4** *(in ketel)* croûte, incrustation *f.*; **5** *(aan deur)* feuillure *f.*; **6** *(v. pianist)* toucher *m.*; **7** *(v. motor)* embrayage *m.*; ***een — doen op iemands leven,*** attenter à la vie de qn.; ***het geweer in de — brengen,*** mettre le fusil en joue, épauler. [tion.
aan'slagbiljet *o.* feuille *f.* d'impôt, — d'imposi-
aan'slenteren *on.w.* ***komen* —,** s'approcher à pas lents.
aan'slepen *ov.w.* traîner, apporter.
aan'slibben *on.w.* former une alluvion, accroître par alluvion; ***aangeslibde grond,*** terrain alluvial, alluvion(s) *f.(pl.)*, limon *m.*
aan'slibbing *v.* alluvion, accrue *f.*, atterrissement *m.*
aan'slijpen *ov.w.* aiguiser, appointer.
aan'sloffen *on.w.* ***komen* —,** s'approcher en traînant les pieds. [de loup.
aan'sluipen *on.w.* ***komen* —,** s'approcher à pas

aan'sluiten I *ov.w.* **1** (*verbinden*) joindre; **2** (*nauwer* —) serrer; **3** (*telef. verbinden*) mettre en communication; **— *op elektrisch net,*** brancher sur le circuit; **— *op de waterleiding,*** raccorder à l'amenée d'eau; ***hij is niet aangesloten bij de telefoon,*** il n'a pas le téléphone, il n'est pas relié au réseau téléphonique; **II** *on.w.* **1** (se) joindre; **2** (*kleding*) mouler la taille; **3** (*trein*) correspondre; **4** (*mil.*) serrer les rangs; **5** (*v. onderwijs, enz.*) être en liaison; **III** *w.w.* ***zich* —, 1** se joindre (à); **2** (*bij partij*) s'affilier à, s'enrôler dans; **3** (*bij mening*) se lier à; ***zich gemakkelijk* —,** être d'un commerce facile, avoir du liant.
aan'sluiting *v.* **1** (*verbinding*) jonction *f.*; **2** (*treinen*) correspondance; **3** (*telefoon*) communication *f.*; **4** (*v. onderwijs*) liaison *f.*; **— *hebben met,*** correspondre sur; ***de — halen,*** avoir la correspondance; **— *krijgen,*** obtenir la communication; ***in — aan ons schrijven,*** faisant suite à notre lettre; ***in — met,*** comme suite à; en nous référant à.
aan'sluitingspunt *o.* point *m.* de jonction.
aan'smeren *ov.w.* graisser, enduire (de...); ***iem. iets* —,** colloquer qc. à qn.
aan'snellen *on.w.* accourir.
aan'snijden *ov.w.* entamer, ouvrir.
aan'snoeren *ov.w.* **1** enfiler; **2** serrer; resserrer.
aan'snorren *on.w.* ***komen* —,** s'approcher (*of* arriver) à toute allure, arriver en coup de vent, — en trombe.
aan'spannen I *ov. w.* **1** (*paarden*) atteler; **2** (*vioolsnaar*) hausser; (*boog*) bander plus fortement; **II** *on. w.* ***met iemand* —,** s'associer avec qn.
aan'spatten *on.w.* **— *tegen,*** rejaillir sur.
aan'spelden *ov.w.* épingler, attacher avec une épingle (des épingles).
aan'spijkeren *ov.w.* clouer; ***een bordje* —,** mettre un écriteau.
aan'spoelen I *ov.w.* jeter sur la côte, — la plage, — le rivage; **II** *on.w.* **1** être rejeté sur la côte (etc.); **2** (*aanslibben*) (se) former par alluvion.
aan'spoeling *v.* (terrain *m.* d')alluvion *f.*
aan'sporen *ov.w.* **1** (*de sporen geven*) éperonner; piquer des deux; **2** (*fig.*) stimuler, exciter, exhorter.
aan'sporing *v.* stimulation, excitation, exhortation *f.*; encouragement *m.*; ***op — van,*** à l'instigation de.
aan'spraak *v.*(*m.*) **1** (*toespraak*) allocution, harangue *f.*; **2** (*aanspreking*) apostrophe *f.*; **3** (*recht*) prétention *f.*; titre, droit *m.*; **— *maken op,*** prétendre à; **— *hebben op,*** avoir droit à, avoir un titre (*of* des titres) à; ***hij heeft weinig* —,** il a peu de relations, il ne connaît presque personne.
aanspra'kelijk *b.n.* responsable (de); ***zich — stellen voor,*** se porter garant de.
aanspra'kelijkheid *v.* responsabilité *f.*; ***maatschappij met beperkte* —,** société à responsabilité limitée; ***wettelijke* —,** responsabilité civile; ***alle — afwijzen,*** décliner toute responsabilité.
aan'spreektitel *m.* titre *m.* d'appellation.
aan'spreekvorm *m.* apostrophe *f.*
aan'spreken *ov.w.* **1** s'adresser à, adresser la parole à; aborder, accoster (qn.); **2** (*in rechten*) assigner, citer (en justice); **3** (*kapitaal, fles, enz.*) entamer; ***iem. om iets* —,** réclamer qc. de qn., demander qc. à qn.
aan'spreker *m.* employé *m.* des pompes funèbres; annonceur *m.* de décès; (*fam.*) croque-mort* *m.*
aan'spreking *v.* apostrophe *f.*
aan'staan *on.w.* **1** (*bevallen*) plaire, convenir; **2** (*v. deur*) être entrouvert, être entrebâillé; **3** (*v. radio*) être à l'écoute; ***tegen iets* —,** s'appuyer contre qc.; ***dat staat mij in 't geheel niet aan,*** cela ne me dit rien qui vaille, cela ne me plaît guère; ***de deur laten* —,** laisser la porte entrebâillée.
aanstaan'd(e) I *b.n.* prochain, futur; **II** *z.n., m.-v.* futur(e) *m.*(*f.*).
aan'stalten *mv.* préparatifs *m.pl.*; **— *maken om,*** se préparer à, se disposer à, se mettre en devoir de.
aan'stampen *ov.w.* **1** (*met voet*) fouler; **2** (*met stamper*) battre, affermir, refouler; **3** (*v. lading*) bourrer.
aan'stappen *on.w.* presser le pas, marcher plus vite; **— *op,*** se diriger, s'avancer vers.
aan'staren *ov.w.* regarder fixement.
aanste'kelijk *b.n.* contagieux; **— *werken,*** être contagieux.
aanste'kelijkheid *v.* contagion *f.*
aan'steken *ov.w.* **1** (*licht, enz.*) allumer; **2** (*lucifer*) enflammer, frotter; **3** (*vat*) mettre en perce, entamer; **4** (*ziekte*) communiquer (une maladie à), contaminer, contagionner (qn.).
aan'steker *m.* **1** allumeur *m.*; **2** briquet *m.*
aan'steking *v.* contagion, infection *f.*
aan'stellen I *ov.w.* nommer, installer, placer; **II** *w. w.* ***zich* —,** poser, faire des simagrées; ***zich — als,*** se conduire comme; ***zich kinderachtig* —,** faire l'enfant.
aan'steller *m.* poseur, snob, grimacier *m.*
aanstel'lerig *b.n.* poseur, affecté.
aanstellerij' *v.* pose, affectation *f.*; ***'t is maar* —,** c'est pour se faire remarquer, c'est pure feinte.
aan'stelling *v.* **1** nomination *f.*; **2** (*document*) brevet *m.*, acte *m.* de nomination.
aan'sterken *on.w.* reprendre des forces.
aan'stevenen *on.w.* **1** (*sch.*) cingler (sur, vers); **2** (*fig.: komen* —) s'amener.
aan'stichten *ov.w.* **1** prendre l'initiative de; **2** (*v. kwaad*) machiner; fomenter.
aan'stichter *m.* **1** initiateur, promoteur *m.*; **2** machinateur *m.*, meneur *m.* de jeu.
aan'stichting *v.* **1** initiative *f.*; **2** machination *f.*
aan'stippen *ov.w.* **1** (*even vermelden*) mentionner, toucher (une question); **2** (*een stip zetten bij*) marquer d'un point; **3** (*gen.*) toucher.
aan'stoken *ov.w.* **1** (*vuur, twist*) attiser; **2** (*tweedracht*) fomenter; **3** (*iemand* —) exciter, inciter; ***op — van,*** à l'instigation de.
aan'stoker *m.* fauteur, excitateur, boutefeu, fomenteur *m.*
aan'stoking *v.* excitation, incitation *f.*
aan'stonds *bw.* tout à l'heure, tantôt; ***zo* —,** tout de suite, à l'instant.
aan'stoot *m.* **1** choc *m.*; **2** (*fig.*) scandale *m.*; **— *geven,*** choquer, scandaliser, causer du scandale; **— *nemen aan,*** se choquer de, se scandaliser de, s'offenser de; ***de steen des —s,*** la pierre d'achoppement.
aan'stormen *on.w.* arriver comme un ouragan, accourir (à toute bride); **— *op,*** se précipiter sur, se jeter sur.
aansto'telijk I *b.n.* choquant, scandaleux, indécent; **II** *bw.* scandaleusement.
aansto'telijkheid *v.* indécence *f.*, chose *f.* scandaleuse.
aan'stoten I *ov.w.* **1** heurter contre, buter contre, pousser; **2** (*de glazen*) choquer les verres; ***elkaar* —,** se pousser du coude; **II** *on.w.* (*klinken*) trinquer.
aan'strepen *ov.w.* marquer d'un trait; marquer au crayon.
aan'strijken *ov.w.* **1** (*lucifer*) frotter; **2** (*muur*) crépir, plâtrer; **3** (*viool*) passer l'archet sur (les cordes); **4** (*gen.*) badigeonner.
aan'stromen *on.w.* affluer.
aan'strompelen *on.w.* ***komen* —,** arriver en trébuchant.
aan'stuiven *on.w.* (*zand*) s'amonceler, s'entasser; ***komen* —,** accourir en toute hâte.

aan'sturen *on.w.* — *op,* **1** se diriger sur; **2** (*fig*). tendre à.
aan'tal *o.* nombre *m.*; ***een groot* —,** (un grand) nombre de; ***gering in* —,** peu nombreux.
aan'tasten *ov.w.* **1** (*aanvallen*) attaquer, assaillir; **2** (*aanvatten*) saisir, empoigner; **3** (*inwerken op: metalen*) attaquer; **4** (*aandoen*) attaquer; **5** (*fig.*) entamer, flétrir; ***door een ziekte aangetast,*** atteint d'une maladie; ***iem. in zijn zwakke zijde* —,** prendre qn. par le côté faible.
aan'tekenboekje *o.* calepin, carnet *m.* (de notes).
aan'tekenen *ov.w.* **1** (*opschrijven*) noter, marquer, prendre note de; **2** (*inschrijven*) (*bagage*) faire enregistrer; (*brief*) recommander; (*met geldswaarde*) charger; **3** (*voor huwelijk*) se faire inscrire pour la publication des bans; **4** (*op school*) marquer (*of* donner) une mauvaise note à; **5** (*beroep*) interjeter (appel), appeler de; se pourvoir en cassation; ***protest* —,** protester.
aan'tekening *v.* **1** note; **2** (*v. brief*) recommandation *f.*; **3** (*voor huwelijk*) déclaration *f.* de mariage; inscription *f.* de futurs époux à la mairie; **4** (*bij schrijver*) annotation *f.*; ***—en maken,*** prendre des notes; ***een schrijver van —en voorzien,*** annoter un auteur.
aan'tekenrecht *o.* droit *m.* de recommandation.
aan'tijgen *ov.w.* imputer (qc. à qn.), accuser (qn. de qc.).
aan'tijging *v.* imputation, accusation *f.*
aan'tocht *m.* approche *f.*; ***in — zijn,*** approcher.
aan'tonen *ov.w.* **1** (*aanwijzen*) montrer; indiquer, désigner; **2** (*bewijzen*) démontrer, prouver.
aan'tonend *b.n.* ***—e wijs,*** indicatif *m.*
aan'trappen I *ov.w.* (*aarde*) fouler; **II** *on.w.* pédaler.
aan'treden *on.w.* s'aligner, se ranger, se mettre en rangs; ***met de linkervoet* —,** partir du pied gauche; (*mil.*) ***de compagnie laten* —,** faire rassembler la compagnie.
aan'treffen *ov.w.* rencontrer, trouver.
aantrek'kelijk I *b.n.* **1** attrayant, charmant; (*neolog.*) attirant; **2** (*lichtgeraakt*) susceptible, sensible; **II** *bw.* d'une manière attrayante.
aantrek'kelijkheid *v.* **1** charme, attrait *m.*; **2** susceptibilité, sensibilité *f.*
aan'trekken I *ov.w.* **1** (*kleren*) mettre, endosser, passer; **2** (*tot zich trekken*) tirer (à soi), attirer; (*deur*) tirer (la porte sur soi); **3** (*vaster* —) serrer; ***kapitaal* —,** solliciter de l'argent; ***wie de schoen past, trekke hem aan,*** qui se sent morveux se mouche; à bon entendeur, salut; **II** *on.w.* (*v. vuur*) prendre, commencer à brûler; ***op de vijand* —,** marcher sur l'ennemi; **III** *w.w.* ***zich iets* —, 1** s'affecter de; s'offenser de; se chagriner de; **2** prendre à cœur, se charger de; **3** rapporter à soi; ***zich iemand* —,** s'intéresser à qn.; prendre les intérêts de qn.
aan'trekker *m.* chasse-pied *m.*
aan'trekking *v.* attraction *f.*; attrait, charme *m.*
aan'trekkingskracht *v.*(*m.*) **1** force *f.* attractive, attraction *f.*; **2** (*v. hemellichamen*) gravitation *f.*; **3** (*fig.*) charme *m.*, attrait(s) *m.*(*pl.*).
aanvaard'baar *b.n.* acceptable.
aanvaar'den *ov.w.* **1** (*aannemen*) accepter; (*troon, bewind*) prendre; (*zich belasten met*) se charger de; (*gelukwensen, enz.*) agréer; **2** (*beginnen*) commencer, entreprendre; **3** (*op zich nemen: verantwoordelijkheid*) assumer; **4** (*ambt*) prendre possession de (ses fonctions); ***dadelijk te* —,** (entrée en) jouissance immédiate; ***te — bij ondertekening van het contract,*** libre à la signature.
aanvaar'ding *v.* **1** (*v. ambtenaar*) entrée *f.* en fonctions; **2** (*H.: v. levering*) prise *f.* de livraison; **3** (*v. erfenis, enz.*) acceptation *f.*; **4** (*v. huis*) entrée *f.* en jouissance; ***bij de — van zijn ambt,*** en entrant en fonctions.
aan'val *m.* **1** attaque *f.*; (*stormenderhand*) assaut *m.*; (*met blanke wapens*) charge *f.*; **2** (*vlaag*) accès *m.*; **3** (*ziekte*) attaque *f.*, accès *m.*; **4** (*hoest*) quinte *f*
aan'vallen *ov.w.* attaquer, assaillir; s'attaquer à (qn.); se jeter sur.
aan'vallend I *b.n.* offensif; agressif; **II** *bw.* offensivement, agressivement; (*mil.*) ***— optreden,*** prendre l'offensive.
aan'vallenderwijs *bw.* offensivement.
aan'valler *m.* **1** attaquant, assaillant *m.*; **2** (*aanrander*) agresseur *m.*
aanval'lig *b.n.* gentil, charmant, gracieux.
aanval'ligheid *v.* gentillesse, grâce *f.*
aan'valsfront *o.* front *m.* d'attaque.
aan'valsgolf *v.*(*m.*) vague *f.* d'assaut.
aan'valskreet *m.* cri *m.* de guerre.
aan'valsoorlog *m.* guerre *f.* offensive; guerre [d'agression.
aan'valsplan *o.* plan *m.* d'attaque.
aan'valswagen *m.* char *m.* d'assaut.
aan'valswapen *o.* arme *f.* offensive.
aan'vang *m.* **1** commencement, début *m.*; origine *f.*; **2** (*fig.*) aurore, aube *f.*; ***een — maken*** (*of* ***nemen***), commencer; ***van de — af,*** dès le début.
aan'vangen I *ov.w.* commencer, se mettre à, entreprendre; **II** *on.w.* commencer, débuter; ***wat moet ik — ?*** que faire ?
aan'vangsletter *v.* (lettre) initiale *f.*
aan'vangsonderwijs *o.* enseignement *m.* primaire, — élémentaire.
aan'vangspunt *o.* point *m.* de départ.
aan'vangssalaris *o.* traitement *m.* initial, — de début.
aan'vangssnelheid *v.* vitesse *f.* initiale.
aan'vangsstadium *o.* début *m.*, stade *m.* de début.
aanvan'kelijk I *b.n.* premier, primitif; initial; **II** *bw.* au commencement, à l'origine, d'abord.
aan'varen *ov.w.* aborder, heurter; ***op iets* —,** se diriger vers; naviguer vers, voguer vers qc.
aan'varing *v.* abordage *m.*; collision *f.*; ***in — komen met,*** entrer en collision avec.
aan'vatten *ov.w.* **1** prendre, saisir; **2** (*beginnen*) entreprendre, se prendre à, entamer; ***het verkeerd* —,** s'y prendre mal.
aanvecht'baar *b.n.* attaquable, discutable.
aan'vechten *ov.w.* combattre; tenter, assaillir; mettre en cause.
aan'vechting *v.* tentation *f.*; envie, velléité *f.*
aan'vegen *ov.w.* balayer, donner un coup de balai.
aan'verwant *b.n.* allié, apparenté.
aan'verwantschap *v.* alliance, parenté *f.*
aan'vlechten *ov.w.* tresser à.
aan'vliegen I *on.w.* **1** s'approcher en volant; accourir; **2** (— *op*) se jeter sur; (— *tegen*) donner contre; **II** *ov.w.* ***iemand* —,** se jeter sur, s'élancer sur qn., se ruer sur, courir sus à qn.
aan'vlijen *on.w.* ***zich — tegen,*** se blottir contre, se serrer —.
aan'voegen *ov.w.* joindre, ajouter; assembler.
aanvoe'gend *b.n.* ***—e wijs,*** subjonctif *m.*
aan'voelen I *ov.w.* **1** tâter, toucher; **2** (*stoffen*) manier; **II** *on.w.* (*koud, ruw, enz.* —) être froid (rude etc.) au toucher; **III** *z.n., o.* ***het* —,** le toucher; le maniement.
aan'voeling *v.* **1** toucher *m.*; **2** (*fig.*) intuition *f.*
aan'voer *m.* **1** (*v. koopwaren*) arrivage *m.*; **2** (*vervoer*) charriage, transport *m.*; **3** (*gas, water, elektr.*) adduction; amenée *f.*; ***grote* —** abondance *f.*, afflux *m.*

aan'voerbuis *v.(m.)* tuyau *m.* d'amenée, tube *m.* d'alimentation.
aan'voerder *m.* **1** *(alg.)* chef *m.*; **2** *(leger)* chef, commandant *m.*; **3** *(komplot)* meneur *m.*; **4** *(spier)* adducteur *m.*
aan'voeren *ov.w.* **1** *(leiden)* diriger, commander; conduire, mener; **2** *(aanbrengen)* amener, apporter; **3** *(door buizen)* conduire; **4** *(aanhalen)* alléguer, citer; ***bewijzen* —,** fournir des preuves; ***als reden* —,** alléguer pour raison; ***als argument* —,** plaider.
aan'voering *v.* **1** direction *f.*, commandement *m.*, conduite *f.*; **2** allégation, citation *f.*
aan'vraag, aan'vrage *v.(m.)* **1** *(verzoek)* demande; requête *f.*; ***schriftelijke* —,** demande par lettre; **2** *(bestelling)* commande *f.*; ***op* —,** sur demande; ***op* — *vertonen,*** présenter à toute réquisition.
aan'vraagbriefje *o.* bulletin *m.* de demande.
aan'vraagformulier *o.* formule *f.* de demande(s).
aan'vrage, *zie* ***aanvraag.***
aan'vragen *ov.w.* **1** demander, requérir; **2** commander.
aan'vrager *m.* demandeur; requérant *m.*; postulant *m.*
aan'vreten *ov.w.* ronger, entamer.
aan'vullen *ov.w.* **1** *(vergroten: verzameling, enz.)* compléter; **2** *(lege ruimte)* remplir; **3** *(leemte, tekort)* combler; **4** *(v. bedrog)* parfaire; ***elkaar* —,** se compléter l'un l'autre.
aan'vullend *b.n.* supplémentaire.
aan'vulling *v.* **1** *(het aanvullen)* remplissage *m.*; **2** *(wat er bijkomt)* complément, supplément *m.*
aan'vullingsartikel *o.* article *m.* complémentaire, — additionnel.
aan'vullingsbegroting *v.* budget *m.* supplémentaire.
aan'vullingsbepaling *v.* disposition *f.* complémentaire.
aan'vullingsexamen, -eksamen *o.* examen *m.* complémentaire.
aan'vullingskleuren *mv.* couleurs *f.pl.* complémentaires.
aan'vullingskredieten *mv.* crédits *m.pl.* supplémentaires.
aan'vullingstroepen *mv.* troupes *f.pl.* de renfort; réserve *f.*
aan'vulsel *o.* complément; supplément; remplissage *m.*
aan'vuren *ov.w.* animer, exciter, inciter.
aan'vuring *v.* excitation, incitation *f.*
aan'waaien *on.w.* ***komen* —,** être amené *(of* apporté) par le vent; ***dat waait u zo maar niet aan,*** cela ne vous vient pas en dormant.
aan'wakkeren I *ov.w.* **1** animer, stimuler; encourager; **2** *(vuur)* activer; **II** *on.w.* **1** *(v. wind)* fraîchir; **2** *(v. brand)* augmenter, se renforcer.
aan'wakkering *v.* encouragement *m.*
aan'was *m.* **1** *(het wassen)* accroissement; agrandissement *m.*; augmentation *f.*; **2** *(v. water)* crue, accrue *f.*, croît *m.*; **3** *(**land**—)* alluvion *f.*
aan'wassen *on.w.* croître, s'accroître; grandir.
aan'wenden *ov.w.* **1** *(gebruiken)* employer, se servir de; **2** *(toepassen)* appliquer; ***pogingen* —,** faire des efforts.
aan'wending *v.* **1** emploi, usage *m.*; **2** application, utilisation *f.*
aan'wennen, *zich* —, *w.w.* s'habituer, s'accoutumer; ***zich iets* —,** prendre l'habitude de qc.
aan'wensel *o.* (mauvaise) habitude, coutume *f.*, tic *m.*
aan'werven *ov.w.* **1** *(soldaten)* recruter, enrôler, engager; **2** *(werklieden)* embaucher; **3** *(ronselen)* racoler.
aan'werver *m.* **1** enrôleur *m.*; **2** embaucheur *m.*; **3** racoleur *m.*
aan'werving *v.* **1** recrutement, enrôlement, engagement *m.*; **2** embauchage *m.*; **3** racolage *m.*
aan'wezen *o.* présence *f.*

aanwe'zend *b.n.* présent.
aanwe'zig *b.n.* présent; **— *zijn,*** être présent, assister à; faire acte de présence; ***de —e voorraad,*** la provision en magasin, stock *m.*; ***de —en,*** les assistants *pl.*, l'assistance *f.*, les personnes *f.pl.* présentes.
aanwe'zigheid *v.* présence *f.*
aanwijs'baar *b.n.* assignable.
aan'wijsbord *o.* tableau *m.* indicateur.
aan'wijsstok *m.* baguette *f.*
aan'wijzen *ov.w.* **1** *(aanduiden)* montrer, indiquer; *(plaats v. bespreking, opvolger, enz.)* désigner; **2** *(duiden op)* accuser; faire ressortir; **3** *(bestemmen: een bedrag)* affecter à; **4** *(thermometer)* marquer.
aanwij'zend *b.n.* **— *voornaamwoord,*** pronom *m.* démonstratif.
aan'wijzer *m.* **1** *(alg.)* indicateur *m.*; **2** *(stelkunde)* exposant *m.*; **3** *(index)* indice *m.*
aan'wijzing *v.* **1** indication *f.*, indice *m.*; **2** désignation *f.*; **3** *(kenteken)* indice, symptôme *m.*; **4** *(voorschrift)* instruction *f.*; **5** *(op een fonds)* assignation *f.*
aan'winnen *ov.w.* gagner, acquérir; ***land* —,** arrondir ses terres.
aan'winst *v.* gain, profit, bénéfice *m.*; acquisition *f.*
aan'wippen *on.w.* passer chez (qn.).
aan'woekeren *on.w.* pulluler, se multiplier.
aan'wrijven *ov.w.* imputer (qc. à qn.).
aan'zeggen *ov.w.* **1** annoncer, notifier (qc. à qn.); avertir (qn. de qc.); **2** *(H.)* *(protest v. wissel)* dénoncer; ***men zou het hem niet* —,** il n'en a pas l'air.
aan'zegging *v.* **1** annonce, notification *f.*; avertissement *m.*; **2** dénonciation *f.*; **3** (lettre *f.* de) faire part *m.*
aan'zeilen *on.w.* ***komen* —,** arriver en zigzag.
aan'zethamer *m.* maillet, matoir *m.*
aan'zetmachine *v.* *(tn.)* machine *f.* de démarrage.
aan'zetmotor *m.* *(tn.)* moteur *m.* de commande.
aan'zetriem *m.* cuir *m.* à rasoir, — de repassage.
aan'zetschakelaar *m.* *(tn.)* démarreur *m.*
aan'zetsel *o.* **1** *(aangezet stuk)* allonge *f.*; **2** *(neerslag, bezinksel)* sédiment *m.*. croûte *f.*; **3** *(in pan)* effondrilles *f.pl.*
aan'zetslinger *m.* manivelle *f.* de mise en marche.
aan'zetstaal *o.* affiloir *m.*
aan'zetsteen *m.* pierre *f.* à affiler.
aan'zetstuk *o.* (r)allonge, élargissure *f.*
aan'zetten I *ov.w.* **1** *(zetten tegen)* placer, appliquer contre; **2** *(scherp maken)* affiler, aiguiser; **3** *(vast draaien)* serrer; **4** *(in werking stellen)* *(machine)* activer, mettre en marche, démarrer; *(remmen)* bloquer; **5** *(deur)* entrouvrir, entrebâiller; **6** *(knoop, enz.)* coudre, attacher; **7** *(fig.)* actionner, animer, stimuler, inciter; **— *tot,*** pousser à, exciter à; **II** *on.w.* **1** *(v. ketel)* s'incruster; **2** *(v. spijzen)* attacher; **3** *(v. dranken)* déposer (de la lie); ***komen* —,** s'approcher, arriver, venir; ***daar komt hij* —,** le voilà qui s'amène.
aan'zetting *v.* **1** *(aansporing)* incitation, excitation *f.*; **2** *(muz.)* embouchure *f.*; **3** *(neerslag)* dépôt, sédiment *m.*; **4** *(in ketel)* incrustation *f.*; **5** *(het slijpen)* aiguisage, affûtage *m.*
aan'zetvijl *v.(m.)* lime *f.* plate.
aan'zetwiel *o.* *(tn.)* roue *f.* de démarrage.
aan'zicht *o.* vue *f.*; aspect *m.*
aan'zien I *ov.w.* regarder; considérer; ***iem. met de nek* —,** tourner le dos à qn., regarder qn. par dessus l'épaule; ***het nog wat* —,** patienter encore quelque temps; ***men kan het haar* —,** elle y paraît; ***het is niet om aan te zien,*** cela fait peine à voir; ***ik kan het niet langer* —,** je n'y tiens plus; ***waar ziet u mij voor aan?*** pour qui me prenez-vous? ***men ziet er mij op aan,*** les soupçons se portent sur moi; ***naar het zich laat* —,** selon toute pro-

babilité; ***— doet gedenken,*** loin des yeux, loin du cœur; ***zijn mensen —,*** faire acception de personne; ***iem. voor een ander —,*** prendre qn. pour un autre; **II** *z.n., o.* **1** vue *f.*, aspect *m.*; **2** (*uiterlijk*) air *m.*, apparence *f.*; **3** (*invloed, achting*) considération, importance *f.*; ***een ander — geven,*** changer de face; ***in — zijn,*** être estimé; ***ten — van,*** en vue de; à l'égard de, par rapport à; ***van — kennen,*** connaître de vue; ***zonder — des persoons,*** sans acception de personne(s).

aanzien'lijk I *b.n.* considérable, important, notable, distingué; ***een — geslacht,*** une maison (*of* famille) illustre; ***een — verschil,*** une différence notoire; ***de —e burgers,*** les notables; **II** *bw.* considérablement. [considération *f.*

aanzien'lijkheid *v.* **1** grandeur, importance *f.*; **2**

aan'zijn *o.* existence *f.*; ***het — geven,*** donner naissance, — la vie à.

aan'zitten *on.w.* être à table.

aan'zittenden *mv.* convives *m.pl.*

aan'zoek *o.* requête, sollicitation *f.*; demande *f.* (en mariage); ***— doen,*** faire sa demande; demander en mariage; ***— krijgen,*** être demandée en mariage.

aan'zoeken *ov.w.* solliciter, rechercher.

aan'zoeker *m.* solliciteur, prétendant *m.*

aan'zoeten *ov.w.* sucrer.

aan'zuiveren *ov.w.* **1** (*schuld*) liquider, payer, acquitter; **2** (*tekort*) suppléer, combler.

aan'zuivering *v.* liquidation *f.*

aan'zwellen *on.w.* **1** (*v. ballon*) s'enfler, se gonfler; **2** (*v. water*) croître, grossir.

aan'zwelling *v.* **1** (*v. ballon*) renflement, gonflement *m.*; **2** (*v. water*) crue *f.*, grossissement *m.*; **3** (*muz.*) crescendo *m.*

aan'zwemmen *on.w.* ***komen —,*** s'approcher à la nage.

aap *m.* singe *m.*; ***een — van een jongen,*** un mauvais garnement; ***in de — gelogeerd zijn,*** être dans de beaux draps; ***hij heeft de — in de mouw,*** il cache son jeu; ***daar komt de — uit de mouw,*** il montre le bout de l'oreille, voilà le pot aux roses; ***een aangeklede —,*** un magot; ***zich een — lachen,*** se tordre (de rire).

aap'achtig I *b.n.* **1** de singe, simiesque; **2** (*Dk.*) simien; **II** *bw.* comme un singe.

aap'je *o.* **1** petit singe *m.*; **2** (*fig.*) guenuche *f.*

aap'jeskoetsier *m.* cocher *m.* de fiacre.

aap'mens *m.* homme*-singe* *m.*

aar *v.(m.)* **1** (*korenaar*) épi *m.*; **2** (*ader*) veine *f.*; ***aren lezen,*** glaner.

aard *m.* **1** (*inborst*) nature *f.*; caractère *m.*; **2** (*soort*) espèce, qualité *f.*, genre *m.*; ***dat het een — had,*** de la belle façon; ***uit de — der zaak,*** par la force des choses, il va sans dire que; ***van voorbijgaande —,*** passager; ***hij heeft een —je naar zijn vaartje,*** tel père, tel fils.

aard'achtig *b.n.* terreux.

aard'appel *m.* pomme *f.* de terre; ***gebakken —en,*** (*in koekepan*) pommes (de terre) sautées, (*in kokend vet*) — frites.

aard'appelboer *m.* marchand *m.* de pommes de terre. [terre.

aard'appelhandel *m.* commerce *m.* de pommes de

aard'appelkever *m.* doryphore *m.*

aard'appelkuil *m.* trou *m.* pour conserver les pommes de terre.

aard'appelland *o.* champ *m.* de pommes de terre.

aard'appelloof *o.* fanes *f.pl.* de pommes de terre.

aard'appelmeel *o.* fécule *f.* (de pommes de terre).

aard'appelmeelfabriek *v.* féculerie *f.*

aard'appelmesje *o.* pèle-pommes *m.*

aard'appelpuree *v.* purée *f.* de pommes de terre.

aard'appelrooier *m.* arracheur *m.* [choir *m.*

aard'appelrooimachine *v.* arracheuse *f.*, arra-

aard'appelschil *v.(m.)* pelure *f.* de pomme de terre; ***—len,*** épluchures *f.pl.* de pommes de terre.

aard'appelstroop *v.(m.)* sirop *m.* de pommes de terre. [terre.

aard'appelteelt *v.(m.)* culture *f.* de la pomme de

aard'appelveld *o.* champ *m.* de pommes de terre.

aard'appelziekte *v.* maladie *f.* des pommes de terre.

aard'as *v.(m.)* axe *m.* de la terre.

aard'baan *v.(m.)* orbite *f.* de la terre.

aard'bei *v.(m.)* fraise *f.*

aard'beienbed *o.* couche *f.* de fraises.

aard'beienijs *o.* glace *f.* à la fraise.

aard'beienjam *m. en v.* confiture *f.* de fraises.

aard'beiplant *v.(m.)* fraisier *m.*

aard'beving *v.* tremblement *m.* de terre, séisme *m.*

aard'bevingsgebied *o.* aire *f.* sismique.

aard'bevingsgolf *v.(m.)* ondulation *f.* sismique.

aard'bevingshaard *m.* épicentre *m.* [*m.*

aard'bevingsmeter *m.* sismomètre, sismographe

aard'bewoner *m.* habitant de la terre, terrien *m.*

aard'bij *v.* abeille *f.* des sables.

aard'bodem *m.* (surface de la) terre *f.*

aard'bol *m.* globe *m.* (terrestre).

aard'draad *m.* (*el.*) ligne *f.* de prise de terre.

aar'de *v.(m.)* terre *f.*; ***zwarte —,*** terreau *m.*; ***boven — staan,*** attendre la sépulture; ***ter — bestellen,*** enterrer; ***hij rust onder de —,*** il repose au tombeau; ***in goede — vallen,*** ne pas tomber à terre; ***hemel en — bewegen,*** remuer ciel et terre; ***hier op —,*** sur cette terre.

aar'den I *b.n.* de terre, d'argile; **II** *on.w.* (*v. personen en planten*) se plaire (quelque part); ***niet —,*** se déplaire; ***— naar,*** tenir de, ressembler à; **III** *ov.w.* (*el.*) relier à la terre.

aar'dewerk *o.* poterie *f.*; vaisselle *f.* de terre; ***fijn —,*** faïence *f.*; ***Keuls —,*** grès *m.*

aar'dewerkfabriek *v.* faïencerie *f.*; usine *f.* de poteries, poterie *f.*

aard'gas *o.* gaz *m.* naturel; méthane *m.*

aard'geest *m.* gnome *m.*

aard'gordel *m.* zone *f.*

aard'hars *o. en m.* bitume, asphalte *m.*

aard'hoop *m.* monceau *m.* de terre, butte *f.*

aar'dig I *b.n.* **1** (*geestig, grappig*) drôle, amusant, plaisant, comique, spirituel; **2** (*lief*) joli, gentil, charmant, mignon; **3** (*vrij groot*) joli; ***dat is — om te zien,*** cela fait plaisir à voir; ***dat is heel — van u,*** c'est très gentil (*of* aimable) à vous; **II** *bw.* joliment, gentiment; drôlement, spirituellement.

aar'digheid *v.* **1** plaisanterie, farce *f.*; **2** gentillesse, amabilité *f.*; **3** petit cadeau *m.*; bagatelle *f.*; souvenir *m.*; ***— hebben in,*** se plaire à, prendre plaisir à; ***voor de —,*** par plaisanterie, par jeu, pour rire; ***ik zou voor de — wel eens...,*** ça m'amuserait de...; ***de — gaat er af,*** le plaisir (*of* le charme) s'évapore; ***ik snap er de — niet van,*** je ne vois pas la pointe de la plaisanterie; ***ik houd niet van zulke aardigheden,*** je n'aime pas ces privautés. [telle *f.*

aar'digheidje *o.* petit cadeau, petit rien *m.*; baga-

aar'digjes *bw.* joliment.

aard'kastanje *v.(m.)* terre-noix *f.*

aard'kleur *v.(m.)* couleur *f.* terreuse. [terre.

aard'klomp *m.*, **aard'kluit** *m. en v.* motte *f.* de

aard'korst *v.(m.)* écorce *f.* terrestre.

aard'krekel *m.* taupe*-grillon* *m.*, courtilière *f.*

aard'kunde *v.* géologie *f.*

aardkun'dige *m.* géologue *m.*

aard'laag *v.(m.)* couche *f.*, banc *m.* (de terre).

aard'leiding *v.(el.)* prise *f.* de terre; transmission *f.* terrestre; perd-fluide *m.*
aard'magnetisme *o.* magnétisme *m.* terrestre.
aard'mannetje *o.* gnome, lutin, pygmée *m.*
aard'massa *v.(m.)* masse *f.* de terre.
aard'meetkunde *v.* géodésie *f.* [géodésiques.
aard'meting *v.* géodésie *f.*, opérations *f.pl.*
aard'muis *v.(m.)* souris *f.* des champs.
aard'noot *v.(m.)* (graine *f.* d') arachide *f.*
aard'nootolie *v.(m.)* huile *f.* d'arachide.
aard'olie *v.(m.)* pétrole *m.* (brut), naphte *m.*
aard'oppervlakte *v.* surface *f.* de la terre.
aard'pek *o. en m.* bitume, asphalte *m.*
aard'pimpernoot *v.* pistache *f.* de terre.
aard'plaat *v.(m.)* perd-fluide *m.*
aard'plooi *v.(m.)* pli *m.* du terrain.
aard'rijk *o.* terre *f.*, monde *m.*
aard'rijkskunde *v.* géographie *f.*
aardrijkskun'dig *b.n.* géographique.
aardrijkskun'dige *m.-v.* géographe *m.*
aards *b.n.* terrestre, d'ici-bas; mondain; ***het —e,*** les choses de la terre, — d'ici-bas.
aard'schok *m.* secousse *f.* (de terre), — volcanique, — sismique, séisme *m.*
aard'schors *v.(m.)* écorce *f.* terrestre.
aards'gezind *b.n.* attaché aux choses terrestres, aux biens de ce monde.
aard'slak *v.(m.)* limace *f.*
aard'smaak *m.* goût *m.* terreux.
aard'soort *v.(m.) en o.* terrain *m.*
aard'spin *v.(m.)* araignée *f.* terrestre.
aard'storting *v.* éboulement *m.*
aard'stroom *m.* (*el.*) courant *m.* tellurique; courant *m.* (magnétique) terrestre.
aard'verbinding *v.* (*el.*) connexion *f.* de terre; prise *f.* de terre,; perd-fluide *m.* [minérale.
aard'verf *v.(m.)* terre *f.* colorante, couleur *f.*
aard'verschuiving *v.* éboulement *m.* (de terre), glissement *m.* de terrain.
aard'vlo *v.(m.)* altise *f.*, puce *f.* de terre.
aard'werker *m.* terrassier *m.*
aard'worm *m.* **1** ver *m.* de terre; **2** (*fig.*) homme de néant, misérable *m.*
Aar'gau *v.* Argovie *f.*
Aar'len Arlon.
A'äron *m.* Aaron *m.*
aars *m.* anus, derrière *m.*
aars'fistel *v.(m.)* fistule *f.* rectale.
aars'made *v.(m.)* oxyure *m.*
aars'vin *v.(m.)* nageoire *f.* anale.
aarts'bedrieger *m.* archifripon *m.*
aarts'bisdom *o.* archevêché *m.*
aarts'bisschop *m.* archevêque *m.*
aartsbisschop'pelijk *b.n.* archiépiscopal; — ***paleis,*** archevêché *m.*
aarts'broederschap *v.* archiconfrérie *f.*
aarts'deken, aarts'diaken *m.* archidiacre *m.*
aarts'deugniet *m.* archifripon, coquin *m.*
aarts'diaken *m.* archidiacre *m.*
aarts'dief *m.* maître voleur, voleur *m.* fieffé.
aarts'diocees *o.* archidiocèse, archevêché *m.*
aarts'dom *b.n.* archibête, bête comme tout, — comme chou, — à pleurer, — à manger du foin.
aarts'domkop *m.* grand (*of* gros) bêta, imbécile *m.*
aarts'engel *m.* archange *m.*
aarts'ezel *m.* âne *m.* bâté. [*m.*
aarts'gek I *b.n.* archifou, fou à lier; **II** *m.* archifou
aarts'gierig *b.n* ladre.
aarts'gierigaard *m.* fesse-mathieu*, arabe *m.*
aarts'hertog *m.* archiduc *m.*
aarts'hertogdom *o.* archiduché *m.*
aartsherto'gelijk *b.n.* archiducal.
aarts'hertogin *v.* archiduchesse *f.* [Tartufe *m.*
aarts'huichelaar *m.* hypocrite *m.* consommé, vrai
aarts'ketter *m.* hérésiarque *m.*
aarts'lelijk *b.n.* archivilain, vilain comme tout.
aarts'leugenaar *m.* furieux menteur, menteur *m.* fieffé. [teur *m.*
aarts'liefhebber *m.* amateur acharné, grand ama-
aarts'lui *b.n.* archiparesseux.
aarts'luiaard *m.* grand paresseux *m.*
aarts'priester *m.* archiprêtre *m.*
aarts'schelm *m.* fieffé coquin *m.*, coquin fieffé.
aarts'vader *m.* patriarche *m.*
aartsva'derlijk *b.n.* patriarcal.
aarts'vijand *m.*, **aarts'vijandin** *v.* ennemi(e) mortel(le) *m.* (*f.*).
aarts'vrek *m.* fesse-mathieu*, arabe *m.*
aar'zelen *on.w.* hésiter, balancer.
aar'zeling *v.* hésitation, irrésolution *f.*
aas I *o.* **1** (*lokaas*) appât *m.*, amorce *f.*; **2** (*voedsel*) pâture, nourriture *f.*; **II** *m. of o.* (*in spel*) as *m.*
aas'gier *m.* vautour *m.* fauve.
aas'kever *m.* bouclier, fouille-merde *m.*
aas'vlieg *v.(m.)* mouche *f.* dorée commune, mouche *f.* bleue.
aas'vogel *m.* oiseau *m.* de proie.
Aat Ath.
abbrevia'tie *v.* abréviation *f.*
abbreviatuur' *v.* abréviation *f.*, note *f.* tironienne.
abc *o.* alphabet *m.*
abc-boek *o.* abécédaire *m.*
abces' *o.* abcès *m.*
abdica'tie *v.* abdication *f.*
abdij' *v.* abbaye *f.*, maison *f.* abbatiale.
abdij'kerk *v.(m.)* église *f.* abbatiale.
abdis' *v.* abbesse *f.*
abeel' *m.* peuplier *m.* blanc.
a'bel *b.n.* — ***spel,*** moralité *f.*
aberra'tie *v.* aberration *f.*
Abessi'nië *o.* l'Abyssinie *f.*
Abessi'niër *m.* Abyssin(ien) *m.*
abituriënt' *m.* bachelier *m.*
ab'latief *m.* (*gram.*) ablatif *m.*
abnormaal' I *b.n.* anormal; **II** *bw.* anormalement.
abnormaliteit' *v.* anomalie *f.*
A-bom *v.(m.)* bombe *f.* A.
abonnee *m.-v.* abonné *m.*
abonnement' *o.* abonnement *m.*; ***zijn — opzeggen,*** se désabonner. [ment.
abonnements'kaart *v.(m.)* carnet *m.* d'abonne-
abonnements'voorstelling *v.* représentation *f.* réservée aux abonnés.
abonne'ren, *zich —,* *w.w.* s'abonner.
abor'tus *m.* avortement *m.*
A'braham *m.* Abraham *m.*; ***hij weet waar — de mosterd haalt,*** il sait de quel côté la miche est beurrée, il sait le fin de l'affaire.
abrikoos' *v.(m.)* abricot *m.*
abriko'zeboom *m.* abricotier *m.*
abriko'zenjam *m. en v.* confiture *f.* d'abricots.
abriko'zentaart *v.(m.)* tarte *f.* aux abricots.
Abruz'zen *mv.*, ***de —,*** les Abruzzes *f.pl.*
ab'scis *v.(m.)* abscisse *v.*
absent' *b.n.* absent; ***dikwijls — zijn,*** être souvent absent, avoir souvent des absences; ***zich — melden,*** se faire excuser.
absenteïs'me *o.* absentéisme *m.*
absen'tielijst *v.(m.)* liste *f.* des élèves absents, registre *m.* des absences.
absint *o. en m.* absinthe *f.*
absolu'tie *v.* absolution *f.*
absoluut' I *b.n.* absolu; **II** *bw.* absolument.
absolve'ren *ov.w.* absoudre.

absorbe'ren I *ov.w.* absorber; **II** *z.n.* ***het —,*** l'absorption *f.*
absou'te *v.(m.)* (*kath.*) absoute *f.*
abstract', abstrakt' I *b.n.* **1** (*v. begrip*) abstrait; **2** (*verstrooid*) distrait; **II** *bw.* abstraitement.
abstrac'tie, abstrak'tie *v.* **1** abstraction *f.*; **2** distraction *f.* [*o.* abstractivité *f.*
abstrac'tievermogen, abstrak'tievermogen
abstrahe'ren *ov.w.* abstraire, faire abstraction de.
abstrakt'(-), *zie* ***abstract(-).***
absurd' I *b.n.* absurde; **II** *bw.* absurdement.
absurditeit' *v.* absurdité *f.*
abt *m.* abbé *m.*
abuis' *o.* erreur, méprise *f.*; ***— hebben,*** se tromper, s'abuser; ***per —,*** par méprise.
abusief' *b.n.* erronné.
abusie'velijk *bw.* par erreur, à faux.
aca'cia *m.* acacia *m.*
acade'mie, akade'mie *v.* **1** (*genootschap*) académie *f.*; **2** (*hogeschool*) université *f.*; ***militaire —,*** École militaire; ***— van Beeldende Kunsten,*** École des Beaux-Arts. [versité *f.*
acade'miegebouw, akademiegebouw *o.* uni-
acade'miejaar, akade'miejaar *o.* année *f.* universitaire. [versitaire.
acade'mieleven, akade'mieleven *o.* vie *f.* uni-
acade'mielid, akade'mielid *o.* académicien *m.*
acade'miestad, akade'miestad *v.(m.)* ville *f.* universitaire. [d'université.
acade'mietijd, akade'mietijd *m.* années *f.pl.*
acade'mievriend, akade'mievriend *m.* compagnon *m.* d'études.
acade'misch, akade'misch I *b.n.* universitaire; académique; ***— proefschrift,*** thèse *f.* (de doctorat); **II** *bw.* académiquement; ***— gevormd,*** sorti de l'université.
acan'thus, akant' *m.* acanthe *f.*
a-capel'la sans accompagnement, à voix seules, a cappella.
accelera'tie *v.* accélération *f.*
accent', aksent' *o.* accent *m.*
accentue'ren, aksentue'ren *ov.w.* accentuer.
accept' *o.* acceptation *f.*; (*H.*) billet *m.* à ordre.
acceptant' *m.* (*v. wissel*) accepteur *m.*
accepta'tie *v.* acceptation *f.*; ***ter — aanbieden,*** présenter à l'acceptation; ***de — van een wissel verkrijgen,*** obtenir l'acceptation d'une traite.
accepte'ren *ov.w.* accepter; ***een wissel laten —,*** faire accepter une traite.
acces' *o.* accès *m.*, admission *f.*
accijns', aksijns' *m.* accise *f.*; contributions *f.pl.* indirectes; impôt *m.* sur les consommations; ***stedelijke —,*** octroi *m.*
accijns'biljet, aksijns'biljet *o.* passavant *m.*
accijns'kantoor, aksijnskantoor *o.* bureau *m.* de l'accise (*of* de l'octroi).
accijnsplich'tig, aksijnsplich'tig *b.n.* sujet à l'octroi, soumis au droit d'accise.
accijns'vrij, aksijns'vrij *b.n.* exempt d'octroi.
acclama'tie, akklamatie *v.* acclamation *f.*; ***bij —,*** par acclamation.
acclimatise'ren, acclimatize'ren, akklimatize'ren *ov.w. en on.w.* (s')acclimater.
acclimatise'ring, acclimatize'ring, akklimatize'ring *v.* acclimatation *f.*
accola'de, akkola'de *v.* accolade *f.* [dation *f.*
accommoda'tie, akkommoda'tie *v.* accomo-
accommoda'tievermogen, akkommoda'tievermogen *o.* faculté *f.* d'accommodation.
accoord', *zie* ***akkoord.***
accorde'ren, akkorde'ren *on.w.* **1** s'accorder, s'entraccorder; **2** (*muz.*) s'accorder.

accoun'tant *m.* expert *m.* comptable. [ble.
accoun'tantsonderzoek *o.* expertise *f.* compta-
accredite'ren, akkredite'ren *ov.w.* accréditer.
accres', akkres' *o.* accrétion *f.*; accroissement *m.*
accumula'tor, akkumula'tor *m.* accumulateur *m.*
accuraat, akkuraat' I *b.n.* exact, précis; **II** *bw.* exactement, précisément. [cision *f.*
accurates'se, akkurates'se *v.* exactitude, pré-
ac'cusatief, ak'kusatief *m.* accusatif *m.*
acetaat' *o.* acétate *m.*
aceton' *o. en m.* acétone *f.*
acetyleen' *o.* acétylène *m.*
acetyleen'lamp *v.(m.)* lampe *f.* à l'acétylène.
acetyleen'licht *o.* lumière *f.* d'acétylène.
ach! ah! hélas; ***— kom!*** bah!
Achil'les *m.* Achille *m.*
achil'lespees *v.(m.)* tendon *m.* d'Achille.
achroma'tisch *b.n.* achromatique.
acht I *telw.* huit; ***over — dagen,*** (d')aujourd'hui en huit, dans huit jours; **II** *z.n., v.(m.)* attention *f.*; soin *m.*; garde *f.*; ***— slaan op,*** faire attention à, avoir soin de, prendre garde à; ***— slaan op een klacht,*** (*H.*) faire droit à une réclamation; ***in — nemen,*** (*regels*) observer; (*gezondheid*) ménager; (*mil.*) ***geeft acht !*** garde à vous !
acht'baar *b.n.* estimable, honorable, respectable.
acht'baarheid *v.* honorabilité, respectabilité *f.*
acht'bladig *b.n.* à huit feuilles (*of* pétales).
acht'daags *b.n.* de huit jours.
ach'teloos I *b.n.* nonchalant, négligent; **II** *bw.* nonchalamment, négligemment.
achteloos'heid *v.* nonchalance, négligence *f.*
ach'ten *ov.w.* **1** (*achting hebben*) estimer, respecter, considérer; **2** (*houden voor*) croire, juger, regarder (comme), tenir (pour); **3** (*letten op*) faire attention à; ***gering —,*** faire peu de cas de, mépriser; ***geacht worden te...,*** être censé.
achtenswaar'd(ig) *b.n.* estimable, honorable, respectable. [bilité *f.*
achtenswaar'digheid *v.* honorabilité, respecta-
ach'ter I *vz.* **1** derrière; **2** après; ***— elkaar,*** l'un après l'autre; ***— iets komen,*** découvrir qc.; ***de deur — zich sluiten,*** fermer la porte sur soi; ***— het huis om lopen,*** contourner la maison; ***— zijn rug,*** en son absence, dans son dos; **II** *bw.* en arrière; ***dit horloge is —,*** cette montre retarde, est en retard; ***die leerling is —,*** cet élève est en arrière; ***ik ben er —,*** j'y suis; ***— in het boek,*** à la fin du livre; ***— in de zaal,*** au fond de la salle; ***— wonen,*** demeurer sur le derrière; ***daar steekt wat —,*** il y a quelque anguille sous roche, il y a qc. là-dessous.
achteraan' *bw.* **1** derrière, en arrière, à la queue; **2** au fond, à l'arrière-plan; ***— lopen,*** marcher le dernier; ***— komen,*** être le dernier; venir à la suite des autres.
ach'teraandrijving *v.* propulsion *f.* arrière.
achteraf' *bw.* **1** (*verwijderd*) à l'écart; **2** (*naderhand*) après coup; ***— beschouwd,*** après tout; ***zich — houden,*** se tenir à l'écart, ne pas se mettre en avant.
ach'teras *v.(m.)* axe *m.* de derrière; essieu *m.* —.
achterbaks' I *bw.* en cachette, à la dérobée; ***— houden,*** cacher; mettre de côté, réserver; ***zich — houden,*** se cacher, rester dans les coulisses; **II** *b.n.* secret, caché; (*stiekem*) sournois.
ach'terbalkon *o.* **1** (*v. huis*) balcon *m.* arrière; **2** (*v. tram*) plate*-forme* *f.* d'arrière.
ach'terband *m.* pneu *m.* arrière; — de derrière.
ach'terbank *v.(m.)* banc *m.* (*of* banquette *f.*) du fond.
ach'terbeen *o.* jambe *f.* de derrière.

ach'terblijven *on.w.* **1** rester en arrière, demeurer —; **2** rester en panne; **3** (*niet met de anderen vertrekken*) rester.
ach'terblijvenden *mv.* survivants *m.pl.* [*m.*
ach'terblijver *m.* traînard, traîneur, retardataire
ach'terbout *m.* **1** (*v. koe, enz.*) cuisse *f.*; **2** (*v. schaap*) gigot *m.*
ach'terbouw *m.* arrière-corps *m.*
ach'terbrug *v.*(*m.*) (*auto*) pont *m.* arrière.
ach'terbuur *m.* voisin *m.* de derrière, — d'arrière.
ach'terbuurt *v.*(*m.*) quartier *m.* populaire, — pauvre; — éloigné, bas —. [rière *m.*
ach'terdeel *o.* partie *f.* postérieure; derrière, ar-
ach'terdek *o.* arrière-pont* *m.*
ach'terdeur *v.*(*m.*) porte *f.* de derrière; ***een —tje openhouden,*** se ménager une sortie.
ach'terdocht *v.*(*m.*) soupçon(s), ombrage *m.*, défiance *f.*; ***— krijgen,*** prendre ombrage, concevoir des soupçons.
achterdoch'tig I *b.n.* soupçonneux, ombrageux, méfiant; **II** *bw.* avec méfiance, soupçonneusement.
achterdoch'tigheid *v.* caractère *m.* soupçonneux.
ach'terdoek *o.* toile *f.* du fond.
achtereen' *bw.* de suite; sans interruption, sans cesse; ***— uitlezen,*** lire d'une traite, — d'une haleine, — tout d'un trait; ***uren —,*** plusieurs heures d'affilée.
achtereenvol'gend *b.n.* successif, consécutif.
achtereenvol'gens *bw.* successivement, consécutivement.
ach'tereind *o.* derrière *m.*; extrémité *f.*
ach'teren *bw.* ***naar —,*** en arrière; ***naar — gaan,*** s'absenter, aller aux cabinets; ***ten —,*** en arrière.
ach'tererf *o.* arrière-cour* *f.*
ach'tergaan *on.w.* retarder.
ach'tergebleven *b.n.* ***de — gebieden,*** les pays sous-développés.
ach'tergedeelte *o.* partie *f.* postérieure.
ach'tergelid *o.* (*mil.*) arrière-rang* *m.*
ach'tergevel *m.* façade *f.* de derrière, — postérieure.
ach'tergrond *m.* fond, arrière-plan* *m.*; ***op de — blijven,*** rester dans l'ombre; ne pas se mettre en avant; ***op de — treden,*** être relégué au second plan.
achterha'len *ov.w.* atteindre, rejoindre, rattraper.
ach'terhand *v.*(*m.*) **1** poignet *m.*; **2** (*v. paard*) arrière-main* *f.*; arrière-train* *m.*; **3** (*in kaartspel*) arrière-main* *f.*; ***aan de — zitten,*** être en dernier.
achterheen' *bw.* ***ergens — zitten,*** pousser une affaire.
ach'terhoede *v.*(*m.*) (*mil.*) arrière-garde* *f.*; (*voetb.*) ligne *f.* arrière. [garde.
ach'terhoedegevecht *o.* combat *m.* d'arrière-
ach'terhoek *m.* coin *m.* de province, coin isolé, coin perdu (d'un pays).
ach'terhoofd *o.* derrière *m.* de la tête, occiput *m.*
ach'terhoofdsbeen *o.* os *m.* occipital.
ach'terhouden *ov.w.* **1** retenir, garder pour soi; **2** (*verbergen*) cacher, recéler; **3** (*verzwijgen*) taire.
achterhou'dend *b.n.* réservé, dissimulé, cachottier. [cachotterie *f.*
achterhou'dendheid *v.* réserve, dissimulation,
ach'terhouding *v.* **1** recel *m.*; **2** réticence *f.* [*m.*
ach'terhuis *o.* maison *f.* de derrière; arrière-corps
ach'terin *bw.* au fond (de).
Ach'ter-Indië *o.* l'Indochine *f.*
ach'terkamer *v.*(*m.*) chambre *f.* de derrière, arrière-pièce* *f.*, chambre *f.* (donnant) sur la cour.
ach'terkamertje *o.* arrière-cabinet* *m.*, chambrette *f.* sur la cour.
ach'terkant *m.* **1** (*v. kust, enz.*) côté *m.* de derrière, derrière *m.*; **2** (*v. stof*) envers *m.*; (*v. papier*) dos *m.*; verso *m.*
ach'terkeuken *v.*(*m.*) arrière-cuisine* *f.*
ach'terklap *m.* médisance *f.*, propos *m.pl.* médisants, caquets *m.pl.*
ach'terkleindochter *v.* arrière-petite*-fille* *f.*
ach'terkleinkind *o.* arrière-petit*-enfant* *m.*
ach'terkleinzoon *m.* arrière-petit*-fils *m.*
ach'terkwartier *o.* arrière-train*, derrière *m.*
ach'terland *o.* arrière-pays, hinterland *m.*
ach'terlap *m.* talon *m.*
ach'terlaten *ov.w.* laisser, abandonner.
ach'terlating *v.* abandon *m.*; ***met — van,*** en laissant (après soi).
ach'terleder *o.* (*v. schoen*) quartier *m.* de derrière.
ach'terleen *o.* arrière-fief* *m.*
ach'terleenman *m.* arrière-vassal* *m.*
ach'terlicht *o.* **1** (*v. auto*) lampe *f.* de stationnement; feu *m.* arrière; **2** (*v. fiets*) protecteur *m.* arrière; **3** (*sch.*) falot *m.* arrière. [men *m.*
ach'terlijf *o.* partie *f.* postérieure du corps, abdo-
ach'terlijk *b.n.* **1** (*v. persoon*) arriéré; **2** (*v. gewassen*) tardif.
ach'terlijkheid *v.* **1** (*v. kind*) arriération *f.* (mentale); **2** (*v. plant*) tardiveté *f.*; **3** (*v. begrippen*) idées *f.pl.* arriérées, notions *f.pl.* vieillies.
ach'terlopen *on.w.* **1** (*v. uurwerk*) retarder; **2** (*eig.*) marcher derrière.
ach'termast *m.* mât *m.* d'artimon.
achtermid'dag *m.* après-midi *m. en f.*
achterna' *bw.* après, après coup.
ach'ternaam *m.* nom *m.* de famille.
achterna'lopen *ov.w.* courir après.
achterna'zenden *ov.w.* faire suivre.
achterna'zitten *ov.w.* poursuivre.
ach'terneef *m.* arrière-neveu* *m.*; arrière-cousin*, petit*-neveu*; neveu *m.* à la mode de Bretagne.
ach'ternicht *v.* arrière-nièce*; arrière-cousine*, petite*-nièce* *f.*
achterom' I *bw.* par derrière; **II** *z.n., o.* ruelle *f.*
achteron'der *o.* entrepont *m.* d'arrière, rouf *m.* arrière.
achterop' *bw.* **1** derrière, à l'arrière; **2** (*op een paard*) en croupe.
achterop'komen, achterop'lopen *ov.w.* rattraper, rejoindre.
achtero'ver *bw.* à la renverse, sur le dos.
achtero'verhellen *on.w.* pencher en arrière.
achtero'verleggen *ov.w.* coucher sur le dos, à la renverse.
achtero'vervallen *on.w.* tomber à la renverse.
ach'terpand *o.* basque *f.*
ach'terplaats *v.*(*m.*) **1** (*v. huis*) arrière-cour* *f.*; **2** (*in zaal, enz.*) place *f.* de fond.
ach'terplat *o.* (*v. boek*) plat *m.* inférieur, — verso, second plat *m.*
ach'terplecht *v.*(*m.*) gaillard *m.* arrière.
ach'terplein *o.* arrière-cour* *f.*
ach'terpoort *v.*(*m.*) porte *f.* de derrière.
ach'terpoot *m.* pied *m.* de derrière; patte *f.* —.
ach'terraken *on.w.* perdre du terrain; rester en arrière.
ach'terriem *m.* croupière *f.*
ach'terruit *v.*(*m.*) glace *f.* du fond, lunette *f.* arrière, glace*-arrière *f.* [vaisseau).
ach'terschip *o.* arrière *m.*; partie *f.* arrière (d'un
ach'terspeler *m.* (*voetb.*) arrière *m.*
ach'terstaan *on.w.* être (placé) en arrière; ***— bij,*** **1** être inférieur à; **2** (*onderdoen voor*) le céder à.
ach'terstaand *b.n.* suivant, ci-après.

ach'terstal *m.* arrérages *m.pl.* [l'arriéré *m.*
achterstal'lig *b.n.* arriéré; en retard; ***het —e,***
ach'terstand *m.* arrérages *m.pl.*; arriéré *m.*; ***— inlopen,*** rattraper un arrière.
ach'terste I *b.n.* dernier, de derrière; ***op zijn — poten gaan staan,*** montrer les dents; **II** *z.n., o.* derrière *m.*; ***— voor,*** sens devant derrière.
ach'tersteek *m.* arrière-point* *m.*
ach'terstel *o.* arrière-train*, arrière *m.*
ach'terstellen *ov.w.* mettre en arrière; négliger; reléguer au second plan; ***hij wordt achtergesteld bij zijn jongste broer,*** on lui préfère son frère cadet.
ach'terstelling *v.* négligence *f.*; relégation *f.* au second plan; mésestime *f.*
ach'tersteven *m.* poupe *f.*; étambot *m.*
ach'terstraat *v.(m.)* rue *f.* écartée.
ach'terstuk *o.* pièce *f.* de derrière.
ach'tertand *m.* dent *f.* canine.
ach'tertrap *m.* escalier *m.* de service.
achteruit' *bw.* en arrière, à reculons; ***de zaak ging —,*** l'affaire périclitait; ***— !*** arrière !
achteruit'boeren *on.w.* aller à la dérive; baisser.
achteruit'dringen *ov.w.* pousser en arrière.
achteruit'fietsen *on.w.* rétropédaler.
achteruit'gaan *on.w.* **1** reculer, marcher à reculons; **2** (*fig.*) (*gezondheid*) décliner; **3** (*ziekte*) aller plus mal, tomber en décadence; dépérir.
achteruit'gang *m.* régression, rétrogradation *f.*, mouvement *m.* rétrograde; décadence *f.*; ***de — der prijzen,*** la baisse des prix.
ach'teruitgang *m.* porte *f.* de derrière, sortie *f.* —.
achteruit'kijkspiegel *m.* rétroviseur *m.*
achteruit'krabbelen *on.w.* reculer, retirer sa parole, se dédire.
achteruit'lopen *on.w.* marcher à reculons.
achteruit'rijden *on.w.* **1** (*auto, trein*) faire de la marche arrière; **2** (*persoon*) aller en arrière, voyager à reculons.
achteruit'schuiven *ov.w.* (re)pousser en arrière, reculer. [regimber.
achteruit'slaan *on.w.* ruer, lancer des ruades;
achteruit'varen *on.w.* aller à reculons.
achteruit'zetten *ov.w.* **1** (*voorwerp: stoel, enz.*) reculer; **2** (*klok*) retarder; **3** (*ambtenaar*) rétrograder.
achteruit'zetting *v.* rétrogradation *f.*
ach'tervoegen *ov.w.* ajouter.
ach'tervoeging *v.* **1** addition, apposition *f.*; **2** (*gram.*) postposition *f.*
ach'tervoegsel *o.* (*gram.*) suffixe *m.*
achtervol'gen *ov.w.* poursuivre.
achtervol'ging *v.* poursuite *f.* [rétrograde.
ach'terwaarts I *bw.* en arrière, à reculons; **II** *b.n.*
ach'terweg *m.* chemin *m.* écarté, — de derrière.
achterwe'ge *bw.* ***— blijven,*** ne pas avoir lieu, être supprimé; ***— houden,*** retenir, cacher, taire; ***— laten,*** ne pas faire, passer sous silence.
ach'terwerk *o.* (*pop.*) fessier, derrière *m.*
ach'terwiel *o.* roue *f.* de derrière.
ach'terzak *m.* poche *f.* de derrière.
ach'terzij(de) *v.(m.)* **1** (*v. blad papier*) verso *m.*; **2** (*v. stof*) envers *m.*; **3** (*v. huis*) derrière *m.*
ach'terzolder *m.* grenier *m.* de derrière; fond *m.* du grenier.
acht'hoek *m.* octogone *m.*
achthoe'kig *b.n.* octogone.
acht'honderd *telw.* huit cent(s).
acht'honderdste *telw.* huit centième.
ach'ting *v.* estime, considération *f.*; égard *m.*; ***iem. — betonen, toedragen,*** témoigner, porter de l'estime, porter respect à qn.; ***— inboezemen,*** commander le respect, se faire estimer; ***met de meeste —,*** (*in brief*) agréez, M., l'assurance de ma parfaite considération (etc.).
acht'jarig *b.n.* de huit ans.
acht'kantig *b.n.* à huit faces (*of* côtés).
acht'lettergrepig *b.n.* de huit syllabes, octosyllabe, octosyllabique.
acht'maands *b.n.* de huit mois; né avant terme.
acht'ponder *m.* **1** (*brood*) pain *m.* de huit livres; **2** (*kanon*) pièce *f.* de huit.
acht'potig *b.n.* octopode.
acht'regelig *b.n.* à huit lignes; ***— gedicht*** (*of* ***stroof***), huitain *m.*
acht'ste I *b.n.* huitième; ***— noot,*** (*muz.*) croche *f.*; ***de — september,*** le huit septembre; **II** *z.n., o.* (un) huitième; ***ten —,*** huitièmement.
acht'tal *o.* huitaine *f.*
acht'tien *telw.* dix-huit. [dix-huit.
acht'tiende *telw.* dix-huitième; (*in datum, enz.*)
achtu'rendag *m.* journée *f.* de huit heures.
achtu'renwet *v.(m.)* loi *f.* de huit heures.
acht'vlak *o.* octaèdre *m.*
acht'vlakkig *b.n.* octaèdre, à huit faces.
acht'voetig *b.n.* à (*of* de) huit pieds.
acht'voud *o.* octuple *m.*
acht'voudig *b.n.* octuple.
acht'zaam *b.n.* attentif, soigneux. [*f.*
acht'zaamheid *v.* attention *f.*, soin *m.*, exactitude
achtzij'dig *b.n.* à huit faces.
acoliet', akoliet' *m.* acolyte *m.*
acrobaat', akrobaat' *m.* acrobate *m.*
acroba'tisch, akroba'tisch *b.n.* acrobatique.
acte'ren, akte'ren *on.w.* jouer (la comédie).
acteur', akteur' *m.* acteur *m.*
ac'tie, ak'tie *v.* action *f.*
actief', aktief' I *b.n.* actif; ***— zijn,*** **1** (*eig.*) être actif; **2** (*mil.*) être en activité de service; **II** *z.n., o.* actif *m.*; **III** *bw.* activement.
ac'tieradius, ak'tieradius *m.* rayon *m.* d'action.
activis'me, aktivisme *o.* activisme *m.*
activist', aktivist' *m.* activiste *m.*
activis'tisch, aktivis'tisch *b.n.* activiste.
activiteit', aktiviteit' *v.* activité *f.*
activiteits'traktement, aktiviteits'traktement *o.* solde *f.* de présence.
actri'ce *v.* actrice *f.*
actualiteit', aktualiteit' *v.* actualité *f.*
actua'ris, aktua'ris *m.* actuaire *m.*
actueel', aktueel' *b.n.* actuel.
acus'tica, akus'tika *v.* acoustique *f.*
acuut' *b.n.* aigu.
A'dam *m.* Adam; ***de oude — afleggen,*** dépouiller le vieil Adam, — le vieil homme.
a'damsappel *m.* pomme *f.* d'Adam.
a'damskostuum, a'damscostuum *o.* habit *m.* du père Adam, complet *m.* de parchemin.
a'damsvork *v.* fourchette *f.* du père Adam.
a'dat *m.* (*Indonesië*) droit *m.* coutumier; usage *m.*
ad'der *v.(m.)* vipère *f.*, aspic *m.*; ***er schuilt een — onder 't gras,*** il y a anguille sous roche.
ad'derachtig *b.n.* vipérin.
ad'derbeet *m.* morsure *f.* de vipère.
ad'der(en)gebroed *o.* race *f.* de vipères.
ad'derkruid *o.* vipérine *f.*
ad'dertong *v.(m.)* **1** langue *f.* de vipère; **2** (*Pl.*) langue *f.* de serpent.
a'del *m.* noblesse *f.*; ***van —,*** noble, gentilhomme; ***oude —,*** noblesse de vieille roche. [aigle *f.*
a'delaar *m.* **1** aigle *m.*; **2** (*vaandel; op wapen*)
adelaars-, *zie* ***arends-.***
a'delboek *o.* nobiliaire *m.*
a'delborst *m.* aspirant *m.* de marine.

a'delbrief *m.* lettre *f.* de noblesse, titre *m.* —.
a'deldom *m.* noblesse *f.*
a'delen *ov.w.* **1** anoblir; **2** (*fig.*) ennoblir.
A'delheid *v.* Adelaïde *f.*
a'dellijk *b.n.* **1** noble; (*v. titel*) nobiliaire; **2** (*v. wild*) faisandé.
a'delstand *m.* caste *f.* nobiliaire, noblesse *f.*; ***in de — verheffen,*** anoblir.
a'deltrots *m.* orgueil *m.* nobiliaire.
a'dem *m.* **1** haleine *f.*; souffle *m.*; **2** (*ademhaling*) respiration *f.*; ***buiten —,*** hors d'haleine, à bout de souffle; ***zich buiten — lopen,*** courir à perte d'haleine; ***— scheppen,*** respirer; ***op — komen,*** reprendre haleine; ***de laatste — uitblazen,*** rendre le dernier soupir; ***een werk van lange —,*** une œuvre de longue haleine; ***in één —,*** tout d'une haleine.
a'demen I *ov.w.* respirer; souffler; **II** *on.w.* respirer.
a'demhalen *on.w.* respirer.
a'demhaling *v.* respiration *f.*
a'demhalingsoefeningen *mv.* exercices *m.pl.* de gymnastique respiratoire.
a'demhalingsorganen *mv.* organes *m.pl.* respiratoires.
a'demhalingswegen *mv.* voies *f.pl.* respiratoires.
a'demhalingswerktuigen *mv.* organes *m.pl.* respiratoires, appareil *m.* respiratoire.
a'demloos *b.n.* hors d'haleine, essoufflé; ***—loze stilte,*** profond silence.
a'dempauze *v.(m.)* arrêt *m.*
a'demtocht *m.* souffle *m.*
a'der *v.(m.)* **1** veine *f.*; **2** (*v. blad*) veinule *f.*
a'derbreuk *v.(m.)* rupture *f.* d'une veine; — d'un vaisseau sanguin.
a'deren *ov.w.* veiner.
a'dergezwel *o.* ulcère *m.* variqueux.
a'derlaten *ov.w.* saigner.
a'derlating *v.* saignée *f.*; (*gen.*) phlébotomie *f.*
a'derlijk *b.n.* veineux.
a'derontsteking *v.* artérite, (*gen.*) phlébite *f.*
a'derrijk *b.n.* veineux.
a'derslag *m.* pulsation *f.*, battement *m.* du pouls.
a'derspat *v.(m.)* varice *f.*
a'derspatkous *v.(m.)* bas *m.* à varices.
a'dertje *o.* veinule, petite veine *f.*
a'derverkalking *v.* artériosclérose *f.*
a'derwandontsteking *v.* phlébite *f.*
adhe'sie *v.* adhésion *f.*
adhe'siebetuiging *v.* témoignage *m.* d'adhésion.
adjudant' *m.* **1** (*onderofficier*) adjudant *m.*; **2** (*v. generaal*) aide* *m.* de camp.
adjunct', adjunkt' *m.* adjoint, aide *m.*
adjunct'-directeur, adjunkt'-direkteur *m.* directeur *m.* adjoint, sous-directeur* *m.*
adjunct'-inspecteur, adjunkt'-inspekteur *m.* inspecteur *m.* adjoint.
adjunct'-secretaris, adjunkt'-sekretaris *m.* secrétaire *m.* adjoint.
adjusteer'balans *v.(m.)* trébuchet, ajustoir *m.*
adjuste'ren *ov.w.* ajuster.
administrateur' *m.* **1** administrateur *m.*; **2** (*v. dagblad, tijdschrift*) gérant *m.*
administra'tie *v.* administration *f.*; ***officier van —,*** officier *m.* comptable.
administratief' *b.n.* administratif.
administra'tiekantoor *o.* bureau *m.* d'administration, société *f.* fiduciaire.
administra'tiekosten *mv.* frais *m.pl.* d'administration.
administre'ren *ov.w.* administrer.
admiraal' *m.* amiral *m.*
admiraal'schap *o.* amirauté *f.*
Admiraals'eilanden *mv.* îles *f.pl.* de l'Amirauté.
admiraals'schip *o.* vaisseau*-amiral* *m.*
admiraals'vlag *v.(m.)* pavillon *m.* amiral.
admiraals'vlinder *m.* vulcain *m.*
admiraliteit' *v.* **1** amirauté *f.*; **2** (*in Frankr.*) ministère *m.* de la marine.
admis'sie *v.* admission *f.*
admis'sie-examen, -eksamen *o.* examen *m.* d'entrée, — d'admission.
A'dolf *m.* Adolphe *m.*
adopte'ren *ov.w.* adopter.
adop'tie *v.* adoption *f.*
ad rem' *bw.* **1** (*slagvaardig*) prompt à la riposte; **2** (*ter zake*) avec précision, précisément, au fait.
adres' *o.* **1** adresse *f.*; **2** (*verzoekschrift*) pétition *f.*; ***— van adhesie,*** témoignage *m.* d'adhésion; ***— van antwoord,*** adresse en réponse au discours du trône; ***u bent aan 't verkeerde —,*** vous vous trompez de porte; ***per —...,*** chez..., aux (bons) soins...
adres'band *m.* bande *f.*
adres'beweging *v.* pétitionnement *m.*, mouvement *m.* en faveur d'une pétition.
adres'boek *o.* livre *m.* d'adresses; (*in Frankrijk*) Bottin *m.*; ***— ter inzage,*** ici on consulte le Bottin.
adres'kaart *v.(m.)* bulletin *m.* d'expédition; adresse *f.*
adres'kantoor *o.* bureau *m.* d'adresses, office *m.* de publicité.
adressant' *m.* pétitionnaire, solliciteur *m.*
adresseer'machine *v.* adressographe *m.*
adresse'ren *ov.w.* adresser, envoyer à l'adresse.
adres'strook *v.(m.)* bande *f.* (d'adresse); (*aan pak, koffer*) étiquette *f.*
adres'wijziging *v.* changement *m.* d'adresse.
adres'zijde *v.* côté *m.* réservé à l'adresse.
A'driaan *m.* Adrien *m.*
Adria'na *v.* Adrienne *f.*
Adriano'pel *o.* Andrinople *f.*
Adria'tisch *b.n.* ***de —e zee,*** l'Adriatique, la mer [Adriatique.
adspirant' *m.* aspirant, candidat, postulant *m.*
adspirant'-officier *m.* élève*-officier* *m.*
adstrue'ren *ov.w.* étayer, appuyer.
advent' *m.* avent *m.*
advents'krans *m.* couronne *f.* d'avent.
advent'(s)preek *v.(m.)* sermon *m.* d'avent.
adverteer'der *m.* annonceur *m.*
adverten'tie *v.* annonce *f.*; ***schrijven op een —,*** répondre à une annonce; ***een — plaatsen,*** (faire) insérer une annonce.
adverten'tieblad *o.* feuille *f.* d'annonces.
adverten'tiebureau, adverten'tiekantoor *o.* agence *f.* de publicité.
adverten'tiekosten *mv.* frais *m.pl.* de publicité.
adverten'tiezuil *v.(m.)* colonne*-affiches *f.*
adverte'ren I *ov.w.* annoncer, publier; **II** *on.w.* faire de la publicité; faire insérer une annonce; **III** *z.n., o.* ***het —,*** la publicité.
advies' *o.* **1** avis *m.*; **2** (*post*) feuille *f.* d'avis; ***— inwinnen,*** consulter, prendre (*of* recueillir) l'avis (de); ***— uitbrengen,*** donner son avis; ***van — dienen,*** donner avis; ***volgens —,*** suivant avis.
advies'brief *m.* lettre *f.* d'avis.
advies'jacht *o.* aviso *m.*
advies'raad *m.* conseil *m.* consultatif.
advise'ren, advize'ren *ov.w.* aviser, conseiller; ***—de stem,*** voix *f.* consultative; ***—d geneesheer,*** médecin *m.* consultant.
adviseur', advizeur' *m.* conseiller, expert *m.*
advocaat', advokaat' *m.* **1** avocat *m.*; conseil, défenseur *m.*; **2** (*likeur*) eau*-de-vie *f.* aux œufs.
advocaat'-fiscaal', advokaat'-fiskaal' *m.* procureur *m.* général

advocaat'-generaal', advokaat'-generaal, *m.* avocat *m.* général.

advoca'tenborrel, advoka'tenborrel *m.* avocat *m.*

advoca'tenstreek, advoka'tenstreek *m. en v.* avocasserie *f.*

advocatuur', advokatuur' *v.* barreau *m.*; profession *f.* d'avocat.

advoka-, *zie* ***advoca-.***

Aene'as *m.* Énée *m.*

Ae'olus *m.* Éole *m.*

aërodroom' *o.* aérodrome *m.*

aërodyna'mica, -dyna'mika *v.* aérodynamique *f.*

aëronau'tica, -nau'tika *v.* aéronautique *f.*

aërosta'tica, -sta'tika *v.* aérostatique *f.*

Ae'schylus *m.* Eschyle *m.*

af *bw.* **— *zijn,*** (*werk*) être fini, achevé; (*verloving*) être rompu; ***hij is minister —,*** il n'est plus ministre; ***hij is goed*** (***slecht***) **—,** il est bien (mal) partagé (loti); ***— en aan lopen,*** aller et venir; ***— en toe,*** de temps à autre; ***hoed —!*** chapeau bas! ***berg op, berg —,*** par monts et par vaux; ***rechts —,*** à droite; ***op iemand*** (***iets***) ***—gaan,*** se diriger vers; ***van zich —spreken,*** avoir bec et ongles; ***hij is er van —,*** il s'en est débarrassé; ***ik moet er op —,*** il faut que j'y aille; ***op de minuut —,*** à la minute; ***op de man —,*** en face, carrément; ***op gevaar —,*** au risque de; ***op het geluid —,*** d'après le son; ***op de geur —,*** au flair; ***op de rij —,*** à tour de rôle; ***zij zijn van elkaar —,*** ils se sont quittés; ***hij is van zijn vrouw —,*** il a abandonné sa femme; il a divorcé; ***van... —,*** (*sedert*) depuis; (*te beginnen met*) à partir de, dès; ***van nu —*** (***aan***), dès à présent, dès ce moment; ***van — 10 fr.,*** depuis dix francs; ***hij kwam er met de schrik —,*** il en était quitte pour la peur; ***niet ver —,*** pas loin d'ici.

afasie' *v.* aphasie *f.*

af'bakenen *ov.w.* **1** (*grenzen*) délimiter, aborner; **2** (*spoorlijn*) jalonner, tracer; **3** (*fig.: te volgen weg, enz.*) tracer, prescrire.

af'bakening *v.* délimitation, démarcation *f.*; abornement *m.*; jalonnement *m.*; tracé *m.*

af'bedelen *ov.w.* **1** mendier; quémander, obtenir en mendiant; **2** parcourir en mendiant; ***een gunst —,*** solliciter (*of* quémander) une faveur.

af'beelden *ov.w.* **1** figurer, peindre; réprésenter; **2** dépeindre.

af'beelding *v.* peinture, image, représentation, reproduction *f.*; portrait, tableau *m.*

af'beeldsel *o.* image *f.*, portrait *m.*

af'bekken *ov.w.* engueuler, rabrouer.

af'bellen *on.w.* **1** annoncer le départ par la cloche; **2** (*telef.*) accrocher le récepteur, faire couper la communication, décommander.

af'bestellen *ov.w.* décommander, contremander; annuler l'ordre.

af'bestelling *v.* contrordre *m.*

af'betalen *ov.w.* **1** (*geheel*) acquitter, solder; payer intégralement; **2** (*een gedeelte*) payer, donner un acompte; (*bij gedeelten*) payer par acomptes, — à tempérament.

af'betaling *v.* **1** (*geheel*) payement *m.*; **2** (*gedeelte*) acompte *m.*; ***op —,*** à payer par acomptes; ***in — op,*** à valoir sur; ***kopen op —,*** acheter avec des facilités de payement, acheter à tempérament.

af'betten *ov.w.* bassiner, tamponner.

af'beulen I *ov.w.* surmener, harasser; exploiter; **II** *w.w.* ***zich —,*** s'éreinter, s'échiner, se surmener, s'esquinter.

af'beuling *v.* surmenage *m.*

af'bidden *ov.w.* **1** conjurer, détourner par des prières; **2** implorer.

af'bieden *on.w.* rabattre du prix.

af'biezen *ov.w.* border.

af'bijten I *ov.w.* **1** (*doorbijten*) couper avec les dents; **2** (*stuk van iets*) mordre, arracher en mordant; ***zijn nagels —,*** se ronger les ongles; ***het spit*** (***s***) **—,** tirer les marrons du feu; **II** *on.w.* ***van zich —,*** avoir bec et ongles, avoir de la défense, montrer les dents.

af'bikken *ov.w.* **1** (*mortel*) regratter; **2** (*muur*) décrépir; **3** (*hardsteen*) gruger.

af'binden *ov.w.* **1** délier, détacher, ôter; **2** (*gen.*) ligaturer, barrer; ***de schaatsen —,*** délier les patins.

af'binding *v.* (*gen.*) ligature *f.*

af'blaaskraan *v.*(*m.*) (*tn.*) robinet *m.* de purge.

af'blaaspijp *v.*(*m.*) (*tn.*) tuyau *m.* d'échappement.

af'bladderen *on.w.* s'écailler.

af'bladeren *ov.w.* effeuiller.

af'blazen *ov.w.* **1** enlever en soufflant, nettoyer —; **2** (*stoommachine*) laisser échapper la vapeur, vider (la machine); **3** (*kanon*) flamber; **4** (*mil.*) sonner la retraite.

af'blijven *on.w.* ***— van,*** ne pas toucher, ne pas se mêler de, laisser en paix.

af'boeken *ov.w.* amortir, mettre au jour.

af'boenen *ov.w.* frotter, nettoyer à fond, nettoyer avec un frottoir.

af'borstelen *ov.w.* **1** (*kleren*) brosser; (*even —*) donner un coup de brosse; **2** (*schoenen*) décrotter.

af'bouw *m.* achèvement *m.*

af'braak *v.*(*m.*) **1** (*het afbreken*) démolition *f.*; **2** (*puin*) décombres *m.pl.*, démolitions *f.pl.*; ***verkopen voor —,*** vendre pour démolir.

af'branden I *ov.w.* **1** brûler, incendier, réduire en cendres; **2** (*verf*) flamber; **3** (*akker*) écobuer; **4** (*wrat, enz.*) cautériser.

af'breken I *ov.w.* **1** (*huis, enz.*) démolir; **2** (*tak*) détacher; **3** (*woord*) couper, diviser; **4** (*onderbreken*) (*reis*) interrompre; (*verhaal*) discontinuer; **5** (*doen ophouden*) (*betrekkingen*) rompre; (*vriendschap*) couper; (*strijd*) arrêter; **6** (*wat in elkaar gezet wordt*) démonter; **7** (*fig.*) (*schrijver*) démolir, éreinter; ***door snikken afgebroken,*** entrecoupé de sanglots; **II** *on.w.* **1** se casser, se rompre; **2** s'interrompre, cesser de parler, s'arrêter; **3** démolir; **III** *z.n.*, *o.* ***het —,*** (*v. huis*) démolition *f.*; (*v. woord*) division *f.*; (*v. reis*) interruption *f.*; (*v. betrekkingen*) rupture *f.*; éreintement *m.*

af'brekend *b.n.* ***—e kritiek,*** critique destructive; (*pop.*) éreintement.

af'breker *m.* démolisseur *m.*; (*fig.*) éreinteur *m.*

af'breking *v.* rupture; interruption *f.*

af'brekingsteken *o.* tiret *m.*, points *m.pl.* suspensifs, — de suspension.

af'brengen *ov.w.* (*schip*) déséchouer, renflouer, remettre à flot; ***— van,*** détourner de; (*van plan, ook:*) faire abandonner; ***het er goed —,*** se tirer bien de qc., réussir; (*in gevaar*) l'échapper belle; ***er het leven —,*** avoir la vie sauve; en réchapper; ***iem. van zijn mening —,*** faire changer qn. d'avis; ***iem. van zijn voornemen —,*** dissuader qn.; ***iem. van een dwaling —,*** désabuser qn.; ***het er met ere —,*** s'en tirer avec honneur.

af'breuk *v.*(*m.*) tort, dommage, préjudice *m.*; ***— doen aan,*** faire tort à, nuire à, porter préjudice à.

af'brokkelen *on.w.* s'ébouler, se désagréger, se détacher; (*H.*) (*fondsen*) fléchir; s'émietter.

af'brokkeling *v.* **1** éboulement *m.*; **2** fléchissement; émiettement *m.*

af'dak *o.* **1** hangar *m.*; appentis, auvent *m.*; **2** (*boven deur of venster*) abat-vent *m.*; **3** avant-toit* *m.*

af'dalen *on.w.* descendre; ***tot iem. —,*** (*minzaam bejegenen*) traiter qn. avec condescendance; (*op hetzelfde peil plaatsen*) se mettre, s'abaisser au niveau de qn.; ***in bijzonderheden —,*** entrer dans les détails.

af'dalend *b.n.* descendant, en pente.
af'daling *v.* descente *f.*
af'dammen *ov.w.* barrer; endiguer; établir un barrage.
af'damming *v.* barrage *m.*; digue *f.*
af'danken *ov.w.* **1** (*bedienden*) renvoyer, congédier; **2** (*soldaten*) licencier; **3** (*wegens ongeschiktheid*) réformer; **4** (*voorwerp*) se défaire de.
af'danking *v.* renvoi, congé *m.*; licenciement *m.*, réforme *f.*
af'deinzen *on.w.* reculer, se retirer.
af'dekken I *ov.w.* **1** (*tafel*) desservir; **2** (*muur*) chaperonner; **3** (*huis*) couvrir; **II** *on.w.* ôter la nappe, desservir.
af'delen *ov.w.* diviser; classer.
af'deling *v.* **1** (*handeling*) division; classification *f.*; **2** (*resultaat*) division *f.*; (*mil.*) détachement *m.*, division *f.*, corps *m.* (d'armee); **3** (*v. wagon*) compartiment; **4** (*v. winkel*) rayon *m.*; **5** (*v. kast*) case *f.*; **6** (*v. gebied*) circonscription *f.*; **7** (*in de Kamer*) commission *f.*; **8** (*v. beurs*) compartiment *m.*
af'delingschef *m.* **1** chef *m.* de division; **2** (*H.*) chef *m.* de rayon.
af'delingshoofd *o.* (*Z.N.*) chef *m.* de division.
af'delingsonderzoek *o.* examen *m.* par les commissions.
af'delingsverslag *o.* rapport *m.* de commission.
af'dingen *ov.w.* marchander, rabattre (du prix); ***daar valt niet op af te dingen,*** il n'y a pas à dire; ***op alles af te dingen hebben,*** trouver à redire à tout.
af'dinging *v.* marchandage *m.*
af'doen I *ov.w.* **1** (*afnemen, uitdoen*) enlever, ôter, quitter, se défaire de; **2** (*stof, enz.*) nettoyer, enlever la poussière; **3** (*afmaken*) achever, terminer, finir; **4** (*betalen*) (*schuld*) payer, liquider; (*rekening*) acquitter; ***iets van de prijs —,*** rabattre du prix; ***er een frank —,*** en rabattre un franc; ***heel wat —,*** abattre beaucoup de besogne; ***de zaak is afgedaan,*** l'affaire est décidée; **II** *on.w.* ***afgedaan!*** fini, n'en parlons plus; ***afgedaan hebben,*** avoir fini; avoir eu son temps; ***hij heeft bij mij afgedaan,*** je ne m'occupe plus de lui, j'en ai fini avec lui.
af'doend *b.n.* **1** (*manier*) définitif, péremptoire; **2** (*antwoord*) concluant; **3** (*middel: doeltreffend*) efficace, expéditif.
af'doening *v.* **1** (*v. werk*) achèvement *m.*, expédition *f.*; **2** (*v. schuld*) acquittement, payement *m.*; **3** (*v. handelszaak*) (*H.*) transaction, affaire *f.*; ***de — der lopende zaken,*** l'expédition (*of* la liquidation) des affaires courantes.
af'dokken *on.w.* s'exécuter; (*fam.*) jouer du pouce.
af'draaien I *ov.w.* **1** (*schroef*) dévisser; **2** (*draaiend afnemen*) enlever, détacher en tournant; **3** (*het hoofd: afwenden*) détourner; **4** (*film*) tourner; **5** (*deuntje*) seriner; (*verzen, enz.*) réciter, débiter; dégoiser; **II** *on.w.* (*rechts, links*) tourner (à droite, à gauche).
af'dragen *ov.w.* **1** (*kleren*) user, achever; **2** (*geld*) remettre, payer, verser (dans la caisse); **3** (*naar beneden dragen*) porter en bas, descendre.
af'draven *ov.w.* **1** descendre en trottant (*of* au trot); **2** parcourir au trot; ***een paard —,*** essayer un cheval.
af'dreggen *ov.w.* draguer.
af'dreigen *ov.w.* extorquer (par des menaces), obtenir par chantage; ***iem. geld —,*** faire chanter qn.
af'dreiger *m.* chanteur, maître chanteur *m.*
af'dreiging *v.* extorsion *f.* (de fonds), chantage *m.*
af'drijven I *ov.w.* **1** (*verdrijven*) chasser, repousser; **2** (*metalen*) affiner; **3** (*gen.*) purger; **II** *on.w.* **1** (*schip*) aller à la dérive, être emporté par le courant; **2** (*ballon*) être drossé; **3** (*onweer*) passer, s'éloigner.
af'drijvend *b.n.* purgatif, laxatif, détersif; ***— middel,*** (remède) purgatif, détersif *m.*
af'drijving *v.* **1** (*v. schip*) dérive *f.*; **2** (*v. mijnen*) divagation *f.*; **3** (*v. vrucht*) avortement *m.*; **4** (*gen.*) purgation *f.*; **5** (*v. metalen*) affinage *m.*
af'dringen *ov.w.* **1** pousser en bas; **2** éloigner en poussant.
af'drogen *ov.w.* **1** essuyer, sécher; **2** (*fig.: afranselen*) brosser (qn.); ***zijn voorhoofd —,*** s'éponger le front; ***tranen —,*** sécher, essuyer les larmes.
af'druipbak *m.* égouttoir *m.*
af'druipen *on.w.* **1** s'égoutter, dégoutter, tomber goutte à goutte; (*in stromen*) ruisseler; **2** (*weggaan*) se sauver, s'esquiver, filer (à l'anglaise); ***laten —,*** égoutter.
af'druk *m.* **1** (*het drukken*) impression *f.*; **2** (*het afgedrukte: proef*) épreuve *f.*; **3** (*v. tekening*) décalque *f.*; **4** (*exemplaar*) exemplaire *m.*; (*v. artikel*) tirage *m.* à part; **5** (*stempel*) empreinte *f.*
af'drukken I *ov.w.* **1** (*boek*) imprimer, tirer; **2** (*in was*) empreindre; **3** (*geweer*) presser la détente; **II** *on.w.* **1** imprimer; **2** presser la détente.
af'drukpapier *o.* **1** papier-calque *m.*, papier *m.* à calquer; **2** (*voor foto*) papier *m.* sensible.
af'druksel *o.* empreinte, image, figure; impression *f.*
af'drupp(el)en *on.w.* s'égoutter, dégoutter, tomber (*of* couler) goutte à goutte.
af'druppeling *v.* égouttage, dégouttement *m.*
af'duikelen *ov.w.* culbuter, dégringoler.
af'duwen *ov.w.* repousser.
af'dwalen *on.w.* s'égarer, se fourvoyer; ***— van,*** (*onderwerp, enz.*) se détourner de, s'éloigner de, s'écarter de; (*v. geloof*) se détourner de, quitter; (*v. spreker of schrijver*) faire une digression, sortir de la question, — du sujet.
af'dwaling *v.* **1** égarement *m.*; **2** (*v. geest, v. sterren*) aberration *f.*
af'dweilen *ov.w.* nettoyer avec un torchon, donner un coup de torchon (à).
af'dwingen *ov.w.* **1** (*afpersen*) extorquer; arracher, contraindre à donner (qc.); **2** (*inboezemen*) commander, forcer; **3** (*vrede*) imposer.
af'eten I *on.w.* achever de dîner, finir son repas; **II** *ov.w.* **1** (*een stuk van iets*) manger une partie; **2** (*een been*) ronger, grignoter; **3** (*bladeren, enz.*) brouter.
affai're *v.(m.)* **1** (*handel*) commerce, fonds de commerce *m.*; **2** (*winkel*) boutique *f.*; **3** (*firma*) maison *f.*
affect', affekt' *o.* émotion *f.*, sentiment *m.*, affection *f.*
affi'che *o. en v.(m.)* affiche *f.*; programme *m.*
affiniteit' *v.* affinité *f.*
af'fodil'(le) *v.(m.)* asphodèle *m.*
affreus' *b.n.* affreux.
affront' *o.* affront *m.*
affronte'ren *ov.w.* offenser, faire un affront à.
affuit' *v.(m.)* affût *m.*
affuit'haak *m.* cheville *f.* ouvrière, crochet *m.* d'affût.
af'gaan I *on.w.* **1** (*naar beneden gaan*) descendre; **2** (*schot*) partir; **3** (*afnemen*) diminuer, décroître, baisser; **4** (*van iem. —, verlaten*) quitter, abandonner, se séparer de; **5** (*afwijken van*) s'écarter de, s'éloigner de; **6** (*ontlasting hebben*) aller à la selle; ***het gaat hem goed af,*** il le fait très bien; il y est très habile; ***de verloving is afgegaan,*** les fiançailles sont rompues; ***daar gaat 5 fr. af,*** il faut déduire 5 francs; ***op iem. —,*** s'approcher de qn.; (*fig.: vertrouwen op*) se fier à, ajouter foi à; ***recht op het doel —,*** aller droit au but; ***er is een knoop afgegaan,*** un bouton s'est détaché; ***op een betrek-***

king —, aller se présenter pour une place; **II** *ov.w.* **1** (*rij, volgorde*) suivre; **2** (*winkels, enz.*) courir; **III** *z.n., o.* **1** (*naar beneden*) descente *f.*; **2** (*schot*) détonation *f.*, départ *m.*; **3** (*vermindering*) diminution *f.*, décroissement, déclin *m.*; **4** (*ontlasting*) selle, évacuation *f.*

af'gaand *b.n.* **1** décroissant, en baisse; **2** (*maan; koorts*) à son décours; **3** (*tij*) descendant.

af'gang *m.* selle *f.*

af'gebroken *b.n.* **1** (*eig.*) rompu, cassé, coupé, tronqué; **2** (*stijl*) abrupt, brusque, haché, saccadé; **3** (*klanken*) ***kort* —,** détaché, sec.

af'gedaan *b.n.* fini, fait.

af'gedragen *b.n.* usé, fatigué, râpé, élimé; **— *plunje,*** défroque *f.*

af'gejakkerd *b.n.* harassé, fortrait; (*v. paard*) fourbu.

af'geknot *b.n* **1** (*kegel*) tronqué; **2** (*wilg*) étêté.

af'geladen *b.n.* chargé; (*meer dan vol*) archibondé, comble.

af'gelasten *ov.w.* **1** décommander, contremander; **2** (*bevel*) révoquer.

af'geleefd *b.n.* décrépit, usé, caduc, fort vieux.

af'geleefdheid *v.* décrépitude *f.*

af'gelegen *b.n.* **1** (*ver verwijderd*) éloigné, écarté; **2** (*eenzaam*) isolé, solitaire; **3** (*ver van centrum*) excentrique, détourné.

af'gelegenheid *v.* éloignement, isolement *m.*; situation *f.* isolée.

af'gelopen I *b.n.* passé; ***het — jaar,*** l'année passée; **II** *tw.* **—!** fini!; ***en daarmee —!*** un point! c'est tout!

af'gemat *b.n.* fatigué, épuisé (de fatigue), harassé (de fatigue), exténué.

af'gematheid *v.* fatigue *f.*, épuisement *m.*, lassitude *f.*

af'gemeten I *b.n.* mesuré; réservé; compassé; ***met — stappen,*** à pas comptés; **II** *bw.* à pas comptés; en comptant ses mots, d'un ton mesuré; d'une manière compassée; ***— spreken,*** compter ses mots.

af'gemetenheid *v.* réserve *f.*, ton *m.* mesuré, attitude *f.* compassée.

af'gepast *b.n.* **1** compassé; **2 — *geld,*** monnaie *f.* comptée, — juste; ***met — geld betalen,*** faire l'appoint.

af'gericht *b.n.* dressé.

af'gescheiden I *b.n.* séparé; ***— van,*** sans (parler de), abstraction faite de; **II** *z.n.* **—e,** *m.-v.* dissident(e), séparatiste *m.(f.)*.

af'gesloofd *b.n.* usé (par le travail).

af'gesloten *b.n.* **1** fermé, barré; **2** (*afgezonderd*) isolé, séparé du reste du monde; **3** (*met kurk*) bouché; ***— rijweg,*** rue *f.* barrée.

af'gesproken, *dat is —,* c'est convenu, c'est entendu, d'accord.

af'gestorven I *b.n.* mort; **II** *z.n.* **—e** *m.-v.* mort(e), défunt(e) *m.(f.)*.

af'getobd *b.n.* harassé; usé (par le travail).

af'getrapt *b.n.* avachi, éculé.

af'getrokken *b.n.* **1** (*abstract*) abstrait; **2** (*verstrooid*) distrait, absorbé (dans ses rêveries); ***in het —e,*** par abstraction, abstractivement parlant.

af'getrokkenheid *v.* **1** abstraction *f.*; **2** distraction *f.*, absence *f.* d'esprit.

af'gevaardigde *m.-v.* député; délégué *m.*; ***kamer van —n,*** Chambre des députés.

af'gevallene *m.-v.* apostat, renégat *m.*

af'geven I *ov.w.* **1** (*overhandigen*) donner, remettre; porter; délivrer; **2** (*in bewaring geven*) déposer; **3** (*H.*) (*wissel*) tirer, faire traite sur qn.; **4 *een reuk —,*** répandre une odeur; **II** *on.w.* **1** (*v. kleuren*) déteindre, lâcher la couleur; **2** (*v. potlood*) marquer; ***op iem. —,*** médire de qn., taper sur qn., critiquer, dénigrer qn.; **III** *w.w.* ***zich — met,*** frayer avec (qn.), avoir commerce avec (qn.); se compromettre avec (qn.); se mêler, s'occuper de (qc.).

af'gevreten *b.n.* rongé; brouté, abrouti.

af'gewend *b.n.* détourné.

af'gewerkt *b.n.* **1** (*v. persoon*) éreinté, à bout de forces; **2** (*v. taak*) fini, terminé; **3** (*v. stoom*) épuisé; ***— fabrikaat,*** produit fini; ***half —,*** demi-œuvré.

af'gezaagd *b.n.* **1** (*eig.*) scié; **2** (*fig.*) rebattu, usé, banal, rabâché.

af'gezant *m.* envoyé; (*gevolmachtigd minister*) ministre (plénipotentiaire); (*gezant*) ambassadeur; (*afgevaardigde*) délégué *m.*; ***pauselijk —,*** légat; (*nuntius*) nonce *m.* **—e,** *v.* ambassadrice *f.*

af'gezien, *— van,* sans parler de, abstraction faite de, à part...

af'gezonderd I *b.n.* séparé; isolé, solitaire; **II** *bw.* séparément; isolément; ***— leven,*** vivre dans la retraite, mener une vie retirée.

af'gezonderdheid *v.* retraite, solitude *f.*

Afghaan' *m.* Afghan *m.*

Afghaans' *b.n.* afghan.

Afgha'nistan *o.* l'Afghanistan *m.*

af'gieten *ov.w.* **1** (*aardappelen*) faire écouler l'eau; (*groenten*) égoutter; **2** (*overgieten*) décanter, transvaser; **3** (*in vorm*) mouler; (*metaal*) clicher; (*standbeeld*) jeter en bronze.

af'gietsel *o.* **1** (figure jetée en) moule *f.*, moulage, plâtre *m.*; **2** cliché *m.*

af'gietseldiertje *o.* infusoire *m.*

af'gifte *v.* **1** remise, livraison *f.*; **2** (*wissel*) traite, disposition *f.*; ***tegen — van,*** contre remise de.

af'glijden *on.w.* glisser en bas, descendre en glissant, faire une glissade.

af'glippen *on.w.* glisser.

af'god *m.* idole *f.*, faux dieu *m.*; ***een — maken van,*** idolâtrer, se faire un dieu de.

af'godendienaar *m.*, **-dienares** *v.* idolâtre *m. et f.*

af'godendienst *m.* idolâtrie *f.*

af'godentempel *m.* temple *m.* païen, sanctuaire *m.*

afgoderij' *v.* idolâtrie *f.*

afgo'disch I *b.n.* idolâtre; **II** *bw.* d'une façon idolâtre; ***— liefhebben, vereren,*** idolâtrer, adorer.

af'godsbeeld *o.* idole *f.*

af'godsdienst *m.* idolâtrie *f.*

af'godspriester *m.* prêtre *m.* des faux dieux.

af'godstempel *m.* temple *m.* païen, sanctuaire *m.* (d'une idole).

af'gooien *ov.w.* **1** jeter par terre, jeter en bas; **2** (*kleren*) se débarrasser de, jeter; **3** (*fruit v. boom*) abattre.

af'grauwen *on.w.* rabrouer, rudoyer, engueuler.

af'graven *ov.w.* **1** déblayer; **2** aplanir (avec la bêche).

af'graving *v.* déblayage *m.*

af'grazen *ov.w.* brouter.

afgrij's(e)lijk I *b.n.* horrible, affreux, atroce, hideux; **II** *bw.* horriblement, affreusement, atrocement, hideusement.

afgrij's(e)lijkheid *v.* horreur, atrocité *f.*

af'grijzen *o.* horreur, terreur *f.*; ***een — hebben van,*** abhorrer, avoir en horreur, exécrer.

af'grissen *ov.w.* arracher, dérober.

af'grond *m.* (*onmetelijke diepte*) abîme *m.*; ***gapende —,*** gouffre *m.*; (*steil*) précipice *m.*

af'gunst *v.* envie, jalousie *f.*

afgun'stig *b.n.* envieux, jaloux; ***— zijn op,*** être envieux de, envier, jalouser.

afgun'stigheid *v.* jalousie *f.*

af'gutsen *on.w.* ruisseler.

af'haaldienst *m.* service *m.* d'enlèvement des bagages à domicile.

af'haal- en bestel'loon *o.* frais *m.pl.* de prise et de remise à domicile.
af'haken *ov.w.* **1** (*telefoon, enz.*) décrocher; **2** (*haak*) dégrafer.
af'haking *v.* décrochement, décrochage *m.*
af'hakken I *ov.w.* couper, enlever, abattre (avec une hache); **II** *o.* ***het* —,** la coupe *f.*, l'abattage *m.*
af'halen *ov.w.* **1** prendre, aller prendre, aller chercher, venir —; (*iem.*) venir prendre qn.; **2** (*goederen*) prendre au magasin; **3** (*bagage*) enlever à domicile; **4** (*pakketten, enz.*) prendre à domicile; **5** (*prijzen, effecten, enz.*) retirer; ***het bed* —,** défaire le lit; ***bonen* —,** éplucher des haricots; ***iem. — van de trein,*** attendre (*of* prendre) qn. à la gare.
af'haling *v.* **1** (*goederen*) enlèvement *m.*; **2** (*pakketten, enz.*) prise *f.* à domicile.
af'hameren *ov.w.* **1** marteler; **2** (*op vergadering*) dépêcher les affaires, expédier les affaires sans discussion, faire passer sous le marteau.
af'handelen *ov.w.* **1** (*een onderwerp*) traiter, discuter, épuiser; **2** (*zaak*) terminer, achever, finir; **3** (*geschil*) vider.
af'handeling *v.* conclusion *f.*
afhan'dig, — *maken,* arracher, escamoter, subtiliser, enlever, extorquer (qc. à qn.).
af'hangen I *on.w.* **1** dépendre; **2** (*hangen aan*) dépendre, pendre à; **3** (*fig.*) dépendre, être dépendant de; relever de; ***dat hangt er van af,*** cela dépend, c'est selon; **II** *ov.w.* dépendre, détacher, ôter.
af'hangend *b.n.* pendant; ***—e mouwen,*** des manches pendantes, — tombantes; ***—e schouders,*** épaules avalées.
afhan'kelijk *b.n.* dépendant (de), subordonné (à); — ***van,*** dépendant de; sous la dépendance de, en fonction de.
afhan'kelijkheid *v.* dépendance, sujétion *f.*
af'haspelen *ov.w.* **1** dévider; **2** (*fig.*) terminer, arranger; **3** (*haastig afmaken*) bâcler.
af'haspeling *v.* dévidage *m.*
af'hebben *ov.w.* **1** (*geëindigd*) avoir fini, — terminé; **2** (*hoed, enz.*) avoir ôté.
af'hechten *ov.w.* (*draad*) détacher.
af'hellen *on.w.* incliner, pencher, aller en pente; descendre.
af'helling *v.* pente *f.*, penchant *m.*, côte *f.*
af'helpen *ov.w.* **1** délivrer, débarrasser (de); **2** (*naar beneden helpen*) aider à descendre.
af'hollen *on.w.* descendre en courant, au galop; ***de trap* —,** descendre l'escalier quatre à quatre, dégringoler (de) l'escalier.
af'houden I *ov.w.* **1** (*verwijderd houden*) tenir éloigné, tenir à distance, écarter; empêcher d'approcher; **2** (*afnemen: geld, enz.*) retenir; déduire, soustraire; **3** (*niet opzetten*) ne pas mettre; ***iem. van zijn plicht* —,** détourner qn. de son devoir; ***van zijn werk* —,** distraire de (*of* déranger dans) son travail; ***drie frank van het bedrag* —,** retenir trois francs sur le montant, déduire trois francs de la somme; ***hij kan er de ogen niet van* —,** il ne peut en détacher les yeux; **II** *on.w.* prendre le large, aller au large, alarguer.
af'houding *v.* **1** (*geld, enz.*) déduction, retenue *f.*; **2** (*het weerhouden*) empêchement *m.*
af'houwen *ov.w.* abattre, couper, trancher; ***het hoofd* —,** décapiter.
af'huren *ov.w.* **1** louer, réserver; **2** (*schip*) affréter.
af'jagen *ov.w.* **1** (*wegjagen*) chasser; **2** (*paard*) surmener, harasser, épuiser; **3** (*bos*) battre, parcourir en chassant.
af'jakkeren *ov.w.* surmener, harasser, éreinter.
af'jakkering *v.* harassement, éreintement *m.*
af'kaatsen I *ov.w.* **1** renvoyer; **2** (*fig.: bezoek, enz.*) détourner; **II** *on.w.* rebondir.
af'kakelen *ov.w.* ***heel wat* —,** caqueter à n'en pas finir.
af'kalken I *ov.w.* **1** (*muur*) décrépir; **2** (*werk, enz.*) bâcler, terminer à la hâte; **II** *on.w.* se décrépir, s'écailler, se détacher.
af'kammen *ov.w.* **1** peigner, carder; **2** (*fig.*) débiner, éreinter, dénigrer. [éreintement *m.*
af'kamming *v.* **1** peignage *m.*; **2** débinage,
af'kanten *ov.w.* écorner, délarder. [ment *m.*
af'kanting *v.* écornement; délardage, délarde-
af'kapen *ov.w.* enlever, chiper, dérober.
af'kappen *ov.w.* **1** couper, trancher; **2** (*gram.*) élider, retrancher.
af'kapping *v.* **1** retranchement *m.*, élision *f.*; **2** (*v. beginlettergreep*) aphérèse *f.*; **3** (*v. eindlettergreep*) apocope *f.*
af'kappingsteken *o.* apostrophe *f.*
af'keer *m.* répugnance, aversion, antipathie *f.*, dégoût *m.*; ***een — hebben van,*** avoir en aversion; ***een — krijgen van,*** prendre en aversion, — en grippe.
af'keren I *ov.w.* **1** (*het hoofd*) détourner; **2** (*afweren*) parer; **3** (*fig.: gevaar*) écarter; **II** *w.w.* ***zich — van,*** se détourner de; tourner le dos à.
afke'rig *b.n.* dégoûté de, opposé à; ***— zijn van,*** avoir en aversion, s'opposer à, avoir horreur de; ***— maken,*** détourner, dégoûter.
afke'righeid *v.* aversion *f.*; dégoût *m.*
af'ketsen I *ov.w.* faire échouer, faire rater; refuser, rejeter; **II** *on.w.* échouer, ricocher.
af'keuren *ov.w.* **1** désapprouver, blâmer, critiquer, réprouver, condamner; **2** (*voorwerpen*) rejeter, mettre au rebut; (*schip*) condamner; **3** (*soldaten, paarden*) réformer; **4** (*v. wagen*) retirer du service; **5** (*v. gebouw*) désaffecter; **6** (*v. geld, bankbiljetten*) retirer de la circulation; **7** (*v. levering*) ne pas recevoir; ***een dienstplichtige* —,** reconnaître un conscrit impropre au service, réformer.
af'keurend I *b.n.* désapprobateur; **II** *bw.* en signe de désapprobation; d'une façon dépréciative.
afkeurenswaar'd(ig) *b.n.* blâmable, digne de blâme.
af'keuring *v.* **1** désapprobation *f.*, blâme *m.*, réprobation *f.*; ***motie van* —,** motion de blâme, — de censure; **2** réforme *f.*; **3** (*op school*) mauvaise note *f.*
af'kijken I *ov.w.* **1** apprendre en regardant; **2** regarder, examiner; **3** copier; ***iem. een kunstje* —,** surprendre un tour à qn.; ***de kans* —,** voir d'où vient le vent; **II** *on.w.* copier.
af'klaren *ov.w.* **1** (*klaren*) clarifier; **2** (*afgieten*) décanter; **3** (*v. rekening*) apurer.
af'klaring *v.* **1** clarification *f.*; **2** décantation *f.*; **3** apurement *m.*
af'klauteren *on.w.* descendre (en s'aidant des pieds et des mains).
af'klemmen *ov.w.* arracher.
af'klimmen *on.w.* descendre.
af'klimming *v.* descente *f.*
af'kloppen *ov.w.* **1** épousseter, battre; **2** (*slaan*) rosser, étriller; **3** (*bijgeloof*) toucher de bois.
af'kluiven *ov.w.* ronger, grignoter. [brouter.
af'knabbelen *ov.w.* **1** ronger, grignoter; **2** (*groen*)
af'knagen *ov.w.* ronger. [rompre.
af'knakken, af'knappen *on.w.* se casser, se
af'knauwen *ov.w.* ronger.
af'knellen *ov.w.* **1** arracher; **2** couper le sang.
af'knibbelen *ov.w.* rabattre en marchandant.
af'knijpen *ov.w.* enlever avec des tenailles, détacher (*of* enlever) en pinçant.

af'knippen *ov.w.* couper, détacher, rogner.
af'knipsel *o.* rognure *f.*
af'knoeien *ov.w.* barbouiller, torchonner, bâcler.
af'knotten *ov.w.* **1** tronquer; **2** (*boom*) étêter.
af'knotting *v.* **1** troncature *f.*; **2** étêtement *m.*
af'koelen I *ov.w.* **1** (*verfrissen*) rafraîchir; **2** (*laten koud worden*) refroidir; **3** (*drank in ijs*) frapper; **II** *on.w.* se rafraîchir, se refroidir.
af'koelend *b.n.* rafraîchissant; réfrigérant.
af'koeler *m.* **1** réfrigérant *m.*; **2** (*v. auto, enz.*) radiateur *m.*
af'koeling *v.* rafraîchissement *m.*; refroidissement *m.*, baisse *f.* de température.
af'koelingstoestel *o. zie* ***afkoeler.***
af'koken I *ov.w.* **1** (*vlees, benen*) faire bouillir; **2** (*groenten*) blanchir; **3** (*een aftreksel maken*) faire une décoction de; **II** *z.n.* ***het* —,** la décoction.
af'koker *m.* pomme *f.* de terre farineuse.
af'komen *on.w.* **1** venir de, sortir de; ***de trap* —,** descendre l'escalier; **2** ***op iem.* —,** s'avancer vers qn.; ***op de vijand* —,** marcher sur l'ennemi; **3** (*afstammen*) descendre; (*v. woord*) dériver; ***het werk zal niet op tijd* —,** le travail ne sera pas fini à temps; ***er goed* —,** l'échapper belle; ***er slecht* —,** s'en tirer mal, mal passer son temps; ***er heelhuids* —,** s'en tirer indemne; ***er met de schrik* —,** en être quitte (*variable*) pour la peur; ***op de reuk* —,** être attiré (*of* alléché) par l'odeur; ***ik kan niet van hem* —,** je ne peux pas me débarrasser de lui; ***zijn benoeming is nog niet afgekomen,*** sa nomination n'est pas encore officielle, — n'est pas encore à l'Officiel.
af'komst *v.* **1** origine, naissance; extraction, descendance *f.*; **2** (*v. woord*) dérivation, étymologie *f.*
afkom'stig *b.n.* **1** originaire de, issu de, natif de; **2** (*v. woord*) dérivé de; **3** (*v. produkt*) provenant de; ***van wie is dat plan* —?** qui est l'auteur de ce projet? qui a conçu ce projet?
af'kondigen *ov.w.* **1** publier, proclamer, annoncer; **2** (*wet*) promulguer; **3** (*besluit*) décréter.
af'kondiging *v.* publication, proclamation, annonce *f.*; promulgation *f.*
af'kooksel *o.* décoction *f.*, décocté *m.*
af'koop *m.* rachat *m.*
afkoop'baar *b.n.* rachetable.
afkoop'baarheid *v.* faculté *f.* de rachat, possibilité *f.* de —.
af'koopsom *v.*(*m.*) prix *m.* de rachat; rançon *f.*
af'koopwaarde *v.* prix *m.* de rachat.
af'kopen I *ov.w.* **1** (*iets van iem. kopen*) acheter (qc. à qn.); **2** (*taks, belasting*) racheter, rédimer; **II** *z.n.* ***het* —,** le rachat.
af'koppelen *ov.w.* **1** débrayer, désembrayer; **2** (*wagon*) détacher, dételer.
af'koppeling *v.* débrayage; dételage *m.*
af'korten *ov.w.* **1** raccourcir; **2** (*woord*) abréger; **3** (*samenvatten*) résumer; **4** (*afhouden*) retenir, retrancher.
af'korting *v.* **1** abréviation *f.*; **2** (*v. werk*) résumé, abrégé *m.*; **3** déduction *f.*; ***50 fr. op — betalen,*** verser 50 frs. en acompte.
af'kortingsteken *o.* signe *m.* abréviatif.
af'krabben I *ov.w.* gratter, racler, égratigner; ***de kalk van een muur* —,** gratter un mur; **II** *z.n.* ***het* —,** le grattage, le raclage.
af'krabsel *o.* raclures *f.pl.*, grature *f.* [racler.
af'krassen *ov.w.* **1** enlever en grattant; **2** (*muz.*)
af'krijgen *ov.w.* **1** (*afhalen*) prendre sur; descendre de; **2** (*verwijderen: vlek, enz.*) enlever, faire disparaître, réussir à enlever; **3** (*voltooien*) achever, finir, terminer.
af'kruimelen *ov.w. en on.w.* émietter, s'émietter.
af'kuieren *ov.w.* parcourir en flânant.
af'kunnen I *ov.w.* pouvoir finir; **II** *on.w.* pouvoir être ôté, — enlevé.
af'kussen *ov.w* effacer par un baiser; se réconcilier en s'embrassant, — par un baiser, faire la paix par un baiser.
af'laat *m.* indulgence *f.*; ***een volle* —,** une indulgence plénière; ***een gedeeltelijke* —,** une indulgence partielle.
af'laatbrief *m.* lettre *f.* d'indulgence.
af'laathandel *m.* trafic *m.* des indulgences.
af'laatjaar *o.* année *f.* jubilaire, — de jubilé.
af'laden *ov.w.* décharger.
af'lader *m.* déchargeur *m.*
af'lading *v.* déchargement *m.*
af'laten I *ov.w.* **1** (*laten zakken*) (faire) descendre; **2** (*weglaten*) omettre, supprimer, retrancher; **3** (*bedrag*) réduire, compter en moins; **4** (*niet aantrekken*) ne pas mettre; **II** *on.w.* diminuer; ***laat af!*** cessez!
af'leggen *ov.w.* **1** (*kleren*) enlever, ôter, se défaire de; **2** (*gewoonte*) se défaire de, quitter; **3** (*afstand*) parcourir; (*reis*) faire, accomplir; **4** (*examen*) passer, subir; ***een eed* —,** prêter serment; ***getuigenis* —,** rendre témoignage; ***rekenschap* —,** rendre compte; ***een verklaring*** (*of* ***bekentenis***) **—,** faire une déclaration (*of* un aveu); **5** (*een overledene*) déshabiller, faire la toilette de; ensevelir, ensuairer; ***het* —,** (*bezwijken, sterven*) succomber, mourir; (*bij examen*) rater, faire fiasco, être collé; ***het tegen iem.* —,** le céder à qn., capituler devant qn.
af'legger *m.* **1** vieil habit *m.*, vêtement *m.* usé, défroque *f.*; **2** (*bij examen*) raté *m.*, fruit *m.* sec.
af'legging *v.* **1** (*v. getuigenis*) déposition *f.*; **2** (*v. eed*) prestation *f.*; **3** (*v. rekening*) reddition *f.*; **4** (*v. overledene*) ensevelissement *m.*, toilette *f.*
afleid'baar *b.n.* dérivable.
af'leiden *ov.w.* **1** (*gevolgtrekking maken*) conclure, déduire; **2** (*afleiding geven*) distraire, amuser; **3** (*in andere richting*) dériver, détourner; **4** (*naar beneden leiden*) mener en bas, faire descendre; **5** (*woord*) dériver; **6** (*gronden*) baser, fonder; **7** (*v. recht, enz.*) emprunter à; ***de aandacht* —,** détourner l'attention; ***de bliksem* —,** faire dévier la foudre.
af'leidend *b.n.* **1** (*ontspannend*) distrayant, amusant; **2** (*— middel*) (remède) dérivatif.
af'leiding *v.* **1** distraction *f.*, amusement, dérivatif *m.*; **2** (*woord*) dérivation, étymologie *f.*; **3** (*afgeleid woord*) dérivé *m.*; **4** (*gen.*) révulsion *f.*; ***hij heeft — nodig,*** il a besoin de se distraire.
af'leidingsbuis *v.*(*m.*) tuyau *m.* de décharge, — d'écoulement.
af'leidingskanaal *o.* canal *m.* de dérivation.
af'leidingsmanoeuvre, -maneuver *v.*(*m.*) *en o.* manœuvre *f.* évasive, — de diversion.
af'leidingsmiddel *o.* **1** dérivatif *m.*; **2** (moyen *m.* de) distraction *f.*
af'leidkunde *v.* étymologie *f.*
afleidkun'dig *b.n.* étymologique.
af'lekbak *m.* égouttoir *m.*
af'lekken *on.w.* dégoutter.
af'leren *ov.w.* **1** (*het geleerde*) désapprendre, oublier; **2** (*gewoonte*) se défaire de, se désaccoutumer, se déshabituer de; ***iem. een gewoonte* —,** désaccoutumer qn. d'une habitude; ***ik zal hem dat wel* —,** je lui en ferai passer l'envie.
af'leveren *ov.w.* livrer, délivrer, remettre.
af'levering *v.* **1** livraison, remise *f.*, envoi *m.*; **2** (*deel v. boek*) livraison *f.*; fascicule *m.*; ***bij de* —,**

à la délivrance; ***in —en verschijnen,*** paraître par livraisons.
af'leveringstermijn *m.* délai *m.* (*of* terme *m.*) de livraison.
af'lezen I *ov.w.* **1** (*lijst, enz.*) lire, faire la lecture de; **2** (*afkondigen*) proclamer, promulguer; **3** (*vruchten*) cueillir; **4** (*akker*) glaner; **II** *z.n.* ***het —,*** la lecture.
af'lezing *v.* **1** lecture; **2** cueillette *f.*
af'lichten *ov.w.* lever, ôter; ***het masker —,*** lever le masque; (*van een ander*) arracher le masque (à qn.).
af'likken *ov.w.* lécher; ***zijn vingers —,*** se lécher [les doigts.
af'loeren *ov.w.* épier, guetter, espionner.
af'lokken *ov.w.* détourner, débaucher; éloigner par un appât.
af'loop *m.* **1** (*uitslag*) résultat *m.*, issue *f.*; (*einde*) fin *f.*, terme *m.*; **2** (*v. boek, toneel*) dénouement *m.*; **3** (*helling*) descente, pente *f.*; **4** (*v. vloeistof*) écoulement *m.*; **5** (*v. de zee*) reflux *m.*; ***de verdere —,*** la suite *f.*; ***goede —,*** réussite *f.*; ***na — van,*** après; ***na — bal,*** on dansera.
af'lopen I *ov.w.* **1** (*doorlopen: straat*) descendre; aller jusqu'au bout de; **2** (*stad, land*) parcourir; ***de cafés —,*** courir les cabarets; ***de klanten —,*** voir les clients; ***de musea —,*** faire les musées; ***de huizen —,*** aller de porte en porte; **II** *on.w.* **1** (*wegvloeien*) s'écouler; **2** (*kaars*) couler; **3** (*eindigen*) finir, expirer, tirer à sa fin; **4** (*afhellen*) descendre; **5** (*v. wekker*) sonner; ***mijn horloge is afgelopen,*** ma montre est au bout, — doit être remontée; ***die zaak is slecht afgelopen,*** cette affaire a mal tourné; ***het zal slecht met hem —,*** il finira mal; ***het is afgelopen,*** c'est fini; c'en est fait; ***het zal spoedig met hem —,*** il n'en a plus pour longtemps; ***een schip laten —,*** lancer un vaisseau.
af'lopend *b.n.* **1** (*hellend*) incliné, en pente; **2** (*v. schuld*) remboursable; ***— tij,*** marée *f.* descendante; ***—e schouders,*** épaules *f.pl.* tombantes.
aflos'baar *b.n.* amortissable; remboursable; ***niet —,*** perpétuel.
af'lossen *ov.w.* **1** (*schuld*) amortir; rembourser, éteindre; (*hypotheek*) purger; **2** (*bij 't werk*) relayer, prendre la relève; **3** (*de wacht*) relever.
af'lossing *v.* **1** (*v. wacht*) relève *f.*; **2** (*v. schuld*) remboursement *m.*, extinction *f.*, payement, acquittement *m.*; ***jaarlijkse —,*** annuité *f.*; ***maandelijkse —,*** mensualité *f.*
af'lossingstermijn *m.* délai *m.* de rembourse- [ment.
af'luisteren *ov.w.* écouter (à la porte), être aux écoutes, surprendre (un secret).
af'maaien I *ov.w.* faucher; couper, moissonner; **II** *z.n.* ***het —,*** le fauchage, la coupe.
af'maken *ov.w.* **1** (*voltooien*) terminer, achever, finir; **2** (*verbreken*) rompre; **3** (*doden*) tuer, abattre; **4** (*fig.*) éreinter; (*generaal, minister*) exécuter; ***zich van iets —,*** se débarrasser de qc. [tage *m.*
af'making *v.* **1** achèvement *m.*; **2** (*fig.*) abat-
af'malen *ov.w.* **1** (*gedaan maken met malen*) finir de moudre; **2** (*afschilderen*) peindre, dépeindre.
af'marche *m. en v.* départ *m.*
af'marcheren *on.w.* se mettre en marche; partir; (*fam.*) décamper, filer.
af'mars *m. en v.* départ *m.*
af'martelen *ov.w.* torturer, tourmenter, martyriser; ***zich —,*** se casser la tête, mettre son esprit à la torture.
af'marteling *v.* tourment *m.*, torture *f.*
af'matten I *ov.w.* fatiguer, lasser, épuiser, exténuer; **II** *w.w.* ***zich —,*** s'exténuer.
afmat'tend *b.n.* **1** fatigant, lassant, excédant; **2** (*v. warmte*) accablant; **3** (*v. klimaat*) débilitant; **4** (*fig.*) assommant.
af'matting *v.* lassitude *f.*, épuisement, accablement *m.*, exténuation *f.*
af'meten *ov.w.* **1** mesurer; **2** (*tijd*) diviser, partager; **3** (*terrein*) jalonner, délimiter; **4** (*inhoud*) jauger; **5** (*verzen*) scander; ***tegen elkaar —,*** comparer; ***afgemeten woorden,*** paroles compassées.
af'meting *v.* **1** (*het afmeten*) mesurage *m.*; **2** (*grootte*) dimension *f.*
af'mijnen *ov.w.* se faire adjuger, devenir acheteur (*of* acquéreur) (dans une vente aux enchères).
af'mikken *ov.w.* mesurer des yeux; compasser.
af'moeten *on.w.* devoir être achevé, — fini.
af'monsteren *ov.w.* rayer du rôle d'équipage, libérer, renvoyer.
af'monstering *v.* libération *f.*, renvoi *m.*
af'name *v.* (*verkoop*) débit *m.*; *zie* ***afneming.***
afneem'baar *b.n.* démontable, amovible.
af'neembak *m.* ramasse-couverts *m.*
af'neemdoek *m.* linge, torchon *m.*
af'neemster *v.* (*H.*) preneuse, acheteuse, cliente *f.*
af'nemen I *ov.w.* **1** (*schilderij*) décrocher; (*gordijnen*) déposer; **2** (*hoed*) ôter; (*ketel van 't vuur*) retirer; **3** (*wegnemen*) enlever, ôter; desservir (la table); **4** (*stof*) enlever; (*meubelen*) nettoyer; épousseter; **5** (*examen*) faire subir; (*eed*) faire prêter (serment); **6** (*kopen*) prendre, acheter; **7** (*een band*) démonter (un pneu); **8** (*v. school, kantoor*) retirer; ***iem. een verhoor —,*** faire subir un interrogatoire à qn.; ***een bedrag — van,*** prélever une somme sur; **II** *a.w.* **1** desservir; **2** (*in 't kaartspel*) couper (les cartes); **III** *on.w.* **1** (*verminderen*) diminuer; **2** (*v. maan*) décroître; **3** (*v. dag*) décliner; **4** (*verzwakken*) s'affaiblir; **5** (*v. tinten*) se dégrader; **6** (*v. gezicht*) baisser; **7** (*v. gezondheid*) dépérir; **8** (*in hevigheid*) s'atténuer; **9** (*v. zaken*) décliner; **IV** *z.n., o.* ***het —,*** **1** (*v. koorts*) diminution *f.*; **2** (*v. maan*) décroît *m.*; **3** (*v. ziekte*) décours *m.*; **4** (*v. verzet*) décroissance *f.*; ***de maan is aan het —,*** la lune est dans son décroît, la lune décroît.
af'nemend *b.n.* décroissant.
af'nemer *m.* (*H.*) preneur, acheteur, client *m.*
af'neming *v.* **1** (*vermindering*) diminution *f.*; **2** (*v. krachten*) déclin *m.*, diminution *f.*; **3** (*v. aantal*) décroissement *m.*; **4** (*van het kruis*) descente *f.*; **5** (*v. kaarten*) coupe *f.*; **6** (*v. maan, ziekte*) décours *m.*; **7** (*v. water*) baisse, décrue *f.*
af'neuzen *ov.w.* surprendre, épier, guetter.
aforis'me *o.* aphorisme *m.*
af'pakken *ov.w.* **1** (*afnemen*) ôter, enlever, arracher; (*kapen*) chiper; **2** (*afladen*) décharger, dépaqueter.
af'palen *ov.w.* **1** (*weg, terrein*) jalonner; **2** (*tuin*) palissader; **3** (*weide*) borner; **4** (*grens*) délimiter.
af'passen *ov.w.* **1** mesurer; calculer; **2** mesurer au compas, compasser; **3** (*fig.*) compasser.
af'patrouilleren *ov.w.* (*mil.*) battre (le pays) en patrouille, patrouiller dans (le pays).
af'peinzen *ov.w.* ***zich —,*** se creuser la tête, — le cerveau, se casser la tête.
af'pellen *ov.w.* **1** (*sinaasappel, enz.*) peler; **2** (*noten*) écaler; **3** (*gerst*) monder.
af'pennen *ov.w.* **1** écrire, griffonner; **2** copier.
af'perken *ov.w.* **1** (*tuin*) tracer; **2** (*met palen*) palissader, jalonner.
af'persen *ov.w.* **1** (*geld*) extorquer, soutirer; **2** (*bekentenis*) arracher.
af'perser *m.* **1** extorqueur, exacteur *m.*; **2** (*v. ambtenaar*) concussionnaire *m.*
af'persing *v.* extorsion, exaction *f.*; concussion *f.*; (*onder bedreiging*) chantage *m.*

af'pijnigen, *zie* ***afmartelen.***
af'pikken *ov.w.* picoter; enlever en picotant.
af'pingelen *ov.w.* marchander, rabattre (du prix).
af'platten *ov.w.* aplatir, rendre plat.
af'platting *v.* aplatissement *m.*
af'pluizen *ov.w.* éplucher. [plumer.
af'plukken *ov.w.* **1** (*vruchten*) cueillir; **2** (*vogel*)
af'poeieren *ov.w.* éconduire, envoyer promener, renvoyer.
af'poetsen *ov.w.* décrotter; nettoyer.
af'praten *ov.w.* détourner, dissuader (qn. de qc.); ***zij hebben heel wat afgepraat,*** ils ont beaucoup causé.
af'raden *ov.w.* déconseiller (qc. à qn.), dissuader (qn. de qc.). [lage *m.*
af'rafelen I *on.w.* (s')effiler; **II** *z.n.* ***het —,*** l'effi-
af'raffelen *ov.w.* **1** bâcler, brocher, dépêcher; **2** (*bij opzeggen*) dégoiser.
af'raken *on.w.* (*v. verloving*) se rompre, être rompu; **— *van,*** (*zich verwijderen*) s'éloigner de, s'écarter de; (*verliezen*) perdre; (*zich ontdoen van: gewoonte, enz.*) se défaire de, se débarrasser de; ***van de weg —,*** se fourvoyer, s'égarer.
af'rammelen *ov.w.* **1** (*slaan*) rosser, étriller; **2** (*veel te snel lezen, enz.*) baragouiner, bâcler.
af'ranselen *ov.w.* rosser, étriller, rouer de coups.
af'ranseling *v.* rossée *f.*, volée *f.* de coups.
af'raspen *ov.w.* râper, ôter (enlever) avec une râpe.
af'rasteren *ov.w.* entourer d'une grille, — d'un grillage, grillager.
af'rastering *v.* grillage, treillage *m.* [(sur).
af'reageren *ov.w.* (*v. woede, ergernis*) faire passer
af'reis *v.(m.)* départ *m.*
af'reizen I *on.w.* partir (en voyage), se mettre en route; **II** *ov.w.* (*doorkruisen*) parcourir (en tous sens).
af'rekenen I *ov.w.* (*aftrekken*) déduire, rabattre; ***de onkosten er afgerekend,*** déduction faite des frais, sans compter les frais; **II** *on.w.* **1** (*met iem.*) compter, solder (*of* régler) un compte (avec qn.); **2** (*in hotel*) régler la note; (*ook:* régler l'hôtel, le garçon, etc.); ***ik zal wel met hem —,*** je vais lui régler son compte, je lui ferai son affaire.
af'rekening *v.* décompte *m.*, règlement *m.* de compte(s); (*op de beurs*) liquidation *f.*; ***op —,*** à compte; ***een bedrag op —,*** un acompte.
af'rekeningsnota *v.* (*H.*) soutènement *m.* de décompte. [(*fig.*) mettre un frein à.
af'remmen *on.w. en ov.w.* freiner, ralentir;
af'rennen I *ov.w.* **1** (*naar beneden*) descendre (au galop); **2** (*weg, enz.*) parcourir (au galop); **II** *on.w.* ***— op,*** fondre sur, se précipiter sur.
af'richten *ov.w.* **1** dresser; **2** (*bediende, enz.*) styler; **3** (*voorbereiden*) préparer (à).
af'richter *m.* dresseur, piqueur *m.*
af'richting *v.* **1** dressage *m.*; **2** préparation *f.*
af'rij *m.* départ *m.*
af'rijden I *ov.w.* **1** (*door rijden afmatten*) surmener, harasser; **2** (*opzettelijk vermoeien*) donner du mouvement à; **3** (*een weg*) descendre; parcourir (à cheval, en voiture); **II** *on.w.* (*vertrekken*) partir.
af'rijgen *ov.w.* défiler.
Afrika *o.* l'Afrique *f.*
Afrikaan' *m.* Africain *m.*
afrikaan' *m.* (*Pl.*) africaine *f.*, souci *m.* d'Afrique.
Afrikaans' *b.n.* africain.
af'rissen, af'risten I *ov.w.* **1** (*druiven*) égrapper; **2** (*bessen, druiventros*) égrener; **II** *z.n.* ***het —,*** l'égrappage, l'égrenage *m.*
af'rit *m.* **1** (*vertrek*) départ *m.*; **2** (*weg*) descente *f.*
afroazia'tisch *v.n.* afro-asiatique.
af'roep *m.* appel *m.* (nominal).
af'roepen *ov.w.* **1** (*ergens vandaan roepen*) appeler, faire venir; (*v. werk*) déranger (dans son travail); **2** (*afkondigen*) publier, annoncer; **3** (*één voor één*) ***namen —,*** faire l'appel (des noms); (*stations, enz.*) crier.
af'roeping *v.* appel *m.*
af'roffelen, *zie* ***afraffelen.***
af'rollen I *ov.w.* **1** (*ontrollen*) dérouler; **2** (*ontstelen*) voler, escamoter; **II** *on.w.* rouler en bas; tomber, dégringoler.
af'romen *ov.w.* écrémer.
af'romer *m.* écrémeuse *f.*
af'roming *v.* écrémage *m.*
af'ronden *ov.w.* arrondir.
af'ronding *v.* **1** (*handeling*) arrondissement *m.*; **2** (*vorm*) rondeur *f.*
af'roomlepel *m.* écrémoir *m.*
af'rossen *ov.w.* rosser, étriller, rouer de coups.
af'rossing *v.* raclée *f.*, volée *f.* de coups.
af'rotten *on.w.* tomber (en pourriture).
af'ruilen *ov.w.* échanger.
af'ruimen *ov.w.* desservir, débarrasser (la table).
af'rukken *ov.w.* arracher, enlever (de force); (*v. knoop ook:*) faire sauter.
af'schaafsel *o.* raclure(s) *f.(pl.).*
af'schaduwen I *ov.w.* **1** faire la silhouette de; dessiner, esquisser; **2** (*fig.*) dépeindre; **II** *w.w.* ***zich —,*** se silhouetter.
af'schaduwing *v.* silhouette, ombre *f.*
af'schaffen *ov.w.* **1** (*wet*) abroger, supprimer; **2** (*slavernij, doodstraf*) abolir; **3** (*bedienden*) se défaire de, congédier; **4** (*gewoonte*) renoncer à.
af'schaffer *m.* **1** (*v. slavernij*) abolitionniste *m.*; **2** (*v. sterke drank*) tempérant, anti-alcoolique *m.*, buveur *m.* d'eau.
af'schaffing *v.* **1** (*v. wet*) abrogation, abolition *f.*; **2** (*v. slavernij*) abolition *f.*; **3** (*v. betrekking*) suppression *f.*; **4** (*v. sterke drank*) abstinence *f.*
af'schaffingsgenootschap *o.* société *f.* de tempérance.
af'schampen *on.w.* friser, raser, glisser (sur).
af'schaven *ov.w.* **1** raboter, racler, enlever en rabotant (au rabot); **2** (*dunner maken*) amenuiser; **3** (*huid*) écorcher; (*licht*) érailler.
af'scheid *o.* **1** congé *m.*, adieu(x) *m.(pl.)*; **2** (*ontslag*) renvoi, congé *m.*, démission *f.*; ***— nemen,*** prendre congé (de), dire adieu (à).
afscheid'baar *b.n.* séparable.
af'scheiden I *ov.w.* **1** séparer; **2** (*afzonderen: fysiologisch*) sécréter; **3** (*scheikundig*) dégager; isoler; **II** *w.w.* ***zich —,*** se séparer; se sécréter; se dégager.
af'scheiding *v.* **1** séparation *f.*; **2** (*fysiol.*) sécrétion *f.*; **3** (*scheik.*) extraction *f.*, affinage *m.*
af'scheidingslijn *v.(m.)* ligne *f.* de démarcation.
af'scheidingsorgaan (*werktuig*) *o.* organe *m.* sécréteur; appareil *m.* —.
af'scheidingsprodukt, -product *o.* secret *m.*
af'scheidsbezoek *o.* visite *f.* d'adieu(x).
af'scheidscollege, -kollege *o.* cours *m.* d'adieu, dernier cours. [de l'étrier.
af'scheidsdronk *m.* toast *m.* d'adieu, coup *m.*
af'scheidsfeest *o.* fête *f.* d'adieu.
af'scheidsgroet *m.* adieu, salut (*of* compliment) d'adieu, dernier salut *m.*
afscheidskollege *o.*, *zie* ***afscheidscollege.***
af'scheidskus *m.* baiser *m.* d'adieu.
af'scheidsmaal *o.* repas *m.* d'adieu.
af'scheidspreek *v.(m.)* sermon *m.* d'adieu.
af'scheidsreceptie *v.* réception *f.* d'adieu.
af'scheidsrede *v.(m.)* discours *m.* d'adieu.
af'scheidsvoorstelling *v.* représentation *f.* d'adieu.

af'schemering *v.* (faible) reflet *m.*, (faible) lueur *f.*
af'schenken *ov.w.* **1** (*gieten*) verser, déverser; **2** (*scheik.*) décanter.
af'schepen *ov.w.* **1** (*iem.* —) éconduire, se débarrasser de, envoyer promener; **2** (*verzenden*) expédier (par bateau); ***met beloften* —,** payer de belles promesses.
af'scheppen I *ov.w.* **1** (*alg.*) enlever, ôter le dessus (de); **2** (*schuim*) écumer; **3** (*vet*) dégraisser; **4** (*room*) écrémer; **II** *z.n.* ***het* —,** l'écumage; l'écrémage *m.*
af'scheren I *ov.w.* raser, tondre, couper; **II** *z.n.* ***het* —,** le rasage, la tonte.
af'schermen *ov.w.* parer; voiler; (*radio*) blinder.
af'schetsen *ov.w.* **1** esquisser, ébaucher; **2** (*fig.*) esquisser, décrire, dépeindre.
af'scheuren *ov.w.* arracher, détacher, déchirer; ***zich van de kerk* —,** se séparer de l'église.
af'scheuring *v.* **1** séparation *f.*; **2** (*in de kerk*) schisme *m.*
af'schieten I *ov.w.* **1** (*geweer, kanon*) tirer, décharger; **2** (*pijl*) tirer, décocher; **3** (*torpedo*) lancer; **4** (*wegschieten: arm, enz.*) emporter; (*vogel van de wip*) abattre; **5** (*een beschot maken*) séparer par une cloison; **II** *on.w.* ***op iem.* —,** s'élancer sur qn.; **III** *z.n.*, ***het* —,** la décharge.
af'schijn *m.* (*dicht.: afschijnsel o.*) reflet, éclat *m.*, splendeur *f.*
af'schijnen *on.w.* jeter de l'éclat, briller.
af'schilderen *ov.w.* **1** peindre, dépeindre, décrire; (*voorstellen*) représenter; **2** (*voltooien*) achever, mettre la dernière main à.
af'schildering *v.* peinture *f.*
af'schilferen I *on.w.* s'écailler, se desquamer; **II** *ov.w.* écailler.
af'schilfering *v.* écaillage *m.*, desquamation *f.*
af'schillen *ov.w.* écorcer, peler.
af'schminken I *ov.w.* démaquiller; **II** *w.w.* ***zich* —,** se démaquiller.
af'schoppen *ov.w.* abattre, enlever (d'un coup de pied); ***van de trappen* —,** faire dégringoler de l'escalier.
af'schraapsel *o.* raclure(s), ratissure(s) *f.(pl.)*.
af'schrabben *ov.w.* gratter, racler, ratisser.
af'schrabsel *o.* raclure(s), ratissure(s) *f.(pl.)*.
af'schrappen I *ov.w.* gratter, racler, ratisser; **II** *z.n.* ***het* —,** le grattage, le ratissage.
af'schrift *o.* **1** (*v. brief*) copie *f.*; ***authentiek* —,** copie *f.* légalisée; **2** (*v. akte*) double *m.*, grosse *f.*; **3** (*v. contract*) expédition *f.*, double *m.*; **4** (*v. opschrift*) transcription *f.*; ***een — maken van,*** faire (*of* prendre) la copie de; ***voor gelijkluidend* —,** pour copie conforme.
af'schrijven I *ov.w.* **1** (*overschrijven*) copier, faire la copie de; (*tekst*) transcrire; (*document*) expédier; **2** (*afzeggen*) décommander; contremander; **3** (*v. rekening*) décompter, déduire; **4** (*afmaken: brief, enz.*) finir, achever; **5** (*schuld*) amortir; **6** (*een verloofde* —) rompre avec (un fiancé); (*een uitnodiging* —), écrire pour refuser (une invitation); ***heel wat* —,** écrire beaucoup; **II** *on.w.* **1** (*v. leerling*) copier; **2** (*op gebouwen, enz.*) (*H.*) amortir (sur les bâtiments, etc.).
af'schrijver *m.* **-fster** *v.* copiste *m.-f.*
af'schrijving *v.* **1** copie; transcription; expédition *f.*; **2** (*waardevermindering*) (*H.*) dépréciation *f.*; (*op gebouwen, enz.*) amortissement *m.*
af'schrik *m.* horreur *f.*, effroi *m.*, aversion *f.*; ***een — hebben van,*** avoir horreur de; ***een — krijgen van,*** prendre en horreur; ***— inboezemen,*** inspirer de l'horreur à.
af'schrikken *ov.w.* **1** effrayer, faire horreur à, épouvanter; **2** rebuter; ***zich laten* —,** se laisser rebuter.
af'schrikking *v.* intimidation *f.*
af'schrikkingsmacht *v.(m.)* force *f.* de dissuasion, — de frappe.
afschrikwek'kend *b.n.* **1** effroyable, épouvantable; **2** repoussant.
af'schrobben *ov.w.* nettoyer, balayer, brosser.
af'schroeien *ov.w.* **1** griller, brûler; **2** (*v. gevogelte*) flamber; **3** (*v. vruchtboom*) couliner.
af'schroeven *ov.w.* dévisser, enlever.
af'schubben I *ov.w.* écailler; **II** *z.n.* ***het* —,** l'écaillage, l'écaillement *m.*
af'schudden *ov.w.* **1** secouer; **2** (*fig.*) rejeter.
af'schuieren *ov.w.* brosser; ***even* —,** donner un coup de brosse.
af'schuimen I *ov.w.* **1** (*soep*) écumer; **2** (*bier*) purer; **II** *z.n.* ***het* —,** l'écumage *m.*
af'schuimlepel *m.* écumoire *f.*
af'schuinen *ov.w.* chanfreiner, biseauter.
af'schuiven I *ov.w.* éloigner, repousser; pousser en bas; ***iets van zich* —,** se défaire de, se débarrasser de qc.; ***de schuld van zich* —,** se disculper; **II** *on.w.* **1** (*afglijden*) glisser; **2** (*fam.: betalen*) payer, délier sa bourse; jouer du pouce; ***hij schuift niet gauw af,*** il est dur à la détente; **III** *z.n., o.* ***het* —,** le glissement.
af'schuiving *v.* glissement *m.* (de terre).
af'schuren *ov.w.* écurer, nettoyer, frotter.
af'schutten *ov.w.* **1** séparer par une cloison, enclore; **2** (*water*) retenir par une écluse.
af'schutting *v.* cloison *f.*; enceinte; palissade *f.*
af'schuw *m.* effroi *m.*, horreur, aversion, répulsion *f.*, *zie ook:* ***afschrik.***
afschu'welijk *b.n.* affreux, hideux, horrible, abominable.
afschu'welijkheid *v.* hideur *f.*, aspect *m.* horrible, abomination, atrocité *f.*
af'seinen *ov.w.* contremander par dépêche.
af'sijpelen *on.w.* dégoutter; filtrer.
af'slaan I *ov.w.* **1** abattre, faire tomber; enlever; **2** (*noten, enz.*) gauler; **3** (*aanval*) repousser; **4** (*prijs*) rabattre (du prix), réduire, diminuer; **5** (*verkopen bij afslag*) vendre à la criée, vendre au rabais; **6** (*verzoek*) refuser; **7** (*het hoofd*) trancher, couper; **8** (*koortsthermometer*) faire descendre; ***hij slaat niets af dan vliegen,*** il accepte tout; ***hij is niet van zijn boeken af te slaan,*** il est toujours collé sur les livres; ***niet af te slaan zijn van*** (***iem.***), être toujours après (qn.); **II** *on.w.* **1** (*rechts, links*) tourner, prendre (à droite, à gauche); **2** (*v. prijzen*) baisser, être en baisse, tomber; **3** (*v. winkelier*) baisser les prix; **4** (*v. motor*) caler; ***van zich* —,** se défendre, riposter.
af'slachten *ov.w.* massacrer.
af'slachting *v.* massacre *m.*, boucherie *f.*
af'slag *m.* **1** rabais *m.*; **2** (*vermindering*) diminution, réduction *f.*; ***bij — verkopen,*** vendre à la criée, — au rabais.
af'slager *m.* vendeur *m.* public; crieur, commissaire-priseur *m.*
af'slepen *ov.w.* traîner (*of* tirer) en bas; ***de rivier* —,** remorquer en aval.
af'slijpen *ov.w.* **1** émoudre; aiguiser; **2** (*polijsten*) polir; **3** (*het roest*) enlever la rouille.
af'slijten *on.w.* user, s'user.
af'slijting *v.* **1** usure *f.*; **2** (*afschaving*) détrition *f.*; **3** (*v. tanden*) rasement *m.*
af'slingeren *ov.w.* lancer en bas, jeter —.
af'slonzen *ov.w.* (*kleren*) user, fripper.
af'sloven I *ov.w.* surmener, user; **II** *w.w.* ***zich* —,** s'échiner, s'éreinter, se tuer; se donner bien de la peine, s'esquinter, s'évertuer.
af'sluitboom *m.* barrière *f.*

af'sluitdam *m.* barrage *m.*
af'sluitdijk *m.* digue *f.* de protection, barrage *m.*
af'sluiten *ov.w.* **1** (*met sleutel*) fermer (à clef); **2** (*versperren*) barrer; **3** (*met een boom sluiten*) bâcler; **4** (*afscheiden*) séparer; clore; **5** (*v. toevoer*) couper; **6** (*v. licht*) intercepter; **7** (*H.*) (*koop*) conclure; (*rekening*) arrêter, clôturer; (*boeken*) régler; (*een verzekeringspolis*) passer (une police d'assurance); **8** (*mil., v. huis of wijk*) boucler.
af'sluiter *m.* (*tn.*) obturateur *m.*
af'sluithek *o.* barrière, grille *f.* (de clôture).
af'sluiting *v.* **1** (*handeling*) fermeture *f.*; **2** (*middel*) barrage *m.*, séparation, clôture, cloison, palissade *f.*; **3** (*v. rekening*) arrêté, règlement (de comptes) *m.*; (*dagelijks, maandelijks*) clôture *f.*
af'sluitingsmuur *m.* mur *m.* de clôture, — d'enceinte.
af'sluitingsvuur *o.* tir *m.* de barrage.
af'sluitklep *v.(m.)* soupape *f.* d'arrêt.
af'sluitkraan *v.(m.)* robinet *m.* d'arrêt.
af'smeken *ov.w.* implorer.
af'smeking *v.* imploration *f.*
af'smijten *ov.w.* **1** (*wegsmijten*) jeter bas, se défaire de; **2** (*naar beneden smijten*) jeter en bas (de); **3** (*afgooien*) abattre, jeter par terre.
af'snauwen *ov.w.* rabrouer, rudoyer.
af'snellen *on.w.* ***de trap* —,** descendre l'escalier quatre à quatre.
af'snijden *ov.w.* **1** couper, trancher, retrancher; (*gen.*) réséquer; **2** (*gehangene*) dépendre; ***iem. de weg*** (*of **de pas***) **—,** couper le chemin à qn.; ***de hals* —,** égorger.
af'snijding *v.* **1** coupe *f.*; **2** retranchement *m.*
af'snoeien *ov.w.* élaguer, émonder, tailler.
af'spannen *ov.w.* **1** (*paard*) dételer; **2** (*losser spannen*) détendre, relâcher; **3** (*door uitspannen van de hand meten*) mesurer par empans.
af'spanning *v.* **1** (*v. paard*) dételage *m.*; **2** (*v. machine*) détente *f.*; **3** (*herberg*) (*Z.N.*) auberge *f.*
af'spatten *on.w.* jaillir, rejaillir.
af'spelden *ov.w.* piquer.
af'spelen I *ov.w.* **1** (*stuk, rol*) jouer; **2** (*ten einde spelen*) jouer jusqu'au bout, finir, terminer; **II** *w.w.* ***zich* —,** se passer; se dérouler.
af'spiegelen I *ov.w.* refléter, réfléchir; miroiter; **II** *w.w.* ***zich* —,** se peindre.
af'spiegeling *v.* reflet *m.*, réflexion *f.*
af'spinnen *ov.w.* filer.
af'splijten I *ov.w.* séparer en fendant; **II** *on.w.* se fendre.
af'splinteren *on.w.* s'écailler, se détacher, se crevasser.
af'spoelen I *ov.w.* **1** laver, rincer, nettoyer; **2** (*v. rivier, enz.*) emporter, entraîner; **II** *z.n.* ***het* —,** le rinçage.
af'spoeling *v.* **1** (*handeling*) lavage, rinçage, nettoiement *m.*; **2** (*aan oever*) dégravoiement *m.*
af'sponsen, af'sponzen I *ov.w.* éponger, laver à l'éponge; **II** *z.n.* ***het* —,** l'épongeage *m.*
af'spraak *v.(m.)* **1** (*overeenkomst*) accord *m.*, convention *f.*; **2** (*op bepaalde plaats*) rendez-vous *m.*; ***ik heb een — om 3 uur,*** j'ai un rendez-vous pour 3 h.; ***zich houden aan de* —,** se conformer à ce qui a été convenu; ***volgens* —,** comme convenu.
af'spreken I *ov.w.* convenir de, s'accorder sur, s'entendre sur, concerter (qc. avec qn.); **II** *on. w.*, ***van zich* —,** se faire valoir; ***dat is afgesproken!*** c'est convenu ! c'est entendu ! ***afgesproken werk,*** affaire arrangée, — concertée.
af'springen *on.w.* **1** sauter à bas de, descendre, sauter à terre; **2** (*losgaan*) se détacher, se déjoindre; se détendre; **3** (*niet doorgaan*) manquer, échouer; **4** (*met springscherm*) descendre en parachute; ***het huwelijk is afgesprongen,*** le mariage n'aura pas lieu, le mariage a raté; ***er is een knoop afgesprongen,*** un bouton a sauté; ***op iem.* —,** s'élancer sur qn., fondre sur qn.
af'spuiten *ov.w.* laver au jet.
af'staan I *ov.w.* céder, abandonner, renoncer à, se désister de; **II** *on.w.* — ***van,*** être éloigné de; **III** *z.n., o.* ***het* —,** la cession, l'abandon *m.*
af'stammeling(e) *m.-v.* descendant(e) *m.(f.)*, (*telg*) rejeton *m.*
af'stammen *on.w.* **1** (*persoon*) descendre de, sortir de, être issu de; **2** (*woord*) dériver (de).
af'stamming *v.* **1** descendance, origine *f.*; **2** dérivation *f.*
af'stammingsleer *v.(m.)* transformisme *m.* doctrine *f.* darwinienne de la descendance de l'homme; génétique *f.*
af'stand *m.* **1** distance *f.*; (*ruimte*) espace *m.*; (*tussenruimte*) intervalle *m.*; (*verte*) éloignement *m.*; **2** (*het afstaan*) cession *f.*; abandon *m.*; (*v. troon*) abdication *f.*; (*verzaking*) renonciation *f.*; (*v. ambt*) résignation *f.*; **3** (*te doorlopen* —) parcours, trajet *m.*; — ***doen van,*** renoncer à; céder; abandonner; — ***doen van de troon,*** abdiquer; — ***nemen!*** (*mil.*) prendre les distances; (***zich***) ***op een — houden,*** (se) tenir à distance; ***op een* —,** à quelque distance; ***over een grote* —,** sur une grande distance; ***van — tot* —,** de distance en distance; ***op — besturen,*** téléguider.
af'standmeter *m.* télémètre *m.*
af'standsbediening *v.* télécommande *f.*, commande *f.* à distance.
af'standsbesturing *v.* guidage *m.* à distance.
af'standsrit *m.* raid *m.* (hippique), course *f.* de fond, — de demi-fond, — de vitesse; sprint *m.*; épreuve *f.* sur route.
af'standsvlucht *v.(m.)* vol *m.* de durée, — de fond.
af'standswijzer *m.* table *f.* des distances, tableau *m.* —.
af'stappen *on.w.* **1** (*in hotel, enz.*) descendre à; **2** (*in stad*) s'arrêter; **3** (*v. boot*) mettre pied à terre; **4** (— *van: plan, onderwerp, enz.*) abandonner, laisser, quitter; se désister de, renoncer à; **5** (*te voet afleggen*) parcourir à pied; ***laat ons daarvan* —,** n'en parlons plus.
af'steken I *ov.w.* **1** couper, ôter, enlever (au ciseau, au couteau, etc.); **2** (*een vat*) mettre en perce; ***een vuurwerk* —,** tirer un feu d'artifice; ***Bengaals vuur* —,** allumer, brûler des feux de Bengale; ***een speech* —,** prononcer un discours; porter un toast; ***iem. de loef* —,** l'emporter sur qn.; **II** *on.w.* contraster; — ***tegen,*** se détacher sur, se découper sur; se profiler sur, se dessiner sur; — ***bij,*** trancher sur, contraster avec.
af'stel *o.* partie *f.* remise; ***uitstel is geen* —,** ce qui est différé n'est pas perdu.
af'stelen *ov.w.* voler, dérober.
af'stellen *ov.w.* **1** abandonner, renoncer à, renvoyer aux calendes (grecques); **2** (*tn.*) déclancher.
af'stemknop *m.* (*radio*) bouton *m.* de recherche des stations.
af'stemmen *ov.w.* **1** (*bij stemming*) rejeter; **2** (*radio*) syntoniser.
af'stemming *v.* **1** rejet *m.*; **2** (*radio*) syntonisation *f.*
af'stemoog *o.* (*radio*) œil *m.* magique, indicateur *m.* d'accord.
af'stempelen *ov.w.* **1** (*brief*) timbrer; (*postzegels*) oblitérer; **2** (*goederen bij douane, aandeel, enz.*) estampiller; ***zijn spoorwegkaartje laten* —,** faire viser son billet, faire tamponner.
af'stempeling *v.* (*brief*) timbrage *m.*; (*postzegel*) oblitération *f.*; (*aandeel, enz.*) estampillage *m.*

af'stemschaal *v.(m.)* (*radio*) cadran *m.*

af'sterven I *on.w.* **1** mourir, décéder, trépasser; **2** (*fig.: geluid, enz.*) se perdre, s'éteindre; **3** (*vriendschap*) se refroidir; **II** *z.n.* ***het* —,** la mort, le décès, le trépas. [sur; **2** (*fig.*) foncer (sur).

af'stevenen *on.w.* — ***op,*** **1** (*eig.*) mettre le cap

af'stijgen I *on.w.* descendre, mettre pied à terre; **II** *z.n.* ***het* —,** la descente.

af'stijging *v.* descente *f.*

af'stoffen I *ov.w.* épousseter, passer le plumeau sur; **II** *z.n.* ***het* —,** l'époussetage *m.*

af'stomen *on.w.* **1** ***een rivier* —,** descendre une rivière en bateau à vapeur; **2** partir à la vapeur.

af'stompen *ov.w.* **1** émousser; **2** (*punt*) épointer; **3** (*fig.*) hébéter, abrutir (l'esprit, l'intelligence).

af'stomping *v.* émoussement; épointage; hébètement, abrutissement *m.*

af'stoppen *ov.w.* boucher, fermer.

af'stormen *on.w.* **1** ***de trap* —,** descendre l'escalier quatre à quatre; **2** ***op iem.* (*iets*) —,** se précipiter sur, s'élancer sur qn. (qc.).

af'storten I *ov.w.* **1** jeter en bas, précipiter; **2** verser; **II** *on.w.* tomber (du haut de); **III** *w.w.* ***zich* —,** se précipiter.

af'storting *v.* chute *f.*

af'stoten *ov.w.* **1** (*eig.*) pousser, jeter en bas; **2** (*fig.*) repousser; **3** (*muz.*) piquer, jouer staccato; ***iem. van zich* —,** repousser qn.

af'stotend *b.n.* repoussant, répugnant, rébarbatif.

af'stoting *v.* **1** répulsion *f.*; **2** (*muz.*) staccato *m.*

af'stotingskracht *v.(m.)* (force de) répulsion *f.*

af'straffen *ov.w.* **1** punir, corriger; **2** (*met woorden*) réprimander, tancer, reprendre.

af'straffing *v.* punition, correction; réprimande *f.*

af'stralen I *on.w.* — ***op,*** **1** rayonner, jeter ses rayons (sur); jeter de l'éclat; **2** (*fig.*) rejaillir sur; **II** *ov.w.* (*warmte*) répandre.

af'straling *v.* **1** rayonnement *m.*, réflexion *f.*, reflet *m.*; **2** (*fig.*) rejaillissement *m.*

af'strijken *ov.w.* **1** (*lucifer*) frotter, gratter; **2** (*een maat*) rader; ***zij streek het geld van de toonbank af,*** elle ramassa l'argent de dessus le comptoir. [bas); descendre.

af'stromen *on.w.* s'écouler, découler, couler (en

af'strompelen *ov.w.* ***de trap* —,** descendre l'escalier avec peine (*of* péniblement).

af'stropen *ov.w.* **1** enlever (la peau); **2** (*paling*) écorcher; **3** (*haas, schaap, enz.*) dépouiller; **4** (*plunderen*) piller, saccager; battre (le pays).

af'studeren *on.w.* finir ses études, achever —, terminer —.

af'stuiten *on.w.* rebondir, rejaillir; (*fig.*) — ***op,*** échouer contre, — à cause de.

af'stuiting *v.* rebondissement *m.*

af'stuiven *on.w.* **1** s'envoler (en poussière), être emporté par le vent; **2** descendre en courant; ***op iem.* (*iets*) —,** fondre sur qn. (qc.).

af'sturen I *ov.w.* (*verzenden*) envoyer, expédier; **II** *on.w.* — ***op,*** (se) diriger vers, gouverner sur.

af'takdoos *v.(m.)*, (*el.*) boîte *f.* de branchement.

af'takelen I *ov.w.* **1** (*eig.*) dégréer; **2** dégarnir; **II** *on.w.* décatir, se dégommer; baisser; enlaidir; ***hij is aan het* —,** il est sur son déclin, il se décolle.

af'takeling *v.* **1** dégréement *m.*; **2** (*fig.*) déchéance *f.*

af'takken *ov.w.* (*el.*) brancher, dériver.

af'takleiding *v.*, (*el.*) circuit *m.* de disjonction.

aftands' *b.n.* **1** démarqué, hors d'âge; **2** (*fig.*) sur le retour. [purge.

af'tapkraan *v.(m.)* purgeur *m.*, robinet *m.* de

af'tappen I *ov.w.* **1** (*wijn, bloed*) tirer; **2** (*dranken*) mettre en bouteilles; **3** (*voorzichtig overtappen*) élier, soutirer; **4** (*van wijnkuip in vaten*) décuver; **5** (*v. bomen*) saigner, soumettre à la saignée; **6** (*v. olie, benzine, water*) faire la vidange (d'eau, etc); **II** *z.n.* ***het* —,** le tirage; la mise en bouteilles; la saignée. [teilles; saignée *f.*

af'tapping *v.* embouteillement *m.*, mise *f.* en bou-

af'tasten *ov.w.* examiner en tâtonnant; ***de hemel* —,** explorer le ciel.

af'tekenen I *ov.w.* **1** (*natekenen*) copier, dessiner; (*lijn*) tracer; (*fig.: weg, enz.*) tracer, décrire; **2** (*ondertekenen*) (*stukken*) signer; (*paspoort*) viser; (*boek voor ontvangst tekenen*) décharger; (*loonlijst*) émarger; **3** (*voltooien*) finir le dessin de; **II** *w.w.* ***zich* —,** se dessiner; ***zich* — (*op, tegen*),** se dessiner sur, se détacher sur; ***zich scherper* —,** s'accentuer.

af'telefoneren *ov.w.* **1** contremander par téléphone; **2** s'excuser par téléphone.

af'tellen *ov.w.* compter, faire le compte de; — ***van,*** diminuer de, déduire, décompter. [comptine *f.*

af'telrijmpje *o.* formulette *f.* d'élimination,

af'tillen *ov.w.* descendre, ôter, enlever.

af'tobben, *zich* —, *w.w.* **1** se fatiguer, s'épuiser; **2** (*de geest*) tourmenter, se creuser le cerveau.

af'tocht *m.* **1** retraite *f.*; **2** (*ordeloze* —) déroute; débandade *f.*; ***de — blazen,*** sonner la retraite; (*fig.*) battre en retraite; détaler.

af'tomen *ov.w.* débrider.

af'tornen *ov.w.* découdre.

af'trap *m.* (*sp.*) coup *m.* d'envoi, envoi *m.*

af'trappen *on.w.* (*voetbal*) donner le coup d'envoi; ***van zich* —,** se défendre à coups de pied; **II** *ov. w.* **1** enlever (d'un coup de pied); **2** jeter en bas, chasser (à coups de pied).

af'treden *on.w.* **1** (*eig.*) descendre (de); **2** (*ontslag nemen*) donner sa démission, se démettre; sortir (de charge), abandonner le pouvoir; **3** (*van toneel*) quitter (la scène); ***het ministerie is afgetreden,*** le ministère a démissionné.

af'tredend *b.n.* **1** (*lid*) sortant; **2** (*ambtenaar*) démissionnaire.

af'treding *v.* retraite, démission, sortie *f.*

af'trek *m.* **1** (*korting*) rabais *m.*, déduction *f.*; **2** (*verkoop*) débit *m.*; (*vraag*) demande *f.*; ***na — van,*** déduction faite de; ***dit artikel vindt* (*veel*) —,** cet article est d'un bon débit, — d'un placement facile, — de bonne emplette; — s'écoule facilement.

af'trekken I *ov.w.* **1** (*wegtrekken*) enlever, retirer, ôter, arracher; **2** (*in mindering brengen*) déduire, rabattre, défalquer, porter en déduction; **3** (*in rekenkunde*) soustraire, retrancher, ôter; **4** (*laten trekken: thee, enz.*) infuser; (*door koken*) faire une décoction; **5** (*vuurwapen*) décharger; **6** (*afleiden, v. werk, enz.*) distraire, détourner de; **7** (*op drukkerij: proef*) tirer; **8** (*ontkurken*) (*Z.N.*) déboucher (une bouteille); **II** *on.w.* **1** (*v. persoon*) se retirer, s'éloigner; **2** (*v. soldaten*) battre en retraite; **3** (*v. onweer*) (se) passer, se dissiper; **4** (*v. thee*) s'infuser; **5** (*in rekenkunde*) soustraire; **6** (*fig.*) battre en retraite.

af'trekker *m.* nombre *m.* qu'on soustrait, le (plus) petit nombre *m.*

af'trekking *v.* **1** (*alg.*) déduction *f.*, rabais *m.*; **2** (*in rekenkunde*) soustraction *f.*

af'treksel *o.* **1** (*zonder koken*) infusion *f.*; **2** (*door koken*) décoction *f.*, extrait *m.*

af'treksom *v.(m.)* soustraction *f.*, problème *m.* de soustraction. [grand nombre *m.*

af'trektal *o.* nombre *m.* à soustraire, le (plus)

af'trektouw *o.* cordeau *m.* tire-feu.

af'troeven *ov.w.* couper (*of* prendre) avec un atout; ***iem.* —,** reprendre qn., donner son paquet à qn.; dire son fait à qn., couper le sifflet à qn.

af'troggelaar *m.*, **-ster** *v.* carotteur *m.*, —euse *f.*, carottier *m.*, —ière *f.*
af'troggelen *ov.w.* carotter, extorquer, escroquer; obtenir par la ruse, — par la flatterie, soutirer.
af'tronen *ov.w.* détourner adroitement, dissuader; obtenir en flattant, — par des cajoleries.
af'tuigen *ov.w.* **1** (*paard*) déharnacher; **2** (*schip*) dégréer; **3** (*fig.*) débiner, démolir, éreinter, déboulonner, rosser.
af'tuiging *v.* **1** (*v. paard*) déharnachement *m.*; **2** (*v. schip*) dégréement *m.*; **3** (*fig.*) débinage, éreintement, déboulonnement *m.* [(de).
af'tuimelen *on.w.* tomber, culbuter, dégringoler
af'tuimeling *v.* culbute, dégringolade *f.*
af'vaardigen *ov.w.* députer, déléguer, envoyer, dépêcher.
af'vaardiging *v.* députation, délégation *f.*
af'vaart *v.*(*m.*) départ *m.*, partance *f.*; ***ter — gereed liggen,*** être en partance (pour).
af'val I *m.* **1** (*ontrouw*) défection, désertion *f.*; **2** (*v. de kerk*) apostasie *f.*; **3** (*v. een volk*) rébellion *f.*, révolte *f.*; **II** *o. en m.* **1** (*v. groenten*) épluchures *f.pl.*; **2** (*v. papier*) rognures *f.pl.*; **3** (*fruit*) fruits *m.pl.* tombés; **4** (*v. slachterijen*) abats *m.pl.*, issues *f.pl.*; **5** (*v. restjes vermorsing, enz.*) déchets *m.pl.*
af'vallen *on.w.* **1** (*eig.*) tomber (d'en haut); **2** (*v. partij*) abandonner, quitter le parti, se séparer de; (*v. godsdienst*) apostasier, renier (sa foi); **3** (*vermageren*) maigrir, diminuer; (*verzwakken*) s'affaiblir; **4** (*tegenvallen*) ne pas répondre à l'attente; **5** (*sp.*) être éliminé; ***er zullen bij 't schriftelijk examen veel kandidaten —,*** beaucoup de candidats échoueront à l'écrit; ***er zal wel wat voor mij —,*** j'y trouverai toujours un petit bénéfice.
afval'lig *b.n.* infidèle; ***— worden,*** *zie* ***afvallen.***
afval'lige *m.-v.* **1** (*v. partij*) rebelle, révolté, déserteur, infidèle *m.*; **2** (*v. godsdienst*) apostat; renégat *m.*; (*bij herhaling*) relaps(e) *m.*(*f.*).
afval'ligheid *v.* **1** (*v. partij*) désertion, défection *f.*; **2** (*v. godsdienst*) apostasie *f.*; **3** (*ontrouw*) infidélité *f.* [duaire.
af'valprodukt, -product *o.* produit *m.* rési-
af'valstoffen *mv.* substances *f.pl.* de déchet.
af'valwater *o.* eaux *f.pl.* résiduaires, (*v. fabriek*) eaux-vannes *f.pl.*
af'valwedstrijden *mv.* épreuves *f.pl.* éliminatoires, matches *f.pl.* —; les éliminatoires *f.pl.*
af'vangen *ov.w.* attraper, prendre; ***iem. een vlieg —,*** damer le pion à qn., couper l'herbe sous le pied à qn.
af'varen I *ov.w.* **1** (*rivier*) descendre; **2** (*afstand*) parcourir; ***de kust —,*** faire la côte; **II** *on.w.* (*vertrekken*) partir, mettre à la voile; **III** *z.n., o.* ***het —,*** le départ, la descente.
af'vegen *ov.w.* **1** essuyer, nettoyer; **2** (*stof*) épousseter; **3** (*met borstel*) brosser.
af'vijlen I *ov.w.* limer; enlever à la lime, ôter —; **II** *z.n.* ***het —,*** le limage.
af'vijlsel *o.* limaille *f.*
af'vliegen *on.w.* s'envoler; ***de trap —,*** descendre l'escalier quatre à quatre; ***— op,*** s'élancer sur, fondre sur.
af'vloeibuis *v.*(*m.*) tuyau *m.* d'écoulement.
af'vloeien I *on.w.* s'écouler; découler, couler (en bas); **II** *ov.w.* **1** (*inkt*) tamponner, passer le buvard sur; **2** (*in 't leger*) licencier.
af'vloeiing *v.* **1** écoulement *m.*; **2** licenciement *m.* graduel; **3** (*v. overschotten*) liquidation *f.*
af'voer *m.* **1** (*v. water, enz.*) écoulement *m.*; **2** (*op 't land*) drainage *m.*; **3** (*v. produkten*) transport *m.*, évacuation *f.*; **4** (*gén.*) purgation *f.*
af'voerbuis *v.*(*m.*) tuyau *m.* d'écoulement, — de décharge; drain *m.*
af'voerder *m.* (muscle) abducteur *m.*
af'voeren *ov.w.* **1** (*vloeistof*) faire écouler; décharger; **2** faire descendre, conduire (en bas); **3** transporter, éloigner; **4** (*schrappen*) rayer; **5** (*v. doden, gewonden*) évacuer.
af'voerend *b.n.* ***—e spier,*** (muscle) abducteur *m.*
af'voering *v.* **1** (*v. spier*) abduction *f.*; **2** (*v. lijst*) radiation *f.*; **3** (*amendement van wetsontwerp*) disjonction *f.*
af'voerkanaal *o.* canal *m.* de dérivation, — d'écoulement, conduite *f.* d'évacuation. [purge.
af'voerkraan *v.*(*m.*) robinet *m.* de sortie, — de
af'voerpijp *v.*(*m.*) tuyau *m.* d'écoulement, — de décharge, — d'évacuation.
af'vorderen *ov.w.* exiger, réclamer, demander.
af'vragen I *ov.w.* demander, questionner, interroger; **II** *w.w.* ***zich —,*** se demander; ***zo vraagt men de boer de kunst af,*** c'est ainsi qu'on tire les vers du nez à qn., à folle demande point de réponse.
af'vreten *ov.w.* manger; ronger, brouter.
af'vriezen *on.w.* tomber par la gelée, geler.
af'vuren I *ov.w.* **1** (*wapen*) décharger; **2** (*schot*) tirer; **II** *on.w.* faire feu.
af'vuurinrichting *v.* (*mil.*) appareil *m.* de détente.
af'vuursnoer *o.* (*mil.*) cordeau *m.* tire-feu.
af'waaien I *ov.w.* abattre, enlever, emporter; **II** *on.w.* être emporté par le vent, s'envoler; ***zijn hoed is afgewaaid,*** le vent a enlevé son chapeau.
af'waarts I *b.n.* descendant; **II** *bw.* en descendant, en bas; de haut en bas.
af'wachten *ov.w.* **1** attendre; **2** (*afloeren*) (*Z.N.*) guetter, épier; ***ik wil geen beledigingen —,*** je ne souffrirai pas d'insultes.
af'wachtend *b.n.* expectant; ***een —e houding aannemen,*** rester dans l'expectative, se tenir sur la réserve.
af'wachting *v.* attente *f.*; ***in — (dat),*** en attendant (que); ***in — van uw orders,*** dans l'attente de vos ordres.
af'wandelen *ov.w.* **1** (*weg*) parcourir, suivre (*of* se promener) jusqu'au bout; **2** (*berg, heuvel*) descendre; ***heel wat —,*** se promener beaucoup.
af'was *m.* lavage *m.*; ***de — doen,*** faire la vaisselle.
afwas'baar *b.n.* lavable.
af'waskwast *m.* brosse *f.* à nettoyer.
af'wassen *ov.w.* laver; nettoyer; enlever; ***het gezicht —,*** (se) débarbouiller.
af'wassing *v.* lavage; nettoyage *m.*; ablution *f.*; (*gen.*) lotion *f.*
af'waswater *o.* eau *f.* de vaisselle.
af'wateren I *on.w.* se déverser, se décharger; s'écouler; **II** *ov.w.* (*land*) drainer.
af'watering *v.* déversement *m.*, décharge *f.*; écoulement, drainage *m.*
af'wateringskanaal *o.* canal *m.* d'écoulement.
af'weer *m.* défense *f.*; protection *f.*
af'weergeschut *o.* (*mil.*) artillerie *f.* antiaérienne; défense *f.* contre avions (D.C.A. *f.*).
af'weerkanon *o.* canon *m.* antiaérien.
af'weerstof *v.* antitoxine *f.*
af'wegen I *ov.w.* **1** peser; **2** (*tegen elkaar: fig.*) peser, balancer; **3** (*'n dosis*) doser; **II** *z.n.* ***het —,*** le pesage.
af'weiden *ov.w.* brouter.
af'weken I *ov.w.* détacher (en humectant), décoller; **II** *on.w.* se détacher (par l'humidité), se décoller.
af'wenden *ov.w.* **1** (*hoofd, enz.*) détourner; **2** (*ongeluk*) écarter, empêcher; **3** (*stoot*) parer; ***hij***

kan de ogen niet van haar —, il ne la quitte pas des yeux.
af'wending *v.* 1 (*hoofd, enz.*) détournement *m.*; 2 (*v. stoot*) parade *f.*
af'wennen I *ov.w.* déshabituer, désaccoutumer, désapprendre; II *w.w.* ***zich —,*** se déshabituer, se défaire de, se départir de.
af'wentelen *ov.w.* 1 (*eig.*) rouler en bas; 2 (*verwijderen*) éloigner; 3 (*afwenden*) détourner; 4 (*schuld, enz.*) transférer.
af'wenteling *v.* éloignement *m.*
af'weren *ov.w.* 1 (*iets onaangenaams*) se défendre de; 2 (*vijand*) repousser; 3 (*stoot*) parer.
af'wering *v.* 1 défense *f.*; repoussement *m.*; 2 (*v. stoot*) parade *f.*
af'werken *ov.w.* achever, finir, terminer.
af'werker *m.* finisseur *m.*
af'werking *v.* achèvement, finissage *m.*, finition *f.*; ***de verzorgde —,*** le fini.
af'werpen *ov.w.* 1 jeter, jeter bas (à terre), rejeter; 2 (*mantel, enz.*) se dépouiller de, se défaire de, jeter; 3 (*juk*) secouer; (*verantwoordelijkheid*) rejeter, décliner; 4 (*winst*) donner, rapporter; 5 (*v. boom*) abattre, enlever; 6 (*v. bommen*) lancer, éjecter, larguer.
af'weten I *ov.w.* (*iem.*) ***iets laten afweten,*** décommander, contremander qc.; II *on.w.* savoir; ***van iets —,*** être au courant de qc., avoir entendu parler de qc., être dans le secret; ***hij doet alsof hij van niets afweet,*** il fait semblant de rien.
af'wezen *o.* absence *f.*
afwe'zend, afwe'zig *b.n.* absent; ***de —en,*** les absents.
afwe'zigheid *v.* 1 absence *f.*; 2 (*soldaat bij appel*) manque *f.*; ***bij — van,*** en l'absence de.
af'wijken *on.w.* 1 (*v. regel, weg*) s'éloigner, s'écarter, dévier de; 2 (*plicht, gedrag*) se départir de; 3 (*wet, overeenkomst*) déroger à; 4 (*v. magneetnaald*) décliner; 5 (*v. lichtstraal*) défléchir; 6 (*verschillen*) différer, être différent; 7 (*v. onderwerp*) s'écarter de.
af'wijkend *b.n.* 1 différent; déclinant; défléchi; 2 (*fig.*) dérogatoire; 3 anormal.
af'wijking *v.* 1 détournement; écartement *m.*; déviation *f.*; 2 (*v. magneetnaald*) déclinaison *f.*; 3 (*v. lichtstraal*) aberration, déflexion *f.*; 4 (*verschil*) différence *f.*; 5 (*onregelmatigheid*) anomalie *f.*; 6 (*in leer*) dissidence *f.*; ***in — van,*** contrairement à, en dérogation à.
af'wijzen *ov.w.* 1 (*weigeren*) refuser; (*afslaan*) décliner; (*verstoten*) repousser; 2 (*verwerpen*) rejeter; ***een eis —,*** rejeter une demande; (*in rechten*) débouter qn. de sa demande, renvoyer des fins de la plainte; ***afgewezen worden,*** 1 (*bij examen*) être refusé, ne pas réussir, échouer; 2 (*minnaar*) être évincé.
af'wijzend *b.n.* ***— antwoord,*** réponse *f.* négative, refus *m.*; ***—e beschikking,*** fin *f.* de non-recevoir, rejet *m.*; ***— beschikken op een verzoek,*** rejeter une demande, opposer une fin de non-recevoir à une demande; ***—e houding,*** attitude de refus.
af'wijzing *v.* 1 refus, rejet *m.*; 2 (*recht*) débouté *m.*
af'wikkelen *ov.w.* 1 dévider; dérouler; 2 (*zaken*) (*H.*) liquider, terminer.
af'wikkeling *v.* 1 dévidage, déroulement *m.*; 2 liquidation *f.*
af'wimpelen *ov.w.* se dégager.
af'winden *ov.w.* dévider, dérouler, dépelotonner.
af'winding *v.* dévidage, déroulement *m.* [sur.
af'winnen *ov.w.* gagner (qc. de, à qn.); l'emporter
af'wippen I *on.w.* sauter en bas (de), descendre lestement; II *ov.w.* tomber, faire tomber.
af'wisselen I *ov.w.* 1 varier, changer; 2 (*v. twee dingen*) alterner, faire alterner; II *on.w.* alterner, se succéder; ***elkaar — (aflossen),*** se relayer.
af'wisselend I *b.n.* 1 (*veranderend*) varié, changeant; 2 (*v. twee*) alternant, alternatif; ***—e hoeken,*** angles alternes; ***—e rijmen,*** rimes croisées; II *bw.* alternativement, successivement, tour à tour.
af'wisseling *v.* 1 (*verandering*) variété, variation *f.*, changement *m.*; 2 (*v. twee*) alternative *f.*; (*voor gewassen*) alternance *f.*; ***bij —,*** alternativement; ***voor de —,*** pour varier, pour faire diversion. [*m.*
af'wissen I *ov.w.* essuyer; II *z.n.* ***het —,*** l'essuyage
af'wrijven I *ov.w.* 1 (*meubelen*) frotter; 2 (*stof*) enlever, ôter; 3 (*met een wis*) bouchonner; 4 (*met puimsteen*) poncer; II *z.n.* ***het —,*** le frottement; le ponçage.
af'wringen *ov.w.* arracher (en tordant), tordre.
af'zadelen I *ov.w.* (*paard*) desseller; (*ezel*) débâter; II *on.w.* ôter la selle.
af'zagen *ov.w.* scier, couper avec la scie.
af'zakken I *on.w.* 1 (*kousen*) tomber; 2 (*rok*) glisser; 3 (*onweer*) passer; 4 (*v. persoon*) glisser; (*heengaan*) s'en aller, se retirer; ***zich laten —,*** se laisser glisser; II *ov.w.* (*een rivier*) descendre.
af'zakkertje *o.* pousse-café, petit verre *m.*, goutte *f.*
af'zakking *v.* glissement *m.*; descente *f.*
af'zeggen *ov.w.* 1 (*genodigde*) désinviter; 2 (*bezoek*) contremander, dire qu'on ne vient pas, s'excuser; 3 (*order, bestelling*) contremander, décommander; 4 (*verloofde*) rompre avec; ***kunt u de les niet —?*** ne pouvez-vous pas excuser la leçon? [rupture *f.*
af'zegging *v.* contremandement; contrordre *m.*;
af'zeilen *on.w.* partir, mettre à la voile; ***— op,*** mettre le cap sur, se diriger vers, faire voile vers.
af'zemen *ov.w.* nettoyer, frotter, essuyer (avec une peau de chamois).
af'zenden *ov.w.* envoyer, expédier, dépêcher.
af'zender *m.* expéditeur *m.*
af'zending *v.* expédition *f.*, envoi *m.*
af'zendstation *o.* 1 (*spoorw.*) bureau *m.* expéditeur; 2 (*tel.*) poste *m.* transmetteur. [nage.
af'zepen I *ov.w.* savonner; II *z.n.* ***het —,*** le savon-
af'zet *m.* débit, écoulement, placement *m.*, vente *f.*; ***een — zoeken,*** chercher un débouché.
afzet'baar *b.n.* amovible, destituable.
afzet'baarheid *v.* amovibilité *f.*
af'zetgebied *o.* débouché, marché *m.*
af'zetnet *o.* tramail *m.*
af'zetsel *o.* 1 (*v. jurk*) garniture *f.*; 2 (*rand, in tuin, enz.*) bordure *f.*; 3 (*Pl.*) bouture, marcotte *f.*
af'zetten *ov.w.* 1 (*hoed, bril, enz.*) ôter, déposer; 2 (*ketel, enz.*) enlever, retirer; 3 (*neerzetten*) mettre bas, mettre à terre; 4 (*mil.: geweer*) mettre au repos; 5 (*gen.*) amputer; ***een arm —,*** amputer un bras, amputer qn. d'un bras; 6 (*tn.: motor*) déclencher, débrayer; 7 (*straat, enz.*) barrer, établir un barrage; (*plein*) *ook:* établir un cordon autour de; (*langs stoet, processie*) faire la haie; 8 (*kledingstuk*) border; galonner; 9 (*ambtenaar*) destituer, déposer; (*koning*) détrôner; 10 (*verkopen*) vendre, placer, débiter; 11 (*bedriegen*) étriller, rançonner, voler, écorcher; 12 (*oplichten*) escroquer; 13 (*droesem, slijk, enz.*) déposer; ***een gedachte van zich —,*** bannir une pensée, chasser —.
af'zetter *m.* voleur, écorcheur; escroc *m.*
afzetterij' *v.* volerie, étrille, fourberie; escroquerie *f.*
af'zetting *v.* 1 (*v. ambtenaar*) destitution *f.*; 2 (*v. arm, been*) amputation *f.*; 3 (*v. politie, enz.*) service *m.* d'ordre.
af'zettingsgesteente *o.* sédiment *m.*

afzich'telijk I *b.n.* hideux; **II** *bw.* hideusement.
afzich'telijkheid *v.* laideur (horrible), difformité *f.*
af'zien I *ov.w.* **1** (*eig.*) voir jusqu'au bout; **2** (*afwachten*) attendre; **3** (*lijden, verdragen*) (*Z.N.*) souffrir; **4** (*afkijken*) apprendre en regardant faire; ***ik heb het hele museum afgezien,*** j'ai vu tout ce qu'il y a dans le musée; **II** *on.w.* — ***van,*** renoncer à; (*voornemen, plan*) *ook:* abandonner; (*v. rechten*) se désister de.
afzien'baar *b.n.* dont on voit le bout, — l'extrémité, que l'œil peut embrasser; ***binnen afzienbare tijd,*** dans un futur qui n'est pas trop éloigné, dans un délai raisonnable.
afzij'dig *b.n.* ***zich — houden,*** se tenir à l'écart, réserver son opinion, rester neutre.
afzij'digheid *v.* neutralité *f.*
af'zingen *ov.w.* chanter jusqu'au bout; ***heel wat —,*** chanter beaucoup.
af'zoeken *ov.w.* chercher, fouiller, fureter partout; battre, explorer.
af'zoenen, *zie* ***afkussen.***
af'zonderen I *ov.w.* **1** séparer, isoler; **2** (*opzij leggen*) mettre de côté; **II** *w.w.* ***zich —,*** s'isoler; (*in afzonderlijk clubje*) faire bande à part; ***zich van de wereld —,*** s'isoler, fuir le monde.
af'zondering *v.* séparation *f.*, isolement *m.*; retraite, solitude *f.*
afzon'derlijk I *b.n.* séparé, isolé, à part; particulier, spécial; **II** *bw.* séparément, isolément; particulièrement, spécialement.
af'zuigen *ov.w.* sucer, enlever en suçant, ôter —.
af'zwaaien *on.w.* être de la classe; être démobilisé, prendre congé. [à la nage.
af'zwemmen *ov.w.* parcourir en nageant; s'éloigner
af'zweren I *ov.w.* **1** abjurer; **2** (*vorst*) déclarer déchu du trône; **II** *on.w.* (*door zweren afvallen*) tomber par ulcération *f.*
af'zwering *v.* abjuration *f.* [se tuer.
af'zwoegen, *zich —,* *w.w.* s'épuiser, se surmener,
agaat' *m. en o.* agate *f.*
agaat'achtig *b.n.* agatin.
A'gatha *v.* Agathe *f.*
agen'da *v.(m.)* **1** (*boekje*) agenda; carnet *m.*; **2** (*v. vergadering*) ordre *m.* du jour; ***de — afhandelen,*** épuiser l'ordre du jour; ***op de — staan,*** être à l'ordre du jour.
agent' *m.* **1** agent *m.*; **2** chargé *m.* d'affaires; **3** commissionnaire *m.*; **4** — ***van politie,*** sergent *m.* de ville, gardien *m.* de la paix, agent *m.* de police; ***stille —,*** agent *m.* de la sûreté, indicateur *m.* de la police; (*pop.*) mouchard *m.*; — ***van onroerende goederen,*** agent *m.* immobilier.
agen'te *v.* — ***van politie,*** femme*-agent* *f.*
agent'schap *o.* agence *f.*
agentuur' *v.* agence, représentation *f.*
age'ren *on.w.* **1** agir; **2** (*mil.*) opérer; ***tegen iem. —,*** poursuivre qn. en justice.
agglomeraat' *o.* **1** agglomérat *m.*; **2** (*fig.*) agglomération *f.*
agglomera'tie *v.* agglomération *f.*
aggregaat' *o.* aggrégation *f.*
aggrega'tietoestand *m.* état *m.* d'aggrégation.
agio *o.* (*H.*) agio *m.*; — ***doen,*** faire prime.
agita'tie *v.* agitation *f.*
agita'tor *m.* agitateur *m.*
agite'ren *ov.w.* rendre nerveux.
A'gnes, Agne'ta *v.* Agnès *f.*
agnos'ticus *m.* agnostique *m.-f.*
agra'riër *m.* agrairien, agrairiste *m.*
agra'risch *b.n.* agraire.
agrement' *o.* agréments *m.pl.*
agres'sie *v.* agression *f.*
agrono'misch *b.n.* agronomique.
aha' *tw.* aha! tiens!
Ahasve'rus *m.* Assuérus *m.*
ahorn' *m.* érable *m.*
ahorn'suiker *m.* sucre *m.* d'érable.
a'i! *tw.* aïe !
air *o.* air *m.*; ***een — aannemen,*** se donner des airs, prendre —; ***hij heeft een zeker — over zich,*** il prend un petit air d'arrogance; il a un je ne sais quoi d'arrogant.
air'-conditioned *b.n.* climatisé.
air'-conditioning *v.* climatisation *f.*, conditionnement *m.* d'air.
air'hostess *v.* hôtesse *f.* de l'air.
a'ïs *v.(m.)* (*muz.*) la *m.* dièse.
ajak'kes, ajas'ses *tw.* fi donc! pouah!
ajuin' *m.* oignon *m.*
akade'mie(-), *zie* ***academie(-).***
akant', acan'thus *m.* acanthe *f.*
akelei', akolei' *v.(m.)* ancolie *f.*
a'kelig *b.n.* désagréable, détestable; affreux; lugubre, horrible; ***men wordt er — van,*** c'est épouvantable, cela fait horreur, cela vous tourne le cœur.
a'keligheid *v.* **1** horreur, tristesse *f.*; aspect *m.* sinistre; **2** personne *f.* désagréable.
A'ken *o.* Aix-la-Chapelle *f.*; ***uit —,*** d'Aix.
a'ker *m.* **1** (*eikel*) gland *m.*; **2** (*emmer*) seau *m.* (à puiser).
akkefiet'je, akkeviet'je *o.* affaire, corvée *f.*
ak'ker *m.* champ; guéret *m.*; ***Gods water over Gods — laten lopen,*** laisser tout aller à vau-l'eau.
ak'kerbouw *m.* agriculture *f.*; labourage *m.*
ak'kerbouwkunde *v.* agronomie *f.*
ak'keren *ov.w. en on.w.* (*Z.N.*) labourer.
ak'kerkool *v.(m.)* lampsane *f.*
ak'kerland *o.* terre *f.* labourable. [taillé.
ak'kermaalshout *o.* taillis *m.* de chêne, bois *m.*
ak'kerman *m.* agriculteur, laboureur, cultivateur *m.* [champs.
ak'kerwerk *o.* labourage *m.*, travaux *m.pl.* des
ak'kerwet *v.* loi *f.* agraire.
ak'kerwinde *v.(m.)* liseron *m.* (des champs).
akkeviet'je, akkefiet'je *o.* affaire, corvée *f.*
akkl-, *zie* ***accl-.***
akkola'de, accola'de *v.* accolade *f.*
akkom-, *zie* ***accom-.***
akkoord', accoord' *o.* **1** (*overeenkomst*) accord *m.*, convention *f.*, contrat *m.*; **2** (*schikking*) arrangement, accomodement *m.*; **3** (*muz.*) accord *m.*; **4** (*bij faillissement*) concordat *m.*
akkoord'bevinding *v.* bien-trouvé *m.*
akkoord'je *o.* accord; ***het op een — gooien,*** trouver un accomodement; faire un compromis.
akkord-, *zie* ***accord-.***
akkr-, *zie* ***accr-.***
akku-, *zie* ***accu-.***
akoestiek' *v.* acoustique *f.*
akolei', akelei' *v.(m.)* ancolie *f.*
akoliet', acoliet' *m.* acolythe *m.*
A'kren, *Twee —,* Les Deux Acres.
akrobaat', acrobaat' *m.* acrobate *m.*
akroba'tisch, acroba'tisch *b.n.* acrobatique.
akro'polis *v.* acropole *f.*
aksent(-), *zie* ***accent(-).***
aksijns(-), *zie* ***accijns(-).***
aks(t) *v.(m.)* **1** cognée *f.*; **2** hache *f.* de combat.
ak'te *v.(m.)* **1** acte, titre, document *m.*, pièce *f.*; **2** (*voor onderwijs, — v. bekwaamheid*) diplôme, brevet *m.* (de capacité); **3** (*v. jacht of visserij*) permis *m.* (de chasse, de pêche); — ***van overlijden,*** acte de décès; — ***van berouw,*** acte de contrition;

een — opmaken, dresser un acte; ***— van benoeming,*** brevet de nomination; ***— van onderwijzer,*** brevet élémentaire; ***— voor hoofdonderwijzer,*** brevet supérieur; ***waarvan —,*** dont acte.
ak'te-examen, -eksamen *o.* examen *m.* pour l'obtention d'un brevet (pour le brevet élémentaire, secondaire).
ak'tenregister *o.* registre *m.* des actes.
ak'tentas *v.(m.)* serviette *f.*
akte'ren, acte'ren *on.w.* jouer (la comédie).
akteur', acteur' *m.* acteur *m.*
akti-, *zie* ***acti-.***
aktu-, *zie* ***actu-.***
akus'tika, acus'tica *v.* acoustique *f.*
akwarel', aquarel' *v.(m.)* aquarelle *f.*
al I *telw. (bijvoegl.)* tout (toute, tous, toutes); ***te allen tijde,*** de tout temps; ***— die boeken,*** tous ces livres; ***—le huizen,*** toutes les maisons; *(zelfst.)* tout (tous, toutes); ***eens voor —,*** une fois pour toutes; ***ze zijn —len vertrokken,*** ils sont tous partis; ***— wie,*** tous ceux qui; quiconque; ***— wat,*** *(onderw.)* tout ce qui; *(voorw.)* tout ce que; ***met zijn —len,*** tous; **II** *bw.* **1** *(reeds)* déjà; **2** *(steeds)* toujours; continuellement; **3** *(met teg. deelw.)* tout en, en; ***— werkend,*** tout en travaillant; **4** *(versterking)* tout; par trop; ***het is — even bespottelijk,*** c'est tout aussi ridicule; ***dat is — te kras,*** c'est par trop fort; ***— of niet,*** oui ou non; ***of ik — roep,*** j'ai beau crier; ***niet — te veel,*** ne... pas trop; ***— maar,*** toujours; ***— zwaarder,*** de plus en plus lourd; ***— lang,*** depuis longtemps; **III** *vw.* quoique, bien que, quand même; ***— is hij oud,*** bien qu'il soit vieux; ***— was hij rijk,*** quand même il serait riche; **IV** *o.* ***het —,*** le tout; l'univers *m.*; ***met dat —,*** avec tout cela.
alaam' *o. (Z N.)* outils; instruments *m.pl.*
alant' *m. (Pl.)* aunée, inule *f.*
alants'wortel *m.* racine *f.* d'aunée, inule *f.*
alarm' *o.* **1** alarme, alerte *f.*; **2** *(geraas)* bruit, tapage, vacarme *m.*; ***— blazen,*** sonner l'alarme; ***— slaan,*** battre l'alarme; ***bij 't eerste —,*** à la première alerte; ***loos —,*** fausse alarme, — alerte.
alarm'apparaat *o.* dispositif *m.* d'alerte.
alarm'blazer *m.* alarmiste *m.*
alarm'claxon, -klakson *m.* klaxon *m.* d'alarme.
alarme'ren *ov.w.* alarmer, donner l'alarme (à), alerter.
alarme'rend *b.n.* alarmant.
alarm'fluit *v.(m.)* sifflet *m.* d'alarme.
alarm'geklep *o.* son *m.* du tocsin.
alarm'klakson, *zie* ***alarmclaxon.***
alarm'klok *v.(m.)* tocsin *m.*, cloche *f.* d'alarme.
alarm'kreet *m.* cri *m.* d'alarme.
alarm'schel *v.(m.)* sonnette *f.* d'alarme.
alarm'sein, alarm'signaal *o.* signal *m.* d'alarme.
alarm'toestand *m.* état *m.* d'alerte.
Albaans' *b.n.* albanais.
Albanees' *m.* Albanais *m.*
Albanees' *b.n.* albanais.
Alba'nië *o.* l'Albanie *f.*
albast' *o.* albâtre *m.*
albas'ten *b.n.* d'albâtre.
al'batros *m.* albatros *m.*
al'be *v.(m.)* aube *f.*
al'bedil, al'bedrijf *m.-v.* touche-à-tout *m. et f.*, factotum *m.*, personne qui se mêle de tout, mère-Jordonne *f.*
al'beheersend *b.n.* qui domine tout.
Al'behoeder *m.* gardien suprême, Dieu *m.*
Al'bert *m.* Albert *m.*
al'beschik, *zie* ***albedil.***
Albigen'zen *mv.* Albigeois *m.pl.*
albinis'me *o.* albinisme *m.*
al'bino *m.* albinos *m.*
Al'bion *o.* Albion *f.*
Al'brecht *m.* Albert *m.*
al'bum *o.* album *m.*
al'bumblad *o.* feuillet *m.* d'album.
al'bumformaat *o.* portrait-carte *m.*
al'bumstandaard *m.* **al'bumtafeltje** *o.* porte-album *m.*
al'bumvers *o.* vers *m.* de mirliton, souvenir *m.* en vers pour un album.
alcali(-), *zie* ***alkali(-).***
alchimie', alchemie' *v.* alchimie *f.*
alchimist', alchemist' *m.* alchimiste *m.*
alchimis'tisch, alchemis'tisch *b.n.* alchimique.
al'cohol, al'kohol *m.* **1** alcool *m.*; **2** *(spiritus)* esprit *m.* de vin.
al'coholgehalte, al'koholgehalte *o.* taux *m.* d'alcool.
al'coholhoudend, alkoholhoudend *b.n.* alcoolique, qui contient de l'alcool.
alcoho'lisch, alkoho'lisch *b.n.* alcoolique.
alcoholis'me, alkoholis'me *o.* alcoolisme *m.*
alcoholist', alkoholist' *m.* alcoolique *m.*
al'coholproef, alkoholproef *v.(m.)* analyse *f.* du sang.
al'coholvrij, al'koholvrij *b.n.* sans alcool.
aldaar' *bw.* là, en ce lieu, en cette ville.
al'door *bw.* tout le temps, sans cesse, continuellement.
al'doordringend *b.n.* pénétrant tout.
aldra' *bw.* bientôt.
aldus' *bw.* ainsi, c'est ainsi que, de cette manière; ***de tekst luidt —,*** le texte est conçu en ces termes.
aleer' *bw.* avant que (*Subj.*), avant de (*Infin.*).
Alei'da *v.* Adeline *f.*
Aleoe'ten *mv.* îles Aléoutiennes *f.pl.*
Alep'po *o.* Alep *m.*
Alet'ta *v.* Adeline *f.*
Alexan'der *m.* Alexandre *m.*
Alexan'dra *v.* Alexandrine *f.*
alexandrijn' *m.* alexandrin *m.*
Alexandrijns' *b.n.* alexandrin.
al'fa I *v.* alpha *m.*; ***van — tot omega,*** depuis A jusqu'à Z; **II** *o.* papier *m.* d'alfa.
al'fabet *o.* alphabet *m.*
alfabe'tisch I *b.n.* alphabétique; **II** *bw.* par ordre alphabétique.
alfabetise'ren *o.* alphabétisation *f.*
al'fadeeltjes *mv.* particules *f.pl.* alpha.
al'fastralen *mv.* rayons *m.pl.* alpha.
Al'fons *m.* Alphonse *m.*
al'ge *v.(m.) (Pl.)* algue *f.*
al'gebra *v.(m.)* algèbre *f.*
algebra'ïsch I *b.n.* algébrique; **II** *bw.* algébriquement.
al'geheel *b.n.* complet, entier, total, intégral.
algemeen' I *b.n.* général, universel, commun; ***—e geschiedenis,*** histoire universelle; ***— maken,*** généraliser; ***—e vergadering,*** assemblée générale, réunion plénière; ***—e ontwikkeling,*** culture générale; ***met —e stemmen,*** à l'unanimité; ***— stemrecht,*** suffrage universel; ***het — welzijn,*** le bien public; **II** *bw.* généralement, universellement, unanimement; **III** *z.n., o.* ***het —,*** le public; ***in 't —,*** en général, généralement.
algemeen'heid *v.* généralité; universalité *f.*
Alge'rië, Algerij'e *o.* l'Algérie *f.*
Algerijn' *m.* Algérien *m.*; *(niet-inlander)* Algérois *m.*
Algerijns' *b.n.* algérien.
Algiers' *o.* Alger *m.*
al'goed *b.n.* souverainement bon; ***de A—e,*** le bon Dieu, le Dieu de bonté.
algoed'heid *v.* souveraine bonté *f.*
alhier' *bw.* ici, en ce lieu, en cette ville; *(op adres)* en ville.

alhoewel' *vw.* quoique, bien que.
al'hoog, ***de Alhoge,*** le Très-Haut.
a'lias I *bw.* dit, surnommé; autrement dit; **II** *z. n., m.* **1** (*bijnaam*) sobriquet, surnom *m.*; **2** (*guit*) espiègle, coquin, fripon *m.*
a'libi *o.* alibi *m.*; ***zijn — bewijzen,*** établir un [alibi.
A'lida *v.* Adèle, Adeline *f.*
a'likas *m.* bille *f.* d'albâtre, — de marbre
a'likruik *v.(m.)* bigorneau, vigneau, vignot *m.*, littorine *f.*
alimenta'tie *v.* pension *f.* alimentaire, alimentation *f.*
alimenta'tieplicht *m. en v.* obligation *f.* alimentaire.
ali'nea *v.* **1** alinéa *m.*; **2** (*in de wet*) paragraphe *m.*
alk *v.(m.)* guillemot, manchot, pingouin *m.*
alka'li, alca'li *o.* alcali *m.*
alka'lisch, alca'lisch *b.n.* alcalin; ***het — worden,*** l'alcalescence *f.*
alkohol(-), *zie* ***alcohol(-).***
alkoof' *v.(m.)* alcôve *f.*
alle, *zie* ***al.***
allebei'(de) tous (les) deux, l'un et l'autre.
alledaags' *b.n.* banal, commun, vulgaire, ordinaire, de tous les jours; ***niet —,*** au-dessus du commun; ***—e koorts,*** fièvre *f.* quotidienne.
alledaags'heid *v.* banalité, vulgarité *f.*
alleen' I *b.n.* seul; isolé; ***geen ogenblik — laten,*** ne pas quitter d'une semelle; ***dit —,*** rien que ceci; **II** *bw.* seulement, uniquement, ne ... que; ***hij leeft — voor zich,*** il ne vit que pour soi; ***iem. — spreken,*** parler seul à seul à qn.; ***— slapen,*** faire lit à part; ***hij houdt zich — met zijn werk bezig,*** il ne s'occupe que de sa besogne, il s'occupe uniquement de sa besogne; ***hij staat — met zijn mening,*** il est seul de son opinion; ***niet —, maar ook,*** non seulement, mais encore.
alleen'handel *m.* monopole *m.*
alleen'heerschappij *v.* pouvoir *m.* absolu, autocratie *f.*
alleen'heerser *m.* souverain absolu, autocrate *m.*
alleen'recht *o.* monopole *m.*, privilège *m.* exclusif, droit *m.* exclusif.
alleen'spraak *v.(m.)* monologue *m.*
alleen'staand *b.n.* isolé, écarté, solitaire.
alleen'verkoop *m.* vente *f.* exclusive, monopole *m.*
alleen'vertegenwoordiger *m.* seul représentant *m.*, représentant *m.* exclusif (*of* général).
alleen'vertegenwoordiging *v.* représentation *f.* générale (*of* exclusive).
alleen'zaligmakend *b.n.* ***de —e kerk,*** l'Église hors de laquelle il n'y a point de salut.
allegaar' *bw.* **1** tous ensemble; **2** tout.
allegaar'tje *o.* ratatouille *f.*, salmigondis, méli*-mélo* *m.*
allegorie' *v.* allégorie *f.*
allego'risch *b.n.* allégorique.
allehens', (*sch.*) tout le monde, tous les bras.
allemaal' *vnw.* **1** tous ensemble; **2** tout; ***zij zijn — vertrokken,*** tous sont partis; ***— gekheid,*** tout ça, c'est des blagues.
allemach'tig I *bw.* puissamment, prodigieusement, colossalement; **II** *tw.* juste ciel ! bonté divine ! sapristi !
alleman' *vnw.* tout le monde; ***Jan en —,*** la ville et les faubourgs, Pierre et Paul; ***kwaadspreken van Jan en —,*** médire du tiers et du quart.
allemans'gading *v.* l'affaire *f.* de tout le monde.
allemans'geheim *o.* secret *m.* de Polichinelle.
allemans'gek *m.* risée *f.* de tout le monde; ***menigmans vriend is —,*** on ne peut contenter tout le monde et son père.
allemans'verdriet *o.* objet *m.* de scandale.
allemans'vriend *m.* ami *m.* de tout le monde, ami du genre humain.
allengs', allengs'kens *bw.* peu à peu, petit à petit, insensiblement.
al'ler 1 (*van allen*) de tous; ***— ogen,*** tous les yeux, tous les regards; **2** (*overtreffende trap*) très, des plus, on ne peut plus, etc.
alleraar'digst I *b.n.* on ne peut plus joli, le plus joli du monde; **II** *bw.* très gentiment, on ne peut plus gentiment.
allerbespot'telijkst *b.n.* extrêmement ridicule, du dernier ridicule, ridicule au plus haut degré.
allerbest' I *b.n.* **1** (*absoluut*) très bon, excellent; **2** (*betrekkelijk*) meilleur; ***de —e,*** le meilleur de tous; ***het —e is...,*** le mieux est (de)...; **II** *bw.* très bien, à merveille, le mieux.
allerchris'telijkst *b.n.* très chrétien.
allereerbie'digst *b.n.* très respectueux.
allereerst' I *b.n.* tout premier; ***in de —e plaats,*** avant tout; **II** *bw.* tout d'abord, en premier lieu.
allerfijnst' *b.n.* surfin, superfin, de premier choix; ***het —e,*** le fin du fin, le dessus du panier.
allerfraaist' I *b.n.* de toute beauté; **II** *bw.* merveilleusement.
allergena'digst *b.n.* très gracieux.
allergeringst' *b.n.* moindre, minime; ***het —e,*** la moindre des choses.
allergie' *v.* allergie *f.*
aller'gisch *b.n.* allergique.
allergoedkoopst' *b.n.* très bon marché.
allerhan'de I *b.n.* toute(s) sorte(s) de; **II** *z.n., o.* petits gâteaux *m.pl.*; gâteaux *m.pl.* secs assortis.
Allerhei'ligen(dag) *m.* la Toussaint.
allerhei'ligst I *b.n.* très saint; **II** *o.* ***het —e*** **1** ce qu'il y a de plus saint; **2** (*kath.*) le Saint Sacrement; **3** (*in joodse tempel*) le saint des saints.
allerhoogst' I *b.n.* **1** très haut; **2** le plus haut; ***van 't —e belang,*** du plus haut intérêt; **II** *z.n.* ***de A—e,*** le Très-Haut, l'Être Suprême; ***op zijn —,*** tout au plus.
allerijl', ***in —,*** en toute hâte, d'urgence.
Allerkin'deren(dag) *m.* la fête *f.* des Innocents.
allerkris'telijkst *b.n.* très chrétien.
allerlaagst' *b.n.* le plus bas; ***op zijn —,*** tout au [moins.
allerlaatst' *b.n.* dernier; ***—e mode,*** haute nouveauté; ***op zijn —,*** au plus tard; ***tot de —e cent betalen,*** payer jusqu'au dernier sou.
allerlei' I *b.n.* toute(s) sorte(s) de; **II** *z.n., o.* **1** faits *m.pl.* divers; **2** des choses de toutes sortes.
allerliefst' *b.n.* ravissant, charmant, on ne peut plus charmant; joli comme tout; gentil comme tout; ***een — kind,*** *ook:* un amour d'enfant; **II** *bw.* on ne peut plus gentiment; ***het —,*** de préférence.
allermeest' I *b.n.* le plus; **II** *bw.* surtout; ***op zijn —,*** tout au plus.
allerminst' I *b.n.* le moindre; **II** *bw.* le moins (du monde); ***op zijn —,*** tout au moins.
allernaast' *b.n.* le (*of* la) plus proche.
allernieuwst' *b.n.* tout nouveau, le plus récent.
allerno'digst I *b.n.* le plus nécessaire; ***het —e,*** le strict nécessaire; **II** *bw.* d'urgence.
allernoodza'kelijkst *b.n.* de première nécessité.
allernut'tigst *b.n.* des plus utiles, on ne peut plus utile.
allerschoonst' *b.n.* de toute beauté.
allerui'terst *b.n.* dernier, extrême; ***op het —e liggen,*** être à toute extrémité, être à l'article de la mort.
allervolmaaktst' *b.n.* (le plus) parfait; impeccable.
allerwe'gen *bw.* partout, en tous lieux; ***van —,*** de toutes parts.

Allerzie'len(dag) *m.* le Jour des morts, — des Trépassés.
allerzon'derlingst *b.n.* on ne peut plus singulier, des plus singuliers; ***een — mens,*** un drôle de corps.
allerzotst' *b.n.* extrêmement ridicule, du dernier ridicule.
al'les *onb.vnw.* tout; ***— bijeengenomen,*** à tout prendre; ***— en nog wat,*** tout et quelques autres choses; ***— en nog wat beloven,*** promettre monts et merveilles; ***over — en nog wat praten,*** parler de choses et d'autres; ***aan — komt een eind,*** au bout de l'aune faut le drap; ***daarmee is — gezegd,*** c'est tout dire; ***— op het spel zetten,*** jouer le tout pour le tout; ***hij weet er — van,*** il en sait long; ***— komt terecht,*** tout finit par se tasser, tout s'arrange.
al'lesbehalve *bw.* point du tout; ***hij is — rijk,*** il n'est pas riche du tout.
al'lesetend *b.n.* omnivore.
al'leszins *bw.* à tous (les) égards, sous tous les rapports, en tout point.
allian'tie *v.* alliance *f.*
allicht' *bw.* **1** facilement, aisément; **2** peut-être, probablement; ***— niet,*** plutôt pas.
alliga'tor *m.* alligator *m.*
allit(t)era'tie *v.* allitération *f.*
allo'! allons! voyons! (*aan telefoon*) allô!
allon'ge *v.* allonge *f.*
allon'gepruik *v.(m.)* perruque *f.* à la Louis XIV.
allooi' *o.* aloi, acabit *m.*; ***van dergelijk —,*** de pareil acabit; ***van goed —,*** de bon aloi.
allopaat' *m.* allopathe *m.*
allopat(h)ie' *v.* allopathie *f.*
allu're *v.(m.)* allure *v.*
alluviaal' *b.n.* alluvial, alluvien.
allu'vium *o.* alluvion(s) *f.(pl.).*
al'macht *v.(m.)* toute-puissance, omnipotence *f.*
almach'tig *b.n.* tout-puissant, omnipotent.
al'manak *m.* almanach, annuaire *m.*
alme'(d)e *bw.* aussi, également, de même.
almo'gend, *zie* ***almachtig.***
alnaar' *bw.* au gré de.
a'loë *v.(m.)* aloès *m.*
a'loëhout *o.* bois *m.* d'aloès, bois d'agalloche.
al'om *bw.* partout, en tous lieux.
al'omtegenwoor'dig *b.n.* omniprésent.
al'omtegenwoor'digheid *v.* omniprésence, toute-présence, ubiquité *f.*
al'omvat'tend *b.n.* embrassant tout, universel.
al'oud *b.n.* (très) ancien, antique, de la plus haute antiquité.
aloud'heid *v.* antiquité *f.*
al'paca *o.* alpaca, alpaga *m.*
Al'pen *mv.* Alpes *f.pl.*
al'pen-, (*in samenstellingen*) (*boven 1800 m*) alpin, (*beneden 1800 m*) alpestre.
al'penbeklimmer *m.* alpiniste *m.*
al'penclub, -klub *v.(m.)* club *m.* alpin.
al'penflora *v.(m.)* flore *f.* des Alpes, flore alpestre.
al'penhoorn, -horen *m.* cor *m.* des Alpes.
al'penhut *v.(m.)* chalet *m.* alpin.
al'penjager *m.* chasseur *m.* alpin.
al'penketen *v.(m.)* chaîne *f.* alpique (*of* des Alpes).
al'penklub, *zie* ***alpenclub.***
al'penlandschap *o.* paysage *m.* alpestre.
al'penplant *v.(m.)* plante *f.* alpine, — alpestre.
al'penroos *v.(m.)* rhododendron *m.*, rose *f.* des Alpes.
al'penstok *m.* alpenstock *m.*, bâton *m.* ferré.
al'penviooltje *o.* cyclamen *m.*
al'penweide *v.(m.)* prairie *f.* dans les Alpes, alpage *m.*
alpi'no *m.*, **alpi'nomuts** *v.(m.)* béret *m.* (basque), béret alpin.
alras' *bw.* bientôt.
alreeds' *bw.* déjà.
alruin' *v.(m.)* mandragore *f.*
als *vw.* **1** (*gelijk, zoals*) comme; ***even ... —,*** aussi ... que; **2** (*voor opsomming*) tels que; **3** (*in hoedanigheid van*) comme, en tant que, en (qualité de); **4** (*bij wijze van*) à titre de; ***— beloning,*** à titre de récompense; **5** (*tijd: wanneer*) quand, lorsque; **6** (*voorwaarde: indien*) si; **7** (*alsof*) comme si; ***— het ware,*** pour ainsi dire; ***onschuldig — hij was,*** innocent qu'il était; ***ik heb hem — kind gekend,*** je l'ai connu enfant.
alsdan' *bw.* alors.
al'sem *m.* absinthe *f.*
al'sembeker *m.* calice d'amertume, amer calice *m.*
al'semwijn *m.* vermout(h) *m.*, vin *m.* d'absinthe.
alsjeblieft', *zie* ***alstublieft.***
alsmaar', *zie* ***al maar.***
alsme'de *bw.* ainsi que, de même que.
alsnog' *bw.* encore.
alsof' *bw.* comme si; ***doen —,*** faire semblant (de).
alstoen' *bw.* alors.
alstublieft' **1** (*vragend*) s'il vous plaît? plaît-il? **2** (*bij aanreiken*) voici, voilà; **3** (*als toestemmend antwoord*) volontiers, je veux bien.
alt *v.(m.)* **1** (*stem*) contralto *m.*; (*bij jongens*) haute-contre *f.*; **2** (*viool*) alto *m.*; quinte *f.*
al'taar, au'taar *o. en m.* autel *m.*
al'taarblad *o.* retable *m.*
al'taarboek *o.* rituel *m.*
al'taardienst *m.* sacerdoce *m.*, saint ministère *m.*, ministère (des autels).
al'taardoek *m.*, **al'taardwaal** *v.(m.)* nappe *f.* d'autel.
altaar'geheim(enis) *o.* mystère *m.* d'autel; le Saint Sacrement *m.*
al'taargewaad *o.* habits *m.pl.* sacerdotaux.
al'taarkaars *v.(m.)* cierge *m.* d'autel.
al'taarlamp *v.(m.)* veilleuse *f.*
al'taarlessenaar *m.* porte-missel *m.*
al'taaropstand *m.* retable, rétable *f.*
al'taarstuk *o.* tableau *m.* d'autel.
al'taarvelum *o.* velum *m.*
altega'der *bw.* tous ensemble, tout.
altemaal' *bw.* tous ensemble, tout.
altemet(s)' *bw.* quelquefois, parfois; peut-être, par hasard.
altera'tie *v.* émotion, agitation *f.*
al'ter e'go *m. of v.* double *m.*; sosie *m.*
alternatief' I *o.* alternative *f.*; **II** *bw.* alternativement.
althans' *vw.* du moins, tout au moins, pour le moins.
alt'hoorn, alt'horen *m.* cor *m.* de basset.
al'tijd *bw.* toujours; ***nog —,*** toujours *of* encore; ***nog — niet,*** ne... toujours pas; ***voor —,*** pour toujours, à jamais; ***eens voor —,*** une fois pour toutes; ***— en eeuwig,*** sempiternellement; ***— door,*** sans cesse, continuellement.
altijddu'rend *b.n.* perpétuel, permanent.
altist' *m.* alto *m.*
al'toos *bw.* toujours.
altruïs'me *o.* altruisme *m.*
altruïst' *m.* altruiste *m.*
altruïs'tisch *b.n.* altruiste.
alt'sleutel *m.* (*muz.*) clef *f.* d'ut.
alt'stem *v.(m.)* contralto *m.*; (*v. jongens*) haute-contre *f.*
alt'viool *v.(m.)* alto *m.*, quinte *f.*
aluin' *m.* alun *m.*
aluin'aarde *v.(m.)* **1** terre alumineuse *f.*; **2** alumine *f.*
aluin'achtig *b.n.* alumineux, aluneux.
aluin'groeve *v.(m.)* alunière *f.*, mine *f.* d'alun.
aluin'houdend *b.n.* aluneux, aluminaire.

aluin'oplossing *v.* solution *f.* alunée.
aluin'steen *m.* alunite *f.*
alumi'nium *o.* aluminium *m.*
Al'va *m.* Albe *m.*
Al'vader *m.* ***de —,*** l'auteur de l'univers, le maître suprême.
alvast' *bw.* déjà, en attendant; ***laten we — beginnen met,*** commençons toujours par.
al'vermogen *o.* toute-puissance *f.*
alvermo'gend *b.n.* tout-puissant, omnipotent.
al'vernielend *b.n.* destructeur.
al'vleesklier *v.(m.)* pancréas *m.*
alvo'rens *vw.* avant que (*subj.*), avant de (*Infin.*).
alwaar' *bw.* où.
alwe(d)er' *bw.* encore, de nouveau.
alwe'tend *b.n.* omniscient, qui sait tout.
alwe'tendheid *v.* omniscience *f.*
al'wijs *b.n.* souverainement sage.
alwijs'heid *v.* souveraine sagesse *f.*, suprême —.
al'ziend *b.n.* qui voit tout; ***de A—e,*** Dieu qui voit tout.
alzij'dig I *b.n.* universel; **II** *bw.* universellement.
alzij'digheid *v.* universalité *f.*
alzo' *bw.* **1** ainsi, de cette manière, de cette façon; **2** (*dus*) donc, par conséquent.
amalgaam', amalga'ma *o.* amalgame *m.*
amalgama'tie *v.* amalgamation *f.*
amalgame'ren *ov.w.* amalgamer.
Ama'lia *v.* Amélie *f.*
aman'del *v.(m.)* amande *f.*; ***gebrande —en,*** amandes lissées; ***de —en,*** (*in de keel*) les amygdales *f.pl.*
aman'delbloesem *m.* fleur *f.* d'amandier.
aman'delboom *m.* amandier *m.*
aman'delbroodje *o.* petit pain *m.* aux amandes.
aman'delkoekje *o.* gâteau *m.* d'amandes.
aman'delmelk *v.(m.)* **1** amandé, orgeat *m.*; **2** émulsion *f.* d'amandes.
aman'delolie *v.(m.)* huile *f.* d'amandes.
aman'delontsteking inflammation *f.* des amygdales, (*gen.*) amygdalite *f.*
aman'delpas, -pars, -pers *o.* pâte *f.* d'amandes.
aman'delpudding *m.* pouding *m.* aux amandes.
aman'delsiroop *v.(m.)* sirop *m.* amygdalin.
aman'delspijs *v.(m.)* pâte *f.* d'amandes pilées.
aman'delsteen *m.* amygdaloïde *f.*
aman'delvormig *b.n.* en amande.
aman'delzeep *v.(m.)* savon *m.* d'amande, — aux amandes amères.
amanuen'sis *m.-v.* préparateur *m.*
amarant' *v.(m.)* (*Pl.*) amarante *f.*
amarant'kleurig *b.n.* amarante.
amaril' *v.(m.)* émeri *m.*
amaril'papier *o.* papier *m.* émeri.
amaril'poeder *o.* poudre *f.* d'émeri.
amateur' *m.* amateur, dilettante *m.*
amateuris'me *o.* amateurisme *m.*
amazo'ne *v.* amazone *f.*; ***de A—(stroom),*** le fleuve des Amazones.
am'bacht *o.* métier *m.*; profession *f.*; ***op een — doen,*** mettre en apprentissage; ***twaalf —en, dertien ongelukken,*** trente-six métiers, quarante malheurs; douze métiers, treize misères.
am'bachtscursus *m.* cours *m.* manuel d'apprentissage.
am'bachtsgezel *m.* ouvrier *m.*; compagnon *m.*
am'bachtsgild *o.* corps *m.* de métier.
am'bachtsheer *m.* (haut) seigneur *m.*
am'bachtsheerlijkheid *v.* seigneurie *f.*
am'bachtsman *m.* artisan, ouvrier *m.*
am'bachtsonderwijs *o.* enseignement *m.* professionnel, — technique.
am'bachtsschool *v.(m.)* école *f.* professionnelle, — d'apprentissage.
ambassa'de *v.* ambassade *f.*
ambassa'deraad *m.* conseiller *m.* d'ambassade.
ambassadeur' *m.* ambassadeur *m.*
ambassadri'ce *v.* ambassadrice *f.*
am'ber *m.* ambre *m.*
am'berachtig *b.n.* ambré.
am'berbloem *v.* ambrette *f.*
am'bergeur *m.* **1** odeur *f.* d'ambre; **2** (*fig.*) odeur *f.* suave, parfum *m.* suave.
am'bergrijs *o.* ambre *m.* gris.
ambië'ren *ov.w.* ambitionner.
ambi'tie *v.* **1** (*ijver*) zèle *m.*, ardeur, application *f.*; **2** (*eerzucht*) ambition *f.*
ambitieus' I *b.n.* **1** (*ijverig*) zélé, appliqué; **2** (*eerzuchtig*) ambitieux; **II** *bw.* avec zèle.
Am'bon *o.* Amboine *f.*
Ambonees' *m.* Ambonais *m.*
Ambonees' *b.n.* ambonais, d'Amboine.
Ambro'sius *m.* Ambroise *m.*
ambrozijn' *o.* ambroisie *f.*
ambt *o.* profession *f.*, emploi *m.*, fonction, charge *f.*, métier *m.*; ***zijn — aanvaarden,*** entrer en charge; — en fonction; ***zijn — neerleggen,*** se démettre de ses fonctions.
amb'telijk I *b.n.* **1** (*in verband met ambt*) professionnel; **2** (*officieel*) officiel; **II** *bw.* d'office, officiellement.
amb'teloos *b.n.* sans profession, sans emploi; ***— burger,*** particulier *m.*, personne *f.* privée; rentier *m.*
amb'tenaar *m.* (*in openb. ambt*) fonctionnaire *m.*; (*ondergeschikt of privaat*) employé *m.*; ***— van de burgerlijke stand,*** officier de l'état civil; ***de — van het openbaar ministerie,*** le ministère public.
amb'tenaarsloopbaan *v.(m.)* carrière *f.* administrative.
amb'tenaarswereld *v.(m.)* monde *m.* des fonctionnaires, les gens *m.pl.* de bureau.
ambtenares' *v.* fonctionnaire *f.*; employée *f.*
ambtenarij' *v.* **1** (*invloed der ambtenaren*) bureaucratie *f.*; **2** (*systeem*) fonctionnarisme *m.*
ambt'genoot *m.* **1** (*in zelfde beroep*) confrère *m.*; **2** (*in zelfde inrichting*) collègue *m.*
ambts'aanvaarding *v.* entrée *f.* en fonction.
ambts'bezigheid *v.* fonctions *f.pl.*, occupation *f.* professionnelle.
ambts'broeder *m.* confrère *m.*
ambts'eed *m.* serment *m.* professionnel.
ambts'gebied *o.* ressort *m.*
ambts'geheim *o.* secret *m.* professionnel.
ambts'gewaad *o.* habit *m.* de cérémonie, — officiel; ***in —,*** en costume.
ambts'halve *bw.* (à titre) d'office.
ambts'keten *v.(m.)* chaîne *f.* de sa dignité.
ambts'misbruik *o.* **1** abus *m.* d'autorité; **2** (*knevelarij*) concussion *f.*
ambts'misdrijf *o.* forfaiture, malversation, prévarication *f.*
ambts'overtreding *v.* délit *m.* professionnel.
ambts'plicht *m.* *en* *v.* devoir *m.* officiel, — professionnel.
ambts'teken *o.* insigne *m.*
ambts'trouw *v.(m.)* loyauté *f.*
ambts'wege, *van —,* *bw.* d'office.
ambts'woning *v.* demeure *f.* officielle.
ambts'zegel *o.* sceau *m.* officiel.
ambulan'ce *v.(m.)* ambulance *f.*
amech'tig *b.n.* essoufflé, hors d'haleine, haletant.
amech'tigheid *v.* essoufflement *m.*
A'mel *o.* Amblève.

a'men, ainsi soit-il ! amen !
amendement' *o.* amendement *m.*
Amengijs' *o.* Amougies.
Ame'rika *o.* l'Amérique *f.*
Amerikaan' *m.* Américain *m.*
Amerikaans' I *b.n.* américain; **II** ***het* —,** l'américain *m.*
amethist', ametist' *m. en o.* améthyste *f.*
ameublement' *o.* garniture *f.*, ameublement *m.*
amfibie' *v.* amphibie *f.*
amfibie'tank *m.* char *m.* amphibie.
amfit(h)ea'ter *o.* amphithéâtre *m.*
amfit(h)ea'tersgewijs, -gewijze *bw.* en amphithéâtre.
amfo'ra *v.(m.)* amphore *f.*
ami'ce! (*boven brief*) cher ami.
ami'nozuren *mv.* acides *m.pl.* aminés.
ammoniak' *m.* ammoniaque *f.*
ammo'nium *o.* ammonium *m.*
ammoniumsulfaat' *o.* sulfate *m.* d'ammoniaque.
ammuni'tie *v.* munitions *f.pl.*
ammuni'tievervoer *o.* transport *m.* de munitions.
ammuni'tiewagen *m.* fourgon, caisson *m.*
amne'sie *v.* amnésie *f.*
amnestie' *v.* amnistie *f.*; ***— verlenen,*** amnistier.
amoe'be *v.(m.)* amibe *f.*
a'mok *o.* accès *m.* de rage; ***— maken,*** faire l'amok, courir —.
A'mor *m.* Amour, Cupidon *m.*
amoreel' *b.n.* amoral.
amorf' *b.n.* amorphe.
amortisa'tie, amortiza'tie *v.* (*H.*) amortissement *m.*
amortisa'tiefonds *o.* caisse *f.* d'amortissement.
amortisa'tiekas *v.(m.)* caisse *f.* d'amortissement.
amortise'ren, amortize'ren *ov.w.* (*H.*) amortir, éteindre.
amo'tie *v.* démolition *f.*; ***voor — verkopen,*** vendre pour être démoli.
amove'ren *ov.w.* **1** (*afbreken, slopen*) démolir; **2** (*ontslaan*) destituer.
am'pel I *b.n.* ample; **II** *bw.* amplement.
am'per *bw.* à peine.
ampè're *m.* (*el.*) ampère *m.*
ampè'remeter *m.* ampère-mètre* *m.* [*f.*
ampul' *v.(m.)* **1** ampoule *f.*; **2** (*in de kerk*) burette *f.*
amputa'tie *v.* amputation *f.*
ampute'ren *ov.w.* amputer; ***men heeft zijn rechterhand geamputeerd,*** il fut amputé de la main droite.
Amsterdam'mer *m.* Amstellodamois *m.*
Amsterdams' *b.n.* d'Amsterdam, amsterdamois.
amulet' *v.(m.)* amulette *f.*, fétiche *m.*
amusement' *o.* amusement *m.*
amusements'bedrijf *o.* spectacles *m.pl.*
amuse'ren I *ov.w.* amuser; **II** *w.w.* ***zich — (over),*** s'amuser (de).
Ana'basis *v.* Anabase *f.*
anachoreet' *m.* anachorète *m.*
anachronis'me *o.* anachronisme *m.*
anagram' *o.* anagramme *f.*
anakronis'me *o.* anachronisme *m.*
analec'ta *mv.* analectes *m.pl.*, anthologie *f.*
analfabeet' *m.-v.* analphabète *m.*
analist', analyst *m.* aide*-chimiste*, laborantin *m.*
analis'te, analyste *v.* laborantine *f.*
analogie' *v.* analogie *f.*
analo'gisch *b.n.* analogique.
analoog' *b.n.* analogue.
analy'se *v.* analyse *f.*
analyst'(e), *zie* ***analist(e).***
analy'tisch *b.n.* analytique.
a'nanas *m. en v.* ananas *m.*
anarchie' *v.* anarchie *f.*
anarchis'me *o.* anarchisme *m.*
anarchist' *m.* anarchiste *m.*
anarchis'tisch *b.n.* anarchiste, anarchique.
anat(h)e'ma *o.* anathème *m.*
anatomie' *v.* anatomie *f.*
anato'misch *b.n.* anatomique; ***— preparaat,*** pièce *f.* d'anatomie.
anatoom' *m.* anatomiste *m.*
anciënniteit' *v.* ancienneté *f.*; ***naar —,*** par ancienneté, à l'ancienneté.
Andalu'sië *o.* l'Andalousie *f.*
Andalu'siër *m.* Andalou *m.*
Andalu'sisch *b.n.* andalou.
an'der I (*bijvoeglijk*) **1** (*verschillend*) autre; **2** (*tweede*) autre, second; ***een of — boek,*** quelque livre, un livre quelconque; ***aan de —e zijde van 't graf,*** au-delà du tombeau; ***om de —e,*** alternativement; ***om de —e dag,*** tous les deux jours, de deux jours l'un; ***de —e (volgende) week,*** la semaine prochaine; ***de drie —e, de —e drie,*** les trois autres; **II** (*zelfst.*) ***een —,*** un autre; (*3e naamv.*) à autrui; ***onder —en,*** entre autres; ***ten —e,*** d'autre part; ***maak dat —en wijs,*** à d'autres.
an'derdaags *b.n.* qui revient tous les deux jours; ***—e koorts,*** fièvre *f.* tierce.
an'derdeels *bw.* d'un autre côté, d'autre part.
an'derendaags, s'—, le lendemain.
an'derhalf *telw.* un et demi; ***—ve man en een paardekop,*** quatre pelés et un tondu.
an'dermaal *bw.* encore une fois, de nouveau, derechef.
an'derman *m.* autrui, un autre.
an'ders I *bw.* **1** (*v. wijze*) autrement, différemment; **2** (*zo niet*) sinon, sans cela, sans quoi; **3** (*overigens*) du reste, au reste, d'ailleurs; **II** *b.n.* autre, différent; ***dat is iets —,*** c'est autre chose, c'est une autre affaire; ***— niemand,*** personne d'autre; ***— niet,*** pas autre chose; ***iemand —,*** un autre; ***wat —,*** autre chose, quelque chose d'autre; ***ergens —,*** ailleurs, autre part; ***dat is heel wat —,*** c'est bien autre chose; cela est bien différent; ***ik heb wel wat — te doen,*** j'ai d'autres chats à fouetter; ***hij is niet —,*** il est comme cela; ***— maken,*** changer; corriger; ***— worden,*** changer; ***hij zal nooit — worden,*** il ne changera jamais.
andersden'kend *b.n.* **1** (*v. mening*) dissident; **2** (*in godsdienst*) hétérodoxe.
an'dersgezind *b.n.* hétérodoxe.
andersom *bw.* de l'autre côté, en sens inverse; ***ga — staan,*** tournez-vous (de l'autre côté); ***hij doet juist —,*** il fait justement le contraire.
an'derszins *bw.* autrement.
andij'vie *v.(m.)* chicorée *f.* (frisée), endive(s) *f.(pl.)*, escarole, scarole *f.*
an'doorn, an'doren *m.* (*Pl.*) épiaire *f.*; ***witte —,*** marrube *m.*; ***zwarte —,*** ballote *f.*
Andor'ra *o.* Andorre *f.*; ***uit —,*** andorran.
Andre'as *m.* André *m.*
An'drieskruis *o.* croix *f.* de St. André.
anekdo'te *v.(m.)* anecdote *f.*
anekdo'tisch *b.n.* anecdotique.
anemie' *v.* anémie *f.*
anemoon' *v.(m.)* anémone *f.*; passe-fleur* *f.*
anest(h)esie' *v.* anesthésie *f.*
anest(h)esioloog' *m.* anesthésiste, anesthésiologiste *m.-f.*
an'gel *m.* **1** (*om te vissen*) hameçon *m.*; **2** (*v. insekten*) dard, aiguillon *m.*; **3** (*v. degen, enz.*). soie *f.*
Angelsak'ser *m.* Anglo-Saxon *m.*
Angelsak'sisch *b.n.* anglo-saxon*; ***het —,*** l'anglo-saxon *m.*
an'gelus *o.* angélus *m.*

angi'na *v.(m.)* angine *f.*
anglicaan', anglikaan' *m.* Anglican *m.*
anglicaans', anglikaans' *b.n.* anglican.
ango'rageit *v.(m.)* chèvre *f.* angora.
ango'rakat *v.(m.)* chat *m.* angora.
ango'rawol *v.(m.)* laine *f.* d'angora, mohair *m.*
angst *m.* **1** peur, angoisse, anxiété *f.*; **2** (*ongerustheid*) inquiétude *f.*; **3** (*ontsteltenis*) terreur *f.*, affolement *m.*; ***—en uitstaan,*** être dans l'angoisse.
angst'droom *m.* mauvais rêve *m.*
angst'gegil, angst'geschrei *o.* cris *m.pl.* d'angoisse, — de détresse.
angst'gevoel *o.* sentiment *m.* d'angoisse.
ang'stig *b.n.* **1** (*v. personen*) angoissé, anxieux, inquiet, effarouché, terrifié; **2** (*v. zaken*) angoissant, inquiétant, terrifiant.
angst'kreet *m.* cri *m.* de détresse.
angst'neurose *v.* névrose *f.* d'angoisse.
angstval'lig *b.n.* **1** (*beschroomd*) timide, craintif; **2** (*nauwgezet*) scrupuleux, méticuleux; ***— een geheim bewaren,*** garder jalousement un secret.
angstval'ligheid *v.* **1** timidité, crainte *f.*; **2** (*nauwgezetheid*) scrupule *m.*
angst'vol *b.n.* plein d'angoisse, de terreur.
angstwek'kend *b.n.* angoissant, inquiétant, épouvantable, terrifiant.
angst'zweet *o.* sueur *f.* d'angoisse, — froide.
anijs' *m.* **1** anis *m.*; **2** (*likeur*) anisette *f.*
anijs'drop *v.(m.) en o.* réglisse *f.* à l'anis.
anijs'melk *v.(m.)* lait *m.* anisé.
anijs'olie *v.(m.)* essence *f.* d'anis.
anijs'smaak *m.* goût *m.* d'anis.
anijs'zaad *o.* graine *f.* d'anis.
anili'ne *v.(m.)* aniline *f.*
anili'nekleur *v.(m.)* couleur *f.* d'aniline.
anime'ren *ov.w.* exciter à, engager à, porter à, encourager à; ***een geanimeerd gesprek,*** une conversation animée.
anime'rend *b.n.* excitant.
a'nimo *m. en o.* **1** animation, vivacité *f.*; **2** (*lust*) [envie *f.*
animositeit' *v.* animosité *f.*
anjelier', an'jer *v.(m.)* œillet *m.*
an'ker *o.* **1** ancre *f.*; ***een — wijn,*** un barril de vin; ***het — kappen,*** couper les câbles; ***het — lichten,*** lever l'ancre; ***op zijn — rijden,*** chasser sur ses ancres; ***voor — komen,*** mouiller en rade; ***voor — liggen,*** être à l'ancre.
an'kerbalk *m.* (*sch.*) bossoir *m.*
an'kerboei *v.(m.)* (*sch.*) bouée *f.* d'ancre, bon- [neau *m.*
an'keren *on.w.* (*sch.*) jeter l'ancre, mouiller, ancrer.
an'kergeld *o.* droit *m.* d'ancrage.
an'kergrond *m.* (*sch.*) ancrage, mouillage *m.*
an'kerhaak *m.* capon *m.*
an'kerhorloge *o.* montre *f.* à ancre.
an'kerketting *m. en v.* câble*-chaîne* *m.*
an'kerplaats *v.(m.)* ancrage, mouillage *m.*
an'kerrecht *o.* droit *m.* d'ancrage.
an'kerring *m.* organeau *m.*
an'kerspil *o.* guindeau *m.*
an'kertouw *o.* câble *m.* (d'ancre).
an'kerwikkeling *v.* bobinage *m.*
anklet' *m.* socquette *f.*
An'na *v.* Anne *f.*
anna'len *mv.* annales *f.pl.*
An'neke *v. en o.* Annette, Nanette *f.*
annex' *b.n.* joint, qui en fait partie; contigu, attenant.
annexa'tie *v.* annexion *f.*
annexa'tiepolitiek *v.* politique *f.* d'annexion, — annexion(n)iste.
annexe'ren *ov.w.* annexer.
an'no en l'an; ***— Domini,*** en l'an de grâce.

annuïteit' *v.* annuité *f.*
annule'ren *ov.w.* annuler.
ano'de *v.* anode *m.*
ano'destroom *m.* courant *m.* anodique.
anoniem' I *b.n.* anonyme; **II** *bw.* anonymement.
anonimiteit' *v.* anonymat *m.*
ano'nymus *m.* anonyme *m.*
a'norak *v.(m.)* anorak *m.*
an'organisch *b.n.* inorganique; ***—e stoffen,*** des matières *f.pl.* inorganiques.
ansjo'vis *m.* anchois *m.*
antarc'tisch, antark'tisch *b.n.* antarctique.
antecedent' *o.* **1** (*gram.*) antécédent *m.*; **2** (*recht*) précédent *m.*; ***zijn —en,*** ses antécédents.
antedate'ren *ov.w.* antidater.
antediluviaal' *b.n.* antédiluvien.
anten'ne *v.(m.)* antenne *f.*
anten'neaansluiting *v.* fiche *f.* d'antenne.
anten'nemast *m.* pylône-support *m.* d'antennes, porte-antenne *m.*
antibio'ticum *o.* antibiotique *m.*
antibio'tisch *b.n.* antibiotique.
antichambre'ren *on.w.* faire antichambre.
antichrist', antikrist *m.* antéchrist *m.*
an'ticlimax *m.* gradation *f.* descendante.
antidate'ren *ov.w.* antidater.
antiduik'bootwapen *o.* missile *m.* anti-sous-marin.
antiek' *b.n.* ancien; ***de —en,*** les Anciens.
antifa'ding *b.n.* antiévanouissement.
antifoon' *v.(m.)* antienne *f.*
an'tikapitalis'tisch *b.n.* anticapitaliste.
antikrist', antichrist *m.* antéchrist *m.*
antikwa-, *zie* ***antiqua-.***
antikwiteit', antiquiteit' *v.* antiquité *f.*
Antil'len *mv.* les Antilles *f.pl.*; ***van de —,*** antillais.
antilo'pe *v.(m.)* antilope *f.*
antimilitarist' *m.* antimilitariste *m.*
antimilitaris'tisch *b.n.* antimilitariste.
antimo'nium *o.* antimoine *m.*
Antiochi'ë *o.* Antioche *f.*
an'tipassaat *m.* contre-alizé* *m.*
antipat(h)ie' *v.* antipathie *f.*
antipat(h)iek' *b.n.* antipathique.
antipo'de *m.-v.* antipode *m.*
antiquaar', antiquair', antikwaar' *m.* **1** (*in boeken*) bouquiniste *m.*; **2** (*in oudheden*) antiquaire *m.*, marchand *m.* d'antiquités.
antiquariaat', antikwariaat' *o.* librairie *f.* ancienne, — d'occasion; commerce *m.* d'antiquités; magasin *m.* (*of* boutique *f.*) d'antiquaire.
antiqua'risch, antikwa'risch *b.n.* d'occasion.
antiquiteit', antikwiteit' *v.* antiquité *f.*
antisemiet' *m.* antisémite *m.*
antisemi'tisch *b.n.* antisémite.
antisep'tisch *b.n.* antiseptique.
antislip' *b.n.* (*z.n. o.*) antidérapant (*m.*).
antislip'ketting *m. en v.* chaîne *f.* antidérapante.
an'tistof *v.(m.)* anticorps *m.*
antitank'kanon *o.* canon *m.* antichar.
antivries'(middel) *o.* antigel *m.*
Anto'nia *v.* Antoinette *f.*
Anto'nius *m.* Antoine *m.*
antraciet' *m. en o.* anthracite *m.*
antropoloog' *m.* anthropologiste *m.*
Ant'werpen *o.* Anvers *f.*
Ant'werpenaar *m.* Anversois *m.*
Ant'werps *b.n.* anversois.
ant'woord *o.* réponse *f.*; (*vlug* —) repartie, riposte *f.*; (*op een ander antwoord*) réplique *f.*; (*weigerend* —) refus *m.*; ***— geven,*** répondre; ***een ontwijkend — geven,*** répondre à côté; ***gauw***

een — klaar hebben, être prompt à la riposte; ***altijd met zijn — klaar zijn,*** avoir réponse à tout; ***het — schuldig blijven,*** ne savoir que répondre; ***in afwachting van uw geëerd —,*** dans l'attente de votre honorable réponse; ***briefkaart met betaald —,*** carte postale avec réponse payée. [se *m.*
ant'woordcoupon, -koepon *m.* coupon*-réponse *m.*
ant'woorden I *ov.w.* répondre, répliquer; **II** *on.w.* répondre, répliquer, repartir.
ant'woordkoepon, -coupon *m.* coupon*-réponse
aor'ta *v.(m.)* aorte *f.*
apart' I *b.n.* à part, particulier, séparé; ***een — tafeltje,*** une petite table, une table isolée; **II** *bw.* séparément, en particulier; ***iets — leggen,*** mettre qc. de côté.
apart'heid *v.* ségrégation *f.* raciale; apartheid *f.*
apart'heidspolitiek *v.* politique *f.* de ségrégation raciale.
apart'je *o.* aparté *m.*
apat(h)ie' *v.* apathie *f.*
apa't(h)isch I *b.n.* apathique; **II** *bw.* apathiquement.
a'pebakkes *o.* figure *f.* de singe; magot *m.*
a'pebroodboom *m.* baobab *m.*, pain *m.* de singe.
a'pegapen, *op — liggen,* être à l'extrémité.
a'pegezicht *o.* figure *f.* de singe; magot *m.*
a'pekool *v.(m.)* momerie *f.*; ***wat een —!*** quelle blague !
a'pekop *m.* **1** tête *f.* de singe; **2** *(fig.)* espèce *f.* de singe.
a'pekuur *v.(m.)* singerie *f.*
a'peliefde *v.* fol amour *m.*, amour *m.* aveugle.
Apel'les *m.* Apelle *m.*
a'penkooi *v.(m.)* singerie *f.*
Apennij'nen *mv.* Apennins *m.pl.*
a'penoot *v.* arachide, pistache de terre, terre-noix, cacahouette, cacouette *f.*
a'penspel *o.* **1** singerie *f.*; **2** théâtre *m.* de singes.
aperij' *v.* singerie, bouffonnerie *f.*
aperitief' *o. en m.* apéritif *m.*
apert' *b.n.* évident, notoire, avéré.
a'pestreek *m. en v.* tour *m.* de singe.
a'petronie *v.* tête *f.* de singe, magot *m.*
apin' *v.* guenon *f.*, singe *m.* femelle.
apocrief', apokrief' *b.n.* apocryphe.
Apol'lo *m.* Apollon *m.*
apologeet' *m.* apologiste *m.*
apologetiek' *v.* apologétique *f.*
apologe'tisch I *b.n.* apologétique; **II** *bw.* apologétiquement.
apostaat' *m.* apostat *m.*
apos'tel *m.* apôtre *m.*
apos'telpaarden, *op zijn —,* prenant la voiture des cordeliers, le train onze.
apostolaat' *o.* apostolat *m.*; ***— des gebeds,*** Apostolat de la prière.
aposto'lisch *b.n.* apostolique.
apostrof' *v.(m.)* apostrophe *f.*
apot(h)eek' *v.(m.)* pharmacie *f.*
apot(h)e'ker *m.* pharmacien *m.*; *(weinig gebruikt of ongunstig)* apothicaire *m.*
apot(h)ekeres' *v.* pharmacienne *f.*
apot(h)e'kersassistent(e) *m.(v.)* aide*-pharmacien* *m.-f.*
apot(h)e'kersbediende *m.* aide*-pharmacien* *m.*
apot(h)e'kersflesje *o.* fiole *f.*
apot(h)e'kersgewicht *o.* poids *m.* officinal.
apot(h)e'kersleerling *m.* élève *m.* en pharmacie.
apot(h)e'kersrekening *v.* *(fig.)* compte *m.* d'apothicaire, mémoire *m.* —.
apot(h)eo'se *v.* apothéose *f.*
apparaat' *o.* **1** appareil *m.*; **2** outillage, équipement *m.*; **3** dispositif *m.*
apparatuur' *v. en o.* outillage *m.*
appartement' *o.* appartement *m.*
ap'pel *m.* **1** pomme *f.*; **2** *(oog—)* prunelle *f.*; ***men moet door de zure — heen bijten,*** il faut avaler la pilule; il n'y a que le premier pas qui coûte; ***de — valt niet ver van de boom,*** tel père, tel fils; bon chien chasse de race; bon sang ne peut mentir; ***voor een — en een ei verkopen,*** vendre à vil prix, — pour une bagatelle, pour un morceau de pain.
appel' *o.* appel *m.*; ***— aantekenen,*** interjeter appel; ***— houden,*** faire l'appel; ***— slaan,*** *(mil.)* battre l'appel, — le rappel.
ap'pelbloesem *m.* fleur *f.* de pommier.
ap'pelbol *m.* rabote *f.*, douillon *m.*
ap'pelboom *m.* pommier *m.*
ap'pelboomgaard *m.* pommeraie *f.*
ap'pelboor *v.(m.)* vide-pomme *m.*
ap'peldrank *m.* cidre *m.*
ap'pelflap *v.(m.)* chausson *m.* aux pommes.
ap'pelflauwte *v.* pâmoison, défaillance *f.*; ***een — krijgen,*** tomber dans les pommes.
ap'pelgelei *v.* gelée *f.* de pommes; confiture *f.* —.
ap'pelgrauw *b.n.* gris pommelé.
ap'pelgroen *b.n.* vert pomme.
ap'peljam *v.* confiture *f.* de pommes.
appellan't(e) *m.(v.)* appellant(e) *m.(f.)*.
appelle'ren *on.w.* appeler d'un jugement, interjeter appel.
ap'pelmand *v.* panier *m.* à pommes.
ap'pelmoes *o. en v.(m.)* compote *f.* de pommes.
ap'pelschil *v.(m.)* pelure *f.* de pomme.
ap'pelschimmel *m.* cheval *m.* gris pommelé.
appelsien' *v.(m.)* *(Z.N.)* orange *f.*
ap'pelspijs *v.(m.)* *(Z.N.)* compote *f.* de pommes.
ap'pelstroop *v.(m.)* sirop *m.* de pommes.
ap'peltaart *v.(m.)* tarte *f.* aux pommes.
ap'peltje *o.* petite pomme *f.*; ***een — voor de dorst bewaren,*** garder une poire pour la soif; ***met iem. een — te schillen hebben,*** avoir maille à partir avec qn.
ap'pelvrouw *v.* femme *f.* aux pommes, marchande [*f.* de pommes.
ap'pelwijn *m.* cidre *m.*
appenden'tie *v.* appendance *f.*; ***met ap- en dependenties,*** avec ses appartenances et dépendances; *(fig.)* avec tout ce qui y appartient.
appendici'tis *v.* appendicite *f.*
appen'dix *o.* appendice *m.*
appetijt' *m.* appétit *m.*
appetij'telijk *b.n.* appétissant.
applaudisse'ren I *ov. en on.w.* applaudir; **II** *z.n.* ***het —,*** l'applaudissement *m.*
applaus' *o.* applaudissements *m.pl.*
applica'tie, applika'tie *v.* application *f.*
apprecië'ren *ov.w.* apprécier.
apprete'ren *ov.w.* apprêter.
appretuur' *v.* apprêt, apprêtage *m.*
approviande'ren *ov.w.* approvisionner, ravitailler.
approviande'ring *v.* approvisionnement, ravitaillement *m.*
april' *m.* avril *m.*; ***— doet wat hij wil,*** au mois d'avril ne quitte pas un fil.
april'grap *v.(m.)* poisson *m.* d'avril.
april'weer *o.* temps *m.* capricieux.
apropos' I *o. en m.* sujet *m.* (de conversation); ***om op ons — terug te komen,*** pour en revenir à nos moutons; ***hij is niet van zijn — af te brengen,*** il ne se laisse pas démonter; **II** *tw.* pendant que j'y pense.
ap'sis *v.* abside *f.*
Apu'lië *o.* la Pouille.
aquaduct' *o.* aqueduc *m.*

aquarel', akwarel' *v.(m.)* aquarelle *f.*
aquarel'schilder, akwarel'schilder *m.* aquarelliste *m.*
aqua'rium *o.* aquarium *m.*
Aquita'nië *o.* l'Aquitaine *f.*
ar I *v.(m.)* traîneau *m.*; **II** *b.n. in:* ***in arren moede,*** de guerre lasse; plein d'amertume, plein de colère.
arabesk' *v.(m.)* arabesque *f.*
Ara'bië *o.* l'Arabie *f.*
Arabier' *m.* Arabe *m.* [que.
Ara'bisch *b.n.* arabe; ***—e gom,*** gomme *f.* arabi-
arak' *m.* arack, arac, rack *m.*
ar'beid *m.* travail, ouvrage *m.*; besogne, occupation *f.*; (*zware —*) labeur *m.*; ***aan de — gaan,*** se mettre à l'ouvrage, au travail.
ar'beiden *on.w.* travailler. [ouvrière.
ar'beidend *b.n.* ouvrier; ***de —e klasse,*** la classe
ar'beider *m.* (*werkman*) ouvrier *m.*; (*meer algemeen*) travailleur *m.*
ar'beidersbevolking *v.* population *f.* ouvrière.
ar'beidersbeweging *v.* mouvement *m.* ouvrier.
ar'beidersgezin *o.* famille *f.* d'ouvrier(s), — ouvrière.
ar'beidersklas(se) *v.* classe *f.* ouvrière.
ar'beiderskringen *mv.* milieux *m.pl.* ouvriers.
ar'beidersorganisa'tie *v.* organisme *m.* ouvrier.
ar'beiderspartij *v.* parti *m.* ouvrier; (*Eng.*) parti *m.* travailliste.
ar'beidersraad *m.* conseil *m.* d'ouvriers.
ar'beidersstand *m.* classe *f.* ouvrière.
ar'beidersvak'verbond *o.* syndicat *m.* ouvrier; confédération *f.* ouvrière, — des travailleurs.
ar'beidersverze'kering *v.* assurance *f.* contre les risques du travail.
ar'beidersvraagstuk *o.* question *f.* ouvrière.
ar'beiderswijk *v.(m.)* cité *f.* ouvrière, quartier *m.* populaire; — ouvrier.
ar'beiderswoning *v.* habitation *f.* ouvrière.
ar'beidsanalyse *v.* analyse *f.* du travail.
ar'beidsbemiddeling *v.* placement *m.* d'ouvriers.
ar'beidsbeurs *v.(m.)*, **-bureau** *o.* bourse *f.* du travail. [travail.
ar'beidscontract, -kontrakt *o.* contrat *m.* de
ar'beidsdag *m.* journée *f.* de travail.
ar'beidsduur *m.* durée *f.* du travail.
ar'beidsgeschil *o.* conflit *m.* du travail.
ar'beidsinspectie, -inspektie *v.* inspection *f.* du travail.
ar'beidskapitaal *o.* fond *m.* de roulement.
ar'beidskontrakt, *zie* ***arbeidscontract.***
ar'beidskracht *v.(m.)* main*-d'œuvre *f.*; force *f.* (de travail).
ar'beidsloon, arbeidsloon' *o.* **1** salaire *m.*; **2** (*maakloon*) main*-d'œuvre, façon *f.*; **3** paye, paie *f.*
ar'beidsmarkt *v.(m.)* marché *m.* du travail.
ar'beidsongeval *o.* accident *m.* de travail.
ar'beidsovereenkomst *v.* convention *f.* collective du travail.
ar'beidsproces *o.* organisation *f.* du travail.
ar'beidsproduktiviteit, -productiviteit *v.* productivité *f.* du travail.
ar'beidsraad *m.* **1** conseil *m.* de prud'hommes; **2** (*bij conflicten*) conseil *m.* d'arbitrage.
ar'beidsrecht *o.* droit *m.* du travail; législation *f.* du travail.
ar'beidsschuwheid *v.* répulsion *f.* au travail.
ar'beidster *v.* travailleuse, ouvrière *f.*
ar'beidsterrein *o.* champ *m.* de travail, — d'activité, — de ses activités.
ar'beidstoestanden *mv.* conditions *f.pl.* du travail.
ar'beidstoezicht *o.* inspection *f.* du travail.
ar'beidsveld *o.* champ *m.* d'activité, — de ses activités.
ar'beidsverdeling *v.* division *f.* du travail.
ar'beidsvermogen *o.* énergie *f.*; force *f.* potentielle; ***— van beweging,*** énergie cinétique, — de mouvement; ***— van plaats,*** énergie potentielle, — de position.
ar'beidsverzekering *v.* assurance *f.* contre les risques du travail. [travail.
ar'beidsvoorwaarden *mv.* conditions *f.pl.* du
ar'beidswet *v.(m.)* loi *f.* ouvrière, loi *f.* réglant le travail (dans les usines, les ateliers, etc.).
ar'beidswetgeving *v.* législation *f.* ouvrière.
arbeid'zaam *b.n.* laborieux, actif, industrieux.
arbeid'zaamheid *v.* activité, application *f.*
arbi'ter *m.* arbitre *m.*
arbitraal' *b.n.* arbitral.
arbitra'ge *v.* arbitrage *m.*
arbitrage'ren *on.w.* arbitrer, faire l'arbitrage de.
arbitra'gefonds *o.* valeur *f.* d'arbitrage.
arbitrant' *m.* arbitragiste *m.*
arbitre'ren, *zie* ***arbitrageren.***
arce'ren *ov.w.* hacher, hachurer.
arce'ring *v.* hachure *f.*
archaï'sme *o.* archaïsme *m.*
archaï'stisch *b.n.* archaïque.
archeologie' *v.* archéologie *f.*
archeolo'gisch *b.n.* archéologique.
archeoloog' *m.* archéologue *m.*
archief' *o.* archives *f.pl.*
archief'stuk *o.* pièce *f.* d'archives.
Archime'des *m.* Archimède *m.*
ar'chipel *m.* archipel *m.*
architect', architekt' *m.* architecte *m.*
architecto'nisch, architekto'nisch *b.n.* architectonique.
architectuur', architektuur' *v.* architecture *f.*
archiva'ris *m.* archiviste *m.*
arc'tisch, ark'tisch *b.n.* arctique.
Arden'nen *mv.* Ardennes *f.pl.*
arduin' *o.* pierre *f.* de taille.
a're *v.(m.)* are *m.*
areaal' *o.* superficie *f.*
are'na *v.(m.)* arène *f.*
A'rend *m.* Arnaud *m.*
a'rend *m.* aigle *m.*
a'rendsblik *m.* regard *m.* d'aigle.
a'rendsjong *o.* aiglon *m.*
a'rendsnest *o.* aire *f.*
a'rendsneus *m.* nez *m.* aquilin.
a'rendsoog *o.* **1** (*eig.*) œil *m.* d'aigle; **2** (*fig.*) œil *m.* perçant.
a'renlezen *on.w.* glaner.
a'renlezer *m.* glaneur *m.*
Areopa'gus *m.* **1** (*te Athene*) Aréopage *m.*; **2** ***a—,*** (*raad van wijzen*) aréopage *m.*
ar'geloos I *b.n.* naïf, simple, candide, innocent; **II** *bw. en b.n.* sans malice, sans arrière-pensée.
argeloos'heid *v.* naïveté, simplicité, candeur, innocence *f.*
Argentijn' *m.* Argentin *m.*
Argentijns' *b.n.* argentin.
Argenti'nië *o.* l'Argentine *f.*
arg'list *v.(m.)* malice, perfidie, ruse *f.*
arglis'tig *b.n.* malicieux, perfide, astucieux.
arglis'tigheid, *zie* ***arglist.***
argument' *o.* argument *m.*
argumenta'tie *v.* argumentation *f.*
argumente'ren *on.w.* argumenter.
ar'gusfazant *m.* argus *m.*
ar'gusogen *mv.* yeux *m.pl.* d'Argus.

arg'waan *m.* **1** (*kwaad vermoeden*) soupçon *m.*; **2** (*wantrouwen*) méfiance, défiance *f.*; ***— koesteren,*** avoir des soupçons; se méfier de; ***— wekken,*** faire naître des soupçons.

argwa'nend I *b.n.* soupçonneux; méfiant; **II** *bw.* soupçonneusement; avec méfiance.

a'ria *v.(m.)* air *m.*; ***kleine —,*** ariette *f.*

Ariaan' *m.* Arien *m.*

Ariaans' *b.n.* arien.

A'riër *m.* Aryen *m.*

A'risch *b.n.* aryen, aryaque.

aristocraat', aristokraat' *m.* aristocrate *m.*

aristocratie', aristokratie' *v.* aristocratie *f.*

aristocra'tisch, aristokra'tisch *b.n.* aristocratique.

Aristo'teles *m.* Aristote *m.*

ark *v.(m.)* arche *f.*; ***— des Verbonds,*** arche d'alliance.

ark'tisch, arc'tisch *b.n.* arctique.

arm I *b.n.* pauvre; ***— maken,*** appauvrir; ***— worden,*** s'appauvrir; ***— als Job*** (***als de mieren***), pauvre comme Job, — comme un rat d'église; **II** *z.n. m.* bras *m.*; ***iem. een — geven,*** donner le bras à qn.; ***iem. in de — nemen,*** invoquer le secours de qn.; ***— in —,*** bras dessus, bras dessous; ***met open —en,*** à bras ouverts; ***de sterke —,*** la force armée.

arm'band *m.* **1** (*om pols*) bracelet; **2** (*om arm*) brassard *m.*

arm'bandhorloge *o.* montre*-bracelet* *f.*

arm'bestuur *o.* assistance *f.* publique.

ar'me *m.-v.* pauvre *m.*; ***van de —n begraven worden,*** être enterré aux frais de la paroisse; ***de —n van geest,*** les pauvres d'esprit.

Armeens' *b.n.* arménien.

ar'melijk *b.n.* pauvre, misérable, mesquin.

ar'menbuurt *v.(m.)* quartier *m.* pauvre, — des pauvres.

ar'mendokter *m.* médecin *m.* des pauvres.

ar'menfonds *o.* caisse *f.* des pauvres, — d'assistance.

ar'mengeld *o.* aumônes *f.pl.*

ar'mengesticht *o.* hospice *m.* pour les pauvres.

ar'menhuis, *zie* ***armhuis.***

Arme'nië *o.* l'Arménie *f.*

Arme'niër *m.* Arménien *m.*

ar'menkas *v.(m.)* caisse *f.* des pauvres.

ar'menwijk, *zie* ***armenbuurt.***

ar'menzorg *v.(m)* assistance *f.* publique.

armezon'daarsgezicht *o.* air *m.* penaud, — déconfit.

arm'huis, ar'menhuis *o.* hospice *m.* (pour les pauvres), maison *f.* de charité.

Arminiaan' *m.* Arminien *m.*

arm'kandelaar *m.* candélabre *m.*

armlas'tig *b.n.* assisté, entretenu par l'assistance publique.

arm'leuning *v.* **1** accoudoir *m.*; **2** (*v. stoel*) bras *m.*

ar'moe(de) *v.(m.)* pauvreté, indigence, misère *f.*; ***— lijden,*** être dans la misère; ***'t is er — troef,*** c'est la misère noire; ***— is geen schande,*** pauvreté n'est pas vice.

armoe'dig I *b.n.* pauvre, indigent, misérable; **II** *bw.* pauvrement, misérablement.

armoe'digheid *v.* pauvreté, indigence *f.*, dénûment *m.*

ar'moedje *o.* le peu qu'on possède, petit pécule, petit avoir *m.*

ar'moedzaaier *m.* crève-la-faim, miséreux, sans-le-sou, traîne-misère *m.*

arms'gat *o.* emmanchure, entournure *f.*

arm'slag, ***— hebben,*** avoir ses coudées franches.

arms'lengte *v.* longueur *f.* de bras.

arm'stoel *m.* fauteuil *m.*

arm'verband *o.* serre-bras *m.*

arm'vol *m.* brassée *f.*

arm'wezen *o.* assistance *f.* publique.

armza'lig I *b.n.* misérable, pauvre, mesquin; pitoyable, piètre; **II** *bw.* misérablement.

armza'ligheid *v.* pauvreté, misère, mesquinerie *f.*

Ar'nold *m.* Arnaud *m.*

aro'ma, aroom' *o.* arome *m.*

a'ronskelk *m.* arum *m.*, pied*-de-veau *m.*

aroom', aro'ma *o.* arome *m.*

arrange'ren I *ov.w.* arranger; (*voor orkest*) *ook:* orchestrer; **II** *z.n.* ***het —,*** l'arrangement *m.*; l'orchestration *f.*

ar'ren *on.w.* aller en traîneau.

ar'reslede, ar'reslee *v.(m.)* traîneau *m.*

arrest' *o.* **1** arrêt *m.*; ***in —,*** en état d'arrestation; ***in — nemen,*** arrêter; **2** (*mil.*) arrêts *m.pl.*; ***— hebben,*** être aux arrêts; ***— krijgen,*** être mis aux arrêts; ***verzwaard —,*** arrêts de rigueur; **3** (*v. goederen*) saisie *f.*

arrestant' *m.* détenu, prisonnier *m.*

arrestan'tenhok *o.* violon *m.*

arresta'tie *v.* arrestation *f.*

arreste'ren *ov.w.* **1** arrêter, mettre en arrestation; **2** (*v. notulen*) adopter.

arrondissement' *o.* arrondissement *m.*

arrondissements'rechtbank *v.(m.)* tribunal *m.* de première instance, — d'arrondissement.

arrondissements'schoolopziener *m.* inspecteur *m.* primaire.

arseen' *o.* arsenic *m.*

arseen'houdend *b.n.* arsénical.

arseen'zuur *o.* acide *m.* arsénique.

arsenaal' *o.* arsenal *m.*

arse'nicum, arseniek' *o.* arsenic *m.*

arse'nicumvergiftiging *v.* empoisonnement *m.* par l'arsenic, arsénicisme *m.*

arseniek'houdend *b.n.* arsénical.

arte'sisch *b.n.* artésien; ***—e put,*** puits *m.* artésien.

artiest' *m.*, **arties'te** *v.* artiste *m.-f.*; (*vrijgevochten*) bohémien *m.*

arti'kel *o.* **1** article *m.*; **2** (*koopwaar*) marchandise *f.*, produit, article *m.*

arti'kelsgewijs, -gewijze *bw.* article par article.

artillerie' *v.* artillerie *f.*; ***bereden —,*** artillerie à cheval; ***lichte —,*** artillerie légère; ***rijdende —,*** artillerie à cheval; ***zware —,*** artillerie lourde.

artillerie'park *o.* parc *m.* d'artillerie.

artillerie'schietterrein *o.* polygone *m.*

artillerie'vuur *o.* feu *m.* d'artillerie.

artillerist' *m.* artilleur, canonnier *m.*

artisjok' *v.(m.)* artichaut *m.*

artistiek' I *b.n.* artistique; **II** *bw.* artistiquement.

arts *m.* médecin *m.*

artsenij' *v.* médicament, remède *m.*, drogue *f.*

artsenij'bereider *m.* pharmacien *m.*

artsenij'bereidkunde *v.* pharmacie, pharmaceutique, pharmacologie *f.*

arts'examen, -eksamen *o.* examen *m.* de médecine.

as I *v.(m.)* **1** (*v. wagen*) essieu *m.*; **2** (*spil*) axe *m.*; **3** (*v. machine*) arbre *m.*; ***per — vervoeren,*** transporter par roulier; **II** *v.(m.)* (*muz.*) la *m.* bémol; **III** *v.(m.)* cendre(s) *f.(pl.)*; ***in de — leggen,*** réduire en cendres; ***— is verbrande turf,*** avec des si on mettrait Paris dans une bouteille; ***uit zijn — verrijzen,*** renaître de ses cendres.

as'achtig *b.n.* cendreux.

as'bak *m.*, **as'bakje** *o.* cendrier, porte-cendres *m.*

as'belt *m. en v.* **1** voirie, décharge *f.* publique; **2** monceau *m.* de cendres.

asbest' *o.* amiante, asbeste *m.*

asbest'papier *o.* papier *m.* d'amiante, — fossile.

as'blond *b.n.* blond cendré.

asceet' *m.* ascète *m.*

asce'se *v.* ascétisme *m.*

asce'tisch b.n. ascétique.
As'dag m. mercredi m. des cendres. [mot.
a'sem, *zie* ***adem***; ***geen — geven,*** ne souffler
as'falt o. asphalte, bitume m.
asfalte'ren ov.w. asphalter.
asfalte'ring v. asphaltage m.
as'falthoudend b.n. bitumineux.
as'faltpapier o. carton m. bitumé.
as'faltweg m. voie f. asphaltée.
as'faltwerker m. bitumier m.
as'grauw b.n. (gris) cendré.
as'hoop m. monceau m. de cendres.
asiel', asyl' o. asile m.
asiel'recht, asyl'recht o. droit m. d'asile.
as'jeblieft, *zie* ***alstublieft.*** [ordures).
as'kar v.(m.) tombereau m. (aux cendres, aux
as'kleur v.(m.) couleur f. cendrée, — de cendre.
as'kleurig b.n. cendré.
as'kolk m. cendrier m.
as'kruisje o. croix f. de cendre.
as'kuil m. cendrier m.
as'lade v.(m.) cendrier m.
as'man m. boueur m.
asociaal' I b.n. antisocial; inadapté; **II** bw. antisocialement.
asper'ge v.(m.) asperge f.
asper'gebed o. planche f. d'asperges.
asper'geboon v.(m.) haricot m. vert.
asper'gepunten mv. pointes f.pl. d'asperges.
aspirant' m. aspirant, candidat, postulant m.
aspirant'-officier m. élève-officier m.
aspira'tor m. aspirateur m.
aspiri'ne v.(m.) aspirine f. [rine.
aspiri'netablet v.(m.) *en* o. comprimé m. d'aspi-
as'punt o. point m. d'axe, pôle m.
as'regen m. pluie f. de cendres.
assagaai', assegaai' v.(m.) zagaie f.
as'schop v.(m.) pelle f. à feu.
assegaai', (as)sagaai' v.(m.) zagaie f.
as'sepoes(ter) v. Cendrillon f.
assignaat' o. assignat m.
assigna'tie v. assignation f.
assimila'tie v. assimilation f.
assimile'ren ov.w. assimiler.
assisten't(e) m.(v.) **1** aide m.-f.; assistant(e) m. (f.); **2** (*in de kerk*) assistant m.; **3** (*arts, in ziekenhuis*) interne m.-f.
assisten'tie v. assistance, aide f., secours m.
assistent'-resident' m. sous-résident*, vice-résident*, assistant*-résident* m. [aide.
assiste'ren I ov.w. assister; **II** on.w. prêter son
associa'tie v. association f.
associë'ren, *zich —,* w.w. s'associer.
assonan'tie v. assonance f.
assorte'ren ov.w. assortir.
assortiment' o. assortiment m.
assuradeur' m. assureur m.
assuran'tie v. assurance f. (sur la vie, contre l'incendie). [d'assurance.
assuran'tiemaatschappij v. compagnie f.
assuran'tiemakelaar m. courtier m. d'assurances. [surance.
assuran'tiepenningen mv. primes f.pl. d'as-
assuran'tiepolis v.(m.) police f. d'assurance.
assuran'tiepremie v. prime f. d'assurance.
assure'ren I ov.w. assurer; **II** w.w. ***zich —,*** s'assurer (sur la vie, contre l'incendie, etc.).
Assy'rië o. l'Assyrie f.
Assy'riër m. Assyrien m.
Assy'risch b.n. assyrien.
as'ter v.(m.) aster m.
asterisk' m. astérisque m.
ast'ma o. asthme m.
ast'malijder m. **-es** v. asthmatique m.-f.
astma'tisch b.n. asthmatique.
astraal' b.n. astral.
as'trakan o. astracan m.
astrologie' v. astrologie f.
astroloog' m. astrologue m.
astronomie' v. astronomie f.
astrono'misch b.n. astronomique.
astronoom' m. astronome m.
Astu'rië o. les Asturies f.pl.
as'vat o. poubelle f.
as'wenteling v. rotation f. (autour d'un axe).
Aswoens'dag m. mercredi m. de cendres.
asyl(-) *zie* ***asiel(-).***
asymme'trisch b.n. asymétrique.
as'zeef v.(m.) tamis m. à cendres.
atavis'me o. atavisme m.
atavis'tisch b.n. atavique.
ateïs-, *zie* ***atheïs-.***
atelier' o. atelier, studio m.
atelier'meisje o. ouvrière, midinette f.
atene'um, athene'um o. athénée m.
a'terling m. scélerat m.
Atheens' b.n. athénien.
at(h)eïs'me o. athéisme m.
at(h)eïst' m. athée m.
at(h)eïs'tisch b.n. athée.
Athe'ne o. Athènes f.
Athe'ner m. Athénien m.
at(h)ene'um o. athénée m.
Atjee'ër m. Atchinois m.
At'jeh o. l'Atchin m.
Atlan'tis v. l'Atlantide f.
Atlan'tische Oceaan m. Océan Atlantique, l'Atlantique m.
at'las 1 m. atlas m.; **2** o. (*stof*) atlas, satin m.
at'lasvlinder m. attacus m. géant, saturnie f. atlas.
atleet' m. athlète m.
atletiek' v. athlétisme m.
atle'tisch b.n. athlétique.
atmosfeer' v.(m.) atmosphère f.
atmosfe'risch b.n. atmosphérique.
atol' o. atoll m.
atoom' o. atome m.
atoom'aandrijving v. propulsion f. atomique, — nucléaire.
atoom'bewapening v. armement m. atomique.
atoom'bom v.(m.) bombe f. atomique, — thermo-nucléaire.
atoom'centrale v.(m.) centrale f. atomique.
atoom'energie v. force f. atomique.
atoom'fysica, -fysika v. physique f. corpusculaire, —(thermo)nucléaire.
atoom'geleerde m.-v. (savant m.-f.) atomiste m.-f., physicien m. nucléaire.
atoom'getal o. nombre m. atomique, numéro m. —.
atoom'gewicht o. poids m. atomique.
atoom'kern v.(m.) noyau m. atomique.
atoom'kracht v.(m.) énergie f. atomique.
atoom'lading v. charge f. nucléaire.
atoom'ontploffing v. explosion f. atomique.
atoom'oorlog m. guerre f. atomique.
atoom'reactor m. réacteur m. nucléaire, pile f. atomique.
atoom'splitsing v. fission f. atomique, désagrégation f. —.
atoom'straling v. radiation f. atomique.
atoom't(h)eorie v. théorie f. atomique.
atoom'tijdvak o. âge m. atomique, ère f. —.
atoom'vernietiging v. atomisation f.

atoom'wapen *o.* arme *f.* atomique.
atoom'zuil *v.(m.)* pile *f.* atomique.
A'trecht *o.* Arras *f.*
atrofie' *v.* atrophie *f.*
attaché *m.* attaché *m.* (commercial, militaire enz.).
attent' *b.n.* **1** (*oplettend*) attentif; **2** (*vol attenties*) attentionné; ***iem. op iets — maken,*** faire observer qc. à qn.
atten'tie *v.* attention *f.*; ***zijn — hebben bij,*** avoir la tête à.
attest' *o.*, **attesta'tie** *v.* certificat *m.*, attestation *f.*; ***— de vita,*** certificat *m.* de vie.
At'tica *o.* l'Attique *f.*
At'tisch *b.n.* attique.
attrac'tie, attrak'tie *v.* attraction *f.*, attrait *m.*
attractief', attraktief' *b.n.* attrayant.
attribuut' *o.* **1** (*zinnebeeldig kenteken*) attribut *m.*; **2** (*bevoegdheid*) attribution *f.*
au! *tw.* aïe!
auba'de *v.* aubade *f.*; ***iem. een — brengen,*** donner une aubade à qn.
auc'tie, auk'tie *v.* vente *f.* publique, — aux enchères, — à l'encan.
auctiona'ris, auktiona'ris *m.* commissaire*-priseur* *m.*
auctione'ren, auktione'ren *ov.w.* vendre à l'enchère, — aux enchères, — à l'encan.
audiëntie' *v.* audience *f.*; ***— verlenen,*** donner audience (à), recevoir qn. en audience; ***om een — verzoeken,*** solliciter une audience, demander —.
auditeur'-militair' *m.* commissaire *m.* du gouvernement (au conseil de guerre).
audi'tie *v.* audition *f.*
audito'rium *o.* auditoire *m.*
Auf'klärung *v.* siècle *m.* des lumières.
Au'giasstal *m.* étables *f.pl.* d'Augias.
Augs'burg *o.* Augsbourg *m.*
Augs'burgs *b.n.* augsbourgeois.
augurk' *v.(m.)* cornichon *m.*
Au'gust *m.* Auguste *m.*
Augus'ta *v.* Augustine *f.*
augustijn' *m.* augustin *m.*
Augusti'nus *m.* Augustin *m.*
augus'tus *m.* **1** (*maand*) août *m.*; **2** ***A—,*** (*naam*) Auguste *m.*
aukt-, *zie* ***auct-.***
au'la *v.(m.)* salle *f.* des actes, grand amphithéâtre *m.*
aureool' *v.(m.)* auréole *f.*
ausculta'tie, auskulta'tie *v.* auscultation *f.*
ausculte'ren, auskulte'ren *ov.w.* ausculter.
auspi'ciën *mv.* auspices *m.pl.*
Austra'lië *o.* l'Australie *f.*
Austra'liër *m.* Australien *m.*
Austra'lisch *b.n.* australien.
au'taar, al'taar *o. en m.* autel *m.*
autarkie' *v.* autarcie *f.*
autenti-, *zie* ***authenti-.***
auteur' *m.* auteur *m.*
auteur'schap *o.* paternité *f.* littéraire.
auteurs'recht *o.* droit *m.* d'auteur.
aut(h)enticiteit' *v.* authenticité *f.*
aut(h)entiek' *b.n.* authentique.
au'to *m.* auto *f. et m.*
au'tobandiet *m.* bandit *m.* en auto.
autobiografie' *v.* autobiographie *f.*
au'tobox *m.* box *m.*
au'tobudget *o.* budget *m.* auto.
au'tobus *m. en v.* autobus *m.*
au'tobusstation *o.* gare *f.* routière.
au'tocar *m. en v.* autocar *m.*
autochtoon' *b.n.* autochtone.
autocraat', autokraat' *m.* autocrate *m.*
autocra'tisch, autokra'tisch *b.n.* autocratique.
au'todealer *m.* concessionnaire, stockiste *m.*
autodidact', -didakt' *m.* autodidacte *m.*
au'tofinanciering *v.* autofinancement *m.*
au'togarage *v.* garage *m.*
autogeen', — *lassen,* souder à l'autogène.
autogi'ro *m.* autogère *m.*
autogra'fisch *b.n.* autographique.
autogram' *o.* autographe *m.*
au'toinstructeur *m.* moniteur *m.* d'auto-école.
au'tokerkhof *o.* cimetière *m.* d'autos (*of* de voitures).
autokra-, *zie* ***autocra-.***
au'tolantaarn, -lantaren *v.(m.)* phare *m.*
automaat' *m.* **1** automate *m.*; **2** (*voor verkoop*) distributeur *m.* automatique.
automatiek' *v.(m.)* restaurant *m.* automatique.
automa'tisch I *b.n.* automatique; **II** *bw.* automatiquement.
automatise'ring *v.* automation *f.*
automobiel' *m.* automobile, auto *f. et m.*
automobiel'industrie *v.* industrie *f.* automobile.
au'to(mobiel')verkeer *o.* circulation *f.* automobile.
automobilis'me *o.* automobilisme *m.*
automobilist' *m.* automobiliste *m.*
au'tomonteur *m.* mécanicien*-auto *m.*
autonomie' *v.* autonomie *f.*
autonoom' *b.n.* autonome.
au'to-ongeluk *o.* accident *m.* d'auto(mobile).
au'topark *o.* parc *m.* automobile.
au'toped *m.* trottinette, patinette *f.*
autopsie' *v.* autopsie *f.*
au'torally *m.* rallye*-automobile *m.*
au'torenbaan *v.(m.)* circuit *m.* (automobile), autodrome *m.*
au'torijschool *v.(m.)* auto-école* *f.*
autorisa'tie, autoriza'tie *v.* autorisation *f.*
autorise'ren, autorize'ren *ov.w.* autoriser.
au'torit, *zie* ***autotocht.***
autoritair' I *b.n.* autoritaire; **II** *bw.* autoritairement.
autoriteit' *v.* autorité *f.*
autorize'ren, autorise'ren *ov.w.* autoriser.
au'tosloper *m.* démolisseur *m.* de voitures.
au'tosnelweg *m.* autoroute, autostrade *f.*
au'tosport *v.(m.)* automobilisme *m.*
autosugges'tie *v.* autosuggestion *f.*
au'totocht *m.* excursion *f.* en auto, randonnée *f.* automobile.
autotypie' *f.* similigravure *f.*
au'toverhuurder *m.* loueur *m.* d'autos.
au'toverkeer *o.* circulation *f.* automobile.
au'toviaduct, -dukt *m. en o.* saut*-de-mouton *m.*
au'tovijzel *v.(m.)* lève-auto *m.*
au'toweg *m.* autoroute *f.*
aval' *o.* (*H.*) aval *m.*; ***een voor — getekende wissel,*** une traite avalisée.
avale'ren *ov.w.* (*H.*) avaliser.
a'vegaar *m.* tarière *f.*
a'verechts I *bw.* de travers, à rebours, à contresens, à l'inverse, en sens inverse; (*fig.*) gauchement; **II** *b.n.* de travers, à l'envers; ***—e zijde,*** **1** (*v. munt, medaille*) revers *m.*; **2** (*v. stof*) envers *m.*
averij' *v.* avarie *f.*; ***—-grosse,*** avarie commune (*of* grosse); ***particuliere —*** avarie particulière; ***— krijgen,*** s'avarier.
averij'berekening *v.* (*H.*) dispache *f.*, calcul *m.* de l'avarie.
averij'deskundige *m.* (*H.*) dispacheur *m.*
averij'-grosse *v.* grosse avarie *f.*
averij'regeling *v.* (*H.*) dispache *f.*
aviatiek' *v.* aviation *f.*
a'vond *m.* soir *m.*; (*duur*) soirée *f.*; ***de — te voren,*** la veille (au soir), le soir de la veille; ***de volgende —,*** le lendemain soir; ***'s —s,*** le soir; ***op de late —,***

tard dans la soirée; *'t is —*, c'est le soir; ***de — valt***, la nuit tombe; ***van —***, ce soir.
a'vondappel' *o.* appel *m.* du soir.
a'vondbezoek *o.* visite *f.* du soir.
a'vondbijeenkomst *v.* réunion *f.* du soir.
a'vondblad *o.* journal *m.* du soir, édition *f.* du soir.
a'vonddienst *m.* office *m.* du soir.
a'vondeten *o.* souper *m.*, repas *m.* du soir.
a'vondfeest *o.* soirée *f.*, fête *f.* de nuit.
a'vondgebed *o.* prière *f.* du soir.
a'vondjapon *m.* robe *f.* du soir.
a'vondje *o.* soirée *f.*
a'vondkerk *v.(m.)* office *m.* du soir.
a'vondklok(je) *v.(m.)* *(o.)* angélus *m.*; couvre-feu *m.*
a'vondkoelte *v.* frais *m.* du soir, brise *f.* du soir, fraîche *f.*
a'vondland *o.* (pays du) couchant *m.*
a'vondlied *o.* cantique *m.* du soir, chant *m.* —.
a'vondlucht *v.(m.)* air *m.* du soir.
a'vondmaal *o.* souper *m.*, repas *m.* du soir; ***het Heilig A—***, **1** *(kath.)* l'Eucharistie, la (sainte) communion; **2** *(prot.)* la sainte Cène.
A'vondmaalsbeker *m.* *(prot.)* calice *m.*
A'vondmaalsganger *m.* *(prot.)* communiant *m.*
a'vondmaalsgemeenschap *v.* communion *f.* collective.
a'vondmalen *on.w.* souper.
a'vondmis *v.(m.)* messe *f.* du soir.
a'vondmuziek *v.* sérénade *f.*, concert *m.* du soir.
a'vondpartij *v.* soirée *f.*
a'vondpermissie *v.* *(mil.)* permission *f.* de dix heures.
a'vondpost *v.(m.)* courrier *m.* du soir.
a'vondpreek *v.(m.)* sermon *m.* du soir.
a'vondrood *o.* feux *m.pl.* du couchant.
a'vondschemering *v.* crépuscule *m.*; ***in de —***, entre chien et loup.
a'vondschool *v.(m.)* école *f.* du soir.
a'vondster *v.(m.)* étoile *f.* du soir, — du berger.
a'vondstond *m.* soirée *f.*
a'vondtoilet *o.* toilette *f.* de soirée. [*f.* —.
a'vondvergadering *v.* séance *f.* du soir, réunion
a'vondwandeling *v.* promenade *f.* du soir.
a'vondwijding *v.* *(rad.)* méditation *f.* du soir.
a'vondwind *m.* vent *m.* du soir.
a'vondzitting *v.* séance *f.* du soir.
avontu'ren *ov.w.* risquer, hasarder, aventurer.
avontu'renverhaal *o.* conte *m.* d'aventures.
avonturier' *m.* **-ster** *v.* aventurier *m.*, —ière *f.*
avontuur' *o.* aventure *f.*; ***zijn — beproeven***, tenter l'aventure, — la fortune; ***op — uitgaan***, chercher aventure, courir les aventures; ***het rad van —***, la roue de la fortune.
avontuur'lijk *b.n.* aventureux, hasardeux; plein d'aventures.
axio'ma *o.* axiome *m.*
aza'lea *v.(m.)* azalée *f.*
a'zen *on.w.* — ***op***, **1** se nourrir de; **2** *(fig.)* être avide de, rechercher.
Aziaat' *m.* Asiatique *m.*
Azia'tisch *b.n.* asiatique.
A'zië *o.* l'Asie *f.*
azijn' *m.* vinaigre *m.*; ***in — inleggen***, mariner.
azijn'aaltje *o.* anguillule *f.* (du vinaigre).
azijn'achtig *b.n.* acide, aigre.
azijn'fabriek *v.* vinaigrerie *f.* [vinaigre.
azijn'fles *v.(m.)* vinaigrier *m.*, burette *f.* à (*of* au)
azijn'handelaar *m.* vinaigrier *m.*
azijn'maker *m.* vinaigrier *m.*
azijn'makerij *v.* vinaigrerie *f.*
azijn'saus *v.(m.)* vinaigrette *f.*
azijn'zuur *o.* acide *m.* acétique.
azimut' *o.* azimut *m.*
Azo'ren, de —, les Açores, les îles Açores *f.pl.*; ***van de —***, açorien.
azu'ren *b.n.* azuré, d'azur.
azuur' *o.* azur, bleu *m.* céleste.

B

B *v.(m.)* **1** *(letter)* b *m.*; **2** *(muz.)* si *m.*
ba! *tw.* fi! fi donc! pouah! ***geen boe of — zeggen***, ne souffler mot.
baad'je *o.* **1** *(v. man)* veste *f.*; **2** *(v. vrouw)* camisole *f.*; ***op zijn — krijgen***, attraper une raclée, être rossé.
baad'ster *v.* baigneuse *f.*
baai 1 *m. en o.* *(stof)* bure, grosse laine *f.*; **2** *v.(m.)* *(golf)* baie *f.*; **3** *m.* *(tabak)* tabac *m.* à fumer; **4** *(wijn, rode —)* vin *m.* rouge; *(fam.)* pinard *m.*
baai'en *b.n.* en bure.
baai'erd *m.* chaos *m.*
baai'zout *o.* sel *m.* marin, sel *m.* gris.
baak *v.(m.)* **1** *(sch.)* balise *f.*; **2** jalon, piquet *m.*
baak-, *zie* ***baken-***.
baal *v.(m.)* balle (de tabac, de kapok, etc.) *f.*, ballot, sac (de sucre, etc.) *m.*
Baal *m.* Baal *m.*
baal'doek *o. en m.* toile *f.* d'emballage.
baal'goed *o.* *(Z.N.)* jute *m.*
baal'tje *o.* ballot, ballotin *m.*
baan *v.(m.)* **1** *(weg)* voie, route *f.*, chemin *m.*, chaussée *f.*; **2** *(v. spoorweg)* voie *f.*; **3** *(glij—)* glissoire *f.*; **4** *(op het ijs)* patinoire, piste *f.*; **5** *(v. stof)* largeur *f.*, lé *m.*; **6** *(v. planeet)* orbite *f.*; **7** *(v. kogel)* trajectoire *m.*; **8.** *(v. wedstrijd)* piste *f.*; ***dat is van de —***, il n'en est plus question; ***op de lange — schuiven***, traîner en longueur, renvoyer aux calendes grecques; ***zich — breken***, se frayer un passage; ***een — beschrijven om***, graviter autour; ***in de — brengen***, placer sur orbite.
baan'brekend *b.n.* novateur, initiateur.
baan'breker *m.* pionnier, initiateur, novateur *m.*
baan'schuiver *m.* chasse-pierres *m.*
baan'tje *o.* **1** petite route *f.*; **2** *(fig.)* emploi *m.*, place *f.*, poste, job *m.*; ***een goed —***, un emploi lucratif; ***een lam —***, une corvée, un chien de métier; ***wat een —!*** quelle corvée! ***een — voor halve (hele) dagen***, un emploi (*of* job) à mi-temps (à plein temps).
baan'tjesjager *m.* coureur *m.* de places, arriviste *m.*; cumulard *m.* [*m.*
baantjesjagerij' *v.* curée *f.* des places, arrivisme
baan'vak *o.* section *f.* de voie.
baan'veger *m.* balayeur *m.*
baan'wachter *m.* **1** *(v. de lijn)* garde*-voie(*) *m.*; **2** *(v. overweg)* garde*-barrière(*) *m.* [voie.
baan'wachtershuisje *o.* maison *f.* du garde-
baan'wedstrijd *m.* *(sp.)* match *m.* sur route, course *f.* sur piste.
baan'werker *m.* cheminot *m.*

baar I *v.(m.)* **1** *(golf)* vague, lame *f.*, flot *m.*; **2** *(draag—)* brancard *m.*, civière *f.*; **3** *(staaf)* lingot *m.*, barre *f.*; **4** *(spel)* jeu *m.* de barre(s); **II** *m.* **1** *(sch.)* novice *m.*; **2** *(mil.)* nouveau, bleu *m.*; **3** *(in vak)* commençant *m.*; **III** *b.n.* comptant; ***— geld,*** argent *m.* comptant, espèces *f.pl.*; ***in — geld betalen,*** payer en espèces.

baard *m.* **1** *(v. mens en geit)* barbe *f.*; **2** *(v. vis)* barbillon *m.*; **3** *(v. walvis)* fanon *m.*; **4** *(v. plant)* frange *f.*; **5** *(v. aar)* barbe *f.*; **6** *(v. sleutel)* panneton *m.*; ***een — krijgen,*** prendre de la barbe; ***hij heeft de — in de keel,*** sa voix mue; ***om 's keizers — twisten,*** disputer de la chape de l'évêque.

baard'brandertje *o.* brûle-gueule *m.*

baar'deloos *b.n.* imberbe, sans barbe, glabre.

baar'dig *b.n.* barbu.

baard'je *o.* barbiche *f.*

baard'schurft *v.(m.) en o.* mentagre *f.*

baard'vin *v.(m.)* mentagre *f.*

baard'vogel *m.* *(Dk.)* barbu *m.*

baar'kleed *o.* poêle *m.*

Baarle-Her'tog *o.* Baerle-Duc.

baar'lijk *b.n.* ***de —e duivel,*** le diable incarné.

baar'moeder *v.(m.)* utérus *m.*, matrice *v.*

baars *m.* perche *f.*

baas *m.* **1** *(patroon)* maître, patron *m.*; **2** *(meesterknecht)* contremaître *m.*; ***een vrolijke —,*** un (vrai) gaillard; ***de — spelen,*** faire la loi, commander en maître; ***hij is mij de —,*** il est plus fort que moi, il me rend des points, il me dame le pion; ***daar ben ik geen — over,*** cela ne m'appartient pas.

baat *v.(m.)* profit, avantage, bénéfice *m.*; ***baten afwerpen,*** rapporter des bénéfices; ***baten en lasten,*** actif et passif; forces et charges; ***— vinden bij,*** se trouver bien de, trouver avantage à; ***dat geneesmiddel gaf mij —,*** ce remède me donnait du soulagement; ***te — nemen,*** **1** *(middel, list)* se servir de, employer; **2** *(gelegenheid)* profiter de; ***ten bate van,*** au profit de, au bénéfice de; ***gelden ten eigen bate aanwenden,*** détourner de l'argent; ***alle baten helpen,*** tout fait nombre.

baat'zucht *v.(m.)* intérêt *m.* personnel, égoïsme *m.*

baatzuch'tig I *b.n.* intéressé, égoïste; **II** *bw.* d'une manière intéressée, égoïstement.

baatzuch'tigheid *v.* égoïsme *m.*

bab'bel *m.-v.* bavard(e) *m.(f.)*.

bab'belaar *m.* **-ster** *v.* **1** bavard(e), babillard(e), jaseur (—euse) *m.(f.)*; **2** *(suikergoed)* pelote *f.*, caramel *m.*, bonbon *m.* dur.

bab'belachtig *b.n.* bavard, babillard.

babbelarij' *v.* babil, bavardage, caquet, caquetage *m.*

bab'belen *on.w.* **1** *(veel onnodig praten)* bavarder, papoter, jaser, caqueter; **2** *(keuvelen)* babiller, causer; ***zij heeft gebabbeld,*** elle a jasé.

bab'belkous *v.(m.)* bavarde, pie, commère *f.*

bab'belpraatje, bab'beltje *o.* bout *m.* de causette; ***een — houden,*** faire un bout de causette, tailler une bavette.

bab'belziek *b.n.* bavard, babillard, loquace.

bab'belzucht *v.(m.)* manie *f.* de bavarder, — de caqueter.

ba'boe *v.* bonne *f.* indigène.

ba'by *m.* bébé *m.*

ba'bybox *m.* parc *m.* de bébé, — d'enfant.

Ba'bylon *o.* Babylone *f.*

Babylo'nië *v.* la Babylonie.

Babylo'niër *m.* Babylonien *m.*

Babylo'nisch *b.n.* babylonien; ***—e spraakverwarring,*** confusion *f.* des langues; ***het was een —e spraakverwarring,*** c'était une vraie tour de Babel.

ba'bysit *m.-v.* garde *m.-f.* bébé, — d'enfant(s).

ba'bysitcentrale *v.(m.)* service *m.* de garde d'enfants à domicile.

ba'bysitten *on.w.* garder des enfants.

ba'bytafel *v.(m.)* table *f.* de rechange.

ba'byuitzet *m. en o.* layette *f.*

ba'byverzorging *v.* puériculture *f.*

ba'byvliegtuig *o.* avionette *f.*

ba'byvoeding *v.* **1** tétée, tetée *f.*; **2** nourriture *f.* de [bébé.

ba'byweegschaal *v.(m.)* pèse-bébé* *m.*

ba'byzitje *o.* porte-bébé *m.*

bacchanaal' *o.* bacchanale *f.*

bacchana'liën *mv.* bacchanales, orgies *f.pl.*

bacchan'te *v.* bacchante *f.*

bacchan'tisch *b.n.* bachique.

Bac'chus *m.* Bacchus *m.*

bacil' *m.* bacille *m.*

bacil'lendrager *m.* porteur *m.* de bacilles.

back *m.* *(sp.)* arrière *m.*

back'hand(er) *m.* *(tennis)* revers *m.*

bacte'rie, bakte'rie *v.* bactérie *f.*

bacte'rievrij, bakte'rievrij *b.n.* abacillaire, stérile.

bacteriologie', bakteriologie' *v.* bactériolo[gie *f.*

bacteriolo'gisch, bakteriolo'gisch *b.n.* bactériologique.

bacterioloog', bakterioloog' *m.* bactériolo[giste *m.*

bad *o.* **1** bain *m.*; **2** *(badplaats)* bains *m.pl.*; eaux *f.pl.*; ***een zinken —,*** une baignoire en zinc; ***een koud — krijgen,*** recevoir une douche.

bad'cel *v.(m.)* cabinet *m.* de douche.

bad'costuum, -kostuum *o.* costume *m.* de bain.

bad'dokter *m.* médecin *m.* des eaux, — balnéaire.

ba'den I *on.w.* se baigner, prendre un bain; **II** *ov.w.* baigner; ***een kind —,*** mettre un enfant au bain; **III** *w.w.* ***zich —,*** (se) baigner; ***zich in bloed —,*** baigner dans le sang; ***zich in tranen —,*** fondre en larmes, avoir le visage baigné de larmes; ***(zich) in weelde —,*** nager dans l'opulence.

Ba'den *o.* **1** (le grand-duché de) Bade *m.*; **2** (la ville de) Bade *f.*

Ba'dens *b.n.* badois.

ba'der *m.* baigneur *m.*

bad'gast *m.* **1** baigneur *m.*, —euse *f.*; **2** *(in badplaats)* visiteur *m.*, —euse *f.*, étranger *m.*, —ère *f.*

bad'geyser *m.* chauffe-bain* *m.*

bad'goed *o.* linge *m.* pour le bain.

bad'handdoek *m.* serviette*-éponge* *f.*

bad'handschoen *m. en v.* gant*-éponge* *m.*

bad'hokje *o.* cabine *f.*

bad'huis *o.*, **bad'inrichting** *v.* établissement [*m.* de bains.

bad'jas *m. en v.* peignoir*-éponge* *m.*, baigneuse *f.*

bad'kamer *v.(m.)* salle *f.* de bains, cabinet *m.* —.

bad'knecht *m.* baigneur *m.*, garçon *m.* de bains.

bad'koets *v.(m.)* cabine *f.* roulante, — de bain.

bad'kostuum, -costuum *o.* costume *m.* de bain.

bad'kuip *v.(m.)* baignoire *f.*

bad'kuur *v.(m.)* cure *f.* d'eaux; traitement *m.* par [les eaux.

bad'mantel *m.* baigneuse *f.*, peignoir *m.* de bain.

bad'mat *v.(m.)* descente *f.* de bain.

bad'meester *m.* baigneur, maître*-baigneur* *m.*

bad'minton *o.* badminton *m.*

bad'muts *v.(m.)* bonnet *m.* de bain.

bad'pak *o.* maillot *m.* de bain.

bad'plaats *v.(m.)* **1** *(aan zee)* bains *m.pl.* (de mer), station *f.* balnéaire; **2** *(binnenland)* ville *f.* d'eaux, bains *m.pl.*; ***naar een — gaan,*** aller aux eaux; aller à la mer.

bad'schoen *m.* sandale *f.* de bain.

bad'seizoen *o.* saison *f.* balnéaire, — des bains.

bad'stoel *m.* guérite *f.*, fauteuil*-abri* *m.*
bad'stof *v.(m.)* tissu*-éponge* *m.*
bad'vrouw *v.* baigneuse *f.*, fille *f.* de bains.
bad'water *o.* eau *f.* de bain.
bad'zeep *v.(m.)* savon *m.* pour le bain.
bad'zout *o.* sel *m.* de bain.
baga'ge *v.* bagages *m.pl.*; ***de — aangeven,*** faire enregistrer les bagages.
baga'geafgifte *v.* livraison *f.* (*of* dépôt *m.*) des bagages.
baga'gebergplaats *v.(m.)* (*in station*) consigne *f.*
baga'gebiljet *o.* bulletin *m.* de bagages.
baga'gebureau *o.* bureau *m.* des bagages.
baga'gedepot *o.* consigne *f.*
baga'gedrager *m.* porte-bagages *m.*
baga'genet *o.* filet *m.* (à bagages).
baga'gereçu *o.* bulletin *m.* de bagages.
baga'gerek *o.* porte-bagages *m.*
baga'geruim *o.* soute *f.* à bagages, cale *f.* —.
baga'geruimte *v.* (*auto*) coffre *m.* à bagages, malle *f.* arrière.
baga'gewagen *m.* fourgon *m.* (à bagages).
bagatel' *v.(m.)* en *o.* bagatelle *f.*; ***voor een —,*** pour un rien; ***dat is geen —,*** ce n'est pas peu de chose.
bagatellise'ren, -ize'ren *ov.w.* traiter en bagatelle, minimiser.
bag'ger *v.(m.)* vase, boue *f.*
bag'gerbeugel *m.* drague *f.*
bag'geremmer *m.* godet *m.*
bag'geren I *ov.w.* **1** (*kanaal, vijver, enz.*) draguer, curer; **2** (*slijk*) extraire; **II** *on.w.* ***door de modder —,*** patauger dans la boue.
bag'gerlaarzen *mv.* bottes *f.pl.* d'égoutier.
bag'germachine *v.* **1** drague *f.*; **2** (*in haven*) cure-môle* *m.*
bag'german *m.* dragueur, cureur *m.*
bag'germolen *m.* cure-môle* *m.*, marie*-salope* *f.*
bag'gernet *o.* drague *f.*
bag'gerschuit *v.(m.)* (bateau) dragueur, bateau*-drague* *m.*, marie*-salope* *f.*
bag'gerturf *m.* tourbe *f.* draguée.
bag'gerzuiger *m.* drague *f.* suceuse.
bag'no *o.* bagne *m.*
Baha'ma-eilanden *mv.* les îles *f.pl.* Bahama.
Bahrein'-eilanden *mv.* les îles *f.pl.* Bahrein.
bajonet *v.(m.)* baïonnette *f.*; ***de — afslaan,*** remettre la baïonnette; ***met de — op,*** baïonnette au canon. [nette.
bajonet'aanval *m.* (*mil.*) charge *f.* à la baïon-
bajonet'drager *m.* (*mil.*) porte-baïonnette *m.*
bajonet'schede *v.(m.)* fourreau *m.* de baïonnette.
bajonet'schermen *o.* escrime *f.* à la baïonnette.
bajonet'sluiting *v.* (*tn.*) fermeture *f.* à baïonnette.
bajonet'steek *m.* coup *m.* de baïonnette.
bak *m.* **1** (*alg.*) baquet *m.*, cuve *f.*, caisse *f.*; **2** (*kom*) bassin *m.*; **3** (*v. schip*) gaillard *m.*; **4** (*nap*) jatte *f.*; **5** (*v. matrozen*) plat *m.*, gamelle *f.*; **6** (*etensbak*) mangeoire *f.*; **7** (*trog*) auge *f.*; **8.** (*v. baggermachine*) godet *m.*; **9** (*pont*) bac *m.*; **10** (*in schouwburg*) parterre *m.*; **11** (*fam.*) (*gevangenis*) violon *m.*; **12** (*mop*) blague, bourde *f.*
bak'barometer *m.* baromètre *m.* à cuvette.
bak'beest *o.* (*fam.*) monstre *m.*; ***een — van een tafel,*** une table énorme.
bak'boord *o.* (*sch.*) bâbord *m.*; ***iem. van — naar stuurboord zenden,*** renvoyer qn. de Caïphe à Pilate.
bak'boordwacht *v.(m.)* (*sch.*) quart *m.* de bâbord.
bakeliet' *o.* bakélite *f.*
ba'ken *o.* **1** (*sch.*) balise *f.*; **2** (*stok*) jalon *m.*; ***de —s uitzetten,*** poser les jalons; ***van —s voorzien,*** baliser; ***de —s verzetten,*** changer les balises; ***de —s zijn verzet,*** tout est changé, les choses ont changé de face.
ba'kenen I *ov.w.* (*sch.*) mettre des balises, baliser; **II** *z.n.* ***het —,*** le balisage. [de balisage.
ba'kengeld, baak'geld *o.* droit *m.* de bouée, —
ba'kenmeester, baak'meester *m.* baliseur *m.*
ba'kenton, baak'ton *v.(m.)* (*sch.*) bouée *f.*, tonne *f.* de balisage.
ba'kenvuur, baak'vuur *o.* feu *m.* de balise.
ba'ker *v.* garde-couche *f.*, garde *f.* d'accouchée.
ba'keren I *ov.w.* emmailloter; ***haastig gebakerd zijn,*** être expéditif; ***heet gebakerd zijn,*** avoir la tête près du bonnet; **II** *w.w.* ***zich in de zon —,*** se chauffer au soleil.
ba'kerkind *o.* enfant *m.* au maillot.
ba'kerkussen *o.* porte-bébé *m.*
ba'kermand *v.(m.)* chauffe-linge *m.*
ba'kermat *v.(m.)* berceau *m.*, patrie *f.*
ba'kerpraat *m.* caquets, potins *m.pl.*
ba'kerpraatje(s) *o.(mv.)* conte(s) *m.pl.* de bonnes, — de vieille femme.
ba'kerrijmpje *o.* ronde *f.* enfantine; chanson *f.* de nourrice.
bakerspeld *v.(m.)* épingle *f.* double, — à maillot.
ba'kersprookje *o.* conte *m.* de nourrice, — de bonne(s), — de grand-mère.
bak'fiets *m.* en *v.* triporteur *m.*; transporteur *m.*
bak'huis *o.* fournil *m.*
bak'je *o.* **1** baquet *m.*, cuvette *f.*; **2** (*kopje*) tasse *f.*; **3** (*fam.*: *huurrijtuig*) fiacre *m.* [*f.pl.*
bak'kebaard *m.* favoris *m.pl.*; (*fam.*) côtelettes
bakkelei'en *on.w.* se chamailler, se crosser, se prendre aux cheveux, se crêper le chignon.
bak'ken I *ov.w.* **1** (*in oven*) cuire, faire cuire; **2** (*in pan*) frire, faire frire; ***zoete broodjes —,*** filer doux; ***zijn brood is gebakken,*** il a du pain sur la planche; ***iem. een poets —,*** jouer un tour à qn.; **II** *on.w.* **1** cuire, frire; **2** (*vastkleven*) s'attacher; ***het heeft vannacht gebakken,*** il a bien gelé, il a gelé à pierre fendre la nuit dernière; ***het zal vannacht —,*** nous aurons un bon plat de gelée; **III** *z.n.*, *o.*, ***het —,*** **1** (*v. brood*) la cuisson; **2** (*v. spijzen*) la cuisson; la friture; **3** (*v. porselein, enz.*) la cuite.
bak'ker *m.* boulanger *m.*; ***het is voor de —,*** l'affaire est dans le sac.
bakkerij' *v.* **1** boulangerie *f.*; **2** (*oven*) fournil *m.*; **3** (*militaire —*) manutention *f.*
bak'kersbedrijf *o.* boulangerie *f.*
bak'kersgezel *m.* garçon *m.* boulanger.
bak'kersjongen *m.* **1** (*leerjongen*) apprenti *m.* boulanger; **2** (*bezorger*) porteur *m.* de pain.
bak'kerskar *v.(m.)* charrette *f.* de boulanger.
bak'kersknecht *m.* **1** garçon *m.* boulanger; (*fam.*) mitron *m.*; **2** (*bezorger*) porteur *m.* de pain.
bak'kersoven *m.* four *m.*
bak'kerswinkel *m.* boulangerie *f.*
bak'kes *o.* (*fam.*) trogne, gueule *f.*
bak'kunst *v.* art *m.* de la friture.
bak'olie *v.(m.)* huile *f.* à friture, friture *f.*
bak'oven *m.* four *m.*
bak'pan *v.(m.)* poêle *f.* à frire.
bak'poeder, -poeier *o.* poudre *f.* de levure.
bak'sel *o.* **1** (*v. brood*) fournée *f.*; **2** (*v. stenen*) cuite *f.* [de plat.
baks'meester *m.* (*sch.*) chef *m.* de gamelle, —
bak'spel *o.* jacquet, trictrac *m.*
bak'stag *o.* (*sch.*) faux hauban *m.*
bak'steen *m.* brique *f.*; ***zakken als een —,*** échouer complètement, — lamentablement, remporter une veste; ***zinken als een —,*** couler à pic.
bakteri-, *zie* ***bacteri-.***

bak'trog *m.* maie *f.*, huche *f.* [*m.*
bak'vis 1 *m.* poisson *m.* à frire; **2** *v.* (*fig.*) tendron
bak'visjaren *mv.* l'âge *m.* ingrat.
bak'zeil, — *halen,* *on.w.* **1** (*sch.*) brasser à contre, brasser à culer; **2** (*fig.*) baisser le ton, mettre de l'eau dans son vin.
bal I *m.* **1** (*bij spel*) balle *f.*; **2** (*v. kaatsspel*) éteuf *m.*; **3** (*voet—*) ballon *m.*; **4** (*sneeuw—, kegel—*) boule *f.*; **5** (*v. biljart*) bille *f.*; **6** (*v. hand*) paume *f.*; **7** (*v. voet*) plante *f.* (du pied); **8** (*— gehakt*) boule *f.*, boulette *f.* de viande; ***de — misslaan,*** manquer la balle; (*fig.*) se méprendre, faire erreur; ***de — terugkaatsen,*** renvoyer la balle; ***elkaar de — toewerpen,*** se renvoyer la balle; ***hij weet er geen — van,*** il n'en sait pas le premier mot, il n'en sait pas un traître mot; **II** *o.* bal *m.*; ***— in open lucht,*** bal champêtre; ***gekostumeerd —,*** bal travesti; ***gemaskerd —,*** bal masqué.
balanceer'stok *m.* balancier *m.*
balance'ren I *ov.w.* balancer, tenir en équilibre; **II** *on.w.* **1** se tenir en équilibre; **2** (*fig.*) balancer; **III** *z.n.*, *o.* ***het —,*** le balancement.
balans' *v.*(*m.*) **1** (*weegschaal*) balance *f.*; **2** (*H.*) bilan *m.*; **3** (*v. machine*) balancier *m.*; ***de — goedkeuren,*** approuver le bilan; ***de — nazien,*** vérifier le bilan; ***de — opmaken,*** (*H.*) dresser le bilan, faire —; ***de — sluit,*** (*H.*) le bilan cadre.
balans'opruiming *v.* liquidation *f.* pour cause d'inventaire.
balans'rekening *v.* (*H.*) bilan *m.*
balans'waarde *v.* valeur *f.* au bilan.
bala'tum *o. en m.* balatum *m.*
bal'boekje *o.* carnet *m.* de bal.
bal'costuum, *zie* ***balkostuum.***
balda'dig I *b.n.* **1** méchant, brutal; **2** (*instinct*) destructeur; ***een —e straatjongen,*** un jeune voyou; ***—e vernieling,*** vandalisme *m.*; **II** *bw.* poussé par l'esprit de destruction; ***— vernielen,*** détruire pour son plaisir; ***zich — gedragen,*** se conduire comme un voyou, comme des vandales.
balda'digheid *v.* méchanceté, insolence *f.*, esprit *m.* de destruction, — de vandalisme; ***baldadigheden*** **1** (*jegens personen*) brutalités, molestations *f.pl.*; **2** (*op zaken*) actes *m.pl.* de vandalisme.
baldakijn' *o. en m.* **1** (*aan muur*) baldaquin *m.*; **2** (*op pijlers, draagbaar*) dais *m.*
baldakijn'drager *m.* porte-dais *m.*
Balea'ren, *Balearische eilanden,* *mv.* les (îles) Baléares *f.pl.*
balein' *o. en v.*(*m.*) baleine *f.*
balg *m.* **1** (*vel*) peau *f.*; **2** (*buik*) ventre *m.*; (*fam.*) panse *f.*; **3** (*v. harmonika, camera enz.*) soufflet *m.*
Ba'li *o.* l'île *f.* de Bali, Bali.
ba'lie *v.* **1** (*trapleuning*) rampe *f.*; **2** (*v. brug*) parapet, garde-fou* *m.*; **3** (*bij rechtbank*) barre *f.*; **4** (*de advocaten*) barreau *m.*; **5** (*tobbe*) baille *f.*, cuvier *m.*; ***voor de — komen,*** comparaître à la barre; ***tot de — toegelaten,*** admis au barreau.
ba'liekluiver *m.* badaud *m.*, batteur *m.* de pavé, cagnard *m.*
ba'liemand *v.*(*m.*) panier *m.* à linge. [reau.
ba'liewelsprekendheid *v.* éloquence *f.* du bar-
Balinees' *m.* Balinais *m.*
bal'japon *m.* robe *f.* de bal, — du soir.
bal'juw *m.* bailli *m.*
bal'juwschap *o.* bailliage *m.*
balk *m.* **1** poutre *f.*; **2** (*dwarsbalk*) solive *f.*, (*kleine —*) soliveau *m.*; **3** (*muz.: notenbalk*) portée *f.*; **4** (*in meetkunde*) parallélépipède *m.*; ***kleine —,*** poutrelle *f.*; ***het aan de — schrijven,*** le marquer d'un caillou blanc; ***het over de — gooien,*** jeter l'argent par la fenêtre.
Bal'kan *m.* les Balkans *m.pl.*
Bal'kanschiereiland *o.* péninsule *f.* des Balkans.
Bal'kanstaten *mv.* États *m.pl.* balkaniques.
bal'ken I *on.w.* **1** (*v. ezel*) braire; **2** (*fig.: v. persoon*) brailler; **II** *z.n.*, *o.* le braiment; le braillement.
bal'kleed *o.* toilette *f.* de bal.
balkon' *o.* **1** (*v. huis*) balcon *m.*; **2** (*v. tram*) plate*-forme* *f.*; **3** (*in schouwburg*) fauteuil(s) *m.*(*pl.*) de balcon.
balkon'deur *v.*(*m.*) porte*-fenêtre* *f.*
bal'kostuum, -costuum *o.* costume *m.* de bal, toilette *f.* —.
balla'de *v.* ballade *f.*
bal'last *m.* **1** (*sch.*) lest *m.*; **2** (*bouwk., spoorw.*) ballast *m.*; **3** (*fig.*) bagage *m.* inutile, fatras *m.*; ***— innemen,*** prendre du lest; ***— uitgooien,*** délester le navire; ***in —,*** sur lest.
bal'lasten I *ov.w.* (*sch.*) lester; **II** *z.n.*, *o.* lestage *m.*
bal'len I *ov.w.* former en balle; ***de vuisten —,*** serrer les poings; (*tegen iem.*) montrer le poing (à qn.); **II** *on.w.* **1** (*tot bal vormen*) s'arrondir en boule; **2** (*spelen*) jouer à la balle.
bal'lennet *o.* porte-balles *m.*
ballet' *o.* ballet *m.* [rine *f.*
ballet'danseres *v.* danseuse *f.* de ballet, balle-
bal'letje *o.* **1** boulette *f.*; **2** (*stem—*) boule *f.*; **3** (*snoepgoed*) bonbon *m.* dur; pelote *f.*; ***een — van iets opwerpen,*** mettre qc. sur le tapis, lancer un ballon d'essai.
ballet'meester *m.* maître *m.* de ballet.
ballet'muziek *v.* musique *f.* de ballet.
bal'ling *m.* exilé, banni *m.*
bal'lingschap *v.* exil, bannissement *m.*
ballistiek' *v.* balistique *v.*
ballon' *m.* **1** ballon *m.*; **2** (*lucht—*) aérostat *m.*; **3** (*v. lamp*) globe *m.*
ballon'band *m.* pneu *m.* ballon.
ballon'mouw *v.*(*m.*) gigot *m.*
ballon'netje *o.* ballonnet *m.*
ballon'spuit *v.*(*m.*) poire *f.* à injection.
ballota'ge *v.* vote, ballotage *m.*
ballote'ren *ov.w.* voter, balloter.
ball'-point(pen) *v.*(*m.*) stylo *m.* à bille.
bal'muziek *v.* musique *f.* de bal.
balo'rig *b.n.* grincheux, de mauvaise humeur.
balo'righeid *v.* mauvaise humeur *f.*
bal'roos *v.*(*m.*) (*Pl.*) boule *f.* de neige.
balsamine, *zie* ***balsemien.***
bal'schoen *m.* soulier *m.* de bal, escarpin *m.*
bal'sem *m.* baume *m.*
bal'semachtig *b.n.* balsamique.
bal'semboom *m.* balsamier *m.*
bal'semen *ov.w.* embaumer.
bal'semgeur *m.* parfum *m.* de baume, — balsamique; odeur *f.* —.
balsemien', balsami'ne *v.*(*m.*) (*Pl.*) balsamine *f.*
bal'seming *v.* embaumement *m.*
bal'semkruid *o.* (*Pl.*) **1** basilic *m.*; **2** balsamine *f.*
bal'spel *o.* jeu *m.* de balles, — de paume.
balstu'rig *b.n.* obstiné, têtu, revêche, peu traitable, récalcitrant.
balstu'righeid *v.* obstination *f.*, entêtement *m.*, opiniâtreté, indocilité *f.*
Bal'tisch *b.n.* baltique; balte; ***de —e Staten,*** les États baltes; ***de —e Zee,*** la mer Baltique.
balustra'de *v.* balustrade *f.*, barre *f.* d'appui; appui*-bras *m.*
bal'zaal *v.*(*m.*) salle *f.* de bal.
bam'boe *o. en m.* bambou *m.*
bam'boerotting (canne *f.* de) bambou *m.*
bam'boestijl *m.* genre *m.* bambou.
bam'boestok *m.* (canne *f.* de) bambou *m.*

ban *m.* **1** (*staatkundig*) ban *m.*; **2** (*kerkelijk*) excommunication *f.*; (*banvloek*) anathème *m.*; ***iem. in de — doen,*** **1** (*kerkelijk*) excommunier qn., lancer l'anathème contre qn.; **2** (*fig.*) mettre qn. au ban.
banaal' *b.n.* banal.
banaan' *v.(m.)* **1** (*vrucht*) banane *f.*; **2** (*boom*) bananier *m.*
banaliteit' *v.* banalité *f.*, chose *f.* banale.
bana'neschil *v.(m.)* pelure *f.* de banane.
ban'bliksem *m.* anathème *m.*, (foudres *f.pl.* de l') excommunication *f.*
ban'breuk *v.(m.)* rupture *f.* de ban.
band *m.* **1** (*alg.*) lien *m.*; **2** (*lint*) ruban *m.*; **3** (*v. hond*) attache *f.*; **4** (*v. muts*) bride *f.*; **5** (*strook, v. biljart*) bande *f.*; **6** (*v. boek*) reliure *f.*; **7** (*boekdeel*) volume *m.*; **8** (*om de arm*) brassard *m.*; **9** (*verband*) bandage *m.*; **10** (*v. fiets, enz.*) pneu, bandage *m.*; **11** (*gen.*) ligament *m.*; **12** (*v. vat, enz.*) cercle, cerceau *m.*; **13** (*v. trottoir*) bordure *f.*; **14** (*aan stok*) garniture *f.*; **15** (*v. broek, rok*) ceinture *f.*; **16** (*huwelijks—*) nœud *m.*; **17** (*vriendschaps—*) lien *m.*; **18** (*geluids—*) bande *f.* magnétique; ***lopende —,*** (*tn.*) courroie *f.* courante, ruban *m.* roulant; ***door de —,*** **1** (*gewoonlijk*) ordinairement; **2** (*gemiddeld*) en moyenne; ***de vrijheid aan —en leggen,*** enchaîner la liberté; ***uit de — springen,*** faire des excès, se porter à —; ***winkel van garen en —,*** mercerie *f.*; ***losse —,*** carton*-classeur* *m.*
band'afnemer *m.* démonte-pneu* *m.*
ban'delichter *m.* démonte-pneu* *m.*
bandelier' *m.* bandoulière *f.*
ban'deloos *b.n.* débauché, sans frein, effréné.
bandeloos'heid *v.* débauche *f.*, désordre *m.*
ban'depech *m.* ***— hebben,*** avoir un pneu crevé.
banderol' *v.(m.)* banderole *f.*
banderolle'ren *ov.w.* enrouler, mettre les bagues du contrôle.
band'hond *m.* chien *m.* d'attache.
bandiet' *m.* bandit, brigand, coupe-jarret* *m.*
bandie'tenstreek *m. en v.* (acte *m.* de) brigandage *m.*, acte *m.* de banditisme, — de gangsterisme.
band'ijzer *o.* fer *m.* feuillard, — plat.
ban'(d)jir *m.* débordement *m.*, avalaison *f.*
band'leider *m.* chef *m.* d'orchestre de jazz.
band'opname *v.(m.)* enregistrement *m.* sonore.
band'opnemer *m.* magnétophone *m.*
band'-recorder, *zie* ***bandopnemer.***
band'zaag *v.(m.)* scie *f.* à ruban.
ba'nen *ov.w.* frayer, aplanir; ***zich een weg —,*** se frayer un chemin, — un passage; ***de gebaande weg,*** le chemin battu.
bang *b.n.* **1** (*vreesachtig*) craintif, peureux; **2** (*benauwend*) pénible, angoissant; **3** (*bevreesd*) inquiet; ***iem. — maken,*** faire peur à qn., intimider qn.; ***— worden,*** commencer à avoir peur, s'inquiéter; ***hij is niet — voor een kleinigheid,*** il n'a pas froid aux yeux; ***een —e droom,*** un rêve angoissant, un cauchemar; ***—e uren,*** des heures d'angoisse.
ban'gerd, ban'gerik *m.* peureux, poltron *m.*; (*pop.*) froussard *m.*
bang'heid *v.* crainte, peur, anxiété *f.*
bangmakerij' *v.* intimidation *f.*
banier' *v.(m.)* **1** (*vaandel*) bannière *f.*; **2** (*standaard*) étendard *m.*
banier'drager *m.* porte-bannière *m.*
ban'jer *m.* (*fam.*) grand seigneur, snob, dandy *m.*; ***de — uithangen,*** faire le grand seigneur.
ban'jir, *zie* ***bandjir.***
ban'jo *m.* (*muz.*) banjo *m.*
bank *v.(m.)* **1** (*zit—*) banc *m.*; **2** (*vast aan wand, rijtuig, trein*) banquette *f.*; **3** (*in amfitheater*) gradin *m.*; **4** (*handels—, speel—*) banque *f.*; **5** (*v. slager, vishandelaar*) étal *m.*; **6** (*zand—*) banc *m.* de sable; ***— van lening,*** mont*-de-piété *m.*; ***werk—,*** établi *m.*
bank'aandeel *o.* action *f.* de banque.
bank'bedrijf *o.* opérations *f.pl.* de banque, commerce *m.* de banque.
bank'biljet *o.* billet *m.* de banque.
bank'biljettencirculatie *v.* circulation *f.* fiduciaire.
bank'breuk *v.(m.)* banqueroute *f.*; ***bedrieglijke —,*** banqueroute frauduleuse.
bank'briefje *o.* billet *m.* de banque.
bank'consortium *o.* consortium *m.* bancaire.
bank'conto *o.* compte *m.* en banque.
bank'deposito *o.* dépôt *m.* en banque.
bank'disconto *o.* escompte *m.* (en banque).
ban'ken *on.w.* (*spel*) jouer au vingt-et-un.
banket' *o.* **1** festin *m.*; **2** (*plechtig, officieel*) banquet *m.*; **3** (*gebak*) pâtisserie *f.*; **4** (*mil.*) banquette *f.*
banket'bakker *m.* pâtissier *m.*
banket'bakkerij *v.*, **banket'bakkerswinkel** *m.* pâtisserie *f.*
banket'letter *v.(m.)* lettre *f.* en pâte d'amandes.
bankette'ren *on.w.* banqueter, faire bonne chère.
bank'garantie *v.* garantie *f.* de banque.
bank'geheim *o.* secret *m.* bancaire.
bank'geld *o.* monnaie *f.* de banque.
bank'houder *m.* **1** (*bij spel*) banquier *m.*; **2** (*v. bank v. lening*) prêteur *m.* sur gage.
bankier' *m.* banquier *m.*
bankiers'huis *o.* maison *f.* de banque.
bankiers'kantoor *o.* maison *f.* de banque.
bank'instelling *v.* maison *f.* de banque.
bank'je *o.* **1** (*meubel*) petit banc *m.*; (*voetbankje*) escabeau *m.*; **2** (*bankbiljet*) billet *m.* de banque.
bank'krediet *o.* prêt *m.* (*of* crédit *m.*) bancaire.
bank'loper *m.* encaisseur *m.* (de banque).
bank'noot *v.(m.)* billet *m.* de banque, bank-note* *f.*
bank'octrooi, -oktrooi *o.* concession *f.* octroyée.
bank'overtrek *o. en m.* housse *f.*
bank'overval *m.* attaque *f.* d'une banque.
bank'papier *o.* papier *m.* monnaie, billets *m.pl.* de banque.
bank'referentie *v.* référence *f.* de banque.
bank'rekening *v.* compte *m.* en banque.
bankroet' *o.* banqueroute, faillite *f.*; ***bedrieglijk —,*** banqueroute frauduleuse; ***— gaan,*** faire banqueroute, faire faillite.
bankroetier' *m.* banqueroutier *m.*; failli *m.*
bank'saldo *o.* solde *m.* en banque.
bank'schroef *v.(m.)* (*tn.*) étau *m.* (d'établi).
bank'staat *m.* état *m.* de la banque.
bank'stel *o.* ensemble *m.* de salon.
bank'tegoed *o.* avoir *m.* en banque.
bank'vereniging *v.* société *f.* bancaire.
bank'werker *m.* (*tn.*) ajusteur *m.*
bankwerkerij' *v.* (*tn.*) atelier *m.* d'ajustage.
bank'wezen *o.* les banques *f.pl.*
bank'zaak *v.(m.)* affaire *f.* de banque.
ban'neling *m.* banni, exilé *m.*; (*vogelvrij*) proscrit *m.*
ban'nen *ov.w.* **1** (*verbannen*) bannir, exiler; **2** (*vogelvrij verklaren*) proscrire; **3** (*duivel*) exorciser.
ban'tamgewicht *o.* poids *m.* bantam, — coq.
ban'vloek *m.* anathème *m.*, excommunication *f.*; ***de — uitspreken over iem.,*** frapper qn. d'anathème, anathémiser qn.
bar I *b.n.* **1** (*v. koude*) âpre, rigoureux, rude; **2** (*dor, woest*) aride, stérile, désolé; **3** (*nors*) bourru; **4** (*erg*) fort; **II** *bw.* âprement, rudement; **III** *z.n., m. en v.* bar *m.*

barak' *v.(m.)* **1** baraque *f.*; **2** *(mil.)* baraquement *m.*
barbaar' *m.* barbare *m.*
barbaars' *b.n.* barbare.
barbaars'heid *v.* **1** barbarie *f.*; **2** *(wreedheid)* cruauté, atrocité *f.*
Bar'bados *o.* la Barbade.
Bar'bara *v.* Barbe *f.*
Barbarij'e *o.* la Barbarie *f.*, les états *m.pl.* barbaresques.
Barbarijs' *b.n.* barbaresque; ***— paard,*** barbe *m.*
Barbaros'sa *m.* Barberousse *f.*
barbeel' *m.* *(Dk.)* barbeau *m.*
barbier' *m.* barbier *m.*; coiffeur *m.*
barbie'ren *on.w. en ov.w.* raser, faire la barbe.
barbiers'knecht *m.* garçon *m.* coiffeur; garçon *m.* barbier.
barbiers'winkel *m.* boutique *f.* de barbier, salon *m.* de coiffure.
Barcelo'na *o.* Barcelone *f.*; ***uit —,*** barcelonais.
bard *m.* barde *m.*; poète *m.* national.
ba'ren *ov.w.* **1** mettre au monde, accoucher de, enfanter; **2** *(fig.)* causer, produire; ***de tijd baart rozen,*** tout vient à point à qui sait attendre; ***keus baart angst,*** on a l'embarras du choix; ***zorgen —,*** causer des soucis.
Ba'rend *m.* Bernard *m.*
ba'rensnood *m.* travail *m.* d'enfantement, mal *m.* d'enfant.
ba'rensweeën *mv.* douleurs *f.pl.* de l'enfantement.
baret' *v.(m.)* **1** *(v. priester)* barrette *f.*; **2** *(v. jongen, soldaat)* béret *m.*; **3** *(v. advocaat)* toque *f.*
Bargoens' *o.* **1** *(dieventaal)* argot *m.* (des voleurs), langue *f.* verte; **2** *(fig.)* baragouin *m.*
bar'heid *v.* **1** *(guurheid)* âpreté, rudesse *f.*; **2** *(strengheid)* rigueur *f.*; **3** *(onvruchtbaarheid)* aridité *f.*
ba'riton *m.* baryton *m.*
bark *v.(m.)* navire marchand, trois-mâts *m.*; *(dicht.)* barque *f.*
barkas' *v.(m.)* (grande) chaloupe, barcasse *f.*
bar'kruk *v.(m.)* siège *m.* de bar.
barmhar'tig I *b.n.* miséricordieux, clément; ***de —e Samaritaan,*** le bon Samaritain; **II** *bw.* avec miséricorde, avec clémence.
barmhar'tigheid *v.* miséricorde, clémence, charité *f.*
barn'steen *o. en m.* ambre *m.* jaune, succin *m.*
barn'steenzout *o.* sel *m.* de succin.
barok' I *b.n.* baroque; **II** *z.n. v.(m.)* *(stijl)* le style baroque.
ba'rometer *m.* baromètre *m.*
ba'rometerbak *m.* cuvette *f.* du baromètre.
ba'rometerbuis *v.(m.)* tube *m.* de baromètre.
ba'rometerstand *m.* hauteur *f.* barométrique.
barome'trisch *b.n.* barométrique.
baron' *m.* baron *m.*
barones' *v.* baronne *f.*
baronie *v.* baronnie *f.*
barrevoet'broeder *m.* carme *m.* déchaussé *(of* déchaux), cordelier *m.*
bar'revoets *bw.* nu-pieds, pieds nus.
barrica'de, barrika'de *v.* barricade *f.*
barricade'ren, barrikade'ren *ov.w.* barricader.
bars *b.n.* brusque, rude.
bars'heid *v.* brusquerie, rudesse *f.*
barst *m. en v.* **1** *(spleet)* crevasse *f.*; **2** *(scheur)* fente, lézarde *f.*; **3** *(v. glas, porselein)* fêlure *f.*; **4** *(v. handen)* gerçure *f.*; **5** *(in diamant)* étonnure *f.*; **6** *(gen.)* scissure *f.*
bar'sten *on.w.* **1** *(v. muur)* se crevasser, se lézarder; **2** *(v. handen)* se crevasser, se gercer; **3** *(v. glas, klok, enz.)* se fêler; **4** *(v. ader)* crever; **5** *(v. bom)* éclater; **6** *(fig.)* crever, éclater; ***— van het lachen,*** crever de rire; ***tot —s toe vol,*** plein à éclater, — à craquer.
Bartholome'us *m.* Barthélemy *m.*
Bartholome'usnacht *m.* la Saint-Barthélemy *f.*

bas 1 *m.* *(zanger)* basse *f.*; **2** *v.* *(instrument)* contrebasse *f.*; ***becijferde —,*** basse *f.* chiffrée; ***— zingen,*** avoir une voix de basse; ***de — zingen,*** chanter la basse.
basalt', bazalt' *o.* basalte *m.*
basalt'achtig, bazalt'achtig *b.n.* basaltique.
basalt'rots, bazalt'rots *v.(m.)* roche *f.* basaltique.
basalt'vormig, bazalt'vormig *b.n.* basaltiforme.
basalt'zuil, bazalt'zuil *v.(m.)* prisme *m.* de basalte.
bascu'le, baskuul' *v.(m.)* bascule *f.*
ba'se *v.* *(scheik.)* base *f.*
base'ren I *ov.w.* baser, fonder; **II** *w.w.* ***zich — op,*** se baser sur.
basiliek' *v.* basilique *f.*
Basi'lius *m.* Basile *m.*
ba'sis *v.* base *f.*, fondement *m.*
ba'sisch *b.n.* basique, alcalin.
ba'sishoek *m.* angle *m.* de base.
ba'sisindustrie *v.* industrie *f.* de base.
ba'sismateriaal *o.* matériau *m.* *(of* matériel *m.)* de base.
ba'sisprodukt, -product *o.* produit *m.* de base.
ba'sisvorming *v.* formation *f.* de base.
Bask *m.* Basque *m.*
Bas'kisch *b.n.* basque; ***de —e kust,*** la côte Basque.
baskuul', bascu'le *v.(m.)* bascule *f.*
bas'noot *v.(m.)* note *f.* de la basse.
bas'partij *v.* basse *f.*
bas-reliëf' *o.* bas-relief* *m.*
bas'sen I *on.w.* aboyer; **II** *z.n.* ***het —,*** l'aboiement *m.*
bassist' *m.* basse *f.*, bassiste *m.*
bas'sleutel *m.* clef *f.* de fa.
bas'snaar *v.(m.)* corde *f.* de basse.
bas'stem *v.(m.)* (voix *f.* de) basse *f.*
bast *m.* **1** *(v. boom)* écorce *f.*; **2** *(v. peulvruchten)* cosse, gousse *f.*; **3** *(v. noot)* écale *f.*, brou *m.*; **4** *(v. kastanje)* bogue *f.*; **5** *(fam.: lijf)* panse *f.*; ventre *m.*
bas'ta! *tw.* assez! suffit! fini!
bas'taard, bas'terd I *m.* **1** bâtard *m.*; **2** *(dier, plant)* hybride *m.*; **II** *b.n.* bâtard.
bas'taarddier, bas'terddier *o.* hybride *m.*, bête *f.* métisse.
bas'taardfazant, bas'terdfazant *m.* coquard *m.*
bas'taardhond, bas'terdhond *m.* chien *m.* bâtard.
bastaardij' *v.* bâtardise *f.*
bas'taardnachtegaal, bas'terdnachtegaal *m.* fauvette *f.* hybride.
bas'taardsoort, bas'terdsoort *v.* espèce *f.* hybride.
bas'taardsuiker, bas'terdsuiker *m.* cassonade *f.* blanche, — blonde.
bas'taardvloek, bas'terdvloek *m.* juron *m.* camouflé.
bas'taardwoord, bas'terdwoord *o.* mot *m.* étranger.
Bas'tenaken *o.* Bastogne.
bas'terd(-), *zie* ***bastaard(-).***
Bas'tiaan *m.* Sébastien *m.*
bastion' *o.* *(mil.)* bastion *m.*
bas'zanger *m.* basse *f.*
bat *o.* battoir *m.*, batte *f.*
Bataaf' *m.* Batave *m.*
Bataafs' *b.n.* batave.
bataljon' *o.* *(mil.)* bataillon *m.*
bataljons'commandant, -kommandant *m.* *(mil.)* chef *m.* de bataillon.
Batavier' *m.* Batave *m.*
ba'te, *zie* ***baat.***
ba'ten *on.w.* être utile, servir (à); ***niets —,*** ne servir de rien.

ba'tig *b.n.* avantageux; — ***saldo,*** solde *m.* créditeur, — en bénéfice; — ***slot,*** excédent *m.* de recettes.
ba'tik *m.* batik *m.*
ba'tikken *on.w. en ov.w.* faire du batik, batiker.
batist' *o.* batiste *f.*
batis'ten *b.n.* de batiste.
batterij' *v.* batterie *f.*; ***droge —,*** pile *f.* sèche.
batterij'bak *m.* (*el.*) auge *f.* [militaire.
batt'ledress *m.* tenue *f.* de combat, uniforme *m.*
bauxiet' *o.* bauxite *f.*
baviaan' *m.* **1** babouin *m.*; **2** (*fig.*) Moricaud *m.*
bazaar', bazar' *m.* bazar *m.*
bazalt(-), *zie* ***basalt(-).***
bazar', *zie* ***bazaar.***
Ba'zel *o.* Bâle *f.*
ba'zelen *on.w.* radoter.
Ba'zels *b.n.* bâlois.
ba'zig *b.n.* dominateur, autoritaire. [taire.
ba'zigheid *v.* caractère *m.* impérieux, — autori-
bazin' *v.* **1** patronne, maîtresse *f.*; **2** (*fig.*) virago *f.*
bazuin' *v.(m.)* trompette *f.*
bazuin'blazer *m.* trombone *m.*
bazuin'geschal *o.* son *m.* de la trompette.
bea'deming *v.* respiration *f.* artificielle d'urgence, insufflation *f.* bouche à bouche.
beamb'te *m.-v.* **1** (*alg.*) employé *m.*; **2** (*aan loket*) préposé *m.* [convenir de.
bea'men *ov.w.* être d'accord avec, acquiescer à,
bea'ming *v.* acquiescement *m.*; assentiment *m.*, approbation *f.*
beangst' *b.n.* inquiet, anxieux, saisi de frayeur; — ***maken,*** inquiéter, effrayer.
beangst'heid *v.* inquiétude, anxiété *f.*
beang'stigen *ov.w.* inquiéter, effrayer, alarmer.
Be'atrix *v.* Béatrice *f.*
beant'woorden *ov.w.* répondre à.
beant'woording *v.* réponse *f.*
bear'beiden, *zie* ***bewerken.*** [sang.
bebloed' *b.n.* ensanglanté, en sang, taché de
bebloe'den *ov.w.* couvrir de sang, ensanglanter.
beboe'ten *ov.w.* mettre à l'amende, infliger une amende (à). [à une amende.
beboe'ting *v.* mise *f.* à l'amende, condamnation *f.*
bebos'sen *ov.w.* boiser.
bebos'sing *v.* (re)boisement *m.*
bebouw'baar *b.n.* cultivable, arable.
bebouwd' *b.n.* **1** cultivé; **2** ***—e kom,*** agglomération *f.*; ***—e oppervlakte,*** superficie construite, zône bâtie.
bebou'wen *ov.w.* **1** (*akker*) cultiver; **2** (*woest terrein: ontginnen*) défricher; **3** (*met gebouwen bezetten*) élever des bâtiments sur, couvrir de bâtiments.
bebou'wing *v.* **1** culture *f.*; **2** défrichement *m.*; **3** construction *f.*
becij'feren *ov.w.* **1** (*berekenen*) calculer; **2** (*in cijfers schrijven*) chiffrer.
becij'fering *v.* **1** calcul *m.*; **2** chiffrage *m.*
beconcurre'ren, bekonkurre'ren *on.w.* concurrencer, faire concurrence à.
bed *o.* **1** lit *m.*; **2** (*tuin—*) carré *m.*, planche, couche *f.*; **3** (*bloem—*) parterre *m.*, plate-*bande* *f.*; **4** (*v. delfstof*) gisement, lit *m.*, couche *f.*; ***een — asperges,*** un plant d'asperges; ***armzalig —,*** grabat *m.*; ***het — houden,*** garder le lit; ***het — moeten houden,*** être retenu au lit; ***naar — brengen,*** coucher, mettre au lit; ***naar — gaan,*** (aller) se coucher, se mettre au lit; (*v. zieke*) s'aliter; ***uit — springen,*** sauter du lit; sauter à bas du lit; ***scheiding van tafel en —,*** séparation de corps et de biens.
bedaagd' *b.n.* âgé, avancé en âge.
bedaagd'heid *v.* âge *m.* avancé.
bedaard' I *b.n.* calme, tranquille, posé; **II** *bw.* avec calme; tranquillement, posément.
bedaard'heid *v.* calme *m.*, tranquillité, sérénité *f.*
bedacht' *b.n.* ***op iets — zijn,*** **1** (*voorbereid zijn*) s'attendre à qc.; **2** (*plan hebben*) se préparer à qc., songer à qc.
bedacht'zaam I *b.n.* circonspect, prudent, avisé; **II** *bw.* avec circonspection, avec prudence.
bedacht'zaamheid *v.* circonspection, prudence *f.*
bedam'men *ov.w.* endiguer.
bedan'ken I *ov.w.* **1** (*dank betuigen*) remercier; **2** (*afdanken*) remercier, congédier, renvoyer; **II** *on.w.* (*afwijzen*) remercier, refuser, décliner; ***voor een benoeming —,*** ne pas accepter une nomination; ***voor de eer —,*** décliner l'honneur; ***voor een uitnodiging —,*** refuser une invitation; — ***voor een dagblad,*** se désabonner.
bedank'je *o.* remercîment *m.*; ***dat is wel een — waard,*** cela vaut bien un merci, cela vaut toujours la peine de dire merci.
beda'ren I *ov.w.* apaiser, calmer; tranquilliser; **II** *on.w.* **1** s'apaiser, se calmer; se tranquilliser; **2** (*sch.*) calmer; ***de wind zal —,*** le vent va calmer; ***tot — brengen,*** apaiser, calmer.
beda'ring *v.* apaisement *m.*, accalmie *f.*
bedauwd' *b.n.* couvert de rosée.
bedau'wen *ov.w.* couvrir de rosée.
bed'dedeken *v.(m.)* couverture *f.* de lit.
bed'degoed *o.* literie *f.*
bed'dekleedje *o.* descente *f.* de lit.
bed'delaken *o.* drap *m.* de lit.
bed'denwinkel *m.* magasin *m.* de literie.
bed'depan, bed'pan *v.(m.)* bassinoire *f.*
bed'deplank *v.(m.)* planche *f.* de lit.
bed'desprei, bed'sprei *v.(m.)* **1** couvre-lit* *m.*; **2** (*gestikte deken*) courtepointe *f.*
bed'detijk *o.* coutil *m.* [bassinoire *f.*
bed'dewarmer, bed'warmer *m.* chauffe-lit* *m.*,
bed'dezak *m.* enveloppe, douille *f.*
bed'ding *v.(m.)* **1** (*v. rivier*) lit *m.*; **2** (*v. kanon*) plate*-forme* *f.*; **3** (*v. draaibank*) chariot *m.*; **4** (*laag*) couche *f.*; ***een — van beton,*** (*tn.*) un lit de béton. [supplication *f.*
be'de *v.(m.)* **1** prière, demande *f.*; **2** (*smeek—*)
be'dedag *m.* jour *m.* de prières publiques.
bedeeld' *b.n.* assisté; — ***met,*** doté de; ***goed*** (***slecht***) ***— zijn,*** être bien (mal) partagé; ***ruim — met aardse goederen,*** largement pourvu des biens de la terre; — ***worden,*** être secouru (par l'assistance publique). [les pauvres.
bedeel'de *m.-v.* assisté(e) *m.(f.)*; ***de —n,*** *ook:*
bedeesd' *b.n.* timide.
bedeesd'heid *v.* timidité *f.*
be'dehuis *o.* maison *f.* de prière; (*prot.*) temple *m.*
bedek'ken I *ov.w.* **1** (*dekken*) couvrir; **2** (*verbergen*) cacher; **3** (*beschutten*) abriter, mettre à couvert de; **4** (*bewimpelen*) voiler, déguiser; **5** (*met aarde*) terrer; **6** (*met stro*) pailler; ***in bedekte termen,*** à mots couverts; ***zijn inzichten —,*** dissimuler ses intentions; **II** *w.w.* ***zich —,*** se couvrir.
bedek'king *v.* **1** (*waarmee men dekt*) couverture *f.*; **2** (*bekleding*) revêtement *m.*; **3** (*mil.: geleide*) escorte *f.*
bedekt' *b.n.* **1** couvert, caché, voilé; ***—e lucht,*** ciel couvert; **2** (*geheim*) secret.
bedekt'bloeiend *b.n.* (*Pl.*) cryptogame.
bedek'telijk *bw.* **1** en cachette; **2** (*woorden*) à mots couverts.
be'delaar *m.* mendiant, gueux *m.*

be'delaarskolonie *v.* dépôt *m.* de mendicité.
bedelares' *v.* mendiante, gueuse *f.*
bedelarij' *v.* mendicité *f.*
be'delbrief *m.* demande *f.* de secours, lettre *f.* de [quête.
be'delbroeder *m.* frère *m.* quêteur.
be'delen I *on.w.* mendier; demander l'aumône, demander la charité; **II** *ov.w.* mendier, quémander; ***om een gunst —,*** quémander (*of* solliciter) une faveur.
bede'len *ov.w.* secourir, assister.
bede'ling *v.* assistance *f.* publique; ***van de — krijgen,*** être assisté.
be'deljongen *m.* petit mendiant *m.*
be'delmonnik *m.* moine *m.* quêteur, frère *m.* —.
be'delorde *v.* ordre *m.* mendiant.
be'delstaf *m.* ***tot de — brengen,*** réduire à la besace, — à la mendicité.
be'deltroep *m.* troupe *f.* de mendiants, — de gueux.
bedel'ven I *ov.w.* enfouir; **II** *z.n.* ***het —,*** l'enfouissement *m.*
be'delvolk *o.* tas *m.* de gueux, gueusaille *f.*
be'delzak *m.* besace *f.*
be'delzuster *v.* sœur *f.* quêteuse.
beden'kelijk *b.n.* **1** (*gevaarlijk*) périlleux; critique; **2** (*overdenkenswaardig*) digne de réflexion; **3** (*ongerustheid wekkend*) (assez) grave, (assez) inquiétant; **4** (*v. zaak*) sujet à caution; **5** (*v. gezicht*) grave, préoccupé; ***er — uitzien,*** donner à réfléchir.
beden'kelijkheid *v.* caractère *m.* grave, — inquiétant, — hasardeux.
beden'ken I *ov.w.* **1** (*denken aan*) penser à, songer à, réfléchir à; **2** (*overwegen*) considérer, prendre en considération, réfléchir à; **3** (*uitdenken*) imaginer, inventer; **4** (*met iets begiftigen, nalaten*) penser à, se souvenir de; ***middelen —,*** chercher des moyens; ***ik zal je goed —,*** je ne t'oublierai pas; **II** *w.w.* ***zich —,*** **1** (*nadenken*) réfléchir; **2** (*aarzelen*) hésiter; **3** (*van gedachte veranderen*) se raviser, changer d'avis; ***zich geen tweemaal —,*** ne pas y regarder à deux fois; ***zonder —,*** sans hésitation, sans scrupule.
beden'king *v.* **1** (*overweging*) réflexion, considération *f.*; **2** (*tegenwerping, bezwaar*) remarque, objection *f.*
bedenk'sel *o.* invention *f.*
bedenk'tijd *m.* temps *m.* de réflexion, délai *m.* (pour se résoudre).
be'deplaats *v.*(*m.*) lieu *m.* de pèlerinage.
bederf' *o.* **1** corruption *f.*; **2** (*verrotting*) putréfaction *f.*; **3** (*fig.*) corruption *f.*; (*v. zeden*) dépravation *f.*; ***aan — onderhevige artikelen,*** produits périssables.
beder'felijk *b.n.* corruptible, périssable.
beder'felijkheid *v.* corruptibilité *f.*
bederf'werend *b.n.* antiseptique, imputrescible.
beder'ven I *ov.w.* **1** (*kind*) gâter; **2** (*voorwerp*) abîmer, endommager; **3** (*zeden*) corrompre, dépraver; **4** (*koopwaren*) détériorer; **5** (*doen rotten*) putréfier; **6** (*de lucht*) vicier; **7** (*maag*) déranger, délabrer; **8** (*vreugde*) troubler; **9** (*markt, ambacht*) gâcher; **II** *on.w.* **1** (*v. waren*) se détériorer, se gâter, se corrompre; **2** (*melk, bier, enz.*) tourner; **3** (*v. vlees*) se corrompre, se gâter; **III** *z.n., o.* ***het —,*** la détérioration.
beder'ver *m.* corrupteur *m.*
be'devaart, bee'vaart *v.*(*m.*) pèlerinage *m.*
be'devaartganger *m.* pèlerin *m.*
be'devaartplaats *v.*(*m.*) (lieu *m.* de) pèlerinage *m.*
bed'gordijn *o. en v.*(*m.*) rideau *m.* de lit, courtine *f.*
bedie'naar *m.* ***— van de eredienst,*** ministre du culte; ***— van de H. Mis,*** célébrant; ***— van begrafenissen,*** employé des pompes funèbres, agent —; (*fam.*) croquemort.
bediend' *b.n.* (*kath.*) administré, muni des Sacrements de l'Église.
bedien'de *m.-v.* **1** (*huis—*) domestique *m. et f.*; serviteur *m.*, servante *f.*; valet *m.*; **2** (*koffiehuis—*) garçon *m.*; **3** (*winkel, kantoor*) commis, employé *m.*
bedien'denkamer *v.*(*m.*) office *m.*, chambre *f.* de domestiques.
bedien'denloon *o.* gages *m.pl.*
bedien'denvolkje *o.* valetaille *f.*
bedie'nen I *ov.w.* **1** (*iemand*) servir; **2** (*kath.*) (*stervende*) administrer (les derniers sacrements); **3** (*parochie*) desservir; **4** (*mil. en tn.*) servir; **II** *w.w.* ***zich —,*** se servir; ***zich — van iets,*** se servir de qc.
bedie'ning *v.* **1** (*het bedienen*) service *m.*; ***prompte —,*** service soigné; ***de — is slecht,*** on est mal servi; **2** (*hantering*) maniement *m.*; **3** (*kath.*) (*v. stervende*) administration *f.* des sacrements; **4** (*prot.: — van het Avondmaal*) ministère *m.* de la Cène.
bedie'ningsautomaat *m.* servostat *m.*
bedie'ningsgeld *o.* service *m.*
bedie'ningsknop *m.* commande *f.*
bedie'ningsmanschappen *mv.* servants *m.pl.*
bedie'ningsmechanisme *o.* timonerie *f.* de commande.
bedie'ningsmotor *m.* servo-moteur* *m.*
bedij'ken *ov.w.* endiguer.
bedij'king *v.* endiguement *m.*
bedil'al *m.* critiqueur, chicaneur *m.*; ***hij is een —,*** c'est Gros-Jean qui veut en remontrer à son curé.
bedil'len *ov.w.* critiquer, chicaner, trouver à redire (à).
bedil'ler *m.* chicaneur *m.*
bedil'ziek *b.n.* chicanier.
bedil'zucht *v.*(*m.*) esprit *m.* de chicane.
beding' *o.* condition, stipulation *f.*; ***onder — dat,*** à condition que; ***onder geen —,*** à aucune condition.
bedin'gen *ov.w.* conditionner, stipuler.
bedin'ging *v.* condition, stipulation *f.*
bedis'selen *ov.w.* **1** (*tn.*) doler; **2** (*fig.*) préparer, arranger; **3** (*ong.*) manigancer.
bedis'seling *v.* **1** dolage *m.*; **2** arrangement *m.*
bed'jasje *o.* liseuse *v.*
bed'je *o.* petit lit *m.*, couchette *f.*
bed'lampje *o.* lampe *f.* de chevet.
bedle'gerig *b.n.* alité; ***— worden,*** s'aliter.
bedle'gerigheid *v.* alitement *m.*
bedoeïen' *m.* Bédouin *m.*
bedoel'de(e) *b.n.* ledit, ladite, lesdits, lesdites.
bedoe'len *ov.w.* **1** (*ten doel hebben*) viser (à); **2** (*vóórhebben*) avoir en vue, se proposer; **3** (*menen*) entendre, vouloir dire; ***hij bedoelt er geen kwaad mee,*** il n'y entend pas malice; ***hij bedoelt het goed,*** il a les meilleures intentions; ***wat bedoelt u?*** que voulez-vous dire? ***wie bedoelt u?*** de qui voulez-vous parler?
bedoe'ling *v.* intention *f.*, dessein *m.*; ***het ligt in de — van de regering,*** il entre dans les intentions du gouvernement de; ***zonder kwade —,*** sans y entendre malice, sans intention malveillante.
bedol'ven *b.n.* enfoui, enseveli.
bedompt' *b.n.* **1** (*benauwd*) étouffant, accablant; **2** (*slecht verlucht*) mal aéré; **3** (*v. weer*) couvert; **4** (*beslagen*) (*Z.N.*) couvert de buée; ***het is hier —,*** ça sent le renfermé ici.
bedompt'heid *v.* manque *m.* d'air, odeur *f.* de renfermé.
bedor'ven, *zie* ***bederven.***
bedor'venheid *v.* corruption *f.*; dépravation *f.*

bedot'ten *ov.w.* duper, tromper, mystifier.
bedot'ter *m.* trompeur, mystificateur *m.*
bedotterij' *v.* tromperie, mystification *f.*
bed'pan, bed'depan *v.(m.)* bassinoire *f.*
bedrag' *o.* montant *m.*, somme *f.*, total *m.*; ***het gezamenlijk —,*** le total; ***tot een — van 800 fr.,*** jusqu'à concurrence de 800 frs.
bedra'gen *on.w.* se monter à, s'élever à.
bedrei'gen (***met***) *ov.w.* menacer (de).
bedrei'ging *v.* menace *f.*
bedrem'meld *b.n.* confus, décontenancé.
bedrem'meldheid *v.* confusion *f.*
bedre'ven *b.n.* **1** habile (à); **2** (*in wiskunde, vertaling*) fort (en); **3** (*wetenschap*) versé (dans); **4** (*zaken*) rompu (à).
bedre'venheid *v.* habileté, adresse *f.*
bedrie'gen *ov.w.* **1** tromper; **2** (*verschalken*) duper; **3** (*door schijn*) abuser, décevoir; **4** (*bij spel*) tricher; ***schijn bedriegt,*** les apparences sont trompeuses.
bedrie'ger *m.* **1** (*alg.*) trompeur, imposteur *m.*; **2** (*oplichter*) escroc *m.*; **3** (*bij spel*) tricheur *m.*
bedriegerij' *v.* **1** tromperie, duperie, imposture *f.*; **2** escroquerie *f.*; **3** tricherie *f.*
bedrieg'lijk *b.n.* **1** trompeur, fallacieux, décevant; **2** (*met ontduiking van verbod, enz.*) frauduleux; **3** (*vals*) faux. [lusoire.
bedrieg'lijkheid *v.* caractère *m.* trompeur, — il-
bedrijf' *o.* **1** (*handeling*) action *f.*, acte *m.*; **2** (*beroep*) profession *f.*, métier, état *m.*; **3** (*deel v. toneelstuk*) acte *m.*; ***onder de bedrijven door,*** entretemps, en même temps.
bedrijfs'adviseur *m.* conseil *m.* industriel.
bedrijfs'belasting *v.* impôt *m.* sur les revenus professionnels, patente *f.*
bedrijf'schap *o.* fédération *f.*; groupement *m.* (d'après les professions).
bedrijfs'economie, -ekonomie *v.* économie *f.* industrielle.
bedrijfs'groep *v.(m.)* groupement *m.* économique.
bedrijfs'hoofd *o.* patron *m.*
bedrijfs'huishoudkunde *v.* économie *f.* industrielle. [sionnels.
bedrijfs'inkomsten *mv.* revenus *m.pl.* profes-
bedrijfs'kapitaal *o.* fonds *m.* de roulement.
bedrijfs'klaar *b.n.* à pied d'œuvre, prêt à fonctionner, en état de marche.
bedrijfs'kosten *mv.* frais *m.pl.* d'exploitation, — généraux.
bedrijfs'leer *v.(m.)* technologie *f.*
bedrijfs'leider *m.* chef *m.* de service; gérant *m.*
bedrijfs'leiding *v.* direction, gestion *f.*
bedrijfs'leven *o.* vie *f.* industrielle.
bedrijfs'ongeval *o.* accident *m.* du travail.
bedrijfs'ordening *v.* organisation *f.* professionnelle.
bedrijfs'organisatie, -organizatie *v.* organisation *f.* professionnelle, — d'économie; ***publiekrechtelijke —,*** organisation professionnelle de droit public.
bedrijfs'raad *m.* conseil *m.* d'exploitation.
bedrijfs'regeling *v.* réglementation *f.* des professions.
bedrijfs'schade *v.* dommages *m.pl.* d'exploitation.
bedrijfs'storing *v.* chômage *m.* professionnel, interruption *f.* du travail.
bedrijfs'tak *m.* groupement *m.* économique; branche *f.* d'activité.
bedrijfs'veiligheid *v.* sécurité *f.* du travail.
bedrijfs'vergunning *v.* licence *f.* d'exploitation.
bedrijfs'vermogen *o.* capital *m.* engagé.
bedrijfs'verzekering *v.* assurance-exploitation *f.*
bedrijfs'zekerheid *v.* sécurité *f.* du travail.
bedrij'ven *ov.w.* faire, commettre.
bedrij'vend *b.n.* actif.
bedrij'ver *m.* auteur *m.*
bedrij'vig *b.n.* **1** (*werkzaam*) actif; **2** (*druk bezig*) affairé; **3** (*met druk verkeer*) animé.
bedrij'vigheid *v.* **1** activité *f.*; **2** animation *f.*; ***een grote — aan de dag leggen,*** déployer une grande activité.
bedrin'ken, *zich —,* *w.w.* s'enivrer.
bedroefd' **I** *b.n.* **1** triste, attristé, affligé; **2** (*diep —*) désolé; **3** (*erbarmelijk*) triste; pauvre, pitoyable; **II** *bw.* tristement, pitoyablement; ***— weinig,*** très peu. [lation *f.*
bedroefd'heid *v.* tristesse, affliction *f.*; déso-
bedroe'ven **I** *ov.w.* attrister, affliger; désoler; **II** *w.w.* ***zich — (over),*** s'attrister (de), s'affliger (de); se désoler (de).
bedroe'vend *b.n.* **1** triste, affligeant; **2** désolant; **3** triste, pitoyable.
bedrog' *o.* **1** (*alg.*) tromperie *f.*; **2** (*in handel*) fraude *f.*; **3** (*schurkenstreek*) fourberie *f.*; **4** (*door misleiding, list*) imposture, supercherie *f.*; **5** (*bij spel*) tricherie *f.*; **6** (*zins—*) illusion *f.* (d'optique).
bedro'gen *b.n.* trompé; ***— uitkomen,*** faire un marché de dupe.
bedro'gene *m.-v.* dupe *f.*
bedron'ken *b.n.* ivre, gris.
bedrui'pen **I** *ov.w.* (*vlees*) arroser; **II** *w.w.* ***hij kan zich zelf —,*** il se suffit à lui-même, il gagne son pain, il suffit à ses propres besoins.
bedruk'ken *ov.w.* imprimer.
bedrukt' *b.n.* affligé, abattu; ***er — uitzien,*** avoir l'air triste. [tristesse *f.*
bedrukt'heid *v.* abattement *m.*, affliction *f.*;
bed'schakelaar *m.* va-et-vient *m.*
bed'sermoen *o.* semonce *f.* conjugale.
bed'sprei, *zie* ***beddesprei.***
bed'ste(d)e *v.(m.)* lit *m.* d'alcôve, lit*-armoire* *m.*
bed'stro *o.* paille *f.* de lit; ***verhuizen kost —,*** trois déménagements valent un incendie.
bed'tijd *m.* temps *m.* de se coucher.
beducht' *b.n.* inquiet; ***— zijn voor iem.,*** redouter qn., craindre qn.
beducht'heid *v.* inquiétude, peur *f.*
bedui'den *ov.w.* **1** (*aanwijzen*) indiquer; **2** (*uitleggen*) expliquer, faire comprendre; **3** (*betekenen*) signifier, vouloir dire; **4** (*voorspellen*) annoncer, présager; ***dat heeft niets te —,*** cela n'a pas d'importance, cela ne tire pas à conséquence.
bedui'melen *ov.w.* salir avec les doigts, salir en maniant, souillonner. [avis.
bedun'ken *o.* avis *m.*, opinion *f.*; ***mijns —s,*** à mon
beduusd' *b.n.* confus, interdit.
bedu'velen *ov.w.* flouer (qn.).
bedwang' *o.* contrainte *f.*; ***in — houden,*** **1** (*vijand*) tenir en échec; **2** (*paard, enz.*) maîtriser.
bed'warmer, bed'dewarmer *m.* bassinoire *f.*, chauffe-lit* *m.* [grisé.
bedwelmd' *b.n.* **1** étourdi; **2** (*door drank, vreugde*)
bedwel'men *ov.w.* **1** étourdir; **2** (*door drank en fig.*) griser, enivrer.
bedwel'mend *b.n.* **1** étourdissant; **2** enivrant; ***een — middel,*** (*gen.*) un narcotique, un stupéfiant.
bedwel'ming *v.* **1** étourdissement *m.*; **2** griserie *f.*; **3** (*gen.*) narcose *f.*
bedwin'gen **I** *ov.w.* **1** (*onderwerpen*) subjuguer; **2** (*dier*) dompter, maîtriser; **3** (*woede, tranen*) contenir; **4** (*driften*) dompter, maîtriser; **5** (*oproer*) triompher de, réprimer; **II** *w.w.* ***zich —,*** se contenir, se maîtriser; **III** *z.n., o.* ***het —,*** la sujétion, la répression, la maîtrise; ***het — van***

een oproer, la répression d'une révolte; ***het — van een volksstam,*** la soumission d'une tribu.
beë'digd *b.n.* **1** (*ambtenaar*) assermenté; **2** (*vertaler, enz.*) juré; **3** (*getuigenis*) fait sous la foi du serment.
beë'digen *ov.w.* **1** (*ambtenaar*) assermenter; **2** (*de eed doen afleggen, getuigenis, enz.*) faire prêter serment à, faire jurer; **3** (*iets*) affirmer par serment, jurer. [**2** confirmation *f.* par serment.
beë'diging *v.* **1** prestation *f.* de (*of* du) serment;
beëin'digen *ov.w.* finir, terminer, achever.
beëin'diging *v.* **1** (*v. werk*) achèvement *m.*; **2** (*v. dienst, huur, enz.*) expiration *f.*
beek *v.(m.)* ruisseau *m.*
beek'je *o.* petit ruisseau, ruisselet *m.*
beeld *o.* **1** (*alg.*) image *f.*; **2** (*beeltenis, evenbeeld*) portrait *m.*; **3** (*stand—*) statue *f.*; **4** (*borst—*) buste *m.*; **5** (*taalk.*) métaphore *f.*; ***naar Gods —,*** à l'image de Dieu; ***zij is een — van een meisje,*** elle est belle comme le jour; ***een — van een vrouw,*** une beauté.
beeld'buis *v.(m.)* tube *m.* cathodique.
beel'denaar *m.* effigie *f.* [ques.
beel'dend *b.n.* ***de —e kunsten,*** les arts plasti-
beel'dendienaar *m.* iconolâtre *m.*
beel'dendienst *m.* iconolâtrie *f.*
beel'dengalerij *v.* galerie *f.* de sculpture.
beel'denstorm *m.* mouvement *m.* (*of* rage *f.*) iconoclaste, bris *m.* des images.
beel'd(en)stormer *m.* iconoclaste *m.*
beel'd(er)ig *b.n.* charmant, mignon, exquis, joli (comme un cœur); ***een — hoedje,*** un amour de chapeau.
beeld'frequentie, -frekwentie *v.* fréquence *f.* d'images, — des images, —-image, — video.
beeld'gieter *m.* fondeur *m.* de statues.
beeldgieterij' *v.* fonderie *f.* de statues.
beeld'houwen I *ov.w.* sculpter; **II** *z.n., o.* ***het —,*** la sculpture. [*standbeelden*) statuaire *m.*
beeld'houwer *m.* **1** (*alg.*) sculpteur *m.*; **2** (*v.*
beeldhouwerij' *v.*, **beeldhouwerswerkplaats** *v.(m.)* atelier *m.* de sculpture.
beeld'houwkunst *v.* sculpture *f.* [sculpté.
beeld'houwwerk *o.* sculpture *f.*, ouvrage *m.*
beel'dig, *zie* ***beelderig.***
beeld'je *o.* statuette, figurine *f.*
beeld'lijn *v.(m.)* (*televisie*) ligne *f.*; ***—en,*** linéature *f.*
beeld'rijk *b.n.* fleuri, imagé, riche en images, riche en métaphores. [imagé.
beeld'rijkheid *v.* richesse *f.* d'images, style *m.*
beeld'roman *m.* histoire *f.* en images, strip *m.*
beeld'scherm *o.* **1** écran *m.*; **2** (*televisie*) petit écran.
beeld'scherpte *v.* finesse *f.* d'image.
beeld'schoon *b.n.* de toute beauté, merveilleusement beau.
beeld'schrift *o.* hiéroglyphes *m.pl.*
beeld'signaal *o.* indicatif *m.* d'appel.
beeld'snijden *o.* sculpture *f.* en bois, — en ivoire.
beeld'spraak *v.(m.)* langage *m.* figuré, métaphore *f.*
beeld'statistiek *v.(m.)* statistique *f.* dessinée.
beeld'stormer, *zie* ***beeldenstormer.***
beeld'veld *o.* (*v. lens*) champ *m.* de lentille, — de lunette.
beeld'verhaal *o.* bande *f.* dessinée.
beeld'werk *o.* ornements *m.pl.* de sculpture, ouvrage *m.* de sculpture; ***verheven —,*** relief *m.*
beeld'zoeker *m.* (*fot.*) viseur *m.*
beel'tenis *v.* **1** image *f.*, portrait *m.*; **2** (*op munten*) effigie *f.*
Beël'zebub *m.* Belzébuth *m.*
beemd *m.* pâturage *m.*, prairie *f.*, pré *m.*
beemd'gras *o.* (*Pl.*) pâturin *m.*
been *o.* **1** (*mv. benen*) jambe *f.*; **2** (*mv. beenderen*) os *m.*; **3** (*v. passer, tang, enz.*) branche .; **4** (*v. hoek*) côté *m.*; **5** (*v. letter*) jambage *m.*; ***het gaat mij door merg en —,*** cela me fend l'âme; ***hij ziet er geen — in om,*** il ne se fait aucun scrupule de, il ne fait aucun cas de; ***hij is met 't verkeerde — uit bed gestapt,*** il a marché sur quelque mauvaise herbe; ***benen maken,*** prendre ses jambes à son cou, courir à toutes jambes; ***op de — brengen,*** mettre sur pied; ***weer op de — helpen,*** remettre sur pied; ***hij is weer op de —*** (*hersteld*)***,*** il est remis; ***op eigen benen kunnen staan,*** se suffire à soi-même, voler de ses propres ailes; ***vlug ter — zijn,*** être ingambe, avoir ses jambes de quinze ans; ***hij kan op zijn benen niet staan,*** il ne tient pas sur ses jambes; ***ik voel mijn benen niet meer,*** je n'ai plus de jambes.
been'achtig *b.n.* osseux.
been'breuk *v.(m.)* (*gen.*) fracture *f.* (d'une jambe, d'un os).
been'dergestel *o.* système *m.* osseux.
been'derhuis *o.* charnier *m.*
been'derlijm *m.* colle *f.* d'os.
been'dermeel *o.* poudre *f.* d'os, poussière *f.* —.
been'derolie *v.(m.)* huile *f.* de pied de bœuf.
been'derstelsel *o.* système *m.* osseux.
been'derweefsel *o.* tissu *m.* osseux.
been'eter *m.* carie *f.* des os, gangrène *f.* —.
been'houwer *m.* boucher *m.*
been'kap *v.(m.)* guêtre, jambière *f.*
been'ontsteking *v.* ostéite *f.* [*f.* (d'os).
been'splinter *m.* **1** éclat *m.* d'os; **2** (*gen.*) esquille
been'stuk *o.* jambière *f.*
been'tje *o.* **1** petite jambe *f.*; **2** osselet *m.*; ***iem. een — lichten,*** **1** donner un croc-en-jambe à qn., passer la jambe à qn.; **2** (*fig.*) supplanter qn.; ***zijn beste — voorzetten,*** se montrer à son avantage.
been'vlies *o.* périoste *m.*
been'vliesontsteking *v.* périostite *f.*
been'windsel *o.* (bande) molletière *f.*
been'zwart *o.* noir *m.* animal, — d'os.
beer *m.* **1** (*roofdier*) ours *m.*; **2** (*zwijn*) verrat *m.*; **3** (*waterkering*) bâtardeau *m.*; **4** (*schoor*) contrefort *m.*; **5** (*schuld*) dette *f.* (criarde); (*schuldeiser*) créancier *m.*; **6** (*heiblok*) mouton, bélier *m.*; **7** (*fecaliën*) vidanges; matières *f.pl.* fécales; (*sterr.*) ***de Grote B—,*** la grande Ourse, le grand Chariot; ***de Kleine B—,*** la petite Ourse, le petit Chariot; ***een ongelikte —,*** un ours mal léché; ***de huid verkopen voor men de — geschoten heeft,*** vendre la peau de l'ours avant qu'on l'ait mis par terre; ***op de — kopen,*** acheter à crédit.
beer'kar *v.(m.)* tombereau *m.* de vidangeur, voiture *f.* —.
beer'put *m.* fosse *f.* d'aisance.
Beert *o.* Brages.
beër'ven *ov.w.* hériter (de).
beër'ving *v.* héritage *m.*
beest *o.* **1** bête *f.*, animal *m.*; **2** (*bruut*) brute, bête *f.*; ***de — spelen,*** faire le diable à quatre.
beest'achtig *b.n.* bestial, brutal; ***— lawaai,*** bruit *m.* infernal.
beest'achtigheid *v.* bestialité, brutalité *f.*
bees'tenmarkt *v.(m.)* marché *m.* au bétail.
bees'tenspel *o.* ménagerie *f.*
bees'tenstal *m.* étable *f.*
bees'tentemmer *m.* dompteur *m.*
bees'tenvoe(de)r *o.* fourrage *m.*
bees'tenwagen *m.* wagon *m.* à bestiaux.

bees'tig, *zie* ***beestachtig.***
beest'je *o.* petite bête, bestiole *f.*, animalcule *m.*; ***—s hebben,*** avoir de la vermine, être couvert de vermine.
beest'mens *m.* brute *f.*
beet I *v.(m.)* (*Pl.*) betterave *f.*; **II** *m.* **1** (*handeling*) coup *m.* de dents, morsure *f.*; **2** (*wond*) morsure *f.*; **3** (*v. insekt*) piqûre *f.*; **4** (*hap*) bouchée *f.*
beet'hebben I *ov.w.* **1** attraper; **2** (*fig.*) duper, mystifier; ***men heeft hem beetgehad,*** on l'a dupé, on l'a mis dedans; **II** *on.w.* ***ik heb beet,*** ça mord, le poisson mord.
beet'je *o.* **1** (*kleine hoeveelheid*) petite quantité *f.*, un peu *m.*; **2** (*hapje*) petite bouchée *f.*; ***lekkere —s,*** de bons morceaux; ***— bij —,*** petit à petit; ***bij —s,*** à petites doses; ***van stukje tot — vertellen,*** raconter de fil en aiguille; ***alle —s helpen,*** tout fait nombre, il n'y a pas de petits profits.
beet'krijgen *ov.w.* saisir, prendre.
beet'nemen *ov.w.* **1** prendre, saisir, attraper; **2** (*fig.*) duper, rouler; ***zich laten —,*** se laisser prendre, se laisser duper.
beet'pakken *ov.w.* saisir, empoigner.
Beetsjoea'naland *o.* Bechuanaland.
beet'wortel *m.* betterave *f.*
beet'wortelsuiker *m.* sucre *m.* de betterave(s).
bee'vaart, be'devaart *v.(m.)* pèlerinage *m.*
bef *v.(m.)* rabat *m.*
befaamd' *b.n.* renommé, célèbre.
befaamd'heid *v.* renommée, célébrité *f.*
bef'lijster *v.(m.)* (*Dk.*) merle *f.* à collier, — à plastron.
begaafd' *b.n.* doué; ***een — redenaar,*** un orateur éloquent; ***een — schrijver,*** un écrivain de talent.
begaafd'heid *v.* talent *m.*, dons *m.pl.* naturels, moyens *m.pl.*
begaan' I *b.n.* ***met iem. — zijn,*** avoir pitié de qn.; **II** *ov.w.* **1** (*over iets gaan*) marcher sur, passer sur; **2** (*bedrijven*) faire, commettre; ***de begane weg,*** le chemin battu; ***de begane grond,*** le rez-de-chaussée, le sol; **III** *on.w.* ***laten —,*** laisser faire.
begaan'baar *b.n.* praticable, viable.
begaan'baarheid *v.* viabilité *f.*
begeer'lijk *b.n.* **1** désirable; **2** (*gretig*) avide; ***een — ambt,*** un emploi enviable.
begeer'lijkheid *v.* **1** avidité *f.*; **2** (*v. rijkdommen*) cupidité *f.*; ***de — des vlezes,*** la convoitise de la chair.
begeer'te *v.* désir *m.*, envie *f.*
begelei'den *ov.w.* **1** accompagner; **2** (*mil.*) escorter; **3** (*sch.*) convoyer.
begelei'der *m.* **1** compagnon *m.*; **2** (*v. dieren*) meneur *m.*; **3** (*v. dame*) cavalier, chaperon *m.*; **4** (*muz.*) accompagnateur *m.*
begelei'ding *v.* **1** accompagnement *m.*; **2** (*mil.*) escorte *f.*; **3** (*sch.*) convoi *m.*
begeleid'ster *v.* **1** compagne *f.*; **2** (*muz.*) accompagnatrice *f.*
begena'digen *ov.w.* **1** gracier, faire grâce à; **2** (*staatsmisdrijf*) amnistier.
begena'diging *v.* **1** grâce *f.*, pardon *m.*; **2** amnistie *f.*
bege'ren *ov.w.* **1** (*verlangen*) désirer; **2** (*wensen*) souhaiter; **3** (*bezit*) convoiter.
bege'rig *b.n.* **1** désireux (de), avide (de); **2** (*inhalig*) cupide, convoiteux (de); **3** (*naar winst*) âpre (à); ***— naar roem,*** affamé de gloire; ***een —e blik,*** un regard avide.
bege'righeid *v.* avidité *f.*; cupidité *f.*
bege'ven I *ov.w.* **1** (*toekennen*) donner, conférer; **2** (*verlaten*) abandonner; ***zijn krachten — hem,*** ses forces l'abandonnent, — le trahissent; ***de krachten beginnen hem te —,*** les forces commencent à lui manquer; ***ik voel mijn krachten mij —,*** je sens mes forces défaillir; **II** *w.w.* ***zich —*** (***naar***), se rendre (*plaats:* à; *persoon:* chez), se diriger vers, partir pour; ***zich aan 't werk —,*** se mettre au travail; ***zich naar huis—,*** rentrer; ***zich op weg —,*** se mettre en route; ***zich ter ruste —,*** (aller) se coucher; ***zich in 't huwelijk —,*** se marier.
begie'ten (***met***) *ov.w.* arroser (de).
begie'ting *v.* arrosage, arrosement *m.*
begif'tigde *m.-v.* donataire *m.-f.*
begif'tigen(***met***) *ov.w.* **1** doter (de), gratifier (de); **2** (*natuur*) douer.
begif'tiger *m.* donateur *m.*
begif'tiging *v.* donation *f.*
begif'tigster *v.* donatrice *f.*
begijn' *v.* béguine *f.*
begijn'hof *o.* béguinage *m.*
begin' *o.* **1** commencement, début *m.*; **2** (*oorsprong*) origine *f.*; **3** (*v. jacht*) ouverture *f.*; ***een — nemen,*** commencer, prendre naissance; ***aan 't — van het boek,*** en tête du livre; ***van 't — tot het einde,*** d'un bout à l'autre; (*tijd*) depuis le commencement jusqu'à la fin; ***alle — is moeilijk,*** tout commencement est ardu, il n'y a que le premier pas qui coûte; ***een goed — is 't halve werk,*** a moitié fait qui commence bien; qui bien engrène, finit bien.
begin'kapitaal *o.* capital *m.* initial, — de base.
begin'koers *m.* course *m.* d'ouverture.
begin'letter *v.(m.)* (lettre) initiale *f.*
begin'neling *m.* commençant, débutant *m.*
begin'nen I *ov.w.* **1** commencer; **2** (*onderwerp, bespreking*) entamer; **3** (*ondernemen*) entreprendre; (*H.*) ***een zaak —,*** monter une affaire; ***— te,*** **1** (*handeling van langere duur*) commencer à (*of* de); **2** (*plotseling, van kortere duur*) se mettre à, se prendre à; ***— met,*** commencer par; ***wat te —?*** que faire? ***hij weet niet wat te —,*** il ne sait que faire, il ne sait de quel bois faire flèche; **II** *on.w.* **1** (*alg.*) commencer; **2** (*v. schrijver, toneelspeler, enz.*) débuter; ***daar is geen — aan,*** c'est la mer à boire; ***als hij daarover begint,*** quand il part sur ce sujet.
begin'ner *m.* commençant, débutant *m.*
begin'punt *o.* **1** point *m.* de départ; **2** (*wisk.*) origine *f.*
begin'salaris *o.* traitement *m.* initial.
begin'sel *o.* **1** (*stelregel*) principe *m.*; **2** (*grondslag v. kennis*) principe, élément *m.*; ***de eerste —en,*** les rudiments *m.pl.*; les premières notions *f.pl.*; ***uit —,*** par principe; ***in —,*** en principe.
begin'selkwestie *v.* question *f.* de principe, affaire *f.* —.
begin'selloos *b.n.* sans principes.
begin'selprogram *o.* manifeste *m.*
begin'selvast *b.n.* ferme sur les principes, intransigeant.
begin'selverklaring *v.* programme *m.* politique; discours-programme *m.*; plateforme *f.* électorale.
begin'snelheid *v.* vitesse *f.* initiale.
begin'stadium *o.* début *m.*, phase *f.* initiale.
begin'traktement *o.* traitement *m.* de début.
beglu'ren *ov.w.* **1** guetter, épier; **2** (*door glas*) lorgner.
beglu'ring *v.* espionnage *m.*
bego'nia *v.(m.)* (*Pl.*) begonia *m.*
begoo'chelen *ov.w.* fasciner; éblouir; envoûter.
begoo'cheling *v.* fascination, illusion, fantasmagorie *f.*
begraaf'plaats *v.(m.)* **1** sépulture *f.*; **2** (*kerkhof*) cimetière *m.*, nécropole *f.*

begra'fenis *v.* **1** enterrement *m.*, inhumation *f.*; **2** (*plechtig*) funérailles, obsèques *f.pl.*; **3** (*lijkstoet*) convoi *m.* funèbre; ***de — in gewijde grond,*** l'inhumation en terre bénite.
begra'fenisfonds *o.* caisse *f.* d'enterrement, caise *f.* mutuelle de secours à l'enterrement.
begra'fenisgezicht *o.* figure d'enterrement, mine *f.* —.
begra'feniskosten *mv.* frais *m.pl.* d'enterrement, — de funérailles, — funéraires.
begra'fenisondernemer *m.* entrepreneur *m.* de pompes funèbres.
begra'fenisonderneming *v.* entreprise *f.* de pompes funèbres.
begra'fenisstoet *m.* cortège *m.* funèbre, convoi *m.* funèbre.
begra'ven I *ov.w.* **1** (*iemand, iets*) enterrer; **2** (*een dode*) inhumer, ensevelir; **3** (*schat, enz.*) enfouir; ***hier ligt —,*** ici repose, ci-gît; **II** *w.w.* ***zich —,*** s'enterrer, s'ensevelir; **III** *z.n., o.* ***het —,*** l'enterrement *m.*; l'inhumation *f.*; l'enfouissement *m.*
begrensd' *b.n.* limité, borné.
begrensd'heid *v.* caractère *m.* borné.
begren'zen *ov.w.* limiter, borner.
begren'zing *v.* **1** (*handeling*) délimitation *f.*; **2** (*grenzen*) limites *f.pl.*
begrij'pelijk I *b.n.* **1** (*te begrijpen*) compréhensible; **2** (*verstaanbaar*) intelligible; **3** (*duidelijk*) clair; **4** (*gemakkelijk te begrijpen*) facile à comprendre; **5** (*vlug v. begrip*) intelligent; ***— maken,*** faire comprendre; ***voor iedereen — maken,*** mettre à la portée de tous; **II** *bw.* d'une façon compréhensible.
begrij'pelijkerwijs, -wijze *bw.* comme bien on pense, évidemment.
begrij'pelijkheid *v.* **1** compréhensibilité *f.*; **2** intelligibilité *f.*; **3** clarté *f.*; **4** intelligence *f.*
begrij'pen I *ov.w.* **1** comprendre; **2** (*beseffen*) concevoir; **3** (*verstaan*) entendre; ***dat is te —, dat laat zich —,*** cela se comprend, cela se conçoit; ***het niet op iem. begrepen hebben,*** ne pas se fier à qn.; ne pas aimer qn.; **II** *z.n., o.* ***het —,*** la compréhension.
begrin'den, begrin'ten *ov.w.* couvrir de gravier, caillouter, graveler.
begrin'ding, begrin'ting *v.* cailloutage, gravelage *m.*
begrip' *o* **1** (*voorstelling*) notion, conception, idée *f.*; **2** (*verstand*) intelligence, compréhension *f.*, entendement *m.*; ***kort —,*** abrégé *m.* précis; (*overzicht*) aperçu *m.*; ***hij heeft er geen (flauw) — van,*** il n'en a pas la moindre notion; ***traag van — zijn,*** avoir l'intelligence lente; ***— vragen voor,*** demander un effort de compréhension pour.
begrips'associatie *v.* association *f.* d'idées.
begrips'bepaling *v.* définition *f.*
begrips'fout *v.(m.)* contresens *m.*
begrips'vermogen *o.* faculté *f.* conceptive.
begrips'verwarring *v.* confusion *f.* d'idées.
begroeid' *b.n.* couvert de verdure.
begroei'ing *v.* végétation *f.*
begroe'ten *ov.w.* **1** saluer; **2** (*koning, enz.*) complimenter; **3** (*goedendag zeggen*) dire bonjour à; ***met gejuich —,*** saluer par des applaudissements; ***een voorstel met vreugde —,*** accueillir une proposition avec joie.
begroe'ting *v.* **1** salutation *f.*; **2** accueil *m.*
begro'ten *ov.w.* évaluer, estimer, taxer.
begro'ting *v.* **1** (*v. werk, kosten*) évaluation, estimation, taxation *f.*; **2** (*v. Staat, enz.*) budget *m.*
begro'tingsdebat *o.* discussion *f.* du budget.
begro'tingsjaar *o.* année *f.* budgétaire.
begro'tingstekort *o.* déficit *m.* budgétaire.
begro'tingsuitgaven *mv.* dépenses *f.pl.* budgétaires.
begun'stigd *b.n.* **1** favorisé; **2** (*schuldeiser*) privilégié; ***de meest —e natie,*** la nation la plus favorisée.
begun'stigen *ov.w.* **1** favoriser; **2** (*begiftigen*) gratifier; **3** (*boven anderen*) avantager; ***begunstigd door de duisternis,*** à la faveur de la nuit; ***hopend met uw orders begunstigd te worden,*** (*H.*) dans l'espoir d'être favorisé de vos ordres.
begun'stiger *m.* **1** (*beschermer*) protecteur *m.*; **2** (*v. vereniging*) bienfaiteur *m.*; **3** (*klant*) client *m.*; **4** (*v. kunst*) mécène *m.*
begun'stiging *v.* protection, faveur *f.*
behaag'lijk I *b.n.* agréable; ***een — gevoel,*** un sentiment de bien-être; **II** *bw.* agréablement, à son aise.
behaag'lijkheid *v.* agrément, charme *m.*
behaag'ziek *b.n.* coquet.
behaag'zucht *v.(m.)* coquetterie *f.*, affectation *f.* de plaire.
behaard' *b.n.* **1** (*v. lichaam*) poilu, velu; **2** (*v. hoofd*) chevelu.
beha'gen I *ov.w.* plaire (à), être agréable (à); ***het behaagt mij hier,*** je me plais ici; **II** *z.n., o.* agrément, plaisir *m.*; ***— scheppen in,*** se plaire à, trouver plaisir à, prendre —.
beha'len *ov.w.* **1** (*diploma, punten*) obtenir; **2** (*overwinning*) remporter; **3** (*prijs*) gagner, obtenir.
behal've *vz.* **1** (*uitgezonderd*) excepté, hormis, sauf; **2** (*buiten, nog daarbij*) outre, en dehors de; ***allen, — een enkele,*** tous, à l'exception d'un seul; ***— dat,*** outre que.
behan'delen *ov.w.* **1** (*alg.*) traiter; **2** (*omgaan met: wapens, enz.*) manier; **3** (*bewerken, behandelen*) manipuler; **4** (*gen.*) traiter; soigner; ***iem. als gelijke —,*** traiter qn. d'égal, — à égal; ***slecht —,*** malmener.
behan'deling *v.* **1** traitement *m.*; **2** maniement *m.*; **3** manipulation *f.*; ***in — nemen,*** discuter, mettre en délibération; ***onder — zijn,*** (*gen.*) être en traitement; ***zich onder — stellen,*** (*gen.*) se faire traiter.
behang' *o.* papier *m.* de tenture, — peint, tenture *f.*
behan'gen *ov.w.* tapisser; ***met rouw —,*** tendre de noir.
behan'ger *m.* tapissier *m.*
behangerij' *v.* magasin *m.* de papiers peints, atelier *m.* de tapissier.
behang'sel *o.* tenture, tapisserie *f.*
behang'selpapier *o.* papier *m.* peint.
behar'tigen *ov.w.* **1** (*ter harte nemen*) prendre à cœur; **2** (*zorg dragen voor*) avoir soin de, veiller à.
behartigenswaar'dig *b.n.* digne d'être pris à cœur; ***een — voorbeeld,*** un exemple à méditer; ***—e woorden,*** des paroles qu'on doit prendre à cœur.
behar'tiging *v.* gestion *f.*; soin *m.*
beheer' *o.* administration, direction, gestion *f.*; ***het — van een vermogen,*** la gestion d'une fortune; ***eigen —,*** régie (directe); ***raad van —,*** conseil *m.* d'administration.
beheer'der *m.* **1** (*alg.*) administrateur, directeur *m.*; **2** (*v. zaak*) gérant *m.*; **3** (*opziener. rentmeester*) intendant *m.*
beheer'sen I *ov.w.* dominer; ***zijn driften —,*** maîtriser ses passions, commander à —; ***zijn stem —,*** être maître de sa voix; ***een taal —,*** posséder une langue; ***het geld beheerst de wereld,*** l'argent gouverne le monde; ***zich zelf weten te —,*** avoir de l'empire sur soi-même; être maître de soi-même;

II *w.w.* ***zich —,*** se posséder, se maîtriser, se commander

beheer'ser *m.* **1** (*gebieder, heerser*) dominateur *m.*; **2** (*vorst*) souverain *m.*; **3** (*meester*) maître *m.*

beheer'sing *v.* **1** domination *f.*; **2** (*van zich zelf*) empire (sur soi-même) *m.*

beheerst' *b.n.* maître de soi.

behei'en I *ov.w.* (*tn.*) piloter; **II** *z.n., o.* ***het —,*** le pilotage.

behek'sen *on.w.* ensorceler, jeter un sort à.

behel'pen, *zich —,* *w.w.* **1** se tirer d'affaire; **2** (*zich bekrimpen*) se resserrer; ***zich — met,*** se contenter de, s'accommoder de; ***men moet zich weten te —,*** à la guerre comme à la guerre.

behel'zen *ov.w.* contenir, renfermer, comprendre.

behen'dig *b.n.* **1** (*handig*) habile, adroit; **2** (*vlug*) agile, leste; **3** (*v. geest*) prompt, vif.

behen'digheid *v.* **1** habileté, adresse *f.*; **2** agilité *f.*; ***de — van een goochelaar,*** la dextérité d'un prestidigitateur.

behept' *b.n.* ***— met,*** **1** (*ziekte, kwaal*) atteint de, affligé de; **2** (*gierigheid, enz.*) entaché de.

behe'ren *ov.w.* administrer, diriger, gérer.

behoe'den I *ov.w.* garder, préserver; ***tegen de koude —,*** garantir du froid, préserver —; ***God behoede u daarvoor,*** Dieu vous en préserve; **II** *w.w.* ***zich —,*** se garder (de).

behoe'der *m.* protecteur, gardien *m.*

behoed'middel *o.* préservatif *m.*

behoed'zaam I *b.n.* prudent, circonspect; **II** *bw.* prudemment, avec circonspection.

behoed'zaamheid *v.* prudence, circonspection *f.*

behoef'te *v.* **1** besoin *m.*; **2** (*gebrek*) besoin *m.*, indigence *f.*; **3** (*schaarste*) disette, pénurie *f.*; ***in de —n van iem. voorzien,*** pourvoir aux besoins de qn.; ***dit boek voorziet in een —,*** ce livre comble une lacune; ***het is mij een — te,*** je me sens obligé de; ***zijn — doen,*** faire ses petits besoins, — son cas.

behoef'tebevrediging *v.* satisfaction *f.* des besoins.

behoef'tig *b.n.* indigent, nécessiteux.

behoef'tigheid *v.* indigence, nécessité, pauvreté *f.*, besoin *m.*

behoe've, *ten — van,* **1** (*H.*) en faveur de; **2** (*ten dienste van*) à l'usage de.

behoe'ven *ov.w.* avoir besoin de; ***dat behoeft niet,*** cela n'est pas nécessaire; ***hij behoeft het slechts te vragen,*** il n'a qu'à le demander.

behoor'lijk I *b.n.* convenable, comme il faut; ***in —e orde,*** en bon ordre; **II** *bw.* convenablement, comme il faut; ***— ingevuld,*** dûment rempli.

behoor'lijkheid *v.* convenance *f.*

beho'ren I *on.w.* **1** (*passen, betamen*) convenir, être convenable; **2** (*moeten*) devoir, falloir, être nécessaire; **3** (*toebehoren*) appartenir (à); ***— bij,*** faire partie de; ***bij elkaar —,*** aller ensemble; ***hij behoort niet meer tot de onzen,*** il n'est plus des nôtres; ***dat behoort tot de zeldzaamheden,*** c'est tout à fait exceptionnel; **II** *z.n., o.* ***naar —,*** comme il faut, comme il convient.

behoud' *o.* **1** (*bewaring*) conservation *f.*; **2** (*v. gezondheid*) préservation *f.*; **3** (*heil*) salut *m.*; **4** (*leven*) vie *f.*; **5** (*in politiek*) conservatisme *m.*; **6** (*handhaving*) maintien *m.*; ***— van arbeidsvermogen,*** conservation de l'énergie; ***met — van,*** en conservant; ***met — van salaris,*** avec traitement entier.

behou'den I *ov.w.* conserver, garder; **II** *b.n.* sain et sauf; ***in — haven,*** à bon port.

behou'dend *b.n.* conservateur.

behou'dens *vz.* **1** (*uitgezonderd*) sauf, hormis; **2** (*met voorbehoud van*) à la réserve de.

behouds'man *m.* conservateur *m.*

behoud'zucht *v.*(*m.*) conservatisme *m.*

behou'wen *ov.w.* **1** (*steen*) tailler; **2** (*bomen*) équarrir.

behou'wing *v.* **1** taille *f.*; **2** équarrissage, équarrissement *m.*

behuild' *b.n.* rouge (d'avoir pleuré).

behuisd' *b.n.* logé, installé; ***klein — zijn,*** être logé à l'étroit; ***ruim — zijn,*** habiter une grande maison; ***slecht — zijn,*** camper.

behui'zing *v.* habitation *f.*, logis *m.*

behulp, *met — van,* à l'aide de.

behulp'zaam *b.n.* serviable, obligeant; ***iem. — zijn,*** aider qn., seconder qn.

behulp'zaamheid *v.* obligeance *f.*

behuwd' *b.n.* par alliance.

behuwd'broeder *m.* beau*-frère* *m.*

behuwd'dochter *v.* belle*-fille*, bru *f.*

behuwd'moeder *v.* belle*-mère* *f.*

behuwd'vader *m.* beau*-père* *m.*

behuwd'zoon *m.* beau*-fils*, gendre *m.*

behuwd'zuster *v.* belle*-sœur* *f.*

bei'aard *m.* carillon *m.*

bei'aarden *on.w.* carillonner.

beiaardier' *m.* carillonneur *m.*

bei'aardspel *o.* carillon *m.*

bei'de(n) *telw.* les deux, tous (toutes) deux, tous (toutes) les deux; l'un et l'autre; ***geen van —,*** ni l'un ni l'autre; ***de — boeken,*** les deux livres; ***ons —r vriend,*** notre ami commun.

bei'den *ov.w.* (*lett.*) attendre.

bei'derhande, bei'derlei *b.n.* des deux sortes; ***van beiderlei kunne,*** des deux sexes.

bei'derzijds *bw.* des deux côtés.

Bei'er *m.* Bavarois *m.*

Bei'eren *o.* la Bavière.

beieren *on.w.* **1** (*luiden*) carillonner; **2** (*slingeren*) pendiller.

Bei'ers *b.n.* bavarois.

bei'ge *b.n.* beige.

beignet *m.* beignet *m.*

beij'veren, *zich —,* *w.w.* s'empresser (de), s'appliquer (à).

beïn'vloeden *ov.w.* **1** (*iemand*) influencer; **2** (*beslissing*) influer sur.

bei'tel *m.* ciseau *m.*

bei'telen *ov.w.* **1** travailler au ciseau; **2** (*uitsteken, drijven*) ciseler.

beits *m. en o.* **1** (*voor hout*) teinture *f.*, brou *m.* (de noix); **2** (*voor stoffen*) mordant *m.*

beit'sen *ov.w.* **1** teinter, passer en couleur; **2** (*stoffen*) mordancer.

beits'middel *o.* mordant *m.*

bejaard' *b.n.* âgé, avancé en âge, vieux.

bejaar'de *m.-v.* personne *f.* âgée.

bejaar'dentehuis *o.* maison *f.* de retraite.

bejaard'heid *v.* âge *m.* avancé, vieillesse *f.*

bejag' *o.* recherche (de), poursuite (de) *f.*

bejam'meren *ov.w.* déplorer, regretter.

beje'genen *ov.w.* **1** (*behandelen*) traiter; **2** (*ontvangen*) accueillir.

beje'gening *v.* traitement *m.*; accueil *m.*

bek *m.* **1** (*v. vogel*) bec *m.*; **2** (*v. ander dier*) bouche *f.*; **3** (*v. hond*) museau *m.*; **4** (*v. tijger, leeuw*) gueule *f.*; **5** (*v. gas*) bec *m.*; ***geen — opendoen,*** ne pas desserrer les dents; ***men moet een gegeven paard niet in de — zien,*** à cheval donné on ne regarde pas la bride (*of* la bouche); ***een lief —je,*** un joli minois, une jolie frimousse.

bekaaid' *b.n.* confus, décontenancé, penaud; ***dat komt — uit,*** c'est une pelle; ***er — afkomen,*** en être pour sa peine, — pour ses frais, — pour sa courte honte.

bek'af *b.n.* ***— zijn,*** être fourbu, être rompu de fatigue.

bekal'ken *ov.w.* **1** (*muur, enz.*) badigeonner; **2** (*akker*) chauler.

bekam'pen I *ov.w.* combattre, lutter contre; **II** *z.n.*, ***het —,*** la lutte (contre).
bekam'ping *v.* lutte *f.*, combat *m.*
bekap'pen *ov.w.* **1** (*muur*) chaperonner; **2** (*huis*) mettre sous toit, mettre le comble à; **3** (*boom*) étêter. [**3** étêtage *m.*
bekap'ping *v.* **1** chaperon *m.*; **2** mise *f.* sous toit;
bekeer'de *m.-v.* converti *m.*, —e *f.*
bekeer'der *m.* convertisseur *m.* [*m.-f.*
bekeer'ling *m.-v.* converti *m.*, —e *f.*, proselyte
bekend' *b.n.* **1** connu; **2** (*algemeen* —) notoire, public; **3** (*befaamd*) fameux, renommé; ***goed*** (***slecht***) ***—,*** bien (mal) famé, — noté; ***— maken,*** **1** (*alg.*) annoncer, publier; **2** (*door aanplakking*) afficher; **3** (*door omroepen*) crier; **4** (*een geheim*) (*onthullen*) révéler; (*openbaar*) divulguer; **5** (*iemand, iets*) faire connaître; ***zich — maken,*** se faire connaître; ***— worden,*** **1** (*v. persoon*) se faire connaître, arriver à la notoriété; **2** (*v. geheim*) s'ébruiter, se divulguer; ***ik ben te Luik niet —,*** je ne connais pas Liège; ***die persoon is mij —,*** je connais cette personne; ***met iets — zijn,*** être au courant de qc.; ***naar de —e weg vragen,*** faire le malin, — l'ignorant.
beken'de *m.-v.* connaissance *f.*; ***onder —n,*** entre amis; ***een oude — van de justitie,*** un repris de justice.
bekend'heid *v.* **1** (*het bekend zijn*) connaissance *f.*; **2** (*naam*) notoriété *f.* [public.
bekend'maken *ov.w.* publier, divulguer, rendre
bekend'making *v.* **1** publication *f.*; **2** (*in dagblad*) annonce *f.*; **3** (*v. geheim*) divulgation *f.*
beken'nen *ov.w.* **1** (*fout, misdrijf*) avouer; **2** (*ongelijk, fout*) reconnaître; **3** (*zonder dwang*) confesser; **4** (*kaartspel*) fournir (à); (***in de***) ***harten —,*** fournir à cœur; ***niet —,*** (*spel*) renoncer; ***kleur —,*** (*fig.*) montrer sa couleur.
beken'tenis *v.* **1** aveu *m.*; **2** confession *f.*
be'ker *m.* **1** (*met voet*) coupe *f.*; **2** (*zonder voet*) gobelet *m.*, timbale *f.*; **3** (*voor dobbelspel*) cornet *m.*
beke'ren *ov.w.* convertir.
beke'ring *v.* conversion *f.*
beke'ringsijver *m.* prosélytisme *m.*
be'kerwedstrijd *m.* match *m.* de challenge, — de coupe.
bekeur'de *m.* contrevenant *m.*
bekeu'ren *ov.w.* dresser une contravention à, verbaliser contre.
bekeu'ring *v.* verbalisation, contravention *f.*
bekijk' *o.* ***veel —s hebben,*** être très regardé, attirer tous les regards.
bekij'ken *ov.w.* regarder; (*nader* —) examiner.
bekij'ven *ov.w.* gronder, tancer.
bekis'ten *ov.w.* (*tn.*) coffrer, établir le coffrage.
bekis'ting *v.* (*tn.*) coffrage *m.*
bek'ken *o.* **1** bassin *m.*; **2** (*muz.*) cymbales *f.*; **3** (*fontein*) vasque *f.*
bekkeneel' *o.* crâne *m.*
bekkenist' *m.* cymbalier *m.*
bek'kenslager *m.* **1** (*muz.*) cymbalier *m.*; **2** crieur *m.* public, tambour *m.*
bek'kesnijden *on.w.* jouer du couteau, se défigurer à coups de couteau.
beklaag'de *m.-v.* prévenu(e), inculpé(e), accusé(e) *m.*(*f.*). [sellette *f.*
beklaag'denbank *v.*(*m.*) banc *m.* des accusés,
beklad'den *ov.w.* **1** tacher, souiller; (*papier*) barbouiller; **2** (*fig.*) calomnier, flétrir, dénigrer.
beklad'der *m.* **1** barbouilleur *m.*; **2** (*fig.*) calomniateur *m.*
beklad'ding *v.* **1** souillure *f.*; **2** calomnie *f.*, dénigrement *m.*
beklag' *o.* plainte *f.*; ***zijn — doen*** (***bij***), se plaindre (auprès de).
bekla'gen I *ov.w.* **1** plaindre; **2** (*betreuren*) déplorer; **II** *w.w.* ***zich —*** (***over***), se plaindre (de); ***hij zal het zich —,*** il le regrettera.
beklagenswaar'd(ig) *b.n.* **1** (*v. persoon*) à plaindre, digne de pitié; **2** (*v. zaken*) déplorable.
beklant' *b.n.* achalandé.
beklau'teren *ov.w.* grimper sur, escalader, gravir.
bekle'den I *ov.w.* **1** revêtir; **2** (*kamer, muur*) tapisser; **3** (*met hout*) boiser, lambrisser; **4** (*met marmer*) recouvrir; **5** (*rijtuig*) draper; **6** (*met bont, enz.*) garnir; **7** (*stoel, canapé*) (*met hoes*) habiller; (*opvullen*) rembourrer; (*met vlokzijde*) capitonner; **8** (*altaar*) garnir; **9** (*ambt*) remplir, exercer; occuper; ***de eerste plaats —,*** tenir le premier rang; ***iemands plaats —,*** remplacer qn.; ***iem. met zekere macht —,*** investir qn. d'un pouvoir; ***iem. met een waardigheid —,*** revêtir qn. d'une dignité.
bekle'der *m.* (*v. ambt, enz.*) titulaire *m.*
bekle'ding *v.* **1** revêtement *m.*; **2** boiserie *f.*, lambrissage *m.*; **3** garniture *f.*; **4** (*v. ambt*) exercice *m.*; **5** (*met ambt of macht*) investiture *f.*; — zie ***bekleden.***
bekleed' *b.n.* **1** couvert, garni, drapé; **2** (*met waardigheid*) revêtu.
bekleed'sel *o.* **1** enveloppe, couverture *f.*, revêtement *m.*; **2** (*Pl.*) tégument *m.*
beklemd' *b.n.* **1** serré, oppressé; **2** (*fig.: benauwd*) anxieux; (*gen.*) ***—e breuk,*** hernie étranglée; ***met — hart,*** le cœur serré; ***— tussen,*** pris entre, engagé —, serré —.
beklemd'heid *v.* serrement *m.* de cœur, oppression *f.*; anxiété *f.*
beklem'men *ov.w.* **1** (*vastknijpen, drukken, persen*) serrer, presser, étreindre; **2** (*fig.*) oppresser, serrer le cœur à.
beklem'ming *v.* **1** oppression *f.*; **2** serrement *m.* de cœur, anxiété, angoisse *f.*; **3** (*v. breuk*) étranglement *m.*; **4** *zie* ***beklemrecht.*** [*f.*
beklem'recht *o.* bail *m.* à perpétuité, emphytéose
beklem'tonen *ov.w.* accentuer.
beklij'ven *ov.w.* **1** (*blijven*) rester, durer; **2** (*vast worden*) prendre, s'attacher.
beklim'men *ov.w.* **1** (*alg.*) grimper sur; **2** (*met moeite*) gravir; **3** (*met ladder*) escalader; **4** (*berg*) faire l'ascension de; **5** (*troon*) monter sur.
beklim'ming *v.* **1** escalade *f.*; **2** ascension *f.*
beklin'ken *ov.w.* **1** (*met nagels*) river, riveter; **2** (*fig.*) terminer, arranger, arrêter; ***de zaak is beklonken,*** c'est chose faite, l'affaire est arrangée, l'affaire est dans le sac.
beklop'pen *ov.w.* **1** taper sur; **2** (*gen.*) percuter.
beknab'belen *ov.w.* ronger, grignoter.
beknel'len *ov.w.* **1** serrer, presser; **2** (*in bewegingen*) gêner; ***bekneld tussen,*** pris entre, coincé —.
beknel'ling *v.* serrement *m.*, gêne *f.*
beknib'belaar *m.* **1** (*bediller*) critiqueur *m.*; **2** (*afdinger*) marchandeur *m.*
beknib'belen *ov.w.* **1** critiquer; **2** marchander; **3** (*op uitgaven*) lésiner sur.
beknib'beling *v.* **1** critique *f.*; **2** marchandage *m.*; **3** lésinerie *f.*
beknopt' I *b.n.* concis, bref, court, succinct; ***— overzicht,*** résumé *m.* succinct; résumé, abrégé *m.*; ***—e stijl,*** style *m.* concis; ***—e uiteenzetting,*** exposé bref, — succinct; **II** *bw.* ***— samenvatten,*** résumer brièvement, — succinctement; ***zich — uitdrukken,*** s'exprimer avec concision.
beknopt'heid *v.* concision; brièveté *f.*

beknor'ren *ov.w.* gronder, réprimander.
beknor'ring *v.* réprimande *f.*
beknot'ten *ov.w.* **1** (*rechten*) restreindre; **2** (*uitgaven*) réduire.
beknot'ting *v.* **1** restriction *f.*; **2** réduction *f.*
bekocht' *b.n.* ***— zijn,*** être trompé, — dupé, — refait; ***ik ben eraan —,*** j'ai fait un marché de dupe.
bekoe'len *on.w.* (se) refroidir.
bekoe'ling *v.* refroidissement *m.*
beko'gelen *ov.w.* attaquer (à coups de pierres, etc.).
bekok'stoven *ov.w.* manigancer, cuisiner.
beko'men I *ov.w.* obtenir; (*ontvangen*) avoir, recevoir; **II** *on.w.* (*v. schrik, vermoeienis*) se remettre (de), revenir (de); ***dat zal hem slecht —!*** il s'en repentira! ***het is mij goed —,*** cela m'a fait beaucoup de bien; ***wel bekome het u!*** grand bien vous fasse! ***dat bekwam hem slecht!*** mal lui en prit!
bekom'merd *b.n.* inquiet, soucieux (de).
bekom'merdheid *v.* inquiétude *f.*, souci *m.*
bekom'meren I *ov.w.* inquiéter; **II** *w.w.* ***zich — om,*** se soucier de.
bekom'mering *v.* souci *m.*, peine *f.*
bekom'mernis *v.* inquiétude *f.*, souci *m.*
bekomst' *m.* ***zijn — eten,*** manger à sa faim; ***zijn — drinken,*** boire à sa soif; ***ik heb er mijn — van,*** j'en ai mon content, j'en ai assez, j'en ai plein le dos; ***hij heeft zijn —,*** il a son compte, — son affaire.
bekon'kelen *ov.w.* tripoter, machiner, manigancer.
bekon'keling *v.* tripotage *m.*, machination, manigance *f.*
bekonkurre'ren, *zie* ***beconcurreren.***
bekoor'der *m.* charmeur *m.*
bekoor'lijk I *b.n.* charmant, ravissant; **II** *bw.* d'une manière charmante, — ravissante.
bekoor'lijkheid *v.* charme(s) *m.*(*pl.*), attrait(s) *m.*(*pl.*), grâce(s) *f.*(*pl.*).
beko'pen *ov.w.* payer, acheter; ***hij zal het duur —,*** il lui en coûtera cher, il le payera cher; ***met de dood —,*** payer de sa vie.
beko'ren *ov.w.* **1** (*aantrekken*) charmer, enchanter; **2** (*verleiden*) séduire; **3** (*tot zonde*) tenter.
beko'ring *v.* **1** charme, enchantement *m.*; **2** (*verleiding*) séduction *f.*; **3** (*tot zonde*) tentation *f.*
bekor'ten *ov.w.* abréger, raccourcir.
bekor'ting *v.* abrégement, raccourcissement *m.*
bekos'tigen *ov.w.* faire les frais de, défrayer, payer.
bekos'tiging *v.* frais *m.pl.*, dépense(s) *f.*(*pl.*), défrai [*m.*
bekrach'tigen *ov.w.* **1** (*bevestigen*) confirmer; **2** (*met een eed —*) appuyer (d'un serment); **3** (*verdrag*) ratifier; **4** (*wet, benoeming, enz.*) sanctionner; **5** (*verkiezing*) valider; **6** (*handtekening*) légaliser; **7** (*akte, getuigschrift*) homologuer; **8** (*gerechtelijk*) entériner.
bekrach'tiging *v.* **1** confirmation *f.*; **2** ratification *f.*; **3** sanction *f.*; **4** validation *f.*; **5** légalisation *f.*; **6** homologation *f.*; **7** entérinement *m.*
bekran'sen *ov.w.* enguirlander, couronner (de fleurs).
bekras'sen *ov.w.* rayer, couvrir de rayures; ***papier —,*** griffonner.
bekre'ten *b.n.* ***met — ogen,*** les yeux rouges à force de pleurer.
bekreu'nen, *zich —,* *w.w.* se soucier (de).
bekrim'pen, *zich —,* *w.w.* se restreindre, se gêner.
bekrom'pen *b.n.* **1** (*v. ruimte*) étroit, exigu; **2** (*v. verstand*) étroit, borné; **3** (*v. ziel, gedachten*) rétréci, étriqué; **4** (*v. mens*) petit; ***— middelen,*** des moyens réduits; ***— leven,*** vivre dans la gêne; ***— wonen,*** être logé à l'étroit.
bekrom'penheid *v.* **1** exiguïté *f.*; **2** étroitesse *f.* d'esprit; **3** petitesse *f.*
bekro'nen *ov.w.* **1** couronner; **2** (*met prijs*) primer; ***met succes —,*** couronner de succès.
bekro'ning *v.* **1** couronnement *m.*; **2** prix *m.*
bekroond' *b.n.* **1** couronné; **2** primé.
bekroon'de *m.-v.* lauréat *m.*, —e *f.*
bekrui'pen *ov.w.* se glisser dans; ***de lust bekroop hem,*** l'envie lui prit (de); ***de vrees bekroop hem,*** la crainte le saisit.
bekrui'sen, *zich —,* *w.w.* se signer.
bek'vechten *on.w.* se chamailler, se quereller.
bekwaam' *b.n.* habile, capable; ***— voor zijn taak,*** à la hauteur de sa tâche; ***met bekwame spoed,*** promptement; ***te bekwamer tijd,*** en temps utile.
bekwaam'heid *v.* **1** habileté, capacité *f.*; **2** (*talent*) talents *m.pl.*; ***akte van —,*** brevet, diplôme *m.*
bekwa'men I *ov.w.* rendre capable (de), rendre habile (à); **II** *w.w.* ***zich —,*** se rendre capable; ***zich — in,*** se perfectionner dans; ***zich — voor een akte,*** préparer son examen (son diplôme).
bel *v.*(*m.*) **1** sonnette *f.*; **2** (*elektr.*) timbre *m.*; **3** (*tel.*) sonnerie *f.*; **4** (*rinkel —*) grelot *m.*; **5** (*aan hals v. dier*) clarine, sonnaille *f.*; **6** (*v. torentje*) cloche, clochette *f.*; **7** (*oor—*) pendant *m.* d'oreille, boucle *f.*; **8** (*water—, zeep—*) bulle *f.*
belab'berd *b.n.* pitoyable, misérable, embêtant; ***— weer,*** sacré temps; ***— leven,*** chienne de vie!
bela'chelijk *b.n.* **1** ridicule; **2** (*prijs, voorstel*) dérisoire; ***— maken,*** rendre ridicule, ridiculiser, tourner en ridicule.
bela'chelijkheid *v.* ridicule *m.*
bela'den I *ov.w.* charger; **II** *b.n.* chargé (de); ***— met schulden,*** criblé de dettes.
bela'gen *ov.w.* dresser des embûches à, tendre des pièges à.
bela'ger *m.* celui qui dresse des embûches, celui qui tend des pièges; ***— van de onschuld,*** ennemi *m.* de l'innocence, agresseur *m.* —.
belan'den *on.w.* **1** (*aan land komen*) aborder; **2** (*terechtkomen*) arriver; ***ik weet niet, waar hij beland is,*** je ne sais pas ce qu'il est devenu.
belang' *o.* **1** (*voordeel*) intérêt *m.*; **2** (*belangrijkheid*) importance *f.*; **3** (*draagwijdte*) portée *f.*; **4** (*gewicht*) poids *m.*; ***— inboezemen,*** intéresser; ***— stellen in,*** s'intéresser à, prendre intérêt à; ***het is van — dat,*** il importe que (*met subj.*); ***een zaak van —,*** une affaire importante.
belan'geloos I *b.n.* désintéressé; **II** *bw.* avec désintéressement.
belangeloos'heid *v.* désintéressement *m.*
belan'gengemeenschap *v.* communauté *f.* d'intérêts.
belan'gensfeer *v.*(*m.*) zone *f.* d'influence.
belangheb'bende *m.-v.* intéressé *m.*, —e *f.*
belang'rijk *b.n.* **1** (*van belang*) important, considérable; **2** (*belangwekkend*) intéressant.
belang'rijkheid *v.* importance *f.*
belangstel'lend *b.n.* **1** qui s'intéresse à; **2** (*deelnemend*) qui prend part à; **3** (*aandachtig*) attentif; **4** (*nieuwsgierig*) curieux; ***een — publiek,*** un auditoire attentif.
belangstel'lende *m.-v.* intéressé *m.*, —e *f.*
belang'stelling *v.* intérêt *m.*; ***uit — voor,*** par intérêt pour.
belangwek'kend *b.n.* intéressant.
belast' *b.n.* **1** chargé; **2** (*met kwaal*) prédisposé; ***erfelijk —,*** taré héréditairement, ayant des tares héréditaires.

belast'baar *b.n.* imposable.
belas'ten I *ov. w.* **1** (*beladen*) charger (de); **2** (*belasting leggen op*) imposer; **II** *w.w.* ***zich — met,*** se charger de.
belas'teren *ov.w.* calomnier.
belas'tering *v.* calomnie *f.*
belas'ting *v.* **1** impôt *m.*, contribution *f.*; taxe *f.*; **2** (*tn.*) charge *f.*; ***— op het inkomen,*** impôt sur le revenu; ***indirecte —en,*** contributions indirectes; ***stedelijke —,*** taxe *f.* municipale; (*B.*) — communale; ***— leggen op,*** imposer; ***verhoogde —,*** surtaxe *f.*; ***erfelijke —,*** tare *f.* héréditaire; ***vrij van —,*** exempt d'impôt.
belas'tingaanslag *m.* cote, taxe *f.*
belas'tingadviseur *m.* expert *m.* fiscal.
belas'tingambtenaar *m.* agent *m.* du fisc.
belas'tingbetaler *m.* contribuable, imposé *m.*
belas'tingbiljet *o.* avis *m.* d'impôt, feuille *f.* de contributions, — d'imposition, — d'impôt.
belas'tingconsulent, -konsulent *m.* conseiller *m.* (*of* expert *m.*) fiscal.
belas'tingjaar *o.* exercice *m.* fiscal.
belas'tingkantoor *o.* bureau *m.* des contributions.
belas'tingkohier *o.* rôle *m.* des contributions.
belas'tingkonsulent, *zie* ***belastingconsulent.***
belas'tingontduiker *m.* fraudeur *m.* du fisc.
belas'tingontduiking *v.* fraude *f.* fiscale.
belas'tingontheffing *v.* exemption *f.* fiscale.
belas'tingplichtige, belas'tingschuldige *m.-v.* contribuable *m.*
belas'tingstelsel *o.* régime *m.* fiscal.
belas'tingvermindering *v.* dégrèvement *m.*
belas'tingvrij *b.n.* non imposable, exempté.
belas'tingvrijdom *m.* exemption *f.* d'impôt.
belas'tingwet *v.*(*m.*) loi *f.* fiscale.
belas'tingwezen *o.* régime *m.* fiscal, fiscalité *f.*
belas'tingzaken *mv.* matière *f.* fiscale.
belas'tingzegel *o.* timbre *m.* fiscal.
bel'boei *v.*(*m.*) bouée *f.* à cloche.
bele'digen *ov.w.* **1** (*alg.*) offenser, blesser; **2** (*met scheldwoorden*) injurier, insulter; **3** (*grof* —) outrager.
bele'digend *b.n.* **1** offensant, blessant; **2** injurieux, insultant; **3** outrageux.
bele'diger *m.* offenseur; insulteur *m.*
bele'diging *v.* **1** offense *f.*; **2** injure, insulte *f.*; **3** outrage *m.*; ***een publieke —,*** un affront public.
beleefd' *b.n.* **1** poli, civil; **2** (*hoffelijk*) galant.
beleefd'heid *v.* politesse, civilité *f.*; ***uit —,*** par politesse.
beleefd'heidsbezoek *o.* visite *f.* de politesse.
beleefdheidshal've *bw.* par politesse.
beleefd'heidsvorm *m.* formule *f.* de politesse; ***de —en,*** l'étiquette *f.*
beleen'baar *b.n.* engageable; ***— voorwerp,*** objet *m.* pouvant être donné en gage; ***— huis,*** maison *f.* hypothécable.
beleen'bank *v.*(*m.*) **1** banque *f.* hypothécaire; **2** (*bank v. lening*) mont *m.* de piété.
beleen'briefje *o.* **1** récépissé *m.*; **2** (*v. bank v. lening*) reconnaissance *f.*
beleg' *o.* siège *m.*; ***het — slaan voor,*** mettre le siège devant; ***het — opbreken,*** lever le siège.
bele'gen *b.n.* **1** (*v. brood, wijn*) rassis; **2** (*v. bier, tabak*) de conserve; **3** (*v. kaas*) étuvé; **4** (*v. sigaar*) mûr.
bele'geraar *m.* assiégeant *m.*
bele'gerde *m.* assiégé *m.*
bele'geren *ov.w.* assiéger, faire le siège de.
bele'gering *v.* siège *m.*
bele'geringsgeschut *o.* artillerie *f.* de siège.
bele'geringsleger *o.* armée *f.* assiégeante.
bele'geringstroepen *mv.* troupes *f.pl.* d'investissement.
beleg'gen *ov.w.* **1** (*bedekken met*) couvrir (de), garnir (de); (*met stenen*) carreler; (*met zoden*) gazonner; (*met zink*) zinguer; **2** (*vergadering*) convoquer; **3** (*geld*) placer; ***zijn geld veilig —,*** faire un placement de tout repos.
beleg'ger *m.* chercheur *m.* de placements.
beleg'ging *v.* **1** couverture, garniture *f.*; carrelage *m.*; gazonnement *m.*; **2** convocation *f.*; **3** placement *m.*, investissement *m.*; ***veilige —,*** placement sûr, — de tout repos, — de père de famille.
beleg'gingsfonds *o.* fonds *m.* de placement.
beleg'gingsmaatschappij *v.* société *f.* d'investissement.
beleg'gingsrente *v.* taux *m.* des placements.
beleg'gingswaarden *mv.* fonds *m.pl.* de placement.
beleg'sel *o.* **1** garniture *f.*; **2** (*boordsel*) galon *m.*
beleid' *o.* **1** prudence, circonspection *f.*; **2** (*tact*) tact *m.*
beleid'vol I *b.n.* prudent; **II** *bw.* prudemment, avec circonspection, avec tact.
belem'meren *ov.w.* **1** (*handel, enz.*) entraver; **2** (*verkeer, bewegingen*) gêner; **3** (*doorgang*) obstruer; (*straat*) encombrer.
belem'mering *v.* **1** entrave *f.*, empêchement *m.*; **2** gêne *f.*; **3** obstruction *f.*; encombrement *m.*
belen'den *on.w.* toucher à, être contigu à.
belen'dend *b.n.* contigu, adjacent, avoisinant.
bele'nen *ov.w.* **1** mettre en gage, engager; emprunter sur gage; **2** (*huis, enz.*) hypothéquer; **3** (*gesch.*) (*macht*) investir; (*grond*) inféoder.
bele'ning *v.* **1** engagement, emprunt (sur gage) *m.*; **2** hypothèque *f.*; **3** investiture; inféodation *f.*
bele'ningsrente *v.*(*m.*) taux *m.* d'emprunt.
belet' *o.* empêchement *m.*; ***— geven,*** ne pas recevoir (la visite de qn.), ne pas être visible; ***— vragen bij iem.,*** se faire annoncer chez qn., demander à voir qn.; ***— krijgen,*** ne pas être reçu.
bel'-etage *v.* premier (étage) *m.*
belet'sel *o.* obstacle, empêchement *m.*
belet'selteken *o.* points *m.pl.* de suspension.
belet'ten *ov.w.* empêcher, mettre obstacle à.
bele'ven *ov.w.* **1** (*ondervinden*) éprouver; **2** (*getuige zijn van*) assister à, voir, être témoin de; **3** (*leven in*) vivre; ***moeilijke tijden —,*** vivre dans des temps difficiles; ***wat —,*** en voir de belles.
bele'venis *v.* événement *m.*; expérience *f.*
bele'zen I *ov.w.* (*bannen*) exorciser; **II** *b.n.* qui a beaucoup lu, lettré. [lecture *f.*
bele'zenheid *v.* connaissances *f.pl.* littéraires,
bel'fort *o.* beffroi *m.*
Belg *m.* Belge *m.*
bel'gen I *ov.w.* irriter, mettre en colère; **II** *w.w.* ***zich —*** (***over***), se fâcher (de).
Bel'gië *o.* la Belgique.
Bel'gisch *b.n.* belge; ***een Belgische,*** une Belge.
Bel'grado *o.* Belgrade *f.*
bel'hamel *m.* **1** sonnailler *m.*; **2** (*fig.*) chef *m.* de la bande, meneur, boutefeu *m.*
beli'chamen *ov.w.* **1** (*geest, gedachte*) incarner; **2** (*concreet voorstellen*) formuler.
beli'chaming *v.* incarnation *f.*
belich'ten *ov.w.* éclairer; ***een plaat —,*** exposer une plaque; ***de kwestie van een andere zijde —,*** envisager le problème sous un autre angle.
belich'ting *v.* **1** éclairement *m.*; **2** (*fot.*) exposition *f.*; ***te korte —,*** manque *m.* de pose; ***te lange —,*** excès *m.* de pose.
belich'tingsmeter *m.* posemètre *m.*
belich'tingstabel *v.*(*m.*) table *f.* de pose.

belich'tingstijd *m.* (*fot.*) temps *m.* de pose.
belie'gen *ov.w.* mentir à (qn.).
belie'ven I *on.w.* plaire (à), être agréable (à); ***wat belieft u?*** plaît-il? ***wat belieft u, mijnheer?*** que désirez-vous, monsieur? ***als 't u belieft*** (***alstublieft***), **1** (*bij 't overreiken*) voici; voilà; **2** (*bij vraag*) s'il vous plaît; **3** (*als toestemming*) volontiers! bien sûr! je veux bien; **II** *z.n., o.* plaisir, gré *m.*; volonté *f.*; ***naar —,*** à volonté, à discrétion.
belij'den *ov.w.* **1** (*zonden*) confesser; **2** (*fout*) avouer; **3** (*godsdienst*) professer.
belij'denis *v.* **1** (*v. zonden*) confession *f.*; **2** (*v. geloof*) profession *f.*; ***zijn — doen,*** (*prot.*) faire sa confession de foi.
belij'der *m.* **1** (*gelovige*) croyant, fidèle *m.*; **2** (*heilige*) confesseur *m.*
belij'nen *ov.w.* enligner, ligner.
belik'ken *ov.w.* lécher.
bel'knop *m.* bouton *m.* de sonnette.
belladon'na *v.*(*m.*) (*Pl.*) belladone *f.*
bel'lefleur *m.* pomme *f.* belle-fleur-rouge.
bel'len *on.w.* sonner; ***er wordt gebeld,*** on sonne, voilà qu'on sonne; ***tweemaal —,*** sonner deux coups.
bel'letje trekken *on.w.* sonner (*of* tirer la sonnette) et s'esquiver.
bellettrie' *v.* belles-lettres *f.pl.*
bellettrist' *m.* homme *m.* de lettres.
bellettris'tisch *b.n.* littéraire, d'imagination.
Bel'liek *o.* Bergilers.
Bello'na *v.* Bellone *f.*
beloer'der *m.* espion, guetteur *m.*
beloe'ren *ov.w.* espionner, guetter.
belof'te *v.* **1** (*alg.*) promesse *f.*; **2** (*recht*) affirmation *f.*; ***zijn — breken, zijn — niet houden,*** fausser sa promesse, manquer à sa promesse; ***— maakt schuld,*** chose promise, chose due; ***het land van —,*** la terre promise.
belo'ken *b.n.* fermé, clos; ***— Pasen,*** Pâques *f.pl.* closes, la Quasimodo *f.*
belom'merd *b.n.* ombragé. [rémunérer.
belo'nen *ov.w.* **1** (*alg.*) récompenser; **2** (*met geld*)
belo'ning *v.* **1** récompense *f.*; **2** rémunération *f.*; ***ter — van,*** en récompense de.
belon'ken *ov.w.* lorgner; faire les yeux doux à qn.
beloop' *o.* **1** (*v. zaak*) marche *f.*, cours *m.*; **2** (*bedrag*) montant *m.*; ***zijn — hebben,*** suivre son cours; ***op zijn — laten,*** laisser suivre son cours, laisser aller son train.
belo'pen I *on.w.* se monter à, s'élever à; **II** *b.w.* ***ik heb nog heel wat te —,*** j'ai encore bien des courses à faire; **III** *b.n.* ***met bloed —,*** injecté de sang.
belo'ven *ov.w.* promettre; ***gouden bergen —,*** promettre monts et merveilles; ***dat belooft wat!*** ça promet, cela n'augure rien de bon; ***een veel —d jongmens,*** un jeune homme qui promet.
belo'ver *m.* prometteur *m.*
bel'roos *v.*(*m.*) (*gen.*) érysipèle *m.*
belt *m. en v.* monceau *m.* de cendres, — d'ordures; voirie *f.*
Belt *m.* (*aardr.*) Belt *m.*
beluis'teren *ov.w.* écouter, épier.
belust' *b.n.* avide (de), désireux (de); ***— zijn op,*** avoir envie de; être friand de; convoiter, désirer; ***— maken,*** affriander. [avidité *f.*
belust'heid *v.* envie, convoitise *f.*, désir *m.*,
bemach'tigen *ov.w.* **1** s'emparer de, se rendre maître de; **2** (*veroveren*) envahir, conquérir; (*stad*) prendre.
bemach'tiging *v.* prise, conquête *f.*
bema'ling *v.* (*v. polder*) épuisement *m.*
bemand' *b.n.* (*v. fles*) clissé.
beman'nen *ov.w.* **1** équiper, pourvoir d'un équipage; **2** (*ballon, sloep*) monter.
beman'ning *v.* équipage *m.*
beman'telen *ov.w.* **1** (*gebreken*) dissimuler, recouvrir; **2** (*misstap*) tirer le rideau sur; **3** (*plannen*) voiler; **4** (*gevoelens*) déguiser; ***een stad —,*** emmanteler une ville, ceindre une ville de remparts.
beman'teling *v.* **1** dissimulation *f.*; **2** voile *m.*; **3** déguisement *m.*
bemas'ten *ov.w.* (*sch.*) mâter.
bemas'ting *v.* (*sch.*) mâture *f.*
bemerk'baar *b.n.* apercevable, perceptible.
bemer'ken *ov.w.* **1** apercevoir, remarquer, observer; **2** (*fig.*) s'apercevoir de.
bemer'king *v.* observation; remarque *f.*
bemes'ten *ov.w.* fumer, engraisser.
bemes'ting *v.* fumage, engraissement *m.*
bemid'delaar *m.* médiateur *m.*
bemid'deld *b.n.* aisé.
bemid'delen *ov.w.* accommoder, concilier.
bemid'delend I *b.n.* ***een — vonnis,*** un jugement arbitral; **II** *bw.* ***— optreden,*** jouer le rôle de conciliateur.
bemid'deling *v.* médiation, intervention *f.*; ***door — van,*** par l'entremise de, par l'intermédiaire de.
bemind' *b.n.* **1** aimé, chéri, cher; **2** (*bij de massa*) populaire; ***zich — maken bij,*** gagner les bonnes grâces de, se faire aimer de; (*bij de massa*) se rendre populaire.
bemin'de *m.-v.* amant(e), bien-aimé(e); (*verloofde*) futur(e), fiancé(e) *m.*(*f.*).
bemin'nelijk *b.n.* aimable.
bemin'nelijkheid *v.* amabilité *f.*
bemin'nen *ov.w.* aimer, chérir. [aimé.
beminnenswaar'd(ig) *b.n.* aimable, digne d'être
bemod'deren *on.w.* crotter, souiller de boue, éclabousser.
bemoe'digen *ov.w.* encourager.
bemoe'diging *v.* encouragement *m.*
bemoei'al *m.-v.* touche-à-tout, mêle-tout *m.-f.*
bemoei'en, *zich —,* *w.w.* ***zich — met,*** se mêler de; ***zich met alles —,*** fourrer le nez partout, s'immiscer de tout; ***zich niet — met,*** ne pas s'occuper de.
bemoei'enis, bemoei'ing *v.* **1** peine, démarche *f.*; **2** (*bemiddeling*) entremise, intervention *f.*
bemoei'lijken *ov.w.* rendre difficile.
bemoei'lijking *v.* suscitation *f.* de difficultés.
bemoei'ziek *b.n.* qui aime à se mêler de tout.
bemoei'zucht *v.*(*m.*) **1** désir *m.* de se mêler de tout; **2** (*indringerigheid*) importunité *f.*
bemon'sterd *b.n.* ***een —e offerte,*** (*H.*) une offre accompagnée d'échantillons.
bemon'steren *ov.w.* (*H.*) échantillonner.
bemon'stering *v.* échantillonnage *m.*
bemor'sen *ov.w.* souiller, barbouiller, salir.
bemost' *b.n.* moussu, couvert de mousse.
ben *v.*(*m.*) banne, bannette *f.*
benaas'ten *ov.w.* saisir.
benaas'ting *v.* saisie *f.*
bena'delen *ov.w.* nuire à, faire tort à.
bena'deling *v.* tort, préjudice *m.*
bena'deren *ov.w.* **1** (*goederen*) confisquer, saisir; **2** (*wisk.*) calculer approximativement.
bena'dering *v.* **1** saisie *f.*; **2** approximation *f.*, calcul *m.* approximatif; ***bij —,*** approximativement.
bena'ming *v.* dénomination *f.*, nom *m.*
benard' *b.n.* **1** (*v. persoon*) embarrassé; **2** (*v. zaak*) embarassant, difficile, fâcheux.

benard'heid *v.* embarras *m.*
benauwd' *b.n.* **1** (*v. ruimte: eng*) étroit, serré; **2** (*v. weer*) étouffant; **3** (*v. ademhaling*) oppressé; **4** (*benard, bang*) inquiet, peureux, saisi de crainte; ***het is hier —,*** on étouffe ici; ***een —e droom,*** un mauvais rêve; ***het — hebben,*** étouffer; ***het — krijgen,*** se sentir oppressé; ***hij is nergens — voor,*** il ne recule devant rien; ***met een — hart,*** le cœur serré.
benauwd'heid *v.* **1** oppression *f.*, étouffement *m.*; **2** chaleur *f.* étouffante; **3** angoisse, anxiété *f.*; **4** (*hevige —*) suffocation *f.*
benau'wen *ov.w.* **1** oppresser, étouffer; **2** inquiéter.
benau'wend *b.n.* **1** oppressant, étouffant; **2** inquiétant, angoissant.
benau'wing *v.* **1** oppression *f.*; **2** angoisse *f.*
ben'de *v.(m.)* bande, troupe *f.*
bene'den I *bw.* en bas; ***— wonen,*** habiter le rez-de-chaussée; ***naar — gaan,*** descendre; ***iets naar — brengen,*** descendre qc.; (*fig.*) ***hier —,*** ici-bas; **II** *vz.* sous, au-dessous de; ***— de waarde,*** au-dessous de la valeur; ***dat is — mij,*** c'est au-dessous de moi; ***— de wind,*** (*sch.*) sous le vent.
bene'denarm *m.* avant-bras *m.*
bene'denbuur *m.* voisin *m.* d'en bas.
bene'dendek *m.* (*sch.*) pont *m.* inférieur.
Bene'den-Egyp'te *o.* l'Égypte *f.* inférieure.
bene'deneind(e) *o.* bas bout *m.*
bene'denhuis *o.* rez-de-chaussée *m.*
bene'denkamer *v.(m.)* chambre *f.* au rez-de-chaussée.
bene'denkant *m.* **1** côté *m.* inférieur; **2** (*onderkant*) dessous *m.*
bene'denloop *m.* cours *m.* inférieur.
bene'denstad *v.(m.)* ville *f.* basse.
bene'denverdieping *v.* rez-de-chaussée *m.*, étage *m.* inférieur.
bene'denwoning *v.* rez-de-chaussée *m.* (et premier).
benedictijn'(er), benediktijn(er) *m.* bénédictin *m.*
Benedic'tus *m.* Bénoît *m.*
benediktijn(er), *zie* ***benedictijn(er).***
beneficiant' *m.* bénéficiaire *m.*
benefi'cie *o.* bénéfice *m.*
benefi(e)t *o.*, **-voorstelling** *v.* représentation *f.* à bénéfice.
Benelux' *v.* Benelux, Bénélux *m.*
bene'men *ov.w.* ôter, prendre (qc. à qn.), priver (qn. de qc.); ***de eetlust —,*** couper l'appétit; ***zich het leven —,*** se suicider, attenter à ses jours.
be'nen *b.n.* en os.
bene'pen *b.n.* **1** (*eng*) étriqué; **2** (*benauwd*) serré; **3** (*kleinzielig*) petit, mesquin, pusillanime.
bene'penheid *v.* petitesse, étroitesse *f.*
bene'veld *b.n.* **1** nébuleux, brumeux; **2** (*fig.*) obscurci; **3** (*dronken*) gris, dans les brouillards, éméché.
bene'velen *ov.w.* **1** embrumer; **2** obscurcir; **3** griser.
bene'vens *vz.* ainsi que, avec.
Beneven'to *o.* Bénévent.
Bengaals' *b.n.* bengalais, du Bengale.
Bengalees' *m.* Bengalais *m.*
Benga'len *o.* le Bengale.
ben'gel *m.* gamin, mauvais garnement, gavroche, galopin, (*ong.*) polisson *m.*
ben'gelen *on.w.* **1** (*luiden*) sonner la cloche; **2** (*hangen, slingeren*) pendiller, se balancer.
benieuwd' *b.n.* curieux de savoir.
benieu'wen, ***het zal mij — of,*** je suis curieux de savoir si.
be'nig *b.n.* osseux.
benijd'baar *b.n.* enviable.
benij'den *ov.w.* envier, porter envie à; ***beter benijd dan beklaagd,*** mieux vaut faire envie que pitié.
benijdenswaar'd(ig) *b.n.* digne d'envie, enviable.
benij'der *m.* envieux, jaloux *m.*
Ben'jamin *m.* Benjamin *m.*
beno'digd *b.n.* nécessaire.
beno'digdheden *mv.* articles *m.pl.*; fournitures *f.pl.*; ***toilet—,*** articles de toilette; ***kantoor—,*** fournitures de bureau.
benoem'baar *b.n.* éligible.
benoem'baarheid *v.* éligibilité *f.*
benoemd' *b.n.* nommé; ***— getal,*** nombre concret.
benoe'men *ov.w.* **1** (*voor ambt, enz.*) nommer; **2** (*een naam geven*) dénommer.
benoe'ming *v.* **1** nomination *f.*; **2** dénomination *f.*
benoe'mingsbrief *m.* brevet *m.*
benoor'den *vz.* au nord de.
bent *v.(m.)* clique *f.*, parti *m.*
bent'genoot *m.* camarade, copain *m.*
benul' *o.* ***geen — van iets hebben,*** ne pas avoir la moindre idée de qc.
benut'ten, (*Z.N.*) **benut'tigen** *ov.w.* **1** (*gebruiken*) employer, utiliser; **2** (*nut trekken uit*) profiter de; ***de gelegenheid —,*** profiter de l'occasion.
benzi'ne *v.(m.)* benzine, essence *f.*
benzi'neblik *o.* bidon *m.* à (*of* d')essence.
benzi'neleiding *v.* canalisation *f.* d'essence.
benzi'nemeter *m.* indicateur *m.* de niveau d'essence.
benzi'nemotor *m.* moteur *m.* à essence.
benzi'nepomp *v.(m.)* pompe *f.* à essence; distributeur *m.* d'essence.
benzi'nestation *o.* poste *m.* d'essence.
benzi'netank *m.* réservoir *m.* à essence.
ben'zoë *v.(m.)* benjoin *m.*
ben'zoëolie *v.(m.)* huile *f.* benzoïque.
ben'zoëtinctuur, -tinktuur *v.(m.)* teinture *f.* de benjoin.
benzol' *o. en m.* benzol *m.*
beoe'fenaar *m.* ami, amateur *m.*, celui qui s'adonne à, qui étudie; ***— der wetenschap,*** savant, homme de science; ***— van de muziek,*** musicien.
beoe'fenen *ov.w.* **1** (*taal*) étudier; **2** (*wetenschap*) s'occuper de; **3** (*kunsten*) cultiver; **4** (*deugd, godsdienst*) pratiquer.
beoe'fening *v.* **1** étude *f.*; **2** culture *f.*; **3** pratique *f.*
beo'gen *ov.w.* **1** avoir pour but, avoir en vue; **2** (*fig.*) viser.
beoor'delaar *m.* **1** juge *m.*; **2** (*v. boek, enz.*) critique *m.*
beoor'delen *ov.w.* **1** juger; **2** critiquer.
beoor'deling *v.* **1** jugement *m.*; **2** critique *f.*
beoor'logen *ov.w.* faire la guerre à, combattre.
beoos'ten *vz.* à l'est de.
Beo'tië *o.* la Béotie.
Beo'tiër *m.* Béotien *m.*
bepaal'baar *b.n.* définissable, déterminable.
bepaald' I *b.n.* **1** (*nauwkeurig aangewezen*) défini, déterminé; **2** (*vastgesteld*) fixé, arrêté; **3** (*beslist*) catégorique; ***een — antwoord,*** une réponse catégorique; ***een — geval,*** un cas spécial; ***de —e prijs,*** (*H.*) le prix fait; ***een —e voorkeur,*** une préférence marquée; **II** *bw.* **1** d'une manière déterminée; **2** catégoriquement; **3** (*stellig*) certainement, sans aucun doute; ***hij is — ziek,*** il doit être malade; ***— onjuist,*** absolument inexact.
bepaal'delijk *bw.* **1** (*uitdrukkelijk*) expressément; **2** (*inzonderheid*) notamment.
bepaald'heid *v.* précision, justesse *f.*; ***lidwoord van —,*** article *m.* défini.
bepak'ken *ov.w.* charger.

bepak'king *v.* **1** paquetage *m.*; **2** (*mil.*) chargement *m.*, charge *f.*
bepa'len I *ov.w.* **1** (*omschrijven*) définir; **2** (*nader* —) déterminer, qualifier; **3** (*voorschrijven*) prescrire; **4** (*vaststellen*) fixer; (*bij wet, enz.*) arrêter; **5** (*in contract*) stipuler; **6** (*beperken*) limiter, borner; **II** *w.w.* ***zich — tot,*** se borner à.
bepa'lend *b.n.* déterminant; déterminatif; ***— lidwoord,*** article *m.* défini.
bepa'ling *v.* **1** définition *f.*; **2** détermination *f.*; **3** prescription *f.*; **4** fixation *f.*; **5** stipulation *f.*, clause *f.*; **6** (*v. de wet*) disposition *f.*; **7** (*gram.*) complément, régime *m.*; ***bijvoeglijke —,*** attribut *m.*; ***bijwoordelijke —,*** circonstanciel *m.*
bepant'seren *ov.w.* cuirasser, blinder.
bepant'sering *v.* cuirassement, blindage *m.*
bepa'relen *ov.w.* orner de perles, emperler.
bepein'zen *ov.w.* méditer, réfléchir sur; ***zich —,*** (*Z.N.*) se raviser.
bepek'ken *ov.w.* poisser, enduire de poix.
beper'ken I *ov.w.* **1** limiter; **2** (*bekrimpen*) restreindre; **3** (*verlangens, eerzucht*) borner; **4** (*vuur, kwaal*) circonscrire; ***een ziekte —,*** localiser une maladie; **II** *w.w.* ***zich — (tot),*** se borner (à), se restreindre (à).
beper'kend *b.n.* restrictif, limitatif.
beper'king *v.* restriction, limitation *f.*
beperkt' *b.n.* **1** restreint, limité, borné; **2** (*v. geest*) étroit; **3** (*gering*) modique; **4** (*v. monarchie*) tempéré.
beperkt'heid *v.* **1** (*v. plaats*) peu d'étendue *m.*; **2** (*v. geest*) étroitesse *f.*; **3** (*v. inkomen*) modicité *f.*; **4** (*v. tijd*) brièveté *f.*
beplak'ken *ov.w.* revêtir, couvrir de, coller sur.
beplak'king *v.* collage *m.*
beplan'ten *ov.w.* **1** planter (de); **2** (*weg*) border [(de).
beplan'ting *v.* plantation *f.*
bepleis'teren *ov.w.* **1** plâtrer; **2** (*zonder polijsting*) crépir.
bepleis'tering *v.* **1** plâtrage *m.*; **2** crépissage *m.*
beplei'ten *ov.w.* plaider.
beploeg'baar *b.n.* labourable.
beploe'gen *ov.w.* labourer.
beploe'ging *v.* labourage *m.*
beplui'men *ov.w.* emplumer, garnir de plumes, [empanacher.
bepoe'deren, bepoei'eren *ov.w.* poudrer.
bepo'ten *ov.w.* **1** (*beplanten*) planter (de); **2** (*met vis*) empoissonner.
bepra'ten *on.w.* **1** (*bespreken*) discuter, causer (de); **2** (*overhalen*) persuader (qn. de faire qc.), engager (qn. à faire qc.); **3** (*ong.*) enjôler; **4** (*kwaadspreken*) médire de qn.; ***zich laten —,*** se laisser persuader; (*ong.*) se laisser enjôler.
beproefd' *b.n.* **1** (*op de proef gesteld*) éprouvé; **2** (*ervaren*) expérimenté; **3** (*tegen alles bestand*) à toute épreuve; **4** (*v. geneesmiddel*) efficace.
beproe'ven *ov.w.* **1** (*proberen*) essayer; **2** (*pogen*) tenter; **3** (*op de proef stellen*) éprouver, mettre à l'épreuve; ***zijn krachten —,*** se mesurer avec; ***zijn geluk —,*** tenter la fortune.
beproe'ving *v.* **1** (*het beproeven*) épreuve *f.*; **2** (*verzoeking*) tentation *f.*; **3** (*tegenspoed, enz.*) épreuve *f.*
beraad' *o.* délibération, considération *f.*; ***in — houden,*** (*recht*) tenir en délibéré; ***in — nemen,*** prendre en considération; (*recht*) mettre en délibéré; ***in — staan,*** hésiter (sur), être encore indécis; ***na rijp —,*** après mûre réflexion.
beraad'slagen *on.w.* délibérer sur.
beraad'slaging *v.* **1** (*overleg*) délibération *f.*; **2** (*gedachtenwisseling*) discussion *f.*; **3** (*geheime —*) (*recht*) délibéré *m.*
bera'den I *b.n.* prudent, avisé, circonspect; **II** *w.w.* ***zich —,*** **1** (*overleggen*) délibérer, réfléchir; **2** (*van gedachte veranderen*) se raviser.
bera'men *ov.w.* **1** (*ontwerpen*) projeter, concerter, combiner, méditer; **2** (*komplot*) machiner; **3** (*begroten*) estimer, supputer; ***middelen —,*** chercher des moyens, prendre des mesures.
bera'ming *v.* **1** préparation *f.*; **2** machination *f.*; **3** estimation, supputation *f.*
Ber'ber *m.* Berbère *m.*
ber'beris *v.* (*Pl.*) épine*-vinette* *f.*, berbéris *m.*
berd *o.* ***te —e brengen,*** mettre sur le tapis.
berech'ten *ov.w.* **1** (*bedienen*) administrer; **2** (*recht*) juger, prononcer (un jugement), faire justice.
berech'ting *v.* **1** (*kath.*) administration *f.* (des sacrements); **2** jugement *m.*
bered'deren *ov.w.* **1** (*zaak*) arranger; **2** (*boedel*) [liquider.
bered'dering *v.* **1** arrangement *m.*; **2** liquidation *f.*; **3** (*fig.*) embarras, remue-ménage *m.*
bere'den *b.n.* **1** (*v. paard*) (bien) dressé; **2** (*v. persoon*) monté; **3** (*v. weg*) battu; ***de — politie,*** la police montée; ***een — ruiter,*** un cavalier consommé.
beredeneerd' *b.n.* **1** (*oplossing*) raisonné; **2** (*persoon*) qui raisonne (bien); **3** (*advies*) motivé.
beredene'ren *ov.w.* **1** raisonner; **2** (*samen —*) discuter.
beredene'ring *v.* **1** raisonnement *m.*; **2** discus- [sion *f.*
be'rehok *o.* cage *f.* d'ours.
be'rehol *o.* caverne *f.* d'ours.
be'rehuid *v.*(*m.*) peau *f.* d'ours.
bereid' *b.n.* prêt (à), disposé (à); ***tot de strijd —,*** préparé à la lutte, apprêté au combat; ***tot wederdienst —,*** prêt à vous rendre la réciproque, — la pareille.
berei'den *ov.w.* **1** (*spijzen, geneesmiddel, enz.*) préparer; **2** (*maaltijden*) apprêter; **3** (*toebereiden*) accommoder; ***iem. een verrassing —,*** ménager une surprise à qn.
berei'der *m.* préparateur; apprêteur *m.*
berei'ding *v.* préparation *f.*; apprêt *m.*
berei'dingswijze *v.*(*m.*) procédé *m.* de préparation; manière *f.* de préparer.
bereids' *bw.* déjà.
bereidvaar'dig I *b.n.* de bonne volonté, empressé, disposé (à); **II** *bw.* de bon cœur, avec empressement.
bereidvaar'digheid *v.* bonne volonté *f.*, em- [pressement *m.*
bereid'verklaring *v.* consentement *m.*
bereidwil'lig(heid), *zie* ***bereidvaardigheid.***
bereik' *o.* portée *f.*; ***binnen het —,*** à la portée; ***dat is boven mijn —,*** c'est au-dessus de mes moyens; cela dépasse la portée de mon esprit; ***buiten het — der kanonnen,*** hors de la portée des canons; (*fig.*) ***hij is buiten —,*** il est hors d'atteinte.
bereik'baar *b.n.* **1** accessible; **2** (*te verwezenlijken*) réalisable.
berei'ken *ov.w.* **1** atteindre, parvenir à; **2** (*plaats*) ganger; **3** (*komen tot: leeftijd*) arriver à; ***uw brief heeft mij niet bereikt,*** votre lettre ne m'est pas parvenue; ***met geweld zal men niets —,*** on n'obtiendra rien avec la violence.
berei'king *v.* **1** atteinte *f.*; **2** obtention *f.*; ***ter — van,*** pour atteindre, pour arriver à.
bereisd' *b.n.* qui a beaucoup voyagé, qui a l'expérience des voyages.
berei'zen *ov.w.* visiter, parcourir, voyager en.
be'rejacht *v.*(*m.*) chasse *f.* à l'ours.
be'rejong *o.* ourson *m.*
bere'kenbaar *b.n.* calculable.

bere'kend *b.n.* — (*geschikt*) ***voor,*** propre à; — ***voor zijn taak,*** à la hauteur de sa tâche; ***op effect — zijn,*** viser à l'effet.
bere'kenen *ov.w.* **1** (*uitrekenen*) calculer; **2** (*in rekening brengen*) porter en compte, compter; **3** (*beramen*) estimer, supputer.
bere'kening *v.* **1** calcul *m.*; **2** compte *m.*; **3** (*v. tijd*) computation, supputation *f.*; ***naar alle —,*** selon toute probabilité; ***handelen uit —,*** agir par calcul.
be'reklauw *m. en v.* **1** griffe *f.* d'ours; **2** (*Pl.*) berce *f.* (commune), branche*-ursine* *f.*
be'rekuil *m.* fosse *f.* aux ours.
be'releider *m.* meneur *m.* d'ours.
be'remuts *v.*(*m.*) bonnet *m.* à poil, colback *m.*
beren'nen *ov.w.* (*mil.*) cerner, investir, bloquer.
beren'ning *v.* (*mil.*) investissement, blocus *m.*
be'reoor *o.* **1** oreille *f.* d'ours; **2** (*Pl.*) oreille *f.* d'ours, auricule *f.*
berg I *m.* (*alleen*) mont *m.*; (*in groep*) montagne *f.*; ***over —en en dalen,*** par monts et par vaux; ***de haren rezen mij te —e,*** mes cheveux se dressèrent sur ma tête; ***de — heeft een muis gebaard,*** la montagne a enfanté une souris; **II** *o. en m.*, (*hoofdzeer*) séborrhée *f.*
berg'achtig *b.n.* montagneux.
bergaf' *bw.* en descendant; ***het gaat —,*** on descend, nous descendons.
Ber'gamo *o.* Bergame *f.*; ***uit —,*** bergamasque.
bergamot' *v.*(*m.*) bergamote *f.*
bergamot'olie *v.*(*m.*) essence *f.* de bergamote.
berg'artillerie *v.* artillerie *f.* de montagne.
berg'beklimmer *m.* ascensionniste; alpiniste *m.*
berg'beschrijving *v.* orographie *f.*
berg'bestijging *v.* ascension *f.* (d'une montagne).
berg'bevolking *v.* montagnards *m.pl.*
berg'bewoner *m.* montagnard *m.*
berg'eend *v.*(*m.*) (*Dk.*) canard *m.* d'Islande, tadorne *m.*
ber'gen *ov.w.* **1** (*opbergen*) serrer, enfermer; **2** (*plaatsen*) placer; **3** (*gast, lading*) loger; **4** (*opslaan*) emmagasiner; **5** (*sch.*) (*zeil*) serrer; (*vlag*) amener; (*redden*) sauver; ***geborgen zijn,*** être casé; avoir son pain cuit; ***berg je!*** gare!
Ber'gen *o.* **1** (*België*) Mons *m.*; **2** (*Noorwegen*) Bergen *m.*
berg'engte *v.* défilé *m.*, gorge *f.*, col *m.*
ber'ger *m.* sauveteur *m.*
berg'flora *v.*(*m.*) flore *f.* des montagnes.
berg'geel *o.* ocre *f.* jaune.
berg'geest *m.* gnome *m.*; génie *m.* de la montagne.
berg'geit *v.*(*m.*) chamois *m.*
berg'geld *o.* (*sch.*) droit *m.* de sauvetage.
berg'geschut *o.* artillerie *f.* de montagne.
berg'groep *m.* massif *m.*
berg'helling *v.* pente *f.*
berg'hok *o.* débarras *m.*, décharge *f.*
berg'hut *v.*(*m.*) chalet *m.*, cabane *f.* des montagnes, —-refuge.
ber'ging *v.* **1** (*v. goederen*) sauvetage *m.*; **2** (*v. schip*) renflouage *m.*
ber'gingsboot *v.*(*m.*) navire *m.* de sauvetage.
ber'gingsmaatschappij *v.* (*sch.*) société *f.* de sauvetage, — de renflouage.
berg'je *o.* monticule *m.*
berg'kam *m.* crête *f.*
berg'keten *v.*(*m.*) chaîne *f.* de montagnes.
berg'klimaat *o.* climat *m.* de montagne.
berg'kloof *v.*(*m.*) crevasse *f.*
berg'kristal *o.* cristal *m.* de roche.
berg'kruin *v.*(*m.*) cime *f.*, sommet *m.*
berg'land *o.* pays *m.* montagneux.
berg'landschap *o.* paysage *m.* de montagnes.
berg'loon *o.* frais *m.pl.* de sauvetage, — de remorquage.
berg'lucht *v.*(*m.*) air *m.* des montagnes, — de la montagne.
berg'meer *o.* lac *m.* de montagne. — dans les montagnes.
berg'muis *v.*(*m.*) lemming *m.*
berg'nimf *v.* oréade *f.*, nymphe *f.* des monts.
bergop' *bw.* en montant; ***we gaan —,*** nous montons.
berg'pad *o.* sentier *m.* de (*of* dans la) montagne.
Berg'partij *v.* (*gesch.*) la Montagne.
berg'pas *m.* col, défilé *m.*, gorge *f.*
berg'plaats *v.*(*m.*) **1** (*magazijn*) magasin *m.*; **2** (*stapelplaats*) entrepôt *m.*; **3** (*berghok*) débarras *m.*, décharge *f.*; **4** (*voor fietsen, auto's*) garage *m.*; **5** (*v. munitie*) dépôt *m.*; **6** (*op schip*) soute *f.*; **7** (*schuurtje*) remise *f.*
berg'rat *v.*(*m.*) marmotte *f.*, loir *m.*
Berg'rede *v.*(*m.*) sermon *m.* sur la montagne.
berg'rug *m.* dos *m.* (de la montagne), crête *f.* de montagne.
berg'schoen *m.* soulier *m.* ferré, — clouté.
Berg'schot *m.* montagnard écossais, Highlander *m.*
berg'sle(d)e *v.*(*m.*) ramasse, luge *f.*
berg'spits *v.*(*m.*) cime *f.*, pic *m.*
berg'spleet *v.*(*m.*) crevasse, fente *f.*
berg'spoor *o.*, **berg'spoorweg** *m.* funiculaire *m.*, chemin *m.* de fer de montagne.
berg'sport *v.*(*m.*) alpinisme *m.*
berg'stelsel *o.* système *m.* de montagnes.
berg'stok *m.* bâton *m.* ferré.
berg'storting *v.* éboulement *m.* (d'une montagne).
berg'streek *v.*(*m.*) région *f.* montagneuse.
berg'stroom *m.* torrent *m.*
berg'tocht *m.* excursion *f.* dans la montagne.
berg'top *m.* cime *f.*, sommet *m.*
berg'verschuiving *v.* glissement *m.* de montagne.
berg'wand *m.* paroi *f.* de la montagne, mur *m.* de montagne.
berg'weide *v.*(*m.*) pâturage *m.* alpestre, alpage *m.*
berg'wind *m.* vent *m.* de la montagne.
berg'zout *o.* sel *m.* gemme.
beribe'ri *v.*(*m.*) (*gen.*) béribéri *m.*
beribe'rilijder *m.* béribérique *m.*
bericht' *o.* **1** (*alg.*) avis *m.*; **2** (*mededeling*) information, communication; nouvelle *f.*; **3** (*kort —, in dagblad*) entrefilet *m.*; **4** (*in boek*) avertissement *m.*; ***gemengde —en,*** faits *m.pl.* divers; — ***van ontvangst,*** accusé *m.* de réception; — ***van verzending,*** avis *m.* d'expédition; ***ik heb — van hem ontvangen,*** j'ai eu (*of* reçu) de ses nouvelles; — ***van overlijden,*** lettre de faire part.
berich'ten *ov.w.* **1** avertir, informer; annoncer, apprendre; **2** (*H.*) (*melden*) mander; ***de*** (***goede***) ***ontvangst — van,*** accuser (la bonne) réception de.
bericht'gever *m.* **1** correspondant *m.*; **2** (*v. dagblad*) reporter *m.*
berijd'baar *b.n.* **1** (*voor rijtuigen*) carrossable; **2** (*voor fietsen*) cyclable; **3** (*alg. bruikbaar*) praticable.
berij'den *ov.w.* **1** (*paard*) monter; **2** (*weg*) parcourir (en voiture, à cheval), passer par (*of* sur) (un chemin en voiture, à cheval).
berij'der *m.* **1** cavalier *m.*; **2** (*kunstrijder*) écuyer *m.*
berij'men *ov.w.* mettre en vers, rimer.
berij'ming *v.* rédaction *f.* en vers.
berijpt' *b.n.* **1** blanc (de givre); **2** (*fruit*) velouté.
beril', beryl' *m.* (*als stofnaam o.*) béryl *m.*
berin' *v.* ourse *f.*
beris'pelijk *b.n.* répréhensible, blâmable.

beris'pelijkheid *v.* répréhensibilité *f.*
beris'pen *ov.w.* reprendre, blâmer, réprimander.
beris'ping *v.* répréhension *f.*, blâme *m.*, réprimande *f.*
berk *m.* bouleau *m.*
ber'kehout *o.* (bois de) bouleau *m.*
ber'kenbos *o.* boulaie *f.*, bois *m.* de bouleaux.
Berlijn' *o.* Berlin *m.*
Berlijn'er *m.* Berlinois *m.*
Berlijns' *b.n.* berlinois; — ***blauw,*** bleu de Prusse.
berm *m.* **1** (*langs water*) berme *f.*; **2** (*langs weg*) accotement, bas-côté, talus *m.*; **3** (*mil.*) relais *m.*; ***zachte —,*** accotements non stabilisés.
berm'bescherming, -beveiliging *v.* glissière *f.* de sécurité.
berm'lamp *v.*(*m.*) phare (*of* projecteur) *m.* de virage, — antibrouillard.
berm'toerisme *o.* pique-nique* *m.* face à l'autoroute (*of* aux routes de grande circulation).
Bermu'da *o.* Bermudes *f.pl.*
Bern *o.* Berne *f.*; ***uit —,*** bernois.
Ber'nard *m.* Bernard *m.*
bernardijn' *m.* Bernardin *m.*
Ber'ner *b.n.* bernois, de Berne.
beroemd' *b.n.* renommé, célèbre, fameux; illustre.
beroemd'heid *v.* renommée *f.*, renom *m.*, célébrité *f.*
beroe'men *w.w.* ***zich — op,*** se glorifier de, se vanter de, se targuer de.
beroep' *o.* **1** (*ambt*) profession *f.*, état *m.*; **2** (*ambacht*) métier *m.*; **3** (*benoeming*) nomination *f.*; **4** (*recht*) appel *m.*; ***een — doen op,*** faire appel à, en appeler à; ***in hoger — gaan,*** interjeter appel, se pourvoir en cassation; ***raad van —,*** conseil *m.* de prud'hommes; ***vrij —,*** profession libérale.
beroep'baar *b.n.* en disponibilité.
beroe'pen I *ov.w.* (*aanroepen*) appeler; **2** (*benoemen*) nommer; ***iem. tot een ambt —,*** appeler qn. à une fonction; **II** *w.w.* ***zich — op,*** en appeler à; (*op getuigenis*) s'en rapporter à, en appeler à; (*op oordeel*) se référer à; (*op schrijven, enz.*) s'autoriser de, invoquer l'autorité de; (*op een recht*) se réclamer (d'un droit); ***zich op allerlei redenen —,*** alléguer toutes sortes de raisons.
beroe'per *m.* (*recht*) appelant *m.*
beroe'ping *v.* nomination *f.*
beroeps'belang *v.* intérêt *m.* professionnel.
beroeps'bevolking *v.* population *f.* active.
beroeps'bezigheden *mv.* occupations, fonctions *f.pl.*
beroeps'consul *m.* consul *m.* de carrière.
beroeps'geheim *o.* secret *m.* professionnel.
beroeps'halve *bw.* d'office, en vertu de ses fonctions.
beroeps'kader *o.* cadres *m.pl.*
beroeps'keuze *v.*(*m.*) choix *m.* d'un état, — d'une profession, — d'un métier, — d'une carrière.
beroeps'kleding *v.* vêtements *m.pl.* de profession.
beroeps'leger *o.* armée *f.* de métier, — active.
beroeps'officier *m.* officier *m.* de carrière.
beroeps'onderwijs *o.* enseignement *m.* professionnel.
beroeps'ordening *v.* organisation *f.* professionnelle.
beroeps'plicht *m.* devoir *m.* professionnel.
beroeps'politicus *m.* politicien *m.*
beroeps'renner, -rijder *m.* (*sp.*) (coureur) professionnel *m.*
beroeps'school *v.*(*m.*) école *f.* professionnelle.
beroeps'soldaat *m.* soldat *m.* de métier.
beroeps'speler *m.* (*sp.*) (joueur) professionnel *m.*
beroeps'vereniging *v.* syndicat *m.* (professionnel).
beroeps'voorlichting *v.* orientation *f.* professionnelle.
beroeps'ziekte *v.* maladie *f.* professionnelle.
beroerd' I *b.n.* (*fam.*) misérable, pitoyable; ***een — weer,*** un sale temps; ***een —e vent,*** un type embêtant, un sale type; **II** *bw.* ***ik voel mij —,*** je ne me sens pas bien; ***het is — koud,*** il fait rudement froid.
beroe'ren *ov.w.* **1** (*aanroeren*) toucher à; **2** (*geesten*) troubler, bouleverser; **3** (*land*) provoquer des troubles, exciter —.
beroe'ring *v.* trouble *m.*, agitation *f.*, émoi *m.*; ***in — brengen,*** troubler, agiter.
beroer'ling *m.* sale type, misérable *m.*
beroer'te *v.* (*gen.*) apoplexie *f.*; (*pop.*) coup *m.* de sang; ***—n,*** (*onlusten*) troubles *m.pl.*; ***Raad van B—,*** Conseil *m.* des troubles; ***een — krijgen,*** être frappé d'apoplexie, avoir une attaque (d'apoplexie).
bero'ken *ov.w.* fumer, enfumer.
bero'king *v.* fumigation *f.*
berok'kenen I *ov.w.* causer; **II** *w.w.* ***zich onaangenaamheden —,*** s'attirer des ennuis, — des désagréments.
berooofd' *b.n.* **1** dévalisé; **2** (*ontbloot van*) dénué de; ***van zijn zinnen —,*** privé de raison.
berooid' *b.n.* **1** pauvre, indigent; **2** (*ledig : beurs, schatkist*) vide, épuisé; **3** (*v. toestand*) misérable.
berooid'heid *v.* pauvreté, indigence *f.*
berouw' *o.* **1** (*alg.*) repentir, regret *m.*; **2** (*diep —*) contrition *f.*; ***het — over zijn zonden,*** le repentir de ses péchés; ***oefening*** (*of* ***akte***) ***van —,*** acte de contrition; ***— hebben over,*** se repentir de; ***volmaakt*** (***onvolmaakt***) ***—,*** contrition parfaite (imparfaite).
berou'wen *ov.w.* se repentir de, regretter; ***die daad zal hem —,*** il regrettera cette action; ***het zal hem —,*** il s'en repentira. [repenti.
berouw'hebbend, berouw'vol *b.n.* repentant,
bero'ven I *ov.w.* **1** dépouiller; **2** (*op openb. weg*) dévaliser; détrousser; ***iem. van iets —,*** ravir qc. à qn.; ***iem. van het leven —,*** ôter la vie à qn., tuer qn.; ***iem. van zijn vrijheid —,*** priver qn. de sa liberté; **II** *w.w.* ***zich — van,*** se priver de; ***zich van het leven —,*** se suicider, se tuer.
bero'ver *m.* spoliateur, détrousseur *m.*
bero'ving *v.* **1** (*door dieven*) dépouillement *m.*; **2** (*van rechten*) privation *f.*
ber'rie *v.*(*m.*) civière *f.*, brancard *m.*
Ber'tha *v.*(*m.*) Berthe *f.*
Ber'tus *m.* Albert, Hubert, Lambert *m.*
berucht' *b.n.* fameux, mal famé. [brité *f.*
berucht'heid *v.* mauvaise réputation, triste célé-
berui'ken *ov.w.* flairer.
berus'ten *on.w.* se résigner; ***in zijn lot —,*** se résigner à son sort; ***— bij,*** (*in bewaring zijn*) reposer dans les mains de, être —, être en la possession de; ***dat berust op een vergissing,*** cela repose sur une erreur.
berus'ting *v.* **1** résignation *f.*; **2** garde *f.*, dépôt *m.*
beryl', *zie* ***beril.***
bes *v.*(*m.*) **1** (*vrucht*) baie *f.*; **2** (*aalbes*) groseille *f.*; **3** (*muz.*) si *m.* bémol; **4** *v.* (*oude vrouw*) vieille (femme) *f.*
beschaafd' *b.n.* **1** (*niet wild*) civilisé, policé; **2** (*welopgevoed*) bien élevé; **3** (*welgemanierd*) poli, courtois; **4** (*goed onderwezen*) instruit, cultivé.
beschaafd'heid *v.* **1** civilisation *f.*; **2** bonne éducation *f.*; **3** politesse *f.*
beschaamd' *b.n.* honteux; confus; ***— maken,*** faire rougir; (*in verwarring brengen*) rendre confus; ***— staan*** (***over***)***,*** être honteux (de), avoir honte (de).

beschaamd'heid *v.* honte, confusion *f.*
bescha'digen *ov.w.* **1** endommager; **2** (*koopwaren*) avarier; **3** (*bederven*) détériorer; **4** (*beeld, schilderij*) dégrader.
bescha'diging *v.* **1** (*handeling*) endommagement *m.*; dégradation *f.*; **2** (*schade*) dommage *m.*
bescha'duwen *ov.w.* ombrager.
bescha'men *ov.w.* **1** (*beschaamd maken*) faire rougir, rendre honteux; **2** (*teleurstellen*) décevoir, ne pas répondre à l'attente.
bescha'mend *b.n.* humiliant.
bescha'ming *v.* honte, confusion *f.*
bescha'ven *ov.w.* civiliser, policer.
bescha'ving *v.* civilisation; culture *f.*
bescha'vingsgeschiedenis *v.* histoire *f.* de la civilisation.
bescheid' *o.* **1** (*antwoord*) réponse *f.*; **2** (*tijding*) nouvelle *f.*; **3** (*bewijsstuk, akte*) pièce *f.*, document, titre *m.*; **4** (*inlichting*) renseignement *m.*, information *f.*; ***— geven,*** répondre.
beschei'den *b.n.* **1** (*niet te vrijmoedig*) modeste, discret; **2** (*niet groot*) (*inkomen, loon*) modique; (*prijs, huur*) modeste; **3** (*zonder aanmatiging*) humble; ***naar mijn — mening,*** à mon humble avis.
beschei'denheid *v.* **1** modestie, discrétion *f.*; **2** (*in wensen*) modération *f.*
beschen'ken *ov.w.* faire cadeau (de qc. à qn.), gratifier (qn. de qc.).
bescher'meling *m.*, **—e** *v.* protégé *m.*, —e *f.*
bescher'men *ov.w.* **1** protéger; **2** (*beschutten*) abriter (contre), mettre à l'abri (de); **3** (*behoeden*) sauvegarder.
bescher'mend *b.n.* protecteur; ***—e rechten,*** droits *m.pl.* protecteurs; ***het — stelsel,*** le protectionnisme.
bescherm'engel *m.* ange *m.* tutélaire, — gardien.
bescher'mer *m.* protecteur *m.*
bescherm'geest *m.* génie *m.* tutélaire.
bescherm'heer *m.* protecteur, patron *m.*
bescherm'heerschap *o.* patronage *m.*
bescherm'heilige *m.-v.* patron *m.*, —ne *f.*
bescher'ming *v.* **1** protection *f.*; **2** abri *m.*; **3** sauvegarde *f.*; **4** (*verdediging*) défense *f.*; ***in — nemen*** **1** protéger; **2** défendre; ***onder — der duisternis,*** à la faveur de la nuit; ***— burgerbevolking,*** défense *f.* passive.
bescherm'ster *v.* protectrice *f.*
bescherm'vrouw(e) *v.* **1** protectrice, patronne *f.*; **2** (*weldadigheid*) (dame) patronnesse *f.*
beschie'ten *ov.w.* **1** (*mil.*) tirer sur; (*met schroot*) mitrailler; (*kanonneren*) canonner; (*vesting*) bombarder; **2** (*met hout*) lambrisser, boiser.
beschie'ting *v.* **1** canonnade *f.*; bombardement *m.*; **2** lambrissage, boisage *m.*
beschij'nen *ov.w.* éclairer, luire sur.
beschik'baar *b.n.* disponible; ***— stellen,*** mettre à la disposition (de); ***de beschikbare voorraad,*** le disponible; ***beschikbare gelden,*** disponibilités *f.pl.*
beschik'baarheid *v.* disponibilité *f.*
beschik'ken *ov.w.* mettre en ordre, arranger, régler; ***afwijzend — op een verzoek,*** refuser une demande, rejeter —, repousser —, opposer une fin de non-recevoir à; ***gunstig — op een verzoek,*** donner satisfaction à une demande; ***— over,*** disposer de; ***de mens wikt, God beschikt,*** l'homme propose, Dieu dispose.
beschik'king *v.* disposition *f.*, arrangement *m.*; ***ministeriële —,*** arrêté *m.* ministériel; ***de — hebben over,*** disposer de; ***ter — stellen van,*** mettre à la disposition de; ***een ambtenaar ter — stellen,*** mettre un fonctionnaire en disponibilité.
beschil'deren *ov.w.* peindre.
beschil'dering *v.* peinture *f.*
beschim'meld *b.n.* **1** moisi; **2** (*v. kaas*) persillé.
beschim'melen *on.w.* (se) moisir; se persiller.
beschim'meling *v.* moisissure *f.*
beschim'pen *ov.w.* injurier, insulter.
beschim'ping *v.* injure, insulte *f.*
beschoei'en *ov.w.* **1** boiser, garnir de planches; **2** (*v. mijn*) cuveler.
beschon'ken *b.n.* ivre, pris de vin.
beschon'kenheid *v.* ivresse *f.*
bescho'ren *b.n.* destiné à, réservé à.
beschot' *o.* **1** (*houten bekleedsel*) lambris *m.*, boiserie *f.*; **2** (*afscheiding*) cloison *f.*; ***waterdicht —,*** cloison étanche.
beschou'wen *ov.w.* **1** contempler; **2** (*fig.*) regarder, considérer; ***alles wel beschouwd,*** à tout prendre, tout bien considéré, après tout.
beschou'wend *b.n.* contemplatif; ***de —e wijsbegeerte,*** la philosophie spéculative.
beschou'wing *v.* **1** (*godsd.*) contemplation *f.*; **2** (*overweging*) considération *f.*; **3** (*onderzoek*) examen *m.*; ***bij nadere —,*** en y regardant de plus près; ***buiten — laten,*** ne pas prendre en considération, laisser de côté, négliger; ***de algemene —en,*** la discussion générale.
beschreeuw'en *ov.w.* se faire entendre de; ***niet te —,*** hors de portée.
beschreid' *b.n.* rouge (d'avoir pleuré).
beschrij'ven *ov.w.* **1** (*schrijven op*) écrire sur; **2** (*meetk. figuur*) tracer, décrire; **3** (*een beschrijving geven*) décrire, dépeindre; **4** (*vol schrijven*) remplir d'écriture; **5** (*op papier stellen: contract, enz.*) écrire, mettre par écrit; **6** (*bijeenroepen*) convoquer; ***de boedel —,*** faire l'inventaire; ***er is niets beschreven,*** il n'y a pas de testament; ***het is niet te —,*** c'est indescriptible, c'est inénarrable.
beschrij'vend *b.n.* descriptif.
beschrij'ver *m.* descripteur *m.*
beschrij'ving *v.* description *f.*; ***alle — te boven gaan,*** défier toute description.
beschrij'vingsbiljet *o.* feuille *f.* de déclaration.
beschrij'vingsbrief *m.* lettre *f.* de convocation.
beschroomd' *b.n.* timide, craintif.
beschroomd'heid *v.* timidité, crainte *f.*
beschuit' *v.*(*m.*) biscotte *f.*; (*scheeps-*) biscuit *m.*
beschuit'fabriek *v.* biscuiterie *f.*
beschuit'je *o.* biscotin *m.*
beschuit'pap *v.*(*m.*) bouillie *f.* aux biscottes.
beschuit'trommel *v.*(*m.*) boîte *f.* à biscuits.
beschul'digde *m.-v.* accusé *m.*, —e *f.*; inculpé *m.*, —e *f.*, prévenu *m.*, —e *f.*
beschul'digen *ov.w.* accuser, inculper, incriminer; ***beschuldigd worden van,*** (*ook:*) être sous l'inculpation de, sous le coup d'une accusation.
beschul'diger *m.* accusateur *m.*
beschul'diging *v.* **1** (*alg. en recht: v. misdaad*) accusation *f.*; **2** (*v. misdaad of overtreding*) inculpation *f.*; **3** (*v. overtreding*) prévention *f.*
beschut' *b.n.* ***— tegen,*** à l'abri de.
beschut'ten *ov.w.* **1** mettre à l'abri (de), mettre à couvert (de), abriter (contre); **2** (*beschermen*) protéger (contre), défendre (contre).
beschu'tting *v.* **1** abri *m.*; **2** protection, défense *f.*
besef' *o.* notion, idée *f.*; ***hij heeft er geen — van,*** il n'en a pas la moindre idée; ***in 't volle — van,*** conscient de.
besef'fen *ov.w.* se rendre compte de, avoir conscience de, comprendre.
bes'je *o.* bonne vieille, sans-dent* *f.*

bes'jeshuis *o.* hospice *m.* de vieilles femmes.
beslaan' **I** *ov.w.* **1** (*paard*) ferrer; **2** (*met metaal*) garnir (de); **3** (*meel*) délayer; **4** (*kalk*) gâcher; **5** (*plaats*) occuper, prendre; **6** (*omvatten*) comprendre, contenir; **7** (*een vat*) cercler; ***goed beslagen ten ijs komen,*** être ferré à glace; ***hij is beslagen in zijn vak,*** il est ferré sur sa branche; **II** *on.w.* se ternir, s'embuer, se couvrir de buée; ***een beslagen tong,*** une langue chargée; **III** *z.n., o.* ***het —,*** (*v. paard*) ferrage *m.*
beslag' *o.* **1** (*v. paard*) fers *m.pl.*, ferrure *f.*; **2** (*v. deur, venster*) ferrure, garniture *f.*; **3** (*deeg*) pâte *f.*; **4** (*v. wiel*) bandage(s) *m.*(*pl.*); **5** (*v. boek*) fermoir *m.*; **6** (*aan mes*) virole *f.*; **7** (*v. geweer*) armature *f.*; **7** (*recht*) (*op goederen*) saisie *f.*, arrêt *m.*; (*op salaris*) opposition *f.*; (*op schip*) embargo *m.*; ***— leggen op,*** (*goederen*) saisir, confisquer; (*salaris*) mettre opposition (sur); (*scheepslading*) mettre l'embargo sur; ***— leggen op iem.,*** (*voor werk, enz.*) s'emparer de qn.; (*beschikken over*) disposer de qn.; ***in — nemen,*** **1** (*goederen*) saisir; **2** (*tijd*) prendre; **3** (*ruimte*) prendre, occuper; **4** (*aandacht, gedachten*) retenir, absorber.
besla'gen *b.n., zie* ***beslaan.***
beslag'legging *v.* **1** saisie, saisie*-arrêt* *f.*; **2** (*sch.*) embargo *m.*
besla'pen **I** *ov.w.* coucher sur; **II** *w.w.* ***zich — op iets,*** consulter son oreiller, — son chevet, prendre conseil de son oreiller.
beslech'ten *ov.w.* **1** (*zaak*) arranger; **2** (*twist*) vider, terminer.
beslech'ting *v.* arrangement *m.*
beslij'ken *ov.w.* crotter, éclabousser, couvrir de boue.
beslis'sen *ov.w.* décider.
beslis'send *b.n.* **1** décisif; **2** (*eed*) décisoire; **3** (*toon*) péremptoire; ***het —e ogenblik,*** le moment critique, — décisif; ***de —e partij,*** (*sp.*) la finale; ***—e stem hebben,*** avoir voix prépondérante; ***— zijn voor,*** décider de.
beslis'sing *v.* **1** décision *f.*; **2** (*eindoordeel*) jugement *m.*
beslis'singswedstrijd *m.* finale *f.*
beslist' *b.n.* **1** (*toon*) décidé; **2** (*antwoord*) catégorique; **3** (*weigering*) formel, catégorique.
beslist'heid *v.* décision *f.*; ***met — spreken,*** parler d'une manière décidée; ***zich met — ertegen verzetten,*** s'y opposer carrément.
beslom'mering(**en**) *v.*(*mv.*) tracas *m.*(*pl.*),préoccupation(s) *f.*(*pl.*).
beslo'ten *b.n.* **1** fermé; **2** (*gezelschap, kring, enz.*) privé, particulier; ***de — tijd,*** (*advent, vasten*) le temps clos; ***— jacht,*** (*voorbehouden*) chasse réservée; ***bij — jacht,*** (*gesloten*) en temps de chasse prohibée; ***— zijn om,*** être décidé (*of* résolu) à.
beslui'pen *ov.w.* s'approcher furtivement de, surprendre par derrière; ***zijn prooi —,*** se glisser vers sa proie.
besluit' *o.* **1** (*beslissing*) décision; résolution *f.*; **2** (*v. koning of minister*) arrêté *m.*; **3** (*kon. bevel*) décret *m.*; **4** (*gevolgtrekking*) conclusion *f.*; **5** (*einde*) fin, conclusion *f.*; ***koninklijk —,*** arrêté royal.
beslui'teloos *b.n.* indécis, irrésolu.
beslui'teloosheid *v.* indécision, irrésolution *f.*
beslui'ten *ov.w.* **1** (*een besluit nemen*) résoudre de, se résoudre à, se décider à; **2** (*vaststellen*) arrêter; **3** (*een gevolgtrekking maken*) conclure; **4** (*eindigen*) finir, terminer.
besluitvaar'digheid *v.* esprit *m.* d'à-propos.
besluit'wet *v.*(*m.*) (*B.*) (*noodverordening*) décret*-loi* *m.*
besme'ren *ov.w.* **1** (*alg.*) enduire de; **2** (*met boter*) beurrer; **3** (*met vet*) graisser; **4** (*met vuil*) barbouiller.
besmet' *b.n.* infecté (de), contaminé (de).
besmet'telijk *b.n.* **1** infectieux; **2** (*aanstekelijk*) contagieux; **3** (*licht smetten krijgend*) salissant, tachant (facilement).
besmet'telijkheid *v.* caractère *m.* contagieux, contagiosité *f.*
besmet'ten *ov.w.* infecter; contaminer; salir, tacher; (*fig.*) infecter.
besmet'ting *v.* infection; contagion *f.*
besmet'tingshaard *m.* foyer *m.* de l'infection.
besmeuren *ov.w.* salir, tacher.
besnaard' *b.n.* muni de cordes; ***een fijn — gemoed,*** une âme délicate.
besna'ren *ov.w.* munir de cordes.
besne'den *b.n.* **1** taillé; **2** circoncis; ***fijn — trekken,*** des traits délicats.
besneeuwd' *b.n.* couvert de neige, neigeux.
besneeu'wen *ov.w.* couvrir de neige.
besnijden *ov.w.* **1** tailler, couper; **2** circoncire.
besnij'denis *v.* circoncision *f.*
besnoei'en *ov.w.* **1** (*boom*) ébrancher, élaguer, émonder; **2** (*haag*) tondre, tailler; **3** (*wijnstok*) épamprer; **4** (*fig. : uitgaven*) diminuer, retrancher, rogner; (*boek*) faire des coupures dans; élaguer.
besnoei'ing *v.* **1** ébranchage, élagage, émondage *m.*; **2** taille *f.*; **3** diminution *f.*, retranchement *m.*; **4** coupure *f.*, élagage *m.*
besnuf'felen *ov.w.* flairer.
bespan'nen *ov.w.* **1** (*rijtuig*) atteler; **2** (*viool*) garnir de cordes.
bespan'ning *v.* attelage *m.*
bespa'ren *ov.w.* épargner, économiser; ***iem. onaangenaamheden —,*** éviter des ennuis à qn.
bespa'ring *v.* épargne, économie *f.*
bespat'ten *ov.w.* éclabousser.
bespat'ting *v.* éclaboussement *m.*
bespe'len *ov.w.* **1** (*instrument*) jouer de; **2** (*piano*) toucher (du); **3** (*harp, gitaar*) pincer (de); **4** (*schouwburg*) donner des représentations dans.
bespe'ling *v.* audition *f.*, concert *m.* (d'orgue); récital *m.*
bespeu'ren *ov.w.* apercevoir, s'apercevoir de, remarquer; ***er is niets meer van te —,*** on n'en voit plus de trace; il n'y paraît plus.
bespie'den *ov.w.* espionner; épier, guetter.
bespie'der *m.* espion *m.*
bespie'ding *v.* espionnage *m.*
bespie'gelend *b.n.* **1** (*tegenover proefondervindelijk*) spéculatif; **2** (*beschouwend*) contemplatif.
bespie'geling *v.* **1** spéculation *f.*; **2** contemplation, méditation *f.*
bespij'keren *ov.w.* garnir de clous.
bespik'kelen *ov.w.* **1** moucheter; **2** (*v. boek*) jasper.
bespione'ren *ov.w.* épier, moucharder, espionner.
bespoe'digen *ov.w.* accélérer, presser, hâter, activer.
bespoe'diging *v.* accélération *f.*
bespoe'len *ov.w.* arroser; (*kust*) baigner, battre.
bespot'telijk *b.n.* **1** ridicule; **2** (*grotesk*) grotesque, bouffon, burlesque; ***— maken,*** rendre ridicule, tourner en ridicule; ridiculiser.
bespot'telijkheid *v.* ridicule *m.*
bespot'ten *ov.w.* railler, se moquer de, tourner en ridicule, persifler.
bespot'ter *m.* railleur, persifleur *m.*
bespot'ting *v.* raillerie, moquerie *f.*, persiflage *m.*
bespraakt' *b.n.* **1** disert, qui sait parler; **2** (*welsprekend*) éloquent.
bespraakt'heid *v.* **1** facilité *f.* de (la) parole, volubilité *f.*; **2** éloquence *f.*
besprek' *o.* ***in — zijn,*** être en pourparlers.

bespre'ken *ov.w.* **1** (*spreken over*) causer de; **2** (*beraadslagen over*) discuter, débattre; **3** (*kamer*) retenir, louer; **4** (*plaats*) arrêter; (*in schouwburg*) louer, retenir; **5** (*bedingen*) stipuler; **6** (*v. boek in tijdschrift*) annoncer, critiquer.
bespre'king *v.* **1** discussion *f.*; **2** (*v. plaatsen*) location *f.*; **3** (*v. boek*) critique *f.*; ***de diplomatieke —en,*** les pourparlers diplomatiques.
bespren'kelen *ov.w.* asperger, irrorer.
bespren'keling *v.* aspersion, irroration *f.*
besprin'gen *ov.w.* sauter sur.
besproei'en *ov.w.* **1** (*bloemen, tuin*) arroser; **2** (*veld, weide*) irriguer; **3** (*fig.*) baigner.
besproei'ing *v.* **1** arrosage *m.*; **2** irrigation *f.*
bespui'ten *ov.w.* **1** (*met spuit*) arroser (avec une seringue), seringuer; **2** inonder d'eau.
bespu'wen *ov.w.* cracher sur.
Bessara'bië *o.* la Bessarabie.
bes'seboompje *o.* groseillier *m.*
bes'sengelei *m. en v.* gelée *f.* de groseilles.
bes'senjam *m. en v.* confiture *f.* de groseilles.
bes'sesap *o. en m.* jus *m.* de groseilles.
bes'sestruik *m.* groseillier *m.*
best *b.n.* **1** (le) meilleur, (la) meilleure; **2** très bon, excellent; ***—e vriend,*** cher ami; ***de eerste de —e,*** le premier venu; ***zijn —e beentje voorzetten,*** faire de son mieux; ***hij is niet al te —,*** il ne va pas trop bien; **II** *bw.* **1** le mieux; **2** très bien; ***het kan — zijn, het is — mogelijk,*** cela se peut bien, c'est bien possible; **III** *z.n., o.* **1** le meilleur, le mieux; **2** (*voordeel, nut*) profit, avantage, bien *m.*; ***zijn* (*uiterste*) *— doen,*** faire (tout) son possible; ***zijn — doen om,*** s'efforcer de; ***ten —e geven,*** faire entendre, réciter; ***een leugen om —wil,*** un mensonge généreux, — pieux; ***iem. ten —e raden,*** donner de bons conseils à qn.
bestaan' **I** *on.w.* **1** (*zijn*) exister, être, y avoir; **2** (*in stand blijven*) subsister; ***— in,*** consister dans; (*met infin.*) — à; ***— uit,*** se composer de; ***— van,*** vivre de, subsister de; ***hij kan goed —,*** il a de quoi vivre; ***dat kan niet blijven —,*** cela ne peut pas durer; **II** *ov.w.* (*ondernemen, wagen*) entreprendre, hasarder; **III** *z.n., o.* **1** (*het zijn*) existence *f.*; **2** (*leven*) existence, vie *f.*; ***een goed —,*** une bonne position; ***een vast — hebben,*** avoir la vie assurée; ***middelen van —,*** moyens *m.pl.* de subsistance, ressources *f.pl.*; ***het vijftigjarig —,*** le cinquantenaire; ***het honderdjarig —,*** le centenaire.
bestaan'baar *b.n.* possible; ***— met,*** compatible [avec.
bestaan'baarheid *v.* possibilité *f.*; compatibilité *f.*
bestaans'grond *m.* raison *f.* d'être.
bestaans'middel *o.* moyen *m.* d'existence.
bestaans'minimum *o.* minimum *m.* vital.
bestaans'risico's *mv.* risques *m.pl.* sociaux.
bestaans'voorwaarden *mv.* conditions *f.pl.* d'existence, — de vie.
bestaans'vorm *m.* mode *m.* d'être.
bestaans'zekerheid *v.* sécurité *f.* du lendemain, garantie *f.* de subsistance.
bestand' *o.* (*wapenstilstand*) trêve, armistice *f.*; **II** *b.n.* ***— zijn tegen,*** résister à, être réfractaire à; (*fig.*) être capable de, résister à; ***tegen iem. — zijn,*** tenir tête à qn.; ***tegen vorst —,*** résistant à la gelée; ***tegen het vuur —,*** réfractaire au feu, à l'épreuve du feu.
bestand'deel *o.* **1** (*grondbestanddeel*) élément *m.*; **2** (*scheik.*) composant *m.*; **3** (*nat.*) principe *m.*; **4** (*v. dranken, enz.*) ingrédient *m.*
beste'deling *m.-v.* pauvre *m.-f.* mis(e) en pension (aux frais de la commune), pupille *m.-f.* (de la commune, *of* de l'assistance publique).
beste'den *ov.w.* **1** (*uitgeven*) dépenser; **2** (*gebruiken: tijd, enz.*) employer; **3** (*in de kost doen*) mettre en pension; **4** (*plaatsen*) (*als dienstbode*) placer; (*in de leer*) mettre en apprentissage; ***zijn geld goed* (*slecht*)*—,*** faire un bon (mauvais) usage de son argent; ***een goed besteed jaar,*** une année bien remplie; ***'t is wel aan hem besteed,*** il en est digne, il le mérite.
beste'ding *v.* **1** dépense *f.*; **2** emploi, usage *m.*; **3** placement *m.*
bestek' *o.* **1** (*ruimte*) espace *m.*, étendue *f.*; **2** (*v. bouwwerk*) devis *m.*; (*met voorwaarden*) cahier *m.* de(s) charges; **3** (*sch.*) point *m.*; ***het — opmaken,*** **1** faire le devis; **2** (*sch.*) pointer la carte, faire le point; ***gegist —,*** point *m.* estimé.
besteka'mer *v.*(*m.*) cabinet *m.* (d'aisances), petit endroit *m.*, toilette *f.*
beste'ken *ov.w.* **1** (*met spelden, enz.*) piquer; **2** (*met bloemen*) garnir de, orner de.
bestel' *o.* disposition(s) *f.pl.*, volonté *f.* (de Dieu); régime *m.* [vraison.
bestel'auto *m.* camionnette *f.*, voiture *f.* de li-
bestel'biljet *o.* bulletin *m.* de commande.
bestel'boek *o.* livre *m.* de commandes.
bestel'dienst *m.* service *m.* de factage, messageries *f.pl.*, camionnage *m.*
beste'len *ov.w.* voler.
bestel'fiets *m. en v.* triporteur *m.*; bicycle *m.* porteur, bicyclette *f.* porteuse.
bestel'geld *o.* factage *m.*
bestel'goed *o.* colis *m.pl.* de messageries, — à remettre à domicile; ***als — verzenden,*** expédier en grande vitesse.
bestel'huis *o.* **1** (*voor verzending*) maison *f.* de roulage, — de messageries; agence *f.* de factage; **2** (*v. boekhandel*) agence *f.* générale de la librairie; expédition *f.* centrale.
bestel'kaart *v.*(*m.*) bulletin *m.* de commande.
bestel'kantoor *o.* bureau *m.* des messageries, — d'expédition.
bestel'len *ov.w.* **1** (*iets*) commander; **2** (*persoon*) faire venir, mander, donner rendez-vous à; **3** (*kamer*) retenir; **4** (*plaats*) arrêter, retenir; **5** (*brieven*) distribuer; **6** (*bezorgen*) remettre, porter à domicile; **7** (*in winkel*) (*Z.N.*) servir; ***ter aarde —,*** inhumer, enterrer.
bestel'ler *m.* **1** (*post*) facteur *m.*; **2** (*magazijn*) porteur *m.*; **3** (*station*) commissionnaire *m.*
bestel'ling *v.* **1** (*H.*) commande *f.*, ordre *m.*; **2** (*v. brieven*) distribution *f.*; ***een — doen,*** faire une commande, passer —; ***volgens —,*** sur commande; ***dat is niet volgens —,*** cela n'est pas conforme à la demande.
bestel'loon *o.* factage *m.* [—.
bestel'wagen *m.* voiture *f.* de livraison, auto
bes'temaat *m.* camarade, ami *m.*
bestem'men *ov.w.* destiner; (*geld, enz. ook:*) affecter (à); ***daartoe bestemde commissie,*** comité *m.* ad hoc.
bestem'ming *v.* **1** destination *f.*; **2** affectation *f.*; **3** (*doel*) but *m.*; **4** (*lot*) sort *m.*, destinée *f.*, destin *m.*; ***aan zijn — beantwoorden,*** répondre au but; ***zij zijn op de plaats van — aangekomen,*** ils sont arrivés à destination.
bes'temoer *v.* aïeule, grand-mère*; (bonne) vieille *f.*
bestem'pelen *ov.w.* **1** timbrer; **2** (*postzegels, enz.*) oblitérer; **3** (*fig.*) qualifier de.
bestem'peling *v.* **1** timbrage *m.*; **2** oblitération *f.*; **3** qualification *f.*
besten'dig *b.n.* **1** (*duurzaam*) durable, constant; **2** (*vast*) stable, fixe; **3** (*blijvend*) permanent; ***de —e deputatie,*** la députation permanente; ***de***

barometer staat op —, le baromètre est au beau fixe.
besten'digen *ov.w.* rendre durable; rendre stable; ***een toestand —,*** faire durer une situation.
besten'digheid *v.* **1** constance *f.*; **2** stabilité *f.*; **3** permanence *f.*
besten'diging *v.* **1** (*v. toestand*) stabilisation *f.*; **2** (*v. contract, enz.*) continuation *f.*
bester'ven *ov.w.* **1** mourir (de); **2** (*v. vlees*) mortifier; ***hij zal het —,*** il en mourra; ***de woorden bestierven hem op de lippen,*** les paroles se figèrent sur ses lèvres.
bes'tevaar *m.* aïeul, vieux *m.*
bestiaal' *b.n.* bestial.
bestie'ren, *zie* ***besturen.***
bestij'gen *ov.w.* **1** (*trap, hoogte*) monter; **2** (*paard*) monter (à); **3** (*berg*) gravir, faire l'ascension de; **4** (*troon*) monter sur; **5** (*de kansel —*) monter en (chaire).
bestij'ging *v.* **1** (*v. berg*) ascension *f.*; **2** (*v. troon*) avènement *m.*; ***een moeizame —,*** une montée pénible.
bestik'ken *ov.w.* piquer, broder.
besto'ken *ov.w.* **1** attaquer, assaillir; **2** (*fig.*) harceler, serrer de près; **3** (*met geweervuur*) canarder; **4** (*met geschut ook:*) canonner.
besto'king *v.* **1** attaque *f.*, assaut *m.*; **2** harcèlement *m.*; **3** canonnade *f.*
bestor'men *ov.w.* **1** assaillir; **2** (*stelling*) donner l'assaut à, monter à l'assaut de; **3** (*fig.: iemand*) tourmenter, importuner, obséder; (*plaats, loket, enz.*) monter à l'assaut de; ***iem. met vragen —,*** presser qn. de questions.
bestor'mer *m.* assaillant *m.*
bestor'ming *v.* assaut *m.*
bestor'ven *b.n.* **1** (*v. vlees*) mortifié; **2** (*bleek*) pâle, blême; ***dat woord ligt in zijn mond —,*** il n'a que ce mot à la bouche.
besto'ven *b.n.* couvert de poussière, poudreux.
bestraf'fen *ov.w.* **1** punir; **2** (*berispen*) réprimander.
bestraf'fing *v.* **1** punition *f.*; **2** réprimande *f.*
bestra'len *ov.w.* rayonner sur; ***met ultraviolet licht —,*** traiter à la lumière ultraviolette.
bestra'ling *v.* **1** rayonnement *m.*; **2** (*gen.*) photothérapie *f.*
bestra'ten *ov.w.* paver.
bestra'ting *v.* **1** (*handeling*) pavage *m.*; **2** (*plaveisel*) pavé *m.*
bestrij'den *ov.w.* **1** combattre; **2** (*betwisten*) contester; **3** (*v. kosten*) faire face à.
bestrij'ding *v.* **1** combat *m.*; lutte *f.*; **2** contestation *f.*; ***ter — van de onkosten,*** pour faire face aux dépenses, pour fournir aux frais.
bestrij'ken *ov.w.* **1** enduire (de), frotter (de); **2** (*mil.*) dominer; ***met het geschut —,*** tenir sous le feu de l'artillerie.
bestrooi'en *ov.w.* **1** (*bezaaien*) parsemer (de); **2** (*met bloemen*) joncher (de); **3** (*met suiker, bloem*) saupoudrer; **4** (*met meel*) enfariner; **5** (*met zand*) sabler.
bestude'ren *ov.w.* étudier.
bestude'ring *v.* étude *f.*
bestui'ven *ov.w.* **1** couvrir de poussière; **2** (*Pl.*) féconder (avec du pollen).
bestui'ving *v.* fécondation, pollinisation *f.*
bestu'ren *ov.w.* **1** (*beheren*) diriger, administrer; **2** (*regeren*) gouverner; **3** (*auto, enz.*) conduire; **4** (*vliegtuig*) piloter.
bestu'ring *v.* (*v. auto*) conduite *f.*; (*v. zaken*) direction *f.*; (*v. land*) gouvernement *m.*; administration *f.*; (*v. vliegtuig*) navigation *f.*, pilotage *m.*; ***— op afstand,*** télécommande *f.*
bestuur' *o.* **1** direction, administration *f.*; **2** gouvernement *m.*; **3** conduite *f.*; **4** (*v. vereniging*) bureau *m.*; ***dagelijks —,*** **1** (*v. vereniging*) bureau *m.*; **2** (*v. gemeente*) le maire et ses adjoints; (*Z.N.*) le bourgmestre et les échevins; ***het gemeente—,*** l'administration communale; ***het plaatselijk —,*** les autorités locales.
bestuur'baar *b.n.* dirigeable.
bestuur'der *m.* **1** directeur, administrateur *m.*; **2** gouverneur *m.*; **3** (*v. auto*) chauffeur *m.*; **4** (*v. tram*) wattman *m.*; **5** (*v. vliegtuig*) pilote *m.*; **6** (*v. autobus*) conducteur *m.*; **7** (*algemeen*) conducteur *m.*
bestuur'dersplaats *v.*(*m.*) (*vl.*) poste *m.* de pilotage
bestuurs'ambtenaar *m.* fonctionnaire *m.* administratif, administrateur *m.*
bestuurs'kamer *v.*(*m.*) bureau *m.*, salle *f.* du conseil, — d'administration.
bestuurs'lid *o.* membre *m.* du bureau, — du comité.
bestuurs'maatregel *m.* décret *m.*; mesure *f.* administrative.
bestuurs'tafel *v.*(*m.*) bureau *m.* de la direction.
bestuurs'vergadering *v.* réunion *f.* du bureau.
bestuurs'vorm *m.* forme *f.* de gouvernement.
best'wil, ***leugentje om —,*** pieux mensonge *m.*, mensonge officieux; ***om iemands —,*** pour le bien de qn.
betaal'baar *b.n.* payable; ***— aan toonder,*** payable au porteur; ***— op zicht,*** payable à vue; ***— stellen,*** mettre en payement.
betaal'baarstelling *v.* mise *f.* en payement, bon *m.* à payer.
betaal'briefje *o.* mandat *m.*
betaal'dag *m.* jour *m.* de payement.
betaalkrach'tig *b.n.* (*H.*) solvable.
betaal'meester *m.* **1** trésorier*-payeur* *m.*; (*B.*) agent *m.* du trésor; **2** (*mil.*) officier *m.* d'administration; officier*-trésorier* *m.*
betaal'middel *o.* instrument *m.* de payement; monnaie *f.*; ***wettig —,*** monnaie légale.
betaal'staat *m.* **1** mandat *m.* de payement; **2** (*v. salarissen, enz.*) ordonnance *f.* de payement.
betaal'tijd *m.* terme *m.* de payement.
bè'tadeeltjes *mv.* rayons *m.pl.* bêta, particules *f.pl.* bêta.
beta'kelen *ov.w.* gréer.
beta'keling *v.* gréement *m.*
beta'len *ov.w.* payer; ***ik heb hem betaald,*** je l'ai payé; ***ik heb hem 55 fr. betaald,*** je lui ai payé 55 francs; ***de kelner —,*** régler le garçon; ***iem. met gelijke munt —,*** rendre la pareille à qn.; ***het gelag —,*** payer les pots cassés; ***een goed betaald ambt,*** un emploi lucratif; ***een slecht betaald werk,*** un travail mal rétribué; ***ik zal het hem betaald zetten,*** il me le payera.
beta'ler *m.* payeur *m.*
beta'ling *v.* payement *m.*; ***tegen — van 5 fr.,*** moyennant 5 francs; ***tegen contante —,*** au comptant; ***zijn —en staken,*** suspendre ses payements.
beta'lingsbalans *v.*(*m.*) balance *f.* des comptes.
beta'lingstermijn *m.* terme *m.*
beta'lingsverkeer *o.* circulation *f.* fiduciaire.
beta'lingsvoorwaarden *mv.* conditions *f.pl.* de payement; ***gemakkelijke —,*** facilités *f.pl.* de payement.
beta'melijk *b.n.* **1** (*behoorlijk*) convenable; **2** (*voegzaam*) décent.
beta'melijkheid *v.* **1** convenance *f.*; **2** décence *f.*
beta'men *on.w.* **1** convenir, être convenable; **2** être décent.
betas'ten *ov.w.* toucher, palper, tâter.

betas'ting *v.* attouchement *m.*, palpation *f.*, tâtement *m.*
bè'tatron *o.* bêtatron *m.*
bete'gelen *ov.w.* daller, carreler.
bete'geld *b.n.* carrelé, à carreaux, revêtu de faïences.
bete'kenen *ov.w.* **1** (*beduiden*) signifier, vouloir dire; **2** (*recht*) signifier, notifier; ***dat heeft niets te —,*** cela ne signifie rien; cela n'a aucune importance; ***een dagvaarding —,*** signifier une assignation.
bete'kening *v.* (*recht*) signification, notification *f.*
bete'kenis *v.* **1** (*beduidenis*) signification *f.*; **2** (*zin*) sens *m.*, acception *f.*; **3** (*belang, gewicht*) importance *f.*; **4** (*strekking*) portée *f.*; ***vol —,*** significatif.
bete'kenisleer *v.(m.)* sémantique *f.*
be'ter I *b.n.* meilleur; ***hij is —,*** **1** (*gaat vooruit*) il va mieux; **2** (*hersteld*) il est rétabli, — guéri; ***— worden,*** **1** (*v. zieke*) aller mieux, se rétablir; **2** (*v. toestand*) s'améliorer; **3** (*v. weer*) se remettre (au beau); **4** (*v. persoon*) se corriger; **5** (*v. wijn*) se bonifier; **II** *bw.* mieux; ***dat is —,*** cela vaut mieux; ***des te —,*** tant mieux; ***het — doen,*** faire mieux; ***hoe langer hoe —,*** de mieux en mieux; ***— laat dan nooit,*** mieux vaut tard que jamais.
be'teren I *on.w.* **1** (*v. zieke*) aller mieux, se rétablir; **2** (*v. weer*) se remettre (au beau); **3** (*v. toestand*) s'améliorer, devenir meilleur; **II** *ov.w.* améliorer; ***ik kan het niet —,*** je n'y puis rien; **III** *w.w.* ***zich —,*** se corriger, s'amender.
bete'ren *ov.w.* goudronner.
beterhand' *v.* ***aan de — zijn,*** aller mieux, être en convalescence, être en voie de guérison.
be'terschap *v.* convalescence *f.*, rétablissement *m.*; ***er is een weinig —,*** il y a une légère amélioration; ***ik wens u spoedige —,*** je vous souhaite un prompt rétablissement, — une prompte guérison; ***— beloven,*** promettre de se corriger.
be'terweten *o.* ***tegen — in,*** contre sa conviction.
beteu'gelen *ov.w.* **1** brider, tenir en bride; **2** (*driften*) brider, refréner; **3** (*gevoelens*) contenir; **4** (*misbruik, oproer*) réprimer; **5** (*ziekte*) juguler.
beteu'geling *v.* refrènement *m.*; répression *f.*
beteu'terd *b.n.* confus, interdit, déconcerté.
beteu'terdheid *v.* confusion *f.*, trouble, embarras *m.*
Beth'lehem *o.* Bethléem *m.*
betich'ten *ov.w.* accuser (qn. de qc.), imputer (qc. [à qn.).
betich'ter *m.* accusateur *m.*
betich'ting *v.* accusation, imputation *f.*
betij'en *on.w.* ***laten —,*** laisser faire.
betim'meren *ov.w.* lambrisser, boiser; ***iemands licht —,*** intercepter le jour à qn., boucher la vue à qn.
betim'mering *v.* **1** lambris *m.*, boiserie *f.*; **2** (*handeling*) lambrissage *m.*
betin'gelen I *ov.w.* latter; **II** *z.n.* ***het —,*** lattage *m.*
beti'telen *ov.w.* **1** (*boek, hoofdstuk*) intituler; **2** (*daad*) qualifier; **3** (*persoon*) donner le titre (de), qualifier (de).
beti'teling *v.* titre *m.*; qualification *f.*
Bet'je *v.* en *o.* Élisabeth, Babette *f.*
beto'gen I *ov.w.* démontrer, prouver; **II** *on.w.* manifester.
beto'ger *m.* **1** (*die bewijst*) démonstrateur *m.*; **2** (*bij betoging*) manifestant *m.*
beto'ging *v.* manifestation *f.*, meeting *m.*; ***een — houden,*** manifester.
beto'men *ov.w.* **1** brider; **2** (*fig.*) refréner, réprimer, mettre un frein à.
beton' *o.* béton *m.*; ***gewapend —,*** béton armé, ferrociment *m.*; ***voorgespannen —,*** béton précontraint.
beton'bouw *m.* bâti *m.* en béton.
beto'nen *ov.w.* **1** (*de klemtoon geven*) accentuer; **2** *ov.w.* (*doen blijken*) montrer, témoigner, marquer.
beton'ijzer *o.* béton *m.* armé.
beton'kist *v.(m.)* caisson *m.* à béton.
beton'laag *v.(m.)* couche *f.* de béton.
beton'molen *m.* bétonnière *f.*, broyeur (*of* broyeur*-malaxeur*) *m.* à béton.
beton'nen I *ov.w.* baliser; **II** *z.n.* ***het —,*** le balisage; **III** *b.n.* de (*of* en) béton.
betonne'ren I *ov.w.* bétonner; **II** *z.n.* ***het —,*** le bétonnage.
beton'paal *m.* poteau *m.* en béton.
beton'weg *m.* route *f.* bétonnée, — cimentée.
beton'werk *o.* travaux *m.pl.* en béton.
beton'werker *m.* cimentier *m.*
betoog' *o.* démonstration, argumentation *f.*; ***dat behoeft geen —,*** c'est évident; ***een — houden,*** argumenter.
betoog'kracht *v.(m.)* force *f.* d'argumentation.
betoog'trant *m.* manière *f.* d'argumenter, argumentation *f.*
betoon' *o.* démonstration, marque *f.*
beto'veren *ov.w.* **1** ensorceler, enchanter; **2** (*fig.*) charmer, ravir, enchanter.
beto'verend *b.n.* enchanteur, ravissant, charmant.
bet'overgrootmoeder *v.* trisaïeule *f.*
bet'overgrootvader *m.* trisaïeul *m.*
beto'vering *v.* ensorcellement, enchantement *m.*; charme *m.*, séduction *f.*
betraand' *b.n.* baigné de larmes.
betrach'ten *ov.w.* **1** (*deugd*) pratiquer; **2** (*regels, geboden*) observer; **3** (*plicht*) faire, remplir.
betrach'ting *v.* **1** pratique *f.*; **2** observation *f.*; **3** accomplissement *m.*
betra'liën *ov.w.* griller, grillager, garnir de grilles.
betrap'pen *ov.w.* attraper, surprendre; ***op heterdaad —,*** prendre en flagrant délit.
betre'den *ov.w.* **1** (*de voet zetten op*) fouler; **2** (*begaan*) marcher sur; **3** (*binnengaan*) entrer dans; ***het pad der deugd —,*** suivre les sentiers de la vertu; ***het gebied der wetenschap —,*** entrer dans le domaine de la science.
betref'fen *ov.w.* concerner, regarder, s'agir de; ***wat mij betreft,*** quant à moi; pour ma part, en ce qui me concerne; ***wat zijn betrouwbaarheid betreft,*** pour ce qui est de sa solidité.
betref'fende *vz.* concernant, en ce qui concerne, touchant, pour ce qui est de.
betrek'kelijk I *b.n.* relatif; ***dat is —,*** cela dépend; **II** *bw.* relativement.
betrek'kelijkheid *v.* relativité *f.*
betrek'ken I *ov.w.* **1** (*gaan bewonen*) s'installer dans; **2** (*wacht*) monter; **3** (*koopwaren*) faire venir (de), se fournir (*of* acheter) chez; ***iem. in een zaak —,*** impliquer qn. dans une affaire; ***hij is er niet bij betrokken,*** il n'y est pour rien; **II** *on.w.* **1** (*v. lucht*) se couvrir, se voiler; **2** (*v. gelaat*) se rembrunir; **3** (*v. lucht en gelaat*) s'assombrir, s'obscurcir; **III** *z.n., o.* **1** (*v. huis*) installation *f.*, emménagement *m.*; **2** (*v. waren*) achat *m.*; **3** (*mil.*) installation *f.*; **4** obscurcissement, rembrunissement *m.*
betrek'king *v.* **1** (*verhouding*) relation *f.*, rapport *m.*; **2** (*ambt*) place *f.*, emploi, poste *m.*; (*positie*) position, situation *f.*; **3** (*verband*) rapport *m.*; ***— hebben op,*** se rapporter à, avoir trait à; ***met — tot,*** par rapport à; ***in — zijn bij,*** (*v. dienstbode*) être en condition chez; ***in (een) — gaan,*** se placer; ***de nagelaten —en,*** les survivants; ***een vaste —,***

une place fixe; ***een tijdelijke* —,** une place temporaire; ***volledige betrekking,*** place (*of* poste) à plein temps.
betreu'ren *ov.w.* **1** (*treuren over*) pleurer, regretter; **2** (*jammer vinden*) regretter, déplorer.
betreurenswaar'd(ig) *b.n.* regrettable, déplorable.
betrok'ken *b.n.* **1** (*bewolkt*) couvert (de nuages); **2** (*v. gelaat*) triste, sombre, pâle; ***de — persoon,*** la personne intéressée, — en question.
betrok'kene *m.-v.* **1** (*belanghebbende*) intéressé *m.*; **2** (*v. wissel*) tiré *m.*
betrouw'baar *b.n.* **1** digne de foi, digne de confiance; **2** (*v. vriend*) sûr, de toute confiance.
betrouw'baarheid *v.* **1** (*oprechtheid*) sincérité; véracité *f.*; **2** (*v. firma*) solidité *f.*; **3** (*v. vriend*) sûreté *f.*
betrouw'baarheidsrit *m.* épreuve *f.* d'endurance.
betrouw'baarheidsvlucht *v.(m.)* vol *m.* d'endurance.
betrou'wen I *ov.w.* se fier à, avoir confiance en; **II** *z.n., o.* confiance *f.*
Bet'sy *v.* Babette, Bette *f.*
bet'ten *ov.w.* bassiner, tamponner.
Bettenhoven *o.* Bettincourt.
betui'gen *ov.w.* **1** (*verzekeren*) déclarer, attester; **2** (*doen blijken*) marquer, témoigner; ***dank —,*** remercier.
betui'ging *v.* **1** déclaration *f.*; **2** marque *f.*, témoignage *m.*
bet'weter *m.* pédant, qui fait l'entendu *m.*
betweterij' *v.* pédantisme *m.*
betwij'felen *ov.w.* douter de, mettre en doute.
betwij'feling *v.* doute *m.*
betwist'baar *b.n.* contestable, discutable, litigieux.
betwist'baarheid *v.* caractère *m.* contestable.
betwis'ten *ov.w.* contester.
betwis'ting *v.* contestation *f.*
beu *b.n.* las, dégoûté (de); ***ik ben het —,*** j'en ai assez.
beug *v.(m.)* (*vislijn*) senne *f.*
beu'gel *m.* **1** (*alg.*) anneau, cercle *m.*; **2** (*v. tram*) archet *m.*; **3** (*v. tas*) fermoir *m.*; **4** (*v. mand*) anse *f.*; **5** (*stijgbeugel*) étrier *m.*; **6** (*v. degen*) garde, sous-garde* *f.*; **7** (*gen.*) appareil *m.* orthopédique, gouttière *f.*; **8** (*v. fles*) serre-bouchon* *m.*; **9** (*v. beugelbaan*) passe *f.*; ***dat kan niet door de —,*** cela va trop loin, cela passe la mesure, cela n'est pas admissible.
beu'gelbaan *v.(m.)* jeu *m.* de passe.
beu'gelsluiting *v.* serre-bouchon* *m.*
beu'geltas *v.(m.)* sacoche *f.* à ressort.
beug'visserij *v.* pêche *f.* à la palangre, — à la cordée.
beuk *m.* **1** (*Pl.*) hêtre *m.*; **2** *m. en v.* (*v. kerk*) nef *f.*
beu'kehout *o.* bois *m.* de hêtre.
beu'ken *ov.w.* **1** battre; **2** (*vlas, hennep*) mailler.
beu'kenbos *o.* hêtraie *f.*
beu'kenlaan *v.(m.)* allée *f.* de hêtres.
beu'kenoot *v.(m.)* faîne *f.*
beu'keolie *v.(m.)* huile *f.* de faînes.
beul *m.* bourreau *m.*
beu'len *on.w.* trimer, turbiner, s'esquinter.
beu'ling *m.* boudin *m.*
beuls'handen, ***door —,*** par la main du bourreau.
beuls'knecht *m.* valet *m.* du bourreau.
beun'haas *m.* **1** gâte-métier *m.*; **2** (*op de Beurs*) courtier marron, coulissier, maquignon *m.*
beun'hazen *on.w.* gâter le métier; maquignonner.
beunhazerij' *v.* maquignonnage, bousillage, amateurisme *m.*
beu'ren *ov.w.* **1** (*opheffen*) lever, soulever; **2** (*ontvangen*) recevoir, toucher.
beurs I *b.n.* blet; ***— worden,*** blettir; **II** *v.(m.)* bourse *f.*; ***een goed gevulde —,*** une bourse bien garnie; ***met gesloten beurzen betalen,*** payer sans bourse délier; ***uit een — studeren,*** jouir d'une bourse; ***op onze —,*** (*H.*) sur notre place; ***de — snijden,*** couper la bourse; ***de — opende vast,*** à l'ouverture de la bourse le marché était ferme; ***uit ruime —,*** sans regarder à la dépense.
beurs'agent *m.* agent *m.* de change, courtier *m.* de bourse.
beurs'bericht(en) *o.(mv.)* **1** bulletin *m.* de (la) bourse; **2** (*v. granen, waren*) mercuriale *f.*
beurs'comité, -komitee *o.* Chambre *f.* syndicale de la Bourse, comité *m.* de la Bourse.
beurs'gebouw *o.* bourse *f.*
beurs'komitee, *zie* ***beurscomité.***
beurs'man *m.* boursier *m.*
beurs'maneuver, -manoeuvre *v.(m.) en o.* manœuvres *f.pl.* de bourse, tripotages *m.pl.* —.
beurs'notering *v.* cote *f.* (de la bourse), cours *m.* de la bourse; ***in de — opnemen,*** admettre à la cote, coter.
beurs'opening *v.* ouverture *f.* de la bourse.
beurs'operatie *v.* transaction *f.* de bourse, opération *f.* —.
beurs'papieren *mv.* valeurs *f.pl.* de bourse.
beurs'polis *v.(m.)* assurance (*of* police) *f.* collective.
beurs'sluiting *v.* clôture *f.* de la bourse.
beurs'speculant, -spekulant *m.* spéculateur, boursier, joueur *m.* à la bourse, — en bourse.
beurs'speculatie, -spekulatie *v.* spéculation *f.* de bourse.
beurs'student *m.* boursier *m.*
beurs'tijd *m.* heures *f.pl.* de la bourse, séance *f.*
beurs'trein *m.* train *m.* de bourse.
beurs'vacantie, -vakantie *v.* relâche *m.* de la Bourse; ***er is —,*** la Bourse est fermée, il n'y a pas de Bourse.
beurs'waarde *v.* prix *m.* coté (en bourse); ***—n,*** valeurs *f.pl.* de bourse.
beurs'zaken *mv.* opérations *f.pl.* de bourse.
beurt *v.(m.)* tour *m.*; ***een leerling een — geven,*** interroger un élève; ***de kamer een — geven,*** nettoyer la chambre; ***'t is mijn —,*** c'est mon tour, c'est à moi; ***wie is aan de — ?*** à qui le tour ? ***bij —en,*** tour à tour, alternativement; ***om de —,*** à tour de rôle; ***te — vallen,*** tomber en partage.
beur'telings I *b.n.* alternatif; **II** *bw.* alternativement, tour à tour, à tour de rôle.
beurt'gezang *o.* chant *m.* alterné.
beurt'schip *o.* coche *m.* d'eau.
beurt'schipper *m.* batelier *m.*
beurt'vaart *v.(m.)* service *m.* régulier.
beurt'zang *m.* chant *m.* alterné, ronde *f.*; antienne *f.*
beur'zensnijder *m.* coupeur *m.* de bourses, pickpocket *m.*
beu'zelaar *m.* vétilleur, vétillard *m.*
beu'zelachtig *b.n.* futile, frivole.
beu'zelachtigheid *v.* futilité, frivolité *f.*
beuzelarij' *v.* vétille, bagatelle, frivolité *f.*
beu'zelen *on.w.* s'amuser à des vétilles, — à des bagatelles, vétiller, baguenauder.
beu'zeling *v.* vétille, bagatelle, futilité *f.*
beu'zelpraat *m.* sornettes, balivernes *f.pl.*
bevaar'baar *b.n.* navigable.
bevaar'baarheid *v.* navigabilité *f.*
bevaar'baarmaking *v.* canalisation *f.*, régularisation *f.*
beval'len I *ov.w.* plaire à; ***dat bevalt hem,*** cela lui va; ***het is ons goed — te A,*** nous nous sommes beaucoup plu à A; **II** *on.w.* accoucher.

beval'lig I *b.n.* gracieux; charmant; **II** *bw.* gracieusement, avec grâce; d'une manière charmante.
beval'ligheid *v.* grâce *f.*, charme *m.*
beval'ling *v.* accouchement *m.*, couches *f.pl.*
bevan'gen I *ov.w.* prendre, saisir; ***hij werd door koorts* —,** la fièvre le prit; ***door koude* —,** saisi de froid, transi; ***van de slaap* —,** surpris par le sommeil; ***door de warmte* —,** accablé par la chaleur; **II** *b.n.* **1** (*verlegen*) timide; **2** (*benauwd*) (*Z.N.*) étouffant; ***het is hier* —,** on étouffe ici.
bevan'genheid *v.* **1** timidité *f.*; **2** saisissement; engourdissement *m.*
beva'ren I *ov.w.* naviguer sur; **II** *b.n.* amariné; ***een* — *matroos*,** un matelot expérimenté.
bevat'telijk *b.n.* **1** (*vlug v. begrip*) intelligent; **2** (*begrijpelijk*) compréhensible, clair, intelligible; ***een —e uiteenzetting*,** un exposé lucide.
bevat'telijkheid *v.* **1** intelligence, perspicacité *f.*; **2** clarté, compréhensibilité *f.*
bevat'ten *ov.w.* **1** (*inhouden*) contenir, renfermer, comprendre; **2** (*begrijpen*) concevoir, comprendre.
bevat'ting *v.* intelligence; conception, compréhension *f.*; ***dat gaat boven mijn* —,** cela me dépasse.
bevat'tingsvermogen *o.* intelligence *f.*, faculté *f.* intellectuelle; compréhension *f.*
bevech'ten *ov.w.* combattre, lutter contre; ***de overwinning* —,** remporter la victoire; ***de vrijheid* —,** conquérir la liberté.
beve'derd *b.n.* empenné, emplumé.
bevei'ligen *ov.w.* **1** (*in veiligheid stellen*) mettre en sûreté; **2** (*beschutten, beschermen*) mettre à l'abri, protéger; **3** (*behoeden*) sauvegarder (de).
bevei'liging *v.* protection; sauvegarde *f.*
bevei'ligingsapparaat *o.* dispositif *m.* de sécurité.
Be'vekom *o.* Beauvechain.
bevel' *o.* **1** (*opdracht*) ordre *m.*; **2** (*gebod*) commandement *m.*; **—** ***tot inhechtenisneming*,** mandat *m.* d'arrêt; ***op* —,** par ordre; ***op* — *van*,** sur l'ordre de; ***onder* — *van*,** sous les ordres de; ***het* — *voeren over een leger*,** commander une armée; ***op hoog* —,** par ordre supérieur.
beve'len *ov.w.* **1** ordonner; **2** commander; **3** (*aanbevelen*) recommander; **4** (*toevertrouwen*) confier.
bevel'hebber *m.* commandant; général *m.*
bevel'hebberschap *o.* commandement *m.*
bevel'schrift *o.* **1** ordre *m.*; **2** (*recht*) mandat *m.*; **3** (*kerkelijk*) mandement *m.*; **—** ***van een deurwaarder*,** commandement *m.* d'huissier.
bevel'voerend *b.n.* en chef.
bevel'voering *v.* commandement *m.*
be'ven *on.w.* **1** trembler; **2** (*v. koude*) grelotter, trembler; **3** (*v. schrik*) frissonner, trembler; **4** (*huiveren*) frémir.
be'ver 1 *m.* (*Dk.*) castor *m.*; **2** *o.* (*stof*) castorine *f.*, castor *m.*
Be'ver *o.* Biévène.
be'verhaar *o.* (poil de) castor *m.*
be'verig *b.n.* **1** tremblotant, tremblant; **2** (*v. schrift*) tremblé.
be'verjager *m.* trappeur *m.*
be'verrat *v.*(*m.*) rat *m.* musqué.
be'vervel *o.* peau *f.* de castor.
beves'tigen I *ov.w.* **1** (*vastmaken*) (*met touwen, enz.*) attacher; (*met spijkers, enz.*) fixer; **2** (*bouwwerk*) consolider; **3** (*gezag*) consolider, affermir; **4** (*verzekeren*) confirmer; **5** (*prot.: lidmaat*) confirmer; (*predikant*) installer; ***met een eed* —,** affirmer sous la foi du serment; ***de ontvangst* —,** accuser réception (de); **II** *on.w.* affirmer.
beves'tigend *b.n.* **1** affirmatif; **2** (*recht*) confirmatif.
beves'tiging *v.* **1** fixation *f.*; **2** consolidation *f.*; **3** affermissement *m.*; **4** confirmation *f.*; **5** installation *f.*; **6** affirmation *f.*; *zie* ***bevestigen***; ***ter* — *waarvan*,** en foi de quoi.
bevind' *o.* ***naar* — *van zaken*,** selon les circonstances, selon l'exigence du cas.
bevin'den I *ov.w.* trouver, constater; **II** *w.w.* ***zich* —,** se trouver.
bevin'ding *v.* **1** (*vaststelling*) constatation *f.*; **2** (*ervaring*) expérience *f.*; **3** (*uitkomst v. onderzoek*) résultat *m.* des recherches.
be'ving *v.* tremblement *m.*
bevit'ten *ov.w.* chicaner, critiquer, trouver à redire.
bevlek'ken *ov.w.* tacher, souiller, salir.
bevlek'king *v.* tache, souillure *f.*; pollution *f.*
bevlie'ging *v.* emballement, engouement *m.*
bevlij'tigen, ***zich* —,** *w.w.* s'appliquer (à), s'efforcer (de).
bevloei'en *ov.w.* irriguer, arroser.
bevloei'ing *v.* irrigation *f.*, arrosement *m.*
bevloei'ingswerken *mv.* travaux *m.pl.* d'irrigation.
bevloe'ren *ov.w.* **1** (*met tegels*) daller; **2** (*met steen*) paver; **3** (*met hout*) planchéier; **4** (*met parket*) parqueter.
bevloe'ring *v.* **1** (*met tegels*) dallage *m.*; **2** (*met stenen*) pavage *m.*; **3** (*met parket*) parquetage *m.*
bevoch'tigen *ov.w.* humecter, mouiller.
bevoch'tiging *v.* humectation *f.*, mouillage *m.*
bevoegd' *b.n.* **1** (*door bekwaamheid*) compétent; **2** (*door aanstelling*) autorisé; ***ik ben daartoe niet* —,** cela n'entre pas dans mes attributions.
bevoegd'heid *v.* compétence *f.*, droit *m.*, faculté *f.*; ***buiten zijn* — *gaan*,** outrepasser ses attributions.
bevoegd'verklaring *v.* habilitation *f.*
bevoe'len *ov.w.* tâter, palper, toucher.
bevol'ken *ov.w.* peupler.
bevol'king *v.* **1** (*inwoners*) population *f.*; **2** (*het bevolken*) peuplement *m.*
bevol'kingsaanwas *m.* accroissement *m.* de la population.
bevol'kingsbureau *o.* bureau *m.* de l'état civil.
bevol'kingscijfer *o.* chiffre *m.* de la population.
bevol'kingsdichtheid *v.* densité *f.* de la population.
bevol'kingsgroep *v.*(*m.*) classe *f.* sociale.
bevol'kingsleer *v.*(*m.*) démographie *f.*
bevol'kingsoverschot *o.* excédent *m.* de la population, surplus *m.* —.
bevol'kingsregister *o.* registre *m.* de la population, — de l'état civil.
bevol'kingsstatistiek *v.* statistique *f.* démographique.
bevol'kingstoename *v.*(*m.*) expansion *f.* démographique.
bevol'kingsvraagstuk *o.* problème *m.* du peuplement.
bevolkt' *b.n.* peuplé; ***dicht* —,** populeux; ***dun* —,** à population rare.
bevoor'delen *ov.w.* avantager, favoriser.
bevoor'deling *v.* avantage *m.*, faveur *f.*
bevoor'oordeeld *b.n.* **1** prévenu, plein de préjugés; **2** (*partijdig*) partial.
bevoor'raden *ov.w.* ravitailler.
bevoor'rading *v.* ravitaillement *m.*
bevoor'rechten *ov.w.* privilégier, favoriser, avantager; ***bevoorrechte schulden*,** créances *f.pl.* privilégiées.
bevoor'rechting *v.* privilège *m.*

bevor'deraar *m.* **1** (*v. beweging, enz.*) promoteur *m.*; **2** (*beschermer*) protecteur *m.*
bevor'deren *ov.w.* **1** (*bespoedigen*) avancer, hâter, activer; **2** (*begunstigen*) favoriser, protéger; **3** (*aanmoedigen*) encourager; **4** (*eetlust*) stimuler; **5** (*in rang*) avancer, promouvoir; ***tot doctor bevorderd worden,*** être reçu docteur; ***hij is tot kapitein bevorderd,*** il a passé capitaine, il a été promu capitaine.
bevor'dering *v.* **1** (*v. kunsten, wetenschappen*) avancement, progrès *m.*; **2** (*v. handel*) développement *m.*; **3** (*v. eetlust*) stimulation *f.*; **4** (*in rang*) avancement *m.*, promotion *f.*; **5** (*op school*) passage *m.* (dans une classe supérieure).
bevor'derlijk *b.n.* — ***voor (aan),*** favorable à, avantageux à.
bevrach'ten *ov.w.* **1** charger; **2** (*sch.*) fréter, [affréter.
bevrach'ter *m.* fréteur, affréteur *m.*
bevrach'ting *v.* **1** chargement *m.*; **2** (*sch.*) affrètement *m.*
bevra'gen *ov.w.* ***te — bij,*** s'adresser à.
bevre'digen *ov.w.* **1** contenter, satisfaire; **2** (*hartstocht*) assouvir.
bevre'digend *b.n.* satisfaisant.
bevre'diging *v.* **1** contentement *m.*, satisfaction *f.*; **2** assouvissement *m.*
bevreem'den *ov.w.* étonner, surprendre.
bevreem'dend *b.n.* surprenant, étrange.
bevreem'ding *v.* surprise *f.*, étonnement *m.*
bevreesd' *b.n.* craintif; — ***zijn voor,*** avoir peur de, craindre; ***iem. — maken,*** faire peur à qn.
bevreesd'heid *v.* peur, crainte *f.*
bevriend' *b.n.* ami; ***een met hem — notaris,*** un notaire de ses amis; ***van —e zijde,*** de la part d'un ami; ***zeer — met,*** fort lié avec, grand ami de.
bevries'baar *b.n.* congelable.
bevrie'zen I *ov.w.* geler; congeler, frigorifier; ***bevroren vlees,*** de la viande congelée, — frigorifiée; **II** *on.w.* se geler, se couvrir de glace.
bevrie'zing *v.* congélation *f.*
bevrie'zingsmet(h)ode *v.* méthode *f.* de congé-[lation.
bevrij'den *ov.w.* **1** (*alg.*) délivrer; **2** (*vrij maken: slaaf, enz.*) libérer, affranchir; **3** (*v. schuld, verplichting*) libérer; **4** (*vrijstellen*) exempter; **5** (*v. last*) débarrasser; **6** (*geweten*) dégager, soulager.
bevrij'dend *b.n.* libérateur.
bevrij'der *m.* libérateur *m.*
bevrij'ding *v.* **1** délivrance *f.*; **2** libération *f.*, affranchissement *m.*; **3** exemption *f.*; **4** ***de Bevrijding,*** la Libération.
bevrij'dingsoorlog *m.* guerre *f.* d'indépendance.
bevroe'den *ov.w.* **1** (*begrijpen*) concevoir, comprendre; **2** (*vermoeden*) se douter de.
bevro'ren *b.n.* **1** gelé; **2** (*v. eetwaren, kredieten, enz.*) congelé.
bevruch'ten *ov.w.* féconder.
bevruch'ting *v.* fécondation *f.*; ***kunstmatige —,*** insémination *f.* (artificielle).
bevui'len *ov.w.* salir; souiller.
bevui'ling *v.* salissement *m.*; souillure *f.*
bewaak'ster *v.* garde, gardienne; surveillante *f.*
bewaar'der *m.* **1** gardien *m.*; **2** (*bewaarnemer*) dépositaire *m.*; — ***der hypotheken,*** conservateur *m.* des hypothèques.
bewaar'geld *o.* (*H.*) frais *m.pl.* de dépôt.
bewaar'gever *m.* déposant *m.*
bewaar'geving *v.* (mise *f.* en) dépôt *m.*
bewaar'heiden *ov.w.* confirmer; ***bewaarheid worden,*** se confirmer, se réaliser.
bewaar'kluis *v.(m.)* coffre*-fort* *m.* à location.
bewaar'loon *o.* **1** (*v. effecten*) droit *m.* de garde; **2** (*v. goederen*) droit *m.* de magasinage.
bewaar'nemer *m.* dépositaire *m.*
bewaar'neming *v.* (*bij bank*) garde *f.* de titres.
bewaar'plaats *v.(m.)* **1** (*v. koopwaren*) dépôt; entrepôt *m.*; **2** (*v. bagage*) consigne *f.*; **3** (*v. meubelen*) garde-meuble* *m.*
bewaar'school *v.(m.)*, (*F.*) (école) maternelle *f.*; (*B.*) école *f.* gardienne.
bewaasd' *b.n.* embué.
bewa'ken *ov.w.* **1** surveiller; **2** (*gevangene*) garder; **3** (*zieke*) veiller.
bewa'ker *m.* surveillant *m.*; gardien, garde *m.*
bewa'king *v.* surveillance, garde *f.*
bewa'kingsdienst *m.* service *m.* de surveillance.
bewal'ling *v.* circonvallation *f.*, rempart *m.*
bewan'delen *ov.w.* se promener dans (*of* sur); ***het pad der deugd —,*** suivre les sentiers de la vertu.
bewa'penen *ov.w.* armer.
bewa'pening *v.* armement *m.*; ***klassieke —*** (*tegenover atoombewapening*), armement classique.
bewa'peningswedloop *m.* course *f.* aux armements.
bewa'ren *ov.w.* **1** conserver; **2** (*document, geheim*) garder; **3** (*behoeden*) préserver; **4** (*ter zijde leggen*) réserver; ***zijn onschuld —,*** garder son innocence; ***God beware u daarvoor!*** Dieu vous en préserve! ***voor nat te —!*** craint l'humidité!
bewa'ring *v.* **1** conservation *f.*; **2** garde *f.*; **3** préservation *f.*; ***in — geven,*** **1** mettre en dépôt; **2** (*bagage*) déposer à la consigne; **3** (*kleding, in schouwburg, enz.*) déposer (au vestiaire); ***in open —,*** (*H.*) en dépôt à découvert; ***in verzekerde — zijn,*** être écroué; ***huis van —,*** maison *f.* d'arrêt, — de détention.
bewa'semen *ov.w.* ternir de son haleine, couvrir [de vapeurs.
bewa'teren *ov.w.* arroser.
beweeg'baar *b.n.* mobile.
beweeg'baarheid *v.* mobilité *f.*
beweeg'grond *m.* motif *m.*
beweeg'kracht *v.(m.)* force *f.* motrice.
beweeg'lijk *b.n.* **1** mobile; **2** (*v. kind*) remuant, [vif.
beweeg'lijkheid *v.* **1** mobilité *f.*; **2** vivacité *f.*
beweeg'reden *v.(m.)* motif, mobile *m.*
bewe'gen I *ov.w.* **1** mouvoir; **2** (*heen en weer —, zwaaien met*) agiter; **3** (*in beweging stellen*) mettre en mouvement; **4** (*machine*) actionner; **5** (*doen besluiten*) porter (à), engager (à), décider (à); **6** (*ontroeren*) toucher, émouvoir; **II** *on.w.* **1** remuer; **2** (*zich verroeren*) bouger; **III** *w.w.* ***zich —,*** se mouvoir, se remuer, bouger; ***hij beweegt zich gemakkelijk,*** il a l'habitude du monde; ***zich in beschaafde kringen —,*** fréquenter la bonne société.
bewe'ging *v.* **1** (*alg.*) mouvement *m.*; **2** (*drukte*) animation *f.*; **3** (*opschudding*) bruit, tumulte *m.*; **4** (*mil.*) mouvement *m.*; opération, manœuvre *f.*; ***de hele stad is in —,*** toute la ville est en émoi; ***— nemen,*** prendre de l'exercice; ***de trein zet zich in —,*** le train s'ébranle; ***uit eigen —,*** de mon (son, notre) propre mouvement; ***in — stellen,*** mettre en route, — en branle.
bewe'gingloos *b.n.* immobile.
beweginglo0s'heid *v.* immobilité *f.*
bewe'gingsleer *v.(m.)* cinétique *f.*
bewe'gingsoorlog *m.* guerre *f.* de mouvement.
bewe'gingsvrijheid *v.* **1** liberté *f.* de mouvement; **2** permission *f.* de 24 heures.
bewe'gingszenuw *v.(m.)* nerf *m.* moteur.
bewe'nen *ov.w.* pleurer, déplorer.
bewe'ren *ov.w.* prétendre, soutenir, affirmer.
bewe'ring *v.* assertion, affirmation *f.*
bewer'kelijk *b.n.* qui demande beaucoup de travail; ***een — huis,*** une maison difficile à entretenir.

bewer'ken *ov.w.* 1 (*hout, metaal, enz.*) travailler, façonner; 2 (*grond*) cultiver, labourer; 3 (*teweegbrengen*) amener, opérer, produire, causer; 4 (*boek, toneelstuk, enz.*) adapter; 5 (*fig.: iem.*) agir sur, travailler; ***iem. met de vuist* —,** donner des coups de poing à qn.
bewer'ker *m.* 1 (*v. muziek*) arrangeur *m.*; 2 (*v. boek, enz.*) adaptateur *m.*; (*v. nieuwe uitgave*) auteur *m.*; 3 (*fig.*) auteur *m.*
bewer'king *v.* 1 (*alg.*) travail *m.*; 2 (*v. hout, metaal*) façonnage *m.*; 3 (*v. land*) culture *f.*, labourage *m.*; 4 (*wisk.*) opération *f.*; 5 (*v. toneel, enz.*) adaptation *f.*; ***in* —,** en préparation.
bewerk'stelligen *ov.w.* réaliser, effectuer.
bewerk'tuigen *ov.w.* organiser.
bewerk'tuiging *v.* organisation *f.*
bewes'ten *vz.* à l'ouest de.
bewie'roken *ov.w.* encenser.
bewie'roking *v.* encensement *m.*
bewijs' *o.* 1 (*alg.*) preuve *f.*; 2 (*blijk*) marque *f.*, témoignage *m.*; 3 (*betoog*) démonstration *f.*; 4 (*verklaring*) certificat *m.*; **— *van afgifte,*** certificat de dépôt; **— *van herkomst,*** certificat d'origine; **— *van ontvangst,*** bulletin *m.* de réception, récépissé *m.*; **— *van storting,*** bulletin *m.* de dépôt; **— *van adeldom,*** titre *m.* de noblesse; **— *van onvermogen,*** certificat *m.* d'indigence; **— *van toegang,*** billet *m.* d'entrée; **— *van goed gedrag,*** certificat *m.* de bonne vie et mœurs; **— *uit het ongerijmde,*** démonstration *f.* par l'absurde.
bewijs'baar *b.n.* démontrable, prouvable.
bewijs'grond *m.* argument *m.*
bewijs'kracht *v.*(*m.*) force *f.* démonstrative, — de démonstration.
bewijs'last *m.* obligation *f.* de faire la preuve, devoir *m.* de prouver.
bewijs'materiaal *o.* pièces *f.pl.* à l'appui; pièces *f.pl.* justificatives.
bewijs'middel *o.* preuve *f.*
bewijs'nummer *o.* numéro *m.* justificatif.
bewijs'plaats *v.*(*m.*) citation *f.* à l'appui de.
bewijs'stuk *o.* pièce *f.* justificative, — à conviction; titre *m.*
bewijs'voering *v.* argumentation *f.*; ***tot de* — *toegelaten worden,*** (*recht*) être admis à faire la preuve.
bewij'zen *ov.w.* 1 prouver; démontrer; 2 (*doen blijken*) montrer, faire preuve de; (*vriendschap*) témoigner; ***iem. een dienst* —,** rendre service à qn.; ***een wissel de nodige eer* —,** honorer une traite.
bewil'ligen I *ov.w.* accorder, concéder; **II** *on.w.* **— *in,*** consentir à.
bewil'liging *v.* consentement, assentiment *m.*; ***koninklijke* —,** autorisation *f.* royale.
bewim'pelen *ov.w.* déguiser, voiler, pallier, excuser; ***een misslag* —,** dissimuler une faute.
bewim'peling *v.* déguisement *m.*, palliation *f.*
bewind' *o.* gouvernement *m.*; direction, administration *f.*
bewind'hebber *m.* 1 administrateur, directeur *m.*; 2 (*recht*) membre *m.* du conseil d'administration.
bewinds'man *m.* gouvernant *m.*, homme *m.* de gouvernement.
bewind'voerder *m.* administrateur, directeur *m.*
bewo'gen *b.n.* 1 (*ontroerd*) touché, ému; 2 (*veelbewogen*) mouvementé.
bewol'ken *ov.w.* 1 couvrir de nuages; 2 (*fig.*) assombrir, obscurcir.
bewol'king *v.* nébulosité *f.*; les nuages *m.pl.*
bewolkt' *b.n.* 1 couvert de nuages, nuageux; 2 (*fig.*) sombre.
bewon'deraar *m.* admirateur *m.*
bewon'deren *ov.w.* admirer; ***zich laten* —,** faire [la roue.
bewon'derend *b.n.* admirateur, admiratif.
bewonderenswaar'd(ig) *b.n.* admirable.
bewon'dering *v.* admiration *f.*
bewo'nen *ov.w.* habiter; ***een geheel huis* —,** occuper une maison entière.
bewo'ner *m.* 1 (*v. stad, land*) habitant *m.*; 2 (*huurder*) locataire *m.*
bewo'ning *v.* occupation; habitation *f.*
bewoon'baar *b.n.* habitable.
bewoon'baarheid *v.* habitabilité *f.*
bewoond' *b.n.* habité.
bewoon'ster *v.* 1 habitante *f.*; 2 locataire *f.*
bewoor'ding *v.* terme *m.*, expression *f.*; ***in andere* —*en weergeven,*** rendre en d'autres termes.
bewust' *b.n.* conscient; ***de* —*e zaak,*** l'affaire en question; ***zich iets* — *zijn,*** avoir conscience de qc.; ***hij is het zich zeer wel* —,** il s'en rend très bien compte; ***ik ben mij geen schuld* —,** je n'ai rien à me reprocher.
bewus'teloos *b.n.* évanoui, sans connaissance.
bewusteloos'heid *v.* évanouissement *m.*
bewust'heid *v.* conscience; connaissance *f.*; ***met volle* —,** en connaissance de cause; (*v. stervende*) jouissant de toutes ses facultés.
bewust'wording *v.* prise *f.* de conscience.
bewust'zijn *o.* conscience; connaissance *f.*; ***het* — *verliezen,*** perdre connaissance; ***weer tot* — *komen,*** reprendre connaissance.
bewust'zijnsvernauwing *v.* rétrécissement *m.* de la conscience.
bewust'zijnsverschijnsel *o.* phénomène *m.* psychique.
bezaai'en *ov.w.* 1 semer, ensemencer; 2 (*fig.*) joncher, parsemer.
bezaai'ing *v.* ensemencement *m.*
bezaan' *v.*(*m.*) (*sch.*) voile *f.* d'artimon.
bezaan'le(d)er *o.* basane; alude, alute *f.*
bezaans'mast *m.* mât *m.* d'artimon.
bezaans'ra *v.*(*m.*) vergue *f.* d'artimon.
bezab'belen *ov.w.* baver sur.
beza'digd *b.n.* 1 (*v. persoon*) pondéré, rassis, posé; 2 (*v. oordeel*) mûri, considéré; 3 (*v. handeling, optreden*) calme. [retenue *f.*
beza'digdheid *v.* pondération; modération;
beze'gelen *ov.w.* 1 sceller, apposer son sceau à; 2 (*fig.*) sceller; confirmer.
beze'geling *v.* 1 apposition *f.* du sceau, scellage *m.*; 2 confirmation *f.*
bezei'len *ov.w.* 1 (*zeilen op*) naviguer sur; 2 (*zeilende bereiken*) atteindre (à la voile); ***er is geen land met hem te* —,** on ne sait par quel bout le prendre, c'est un homme contrariant.
be'zem *m.* balai *m.*; ***nieuwe* —*s vegen schoon,*** il n'est rien tel que balai neuf.
be'zembinder *m.* faiseur *m.* de balais.
be'zemen *ov.w.* balayer.
be'zemsteel *m.* manche *m.* à balai.
bezen'ding *v.* 1 (*hoeveelheid*) quantité, collection *f.*; 2 (*het gezondene*) envoi *m.*; ***een hele* —,** tout un paquet (de).
beze'ren I *ov.w.* 1 blesser, faire mal à; 2 (*kneuzen*) contusionner; **II** *w.w.* ***zich* —,** se blesser.
beze'ring *v.* blessure *f.*; contusion *f.*
bezet' *b.n.* 1 (*gebied, enz.*) occupé; 2 (*persoon, tijd*) pris; 3 (*gen.*) oppressé; ***die stoel is* —,** cette chaise est prise; ***na* —*te tijd,*** à une heure indue; ***een druk* —*te week,*** une semaine bien chargée;

een goed —te zaal, une salle bien garnie; ***— met,*** garni de, semé de.
beze'ten *b.n.* possédé; fou.
beze'tene *m.-v.* **1** possédé *m.*; **2** (*fig.*) fou, énergumène *m.*; ***razen als een —,*** se démener comme un possédé.
beze'tenheid *v.* possession *f.*
bezet'sel *o.* **1** garniture *f.*; **2** (*boordsel*) galon *m.*
bezet'ten *ov.w.* **1** (*plaats*) occuper; **2** (*met kant, knopen, enz.*) garnir (de); **3** (*met bomen*) planter (de); ***de rollen —,*** distribuer les rôles.
bezet'ter *m.* occupant *m.*
bezet'ting *v.* **1** occupation *f.*; **2** (*de manschappen*) garnison *f.*; **3** (*leger*) armée *f.* d'occupation; **4** (*rolverdeling*) distribution *f.* (des rôles); ***met volle —,*** au grand complet.
bezet'tingsleger *o.* armée *f.* d'occupation.
bezet'tingstroepen *mv.* troupes *f.pl.* d'occupation.
bezet'toon *m.* (*tel.*) signal *m.* „pas libre", tonalité *f.* indiquant que la ligne n'est pas libre.
bezich'tigen *ov.w.* **1** (*stad, land*) visiter; **2** (*schilderij, enz.*) examiner, inspecter; **3** (*huis*) voir.
bezich'tiging *v.* **1** visite *f.*; **2** examen *m.*, inspection *f.*
be'zie, *zie* **bes.**
bezield' *b.n.* **1** animé; **2** (*fig.*) inspiré, plein de verve.
bezie'len *ov.w.* **1** animer; **2** inspirer; **3** enflammer; ***wat bezielt hem toch?*** qu'est-ce qu'il a donc? quelle mouche l'a piqué?
bezie'lend *b.n.* inspirateur; entraînant; enflammé; ***een —e rede,*** un discours enflammé.
bezie'ling *v.* animation, inspiration *f.*; enthousiasme *m.*; ***met — spreken,*** parler avec feu.
bezien' *ov.w.* **1** regarder, voir; **2** (*nauwkeurig*) examiner, inspecter; **3** (*stad, enz.*) visiter; ***het staat te — of,*** reste à savoir si.
bezienswaar'd(ig) *b.n.* digne d'être vu, curieux.
bezienswaar'digheid *v.* curiosité *f.*
be'zig *b.n.* occupé; ***— zijn aan,*** travailler à; ***— zijn met,*** être occupé à.
be'zigen *ov.w.* se servir de, employer.
be'zigheid *v.* occupation *f.*; affaires *f.pl.*; ***veel bezigheden hebben,*** avoir fort à faire, être très occupé.
be'zighouden I *ov.w.* occuper; **II** *w.w.* ***zich —,*** s'occuper (de).
be'ziging *v.* emploi *m.*
bezij'den *vz.* à côté de; ***— de waarheid,*** contraire à la vérité.
bezin'gen *ov.w.* chanter, célébrer.
bezin'ken *on.w.* **1** se déposer, former un dépôt; **2** (*v. vloeistoffen*) se rasseoir, prendre son rassis, reposer; **3** (*fig.*) se fixer; ***het geleerde laten —,*** s'assimiler ce qu'on a appris; ***rustig bezonken werk,*** travail fait à tête reposée.
bezin'king *v.* **1** sédimentation *f.*; **2** (*klaring: v. vloeistoffen*) clarification *f.*
bezink'sel *o.* sédiment, dépôt, résidu *m.*
bezin'nen *of* **zich —, 1** (*nadenken*) réfléchir; **2** (*v. gedachten veranderen*) se raviser; ***bezint eer gij begint,*** réfléchissez avant d'agir.
bezin'ning *v.* changement *m.* d'avis, ravisement *m.*; ***tot — komen,*** revenir à soi, reprendre ses sens; (*fig.*) se ressaisir; ***zijn — verliezen,*** perdre la tête, se déconcerter.
bezit' *o.* **1** possession *f.*; **2** (*recht*) jouissance *f.*; ***in — nemen,*** prendre possession de; ***— nemen van,*** occuper; ***in het — van uw schrijven van 12 dezer,*** en possession de votre honorée du 12 courant.
bezit'neming *v.* prise *f.* de possession; occupation *f.*
bezits'recht *o.* (droit *m.* de) possession *f.*
bezits'spreiding *v.* répartition *f.* de la fortune publique.
bezits'vorming *v.* investissement *m.*
bezit'telijk *b.n.* possessif.
bezit'ten *ov.w.* posséder, avoir.
bezit'ter *m.* **1** possesseur *m.*; **2** (*eigenaar*) propriétaire *m.*; **3** (*houder van*) porteur, détenteur *m.*
bezit'ting *v.* **1** possession *f.*; **2** propriété *f.*; ***de Nederlandse —en,*** les possessions néerlandaises.
bezocht' *b.n.* **1** (*plaats*) visité; **2** (*straat, markt*) fréquenté; **3** (*leergang*) suivi.
bezoe'delen *ov.w.* souiller; salir, tacher.
bezoe'deling *v.* souillure, salissure *f.*
bezoek' *o.* **1** visite *f.*; **2** (*v. schoot*) fréquentation *f.*; ***er is —,*** il y a du monde; ***een — afleggen,*** rendre visite.
bezoe'ken *ov.w.* **1** rendre visite (à), aller voir; **2** (*regelmatig —*) fréquenter; **3** (*plaats*) visiter; **4** (*universiteit*) suivre les cours (de); **5** (*beproeven*) affliger.
bezoe'ker *m.* **1** visiteur *m.*; **2** (*v. café*) client *m.*, (*geregeld*) habitué *m.*
bezoe'king *v.* affliction, épreuve *f.*, fléau *m.*
bezol'digd *b.n.* salarié.
bezol'digen *ov.w.* **1** (*bedienden*) gager; **2** (*beambten*) rétribuer, appointer; **3** (*werklieden*) salarier; **4** (*soldaten*) stipendier, solder, soudoyer.
bezol'diging *v.* **1** gages *m.pl.*; **2** appointements *m.pl.*; **3** salaire *m.*; **4** solde *f.*
bezon'digen, *zich —,* *w.w.* pécher; ***— aan,*** se rendre coupable de.
bezon'ken *b.n.* **1** reposé, rassis; **2** (*fig.*) réfléchi.
bezon'kenheid *v.* maturité, sérénité *f.*; repos *m.*
bezon'nen *b.n.* **1** avisé, sensé, réfléchi; **2** (*v. houding*) calme.
bezon'nenheid *v.* circonspection, prudence *f.*
bezorgd' *b.n.* **1** (*ongerust*) inquiet; **2** (*vol zorg*) soucieux; ***zich — maken over,*** s'inquiéter de, se mettre en peine de; ***— zijn over een kind,*** avoir peur pour un enfant; ***wees maar niet —!*** soyez tranquille!
bezorgd'heid *v.* inquiétude, sollicitude, préoccupation *f.*
bezor'gen *ov.w.* **1** (*afgeven*) remettre; **2** (*boodschap*) porter; faire parvenir; **3** (*brieven*) distribuer; **4** (*verschaffen*) procurer, fournir; **5** (*veroorzaken*) causer; **6** (*zorgen voor*) avoir soin de, s'occuper de; **7** (*H.: v. verzekering, incasso*) effectuer; **8** (*een nieuwe uitgave*) publier.
bezor'ger *m.* **1** porteur *m.*; **2** (*v. magazijn*) livreur *m.*; ***— van begrafenissen,*** entrepreneur *m.* de pompes funèbres.
bezor'ging *v.* **1** remise *f.*; **2** livraison *f.*; **3** (*v. brieven*) distribution *f.*
bezui'den *vz.* au sud de.
bezui'nigen *on.w.* économiser, faire des économies; comprimer les dépenses, retrancher sur le budget.
bezui'niging *v.* économie *f.*
bezui'nigingscommissie *v.* (*F.*) commission *f.* des économies; (*B.*) comité *m.* du Trésor.
bezui'nigingsmaatregel *m.* mesure *f.* d'économie.
bezui'pen, *zich —,* *w.w.* se soûler.
bezu'ren *ov.w.* pâtir de, se repentir de; ***je zult het moeten —,*** il vous en cuira.
bezwaar' *o.* **1** (*moeilijkheid*) difficulté *f.*; **2** (*beletsel*) obstacle *m.*; **3** (*ongemak*) inconvénient *m.*; **4** (*tegenwerping*) objection *f.*; **5** (*grief*) grief *m.*; **6** (*op huis*) servitude *f.*; **7** (*last*) préjudice *m.*; ***buiten — van de schatkist,*** **1** sans préjudice pour le trésor; **2** sans traitement, sans solde; ***ik heb er geen — tegen,*** je ne m'y oppose pas,

je n'y vois pas d'inconvénient; ***bezwaren indienen,*** réclamer; ***bezwaren maken,*** faire des difficultés, soulever des objections.
bezwaard' *b.n.* **1** chargé (de); **2** (*bezorgd*) inquiet (de), en peine (de); ***zich — gevoelen over,*** se faire un scrupule de.
bezwaar'lijk I *b.n.* difficile; **II** *bw.* difficilement, à peine; ***dat zal — gaan,*** cela n'ira pas sans peine; ***iets — kunnen geloven,*** avoir peine à croire qc.
bezwaar'schrift *o.* réclamation *f.*
bezwad'deren, bezwal'ken *ov.w.* calomnier, [dénigrer.
bezwan'geren *ov.w.* **1** imprégner (de); **2** (*verzadigen*) saturer (de).
bezwan'gering *v.* **1** imprégnation *f.*; **2** saturation *f.*
bezwa'ren *ov.w.* **1** (*belasten*) charger; **2** (*drukken op*) accabler, incommoder; **3** (*gemoed; maag*) peser sur; **4** (*met schulden*) obérer; **5** (*een huis*) hypothéquer, grever d'hypothèques; **6** (*beschuldigde*) charger; ***die uitgave bezwaart mij,*** cette dépense est trop onéreuse pour moi.
bezwa'rend *b.n.* **1** onéreux; **2** (*recht*) aggravant.
bezweer'der *m.* **1** exorciste *m.*; **2** (*v. slangen*) charmeur *m.*
bezweet' *b.n.* en sueur; ***erg —,*** trempé de sueur; (tout) en nage.
bezwe'ren *ov.w.* **1** jurer, affirmer sous serment; **2** (*geest, duivel*) conjurer, exorciser; **3** (*smeken*) supplier, conjurer; **4** (*kwaad, koorts, enz.*) conjurer.
bezwe'ring *v.* **1** affirmation *f.* sous la foi du serment; **2** exorcisme *m.*; **3** conjuration *f.*
bezwe'ringsformulier *o.* formule *f.* d'exorcisme.
bezwij'ken *on.w.* **1** (*persoon*) succomber; **2** (*inzakken*) s'écrouler, s'affaisser; **3** (*deur, muur*) céder; **4** (*band*) se rompre; ***voor de verleiding —,*** succomber à la tentation, céder —.
bezwij'men *on.w.* s'évanouir, défaillir, se pâmer.
bezwij'ming *v.* évanouissement *m.*, défaillance, pâmoison, syncope *f.*
Bhoetan *o.* Bhoutan *m.*
bib'beren *on.w.* **1** frissonner, trembloter; **2** (*v. koude*) grelotter.
bib'berig *b.n.* tremblotant; (*v. stem*) chevrotant.
bib'bering *v.* frisson, frissonnement; grelottement *m.*
bibliofiel' *m.* bibliophile *m.*
bibliograaf' *m.* bibliographe *m.*
bibliografie' *v.* bibliographie *f.*
bibliogra'fisch *b.n.* bibliographique.
bibliot(h)eca'ris, bibliot(h)ekaris *m.* bibliothécaire *m.*
bibliot(h)eek' *v.* bibliothèque *f.*
bi'carbonaat, bi'karbonaat *o.* bicarbonat *m.*
bi'ceps *m.* biceps *m.*
bi'concaaf *b.n.* biconcave.
bid'bank *v.*(*m.*) prie-Dieu *m.*
bid'dag *m.* jour *m.* de prières; **— d'adoration** perpétuelle.
bid'den *on.w.* **1** prier; **2** (*voor en na eten*) (*prot.*) faire la prière, (*kath.*) dire le bénédicité, — les grâces; **3** (*smeken*) supplier, conjurer.
bid'kapel *v.*(*m.*) oratoire *m.*
bid'mat *v.*(*m.*) tapis *m.* de prière.
bid'prentje *o.* image *f.* mortuaire.
bid'stoel *m.* prie-Dieu *m.*
bid'stond *m.* adoration *f.* perpétuelle.
bid'uur *o.* heure *f.* d'adoration.
biecht *v.*(*m.*) confession *f.*; ***— horen,*** confesser; ***iem. de — afnemen,*** confesser qn.; ***te — gaan,*** aller à confesse; ***bij de duivel te — gaan,*** se confesser au renard.
biecht'briefje *o.* billet *m.* de confession.
biech'teling *m.* **—e** *v.* pénitent(e) *m.* (*f.*).
biech'ten I *ov.w.* confesser; **II** *on.w.* se confesser.
biecht'geheim *o.* secret *m.* de la confession.
biecht'puntje *o.* article *m.*
biecht'stoel *m.* confessionnal *m.*
biecht'vader *m.* confesseur *m.*
bie'den I *ov.w.* offrir; ***ik bied er 55 fr. voor,*** j'en offre 55 francs; ***het hoofd — aan,*** tenir tête à, résister à; ***weerstand —,*** résister; ***hulp —,*** porter secours; **II** *on.w.* faire une offre; ***biedt er iemand?*** y a-t-il marchand? ***hoger —,*** renchérir sur; ***loven en —,*** marchander; ***de meestbiedende,*** le plus offrant.
bie'der *m.* **1** offrant *m.*; **2** (*bij verkoping*) enchérisseur *m.*
bied'koers *m.* (*H.*) cours *m.* acheteurs, — argent (A).
bief'stuk *m.* bifteck *m.*
biel(s) *v.*(*m.*) traverse *f.*
biënna'le *v.*(*m.*) biennale *f.*
bier *o.* bière *f.*; ***donker —,*** bière brune; ***licht —,*** bière blonde; ***dun —,*** petite bière; ***zwaar —,*** bière double; ***een —!*** un bock!
bier'accijns, -aksijns *m.* droit *m.* de brasserie.
bier'bottelaar *m.* entrepositaire *m.* de bière.
bier'bottelarij *v.* entrepôt *m.* de bière; (cave où la bière est) mise *f.* en bouteilles.
bier'brouwer *m.* brasseur *m.*
bier'brouwerij *v.* brasserie *f.*
bier'buik *m.* **1** ventre *m.* de buveur; **2** (*fig.*) buveur *m.* de bière.
bier'fles *v.*(*m.*) bouteille *f.* à bière.
bier'glas *o.* verre *m.* à bière.
bier'huis *o.* brasserie *f.*, café *m.*
Bierk *o.* Bierghes.
bier'kaai *v.*(*m.*) ***dat is vechten tegen de —,*** à blanchir la tête d'un nègre on perd sa lessive.
bier'kan *v.*(*m.*) pot *m.* à bière.
bier'kar *v.*(*m.*) haquet *m.*
bier'kelder *m.* cave *f.* à bière.
bier'kruik *v.*(*m.*) cruche *f.* à bière.
bier'kuip *v.*(*m.*) cuve *f.* de brasserie, — à bière.
bier'pap, bier'soep *v.*(*m.*) soupe *f.* à la bière.
bier'steker *m.* marchand *m.* de bières en gros.
bier'tapperij *v.* débit *m.* de bière.
bier'ton *v.*(*m.*), **bier'vat** *o.* tonneau *m.* à bière.
bier'viltje *o.* disque *m.* de carton.
bier'wagen *m.* **1** haquet *m.*; **2** (*auto*) camion *m.* (automobile) de brasserie.
bies *v.*(*m.*) **1** (*Pl.*) jonc *m.*; **2** (*galon*) liseré *m.*; **3** (*mil.*) galon, passepoil *m.*; ***zijn biezen pakken,*** plier bagage, décamper.
bies'bos *o.* jonchaie *f.*
biet, beet *v.*(*m.*) (*Pl.*) bette, betterave *f.*; ***rode —,*** poirée *f.* rouge; ***witte —,*** poirée *f.*
bie'tebauw *m.* loup*-garou*, croque-mitaine *m.*
bie'zen I *b.n.* de jonc; ***een — mat,*** une natte de jonc; **II** *ov.w.* liserér; galonner.
biezonder(-), *zie* ***bijzonder(-).***
bifurca'tie *v.* bifurcation *f.*
big *v.*(*m.*) **1** goret, cochonnet *m.*; **2** (*mil.*) bleu *m.*; ***Guinese —,*** cochon *m.* d'Inde, cobaye *m.*
big'gelen *on.w.* couler.
bij I *v.*(*m.*) abeille *f.*; **II** *vz.* **1** (*nabijheid*) près de; (*dicht—, voortdurend*) auprès de; **2** (*ten huize van*) chez; **3** (*in gezelschap van*) avec; ***lessen nemen — de heer N.,*** prendre des leçons avec monsieur N.; **4** (*in de kring van*) parmi; chez; ***— de letterkundigen,*** parmi les hommes de lettres; ***— de Romeinen,*** chez les Romains; **5** (*op zak, meedragend*) sur; ***geld — zich hebben,*** avoir de l'argent sur soi; **6** (*beroep, leger*) dans; ***— 't onderwijs,*** dans l'enseignement; **7** (*in de werken van*) chez, dans; **8** (*vergelijkend*) à côté de, auprès de; **9** (*met li-*

chaamsdeel) par; — ***de hand leiden,*** conduire par la main; — ***de neus nemen,*** mener par le nez; **10** (*hoeveelheid*) par, à; — ***honderden,*** par centaines; — ***de maand,*** au mois; **11** (*gelijktijdigheid*) à, par, de; — ***de aflevering,*** à la livraison; — ***regenachtig weer,*** par un temps pluvieux; — ***dag en — nacht,*** de jour et de nuit; — ***zijn vertrek,*** à son départ, lors de son départ; **12** (*al doende*) en; — ***het schrijven,*** en écrivant; **13** (*in eed*) par; **14** (*op verbeurte van*); sur; — ***mijn eer,*** sur mon honneur; ***een potlood — de hand hebben,*** avoir un crayon sous la main; — ***gebrek aan,*** faute de; — ***ondervinding,*** par expérience; ***de slag — Waterloo,*** la bataille de Waterloo; — ***zijn leven,*** de son vivant; — ***name kennen,*** connaître de nom; — ***lamplicht,*** à la lumière d'une lampe; — ***mogelijk verzet,*** en cas de résistance; ***St. Gilles — Brussel,*** St. Gilles-lez-Bruxelles; — ***Antwerpen is de Schelde zeer breed,*** à Anvers l'Escaut est très large; ***het is — vieren,*** il est près de quatre heures; — ***de dag leven,*** vivre au jour le jour; ***voet — stuk houden,*** tenir bon; **III** *bw.* ***hier dicht—,*** près d'ici; ***ik was er niet —,*** je n'y étais pas; ***hij is goed —,*** il est bien au courant; (*fam.*) il est à la page; ***er zit niet veel —,*** ce n'est pas un aigle; ***de boeken zijn —,*** (*H.*) les livres sont à jour; ***hij zit er goed —,*** il a son pain cuit, il a du foin dans les bottes; ***daar kan ik niet —,*** je ne puis y atteindre; (*fig.: met verstand*) cela me dépasse; je n'y comprends rien; ***hij is er —!*** il est pincé!

bijaldien' *vw.* en cas que (*met Subj.*), si.

bij'baantje *o.* emploi *m.* à côté, — accessoire *m.*

bij'bank *v.*(*m.*) succursale, agence *f.*

bij'bedoeling *v.* intention *f.* particulière, — secrète, arrière-pensée*, sous-entente* *f.*, sous-entendu* *m.*; ***zonder —,*** sans intention.

bij'behorend *b.n.* annexe; assortissant.

bij'bel *m.* Bible *f.*, les saintes Écritures *f.pl.*, l'Écriture *f.* sainte.

bij'belcommissie, -kommissie *v.* (*kath.*) commission *f.* de la Bible.

bij'belgenootschap *o.* (*prot.*) société *f.* biblique.

bij'belkenner *m.* biblien *m.*, connaisseur *m.* de la Bible.

bij'belkennis *v.* connaissance *f.* de la Bible.

bij'belkommissie, *zie* ***bijbelcommissie.***

bij'belleer *v.*(*m.*) doctrine *f.* biblique.

bij'bellezing *v.* lecture *f.* de la Bible.

bij'belplaats *v.*(*m.*) passage *m.* de la Bible.

bij'bels *b.n.* biblique; ***—e geschiedenis,*** histoire *f.* sainte.

bij'belspreuk *v.*(*m.*) verset *m.*, citation *f.* biblique.

bij'beltaal *v.*(*m.*) style *m.* biblique, langage *m.* —.

bij'beltekst *m.* texte *m.* de la Bible, — biblique.

bij'belvast *b.n.* versé dans la Bible, ferré sur la Bible.

bij'belverklaarder *m.* exégète *m.*

bij'belverklaring *v.* exégèse *f.*

bij'belvertaling *v.* traduction *f.* de la Bible; ***de Latijnse —,*** la Vulgate.

bij'belwoord *o.* parole *f.* biblique, passage *m.* de la Bible.

bij'betalen I *ov.w.* payer en sus; **II** *on.w.* payer un supplément.

bij'betaling *v.* supplément *m.*; ***met — van,*** en suppléant.

bij'betekenis *v.* signification *f.* accessoire.

bij'blad *o.* supplément *m.*

bij'blijven I *ov.w.* demeurer auprès de, rester —; **II** *on.w.* **1** rester (dans la mémoire); **2** (*met boekhouding*) rester à jour; **3** (*op de hoogte blijven*) se tenir au courant; ***dat gebrek zal hem steeds —,*** ce défaut lui restera toujours.

bij'boek *o.* (*H.*) livre *m.* auxiliaire.

bij'boeken *ov.w.* inscrire.

bij'brengen *ov.w.* **1** (*kennis*) apprendre, inculquer; **2** (*bewijzen, enz.*) citer, alléguer; **3** (*iem. —*) faire reprendre connaissance, faire revenir à soi; **4** (*v. bewijs*) administrer, avancer.

bijdehand' *b.n.* adroit, éveillé, avisé; (*fam.*) dégourdi.

bij'dehands *b.n.* de gauche.

bij'doen *ov.w.* ajouter.

bij'draaien *on.w.* **1** (*sch.*) mettre en panne; **2** (*fig.*) mettre de l'eau dans son vin.

bij'drage *v.*(*m.*) **1** (*contributie*) cotisation *f.*; **2** (*aandeel*) (quote*)-part* *f.*; **3** (*in tijdschrift*) article *m.*

bij'dragen *ov.w. en on.w.* contribuer (à); ***in de kosten —,*** payer sa quote-part des frais; — ***voor zijn pensioen,*** cotiser à la caisse de retraite.

bij'eangel *m.* dard, aiguillon *m.*

bij'ecel *v.*(*m.*) alvéole, cellule *f.*

bijeen' *bw.* ensemble.

bijeen'behoren *on.w.* **1** (*alg.*) aller ensemble; **2** (*v. schoenen, enz.*) faire la paire; **3** (*v. schilderijen, kasten, enz.*) faire pendant.

bijeen'binden *ov.w.* lier ensemble.

bijeen'brengen *ov.w.* réunir, rassembler.

bijeen'doen *ov.w.* réunir, mettre ensemble.

bijeen'drijven *ov.w.* **1** (*vee, enz.*) rassembler; **2** (*wild*) rabattre.

bijeen'garen *ov.w.* rassembler.

bijeen'gevoegd *b.n.* joint.

bijeen'gooien *ov.w.* jeter en tas.

bijeen'houden *ov.w.* tenir ensemble; retenir.

bijeen'komen *on.w.* **1** se réunir, se rassembler, se rejoindre; **2** (*v. kleuren, enz.*) s'assortir.

bijeen'komst *v.* **1** réunion, assemblée *f.*; **2** (*ontmoeting*) entrevue *f.*

bijeen'krijgen *ov.w.* réunir.

bijeen'leggen *ov.w.* mettre ensemble; ***geld —,*** se cotiser.

bijeen'nemen *ov.w.* mettre ensemble, ramasser; ***alles bijeengenomen,*** à tout prendre, somme toute.

bijeen'pakken *ov.w.* faire un paquet de, ramasser, mettre ensemble.

bijeen'passen *on.w.* aller ensemble, s'accorder, sympathiser.

bijeen'plaatsen *ov.w.* mettre ensemble, ranger.

bijeen'rapen *ov.w.* **1** ramasser; **2** (*moed, krachten*) rassembler.

bijeen'roepen *ov.w.* convoquer, rassembler.

bijeen'roeping *v.* convocation *f.*

bijeen'scharrelen *ov.w.* (*fam.*) rassembler.

bijeen'schrapen *ov.w.* **1** accumuler, amasser; **2** (*sparen*) amasser sou par sou, amasser avec peine, ramasser —.

bijeen'staan *on.w.* se trouver ensemble.

bijeen'tellen *ov.w.* additionner, faire le total de.

bijeen'verzamelen *ov.w.* rassembler, réunir.

bijeen'voegen *ov.w.* joindre, réunir.

bijeen'voeging *v.* réunion.

bijeen'zetten *ov.w.* mettre ensemble.

bijeen'zijn, bijeen'zitten *on.w.* être ensemble, se trouver —.

bijeen'zoeken *ov.w.* rassembler, assortir.

bij'enhouder *m.* apiculteur *m.*

bij'enkap *v.*(*m.*) masque *m.*

bij'enkoningin *v.* reine *f.* (des abeilles, de la ruche).

bij'enkorf *m.* ruche *f.*

bij'enpark *o.* exploitation *f.* apicole.

bij'enstal *m.* rucher *m.*

bij'enteelt *v.*(*m.*) apiculture *f.*

bij'envolk *o.* ruchée, colonie *f.*
bij'enwas *m. en o.* cire *f.* d'abeilles.
bij'enzwerm *m.* essaim *m.* (d'abeilles)
bij'figuur *v.(m.)* figure *f.* accessoire; personnage *m.* secondaire.
bij'gaand *b.n. en bw.* ci-joint, ci-inclus.
bij'gebouw *o.* annexe, dépendance *f.*
bij'gedachte *v.* arrière-pensée* *f.*
bij'geloof *o.* superstition *f.*
bijgelo'vig *b.n.* superstitieux.
bijgelo'vigheid *v.* superstition *f.*
bij'geluid *o.* bruit *m.* parasite.
bij'genaamd *b.n.* surnommé, dit.
bijgeval' *bw.* par hasard, peut-être.
bij'geven *ov.w.* donner en sus.
bijgevolg' *bw.* par conséquent.
bij'gieten *ov.w.* ajouter (de l'eau).
bij'groeien *on.w.* se régénérer; repousser.
bij'halen *ov.w.* amener, chercher.
bij'harken *ov.w.* donner un coup de râteau à, [ratisser.
bij'houden *ov.w.* **1** (*persoon*) marcher du même pas, pouvoir suivre; **2** (*H.: boeken*) tenir à jour; **3** (*studie*) se tenir au courant de; ***houd je bord bij,*** approchez votre assiette.
bij'kaart *v.(m.)* (*in atlas*) papillon, carton *m.*; **2** (*spel*) garde *f.*; **3** (*toegangskaart*) ticket *m.* supplémentaire, carte *f.* —.
bijkans' *bw.* presque.
bij'kantoor *o.* **1** (*H.*) succursale *f.*; **2** (*post*) bureau *m.* auxiliaire; (*B.*) agence *f.* postale.
bij'kerk *v.(m.)* (église) succursale *f.*
bij'keuken *v.(m.)* arrière-cuisine*, office *f.*
bij'klank *m.* son *m.* accessoire.
bij'knippen *ov.w.* **1** (*haar*) rafraîchir; **2** (*plaat, enz.*) [façonner.
bij'kok *m.* aide *m.* de cuisine, — *-cuisinier*.
bij'komen *on.w.* **1** (*tot zich zelf komen*) revenir à soi, se remettre; **2** (*in gewicht*) prendre du poids; ***ik kan er niet —,*** je ne puis y atteindre; ***iets dat er bijkomt,*** qc. d'approchant; ***die kleur komt er niet goed bij,*** cette couleur (*of* teinte) ne va pas; ***dat moest er nog —!*** il ne manquait plus que cela.
bij'komend *b.n.* **1** (*ondergeschikt*) accessoire; secondaire; **2** (*bijpassend*) assortissant; ***de —e kosten,*** les faux frais.
bijkom'stig, *zie* ***bijkomend.***
bijkom'stigheden *mv.* accessoires *m.pl.*; circonstances *f.pl.* particulières.
bijl *v.(m.)* **1** hache *f.*; **2** (*grote —*) cognée *f.*; **3** (*val—*) couteau, couperet *m.*
bij'lage *v.(m.)* **1** (pièce) annexe *f.*; **2** (*v. dagblad*) supplément *m.*
bijlan'ge, — niet, il s'en faut (de beaucoup), pas à beaucoup près.
bijl'bundel *m.* (*gesch.*) faisceaux *m.pl.*
bijl'drager *m.* (*gesch.*) licteur *m.*
bij'leggen *ov.w.* **1** (*bijvoegen*) ajouter; **2** (*geschil*) aplanir, accommoder; ***ik moet er geld —,*** j'y perds de l'argent.
bij'legging *v.* aplanissement, accommodement *m.*
bij'lichten *ov.w.* éclairer.
bij'liggen, ***er ligt me iets bij,*** je me rappelle (vaguement), je me souviens (de).
bij'liggend *b.n.* ci-joint, ci-inclus.
bijl'slag *m.* coup *m.* de hache.
bijl'tje *o.* hachette *f.*; ***er het — bij neerleggen,*** jeter le manche après la cognée.
bij'maan *v.(m.)* parasélène, fausse lune *f.*
bij'mengen *ov.w.* ajouter, mêler, mélanger.
bij'na *bw.* presque; (*vóór telwoord*) près de; ***hij was — gevallen,*** il a failli de tomber, il a manqué de tomber.
bij'naam *m.* **1** (*toenaam*) surnom *m.*; **2** (*spotnaam*) sobriquet *m.*
bij'nemen *ov.w.* (en) prendre encore; prendre en [outre.
bij'nier *v.(m.)* glande *f.* surrénale.
bij'omstandigheid *v.* circonstance *f.* accessoire, — imprévue.
bij'oogmerk *o.* intention *f.* particulière, arrière-pensée* *f.*, but *m.* secret.
bij'oorzaak *v.(m.)* cause *f.* secondaire.
bijouterie'ën *mv.* bijoux *m.pl.*, bijouterie *f.*
bijouterie'ënkistje *o.* écrin *m.*
bijouterie'ënwinkel *m.* bijouterie *f.*
bij'paard *o.* cheval *m.* de renfort; sous-verge* *m.*
bij'pad *o.* sentier *m.* de traverse.
bij'passen I *ov.w.* (*bedrag*) compléter; **II** *on.w.* faire l'appoint, y mettre de sa poche.
bij'passend *b.n.* assorti.
bij'planeet *v.(m.)* satellite *m.*
bij'poederen, -poeieren, *zich —,* refaire (son [visage).
bij'produkt, bij'product *o.* sous-produit* *m.*
bij'punten *ov.w.* tailler, appointer.
bij'rekenen *ov.w.* ajouter, compter en sus.
bij'rivier *v.(m.)* affluent *m.*; ***— van een zijrivier,*** sous-affluent* *m.*
bij'rol *v.(m.)* rôle *m.* secondaire.
bij'schaven *ov.w.* planer, donner un coup de rabot [à.
bij'schenken *ov.w.* ajouter; verser encore.
bij'schikken *on.w.* s'approcher.
bij'schilderen *ov.w.* donner un coup de pinceau (à), retoucher au pinceau.
bij'schrift *o.* légende, épigraphe *f.*
bij'schrijven *ov.w.* **1** (*in tekst, brief, enz.*) ajouter; **2** (*boeken*) mettre à jour.
bij'schuiven I *ov.w.* approcher; ***dichter —,*** rapprocher; **II** *on.w.* s'approcher.
bij'slaap *m.* **1** compagnon *m.* de lit, compagne *f.* —; **2** coït *m.*, copulation *f.*
bij'slag *m.* **1** supplément *m.*; **2** (*bijkomend voordeel*) émolument, bénéfice *m.*; **3** (*op loon*) plus-value* *f.*
bij'smaak *m.* arrière-goût*, (faux) goût *m.*
bij'spijkeren *ov.w.* aider de sa bourse, venir en aide.
bij'springen *ov.w.* venir en aide à.
bij'staan *ov.w.* assister, secourir.
bij'stand *m.* assistance *f.*, secours *m.*, aide *f.*
bij'stellen *ov.w.* (*regelen*) régler.
bij'stelling *v.* (*gram.*) apposition *f.*
bijs'ter I *b.n.* ***het spoor — zijn,*** avoir perdu la trace, — le chemin; **II** *bw.* fort, extrêmement; ***niet — groot,*** pas très grand; ***hij heeft niet — veel,*** il n'a pas grand-chose.
bij'storten *ov.w.* verser, faire un versement supplémentaire.
bij'storting *v.* versement *m.* (supplémentaire).
bijt *v.(m.)* trou *m.* dans la glace, ouverture *f.* —.
bij'tekenen *ov.w.* (*v. soldaat*) se rengager.
bij'tellen *ov.w.* ajouter; additionner.
bij'ten I *on.w.* **1** mordre; **2** (*v. insekt*) piquer; **3** (*branden*) cuire; ***zich op de lippen —,*** se mordre les lèvres; ***peper bijt op de tong,*** le poivre pique sur la langue; **II** *ov.w.* **1** mordre; **2** piquer.
bij'tend *b.n.* **1** mordant; **2** piquant; **3** (*v. pijn*) cuisant; **4** (*invretend*) corrosif; caustique; **5** (*fig.*) acerbe, caustique; ***—e kalk,*** chaux vive.
bijtijds' *bw.* **1** (*vroegtijdig*) de bonne heure; **2** (*niet te laat*) à temps.
bijt'middel *o.* mordant, corrosif, caustique *m.*
bij'toon *m.* **1** (*taalk.*) accent *m.* secondaire; **2** (*muz.*) harmonique *m.*
bij'trekken *ov.w.* **1** (*kamer, land*) ajouter, joindre; **2** (*v. verrekijker*) rapprocher; **II** *on.w.* (*v. kleur*) prendre le même ton.

bij'vak *o.* (*onderwijs*) branche *f.* accessoire (*of* secondaire).
bij'val *m.* **1** (*instemming*) approbation *f.*; **2** (*applaus*) applaudissements *m.pl.*; ***— vinden,*** avoir du succès, réussir.
bij'vallen *ov.w.* ***iem. —,*** se ranger de l'avis de qn.
bij'valsbetuiging *v.* applaudissement *m.*
bij'vegen *ov.w.* donner un coup de balai (à).
bij'verdienste *v.* **1** revenu *m.* supplémentaire, revenus *m.pl.* accessoires; **2** (*v. ambtenaar*) casuel *m.*
bij'voeding *v.* nourriture *f.* d'appoint, suralimentation *f.*
bij'voegen *ov.w.* ajouter, joindre. [ajoutant.
bij'voeging *v.* addition *f.*; ***onder — van,*** en
bijvoeg'lijk I *b.n.* adjectif; ***— naamwoord,*** adjectif *m.*; **II** *bw.* adjectivement.
bij'voegsel *o.* **1** supplément; **2** (*in boek*) appendice *m.*; **3** (*v. testament*) codicille *m.*
bijvoor'beeld *bw.* par exemple.
bij'vorm *m.* (*v. woord*) forme *f.* moins usuelle.
bij'vullen *ov.w.* remplir (jusqu'au bord), — de nouveau; faire l'appoint (de l'eau).
bij'wagen *m.* **1** voiture *f.* de supplément; **2** (*v. tram*) (voiture de) remorque *f.*; (*fam.*) baladeuse *f.*
bij'weg *m.* chemin *m.* de traverse; ***langs —en,*** par des moyens détournés; ***op —en geraken,*** faire une digression. [ornement *m.*
bij'werk *o.* **1** accessoires *m.pl.*; **2** (*v. gevel, enz.*)
bij'werken *ov.w.* **1** (*schilderij, tekening*) retoucher; **2** (*leerling*) mettre au courant; **3** (*boeken*) mettre à jour; **4** (*kennis*) mettre au point.
bijwij'len *bw.* de temps à autre, quelquefois.
bij'wonen *ov.w.* **1** assister à, être présent à; **2** (*getuige zijn van*) être témoin de; ***de colleges —,*** suivre les cours; ***de mis —,*** entendre la messe, assister à la messe.
bij'woning *v.* **1** (*v. mis, enz.*) assistance (à) *f.*; **2** (*v. lessen*) fréquentation *f.*; **3** (*aanwezigheid*) présence *f.*
bij'woord *o.* adverbe *m.*
bijwoor'delijk *b.n.* adverbial.
bij'zaak *v.*(*m.*) accessoire, détail *m.*; ***dat is maar —,*** cela n'a pas d'importance.
bij'zetmeubel *o.* meuble *m.* d'appui.
bij'zettafel *v.*(*m.*), **-tafeltje** *o.* servante *f.*; table *f.* volante, — gigogne.
bij'zetten *ov.w.* **1** mettre auprès de, avancer, approcher; **2** (*begraven*) inhumer, déposer (dans le caveau); ***alle zeilen —,*** mettre toutes les voiles dehors; (*fig.*) faire tous ses efforts.
bij'zetting *v.* inhumation *f.*, enterrement *m.*
bijziend' *b.n.* myope.
bijziend'heid *v.* myopie *f.*
bij'zijn *o.* présence *f.*; ***in 't — van,*** en présence de.
bij'zin *m.* (proposition) subordonnée *f.*; ***bijvoeglijke —,*** proposition adjective; ***bijwoordelijke —,*** proposition adverbiale.
bij'zit *v.* concubine *f.*
bij'zitter *m.* assesseur *m.*
bij'zon *v.*(*m.*) parhélie *f.*
bijzon'der, biezon'der I *b.n.* **1** (*eigen*) particulier; **2** (*niet gewoon*) spécial; **3** (*ongemeen*) extraordinaire; **4** (*eigenaardig*) singulier, étrange; **5** (*v. vriend*) intime; ***het — onderwijs,*** l'enseignement libre; ***niet veel —s,*** pas grand-chose; **II** *bw.* particulièrement, spécialement; ***— mooi,*** singulièrement beau; ***— aangenaam,*** exceptionnellement agréable; ***het bevalt mij hier —,*** je me plais beaucoup ici.
bijzon'derheid, biezon'derheid *v.* **1** particularité *f.*; **2** singularité *f.*; **3** (*onderdeel*) détail *m.*; ***in bijzonderheden treden,*** entrer dans les détails; ***in bijzonderheden vertellen,*** raconter tout au long, — par le menu.
bik *o. en v.*(*m.*) gravats, décombres *m.pl.*
bi'karbonaat, bi'carbonaat *o.* bicarbonat *m.*
bik'hamer *m.* **1** (*bouwk.*) smille, pioche *f.*, casse-pierres *m.*; **2** (*tn.*) marteau *m.* à détartrer.
bik'kel *m.* osselet *m.*
bik'kelen *on.w.* jouer aux osselets.
bik'kelspel *o.* jeu *m.* des osselets.
bik'ken *ov.w.* **1** (*steen*) piquer; **2** (*ketel*) détartrer; **3** (*eten*) manger; (*fam.*) bouffer, becqueter.
bil *v.*(*m.*) **1** fesse *f.*; **2** (*v. rund*) culotte *f.*; ***op de —len geven,*** donner une fessée à.
bi'lateraal *b.n.* bilatéral.
biljart' *o.* billard *m.*
biljart'bal *m.* bille *f.*
biljart'band *m.* bande *f.*
biljar'ten *on.w.* jouer au billard.
biljar'ter *m.* joueur *m.* de billard.
biljart'jongen *m.* marqueur *m.*
biljart'keu *v.*(*m.*) queue *f.* de billard.
biljart'laken *o.* tapis *m.* (du billard).
biljart'spel *o.* jeu *m.* de billard.
biljart'wedstrijd *m.* tournoi *m.* de billard.
biljart'zaal *v.*(*m.*) (salle *f.* de) billard *m.*
biljart'zak *m.* blouse *f.*
biljet' *o.* billet *m.*
biljoen' *o.* trillion *m.*
bil'lijk I *b.n.* **1** (*rechtvaardig*) juste, équitable; **2** (*redelijk*) raisonnable; **3** (*v. prijs*) modique, modéré; **II** *bw.* **1** avec justice; **2** raisonnablement; **3** à un prix modique.
bil'lijken *ov.w.* approuver, trouver juste.
bil'lijkerwijs, -wijze *bw.* avec justice; avec raison, à bon droit. [modération *f.*
bil'lijkheid *v.* **1** justice, équité *f.*; **2** modicité,
billijkheidshal've *bw.* pour être juste.
bil'naad *m.* périnée *m.*
bil'spier *v.*(*m.*) (muscle) fessier *m.*
bil'stuk *o.* morceau *m.* de la culotte (du bœuf).
bind'balk *m.* entrait *m.*, lierne *f.*
bin'den *ov.w.* **1** lier, attacher; **2** (*boek*) relier; **3** (*gevangene*) ligoter; ***met handen en voeten gebonden,*** pieds et poings liés.
bin'dend *b.n.* obligatoire.
bin'der *m.* **1** lieur *m.*; **2** (*boek—*) relieur *m.*
binderij' *v.* atelier *m.* de reliure.
bind'garen *o.* ficelle *f.*
bin'ding *v.* liaison, attache *f.* [tinatif *m.*
bind'middel *o.* liant *m.*; (*gen.*) excipient, glu-
bind'rijs *o.* verges *f.pl.* d'osier; accolure *f.*
bind'sel *o.* accolure *f.*
bind'touw *o.* ficelle *f.*
bind'vlies *o.* (membrane) conjonctive *f.*
bind'vliesontsteking *v.* conjonctivité *f.*
bind'weefsel *o.* tissu *m.* conjonctif.
bin'nen I *bw.* à l'intérieur, dans la chambre; dedans, en dedans; ***—!*** entrez! ***naar — gaan,*** entrer; ***hij is —,*** il a son pain cuit; ***hij moet — blijven,*** il doit garder la chambre; ***het schip is —,*** le navire est entré dans le port; **II** *vz.* **1** (*plaats*) dans, en, à l'intérieur de; **2** (*tijd*) dans, avant; ***— 8 dagen,*** dans les huit jours, dans un délai de huit jours; ***— een half uur,*** avant une demi-heure; ***—*** (***in minder dan***) ***drie uren,*** en moins de trois heures; ***— 24 uren,*** dans les vingt-quatre heures; ***— kort,*** sous peu; ***— mijn bereik,*** à ma portée.
bin'nenbaan (*sp.*) *v.*(*m.*) piste *f.* intérieure.
bin'nenband *m.* chambre *f.* à air.
bin'nenbocht *v.*(*m.*) virage *m.* à l'intérieur; ***de — nemen,*** prendre le virage à l'intérieur.

bin'nenbrand *m.* feu *m.* de chambre, — de cheminée.
bin'nenbrengen I *ov.w.* **1** *(iemand)* faire entrer, introduire; **2** *(iets)* entrer, porter dans (la chambre, etc.); **3** *(schip)* piloter; **II** *z.n., o.* **1** rentrée *f.*; **2** pilotage *m.*
bin'nendeur *v.(m.)* porte *f.* intérieure.
bin'nendijk *m.* digue *f.* intérieure.
bin'nendijks *bw.* en deça d'une digue.
binnendoor' *bw.* en raccourci; — ***gaan,*** prendre un raccourci, couper à travers champs.
bin'nendragen *ov.w.* porter dans.
bin'nendringen *ov.w. en on.w.* pénétrer dans.
bin'nenfoto, *zie* ***binnenhuisfoto.***
bin'nengaan *ov.w. en on.w.* entrer (dans).
binnengaats' *bw.* en deça des passes, à l'intérieur du port.
bin'nenhalen *ov.w.* **1** *(kinderen, enz.)* faire entrer; **2** *(oogst, enz.)* rentrer.
bin'nenhaven *v.(m.)* **1** port *m.* intérieur, — fluvial; **2** bassin *m.*
bin'nenhoek *m.* angle *m.* interne.
bin'nenhoekplaats *v.(m.)* *(trein)* coin *m.* couloir (face *of* dos).
bin'nenhof *o.* cour *f.* intérieure.
bin'nenhuisarchitect, -architekt *m.* ensemblier, décorateur, décorateur*-ensemblier* *m.*
bin'nenhuisfoto *v.(m.)* photo *f.* d'intérieur.
bin'nenhuisje *o.* (tableau d') intérieur *m.*
binnenin' *bw.* à l'intérieur, en dedans.
bin'nenkamer *v.(m.)* chambre *f.* intérieure, pièce [*f.* —.
bin'nenkant *m.* (côté) intérieur, dedans *m.*
bin'nenkomen *on.w.* entrer (dans).
bin'nenkomst *v.* arrivée *f.*
binnenkort' *bw.* sous peu, avant peu.
bin'nenkrijgen *ov.w.* **1** *(water)* avaler, boire; *(v. schip)* faire eau; **2** *(geld)* encaisser, toucher.
bin'nenland *o.* intérieur *m.*
bin'nenlands *b.n.* intérieur; ***—e oorlog,*** guerre *f.* civile; ***—e twisten,*** querelles *f.pl.* intestines.
bin'nenlaten *ov.w.* faire entrer; introduire.
bin'nenleiden *ov.w.* introduire.
bin'nenloodsen *ov.w.* faire entrer dans le port, piloter —.
bin'nenlopen *on.w.* **1** *(v. personen)* entrer (en courant); **2** *(water, enz.)* entrer, couler; **3** *(schip)* entrer dans le port, faire escale.
bin'nenmuur *m.* mur *m.* intérieur, — mitoyen.
bin'nenpad *o.* sentier *m.* de traverse.
bin'nenplaats *v.(m.)* **1** cour *f.* (intérieure), patio *m.*; **2** *(v. gevangenis)* préau *m.*
bin'nenpraten *(vl.)* **I** *ov.w.* radioguider; **II** *o.* radioguidage *m.*
bin'nenrand *m.* bord *m.* intérieur.
bin'nenrijden *on.w.* **1** entrer; **2** *(v. trein)* entrer en gare.
bin'nenroepen *ov.w.* appeler.
bin'nenrukken *on.w.* **1** entrer dans, pénétrer dans; **2** *(overweldigen)* envahir.
binnenscheepvaart *v.(m.)* navigation *f.* intérieure, batellerie *f.*
bin'nenschipper *m.* marinier *m.*
binnenshuis' *bw.* dans la maison, chez soi, en famille.
binnenska'mers *bw.* dans l'intimité, en secret.
binnenslands' *bw.* à l'intérieur (du pays).
bin'nenslepen *ov.w.* remorquer dans le port.
bin'nensluipen *on.w.* entrer furtivement, se glisser (dans), s'introduire.
bin'nensmokkelen *ov.w.* introduire en contrebande, — en fraude.
binnensmonds' *bw.* entre les dents.
bin'nenspeler *m.* *(sp.)* inter *m.* (gauche, *of* droit).
bin'nenstad *v.(m.)* ville *f.* intérieure.
bin'nenste I *z.n., o.* **1** intérieur *m.*; **2** *(v. hart)* fond *m.*; ***in zijn —,*** dans son for intérieur, au fond de son cœur; **II** *b.n.* intérieur.
binnenstebui'ten *bw.* le dedans en dehors; — ***keren,*** mettre l'envers à l'endroit.
bin'nenstomen *on.w.* entrer (en gare, dans le port).
bin'nenstormen *on.w.* entrer en coup de vent; entrer brusquement, se précipiter dans.
bin'nenstromen *on.w.* entrer à flots.
bin'nenstuiven, *zie* ***binnenstormen.***
bin'nentreden *on.w.* entrer (dans).
bin'nentrekken *on.w.* entrer (dans).
bin'nenvaart *v.(m.)* navigation *f.* intérieure (*of* fluviale), batellerie *f.*
bin'nenvallen *on.w.* *(sch.)* entrer (dans le port).
bin'nenvisserij *v.* pêche *f.* fluviale.
bin'nenwaarts I *b.n.* vers l'intérieur; **II** *bw.* en dedans.
bin'nenwater *o.* eau *f.* intérieure.
bin'nenweg *m.* chemin *m.* de traverse.
bin'nenwerk *o.* **1** travaux *m.pl.* intérieurs; **2** *(v. sigaar)* tripe *f.*; **3** *(v. auto, enz.)* garniture *f.* intérieure.
bin'nenwerks *bw.* dans l'œuvre, intérieurement.
bin'nenzak *m.* poche *f.* intérieure.
bin'nenzee *v.(m.)* mer *f.* intérieure.
bin'nenzeilen *on.w.* *(sch.)* entrer au port.
bin'nenzij(de) *v.(m.)* (côté) intérieur *m.*
bin'nenzool *v.(m.)* première *f.* (d'une chaussure)
bino'cle *m.* lorgnette *f.*, jumelles *f.pl.*
bino'mium *o.* binôme *m.*
bint *o.* traverse *f.*
biochemie' *v.* biochimie *f.*
biogene'se *v.* biogenèse *f.*
biogene'tisch *bn.* biogénétique.
biograaf' *m.* biographe *m.*
biografie' *v.* biographie *f.*
biogra'fisch *b.n.* biographique.
biologe'ren *ov.w.* hypnotiser.
biologie' *v.* biologie *f.*
biolo'gisch *b.n.* biologique.
bioloog' *m.* biologiste, biologue *m.*
bioscoop', bioskoop' *m.* cinéma *m.*
bioscoop'reclame, bioskoop'reklame *v.(m.)* ciné-publicité* *f.*
bioscoop'voorstelling, bioskoop'voorstelling *v.* représentation *f.* de cinéma, séance *f.* —.
bi'osfeer *v.* biosphère *f.*
Bir'ma *o.* la Birmanie *f.*
Birmaan' *m.* Birman *m.*
Birmaans' *b.n.* birman.
bis I *v.(m.)* *(muz.)* si *m.* dièse; **II** *bw.* bis.
bi'samrat *v.(m.)* ondatra, rat *m.* musqué.
Bisca'je *o.* ***golf van —,*** golfe *m.* de Gascogne.
biscuit', biskwie' *o. of m.* biscuit *m.*
biscuit'je *o.* petit*-beurre *m.*
bis'dom *o.* évêché, diocèse *m.*
biskwie', biscuit' *o. of m.* biscuit *m.*
bis'mut *o.* bismuth *m.*
bis'schop *m.* **1** évêque *m.* **2** *(drank)* bichof, bischof [*m.*
bisschop'pelijk *b.n.* épiscopal.
bis'schopsambt *o.* épiscopat *m.*
bis'schopskruis *o.* croix *f.* pastorale, — pectorale
bis'schopsmijter *m.* mitre *f.*
bis'schopsring *m.* anneau *m.* épiscopal, — d'améthiste.
bis'schopsstaf *m.* crosse *f.* (épiscopale).
bis'schopszetel *m.* siège *m.* épiscopal.
bissectri'ce *v.(m.)* bissectrice *f.*
bisse'ren *ov.w.* bisser.

bit *o.* mors *m.*
bits I *b.n.* mordant, aigre, brusque; **II** *bw.* aigrement, avec aigreur, brusquement.
bits'heid *v.* aigreur, âcreté *f.*
Bit'singen *o.* Bassenge.
bit'ter I *b.n.* **1** amer; **2** (*v. haat*) violent, implacable; **3** (*v. koude*) piquant, âpre; **4** (*v. lot*) cruel; **5** (*v. smart*) douloureux, profond; **6** (*v. nood*) pressant; ***de —ste nood,*** la plus noire misère; **II** *z.n., o.* (*drank*) bitter, amer *m.*; ***een —tje,*** un petit verre (d'amer), un apéritif.
bit'teraarde *v.(m.)* magnésie *f.*
bit'terachtig *b.n.* un peu amer.
bit'terappel *m.* (*Pl.*) coloquinte *f.*
bit'teren *on.w.* prendre l'apéritif, — un bitter.
bit'terglaasje *o.* verre *m.* à bitter.
bit'terheid *v.* **1** amertume *f.*; **2** (*fig.*) aigreur, acrimonie *f.*
bit'terkers *v.(m.)* cresson *m.*
bit'terkoekje *o.* macaron *m.*
bit'terkruid *o.* picride *f.*
bit'tertje *o.* bitter, amer, apéritif *m.*
bit'teruur(tje) *o.* heure *f.* de l'apéritif.
bit'terwater *o.* eau *f.* de Janos, — magnésienne sulfatée.
bit'terzoet *o.* (*Pl.*) douce*-amère* *f.*
bit'terzout *o.* sel *m.* d'Epsom.
bitu'men *o.* bitume *m.*
bitu'menweg *m.* route *f.* bitumée.
bi'vak *o.* bivouac *m.*
bivakke'ren *on.w.* bivouaquer.
bi'vakmuts *v.(m.)* passe-montagne* *m.*
bizar' I *bn.* bizarre; **II** *bw.* bizarrement.
bi'zon *m.* (*Dk.*) bison *m.*
blaad'je *o.* **1** petite feuille *f.*; **2** (*v. samengesteld blad*) foliole *f.*; **3** (*papier*) feuillet *m.*; **4** (*presenteer—*) plateau *m.*; ***bij iem. in een goed — staan,*** être dans les bonnes grâces de qn.; ***het — is omgekeerd,*** la chance a tourné; l'affaire a changé de face.
blaag *m.-v.* gamin *m.*, —e *f.*
blaam *v.(m.)* blâme *m.*; ***zich van — zuiveren,*** se disculper; ***zonder —,*** sans reproche.
blaar *v.(m.)* **1** (*onder de huid*) ampoule *f.*; **2** (*v. brandwonde*) cloche *f.*
blaar'tje *o.* vésicule *f.*
blaar'trekkend *b.n.* vésicatoire.
blaas *v.(m.)* **1** (*gen.*) vessie *f.*; **2** (*v. lucht*) bulle *f.*; **3** (*in glas, metaal, enz.*) ampoule, soufflure *f.*
blaas'balg *m.* soufflet *m.*
blaas'instrument *o.* instrument *m.* à vent.
blaas'je *o.* vésicule *f.*
blaas'kaak *v.(m.)* fanfaron, hâbleur *m.*
blaaskakerij' *v.* fanfaronnade, hâblerie *f.*
blaas'kwartet *o.* quatuor *m.* à vent.
blaas'ontsteking *v.* cystite *f.*, inflammation *f.* de la vessie.
blaas'orkest *o.* fanfare *f.*
blaas'pijp *v.(m.)* **1** (*om vuur aan te blazen*) chalumeau *m.*; **2** (*v. glasblazer*) canne *f.*; **3** (*voor erwten, kogeltjes, enz.*) canne *f.* à vent, sarbacane *f.*
blaas'roer *o.* sarbacane *f.*
blaas'steen *m.* gravelle *f.*, calcul *m.* vésical.
blaas'werk *o.* soufflerie *f.*
blaas'worm *m.* ver *m.* cystoïde, cysticerque *m.*
blad *o.* **1** (*v. boom, metaal, enz.*) feuille *f.*; **2** (*v. boek: 2 blz.*) feuillet *m.*; **3** (*in koopmansboek*) folio *m.*; **4** (*v. metalen voorwerpen: bijl, enz.*) lame *f.*; **5** (*v. lans*) fer *m.*; **6** (*dagblad*) journal *m.*, feuille *f.*; **7** (*v. tafel*) dessus *m.* (de table); **8** (*v. schoolbank*) tablette *f.*; **9** (*schenkblad*) plateau *m.*; ***van 't — spelen,*** (*muz.*) jouer à livre ouvert; ***geen — voor de mond nemen,*** ne pas y aller avec le dos de la cuiller, ne pas mâcher les mots.
blad'aarde *v.(m.)* terreau *m.* de feuilles.
blad'deeg, bla'derdeeg *o.* pâte *f.* feuilletée.
bla'derdak *o.* ramée *f.*, dais *m.* de verdure.
bla'derdeeg, blad'deeg *o.* pâte *f.* feuilletée.
bla'deren *on.w.* ***— in,*** feuilleter.
bla'derkroon *v.(m.)* couronne *f.*
bla'derloos *b.n.* sans feuilles, dépourvu de feuilles, dénudé.
bla'derrijk *b.n.* touffu, feuillu.
bla'dertooi *m.* feuillage *m.*
blad'goud *o.* or *m.* en feuilles.
blad'groen *o.* chlorophylle *f.*
blad'groente *v.* légume *m.* vert.
blad'kever *m.* chrysomèle *f.*
blad'knop *m.* bourgeon *m.*
blad'koper *o.* cuivre *m.* en feuilles.
blad'lood *o.* plomb *m.* en feuilles.
blad'luis *v.(m.)* puceron *m.*
blad'moes *o.* limbe *m.*
blad'nerf *v.(m.)* nervure *f.*
blad'rups *v.(m.)* ver *m.* rongeur.
blad'schede *v.(m.)* (*Pl.*) gaine *f.*
blad'schijf *v.(m.)* (*Pl.*) limbe *m.*
blad'skelet *o.* nervation *f.*
blad'spiegel *m.* surface *f.* de la page.
blad'stand *m.* (*Pl.*) foliation *f.*
blad'steel *m.* (*Pl.*) pétiole *m.*; (*fam.*) queue *f.*
blad'stil *b.n.* ***het is —,*** il n'y a pas un souffle, il règne un calme plat.
blad'tabak *v.* tabac *m.* en feuilles.
blad'tin *o.* étain *m.* en feuilles.
blad'versiering *v.* (*ornament*) feuillage *m.*
blad'vlo *v.(m.)* faux puceron *m.*
blad'vormig *b.n.* foliacé, en forme de feuille.
blad'vorming *v.* foliation *f.*
blad'vulling *v.* remplissage *m.*
blad'wijzer *m.* **1** (*v. boek*) index *m.*, table *f.* des matières; **2** (*leeswijzer*) signet *m.*, liseuse *f.*
blad'zij(de) *v.(m.)* page *f.*
blad'zilver *o.* argent *m.* en feuilles.
blad'zink *o.* zinc *m.* en feuilles.
blaf'fen *on.w.* **1** aboyer; **2** (*v. jonge hond, vos*) japper; glapir; ***—de honden bijten niet,*** chien qui aboie ne mord pas.
blaf'fer *m.* aboyeur, clabaud *m.*
blaf'hoest *m.* toux *f.* aboyante.
bla'ken *on.w.* brûler; flamber; ***— van gezondheid,*** resplendir de santé; ***— van liefde,*** brûler d'amour; ***— van toorn,*** être enflammé de colère.
bla'kend *b.n.* brûlant, ardent; ***een —e gezondheid,*** une santé brillante, une parfaite santé; ***—e ijver,*** zèle ardent.
bla'ker *m.* bougeoir *m.*
bla'keren *ov.w.* brûler, flamber, roussir (au feu).
blama'ge *v.* honte *f.*
blame'ren *ov.w.* compromettre; jeter un blâme sur; ***zijn vader —,*** faire affront (*of* honte) à son père; ***zich —,*** se compromettre.
blan'co *b.n.* en blanc; ***—cheque,*** chèque en blanc; ***— krediet,*** (*H.*) crédit à découvert, — en blanc; ***— stemmen,*** déposer un bulletin blanc, s'abstenir du vote, voter blanc.
blan'cobiljet *o.* bulletin *m.* blanc.
blan'covolmacht *v.(m.)* blanc*-seing* *m.*
blank I *b.n.* **1** blanc; **2** (*glanzend*) luisant, brillant; ***de wegen staan —,*** les chemins sont inondés; **II** *z.n., o.* ***het —,*** le blanc.
blan'ke *m.-v.* blanc *m.*
blanket'sel *o.* fard *m.*
blanket'ten I *ov.w.* farder; **II** *w.w.* ***zich —,*** se [farder.

blank'heid *v.* **1** blancheur *f.*; **2** (*fig.*) pureté *f.*
blasfemie' *v.* blasphème *m.*
Bla'sius *m.* Blaise *m.*
bla'ten I *on.w.* bêler; **II** *z.n., o.* ***het* —,** le bêlement.
blauw I *b.n.* bleu; (*hemels*—) azuré; ***onder de —e hemel slapen,*** coucher à la belle étoile; ***— maken,*** bleuir; ***— worden,*** devenir bleu, bleuir; ***een — oog,*** un œil poché; un œil au beurre noir; ***een —e plek,*** un bleu; ***—e druiven,*** des raisins noirs; **II** *z.n., o.* bleu; azur *m.*; ***Berlijns —,*** bleu de Prusse.
blauw'achtig *b.n.* bleuâtre.
blauw'baard *m.* Barbe-bleue *m.*
blauw'bekken *on.w.* se morfondre.
blauw'bes *v.(m.)* myrtille *f.*
blauwblauw', ***— laten,*** ne plus parler de qc., passer qc. sous silence.
blauw'boek *o.* livre *m.* bleu.
blauw'boekje *o.* pamphlet, libelle *m.*
blauw'borstje *o.* gorge*-bleue* *f.*
blauw'druk *m.* bleu *m.*
blau'wen *ov.w. en on.w.* bleuir.
blauwere'gen *m.* (*Pl.*) glycine *f.*
blauw'geruit *b.n.* à carreaux bleus.
blauwgrijs' *b.n.* gris-bleu.
blauwgroen' *b.n.* glauque.
blauw'heid *v.* bleu *m.*, couleur *f.* bleue.
blauw'keeltje *o.* gorge*-bleue* *f.*
blauw'kiel *m.* blouse *f.* bleue; ouvrier *m.* à blouse bleue.
blauw'kous *v.* bas-bleu* *m.*, savantasse *f.*
blauw'ogig *b.n.* aux yeux bleus.
blauw'sel *o.* bleu, bleu *m.* d'empois; ***door het — halen,*** passer au bleu.
blauw'tje *o.* ***een — lopen,*** essuyer un refus; ***iem. een — laten lopen,*** refuser qn.
blauw'verven *ov.w.* teindre en bleu.
blauw'verver *m.* teinturier *m.* en bleu.
blauwververij' *v.* teinturerie *f.* en bleu.
blauw'voet *m.* (*Dk.*) laneret *m.*
blauw'zuur *o.* acide *m.* prussique.
blauw'zwart *b.n.* noir bleuté.
bla'zen I *on.w.* **1** souffler; **2** (*v. kat*) cracher; ***op de fluit —,*** jouer de la flûte; ***op de trompet —,*** sonner (jouer) de la trompette; **II** *ov.w.* souffler; ***de aftocht —,*** sonner la retraite; (*fig.*) battre en retraite; **III** *z.n., o.* ***het —,* 1** (*v. wind, enz.*) le souffle; **2** (*v. glas*) le soufflage.
bla'zer *m.* **1** souffleur *m.*; **2** (*muz.*) joueur *m.* d'instrument à vent; **3** (*kledingstuk*) blazer *m.*
blazoen' *o.* blason *m.*
bleek I *b.n.* **1** pâle; **2** (*doods*—) blême; ***een — licht,*** une lumière blafarde; ***— worden,*** pâlir, blémir; **II** *z.n., v.(m.)* **1** (*bleekveld*) pré *m.*; **2** (*blekerij*) blanchisserie *f.*; **3** (*het bleken*) blanchissage *m.*; ***op de — leggen,*** mettre blanchir; ***de — inhalen,*** rentrer le linge.
bleek'achtig *b.n.* pâlot, un peu pâle.
bleek'geld *o.* blanchissage *m.*
bleek'gezicht *o.* visage *m.* pâle.
bleek'goed *o.* lessive *f.*
bleek'groen *b.n.* vert pâle.
bleek'heid *v.* pâleur *f.*
bleek'middel *o.* agent *m.* de blanchiment.
bleek'neus *m.* pâlot *m.*, enfant *m.* pâlot.
bleek'poeder, -poeier *o.* chlorure *m.* de chaux.
bleek'veld *o.* blanchisserie *f.*, pré *m.*
bleek'water *o.* eau *f.* de Javel.
bleek'zucht *v.(m.)* (*gen.*) chlorose *f.*; (*fam.*) pâles couleurs *f.pl.*
blei' *v.(m.)* petite brême *f.*
ble'ken I *ov.w.* blanchir; **II** *z.n., o.* ***het —,*** le blanchissage.
ble'ker *m.* blanchisseur *m.*
blekerij' *v.* blanchisserie *f.*
blen'de *v.* blende *f.*
ble'ren *on.w.* (*blaten*) bêler; (*loeien*) beugler; (*fam.: blèren*) gueuler.
bles I *v.(m.)* **1** (*haarlok*) (*Z.N.*) touffe *f.* de cheveux, boucle *f.* de cheveux; **2** (*v. paard*) pelote, étoile *f.*, chaufrein *m.* blanc; **II** *m.* (*paard*) cheval *m.* étoilé au front, — marqué en tête.
blesse'ren *ov.w.* blesser.
blessuur', blessu're *v.* blessure *f.*
bleu *b.n.* timide.
bleu'heid *v.* timidité *f.*
bliek *m.*, *zie* ***blei.***
blij'(de) I *b.n.* content, heureux, réjoui, joyeux; ***ik ben er — om,*** cela me fait plaisir; **II** *bw.* avec joie, joyeusement.
blijd'schap *v.* joie, gaîté *f.*
blijgees'tig *b.n.* gai, enjoué.
blijgees'tigheid *v.* gaîté *f.*, enjouement *m.*
blij'heid *v.* joie, gaîté *f.*
blijk *o.* preuve, marque *f.*, témoignage *m.*; ***— geven van,*** faire preuve de.
blijk'baar I *b.n.* évident, clair; **II** *bw.* évidemment.
blij'ken *on.w.* paraître, être évident; ***— te zijn,*** se trouver (être); ***laten —,*** montrer, manifester, faire paraître; ***niets laten —,*** ne faire semblant de rien; ***het bleek ons dat...,*** nous avons constaté que.
blij'kens *bw.* suivant, selon, d'après.
blijmoe'dig *b.n.* gai, joyeux.
blijmoe'digheid *v.* gaîté, sérénité *f.*
blij'spel *o.* comédie *f.*
blij'speldichter *m.* (auteur) comique *m.*
blij'ven *on.w.* **1** (*niet weggaan*) rester, demeurer; **2** (*voortduren*) durer, continuer, se prolonger; ***thuis —,*** rester chez soi, — à la maison; ***goed —,*** (*v. eetwaren*) se conserver; ***bij zijn mening —,*** persister dans son opinion; ***borg —,*** se porter garant; ***— lezen*** (*enz.*), continuer à lire (*etc.*); ***— staan,*** rester debout; ***— zitten,* 1** rester assis; **2** (*op school*) doubler sa classe; **3** (*op bal*) faire tapisserie; **4** (*ongehuwd blijven*) coiffer sainte Catherine, monter en graine; ***zijn dochter is — zitten,*** sa fille n'a pas trouvé à se marier; ***waar zijn wij gisteren gebleven ?*** où en sommes-nous restés hier ? ***waar zijn zij gebleven ?*** que sont-ils devenus ? ***daar bleef het bij,*** les choses en restèrent là.
blij'vend *b.n.* **1** durable; **2** (*aanhoudend*) persistant; **3** (*lang durend*) permanent; ***—e haargolf,*** ondulation *f.* permanente.
blik I *m.* **1** regard *m.*; **2** (*oogopslag*) coup *m.* d'œil; ***een geoefende —,*** un œil exercé; ***een brede — hebben,*** avoir des vues larges, avoir une grande ampleur de vues; ***hij heeft ons met geen — verwaardigd,*** il n'a pas daigné nous regarder; **II** *o.* **1** (*metaal*) fer*-blanc* *m.*; **2** (*busje*) boîte *f.* (en fer-blanc); **3** (*v. benzine, enz.*) bidon *m.*; **4** (*vuilnis*—) pelle *f.* aux balayures.
blik'groente *v.* légumes *m.pl.* de conserve, — en boîte.
blik'ken I *on.w.* regarder; ***zonder — of blozen,*** sans sourciller; **II** *b.n.* en fer-blanc.
blik'keren *on.w.* reluire, briller, miroiter.
blik'opener *m.* ouvre-boîtes *m.*
blik'schaar *v.(m.)* forces *f.pl.*
blik'sem *m.* **1** foudre *f.*; **2** (*—straal*) éclair *m.*; ***door de — getroffen,*** frappé de la foudre, foudroyé; ***een luie —,*** un fainéant; ***loop naar de —!*** allez au diable!
blik'semafleider *m.* paratonnerre *m.*
blik'semen *on.w.* **1** ***het bliksemt,*** il fait des

éclairs; **2** (*v. ogen*) jeter des éclairs, lancer —.
blik'semflits *m.* éclair *m.*
blik'seminslag *m.* (atteint *f.* de) foudre *f.*
blik'semlicht *o.* éclair *m.*
blik'semoorlog *m.* guerre *f.* éclair.
blik'sempoeder, -poeier *o.* magnésium *m.*
blik'semreis *v.(m.)* voyage *m.* éclair.
blik'sems I *bw.* diablement; **II** *tw.* nom d'un chien!
blik'semschicht *m.* éclair *m.*
blik'semslag *m.* coup *m.* de foudre.
blik'semsnel I *b.n.* rapide comme un éclair; **II** *bw.* avec la rapidité de la foudre.
blik'semstraal *m. en v.* éclair *m.*
blik'semtrein *m.* train *m.* éclair.
blik'semvuur *o.* feu *m.* du ciel, foudre *f.*
blik'slager *m.* ferblantier *m.*
blikslagerij' *v.* ferblanterie *f.*
blik'slagers! *tw.* diantre! fichtre!
blik'tanden *on.w.* montrer les dents.
blik'vanger *m.* tape-à-l'œil *m.*
blik'verpakking *v.* emballage *m.* en (boîtes de) fer-blanc.
blik'vuren *on.w.* donner des signaux de détresse.
blik'waren *mv.* **blik'werk** *o.* ferblanterie *f.*
blind I *b.n.* aveugle; ***de —e darm,*** l'appendice *m.*; ***—e deur,*** fausse porte; ***—e kaart,*** carte muette; ***—e muur,*** mur orbe; ***—e passagier,*** passager clandestin; ***—e steeg,*** impasse *f.*, cul *m.* de sac; **II** *o.* volet *m.*
blind'doek *m.* bandeau *m.*
blind'doeken *ov.w.* bander les yeux (à qn.).
blind'druk *m.* gaufrage *m.*
blin'de *m.-v.* aveugle *m. et f.*; ***met de — spelen,*** faire un mort; ***in de —,*** au hasard, à tort et à travers.
blindedarm' *m.* appendice *m.*
blindedarm'ontsteking *v.* appendicite *f.*
blin'delings *bw.* **1** les yeux fermés; **2** (*fig.*) aveuglément.
blin'deman *m.* aveugle *m.*
blin'demannetje *o.* ***— spelen,*** jouer à colin-maillard.
blin'dengeleidehond *m.* chien *m.* d'aveugle.
blin'dengeleider *m.* guide *m.* d'aveugle.
blin'dengesticht *o.* institution *f.* des (*of* pour) aveugles.
blin'denschrift *o.* écriture *f.* Braille, écriture *f.* des aveugles, alphabet *m.* —.
blinde'ren *ov.w.* blinder.
blinde'ring *v.* blindage *m.*
blind'ganger *m.* bombe *f.* à retardement.
blindgebo'ren *b.n.* aveugle*-né*.
blind'heid *v.* **1** cécité *f.*; **2** (*fig.*) aveuglement *m.*; ***met — geslagen zijn,*** **1** être frappé de cécité; **2** (*fig.*) avoir les yeux couverts d'un bandeau.
blind'vliegen *on.w.* voler sans visibilité, — sans guidage.
blin'ken *on.w.* reluire, briller, resplendir; ***het is al geen goud wat er blinkt,*** tout ce qui reluit n'est pas or.
blitz'licht *o.* lampe*-éclair *f.*
blo, blode *b.n.* timide, craintif.
bloc'note, blok'noot *m.* bloc*-notes *m.*
blode, blo *b.n.* timide, craintif.
bloed I *o.* sang *m.*; ***in koelen —e,*** de sangfroid; ***kwaad — zetten,*** **1** faire du mauvais sang; **2** (*fig.*) irriter les esprits; ***prins van den —e,*** prince du sang; ***met — bevlekken,*** ensanglanter; **II** *m.* pauvre diable, bonhomme *m.*; niais, benêt *m.*; ***de arme —jes van kinderen,*** les pauvres petiots.
bloed'aandrang *m.* congestion *f.*
bloed'ader *v.(m.)* veine *f.*
bloed'agaat *m.* sanguine *f.*
bloed'arm *b.n.* anémique.
bloed'armoede *v.(m.)* anémie *f.*
bloed'baan *v.(m.)* cours *m.* du sang.
bloed'bad *o.* carnage *m.*, boucherie *f.*
bloed'beuling *m.* boudin *m.*
bloed'bezinking *v.* vitesse *f.* de sédimentation.
bloed'blaar *v.(m.)*, (*Z.N.*) **bloed'blein** *v.(m.)* pinçon *m.*
bloed'bruiloft *v.(m.)* la Saint-Barthélemy *f.*
bloed'dorst *m.* avidité *f.* de sang, cruauté *f.* sanguinaire.
bloeddor'stig *b.n.* sanguinaire, altéré de sang.
bloeddor'stigheid *v.* cruauté, férocité *f.*
bloed'druk *m.* tension *f.* artérielle; ***hoge —,*** hypertension *f.* (artérielle); ***lage —,*** hypotension *f.* (artérielle).
bloed'druppel *m.* goutte *f.* de sang.
bloed'eigen *b.n.* de son (propre) sang.
bloe'deloos *b.n.* exsangue.
bloe'den *on.w.* saigner; ***uit de neus —,*** saigner du nez; ***dood —,*** perdre tout son sang; ***dat zal wel dood —,*** cela finira par s'oublier.
bloe'dend *b.n.* saignant.
bloe'derig *b.n.* sanglant, couvert de sang.
bloed'geld *o.* prix *m.* du sang.
bloed'getuige *m.-v.* martyr *m.*
bloed'gever *m.* donneur *m.* de sang.
bloed'groep *v.(m.)* groupe *m.* sanguin.
bloed'hond *m.* **1** dogue *m.*; **2** (*fig.*) bourreau *m.*
bloed'hout *o.*, bois *m.* (rouge) de campêche.
bloe'dig *b.n.* **1** (*strijd, enz.*) sanglant; **2** (*met bloed bevlekt*) ensanglanté.
bloe'ding *v.* **1** saignement *m.*; **2** (*inwendig*) hémorragie *f.*
bloed'kleur *v.(m.)* couleur *f.* de sang, — sanguine.
bloed'kleurig *b.n.* couleur de sang, sanguin.
bloed'kleurstof *v.(m.)* hémoglobine *f.*
bloed'klomp *m.* caillot *m.* de sang.
bloed'koraal *o. en v.(m.)* corail *m.* rouge.
bloed'lichaampje *o.* globule *m.* (du sang); ***rood —,*** hématie *f.*; ***wit —,*** leucocyte *m.*
bloed'neus *m.* saignement *m.* de nez; ***iem. een — slaan,*** mettre le nez en sang à qn.
bloed'onderzoek *o.* analyse *f.* du sang.
bloed'plakkaat *o.* (*gesch.*) placard *m.* de l'inquisition.
bloed'plas *m.* mare *f.* de sang.
bloed'prijs *m.* prix *m.* du sang.
bloed'processie *v.* procession *f.* du Saint-Sang.
bloed'proef *v.(m.)* prise *f.* de sang, prélèvement *m.*
bloed'raad *m.* (*gesch.*) Conseil *m.* des troubles, Tribunal *m.* du sang.
bloed'rijk *b.n.* sanguin.
bloed'rood *b.n.* rouge sang, (rouge) sanguin, couleur de sang.
bloed'schande *v.(m.)* inceste *m.*
bloed'schender *m.* incestueux *m.*
bloed'schuld *v.(m.)* (crime d') homicide *m.*
bloed'sinaasappel *m.* (orange) sanguine *f.*
bloeds'omloop *m.* circulation *f.* du sang.
bloed'spuwing *v.* crachement *m.* de sang, hémoptysie *f.*
bloed'steen *m.* sanguine, hématite *f.*
bloed'stelpend *b.n.* hémostatique.
bloed'stolling *v.* coagulation *f.* du sang.
bloed'storting *v.* **1** effusion *f.* de sang, carnage *m.*; **2** (*gen.*) hémorragie *f.*; ***— in de hersenen,*** hémorragie *f.* cérébrale.
bloed'transfusie *v.* transfusion *f.* sanguine.
bloed'uitstorting *v.* ecchymose *f.*; ***— in de hersenen,*** hémorragie *f.* cérébrale.
bloed'vat *o.* vaisseau *m.* sanguin.

bloed'vatenstelsel *o.* système *m.* sanguin.
bloed'vergieten *o.*, **bloed'vergieting** *v.* effusion *f.* de sang; carnage, massacre *m.*
bloed'vergiftiging *v.* empoisonnement *m.* du sang, hémotoxie *f.*
bloed'verlies *o.* perte *f.* de sang.
bloed'verwant *m.*, **—e** *v.* parent *m.*, —e *f.*; ***—en,*** collatéraux *m.pl.*
bloed'verwantschap *v.* parenté *f.*
bloed'vin *v.(m.)* furoncle *m.*
bloed'vink *m.* bouvreuil, pivoine *m.*
bloed'vlek *v.(m.)* tache *f.* de sang.
bloed'vorming *v.* sanguification *f.*
bleed'warmte *v.* température *f.* du sang.
bloed'wei *v.(m.)* sérum *m.*
bloed'worst *v.(m.)* boudin *m.*
bloed'wraak *v.(m.)* vendetta *f.*
bloed'ziekte *v.* maladie *f.* du sang.
bloed'zuiger *m.* **1** sangsue *f.*; **2** (*fig.*) vampire *m.*
bloed'zuiverend *b.n.* dépuratif; ***een — middel,*** un dépuratif.
bloed'zweer *v.(m.)* furoncle *m.*
bloei *m.* **1** fleuraison, floraison *f.*; **2** (*fig.*) prospérité *f.*; ***in — staan,*** fleurir, être en fleur; ***in volle —,*** en pleine floraison; ***in de — der jaren,*** à la fleur de l'âge; ***in de — van haar 20-jarige leeftijd,*** dans la fleur de ses vingt ans. [prospérer.
bloei'en *on.w.* **1** fleurir, être en fleur; **2** (*fig.*)
bloei'end *b.n.* **1** fleurissant, en fleur; **2** (*fig.*) florissant, prospère; ***bedekt —,*** (*Pl.*) cryptogame; ***zichtbaar —,*** (*Pl.*) phanérogame; ***een —e tak,*** un rameau fleuri; ***een —e gezondheid,*** une santé florissante, une parfaite santé.
bloei'kolf *v.* spadice *m.* [floréal *m.*
bloei'maand *v.(m.)* **1** (mois de) mai *m.*; **2** (*gesch.*)
bloei'schede *v.* spathe *f.*
bloei'tijd *m.* **1** fleuraison, floraison *f.*; **2** (*fig.*) âge *m.* d'or; **3** (*v. 't leven*) printemps *m.*
bloei'wijze *v.(m.)* inflorescence *f.*
bloem *v.(m.)* **1** fleur *f.*; **2** (*v. meel, enz.*) fleur *f.*; **3** (*fig.*) (fine) fleur, élite, crème *f.*; **4** (*op ruit, vorst*) arabesque *f.* de givre; ***de —etjes buiten zetten,*** prendre du bon temps, faire la fête. [*f.* (de fleurs).
bloem'bed *o.* parterre *m.*, plate*-bande*, planche
bloem'blad *o.* pétale *m.*
bloem'bol *m.* bulbe *f.*, oignon *m.* (à fleur).
bloem'bollenteelt *v.(m.)* culture *f.* de plantes bulbeuses. [de fleurs.
bloem'bollenveld *o.* champ *m.* d'oignons, —
bloem'dek *o.* (*Pl.*) périanthe *m.*
bloem'dragend *b.n.* florifère, phanérogame.
bloe'megeur *m.* odeur *f.* de fleurs.
bloe'menbak *m.* jardinière *f.*
bloe'mencorso *m. en o.* cortège (*of* corso) *m.* fleuri, concours *m.* de voitures fleuries, bataille *f.* de fleurs, cavalcade *f.*
bloe'menhandel *m.* commerce *m.* de fleurs.
bloe'menhandelaar *m.* fleuriste *m.*
bloe'menhulde *v.* hommage *m.* fleuri.
bloe'menkweker *m.* jardinier*-fleuriste* *m.*
bloe'menmaker *m.*, **-maakster** *v.* fleuriste *m. et f.*
bloe'menmand *v.(m.)* corbeille *f.* à fleurs.
bloe'menmarkt *v.(m.)* marché *m.* aux fleurs.
bloe'menmeisje *o.* bouquetière *f.*
bloe'menstalletje *o.* échoppe *f.* de fleuriste.
bloe'menstander *m.* porte-fleurs *m.*
bloe'mentaal *v.(m.)* langage *m.* des fleurs. [fleurs.
bloe'menteelt *v.(m.)* floriculture, culture *f.* des
bloe'mententoonstelling *v.* exposition *f.* de fleurs; (*B.*) floralies *f.pl.*
bloe'mentuin *m.* jardin *m.* d'agrément.
bloe'menvaas *v.(m.)* vase *m.* à fleurs, jardinière *f.*, porte-bouquet* *m.*
bloe'menweelde *v.(m.)* profusion *f.* de fleurs.
bloe'menwinkel *m.* boutique *f.* de fleuriste.
bloe'mig *b.n.* **1** (*v. weide, enz.*) fleuri, parsemé de fleurs; **2** (*v. aardappelen*) farineux; **3** (*v. stof*) à fleurs, à ramages. [fleuriste* *m.*
bloemist' *m.* **1** fleuriste *m.*; **2** (*kweker*) jardinier*-
bloemisterij' *v.* **1** (*bedrijf*) culture *f.* de(s) fleurs, — florale; **2** (*tuin*) jardin *m.* fleuriste.
bloem'kelk *m.* calice *m.*
bloem'knop *m.* bouton *m.* de fleur.
bloem'kool *v.(m.)* chou*-fleur* *m.*
bloem'korf *m.* corbeille *f.* à fleurs, jardinière *f.*
bloem'krans *m.* couronne *f.* de fleurs.
bloem'kroon *v.(m.)* corolle *f.*
bloem'kweker *m.* (jardinier) fleuriste *m.*
bloemkwekerij' *v.* culture *f.* de(s) fleurs.
bloem'lezing *v.* **1** anthologie, chrestomathie *f.*, morceaux *m.pl.* choisis; **2** (*fig.*) choix *m.*
bloem'markt *v.(m.)* marché *m.* aux fleurs.
bloem'pap *v.(m.)* bouillie *f.* de fleur de farine.
bloem'perk *o.* **1** parterre *m.*, plate*-bande* *f.*; **2** (*rond, ovaal*) corbeille *f.*
bloem'pje *o.* petite fleur, fleurette *f.*
bloem'pot *m.* pot *m.* à fleurs. [en images.
bloem'rijk *b.n.* **1** fleuri; **2** (*fig.*) imagé, riche
bloem'ruiker *m.* bouquet *m.*
bloem'scherm *o.* ombelle *f.*
bloem'steel *m.* **1** queue *f.*; **2** (*Pl.*) pédoncule *m.*
bloem'stengel *m.* tige *f.*
bloem'stof *o.* pollen *m.*
bloem'stuk *o.* **1** (*v. bloemist*) gerbe *f.* (de fleurs), pièce *f.* de fleurs; **2** (*schilderstuk*) tableau *m.* de fleurs.
bloem'tafel *v.(m.)* jardinière *f.*
bloem'tuil *m.* bouquet *m.*
bloem'vormig *b.n.* en forme de fleur.
bloem'zaad *o.* graine *f.* de fleurs.
bloe'sem *m.* fleur *f.*
bloe'semen *on.w.* fleurir, être en fleur.
bloe'semknop *m.* bouton *m.* (de fleur).
bloeze, *zie* ***blouse.***
blohar'tig *b.n.* peureux, lâche.
blohar'tigheid *v.* poltronnerie, lâcheté *f.*
blo'heid *v.* timidité *f.*
blok I *o.* **1** (*alg.*) bloc *m.*; **2** (*offer—*) tronc *m.*; **3** (*v. slager, beul*) billot *m.*; **4** (*stuk brandhout*) bûche *f.*; **5** (*speelgoed*) cube *m.*; **6** (*huizen*) pâté *m.*; **7** (*v. spoor*) block *m.*; **8** (*op stof*) carreau, losange *m.*; **9** (*katrol*) poulie *f.*; ***het linkse —,*** le bloc des gauches; **II** *m.* (*Z.N.: klomp*) sabot *m.*
blok'fluit *v.(m.)* flûte *f.* douce, — sans clefs.
blok'hoofd *o.* chef *m.* d'îlot.
blok'huis *o.* **1** blockhaus, fortin *m.*, casemate *f.*; **2** (*v. spoorwegwachter*) guérite *f.* d'aiguilleur; **3** (*seinhuis*) (*Z.N.*) poste *m.* sémaphorique.
blokka'de *v.* blocus *m.*; ***de — doorbreken,*** forcer le blocus.
blokka'debreker *m.* forceur *m.* de blocus.
blok'ken *on.w. en ov.w.* piocher, bûcher; ***voor zijn examen —,*** piocher son examen, bûcher —.
blok'kendoos *v.(m.)* boîte *f.* de construction.
blok'ker *m.* piocheur, bûcheur *m.*
blokke'ren *ov.w.* bloquer.
blokke'ring *v.* blocus *m.*
blok'letter *v.(m.)* capitale *f.*
blok'maker *m.* sabotier *m.*
blokmakerij' *v.* saboterie, sabotière *f.*
bloknoot, *zie* ***blocnote.***
blok'schaaf *v.(m.)* rabot *m.* [merie.
blok'schrift *o.* écriture *f.* en caractères d'impri-

blok'seindienst *m.* (service *m.* de) signalisation *f.*
blok'stelsel *o.* block*-système* *m.*
blok'tin *o.* étain *m.* en saumons.
blok'vorming *v.* concentration *f.*, formation *f.* d'un bloc.
blok'wachter *m.* garde-block, bloqueur *m.*
blok'zilver *o.* argent *m.* en blocs, — en lingots.
blond *b.n.* blond.
blon'de *m.-v.* blond *m.*, —e *f.* blondin *m.*, —e *f.*
blonde'ren *ov.w.* oxygéner, platiner.
blond'harig *b.n.* blond, à cheveux blonds.
blond'heid *v.* blondeur *f.*
bloo'daard *m.* poltron, lâche *m.*
bloot I *b.n.* **1** nu; **2** (*eenvoudig, zonder meer*) simple, pur; ***met het blote oog,*** à l'œil nu; ***uit blote nieuwsgierigheid,*** par simple curiosité; ***een — vermoeden,*** une simple présomption; ***een blote verdenking,*** un pur soupçon; ***een blote veronderstelling,*** une hypothèse (gratuite); ***onder de blote hemel slapen,*** coucher à la belle étoile; **II** *bw.* seulement, simplement, uniquement.
bloot'geven, *zich —,* *w.w.* **1** se découvrir; **2** se découvrir, prêter le flanc.
bloot'heid *v.* nudité *f.*
bloot'leggen *ov.w.* **1** dénuder; mettre à nu; **2** (*wortels, muur, enz.*) déchausser; **3** (*fig.*) (*bekend maken*) mettre à nu; **4** (*uiteenzetten*) exposer; ***zijn spel kaarten —,*** abattre son jeu, découvrir —.
bloot'legging *v.* **1** dénudation *f.*; **2** déchaussement *m.*; **3** mise *f.* à nu.
bloot'liggen *on.w.* être à nu; être découvert.
blootshoofds' *bw.* **1** nu-tête, (la) tête nue; **2** (*uit eerbied*) la tête découverte; **3** (*v. vrouwen*) en cheveux.
bloot'staan *on.w.* **1** être exposé à; **2** (*spot, enz.*) être en butte à. [poser (à).
bloot'stellen I *ov.w.* exposer (à); **II** *w.w.* s'ex-
blootsvoets' *bw.* nu-pieds, pieds nus.
bloot'woelen, *zich —,* *w.w.* se découvrir.
blos *m.* **1** (*gelaatskleur*) teint *m.* vermeil; **2** (*v. schaamte, enz.*) rougeur *f.*; **3** (*v. jeugd, gezondheid*) éclat *m.*
blou'se, bloe'ze *v.* blouse *f.*
blo'zen *on.w.* rougir.
blo'zend *b.n.* **1** (*gelaatskleur*) rouge, vermeil, fleuri; **2** (*v. schaamte*) rougissant; ***— van gezondheid,*** resplendissant de santé.
blub'ber *m.* gadoue *f.*
bluf *m.* blague, hâblerie, vanterie *f.*, bluff *m.*
bluf'fen *on.w.* bluffer.
bluf'fer *m.* blagueur, hâbleur, fanfaron *m.*
bluf'ferig *b.n.* fanfaron.
blufferij' *v.* blague, hâblerie *f.*, bluff *m.*
blun'der *m.* gaffe, bévue *f.*
blus'apparaat *o.* extincteur *m.*
blus'middel *o.* moyen *m.* d'extinction.
blus'pot *m.* étouffoir *m.*
blus'sen *ov.w.* éteindre.
blus'sing *v.* extinction *f.*
blus'singswerk *o.* travaux *m.pl.* d'extinction.
blus'toestel *o.* extincteur *m.* [ratissé.
blut(s) *b.n.* **1** à sec; **2** (*bij spel*) fauché, décavé,
bluts *v.(m.)* **1** (*aan lichaam*) contusion *f.*; **2** (*aan vrucht*) meurtrissure *f.*; **3** (*in metaal*) bosse *f.*
blut'sen *ov.w.* **1** contusionner; **2** meurtrir, cotir; **3** bosseler.
bo'a *m.* boa *m.*; ***— constrictor,*** boa constricteur.
bob'bel *m.* **1** (*op water, enz.*) bulle *f.*; **2** (*v. kokende vloeistof*) bouillon *m.*; **3** (*gezwel*) tumeur, bosse *f.*; **4** (*in glas, enz.*) boursouflure *f.*
bob'belen *on.w.* bouillonner.
bob'belig *b.n.* raboteux.
bob'beling *v.* bouillonnement *m.*
bobijn' *v.(m.)* bobine *f.*
bob'slee *v.(m.)* bob(sleigh) *m.* [*m.*, —e *f.*
bo'chel *m.* **1** (*bult*) bosse *f.*; **2** (*persoon*) bossu
bocht I *v.(m.)* **1** (*in weg*) coude, détour; tournant *m.*; (*draai, voor auto's*) virage *m.*; **2** (*v. rivier*) coude *m.*; (*kronkeling*) sinuosité *f.*; méandre *m.*; **3** (*v. cirkel*) courbure *f.*; **4** (*golf*) baie *f.*, golfe *m.*; ***in de — springen,*** sauter à la corde; ***voor iem. in de — springen,*** prendre le parti (*of* la défense) de qn.; ***zich in allerlei —en wringen,*** se tordre (comme un ver); ***een — beginnen (te nemen),*** amorcer un virage; ***korte scherpe —,*** virage serré; ***een — te scherp nemen,*** prendre un virage à la corde; **II** *o.* **1** rebut *m.*, camelotte *f.*; **2** (*v. koffie*) drogue *f.*; **3** (*v. wijn*) piquette *f.*; **4** (*v. volk*) canaille *f.*
boch'tig *b.n.* sinueux, tortueux.
boch'tigheid *v.* sinuosité, courbure *f.*
bod *o.* **1** offre *f.*; **2** (*bij verkoop*) mise *f.*; ***hoger —,*** enchère, surenchère *f.*; ***aan — zijn,*** (*bij veiling*) être marchand.
bo'de *m.* **1** messager *m.*; **2** (*geheime —*) émissaire *m.*; **3** (*post—*) facteur *m.*; **4** (*vrachtrijder*) voiturier *m.*; **5** (*v. stadhuis, ministerie, enz.*) huissier *m.*
bode'ga *m.* débit *m.* de vins et de liqueurs, comptoir *m.* de vin.
bo'dem *m.* **1** (*alg.*) fond *m.*; **2** (*v. fles*) cul *m.*; **3** (*grond*) terre *f.*, terrain, sol, terroir *m.*; **4** (*schip*) vaisseau, navire, bâtiment *m.*; ***een vloot van vijftig —s,*** une flotte de cinquante unités; ***een vat de — inslaan,*** défoncer un tonneau; ***een plan de — inslaan,*** faire échouer un projet.
bo'demen *ov.w.* foncer.
bodemerij' *v.* (*H.*) bomerie *f.*, prêt *m.* à la grosse.
bodemerij'brief *m.* (*H.*) contrat *m.* à la grosse.
bo'demgesteldheid *v.* nature *f.* du sol.
bo'demloos *b.n.* sans fond; (*fig.*) ***— vat,*** tonneau *m.* des Danaïdes, panier *m.* percé.
bo'demonderzoek *o.* examen *m.* géologique.
bo'demoppervlakte *v.* superficie *f.*
bo'dempensioen *o.* retraite *f.* de base.
bo'demprofiel *o.* profil *m.* du sol.
bo'demverheffing *v.* soulèvement *m.* du sol.
bo'demwater *o.* eaux *f.pl.* souterraines. [office *m.*
bo'denkamer *v.(m.)* chambre *f.* des domestiques,
bo'denloon *o.* frais *m.pl.* de commission, factage *m.*
boe! *tw.* bah! peuh! ***— noch ba zeggen,*** ne souffler mot, ne pas desserrer les dents.
boed'dha *m.* (le) Bouddha *m.*
boed'dhapriester *m.* bonze *m.*
boeddhis'me *o.* Bouddhisme *m.*
boeddhist' *m.* bouddhiste *m.*
boeddhis'tisch *b.n.* bouddhique.
boe'del *m.* **1** (*nalatenschap*) héritage *m.*, succession *f.*; **2** (*inboedel*) biens *m.pl.*; **3** (*v. faillissement*) masse *f.* [(de la masse).
boe'delafstand *m.* cession *f.* de biens, cession *f.*
boe'delberedderaar *m.* liquidateur *m.*
boe'delbeschrijving *v.* inventaire *m.*
boe'delredder, boe'delscheider *m.* exécuteur *m.* testamentaire, liquidateur *m.*
boe'delscheiding *v.* **1** (*v. erfenis*) partage *m.* d'une succession; **2** (*v. echtgenoten*) séparation *f.* de biens.
boe'delverdeling *v.* partage *m.* de la masse.
boef *m.* **1** coquin, fripon, vaurien *m.*; **2** (*dwangarbeider*) forçat *m.*
boef'achtig *b.n.* fripon, fourbe.
boef'je *o.* brigandeau *m.*
boeg *m.* **1** (*sch.*) proue *f.*, cap *m.*; **2** (*v. paard*) poitrail *m.*; ***de — wenden,*** (*sch.*) virer de bord;

het over een andere — gooien, virer de bord; changer de batterie; ***hij heeft nog heel wat voor de —,*** il a encore beaucoup à faire.
boeg'anker *o.* ancre *f.* de bossoir.
boeg'beeld *o.* figure *f.* de proue.
boeg'kruisen *on.w.* louvoyer.
boeg'lijn *v.(m.)* bouline *f.*
boegseer'lijn *v.(m.)* câble *m.* de remorque.
boegse'ren *ov.w.* haler, remorquer, traîner à la remorque.
boeg'spriet *m.* beaupré *m.*
boei *v.(m.)* **1** (*sch.*) bouée *f.*; **2** (*keten*) chaîne *f.*, fers *m.pl.*; ***in de —en slaan,*** mettre aux fers.
boei'en *ov.w.* **1** (*ketenen*) enchaîner; mettre aux fers; **2** (*fig.*) captiver, intéresser.
boei'end *b.n.* captivant, intéressant, attachant.
boei'lijn *v.(m.)* (*sch.*) bouline *f.*
boek *o.* **1** livre *m.*; **2** (*fam.*) bouquin *m.*; ***een — papier,*** une main de papier; ***te — stellen,*** mettre par écrit; ***dat is een gesloten — voor mij,*** c'est lettre close pour moi; ***te — staan als,*** passer pour, avoir la réputation de; ***bij iem. hoog te — staan,*** être fort prisé de qn.; ***de —en afsluiten,*** clore les livres, arrêter —; ***bij het nazien onzer —en,*** en vérifiant nos livres.
boek'aankondiging *v.* annonce *f.* (d'un livre); notice *f.* (bibliographique).
boek'achtig *b.n.* livresque.
boekanier' *m.* boucanier, flibustier *m.*
Boe'karest *o.* Bucarest.
boek'band *m.* reliure *f.*
boek'beoordelaar *m.* critique *m.*
boek'beoordeling *v.* critique *f.*, compte *m.* rendu.
boek'beslag *o.* garniture *f.*
boek'binden *o.* art *m.* de la reliure, reliure *f.*
boek'binder *m.* relieur *m.*
boekbinderij' *v.* **1** (*ambacht*) reliure *f.*; **2** (*plaats*) atelier *m.* de reliure.
boek'deel *o.* volume; tome *m.*; ***dat zegt boekdelen,*** cela en dit long.
boek'drukken *o.* imprimerie *f.*, art *m.* de l'imprimerie.
boek'drukker *m.* **1** imprimeur *m.*; **2** (*zetter*) typographe *m.*
boekdrukkerij' *v.* imprimerie *f.*
boek'drukkersjongen *m.* apprenti *m.* typographe.
boek'drukkersknecht *m.* typographe *m.*
boek'drukkunst *v.* imprimerie *f.*; art *m.* d'imprimer, — typographique.
boe'kebon *m.* bon*-cadeau* *m.* (pour livre), bon *m.* de librairie.
boe'kelegger *m.* signet *m.*, liseuse *f.*
boe'ken *ov.w.* **1** noter, inscrire, enregistrer; **2** (*H.*) porter en compte; ***een post —,*** (*H.*) inscrire un poste; ***in het credit —,*** porter au crédit.
boe'kenbeurs *v.(m.)* marché *m.* du livre.
boe'kengek *m.* bibliomane *m.*
boe'kengeleerdheid *v.* science *f.* livresque.
boe'kenhanger *m.* étagère*-bibliothèque* *f.*
boe'kenkamer *v.(m.)* bibliothèque *f.*
boe'kenkast *v.(m.)* bibliothèque *f.*
boe'kenkenner *m.* bibliographe *m.*
boe'kenkraam *v.(m.)* *en o.* étalage *m.* de bouquiniste.
boe'kenliefhebber *m.* bibliophile *m.*, amateur *m.* de livres.
boe'kenlijst *v.(m.)* catalogue *m.*
boe'kenmolen *m.* bibliothèque *f.* tournante.
boe'kenplank *v.(m.)* rayon *m.* (de bibliothèque); bibliothèque*-étagère* *f.*
boe'kenrek *o.* étagère*-bibliothèque* *f.*
boe'kenstalletje *o.* étalage *m.* de bouquiniste.
boe'kenstander *m.* casier*-bibliothèque* *m.*, bibliothèque *f.* portative.
boe'kensteun *m.* serre-livres, appui*-livres *m.*
boe'kentaal *v.(m.)* langage *m.* livresque.
boe'kentas *v.(m.)* sac *m.*, serviette *f.*
boe'kenweek *v.(m.)* semaine *f.* du livre.
boe'kenwijsheid *v.* savoir *m.* livresque.
boe'kenwurm, -worm *m.* rat *m.* de bibliothèque.
boekerij' *v.* bibliothèque *f.*
boeket', bouquet' *o. en m.* bouquet *m.*
boek'handel *m.* librairie *f.*
boek'handelaar *m.* libraire *m.*
boek'houden I *on.w.* tenir les livres; **II** *z.n., o.* tenue *f.* des livres; comptabilité *f.*; ***enkel*** (***dubbel***) **—,** tenue des livres en partie simple (en partie double).
boek'houder *m.* teneur *m.* de livres; comptable *m.*
boek'houding *v.* comptabilité *f.*
boek'houdmachine *v.* machine *f.* comptable, — à comptabiliser.
boe'king *v.* inscription *f.* (dans les livres); ***gelijkluidende —,*** écriture *f.* de conformité.
boek'jaar *o.* exercice *m.*
boek'je *o.* **1** petit livre, livret *m.*; **2** (*werkje*) opuscule *m.*; **3** (*zakboekje*) calepin, carnet *m.*; ***centraal —,*** (*in groot magazijn*) carnet collectif; ***buiten zijn — gaan,*** outrepasser ses instructions, — ses pouvoirs.
boek'omslag *o. en m.* protège-livre* *m.*, jaquette *f.*
boek'rol *v.(m.)* (manuscrit *m.* en) rouleau *m.*
boek'schuld *v.(m.)* dette *f.* (inscrite).
boek'staven *ov.w.* mettre par écrit; enregistrer.
boek'verkoper *m.* **1** libraire *m.*; **2** (*v. oude boeken*) bouquiniste *m.*
boek'verkoping *v.* vente *f.* de livres.
boek'vink *m.* pinson *m.*
boek'waarde *v.* valeur *f.* portée sur les livres, — portée au bilan.
boek'weit *v.(m.)* sarrasin *m.*, blé *m.* noir.
boek'werk *o.* ouvrage, livre *m.*
boek'winkel *m.* librairie *f.*
boek'zaal *v.(m.)* bibliothèque *f.*
boel *m.* (*menigte, hoop*) quantité *f.*, amas, tas *m.*, masse *f.*; ***het gaat een — beter,*** cela va beaucoup mieux; ***de — in de war sturen,*** embrouiller les affaires; ***wat een —!*** quel désordre! ***de — laten waaien,*** laisser aller les choses.
boel'huis *o.* vente *f.* aux enchères.
boe'lijn *v.(m.)* (*sch.*) bouline *f.*
boe'man *m.* croque-mitaine*, épouvantail *m.*
boe'mel *m.* ***aan de — zijn,*** faire la noce, être en bombe.
boe'melaar *m.* **1** noceur, bambocheur *m.*; **2** (*die niets doet*) fainéant *m.*
boe'melen *on.w.* **1** faire la noce, bambocher; **2** fainéanter.
boe'meltrein *m.* train *m.* omnibus.
boe'merang *m.* boumerang *m.*
boen'der *m.* brosse *f.*, frottoir *m.*
boe'nen *ov.w.* frotter, nettoyer, cirer.
boe'ner *m.* frotteur *m.*
boen'lap *m.* frottoir *m.*, linge *m.* à frotter.
boen'was *m. en o.* encaustique *f.*, cirage *m.*
boer *m.* **1** (*landbouwer*) laboureur, cultivateur, agriculteur *m.*; **2** (*pachter*) fermier *m.*; **3** (*buitenman*) paysan, campagnard *m.*; **4** (*lomperd*) rustre, lourdaud, manant *m.*; **5** (*kaartspel*) valet *m.*; **6** (*Z.-Afrika*) Boer *m.*; ***lachen als een — die kiespijn heeft,*** rire jaune.
boer'achtig *b.n.* **1** rustique, champêtre; **2** (*fig.*) grossier.
boerderij' *v.* **1** (*woning*) ferme, métairie *f.*; **2** (*bedrijf*) agriculture *f.*

boe'ren *on.w.* cultiver la terre; ***hij heeft goed geboerd,*** il a bien mené sa barque; ***hij boert achteruit,*** ses affaires périclitent, — vont mal.
boerenar'beider *m.* ouvrier *m.* agricole, journalier *m.* —.
boe'renbedrijf *o.* entreprise *f.* agricole; ***collectief —,*** (*Rusl.*) kolkhoze *m.*, (*Israel*) kibboutz *m.* (*pl.*: kibboutzim).
boe'renbedrog *o.* charlatanerie *f.*; attrape-nigaud*, attrape-lourdaud*, attrape-niais, truquage, trucage *m.*
boe'renbond *m.* ligue (*of* union) *f.* agricole.
boerenboon' *v.*(*m.*) fève *f.* de marais.
boe'renboter *v.*(*m.*) beurre *m.* de ferme.
boe'renbrood *v.* pain *m.* de ménage.
boerenbrui'loft *v.*(*m.*) noce(s) *f.*(*pl.*) de village.
boe'rendans *m.* danse *f.* champêtre.
boerendeern' *v.* jeune paysanne *f.*, beauté *f.* rustique, fille *f.* de ferme.
boerendoch'ter *v.* fille *f.* de paysan.
boerendorp' *o.* village *m.* rustique, bourgade *f.*
boe'rendracht *v.*(*m.*) costume *m.* rustique, — des paysans.
boerenerf' *o.* cour *f.* d'une ferme.
boe'renfeest *o.* fête *f.* villageoise.
boerenher'berg *v.*(*m.*) auberge *f.* de village, — de campagne.
boerenhoe've, *v.*(*m.*) métairie, ferme *f.*
boerenhof'je *o.* closerie *f.*
boerenhof'ste(d)e *v.*(*m.*) métairie, ferme *f.*
boerenhuis' *o.* maison *f.* rustique.
boerenjon'gen *m.* jeune paysan *m.*, fils *m.* de paysan; ***—s,*** (*drank*) raisins *m.pl.* à l'eau de vie, — au vin.
boe'renkaas *m.* fromage *m.* de ferme.
boerenkar' *v.*(*m.*) charrette *m.* de paysan.
boerenker'mis *v.*(*m.*) foire *f.* de village, fête *f.* —.
boerenkiel' *m.* sarrau *m.*, blouse *f.* (de paysan).
boerenkin'kel *m.* rustre, manant *m.*
boe'renknaap *m.* jeune paysan *m.*
boerenknecht' *m.* valet *m.* de ferme.
boerenkool' *v.*(*m.*) chou *m.* frisé.
boe'renkost *m.* mets *m.* rustique, nourriture *f.* rustique.
boerenkrijg' *m.* guerre *f.* des paysans. [cole.
boerenleen'bank *v.*(*m.*) banque *f.* de crédit agri-
boerenle'ven *o.* vie *f.* champêtre, — à la campagne.
boerenmeid' *v.* **1** jeune paysanne *f.*; **2** fille *f.* de ferme.
boerenmeis'je *o.* fille *f.* de paysan; ***—s,*** (*drank*) abricots *m.pl.* à l'eau de vie, — au vin.
Boe'renoorlog *m.* guerre *f.* des Boers, — contre les Boers.
boe'renopstand *m.* jacquerie *f.*
boe'renpaard *o.* cheval *m.* de labour.
boerenpot, *zie* ***boerenkost.***
boerenpum'mel *m.* rustre, lourdaud, manant *m.*
boe'renroos *v.*(*m.*) pivoine *f.*
boerenschuur' *v.*(*m.*) grange *f.*
boerensjees' *v.*(*m.*) cabriolet *m.* [m.pl.
boerenstand' *m.* les paysans, les agriculteurs
boe'rentaal *v.*(*m.*) patois *m.*; langage *m.* grossier.
boerentrien' *v.* rustaude *f.*
boe'renverstand *o.* gros bon sens *m.*, jugeo(t)te *f.*
boe'renvolk *o.* les paysans *m.pl.*
boerenvrouw' *v.* femme *f.* de paysan, paysanne *f.*
boerenwa'gen *m.* chariot *m.* de paysan, charrette *f.* —.
boe'renwerk *o.* travaux *m.pl.* champêtres.
boerenwo'ning *v.* habitation *f.* de paysan, ferme *f.*
boerenzoon' *m.* fils *m.* de paysan, jeune paysan *m.*
boe'renzwaluw *v.*(*m.*) hirondelle *f.* rustique, — de cheminé.
Boergond-, *zie* ***Bourgond-.***
boerin' *v.* paysanne, campagnarde *f.*
boerin'nenkap, -muts *v.*(*m.*) coiffe *v.*
boer'noes *m.* bournous *m.*
Boeroen'di *o.* Burundi *m.* [grossier.
boers *b.n.* **1** rustique, champêtre ; **2** (*ong.*) rustaud,
boers'heid *v.* **1** rusticité *f.*; **2** grossièreté *f.*
boert *v.*(*m.*) plaisanterie, raillerie *f.*, badinage *m.*
boer'ten *on.w.* plaisanter, railler, badiner.
boer'tig *b.n.* comique, bouffon, burlesque.
boer'tigheid *v.* burlesque *m.*, bouffonnerie *f.*, style *m.* bouffon.
boe'te *v.*(*m.*) **1** (*uitboeting*) expiation *f.*, châtiment *m.*; **2** (*geldboete*) amende *f.*; **3** (*voor zonde*) pénitence *f.*; ***— doen,*** faire pénitence; ***er staat een — van 100 fr. op,*** c'est passible d'une amende de 100 francs; ***op — van,*** sous peine d'une amende de.
boe'tedag *m.* journée *f.* de pénitence.
boe'tedoening *v.* pénitence, expiation *f.*
boe'tekleed *o.* cilice *m.*, haire *f.*
boe'teling *m.* en *v.* pénitent *m.*, —e *f.*
boe'ten I *ov.w.* **1** (*fout, misdrijf*) expier; **2** (*bevredigen: lust*) assouvir, satisfaire; **3** (*netten*) réparer, raccommoder; **4** (*vuur*) attiser; ***het met zijn leven —,*** payer de sa vie; **II** *on.w.* payer; ***daar zal hij voor —,*** il me le payera.
boetepreek, *zie* ***boetpredikatie.***
boe'testelsel *o.* système *m.* d'amendes.
boet'gewaad, *zie* ***boetekleed.***
boet'gezant, *zie* ***boetprediker.***
Boë'tius *m.* Boèce *m.*
boet'predikatie *v.*, **boet'preek** *v.*(*m.*) exhortation *f.* à la pénitence, sermon *m.*
boet'prediker *m.* **1** prédicateur *m.* de pénitence; **2** (*fam.*) sermonneur *m.*
boet'preek, *zie* ***boetpredikatie.***
boet'psalm *m.* psaume *m.* de la pénitence.
boetseer'der *m.* modeleur *m.*
boetseer'houtje *o.* ébauchoir *m.* [plastique.
boetseer'klei *v.*(*m.*) terre *f.* à modeler, argile *f.*
boetseer'kunst *v.* plastique *f.*, modelage *m.*
boetse'ren I *ov.w.* modeler; **II** *on.w.* faire du modelage; **III** *z.n.*, *o.* ***het —,*** le modelage.
boetvaar'dig *b.n.* **1** pénitent; **2** (*berouwvol*) repentant.
boetvaar'digheid *v.* pénitence; contrition *f.*
boe'venbende *v.*(*m.*) bande *f.* de filous.
boe'venpak *o.* habit *m.* de forçat. [fripon.
boe'venstreek *m.* en *v.* filouterie *f.*, tour *m.* de
boe'ventaal *v.*(*m.*) langue *f.* verte, argot *m.*
boe'ventronie *v.* trogne *f.* de filou.
boeverij' *v.* filouterie *f.*
boe'zelaar *m.* tablier *m.*
boe'zem *m.* **1** (*borst*) sein, cœur *m.*; gorge *f.*; **2** (*zee—*) golfe *m.*, baie *f.*; **3** (*v. polder*) bassin *m.* d'écoulement; **4** (*v. het hart*) oreillette *f.*; **5** (*fig.*) sein *m.*; ***in de — der vergadering,*** au sein de l'assemblée; ***een zwoegende —,*** une poitrine haletante; ***de hand in eigen — steken,*** faire un retour sur soi-même.
boe'zemvriend *m.* ami *m.* de cœur.
boe'zemvriendschap *v.* amitié *f.* intime.
boe'zemwater *o.* eaux *f.pl.* d'un bassin d'écoulement.
boezeroen' *m.* en *o.* vareuse *f.*, bourgeron *m.*
bof *m.* **1** (*doffe slag*) coup *m.* sourd; **2** (*gen.*) oreillons *m.pl.*; **3** (*fam.: geluk*) chance, veine *f.*
bof'fen *on.w.* (*fam.*) avoir de la chance, — de la veine.

bof'fer *m.* chançard, veinard *m.*
bogaard, *zie* ***boomgaard.***
bo'gen *on.w.* — ***op,*** se vanter de, se glorifier de.
bo'gengang *m.* arcades *f.pl.*
Boheems' *b.n.* bohémien.
Bohe'men *o.* la Bohème.
Bohe'mer *m.* Bohémien *m.*
boi'ler *m.* chauffe-eau *m.*; ***elektrische* —,** cumulus *m.*
bojaar' *m.* Boyard *m.*
bok *m.* **1** (*Dk.*) bouc *m.*; **2** (*ree*—) chevreuil *m.*; **3** (*gymnastiek*) cheval *m.* (de bois); **4** (*schraag*) chevalet *m.*; **5** (*v. rijtuig*) siège *m.*; **6** (*hijstoestel*) chèvre *f.*; **7** (*lomperd*) rustre, lourdaud *m.*; **8** (*flater, blunder*) bévue, gaffe *f.*; ***een — schieten,*** faire une gaffe, commettre une bévue.
bokaal' *m.* bocal *m.*; coupe *f.*
bok'achtig *b.n.* bourru, grossier.
bok'je *o.* **1** (*Dk.*) jeune bouc, cabri *m.*; **2** (*krukje*) tabouret *m.*
bok'ken *on.w.* **1** (*v. paard*) faire un saut de mouton; **2** (*fig.*) faire la tête.
bokkepoot, *zie* ***bokspoot.***
bok'kepruik *v.*(*m.*) ***de — op hebben,*** avoir mis son bonnet de travers, faire la tête.
bok'kesprong *m.* cabriole *f.*; ***—en maken,* 1** faire des cabrioles; **2** (*fig.*) faire des folies, faire des extravagances.
bok'kewagen *m.* voiture *f.* à bouc.
bok'kig *b.n.* bourru, grossier.
bok'king *m.* hareng *m.* saur.
bok'kingrokerij *v.* saurisserie *f.*
boks'baard *m.* (*Pl.*) salsifis *m.* sauvage, barbe *f.* de bouc.
boks'beugel *m.* coup*-de-poing *m.*
bok'sen I *on.w.* **1** boxer; **2** (*als sport*) faire de la boxe; **II** *z.n., o.* ***het —,*** la boxe.
bok'ser *m.* boxeur, pugiliste *m.*
boks'handschoen *m. en v.* gant *m.* de boxe.
boksijzer, *zie* ***boksbeugel.***
boks'leer *o.* peau *f.* de bouc.
boks'partij *v.* partie *f.* de boxe, pugilat *m.*
boks'poot, bokkepoot' *m.* **1** pied *m.* de bouc; **2** (*fig.*) diable, satyre *m.*
bok'springen *o.* (jouer à) saute-mouton *m.*
boks'ring *m.* ring *m.*, enceinte *f.* du match de boxe.
bok-sta-vast' *o.* ***— spelen,*** jouer au cheval fondu.
boks'wedstrijd *m.* match *m.* de boxe, combat *m.* de boxe.
bol I *m.* **1** (*meetk.*) sphère *f.*; **2** (*bal*) boule *f.*; **3** (*aard—*) globe *m.*; **4** (*v. bloem*) bulbe *m.*; oignon *m.* de fleur; **5** (*v. hoed*) forme *f.*; **6** (*fam.: hoofd*) caboche *f.*; ***glazen —,*** bocal *m.*; ***halve —,*** hémisphère *m.*; ***het scheelt hem in zijn —,*** il a la tête fêlée, il est toqué; **II** *b.n.* **1** convexe, bombé; **2** (*rond*) rond; ***met —le wangen,*** joufflu.
Bol'beek *o.* Bombaye.
bol'begonia *v.*(*m.*) bégonia *m.* bulbeux.
bol'deren *on.w.* **1** (*bol staan*) bouffer; **2** (*v. kar*) cahoter.
bol'driehoek *m.* triangle *m.* sphérique.
bol'driehoeksmeting *v.* trigonométrie *f.* sphérique.
boleet' *m.* bolet *m.*
bol'gewas *o.* plante *f.* bulbeuse.
bol'heid *v.* convexité *f.*; sphéricité *f.*
bol'hoed *m.* chapeau *m.* melon.
Boli'via *o.* la Bolivie.
Boliviaan' *m.* Bolivien *m.*
Boliviaans' *b.n.* bolivien.
bolleboos' *m.* forte tête *f.*, aigle, fort en thème, type calé, as *m.*; ***hij is een — in wiskunde,*** il est très fort (*of* calé) en mathématiques.
bol'len *on.w.* **1** bouffer; **2** (*v. muur*) bomber; **3** jouer à la boule.
bol'lenhandelaar *m.* marchand *m.* d'oignons à fleurs.
bol'lenkweker *m.* cultivateur *m.* de bulbes.
bol'lenschuur *v.*(*m.*) hangar *m.* à sécher les oignons.
bol'lenstreek *v.*(*m.*) région *f.* des oignons à fleur, — des bulbes.
bol'lenveld *o.* champ *m.* de bulbes.
bol'lenzondag *m.* dimanche *m.* des grandes visites aux champs de bulbes.
bol'letje *o.* **1** petite boule *f.*; **2** (*Pl.*) bulbille *f.*
Bolog'na *o.* Bologne *f.*
Bolognees' *b.n.* bolognais.
bol'plant *v.*(*m.*) plante *f.* bulbeuse.
bol'rond *b.n.* sphérique.
bol'segment *o.* calotte *f.* sphérique.
bolsjewiek', bolsjeviek' *m.* bolchevik, bolchéviste *m.*
bolsjewis'me, bolsjevis'me *o.* bolchévisme *m.*
bolsjewis'tisch, bolsjevis'tisch *b.n.* bolchéviste.
bol'staand *b.n.* gonflé.
bol'ster *m.* **1** (*v. noot*) brou *m.*; **2** (*v. kastanje*) bogue *f.*; **3** (*fig.*) enveloppe, écorce *f.*
bol'steren *ov.w.* ôter le brou, écaler.
bo'lus *m.* **1** (*gen.*) bol *m.*; **2** (*aarde*) terre *f.* sigilée, — bolaire; **3** (*gebak*) gâteau *m.* rond, bolus *m.*
bol'vlak *o.* plan *m.* convexe.
bol'vorm *m.* forme *f.* sphérique.
bolvor'mig *b.n.* sphérique, globulaire.
bolvor'migheid *v.* sphéricité *f.*
bolwan'gig *b.n.* joufflu.
bol'werk *o.* bastion, rempart *m.*
bol'werken *on.w.* ***het —,*** en venir à bout.
bol'worm *m.* ver*-coquin* *m.*
bom *v.*(*m.*) **1** (*v. vat*) bondon *m.*; **2** (*mil.*) bombe *f.*; obus *m.* à mitraille; **3** (*sch.*) bateau *m.* de pêche; ***hij heeft een — duiten,*** il a le sac, il remue l'argent à la pelle; ***de — is gebarsten,*** la bombe a éclaté, la mèche est éventée.
bom'aanslag *m.* attentat *m.* à la bombe.
bom'aanval *m.* attaque *f.* aérienne, — à la bombe.
bombardement' *o.* bombardement *m.*
bombardements'vliegtuig *o.* avion *m.* de bombardement; bombardier *m.*
bombarde'ren *ov.w.* bombarder.
bomba'rie *v.* (*fam.*) bruit, tapage *m.*
bomba'riemaker *m.* tapageur *m.*
bom'bast *m.* boursouflage, pathos *m.*
bombas'tisch *b.n.* boursouflé, ampoulé.
bombazijn' *o.* basin, bombasin *m.*, futaine *f.*
bo'men *on.w.* (*fam.*) tailler une bavette; ***een schuit —,*** pousser un chaland au moyen d'une gaffe, — d'une perche.
bom'gat *o.* bonde *f.*, trou *m.* de bondon.
bom'ijs *o.* glace *f.* creuse.
bom'inslag *m.* atteinte *f.* de bombe, effet *m.* —.
bom'men *on.w.* résonner; ***'t kan me niet —,*** (*fam.*) je m'en fiche.
bom'menlast *m.* charge *f.* de bombes.
bom'menwerper *m.* **1** lance-bombes *m.*; **2** (*vl.*) avion *m.* de bombardement, bombardier *m.*; ***— voor lange afstand,*** bombardier intercontinental; ***driemotorige —,*** bombardier trimoteur (quadrimoteur, *enz.*).
bom'scherf *v.*(*m.*) éclat *m.* de bombe.
bom'schuit *v.*(*m.*) bateau *m.* pêcheur.
bom'trechter *m.* cratère *m.* de bombe.
bom'vrij *b.n.* blindé, résistant aux obus, à l'épreuve de la bombe.
bon *m.* bon *m.*; ***op de — halen,*** acheter à crédit; ***iem. op de — zetten,*** dresser contravention à qn.

bonafi'de I *b.n.* sérieux; **II** *bw.* de bonne foi.
bon'boekje *o.* carnet *m.* de tickets; carnet *m.* à souches.
bonbon' *m.* bonbon *m.*
bonbon'doos *v.(m.)* bonbonnière *f.*
bond *m.* **1** ligue *f.*; **2** (*tussen landen*) alliance *f.*; **3** (*vakvereniging*) syndicat *m.*; **4** (*tussen partijen*) coalition *f.*; **5** (*v. verenigingen*) fédération *f.*; ***de Duitse* —,** (*gesch.*) la Confédération germanique.
bond'genoot *m.* allié; coalisé; confédéré *m.*
bond'genootschap *o.* alliance; coalition; fédération; confédération *f.*
bon'dig I *b.n.* concis, précis, succinct; **II** *bw.* avec concision, succinctement.
bon'digheid *v.* concision, précision *f.*
bonds'akte *v.* pacte *m.* d'alliance.
bonds'bestuur *o.* comité *f.* fédérale.
bonds'dag *m.* diète *f.* fédérale.
bonds'hotel *o.* hôtel *m.* affilié au Touring-club.
bonds'kanselier *m.* chancelier *m.* (de fédération).
bonds'kas *v.(m.)* caisse *f.* fédérale.
bonds'kist *v.(m.)* boîte *f.* de secours (de l'Union vélocipédique).
bonds'leger *o.* armée *f.* fédérale.
bonds'lid *o.* membre *m.* de la ligue, — de l'union [*enz.*
bonds'president *m.* président *m.* de la Confédération (Suisse).
bonds'raad *m.* conseil *m.* fédéral.
bonds'regering *v.* gouvernement *m.* fédéral.
Bonds'republiek *v.* République *f.* fédérale (allemande).
bonds'staat *m.* état *m.* fédéral, confédération *f.*
bonds'troepen *mv.* troupes *f.pl.* fédérales.
bonds'vergadering *v.* assemblée *f.* fédérale.
bonds'wet *v.(m.)* loi *f.* fédérale.
bo'nekruid, boon'kruid *o.* (*Pl.*) sarriette *f.*
bo'nensoep, boon'soep *v.(m.)* soupe *f.* aux fèves.
bo'nestaak, bo'nestok, boon'staak, boon'-stok *m.* perche *f.*
bone'stro, boon'stro *o.* paille *f.* de fèves.
bon'gerd *m.* verger *m.*
Bonifa'cius *m.* Boniface *m.*
bonifica'tie, bonifika'tie *v.* dédommagement *m.*
bo'nis, *een man in* —, un homme aisé.
bonk *m.* **1** (*been*) os *m.*; **2** (*stuk*) gros morceau *m.*; **3** (*lomp mens*) lourdaud *m.*
bon'ken *ov.w.* heurter, battre; ***op iem.* —,** rosser [qn.
bonnefooi' *v.* ***op de* —,** au hasard, au petit bonheur.
bons *m.* coup sourd, choc, heurt *m.*; ***de — geven,*** congédier, renvoyer; refuser; ***de — krijgen,*** être congédié; essuyer un refus.
bont I *b.n.* **1** bigarré, bariolé, multicolore; **2** (*gevlekt*) tacheté; ***een — paard,*** un cheval pie; ***—e ekster,*** pie*-grièche* *f.*; ***—e kraai,*** corneille *f.* mantelée; ***— marmer,*** marbre veiné; ***een —e zakdoek,*** un mouchoir de couleur; ***een —e schort,*** un tablier à carreaux; ***een — gezelschap,*** une société mélangée; ***hij maakt het te* —,** il va trop loin, il dépasse la mesure; **II** *z.n., o.* **1** fourrure *f.*; **2** (*stof*) étoffe *f.* à carreaux.
bont'heid *v.* couleur *f.* bigarrée, bigarrure *f.*, bariolage *m.*
bont'jas *m. en v.* pelisse *f.*, habit *m.* fourré.
bont'je *o.* tour *m.* de cou en fourrure.
bont'kraag *m.* col *m.* de fourrure.
bont'mantel *m.* manteau *m.* de fourrure.
bont'muts *v.(m.)* bonnet *m.* de fourrure.
bont'werk *o.* pelleterie *f.*; fourrures *f.pl.*
bont'werker *m.* pelletier, fourreur *m.*
bont'werkerij *v.*, **bont'winkel** *m.* pelleterie *f.*
bo'nus *m.* bonification *f.*
bon-vivant' *m.* bon vivant, — viveur *m.*
bon'ze *m.* bonze *m.*
bon'zen *on.w.* heurter, frapper (rudement); ***mijn hart bonst,*** le cœur me bat.
bood'schap *v.* **1** (*mededeling, bericht*) message *m.*; **2** (*inkopen, enz.*) commission *f.*; ***—pen doen,*** faire des courses; (*inkopen*) faire des emplettes; ***een blijde* —,** une bonne (*of* heureuse) nouvelle; ***de blijde* —,** l'Évangile; ***Maria-Boodschap,*** l'Annonciation *f.*; ***oppassen is de* —,** il s'agit de faire attention; ***grote* —,** grande précaution *f.* (*ook:* — commission); ***kleine* —,** petite —.
bood'schap(pen)jongen *m.* garçon de courses, galopin *m.*
bood'schap(pen)loper *m.* commissionnaire, facteur *m.*
bood'schappen *ov.w.* annoncer.
bood'schappenmand *v.(m.)* panier à provisions, cabas *m.*
bood'schappennet *o.* filet *m.* à provisions.
bood'schappentas *v.* cabas *m.*, sac *m.* à emplettes, — à provisions.
bood'schapper *m.* messager *m.*
boog *m.* **1** (*alg.*) arc *m.*; **2** (*bouwk.*) arceau *m.*, arcade *f.*, cintre *m.*; **3** (*v. brug*) arche *f.*; **4** (*v. zadel*) arçon *m.*; **5** (*muz.*) liaison *f.*; **6** (*bocht*) courbe *f.*; ***de — kan niet altijd gespannen zijn,*** l'arc ne peut pas toujours être tendu; ***meer dan één pijl op zijn — hebben,*** avoir plus d'une corde à son arc.
boog'brug *v.(m.)* pont *m.* à arches.
boog'gewelf *o.* voûte *f.* en plein cintre.
boog'lamp *v.(m.)* lampe *f.* à arc.
boog'licht *o.* lumière *f.* à arc.
boog'passer *m.* compas *m.* à quart de cercle.
boog'pees *v.(m.)* corde *f.* d'arc.
boog'raam *o.* fenêtre *f.* cintrée.
boog'scheut *m.* portée *f.* d'une flèche.
boog'schieten *o.* tir *m.* à l'arc.
boog'schutter *m.* archer; arbalétrier *m.*
boog'spanning *v.* portée *f.* d'un arc, — d'une arcade.
boog'venster *o.* fenêtre *f.* cintrée, — en arc.
boog'vormig *b.n.* en arc, cintré.
boog'wijdte *v.* portée *f.* d'un arc.
boom *m.* **1** arbre *m.*; **2** (*afsluit—*) barrière *f.*; **3** (*dissel*) timon *m.*; **4** (*v. lamoen*) brancard *m.*; **5** (*v. schipper*) perche, °affe *f.*; ***een kerel als een* —,** un gaillard vigoureux; ***van de hoge — teren,*** manger son capital; ***een — opzetten,*** tailler une bavette.
boom'aanplanting *v.* boisage *m.*
boom'achtig *b.n.* arborescent.
boom'bast *m.* écorce *f.*
boom'gaard, bo'gaard *m.* verger *m.*
boom'gewas *o.* massif *m.* d'arbres.
boom'grens *v.(m.)* limite *f.* des forêts.
boom'groep *v.(m.)* bouquet *m.* d'arbres.
boom'hars *o. en m.* résine *f.* végétale.
boom'kever *m.* hanneton *m.*
boom'kikvors *m.* rainette *f.*
boom'kruiper(tje) *m.* (*o.*) grimpereau *m.*
boom'kweker *m.* arboriculteur; pépiniériste *m.*
boom'kwekerij *v.* **1** (*werk*) arboriculture *f.*; **2** (*plaats*) pépinière *f.*
boom'loos *b.n.* sans arbres, dénué d'arbres.
boom'luis *v.(m.)* puceron *m.*
boom'marter *m.* martre *f.* commune.
boom'mos *o.* mousse *f.* (d'arbres).
boom'mus *v.(m.)* friquet *m.*
boom'paal *m.* tuteur *m.*
boom'pje *o.* arbuste; arbrisseau *m.*
boom'rijk *b.n.* boisé.
boom'rups *v.(m.)* chenille *f.*
boom'sap *o.* sève *f.*

boom'schors *v.*(*m.*) écorce *f.* (d'arbre).
boom'slak *v.*(*m.*) limaçon *m.* des bois.
boom'soort *f.* essence *f.*, espèce *f.* d'arbre.
boom'stam *m.* tronc *m.* d'arbre.
boom'stomp, boom'stronk *m.* souche *f.*
boom'tak *m.* branche *f.*
boom'top *m.* cime *f.* d'arbre.
boom'uil *m.* hulotte *f.*, chat*-huant* *m.*
boom'valk *m. en v.* hobereau *m.*
boom'varen *v.*(*m.*) (*Pl.*) fougère *f.* arborescente; (*op wilgen*) polypode *m.*
boom'veil *o.* lierre *m.* (commun).
boom'was *o.* cire *f.* à greffer.
boom'zwam *v.*(*m.*) (*Pl.*) agaric *m.*
boon *v.*(*m.*) **1** fève *f.*; haricot *m.*; **2** (*grote* —) fève *f.* de marais; **3** (*koffieboon*) grain *m.* de café; ***bruine bonen,*** haricots rouges; ***honger maakt rauwe bonen zoet,*** il n'est chère que d'appétit.
boon-, *zie* ***bone-.***
boon'tje *o.* petite fève *f.*; ***heilig* —,** petit saint *m.*; sainte nitouche *f.*; **— *komt om zijn loontje,*** comme on fait son lit, on se couche.
boor *v.*(*m.*) **1** (*hand*—) perçoir *m.*; **2** (*dril*—) foret *m.*; **3** (*borst*—) vilebrequin *m.*; **4** (*zwik*—) tarière *f.*; **5** (*fret*—) vrille *f.*; **6** (*bij operatie*) perforateur *m.*
boor'bank *v.*(*m.*) machine *f.* à aléser.
boor'beitel *m.* pointeau *m.*
boord I *o. en m.* **1** (*hals*—) col *m.*; (*los*) faux col *m.*; **2** *m.* (*zoom*) bord *m.*, bordure *f.*; **3** (*oever*) bord *m.*, rive *f.*, rivage *m.*; ***staande* —,** col droit; ***omgeslagen* —,** col rabattu; **II** *o. en m.* (*sch.*) bord *m.*; ***aan* —,** à bord; ***aan — gaan,*** monter à bord, s'embarquer; ***van — gaan,*** débarquer; ***franco* —,** franco à bord; ***over — gooien,*** (*eig. en fig.*) jeter pardessus bord; ***een man over* —,** un homme à la mer.
boord'band *m.* liséré, galon *m.*
boor'deknoopje *o.* bouton *m.* de (faux) col.
boor'den *ov.w* border, galonner.
boor'devol *b.n.* **1** rempli jusqu'au bord; **2** (*maat*) comble.
boord'landingslicht *o* projecteur *m* d'atterrissage.
boord'licht *o.* fanal *m.* de bord.
boord'lint *o.* galon *m.*; ruban *m.* à border.
boord'personeel *o.* personnel *m.* navigant.
boord'schutter *m.* mitrailleur *m.* de bord.
boord'sel *o.* galon *m.*, bordure *f.*
boord'wapens *mv.* armes *f.pl.* de bord.
boord'werktuigkundige *m.* mécano, mécanicien *m.* de bord.
boor'gat *o.* **1** forure *f.*; **2** (*v. mijn*) trou *m.* de sonde.
boor'houder *m.* porte-mèche *m.*
boor'ijzer *o.* mèche *f.* de foret; perçoir *m.*
boor'installatie *v.* installation *f.* de forage.
boor'ling *m.* (*Z.N.*) nouveau-né*, nourrisson *m.*
boor'machine *v.* machine à forer, foreuse, perforatrice *f.*
boor'mes *o.* couteau *m.* de perforatrice.
boor'put *m.* puits *m.* de forage, — de sondage, sonde *f.*
boort *o.* égrisée *f.*, poussière *f.* de diamant.
boor'terrein *o.* chantier *m.* de forage.
boor'toren *m.* chevalement *m.*; derrick *m.* de sondage.
boor'water *o.* eau *f.* boriquée.
boor'zalf *v.*(*m.*) vaseline *f.* boriquée.
boor'zuur *o.* acide *m.* borique.
boos *b.n.* **1** (*kwaad*) fâché, irrité, en colère; **2** (*ondeugend*) méchant; **3** (*kwaadaardig, verderfelijk*) mauvais, nuisible; **4** (*v. weer*) rude; ***de boze geest,*** l'esprit malin; **— *opzet,*** intention malveillante; **— *worden, zich — maken,*** se fâcher; **— *maken,*** mettre en colère, irriter.
boosaar'dig *b.n.* méchant, malicieux, malin.
boosaar'digheid *v.* méchanceté, malice, malignité *f.*
boos'doener *m.* malfaiteur *m.*
boos'heid *v.* **1** (*slechtheid*) méchanceté, malignité *f.*; **2** (*verdorvenheid*) dépravation *f.*; **3** (*toorn*) colère, irritation *f.*
boos'wicht *m.* scélérat *m.*
boot *m. en v.* **1** (*alg.*) bateau *m.*; **2** (*stoom*—) (bateau à) vapeur, paquebot *m.*; **3** (*kleine* —) canot *m.*, barque *f.*
boot'hals *m.* décolleté *m.* (en) bateau.
boot'reis *v.*(*m.*) voyage *m.* en bateau; croisière *f.*
boots'gezel *m.* (*sch.*) matelot, marin *m.*
boots'haak *m.* (*sch.*) gaffe *f.*, croc, harpin *m.*
boots'lengte *v.* longueur *f.* (de canot).
boots'man *m.* maître *m.* d'équipage.
boots'mansmaat *m.* second maître *m.*
boots'volk *o.* équipage *m.*, matelots *m.pl.*
boot'tochtje *o.* promenade *f.* en bateau.
boot'trein *m.* train*-paquebot* *m.*
boot'werker *m.* débardeur, docker *m.*
bo'rax *m.* borax *m.*
bord *o.* **1** (*school*—) tableau *m.* (noir); **2** (*tafel*—) assiette *f.*; ***plat* —,** assiette plate; ***diep* —,** assiette creuse; **3** (*uithang*—) enseigne *f.*; **4** (*verhuur*—) écriteau *m.*
bordeel' *o.* maison *f.* de tolérance, bordel *m.*
bor'dehanger *m.* accroche-plat *m.*
bor'dendoek *m.* chiffon, torchon *m.*
bor'denrek *o.* passe-plats, vaisselier *m.*
bor'denwarmer *m.* chauffe-assiettes *m.*
bor'denwasser *m.* (*in restaurant*) plongeur *m.*
bor'der *m.* bordure *f.* de fleurs.
borderel' *o.* bordereau *m.*
bordes' *o.* **1** (*stoep*) perron *m.*; **2** (*op trap*) palier *m.*
bord'je *o.* **1** (*tafel*—) petite assiette *f.*; **2** (*met opschrift*) écriteau *m.*; ***de —s zijn verhangen,*** les rôles sont renversés.
bord'papier *o.* carton *m.*
bord'papieren *b.n.* en carton, de carton.
bordu'ren I *ov.w. en on.w.* broder; **II** *z.n., o.* ***het* —,** la broderie.
borduur'der *m.* brodeur *m.*
borduur'gaas *o.* canevas *m.*
borduur'garen *o.* fil *m.* à broder.
borduur'katoen *o. en m.* coton *m.* à broder.
borduur'naald *v.*(*m.*) aiguille *f.* à broder.
borduur'patroon *o.* patron *m.* à broder, dessin *m.* de broderie.
borduur'raam *o.* métier à broder, tambour *m.*
borduur'sel *o.* broderie *f.*
borduur'steek *m.* point *m.* de broderie.
borduur'ster *v.* brodeuse *f.*
borduur'werk *o.* **1** broderie *f.*; **2** (*met wol*) tapisserie *f.*
borduur'wol *v.*(*m.*) laine *f.* à broder.
borduur'zijde *v.*(*m.*) soie *f.* à broder.
bord'vol *o.* assiettée *f.*
bo'reling *m.* nourrisson, nouveau-né* *m.*
bo'ren I *ov.w.* **1** (*put, schacht*) forer; **2** (*opening, tunnel, enz.*) percer; **3** (*door*—) trouer; **4** (*schedel*) trépaner; ***in de grond* —,** couler à fond, couler bas; (*dig.*) ruiner; **II** *z.n., o.* ***het* —, 1** le forage; **2** le percement.
borg *m.* **1** caution *f.*, garant *m.*; **2** (*zedelijk*) répondant *m.*; **3** (*bedrag*) caution *f.*; **4** (*waarborg*) garantie *f.*; **5** (*recht*) fidéjusseur *m.*; ***voor iem. — blijven,*** se porter garant (*of* caution) pour qn.; ***een — stellen,*** fournir caution, produire —; ***ik sta er — voor,*** j'en réponds.

bor'gen *ov.w. en on.w.* **1** donner à crédit, faire crédit; **2** acheter à crédit, prendre —.
Borgloon' *o.* Looz.
borg'stelling *v.* caution *f.*; cautionnement *m.*; garantie *f.*; ***tegen —,*** sous caution; ***schriftelijke —,*** (*recht*) fidéjussion *f.*
borg'tocht *m.* **1** (*handeling*) caution *f.*; **2** (*bedrag*) cautionnement *m.*; ***zakelijke —,*** caution réelle; ***— stellen,*** **1** (*H.*) donner des garanties; **2** (*recht*) fournir caution.
Borg'worm *o.* Waremme.
bo'ring *v.* **1** (*v. hout, enz.*) forage *m.*; **2** (*v. tunnel*) percement *m.*; **3** (*v. terrein*) sondage *m.*
bo'rium *o.* bore *m.*
Bor'neo *o.* Bornéo *m.*; ***uit —,*** bornéen.
bor'rel *m.* (*sterke drank*) petit verre *m.*, goutte *f.*, apéritif *m.*
bor'relen *on.w.* **1** boire la goutte, prendre l'apéritif; **2** (*opborrelen*) bouillonner.
bor'relfles *v.(m.)* bouteille *f.* au (*of* de) genièvre.
bor'reltijd *m.*, **bor'reluur** *o.* heure *f.* de l'apéritif.
borst I *v.(m.)* **1** poitrine *f.*; sein *m.*; gorge *f.*; **2** (*v. paard*) poitrail *m.*; **3** (*v. kledingstuk*) plastron; devant *m.*; ***uit volle —,*** à plein gosier, à pleins poumons; ***het op de — hebben,*** avoir la poitrine prise; ***dat stuit me tegen de —,*** cela me répugne; ***een hoge — opzetten,*** se rengorger, se pavaner; ***een kind de — geven,*** donner le sein à un enfant; **II** *m.* jeune homme, gaillard *m.*
borst'aandoening *v.* affection *f.* de (la) poitrine.
borst'ademhaling *v.* respiration *f.* thoracique.
borst'beeld *o.* buste *m.*
borst'been *o.* sternum *m.*
borst'bes, borst'bezie *v.(m.)* (*Pl.*) jujube *f.*
borst'bezieboom *m.* jujubier *m.*
borst'drankje *o.* sirop *m.* pectoral.
bor'stel *m.* **1** brosse *f.*; **2** (*harde —*) vergette *f.*; **3** (*schoen—*) décrottoir *m.*; **4** (*penseel*) pinceau *m.*; **5** (*v. varken*) soie *f.*
bor'stelen *ov.w.* brosser.
bor'stelfabriek *v.* brosserie *f.*
bor'stelhanger *m.* porte-balai(s) *m.*
bor'stelig *b.n.* **1** (*haar, baard*) hérissé, hirsute; **2** (*v. wenkbrauwen*) en broussailles.
bor'stelmaker *m.* brossier *m.*
bor'stelmakerij *v.* brosserie *f.*
bor'stelwaren *mv.* articles *m.pl.* de brosserie.
bor'stelwinkel *m.* brosserie *f.*, magasin *m.* de brosserie.
borst'harnas *o.* cuirasse *f.*, plastron *m.*
borst'holte *v.* cavité *f.* thoracique.
borst'hoogte, ***op —,*** à hauteur *m.* d'appui.
borst'kas *v.(m.)* thorax *m.*, cage *f.* thoracique.
borst'kind *o.* enfant *m.* nourri au sein.
borst'klier *v.(m.)* glande *f.* mammaire.
borst'kruis *o.* croix *f.* pectorale.
borst'kwaal *v.(m.)* maladie *f.* de poitrine.
borst'lap *m.* **1** plastron *m.*; **2** (*bij de joden*) pectoral *m.*
borst'lijder *m.*, **—es** *v.* poitrinaire *m.-f.*
borst'microfoon, -mikrofoon *m.* microphone *m.* portatif, — de poitrine.
borst'middel *o.* (remède) pectoral *m.*
borst'mikrofoon, *zie* ***borstmicrofoon.***
borst'plaat *v.(m.)* **1** devant *m.* de cuirasse; **2** (*v. suiker*) tablette *f.* de sucre.
borst'riem *m.* **1** (*v. harnas*) poitrail *m.*; **2** (*v. ransel*) bretelle *f.*; **3** (*v. rechts naar links*) bandoulière *f.*
borst'rok *m.* tricot *m.*, camisole *f.*
borst'rokje *o.* brassière *f.*
borst'slag *m.* brasse *f.*
borst'speld *v.(m.)* broche *f.*
borst'spier *v.(m.)* (muscle) pectoral *m.*
borst'stem *v.(m.)* voix *f.* de poitrine.
borst'stuk *o.* **1** (*vlees*) poitrine *f.*; **2** (*v. harnas*) plastron, corselet *m.*
borst'suiker *m.* sucre *m.* d'orge.
borst'vin *v.(m.)* nageoire *f.* pectorale.
borst'vlies *o.* plèvre *f.*
borst'vliesontsteking *v.* pleurésie *f.*
borst'voeding *v.* allaitement *m.* au sein; lactation *f.*
borst'wering *v.* parapet *m.*
borst'wervel *m.* vertèbre *f.* dorsale.
borst'wijdte *v.* tour *m.* de poitrine.
borst'zak *m.* poche *f.* d'intérieur.
borst'ziekte *v.* maladie *f.* de poitrine.
borst'zuiverend *b.n.* expectorant.
borst'zwemmen *on.w.* nager à la brasse.
bos I *m.* **1** (*hooi, wortels, enz.*) botte *f.*; **2** (*sleutels*) trousseau *m.*; **3** (*haar*) touffe *f.*; **4** (*veren*) panache *m.*; **5** ***een — takken,*** un fagot; **II** *o.* bois *m.*, forêt *f.*
bos'aanplant *m.* (re)boisement *m.*
bos'achtig *b.n.* boisé.
bos'anemoon *v.(m.)* (*Pl.*) anémone *f.* des bois.
bos'beheer *o.* administration *f.* des (eaux et) forêts.
bos'bes *v.(m.)* myrtille *f.*
bos'bewoner *m.* habitant *m.* des bois.
bos'bouw *m.* sylviculture *f.*, culture *f.* des forêts.
bosbouwkun'dige *m.* sylviculteur *m.*
bos'bouwschool *v.* école *f.* forestière.
bos'brand *m.* incendie *m.* de forêt.
bos'duif *v.(m.)* ramier *m.*
bos'flora *v.(m.)* flore *f.* des bois.
bos'god *m.* dieu des bois, satyre, faune, sylvain *m.*
bos'godin *v.* dryade *f.*, nymphe *f.* des bois.
bos'hoen *o.* poule *f.* sauvage.
bos'je *o.* **1** bosquet, bocage *m.*; **2** botillon *m.*; ***bij —s,*** (*fig.*) en grappes.
Bos'jesman *m.* Bosjesman, Boschiman *m.*
bos'kat *v.(m.)* chat *m.* pard, — sauvage.
bos'landschap *o.* paysage *m.* boisé, sous-bois *m.*
bos'lucht *v.(m.)* **1** air *m.* de forêt; **2** odeur *f.* de forêt.
bos'mens *m.* homme des bois; sauvage *m.*
bos'mier *v.(m.)* fourmi *f.* rousse.
bos'neger *m.* nègre *m.* des bois.
Bos'nië *o.* la Bosnie.
Bos'niër *m.* Bosniaque *m.*
bos'nimf *v.* nymphe *f.* des bois, dryade *f.*
Bos'nisch *b.n.* bosniaque.
Bos'porus *m.* Bosphore *m.*
bos'produkt, -product *o.* produit *m.* forestier.
bos'rand *m.* lisière *f.* du bois.
bos'rijk *b.n.* boisé, riche en bois, — en forêts.
bosscha'ge *o.* bocage, bosquet *m.*
bos'sen *ov.w.* botteler.
bos'senbinder *m.* botteleur *m.*
bos'uil *m.* huette, hulotte *f.*
bos'viooltje *o.* violette *f.* des bois.
bos'wachter *m.* (garde-)forestier *m.*
bos'wachterswoning *v.* pavillon *m.* (*of* maison *f.*) de (garde-)forestier.
bos'weg *m.* chemin *m.* forestier.
bos'wezen *o.* bois et forêts; (*F.*) régime *m.* forestier; (*B.*) administration *f.* des eaux et forêts.
bot I *m.* (*Dk.*) flet *m.*; ***— vangen,*** **1** essuyer un refus; **2** trouver visage de bois, se casser le nez; **II** *v.(m.)* (*Pl.*) bourgeon, bouton *m.*; **III** *o.* (*been*) os *m.*; **IV** *b.n.* **1** (*niet scherp*) émoussé; **2** (*fig.*) obtus; stupide.

bota'nicus *m.* botaniste *m.*
botanie' *v.* botanique *f.*
bota'nisch *b.n.* botanique.
botaniseer'trommel, botanizeer'trommel *v.(m.)* boîte *f.* à herboriser, herbier *m.*
botanise'ren, botanize'ren *on.w.* herboriser, faire de la botanique.
bo'ter *v.(m.)* beurre *m.*; ***bruine* —,** beurre noir; **— *bij de vis,*** argent sur table; ***het is* — *aan de galg gesmeerd,*** c'est peine perdue.
bo'terachtig *b.n.* butyreux.
bo'terbanket *o.* pâte *f.* d'amandes; biscuit *m.* au beurre.
bo'terbiesje *o.* biscuit *m.* au beurre.
bo'terbloem *v.(m.)* (*Pl.*) bassinet *m.*; renoncule *f.*; ***dubbele* —,** bouton*-d'or *m.*
bo'terboer *m.* marchand de beurre, beurrier *m.*
bo'terboerin *v.* marchande de beurre, beurrière *f.*
bo'terdeeg *o.* pâte *f.* feuilletée.
bo'teren I *ov.w.* **1** (*brood, enz.*) beurrer, embeurrer; **2** (*groenten, enz.*) mettre du beurre dans; **II** *on.w.* **1** battre le beurre, faire du beurre; **2** se changer en beurre; ***het botert niet tussen hen,*** leurs chiens ne chassent pas ensemble.
bo'terfabriek *v.* beurrerie *f.*
bo'terham *m. en v.* tartine *f.* (de beurre); sandwich *m.* [wiches.
bo'terhammentrommeltje *o.* boîte *f.* à sand-
bo'terham(me)papier *o.* papier *m.* beurre.
bo'terhandel *m.* **1** beurrerie *f.*; **2** commerce *m.* du beurre. [rier *m.*
bo'terhandelaar *m.* marchand de beurre, beur-
bo'terkarn *v.(m.)* baratte *f.*
bo'terkleursel *o.* colorant *m.* pour le beurre.
bo'terkoek *m.* gâteau *m.* au beurre.
bo'terletter *v.(m.)* lettre *f.* en pâte d'amandes, — en pâtisserie.
bo'termarkt *v.(m.)* marché *m.* au beurre.
bo'terpeer *v.(m.)* beurré *m.*
bo'terpot *m.* pot *m.* à (*of* au) beurre.
bo'tersaus *v.(m.)* sauce *f.* au beurre; ***bruine* —,** beurre *m.* noir; ***witte* —,** sauce *f.* blanche.
bo'terspaan *v.(m.)* spatule *f.* à beurre.
bo'terton *v.(m.)*, **bo'tervat** *o.* tonneau *m.* à beurre, baril *m.* —.
bo'tervlootje *o.* beurrier *m.*
bo'terwaag *v.(m.)* halle *f.* au beurre.
bo'terzuur *o.* acide *m.* butyrique.
bot'heid *v.* **1** (*v. mes, enz.*) émoussement *m.*; **2** (*v. geest*) stupidité, grossièreté *f.*
Both'nisch *b.n.* bothnique; ***de —e golf,*** le golfe de Bothnie.
bot'je *o.* (*Dk.*) petit flet *m.*; **— *bij* — *leggen,*** se cotiser, payer chacun son écot.
bots'autootje *o.* auto *f.* tamponneuse.
bot'sen *on.w.* **1** heurter, choquer; **2** (*v. trein, auto*) tamponner; **— *tegen,*** buter, se heurter contre; rentrer dans; ***op elkaar* —,** se télescoper, se tamponner, entrer en collision, se prendre en écharpe.
bot'sing *v.* **1** (*alg.*) heurt, choc *m.*; **2** (*v. treinen*) tamponnement *m.*, collision *f.*; **3** (*v. schepen*) collision *f.*; **4** (*fig.*) conflit *m.*; (*geschil*) différend *m.*; ***in* — *komen met,*** entrer en conflit avec, se heurter avec; ***frontale* —,** collision *f.* de plein fouet, — frontale, — de front.
bottelarij' *v.* **1** (*in klooster, enz.*) sommellerie *f.*; (*op schip*) cambuse *f.*; **2** (*bier*—) débit *m.* de bière.
bot'telen I *ov.w.* mettre en bouteilles; **II** *z.n., o.* ***het* —,** l'embouteillage *m.*, la mise en bouteilles.
bottelier' *m.* sommelier, cambusier *m.*
bot'ten *on.w.* bourgeonner.
bot'ter *m.* (*sch.*) bateau *m.* pêcheur.
bot'terik *m.* imbécile *m.*; rustre, lourdaud *m.*
botti'ne *v.* bottine *f.*
bot'vieren *ov.w.* **1** (*v. paard*) lâcher la bride à; **2** (*fig.*) donner libre cours à, assouvir.
bot'vink *m. en v.* (*Dk.*) bouvreuil *m.*
bot'weg *bw.* franchement, carrément, crûment; **— *weigeren,*** refuser net.
boud I *b.n.* hardi; **II** *bw.* hardiment.
Bou'dewijn *m.* Baudouin *m.*
boud'weg *bw.* hardiment.
bouffan'te *v.(m.)* cache-nez *m.*
bougie' *v.* bougie *f.* [sommé *m.*
bouillon' *m.* bouillon *m.*; (*zeer krachtige* —) con-
bouillon'blokje *o.* cube *m.* de bouillon.
boulevard *m.* boulevard *m.*
bouquet, *zie* ***boeket.***
Bourbons' *b.n.* bourbonien.
bourgog'ne(wijn) *m.* vin *m.* de Bourgogne, bourgogne *m.*
Bourgon'dië, Boergon'dië *o.* la Bourgogne.
Bourgon'diër, Boergon'diër *m.* Bourguignon *m.* [guignon.
Bourgon'disch, Boergon'disch *b.n.* bour-
bout *m.* **1** (*tn.*) cheville *f.*, boulon *m.*; **2** (*strijkijzer*) fer *m.* à repasser; **3** (*vlees*) (*v. schaap*) gigot *m.*; (*v. gevogelte*) cuisse *f.*; (*v. wild*) cuissot *m.*
bout'gat *o.* trou *m.* à boulon.
bouw *m.* **1** (*v. huis, enz.*) construction *f.*; **2** (*bouwwijze*) style *m.*; **3** (*v. roman, toneelstuk*) charpente, ossature *f.*; **4** (*teelt*) culture *f.*; **5** (*lichaams*—) taille; structure *f.*; (*inwendige* —) constitution *f.*
bouw'bedrijf *o.* (industrie *f.* du) bâtiment *m.*
bouw'bureau *o.* bureau *m.* d'ingénieur.
bouw'commissie, -kommissie *v.* conseil *m.* des bâtiments. [prise.
bouw'contract, -kontrakt *o.* contrat *m.* d'entre-
bouw'doos *v.(m.)* boîte *f.* de construction.
bou'wen I *ov.w.* **1** bâtir, construire; **2** (*nest*) faire; **3** (*telen*) cultiver; ***men kan huizen op hem* —,** on peut faire fond sur lui; ***luchtkastelen* —,** bâtir des châteaux en Espagne; **II** *on.w.* bâtir; **— *op,*** bâtir sur; (*fig.*) faire fond sur, se reposer sur.
bou'wer *m.* **1** bâtisseur, constructeur *m.*; **2** cultivateur, laboureur *m.*
bouw'grond *m.* terrain *m.* à bâtir.
bouw'heer *m.* architecte *m.*
bouw'hoeve *v.(m.)* ferme *f.*
bouwkommissie, —kontrakt, *zie* ***bouwco—.***
bouw'kosten *mv.* frais *m.pl.* de construction.
bouw'kunde *v.* architecture, architectonique *f.*
bouwkun'dig *b.n.* architectonique, architectural.
bouwkun'dige *m.-v.* architecte *m.*
bouw'kunst *v.* architecture *f.*
bouw'land *o.* terre *f.* labourable, — arable, champ *m.* cultivé.
bouw'maatschappij *v.* société *f.* de construction.
bouw'materialen *mv.* matériaux *m.pl.* de construction.
bouw'meester *m.* architecte *m.*
bouw'orde *v.(m.)* style *m.*, architecture *f.*, ordre *m.*; ***de Dorische* —,** l'ordre dorique.
bouw'pastoor *m.* (*N.-Ned.*) curé *m.* chargé de la fondation d'une paroisse.
bouw'plaat *v.(m.)* planche *f.* de construction.
bouw'politie *v.* police *f.* des bâtiments; service *m.* de voirie sur les constructions.
bouw'premie *v.* prime *f.* à la construction.
bouw'rijp *b.n.* **1** arable; **2** préparé pour la construction, prêt à —.
bouw'steen *m.* pierre *f.* à bâtir.
bouw'stijl *m.* style *m.*, architecture *f.*
bouw'stoffen *mv.* matériaux *m.pl.*

bouw'terrein *o.* terrain *m.* à bâtir.
bouw'trant *m.* style *m.*, architecture *f.*
bouw'vak *o.* bâtiment *m.*
bouw'vakarbeider *m.* ouvrier *m.* du bâtiment.
bouw'val *m.* ruine(s) *f.*(*pl.*).
bouwval'lig *b.n.* délabré; ***dat huis is —,*** cette maison menace ruine, est délabrée.
bouwval'ligheid *v.* délabrement *m.*, caducité *f.*
bouw'verbod *o.* interdiction *f.* de bâtir.
bouw'vereniging *v.* société *f.* de construction.
bouw'vergunning *v.* autorisation *f.* de construire.
bouw'verordening *v.* règlement *m.* sur la bâtisse.
bouw'volume *o.* volume *m.* du bâtiment.
bouw'werk *o.* édifice, monument *m.*
bo'ven I *vz.* **1** (*plaats*) au-dessus de; (*bovenaan*) en tête de; **2** (*hoeveelheid*) au-dessus de, en plus de; ***— Namen,*** en amont de Namur; ***hij is — de vijftig,*** il a dépassé la cinquantaine; ***hij steekt — de anderen uit,*** il dépasse les autres; ***het hoofd — water houden,*** se maintenir, tenir bon; ***— pari,*** (*H.*) au-dessus du pair; **II** *bw.* au-dessus; en haut; ***wij wonen —,*** nous demeurons au premier, — en haut; ***naar — gaan,*** monter; ***van — komen,*** descendre; ***van — naar beneden,*** de haut en bas; ***te — komen,*** surmonter, vaincre; ***te — zijn,*** avoir surmonté, avoir passé; ***de 4e regel van —,*** la 4e ligne du haut.
bo'venaan *bw.* tout en haut; en tête (de); ***— de lijst,*** en tête de la liste; ***— de trap,*** en haut de l'escalier.
bo'venaards *b.n.* surnaturel, céleste, divin.
bo'venal *bw.* surtout, avant tout.
bo'venarm *m.* arrière-bras *m.*
bo'venbeen *o.* cuisse *f.*
bo'venbewoner *m.* locataire *m.* d'en haut.
bo'venbouw *m.* superstructure *f.*
bo'venbroek *v.*(*m.*) pantalon *m.*
bo'venbuur *m.* voisin *m.* d'en haut.
bo'vendek *o.* (*sch.*) pont *m.* supérieur.
bo'vendeur *v.*(*m.*) vantail *m.* supérieur (d'une porte).
bovendien' *bw.* en outre, de plus; d'ailleurs, du reste.
bo'vendorpel *m.* linteau, sommier *m.*
bo'vendrijven *on.w.* **1** surnager; **2** (*fig.*) (*heersen*) dominer; (*overwinnen*) triompher, vaincre.
bo'vendrijvend *b.n.* **1** surnageant; **2** prédominant; **3** triomphant.
bo'veneind(e) *o.* **1** (*v. tafel*) haut bout *m.*; **2** (*v. stok, enz.*) bout *m.* supérieur.
bo'vengemeentelijk *b.n. en bw.* intercommunal; ***op — niveau,*** au niveau intercommunal.
bo'vengemeld, bo'vengenoemd *b.n.* susdit, susmentionné, précité.
bo'vengoed *o.* vêtements *m.pl.* de dessus.
bo'vengrond *m.* couche *f.* supérieure, surface *f.* du sol.
bo'vengronds *b.n.* (*el.*) aérien.
bo'venhand *v.*(*m.*) ***de — krijgen,*** prendre le dessus, l'emporter.
bo'venhuis *o.* étages *m.pl.* supérieurs; ***— te huur,*** appartement à louer.
bovenin' I *bw.* dans le dessus, tout en haut; **II** *vz.* dans le dessus de, dans le haut de.
bo'venkaak *v.*(*m.*) mâchoire *f.* supérieure.
bo'venkamer *v.*(*m.*) chambre *f.* d'en haut; (*fig.*) ***het scheelt hem in zijn —,*** il est timbré, il a le timbre fêlé.
bo'venkant *m.* côté *m.* supérieur, dessus *m.*
bo'venkleding *v.*, **bo'venkleren** *mv.* *zie* ***bovengoed.***
bo'venkomen *on.w.* monter.
bo'venlaag *v.*(*m.*) couche *f.* supérieure.
bo'venlaken *o.* drap *m.* de dessus.
bo'venlanden *mv.* pays (d'en) haut, hauts plateaux *m.pl.*
bo'venle(d)er *o.* empeigne *f.*
bo'venleiding *v.* ligne *f.* aérienne de contact; (*trein, tram*) caténaire *f.*
bo'venlicht *o.* **1** (*v. trap, enz.*) jour *m.* d'en haut; **2** (*in toren*) lanterneau *m.*; **3** (*v. toneel*) herse *f.*
bo'venlijf *o.* haut *m.* du corps, buste *m.*
bo'venlip *v.*(*m.*) lèvre *f.* supérieure.
bo'venloop *m.* cours *m.* supérieur.
bovenma'te *bw.* extrêmement, excessivement, à l'excès.
bovenma'tig *b.n.* extrême, excessif.
Bo'venmeer *o.* Lac *m.* Supérieur.
bovenmen'selijk *b.n.* surhumain.
bovennatuur'lijk *b.n.* surnaturel.
bovenop' *bw.* au-dessus, dessus; ***— het water,*** à la surface de l'eau; ***— een mast,*** au haut d'un mât; ***— de wagen,*** à l'impériale; ***er weer — komen,*** se rétablir, se remettre à flot, se remettre.
bo'venrand *m.* bord *m.* supérieur.
Bo'ven-Rijn *m.* Haut-Rhin *m.*
bo'venrok *m.* jupon *m.*
bo'venstaand *b.n.* susdit, ci-dessus.
bo'venstad *v.*(*m.*) ville *f.* haute.
bovenstan'dig *b.n.* (*Pl.*) supère.
bo'venste I *b.n.* supérieur, le plus haut, le plus élevé; **II** *z.n.*, *o.* dessus, sommet *m.*
bovenstrooms' *bw.* en amont.
bo'venstuk *o.* partie *f.* supérieure, pièce *f.* de dessus.
bo'ventand *m.* dent *f.* supérieure.
bo'ventoon *m.* **1** (*muz.*) dominante *f.*; **2** (*muz., nat.*) (son) harmonique *m.*; ***de — voeren,*** donner le ton; avoir le dessus.
bovenuit' *bw.* au-dessus.
bo'venvenster *o.* fenêtre *f.* d'en haut.
bo'venverdieping *v.* étage *m.* supérieur.
bo'venvlak *o.* surface *f.* supérieure.
bo'venwoning, *zie* ***bovenhuis.***
bo'venzij(de) *v.*(*m.*) **1** côté *m.* supérieur, dessus *m.*; **2** (*v. medaille*) face *f.*
bovenzin'nelijk *b.n.* transcendant.
bovenzin'nelijkheid *v.* transcendance *f.*
bowl *m.* bol *m.*
box *m.* **1** stalle *f.* d'écurie; box *m.*; **2** parc *m.* (de bébé).
boy'cot *m.* boycottage *m.*
boy'cotten *ov.w.* boycotter.
bo'ze *m.* malin, diable *m.*; ***dat is uit den —,*** **1** c'est mauvais; **2** cela est du diable.
braad'lucht *v.*(*m.*) odeur *f.* de rôti.
braad'oven *m.* four(neau) *m.* à rôtir.
braad'pan *v.*(*m.*) poêle *f.* à frire, rôtissoire, cocotte *f.*
braad'rooster *m.* gril *m.*
braad'sle(d)e *v.*(*m.*) plat *m.* à four.
braad'spit *o.* broche *f.*
braad'stuk *o.* rôti *m.*
braad'vet *o.* graisse *f.* à frire.
braad'worst *v.*(*m.*) saucisse *f.*
braaf *b.n.* brave, honnête.
braaf'heid *v.* honnêteté, probité *f.*
braak I *v.* **1** (*v. vlas*) broyage, maquage *m.*; **2** (*werktuig*) broie *f.*; brisoir *m.*; **3** (*inbraak*) effraction *f.*; **II** *b.n.* en friche, en jachère; ***— liggen,*** être en friche; ***— laten liggen,*** laisser en friche.
braak'jaar *o.* année *f.* de jachère.
braak'land *o.* friche, jachère *f.*, guéret *m.*
braak'liggend *b.n.* en friche.
braak'middel *o.* vomitif, émétique *m.*
braak'noot *v.*(*m.*) noix *f.* vomique.
braak'sel *o.* vomissement *m.*, matières *f.pl.* vomies.
braak'wortel *m.* ipéca *m.*

braam I *v.*(*m.*) **1** (*Pl.*) mûre *f.* sauvage mûron *m.*; **2** (*aan mes*) morfil *m.*; **3** (*aan ets*) ébarbures *f.pl.*; **II** *m.* (*vis*) castagnole *f.*
braam'bes, braam'bezie *v.*(*m.*) mûre *f.* sauvage, mûron *m.*
braam'bos *o.* ronceraie *f.*; ***het brandend —,*** (*Bijbel*) le buisson ardent.
braam'struik *m.* ronce *f.*
Bra'bander *m.* Brabançon *m.*
Bra'bant *o.* le Brabant.
Bra'bants *b.n.* brabançon.
brab'belaar *m.* bredouilleur; baragouineur *m.*
brab'belen *on.w. en ov.w.* bredouiller; baragouiner.
brab'beltaal *v.*(*m.*) baragouin, jargon *m.*
bra'den I *ov.w.* **1** (*alg.*) rôtir, faire rôtir; **2** (*vis, vet, enz.*) frire, faire frire; **3** (*op rooster*) griller; **4** (*appel*) (faire) cuire; ***de gebraden haan uithangen,*** trancher du grand seigneur; **II** *on.w.* rôtir; ***in de zon —,*** griller au soleil.
braderie' *v.* braderie *f.*, vente *f.* publique de soldes.
braderij' *v.* rôtisserie *f.*
Bragan'za *o.* Bragance *f.*
brage'ren *on.w.* brailler.
brahmaan' *m.* Brahmane *m.*
brahmaans' *b.n.* brahmane.
brahmanis'me *o.* Brahmanisme *m.*
brail'leschrift *o.* (caractères *m.pl.*) Braille *m.*
brain'-trust *m.* brain-trust* *m.*
brak I *b.n.* saumâtre; **II** *z.n., m.,* (*Dk.*) braque *m.*
bra'ken I *ov.w.* **1** (*overgeven*) vomir, rendre; **2** (*vlas, hennep*) broyer, maquer; **3** (*deeg*) briser; **II** *on.w.* vomir, rendre; **III** *z.n., o.,* ***het —,*** **1** le vomissement; **2** le broyage.
bra'king *v.* vomissement *m.*
bral'len *on.w.* se vanter, hâbler.
Bram *m.* Abraham *m.*
bram *m.* (*sch.*) perroquet *m.*
bram'steng *v.*(*m.*) (*sch.*) mât *m.* de perroquet.
bram'zeil *o.* (*sch.*) voile *m.* de perroquet.
brancard' *m.* brancard *m.*, civière *f.*
brand *m.* **1** incendie, feu *m.*; **2** (*brandstof*) combustible, chauffage *m.*; **3** (*gen.*) inflammation, éruption *f.*; **4** (*in koren*) charbon *m.*, rouille, nielle *f.*; ***—!*** au feu!; ***in — steken,*** mettre le feu à; ***in — staan,*** être en feu; ***in — raken,*** prendre feu; ***in de — zitten,*** être dans la nasse, — dans le pétrin; ***uit de — helpen,*** tirer d'embarras; ***uit de — zijn,*** être remis à flot.
brand'alarm *o.* signal *m.* d'incendie, tocsin *m.*
brand'alarmschel *v.*(*m.*) avertisseur *m.* d'incendie.
brand'baar *b.n.* inflammable; combustible.
brand'baarheid *v.* inflammabilité; combustibilité [*f.*
brand'blaar *v.*(*m.*) cloque, cloche *f.*
brand'blusapparaat *o.* extincteur *m.*
brand'bom *v.*(*m.*) bombe *f.* incendiaire.
brand'brief *m.* lettre *f.* incendiaire, — comminatoire.
brand'deur *v.*(*m.*) porte *f.* de secours, — d'incendie, sortie *f.* en cas d'incendie.
brand'emmer *m.* seau *m.* à incendie.
bran'den I *on.w.* brûler; ***de lamp*** (***de kachel***) ***brandt,*** la lampe (le poêle) est allumé(e); ***de wonde brandt,*** la blessure cuit (*of* brûle); ***— van ongeduld,*** griller d'impatience; ***— van verlangen,*** mourir d'envie; **II** *ov.w.* **1** (*hout, kolen, enz.*) brûler; **2** (*lichaamsdeel*) brûler, se brûler; **3** (*gen.*) cautériser; **4** (*merken*) marquer d'un fer chaud; **5** (*koffie*) brûler, torréfier; **6** (*kalk*) cuire; **7** (*sterke drank*) distiller; **III** *w.w.* ***zich —,*** **1** se brûler; **2** (*met heet water*) s'échauder; **IV** *z.n., o.* ***het —,*** **1** (*door 't vuur*) la brûlure; **2** (*v. wond*) la cuisson; **3** (*gen.*) la cautérisation; **4** (*v. koffie*) la torréfaction; **5** (*het zengen*) le flambage.
Bran'denburg *o.* le Brandebourg.
bran'dend I *b.n.* **1** brûlant; **2** (*v. pijn*) cuisant; **3** (*v. zon*) ardent; **4** (*huis, enz.*) en feu; **5** (*lucifer*) enflammé; **6** (*vraagstuk*) brûlant; **II** *bw.* ***— heet,*** d'une chaleur ardente, — brûlante.
bran'der *m.* **1** (*v. gas, enz.*) brûleur, bec *m.*; **2** (*jeneverstoker*) distillateur *m.*; **3** (*sch.*) brûlot *m.*
bran'd(er)ig *b.n.* **1** (*v. huid*) enflammé; **2** (*v. gevoel*) cuisant; **3** (*v. koren*) niellé; **4** (*— ruikend*) sentant le brûlé; ***een —e smaak,*** un goût de brûlé.
bran'd(er)igheid *v.* **1** (*reuk*) odeur *f.* de brûlé; **2** (*gen.*) inflammation, éruption *f.*
branderij' *v.* distillerie *f.*
bran'dewijn *m.* eau*-de-vie *f.*
bran'dewijnstoker *m.* bouilleur, distillateur *m.*
bran'dewijnstokerij *v.* bouillerie, distillerie *f.*
brand'gang *m.* ruelle *f.*, tour (*of* passage) *m.* du chat; (*in bos*) coupe-feu *m.*
brand'gevaar *o.* danger *m.* d'incendie.
brand'glas *o.* lentille *f.*, verre *m.* ardent.
brand'haak *m.* croc *m.*
brand'haard *m.* foyer *m.* de l'incendie.
brand'hout *o.* bois *m.* à brûler, — de chauffage.
bran'dig (-), *zie* ***branderig*** (-).
bran'ding *v.* brisants *m.pl.*, brisement *m.* des vagues.
brand'kast *v.*(*m.*) coffre*-fort* *m.*
brand'klok *v.*(*m.*) tocsin *m.*
brand'kluis *v.*(*m.*) chambre *f.* forte, caveau *m.*
brand'kogel *m.* obus *m.* incendiaire, bombe *f.* —.
brand'koren *o.* blé *m.* niellé, — charbonné.
brand'kraan *v.*(*m.*) bouche *f.* d'incendie.
brand'ladder *v.*(*m.*) échelle *f.* à feu, — à incendie.
brand'lamp *v.*(*m.*) brûloir *m.*
brand'lucht *v.*(*m.*) odeur *f.* de brûlé.
brand'meester *m.* commandant *m.* des pompiers, chef *m.* —.
brand'melder *m.* avertisseur *m.* d'incendie.
brand'merk *o.* **1** marque *f.*; **2** (*fig.*) stigmate *m.*; flétrissure *f.*
brand'merken *ov.w.* **1** marquer d'un fer chaud; **2** (*fig.*) flétrir, stigmatiser.
brand'muur *m.* mur *m.* réfractaire; — mitoyen.
brand'netel *v.*(*m.*) ortie *f.*
brand'offer *o.* holocauste *m.*
brand'piket *o.* piquet *m.* d'incendie.
brand'pleister *v.*(*m.*) emplâtre *f.* pour les brûlures.
brand'polis *v.*(*m.*) police *f.* d'assurance contre l'incendie.
brand'punt *o.* **1** foyer *m.*; **2** (*fig.*) foyer, centre *m.*
brand'puntsafstand *m.* distance *f.* focale.
brand'put *m.* prise *f.* d'eau.
brand'schade *v.*(*m.*) dégâts *m.pl.* causés par l'incendie.
brand'schatten *ov.w.* mettre à contribution, rançonner.
brand'schatting *v.* contribution *f.* de guerre.
brand'schel *v.*(*m.*) avertisseur *m.* d'incendie.
brand'scherm *o.* rideau *m.* d'incendie, pare-feu *m.*
brand'schilder *m.* émailleur *m.*; peintre *m.* sur verre.
brand'schilderen *on.w. en ov.w.* émailler; peindre sur verre.
brand'schildering *v.* émaillure *f.*
brand'schoon *b.n.* d'une propreté extrême.
brand'signaal *o.* signal *m.* d'incendie, avertisseur *m.* d'incendie.
brand'slang *v.*(*m.*) boyau *m.* (d'une pompe à incendie), tuyau *m.* (—), lance *f.* à incendie.
brand'spiegel *m.* miroir *m.* ardent.
brand'spiritus *m.* alcool *m.* à brûler.

brand'spuit *v.(m.)* pompe *f.* à incendie.
brand'spuitgast *m.* pompier *m.* [cendie.
brand'spuithuisje *o.* remise *f.* de pompes à in-
brand'stapel *m.* bûcher *m.*
brand'stichter *m.* incendiaire, brûleur *m.*
brand'stichting *v.* incendie *m.* volontaire.
brand'stof *v.(m.)* combustible; (*vloeibaar*) carburant *m.*
brand'stofbesparing *v.* économie *f.* de combustibles; (*auto, enz.*) — de carburant(s).
brand'stoffenhandel *m.* **1** commerce *m.* des combustibles; **2** (*winkel*) magasin *m.* de combustibles.
brand'stofvoorziening *v.* ravitaillement *m.* en combustibles.
brand'toren *m.* mirador *m.*
brand'trap *m.* escalier *m.* de secours.
brand'verf *v.(m.)* émail *m.* [cendie.
brand'verzekering *v.* assurance *f.* contre l'in-
brand'verzekeringsmaatschappij *v.* compagnie *f.* d'assurance contre l'incendie.
brand'vrij *b.n.* à l'épreuve du feu, incombustible.
brand'waarborgmaatschappij *v.*compagnie *f.* d'assurance contre l'incendie.
brand'wacht *v.(m.)* garde *f.* de nuit.
brand'weer *v.(m.)* pompiers *m.pl.*, corps *m.* des (sapeurs-)pompiers.
brand'weerauto *m.* autopompe, motopompe *f.*
brand'weerkazerne *v.(m.)* caserne *f.* de(s) pompiers, poste *m.* d'incendie.
brand'weerman *m.* (sapeur*-)pompier* *m.*
brand'weerpost *m.* poste *m.* d'incendie, — de pompiers.
brand'wond(e) *v.(m.)* brûlure *f.*
brand'zalf *v.(m.)* onguent *m.* contre la brûlure.
bra'nie I *m.* crâne, fanfaron *m.*; ***— maken,*** faire claquer son fouet; **II** *b.n.* hardi, téméraire, crâne.
bra'niemaker, bra'nieschopper *m.* crâne, fanfaron *m.*
bras *m.* (*sch.*) bras *m.* de vergue.
bra'sem *m.* brême *f.*
bras'partij *v.* orgie, bombance *f.*
bras'sen I *ov.w.* (*sch.*) brasser; **II** *on.w.* faire bombance, bambocher, banqueter.
bras'ser *m.* noceur, fricasseur *m.*
brasserij' *v.* orgie, bombance *f.*
bravo' I *tw.* bravo!; **II** *z.n., o.* bravo *m.*
bravou're *v.(m.)* bravoure *f.*
bravou'restuk *o.* pièce *f.* de bœuf.
braziel'hout *o.* brésil *m.*
Braziliaan' *m.* Brésilien *m.*
Braziliaans' *b.n.* brésilien.
Brazi'lië *o.* le Brésil; les États unis du Brésil.
breed *b.n.* large, ample; ***vijf meter —,*** large de cinq mètres; ***brede schouders hebben,*** être large d'épaules; ***het is net zo lang als het — is,*** c'est bonnet blanc et blanc bonnet; ***het niet — hebben,*** avoir de la peine à joindre les deux bouts; ***in de brede,*** tout au long, dans les détails.
breed'gerand *b.n.* à larges bords.
breed'geschouderd *b.n.* large d'épaules, à forte carrure.
breed'heid *v.* largeur, carrure *f.*
breedspra'kig *b.n.* diffus, prolix.
breedspra'kigheid *v.* prolixité, verbosité *f.*
breed'te *v.* **1** largeur *f.*; **2** (*aardr.*) latitude *f.*; **3** (*v. stof*) lé *m.*; **4** (*schouder—*) carrure *f.*; ***in de —,*** dans le sens de la largeur.
breed'tecirkel *m.* parallèle *m.*
breed'tegraad *m.* degré *m.* de latitude.
breedvoe'rig I *b.n.* ample; **II** *bw.* amplement.
breedvoe'righeid *v.* ampleur, prolixité *f.*
breek'al *m.* brise-tout *m.*
breek'baar *b.n.* fragile, cassant.
breek'baarheid *v.* fragilité *f.*
breek'ijzer *o.* pied*-de-chèvre *m.*, pince *f.*, pince*-monseigneur *m.*
breeu'wen I *ov.w.* (*sch.*) calfater; **II** *z.n., o.* ***het —,*** le calfatage.
breeu'wer *m.* (*sch.*) calfat *m.*
breeuw'ijzer *o.* calfat *m.*
brei'del *m.* **1** bride *f.*, mors *m.*; **2** (*fig.*) frein *m.*
brei'delen *ov.w.* **1** brider, mettre la bride à; **2** maîtriser, refréner, mettre un frein à.
brei'deling *v.* refrènement *m.*
brei'delloos *b.n.* effréné, sans frein.
brei'en *ov.w. en on.w.* tricoter.
brei'er *m.* tricoteur *m.*
brei'garen *o.* fil *m.* à tricoter.
brei'goed *o.* tricot *m.*
brei'katoen *o. en m.* coton *m.* à tricoter.
brei'koker *m.* tricotoir, porte-aiguilles *m.*
brei'kous *v.(m.)* tricot *m.*
brei'machine *v.* tricoteuse *f.*, machine *f.* à tricoter.
brein *o.* **1** cerveau *m.*, cervelle *f.*; **2** (*fig.*) esprit *m.*; ***elektronisch —,*** cerveau électronique.
brei'naald *v.(m.)* aiguille *f.* à tricoter.
brein'loos *b.n.* écervelé.
brei'patroon *o.* modèle *m.* de tricot.
brei'school *v.(m.)* école *f.* de tricotage.
brei'steek *m.* maille *f.*
brei'ster *v.* tricoteuse *f.*; ***de beste — laat wel eens een steek vallen,*** il n'y a si bon cheval qui ne bronche.
brei'werk *o.* tricotage, ouvrage *m.*
brei'wol *v.(m.)* laine *f.* à tricoter.
bre'kebeen *m.-v.* maladroit, bousilleur *m.*
bre'ken I *ov.w.* **1** (*alg.*) casser; **2** (*doorbreken*) rompre; **3** (*verbrijzelen; ook: hart, loopbaan*) briser; **4** (*met gekraak*) fracasser; **5** (*v. lichtstralen*) réfracter; **6** (*fig.*) (*eed*) violer; (*woord*) manquer à; ***een been —,*** se casser la jambe, se fracturer la jambe; ***het stilzwijgen —,*** rompre le silence; ***een gat in de muur —,*** faire un trou dans le mur; ***een lans — voor,*** rompre une lance pour, entrer en lice pour; ***nood breekt wet,*** nécessité n'a pas de loi; **II** *on.w.* (se) casser; (se) rompre; se briser; se réfracter; ***de zon breekt door de wolken,*** le soleil perce les nuages; ***de ogen van de stervende —,*** les yeux du mourant se voilent; ***met iem. —,*** rompre avec qn.; ***uit de gevangenis —,*** s'évader de la prison, s'échapper; **III** *z.n., o.* ***het —,*** **1** (*v. ruiten*) le bris; **2** (*breekschade*) la casse; **3** (*v. been*) la fracture; **4** (*v. lichtstralen*) la réfraction; **5** (*v. het brood*) la fraction; **6** (*v. wagenas, enz.*) la rupture; **7** (*v. de golven*) le brisement.
bre'ker *m.* **1** (*persoon*) casseur, briseur *m.*; **2** (*sch.*) lame *f.*
bre'kespel *m.-v.* trouble-fête *m.*
bre'king *v.* **1** (*v. glas, enz.*) rupture, fracture *f.*; **2** (*v. licht*) réfraction *f.*
bre'kingshoek *m.* angle *m.* de réfraction.
brem *m.* **1** (*Pl.*) genêt *m.*; **2** (*pekel*) saumure *f.*
Bre'men *o.* Brême *f.*
Bre'mer I *m.* Brémois *m.*; **II** *b.n.* brémois.
brems, brem'ze *v.(m.)* taon *m.*
brem'struik *m.* genêt *m.*
brem'ze, *zie* ***brems.***
bren'gen *ov.w.* **1** (*dragen*) porter; **2** (*naar spreker toe*) apporter; **3** (*wat loopt, enz.*) conduire, mener; **4** (*naar spreker toe*) amener; ***naar boven —,*** monter; ***naar beneden —,*** descendre; ***geluk —,*** porter bonheur; ***in gevaar —,*** exposer, mettre en danger; ***in veiligheid —,*** mettre en sûreté; ***een***

kind naar bed* —,** coucher un enfant; ***tot de bedelstaf* —,** réduire à la besace; ***ter dood* —,** tuer; ***het ver* —,** aller loin; ***aan de man* —, 1** (*koopwaren*) placer; **2** (*dochter*) caser; ***te voorschijn* —,** montrer; ***tot stand* —,** effectuer, réaliser; ***in rekening* —,** porter en compte; ***iem. er toe — om, amener qn. à.
bren'ger *m.* porteur *m.*
bres *v.(m.)* brèche *f.*; ***in de — springen voor,*** prendre le parti de.
Bretan'je *o.* la Bretagne.
Bretan'jer *m.* Breton *m.*
bretel' *v.(m.)* bretelle *f.* [breton.
Breto(e)ns' I *b.n.* breton; **II** *z.n., o.* ***het* —,** le
breuk *v.(m.)* **1** (*v. spiegel, enz.*) brisure *f.*; **2** (*v. arm, enz.*) fracture *f.*; **3** (*v. ader, dijk; fig.*) rupture *f.*; **4** (*gen.*) hernie *f.*; ***beklemde* —,** hernie étranglée; **5** (*rek.*) fraction *f.*; ***gewone* —,** fraction ordinaire; ***tiendelige* —,** fraction décimale; ***repeterende* —,** fraction périodique.
breuk'band *m.* bandage *m.* herniaire.
breuk'bandmaker *m.* bandagiste *m.* [tomie *f.*
breuk'operatie *v.* opération *f.* de la hernie, hernio-
breuk'spalk *v.(m.)* éclisse *f.*
bre've *v.(m.)* bref *m.* (papal).
brevet' *o.* brevet *m.*
brevier' *o.* bréviaire *m.*
brid'ge *o.* bridge *m.*
brid'geavondje *o.* soirée *f.* de bridge.
brid'ge-drive *m.* tournoi *m.* de bridge.
brid'gen *on.w.* bridger, jouer au bridge.
brid'gespeler *m.* bridgeur *m.*
brief *m.* **1** lettre *f.*; **2** (*Bijb.*) épître *f.*; ***aangetekende* —,** lettre recommandée; (*met aangegeven waarde*) lettre chargée; ***een — spelden,*** un paquet d'épingles; ***rondgaande* —,** circulaire *f.*; ***gefrankeerde* —,** lettre affranchie; ***onbestelbare* —,** lettre en rebut; ***onbestelbaar,*** (*op brief*) (destinataire) inconnu; ***de ingekomen brieven,*** le courrier.
brief'geheim *o.* secret *m.* des lettres. [lettre.
brief'hoofd, brie'vehoofd *o.* en-tête* *m.* de
brief'je *o.* billet, petit mot *m.*; ***dat geef ik u op een* —,** je vous en donne mon billet.
brief'kaart *v.(m.)* carte *f.* postale.
brief'omslag *m. en o.* enveloppe *f.*
brief'opener *m.* ouvre-lettres *m.*
brief'papier *o.* papier *m.* à lettres.
brief'port *o. en m.* port, affranchissement *m.*
brief'schrijver *m.* auteur d'une lettre, correspondant *m.*
brief'stijl *m.* style *m.* épistolaire.
brief'vorm *m.* forme *f.* épistolaire; ***in* —,** sous forme de lettre, (roman) par lettres.
brief'weger, brie'veweger *m.* pèse-lettres *m.*
brief'wisseling *v.* correspondance *f.*; ***in — zijn met,*** correspondre avec.
bries *v.(m.)* frais *m.*, brise *f.*; ***een lichte* —,** un petit frais; ***een stevige* —,** une brise carabinée.
brie'sen *on.w.* **1** (*v. leeuw*) rugir; **2** (*v. paard*) hennir, s'ébrouer; **3** (*fig.*) tempêter, écumer (de colère). [lettre.
brie'vehoofd, brief'hoofd *o.* en-tête* *m.* de
brie'venbesteller *m.* facteur *m.*
brie'venboek *o.* **1** recueil *m.* de lettres; **2** (*H.*) copie *m.* de lettres.
brie'venbus *v.(m.)* boîte *f.* aux lettres.
brie'venmaal *v.(m.)* malle *f.*
brie'venpers *v.(m.)* presse *f.* à copier.
brie'venpost *v.(m.)* poste *f.* aux lettres.
brie'ventas *v.(m.)* **1** portefeuille, porte-lettres *m.*; **2** (*v. besteller*) sac *m.*

brie'veweger, brief'weger *m.* pèse-lettres *m.*
briga'de *v.* brigade *f.* [général *m.* de brigade.
briga'decommandant, -kommandant *m.*
brigadier' *m.* brigadier *m.*
brigantijn' *v.(m.)* (*sch.*) brigantin *m.*
Brigit'ta *v.* Brigitte *f.*
brij *m.* bouillie *f.*
brij'achtig *b.n.* épais, pultacé.
brik *v.(m.)* **1** (*sch.*) brick *m.*; **2** (*rijtuig*) break *m.*
briket' *v.(m.)* briquette *f.*
bril *m.* **1** lunettes *f.pl.*; **2** (*v. closet*) lunette *f.*, siège *m.*; ***twee —len,*** deux paires de lunettes; ***blauwe* (*gekleurde*) —,** conserves *f.pl.*; ***gekleurde* —,** lunettes teintées; ***met een — op,*** en lunettes.
bril'duiker *m.* (*Dk.*) garrot *m.*
briljant' *m.* brillant *m.*
bril'kruid *o.* lunetière *f.*
brillanti'ne *v.(m.)* brillantine *f.*
bril'leglas *o.* verre *m.* de lunettes.
bril'lekoker *m.* étui *m.* à lunettes.
bril'leman, *zie* ***brillenmaker.***
bril'len *on.w.* porter (des) lunettes. [ticien *m.*
bril'lenmaker, bril'leman *m.* lunetier, op-
bril'lenslijper *m.* lunetier, opticien *m.*
bril'schans *v.(m.)* (*mil.*) lunette *f.*
bril'slang *v.(m.)* serpent *m.* à lunettes.
Brindi'si *o.* Brindes *m.* [*m.* brisant.
brisant'bom *v.(m.)* bombe *f.* explosive; obus
brisant'granaat *v.(m.)* obus *m.* brisant.
Brit *m.* Anglais *m.*
brits *v.(m.)* lit *m.* de camp.
Brits *b.n.* anglais, brittanique.
brocaat', *zie* ***brokaat.***
broche'ren *ov.w.* brocher.
brochure *v.(m.)* brochure *f.*
brod'delaar *m.* bousilleur, gâcheur *m.*
broddelarij' *v.* bousillage *m.*
brod'delen *on.w.* bousiller, brocher.
brod'delwerk *o. zie* ***broddelarij.*** [le pavé.
bro'deloos *b.n.* sans pain; ***hij is* —,** il est sur
broed'ei *o.* œuf *m.* couvi.
broe'den I *on.w.* couver; **II** *z.n., o.* ***het* —,** le couvage, l'incubation *f.*
broe'der, broer *m.* frère *m.*; ***de —s van Liefde,*** les frères de la Charité; ***een lustige* —,** un joyeux compère; ***hij is de ware — niet,*** c'est un faux frère.
broe'derdienst *m.* (*mil.*) exemption *f.* du service militaire à cause du service d'un frère.
broe'derhaat *m.* haine *f.* entre frères.
broe'derkus *m.* baiser *m.* fraternel.
broe'derliefde *v.* amour *m.* fraternel.
broe'derlijk I *b.n.* fraternel; **II** *bw.* fraternellement, en frères.
broe'derlijkheid *v.* fraternité *f.*
broe'dermoord *m. en v.* fratricide *m.*
broe'dermoordenaar *m.* fratricide *m.*
broe'derplicht *m.* devoir *m.* fraternel.
broe'derschap 1 *o. en v.* fraternité *f.*; **2** *v.* (*godsd. genootschap*) confrérie *f.*; **3** (*prot.*) communauté *f.*; ***— sluiten,*** fraterniser.
broe'derschool *v.(m.)* école *f.* des Frères, **—** congréganiste.
broe'dersdochter *v.* nièce *f.*
broe'derskind *o.* neveu *m.*; nièce *f.*
broe'dersvrouw *v.* belle*-sœur* *f.*
broe'derszoon *m.* neveu *m.*
broe'dertrouw *v.(m.)* fidélité *f.* fraternelle.
broe'dertwist *m.* querelle *f.* entre frères.
broed'hen *v.* couveuse *f.*
broed'kooi *v.(m.)* couvoir, nichoir *m.*

broed'machine *v.* couveuse *f.* (artificielle).
broed'plaats *v.(m.)* (*fig.*) pépinière *f.*
broed'sel *o.* **1** (*v. vogels*) couvée *f.*; **2** (*v. vis*) alevin *m.*; **3** (*v. insekten*) couvain *m.*
broed'tijd *m.* couvaison, incubation *f.*
broei'bak *m.* couche chaude, bâche *f.*
broei'bed *o.* couche *f.* chaude.
broei'en I *ov.w.* (*eieren*) couver; **II** *on.w.* **1** (*v. kip*) couver; **2** (*v. hooi*) s'échauffer; ***op een plan —,*** couver un projet; ***er broeit iets,*** il y a anguille sous roche; ***er broeit een onweer,*** il se prépare un orage.
broei'end *b.n.* étouffant.
broei'erig *b.n.* lourd, orageux.
broei'kas *v.(m.)* serre *f.* chaude.
broei'nest *o.* **1** couvoir *m.*; **2** (*fig.*) foyer *m.*
broei'sel *o.* couvée *f.*
broei'tijd *m.* couvaison *f.*
broek *v.(m.)* **1** pantalon *m.*; **2** (*korte —*) culotte *f.*; **3** (*onder—*) caleçon *m.*; **4** (*v. kanon*) culasse *f.*; ***voor de — krijgen,*** recevoir une fessée; ***een kind voor de — geven,*** donner une fessée à un enfant; ***achter de — zitten,*** presser, talonner; ***de — aanhebben,*** porter (les) culotte(s).
broe'kemannetje *o.* bambin *m.*
broek'je *o.* culottin *m.*, culotte *f.* courte; ***een (jong) —,*** (*fam.*) une jeune barbe, un débutant, un novice.
broek'pers *v.(m.)* presse-pantalon *m.*
broeks'band *m.* ceinture *f.* de pantalon, cordon *m.* de caleçon.
broeks'pijp *v.(m.)* jambe *f.* (de pantalon).
broek'veer *v.(m.)* pince-pantalon *m.*
broek'zak *m.* poche *f.* de pantalon.
broer, broe'der *m.* frère *m.*
broer'tje *o.* petit frère, frérot *m.*; ***een — dood hebben aan iets,*** détester qc.
brok *m. en v., of o.* morceau; fragment *m.*; ***overgebleven —ken,*** restes *m.pl.*; ***er zat hem een — in de keel,*** il avait la gorge serrée; ***bij stukken en —ken,*** par fragments; à bâtons rompus; ***er komen —ken van,*** il y aura de la casse.
brokaat', brocaat' *o.* brocart *m.*
brok'kelen I *ov.w.* morceler, émietter, mettre en petits morceaux; **II** *on.w.* s'émietter.
brok'kelig *b.n.* friable, cassant.
brok'keligheid *v.* friabilité *f.*
brok'keling *v.* émiettement *m.*
brok'stuk *o.* fragment, morceau *m.*
brom'bas *v.(m.)* (*muz.*) bombardon, bourdon *m.*
brom'beer *m.* grogneur, grognard *m.*
brom'fiets *m. en v.*, **brom'mer** *m.* vélomoteur, (*minder zwaar*) cyclomoteur *m.*
brom'fietser *m.* vélomotoriste *m.*
bromi'de *o.* bromure *m.*
bro'mium *o.* brome *m.*
brom'men *on.w.* **1** (*gonzen*) bourdonner; **2** (*mopperen*) grommeler, gronder, grogner; **3** (*in gevangenis*) pincer de la harpe, faire de la prison; ***hij moet zes maanden —,*** il en a pour six mois.
brom'mer, *zie* ***bromfiets.***
brom'mig *b.n.* grognon.
brom'pot *m.* grognon, grondeur *m.*
brom'tol *m.* toupie *f.* d'Allemagne.
brom'vlieg *v.(m.)* mouche *f.* bourdonnante.
bron *v.(m.)* **1** source; fontaine *f.*; **2** (*geneeskrachtig*) eaux *f.pl.*; **3** (*fig.*) source, origine *f.*; ***hete —,*** source thermale; ***— van bestaan,*** ressource *f.*; ***uit goede — vernemen (weten),*** apprendre (tenir) de bonne source.
bron'ader *v.(m.)* **1** veine *f.* d'eau; **2** (*fig.*) source, [origine *f.*
bronchi'tis *v.* bronchite *f.*
bron'gas *o.* gaz *m.* naturel.
bron'nenstudie *v.* étude *f.* des sources.
bron'olie *v.(m.)* pétrole *m.* (brut).
brons *o.* bronze *m.*
brons'gieterij *v.* fonderie *f.* en bronze.
brons'groen *b.n.* vert bronze.
brons'kleur *v.(m.)* couleur *f.* de bronze, bronze *m.*
brons'kleurig *b.n.* bronzé.
bronst *v.(m.)* chaleur *f.*, rut *m.*
brons'tijdperk *o.* âge *m.* du bronze.
bronst'tijd *m.* époque *f.* du rut.
brons'waren *mv.* bronzes *m.pl.*
bron'vermelding *v.* renvoi *m.* à la source; indication *f.* de la source.
bron'water *o.* **1** eau *f.* de source; **2** eau *f.* minérale.
bron'zen I *ov.w.* bronzer; **II** *b.n.* en (*of* de) bronze; ***een — beeld,*** un bronze.
brood *o.* pain *m.*; ***vers —,*** pain frais, — tendre; ***oudbakken —,*** pain rassis; ***bruin —,*** pain bis; ***het dagelijks —,*** le pain quotidien; ***zijn — verdienen,*** gagner son pain, — sa vie; ***om den brode,*** pour avoir de quoi vivre; ***bij gebrek aan — eet men korstjes van pasteien,*** faute de grives on mange des merles; ***wiens — men eet diens woord men spreekt,*** celui louer devons de qui le pain mangeons; ***iem. iets op zijn — geven,*** reprocher qc. à qn.
brood'bak *m.* corbeille *f.* à pain, panier *m.*
brood'bakken *on.w.* boulanger.
brood'bakker *m.* boulanger *m.*
brood'bakkerij *v.* boulangerie *f.*
brood'bereiding *v.* panification *f.*
brood'bezorger *m.* porteur *m.* de pain.
brood'boom *m.* arbre *m.* à pain, baobab *m.*
brooddron'ken *b.n.* folâtre, pétulant, exubérant, turbulent.
brooddron'kenheid *v.* pétulance, turbulence *f.*
brood'fabriek *v.* fabrique *f.* de pain.
brood'gebrek *o.* manque *m.* de pain.
brood'graan *o.* céréales *f.pl.* panifiables.
brood'heer *m.* employeur *m.*
brood'je *o.* petit pain *m.*; ***zoete —s bakken,*** filer doux.
brood'kar *v.(m.)* charrette *f.* de boulanger.
brood'kist *v.(m.)* huche *f.*
brood'korf *m.* panier *m.* à pain.
brood'korst *v.(m.)* croûte *f.* de pain.
brood'kruim *v.(m.) en o.* mie *f.* de pain.
brood'kruimel *m.* miette *f.* de pain; ***de —s steken hem,*** il est trop pétulant.
brood'mager *b.n.* maigre comme un échalas, sec comme un clou.
brood'mand *v.(m.)* panier *m.*
brood'mes *o.* couteau *m.* à pain, taille-pain *m.*
brood'nijd *m.* jalousie *f.* de métier.
brood'nodig *b.n.* absolument nécessaire.
brood'pap *v.(m.)* panade *f.*
brood'plank *v.(m.)* **1** planche *f.* au pain; **2** (*snijplank*) tranchoir *m.*
brood'roof *m.* vol *m.* du gagne-pain.
brood'rooster *m. en o.* grille-pain *m.*
brood'schaal *v.(m.)* corbeille *f.* à pain.
brood'schrijver *m.* gratte-papier, auteur famélique, écrivain à gages *m.*
brood'schrijverij *v.* littérature *f.* mercenaire.
brood'suiker *m.* sucre *m.* en pains.
brood'trommel *v.(m.)* boîte *f.* au pain.
brood'winner *m.* gagne-pain *m.*
brood'winning *v.* métier, gagne-pain *m.*
brood'wortelplant *v.(m.)* (*Pl.*) manioc *m.*
brood'zak *m.* **1** panetière *f.*; **2** (*mil.*) musette *f.*
broom *o.* brome *m.*

broomka'li *m.* bromure *m.* de potassium.
broom'zilver *o.* bromure *m.* d'argent.
broom'zuur *o.* acide *m.* bromique.
broos I *b.n.* fragile, frêle; **II** *z.n., v.(m.)* cothurne *f.*
broos'heid *v.* fragilité *f.*
bros *b.n.* cassant.
bros'heid *v.* fragilité *f.*
brou'wen I *ov.w.* **1** (*bier*) brasser; **2** (*fig.: kwaad*) machiner, tramer, ourdir, comploter; **II** *on.w.* **1** (*bier*) brasser; **2** (*bij 't spreken*) grasseyer; **III** *z.n., o.* ***het* —, 1** le brassage; **2** le grasseyement.
brou'wer *m.* **1** (*bier*) brasseur *m.*; **2** (*bij 't spreken*) grasseyeur *m.*
brouwerij' *v.* brasserie *f.*
brou'wersknecht *m.* garçon *m.* brasseur.
brou'werspaard *o.* cheval *m.* de haquet.
brouwerswa'gen *m.* haquet *m.*
brouw'ketel *m.* brassin *m.*, chaudière *f.*
brouw'kuip *v.(m.)* cuve *f.* de brasseur, brassin *m.*
brouw'sel *o.* brassin, breuvage *m.*
brug *v.(m.)* **1** pont *m.*; **2** (*v. schip*) passerelle *f.*; **3** (*gymnastiek*) barres *f.pl.* parallèles; **4** (*v. viool*) chevalet *m.*; ***vaste* —,** pont dormant, pont fixe; ***hangende* —,** pont suspendu; ***over de — komen,*** (*fam.*) jouer du pouce, s'exécuter.
brug'balans *v.(m.)* bascule *f.*
brug'boog *m.* arche *f.*
brug'dek *o.* tablier *m.* (d'un pont).
Brug'ge *o.* Bruges *f.*
brug'geld *o.* pontonage *m.*
brug'gehoofd *o.* tête *f.* de pont.
Brug'geling *m.* Brugeois *m.*
brug'geman *m.* pontonnier *m.*
brug'gewachter, *zie* ***brugwachter.***
brug'klas(se) *v.* classe *f.* vestibule.
brug'leuning *v.* garde-fou*, parapet *m.*
Brug'man *m.* ***hij kan praten als* —,** c'est Saint-Jean bouche d'or; il parle comme un livre.
brug'pijler *m.* pilier *m.* (de pont).
Brugs *b.n.* brugeois.
brug'wachter *m.* gardien (d'un pont), pontier *m.*
brug'wijdte *v.* portée *f.*
brui *m.* ***ik geef er de — van*** (*of* ***aan***), j'en ai assez, je m'en moque, je m'en fiche.
bruid *v.* **1** (*vóór 't huwelijk*) fiancée, future *f.*; **2** (*op huwelijksdag*) (nouvelle) mariée, épousée *f.*; ***de — van Christus,*** l'épouse du Christ.
brui'(de)gom *m.* **1** (*vóór 't huwelijk*) fiancé, futur *m.*; **2** (*op huwelijksdag*) (nouveau) marié *m.*
bruid'je *o.* **1** (petite) mariée *f.*; **2** (*in processie*) petit ange *m.*, jeune fille *f.* en blanc.
bruids'bed *o.* lit *m.* nuptial.
bruids'boeket, -bouquet *o. en m.* bouquet *m.* [de mariée.
bruids'dagen *mv.* période *f.* des fiançailles (publiques), jours *m.pl.* (*ook* délai *m.*) entre la publication des bans et le mariage.
bruids'geschenk *o.* **1** cadeau *m.* de noce; **2** (*v. bruidegom*) corbeille *f.*
bruids'goed *o.* biens *m.pl.* paraphernaux.
bruids'japon *m.* robe *f.* de mariée, — nuptiale.
bruids'jonker *m.* garçon *m.* d'honneur.
bruids'kleed *o.* *zie* ***bruidsjapon.***
bruids'krans *m.* couronne *f.* nuptiale.
bruids'meisje *o.* demoiselle *f.* d'honneur.
bruids'paar *o.* **1** (*vóór 't huwelijk*) les futurs époux, les fiancés *m.pl.*; **2** (*op huwelijksdag*) les (jeunes) mariés *m.pl.*
bruids'schat *m.* dot *f.*
bruids'sluier *m.* voile *m.* de fiancée, — de la [mariée.
bruids'stoet *m.* noce *f.*
bruids'suiker *m.* dragées, pralines *f.pl.*
bruids'toilet *o.* toilette *f.* nuptiale, — de mariée.
bruids'tooi *m.* parure *f.* nuptiale.
brui'gom, *zie* ***bruidegom.***
bruik'baar *b.n.* **1** utilisable, utile, qui peut (encore) servir; **2** (*v. persoon*) capable, habile; **3** (*v. weg*) praticable.
bruik'baarheid *v.* utilité *f.*
bruik'leen *o. en m.* commodat *m.*, prêt *m.* (à usage); ***in — geven,*** prêter (par commodat), donner en commodat; ***in — van,*** prêté par.
brui'loft *v.(m.)* **1** (*plechtigheid, feest*) mariage *m.*, **2** (*feest, stoet*) noce(s) *f.(pl.)*; ***— vieren,*** faire ses noces; ***gouden (zilveren, diamanten) —,*** noces d'or (d'argent, de diamant).
brui'loftsdag *m.* jour *m.* des noces, — du mariage.
brui'loftsfeest *o.* noces *f.pl.*, festin *m.* de noce.
brui'loftsgast *m.* invité *m.* à la noce; ***de —en,*** la noce *f.*, les gens *m.pl.* de la noce.
brui'loftslied *o.* chanson *f.* de noce.
brui'loftsmaal *o.* repas *m.* de noce.
bruin I *b.n.* brun; ***—e bonen,*** haricots *m.pl.* rouges; ***—e boter,*** beurre *m.* noir; ***— brood,*** pain *m.* bis; ***—e suiker,*** cassonnade *f.*; ***— braden,*** rissoler, roussir; ***— maken,*** brunir; ***— worden,*** brunir; (*van de zon*) se hâler; **II** *z.n.* **1** *o.* brun *m.*; **2** *m.* cheval *m.* brun.
bruin'achtig *b.n.* brunâtre.
bruineer'der *m.* brunisseur *m.*
bruineer'sel *o.* brunissure *f.*
brui'nen I *ov.w.* **1** (*v. verf*) brunir; **2** (*v. de zon*) hâler; **II** *on.w.* **1** (se) brunir; **2** se hâler.
bruin'harig *b.n.* brun, qui a les cheveux bruns; brunet; ***—meisje,*** brunette *f.*
bruin'heid *v.* brun *m.*, couleur *f.* brune.
bruin'kool *v.(m.)* lignite *m.*, des boulets *m.pl.*
bruin'ogig *b.n.* aux yeux bruns.
bruin'rood *b.n.* rouge brun, d'un brun rouge; mordoré.
bruin'steen *o. en m.* manganèse *m.*
bruin'tje *o.* cheval *m.* bai; ***dat kan — niet trekken,*** cela dépasse mes moyens, c'est trop cher pour moi.
bruin'vis *m.* marsouin *m.*
bruin'zwart *b.n.* brun-noir, noiraud.
bruis *o.* écume *f.*
brui'sen I *on.w.* **1** (*schuimen*) écumer; **2** (*v. dranken*) mousser; **3** (*v. bloed*) bouillonner; **4** (*v. wind, enz.*) bruire, frémir; **II** *z.n., o.* ***het* —,** le bruissement, le frémissement.
bruis'poeder, -poeier *o. en m.* poudre *f.* gazeuse, sel *m.* de Sedlitz.
brul'aap *m.* (singe) hurleur *m.*
brul'boei *v.(m.)* (*sch.*) bouée *f.* sonore, — à sirène.
brul'len *on.w.* **1** (*v. leeuw*) rugir; **2** (*stier*) mugir; **3** (*v. mens*) hurler, rugir.
Bruns'wijk *o.* le Brunswick, le Brunsvick.
Bruns'wijker *m.* Brunswickois *m.*
Bruns'wijks *b.n.* brunswickois, brunsvickois.
Brus'sel *o.* Bruxelles *f.*
Brus'selaar *m.* Bruxellois *m.*
Brus'sels *b.n.* bruxellois.
brutaal' *b.n.* insolent, impertinent, effronté, audacieux; ***de brutalen hebben de halve wereld,*** aux audacieux les mains pleines.
brutaal'heid *v.* insolence, impertinence, hardiesse *f.*
brutaal'weg *bw.* insolemment, effrontément, [audacieusement.
brutalise'ren, brutalize'ren *ov.w.* traiter grossièrement, — avec insolence.
brutaliteit, *zie* ***brutaalheid.***
brutalize'ren, *zie* ***brutaliseren.***
bru'to *b.n.* brut.
bru'togewicht *o.* poids *m.* brut.

bruusk I *b.n.* brusque; **II** *bw.* brusquement.
bruut I *bw.* brutalement; **II** *b.n.* brutal; **III** *z.n., m.* brute *f.*
buck'ram *o.* bougran *m.*
bud'get *o.* budget *m.*
buf'fel *m.* buffle *m.*
buf'felachtig *b.n.* grossier, brutal.
buf'felhuid *v.(m.)* peau *f.* de buffle.
buf'feljacht *v.(m.)* chasse *f.* au buffle.
buf'felkalf *o.* bufflon *m.*
buf'felkar *v.(m.)* char *m.* à buffle.
buf'felkoe *v.* bufflonne *f.*
buf'felle(d)er *o.* buffle *m.*
buf'felwagen *m.* char *m.* à buffle.
buf'fer *m.* tampon *m.*
buf'ferstaat *m.* état *m.* tampon.
buf'ferzone *v.* zone *f.* tampon.
buffet' *o.* **1** buffet, dressoir *m.*; **2** *(v. station, enz.)* buvette *f.*
buffet'houder *m.* buffetier; buvetier *m.*
buffet'juffrouw *v.* dame *f.* de buffet.
bu'gel *m.* bugle *m.*
bui *v.(m.)* **1** *(regen)* ondée, giboulée *f.*; **2** *(wind)* rafale, bourrasque *f.*; *(sch.)* grain *m.*; **3** *(hoest—)* quinte *f.*; **4** *(lach—)* accès *m.* (de rire); ***maartse —en,*** giboulées de mars; ***hij heeft een kwade —,*** il est de mauvaise humeur.
bui'del *m.* **1** *(beurs)* bourse *f.*; sac *m.*; **2** *(v. dieren)* poche *f.*
bui'deldier *o.* marsupial *m.*
bui'delrat *v.(m.)* sarigue *m.*
buig'baar *b.n.* pliable, flexible.
buig'baarheid *v.* flexibilité *f.*
bui'gen I *on.w.* **1** *(doorbuigen)* plier, courber, ployer; **2** *(voor iem.)* s'incliner, faire une révérence; **3** *(toegeven)* céder (à qn.); fléchir, s'incliner (devant qn.); ***— als een knipmes,*** faire des courbettes, faire le bas valet; **II** *ov.w.* **1** courber; plier, fléchir; **2** baisser; ***het hoofd —,*** courber la tête, baisser —; ***de knie —,*** fléchir le genou; **III** *w.w.* ***zich —,*** se baisser; se courber; s'incliner; fléchir.
bui'ging *v.* **1** *(v. weg, enz.)* courbe, courbure *f.*; **2** *(v. hoofd)* inclination *f.*; **3** *(beleefdheids—)* révérence *f.*; **4** *(v. stem)* inflexion *f.*; **5** *(gram.)* flexion *f.*
bui'gingsuitgang *m.* désinence *f.* (casuelle).
bui'gingsvorm *m.* forme *f.* flexionnelle.
buig'spier *v.(m.)* (muscle) fléchisseur *m.*
buig'zaam *b.n.* pliable, flexible; souple.
buig'zaamheid *v.* flexibilité; souplesse *f.*
bui'ig *b.n.* pluvieux, inconstant, variable.
buik *m.* **1** ventre *m.*; **2** *(v. zeil)* creux, sein *m.*; **3** *(v. ton)* bouge *f.*; **4** *(v. kruik, fles, enz.)* ventre *m.*; **5** *(v. letter)* panse *f.*; ***dikke —,*** bedaine *f.*; ***ik heb er de — vol van,*** j'en ai plein le dos; ***dat kun je op je — schrijven,*** va t'en voir si ça vient, Jean; quant à..., tu peux te brosser; ***twee handen op een —,*** deux têtes sous le même bonnet.
buik'ademhaling *v.* respiration *f.* abdominale.
buik'band, buik'gordel *m.* ceinture abdominale, sangle (ventrale), ventrière *f.*
buik'holte *v.* cavité *f.* abdominale.
bui'kig *b.n.* ventru.
buik'je, *een — krijgen,* prendre du ventre.
buik'landing *v.* atterrissage *m.* sur le ventre.
buik'loop *m.* diarrhée *f.*
buik'ontlasting *v.* purgation, évacuation *f.*
buik'operatie *v.* laparotomie *f.*
buik'pijn *v.(m.)* mal *m.* de ventre; coliques *f.pl.*; ***— hebben,*** avoir mal au ventre.
buikpo'tigen *mv.* *(Dk.)* gastéropodes *m.pl.*
buik'riem *m.* sangle (ventrale), (sous-)ventrière* *f.*
buik'spier *v.(m.)* muscle *m.* abdominal.
buik'spreken *o.* ventriloquie *f.*
buik'spreker *m.* ventriloque *m.*
buik'streek *v.(m.)* région *f.* ventrale, — du ventre.
buik'tyfus *m.* typhus *m.* abdominal, (fièvre) typhoïde *f.*
buik'vin *v.(m.)* nageoire *f.* ventrale.
buik'vlies *o.* péritoine *m.*
buik'vliesontsteking *v.* péritonite *f.*
buik'zuiverend *b.n.* purgatif.
buik'zuivering *v.* purgation *f.*
buil I *v.(m.)* *(bult, bobbel)* bosse, enflure *f.*; **II** *m.* *(meel—)* blutoir, bluteau *m.*
bui'len I *ov.w.* bluter; **II** *z.n., o.* ***het —,*** le blutage.
bui'lenpest *v.(m.)* peste *f.* bubonique.
buis I *v.(m.)* **1** *(los)* tuyau, tube *m.*; **2** *(v. leiding)* conduit, canal *m.*; ***— van Eustachius,*** trompe *f.* d'Eustache; **II** *o.* veste *f.*, veston *m.*
buis'haring *m.* hareng *m.* salé.
buis'je *o.* **1** petit tube *m.*; **2** veste *f.*
buis'kool *v.(m.)* chou *m.* blanc.
buis'lamp *v.(m.)* lampe *f.* fluorescente.
buis'vormig *b.n.* tubulaire.
buis'water *o.* embrun *m.*
buit *m.* **1** butin *m.*; **2** *(v. dier)* proie *f.*; ***— behalen,*** faire du butin.
bui'telen *on.w.* **1** culbuter; **2** *(fig.)* faire la culbute, faire faillite.
bui'teling *v.* culbute *f.*
bui'ten I *vz.* **1** hors de, en dehors de; **2** *(uitgezonderd)* excepté; **3** *(bovendien)* outre; ***— mijn weten,*** à mon insu; ***— twijfel,*** sans (aucun) doute, hors de doute; ***— kennis,*** sans connaissance; ***— verwachting,*** contre toute attente; ***— de waard rekenen,*** compter sans son hôte; ***hij was — zichzelve van vreugde,*** il ne se sentait pas de joie; ***hij kan niet — zijn pijp,*** il ne peut se passer de sa pipe; ***— gevecht stellen,*** mettre hors de combat; ***— schot zijn,*** être hors d'atteinte; ***— schot blijven,*** se tenir à l'écart, ne pas s'engager; **II** *bw.* dehors; au dehors; ***naar — gaan,*** **1** sortir; **2** *(naar de buiten)* aller à la campagne; ***van —,*** au dehors; à l'extérieur; ***van — kennen,*** savoir par cœur; ***van — komen,*** **1** *(naar binnen)* venir du dehors; **2** *(v. de buiten)* venir de la province; ***van — uit,*** à l'extérieur, en dehors; ***zich te — gaan,*** faire des excès; franchir les bornes; **III** *z.n., o.* maison *f.* de campagne.
bui'tenband *m.* enveloppe *f.*, pneu *m.*
bui'tenbezittingen *mv.* possessions *f.pl.* extérieures.
bui'tenblind *o.* contrevent, volet *m.*
bui'tenbocht *v.(m.)* virage *m.* à l'extérieur; ***de — nemen,*** prendre le virage à l'extérieur.
buitenboord'motor *m.* moteur *m.* hors bord; ***boot met —,*** hors-bord *m.*
bui'tenboulevard *m.* boulevard *m.* extérieur.
bui'tenbrengen *ov.w.* **1** sortir, porter dehors; **2** *(persoon)* reconduire dehors.
bui'tendeur *v.(m.)* porte *f.* extérieure.
buitendien' *bw.* en outre, outre cela, de plus.
bui'tendienst *m.* service *m.* extérieur.
bui'tendijks *bw.* en *b.n.* au-delà de la digue.
buitenecht'elijk *b.n.* extra-conjugal, hors mariage.
bui'tengaan *on.w.* sortir.
buitengaats' *bw.* hors d'une passe; hauturier.
buitengemeen' *b.n.* excessif, extraordinaire.
bui'tengemeente *v.* commune *f.* de la banlieue; ***op een — wonen,*** habiter la banlieue.
buitengewoon' *b.n.* extraordinaire; extrême; hors ligne; ***— hoogleraar,*** chargé *m.* de cours.
bui'tengoed *o.* maison *f.* de campagne.
bui'tenhaven *v.(m.)* avant-port* *m.*, port *m.* extérieur.
bui'tenherberg *v.(m.)* guinguette *f.*

bui'tenhoek *m.* angle *m.* externe.
bui'tenhoekplaats *v.(m.)* (*trein*) coin *m.* fenêtre (face *of* dos).
bui'tenhof *o.* avant-cour* *f.*
buitenis'sig *b.n.* original; excentrique.
buitenis'sigheid *v.* originalité; excentricité *f.*
bui'tenkansje *o.* (bonne) aubaine *f.*, revenant*-bon* *m.*
bui'tenkant *m.* (côté) extérieur, dehors *m.*
buitenker'kelijk *b.n.* non-rattaché.
bui'tenkomen *on.w.* sortir (de la maison).
bui'tenland *o.* étranger *m.*
bui'tenlander *m.* étranger *m.*
bui'tenlands *b.n.* **1** (*voortbrengsel, enz.*) étranger; **2** (*handel, vijand*) extérieur; **3** (*plant*) exotique; ***een —e reis,*** un voyage à l'étranger; ***—e relaties,*** des relations avec l'étranger; ***het ministerie van —e Zaken,*** le ministère des Affaires Étrangères.
bui'tenlaten *ov.w.* (laisser) sortir.
bui'tenleerling *m.*, **—e** *v.* externe *m.-f.*
bui'tenleven *o.* vie *f.* des champs.
bui'tenlucht *v.(m.)* grand air *m.*, air *m.* de la campagne.
bui'tenlui *mv.* campagnards *m.pl.*, gens *m.pl.* de [la campagne.
bui'tenman *m.* campagnard, rural, provincial *m.*
buitenma'te *bw.* excessivement.
bui'tenmens *m.* campagnard *m.*
buitenmodel' *b.n.* de fantaisie.
bui'tenmuur *m.* mur *m.* extérieur.
buitenom' *bw.* par dehors; **— *gaan,*** tourner la maison, faire le tour (de la maison).
bui'tenopname *v.(m.)* prise *f.* de vue directe.
bui'tenpartij *v.* partie *f.* de campagne.
bui'tenplaats *v.(m.)* maison *f.* de campagne; (*landgoed*) terre *f.*
bui'tenplaneet *v.(m.)* planète *f.* extérieure.
bui'tenpost *m.* station *f.* éloignée.
bui'tenrand *m.* bord *m.* extérieur.
buitenshuis' *bw.* hors de la maison; **— *eten,*** diner en ville.
bui'tensingel *m.* boulevard *m.* extérieur.
buitenslands' *bw.* à l'étranger.
bui'tensluiten *ov.w.* **1** (*iem.*) fermer la porte à qn.; **2** (*fig.*) exclure, éliminer, bannir; (*uitzonderen*) excepter.
bui'tensluiting *v.* exclusion *f.*
buitenspel' *o.* (*sp.*) hors-jeu *m.*
bui'tenspeler *m.* (*sp.*) extrême *m.* (gauche, *of* [droit).
buitenspo'rig *b.n.* extravagant, excessif.
buitenspo'righeid *v.* extravagance *f.*, excès *m.*
bui'tenstaander *m.* profane *m.*, personne *f.* qui est hors d'une (*of* de l') affaire.
bui'tenstad *v.(m.)* faubourg *m.*
bui'tenste I *b.n.* extérieur; **II** *z.n., o.* ***het —,*** le dehors, l'extérieur *m.*
buitentekst'plaat *v.(m.)* planche *f.* hors texte, hors-texte *m.*
buitentijds' *bw.* **1** avant le terme, après —; **2** (*te onpas*) mal à propos.
bui'tenverblijf *o.* villa *f.*, maison *f.* de campagne.
buitenvervol'gingstelling *v.* non-lieu *m.*
bui'tenwaarts *bw.* en dehors.
bui'tenwacht *v.(m.)* avant-poste* *m.*
bui'tenwereld *v.(m.)* **1** le monde, les gens; **2** (*wijsb.*) le monde extérieur.
bui'tenwerk *o.* **1** (*aan huis, enz.*) travaux *m.pl.* extérieurs; **2** (*op 't land*) travaux *m.pl.* des champs; **3** (*mil.*) ouvrage *m.* avancé.
bui'tenwerks *bw.* hors d'œuvre.
bui'tenwijk *v.(m.)* quartier *m.* excentrique, — extérieur, faubourg *m.*
bui'tenzij(de) *v.(m.)* (côté) extérieur, dehors *m.*
buitenzintui'gelijk *b.n.* extrasensoriel.
buit'maken *ov.w.* capturer, faire la capture de, prendre.
bui'zenketel *m.* chaudière *f.* tubulaire.
bui'zenpost *v.(m.)* poste *f.* tubulaire; réseau *m.* pneumatique.
bui'zerd *m.* (*Dk.*) busard *m.*, buse *f.*
buk'ken I *ov.w.* baisser; **II** *on.w.* **1** se baisser, se courber; **2** (*onderdoen voor*) céder à, (se) plier devant; ***gebukt gaan onder,*** être accablé de; **III** *w.w.* ***zich —,*** se baisser.
buks *v.(m.)* carabine *f.*
buks'(boom) *m.* (*Pl.*) buis *m.*
buk'skin *o.* cuir *m.* de laine.
bul I *m.* (*Dk.*) taureau *m.*; **II** *v.(m.)* bulle *f.*; ***al zijn —len,*** tout son bagage, toutes ses affaires.
bul'deraar *m.* tapageur, braillard *m.*
bul'deren *on.w.* **1** (*v. wind*) mugir, hurler; **2** (*v. kanon*) tonner; **3** (*fig.*) tempêter.
bul'dog *m.* bouledogue *m.*
Bulgaar' *m.* Bulgare *m.*
Bulgaars' *b.n.* bulgare.
Bulgarij'e *o.* la Bulgarie.
bul'hond *m.* bouledogue *m.*
bul'ken I *on.w.* **1** beugler, mugir; **2** (*fig.*) gueuler, brailler; **— *van 't geld,*** regorger d'argent, être cousu d'or.
bulldozer *m.* défonceuse *f.*, bulldozer *m.*
bul'lebak *m.* (homme) bourru, loup*-garou* *m.*
bul'lebijter *m.* bouledogue *m.*
bul'lepees *v.(m.)* nerf *m.* de bœuf.
Bul'lingen *o.* Bullange.
bult *m.* **1** bosse *f.*; **2** (*persoon*) bossu *m.*, **—e** *f.*; **3** (*in weg*) dos *m.* d'âne; ***zich een — lachen,*** se tordre de rire, rire à se tordre.
bul'tenaar *m.* bossu *m.*
bul'tig *b.n.* **1** (*persoon*) bossu; **2** (*voorwerp*) bosselé, bossué, plein de bosses.
bul'tigheid *v.* gibbosité *f.*
bult'os *m.* bison *m.*
bult'zak *m.* paillasse *f.*
bum'per *m.* pare-chocs *m.*
bun *v.(m.)* banneton *m.*
bun'del *m.* **1** (*pak*) paquet *m.*; **2** (*bos*) botte *f.*; **3** (*papieren*) liasse *f.*; **4** (*stukken*) farde *f.*; dossier *m.*; **5** (*pijlen, stralen*) faisceau *m.*; **6** (*gedichten*) recueil *m.*
bun'delen *ov.w.* (*artikelen, gedichten, enz.*) réunir en [(un) volume.
bun'der *o.* hectare *m.*
bun'ker *m.* **1** soute *f.*; **2** casemate *f.*
bun'keren I *on.w.* (*sch.*) faire son plein de charbon; **II** *z.n., o.* soutage *m.*
bun'kerhaven *v.(m.)* port *m.* à charbon, — à mazout.
bun'kerkolen *mv.* charbon *m.* de soute.
bun'kerolie *v.(m.)* mazout *m.* de soute.
bun'senbrander *m.* bec *m.* Bunsen.
bun'zing *m.* (*Dk.*) putois *m.*
burcht *m. en v.* château *m.* (fort), citadelle *f.*
burcht'heer *m.* châtelain *m.*
burcht'vrouw(e) *v.* châtelaine *f.*
bureau' *o.* bureau *m.*; **— *van politie,*** bureau de police; ***naar het — brengen,*** conduire au poste.
bureau'ambtenaar *m.* employé *m.* de bureau.
bureaucraat', bureaukraat' *m.* bureaucrate *m.*
bureaucratie', bureaukratie' *v.* bureaucratie *f.*
bureaucra'tisch, bureaukra'tisch *b.n.* bureaucratique.
bureaulist', burelist' *m.* buraliste *m.*
bureau'werk *o.* travail *m.* de bureau.
bureel' *o.* bureau *m.*
burelist', bureaulist' *m.* buraliste *m.*

bu'ren *on.w.* voisiner.
bu'rengerucht *o.* tapage *m.* nocturne.
burg *m. en v.* château *m.* (fort).
burgemees'ter *m.* **1** (*F.*) maire *m.*; **2** (*Zwitserland*) syndic *m.*; **3** (*elders*) bourgmestre *m.*; — ***en wethouders,*** (*Z.N.*) — ***en schepenen,*** **1** (*F.*) le maire et ses adjoints; **2** le bourgmestre et les échevins, le collège échevinal.
burgemees'tersambt *o.* fonction *f.* de maire.
burgemees'tersbuik *m.* bedaine *f.*
burgemees'terschap *o.* (*F.*) dignité *f.* de maire; (*B.*) dignité *f.* de bourgmestre.
bur'ger *m.* **1** (*staats—*) citoyen *m.*; **2** (*burgerman*) bourgeois *m.*; **3** (*geen soldaat*) civil *m.*; ***in —,*** en civil.
bur'gerbevolking *v.* population *f.* civile; ***bescherming —,*** défense *f.* passive.
bur'gerdeugd *v.*(*m.*) civisme *m.*, vertu *f.* civique.
burgerdoch'ter *v.* fille *f.* bourgeoise.
bur'gerdracht *v.*(*m.*) costume *m.* bourgeois; — civil.
burgeres' *v.* **1** bourgeoise *f.*; **2** (*staats—*) citoyenne *f.*
burgerij' *v.* bourgeoisie *f.*; les citoyens *m.pl.*
bur'gerjongen *m.* garçon *m.* bourgeois, fils *m.* de bourgeois.
burgerjuf'frouw *v.* (petite) bourgeoise *f.*
bur'gerkeuken *v.*(*m.*) cuisine *f.* bourgeoise.
bur'gerklas(se) *v.* classe *f.* moyenne, — bourgeoise.
bur'gerkleding *v.* costume *m.* bourgeois, — civil; ***in —,*** en civil.
bur'gerkost *m.* cuisine (*of* nourriture) *f.* bourgeoise.
bur'gerkrijg *m.* guerre *f.* civile.
bur'gerleven *o.* vie *f.* bourgeoise.
bur'gerlijk *b.n.* **1** (*v. burgerstand*) bourgeois; **2** (*staats—*) civil; **3** (*niet adellijk*) roturier; ***de —e beleefdheid,*** la politesse (la plus) élémentaire; ***—e stand,*** état civil; — ***wetboek,*** code civil.
bur'gerlijkheid *v.* manières *f.pl.* bourgeoises.
burgerlucht'vaart *v.*(*m.*) aviation *f.* civile.
bur'gerlui *mv.* (petits) bourgeois *m.pl.*
bur'germaatschappij *v.* société *f.* civile.
bur'german *m.* (petit) bourgeois *m.*
bur'germeisje *o.* fille *f.* bourgeoise.
bur'geroorlog *m.* guerre *f.* civile.
bur'gerpakje *o.* (*mil.*) tenue *f.* civile.
bur'gerplicht *m. en v.* devoir *m.* civique, — du citoyen.
bur'gerpot *m.* cuisine *f.* bourgeoise.
bur'gerrecht *o.* **1** (*v. stad*) droit *m.* de cité, — de bourgeoisie *m.*; **2** (*politiek*) droit *m.* civil; ***het — verkrijgen,*** obtenir la naturalisation; ***dat woord heeft — verkregen,*** ce mot a acquis droit de cité.
bur'gerschap I *v.* bourgeoisie *f.*; **II** *o.* droit *m.* de bourgeoisie.
bur'gerschapsrechten *mv.* droits *m.pl.* civiques.
bur'gerschool *v.*(*m.*) école *f.* primaire supérieure; ***hogere —,*** lycée *m.* moderne; (*B.*) athénée *m.* moderne.
bur'gerstand *m.* bourgeoisie *f.*, classe *f.* bourgeoise; ***de deftige —,*** la haute bourgeoisie *f.*
bur'gertwist *m.* dissension *f.* civile.
burgerva'der *m.* maire; bourgmestre *m.*
bur'gervrouw *v.* (petite) bourgeoise *f.*
bur'gerwacht *v.*(*m.*) garde *f.* civique.
bur'gerzin *m.* civisme *m.*, sens *m.* civique.
burg'graaf *m.* burgrave, vicomte *m.*
burg'graafschap *o.* burgraviat; vicomté *m.*
burg'gravin *v.* vicomtesse *f.*
burg'voogd *m.* **—es** *v.* châtelain *m.*, **—e** *f.*
burg'vrouw(e) *v.* châtelaine *f.*
Burma, *zie* ***Birma.***
bur'sa *v.* (*kath.*) bourse *f.*
bus I *v.*(*m.*) **1** (*brieven—*) boîte *f.* aux lettres; **2** (*voor inmaak*) boîte *f.*; **3** (*v. benzine, enz.*) bidon *m.*; **4** (*offerbus*) tronc *m.*; **5** (*ziekenfonds*) mutualité *f.*, caisse *f.* de secours mutuel; **6** (*stembus*) urne *f.*; **7** (*v. vuurwapen*) canon *m.*; **II** *m. en v.* (*autobus*) autobus *m.*
bus'dienst *m.* service *m.* d'autobus.
bus'dokter *m.* médecin *m.* attaché à une caisse de secours mutuel.
bus'groente *v.* légumes *m.pl.* de conserve.
bus'halte *v.*(*m.*) arrêt *m.* de l'autobus.
bus'kruit *o.* poudre *f.* (à canon); ***hij heeft het — niet uitgevonden,*** il n'a pas inventé la poudre.
bus'kruitverraad *o.* (*gesch.*) conspiration *f.* des poudres.
bus'lichting *v.* levée *f.*
bus'opener *m.* ouvre-boîtes *m.*
bus'patiënt *m.* mutualiste *m.*
bus'sel *m. en v.* botte *f.*
bus'selen *ov.w.* lier en bottes.
bus'te *v.*(*m.*) buste *m.*
bus'tehouder *m.* soutien*-gorge *m.*
bu'tagas *o.* gaz *m.* butane.
but'ler *m.* maître *m.* d'hôtel.
buur *m.* voisin *m.*
buur'jongen *m.* garçon *m.* du voisinage; petit voisin, jeune voisin *m.*
buur'man *m.* voisin *m.*
buur'meisje *o.* jeune fille *f.* du voisinage; petite [voisine *f.*
buur'praatje *o.* propos *m.* de voisin; ***een — houden,*** voisiner.
buur'schap *v.* voisinage *m.*; — ***houden,*** voisiner; ***goede — houden,*** vivre en bons voisins.
buurt *v.*(*m.*) **1** (*omgeving*) voisinage *m.*; **2** (*wijk*) quartier *m.*; **3** (*gehucht*) hameau *m.*; ***vlak in de —,*** à deux pas, tout près; ***in de — van Antwerpen,*** aux environs d'Anvers.
buur'ten *on.w.* voisiner.
buurt'schap *v.* hameau *m.*
buurt'spoorweg *m.* chemin *m.* de fer vicinal.
buurt'vereniging *v.* association *f.* de quartier.
buurt'verkeer *o.* service *m.* de banlieue, — local.
buur'vrouw *v.* voisine *f.*
Byzantijn' *m.* Byzantin *m.*
byzantijns' *b.n.* byzantin.
Byzan'tium *o.* Byzance *f.*

C

C *v.*(*m.*) **1** (*letter*) c *m.*; **2** (*muz.*) do, ut *m.*
cabaret', kabaret' *o.* cabaret *m.* artistique, café*-concert*, café chantant, caf'conc' *m.*
cabi'ne, kabi'ne *v.* cabine *f.*
cacao' *m.* cacao *m.*
cacao'boom *m.* cacaoyer; cacaotier *m.*
cacao'boon *v.*(*m.*) fève *f.* de cacao, graine *f.* —.
cacao'boter *v.*(*m.*) beurre *m.* de cacao.
cacao'fabriek *v.* cacaoterie *f.*
cacao'plantage *v.* cacaoyère *f.*
ca'chemir(en), *zie* ***kasjmier(en).***
cachet' *o.* cachet *m.*

cachot' *o.* cachot *m.*
cac'tus, kak'tus *m.* cactus, cactier *m.* [*f.pl.*
cac'tusplanten, kak'tusplanten *mv.* cactées
cadans', kadans' *v.(m.)* **1** cadence *f.*; **2** (*in concerto*) point *m.* d'orgue.
cada'ver, *zie* ***kadaver.***
cadeau' *o.* cadeau, présent *m.*; ***iets — geven,*** faire cadeau de qc.; ***— krijgen,*** recevoir en cadeau; ***dat kun je — krijgen!*** je t'en fais cadeau! grand merci!
cadet', kadet' *m.* cadet *m.*; élève *m.* d'une école militaire. [*f.* militaire.
cadet'tenschool, kadet'tenschool *v.(m.)* école
caduc, *zie* ***kaduuk.***
Cae'sar *m.* César *m.*
caesuur, *zie* ***cesuur.***
café-chantant' *o.* café*-concert*, caf'conc' *m.*
caféhouder *m.*, **-houdster** *v.* cafetier *m.*, cafetière *f.*
cafeï'ne *v.(m.)* caféine *f.*
cafeï'nevrij *b.n.* décaféiné.
cafeta'ria *v.(m.)* milkbar, buffetbar *m.*
cahier' *o.* cahier *m.*
Caï'ro *o.* le Caire.
caissiè're *v.* caissière *f.*
caisson' *m.* caisson *m.*
caisson'arbeid *m.* travail *m.* d'air comprimé.
caisson'arbeider *m.* tubiste *m.*
ca'ke *m.* gâteau *m.* anglais, biscuit, cake *m.*
Cala'brië *o.* la Calabre.
Cala'brisch *b.n.* calabrais. [calcium.
cal'ciumcarbid, -karbied *o.* carbure *m.* de
calcula'tie, kalkula'tie *v.* calcul *m.* [*m.*
caleidoscoop', kaleidoskoop' *m.* kaléidoscope
caleidosco'pisch, kaleidosko'pisch *b.n.* kaléidoscopique.
Califor'nië *o.* la Californie.
Califor'nisch *b.n.* californien.
calligraaf', kalligraaf' *m.* calligraphe *m.*
cal'mans *v.* calmant *m.*
calorie', kalorie' *v.* calorie *f.*
calo'risch, kalo'risch *b.n.* calorique, thermique. [calquer.
calqueer'linnen, kalkeer'linnen *o.* toile *f.* à
calqueer'papier, kalkeer'papier *o.* papier *m.* à calquer, papier-calque *m.*
calva'rieberg, kalva'rieberg *m.* le Calvaire.
Calvijn' *m.* Calvin *m.*
calvinis'me *o.* Calvinisme *m.*
calvinist' *m.* Calviniste *m.*
calvinis'tisch *b.n.* calviniste.
cam'bio *m.* lettre *f.* de change, change *m.*
cam'bium *o.* cambium *m.*
came'lia, kame'lia *v.(m.)* camélia *m.* [ra *f.*
ca'mera *v.(m.)* appareil *m.* photographique, camé-
ca'meraman *m.* opérateur *m.*
ca'mera-obscu'ra *v.(m.)* chambre *f.* obscure; chambre *f.* noire.
camoufla'ge *v.* camouflage *m.*
camoufla'getenue *o. en v.(m.)* tenue *f.* léopard.
campag'ne *v.(m.)* campagne *f.*; ***een — voeren,*** mener une campagne.
cam'ping-, *zie* ***kampeer-.***
Ca'nada *o.* le Canada.
Canadees' I *m.* Canadien *m.*; **II** *b.n.* canadien.
canail'le *o.* canaille *f.*
canail'leachtig *b.n.* canaille.
canapé', kanapee' *m.* canapé *m.*
Cana'rische eilanden *mv.* îles *f.pl.* Canaries; ***van de —,*** canarien.
candela'ber, *zie* ***kandelaber.***
candidaat(-), *zie* ***kandidaat(-).***

ca'nevas, ka'nefas, can'vas, kan'fas *o.* canevas *m.*
can'na *v.* balisier *m.*, canne *f.* d'Inde.
ca'non *m.* canon *m.*
cañ'on *m.* canyon, cañon *m.*
canoniek', kanoniek' *b.n.* canonique; ***— recht,*** droit *m.* canon.
canonisa'tie, canoniza'tie, kanoniza'tie *v.* canonisation *f.*
canonise'ren, canonize'ren, kanonize'ren *ov.w.* canoniser.
cantarel', *zie* ***cantharel.***
canta'te, kanta'te *v.(m.)* cantate *f.*
cant(h)arel', kant(h)arel' *m.* chanterelle *f.*
cantine(-), *zie* ***kantine(-).***
can'tor *m.* chantre, chanteur *m.*
can'vas, *zie* ***canevas.***
caout'chouc *o. en m.* caoutchouc *m.*
capaciteit', kapaciteit' *v.* **1** (*v. persoon*) capacité *f.*; **2** (*v. pomp*) débit *m.*
ca'pe *v.(m.)* **1** caban *m.*; **2** (*voor dame*) collet *m.*
capel'la, *a —,* *zie* ***a-capella.***
Capetin'ger *m.* Capétien *m.*
capitulant', kapitulant' *m.* (*mil.*) rengagé *m.*
capitula'tie, kapitula'tie *v.* capitulation *f.*
capitule'ren, kapitule'ren *on.w.* capituler.
Cappado'cië *o.* la Cappadoce.
capriool', kapriool' *v.(m.)* cabriole *f.*
capsu'le *v.(m.)* capsule *f.*
cap'tain of in'dustry *m.* capitaine *m.* d'industrie, chef *m.* de file.
cap'tie, kap'tie *v.* ***— maken,*** chicaner, faire des difficultés.
Ca'pua *o.* Capoue *f.*
capucijn(-), *zie* ***kapucijn(-).***
carambo'le, karambol' *m.* carambolage *m.*
carambole'ren, karambole'ren *on.w.* caramboler.
caramel', karamel' *v.(m.)* caramel *m.*
ca'ravan *m.* caravane, roulotte *f.*, remorque *f.* de camping.
carbid', karbied' *o.* carbure *f.*
carbid'lamp, karbied'lamp *v.(m.)* lampe *f.* à acétylène. [phénol *m.*
carbol', karbol' *o. en m.* acide *m.* phénique,
carbolise'ren, carbolize'ren, karbolize'ren *ov.w.* phéniquer. [quée.
carbol'water, karbol'water *o.* eau *f.* phéni-
carbol'zeep, karbol'zeep *v.(m.)* savon *m.* phénique.
carbol'zuur, karbol'zuur *o.* acide *m.* phénique, phénol *m.* [carbone.
carbon'papier, karbon'papier *o.* papier *m.*
carbura'tor, karbura'tor *m.* carburateur *m.*
cargadoor' *m.* courtier *m.* maritime, — de vaisseau, commissionnaire *m.* chargeur, consignataire *m.* de navires.
car'galijst *v.(m.)* (*sch.*) manifeste *m.*, bordereau *m.* de chargement.
car'go *m.* (*sch.*) cargaison *f.*
caricatuur'(-), *zie* ***karikatuur(-).***
ca'riës *v.(m.)* carie *f.*
carieus' *b.n.* carié.
carillon' *o. en m.* carillon *m.*
caritatief', charitatief' *b.n.* de charité.
car'naval, kar'naval *o.* carnaval *m.*
Caroli'na *v.* Caroline *f.* [rare *m.*
Carra'risch *b.n.* de Carrare; ***— marmer,*** car-
car'rier *m.* **1** (*bakfiets*) triporteur *m.*; **2** porte-avions *m.*; **3** (*mil.*) chenillette *f.*
carrosserie' *v.* carrosserie *f.*
carrousel' *m. en o.* **1** (*draaimolen*) chevaux *m.pl.*

de bois, manège *m.* tournant; **2** (*ringsteken*) carrousel *m.*
cartel(-), *zie* ***kartel(-).***
car'ter *o.* carter *m.*
carteren, *zie* ***karteren.***
cartering, *zie* ***kartering.***
Cartesiaans' *b.n.* cartésien.
Carte'sius *m.* Descartes *m.*
Cartha'ger *m.* Carthaginois *m.*
Cartha'go *o.* Carthage *f.*
cartoon' *v.(m.)* cartoon *m.*
cartoonist' *m.* cartooniste *m.*
cartot(h)eek, kartot(h)eek *v.* fichier *m.*, jeu *m.* de fiches.
caryati'de, *zie* ***kariatide.***
cas'co *o.* (*sch.*) coque *f.* (d'un navire), carène *f.*
cas'sa, *zie* ***kassa.***
cassa'tie, kassa'tie *v.* cassation *f.*; ***hof van —,*** cour *f.* de cassation; ***in — gaan,*** se pourvoir en cassation.
casset'te *v.* **1** cassette *f.*; **2** (*v. tafelgerei*) ménagère *f.*
cas'sia *v.* casse *f.*
castagnet', kastanjet' *v.* castagnette *f.*
castiga'tie, kastiga'tie *v.* châtiment *m.*
Castiliaan' *m.* Castillan *m.*
Castiliaans' *b.n.* castillan.
Casti'lië *o.* la Castille.
cas'torolie, kas'terolie *v.(m.)* huile *f.* de ricin.
cas'torzaad *o.* graine *f.* de ricin.
castre'ren, kastre'ren *ov.w.* châtrer.
casuaris, *zie* ***kasuaris.***
casueel', kasueel' I *b.n.* par hasard, fortuit; **II** *bw.* fortuitement, par hasard.
ca'sus *m.* cas *m.*; ***— belli,*** cas de guerre; ***casu quo,*** le cas échéant.
catacom'ben, katakom'ben *mv.* catacombes *f.pl.*
Catalaans' *b.n.* catalan.
catalogise'ren, catalogize'ren, katalogize'ren *ov.w.* cataloguer, faire le catalogue de.
cata'logus *m.* catalogue *m.*
cata'logusprijs *m.* (*H.*) prix *m.* de catalogue, prix fort.
Catalo'nië *o.* la Catalogne.
catapult, *zie* ***katapult.***
cataract', katarakt' *v.(m.)* cataracte *f.*
catar're, katar' *v.(m.)* catarrhe *m.*
catastrofaal', katastrofaal' *b.n.* catastrophique.
catch *m.* catch *m.*
catechisant', catechizant', katechizant' *m.-v.* catéchumène *m.-f.*
catechisa'tie, catechiza'tie, katechiza'tie *v.* catéchisme *m.*, instruction *f.* religieuse; ***— krijgen,*** suivre le catéchisme; ***op — gaan,*** suivre les leçons de catéchisme.
catechiseer'meester, catechizeer'-, katechizeer'meester *m.* catéchiste *m.*
catechise'ren, -izeren, katechize'ren *on.w. en ov.w.* catéchiser.
catechis'mus, katechis'mus *m.* catéchisme *m.*
categorie', kategorie' *v.* catégorie *f.*
catego'risch, katego'risch I *b.n.* catégorique; **II** *bw.* catégoriquement.
cate'ter, *zie* ***catheter.***
Cathari'na *v.* Catherine *f.*
cat(h)e'ter *m.* (*gen.*) cathéter *m.*
causaal', kausaal' *b.n.* **1** causal; **2** (*gram.*) causatif; ***— verband,*** rapport de cause à effet.
cau'tie, kau'tie *v.* garantie, sécurité *f.*; caution *f.*; ***— stellen,*** donner caution, fournir une caution.
cavalerie', kavalerie' *v.* cavalerie *f.*
cavalerist', kavalerist' *m.* cavalier *m.*
cayen'nepeper *m.* poivre *m.* de Guinée, poivre long.
Ceci'lia *v.* Cécile *f.*
ce'del, ceel *v.(m.) en o.* **1** (*lijst*) liste *f.*; **2** (*huur—*) bail *m.*; **3** (*contract*) contrat *m.*; **4** (*H.*) récépissé*-warrant* *m.*, cédule *f.*
cedent' *m.* (*H.*) cédant *m.*
ce'der, ce'derboom *m.* cèdre *m.*
cede'ren *ov.w.* céder; faire cession de.
ce'derhars *o. en m.* cédrie *f.*
ce'derhout *o.* bois *m.* de cèdre.
ce'derhouten *b.n.* en cèdre, de cèdre.
ceel, *zie* ***cedel.***
ceintuur' *v.* ceinture *f.*
ceintuur'baan *v.* chemin *m.* de fer de ceinture.
ceintuur'gesp *m. en v.* boucle *f.* de ceinture.
cel *v.(m.)* **1** (*alg.*) cellule *f.*; **2** (*v. bijen*) ook *:* alvéole *f.*; **3** (*v. batterij*) élément *m.*; **4** (*cello*) violoncelle *m.*
cel'deling *v.* division *f.* de la cellule.
Cele'bes *o.* Célèbes *m.*
celebrant' *m.* célébrant *m.*
celebre'ren *ov.w.* célébrer.
celibaat' *o.* célibat *m.*
celibatair' *m.* célibataire *m.*
cel'kern *v.(m.)* nucléole *m.*
cel'lebroeder *m.* celliste *m.*
cel'lenbouw *m.* (*fig.*) noyautage *m.*
cellist' *m.* violoncelliste, bassiste *m.*
cel'lo *m.* violoncelle *m.*
cellofaan' *o.* cellophane *f.*
cellulair' *b.n.* cellulaire.
cel'luloid, celluloï'de *o.* celluloïd *m.*
cellulo'se *v.(m.)* cellulose *f.*
Cel'sius *m.* Celsius *m.*; ***thermometer van —,*** thermomètre centigrade; ***12 graden —,*** 12 degrés centigrades.
cel'stof *v.(m.)* cellulose *f.*
cel'straf *v.(m.)* prison *f.* cellulaire, régime *m.* cellulaire.
cel'vezel *v.(m.)* fibre*-cellule* *f.*
cel'vlies *o.* membrane *f.* cellulaire.
cel'vormig *b.n.* celluleux, celluliforme.
cel'wagen *m.* voiture *f.* cellulaire; panier *m.* (à salade), fourgon *m.* cellulaire.
cel'weefsel *o.* tissu *m.* cellulaire.
cement' *o. en m.* **1** ciment *m.*; **2** (*v. tanden*) cément *m.*
cemen'ten *b.n.* de ciment, en ciment.
cemente'ren *ov.w.* **1** (*muur*) cimenter; **2** (*metaal, enz.*) cémenter.
cement'poeder, -poeier *o. en m.* cément *m.*
cement'werker *m.* cimentier *m.*
cen'sor *m.* censeur *m.*
censuur' *v.* censure *f.*; ***onder —,*** soumis à la censure.
cent *m.* cent *m.*; (*in België vroeger:*) deux centimes; ***dat is geen — waard,*** cela ne vaut pas un sou; ***hij is zonder een — begonnen,*** il est parti de rien; ***op een — doodblijven,*** tondre sur un œuf; ***zonder een — uit te geven,*** sans bourse délier;
cen'ten *mv.* de l'argent; ***hij heeft —,*** il a de quoi, il a de la galette.
centaur', kentaur' *m.* centaure *m.*
cen'tenaar *m.* quintal *m.*
cen'tenbakje *o.* sébile *f.*
cen'terboor *v.(m.)* tarière *f.* à trépan, mèche *f.* anglaise.
cen'tigram *o.* centigramme *m.*
cen'tiliter *m.* centilitre *m.*
cen'timeter *m.* centimètre *m.*
centraal' I *b.n.* central; **II** *bw.* centralement.
Centraal' Afrikaan'se Republiek' *v.* République *f.* Centraficaine.
centraal'station *o.* gare *f.* centrale.
centra'le *v.(m.)* **1** centrale *f.*; **2** (*v. telefoon*) poste *m.* central, central *m.*; **3** (*elektrische —*) station *f.* centrale, (usine) centrale *f.*
centralisa'tie, centraliza'tie *v.* centralisation *f.*

centralise'ren, centralize'ren *ov.w.* centraliser. [tralisateur.
centralise'rend, centralize'rend *b.n.* cen-
centrifugaal' *b.n.* centrifuge.
centrifu'ge *v.(m.)* appareil *m.* centrifuge, centrifugeuse *f.*
centripetaal' *b.n.* centripète.
cen'trum *o.* centre *m.*
cen'trumpartij *v.* parti *m.* du centre.
ceramiek', keramiek' *v.* céramique *f.*
Cer'berus, Ker'berus *m.* Cerbère *m.*
cerebraal' *b.n.* cérébral.
ceremo'nie *v.* cérémonie *f.*
ceremonieel' I *z.n., o.* cérémonial *m.*; **II** *b.n.* cérémonieux; **III** *bw.* cérémonieusement.
ceremo'niemeester *m.* maître *m.* des cérémonies.
Ce'res *v.* Cérès *f.*
certificaat', certifikaat' *o.* certificat *m.*; — ***van aandeel,*** *(H.)* récépissé *m.*; — ***van oorsprong,*** certificat d'origine.
cervelaat'worst *v.(m.)* cervelas *m.*
ces *v.* *(muz.)* ut *m.* bémol.
ce'sium *o.* césium *m.*
ces'sie *v.* cession *f.*
cessiona'ris *m.* abandonnataire *m.*
cesuur', caesuur' *v.* césure *f.*
Cettin'je *o.* Cettigné *m.*
Cey'lon *o.* Ceylan *m.*
Cey'lons *b.n.* cingalais.
chagrijn'le(d)er, segrijnle(d)er *o.* chagrin *m.*
cham'bercloak *m.* robe *f.* de chambre.
chambre'ren *ov.w.* *(wijn)* chambrer.
champag'ne *m.* champagne *m.*
champag'necider *m.* cidre *m.* mousseux.
champag'neglas *o.* verre *m.* à champagne.
champignon' *m.* champignon *m.*
chanta'ge *v.* chantage *m.* [tage.
chante'ren *ov.w.* faire chanter, pratiquer le chan-
cha'os *m.* chaos *m.*
chao'tisch *b.n.* chaotique.
chaperonne'ren *ov.w.* chaperonner.
chapi'ter *o.* chapitre *m.*; ***iem. van zijn — brengen,*** faire perdre le fil à qn.
c(h)aritatief' *b.n.* de charité.
charivari' *o.* **1** charivari *m.*; **2** *(aan ketting)* breloques *f.pl.*
charmant' I *b.n.* charmant; **II** *bw.* d'une manière charmante. [épris de.
charme'ren *ov.w.* charmer; ***gecharmeerd op,***
char'ter *o.* charte *f.*
char'teren *ov.w.* affréter, noliser.
char'tering *v.* affrètement *m.*
chassis' *o.* châssis *m.*
chauffe'ren *on.w.* conduire (une auto).
chauffeur' *m.* chauffeur *m.*
chauffeu'se *v.* chauffeuse *f.*
chauvinist' *m.* chauvin *m.*
chauvinis'tisch *b.n.* chauvin.
check(-), *zie* ***cheque(-).***
chef *m.* chef; directeur *m.*
chef-boek'houder *m.* comptable *m.*
chef-kok' *m.* chef *m.* (de cuisine).
chemica'liën *mv.* produits *m.pl.* chimiques.
che'micus *m.* chimiste *m.*
chemie' *v.* chimie *f.* [à sec.
che'misch *b.n.* chimique; — ***reinigen,*** nettoyer
chemist' *m.* chimiste *m.*
che'motherapie' *v.* chimiothérapie *f.*, thérapeutique *f.* chimique.
che'que, check *m.* chèque *m.*; — ***aan toonder,*** chèque *m.* au porteur; — ***aan order,*** chèque à ordre; ***een — trekken,*** tirer un chèque; ***een — incasseren,*** encaisser un chèque; ***een — endosseren,*** endosser un chèque.
che'queboek(je), check'boek(je) *o.* carnet *m.* de chèques.
cher'tepartij *v.* *(H.)* charte*-partie* *f.*
che'rub, cherubijn' *m.* chérubin *m.*
che'viot *o. en m.* cheviotte *f.*
chic, sjiek I *b.n.* chic, élégant; **II** *z.n., m.* ***de —,*** le beau monde.
chica'ne *v.(m.)* chicane *f.*
chicane'ren *on.w.* chicaner, faire des chicanes.
chicaneur' *m.* chicaneur *m.*
chicaneu'rig *b.n.* chicaneur; maussade, difficile.
chiffonniè're *v.(m.)* chiffonnier *m.*
chijl *v.(m.)* chyle *m.*
chijl'achtig *b.n.* chyleux.
chijl'vat *o.* vaisseau *m.* chylifère.
Chileen' *m.* Chilien *m.*
Chileens' *b.n.* chilien.
Chi'li *o.* le Chili.
chi'lisalpeter *m. en o.* nitrate *m.* de soude, (salpêtre *m.*) du Chili.
chim'pansee *m.* chimpanzé *m.*
Chi'na *o.* la Chine.
Chinees' I *m.* Chinois *m.*; **II** *b.n.* chinois; ***de Chinese muur,*** muraille *f.* de Chine; ***Chinese volksrepubliek*** *v.* République *f.* populaire de Chine.
Chinees'-In'disch *b.n.* sino-indien.
Chinees'-Japans' *b.n.* sino-japonais.
chi'que, *zie* ***chic.***
chirurg' *m.* chirurgien *m.*
chirur'gisch *b.n.* chirurgical.
chloor *m. en o.* chlore *m.*
chloor'kalium *o.* chlorure *m.* de potassium.
chloor'kalk *m.* hypochlorite *m.* de calcium.
chloor'natrium *o.* chlorure *m.* de jodium, — de soude.
chloor'verbinding *v.* chlorure *m.*
chloor'water *o.* **1** *(scheik.)* eau *f.* de chlore; **2** *(voor was)* eau *f.* de Javel, — javelle.
chloor'zuur *o.* acide *m.* chlorique.
chlori'de *o.* chlorure *m.*
chloroform' *m.* chloroforme *m.*
chloroform(is)e'ren *ov.w.* chloroform(is)er.
chlorofyl' *o.* chlorophylle *f.*
chocola'(de) *m.* chocolat *m.*
chocolaat'je *o.* pastille *f.* de chocolat.
chocola'(de)fabriek *v.* chocolaterie *f.*
chocola'(de)flikje *o.* rondelle *f.* de chocolat.
chocola'(de)kan *v.(m.)*, **-ketel** *m.* chocolatière *f.*
chocola'(de)reep *m.* bâton *m.* (*of* tablette *f.*) de chocolat.
chocola'(de)vla *v.(m.)* crème *f.* au chocolat.
cho'keknop *m.* tirette *f.* du starter.
cho'lera *v.(m.)* choléra *m.*
cho'lerabacil *m.* bacille *m.* du choléra.
cho'lerabarak *v.(m.)* pavillon *m.* pour cholériques.
cho'leralijder *m.* , **—es** *v.* cholérique *m.-f.*
chole'risch *b.n.* colérique.
choreografie', koreografie' *v.* chorégraphie *f.*
chris'ma, kris'ma *o.* *(kath.)* (saint-)chrème *m.*
chris'telijk, kris'telijk I *b.n.* chrétien; **II** *bw.* chrétiennement, en chrétien.
christelijk-histo'risch *b.n.* chrétien-historique.
chris'ten, kris'ten *m.* chrétien *m.*
chris'tendom, kris'tendom *o.* **1** christianisme *m.*; **2** *(christenwereld)* chrétienté *f.*
chris'tenheid, kris'tenheid *v.* chrétienté *f.*
chris'tenmens, kris'tenmens *m.* chrétien *m.*; ***geen —,*** pas âme qui vive.
Chris'tiaan *m.* Chrétien *m.*

Christin', kristin' *v.* chrétienne *f.*
Christi'na *v.* Christine, Chrétienne *f.*
Christof'fel *m.* Christophe *m.*
Chris'tus, Kris'tus *m.* le Christ.
Chris'tusbeeld, Kris'tusbeeld *o.* **1** (*afbeelding*) image *m.* du Christ; **2** (*kruisbeeld*) crucifix *m.*; ***een zilveren* —,** un christ en argent.
Chris'tuskind, Kris'tuskind *o.* Enfant Jésus *m.*
Chris'tuspeer, Kris'tuspeer *v.*(*m.*) bon*-chrétien* *m.*
chroma'tisch *b.n.* chromatique.
chro'mium *o.* chrome *m.*
chro'mo *m.* chromolithographie *f.*
chro'nisch, kro'nisch *b.n.* chronique.
chronolo'gisch, kronolo'gisch I *b.n.* chronologique; **II** *bw.* dans l'ordre chronologique, chronologiquement.
chro'nometer, kro'nometer *m.* chronomètre [*m.*
chroom *o.* chrome *m.*
chroom'le(d)er *o.* cuir *m.* chromé.
chroom'staal *o.* acier *m.* chromé.
chroom'zuur *o.* acide *m.* chromique.
chrysant', krysant' *v.*(*m.*) chrysanthème *m.*
Chur *o.* Coire *f.*
cibo'rie *v.* ciboire *m.*
cica'de *v.* cigale *f.*
Ci'cero *m.* Cicéron *m.*
ci'cero *v.*(*m.*) (*drukk.*) cicéro, douze *m.*
ci'cerolatje *o.* (*drukk.*) typomètre *m.*
cichorei', cikorei' *m. en v.* chicorée *f.*
cichorei'koffie, cikorei'koffie *m.* café *m.* de chicorée.
cichorei'wortel, cikorei'wortel *m.* cossette *f.*
ci'der *m.* cidre *m.*
cij'fer *o.* **1** chiffre *m.*; **2** (*op schoolrapport*) note *f.*
cij'feraar *m.* chiffreur *m.*; calculateur *m.*
cij'ferboek *o.* livre *m.* d'arithmétique.
cij'ferboekje *o.* carnet *m.* de notes.
cij'feren *on.w.* chiffrer, calculer.
cij'ferkunst *v.* calcul *m.*; arithmétique *f.*
cij'ferlijst *v.*(*m.*) liste *f.* des notes obtenues.
cij'ferschrift *o.* **1** écriture *f.* en chiffres, chiffre *m.*; **2** méthode *f.* chiffrée.
cij'fersleutel *m.* clé *f.*
cij'fertelegram *o.* dépêche *f.* chiffrée.
cijns *m.* tribut *m.*
cijnsplich'tig *b.n.* tributaire, censitaire.
cikorei(-), *zie* ***cichorei(-).***
cilin'der, cylin'der *m.* **1** cylindre *m.*; **2** (*v. revolver*) barillet *m.*; **3** (*hoed*) chapeau *m.* haut de forme, tube *m.*
cilin'derbureau, cylin'derbureau *o.* bureau *m.* à cylindre. [*f.* à cylindre.
cilin'derhorloge, cylin'derhorloge *o.* montre
cilin'derkop, cylin'derkop *m.* culasse *f.*
cilin'dervormig, cylin'dervormig *b.n.* cylindrique.
cilin'derwand, cylin'derwand *m.* chemise *f.*
cimbaal' *v.*(*m.*) cymbale *f.*
cimbaal'speler *m.* cymbalier *m.*
ci'neac *m.* cinéma *m.* d'actualités.
cineast', kineast' *m.* cinéaste *m.*
ci'nema, ki'nema *m.* cinéma *m.*
cinematograaf', kinematograaf' *m.* cinématographe *m.*
cinematogra'fisch, kinematogra'fisch *b.n.* cinématographique.
cinera'ma *o.* cinérama *m.*
cin'gel, sin'gel *m.* (*v. priester*) ceinture *f.*
cipier' *m.* geôlier, porte-clefs *m.*
cipres', cypres' *m.* cyprès *m.*
cir'ca *bw.* environ, à peu près.
circuit' *o.* circuit *m.*; ***gesloten* —,** circuit hermétique, — scellé.
circulai're *v.*(*m.*) circulaire *f.*; ***een — verspreiden,*** distribuer des circulaires.
circula'tie *v.* circulation *f.*
circula'tiebank *v.*(*m.*) banque *f.* de circulation, — d'émission. [d'air.
circula'tiekachel *v.*(*m.*) poêle *m.* à circulation
circule'ren *on.w.* circuler.
cir'cus *o. en m.* cirque *m.*
cir'cuskind *o.* enfant *m.-f.* de cirque.
cir'kel *m.* cercle *m.*; ***in een* —,** circulairement; ***halve* —,** demi-cercle* *m.*
cir'kelboog *m.* arc *m.* de cercle.
cir'kelen *on.w.* tourner circulairement, décrire des circonvolutions.
cir'kelgang *m.* mouvement *m.* circulaire.
cir'kelomtrek *m.* circonférence *f.* du cercle.
cir'kelredenering *v.* cercle *m.* vicieux.
cir'kelrond *b.n.* circulaire.
cir'kelsegment *o.* segment *m.* de cercle.
cirkelvor'mig *b.n.* circulaire, en forme de cercle.
cir'kelzaag *v.*(*m.*) scie *f.* circulaire.
cis *v.*(*m.*) (*muz.*) ut *m.* dièse.
cisele'ren I *ov.w.* ciseler; **II** *z.n.* ***het* —,** le ciselage.
cisterciën'zer *m.* cistercien *m.*, frère *m.* de l'ordre de Citeaux.
citaat' *o.* citation *f.*
citadel' *v.*(*m.*) citadelle *f.*
ci'ter *v.*(*m.*) cithare *f.*
cite'ren *ov.w.* citer.
ci'terspel *o.* jeu *m.* de la cithare.
ci'terspeler *m.* joueur *m.* de cithare.
cito *bw.* à l'instant, immédiatement, de suite.
citroen' *m. en v.* **1** citron *m.*; **2** (*sterke drank*) citronnelle *f.*
citroen'boom *m.* citronnier *m.*
citroen'geel *b.n.* citrin; citron.
citroen'kleur *v.*(*m.*) couleur *f.* de citron, citrin *m.*
citroen'kruid *o.* citronnelle *f.*
citroen'limonade *v.*(*m.*) citronnade *f.*
citroen'pers *v.*(*m.*) presse-citrons, vide-citron* *m.*
citroen'sap *o.* jus *m.* de citron.
citroen'schijfje *o.* rouelle *f.* de citron.
citroen'schil *v.*(*m.*) écorce *f.* de citron.
citroen'vlinder *m.* citron *m.*
citroen'zuur *o.* acide *m.* citrique.
ci'trusvruchten *mv.* agrumes *f.pl.*
civet' *o.* civette *f.*
civet'kat *v.*(*m.*) civette *f.*
civiel' *b.n.* civil; ***—-ingenieur,*** ingénieur civil; ***—e prijs,*** prix modique, — modéré. [mation *f.*
claim *m.* (titre de) droit *m.* de préférence; récla-
clan *m.* clan *m.*
clandestien', klandestien' *b.n.* clandestin.
Cla'ra *v.* Claire *f.*
classicaal', *zie* ***klassikaal.***
clas'sicus *m.* (philologue) classique *m.*
classiek', *zie* ***klassiek.***
classifica'tie, klassifika'tie *v.* classification *f.*
classificeer'der, klassificeer'der *m.* nettoyeur *m.* de bateaux.
classifice'ren, klassifice'ren *ov.w.* classer, classifier.
Clau'dius *m.* Claude *m.*
clausu'le *v.*(*m.*) clause *f.*
clausuur' *v.* clôture *f.*
clavecim'bel, *zie* ***klavecimbel.***
claviatuur' *v.* clavier *m.*
cla'xon, klak'son *m.* klaxon *m.*
clea'ring *v.*(*m.*) clearing *m.*
clea'ringbank *v.*(*m.*) chambre *f.* de compensation.

clema'tis *v.*(*m.*) clématite *f.*
Cle'mens *m.* Clément *m.*
clemen'tie, klemen'tie *v.* clémence *f.*
Cleo'patra *v.* Cléopâtre *f.*
clericaal', *zie* ***klerikaal.***
cle'rus, kle'rus *m.* clergé *m.*
cliché' *o.* phototype, cliché *m.*
cliché'fabriek *v.* clicherie *f.*
cliënt'(**e**), **kliënt'**(**e**) *m.-v.* client *m.*, —e *f.*
cliënteel', kliënteel' *v.*(*m.*) clientèle *f.*
cli'max *m.* gradation *f.*; ***stijgende*** (***dalende***) **—,** gradation ascendante (descendante).
clip *m.* pince-billets *m.*
closet', kloset' *o.* cabinet, water-closet *m.*
closet'papier, kloset'papier *o.* papier *m.* de toilette, — hygiénique.
closet'spoeler, kloset'spoeler *m.* chasse-d'eau [*f.*
close-up' *m.* gros (*of* premier) plan *m.*
clown, klown *m.* clown *m.*
clown'achtig, klown'achtig *b.n.* clownesque.
club, klub *v.*(*m.*) club, cercle *m.*
club'fauteuil, klub'fauteuil *m.* fauteuil *m.* (de) [club.
club'genoot, klub'genoot *m.* ami *m.* du cercle.
club'je, klub'je *o.* **1** petit cercle *m.*; **2** petit groupe *m.*; **3** (*ong.*) coterie, bande *f.*
clysteer' *o.* lavement *m.*
clysteer'spuit *v.*(*m.*) seringue *f.* à lavement.
coadju'tor *m.* coadjuteur *m.*
coali'tie, koali'tie *v.* coalition *f.*
Co'ba *v.* Jacqueline *f.*
Co'blenz *o.* Coblence *f.*
co'bra, ko'bra *v.*(*m.*) cobra *m.*
cocaï'ne *v.*(*m.*) cocaïne *f.*
cock'pit *m.* (*vl.*) carlingue *f.*, poste *m.* de pilotage.
cock'tail *m.* cocktail *m.*
cocon', kokon' *m.* cocon *m.*
co'de, ko'de *m.* code *m.*
co'detelegram, ko'detelegram *o.* télégramme [*m.* codé.
co'dewoord, ko'dewoord *o.* mot *m.* codique.
co'dex *m.* code *m.*
codicil' *o.* codicille *m.*
codifice'ren, kodifice'ren I *ov.w.* codifier; **II** *z.n.* ***het* —,** la codification.
coëduca'tie, koëduka'tie *v.* coéducation *f.*
coëfficiënt, koëfficiënt' *m.* coefficient *m.*
cognac' *m.* cognac *m.*
cognossement', connossement' *o.* (*H.*) connaissement *m.*
cohe'sie, kohe'sie *v.* cohésion *f.*
cohort'(**e**), **kohort'**(**e**) *v.*(*m.*) cohorte *f.*
co'kes, kooks *v.*(*m.*) coke *m.*
co'kesoven, kooks'oven *m.* four *m.* à coke.
colbert', kolbert' *o.* *en m.* veston *m.*
colbert'kostuum, colbert'costuum, kolbertkostuum *o.* complet *m.* veston.
Colise'um *o.* Colisée *m.*
collatione'ren, kollatione'ren *ov.w.* collation- [ner.
collationement', kollationement' *o.* collationnement *m.*
collectant', kollektant' *m.* quêteur *m.*
collec'te, kollek'te *v.*(*m.*) quête, collecte *f.*
collecte'ren, kollekte'ren *on.w.* quêter, faire une quête.
collec'teschaal, kollek'teschaal *v.*(*m.*) bassin [*m.* de quête.
collec'tie, kollek'tie *v.* collection *f.*
collectief', kollektief' I *b.n.* collectif; **II** *bw.* collectivement.
colle'ga, kolle'ga *m.* **1** confrère *m.*; **2** (*aan dezelfde inrichting*) collègue *m.*
colle'ge, kolle'ge *o.* **1** collège *m.*; **2** (*aan hogeschool*) cours *m.*; **3** (*regeringslichaam*) corps, conseil *m.*; **—** ***lopen,*** suivre un (*of* les) cours.
colle'gegelden, kolle'gegelden *mv.* frais *m.pl.* d'inscription, droit *m.* —; (*Z.N.*) minerval *m.*
colle'gezaal, kolle'gezaal *v.*(*m.*) salle *f.* de cours, amphi(théâtre) *m.*
collegiaal', kollegiaal' I *b.n.* confraternel; **II** *bw.* confraternellement.
collegialiteit', kollegialiteit' *v.* confraternité *f.*
col'li, col'lo *o.* colis *m.*
collier' *m.* collier *m.*
collo'dium, collo'dion *o.* collodion *m.*
collo'quium *o.* colloque *m.*
colofon', kolofon' *o. en m.* colophon *m.*, achevé *m.* d'imprimer.
colombijn'tje, kolombijn'tje *o.* madeleine *f.*
colon'ne, kolon'ne *v.*(*m.*) colonne *f.*
colora'dokever *m.* doryphore *m.*
coloratuur'zangeres, koloratuur'zangeres *v.* vocaliste *f.*
coloriet', *zie* ***koloriet.***
colorist', *zie* ***kolorist.***
colporte'ren, kolporte'ren *ov.w.* colporter.
colporteur' *m.* colporteur *m.*
Colum'bia *o.* la Colombie; ***uit* —,** colombien.
Colum'bus *m.* Colomb *m.*
combina'tie, kombina'tie *v.* combinaison *f.*
combina'tiemeubel, kombina'tiemeubel *o.* meuble *m.* démontable et transformable.
combina'tieslot, kombina'tieslot *o.* serrure *f.* à combinaison.
combina'tietang, kombina'tietang *v.*(*m.*) pince *f.* universelle.
combina'tievermogen, kombina'tievermogen *o.* esprit *m.* de combinaison.
combi'ne *v.*(*m.*) moissonneuse*-batteuse* *f.*
combine'ren, kombine'ren *ov.w.* combiner.
comesti'bleswinkel *m.* épicerie *f.* fine.
comfort', komfort' *o.* confort *m.*
comforta'bel, komforta'bel *b.n.* confortable.
comité, komitee' *o.* comité *m.*
commandant', kommandant' *m.* commandant [*m.*
commande'ren, kommande'ren *ov.w. en on.w.* commander; ***ik laat mij niet* —,** je n'ai pas d'ordres à recevoir.
commandeur', kommandeur' *m.* comman- [deur *m.*
commanditair' *b.n.* commanditaire; **—** ***vennoot,*** associé *m.* commanditaire; **—*e vennootschap,*** société *f.* commanditaire, association *f.* en participation.
commandi'te *v.*(*m.*) commandite *f.*, société *f.* en commandite, association *f.* en participation.
comman'do, komman'do *o.* **1** commandement *m.*; **2** (*legerafdeling*) commando *m.*
comman'dobrug, komman'dobrug *v.*(*m.*) passerelle *f.*
comman'dogroep, komman'dogroep *v.*(*m.*) commando *m.*
comman'dopost, komman'dopost *m.* poste *m.* de commande.
commensaal', kommensaal' *m.* pensionnaire [*m.*
commentaar', kommentaar' *m. of o.* commentaire *m.*
commentarië'ren, kommentarië'ren *ov.w.* [commenter.
commenta'tor, kommenta'tor *m.* commentateur *m.*
commente'ren, kommente'ren *ov.w.* commenter.
commercieel' *b.n.* commercial.
commies', kommies' *m.* **1** commis *m.* des accises; **2** (*tolbeambte*) douanier *m.*, employé *m.* de la douane.
commies'brood, kommies'brood *o.* (*mil.*) pain *m.* de munition; (*fam.*) boule *f.* de son.

commissariaat', kommissariaat' *o.* commissariat *m.*
commissa'ris, kommissa'ris *m.* commissaire *m.*; (*van vennootschap*) administrateur *m.*; ***— der Koningin,*** (*in Nederl.*) gouverneur *m.*; (*in Frankrijk*) préfet *m.*; ***gedelegeerd —,*** administrateur délégué.
commis'sie, kommis'sie *v.* **1** (*boodschap*) commission *f.*; **2** (*comiteit*) commission *f.*, comité *m.*; **3** (*examen—*) jury *m.*; ***een — benoemen,*** constituer un comité; ***in —,*** (*H.*) en dépôt; ***— van toezicht,*** conseil de surveillance; ***— van beheer,*** comité administratif; ***naar een — verwijzen,*** renvoyer à une commission; ***liegen in —,*** mentir avec d'autres.
commis'siegoed, kommis'siegoed *o.* marchandises *f.pl.* en commission.
commis'siehandel, komis'siehandel *m.* commerce *m.* de commission, maison *f.* —.
commis'sieloon, kommis'sieloon *o.* commission *f.*
commissionair', kommissionair' *m.* commissionnaire, courtier *m.*; ***— in effecten,*** courtier en fonds publics; agent *m.* de change.
committent', kommittent' *m.* commettant *m.*
committe'ren, kommitte'ren *ov.w.* commettre, déléguer.
Com'monwealth *o.* Commonwealth *m.*
communicant', kommunikant' *m.* communiant *m.* [cation *f.*
communica'tie, kommunika'tie *v.* communi-
communica'tiemiddel, kommunika'tiemiddel *o.* moyen *m.* de communication.
communice'ren, kommunice'ren *on.w.* **1** communier, recevoir la Sainte Communion; **2** communiquer; ***—de vaten,*** vases communicants.
commu'nie, kommu'nie *v.* communion *f.*; ***te — gaan,*** communier.
commu'niebank, kommu'niebank *v.(m.)* table *f.* de communion, Sainte Table *f.*
commu'niekleed, kommu'niekleed *o.* **1** nappe *f.* de banc de communion; **2** robe *f.* de (première) communion.
communiqué *o.* communiqué *m.*
communist', kommunist' *m.* communiste *m.*
communis'tisch, kommunis'tisch *b.n.* communiste.
Co'mo *o.* Côme *m.*
compagnie', kompagnie' *v.* compagnie *f.*
compagnie'schap, kompagnie'schap *v.* association *f.*, société *f.* (en nom collectif).
compagnon', kompagnon' *m.* associé *m.* [*m.*
comparant', komparant' *m.* (*recht*) comparant
compare'ren, kompare'ren *on.w.* comparaître.
compensa'tie, kompensa'tie *v.* compensation *f.*
compensa'tieslinger, kompensa'tieslinger *m.* (pendule) compensateur *m.* [penser.
compense'ren, kompense'ren *ov.w.* com-
competent', kompetent' *b.n.* compétent.
competen'tie, kompeten'tie *v.* compétence *f.*
competi'tie, kompeti'tie *v.* concours *m.*
competi'tiewedstrijd, kompeti'tiewedstrijd *m.* match *m.* de championnat.
compila'tie, kompila'tie *v.* compilation *f.*
compila'tiewerk, kompila'tiewerk *o.* ouvrage (*of* travail) *m.* de compilation, compilation *f.*
compleet', kompleet' *b.n.* complet, entier.
complement', komplement' *o.* complément *m.*
complements'hoek, komplements'hoek *m.* angle *m.* complémentaire.
comple'ten, komple'ten *mv.* complies *f.pl.*
complex' *o.* **1** groupe, ensemble *m.*; **2** complexe *m.*; ***een — hebben,*** avoir un complexe, — le complexe de...
complice'ren, komplice'ren *ov.w.* compliquer.
compliment', kompliment' *o.* compliment *m.*; ***geen —en!*** point de cérémonies! ***—en maken,*** faire des façons, — de l'embarras; ***—en aan uw ouders,*** mes amitiés à vos parents, bien des choses à vos parents; ***geen —en afwachten,*** ne pas souffrir de réplique; ***ik maak er u mijn — over,*** je vous en fais mon compliment.
complimente'ren, komplimente'ren *ov.w.* complimenter. [plimenteur.
complimenteus', komplimenteus' *b.n.* com-
component', komponent' *m.* composant *m.*; (*wisk.*) composante *f.*
compone'ren, kompone'ren I *ov.w. en on.w.* composer; **II** *z.n.* ***het —,*** la composition *f.*
componist', komponist' *m.* compositeur *m.*
composie'ten, komposie'ten *mv.* composées *f.pl.*
composi'tie, komposi'tie *v.* **1** composition *f.*; **2** (*v. metalen*) alliage *m.*; **3** (*proefwerk*) composition *f.*, concours *m.*
compost', kompost' *o. en m.* compost *m.*
compo'te *m. en v.* compote *f.*
compo'teschaal *v.(m.)* compotier *m.*
compres', kompres' *b.n.* serré, compact.
compres'sor, kompres'sor *m.* compresseur *m.*
compromis', kompromis' *o.* **1** (*vergelijk*) compromis *m.*; **2** (*akkoordje*) compromission *f.*
compromitte'ren, kompromitte'ren, *zich —,* *w.w.* (se) compromettre.
compromitte'rend, kompromitte'rend *b.n.* compromettant. [bilité *f.*
comptabiliteit', komptabiliteit' *v.* compta-
comptabiliteits'wet, komptabiliteits'wet *v.(m.)* règlement *m.* général sur la comptabilité.
compu'ter *m.* calculateur *m.* électronique, machine *f.* à calculer, ordinateur *m.*
concaaf' *b.n.* concave.
concentra'tie, koncentra'tie *v.* concentration *f.*
concentra'tiekamp, koncentra'tiekamp *o.* camp *m.* de concentration.
concentra'tiekampleven, koncen— *o.* univers *m.* concentrationnaire.
concentre'ren, koncentre'ren *ov.w.* concentrer.
concen'trisch, koncen'trisch *b.n.* concentrique. [che *f.*
concept', koncept' *o.* projet *m.*, esquisse, ébau-
concept'-contract, koncept'-kontrakt *o.* projet *m.* de contrat.
concep'tie, koncep'tie *v.* conception *f.*
concern' *o.* groupe *m.* financier.
concert', koncert' *o.* **1** (*uitvoering*) concert *m.*; **2** (*stuk*) concerto *m.*
concerte'ren, koncerte'ren *on.w.* concerter, donner un concert, exécuter de la musique.
concert'gebouw, koncert'gebouw *o.* salle *f.* de concerts.
concert'meester, koncert'meester *m.* second chef *m.* d'orchestre.
concert'muziek, koncert'muziek *v.* musique *f.* concertante. [concert.
concert'zaal, koncert'zaal *v.(m.)* salle *f.* de
conces'sie, konces'sie *v.* concession *f.*; ***een — verlenen,*** accorder une concession; ***een — intrekken,*** retirer une concession; ***een — verlengen,*** renouveler une concession.
conces'sieverlener, konces'sieverlener *m.* concédant *m.*
conces'sievoorwaarden, konces'sievoorwaarden *mv.* cahier *m.* des charges.

conciër'ge *m.-v.* concierge *m.*
conci'lie *o.* concile *m.*
conci'lievader *m.* père *m.* conciliaire.
concipië'ren, koncipië'ren *ov.w.* **1** concevoir; **2** rédiger.
conclude'ren, konklude'ren *ov.w.* conclure (de).
conclu'sie, konklu'sie *v.* conclusion *f.*
concordaat', konkordaat' *o.* concordat *m.*
concreet', konkreet' *b.n.* concret.
concurrent', konkurrent' *m.* concurrent *m.*; ***—e crediteuren,*** créanciers ordinaires.
concurren'tie, konkurren'tie *v.* concurrence *f.*; ***— aandoen,*** faire concurrence (à); ***oneerlijke —,*** concurrence déloyale.
concurren'tiestrijd, konkurren'tiestrijd *m.* lutte *f.* concurrentielle.
concurre'ren, konkurre'ren *on.w.* **1** (*voor prijs*) concourir; **2** (*H.*) être en concurrence, se faire la concurrence; ***— met,*** faire concurrence à.
concurre'rend, konkurre'rend *b.n.* **1** en concurrence, compétitif; **2** (*v. prijzen*) soutenant la concurrence; ***sterk —e prijzen,*** prix défiant toute concurrence.
condensa'tor, kondensa'tor *m.* **1** (*el.*) condensateur *m.*; **2** (*v. stoom*) condenseur *m.*
conden'sor, konden'sor *m.* condenseur *m.*
condi'tie, kondi'tie *v.* condition *f.*; ***in —,*** (*bij sport*) en forme.
conditione'ren, konditione'ren *on.w.* stipuler.
condi'tio sine qua non condition *f.* sine qua non.
condolean'tie, kondolean'tie *v.* condoléance *f.*
condolean'tiebezoek, kondolean'tiebezoek *o.* visite *f.* de deuil.
condole'ren, kondole'ren *ov.w.* offrir ses condoléances, présenter —, faire ses compliments de condoléance.
con'dor, kon'dor *m.* condor *m.*
conducteur', kondukteur' *m.* **1** conducteur, contrôleur *m.*; **2** (*tram*) receveur *m.*
confec'tie, konfek'tie *v.* **1** confection *f.*; **2** vêtements *m.pl.* confectionnés.
confec'tiegoed, konfek'tiegoed *o.* vêtements *m.pl.* de confection.
confec'tiepakje, konfek'tiepakje *o.* complet *m.* tout fait.
confec'tiewinkel, konfek'tiewinkel *m.* magasin *m.* de confections.
confedera'tie, konfedera'tie *v.* confédération *f.*
conferen'tie, konferen'tie *v.* conférence *f.*
confes'sie, konfes'sie *v.* confession *f.*
confessioneel', konfessioneel' *b.n.* confessionnel.
confiden'tie, konfiden'tie *v.* confidence *f.*
confidentieel', konfidentieel' I *b.n.* confidentiel; **II** *bw.* confidentiellement.
confisca'tie, konfiska'tie *v.* confiscation *f.*
conflict', konflikt' *o.* conflit *m.*; ***in — komen met,*** entrer en conflit avec.
conform' I *b.n.* conforme (à); **II** *bw.* conformément (à); ***voor copie —,*** pour copie conforme.
confra'ter, konfra'ter *m.* confrère *m.*
confronta'tie, kon'fronta'tie *v.* confrontation *f.*
confronte'ren, konfronte'ren *ov.w.* confronter.
congé' *o. en m.* congé *m.*
conges'tie, konges'tie *v.* congestion *f.*
Con'go, Kon'go *v.* le Congo.
congreganist', kongreganist' *m.* congréganiste [*m.*
congrega'tie, kongrega'tie *v.* congrégation *f.*
congres', kongres' *o.* congrès *m.*
congres'lid, kongres'lid *o.* membre *m.* du congrès; congressiste *m.*
congressist', kongressist' *m.* congressiste *m.*
congruent', kongruent' *b.n.* égal.
congruen'tie, kongruen'tie *v.* égalité *f.*
congrue'ren, kongrue'ren *on.w.* être égal.
conjuga'tie, konjuga'tie *v.* conjugaison *f.*
conjunctief', konjunktief' *m.* subjonctif *m.*
conjunctuur', konjunktuur' *v.* conjoncture *f.*
connec'tie, konnek'tie *v.* **1** relation *f.*; **2** (*verband*) connexion *f.*
connossement, cognossement' *o.* (*H.*) connaissement *m.*; ***goederen volgens —,*** marchandises selon connaissement; ***een schoon (vuil) —,*** un connaissement sans (avec) réserves; ***een verhandelbaar —,*** un connaissement négociable.
con'rector *m.* directeur adjoint, sous-directeur* *m.* (d'un lycée ou d'un collège).
consciën'tie *v.* conscience *f.*
consciëntieus' *b.n.* consciencieux.
consecra'tie, konsekra'tie *v.* consécration *f.*
consent', konsent' *o.* **1** (*toestemming*) consentement *m.*; **2** (*bewijs*) permis *m.*; **3** (*geleibiljet*) passavant *m.*
consequent', konsekwent' *b.n.* conséquent.
consequen'tie, konsekwen'tie *v.* conséquence *f.*
conservatief', konservatief' I *b.n.* conservateur; **II** *z.n.*, *m.* (membre du parti) conservateur *m.*
conserva'tor, konserva'tor *m.* conservateur *m.*
conservato'rium *o.* conservatoire *m*
conser'venfabriek, konser'venfabriek *v.* fabrique *f.* de conserves, conserverie *f.* [*m.*
consi'derans, konsi'derans *v.*(*m.*) considérant
considera'tie, konsidera'tie *v.* considération *f.*; ***— gebruiken met iem.*** traiter qn. avec ménagement.
consigna'tie, konsigna'tie *v.* consignation *f.*
consigna'tiegever, konsigna'tiegever *m.* consignateur *m.*
consigna'tiekas, konsigna'tiekas *v.*(*m.*) caisse *f.* des dépôts et consignations.
consigna'tienemer, konsigna'tienemer *m.* consignataire *m.*
consigne'ren, konsigne'ren *ov.w.* **1** (*H.*) consigner, donner en consignation; **2** (*mil.*) consigner à la caserne.
consisto'rie, konsisto'rie *o.* consistoire *m.*
consisto'riekamer, konsisto'riekamer *v.*(*m.*) sacristie *f.*
conso'le *v.*(*m.*) console *f.*
consolida'tie, konsolida'tie *v.* consolidation *f.*
consolide'ren, konsolide'ren *ov.w.* consolider.
consonant', konsonant' *v.*(*m.*) consonne *f.*
consor'tium *o.* syndicat *m.*
Constantijn' *m.* Constantin *m.*
Constantino'pel *o.* Constantinople *f.*
Con'stanz *o.* Constance *f.*
constate'ren, konstate'ren *ov.w.* constater.
constella'tie, konstella'tie *v.* constellation *f.*
consterna'tie, konsterna'tie *v.* consternation *f.*
constitu'tie, konstitu'tie *v.* constitution *f.*
constitutioneel', konstitutioneel' *b.n.* constitutionnel.
construc'tie, konstruk'tie *v.* construction *f.*
construc'tiefout, konstruk'tiefout *v.*(*m.*) vice *m.* de fabrication.
construc'tiewerf, konstruk'tiewerf *v.*(*m.*) chantier *m.* de construction.
construc'tiewinkel, konstruk'tiewinkel *m.* arsenal *m.* de construction.
construe'ren I *ov.w.* construire; **II** *z.n.* ***het —,*** la construction.
con'sul, kon'sul *m.* **1** (*v. land*) consul *m.*; **2** (*v. vereniging*) délégué *m.*

consulaat', konsulaat' *o.* consulat *m.*
consulair', konsulair' *b.n.* consulaire; **— *verslag,*** rapport *m.* consulaire.
consulent', konsulent' *m.* (*gewoonlijk*) conseiller; (*ook*) expert *m.*
consul-generaal', konsul-generaal' *m.* consul *m.* général.
consult', konsult' *o.* consultation *f.*; **— *houden,*** donner des consultations.
consulta'tie, konsulta'tie *v.* consultation *f.*
consulta'tiebureau, konsulta'tiebureau *o.* dispensaire *m.*
consulte'ren, konsulte'ren *ov.w.* consulter.
consument', konsument' *m.* consommateur *m.*
consume'ren, konsume'ren *ov.w.* consommer.
consump'tie, konsump'tie *v.* consommation *f.*
consump'tiegoederen, konsump'tiegoederen *mv.* biens *m.pl.* de consommation, — directs.
contact', kontakt' *o.* contact *m.*; ***stop—,*** prise *f.* de courant.
contact'beugel, kontakt'beugel *m.* frotteur *m.*
contact'bord, kontakt'bord *o.* tableau *m.* de distribution.
contact'lens, kontakt'lens *v.*(*m.*) verre *m.* de contact.
contact'punt, kontakt'punt *o.* point *m.* de contact.
contact'schakelaar, kontakt'schakelaar *m.* interrupteur *m.* d'allumage.
contact'sleutel, kontakt'sleutel *m.* clé *f.* de contact.
contamina'tie, kontamina'tie *v.* contamination *f.*
contant', kontant' **I** *b.n.* comptant; ***—e betaling*** (***transacties***), payement *m.* (transactions *f.pl.*) au comptant; **— *geld,*** argent *m.* comptant; ***—e waarde,*** valeur *f.* au comptant; **II** *bw.* au comptant; **— *betalen,*** payer comptant; **— *kopen,*** acheter au comptant.
contan'ten, kontan'ten *mv.* (*H.*) espèces *f.pl.*, argent *m.* comptant.
contempla'tie, kontempla'tie *v.* contemplation *f.*
continentaal', kontinentaal' *b.n.* continental; **— *stelsel,*** blocus *m.* continental.
contingent', kontingent' *o.* contingent *m.*
contingente'ren, kontingente'ren *ov.w.* contingenter.
contingente'ring, kontingente'ring *v.* contingentement *m.*
continu'bedrijf, kontinu'bedrijf *o.* usine (*of* entreprise) *f.* à travail continu (*of* ininterrompu).
con'to *o.* (*H.*) compte *m.*
con'to finto *o.* (*H.*) compte *m.* simulé.
con'trabande *v.*(*m.*) contrebande *f.*
con'trabas *v.*(*m.*) contrebasse *f.*
con'traboek *o.* contrôle *m.*, livre *m.* de contrôle, double *m.*
contract', kontrakt' *o.* contrat *m.*; ***een — afsluiten,*** passer un contrat.
contractant', kontraktant' *m.* contractant *m.*; partie *f.* contractante.
contract'breuk, kontrakt'breuk *v.*(*m.*) rupture *f.* de contrat.
contracte'ren, kontrakte'ren *ov.w.* contracter.
contractueel', kontraktueel' **I** *b.n.* par contrat, contractuel; **II** *bw.* contractuellement.
con'trafagot *m.* contre-basson* *m.*
con'tramerk *o.* contremarque *f.*
con'tramine *v.*(*m.*) ***in de — zijn,*** **1** être d'un avis contraire, contredire; **2** (*H.*) spéculer à la baisse; ***hij is altijd in de —,*** il fait le contrepied de tout, c'est un esprit à rebours.
contrami'nedekkingen *mv.* (*H.*) couvertures *f.pl.* pour compte des baissiers.
contramineur' *m.* (*H.*) baissier *m.*
con'tramoer *v.*(*m.*) contre-écrou* *m.*
con'tra-prestatie *v.* contrepartie *f.*
con'trapunt *o.* contrepoint *m.*
Con'trareformatie *v.* Contre-Réforme *f.*
con'tra-remonstrant *m.* Contre-remontrant* *m.*
con'trarevolutie *v.* contre-révolution* *f.*
contrasigne'ren *ov.w.* contresigner.
con'traspionage *v.* contre-espionnage* *m.*
contrast', kontrast' *o.* contraste *m.*
con'trastekker *m.* prise *f.* de courant.
contraste'ren, kontraste'ren *on.w.* contraster.
contrast'regelaar, kontrast'regelaar *m.* (*T.V.*) bouton *m.* du potentiomètre de sensibilité.
contribue'ren, kontribue'ren *ov.w.* contribuer; ***gemeenschappelijk —,*** se cotiser.
contribu'tie, kontribu'tie *v.* **1** (*v. lidmaatschap*) cotisation *f.*; **2** (*belasting*) contribution *f.*
contro'le, kontro'le *v.*(*m.*) contrôle *m.*
contro'lepost, kontro'lepost *m.* poste *m.* de contrôle, poste*-contrôle *m.*
controle'ren, kontrole'ren *ov.w.* contrôler; vérifier.
controleur', kontroleur' *m.* contrôleur *m.*
convenië'ren, konvenië'ren *on.w.* convenir.
convent', konvent' *o.* couvent, monastère *m.*
conven'tie, konven'tie *v.* convention *f.*
conventioneel', konventioneel' *b.n.* conventionnel; ***conventionele wapens,*** armes *f.pl.* conventionnelles.
convergen'tie *v.* convergence *f.*
conversa'tie, konversa'tie *v.* conversation *f.*; ***veel — hebben,*** voir beaucoup de monde; ***weinig — hebben,*** **1** voir peu de monde; **2** ne pas avoir de conversation, ne savoir que dire.
converse'ren, konverse'ren *on.w.* converser; **— *met*** (*omgaan*), fréquenter, avoir des relations avec.
conver'sie, konver'sie *v.* conversion *f.*
converte'ren, konverte'ren **I** *ov.w.* convertir; **II** *z.n.* ***het —,*** la conversion.
convex' *b.n.* convexe.
convoca'tie, konvoka'tie *v.* convocation *f.*
convoca'tiebiljet, konvoka'tiebiljet *o.* billet *m.* de convocation, lettre *f.* —, convocation *f.*
coöpera'tie, koöpera'tie *v.* coopération *f.*
coöperatief', koöperatief' *b.n.* coopératif; ***coöperatieve vereniging,*** (société *f.*) coopérative *f.*
coördina'ten, koördina'ten *mv.* coordonnées *f.pl.* (ordonnée *en* abscisse).
coördine'ren, koördine'ren *ov.w.* coordonner.
co'pal, ko'pal *o. en m.* copal *m.*
Coper'nicus *m.* Copernic *m.*
copie(-), copieer(-), *zie* ***kopie(-).***
cordon', kordon' *o.* cordon *m.*
Cordo'va *o.* Cordoue *f.*; ***uit —,*** cordouan.
Corin'thiër *m.* Corinthien *m.*
Corin't(h)isch *b.n.* corinthien.
cor'nedbeef *m.* bœuf *m.* de conserve.
Corne'lia *v.* Cornélie *f.*
Corne'lis *m.* Corneille *m.*
cor'ner *m.* (*sp.*) corner *m.*, coup *m.* de coin.
Corn'wall(is) *o.* Cornouailles *m.*
coro'na *v.* (*astr.*) couronne *f.* solaire.
corpora'le, corporaal' *o.* (*kath.*) corporal *m.*
corpora'tie, korpora'tie *v.* corporation *f.*
corporatief', korporatief' *b.n.* corporatif.
corps'lid *o.* membre *m.* de l'Association.
corpulen'tie, korpulen'tie *v.* corpulence *f.*
cor'pus, kor'pus *o.* corps *m.*; **— *delicti,*** corps du délit.
correct', korrekt' *b.n.* correct.
correct'heid, korrekt'heid *v.* correction *f.*
correc'tie, korrek'tie *v.* correction *f.*
correctief', korrektief' *o.* correctif *m.*

correctioneel′, korrektioneel′ I *b.n.* correctionnel; **II** *bw.* correctionnellement.
correc′tor, korrek′tor *m.* correcteur; prote *m.*
correspondent′, korrespondent′ *m.* correspondant *m.*; (*handelscorr.*) correspondancier *m.*
corresponden′tie, korresponden′tie *v.* correspondance *f.*
corresponden′tiekaart, korresponden′tiekaart *v.* carte*-correspondance *m.*
corresponden′tieonderwijs, korresponden′tieonderwijs *o.* enseignement *m.* par correspondance.
correspondent′schap, korrespondent′schap *o.* correspondance *f.*
corresponde′ren, korresponde′ren *on.w.* correspondre (avec), (*fig.*) correspondre à.
corrige′ren, korrige′ren *ov.w.* corriger.
corrupt′, korrupt′ *b.n.* corrompu.
corrup′tie, korrup′tie *v.* corruption *f.*
Cor′sica *o.* la Corse.
Corsikaan′ *m.* Corse *m.*
Corsikaans′ *b.n.* corse.
cor′so, *zie* ***bloemencorso.***
corvee′, korvee′ *v.* corvée *f.*
corvee′dienst, korvee′dienst *m.* (*mil.*) corvée *f.*; — ***hebben,*** être de corvée.
co′secans *v.*(*m.*) cosécante *f.*
co′sinus *m.* cosinus *m.*
cosm-, *zie* ***kosm-.***
Cos′ta Ri′ca *o.* le Costa Rica.
Costaricaans′ *b.n.* costaricien.
cos′ti (a), (*H.*) en votre ville.
costuum(-), *zie* ***kostuum***(-).
co′sy *v.* couvre-théière* *m.*
co′tangens *v.*(*m.*) cotangente *f.*
coulant′ I *b.n.* facile, favorable; ***—e voorwaarden,*** conditions favorables, — faciles; (*in zaken*) rond (en affaires), d'une grande facilité en affaires; **II** *bw.* ***hij bedient u —,*** il vous sert rondement; ***— spreken,*** parler couramment.
coulis′se *v.* coulisse *f.*; ***achter de —n,*** dans les coulisses, (*fig. ook*) à la cantonade.
coupe *v.*(*m.*) coupe *f.* [coupé *m.*
coupé *m.* **1** (*v. trein*) compartiment *m.*; **2** (*rijtuig*)
coupeu′se *v.* coupeuse *f.*
couplet′, koeplet′ *o.* couplet *m.*; strophe *f.*
coupon′, koepon′ *m.* coupon *m.*; ***—s knippen,*** détacher des coupons.
coupon′blad, koepon′blad *o.* feuille *f.* de coupons. [à coupons.
coupon′boekje, koepon′boekje *o.* carnet *m.*
courant′ I *v.*(*m.*) journal *m.*; **II** *b.n.* (*H.*) **1** courant; **2** d'un placement facile; ***—e fondsen,*** des valeurs cotées en bourse.
couvert′ *o.* **1** (*vork en lepel*) couvert *m.*; **2** (*briefomslag*) enveloppe *f.*; ***onder afzonderlijk —,*** (*H.*) sous pli séparé. [avant terme.
couveu′sekindje *o.* enfant *m.* prématuré, — né
co′veren *ov.w.*, (*v. autoband*) rechaper.
cow′boy *m.* cow-boy* *m.*
crack *m.* crack *m.*
crawl *m.* crawl *m.*
crèche *v.*(*m.*) crèche, pouponnière *f.*
credens′(tafel) *v.*(*m.*) crédence *f.*
cre′dit *o.* (*H.*) avoir, crédit *m.*; ***op iemands — brengen, — schrijven,*** porter au crédit de qn.
credite′ren *ov.w.* créditer.
crediteur′ *m.* **1** (*schuldeiser*) créancier *m.*; **2** (*in boekhouding*) créditeur *m.*
cre′ditnota *v.*(*m.*) facture *f.* de crédit.
cre′ditpost *m.* article *m.* à l'avoir, — au crédit.
cre′ditrekening *v.* (*H.*) compte *m.* créditeur.
cre′ditsaldo *o.* solde *m.* créditeur.
cre′ditzijde *v.*(*m.*) (côté) avoir *m.*
crema′tie, krema′tie *v.* crémation *f.*
cremato′rium *o.* crématoire, crématorium *m.*, four *m.* crématoire.
crème *v.*(*m.*) crème *f.*
creme′ren, kreme′ren *ov.w.* crémer.
creools′, kreools′ *b.n.* créole.
creosoot′, kreosoot′ *m. en o.* créosote *f.*
crepe′ren, krepe′ren *on.w.* (*pop.*) crever.
Cre′sus, *zie* ***Croesus.***
criminaliteit′, kriminaliteit′ *v.* criminalité *f.*
crimineel′, krimineel′ *b.n.* criminel.
cri′sis, kri′sis *v.* crise *f.*; ***een — doormaken,*** traverser une crise.
cri′sisjaar, kri′sisjaar *o.* année *f.* de crise.
Crispijn′ *m.* Crépin *m.*
crite′rium *o.* critère, critérium (*pl.:* —s) *m.*
criticas′ter, kritikas′ter *m.* critiqueur *m.*
cri′ticus *m.* critique *m.*
critise′ren, *zie* ***kritiseren.***
Crœ′sus, Cre′sus *m.* Crésus *m.*
cro′cus, *zie* ***krokus.***
cro′quet *o.* croquet *m.*
cro′quethamer *m.* maillet *m.*
croquet′je, kroket′je *o.* croquette *f.*
cryp′toanalyst, -analist *m.* décrypteur *m.*
C-sleutel *m.* clef *f.* d'ut.
Cuba *v.* Cuba *m.*, l'île *f.* de Cuba.
Cubaan′ *m.* Cubain *m.*
Cubaans′ *b.n.* cubain.
culmina′tiepunt, kulmina′tiepunt *o.* point *m.* culminant, apogée *m.*
culmine′ren, kulmine′ren *on.w.* culminer.
cultureel′, kultureel′ *b.n.* culturel, de civilisation.
cul′tus *m.* culte *m.*
cultuur′, kultuur′ *v.* **1** (*v. planten, enz.*) culture *f.*; **2** (*beschaving*) civilisation *f.*
cultuur′geschiedenis, kultuur′geschiedenis *v.* histoire *f.* de la civilisation.
cultuur′gewassen, kultuur′gewassen *mv.* plantes *f.pl.* de culture, végétaux *m.pl.* cultivés.
cultuur′mens, kultuur′mens *m.* homme *m.* cultivé. [culture.
cultuur′plant, kultuur′plant *v.* plante *f.* de
cultuur′stelsel, kultuur′stelsel *o.* système *m.* des cultures forcées. [civilisé.
cultuur′volk, kultuur′volk *o.* peuple *m.*
cum lau′de avec éloges.
cum su′is et consorts. [cumul *m.*
cumula′tie, kumula′tie *v.* cumulation *f.*,
cu′pido *m.* Cupidon *m.*
curaçao′ *m.* curaçao *m.*
Curaçao′ *o.* Curaçao *m.*
curate′le, kurate′le *v.*(*m.*) curatelle *f.*; ***iem. onder — laten stellen,*** faire interdire qn.; ***onder — staan,*** être en curatelle, — en tutelle.
cura′tor *m.* **1** curateur *m.*; **2** (*in faillissement*) syndic *m.* (de la faillite).
curieus′, kurieus′ *b.n.* curieux.
curiositeit′, kuriositeit′ *v.* curiosité *f.*
curio′sum *o.* objet *m.* curieux; curiosité *f.*
cursief′ I *b.n.* **1** (*v. schrift*) cursif; **2** (*v. druk*) en italique; **II** *bw.* en italique.
cursief′letter, kursief′letter *v.*(*m.*) italique *f.*
cursive′ren, kursive′ren *ov.w.* imprimer en italique.
cur′sus, kur′sus *m.* **1** (*leergang*) cours *m.*; **2** (*schooljaar*) année *f.* scolaire; ***schriftelijke —,*** cours par correspondance.
cur′ve *v.*(*m.*) courbe *f.*; ***oplopende*** (***aflopende***) ***—,*** courbe ascendante (descendante).

cus'tos *m.* surveillant; gardien *m.*
cyaan' *o.* cyanogène *m.*
cyaan'gas *o.* cyanogène *m.*
cyaan'kali *o.* cyanure *m.* de potassium.
cyberne'tica, -tika *v.* cybernétique *f.*
cyberne'tisch *b.n.* cybernétique.
cyclaam' *v.(m.)* cyclamen *m.*
Cycla'den *mv.* Cyclades *f.pl.*
cycloon' *m.* cyclone *m.*
cycloop' *m.* cyclope *m.*
cyclosty'le *m.* cyclostyle *m.*
cy'clotron *o.* cyclotron *m.*
cy'clus *m.* cycle *m.*
cylin'der(-), *zie* ***cilinder(-).***
cy'nicus *m.* cynique *m.*
cy'nisch *b.n.* cynique.
cynis'me *o.* cynisme *m.*
cy'pers *b.n.* cypriote; ***—e kat,*** chat de Perse, angora *m.*
cypres', *zie* ***cipres.***
Cy'prus *o.* la Chypre.
Cyrenai'ka *v.* la Cyrénaïque.

D

D *v.(m.)* **1** (*letter*) d *m.*; **2** (*muz.*) ré *m.*
daad *v.(m.)* **1** action *f.*, acte *m.*; **2** (*feit*) fait *m.*; ***de — bij het woord voegen,*** joindre l'action (*of* l'acte) à la parole; ***op heter —,*** en flagrant délit, sur le fait; ***iem. met raad en — bijstaan,*** assister qn. en payant de sa personne, aider qn. de toutes ses forces.
daadwer'kelijk I *b.n.* réel, effectif; **II** *bw.* réellement.
daags I *b.n.* de tous les jours; ***—e kleren,*** habits de tous les jours, — de la semaine; **II** *bw.* **1** (*per dag*) par jour; **2** (*overdag*) pendant le jour; ***— daarna,*** le lendemain; ***— tevoren,*** la veille.
daag'ster *v.* demanderesse *f.*
daal'der *m.* (*oud-Holl. munt*) écu *m.*, trois francs *m.pl.* (or).
Daan *m.* Daniel *m.*
daar I *bw.* là, y; ***—!*** voilà! ***— heb je hem, — is hij,*** le voilà; ***— zijn er,*** il y en a; ***— straks,*** tout à l'heure; ***wie klopt —?*** qui frappe? ***wat zei je —?*** tu disais? **II** *vw.* **1** comme, puisque; **2** (*terwijl*) tandis que, pendant que.
daaraan' *bw.* y, à cela; ***wat heb ik —?*** à quoi cela me sert-il? ***ik twijfel —,*** j'en doute.
daarach'ter *bw.* **1** la-derrière; **2** (*fig.*) là-dessous; ***wat zit —?*** qu'y a-t-il là-dessous?
daaraf' *bw.* de là, de cela, en.
daarbene'den *bw.* **1** là-bas; **2** au-dessous; ***van 11 fr. en —,*** de 11 fr. et au-dessous.
daarbij' *bw.* **1** (*bovendien*) en outre, puis, de plus, avec cela; **2** (*dicht bij*) près de cela; ***— komt nog dat,*** ajoutez à cela que; en outre; ***reken — nog 1 % courtage,*** ajoutez encore 1 % de courtage; ***— vergeleken,*** auprès de cela; ***wij zullen het — laten,*** nous en resterons là.
daarbin'nen *bw.* là-dedans.
daarbo'ven *bw.* **1** là-haut; **2** au-dessus.
daarbui'ten *bw.* **1** (là)-dehors; **2** (*buiten dat*) hors de là; ***hij kan daar niet buiten,*** il ne peut s'en passer.
daar'door *bw.* **1** par là, par cela, à cause de cela; **2** c'est ainsi que, de ce fait.
daarenbo'ven *bw.* en outre, d'ailleurs, du reste, de plus.
daarente'gen *bw.* au contraire; par contre, en revanche.
daare'ven (**daarjuist'**) *bw.* tout à l'heure, tantôt; ***hij is — uitgegaan,*** il vient de sortir.
daarginds' *bw.* là-bas.
daar'heen *bw.* y, là; (*in die richting*) par là, de ce côté-là, dans cette direction.
daarin *bw.* y; en cela; là-dedans, dedans; ***— vergist u zich,*** c'est en quoi vous vous trompez.
daarlangs *bw.* par là.
daar'laten *ov.w.* laisser (là), passer sous silence, ne plus parler de; ***dat daargelaten,*** à part cela, sans parler de cela.
daar'me(d)e *bw.* **1** avec cela, au moyen de cela; **2** par là; ***en — is alles gezegd,*** c'est tout dire.
daarna' *bw.* après (cela), ensuite, puis; ***de dag —,*** le lendemain, le jour après; ***kort —,*** peu après.
daarnaar *bw.* d'après cela; ***regel u —,*** réglez-vous là-dessus.
daarnaast *bw.* à côté (de cela), auprès (de cela).
daarne'vens *bw.* **1** (*bovendien*) en outre; **2** (*daarnaast*) (*Z.N.*) à côté (de cela).
daarom' *bw.* c'est pourquoi, c'est pour cela que, pour cette raison, de ce fait; ***waarom? —,*** pourquoi? parce que; ***ze zijn — nog niet...,*** ils n'en sont pas pour autant.
daaromheen' *bw.* (tout) autour.
daaromtrent' *bw.* **1** (*ongeveer*) environ, à peu près; **2** (*in de omgeving*) aux environs; **3** (*omtrent die kwestie*) à ce sujet.
daaron'der *bw.* **1** là-dessous; **2** au-dessous.
daarop' *bw.* **1** là-dessus, sur cela; **2** (*daarna*) ensuite, puis; ***ik kan — niet antwoorden,*** je ne saurais y répondre.
daaro'ver *bw.* **1** là-dessus; **2** par-dessus; **3** sur cela; **4** y, en.
daarte'gen *bw.* contre cela, là-contre.
daartegeno'ver *bw.* **1** en face, vis-à-vis; **2** (*daarentegen*) en revanche, par contre.
daartoe' *bw.* en, y; à cela, pour cela, à cet effet; ***tot —,*** jusque là; ***ik heb — de gelegenheid niet,*** je n'en ai pas l'occasion.
daartus'sen *bw.* **1** au milieu, entre les deux; **2** entre cela; **3** parmi ces choses.
daaruit' *bw.* en, de cela, de là; par là.
daarvan' *bw.* en, de cela; de là.
daarvoor' *bw.* **1** (*in ruil*) pour cela, en échange (de cela), en retour (de cela); **2** (*daarom*) en, pour cela; **3** (*met dat doel*) pour cela, à cet effet; **4** (*tijd*) avant cela, auparavant; **5** (*plaats*) devant, là-devant; ***u zult — gestraft worden,*** vous en serez puni; ***de week —,*** la semaine d'avant.
daar'zo *bw.* **1** (*daar*) là; **2** (*daareven*) tout à l'heure, tantôt.
daas *v.(m.)* frelon *m.*; (*kleiner*) taon *m.*
Daat'je *v. en o.* Adèle *f.*
da ca'po, (*muz.*) da capo, bis.
dac'tylus *m.* dactyle *m.*
da'del *v.(m.)* datte *f.*; ***bittere —,*** acrelet *m.*
da'delboom *m.* dattier *m.*
da'delijk I *bw.* tout de suite, immédiatement, sur-le-champ, aussitôt; tout à l'heure; **II** *b.n.* **1** immédiat; **2** actuel, effectif; **3** de fait; ***hij zal — komen,*** il ne tardera pas à venir; ***— te huur,*** à louer présentement.
da'delijkheden *mv.* coups *m.pl.*, voies *f.pl.* de fait;

tot* — *overgaan, en venir aux voies de fait.
da'delpalm *m.* dattier *m.*
da'der *m.* auteur, coupable *m.*
da'ding *v.* arrangement *m.* (à l'amiable), transaction *f.*
dag *m.* jour *m.*; (*in verband met duur*) journée *f.*; (*goeden*) **—!** bonjour! ***— aan —, — in — uit,*** chaque jour, jour après jour, tous les jours; ***de — daarna,*** le lendemain; ***de — tevoren,*** la veille; ***aan de — brengen,*** mettre au jour; ***aan de — leggen,*** montrer; ***bij de — leven,*** vivre au jour le jour; ***een dezer —en,*** un de ces jours; ***hij kan elke — aankomen,*** il peut arriver d'un jour à l'autre; ***een gat in de — slapen,*** dormir (*of* faire) la grasse matinée; ***goeden — zeggen,* 1** (*bij aankomst*) dire bonjour, saluer; **2** (*bij vertrek*) prendre congé; ***hij heeft een goede — gehad,* 1** (*in zaken, enz.*) sa journée a été bonne; **2** (*van zieke*) il a eu un de ses bons jours; ***het is —,*** il fait jour; ***het wordt —,*** il se fait jour; ***in vroeger —en,*** jadis, dans le passé, à l'ancien temps; ***de jongste*** (*of* ***laatste***) **—,** le jour du jugement dernier; ***morgen aan de —,*** dès demain; ***— en nacht,*** jour et nuit, nuit et jour; ***een — afspreken,*** prendre jour; ***de goede —en zijn voorbij,*** les jours de fête sont passés; ***hij heeft zijn beste —en gehad,*** il a connu de meilleurs jours, ses beaux jours sont passés; ***laat op de —,*** bien avant dans la journée; ***zijn horloge voor de — halen,*** tirer sa montre; ***om de andere —,*** de deux jours l'un, tous les deux jours; ***op klaarlichte —,*** en plein jour; ***op zijn oude —,*** sur ses vieux jours; ***op de —*** (***af***), jour pour jour; ***over —,*** le jour, de jour, pendant le jour; ***over enige —en,*** d'ici quelques jours; ***sedert jaar en —,*** de temps immémorial; ***ten —e van,*** du temps de; ***ten eeuwigen —e,*** à tout jamais, à perpétuité; ***van — tot —,* 1** au jour le jour; **2** d'un jour à l'autre, de jour en jour; ***voor — en dauw,*** avant le soleil, avant l'aube, de grand matin; ***voor de — halen,*** sortir; (*beurs, enz.*) tirer; ***voor de — komen,*** se montrer; ***voor halve —en,*** à la demi-journée; ***de volgende —,*** le lendemain; ***de vorige —,*** la veille.
dag'blad *o.* journal *m.*, feuille *f.* quotidienne, gazette *f.*
dag'bladartikel *o.* article *m.* de journal.
dag'bladpers *v.*(*m.*) presse *f.* quotidienne.
dag'bladschrijver *m.* journaliste, gazetier *m.*
dag'blind *b.n.* nyctalope.
dag'blindheid *v.* nyctalopie *f.*
dag'boek *o.* **1** journal *m.*; **2** (*H.*) livre journal, mémorial *m.*
dag'brander *m.* veilleuse *f.*
dag'cirkel *m.* cercle *m.* diurne.
dag'dief *m.* fainéant *m.*
dag'dienst *m.* service *m.* de jour.
dag'dieven *on.w.* fainéanter.
dagdieverij' *v.* fainéantise *f.*
dag'droom *m.* rêve *m.* éveillé.
da'gelijks I *b.n.* journalier; quotidien; de tous les jours, de chaque jour; ***— bestuur,* 1** (*v. gemeente*) le maire et ses adjoints; (*in België en Nederland:*) le bourgmestre et les échevins; **2** (*v. vereniging*) le bureau; ***het — brood,*** le pain quotidien; ***het — leven,*** la vie de tous les jours; ***de —e zaken,*** les affaires courantes; ***een —e zonde,*** un péché véniel; **II** *bw.* **1** (*elke dag*) tous les jours, journellement; **2** (*per dag*) par jour.
da'gen I *ov.w.* (*voor gerecht*) citer en justice; **II** *on.w.* (*dag worden*) poindre, commencer à faire jour; **III** *z.n.* ***het —,* 1** la citation *f.*; **2** l'aube *f.*
dag-en-nacht'evening *v.* équinoxe *m.*
da'geraad *m.* aurore, aube *f.*, point *m.* du jour.
dag'geld *o.* journée *f.*
dag'gelder *m.* journalier *m.*
dag'huur *v.*(*m.*) journée *f.*; ***in — werken,*** travailler à la journée.
da'ging *v.* citation, assignation *f.*
dag'je *o.* jour *m.*
dag'jesmensen *mv.* excursionnistes *m.pl.*
dag'kaart *v.*(*m.*) **1** carte *f.* d'un jour, — d'entrée valable pour un jour; **2** (*op tram*) abonnement *m.* d'un jour, carte *f.* d'un jour.
dag'lelie *v.*(*m.*) hémérocalle *f.*
dag'licht *o.* lumière *f.* du jour, jour *m.*; ***bij —,*** au jour; ***in een gunstig — stellen,*** montrer sous un jour favorable; ***in een vals — stellen,*** montrer sous un faux jour; ***het — niet kunnen verdragen,*** craindre le grand jour; ***het — zien,*** voir le jour, venir au monde, naître.
dag'loner *m.* journalier *m.*
dag'loon *o.* journée *f.*, salaire *m.* quotidien; ***tegen — werken,*** travailler à la journée.
dag'marche, -mars *m. en v.* étape *f.*
dag'meisje *o.* bonne *f.* en journée.
dag'orde *v.*(*m.*) ordre *m.* du jour.
dag'order *v.*(*m.*) *en o.* ordre *m.* du jour.
dag'ploeg *v.*(*m.*) équipe *f.* de jour.
dag'register *o.* **1** journal *m.*; **2** (*sch.*) livre *m.* de bord.
dag'reis *v.*(*m.*) journée, étape *f.*
dag'scholier *m.* (élève) externe, demi-externe* *m.*
dag'school *v.*(*m.*) école *f.* de jour.
dag'schotel *m. en v.* plat *m.* du jour.
dag'stempel *m.* timbre *m.* à date.
dag'taak *v.*(*m.*) tâche *f.* journalière.
dag'tekenen *ov.w. en on.w.* dater.
dag'tekening *v.* date *f.*
dag'vaarden *ov.w.* citer (en justice), assigner, intimer, ajourner.
dag'vaarding *v.* citation *f.*, ajournement, exploit *m.*
dag'verdeling *v.* division *f.* de la journée, emploi *m.* du temps.
dag'vlinder *m.* papillon *m.* diurne, — de jour.
dag'vorstin *v.* astre *m.* du jour.
dag'werk *o.* **1** (*taak*) tâche *f.* journalière; **2** (*werk*) ouvrage *m.* de jour, travail *m.* **—;** ***dan had men wel —,*** alors on n'en finirait pas.
dag'werker *m.* journalier *m.*
da(h)'lia *v.*(*m.*) dahlia *m.*
Da'homey *o.* Dahomey; ***uit —,*** dahoméen.
Da'jakker *m.* Dayak *m.*
Da'jaks *b.n.* dayak, des Dayaks.
dak *o.* toit *m.*; toiture *f.*; ***plat —,*** terrasse *f.*; ***onder — zijn,*** être à couvert, être à l'abri; ***haar dochters zijn onder —,*** ses filles sont casées; ***op zijn — krijgen,*** essuyer des reproches, recevoir une verte réprimande; ***alles komt op mijn — neer,*** tout retombe sur moi; ***een huis met een gouden —,*** une maison fortement grevée d'hypothèques; ***dat zal op zijn — waaien,*** il s'en mordra les doigts; ***van de —en verkondigen,*** publier sur les toits; ***'t gaat als van een leien —je,*** cela va comme sur des roulettes, — va à souhait.
dak'antenne *v.*(*m.*) antenne *f.* fixe.
dak'balk *m.* solive *f.*
dak'bedekking *v.* couverture *f.* du toit.
dak'geraamte *o.* charpente *f.*, combles *m.pl.*
dak'goot *v.*(*m.*) gouttière *f.*
dak'haas *m.* lapin *m.* de gouttière.
dak'kamertje *o.* mansarde *f.*, galetas *m.*
dak'lat *v.* latte *f.*, bardeau *m.*
dak'loos *b.n.* sans abri, sans feu ni lieu.
dak'loze *m.-v.* sans-abri, sans-logis *m.*
dak'pan *v.*(*m.*) tuile *f.*

dak'pansgewijs, -gewijze *b.n.* imbriqué.
dak'pijp *v.(m.)* tuyau *m.* de descente, descente, gouttière *f.*
dak'raam *o.* lucarne *f.*
dak'rib *v.(m.)* chevron *m.*
dak'riet *o.* chaume *m.*
dak'spant *o.* ferme *f.*
dak'spar *m.* chevron *m.*
dak'stoel *m.* ferme *f.*
dak'stro *o.* chaume *m.*
dak'venster *o.* lucarne *f.*; ***rond —,*** œil *m.* de [bœuf.
dak'vorst *v.(m.)* faîte *m.*
dak'werk *o.* toiture *f.*
dal *o.* vallée *f.*; ***klein —,*** vallon *m.*
dal'bewoner *m.* habitant *m.* de la vallée.
da'len I *on.w.* **1** (*afdalen*) descendre; **2** (*v. vliegtuig*) atterrir; **3** (*v. barometer*) baisser; **4** (*fondsen, enz.*) (*H.*) baisser, tomber; **5** (*fig. in achting*) baisser; **II** *z.n.* ***het —,*** **1** la descente; **2** l'atterrissage *m.*; **3** la baisse.
da'lia, dah'lia *v.(m.)* dahlia *m.*
da'ling *v.* **1** (*afdaling*) descente *f.*; **2** (*vliegtuig*) atterrissage *m.*; **3** baisse, diminution *f.*
dal'kom *v.(m.)* vallée *f.* encaissée, cirque *m.*
Dalma'tië *o.* la Dalmatie.
dalmatiek' *v.* dalmatique *f.*
Dalma'tiër *m.* Dalmate *m.*
Dalma'tisch *b.n.* dalmate.
dam I *m.* **1** digue *f.*; barrage *m.*; levée *f.*; **2** (*vangdam*) batardeau *m.*; **3** (*havendam*) jetée *f.*; **II** (*spel*) *v.(m.)* dame, damée *f.*; ***— halen,*** aller à dame; ***— spelen,*** jouer aux dames.
damasceer'der *m.* damasquineur *m.*
damasce'ner *b.n.* damasquiné.
damasce'ren *ov.w.* **1** (*metaal*) damasquiner; **2** (*stoffen*) damasser.
Damas'cus *o.* Damas *f.*
damast' *o.* damas, damassé *m.*
damas'ten *b.n.* damassé, en damas.
damast'linnen *o.* damas, damassé *m.*, toile *f.* damassée.
damast'wever *m.* damasseur *m.*
damast'weverij *v.* damasserie *f.*
damast'zij(de) *v.(m.)* damas *m.*, soie *f.* damassée.
dam'bord *o.* damier *m.*
da'me *v.* dame *f.*; ***jonge —,*** demoiselle, jeune personne *f.*
da'mesbeurs *v.(m.)* salon *m.* des arts ménagers.
da'mescoupé *m.* compartiment *m.* pour dames seules.
da'mesfiets *m. en v.* bicyclette *f.* de dame.
da'meshand *v.* main *f.* de femme.
da'meshandwerkje *o.* petit ouvrage *m.* de fem-[me.
da'meshondje *o.* bichon *m.*
da'meskabinet *o.* boudoir *m.*
da'meskapper *m.* coiffeur *m.* pour dames.
da'meskleermaker *m.* tailleur *m.* pour dames, couturier *m.*
da'meskransje *o.* cercle *m.* de dames.
da'mesmantel *m.* manteau *m.* [*m.*
da'mestasje *o.* sac *m.* à main (de dame), réticule
da'meszadel *m. of o.* selle *f.* de femme.
da'metje *o.* petite dame *f.*
dam'hert *o.* daim *m.*
Damia'te *o.* Damiette *f.*
dam'men I *on.w.* jouer aux dames; **II** *ov.w.* (*afdammen*) barrer.
dam'mer *m.* joueur *m.* de dames.
damp *m.* **1** (*stoom*) vapeur *f.*; **2** (*wasem*) buée *f.*; **3** (*rook*) fumée *f.*; **4** (*uitwaseming*) exhalaison *f.*
damp'bad *o.* **1** bain *m.* de vapeur; **2** (*voor ziek lichaamsdeel*) fumigation *f.*
dam'pen *on.w.* dégager des vapeurs; fumer; ***zitten te —,*** fumer à grosses bouffées.
dam'pend *b.n.* fumant.
dam'pig *b.n.* **1** vaporeux, nébuleux; **2** (*v. rook*) fumeux; **3** (*kortademig*) poussif.
dam'pigheid *v.* (*v. paard*) pousse *f.*
damp'kring *m.* atmosphère *f.*
damp'kringslucht *v.(m.)* air *m.* atmosphérique.
dam'schijf *v.(m.)* pion *m.*
dam'spel *o.* jeu *m.* de dames.
dam'speler *m.* joueur *m.* de dames.
dam'steen *m.* **1** (*spel*) pion *m.*; **2** (*bouwk.*) dame *f.*
dan I *bw.* alors, puis, ensuite; ***nu en —,*** de temps en temps, de temps à autre; ***schrijf — toch,*** écrivez donc; ***— ook,*** aussi (*in 't begin van de zin*); ***hij is — ook niet gekomen,*** aussi n'est-il pas venu; ***wat — nog?*** et puis après?; **II** *vw.* **1** (*vergelijking*) que; **2** (*hoeveelheid*) de; ***meer — hij,*** plus que lui; ***meer — dertig,*** plus de trente; ***al — niet,*** oui ou non.
Danaïdenvat *o.* tonneau *m.* des Danaïdes.
dan'cing, *zie* ***danshuis.***
dan'dy *m.* dandy, gommeux, petit*-maître* *m.*
dan'dyachtig I *b.n.* de dandy; **II** *bw.* en dandy.
da'nig I *b.n.* fameux, fier, grand; **II** *bw.* extrêmement, beaucoup; ***hij heeft hem — de waarheid gezegd,*** il lui a dit ses quatre vérités.
dank *m.* **1** (*dankbetuiging*) remercîment, remerciement *m.*; **2** (*dankbaarheid*) reconnaissance, gratitude *f.*; ***zijn — betuigen,*** remercier, témoigner sa reconnaissance; ***geen dank!*** pas de quoi! je vous en prie!; ***duizendmaal —,*** mille remerciements!; ***in — aannemen,*** accepter avec reconnaissance; ***tegen wil en —,*** bon gré mal gré, à contre-cœur; ***— weten,*** savoir gré; ***— zeggen,*** remercier (qn.), rendre grâces (à qn.); ***— zij,*** grâce à.
dank'adres *o.* adresse *f.* de remercîments.
dank'baar I *b.n.* **1** reconnaissant; **2** (*v. taak, enz.*) satisfaisant; **3** (*lonend, winstgevend*) rémunérateur, qui rapporte; ***een — publiek,*** un public enthousiaste; (*gauw tevreden*) — facile à contenter; **II** *bw.* avec reconnaissance, avec gratitude.
dank'baarheid *v.* reconnaissance, gratitude *f.*
dank'betuiging *v.* **1** remercîment, témoignage *m.* de reconnaissance; **2** (*dankzegging*) actions *f.pl.* de grâces.
dank'dag *m.* jour *m.* d'actions de grâces.
dan'ken I *ov.w.* remercier; rendre grâce(s); ***dank u,*** merci, merci bien; (*bij weigering*) merci, non; ***niet te —,*** pas de quoi, (*fam.*) de rien; ***dank je feestelijk!*** grand merci!; ***iem. iets te — hebben,*** devoir qc. à qn.; ***hij heeft het aan zichzelf te —,*** il doit l'imputer à lui-même; ***wij — uw adres aan de Heer X.,*** nous devons votre adresse à Mons. X; **II** *on.w.* (*bidden voor het eten*) dire les grâces; (*prot.*) faire la prière; ***daar dank ik voor!*** je n'y pense pas! merci bien!
dank'gebed *o.* action *f.* de grâces, prière *f.*
dank'je *o.* (petit) remercîment *m.*
dank'lied *o.* hymne *m. et f.*, cantique *m.*
dank'stond *m.* service *m.* d'actions de grâces.
dank'zegging *v.* remercîment *m.*, action *f.* de grâces.
dans *m.* danse *f.*; ***de — ontspringen,*** l'échapper belle; ***hij zal de — niet ontspringen,*** il n'y échappera pas.
dans'avond *m.* soirée *f.* dansante.
dans'club, -klub *v.(m.)* club *m.* de danse.
dan'sen I *on.w.* **1** danser; **2** (*v. licht*) vaciller, trembloter, danser; **3** (*drukk., v. regels*) chevau-

cher; ***naar iemands pijpen —,*** se laisser mener par qn., faire les quatre volontés de qn.; ***iem. naar zijn pijpen laten —,*** mener qn. à la baguette; **II** *z.n.* ***het —,*** la danse.
dan'ser *m.*, **—es'** *v.* danseur *m.*, —euse *f.*
dans'feest *o.* partie *f.* de danse; bal *m.*
dans'gelegenheid *v.* dancing *m.*, bal *m.* public.
dans'huis *o.* dancing *m.*, maison *f.* de danse, bal *m.* public.
dans'je *o.* **1** (petite) danse *f.*; **2** tour *m.* de valse; **3** sauterie *f.*; **4** (*wijsje*) air *m.* de danse.
dans'klub, -club *v.*(*m.*) club *m.* de danse.
dans'kunst *v.* art *m.* de la danse, chorégraphie *f.*
dans'les *v.*(*m.*) leçon *f.* de danse, cours *m.* —.
dans'lied *o.* air *m.* de danse.
dans'lokaal *o.* dancing *m.*, bal *m.* public.
dans'meester *m.* maître *m.* de danse, professeur *m.* —.
dans'middag *m.* matinée *f.* dansante.
dans'muziek *v.* airs *m.pl.* de danse; musique *f.* de danse.
dans'orkest *o.* orchestre *m.* de danse.
dans'partij *v.* bal *m.*, soirée *f.* dansante.
dans'partijtje *o.* sauterie *f.*
dans'pas *m.* pas *m.* de danse.
dans'plaat *v.*(*m.*) disque *m.* de danse.
dans'schoen *m.* soulier *m.* de bal, escarpin *m.*
dans'school *v.*(*m.*) école *f.* de danse, académie *f.* de danse.
dans'vloer *m.* pont *m.* de danse.
dans'wijsje *o.* air *m.* de danse.
dans'woede *v.*(*m.*) passion *f.* de la danse.
dans'zaal *v.*(*m.*) salle *f.* de danse, — de bal.
dap'per I *b.n.* brave, valeureux, vaillant; **II** *bw.* vaillamment, bravement; ***— afrossen,*** arranger de la belle façon; ***— meedoen,*** se mettre royalement de la partie.
dap'perheid *v.* vaillance, bravoure, valeur *f.*
dar *m.* (*Dk.*) faux-bourdon* *m.*
Dardanel'len, *de —,* les Dardanelles *f.pl.*
darm *m.* intestin, boyau *m.*; ***blinde —,*** appendice *m.* (vermiculaire); ***dikke —,*** gros intestin; (*gen.*) colon *m.*; ***dunne —,*** intestin *m.* grêle.
darm'bloeding *v.* hémorragie *f.* intestinale.
darm'catarre, -katar *v.*(*m.*) catarrhe *m.* des intestins.
darm'kanaal *o.* conduit *m.* intestinal.
darm'katar, *zie* ***darmcatarre.***
darm'koliek *o. en v.* colique *f.* intestinale, — tranchée.
darm'kronkel *m.* entortillement *m.* intestinal, étranglement *m.* intestinal, volvulus *m.*
darm'ontsteking *v.* entérite *f.*
darm'snaar *v.*(*m.*) corde *f.* de boyau.
darm'vlies *o.* **1** (*v. mens*) épiploon *m.*; **2** (*v. dier*) crépine *f.*
darm'wand *m.* paroi *f.* intestinale.
dar'tel *b.n.* folâtre, badin, pétulant.
dar'telen *on.w.* folâtrer, batifoler, gambader, prendre ses ébats.
dar'telheid *v.* folâtrerie, pétulance *f.*
darwinis'me *o.* darwinisme *m.*
darwinist' *m.* darwiniste *m.*
das I *v.*(*m.*) cravate *f.*; (*brede —*) plastron *m.*; (*zijden halsdoek*) foulard *m.*; **II** (*Dk.*) blaireau, grisard *m.*
dash'board *o.* tableau *m.* de bord, tablier *m.*
das'hond *m.* basset *m.*
das'knoop *m.* nœud *m.* de cravate.
das'houder *m.* fixe-cravate* *m.*
das'speld *v.*(*m.*) épingle *f.* de cravate.
dat I *vnw.* **1** (*aanwijzend*) ce (cet), cette; celui-là, celle-là; cela, ce; ***is — uw boek?*** est-ce là votre livre? ***— is een vergissing,*** c'est là une erreur; ***is me — een vraag,*** quelle question; ***is — werken?*** et vous appelez cela travailler? ***— wil zeggen,*** c'est-à-dire, cela veut dire; **2** (*betrekkelijk*) (*nominatief*) qui, lequel, laquelle; (*accusatief*) que, lequel, laquelle; **II** *vw.* que.
da'ta *mv.* **1** (*gegevens*) données *f.pl.*; **2** (*datums*) [dates *f.pl.*
date'ren *ov.w. en on.w.* dater.
date'ring *v.* date *f.*
datge'ne *vnw.* ce qui; ce que.
dat'je, *een ditje of een —,* quelque chose; quelque chose par ci, quelque chose par là; ***ditjes en —s,*** des vétilles *f.pl.*
da'to *bw.* ce jour; aujourd'hui; ***— 1 oktober,*** en date du premier octobre; ***na —,*** après (cette date); ***twee maanden na —,*** à deux mois de date.
da'tum *m.* date *f.*; ***— postmerk,*** date du timbre de la poste; ***van oude —,*** de vieille date; ***van recente —,*** de fraîche date.
da'tumstempel *m.* timbre *m.* à date, dateur *m.*
dauw *m.* rosée *f.*; ***van de hemelse — leven,*** (*Z.N.*) vivre de l'air du temps.
dauw'druppel *m.* goutte *f.* de rosée.
dau'wen *onp.w.* faire de la rosée; ***het dauwt,*** il fait de la rosée, il tombe —.
dauw'worm *m.* **1** (*regenworm*) lombric *m.*; **2** (*huidziekte*) dartre, gourme *f.*
da'veren I *on.w.* trembler, s'ébranler; retentir; **II** *z.n.* ***het —,*** le tremblement, le retentissement.
da'verend *b.n.* violent; ***—e toejuichingen,*** des applaudissements à tout rompre.
da'vering *v.* **1** tremblement, ébranlement *m.*; **2** (*Z.N.*) (*afstraffing, rammeling*) rossade, rossée *f.*
daviaan', da'vylamp *v.*(*m.*) lampe *f.* de sûreté, — de Davy.
da'vidster *v.*(*m.*) étoile *f.* de David, bouclier *m.* de David.
da'vits *mv.* bossoirs, portemanteaux *m.pl.*
da'vylamp, *zie* ***daviaan.***
da'zen *on.w.* radoter.
de *lidw.* le, la; les; ***— laatste dagen,*** ces derniers jours; ***wat wensen — heren?*** que désirent ces messieurs?
dea'ler *m.* concessionnaire, distributeur, stockiste [*m.*
deballota'ge *v.* blackboulage *m.*
deballote'ren *ov.w.* blackbouler.
debat' *o.* débat *m.*, discussion *f.*; ***het — openen,*** ouvrir les débats; ***het — sluiten,*** terminer les débats, fermer —; ***zich in het — mengen,*** intervenir dans la discussion; ***vergadering met —,*** réunion *f.* contradictoire.
deba'ter *m.* argumentateur, orateur *m.*
deba'ting-club, -klub *v.*(*m.*) cercle *m.* de discussions.
debatte'ren I *on.w.* débattre, discuter; **II** *z.n.* ***het —,*** les débats *m.pl.*
de'bet I *o.* (*H.*) débit, devoir, passif *m.*; ***— en credit,*** doit et avoir; ***de heer A. — aan B.,*** monsieur A. doit à B.; ***in het — boeken,*** porter au débit; **II** *b.n.* ***ik ben er niet — aan,*** je n'y suis pour rien; ***iem. iets — zijn,*** devoir qc. à qn.
de'betpost *m.* débit *m.*, article *m.* débiteur.
de'betrekening *v.* (*H.*) compte *m.* débiteur.
de'betsaldo *o.* solde *m.* débiteur.
de'betzijde *v.*(*m.*) débit *m.*
debiet' *o.* (*H.*) débit *m.*, vente *f.*
debitant' *m.* débitant *m.*
debite'ren *ov.w.* **1** (*H.*) débiter; **2** (*omzetten*) vendre; ***ik heb u voor 500 fr. gedebiteerd,*** j'ai débité votre compte de 500 frs., j'ai porté 500 frs. au débit de votre compte.

debiteur' *m.* débiteur *m.*
deblokke'ren *ov.w.* débloquer.
debraye'ren *on.w.* débrayer, désembrayer.
debutant' *m.* débutant *m.*
debute'ren *on.w.* débuter, faire des débuts.
debuut' *o.* début *m.*
decaan', dekaan' *m.* doyen *m.*
decadent', dekadent' *b.n.* décadent.
decaden'tie, dekaden'tie *v.* décadence *f.*
de'cagram, de'kagram *o.* décagramme *m.*
de'caliter, de'kaliter *m.* décalitre *m.*
de'cameter, de'kameter *m.* décamètre *m.*
decem'ber *m.* décembre *m.*
decen'nium *o.* décennie *f.*
decentralisa'tie, decentraliza'tie *v.* décentralisation *f.*
decentralise'ren, decentralize'ren *ov.w.* décentraliser.
decharge'ren *ov.w.* (*H.*) décharger.
de'cibel *m.* décibel *m.*
de'cigram *o.* décigramme *m.*
de'ciliter *m.* décilitre *m.*
decimaal' I *v.(m.)* décimale *f.*; **II** *b.n.* décimal; ***decimale breuk,*** fraction décimale.
decimaal'teken *o.* virgule *f.*
deci'me *v.(m.)* (*muz.*) dixième *f.*
de'cimeter *m.* décimètre *m.*
de'cistère *v.(m.)* décistère *m.*
declama'tor, deklama'tor *m.* déclamateur *m.*; diseur *m.* (de vers).
declamato'risch, deklamato'risch *b.n.* déclamatoire.
declame'ren, deklame'ren *ov.w. en on.w.* déclamer, dire (des vers).
declara'tie, deklara'tie *v.* **1** déclaration; **2** (*v. kosten, reis, enz.*) note *f.*, mémoire *m.* des frais; liquidation *f.*; ***zijn — indienen,*** présenter sa liquidation; **3** (*rekening v. advokaat, enz.*) note *f.* d'honoraires.
declare'ren, deklare'ren *ov.w.* déclarer; ***goederen —,*** déclarer des marchandises.
declina'tie, deklina'tie *v.* déclinaison *f.*
decor' *o.* décor *m.*; ***de —s,*** *ook:* la décoration.
decora'tie, dekora'tie *v.* décoration *f.*
decoratief', dekoratief' *o.* décor *m.*
decora'tieschilder, dekora'tieschilder *m.* peintre *m.* en décors, — décorateur, décorateur *m.*
decore'ren, dekore'ren *ov.w.* décorer.
decreet', dekreet' *o.* décret *m.*
deduce'ren I *ov.w.* déduire; **II** *z.n.* ***het —,*** la déduction.
deeg *o.* pâte *f.*; ***van 't zelfde —,*** de la même farine.
deeg'achtig *b.n.* pâteux.
deeg'bal *m.* pâton *m.*, boulette *f.* de pâte.
deeg'mes *o.* coupe-pâte *m.*
deeg'roller *m.* bille *f.*, rouleau *m.* à pâte.
deel I *o.* **1** (*van een geheel*) partie *f.*; **2** (*aandeel, portie*) portion *f.*; **3** (*wat iem. toekomt*) part *f.*; **4** (*v. boek*) tome, volume *m.*; ***— nemen aan,*** prendre part à, participer à; ***— uitmaken van,*** faire partie de; ***in allen dele,*** à tous égards, sous tous les rapports; ***in genen dele,*** en aucune façon, point du tout; ***ten dele,*** en partie; ***ten — vallen,*** tomber en partage, échoir; ***voor mijn —,*** pour ma part; ***ik heb er part noch — aan,*** je n'y suis pour rien; **II** *v.(m.)* **1** (*plank*) planche *f.*, ais *m.*; **2** (*dorsvloer*) aire *f.*
deelach'tig *b.n.* participant; ***— worden,*** obtenir, gagner; ***— zijn,*** avoir part à.
deel'baar *b.n.* divisible.
deel'baarheid *v.* divisibilité *f.*
deel'genoot *m.* participant; associé *m.*; ***— maken van,*** **1** associer à; **2** (*mededelen*) confier, communiquer; **3** (*v. zaak*) intéresser à.
deel'genootschap *o.* participation, association *f.*
deel'gerechtigd *b.n.* participant; ***zij zijn — in de winst,*** ils participent aux bénéfices, ils ont droit à une part du bénéfice; ***de —en,*** les ayants droit, les partageants.
deel'hebber *m.* participant, associé; partageant *m.*
deel'nemen *on.w.* prendre part à.
deel'nemend *b.n.* compatissant, sympathique.
deel'nemer *m.* **1** participant, associé *m.*; **2** (*aan misdrijf*) complice *m.*
deel'neming *v.* **1** (*het meedoen*) participation *f.*; **2** (*medegevoel*) compassion, sympathie *f.*; **3** (*rouwbeklag*) condoléances *f.pl.*; ***zijn — betuigen,*** exprimer sa sympathie; présenter ses compliments de condoléance.
deels *bw.* en partie.
deel'som *v.(m.)* exercice *m.* de division.
deel'streep *v.(m.)* trait *m.* de subdivision.
deel'tal *o.* dividende *m.*
deel'teken *o.* **1** (*gram.*) tréma *m.*; **2** (*rek.*) signe *m.* de division.
deel'tje *o.* **1** petite partie, particule, parcelle *f.*; **2** (*v. boek*) volume *m.*
deel'woord *o.* (*gram.*) participe *m.*
dee'moed *m.* humilité, soumission *f.*
deemoe'dig *b.n.* humble, soumis.
deemoe'digen *ov.w.* humilier.
deemoe'digheid *v.* humilité, soumission *f.*
deemoe'diging *v.* humiliation *f.*
Deen *m.* Danois *m.*
Deens *b.n.* danois.
deer'lijk I *b.n.* pitoyable, déplorable, misérable, triste; **II** *bw.* **1** pitoyablement; **2** (*erg*) grièvement; ***hij heeft zich — vergist,*** il s'est joliment trompé.
deer'n(e) *v.* **1** jeune fille *f.*; **2** (*ong.*) fille *f.*
deer'nis *v.* pitié, compassion *f.*
deerniswaar'dig, deerniswek'kend *b.n.* pitoyable, à faire pitié, lamentable.
defect', defekt' I *o.* défaut; manque *m.*; ***een — aan de motor,*** une panne *f.* de moteur; **II** *b.n.* dérangé, détraqué; abîmé; en panne; ***— raken,*** se déranger, se détraquer, tomber en panne.
defen'sie *v.* défense *f.* (nationale).
defensief' I *b.n.* défensif; **II** *bw.* défensivement.
de'ficit *o.* déficit *m.*
defilé' *o.* défilé *m.*
defile'ren *on.w.* défiler.
definië'ren I *ov.w.* définir; **II** *z.n.* ***het —,*** la définition.
defini'tie *v.* définition *f.*
definitief' I *b.n.* définitif; **II** *bw.* définitivement.
defla'tie *v.* déflation *f.*
def'tig *b.n.* **1** grave, sérieux, digne; **2** solennel, imposant; **3** (*gedwongen, stijf*) cérémonieux; ***—e familie,*** famille distinguée, — aristocratique; ***—e knecht,*** domestique bien stylé; ***— persoon,*** personnage de distinction; ***de —e stand,*** la bonne société; ***—e stijl,*** style soutenu; ***— voorkomen,*** grand air.
def'tigheid *v.* gravité, dignité; solennité *f.*; grand air *m.*
de'gelijk I *b.n.* **1** (*eig.*) solide; (*fig.*) honnête, respectable, rangé; **2** (*werkelijk*) réel, sérieux; ***een —e firma,*** une maison solvable; **II** *bw.* **1** solidement; **2** certainement, sans aucun doute, réellement.
de'gelijkheid *v.* solidité, honnêteté *f.*, qualités *f.pl.* solides.
de'gen *m.* épée *f.*; ***de — trekken,*** tirer l'épée, dégainer; ***de — opsteken,*** rengainer l'épée.
dege'ne *m. en v.* celui *m.*, celle *f.*; ***— die,*** celui (*of* celle) qui.
degenera'tie *v.* dégénération *f.*
degenere'ren *on.w.* dégénérer.
de'gengevest *o.* garde *f.*

de'gengreep *v.(m.)* poignée *f.*
de'genknop *m.* pommeau *m.* (d'épée).
de'genkoppel *m.* porte-épée *m.*
de'genkwast *m.* dragonne *f.*
de'genschede *v.(m.)* fourreau *m.* d'épée.
de'genslikker *m.* avaleur *m.* de sabres.
de'gensteek *m.* coup *m.* d'épée.
de'genstok *m.* canne *f.* à épée.
de'genstoot *m.* coup *m.* d'épée, estocade *f.*
degrada'tie *v.* **1** dégradation *f.*; **2** (*terugstelling in rang*) rétrogradation *f.*
degrada'tiewedstrijd *m.* match *m.* de barrage.
degrade'ren *ov.w.* casser de son rang, rétrograder.
dei'nen *on.w.* être houleux; — agité par la houle.
dei'ning *v.* houle *f.*; (*fig.*) mouvement *m.*
dek *o.* **1** (*deken*) couverture *f.*; **2** (*voor paard*) housse *f.*; **3** (*v. schip*) pont, tillac *m.*; **4** (*v. brug*) tablier *m.*; ***aan —,*** sur le pont.
deka-, *zie* ***deca-.***
dek'bed *o.* édredon, couvre-lit* *m.*
dek'blad *o.* **1** (*v. bloem*) bractée *f.*; **2** (*v. sigaar*) robe, cape *f.*
de'ken I *v.(m.)* **1** couverture *f.*; **2** (*mil.*) couverte *f.*; ***gestikte —,*** courtepointe *f.*; ***met iem. onder één — liggen,*** s'entendre comme larrons en foire; **II** *m.* doyen *m.*
dekenaat' *o.* **1** (*gebied*) doyenné *m.*; **2** (*waardigheid*) décanat *m.*
dekenij' *v.* doyenné *m.*
de'kenschap *o.* décanat *m.*
dek'hengst *m.* étalon *m.* reproducteur.
dek'hut *v.(m.)* cabine *f.* sur le pont.
dek'jongen *m.* steward *m.*
dek'ken I *ov.w.* **1** couvrir; **2** (*sigaar*) enrober; **3** (*fig.*) ***iem. —,*** couvrir qn.; ***hij is gedekt,*** il est à couvert; ***de tafel —,*** mettre le couvert; ***er is gedekt,*** la table est servie; ***een tekort —,*** combler un déficit; **II** *w.w.* ***zich —,*** **1** se couvrir; **2** (*H.*) se nantir, prendre des sûretés; ***een wissel —,*** couvrir une traite.
dek'ker *m.* couvreur *m.*
dek'king *v.* **1** (*alg.*) couverture *f.*; **2** (*H.*) couverture, provision *f.*; **3** (*tegen vliegtuigen*) abri *m.*
dek'kingsaankopen *mv.* achats *m.pl.* pour compte des baissiers.
dek'kingstroepen *mv.* (*mil.*) troupes *f.pl.* de couverture; corps *m.* —.
dek'kleed *o.* **1** (*v. bed*) couverture *f.*; **2** (*v. meubel*) housse *f.*; **3** (*v. paard*) housse *f.*, caparaçon *m.*; **4** (*v. wagen*) bâche *f.*
dek'laag *v.(m.)* assise *f.* supérieure, couche *f.* supérieure, — de couverture.
dek'lading *v.* cargaison *f.* de pont, pontée *f.*, chargement *m.* sur le pont.
deklam-, *zie* ***declam-.***
deklar-, *zie* ***declar-.***
dek'last *m.* cargaison *f.* de pont, pontée *f.*
deklin-, *zie* ***declin-.***
De Klinge La Clinge.
dek'lood *o.* plomb *m.* en feuilles, — en lames.
dek'mantel *m.* manteau, voile *m.*; couverture *f.*
dek'mat *v.(m.)* abrivent *m.*
dek'matroos *m.* matelot *m.* de pont.
dek'naam *m.* (*Z.N.*) pseudonyme *m.*
dekor-, *zie* ***decor-.***
dek'passagier *m.* passager *m.* de pont.
dek'plaat *v.(m.)* **1** dalle *f.* supérieure; **2** (*v. slot*) couverture *f.*, cache-entrée *m.*
dekreet', decreet' *o.* décret *m.*
dek'riet *o.* chaume *m.*
dek'schaal *v.(m.)* légumier *m.*
dek'schild *o.* (*v. kevers, enz.*) élytre *m.*
dek'schuit *v.(m.)* chaland ponté, bateau *m.* —.
dek'sel *o.* **1** couvercle *m.*; **2** (*deken*) (*Z.N.*) couverture *f.*; **3** (*v. horloge*) cuvette *f.*; **4** (*v. schotel*) couvre-plat* *m.*; **5** (*Pl.*) tégument *m.*
dek'sels I *tw.* diantre, bigre; **II** *b.n.* ***—e jongen,*** mauvais garnement, mauvais drôle *m.*, diable *m.* de garçon.
dek'steen *m.* tablette *f.*
dek'stoel *m.* chaise *f.* de pont, fauteuil *m.* transatlantique.
dek'stro *o.* chaume *m.*
dek'tennis *o.* tennis *m.* de pont.
dek'verf *v.(m.)* couleur *f.* à rehausser.
dek'zeil *o.* **1** bâche, banne *f.*; **2** (*sch.*) prélat *m.*
delcre'dere *o.* (*H.*) ducroire *m.*
delega'tie *v.* délégation *f.*
delege'ren *ov.w.* déléguer.
de'len I *ov.w.* **1** (*in gedeelten*) diviser; **2** (*verdelen*) partager, faire le partage de; **3** (*mening, enz.*) partager; ***— door 4,*** diviser par quatre; ***in vieren —,*** en faire quatre parts; **II** *on.w.* **1** partager; **2** (*rek.*) diviser, faire la division; ***in iemands vreugde*** (*of* ***smart***) ***—,*** partager les joies (*of* le chagrin) de qn.; ***met iem. —,*** entrer en partage avec qn.; ***samen —!*** part à deux!; **III** *z.n.* ***het —,*** la division.
de'ler *m.* diviseur *m.*, partie *f.* aliquote; ***de grootste gemene —,*** le plus grand commun diviseur.
delf'stof *v.(m.)* minéral *m.*
delf'stoffenrijk *o.* règne *m.* minéral.
delf'stofkunde *v.* minéralogie *f.*
delf'stofkundige *m.* minéralogiste *m.*
Delfts I *b.n.* de Delft; **II** *o.* du Delft.
del'gen *ov.w.* amortir, éteindre, payer; ***een schuld —,*** amortir une dette.
del'ging *v.* amortissement *m.*, extinction *f.*
delicaat', delikaat' *b.n.* **1** (*teer, zwak; fijngevoelig*) délicat; **2** (*lekker*) délicieux.
delicatesse', delikates'se *v.* **1** (*teerheid; kiesheid*) délicatesse *f.*; **2** (*lekkernij*) friandise *f.*; ***—n,*** comestibles *m.pl.* (fins).
delicates'senhandel, delikates'senhandel *m.* magasin *m.* de comestibles, épicerie *f.* fine.
delict', delikt' *o.* délit *m.*
delika-, *zie* ***delica-.***
delikt', delict' *o.* délit *m.*
de'ling *v.* **1** (*rek.*) division *f.*; **2** (*verdeling*) partage *m.*; **3** (*erfenis*) (*Z.N.*) héritage *m.*
delinquent', delinkwent' *m.* délinquant *m.*; ***politieke —,*** incivique *m.*
deli'rium *o.* délire *m.*; ***— tremens,*** délire alcoolique.
Del'phi *o.* Delphes *f.*
del'ta *v.(m.)* delta *m.*
Del'taplan *o.* plan *m.* Delta.
del'tavleugel *m.* aile *f.* (en) delta.
del'tavormig *b.n.* deltoïde.
del'ven I *ov.w.* **1** creuser, bêcher, fouiller; **2** (*delfstoffen*) extraire; **3** (*aardappelen*) déterrer; **II** *z.n.* ***het —,*** **1** le creusement; **2** l'extraction *f.*; **3** (*v. aardappelen*) la récolte.
del'ving *v.*, *zie* ***delven.***
demago'gisch I *b.n.* démagogique; **II** *bw.* démagogiquement.
demagoog' *m.* démagogue *m.*
demarca'tielijn, demarka'tielijn *v.(m.)* ligne *f.* de démarcation.
demarca'tietroepen, demarka'tietroepen *mv.* troupes *f.pl.* de couverture.
demi'-fina'le *v.(m.)* demi-finale* *f.*
demi(-saison) *m.* pardessus *m.* d'été.
demobilisa'tie, demobiliza'tie *v.* démobilisation *f.*
demobilise'ren, demobilize'ren *on.w.* démobiliser.
democraat', demokraat' *m.* démocrate *m.*

democratie', demokratie' *v.* démocratie *f.*
democra'tisch, demokra'tisch *b.n.* démocratique.
democratise'ren, demokratize'ren *ov.w.* démocratiser.
de'mon *m.* démon *m.*
demo'nisch *b.n.* démoniaque.
demonstrant' *m.* manifestant *m.*
demonstra'tie *v.* **1** démonstration *f.*; **2** manifestation *f.*
demonstre'ren *ov.w.* **1** démontrer; **2** manifester.
demonte'ren *ov.w.* démonter.
demoralisa'tie, -iza'tie *v.* démoralisation *f.*
demoralise'ren, -ize'ren *ov.w.* démoraliser.
dem'pen *ov.w.* **1** (*geluid*) assourdir, étouffer; **2** (*gracht*) combler, remplir; **3** (*opstand*) réprimer, étouffer, apaiser; **4** (*zeil*) égorger; ***als 't kalf verdronken is dempt men de put,*** on ferme l'écurie quand les chevaux sont dehors.
dem'per *m.* **1** (*v. piano*) étouffoir *m.*; **2** (*v. viool*) sourdine *f.*
dem'ping *v.* **1** (*v. geluid*) assourdissement *m.*; **2** (*v. gracht*) comblement *m.*; **3** (*v. opstand*) répression *f.*
den *m.* pin *m.*; ***grove —,*** pin sylvestre.
den'appel, den'neappel *m.* pomme *f.* de pin.
den'derend *b.n.* chic, épatant.
Dendermon'de *o.* Termonde *f.*
De'nemarken *o.* le Danemark.
denk'baar *b.n.* **1** (*begrijpelijk*) concevable; **2** (*voorstelbaar*) imaginable; **3** (*wijsb.*) conceptible.
denk'baarheid *v.* **1** possibilité *f.* de concevoir, — d'être conçu; **2** (*wijsb.*) conceptibilité *f.*
denk'beeld *o.* idée, notion, conception, opinion, pensée *f.*; ***zich een — vormen van,*** se faire une idée de; ***op het — komen,*** s'aviser de, avoir l'idée.
denkbeel'dig *b.n.* imaginaire, idéal, illusoire.
denkbeel'digheid *v.* irréalité *f.*
den'kelijk I *b.n.* probable; **II** *bw.* probablement.
den'ken *ov.w. en on.w.* penser, songer; (*nadenken*) réfléchir; ***diep —,*** songer profondément; ***ik denk morgen te vertrekken,*** je compte (*of* pense) partir demain; ***daar valt niet aan te —,*** cela n'est pas abordable; ***dat dacht ik wel,*** je m'y attendais; ***dat laat zich —,*** cela se comprend; ***op middelen —,*** aviser aux moyens (de); ***ik denk er nog altijd zo over,*** je suis toujours dans les mêmes idées; ***te — geven,*** donner à réfléchir, donner à rêver, prêter à méditation; ***dat zou ik —,*** je le crois; ***wat denk je wel?*** qu'est-ce que tu t'imagines? ***wat denkt u van hem?*** que pensez-vous de lui? quelle opinion avez-vous de lui? ***wat denkt u wel van mij?*** à qui croyez-vous avoir affaire? ***zich suf —,*** se casser la tête.
den'ker *m.* penseur *m.*
denk'fout *v.(m.)* erreur *f.* de raisonnement.
denk'kracht *v.(m.)* force *f.* de pensée.
denk'oefening *v.* exercice *m.* de pensée, — de réflexion.
denk'proces *o.* travail *m.* de la pensée.
denk'richting *v.* orientation *f.* de l'esprit.
denk'vermogen *o.* intelligence, raison *f.*, faculté *f.* de penser.
denk'wijs, -wijze *v.(m.)* manière (*of* façon) *f.* de penser; pensée, opinion *f.*, sentiment *m.*
den'(ne)appel *m.* pomme *f.* de pin.
den'neboom *m.* pin *m.*
den'negroen *o.* feuillage *m.* de pin.
den'nehout *o.* (bois de) pin *m.*
den'nenaald *v.(m.)* aiguille *f.* de pin.
den'nenbos *o.* pinneraie *f.*, bois *m.* de pins.
De Pan'ne La Panne.
departement' *o.* département *m.*
departementaal' *b.n.* départemental, ministériel.
departements'chef *m.* chef *m.* de département.
dependen'tie *v.* dépendance *f.*
De Pin'te La Pinte.
deponent' *m.* déposant *m.*
depone'ren *ov.w.* déposer, mettre en dépôt.
deporta'tie *v.* déportation *f.*
deposita'ris *m.* dépositaire *m.*
depo'sito *o.* dépôt *m.*; ***a — geven,*** donner en dépôt, mettre —, déposer.
depo'sitobank *v.(m.)* banque *f.* de dépôt.
depo'sitogelden *mv.* argent *m.* en dépôt, sommes *f.pl.* déposées.
depo'sitohouder *m.* déposant *m.*
depo'sitokas *v.(m.)* caisse *f.* de dépôts.
depo'sitorekening *v.* compte *m.* de dépôt(s).
depot' *o. en m.* dépôt *m.*; succursale *f.*
depot'houder *m.* gérant *m.*, chef *m.* d'une succursale, dépositaire *m.*
deprecia'tie *v.* dépréciation *f.*
depreciё'ren *ov.w.* déprécier.
depres'sie *v.* dépression *f.*
deputa'tie *v.* députation *f.*
derange'ren I *ov.w.* déranger; ***zich —,*** se déranger; **II** *z.n.* ***het —,*** le dérangement.
der'de *telw.* troisième; ***de — (v. d. maand),*** le trois; ***een —,*** un tiers; ***een — (persoon),*** un tiers, une tierce personne; ***Leopold de —,*** Léopold trois; ***ten —,*** troisièmement; ***— orde,*** (*kath.*) tiers ordre *m.*
derdehalf' *telw.* deux et demi.
derdemacht' *v.(m.)* cube *m.*, troisième puissance *f.*
derdemachts'vergelijking *v.* équation *f.* cubique.
derdemachts'wortel *m.* racine *f.* cubique.
der'dendaags *b.n.* qui revient tous les trois jours; ***—e koorts,*** fièvre quarte.
derde-or'deling *m.* (*kath.*) membre *m.* du tiers ordre.
de'ren *ov.w.* nuire à, faire tort à; affliger; ***wat deert u?*** qu'avez-vous? ***wat niet weet niet (en) deert,*** il fait bon vivre et ne rien savoir.
der'gelijk *b.n.* pareil, semblable, tel, analogue.
derhal've *vw.* par conséquent, donc.
derivaat' *o.* dérivé *m.*
der'mate *bw.* à tel point, tellement, tant.
der'rie *v.(m.)* tourbe *f.* molle; bran *m.*
der'tien *telw.* treize; ***wij zijn met (ons) —en,*** nous sommes treize.
der'tiende *telw.* treizième; ***de — (v. d. maand),*** le treize; ***een —,*** un treizième.
der'tig *telw.* trente; ***hij is boven de —,*** il a dépassé la trentaine.
der'tiger *m.* homme de trente ans, qui a dépassé la trentaine.
dertigja'rig *b.n.* de trente ans.
der'tigste *telw.* trentième; ***de — september,*** le trente septembre.
der'tigtal *o.* trentaine *f.*
der'ven *ov.w.* manquer de, être privé de; se passer de.
der'ving *v.* manque *m.*, privation *f.*
der'waarts *bw.* de ce côté là, par là, là, y.
der'wijze *bw.* de la sorte, de telle sorte, tellement.
der'wisj *m.* derviche *m.*
des I *lidw.* du, de l', de la; ***— avonds,*** le soir; ***— winters,*** en hiver; **II** *bw.* tant, d'autant; ***— te beter,*** tant mieux; ***— te meer,*** d'autant plus; **III** (*muz.*) ré *m.* bémol.
de'sa, des'sa *v.(m.)* village *m.* indigène (*Java*), dessa(h) *f.*
desalniettemin' *bw.* néanmoins, malgré cela, nonobstant.

des'betreffend *b.n.* afférent.
des'bevoegd *b.n.* compétent, expert (en la matière).
des'bewust I *b.n.* ayant conscience de, informé de; **II** *bw.* sciemment, sachant cela.
de'sem *m.* levain *m.*
de'semen *ov.w.* mettre du levain dans.
deserte'ren I *on.w.* déserter; **II** *z.n.* ***het —,*** la désertion.
deserteur' *m.* déserteur *m.*
deser'tie *v.* désertion *f.*
des'gelijks *bw.* pareillement, de même.
des'gevorderd *bw.* en cas de besoin, si besoin est.
des'gevraagd, des'gewenst *bw.* si on le demande, si l'on veut.
Deside'rius *m.* Désiré, Didier *m.*
des'illusie *v.* désillusion *f.*
desinfecteer'middel, desinfekteer'middel *o.* désinfectant *m.*
desinfecteer'oven, desinfekteer'oven *m.* étuve *f.* à désinfection.
desinfecte'ren, desinfekte'ren *ov.w.* désinfecter, aseptiser. [une expertise.
deskun'dig *b.n.* expert, averti; ***een — onderzoek,***
deskun'dige *m.* **1** expert *m.*; **2** (*kenner*) connaisseur *m.*; **3** (*man van 't vak*) professionnel *m.*
deskun'digheid *v.* compétence *f.*
desniettegenstaan'de, desniettemin' *bw.* néanmoins, malgré cela.
desnoods' *bw.* au besoin, en cas de besoin, s'il le faut, à la rigueur.
desolaat' *b.n.* désolé; ***desolate boedel,*** succession *f.* onéreuse et vacante. [stant.
des'ondanks *bw.* malgré cela, néanmoins, nonob-
desperaat' *b.n.* désespéré.
despoot' *m.* despote *m.* [ment.
despo'tisch I *b.n.* despotique; **II** *bw.* despotique-
dessa, *zie* ***desa.***
dessert' *o.* dessert *m.*; ***bij het —,*** entre la poire et le fromage.
dessert'lepeltje *o.* cuiller *f.* à dessert.
destijds' *bw.* en ce temps-là, alors, dans le temps.
destill-, *zie* ***distill-.***
des'verkiezend(e) *bw.* si l'on veut, à volonté.
des'verlangd *bw.* sur demande, si l'on veut.
des'wege *bw.* pour cette raison, pour cela.
detail' *o.* détail *m.*; ***in —s treden,*** entrer dans les détails.
detail'handel *m.* commerce *m.* de détail, détail *m.*
detail'handelaar *m.* détaillant *m.*
detail'kritiek *v.* critique *f.* en détails, — détaillée.
detail'kwestie *v.* question *f.* de détail.
detaillist' *m.* détaillant *m.*
detail'prijzen *mv.* prix *m.pl.* de détail.
detail'tekening *v.* dessin *m.* en détail.
detail'verkoop *m.* vente *f.* au détail.
detail'zaak *v.*(*m.*) magasin *m.* de détail.
detecti've *m.* détective *m.*
detecti'veroman *m.* roman *m.* policier.
detecti'veverhaal *o.* histoire *f.* policière.
detec'tor *m.* détecteur *m.*, appareil *m.* détecteur, — à détecter.
detine'ren *ov.w.* détenir.
detone'ren *on.w.* **1** (*ontploffen*) détoner; **2** (*uit de toon vallen*) détonner.
deugd *v.*(*m.*) **1** vertu *f.*; **2** (*goede kwaliteit*) qualité *f.*; ***lieve —!*** juste ciel! bonté divine!
deug'delijk I *b.n.* **1** de bonne qualité, solide, excellent; **2** (*geldig*) valide, valable; **3** (*echt*) véritable, vrai; **4** (*deugdzaam*) (*Z.N.*) vertueux; **II** *bw.* **1** solidement; **2** validement, bien et dûment; **3** véritablement; **4** vertueusement.
deug'delijkheid *v.* (bonne) qualité, solidité *f.*; validité *f.*
deugd'zaam *b.n.* **1** vertueux; **2** (*v. stof, enz.*) bon, solide. [solidité *f.*
deugd'zaamheid *v.* **1** vertu *f.*; **2** (bonne) qualité,
deu'gen *on.w.* **1** (*iets waard zijn*) valoir (qc.); ***dat deugt niet,*** cela ne vaut rien; **2** (*geschikt zijn*) être bon (à), être propre (à), être utile (à); **3** (*zich goed gedragen*) se conduire bien.
deug'niet *m.* vaurien, mauvais garnement, gamin, polisson *m.*
deugnieterij' *v.* polissonnerie, gaminerie *f.*
deuk *v.*(*m.*) creux *m.*, enfonçure, bosse, bosselure *f.*; ***een — krijgen,*** se bossuer, se cabosser; ***iem. een — geven,*** porter un coup à qn.
deu'ken *ov.w.* bossuer, bosseler, cabosser.
deuk'hoed *m.* feutre *m.* mou, chapeau *m.* mou, — fendu.
deun I *m.* **1** (*lied*) chanson *f.*; **2** (*wijs*) air *m.*; ***vervelende —,*** scie *f.*; **II** *b.n.* (*gierig*) avare, chiche, serré.
deun'tje *o.* (petit) air *m.*; ***het is altijd het oude —,*** c'est toujours la même chanson.
deur *v.*(*m.*) **1** porte *f.*; **2** (*v. voertuig*) portière *f.*; **3** (*ingang*) entrée *f.*; ***blinde —,*** fausse porte; ***dubbele —,*** double porte; ***glazen —,*** porte vitrée; ***halve —,*** porte coupée; ***schuif—,*** porte à coulisse; ***openslaande —en,*** porte*-fenêtre*; ***bij de —,*** sur la porte; ***in de — staan,*** être sur la porte; ***de — uitgaan,*** sortir; ***met gesloten —en,*** à huis clos; ***met de — in huis vallen,*** venir au fait sans préambule, ne pas y aller par quatre chemins; ***dat doet de — toe,*** après cela il faut tirer l'échelle, c'est le bouquet; ***de — achter iem. dichtdoen,*** fermer la porte sur qn.; ***doe de — achter je dicht,*** ramène la porte sur toi; ***de — uit!*** à la porte!; ***voor een gesloten — komen,*** trouver visage de bois; ***de winter staat voor de —,*** l'hiver approche; ***de open — politiek,*** la politique de la porte ouverte; ***van — tot —,*** de porte en porte.
deur'bel *v.*(*m.*) sonnette *f.*, timbre *m.*
deur'gat *o.* embrasure *f.* de porte.
deur'gordijn *v.*(*m.*) *en o.* portière *f.*
deur'hengsel *o.* gond *m.*
deur'ketting *m. en v.* chaînette *f.*
deur'klink *v.*(*m.*) loquet *m.*
deur'klopper *m.* marteau, heurtoir *m.*
deur'knop *m.* bouton *m.* de porte, bec*-de-cane *m.*
deur'kozijn *o.* cadre *m.*
deur'kruk *v.*(*m.*) bouton *m.*, poignée *f.*
deur'lijst *v.*(*m.*) chambranle *m.*
deur'mat *v.*(*m.*) tapis-brosse* *m.*
Deur'ne (*Brar.*) Tourinnes-La-Grosse.
deur'opening *v.* baie *f.*, ouverture *f.* de la porte.
deur'paneel *o.* panneau *m.*
deur'plaat *v.*(*m.*) plaque *f.* (de propreté).
deur'post *m.* jambage, montant *m.* (d'une porte), pied*-droit* *m.*
deur'slot *o.* serrure *f.*
deur'trekker *m.* ferme-porte* *m.*
deur'vleugel *m.* battant *m.*
deur'waarder *m.* huissier *m.*
deur'waardersexploot *o.* exploit *m.* d'huissier.
deur'wachter *m.* portier, concierge *m.*
deu'vekater, dui'vekater *tw.* diantre! diable!
deu'vik *m.* tampon *m.*
deux-pièces *v.* deux-pièces *m.*
devalua'tie, devalva'tie *v.* dépréciation, démonétisation, dévalorisation, dévaluation *f.*
devalue'ren *ov.w.* dévaloriser, déprécier.
devalva'tie, *zie* ***devaluatie.***
devies' *o.* devise *f.*; ***vreemde deviezen,*** (*H.*)

devises étrangères, effets étrangers; ***harde*** (***zwakke***) ***deviezen,*** devises fortes (faibles).
devie'zenbepaling *v.* disposition *f.* relative aux devises.
devie'zenboekje *o.* carnet *m.* de voyage touristique.
devie'zenkantoor *o.* office *m.* des changes.
devoot' **I** *b.n.* dévot; **II** *bw.* dévotement.
devo'tie *v.* dévotion *f.*
dewijl' *bw.* puisque, parce que.
de'ze *vnw.* ce, cet, cette, ces; celui-ci, celle-ci, ceux-ci, celles-ci; (*de laatstgenoemde*) ce dernier; ***bij —n,*** par la présente; ***na —n,*** à partir de cette date; ***te —n,*** sous ce rapport, à cet égard; ***brenger —s,*** le porteur (de la présente); ***schrijver —s,*** l'auteur de ces lignes; ***toonder —s,*** le porteur (de la présente); ***—r dagen,*** **1** (*in 't verleden*) ces jours-ci, l'autre jour; **2** (*in de toekomst*) un de ces jours; ***in — tijd,*** à l'heure actuelle; ***de 12e —r,*** le douze courant.
dezelf'de *vnw.* le (*of* la) même.
dezul'ken *vnw.* de telles gens.
di'a *v.*(*m.*) diapositive *f.*
diabe'tes *m.* diabète *m.*
diabe'tesbrood *o.* pain *m.*, pour diabétiques.
diabe'ticus *m.* diabétique *m.*
diabo'lo *m.* diabolo *m.*
diacones', diakones' *v.* diaconesse *f.*
diacones'senhuis, diakones'senhuis *o.* hôpital *m.* des diaconesses.
diaconie', diakonie' *v.* diaconie *f.*
diaconie'school, diakonie'school *v.*(*m.*) (*prot.*) école *f.* paroissiale, — de la paroisse.
diadeem' *m. en o.* diadème *m.*; bandeau *m.* royal.
diafrag'ma *o.* diaphragme *m.*
diagno'se *v.* **1** (*alg.*) diagnose *f.*; **2** (*v. zieke*) diagnostic *m.*; ***de — stellen,*** diagnostiquer la maladie, faire (*of* établir) un diagnostic.
diagonaal' **I** *b.n.* diagonal; **II** *z.n., v.*(*m.*) diagonale *f.*
diagram' *o.* diagramme *m.*, tracé *m.*
dia'ken *m.* diacre *m.*
dia'kenschap *o.* diaconat *m.*
diakon-, *zie* ***diacon-.***
dialect', dialekt' *o.* **1** dialecte *m.*; **2** (*volkstaal*) patois *m.*
dialec'ticus *m.* dialecticien *m.*
dialectiek', dialektiek' *v.* dialectique *f.*
dialec'tisch, dialek'tisch *b.n.* **1** (*van dialectiek*) dialectique; **2** (*v. een dialect*) dialectal.
dialoog' *m.* dialogue *m.*
diamant' *o. of m.* diamant *m.*; ***ruwe —,*** diamant brut; ***geslepen —,*** diamant taillé.
diamant'achtig *b.n.* diamantaire.
diamant'bewerker *m.* ouvrier *m.* diamantier, (ouvrier) diamantaire *m.*
diamant'boort *o.* poudre *f.* de diamant, bort *m.*
diaman'ten *b.n.* de diamant.
diamant'glas *o.* verre *m.* losangé.
diamant'handelaar *m.* diamantaire *m.*
diamant'houdend *b.n.* diamantifère.
diamant'klover *m.* fendeur *m.* de diamants, tailleur *m.* —, cliveur *m.* —.
diamant'mijn *v.*(*m.*) mine *f.* de diamants.
diamant'poeder, -poeier *o. en m.* égrisée *f.*, bort *m.*, poudre *f.* de diamant.
diamant'slijper *m.* tailleur *m.* de diamants; (*in engere zin*) polisseur *m.* de diamants.
diamant'slijperij *v.* taillerie *f.* (de diamants).
diamant'snijder *m.* tailleur *m.* de diamants.
diamant'veld *o.* terrain *m.* diamantifère.
diamant'werker, *zie* ***diamantbewerker.***
diamant'zetter *m.* sertisseur *m.*
di'ameter *m.* diamètre *m.*
diametraal' **I** *b.n.* diamétral; **II** *bw.* diamétralement.

diarree *v.* diarrhée *f.*
dicht **I** *b.n.* **1** (*gestolen*) fermé; clos; ***— doen,*** fermer (*zie* ***deur***); **2** (*opeen*) dense, compact, serré; **3** (*dicht ineen*) épais, serré; (*haar*) épais, touffu; (*gras*) dru; (*regen*) serré, dru; (*stof, laars*) imperméabl e; (*weefsel*) serré; ***— bos,*** bois fourni; ***— geboomte,*** fourré *m.*; ***— rijtuig,*** voiture couverte; (*fig.: v. persoon*) réservé, fermé; **II** *bw.* **1** près (de), proche, de près; **2** dru; ***— groeien,*** pousser dru; ***— in elkaar schrijven,*** écrire serré; **III** *z.n. o.* poésie *f.*; (*groot gedicht*) poème *m.*; ***— en ondicht,*** poésie et prose, vers et prose.
dicht'ader *v.*(*m.*) veine *f.* poétique.
dichtbij' *bw.* tout près, près d'ici; ***van —,*** de près.
dicht'binden *ov.w.* nouer.
dicht'branden *ov.w.* (*gen.*) cautériser.
dicht'doen **I** *ov.w.* fermer; **II** *z.n.* ***het —,*** la fermeture.
dicht'draaien *ov.w.* fermer, tourner.
dich'ten **I** *ov.w.* **1** (*stoppen: lek, gat, enz.*) boucher; (*put, opening*) remplir; **2** (*een gedicht*) composer; **3** (*waterdicht maken*) étancher; **II** *on.w.* faire des vers; composer, mettre en vers.
dich'ter *m.* poète *m.*
dichteres' *v.* poète *m.*, femme *f.* poète, poétesse *f.*; ***ik heb een boek gelezen van een bekende —,*** j'ai lu un livre d'une femme poète connue; ***zij is een goede —,*** elle est bon poète.
dich'terlijk *b.n.* poétique; ***—e vrijheid,*** licence poétique.
dich'terlijkheid *v.* poésie *f.*, poétique *f.*
dicht'gaan *on.w.* **1** (*zich sluiten*) se fermer; **2** (*sluiten*) fermer.
dicht'gooien *ov.w.* (*deur, enz.*) fermer brusquement, fermer avec fracas, faire claquer la porte; **2** (*dempen*) combler.
dicht'groeien *ov.w.* **1** (*wond*) se fermer; **2** (*plaats*) se couvrir de brousailles.
dicht'heid *v.* **1** (*duisternis; kreupelbos*) épaisseur *f.*; **2** (*bevolking; gassen*) densité *f.*; **3** (*ondoordringbaarheid*) imperméabilité *f.*
dicht'heidsmeter *m.* **1** (*voor vloeistoffen*) densimètre *m.*; **2** (*voor gassen*) manomètre *m.*
dicht'klappen *ov.w.* fermer d'un coup sec.
dicht'knopen *ov.w.* boutonner.
dicht'kunde *v.* poétique *f.*
dicht'kunst *v.* poésie *f.*, art *m.* poétique.
dicht'lakken **I** *ov.w.* cacheter; **II** *z.n.* ***het —,*** le cachetage.
dicht'lievend *b.n.* poétique, ami des Muses.
dicht'maat *v.*(*m.*) mètre *m.*. mesure *f.*; rythme *m.*
dicht'maken *ov.w.* **1** fermer; **2** (*dichtstoppen*) boucher; ***een japon —,*** agrafer une robe.
dicht'metselen *ov.w.* **1** (*alg.*) murer; **2** (*voor deur*) *ook:* condamner.
dicht'plakken *ov.w.* coller.
dicht'regel *m.* **1** vers *m.*; **2** (*voorschrift v. dichtkunst*) règle *f.* de la poétique.
dicht'rijgen *ov.w.* lacer.
dicht'schroeven *ov.w.* visser.
dicht'slaan **I** *ov.w.* fermer violemment; ***de deur —,*** faire claquer la porte; **II** *on.w.* se fermer brusquement.
dicht'slibben *on.w.* s'envaser.
dicht'sluiten *ov.w.* fermer (à clef).
dicht'smijten *ov.w.* fermer brusquement.
dicht'snoeren *ov.w.* lacer.
dicht'spijkeren *ov.w.* clouer.
dicht'springen *on.w.* se fermer brusquement.
dicht'stijl *m.* style *m.* poétique.
dicht'stoppen *ov.w.* boucher.
dicht'stuk *o.* poème *m.*; pièce *f.* en vers.

dicht'trekken *ov.w.* (*gordijn*) tirer; ***deur achter zich* —,** fermer la porte sur soi.
dicht'vallen *on.w.* retomber, se fermer.
dicht'vorm *m.* forme *f.* poétique; ***in* —,** en vers.
dicht'vouwen *ov.w.* replier.
dicht'vriezen I *on.w.* se geler, se prendre; **II** *z.n.* ***het* —,** la congélation.
dicht'werk *o.* œuvre *f.* poétique.
dictaat', diktaat' *o.* **1** (*v. professorale les*) notes *f.pl.* des cours; **2** (*wat gedicteerd wordt*) dictée *f.*
dictaat'cahier, diktaat'schrift *o.* cahier *m.* de cours.
dicta'tor, dikta'tor *m.* dictateur *m.*
dictatoriaal', diktatoriaal' I *b.n.* dictatorial; **II** *bw.* dictatorialement.
dicta'torschap, dikta'torschap *o.* dictature *f.*
dictatuur', diktatuur' *v.* dictature *f.*
dictee', diktee' *o.* **1** (*Z.N.*) notes *f.pl.* des cours; **2** dictée *f.*; ***onder* — *opschrijven,*** écrire sous la dictée.
dicte'ren, dikte'ren I *ov.w.* dicter; **II** *z.n.* ***het* —,** la dictée.
dic'tie, dik'tie *v.* diction *f.*
didac'ticus *m.* pédagogue *m.*
didactiek', didaktiek' *v.* **1** pédagogie *f.*; **2** école *f.*, poésie *f.* didactique.
didac'tisch, didak'tisch *b.n.* didactique.
die *vnw.* **1** (*aanwijzend*) ce, cet, cette; ces; celui, celle, ceux, celles; ***mevrouw die en* —,** madame une telle; **2** (*betrekkelijk*) qui, que; lequel, laquelle, lesquels, lesquelles; **— *is goed!,*** elle est bonne (celle-là).
Die'denberg *o.* Thiaumont.
Die'derik *m.* Thierry, Didier *m.*
dieet' *o.* régime *m.*, diète *f.*; **— *houden,*** suivre un régime, faire diète; ***op* — *leven,*** être au régime.
dief *m.* **1** voleur; larron, filou *m.*; **2** (*aan kaars*) moucheron *m.*; ***houdt de* —!** au voleur!
dief'achtig *b.n.* voleur, enclin au vol.
dief'achtigheid *b.n.* **1** inclination *f.* au vol; **2** (*roofzucht*) rapacité *f.*
dief'je *o.* volereau *m.*; ***'t is* — *en diefjesmaat,*** ils s'entendent comme larrons en foire.
dief'stal *m.* vol, larcin *m.*
diege'ne *vnw.* celui-là, celle-là; **—*n,*** ceux-là, celles-là.
Die'mensland, *van* —, *o.* la Tasmanie.
dien'aangaande *bw.* à ce sujet, quant à cela, à cet égard, là-dessus.
die'naar *m.* serviteur *m.*; **— *van de kroon,*** ministre de la couronne; ***een* — *maken,*** faire la révérence; ***uw dienstwillige* —,** votre dévoué (serviteur).
dienares'(se) *v.* servante *f.*
dien'bak *m.* plateau *m.* à servir, servante *f.*
dien'der *m.* **1** agent *m.* de ville, sergent *m.*; (*pop.*) grippe-coquin* *m.*; **2** (*aan tafel*) serveur *m.*; ***dooie* —,** empoté *m.*
die'nen I *ov.w.* **1** servir; (*in dienst zijn van*) être au service de; **2** (*de afgoden* —) adorer (les faux dieux); ***de tafel* —,** servir à table; ***ik ben daar niet van gediend,*** je n'en veux pas; ***waarmee kan ik u* —?** **1** (*aanbieden*) que puis-je vous offrir? **2** (*van dienst zijn*) en quoi puis-je vous être utile? en quoi puis-je vous servir? ***om u te* —,** à votre service, pour vous servir; ***als het geluk hem dient,*** si la fortune lui est favorable; **II** *on.w.* **1** servir; **2** (*mil.*) servir, faire son service militaire; **3** (*in betrekking zijn*) servir, être à gages, être en place (*of* en condition); ***gaan* —, 1** entrer en service; **2** (*mil.*) prendre service; **— *als,*** servir de, faire fonction de; **— *om,*** servir pour; ***deze dient om u te berichten, dat...,*** (*H.*) l'objet de la présente est de vous informer que, la présente a pour but de vous informer que; **— *voor,*** servir de; ***waartoe dient dat boek?*** à quoi sert ce livre?
dien'luik *o.* passe-plats *m.*
dienovereenkom'stig *bw.* en conséquence; conformément à cela.
dienst *m.* **1** (*alg.*) service *m.*; **2** (*ambt, betrekking*) emploi *m.*, place, condition *f.*; **3** (*in de kerk*) office *m.* (divin); **4** (*boekjaar*) exercice *m.*; ***een* — *bewijzen,*** rendre service; ***steeds tot uw* — (*bereid*),** toujours prêt à vous servir; ***zijn* —*en aanbieden,*** offrir ses services; ***goede* —*en bewijzen,*** rendre de bons offices; (***zijn***) **— *doen,*** faire son service; **— *doen als,*** servir de, faire fonction de; ***de* — *doen,* 1** (*kath.*) faire l'office, célébrer la messe; **2** (*prot.*) faire le culte (au temple); **— *hebben,*** être de service; ***geen* — *hebben,*** être libre; ***in* — *van,*** au service de; ***in* — *nemen,*** engager, prendre à son service; ***in* — *stellen,*** mettre en service; **— *nemen, onder* — *gaan,*** prendre service, s'engager, s'enrôler; ***de* — *opzeggen,* 1** (*v. patroon*) donner congé (à); **2** (*v. dienstbode*) donner son compte, rendre son tablier; ***buiten* —, 1** (*v. dienstbode*) hors de place; **2** (*v. wagen, enz.*) hors de service; ***ten* —*e van,*** à l'usage de; ***het staat u ten* —*e,*** c'est à votre disposition; ***alle hem ten* —*e staande middelen,*** tous les moyens en son pouvoir; ***uit* — *gaan,*** quitter le service; ***van* — *zijn,*** servir; ***de ene* — *is de andere waard,*** à beau jeu beau retour; qui plaisir fait, plaisir attend; (*mil.*) **— *weigeren,*** refuser de faire le service; ***het is* —!** c'est du service commandé!; ***onder* — *zijn,*** servir sous les drapeaux, servir comme soldat.
dienst'aanbieding *v.* offre *f.* de service.
dienst'aangelegenheid *v.* affaire *f.* de service.
dienst'aanwijzing *v.* instruction *f.*
dienst'baar *b.n.* dépendant, subalterne, inférieur; en condition; **— *maken,* 1** faire servir à; **2** (*onderwerpen*) assujettir, asservir, domestiquer; **— *zijn,*** être au service (de qn.), être domestique.
dienst'baarheid *v.* **1** dépendance, domesticité *f.*, condition *f.* servile; **2** (*fig.*) sujétion, servitude *f.*, servage *m.*
dienst'betoon *o.* service *m.*, offices *m.pl.*; ***wederzijds* —,** aide *f.* mutuelle.
dienst'betrekking *v.* service *m.*; fonction *f.*; ***in* —,** dans l'exercice de ses fonctions.
dienst'bode *v.* domestique *f.*; bonne, servante *f.*; ***de* —*n,*** les gens de service.
dienst'bodenvolk *o.* valetaille *f.*
dienst'brief *m.* pli *m.* de service; circulaire *f.* de service, lettre *f.* officielle.
dienst'doend *b.n.* **1** (*die de dienst heeft*) de service; **2** (*die in dienst is*) en fonction, en activité; **3** (*waarnemend*) remplaçant; **— *priester,*** (*die de mis opdraagt*) officiant *m.*
dienst'doenerij *v.* empressement *m.* servile.
dien'ster *v.* serveuse *f.*
dienst'geheim *o.* secret *m.* professionnel.
dien'stig *b.n.* utile (à), bon pour.
dien'stigheid *v.* utilité *f.*
dienst'jaar *o.* **1** (*v. ambtenaar*) année *f.* de service; **2** (*bij administratie*) exercice *m.*, année *f.* d'exercice.
dienst'kleding *v.* tenue *f.* de service, uniforme *m.*, livrée *f.*
dienst'kloppen *on.w.* faire du zèle.
dienst'klopper *m.* féroce *m.*, rosse *f.*; ***hij is een* —,** il fait du zèle.
dienst'knecht *m.* **1** domestique, valet *m.*; **2** (*in H. Schrift*) serviteur *m.*

dienst'loon *o.* gages *m.pl.*
dienst'maagd *v.* servante *f.*
dienst'man *m.* commissionnaire, homme de peine, facteur *m.*
dienst'mededeling *v.* communication *f.* de service.
dienst'meisje *o.* bonne, servante, petite bonne *f.*
dienst'order *v.(m.) en o.* ordre *m.* de service.
dienst'personeel *o.* domestiques, gens *m.pl.* (de service). [forme.
dienst'pet *v.(m.)* casquette *f.* de service, — d'uni-
dienst'plicht *m. en v.* obligation *f.* de servir; ***algemene —,*** service *m.* (militaire) obligatoire.
dienstplich'tig *b.n.* astreint au service militaire.
dienstplich'tige *m.* conscrit *m.*, appelé *m.*
dienstplich'tigheid *v.* obligation *f.* de servir (sous les drapeaux).
dienst'regeling *v.* **1** (*op kantoor, enz.*) tableau *m.* de service; **2** (*bij de spoorwegen*) indicateur *m.* des chemins de fer, guide (des chemins de fer), horaire *m.*
dienst'reis *v.(m.)* voyage *m.* de service.
dienst'revolver *m.* revolver *m.* d'ordonnance.
dienst'staat *m.* exposé *m.* de services.
dienst'tak *m.* branche *f.* de service.
dienst'tijd *m.* (temps de) service *m.*
dienst'uren *mv.* heures *f.pl.* de service.
dienstvaar'dig I *b.n.* serviable, empressé; obligeant; **II** *bw.* avec empressement, obligeamment.
dienstvaar'digheid *v.* empressement *m.* (à rendre service), obligeance *f.*
dienst'verbintenis *v.* engagement *m.*
dienst'verrichting *v.* entreprise *f.* de factage, factage *m.*
dienst'voorschrift *o.* règlement *m.* de service.
dienst'vrij *b.n.* exempt de service.
dienst'weigeraar *m.* réfractaire *m.*; (*principieel*) objecteur *m.* de conscience.
dienst'weigering *v.* **1** refus *m.* de service; **2** (*mil.*) insubordination *f.*; **3** (*principieel*) objection *f.* de conscience.
dienstwillig(-), *zie* ***dienstvaardig(-).***
dienst'woning *v.* logement *m.* de service.
dienst'zaak *v.(m.)* affaire *f.* de service.
dien(s)volgens, *zie* ***dientengevolge.***
dien'tafel *v.(m.)* servante *f.*
dien'tengevolge, dien(s)'volgens *bw.* par conséquent, en conséquence, conséquemment.
diep I *b.n.* profond; ***een — bord,*** une assiette creuse; ***—e rouw,*** grand deuil; ***een —e toon,*** un son grave; ***in — gepeins verzonken,*** absorbé dans ses pensées (*of* méditations); ***hoe — is die rivier?*** quelle est la profondeur de cette rivière? **II** *bw.* profondément; ***— ademhalen,*** respirer longuement, respirer fort; ***— bewogen,*** profondément ému; ***— gezonken,*** tombé bas; ***de hoed — in de ogen,*** le chapeau enfoncé (dans la tête); ***— in de nacht,*** bien avant dans la nuit; ***— in de schulden zitten,*** être criblé (*of* obéré) de dettes; ***— in de vijftig,*** fort avancé dans la cinquantaine; ***dit schip gaat vier meter —,*** ce navire tire quatre mètres d'eau; **III** *z.n., o.* **1** (*plaats waar het water diep is*) profondeur *f.*; **2** (*kanaal, vaart*) canal *m.*; *zie* ***diepst.***
diep'denkend *b.n.* profond.
diep'denkendheid *v.* profondeur *f.*, pénétration *f.* d'esprit.
diep'doordacht *b.n.* mûri, profond.
diep'druk 1 *m.* héliogravure, rotogravure *f.*; **2** impression en taille-douce, en creux.
diep'gaand *b.n.* **1** (*sch.*) à grand tirant d'eau; **2** (*fig.*) profond.
diep'gang *m.* (*sch.*) tirant *m.* d'eau, calaison *f.*
diep'gevoeld *b.n.* bien senti.
diep'liggend *b.n.* (*sch.*) de grand tirant d'eau; ***—e ogen,*** des yeux enfoncés.
diep'lood *o.* sonde *f.*, plomb *m.* de sonde.
diepst, le plus profond; ***in het — van 't woud,*** au fond du bois; ***uit het — van mijn hart,*** du plus profond de mon cœur.
diep'te *v.* **1** (*alg.*) profondeur *f.*; **2** (*afgrond*) abîme *m.*; **3** (*v. dal*) creux, enfoncement, fond *m.*; ***uit de —n,*** du fond de.
diep'temeter *m.* bathomètre *m.*
diep'temeting *v.* bathométrie *f.*
diep'tepsychologie *v.* psychanalyse *f.*, psychologie *f.* des profondeurs, — abyssale.
diep'tepsycholoog *m.* psychanaliste *m.*
diep'tepunt *o.*, ***het — bereikt hebben,*** être au plus bas.
diep'teroer *o.* (*vl.*) gouvernail *m.* de plongée.
diep'vries- (*in samenst.*) surgelé, frigorifié.
diep'vriezen *ov.w.* geler à cœur.
diep'zeebom *v.(m.)* bombe *f.* de profondeur.
diep'zeeduiker *m.* bathyscaphe *m.*
diep'zeefauna *v.(m.)* faune *f.* abyssale.
diep'zeeflora *v.(m.)* flore *f.* abyssale.
diep'zeeonderzoek *o.* exploration *f.* des grands fonds, — abyssale, océanographie *f.*
diepzin'nig I *b.n.* profond; difficile à comprendre; ***een — denker,*** un homme d'un esprit profond; **II** *bw.* profondément.
diepzin'nigheid *v.* profondeur *f.* d'esprit.
dier *o.* **1** animal *m.*; bête *f.*; **2** (*fig.*) brute *f.*, vilaine bête *f.*
dier'baar *b.n.* **1** (*v. personen*) cher, chéri, bien aimé; **2** (*v. zaken*) précieux.
dier'baarheid *v.* affection; grande valeur *f.*
die'renarts *m.* vétérinaire *m.*
die'renasiel, -asyl *o.* fourrière *f.*
die'renbescherming *v.* protection *f.* des animaux; ***vereniging voor —,*** société protectrice des animaux.
die'renepos *o.* épopée *f.* animale.
die'renhuid *v.(m.)* peau *f.* de bête.
die'renkweller *m.* tourmenteur *m.* d'animaux.
die'renkwelling *v.* cruauté *f.* envers les animaux.
die'renmishandeling *v.* cruauté *f.* envers les animaux. [maux.
die'renoffer *o.* holocauste *m.*, sacrifice *m.* d'ani-
die'renpark *o.* jardin *m.* zoologique.
dierenplager, *zie* ***dierenkweller.***
die'renriem *m.* zodiaque *m.*
die'renrijk *o.* règne *m.* animal.
die'renschilder *m.* animalier *m.*, peintre *m.* d'animaux.
die'rentemmer *m.* dompteur *m.* (d'animaux).
die'rentent *v.(m.)* ménagerie *f.*
die'rentuin *m.* jardin *m.* zoologique, — d'acclimatation, (*in Parijs*) Jardin *m.* des Plantes.
die'renvriend *m.* ami *m.* des bêtes. [—
die'renwereld *v.(m.)* monde *m.* animal, règne *m.*
die'revel *o.* peau *f.* de bête.
dier'gaarde, *zie* ***dierentuin.***
dier'kunde *v.* zoologie *f.*
dierkun'dig *b.n.* zoologique.
dierkun'dige *m.* zoologiste, zoologue *m.*
dier'lijk *b.n.* **1** animal; **2** (*fig.*) brutal, bestial; ***het —e in de mens,*** la bête humaine.
dier'lijkheid *v.* **1** animalité *f.*; **2** (*fig.*) bestialité, brutalité *f.*
dier'mens *m.* brute *f.*
dier'soort *v.(m.)* espèce *f.* (d'animaux), — animale.

dier'tje *o.* petit animal *m.*, petite bête, bestiole *f.*; (*microscopisch*) animalcule *m.*
dies *vw.* c'est pourquoi, donc; ***en wat — meer zij,*** et ainsi de suite, et autres choses semblables.
di'es *m.* anniversaire (*of* jour) *m.* de la fondation (de l'Université).
die'selmotor *m.* moteur *m.* Diesel.
die'seltrein *m.* automotrice *f.*, autorail *m.*
die'selwagen *m. zie* ***dieseltrein.***
diëtetiek' *v.* diététique *f.*
diëtist' *m.* diététicien *m.*
diets *b.n.* ***— maken,*** en faire accroire (à qn.).
Diets *b.n.* moyen néerlandais, thiois.
Diets-Heur' Heur-le-Tiexhe.
dieveg'ge *v.* voleuse, larronnesse *f.*
die'ven *ov.w.* voler, escamoter, chiper.
die'venbende *v.(m.)* bande *f.* de voleurs.
die'veneilanden *mv.* îles *f.pl.* des Larrons.
die'vengespuis *o.* tas *m.* de voleurs.
die'venhol *o.* coupe-gorge *m.*, repaire *m.* de voleurs.
die'venlantaarn, -lantaren *v.(m.)* sourde [lanterne *f.*
die'ventaal *v.(m.)* argot *m.*
die'ventronie *v.* trogne *f.* de voleur.
die'venwagen *m.* panier *m.* à salade.
dieverij' *v.* vol *m.*, volerie *f.*, larcin, brigandage *m.*
differentiaal' *v.(m.)* différentielle *f.*
differentiaal'rekening *v.* calcul *m.* différentiel.
differentieel' *b.n.* différentiel; ***—e rechten,*** droits différentiels.
diffu'sie *v.* diffusion *f.*
diffuus' *b.n.* diffus.
difterie', difteri'tis *v.* diphtérie, diphtérite *f.*, angine *f.* dipthérique.
diges'tie *v.* digestion *f.*
dignita'ris *m.* dignitaire *m.*
dij *v.(m.)* cuisse *f.*
dij'been *o.* fémur *m.*
dij'breuk *v.(m.)* hernie *f.* fémorale.
dijk *m.* **1** digue *f.*; **2** (*dam*) levée *f.*; ***aan de — zetten,*** mettre sur le pavé.
dijk'bestuur *o.* administration *f.* des digues.
dijk'breuk *v.(m.)* rupture *f.* d'une digue.
dijk'geld *o.* contribution *f.* (*of* impôt *m.*) pour l'entretien des digues.
dijk'graaf, dijk'meester *m.* surintendant *m.* des digues, inspecteur *m.* —.
dijk'schouw *m.*, *v.* inspection *f.* des digues.
dijk'schouwer *m.* inspecteur *m.* des digues.
dijk'schouwing *v.* inspection *f.* des digues.
dijk'werker *m.* terrassier *m.*
dijk'wezen *o.* régime des digues, service *m.* —.
dik I *b.n.* **1** (*v. dingen*) épais, gros; **2** (*zwaarlijvig*) corpulent, replet, obèse; **3** (*omvangrijk*) volumineux; **4** (*gezwollen*) enflé; **5** (*v. vloeistof*) consistant; **6** (*dicht bij elkaar staand*; *gewassen, enz.*) dru, touffu, épais; ***—ke darm,*** gros intestin; ***—ke melk,*** lait caillé; ***—ke olie,*** huile grasse; ***—ke vrienden,*** des amis intimes; ***— maken,*** épaissir, grossir; ***zich — maken,*** s'emballer, se monter la tête, se faire du mauvais sang; ***— worden,* 1** (*alg.*) grossir, s'épaissir; **2** (*v. mens*) prendre de l'embonpoint, (s')engraisser; **3** (*v. melk*) se cailler; **II** *bw.* ***— gekleed,*** chaudement vêtu; ***— gezaaid,*** semé dru; ***hij zit er — in,*** il a de quoi; ***het ligt er — op,*** c'est évident; **III** *z.n.*, *o.* **1** (*v. been*) le gras; **2** (*v. koffie*) marc *m.*; ***door — en dun,*** à tort et à travers.
dik'bek *m.* (*Dk.*) gros-bec* *m.*, pinson *m.* royal.
dik'buik *m.* gros ventre, bedon, ventru *m.*
dikbui'kig *b.n.* ventru, pansu.
dikhui'dig *b.n.* pachyderme.
dikhui'digen *mv.* pachydermes *m.pl.*
dik'kerd *m.* gros garçon, boulot *m.*, boulotte *f.*
dik'kop *m.* grosse tête *f.*, tête *f.* carrée.
dik'kopje *o.* **1** (*vlinder*) hespérie *f.*; **2** (*kikker*) têtard *m.*
diklij'vig *b.n.* replet, corpulent.
diklip'pig *b.n.* lippu.
Diksmui'de *o.* Dixmude.
dikta-, *zie* ***dicta-.***
dik'te *v.* **1** (*naast lengte en breedte*) épaisseur *f.*; **2** (*naast dun*) grosseur *f.*; **3** (*v. persoon*) corpulence *f.*, embonpoint *m.*; **4** (*gen.*) grosseur, enflure *f.*
dik'tee, dikteren, *zie* ***dict-.***
dik'tie, *zie* ***dictie.***
dikwan'gig *b.n.* joufflu.
dik'werf, dik'wijls *bw.* souvent, fréquemment, plusieurs fois.
dik'zak, *zie* ***dikkerd.***
dilem'ma *o.* dilemme *m.*; alternative *f.*
dilettant' *m.* amateur, dilettante *m.*
dilettantis'me *o.* dilettantisme *m.*
diligence' *v.(m.)* diligence *f.*, coche *m.*
diligent' I *b.n.* diligent; **II** *bw.* diligemment; ***zich — verklaren,*** se déclarer en permanence.
diligent'verklaring *v.* déclaration *f.* en permanence.
diluviaal' *b.n.* diluvien.
dilu'vium *o.* diluvium *m.*
dimen'sie *v.* dimension *f.*
dim'licht *o.* phare*-code *m.*, feu(x) *m.(pl.)* de croi-[sement.
dim'men *on.w.* se mettre en code, mettre ses phares en veilleuse, — en code, baisser les phares.
Di'na *v.* Gérardine, Bernardine *f.*
diner' *o.* dîner *m.*
dine'ren *on.w.* dîner.
ding *o.* **1** chose *f.*; **2** (*voorwerp*) objet *m.*; **3** (*meisje*) petite *f.*; ***'t is een heel —,*** c'est toute une affaire; ***dat is een mooi —,*** c'est quelque chose de beau; ***één — is zeker,*** ce qui est sûr, c'est que; ***alle goede —en bestaan in drie,*** toutes bonnes choses sont en trois.
din'gen *on.w.* marchander; ***— naar,*** (*eerbewijzen, enz.*) postuler, briguer; (*hand v. e. meisje*) aspirer à, prétendre à; ***— om,*** (*wedijveren*) se disputer; ***— om de voorrang,*** se disputer la première place.
din'ger *m.* **1** (*afdinger*) marchandeur *m.*; **2** (*sollicitant*) aspirant *m.* [sieur Chose, Machin.
Din'ges, Chose, un(e) tel(le); ***mijnheer —,*** mon-
din'getje *o.* petite chose, chosette *f.*
dins'dag *m.* mardi *m.*
dins'dags I *b.n.* du mardi; **II** *bw.* le mardi.
diocees' *o.* diocèse *m.*
diocesaan' I *b.n.* diocésain; **II** *z.n.*, *m.* diocésain *m.*
Diocletia'nus *m.* Dioclétien *m.*
Dio'genes *m.* Diogène *m.*
diony'sisch *b.n.* dionysiaque.
Diony'sius *m.* Denis, Dionysius *m.*
diplo'ma *o.* **1** brevet, diplôme *m.*; **2** (*bewijs van lidmaatschap*) carte *f.* de membre.
diplomaat' *m.* diplomate *m.*
diplomatie' *v.* diplomatie *f.*
diplomatiek' I *b.n.* diplomatique; **II** *z.n.*, *v.* diplomatique *f.*
diploma'tisch *b.n.* diplomatique.
diplome'ren *ov.w.* diplômer.
direct', direkt' I *b.n.* direct; **II** *bw.* directement; ***ik kom —,*** je viens tout de suite, — immédiatement.
directeur', direkteur' *m.* **1** directeur *m.*; **2** (*v. lyceum*) proviseur *m.*; **3** (*v. postkantoor*) receveur *m.*; **4** (*v. niet gesubsidieerde school*) principal *m.*
directeur'-generaal' *m.* directeur *m.* général.

directeur'schap, direkteur'schap *o.* directorat *m.*
direc'tie, direk'tie *v.* direction *f.*
direc'tiekeet, direk'tiekeet *v.(m.)* intendance *f.*
directoraat', direktoraat' *o.* directorat *m.*
directri'ce, direktri'ce *v.* directrice *f.*
direkt(-), *zie* ***direct(-).***
dirigeer'stok *m.* bâton *m.* de mesure; baguette *f.* de chef d'orchestre.
dirigent' *m.* chef *m.* d'orchestre; (*v. kerkkoor*) chef *m.* de maîtrise.
dirige'ren I *ov.w.* diriger; **II** *on.w.* conduire un (*of* l') orchestre.
Dirk *m.* Thierry *m.*
dirk'jespeer *v.(m.)* bergamote *f.* d'été.
dis I *v.(m.)* (*muz.*) ré *m.* dièse; **II** *m.* table *f.*
dis'agio *o.* dépréciation *f.*, perte *f.* au change.
discant' *m.* **1** les notes *f.pl.* aiguës, le dessus *m.*; **2** (*stem*) soprano *m.*
discant'sleutel *m.* clé *f.* d'ut.
disci'pel *m.* disciple *m.*
disciplinair' *b.n.* disciplinaire.
discipli'ne *v.* discipline *f.*
discipline'ren *ov.w.* discipliner.
disconta'bel, diskonta'bel *b.n.* (*H.*) escomptable.
disconte'ren, diskonte'ren I *ov.w.* escompter; **II** *on.w.* faire l'escompte.
discon'to *o.* (*H.*) escompte *m.*; ***in — geven,*** faire escompter; ***in — nemen,*** escompter.
discon'tobank *v.(m.)* (*H.*) banque *f.* d'escompte.
discon'tonemer *m.* escompteur *m.*
discon'tovoet *m.* taux *m.* de l'escompte.
discot(h)eek', diskot(h)eek' *v.* discothèque *f.*
discours' *o.* conversation *f.*
dis'crediet, *zie* ***diskrediet.***
discreet', diskreet' I *b.n.* discret; **II** *bw.* discrètement.
discre'tie, diskre'tie *v.* discrétion *f.*; ***— verzekerd,*** discrétion assurée.
discrimina'tie *v.* discrimination *f.*
dis'cus, dis'kus *m.* disque *m.*
discus'sie, diskus'sie *v.* discussion *f.*; ***in — brengen,*** mettre sur le tapis.
dis'cuswerpen, dis'kuswerpen *o.* (*sp.*) lancement *m.* du disque.
dis'cuswerper, dis'kuswerper *m.* discobole *m.*
discute'ren, diskute'ren *on.w.* discuter.
dis'genoot *m.*, **dis'genote** *v.* convive *m.-f.*, commensal(e) *m.(f.).*
dis'harmonie *v.* **1** discordance *f.*; **2** (*fig.*) discorde *f.*
disharmo'nisch *b.n.* discordant.
diskont-, *zie* ***discont-.***
diskot(h)eek', discot(h)eek' *v.* discothèque *f.*
dis'krediet, dis'crediet *o.* discrédit *m.*; ***in — brengen,*** discréditer, jeter le discrédit sur.
diskreet, diskretie, *zie* ***discr-.***
disku-, *zie* ***discu-.***
diskwalifice'ren, disqualifice'ren *ov.w.* **1** disqualifier; **2** (*sp.*) distancer.
dispache' *v.(m.)* (*H.*) dispache *f.*; évaluation, estimation *f.*; ***de — opmaken,*** établir la dispache.
dispache'ren *on.w.* faire la répartition des avaries.
dispacheur' *m.* (*H.*) dispacheur *m.*
dispensa'tie *v.* dispense *f.*
dispone'ren *ov.w.* disposer; ***— op,*** tirer sur, disposer sur; ***over een bedrag —,*** disposer d'un montant; ***slecht gedisponeerd zijn,*** être peu dispos.
disposi'tie *v.* disposition *f.*; ***ter — van,*** à la disposition de.
dispute'ren *on.w.* discuter, disputer (de).
dispuut' *o.* discussion, dispute *f.*
disqualifi-, *zie* ***diskwalifi-.***

dis'sel *m.* (h)erminette, doloire *f.*
dis'selboom *m.* timon *m.*
dis'selpaard *o.* timonier *m.*
dissen'ter *m.* dissident *m.*
disserta'tie *v.* **1** (*proefschrift*) thèse *f.* (de doctorat); **2** (*verhandeling*) dissertation *f.*
dissonant' *m.* dissonance *f.*
distan'tie *v.* distance *f.*
distantië'ren, *zich* — (*van*), prendre ses distances, — du recul à l'égard de, se détacher de.
distan'tievracht *v.(m.)* (*sch.*) fret *m.* proportionnel.
dis'tel *m. en v.* chardon *m.*
dis'telachtig, dis'telig *b.n.* plein de chardons; épineux.
dis'telvink *m. en v.* chardonneret *m.*
dis'telvlinder *m.* belle-dame *f.*
dis'tichon *o.* distique *m.*
distillaat', destillaat' *o.* produit *m.* de distillation.
distillateur', destillateur' *m.* distillateur *m.*
distilleer'buis, destilleer'buis *v.(m.)* serpentin *m.*
distilleerderij', destilleerderij' *v.* distillerie *f.*
distilleer'kolf, destilleer'kolf *v.(m.)* cornue *f.*, cucurbite *f.*, alambic *m.*
distilleer'toestel, destilleer'toestel *o.* appareil *m.* distillatoire, alambic *m.*
distille'ren, destille'ren I *ov.w.* distiller; **II** *z.n.* ***het —,*** la distillation.
distille'ring, destille'ring *v.* distillation *f.*
distinctief', distinktief' *o.* signe *m.* distinctif.
distribue'ren *ov.w.* distribuer.
distribu'tie *v.* distribution *f.*
district', distrikt' *o.* **1** (*alg.*) district *m.*; **2** (*kies—*) circonscription *f.* électorale, arrondissement *m.*
districts'schoolopziener, distrikts'schoolopziener *m.* inspecteur *m.* primaire.
dit *vnw.* ce, cet, cette; celui-ci, celle-ci; ceci.
dit'je *o.* ***een — of een datje,*** quelque chose; quelque chose par ci, quelque chose par là; ***—s en datjes,*** des vétilles *f.pl.*
dit'maal *bw.* cette fois-ci, pour le coup.
di'to *bw.* dito, de même.
di'van *m.* divan *m.*
di'vanbed *o.* lit*-divan* *m.*
di'vankleed *o.* jeté *m.* de divan.
diverge'ren I *on.w.* diverger; **II** *z.n.* ***het —,*** la divergence.
diverge'rend *b.n.* divergent.
diver'sen *mv.* objets *m.pl.* divers, marchandises *f.pl.* diverses.
divertimen'to *o.* divertissement *m.*
dividend' *o.* dividende *m.*; ***een — uitkeren,*** distribuer un dividende; ***een voorlopig —,*** un dividende provisoire; ***een extra-—,*** un dividende extraordinaire.
dividend'bewijs *o.* coupon *m.* de dividende.
dividend'stop *m.* blocage *m.* des dividendes.
dividend'uitkering *v.* distribution *f.* de dividende.
divi'sie *v.* division *f.*
divi'siecommandant, -kommandant *m.* chef *m.* de division.
divi'siegeneraal *m.* général *m.* de division.
divisiekommandant, *zie* ***divisiecommandant.***
dja'ti(hout) *o.* (bois *m.* de) te(c)k *m.*
Dnjepr *m.* Dnieper, Dniepr *m.*
Dnjestr *m.* Dniester, Dniestr *m.*
do *v.(m.)* (*muz.*) ut, do *m.*
dob'bel I *m.* jeu *m.* de dés; **II** *b.n.* (*dubbel*) (*Z.N.*) double.
dob'belaar *m.* joueur *m.*
dobbelarij' *v.* **1** (*kansspel*) jeu *m.* de hasard, — de

dés; **2** (*speelwoede*) passion *f.* du jeu, manie *f.* —.
dob'belbeker *m.* cornet *m.* à dés.
dob'belen I *on.w.* jouer aux dés; **II** *z.n.* ***het* —,** le jeu de dés; les jeux de hasard.
dob'belspel *o.* jeu *m.* de dés; jeu *m.* de hasard.
dob'belsteen *m.* **1** (*teerling*) dé *m.*; **2** (*kubus*) cube *m.*; **3** (*op stof*) carreau *m.* [dés.
dob'belziek *b.n.* passionné au jeu, adonné aux
dob'ber *m.* flotte *f.*, flotteur, bouchon *m.*; ***hij zal een harde — hebben om..,*** il aura bien de la peine à..., — du fil à retordre.
dob'beren *on.w.* être ballotté par les flots; flotter (au gré du vent); — ***tussen hoop en vrees,*** flotter entre l'espoir (*of* l'espérance) et la crainte.
dob'bering *v.* (*fig.*) fluctuation *f.*
dob'bertje *o.* flotteron *m.*
Dobroed'sja *v.* la Dobroudja.
docent' *m.* **1** professeur *m.*; **2** (*aan hogeschool en in Z.N.*) chargé *m.* de cours. [fesseurs.
docen'tenkamer *v.(m.)* salle *f.* d'attente des pro-
doce'ren *ov.w.* professer, enseigner.
doch *vw.* mais, cependant, pourtant.
docht, doft *v.(m.)* banc *m.* de nage.
doch'ter *v.* fille *f.*
doch'termaatschappij *v.* (société) filiale *f.*
doch'tertje *o.* fillette *f.*; ***ons* —,** notre petite (fille).
doc'tor *m.* docteur *m.*; — ***in de letteren,*** docteur ès lettres; — ***in de rechten,*** docteur en droit.
doctoraal' I *b.n.* doctoral; **II** *bw.* doctoralement; **III** *z.n., o.* agrégation *f.*; ***zijn — doen,*** passer son agrégation.
doctoraat' *o.* doctorat *m.*
doctoran'dus *m.* agrégé *m.*; candidat*-docteur* *m.*, candidat au doctorat; (*in België*) licencié *m.*
doctore'ren *on.w.* être reçu docteur, passer son doctorat, passer (*of* soutenir) sa thèse de doctorat.
doctores' *v.* doctoresse, femme docteur *f.*
doc'torsbul *v.(m.)* diplôme *m.* de docteur.
doc'torsgraad *m.* grade *m.* de docteur.
doc'torstitel *m.* titre *m.* de docteur.
document', dokument' *o.* ducument *m.*; **—*en tegen betaling,*** documents contre payement; **—*en tegen accept,*** documents contre acceptation.
documentair', dokumentair' *b.n.* documentaire.
documen'tenmap *v.(m.)* chemise *f.*
documente'ren, dokumente'ren I *ov.w.* documenter; **II** *z.n.* ***het* —,** la documentation.
documents'wissel, dokuments'wissel *m.* traite *f.* documentaire.
dod'aars *m.* dodo, dronte *m.*
dod'derig *b.n.* **1** (*slaperig*) somnolent, assoupi; **2** (*lief*) charmant. [*m.*
dod'derigheid *v.* somnolence *f.*, assoupissement
do'de *m.-v.* mort *m.*, —e *f.*
do'delijk I *b.n.* **1** mortel; **2** (*noodlottig*) fatal; **II** *bw.* mortellement; à mort.
do'den *ov.w.* **1** tuer, mettre à mort; **2** (*vlees*) mortifier; **3** (*hartstocht*) dompter; ***zich* —,** se tuer, se suicider.
do'denakker *m.* cimetière *m.*, champ *m.* du repos.
do'dend *b.n.* meurtrier.
do'dendans *m.* danse *f.* macabre.
do'denhuis *o.* morgue *f.*
do'denlijst *v.(m.)* nécrologie *f.*
do'denmars, -marche *m. en v.* marche *f.* funèbre.
do'denmasker *o.* masque *m.* mortuaire.
do'denmis *v.(m.)* messe *f.* des morts, requiem *m.*
do'denrijk *o.* empire *m.* des morts, royaume *m.* —.
do'denstad *v.(m.)* nécropole *f.*
dodij'nen *on.w.* dodiner, dodeliner.
do'ding *v.* **1** mise *f.* à mort; **2** (*fig.*) mortification *f.*
doea'ne(-), *zie* ***douane(-).***
doe'del *m.* cornemuse *f.*
doe'delen *on.w.* jouer de la cornemuse, — de la musette.
doe'delzak *m.* cornemuse, musette *f.*
doek I *o.* **1** (*om te schilderen, op toneel*) toile *f.*; **2** (*v. bioscoop*) écran *m.*; **3** (*scherm*) rideau *m.*; **II** *m.* **1** linge *m.*; **2** (*luier*) lange *m.*; **3** (*hand*—) serviette *f.*; **4** (*hals*—) châle *m.*; **5** (*zak*—) mouchoir *m.*; ***uit de —en doen,*** révéler.
doe'ken *ov.w.* **1** (*schilderij*) rentoiler; **2** (*muur, enz.*) garnir de toile; **3** (*bedriegen, in de doeken doen*) (*Z.N.*) tromper.
doek'je *o.* **1** petit morceau *m.* de toile; (*vodje*) chiffon *m.*; **2** (*zak*—) petit mouchoir *m.*; ***een — voor 't bloeden,*** un palliatif; un faux-fuyant*; ***er geen —s om winden,*** ne pas y aller par quatre chemins, ne pas mâcher ses termes, parler franchement; ***een open — geven,*** acclamer à rideau levé.
doek'speld *v.(m.)* **1** (*voor dames*) broche *f.*; **2** (*op das*) épingle *f.* (de cravate, de fichu).
doel *o.* **1** (*bedoeling*) but, dessein *m.*, intention *f.*; **2** (*doelpunt*) but *m.*; **3** (*schietschijf*) cible *f.*; **4** (*plaats van bestemming*) but *m.*, destination *f.*; ***zijn — bereiken,*** en venir à ses fins, atteindre son but; ***het — heiligt de middelen,*** la fin justifie les moyens; qui veut la fin, veut les moyens; ***met dat* —,** à cet effet; ***met het* —,** dans le but; ***voor een liefdadig* —,** dans un but charitable; ***ten — hebben,*** avoir pour but; ***zich ten — stellen,*** se proposer; ***het — van dit schrijven is,*** le but de la présente est; ***een militair* —,** un objectif militaire; ***zijn — voorbijstreven,*** dépasser le but.
doel'aanwijzend *b.n.* (*gram.*) final.
doel'bewust *b.n.* conscient du but.
doel'einde *o.* but, dessein *m.*, fin *f.*
doe'len (*op*) *on.w.* **1** viser à; **2** (*beogen*) avoir en vue, vouloir dire; **3** (*sp.*) buter, marquer un but.
doel'gemiddelde *o.* moyenne *f.* des buts.
doel'lijn *v.(m.)* ligne *f.* de but.
doel'loos *b.n. en bw.* sans but; — ***voortlopen,*** suivre son nez.
doel'loosheid *v.* inutilité, inanité *f.*
doel'man *m.* (*sp.*) gardien *m.* de but, portier *m.*
doelma'tig *b.n.* utile, pratique, efficace.
doelma'tigheid *v.* utilité, efficacité *f.*
doel'punt *o.* but *m.*
doel'punten *on.w.* (*sp.*) marquer un but, buter.
doel'schop *m.* envoi *m.*
doel'stelling *v.* objectif *m.*
doeltref'fend *b.n.* utile, efficace, effectif.
doeltref'fendheid *v.* utilité, efficacité *f.*
doel'verdediger, doel'wachter *m.* gardien *m.* de but.
doel'wit *o.* **1** blanc, but *m.*; **2** (*fig.*) but, dessein *m.*
doel'worsteling *v.* mêlée *f.* devant le but.
doe'men *ov.w.* condamner (*tot,* à).
doem'vonnis *o.* sentence, condamnation *f.*
doem'waardig *b.n.* blâmable, condamnable, damnable.
doen I *ov.w.* **1** (*uitvoeren*) faire; (*begaan: misdaad, enz.*) commettre; (*dienst*) rendre; **2** (*ergens in* —) mettre; (*bijvoegen: zout, kruiden*) ajouter; **3** (*veroorzaken: pijn, enz.*) causer, faire; **4** (*afleggen*) (*eed*) prêter; (*examen*) passer, subir; **5** (*schoonmaken*) nettoyer, ranger, faire; **A** ***hij doet het,*** il le fait; ***hij doet het niet,*** il n'en fera rien; ***de aansteker doet het niet,*** l'allumeur ne marche (*of* fonctionne) pas; ***een lucifer doet het,*** une allumette fait l'affaire; ***hij doet het erom,*** il le fait exprès; ***hij kan het*** (***goed***) ***doen,*** il peut se le

permettre, il a de quoi; ***dat standbeeld doet het*** (***goed***), cette statue fait bien, — de l'effet; ***dat doet iem. goed,*** cela (vous) fait du bien; ***je kunt het ermee —,*** tu en as assez, tu as ton compte, cela fait ton affaire; ***ik kan*** (***het***) ***met die hoed niet langer —,*** ce chapeau ne peut plus servir; ***ik kan het niet zonder —,*** je ne peux m'en passer; ***hij heeft het meer gedaan,*** il n'en est pas à son coup d'essai; ***doe dat niet nog eens!,*** n'y revenez pas!; ***het wordt vaak gedaan,*** ça se fait souvent; ***het is niets gedaan,*** cela ne sert à rien; **B** ***erbij —,*** ajouter; ***in zijn broek doen,*** faire dans sa culotte; ***uitdoen, wegdoen,*** ôter, retirer, enlever; ***een kind op school —,*** envoyer un enfant à l'école; **C** ***— gaan,*** faire aller, envoyer, renvoyer; ***— komen,*** faire venir, appeler; ***— weten,*** faire savoir; ***iem. van mening — veranderen,*** faire changer qn. d'opinion; **D** ***iets —,*** faire qc.; ***niets —,*** ne rien faire; ***niets — dan*** (***lachen***), ne faire que (rire); ***niets aan te —,*** rien à faire; ***kan ik er iets aan —?,*** est-ce (de) ma faute?; ***ik kan er niets aan —,*** je n'y puis rien, je ne saurais qu'y faire; ***daar moet je iets aan —,*** il faut soigner cela; ***hij kan er niets tegen —,*** il ne peut rien faire pour empêcher ça; ***kan ik iets voor u —?*** que puis-je faire pour vous?; ***wat te —?*** que faire; ***wat is er aan te —?*** qu'y faire? ***wat is er te —?*** qu'est-ce qu'il y a? qu'y a-t-il? que se passe-t-il?; ***is hier niets te —?*** il n'y a rien à voir ici?; ***er is hier veel te —,*** il y a beaucoup d'amusements ici; ***niets te — hebben,*** n'avoir rien à faire; ***veel te — hebben,*** **1** (*het druk hebben*) avoir beaucoup à faire, être très occupé; **2** (*v. winkelier*) avoir une nombreuse pratique; **3** (*v. dokter, enz.*) avoir une nombreuse clientèle; ***iem. veel te — geven,*** donner beaucoup de besogne (*of* d'ouvrage) à qn.; ***wat moet ik ermee —?,*** que voulez-vous, que j'en fasse?; ***je doet maar,*** allez-y; ***je doet maar wat je niet laten kunt,*** faites ce qui bon vous semble, faites ce que vous voudrez; ***zoiets doet men niet,*** cela ne se fait pas; ***hij doet je niets,*** il ne te feras pas du mal; ***iets gedaan krijgen van iem.,*** obtenir qc. de qn.; ***er is veel over te — geweest,*** on en a parlé beaucoup;
II *on.w.* **1** (*handelen*) agir, faire; **2** (*kosten*) valoir, coûter; **3** (*— in; handel drijven*) faire le commerce de, vendre; **A** ***— alsof,*** faire semblant de; ***hij doet maar alsof,*** ce n'est qu'une frime, c'est du chiqué; ***geleerd —,*** faire le savant; ***goed —, wel —,*** faire le bien; ***zich te goed —,*** faire bonne chère, se régaler; ***zich te goed — aan,*** se régaler de; ***lang over iets —,*** prendre beaucoup de temps pour faire qc.; ***hoe lang hebt u daarover gedaan?*** combien avez-vous mis de temps?; ***ik kan er lang mee —,*** ça me fera longtemps; ***lief —,*** minauder, faire des gentilesses à qn.; ***men heeft hier te — met,*** il s'agit de; ***raar —,*** se conduire singulièrement; ***met iem. samen —,*** faire de moitié avec qn.; ***doe wel, en zie niet om,*** fais ce que dois, advienne que pourra; ***u zoudt beter — met zwijgen,*** vous feriez mieux de vous taire; **B** ***wat doet dat huis aan huur?*** quel est le loyer (*of* le prix du loyer) de cette maison? **C** ***aan Frans —,*** faire du français; ***aan sport —,*** pratiquer les sports; ***niets aan zijn geloof —,*** ne pas pratiquer (sa religion); ***ik doe er niet aan,*** je ne m'en occupe pas, ce n'est pas mon genre; ***in koffie —,*** faire les cafés; **D** ***met iem. te — hebben,*** **1** (*te maken hebben met*) avoir affaire à qn.; **2** (*medelijden hebben*) avoir pitié de qn.; ***ik wil niets meer met hem te — hebben,*** je ne veux plus de lui; ***het is hem te — om...,*** son but est de ...; ***het is hem om het geld te —,*** c'est l'argent qui est son grand souci; ***het is om je geld te —,*** on en veut à ton argent, ***wat doet het ertoe?*** qu'est-ce que cela fait?; ***het doet er niets toe,*** cela n'y fait rien, n'importe; ***niet doen!,*** as-tu fini!, finis donc!; ***het is met hem gedaan,*** c'en est fait de lui;
III *z.n., o.* action, activité *f.*, agissement(s) *m.(pl.)*, manières *f.pl.*; ***het —,*** le faire; ***zijn — en laten,*** ses faits et gestes; ***zij is niet in haar gewone —,*** elle n'est pas dans son assiette; ***in goeden — zijn,*** être à son aise, — dans l'aisance; ***het is geen —,*** on ne saurait le faire; ***van — hebben,*** avoir besoin de; ***voor zijn —,*** pour lui; ***zeggen en — is twee,*** promettre et tenir sont deux.

doen'de, ***ik ben ermee —,*** je m'en occupe; ***al — leert men,*** en forgeant on devient forgeron.

doe'niet *m.-v.* fainéant *m.*, —e *f.*; paresseux *m.*, —euse *f.*

doen'lijk I *b.n.* possible, praticable, réalisable; **II** *bw.* ***zoveel —,*** dans la mesure du possible, autant que faire se peut; ***het is niet — om,*** on ne saurait.

doen'lijkheid *v.* possibilité *f.*

does *m.* barbet, (chien) mouton *m.*

doet'je *o.* nigaud *m.*, —e *f.*

doe'zel(aar) *m.* estompe *f.*

doe'zelen I *ov.w.* estomper; **II** *z.n.* ***het —,*** l'estompage *m.*

doe'zelig *b.n.* **1** (*omtrek*) estompé, vague; **2** (*dommelig*) somnolent.

doe'zeligheid *v.* **1** vague *m.*; **2** somnolence *f.*

dof I *b.n.* **1** (*kleur*) terne, mat; (*v. stoffen: ontglansd*) décati; **2** (*geluid*) sourd; **3** (*blik*) éteint, terne; **4** (*geest*) lourd, pesant; **5** (*fig.: trekken*) sans expression, inexpressif; ***een —fe foto,*** une photographie voilée; ***— maken,*** ternir, matir, décatir; assourdir; voiler; ***— worden,*** se ternir; **II** *z.n., m.* **1** bruit *m.* sourd; coup *m.* de poing; **2** (*riemslag*) coup *m.* de rame.

dof'fer *m.* pigeon *m.* mâle.

dof'heid *v.* **1** (*v. kleur*) manque *m.* d'éclat, couleur *f.* terne; **2** (*v. geluid*) manque *m.* de sonorité; **3** (*v. geest*) pesanteur *f.* d'esprit.

doft, docht *v.(m.)* banc *m.* de nage.

dof'wit *b.n.* d'un blanc mat.

dog *m.* dogue, bouledogue *m.*

do'ge *m.* doge *m.*

dog'ger *m.* **1** (*vis*) cabillaud *m.*; **2** (*boot*) dogre *m.*

dog'kar *v.(m.)* dog-cart* *m.*

dog'ma *o.* dogme *m.*

dogmatiek' *v.* dogmatique *f.*

dogma'tisch I *b.n.* dogmatique; **II** *bw.* dogmatiquement.

dok *o.* bassin, dock *m.*; ***drijvend —,*** bassin *m.* flottant; ***droog —,*** cale *f.* sèche, bassin *m.* de radoub; ***nat —,*** bassin *m.*; ***open —,*** darse *f.*

dok'gelden *mv.* frais *m.pl.* de cale, droits *m.pl.* —.

dok'ken I *ov.w.* **1** mettre au dock, mettre en cale sèche, faire entrer dans le bassin; **2** (*betalen*) chanter, casquer; **II** *on.w.* passer au bassin; se faire caréner.

dok'ker *m.* (*Z.N.*) docker *m.*

doksaal', oksaal' *o.* jubé *m.*

dok'ter *m.* médecin; (*vooral als titel*) docteur *m.*

dok'teren *on.w.* **1** prendre des remèdes, suivre un traitement; consulter le médecin; **2** (*de geneeskunde uitoefenen*) exercer la médecine, pratiquer.

dokteres' *v.* femme *f.* médecin.

dok'tersassistente *v.* **1** assistante *f.* de médecin; **2** assistante *f.* médicale.

dok'tersgang *m.* visite *f.* de docteur; ***mijn gang is geen —,*** mon temps n'est pas si précieux.

dok'tershanden, ***onder — zijn,*** être en traitement, se faire traiter.

dok'tershulp *v.(m.)* assistance *f.* médicale.
dok'tersrekening *v.* mémoire *m.*, honoraire(s) *m.(pl.)* (de médecin).
dok'tersvisite *v.(m.)* visite *f.* du médecin, — médicale.
dokument(-), *zie* ***document(-)***.
dok'werker *m.* docker *m.*, ouvrier *m.* des ports, débardeur *m.*
dol I *b.n.* **1** (*v. hond*) enragé; **2** (*woest*) furieux, frénétique; **3** (*gek*) fou, absurde, extravagant, idiot; **4** (*v. kompasnaald*) affolé; ***iem. — maken,*** faire enrager qn.; ***— worden,*** prendre la rage; ***— zijn,*** être fou; ***hij is — van blijdschap,*** il est éperdu de joie, il est hors de lui; ***een —le balans,*** une balance folle; ***een —le vaart,*** une course effrénée; ***—le dinsdag,*** le mardi des fous; ***het is om — te worden,*** c'est enrageant; ***door het —le heen,*** déchaîné; **II** *bw.* furieusement, frénétiquement; follement, d'une façon extravagante; ***— veel houden van,*** raffoler de, être fou de; **III** *z.n. m.* (*sch.*) tolet *m.*
dol'blij *b.n.* fou de joie; débridé.
dol'boord *o. en m.* plat*-bord* *m.*
doldriest' I *b.n.* téméraire; pétulant; **II** *bw.* à corps perdu. [avec emportement.
dol'driftig I *b.n.* emporté, inconsidéré; **II** *bw.*
do'len *on.w.* **1** errer, s'égarer; **2** (*zwerven, in ongunstige betekenis*) rôder.
dole'ren *on.w.* réclamer, se plaindre.
dole'rend *b.n.* de l'église libre.
dole'renden *mv.* séparatistes, dissidents *m.pl.*
Dolf *m.* Adolphe *m.*
dolfijn' *m.* dauphin *m.*
dol'graag *bw.* bien volontiers, de tout cœur, avec beaucoup de plaisir.
dol'heid *v.* **1** folie, rage *f.*; **2** (*woede*) fureur, frénésie *f.*; **3** (*dwaasheid*) extravagance, absurdité *f.*
do'lik *v.(m.)* ivraie *f.*
do'ling *v.* égarement; errement *m.*
dolk *m.* poignard *m.*, dague *f.*; (*Italië*) stylet *m.*
dolk'bajonet *v.(m.)* épée*-baïonnette* *f.*
dolk'mes *o.* couteau *m.* à virole, couteau*-poignard* *m.*
dol'kop *m.* enragé *m.*, cerveau *m.* brûlé.
dolk'steek, dolk'stoot *m.* coup *m.* de poignard.
dol'lar *m.* dollar *m.*
dol'larcent *m.* cent *m.* d'Amérique.
dol'larlening *v.* emprunt *m.* coté en dollars.
dolleker'vel *m.* ciguë *f.*
dol'leman *m.* enragé, forcené *m.*, cerveau *m.* brûlé, énergumène *m.*
dol'lemanspraat *m.* propos *m.pl.* insensés, — de cerveau brûlé, bêtises *f.pl.*, radotage *m.*
dol'lemanswerk *o.* folie *f.*
dol'len I *on.w.* **1** (*raaskallen*) extravaguer; **2** (*schertsen, stoeien*) badiner, folâtrer; **II** *ov.w.* (*slachtvee, met een slag bedwelmen*) assommer, abattre d'un coup de merlin.
dom I *m.* **1** (*kerk*) cathédrale *f.*; **2** (*toren*) tour *f.*, clocher *m.*; **3** (*in Italië*) dôme *m.*; **II** *b.n.* **1** stupide, ignorant; bête, imbécile; **2** (*v. zaken*) bête, sot; ***een —me streek,*** une bêtise; ***zo — als een os*** (*of* ***eend***), bête comme ses pieds, — comme chou; bête à manger du foin; ***zich —*** (*of* ***van de domme***) ***houden,*** faire l'imbécile, — l'innocent; **III** *bw.* stupidement; bêtement; sottement.
domaniaal' *b.n.* domanial.
domein' *o.* domaine *m.*
domein'bestuur *o.* administration *f.* des domaines.
domein'goed *o.* bien *m.* domanial.
domein'grond *m.* terre *f.* domaniale.
dom'heer *m.* chanoine *m.*
dom'heid *v.* bêtise, sottise, stupidité *f.*; ***een erge —,*** une gaffe.
domici'lie *o.* domicile *m.*; ***— kiezen,*** élire domicile; ***zijn — vestigen,*** se domicilier.
domicilië'ren *ov.w.* domicilier; ***gedomicilieerde wissel,*** (*H.*) traite domiciliée; ***de gedomicilieerde,*** le domiciliataire.
do'minee *m.* pasteur *m.*, ministre *m.* protestant; ***er gaat een — voorbij,*** il passe un ange.
domine'ren I *on.w.* **1** dominer; **2** (*spel*) jouer aux dominos (*of* au domino); **II** *ov.w.* dominer; **III** *z.n.* ***het —,*** **1** la domination; **2** (*spel*) le domino.
Domi'nica *v.* Dominique *f.*
dominicaan', dominikaan' *m.* dominicain *m.*
dominicanes', dominikanes' *v.* dominicaine *f.*
Domi'nicus *m.* Dominique *m.*
dominikaan, —kanes, *zie* ***dominic-***.
do'mino *m.* domino *m.*; ***— spelen,*** jouer aux dominos (*of* au domino); ***— zijn,*** faire domino.
do'minospel *o.* jeu *m.* de dominos.
do'minosteen *m.* domino *m.*
dom'kerk *v.(m.)* cathédrale *f.* [*m.* (bâté).
dom'kop *m.* imbécile *m.*, gros bêta, butor *m.*, âne
dom'me *m.-v.* imbécile *m.-f.*, sot *m.*, sotte, bête *f.*; ***zich van de — houden,*** ne faire semblant de rien, faire l'ignorant, faire le Jean borgne, faire celui qui ne comprend pas.
dom'mekracht *v.(m.)* **1** (*tn.*) cric, vérin *m.*; **2** (*fig.*) gros butor *m.*; force aveugle *f.*
dom'mel *m.* somnolence *f.*, demi-sommeil, assoupissement *m.*; ***in de — zijn,*** être assoupi.
dom'melen *on.w.* **1** (*half slapen*) sommeiller, somnoler; **2** (*gonzen*) bourdonner.
dom'melig *b.n.* **1** (*half slapend*) somnolent, assoupi, à moitié endormi; **2** (*dat kleuren en omtrekken doet ineenvloeien*) vague; ***een — licht,*** une lumière vague. [*m.*
dom'meligheid *v.* somnolence *f.* assoupissement
dom'meling *v.* assoupissement *m.*
dom'merik *m.* imbécile *m.*, (gros) bêta, butor *m.*
dom'migheid *v.* bêtise, stupidité *f.*
dom'oor *m.-v.* *zie* ***dommerik.***
dom'pelaar *m.* **1** (*Dk.*) plongeon *m.*; **2** (*tn.*) plongeur *m.*; **3** (*stakker*) (*Z.N.*) pauvre diable *m.*
dom'pelbatterij *v.* (*el.*) batterie *f.* à treuil.
dom'pelen *ov.w.* **1** plonger; **2** (*sukkelen*) (*Z.N.*) vivre pauvrement, traîner sa vie; **3** (*dwalen*) (*Z.N.*) être dans l'erreur.
dom'peling *v.* plongement *m.*
dom'pen *ov.w.* **1** (*smoren*) étouffer; **2** (*met domper*) éteindre; **3** (*v. kanon*) refroidir, saigner.
dom'per *m.* **1** éteignoir *m.*; **2** (*fig.*) obscurantiste *m.*, ennemi *m.* du progrès.
domp'hoorn *m.* (*Dk.*) butor *m.*
dom'pig *b.n.* **1** (*somber, vochtig*) sombre et humide, obscur, étouffant; **2** (*mistig, nevelig*) brumeux; ***het is — weer,*** il fait brumeux.
dom'pigheid *v.* obscurité, humidité *f.*, odeur *f.* de renfermé.
dom'proost *m.* prévôt *m.* (d'un chapitre).
dom'toren *m.* tour *f.* d'une cathédrale.
dom'weg *bw.* (tout) bêtement.
Do'nau *m.* Danube *m.*; ***van de —,*** du Danube, danubien; ***de —-staten,*** les États danubiens.
don'der *m.* **1** tonnerre *m.*; **2** (*bliksem*) foudre *f.*; ***daar kun je — op zeggen,*** je vous en fiche mon billet; ***wat —!*** que diable! ***voor de —!*** nom de nom!
don'deraar *m.* **1** brimeur *m.*; **2** (*fig.*) homme emporté; tapageur *m.*; **3** (*dondergod*) Jupiter *m.* tonnant.
don'derbeestje *o.* simulie *f.*, mouche *f.* d'orage.

don'derbui *v.(m.)* 1 orage *m.*; 2 pluie *f.* d'orage.
don'derbus *v.(m.)* 1 *(geweer)* espingole *f.*; 2 *(kanon)* bombarde *f.*; 3 *(bij vuurwerk)* boîte *f.* fulminante.
don'derdag *m.* jeudi *m.*; ***Witte* —,** jeudi saint.
don'derdags I *b.n.* du jeudi, de jeudi; **II** *bw.* le jeudi.
don'deren *on.w.* 1 tonner; 2 *(fig.)* fulminer; ***van de trappen* —,** dégringoler de l'escalier; ***het kan me niet* —,** je m'en fiche; ***het wordt* —,** nous sommes à l'orage; ***een —de stem,*** une voix de tonnerre, — tonnante.
don'dergod *m.* Dieu *m.* du tonnerre, Jupiter *m.* tonnant.
don'dergoud *o.* or *m.* fulminant.
don'derjagen *on.w.* faire le diable à quatre.
don'derkeil *m.* pierre *f.* de tonnerre.
don'derkop *m.* cumulus *m.*, nuée *f.* d'orage.
don'derlucht *v.(m.)* ciel *m.* d'orage.
don'derpad *v.(m.)* cotte *f.*, cottus, têtard *m.*
don'derpoeder, -poeier *o. en m.* poudre *f.* fulminante.
don'derroede *v.(m.)*, *(Z.N.)* paratonnerre *m.*
don'ders I *b.n.* sacré, maudit; **II** *bw.* diablement, bougrement; **III** *tw.* tonnerre! diable!
don'derscherm *o.* *(Z.N.)* paratonnerre *m.*
don'derslag *m.* coup *m.* de tonnerre; — de foudre.
don'dersteen *m.* 1 pierre *f.* de tonnerre; 2 bélemnite *f.*; 3 *(fig.: lamstraal)* animal *m.*, rosse *f.*
don'derstraal *m.* éclair *m*
don'dertoren *m.* nuée *f.* d'orage.
don'dervlaag *v.(m.)* 1 orage *m.*; 2 pluie *f.* d'orage.
don'derwolk *v.(m.)* nuée *f.* d'orage.
don'ker I *b.n.* 1 obscur, sombre, ténébreux; 2 *(v. kleuren)* foncé, noir; ***het wordt* —,** le jour baisse, la nuit commence à tomber; *(v. 't weer)* le temps s'obscurcit; le ciel se couvre; ***het is* —,** il fait nuit; ***het is — als de nacht,*** il fait noir comme dans un four; ***een —e kamer (voor fotografie),*** une chambre noire; ***—e kleren,*** des vêtements sombres; ***—e ogen,*** des yeux bruns *(of* noirs); ***alles — inzien,*** voir tout en noir; **II** *z.n., o.* obscurité *f.*; ***bij* —,** quand il fait noir; ***na* —,** à la nuit close; ***voor* —,** avant la nuit close; ***tussen licht en* —,** entre chien et loup.
don'kerblauw *b.n.* bleu foncé.
don'kerblond *b.n.* blond foncé, blond cendré.
don'kerbruin *b.n.* bistre, brun foncé.
don'kergeel *b.n.* feuille-morte.
don'kerheid *v.* 1 obscurité *f.*; 2 *(fig.)* ténèbres *f.pl.*; 3 *(v. blik)* air *m.* sombre.
don'kerte *v.* obscurité *f.*
do'nor *m.* donneur *m.* de sang.
donquichotterie' *f.* donquichottisme *m.*
dons *o.* duvet *m.*
dons'achtig *b.n.* duveteux.
dons'je *o.* houpette *f.*
don'zen *b.n.* duveteux.
don'zig *b.n.* duveteux, cotonneux.
dood I *m. en v.* mort *f.*; *(het overlijden)* décès, trépas *m.*; ***dat is zijn* —,** il en mourra; ***de — onder de ogen zien,*** affronter la mort, regarder la mort en face; ***de — nabij zijn,*** être à l'agonie, être à l'article de la mort; ***om de — niet,*** point du tout, nullement, pour rien au monde; ***als de — zijn voor,*** avoir une peur bleue, craindre comme la peste; ***ten dode opgeschreven zijn,*** devoir mourir, être un homme mort; ***ter — veroordelen,*** condamner à mort; ***op straffe des —s,*** sous peine de mort; ***duizend doden sterven,*** souffrir mille morts; ***een natuurlijke — sterven,*** mourir dans son lit; mourir de sa belle mort; ***hij heeft het bij de — opgehaald,*** il a vu la mort de près, il est revenu de loin; ***de een zijn — is de ander zijn brood,*** ce qui nuit à l'un sert à l'autre; le malheur des uns fait le bonheur des autres; **II** *b.n.* 1 mort; *(overleden)* décédé, défunt; 2 *(fig.)* inanimé, sans vie; ***— of levend,*** mort ou vif; ***zich — lachen,*** se tordre de rire, mourir de rire; ***zich — schamen,*** mourir de honte; ***zich — vervelen,*** s'ennuyer mortellement, — à mourir; ***zich — werken,*** se tuer à force de travailler, — à la tâche, — au travail; ***iets — zwijgen,*** faire le silence sur qc.
dood'af *b.n.* épuisé, exténué, éreinté, à bout de forces.
dood'arm *b.n.* pauvre comme Job, pauvre comme un rat d'église, dans la plus grande misère.
dood'bedaard I *b.n.* tout calme, flegmatique, placide; **II** *bw.* sans broncher, sans sourciller.
dood'bidder *m.* croque-mort* *m.*
dood'biddersgezicht *o.* figure *f.* d'enterrement.
dood'bijten *ov.w.* 1 tuer à coups de dents; 2 *(gen.: wonde)* cautériser.
dood'blijven *on.w.* mourir (sur place), périr, succomber; ***hij blijft dood op een cent,*** il est dur à la détente.
dood'bloeden *on.w.* perdre (tout) son sang; mourir par suite d'une hémorragie; *(fig.)* ***die zaak zal spoedig* —,** cette affaire sera bientôt oubliée.
dood'boek *o.* registre *m.* mortuaire; ***iets in het — schrijven,*** *(Z.N.)* oublier qc.
dood'branden *ov.w.*, *(gen.)* cautériser.
dood'doener *m.* 1 *(lediglоper)* fainéant *m.*; 2 *(fig.)* phrase *f.* (à effet); argument *m.* concluant; formule *f.* banale, généralité, banalité *f.*
dood'drukken *ov.w.* étouffer.
dood'eenvoudig *b.n.* 1 *(v. persoon)* modeste, d'une grande simplicité; 2 *(v. zaken)* très simple, simple comme bonjour.
dood'eerlijk *b.n.* parfaitement honnête.
dood'ergeren, zich —, *w.w.* se scandaliser furieusement, se faire de la bile, se ronger le cœur.
dood'gaan *on.w.* mourir.
dood'geboren *b.n.* mort-né(e).*
dood'gemakkelijk *b.n.* simple comme bonjour.
dood'gemoedereerd *bw.* sans sourciller.
dood'gewoon *b.n.* simple comme bonjour, banal.
dood'goed *b.n.* bon comme le pain, bon enfant.
dood'gooien *ov.w.* tuer (d'un coup de pierre).
dood'graver *m.* 1 fossoyeur *m.*; 2 *(Dk.)* scarabée *m.* enterreur, fossoyeur *m.*
dood'hongeren *on.w.* mourir de faim.
dood'jammer *b.n.* ***het is* —,** quelle pitié! c'est grand dommage!
dood'kalm I *b.n.* parfaitement calme; **II** *bw.* on ne peut plus calmement.
dood'kist, doods'kist *v.(m.)* cercueil *m.*, bière *f.*
dood'kloppertje, doods'kloppertje *o.* horloge *f.* de la mort.
dood'lachen, zich —, *w.w.* se tordre, mourir de rire.
dood'leuk *bw.* tranquillement.
dood'lopen I *on.w.* n'avoir pas d'issue; ***die straat loopt dood,*** c'est une impasse, un cul*-de-sac; **II** *w.w.* ***zich* —,** se tuer à force de courir.
dood'lopend *b.n.* ***—e straat,*** impasse *f.*, cul*-de-sac *m.*
dood'maken *ov.w.* tuer; abattre; *(v. zenuw)* insensibiliser.
dood'martelen *ov.w.* faire subir le martyre, faire mourir dans les tourments.
dood'moe(de) *b.n.* exténué, épuisé (de fatigue).
dood'ongelukkig *b.n.* profondément malheureux, au désespoir, triste à mourir.
dood'onschuldig *b.n.* parfaitement innocent, candide, naïf.

dood'op *b.n.* épuisé, éreinté, rompu.
dood'ranselen *ov.w.* assommer à coups de bâton.
dood'rijden *ov.w.* (*paard*) crever.
doods *b.n.* morne, mort; désert, solitaire; ***—e stilte,*** silence *m.* de mort.
doods'akte *v.*(*m.*) acte *m.* de décès.
doods'angst *m.* **1** agonie *f.*; affres *f.pl.* de la mort; **2** transes *f.pl.*, angoisses *f.pl.* mortelles, peur *f* bleue; ***—en uitstaan,*** être dans des transes mortelles, être dévoré d'inquiétude.
doods'baar *v.*(*m.*) civière, bière *f.*
doods'bed *o.* lit *m.* de mort.
doods'beeldeken *o.* (*Z.N.*) image *f.* mortuaire.
doods'beenderen *mv.* ossements *m.pl.*
doods'benauwd *b.n.* mortellement effrayé, pris d'une peur bleue.
doods'bericht *o.* **1** (*tijding*) nouvelle *f.* de la mort de qn.; **2** (*aankondiging*) avis *m.* de décès; **3** (*brief*) lettre *f.* de faire part.
doods'bleek *b.n.* pâle comme un mort, blême, [livide.
doods'bleekheid *v.* pâleur *f.* mortelle, lividité *f.*
doods'brief *m.* lettre *f.* de faire part, — de deuil.
doods'ceel *v.*(*m.*) *en o.* extrait *m.* mortuaire, acte *m.* —.
dood'schieten *ov.w.* **1** tuer (d'un coup de fusil); **2** (*mil.*) fusiller, passer par les armes; ***zich —,*** se brûler la cervelle.
dood'schoppen *ov.w.* tuer à coups de pied.
doods'engel *m.* ange *m.* de la mort.
doods'gereutel *o.* râle *m.*
doods'gevaar *o.* péril *m.* de mort, danger *m.* —.
doods'heid *v.* solitude *f.*, aspect *m.* morne, manque *m.* de vie.
doods'hemd *o.* suaire, linceul *m.*
doods'hoofd *o.* tête *f.* de mort.
doods'hoofdvlinder *m.* tête *f.* de mort, achérontia *f.*
dood(s)'kist *v.*(*m.*) cercueil *m.*, bière *f.*
doods'kleed *o.* suaire, linceul *m.*, drap *m.* mortuaire.
doods'kleur *v.*(*m.*) teint *m.* livide, — cadavéreux.
doods'klok *v.*(*m.*) glas (funèbre) *m.*
dood(s)'kloppertje *o.* horloge *f.* de la mort.
dood'slaan *ov.w.* **1** assommer, tuer; **2** (*fig.: tot zwijgen brengen*) réduire au silence; ***gij zult niet —,*** tu ne tueras point, homicide point ne seras.
dood'slag *m.* meurtre, homicide *m.*
doods'maal *v.* repas *m.* d'enterrement.
doods'nood *m.* agonie *f.*; détresse *f.* (extrême).
doods'oorzaak *v.*(*m.*) cause *f.* de décès.
doods'prentje *o.* image *f.* mortuaire.
doods'schouw *m.* (*Z. N.*), *zie* ***lijkschouwing.***
doods'schrik *m.* frayeur *f.* mortelle.
doods'slaap *m.* sommeil *m.* de la mort.
doods'snik *m.* dernier soupir *m.*
doods'stond *m.*, **-stonde** *v.*(*m.*) heure *f.* suprême.
doods'strijd *m.* agonie *f.*
dood'steek *m.* coup *m.* mortel; ***dat gaf hem de —,*** c'était sa mort.
dood'steken *ov.w.* tuer d'un coup d'épée, — de poignard, — de couteau; poignarder.
dood'stil *b.n.* **1** silencieux, comme la mort, sans bruit; **2** (*zee*) d'un calme plat; **3** (*onbeweeglijk*) immobile.
dood'straf *v.*(*m.*) peine *f.* de mort, — capitale.
dood'stroom *m.* (*sch.*) morte*-eau* *f.*
doods'uur *o.* heure *f.* suprême, — de la mort.
doods'verachting *v.* mépris *m.* de la mort.
doods'vijand *m.* ennemi *m.* mortel.
doods'vijandschap *v.* inimitié *f.* mortelle.
doods'wade *v.*(*m.*) drap *m.* mortuaire, linceul *m.*
doods'zweet *o.* sueur *f.* de la mort; ***het — brak hem uit,*** il était dans des transes (mortelles).
dood'tij *o.* morte*-eau* *f.*, mort *f.* de l'eau.
dood'trappen *ov.w.* tuer à coups de pieds.
dood'vallen *on.w.* **1** tomber mort; **2** se tuer en tombant (de l'escalier, etc.); ***hij zou op een cent —,*** il tondrait sur un œuf.
dood'verf *v.*(*m.*) première couche *f.*
dood'vervelend *b.n.* assommant.
dood'verven *ov.w.* **1** (*in grondverf schilderen*) mettre la première couche sur; **2** (*aanwijzen*) désigner.
dood'vonnis *o.* arrêt *m.* de mort, sentence *f.* —.
dood'vriezen *on.w.* être tué par la gelée, mourir gelé.
dood'wond(e) *v.*(*m.*) blessure *f.* mortelle.
dood'ziek *b.n.* gravement malade, malade à mourir, — à la mort.
dood'zonde *v.*(*m.*) péché *m.* mortel; ***— doen,*** pécher mortellement.
dood'zwak *b.n.* d'une faiblesse extrême.
dood'zwijgen *ov.w.* faire le silence sur; (*een werk*) tuer (*of* étouffer) par la conspiration du silence.
doof *b.n.* **1** sourd; **2** (*uitgedoofd*) éteint; ***hij is aan dat oor —,*** il n'entend pas de cette oreille; ***zich — houden, Oostindisch — zijn,*** faire la sourde oreille, faire le sourd; ***zo — als een kwartel,*** sourd comme un pot; ***voor dove oren spreken,*** prêcher dans le désert.
doof'heid *v.* surdité *f.*
doof'pot *m.* étouffoir; couvre-feu *m.*; ***in de — stoppen,*** étouffer.
doofstom' *b.n.* sourd*-muet*.
doofstom'heid *v.* surdi-mutité *f.*
doofstom'me *m.-v.* sourd*-muet* *m.*, sourde*-muette* *f.* [sourds-muets.
doofstom'mengesticht *o.* institution *f.* de
dooi *m.* dégel *m.*
dooi'en *on.w.* dégeler; ***het gaat —,*** le temps est au dégel.
dooi'er, door *m.* jaune *m.* (d'œuf).
dooi'erzwam *v.*(*m.*) (*Pl.*) chanterelle *f.*
dooi'we(d)er *o.* temps *m.* de dégel.
dool *m.* vie *f.* errante; ***op de — zijn,*** (*Z.N.*) **1** être sur le faux chemin; **2** se fourvoyer; vagabonder.
dool'aard *m.* (*Z.N.*) vagabond *m.*
dool'hof *m.* labyrinthe; dédale *m.*
dool'weg *m.* **1** faux chemin *m.*, chemin détourné; **2** (*fig.*) voie *f.* de perdition.
doop *m.* baptême *m.*; ***ten — houden,*** tenir sur les fonts (baptismaux). [—.
doop'akte *v.*(*m.*) acte *m.* de baptême, certificat *m.*
doop'bekken *o.* fonts *m.pl.* baptismaux.
doop'bewijs *o.* certificat *m.* de baptême.
doop'boek *o.* registre *m.* de baptême, (registre) baptistaire *m.*
doop'briefje *o.* certificat *m.* de baptême.
doop'ceel *v.*(*m.*) *en o.* extrait *m.* baptistaire; ***iemands — lichten,*** dire pis que pendre de qn.
doop'formulier *o.* liturgie *f.* du baptême, paroles *f.pl.* du baptême. [du baptême.
doop'gelofte *v.* vœux *m.pl.* de baptême, vœu *m.*
doop'getuige *m.-v.* parrain *m.*, marraine *f.*
doop'heffer *m.* parrain *m.*
doop'hefster *v.* marraine *f.*
doop'jurk *v.*(*m.*) robe *f.* de baptême.
doop'kapel *v.*(*m.*) baptistère *m.*
doop'maal *o.* repas *m.* de baptême.
doop'naam *m.* nom *m.* de baptême. [tême.
doop'plechtigheid *v.* cérémonie *f.* du bap-
doop'register *o.* registre *m.* baptistaire.

doop'sel *o.* baptême *m.*; ***het — toedienen,*** administrer le baptême.
doops'gezinde *m.-v.* baptiste, mennonite *m.-f.*
doop'suiker *m.* (*Z.N.*) dragées *f.pl.*
doop'vont *v.*(*m.*) fonts *m.pl.* baptismaux.
doop'water *o.* eau *f.* baptismale, — du baptême.
door I *vz.* **1** (*plaats*) par; (*dwars door*) à travers, au travers de; **2** (*middel*) par, moyennant; (*door veel, aanhoudend te...*) à force de; **3** (*oorzaak*) par, de par; ***bemind —,*** aimé de; ***— elkaar,*** **1** pêle-mêle; **2** (*gemiddeld*) en moyenne; ***— het land reizen,*** parcourir le pays; ***— de tunnel rijden,*** traverser le tunnel; **II** *bw.* ***ik ben het boek —,*** j'ai fini le livre; ***de hele dag —,*** toute la journée; ***alle eeuwen —,*** de siècle en siècle; ***het hele land —,*** par tout le pays; ***zijn leven —,*** durant toute sa vie; ***zijn broek is —,*** son pantalon est troué, — usé; ***dat kan er mee —,*** cela peut aller; ***hij is er —,*** il a réussi; ***— en —,*** **1** de part en part; **2** (*grondig*) à fond; ***— en — koud,*** tout transi; ***— en — nat,*** trempé jusqu'aux os; ***ervan—,*** en fuite; **III** *z.n.* *zie* ***dooier.***
doora'deren *ov.w.* veiner.
door'babbelen *on.w.* continuer de bavarder.
door'bakken *on.w.* ***laten —,*** laisser cuire.
doorbak'ken *b.n.* bien cuit.
door'betalen *on.w.* continuer à payer, — le payement.
door'bijten I *ov.w.* couper avec les dents, rompre —; mordre; **II** *on.w.* **1** continuer à mordre; **2** (*fig.*) pousser jusqu'au bout.
door'bladeren *ov.w.* feuilleter, parcourir.
door'blazen *ov.w.* **1** percer en soufflant; **2** (*tn.*) purger.
door'bloeien *on.w.* continuer de fleurir
doorbo'ren *ov.w.* **1** percer, transpercer, perforer, trouer, traverser; **2** (*fig.*) percer, fendre.
doorbo'ring *v.* percement, transpercement *m.*, perforation *f.*
door'braak *v.*(*m.*) **1** (*v. muur*) percée *f.*; **2** (*v. dijk, front*) rupture *f.*; **3** (*door vijandelijke linies*) trouée *f.*; **4** (*v. stadswijk*) percement *m.*
door'braakpoging *v.* (*mil.*) tentative *f.* de sortie.
door'braden I *ov.w.* cuire à point, rôtir —; **II** *on.w.* continuer de (*of* à) cuire, — rôtir.
door'branden I *on.w.* continuer de brûler; (*v. zekering*) sauter; ***het vuur wil niet —,*** le feu ne prend pas bien; **II** *ov.w.* **1** brûler; **2** (*el.*) fondre; **3** (*lamp*) griller.
door'breken I *ov.w.* **1** (*stok*) rompre; **2** (*dijk*) crever, rompre; **3** (*breken*) casser; **II** *on.w.* **1** (*abces*) percer, crever; **2** (*zweer*) s'ouvrir, percer; **3** (*dijk*) se rompre; **4** (*fig.*) se faire jour; ***de zon breekt door,*** le soleil perce les nuages.
doorbre'ken *on.w.* (*afzetting, kordon enz.*) percer (à travers), séparer, rompre, traverser.
door'breking *v.* rupture *f.*, percement *m.*; percée *f.*
door'brengen *ov.w.* **1** (*tijd*) passer; **2** (*geld*) gaspiller, dissiper.
door'brenger *m.* dissipateur *m.*
door'buigen I *on.w.* (se) courber; plier; fléchir; ***— onder het gewicht,*** fléchir sous le poids (*of* le faix); **II** *ov.w.* rompre en courbant.
door'cognossement, -connossement *o.*, (*H.*) connaissement *m.* direct.
doordacht' *b.n.* médité, réfléchi, bien pesé, mûri.
door'dansen I *on.w.* **1** continuer de danser; **2** parcourir en dansant; **II** *ov.w.* user à force de danser.
doordat' *vw.* parce que, puisque, comme.
door'denken *on.w.* réfléchir mûrement; ***als u wat had doorgedacht,*** pour peu que vous eussiez réfléchi.
doordien' *vw.* parce que, puisque, comme.
door'dienen *on.w.* continuer le service.
door'doen *ov.w.* **1** (*doorhalen*) rayer, biffer; **2** (*delen*) diviser, couper.
door'draaien *on.w.* **1** continuer de tourner, ne faire que tourner; **2** (*v. schroef*) tourner fou; **3** (*fig.*) faire la noce.
door'draaier *m.* noceur, bambocheur *m.*
door'dragen *ov.w.* continuer de porter.
door'draven *on.w.* **1** continuer de trotter; **2** (*fig.*) parler à tort et à travers; ***wat draaf je weer door!*** comme vous y allez!
door'draver *m.* qui parle à tort et à travers, esprit *m.* emballé.
doordraverij' *v.* raisonnements *m.pl.* à tort et à travers.
doordren'ken *ov.w.* imbiber.
door'drijven *ov.w.* **1** (*maatregel, wet, enz.*) faire accepter, faire passer; **2** (*zijn wil*) imposer, faire triompher; **3** (*zaak*) pousser plus loin; venir à bout de.
door'drijver *m.* homme *m.* obstiné, — entêté.
doordrijverij' *v.* obstination *f.*, acharnement *m.*
doordring'baar *b.n.* pénétrable, perméable, poreux.
doordring'baarheid *v.* pénétrabilité, perméabilité, porosité *f.*
door'dringen I *on.w.* pénétrer, percer; ***in iemands gedachte —,*** lire au fond de la pensée de qn.; ***in een geheim —,*** pénétrer un secret, scruter un mystère; ***de waarheid zal eindelijk —,*** la vérité finira par percer; ***tot de zin van een gedicht —,*** entrer dans le sens d'un poème.
doordrin'gen I *ov.w.* pénétrer, percer; **II** *w.w.* ***zich — van iets,*** se pénétrer de qc.
doordrin'gend *b.n.* pénétrant, perçant; aigu, strident; âpre.
doordrin'gendheid *v.* pénétration; âpreté *f.*
door'dringing *v.* pénétration *f.*
door'dringingsvermogen *o.* puissance *f.* de pénétration.
doordron'gen *b.n.* pénétré (de).
door'drukken I *ov.w.* percer; pousser à travers; enfoncer; **II** *on.w.* **1** continuer de presser; **2** continuer d'imprimer; **3** (*van papier*) percer; **4** (*v. letters*) fouler.
dooreen' *bw.* **1** pêle-mêle, en désordre; **2** (*fig.*) en moyenne, l'un dans l'autre.
dooreen'gooien *ov.w.* **1** jeter pêle-mêle; **2** (*kaarten*) brouiller.
dooreen'halen *ov.w.* brouiller; confondre.
dooreen'haspelen *ov.w.* embrouiller, confondre.
dooreen'krioelen *on.w.* grouiller.
dooreen'kruisen *on.w.* s'entrecroiser.
dooreen'lopen *on.w.* **1** aller et venir; **2** (*fig.*) se confondre.
dooreen'mengen *ov.w.* mélanger, entremêler.
dooreen'smijten *ov.w.* jeter pêle-mêle, mettre sens dessus dessous.
dooreen'strengelen, dooreen'vlechten *ov.w* entrelacer.
dooreen'vlechting *v.* entrelacement *m.*
door'eerlijk *b.n.* parfaitement honnête.
door'eten *on.w.* **1** continuer de manger; **2** se dépêcher de manger; ***maar —,*** ne faire que manger.
door'gaan I *on.w.* **1** (*niet ophouden*) continuer; ne pas s'arrêter; (*voortduren*) durer; **2** (*doorlopen*) continuer son chemin, — sa marche; **3** (*feest, enz.*) avoir lieu, se tenir, se faire; ***het feest is niet doorgegaan,*** *ook:* la fête a été décommandée; **4** (*aangenomen, goedgekeurd worden*) passer, être adopté, être admis; **5** (*voorbijgaan*) passer sans

s'arrêter; ***dat kan in één moeite —,*** on pourra faire cela en même temps; ***moet dat zo —?*** est-ce qu'on n'en finira jamais?; ***er van —,*** décamper, filer; prendre la clef des champs; (*met de noorderzon vertrekken*) lever le pied; ***gaat het nog door?*** cela tient toujours?; ***— met,*** **1** (*na onderbreking*) continuer à; **2** (*zonder onderbreking*) continuer de; ***tussen —,*** passer entre; ***— voor,*** passer pour; (*faam*) être réputé; **II** *ov.w.* **1** (*bos, boek, enz.*) parcourir; **2** (*les*) repasser; jeter un regard sur.

door'gaand *b.n.* **1** (*algemeen*) général; ordinaire; **2** (*v. rijtuig, trein*) direct; **3** (*v. waren*) (*H.*) de transit; ***— verkeer,*** sens recommandé.

door'gaans *bw.* généralement, ordinairement, communément, le plus souvent.

door'gang *m.* passage *m.*

door'gangshoogte *v.* gabarit *m.*

door'gangshuis *o.* maison *f.* de passage.

door'gestoken *b.n.* percé; ***(een) — kaart,*** un coup monté, un jeu joué.

doorgeu'ren *ov.w.* embaumer, parfumer.

door'geven *ov.w.* passer, faire circuler; (*sport*) faire une passe à, passer à.

door'gewinterd *b.n.* rusé, chevronné.

door'gieten I *ov.w.* passer, filtrer; faire couler par; **II** *on.w.* continuer d'arroser; ***het blijft maar —,*** la pluie ne cesse pas de tomber, l'averse ne s'arrête pas.

door'glijden *on.w.* se glisser à travers.

door'glippen *on.w.* se glisser par, passer furtivement.

doorgloei'en *ov.w.* embraser, remplir (de).

door'gloeien, *zie* ***doorbranden.***

door'goed *b.n.* très bon, excellent, bon comme le bon pain.

doorgraven *ov.w.* percer.

doorgraving *v.* percement *m.*

door'groeien *on.w.* continuer de croître.

doorgroe'ven *ov.w.* sillonner.

doorgron'den *ov.w.* approfondir, pénétrer.

doorgron'ding *v.* approfondissement *m.*, pénétration *f.*

door'hakken *ov.w.* fendre, couper, trancher en deux; ***de knoop —,*** trancher le nœud, trancher la difficulté.

door'halen *ov.w.* **1** (*doorschrappen*) barrer, biffer; raturer, rayer; **2** (*trekken door*) faire passer (à travers); **3** (*door het blauwsel: was*) passer au bleu; (*door het stijfsel*) passer à l'empois; **4** (*berispen*) réprimander, tancer, savonner; laver la tête (à qn.).

door'haling *v.* **1** radiation, rature *f.*, biffage *m.*; **2** (*berisping*) réprimande *f.*, tancement, savonnage *m.*

door'hebben *ov.w.* avoir vu; pénétrer.

doorheen' *bw.* de part en part, à travers.

door'helpen *ov.w.* **1** aider à passer, frayer un passage à travers; **2** (*fig.*) tirer (qn.) d'affaire.

door'hollen I *ov.w.* traverser en courant; **II** *on.w.* continuer sa course.

door'houwen *ov.w.* fendre.

door'jagen I *on.w.* passer sans s'arrêter; **II** *ov.w.* ***zijn geld er —,*** dissiper son argent, manger son bien.

door'kijk *m.* **1** (*vergezicht*) perspective *f.*; **2** (*open plek*) percée *f.*

door'kijken *ov.w.* **1** (*boek*) parcourir, feuilleter; **2** (*les*) repasser.

doorklieven *ov.w.* **1** (*de baren*) fendre, sillonner; déchirer; **2** (*lucht*) fendre, déchirer.

doorklin'ken *ov.w.* se faire entendre à travers de, retentir dans.

door'klinken *on.w.* **1** continuer à résonner, se prolonger; **2** percer (jusqu'à).

door'knagen *ov.w.* percer en rongeant; ronger.

doorkne'den *ov.w.* pétrir.

doorkneed' *b.n.* bien pétri; ***ergens in — zijn,*** être rompu à qc., être versé dans qc., être ferré sur (une matière).

doorkneed'heid *v.* connaissance *f.* approfondie, profonde connaissance; grande expérience *f.*

door'knippen *ov.w.* couper en deux.

door'koken I *ov.w.* faire bouillir suffisamment, bien cuire; **II** *on.w.* continuer de bouillir.

door'komen I *ov.w.* **1** (*tijd*) passer; **2** (*werk*) venir à bout de; **3** (*crisis*) traverser; **II** *on.w.* **1** traverser, passer par; **2** (*examen*) réussir, passer, être reçu; **3** (*v. tanden*) percer; **4** (*v. de zon*) traverser, percer (à travers les nuages); ***er is geen — aan,*** il n'y a pas moyen de passer; (*fig.*) c'est la mer à boire; **III** *z.n.* ***het —,*** **1** (*v. tanden*) éruption *f.*; **2** (*v. zon*) percement *m.*

door'koud *b.n.* extrêmement froid, gelé.

door'krijgen *ov.w.* **1** faire passer par; faire entrer dans; **2** (*inslikken*) avaler; **3** (*doorsnijden*) couper en deux.

door'kruipen *on.w.* se glisser par.

doorkrui'sen *ov.w.* **1** (*landen*) parcourir (en tous sens); **2** (*veld, bos, enz.*) battre; **3** (*zeeën*) croiser dans; **4** (*fig.: 't hoofd*) traverser.

door'kunnen *on.w.* pouvoir passer; ***het kan ermee door,*** cela peut aller.

door'laat *m.* petite écluse *f.*

door'laatpost *m.* poste *m.* de contrôle.

door'laten *ov.w.* laisser passer; ***geen water —,*** être imperméable.

doorleefd' *b.n.* vécu.

door'lekken *on.w.* **1** (*v. vloeistof*) percer, filtrer; **2** (*v. voorwerp*) laisser passer.

doorle'ven *ov.w.* **1** (*tijdperk*) traverser; **2** (*ondervinden*) vivre, éprouver, faire l'expérience de.

door'lezen I *ov.w.* parcourir; (*volledig*) lire d'un bout à l'autre; **II** *on.w.* continuer de lire.

door'lichten *ov.w.* radiographier, radioscoper, examiner aux rayons x.

door'lichting *v.* radiographie *f.*

door'liggen, *zich —,* *w.w.* s'écorcher le dos.

door'loop *m.* passage *m.*; ***wagon met een —,*** wagon *m.* à couloir.

doorlo'pen *ov.w.* **1** (*stad, enz.*) *in één richting:* traverser; *in alle richtingen:* parcourir; **2** (*boek*) parcourir, feuilleter; **3** (*klas, cursus*) suivre; **4** (*school*) passer par; **5** (*rangen*) parcourir.

door'lopen I *on.w.* **1** continuer sa marche, — sa course; **2** ne pas s'arrêter; **3** (*v. kleuren*) se brouiller; ***—!*** circulez! ***recht —,*** filer droit; **II** *ov.w.* **1** (*voeten*) blesser à force de marcher, s'écorcher (les pieds) en marchant; **2** (*schoenen*) user, percer.

doorlopend I *b.n.* continu, continuel, ininterrompu; ***—e kaart,*** carte permanente; ***— krediet,*** (*H.*) crédit illimité; ***—e polis,*** police générale; ***—e rekening,*** (*H.*) compte courant; ***—e trein,*** train direct; ***—e kamers,*** chambres en enfilade; ***—e verzekering,*** (*H.*) assurance forfaitaire, police flottante; ***—e voorstelling,*** séance *f.* permanente; ***—e tentoonstelling,*** exposition *f.* permanente; ***—e wagon,*** voiture (de chemin de fer) à couloir; **II** *bw.* continuellement, sans interruption.

doorluch'tig *b.n.* éminent, illustre, sérénissime.

doorluch'tigheid *v.* altesse, éminence *f.*

door'maken *ov.w.* passer par, éprouver, faire l'expérience de; ***een crisis —,*** traverser une crise.

door'marche, -mars *m. en v.* **1** passage *m.*; **2** (*het voorbijtrekken*) défilé *m.*

door'marcheren I *ov.w.* passer par; **II** *on.w.* continuer sa marche.
door'mars, *zie* ***doormarche.***
doormid'den *bw.* en deux, par le milieu.
doorn, do'ren *m.* épine *f.*; ***geen rozen zonder —en,*** point de roses sans épines; ***met —en bezaaid,*** (*fig.*) semé de ronces et d'épines; ***een — in 't oog zijn,*** offusquer qn.
doorn'achtig *b.n.* épineux.
doorn'appel *m.*, (*Pl.*) pomme *f.* épineuse.
door'nat *b.n.* **1** (*v. regen*) mouillé jusqu'aux os; **2** (*v. zweet*) trempé (de sueur), en nage.
doorn'bes *v.*(*m.*) groseille *f.* à maquereau.
doorn'besboom *m.* aubépine *f.*
door'nenkroon *v.*(*m.*) couronne *f.* d'épines.
doorn'haag *v.*(*m.*) haie *f.* d'épines.
door'nig *b.n.* épineux.
Door'nik *o.* Tournai *m.*
Door'niks *b.n.* tournaisien.
doorn'struik *m.* épine *f.*, arbuste *m.* épineux.
doorn'tak *m.* branche *f.* d'épines.
doorn'vormig *b.n.* épineux.
doorploe'gen *ov.w.* **1** labourer, fendre avec la charrue; **2** (*fig.*) sillonner, labourer.
door'praten *on.w.* parler sans discontinuer; continuer de causer; ***iem. maar laten —,*** laisser aller qn.
door'priemen *ov.w.* poignarder.
door'prikken *ov.w.* percer; transpercer, trouer.
door'ratelen *on.w.* ne pas déparler; dévider son écheveau. [viande *f.* entrelardée.
doorre'gen *b.n.*, ***— spek,*** lard maigre; ***— vlees,***
door'regenen *on.w.* **1** laisser percer (*of* filtrer) la pluie; **2** (*steeds regenen*) continuer de pleuvoir; ***het regent overal door,*** la pluie pénètre partout.
door'reis *v.*(*m.*) passage *m.*; ***op — in B.,*** de passage à B. [s'arrêter.
door'reizen *on.w.* continuer son voyage, ne pas
doorrei'zen *ov.w.* traverser, parcourir, passer par.
door'rennen *ov.w.* **1** (*plaats*) passer en courant; **2** (*boek*) parcourir à la hâte.
door'rijden I *ov.w.* **1** traverser (*of* parcourir) à cheval, — en voiture; **2** s'écorcher (en allant à cheval); **II** *on.w.* continuer sa course, ne pas s'arrêter.
door'rijgen *ov.w.* **1** baguer; **2** (*fig.*) embrocher.
door'rijhoogte *v.* gabarit *m.*
door'rijp *b.n.* tout à fait mûr, en pleine maturité.
door'rit *m.* passage *m.*
door'roeien *on.w.* **1** continuer de ramer; **2** ramer bien; ***flink —,*** faire force de rames.
door'roeren *ov.w.* remuer, mélanger. [rouille.
door'roesten *on.w.* rouiller, être rongé par la
door'roken *ov.w.* **1** (*vlees*) fumer, faire pénétrer de fumée; **2** (*pijp*) culotter.
door'rollen *on.w.* continuer à rouler, rouler toujours; ***er —,*** passer heureusement; se débrouiller, se tirer d'affaire.
door'schemeren *on.w.* **1** percer; **2** (*fig.*) se trahir; ***laten —,*** laisser paraître, laisser soupçonner, laisser entendre, donner à entendre. [déchirer.
door'scheuren I *ov.w.* déchirer; **II** *on.w.* se
door'schieten I *ov.w.* **1** (*met kogels*) trouer, percer; **2** (*kaarten*) battre, mêler; **3** (*spoel*) lancer, faire passer; **II** *on.w.* **1** (*plant*) monter en graine; **2** ne pas cesser le tir, continuer à tirer.
doorschie'ten *ov.w.* **1** trouer, percer de coups; **2** (*boek*) interfolier.
door'schijnen *ov.w.* luire à travers, percer.
doorschij'nend *b.n.* **1** (*licht doorlatend*) translucide, diaphane; **2** (*doorzichtig*) transparent; **3** (*helder*) limpide.
doorschij'nendheid *v.* **1** translucidité, diaphanéité *f.*; **2** transparence *f.*; **3** limpidité *f.*
doorschou'wen *ov.w.* pénétrer.
door'schrappen *ov.w.* rayer, biffer.
door'schrapping *v.* radiation, rature *f.*
door'schrijfboek *o.* livre *m.* à calquer, bloc *m.* à copier.
door'schudden *ov.w.* **1** (*alg.*) secouer; **2** (*kaarten*) battre, mêler.
door'schuiven I *ov.w.* passer; **II** *on.w.* se serrer.
door'seinen *ov.w.* transmettre.
door'sijpelen, -zijpelen *on.w.* s'infiltrer, suinter.
door'sijpeling, -zijpeling *v.* infiltration, filtration *f.*
door'slaan I *ov.w.* **1** (*breken*) rompre, casser en deux; **2** (*muur*) percer; **3** (*linnengoed: was*) passer à la lessive; **4** (*eieren*) battre, fouetter; **5** (*fig.: geld*) dépenser follement; **II** *on.w.* **1** continuer à frapper, — à battre; **2** (*v. paard*) s'emballer; prendre le galop, se mettre au galop; **3** (*v. weegschaal*) pencher, trébucher; **4** (*v. machine*) s'emballer; **5** (*v. muur*) suinter, laisser filtrer l'eau; **6** (*v. zekering*) sauter; **7** (*fig.: v. personen*) parler à tort et à travers, battre la campagne, prendre le mors aux dents, s'emballer; ***zich er —,*** se débrouiller, se tirer d'affaire.
door'slaand *b.n.* **1** (*afdoend*) concluant; **2** (*overtuigend*) convaincant.
door'slag *m.* **1** (*vergiettest*) égouttoir *m.*; **2** (*overwicht*) surpoids *m.*; **3** (*drevel*) perçoir, poinçon *m.*; **4** (*v. getypt stuk*) (copie *f.* au) carbone *m.*; ***de — geven,*** emporter la balance, faire pencher —; (*v. stem*) décider.
door'slagpapier *o.* papier *m.* pour la machine à écrire; (*zeer dun*) papier pelure.
door'slapen *on.w.* continuer à dormir; ***de hele nacht —,*** ne faire qu'un somme.
door'slecht *b.n.* **1** méchant comme la gale; **2** des plus mauvais.
door'slijten I *on.w.* s'user, se trouer; **II** *ov.w.* user (à la longue).
door'slikken *ov.w.* avaler; ***de woorden —,*** manger les mots.
door'slippen, door'sluipen *on.w.* se glisser (à travers), passer par.
door'smaak *m.* (*Z.N.*) goût *m.* piquant.
door'smelten *on.w.* se fondre (en deux); (*zekering*) sauter.
door'smeren I *ov.w.* graisser; **II** *z.n.* ***het —,*** graissage *m.* [de.
door'smokkelen *ov.w.* faire entrer en contreban-
door'sne(d)e *v.*(*m.*) **1** (*snijvlak*) section *f.*; **2** (*v. gebouw, enz.*) coupe *f.*, profil *m.*, section *f.*; **3** (*middellijn*) diamètre *m.*; **4** (*H.*) moyenne *f.*, terme *m.* moyen; ***in —,*** **1** en profil, en diamètre; **2** (*H.*) en moyenne.
door'snee-, de type moyen.
door'sneeprijs *m.* (*H.*) prix *m.* moyen.
door'sneeuwen *on.w.* continuer à neiger, neiger sans cesse. [entrecouper; fendre.
door'snijden *ov.w.* couper en deux; trancher;
door'snuffelen *ov.w.* fouiller; fureter dans.
doorspek'ken *ov.w.* entrelarder; ***— met citaten,*** émailler de citations, farcir —, entrelarder —, truffer —.
door'spelen I *on.w.* continuer de jouer; **II** *ov.w.* (*muz.*) déchiffrer.
door'splijten I *ov.w.* fendre en deux, fendre par le milieu; **II** *on.w.* se fendre en deux, — par le milieu.
door'spoelen *ov.w.* **1** rincer, laver, nettoyer; **2** (*linnen*) guéer; lessiver, passer à la lessive.

door'spoeling *v.* **1** rinçage, lavage *m.*; **2** (*v. W. C.*) chasse *f.* d'eau.
door'sporen I *ov.w.* (*per spoor doorreizen*) traverser en chemin de fer, parcourir —; **II** *on.w.* (*verder reizen*) continuer le voyage, continuer sa route, ne pas s'arrêter.
door'spreken *on.w.* continuer de parler, — son [discours.
doorstaan' *ov.w.* **1** (*verdragen, verduren*) supporter, endurer, souffrir; **2** (*storm*) essuyer; ***de vergelijking kunnen —,*** pouvoir soutenir la comparaison.
door'stappen *on.w.* **1** continuer de marcher; **2** (*vlug —*) doubler le pas, presser —.
door'steek *m.* **1** (*handeling*) percement *m.*; **2** (*de opening*) percée *f.*
door'steken *ov.w.* **1** (*zweer, dijk*) percer; **2** (*gezwel*) ouvrir; **3** (*doorboren*) transpercer; **4** (*buis*) déboucher; **5** (*pijp*) nettoyer, curer; ***doorgestoken kaart,*** coup *m.* monté.
doorste'ken *ov.w.* percer; poignarder.
door'steker *m.* débouchoir, rotin *m.*
door'stekertje *o.* cure-pipe* *m.*
door'steking *v.* percement; transpercement *m.*
door'stevenen *on.w.* (*sch.*) continuer sa route.
door'stomen *on.w.* ne pas s'arrêter, continuer le voyage (à toute vapeur).
door'stoot *m.* (*bilj.*) coulé *m.*
doorsto'ten *ov.w.* transpercer.
door'stoten I *ov.w.* **1** percer, trouer; **2** casser (en poussant); **II** *on.w.* **1** pousser à fond; **2** (*bilj.*) couler.
door'stralen I *on.w.* percer; se montrer, se révéler; ***laten —, dat...,*** laisser entendre que...; **II** *ov.w.*, (*gen.*) irradier.
doorstra'len *ov.w.* inonder de sa lumière, rayonner à travers.
door'straling *v.* **1** rayonnement *m.*; **2** irradia- [tion *f.*
door'strepen *ov.w.* rayer, biffer.
doorstro'men *ov.w.* **1** (*rivier*) traverser, arroser; **2** (*lucht*) circuler (dans); **3** (*fig.*) se répandre dans; remplir.
door'stromen *on.w.* continuer à couler.
door'studeren I *on.w.* continuer ses études; **II** *ov.w.* étudier.
door'sturen *ov.w.* **1** envoyer plus loin; faire suivre, réexpédier; **2** (*wegzenden*) renvoyer.
door'tasten *ov.w.* prendre des mesures énergiques; ***flink —,*** pousser l'affaire énergiquement.
doortas'tend *b.n.* énergique; ***—e maatregelen,*** des mesures énergiques.
doortas'tendheid *v.* esprit *m.* énergique.
doortim'merd *b.n.* solidement construit, bien bâti.
doortin'telen *ov.w.* toucher profondément, émouvoir; ***de vreugde doortintelt zijn hart,*** son cœur est pénétré de joie, il tressaille de joie; ***de koude doortintelt mijn vingers,*** j'ai l'onglée aux doigts.
Door'tje *v. en o.* Dorothée *f.*
door'tocht *m.* passage *m.*; ***zich een — banen,*** se frayer un passage.
door'trappen I *ov.w.* enfoncer d'un coup de pied, casser —; **II** continuer de pédaler; pédaler avec (plus d')énergie.
doortrapt' *b.n.* rusé, madré, roué, raffiné, astucieux; ***een —e deugniet,*** un fieffé coquin; ***een —e leugenaar,*** un furieux menteur.
doortrapt'heid *v.* ruse, rouerie, finesse, astuce *f.*
door'trekken *ov.w.* **1** (*doorreizen*) traverser, parcourir, passer par; **2** (*verlengen: spoorlijn, enz.*) prolonger; **3** (*stuk trekken*) casser en tirant, — à force de tirer.
doortrek'ken *ov.w.* imprégner, imbiber.
door'trekkend *b.n.* de passage.
door'trekking *v.* **1** (*v. lijn*) prolongement *m.*; **2** (*v. vloeistof*) imprégnation *f.*
doortril'len *ov.w.* faire vibrer.
door'trillen *on.w.* vibrer longuement.
doortrok'ken *b.n.* — ***van,*** imprégné de, imbibé de.
door'vaart *v.*(*m.*) **1** (*handeling*) passage *m.*; **2** (*vaargeul*) passage, détroit *m.*; passe *f.*
door'vaarthoogte *v.* gabarit *m.*
door'vaartruimte *v.* largeur *f.* d'arche.
door'varen I *on.w.* **1** continuer sa route; **2** traverser, passer par; **3** (*door brug*) passer par; — sous; **II** *ov.w.* briser en naviguant.
doorva'ren *ov.w.* parcourir, faire frissonner.
door'verbinden *ov.w.* donner la communication.
door'vijlen *ov.w.* couper avec la lime, limer.
doorvlech'ten *ov.w.* entrelacer.
doorvlech'ting *v.* entrelacement *m.*
door'vliegen I *on.w.* continuer son vol; **II** *ov.w.* **1** traverser à la hâte, passer —; **2** (*in vliegtuig*) traverser en volant, — en avion; **3** (*boek, enz.*) parcourir à la hâte.
doorvloch'ten *b.n.* — ***met,*** entrelacé de.
doorvoed' *b.n.* bien nourri.
doorvoeld' *b.n.* senti.
door'voer *m.* (*H.*) transit *m.*
door'voerbrief *m.* (*H.*) passavant *m.* de transit.
door'voeren *ov.w.* **1** transporter, faire passer (par); **2** (*H.*) transiter; **3** (*doorzetten*) pousser jusqu'au bout, aller —; **4** (*een beginsel*) appliquer rigoureusement.
door'voerhandel *m.* transit *m.*, commerce *m.* de transit; — transitaire.
door'voerrecht *o.* droit *m.* de transit.
door'voerwaren *mv.* marchandises *f.pl.* de transit.
door'vracht *v.*(*m.*) (*H.*) transit *m.*
door'vreten *ov.w.* ronger.
door'vriezen *on.w.* continuer à geler, geler sans [cesse.
doorwaad'baar *b.n.* guéable; ***doorwaadbare plek,*** gué *m.*
door'waaien *on.w.* ***laten —,*** aérer, ventiler.
doorwa'den *ov.w.* passer à gué, guéer.
doorwa'ding *v.* passage *m.* à gué.
doorwa'ken *ov.w.* passer (la nuit) à veiller.
doorwan'delen *ov.w.* se promener par, parcourir à pied, traverser —.
door'wandelen *on.w.* continuer sa promenade.
doorweekt' *b.n.* **1** (*linnen*) trempé; **2** (*land*) détrempé; **3** (*weg*) défoncé.
door'weg *m.* percée *f.*, trajet *m.*
doorwe'ken *ov.w.* tremper, (s')imbiber.
door'werken I *on.w.* **1** (*voortwerken*) continuer de (*of* à) travailler, travailler toujours; **2** (*onophoudelijk werken*) travailler d'arrache-pied; travailler fort; **3** (*fig.: doordringen*) s'infiltrer; se faire sentir; **II** *ov.w.* **1** (*grondig bestuderen*) étudier à fond, — d'un bout à l'autre; **2** (*muz.*) entrelacer.
doorwer'ken *ov.w.* **1** (*stof*) brocher, lamer; ***met gouddraad doorwerkt,*** broché de fil d'or; **2** (*deeg*) pétrir, bien travailler; (*mengsel*) bien travailler.
doorwe'ven *ov.w.* **1** entrelacer, brocher, tisser (de), mêler (en tissant); **2** (*fig.*) mêler, tisser.
door'woelen *ov.w.* terrasser, creuser; fouiller.
door'worstelen *ov.w.* **1** (*moeilijkheden, enz.*) surmonter, vaincre; **2** (*boek*) lire avec beaucoup de peine.
doorwrocht' *b.n.* achevé, bien travaillé, creusé, profondément poussé, fouillé, pioché; ***een — werk,*** un travail solide.
doorwroe'ten *ov.w.* fouiller, remuer.
door'zagen *ov.w.* scier en deux, — par le milieu.

door'zakken *on.w.* s'affaisser.
door'zakking *v.* affaissement; écroulement, effondrement *m.* [de balles.
doorzeefd' *b.n.* criblé; ***— met kogels,*** criblé
door'zeilen *ov.w.* parcourir à la voile, traverser —.
door'zenden *ov.w.* **1** (*verder zenden*) envoyer plus loin; **2** (*brief, enz.*) faire suivre, réexpédier, acheminer; **3** (*verzoekschrift aan minister*) faire parvenir; **4** (*wegsturen, ontslaan*) (*Z.N.*) renvoyer, congédier.
door'zending *v.* **1** réexpédition *f.*, acheminement *m.*; **2** (*ontslag*) renvoi *m.*
door'zetten I *ov.w.* **1** (*zaak*) pousser plus avant, pousser (à fond); **2** (*wil*) imposer; **3** (*wet, maatregel*) faire adopter; **4** (*onderneming*) mener à bien, venir à bout (de); **II** *on.w.* **1** aller de l'avant, aller jusqu'au bout; **2** (*zich haasten*) se dépêcher; doubler le pas; **3** (*v. paard*) aller bon train.
door'zetting *v.* mise *f.* à exécution, poursuite *f.* active.
door'zettingsvermogen *o.* esprit *m.* de suite, activité *f.* inlassable.
doorze'ven *on.w.* cribler (de coups, balles, etc.).
door'zicht *o.* **1** (*vergezicht*) perspective *f.*; **2** (*open plek*) échappée *f.*; **3** (*fig.*) perspicacité *f.*, pénétration *f.* d'esprit. [limpide.
doorzich'tig *b.n.* **1** transparent; **2** (*helder*)
doorzich'tigheid *v.* transparence; limpidité *f.*
doorzien' *ov.w.* **1** percer; **2** (*doorgronden, begrijpen*) pénétrer, comprendre; ***iem. —,*** voir clair dans le jeu de qn.; ***ik doorzie hem,*** je le devine.
door'zien *ov.w.* parcourir (à la hâte), feuilleter, jeter un coup d'œil dans.
door'zijgdoek *m.* étamine *f.*
door'zijgen *ov.w.* filtrer, passer au filtre.
door'zijging *v.* filtration *f.*
door'zijpelen, -ling, *zie* ***doorsijp....***
doorzoe'ken *ov.w.* fouiller; fureter dans; visiter.
doorzoe'king *v.* **1** fouille; visite, recherche *f.*; **2** (*door 't gerecht*) perquisition *f.*
door'zwelgen *ov.w.* engloutir, avaler.
door'zwerven, doorzwer'ven *ov.w.* parcourir, traverser en errant, — en vagabondant.
door'zweten *on.w.* **1** transsuder; **2** (*v. muur*) suer.
door'zweting *v.* transsudation *f.*
door'zwoegen *on.w.* continuer à trimer, — à peiner, — à faire un travail pénible.
doos *v.(m.)* **1** (*alg.*) boîte *f.*; **2** (*foedraal*) étui *m.*; **3** (*voor juwelen*) écrin *m.*; **4** (*van karton*) carton *m.*; **5** (*fam.: gevangenis*) violon, cachot *m.*; (*mil.*) bloc *m.*; ***de — ingaan,*** être coffré, aller à la boîte; ***in de kleinste —jes is de beste zalf,*** dans les petites boîtes les bons onguents; ***uit de oude —,*** **1** (*verouderd*) suranné, périmé; **2** (*ouderwets*) vieux style, à l'ancienne mode.
doos'barometer *m.* baromètre *m.* anéroïde.
doos'vrucht *v.(m.)* capsule *f.*, fruit *m.* capsulaire.
dop *m.* **1** (*v. ei*) coque, coquille, écale *f.*; **2** (*v. noot*) écale *f.*; **3** (*v. peul*) cosse, gousse *f.*; **4** (*v. graan*) enveloppe *f.*; **5** (*v. maïs*) écaille *f.*; **6** (*v. pijp*) couvercle, chapeau *m.*; **7** (*v. vulpenhouder*) capuchon *m.*; **8** (*fam.: hoed*) galette *f.*; tube; melon *m.*; ***hoge —,*** tube *m.*; ***hij komt pas uit de —,*** il ne fait que sortir de la coque; ***advocaat in de —,*** avocat en herbe; ***financier in de —,*** financier dans l'œuf; ***een half ei is beter dan een lege —,*** pays ruiné vaut mieux que pays perdu.
do'peling *m.* **1** enfant *m.* qu'on baptise, — présenté au baptême; **2** (*nieuwbekeerde*) prosélyte, catéchumène, néophyte *m.*
do'pen I *ov.w.* **1** baptiser; **2** (*indopen*) tremper; ***men heeft hem Frans gedoopt,*** on l'a baptisé sous le nom de François; ***de wijn —,*** couper le vin; **II** *on.w.* baptiser, administrer le baptême; **III** *z.n.*, ***het —,*** le baptême, l'administration *f.* du baptême.
do'per *m.* celui qui baptise, celui qui administre le baptême; ***Johannes de D—,*** saint Jean-Baptiste.
dop'erwten *mv.* petits pois *m.pl.*
dop'hei(de) *v.(m.)* bruyère *f.* à akènes.
dop'hoed *m.* chapeau *m.* melon.
dop'je *o.* **1** (*eier—*) coquetier *m.*; **2** (*v. paraplu*) embout *m.*; **3** (*punt*) bouton *m.*
dop'pen I *ov.w.* **1** (*erwten*) écosser; **2** (*noten*) écaler; **II** *on.w.*, (*fam.: groeten, hoed afnemen*) ôter le chapeau, tirer sa casquette, saluer.
dop'per *m.* **1** (*doperwt*) petit pois *m.*; **2** (*tn.*) pointeau *m.*; **3** (*werkloze*) (*Z.N.*) sans travail, chômeur *m.*
dop'sleutel *m.* clef *f.* à douille(s).
dop'vrucht *v.(m.)* légumineuse *f.*; (*Pl.*) akène *m.*
dor *b.n.* **1** sec, aride; desséché; **2** (*onvruchtbaar*) stérile; **3** (*v. hout*) sec, mort; **4** (*fig.*) aride, froid, dépourvu de grâces.
Do'ra *v.* Dora, Dorothée *f.*
dora'do *o.* eldorado *m.*
do'ren, *zie* ***doorn.***
dor'heid *v.* **1** sécheresse: aridité *f.*; **2** stérilité *f.*; **3** (*fig.*) aridité, froideur *f.*, manque *m.* de grâces.
Do'riër *m.* Dorien *m.*
Do'risch *b.n.* dorique.
dorp *o.* village *m.*
dorp'achtig *b.n.* villageois, rustique.
dor'pel *m.* seuil *m.*, pas *m.* de la porte.
dor'peling(e) *m.* (*v.*) villageois *m.*, —e *f.*
dorps *b.n.* villageois, rustique.
dorps'gek *m.* innocent *m.* du village.
dorps'genoot *m.*, **dorps'genote** *v.* pays *m.*, payse *f.*; co-villageois *m.*, —e *f.*
dorps'herberg *v.(m.)* auberge *f.*, cabaret *m.* de village.
dorps'kermis *v.(m.)* foire *f.* de village.
dorps'leven *o.* vie *f.* au village, — rustique, — de la campagne.
dorps'lieden, dorps'lui *mv.* villageois *m.pl.*
dorps'muzikant *m.* ménétrier *m.* de village.
dorps'pastoor *m.* curé *m.* de campagne.
dorps'pastorie *v.* presbytère *m.* rustique.
dorps'plein *o.* place *f.* du village, — publique.
dorps'predikant *m.* (*prot.*) pasteur *m.* de village.
dorps'school *v.(m.)* école *f.* de village.
dorps'weg *m.* chemin *m.* vicinal.
dorp'waarts *bw.* dans la direction du village.
dor'ren *on.w.* sécher, se flétrir.
dors *m.* **1** (*het dorsen*) battage *m.* du blé; **2** (*dorsvloer*) aire *f.*; **3** (*vissoort*) gade *m.*, petite morue *f.*
dor'sen I *ov.w.* battre; **II** *on.w.* battre le blé.
dor'ser *m.* batteur *m.* (en grange), — au fléau.
dors'machine *v.* batteuse *f.*
dors'schuur *v.(m.)* grange *f.*
dorst *m.* soif *f.*; ***— hebben,*** avoir soif; ***zijn — lessen,*** étancher sa soif, se désaltérer.
dors'ten *on.w.* avoir soif, être altéré; ***— naar bloed,*** être altéré de sang.
dors'tig *b.n.* altéré, qui a soif.
dors'tigheid *v.* soif *f.*
dors'tijd *m.* saison *f.* du battage.
dorst'lessend *b.n.* désaltérant.
dorst'verwekkend *b.n.* altérant, causant la soif.
dors'vlegel *m.* fléau *m.*
dors'vloer *m.* aire *f.*
Do'rus *m.* Théodore *m.*
dos *m.* parure *f.*, vêtements *m.pl.*

dose'ring *v.* dosage *m.*
do'sis *v.* dose *f.*
do'-sleutel *m.* clef *f.* d'ut.
dossier' *o.* dossier *m.*
dot *m. en v.* **1** (*haar, enz.*) touffe *f.*; **2** (*kluwen*) pelote *f.*; **3** (*gen.: wiek van linnen of watten*) tampon *m.*; **4** (*voor kinderen: fopspeen*) suçon *m.*, sucette; tétine *f.*; ***een — van een kind,*** un amour d'enfant.
dota'tie *v.* dotation *f.*
dote'ren *ov.w.* doter.
Dot'tenijs *o.* Dottignies. [d'or
dot'terbloem *v.(m.)* souci *m.* d'eau, bouton *m.*
doua'ne, doea'ne I *v.(m.)* (*dienst*) douane *f.*; **II** *m.* (*beambte*) douanier *m.*, préposé *m.* à la douane; ***de — passeren,*** passer à la douane.
doua'nebeambte, doea'nebeambte *m.-v.* fonctionnaire *m.* des douanes, préposé *m.* à la douane, douanier *m.*
doua'neformaliteiten, doea'neformaliteiten *mv.* formalités *f.pl.* de (*of* en) douane.
doua'nekantoor, doea'nekantoor *o.* bureau *m.* de la douane.
doua'nerechten, doea'nerechten *mv.* droits *m.pl.* de douane. [douanier.
doua'netarief, doea'netarief *o.* tarif *m.*
doua'neverklaring, doea'neverklaring *v.* déclaration *f.* en douane. [la douane.
doua'nezegel, doea'nezegel *o.* timbre *m.* de
doublé' *o.* doublé-or, doublé *m.* d'or.
double'ren I *ov.w.* (*klas, rol*) doubler; **II** *on.w.* (*kaartsp.*) contrer.
douceur'tje *o.* pourboire, extra *m.*
dou'che *v.(m.)* douche *f.*
dou'cheapparaat *o.* appareil *m.* à douche.
dou'checel *v.(m.)* bain*-douche* *m.*, cabinet *m.* de douche.
douw, *zie* ***duw.***
do've *m.-v.* sourd *m.*, —e *f.*
dovekool' *v.(m.)* charbon *m.* éteint.
do'veman *m.* sourd *m.*; ***aan —s deur kloppen,*** parler à un sourd.
do'ven *ov.w.* **1** éteindre, étouffer; **2** (*fig.*) amortir.
dovene'tel *v.(m.)* lamier *m.*; ***gele —,*** ortie *f.* jaune; ***witte —,*** ortie *f.* blanche.
Do'ver *o.* Douvres *f.*
do'vig *b.n.* un peu sourd.
do'vigheid *v.* légère surdité *f.*, dureté *f.* de l'oreille.
down *bw.* abattu.
down'slag *m.* (*kaartspel*) levée *f.* de chute; ***een —,*** une de chute.
do'zenfabriek *v.* fabrique *f.* de boîtes.
dozijn' *o.* douzaine *f.*; ***bij het —,*** à la douzaine; ***bij —en,*** par douzaines.
dra *bw.* bientôt.
draad *m.* (*stofnaam o. en m.*) **1** (*v. garen*) fil *m.*; **2** (*v. wollen stoffen*) corde *f.*; **3** (*vezel*) filament *m.*, fibre *f.*; **4** (*v. vlees*) fibre *f.*; **5** (*aan mes*) morfil *m.*; **6** (*v. schroef*) filet *m.*; **7** (*metaal—*) fil *m.*; (*v. elektr. lamp*) filament *m.*; **8** (*in glas, steen*) filandre *f.*; **9** (*fig.*) fil *m.*; ***de — kwijtraken,*** perdre le fil de ses idées; ***tegen de —,*** à contre-fil; ***tegen de — scheren,*** raser à contre-poil; ***tot op de — versleten,*** usé jusqu'à la corde, montrant la corde; ***hij had geen droge — meer aan 't lijf,*** il était trempé jusqu'aux os, il n'avait plus un fil sec; ***een — insteken,*** enfiler une aiguille; ***per —,*** par dépêche, par fil télégraphique; ***voor de — komen met,*** s'expliquer sur.
draad'bank *v.(m.)* banc *m.* de tréfilerie.
draad'bericht *o.* télégramme, câblogramme *m.*
draad'gaas *o.* gaze *f.* métallique.
draad'glas *o.* verre *m.* filigrané.
draad'houder *m.* (*tel.*) porte-fil* *m.*
draad'je *o.* filet *m.*, bout *m.* de fil; ***elke dag een — is een hemdsmouw in het jaar,*** petit à petit l'oiseau fait son nid.
draad'kabel *m.* câble *m.* en fil de fer.
draad'klos *m.* bobine *f.*
draad'loos I *b.n.* sans fil; ***draadloze telegrafie,*** télégraphie *f.* sans fil, T. S. F.; **II** *bw.* par sans fil.
draad'nagel *m.* clou *m.*; pointe *f.* (de Paris).
draad'nagelfabriek *v.* fabrique *f.* de clous d'épingle; pointerie *f.*
draad'omroep *m.* radiodistribution *f.*
draads *bw.* dans le sens du fil. [*f.pl.*
draad'schaar *v.(m.)* pince *f.* à fil de fer, cisailles
draad'snaar *v.(m.)* corde *f.* métallique, — de laiton.
draad'tang *v.(m.)* pince *f.* américaine.
draad'trekken *o.* étirage *m.*
draad'trekker *m.* tréfileur *m.*
draad'trekkerij *v.* tréfilerie *f.*
draad'versperring *v.* barrage *m.* en fil barbelé, — de fils de fer.
draad'vormig *b.n.* filiforme.
draad'werk *o.* **1** (*bij goudsmid*) filigrane *m.*; **2** (*rasterwerk*) treillage *m.*, grillage *m.* métallique.
draad'worm *m.* filaire *m.*
draag'altaar *o.* autel *m.* portatif.
draag'baar I *v.(m.)* brancard *m.*, civière *f.*; **II** *b.n.* **1** (*v. last*) portable; **2** (*wapen, schrijfmachine, radio, enz.*) portatif; **3** (*v. brug*) transportable; **4** (*v. kleren*) mettable.
draag'baarheid *v.* portabilité *f.*
draag'balk *m.* **1** (*bouwk.*) travon *m.*, poutre *f.* principale; **2** (*v. brug*) travée *f.*
draag'band *m.* **1** (*alg.*) portant *m.*; **2** (*koppel*) ceinturon, baudrier *m.*; **3** (*schuin*) bandoulière *f.*; **4** (*v. gewonde arm*) écharpe *f.*
draag'golf *v.(m.)* (*radio*) onde *f.* porteuse.
draag'hemel *m.* dais *m.*
draag'juk *o.* palanche *f.*
draag'koets *v.(m.)* chaise *f.* à porteurs.
draag'kracht *v.(m.)* **1** force *f.* portative; **2** (*laadvermogen*) (limite de) charge *f.*; **3** (*v. vuurwapen*) portée *f.*, puissance *f.* balistique; **4** (*v. kapitaal*) faculté *f.* contributive; **5** (*fig.: v. woorden, enz.*) portée *f.*
draag'kussen *o.* **1** (*op hoofd*) bourrelet *m.*; **2** (*op handen*) coussinet *m.*; **3** (*voor kind*) porte-bébé *m.*
draag'lijk *b.n.* **1** (*te verdragen*) supportable; **2** (*duldbaar*) tolérable; **3** (*fam.*) passable.
draag'riem *m.* **1** (*v. ransel*) brassière *f.*; **2** (*v. geweer*) bretelle *f.*; **3** (*v. patroontas*) banderole *f.*; **4** (*aan disselboom*) dossière *f.*; **5** (*v. rijtuig*) soupente *f.*
draag'ster *v.* porteuse *f.*
draag'stoel *m.* chaise *f.* à porteurs.
draag'vermogen *o.* **1** (*laadvermogen*) (limite de) charge *f.*; **2** (*v. brug, ijs*) (force de) résistance *f.*; **3** (*draagwijdte*) portée *f.* [plan *m.*
draag'vlak *o.* **1** surface *f.* d'appui; **2** (*vl.*) aile *f.*,
draag'wijdte *v.* portée *f.*
draai *m.* **1** tournant *m.*; **2** (*fig.: wending*) tournure *f.*; **3** (*v. wiel*) tour *m.*; **4** (*— om de oren*) soufflet *m.*; **5** (*bocht*) tournant *m.*; **6** (*duizeling*) (*Z.N.*) vertige *m.*; ***zijn — te kort nemen,*** prendre son tournant trop court, tourner trop court; ***zijn — hebben,*** être content, — dans son élément.
draai'as *v.(m.)* axe *m.* de rotation.
draai'baar *b.n.* tournant.
draai'bank *v.(m.)* tour *m.*, banc *m.* de tourneur.
draai'beitel *m.* (*tn.*) biseau *m.*

draai'beweging *v.* mouvement *m.* rotatoire.
draai'boek *o.* scénario *m.* (texte).
draai'boom *m.* **1** (*slagboom*) barrière *f.*; **2** (*draaikruis*) tourniquet, moulinet *m.*; **3** (*kraan*) grue *f.*
draai'bord *o.* (*kansspel*) jeu *m.* de tourniquet, roue *f.* de fortune.
draai'brug *v.*(*m.*) pont *m.* tournant.
draai'deur *v.*(*m.*) porte*-revolver *f.*, porte à tambour, (*soms*) portillon *m.* automatique.
draai'en I *on.w.* **1** (*in 't rond*) tourner; (*vlug*) tournoyer; **2** (*om spil*) pivoter; **3** (*naar rechts of links*) tourner (à droite, à gauche); **4** (*sch.*) virer; **5** (*duizelig zijn*) (*Z.N.*) avoir le vertige; **6** (*fig.*) prendre des détours, chercher —; ***er omheen —,*** tourner autour du pot; tourner autour de la question; ***alles draait om hem,*** tout tourne sur lui; ***daar draait alles om,*** c'est la cheville ouvrière; ***iem. een rad voor de ogen —,*** mener qn. par le nez; **II** *ov.w.* **1** tourner; faire tourner; **2** (*wringen*) tordre; **3** (*op draaibank*) tourner, façonner au tour; **4** (*sigaret*) rouler; (*tabak*) corder; **5** (*pillen*) faire; **III** *w.w.* ***zich —,*** **1** (*v. persoon*) se tourner; **2** (*v. zaken*) tourner; ***zich ergens in —,*** se faufiler quelque part; ***zich ergens uit —,*** se tirer d'un mauvais pas.
draai'end *b.n.* **1** tournant, tournoyant; **2** (*tn.*) rotatoire, rotatif, giratoire; **3** (*bochtig*) tortueux.
draai'er *m.* **1** (*kunstdraaier: ivoor, hout, enz.*) tourneur *m.*; **2** (*op draaischijf*) tournasseur *m.*; **3** (*krukarm*) manivelle *f.*; **4** (*v. lamp*) clef *f.*; **5** (*halswervel*) axis *m.*; **6** (*fig.*) trompeur *m.*, homme dissimulé; homme *m.* inconstant, girouette *f.*
draai'erig *b.n.* **1** tortueux; **2** (*duizelig*) pris de vertige; sujet au vertige; ***ik ben —,*** la tête me tourne, j'ai le vertige.
draai'erigheid *v.* tournement *m.* de tête, vertige *m.*
draaierij' *v.* **1** tournerie *f.*; **2** (*fig.*) entortillage *m.*, détours *m.pl.*; (*uitvlucht*) subterfuge, faux-fuyant* *m.*
draai'hek *o.* tourniquet *m.*
draai'ing *v.* **1** (*het draaien*) tournement *m.*; rotation *f.*; **2** (*v. wind*) changement *m.*; **3** (*duizeling*) (*Z.N.*) vertige *m.*, tournoiement *m.* de tête; **4** (*wending, in de wol*) tors *m.*
draai'kever *m.* tourniquet *m.*
draai'kolk *m. en v.* tournant, gouffre *m.*
draai'kooi *v.*(*m.*) tournette *f.*
draai'kruis *o.* tourniquet *m.*
draai'kruk *v.*(*m.*) manivelle *f.*
draai'licht *o.* (*sch.*) feu *m.* tournant, lumière *f.* tournante, phare *m.* à éclipses.
draai'molen *m.* manège *m.* (de chevaux de bois), carrousel *m.*
draai'orgel *o.* orgue *m.* de Barbarie.
draai'pen *v.*(*m.*) pivot, tourillon *m.*
draai'punt *o.* pivot *m.*, centre *m.* de rotation, axe *m.*
draai'schakelaar *m.* interrupteur *m.*
draai'schijf *v.*(*m.*) **1** (*op spoorweg*) plaque *f.* tournante; **2** (*v. horlogemaker*) tour *m.*; **3** (*v. diamantslijper*) meule *f.*, plateau *m.* (tournant); **4** (*v. draaibank, pottenbakker*) tournette *f.*; **5** disque *m.*
draai'slot *o.* crémone *f.*
draai'spiegel *m.* psyché *f.*, miroir *m.* pivotant.
draai'spil *v.*(*m.*) **1** (*tn.*) pivot *m.*; **2** (*sch.*) cabestan *m.*
draai'spit *o.* broche *f.*
draai'stoel *m.* chaise *f.* tournante.
draai'stroom *m.* **1** (*maalstroom*) tournant, gouffre *m.*; **2** (*el.*) courant *m.* tournant, — triphasé.
draai'tol *m.* **1** toupie *f.*; **2** (*fig.: in meningen, enz.*) girouette *f.*
draai'toneel *o.* scène *f.* tournante.
draai'werk *o.* **1** tournerie *f.*, objet *m.* fait au tour; **2** travail *m.* de tourneur, travaux *m.pl.* —.
draai'wervel *m.* axis *m.*
draai'wind *m.* tourbillon *m.*
draai'zaag *v.*(*m.*) scie *f.* circulaire.
draai'ziekte *v.* tournoiement, tournis *m.*
draak *m.* **1** dragon *m.*; **2** (*vlieger*) cerf*-volant* *m.*; **3** (*fig.: persoon*) homme *m.* insupportable; mégère *f.*, dragon *m.*; **4** (*toneelstuk*) mélodrame, mélo *m.*; pièce *f.* à grand spectacle; ***de — steken met,*** se moquer de.
drab *v.*(*m.*) *en o.* **1** (*v. wijn*) lie *f.*; **2** (*v. koffie*) marc *m.*; **3** (*v. inkt*) boue *f.*; **4** (*bezinksel*) sédiment *m.*
drab'big *b.n.* **1** trouble, épais; **2** (*v. koffie*) boueux; **3** (*v. wijn*) gras, louche; **4** (*gen.*) féculent.
drab'bigheid *v.* **1** épaisseur *f.*; **2** (*gen.*) féculence *f.*
drach'me *v.*(*m.*) *en o.* drachme *f.*
dracht *v.*(*m.*) **1** (*kleding*) habits *m.pl.*; **2** (*kleder—*) costume *m.*, mise *f.*; façon *f.* de s'habiller; **3** (*vracht: wat men dragen kan*) charge *f.*; **4** (*v. vuurwapen*) portée *f.*; **5** (*v. wond*) matière *f.*, pus *m.*; **6** (*v. ogen*) chassie *f.*; ***een — slagen,*** une volée de coups, une raclée.
drach'tig *b.n.* **1** (*v. wond*) suppurant; **2** (*v. ogen*) chassieux; **3** (*v. dier*) plein.
drach'tigheid *v.* gestation *f.*
draco'nisch, drako'nisch *b.n.* draconien.
dra'denteller *m.* compte-fils *m.*
dra'derig, dra'dig *b.n.* fibreux, filamenteux, filandreux.
draf *m.* **1** (*gang v. paard*) trot *m.*; **2** (*afvalprodukt*) drêche *f.*, marc *m.*, lavure *f.*; ***in —,*** au trot; ***in gestrekte —,*** au trot allongé; ***in korte —,*** au petit trot; ***in verkorte —,*** au trot raccourci; ***in volle —,*** au grand galop; ***op een —je,*** au trot; vite, en courant.
dra'gen I *ov.w.* **1** porter; **2** (*ondersteunen*) soutenir, supporter; **3** (*kleren, ring, bril, enz.*) porter; **4** (*overdragen*) porter, transporter; **5** (*naam, litteken, enz.*) porter; ***bij zich —,*** avoir sur soi; ***haat in zijn hart —,*** nourrir de la haine; ***kennis — van,*** avoir connaissance de; ***zorg — voor,*** avoir soin de, prendre —; ***gedragen kleren,*** des habits (*of* vêtements) usagés; ***voor het eerst —,*** étrenner; **II** *on.w.* **1** (*v. geweer, stem, ijs*) porter; **2** (*v. boom*) produire, porter, rapporter; **3** (*v. wond*) suppurer.
dra'ger *m.* **1** porteur *m.*; **2** (*pakjesdrager*) portefaix, commissionnaire *m.*; **3** (*stut, steunsel*) portant support *m.*; **4** (*zieken—*) brancardier *m.*; **5** (*fig.: v. denkbeelden, enz.*) représentant *m.*; incarnation *f.*; **6** (*v. besmetting, enz.*) agent *m.*
drag'line *v.*(*m.*) dragline *m.*, pelle *f.* mécanique, pelleteuse *f.*
drag'linemachinist *m.* machiniste *m.* de dragline, — de pelle mécanique.
dragon'der *m.* (*mil.*) dragon *m.*; ***een —,*** (*helleveeg*) une virago.
draineer'buis *v.*(*m.*) drain *m.*, tuyau *m.* de drainage.
draine'ren *ov.w.* drainer.
draine'ring *v.* drainage *m.*
dra'kebloed *o.* (*Pl.*) sang *m.* de dragon.
dra'kekop *m.* (*Pl.*) tête *f.* de dragon.
dra'kestaart *m.* (*sterr.*) queue *f.* du dragon.
drako'nisch, draco'nisch *b.n.* draconien.
dra'len *on.w.* **1** tarder, temporiser; atermoyer; **2** (*aarzelen*) hésiter (à faire qc.).
dra'ler *m.* temporiseur, temporisateur *m.*
dralerij', dra'ling *v.* **1** temporisation *f.*; **2** hésitation *f.*; **3** (*besluiteloosheid*) irrésolution *f.*

dra'ma *o.* drame *m.*; (*treurspel*) tragédie *f.*
dramatiek' *v.* dramatique *m.*, genre *m.* dramatique.
drama'tisch I *b.n.* dramatique; **II** *bw.* dramatiquement.
dramatise'ren, -ize'ren *ov.w.* dramatiser.
dramaturg' *m.* auteur *m.* dramatique.
drang *m.* **1** (*drukking*) poussée *f.*; (*haast*) urgence *f.*; **2** (*verlangen*) envie *f.*; désir *m.*; **3** (*gedrang*) presse, foule *f.*; **4** (*fig.*: *prikkel*) aiguillon *m.*, impulsion *f.*; ***de — des harten,*** l'impulsion du cœur; ***door de — der omstandigheden,*** par la force des choses, sous la poussée des circonstances.
drang'reden *v.*(*m.*) motif *m.* pressant, — puissant.
drank *m.* **1** boisson *f.*; (*voor dieren*) breuvage *m.*; **2** (*gen.*) potion *f.*; ***sterke —,*** boisson forte, liqueur —; ***sterke —en,*** des spiritueux; ***aan de — geraken,*** s'adonner à la boisson, devenir alcoolique; ***aan de — zijn,*** être adonné à la boisson, aimer la bouteille.
drank'bestrijder *m.* antialcoolique *m.*
drank'bestrijding *v.* lutte *f.* contre l'alcoolisme, antialcoolisme *m.*
drank'duivel *m.* démon *m.* de la boisson, — de l'alcool.
drank'fles *v.*(*m.*) bouteille *f.* à l'eau de vie (*of* à genièvre).
drank'flesje *o.* fiole *f.*
drank'gelegenheid *v.* débit *m.* de boissons, bistrot *m.*, assommoir *m.*
drank'huis *o.* débit *m.* de boissons.
drank'je *o.* **1** potion *f.*; **2** (*aftreksel*) tisane *f.*
drank'misbruik *o.* abus *m.* des boissons alcooliques, alcoolisme *m.*
drank'verbod *o.* prohibition *f.*
drank'verbruik *o.* consommation *f.* d'alcool.
drank'verkoop *m.* vente *f.* des boissons.
drank'verkoper *m.* liquoriste; cabaretier *m.*, marchand *m.* de vin.
drank'wet *v.*(*m.*) (loi *f.* sur le) régime *m.* des boissons.
drank'zucht *v.*(*m.*) alcoolisme *m.*; (*gen.*) dipsomanie *f.*
drankzuch'tige *m.-v.* alcoolique; (*gen.*) dipsomane *m.-f.*
drape'ren *ov.w.* draper.
drape'ring *v.* **1** (*handeling*) drapement *m.*; **2** (*v. deuren, vensters, enz.*) draperie *f.*; **3** (*v. japon*) drapé *m.*
dras I *v.*(*m.*) marécage, marais *m.*; **II** *b.n.* marécageux, bourbeux.
dras'land *o.* terrain *m.* marécageux.
dras'sig *b.n.* marécageux.
dras'sigheid *v.* état *m.* marécageux.
dras'tisch *b.n.* **1** (*gen.*) drastique; **2** (*fig.*) violent; exagéré.
dra'ven *on.w.* trotter, aller au trot; courir.
dra'ver *m.* trotteur *m.*
draverij' *v.* course *f.* (au trot).
dreef *v.*(*m.*) allée, avenue *f.*; ***op — helpen,*** mettre en train; ***op — zijn,*** être en train; ***langs velden en dreven,*** par les bois et les plaines.
Drees, ***van — trekken,*** toucher sa pension de vieillesse.
dreg(ge) *v.*(*m.*) **1** (*anker*) grappin *m.*; **2** (*om op te vissen*) drague *f.*
dreg'gen *ov.w. en on.w.* draguer.
dreg'haak *m.* crochet *m.*
dreig'brief *m.* lettre *f.* de menaces, — comminatoire.
dreigement' *o.* menace *f.*
drei'gen *ov.w. en on.w.* menacer; ***dat gebouw dreigt in te storten,*** ce bâtiment menace ruine; ***het dreigt te gaan regenen,*** la pluie menace.
drei'gend *b.n.* **1** menaçant; **2** (*v. gevaar*) imminent.
drei'ging *v.* menace *f.*
drei'nen *on.w.* pleurnicher, geindre.
drei'ner *m.* pleurnicheur, geignard *m.*
drei'nerig *b.n.* pleurnicheur.
drek *m.* **1** (*uitwerpselen*) excréments *m.pl.*; matières *f.pl.* fécales; **2** (*v. dieren*) fiente *f.*; **3** (*vuil*) ordures, immondices *f.pl.*; **4** (*straatvuil*) boue, crotte *f.*
drek'kig *b.n.* fangeux, boueux, crotté.
drek'kigheid *v.* saleté *f.*, état *m.* fangeux.
drem'pel *m.* **1** seuil *m.*; **2** (*fig.*) entrée *f.*
drem'pelvrees *v.*(*m.*) phobie *f.* du seuil.
drem'pelwaarde *v.* valeur *f.* limite.
dren'keling(e) *m.* (*v.*), noyé *m.*, —e *f.*
dren'ken *ov.w.* donner à boire, mener boire, abreuver; ***met bloed gedrenkt,*** trempé de sang; ***met zijn bloed —,*** abreuver de son sang.
drenk'plaats *v.*(*m.*) abreuvoir *m.*
drenk'trog *m.* abreuvoir *m.*
dren'telaar *m.* flâneur *m.*
dren'telen *on.w.* flâner, marcher à petits pas; ***heen en weer —,*** faire les cent pas; ***naar huis —,*** rentrer en flânant.
dren'zen *on.w.* pleurnicher, geindre.
dren'zerig *b.n.* pleurnicheur.
Dres'den *o.* Dresde *f.*
dresseer'zweep *v.*(*m.*) chambrière *f.*
dresse'ren *ov.w.* **1** (*paard, enz.*) dresser; **2** (*knecht, dienstbode*) styler; ***gedresseerde hond,*** chien *m.* savant.
dressoir' *o.* dressoir *m.*, desserte *f.*
dressuur' *v.* dressage *m.*
dreu'mes *m.* **1** (*kind*) mioche, moutard, petiot *m.*; **2** (*persoon*) (petit) bout *m.* d'homme (*of* de femme).
dreun *m.* **1** (*deun*) air *m.* monotone; **2** (*dreunend geluid*) bruit *m.* sourd; ***een vervelende —,*** une scie.
dreu'nen *on.w.* trembler; gronder; parler (*of* chanter) d'un air monotone.
dre'vel *m.* **1** (*voor gaten*) poinçon *m.*; **2** (*voor verbinding*) goujon *m.*; **3** (*voor aandrijven*) chasse-pointe, chassoir *m.*
drib'belaar *m.* petit trottin *m.*, personne qui ne tient pas en place.
drib'belen *on.w.* trottiner, aller (*of* marcher) à petits pas pressés.
drie *telw.* trois; —, *v.*(*m.*) trois *m.*; ***in —ën gevouwen,*** plié en triple; ***alle goede dingen bestaan in —ën,*** les bonnes choses sont au nombre de trois; ***wij zijn met ons —ën,*** nous sommes trois; ***een — voor Engels hebben,*** avoir un trois d'anglais; ***per — maanden,*** par trimestre.
drie'ar'mig *b.n.* à trois bras.
drie'baans *b.n.* à trois voies.
drie'bla'dig *b.n.* à trois feuilles, trifolié.
drie'bloe'mig *b.n.* triflore.
drie'bond *m.* triplice *f.*
drie'daags *b.n.* de trois jours.
drie'dekker *m.* **1** (*sch.*) trois-ponts *m.*; **2** (*vl.*) triplan *m.*
drie'de'lig *b.n.* **1** divisé en trois; **2** tripartite; **3** (*muz.*: *maat*) ternaire.
drie'dimensionaal' *b.n.* à trois dimensions.
drie'draad *o. en m.* **1** treillis *m.*; **2** (*bier*) triple *f.*
drie'draads *b.n.* à trois fils, — brins; ***— garen,*** fil *m.* en trois.
drie'dub'bel I *b.n.* triple; **II** *bw.* triplement.
drieëen'heid *v.* trinité *f.*; ***de D—,*** la Trinité.
drieë'nig *b.n.* trois en un, un seul en trois.
drieërlei' *b.n.* de trois sortes, — espèces.
drie'fa'zig *b.n.* triphasé.
drieg'draad *m.* faufil *m.*

drie'gen *ov.w.* faufiler.
drie'gestreept *b.n.* (*muz.*) trois fois barré.
drie'hoek *m.* triangle *m.*; (*teken*—) équerre *f.* (à dessin).
driehoekig *b.n.* triangulaire.
drie'hoeksmeetkunde, drie'hoeksmeting *v.* trigonométrie *f.*; ***vlakke —,*** triangulation *f.*
drie'hoeksverhouding *v.* ménage *m.* à trois.
driehoevig *b.n.* trisulce.
drie'honderd *telw.* trois cents.
drie'honderdste *telw.* trois centième.
drie'hoof'dig *b.n.* tricéphale, à trois têtes.
drie'jaar'lijks *b.n.* trisannuel.
drie'jarig *b.n.* de trois ans; triennal.
drie'kaart *v.*(*m.*) tierce *f.*
drie'kant *m.* triangle *m.*
drie'kantig *b.n.* triangulaire; tricorne, à trois cornes; ***—e hoed,*** tricorne *m.*
drie'klank *m.* **1** triphtongue *f.*; **2** (*muz.*) triple [accord *m.*
drie'kleur *v.*(*m.*) drapeau *m.* tricolore.
driekleu'rendruk *m.* impression *f.* en trois couleurs; procédé *m.* trichrome.
driekleu'rig *b.n.* tricolore, aux trois couleurs; [trichrome.
driekoloms' *b.n.* sur trois colonnes.
Drieko'ningen *m.* l'Épiphanie *f.*, jour *m.* des Rois, fête *f.* des Rois.
drieko'ningenkoek *m.* gâteau *m.* des Rois.
drie'kroon *v.*(*m.*) tiare *f.*
drie'kwart, aux trois quarts.
drie'kwartsmaat *v.*(*m.*) mesure *f.* à trois temps.
drie'kwartviool *v.*(*m.*) violon *m.* trois quarts.
driele'dig *b.n.* triple; trinôme.
drie'lettergrepig *b.n.* trisyllabique.
drie'ling *m.* trois jumeaux, triplés *m.pl.*; un *m.* des trois jumeaux.
drie'luik *o.* triptyque *m.*
drie'maal, trois fois; ***— is scheepsrecht,*** la troisième fois est la bonne.
drie'maan'delijks *b.n.* trimestriel.
driemaands'wissel *m.* (*H.*) traite *f.* à trois mois de date.
drie'manschap *o.* triumvirat *m.*
drie'master *m.* trois-mâts *m.*
driemoto'rig *b.n.* (*vl.*) trimoteur.
drieploe'genstelsel *o.* travail *m.* à trois équi-[pes.
drie'poot *m.* trépied *m.*
driepun'tig *b.n.* à trois pointes; à trois cornes.
drie'regelig *b.n.* de trois lignes, de trois vers; ***— vers,*** tercet *m.*
Dries *m.* André *m.*
dries *m.* **1** (*braakland*) jachère *f.*; **2** (*met gras begroeid dorpsplein*) (*Z.N.*) pré *m.* communal; **3** plaine *f.*
drie'slagstelsel *o.* assolement *m.* triennal.
drie'sna'rig *b.n.* à trois cordes.
drie'span *o.* attelage *m.* de trois chevaux.
drie'sprong *m.* carrefour *m.* (de trois chemins), trifurcation *f.*
driest *b.n.* **1** (*stout*) hardi; téméraire; **2** (*vermetel*) audacieux; **3** (*onbeschaamd*) effronté, impertinent.
diestekker, *zie* ***driewegstekker.***
driestemmig *b.n.* à trois voix, —parties.
driest'heid *v.* **1** hardiesse *f.*; **2** audace *f.*; **3** effronterie, impertinence *f.*
drie'tal *o.* trio *m.*, triade *f.*; nombre *m.* de trois; ***een — boeken,*** trois ou quatre livres.
drieta'lig *b.n.* trilingue.
drie'tallig *b.n.* ternaire.
drie'tand *m.* trident *m.*
drietan'dig *b.n.* tridenté, à trois dents.
drie'term *m.* trinôme *m.*
drie'trapsraket *v.*(*m.*) fusée *f.* à trois étages.
drieversnel'lingsnaaf *v.*(*m.*) moyeu *m.* à trois changements de vitesse.
drie'vlak'kig *b.n.* trièdre.
drie'vlakshoek *m.* angle *m.* trièdre.
drie'voet *m.* trépied, trois-pieds *m.*
drie'voud *o.* triple *m.*
drievou'dig *b.n.* triple.
drievou'digheid *v.* triplicité *f.*
drievul'dig *b.n.* triple.
drievul'digheid *v.* trinité, triplicité *f.*
drie'waardig *b.n.* (*sch.*) trivalent.
drie'wegkraan *v.*(*m.*) robinet *m.* à trois voies.
drie'wegschakelaar *m.* commutateur *m.* à trois directions.
drie'wegstekker *m.* fiche *f.* triplite.
drie'werf *bw.* trois fois.
drie'wieler *m.* **1** tricycle *m.*; **2** (*voor bestellers*) triporteur *m.*
driezij'dig *b.n.* trilatéral, trigone.
drie'zitsbank *v.*(*m.*) banc *m.* pour trois personnes, — à trois places.
drift *v.*(*m.*) **1** (*woede*) colère *f.*, emportement *m.*, irritation *f.*; **2** (*overhaasting*) précipitation *f.*, empressement *m.*, hâte *f.*; **3** (*hartstocht*) passion *f.*; (*ingeboren*) instinct *m.*; **4** (*kudde, troep*) troupeau *m.*, troupe *f.*; **5** (*het afdrijven: v. schip*) dérive *f.*; **6** (*stroom*) courant, entraînement *m.*; ***er is — in de wolken,*** les nuages chassent; ***in — geraken,*** se mettre en colère, s'emporter; ***door —,*** dans un accès de colère; ***op —,*** à la dérive.
drif'tig *b.n.* **1** (*boos*) (en) colère, coléreux, irrité; **2** (*oplopend*) fougueux, emporté, vif, brusque; **3** (*haastig*) précipité, empressé; ***— zijn,*** **1** (*v. persoon*) être en colère; **2** (*v. schip*) chasser sur ses ancres; ***— van aard zijn,*** avoir la tête chaude; ***— worden,*** se fâcher, s'emporter, se mettre en colère.
drift'kop *m.* tête *f.* chaude, homme *m.* irascible, — colérique.
drift'stroom *m.* courant *m.* de surface, dérive *f.*
drijf'anker *o.* (*sch.*) ancre *f.* flottante, — à dérive.
drijf'as *v.*(*m.*) arbre *m.* moteur.
drijf'beitel *m.* (*tn.*) ciseau *m.*
drijf'hamer *m.* (*tn.*) maillet *m.*
drijf'hout *o.* **1** (*dat aanspoelt*) épave(s) *f.*(*pl.*); **2** (*werktuig*) chassoir *m.*; chasse-pointe *m.*
drijf'ijs *o.* glaces *f.pl.* flottantes.
drijf'ijzer *o.* (*tn.*) repoussoir *m.*
drijf'jacht *v.*(*m.*) battue, traque *f.*
drijf'kracht *v.*(*m.*) force *f.* motrice, énergie *f.*
drijf'nat *b.n.* **1** tout mouillé; **2** (*v. 't zweet*) en nage.
drijf'rad *o.* roue *f.* motrice; (*aan draaibank*) roue *f.*
drijf'riem *m.* (*tn.*) courroie *f.* de transmission.
drijf'stang *v.*(*m.*) bielle *f.*
drijf'tol *m.* sabot *m.*, toupie *f.*
drijf'ton *v.*(*m.*) balise, bouée *f.*
drijf'veer *v.*(*m.*) **1** ressort *m.*; **2** (*fig.*) motif, mobile, ressort *m.*
drijf'vermogen *o.* flottabilité *f.*
drijf'werk *o.* **1** (*in zilver, enz.*) ciselure *f.*; **2** (*v. machine*) mouvement, mécanisme *m.*, commande *f.*
drijf'wiel *o.* (*tn.*) roue *f.* motrice.
drijf'zand *o.* sables *m.pl.* mouvants, — boulants.
drij'ven I *ov.w.* **1** (*voortdrijven*) pousser, mener, conduire, chasser; **2** (*wild*) traquer, rabattre; **3** (*leiden: zaak*) conduire; (*fabriek*) diriger; **4** (*drijfwerk: metalen*) ciseler, bosseler; ***handel —,*** faire le commerce; ***iem. in 't nauw —,*** pousser qn. à bout, mettre qn. au pied du mur; ***op de vlucht —,*** mettre en fuite; ***te ver —,*** pousser trop loin, exagérer; ***uit elkaar —,*** disperser; ***de spot — met,*** se moquer de; ***de prijzen in de hoogte —,*** faire monter (*of* pousser) les prix; **II** *on.w.*

1 (*op vloeistof*) flotter, nager; **2** (*boven—*) surnager; **3** (*in de lucht*) planer, flotter; **4** (*v. schip: afdrijven*) aller à la dérive; **5** (*nat zijn*) être mouillé, être trempé; (*v. 't zweet*) être en nage.
drij'vend *b.n.* flottant; ***—e kraan,*** ponton*-grue* *m.*
drij'ver *m.* **1** (*v. vee*) gardien; bouvier, vacher, porcher *m.*; **2** (*v. wild*) batteur, traqueur, rabatteur *m.*; **3** (*v. drijfwerk*) ciseleur *m.*; **4** (*ijveraar, dweper*) zélateur, fanatique *m.*
drijverij' *v.* fanatisme *m.*, zèle *m.* outré.
dril I *m.* **1** (*boor*) foret *m.*; **2** (*klap*) soufflet *m.*, gifle *f.*; **II** *v.(m.)* (*gestold vleesnat*) gelée *f.* de viande (*of* de veau).
dril'boog *m.* archet *m.*
dril'boor *v.(m.)* foret *m.* (à archet), drille *f.*
dril'len *ov.w.* **1** dresser; (*oefenen*) exercer; **2** (*boren*) forer; **3** (*voor examen*) chauffer.
dril'meester *m.* instructeur *m.*
dril'school *v.(m.)* école *f.* de dressage. [fage.
dril'systeem *o.* système *m.* de dressage, — chauf-
drin'gen I *on.w.* **1** (*v. persoon*) pousser; **2** (*v. zaak*) presser; **3** (*dringen door*) percer, traverser; ***door de menigte —,*** se frayer un passage à travers la foule; ***in de stad —,*** pénétrer dans la ville; ***de tijd dringt,*** le temps presse; **II** *ov.w.* pousser; bousculer; ***iem. van zijn plaats —,*** déloger qn. de sa place.
drin'gend I *b.n.* **1** pressant, urgent; **2** (*v. gevaar*) imminent; ***—e omstandigheden,*** des circonstances impérieuses; ***— behoefte hebben aan,*** avoir un besoin pressant de; ***— telegram,*** télégramme urgent; **II** *bw.* ***— verzoeken,*** prier instamment, avec instance.
drink'baar *b.n.* potable, buvable.
drink'bak *m.* auge *f.*
drink'bakje *o.* auget *m.*, petite auge *f.*
drink'beker *m.* **1** coupe *f.*; gobelet *m.*; **2** calice *m.*
drin'kebroer *m.* ivrogne, boit-tout *m.*
drin'ken I *ov.w.* **1** (*alg.*) boire; **2** (*drankje of warme drank*) prendre; ***leeg —,*** vider; ***te — geven aan,*** verser à boire à; ***— uit,*** boire dans; ***uit de fles —,*** boire à même la bouteille; (***op***) ***iemands gezondheid —,*** boire à la santé de qn.; **II** *z.n., o.* **1** (*drank*) boisson *f.*; **2** (*gewoonte*) habitude *f.* de boire; (*misbruik*) ivrognerie *f.*, alcoolisme *m.*
drin'ker *m.* buveur, alcoolique *m.*
drink'fonteintje *o.* auget *m.*
drink'gelag *o.* **1** (*vertering*) écot *m.*, dépense *f.*; **2** (*zwelgerij*) beuverie, orgie, bacchanale *f.*
drink'geld *o.* pourboire *m.*
drink'glas *o.* verre *m.* (à boire).
drink'kroes *m.* gobelet *m.*, timbale *f.*
drink'lied *o.* chanson *f.* à boire.
drink'partij *v.* beuverie, orgie, bacchanale *f.*
drink'schaal *v.(m.)* coupe *f.*
drink'water *o.* (*drinkbaar*) eau *f.* potable; (*om te drinken*) eau *f.* de boisson.
drink'waterleiding *v.* conduite *f.* d'eau (potable). [eau.
drink'watervoorziening *v.* alimentation *f.* en
drive *m.* **1** match, tournoi *m.* (de bridge, *etc.*); **2** (*tennis*) drive *m.*
droef *b.n.* **1** triste; **2** (*bedrukt*) affligé; **3** (*droefgeestig*) mélancolique; ***het is mij — te moede,*** je me sens triste, — attristé, mon cœur se serre.
droe'fenis *v.* tristesse, affliction *f.*
droefgees'tig *b.n.* mélancolique, triste, chagrin.
droefgees'tigheid *v.* mélancolie, tristesse *f.*
droef'heid *v.* tristesse, affliction *f.*
droes *m.* **1** (*goedaardig*) gourme *f.*; **2** (*ziekte; kwade —*) morve *f.*, morfondure *f.*; **3** (*duivel*) diable *m.*
droe'sem *m.* lie *f.*, marc *m.*
droe'vig *b.n.* **1** triste, affligé; **2** (*bedroevend*) triste, affligeant.
droe'vigheid *v.* tristesse *f.*
droe'zig *b.n.* morveux. [mirage *m.*
drog'beeld *o.* anamorphose *f.*; illusion *f.* optique,
dro'ge *o.* endroit *m.* sec, terre *f.* ferme; ***op het — zitten,*** être échoué; ***zijn schaapjes op het — hebben,*** avoir du foin dans ses bottes, avoir son pain cuit.
dro'gen I *ov.w.* **1** sécher, faire sécher; **2** (*afdrogen*) essuyer; **II** *on.w.* sécher, se dessécher; **III** *z.n., o.* séchage *m.*, dessication *f.*; ***gedroogde pruimen,*** des prunes évaporées, — sèches.
drogerij' *v.* **1** (*droogplaats*) séchoir *m.*, sécherie *f.*; **2** (*kruiden, enz.*) drogue, droguerie *f.*
drogist' *m.* droguiste, herboriste *m.*
drogisterij' *v.* droguerie *f.*
drog'reden *v.(m.)* sophisme *m.*, argument *m.* captieux.
drog'redenaar *m.* sophiste *m.*
drol *m.* **1** étron *m.*, crotte *f.*; **2** (*fig.: potsenmaker*) bouffon *m.*; **3** (*kort persoon*) bout *m.* d'homme, courtaud *m.*
drol'lig *b.n.* drôle, bouffon, plaisant.
drom *m.* foule, multitude, masse *f.*; ***in dichte —men,*** en rangs serrés.
dromeda'ris *m.* dromadaire *m.*
dro'men I *on.w.* rêver, songer, faire un rêve, — un songe; ***— van,*** rêver de; **II** *ov.w.* rêver, songer; ***ik kan het wel —,*** je le sais sur le bout du doigt; je puis le faire machinalement; ***dat had ik nooit kunnen —,*** je ne m'en serais jamais douté.
dro'mend *b.n.* rêveur, songeur.
dro'mer *m.* rêveur, songeur; songe-creux *m.*
dro'merig *b.n.* rêveur, songeur.
dro'merigheid *v.* rêvasserie *f.*, apathie *f.* rêveuse.
dromerij' *v.* rêverie *f.*
drom'mel *m.* diantre, diable *m.*; ***een arme —,*** un pauvre diable, un pauvre hère; ***om de — niet,*** jamais de la vie.
drom'mels! I *tw.* diantre; **II** *bw.* diablement, diantrement; **III** *b.n.* du diable, de tous les diables; ***die —e jongen,*** ce diable de garçon.
dronk *m.* **1** coup, trait *m.*; **2** (*slok*) gorgée *f.*; **3** (*glas*) verre *m.*; ***een — uitbrengen,*** porter un toast (à qn.); ***een vrolijke*** (*of* ***sombere***) ***— hebben,*** avoir le vin gai (*of* triste).
dronk'aard *m.* ivrogne, alcoolique *m.*; (*fam.*) pochard *m.*
dron'kelap *m.* pochard, soûlard *m.*
dron'kemanspraat *m.* propos *m.pl.* avinés.
dron'ken *b.n.* ivre, pris de vin, pris de boisson; ***half —,*** gris; ***zich — drinken,*** s'enivrer; ***— maken,*** griser, enivrer.
dron'kenschap *v.* **1** (*toestand*) ivresse *f.*; **2** (*gewoonte ; drankzucht*) ivrognerie *f.*; ***in staat van —,*** en état d'ivresse, — d'ébriété.
droog I *b.n.* **1** sec; **2** (*fig.: dor*) (*v. onderwerp*) aride; (*v. verhaal*) froid; (*v. persoon, opsomming, enz.*) sec; ***een — komiek,*** un pince-sans-rire; ***het is —,*** **1** il ne pleut plus; **2** (*sedert lang*) il fait sec; ***— brood,*** du pain sec; ***een — element,*** (*el.*) une pile sèche; ***hij zit hoog en —,*** il est à l'abri; ***wij zitten —,*** nous sommes à l'abri (de la pluie); ***een droge hoest,*** une toux sèche; ***— als kurk,*** sec comme une allumette, — comme de l'amadou; ***het hangt aan elkaar als — zand,*** c'est du mortier sans ciment; **II** *bw.* sèchement.

droog'bloeier *m.* colchique *m.*
droog'doek *m.* torchon *m.*; linge *m.* pour essuyer.
droog'dok *o.* cale *f.* sèche, bassin *m.* de radoub; ***drijvend* —,** forme *f.* (de radoub) flottante.
droog'heid *v.* sécheresse, aridité *f.*
droog'houden *ov.w.* tenir (bien) sec; (*als opschrift*) craint l'humidité.
droog'inrichting *v.* sécherie *f.*
droog'je *o.* ***op een — zitten,*** n'avoir rien à boire, être à sec; ***op een — laten zitten,*** n'offrir aucun rafraîchissement.
droog'jes *bw.* sèchement, froidement.
droog'kamer *v.*(*m.*) séchoir *m.*, étuve *f.*
droog'kap *v.*(*m.*) casque *m.* de séchage.
droogkomiek' *m.* pince-sans-rire *m.*
droog'lat *v.*(*m.*) tendoir *m.*
droog'leggen *ov.w.* **1** assécher, dessécher; **2** (*met buizen*) drainer; **3** (*fig.*) mettre au régime sec.
droog'legging *v.* **1** assèchement, desséchement *m.*; **2** drainage *m.*; **3** mise *f.* au régime sec, interdiction *f.* des boissons spiritueuses.
droog'lijn *v.*(*m.*) corde *f.* à sécher.
droog'lopen *on.w.* **1** assécher; **2** (*tn.*) manquer de graissage.
droog'machine *v.* (*wasgoed*) essoreuse *f.*
droog'maken *ov.w.* **1** assécher, mettre à sec; **2** (*draineren*) drainer.
droogmakerij' *v.* polder *m.*, (des) terrains *m.pl.* asséchés, assèchement *m.*
droog'making *v.* assèchement *m.*
droog'malen *ov.w.* dessécher.
droog'middel *o.* siccatif *m.*
droog'olie *v.*(*m.*) huile *f.* siccative.
droog'plaats *v.*(*m.*) séchoir *m.*, étuve *f.*
droog'pruim *v.*(*m.*) type *m.* ennuyeux.
droog'pruimen *on.w.* manger sans boire.
droog'raam *o.* étendoir *m.*
droog'rek(je) *o.* séchoir *m.*
droog'scheerapparaat *o.* rasoir *m.* électrique.
droog'scheerder *m.* **1** fondeur *m.* de drap; **2** (*droogkomiek*) (*Z.N.*) pince-sans-rire *m.*
droog'schuur *v.*(*m.*) séchoir *m.*
droog'sel *o.* siccatif *m.*
droog'stok *m.* étendoir *m.*
droog'stoken *ov.w.* sécher en chauffant.
droog'stoppel *m.* épicier, philistin *m.*
droog'te *v.* sécheresse; aridité *f.*
droog'toestel *o.* sécheur *m.*
droog'vallen *on.w.* se découvrir, émerger.
droog'voets *bw.* à pied sec.
droog'weg *bw.* sèchement.
droog'zolder *m.* séchoir, étendoir *m.*
droog'zwemmen *o.* exercices *m.pl.* de natation sur le chevalet.
droom *m.* **1** (*verward*) rêve *m.*; **2** (*helder*) songe *m.*; ***een — hebben,*** faire un rêve, — un songe; ***in de —,*** en rêve, en songe; ***een benauwde —,*** un mauvais rêve, un cauchemar; ***iem. uit de — helpen,*** ouvrir les yeux à qn., détromper qn.
droom'beeld *o.* **1** vision *f.*, figure *f.* de rêve; **2** (*fig.*) illusion, chimère *f.*, rêve *m.* [songes.
droom'boek *o.* livre *m.* des songes, clé *f.* des
droom'gezicht *o.* vision *f.* de rêve.
droom'uitlegger *m.* interprète *m.* des rêves.
droom'uitlegging *v.* interprétation *f.* des rêves.
droom'verschijning *v.* fantôme *f.*
droom'wereld *v.*(*m.*) pays *m.* de rêve; fantasmagorie *f.*
drop I, drup *m.* **1** égout, dégouttement *m.*; **2** (*druppel*) goutte *f.*; ***van de regen in de — komen,*** tomber de fièvre en chaud mal; **II** *v.*(*m.*) *en o.* jus *m.* de réglisse, réglisse *f.*; ***een —je,*** une pastille de réglisse. [roupie *f.*
drop'pel, drup'pel *m.* goutte *f.*; ***— aan de neus,***
droppelen, *zie* ***druppelen.***
drop'pen *ov.w.* parachuter.
drop'ping *v.* parachutage *m.*
drops *mv.* bonbons *m.pl.* (acidulés).
drop'water *o.* eau *f.* de réglisse, tisane *f.* —.
dros'saard, drost *m.* bailli *m.*
druï'de *m.* druide *m.*
druif *v.*(*m.*) raisin *m.*; (*een enkele* —) grain *m.* de raisin; ***de druiven zijn zuur,*** les raisins sont trop verts; ***een rare —,*** maboule, loufoque *m.*
druif'luis *v.*(*m.*) phylloxéra *m.*
druif'vlies *o.* uvée; choroïde *f.*
drui'len *on.w.* **1** lambiner; **2** sommeiller, somnoler.
drui'lerig *b.n.* somnolent; ***— weer,*** temps gris, — triste, — maussade.
druil'oor *m.-v.* lambin *m.*
druilo'rig *b.n.* somnolent.
druilo'righeid *v.* somnolence *f.*
drui'pen *on.w.* **1** dégoutter; **2** tomber goutte à goutte, ruisseler; **3** (*doorsijpelen*) suinter; **4** (*bij examen*) être refusé, être collé.
drui'pend *b.n.* dégouttant; trempé, mouillé.
druip'nat *b.n.* mouillé jusqu'aux os, (tout) dégouttant (de sueur, de pluie).
druip'neus *m.* roupieux *m.*; ***een — hebben,*** avoir la roupie.
druip'plank *v.*(*m.*) égouttoir *m.*
druip'rek *o.* égouttoir *m.*
druip'staarten, ***—d weglopen,*** s'en aller la queue entre les jambes.
druip'steen *o. en m.* **1** (*hangend*) stalactite *f.*; **2** (*staand*) stalagmite *f.*
druip'steengrot *v.*(*m.*) grotte *f.* à stalactites.
drui'sen *on.w.* bruire.
drui'veblad *o.* feuille *f.* de vigne.
drui'venat *o.* jus *m.* de raisins, — de la treille.
drui'venlezen *o.* vendange *f.*
drui'venlezer *m.* vendangeur *m.*
drui'venoogst *m.* vendange *f.*
drui'venpers *v.*(*m.*) pressoir *m.*
drui'venplukker *m.* vendangeur *m.*
drui'venteelt *v.*(*m.*) viticulture *f.*
drui'ventros *m.* grappe *f.* (de raisins).
drui'venwijn *m.* vin *m.* de raisin.
drui'vepit *v.*(*m.*) pépin *m.* de raisin.
drui'verank *v.*(*m.*) vrille *f.*
drui'vesap *o.* jus *m.* de raisins.
drui'veschil *v.*(*m.*) peau *f.* de raisin.
drui'veschimmel *m.* oïdium *m.* [glucose *f.*
drui'vesuiker *m.* **1** sucre *m.* de fruit; **2** (*wet.*)
druk I *m.* **1** (*drukking*) pression *f.*; **2** (*zwaarte*) poids *m.*, pesanteur *f.*; **3** (*het drukken, op drukkerij*) impression *f.*; **4** (*uitgaaf*) édition *f.*; **5** (*oplaag*) tirage *m.*; **6** (*hand*—) serrement *m.* (de main); **7** (*fig.*) oppression, détresse, peine *f.*; ***in — verschijnen,*** paraître; ***kleine —,*** petits caractères; ***grote —,*** gros caractères; **II** *b.n.* **1** (*v. persoon*) très occupé, très affairé; **2** (*v. kind*) remuant, turbulent, bruyant; **3** (*v. plaats*) animé, fréquenté; (*rumoerig*) bruyant; **4** (*fig.*) (*in 't oog vallend*) tapageur, surchargé; (*v. kleuren*) criard; (*v. behang*) chargé; ***een — café,*** un café très fréquenté; ***een —ke winkel,*** une boutique bien achalandée; ***een — gesprek,*** un entretien animé; ***het is — op straat,*** il y a beaucoup de monde dans la rue; ***het is mij hier te —,*** on est trop bruyant ici, il y a trop de tapage ici; ***het is er niet —,*** il y vient peu de monde; ***— werk hebben,*** avoir de la besogne pressée; ***het —ke verkeer,*** la circulation intense;

het — hebben, avoir beaucoup de besogne, être très occupé; ***—ke bezigheden,*** des occupations nombreuses; ***zich — maken,*** s'affairer, s'emballer; ***het zich erg — maken,*** se dépenser beaucoup; **III** *bw.* d'une manière affairée; ***— doen aan,*** s'occuper beaucoup de; ***zij komen er —,*** ils y viennent souvent.

druk'cabine, druk'kabine *v.* cabine *f.* à haute pression.

druk'fout *v.(m.)* faute *f.* d'impression; erreur *f.* typographique, coquille *f.*

druk'gang *m.* passe *f.*

druk'groep *v.(m.)* groupe *m.* de pression.

druk'inkt *m.* encre *f.* d'imprimerie.

druk'kabine, *zie* ***drukcabine.***

druk'ken *ov.w.* **1** (*boek, enz.*) imprimer; **2** (*hand*) serrer; **3** (*samen—*) serrer, presser; **4** (*fig.: kwellen*) oppresser, opprimer, affliger, accabler; ***op de knop —,*** presser le bouton; ***op het hart —,*** recommander expressément; ***iemands voetstappen —,*** marcher sur les pas de qn.; ***op een woord —,*** appuyer sur un mot; ***die belastingen — zwaar op het land,*** ces impôts grèvent lourdement le pays; ***dat geheim drukt hem,*** ce secret lui pèse.

druk'kend *b.n.* **1** accablant, pesant, lourd; **2** (*v. belasting*) écrasant; **3** (*warmte*) étouffant, suffocant.

druk'kendheid *v.* lourdeur *f.*

druk'ker *m.* **1** imprimeur *m.*; **2** (*zetter*) typographe *m.*; **3** (*v. geweer*) détente *f.*; **4** (*aan klink*) clenche *f.*

drukkerij' *v.* imprimerie *f.*

druk'kersjongen *m.* apprenti *m.* typographe.

druk'kersraam *o.* tympan *m.*

druk'kertje *o.* pression *f.*

druk'king *v.* **1** (*hoogte of laagte*) pression *f.*; **2** (*verticaal*) poussée *f.*; **3** (*fig.*) oppression *f.*

druk'kingsmeter *m.* piézomètre; (*gen.*) sphygmomètre *m.*

druk'knoopje *o.* bouton*-pression *m.*

druk'knop *m.* bouton *m.* d'appel, poussoir *m.*

druk'knopschakelaar *m.* interrupteur *m.* à poussoir.

druk'kosten *mv.* frais *m.pl.* d'impression.

druk'kunst *v.* imprimerie, typographie *f.*

druk'letter *v.(m.)* caractère *m.* d'imprimerie, — typographique.

druk'luchtrem *v.(m.)* frein *m.* à vide, — pneumatique.

druk'pers *v.(m.)* presse *f.*

druk'proef *v.(m.)* **1** épreuve *f.* (d'imprimerie); **2** (*v. ketel*) essai *m.* de pression.

druk'raam *o.* châssis-presse* *m.*

druk'rol *v.(m.)* rouleau *m.* (encreur, imprimeur).

druk'spiegel *m.* justification *f.*

druk'te *v.* **1** (*werk*) occupations *f.pl.*; besogne *f.*, tracas *m.pl.*; **2** (*lawaai*) bruit *m.*; **3** (*beweging*) mouvement *m.*, agitation, animation *f.*; **4** (*toeloop*) foule, affluence *f.*; **5** (*gedrang*) presse *f.*; ***— bezorgen,*** donner de l'embarras; ***veel — over iets maken,*** en faire toute une affaire; ***wat een — om niets,*** que de bruit pour une omelette, tant d'histoires (*of* tant de chichis) pour rien.

druk'temaker *m.* tapageur; fanfaron *m.*; ***kouwe —,*** esbroufeur *m.*

druk'veer *v.(m.)* ressort *m.* de pression.

druk'verband *o.* bandage *m.* de pression.

druk'vorm *m.* forme *f.* (d'imprimerie, d'imprimeur).

druk'werk *o.* imprimé(s) *m.(pl.).*

drum *v.(m.)* grosse caisse *f.*

drum'mer *m.* batteur *m.*

drup, *zie* ***drop I.***

drup'pel, drop'pel *m.* goutte *f.*

drup'pelen, drop'pelen I *on.w.* dégoutter, goutter; ***het begint te —,*** il tombe de la pluie; **II** *ov.w.* verser goutte à goutte (dans).

drup'pelflesje *o.* flacon *m.* compte-gouttes.

drup'pelsgewijs, drop'pelsgewijs, -gewijze *bw.* goutte à goutte.

drup'peltje *o.* gouttelette *f.*

D-snaar *v.(m.)* (*muz.*) ré *m.* du violon, troisième corde *f.*

D-trein *m.* train *m.* à intercirculation, — à couloir.

dua'lis *m.* duel *m.*

dub'bel I *b.n.* double; ***—e deur,*** porte à deux battants; ***— spoor,*** double voie; ***— boekhouden,*** tenue *f.* des livres en partie double; ***met — krijt schrijven,*** marquer double; ***— zijn,*** faire double emploi; ***gedeelde vreugd is —e vreugd,*** bonheur partagé, bonheur doublé; **II** *bw.* doublement; deux fois; ***iets — hebben,*** avoir qc. en double; ***— vouwen,*** plier en deux; ***— zien,*** voir double; **III** *z.n., o.* double; duplicata *m.*; copie *f.*; (*tennis*) double *m.*; ***gemengd —,*** double *m.* mixte.

dub'belbol *b.n.* biconvexe.

dub'belen *ov.w.* doubler; (*kaartsp.*) contrer.

dub'belganger *m.* sosie *m.*

dubbelhar'tig *b.n.* double, dissimulé, faux.

dubbelhar'tigheid *v.* duplicité (de cœur) dissimulation *f.*

dub'belhol *b.n.* biconcave.

dub'belkruis *o.* (*muz.*) double dièse *m.*

dub'belkwartet *o.* double quatuor *m.*

dub'belloopsgeweer *o.* fusil *m.* à deux coups.

dub'belmol *v.(m.)* (*muz.*) double bémol *m.*

dub'belpolig *b.n.* bipolaire.

dubbelpunt' *v.(m.)* *en o.* deux points *m.pl.*

dub'belraam *o.* contre-châssis *m.*

dubbelslach'tig *b.n.* gynandre, hermaphrodite.

dubbelslach'tigheid *v.* hermaphrodisme *m.*

dub'belspel *o.* double *m.*; ***gemengd — (spelen),*** (jouer en) double *m.* mixte.

dub'belspoor *o.* double voie *f.*, chemin *m.* de fer à double voie.

dub'belstekker *m.* fiche (*of* prise) *f.* double.

dub'beltje *o.* pièce *f.* de dix cents.

dub'beltjeskwestie *v.* question *f.* d'argent.

dubbelton'gig *b.n.* double, faux, dissimulé.

dubbelzin'nig I *b.n.* ambigu, équivoque, à double entente, à double sens; **II** *bw.* d'une manière équivoque.

dubbelzin'nigheid *v.* équivoque, ambiguïté *f.*

dubieus' *b.n.* douteux.

du'bio, *in — zijn,* hésiter, balancer.

duch'ten *ov.w.* redouter, craindre, appréhender.

duch'tig I *b.n.* fort, grand; ***een — standje,*** une verte semonce, — réprimande; **II** *bw.* extrêmement, fort bien, comme il faut, de la belle manière.

duel' *o.* duel *m.*; rencontre *f.*, combat *m.* singulier.

duelle'ren *on.w.* se battre en duel, aller sur le terrain.

duet' *o.* duo *m.*

duf *b.n.* **1** qui sent le moisi, — le renfermé, — le relent; **2** (*fig.*) fade; terne; ***een —fe lucht,*** un air de renfermé; ***een —fe smaak,*** un goût de moisi.

duf'fel I *o.* (*stof*) frise *f.*; **II** *m.* (*duffelse jas*) pardessus *m.* de frise.

duf'fels *b.n.* de frise.

duf'fig *b.n.* qui sent le moisi.

duf'heid *v.* **1** odeur *f.* de moisi (*of* de renfermé, de relent); **2** (*fig.*) fadeur; atonie *f.*

dui'delijk *b.n.* **1** clair, évident; **2** (*helder, scherp*) distinct, net; **3** (*v. schrift*) lisible; ***— maken,*** expliquer, élucider.

dui'delijkheid *v.* **1** clarté, évidence *f.*; **2** netteté *f.* (*ook v. schrift*).
dui'delijkheidshalve *bw.* pour plus de clarté.
dui'den I *ov.w.* **1** expliquer; **2** (*wet*) interpréter; ***iem. iets ten kwade —,*** prendre qc. en mauvaise part, en vouloir à qn.; **II** *on.w.* ***— op,*** viser, indiquer; ***dat duidt op onweer,*** cela annonce un orage.
dui'ding *v.* explication; interprétation *f.*
duif *v.*(*m.*) **1** pigeon *m.*; **2** (*dicht.*) colombe *f.*; ***wilde —,*** ramier *m.*, pigeon *m.* sauvage; ***duiven oplaten,*** lâcher des pigeons; ***onder iemands duiven schieten,*** aller (*of* marcher) sur les brisées de qn., marcher sur les plates-bandes de qn.
duif'je *o.* pigeonneau *m.*; colombelle *f.*
duig *v.*(*m.*) douve *f.*; ***aan —en slaan,*** mettre en pièces; ***in —en vallen,*** échouer, tomber dans l'eau.
duig'hout *o.* douvain, merrain *m.*
duik *m.* plongeon *m.*; (*v. duikboot*) plongée *f.*
duik'bommenwerper *m.* (*vl.*) bombardier *m.* en piqué.
duik'boot *m. en v.* sous-marin*, submersible *m.*
duik'bootjager *m.* chasseur *m.* de sous-marins.
duik'bootnet *o.* filet *m.* pare-torpilles.
duik'bootoorlog *m.* guerre *f.* sous-marine.
duik'eend *v.*(*m.*) plongeon *m.*, canard *m.* plongeur.
dui'kelaar *m.* **1** homme *m.* (*of* acrobate *m.*) qui fait la culbute; **2** (*speelgoed*) bilboquet; poussa(h) *m.*; **3** (*Dk.*) plongeon, plongeur *m.*
dui'kelen *on.w.* culbuter; faire la culbute, cabrioler; ***van de trappen —,*** dégringoler l'escalier.
dui'keling *v.* culbute, cabriole, dégringolade *f.*; plongeon *m.*
dui'ken *on.w.* **1** (*bukken*) se baisser, se courber; **2** (*onder water*) plonger, faire le plongeon; **3** (*Z.N.*) ***zich —,*** se cacher; ***in elkaar gedoken,*** blotti, accroupi; ***— naar,*** piquer vers.
dui'ker *m.* **1** (*alg.*) plongeur *m.*; **2** (*in duikerpak*) scaphandrier *m.*; **3** (*Dk.*) plongeon *m.*; **4** (*v. dijk, enz.*) passage *m.* d'eau.
dui'kerhelm *m.* casque *m.* de scaphandrier.
dui'kerklok *v.*(*m.*) cloche *f.* à plongeur.
dui'kerpak *o.* scaphandre *m.*
dui'king *v.* **1** (*v. boot*) plongée *f.*; **2** (*v. vogel, enz.*) plongeon *m.*; **3** (*v. horizon*) abaissement *m.*
duik'vlucht *v.*(*m.*) (*vl.*) vol *m.* en piqué, piqué *m.*; ***in —,*** en piqué.
duik'vogel *m.* plongeur *m.*
duim *m.* **1** pouce *m.*; **2** (*maat*) pouce *m.*; **3** (*tn.*) clou *m.* à crochet; (*v. scharnier*) gond *m.*; ***iem. onder de — houden,*** tenir la bride haute à qn.; ***uit zijn — zuigen,*** inventer (de toutes pièces), tirer de son bonnet; ***de — leggen,*** (*Z.N.*) avoir le dessous.
duim'breed *b.n.* large d'un pouce; ***geen — wijken,*** ne pas reculer d'une semelle (*of* d'un pouce).
duim'dik *b.n.* de l'épaisseur d'un pouce; ***het ligt er — op,*** c'est chargé à plaisir.
dui'meling *m.* poucier *m.*, femelle *f.*
duim'handschoen *m.* mitaine *f.*
duim'kleppers *mv.* castagnettes *f.pl.*
duim'kruid *o.* galette, braise, de l'oseille *f.*
duim'pje *o.* **1** poucet *m.*; **2** (*Dk.*) sucet *m.*; ***Klein Duimpje,*** Petit Poucet; ***op zijn — kennen,*** savoir sur le bout du doigt.
duim'schroef *v.*(*m.*) serre-pouces *m.*, poucettes *f.pl.*; ***iem. de duimschroeven aanleggen,*** serrer les pouces à qn., tenir qn. sur la sellette.
duim'spijker *m.* punaise *f.*
duim'stok *m.* mètre *m.* pliant.
duimzuigerij' *v.* canard *m.*, (récit *m.* de) pure invention *f.*
duin I *v.*(*m.*) *of o.* dune *f.*; **II** *o.* les dunes *f.pl.*
dui'nenrij *v.*(*m.*) rangée *f.* de dunes.
duin'helm *v.*(*m.*) ammophile *f.*
duin'kant *m.* côté *m.* des dunes.
Duin'kerke *o.* Dunkerque *f.*; ***van —,*** dunkerquois.
duin'konijn *o.* lapin *m.* des dunes.
duin'pan *v.*(*m.*) lotte, glouze *f.*, dépression *f.* dans les dunes.
duin'roos *v.*(*m.*) rose *f.* pimprenelle.
Duins, ***slag bij —,*** bataille *f.* des Dunes.
duin'streek *v.*(*m.*) les dunes *f.pl.*, région *f.* des dunes.
duin'water *o.* eau *f.* (tirée) des dunes, — filtrée par les dunes.
duin'zand *o.* sable *m.* des dunes.
duis'ter I *b.n.* **1** obscur, sombre, noir; **2** (*fig.*) obscur, ténébreux; **3** (*verward*) confus, embrouillé; **II** *z.n., o.* obscurité *f.*, ténèbres *f.pl.*; ***in het — rondtasten,*** tâtonner, marcher en tâtonnant, errer parmi les ténèbres; ***omtrent iets in het — tasten,*** ignorer tout à fait qc.
duis'terheid *v.* obscurité *f.*
duis'terling *m.* obscurantiste *m.*
duis'ternis *v.* obscurité *f.*, ténèbres *f.pl.*; ***er heerst een Egyptische —,*** il fait noir comme dans un four.
duit *m. en v.* liard, denier *m.*; ***een — in 't zakje doen,*** dire son mot, placer —; apporter son obole; ***een mooie —,*** un beau denier; ***geen rooie —,*** pas un sou vaillant; ***duiten,*** (*fig.*) de l'argent, des sous; ***— hebben,*** avoir de quoi; ***hij zit goed in zijn —,*** il a le gousset bien garni.
dui'tendief *m.* liardeur, pince-maille*, grippe-sou* *m.*
Duits *b.n.* allemand, d'Allemagne; ***—e Bondsrepubliek,*** République fédérale de l'Allemagne occidental; ***—e Demokratische Republiek,*** République démocratique allemande.
Duit'ser *m.* Allemand *m.*
Duits'land *o.* l'Allemagne *f.*
dui'veboon *v.*(*m.*) féverole *f.*
dui'veëi *o.* œuf *m.* de pigeon.
dui'vekater, deu'vekater *tw.* diantre! diable!
dui'vel *m.* diable, démon *m.*; ***bij de — te biecht gaan,*** se confesser au renard; ***iem. naar de — wensen,*** envoyer qn. au diable; ***als men van de — spreekt, ziet men zijn staart,*** quand on parle du loup, on en voit la queue; ***alle —s!*** mille diables!
dui'velachtig I *b.n.* diabolique, satanique; **II** *bw.* diaboliquement.
dui'velachtigheid *v.* caractère *m.* diabolique, — satanique, — démoniaque.
duivelarij' *v.* diablerie *f.*
dui'velbanner *m.* exorciste *m.*
dui'velbanning *v.* exorcisme *m.*
dui'velbezweerder *m.* exorciste *m.*
dui'velbezwering *v.* exorcisme *m.*
duivelin' *v.* diablesse *f.*, démon *m.*
dui'vels I *b.n.* diabolique, du diable; infernal, satanique; ***—e jongen,*** diable de garçon; ***iem. — maken,*** faire enrager qn.; **II** *bw.* diablement; ***—!*** diable! diantre!
dui'velsbrood *o.* pain *m.* de loup, champignon *m.*
dui'velshaar *o.* (*Z.N.*) duvet *m.*
dui'velskind *o.* enfant *m.* du diable; tison *m.* d'enfer; (*fam.*) diable *m.* d'enfant.
dui'velskunsten *mv.* diableries *f.pl.*
dui'velskunstenaar *m.* sorcier, magicien *m.*
dui'velsnaaigaren *o.* grateron, glouteron *m.*

dui'velstoejager *m.* factotum; galopin *m.*
dui'velswerk *o.* travail *m.* du diable.
dui'veltje *o.* diablotin *m.*; — ***in een doosje,*** boîte *f.* à surprise, diable *m.*
dui'venhok *o.* pigeonnier, colombier *m.*
dui'venkorf *m.* panier *m.* à pigeons.
dui'venliefhebber *m.* colombophile *m.*
dui'venmelker *m.* éleveur *m.* de pigeons.
dui'venmest *m.* colombine *f.*
dui'vennest *o.* nid *m.* de pigeon.
dui'venplat *o.* terrasse *f.* du pigeonnier.
dui'venpost *v.(m.)* poste *f.* par pigeons, — aux pigeons voyageurs.
dui'venslag *o.* colombier *m.*; (*kleine* —) fuie *f.*
dui'vensport *v.(m.)* colombophilie *f.*
dui'ventil *v.(m.)* pigeonnier, colombier *m.*
dui'venwedstrijd *m.* concours *m.* colombophile, épreuve *f.* —.
dui'zelen *on.w.* avoir des vertiges; ***het duizelt mij,*** la tête me tourne; ***doen —,*** donner le vertige.
dui'zelig *b.n.* **1** pris de vertige; **2** (*lijdend aan duizeligheid*) sujet aux vertiges.
dui'zeligheid *v.* vertige, étourdissement *m.*
dui'zeling *v.* vertige *m.*; ***door een — bevangen,*** pris de vertige.
duizelingwek'kend *b.n.* vertigineux.
dui'zend *telw.* mille; mil (*in jaartallen beneden 2000 na Chr.*); ***bij —en,*** par milliers; ***de — en één nacht,*** les Mille et Une Nuits.
dui'zendblad *o.* mille-feuille* *f.*
duizenderlei' *b.n.* de mille sortes, — manières, [— façons.
duizendgul'denkruid *o.* centaurée *f.*
dui'zendjarig *b.n.* de mille ans; millénaire.
dui'zendkunstenaar *m.* homme *m.* universel; magicien *m.*
dui'zendmaal *bw.* mille fois.
dui'zendpoot *m.* scolopendre *f.*; myriapode, mille-pieds *m.*
dui'zendschoon *v.(m.)* (*Pl.*) œillet *m.* du poète.
dui'zendste *telw.* millième.
dui'zendtal *o.* millier *m.*
dui'zendvoud *o.* multiple *m.* de mille.
duizendvou'dig I *b.n.* **1** mille fois autant, — plus grand; **2** (*kreet*) mille fois répété; ***het — vergelden,*** le rendre au centuple.
dukaat' *m.* ducat *m.*
dukdalf' *m.* poteau *m.* d'amarrage.
dul *b.n.,* (*Z.N.*) furieux, enragé.
Dulcine'a *v.* Dulcinée *f.*
duld'baar *b.n.* supportable, tolérable.
dul'deloos *b.n.* insupportable, intolérable.
dul'den *ov.w.* **1** (*lijden, verdragen*) supporter, endurer; **2** (*toelaten*) tolérer, souffrir.
duld'zaam *b.n.* endurant.
duld'zaamheid *v.* force *f.* d'endurance.
dumdum'kogel *m.* (balle) dum*-dum* *f.*, balle *f.* mâchée.
dum'my *m.* (*drukk., boekh.*) maquette *f.*, livre *m.* modèle, spécimen *m.* (du démarcheur).
dump *m.* dépôt *m.* de surplus de guerre en (armes, camions, avions, *etc.*).
dum'pen *ov.w.* appliquer le dumping, faire du —.
dum'ping *v.(m.)* dumping *m.*
dun I *b.n.* **1** (*niet dik*) mince; (*klein en* —) menu; (*teer, fijn*) délié; (*lang en* —) effilé; (*schraal*) grêle; **2** (*v. vloeistoffen*) clair, fluide; **3** (*v. stof*) léger, clair; **4** (— *gezaaid*) clairsemé; **5** (*ijl*) subtil; rare; **6** (*aangelengd*) coupé; **7** (*fig.*) maigre, piètre, insignifiant; ***—ne benen,*** jambes grêles; ***—ne baard,*** barbe rare, — mal fournie; — ***bloed,*** sang subtil; ***—ne darm,*** intestin grêle; ***dat is — van je,*** ce n'est pas chic; ***—ner maken,*** amincir; ***—ner worden,*** s'amincir; **II** *bw.* **1** (*gekleed*) légèrement; **2** (*gezaaid*) clairsemé.
dun'doek *o.* **1** (*stof*) étamine *f.*; **2** (*vlag*) drapeau, pavillon *m.*
dun'drukpapier *o.* papier *m.* bible.
dun'drukuitgave *v.(m.)* édition *f.* sur papier [mince.
dun'heid *v.* minceur; légèreté; subtilité; rareté *f.*; (*fig.*) minceur, insignifiance *f.*
dunk *m.* opinion *f.*; ***een goede — hebben van,*** avoir bonne opinion de; ***een hoge — van zich zelf hebben,*** avoir une haute idée de soi-même, être plein de présomption.
dun'ken *on.w.* penser; sembler; ***wat dunkt u daarvan?*** qu'en pensez-vous? que vous en semble?
dunlij'vig *b.n.* **1** efflanqué, grêle; **2** (*gen.*) diarrhéique; — ***zijn,*** avoir la diarrhée.
dunlij'vigheid *v.* **1** maigreur *f.*; **2** diarrhée *f.*
dun'nen I *ov.w.* **1** (*voorwerp*) amincir, rendre mince, amenuiser; **2** (*boom*) égayer, émonder; **3** (*planten*) effemeller; **4** (*gezaaide; bos*) éclaircir; **5** (*gelederen*) décimer, éclaircir; **II** *on.w.* diminuer, s'amincir, s'éclaircir.
dun'netjes *bw.* légèrement; ***'t was erg —,*** c'était bien maigre; — ***overdoen,*** reprendre (*of* refaire) de plus belle.
dun'sel *o.* (*Pl.*) jeune laitue *f.*
duo *o.* duo *m.*
duode'cimo *o.* in-douze *m.*
du'opassagier *m.* occupant(e) *m.(f.)* de l'arrière-
du'ozitting *v.* siège*-arrière *m.* [siège.
du'pe *m.-v.* dupe *f.*; ***de — worden van,*** être dupe de; ***de — zijn,*** être le dindon de la farce.
dupe'ren *ov.w.* duper.
du'plexwoning *v.* maison *f.* à double apparte- [ment.
duplicaat', duplikaat' *o.* double, duplicata *m.*
duplicaat'-, duplikaat'-, en double.
duplica'tor *m.* duplicateur *m.*
duplice'ren *on.w.* dupliquer, fournir une contre-réplique.
dupliek' *v.* duplique, contre-réplique* *f.*
duplikaat(-), *zie* ***duplicaat(-).***
du'plo, *in —,* en double; ***in — opgemaakt,*** fait [(en) double.
dur *bw.* (*muz.*) majeur.
du'ren *on.w.* **1** (*voortduren*) durer; **2** (*goed blijven*) se conserver; ***kort —,*** être de courte durée; ***het duurde lang eer hij kwam,*** il tarda à venir.
durf *m.* courage *m.*; — ***hebben,*** avoir du toupet.
durf'al *m.* téméraire, homme hardi, risque-tout *m.*
durf'niet *m.* poltron *m.*
dur'ven *ov.w.* oser, avoir le courage (de).
dur'ver *m.* oseur *m.*, homme *m.* osé.
dus I *bw.* **1** (*op die manier*) ainsi, de cette manière, de cette façon; **2** (*aldus*) en ces termes; **II** *vw.* (*derhalve*) donc, par conséquent; c'est pourquoi.
dus'danig I *b.n.* tel, pareil; **II** *bw.* tellement, au point de.
dusver'(re), *tot —,* *bw.* jusqu'ici.
dut *m.* assoupissement, léger sommeil, somme *m.*; ***een —je doen,*** faire un petit somme; ***een —je doen na 't eten,*** faire la sieste, faire la méridienne.
dut'ten *on.w.* **1** sommeiller; **2** (*na 't eten*) faire [la sieste.
duur I *b.n.* **1** cher, coûteux; **2** (*kostbaar*) précieux; ***een dure eed,*** un serment solennel; ***een dure plicht,*** un devoir sacré; ***goede raad is —,*** un bon conseil vaut de l'or, nous voilà dans une impasse; ***het leven is hier —,*** il fait cher vivre ici; ***—der worden,*** renchérir; **II** *bw.* cher; (*fig.*) chèrement; — ***betalen,*** payer cher; ***zijn leven — verkopen,*** vendre chèrement sa vie; **III** *z.n., m.* durée *f.*; ***van lange —,*** de longue durée; ***op de —,*** à la

longue; ***rust noch — hebben,*** ne pas tenir en place, n'y plus tenir.
duur'koop *b.n.* cher, d'un prix élevé; ***goedkoop is —,*** les bons marchés ruinent.
duur'record, duur'rekord *o.* record *m.* d'endurance.
duur'te *v.* cherté *f.*, haut prix *m.*; la vie chère.
duur'tetoeslag *m.* indemnité *f.* de vie chère, — de cherté de vie.
duur'zaam *b.n.* **1** durable; **2** (*standvastig*) stable; **3** (*v. vriendschap*) solide; **4** (*v. gezondheid*) robuste; **5** (*blijvend*) permanent; **6** (*v. verbruiksgoederen*) peu périssable.
duur'zaamheid *v.* caractère *m.* durable; stabilité; solidité; permanence, durabilité *f.*
duw *m.* **1** choc, heurt, coup *m.*; **2** (*v. langere duur*) poussée *f.*; **3** (*stomp*) bourrade *f.*
du'wen I *on.w.* pousser; **II** *ov.w.* **1** pousser; **2** (*op zij duwen, verdringen*) bousculer; ***iem. van zijn plaats —,*** déloger qn. de sa place.
duw'tje *o.* poussée *f.*; ***iem. een — geven,*** donner un coup de main à qn.
dwaal *v.(m.)* (*wit altaarkleed*) nappe *f.* d'autel.
dwaal'begrip *o.* erreur *f.*, opinion *f.* erronée.
dwaal'geest *m.* **1** esprit *m.* d'erreur; **2** (*ketter*) hérétique *m.*
dwaal'leer *v.(m.)* fausse doctrine *f.*, doctrine erronée, — d'erreur.
dwaal'leraar *m.* hérésiarque *m.*, docteur *m.* hétérodoxe.
dwaal'licht *o.* feu *m.* follet.
dwaal'spoor *o.* faux chemin *m.*; ***op een — geraken,*** s'égarer, se fourvoyer; ***op een — zijn,*** **1** être dans l'erreur, faire fausse route, se perdre; **2** (*v. gerecht*) suivre une fausse piste; (***iem.***) ***op een — brengen,*** **1** tromper (qn.), induire (qn.) en erreur, égarer (qn.); **2** (*gerecht*) dépister.
dwaal'ster, -star *v.(m.)* planète *f.*
dwaalweg, *zie* ***dwaalspoor.***
dwaas I *b.n.* sot, fou; insensé, idiot, ridicule; **II** *bw.* sottement, follement; d'une manière insensée; **III** *z.n., m.* sot, fou, idiot; insensé *m.*
dwaas'heid *v.* sottise, folie *f.*
D-wa'gen *m.* wagon *m.* à couloir, — à intercirculation.
dwa'len *on.w.* **1** (*zwerven*) errer; **2** (*ronddolen; ook ongunstig*) rôder; **3** (*verdwalen*) s'égarer, se fourvoyer; **4** (*zich vergissen*) faire erreur, se tromper, être dans l'erreur; ***— is menselijk,*** erreur ne fait pas compte.
dwa'lend *b.n.* **1** errant, vagabond; **2** (*fig.*) égaré; erroné.
dwa'ling *v.* erreur *f.*, égarement *m.*, méprise *f.*; ***iem. uit zijn — helpen,*** détromper qn., désabuser qn.
dwang *m.* contrainte, force, violence, coaction *f.*; ***op iem. — uitoefenen,*** user de contrainte envers qn.
dwang'arbeid *m.* travaux *m.pl.* forcés.
dwang'arbeider *m.* forçat, bagnard *m.*
dwang'beheer *o.* séquestre *m.*
dwang'bevel *o.* contrainte *f.*; ***bij — betekenen,*** notifier commandement de.
dwang'buis *o.* camisole *f.* de force.
dwang'juk *o.* joug *m.* de servitude.
dwang'koers *m.* cours *m.* forcé.
dwang'maatregel *m.* mesure *f.* coercitive.
dwang'middel *o.* moyen *m.* de contrainte, mesure *f.* coercitive.
dwang'nagel *m.* envie *f.*
dwang'som *v.(m.)* astreinte *f.*
dwang'voorstelling *v.* hantise, obsession *f.*, idée *f.* fixe.
dwar'rel *m.* tourbillon *m.*
dwar'relen *on.w.* tourbillonner, tournoyer.
dwar'reling *v.* tourbillonnement, tournoiement *m.*
dwar'relvlucht *v.(m.)* descente *f.* en feuille morte.
dwar'relwind *m.* tourbillon *m.*
dwars *b.n.* **1** oblique, transversal; **2** (*eigenzinnig*) obstiné, récalcitrant, rétif; **3** (*nors, stug*) bourru, revêche; ***— door,*** à travers, au travers de; ***— doorgaan,*** couper par; ***dat zit hem —,*** il en est contrarié, cela lui est difficile à digérer, il n'a pas digéré cela; ***iem. de voet — zetten,*** contrecarrer qn., traverser les desseins de qn.
dwars'balk *m.* **1** traverse, poutre *f.* transversale; **2** (*kruisbalk*) traversin *m.*
dwars'beuk *m. en v.* transept *m.*
dwars'bomen *ov.w.* contrecarrer; contrarier, entraver.
dwars'doorsne(d)e *v.(m.)* coupe *f.* transversale.
dwars'draad *m.* fil *m.* de trame.
dwars'draads *b.n. en bw.* à contre-fil.
dwars'drijven *on.w.* contrecarrer, contrarier.
dwars'drijver *m.* esprit *m.* contrariant; mauvaise tête *f.*; obstructionniste *m.-f.*
dwarsdrijverij' *v.* contradiction *f.*, (esprit *m.* de) contrariété *f.*; obstruction *f.*
dwars'fluit *v.(m.)* flûte *f.* traversière.
dwars'gang *v.(m.)* **1** corridor *m.* transversal; **2** passage *m.* de traverse.
dwars'heid *v.* humeur *f.* récalcitrante, — revêche, — contrariante.
dwars'hout *o.* **1** traverse *f.*; **2** (*v. kruisraam*) croisillon *m.*
dwars'kijker *m.* contrôleur; (*bijzitter*) assesseur *m.*
dwars'kop *m.* mauvaise tête *f.*, obstiné *m.*
dwars'laag *v.(m.)* couche *f.* transversale.
dwars'lat *v.(m.)* traverse, contre-latte* *f.*
dwars'liggend *b.n.* transversal.
dwars'ligger *m.* traverse, bille *f.*
dwars'lijn *v.(m.)* ligne *f.* transversale.
dwars'lopend *b.n.* transversal.
dwars'naad *m.* couture *f.* en travers.
dwars'pad *o.* sentier *m.* de traverse.
dwars'richting *v.* sens *m.* travers.
dwars'scheeps *bw.* en travers.
dwars'schip *o.* (*bouwk.*) transept *m.*
dwars'schot *o.* (*sch.*) cloison *f.* étanche.
dwars'straat *v.(m.)* rue *f.* transversale.
dwars'streep *v.(m.)* ligne *f.* transversale.
dwars'streepje *o.* tiret *m.*
dwars'stuk *o.* traverse *f.*
dwars'uit *bw.* en travers.
dwars'weg *m.* chemin *m.* de traverse.
dwa'selijk *bw.* sottement, follement.
dweep'achtig *b.n.* fanatique, exalté.
dweepach'tigheid *v.* fanatisme *m.*
dweep'ster *v.* fanatique, exaltée; enthousiaste *f.*
dweep'ziek *b.n.* fanatique, exalté; enthousiaste.
dweep'zucht *v.(m.)* fanatisme *m.*
dweil *m.* **1** torchon *m.*; **2** (*scheepszwabber*) faubert *m.*, vadrouille *f.*; **3** (*fig.*) salope *f.*
dwei'len *ov.w.* **1** torcher, torchonner, essuyer, nettoyer; **2** (*sch.*) fauberter.
dwe'pen *on.w.* **1** (*opgetogen zijn*) être en extase, s'extasier; **2** (*in vurige bewondering zijn*) être enthousiaste (de), se passionner (pour); **3** (*godsd.*) être fanatique; ***hij dweept met Racine,*** c'est un fanatique de Racine.
dwe'per *m.* fanatique, exalté, enthousiaste *m.*
dwe'perig *b.n.* fanatique, exalté.
dweperij' *v.* fanatisme *m.*, exaltation *f.*, enthousiasme *m.*
dwerg *m.* nain, pygmée *m.*

dwerg'achtig *b.n.* nain, pygméen, lilliputien.
dwerg'boom *m.* arbre *m.* nain.
dwerg'muis *v.(m.)* souris *f.* naine.
dwerg'palm *m.* palmier *m.* nain.
dwerg'volk *o.* peuple *m.* nain.
dwin'geland *m.* tyran, despote *m.*
dwingelandij' *v.* tyrannie *f.*, despotisme *m.*
dwin'gen I *ov.w.* forcer, contraindre (qn. à); ***door de nood gedwongen,*** par nécessité; ***gedwongen lening,*** emprunt forcé; ***dat laat zich niet —,*** cela ne se commande pas; **II** *on.w.* insister (pour avoir qc.), importuner (qn.); **III** *w.w.* ***zich —,*** se forcer (à), se contraindre (à).
dwin'gend *b.n.* coactif, coercitif; ***—e noodzakelijkheid,*** nécessité impérieuse.
dwin'ger *m.* **1** tyran *m.*; **2** (*v. kind*) enfant volontaire.
dwin'gerig *b.n.* ***een — kind,*** un enfant volontaire, — fatigant.
Dworp *o.* Tourneppe.
dyna'mica, dyna'mika *v.* dynamique *f.*
dynamiek' *v.* dynamisme *m.*
dynamiet' *o.* dynamite *f.*
dynamiet'aanslag *m.* attentat *m.* à la dynamite.
dynamiet'bom *v.(m.)* bombe *f.* à dynamite.
dynamiet'fabriek *v.* dynamiterie *f.*
dynamiet'patroon *v.(m.)* cartouche *f.* de dynamite.
dyna'mika, dyna'mica *v.* dynamique *f.*
dyna'misch *b.n.* dynamique.
dyna'mo *m.* dynamo *f.*, générateur *m.* dynamoélectrique.
dynastie' *v.* dynastie *f.*
dynastiek' *b.n.* dynastique.
dysenterie' *v.* dysentérie *f.*
dysenterie'lijder *m.* dysentérique *m.*

E

E *v.(m.)* **1** e *m.*; **2** (*muz.*) mi *m.*
eb'(be) *v.(m.)* reflux *m.*, marée *f.* basse; ***— en vloed,*** flux et reflux; ***bij —,*** à marée basse.
eb'behout *o.* ébène *f.*, bois *m.* d'ébène.
eb'ben I *on.w.* refluer, baisser, descendre; **II** *b.n.* d'ébène.
eboniet' *o.* ébonite *f.*
E'bro *v.* Ebre *m.*
echec' *o.* échec *m.*; ***— lijden,*** essuyer un échec, subir —.
echel' *m.* sangsue *f.*
echelons'gewijs, -gewijze I *bw.* par échelons, de distance en distance; **II** *b.n.* échelonné.
e'cho *m.* écho *m.*
e'choën *on.w.* faire écho.
e'cholied *o.* écho *m.*, vers *m.pl.* en écho.
e'cholood *o.* sondeur *m.* (ultra-son).
echt I *b.n.* **1** (*wettig*) légitime; **2** (*onvervalst*) véritable, vrai; authentique; **3** (*oorspronkelijk, betrouwbaar*) authentique; **4** (*v. vriend*) sincère; ***van het —e ras,*** de race pure; ***een —e Parijzenaar,*** un Parisien de Paris; **II** *bw.* tout à fait, bien, pour de bon; **III** *z.n., m.* mariage *m.*, union *f.* conjugale; ***in de — treden,*** se marier; ***in tweede —,*** en secondes noces.
echt'breekster *v.* adultère *f.*
echt'breken *on.w.* commettre l'adultère.
echt'breker *m.* adultère *m.*
echt'breuk *v.(m.)* adultère *m.*
ech'telieden *mv.* époux *m.pl.*
ech'telijk *b.n.* conjugal, matrimonial.
ech'telingen *mv.* époux *m.pl.*
ech'ten *ov.w.* légitimer, reconnaître.
ech'ter *bw.* pourtant, cependant, toutefois.
echt'genoot *m.* époux, mari *m.*; (*recht*) conjoint *m.*
echt'genote *v.* épouse, femme *f.*
echt'heid *v.* **1** (*wettigheid*) légitimité *f.*; **2** (*v. akte, schilderij, enz.*) authenticité *f.*; **3** (*v. wijn, diamant*) pureté *f.*; **4** (*v. goud, zilver, enz.*) bon aloi *m.*
ech'ting *v.* légitimation, reconnaissance *f.*
echt'paar *o.* époux, conjoints *m.pl.*
echt'scheiden *on.w.* divorcer.
echt'scheiding *v.* divorce *m.*
echt'verbintenis, *zie* ***echtvereniging.***
echt'vereniging *v.* union *f.* conjugale, mariage *m.*
echt'verklaring *v.* légitimation *f.*
eclips', eklips' *v.(m.)* éclipse *f.*
eclipse'ren, eklipse'ren I *ov.w.* éclipser; **II** *on.w.* s'éclipser.
economie', ekonomie' *v.* économie *f.*; ***geleide —,*** dirigisme, économie dirigée.
econo'misch, eko'nomisch I *b.n.* économique; ***—e eenwording,*** intégration *f.* économique; ***het — principe,*** le principe hédonistique. **II** *bw.* économiquement.
economist', ekonomist' *m.* économiste *m.*
econoom', ekonoom' *m.* **1** (*staathuishoudkundige*) économiste *m.*; **2** (*beheerder*) économe *m.*; **3** (*landbouwer, landbouwkundige*) agriculteur, agronome *m.*
Ecua'dor *m.* Équateur *m.*, Rép. de l'—.
Ecuadoriaans' *b.n.* équatorien.
eczeem', ekseem' *o.* eczéma *m.*, éruption *f.* prurigineuse.
Edam'mer I *b.n.* d'Edam; **II** *z.n., v.* fromage *m.* d'Edam.
e'del I *b.n.* **1** (*v. geslacht*) noble, illustre; **2** (*v. gevoelens*) noble, généreux; **3** (*v. metalen, enz.*) précieux; **4** (*v. wijn*) généreux; **5** (*v. vrucht*) exquis; **II** *bw.* noblement.
edelaar'dig *b.n.* noble, généreux.
edelaar'digheid *v.* noblesse *f.* de cœur, magnanimité *f.*
edelacht'baar *b.n.* honorable, respectable.
e'delen *mv.* nobles *m.pl.*, noblesse *f.*
e'delgas *o.* gaz *m.* épuré; gaz rare (*of* noble).
e'delgesteente *o.* pierre *f.* précieuse.
e'delgoudsmid *m.* orfèvre *m.* d'art.
e'delheid *v.* noblesse; générosité *f.*
e'delhert *o.* cerf *m.* commun.
e'delknaap *m.* page *m.*
e'dellieden *mv.* gentilshommes *m.pl.*
e'delman *m.* gentilhomme *m.*
e'delmarter *m.* martre *f.*
edelmoe'dig *b.n.* généreux, magnanime.
edelmoe'digheid *v.* générosité, magnanimité *f.*
e'delsmeedwerk *o.* ferronnerie *f.*
e'delsmid *m.* (maître) ferronnier *m.*; — d'art.
e'delsteen *m.* pierre *f.* précieuse.
e'delvalk *m. en v.* gerfaut *m.*
e'delvrouw *v.* femme *f.* noble.
E'den *o.* Eden *m.*
edict', edikt' *o.* édit *m.*
e'dik *m.* vinaigre *m.*
edikt', edict' *o.* édit *m.*
E'dinburg *o.* Edimbourg *m.*; ***uit —,*** édimbourgeois.
E'dingen *o.* Enghien *m.*

edi'tie *v.* 1 (*uitgave*) édition *f.*; 2 (*v. dagblad*) tirage *m.*
edoch' *bw.* mais, cependant, pourtant.
E'duard *m.* Édouard *m.*
eed *m.* serment *m.*; **— *van trouw,*** 1 serment de fidélité; 2 (*aan heer*) serment d'allégeance; ***een — afleggen,*** prêter serment; ***een — doen,*** prononcer un serment; ***iem. de — afnemen,*** 1 faire prêter serment à qn.; 2 (*beëdigen*) assermenter qn.; ***onder ede,*** par serment; ***iets onder ede bevestigen,*** affirmer qc. par serment, — sous la foi du serment.
eed'aflegging, eeds'aflegging *v.* prestation *f.* de (*of* du) serment.
eed'breekster *v.* parjure *f.*
eed'breker *m.* parjure *m.*
eed'breuk *v.*(*m.*) parjure *m.*
eed'genoot *m.* 1 (*verbondene*) confédéré *m.*; 2 (*samenzweerder*) conjuré *m.*
eed'genootschap *o.* confédération, ligue *f.*
eed'(s)aflegging *v.* prestation *f.* de (*of* du) serment.
ee'ga(de) *m.-v.* époux *m.*, épouse *f.*
eek *v.*(*m.*) 1 (*eikeschors*) écorce *f.* de chêne; 2 (*edik*) vinaigre *m.*
eek'hoorn, eekho'ren *m.* écureuil, fouquet *m.*
eelt *o.* cal *m.*
eelt'achtig *b.n.* calleux.
eelt'achtigheid *v.* callosité *f.*
eel'tig *b.n.* calleux, couvert de cals.
eelt'knobbel *m.* durillon *m.*, callosité *f.*
eelt'plek *v.*(*m.*) callosité *f.*
een un, une; ***het — of ander boek,*** quelque livre, un livre quelconque; ***— van tweeën,*** de deux choses l'une; ***— maken,*** unifier; ***— worden,*** s'unifier; ***— voor —,*** un à un; ***— en dezelfde persoon,*** une seule et même personne; ***uit één beurs teren,*** faire bourse commune avec qn.; ***het is over enen,*** il est passé une heure; ***bij enen,*** près d'une heure; ***mijn ene zus,*** une de mes sœurs; ***drie enen,*** trois un; ***zij zijn op één dag vertrokken,*** ils sont partis le même jour.
een'akter *m.* pièce *f.* en un acte.
een'arm *m.* manchot *m.*
een'armig *b.n.* manchot, à un bras.
een'bladig *b.n.* 1 (*v. kelk*) monophylle; 2 (*v. kroon*) monopétale, unipétale.
een'bloemig *b.n.* (*Pl.*) uniflore.
een'cellig *b.n.* unicellulaire.
eend *v.*(*m.*) 1 canard *m.*; 2 (*wijfje*) cane *f.*; 3 (*jonge —*) caneton *m.*; 4 (*fig.*) butor *m.*; buse *f.*, bêta *m.*; ***domme —,*** bêta *f.*, butor *m.*
een'dagsvlieg *v.*(*m.*) éphémère *m.*
een'debout *m.* cuisse *f.* de canard.
een'deëi *o.* œuf *m.* de cane.
een'dejacht *v.*(*m.*) chasse *f.* aux canards.
een'dekker *m.* monoplan *m.*
een'dekroos *o.* lentille(s) *f.*(*pl.*) d'eau.
een'demossel *v.*(*m.*) bernacle *f.*
een'denkom *v.*(*m.*) canardière *f.*, mare *f.* aux canards.
een'denkooi *v.*(*m.*) canardière *f.*
een'denpoel *m.* barbotière *f.*
een'denroer *o.* canardière *f.*
een'der I *b.n.* pareil, semblable; la même chose; ***'t is mij —,*** cela m'est égal; **II** *bw.* pareillement, de la même façon.
eend'je *o.* petit canard, caneton *m.*
een'dracht *v.*(*m.*) concorde, union, harmonie *f.*; ***— maakt macht,*** l'union fait la force.
eendrach'telijk *bw.* en bon accord, en bonne intelligence, dans une parfaite concorde.
eendrach'tig I *b.n.* unanime, d'un commun accord, uni; **II** *bw. zie* ***eendrachtelijk.***
eend'vogel *m.* canard *m.*
een'gestreept *b.n.* (*muz.*) de l'octave moyenne.
eengezins'woning *v.* habitation *f.* pour une seule famille.
een'han'dig *b.n.* unimane.
een'heid *v.* 1 (*alg.*) unité *f.*; 2 (*gelijkvormigheid*) uniformité *f.*; 3 (*eenstemmigheid*) unanimité *f.*; 4 (*eensgezindheid*) unité *f.*; 5 (*samenhang*) suite, continuité, unité *f.*
een'heidsfront *o.* unité *f.* de front, front *m.* [unique.
een'heidsmunt *v.*(*m.*) monnaie *f.* unique.
een'heidsprijs *m.* prix *m.* unique.
een'heidsschool *v.*(*m.*) école *f.* unique.
één'hel'mig *b.n.* (*Pl.*) monandre.
één'hoe'vigen *mv.* solipèdes *m.pl.*
één'hoof'dig *b.n.* 1 monocéphale; 2 monarchique; ***—e regering,*** monarchie *f.*
een'hoorn, een'horen *m.* licorne, unicorne *f.*
een'hui'zig *b.n.* (*Pl.*) monoïque, androgyne.
een'jarig *b.n.* 1 d'un an; 2 (*plant*) annuel.
eenka'merwoning *v.* logis *m.* à pièce unique.
eenken'nig *b.n.* farouche, sauvage.
eenken'nigheid *v.* humeur *f.* farouche, — sauvage.
een'kleurig *b.n.* 1 d'une seule couleur, unicolore, monochrome; 2 de la même couleur.
eenkleu'righeid *v.* monochromie *f.*
een'knopsafstemming *v.* réglage *m.* par un seul bouton.
een'lettergre'pig *b.n.* monosyllabique; ***— woord,*** monosyllabe *m.*
een'ling *m.* individu *m.*
een'lobbig *b.n.* (*Pl.*) monocotylédone.
een'maal *bw.* 1 une fois; 2 (*eens, op een dag*) un jour; ***— is geen maal,*** une fois n'est pas coutume; ***als ik maar — klaar ben,*** une fois que je serai prêt.
een'mansschool *v.*(*m.*) école *f.* à classe unique.
een'mansshow *m.* show *m.* à une personne, one man show *m.*
een'manswagen *m.* tramway *m.* sans receveur.
een'manszaak *v.*(*m.*) fonds *m.* de commerce dirigé par une seule personne.
een'motorig *b.n.* unimoteur.
een'o'gig *b.n.* borgne, qui n'a qu'un œil.
een'oog *m.-v.* borgne *m.-f.*; ***in 't land der blinden is — koning,*** dans le royaume des aveugles les borgnes sont rois.
eenpa'rig I *b.n.* 1 unanime, d'un commun accord; 2 (*eenvormig, gelijkmatig*) égal, uniforme; **II** *bw.* 1 unanimement, d'un commun accord; 2 uniformément; ***— versnelde*** (*of* ***vertraagde***) ***beweging,*** mouvement uniformément accéléré (*of* retardé).
eenpa'righeid *v.* 1 unanimité *f.*; 2 uniformité *f.*; ***met — van stemmen,*** à l'unanimité.
eenpersoons' *b.n.* pour une personne.
een'po'lig *b.n.* unipolaire.
een're, *ter —,* d'une part.
eenrich'tingsverkeer *o.* sens *m.* unique.
eens *bw.* 1 (*een keer*) une fois; 2 (*op zekere dag*) un jour; ***in —,*** (*opeens*) tout d'un coup; (*in eenmaal*) en une fois; ***ook —,*** aussi, à mon (*of* son) tour; ***op —,*** tout à coup; ***weer —,*** encore une fois; (*eens te meer*) une fois de plus; ***nu —..., dan weer ...,*** tantôt... tantôt; ***het — zijn,*** être d'accord; ***het — worden,*** tomber d'accord; ***tracht het — te worden,*** tâchez de vous arranger; ***het — worden omtrent de prijs,*** convenir du prix; ***kom — hier,*** venez (un peu) ici; ***hij heeft***

het niet — gevraagd, il ne l'a pas même demandé; ***er was —...,*** (*sprookje*) il était une fois...
eens'deels, d'une part, d'un côté.
eensden'kend *b.n.* **1** de la même opinion; **2** (*v. geesten*) congénère.
eensgezind' *b.n.* unanime; d'accord; ***een —e familie,*** une famille très unie; ***— handelen,*** agir de concert.
eensgezind'heid *v.* unanimité *f.*, accord *m.*, harmonie, union *f.*
eens'klaps *bw.* tout à coup, subitement, soudain.
een'slach'tig *b.n.* (*v. bloem*) unisexuel, (*v. plant*) monogame.
eens'luidend *b.n.* conforme; ***voor — afschrift,*** pour copie conforme.
eenslui'dendheid *v.* conformité *f.*
een'stem'mig I *b.n.* **1** unanime; **2** (*muz.*) à une voix; **II** *bw.* unanimement, à l'unanimité, d'un commun accord.
eenstem'migheid *v.* unanimité *f.*
eenta'ligheid *v.* unilinguisme *m.*
een'term *m.* monôme *m.*
een'tje *o.* un; ***'t is er —,*** c'est un gaillard, c'est un bel oiseau; ***in zijn —,*** tout seul; à l'écart.
eento'nig *b.n.* monotone; ***— lezen,*** lire d'une voix monotone.
eento'nigheid *v.* monotonie *f.*
een'vleu'gelig *b.n.* monoptère.
eenvor'mig *b.n.* uniforme.
eenvor'migheid *v.* uniformité *f.*
een'voud *m.* **1** simplicité *f.*; **2** (*onschuld, argeloosheid*) candeur, naïveté *f.*
eenvou'dig *b.n.* simple; candide, naïf; ***een —e maaltijd,*** un repas sobre, — frugal; ***een — man,*** un homme sans façons; ***dood —,*** simple comme bonjour.
eenvoudigheid, *zie* ***eenvoud.***
eenvou'digweg *bw.* simplement, tout bonnement.
eenwaar'dig *b.n.* univalent, monovalent.
een'wording *v.* unification *f.*; (*politiek*) intégration *f.* (de l'Europe, de l'Afrique, etc.).
een'zaadlob'big *b.n.* (*Pl.*) monocotylédone.
een'zaam *b.n.* **1** (*v. persoon*) seul, solitaire, isolé; **2** (*v. plaats*) (*afgelegen*) écarté, éloigné; (*verlaten*) désert. [traite *f.*
een'zaamheid *v.* solitude *f.*, isolement *m.*, re-
eenzel'vig *b.n.* **1** solitaire; ***een — man,*** un homme farouche, — sauvage; **2** (*wisk.*) identique.
eenzel'vigheid *v.* **1** humeur *f.* solitaire; **2** (*Z.N.*) identité *f.*
eenzij'dig *b.n.* **1** (*partijdig*) partial; **2** (*eenzelvig*) exclusif; **3** (*v. verdrag*) unilatéral; **4** (*v. druk- of typewerk*) d'un côté; ***een —e ontwikkeling,*** une culture incomplète.
eenzij'digheid *v.* **1** partialité *f.*; **2** caractère *m.* exclusif.
eer I *bw.* **1** (*vroeger*) plus tôt; **2** (*liever*) plutôt; ***hoe — hoe liever,*** le plus tôt possible, le plus tôt sera le mieux; **II** *z.n.*, **ere** *v.*(*m.*) honneur *m.*; ***ere zij God,*** gloire à Dieu; ***— aandoen,*** rendre honneur à; ***in ere herstellen,*** réhabiliter, remettre en honneur; ***iem. in ere houden,*** tenir en honneur, respecter qn.; ***iets in ere houden,*** prendre grand soin de qc.; ***'s lands wijs, 's lands —,*** à Rome comme à Rome; ***ere wie ere toekomt,*** à tout seigneur tout honneur; ***op zijn — gesteld zijn,*** se piquer d'honneur; ***voor de — bedanken,*** décliner l'honneur; ***waaraan heb ik de — van uw bezoek te danken?*** qu'est-ce qui me vaut l'avantage de votre visite? ***een wissel de nodige — bewijzen,*** faire bon accueil à une traite, honorer une traite; ***acceptatie ter ere,*** acceptation par honneur; ***betaling ter ere,*** payement par intervention, payement par honneur.
eer'baar *b.n.* honnête; décent, modeste.
eer'bejag *o.* ambition *f.*
eer'baarheid *v.* **1** honnêteté, honorabilité *f.*; **2** pudeur, décence *f.*
eer'betoon *o.*, **eer'betuiging** *v.*, **eer'bewijs** *o.* honneur, hommage *m.*, marque *f.* d'honneur, témoignage *m.* —, honneurs *m.pl.*
eer'bied *m.* respect *m.*; (*sterker*) vénération *f.*; déférence *f.*; ***uit — voor,*** par déférence pour, par respect de (*of* pour); ***iem. zijn — betuigen,*** témoigner ses respects à qn.
eerbie'dig *b.n.* respectueux; ***overdreven —,*** obséquieux.
eerbie'digen *ov.w.* respecter.
eerbie'digheid *v.* vénération *f.*
eerbiedwaar'dig *b.n.* respectable, digne de respect, vénérable.
eerbiedwaar'digheid *v.* respectabilité *f.*
eer'der *bw.* **1** (*vroeger*) plus tôt; **2** (*liever*) plutôt.
eer'gevoel *o.* sentiment *m.* d'honneur, point *m.* —.
eergie'rig *b.n.* ambitieux.
eergie'righeid *v.* ambition *f.*
eer'gisteren *bw.* avant-hier. [d'honneur.
eer'herstel *o.* réhabilitation *f.*; réparation *f.*
Eerken *o.* Archennes.
eer'lang *bw.* bientôt, sous peu.
eer'lijk I *b.n.* **1** (*in handel*) honnête; **2** (*rechtschapen*) probe, intègre, loyal; **3** (*openhartig*) franc; **4** (*v. naam*) honorable; ***— als goud,*** franc comme l'or; **II** *bw.* honnêtement; franchement; ***— gezegd,*** à parler franchement; ***'t is — waar,*** c'est la pure vérité.
eer'lijkheid *v.* honnêteté, probité, loyauté *f.*
eer'loos *b.n.* infâme.
eer'loosheid *v.* infamie; ignominie *f.*
eer'roof *m.* diffamation, infamation *f.*
eer'roofster *v.* diffamatrice, calomniatrice *f.*
eer'rovend *b.n.* diffamant, diffamatoire.
eer'rover *m.* diffamateur, calomniateur *m.*
eerst *telw.* **1** premier; **2** (*v. onderwijs*) élémentaire; ***de —e vijf delen,*** les cinq premiers volumes; ***een —e leugenaar,*** un furieux menteur; ***een —e deugniet,*** un fieffé coquin *m.*; ***Leopold de —e,*** Léopold premier; ***de —e levensbehoeften,*** les articles de première nécessité; ***de —e maart,*** le premier mars; ***dat is het — wat u moet doen,*** c'est la première chose que vous devez faire; ***de —e de beste,*** le premier venu; ***uit de —e hand,*** de première main; **II** *bw.* **1** (*ten eerste*) premièrement; **2** (*vooreerst*) d'abord; **3** (*in de eerste plaats*) en premier lieu; **4** (*in den beginne*) au commencement; **5** (*slechts*) ne... que; ***hij is — dertig jaar,*** il n'a que trente ans; ***dat is — werken!*** voilà qui s'appelle travailler! ***voor het —,*** pour la première fois; ***zij zijn het — aangekomen,*** ils sont arrivés les premiers, elles sont arrivées les premières.
eerst'aanwezend *b.n.* **1** le premier en titre; **2** (*mil.*) le plus ancien en grade.
eerstbegin'nend *b.n.* élémentaire.
eerstbegin'nende *m.-v.* commençant *m.*, —e *f.*, débutant *m.*, —e *f.*, novice *m.-f.*
eerst'daags *bw.* **1** un de ces jours, prochainement; **2** (*H.*) au premier jour.
eerstecommunicant', eerstekommunikant' *m.* premier communiant *m.*
eerstedags'stempel *o. en m.* oblitération *f.* du premier jour.
eerstejaars' *m.-v.* étudiant(e) *m.*(*f.*) de première année; bizut(h) *m.*

eersteklas'coupé *m.* compartiment *m.* de première classe.
eersteklas'firma *v.(m.)* maison *f.* de tout premier ordre.
eersteklas'ser *m.* (*sport*) équipe *f.* de première division.
eerstekommunikant', *zie* ***eerstecommunicant.***
eer'steling *m.* **1** (*kind*) premier*-né* *m.*; **2** (*vrucht*) premier fruit *m.*; ***—en,*** prémices *f.pl.*
eersterangs' *b.n.* de premier rang; de premier ordre.
eerstgeboor'te *v.* primogéniture, aînesse *f.*
eerstgeboor'terecht *o.* droit *m.* d'aînesse.
eerstgebo'rene *m.-v.* premier*-né*, aîné(e) *m.(f.)*.
eerstko'mend *b.n.* prochain.
eerstvol'gend *b.n.* prochain, suivant.
eer'tijds *bw.* autrefois, jadis.
eer'vergeten *b.n.* infâme, sans honneur, éhonté.
eer'verlies *o.* infamie *f.*, perte *f.* d'honneur.
eer'vol I *b.n.* honorable; **II** *bw.* honorablement.
eerwaard' *b.n.* révérend; ***—e heer,*** révérend père; ***Eerwaarde* 1** (*aanspreektitel*) Monsieur l'Abbé, mon Père; **2** (*briefadres*) Monsieur l'Abbé, au Révérend Père.
eerwaar'dig *b.n.* respectable, vénérable, digne.
eerwaar'digheid *v.* respectabilité, vénérabilité, révérence *f.*
eer'zaam *b.n.* honnête, honorable; vertueux.
eer'zaamheid *v.* honnêteté, honorabilité; vertu *f.*
eer'zucht *v.(m.)* ambition *f.*
eerzuch'tig *b.n.* ambitieux.
eest *m.* séchoir *m.*, touraille *f.*
ees'ten *ov.w.* sécher.
eet'baar *b.n.* mangeable, comestible.
eet'baarheid *v.* qualité(s) *f.(pl.)* alimentaire(s), — comestible(s).
eet'bak *m.* mangeoire, auge *f.* [geoir *m.*
eet'gelegenheid *v.* restaurant *m.*; (*pop.*) man-
eet'gerei *o.* couvert *m.*, ustensiles *m.pl.* de table.
eet'huis *o.* **1** restaurant *m.*; **2** (*gaarkeuken*) gargote *f.*
eet'kamer *v.(m.)* salle *f.* à manger.
eet'ketel *m.* (*mil.*) gamelle *f.*
eet'lepel *m.* cuiller *f.* à soupe; (*maat*) une cuillerée.
eet'lust *m.* appétit *m.*; ***iemands — opwekken,*** mettre qn. en appétit, stimuler l'appétit de qn.; ***de — opwekkend,*** appétissant, apéritif; ***gebrek aan —,*** anorexie *f.*
eet'servies *o.* service *m.* de table.
eet'stokjes *mv.* bâtonnets *m.pl.*
eet'tafel *v.(m.)* table *f.* à manger.
eet'waar *v.(m.)* denrée *f.*, comestibles *m.pl.*
eet'zaal *v.(m.)* **1** salle *f.* à manger; **2** (*in school, klooster, enz.*) réfectoire *m.*
eet'zak *m.* (*v. paard*) musette *f.*
eeuw *v.(m.)* **1** siècle *m.*; **2** (*tijdperk*) âge *m.*, ère *f.*; ***de gouden —,*** l'âge d'or, le siècle d'or.
eeu'wenoud *b.n.* séculaire.
eeuw'feest *o.* centenaire *m.*, fête *f.* séculaire.
eeu'wig *b.n.* éternel, perpétuel; ***voor —,*** pour toujours, à jamais.
eeu'wigdurend *b.n.* éternel, perpétuel.
eeu'wigheid *v.* éternité *f.*; ***de — ingaan,*** faire le grand voyage, aller dans l'autre monde; ***nooit in der —,*** au grand jamais, jamais de la vie.
eeuw'jaar *o.* année *f.* séculaire.
efemeer' *b.n.* éphémère.
effect, effekt *o.* effet *m.*, impression *f.*; ***een goed — maken,*** produire un bon effet; ***op — berekend,*** à effet; ***nuttig —,*** (*tn.*) rendement *m.*; ***— geven,*** (*bilj.*) faire un effet de queue; ***—en,*** fonds *m.pl.* (publics), valeurs *f.pl.*, effets *m.pl.*; ***— op naam,*** titre *m.* nominatif; ***— aan toonder,*** titre *m.* au porteur. [l'effet à produire, pose *f.*
effect'bejag, effekt'bejag *o.* recherche *f.* de
effec'tenbeurs, effek'tenbeurs *v.(m.)* Bourse *f.* des fonds publics, — des valeurs.
effec'tenbezit, effek'tenbezit *o.* portefeuille *m.*, fonds *m.pl.* en portefeuille.
effec'tenhandel, effek'tenhandel *m.* commerce *m.* des fonds publics, — des valeurs.
effec'tenkoers, effek'tenkoers *m.* cours *m.* des valeurs, — de la rente, cote *f.*
effec'tenmakelaar, effek'tenmakelaar *m.* agent *m.* de change, courtier *m.* en fonds publics.
effec'tennotering, effek'tennotering *v.* cote *f.* officielle (des fonds publics).
effec'tenrekening, effek'tenrekening *v.* (*H.*) compte-titres *m.*
effec'tenzegel, effek'tenzegel *m.* timbre *m.*
effectief', effektief' I *b.n.* effectif; **II** *z.n.*, *o.* effectif *m.*
effekt(-), *zie* ***effect(-).***
ef'fen I *b.n.* **1** égal, uni; **2** (*v. stof*) uni; (*met kort haar*) ras; **3** (*v. gelaat*) composé; (*onbewogen, ongevoelig*) impassible, froid; ***— land,*** pays plat; ***— zee,*** mer d'huile; ***— som,*** somme ronde; ***— rekeningen maken goede vrienden,*** les bons comptes font les bons amis; ***iets — maken,*** (*Z.N.*) arranger une affaire, démêler —; ***op zijn — komen,*** (*Z.N.*) se remettre, se rétablir; **II** *bw.* **1** (*koel*) froidement; **2** (*gelijk*) d'une façon unie; **3** (*fam.: even*) légèrement; un instant.
ef'fenen *ov.w.* **1** (*gelijk maken*) aplanir, rendre uni; polir, égaliser; **2** (*rekening*) liquider, régler, solder.
ef'fenheid *v.* égalité, unité *f.*; air *m.* compassé.
ef'fening *v.* aplanissement *m.*; égalisation *f.*; nivellement *m.*; (*H.*) liquidation *f.*
efficien'cy *v.* efficience *f.*
eg, eg'ge *v.(m.)* herse *f.*
egaal' I *b.n.* égal: **II** *bw.* également.
egalisa'tiefonds, egaliza'tiefonds *o.* fonds *m.* de stabilisation (*of* régularisation) des changes.
Ege'ische zee, mer *f.* Égée.
e'gel *m.* hérisson *m.* [églantine *f.*
eg(e)lantier' *m.* **1** (*struik*) églantier *m.*; **2** (*bloem*)
e'gelstelling *v.* hérisson *m.*
eg'(ge) *v.(m.)* herse *f.*
eg'gen *ov.w. en on.w.* herser.
eglantier, *zie* ***egelantier.***
egocen'trisch *b.n.* égocentrique.
egoï'sme *o.* égoïsme *m.*
egoï'st *m.* égoïste *m.*
egoï'stisch *b.n.* égoïste.
Egyp'te *o.* l'Égypte *f.*
Egyp'tenaar *m.* Égyptien *m.*
Egyp'tisch *b.n.* égyptien; ***—e duisternis,*** ténèbres *f.pl.* cimmériennes.
ei I *o.* œuf *m.*; ***een hard —,*** un œuf cuit, un œuf dur; ***een rauw —,*** un œuf cru; ***roereieren,*** des œufs brouillés; ***een vers —,*** un œuf frais; ***een vuil —,*** un œuf couvi; ***een zacht (gekookt) —,*** un œuf à la coque, — mollet; ***een spiegel —,*** un œuf sur le plat; ***beter een half — dan een lege dop,*** mieux vaut peu de chose que rien du tout; ***—eren voor zijn geld kiezen,*** mettre de l'eau dans son vin; **II** *tw.* tiens!
ei'ber *m.* cigogne *f.*
ei'cel *v.(m.)* ovule *m.*, cellule *f.* primitive.
ei'derdons *o.* édredon *m.*
ei'dereend, ei'dergans *v.(m.)* eider *m.*
ei'erboer *m.* marchand *m.* d'œufs.
ei'erbroederij *v.* couveuse *f.* (artificielle).
ei'erdooier *m.* jaune *m.* d'œuf.

ei'erdop *m.* **1** (*schaal*) coque *f.* d'œuf; **2** (*lege* —) coquille *f.* d'œuf.
ei'erdopje *o.* coquetier *m.*
ei'erhandelaar *m.* marchand *m.* d'œufs.
ei'erklopper, -klut'ser *m.* batteur *m.* d'œufs, batteuse *f.* —.
ei'erkoek *m.* omelette *f.*
ei'erkoekje *o.* gâteau *m.* aux œufs, galette *f.* —.
ei'erkoker *m.* **1** cuit-œufs *m.*; **2** (*eierhouder: netje of —stel*) œufrier *m.*
ei'erkolen *mv.* boulets; ovoïdes *m.pl.*
ei'erleggend *b.n.* ovipare.
ei'erlepeltje *o.* cuiller *f.* à œufs.
ei'ermand *v.*(*m.*) panier *m.* aux œufs.
ei'ermijn *v.*(*m.*) halle *f.* aux œufs.
ei'ernetje *o.* œufrier *m.*
ei'erpannekoek *m.* omelette *f.*
ei'erpoeder, -poeier *o. en m.* œufs *m.pl.* en poudre. [blanche.
ei'erpruim *v.*(*m.*) goutte *f.* d'or, prune *f.* d'œuf
ei'errekje *o.* casier *m.* à œufs.
ei'ersaus *v.*(*m.*) sauce *f.* aux œufs.
ei'erschaal *v.*(*m.*) coque *f.* d'œuf.
ei'erschelp *v.*(*m.*) coque *f.* d'œuf.
ei'ersnijder *m.* coupe-œufs *m.*
ei'erstel *o.* œufrier *m.*
ei'erstok *m.* ovaire *m.*
ei'erstruif *v.*(*m.*) omelette *f.*
ei'ervla *v.*(*m.*) mousse *f.* aux œufs.
ei'erwinkel *m.* boutique *f.* de coquetier.
Eif'feltoren *m.* tour *f.* Eiffel.
ei'gen I *b.n.* **1** propre; **2** (*familiaar*) familier; ***hij heeft een — huis,*** il a une maison à lui, il a pignon sur rue; ***— haar,*** des cheveux naturels; ***met — handen,*** de ses propres mains; ***— haard is goud waard,*** mieux vaut un petit chez soi qu'un grand chez les autres; ***een — huis hebben,*** avoir pignon sur rue; ***— roem stinkt,*** qui se loue s'emboue; ***'t is zijn — schuld,*** c'est sa propre faute, c'est sa faute à lui; ***een — kamer,*** une chambre particulière, — à lui; ***een — neef,*** un cousin germain; ***voor — rekening,*** pour mon (*of* son) compte; ***op — kosten,*** à mes (*of* ses) propres frais, pour mon (*of* son) compte; ***op — gezag,*** de son autorité; ***zich — maken,*** se familiariser avec; (***ergens***) ***eigen zijn,*** y être comme chez lui; **II** *z.n., o.* ***bij*** (*of* ***in***) ***zijn —,*** à part soi, en soi-même; ***uit zijn —,*** de son chef, spontanément, de lui-même; ***dat heeft hij niet uit zijn —,*** cela ne sort pas de son fonds.
ei'genaar *m.* propriétaire, patron *m.*
eigenaar'dig *b.n.* **1** caractéristique, spécifique; **2** (*zonderling*) singulier, curieux; ***—e spreekwijze*** (*of* ***uitdrukking***), idiotisme *m.*; **II** *bw.* d'une manière particulière.
eigenaar'digheid *v.* **1** particularité, propriété *f.*; **2** singularité *f.*, trait *m.* curieux.
eigenares' *v.* propriétaire *f.*
ei'genbaat *v.*(*m.*) égoïsme *m.*, intérêt *m.* personnel.
ei'genbelang *o.* intérêt *m.* (personnel); ***uit —,*** par intérêt.
Eigenbra'kel *o.* Braine-l'Alleud.
ei'gendom *m. en o.* propriété *f.*; ***in — hebben,*** posséder en propre, avoir en sa possession.
ei'gendomsbewijs *o.* titre *m.* de propriété.
ei'gendomsrecht *o.* droit *m.* de propriété.
ei'gendunk *m.* présomption, fatuité *f.*
eigendun'kelijk I *b.n.* autoritaire, arbitraire; **II** *bw.* arbitrairement; de sa propre autorité.
eigendun'kelijkheid *v.* arbitraire *m.*
ei'gengebakken, -gemaakt *b.n.* de ménage, fait à la maison.
eigengerechtig, *zie* ***eigendunkelijk.***
eigenhan'dig *b.n.* (fait) de sa propre main; (— *geschreven*) autographe, écrit de sa propre main; — ***testament,*** testament *m.* olographe.
ei'genliefde *v.* amour*-propre* *m.*; fatuité *f.*
ei'genlijk I *b.n.* **1** propre; **2** (*werkelijk*) vrai, véritable; **3** (— *gezegd*) proprement dit; ***in —e zin,*** au propre; **II** *bw.* au fond, à vrai dire, à proprement parler.
eigenmach'tig I *b.n.* arbitraire, despotique; **II** *bw.* arbitrairement, de sa propre autorité.
eigenmach'tigheid *v.* arbitraire *m.*
ei'gennaam *m.* nom *m.* propre.
ei'genschap *v.* **1** propriété, qualité *f.*; **2** (*kenmerk, kenteken*) caractère, attribut *m.*
ei'gentijds *b.n.* contemporain.
ei'genwaan *m.* présomption, suffisance *f.*
ei'genwaarde *v.* ***gevoel van —,*** dignité *f.*
eigenwijs' *b.n.* présomptueux, pédant, suffisant.
eigenwijs'heid *v.* présomption, pédanterie, suffisance *f.* [lontaire.
eigenwil'lig *b.n.* **1** arbitraire; **2** (*v. kind*) vo-
eigenzin'nig *b.n.* obstiné, opiniâtre, entêté.
eigenzin'nigheid *v.* entêtement *m.*
eik *m.* chêne *m.* [tan *m.*
ei'kebast *m.* **1** écorce *f.* de chêne; **2** (*gemalen*)
ei'keblad *o.* feuille *f.* de chêne.
ei'keboom *m.* chêne *m.*
ei'kehout *o.* bois *m.* de chêne.
ei'kehouten *b.n.* de (*of* en) chêne.
ei'kel *m.* gland *m.*
ei'kelaar *m.* chêne *m.*
ei'kelkoffie *m.* café *m.* de glands doux.
ei'keloof *o.* feuillage *m.* de chêne.
ei'kelvormig *b.n.* glandiforme.
ei'ken *b.n.* de (*of* en) chêne.
ei'kenbos *o.* chênaie *f.*, bois *m.* de chêne.
eikeschors, *zie* ***eikebast.***
ei'kestam *m.* tronc *m.* de chêne.
ei'ketak *m.* branche *f.* de chêne.
eilaas'! *tw.* hélas!
ei'land *o.* île *f.*; ***op een —,*** dans une île; ***—je,*** *o.* îlot *m.*, petite île *f.*; ***—en boven de wind,*** les Iles du Vent; ***—en onder*** (*of* ***beneden***) ***de wind,*** les Iles sous le Vent.
ei'landbewoner *m.* insulaire *m.*
ei'landengroep *v.*(*m.*) groupe *m.* d'îles, archipel *m.*
ei'landenrijk *o.* empire *m.* insulaire.
ei'landenzee *v.*(*m.*) (vaste) archipel *m.*
ei'lander *m.* insulaire *m.*
ei'leider *m.* oviducte *m.*
ei'lieve! *tw.* de grâce! je vous en prie!
eind, *zie* ***einde.*** [*m.* —.
eind'afrekening *v.* arrêté *m.* de compte, solde
eind'beslissing *v.* **eind'besluit** *o.* **1** résolution *f.* définitive; **2** (*gevolgtrekking*) conclusion *f.* finale.
eind'cijfer *o.* **1** (*v. rekening*) total *m.*; **2** (*bij examen*) note *f.* finale.
eind'diploma *o.* **1** (*v. lagere school*) certificat *m.* d'études; **2** (*v. middelbare school*) diplôme *m.* de fin d'études; **3** (*v. gymnasium*) diplôme *m.* de bachelier. [fin *f.*
eind'doel *o.* but final, dernier but *m.*, dernière
ein'd(e), end *o.* **1** (*tegendeel van begin*) fin *f.*; **2** (*uiteinde*) bout *m.*, extrémité *f.*; **3** (*doel*) but *m.*, fin *f.*, dessein *m.*, vue *f.*; **4** (*v. leven*) fin *f.*; (*het laatste stadium*) déclin *m.*; **5** (*uitkomst, uitslag*) issue *f.*; résultat *m.*; **6** (*einde, grens*) terme *m.*; ***aan het — van zijn reis,*** au terme de son voyage; ***bij het— van,*** à la fin de; ***— april,*** fin avril; ***aan het kortste — trekken,*** avoir le dessous; ***aan het langste — trekken,*** avoir le dessus;

hij heeft het bij het rechte* —,** il est dans le vrai, il a le bon bout; ***iets bij het verkeerde* — *aanpakken, s'y prendre de travers; ***daar komt geen* — *aan,*** cela n'en finit pas; ***een* — *maken aan,*** mettre fin à, mettre un terme à; ***op zijn* — *lopen,*** tirer à sa fin; ***te dien* —,** à cet effet, pour cela; ***ten* — *raad zijn,*** être au bout de son latin, ne savoir où donner de la tête; ***ten* — *brengen,*** terminer, achever; ***tot een goed* — *brengen,*** mener à bonne fin; **— *goed, al goed,*** tout est bien qui finit bien; ***zonder* —,** sans fin, interminable; ***aan alles komt een* —,** au bout de l'aune faut le drap.

eindeksamen(-), *zie* ***eindexamen(-).***

ein'delijk *bw.* **1** enfin; **2** (*tenslotte*) à la fin, finalement; **3** (*per slot van rekening*) en définitive.

ein'deloos *b.n.* **1** sans fin, interminable; **2** (*oneindig*) infini; **3** (*ontzaglijk*) immense.

ein'deloos'heid *v.* infinité *f.*

eind'examen, -eksamen *o.* **1** examen *m.* de fin d'études, — de fin de cours; examen final, — de sortie; **2** (*v. gymnasium of lyceum*) baccalauréat, bachot, bac *m.*

eind'examencommissie, -eksamenkommissie *v.* jury *m.* du baccalauréat, — de sortie.

eind'examinandus *m.* bachelier *m.*

ein'dig *b.n.* **1** (*wisk.*) fini; **2** borné, limité.

ein'digen I *ov.w.* **1** (*tegendeel van beginnen*) finir; **2** (*voltooien*) achever; **3** (*een einde maken aan*) terminer; **4** (*ophouden met*) cesser; **II** *on.w.*finir, expirer, prendre fin; se terminer; — ***met,*** finir par; — ***op,*** se terminer par (*of* en).

eind'je *o.* bout *m.*; ***een* — *sigaar,*** un mégot; ***een* — *oplopen met iem.,*** faire un bout de chemin avec qn.

eind'klank *m.* son *m.* final.

eind'klinker *m.* voyelle *f.* finale.

eind'letter *v.(m.)* (lettre) finale *f.*

eind'lettergreep *v.(m.)* (syllabe) finale *f.*

eind'oordeel *o.* jugement *m.* définitif, — final.

eind'paal *m.* borne, limite *f.*, terme *m.*

eind'produkt, -product *o.* produit *m.* final; — fini.

eind'punt *o.* **1** (*alg.*) terme, bout *m.*; **2** (*v. spoorweg, tram*) terminus *m.*, point *m.* terminus.

eind'resultaat *o.* résultat *m.* définitif.

eind'rijm *o.* rime *f.* finale.

eind'schikking *v.* règlement *m.* final, liquidation *f.*; arrangement *m.*

eind'snelheid *v.* vitesse *f.* finale.

eind'stand *m.* position *f.* finale; score *m.* final.

eind'station *o.* **1** (point) terminus *m.*, gare *f.* terminus; **2** (*kopstation*) tête *f.* de ligne.

eind'stemming *v.* dernier tour *m.* de scrutin.

eind'streep *v.(m.)* (ligne *f.* d') arrivée *f.*; frontière *f.*

eind'strijd *m.* finale *f.*

eind'vergadering *v.* séance *f.* de clôture.

eind'verslag *o.* compte *m.* rendu.

eind'vonnis *o.* sentence *f.* définitive.

ei'rond *b.n.* **1** ovale; **2** (*wisk.*) elliptique.

eis *m.* **1** (*recht*) demande *f.*; **2** (*v. examen*) exigence *f.*; **3** (*v. werklieden, enz.*) revendication *f.*; **4** (*aanspraak*) prétention *f.*; **5** (*vordering van O.M.*) réquisitoire *m.* (du ministère public); ***de* — *afwijzen,*** débouter (le demandeur) de sa demande; ***de* — *inwilligen,*** donner satisfaction à la demande; ***naar de* —,** comme il faut, convenablement, en règle; ***naar de* —*en des tijds,*** moderne; muni de tous les perfectionnements modernes; ***iem. zijn* — *ontzeggen,*** débouter qn. de sa demande; ***een* — *tot schadevergoeding instellen,*** intenter une action en dommages-intérêts; **—*en stellen,*** être exigeant; ***hoge* —*en stellen,*** demander beaucoup; ***te hoge* —*en stellen,*** être trop exigeant.

ei'sen *ov.w.* **1** (*verzoeken*) demander; **2** (*aanspraak maken op*) prétendre à; **3** (*opvorderen*) exiger, réclamer, requérir; **4** (*opeisen: zijn rechten, enz.*) revendiquer.

ei'ser *m.* (*recht*) demandeur *m.*; partie *f.* civile.

eiseres' *v.* (*recht*) demanderesse *f.*

ei'tje *o.* **1** œuf *m.*; **2** ovule *m.*

ei'vol *b.n.* plein comme un œuf, comble.

ei'vormig *b.n.* ovoïde.

ei'wit *o.* blanc *m.* d'œuf; albumen *m.*

ei'witgehalte *o.* teneur *f.* albuminoïde.

ei'withoudend *b.n.* albumineux.

ei'witstof *v.(m.)* albumine *f.*

eklips(-), *zie* ***eclips(-).***

ekono-, *zie* ***econo-.***

eksa'men(-), *zie* ***examen(-).***

ekseem', *zie* ***eczeem.***

eksemplaar', *zie* ***exemplaar.***

eksku-, *zie* ***excu-.***

ek'ster *v.(m.)* pie *f.*

ek'steroog *o.* œil*-de-perdrix *m.*, cor *m.* au pied.

ekwa'tor(-), *zie* ***equator(-).***

ekwi-, *zie* ***equi-.***

el *v.(m.)* aune *f.*

e'land *m.* élan *m.*

elasticiteit' *v.* élasticité *f.*

elastiek' I *o.* élastique, caoutchouc *m.*, gomme *f.* élastique; **II** *b.n.* élastique.

elastie'ken *b.n.* élastique, en élastique.

elastiek'je *o.* élastique *m.*

elas'tisch *b.n.* élastique.

El'ba *o.* Elbe *f.*, l'île *f.* d'Elbe.

El'be *v.* l'Elbe *f.*

Elch *o.* Othée.

el'ders *bw.* ailleurs, autre part.

electr-, *zie* ***elektr-.***

elegant' I *b.n.* élégant; **II** *bw.* élégamment.

elegan'tie *v.* élégance *f.*

elegie' *v.* élégie *f.*

ele'gisch *b.n.* élégiaque.

elektricien', electricien' *m.* électricien *m.*

elektriciteit', electriciteit' *v.* électricité *f.*

elektrifica'tie', elektrifika'tie, electrifica'tie *v.* électrification *f.*

elektrifice'ren, electrifice'ren *ov.w.* électrifier.

elek'trisch', elec'trisch I *b.n.* électrique; **II** *bw.* électriquement; — ***koken,*** cuire à l'électricité; — ***verlicht,*** éclairé à l'électricité; **—*e centrale,*** (station) centrale *f.* d'électricité.

elektriseer'machine, elektrizeer'machine, electriseer'machine *v.* machine *f.* électrique.

elektrise'ren, elektrize'ren, electrise'ren *ov.w.* électriser.

elektrise'ring, elektrize'ring, electrise'ring *v.* électrisation *f.*

elektrochemie', electrochemie' *v.* électrochimie *f.*

elektroche'misch, electroche'misch I *b.n.* électrochimique; **II** *bw.* électrochimiquement.

elektro'de, electro'de *v.* électrode *f.*

elektrodyna'mica, elektrodyna'mika, electrodyna'mica *v.* électrodynamique *f.*

elektroku'tie, electrocu'tie *v.* électrocution *f.*

elektromagneet', electromagneet' *m.* électro-aimant* *m.*

elektromagne'tisch, electromagne'tisch *b.n.* électromagnétique, magnéto-électrique*.

elektromagnetis'me, electromagnetis'me *o.* électromagnétisme *m.*

elek'tromotor, elec'tromotor *m.* moteur *m.* électrique. [électromoteur.
elektromoto'risch, electromotorisch *b.n.*
elek'tron, elec'tron *o.* électron *m.*
electrone'gatief, electrone'gatief *b.n.* électronégatif.
elektro'nenbuis, electro'nenbuis *v.(m.)* tube *f.* électronique; (*telev.*) lampe *f.*
elektro'nenbundel, electro'nenbundel *m.* faisceau *m.* cathodique.
elektro'nenemissie, electro'nenemissie *v.* émission *f.* électronique.
elektro'nenmicroscoop, electro'nenmicroscoop, elektro'nenmikroskoop *m.* microscope *m.* électronique.
elektro'nenstraal, electro'nenstraal *m. en v.* rayon *m.* cathodique; faisceau *m.* électronique.
elektro'nenvermenigvuldiger, electro'nenvermenigvuldiger *m.* multiplicateur *m.* d'électrons. [que *f.*
elektro'nika, -nica, electro'nica *v.* électroni-
elektro'nisch, electro'nisch *b.n.* électronique; — ***brein,*** cerveau *m.* électronique.
elektropo'sitief, electropo'sitief *b.n.* électropositif.
elektrotech'nicus, electrotech'nicus *m.* ingénieur *m.* électrotechnique; électricien *m.*; électronicien *m.*
elektrotechniek', electrotechniek *v.* électrotechnique *f.*
elektrotech'nisch, electrotech'nisch *b.n* électrotechnique; — ***ingenieur,*** ingénieur-électricien.
element' *o.* **1** élément *m.*; **2** (*el.*) élément *m.*, pile *f.*; **3** (*scheik.*) corps *m.* simple; **4** (*bestanddeel*) constituant *m.*; ***in zijn — zijn,*** être dans son élément; ***elektrisch —,*** pile *f.* électrique; ***droog —,*** (*el.*) pile *f.* sèche; ***ongewenste —en,*** des indésirables *m.pl.*
elementair' *b.n.* élémentaire.
elementair'analyse *v.* analyse *f.* chimique élémentaire.
Eleono'ra *v.* Éléonore *f.*
eleva'tie *v.* **1** (*alg.*) élévation *f.*; **2** (*kath.*; *bouwk.*) élévation *f.*; **2** (*mil.*) pointage *m.* en hauteur.
eleva'tiehoek *m.* (*mil.*) angle *m.* d'élévation.
eleva'tor *m.* élévateur *m.*, appareil *m.* élévatoire.
elf I *telw.* onze; ***bij elven,*** près de onze heures; **II** *v.(m.)* elfe, sylphe *m.*
elf'de *telw.* onzième; ***de — september,*** le onze septembre; ***te —r ure,*** au dernier moment.
el'fenkoning *m.* roi *m.* des Aulnes.
elf'honderd *telw.* onze cent(s).
elf'honderdste *telw.* onze-centième.
elf'jarig *b.n.* de onze ans.
elf'lettergre'pig *b.n.* hendécasyllabique.
elft *m.* alose *f.*
elf'tal *o.* **1** onze *m.*, nombre *m.* de onze; **2** (*sp.*) équipe *f.*, onze *m.*; ***het Nederlands —,*** l'équipe *f.* néerlandaise, le onze *m.* néerlandais.
elf'voud *o.* multiple *m.* de onze.
Eli'a(s) *m.* Elie *m.*
eli'xer, eli'xir *o.* elixir *m.*
Eli'za *v.* Élise *f.*
elk I *bijv. vnw.*, (*individueel*) chaque; (*veralgemenend*) tout; ***hij kan — ogenblik thuis komen,*** il peut rentrer d'un moment à l'autre; **II** *z. vnw.* chacun; (*algemeen*) tout le monde.
elkaar', elkan'der *vnw.* l'un l'autre, l'un à l'autre, etc.; réciproquement, mutuellement; entre eux; — ***helpen,*** s'entraider; ***door —,*** **1** (*gemiddeld*) l'un dans l'autre; **2** (*verward*) pêle-mêle, en désordre; ***met de armen over —,*** les bras croisés; ***uit — gaan,*** se séparer; ***uit — nemen,*** démonter.
elkeen' *vnw.* chacun, tout le monde.
el'leboog *m.* **1** coude *m.*; **2** (*lengte*) coudée *f.*; ***met de — stoten,*** coudoyer; ***op de — leunen,*** s'accouder.
el'leboogshoogte *v.* hauteur *f.* d'appui.
el'leboogslengte *v.* coudée *f.*
el'leboogspijp *v.(m.)* cubitus *m.*
el'legoed *o.* tissus *m.pl.* manufacturés.
el'lemaat *v.(m.)* aunage *m.*
ellen'de *v.(m.)* misère *f.*
ellen'deling *m.* misérable *m.* [toyable.
ellen'dig *b.n.* **1** misérable; **2** (*erbarmelijk*) pi-
el'lepijp *v.(m.)* cubitus *m.*
ellewaar, *zie* ***ellegoed.***
ellips' *v.(m.)* ellipse *f.*
ellips'passer *m.* ellipsographe *m.*
ellip'tisch *b.n.* elliptique.
elm(u)s'vuur *o.* feu *m.* Saint-Elme.
el'penbeen *o.* ivoire *m.*
el'penbenen *b.n.* d'ivoire, en ivoire.
els I *m.* (*boom*) aune *m.*; **II** *v.(m.)* (*priem*) alène *f.*
El'sene *o.* Ixelles *m.*
El'zas *m.* Alsace *f.*; ***uit de —,*** alsacien.
El'zasser *m.* Alsacien *m.*
el'zeboom *m.* aune, aulne *m.*
el'zehout *o.* bois *m.* d'aune.
Elzele *o.* Ellezelles.
el'zenbosje *o.* aunaie *f.*
email' *o.* émail *m.*
emaille'ren *ov.w.* émailler.
emancipa'tie *v.* émancipation *f.*
emancipe'ren *ov.w.* émanciper.
emballa'ge *v.* emballage *m.*
emballe'ren *ov.w.* emballer.
emballeur' *m.* emballeur, empaqueteur *m.*
embar'go *o.* embargo *m.*; — ***leggen op,*** mettre l'embargo sur; ***het — opheffen,*** lever l'embargo.
embleem' *o.* emblème; symbole *m.*
embraya'gepedaal *o. en m.* embrayage *m.*; ***zijn — indrukken,*** appuyer sur l'embrayage; ***zijn — laten opkomen,*** relever l'embrayage.
embraye'ren *ov.w.* embrayer.
em'bryo *o.* embryon *m.*
embryonaal' *b.n.* embryonnaire.
emeritaat' *o.* retraite *f.*
eme'ritus *b.n.* en retraite, émérite.
e'mi(e)r *m.* émir *m.*
emigrant' *m.* émigré, émigrant *m.* [gration *f.*
emigre'ren I *on.w.* émigrer; **II** ***het —,*** l'émi-
Emi'lia *v.* Émilie *f.*
eminent' I *b.n.* éminent; **II** *bw.* éminemment.
eminen'tie *v.* éminence *f.*
e'mir, e'mier *m.* émir *m.*
emis'sie *v.* émission *f.*
emis'siebank *v.(m.)* banque *f.* d'émission.
emis'siekoers *m.* cours *m.* émissionnaire.
emittent' *m.* émissionnaire, émetteur *m.*
emitte'ren *ov.w.* émettre.
em'mer *m.* seau *m.*
emolumen'ten *mv.* émoluments *m.pl.* [ment.
empi'risch I *b.n.* empirique; **II** *bw.* empirique-
emplooi' *o.* ***zonder —,*** sans travail.
em'serzout *o.* sel *m.* d'Ems.
emulge'ren *ov.w.* émulsionner.
emul'sie *v.* émulsion *f.*
en *vw.* et; — ***of!,*** et comment!; — ***wel,*** notamment, savoir.
encycliek' *v.* encyclique *f.*
encyclopedie' *v.* encyclopédie *f.*

encyclope'disch *b.n.* encyclopédique.
end, *zie* ***einde.***
en'deldarm *m.* rectum *m.*
ende'misch *b.n.* endémique.
endossant', indossant' *m.* (*H.*) endosseur *m.*
endossement', indossement' *o.* (*H.*) endossement, endos *m.*
endosse'ren, indosse'ren *ov.w.* endosser; ***in blanco —,*** endosser en blanc.
e'nenmale, ***ten —,*** *bw.* tout à fait, absolument.
e'ner, ***ter — (zijde),*** d'une part.
energie' *v.* énergie *f.*
energiek' *b.n.* énergique.
e'nerlei *b.n.* de même nature, de la même sorte, semblable, pareil.
eng *b.n.* **1** (*niet ruim; nauw*) étroit, serré; **2** (*naar, onaangenaam*) lugubre; pénible; ***— behuisd,*** logé à l'étroit; ***—er maken,*** rétrécir, resserrer.
engagement' *o.* fiançailles *f.pl.*
engage'ren *ov.w.* engager; ***zich —,*** se fiancer.
en'gel *m.* ange; chérubin *m.*; ***gevallen —,*** ange déchu; ***de — des Heren,*** la salutation angélique.
en'gelachtig *b.n.* angélique.
en'gelachtigheid *v.* douceur *f.* angélique.
En'geland *o.* l'Angleterre *f.*
en'gelbewaarder *m.* ange *m.* gardien.
en'gelenbak *m.* paradis, poulailler, colombier *m.*
en'gelengeduld *o.* patience *f.* angélique.
en'gelenkoor *o.* chœur *m.* des anges.
en'gelenkopje *o.* tête *f.* d'ange; chérubin *m.*
en'gelenmis *v.*(*m.*) messe *f.* d'ange.
en'gelenrei *m.* chœur *m.* d'anges.
en'gelenschaar *v.*(*m.*) armée *f.* céleste.
en'gelenstem *v.*(*m.*) voix *f.* d'ange, — angélique.
en'gelenzang *m.* hymne *f.* angélique.
engelin' *v.* ange *m.*
en'gelkruid *o.* angélique *f.* sauvage.
En'gels *b.n.* anglais, d'Angleterre; ***de —e kerk,*** l'Église anglicane; ***—e pleister,*** taffetas *m.* d'Angleterre; ***—e ziekte,*** rachitisme *m.*; ***— zout,*** *o.* sel *m.* d'Epsom; ***op zijn —,*** à l'anglaise; ***het —,*** l'anglais *m.*
En'gelse *v.* Anglaise *f.*
En'gelsgezind *b.n.* anglophile.
En'gelsman *m.* Anglais *m.*
en'geltje *o.* chérubin, petit ange *m.*
en'gelwortel *m.* angélique *f.* sauvage.
en'gerd *m.* (*pop.*) vilain matou *m.*; horreur *f.*
en'gerling *m.* turc *m.*, ver *m.* blanc; larve *f.* de hanneton.
enggees'tig *b.n.* d'un petit esprit.
enghar'tig *b.n.* étroit, mesquin, pusillanime.
enghar'tigheid *v.* étroitesse, mesquinerie, pusillanimité *f.*
eng'heid *v.* étroitesse *f.*
engros'prijs *m.* prix *m.* de gros.
eng'te *v.* **1** (*het nauw zijn*) étroitesse *f.*; **2** (*nauwe doorgang*) détroit, défilé *m.*; **3** (*fig.*) embarras, mauvais pas *m.*; **4** (*land—*) isthme *m.*
e'nig I *b.n.* **1** (*waarvan geen tweede is*) unique, seul; **2** (*niet te vergelijken*) unique; **II** *vnw.* (*een of ander*) quelque; ***na —e tijd,*** après quelque temps; ***te —er tijd,*** un jour ou l'autre; ***zonder —e twijfel,*** sans aucun doute; (*zelfst.*) ***het —e,*** la seule chose; ***—en,*** quelques-uns. [ce soit.
enigerlei' *b.n.* quelque, quelconque, quoi que
enigerma'te *bw.* en quelque sorte, quelque peu.
e'niggeboren *b.n.* unique.
e'nigst *b.n.* unique.
e'nigszins *bw.* un peu, quelque peu.
en'kel I *m.* cheville *f.*; ***zijn — verstuiken,*** se donner une entorse; **II** *b.n.* **1** (*niet samengesteld*) simple; seul; **2** (*schaars*) rare; ***heel —e huizen,*** quelques rares maisons; ***— boekhouden,*** tenue *f.* des livres en partie simple; ***een kaartje —e reis,*** un billet simple; ***op — spoor,*** sur voie unique; **III** *bw.* seulement, simplement, uniquement; ***— daardoor,*** par cela seul.
en'keling *m.* individu *m.*
en'kelspel *o.* simple *m.*; ***— spelen,*** jouer en simple.
en'kelvoud *o.* singulier *m.*
enkelvou'dig *b.n.* **1** (*niet dubbel*) simple; **2** (*spraakk.*) singulier.
enorm' *b.n.* énorme.
enormiteit' *v.* énormité *f.*
enquê'te *v.*(*m.*), ***een — houden,*** faire une enquête; procéder à une enquête.
enscene'ren *ov.w.* mettre en scène.
enscene'ring *v.* mise *f.* en scène.
ent *v.*(*m.*) greffe *f.*, greffon *m.*, ente *f.*
entame'ren *ov.w.* entamer.
en'ten I *ov.w. en on.w.* **1** greffer, enter; **2** (*gen.*) inoculer; **II** *z.n.* ***het —,*** **1** le greffage; **2** (*gen.*) l'inoculation *f.*
en'ter *m.* greffeur *m.*
en'terbijl *v.*(*m.*) hache *f.* d'abordage.
en'terdreg *v.*(*m.*) grappin *m.* (d'abordage).
en'teren *ov.w.* aborder, monter à l'abordage.
en'terhaak *m.* grappin, harpon *m.*
en'tering *v.* abordage *m.*
en'ting *v.* greffe *f.*, greffage *m.*
ent'mes *o.* greffoir *m.*
entomolo'gisch *b.n.* entomologique.
entomoloog' *m.* entomologiste *m.-f.*
entree' *v.* entrée *f.*
entree'biljet *o.* billet *m.* d'entrée.
entree'geld *o.* **1** (*voor schouwburg, enz.*) prix *m.* d'entrée; **2** (*in vereniging*) droit *m.* d'inscription, — d'entrée. [pôt.
entrepose'ren *ov.w.* entreposer, mettre en entre-
entrepot' *o.* entrepôt *m.*
entrepot'dok *o.* bassin *m.* d'entrepôt.
ent'rijs *o.* greffon *m.*
ent'spleet *v.*(*m.*) fente *f.*
ent'stof *v.*(*m.*) (*gen.*) vaccin *m.*
ent'was *m. en o.* mastic *m.* à greffer.
envelop'(pe) *v.*(*m.*) **1** enveloppe *f.*; **2** (*met kaarten, loten, enz.*) pochette *f.*
enz., etc.
E'olus *m.* Eole *m.*
e'olusharp *v.*(*m.*) harpe *f.* éolienne.
epaulet' *v.*(*m.*) épaulette *f.*
epicu'risch, epiku'risch *b.n.* épicurien.
epicurist', epikurist' *m.* épicurien *m.*
epidemie' *v.* épidémie *f.*
epide'misch *b.n.* épidémique.
epigram' *o.* épigramme *f.*
epikur-, *zie* ***epicur-.***
epilep'ticus *m.* épileptique *m.*
epile'ren *ov.w.* épiler.
epiloog' *m.* épilogue *m.*
Epi'rus *m.* l'Epire *f.*
e'pisch *b.n.* épique.
episcopaal', episkopaal' *b.n.* épiscopal.
episcopaat', episkopaat' *o.* épiscopat *m.*
episo'de *v.* épisode *m.*
episo'disch *b.n.* épisodique.
epis'tel *o. of m.* **1** (*in de mis*) épître *f.*; **2** (*brief*) épître, lettre *f.*
epis'telzijde *v.*(*m.*) côté *m.* de l'épître.
epi't(h)eton *o.* épithète *f.*
epizo'ën *mv.* (*Dk.*) épizoaires *m.pl.*
e'pos *o.* épopée *f.*, poème *m.* épique.

equa'tor, ekwa'tor *m.* équateur *m.*
equatoriaal', ekwatoriaal' *b.n.* équatorial.
equipa'ge, ekwipa'ge *v.* équipage *m.*, voiture *f.* de maître.
equipement' *o.* équipement *m.*
equipements'stukken *mv.* équipement *m.*, objets *m.pl.* d'équipement.
equivalent', ekwivalent' *o.* équivalent *m.*
er I *bw.* y; là; **II** *vnw.*, en; ***— is, — zijn,*** il y a; ***— wordt gezongen,*** on chante; ***hij heeft — drie verkocht,*** il en a vendu trois; ***er zijn — drie,*** il y en a trois.
eraan', y.
erach'ten *o.* ***mijns —s,*** à mon avis, selon moi, suivant mon opinion.
Eras'mus *m.* Erasme *m.*
erbar'melijk *b.n.* pitoyable, misérable.
erbar'men, *zich —,* *w.w.* avoir pitié (de), compatir (à).
erbar'ming *v.* pitié, compassion *f.*
ere, *zie* **eer II.**
e'reambt *o.* charge *f.* honorifique, dignité *f.* (honorifique).
e'reblijk *o.* marque *f.* d'honneur, hommage *m.*
e'reboog *m.* arc *m.* de triomphe.
e'reburger *m.* citoyen *m.* honoraire.
e'recomité, -komitee', comité *m.* de patronage.
e'redegen *m.* épée *f.* d'honneur.
e'redienst *m.* culte *m.*
e'redoctoraat *o.* doctorat *m.* honoris causa.
e'reketen *v.* chaîne *f.* d'honneur.
erekomitee, *zie* ***erecomité.***
e'rekrans *m.*, **e'rekroon** *v.(m.)* couronne *f.* d'honneur, — triomphale.
e'rekruis *o.* croix *f.* d'honneur.
e'relid *o.* membre *m.* honoraire.
e'relidmaatschap *o.* honorariat *m.*
e'relint *o.* distinction *f.* honorifique.
eremiet', heremiet' *m.* ermite *m.*
e'ren *ov.w.* **1** honorer, respecter, vénérer; **2** (*hulde brengen*) rendre hommage (à); ***eert uw vader en uw moeder,*** tes père et mère honoreras.
e'repalm *m.* palme *f.* (du vainqueur).
e'repenning *m.* médaille *f.* d'honneur.
e'replaats *v.(m.)* place *f.* d'honneur.
e'repoort *v.(m.)* arc *m.* de triomphe.
e'repost *m.* **1** charge *f.* honorifique, poste *m.* d'honneur; **2** (*overbodige post*) sinécure *f.*
e'reprijs *m.* **1** prix *m.* d'honneur; **2** (*Pl.*) véronique *f.*
e'reraad *m.* jury *m.* d'honneur.
e'reronde *v.(m.)* tour *m.* d'honneur.
e'resalvo *o.* salve *f.* (d'honneur); salut *m.*
e'reschuld *v.(m.)* dette *f.* d'honneur.
e'reteken *o.* médaille *f.* d'honneur, décoration *f.*, marque *f.* d'honneur, insigne *m.*
e'retitel *m.* titre *m.* d'honneur, — honorifique.
e'revoorzitter *m.* président *m.* d'honneur.
e'revoorzitterschap *o.* présidence *f.* honoraire.
e'rewacht *v.(m.)* garde *f.* d'honneur.
e'rewijn *m.* vin *m.* d'honneur.
e'rewoord *o.* parole *f.* d'honneur.
e'rezaak *v.(m.)* affaire *f.* d'honneur.
e'rezuil *v.(m.)* monument *m.*, colonne *f.* commémorative.
erf *o.* **1** (*grond*) enclos *m.*, terre *f.*; **2** (*erfenis*) héritage, patrimoine *m.*; ***de erven,*** les héritiers.
erf'bezit *o.* possession *f.* héréditaire.
erf'deel *o.* héritage *m.*; part *f.* de la succession, portion *f.* —; ***vaderlijk —,*** patrimoine *m.*
erf'dienstbaarheid *v.* servitude *f.*
erf'dochter *v.* héritière *f.*
er'felijk *b.n.* héréditaire.
er'felijkheid *v.* hérédité *f.*
er'felijkheidsleer *v.(m.)* théorie *f.* de l'hérédité.
er'fenis *v.* héritage *m.*, succession *f.*
erf'genaam *m.* héritier *m.*; ***enig (universeel) —,*** légataire *m.* universel.
erf'goed *o.* héritage, patrimoine *m.*
erf'grond *m.* fonds *m.* héréditaire.
erf'grondrecht *o.* droit *m.* foncier.
erf'laatster *v.* testatrice, légatrice *f.*
erf'later *m.* testateur, légateur *m.*
erf'lating *v.* legs *m.*; disposition *f.* testamentaire.
erf'leen *o.* (*gesch.*) fief *m.* héréditaire.
erf'oom *m.* oncle *m.* à héritage.
erf'opvolging *v.* succession *f.*
erf'pacht *v.(m.)* emphytéose *f.*; bail *m.* emphytéotique, fermage *m.* —; ***in — geven,*** accenser.
erf'pachtsgrond *m.* terre *f.* emphytéotique.
erf'prins *m.* prince *m.* héritier.
erf'prinses *v.* princesse *f.* héréditaire.
erf'recht *o.* hérédité *f.*, droit *m.* de succession.
erf'rente *v.(m.)* rente *f.* héréditaire, — perpétuelle.
erf'schuld *v.(m.)* dette *f.* héréditaire.
erf'stuk *o.* souvenir *m.* de famille, meuble *m.* hérité, objet *m.* —.
erf'tante *v.* tante *f.* à héritage, — à espérances.
erf'vijand *m.* ennemi *m.* héréditaire.
erf'zonde *v.(m.)* péché *m.* originel, — d'Adam.
erg I *b.n.* mauvais, méchant, malin; ***dat is niet —,*** il n'y a pas de mal à cela; ***het is meer dan —,*** c'est scandaleux; ***—er,*** pire; ***het —st,*** le pire; ***het —ste veronderstellen,*** mettre les choses au pire; ***in 't —ste geval,*** au pis aller, à la rigueur; ***dat gaat van kwaad tot —er,*** cela va de mal en pis; ***een —e fout,*** une faute grave; **II** *bw.* **1** rudement, sévèrement; **2** mal; **3** (*fam.*) très, fort; ***hij is — ziek,*** il est très (*of* sérieusement) malade; ***ik ben er — op gesteld,*** j'y tiens beaucoup; ***zo —,*** à un tel point; **III** *z.n.*, *o.* **1** malice, méchanceté *f.*; **2** soupçon *m.*; ***ik deed het zonder —,*** je n'y entendais pas malice; ***ik had er geen — in,*** je ne m'en doutais pas.
ergden'kend *b.n.* soupçonneux, ombrageux, méfiant.
ergden'kendheid *v.* méfiance *f.*
er'gens *bw.* quelque part; ***— anders,*** autre part, ailleurs.
er'ger I *b.n.* pire, plus mauvais; ***des te —,*** tant pis; ***hoe langer, hoe —,*** de pis en pis; ***van kwaad tot —,*** de mal en pis; ***wat — is,*** qui pis est, ce qui est pis; **II** *bw.* pis, plus mal.
er'geren I *ov.w.* **1** (*aanstoot geven*) scandaliser, offusquer; **2** (*verdriet, leed doen*) irriter, chagriner; **3** (*fam.*) vexer, ennuyer; **II** *w.w.* ***zich — aan*** (*of*) ***over,*** se scandaliser de, s'indigner de.
er'gerlijk *b.n.* scandaleux, choquant, irritant.
er'gerlijkheid *v.* caractère *m.* scandaleux.
er'gernis *v.* **1** (*aanstoot*) scandale *m.*; **2** (*verdriet*) chagrin, dépit *m.*; ***— geven,*** donner du scandale; ***— wekken bij iem.,*** scandaliser qn.
er'go, par conséquent, donc.
ergst I *b.n.* le (*of* la) pire; ***in 't —e geval,*** au pis aller; **II** *z.n.* ***het —e,*** le pis; ***men vreest het —,*** on craint un dénouement fatal, on craint le pire.
e'rica, e'rika *v.(m.)* bruyère *f.*
E'rin *o.* Erin *f.*
erken'nen *ov.w.* **1** reconnaître; ***een vordering —,*** reconnaître une créance; **2** (*bekennen, belijden*) avouer, confesser; **3** (*toegeven*) convenir de, admettre.
erken'ning *v.* **1** reconnaissance *f.*; **2** aveu *m.*
erken'telijk *b.n.* reconnaissant.

erken'telijkheid *v.* reconnaissance, gratitude *f.*
erken'tenis *v.* 1 (*besef, inzicht v. juistheid*) connaissance, conscience *f.*; 2 (*dankbaarheid*) reconnaissance, gratitude *f.*
er'ker *m.* balcon *m.* en encorbellement, baie *f.* carrée, (fenêtre *f.* en) saillie *f.*
erlan'gen *ov.w.* 1 obtenir, recevoir, acquérir; 2 (*recht*) impétrer.
Ernst *m.* Ernest *m.*
ernst *m.* 1 (*geneigdheid tot plichtsbetrachting, overpeinzing*) sérieux *m.*; 2 (*deftigheid*) gravité *f.*; 3 (*strengheid*) sévérité *f.*; 4 (*tegenover scherts*) sincérité *f.*; sérieux *m.*; ***in*** (*of* ***voor***) ***— opnemen,*** prendre au sérieux; ***in alle —,*** au grand sérieux.
ern'stig *b.n.* 1 sérieux; 2 grave; 3 sévère; 4 sincère, sérieux; ***—e wil,*** volonté ferme; ***ik meen het —,*** sans badinage; je parle sérieusement; ***— gewond,*** grièvement blessé; ***— ziek,*** gravement malade.
ernstigheid, *zie* ***ernst.***
eron'der *bw.* là-dessous, en-dessous.
erop' *bw.* là-dessus.
ero'sie *f.* érosion *f.*
ero'tisch *b.n.* érotique.
ersatz' *o. en m.* succédané *m.*
erts *o.* minérai *m.*
erts'ader *v.(m.)* filon *m.*
Erts'gebergte *o.* Monts *m.pl.* hercyniens.
erts'groef, -groeve *v.(m.)* mine, minière *f.*
erts'houdend *b.n.* contenant du minerai.
erts'laag *v.(m.)* couche *f.* de minerai.
ertus'sen *bw.* entre les deux.
eruit' *bw.* dehors.
erva'ren I *ov.w.* faire l'expérience de, éprouver; **II** *b.n.* 1 (*met ervaring*) expérimenté; 2 (*deskundig*) expert, versé (dans).
erva'renheid *v.* 1 expérience, pratique, routine *f.*; 2 (*handigheid*) habileté *f.*
erva'ring *v.* expérience *f.*; ***gebrek aan —,*** [inexpérience *f.*
erva'ringsleer *v.(m.)* doctrine *f.* expérimentale.
erva'ringswetenschap *v.* science *f.* expérimentale.
erve, *zie* ***erf.***
er'ven *ov.w. en on.w.* hériter; ***iets —,*** hériter de qc.; ***iets van iem. —,*** hériter qc. de qn.
erwt *v.(m.)* pois *m.*; ***grauwe —en,*** pois chiches; ***groene —en,*** pois verts.
erw'tedop *m.* cosse *f.*
erw'tenmeel *o.* farine *f.* de pois.
erw'tensoep *v.(m.)* potage *m.* aux pois; soupe *f.* à la purée de pois.
erw'tjes *mv.* petits pois *m.pl.*
es I *v.(m.)* (*muz.*) mi *m.* bémol; **II** *m.* frêne *m.*
escadril'le *v.(m.) en o.* escadrille *f.*
escor'te *o.* escorte *f.*
Esculaap', Eskulaap *m.* Esculape *m.*
es'doorn, es'doren *m.* (*Pl.*) érable *m.*
eska'der *o.* escadre *f.*, (*klein*) escadrille *f.*
eskadron' *o.* escadron *m.*
Es'kimo *m.* Esquimau *m.*
Es'kimoos *b.n.* esquimau (*fém.:* esquimaude).
Es'kimose *v.* Esquimaude *f.*
Eskulaap', *zie* ***Esculaap.***
e'-snaar *v.(m.)* (*muz.*) mi *m.* (du violon), chanterelle *f.*
esp, es'peboom *m.* tremble *m.*
es'peblad *o.* feuille *f.* de tremble.
es'peboom, esp *m.* tremble *m.*
es'pehout *o.* bois *m.* de tremble.
Esperan'to *o.* espéranto *m.*
essaai' *o.* essai, essayage *m.*
essaaie'ren, essaye'ren I *ov.w.* essayer; **II** *z.n.* ***het —,*** l'essai, l'essayage *m.*
essayeur' *m.* essayeur *m.*
es'sen *b.n.* de (*of* en) frêne.
es'senbos *o.* bois *m.* de frênes, frênaie *f.*
essen'ce *v.(m.)* essence *f.*, huile *f.* essentielle.
essentieel' *b.n.* essentiel.
estafet'te *m.-v.* estafette *f.*
estafet'teloop *m.* course *f.* de relais.
est(h)e'tica, est(h)etika *v.* esthétique *f.*
est(h)e'ticus *m.* esthéticien *m.*
est(h)etiek' *v.* esthétique *f.*
est(h)e'tisch *b.n.* esthétique.
Est'land *o.* l'Esthonie *f.*
Est'lander *m.* Esthonien *m.*
Estlands, Estnisch *b.n.* esthonien.
estra'de *v.* estrade *f.*
es'trik *m.* carreau *m.*; ***vloer van —ken,*** carrelage *m.*
etablissement' *o.* établissement *m.*
eta'ge *v.* étage *m.*
eta'gebouw *m.* construction *f.* en hauteur.
eta'gewoning *v.* immeuble *m.* à étages.
etala'ge *v.* étalage *m.*; devanture *f.*
etala'gekast *v.(m.)* vitrine *f.*
etale'ren I *ov.w.* étaler, étalager; **II** *on.w.* faire l'étalage; **III** (*uitkramen*) faire étalage de; **IV** *s.o.* l'étalage *m.*
etaleur' *m.* étalagiste *m.-f.*
etap'pe *v.(m.)* étape *f.*
etap'pecommandant *m.* commandant *m.* d'étapes.
e'ten I *ov.w.* manger; ***een stukje —,*** casser une croûte; ***gauw wat —,*** manger un morceau sur le pouce; ***een schotel leeg —,*** vider un plat; **II** *on.w.* 1 manger; 2 (*ontbijt, lunch*) déjeuner; 3 (*middagmaal*) dîner; 4 (*rond 4 uur*) goûter; 5 (*'s avonds laat*) souper; ***blijven —,*** rester à dîner; ***driemaal daags —,*** faire trois repas par jour; ***lekker —,*** bien manger; ***graag lekker —,*** aimer la bonne chère; ***uit — gaan,*** dîner en ville; **III** *z.n., o.* 1 manger *m.*; 2 (*maaltijd*) repas *m.*; 3 déjeuner, dîner, goûter, souper *m.*; 4 (*gerecht*) mets, plat *m.*; ***warm —,*** des mets chauds; ***iem. ten — vragen,*** inviter qn. à dîner.
e'tensbak *m.* 1 (*krib, trog*) mangeoire, auge *f.*; 2 (*v. vogelkooi*) auget *m.*; 3 (*mil.*) gamelle *f.*
e'tensdrager *m.* porte-manger *m.*
e'tenskast *v.(m.)* garde-manger *m.*
e'tenslucht *v.(m.)* odeur *f.* de cuisine.
e'tenstijd *m.*, **e'tensuur** *o.* heure *f.* du repas.
e'ter *m.* **I** (*pers. naam*) 1 mangeur *m.*; 2 (*aan 't middagmaal*) dîneur *m.*; 3 (*gast*) convive *m.*; ***een flink —,*** une bonne fourchette, un grand (*of* beau) mangeur; **II** *zie* ***ether.***
e't(h)er *m.* éther *m.*; ***in de —,*** sur les ondes; ***door de —,*** par la voie de l'air.
et(h)e'risch *b.n.* éthéré; ***—e olie,*** huile *f.* volatile.
e't(h)ernarcose *v.* éthéridation *f.*, narcose *f.* par l'éther.
e't(h)erpiraat *m.* pirate *m.* de l'éther.
e't(h)ica, e't(h)ika, et(h)iek' *v.* éthique *f.*
e't(h)icus *m.* moraliste *m.*
Ethio'pië *o.* l'Éthiopie *f.*
Ethio'piër *m.* Éthiopien *m.*
e't(h)isch *b.n.* éthique.
etiket' *o.* étiquette *f.*; ***van een — voorzien,*** [étiqueter.
et'maal *o.* (espace *m.* de) vingt-quatre heures *f.pl.*
etnograaf' *m.* ethnographe *m.*
etnogra'fisch *b.n.* ethnographique.
Etrus'ken *mv.* les Étrusques *m.pl.*
Etrus'kisch *b.n.* étrusque.
ets *v.(m.)* eau*-forte* *f.*, gravure *f.* à l'eau-forte.
Etsch *v.* Adige *f.*
et'sen *ov.w. en on.w.* graver à l'eau-forte.
et'ser *m.* graveur (à l'eau-forte), aquafortiste *m.*

ets'kunst *v.* gravure *f.* à l'eau-forte; art *m.* de graver à l'eau-forte. [*f.* sèche.
ets'naald *v.(m.)* burin *m.*; (*droge naald*) pointe
ets'plaat *v.(m.)* plaque *f.* d'aquafortiste.
et'telijke *b.n.* plusieurs, quelques.
et'ter *m.* pus *m.*, matière *f.* purulente.
et'terachtig *b.n.* purulent.
et'terbuil *v.(m.)* abcès *m.* de fixation. [—.
et'teren *on.w.* suppurer, sécréter du pus, rejeter
et'tergezwel *o.* abcès *m.*
et'terig *b.n.* purulent.
et'tering *v.* suppuration, purulence *f.*
et'tervormend *b.n.* suppuratif.
et'tervorming *v.* suppuration *f.*
et'terwond(e) *v.(m.)* plaie *f.* suppurée.
etui' *o.* étui *m.*
etymolo'gisch *b.n.* étymologique.
etymoloog' *m.* étymologiste *m.*
eucharistie' *v.* eucharistie *f.*
eucharis'tisch *b.n.* eucharistique.
eufemis'me *o.* euphémisme *m.*
eufemis'tisch I *b.n.* euphémique; **II** *bw.* euphémiquement.
Eu'fraat *m.* Euphrate *m.*
eugene'tica, eugenetiek' *v.* eugénisme *m.*, eugénique *f.*
eugene'tisch *b.n.* eugénique.
Euge'nius *m.* Eugène *m.*
eunuch' *m.* eunuque *m.* [péen.
Eu'romarkt *v.(m.)* Marché *m.* commun, — euro-
Euro'pa *o.* l'Europe *f.*; ***Verenigd* —,** États-Unis d'Europe, Europe unie.
Europeaan' *m.* Européen *m.*
europeanise'ring *v.* européanisation *f.*
Europees' *b.n.* européen; **— *Rusland,*** Russie d'Europe.
eurovi'sie *v.* eurovision *f.*
eu'vel I *o.* mal, défaut, vice *m.*; ***aan hetzelfde — mank gaan,*** avoir le même défaut, clocher du même pied; **II** *b.n.* mauvais, méchant; **III** *bw.* mal; ***iets — duiden,*** prendre qc. en mauvaise part; en vouloir à qn. de qc.
eu'veldaad *v.(m.)* méfait, forfait, crime *m.*
eu'velmoed *m.* impudence, insolence, méchanceté *f.*
E'va *v.* Ève *f.*
evacua'tie *v.* évacuation *f.*
evacue'ren *ov.w.* évacuer.
evange'lie *o.* évangile *m.*; ***het — van de H. Lucas,*** l'Évangile selon saint Luc; ***al wat hij zegt is geen —,*** tout ce qu'il dit n'est pas parole d'évangile. [évangile.
evange'liedienaar *m.* ministre *m.* du saint
evange'liedienst *m.* ministère *m.* de l'Évangile.
evange'lieleer *v.(m.)* doctrine *f.* évangélique.
evange'lieprediker *m.* ministre *m.* évangélique.
evange'lieprediking *v.* prédication *f.*
evange'liewoord *o.* évangile *m.*, parole *f.* de l'évangile.
evange'liezijde *v.(m.)* côté *m.* de l'évangile.
evangelisa'tie, evangeliza'tie *v.* (*prot.*) propagande *f.* évangélique.
evange'lisch *b.n.* évangélique.
evangelist' *m.* évangéliste *m.*
evangeliza'tie, *zie* ***evangelisatie.***
e'ven I *b.n.* pair; ***de — nummers,*** les nombres pairs; ***de — plaatsen,*** les places à nombre pair; **II** *bw.* **1** (*vergelijking*) aussi, autant, également; **2** (*een weinig*) légèrement, un peu; **3** (*nauwelijks*) à peine; **4** (*een ogenblik*) un instant, un moment; ***het is mij om 't —,*** cela m'est égal; ***— voor zessen,*** quelques minutes avant six heures; ***het was — over zessen,*** il n'était guère plus de six heures; ***— aanraken,*** effleurer, toucher du bout du doigt; ***— glimlachen,*** ébaucher un sourire; ***hij is zo— vertrokken,*** il vient de partir.
e'venaar *m.* **1** (*v. balans*) fléau *m.* (de balance); **2** (*tong v. balans*) languette *f.*; **3** (*aardr.*) équateur *m.*, ligne *f.* équinoxiale.
e'venals *vw.* comme, de même que.
evena'ren *ov.w.* égaler, aller de pair avec.
e'venbeeld *o.* portrait *m.*, image *f.* fidèle, réplique *f.* (fidèle).
eveneens' *bw.* également, de même, aussi.
e'vengoed *bw.* aussi bien; autant.
e'venknie *v.(m.)* égal, pareil, émule *m.*
evenma'tig *b.n.* symétrique, proportionné.
evenma'tigheid *v.* symétrie *f.*
e'venmens *m.* prochain, semblable *m.*
evenmin' (*als*), ne ... pas plus (que), aussi peu (que).
evennaas'te *m.-v.* prochain *m.* [noxiale.
evennachts'lijn *v.(m.)* équateur *m.*, ligne *f.* équi-
evenre'dig I *b.n.* proportionnel à, en proportion avec; proportionné à; ***recht —,*** directement proportionnel à; ***omgekeerd —,*** inversement proportionnel à, en raison inverse de; ***— aandeel,*** quote*-part*; ***de derde —e,*** la troisième proportionnelle; **II** *bw.* proportionnellement.
evenre'digheid *v.* proportion *f.*; ***gedurige —,*** proportion *f.* continue.
e'ventjes *bw.* **1** légèrement, un peu; **2** (*een ogenblik*) un moment, un instant.
e'ventueel I *b.n.* éventuel; **II** *bw.* éventuellement.
e'venveel *bw.* autant, tout autant.
evenwaar'dig *b.n.* équivalent.
evenwel' *bw.* cependant, pourtant, toutefois, néanmoins.
e'venwicht *o.* **1** (*alg.*) équilibre *m.*; **2** (*in kunst*) pondération *f.*; ***het staatkundig —,*** l'équilibre politique; ***in — zijn,*** être en équilibre, s'équilibrer; ***het — verstoren,*** rompre l'équilibre; ***het — herstellen,*** rétablir l'équilibre; ***uit zijn —,*** **1** déséquilibré; **2** (*fig.*) désaxé.
evenwich'tig *b.n.* **1** (*even zwaar*) du même poids; **2** (*in evenwicht*) équilibré.
e'venwichtsleer *v.(m.)* statique *f.*
e'venwichtstoestand *m.* état *m.* d'équilibre.
evenwij'dig I *b.n.* parallèle; **II** *bw.* parallèlement.
evenwij'digheid *v.* parallélisme *m.*
e'venzeer *bw.* autant, aussi, également, pareillement.
evenzo' *bw.* de la même manière, de même; ***ik heb — gedaan*** (*als*), j'en ai fait autant (que).
e'ver *m.*, **e'verzwijn** *o.* sanglier *m.*
evolue'ren *on.w.* évoluer.
evolu'tie *v.* évolution *f.*
evolu'tieleer *v.(m.)* théorie *f.* évolutionniste.
exa'men, eksa'men *o.* examen *m.*; ***— afleggen*** (*of* ***doen***), passer (*of* subir) un examen; ***— afnemen,*** examiner; ***het mondeling —,*** l'oral *m.*, l'examen *m.* oral; ***het schriftelijk —,*** l'écrit *m.*, les épreuves *f.pl.* écrites; ***vergelijkend —,*** concours *m.*; ***voor een — slagen,*** réussir, être reçu; ***niet slagen voor een —,*** échouer, être refusé; ***opgaan voor een —,*** aller se présenter à un examen.
exa'mencommissie, eksa'menkommissie *v.* jury *m.* d'examen.
exa'mendressuur, eksa'mendressuur *v.* chauffage *m.*
exa'mengeld, eksa'mengeld *o.* droit *m.* d'examen. [d'examen.
exa'menlokaal, eksa'menlokaal *o.* salle *f.*

exa'menopgave, eksa'menopgave *v.(m.)* épreuve *f.* d'examen, sujet *m.* d'examen.
exa'menprogram(ma), eksa'menprogram(ma) *o.* programme *m.* de l'examen.
exa'menstudie, eksa'menstudie *v.* préparation *f.* à un examen.
exa'menvrees, eksa'menvrees *v.(m.)* (le) trac *m.*
exa'menwerk, eksa'menwerk *o.* copie *f.* (d'examen).
examinan'dus *m.* candidat *m.*
examina'tor *m.* examinateur *m.*
examine'ren, eksamine'ren *ov.w.* examiner, faire subir un examen (à).
exarch *m.* exarque *m.*
excellent' I *b.n.* excellent; **II** *bw.* excellemment.
excellen'tie *v.* excellence *f.*
excentriciteit' *v.* excentricité *f.*
excentriek' I *b.n.* excentrique; **II** *bw.* excentriquement; **III** *o.* (*techn.*) excentrique *m.*
excerpe'ren *ov.w.* faire l'extrait de, résumer.
excerpt' *o.* extrait, résumé *m.*
exclude'ren *ov.w.* exclure.
exclusief' *b.n.* exclusif.
exclusiviteit' *v.* exclusivité *f.*; ***in —,*** en exclusivité.
excommunica'tie, exkommunika'tie *v.* excommunication *f.*
excommunice'ren, exkommunice'ren *ov.w.* excommunier.
excur'sie, exkur'sie *v.* excursion *f.*
excuse'ren, ekskuse'ren *ov.w.* excuser.
excuus', ekskuus' *o.* excuse *f.*; ***— vragen,*** faire (*of* présenter) ses excuses, demander pardon.
executant' *m.* exécutant *m.*
execute'ren *ov.w.* exécuter.
executeur' *m.* exécuteur *m.*; ***—-testamentair,*** exécuteur *m.* testamentaire.
execu'tie *v.* exécution *f.*; ***uitstel van —,*** sursis *m.*
executoir', executoor *b.n.* exécutoire.
executoriaal' *b.n.* ***executoriale verkoop,*** saisie*-exécution* *f.*, vente *f.* en justice.
exegeet' *m.* exégète *m.*
exege'se *v.* exégèse *f.*
exemplaar', eksemplaar' *o.* **1** (*v. boek, enz.*) exemplaire *m.*; **2** (*v. dier of plant*) spécimen, sujet *m.*
exerce'ren *on.w.* faire l'exercice.
exerci'tie *v.* exercice *m.*
exerci'tieplein *o.* place *f.* d'armes.
exerci'tietenue *o. en v.(m.)* tenue *f.* d'exercice.
exerci'tieveld *o.* **1** champ *m.* de manœuvres; **2** (*voor artillerie*) polygone *m.*
existentialis'me *o.* existentialisme *m.*
existentialist' *m.* existentialiste *m.*
existentialis'tisch *bn.* existentialiste.
existen'tie *v.* existence *f.*
existentieel' *b.n.* existentiel.
exkomm-, *zie* ***excomm-.***
ex-li'bris *o.* ex-libris *m.*
Ex'odus *m.* Exode *m.*
exo'tisch *b.n.* exotique.
expan'sie *v.* expansion, détente *f.*
expansief' *b.n.* expansif.
expedië'ren *ov.w.* expédier.
expediteur' *m.* **1** (*H.*) commissionnaire *m.* de transport(s), entrepreneur *m.* de messageries; **2** (*in zaak*) expéditeur *m.*
expedi'tie *v.* expédition *f.*
expedi'tieboek *o.* registre *m.* des expéditions.
expedi'tiekantoor *o.* messageries *f.pl.*, bureau *m.* des messageries.
expedi'tiekorps *o.* corps *m.* expéditionnaire.
expedi'tiekosten *mv.* frais *m.pl.* d'expédition.
expedi'tieleger *o.* armée *f.* expéditionnaire.
experiment' *o.* expérience, expérimentation *f.*
experimenteel I *b.n.* expérimental; **II** *bw.* expérimentalement.
experimente'ren *on.w.* experimenter.
explode'ren *on.w.* exploser, faire explosion.
exploitant' *m.* exploitant *m.*
exploita'tie *v.* **1** exploitation *f.*; faire-valoir *m.*; **2** (*v. grond*) mise *f.* en valeur; ***in — zijn,*** être en exploitation; ***in — brengen,*** mettre en exploitation.
exploita'tiekosten *mv.* frais *m.pl.* d'exploitation.
exploita'tiemaatschappij *v.* société *f.* d'exploitation.
exploite'ren *ov.w.* exploiter; mettre en valeur; cultiver; ***het publiek —,*** exploiter le public.
exploot' *o.* exploit *m.*; ***een — betekenen,*** signifier un exploit, notifier —; ***bij deurwaarders—,*** par exploit d'huissier.
explora'tiemaatschappij *v.* société *f.* d'exploration.
explore'ren *ov.w.* explorer.
explo'siemotor *m.* moteur *m.* à explosion.
exponent' *m.* **1** exposant *m.*; **2** (*fig.*) représentant *m.*
export *m.* (*H.*) exportation *f.*
exporte'ren *ov.w.* exporter.
exporteur' *m.* (*H.*) exportateur *m.*
export'firma *v.(m.)* maison *f.* d'exportation.
export'handel *m.* (*H.*) commerce *m.* d'exportation.
export'huis *o.* maison *f.* d'exportation.
export'slachterij *v.* boucherie *f.* pour l'exportation.
exportzaak, *zie* ***exporthuis.***
exposant' *m.* exposant *m.*
exposé' *o.* exposé *m.*
expose'ren *ov.w.* exposer.
exposi'tie *v.* exposition *f.*
exposi'tieruimte *v.* hall *m.* d'exposition, stand *m.*
expres' I *b.n.* exprès; ***—se brief,*** lettre *f.* expresse; **II** *b.w.* ***hij doet het —,*** il le fait exprès *of* à dessein; ***hij plaagt —,*** il fait exprès de taquiner (etc.); **III** *zie* ***exprestrein.***
expres'bestelling *v.* distribution *f.* par exprès.
expres'brief *m.* lettre *f.* expresse.
expressief I *b.n.* expressif; **II** *bw.* expressivement.
expres'trein *m.* (train) express *m.*
exta'se, exta'ze *v.* extase *f.*; ***in — raken (over),*** s'extasier (de *of* sur).
extern' *b.n.* externe.
externaat' *o.* externat *m.*
ex'tra *b.n.* extraordinaire, spécial; supplémentaire; ***— blad (— editie),*** édition *f.* spéciale; ***— onkosten,*** frais *m.pl.* supplémentaires.
ex'traatje *o.* **1** extra *m.*; **2** (*buitenkansje*) bonne *f.* aubaine, profit *m.* casuel.
ex'tracorrectie, -korrektie *v.* correction *f.* supplémentaire.
extract', extrakt' *o.* **1** (*uittreksel*) extrait *m.*; **2** (*aftreksel*) essence *f.*
ex'tradividend *o.* boni *m.*
ex'trafijn *b.n.* superfin, surfin.
ex'trakorrektie, *zie* ***extracorrectie.***
ex'tranummer *o.* numéro *m.* spécial.
ex'traport *o. en m.* surtaxe *f.*
ex'tratrein *m.* train *m.* spécial, (*ingeschoven*) train bis, — supplémentaire.
extremist' *m.* extrémiste *m.-f.*
E'zau *m.* Esaü *m.*
e'zel *m.* **1** âne *m.*; (*fam.*) baudet *m.*; **2** (*schilders—*)

chevalet *m.*; 3 (*fig.*) imbécile, âne *m.*, bourrique *f.*; ***een — stoot zich geen tweemaal aan dezelfde steen,*** chat échaudé craint l'eau froide.
e'zelachtig *b.n.* bête, stupide, sot.
e'zelachtigheid *v.* bêtise, ânerie *f.*
e'zeldrijfster *v.* ânière *f.*
e'zeldrijver *m.* ânier *m.*
e'zelen *on.w.* bûcher, trimer.
ezelin' *v.* ânesse *f.*
ezelin'nemelk *v.* lait *m.* d'ânesse.
e'zelsbruggetje *o.* guide-âne* *m.*; pont *m.* aux [ânes.
e'zelshuid *v.* peau *f.* d'âne.
e'zelskinnebak *m.* mâchoire *f.* d'âne.
e'zelskop *m.* 1 tête *f.* d'âne; 2 (*fig.*) imbécile, âne *m.*, bourrique *f.*
e'zelsoor *o.* 1 oreille *f.* d'âne; 2 (*in boek*) corne *f.*
e'zelsrug *m.* dos *m.* d'âne.
e'zelsvel *o.* peau *f.* d'âne.
e'zelsveulen *o.* 1 ânon *m.*; 2 (*fig.*) gros bêta, [imbécile *m.*
e'zelsvracht *v.*(*m.*) charge *f.* d'âne.
e'zel(s)wagen *m.* voiture *f.* à âne.
e'zeltje *o.* ânon, bourriquet *m.*

F

F *v.*(*m.*) 1 f *m.*; 2 (*muz.*) fa *m.*
fa *v.*(*m.*) (*muz.*) fa *m.*
faam *v.*(*m.*) réputation, renommée *f.*; ***te goeder naam en — bekend,*** bien famé; jouissant d'une bonne réputation.
fa'bel *v.*(*m.*) fable *f.*; 2 (*gelijkenis*) apologue *m.*; 3 (*fig.*) conte *m.*
fa'belachtig I *b.n.* fabuleux; **II** *bw.* fabuleuse-[ment.
fa'belachtigheid *v.* caractère *m.* fabuleux.
fa'belboek *o.* fablier, recueil *m.* de fables.
fa'beldichter *m.* fabuliste *m.*
fa'belleer *v.*(*m.*) mythologie *f.*
fabrica'ge, -ka'ge, fabrica'tie, -ka'tie *v.* fabrication *f.*
fabrice'ren, -ke'ren *ov.w.* fabriquer, faire.
fabriek' *v.* 1 (*algemeen*) fabrique *f.*; 2 (*groter; voor stoffen vroeger met de hand gemaakt*) manufacture *f.*; 3 (*groot, voor zware stoffen*) usine *f.*; ***de — is in volle gang,*** la fabrique est en pleine activité.
fabrieks'aardappel *m.* pomme *f.* de terre industrielle.
fabrieks'arbeider *m.* ouvrier *m.* d'industrie, — d'usine.
fabrieks'arbeidster *v.* ouvrière *f.* d'usine.
fabrieks'baas *m.* contre-maître* *m.*
fabrieks'boter *v.*(*m.*) beurre *m.* de laiterie.
fabrieks'centrum *o.* centre *m.* industriel, — usinier.
fabrieks'gebouw *o.* fabrique, usine, manufacture *f.*
fabrieks'geheim *o.* secret *m.* de fabrication, [— industriel.
fabrieks'goed *o.* articles *m.pl.* de fabrique, marchandises *f.pl.* —; (*in ongunstige zin*) camelote *f.*
fabrieks'jongen *m.* ouvrier *m.* d'industrie.
fabrieks'meisje *o.* ouvrière *f.* d'industrie.
fabrieks'merk *o.* marque *f.* de fabrique.
fabrieks'nijverheid *v.* industrie *f.* manufacturière.
fabrieks'prijs *m.* prix *m.* de fabrique, — de [revient.
fabrieks'schoorsteen *m.* cheminée *f.* d'usine.
fabrieks'stad *v.*(*m.*) ville *f.* industrielle, — manufacturière.
fabrieks'werk *o.* ouvrage *m.* de fabrique, articles *m.pl.* de fabrique; (*fig.*) travail *m.* machinal.
fabrieks'wet *v.*(*m.*) 1 loi *f.* industrielle; loi sur la main d'œuvre; 2 loi *f.* sur les établissements incommodes et insalubres (= *hinderwet*).
fabrikaat' *o.* 1 article *m.* manufacturé, — fabriqué; 2 (*voortbrengsel*) produit *m.*; ***eigen —,*** produit de la maison.
fabrikage, fabrikatie, *zie* ***fabricage.***
fabrikant' *m.* fabricant, manufacturier *m.*
fabrikeren, *zie* ***fabriceren.***
facet' *o.* facette *f.*
fa'cie *o.* en *v.* physionomie *f.*; (*ong.*) trogne, gueule *f.*
faciliteit' *v.* facilité *f.*; ***—en toestaan,*** accorder des facilités.
facsi'mile *o.* fac-similé* *m.*; ***in —,*** en fac-similé.
facteur' *m.* (*mil.*) sergent facteur, vaguemestre *m.*
fac'tie, fak'tie *v.* faction *f.*
fac'tor, fak'tor *m.* 1 facteur *m.*; 2 (*wisk.*) sous-multiple* *m.*; 3 (*fig.*) élément, agent *m.*; ***de enkelvoudige —en,*** les facteurs premiers.
factorij', faktorij' *v.* factorerie *f.*; comptoir *m.*, agence *f.*, bureau *m.*
facto'tum *o.* en *m.* factotum *m.*
facture'ren, fakture'ren *ov.w.* (*H.*) facturer, porter sur la facture.
facturist', fakturist' *m.* (*H.*) facturier *m.*
factuur', faktuur' *v.* facture *f.*; ***een — opmaken,*** dresser une facture; ***openstaande —,*** facture non réglée; ***finale —,*** facture définitive; ***pro forma —,*** facture 'pro forma', — simulée; ***consulaire —,*** facture consulaire; ***gelegaliseerde —,*** facture légalisée.
factuur'bedrag, faktuur'bedrag *o.* montant *m.* de la facture.
factuur'boek, faktuur'boek *o.* (*H.*) livre *m.* de factures, facturier *m.*
factuur'prijs, faktuur'prijs *m.* prix *m.* de (la) facture.
factuur'waarde, faktuur'waarde *v.* (*H.*) prix *m.* de facture.
facultatief', fakultatief' *b.n.* facultatif.
faculteit' *v.* faculté *f.*
fa'ding *m.* fading *m.*
fæcaliën, fæces, *zie* ***fecaliën.***
fagot' *m.* (*muz.*) basson *m.*
fagottist' *m.* basson *m.*
faien'ce *v.*(*m.*) faïence *f.*
faille'ren *on.w.* faire faillite.
failliet' I *z.n.*, *o.* faillite *f.*; **II** *b.n.* en faillite; ***de —e boedel,*** la masse; ***— gaan,*** faire faillite; ***zich — verklaren,*** se déclarer en faillite, — en état de faillite, déposer son bilan; ***— laten verklaren,*** mettre en faillite.
failliet'verklaring *v.* déclaration *f.* de faillite.
faillissement' *o.* 1 faillite *f.*; 2 (*bankroet*) déconfiture *f.*; ***— aanvragen,*** demander la déclaration en faillite, déposer son bilan; ***bij een — betrokken zijn,*** être intéressé (*of* compromis) dans une faillite.
faillissements'aanvraag, -vrage *v.*(*m.*) dépôt *m.* de bilan, requête *f.* en déclaration de faillite.
faillissements'wet *v.*(*m.*) loi *f.* sur le régime des faillites.
fair *b.n.* honnête, de jeu, propre.
fa'ki(e)r *m.* faquir, fakir *m.*
fak'kel *v.*(*m.*) 1 (*alg.*) flambeau *m.*; 2 (*pek —, toorts*) torche *f.*; 3 (*strofakkel*) brandon *m.*

fak'keldans *m.* danse *f.* aux flambeaux.
fak'keldrager *m.* porte-flambeau(*) *m.*, porteur *m.* de flambeau, — de torche.
fak'kelloop *m.* course *f.* du flambeau.
fak'keloptocht *m.* cortège *m.* aux flambeaux, retraite *f.* aux flambeaux.
fakt-, *zie* ***fact-***.
fakult-, *zie* ***facult-***.
fa'lanx, fa'lanks *v.(m.)* phalange *f.*
fa'len I *on.w.* **1** (*missen*) manquer; **2** (*zich vergissen*) se tromper; **3** (*mislukken*) échouer; ***zonder* —,** sans défaut; **II** *s.o.* échec *m.*, carence *f.*
faliekant I *bn.* faux, erroné; **II** *bw.* faussement; — ***uitkomen,*** échouer, avorter. [ves).
fall out' *o.* retombées *f.pl.* atomiques (radio-acti-
falsa'ris *m.* faussaire *m.*
falset'stem *v.(m.)* voix *f.* de fausset.
fameus' I *b.n.* fameux; **II** *bw.* fameusement.
familiaar' I *b.n.* familier; **II** *bw.* familièrement.
fami'lie *v.* **1** famille *f.*; **2** (*bloedverwanten*) parents *m.pl.*; ***hij is — van mij,*** il est de mes parents; ***zij zijn — van mijnheer A.,*** ils sont apparentés avec monsieur A.; ***wij hebben hier geen —,*** nous n'avons pas de parents ici; ***van goede —,*** de famille.
fami'lieband *m.* lien(s) *m.(pl.)* de parenté.
fami'lieberichten *mv.* mariages, naissances, décès.
fami'liebescheiden *mv.* documents (*of* papiers) *m.pl.* de famille.
fami'liebetrekking *v.* **1** (*verwantschap*) parenté *f.*; **2** (*bloedverwant*) parent *m.*
fami'liefeest *o.* fête *f.* de famille.
fami'liegelijkenis *v.* air *m.* de famille.
fami'liegoed *o.* bien(s) *m.(pl.)* de famille. [—.
fami'liegraf *o.* tombeau *m.* de famille, caveau *m.*
fami'liegroep *v.(m.)* groupe *m.* familial.
fami'liehut *v.(m.)* (*sch.*) cabine *f.* de famille.
fami'liekring *m.* cercle *m.* de (la) famille.
fami'liekwaal *v.(m.)* maladie *f.* héréditaire.
fami'lieleven *o.* vie *f.* de famille, vie d'intérieur, intérieur *m.*
fami'lielid *o.* parent *m.*, membre *m.* de la famille.
fami'lielijst *v.(m.)* cadre *m.* pêle-mêle.
fami'lienaam *m.* nom *m.* de famille.
fami'lieomstandigheden, *wegens —,* pour raisons de famille.
fami'lieraad *m.* conseil *m.* de famille.
fami'lierecht *o.* droit *m.* familial.
fami'lieregering *v.* oligarchie *f.*, gouvernement *m.* oligarchique.
fami'lieroman *m.* roman *m.* domestique.
fami'liestuk *o.* **1** meuble *m.* de famille; **2** (*erfstuk*) souvenir *m.* de famille; **3** (*schilderij*) tableau *m.* de famille.
fami'lietraditie *v.* tradition *f.* familiale.
fami'lietrek *m.* trait *m.* de famille, air *m.* —.
fami'lietrots *m.* orgueil *m.* de race.
fami'lietwist *m.* querelle *f.* de famille.
fami'lieverdrag *o.* pacte *m.* de famille.
fami'lievete *v.(m.)* querelle *f.* héréditaire.
fami'liewapen *o.* armoiries *f.pl.* (de famille), écusson *m.*
fami'lieziek *b.n.* entiché de sa famille.
fan *m.-v.* fan *m.-f.*, vénérateur *m.*
fana'ticus *m.* fanatique *m.*
fanatiek' I *b.n.* fanatique; **II** *bw.* fanatiquement.
fanatis'me *o.* fanatisme *m.*
fancy-fair *m.* bazar *m.* de charité, kermesse *f.*, vente *f.* de charité, — de kermesse.
fandan'go *m.* fandango *m.*
fanfa're *v.(m.)*, **fanfa'rekorps** *o.* fanfare *f.*
fantase'ren, -ze'ren I *ov.w.* **1** inventer, imaginer; **2** (*muz.*) improviser; **II** *on.w.*, se livrer à son imagination, imaginer selon sa fantaisie.
fantasie', fantazie' *v.* fantaisie, imagination *f.*
fantasie'artikelen, fantazie'artikelen *mv.* articles *m.pl.* de Paris, — de luxe.
fantasie'costuum, *zie* ***fantasiekostuum.***
fantasie'hoed, fantazie'hoed *m.* chapeau *m.* melon.
fantasie'kostuum, fantazie'kostuum, fantasie'costuum *o.* costume *m.* de fantaisie.
fantasie'stof, fantazie'stof *v.* étoffe *f.* de fantaisie.
fantast' *m.* fantasque, fantaisiste *m.* [quement.
fantas'tisch I *b.n.* fantastique; **II** *bw.* fantasti-
fantaze'ren, *zie* ***fantaseren.***
fantazie(-), *zie* ***fantasie(-).***
fa'rao *m.* pharaon *m.*
farce'ren *ov.w.* farcir.
farizee'ër *m.* pharisien *m.* [ment.
farizees' I *b.n.* pharisaïque; **II** *bw.* pharisaïque-
farmaceut' *m.* **1** (*apotheker*) pharmacien *m.*; **2** (*student in de farmacie*) étudiant *m.* en pharmacie.
farmaceu'tisch *b.n.* pharmaceutique. [*m.*
farmacopoe'a *v.* pharmacopée *f.*; (*in Fr.*) codex
fa'ro *m.* faro *m.*
fascist' *m.* fasciste *m.*
fascis'tisch *b.n.* fasciste.
fa'se, fa'ze *v.* phase *f.*
fa'-sleutel *m.* clef *f.* de fa.
fat *m.* fat, élégant, dandy, petit*-maître* *m.*
fataal' I *b.n.* fatal; fâcheux; **II** *bw.* fatalement.
fatalist' *m.* fataliste *m.*
fatalis'tisch *b.n.* fataliste.
fa'ta morga'na *v.* mirage *m.*, fantasmagorie *f.*
fatsoen' *o.* **1** (*snit, vorm*) façon, forme, coupe *f.*; **2** (*welgemanierdheid*) bienséance *f.*, savoir-vivre *m.*, formes, convenances *f.pl.*; **3** (*welvoeglijkheid*) décence *f.*; **4** (*uiterlijk passende*) décorum *m.*; ***zijn — houden,*** se conduire comme il faut, garder le décorum; ***op zijn — gesteld zijn,*** tenir à son honneur; ***met goed —,*** décemment; ***voor zijn —,*** par convenance.
fatsoene'ren *ov.w.* façonner, modeler.
fatsoene'ring *v.* façonnage *m.*
fatsoen'lijk I *b.n.* **1** convenable, bienséant, comme il faut, décent, honnête; **2** (*fig.*) bien élevé, de bon ton; **3** (*eerlijk*) honnête; ***er heel — uitzien,*** avoir l'air très bien; **II** *bw.* décemment, honnêtement.
fatsoen'lijkheid *v.* bienséance, honnêteté *f.*, convenances *f.pl.*, savoir-vivre *m.* [ce.
fatsoens'halve *bw.* par bienséance, par convenan-
fat'terig *b.n.* **1** fat, recherché; de dandy; **2** (*verwijfd*) efféminé. [*m.*; **2** effémination *f.*
fat'terigheid *v.* **1** fatuité, recherche *f.*; dandysme
fa'tum *o.* fatalité *f.*
faun *m.* faune *m.*
fau'na *v.(m.)* faune *f.*
favoriet' *m.* favori *m.*
favorie'te *v.* favorite *f.*
fazant' *m.* faisan *m.*; ***jonge —,*** faisandeau *m.*
fazan'tehaan *m.* coq faisan *m.*
fazan'tehen *v.* (poule) faisane *f.*
fazan'tejacht *v.(m.)* chasse *f.* au(x) faisan(s).
fazan'tenkweker *m.* faisandier *m.*
fazan'tenpark *o.* faisanderie *f.*
faze, *zie* ***fase.***
februa'ri *m.* février *m.* [tières *f.pl.* fécales.
feca'liën, fe'ces, faeca'liën, fae'ces *mv.* ma-
federalis'me *o.* fédéralisme *m.*
federalis'ten *mv.* fédéraux *m.pl.*

federalis'tisch *bn.* fédéraliste.
federa'tie *v.* fédération *f.*
federatief' *b.n.* fédératif.
fee *v.* fée *f.*
feeëriek' *b.n.* féerique.
feeks *v.* **1** (*slimmerd*) friponne, fine mouche *f.*; **2** (*boos wijf*) mégère *f.*, méchante femme *f.*
fee'ling *v.* doigté *m.*
feest *o.* **1** (*alg.*) fête *f.*; **2** (*feestvreugde*) réjouissance *f.*; **3** (*—maal*) festin *m.*; **4** (*plechtigheid*) solennité *f.*
feest'avond *m.* soirée *f.* de fête, (soirée de) gala *m.*
feest'bundel *m.* livre *m.* jubilaire, mélanges *m.pl.* offerts à...
feest'commissie, feest'kommissie *v.* commission *f.* des fêtes, comité *m.* d'organisation.
feest'dag *m.* **1** fête *f.*, jour *m.* de fête; **2** (*rustdag*) jour *m.* férié; ***de veranderlijke —en,*** les fêtes mobiles.
feest'dis *m.* **1** festin *m.*; **2** (*prachtige —*) banquet *m.*
feest'dos *m.* habit(s) *m.*(*pl.*) de fête; ***in —,*** en fête.
feest'dronk *m.* toast *m.*; ***een — uitbrengen op,*** parler un toast à, boire à la santé de.
feest'drukte *v.* animations *f.pl.* de fête.
fees'telijk I *b.n.* solennel, pompeux; ***alles ziet er — uit,*** tout a un air de fête; ***de hele stad was in een —e stemming,*** toute la ville était en fête; **II** *bw.* ***iem. — onthalen,*** faire fête à qn.; ***dank je —,*** grand merci.
fees'telijkheid *v.* fête, réjouissance *f.*
fees'teling *m.* **1** le héros de la fête; **2** convive *m.*, participant *m.* à la fête.
feest'gave *v.*(*m.*) cadeau *m.* de fête.
feest'gebouw *o.* salle *f.* des fêtes.
feest'genoot *m.* invité, convive *m.*
feest'genote *v.* invitée, convive *f.*
feest'gewaad *o.* habit *m.* de fête.
feestkommissie, *zie* ***feestcommissie.***
feest'lied *o.* chanson *f.* de fête, — d'allégresse.
feest'maal *o.* **1** festin, banquet *m.*; **2** (*bij druivenoogst*) gobine *f.* (Ile-de-France); cochelet *m.* (Champagne); pôlée *f.* (Bourgogne).
feest'marche, -mars *m. en v.* marche *f.* solennelle.
feest'nummer *o.* **1** (*v. blad, enz.*) numéro *m.* spécial; **2** (*fig.*) joyeux compagnon *m.*
feest'programma *o.* programme *m.* des fêtes.
feest'stemming *v.* animation, allégresse *f.*
feest'terrein *o.* terrain *m.* des fêtes.
feest'varken *o.* héros *m.* de la fête.
feest'verlichting *v.* illumination(s) *f.*(*pl.*).
feest'vieren *on.w.* **1** célébrer une fête; **2** (*fuiven*) festoyer, faire la fête; (*fam.*; *ong.*) faire la noce.
feest'viering *v.* célébration *f.* d'une fête.
feest'vreugde *v.* allégresse, joie, animation *f.* de fête.
feest'wijzer *m.* (*Z. N.*) programme *m.* des fêtes.
feest'zaal *v.*(*m.*) salle *f.* de fêtes.
feestzang, *zie* ***feestlied.***
feil *v.*(*m.*) **1** (*misslag, vergissing*) faute, erreur, méprise *f.*; **2** (*gebrek*) défaut *m.*
feil'baar *b.n.* faillible.
feil'baarheid *v.* faillibilité *f.*
fei'len *on.w.* **1** (*te kort schieten*) faillir (à), manquer (à); **2** (*zich vergissen*) se tromper.
feil'loos *b.n.* sans défaut, irréprochable.
feit *o.* fait *m.*; ***het is een — dat...,*** le fait est que; ***een voldongen —,*** un fait accompli.
fei'telijk I *b.n.* réel, de fait, effectif; **II** *bw.* au fait; dans le fait; à vrai dire.
fei'telijkheid *v.* voie *f.* de fait, acte *m.* de violence.
fei'tenkennis *v.* connaissance *f.* (détaillée) des faits.
fei'tenmateriaal *o.* ensemble *m.* des faits.
fel I *b.n.* **1** (*hevig*) violent, vif, véhément; **2** (*wreed*) féroce, cruel; **3** (*verzot op*) avide de, passionné de, âpre à; **4** (*v. koude*) âpre, perçant; ***een —le winter,*** un rude hiver; **II** *bw.* violemment, âprement.
fel'heid *v.* violence, véhémence *f.*; âpreté *f.*; avidité (de) *f.*
felicita'tie *v.* félicitation *f.*, compliment *m.*
felicite'ren *ov.w.* féliciter (qn. de qc.).
fe'melaar *m.* bigot, hypocrite *m.*
fe'melaarster *v.* bigote, hypocrite *f.*
femelarij' *v.* bigoterie, hypocrisie *f.*
fe'melen *on.w.* faire le dévot, — l'hypocrite.
feminis'me *o.* féminisme *m.*
feminis'tisch *b.n.* féminist.
Feni'cië *o.* Phénicie *f.*
Feni'ciër *m.* Phénicien *m.*
Feni'cisch *b.n.* phénicien.
fe'niks *m.* phénix *m.*
fenomeen' *o.* phénomène *m.*
fenomenaal' I *b.n.* phénoménal; **II** *bw.* phénoménalement.
fenomenolo'gisch *b.n.* phénoménologique.
feodaal', feudaal' *b.n.* féodal.
feodaliteit', feudaliteit' *v.* féodalité *f.*
ferm I *b.n.* **1** (*flink*) bon, énergique; **2** (*stevig*) ferme, fort, solide, vigoureux; **II** *bw.* bien, comme il faut.
fer'ryboot *m. en v.* bateau *m.* transbordeur, ferry-boat *m.*
festijn' *o.* festin *m.*, fête *f.*
fes'tival *o.* festival *m.*
festiviteit' *v.* fête, solennité *f.*
festoen' *m. en o.* feston *m.*
festonne'ren *ov.w.* festonner.
fe'tisj, fe'tisch *m.* fétiche *m.*
fe'tisjdienst, fe'tischdienst *m.* fétichisme *m.*
feudaal', feodaal' *b.n.* féodal.
feudaliteit', feodaliteit' *v.* féodalité *f.*
feuilleton' *o. en m.* feuilleton *m.*
fez *m.* fez *m.*
fias'co, fias'ko *o.* fiasco, échec *m.*; ***— maken,*** échouer, avorter; ***volslagen —,*** échec total.
fiatte'ren *ov.w.* donner son fiat, attacher —, viser.
fiche *o. en v.*(*m.*) **1** (*kaart of strook*) fiche *f.*; **2** (*penning*) jeton *m.*
fic'tie, fik'tie *v.* fiction, imagination *f.*
fictief', fiktief' *b.n.* fictif, imaginaire; ***—ve winst,*** profit imaginaire.
fideel' I *b.n.* jovial, joyeux; **II** *bw.* jovialement.
fideliteit' *v.* jovialité *f.*
fidu'cie *v.* confiance, foi *f.*; ***geen — hebben in,*** se méfier de.
Fi'dzji-eilanden *mv.* les îles *pl.* Fidji, — Viti; ***van de —,*** fidjien.
fielt *m.* coquin, fripon, filou, pied*-plat* *m.*
fielt'achtig *b.n.* fourbe, de fripon.
fiel'tenstreek *m. en v.* friponnerie *f.*
fiel'terig *b.n.* de filou, fourbe, fripon.
fier I *b.n.* fier; **II** *bw.* fièrement.
fier'heid *v.* fierté *f.*, orgueil *m.*
fiets *m. en v.* bicyclette *f.*; (*fam.*) vélo *m.*, bécane *f.*
fiets'band *m.* pneu *m.*
fiets'bel *v.*(*m.*) timbre *m.* de bicyclette, grelot *m.* —.
fiets'broek *v.* culotte *f.* de cycliste.
fiets'club, fiets'klub *v.*(*m.*) société *f.* cycliste, touring-club* *m.*
fiets'dynamo *m.* alternateur *m.*
fiet'sen *on.w.* **1** (*handeling: trappen, rijden*) pédaler, rouler; **2** (*ergens heen*) aller à bicyclette; **3** (*een ritje maken*) faire un tour à bicyclette; **4** (*fiets rijden*) faire de la bicyclette; ***hij fietst nog,*** il fait encore de la bicyclette; ***het is drie uren —,*** c'est trois heures de bicyclette.

fiet'senmaker *m.* mécanicien *m.*
fiet'senrek *o.* râtelier *m.*
fiet'ser *m.* cycliste *m.*
fiets'ketting *m. en v.* chaîne *f.* de bicyclette.
fiets'lantaarn, -lantaren *v.(m.)* phare *m.*, lanterne *f.* de bicyclette.
fiets'pad *o.* piste *f.* (voie *f.*, sentier *m.*) cyclable.
fiets'plaat *v.(m.)* plaque *f.* de bicyclette.
fiets'pomp *v.(m.)* pompe *f.* de bicyclette.
fiets'pompje *o.* (*aan frame*) pompe *f.* de cadre.
fiets'rijder *m.* cycliste *m.*
fiets'sleutel *m.* clef *f.* anglaise.
fiets'slot *o.* antivol *m.*
fiets'stoeltje *o.* porte-bébé *m.*
fiets'tas *v.(m.)* sacoche *f.*
fiets'tocht *m.* excursion *f.* à bicyclette, promenade *f.* —, tour *m.* —.
figurant' *m.* figurant, comparse *m.*
figurante *v.* figurante, comparse *f.*
figure'ren *on.w.* figurer.
figuur' *v.(m.) en o.* **1** (*alg.*) figure *f.*; **2** (*gestalte*) taille *f.*; **3** (*persoon*) personnage *m.*; ***een goed* (*slecht*) *— maken,*** faire bonne (mauvaise) figure; ***een goed — hebben,*** avoir la taille bien prise, être bien fait(e); ***zijn — redden,*** sauver la face.
figuur'dans *m.* danse *f.* figurée.
figuur'lijk I *b.n.* figuré; **II** *bw.* au figuré.
figuur'naad *m.* couture *f.* de moulage.
figuur'zaag *v.(m.)* scie *f.* à découper.
figuur'zagen *o.* découpage *m.*
fijn I *b.n.* **1** (*alg.*) fin; **2** (*dun, klein*) mince, menu; **3** (*uitgezocht*) exquis; **4** (*v. onderscheid*) mince, subtil, délicat; **5** (*lekker*) délicieux; **6** (*slim, handig*) habile, rusé, adroit; **7** (*mooi*) beau, précieux; **8** (*keurig, fijngevormd*) délicat, élégant; **9** (*schijnvroom*) bigot; ***—e manieren,*** des manières (*of* façons) distinguées; ***— schrift,*** écriture menue; ***een — heer,*** (*spottend*) un joli monsieur; **II** *bw.* finement, délicatement, subtilement; **III** *z.n. o.* fin *m.*; ***het —e van de zaak weten,*** savoir le fin mot de l'affaire.
fijn'beschaafd *b.n.* **1** (*v. persoon*) cultivé, distingué; **2** (*v. volk*) policé.
fijngevoe'lig *b.n.* délicat; ***— voor,*** sensible à.
fijngevoe'ligheid *v.* délicatesse; susceptibilité *f.*
fijn'hakken *ov.w.* hacher menu. [**3** bigoterie *f.*
fijn'heid *v.* **1** finesse *f.*; **2** délicatesse, subtilité *f.*;
fijn'kauwen *ov.w.* mâcher, broyer.
fijn'knijpen *ov.w.* écraser.
fijn'maken I *ov.w.* **1** écraser, broyer, réduire en poudre; **2** (*wrijven*) triturer, pulvériser; **II** *z.n.* ***het —,*** la pulvérisation.
fijn'malen I *ov.w.* moudre, réduire en poudre; **II** *z.n.* ***het —,*** la pulvérisation.
fijn'olie *v.(m.)* huile *f.* d'olives.
fijn'proever *m.* **1** (*lekkerbek*) gourmet, fin bec *m.*; **2** (*kenner*) connaisseur *m.*
fijn'schilder *m.* (*Z.N.*) artiste *m.* peintre.
fijn'stampen *ov.w.* concasser, broyer.
fijn'stoten *ov.w.* broyer.
fijn'strijkerij *v.* repassage *m.* fin.
fijn'tjes *bw.* finement; (*lachen*) malicieusement, malignement.
fijn'wasserij *v.* blanchisserie *f.* de fin. [broyer.
fijn'wrijven *ov.w.* réduire en poudre, pulvériser,
fijt *v.(m.) en o.* panaris *m.*
fiks I *b.n.* grand, fort, ferme, robuste, vigoureux; **II** *bw.* bien; fermement, vigoureusement.
fiks'heid *v.* fermeté, force, vigueur *f.*
fiktie(f), *zie* ***fictie(f).***
filantroop' *m.* philanthrope *m.*
filantro'pisch *b.n.* philanthropique.
fi'le *v.(m.)* file, queue *f.*; ***in — staan,*** faire la queue.
filet' *m. en o.* filet *m.*
filharmo'nisch *b.n.* philharmonique.
filiaal' *o.* succursale, filiale *f.*
filiaal'bank *v.(m.)* banque *f.* succursale.
filiaal'bedrijf *o.* maison *f.* à succursales.
filigraan', filigrein' *o.* filigrane *m.*
Filip' *m.* Philippe *m.*
filip'pica, filip'pika *v.* philippique *f.*
Filippij'nen *mv.* Philippines *f.pl.*; ***van de —,*** philippin.
filis'ter *m.* philistin *m.*
Filistijn' *m.* Philistin *m.*
film *m.* **1** (*de film zelf*) pellicule *f.*; **2** (*de opname*) film *m.*; ***een — draaien,*** tourner un film; ***vertraagde —,*** film au ralenti; ***stomme —,*** film muet; ***sprekende —,*** film parlant; ***geluids-,*** film sonore. [ma.
film'acteur, film'akteur *m.* acteur *m.* de ciné-
film'apparaat *o.* caméra *f.*
film'archief *o.* cinémathèque *f.*
film'bedrijf *o.* cinématographie *f.*, le cinéma *m.*
film'club, -klub *v.(m.)* ciné-club* *m.*
film'cultuur, -kultuur *v.* culture *f.* cinématographique.
film'doek *o.* écran *m.*
fil'men *ov.w.* filmer; tourner; cinématographier.
fil'mer *m.* cinéaste *m.*
film'fragment *o.* séquence *f.* de film. [cinéma).
film'held *m.* héros *m.* de l'écran; vedette *f.* (de
fil'misch *b.n.* cinématographique.
film'journaal *o.* actualités *f.pl.*, film *m.* d'actualité, journal *m.* filmé.
film'keuring *v.* censure *f.* des films.
film'klub, *zie* ***filmclub.***
film'kultuur, *zie* ***filmcultuur.***
film'operateur *m.* opérateur *m.* de cinéma, (—) projectionniste *m.*
film'opname *v.(m.)* prise *f.* de vues. [ciné.
film'ster *v.(m.)* vedette *f.* de l'écran, étoile *f.* de
film'sterretje *o.* starlette *f.*
film'strook *v.(m.)* pellicule *f.*, film *m.*
film'toestel *o.* appareil *m.* de prise de vues.
film'wereld *v.(m.)* monde *m.* de l'écran.
filologie' *v.* philologie *f.* [quement.
filolo'gisch I *b.n.* philologique; **II** *bw.* philologi-
filoloog' *m.* philologue *m.*
filosofe'ren, filozofe'ren *on.w.* philosopher.
filosofie', filozofie' *v.* philosophie *f.*
filoso'fisch, filozo'fisch I *b.n.* philosophique; **II** *bw.* philosophiquement.
filosoof, filo'zoof *m.* **1** philosophe *m.*; **2** étudiant *m.* en philosophie.
fil'ter *m. en o.* filtre *m.*
fil'tersigaret *v.(m.)* cigarette *f.* à filtre.
filtraat' *o.* filtrat *m.*
filtreer'doek *m. en o.* étamine *f.*
filtreer'kan *v.(m.)* cafetière *f.* à filtre.
filtreer'papier *o.* papier *m.* à filtrer.
filtreer'toestel *o.* filtre *m.*
filtre'ren *ov.w.* filtrer.
filtre'ring *v.* filtration *f.*
Fin *m.* Finlandais, Finnois *m.*
finaal' *b.n.* final, définitif; ***finale uitverkoop,*** (*H.*) vente pour cessation de commerce.
fina'le *v.(m.)* (*muz.*) final(e) *m.*; (*sport*) finale *f.*
finalist' *m.* finaliste *m.-f.*
financieel I *b.n.* financier; ***financiële moeilijkheden,*** des difficultés pécuniaires, — d'argent; ***het financiële,*** la question financière; **II** *bw.* financièrement.
finan'ciën *mv.* finances *f.pl.*

financier' *m.* financier *m.*; ***hij is een goed —,*** il sait administrer ses finances.
financie'ren *ov.w.* fournir les fonds, pourvoir de capitaux, bailler des fonds, financer.
financie'ring *v.* financement *m.*
finan'ciewezen *o.* finances *f.pl.*
fineer(blad) *o.* bois *m.* (feuille *f.*) de placage, contre-plaqué* *m.*
fineer'der *m.* affineur, plaqueur *m.*
fine'ren *ov.w.* affiner, plaquer, contre-plaquer.
finge'ren *ov.w.* feindre, simuler; inventer; ***gefingeerde naam,*** nom d'emprunt, faux nom; ***een gefingeerde verkooprekening,*** un compte de vente simulé.
fi'nish *m.* (point) *m.* d'arrivée, ligne *f.* d'arrivée.
Fin'land *o.* la Finlande.
Fins *b.n.* finlandais, finnois.
fiool' *v.(m.)* fiole *f.*; ***de fiolen zijner gramschap uitstorten,*** décharger sa colère.
fir'ma *v.(m.)* **1** (*handelshuis*) maison *f.* (de commerce); **2** (*firmanaam*) raison *f.* sociale; ***vennootschap onder —,*** société *f.* en nom collectif.
firmament' *o.* firmament *m.*
firmant' *m.* associé *m.*
fis *v.* (*muz.*) fa *f.* dièse.
fiscaal', fiskaal' *b.n.* fiscal.
fis'cus, fis'kus *m.* fisc *m.*
fis'tel *v.(m.)* fistule *f.*
fit *b.n.* en (bonne) forme, en pleine forme.
fit'ter *m.* gazier *m.*
fit'ting *m.* (*tn.*) garniture, douille *f.*
fixeer'bad *o.* fixateur *m.*, bain *m.* de fixage.
fixeer'middel *o.* fixateur, fixatif *m.*
fixeer'zout *o.* sel *m.* fixateur.
fixe'ren *ov.w.* **1** (*vastmaken; vaststellen*) fixer; **2** (*strak aankijken*) regarder fixement.
fjord *m.* fiord, fjord *m.*
flad'deren *on.w.* voleter, voltiger, papillonner; **II** *z.n.* ***het —,*** le volettement, le papillonnage.
flageolet' *m.* flageolet *m.*
flageolet'toon *m.* (*muz.*) son *m.* flûté.
flak'keren *on.w.* vaciller.
flambard' *m.* chapeau *m.* à larges bords.
flambeeuw' *v.(m.)* flambeau *m.*
flambouw' *v.(m.)* flambeau *m.*, torche *f.*
flamen'co *m.* flamenco *m.*
flamingant' *m.* flamingant *m.*
flamin'go *m.* flamant *m.*
flanel' *o.* **1** (*stof*) flanelle *f.*; **2** (*hemd*) gilet *m.* de flanelle.
flanel'len *b.n.* de (*of* en) flanelle.
flanel'letje *o.* gilet *m.* de flanelle.
flanel'steek *m.* point *m.* de chausson.
flane'ren I *on.w.* flâner; **II** *o.* flânerie *f.*
flank *v.(m.)* flanc *m.*; ***links uit de —!*** (*mil.*) par le flanc gauche! ***in de — rijden,*** prendre en écharpe; ***in de — aanvallen,*** prendre de flanc.
flank'aanval *m.* (*mil.*) attaque *f.* de flanc.
flank'beweging *v.* (*mil.*) mouvement *m.* de flanc.
flank'dekking *v.* couverture *f.* de flanc, (*mil.*) flanc*-garde* *f.*
flanke'ren *ov.w.* flanquer.
flanke'ring *v.* flanquement *m.*
flankeur' *m.* flanqueur *m.*
flank'vuur *o.* feu *m.* de flanc.
flan'sen *ov.w.* **1** jeter par terre; **2** (*fig.*) bâcler, bousiller.
flap *m.* coup *m.*
flap'hoed *m.* feutre *m.* à bords relevés, — à bord mou, — à larges bords.
flap'pen *on.w.* claquer.
flapuit' *m.* bavard, babillard *m.*
flard(en) *v.(m.)* (*mv.*), lambeau(x) *m.(pl.)*; loque(s) *f.(pl.)*; ***aan — scheuren,*** mettre en lambeaux.
flat *m.* **1** étage; appartement *m.* (de plain pied), appartement H.L.M.; **2** *zie* ***flatgebouw.***
fla'ter *m.* bévue, gaffe, bourde *f.*; ***een — begaan,*** faire une gaffe.
flat'gebouw *o.* immeuble *m.* à appartements, immeuble collectif.
flatte'ren *ov.w.* flatter; avantager; ***een geflatteerde balans,*** un bilan flatté.
flat'woning *v.* appartement *m.* (de plain-pied).
flauw I *b.n.* **1** (*zwak*) faible; **2** (*bleek*) pâle; **3** (*smakeloos*) fade, insipide; **4** (*koel*) froid, indifférent; **5** (*lafhartig*) lâche, poltron; **6** (*onbeduidend*) bête; **7** (*vaag*) vague; **8** (*bewusteloos*) en défaillance; **9** (*H.*) faible; (*v. artikel*) peu demandé; ***een —e grap,*** une mauvaise plaisanterie; ***een —e stemming,*** un état languissant; ***de —e stemming van de markt houdt aan,*** le marché reste languissant; ***een —e beurs,*** une séance peu animée; ***de beurs opende —,*** la bourse était languissante à l'ouverture; ***— doen,*** faire l'enfant; ***— vallen,*** se trouver mal; **II** *bw.* faiblement, fadement, vaguement.
flau'werd *m.* **1** mauvais plaisant *m.*; **2** (*zonder durf*) poltron, capon *m.*
flauwhar'tig *b.n.* timide, pusillanime, poltron.
flauwhar'tigheid *v.* timidité, lâcheté *f.*
flauw'heid *v.* **1** faiblesse *f.*; **2** pâleur *f.*; **3** fadeur, insipidité *f.*
flau'wigheid *v.* puérilité, lâcheté *f.* [bêtise *f.*
flauwiteit' *v.* mauvaise plaisanterie, fadaise,
flauw'te *v.* **1** faiblesse, défaillance *f.*, évanouissement *m.*; **2** (*gen.*) syncope *f.*; ***een — krijgen,*** tomber en syncope, tomber en pâmoison, s'évanouir.
flauw'tjes *bw.* faiblement, légèrement.
flauw'zoet *b.n.* doucereux.
fleg'ma *o.* flegme *m.*
flegmatiek' I *b.n.* flegmatique; **II** *bw.* flegmatiquement.
fle'men *on.w.* flatter, cajoler.
fle'mer *m.* flatteur, cajoleur *m.*
flemerij' *v.* flatterie, cajolerie *f.*
flens *m.* (*tn.*) boudin *m.*, bride *f.*
flens'je *o.* crêpe *f.*
flerecijn' *o.* goutte *f.*
fles *v.(m.)* **1** (*alg.*) bouteille *f.*; **2** (*groot, in mand*) bonbonne *f.*; **3** (*zuig—*) biberon *m.*; ***bemande —,*** dame*-jeanne* *f.*; ***onze prijzen zijn berekend met inbegrip van — en emballage,*** nos prix s'entendent verre et emballage compris; ***op de — gaan,*** faire faillite; ***op de — zijn,*** être insolvable, être ruiné.
fles'kind *o.* bébé *m.* au biberon.
fles'opener *m.* décapsuleur; tire-bouchon* *m.*
fles'sebakje *o.* porte-bouteille *m.*, garde *m.* nappe.
fles'sebier *o.* bière *f.* en bouteilles.
fles'semelk *v.(m.)* lait *m.* en bouteilles.
fles'senmand *v.(m.)* panier *m.* à bouteilles.
fles'senrek *o.* porte-bouteilles *m.*
fles'sentrekker *m.* chevalier d'industrie, escroc *m.*, carambouilleur *m.*
fles'sentrekkerij *v.* escroquerie *f.*, carambouillage *m.*
flets *b.n.* **1** terne, pâle, blême; **2** (*kleurloos*) décoloré; **3** (*smakeloos*) (*Z.N.*) fade, sans goût.
flets'heid *v.* ternissure, pâleur *f.*
fleur 1 *m. en v.* fleur, floraison *f.*; ***in de — (van zijn leven) zijn,*** être à la fleur de l'âge; ***de — is eraf,*** être défraîchi; **2** (*vistuig*) *v.(m.)* ligne *f.* dormante.
fleu'ren *on.w.* pêcher à la ligne dormante.
fleu'rig *b.n.* **1** florissant; **2** (*fig.*) vif, animé.
flik'flooien *ov.w. en on.w.* flagorner, cajoler, flatter.

flik'flooier *m.* flagorneur, cajoleur, flatteur *m.*
flikflooierij' *v.* flagornerie, cajolerie *f.*
flik'je *o.* pastille *f.*, rondelle *f.* de chocolat.
flik'ken *ov.w.* **1** rapiécer, raccommoder; **2** (*v. kous*) ravauder.
flik'ker *m.* **1** (*versteller*) raccommodeur, ravaudeur *m.*; **2** (*sprong*) entrechat *m.*; ***een — slaan,*** battre un entrechat.
flik'keren *on.w.* **1** (*levendig stralen, glanzen*) scintiller, briller; **2** (*niet rustig branden*) vaciller, danser.
flik'kering *v.* scintillation; vacillation *f.*
flik'kerlicht *o.* **1** lumière *f.* vacillante; **2** (*v. vuurtoren*) feu*-éclair* *m.*, feu *m.* à éclipses.
flink I *b.n.* **1** (*dapper*) vaillant, ferme, courageux; **2** (*sterk, fors*) dru, fort, vigoureux; **3** (*krachtig, doortastend*) énergique; **4** (*vlug*) prompt, vif; ***een — boekdeel,*** un fort volume; ***—e prijzen,*** de bons prix; ***een —e som,*** une forte somme, une somme considérable; ***een —e vrouw,*** une maîtresse femme; une femme courageuse; **II** *bw.* vaillamment, fermement; énergiquement; promptement; ***iem. — afranselen,*** rosser (*of* arranger) qn. de la belle façon; ***— eten,*** bien manger; ***— optreden,*** ne pas y aller de main morte; ***— werken,*** travailler ferme, abattre beaucoup de besogne; ***iem. — de waarheid zeggen,*** dire ses quatre vérités à qn. [décidée; **2** adresse *f.*
flink'heid *v.* **1** fermeté *f.*, courage *m.*, attitude *f.*
flink'weg *bw.* carrément.
flint'glas *o.* flint-glass *m.*, verre *m.* de plomb.
flirt *m.-v.* (*persoon*) flirt *m.*
flir'ten I *on.w.* flirter; **II** *z.n., o.* le flirtage.
flits *m.* **1** (*v. boog*) flèche *f.*; **2** (*bliksem—*) éclair *m.*
flits'licht *o.* lumière*-éclair* *f.* [sium.
flits'lichtfotografie *v.* prise *f.* de vue au magné-
flod'der *v.*(*m.*) **1** (*slijk*) boue *f.*; **2** (*slordige vrouw*) torchon, souillon *m.*; **3** ***losse —,*** cartouche *f.* à blanc.
flod'derbroek *v.*(*m.*) culotte *f.* bouffante.
flod'deren *on.w.* **1** (*te wijd zijn*) flotter; **2** (*ploeteren*) patauger, patouiller (dans la boue); **3** (*flemen*) (*Z.N.*) cajoler, flatter.
flod'derkous, -madam *v.* souillon *m. et f.*
floers *o.* **1** crêpe *m.*; **2** (*fig.*) voile *m.*
flon'keren *on.w.* étinceler, scintiller, reluire. [*m.*
flon'kering *v.* éclat, étincellement, scintillement
flon'kerster' *v.*(*m.*) étoile *f.* étincelante.
flood'light *o.* illumination *f.* aux projecteurs.
flo'ra *v.*(*m.*) flore *f.*
Florentijn' *m.* Florentin *m.*
Florentijns' *b.n.* florentin.
flore'ren *on.w.* fleurir, prospérer.
floret' 1 *o.* (*zijde*) filoselle *f.*, fleuret *m.* de soie; **2** *v.*(*m.*) *en o.* (*schermdegen*) fleuret *m.*
floret'zij (de) *v.*(*m.*) filoselle *f.*, fleuret *m.*
Flo'rida *o.* la Floride.
florijn' *m.* florin *m.*
Flo'ris *m.* Florent *m.*
florissant' *b.n.* florissant.
flotiel'je *v.*(*m.*) flottille *f.*
flotiel'jevaartuig *o.* bâtiment *m.* de flottille.
fluctua'tie, fluktua'tie *v.* fluctuation *f.*, variation(s) *f.*(*pl.*) de prix.
fluctue'ren, fluktue'ren I *on.w.* osciller, flotter; **II** *z.n.* ***het —,*** la fluctuation.
flu'ïdum *o.* fluide *m.*
fluim *v.*(*m.*) crachat *m.*
fluis'teraar *m.* chuchoteur *m.* [meurs.
fluis'tercampagne *v.*(*m.*) campagne *f.* de ru-
fluis'teren I *ov.w. en on.w.* chuchoter; **II** *z.n.* ***het —,*** le chuchotement.
fluis'terend *bw.* en chuchotant, à voix basse.
fluis'tering *v.* chuchotement *m.*
fluit *v.*(*m.*) **1** (*muz.*) flûte *f.*; **2** (*v. machine, enz.*) sifflet *m.*; **3** (*brood, glas, enz.*) flûte *f.*; ***— spelen,*** jouer de la flûte, flûter.
fluit'blazer *m.* flûtiste *m.*
fluit'broodje *o.* flûte *f.*
fluit'eend *v.*(*m.*) canard *m.* siffleur.
flui'ten *on.w.* **1** (*met mond*) siffler; **2** (*op fluit*) jouer de la flûte; **3** (*v. vogels*) chanter; **4** (*v. locomotief*) faire entendre un coup de sifflet; ***hij kan naar zijn geld —,*** il en est pour son argent.
flui'ter *m.* **1** siffleur *m.*; **2** (*vogel*) flûteur *m.*; **3** (*fluitspeler*) flûtiste *m.*; **4** (*mil.*) fifre *m.*
fluit'glas *o.* flûte *f.*
fluitist' *m.* flûtiste *m.*
fluit'je *o.* **1** sifflet *m.*; **2** (*muz.*) flageolet *m.*; **3** (*vogel*) râle *m.*; ***met het trommeltje gewonnen, met het — verteerd,*** ce qui vient de la flûte, s'en retourne au tambour.
fluit'ketel *m.* bouilloire *f.* à sifflet.
fluit'register *o.* jeu *m.* de flûte.
fluit'signaal *o.* coup *m.* de sifflet.
fluit'speler *m.* **1** joueur *m.* de flûte; **2** (*fluitist*) flûtiste *m.*
fluks I *b.n.* prompt, alerte, agile; **II** *bw.* promptement, vite, sur-le-champ.
fluktu-, *zie* ***fluctu-.***
fluorescen'tie *v.* fluorescence *f.*
fluorescen'tiebuis *v.*(*m.*) tube *m.* fluorescent.
fluoresce'rend *b.n.* fluorescent.
fluweel' *o.* velours *m.*
fluweel'achtig *b.n.* velouté, moelleux, duveté.
fluweel'achtigheid *v.* velouté *m.*
fluweel'bloem *v.*(*m.*) amarante *f.*
fluweel'zacht, *zie* ***fluwelig.***
fluwe'len *b.n.* de velours; (*fig.*) moelleux.
fluwe'lig, fluweel'zacht *b.n.* velouté.
fluwijn' 1 *o.* (*steenmarter*) fouine *f.*; **2** *v.*(*m.*) *en o.* (*kussensloop*) taie *f.* (d'oreiller).
flux de bou'che *o.* flux *m.* de paroles, volubilité *f.*
fnui'ken *ov.w.* **1** rogner les ailes à (qn.); **2** rabattre, rabaisser l'orgueil de; **3** (*opstand*) réprimer.
fnui'kend *b.n.* décevant, funeste, fatal.
f. o. b., (*franco boord*) franco à bord.
fo'cus *m.* foyer *m.*
foedraal' *o.* **1** (*v. geweer, enz.*) étui *m.*; **2** (*v. paraplu*) fourreau *m.*; **3** (*schaar enz.*) gaine *f.*
foef *v.*(*m.*), **foef'je** *o.* truc; prétexte *m.*, rouerie *f.*
foei! *tw.* fi! fi donc!
foei'le'lijk *b.n.* laid à faire peur, affreux.
foe'lie *v.*(*m.*) **1** (*specerij*) macis *m.*; **2** (*metaal*) tain *m.*; étamure *f.*
foe'liën I *ov.w.* étamer; **II** *z.n.* ***het —,*** l'étamage *m.*
foera'ge, foura'ge *v.* fourrage *m.*
foera'gegeld, foura'gegeld *o.* (*mil.*) indemnité *f.* de monture. [au fourrage.
foerage'ren, fourage'ren *on.w.* fourrager, aller
foerier' *m.* (*mil.*) fourrier *m.*
foe'teren *on.w.* rager, fulminer, tempêter.
foe'tus *m. en o.* foetus *m.*
föhn *m.* séchoir *m.* électrique.
fok 1 *v.* (*sch.: zeil*) foc *m.*, (voile de) misaine *f.*; **2** *m.* (*het fokken*) élevage *m.*; **3** (*bril*) lunettes *f.pl.*
fok'hengst *m.* étalon *m.* reproducteur.
fok'kemast *m.* (*sch.*) mât *m.* de misaine.
fok'ken I *ov.w.* élever, nourrir; **II** *z.n., o.* élevage *m.*
fok'ker *m.* éleveur *m.*
fokkerij' *v.* élevage *m.*, élève *f.*
fok'merrie *v.* jument *f.* poulinière.
foksia, *zie* ***fuchsia.***
fok'stier *m.* taureau *m.* reproducteur.

fok'vee *o.* animaux *m.pl.* reproducteurs.
fol'der *m.* dépliant *m.*
foliant' *m.* in-folio *m.*
folië'ren *ov.w.* folioter.
folië'ring *v.* foliotage *m.*
fo'lio *o.* folio *m.*; ***een gek in* —,** un triple fou.
folk'lore *v.(m.)* folklore *m.*
folklorist' *m.* folkloriste *m.-f.*
folkloris'tisch *b.n.* folklorique.
fol'teraar *m.* **1** bourreau *m.*; **2** (*fig.*) tourmenteur; questionnaire *m.*
fol'terbank *v.(m.)* chevalet *m.*, torture *f.*
fol'teren *ov.w.* **1** mettre à la torture, torturer; **2** (*fig.*) tourmenter, martyriser.
fol'tering *v.* **1** torture *f.*; **2** (*fig.*) torture *f.*, tourment *m.*
fol'terkamer *v.(m.)* chambre *f.* de torture.
fol'terwerktuig *o.* instrument *m.* de torture, appareil *m.* —.
fondament', fondement', fundament' *o.* fondement *m.*, (*eig.*) fondations *f.pl.*
fondant' *m.* fondant *m.*
fondement, *zie* ***fondament.***
fonds *o.* **1** (*kapitaal*) fonds, capital *m.*; **2** (*v. uitgever*) livres *m.pl.* de fonds; **3** (*onderlinge verzekering*) mutuelle, mutualité *f.*; ***—en,*** (*H.*) valeurs *f.pl.* (mobilières), fonds *m.pl.* publics; ***de Spaanse —en staan slecht,*** les fonds espagnols vont mal; ***begrafenis—,*** caisse d'enterrement; ***reserve—,*** fonds de réserve; ***zieken —,*** caisse d'assistance en cas de maladie.
fonds'catalogus *m.* catalogue *m.* général.
fond'senbeurs *v.(m.)* bourse *f.* des valeurs, — d'effets publics.
fond'senmarkt *v.(m.)* marché *m.* des valeurs.
fonds'lijst *v.(m.)* **1** (*v. uitgever*) catalogue *m.*; **2** (*v. beurs*) cote *f.*
fonetiek' *v.* phonétique *f.*
fone'ticus *m.* phonéticien *m.*
fone'tisch I *b.n.* phonétique; **II** *bw.* phonétiquement.
fon'kelen *on.w.* étinceler, briller.
fon'keling *v.* étincellement *m.*
fon'kelnieuw *b.n.* tout flambant neuf, (tout) battant neuf.
fonograaf' *m.* phonographe *m.*
fontanel', fontenel' *v.(m.)* fontanelle *f.*
fontein' *v.(m.)* **1** fontaine *f.*; **2** (*springend*) jet *m.* d'eau.
fontein'kruid *o.* potamot *m.*
fontein'tje *o.* **1** (*kleine fontein*) petite fontaine *f.*; **2** (*wasbak*) fontaine *f.*, lavabo*-fontaine* *m.*; **3** (*voor vogels*) auget *m.*
fontenel, *zie* ***fontanel.***
fooi *v.(m.)* **1** pourboire *m.*; **2** (*met Nieuwjaar*) étrennes *f.pl.*
fooi'enstelsel *o.* système *m.* de pourboire.
foor *v.(m.)* foire *f.*
foor'wagen *m.* voiture *f.* de forain, roulotte *f.*
footing, *zie* ***wandelsport.***
fop'pen *ov.w.* attraper, mystifier, duper.
fop'per *m.* attrapeur, mystificateur *m.*
fopperij' *v.* duperie, mystification *f.*
fop'speen *v.(m.)* tétine, sucette *f.*
force'ren *ov.w.* forcer.
fo'rehand(er) *m.* (*tennis*) coup *m.* droit.
Fo'reign Of'fice *o.* Foreign Office *m.*
forel' *v.(m.)* truite *f.*
forel'levangst *v.* pêche *f.* de la truite.
forens' *m.* banlieusard *m.*, habitant *m.* de la banlieue ayant ses occupations en ville; personne *f.* ayant ses occupations en dehors de la ville.
for'ma, ***pro* —,** pour la forme; ***in optima* —,** dans les formes, en bonne et due forme.
formaat' *o.* format *m.*; ***van* —,** de (grande) classe, d'envergure.
formaat'zegel *o.* timbre *m.* de dimension.
formaliteit' *v.* **1** formalité *f.*; **2** (*plichtpleging*) cérémonie *f.*
forma'tie *v.* formation *f.*; (*mil.*) effectif *m.*
formeel I *b.n.* formel; **II** *bw.* formellement; **III** *z.n., o.* (*techn.*) cintre *m.*
formeer'der *m.* formateur *m.*
forme'ren *ov.w.* former.
Formo'sa *o.* Formose; ***van* —,** formosan.
formu'le *v.(m.)* formule *f.*
formule'ren *ov.w.* formuler.
formule'ring *v.* formulation, expression, rédaction *f.*
formulier' *o.* **1** (*alg.*) formule *f.*; **2** (*doop—, enz.*) (*prot.*) liturgie *f.*; **3** (*om in te vullen*) blanc *m.*; ***een — invullen,*** remplir une formule.
formulier'boek *o.* formulaire *m.*
fornuis' *o.* **1** fourneau *m.*; **2** (*kook—*) cuisinière *f.*
fors I *b.n.* vigoureux, robuste, fort; **II** *bw.* vigoureusement, fortement.
fors'heid *v.* vigueur, force *f.*
fort *o.* fort *m.*; ***—je,*** fortin *m.*; ***dat is zijn —,*** c'est son fort.
for'te I *o.* forte *m.*; **II** *bw.* forte.
fortifica'tie, fortifika'tie *v.* fortification *f.*
fortuin' *v.(m.)* en *o.* fortune *f.*; ***— hebben,*** être fortuné; ***— maken,*** faire fortune; ***— zoeken,*** tenter la fortune, chercher fortune.
fortuin'lijk *b.n.* **1** (*geluk hebbend*) heureux, qui a de la chance; **2** (*door de fortuin begunstigd*) prospère, fortuné.
fortuin'tje *o.* **1** (*klein fortuin*) petite fortune *f.*; **2** (*buitenkansje, gelukje*) aubaine *f.*, revenant*-bon* *m.*
fortuin'zoeker *m.* aventurier *m.*
fo'rum *o.* **1** forum *m.*; **2** colloque *m.* officiel; **3** tribune *f.* publique; ***het internationale —,*** le forum international.
fosfaat' *o.* phosphate *m.*
fosfi'de *o.* phosphure *m.*
fos'for *m.* en *o.* phosphore *m.*
fosforescen'tie *v.* phosphorescence *f.*
fosforesce'ren *on.w.* être phosphorescent.
fos'forhoudend *b.n.* phosphoré.
fos'forwaterstof *v.(m.)* phosphure *m.* d'hydrogène.
fos'forzuur *o.* acide *m.* phosphorique.
fossiel' I *o.* fossile *m.*; **II** *b.n.* fossile.
fo'to *v.(m.)* photo *f.*
fotocopie', fotokopie' *v.* photocopie *f.*
fo'to-elektrisch *b.n.* photo-électrique.
fotogene'tisch *b.n.* photogénétique.
fotogeniek' *b.n.* photogénique.
fotograaf' *m.* photographe, caméraman (*pl.:* caméramen) *m.*
fotografe'ren *ov.w.* en *on.w.* photographier.
fotografie' *v.* photographie *f.*
fotogra'fisch *b.n.* photographique.
fo'tohoekje *o.* fixe-photo *m.*
fotokopie, *zie* ***fotocopie.***
fo'tomontage *v.* photomontage *m.*
fo'topagina *v.(m.)* page *f.* illustrée.
fo'totoestel *o.* appareil *m.* photographique, caméra *f.*
fourage(-), *zie* ***foerage(-).***
fourne'ren I *ov.w.* fournir; ***volgefourneerde aandelen,*** actions entièrement libérées; **II** *z.n., o.* ***het —,*** le fournissement.
fournitu'ren *mv.* fournitures *f.pl.*
fout I *v.(m.)* **1** (*onjuistheid; gram.*) faute *f.*; **2** (*dwaling; in berekening*) erreur *f.*; **3** (*vergissing, flater*) méprise, bévue *f.*; **4** (*gebrek*) défaut *m.*; ***een — begaan,*** faire une faute; ***een — herstellen,*** corriger une faute, réparer —; ***er is een — in de rekening geslopen,*** il s'est glissé une erreur dans le compte; **II** *b.n.* incorrect.

foutief' *b.n.* (*persoon, gedrag*) fautif, incorrect; erroné, incorrect.
fox-ter'riër *m.* fox-terrier* *m.*
fox'trot *m.* foxtrot *m.*
fraai I *b.n.* joli, beau, gentil, magnifique; ***dat is wat —s!*** c'est du propre! en voilà du propre!; **II** *bw.* joliment, élégamment.
fraai'heid *v.* beauté *f.*
fraai'igheid *v.* **1** parure *f.*; ornement *m.*; **2** (*fig.*) belle (*of* jolie) chose *f.*
frac'tie, frak'tie *v.* fraction *f.*
fragment' *o.* fragment *m.*
fragmenta'risch I *b.n.* fragmentaire; **II** *bw.* fragmentairement.
frak *m.* habit *m.* (noir).
fraktie, *zie* ***fractie.***
framboos' *v.*(*m.*) framboise *f.*
frambo'zengelei *m. en v.* gelée *f.* de framboises.
frambo'zenijs *o.* glace *f.* aux framboises.
frambo'zenlimonade *v.*(*m.*) limonade *f.* aux framboises.
frambo'zestruik *m.* framboisier *m.*
frame, freem *o.* **1** (*v. fiets*) cadre *m.*; **2** (*v. vliegtuig*) fuselage *m.*; **3** (*v. ijzerwerk*) armature *f.*; ***een ingebogen —,*** un cadre berceau.
Francis'ca *v.* Françoise *f.*
franciscaan', franciskaan', francisca'ner, franciska'ner(**monnik**) *m.* franciscain, frère *m.* mineur.
franciscanes', franciskanes' *v.* franciscaine *f.*
Francis'cus *m.* François *m.*
fran'co, fran'ko (*post*) franc de port, franco; ***— brief,*** lettre affranchie; ***— boord,*** franco à bord; ***— huis,*** franco (à) domicile; ***— station,*** franco en gare; ***— verzenden,*** envoyer franco; ***— zending,*** envoi en port payé.
fran'je *v.*(*m.*) frange *f.*; ***met —,*** frangé.
frank I *m.* franc *m.*; **II** *b.n.* **1** (*vrij, ongedwongen*) franc; **2** (*brutaal*) (*Z.N.*) insolent, effronté; **III** *bw.* franchement.
frankeer'kosten *mv.* frais *m.pl.* de port.
frankeer'machine *v.* machine *f.* à affranchir, — d'affranchissement (à compteur).
frankeer'zegel *m.* timbre*-poste *m.*
Fran'kenland *o.* la Franconie.
franke'ren *ov.w.* affranchir; ***— met 2 fr.,*** mettre un timbre de deux francs.
franke'ring *v.* affranchissement *m.*; ***— bij abonnement,*** dispensé du timbre; ***mechanische —,*** affranchissement mécanique.
Frank'fort *o.* Francfort *m.*
Frank'forter *b.n.* francfortois.
Fran'kisch *b.n.* franc, franque.
franko, *zie* ***franco.***
Frank'rijk *o.* la France.
Frans *m.* François *m.*; ***een vrolijke —,*** un gai compagnon, un joyeux compère.
Frans I *o.* le français; ***in het —,*** en français; ***— spreken,*** parler français; (*— kennen*) parler le français; ***hij spreekt een beetje —,*** il parle un peu le français; **II** *b.n.* français; ***met de —e slag,*** à la diable; ***op zijn —,*** à la française.
Frans'-Duits *b.n.* franco-allemand.
Frans'gezind *b.n.* francophile.
franskiljon' *m.* Fransquillon *m.*
Frans'man *m.* Français *m.*
Frans'talig *b.n.* francophone.
frappe'ren *ov.w.* frapper; (*wijn*) glacer.
fra'se, fra'ze *v.* phrase *f.*
frase'ren, fraze'ren *ov.w.* (*muz.*) phraser.
frase'ring, fraze'ring *v.* (*muz.*) phrasé *m.*
fra'ter *m.* frère *m.*
fra'terhuis *o.* couvent *m.* de frères.
fra'terschool *v.*(*m.*) école *f.* des frères.
fra'tertje *o.* (*Dk.*) pinson *m.* de montagne.
frat'sen *mv.* farces, sottises; blagues *f.pl.*
frat'senmaker *m.* farceur, blagueur *m.*
frau'de *v.*(*m.*) fraude *f.*
fraude'ren *on.w.* frauder.
frauduleus' I *b.n.* frauduleux; **II** *bw.* frauduleusement, en fraude.
fraze(**-**), *zie* ***frase***(**-**).
Fre'derik *m.* Frédéric *m.*
Frederi'ka *v.* Frédérique *f.*
freem, *zie* ***frame.***
frees *v.*(*m.*) (*tn.*) fraise *f.*
frees'boor *v.*(*m.*) (*tn.*) fraisoir *m.*
frees'machine *v.* fraiseuse *f.*
free'wheel, freewiel *o.* roue *f.* libre.
free'wielen *on.w.* faire (*of* se mettre en) roue libre.
fregat' *o.* frégate *f.*
fregat'vogel *m.* (*Dk.*) frégate *f.*
Frei'burg *o.* Fribourg.
frequen'tie, frekwen'tie *v.* fréquence.
frequen'tiemodulatie *v.* modulation *f.* de fréquence.
fres'co, fres'ko *o.* fresque *f.*
fres'coschilderen, fres'koschilderen *on.w.* peindre à fresque.
fret 1 *m.* (*tn.*) foret *m.*, vrille *f.*; **2** *o.* (*Dk.*) furet *m.*
fret'ten *on.w.* chasser au furet; fureter.
freu'le *v.* **1** demoiselle noble, demoiselle *f.*; **2** (*aanspraak*) mademoiselle.
fre'zen *ov.w.* fraiser.
fricandeau' *m.* fricandeau *m.*; ***—tje,*** grenadin *m.*
frie'melen *on.w.* tripoter.
fries *v.*(*m.*); *o.* (*bouwk. en stof*) frise *f.*
Fries I *m.* Frison *m.*; **II** *b.n.* frison.
Fries'land *o.* la Frise.
friet, *zie* ***frites.***
Friezin' *v.* Frisonne *f.*
frik *m.* cuistre *m.*; pédant *m.*; (*surveillant*) pion *m.*
frikadel' *v.*(*m.*) boule *f.* de viande hachée, fricadelle *f.*
fris I *b.n.* **1** frais, fraîche; **2** (*monter, wakker*) dispos, alerte; **3** (*gezond*) sain, bien portant; ***de frisse lucht,*** le grand air; ***het is —,*** il fait frais; ***— als een hoentje,*** frais comme l'œuil; ***een —se kamer,*** une chambre bien aérée; **II** *bw.* fraîchement.
friseer'tang, frizeer'tang *v.*(*m.*) fer *m.* à friser, frisoir *m.*
frise'ren I *ov.w.* friser; **II** *z.n.* ***het —,*** le frisage.
fris'heid *v.* fraîcheur *f.*
fris'jes *b.n.* ***het is —,*** il fait frisquet.
fri'tes, friet *mv.* patates *f.pl.* frites.
Frits *m.* Frédéric *m.*
frivool' I *b.n.* frivole; **II** *bw.* frivolement.
frizeer'tang, *zie* ***friseertang.***
frö'belonderwijs *o.* enseignement *m.* d'après la méthode Fröbel.
frö'belschool *v.*(*m.*) école *f.* maternelle, jardin *m.* d'enfants.
from'mel *m.* faux pli *m.*
from'melen *ov.w.* chiffonner, friper.
frons *v.*(*m.*) ride *f.*; pli *m.*
fron'sen *ov.w.* **1** (*voorhoofd*) rider; **2** (*wenkbrauwen*) froncer.
fron'sing *v.* froncement *m.*
front *o.* **1** (*mil.*) front *m.*; **2** (*bouwk.*) face *f.*, devant *m.*; **3** (*halfhemdje*) plastron, devant *m.* de chemise; ***het vijandelijk — doorbreken,*** trouer le front ennemi.
frontaal' *b.n.* frontal; *zie* ***botsing.***
front'aanval *m.* attaque *f.* de front.
fron'ter *m.* frontiste *m.*
fron'tispice, fron'tispies *o.* frontispice *m.*

front'je *o.* plastron *m.*, devant *m.* de chemise; *los —,* plastron mobile.
front'loge *v.*(*m.*) loge *f.* de face.
front'pagina *v.*(*m.*) première page *f.*
front'partij *v.* parti *m.* frontiste.
front'sector, -sektor *m.* secteur *m.* de front.
front'verandering *v.* (*mil.*) changement *m.* de front.
frotté' *o.* tissu-éponge* *m.*
fructua'rius *m.* usufruitier *m.*
fruit *o.* fruits *m.pl.*
fruit'boom *m.* arbre *m.* fruitier.
frui'ten *ov.w.* fricasser.
fruit'handel *m.* fruiterie *f.*
fruit'koopster *v.* fruitière *f.*
fruit'koper *m.* fruitier *m.*
fruit'maaltijd *m.* repas *m.* fruitaire, — aux fruits.
fruit'mand *v.*(*m.*) panier *m.* à fruits.
fruit'markt *v.*(*m.*) marché *m.* aux fruits.
fruit'pers *v.*(*m.*) presse-fruits *m.*
fruit'schaal *v.*(*m.*) compotier *m.*
fruit'teelt *v.*(*m.*) fructiculture *f.*
fruit'verkoper *m.* fruitier *m.*
fruit'vrouw *v.* fruitière *f.*
fruit'winkel *m.* fruiterie, boutique *f.* de fruitier, magasin *m.* de primeurs.
Fry'gië *o.* la Phrygie.
Fry'giër *m.* Phrygien *m.*
Fry'gisch *b.n.* phrygien.
f-sleutel *m.* clef *f.* de fa.
fuch'sia, fok'sia *v.*(*m.*) fuchsia *m.*
fu'ga *v.*(*m.*) fugue *f.*
fuif *v.*(*m.*) fête, bamboche *f.*; ***aan de — zijn,*** faire la noce, festoyer.
fuif'nummer *o.* noceur, fêteur *m.*
fuik *v.*(*m.*) nasse *f.*; ***in de — lopen,*** donner dans le piège; ***in de — zijn,*** être attrapé.
fuik'net *o.* verveux *m.*
fui'ven I *on.w.* faire la noce, festoyer; **II** *ov.w.* fêter, régaler.
fui'ver *m.* noceur, fêteur *m.*
full-time'betrekking *v.* job *m.* (*of* place *f.*, emploi, poste *m.*) à plein temps, — à temps entier.
func'tie, funk'tie *v.* fonction, charge *f.*; ***zijn — neerleggen,*** abandonner ses fonctions; ***in — treden,*** entrer en fonctions; ***in — zijn,*** être en fonction; ***in zijn — van,*** dans la fonction de.
functiona'ris, funktiona'ris *m.* fonctionnaire *m.*
functione'ren, funktione'ren *on.w.* fonctionner.
functione'ring, funktione'ring *v.* fonctionnement *m.*
fundament', *zie* ***fondament.***
fundamenteel' *b.n.* fondamental.
funda'tie *v.* fondation *f.*
funde'ren *ov.w.* fonder; ***gefundeerde schuld,*** dette fondée.
funde'ring *v.* fondation *f.*
funde'ringspaal *m.* pilotis, pilot *m.*
Fu'nen *o.* Fionie *f.*
funest' *b.n.* funeste.
funge'ren *on.w.* fonctionner, faire fonction de.
funge'rend *b.n.* intérimaire, par intérim.
funkti-, *zie* ***functi-.***
fu'rie *v.* furie *f.*
furo're *v.*(*m.*) ***— maken,*** faire fureur, faire rage.
fusee' *v.* fusée *f.*
fuselier' *m.* fuselier *m.*
fu'sie *v.* fusion *f.*
fusille'ren I *ov.w.* fusiller, passer par les armes; **II** *z.n.* ***het —,*** la fusillade.
fust *o.* futaille *f.*, fût, tonneau *m.*; barrique *f.*; ***op —,*** en barrique; ***met inbegrip van —,*** fût perdu, fût compris.
fustein' *o.* futaine *f.*
fut *m. en v.* force, énergie *f.*; ***de — is er uit,*** il n'a plus de courage; ***er zit — in hem,*** il a du cran.
futiliteit' *v.* futilité, vétille *f.*
fut'loos *b.n.* mou, fade, mollasse.
fut'selaar *m.* lambin *m.*; vétilleur *m.*
futselarij' *v.* lambinerie *f.*; vétilles *f.pl.*
fut'selen *on.w.* lambiner; vétiller, baguenauder.
fut'selwerk *o.* lambinerie *f.*; futilités *f.pl.*
fy'sica, fysika *v.* physique *f.*
fy'sicus *m.* physicien *m.*
fysiek' I *b.n.* physique; **II** *bw.* physiquement; ***— onmogelijk,*** matériellement (*of* absolument) impossible.
fysika, *zie* ***fysica.***
fysiologie' *v.* physiologie *f.*
fysiolo'gisch I *b.n.* physiologique; **II** *bw.* physiologiquement.
fysioloog' *m.* physiologiste *m.*
fysionomie' *v.* physionomie *f.*
fy'sisch *b.n.* physique.

G

G *v.*(*m.*) **1** (*letter*) g *m.*; **2** (*muz.*) sol *m.*
gaaf I *zie* ***gave***; **II** *b.n.* intact, entier, sain; **III** *bw.* entièrement.
gaaf'heid *v.* intégrité *f.*
gaai *m.* **1** geai *m.*; **2** (*bij boogschieten*) oiseau *m.*
gaai'ke(n) *o.* (*dicht.*) femelle *f.*, mâle *m.* (d'oiseau).
gaan I *on.w.* **1** (*alg.*) aller; **2** (*lopen, stappen*) marcher; **3** (*weg—*) s'en aller; **4** (*gangbaar zijn*) avoir cours; **5** (*overgaan*) passer (de... en); ***— liggen,*** **1** (*v. mens of dier*) se coucher; **2** (*v. wind*) s'abattre; **3** (*v. zieke*) s'aliter; ***— slapen,*** **1** (*naar bed gaan*) aller dormir, aller se coucher; **2** (*beginnen te slapen*) dormir; ***— zitten*** s'asseoir; ***de bel gaat,*** on sonne; ***de trein gaat om 8 uur,*** le train part à 8 heures; ***het gaat regenen,*** il commence à pleuvoir; ***het gaat vriezen,*** nous aurons de la gelée; ***er gaat 2 liter in die fles,*** cette bouteille peut contenir deux litres; ***mijn horloge gaat niet,*** ma montre ne marche pas; ***het gerucht gaat, dat...,*** le bruit court que; ***het gaat goed met hem,*** il va bien; ***hoe gaat het met u?*** comment allez-vous?; ***het gaat,*** ça marche; ça ne va pas trop mal; ***het gaat slecht,*** cela va mal; ***het*** (***dat***) ***gaat niet,*** cela ne se peut pas; ***dat gaat zo niet,*** cela ne va pas comme ça; ***het gaat van zelf,*** ça va tout seul; ***dat gaat te ver,*** c'en est trop; ***dat gaat boven alles,*** cela passe avant tout; ***door het bos —,*** traverser le bois; ***in het wit —,*** porter du blanc, être vêtu de blanc; ***naar binnen —,*** entrer; ***naar buiten —,*** sortir; ***naar huis —,*** rentrer (chez soi); ***naar wens —,*** marcher à souhait; ***de dokter — halen,*** aller quérir le médecin; ***naar de dokter —,*** aller voir un médecin; ***om kort te —,*** bref; ***onder zeil —,*** mettre à la voile; ***op de vlucht —,*** prendre la fuite; ***op zij —,*** s'écarter, s'effacer; ***hij gaat***

over de bibliotheek, il s'occupe de la bibliothèque; ***te boven —,*** surpasser; ***uit elkaar —,*** se disperser; ***uit het geheugen —,*** sortir de la mémoire; ***in het klooster —,*** entrer au couvent; (*v. vrouwen ook:*) prendre le voile; ***daar gaat het niet om,*** ce n'est pas là la question, il ne s'agit pas de cela; ***het gaat om 100 frank,*** l'enjeu est de 100 francs; **II** *ov.w.* aller; ***dezelfde weg —,*** suivre le même chemin; ***zijns weegs —,*** passer son chemin; ***zich te buiten —,*** s'oublier, faire des excès; **III** *z.n. o.* **1** marche *f.*; **2** (*manier van gaan*) démarche *f.*; ***twee uren —s,*** deux heures de marche.

gaan'de *b.n.* en mouvement; ***— houden,*** **1** (*in beweging*) tenir en mouvement; **2** (*bezig houden*) tenir occupé; ***het gesprek — houden,*** soutenir la conversation, alimenter —; ***— maken,*** exciter; ***wat is er —?*** que se passe-t-il? qu'y a-t-il? ***de — en komende man,*** les allants et venants.

gaanderij' *v.* galerie *f.*

gaandeweg' *bw.* graduellement, successivement, peu à peu.

gaap *m.* bâillement *m.*

gaar *b.n.* **1** cuit à point, bien cuit; **2** (*fig.: wijs*) éveillé, déluré, dessalé; ***het is een halve gare,*** il est un peu toqué; **3** (*vermoeid*) éreinté, épuisé; ***na die reis waren wij —,*** après ce voyage nous étions éreintés; **4** (*v. leder*) tanné, courroyé, confit; **5** (*v. koper*) affiné.

gaar'bak *m.* réservoir *m.*

gaard *m.*, **gaar'de** *v.*(*m.*) (*dicht.*) jardin, parc, enclos *m.*

gaardenier' *m.* jardinier *m.*

gaar'keuken *v.*(*m.*) restaurant *m.* populaire; gargote *f.*

gaar'kok *m.* **1** traiteur *m.*; **2** (*ong.*) gargotier *m.*

gaar'ne *bw.* volontiers, avec plaisir, de bon cœur; ***— lezen (tekenen, enz.),*** aimer à lire (dessiner, etc.); ***ik zou — vertrekken,*** je voudrais partir; ***dat beken ik —,*** je l'avoue.

gaas *o.* gaze *m.*

gaas'wever *m.* gazier *m.*

gaat'je *o.* petit trou *m.*

gabardi'ne *v.* gabardine *f.*

Ga'boen *o.* le Gabon; ***uit —,*** gabonais.

ga'de *m.-v.* (*dicht.*) époux *m.*, épouse *f.*

ga'deslaan *ov.w.* observer, regarder (attentivement).

ga'ding *v.* ***iets naar zijn — vinden,*** trouver qc. à sa convenance; ***zijn — vinden,*** trouver son affaire; ***dat is van mijn —,*** voilà ce qu'il me faut; ***alles is van zijn —,*** tout lui est bon.

gaf'fel *v.*(*m.*) **1** fourche *f.*; **2** (*sch.*) corne *f.* (de vergue); **3** (*v. Neptunus*) trident *f.*

gaf'felanker *o.* (*sch.*) ancre *f.* d'affourche.

gaf'felhert *o.* cerf *m.* à sa première tête.

gaf'felkruid *o.* (*Pl.*) bident *m.*

gaf'feltand *m.* dent *f.* de fourche.

gaf'felverbinding *v.* (*elektr.*) raccordement *m.* à fourche.

gaf'felvormig *b.n.* **1** fourchu; **2** (*Pl.*) bifurqué.

ga'ge *v.*(*m.*) (*sch.*) gage *m.*; paie *f.*

ga'gel *m.* (*Pl.*) myrte *m.* bâtard.

gagement' *o.* (*mil.*) solde *f.*

gal *v.*(*m.*) **1** bile *f.*; fiel *m.*; **2** (*fig.*) amertume *f.*; ***de — loopt hem over,*** il se fait de la bile; ***zijn — uitspuwen,*** décharger sa bile.

ga'la *o.* gala *m.*; ***in —,*** en habit de gala, — de cérémonie.

ga'la-avond *m.* soirée *f.* de gala.

ga'labal *o.* bal *m.* d'apparat; — de la cour.

gal'achtig *b.n.* bilieux.

galacostuum, *zie* ***galakostuum.***

ga'ladiner *o.* dîner *m.* de grand gala.

ga'lafeest *o.* gala *m.*, fête (*of* soirée, *etc.*) *f.* de gala.

gal'afscheiding *v.* sécrétion *f.* de bile, — biliaire.

ga'lakoets *v.* voiture *f.* d'apparat, — de cour, carosse *m.* de gala.

ga'lakostuum, -costuum *o.* habits *m.pl.* de gala.

galant' **I** *b.n.* galant; **II** *z.n., m.* (*verloofde*) futur, fiancé *m.*; **III** *bw.* galamment.

galanterie' *v.* galanterie *f.*; **—ën,** articles *m.pl.* de luxe, — de Paris.

galanterie(ën)winkel *m.* magasin *m.* d'articles de luxe (— de Paris).

gal'appel *m.* (*Pl.*) noix *f.* de galle.

Gala'tiër *m.* Galate *m.*

ga'lavoorstelling *v.* représentation *f.* de gala.

gal'blaas *v.*(*m.*) vésicule *f.* biliaire.

gal'blaasontsteking *v.* inflammation *f.* de la vésicule biliaire; (*gen.*) cholécystite *f.*

gal'bult *m.* papule *f.*

galei' *v.*(*m.*) **1** galère *f.*; **2** (*tn.: drukk.*) galée *f.*

galei'boef *m.* galérien, forçat *m.*

galei'straf *v.*(*m.*) galères *f.pl.*, travaux *m.pl.* forcés.

galerij' *v.* **1** galerie *f.*; **2** (*gang*) corridor *m.*; ***overdekte —,*** passage *m.*

galg *v.*(*m.*) gibet *m.*, potence *f.*; ***daar staat de — op,*** c'est un cas pendable; ***het is boter aan de — gesmeerd,*** c'est un emplâtre sur une jambe de bois; ***hij groeit op voor — en rad,*** il file sa corde.

gal'geaas *o.* gibier *m.* de potence.

gal'gebrok *m.* gibier *m.* de potence, pendard *m.*

gal'gehumor *m.* raillerie (*of* ironie) *f.* amère; plaisanterie *f.* macabre, humour *m.* noir.

gal'gemaal *o.* dernier repas, repas *m.* d'adieu(x).

gal'getronie *v.* mine *f.* patibulaire.

galg'paal *m.* poteau *m.* de gibet.

Gali'cië *o.* **1** (*in Polen*) la Galicie; **2** (*in Spanje*) la Galice.

Gali'ciër *m.* Galicien *m.*

Galile'a *o.* la Galilée.

Galilee'ër *m.* Galiléen *m.*

Galile'i *m.* Galilée *m.*

galjard' *v.* (*druk.*) gaillarde *f.*

galjas' *v.*(*m.*) (*sch.*) galéasse, galéace *f.*

galjoen' *o.* (*sch.*) galion *m.*

gal'kanaal *o.* canal *m.* biliaire.

gal'koorts *v.*(*m.*) fièvre *f.* bilieuse.

gal'len *ov.w.* **1** (*vis*) ôter l'amer; **2** (*zijde*) engaller, mettre en galle.

Gallicaan' *m.* gallican *m.*

Gallicaans' *b.n.* gallican.

gallicis'me *o.* gallicisme *m.*

Gal'lië *o.* la Gaule, les Gaules.

Gal'liër *m.* Gaulois *m.*

gal'lig *b.n.* bilieux.

gal'ligheid *v.* tempérament *m.* bilieux.

Gal'lisch *b.n.* gaulois; ***de —e oorlog,*** la guerre des Gaules.

galm *m.* **1** (*klank*) son *m.*; **2** (*volle toon*) son *m.* plein; **3** (*klankweerkaatsing*) résonance *f.*

Gal'maarden *o.* Gammerages.

galm'bord *o.* **1** (*boven redenaar, op preekstoel, enz.*) abat-voix *m.*; **2** (*in toren*) abat-son(s) *m.*

galmei' *o.* calamine *f.*

gal'men *on.w.* **1** (*weerklinken*) retentir; **2** (*weergalmen*) résonner; **3** (*zingen, uitgalmen*) chanter.

gal'mend *b.n.* retentissant.

galm'gat *o.* baie *f.* de clocher.

gal'noot *v.*(*m.*) (*Pl.*) (noix de) galle *f.*

galon' *o. en m.* galon *m.*

galonne'ren *ov.w.* galonner.

galop' *m.* galop *m.*; ***in —,*** au galop.

galoppe'ren *on.w.* galoper, aller au galop.
gal'steen *m.* calcul *m.* biliaire.
galva'nisch *b.n.* galvanique.
galvanise'ren, galvanize'ren *ov.w.* galvaniser.
galvanise'ring, galvanize'ring *v.* galvanisation *f.*
galva'nometer *m.* galvanomètre *m.*
galvanoplastiek' *v.* galvanoplastie *f.*
galvanoplas'tisch *b.n.* galvanoplastique.
gal'wegen *mv.* voies *f.pl.* biliaires.
gal'wesp *v.(m.)* mouche *f.* de galle.
gal'ziekte *v.* maladie *f.* bilieuse.
Gam'bia *o.* la Gambie.
gambiet' *o.* gambit *m.*
gam'ma *v.(m.) en o.* gamme *f.*
gam'mastralen *mv.* rayons *m.pl.* gamma.
gam'mel *b.n.* usé, caduc, indisposé.
gang *m.* **1** (*het gaan*) marche *f.*; **2** (*manier v. gaan*) démarche, allure *f.*; **3** (*vaart*) allure *f.*, train *m.*; **4** (*reis*) voyage *m.*, course, allée *f.*; **5** (*v. schroef*) pas *m.*; **6** (*verloop, voortgang*) cours *m.*; **7** (*v. tijd, uurwerk, trein, schip, enz.*) marche *f.*; **8** (*omloop, het gangbaar zijn, v. handelspapier*) (*Z.N.*) circulation *f.*; **9** (*handeling, gedraging*) voie, démarche *f.*; **10** (*het doen en laten*) faits et gestes *m.pl.*; **11** (*beloop v. zaak*) marche *f.*; **12** (*fig.*) action *f.*, acte *m.*; **13** (*in huis*) corridor *m.*; **14** (*van deur tot trap*) allée *f.*; **15** (*nauw, in trein, enz.*) couloir *m.*; **16** (*zuilen—*) galerie *f.*; **17** (*in mijn, vestingwerk*) galerie *f.*, conduit *m.*; **18** (*doorgang*) passage *m.*; **19** (*steeg*) ruelle *f.*; (*blinde steeg, slop*) impasse *f.*; ***er zit geen — in,*** cela manque d'entrain, cela n'avance pas; ***iemands —en nagaan,*** surveiller les allées et venues de qn.; ***zijn — gaan,*** continuer; ***zijn eigen — gaan,*** suivre son petit train-train à soi, agir à son gré, en faire à sa tête; ***stil(letjes) zijn (eigen) — gaan,*** aller son petit bonhomme de chemin; ***ga uw —!*** allez-y! faites (toujours)! ***iem. zijn — laten gaan,*** laisser faire qn.; ***aan de — brengen,*** mettre en mouvement, — en branle; ***een motor aan de — brengen,*** mettre un moteur en marche; ***aan de — gaan,*** mettre la main à l'œuvre, — à la besogne; ***aan de — helpen,*** mettre en train; ***aan de — zijn (met),*** être en train de, être occupé à; ***in volle — zijn,*** battre son plein; ***de wedrennen zijn in volle —,*** les courses battent leur plein; ***zijn — verhaasten,*** presser le pas; ***zijn — vertragen,*** ralentir le pas; ***de — der geschiedenis, — van een gesprek,*** le cours de l'histoire, — d'un entretien; ***hij is weer aan de — geweest!*** il a encore fait des siennes! ***hij had een flink —etje,*** il allait à une belle allure; ***onderaardse —,*** passage souterrain *m.*; ***geheime —,*** dégagement *m.*
gang'baar *b.n.* **1** (*v. geld*) ayant cours, valable; **2** (*v. artikel*) courant, demandé; **3** (*v. woord*) usité; **4** (*v. denkbeelden*) répandu; ***die munt is niet meer —,*** cette monnaie n'a plus cours, — est hors de cours; ***een — artikel,*** (*ook:*) un article de bon débit, de bonne vente.
gang'baarheid *v.* **1** (*v. munt*) cours *m.*; **2** (*v. artikel*) débit *m.*; **3** (*v. woord*) usage *m.*
gang'boord *o. en m.* (*sch.*) passage *m.*
gang'deur *v.(m.)* porte *f.* du corridor.
Gan'ges *m.* Gange *m.* [train *m.*
gan'getje *o.* **1** ruelle *f.*, petit passage *m.*; **2** petit
gang'lamp *v.(m.)* **1** (*hanglamp*) suspension *f.* pour vestibule, lampe *f.* de vestibule; **2** (*muurlamp*) lampe *f.* applique.
gang'loper *m.* chemin *m.*
gang'maker *m.* entraîneur *m.*
gang'making *v.* entraînement *m.*
gang'mat *v.(m.)* paillasson *m.*, tapis-brosse* *m.*
gang'pad *o.* **1** (*in kerk, zaal, enz.*) passage *m.*; **2** (*voetpad*) trottoir *m.*; **3** (*op het land*) sentier *m.*
gang'spil *o.* (*sch.*) cabestan *m.*
gang'ster *m.* gangster *m.*
gang'sterdom *o.* gangstérisme *m.*
gan'nef *m.* fripon, escroc, voleur *m.*
gans I *v.(m.)* oie *f.*; ***jonge —,*** oison *m.*; ***maak dat de —zen wijs,*** (raconte cela) à d'autres **II** *b.n.* entier, tout; ***—e dagen,*** des journées entières; ***het —e land,*** tout le pays; ***van —er harte,*** de tout cœur; **III** *bw.* entièrement, complètement.
gans'je *o.* **1** oison *m.*; **2** (*fig.*) dinde *f.*; ***een onnozel —,*** une petite oie blanche.
gan'zebloem *v.(m.)* chrysanthème *m.*; (*witte —*) grande marguerite *f.*
gan'zebout *m.* cuisse *f.* d'oie.
gan'zejacht *v.(m.)* chasse *f.* aux oies.
gan'zekuiken *o.* oison *m.*
gan'zeleverpastei *v.(m.)* pâté *m.* de foie gras.
gan'zenbord *o.* jeu *m.* de l'oie.
gan'zenhoeder *m.*, **gan'zenhoedster** *v.* gardeur *m.* (—euse *f.*) d'oies.
gan'zenspel *o.* jeu *m.* de l'oie.
gan'zenwijn *m.* (*fam.*) vin *m.* des grenouilles.
gan'zepen *v.(m.)* plume *f.* d'oie.
gan'zepoot *m.* patte *f.* d'oie.
gan'zeve(d)er *v.(m.)* plume *f.* d'oie.
gan'zevoet *m.* (*Pl.*) patte*-d'oie *f.*
ga'pen I *on.w.* **1** (*v. slaap of verveling*) bâiller; **2** (*v. honger*) bayer, béer; **II** *z.n.* ***het —,*** le bâillement.
ga'pend *b.n.* béant; large; ***een —e wonde,*** une blessure béante, une large blessure; ***een —e kuil,*** un trou béant; ***de —e menigte,*** la foule des badauds. [badaud, musard *m.*
ga'per *m.* **1** (*geeuwer*) bâilleur *m.*; **2** (*lanterfanter*)
ga'perig *b.n.* ***— zijn,*** avoir des envies de bâiller, bâiller à chaque instant.
ga'ping *v.* **1** (*opening, bres*) ouverture, brèche *f.*, trou *m.*; **2** (*leemte*) lacune *f.*; (*hiaat*) hiatus *m.*; ***een — aanvullen,*** combler une lacune.
gap'pen *ov.w.* (*fam.*) chiper, faucher, dérober.
gara'ge *v.* garage *m.*
gara'gehouder *m.* garagiste *m.*
garande'ren *ov.w.* garantir, se porter garant de.
garan'tie *v.* garantie *f.*
gard *v.(m.)* verge, baguette *f.* [noble.
gar'de *v.(m.)* garde *f.*; ***de Zwitserse —,*** la garde
garde'nia *v.(m.)* gardénia *m.*
gardero'be *v.(m.)* **1** (*kleerkamer, klerenvoorraad*) garde-robe* *f.*; **2** (*in schouwburg, enz.*) vestiaire *m.*; **3** (*bij de spoorwegen*) consigne *f.*
gardiaan' *m.* (père) gardien *m.*
gareel' *o.* **1** (*strengen*) traits *m.pl.*; **2** (*aan hals*) collier *m.*; **3** (*fig.: juk*) joug *m.*, chaîne *f.*; ***in het — lopen,*** peiner sous le harnais, trimer dur; ***in iemands — lopen,*** subir le joug de qn.
gareel'maker *m.* bourrelier *m.*
ga'ren I *o.* **1** (*draad*) fil *m.*; **2** (*net*) filet *m.*; ***—-en-bandwinkel,*** mercerie *f.*; **II** *b.n.* de (*of* en) fil; **III** *ov.w.* amasser, recueillir.
ga'renfabriek *v.* filerie *f.*
ga'renklos *m. en v.* bobine *f.*
ga'renspinner *m.* fileur *m.*
ga'renspinnerij *v.* filerie *f.*
ga'rentwijnder *m.* retordeur *m.* (de fil).
ga'renwinder *m.* dévidoir *m.*
garf, gar've *v.(m.)* gerbe *f.*
garnaal' *m.* crevette *f.*; ***een geheugen als een —,*** une mémoire de lièvre.
garna'lenpastei *v.(m.)* pâté *m.* aux crevettes.
garneer'sel *o.* garniture *f.*

garne'ren *ov.w.* garnir.
garne'ring *v.* garniture *f.*
garnituur' *o.* garniture *f.*
garnizoen' *o.* garnison *f.*; ***in — liggen,*** être en garnison; ***grote parade en klein —,*** beaucoup de bruit pour rien.
garnizoens'bakkerij *v.* manutention *f.*
garnizoens'commandant, -kommandant *m.* commandant *m.* d'armes.
garnizoens'plaats *v.(m.)* place (*of* ville) *f.* de [garnison.
garst, *zie* ***gerst.***
gar'stig *b.n.* **1** (*ranzig*) rance; **2** (*v. zwijn*) ladre.
gar'stigheid *v.* **1** rancissure *f.*; **2** ladrerie *f.*
gar've, garf *v.(m.)* gerbe *f.*
gar'ven *ov.w.* engerber, lier en gerbes.
gas *o.* gaz *m.*; ***— geven,*** mettre (*of* ouvrir) les gaz; ***vol — geven,*** donner plein(s) gaz; ***met vol —,*** tous gaz ouverts, à pleins gaz.
gas'aansteker *m.* allume-gaz *m.*
gas'aanval *m.* attaque *f.* au gaz.
gas'achtig *b.n.* gazeux, gazéiforme.
gas'arm *m.* applique *f.*; bec *m.* de gaz.
gas'automaat *m.* compteur *m.* à sous, — à payement préalable.
gas'bek, *zie* ***gasbrander.***
gas'bel *v.(m.)* bulle *f.* de gaz; (*aardgas*) gisement [*m.* de gaz naturel.
gas'brander *m.* bec *m.* à gaz, brûleur *m.*
gas'buis *v.(m.)* tuyau *m.* à gaz.
Gascog'ne *o.* la Gascogne.
Gascogner *m.* Gascon *m.*
gas'cokes *v.* coke *m.* de gaz.
gas'fabriek *v.* usine *f.* à gaz.
gas'fitter *m.* gazier, appareilleur *m.*
gas'fornuis *o.* fourneau *m.* à gaz.
gas'geiser, gas'geizer *m.* chauffe-bain* *m.* à gaz, chauffe-eau *m.* —.
gas'generator *m.* gazogène *m.*
gas'gloeilamp *v.(m.)* lampe *f.* à incandescence; [bec *m.* Auer.
gas'gloeilicht *o.* lumière *f.* à incandescence.
gas'granaat *v.(m.)* obus *m.* à gaz.
gas'haard *m.* foyer *m.* à gaz, radiateur *m.* à gaz, cheminée *f.* à gaz.
gas'houdend *b.n.* gazeux.
gas'houder *m.* gazomètre *m.*
gas'kachel *v.(m.)* **1** poêle *m.* à gaz; **2** (*fornuis*) fourneau *m.* à gaz.
gas'kamer *v.* chambre *f.* à gaz, salle *f.* d'asphyxie.
gas'ketel *m.* gazomètre *m.*
gas'komfoor *o.* réchaud *m.* à gaz.
gas'kraan *v.(m.)* robinet *m.* du gaz.
gas'kroon *v.(m.)* suspension *f.*; lustre *m.*
gas'lamp *v.(m.)* lampe *f.* à gaz; bec *m.* de gaz.
gas'lantaarn, -lantaren *v.(m.)* réverbère *m.*
gas'leiding *v.* conduite *f.* de gaz.
gas'lek *o.* fuite *f.* de gaz.
gas'licht *o.* lumière *f.* du gaz, gaz *m.*
gas'lucht *v.(m.)* odeur *f.* de gaz.
gas'man *m.* employé *m.* du gaz.
gas'masker *o.* masque *m.* contre les gaz.
gas'mengsel *o.* mélange *m.* gazeux.
gas'meter *m.* compteur *m.* (à gaz).
gas'motor *m.* moteur *m.* à gaz.
gas'oil *v.(m.)* gasoil *m.*
gasoli'ne *v.(m.)* gazoline *f.*
gas'ontploffing *v.* explosion *f.* de gaz.
gas'pedaal *o. en m.* (pédale *f.* d')accélérateur *m.*, champignon *m.*
gas'peldoorn, -doren *m.* (*Pl.*) ajonc *m.*
gas'pijp *v.(m.)* tuyau *m.* à gaz.
gas'pit *v.(m.)* bec *m.* de gaz.
gas'radiator *m.* radiateur *m.* à gaz.
gas'rekening *v.* note *f.* du gaz.
gas'sen *ov.w.* gazer.
gas'slang *v.(m.)* tube *m.* à gaz.
gas'stel *o.* réchaud *m.* à gaz (deux feux, *etc.*).
gast *m.* **1** (*genodigde*) invité *m.*; **2** (*aan maaltijd*) convive *m.*; **3** (*om te logeren*) hôte *m.*; **4** (*in hotel*) hôte, voyageur *m.*; **5** (*in restaurant*) dîneur *m.*; **6** (*in koffiehuis*) consommateur *m.*; **7** (*bij toneel*) acteur *m.* (jouant) en représentation; **8** (*persoon*) individu *m.*; ***wij hebben —en,*** nous avons des invités; — du monde; ***de hoge —en,*** les hauts visiteurs; ***een vrolijke —,*** un joyeux compère; ***zoals de waard is vertrouwt hij zijn —en,*** on mesure les autres à son aune.
gaste'ren *on.w.* (*toneel*) jouer en représentation.
gast'heer *m.* hôte, amphitryon *m.*
gast'huis *o.* hôpital *m.*
gast'huisnon *v.* sœur *f.* de charité.
gast'maal *o.* banquet, festin *m.*
gas'trisch *b.n.* gastrique.
gast'rol *v.(m.)* rôle *m.* joué en représentation.
gas'turbine *v.* turbine *f.* à gaz.
gast'voorstelling *v.* représentation *f.* extraordinaire; ***een — geven,*** jouer en représentation.
gast'vriend *m.* convive *m.*
gast'vrij I *b.n.* hospitalier; **II** *bw.* hospitalièrement.
gastvrij'heid *v.* hospitalité *f.*
gast'vrouw *v.* hôtesse *f.*
gas'verbruik *o.* consommation *f.* de gaz.
gas'vergiftiging *v.* empoisonnement *m.* par le [gaz.
gas'verlichting *v.* éclairage *m.* au gaz.
gas'verwarming *v.* chauffage *m.* au gaz.
gas'vlam *v.(m.)* **1** (*pit*) bec *m.* de gaz; **2** (*vlam*) flamme *f.* du gaz.
gas'vormig *b.n.* gazeux; gazéiforme.
gas'vorming *v.* gazéification *f.*
gas'werker *m.* ouvrier *m.* du gaz, gazier *m.*
gat *o.* **1** (*open plaats in voorwerp of stof*) trou *m.*; **2** (*opening*) ouverture *f.*; **3** (*bres*) brèche *f.*; **4** (*holte*) cavité *f.*; **5** (*stadje*) trou *m.*, mare *f.* aux grenouilles; **6** (*achterste*) cul, derrière, postérieur *m.*; **7** (*sch.*) entrée, passe *f.*; ***een — in zijn kousen hebben,*** avoir les bas troués; ***een — in de dag slapen,*** dormir la grasse matinée; ***een — in de lucht slaan,*** lever les bras au ciel, tomber des nues; ***ik zie er geen — in,*** je n'y vois pas de solution; ***een — maken om een ander te stoppen,*** faire un trou pour en boucher un autre, déshabiller saint Pierre pour habiller saint Paul; ***op zijn — vallen,*** tomber sur le derrière; ***iem. in de —en hebben,*** avoir qn. à l'œil; ***iets in de —en krijgen,*** repérer qc.
gauw I *b.n.* **1** rapide, prompt, leste; **2** (*handig*) adroit; ***hij is u te — af geweest,*** il a été plus malin que vous; **II** *bw.* vite, rapidement, promptement, lestement; bientôt; ***hij zal — vertrekken,*** il partira bientôt; ***hij zal zo — niet vertrekken,*** il ne partira pas de si tôt; ***zo — mogelijk,*** au plus vite; ***dat is — gegaan,*** cela n'a pas traîné.
gauw'dief *m.* filou, fripon, escroc *m.*
gauwdieverij' *v.* filouterie, friponnerie *f.*
gau'werd *m.* homme adroit; fin matois *m.*; ***het is een —!*** c'est un malin!
gauw'heid *v.* **1** (*vlugheid*) promptitude, vitesse *f.*; **2** (*behendigheid*) adresse *f.*
gau'wigheid *v.* **1** (*haast*) précipitation *f.*; **2** (*vlugheid*) agilité *f.*; **3** (*behendigheid, goocheltoer*) tour *m.* d'adresse; ***in de —,*** à la hâte.
ga've *v.(m.)* **1** (*geschenk*) don, présent *m.*; **2** (*talent*) talent *m.*
gazel(le) *v.(m.)* gazelle *f.*
ga'zen *b.n.* de gaze.
gazon' *o.* gazon *m.*, pelouse *f.*

ge *pers. vnw.* vous; tu, toi. [naturel.
geaard' *b.n.* ***goed*** (***slecht***) **—,** d'un bon (mauvais)
geaard'heid *v.* naturel, caractère *m.*
geaar'zel *o.* hésitations, tergiversations *f.pl.*
geabonneer'de *m.-v.* abonné *m.*, —e *f.*
geacht' *b.n.* respecté, estimé; ***—e heer,*** (cher) monsieur.
gea'deld *b.n.* anobli.
gea'derd *b.n.* veiné, marbré.
geadresseer'de *m.-v.* destinataire *m. et f.*
geaffecteerd' *b.n.* affecté, avec affectation.
geallieerd' *b.n.* allié.
geanimeerd' *b.n.* animé, vif.
gearmd' *b.n.* bras dessus bras dessous.
gebaand' *b.n.* praticable; ***de —e weg,*** le chemin battu.
gebaar' *o.* **1** (*beweging*) geste *m.*; **2** (*uiterlijk voorkomen*) air *m.*, mine *f.*; ***gebaren maken,*** gesticuler.
gebaard' *b.n.* barbu.
gebab'bel *o.* **1** babil, bavardage, caquet *m.*; **2** (*ong.*) commérage(s) *m.*(*pl.*).
gebak' *o.* pâtisserie *f.*, gâteaux *m.pl.*; ***—je,*** *o.* petit gâteau, petit pâté *m.*
gebald' *b.n.* serré, fermé; ***—e vuist,*** poing fermé.
gebalk' *o.* **1** braiment *m.*; **2** (*fig.*) cris *m.pl.*
geba'ren *ov.w.* faire semblant (de).
geba'renkunst *v.* mimique *f.*
geba'renmaker *m.* gesticulateur *m.*
geba'renspel *o.* **1** (*beweging*) mimique, gesticulation *f.*, jeu *m.* muet; **2** (*toneelstuk*) pantomime *f.*
geba'rentaal *v.*(*m.*) langage *m.* des gestes, — muet, mimique, gesticulation *f.*
gebas' *o.* aboiements *m.pl.*
geba'zel *o.* radotage(s) *m.*(*pl.*).
gebed' *o.* prière *f.*; ***het — des Heren,*** l'oraison dominicale; ***stil —,*** prière mentale.
gebe'del *o.* **1** demandes *f.pl.* importunes, sollicitations —, quémandage *m.*; **2** (*bedelarij*) mendicité *f.* [paroissien *m.*
gebe'denboek *o.* **1** livre *m.* de prières; **2** (*misboek*)
gebeds'molen *m.* cylindre *m.* à prières.
gebeds'samenkomst *v.* prière *f.* en commun.
gebeef' *o.* tremblement *m.*
gebeeld'houwd *b.n.* sculpté.
gebeen'te *o.* **1** (*beenderen*) os *m.pl.*; **2** (*geraamte*) squelette *m.*; **3** (*overblijfselen v. geraamte*) ossements *m.pl.*; ***dat zit hem in het —,*** il a cela dans le sang; ***wee je —!*** gare à vous! malheur à vous!
gebeft' *b.n.* en rabat.
gebei'er *o.* carillon *m.*
gebekt' *b.n.* à bec, qui a un bec; ***hij is goed —,*** il a la langue bien pendue; ***ieder vogeltje zingt zoals het — is,*** chaque oiseau chante (*of* chacun parle) à sa manière.
gebel' *o.* coups *m.pl.* de sonnette; sonnerie *f.*
gebelgd' *b.n.* fâché, outré, piqué au vif.
geben'gel *o.* tintement, carillon, carillonnement *m.*
geberg'te *o.* montagne *f.*, chaîne *f.* de montagnes.
gebe'ten *b.n.* ***op iem. — zijn,*** avoir une dent contre qn., en vouloir à qn.
gebe'tenheid *v.* irritation *f.* [mais.
gebe'teren *on.w.* ***ik kan het niet —,*** je n'en puis
gebeuk' *o.* coups *m.pl.* répétés.
gebeurd' *b.n.* arrivé; ***het —e,*** ce qui est arrivé, ce qui s'est passé.
gebeu'ren *on.w.* arriver, se passer, avoir lieu, se faire; ***laten —,*** laisser faire; ***het kan — dat...,*** il se peut que; ***wat is er met u gebeurd ?*** qu'est-ce qui vous est arrivé ?, qu'avez-vous ?; ***er is een ongeluk gebeurd,*** il est arrivé un accident; ***het is nu eenmaal gebeurd,*** c'est arrivé; ***dat is vaker gebeurd,*** cela s'est vu; ***er moge — wat wil,*** advienne que pourra, il arrivera ce qu'il pourra; ***er kan nog zoveel —,*** il passera encore bien de l'eau sous le pont; ***als niet gebeurd beschouwen,*** regarder comme non avenu; ***doen alsof er niets gebeurd was,*** faire comme si de rien n'était.
gebeur'lijk *b.n.* possible, éventuel.
gebeur'lijkheid *v.* possibilité, éventualité *f.*; ***voor elke —,*** à tout événement; ***op alle gebeurlijkheden voorbereid,*** prêt à toute éventualité.
gebeur'tenis *v.* événement; fait *m.*
gebeu'zel *o.* futilité, frivolité *f.*
gebied' *o.* **1** (*heerschappij, macht, gezag*) empire, pouvoir *m.*; domination *f.*; **2** (*grond—*) territoire *m.*; **3** (*rechts—*) ressort *m.*; **4** (*v. rivier*) bassin *m.*; **5** (*fig.*) terrain, domaine *m.*; ***het — van lage druk,*** l'aire des basses pressions; ***het verwoeste —,*** les régions dévastées; ***op 't — van,*** dans le domaine de, en matière de; ***het behoort niet tot ons —,*** ce n'est pas de notre ressort.
gebie'den **I** *ov.w.* **1** commander, ordonner; **2** (*eisen*) demander, exiger; ***iem. stilte —,*** imposer silence à qn.; **II** *on.w.* **1** commander; **2** (*heersen*) être le maître, dominer.
gebie'dend **I** *b.n.* impérieux; ***—e wijs,*** impératif; **II** *bw.* impérieusement.
gebie'der *m.* **1** (*heerser*) souverain *m.*; **2** (*meester*) chef, maître *m.*
gebiesd' *b.n.* liséré.
gebin't(e) *o.* (*bouwk.*) charpente, ferme *f.* de comble.
gebit' *o.* dents *f.pl.*, denture *f.*; ***vals —,*** **1** (*v. mens*) râtelier, dentier *m.*; **2** (*v. paard*) mors *m.*
geblaas' *o.* soufflement; souffle *m.*
geblaat' *o.* bêlement *m.*
gebla'derte *o.* feuillage *m.*
geblaf' *o.* aboiement(s) *m.*(*pl.*).
geblameerd' *b.n.* compromis.
geblaseerd' *b.n.* blasé.
geblik'sem *o.* éclairs *m.pl.*
gebloemd' *b.n.* à fleurs, à ramages.
geblok' *o.* piochement *m.*
geblokt' *b.n.* à carreaux.
gebluf' *o.* hâblerie(s), gasconnade(s) *f.*(*pl.*).
gebo'cheld *b.n.* bossu; ***een —e,*** un bossu.
gebod' *o.* **1** (*v. God of de Kerk*) commandement *m.*; **2** (*bevel*) ordre *m.*; **3** (*voorschrift*) prescription *f.*, précepte *m.*; **4** (*huwelijksafkondiging*) ***de —en,*** les bans *m.pl.*; ***zij staan onder de —en,*** les bans ont été publiés; ***de tien —en,*** les dix commandements.
gebo'den *b.n.* d'obligation; ***— feestdag,*** fête d'obligation; ***voorzichtigheid is —,*** la prudence s'impose.
geboef'te *o.* canaille, racaille *f.*
gebo'gen *b.n.* courbé, voûté; ***— lijn,*** ligne courbe; ***— ruit,*** vitre bombée; ***over zijn werk —,*** penché sur son travail.
gebo'genheid *v.* courbure *f.*
gebon'den *b.n.* **1** (*alg.*) lié; **2** (*vastgemaakt*) attaché; **3** (*v. boek*) relié; **4** (*fig.: door belofte, enz.*) lié, engagé; ***een — leven,*** une vie occupée; ***— saus,*** sauce liée; ***in — stijl,*** en vers; ***aan huis —,*** cloué à la maison; ***ik ben niet aan een uur —,*** je ne suis pas sujet à l'heure.
gebon'denheid *v.* manque *m.* de liberté.
gebons' *o.* heurt, choc *m.*; coups *m.pl.*; bruit *m.* sourd.
geboom'te *o.* arbres *m.pl.*
geboor'te *v.* naissance *f.*; ***de — van Christus,*** la nativité (du Christ); ***hij is Belg van geboorte,*** il est né Belge, il est Belge de naissance; ***van lage***

—, de basse extraction; ***van hoge —***, de haute naissance.
geboor'teaangifte *v.* déclaration *f.* de naissance.
geboor'teakte *v.(m.)*, **geboor'tebewijs** *o.* acte *m.* de naissance, extrait *m.* —.
geboor'tedag *m.* 1 jour *m.* de naissance; 2 (*verjaardag*) anniversaire *m.*, fête *f.*
geboor'tedorp *o.* village *m.* natal.
geboor'tegrond *m.* sol *m.* natal, terre *f.* natale.
geboor'tehuis *o.* maison *f.* natale.
geboor'tejaar *o.* année *f.* de la naissance.
geboor'teland *o.* pays *m.* natal, patrie *f.*
geboor'tenbeperking *v.* conception *f.* dirigée.
geboor'tencijfer *o.* (taux *m.* de) natalité *f.*
geboor'tenoverschot *o.* surplus *m.* des naissances, excédent *m.* —.
geboor'tenregister *o.* registre *m.* des naissances.
geboor'teplaats *v.(m.)* lieu *m.* natal.
geboor'terecht *o.* droit *m.* de naissance.
geboor'testad *v.(m.)* ville *f.* natale.
geboor'tig (*uit*) *b.n.* natif (de), originaire (de).
gebo'ren *b.n.* né; ***— Hollander,*** né Hollandais; ***— worden,*** naître; ***hij is een — redenaar,*** il est né orateur.
gebor'gen *b.n.* serré; (*fig.*) à l'abri; ***hij is —,*** il a son pain cuit, il a de quoi. [borné.
geborneerd' *b.n.* borné; ***hij is —,*** il a l'esprit
gebor'rel *o.* 1 (*v. water*) bouillonnement *m.*; 2 (*in buik*) gargouillis *m.*; 3 (*drinken*) habitude *f.* de prendre des petits verres, usage *m.* immodéré des spiritueux.
gebouw' *o.* 1 bâtiment *m.*; 2 (*groot —*) édifice *m.*
gebouwd' *b.n.* bâti; ***goed —,*** bien tourné; ***kloek —,*** fortement charpenté.
gebou'wencomplex *o.* ensemble (*of* complexe) *m.* de maisons.
gebouw'tje *o.* petit bâtiment, édicule *m.*
gebraad' *o.* rôti *m.* [baragouin *m.*
gebrab'bel *o.* 1 baragouinage *m.*; 2 (*brabbeltaal*)
gebrand' *b.n.* brûlé; (*v. koffie*) torréfié; ***— zijn op,*** raffoler de.
gebrand'schilderd *b.n.* ***— glas,*** vitrail *m.*
gebras' *o.* bombance, débauche *f.*
gebrei'de goe'deren *mv.* bonneterie *f.*
gebrek' *o.* 1 (*alg.*) manque, défaut *m.*; 2 (*schaarste*) pénurie, disette *f.*; 3 (*armoede*) pauvreté, nécessité, privation *f.*; 4 (*ontbering*) indigence, misère *f.*; 5 (*onvolmaaktheid*) imperfection, faute *f.*, défaut *m.*; 6 (*lichaams—*) infirmité *f.*; ***bij — aan,*** faute de; ***hij heeft aan niets —,*** il ne manque de rien; ***— lijden,*** être dans le besoin, vivre dans la misère; ***in —e blijven,*** rester en demeure, manquer à; ***in —e blijven te betalen,*** rester en demeure de payer; ***in —e stellen,*** mettre en demeure.
gebrek'kelijk *b.n.* 1 infirme; 2 (*kreupel*) estropié.
gebrek'kelijkheid *v.* infirmité *f.*
gebrek'kig I *b.n.* 1 infirme, handicapé; 2 (*aan ledematen*) estropié; 3 (*niet in orde*) défectueux; imparfait; 4 (*defect*) dérangé; ***— Frans,*** du mauvais français; ***een —e uitspraak,*** une prononciation vicieuse; II *bw.* défectueusement.
gebrek'kige *m.-v.* infirme *m. et f.*
gebrek'kigheid *v.* 1 (*v. mens*) infirmité *f.*; 2 (*v. toestel, machine, enz.*) défectuosité, imperfection *f.*
gebries' *o.* 1 (*v. leeuw*) rugissement *m.*; 2 (*v. paard*) ébrouement *m.*
gebrild' *b.n.* à lunettes, qui porte des lunettes.
gebroed' *o.* 1 (*broedsel*) couvée *f.*; 2 (*nest*) nichée *f.*; 3 (*fig.*) engeance, canaille *f.*; 4 (*kinderen*) marmaille *f.*
gebroe'ders *mv.* frères *m.pl.*; ***de — Legrand,*** les frères Legrand; (*H.*) M. Legrand frères.
gebro'ken *b.n.* 1 cassé, brisé; 2 (*doorgebroken*) rompu; 3 (*fig.*) brisé; ***een — getal,*** une fraction, un nombre fractionnaire; ***een — lijn,*** une ligne brisée; ***een — man,*** un homme tout cassé; ***een — stem,*** une voix mourante (*of* éteinte); ***— Frans,*** du mauvais français.
gebrom' *o.* 1 bourdonnement, bruit sourd *m.*; 2 (*v. hond*) grognement *m.*; 3 (*v. ontevredenheid*) grognement *m.*
gebronsd' *b.n.* bronzé, (*door zon*) hâlé. [froid.
gebrouilleerd' *b.n.* brouillé; ***— zijn,*** être en
gebrouw' *o.* grasseyement *m.*
gebruik' *o.* 1 emploi, usage *m.*; 2 (*recht: genot*) jouissance *f.*; 3 (*gewoonte*) usage *m.*, coutume *f.*; ***— maken van,*** 1 faire usage de, se servir de; 2 (*partij trekken*) profiter de, mettre à profit; ***het — der spraak,*** la faculté de la parole; ***het — (verbruik) van brood,*** la consommation du pain; ***uitwendig —,*** usage externe; ***voor het — schudden,*** agiter avant de s'en servir; ***met vrij — van,*** avec la jouissance de; ***in — nemen,*** mettre en usage, étrenner; ***buiten — stellen,*** (*afdanken*) mettre au rancart; ***algemeen in —,*** en vogue, à la mode; ***de zeden en —en,*** les us et coutumes.
gebrui'kelijk *b.n.* usuel, usité, d'usage; ***de —e eed,*** le serment d'usage; ***op de —e wijze,*** conformément à l'usage; ***zoals —,*** selon la coutume.
gebrui'ken *ov.w.* 1 employer, se servir de, faire usage de; 2 (*eten, drinken, enz.*) prendre; 3 (*olie, benzine*) consommer; ***geduld —,*** user de patience; ***geweld —,*** user de force; ***list —,*** avoir recours à la ruse; ***zijn verstand —,*** réfléchir; ***gebruikte kleren,*** des vêtements usagés.
gebrui'ker *m.* 1 celui qui emploie; 2 (*v. weg, machine, enz.*) usager *m.*; 3 (*verbruiker*) consommateur *m.*; 4 (*v. een erf*) usufruitier *m.*
gebruiks'aanwijzing *v.* mode *m.* d'emploi.
gebruiks'voorwerp *o.* objet *m.* d'usage courant.
gebruiks'waarde *v.* valeur *f.* d'usage; (*economie*) utilité *f.* économique, — subjective.
gebruind' *b.n.* hâlé, basané, bruni.
gebruis' *o.* 1 (*v. wind, waterval*) mugissement *m.*; 2 (*v. zee*) bouillonnement *m.*
gebrul' *o.* 1 (*v. leeuw*) rugissement *m.*; 2 (*v. koe, wind*) mugissement, hurlement *m.*
gebuikt' *b.n.* ventru.
gebuisd' *b.n.* (*Z.N.*) échoué; ***hij is —,*** il a échoué, il a été refusé.
gebukt' *b.n.* courbé, ployé; ***— gaan onder,*** ployer sous, plier sous.
gebul'der *o.* 1 (*alg.*) grondement *m.*; 2 (*v. wind, stem*) hurlement *m.*; 3 (*v. donder*) roulement, grondement *m.*; 4 (*v. kanon*) grondement *m.*
gebulk' *o.* 1 beuglement, mugissement *m.*; 2 (*v. kind*) hurlement *m.* [bosselé.
gebult' *b.n.* 1 (*v. personen*) bossu; 2 (*v. zaken*)
gebuur' *m.* voisin *m.*
gebuur'schap *v.* voisinage *m.*
gecommitteer'de, gekommitteer'de *m.-v.* 1 (*gemachtigde, lasthebber*) mandataire *m.*; 2 (*gevolmachtigd toeziener: bij examens*) délégué *m.*
gecompliceerd', gekompliceerd' *b.n.* 1 compliqué; 2 (*v. karakter*) complexe.
geconditioneerd', gekonditioneerd' *b.n.* conditionné; ***goed —,*** bien conditionné; en bonne condition.
geconsigneer'de, gekonsigneerde *m.* consignataire *m.* [solidé.
geconsolideerd', gekonsolideerd' *b.n.* con-
gedaag'de *m.-v.* 1 assigné, intimé *m.*, —e *f.*; 2 (*verweerder*) défendeur *m.*, défenderesse *f.*

gedaan' *b.n.* fini, fait, achevé, terminé; ***het is met hem —,*** c'en est fait de lui; ***iets van iem. — krijgen,*** obtenir qc. de qn.; ***iem. — geven,*** congédier qn., donner son congé à qn.; ***gedane zaken nemen geen keer,*** à chose faite, point de remède.

gedaan'te *v.* **1** forme, figure *f.*; **2** (*v. een lichaam, eiland, enz.*) configuration *f.*; ***in een andere —,*** sous une autre forme; ***onder*** (*of* ***in***) ***de — van,*** sous la forme de; ***onder de — van brood en wijn,*** sous les espèces du pain et du vin; ***van — verwisselen,*** se métamorphoser; ***zich in zijn ware — vertonen,*** se montrer sous son vrai jour.

gedaan'teverandering, gedaan'teverwisseling *v.* **1** transformation, transfiguration *f.*; **2** (*Dk., myth.*) métamorphose *f.*

gedaas' *o.* radotage(s) *m.(pl.).*

gedach'te *v.* **1** pensée, idée *f.*; **2** (*mening*) opinion, pensée *f.*; **3** (*opvatting*) conception *f.*; **4** (*voornemen, plan*) projet, dessein *m.*; **5** (*nadenken, overpeinzing*) rêverie, réflexion *f.*; **6** (*herinnering*) mémoire *f.*, souvenir *m.*; **7** (*vermoeden*) conjecture *f.*; ***de — aan zijn ouders,*** la pensée de ses parents; ***droevige —n,*** des pensées tristes; ***in —n verzonken,*** abîmé dans ses réflexions, plongé dans ses pensées; ***wij zijn niet van die —,*** nous ne sommes pas de cet avis; ***dat is mij uit de —n gegaan,*** cela m'est sorti de la mémoire; ***van — veranderen,*** changer de dessein, se raviser; ***zijn —n bij elkaar houden,*** rassembler ses pensées (idées); ***zijn —n over iets laten gaan,*** réfléchir sur qc.; ***in —n ging hij de kerk binnen,*** machinalement (*of* sans y penser) il entra dans l'église; ***een goede — van iem. hebben,*** avoir bonne opinion de qn.; ***hij heeft zijn —n niet bij het werk,*** il n'a pas la tête à la besogne, il ne fait pas attention.

gedach'teloos I *b.n.* **1** irréfléchi; **2** (*onbezonnen*) étourdi; **3** (*v. gepraat*) vide; **II** *bw.* **1** (*werktuiglijk*) machinalement; **2** (*verstrooid*) distraitement; ***— handelen,*** agir sans réflexion.

gedachteloos'heid *v.* irréflexion, étourderie *f.*

gedach'tengang *m.* cours *m.* des idées, suite *f.* —; raisonnement *m.*

gedach'tenis *v.* mémoire *f.*, souvenir *m.*; ***ter — van,*** en mémoire de; ***zaliger —,*** d'heureuse mémoire.

gedach'tenkring *m.* cercle *m.* d'idées, — des pensées, horizon *m.*

gedach'tenlezen *o.* lecture *f.* de la pensée.

gedach'tenlezer *m.* lecteur *m.* de pensées; devin *m.*

gedach'tensprong *m.* saillie *f.* hardie.

gedach'tenstreep *v.(m.)* tiret *m.* (suspensif).

gedach'tenwisseling *v.* échange *m.* d'idées, — de vues.

gedach'tig *b.n.* se souvenant de; ***— zijn aan,*** se souvenir de.

gedans' *o.* **1** (*danspartijtje*) sauterie *f.*; **2** (*voortdurend dansen*) danse *f.* continuelle; **3** (*v. gaslicht*) soubresauts *m.pl.*; **4** (*v. insekten*) mouvements *m.pl.*

gedar'tel *o.* ébats *m.pl.*, folâtrerie *f.*

gedateerd' *b.n.* daté; ***— de ...,*** en date du...

geda'ver *o.* tremblement *m.*

gedecideerd' I *b.n.* décidé; **II** *bw.* décidément.

gedecolleteerd', gedekolleteerd' *b.n.* décolleté.

gedeel'te *o.* **1** (*deel*) partie *f.*; **2** (*aandeel*) part *f.*; **3** (*portie*) portion *f.*; ***voor een groot —,*** en grande partie; ***voor het grootste —,*** (*hoeveelheid*) en majeure partie; (*aantal*) pour la plupart; ***bij —n verkopen,*** vendre par lots; ***de taks bedraagt 3 fr. per 1000 fr. of — van 1000 fr.,*** la taxe est de 3 fr. par 1000 fr. ou fraction de 1000 fr.

gedeel'telijk I *b.n.* partiel; **II** *bw.* partiellement, en partie; ***—e acceptatie,*** acceptation *f.* partielle.

gede'gen *b.n.* **1** (*v. goud*) natif, vierge, pur; **2** (*v. werk*) solide.

gedekolleteerd, *zie* ***gedecolleteerd.***

gedekt' *b.n.* couvert; ***hij houdt zich —,*** il se garde à carreau.

gedelegeer'de *m.* délégué *m.*

gedempt' *b.n.* (*stem*) basse, à demi-voix; (*geluid, klank*) en sourdine, assourdi.

gedenk'boek *o.* **1** (*herinneringsboek*) mémorial *m.*; **2** (*gulden boek*) livre *m.* d'or, — d'honneur; **3** (*in geschiedenis*) annales *f.pl.*

gedenk'dag *m.* **1** (*jaardag*) (jour) anniversaire *m.*; **2** (*plechtige herdenkingsdag*) jour *m.* commémoratif.

geden'ken *ov.w.* **1** (*denken aan*) penser à, se rappeler, se souvenir de; **2** (*melding maken van*) mentionner, faire mention de; **3** (*feestelijk —*) commémorer.

geden'kenis *v.* **1** (*gedachtenis*) mémoire *f.*, souvenir *m.*; **2** (*gedenkteken*) monument *m.*

gedenk'feest *o.* fête *f.* commémorative.

gedenk'jaar *o.* année *f.* jubilaire, — commémorative.

gedenk'naald *v.(m.)* obélisque *m.*

gedenk'penning *m.* médaille *f.* commémorative.

gedenk'plaat *v.(m.)* plaque *f.* commémorative.

gedenk'schriften *mv.* mémoires *m.pl.*

gedenk'spreuk *v.(m.)* sentence, devise *f.*

gedenk'steen *m.* monument *m.*, pierre *f.* commémorative.

gedenk'stuk *o.* souvenir *m.*

gedenk'teken *o.* monument *m.*

gedenkwaar'dig *b.n.* mémorable.

gedenkwaar'digheid *v.* fait *m.* mémorable.

gedenk'zuil *v.(m.)* monument *m.*, colonne *f.* commémorative.

gedeponeerd' *b.n.* déposé; ***— handelsmerk,*** marque déposée.

gedeporteer'de *m.* déporté *m.*

gedeputeer'de *m.* député *m.*; ***— staten,*** la députation permanente.

gedetailleerd' *b.n.* détaillé; ***—e opgave,*** spécification *f.*

gedetineerd' *b.n.* détenu.

gedetineer'de *m.-v.* détenu *m.*, —e *f.*

gedeukt' *b.n.* bosselé; bossué.

gedialogeerd' *b.n.* in : ***—e mis,*** messe *f.* dialoguée.

gedicht' *o.* poésie *f.*; (*groot —*) poème *m.*; ***een — voordragen,*** réciter une pièce de vers.

gedien'stig I *b.n.* serviable, obligeant, complaisant; ***al te —,*** obséquieux; **II** *bw.* obligeamment, avec empressement.

gedien'stigheid *v.* obligeance, complaisance *f.*; ***al te grote —,*** obséquiosité *f.*

gedier'te *o.* **1** bêtes *f.pl.*, animaux *m.pl.*; **2** (*vuil —*) vermine *f.*

gedij'en *on.w.* croître; prospérer; ***ten goede —,*** tourner à bien; ***onrechtvaardig verkregen goed gedijt niet,*** bien mal acquis ne profite pas.

geding' *o.* procès *m.*; ***in het —,*** en cause; ***in het — brengen,*** mettre en question, — en cause; ***in kort —,*** en référé.

gediplomeerd' *b.n.* diplômé, breveté.

gedistilleerd' I *o.* spiritueux *m.pl.*; boissons *f.pl.* alcooliques; **II** *b.n.* distillé.

gedistingeerd' I *b.n.* distingué; **II** *bw.* d'une manière distinguée.

gedocumenteerd' *b.n.* (bien) documenté.

gedoe' *o.* embarras *m.*, agissements *m.pl.*

gedo'gen *ov.w.* **1** souffrir, tolérer; **2** (*vergunnen*) permettre.

gedon'der *o.* **1** roulements *m.pl.* de tonnerre; **2** (*v. stem, kanon*) tonnerre *m.*; **3** (*fig.*) embêtements *m.pl.*
gedraai' *o.* **1** tournoiement *m.*; **2** (*v. mening*) tergiversations *f.pl.*; **3** (*waarheid*) cachotteries *f.pl.*
gedraal' *o.* **1** (*uitvluchten*) tergiversations *f.pl.*; **2** (*aarzeling*) hésitations *f.pl.*; **3** (*besluiteloosheid*) irrésolution *f.*
gedrag' *o.* conduite *f.*; ***slecht* —,** inconduite, mauvaise conduite *f.*
gedra'gen I, *zich* —, *w.w.* se conduire; se comporter; ***zich — naar de instructies,*** se conformer (*of* s'en tenir) aux instructions; **II** *b.n.* **1** (*kleren, enz.*) usagé; **2** (*stijl*) soutenu.
gedra'ging *v.* conduite *f.*
gedrags'lijn, *zie* ***gedragsregel.***
gedrags'patroon *o.* comportement *m.*
gedrags'regel *m.* ligne *f.* de conduite, comportement *m.*; ***voorgeschreven* —,** mandat *m.* impératif.
gedrang' *o.* presse, foule; mêlée, poussée *f.*
gedreig' *o.* menaces *f.pl.*
gedren'tel *o.* flânerie *f.*
gedreun' *o.* **1** grondement *m.*, roulement *m.* sourd; **2** (*trilling*) ébranlement *m.*, trépidation *f.*
gedre'ven *b.n.* ciselé.
gedrib'bel *o.* trottinement *m.*
gedrocht' *o.* monstre *m.*
gedroch'telijk I *b.n.* monstrueux, affreux; **II** *bw.* monstrueusement.
gedron'gen *b.n.* **1** (*in ruimte*) serré, à l'étroit; **2** (*v. gestalte*) trapu, ramassé; **3** (*v. stijl*) concis.
gedron'genheid *v.* **1** (*v. gestalte*) taille *f.* trapue; **2** (*stijl*) concision *f.*
gedroogd' *b.n.* séché, (*fruit*) sec.
gedroom' *o.* rêveries *f.pl.*
gedrop'pel *o.* dégouttement *m.*
gedruis' *o.* bruit, fracas, vacarme, tumulte *m.*
gedrukt' *b.n.* **1** (*boeken, enz.*) imprimé; **2** (*v. persoon*) abattu, déprimé, accablé; **3** (*v. gewelf*) surbaissé; **4** (*v. prijzen*) bas; **5** (*v. markt*) lourd.
gedrukt'heid *v.* **1** abattement *m.*, dépression *f.*; **2** (*v. markt*) lourdeur *f.*
geducht' I *b.n.* redoutable, formidable; ***een — pak slaag,*** une bonne raclée; **II** *bw.* formidablement.
geduld' *o.* **1** patience *f.*; **2** (*gelatenheid*) résignation *f.*; ***— oefenen,*** patienter; ***zijn — verliezen,*** perdre patience, s'impatienter.
gedul'dig I *b.n.* patient; **II** *bw.* patiemment.
gedu'rende *vz.* pendant, durant.
gedurfd' *b.n.* osé, audacieux.
gedu'rig I *b.n.* continuel; ***—e aanbidding,*** adoration perpétuelle; ***—e evenredigheid,*** proportion continue; **II** *bw.* continuellement, toujours, sans cesse.
geduw' *o.* poussées *f.pl.*, poussade *f.*
gedwar'rel *o.* tourbillonnement *m.*
gedwee' I *b.n.* docile, obéissant, soumis; **II** *bw.* docilement.
gedwee'heid *v.* docilité, soumission *f.*
gedweep' *o.* fanatisme *m.*, exaltation *f.*
gedwon'gen I *b.n.* **1** contraint, forcé; **2** (*onnatuurlijk*) guindé, gêné; **3** (*v. stijl*) affecté; ***— lachen,*** rire jaune; ***— lening,*** emprunt forcé; **II** *bw.* par force, par contrainte.
gedwon'genheid *v.* contrainte *f.*; affectation *f.*
geëerd' *b.n.* honoré; ***uw — schrijven van 10 september,*** votre honorée du 10 septembre.
geef, *te* —, pour rien; ***het is te* —,** c'est donné.
geef'ster *v.* **1** (*schenkster*) donatrice *f.*; **2** (*bij spel*) celle qui donne.
geel *b.n.* jaune; ***— maken, — worden,*** jaunir.
geel'achtig *b.n.* jaunâtre.
geel'blond *b.n.* d'un blond jaune, d'un blond ardent. [moqueur.
geel'borstje *o.* rossignol *m.* bâtard, oiseau *m.*
geel'bruin *b.n.* d'un brun jaunâtre, feuille-morte.
geel'filter *m. en o.* filtre *m.* jaune; écran *m.* jaune.
geel'gors *v.(m.)* bruant *m.* jaune.
geel'heid *v.* couleur *f.* jaune, jaune *m.*
geel'koper *o.* cuivre *m.* jaune, laiton *m.*
geel'kopersmid *m.* dinandier *m.*
geel'koperwerk *o.* dinanderie *f.*
geel'vink *m.* **1** (*Dk.*) verdier *m.*; **2** (*fig.*) jaunet *m.*
geel'zucht *v.(m.)* **1** (*gen.*) ictère *m.*; **2** (*pop.*) jaunisse *f.*; ***lijder aan —,*** ictérique *m.*
geen *vnw.* (ne) aucun, (ne) nul, (ne) pas un; ***— één,*** pas un seul; ***in genen dele,*** pas du tout; ***— oog dicht doen,*** ne pas fermer l'œil.
geëndosseer'de *m.* (*H.*) endossataire *m.*
geens'zins *bw.* nullement, aucunement, point du tout.
geep *v.(m.)* (*Dk.*) orphie *f.*, aiguillon *m.*
geer *v.(m.)* **1** pointe *f.*, biais *m.*; **2** (*sch.*) lague *f.*
Gee'raardsbergen *o.* Grammont *m.*
Geert *m.* Gérard *m.*
Geert'je *o.*, **Geer'trui** *v.* Gertrude *f.*
geest *m.* **1** esprit *m.*; **2** (*ziel*) âme *f.*; **3** (*vernuft, genie*) génie *m.*; **4** (*spook*) revenant, fantôme, spectre *m.*; **5** (*scheik.*) esprit *m.*; ***de — geven,*** rendre l'âme; ***de Heilige —,*** le Saint-Esprit; ***de boze —,*** l'esprit malin, le démon; ***een goede —,*** un bon génie; ***tegenwoordigheid van —,*** présence d'esprit; ***in de —,*** en esprit; ***in die —,*** dans ce sens; ***voor de — roepen,*** évoquer.
geestdo'dend *b.n.* abrutissant.
geest'drift *v.(m.)* enthousiasme, élan *m.*, ardeur *f.*
geestdrif'tig I *b.n.* enthousiaste; **II** *bw.* avec enthousiasme.
geest'drijver *m.* fanatique *m.*
geestdrijverij' *v.* fanatisme *m.*
gees'telijk I *b.n.* **1** spirituel; **2** (*onstoffelijk*) immatériel; **3** (*godsdienstig*) religieux, spirituel; **4** (*verstandelijk*) intellectuel, spirituel; **5** (*kerkelijk*) ecclésiastique, religieux; ***— gestoorde,*** déficient *m.* mental; ***—e lectuur,*** des lectures édifiantes; ***— persoon,*** ecclésiastique *m.*; ***de —e stand,*** le clergé; **II** *bw.* spirituellement; intellectuellement.
gees'telijke *m.* **1** (*alg.*) ecclésiastique *m.*; **2** (*priester*) prêtre, abbé *m.*; **3** (*pastoor*) curé *m.*; **4** (*prot.*) ministre, pasteur *m.*
gees'telijkheid *v.* clergé *m.*
gees'teloos I *b.n.* **1** (*v. persoon*) sans esprit; **2** (*uitdrukking*) terne; **3** (*boek*) insipide, sans esprit; **4** (*dom*) bête; **II** *bw.* sans esprit; d'une manière insipide. [*f.*; bêtise *f.*
geesteloos'heid *v.* manque *m.* d'esprit; insipidité
gees'tenbanner *m.* exorciste *m.*
geestenbannerij' *v.* exorcisme *m.*
gees'tenbezweerder *m.* **1** (*banner*) exorciste *m.*; **2** (*die doet verschijnen*) nécromancien *m.*
gees'tenbezwering *v.* **1** exorcisme *m.*; **2** nécromancie *f.*
gees'tenleer *v.(m.)* pneumatologie *f.*
gees'tenrijk *o.* royaume *m.* des esprits.
gees'tenwereld *v.(m.)* monde *m.* des esprits.
gees'tenziener *m.* visionnaire *m.*
gees'tesarbeid *m.* travail *m.* intellectuel.
gees'tesgave *v.(m.)* don *m.* de l'esprit, talent *m.*
gees'tesgesteldheid *v.* comportement *m.* d'esprit.
gees'teshouding *v.* comportement *m.* d'esprit.
gees'teshygiëne *v.(m.)* psychoprophylaxie *f.*; hygiène *f.* mentale.
gees'teskind *o.* fils *m.* spirituel, fille *f.* spirituelle.

gees'tesrichting *v.* tendance *f.* de l'esprit.
gees'tesstoornis *v.* dérangement *m.* d'esprit, dérangement *m.* mental.
gees'testoestand *m.* état *m.* d'esprit, mentalité *f.*
gees'teswetenschappen *mv.* sciences *f.pl.* de l'esprit, — humaines.
gees'teszieke *m.-v.* malade *m.(f.)* mental(e).
gees'tesziekte *v.* maladie *f.* mentale.
geest'grond *m.* lande *f.* sablonneuse.
gees'tig I *b.n.* **1** spirituel; **2** (*vernuftig*) ingénieux; **— *gezegde,*** bon mot *m.*; **—*e inval,*** saillie *f.*; **— *willen zijn,*** faire de l'esprit; **II** *bw.* spirituellement.
gees'tigheid *v.* **1** esprit *m.*; **2** (*geestig gezegde*) bon mot *m.*; pointe *f.*
geest'kracht *v.(m.)* énergie *f.*, force *f.* d'esprit, force *f.* d'âme.
geest'rijk *b.n.* **1** (*geestig*) spirituel, plein d'esprit; **2** (*v. drank*) spiritueux; **—*e dranken,*** des spiritueux, des boissons alcooliques.
geest'verheffend *b.n.* élevé, qui élève.
geest'vermogen *o.* faculté *f.* intellectuelle, — mentale.
geest'verrukking *v.* extase *f.*
geest'verschijning *v.* apparition *f.*
geest'vervoering *v.* **1** (*—verrukking*) extase *f.*; **2** (*—drift*) enthousiasme *m.*
geest'verwant *m.* **1** (*partijgenoot*) partisan *m.*; **2** (*geloofsgenoot*) coreligionnaire *m.*; **3** (*met gelijke denkbeelden*) esprit *m.* congénère.
geest'verwantschap *v.* affinité *f.* d'esprit.
geeuw *m.* bâillement *m.*
geeu'wen *on.w.* bâiller.
geeu'wer *m.* bâilleur *m.*
geeu'werig *b.n.* enclin à bâiller; **— *zijn,*** avoir envie de bâiller. [boulimie *f.*
geeuw'honger *m.* **1** faim *f.* canine; **2** (*gen.*)
geëvenre'digd *b.n.* proportionné.
gefailleer'de *m.* failli *m.*
gefe'mel *o.* cagoterie, fausse dévotion *f.*
gefingeerd' *b.n.* fictif, imaginé.
geflad'der *o.* **1** voltigement *m.*; **2** (*geklapwiek*) battement *m.* d'ailes; **3** (*eig. en fig.*) papillonnage *m.*
gefleem' *o.* cajoleries *f.pl.*
geflik'flooi *o.* cajoleries, flagorneries *f.pl.*
geflik'ker *o.* étincellement, scintillement *m.*, scintillation *f.*
geflirt' *o.* flirt, flirtage *m.*
geflod'der *o.* barbotage *m.*
geflon'ker *o.* étincellement, scintillement *m.*
gefluis'ter *o.* chuchotement *m.*
gefluit' *o.* **1** sifflement *m.*; **2** (*v. vogels*) chant, gazouillement *m.*
gefon'kel *o.* étincellement *m.*, scintillation *f.*
gefortuneerd' *b.n.* riche, qui a de la fortune.
gefrankeerd' *b.n.* affranchi.
gefrons' *o.* froncement *m.*
gegaap' *o.* bâillements *m.pl.*
gega'digde *m.* **1** amateur *m.*; **2** (*bij verkoping*) acheteur *m.*; **3** (*belanghebbende*) intéressé *m.*; **4** (*bij aanbesteding*) soumissionnaire *m.*
gegalm' *o.* résonnement *m.*, cris *m.pl.*, éclats *m.pl.* de voix.
gegeerd' *b.n.* en biais.
gegeeuw' *o.* bâillements *m.pl.*
gege'ven I *b.n.* donné; **II** *z.n., o.* donnée *f.*
gegie'chel *o.* rires *m.pl.* étouffés.
gegier' *o.* rires *m.pl.* bruyants.
gegil' *o.* cris *m.pl.* perçants. [*m.pl.*
gegin'negap *o.* rires bêtes, ricanements (étouffés)
geglansd' *b.n.* satiné, glacé.
geglazuurd' *b.n.* verni, émaillé.
geglim' *o.* lueur *f.* douce.
geglin'ster *o.* étincellement, scintillement *m.*
gegoed' *b.n.* aisé, riche.
gegoed'heid *v.* aisance *f.*
gegolfd' *b.n.* **1** ondulé; **2** (*Pl.*) sinué.
gegons' *o.* bourdonnement *m.*
gegoo'chel *o.* jonglerie(s) *f.(pl.)*.
gegooi' *o.* jets *m.pl.* continuels.
gegor'gel *o.* gargarisation *f.*
gego'ten *b.n.* **1** fondu; **2** (*v. staal, koper*) coulé; **— *ijzer,*** fonte *f.*; ***dat zit u als*** (***aan 't lijf***) **—,** cela vous va comme un gant.
gegrab'bel *o.* bousculade *f.*
gegradueer'de *m.* gradué *m.* de l'université.
gegrien' *o.* pleurnicherie *f.*
gegrijns' *o.* ricanement(s) *m.(pl.)*; grimaces *f.pl.*
gegrin'nik *o.* ricanement(s) *m.(pl.)*.
gegroefd' *b.n.* cannelé, rainé.
gegrom' *o.* grondement, grognement *m.*
gegrond' *b.n.* fondé; motivé, juste; **—*e redenen,*** des raisons plausibles.
gegrond'heid *v.* bien-fondé *m.*; justesse *f.*
gehaaid' *b.n.* roublard.
gehaakt' *b.n.* crocheté, fait au crochet.
gehaast' I *b.n.* pressé; **II** *bw.* avec hâte; **III** *z.n., o.* précipitation *f.*
gehaat' *b.n.* **1** haï; **2** (*hatelijk*) odieux, haïssable.
gehakt' *o.* hachis *m.*
gehal'te *o.* **1** (*v. goud, munten, enz.*) titre, aloi *m.*; **2** (*fig.*) valeur *f.*, caractère, mérite *m.*; **3** (*percentage: water, koolstof, enz.*) teneur *f.*; ***alcoholgehalte*** *v.* richesse *f.* alcoolique.
geha'mer *o.* **1** martelage *m.*; **2** (*kloppingen*) battements *m.pl.*
gehand'schoend *b.n.* ganté.
gehard' *b.n.* **1** durci; **2** (*staal*) trempé; **3** (*fig.*) endurci; **4** (*in de krijg —*) aguerri; **5** (*sterk*) vigoureux.
gehard'heid *v.* endurcissement *m.*; vigueur *f.*
gehar'nast *b.n.* cuirassé, en cuirasse.
gehar'rewar, gehas'pel *o.* chamaillerie(s) *f.(pl.)*.
geha'vend *b.n.* délabré, avarié; ***deerlijk* —,** en piteux état.
gehecht' *b.n.* attaché, dévoué (à).
gehecht'heid *v.* attachement (à) *m.*; affection (pour) *f.*
geheel' I *b.n.* entier, tout, complet, total; ***de gehele wereld,*** le monde entier; ***het gehele land,*** tout le pays; **— *linnen band,*** reliure pleine toile; **II** *bw.* entièrement, tout à fait, complètement, totalement; **III** *z.n., o.* tout, ensemble *m.*; ***in zijn — verkopen,*** vendre en entier; ***over het —,*** en général, tout compte fait; ***in het — niet,*** pas du tout, nullement. [coolique *m.*
geheel'onthouder *m.* abstinent (total), antial-
geheel'onthouding *v.* abstinence *f.* (totale), antialcoolisme *m.*
gehei'ligd *b.n.* sacré.
geheim' I *b.n.* **1** secret; **2** (*verborgen*) caché; **3** (*verboden*) clandestin; **—*e deur*** (***trap***)**,** porte dérobée, escalier dérobé; **—*e raad,*** conseil privé; **— *slot,*** serrure à secret; **—*e wetenschap,*** science occulte; **—*e zitting,*** séance à huis clos, séance en comité secret; **II** *bw.* en secret, secrètement; **III** *z.n., o.* **1** secret *m.*; **2** (*mysterie*) mystère *m.*; ***het — der H. Mis,*** le mystère de la Sainte Messe; ***een publiek* —,** le secret de Polichinelle; ***in het* —,** en secret, en cachette, secrètement.
geheimdoenerij' *v.* façons mystérieuses, cachotteries *f.pl.*
gehei'menis *v.* mystère *m.*
geheim'houden *ov.w.* cacher, tenir secret.

geheim'houdend *b.n.* secret, discret, réservé.
geheim'houding *v.* secret *m.*; ***onder* —,** sous le sceau du secret.
geheim'middel *o.* remède *m.* secret.
geheim'raad *m.* conseiller *m.* privé.
geheim'schrift *o.* cryptographie, écriture *f.* chiffrée, — secrète.
geheim'schrijver *m.* secrétaire *m.*
geheimzin'nig I *b.n.* **1** mystérieux; **2** (*mystiek*) mystique; ***hij is zo* —,** il est si cachottier; **II** *bw.* mystérieusement.
geheimzin'nigheid *v.* **1** mystère *m.*; **2** (*fam.*) cachotteries *f.pl.*
gehe'kel *o.* critiques *f.pl.* continuelles.
gehelmd' *b.n.* **1** casqué; **2** (*v. duin*) planté d'ammophile.
gehe'melte *o.* palais *m.*; ***harde* —,** palais dur; ***zachte* —,** voile du palais.
Gehen'na *v.* Géhenne *f.*
geheu'gen *o.* mémoire *f.*; ***in het — bewaren,*** garder le souvenir de; ***in het — roepen,*** rappeler; ***in het — prenten,*** fixer dans la mémoire; ***iemands — opfrissen,*** rafraîchir la mémoire à qn.
geheu'genis *v.* mémoire *f.*, souvenir *m.*
geheu'genoefening *v.* exercice *m.* de mémoire.
geheu'genvak *o.* branche *f.* faisant appel à la mémoire.
geheu'genverlies *o.* amnésie *f.*
geheu'genwerk *o.* travail *m.* de mémoire.
gehijg' *o.* halètement *m.*
gehin'nik *o.* hennissement *m.*
gehob'bel *o.* cahotement, balancement *m.*
gehoest' *o.* toux continuelle, tousserie *f.*
gehoor' *o.* **1** (*zintuig*) ouïe *f.*; **2** (*het horen*) audience, attention *f.*; **3** (*toehoorders*) auditoire *m.*; **4** (*muzikaal*) oreille *f.*; ***een goed — hebben,*** avoir l'oreille fine; ***op het — spelen,*** jouer d'oreille; ***ten gehore brengen,*** faire entendre; ***iem. — schenken,*** écouter qn.; ***— verlenen,*** accorder audience; ***— geven aan,*** écouter, prêter l'oreille à, (*uitnodiging*) déférer à; ***geen — krijgen,*** ne pas obtenir de réponse; ***hij was onder uw —,*** il était parmi vos auditeurs.
gehoor'apparaat *o.* prothèse *f.* auditive, appareil *m.* acoustique; — de correction auditive.
gehoor'been(tje) *o.* osselet *m.* (de l'oreille).
gehoor'buis *v.(m.)* conduit *m.* acoustique.
gehoor'drempel *m.* seuil *m.* auditif.
gehoor'gang *m.* conduit *m.* auditif, — auriculaire.
gehoor'meting *v.* audiométrie *f.*
gehoornd', gehorend' *b.n.* cornu, à cornes.
gehoor'orgaan *o.* organe *m.* auditif.
gehoors'afstand *m.* distance *f.* auditive.
gehoor'schelp *v.(m.)* pavillon *m.*
gehoor'vlies *o.* tympan *m.*
gehoor'zaal *v.(m.)* **1** auditoire *m.*; **2** (*rechtbank*) salle *f.* d'audience; **3** (*muz.*) salle *f.* d'audition; **4** (*v. universiteit*) salle *f.* des actes.
gehoor'zaam I *b.n.* obéissant, docile; **II** *bw.* docilement.
gehoor'zaamheid *v.* **1** obéissance, docilité *f.*; **2** (*v. kloosterling*) obédience *f.*
gehoor'zamen *on.w.* obéir (à); ***aan een bevel —,*** obéir à un ordre, obtempérer —.
gehoor'zenuw *v.(m.)* nerf *m.* auditif.
gehorend, *zie* ***gehoornd.***
geho'rig *b.n.* sonore.
geho'righeid *v.* sonorité *f.*
gehot', gehots' *o.* cahotement *m.*
gehou'den *b.n.* tenu (à), obligé (à).
gehucht' *o.* hameau *m.*
gehui'chel *o.* hypocrisie, feinte *f.*
gehuil' *o.* **1** (*geween*) larmes *f.pl.*; **2** (*vervelend —*) pleurnicherie(s) *f.(pl.)*; **3** (*gejank*) hurlement *m.*
gehuisd', gehuis'vest *b.n.* logé.
gehumeurd' *b.n.* d'humeur; ***goed* —,** de bonne humeur; ***slecht* —,** de mauvaise humeur.
gehup'pel *o.* sautillement *m.*
gehurkt' *b.n.* accroupi.
gehuurd' *b.n.* loué.
gehuwd' *b.n.* marié.
gei'gerteller *m.* compteur *m.* (de) Geiger, — à scintillations.
geijkt' *b.n.* (*v. maten en gewichten*) étalonné, poinçonné; ***—e term,*** terme consacré, locution consacrée.
geil *b.n.* **1** lubrique, voluptueux; **2** (*v. plant*) exubérant.
geil'heid *v.* **1** lubricité *f.*; **2** exubérance *f.*
gein *m.* plaisanterie, blague *f.*; ***— hebben,*** rire, s'amuser; ***voor de* —,** pour rire.
gei'ser, gei'zer *m.* **1** (*bron*) geyser *m.*; **2** (*v. bad*) chauffe-bain* *m.*; (*in keuken*) chauffe-eau *m.*
geit *v.(m.)* chèvre *f.*; ***jonge* —,** chevrette *f.*; ***zo dom als een* —,** bête comme une oie.
gei'teblad *o.* chèvrefeuille *m.*
gei'tebok *m.* bouc *m.*; ***—je,*** *o.* chevreau *m.*
gei'tekaas *m.* fromage *m.* de chèvre.
gei'tekeutels *mv.* crotte *f.* de bique.
gei'tele(d)er *o.* chevreau *m.*
gei'temelk *v.(m.)* lait *m.* de chèvre.
gei'tenhoeder *m.* chevrier *m.*
gei'testal *m.* étable *f.* à chèvres.
gei'tevel *o.* peau *f.* de chèvre.
geit'je *o.* chevreau *m.*; chevrette *f.*
gei'zer, *zie* ***geiser.***
gejaag' *o.* **1** (*het jagen*) chasse, chevauchée *f.*; **2** (*gejacht*) précipitation, agitation *f.*
gejaagd' I *b.n.* agité; **II** *bw.* avec agitation.
gejaagd'heid *v.* agitation *f.*
gejacht' *o.* précipitation, hâte *f.*
gejam'mer *o.* lamentations *f.pl.*
gejank' *o.* glapissement *m.*
gejeuk' *o.* demangeaisons *f.pl.*
gejoel' *o.* cris *m.pl.* confus, — d'allégresse, brouhaha *m.*
gejok' *o.* menteries *f.pl.*
gejouw' *o.* huées *f.pl.*
geju'bel *o.* cris *m.pl.* de joie, — d'allégresse; acclamations *f.pl.*
geju'das *o.* tracasserie *f.*
gejuich, *zie* ***gejubel.***
gek I *b.n.* **1** fou; **2** (*grappig*) drôle; **3** (*dwaas*) sot; **4** (*bespottelijk*) ridicule, idiot; ***volslagen* —,** fou à lier; ***dat is al te* —,** c'est par trop bête; ***— zijn op,*** adorer; ***een —ke vent,*** un drôle de corps; ***een —ke hoed,*** un chapeau ridicule; ***een —ke inval,*** une saillie; ***een —ke kuur,*** une lubie; **II** *bw.* comme un fou, follement; ***zich — aanstellen,*** faire le fou; ***— doen,*** **1** (*vreemd, eigenaardig*) avoir des façons étranges; **2** (*zich dwaas aanstellen*) faire le fou; **III** *z.n., m.* **1** fou, sot; **2** (*krankzinnige*) aliéné, dément *m.*; **3** (*op schoorsteen*) tournevent *m.*, tête *f.* de loup, — (*of* capuchon *m.*) de cheminée; ***een halve* —,** un demi-fou*, un déséquilibré; ***voor de — houden,*** se moquer de, railler; ***de —ken krijgen de kaart,*** aux innocents les mains pleines, à fou fortune.
gekab'bel *o.* clapotement, clapotage *m.*
geka'kel *o.* **1** gloussement, caquet, caquetage *m.*; **2** (*fig.*) caquetage *m.*
gekamd' *b.n.* **1** peigné; **2** (*Dk.*) crêté.
gekan'ker *o.* bougonnerie *f.*
gekant' (*tegen*) *b.n.* opposé (à), hostile (à).
gekanteeld' *b.n.* crénelé.

gekar'teld *b.n.* **1** crénelé; **2** (*v. melk*) caillé.
gekef' *o.* glapissement, jappement *m.*
geke'perd *b.n.* croisé.
gekerm' *o.* gémissements *m.pl.*, lamentations *f.pl.*
gekeu'vel *o.* babil, babillage *m.*, causerie, causette *f.*
gek'heid *v.* **1** (*dwaasheid*) folie, sottise *f.*; **2** (*krankzinnigheid*) démence, aliénation *f.* mentale; **3** (*scherts*) raillerie, blague *f.*; ***— maken,*** plaisanter; ***uit —,*** pour rire; ***zonder —,*** sérieusement; ***alle — op een stokje,*** sans blague, plaisanterie à part.
gekib'bel *o.* disputes, querelles, chamailleries *f.pl.*
gekie'tel, gekit'tel *o.* chatouillement *m.*
gekijf' *o.* prise *f.* de bec, *zie* ***gekibbel.***
gekir' *o.* roucoulement *m.*
gekittel, *zie* ***gekietel.***
gek'ken *on.w.* badiner, railler, plaisanter.
gek'kenhuis *o.* maison *f.* d'aliénés, — de fous, asile *m.* d'aliénés. [fous.
gek'kennummer *o.* (le) nombre onze, — des
gek'kenpraat *m.* sottises *f.pl.*
gek'kenwerk *o.* folie *f.*
gekkernij' *v.* plaisanterie, raillerie *f.*
gekkin' *v.* sotte, folle *f.*
geklaag' *o.* plaintes, lamentations *f.pl.*
geklad' *o.* barbouillage *m.*
geklap' *o.* **1** claquement *m.*; **2** (*gebabbel*) babillage, babil, caquet *m.*
geklap'per *o.* claquement *m.*
geklap'wiek *o.* battement *m.* d'ailes.
gekla'ter *o.* bruit, cliquetis *m.*
gekleed' *b.n.* habillé; ***geklede jas,*** redingote *f.*; ***zwart staat —,*** le noir est toujours habillé; (*fig.*) ***dat staat —,*** c'est bien porté.
geklep' *o.* **1** (*v. klok*) tintement *m.*; **2** (*v. deur*) battement *m.*
geklep'per *o.* **1** (*v. deuren*) claquement *m.*; **2** (*v. ooievaar*) craquètement *m.*
geklets' *o.* **1** (*v. zweep*) claquement *m.*; **2** (*v. water*) clapotement *m.*; **3** (*fig.: achterklap*) cancans, potins *m.pl.*; **4** (*onzin*) bavardage, radotage *m.*
geklet'ter *o.* **1** (*v. wapens*) cliquetis *m.*; **2** (*v. regen*) ruissellement, fouettement *m.*
gekleurd' *b.n.* coloré, colorié.
geklik' *o.* **1** cliquetis *m.*; **2** (*fig.*) rapportage *m.*, rapports *m.pl.* sournois.
geklik'klak *o.* clic-clac *m.*
geklok' *o.* **1** (*v. kip*) gloussement *m.*; **2** (*v. fles*) glouglou *m.*
geklop' *o.* **1** (*v. hart*) battement *m.*; **2** (*v. hamer, enz.*) coups *m.pl.*
geklots' *o.* (*v. golven*) clapotage *m.*
geklun'gel *o.* baguenauderie *f.*
geknaag', geknab'bel *o.* rongement *m.*
geknal' *o.* détonations, explosions, pétarades *f.pl.*
geknars' *o.* grincement *m.*
geknet'ter *o.* **1** (*v. vuur*) crépitation *f.*, pétillement, grésillement *m.*; **2** (*v. kogels*) crépitement *m.*; **3** (*tel.*) friture *f.*; **4** (*v. zout in 't vuur*) décrépitation *f.*; **5** (*v. motor*) pétarades *f.pl.*
gekneusd' *b.n.* contusionné. [chu.
gekne'veld *b.n.* **1** pressuré; **2** (*met knevel*) mousta-
geknies' *o.* bouderie *f.*, geignements *m.pl.*, morosité *f.*
geknik' *o.* signes *m.pl.* de la tête.
geknoei' *o.* **1** (*daad*) bousillage *m.*; **2** (*gekrabbel*) griffonnage, barbouillage *m.*; **3** (*gekonkel*) tripotage, trafic *m.*; **4** (*in handel*) fraude *f.*; **5** (*vervalsing*) falsifications *f.pl.*
geknoopt' *b.n.* noué; ***hand —,*** noué à la main.
geknor' *o.* grognement(s) *m.*(*pl.*).
geknuf'fel *o.* caresses *f.pl.*, bécots *m.pl.*
geknut'sel *o.* ouvrage *m.* de patience.
gekom-, gekon-, *zie* ***gecom-, gecon-.***
gekonfijt' *b.n.* confit.
gekon'kel *o.* intrigues, machinations, menées sourdes *f.pl.*
gekon'kelfoes *o.* tripotages *m.pl.*, intrigues *f.pl.*
gekop'peld *b.n.* accouplé.
gekor'ven *b.n.* **1** (*Pl.*) déchiqueté; **2** (*Dk.*) entaillé; ***— dier,*** insecte *m.*
gekout' *o.* causerie *f.*, bavardage *m.*
gekraai' *o.* **1** (*v. haan*) chant *m.*; **2** (*v. kind, enz.*) cris *m.pl.* (de joie).
gekraak' *o.* craquement *m.* [tignures *f.pl.*
gekrab' *o.* **1** grattement *m.*; **2** (*v. kat, enz.*) égra-
gekrab'bel *o.* **1** (*met nagels*) grattement *m.*; **2** (*geschrift*) griffonnage, gribouillis *m.*
gekrakeel' *o.* chamailleries *f.pl.*
gekras' *o.* **1** (*v. pen, vijl, enz.*) grincement *m.*; **2** (*v. viool*) raclage, crin-crin *m.*; **3** (*v. raaf*) croassement *m.*
gekreukt' *b.n.* froissé.
gekreun' *o.* gémissements *m.pl.* étouffés.
gekrie'bel *o.* **1** chatouillement *m.*; **2** (*geschrift*) griffonnage *m.*, pattes *f.pl.* de mouche.
gekrieu'wel *o.* chatouillement, picotement *m.*
gekrijs' *o.* **1** cris *m.pl.* aigus, — stridents; **2** (*boos*) criaillerie *f.*
gekrijt' *o.* **1** cris *m.pl.*, lamentations *f.pl.*; **2** (*gegrien*) pleurnicherie(s) *f.*(*pl.*).
gekrioel' *o.* fourmillement, grouillement *m.*
gekroesd' *b.n.* **1** crépu; **2** (*v. stof*) cotonné.
gekromd' *b.n.* courbé.
gekroond' *b.n.* couronné.
gekruist' *b.n.* **1** (*elkaar kruisend*) croisé; **2** (*gekruisigd*) crucifié.
gekruld' *b.n.* crépu, frisé, bouclé.
gek'scheren *on.w.* plaisanter, badiner; ***met iem. —,*** se moquer de qn.; ***hij laat niet met zich —,*** on ne badine pas avec lui.
gekuch' *o.* toussement *m.*, toux *f.* continuelle.
gekui'er *o.* flânerie *f.*, va-et-vient *m.*
gekuifd' *b.n.* (*Dk.*) huppé.
gekuip' *o.* intrigues, machinations *f.pl.*
gekuist' *b.n.* **1** (*taal*) châtié; **2** (*stijl*) pur; **3** (*smaak*) sûr. [sûreté *f.*
gekuist'heid *v.* **1** (*taal, stijl*) pureté *f.*; **2** (*smaak*)
gekun'steld I *b.n.* affecté, maniéré, apprêté; **II** *bw.* d'une façon maniérée, d'une manière affectée, avec affectation.
gekun'steldheid *v.* affectation *f.*, maniérisme *m.*, recherche *f.*
gekurkt' *b.n.* bouché.
gekus' *o.* embrassades *f.pl.*
gekwaak' *o.* **1** (*v. kikvors*) coassement *m.*; **2** (*v. eend, gans*) couincouin *m.*; **3** (*fig.*) babil, bavardage *m.*
gekwan'sel *o.* maquignonnage *m.*
gekweb'bel *o.* caquetage *m.*
gekweel' *o.* gazouillement, gazouillis, ramage *m.*
gekwel' *o.* vexations, tracasseries *f.pl.*
gekwet'ste *m.-v.* blessé *m.*, —e *f.*
gekwe'zel *o.* bigoterie, cagoterie *f.*
gekwijl' *o.* salivation, bave *f.*
gekwinkeleer' *o.* gazouillement, gazouillis *m.*
gekwis'pel *o.* frétillement *m.*
gelaagd *b.n.* stratifié.
gelaarsd' *b.n.* botté; ***— en gespoord,*** botté et éperonné; tout prêt à partir; ***de —e kat,*** le chat botté.
gelaat' *o.* **1** (*alg.*) mine *f.*; **2** (*aangezicht*) face *f.*, visage *m.*; **3** (*uitdrukking*) air *m.*, physionomie *f.*; **4** (*fig.*) face *f.*

gelaat'kenner *m.* physionomiste *m.*
gelaat'kunde *v.* physiognomonie *f.*
gelaatkun'dige *m.* physiognomoniste *m.*
gelaats'hoek *m.* angle *m.* facial.
gelaats'kleur *v.(m.)* teint *m.*
gelaats'trek *m.* trait *m.*
gelaats'uitdrukking *v.* expression, physionomie *f.*
gelach' *o.* rires *m.pl.*
gela'den *b.n.* **1** chargé; **2** furieux, à bout de patience.
gelag' *o.* **1** écot *m.*; **2** (*eet- of drinkpartij*) orgie *f.*; ***het — betalen,*** payer les pots cassés; ***'t is een hard —,*** la pilule est amère; c'est une affaire très pénible.
gelag'kamer *v.(m.)* salle *f.* (d'une auberge), salle commune.
gelakt' *b.n.* verni.
gelamenteer' *o.* lamentations *f.pl.*
gelang', *naar —,* selon, en proportion de; ***naar — van de omstandigheden,*** suivant (*of* selon) les circonstances; ***naar — dat,*** à mesure que.
gelas'ten *ov.w.* intimer un ordre; enjoindre; charger (qn. de qc.), ordonner (qc. à qn.).
gelas'tigde *m.* délégué *m.*, fondé de pouvoir, chargé d'affaires.
gela'ten I *b.n.* résigné; **II** *bw.* avec résignation.
gela'tenheid *v.* résignation *f.*
gelati'ne *v.(m.)* gelatine *f.*
gelau'werd *b.n.* couronné de lauriers.
gelau'werde *m.* lauréat *m.*
geld *o.* **1** argent *m.*; **2** (*ruilmiddel*) monnaie *f.*; **3** (*fortuin*) fortune *f.*; ***gemunt —,*** argent monnayé; ***klein —,*** (menue) monnaie; ***papieren —,*** papier-monnaie *m.*; ***gereed —,*** argent comptant; ***met gepast — betalen,*** faire l'appoint; ***— als water verdienen,*** gagner gros; ***hij heeft —,*** il a de quoi; (*pop.*) il a de la galette; ***— slaan uit,*** profiter de; ***van zijn — leven,*** vivre de ses rentes; ***voor half —,*** à moitié prix; ***voor geen — ter wereld,*** pour rien au monde, pas pour tout l'or du monde, pas pour un empire; ***te —e maken,*** réaliser; ***— in het water gooien,*** jeter l'argent par les fenêtres; ***het — laten rollen,*** faire sauter les écus; ***je — of je leven!,*** la bourse ou la vie!; ***alle waar is naar zijn (haar) —,*** à chaque chose son prix; ***het — dat stom is, maakt recht wat krom is,*** l'argent redresse bien des torts.
geld'adel *m.* noblesse *f.* du sac, ploutocratie *f.*, haute finance *f.*
geld'afperser *m.* exacteur, escroc *m.*
geld'afpersing *v.* exaction *f.*
geld'bakje *o.* sébile *f.*
geld'belegging *v.* placement *m.*; ***zeer veilige —,*** placement de tout repos, — de père de famille.
geld'besparing *v.* économie *f.* d'argent.
geld'boete *v.(m.)* amende *f.*, peine *f.* pécuniaire.
geld'buidel *m.* bourse *f.*
geld'circulatie *v.* circulation *f.* monétaire.
geld'crisis, -'krisis *v.* crise *f.* monétaire.
geld'dorst *m.* soif *f.* de l'or.
geld'duivel *m.* **1** démon *m.* de l'argent, Mammon *m.*; **2** (*vrek*) pince-maille* *m.*
gel'delijk I *b.n.* pécuniaire, financier; ***—e hulp,*** secours en argent; ***—e overwegingen,*** des considérations d'ordre financier; **II** *bw.* financièrement.
gel'den I *ov.w.* **1** (*waard zijn*) valoir; **2** (*kosten*) coûter; **3** (*betreffen*) concerner, regarder, toucher; **4** (*gaan om*) s'agir de; **II** *on.w.* ***dat geldt niet,*** cela ne compte pas; ***het geldt,*** il s'agit de, il y va de; ***de meeste stemmen —,*** la pluralité des voix décide, la majorité l'emporte; ***die wet geldt hier niet,*** cette loi n'est pas en vigueur ici; ***zich doen —,*** se faire valoir; ***zijn rechten laten —,*** faire valoir ses droits; ***— voor (doorgaan voor),*** passer pour.
Gel'denaken *o.* Jodoigne *m.*
gel'dend *b.n.* **1** (*geldig*) valable; **2** (*als wettig erkend*) ayant force de loi; **3** (*van kracht*) en vigueur.
Gel'derland *o.* la Gueldre.
Gel'ders *b.n.* de Gueldre, gueldrois.
Gel'dersman *m.* Gueldrois *m.*
geld'gebrek *o.* **1** (*gebrek aan het nodige geld*) manque *m.* d'argent; **2** (*geldverlegenheid*) gêne *f.*; **3** (*schaarste*) pénurie *f.* d'argent, rareté *f.* —.
geld'handel *m.* commerce *m.* de l'argent; marché *m.* monétaire.
gel'dig *b.n.* **1** valable; **2** (*wettig*) légitime; **3** (*van kracht: wet, enz.*) en vigueur.
gel'digheid *v.* validité *f.*
gel'digheidsduur *m.* durée *f.* (de validité).
gel'digverklaring *v.* validation *f.*
gel'dingsdrang *m.* besoin *m.* de se faire valoir.
geld'kast, geld'kist *v.(m.)* coffre*-fort* *m.*
geld'kistje *o.* cassette *f.*
geld'koers *m.* taux *m.* de l'argent.
geld'krisis, -crisis *v.* crise *f.* monétaire.
geld'kwestie *v.* question *f.* d'argent.
geld'la(de) *v.(m.)* tiroir*-caisse* *m.*
geld'lening *v.* emprunt *m.*
geld'man *m.* homme *m.* d'argent, — de finance.
geld'markt *v.(m.)* marché *m.* monétaire, — financier.
geld'middelen *mv* finances *f.pl.*; ressources *f.pl.* d'argent, — financières; moyens *m.pl.*
geld'nood *m.* pénurie *f.* d'argent.
geld'politiek *v.* politique *f.* monétaire.
geld'prijs *m.* prime *f.*
geld'schaarste *v.* rareté *f.* d'argent, pénurie *f.* —.
geld'schieter *m.* bailleur de fonds, prêteur *m.*
geld'som *v.(m.)* somme *f.* d'argent.
gelds'omloop *m.* circulation *f.* (de l'argent), — monétaire.
geld'soort *v.(m.)* *en o.* espèce *f.* de monnaie.
geld'stuk *o.* pièce *f.* de monnaie, — d'argent.
gelds'waarde *v.* valeur *f.* en espèces, — numéraire.
geldswaar'dig *b.n.* de valeur; ***— papier,*** valeurs *f.pl.*, titres *m.pl.*
geld'trommel *v.(m.)* cassette *f.*
geld'verkwisting *v.* gaspillage *m.*
geld'verlegenheid *v.* embarras *m.* pécuniaire; ***hij zit altijd in—,*** il est toujours à court d'argent.
geld'verlies *o.* perte *f.* d'argent.
geld'verspiller *m.* dissipateur, gaspilleur *m.*
geld'verspilling *v.* dissipation *f.*, gaspillage *m.*
geld'voorraad *m.* encaisse *f.* métallique, stock *m.* métallique.
geld'wezen *o.* finances *f.pl.*
geld'wisselaar *m.* changeur *m.*
geld'wolf *m.* grippe-sou*, harpagon *m.*
geld'zaak *v.(m.)* affaire *f.* d'argent, — pécuniaire.
geld'zak *m.* **1** sac *m.* à argent, — d'argent; **2** (*fig.*) richard *m.*
geld'zorgen *mv.* soucis *m.pl.* d'argent.
geld'zucht *v.(m.)* cupidité *f.* d'argent.
gele'den *b.n.* ***drie dagen —,*** il y a trois jours; ***het is lang —,*** il y a longtemps; ***kort —,*** il y a peu de temps, récemment.
gele'deren *mv.* (*mil.*) rangs *m.pl.*
gele'ding *v.* **1** (*Dk.*) articulation, jointure *f.*; **2** (*Pl.*) nœud *m.*
geleed' *b.n.* **1** articulé; **2** noueux; ***gelede dieren,*** (animaux) articulés *m.pl.*
geleerd' I *b.n.* savant; érudit; ***dat is mij te —,*** cela me passe, j'y perds mon latin; ***met een***

— *gezicht,* doctoralement; ***het —e,*** ce qu'on a appris; **II** *bw.* savamment, doctement, d'une manière savante, avec érudition.
geleer'de *m.* savant, érudit *m.*
geleerd'heid *v.* savoir *m.*; érudition, science *f.*
gele'gen *b.n.* **1** situé; **2** (*recht*) sis; ***te koop pand staande en — te A.,*** à vendre immeuble sis à A.; **3** (*van pas*) opportun, convenable; ***daar is veel aan —,*** c'est très important; ***daaraan is niet veel —,*** cela n'a guère d'importance; ***te —er tijd,*** en temps opportun; ***juist te —er tijd,*** à point; ***komt het u — ?*** je ne vous dérange pas ?; ***zich — laten liggen aan,*** s'intéresser à.
gele'genheid *v.* occasion *f.*; ***bij —,*** à l'occasion; (*toevallig*) par incident; ***bij elke —,*** à toute occasion; à tout propos; ***als u hem bij — ontmoet,*** si par hasard vous le rencontrez; ***hij had voor de — de vlag uitgestoken,*** pour la circonstance il avait arboré le drapeau; ***in de — zijn om,*** être à même de; être bien placé pour; ***hem in de — stellen om,*** lui fournir l'occasion de; ***per eerste —,*** (*H.*) par premier vapeur en partance; ***bij voorkomende —,*** à l'occasion; ***de — aangrijpen,*** saisir l'occasion, — (*of* prendre) la balle au bond.
gele'genheidsgedicht *o.* poésie *f.* (*of* poème *m.*) de circonstance.
gele'genheidsgezicht *o.* visage *m.* de circonstance.
gele'genheidsjapon *m.* robe *f.* de cérémonie.
gelei' *m. en v.* **1** gelée *f.*; **2** (*jam*) confiture *f.*
gelei'achtig *b.n.* gélatineux.
gelei'biljet *o.* laissez-passer, passavant *m.*
gelei'brief *m.* **1** passeport *m.*; **2** lettre *f.* de voiture.
gelei'buis *v.* tuyau de conduite, conduit *m.*
geleid' *bn.* (*v. projectielen, enz.*) téléguidé, télécommandé; ***—e raketten,*** des fusées, des missiles.
gelei'de *o.* **1** (*alg.*) conduite *f.*, accompagnement *m.*; **2** (*gewapend*) escorte *f.*; **3** (*v. schepen*) convoi *m.*
gelei'dehond *m.* chien *m.* d'aveugle.
gelei'delijk I *b.n.* **1** progressif, graduel; **2** (*regelmatig*) régulier; ***een —e overgang,*** une transition lente; **II** *bw.* par degrés, graduellement; régulièrement.
gelei'delijkheid *v.* progression *f.* graduelle, — régulière; régularité *f.*
gelei'den *ov.w.* **1** (*alg.*) conduire, accompagner; **2** (*gewapend*) escorter; **3** (*schepen*) convoyer.
gelei'dend *b.n.* conducteur; ***niet —,*** isolant.
gelei'der *m.* **1** (*persoon*) guide *m.*; **2** (*v. warmte, elektriciteit, enz.*) conducteur *m.*
gelei'ding *v.* conduite; traction *f.*; ***bovengrondse —,*** conduite (*of* traction) aérienne; ***ondergrondse —,*** traction souterraine; ***de — der warmte,*** la transmission de la chaleur.
gelei'dingsvermogen *o.* conductibilité *f.*
gelei'draad *m.* fil *m.* conducteur.
gelei'schip *o.* bateau *m.* convoyeur.
gelei'spoor *o.* glissoire, glissière *f.*
gelei'vloot *v.* (*m.*) flotte *f.* de convoi, — convoyeuse.
ge'len *on.w.* jaunir.
gelet'terd *b.n.* lettré, érudit.
gelet'terde *m.* lettré, érudit *m.*
geleu'ter *o.* rabâchage, bavardage, verbiage *m.*
gele'zen *b.n.* ***een — mis,*** une messe basse, — lue; ***een — schrijver,*** un auteur en vogue.
gelid' *o.* **1** (*Dk.*) articulation, jointure *f.*; **2** (*mil.*) rang *m.*; ***de gelederen openen,*** desserrer les rangs; ***sluit de gelederen!*** serrez les rangs! ***in 't — blijven,*** garder son rang; ***uit het — gaan,*** rompre les rangs.
geliefd' *b.n.* chéri, cher, bien-aimé.
geliefde *m.-v.* chéri(e), bien-aimé(e) *m.*(*f.*).
gelief'koosd *b.n.* **1** cher, chéri; **2** favori.
gelie'ven I *mv.* couple *m.* amoureux; amoureux, amants *m.pl.*; **II** *ov.w.* vouloir, avoir la bonté de, daigner; plaire; ***gelieve mij te zenden,*** veuillez m'envoyer, ayez la bonté de m'envoyer; ***gelieve te betalen aan toonder,*** prière de payer au porteur, il vous plaira payer au porteur.
gelijk' I *b.n.* **1** (*alg.*) égal; **2** (*dergelijk, gelijkaardig*) pareil, semblable, même; **3** (*geheel gelijk*) identique; uniforme; **4** (*effen*) uni, égal; **5** (*recht*) droit; **6** (*spel*) match nul; ***die klok is —,*** cette horloge est à l'heure; ***mijn horloge is —,*** ma montre est juste; ***dat is mij —,*** cela m'est égal; ***te —er tijd,*** en même temps; ***— met het water,*** au niveau de l'eau; ***die weg loopt — met het kanaal,*** cette route est parallèle au canal; ***— en gelijkvormig,*** égal, superposable; ***vier en vier is — aan acht,*** quatre plus quatre font huit; (*sp.*) ***twee twee —,*** deux buts à deux buts; ***er is meer — dan eigen,*** il y a plus d'un âne (à la foire) qui s'appelle Martin; **II** *bw.* **1** également; pareillement; **2** ensemble, en même temps; **III** *z.n., o.* raison *f.*; ***— hebben,*** avoir raison; ***— geven, in 't — stellen,*** donner raison; ***in 't — gesteld worden,*** obtenir gain de cause; **IV** *vw.* comme, ainsi que, de même que.
gelijkaar'dig *b.n.* similaire, identique; homogène.
gelijkbe'nig *b.n.* isocèle.
gelijkbete'kenend *b.n.* synonyme.
gelijk'blijvend *b.n.* stationnaire, stable.
gelij'ke *m.-v.* égal *m.*, —e *f.*; pareil *m.*, —le *f.*; ***hij heeft zijn(s) — niet,*** il n'a pas son égal (*of* son pareil); ***iem. als zijn — behandelen,*** traiter qn. en égal, traiter qn. de pair à compagnon; ***van 's —n!*** la même chose! pareillement!
gelij'kelijk *bw.* également; pareillement.
gelij'ken *on.w.* ressembler (à).
gelij'kend *b.n.* ressemblant; ***sprekend —,*** parlant.
gelij'kenis *v.* **1** (*overeenkomst*) ressemblance *f.*; **2** (*beeld*) image *f.*; **3** (*vergelijking*) comparaison *f.*; **4** (*parabel*) parabole *f.*
gelijkgerech'tigd *b.n.* jouissant des mêmes droits.
gelijk'heid *v.* égalité *f.*
gelijkhoe'kig *b.n.* équiangle, isogone.
gelijkkleu'rig *b.n.* isochrome.
gelijk'lopen *on.w.* **1** (*v. lijnen*) être parallèle; **2** (*v. uurwerk*) être à l'heure.
gelijklui'dend *b.n.* **1** (*v. woorden*) homonyme; **2** (*muz.*) consonant; **3** (*geschriften*) conforme; ***voor — afschrift,*** pour copie conforme.
gelijklui'dendheid *v.* **1** homonymie *f.*; **2** consonance *f.*; **3** conformité *f.*
gelijk'maken *ov.w.* **1** (*weg, enz.*) égaliser, aplanir, niveler; **2** (*taalk.*) assimiler; **3** (*spel*) égaliser.
gelijk'maker *m.* (*sp.*) but *m.* égalisateur.
gelijk'making *v.* **1** égalisation *f.*, aplanissement, nivellement *m.*; **2** assimilation *f.*; **3** match nul *m.*
gelijkma'tig I *b.n.* égal, uniforme; ***een —e draf,*** un trot régulier; **II** *bw.* également, uniformement.
gelijkma'tigheid *v.* égalité, uniformité *f.*; régularité *f.*
gelijkmiddelpun'tig *b.n.* concentrique.
gelijkmoe'dig *b.n.* d'humeur égale.
gelijkmoe'digheid *v.* égalité *f.* d'humeur.
gelijkna'mig *b.n.* **1** de même nom, homonyme; **2** (*breuk*) du même dénominateur; ***— maken,*** réduire au même dénominateur.
gelijk'richter *m.* (*el.*) redresseur *m.* de courant.
gelijk'schakelen *ov.w.* **1** (*radio*) synchroniser; **2** totalitariser; **3** (*fig.*) aligner (sur).
gelijk'schakeling *v.* **1** synchronisation; **2** totalitarisation *f.*; **3** alignement *m.*

gelijkslach'tig *b.n.* homogène.
gelijkslach'tigheid *v.* homogénéité *f.*
gelijksoor'tig *b.n.* similaire, identique.
gelijksoor'tigheid *v.* homogénéité; identité *f.*
gelijkspel' *o.* match nul.
gelijk'spelen *on.w.* égaliser, faire match nul.
gelijk'staan *on.w.* **1** (*v. persoon*) être l'égal de; **2** (*spel*) être à but; ***de kansen staan gelijk,*** les chances sont partagées.
gelijk'stellen *ov.w.* **1** (*persoon*) assimiler à; **2** (*vergelijken*) comparer. [raison *f.*
gelijk'stelling *v.* **1** assimilation *f.*; **2** compa-
gelijk'stemmen *ov.w.* accorder.
gelijkstem'mig *b.n.* consonant.
gelijk'stroom *m.* courant *m.* continu.
gelijk'teken *o.* signe *m.* d'égalité.
gelijktij'dig I *b.n.* **1** simultané; **2** (*tot hetzelfde tijdperk behorend*) contemporain; ***— met,*** en même temps que; **II** *bw.* simultanément.
gelijktij'digheid *v.* simultanéité *f.*
gelijkvloers' I *bw.* de plein-pied; **II** *b.n.* de plein-pied, du (*of* au) rez-de-chaussée; (*fig.*) terre-à-terre.
gelijkvor'mig *b.n.* uniforme, conforme; ***—e driehoeken,*** des triangles semblables.
gelijkvor'migheid *v.* uniformité, conformité *f.*
gelijkwaar'dig *b.n.* de même valeur, équivalent; équipollent. [pollence *f.*
gelijkwaar'digheid *v.* équivalence *f.*; équi-
gelijk'zetten *ov.w.* mettre à l'heure, régler (sa montre) (sur).
gelijkzij'dig *b.n.* équilatéral.
gelijkzij'digheid *v.* égalité *f.* des côtés.
gelijnd' *b.n.* réglé, ligné.
gelinieerd' *b.n.* réglé.
gelis'pel *o.* **1** (*gefluister*) chuchotement *m.*; **2** (*spraakgebrek*) zézaiement *m.*
Gel'lingen *o.* Ghislenghien.
gelobd' *b.n.* lobé.
geloei' *o.* mugissement, beuglement *m.*
gelof'te *v.* vœu *m.*; ***een — afleggen,*** faire un vœu; ***de — doen van,*** faire vœu de; ***plechtige —n uitspreken,*** prononcer des vœux solennels.
gelof'tegift *v.*(*m.*) ex-voto *m.*
gelonk' *o.* œillades *f.pl.*
geloof' *o.* **1** (*geloofsovertuiging*) foi, croyance *f.*, credo *m.*; **2** (*deugd*) foi *f.*; **3** (*godsdienst*) religion *f.*; **4** (*vertrouwen*) foi, créance *f.*; ***— hechten aan,*** ajouter foi à; ***geen — verdienen,*** ne mériter aucune créance; ***— verdienen,*** être digne de foi; ***de Twaalf Artikelen des —s,*** le Symbole des Apôtres.
geloof'baar *b.n.* **1** croyable; **2** (*geloofwaardig*) digne de foi.
geloof'baarheid *v.* crédibilité *f.*
geloofs'afval *m.* apostasie *f.*
geloofs'artikel *o.* article *m.* de foi.
geloofs'beleving *v.* pratique *f.* de la foi.
geloofs'belijdenis *v.* confession *f.* de foi.
geloofs'brief *m.* lettre *f.* de créance; ***het onderzoek der geloofsbrieven,*** la vérification des pouvoirs.
geloofs'crisis, -krisis *v.* crise *f.* de foi.
geloofs'dwang *m.* contrainte *f.* religieuse.
geloofs'genoot *m.* coreligionnaire *m.*
geloofs'geschil *o.* controverse *f.*
geloofs'getuige *m.-v.* martyr *m.*, —e *f.*
geloofs'ijver *m.* zèle *m.* religieux, prosélytisme *m.*
geloofs'inhoud *m.* doctrine *f.*
geloofs'krisis, *zie* ***geloofscrisis.***
geloofs'leer *v.*(*m.*) doctrine *f.* (religieuse).
geloofs'overtuiging *v.* conviction *f.* religieuse.
geloofs'punt *o.* article *m.* de foi.
geloofs'verkondiger *m.* prêtre *m.* missionnaire.
geloofs'vervolging *v.* persécution *f.* religieuse.
geloofs'verzaker *m.* apostat *m.*
geloofs'verzaking *v.* apostasie *f.*
geloofs'vrijheid *v.* (*vrijheid van geweten*) liberté *f.* de conscience; (*vrijheid van erediensten*) liberté *f.* des cultes.
geloofs'zaak *v.*(*m.*) question *f.* religieuse; ***in geloofszaken,*** en matière de religion.
geloofwaar'dig *b.n.* digne de foi; ***van —e zijde,*** de source certaine. [achtigheid) authenticité *f.*
geloofwaar'digheid *v.* **1** crédibilité *f.*; **2** (*waar-*
geloop' *o.* **1** courses *f.pl.* (continuelles); **2** (*komen en gaan*) va-et-vient *m.*
gelo'ven I *ov.w.* **1** (*aannemen*) croire (***in,*** en; ***aan,*** à); **2** (*geloof hechten aan*) ajouter foi à, croire; **3** (*denken*) croire, penser, estimer; ***het is niet te —,*** c'est à ne pas y croire; ***als men hem — mag,*** à l'en croire; ***zijn ogen niet —,*** ne pas en croire ses yeux.
gelo'vig *b.n.* **1** croyant, fidèle; **2** (*lichtgelovig*) crédule.
gelo'vige *m.-v.* fidèle *m. et f.*; croyant *m.*, —e *f.*
gelo'vigheid *v.* **1** foi *f.*; **2** (*godsvrucht*) piété *f.*
gelui' *o.* son *m.* des cloches, sonnerie *f.*; (*doods—*) glas *m.*
geluid' *o.* **1** son *m.*; **2** (*verward —*) bruit *m.*; ***een mooi — geven,*** rendre un beau son; ***hij kon geen — meer geven,*** il ne parvenait plus à proférer une parole (*of* une syllabe); ***sneller dan het —,*** supersonique.
geluid'dempend *b.n.* insonorisant, insonore.
geluid'demper *m.* **1** (*muz.*) sourdine *f.*; **2** (*v. motor*) silencieux *m.* [***maken,*** insonoriser.
geluid'dicht *b.n.* insonore, isolé au bruit; ***—***
geluid'gevend *b.n.* sonore.
geluid'loos *b.n.* silencieux, muet.
geluid'meter *m.* phonomètre *m.*
geluids'band *m.* bande *f.* sonore, — magnétique.
geluids'bandapparaat *v.* magnétophone *m.*
geluids'barrière *v.* mur *m.* du son; ***de — doorbreken,*** franchir le mur du son, rompre —.
geluids'bron *v.*(*m.*) source *f.* sonore.
geluids'decor *o.* bruitage *m.*
geluids'film *m.* film *m.* sonore.
geluids'golf *v.*(*m.*) onde *f.* sonore.
geluids'installatie *v.* installation *f.* sonore.
geluids'intensiteit *v.* intensité *f.* du son.
geluids'leer *v.*(*m.*) acoustique *f.*
geluids'regisseur *m.* bruiteur *m.*
geluids'signaal *o.* signal *m.* sonore.
geluids'snelheid *v.* vitesse *f.* du son.
geluids'spoor *o.* piste *f.* sonore.
geluids'sterkte *v.* intensité *f.* du son.
geluids'trilling *v.* vibration *f.* sonore.
geluid(s)'versterker *m.* haut-parleur* *m.*
geluids'wagen *m.* voiture*-radio *f.*, voiture *f.* de reportage.
geluid'versterker, *zie* ***geluidsversterker.***
gelui'er *o.* fainéantise *f.*
geluimd' *b.n.* disposé; ***goed —,*** de bonne humeur; ***slecht —,*** de mauvaise humeur.
geluk' *o.* **1** bonheur *m.*; **2** (*kans*) chance, veine *f.*; **3** (*toeval*) hasard *m.*; ***— aanbrengen,*** porter bonheur; ***— hebben,*** avoir de la chance; ***zijn — beproeven,*** tenter la fortune; ***hij mag van — spreken,*** il peut se féliciter, il peut s'estimer heureux; ***op goed —,*** au petit bonheur, au hasard; ***— ermee!*** bonne chance! grand bien vous fasse!; ***meer — dan wijsheid,*** plus de bonheur que de mérite.
geluk'je *o.* bonne aubaine, bonne chance *f.*
geluk'ken *on.w.* réussir, parvenir à; ***het is mij gelukt...,*** j'ai réussi à.

geluk'kig I *b.n.* 1 heureux; 2 (*voorspoedig*) prospère; ***zich — achten,*** s'estimer heureux; II *bw.* heureusement. [bonheur.
gelukkigerwijs', -wij'ze *bw.* heureusement, par
geluks'bode *m.* messager *m.* de bonheur.
geluks'dag *m.* jour *m.* faste, — de veine.
geluks'godin *v.* Fortune *f.*
geluks'kind *o.* enfant *m.* gâté de la fortune; (*fam.*) chançard, veinard *m.*
geluks'pop *v.*(*m.*) mascotte *f.*, porte-bonheur *m.*
geluks'ster *v.*(*m.*) (bonne *of* heureuse) étoile *f.*
geluks'telegram *o.* télégramme *m.* de luxe.
geluks'vogel *m.* 1 chançard, veinard *m.*; 2 oiseau *m.* de bon augure.
geluk'wens *m.* félicitation *f.* [tuler.
geluk'wensen *ov.w.* féliciter (qn. de ...), congra-
gelukza'lig *b.n.* bienheureux.
gelukza'ligheid *v.* béatitude *f.*
geluk'zoeker *m.* aventurier *m.*
gemaakt' *b.n.* 1 (*v. bloemen*) artificiel; 2 (*gekunsteld*) affecté, maniéré, apprêté; 3 (*voorgewend*) feint, forcé; 4 (*v. kleren*) confectionné; ***—e kleren,*** vêtements *m.pl.* confectionnés, confections *f.pl.*; ***— spreken,*** parler avec affectation.
gemaakt'heid *v.* affectation *f.*
gemaal' I *m.* époux *m.*; ***prins —,*** prince consort *m.*; II *o.* 1 (*v. graan*) mouture *f.*; 2 (*in polder*) épuise *f.* volante; 3 (*gezeur*) rabâchage *m.*, scie *f.*; ***— hebben met iem.,*** avoir des difficultés (*of* des histoires) avec qn.
gemach'tigde *m.* fondé *m.* de pouvoir; délégué *m.*
gemak' *o.* aise, commodité *f.*; ***met —,*** facilement, sans peine; ***op zijn —,*** à son aise; ***niet op zijn — zijn,*** être mal à son aise; ***voor 't —,*** pour la commodité; ***het*** (***geheim***) ***—,*** le cabinet.
gemak'kelijk I *b.n.* 1 (*niet moeilijk*) facile, aisé; 2 (*geriefelijk*) confortable, commode; ***— in de omgang,*** d'un caractère facile; II *bw.* facilement, aisément; ***— spreken,*** avoir la parole facile.
gemak'kelijkheid *v.* facilité; commodité *f.*
gemaks'halve *bw.* pour la commodité.
gemak'zucht *v.*(*m.*) paresse, indolence *f.*
gemakzuch'tig *b.n.* paresseux, indolent, qui aime ses aises.
gema'len *b.n.* moulu; ***— koffie,*** café *m.* en poudre.
gemalin' *v.* épouse *f.* [maniéré.
gemanierd' *b.n.* 1 poli, bien élevé; 2 (*gemaakt*)
gemanierd'heid *v.* 1 politesse *f.*; 2 maniérisme *m.*
gemar'merd *b.n.* 1 marbré; 2 (*snede van boek*) jaspé.
gemar'tel *o.* tourments *m.pl.* continuels.
gemas'kerd *b.n.* masqué.
gemas'kerde *m.* masque *m.*; homme *m.* masqué.
gema'tigd I *b.n.* modéré, tempéré; ***de —e luchtstreken,*** les zones tempérées; II *bw.* avec modération. [(*v. klimaat*)douceur *f.*
gema'tigdheid *v.* modération, tempérance *f.*;
gemauw' *o.* miaulement *m.*
gem'ber *m.* gingembre *m.*
gem'berkoek *m.* pain *m.* d'épices au gingembre.
Gembloers' *o.* Gembloux.
gemeen' I *b.n.* 1 (*algemeen*) commun; public; 2 (*alledaags*) ordinaire, vulgaire, médiocre; 3 (*gewoon*) simple, ordinaire; 4 (*laag*) vil, bas, ignoble; 5 (*gemeenzaam*) (*Z.N.*) familier; ***— goed worden,*** tomber dans le domaine public; ***tot — goed maken,*** vulgariser; ***de grootst gemene deler,*** le plus grand commun diviseur; ***een gemene leugen,*** un vilain mensonge; ***gemene manieren,*** des façons communes; ***een gemene streek,*** un vilain tour, une bassesse;***gemene taal,*** langage canaille; ***een gemene vloek,*** un juron infâme; ***— weer,*** un temps affreux, un chien de temps; ***— soldaat,*** simple soldat; ***een gemene muur,*** un mur mitoyen; ***niets — hebben met,*** n'avoir rien de commun avec; II *bw.* 1 communément; 2 ordinairement, vulgairement; 3 simplement; 4 vilement, bassement, ignoblement; 5 familièrement; III *z.n.*, *o.* vulgaire *m.*; populace, canaille *f.*; ***in 't —,*** en général, généralement.
gemeen'goed *o.* bien commun *m.*; ***— worden,*** tomber dans le domaine public; ***tot — maken,*** vulgariser.
gemeen'heid *v.* bassesse, vilenie *f.*
gemeen'lijk *bw.* communément, ordinairement, généralement.
gemeen'plaats *v.*(*m.*) lieu *m.* commun; truisme, cliché, poncif *m.*
gemeen'schap *v.* 1 (*genootschap*) communauté *f.*; 2 (*betrekking*) relation *f.*, rapport *m.*; 3 (*verbinding*) communication *f.*; 4 (*omgang*) commerce *m.*; ***de — der Heiligen,*** la communion des saints; ***— hebben met,*** communiquer avec; ***— van goederen,*** communauté *f.* de biens, régime *m.* de la communauté; ***de —,*** (*alle mensen*) la collectivité; ***de — der gelovigen,*** la congrégation des fidèles; ***kolen-en-staal —,*** pool *m.* charbon-acier.
gemeenschap'pelijk I *b.n.* 1 commun; collectif; 2 (*maaltijd, ingang*) en commun; ***—e rekening,*** (*H.*) compte à demi; ***—e markt,*** marché *m.* commun. II *bw.* en commun, collectivement.
gemeen'schapsgevoel *o.* **gemeen'schapszin** *m.* (esprit *m.* de) solidarité *f.*
gemeenslach'tig *b.n.* des deux genres, épicène.
gemeen'te *v.* 1 (*dorp, stad*) commune *f.*; 2 (*genootschap*) communauté *f.*; ***de goe—,*** les (bons) gogos.
gemeen'teambtenaar, gemeen'tebeambte *m.* (*Frankr.*) employé *m.* municipal; (*België, Nederland*) employé *m.* communal.
gemeen'tebegroting *v.* budget *m.* municipal, — communal.
gemeen'tebelasting *v.* impôt *m.* municipal; (*B.*) taxe *f.* communale.
gemeen'tebestuur *o.* (*F.*) municipalité *f.*; (*B.*) administration *f.* communale.
gemeen'tedienst *m.* service *m.* municipal.
gemeen'tehuis *o.* (*F.*) mairie *f.*; (*B.*) maison *f.* communale.
gemeen'te-instelling *v.* institution *f.* municipale.
gemeen'telijk *b.n.* (*F.*) municipal; (*B.*) communal.
gemeen'teontvanger *m.* (*F.*) receveur *m.* municipal; (*B.*) receveur *m.* communal.
gemeen'teraad *m.* (*F.*) conseil *m.* municipal; (*B.*) conseil *m.* communal.
gemeen'teraadslid *o.* (*F.*) conseiller *m.* municipal; (*B.*) conseiller *m.* communal.
gemeen'teraadsverkiezing *v.* (*F.*) élection *f.* municipale; (*B.*) élection *f.* communale.
gemeenterei'niging *v.* voirie *f.*
gemeen'teschool *v.* (*F.*) école *f.* municipale; (*B.*) école *f.* communale.
gemeen'tewerken *mv.* travaux *m.pl.* publics.
gemeen'tewet *v.*(*m.*) (*F.*) loi *f.* municipale; (*B.*) loi *f.* communale. [ment.
gemeen'zaam I *b.n.* familier; II *bw.* familière-
gemeen'zaamheid *v.* familiarité *f.*
gemeld' *b.n.* susdit, mentionné.
ge'melijk I *b.n.* maussade, morose; II *bw.* d'une manière maussade. [*f.* maussade.
ge'melijkheid *v.* maussaderie, morosité, humeur
gemenebest' *o.* république *f.*
gemengd' *b.n.* mêlé; mixte; ***—e berichten, —***

nieuws, faits divers; *een — gezelschap,* une société mêlée; *een — huwelijk,* un mariage mixte.
gemet'seld *b.n.* maçonné.
gemeu'beld, gemeubileerd' *b.n.* meublé; *—e kamers,* appartement garni; *op —e kamers wonen,* demeurer (*of* être) en garni, être logé en garni.
gemiauw' *o.* miaulement *m.*
gemid'deld I *b.n.* moyen; **II** *bw.* en moyenne.
gemid'delde *o.* moyenne *f.*
gemij'mer *o.* rêveries, rêvasseries *f.pl.*
gemij'terd *b.n.* mitré.
gemis' *o.* **1** manque, défaut *m.*; **2** (*afwezigheid*) absence *f.*; *bij — van,* faute de, à défaut de.
gemod'der *o.* **1** barbotage *m.*; **2** (*fig.*) tripotage *m.*
gemoed' *o.* **1** âme *f.*, cœur *m.*; **2** (*gevoeligheid*) sentiments *m.pl.*; *de —eren,* les esprits *m.pl.*; *zijn — schoot vol,* il en eut le cœur gros.
gemoe'delijk I *b.n.* **1** (*ernstig, nauwgezet*) brave, honnête, consciencieux; **2** (*teergevoelig*) doux, sentimental; **3** (*goedhartig*) bonhomme, facile; *een —e raad,* un conseil bienveillant; *een — volk,* un peuple bon enfant; **II** *bw.* avec bonhomie. [veillance *f.*
gemoe'delijkheid *v.* bonté, bonhomie, bien-
gemoeds'aandoening, gemoeds'beweging *v.* émotion *f.*, mouvement *m.* de l'âme.
gemoeds'bezwaar *o.* scrupule *m.*
gemoeds'gesteldheid *v.* humeur *f.*; état *m.* d'âme. [nelle.
gemoeds'leven *o.* vie *f.* intérieure; — émotion-
gemoeds'rust *v.(m.)* paix du cœur, tranquillité d'esprit, sérénité *f.*
gemoeds'stemming *v.* disposition, humeur *f.*, état *m.* d'âme.
gemoeds'toestand *m.* état *m.* d'âme.
gemoeds'verandering *v.* changement *m.* d'humeur; *plotselinge —,* saute *f.* d'humeur.
gemoeid', *zijn leven is er mee —,* il y va de sa vie; *er zijn grote kosten mee —,* cela entraîne de gros frais.
gemok' *o.* bouderie *f.*
gemom'pel *o.* murmure(s) *m.(pl.)*.
gemop'per, gemor *o.* murmures *m.pl.*, plaintes *f.pl.* sourdes.
gemor'rel *o.* tripatouillage *m.*
gemors' *o.* barbouillage *m.*
gems *v.(m.)* chamois *m.* [chamois.
gem'sle(d)er, gem'zele(d)er *o.* peau *f.* de
gemuil'band *b.n.* muselé.
gemunt' *b.n.* monnayé; *— geld,* argent monnayé; *het op iem. — hebben,* en vouloir à qn.; *het is op ons —,* c'est dit (*of* fait) à notre intention.
gemur'mel *o.* murmure, bruissement, gazouillement *m.*
gemutst', *goed —,* de bonne humeur, bien disposé; *slecht —,* de mauvaise humeur; *kwalijk — zijn,* avoir le bonnet de travers.
gem'zehaar *o.* poil *m.* de chamois.
gem'zejacht *v.(m.)* chasse *f.* au chamois.
gem'zejager *m.* chasseur *m.* de chamois.
gemzele(d)er, *zie* ***gemsleer.***
genaak'baar *b.n.* accessible, abordable.
genaak'baarheid *v.* accessibilité *f.*
genaamd' *b.n.* **1** nommé, appelé; **2** (*bijnaam*) dit.
gena'de *v.(m.)* **1** (*van God*) grâce *f.*; **2** (*vergiffenis*) grâce *f.*, pardon *m.*; *heiligmakende —,* grâce sanctifiante; *dadelijke —, — van bijstand,* grâce actuelle; *uitwerkende —,* grâce efficace; *bij Gods —,* par la grâce de Dieu; *goeie —!* bonté divine! *— voor recht laten gelden,* user de clémence; *zonder —,* sans pitié; *zich op — of ongenade overgeven,* se rendre à discrétion. se mettre à la merci de qn.
gena'debeeld *o.* statue *f.* miraculeuse.
gena'debrood *o.* pain *m.* de (la) charité.
gena'deleer *v.(m.)* doctrine *f.* de la grâce.
gena'deloos *b.n.* sans merci.
gena'demiddelen *mv. de — der H. Kerk,* les sacrements (des mourants), les secours *m.pl.* de la religion.
gena'deoord *o.* lieu *m.* de pèlerinage.
gena'deslag *m.* coup *m.* de grâce.
gena'dig I *b.n.* **1** clément, miséricordieux; **2** (*v. straf*) léger, mitigé; *—e hemel!* juste ciel! **II** *bw.* avec clémence; *hij is er — afgekomen,* il en a été quitte à bon marché, il s'en est tiré à bon compte.
gena'digheid *v.* condescendance *f.* (hautaine).
gena'ken I *ov.w.* (s') approcher de, aborder; *hij is niet te —,* il est inaccessible, — inabordable; **II** *on.w.* approcher.
ge'ne *vnw.* celui-là, celle-là; ceux-là, celles-là; *aan — zijde van,* au delà de, de l'autre côté de; *deze of — apotheker,* un pharmacien quelconque; *deze of — van zijn vrienden,* l'un ou l'autre de ses amis.
genealogie' *v.* généalogie *f.*
genealo'gisch *b.n.* généalogique.
genealoog' *m.* généalogiste *m.*
Geneefs' *b.n.* genevois.
genees'baar *b.n.* guérissable, curable.
genees'heer *m.* médecin *m.*; *behandelend —,* médecin traitant.
genees'kracht *v.(m.)* vertu *f.* curative.
geneeskrach'tig *b.n.* médicinal, curatif.
genees'kunde *v.* médecine *f.*; (*toegepaste*)thérapeutique.
geneeskun'dig I *b.n.* médical; *de —e dienst,* le service de santé, le service médical; **II** *bw.* médicinalement; thérapeutiquement.
geneeskun'dige *m.* médecin *m.*
genees'middel *o.* médicament, remède *m.*
genees'wijze *v.(m.)* traitement *m.* (médical), — thérapeutique, médication *f.*
gene'gen *b.n.* (*bereid*) disposé (à); *iem. — zijn,* avoir de l'affection pour qn., affectionner qn.
gene'genheid *v.* affection *f.*; *— gevoelen voor,* éprouver (*of* avoir) de l'affection pour.
geneigd' *b.n.* (*om, tot*) disposé (à), porté (à), tenté de; *— tot het kwaad,* enclin au mal, incliné au mal.
geneigd'heid *v.* disposition; inclination *f.*
Gene'piën *o.* Genappe.
generaal' I *m.* général *m.*; **II** *b.n.* général; *generale biecht,* confession générale; *generale staf,* état*-major* *m.*; *generale bas,* basse *f.* continue; *de Staten-G—,* les États Généraux.
generaal-majoor' *m.* (*F.*) général *m.* de brigade; (*B.*) général*-major* *m.*
generaal'schap *o.* généralat *m.*
generaals'vrouw *v.* générale *f.* [liser.
generalise'ren, generalize'ren *ov.w.* généra-
generaliteit' *v.* généralité *f.*
Generaliteits'landen *mv.* provinces *f.pl.* (*of* districts *m.pl.*) gouvernées par les États-Généraux.
generalize'ren, *zie* ***generaliseren.***
genera'tie *v.* génération *f.*
genera'tiewisseling *v.* métagenèse *f.*
genera'tor *m.* générateur *m.*
gene'ren *ov.w.* gêner, déranger; *zich —,* se gêner.
generfd' *b.n.* nervé. [façon.
ge'nerlei *b.n.* nul, aucun; *op — wijze,* en aucune
Ge'nesis *v.* Genèse *f.*
gene'tica, gene'tika *v.* génétique *f.*

gene'tisch *b.n.* génétique.
geneug'te *v.* jouissance *f.*, plaisir *m.*
geneu'rie *o.* fredonnement *m.*
gene'zen I *ov.w.* guérir; **II** *on.w.* **1** (*wonde*) guérir; **2** (*persoon*) se rétablir, se remettre, recouvrer la (*of* sa) santé.
gene'zing *v.* **1** guérison *f.*, rétablissement *m.*; **2** (*herstel*) convalescence *f.*
geniaal' I *b.n.* génial, de génie; *— **mens,*** homme de génie, génie *m.*; **II** *bw.* avec génie, d'une façon géniale.
genialiteit' *v.* génie *m.*, génialité *f.*
genie' *o. en v.* génie *m.*; ***een miskend —,*** un incompris.
genie'officier *m.* officier *m.* du génie.
geniep' *o.* ***in het —,*** en secret, sournoisement.
genie'pig I *b.n.* sournois, dissimulé; **II** *bw.* sournoisement.
genie'pigheid *v.* sournoiserie *f.*
genies' *o.* éternûment *m.*
genie'soldaat *m.* soldat *m.* du génie, sapeur *m.*
geniet'baar *b.n.* **1** (*v. spijs*) mangeable; **2** (*v. drank*) potable, buvable; **3** (*v. persoon*) supportable, agréable; ***dat boek is niet —,*** ce livre est d'une lecture ardue.
genie'ten I *on.w.* jouir; ***wij hebben genoten!*** nous avons eu beaucoup de plaisir! **II** *ov.w.* **1** (*genot hebben*) jouir de; **2** (*ontvangen: salaris, onderwijs, enz.*) recevoir; **3** (*iets lekkers*) savourer; ***het vertrouwen —,*** posséder la confiance; ***hij is niet te —,*** il est insupportable; ***die dichter is niet gemakkelijk te —,*** ce poète n'est pas facile à goûter; ***ik kan die muziek niet —,*** je ne peux pas apprécier cette musique; ***waarde genoten,*** (*H.*) valeur reçue.
genie'ter *m.* jouisseur *m.*, homme *m.* de plaisir.
genie'ting *v.* jouissance *f.*, plaisir *m.*
genie'troepen *mv.* troupes *f.pl.* du génie.
genist' *m.* **1** officier *m.* du génie; **2** soldat *m.* —.
genita'liën *mv.* organes *m.pl.* génitaux.
ge'nitief *m.* génitif *m.*
ge'nius *m.* génie *m.*
geno'digde *m.-v.* invité *m.*, —e *f.*
genoeg' *bw.* assez, suffisamment; ***dat is —,*** assez! cela suffit; *— **eten,*** manger à sa faim; ***hij heeft — om van te leven,*** il a de quoi vivre; ***ik heb er — van,*** j'en ai assez, j'en ai mon content; ***nooit — krijgen van iets,*** ne pas se rassasier de qc.
genoeg'doening *v.* satisfaction *f.*; ***zich — verschaffen,*** se faire raison à soi-même.
genoe'gen *o.* **1** (*voldoening*) satisfaction *f.*, contentement *m.*; **2** (*vermaak, genot*) plaisir *m.*, jouissance *f.*; ***iem. een — doen,*** faire plaisir à qn.; ***met —,*** avec plaisir; ***zijn — eten,*** manger à sa faim, manger son content; *— **nemen met,*** se contenter de; ***geen — nemen met,*** se déclarer pas satisfait; *— **scheppen in,*** prendre plaisir à; ***ten — van,*** à la satisfaction de, au gré de; ***tot —!*** au plaisir (de vous revoir)!
genoeg'lijk I *b.n.* agréable, amusant; ***in —e stemming,*** d'humeur joyeuse; **II** *bw.* agréablement; avec satisfaction.
genoeg'lijkheid *v.* agrément, plaisir *m.*
genoeg'zaam I *b.n.* suffisant; **II** *bw.* suffisamment, assez.
genoeg'zaamheid *v.* suffisance *f.*
genoemd' *b.n.* susdit, susnommé, précité.
genoopt' *b.n.* forcé, obligé, contraint.
genoot' *m.* compagnon *m.*
genoot'schap *o.* **1** (*maatschappij*) société, compagnie, association *f.*; **2** (*broederschap*) confrérie *f.*
genootschap'pelijk *b.n.* de la société; social.
genoot'schapsjaar *o.* exercice *m.*, année *f.* sociale.
genot' *o.* **1** (*genieting*) jouissance *f.*, délice, plaisir *m.*; **2** (*gebruik*) usage, usufruit *m.*; ***het is een — voor de ogen,*** c'est un régal pour les yeux; ***in het — stellen van,*** mettre en possession de; ***onder het — van,*** en savourant.
genot'middel *o.* (*prikkelend*) stimulant *m.*; ***—middelen,*** *ook:* articles *m.pl.* de consommation.
genot'rijk *b.n.* riche en jouissances.
genot'vol *b.n.* délicieux, délectable.
genot'ziek *b.n.* avide de jouissances.
genot'zucht *v.*(*m.*) soif (*of* avidité) *f.* de jouissances, appétit *m.* —.
genotzuch'tig *b.n.* avide de jouissances.
Genove'va *v.* Geneviève *f.*
gen're *o.* genre *m.*
gen'reschilder *m.* peintre *m.* de genre.
gent *m.* (*Dk.*) jars *m.*
Gent *o.* Gand *f.*
Gen'tenaar *m.* Gantois *m.*
gentiaan' *v.*(*m.*) gentiane *f.*
Gents *b.n.* gantois.
Ge'nua *o.* Gênes *f.*
Genuees' I *b.n.* génois; **II** *m.* Génois *m.*
genum'merd *b.n.* numéroté.
geoe'fend *b.n.* **1** (*geschoold*) exercé; **2** (*behendig, bedreven*) habile, versé; **3** (*ervaren*) expert.
geoe'fendheid *v.* habileté, adresse, dextérité *f.*
geofy'sisch *b.n.* géophysique.
geogene'se *v.* géogenèse *f.*
geogene'tisch *b.n.* géogénétique.
geogra'fisch *b.n.* géographique.
geolo'gisch *b.n.* géologique.
geoor'loofd *b.n.* permis, licite.
geor'dend *b.n.* (bien) ordonné.
georganiseerd', georganizeerd' *b.n.* **1** organisé; **2** (*in vakbond*) syndiqué.
gepaard' *b.n.* **1** accouplé, par couples; **2** (*Pl.*) géminé; *— **gaan met,*** être accompagné de.
gepakt, *—en gezakt,* prêt à partir.
gepant'serd *b.n.* **1** cuirassé; **2** (*trein, auto, kluis, enz.*) blindé.
gepa'reld *b.n.* perlé.
geparenteerd' parent (de), allié (à).
geparkeerd' *b.n.* en stationnement.
gepast I *b.n.* **1** propre, convenable; **2** (*welvoeglijk*) décent; ***met — geld betalen,*** faire l'appoint; **II** *bw.* convenablement.
gepast'heid *v.* **1** propriété, convenance *f.*; **2** (*welvoeglijkheid*) décence *f.*
gepatenteerd' *b.n.* patenté, breveté.
gepeins' *o.* méditations, reflexions, rêveries *f.pl.*
gepensioneerd' *b.n.* en (*of* à la) retraite, retraité.
gepensioneer'de *m.* retraité *m.*
gepe'perd *b.n.* **1** poivré; **2** (*fig.: verhaal, enz.*) au poivre, pimenté, assaisonné; **3** (*v. rekening*) salé.
gepeu'pel *o.* populace, canaille *f.*
gepeu'ter *o.* **1** (*werk*) fignolage, pignochage *m.*; **2** (*in neus*) fouillement *m.*
gepeu'zel *o.* grignotement *m.*
gepie'ker *o.* (*fam.*) soucis *m.pl.*, cassement *m.* de tête, méditations *f.pl.*
gepiep' *o.* piaulement *m.*, piaillerie *f.*, sifflement *m.*; (*v. muizen*) cri *m.*
gepik' *o.* picotement *m.*
gepikeerd' *b.n.* piqué.
gepikeerd'heid *v.* irritation *f.*, pique *f.*
gepim'pel *o.* libations, beuveries *f.pl.*
geplaag' *o.* vexations, tracasseries *f.pl.*; taquineries *f.pl.*

geplas' *o.* barbotage, pataugeage *m.*
gepleis'terd *b.n.* plâtré.
geplekt' *b.n.* tacheté.
geploe'ter *o.* **1** (*geplas*) barbotage, pataugeage *m.*; **2** (*gesloof*) piochage, labeur *m.* continuel; **3** (*ijdel pogen*) vains efforts *m.pl.*
geplukt' *b.n.* déplumé.
geplun'der *o.* pillage *m.*
gepoch' *o.* rodomontades, vanteries, hâbleries *f.pl.*, blague *f.*
gepoets' *o.* **1** nettoyage *m.*; **2** (*v. schoenen*) cirage *m.*
gepo'pel *o.* battements *m.pl.* de cœur, — précipités.
geporteerd' *b.n.* prévenu en faveur de.
geposeerd' **I** *b.n.* posé; **II** *bw.* posément.
gepraal' *o.* ostentation, parade *f.*
gepraat' *o.* **1** causerie *f.*; **2** (*gebabbel*) babil, bavardage *m.*; **3** (*ong.*) caquets *m.pl.*
gepreek' *o.* prêcheries *f.pl.*
gepre'vel *o.* murmures *m.pl.*
geprik'kel *o.* picotement, chatouillement *m.*
geprik'keld *b.n.* **1** excité; **2** (*fig.*) piqué.
geprik'keldheid *v.* irritation *f.*, agacement *m.*
geproest' *o.* **1** (*v. paarden, enz.*) ébrouement *m.*; **2** (*v. lachen*) rire *m.* étouffé, rires *m.pl.* bruyants, pouffement *m.*
geprofest' *b.n.* (*kath.*) profès.
geprolongeer'de (*wissel*), traite *f.* renouvelée.
gepromoveer'de *m.* (jeune) docteur, gradué *m.*
gepronk' *o.* ostentation *f.*
geprononceerd' *b.n.* prononcé.
geproportioneerd' *b.n.* proportionné.
gepruikt' *b.n.* emperruqué, à perruque.
gepruil' *o.* bouderie *f.*
gepruts' *o.* chipotage *m.*
geprut'tel *o.* **1** (*gemopper*) grognement, murmure *m.*; **2** (*v. spijzen*) bouillottement *m.*
gepunt' *b.n.* pointu.
geraakt' *b.n.* **1** touché; **2** (*fig.*) piqué, offensé; ***licht—,*** chatouilleux, irascible, susceptible.
geraakt'heid *v.* **1** (*ergernis*) irritation *f.*, dépit *m.*; **2** (*beroerte*) (*Z.N.*) attaque *f.* d'apoplexie.
geraam'te *o.* **1** squelette *m.*; **2** (*v. schip*) carcasse, charpente *f.*; **3** (*v. huis*) armature *f.*
Ge'raardsbergen *o.* Grammont.
geraas' *o.* bruit, fracas, tapage, vacarme *m.*
geraas'kal *o.* radotage *m.*
gerad'braakt *b.n.* éreinté, moulu.
gera'den *b.n.* utile, convenable, à propos, prudent; ***het is u —...,*** je vous conseille de.
geraffineerd' *b.n.* raffiné; rusé.
gera'ken *on.w.* arriver à, parvenir à; ***aan de drank —,*** s'adonner à la boisson; ***in brand —,*** prendre feu; ***in gesprek — met,*** entrer en conversation avec; ***in onbruik —,*** tomber en désuétude; ***in schulden —,*** s'endetter.
geram'mel *o.* **1** (*v. wapens, ketens*) cliquetis *m.*; **2** (*gezwets*) babil, bavardage *m.*
gerand' *b.n.* bordé, à bord(s).
gera'nium *v.(m.)* géranium *m.*
geran'sel *o.* raclées *f.pl.*
gera'tel *o.* **1** (*v. rijtuig*) bruit, roulement *m.*; **2** (*v. donder*) roulement *m.*; **3** (*fig.*) bavardage, baragouinage *m.*
geravot' *o.* folâtrerie *f.*
gerecht' **I** *o.* **1** (*schotel*) plat, mets *m.*; **2** (*recht*) justice *f.*; **3** (*rechtbank*) tribunal *m.*; cour *f.*; ***een zaak voor 't — brengen,*** porter une cause en justice (*of* devant le juge); ***iem. voor het — dagen,*** citer qn. en justice; **II** *b.n.* juste, légitime.
gerech'telijk **I** *b.n.* judiciaire; juridique; ***—e geneeskunde,*** médecine légale; ***—e verkoop,*** saisie*-exécution* *f.*; **II** *bw.* ***—vervolgen,*** poursuivre en justice.
gerech'tigd *b.n.* autorisé, qualifié.
gerech'tigde *m.* ayant droit; titulaire *m.*
gerech'tigheid *v.* justice *f.*
gerechts'bode *m.* huissier *m.*
gerechts'dienaar *m.* (*F.*) gardien *m.* de la paix; (*B*) agent *m.* de police.
gerechts'hof *o.* **1** (*rechtbank*) cour *f.* (d'assises), tribunal *m.*; **2** (*gebouw*) palais *m.* de justice.
gerechts'kosten *mv.* frais *m.pl.* de justice.
gerechts'zaak *v.(m.)* cause, affaire *f.* judiciaire.
gerechts'zaal *v.(m.)* salle *f.* d'audience.
gerechts'zitting *v.* audience *f.*
gere'dekavel, geredeneer' *o.* raisonnements [*m.pl.*
gere'delijk *bw.* immédiatement, facilement; ***— te herkennen,*** immédiatement (*of* facilement) reconnaissable; ***— toestemmen,*** consentir volontiers.
geredeneer', *zie* ***geredekavel.***
gereed' *b.n.* **1** (*— om*) prêt à; **2** (*klaar*) prêt, fini; **3** (*bereid*) prêt (à), disposé (à); ***gerede betaling,*** payement au comptant; ***gerede aftrek vinden,*** se vendre facilement, trouver un bon écoulement; ***— geld,*** argent comptant.
gereed'heid *v.* promptitude *f.*; ***in — brengen,*** préparer, apprêter.
gereed'houden *ov.w.* tenir prêt.
gereed'maken *ov.w.* préparer, apprêter.
gereed'schap *o.* **1** (*v. handwerk*) outil(s) *m.(pl.)*; **2** (*werktuigen*) instruments *m.pl.*
gereed'schapskist *v.(m.)* caisse *f.* à outils.
gereed'schapstas *v.(m.)*, **gereed'schapszak** *m.* ferrière, trousse *f.*
gereformeerd' *b.n.* calviniste.
gereformeer'de *m.-v.* calviniste *m. et f.*
gere'geld **I** *b.n.* régulier; ***een — bezoeker,*** un habitué; ***een — gesprek,*** une conversation suivie; **II** *bw.* régulièrement; ***— nadenken,*** réfléchir avec calme.
gere'geldheid *v.* régularité *f.*, ordre *m.*
gere'gen *b.n. in* : ***— in,*** sanglé (*of* serré) dans.
gerei' *o.* ustensiles, outils *m.pl.*; ***tafel—,*** couvert *m.*
gereis' *o.* voyages *m.pl.* fréquents, déplacements continuels.
gerekt' *b.n.* prolongé; ***een —e kreet,*** un cri prolongé; ***een —e uiteenzetting,*** une explication prolixe.
gerekt'heid *v.* longueur; prolixité *f.*
gerenommeerd' *b.n.* renommé. [réservé, loué.
gereserveerd' *b.n.* **1** réservé, distant; **2** (*plaats*)
gereserveerd'heid *v.* réserve *f.*
gereu'tel *o.* râle *m.*
ger'gel *m.* jable *m.*
ger'gelen *ov.w.* jabler.
geriatrie' *v.* gériatrie *f.*
geribd' *b.n.* **1** muni de côtes, cannelé; **2** (*v. stof*) à côtes, côtelé; **3** (*bouwk.*) à nervures; **4** (*Pl.*) nervé.
gericht' *o.* **1** justice *f.*; **2** tribunal *m.*; ***het jongste —,*** le jugement dernier.
gerid'derd *b.n.* décoré.
gerief' *o.* **1** (*gemak*) commodité *f.*; **2** (*nut*) avantage *m.*, utilité *f.*; **3** (*gereedschap, enz.*) (*Z.N.*) ustensiles, outils *m.pl.*; ***ik heb er veel — van,*** j'en profite beaucoup; ***ten gerieve van,*** à l'usage de.
gerie'f(e)lijk **I** *b.n.* commode; confortable; **II** *bw.* commodément, confortablement.
gerie'f(e)lijkheid *v.* commodité *f.*, confort *m.*
gerie'ven *ov.w.* **1** aider, rendre service à; **2** (*klanten*) servir.
gerij' *o.* va-et-vient *m.* de voitures, — de véhicules.
gerij'mel *o.* rimaillerie *f.*
gerim'peld *b.n.* ridé.

gering' **I** *b.n.* **1** petit, chétif, mince; **2** (*weinig belangrijk*) peu important, peu considérable; **3** (*onbeduidend*) insignifiant; ***—e kwaliteit,*** qualité inférieure *f.*; ***—e mensen,*** des petites gens; ***van —e stand,*** de basse condition, de basse extraction; ***een — verschil,*** une légère différence; ***tegen —e prijs,*** à vil prix; ***van —e waarde,*** d'une valeur médiocre; ***zeer —,*** minime, infime; ***—er,*** moindre; **II** *bw.* médiocrement; ***niet — denken over,*** avoir bonne opinion de.
gering'achten, *zie* ***geringschatten.***
geringd' *b.n.* annelé; orné de bagues; ***een —e duif,*** un pigeon bagué.
gering'heid *v.* petitesse *f.*; insignifiance *f.*; bassesse *f.*; médiocrité *f.*
gering'schatten *ov.w.* **1** faire peu de cas de, attacher peu de prix à; **2** (*minachten*) dédaigner, mépriser, mésestimer. [*f.*
gering'schatting *v.* dédain, mépris *m.*, mésestime
gerin'kel *o.* cliquetis *m.*; (*el. bel*) sonnerie *f.*
gerit'sel *o.* frémissement, bruissement, murmure *m.*
Germaan' *m.* Germain *m.*
Germaans' *b.n.* germanique.
Germa'nië *o.* la Germanie.
germanis'me *o.* germanisme *m.*
gero'chel *o.* **1** graillonnement *m.*; **2** (*v. stervende*) râle, râlement *m.*
gerod'del *o.* cancans *m.pl.*
geroep' *o.* cris, appels *m.pl.*
geroe'pene *m.* appelé *m.*
geroerd' *b.n.* **1** (*vermengd*) mêlé; **2** (*ontroerd*) ému; ***—e eieren,*** des œufs brouillés.
geroe'zemoes *o.* bruit confus, tapage, tumulte, brouhaha *m.*
gerof'fel *o.* bruit, roulement *m.*
gerokt' *b.n.* **1** en habit (noir); **2** (*Pl.*) tuniqué.
gerol' *o.* roulement *m.*
gerom'mel *o.* roulement, grondement *m.*, bruit *m.* sourd. [ment *m.*
geronk' *o.* **1** ronflement *m.*; **2** (*v. motor*) vrombisse-
geron'nen *b.n.* **1** (*v. bloed*) caillé, coagulé; **2** (*v. melk*) caillé; ***zo gewonnen, zo —,*** ce qui vient de la flûte, s'en va (*of* s'en retourne) par le tambour.
gerontologie' *v.* gérontologie *f.*
geroos'terd *b.n.* grillé, rôti.
geroutineerd' *b.n.* expérimenté; ***een — zakenman,*** un homme rompu aux affaires.
Ger'rit *m.* Gérard *m.*
gerst *v.*(*m.*) orge *f.*; ***geparelde —*** orge *m.* perlé; ***gepelde —,*** orge *m.* mondé; ***ongepelde —,*** orge *f.* brute.
ger'stebier *o.* bière *f.* d'orge.
ger'stedrank *m.* orgeat *m.* [orgelet *m.*
ger'st(e)korrel *m.* **1** grain *m.* d'orge; **2** (*gen.*)
ger'stemeel *o.* farine *f.* d'orge.
ger'stemelk *v.*(*m.*) orgeat *m.*
ger'stesuiker *m.* sucre *m.* d'orge.
ger'stewater *o.* eau *f.* d'orge, tisane *f.* (d'orge).
gerst'korrel, *zie* ***gerstekorrel.***
gerucht' *o.* **1** (*geluid, geraas*) bruit, tapage *m.*; **2** (*mare*) bruit *m.*; ***het algemeen —,*** la rumeur publique; ***in een kwaad — staan,*** avoir une mauvaise réputation; ***hij is voor geen klein —je vervaard,*** il n'a pas froid aux yeux; ***—en doen de ronde,*** des bruits courent.
gerucht'makend *b.n.* **1** (*geraasmakend*) bruyant; **2** (*opzienbarend*) retentissant; ***een —e zaak,*** (*proces*), une cause célèbre, un procès retentissant.
geruim' *b.n.* ***—e tijd,*** longtemps, un long espace de temps.
geruis' *o.* **1** bruit *m.* léger, murmure *m.*; **2** (*v. bladeren*) frémissement, bruissement *m.*; **3** (*v. golven*) bruissement *m.*; **4** (*v. zijde*) frou-frou *m.*
geruis'loos **I** *b.n.* silencieux; **II** *bw.* sans bruit, silencieusement.
geruit' *b.n.* **1** à carreaux; **2** (*ruitvormig*) losangé; **3** (*papier*) quadrillé.
gerust' **I** *b.n.* tranquille, calme; **II** *bw.* sans crainte; tranquillement, calmement; ***u kunt het — geloven,*** vous pouvez m'en croire.
gerust'heid *v.* tranquillité *f.*, calme *m.*
gerust'stellen *ov.w.* rassurer, tranquilliser.
gerust'stellend *b.n.* rassurant.
gerust'stelling *v.* **1** rassurement *m.*, tranquillisation *f.*; **2** (*geruststellende gedachte*) pensée *f.* rassurante.
ges *v.*(*m.*) (*muz.*) sol *m.* bémol.
gesalarieerd' *b.n.* rétribué.
gesar' *o.* agaceries, excitations, provocations *f.pl.*
gesatineerd' *b.n.* satiné. [*schaarden*) ébréché.
geschaard' *b.n.* **1** (*in een rij geschikt*) rangé; **2** (*met*
geschakeerd' *b.n.* nuancé, diapré.
geschal' *o.* **1** (*v. blaasinstrumenten*) fanfare *f.*, son *m.* des trompettes; **2** (*v. stemmen*) éclats *m.pl.* de voix. [en mauvais état.
gescha'pen *b.n.* créé; (*fig.*) né (pour); ***slecht —,***
geschar'rel *o.* **1** tripotage *m.*; **2** (*fig.*) flirtage *m.*
gescha'ter *o.* éclats *m.pl.* de rire. [à part.
geschei'den *b.n.* divorcé; ***— leven,*** faire chambre
geschel' *o.* sonnerie *f.*
gescheld' *o.* injures, invectives *f.pl.*
geschenk' *o.* cadeau, présent, don *m.*; ***iem. iets ten —e geven,*** faire cadeau de qc. à qn.; ***ten —e aanbieden,*** offrir comme cadeau; faire hommage de.
geschenk'bon *m.* bon*-cadeau* *m.*, bon *m.* pour cadeau.
geschept' *b.n.* ***— papier,*** papier à la forme.
geschermʼ *o.* jeux *m.pl.* de sabre, — d'épée; (*het schermen*) escrime *f.*; (*fig.*) ***— met woorden,*** cliquetis de mots; ***al dat — met grote woorden,*** tous ces grands mots.
geschermut'sel *o.* escarmouches *f.pl.*
gescherts' *o.* raillerie *f.*, badinage *m.*
geschet'ter *o.* **1** (*v. trompet*) fanfare *f.*; **2** (*fig.: woorden*) clabaudage *m.*; forfanterie, fanfaronnade *f.*
gescheurd' *b.n.* **1** déchiré; **2** (*v. muur*) lézardé.
geschied'boeken *mv.* annales *f.pl.*
geschie'den *on.w.* se passer, arriver, avoir lieu; ***Uw wil geschiede,*** que Votre volonté soit faite; ***dat is geschied zonder mijn toestemming,*** cela s'est fait sans mon consentement; ***hem is onrecht geschied,*** on lui a fait tort.
geschie'denis *v.* **1** (*vak v. wetenschap*) histoire *f.*; **2** (*verhaal*) histoire *f.*, récit *m.*; **3** (*gebeurtenis*) événement *m.*; ***algemene —,*** histoire universelle, — générale *f.*; ***vaderlandse —,*** histoire nationale; ***gewijde —,*** histoire sainte; ***'t is een hele —,*** c'est toute une affaire. [*m.* —.
geschie'denisboek *o.* livre *m.* d'histoire, manuel
geschie'denisles *v.*(*m.*) leçon *f.* d'histoire.
geschiedkun'dig *b.n.* historique.
geschiedkun'dige *m.* historien *m.*
geschied'schrijver *m.* **1** historien *m.*; **2** (*officieel aangesteld*) historiographe *m.*
geschied'vorser *m.* historien *m.*
geschift' *b.n.* **1** (*v. melk*) caillé, tourné; **2** (*fig.*) toqué, loufoque.
geschikt' **I** *b.n.* **1** (*bekwaam*) propre, apte; **2** (*gepast*) convenable; **3** (*goed voor*) propre à, bon pour; **4** (*inschikkelijk, aangenaam in de omgang*) accommodant, facile, aimable, agréable; ***op 't —e ogenblik,*** en temps utile; ***hij is heel —,*** il est fort aimable; **II** *bw.* proprement.

geschikt'heid *v.* **1** (*aanleg*) disposition, aptitude *f.*; **2** (*bekwaamheid*) capacité, habileté *f.*; **3** (*gepaste tijd*) opportunité *f.*
geschil' *o.* **1** différend *m.*; **2** (*twist*) dispute *f.*; ***een hangend —,*** un point en litige; ***een — bijleggen,*** régler un différend.
geschil'punt *o.* **1** point *m.* litigieux; **2** (*tussen geleerden*) point *m.* de controverse.
geschip'per *o.* aternoiements *m.pl.*, compromissions *f.pl.*
geschit'ter *o.* scintillement, éclat *m.*
geschoeid' *b.n.* chaussé.
geschok' *o.* cahotage *m.*, cahots *m.pl.*
geschom'mel *o.* balancement(s) *m.(pl.)*.
geschooi' *o.* mendicité, gueuserie *f.*
geschoold' *b.n.* **1** expérimenté; **2** (*v. werkman*) qualifié, spécialisé; **3** (*v. leerling*) entraîné.
geschop' *o.* **1** coups *m.pl.* de pied; **2** (*v. paard*) ruade *f.*
geschraap' *o.* **1** raclage *m.*; **2** (*fig.*) grappillage *m.*
geschreeuw' *o.* cris *m.pl.*; vociférations *f.pl.*, clameur *f.*, bruit *m.*; ***veel — en weinig wol,*** beaucoup de bruit et peu de besogne.
geschrei' *o.* **1** pleurs *m.pl.*, larmes *f.pl.*; **2** (*gejammer*) lamentations *f.pl.*; **3** (*v. baby*) vagissement *m.*
geschrift' *o.* **1** écrit *m.*; **2** (*oorkonde*) document *m.*; ***valsheid in —e,*** faux en écritures.
geschrijf' *o.* **1** (*briefwisseling*) correspondance *f.*; **2** (*schrijverij*) écrivaillerie *f.*
geschrob' *o.* nettoyage, frottage *m.*
geschrok' *o.* gloutonnerie, goinfrerie *f.*
geschubd' *b.n.* couvert d'écailles, écaillé.
geschui'fel *o.* **1** (*v. voeten*) glissement *m.* (des pieds); **2** (*v. slang*) sifflement *m.*
geschut' *o.* artillerie *f.*, canon *m.*; ***licht —,*** artillerie légère; ***zwaar —,*** grosse artillerie; (*fig.*) ***met grof — beginnen (te schieten),*** employer les grands moyens, avoir recours à l'artillerie lourde.
geschut'bediende *m.* (*mil.*) servant *m.*
geschut'gat *o.* (*sch.*) sabord *m.*
geschut'gieterij *v.* fonderie *f.* de canons.
geschut'opstelling *v.* position *f.* de l'artillerie.
geschut'poort *v.(m.)* sabord *m.*
geschut'toren *m.* tourelle *f.*
geschut'vuur *o.* feu *m.* d'artillerie, canonnade *f.*
ge'sel *m.* **1** fouet *m.*; **2** (*v. beul*) verges *f.pl.*; **3** (*v. monniken*) discipline *f.*; **4** (*fig.*) fléau *m.*
ge'selaar *m.* fouetteur *m.*
ge'selbroeder *m.* flagellateur *m.*
ge'selen I *ov.w.* **1** fouetter; flageller; **2** (*fig.*) flageller; **II** *w.w.* ***zich —,*** se donner la discipline.
ge'seling *v.* **1** flagellation *f.*, peine *f.* du fouet; **2** (*fig.*) flagellation *f.*
ge'selkoord *o. en v.(m.)* discipline *f.*
ge'selpaal *m.* poteau *m.* de supplice, pilier *m.* de la flagellation.
ge'selroede *v.(m.)* verges *f.pl.*
ge'selslag *m.* coup *m.* de fouet.
ge'selstraf *v.(m.)* peine *f.* du fouet.
gesis' *o.* sifflement *m.*
gesja'cher *o.* petit trafic, brocantage *m.*
gesjilp' *o.* **1** (*alg.*) pépiement *m.*; **2** (*v. zwaluw*) gazouillement *m.*; **3** (*v. mus*) guilleri *m.*
gesjoch'ten *b.n.* fichu, sec.
gesjouw' *o.* **1** (*v. lasten*) traînage *m.*; **2** (*zware arbeid*) travail (*of* labeur) *m.* pénible.
geslaagd' *b.n.* réussi.
geslacht' *o.* **1** (*soort*) genre *m.*, espèce *f.*; **2** (*kunne*) sexe *m.*; **3** (*familie*) race, famille *f.*; **4** (*tijdgenoten, mensen*—) génération *f.*; **5** (*taalk.*) genre *m.*; **6** (*geslacht vee*) viande *f.* de boucherie; ***het menselijk —,*** le genre humain; ***het schone —,*** le beau sexe; ***van — tot —,*** d'âge en âge.
geslach'telijk I *b.n.* sexuel; générique; **II** *bw.* sexuellement.
geslacht'kunde *v.* généalogie *f.*
geslachtkun'dige *m.* généalogiste *m.*
geslacht'loos *b.n.* **1** (*alg.*) asexué, asexuel; **2** (*taalk.*) neutre; **3** (*Pl.*) agame.
geslachts'boom *m.* arbre *m.* généalogique.
geslachts'delen *mv.* parties *f.pl.* génitales, — sexuelles.
geslachts'drift *v.(m.)* instinct *m.* sexuel.
geslachts'kenmerk *o.* caractère *m.* générique.
geslachts'naam *m.* **1** nom *m.* de famille; patronyme *m.*; **2** (*v. planten, dieren*) nom *m.* générique.
geslachts'register *o.* registre *m.* généalogique.
geslachts'rijpheid *v.* maturité *f.* sexuelle.
geslachts'wapen *o.* armoiries, armes *f.pl.*
gesla'gen *b.n.* battu; ***— goud,*** or *m.* battu; ***— ijzer,*** tôle *f.*; ***een — uur,*** une heure d'horloge.
gesleep' *o.* trimbalage *m.*
geslemp' *o.* beuveries *f.pl.*
geslen'ter *o.* flânerie(s) *f.(pl.)*.
gesle'pen *b.n.* **1** (*v. mes, enz.*) aiguisé; **2** (*v. diamant*) taillé; **3** (*fig.: listig, doortrapt*) adroit, fin, rusé, madré.
gesle'penheid *v.* finesse, ruse, roublardise *f.*
geslin'ger *o.* oscillations *f.pl.*, mouvement *m.* oscillatoire; **2** (*v. schip*) roulis, roulement *m.*
geslob'ber *o.* lapement, buvotement *m.*
geslof' *o.* démarche *f.* traînante.
geslo'ten *b.n.* **1** fermé; **2** (*terughoudend*) réservé; ***hij is zeer —,*** il est très renfermé; ***met — beurzen*** sans bourse délier; ***met — deuren,*** à huis clos.
geslo'tenheid *v.* réserve *f.*; caractère *m.* fermé.
geslui'erd *b.n.* voilé.
geslurp' *o.* lapement *m.*
gesmaal' *o.* dénigrement *m.*
gesmeek' *o.* supplications *f.pl.*
gesmeerd' in : ***— gaan*** (*of* ***lopen***), marcher à souhait, — comme sur des roulettes.
gesmoes' *o.* chuchotements *m.pl.*
gesmok'kel *o.* contrebande *f.*; fraudes *f.pl.*
gesmok'keld *b.n.* de contrebande, introduit en contrebande, passé en fraude.
gesmoord' *b.n.* étouffé.
gesmul' *o.* bonne chère *f.*
gesnap' *o.* babil, caquet, caquetage *m.*
gesna'ter *o.* **1** (*v. gans*) nasillement *m.*; **2** (*fig.*) caquetage *m.*
gesnauw' *o.* rebuffades *f.pl.*
gesnik' *o.* sanglots *m.pl.*
gesnoef' *o.* ventardise *f.*
gesnoep' *o.* gourmandise *f.*
gesnor' *o.* **1** bourdonnement *m.*; **2** (*v. machine*) ronflement *m.*
gesnork', gesnurk' *o.* ronflement *m.*
gesnot'ter *o.* pleurnicherie *f.*
gesnuf'fel *o.* **1** (*v. hond*) quête *f.*; **2** (*fig.*) furetage, fouillement *m.*
gesnuif' *o.* **1** (*v. mens*) reniflement *m.*; **2** (*v. paard*) [ébrouement *m.*
gesnurk', gesnork' *o.* ronflement *m.*
gesol' *o.* tiraillements *m.pl.*
gesorteerd' *b.n.* assorti.
gesp *m. en v.* boucle *f.*
gespan' *o.* attelage *m.*
gespan'nen *b.n.* tendu; ***op — voet,*** en délicatesse.
gespar'tel *o.* frétillement *m.*
gespat' *o.* éclaboussement *m.*
gespeel' *o.* jeux *m.pl.* (continuels).
gespekt' *b.n.* (*v. beurs*) bien garni.

ges'pen *ov.w.* boucler.
gespierd' *b.n.* 1 musculeux, nerveux; 2 (*flink*) robuste; ***—e stijl,*** style énergique.
gespierd'heid *v.* force musculaire, vigueur *f.*
gespik'keld *b.n.* 1 tacheté, moucheté; 2 (*v. lelie*) tigré.
gespin' *o.* (*v. kat*) ronron, ronronnement *m.*
gesple'ten *b.n.* fendu; fourchu.
gesple'tenheid *v.* 1 dualité *f.*; 2 (*v. geest*) schizophrénie *f.*
gesplitst' *b.n.* divisé, bifurqué.
gespot' *o.* moquerie, raillerie *f.*
gesprek' *o.* conversation *f.*, entretien *m.*; ***het — op iets anders brengen,*** changer de discours; ***in —,*** (*tel.*) occupé; ***het — afbreken,*** (*tel.*) couper la communication; ***hèt onderwerp van — zijn,*** être la fable de la ville.
gespreks'groep *v.*(*m.*) table *f.* ronde.
gespreks'leider *m.* dirigeant *m.* de(s) discussions, animateur *m.* des débats.
gespreks'partner *m.* interlocuteur *m.*
gespron'gen *b.n.* 1 (*v. touw*) rompu; 2 (*v. band*) crevé; 3 (*v. hand, lippen*) gercé, crevassé; 4 (*v. bank*) en faillite.
gespuis' *o.* canaille *f.*
gestaald' *b.n.* 1 aciéré; 2 (*fig.*) endurci.
gesta'dig I *b.n.* continuel, constant, assidu; **II** *bw.* constamment, sans cesse, continuellement.
gesta'digheid *v.* constance *f.*
gestal'te *v.* 1 taille, figure *f.*; ***van hoge —,*** de haute stature; ***een menselijke —,*** une forme humaine; ***de —n van de maan,*** les phases de la lune *f.pl.*; 2 (*gedaante*) silhouette *f.*
gesta'mel *o.* bégaiement *m.*
gestamp' *o.* 1 (*met voeten*) trépignement *m.*; 2 (*v. machine*) trépidation *f.*; 3 (*v. schip*) tangage *m.*; 4 (*bij dans*) talonnade *f.*
gestamp'voet *o.* trépignement *m.*
gestand', ***— doen,*** tenir; ***zijn belofte — doen,*** tenir sa promesse, remplir —.
gesteen' *o.* gémissement *m.*
gesteen'te *o.* 1 (*edel—*) pierrerie(s) *f.*(*pl.*); pierre(s) *f.*(*pl.*) précieuse(s); 2 pierre, roche *f.*
gestel' *o.* 1 (*lichaams—*) constitution *f.*; (*gezondheid*) santé *f.*; 2 (*bouw*) structure, composition *f.*; 3 (*v. machine, werktuig*) châssis *m.*; ***een ijzeren — hebben,*** être bâti à chaux et à sable; ***zwak van —,*** faible de constitution.
gesteld' I *b.n.* posé; ***hoe is het met hem —?*** comment va-t-il? ***het is slecht met hem —,*** il va mal; ***het is daarmee — als met...,*** il en est de cela comme de; ***— zijn op iets,*** aimer qc., tenir à qc.; **II** *vw.* ***— dat,*** supposé que (*met subj.*).
gesteld'heid *v.* 1 état *m.*, condition *f.*; 2 (*v. hart, gemoed*) disposition *f.*; 3 (*lichaam*) constitution *f.*; ***lichamelijke —,*** physique *m.*
gestel'tenis *v.* 1 (*staat, toestand*) état *m.*, situation *f.*; 2 (*gesteldheid*) disposition *f.*
gestemd' *b.n.* 1 (*v. piano*) accordé; 2 (*fig.*) disposé; ***beter —,*** de meilleure humeur; ***gunstig — jegens,*** favorablement disposé à l'égard de; ***de markt was flauw —,*** la tendance du marché était faible.
gesten'cild *b.n.* ronéotypé.
gesternd' *b.n.* étoilé.
gestern'te *o.* 1 (*ster*) astre *m.*; 2 (*sterrenbeeld*) constellation *f.*; ***onder een gelukkig — geboren,*** né sous une bonne étoile.
gesteun' *o.* gémissements *m.pl.*
gesticht' *o.* 1 (*instelling*) institution *f.*, établissement *m.*; 2 (*voor ouden v. dagen, enz.*) hospice *m.*; 3 (*gebouw*) édifice *m.*
gesticule'ren, gestikule'ren *on.w.* gesticuler, faire des gestes.
gestileerd' *b.n.* (*v. tekening*) stylisé.
gestip'peld *b.n.* pointillé.
gestipt' *b.n.* tacheté, moucheté. [*m.pl.*
gestoei' *o.* batifolage *m.*, folâtreries *f.pl.*, ébats
gestoel'te *o.* 1 siège, band *m.* (d'honneur); 2 (*katheder*) chaire *f.*; 3 (*koor—*) stalles *f.pl.*
gestoffeerd' *b.n.* garni, meublé.
gestom'mel *o.* bruit *m.* sourd.
gestoot' *o.* cahotement *m.*, heurts *m.pl.*
gestot'ter *o.* bégaiement, balbutiement *m.*
gestreel' *o.* cajoleries, caresses *f.pl.*
gestreept' *b.n.* 1 rayé; 2 (*als zebra*) zébré; 3 (*v. schelpen*) fascié.
gestrekt' *b.n.* tendu; ***in —e draf,*** au grand trot, — galop; ***—e hoek,*** angle de 180 degrés.
gestreng, *zie* ***streng.***
gestroom'lijnd *b.n.* aérodynamique, caréné.
gestudeerd' *b.n.* qui a fait des études universitaires (*of* supérieures), lettré.
gestut' *b.n.* étayé, appuyé.
gesuf' *o.* assoupissement *m.*; rêvasserie *f.*
gesuis' *o.* bruissement *m.*
gesuk'kel *o.* 1 (*met gezondheid*) état *m.* maladif, indisposition *f.* continuelle; 2 (*v. gang*) allure *f.* lente et pénible; 3 (*moeilijkheden*) difficultés *f.pl.*; ***— met de dienstboden,*** des ennuis de bonne.
getaand' *b.n.* 1 basané, tanné; 2 (*v. roem*) éclipsé.
getab'baard, getab'berd *b.n.* en robe.
getailleerd' *b.n.* à taille, ceintré.
getakt' *b.n.* rameux, ramifié.
getal' *o.* nombre *m.*; ***in groten —e,*** en grand nombre; ***in ronde —len,*** en chiffres ronds; ***ten —e van,*** au nombre de; ***gemengd —,*** nombre hétérogène.
getal'lenreeks *v.*(*m.*) série (*of* suite) *f.* de nombres.
getalm' *o.* lambinerie *f.*, aternoiements *m.pl.*, longueurs *f.pl.*
getal'sterkte *v.* force *f.* numérique.
getand' *b.n.* denté; ***fijn —,*** dentelé.
getapt' *b.n.* 1 (*v. melk*) écrémé; 2 (*v. persoon*) aimé, populaire.
geteem' *o.* accent *m.* traînard.
gete'geld *b.n.* carrelé, revêtu de faïences.
getei'sterd *b.n.* sinistré.
gete'kend *b.n.* marqué; ***wacht u voor de —en,*** méfiez-vous de tout homme marqué (du signe).
getem'perd *b.n.* modéré, tempéré.
Ge'ten *o.* Jauche.
geterg' *o.* vexations *f.pl.*, agacements *m.pl.*
geteut' *o.* lambinerie *f.*, longueurs *f.pl.*
getier' *o.* vacarme, tapage *m.*, clameur(s) *f.*(*pl.*).
getij' *o.* marée *f.*; (*ebbe en vloed*) flux et reflux *m.*; ***het — waarnemen,*** prendre la marée, saisir l'occasion.
getij'bal *m.* (*sch.*) ballon *m.* marégraphe.
getij'de *o.* saison *f.*
getij'den *mv.* (*kath.*) heures *f.pl.*
getij'denboek *o.* (*kath.*) livre *m.* d'heures, bréviaire *m.*
getij'denschaal *v.*(*m.*) échelle *f.* de marée.
getij'gerd *b.n.* tigré.
getij'haven *v.*(*m.*) port *m.* de marée.
getij'rivier *v.*(*m.*) fleuve *m.* à marée.
getij'stroom *m.* courant *m.* des marées.
getij'tafel *v.*(*m.*) annuaire *m.* des marées, indicateur —.
getik' *o.* 1 (petits) coups *m.pl.* secs; 2 (*v. klok*) tic-tac *m.*
getikt' *b.n.* (*fam.*) toqué, fêlé.

getim'mer *o.* 1 charpenterie *f.*; 2 (*gehamer*) martelage *m.*
getim'merte *o.* charpente *f.*; bâtiment *m.*
getin'gel *o.* musiquette *f.*, pianotage *m.*
getin'tel *o.* 1 (*v. licht*) scintillement, étincellement *m.*; 2 (*v. koude*) picotements *m.pl.*; (*v. handen*) onglée *f.*
geti'teld *b.n.* 1 (*v. boek*) intitulé; 2 (*v. persoon*) titré.
getjilp' *o.* pépiement; gazouillement *m.*
getob' *o.* 1 (*zorgen*) soucis *m.pl.*, préoccupations *f.pl.*; 2 (*moeilijkheden*) difficultés *f.pl.*, ennuis *m.pl.*
getoe't(er) *o.* 1 son *m.* du cor, — de la trompette; 2 (*v. auto*) coups *m.pl.* de claxon.
getok'kel *o.* pincement(s) *m.(pl.)* (de la harpe).
getouw' *o.* métier *m.* (de tisserand).
geto'ver *o.* magie *f.*, enchantement *m.*; tours *m.pl.* de passe-passe.
getraind' *b.n.* 1 entraîné; 2 en bonne forme.
getra'lied *b.n.* grillé, grillagé; ***— hek,*** grille.
getrap'pel *o.* 1 trépignement, piétinement *m.*; 2 (*v. paarden*) piaffement *m.*
getrei'ter *o.* agaceries *f.pl.*
getreur' *o.* tristesse *f.* continuelle, — languissante, langueur *f.*
getreu'zel *o.* 1 longueurs *f.pl.*; 2 (*fam.*) lambinerie *f.*
getril' *o.* vibrations *f.pl.*
getrip'pel *o.* trottinement *m.*
getroebleerd, getroubleerd' *b.n.* détraqué; ***— zijn,*** avoir le cerveau dérangé.
getroe'tel *o.* dorloteries *f.pl.*
getrof'fene *m.-v.* sinistré(e) *m.(f.)*.
getrok'ken *b.n.* 1 (*kanon*) rayé; 2 (*buis, draad*) étiré; 3 (*goud*) trait.
getrom'mel *o.* tambourinage *m.*
getroost' *b.n.* rassuré, sans crainte.
getroos'ten, ***zich —,*** *w.w.* se résigner à; ***zich de moeite — om,*** se donner la peine de; ***zich ontberingen —,*** s'imposer des privations; ***zich opofferingen —,*** s'imposer (*of* faire) des sacrifices.
getroubleerd, *zie* ***getroebleerd.***
getrouwd' *b.n.* 1 fidèle; 2 (*knecht, onderdaan*) loyal; 3 (*bezoeker*) assidu.
getrouwd' *b.n.* marié.
getrouw'heid *v.* fidélité; loyauté *f.*
get'to *o.* ghetto *m.*
getuigd' *b.n.* (*sch.*) gréé; (*paard*) harnaché.
getui'ge I *m.-v.* témoin *m.*; ***— zijn van,*** être témoin de, assister à; ***tot — nemen,*** prendre à témoin; **II** *o.* témoignage *m.*; ***van goede —n voorzien,*** muni de bonnes références, — de bons certificats.
getui'gen I *ov.w.* 1 témoigner; 2 (*verklaren*) déclarer, attester; **II** *on.w.* (*recht*) déposer, porter témoignage; ***— van,*** témoigner de, protester de.
getui'genbank *v.(m.)* barre *f.* des témoins.
getui'genbewijs *o.* preuve *f.* testimoniale.
getui'gengeld *o.* allocation *f.* aux témoins.
getui'genis *o. en v.* 1 témoignage *m.*; 2 (*recht*) déposition *f.*; ***op — van,*** sur la foi de.
getui'genverhoor *o.* audition *f.* des témoins.
getuig'schrift *o.* certificat *m.*, attestation *f.*
getuit' *o.* tintement *m.*
getwee'ën *bw.* à (nous, vous, eux, elles) deux.
getwist' *o.* querelles, disputes *f.pl.*
getypt' *b.n.* dactylographié, à la machine.
geul *v.(m.)* 1 (*sch.*) chenal *m.*; 2 (*in hout*) rainure *f.*
geüniformeerd' *b.n.* en uniforme.
geur *m.* 1 odeur *f.*, parfum *m.*; 2 (*v. wijn*) bouquet *m.*; 3 (*v. gebraad*) fumet *m.*; 4 (*v. sigaar*) arome *m.*; ***in —en en kleuren vertellen,*** raconter dans les détails.
geu'ren *on.w.* sentir bon, répandre une odeur agréable; ***— met,*** faire étalage de, faire parade de, être fier de.
geu'rig *b.n.* odorant, odoriférant; aromatique.
geu'righeid *v.* odeur *f.* agréable, parfum *m.*; (*gebraad*) fumet *m.*; (*sigaar*) arome *m.*
geus *m.* 1 gueux *m.*; 2 (*sch.: wimpel*) flamme *f.*
geu'zelambiek *m.* gueuze-lambic *f.*, lambic *m.*, gueuze *f.*
gevaar' *o.* 1 danger *m.*; 2 (*nood*) péril *m.*; 3 (*risico*) risque *m.*; ***dreigend —,*** péril imminent; ***op — af van,*** au risque de, sous peine de; ***zijn leven in — stellen,*** exposer sa vie; ***daar is geen — voor,*** il n'y a pas de danger; ***het gele —,*** le péril jaune.
gevaar'lijk I *b.n.* dangereux, périlleux; **II** *bw.* dangereusement, périlleusement.
gevaar'lijkheid *v.* 1 danger *m.*; 2 péril *m.*; 3 (*v. ziekte*) gravité *f.*
gevaar'loos *b.n.* 1 sans danger; 2 (*v. geneesmiddel*) innocent.
gevaar'te *o.* 1 masse *f.* énorme, colosse *m.*; 2 (*v. steiger*) échafaudage *m.*
gevaar'vol *b.n.* périlleux, très dangereux, plein de dangers.
geval' *o.* 1 (*omstandigheid*) cas *m.*; 2 (*voorval*) événement *m.*; 3 (*geschiedenis, die iem. overkomt*) histoire, aventure *f.*; 4 (*toeval*) hasard *m.*; ***bij —,*** par hasard; ***in 't ergste —,*** au pis aller, au besoin; ***in het onderhavige —,*** en l'espèce, en l'occurrence; ***in uw —,*** si j'étais (que) de vous; ***in — van,*** en cas de; ***in — dat,*** au cas que (*met subj.*).
geval'len *on.w.* arriver, advenir.
geval'lig *b.n.* agréable.
gevan'gen *b.n.* prisonnier, captif; ***— nemen,*** 1 (*gerecht*) arrêter; 2 (*krijgsgevangen*) faire prisonnier; ***— zetten,*** emprisonner; ***zich — geven,*** se constituer prisonnier.
gevan'genbewaarder *m.* geôlier *m.*
gevan'gene *m.* 1 prisonnier; 2 (*in gevangenschap*) captif *m.*; 3 (*in voorlopige bewaring*) détenu *m.*
gevang'enenkamp, *zie* ***gevangenkamp.***
gevan'genhouden *ov.w.* détenir.
gevan'genhouding *v.* détention *f.*
gevan'genis *v.* 1 prison *f.*; 2 (*gevangenhok*) cachot *m.*
gevan'genisstraf *v.(m.)* emprisonnement *m.*; détention *f.*; ***drie jaar —,*** trois ans de prison.
gevan'geniswezen *o.* 1 (*regiem*) régime *m.* pénitentiaire; 2 (*beheer*) administration *f.* pénitentiaire.
gevan'genkamp, gevan'genenkamp *o.* camp *m.* de prisonniers.
gevan'gennemen *ov.w.* 1 (*gerecht*) arrêter; 2 (*mil.*) faire prisonnier.
gevan'genneming *v.* arrestation *f.*
gevan'genrol *v.(m.)* registre *m.* d'écrou.
gevan'genschap *v.* 1 emprisonnement *m.*; 2 (*hechtenis*) détention *f.*; 3 (*slavernij, enz.*) captivité *f.*
gevan'genwagen *m.* voiture *f.* cellulaire.
gevan'genzetten *ov.w.* emprisonner, mettre en prison.
gevan'genzitten *on.w.* être en prison.
gevan'kelijk *bw.* en (*of* comme) prisonnier; ***— wegvoeren,*** emmener (comme) prisonnier.
geva'renklas(se) *v.* catégorie *f.* de risques.
gevat' *b.n.* 1 (*geestig, snedig*) spirituel, vif; 2 (*slagvaardig*) prompt à la riposte, — à la repartie; ***een — antwoord,*** une réponse fine, — pleine d'-àpropos.
gevat'heid *v.* finesse, présence *f.* d'esprit; promptitude *f.* à la riposte; esprit *m.* d'à-propos.
gevecht' *o.* 1 combat *m.*; 2 (*treffen*) rencontre *f.*; 3 (*kloppartij*) rixe *f.*; ***buiten — stellen,*** mettre hors de combat.

gevechts'eenheid *v.* unité *f.* de combat.
gevechts'formatie *v.* formation *f.* de combat.
gevechts'front *o.* front *m.* de bataille.
gevechts'handeling *v.* action *f.* militaire.
gevechts'klaar *b.n.* paré au combat.
gevechts'stelling *v.* position *f.* de combat.
gevechts'vliegtuig *o.* avion *m.* de combat.
gevechts'waarde *v.* valeur *f.* de combat.
gevechts'wagen *m.* tank *m.*
geve'derd *b.n.* emplumé; garni de plumes; ***de —e zangers,*** les chanteurs ailés.
geve'derte *o.* plumage *m.*
geveins' *o.* feintes *f.pl.*
geveinsd' *b.n.* **1** feint, dissimulé; **2** (*schijnheilig*) hypocrite.
geveinsd'heid *v.* feinte, dissimulation; hypocrisie *f.*
ge'vel *m.* **1** façade *f.*; **2** (*punt—*) pignon *m.*
ge'veldak *o.* toit *m.* à pignon.
ge'vellijst *v.(m.)* architrave *f.*
ge'velmuur *m.* côté *m.*
ge'velspits *v.(m.)* pignon *m.*
ge'veltop *m.* crête *f.* de couronnement.
ge'ven I *ov.w.* **1** (*alg.*) donner; **2** (*aanreiken*) passer; **3** (*aanbieden*) présenter, offrir; ***aalmoezen —,*** faire l'aumône; ***ten geschenke —,*** faire cadeau de; ***de hand —,*** serrer la main; ***in het licht —,*** publier; ***een stoel —,*** avancer (*of* donner) une chaise; ***kennis — van iets,*** annoncer qc.; ***een paard de sporen —,*** piquer des deux; ***aanleiding — tot,*** donner lieu à; ***de geest —,*** rendre l'âme; ***rekenschap — van,*** rendre compte de; ***te verstaan —,*** faire comprendre; ***niets — om,*** faire peu de cas de; ***dat geeft niets,*** cela ne fait rien; ***hij geeft er niets om,*** il ne s'en soucie pas; (*fam.*) il s'en fiche; ***wat geeft het?*** à quoi bon?, à quoi sert-il (de); **II** *on.w.* donner; ***wie moet —?*** à qui la donne? ***verkeerd —,*** faire fausse donne; ***opnieuw —,*** redonner; ***— en nemen,*** en prendre et en laisser; ***eens gegeven blijft gegeven,*** donner et retenir ne vaut; ***iem. er van langs —,*** donner son paquet à qn., en donner à qn.; **III** *w.w.* ***zich —,*** se donner, se confier (à qn.); ***zich niet —,*** ne pas être expansif; ***zich gevangen —,*** se constituer prisonnier; ***zich gewonnen —,*** se déclarer vaincu; ***zich — zoals men is,*** être franc (comme l'or).
ge'vensgezind *b.n.* libéral, large, généreux.
ge'ver *m.* donateur, donneur *m.*
gevest' *o.* garde, poignée *f.*
geves'tigd *b.n.* **1** établi; **2** (*woonachtig*) résidant, domicilié; ***een —e positie,*** une position assise, — toute faite; ***—e schuld,*** dette consolidée.
gevierd' *b.n.* célèbre.
gevind' *b.n.* **1** (*Dk.*) à nageoires, muni de nageoires; **2** (*Pl.*) penné.
gevin'gerd *b.n.* **1** qui a des doigts; **2** (*Pl.*) digité; **3** (*Dk.*) dactylé.
gevit' *o.* chicanes, critiques, vétilleries *f.pl.*
gevlamd' *b.n.* **1** (*v. hout*) veiné; **2** (*v. weefsel*) moiré, ondé; **3** (*v. metaal*) damasquiné; **4** (*v. aardewerk*) flammé.
gevleesd' *b.n.* charnu.
gevlei' *o.* flatterie(s), cajolerie(s) *f.(pl.).*
gevlekt' *b.n.* **1** tacheté, moucheté; **2** (*v. diamant*) piqué.
gevleu'geld *b.n.* ailé.
gevlij' *o.* ***iem. in 't — komen,*** complaire à qn., gagner les bonnes grâces de qn.
gevloek' *o.* **1** jurements, jurons *m.pl.*; **2** (*verwensingen*) imprécations *f.pl.*
gevoeg'lijk *bw.* convenablement, sans (aucun) inconvénient.
gevoeg'lijkheid *v.* convenance *f.*
gevoel' *o.* **1** (*zintuig*) toucher, tact *m.*; **2** (*gewaarwording*) sensation *f.*; **3** (*zielsaandoening*) sentiment *m.*; **4** (*bewustzijn*) conscience *f.*; ***op het — (af),*** au toucher, à tâtons; ***deze stof is ruw op het —,*** cette étoffe est rude au toucher; ***— hebben voor het schone,*** avoir le sentiment du beau; ***met —,*** avec sentiment, avec âme; ***met — zingen,*** mettre de l'âme dans son chant.
gevoe'len I *ov.w.* **1** sentir; **2** (*iets onaangenaams*) ressentir; **3** (*ondervinden*) éprouver; **4** (*begrijpen*) comprendre, concevoir; ***zich niet wel —,*** se sentir mal; **II** *z.n., o.* **1** sentiment, mouvement de l'âme; **2** (*mening*) avis *m.*, opinion *f.*; **3** (*gezindheid*) sentiment *m.*
gevoe'lig I *b.n.* **1** sensible; **2** (*lichtgeraakt*) susceptible; **3** (*v. pijn*) vif; **4** (*v. balans, toestel*) sensible; **5** (*v. auto*) nerveux; ***— zijn voor,*** être sensible à; ***een —e slag,*** un rude coup; ***een —e les,*** une bonne leçon; ***een — verlies,*** une perte sensible; **II** *bw.* **1** sensiblement; **2** d'une manière touchante.
gevoe'ligheid *v.* **1** sensibilité *f.*; **2** (*lichtgeraaktheid*) susceptibilité *f.*; ***overdreven —,*** sensiblerie *f.*; ***de — van iem. ontzien,*** ménager les susceptibilités de qn.
gevoel'loos I *b.n.* **1** (*ongevoelig*) insensible; **2** (*gelaat: onbewogen*) impassible; **3** (*levenloos*) inerte, froid; **4** (*hardvochtig*) dur; **5** (*gen.*) anesthésique; ***— maken,*** anesthésier, insensibiliser; **II** *bw.* impassiblement.
gevoel'loosheid *v.* insensibilité *f.*; impassibilité *f.*; inertie, froideur *f.*; dureté *f.*; anesthésie *f.*
gevoels'argument *o.* argument *m.* qui fait appel au sentiment, — à la sensibilité.
gevoels'leven *o.* vie *f.* affective, — émotive.
gevoels'mens *m.* sensitif, émotif *m.*
gevoels'overweging *v.* considération *f.* sentimentale.
gevoels'prikkel *m.* stimulant *m.*
gevoels'waarde *v.* (*v. woorden, enz.*) valeur *f.* affective, — émotive.
gevoels'zenuw *v.(m.)* nerf *m.* sensoriel.
gevoels'zin *m.* (sens du) toucher; tact *m.*
gevoel'vol I *b.n.* **1** sensible; **2** (*vol uitdrukking*) expressif, plein de sentiment; **3** (*v. woorden*) chaleureux, ému; **II** *bw.* avec sentiment.
gevoerd' *b.n.* doublé (de).
gevo'gelte *o.* **1** (*alle vogels*) oiseaux *m.pl.*; **2** (*eetbaar*) volaille *f.*
gevolg' *o.* **1** (*v. daad*) suite, conséquence *f.*; **2** (*geleide, stoet*) suite *f.*, cortège *m.*; **3** (*uit wisk. stelling*) corollaire *m.*; **4** (*uitslag*) résultat *m.*; ***met goed —,*** avec succès; ***met goed — bekroond,*** couronné de succès; ***— geven aan,*** **1** (*uitnodiging*) accepter, répondre à, se rendre à; **2** (*plan*) donner suite à, exécuter; ***aan een zaak geen — geven,*** (*recht*) ne pas poursuivre une affaire; ***bij —,*** par conséquent; ***ten —e van,*** par suite de.
gevolg'aanduidend *b.n.* (*gram.*) consécutif.
gevolg'lijk *bw.* conséquemment, par conséquent.
gevolg'trekking *v.* **1** (*besluit*) conclusion *f.*; **2** (*afleiding*) déduction, inférence *f.*; ***een — maken,*** tirer une conclusion.
gevolmach'tigd *b.n.* **1** (*minister*) plénipotentiaire; **2** (*ambtenaar*) délégué.
gevolmach'tigde *m.* **1** (*H.*) fondé de pouvoirs *m.*; **2** (*vertegenwoordiger*) agent, représentant *m.*; **3** (*minister*) plénipotentiaire *m.*
gevor'derd *b.n.* **1** avancé; **2** réquisitionné.
gevorkt' *b.n.* fourchu, bifurqué.
gevraag' *o.* questions, demandes *f.pl.* (continuelles).

gevreesd' *b.n.* redouté; ***zich — maken,*** se faire craindre, se rendre redoutable. [fourré.

gevuld' *b.n.* **1** rempli, plein; **2** (*bonbons, gebak, enz.*)

gewaad' *o.* vêtement, habit, costume *m.*

gewaagd' *b.n.* **1** risqué, hasardeux; **2** (*gevaarlijk*) dangereux; ***een — antwoord,*** une réponse hardie; ***een —e stelling,*** une thèse aventurée; ***een — toilet,*** une toilette osée; ***een —e uitdrukking,*** une expression hasardée; ***zij zijn aan elkaar —,*** ils se valent, ils n'ont rien à se reprocher.

gewaagd'heid *v.* caractère *m.* hasardeux, — risqué, — aventuré.

gewaand' *b.n.* prétendu, soi-disant.

gewaar'worden *ov.w.* **1** apercevoir, remarquer; **2** (*fig.*) s'apercevoir; **3** (*wijsb.*) percevoir.

gewaar'wording *v.* **1** (*daad*) perception *f.*; **2** (*gevoel*) sensation *f.*; sentiment *m.*

gewag' *o.* mention *f.*; ***— maken van,*** faire mention de.

gewa'gen *ov.w.* mentionner, faire mention de.

gewag'gel *o.* chancellement *m.*, vacillation *f.*

gewalst' *b.n.* laminé.

gewa'pend *b.n.* armé; ***— beton,*** béton *m.* armé, ferrociment *m.*

gewa'penderhand *bw.* à main armée, manu militari.

gewap'per *o.* flottement *m.*

gewar'rel *o.* tourbillonnement *m.*

gewas' *o.* **1** (*plant*) plante *f.*; **2** (*uit plantenrijk*) végétal *m.*; **3** (*v. oogst*) récolte *f.*; **4** (*v. wijn*) cru *m.*; **4** (*uitwas*) excroissance *f.*

gewast' *b.n.* ciré.

gewa'terd *b.n.* **1** (*v. stof*) moiré, ondé; **2** (*v. haar*) ondulé.

gewatteerd' *b.n.* ouaté, capitonné. [*f.pl.*

gewau'wel *o.* bavardage, caquetage *m.*, balivernes

gewee'klaag *o.* lamentations *f.pl.*

geween' *o.* pleurs *m.pl.*, larmes *f.pl.*

geweer' *o.* fusil *m.*; ***in 't —!*** aux armes! ***in 't — komen,*** prendre les armes; ***met de bajonet op 't —,*** baïonnette au canon; ***het — gaat af,*** le coup part. [re *f.* —.

geweer'fabriek *v.* fabrique *f.* d'armes, manufactu-

geweer'grendel *m.* platine *f.*

geweer'kogel *m.* balle *f.* (de fusil).

geweer'kolf *v.*(*m.*) crosse *f.* de fusil.

geweer'lade *v.*(*m.*) fût *m.*

geweer'loop *m.* canon *m.* de fusil.

geweer'maker *m.* armurier *m.*

geweer'patroon *v.*(*m.*) cartouche *f.* (de fusil).

geweer'rek *o.* râtelier *m.* (d'armes), porte-fusils *m.*

geweer'riem *m.* bretelle *f.*

geweer'schot *o.* coup *m.* de fusil; ***op — afstand,*** à portée de fusil.

geweer'slot *o.* platine *f.*

geweer'vuur *o.* fusillade *f.*

gewei' *o.* bois *m.*, ramure *f.*, les bois *m.pl.*

gewei'fel *o.* hésitations *f.pl.*

geweld' *o.* **1** (*kracht*) force *f.*; **2** (*dwang*) violence, force *f.*; **3** (*lawaai*) tapage, vacarme, bruit *m.*; ***met —,*** de (vive) force; ***met alle —,*** à toute force, à tout prix, absolument; ***— plegen,*** user de force, — de violence; ***de waarheid — aandoen,*** faire violence à la vérité.

geweld'daad *v.*(*m.*) acte *m.* de violence.

geweldda'dig **I** *b.n.* violent; **II** *bw.* violemment, de force.

geweldda'digheid *v.* violence *f.*

gewel'denaar *m.* tyran, despote *m.*

geweldenarij' *v.* tyrannie, violence *f.*

gewel'dig **I** *b.n.* **1** (*hevig*) violent; **2** (*machtig*) puissant; **3** (*heftig*) violent, furieux; **4** (*zeer groot*) énorme; **5** (*vreselijk*) terrible; **II** *bw.* **1** violemment; **2** énormément; **3** terriblement.

geweld'maker *m.* tapageur *m.*

geweld'pleging *v.* **1** violence, brutalité *f.*; **2** (*recht*) voies *f.pl.* de fait; ***diefstal met —,*** vol à main armée.

gewelf' *o.* **1** voûte *f.*; **2** (*onderaards*) souterrain *m.*; **3** (*grafkelder*) crypte *f.*

gewelf'boog *m.* voussure *f.*, cintre *m.*

gewelfd' *b.n.* **1** voûté; **2** (*gebogen: wenkbrauwen, enz.*) arqué.

gewe'mel *o.* fourmillement, grouillement *m.*

gewend' *b.n.* habitué (à), accoutumé (à); ***hij is het goed —,*** il a toujours vécu largement, il est habitué au confort.

gewen'nen **I** *ov.w.* **1** accoutumer, habituer; **2** (*dieren*) apprivoiser; (*paard*) accoutumer **II** *on.w.* s'habituer; ***in de stad —,*** s'habituer en ville; **III** *w.w.* s'habituer, s'accoutumer; (*zich vertrouwd maken met*) se familiariser avec.

gewenst' *b.n.* **1** désiré, voulu; **2** (*wenselijk*) désirable.

gewenst'heid *v.* désirabilité *f.*

gewer'veld *b.n.* vertébré; ***de —e dieren,*** les vertébrés *m.pl.*

gewest' *o.* **1** région, contrée *f.*; **2** (*provincie*) province *f.*; ***de Vlaamse —en,*** les provinces flamandes; ***naar betere —en vertrokken,*** parti pour un monde meilleur.

gewes'telijk *b.n.* **1** régional; **2** provincial; ***een — woord,*** un mot dialectal.

gewest'spraak *v.*(*m.*) dialecte *m.*

gewe'ten *o.* conscience *f.*; ***een gerust (zuiver) — hebben,*** avoir la conscience nette; ***een ruim — hebben,*** avoir une conscience de caoutchouc; ***een slecht — hebben,*** avoir mauvaise conscience; ***om zijn — gerust te stellen,*** par acquit de conscience. [scrupule.

gewe'tenloos *b.n. en bw.* sans conscience, sans

gewe'tenloosheid *v.* manque *m.* de conscience.

gewe'tensangst *m.* remords *m.*(*pl.*), angoisse *f.*, scrupule *m.*

gewe'tensbezwaar *o.* scrupule *m.* [science.

gewe'tensbezwaarde *m.* objecteur *m.* de con-

gewe'tensdwang *m.* contrainte *f.* morale.

gewe'tensgeld *o.* restitution *f.* anonyme.

gewe'tensonderzoek *o.* examen *m.* de conscience.

gewe'tensvol *b.n.* consciencieux.

gewe'tensvraag *v.*(*m.*) cas *m.* de conscience.

gewe'tensvrijheid *v.* liberté *f.* de conscience.

gewe'tenswroeging *v.* remords *m.*(*pl.*).

gewe'tenszaak *v.*(*m.*) cas *m.* de conscience.

gewet'tigd *b.n.* **1** (*gerechtvaardigd*) justifié; **2** (*toegestaan*) autorisé, légitime.

gewe'ven *b.n.* tissu.

gewe'zen *b.n.* **1** ancien; **2** (*ong.*) ex—.

gewicht' *o.* **1** (*zwaarte*) poids *m.*; **2** (*door aantrekkingskracht*) pesanteur *f.*; **3** (*belang*) importance *f.*; **4** (*last*) fardeau *m.*; ***hij is zijn — in goud waard,*** il vaut son pesant d'or; ***— in de schaal leggen,*** peser de qq. poids dans la balance; ***een man van —,*** un homme d'importance, — d'autorité; ***het soortelijk —,*** le poids spécifique; ***de maten en —en,*** les poids et mesures.

gewich'tig **I** *b.n.* grave; important, considérable; **II** *bw.* d'un air d'importance; ***— kijken,*** prendre un air grave; ***— doen,*** faire l'important.

gewich'tigdoenerij *v.* épate *f.*

gewich'tigheid *v.* gravité, importance *f.*

gewicht'loosheid *v.* absence *f.* de pesanteur, apesanteur *f.*

gewichts'eenheid *v.* unité *f.* de poids.

gewichts'toename *v.* augmentation *f.* pondérale.

gewichts'verlies *o.* **1** perte *f.* de poids; **2** (*verdwijnen*) absence *f.* de pesanteur.

gewie'bel *o.* balancement *m.*

gewie'g(el) *o.* bercement, balancement *m.*

gewiekst' *b.n.* fin, rusé, matois, avisé.

gewiekst'heid *v.* roublardise *f.*

gewiekt' *b.n.* ailé.

gewie'mel *o.* grouillement *m.*

gewijd' *b.n.* consacré; ***in —e aarde begraven,*** enterrer en terre sainte; ***een —e band,*** un lien sacré; ***de —e boeken,*** les livres saints; ***— water,*** eau bénite; ***—e kaars,*** cierge bénit; ***—e muziek,*** musique religieuse.

gewijs'de *o.* chose *f.* jugée; ***in kracht van — gaan,*** passer en force de chose jugée.

gewij'zigd *b.n.* modifié.

gewild' *b.n.* **1** (*H.*) demandé, recherché, de bonne vente; **2** (*persoon, gezelschap*) recherché, goûté; **3** (*fig.: gemaakt, voorgewend*) étudié, factice.

gewil'lig I *b.n.* docile, prompt; **II** *bw.* docilement, volontiers, de bonne volonté.

gewil'ligheid *v.* docilité *f.*; bonne volonté *f.*

gewin' *o.* gain, profit *m.*

gewin'ziek *b.n.* avide de gain, âpre au gain, intéressé.

gewin'zucht *v.(m.)* avidité du gain, cupidité *f.*

gewis I *b.n.* sûr, certain; **II** *bw.* certainement, sûrement, pour sûr.

gewis'heid *v.* certitude *f.*

gewoe'ker *o.* usure *f.*, exactions *f.pl.* usuraires.

gewoel' *o.* **1** agitation *f.*; **2** (*v. menigte*) cohue *f.*

gewolkt' *b.n.* nuageux, couvert de nuages.

gewon'de *m.-v.* blessé *m.*, blessée *f.*

gewon'nen *b.n.* gagné; ***zich — geven,*** se rendre, donner gain de cause.

gewoon' I *b.n.* **1** (*gewend*) habitué (à), accoutumé (à); **2** (*v. dier, plant*) commun; **3** (*niet bijzonder*) ordinaire; commun; ***het gewone leven,*** la vie de tous les jours; **II** *bw.* comme à l'ordinaire.

gewoon'heid *v.* **1** habitude *f.*; **2** (*alledaagsheid*) vulgarité *f.*; **3** (*middelmatigheid*) médiocrité *f.*

gewoon'lijk *bw.* ordinairement, d'ordinaire, généralement, en général, d'habitude; ***zoals —,*** comme d'habitude.

gewoon'te *v.* **1** habitude, coutume *f.*; **2** (*gebruik*) usage *m.*, coutume *f.*; ***de zeden en —n,*** les us et coutumes; ***dat is mijn — niet,*** ce n'est pas dans mes habitudes; ***tegen zijn —,*** contre son ordinaire; ***uit —,*** par habitude; ***ouder —,*** comme d'habitude; ***dat is hier zo de —,*** c'est l'usage.

gewoon'terecht *o.* droit *m.* coutumier.

gewoon'weg *bw.* tout bonnement, tout simplement.

gewor'den *on.w.* parvenir (à); ***uw brief is mij —,*** j'ai reçu votre lettre; ***doen —,*** faire parvenir, envoyer; ***iem. laten —,*** laisser faire qn.

gewor'teld *b.n.* enraciné.

gewricht' *o.* articulation, jointure *f.*

gewrichts'holte *v.* cavité *f.* articulaire.

gewrichts'knobbel *m.* condyle *m.*

gewrichts'ontsteking *v.* arthrite *f.*

gewrichts'pijn *v.(m.)* arthralgie *f.*

gewrichts'reumatiek *v.* rhumatisme *m.* articulaire.

gewrichts'verbinding *v.* articulation *f.*

gewrichts'ziekte *v.* maladie *f.* articulaire.

gewrie'mel *o.* fourmillement *m.*

gewrijf' *o.* **1** frottement *m.*; **2** (*fig.*) discussions *f.pl.*

gewrocht' *o.* produit *m.*, œuvre, création *f.*

gewroet' *o.* fouilles *f.pl.* continuelles; (*fig.*) intrigues, menées *f.pl.*

gewron'gen *b.n.* **1** (*niet vrijmoedig*) feint, voulu; **2** (*gezocht, onnatuurlijk*) recherché, artificiel; ***— stijl,*** style tourmenté.

gewuif' *o.* signes *m.pl.* (de la main).

gezaag' *o.* **1** bruit *m.* de scie; **2** (*muz.*) raclerie *f.*

gezaagd' *b.n.* **1** scié; **2** (*getand*) denté, en scie; **3** (*Pl.*)ronciné, denté.

gezaai'de *o.* semailles *f.pl.*

gezag' *o.* **1** autorité *f.*; **2** (*macht*) puissance *f.*, pouvoir *m.*; ***het — uitoefenen,*** exercer le pouvoir; ***— voeren over,*** commander; ***op — van,*** sur la foi de; ***op eigen —,*** de sa propre autorité, de son propre chef; ***op een toon van —,*** d'un ton autoritaire.

gezag'hebbend *b.n.* **1** (*ambtenaar*) pourvu d'autorité; **2** (*schrijver*) qui fait autorité; ***— persoon,*** autorité *f.*

gezag'hebber *m.* chef, directeur *m.*; autorité *f.*

gezag'voerder *m.* **1** capitaine *m.*; **2** (*bij koopvaardij*) commandant *m.*

gezakt' *b.n.* **1** (*in zakken*) mis en sacs; **2** (*mislukt, afgewezen*) échoué; ***gepakt en — zijn,*** être prêt à partir; ***hij is —,*** il a échoué, il a été refusé.

gezalf'de *m.* oint *m.*

geza'menlijk I *b.n.* tout, entier, complet; collectif; ***een —e nota,*** une note collective; (*H.*) ***voor —e rekening,*** de compte à demi, à frais communs; ***de —e werken,*** les œuvres complètes; **II** *bw.* ensemble; (*in korps*) en corps.

gezang' *o.* **1** chant *m.*; **2** (*kerkzang*) cantique *m.*; **3** (*liedje*) chanson *f.*; **4** hymne *m.*

gezang'boek *o.* livre *m.* de cantiques.

geza'nik *o.* rabâchage *m.*, scie *f.*, embêtements *m.pl.*

gezant' *m.* **1** (*v. grote mogendheid*) ambassadeur *m.*; **2** (*v. kleinere landen*) ministre *m.* (plénipotentiaire); **3** (*buitengewoon —*) envoyé *m.* extraordinaire; **4** (*pauselijk —*) **a.** (*bij regering*) nonce *m.*; **b.** (*tijdelijk, bij congres, enz.*) légat *m.*

gezant'schap *o.* **1** ambassade *f.*; **2** légation *f.*; **3** (*pauselijk —*) légation, nonciature *f.*

gezant'schapsraad *m.* conseiller *m.* d'ambassade.

gezant'schapssecretaris, -sekretaris *m.* secrétaire *m.* d'ambassade (de légation).

geza'pigheid *v.* bonhommie *f.*

gezegd' *b.n.* **1** dit; **2** (*voornoemd*) susdit, ledit; ***eigenlijk —,*** proprement dit; ***onder ons —,*** soit dit entre nous.

gezeg'de *o.* **1** (*wat men zegt*) dires *m.pl.*, paroles *f.pl.*; **2** (*zegswijze, spreuk*) dicton *m.*; **3** (*uitdrukking*) locution, expression *f.*; **4** (*taalk.*) prédicat; attribut *m.*; ***een geestig —,*** un bon mot, un mot d'esprit; ***een hatelijk —,*** un trait piquant.

geze'geld *b.n.* **1** (*verzegeld*) scellé; **2** (*toegelakt*) cacheté; **3** (*papier*) timbré.

geze'gend *b.n.* **1** béni; **2** (*gelukkig*) heureux; ***in —e omstandigheden,*** dans un état intéressant.

gezeg'gen *ov.w.* persuader; ***zich laten —,*** se laisser persuader, entendre raison.

gezeg'lijk *b.n.* docile, traitable, obéissant, soumis.

gezeg'lijkheid *v.* docilité, obéissance, soumission *f.*

gezel' *m.* **1** (*makker*) compagnon, camarade *m.*; **2** (*knecht*) garçon, ouvrier *m.*

gezel'lig I *b.n.* **1** (*intiem*) intime; **2** (*v. mens, dier*) sociable; **3** (*leven, verkeer*) sociable, social; **4** (*gerieflijk, aangenaam*) confortable, agréable; ***een — avondje,*** une soirée amusante; ***een — feest,*** une fête intime; ***een — hoekje,*** un coin accueillant; ***een — prater,*** un charmant causeur; **II** *bw.* intimement, confortablement; ***wij zitten hier —,*** nous sommes bien ici.

gezel'ligheid *v.* **1** intimité *f.*; **2** sociabilité *f.*; **3** confort *m.*; **4** charme *m.*

gezellin' *v.* compagne *f.*
gezel'schap *o.* **1** compagnie *f.*; **2** (*vereniging*) compagnie, société *f.*; **3** (*toneelspelers*) troupe *f.*; ***besloten —,*** cercle, club *m.*; ***juffrouw van —,*** dame (*of* demoiselle) de compagnie; ***iem. — houden,*** tenir (*of* faire) compagnie à qn.
gezel'schapsbiljet *o.* billet *m.* collectif, — de groupe.
gezel'schapsdame *v.* dame *f.* de compagnie.
gezel'schapsjuffrouw *v.* demoiselle *f.* de compagnie.
gezel'schapskaart *v.(m.)* billet *m.* collectif.
gezel'schapsreis *v.(m.)* voyage *m.* en société, — collectif.
gezel'schapsspel *o.* jeu *m.* de société.
gezet' *b.n.* **1** (*zwaarlijvig*) corpulent, ramassé; **2** (*bepaald, vastgesteld*) fixe, déterminé; **3** (*bezadigd*) posé, grave; ***op —te tijden,*** à temps fixes, à des époques déterminées; ***van —te leeftijd,*** d'âge mûr; ***— worden,*** prendre de l'embonpoint.
geze'ten *b.n.* (*fig.: gegoed*) aisé; ***een — burger,*** un bourgeois aisé, — cossu.
gezet'heid *v.* corpulence *f.*, embonpoint *m.*
gezeur' *o.* **1** bruit *m.* monotone; **2** (*fig.: gezanik*) rabâchage *m.*, scie *f.*, embêtements *m.pl.*; **3** (*bedrog in 't spel*) (*Z.N.*) tricherie *f.*
gezicht' *o.* **1** (*zintuig*) vue *f.*; **2** (*aangezicht*) visage *m.*, face, figure *f.*; **3** (*gelaatsuitdrukking*) mine *f.*, air *m.*; **4** (*droom—*) vision, apparition *f.*; **5** (*aanblik*) vue *f.*, aspect *m.*; ***—en trekken,*** faire des grimaces; ***iem. in zijn — uitlachen,*** rire au nez de qn.; ***in het — zeggen,*** dire en face; ***zijn — wassen,*** se débarbouiller; ***op het — van,*** à la vue de; ***op het eerste —,*** à (la) première vue; ***uit het — verliezen,*** perdre de vue; ***kort van — zijn,*** avoir la vue basse.
gezichts'bedrog *o.* illusion *f.* d'optique.
gezichts'einder *m.* horizon *m.*
gezichts'hoek *m.* angle *m.* visuel.
gezichts'kring *m.* horizon *m.*
gezichts'lijn *v.(m.)* ligne *f.* visuelle.
gezichts'orgaan *o.* organe *m.* de la vue.
gezichts'punt *o.* point *m.* de vue.
gezichts'scherpte *v.* acuité *f.* visuelle.
gezichts'stoornis *v.* trouble *m.* de la vision.
gezichts'straal *m.* rayon *m.* visuel.
gezichts'veld *o.* champ *m.* visuel.
gezichts'vermogen *o.* faculté visuelle, vue *f.*
gezichts'zenuw *v.(m.)* nerf *m.* optique.
gezichts'zwakte *v.* faiblesse *f.* de la vision.
gezien' **I** *b.n.* **1** vu; **2** (*geacht*) estimé, considéré; **3** (*— bij het volk*) populaire; ***niet —,*** mal vu, impopulaire; ***voor — tekenen,*** apposer son visa à; **II** *vw.* vu, en présence de.
gezin' *o.* famille *f.*; ***de grote —nen,*** les familles nombreuses.
gezind' *b.n.* ***hij is u goed —,*** il vous veut du bien; ***hij is u vijandig —,*** il est mal disposé (*of* intentionné) à votre égard; ***hij is anders — dan zijn vader,*** il a d'autres opinions que son père.
gezind'heid *v.* **1** (*stemming*) disposition *f.*, état *m.* d'âme; **2** (*geneigdheid*) inclination *f.*; **3** (*denkwijze, geloof*) croyance, religion *f.*; ***zijn politieke —,*** ses opinions politiques.
gezind'te *v.* **1** (*kerkgenootschap*) communauté *f.* religieuse; **2** (*sekte*) confession, secte *f.*
gezins'hoofd *o.* **1** (*alg.*) chef *m.* de famille; **2** (*bepaald*) chef *m.* de la famille.
gezins'lasten *mv.* charges *f.pl.* familiales.
gezins'leven *o.* vie *f.* de famille.
gezins'loon *o.* salaire *m.* familial.
gezins'opvoeding *v.* éducation *f.* familiale.
gezins'toeslag *v.* allocation *f.* familiale.
gezins'verbruik *o.* consommation *f.* familiale.
gezins'vergoeding *v.* allocation *f.* familiale.
gezins'vermeerdering *v.* accroissement *m.* de la famille.
gezins'verpleging *v.* (*voor geesteszieken*) régime *m.* familial.
gezins'verzorgster *v.* aide *f.* familiale.
gezins'voogd *m.* tuteur *m.* familial.
gezins'zorg *v.(m.)* service *m.* social familial.
gezocht' **I** *b.n.* **1** (*H.*) demandé, recherché, en vogue; **2** (*gekunsteld, onnatuurlijk*) recherché, affecté, étudié; **II** *bw.* avec affectation.
gezocht'heid *v.* recherche *f.*; affectation *f.*
gezoek' *o.* recherches *f.pl.*
gezoem' *o.* **1** (*v. bij*) bourdonnement *m.*; **2** (*v. motor*) vrombissement *m.*
gezoen' *o.* embrassades *f.pl.*
gezond' **I** *b.n.* **1** (*niet ziek*) bien portant, en bonne santé; **2** (*de gezondheid bevorderend*) salubre, sain; **3** (*heilzaam*) salutaire; **4** (*v. geest, denkbeeld, enz.*) sain; ***— en wel,*** sain et sauf; ***hij heeft een — gestel,*** il est de bonne constitution; ***een —e maag,*** un bon estomac; ***— verstand,*** du bon sens; ***hij is zo — als een vis,*** il se porte comme un charme; ***er — uitzien,*** avoir bonne mine; ***de zaak is —,*** l'affaire est en règle; **II** *bw.* sainement.
gezond'heid *v.* **1** santé *f.*; **2** (*v. plaats*) salubrité *f.*; ***officier van —,*** médecin militaire, médecin*-major*; ***de openbare —,*** l'hygiène publique; ***verlof tot herstel van —,*** congé *m.* de convalescence.
gezond'heidsattest *o.* certificat *m.* de santé.
gezond'heidscommissie, -kommissie *v.* conseil *m.* d'hygiène, commission *f.* sanitaire.
gezond'heidsleer *v.(m.)* hygiène *f.*
gezond'heidsmaatregel *m.* mesure *f.* d'hygiène.
gezond'heidspas *m.* (*sch.*) patente *f.* de santé; ***schone —,*** — nette, — sans réserves; ***vuile —,*** — avec réserves.
gezond'heidsredenen *mv.* ***om —,*** pour raisons de santé.
gezond'heidstoestand *m.* **1** (*v. persoon*) (état *m.* de) santé *f.*; **2** (*v. stad, land, enz.*) état *m.* (*of* condition *f.*) sanitaire.
gezond'heidszorg *v.(m.)* organisation *f.* sanitaire, hygiène *f.* sociale.
gezond'making *v.* **1** (*v. zieke*) guérison *f.*; **2** (*v. toestand*) assainissement *m.*
gezou'ten *b.n.* **1** salé; **2** (*fig.*) salé, raide.
gezucht' *o.* gémissements, soupirs *m.pl.*
gezus'ters *mv.* sœurs *f.pl.*; (*H.*) ***— Latour,*** Latour sœurs.
gezwam' *o.* bagou *m.*, jactance *f.*
gezwe'gen, (*nog*) ***— van,*** sans parler de.
gezwel' *o.* **1** enflure *f.*; **2** (*gen.*) tumeur *f.*; **3** (*vlezig —*) carnosité *f.*; ***kwaadaardig —,*** tumeur maligne.
gezwelg' *o.* débauche *f.*
gezwen'del *o.* filouterie(s), escroquerie(s) *f.(pl.)*.
gezwerf' *o.* vagabondage(s) *m.(pl.)*.
gezwerm' *o.* **1** (*v. bijen*) essaimage *m.*; **2** (*v. vogels*) vol *m.* inquiet; **3** (*v. mensen*) va-et-vient *m.*
gezwets' *o.* blague *f.*, hâblerie(s), fanfaronnade(s) *f.(pl.)*.
gezwier' *o.* **1** zigzags *m.pl.*, marche *f.* en zigzag; **2** (*fig.*) débauche *f.*
gezwind' **I** *b.n.* agile, alerte, prompt; **II** *bw.* vite rapidement, promptement.
gezwind'heid *v.* **1** (*vlugheid, lenigheid*) agilité; **2** (*snelheid*) rapidité, promptitude *f.*
gezwoeg' *o.* labeur *m.*
gezwol'len *b.n.* **1** enflé; **2** (*opgezet*) gonflé; **3** (*bol*) bouffi; **4** (*fig.*) boursouflé, enflé; **5** (*v. rivier*) grossi (par les eaux).

gezwol'lenheid *v.* 1 enflure *f.*; gonflement *m.*; 2 (*fig.*) boursouflure, enflure *f.* [mortel.
gezwo'ren *b.n.* 1 assermenté, juré; 2 (*v. vijand*)
gezwo'rene *m.* juré *m.*; ***de —n,*** le jury; ***de rechtbank van —n,*** la cour d'assises.
Gha'na *o.* Ghana *m.*
Ghanees' *b.n* ghanéen.
Gi'deon *m.* Gédéon *m.*
gids *m.* 1 (*wegwijzer*) guide *m.*; 2 (*geleider*) guide, conducteur *m.*; 3 (*spoorweg—*) indicateur *m.*
gie'chelen *on.w.* rire tout bas, rire sous cape, rioter. [yole *f.*
giek *m.* (*sch.*) 1 (*v. zeil*) gui *m.*; 2 (*boot*) skiff *m.*,
gier I *m.* 1 (*Dk.*) vautour *m.*; 2 (*zwaai*) virement *m.*; 3 (*gil*) cri *m.* perçant; **II** *v.*(*m.*) 1 (*spoeling*) lavure *f.*; 2 (*aalt*) purin *m.*
gier'brug *v.*(*m.*) pont *m.* volant.
gie'ren I *on.w.* 1 (*schreeuwen*) crier, jeter des cris perçants; 2 (*v. wind*) siffler, mugir, hurler; 3 (*schip, auto*) embarder, faire une embardée; 4 (*v. kogels*) siffler; ***'t is om te —,*** c'est à mourir de rire, c'est tordant; **II** *ov.w* fumer au purin.
gie'rig *b.n.* avare, avaricieux.
gie'rigaard *m.* avare *m.*
gie'righeid *v.* avarice *f.*
gier'pont *v.*(*m.*) traille *f.*
gier'put *m.* fosse *f.* à purin.
gierst *v.*(*m.*) mil, millet *m.* [grain *m.* d'orge.
gierst'korrel *m.* 1 grain *m.* de millet; 2 (*gen.*)
gier'valk *m. en v.* gerfaut *m.*
gier'zwaluw *v.*(*m.*) martinet *m.*
giet'beton *o.* béton *m.* moulé.
giet'bui *v.*(*m.*) ondée *f.*
gie'teling *m.* (*techn.*) gueuse *f.*
gie'ten I *ov.w.* 1 (*schenken*) verser; 2 (*begieten*) arroser; 3 (*v. metaal*) fondre; (*beeld*) jeter en moule; (*kaars*) mouler; (*spiegel*) couler; ***ijzer —,*** couler la fonte; ***gegoten ijzer,*** fonte *f.*; ***olie in de lamp —,*** mettre de l'huile dans la lampe; ***olie in 't vuur —,*** jeter de l'huile sur le feu; ***vol —,*** remplir; (*fig.*) ***zijn gedachten in de gepaste vorm —,*** donner à sa pensée la forme voulue; **II** *on.w.* ***het regent dat het giet,*** il pleut à verse. [2 (*voorwerp*) arrosoir *m.*
gie'ter *m.* 1 (*persoon*) fondeur; mouleur *m.*;
gieterij' *v.* fonderie *f.*
giet'ijzer *o.* fonte *f.*
giet'kunst *v.* fonderie *f.*, art *m.* du fondeur.
giet'lepel *m.* cuillère *f.* à couler.
giet'sel *o.* fonte *f.*
giet'staal *o.* acier *m.* fondu.
giet'stuk *o.* fonte *f.* [matrice *f.*
giet'vorm *m.* 1 moule, creux *m.*; 2 (*matrijs*)
giet'werk *o.* articles *m.pl.* de fonderie.
gif(-), *zie* ***gift***(-).
gift I *v.*(*m.*) 1 (*geschenk*) cadeau, don *m.*; 2 (*toelage, bedrag in eens*) gratification *f.*; 3 (*aalmoes*) aumône *f.*; 4 (*dosis*) dose *f.*; ***— onder levenden,*** (*recht*) donation *f.* entre vifs; **II gif** *o.* 1 poison *m.*; 2 (*v. dieren*) venin *m.*
gif'tand, gift'tand *m.* dent *f.* venimeuse.
gif(t)'angel *m.* aiguillon *m.* à venin.
gif(t)'beker *m.* coupe *f.* empoisonnée.
gif(t)'gas *o.* gas *m.* toxique, —asphyxiant.
gif'tig *b.n.* 1 (*v. plant*) vénéneux; 2 (*v. dier*) vénimeux; 3 (*met vergif bedekt*) empoisonné; 4 (*v. damp, adem*) délétère, empesté; 5 (*fig.*) envenimé, venimeux; (*woord*) aigre; (*toon*) pointu; ***— worden,*** s'aigrir, se mettre en colère.
gif(t)'klier *v.*(*m.*) glande *f.* à venin.
gif(t)'menger *m.* empoisonneur *m.*
gif(t)'mengster *v.* empoisonneuse *f.*
gif(t)'slang *v.*(*m.*) serpent *m.* venimeux.
gifttand, *zie* ***giftand.***
gif(t)'vrij *b.n.* non toxique.
gif(t)'werend *b.n.* antivenimeux; antitoxique; ***— middel,*** contrepoison, antidote *m.*
gigan'tisch *bn.* gigantesque.
gij *pers. vnw.* vous; tu, toi.
gijl *o.* guillage *m.* (de la bière).
gij'len *on.w.* guiller, fermenter dans la cuve.
gijlie'den *pers. vnw.* vous, vous autres.
Gijs'(bert) *m.* Gisbert *m.*
gij'zelaar *m.* otage *m.*
gij'zelen *ov.w.* 1 détenir, arrêter pour dettes; 2 (*recht*) contraindre par corps.
gij'zeling *v.* contrainte *f.* par corps.
gil *m.* 1 cri *m.* perçant; 2 (*v. fluit*) son *m.* perçant; ***een — geven*** (*of* ***slaken***)***,*** jeter (*of* pousser) un cri.
gil'd(e) *o. en v.*(*m.*) 1 corporation *f.*, corps *m.* de métier; 2 (*in Holland*) guilde, ghilde *f.*; 3 (*geestelijke broederschap*) confrérie *f.*
gil'debrief *m.* 1 (*beschreven rechten*) statuts *m.pl.* d'une corporation; 2 (*bewijs v. broederschap*) lettre *f.* de maîtrise.
gil'debroeder *m.* confrère, membre *m.* d'un corps de métier. [poration.
gil'dedeken *m.* juré (*of* syndic) *m.* d'une cor-
gil'dehuis *o.* hôtel *m.* de corporation.
gil'demeester *m.* maître *m.* du métier.
gil'deproef *v.*(*m.*) chef*-d'œuvre *m.*
gil'derecht *o.* droit *m.* corporatif.
gil'dewezen *o.* régime *m.* corporatif.
gilet'temesje *o.* lame *f.*
gil'len I *on.w.* 1 pousser des cris (perçants); 2 (*v. fluit*) jeter des cris aigus; **II** *ov.w.* crier.
gin'der *bw.* là, là-bas.
ginds I *b.n.* qui est là-bas; ***aan —e kant,*** de l'autre côté; **II** *bw.* là, là-bas.
gin'negappen *on.w.* ricaner, rire sous cape.
gin'negapper *m.* ricaneur *m.*
gips *o.* 1 (*als calcium-sulfaat*) gypse *m.*, chaux *f.* sulfatée; 2 (*als pleister*) plâtre *m.*; stuc *m.*
gips'achtig *b.n.* gypseux.
gips'afdruk *m.* reproduction *f.* en plâtre.
gips'afgietsel *o.* (moulage *m.* en) plâtre *m.*
gips'beeld *o.* (figure *f.* en) plâtre *m.*
gips'brander *m.* plâtrier *m.*
gipsbranderij' *v.* plâtrerie *f.*
gip'sen I *ov.w.* plâtrer; **II** *b.n.* en plâtre.
gips'groeve *v.*(*m.*) plâtrière *f.*
gips'model *o.* moulage *m.* en plâtre; maquette *f.*
gips'oven *m.* plâtrière *f.* [en plâtre.
gips'verband *o.* appareil *m.* plâtré, bandage *m.*
gips'vorm *m.* moule *m.* de plâtre.
gips'werk *o.* plâtre(s) *m.*(*pl.*).
gips'werker *m.* plâtrier *m.*
giraf'(fe) *v.*(*m.*) girafe *f.*; ***jonge —,*** girafeau *m.*
gire'ren *ov.w.* virer.
gi'ro *m.* (*H.*) virement, endossement *m.*
gi'robank *v.*(*m.*) banque *f.* de virement.
gi'robiljet *o.* formule *f.* de virement.
gi'roboekje *o.* carnet *m.* de virements.
gi'rodienst *m.* service *m.* des virements.
gi'rorekening *v.* compte *m.* de virement, — de chèques postaux.
gi'roverkeer *o.* virements *m.pl.* postaux.
Girondijn' *m.* Girondin *m.*
gis *v.*(*m.*) 1 (*schatting*) estimation *f.*; 2 (*muz.*) sol *m.* dièse; ***op de —,*** au petit bonheur.
gis'pen *ov.w.* 1 (*laken*) reprendre, blâmer; 2 (*hekelen*) critiquer, censurer.
gis'per *m.* censureur *m.* [censure *f.*
gis'ping *v.* 1 réprimande *f.*, blâme *m.*; 2 critique,

gis'sen I *ov.w.* **1** (*raden*) deviner; **2** (*vermoeden*) conjecturer, présumer, soupçonner; **3** (*schatten*) estimer; **II** *on.w.* deviner; conjecturer; ***naar iets —,*** deviner qc.; ***— doet missen,*** on se trompe facilement en faisant des conjectures.
gis'sing *v.* **1** (*onderstelling*) conjecture, hypothèse *f.*; **2** (*sch.*) estime *f.*
gist *m.* **1** (*v. bier*) levure *f.*, levain *m.* doux; **2** (*deeg dat gist*) levain *m.*; **3** (*scheik.*) ferment *m.*
Gis'tel *o.* Ghistelles.
gis'ten *on.w.* **1** fermenter; **2** (*v. bier*) guiller; **3** (*fig.*) s'agiter, fermenter; ***beginnen te —,*** entrer en fermentation; (*fig.*) ***de gemoederen beginnen te —,*** les esprits commencent à fermenter.
gistera'vond, gisterena'vond *bw.* hier soir, hier au soir, — dans la soirée.
gis'teren *bw.* hier; ***hij is niet van —,*** il n'est pas né d'hier.
gisteren-, *zie* ***gister-.***
gistermid'dag *bw.* hier (dans l') après-midi.
gistermor'gen *bw.* hier matin.
gisternacht' *bw.* dans (*of* pendant) la nuit d'hier.
gisteroch'tend *bw.* hier matin.
gist'fabriek *v.* fabrique *f.* de levure.
gis'ting *v.* **1** fermentation *f.*; **2** (*v. gemoederen*) effervescence *f.*
gis'tingsproces *o.* fermentation *f.*
gist'kuip *v.*(*m.*) guilloire *f.*
gist'stof *v.*(*m.*) ferment *m.*; ***chemische —,*** [zymase *f.*
git *o.* jais *m.*
gitaar' *v.*(*m.*) guitare *f.*
gitaar'speler *m.* guitariste *m.*
git'ten *b.n.* de jais.
git'zwart *b.n.* noir comme jais.
Glaai'en *o.* Glons.
glaas'je *o.* petit verre *m.*; ***een — op de valreep drinken,*** boire le coup de l'étrier.
glacé' I *z.n., o.* glacé *m.*; **II** *b.n.* glacé, de peau.
glacé'handschoen *m. en v.* gant *m.* de peau, — glacé; ***—en,*** *ook:* des glacés.
glace'ren *ov.w.* glacer; ***geglaceerd papier,*** papier glacé.
glad I *b.n.* **1** (*effen*) lisse; **2** (*vlak*) uni, égal; **3** (*niet ruw, gepolijst*) poli; **4** (*glibberig*) glissant; **5** (*gelaat*) glabre; (*baardeloos*) imberbe; (*voorhoofd*) uni, sans rides; **6** (*v. haren*) plat; **7** (*slim*) rusé, madré, déluré; ***— verkeerd,*** complètement faux; ***zo — als een aal,*** glissant comme une anguille; ***een —de schedel,*** un crâne luisant; ***een —de tong hebben,*** avoir la langue bien pendue; ***— geschoren,*** rasé de près; **II** *bw.* facilement, sans la moindre difficulté; ***dat loopt — van stapel,*** ça va tout seul; ***ik ben het — vergeten,*** je l'ai tout à fait (*of* totalement) oublié; ***— weigeren,*** refuser net.
gla'dakker *m.* fin matois *m.*
glad'bek *m.* blanc*-bec* *m.*
glad'digheid *v.* état *m.* glissant des rues; (*v. ijzel*) verglas *m.*
gladha'rig *b.n.* à poil ras, — lisse.
glad'heid *v.* **1** poli, uni, lisse *m.*; **2** (*fig.*) habileté, finesse *f.*; (*ong.*) roublardise *f.*; **3** *zie* ***gladdigheid.***
gladia'tor *m.* gladiateur *m.*
gladio'lus, gladiool' *v.*(*m.*) (*Pl.*) glaïeul *m.*
glad'maken *ov.w.* lisser, unir, polir.
glad'schaaf *v.*(*m.*) varlope *f.* à polir.
glad'schaven *ov.w.* **1** planer, raboter; **2** (*fig.*) [polir.
glad'strijken *ov.w.* **1** (*met hand, rol, enz.*) lisser; **2** (*met strijkijzer*) repasser.
glad'weg *bw.* sans façon, tout court, franchement; ***ik heb het — vergeten,*** je l'ai tout à fait (*of* totalement) oublié; ***— weigeren,*** refuser net.
glad'wrijven *ov.w.* lisser, unir, polir.
glans *m.* **1** (*schittering*) éclat *m.*; **2** (*schijnsel*) lueur *f.*; **3** (*v. hout, marmer*) poli *m.*; **4** (*v. staal*) brillant *m.*; **5** (*v. stoffen*) lustre *m.*; **6** (*luister*) splendeur *f.*; **7** (*poetsgoed*) brillant, tripoli *m.*; ***met — slagen,*** réussir brillamment, être reçu avec distinction; ***met — winnen,*** gagner haut la main.
glans'garen *o.* coton *m.* brillanté.
glans'kool *v.*(*m.*) anthracite *m.*
glans'loos *b.n.* sans éclat, terne.
glans'middel *o.* apprêt *m.*, polissure *f.*
glans'periode *v.* âge *m.* d'or.
glans'punt *o.* apogée *m.*; le plus beau moment; ***het — van de avond,*** le clou de la soirée; ***het — van zijn leven,*** la plus belle page de sa vie, le grand événement de sa vie.
glans'rijk I *b.n.* **1** brillant; **2** (*v. overwinning*) éclatant; **3** (*fig.*) splendide; **II** *bw.* brillamment; avec éclat; splendidement; ***— overwinnen,*** vaincre glorieusement; ***een proef — doorstaan,*** subir brillamment une épreuve.
glans'rijkheid *v.* éclat *m.*, splendeur *f.*
glans'stijfsel *m. en o.* amidon *m.* à glacer.
glans'strijken *o.* glaçage *m.* [lisée.
glans'verf *v.*(*m.*) peinture *f.* cellulosique, — métal-
glan'zen I *ov.w.* **1** (*leer*) lisser, glacer; **2** (*metalen*) polir; **3** (*stoffen*) lustrer; **4** (*papier*) satiner; **5** (*linnen*) glacer; **II** *on.w.* **1** briller, luire; **2** (*blinken*) reluire; ***geglansd papier,*** papier couché.
glan'zer *m.* lisseur; polisseur; lustreur *m.*
glan'zig *b.n.* **1** luisant, lustré, glacé; **2** (*blinkend*) reluisant. [nage; glaçage *m.*
glan'zing *v.* lissage; polissage; lustrage; sati-
glas *o.* **1** (*alg.*) verre *m.*; **2** (*ruit*) vitre *f.*, carreau *m.*; **3** (*spiegel—*) glace *f.*; **4** (*stolp*) (*over beeld, pendule, enz.*) globe *m.*; (*over eetwaren*) cloche *f.*; **5** (*inmaak—*) bocal *m.*; ***gebrand —,*** verre *m.* de vitrail; (*kerkraam*) vitrail *m.*; ***geslepen —,*** verre poli; ***achter —,*** sous verre; ***zijn eigen glazen ingooien,*** gâter sa cause, — son affaire; ***het ligt voor de glazen,*** c'est à l'étalage, c'est étalé dans la vitrine; ***uit een — drinken,*** boire dans un verre.
glas'achtig *b.n.* vitreux, vitré.
glas'blazer *m.* souffleur *m.* (de verre).
glasblazerij' *v.* **1** (*handeling*) soufflage *m.* du verre; **2** (*fabriek*) verrerie *f.*
glas'fabriek *v.* verrerie *f.*
glas'fabrikant *m.* verrier *m.*
glas'gordijn *o. en v.*(*m.*) vitrage *m.*
glas'handel *m.* verrerie *f.*
glas'handelaar *m.* marchand *m.* de verrerie.
glas'helder I *b.n.* clair, limpide, transparent, diaphane; ***een — betoog,*** une démonstration lumineuse; **II** *bw.* clairement, lucidement.
glas'k(o)raal *v.*(*m.*) perle *f.* de verre.
glas'oog *o.* **1** (*kunstoog*) œil *m.* de verre; **2** (*v. paard*) œil *m.* vairon; **3** (*ziekte*) œil *m.* vitreux.
glas'oven *m.* four *m.* de verrerie.
glas'parel *v.*(*m.*) fausse perle, perle *f.* de verre.
glas'plaat *v.*(*m.*) plaque *f.* de verre.
glas'poeder, -poeier *o. en m.* verre *m.* pulvérisé.
glas'raam *o.* **1** châssis *m.*; **2** (*kruisraam*) croisée *f.*; **3** (*voor kwekerij*) châssis *m.* de couche.
glas'ruit *v.*(*m.*) carreau *m.*, vitre *f.*
glas'scherf *v.*(*m.*) éclat *m.* de verre.
glas'schilder *m.* peintre *m.* sur verre, — verrier, artiste *m.* verrier.
glas'schilderen *o.* peinture *f.* sur verre.
glas'slijper *m.* polisseur *m.* de glaces.
glas'snijder *m.* tailleur *m.* de verre.
glas'verzekering *v.* assurance *f.* contre le bris des glaces (*of* des vitres).

glas'vezel *v.(m.)* mousse *f.* de verre.
glas'waren *mv.* verrerie *f.*
glas'werk *o.* **1** *(glazen)* verrerie *f.*; **2** *(ruiten)* vitrage *m.*
glas'winkel *m.* verrerie *f.*, magasin *m.* de verrerie.
glas'wol *v.(m.)* coton *m.* (*of* laine *f.*) de verre.
glau'berzout *o.* sel *m.* de Glauber.
gla'zen *b.n.* **1** de verre, en verre; **2** *(v. glas voorzien)* vitré; — ***deur,*** porte vitrée, porte*-fenêtre* *f.*
gla'zenbak *m.* verrière *f.*
gla'zenbakje *o.* dessous *m.* de verre, sous-verre* *m.*
gla'zendak *o.* toiture *f.* de verre.
gla'zendoek *m.* essuie-verres *m.*
glazenier' *m.* peintre *m.* verrier, artiste *m.* —.
glazeniers'kunst *v.* art *m.* du vitrail.
gla'zenkast *v.(m.)* **1** armoire *f.* vitrée; **2** *(uitstalkast)* vitrine *f.*
gla'zenmaker *m.* **1** *(persoon)* vitrier *m.*; **2** *(insekt)* libellule *f.*
gla'zenspuit *v.(m.)* seringue *f.* à laver les vitres.
gla'zenwasser *m.* laveur *m.* de vitres, nettoyeur *m.* de carreaux.
gla'zenwasserij *v.* entreprise *f.* de nettoyage de vitres, compagnie *f.* de nettoyage de(s) devantures.
gla'zig *b.n.* **1** vitreux; **2** *(fig.)* terne.
gla'zigheid *v.* éclat *m.* vitreux.
glazuur' *o.* **1** *(verglaassel)* vernis *m.*, glaçure *f.*; **2** *(v. tanden)* émail *m.*
gleis *o.* terre *f.* glaise.
glet'sjer, glet'scher *m.* glacier *m.*
glet'sjermelk, glet'schermelk *v.(m.)* eau *f.* de fusion d'un glacier.
glet'sjersneeuw, gletschersneeuw *v.(m.)* névé *m.*
gleuf *v.(m.)* **1** *(spleet)* fente, crevasse *f.*; **2** *(holte, groef)* rigole, rainure *f.*; **3** *(in kolom)* cannelure *f.*; **4** *(scheur, barst)* fissure *f.*
gleuf'hoed *m.* chapeau *m.* mou, feutre *m.*
glib'beren *on.w.* glisser.
glib'berig *b.n.* glissant.
glib'berigheid *v.* état *m.* glissant.
glid'kruid *o.* *(Pl.)* scutellaire *f.*
glij'baan *v.(m.)* glissoire *f.*
glij'boot *m. en v.* bateau *m.* glisseur, hydroglisseur *m.*
glij'den I *on.w.* glisser; ***zich van een boom laten —,*** se laisser couler à bas d'un arbre; **II** *z.n.* ***het —,*** le glissement.
glij'vlucht *v.(m.)* *(vl.)* vol *m.* plané.
glim'lach *m.* sourire *m.*; *(dicht.)* souris *m.*
glim'lachen *on.w.* sourire.
glim'licht *o.* luisant *m.*
glim'men *on.w.* **1** *(v. metaal, enz.)* luire, reluire, briller; **2** *(blinken, schitteren)* reluire, resplendir; **3** *(v. zijde)* miroiter; **4** *(v. vuur)* couver sous la cendre; **5** *(fig.)* — ***van vreugde,*** rayonner de joie.
glim'mend *b.n.* luisant, reluisant, brillant; miroitant; — ***worden,*** se lustrer.
glim'mer *m.* mica *m.*
glim'meraarde *v.(m.)* terre *f.* micacée.
glimp *m.* **1** *(zwakke schijn)* faible lueur *f.*; **2** *(fig.: bedrieglijke schijn)* apparence *f.* trompeuse; **3** trace *f.*, ombre *f.*
glim'worm *m.* ver *m.* luisant.
glin'ster *m.* **1** étincelle *f.*; **2** *(fig.)* éclat *m.*
glin'steren *on.w.* étinceler, briller, (re)luire, resplendir.
glin'sterend *b.n.* étincelant, brillant, resplendissant.
glin'stering *v.* étincellement, éclat *m.*
glip'pen *on.w.* **1** glisser; **2** *(fig.)* s'échapper; ***laten —,*** *(loslaten)* lâcher; *(laten ontsnappen)* laisser échapper.
glip'pertje *o.* escapade *f.*
glit *o.* glette, litharge *f.*
globaal' I *b.n.* **1** approximatif; **2** *(v. overzicht)* sommaire; **II** *bw.* **1** *(bij raming)* approximativement; **2** *(over 't geheel genomen)* pris en gros, en bloc.
glo'be *v.(m.)* globe *m.*
gloed *m.* **1** *(v. zon, vuur)* ardeur *f.*; **2** *(gloeiende kolen)* braise *f.*; **3** *(v. koorts)* ardeur, chaleur *f.*; **4** *(vuur)* feu *m.*, flammes *f.pl.*; **5** *(v. ogen, diamant)* éclat *m.*; **6** *(v. wijn)* feu *m.*; **7** *(fig.)* *(bezieling)* ardeur, ferveur *f.*; *(vervoering)* transport *m.*; ***de — der nieuwheid,*** l'éclat de la nouveauté; ***in — zetten,*** embraser.
gloed'nieuw *b.n.* tout (battant) neuf, flambant neuf.
gloei'draad *m.* filament *m.* (d'ampoule).
gloe'ien I *on.w.* **1** *(in gloed zijn)* être ardent, être chauffé au rouge (*of* au blanc); **2** *(branden)* brûler, être enflammé; **3** *(fonkelen, schitteren)* briller; **4** *(fig.)* brûler; — ***van toorn,*** brûler de colère, être transporté —; **II** *ov.w.* (faire) rougir, chauffer au rouge (*of* au blanc).
gloe'iend I *b.n.* **1** *(alg.)* ardent, rouge; **2** *(gelaat, wind, enz.)* brûlant; **3** *(haat)* implacable; **4** *(wit —)* incandescent; ***een —e hitte,*** une chaleur brûlante; ***een — ijzer,*** un fer rouge; ***de kachel staat —,*** le poêle est rouge; — ***worden,*** s'embraser; ***een —e hekel,*** une profonde aversion; **II** *bw.* — ***heet,*** brûlant; ***zich — vervelen,*** s'ennuyer à mourir.
gloei'hitte *v.* **1** chaleur *f.* extrême; **2** *(tn.)* température *f.* d'incandescence.
gloei'ing *v.* **1** incandescence *f.*; **2** *(v. erts)* calcination *f*
gloei'kousje *o.* manchon *m.* (à incandescence).
gloei'lamp *v.(m.)* lampe *f.* à incandescence, ampoule *f.* électrique.
gloei'licht *o.* lumière *f.* à incandescence.
gloei'oven *m.* four *m.* de calcination, — à calciner.
glooi *m.* côte, pente *f.*
glooi'en *on.w.* aller en pente.
glooi'end *b.n.* en pente; ***zacht —,*** en pente douce.
glooi'ing *v.* talus *m.*, pente *f.*
gloor *m.* **1** *(glans)* lustre, éclat *m.*; **2** *(roem)* gloire *f.*
glo'ren I *on.w.* **1** briller, reluire, étinceler; **2** *(v. dageraad)* poindre; **II** *z.n., o.* l'aube *f.*, la pointe du jour.
glo'rie *v.* **1** *(roem)* gloire, splendeur *f.*; **2** *(stralenkrans)* auréole *f.*; — ***zij de Vader, enz.,*** gloire soit au Père, etc.; ***in volle —,*** dans toute sa splendeur.
glo'rierijk I *b.n.* glorieux; **II** *bw.* glorieusement.
glos, glos'se *v.* **1** *(noot)* note *f.* marginale, glose *f.*; **2** *(spotternij)* quolibet *m.*
glossa'rium *o.* glossaire *m.*
glosse, *zie* ***glos.***
glui'pen *on.w.* regarder en dessous, — sournoisement.
glui'per(d) *m.* sournois *m.*
glui'perig I *b.n.* sournois; **II** *bw.* sournoisement.
glui'perigheid *v.* sournoiserie *f.*
glun'der I *b.n.* **1** *(kraakzindelijk)* frais et pimpant; **2** *(opgewekt)* gai, souriant; **II** *bw.* d'un air radieux; — ***kijken,*** avoir le sourire.
glun'deren *on.w.* avoir un sourire de satisfaction.
glu'ren *on.w.* épier, guetter, lorgner.
glu'ton *o.* pâte *f.* à coller.
gluur'der *m.* guetteur, lorgneur *m.*
glyceri'ne *v.(m.)* glycérine *f.*
gnoe *m.* *(Dk.)* gnou *m.*
gnui'ven *on.w.* rire sous cape.
goal *m.* *(sp.)* but *m.*; — ***maken,*** faire un but, réussir —, marquer —.
God *m.* Dieu *m.*; — ***almachtig,*** Dieu tout-puissant; — ***de Heer,*** le Seigneur Dieu; — ***dank!*** Dieu merci! grâce à Dieu; — ***lone het u!*** que Dieu vous le rende! ***in —s naam,*** **1** *(eig.)* au nom

de Dieu; **2** (*berustend*) soit! résignons-nous! ***met —s hulp,*** avec la grâce de Dieu; ***om —s wil,*** pour l'amour de Dieu; ***— verhoede,*** à Dieu ne plaise; ***leven als — in Frankrijk,*** vivre comme un coq en pâte; ***hij weet van — noch (van zijn) gebod,*** il n'a ni foi, ni loi; ***—s water over —s akker laten lopen,*** laisser tout aller à vau-l'eau.
god'delijk I *b.n.* divin; ***de —e deugden,*** les vertus théologales; **II** *bw.* divinement.
god'delijkheid *v.* divinité *f.*
god'deloos I *b.n.* **1** athée; **2** (*ongodsdienstig*) impie, irréligieux; **3** (*verschrikkelijk*) affreux; ***een — lawaai,*** un tapage affreux, — d'enfer; **II** *bw.* d'une façon impie; affreusement. [réligion *f.*
god'deloosheid *v.* **1** athéisme *m.*; **2** impiété, ir-
god'deloze *m.* **1** athée *m.*; **2** impie *m.*
go'dendienst *m.* idolâtrie *f.*
go'dendom *o.* dieux *m.pl.*
go'dendrank *m.* nectar *m.*
go'denleer *v.*(*m.*) mythologie *f.*
go'denmaal *o.* festin *m.* des dieux.
go'denspijs *v.*(*m.*) **1** ambroisie *f.*; **2** (*fig.*) festin *m.* des dieux.
go'dentaal *v.*(*m.*) langage *m.* des dieux.
go'denzoon *m.* descendant *m.* des dieux.
God'fried *m.* Godefroy, Geoffroi *m.*
god'gans(elijk) *b.n.* ***de —e dag,*** toute la sainte journée.
god'geklaagd *b.n.* scandaleux.
god'geleerd *b.n.* théologique; ***de —e faculteit,*** la faculté de théologie.
god'geleerde *m.* théologien *m.*
god'geleerdheid *v.* théologie *f.*
god'gevallig *b.n.* agréable à Dieu.
god'gewijd *b.n.* consacré à Dieu.
god'heid *v.* divinité *f.*
godin' *v.* déesse *f.*
god'lof! *tw.* Dieu soit loué! Dieu merci!
god'loochenaar *m.* athée *m.*
god'loochening *v.* athéisme *m.*
God'mens *m.* Homme-Dieu *m.*
gods'akker *m.* cimetière *m.*, champ *m.* du repos.
gods'begrip *o.* idée *f.* de Dieu.
gods'dienst *m.* religion *f.*; (*eredienst*) culte *m.*; ***bedienaar van de —,*** ministre *m.* du culte.
gods'diensthaat *m.* haine *f.* religieuse.
godsdien'stig *b.n.* **1** religieux; **2** (*vroom*) pieux, dévot.
godsdien'stigheid *v.* religiosité *f.*
gods'dienstijver *m.* zèle *m.* religieux.
gods'dienstleraar *m.* **1** (*kath.*) professeur *m.* de religion; **2** (*prot.*) ministre, pasteur *m.*
gods'dienstloos *b.n.* **1** athée; **2** laïque, neutre; ***— onderwijs,*** enseignement laïc.
gods'dienstoefening *v.* office *m.* (divin); (*prot.*) culte, service *m.* divin.
gods'dienstonderwijs *o.* **1** enseignement *m.* religieux, catéchisme *m.*; **2** (*prot.*) instruction *f.* religieuse.
gods'dienstonderwijzer *m.* catéchiste *m.*
gods'dienstoorlog *m.* guerre *f.* de religion.
gods'dienstplechtigheid *v.* cérémonie *f.* religieuse.
gods'dienstplicht *m.* en *v.* devoir *m.* religieux; ***zijn —en waarnemen,*** pratiquer.
gods'diensttwist *m.* dissension *f.* religieuse, querelle *f.* —.
gods'dienstvrijheid *v.* liberté *f.* de conscience; liberté *f.* des cultes.
gods'dienstwaanzin *m.* folie *f.* religieuse.
gods'dienstzin *m.* sentiment *m.* religieux; foi *f.*
gods'gericht *o.* jugement *m.* de Dieu.
gods'geschenk *o.* don *m.* divin.
gods'gezant *m.* envoyé *m.* de Dieu.
gods'huis *o.* **1** (*gesticht*) hospice, hôpital, hôtel-Dieu *m.*; **2** (*kerk*) église *f.*, temple *m.*
gods'lamp *v.*(*m.*) lampe *f.* du sanctuaire.
gods'lasteraar *m.* blasphémateur *m.*
gods'lastering *v.* blasphème *m.*
godslas'terlijk *b.n.* blasphématoire, sacrilège.
gods'moord *m.* déicide *m.*
gods'moordenaar *m.* déicide *m.*
gods'oordeel *o.* jugement *m.* de Dieu.
gods'penning *m.* denier *m.* à Dieu, arrhes *f.pl.*
Gods'regering *v.* théocratie *f.*
Gods'rijk *o.* royaume *m.* de Dieu.
gods'spraak *v.*(*m.*) **1** voix *f.* de Dieu; **2** (*myth.*) oracle *m.*
gods'vertrouwen *o.* confiance *f.* en Dieu.
gods'vrede *m.* trêve *f.* de Dieu.
gods'vrucht *v.*(*m.*) piété, dévotion *f.*
god'vergeten *b.n.* **1** impie, sacrilège; **2** (*fig.*) infâme.
god'verzaker *m.* athée *m.*, qui renie Dieu.
god'verzaking *v.* athéisme, reniement *m.* de Dieu.
godvre'zend *b.n.* **1** craignant Dieu; **2** (*vroom*) pieux, dévot.
godvruch'tig I *b.n.* pieux, dévot; **II** *bw.* dévotement, pieusement.
godvruch'tigheid *v.* piété, dévotion *f.*
godza'lig I *b.n.* pieux, dévot; **II** *bw.* pieusement.
goed I *b.n.* bon; ***—en avond,*** bonsoir; ***—en dag,*** bonjour; (*bij afscheid*) au revoir; ***een — eind,*** un bon bout de chemin; ***een — jaar,*** plus d'un an; ***hij is een —e vijftig jaar,*** il a cinquante ans bien sonnés; ***een —e vijftig frank,*** plus de cinquante francs; ***een —e honderd,*** une bonne centaine; ***een — uur gaans,*** une bonne lieue; ***hij is niet —,*** il ne se sent pas bien; ***— voor de koorts,*** bon (*of* efficace) contre la fièvre; ***hij is — in rekenen,*** il est fort en calcul; ***dat is nergens — voor,*** cela ne sert à rien; ***dat fruit blijft lang —,*** ces fruits se conservent longtemps; ***—e hemel!*** bonté divine! ***de —e Week,*** la Semaine sainte; ***—e Vrijdag,*** le Vendredi saint; ***al te — is buurmans gek,*** qui se fait brebis, le loup le mange; à force d'être bon, on devient bête; ***de een is zo — als de ander,*** l'un vaut l'autre; ***het is hier —,*** on est bien ici; ***hij is nergens — voor,*** il n'est bon à rien; ***bier is niet — voor hem,*** la bière ne lui vaut rien; ***met — gevolg,*** avec succès; ***te —er trouw,*** de bonne foi; ***bij iem. in een — blaadje staan,*** être bien vu de qn.; ***zijn vader is er — voor,*** son père le payera; ***zich te — doen (aan),*** se régaler (de); ***iem. ten —e komen,*** revenir à qn.; ***te — houden,*** faire crédit de; ***ik heb nog 50 fr. te goed bij hem,*** il me doit encore 50 frs.; ***net —!*** bien fait!; ***mij —,*** je veux bien; ***ook —,*** comme vous voudrez; **II** *bw.* bien; ***— zo!*** très bien! à la bonne heure!; ***wij treffen het —,*** nous tombons bien; ***hij meent het —,*** il a de bonnes intentions; ***hij is — bij,*** i est bien au courant; ***het — opnemen,*** le prendre en bien; ***het — treffen,*** tomber bien; ***er — uitzien,*** avoir bonne mine; ***kort en —,*** bref; ***voor —,*** pour de bon; ***hij werkt zo — als hij kan,*** il travaille de son mieux; ***zo — mogelijk,*** le mieux possible; ***zo — en zo kwaad als het gaat,*** tant bien que mal; **III** *z.n., o.* (*zonder mv.*) bien *m.*; ***— doen,*** (*baten*) faire du bien; (*weldoen*) faire le bien; ***ik wens u alle —s,*** je vous souhaite tout le bien possible; ***wie — doet, — ontmoet,*** qui bien fera, bien

trouvera; ***iets —s,*** qc. de bon; **IV** *o.* (*mv.: goederen*) **1** bien *m.*; **2** (*bezitting*) bien *m.*, richesse, possession *f.*; **3** (*landgoed*) terre *f.*; **4** (*stof, weefsel*) étoffe *f.*, tissu *m.*; **5** (*klederen*) vêtements, habits *m.pl.*; **6** (*koopwaren*) marchandises *f.pl.*; **7** (*reisgoed*) bagages, effets *m.pl.*; **8** (*linnen*) linge *m.*; **9** (*was*) lessive *f.*; **10** (*voorwerpen*) choses *f.pl.*, objets *m.pl.*; ***onroerende —eren,*** bien*-fonds, (biens) immeubles; ***gebreide —eren,*** bonneteries *f.pl.*; ***— en bloed,*** son bien et sa vie; ***schoon —,*** linge *m.* blanc; ***schoon — aandoen,*** changer de linge; ***vuil —,*** linge sale; ***witte —eren,*** lingerie *f.*; ***magazijn van witte —eren,*** magasin de blanc; ***gestolen — gedijt niet,*** bien mal acquis ne profite pas.

goedaar'dig I *b.n.* **1** (*v. persoon*) bon, d'un bon naturel; **2** (*v. uiterlijk*) doux, bienveillant; **3** (*v. ziekte*) bénin; **II** *bw.* bénignement.

goedaar'digheid *v.* **1** (*v. persoon*) bonté *f.*, bon *m.* naturel; **2** (*v. ziekte*) bénignité *f.*, caractère *m.* bénin.

goed'bloed *m.* bonne bête *f.*; ***Joris G—,*** jean-jean *m.*

goed'deels *bw.* en bonne partie.

goed'doen *on.w. zie* ***goed.***

goed'dunken I *o.* **1** (*welbehagen: v. vorst, enz.*) bon plaisir *m.*; **2** (*mening*) avis *m.*, opinion *f.*; ***naar —,*** à discrétion, à volonté; ***handel naar —,*** faites comme bon vous semble; **II** *on.w.* sembler bon, trouver bon.

goedemid'dag, goedemor'gen bonjour!; ***iem. — wensen,*** souhaiter le bonjour à qn.

goedenacht' bonne nuit!; ***— wensen,*** souhaiter une bonne nuit (à qn.).

goedena'vond bonsoir!; ***— wensen,*** souhaiter le bonsoir (à qn.).

goedendag' I 1 bonjour! **2** (*bij afscheid*) au revoir; **II** *m.* (*gesch.*) masse *f.* d'armes; ***— zeggen*** **1** dire bonjour (à qn.), saluer; **2** (*bij vertrek*) dire adieu (à qn.), prendre congé (de qn.).

goe'derendienst *m.* service *m.* (du transport) des marchandises.

goe'derenkantoor *o.* **1** (*v. vrachtgoed*) bureau *m.* des marchandises, — de la petite vitesse; **2** (*v. bestelgoed*) (bureau *m.* des) messageries *f.pl.*

goe'derenlift *m.* monte-charge *m.*

goe'derenloods *v.*(*m.*) hangar *m.* aux marchandises.

goe'derenmagazijn *o.* magasin *m.* aux marchandises.

goe'derenrekening *v.* compte *m.* de marchandises.

goe'derenstation *o.* gare *f.* à marchandises.

goe'derentrein *m.* train *m.* de marchandises.

goe'derenverkeer *o.* trafic *m.* des marchandises.

goe'derenvervoer *o.* transport *m.* des marchandises.

goe'derenvliegtuig *o.* avion *m.* de transport.

goe'derenvoorraad *m.* stock *m.*; disponible *m.*

goe'derenwagen *m.* wagon *m.* de marchandises, fourgon *m.*

goedertie'ren *b.n.* miséricordieux, clément.

goedertie'renheid *v.* miséricorde, clémence *f.*

goed'gebouwd *b.n.* **1** (*v. huis*) bien bâti; **2** (*v. persoon*) bien bâti, bien balancé.

goedgeefs' *b.n.* libéral, large, généreux, charitable, donnant.

goedgeefs'heid *v.* générosité *f.*

goedgelo'vig *b.n.* **1** (*lichtgelovig*) crédule; **2** (*rechtzinnig*) orthodoxe.

goedgelo'vigheid *v.* **1** crédulité *f.*; **2** (*rechtzinnig*) orthodoxie *f.*

goedgeluimd' *b.n.* de bonne humeur.

goedgezind' *b.n.* bien intentionné.

goedgun'stig I *b.n.* **1** (*welwillend*) bienveillant; **2** (*gunstig*) favorable; **3** (*v. lezer*) bénévole; **II** *bw.* **1** avec bienveillance; **2** favorablement; **3** bénévolement.

goedgun'stigheid *v.* **1** bienveillance *f.*; **2** faveur *f.*

goedhar'tig I *b.n.* **1** bon, qui a bon cœur; **2** (*liefdadig*) charitable; **II** *bw.* avec bonté, de bon cœur.

goedhar'tigheid *v.* bonté, cordialité, douceur *f.* (de caractère).

goed'heid *v.* bonté *f.*; ***hemelse —!*** bonté divine! bonté du ciel! ***heb de —,*** ayez la bonté, ayez l'obligeance; ***met —,*** en douceur.

goed'houden I *ov.w.* conserver; **II** *w.w.* ***zich —,*** **1** (*niet gaan kwijnen*) se conserver; **2** (*niet lachen, wenen, enz.*) garder son sérieux, s'empêcher de rire, se contenir, s'empêcher de pleurer.

goe'dig I *b.n.* bonasse, débonnaire, bon enfant, bon; **II** *bw.* avec bonhomie, débonnairement.

goe'digheid *v.* bonhomie, douceur *f.*

goed'keuren *ov.w.* **1** (*goedvinden*) approuver, trouver bon; **2** (*mil.*) déclarer propre au service; **3** (*bekrachtigen: verdrag, enz.*) ratifier; (*wet*) sanctionner; ***kerkelijk goedgekeurd,*** avec l'approbation de l'autorité ecclésiastique.

goed'keurend I *b.n.* **1** (*gebaar, teken*) approbatif; **2** (*oordeel*) favorable; **3** (*gemompel*) approbateur; **II** *bw.* ***— knikken,*** faire un signe approbateur; ***— glimlachen,*** sourire en signe d'approbation.

goed'keuring *v.* **1** approbation *f.*; **2** ratification *f.*; sanction *f.*; ***iemands — wegdragen,*** enlever les suffrages de qn., avoir l'approbation de qn.

goedkoop' I *b.n.* bon marché; ***een goedkope aardigheid,*** une mauvaise plaisanterie, du gros sel; ***— is duurkoop,*** les bons marchés ruinent; ***goedkoper,*** meilleur marché; ***goedkoopst,*** le moins cher; ***goedkoper worden,*** baisser de prix, être en baisse; **II** *bw.* à bon marché, à bon compte, à bas prix.

goedkoop'heid, goedkoop'te *v.* bon marché *m.*

goedlachs' *b.n.* rieur, disposé à rire, enjoué.

goedleers' *b.n.* intelligent.

goed'maken *ov.w.* **1** (*ongedaan maken*) réparer, racheter; **2** (*bestrijden*) couvrir; **3** (*verschonen*) excuser; ***zijn onkosten —,*** rentrer dans ses frais.

goedmoe'dig I *b.n.* débonnaire, tout bon, bienveillant; **II** *bw.* avec bonhomie.

goed'praten *ov.w.* justifier, défendre.

goed'schiks *bw.* de bon gré; ***— of kwaadschiks,*** bon gré, mal gré.

goedsmoeds I *bw.* de gaîté de cœur; **II** *b.n.* de bonne humeur, bien disposé; ***hij is altijd —,*** il a toujours bon courage.

goed'spreken *on.w.* ***— voor iem.,*** se porter garant de qn., répondre de qn.

goed'vinden I *ov.w.* **1** approuver, trouver bon; **2** (*toestemmen*) consentir (à); ***hij vindt alles goed,*** il s'accomode de tout; **II** *z.n., o.* approbation *f.*, agrément *m.*; ***met — van,*** avec l'assentiment de, avec l'agrément de; ***met onderling —,*** de consentement mutuel; ***met uw —,*** avec votre permission; ***naar —,*** à volonté, à discrétion.

goedwil'lig I *b.n.* de bonne volonté, complaisant, serviable; **II** *bw.* de bonne grâce.

goedwil'ligheid *v.* bonne volonté, complaisance *f.*

goed'zak *m.* (*fam.*) bonne bête *f.*

goe'gemeente *v.* (bons) gogos *m.pl.*

goe'lijk *b.n.* affable, bienvei lant.

Goet'senhoven *o.* Gossoncourt.

goevern-, *zie* ***gouvern-.***

gok'ken *on.w.* jouer; (*ong.*) tripoter.

gok'ker *m.* joueur; tripoteur; boursicotier *m.*

golf I *v.*(*m.*) **1** (*brede golf, op zee*) lame *f.*; **2** (*aan*

oever, strand) vague *f.*; 3 (*het stromend water*) flot *m.*; 4 (*op- en neergaand*) onde *f.*; 5 (*zeeboezem*) golfe *m.*; (*minder ruim*) baie *f.*; 6 (*el.*) onde *f.*; ***gedempte* —,** onde amortie; ***ongedempte* —,** onde entretenue; ***een* — *bloed*,** un flot de sang; ***korte* —,** ondes courtes; ***midden*—,** ondes moyennes, petites ondes; ***lange* —,** ondes longues, grandes ondes; ***ultrakorte* —,** ondes ultra-courtes; II *o.* (*sp.*) golf *m.*
golf'baan *v.*(*m.*) (*sp.*) (jeu de) golf *m.*
golf'bereik *o.* longueur *f.* d'onde. [dulation *f.*
golf'beweging *v.* mouvement *m.* ondulatoire, on-
golf'breker *m.* brise-lames *m.*
golf'club, golf'klub *v.* club *m.* de golf.
golf'dal *o.* creux *m.* des vagues.
golf'geklots *o.* bruit *m.* des flots.
golf'karton *o.* carton *m.* ondulé.
golf'klub, *zie* ***golfclub.***
golf'lengte *v.* longueur *f.* d'onde.
golf'lijn *v.*(*m.*) ligne *f.* ondulée, — ondoyante.
golf'meter *m.* ondemètre *m.*
golf'plaat *v.*(*m.*) (*asbest*) plaque *f.* d'amiante-ciment ondulée. [houle *f.*
golf'slag *m.* mouvement *m.* des vagues, lame,
golf'spel *o.* golf *m.*
golf'speler *m.* golfeur. [canne *f.* de golf.
golf'stok *m.* crosse *f.* (pour le golf), club *m.*,
golf'stroom *m.* courant du golfe, Gulf Stream *m.*
golf'terrein *o.* golf, jeu *m.* de golf.
golf'veld *o.* (jeu de) golf *m.*
gol'ven *on.w.* onduler, ondoyer.
gol'vend *b.n.* 1 (*graan*) ondoyant; 2 (*lijn, haar enz.*) ondulé; 3 (*beweging*) ondulatoire.
gol'ving *v.* ondoiement *m.*; ondulation *f.*
gom *m. of o.* gomme *f.*
gom'achtig *b.n.* gommeux.
gom'balletje *o.* boule *f.* de gomme.
gom'boom *m.* gommier, arbre *m.* à gomme.
gom'elastiek *o.* caoutchouc *m.*, gomme *f.* élastique.
gom'hars *o. en m.* gomme*-résine* *f.*
gom'lak *v.* gomme*-laque* *f.*
gom'men *ov.w.* gommer, enduire de gomme.
gom'ming *v.* gommage *m.*
Gomor'ra *o.* Gomorrhe *f.*
gon'del *v.*(*m.*) gondole *f.*
gondelier' *m.* gondolier *m.*
gon'dellied *o.* barcarolle *f.*
gon'delvaart *v.*(*m.*) promenade *f.* en gondole.
gong *m.* gong *m.*
gong'slag *m.* sonnerie *f.* sur gong.
goniometrie' *v.* goniométrie *f.*
goniome'trisch *b.n.* goniométrique.
gon'jezak *m.* sac *m.* en toile de jute.
gon'zen I *on.w.* bourdonner; II *z.n. o.* le bourdonnement.
goo'chelaar *m.* escamoteur, prestidigitateur *m.*; (*met ballen, ringen, enz.*) jongleur *m.*
goochelarij' *v.* tours *m.pl.* de passe-passe, prestidigitation; (*met ballen enz.*) jonglerie *f.*
goo'chelballetje *o.* escamote, muscade *f.*
goo'chelen *on.w.* escamoter, faire des tours de passe-passe; jongler.
goo'chelkunst *v.* prestidigitation *f.*
goo'cheltoer *m.* tour *m.* de passe-passe.
goo'chem *b.n.* fin, rusé, madré.
goo'chemerd *m.* rusé compère *m.*
good'will *m.* 1 clientèle *f.*, fonds *m.* de commerce; 2 goodwill *m.*
gooi *m.* jet, coup *m.*
gooi'en I *ov.w.* jeter, lancer; ***iem. op de grond* —,** flanquer qn. par terre; ***iem. op straat* —,** flanquer qn. dans la rue; II *on.w.* jeter; ***met de deuren* —,** faire battre les portes; ***op de markt* —,** mettre à la vente.
goor *b.n.* 1 (*vuil*) sale, malpropre; 2 (*v. melk*) tourné; 3 (*v. spek*) rance; 4 (*fig.*) ***gore taal,*** langage obscène.
goor'heid *v.* 1 saleté, malpropreté *f.*; 2 aigreur *f.*; 3 rancidité *f.*; 4 obscénité *f.*
goot *v.*(*m.*) 1 (*alg.*) conduit, tuyau *m.*; 2 (*dak*—) gouttière *f.*; 3 (*straat*—) ruisseau *m.*; 4 (*v. kabel*) caniveau *m.*; 5 (*riool*) égout *m.*; 6 (*greppel*) rigole *f.*; (*fig.*) ***iem. door de* — *sleuren*,** traîner qn. dans la boue.
goot'lijst *v.*(*m.*) cimaise, doucine *f.*
goot'pijp *v.*(*m.*) (tuyau *m.* de) descente *f.*
goot'steen *m.* évier *m.*
goot'water *o.* eaux *f.pl.* sales, — ménagères; eau *f.* de ruisseau.
gor'del *m.* 1 (*aan kledingstuk*) ceinture *f.*; 2 (*mil.: koppel*) ceinturon *m.*; 3 (*aardr.*) zone *f.*
gor'deldier *o.* tatou, cuirassé *m.*
gor'delen *ov.w.* ceindre.
gor'delhaak *m.* agrafe *f.* de ceinture.
gor'delriem *m.* (*mil.*) ceinturon *m.*
gor'delroos *v.*(*m.*) (*gen.*) zona *m.*
gor'den *ov.w.* 1 ceindre; 2 (*zadel*) sangler; 3 (*schip*) ceintrer.
Gordiaans' *b.n.* gordien.
gordijn' *o. en v.*(*m.*) 1 (*alg.*) rideau *m.*; 2 (*rol*—) store *m.*; 3 (*deur*—) portière *f.*; 4 (*mil.*) courtine *f.*; ***ijzeren* —,** rideau de fer; ***de —en openschuiven*,** écarter les rideaux; ***de —en dichttrekken*,** fermer les rideaux, tirer —; ***de —en ophalen*,** ouvrir les stores, tirer —.
gordijn'haak *m.* patère *f.*
gordijn'houder *m.* embrasse *f.*
gordijn'knop *m.* patère *f.* [— de store.
gordijn'koord *o. en v.*(*m.*) cordon *m.* de rideau;
gordijn'linnen *o.* toile *f.* pour stores.
gordijn'ring *m.* anneau *m.* de rideau.
gordijn'roe(de) *v.*(*m.*) tringle *f.*
gordijn'vuur *o.* tir *m.* de barrage.
gor'ding *v.* 1 (*bouwk.*) panne *f.*; 2 (*sch.*) cargue; préceinte *f.* [rancir.
go'ren *on.w.* 1 (*v. melk*) tourner; 2 (*v. spek, enz.*)
gor'gel *m.* 1 (*inwendig strottenhoofd*) gosier, larynx *m.*; 2 (*keel*) gorge *f.*
gor'geldrank *m.* gargarisme *m.*
gor'gelen I *on.w.* se gargariser; II *z.n., o.* gargarisation *f.*
gor'gelwater *o.* gargarisme *m.*
goril'la *m.* gorille *m.*
gors 1 *v.*(*m.*) *en o.* (*aangewassen grond*) alluvion, laisse *f.*, atterrissement *m.*; 2 *v.*(*m.*) (*Dk.*) bruant *m.*
gort *m.* gruau *m.* [gruau.
gor'tebrij *m.*, **gor'tepap** *v.*(*m.*) bouillie *f.* de
gor'tewater *o.* tisane *f.* de gruau.
gor'tig *b.n.* ladre; ***hij maakt het te* —,** il dépasse les bornes, il va trop loin.
gor'tigheid *v.* ladrerie *f.* (du porc).
gort'molen *m.* moulin *m.* à gruau.
Go'ten *mv.* Goths *m.pl.*
Go'thenburg *o.* Gothembourg *m.*
Goth'land *o.* la Gothie.
gotiek' *v.* (style) gothique *m.*
Go'tisch I *b.n.* gothique; II *z.n., o.* le gothique.
Göt'tingen *o.* Gœttingue *f.*
goud *o.* 1 or *m.*; 2 (*verguldsel*) dorure *f.*; ***met* — *op snee*,** doré sur tranche; ***een kies met* — *vullen*,** aurifier une dent; ***de morgenstond heeft* — *in de mond*,** a bon gain, qui se lève matin; ***'t is al geen* — *wat er blinkt*,** tout ce qui reluit

n'est pas or; ***achttien-karaats —,*** or à 18 carats.
goud'aarde *v.(m.)* terre *f.* aurifère.
goud'achtig *b.n.* doré.
goud'ader *v.(m.)* veine *f.* d'or, filon *m.* d'or.
goud'agio *o.* (*H.*) agio *m.* sur l'or.
goud'basis *v.* clause-or *f.*
goud'bedding *v.* gisement *m.* aurifère.
goud'blad *o.* or *m.* en feuilles. [d'or.
goud'blond *b.n.* blond doré; ***— haar,*** cheveux
goud'brasem *m.* daurade *f.*
goud'brokaat, goud'brocaat *o.* brocart *m.*
goud'brons I *o.* or *m.* en poudre; **II** *b.n.* bronze doré.
goud'bruin *b.n.* mordoré.
goud'clausule *v.(m.)* clause-or *f.*
goud'dekking *v.* couverture *f.* or.
goud'delver *m.* chercheur *m.* d'or, mineur *m.* (dans les mines d'or).
goud'dorst *m.* soif *f.* de l'or.
goud'draad *m.* fil *m.* d'or.
gou'den *b.n.* d'or, en or; ***de — standaard,*** l'étalon or; ***de — eeuw,*** l'âge d'or; ***— bergen beloven,*** promettre monts et merveilles.
goudenre'gen *m.* cytise, faux ébénier *m.*
goud'erts *o.* minerai *m.* d'or.
goud'fazant *m.* faisan *m.* doré.
goud'forel' *v.(m.)* truite *f.* dorée.
goud'frank *m.* franc*-or *m.*
goud'geel *b.n.* jaune doré.
goud'gehalte *o.* titre *m.*
goud'geld *o.* monnaie *f.* d'or.
goudgraver, *zie* ***gouddelver.***
goud'groeve *v.(m.)* mine *f.* d'or.
goud'haantje *o.* **1** (*vogel*) roitelet *m.* huppé; **2** (*insekt*) chrysomèle *f.*
goud'houdend *b.n.* aurifère.
goud'karper *m.* carpe *f.* dorée.
goud'kever *m.* scarabée *m.* doré.
goud'kleur *v.(m.)* couleur *f.* d'or, jaune *m.* doré.
goud'kleurig *b.n.* couleur d'or, doré, d'or.
goud'klomp *m.* **1** masse d'or, pépite *f.*; **2** (*staaf*) lingot *m.* d'or.
goud'koord *o. en v.(m.)* galon *m.* d'or.
goud'koorts *v.(m.)* fièvre *f.* de l'or.
goud'korrel *m.* grain *m.* d'or.
goud'kust *v.(m.)* côte *f.* d'or.
goud'laken *o.* drap *m.* d'or.
goud'lakens *b.n.* de drap d'or. [d'or.
goud'land *o.* pays *m.* d'or; (*H*) pays *m.* à étalon
goud'le(d)er *o.* cuir *m.* doré.
goud'lening *v.* emprunt-or *m.*
goud'lovertje *o.* paillette *f.* d'or.
goud'maker *m.* alchimiste *m.*
goud'makerij *v.* alchimie *f.*
goud'mark *v.(m.)* mark*-or *m.*
goud'merel *m. en v.* loriot *m.*
goud'mijn *v.(m.)* mine *f.* d'or.
goud'munt *v.(m.)* monnaie *f.* d'or.
goud'papier *o.* papier *m.* doré.
goud'pariteit *v.* parité *f.* or.
goud'poeder, -poeier *o. en m.* poudre *f.* d'or, or *m.* en poudre.
goud'reserve *v.* réserve *f.* or.
goud'rijk *b.n.* riche en or.
goud'roebel *m.* rouble*-or *m.*
Gouds *b.n.* de Gouda.
gouds'bloem *v.(m.)* souci *m.*
goud'schaaltje *o.* trébuchet *m.*
goud'smederij *v.* orfèvrerie *f.*
goud'smid *m.* orfèvre *m.* [*f.*
goud'smidswinkel *m.* (magasin *m.* d') orfèvrerie
goud'staaf *v.(m.)* barre *f.* d'or.
goud'stad *v.(m.)* cité *f.* de l'or.
goud'steen *m.* **1** (*toetssteen*) pierre *f.* de touche; **2** (*edelsteen*) chrysolithe *f.*
goud'stuk *o.* pièce *f.* d'or.
goud'uitvoer *m.* exportation *f.* de l'or.
goud'veld *o.* champ *m.* aurifère.
goud'verlies *o.* perte *f.* d'or.
goud'vink *m. en v.* **1** (*Dk.*) bouvreuil, pivoine *m.*; **2** (*fam.: officier*) galonnard *m.*; **3** (*geldstuk*) jaunet *m.*
goud'vis *m.* dorade *f.*, cyprin *m.* doré; poisson *m.* rouge. [poissons.
goud'viskom *v.(m.)* bocal *m.* à dorades, globe *m.* à
goud'vlieg *v.(m.)* chrysomèle *f.*
goud'vlies *o.* baudruche *f.*
goud'voorraad *m.* (*v. bank*) encaisse-or *f.*
goud'vos *m.* alezan *m.* doré.
goud'vulling *v.* aurification *f.*
goud'wasser *m.* orpailleur *m.*
goud'werk *o.* orfèvrerie *f.*
goud'winde *v.(m.)* (*Dk.*) ide *f.* dorée.
goud'zending *v.* envoi *m.* d'or.
goud'zoeker *m.* chercheur *m.* d'or.
goulard'water *o.* eau *f.* blanche.
gouvernement', goevernement *o.* gouvernement *m.*
gouvernements'gebouw, goevernements'-gebouw *o.* palais *m.* du gouverneur.
gouverneur', goeverneur' *m.* **1** gouverneur *m.*; **2** (*leermeester*) précepteur *m.*
gouverneur'-generaal', goeverneur'-generaal' *m.* gouverneur *m.* général.
gouw *v.(m.)* **1** (*landstreek*) région, contrée *f.*; **2** (*district*) district, canton *m.*; **3** (*oudtijds*) province *f.*
gou'we *v.(m.)* (*Pl.*) chélidoine *f.*
gou'wenaar *m.* (*fam.*) pipe *f.* de Gouda.
gouw'spraak *v.(m.)* dialecte, patois *m.*
Go'vert *m.* Godefroy, Geoffroi *m.*
graad *m.* **1** (*v. schaal*) degré *m.*; **2** (*rang*) grade *m.*; ***16 graden Celsius,*** 16 degrés centigrades; ***3 graden vorst,*** 3 degrés au-dessous de 0; ***40 graden koorts,*** de la fièvre à quarante; ***op 10 graden zuiderbreedte,*** à dix degrés latitude sud; ***vergelijking van de tweede —,*** équation du second degré; ***in de hoogste —,*** au dernier degré; ***bijwoord van —,*** adverbe d'intensité; ***familie in de derde —,*** des parents au troisième degré; ***de — van beschaving,*** le degré de civilisation; ***een — hebben,*** avoir un grade, être gradué.
graad'boog *m.* **1** demi-cercle*, cercle *m.* gradué; **2** (*tekenen*) rapporteur *m.*
graad'meter *m.* échelle *f.* graduée.
graad'meting *v.* mesurage *m.* du méridien.
graad'verdeling *v.* graduation *f.*
graaf *m.* comte *m.*
graaf'kever *m.* fouisseur *m.*
graaf'machine *v.* excavateur *m.*
graaf'schap *o.* comté *m.*
graaf'werk *o.* **1** travaux *m.* de terrassement; **2** (*opgraving, voor onderzoek*) fouilles *f.pl.*
graaf'wesp *v.(m.)* fouisseur *m.*
graag I *b.n.* qui a bon appétit; ***hij heeft altijd een grage maag,*** il a toujours bon appétit; **II** *bw.* volontiers, avec plaisir; ***— lezen,*** aimer à lire; ***— of niet!*** c'est à prendre ou à laisser.
graag'heid, graag'te *v.* **1** appétit *m.*; **2** (*begeerte*) désir *m.*; ***met —,*** avidement.
graai'en *on.w.* fouiller (dans).
graal *m.* le (saint) Graal.
graal'ridder *m.* chevalier *m.* du Graal.
graan *o.* **1** grains *m.pl.*; **2** (*koren*) blé *m.*

graan'akker *m.* champ *m.* de blé.
graan'beurs *v.*(*m.*) **1** halle *f.* aux blés; **2** (*handel*) bourse *f.* des céréales.
graan'bouw *m.* culture *f.* des céréales.
graan'elevator *m.* élévateur *m.* de grains.
graan'gewassen *mv.* céréales *f.pl.*
graan'halm *m.* épi *m.* (de blé). [des blés.
graan'handel *m.* commerce *m.* des grains, —
graan'handelaar *m.* marchand *m.* de blés.
graan'korrel *m.* grain *m.* de blé.
graan'markt *v.*(*m.*) marché *m.* au(x) blé(s), halle *f.* aux blés.
graan'oogst *m.* moisson *f.* (des blés).
graan'pakhuis *o.* grenier *m.*
graan'prijs *m.* prix *m.* du blé.
graan'schoof *v.*(*m.*) gerbe *f.* de blé.
graan'schuur *v.*(*m.*) grange *f.* (à blé), grenier *m.*
graan'silo *m.* silo *m.*
graan'soort *v.*(*m.*) céréale *f.*
graan'veld *o.* champ *m.* de blé.
graan'zolder *m.* grenier *m.* (à blé).
graan'zuiger, *zie* ***graanelevator.***
graat *v.*(*m.*) arête *f.*; ***een — in de keel hebben,*** avoir avalé une arête; ***niet zuiver op de —,*** équivoque; ***hij vindt er geen graten in,*** il n'y voit pas d'inconvénient; ***van de — vallen,*** **1** (*zeer hongerig zijn*) mourir de faim; **2** (*vermageren*) maigrir; ***zo mager als een —,*** maigre comme un clou.
graat'balk *m.* arêtier *m.*
grab'bel *v.* ***te — gooien,*** jeter à la gribouillette; (*fig.*) ***zijn geld te — gooien,*** jeter son argent (par les fenêtres); ***zijn goede naam te — gooien,*** se perdre de réputation.
grab'belen *on.w.* se jeter avidement sur, ramasser (ce qui a été jeté à la gribouillette); ***in een lade —,*** fourrager (*of* farfouiller) dans un tiroir.
grab'belton *v.* gribouillette *f.*
Grac'chus *m.* Gracchus *m.*; ***de Gracchen,*** les Gracques.
gracht *v.*(*m.*) **1** (*kanaal*) canal *m.*; **2** (*sloot*) fossé *m.*; **3** (*rond een vesting*) fossé *m.*; **4** (*straat*) quai *m.*
gracht'water *o.* eau *f.* de canal.
gracieus' **I** *b.n.* gracieux; **II** *bw.* gracieusement.
grade'ren *ov.w.* **1** (*water*) faire évaporer par graduation; **2** (*steen*) strier.
gradua'le *o.* graduel *m.*
graf *o.* **1** tombe *f.*, tombeau *m.*; **2** (*kuil*) fosse *f.*; **3** (*graftombe, hogere stijl*) sépulcre *m.*; ***het Heilig —,*** le Saint-Sépulcre; ***aan gene zijde van het —,*** au delà de la tombe; ***zijn eigen — graven,*** creuser sa fosse, se perdre, se ruiner volontairement; ***zijn — in de golven vinden,*** trouver la mort dans les flots; ***met een been in 't — staan,*** avoir un pied dans la fosse; ***op de rand van 't —,*** à deux doigts de la mort; ***een — schenden,*** violer une sépulture.
gra'felijk *b.n.* comtal.
graf'heuvel *m.* **1** tertre *m.*; **2** (*gesch.*) tumulus *m.*
gra'ficus *m.* dessinateur *m.*
grafiek' *v.* **1** (*graf. voorstelling*) graphique, diagramme *m.*; **2** (*kunst*) arts *m.pl.* graphiques.
grafiet' *o.* graphite *m.*, plombagine *f.*
gra'fisch **I** *b.n.* graphique; **II** *bw.* graphiquement.
graf'kamer *v.*(*m.*) chambre *f.* funéraire.
graf'kapel *v.*(*m.*) chapelle *f.* mortuaire.
graf'kelder *m.* caveau *m.*
graf'krans *m.* couronne *f.* mortuaire.
graf'kuil *m.* fosse *f.*
graf'legging *v.* mise *f.* au tombeau.
graf'monument *o.* monument *m.* funéraire.
graf'naald *v.*(*m.*) obélisque *m.* funéraire, stèle *f.*
graf'schender *m.* profanateur *m.* de sépulture.
graf'schennis *v.* violation *f.* de sépulture.
graf'schrift *o.* épitaphe *f.*
graf'ste(d)e *v.*(*m.*) sépulture *f.*
graf'steen *m.* pierre *f.* tombale.
graf'stem *v.*(*m.*) voix *f.* sépulcrale.
graf'terp *m.* tumulus *m.*
graf'tombe *v.*(*m.*) **1** tombeau *m.*; **2** (*ledig praalgraf*) cénotaphe *m.*
graf'urn(e) *v.*(*m.*) urne *f.*
graf'waarts *bw.* au tombeau.
graf'zerk *v.*(*m.*) pierre *f.* tombale.
graf'zuil *v.*(*m.*) stèle *f.*
gram **I** *o.* gramme *m.*; **II** *b.n.* fâché, irrité, courroucé; ***— worden,*** se fâcher.
gramma'tica, gramma'tika *v.* grammaire *f.*
grammaticaal', grammatikaal' *b.n.* grammatical.
gramma'tisch *b.n.* grammatical.
gramma'ticus *m.* grammairien *m.*
grammofoon' *m.* phonographe *m.*; ***elektrische —,*** électrophone *m.*
grammofoon'muziek *v.* musique *f.* enregistrée.
grammofoon'naald *v.*(*m.*) aiguille *f.* (de phonographe); saphir *m.*
grammofoon'plaat *v.*(*m.*) disque *m.*
gram'schap *v.* colère *f.*, courroux *m.*
gramsto'rig *b.n.* irascible, emporté, susceptible.
granaat' *v.*(*m.*) **1** (*Pl.*) grenade *f.*; **2** (*mil.*) obus *m.*; **3** *m. en o.* (*steen*) grenat *m.*
granaat'appel *m.* grenade *f.*
granaat'boom *m.* grenadier *m.*
granaat'kartets *v.*(*m.*) obus *m.* à balles, — à mitraille, shrapnel *m.* [d'obus.
granaat'scherf *v.*(*m.*), **-splinter** *m.* éclat *m.*
granaat'tas *v.*(*m.*) grenadière *f.*
granaat'trechter *m.* cratère *m.* d'obus, entonnoir *m.* d'obus.
granaat'vuur *o.* tir *m.* à obus.
granaat'werper *m.* lance-grenades *m.*
Grana'da *o.* Grenade *f.*
gran'de *m.* grand *m.* (d'Espagne).
grandioos' **I** *b.n.* grandiose; **II** *bw.* grandiosement, avec grandeur.
graniet' *o.* granit *m.*
graniet'achtig *b.n.* granitique.
graniet'blok *o.* bloc *m.* de granit.
granie'ten *b.n.* de granit.
graniet'kleurig *b.n.* granité, couleur de granit.
graniet'rots *v.*(*m.*) rocher *m.* granitique.
grap *v.*(*m.*) **1** farce, plaisanterie *f.*; **2** (*klucht*) farce, bouffonnerie *f.*; ***—pen maken,*** plaisanter, badiner, faire des farces; ***een flauwe —,*** une mauvaise plaisanterie; ***dat is een mooie —,*** en voilà une histoire; ***voor de —,*** pour rire, par plaisanterie, par blague; ***hij houdt van een —je,*** il aime à rire.
grape'fruit *m.* pamplemousse *m.*
grap'jas *m.* (*fam.*) farceur, bouffon *m.*
grap'penmaker *m.* farceur, plaisant *m.*; ***flauwe —,*** mauvais plaisant *m.*
grap'penmakerij *v.* farce, plaisanterie, blague *f.*
grap'pig **I** *b.n.* comique, plaisant, facétieux; ***'t was een — gezicht,*** c'était drôle à voir; ***iets —s,*** quelque chose de comique; **II** *bw.* comiquement, plaisamment.
grap'pigheid *v.* drôlerie, bouffonnerie *f.*
gras *o.* **1** herbe *f.*; **2** (*—perk*) gazon *m.*; **3** (*weide—*) herbage *m.*; ***—sen,*** graminées, plantes *f.pl.* herbacées; ***het — maaien,*** faucher les foins; ***er geen — over laten groeien,*** faire qc. sans délai, battre

le fer quand il est chaud; ***iem. het — voor de voeten wegmaaien,*** couper l'herbe sous les pieds de qn.; ***te hooi en te —,*** à bâtons rompus, de loin en loin.
gras'achtig *b.n.* herbacé, graminé.
gras'boter *v.(m.)* beurre *m.* de mai.
gras'duinen *on.w.* **1** (*volop genieten*) faire bonne chère, s'en donner à cœur joie; **2** (*zoeken, snuffelen*) fouiller; fourrager.
gras'etend *b.n.* herbivore.
gras'gewassen *mv.* graminées *f.pl.*
gras'groen *b.n.* vert d'herbe; vert comme pré.
gras'halm *m.* brin *m.* d'herbe.
gras'je *o.* brin *m.* d'herbe.
gras'kalf *o.* veau *m.* d'élève.
gras'land *o.* prairie *f.*, herbage, pré *m.*
gras'lelie *v.(m.)* phalangère *f.*
gras'linnen *o.* batiste *m.* de Canton, toile *f.* de [ramie.
gras'maaier *m.* **1** (*persoon*) faucheur *m.*; **2** (*werktuig*) faucheuse *f.*
gras'maaimachine *v.* tondeuse *f.* à gazon.
gras'maand *v.(m.)* avril *m.*
gras'mat *v.(m.)* terre *f.* gazonnée, pelouse *f.*
gras'mus *v.(m.)* fauvette *f.*
gras'perk *o.* pelouse *f.*, gazon *m.*
gras'rand *m.* bordure *f.* en gazon.
gras'rijk *b.n.* herbeux, herbu.
gras'rol *v.(m.)* rouleau *m.* à gazon.
gras'schaar *v.(m.)* ciseaux *m.pl.* à gazon.
gras'snijder *m.* coupe-gazon *m.*
gras'sprietje *o.* brin *m.* d'herbe.
gras'veld *o.* **1** pelouse *f.*, gazon *m.*; **2** (*weide*) prairie *f.*, pré *m.*
gras'vlakte *v.* plaine herbeuse, prairie *f.*
gras'zaad *o.* semence *f.* de graminées.
gras'zode *v.(m.)* (plaque *f.* de) gazon *m.*; ***met —n beleggen,*** gazonner.
gra'tie *v.* grâce *f.*; ***bij de — Gods,*** par la grâce de Dieu; ***iem. — verlenen,*** faire grâce à qn., gracier qn.; ***bij iem. in de — komen,*** gagner les bonnes grâces de qn.; ***met —,*** avec grâce, gracieusement.
gratifica'tie, gratifika'tie *v.* gratification *f.*
gra'tig *b.n.* plein d'arêtes.
gra'tis I *b.n.* gratuit; **II** *bw.* gratuitement, gratis.
grauw I *b.n.* gris; ***—e erwt,*** pois *m.* chiche, — gris; ***— papier,*** papier *m.* d'emballage; **II** *z.n., o.* (*gepeupel*) populace, canaille *f.*, lie *f.* du peuple; **III** *z.n., m.* (*snauw, hard woord*) brusquerie, rudesse *f.*, parole *f.* dure.
grauw'achtig *b.n.* grisâtre.
grauw'bruin *b.n.* d'un gris brun.
Grauw'bunderland *o.* les Grisons *m.pl.*, le pays des Grisons.
grau'wen *on.w.* rudoyer, rabrouer.
grauw'heid *v.* couleur *f.* grise.
grauw'tje *o.* **1** baudet, grison; âne *m.*; **2** (*lijster*) grive *f.*; **3** (*Pl.*) grisette *f.*; **4** (*schildering*) grisaille *f.*
grauw'vuur *o.* grisou *m.*
grauw'vuurontploffing *v.* coup *m.* de grisou.
grauw'zuster *v.* clarisse *f.*
graveel' *o.* gravelle *f.*
graveel'achtig *b.n.* graveleux.
graveel'lijder *m.* graveleux *m.*
graveel'steen *m.* calcul *m.*
graveer'der *m.* graveur *m.*
graveer'ijzer *o.* burin, poinçon *m.*
graveer'kunst *v.* (art *m.* de la) gravure *f.*
graveer'naald, -stift *v.(m.)* burin, poinçon *m.*
graveer'werk *o.* ouvrage *m.* gravé, gravure *f.*
gra'ven I *ov.w.* **1** creuser; **2** (*tunnel*) percer; **3** ***goud —,*** extraire de l'or; ***wie een kuil graaft voor een ander, valt er zelf in,*** qui tend un piège à un autre, s'y prend le premier; **II** *on.w.* faire des fouilles, fouir.
Gra'ven *o.* Grez-Doiceau.
Gravenbra'kel, 's—, Braine-le-Comte.
Gravenha'ge, 's—, *o.* La Haye *f.*
gra'venkroon *v.(m.)* couronne *f.* comtale.
gra'ventitel *m.* titre *m.* de comte.
Gravenvoe'ren, 's—, *o.* Fouron-le-Comte.
gra'ver *m.* **1** (*grondwerker, enz.*) terrassier *m.*; **2** (*dood—*) fossoyeur *m.*; **3** (*Dk.*) fouisseur *m.*
grave'ren *ov.w. en on.w.* graver.
graverij' *v.* (exploitation) tourbière *f.*
grave'ring *v.* gravure, taille *f.*
graveur' *m.* graveur *m.*
gravin' *v.* comtesse *f.*
gra'ving *v.* creusement *m.*, fouille *f.*
gravu're *v.(m.)* gravure *f.*
gra'zen *on.w.* paître, brouter (l'herbe); ***het vee laten —,*** faire (*of* mener) paître le bétail; ***iem. te — nemen,*** (*fam.*) charrier qn., monter un bateau à qn.
gra'zig *b.n.* herbeux, herbu.
greb(be) *v.(m.)* rigole *f.*
Green'wichtijd *m.* heure *f.* occidentale, — de [Greenwich.
greep I *m.* prise, saisie *f.*; **II** *v.(m.)* **1** (*handvol*) poignée *f.*; **2** (*handvat*) (*v. mes, bijl*) manche *m.*; (*v. degen*) poignée *f.*; (*v. pistool*) crosse *f.*; (*v. pot, enz.*) anse *f.*; **3** (*v. gaffel*) fourche *f.*; ***een — doen,*** faire un choix; ***een gelukkige — doen,*** avoir la main heureuse.
gregoriaans' *b.n.* grégorien; ***— gezang,*** plain*-[chant* *m.*
Grego'rius *m.* Grégoire *m.*
grein *o.* **1** (*gewicht*) grain *m.*; **2** (*korrel*) grain *m.*; **3** (*stof*) camelot *m.*; ***hij heeft geen —tje gezond verstand,*** il n'a pas un grain (*of* pas l'ombre) de bon sens.
greine'ren *ov.w.* greneler, greneter.
gre'ling *m.* (*sch.*) grelin *m.*
grenadier' *m.* grenadier *m.*
grenadiers'muts *v.(m.)* bonnet *m.* à poil, — de grenadier.
grenadi'ne *v.(m.)* grenadine *f.*
gren'del *m.* **1** (*v. deur*) verrou *m.*; **2** (*v. geweer*) culasse *f.* (mobile); **3** (*knip*) targette *f.*; ***de — op de deur doen,*** pousser le verrou; ***achter slot en —,*** sous les verrous.
gren'delen *ov.w.* verrouiller, fermer au verrou.
gren'delslot *o.* serrure *f.* à pène.
gre'nehout *o.* bois *m.* de sapin; ***Amerikaans —,*** pitchpin *m.*
gre'nen *b.n.* en bois de sapin.
grens *v.(m.)* **1** (*alg.*) limite *f.*; **2** (*v. land*) frontière *f.*; **3** (*eindpaal*) borne *f.*; **4** (*uiterste delen*) confins *m.pl.*; ***binnen zekere grenzen blijven,*** rester dans les limites; ***de grenzen te buiten gaan,*** dépasser les bornes; ***iem. over de — zetten,*** conduire qn. à la frontière.
grens'bepaling *v.* délimitation *f.* des frontières.
grens'bewaker *m.* garde*-frontière *m.*
grens'bewaking *v.* garde *f.* des frontières.
grens'bewoner *m.* habitant *m.* de la frontière.
grens'correctie, -korrektie *v.* correction *f.* de la frontière.
grens'dorp *o.* village *m.* de la frontière.
grens'gebied *o.* zone *f.* frontière, — frontalière, région *f.* frontière, territoire *m.* —.
grens'geschil *o.* différend *m.* sur les limites.
grens'geval *o.* cas-limite *m.*
grens'kantoor *o.* (bureau *m.* de la) douane *f.*
grens'korrektie, *zie* ***grenscorrectie.***
grens'kosten *mv.* coûts *m.pl.* marginaux.

grens'lijn *v.(m.)* ligne *f.* de démarcation; ***de — aangeven,*** marquer la frontière.
grens'nut *o.* utilité *f.* marginale, — finale.
grens'paal *m.* poteau*-frontière *m.*, borne *f.*
grens'pas *m.* carte *f.* frontalière.
grens'plaats *v.(m.)* ville *f.* (*of* village *m.*) frontière.
grens'post *m.* poste*-frontière *m.*
grens'punt *o.* limite *f.*
grens'rechter *m.* (*voetb.*) juge *m.* de ligne, — de touche. [de frontière.
grens'regeling *v.* délimitation *f.*, règlement *m.*
grens'rivier *v.(m.)* rivière *f.* frontière.
grens'scheiding *v.* ligne *f.* de démarcation, — de délimitation.
grens'stad *v.(m.)* ville *f.* frontière.
grens'station *o.* gare *f.* frontière.
grens'steen *m.* borne, borne*-frontière *f.*
grens'verkeer *o.* commerce *m.* de la frontière; trafic *m.* de frontière. [de frontière.
grens'vesting *v.* place *f.* frontière, forteresse *f.*
grens'vlak *o.* face *f.*, plan *m.*
grens'waarde *v.* valeur-limite *f.*, plafond *m.*
grens'wachter *m.* **1** garde*-frontière *m.*; **2** (*voetb.*) juge *m.* de ligne.
grens'zuil *v.(m.)* borne *f.*
gren'zeloos I *b.n.* illimité, infini, sans bornes, immense; **II** *bw.* sans bornes.
gren'zeloosheid *v.* infinité, immensité *f.*
gren'zen *on.w.* ***— aan,*** **1** confiner à, être limitrophe de, avoisiner (qc.), jouxter (qc.); **2** (*v. land*) être borné par; ***aan elkaar —,*** être limitrophes; (*fig.*) ***dat grens aan onbeleefdheid,*** cela frise l'impolitesse; ***zijn verdriet grenst aan wanhoop,*** son chagrin tient du désespoir.
grep'pel *v.(m.)* rigole *f.*, petit fossé *m.*
gres'buis *v.(m.)* tube *m.* en grès.
gre'tig I *b.n.* avide (de), âpre (à); **II** *bw.* avidement, ardemment; ***een — toehoorder,*** un auditeur attentif.
gre'tigheid *v.* avidité, ardeur *f.*
Gre'velingen *o.* Gravelines *f.*
gri'bus *m.* taudis *m.*
grief, grie've *v.(m.)* **1** (*leed, smart*) douleur, peine *f.*; **2** (*bezwaar*) grief *m.*
Griek *m.* Grec *m.*
Grie'kenland *o.* la Grèce.
Griekin' *v.* Grecque *f.*
Grieks I *b.n.* grec, grecque; ***— vuur,*** feu *m.* grégeois; **II** *z.n., o.* ***het —,*** le grec; ***kenner van het —,*** helléniste *m.*
griend *v.(m.)* oseraie *f.*
griend'hout *o.* osier *m.*
grie'nen *on.w.* pleurnicher, larmoyer, piailler.
grie'ner *m.* pleurnicheur, larmoyeur *m.*
grie'nerig *b.n.* pleurard.
griep *v.(m.)* grippe *f.*; ***de — hebben,*** être grippé; ***kwaadaardige —,*** influenza *f.*
gries *o.* **1** (*kiezel, gruis*) gros sable *m.*; **2** (*griesmeel*) semoule *f.*
gries'meel *o.* semoule *f.*
gries'meelpudding *m.* pouding *m.* de semoule, gâteau *m.* de semoule.
Griet *v.* Margot *f.*; ***een boze —,*** une mégère.
griet 1 *v.(m.)* (*vis*) barbue *f.*; **2** *m.* (*vogel*) barge *f.* commune.
griet'je *o.* (*sch.*) perruche *f.*
grie've, *zie* ***grief.***
grie'ven *ov.w.* blesser, offenser.
grie'vend *b.n.* **1** (*v. woorden*) blessant; **2** (*v. feiten*) douloureux.
grie'zel *m.* frisson *m.*, horreur *f.*
grie'zelen *on.w.* frissonner.
grie'zelfilm *m.* film *m.* d'épouvante.
grie'zelig *b.n.* horrible, affreux, qui donne le frisson, qui donne la chair de poule.
grie'zeligheid *v.* horreur *f.*
grie'zeling *v.* frissonnement *m.*
grif I *b.n.* prompt, adroit; **II** *bw.* promptement sans hésiter, rapidement; ***— verkopen,*** vendre couramment; ***— toestemmen,*** consentir sans difficulté, reconnaître facilement.
grif'fel *v.(m.)* **1** (*voor lei*) crayon *m.* d'ardoise; **2** (*om te graveren*) burin *m.*; **3** (*entrijs*) greffe *f.*
grif'feldoos *v.* boîte *f.* à crayons d'ardoise, plumier *m.* [enter, greffer.
grif'felen, grif'fen *ov.w.* **1** graver; **2** (*enten*)
griffelkoker *m.*, *zie* ***griffeldoos.***
grif'felmes *o.* greffoir *m.*
grif'fen, *zie* ***griffelen.***
grif'fie *v.* greffe *m.*
griffier' *m.* greffier *m.*
griffier'schap *o.* office *m.* de greffier.
griff(i)oen' *m.* (*Dk.*) griffon *m.*
grif'heid *v.* promptitude, facilité *f.*
grift *v.(m.)* **1** (*water*) canal *m.*; **2** (*griffel*) crayon *m.* d'ardoise.
grij'nen, *zie* ***grienen.***
grijns *v.(m.)* **1** (*lelijke tronie*) grimace *f.*; **2** (*onaangename vertrekking v. 't gelaat*) rictus *m.*
grijns'lach *m.* ricanement; rictus *m.*
grijns'lachen *on.w.* grimacer, ricaner.
grijn'zen *on.w.* grimacer, ricaner.
grijn'zing *v.* grimace, moue *f.*; ricanement *m.*
grijp *m.* griffon *m.*
grijp'anker *o.* (*sch.*) grappin *m.*
grijp'baar *b.n.* à portée de la main, saisissable.
grij'pen I *ov.w.* **1** (*pakken*) saisir; **2** (*omklemmen*) empoigner; ***iem. bij de kraag —,*** prendre qn. au collet; ***plaats —,*** avoir lieu; ***uit het leven gegrepen,*** pris sur le vif; ***uit de lucht —,*** inventer (de toutes pièces); **II** *on.w.* saisir; ***het anker grijpt,*** l'ancre mord; ***de raderen — in elkaar,*** les roues s'engrènent; ***in de ziel —,*** remuer le cœur (*of* l'âme); ***naar iets —,*** étendre la main vers qc.; ***naar een middel —,*** recourir à un moyen; ***naar de pen —,*** saisir sa plume; ***naar de wapens —,*** prendre les armes; ***om zich heen —,*** **1** (*rondtasten*) tâtonner; **2** (*fig.: brand, ziekte, enz.*) gagner du terrain; **III** *z.n., o.* ***men heeft het voor het —,*** on n'a qu'à étendre la main; ***voor het — liggen,*** être à la portée de la main.
grij'per *m.* (*techn.*) benne *f.* preneuse, banne —.
grijp'gier *m.* griffon *m.*
grijp'kraan *v.(m.)* godet *m.*, pelle *f.* mécanique.
grijp'orgaan *o.* organe *m.* de préhension.
grijp'staart *m.* queue *f.* prenante.
grijp'vogel *m.* **1** (*Dk.*) griffon *m.*; préhenseur *m.*; **2** (*fig.*) grippe-sou*, pince-maille* *m.*
grijs *b.n.* gris; ***grijze haren,*** des cheveux blancs; ***de grijze bevelhebber,*** le vieux général; ***het — verleden,*** le passé lointain; ***— worden,*** grisonner; (*wit*) blanchir.
grijs'aard *m.* vieillard *m.*
grijs'achtig *b.n.* grisâtre.
grijs'grauw *b.n.* terreux.
grijs'groen *b.n.* glauque, d'un gris verdâtre.
grijsha'rig *b.n.* **1** (*v. persoon*) à cheveux blancs; **2** (*v. dieren*) à poil gris.
grijs'heid *v.* **1** (*kleur*) couleur *f.* grise; **2** (*ouderdom*) vieillesse *f.*
grijs'kop *m.* tête *f.* grise, grison *m.*
grij'zen I *on.w.* **1** grisonner; **2** (*oud worden*) commencer à vieillir; **II** *z.n., o.* grisonnement *m.*

grij'zend *b.n.* grisonnant.
grij'zig *b.n.* grisâtre.
gril I *v.(m.)* fantaisie *f.*, coup de tête, caprice *m.*, toquade *f.*; **II** *m.* (*huivering*) frisson *m.*
gril'lig I *b.n.* **1** (*v. personen en zaken*) capricieux; **2** (*v. personen*) fantasque; **3** (*zonderling*) bizarre; **II** *bw.* **1** bizarrement; **2** capricieusement.
gril'ligheid *v.* caprice *m.*; bizarrerie *f.*
gril'ziek *b.n.* fantasque, capricieux.
grim I *v.(m.)* fureur, colère *f.*; **II** *b.n.* furieux.
grimas' *v.(m.)* grimace *f.*; ***—sen,*** (*fig. ook:*) simagrées *f.pl.*; ***—sen maken,*** faire des grimaces, grimacer.
grimas'senmaker *m.* grimacier *m.*
grime *v.(m.)* maquillage *m.*
grime'ren *ov.w.* grimer, maquiller.
grimeur' *m.* grimeur *m.*
grim'lach *m.* ricanement, sourire *m.* moqueur.
grim'lachen *on.w.* ricaner.
grim'men *on.w.* **1** (*toornig zijn*) rager, grincer des dents; **2** (*brommen*) gronder; **3** (*v. beer*) grogner.
grim'mig I *b.n.* **1** (*v. blik*) féroce; **2** (*v. uiterlijk*) renfrogné; **3** (*toornig*) rageur; **4** (*kribbig*) hargneux; **5** (*v. koude*) âpre; **II** *bw.* furieusement.
grim'migheid *v.* colère, fureur *f.*, courroux *m.*
grind, grint *o. en v.* gravier *m.*; ***grof —,*** pierraille *f.*; ***opspattend —,*** gravillons *m.pl.*
grind'bank, grint'bank *v.(m.)* gravière *f.*
grind'groeve, grint'groeve *v.(m.)* gravière *f.*
grind'grond, grint'grond *m.* terrain *m.* caillouteux.
grind'weg, grint'weg *m.* chemin *m.* de gravier.
grin'niken *on.w.* ricaner, rire sous cape.
grin'nikend *b.n.* ricanant.
grint(-), *zie* ***grind(-).***
gris'sen *ov.w.* (*fam.*) grincher, gripper, chiper, rafler, escamoter.
groef, groe've *v.(m.)* **1** (*kuil*) fosse *f.*; **2** (*greppel*) rigole *f.*; **3** (*voor drainering*) tranchée *f.*; **4** (*in zuil*) cannelure *f.*; **5** (*in plank, enz.*) rainure *f.*; **6** (*inkerving*) entaille *f.*; **7** (*barst*) crevasse *f.*; **8** (*rimpel*) ride *f.*; **9** (*steen—*) carrière *f.*
groef'taster *m.* bras *m.* porte-saphir.
groef'werk *o.* cannelure *f.*
groei *m.* **1** (*alg.*) croissance *f.*; **2** (*v. planten*) végétation *f.*; **3** (*fig.*) (*ontwikkeling*) développement *m.*; (*toename*) accroissement *m.*
groe'ien *on.w.* **1** (*alg.*) croître; **2** (*groter worden*) pousser, grandir; **3** (*fig.: toenemen*) augmenter, s'accroître; ***— als kool,*** pousser à vue d'œil; ***dat kind groeit als kool,*** cet enfant pousse comme un champignon; ***hij is te snel gegroeid,*** il a grandi trop vite; ***hij groeit uit zijn kleren,*** ses vêtements deviennent trop petits, il devient trop grand pour ses habits; ***er zal een goed advocaat uit —,*** il fera un bon avocat; ***er zal een dichter uit hem —,*** c'est un poète en herbe; ***iem. over 't hoofd —,*** dépasser qn.; ***uit zijn krachten —,*** grandir trop vite.
groei'koorts *v.(m.)* fièvre *f.* de croissance.
groei'kracht *v.(m.)* **1** (*levenskracht*) vitalité, énergie *f.* vitale; **2** (*v. planten*) force *f.* végétative.
groei'stuip *v.(m.)* convulsion *f.* d'enfance.
groei'tijd *m.* période *f.* de croissance, âge *m.* de la croissance.
groei'zaam *b.n.* **1** (*vruchtbaar*) fertile; **2** (*groei bevorderend*) favorable à la végétation; ***— zaad,*** semence germant bien.
groei'zaamheid *v.* fertilité *f.*
groen I *b.n.* **1** vert; **2** (*fig.*) jeune, neuf, inexpérimenté; ***—e haring,*** hareng frais; ***—e huiden,*** des peaux fraîches; ***—e kaas,*** fromage persillé; ***—e zeep,*** savon mou; ***de —e tafel,*** le tapis vert; ***— maken,*** verdir; ***— verven,*** peindre en vert; ***— worden,*** verdir, verdoyer; **II** *z.n., m.* **1** (*in kunst, wetenschap, enz.*) novice *m.*; **2** (*student*) bleu *m.*; **III** *z.n., o.* **1** (*kleur*) le vert, couleur *f.* verte; **2** (*bladeren*) verdure *f.*; ***onder 't —,*** sous la feuillée.
groen'achtig *b.n.* verdâtre.
groen'bemesting *v.* fumage *m.* en vert.
groen'boer *m.* **1** (*kweker*) maraîcher *m.*; **2** (*verkoper*) marchand *m.* des quatre saisons.
groe'nen *on.w.* **1** verdir, verdoyer, se couvrir de verdure; **2** (*fig.: een nieuweling*) brimer.
groen'geel *b.n.* d'un jaune verdâtre.
groen'heid *v.* **1** verdeur *f.*; **2** (*fig.*) innocence *f.*, manque *m.* d'expérience, gaucherie *f.*
groe'nig *b.n.* verdâtre.
Groen'land *o.* Groënland *m.*
Groen'lander *m.* Groënlandais *m.*
Groen'lands *b.n.* groënlandais.
Groen'landvaarder *m.* baleinier *m.*
groen'ling *m.* verdier *m.*
groen'lopen I *on.w.* être novice (à l'université), être brimé; **II** *z.n.* ***het —,*** la brimade.
groen maken *ov.w.* orner de guirlandes, — de verdure.
groen'markt *v.(m.)* marché *m.* aux légumes.
groen'specht *m.* pivert *m.*
groen'te *v.* légume(s) *m.(pl.)*; ***jonge —n,*** primeurs *f.pl.*
groenteboer, *zie* ***groenteman.***
groen'tekar *v.(m.)* jardinière, charrette *f.* de maraîcher.
groen'teman *m.* (*verkoper*) marchand des quatre saisons, (*kweker*) maraîcher *m.*
groentemarkt, *zie* ***groenmarkt.***
groen'teschaal *v.(m.)* légumier *m.*
groen'tesoep *v.(m.)* potage *m.* à la jardinière, julienne *f.*
groen'teteelt *v.(m.)* culture *f.* maraîchère.
groen'tetuin *m.* jardin *m.* potager, — maraîcher.
groen'tevrouw *v.* marchande *f.* des quatre saisons.
groen'tewagen *m.* jardinière *f.*
groen'tewinkel *m.* boutique *f.* de légumes.
groen'tijd *m.* noviciat *m.*, période *f.* des brimades.
groen'vink *m. en v.* verdier *m.*
groen'voe(de)r *o.* fourrage *m.* vert.
groep *v.(m.)* groupe *m.*
groepa'ge, groupa'ge *v.* groupage *m.*
groepa'gedienst, groupa'gedienst *m.* service *m.* du groupage des marchandises.
groepe'ren I *ov.w.* grouper; **II** *z.n.* ***het —,*** le groupement.
groepe'ring *v.* groupement *m.*
groep'portret *o.* portrait *m.* de groupe.
groeps'gewijs, -gewijze *bw.* par groupes.
groeps'verband, ***in —,*** en équipe.
groet *m.* salut *m.*; ***hartelijke —en,*** salutations sincères; ***met vriendelijke —en,*** bien à vous, cordialement à vous; ***de —en aan uw broer,*** mes amitiés (*of* bien des choses) à votre frère; ***doe hem de —en,*** saluez-le de ma part.
groe'ten I *ov.w.* **1** saluer; **2** (*heilwens, verwelkoming*) complimenter; **3** (*ten afscheid*) prendre congé de; ***de koning —,*** complimenter le roi; ***ik groet u,*** je vous tire mon chapeau (*of* ma révérence); **II** *on.w.* saluer; ***met de hand —,*** saluer de la main.
groe'tenis *v.* salutation *f.*; ***de — des Engels,*** la salutation angélique.
groeve, *zie* ***groef.***
groe'ven *ov.w.* canneler; ***een gegroefd gelaat,*** un visage sillonné de rides; ***een gegroefde loop,*** un canon rayé.

groe'zelig *b.n.* **1** (*alg.*) malpropre, sale; **2** (*gezicht*) mal débarbouillé; **3** (*hand*) crasseux; **4** (*linnen*) douteux; **5** (*gelaatstint*) brouillé.
groe'zeligheid *v.* état *m.* malpropre; — douteux.
grof I *b.n.* **1** (*ruw*) grossier; **2** (*groot, zwaar*) gros, fort; **3** (*niet glad*) rugueux; **4** (*plomp*) rude, lourd, grossier; ***grove fout,*** faute grossière, — grave; ***— geld verdienen,*** gagner gros; ***— geschut,*** grosse artillerie, artillerie lourde; ***grove handen,*** mains rudes; ***— laken,*** drap *m.* à poil; castorine *f.*; ***grove leugen,*** grossier mensonge; ***— linnen,*** grosse toile, toile grossière; ***grove trekken,*** traits grossiers; ***grove stijl,*** style fruste; ***— weefsel,*** tissu grossier; ***— zand,*** gros sable; ***— zout,*** gros sel, sel de cuisine; **II** *bw.* grossièrement; ***— spelen,*** jouer gros jeu.
grofgebouwd' *b.n.* membru.
grof'heid *v.* **1** grossièreté *f.*; grosseur *f.*; **2** (*fig.*) grossièreté, impertinence, rudesse *f.*
grofkor'relig *b.n.* à gros grain.
grof'smederij *v.* forge *f.*
grof'smid *m.* forgeron *m.*
grog(je), grok(je) *m.* (*o.*) grog *m.* [me.
grog'stem, grok'stem *v.*(*m.*) voix *f.* de rogom-
grok'(je), grog'(je) *m.*(*o.*) grog *m.*
grol *v.* **1** (*praatje*) sornette *f.*; **2** (*grap*) farce, blague *f.*; **3** (*kuur, gril*) caprice *m.*, fantaisie *f.*; ***—len maken,*** faire des farces.
grom'baard *m.* grognard *m.*
grom'men *on.w.* gronder, grogner.
grom'mig *b.n.* de mauvaise humeur, grognon.
grom'migheid *v.* mauvaise humeur *f.*
grom'pot *m.* grognon *m.*
grond *m.* **1** (*aarde*) sol *m.*, terre *f.*; (*terrein*) terrain *m.*; **2** (*bodem*) fond *m.*; **3** (*grondslag*) fondement *m.*, base *f.*; **4** (*reden*) motif *m.*, raison *f.*, argument *m.*; **5** (*v. stof*) fond *m.*; **6** (*wap.*) champ *m.*; ***platte—,*** (*v. stad*) plan *m.*; ***in gewijde — begraven,*** enterrer en terre sainte; ***alle — missen,*** être dénué de tout fondement; ***een — van waarheid,*** un fond de vérité; ***niet zonder —,*** non sans raison; ***op — van,*** en raison de, à cause de; (*krachtens*) en vertu de; ***op losse —en,*** à la légère; ***aan de — lopen,*** échouer; ***aan de — zitten,*** être échoué, être à la côte; ***hij stond als aan de — genageld,*** il resta cloué sur place; ***in de — boren,*** couler (à fond); ***met de — gelijkmaken,*** raser; ***laag bij de —,*** (*fig.*) terre à terre; ***dicht langs de — vliegen,*** raser la terre, voler en rase-mottes; ***aan de — zetten,*** plaquer (l'avion); ***te —e gaan,*** se perdre, périr; ***te —e richten,*** perdre, ruiner; ***in de — van zijn hart,*** dans son for intérieur; ***op de — slapen,*** coucher sur la dure; ***in de —,*** (*eigenlijk*) au fond; (*letterl.*) en terre; ***aardbeien van de koude —,*** des fraises de pleine terre, — de plein vent; ***stille waters hebben diepe —en,*** il n'est pire eau que l'eau qui dort; ***opgespoten —,*** de la terre reportée.
grond'akkoord, -accoord *o.* (*muz.*) accord *m.* de la tonique.
grond'beginsel *o.* (premier) principe *m.*
grond'begrip *o.* idée *f.* fondamentale, idée*-mère *f.*
grond'belasting *v.* impôt *m.* foncier. [fond *m.*
grond'bestanddeel *o.* élément *m.* essentiel,
grond'betekenis *v.* sens *m.* primitif.
grond'bezit *o.* propriété *f.* foncière, — terrienne; ***het groot—,*** la grande propriété.
grond'bezitter *m.* propriétaire *m.* foncier.
grond'boor *v.*(*m.*) sonde *f.*
grond'dienst *m.* (*vl.*) organisation *f.* à terre, infrastructure *f.*
grond'eigenaar *m.* propriétaire *m.* foncier.
grond'eigendom *m.* propriété *f.* foncière.
gron'del(ing) *m.* goujon *m.*
gron'deloos *b.n.* **1** sans fond, très profond; **2** (*fig.*) infini, immense.
grondeloos'heid *v.* **1** profondeur *f.* insondable; **2** (*fig.*) immensité *f.*
gron'den *ov.w.* **1** (*stichten*) fonder, établir; **2** (*doen steunen op*) baser (sur); **3** (*v. schilder*) donner la couche de fond (à); **4** (*peilen*) sonder; ***gegrond zijn op,*** être fondé sur.
gronde'ren *ov.w.* donner la première couche à.
gronde'ring *v.* première couche *f.*
grond'gebied *o.* territoire *m.*
grond'gedachte *v.* idée *f.* fondamentale, idée*-mère, pensée-mère *f.*
grond'gesteldheid *v.* état *m.* du sol.
grond'getal *o.* nombre *m.* cardinal.
gron'dig I *b.n.* **1** (*naar aarde smakend*) qui sent la vase; **2** (*degelijk*) solide; **3** (*kennis*) profond; **4** (*onderzoek*) approfondi; **5** (*verandering, genezing*) radical; ***een —e reden,*** une bonne raison, une raison solide; **II** *bw.* solidement; profondément; ***— bestuderen,*** étudier à fond; ***— smaken,*** avoir un goût de vase.
gron'digheid *v.* **1** solidité, profondeur *f.*; **2** (*v. vis*) goût *m.* de vase, — terreux.
grond'ijs *o.* glace *f.* de fond.
gron'ding *v.* **1** (*vestiging*) fondation *f.*, établissement *m.*; **2** (*verf*) première couche *f.*
grond'kapitaal *o.* capital *m.* d'apport.
grond'kleur *v.*(*m.*) **1** (*grondverf*) première couche *f.*; **2** (*primaire kleur*) couleur *f.* simple, — primitive; **3** (*v. tapijt, papier, enz.*) fond *m.*
grond'krediet *o.* crédit *m.* foncier.
grond'laag *v.*(*m.*) **1** (*verf*) fond *m.*, première couche *f.*; **2** (*der aarde*) couche *f.* primitive; première assise *f.*
grond'lasten *mv.* impôt *m.* foncier.
grond'legger *m.* fondateur *m.*
grond'legging *v.* fondation *f.*, établissement *m.*
grond'lijn *v.*(*m.*) **1** (*v. driehoek*) base *f.*; **2** (*vislijn*) ligne *f.* de fond.
grond'mist *m.* brouillard *m.* au sol.
grond'muur *m.* fondement *m.*
grond'noot *v.*(*m.*) **1** (*Pl.*) pistache *f.* de terre, arachide *f.*; **2** (*muz.*) tonique *f.*
grond'nootolie *v.*(*m.*) huile *f.* d'arachide.
grond'oorzaak *v.* cause *f.* première.
grond'organisatie, -organizatie *v.* (*vl.*) infrastructure *f.*
grond'paal *m.* pilotis *m.*
grond'personeel *o.* (*vl.*) personnel *m.* au sol, — non navigant; (*mil.*) personnel *m.* rampant.
grond'pijler *m.* pilier *m.* fondamental.
grond'politiek *v.* politique *f.* agraire.
grond'radar *m.* radar *m.* au sol. [objectifs.
grond'rechten *mv.* droits *m.pl.* naturels, —
grond'regel *m.* **1** règle *f.* fondamentale; principe *m.*; **2** (*stelregel*) maxime *f.*
grond'rente *v.*(*m.*) rente *f.* foncière.
grond'slag *m.* fondement *m.*, base *f.*; ***de — leggen van,*** jeter les bases de; ***ten — liggen aan,*** être à la base de.
grond'sop *o.* **1** (*v. wijn, enz.*) lie *f.*; **2** (*v. koffie*) marc *m.*; **3** (*bezinksel*) sédiment *m.*
grond'speculant *m.* spéculateur *m.* foncier.
grond'steen *m.* pierre *f.* fondamentale.
grond'stelling *v.* maxime *f.*, principe *m.*
grond'stewardess *v.* hôtesse *f.* d'accueil.
grond'stof *v.*(*m.*) **1** matière *f.* première; **2** (*bestanddeel: v. spijzen, enz.*) ingrédient *m.*; **3** (*grond-*

bestanddeel) élément *m.*; **4** (*scheik.*) corps *m.* simple.
grond'taal *v.*(*m.*) langue *f.* primitive, — mère.
grond'tal *o.* (*wisk.*) base *f.*
grond'tekening *v.* plan *m.*
grond'tekst *m.* texte *m.* original.
grond'toestel *o.* (*vl.*) rouleur *m.*
grond'toon *m.* **1** (*muz.*) tonique, note *f.* tonique; **2** (*nat.*) son *m.* fondamental; **3** (*fig.*) ***de — van een rede,*** le ton général d'un discours.
grond'trek *m.* trait *m.* fondamental.
grond'verf *v.*(*m.*) première couche, couche *f.* de fond.
grond'verschuiving *v.* glissement *m.* de terrain.
grond'verven *ov.w.* donner la première couche à.
grond'verzakking *v.* éboulement *m.*
grond'vesten I *mv.* fondements *m.*(*pl.*), bases *f.*(*pl.*); **II** *ov.w.* fonder.
grond'vester *m.* fondateur *m.*
grond'vesting *v.* fondation *f.*
grond'vlak *o.* base *f.*
grond'vorm *m.* forme *f.* primitive.
grond'waarheid *v.* vérité *f.* fondamentale.
grond'water *o.* eau(x) *f.*(*pl.*) souterraine(s).
grond'werk *o.* travaux *m.pl.* de terrassement.
grond'werker *m.* terrassier *m.*
grond'wet *v.*(*m.*) constitution *f.*
grond'wetsherziening *v.* revision *f.* de la constitution.
grondwet'tig, grondwet'telijk *b.n.* constitutionnel.
grond'woord *o.* radical *m.*, mot *m.* primitif.
grond'zee *v.*(*m.*) houle *f.* de fond.
grond'zeil *o.* tapis *m.* de sol.
Gro'ningen *o.* Groningue *f.*
Gro'ninger *m.* Groninguois *m.*
Gro'nings I *b.n.* groninguois; **II** *z.n., o.* dialect *m.* de Groningue.
groot I *b.n.* **1** (*alg.*) grand; **2** (*volwassen*) adulte; **3** (*ruim*) vaste; ***een grote appel,*** une grosse pomme; ***een — bedrag,*** une grosse somme; ***een — man,*** un grand homme; ***een grote man,*** un homme grand; ***de grote mensen,*** les grandes personnes; ***een — uur gaans,*** une bonne heure de marche; ***de grote wereld,*** le grand monde, le beau monde; ***grote ogen opzetten,*** ouvrir de grands yeux; ***kapitein op de grote vaart,*** capitaine au long cours; ***Karel de Grote,*** Charlemagne; **II** *bw.* grandement; ***— schrijven,*** écrire gros, — grand; ***er — van leven,*** vivre largement; ***u hebt — gelijk,*** vous avez parfaitement (*of:* bien) raison; **III** *z.n., o.* ***— en klein,*** grands et petits; ***iets —s,*** qc. de grand; ***handel in 't —,*** commerce *m.* de gros; ***in 't — verkopen,*** vendre en gros; ***veel kleintjes maken een —,*** petit à petit l'oiseau fait son nid.
groot'bedrijf *o.* grande industrie *f.*
Groot-Bij'gaarden *o.* Grand-Bigard.
groot'boek *o.* grand*-livre* *m.*
groot'brengen *ov.w.* élever.
Groot-Brittan'nië *o.* la Grande-Bretagne.
groot'doen *on.w.* prendre de grands airs, trancher du grand seigneur, faire de l'épate.
grootdoenerij' *v.* épate *f.*, grands airs *m.pl.*
Groot-Gel'men *o.* Grand-Jamine.
grootgrond'bezit *o.* grande propriété *f.* terrienne.
groot'handel *m.* commerce *m.* de gros.
groot'handelaar *m.* négociant *m.*
groot'handelsprijs *m.* prix *m.* de gros.
groothar'tig I *b.n.* magnanime, généreux; **II** *bw.* magnanimement, généreusement.
groothar'tigheid *v.* magnanimité *f.*
groot'heid *v.* **1** grandeur *f.*; **2** (*wisk.*) quantité *f.*; ***een onbekende —,*** une inconnue; (*fig.*) un illustre inconnu.
groot'heidswaanzin *m.* folie des grandeurs, mégalomanie *f.*
groot'hertog *m.* grand*-duc* *m.*
groother'togdom *o.* grand*-duché* *m.*
groothertо'gelijk *b.n.* grand-ducal*.
groothertogin' *v.* grande*-duchesse* *f.*
groot'houden, *zich —,* *w.w.* **1** (*in smart, enz.*) cacher sa douleur, se retenir (de pleurer, de crier, etc.); **2** (*zich flink houden*) faire bonne contenance; **3** (*in tegenspoed*) faire bonne mine à mauvais jeu.
groot'industrie *v.* grande industrie *f.*
groot'industrieel *m.* grand industriel *m.*
groot'je *o.* bonne*-maman*, grand-mère* *f.*; vieille *f.*; ***loop naar je —,*** va te promener.
groot'kanselier *m.* grand*-chancelier* *m.*
groot'kapitaal *o.* grand capital *m.*
groot'kruis *o.* **1** (*orde*) grand-croix *f.*; **2** (*persoon*) grand*-croix *m.*
Groot-Loon' *o.* Grand-Looz.
grootmach'tig *b.n.* très puissant.
grootmach'tigheid *v.* grande puissance *f.*
groot'majoor *m.* commandant *m.*; (*cav.*) chef *m.* d'escadron.
groot'ma(ma) *v.* grand-maman*, bonne*-maman* *f.*
groot'meester *m.* grand*-maître* *m.*
groot'moe(der) *v.* grand-mère*, aïeule *f.*
grootmoe'dig I *b.n.* magnanime, généreux; **II** *bw.* magnanimement, généreusement.
grootmoe'digheid *v.* magnanimité *f.*
grootmo'gend *b.n.* très puissant.
Groot-Ne'derland *o.* la plus grande Néerlande.
groot'ouders *mv.* grands-parents, aïeuls *m.pl.*
groot'pa(pa) *m.* grand*-papa*, bon*-papa* *m.*
Groot-Rus'land *o.* la Grande-Russie.
Grootrus'sisch *b.n.* grand-russien*.
groots *b.n.* **1** (*prachtig*) grandiose, magnifique, sublime; **2** (*trots*) fier, orgueilleux.
groot'scheeps I *b.n.* ***een — offensief,*** une offensive de grand style; **II** *bw.* sur un grand pied, en grand.
groot'schrift *o.* grosse *f.*
groots'heid *v.* **1** grandeur; magnificence *f.*; **2** fierté *f.*, orgueil *m.*
groot'spraak *v.*(*m.*) bravade, fanfaronnade, hâblerie *f.*
groot'spreken *on.w.* se vanter, hâbler.
groot'spreker *m.* vantard, hâbleur *m.*
grootsteeds' *b.n.* de grande ville.
groot'te *v.* **1** grandeur *f.*; **2** (*uitgestrektheid*) étendue *f.*; **3** (*dikte*) grosseur *f.*; **4** (*v. persoon*) taille *f.*; **5** (*v. boek*) format *m.*; ***natuurlijke —,*** grandeur nature.
groot'vader *m.* grand*-père*, aïeul *m.*
groot'vaderlijk I *b.n.* de grand-père; **II** *bw.* en grand-père.
groot'vizier *m.* grand*-vizir* *m.*
groot'vorst *m.* grand*-duc* *m.*
groot'vorstin *v.* grande*-duchesse* *f.*
grootwaar'digheidsbekleder *m.* haut dignitaire *m.*
grootze'gelbewaarder *m.* garde *m.* des sceaux.
gros *o.* **1** (*12 dozijn*) grosse *f.*; **2** (*de grote hoop*) majorité *f.*, gros, commun *m.*; ***het — van 't leger,*** le gros de l'armée; ***het — van 't publiek,*** le grand public, la majorité du public.
gros'lijst *v.*(*m.*) liste *f.* provisoire des candidats.
gros'se *v.* (*H.*) grosse *f.*
grosse'ren *ov.w.* faire la grosse.
grossier' *m.* (*H.*) marchand *m.* de demi-gros, grossiste *m.*
grossierderij' *v.*, **grossiers'zaak** *v.*(*m.*) (*H.*) commerce *m.* de gros.

grosso mo'do *bw.* grosso modo, dans l'ensemble.
grot *v.(m.)* grotte *f.*
gro'te *m.* grand *m.*; ***de —n,*** **1** (*volwassenen*) les adultes *m.pl.*; **2** (*grote mensen*) les grandes personnes; **3** (*hooggeplaatsten*) les grands (de ce monde).
gro'telijks *bw.* grandement, fort. [monde.
grotelui' *mv.* personnes de qualité; ***de —,*** le grand
grotemens'achtig I *b.n.* de grande personne; **II** *bw.* en grande personne.
gro'tendeels *bw.* en grande partie, en majeure partie, pour la plupart.
grotesk' I *b.n.* grotesque; **II** *bw.* grotesquement, d'une manière grotesque.
grot'onderzoek *o.* spéléologie *f.*
grot'onderzoeker *m.* spéléologue *m.*
grot'werk *o.* rocaille *f.*
groupa'ge(-), *zie* ***groepage(-).***
gro'velijk *bw.* grossièrement.
gruis *o.* **1** (*v. afbraak*) gravats *m.pl.*; **2** (*v. kolen*) menu, menu charbon *m.*; **3** (*v. rijst, thee, enz.*) débris *m.pl.*; **4** (*v. zand*) gravier *m.*; ***tot — malen*** (*of* ***slaan***), broyer, réduire en poudre.
gruis'achtig *b.n.* **1** graveleux; **2** menu, en poudre.
gruis'bak *m.* seau *m.* à menu.
gruis'kolen *mv.* menu *m.* (charbon).
gruis'zand *o.* gravier, gros sable *m.*
grui'ze(le)menten, gru'ze(le)menten *mv.* débris *m.pl.*; ***aan — slaan,*** briser en mille morceaux.
grui'zelen I *ov.w.* briser, concasser; **II** *on.w.* tomber en poussière.
gruizemen'ten, *zie* ***gruizelementen.***
grui'zen *ov.w.* grésiller.
grui'zig *b.n.* graveleux.
grut I *o.* **1** gruau *m.*; **2** (*afval, uitschot*) rebut *m.*; **3** (*vis*) fretin *m.*; **II** *o.* (*kinderen*) marmaille *f.*
grut'jes *mv.* du gruau.
grut'molen *m.* moulin *m.* à gruau.
grut'ten I *mv.* (du) gruau; **II** *ov.w.* monder; **III** *on.w.* faire du gruau.
grut'tenbrij *m.* bouilie *f.* de gruau.
grut'tenmeel *o.* farine *f.* de gruau.
grut'ter *m.* grainetier, grènetier *m.*
grutterij' *v.* grèneterie *f.*
grut'terswaren *mv.* céréales *f.pl.* en graines.
grut'to *m.* barge *f.* commune.
gru'wel *m.* **1** horreur, abomination *f.*; **2** (*daad*) atrocité *f.*; ***—en bedrijven,*** commettre des cruautés; ***een — van iets hebben,*** avoir qc. en horreur.
gru'weldaad *v.(m.)* crime *m.* horrible, atrocité *f.*
gru'welijk I *b.n.* abominable, horrible, atroce; **II** *bw.* atrocement, horriblement; ***zich — vervelen,*** s'ennuyer à mourir. [cité *f.*
gru'welijkheid *v.* abomination, horreur, atro-
gru'welkamer *v.(m.)* chambre *f.* des horreurs.
gru'wen *on.w.* frémir d'horreur; ***het is om van te —,*** cela fait frémir, cela fait horreur; ***van iets —,*** avoir horreur de qc., avoir qc. en horreur.
gruw'zaam I *b.n.* horrible, atroce; **II** *bw.* atrocement, horriblement.
gruw'zaamheid *v.* atrocité *f.*
gruze(le)men'ten, *zie* ***gruizelementen.***
g'-sleutel *m.* clef *f.* de sol. [Guadeloupe.
Guadelou'pe *o.* la Guadeloupe; ***op —,*** à la
gua'no *m.* guano *m.* [tèque.
Guatema'la *o.* le Guatemala *m.*; ***uit —,*** guatémal-
guerril'la *m.* guérilla *f.*
guerril'laoorlog *m.* guérilla *f.*
gui'chelheil *o.* (*Pl.*) mouron *m.* des champs.
Gui'do *m.* Guy *m.*
guilloti'ne *v.* guillotine *f.*
guillotine'ren *ov.w.* guillotiner.
Guine'a *o.* la Guinée.
Guinees' *b.n.* de Guinée.
guirlan'de *v.(m.)* guirlande *f.*
guit *m.* espiègle, garnement, fripon *m.*
guit'achtig I *b.n.* malin, malicieux; espiègle; **II** *bw.* en espiègle.
gui'tenstreek *m. en v.* espièglerie, friponnerie *f.*
gui'tig *b.n.* *zie* ***guitachtig.***
gui'tigheid *v.* espièglerie *f.*
gul I *b.n.* **1** (*oprecht; hartelijk*) franc, sincère; cordial; **2** (*vrijgevig*) large, libéral; (*mild*) généreux; **3** (*zacht, mul*) sec et moux; ***—le lach,*** large rire; ***— onthaal,*** accueil cordial; ***—le vriendschap,*** amitié sincère; **II** *bw.* **1** franchement, sincèrement, cordialement; **2** généreusement, largement.
gul'den I *b.n.* **1** d'or; **2** (*fig.*) précieux, excellent; ***de — middelmaat*** (*of* ***middenweg***), le juste milieu; ***de — Mis,*** la messe d'or; ***het — Vlies,*** la toison d'or; **II** *z.n., m.* florin *m.*
gul'dengetal *o.* nombre *m.* d'or. [d'or.
Guldenspo'renslag *m.* bataille *f.* des éperons
gulhar'tig I *b.n.* **1** (*open*) franc; **2** (*hartelijk*) cordial; **3** (*mild*) généreux; **II** *bw.* franchement, cordialement, généreusement.
gulhar'tigheid *v.* **1** franchise *f.*; **2** cordialité *f.*; **3** générosité *f.*
Gu'lik *o.* Juliers *m.*
Gul'ke *o.* Goé.
gulp *v.(m.)* **1** (*teug*) trait, coup *m.*; **2** (*golf: water, bloed*) flot *m.*; **3** (*opening, split*) ouverture, fente *f.*; **4** (*v. broek*) braguette *f.*
Gul'pen *o.* Galoppe *f.*
gul'pen *on.w.* sortir à grands flots, couler —.
gul'weg *bw.* franchement, rondement.
gul'zig I *b.n.* glouton, goulu, gourmand; **II** *bw.* gloutonnement, goulûment.
gul'zigaard *m.* gourmand, glouton *m.*
gul'zigheid *v.* gourmandise, gloutonnerie *f.*
gum'mi *o. en m.* **1** caoutchouc *m.*, gomme *f.* élastique; **2** (*vlakgom*) gomme (à effacer) *f.*
gum'miartikelen *mv.* articles *m.pl.* en caoutchouc. [pneu *m.*
gum'miband *m.* bandage *m.* en caoutchouc,
gum'mihak *v.(m.)* talon *m.* (de) caoutchouc.
gum'mihandschoen *m. en v.* gant *m.* de caoutchouc.
gum'mijas *m. en v.*, **gum'mimantel** *m.* imperméable *m.* (en caoutchouc).
gum'mioverschoen *m.* caoutchouc *m.*
gum'mislang *v.(m.)* tube *m.* en caoutchouc.
gum'mispons *v.(m.)* éponge *f.* en caoutchouc.
gum'mistok *m.* matraque (en caoutchouc), massue *f.* (de caoutchouc).
gun'nen *ov.w.* **1** (*niet benijden*) ne pas envier; **2** (*toewensen*) souhaiter (qc. à qn.); **3** (*toestaan, verlenen*) permettre, accorder, concéder; **4** (*toewijzen*) adjuger; ***ik gun hem dat geluk,*** je ne lui envie pas ce bonheur; ***men gunt hem geen rust,*** on ne lui laisse aucun repos; ***zich de tijd niet — om iets te doen,*** ne pas prendre le temps de faire qc.
gun'ner *m.* adjudicateur *m.*
gun'ning *v.* adjudication *f.*
gunst *v.* **1** faveur *f.*; **2** (*v. God*) grâce *f.*; ***iem. een — bewijzen,*** accorder une faveur à qn.; ***bij iem. in de — komen,*** gagner les bonnes grâces de qn.; ***iem. om een — verzoeken,*** demander une faveur à qn.; ***om iemands — verzoeken,*** se recommander auprès de qn.; ***ten —e van,*** en faveur de; ***hij is uit de —,*** il est en disgrâce.

gunst'bejag *o.* intrigues *f.pl.* (pour obtenir la faveur, les bonnes grâces de qn.).
gunst'betoon, gunst'bewijs *o.* faveur, marque *f.* de faveur.
gun'steling(e) *m.(v.)* favori *m.*, favorite *f.*, protégé *m.*, —e *f.*
gun'stig I *b.n.* **1** favorable, propice; **2** (*voordelig: prijzen*) (*H.*) avantageux; ***een —e uitslag,*** un bon résultat; ***bij — weer,*** sauf intempéries; ***een — uiterlijk hebben,*** être sympathique, avoir une tête sympathique; ***het geluk is hem —,*** la fortune lui sourit, il a de la chance; **II** *bw.* favorablement; ***zich — laten aanzien,*** s'annoncer bien; ***— bekend staan,*** jouir d'une bonne réputation; ***— gestemd,*** bien disposé; ***— onthalen,*** accueillir favorablement; ***— beschikken op een verzoek,*** donner satisfaction à une demande.
Gust *m.* Auguste *m.*
Gus'ta *v.* Augustine *f.*
Gus'taaf *m.* Gustave *m.*
gut! *tw.* juste ciel!
guts *v.(m.)*, **guts'beitel** *m.* gouge *f.*
Gut'schoven *o.* (*bij Borgloon*) Gossoncourt (lez-[Looz).
gut'sen I *ov.w.* **1** (*beitelen*) gouger; **2** (*groeven*) canneler; **II** *on.w.* (*bloed, zweet*) ruisseler, couler à flots.
guttaper'cha *m. en o.* gutta-percha *f.*
gut'tegom *v.* gomme*-gutte* *f.*
guur *b.n.* **1** (*v. wind*) âpre; **2** (*weer*) rude, froid, rigoureux; **3** (*persoon*) bourru.
guur'heid *v.* âpreté; rigueur, intempérie *f.*
Guya'na *o.* la Guyane (anglaise, française, hollandaise).
Guayanees' *b.n.* guayanais.
gymnasiaal' *b.n.* de gymnase, de lycée, de collège; ***— onderwijs,*** enseignement classique.
gymnasiast' *m.* collégien, lycéen, élève *m.* de gymnase.
gymna'sium *o.* **1** (*staats—*) lycée *m.*; **2** (*bijz. onderw.*) collège *m.*; **3** (*in Nederland*) lycée classique, gymnase *m.*; ***het — aflopen,*** faire ses humanités.
gymnast' *m.* gymnaste *m.*
gymnastiek' *v.* gymnastique *f.*; ***aan — doen,*** faire de la gymnastique.
gymnastiek'leraar *m.* professeur *m.* de gymnastique, — de culture physique.
gymnastiek'lokaal *o.* gymnase *m.*, salle *f.* de culture physique.
gymnastiek'oefening *v.* exercice *m.* de gymnas-[tique.
gymnastiek'schoen *m.* chausson *m.*
gymnastiek'school *v.(m.)* gymnase *m.*
gymnastiek'toestellen *mv.* appareils *m.pl.* de gymnastique, engins *m.pl.* —.
gymnastiek'vereniging *v.* société *f.* de gymnastique.
gymnastiek'werktuigen *mv.* appareils *m.pl.* de [gymnastique.
gymnastiek'zaal *v.(m.)* gymnase *m.*
gymnas'tisch *b.n.* gymnastique.
gymnastise'ren, gymnastize'ren *on.w.* faire de la gymnastique.
gynaecologie', gynekologie' *v.* gynécologie *f.*
gynaecolo'gisch, gynekolo'gisch *b.n.* gynécologique.
gynaecoloog', gynekoloog' *m.* gynécologue *m.*
gyroscoop', giroskoop' *m.* gyroscope *m.*

H

H *v.(m.)* h *f.*; ***stomme h,*** h muette; ***de h aanblazen,*** aspirer l'h.
ha! *tw.* ah! tiens!
haag *v.(m.)* haie *f.*; ***groene —,*** haie vive; ***de kap over de — werpen,*** jeter le froc aux orties; ***Den Haag,*** *o.* La Haye *f.*
haag'appel *m.* (*Pl.*) arbouse *f.*
haag'appelboom *m.* (*Pl.*) arbousier *m.*
haag'beuk *m.* (*Pl.*) charme *m.*
haagdoorn, -doren, *zie* ***hagedoorn.***
Haags *b.n.* de La Haye, haguenois.
haag'winde *v.(m.)* (*Pl.*) liseron *m.*, manchette *f.* de la Vierge.
haai *m.* requin *m.*; ***er zijn —en op de kust,*** il faut veiller au grain; ***hij is voor de —en,*** il est perdu, — fichu.
haai(e)baai, *zie* ***heibei.***
haai'evel *o.* (peau *f.* de) chagrin.
haai'evin *v.(m.)* aileron *m.* de requin.
haak *m.* **1** (*alg.*) croc; crochet *m.*; **2** (*met oog*) agrafe *f.*; **3** (*vis—*) hameçon *m.*; **4** (*schippers—*) gaffe *f.*; **5** (*winkel—*) (*in kleding*) accroc *m.*; (*v. timmerman*) équerre *f.*; **6** (*om kleren op te hangen*) patère *f.*; ***aan een — ophangen,*** accrocher; ***van de — nemen,*** décrocher; ***aan de — slaan,*** **1** accrocher, harponner; **2** mettre la main sur; ***dat is niet in de —,*** cela n'est pas en règle, cela n'est pas comme il faut, il y a qc. qui cloche; ***haken en ogen,*** œillets et agrafes, agrafes et portes, (*fig.*) difficultés.
haak'bout *m.* (*tn.*) clavette *f.*
haak'bus *v.(m.)* (*gesch.*) arquebuse *f.*
haak'garen *o.* fil *m.* à crocheter.
haak'je *o.* crochet, crocheton *m.*; ***tussen —s,*** (*vierkant*) entre crochets; (*rond*) entre parenthèses; ***tussen twee —s (gezegd),*** à (ce) propos, incidemment.
haak'kruis, ha'kenkruis *o.* croix *f.* gammée.
haak'naald, haak'pen *v.(m.)* crochet *m.*
haaks I *b.n.* d'équerre; **II** *bw.* d'équerre.
haak'sluiting *v.* fermeture *f.* à boucles et agrafes.
haak'spijker *m.* clou *m.* à crochet.
haak'steek *m.* point *m.* de crochet.
haak'ster *v.* brodeuse *f.*
haak'vormig *b.n.* crochu.
haak'werk *o.* ouvrage *m.* au crochet.
haal I *m.* trait, coup *m.*; ***een — met de pen,*** un trait de plume; ***aan de — gaan,*** se sauver, ficher le camp; **II** *v.(m.) en o.* crémaillère *f.*
haam *o.* collier *m.* de cheval.
haan *m.* **1** (*Dk.*) coq *m.*; **2** (*v. geweer*) chien *m.*; **3** (*weerhaan*) girouette *f.*; ***daar kraait geen — naar,*** ni vu, ni connu; personne n'en sait rien; ***de gebraden — uithangen,*** trancher du grand seigneur; ***de rode — laten kraaien,*** mettre le feu à.
haan'pal *m.* pièce *f.* de sûreté.
haan'tje *o.* cochet *m.*; ***het — van de toren,*** le coq du clocher; ***hij is — de voorste,*** il mène la bande, il est le chef de meute.
haar I *pers. vnw.* la, les; lui, leur; **II** *bez. vnw.* son, sa, ses; leur, leurs; **III** *z.n., o.* **1** (*hoofd—*) cheveu *m.*; ***het —,*** les cheveux, la chevelure; **2** (*op huid*) poil *m.*; **3** (*v. hond, varken*) soie *f.*; **4** (*v. paard*) crin *m.*; ***wild —,*** des poils follets; ***hij heeft grijs —,*** il a les cheveux blancs; ***— op de tanden***

hebben, avoir bec et ongles; ***met de handen in het — zitten,*** ne plus savoir à quel saint se vouer; ***alles op haren en snaren zetten,*** remuer ciel et terre; ***elkaar in 't — vliegen,*** se prendre aux cheveux; ***elkaar in 't — zitten,*** se chamailler; ***geen — op mijn hoofd dat er aan denkt,*** je n'y pense pas, jamais de la vie, je ne le ferai jamais; ***zijn wilde haren verliezen,*** jeter sa gourme; ***het scheelde geen —, of,*** un peu plus et...
haar'band *m.* bandeau; ruban *m.*
haar'borstel *m.* brosse *f.* à cheveux.
haar'bos *m.* touffe *f.* de cheveux.
haar'breed *o.* épaisseur *f.* d'un cheveu; ***geen — wijken,*** ne pas reculer d'une semelle.
haar'buis *v.(m.)* tube *m.* capillaire.
haard *m.* foyer, âtre *m.*; ***open —,*** cheminée *f.*; ***aan 't hoekje van de —,*** au coin du feu; ***eigen — is goud waard,*** un petit chez soi vaut mieux qu'un grand chez les autres; ***— van besmetting,*** foyer d'infection.
haard'goden *mv.* pénates, lares *m.pl.*
haard'ijzer *o.* **1** chenet *m.*; **2** (*om de haard*) garde-feu *m.*
haard'kachel *v.(m.)* foyer *m.* à feu continu.
haard'kleedje *o.* (tapis de) foyer, devant *m.* de foyer.
haar'doek *o.* toile *f.* de crin, étamine *f.*
haar'dos *m.* chevelure *f.*
haard'plaat *v.(m.)* **1** (*liggend*) plaque *f.* de cheminée; **2** (*staand*) contrecœur, contre-feu* *m.*
haar'dracht *v.(m.)* coiffure *f.*
haar'droger *m.* sèche-cheveux *m.*
haard'scherm *o.* écran *m.*
haard'stede *v.(m.)* **1** (*stookplaats*) feu, foyer *m.*; **2** (*woning*) foyer *m.*, demeure *f.*
haard'stel *o.* garniture *f.* de foyer, porte-pelle *m.*
haard'vuur *o.* feu *m.* de l'âtre.
haar'fijn I *b.n.* **1** très fin, délié; **2** (*fig.*) (*onderzoek*) minutieux; (*onderscheid*) subtile; **II** *bw.* ***— vertellen,*** raconter de fil en aiguille.
haar'groei *m.* pousse *f.* des cheveux.
haar'kam *m.* **1** peigne *m.*; **2** (*grof*) démêloir *m.*
haar'kloven *on.w.* couper un cheveu en quatre, chicaner, subtiliser, ergoter.
haar'klover *m.* chicaneur, ergoteur *m.*
haarkloverij' *v.* chicane, ergoterie *f.*
haar'knippen *o.* coupe *f.* des cheveux.
haar'krul *v.(m.)* **1** (*alg.*) boucle *f.*; **2** (*lok*) anneau *m.*; **3** (*op de slapen*) accroche-cœur* *m.*
haar'kundige *m.* spécialiste *m.* capillaire.
Haar'lem *o.* Harlem *m.*
Haar'lemmer I *b.n.* de Harlem; **II** *z.n.*, *m.* habitant *m.* de Harlem.
Haar'lems *b.n.* de Harlem.
haar'lint *o.* ruban *m.*
haar'lok *v.(m.)* boucle *f.* de cheveux, mèche *f.*
haar'middel *o.* remède *m.* pour les cheveux.
haar'mos *o.* perce-mousse *m.*
haar'naald *v.(m.)* épingle *f.* à cheveux.
haar'netje *o.* filet *m.*, résille *f.*
haar'olie *v.(m.)* huile *f.* pour les cheveux.
haar'pijn *v.(m.)* mal *m.* aux cheveux.
haar'rol *v.(m.)* crépon *m.*
haar'snijden *o.* coupe *f.* des cheveux.
haar'speld *v.(m.)* épingle *f.* à cheveux.
haar'speldbocht *v.(m.)* virage *m.* en épingle à cheveux.
haar'tooi *m.* coiffure *f.*
haar'uitval *m.* chute *f.* des cheveux.
haar'vat *o.* vaisseau *m.* capillaire.
haar'verf *v.(m.)* teinture *f.* capillaire.
haar'vezel *v.(m.)* **1** (*v. mens*) racine *f.* chevelue; **2** (*v. plant*) filament *m.* chevelu.
haar'vlecht *v.(m.)* tresse *f.* de cheveux.
haar'vlok *v.(m.)* mèche *f.* de cheveux.
haar'wassing *v.* lavage *m.* de la tête, lotion *f.* de tête, shampooing *m.*
haar'water *o.* lotion *f.* capillaire.
haar'werk *o.* ouvrage *m.* en cheveux; cheveux *m.pl.* postiches.
haar'werker *m.* posticheur *m.*
haar'wortel *m.* **1** racine *f.* des cheveux; **2** (*Pl.*) racine *f.* capillaire.
haar'wrong *m.* chignon *m.*
haar'zeef *v.(m.)* tamis *m.* en (*of* de) crin.
haar'ziekte *v.* maladie *f.* des cheveux.
haas *m.* **1** lièvre *m.*; **2** (*osse—*) filet *m.* (de bœuf).
haas'je *o.* levraut *m.*; ***het — zijn,*** être le dindon (de la farce).
haasje-o'ver *o.* saute-mouton *m.*; ***— spelen,*** jouer à saute-mouton, jouer au cheval fondu.
haast I *v.(m.)* hâte *f.*, empressement *m.*; ***grote —,*** précipitation *f.*; ***er is — bij,*** c'est pressé; ***er is geen — bij,*** rien ne presse; ***— hebben om,*** avoir hâte de; ***— maken,*** se dépêcher; ***in der —,*** à la hâte; ***hoe meer —, hoe minder spoed,*** plus on se hâte, moins on avance; **II** *bw.* **1** (*spoedig, weldra*) bientôt; **2** (*bijna*) presque; ***hij is — gevallen,*** il a failli tomber; ***het is — negen uur,*** il est près de neuf heures.
haas'ten I *ov.w.* presser, hâter; **II** *w.w.* ***zich —,*** se dépêcher, se presser, se hâter.
haas'tig I *b.n.* **1** pressé; **2** (*v. karakter*) emporté; **3** (*plotseling*) brusque; **4** (*vlug*) rapide; **5** (*overijld*) précipité; ***een —e dood,*** une mort subite (soudaine); ***—e spoed is zelden goed,*** plus on se hâte, moins on avance; **II** *bw.* vite; à la hâte, en toute hâte; brusquement, précipitamment; subitement.
haas'tigheid *v.* hâte *f.*, empressement *m.*; précipitation *f.*
haat *m.* haine, répulsion, phobie *f.*; ***iem. — toedragen,*** haïr qn.; ***uit — tegen,*** en haine de.
haatdra'gend *b.n.* haineux, rancunier, vindicatif.
haatdra'gendheid *v.* caractère *m.* rancunier.
haat'ster *v.* haïsseuse *f.*
haat'zaaier *m.* semeur *m.* de discorde, — de haine.
habijt' *o.* **1** habit *m.*; **2** (*ong.*) froc *m.*
Habs'burg *o.* Habsbourg *m.*
hachee' *m. en o.* miroton, ragoût *m.* de viande hachée.
ha'chelijk *b.n.* **1** (*gevaarlijk*) dangereux, hasardeux; **2** (*netelig, kritiek*) précaire, critique.
ha'chelijkheid *v.* danger, hasard, péril *m.*
hach'je *o.* **1** mauvais garnement *m.*; **2** (*fam.*) corps *m.*, vie *f.*; ***zijn — wagen,*** risquer sa peau; ***er het — bij inschieten,*** y laisser ses os.
haft *o.* éphémère *m.*
hagedis' *v.(m.)* lézard *m.*
ha'gedoorn, ha'gedoren, haag'doorn, -doren *m.* aubépine *f.*
ha'gel *m.* **1** grêle *f.*; ***fijne —,*** grésil *m.*; **2** (*voor jachtgeweer*) plomb *m.*; ***fijne —,*** dragée *f.*; ***grove —,*** chevrotine *f.*
ha'gelblank *b.n.* blanc comme neige.
ha'gelbui *v.(m.)* giboulée *f.* de grêle.
ha'gelen *onp.w.* grêler.
ha'gelkorrel *m.* **1** grêlon *m.*; **2** (*v. geweer*) grain *m.* de plomb; **3** (*gen.*) orgelet *m.*, grêle *f.*
ha'gelpatroon *v.(m.)* cartouche *f.* chargée de plomb.
ha'gelschade *v.(m.)* dégâts *m.pl.* causés par la grêle; ***verzekering tegen —,*** assurance *f.* contre la grêle.
ha'gelslag *m.* **1** grêle *f.*; **2** du sucre granulé; ***chocolade—,*** chocolat *m.* granulé.
ha'gelsteen *m.* grêlon *m.*

ha'gelverzekering *v.* assurance *f.* contre la grêle.
ha'gelwit *b.n.* blanc comme neige.
Ha'genaar *m.* habitant *m.* de la Haye, Haguenois [*m.*
ha'gepreek *v.*(*m.*) prêche *m.* en plein air.
Haï'ti *o.* Haïti *f.*; ***uit* —,** haïtien.
hak I *v.*(*m.*) **1** (*gereedschap*) houe *f.*; **2** (*hiel*) talon *m.*; **II** *m.* **1** (*houw*) coup *m.* de hache; **2** (*het hakken*) coupe *f.* (du bois); ***iem. een* — *zetten,*** faire pièce à qn.; ***van de* — *op de tak springen,*** parler à bâtons rompus; faire des coq-à-l'âne.
hak'bank *v.*(*m.*) billot *m.*
hak'beitel *m.* fermoir, bédane *m.*
hak'bijl *v.*(*m.*) cognée, hache *f.*
hak'blok *o.* **1** billot *m.*; **2** (*v. slager*) hachoir *m.*
hak'bord *o.* tranchoir *m.*, planche *f.* à hacher.
ha'ken I *ov.w.* **1** saisir avec un crochet; **2** (*vasthaken*) accrocher; **3** (*met haakpen*) crocheter; ***een sprei* —,** faire un couvre-lit au crochet; **II** *on.w.* **1** (*haakwerk*) crocheter, faire du crochet; **2** (*blijven haken*) s'accrocher (à); **3** (*heftig verlangen naar*) aspirer (à), soupirer (après).
ha'kenkruis, haak'kruis *o.* croix *f.* gammée.
hak'hout *o.* taillis *m.*
hak'kelaar *m.* bredouilleur *m.*
hak'kelen *on.w.* bredouiller, bégayer.
hak'keling *v.* bredouillement, bégaiement *m.*
hak'ken I *ov.w.* **1** (*vlees, groenten, enz.*) hacher, couper; **2** (*hout*) fendre; **3** (*boom*) abattre; ***een leger in de pan* —,** tailler une armée en pièces; **II** *on.w.* donner des coups de hache (de sabre, etc.); ***waar gehakt wordt, vallen spaanders,*** on ne fait pas d'omelette sans casser des œufs; ***dat hakt erin,*** c'est une grosse dépense.
hakkete'ren *on.w.* chicaner, pointiller.
hak'machine *v.* **1** (*voor vlees*) hache-viande *m.*; **2** (*voor stro*) hache-paille *m.*
hak'mes *o.* hachoir, couperet *m.*; (*voor groenten*) hache-légumes *m.* [*m.*
hak'sel *o.* **1** (*stro*) paille *f.* hachée; **2** (*vlees*) hachis
hak'selsnijder *m.* coupe-racines *m.*
hak'stro *o.* paille *f.* hachée.
hak'stuk *o.* (*v. kous*) talonnière *f.*
hak'vlees *o.* viande *f.* hachée.
hal *v.*(*m.*) halle *f.*; (grande) salle *f.*
ha'len *ov.w.* **1** (aller) chercher, (aller) prendre; **2** (*verkrijgen: diploma, enz.*) obtenir; **3** (*trein*) attraper; **4** (*bereiken*) atteindre; ***geld van de bank* —,** retirer de l'argent de la banque; ***uit zijn zak* —,** tirer de sa poche; ***een slag* —,** (*spel*) faire une levée; ***hij zal de morgen niet* —,** il ne passera pas la nuit; ***het in zijn hoofd* — *om,*** se mettre en tête de; ***alles door elkaar* —,** mettre tout sens dessus dessous; ***daar is wat te* —,** on y trouve à grappiller; ***waar haalt u dat vandaan?*** où avez-vous pris cela? ***zich moeilijkheden* (*of* *een ziekte*) *op de hals* —,** s'attirer des difficultés (*of* une maladie); ***zich een straf op de hals* —,** encourir une punition; ***dat haalt het niet bij,*** cela n'est rien auprès de; ***de duivel hale hem!*** le diable l'emporte!
half I *b.n.* demi; ***een* — *uur,*** une demi-heure*, une demie heure; **— *een,*** (*'s middags*) midi et demi; (*'s nachts*) minuit et demi; **— *vier,*** trois heures et demie; **— *juli,*** la mi-juillet; ***een* — *jaar,*** six mois, un semestre; ***halve noot,*** une blanche; **— *geld betalen,*** payer demi-place; ***de halve stad,*** la moitié de la ville; ***het slaat* —,** la demie sonne; ***tegen de halve prijs,*** pour la moitié du prix; **II** *bw.* à demi, à moitié; **— *open,*** entrouvert; **— *en* —,** imparfaitement; presque; **III** *z.n., o.* moitié *f.*, demi *m.*; ***ten halve,*** à demi.
half'apen *mv.* lémuriens *m.pl.*
half'back *m.* (*sp.*) demi *m.*
half'bak'ken *b.n.* (à) demi-cuit; **— *geleerde,*** demi-savant* *m.*; **— *wijsheid,*** savoir *m.* mal digéré.
half'bewerkt *b.n.* demi-ouvré.
half'bloed *m.-v.* **1** sang-mêlé, métis *m.*; **2** (*v. paard*) demi-sang *m.*
half'broe(de)r *m.* **1** (*alg.*) demi-frère* *m.*; **2** (*zelfde vader*) frère *m.* consanguin; **3** (*zelfde moeder*) frère *m.* utérin.
half'damast *o.* damassin *m.*
half'dek *o.* (*sch.*) gaillard *m.* d'arrière.
half'donker *o.* demi-jour* *m.*, pénombre *f.*
half'dood' *b.n.* demi-mort, à moitié mort; (*v. schrik*) plus mort que vif.
half'fabrikaat *o.* produit *m.* demi-ouvré, — semi-ouvré, — semi-fini. [toqué.
halfgaar' *b.n.* **1** à moitié cuit; **2** (*fig.*) (un peu)
half'god *m.* demi-dieu* *m.*
half'heid *v.* manque *m.* d'énergie, indécision *f.*
half'hemd(je) *o.* chemisette *f.*, plastron *m.*
half'jaar' *o.* six mois *m.pl.*, semestre *m.*
half'jaarlijks *b.n.* de six mois, semestriel.
half'je *o.* **1** (*alg.*) moitié *f.*; **2** (*v. glas*) demi-verre* *m.*; **3** (*v. cent*) demi-cent*, centime *m.*
half'klinker *m.* semi-voyelle* *f.* [*f.*
half'leren *b.n.* demi-veau; **— *band,*** demi-reliure*
half'linnen *o.* demi-toile, toile *f.* métisse; **— *band,*** demi-reliure* en toile.
half'luid *bw.* à demi-voix, à voix basse.
halfmaan'delijks *b.n.* bimensuel.
halfmid'dengewicht *o.* poids *m.* mi-moyen, — welter.
halfnaakt' *b.n.* à moitié nu.
half'-om-half' *o.* **1** curaçao-amer *m.*, liqueur *f.* moitié curaçao moitié amer, mêlé *m.*; **2** (*v. bier*) mêlé d'ale et de bière brune *m.*
half'rijm *o.* assonance *f.*
half'rond I *o.* hémisphère *m.*; ***noordelijk* (*zuidelijk*) —,** hémisphère Nord (Sud); **II** *b.n.* demi-circulaire*, demi-rond*.
half'schaduw *v.*(*m.*) **1** pénombre *f.*; **2** (*kunst*) demi-teinte* *f.*
halfslach'tig *b.n.* **1** amphibie; **2** (*fig.*) peu énergique, indécis. [décision *f.*
halfslach'tigheid *v.* manque *m.* d'énergie, in-
halfsleets' *b.n.* à demi usé.
half'speler *m.* (*sp.*) demi *m.*
half'steens *b.n.* à mi-mur.
halfstok' *b.n.* **1** en berne; **2** (*sch.*) flottant à mi-mât; ***de vlag* — *hijsen,*** mettre le drapeau en berne; (*v. schip*) — en pantenne.
half'-time *o. en m.* mi-temps *f.*
half'timebetrekking *v.* job *m.* (*of* place *f.*, emploi, poste *m.*) à mi-temps.
halfuur *o.* demi-heure* *f.*; ***om het* —,** toutes les demi-heures.
halfvas'ten *m.* mi-carême* *f.*
half'verheven *b.n.* en demi-bosse; **— *beeldwerk,*** demi-bosse* *f.*; bas-relief* *m.*
halfwas' *b.n.* demi; — (*timmerman, enz.*) demi-ouvrier* *m.*
halfwatt'lamp *v.*(*m.*) lampe *f.* demi-watt.
half'weg *bw.* à moitié chemin, à mi-chemin.
half'wollen *b.n.* mi-laine.
halfzacht' *b.n.* **1** (*v. ei*) à la coque; **2** (*fig.*) niais, (un peu) toqué; **3** ni chair ni poisson, mou.
half'zij(de) *v.*(*m.*) demi-soie *f.*
half'zuster *v.* **1** (*alg.*) demi-sœur* *f.*; **2** (*zelfde vader*) sœur *f.* consanguine; **3** (*zelfde moeder*) sœur *f.* utérine.
hall *m.* hall *m.* d'entrée.

Hal'le *o.* (*Brabant*) Hal *m.*
hallelu'ja *o.* alléluia *m.*
hallo'! *tw.* allô!
halm *m.* **1** (*alg.*) tige *f.*; **2** (*v. stro, gras*) brin *m.*; ***op de — verkopen,*** vendre sur pied.
halm'stro *o.* chaume *m.*
hals *m.* **1** cou *m.*; **2** (*blote —, keel*) gorge *f.*; **3** (*v. paard, —wijdte v. kledingstuk*) encolure *f.*; **4** (*v. fles, vaas*) col *m.*; **5** (*v. fles*) goulot *m.*; **6** (*v. viool*) manche *m.*; **7** (*v. anker, tand*) collet *m.*; ***een stijve —,*** un torticolis *m.*; ***om — brengen,*** mettre à mort, assassiner; ***de — omdraaien,*** tordre le cou (à); ***iem. om de — vallen,*** se jeter au cou de qn.; ***een onnozele —,*** un niais; ***zich iets op de — halen,*** s'attirer, encourir qc.; (*verkoudheid*) attraper; ***— over kop,*** à corps perdu, précipitamment.
hals'ader *v.(m.)* veine *f.* jugulaire.
hals'band *m.* collier *m.*
hals'boord *o. en m.* **1** (*vast*) col, collet *m.*; **2** (*los*) faux-col* *m.*
hals'brekend *b.n.* périlleux, très dangereux.
hals'doek *m.* fichu *m.*
hals'ketting *m. en v.* collier *m.*
hals'klier *v.(m.)* glande *f.* jugulaire.
hals'kraag *m.* **1** collet, col *m.*; **2** (*v. dame*) collerette *f.*
hals'lengte *v.* encolure *f.*; ***met een — winnen,*** gagner d'une encolure. [dable.
hals'misdaad *v.(m.)* crime *m.* capital, cas *m.* pen-
hals'recht *o.* **1** (*gesch.*) (droit *m.* de) haute justice *f.*; **2** (*uitvoering*) exécution *f.* capitale.
hals'sieraad *o.* **1** (*v. paarlen*) collier *m.*; **2** (*v. edelgesteenten*) rivière *f.*; **3** (*hanger*) pendentif *m.*
hals'slagader *v.(m.)* (artère) carotide *f.*
hals'snoer *o.* collier *m.*
halsstar'rig *b.n.* obstiné, opiniâtre.
halsstar'righeid *v.* obstination, opiniâtreté *f.*
hals'straf *v.(m.)* peine *f.* capitale.
hals'stuk *o.* collier, collet *m.*
hal'ster *m.* licou *m.*
hal'steren *ov.w.* mettre le licou à.
hals'wervel *m.* vertèbre *f.* cervicale.
hals'wijdte *v.* tour *m.* de cou.
hals'zaak *v.(m.)* cas *m.* pendable.
halt(e) *v.(m.)* **1** arrêt *m.*, halte *f.*; **2** (*v. spoorweg*) station *f.*; ***— houden,*** faire halte; ***halt!*** halte! halte-là!; ***— op verzoek,*** arrêt facultatif.
hal'ter *m.* haltère *m.* [lune* *f.*
halvemaan' *v.(m.)* **1** croissant *m.*; **2** (*mil.*) demi-
halve'ren *ov.w.* couper en deux, partager (*of* diviser) en deux; réduire de moitié.
halverhoog'te *v.* ***ter —,*** **1** (*v. zaak*) à mi-hauteur, à moitié de la hauteur; **2** (*v. persoon*) à mi-corps.
halve'ringstijd *m.* (*scheik.*) période *f.* de demi-vie.
halverwe'ge *bw.* à mi-chemin, à moitié chemin.
hal'zen *on.w.* (*sch.*) virer vent arrière.
ham *v.(m.)* jambon *m.*; ***—metje,*** *o.* jambonneau *m.*
Ham'burg *o.* Hambourg *m.*
Ham'burger **I** *m.* Hambourgeois *m.*; **II** *b.n.* hambourgeois.
Ham'burgs *b.n.* hambourgeois.
hamei' *v.(m.)* grille *f.*
ha'mel *m.* mouton *m.*
ha'mer *m.* marteau *m.*; ***houten —,*** maillet *m.*; ***onder de — brengen,*** mettre à l'enchère (*of* à l'encan); faire passer sous le marteau; ***onder de — komen,*** être vendu à l'enchère; ***tussen — en aambeeld,*** entre l'enclume et le marteau.
ha'meren **I** *ov.w.* battre à coups de marteau, marteler; ***een spijker in het hout —,*** enfoncer un clou à coups de marteau; **II** *on.w.* frapper avec un marteau; ***op iets —,*** insister sur qc.; ***op de piano —,*** taper sur le piano.
ha'merhaai *m.* (*Dk.*) marteau *m.*
ha'merslag **I** *m.* coup *m.* de marteau; **II** *o.* mâchefer *m.*, battitures *f.pl.*
Hamil'car *m.* Amilcar *m.*
ham'ster *v.(m.)* (*Dk.*) hamster *m.*
ham'steraar *m.* accapareur *m.*
ham'steren **I** *on.w.* faire des provisions clandestines; **II** *ov.w.* accaparer, emmagasiner.
hand *v.(m.)* main *f.*; ***de vlakke —,*** le plat de la main; ***de holle —,*** le creux de la main; ***lopende —,*** main courante; ***de dode —,*** la mainmorte; ***— aan — gaan,*** aller de pair; ***— in —,*** la main dans la main; ***met de — gemaakt,*** fait à la main; ***met de — op het hart,*** la main sur la conscience; ***— over —,*** de plus en plus; ***— over — toenemen,*** aller en augmentant; ***aan de — van,*** à l'aide de, guidé par; ***een mooie — schrijven,*** avoir une belle main; ***dat is mijn — niet,*** ce n'est pas mon écriture; ***iem. de — boven het hoofd houden,*** protéger qn.; ***de — van iem. aftrekken,*** retirer sa protection à qn.; ***zijn —en in onschuld wassen,*** s'en laver les mains; ***iem. iets aan de — doen,*** procurer qc. à qn.; ***iem. de vrije — laten,*** donner plein pouvoir (*of* carte blanche) à qn.; ***iem. op de —en zien,*** surveiller qn. de près; ***de —en vol hebben,*** avoir beaucoup à faire; ***er is iets aan de —,*** il se passe qc.; ***aan de betere — zijn,*** aller mieux; ***bij de —,*** à portée, sous la main; levé; visible; (*links*) à gauche, sous la main; ***bij de — nemen,*** prendre en main; ***bij de — hebben,*** avoir sous la main; ***achter de — hebben,*** avoir en réserve; ***iets in de — werken,*** aider à qc.; ***de macht in —en hebben,*** détenir le pouvoir; ***met de —en in het haar zitten,*** être au désespoir; ***het zijn twee —en op één buik,*** ce sont deux têtes dans un bonnet; ***van de — in de tand leven,*** vivre au jour le jour; ***van de — wijzen,*** repousser; ***men kan geen ijzer met —en breken,*** à l'impossible nul n'est tenu; ***geen — voor ogen kunnen zien,*** n'y voir goutte; ***—en thuis!*** à bas les mains!; ***—en omhoog!*** haut les mains!; ***met lege —en,*** les mains vides; ***de — aan zich zelf slaan,*** attenter à ses jours; ***met — en tand verdedigen,*** défendre énergiquement; ***hij kreeg de lachers op zijn —,*** il eut les rieurs de son côté; ***dat ligt voor de —,*** c'est évident; ***van 't werk van zijn —en leven,*** vivre de ses bras; ***onder dokters —en zijn,*** être en traitement; ***aan de winnende — zijn,*** gagner; ***ter — stellen,*** remettre; ***uit de eerste —,*** **1** de la première main; **2** (*H.*) en premier achat; ***uit de tweede —,*** **1** de seconde main; **2** (*H.*) de revente; ***uit de — te koop,*** à vendre de gré à gré; ***uit de — verkopen,*** vendre à l'amiable, — de gré à gré; ***van de — doen,*** vendre (*of* écouler) qc.; se défaire de (qc.); ***dat artikel gaat goed van de —,*** cet article est d'un débit facile; ***iets onder de — kopen,*** acheter qc. sous main; ***iets uit —en geven,*** se dessaisir de qc.
hand'aambeeld *o.* enclumette *f.*
hand'appel *m.* pomme *f.* à couteau; — de table.
hand'arbeider *m.* ouvrier (*of* travailleur) *m.* manuel.
hand'bagage *v.* bagages *m.pl.* à main, petits bagages.
hand'ballen *o.* jouer au hand-ball.
hand'beschermer *m.* garde-main *f.*
hand'bibliot(h)eek *v.* bibliothèque *f.* de consultation.
hand'bijl *v.(m.)* hachette *f.*, couperet *m.*

hand'boei *v.(m.)* menotte *f.*, cabriolet *m.*
hand'boek *o.* manuel *m.*
hand'boog *m.* arbalète *f.*
hand'boogschutter *m.* arbalétrier *m.*
hand'boor *v.(m.)* vrille *f.*
hand'breed(te) *o.(v.)* largeur *f.* de la main; ***hij was op een — van,*** il était à deux doigts de.
hand'camera *v.(m.)* kodak *m.*
hand'doek *m.* **1** serviette *f.*; **2** (*in keuken*) essuie-main* *m.*
hand'doekenrekje *o.* porte-serviettes *m.*
hand'druk *m.* serrement *m.* de main, poignée *f.* de main.
han'del I *m.* commerce *m.*; négoce, trafic *m.*; ***vrije —,*** libre-échange *m.*; ***— drijven,*** faire le commerce; ***in de — zijn,*** être dans le commerce, être dans les affaires; ***niet in de —,*** hors commerce; ***in de handel brengen,*** lancer; ***— en wandel,*** conduite *f.*, mœurs *f.pl.*; (*doen en laten*) faits et gestes *m.pl.*; **II hendel** *o. en m.* **1** (*tn.*) manette *f.*, levier *m.*; **2** (*v. rem, enz.*) poignée *f.*; **3** (*v. werktuig*) manche *m.*
han'delaar *m.* **1** (*alg.*) marchand *m.*; **2** (*groot—*) négociant, commerçant *m.*; **3** (*ong.*) trafiquant *m*
han'delbaar *b.n.* maniable, traitable; souple doux.
han'delbaarheid *v.* souplesse *f.*
han'deldrijvend *b.n.* commerçant.
han'delen I *on.w.* **1** (*doen*) agir, faire; procéder; **2** (*handel drijven*) faire le commerce; **3** (*onderhandelen*) négocier; **4** (*— over*) traiter (de); **II** *z.n.*, *o.* action *f.*
han'deling *v.* action *f.*; acte *m.*; conduite *f.*; procédé *m.*; ***iemands —en,*** les faits et gestes de qn.; ***de H—en der Apostelen,*** les Actes des Apôtres; ***de —en van de Kamer,*** le compte rendu officiel de la Chambre; ***strafbare —en,*** faits punissables.
han'delmaatschappij, *zie* ***handelsmaatschappij.***
han'delsaangelegenheid *v.* affaire *f.* commerciale.
han'delsaardrijkskunde *v.* géographie *f.* commerciale, — économique.
han'delsadresboek *o.* annuaire *m.* du commerce.
han'delsagent *m.* représentant *m.* de commerce.
han'delsartikel *o.* article *m.* de commerce.
han'delsavondschool *v.(m.)* école *f.* de commerce du soir.
han'delsbalans *v.(m.)* **1** (*v. koopman*) bilan *m.*; **2** balance *f.* du commerce; ***ongunstige —,*** balance commerciale déficitaire.
han'delsbediende *m.* employé (de commerce), commis *m.*
han'delsbedrijf *o.* commerce, trafic *m.*
han'delsbelang *o.* intérêt *m.* commercial.
han'delsbericht *o.* nouvelle *f.* commerciale.
han'delsbetrekkingen *mv.* relations *f.pl.* commerciales, — d'affaires, échanges *m.pl.*
han'delsbeurs *v.(m.)* bourse *f.* de commerce.
han'delsbeweging *v.* mouvement *m.* commercial.
han'delsblad *o.* journal *m.* du commerce.
han'delsboekhouding *v.* comptabilité *f.* commerciale.
han'delsbrief *m.* lettre *f.* commerciale, — d'affaires.
han'delscorrespondent, han'delskorrespondent *m.* correspondancier *m.*
han'delscorrespondentie, han'delskorrespondentie *v.* correspondance *f.* commerciale.
han'delscrisis, han'delskrisis *v.* crise *f.* commerciale.
han'delsfirma *v.(m.)* **1** (*zaak*) maison *f.* de commerce; **2** (*naam*) raison *f.* (sociale).
han'delsgebruik *o.* usage *m.* de commerce.
han'delsgeest *m.* esprit *m.* de commerce; (*ong.*) — mercantile.
han'delshaven *v.(m.)* port *m.* marchand.
han'delshogeschool *v.(m.)* université *f.* commerciale.
han'delshuis *o.* **1** maison *f.* de commerce; **2** (*kantoor, factorij*) comptoir *m.*
han'delsjaar *o.* année *f.* commerciale; exercice *m.*
han'delskantoor *o.* bureau *m.*, maison *f.* de commerce.
han'delskennis *v.* connaissances *f.pl.* commerciales.
han'delskorr—, *zie* ***handelscorr—.***
han'delskrediet *o.* crédit *m.* commercial.
han'delskringen *mv.* milieux *m.pl.* commerciaux, cercles *m.pl.* commerciaux.
han'delskrisis, *zie* ***handelscrisis.***
han'del(s)maatschappij *v.* société *f.* de commerce.
han'delsman *m.* commerçant *m.*
han'delsmerk *o.* marque *f.* (de commerce).
han'delsonderneming *v.* entreprise *f.* commerciale.
han'delsoorlog *m.* guerre *f.* commerciale.
han'delspapier *o.* effets *m.pl.* de commerce.
han'delsplaats *v.(m.)* ville *f.* commerçante.
han'delspolitiek *o.* politique *f.* commerciale.
han'delsrecht *o.* droit *m.* commercial.
han'delsreferentie *v.* référence *f.* commerciale.
han'delsregister *o.* registre *m.* du commerce.
han'delsreis *v.(m.)* voyage *m.* d'affaires.
han'delsreiziger *m.* voyageur *m.* de commerce, commis-voyageur* *m.*
han'delsrekenen *o.* arithmétique *f.* commerciale.
han'delsrelaties *mv.* **1** relations *f.pl.* d'affaires; **2** correspondants *m.pl.*
han'delsschool *v.(m.)* école *f.* de commerce.
han'delsstad *v.(m.)* ville *f.* commerçante.
han'delsstand *m.* (le) commerce *m.*, (les) commerçants *m.pl.*
han'delsstatistiek *v.* statistiques *f.pl.* commerciales.
han'delsstelsel *o.* système *m.* commercial.
han'delstaal *v.(m.)* terminologie (*of* langue) *f.* commerciale.
han'delstak *m.* branche *f.* de commerce.
han'delstarief *o.* tarif *m.*
han'delsterm *m.* terme *m.* de commerce.
han'delsverdrag *o.* traité *m.* de commerce.
han'delsvereniging *v.* société *f.* commerciale, compagnie *f.* de commerce.
han'delsverkeer *o.* trafic, commerce *m.*, relations *f.pl.* de commerce, mouvement *m.* commercial.
han'delsvertegenwoordiger *m.* représentant *m.* de commerce.
han'delsvloot *v.(m.)* flotte *f.* marchande.
han'delsvolk *o.* peuple *m.* commerçant.
han'delsvriend *m.* correspondant *m.*
han'delsvrijheid *v.* liberté *f.* du commerce.
han'delswaar *v.(m.)* articles *m.pl.* de commerce; denrée *f.* commerciale.
han'delswaarde *v.* valeur *f.* marchande.
han'delsweg *m.* voie (*of* route) *f.* commerciale.
han'delswereld *v.(m.)* monde *m.* commercial.
han'delswetboek *o.* code *m.* commercial.
han'delswetenschappen *mv.* sciences *f.pl.* commerciales.
han'delswinst *v.* bénéfice *m.*
han'delswoordenboek *o.* dictionnaire *m.* de commerce.
han'delszaak *v.(m.)* **1** (*firma*) maison *f.* de commerce; **2** (*winkel*) boutique *f.*, magasin *m.*; **3** (*onderneming*) entreprise *f.* commerciale; **4** (*transactie*) affaire *f.* de commerce.

han'delwijs, han'delwijze *v.* manière (*of* façon) *f.* d'agir, procédé *m.*, conduite *f.*
han'denarbeid *m.* travail *m.* manuel; main*-d'œuvre *f.*
hand'garen *o.* fil *m.* à coudre.
hand'gebaar *o.* geste *m.* (de la main), gesticulation *f.*
hand'geklap *o.* battement des mains, applaudissement *m.*; (*kunst*) claquement *m.* des mains.
hand'geld *o.* **1** (*v. dienstbode*) arrhes *f.pl.*; **2** (*mil.*) prime *f.* d'engagement; **3** (*v. koopman*) étrennes *f.pl.*
hand'gemeen I *b.n.* — ***worden,*** **1** en venir aux mains; **2** (*mil.*) engager le combat; — ***zijn,*** être aux prises; **II** *z.n., o.* mêlée *f.*, corps-à-corps *m.*
hand'gift *v.(m.)* **1** arrhes *f.pl.*; **2** étrenne *f.*
hand'granaat *v.(m.)* grenade *f.* à main.
hand'greep *m.* **1** coup *m.* de main; **2** (*behendig*) tour *m.* de main; **3** *v.(m.)* (*handvat, enz.*) poignée *f.*; ***de handgrepen van het geweer,*** (*mil.*) le maniement du fusil.
hand'haven I *ov.w.* maintenir; défendre; **II** *w.w.* ***zich* —,** se maintenir.
hand'haver *m.* défenseur; protecteur *m.*
hand'having *v.* maintien *m.*
han'dicap *m.* handicap *m.*, entrave *f.*
han'dicappen *ov.w.* handicaper, entraver.
han'dig I *b.n.* **1** (*v. persoon*) adroit, habile; **2** (*v. voorwerp*) maniable, commode; **II** *bw.* adroitement, habilement.
han'digheid *v.* **1** adresse, habileté, dextérité *f.*; **2** (*kunstgreep*) tour de main, truc *m.*
hand'je *o.* petite main *m.*, menotte *f.*; ***iem. een — helpen,*** donner un coup de main à qn.; ***hij heeft er een — van,*** il en a l'habitude.
hand'jeklap *o.* — ***spelen,*** jouer à la main chaude.
hand'jevol *o.* poignée *f.*, quarteron *m.*
hand'kar *v.(m.)* charrette *f.* à bras.
hand'kijker *m.* **1** lorgnette *f.*; **2** (*waarzegger*) chiromancien *m.*
hand'koffer *m.* valise *f.*
hand'kus *m.* baisement *m.*
hand'langer *m.* **1** (*medeplichtige*) complice *m.*; **2** (*helper*) compère *m.*; **3** (*v. metselaar, enz.*) manœuvre *m.*
hand'langster *v.* aide *f.*
hand'lantaarn, -lantaren *v.(m.)* lanterne *f.* portative.
hand'leiding *v.* manuel; guide *m.*; (*beknopt*) aide-mémoire *m.*
hand'lezen, *zie* ***handwaarzeggerij.***
hand'lichting *v.* émancipation *f.*
hand'molen *m.* moulin *m.* à bras.
hand'omdraai *m.* tour *m.* de main.
hand'oplegging *v.* imposition *f.* des mains.
hand'palm *m.* paume *f.*
hand'peer *v.(m.)* poire *f.* de table.
hand'penning *m.* denier *m.* à Dieu.
hand'pers *v.(m.)* presse *f.* à main.
hand'pomp *v.(m.)* pompe *f.* à main.
hand'reiking *v.* aide, assistance *f.*
hand'rem *v.(m.)* frein *m.* à main.
hand'schoen *m. en v.* gant *m.*; ***zijn —en aantrekken,*** mettre ses gants, se ganter; ***iem. de — toewerpen,*** défier qn., jeter le gant à qn.; ***huwelijk met de —,*** mariage par procuration.
hand'schoen(en)fabriek *v.* ganterie *f.*
hand'schoen(en)fabrikant *m.* gantier *m.*
hand'schoen(en)winkel *m.* ganterie *f.*
hand'schrift *o.* **1** (*schrift*) écriture; main *f.*; **2** (*geschreven stuk*) manuscrit *m.*; **3** (*voor drukkerij*) copie *f.*
hand'schroef *v.(m.)* étau *m.* à main.
hand'slag *m.* coup *m.* de la main; ***op — verkopen,*** vendre sur parole.
handsle(d)e *v.(m.)* traineau *m.* à bras.
hand'spaak *v.(m.)* **1** levier *m.*; **2** (*sch.*) anspect *m.*
hand'spiegeltje *o.* miroir *m.* à main.
hand'spuit *v.(m.)* **1** seringue *f.*; **2** (*brandspuit*) pompe *f.* à main.
hand'tas *v.(m.)* sac *m.* à main.
handtas'telijk *b.n.* **1** (*tastbaar*) palpable, évident; **2** (*duidelijk*) manifeste; — ***worden,*** jouer des mains.
handtas'telijkheid *v.* jeu *m.* de main; ***handtastelijkheden,*** voies *f.pl.* de fait.
hand'tekenen *o.* dessin *m.* à main levée.
hand'tekening *v.* **1** signature *f.*; **2** (*gedrukt of gestempeld*) griffe *f.*; ***zijn — zetten,*** signer, mettre sa signature, — son autographe *m.*
hand'vaardigheid *v.* habileté *f.* manuelle.
hand'valies *o.* valise *f.* à main.
hand'vat *o.* **1** (*steel, hecht*) manche *m.*; **2** (*greep*) poignée, prise *f.*; **3** (*oor*) anse *f.*; **4** (*v. koffer*) portant *m.*; **5** (*v. lade*) menotte *f.*; **6** (*kruk*) manivelle *f.*; **7** (*v. tram, kanon, enz.*) main *f.* courante; **8** (*v. braadpan*) queue *f.*
hand'veger *m.* balayette *f.*
hand'vest *o.* charte *f.*, privilège *m.*
hand'vijl *v.(m.)* lime *f.* plate.
hand'vol *v.(m.)* poignée *f.*
handvor'mig *b.n.* **1** palmé; **2** (*Pl.*) digité.
hand'waarzegger *m.* chiromancien *m.*
hand'waarzeggerij *v.* chiromancie *f.*
hand'waarzegster *v.* chiromancienne *f.*
hand'wagen *m.* charrette *f.* à bras.
hand'wassing *v.* **1** lavement *m.* des mains; **2** (*in de mis*) lavabo *m.*
hand'water *o.* ***geen — halen bij,*** **1** (*v. persoon*) ne pas venir à la cheville de; **2** ne pas entrer en comparaison avec.
hand'werk *o.* **1** travail *m.* manuel; **2** (*ambacht*) métier *m.* (manuel); **3** (*voortbrengsel v. handenarbeid*) ouvrage *m.* à la main; — fait à la main; (***vrouwelijke***) ***—en,*** ouvrages *m.pl.* de femme(s), travaux *m.pl.* d'aiguille; ***fraaie —en,*** travaux *m.pl.* d'agrément; ***nuttige —en,*** travaux *m.pl.* d'utilité.
hand'werkje *o.* ouvrage *m.* de dame.
hand'werksman *m.* artisan, ouvrier *m.*
hand'wijzer *m.* poteau *m.* indicateur.
hand'woordenboek *o.* dictionnaire *m.* portatif.
hand'wortel *m.* carpe *m.*
hand'zaag *v.(m.)* scie *f.* à main.
hand'zaam *b.n.* maniable, facile à manier, traitable; — ***weer,*** temps agréable.
ha'nebalk *m.* tirant *m.*; ***onder de —en,*** sous les combles, sous le toit.
ha'negekraai *o.* chant *m.* du coq, coquerico *m.*
ha'nekam *m.* crête *f.* de coq; (*Pl.*) crête*-de-coq *f.*
ha'nengevecht *o.* combat *m.* de coqs.
ha'nepoot *m.* **1** patte *f.* de coq; **2** (*sch.*) patte *f.* d'oie, — de bouline; ***hanepoten,*** (*fig.*) pattes *f.pl.* de mouche, griffonnage *m.*
ha'nespoor *v.(m.)* ergot *m.* de coq.
ha'neveer *v.(m.)* **1** plume *f.* de coq; **2** (*fig.*) batailleur *m.*
ha'nevoet *m.* (*Pl.*) renoncule *f.*
hang *m.* saurisserie *f.*; séchoir *m.*
hanga(a)r' *m.* hangar *m.*
hang'brug *v.(m.)* pont *m.* suspendu.
hang'buik *m.* bedaine *f.*
han'gen I *on.w.* **1** (*alg.*) pendre, être suspendu; **2** (*aan haak*) être accroché; ***aan een spijker blijven —,*** rester accroché à un clou; ***aan een zijden***

draad* —,** ne tenir qu'à un fil; ***de boom hangt vol appels, l'arbre est chargé de pommes; ***de muur hangt vol schilderijen,*** le mur est couvert de tableaux; ***een groot gevaar hangt hem boven 't hoofd,*** un grand danger le menace; ***het hoofd laten* —,** baisser la tête; être découragé; ***de huik naar de wind* —,** tourner casaque; hurler avec les loups; ***aan iemands lippen* —,** être suspendu aux lèvres de qn.; **II** *ov.w.* pendre, suspendre; accrocher; **III** *z.n., o.* **1** suspension *f.*; **2** (*v. veroordeelde*) pendaison *f.*

han'gend I *b.n.* pendant; suspendu; ***—e oren,*** oreilles pendantes; ***—e brug,*** pont suspendu; ***met —e pootjes,*** la queue basse, tout penaud; ***een —e zaak,*** une cause pendante; ***de zaak is nog —e,*** l'affaire est pendante, — en suspens; ***— problemen,*** des problèmes *m.pl.* en suspens; **II** *vz.* ***—e het proces,*** le procès pendant.

han'ger *m.* **1** (*oor—, degen—*) pendant *m.*; **2** (*borst—*) pendentif *m.*; **3** (*kleer—*) patère *f.*; **4** (*vleeshaak*) pendoir *m.*; **5** (*sch.*) pendeur *m.*

han'gerig *b.n.* apathique, languissant.

hang'ijzer *o.* trépied *m.*

hang'kast *v.(m.)* garderobe, penderie *f.*

hang'klok *v.(m.)* pendule *f.*, cartel *m.*

hang'korf *m.* hotte *f.*

hang'lamp *v (m.)* suspension *f.*

hang'lip *v.(m.)* **1** lippe, lèvre *f.* tombante; **2** (*persoon*) lippu *m.*

hang'mat *v.(m.)* hamac *m.*; (*op zee*) branle *m.*

hang'oor I *v.(m.)* (*tafel*) table *f.* pliante; **II** *m.* **1** (*hond*) chien *m.* aux oreilles pendantes; **2** (*fig.*) flandrin; nigaud *m.*

hangop' *m.* lait *m.* égoutté, — de beurre épaissi, fromage *m.* à la pie.

hang'partij *v.* partie *f.* à suivre.

hang'plant *v.(m.)* plante *f.* retombante.

hang'slot *o.* cadenas *m.*

hang'stijger *m.* échafaudage *m.* suspendu.

hang'wang *v.(m.)* joue *f.* pendante.

ha'nig *b.n.* agressif.

Han'na *v.* Jeanne *f.*

Han'nes *m.* **1** Jeannot *m.*; **2** (*fig.*) niais *m.*

han'nesen *on.w.* bavarder, jaser.

Han'nibal *m.* Annibal *m.*

Hanno'ver *o.* le Hanovre.

Hannoveraan' *m.* Hanovrien *m.*

Hannoveraans' *b.n.* hanovrien.

Hannuit' *o.* Hannut.

Hans *m.* Jean *m.*

hansop' *m.* chemise *f.* de nuit (pour enfants).

hansworst' *m.* polichinelle, bouffon, clown, pantin, pitre, jean-farine *m.*

hanstworsterij' *v.* bouffonnerie, pitrerie *f.*

hanteer'baar *b.n.* maniable.

hante'ren *ov.w.* manier.

hante'ring *v.* maniement *m.*

Han'ze *v.(m.)* Hanse *f.*

Han'zestad *v.(m.)* ville *f.* hanséatique.

Han'zeverbond *o.* ligue *f.* hanséatique.

hap *m.* **1** (*beet*) coup *m.* de dent; **2** (*mondvol*) bouchée *f.*; ***een — en een snap,*** des bribes.

ha'peren *on.w.* **1** (*niet verder kunnen, ontbreken*) manquer; **2** (*haken*) s'accrocher; **3** (*bij 't spreken*) demeurer court, hésiter, bégayer; ***er hapert iets,*** il y a qc. qui cloche; ***wat hapert er aan?*** qu'y a-t-il? qu'avez-vous? ***zonder* —,** sans hésitation, sans broncher.

ha'pering *v.* **1** empêchement, obstacle *m.*; **2** hésitation *f.*; **3** bégaiement *m.*

hap'je *o.* bouchée *f.*; ***een lekker* —,** un bon (*of* fin) morceau.

hap'pen I *ov.w.* happer, saisir (des dents); **II** *on.w.* mordre.

hap'pig *b.n.* avide (de), âpre (à); ***ik ben er niet — op,*** cela ne me tente guère.

hap'pigheid *v.* avidité *f.*

haraki'ri *o.* hara-kiri *m.*

hard I *b.n.* **1** (*alg.*) dur; **2** (*stevig*) ferme, solide; **3** (*streng, guur*) sévère, rude; **4** (*wreed*) cruel; **5** (*treurig, smartelijk*) pénible; **6** (*v. stem*) fort, pénétrant; **7** (*ongevoelig*) insensible; ***—e tijden,*** des temps difficiles; ***een —e winter,*** un hiver rigoureux; ***— ei,*** œuf *m.* dur; ***—e valuta,*** change *m.* dur; **II** *bw.* durement; ***— blokken,*** piocher dur; ***— lachen,*** rire aux éclats; ***— roepen,*** crier à haute voix; ***— spreken,*** parler haut; ***— lopen,*** courir vite, — à toutes jambes; ***— werken,*** travailler dur; ***het — hebben,*** avoir la vie dure; ***het regent* —,** il pleut à verse; ***het waait* —,** il fait beaucoup de vent; ***het vriest* —,** il gèle fort, il gèle à pierre fendre; ***hij heeft het — nodig,*** il en a grandement besoin; ***om het —st,*** à l'envi, à qui mieux mieux.

hard'draven *on.w.* **1** courir; **2** prendre part à une course. [de course.

hard'draver *m.* trotteur, coureur *m.*, cheval *m.*

harddraverij' *v.* course *f.* au trot.

har'den I *ov.w.* **1** durcir; **2** (*weg, met stenen*) empierrer; **3** (*staal*) tremper; **4** (*lichaam*) endurcir; aguerrir; **5** (*troepen*) aguerrir; **6** (*uitstaan*) endurer, souffrir, y tenir; ***hij kon het er niet* —,** il n'y tenait pas; **II** *w.w.* ***zich* —,** s'aguerrir.

hard'glas *o.* verre *m.* trempé.

hardhan'dig I *b.n.* rude; qui a la main dure; **II** *bw.* ***— te werk gaan,*** y aller rudement.

hard'heid *v.* **1** (*alg.*) dureté *f.*; **2** (*v. water*) crudité *f.*; **3** (*fig.*) rigueur; rudesse *f.*; parole *f.* dure.

hardho'rend, hardho'rig *b.n.* dur d'oreille.

hardho'rendheid *v.* dureté *f.* d'oreille.

hardho'rig *b.n.* dur d'oreille.

har'ding *v.* **1** durcissement, endurcissement *m.*; **2** (*v. metaal, glas*) trempe *f.*

hardleers' *b.n.* lent d'esprit, qui a la tête dure; ***hij is* —,** il a la tête dure.

hardlij'vig *b.n.* constipé.

hardlij'vigheid *v.* constipation *f.*

hard'lopen *o.* course *f.* à pied.

hard'loper *m.* coureur *m.*

hardnek'kig I *b.n.* obstiné, opiniâtre, acharné; **II** *bw.* obstinément, opiniâtrement, avec acharnement; ***— volhouden,*** s'entêter à, s'obstiner à.

hardnek'kigheid *v.* obstination, opiniâtreté *f.*, acharnement *m.*

hardop' *bw.* tout haut, à haute voix.

hard'rijden *o.* course *f.*

hard'rijder *m.* coureur *m.*

hardrijderij' *v.* course *f.*

hard'steen *o. en m.* pierre *f.* de taille.

hardvoch'tig I *b.n.* dur, insensible, sans cœur, cruel; **II** *bw.* durement; sans pitié. [bilité *f.*

hardvoch'tigheid *v.* dureté (de cœur), insensi-

hard'zeilen *o.* régates *f.pl.*; course *f.* à voile.

ha'rem *m.* harem, sérail *m.*

ha'ren I *b.n.* de crin, de poil; ***— kleed,*** haire *f.*, cilice *m.*; **II** *ov.w.* affiler.

ha'rent, ***te(n)* —,** chez elle.

ha'rentwege *bw.* ***van* —,** de sa part, d'elle.

ha'rentwil *bw.* ***om* —,** pour elle.

ha'rerzijds *bw.* de son côté.

ha'rig *b.n.* **1** velu; poilu; **2** (*hoofdhaar*) chevelu.

ha'ring *m.* hareng *m.*; (*v. tent*) piquet *m.*; ***gemarineerde* —,** hareng mariné; ***gerookte* —)** hareng saur; ***gezouten* —,** hareng salé; ***ijle (lege,***

—, hareng gai; ***nieuwe* —,** hareng frais; ***volle* —,** hareng plein; **— *kaken,*** caquer le hareng; ***ik wil er — of kuit van hebben,*** je veux en avoir le cœur net; ***als — in een ton,*** serrés comme des harengs en caque.
ha'ringbuis *v.*(*m.*) (*sch.*) harenguier *m.*
ha'ringkaken *o.* caquage *m.*
ha'ringkaker *m.* caqueur *m.*
ha'ringnet *o.* harenguière *f.*
ha'ringpakkerij *v.* harengerie *f.*
haringrokerij' *v.* saurisserie *f.*
ha'ringsla *v.*(*m.*) salade *f.* aux harengs.
ha'ringtijd *m.* harengaison *f.*
ha'rington *v.*(*m.*) baril *m.*, caque *f.*
ha'ringvangst *v.* pêche *f.* du hareng.
ha'ringvisser *m.* pêcheur *m.* de harengs.
haringvisserij' *v.* pêche *f.* du hareng, harengaison *f.*
ha'ringvrouw *v.* harengère *f.*
hark *v.*(*m.*) **1** râteau *m.*; **2** (*voor 't hooi*) fauchet *m.*; **3** (*fig.*) manche à balai; ***hij is een echte* —,** il est raide comme un piquet.
har'ken I *ov.w. en on.w.* râteler, ratisser; **II** *z.n., o.* ***het* —,** le ratissage.
har'kerig *b.n.* raide (comme une perche, comme un piquet).
har'lekijn *m.* arlequin *m.*
Har'men *m.* Germain *m.*
harmo'nica(-), *zie* ***harmonika(-).***
harmonie' *v.* **1** harmonie *f.*; **2** (*—vereniging*) fanfare *f.*
harmonie'concert, -koncert *o.* concert *m.* d'harmonie, — de fanfare.
harmonie'leer *v.*(*m.*) harmonie *f.*
harmonië'ren *on.w.* (*muz.*) s'accorder; **— *met,*** s'accorder avec; sympathiser avec, vivre en bonne harmonie avec.
harmo'nika, harmo'nica *v.* **1** (*trek—*) accordéon *m.*; **2** (*mond—*) harmonica *m.*
harmo'nikakoffer, harmo'nicakoffer *m.* valise *f.* à soufflets.
harmo'nikaspeler, harmo'nicaspeler *m.* accordéoniste *m.*
harmo'nikatrein, harmo'nicatrein *m.* train *m.* à soufflets, — à intercirculation.
harmo'nisch I *b.n.* **1** (*muz.*) harmonieux; **2** (*tn. en wisk.*) harmonique; **II** *bw.* harmonieusement.
harmo'nium *o.* harmonium *m.*
har'nas *o.* **1** cuirasse *f.*; **2** (*wapenrusting*) armure *f.*; **3** (*v. paard; middeleeuwse wapenrusting*) harnais *m.*; ***iem. in 't — jagen,*** mettre qn. en colère, irriter qn.; ***tegen elkaar in 't — jagen,*** mettre aux prises; ***iem. tegen zich in 't — jagen,*** se mettre qn. à dos.
harp *v.*(*m.*) harpe *f.*; ***op de — spelen,*** pincer (*of* jouer) de la harpe.
har'penaar *m.* joueur de harpe, harpiste *m.*
harp(en)ist' *m.*, **—e** *v.* harpiste *m. et f.*
harpij' *v.* harpie *f.*
harpist', *zie* ***harpenist.***
harpoen' *m.* harpon *m.*
harpoene'ren *ov.w.* harponner.
harpoenier' *m.* harponneur *m.*
harp'speelster *v.* joueuse de harpe, harpiste *f.*
harp'spel *o.* jeu *m.* de la harpe.
harp'speler *m.* joueur *m.* de harpe.
harpuis' *o.* résine, poix-résine *f.*, galipot *m.*
harpui'zen *ov.w.* résiner, brayer.
har'rewarren *on.w.* quereller, chicaner, se chamailler.
harrewarrerij' *v.* querelle, chicanerie *f.*
hars *o. en m.* **1** résine *f.*; **2** (*viool—*) colophane *f.*
hars'achtig *b.n.* résineux.
hars'boom *m.* arbre *m.* résineux.
hars'elektriciteit, hars'electriciteit *v.* électricité *f.* résineuse.
hars'fakkel *v.*(*m.*) brandon *m.* de résine.
hars'gom *m. of o.* gomme résine *f.*
harst *m.* aloyau *m.*, filet *m.* de bœuf.
hart *o.* cœur *m.*; ***dat gaat mij aan het* —,** cela me va au cœur; ***dat ligt mij na aan het* —,** cela me tient au cœur; ***in zijn* —,** au fond de son cœur; ***met — en ziel,*** corps et âme; ***met — en ziel bij zijn werk zijn,*** avoir le cœur au travail; ***het werd hem wee om het* —,** il avait le cœur serré; ***het — op de tong hebben,*** avoir le cœur sur la main; ***alles zeggen wat men op het — heeft,*** dire tout ce qu'on a sur la conscience; ***zijn — luchten,*** parler à cœur ouvert; ***het — op de rechte plaats hebben,*** avoir le cœur bien placé, avoir beaucoup de cœur; ***zijn — aan iets ophalen,*** s'en donner à cœur joie; ***op het — drukken,*** recommander vivement; ***dat ligt mij op het* —,** cela me pèse sur le cœur; ***ter —e nemen,*** prendre à cœur; ***van —e,*** de bon (*of* grand) cœur; ***niet van —e,*** à contre-cœur; ***het gaat niet van —e,*** le cœur n'y est pas; ***van ganser —e,*** de tout cœur; ***zijn — blootleggen*** (***uitstorten***), s'épancher; ouvrir son cœur à qn.; ***het — niet hebben om,*** ne pas avoir le courage de; ***iem. een goed — toedragen,*** vouloir du bien à qn.; ***iemands — stelen,*** se mettre dans le cœur de qn.; ***ik houd mijn — vast, bij de gedachte dat...,*** je frémis à la pensée que...; ***uit het oog, uit het* —,** loin des yeux, loin du cœur; ***waar het — vol van is, vloeit de mond van over,*** de l'abondance du cœur la bouche parle.
hart'aandoening *v.* affection *f.* du cœur.
hart'aanval *m.* crise *f.* cardiaque.
hart'ader *v.*(*m.*) **1** grosse artère, aorte *f.*, veine *f.* cardiaque; **2** (*fig.*) cœur *m.*
hart'beklemming *v.* oppression *f.*; serrement *m.* de cœur.
hart'boezem *m.* oreillette *f.*
hart'brekend *b.n.* déchirant, navrant.
har'tebloed *o.* **1** sang *m.* du cœur, — artériel; **2** (*fig.*) sang *m.*, vie *f.*
har'tedief *m.* amour, chéri, bien-aimé *m.*
har'teleed *o.* crève-cœur, chagrin *m.* (cuisant).
har'telijk I *b.n.* cordial; ***mijn —e dank,*** mes sincères remercîments; **II** *bw.* cordialement; **— *danken,*** remercier de tout cœur; **— *lachen,*** rire de bon cœur.
har'telijkheid *v.* cordialité *f.*
har'teloos *b.n.* sans cœur.
harteloos'heid *v.* manque *m.* de cœur, dureté, insensibilité *f.*
har'telust *m.* ***naar* —,** à cœur joie, à souhait; ***naar — eten,*** manger (tout) son content.
har'ten *v.*(*m.*) (*in spel*) cœur *m.*
hartenaas' *m. of o.* as *m.* de cœur.
hartenboer' *m.* valet *m.* de cœur.
hartenheer' *m.* roi *m.* de cœur.
hartenvrouw' *v.* dame *f.* de cœur.
har'tepijn *v.*(*m.*) chagrin, crève-cœur *m.*
har'tewens *m.* désir *m.* de mon cœur, souhait *m.* ardent; ***naar* —,** à souhait.
hart'gebrek *o.* vice *m.* du cœur.
hartgron'dig I *b.n.* cordial, sincère; **II** *bw.* cordialement, sincèrement, du fond du cœur.
har'tig *b.n.* **1** (*goed gezouten, pittig*) bien salé, bien assaisonné; épicé, pimenté; **2** (*voedzaam*) nourrissant; **3** (*fig.*) sérieux, bien senti; énergique.
hart'infarct *o.* infarctus *m.* (du myocarde).
hart'je *o.* petit cœur *m.*; ***in 't — van de winter,*** au cœur de l'hiver, au plus fort de —; ***mijn —!*** mon cœur, mon chéri!
hart'kamer *v.*(*m.*) ventricule *m.* (du cœur).

hart'klep *v.(m.)* **1** valvule *f.*; **2** *(v. pomp)* clapet *m.*
hart'klopping *v.* **1** pulsation *f.* du cœur, battement *m.* —; **2** ***—en*** palpitations *f.pl.*
hart'kramp *v.(m.)* crispation *f.* cardiaque.
hart'kuil *m.* creux *m.* de l'estomac, fossette *f.* du cœur.
hart'kwaal *v.(m.)* maladie *f.* de (*of* du) cœur, affection *f.* cardiaque.
hart'lijder *m.* cardiaque *m.*
hart'operatie *v.* opération *f.* à cœur ouvert.
hart'roerend *b.n.* touchant, émouvant.
harts'geheim *o.* secret *m.* du cœur; ***zijn* —,** le secret de son cœur.
hart'slag *m.* battement(s) *m.(pl.)* du cœur.
hart'slagader *v.(m.)* aorte *f.*; artère *f.* cardiaque.
hart'specialist *m.* cardiologue *m.*
hart'spier *v.(m.)* myocarde *m.*
hart'sterkend *b.n.* **1** *(gen.)* cordial; **2** *(fig.)* réconfortant.
hart'sterking *v.* **1** cordial *m.*; **2** *(fam.)* petit verre [*m.*
harts'tocht *m.* passion *f.*
hartstoch'telijk I *b.n.* passionné, ardent; ***een — zwemmer,*** un fervent de la natation; **II** *bw.* passionnément.
hartstoch'telijkheid *v.* caractère *m.* passionné, [passion *f.*
hart'streek *v.(m.)* région *f.* du cœur.
harts'vanger *m.* couteau de chasse, coutelas *m.*
harts'vriend *m.* ami *m.* de cœur, — intime.
hart'vergroting *v.* hypertrophie *f.* du cœur.
hart'verheffend *b.n.* grand, noble, sublime.
hart'verlamming *v.* paralysie *f.* du cœur.
hart'verscheurend *b.n.* déchirant, navrant, à fendre le cœur.
hart'versterking *v.* **1** cordial *m.*; **2** *(borrel)* goutte *f.* [du cœur.
hart'vervetting *v.* dégénérescence *f.* graisseuse
hart'verwijding *v.* anévrisme *m.* du cœur.
hart'vlies *o.* péricarde *m.*
hartvor'mig *b.n.* en cœur, en forme de cœur.
hart'zakje *o.* péricarde *m.*
hart'zeer *o.* crève-cœur, chagrin *m.* (cuisant).
hart'ziekte *v.* maladie (*of* affection) *f.* du cœur.
hart'zwakte *v.* défaillance *f.* du cœur.
has'pel *m.* **1** *(v. garen)* dévidoir *m.*; **2** *(windas)* treuil *m.*; **3** *(fig.)* niais, sot *m.*
has'pelaar *m.* **1** dévideur *m.*; **2** *(fig.)* querelleur *m.*
haspelarij' *v.* bisbilles, disputes *f.pl.*
has'pelen I *ov.w.* **1** *(afwinden)* dévider; **2** *(fig.: verwarren)* brouiller, confondre; **II** *on.w.* **1** dévider; **2** se disputer, se quereller, se chamailler.
has'peling *v.* **1** dévidage *m.*; **2** *(fig.)* confusion *f.*; embrouillement *m.*
Has'pengouw *v.* la Hesbaye.
Has'pengouwer *m.* Hesbignon *m.*
Has'pengouws *b.n.* hesbignon.
has'sebassen *on.w.* se quereller, se chamailler.
ha'telijk I *b.n.* **1** *(haat opwekkend)* odieux, haïssable; **2** *(boosaardig)* malicieux, âpre; ***—e opmerkingen,*** des remarques mordantes, des méchancetés; ***— zijn,*** être mordant, dire des méchancetés; **II** *bw.* odieusement, malicieusement.
ha'telijkheid *v.* **1** odieux, caractère *m.* odieux; **2** trait *m.* piquant, méchanceté, âpreté *f.*; reproche *m.* voilé.
ha'ten *ov.w.* haïr, détester, avoir en haine.
ha'ter *m.* haïsseur, ennemi *m.*
hauw *v.(m.)* *(Pl.)* silique *f.*
hauw'tje *o.* *(Pl.)* silicule *f.*
Havan'na I *o.* la Havane; **II** *v.* cigare *m.* de la Havane, havane *m.*
havan'nakleurig *b.n.* havane; ***—e stoffen,*** des étoffes havane.

ha've *v.(m.)* biens *m.pl.*, avoir *m.*; ***— en goed verliezen,*** perdre tout son bien; ***levende —,*** bétail *m.*, bestiaux *m.pl.*
ha'veloos *b.n.* **1** *(schamel)* pauvre, indigent, misérable; **2** *(slordig)* déguenillé, dépenaillé; **3** *(v. zaken)* délabré.
haveloos'heid *v.* **1** pauvreté, indigence *f.*; **2** dépenaillement *m.*; **3** délabrement *m.*
ha'ven *v.(m.)* port *m.*; ***een — aandoen,*** faire escale (*of* faire relâche) à un port; ***een — binnenlopen,*** entrer dans un port; ***in goede — leiden,*** mener à bon port. [port.
ha'venarbeider *m.* débardeur, ouvrier *m.* du
ha'venarts *m.* médecin *m.* du port.
ha'venbootje *o.* bateau *m.* du port, vedette *f.* du port.
ha'vencommissaris, -kommissaris *m.* commissaire *m.* du port.
ha'vendam *m.* môle *m.*, jetée *f.*
ha'vendienst *m.* police *f.* du port.
ha'venen *ov.w.* abîmer, endommager; chiffonner; ***gehavende goederen,*** marchandises *f.pl.* abîmées (*of* endommagées). [d'ancrage.
ha'vengeld *o.* droits *m.pl.* de port; droit *m.*
ha'venhoofd *o.* jetée *f.*, môle *m.* [port.
ha'veninrichtingen *mv.* installations *f.pl.* du
ha'venkantoor *o.* bureau *m.* du port.
ha'venkom *v.(m.)* bassin *m.*
ha'venkommissaris, *zie* ***havencommissaris.***
ha'venkwartier *o.* quartier *m.* marin.
ha'venlicht *o.* fanal, feu *m.* du port.
ha'venloods *m.* pilote *m.* de port.
ha'venmeester *m.* capitaine *m.* de port, garde*-port(*) *m.*
ha'venmond *m.* entrée *f.* du port.
ha'venpolitie *v.* police *f.* du port.
ha'venrecht *o.* droit(s) *m.(pl.)* de port.
ha'venstad *v.(m.)* port *m.*, ville *f.* maritime.
ha'venstaking *v.* grève *f.* maritime.
ha'venton *v.(m.)* balise *f.*
ha'venwerken *mv.* installations *f.pl.* portuaires.
ha'venwerker *m.* docker, ouvrier *m.* du port.
ha'ver *v.(m.)* avoine *f.*; ***wilde —,*** folle avoine; ***de paarden die de — verdienen krijgen ze niet,*** les chevaux courent les bénéfices et les ânes les attrapent; ***van — tot gort vertellen,*** raconter de fil en aiguille; ***lange — krijgen,*** *(fam.)* recevoir des coups.
ha'verakker *m.* avénière *f.*, champ *m.* d'avoine.
ha'verbloem *v.(m.)* fleur *f.* d'avoine.
ha'verbrij *m.* bouillie *f.* d'avoine.
ha'ver(de)gort *m.* gruau *m.* d'avoine.
ha'verkaf *o.* balle *f.* d'avoine.
ha'verkist *v.(m.)* coffre *m.* à l'avoine.
ha'verklap *m.* ***om een*** (*of* ***de***) ***—,*** **1** *(om een kleinigheid)* pour rien, pour une bagatelle; **2** *(telkens)* à chaque instant.
ha'vermeel *o.* farine *f.* d'avoine.
ha'vermout *m.* **1** *(mout v. haver)* malt *m.* d'avoine; **2** *(meel v. gepelde haver)* gruau *m.* d'avoine; **3** *(pap)* bouillie *f.* d'avoine.
ha'verstro *o.* paille *f.* d'avoine.
ha'verveld *o.* avénière *f.*, champ *m.* d'avoine.
ha'vervlokken *mv.* flocons *m.pl.* d'avoine.
ha'verzak *m.* sac *m.* à avoine.
ha'vezate, ha'vezaat *v.(m.)* terre *f.* seigneuriale, manoir *m.*; métairie *f.*
ha'vik *m.* autour *m.*
ha'vikskruid *o.* *(Pl.)* épervière *f.*
ha'viksneus *m.* nez *m.* aquilin.
Ha'vre *o.* le Havre; ***uit —,*** havrais. [hawaïen.
Hawa'i *o.* Hawaï *m.*, les îles Hawaï; ***van —,***

hazard'spel *o.* jeu *m.* de hasard.
ha'zehaar *o.* poil *m.* de lièvre.
ha'zejacht *v.(m.)* chasse *f.* au lièvre.
ha'zelaar *m.* noisetier, coudrier *m.*
ha'zelaarsbos *o.* coudraie *f.*
ha'zeleger *o* gîte *f.* de (*of* d'un) lièvre.
ha'zelhoen *o.* gelinotte *f.*
ha'zelip *v.(m.)* bec*-de-lièvre *m.*
ha'zelmuis *v.(m.)* lérot *m.*; ***kleine* —,** muscardin *m.*
ha'zelnoot *v.(m.)* noisette *f.*
ha'zelnoteboom *m.* noisetier, coudrier *m.*
ha'zelworm *m.* orvet *m.*
ha'zemond *m.* bouche *f.* en bec-de-lièvre.
ha'zepad *o.* ***het* — *kiezen,*** décamper, prendre la poudre d'escampette.
ha'zepastei *v.(m.)* pâté *m.* de lièvre.
ha'zepeper *m.* civet *m.* (de lièvre).
ha'zepoot *m.* **1** patte *f.* de lièvre; **2** (*Pl.*) trèfle *m.* des champs. — des prés.
ha'zeslaap *m.* sommeil *m.* léger; ***een* — *doen,*** ne dormir que d'un œil.
ha'zesprong *m.* **1** saut *m.* de lièvre; **2** (*been*) astragale *f.* (de lièvre).
hazewind'(hond) *m.* lévrier *m.*
H-bom *v.(m.)* bombe *f.* H.
hé! (*tw.*) tiens! eh! comment! hein!
hè! (*tw.*) ah! hein! ***hè, hè*** (*verlichting*) ouf!
heb'belijkheid *v.* habitude *f.*
heb'ben I *ov.w.* avoir; posséder; ***van wie hebt u dat nieuws?*** de qui tenez-vous cette nouvelle? ***hij heeft iets aan de ogen,*** il souffre des yeux; ***ik moet daar niets van* —,** je n'aime pas cela; ***spijt* — *van iets,*** regretter qc.; ***een winkel* —,** tenir boutique; ***iets bij zich* —,** avoir qc. sur soi; ***iets over zich* —,** avoir un certain air; ***daar heb je het,*** le voilà; ça y est; ***dat heb je er nu van,*** nous voilà propres; ***nu heb ik het!*** j'y suis; ***nu zul je het* —,** nous y voici; ***heb je ooit van je leven!*** a-t-on jamais!; ***hoe heb ik het nu met je?,*** qu'est-ce qui te prend?; ***wie moet u —?*** qui demandez-vous?; ***wat moet je —?*** que vous faut-il? ***heb je het tegen mij?*** c'est pour moi, que vous dites cela? ***ik wil er het mijne van* —,** je veux en avoir le cœur net; ***iets tegen iem.* —,** en vouloir à qn.; ***zijn ouders willen het niet* —,** ses parents ne le permettent pas; ***het armoedig* —,** être dans la pauvreté, vivre misérablement; ***het goed* —,** être bien; ***het best* —,** être très bien, être à l'aise; ***het niet breed* —,** ne pas en mener large; ***het hard* —,** mener une vie dure; ***het warm (koud)* —,** avoir chaud (froid); ***hij kan niet veel* —, 1** (*drank*) il ne supporte pas grand-chose; **2** (*is lichtgeraakt*) il est susceptible; ***dat heeft hij van zijn vader,*** il tient cela de son père; ***zij heeft niets van haar moeder,*** elle a peu de chose de sa mère; ***nu weet ik wat ik aan hem heb,*** me voilà fixé sur son compte; ***met iem. te doen* —, 1** (*te maken* —) avoir affaire à qn.; **2** (*medelijden* —) avoir pitié de qn.; ***daar heb ik niets aan,*** cela ne me sert à rien, cela ne me rapporte rien; ***ik heb er niets tegen,*** je ne m'y oppose pas; ***het over iem. (iets)* —,** parler de qn. (de qc.); ***wij* — *de eerste vandaag,*** nous sommes aujourd'hui le premier; ***hoe laat* — *we het?*** quelle heure est-il?; ***iets graag* —,** aimer qc.; ***liever* —,** aimer mieux, préférer; ***willen* —,** vouloir; ***— is —, maar krijgen is de kunst,*** ce qui est bon à prendre est bon à garder; **II** *z.n., o.* avoir *m.*; ***zijn hele — en houden,*** tout son saint-frusquin.
heb'berig *b.n.* intéressé, égoïste.
Hebree'ër *m.* Hébreu *m.*
Hebreeuws' I *b.n.* hébreu, hébraïque; **II** *z.n., o.* ***het* —,** le hébreu.
Hebri'den *mv.* les Hébrides *f.pl.*
heb'zucht *v.(m.)* avidité, cupidité *f.*
hebzuch'tig *b.n.* avide, cupide.
hecht I *b.n.* solide; **II** *bw.* solidement; **III** *o.* manche *m.*
hecht'draad *m.* fil *m.* de suture.
hech'ten I *ov.w.* **1** (*vastmaken; vastbinden*) attacher; lier; **2** (*wonde*) coudre, suturer; ***geloof* — *aan,*** ajouter foi à; ***waarde* — *aan,*** attacher du prix à; ***zijn goedkeuring* — *aan,*** donner son consentement à; **II** *on.w.* s'attacher, tenir, coller; ***aan iets* —,** tenir à qc.; attacher de l'importance à; **III** *w.w.* ***zich* — *aan,*** s'attacher à.
hech'tenis *v.* détention *f.*; ***in* — *nemen,*** arrêter; ***in* — *zijn,*** être détenu.
hecht'heid *v.* solidité *f.*
hech'ting *v.* suture *f.*
hecht'naald *v.(m.)* aiguille *f.* à suture.
hecht'nietje *o.* agrafe *f.*
hecht'pleister *v.(m.)* emplâtre adhésif, sparadrap *m.*
hecht'rankje *o.* (*Pl.*) vrille, griffe *f.*
hecht'sel *o.* suture *f.*; lien *m.*, attache *f.*
hecta're, hekta're *v.(m.)* hectare *m.*
hectograaf', hektograaf' *m.* autocopiste *m.*, polycopie *f.*
hectografe'ren, hektografe'ren *ov.w.* autocopier, polycopier.
hec'togram, hek'togram *o.* hectogramme *m.*
hec'toliter, hek'toliter *m.* hectolitre *m.*
hec'tometer, hek'tometer *m.* hectomètre *m.*
Hec'tor *m.* Hector *m.*
he'den I *bw.* aujourd'hui; ***tot* —,** jusqu'à ce jour; ***van* — *af,*** à partir d'aujourd'hui; ***— over 8 dagen,*** d'aujourd'hui en huit; ***— ten dage,*** actuellement, de nos jours; **II** *z.n., o.* ***het* —,** le présent.
hedena'vond *bw.* ce soir.
hedendaags' I *b.n.* d'aujourd'hui, de nos jours, actuel, contemporain, moderne; **II** *bw.* de nos jours, actuellement, aujourd'hui.
hedenmid'dag *bw.* cet après-midi.
hedenmor'gen *bw.* ce matin.
hedennacht' *bw.* cette nuit.
hedenoch'tend *bw.* ce matin.
Hed'wig *v.* Edwige *f.*
heel I *b.n.* **1** (*geheel*) tout, entier; **2** (*gaaf*) entier, intact, en bon état; **3** (*v. wond*) guéri, fermé; ***een* — *brood,*** un pain entier; ***de hele wereld,*** le monde entier; ***— Parijs,*** le Tout-Paris; ***'t is een — ding,*** c'est toute une affaire; **II** *bw.* très, fort, extrêmement; ***— en al,*** entièrement, complètement, tout à fait; ***— wat,*** bien des, pas mal de; ***zij was — verbaasd,*** elle était toute surprise.
heelal' *o.* univers *m.*
heel'baar *b.n.* guérissable.
heel'huids *bw.* sain et sauf; ***er* — *afkomen,*** en sortir (*of* s'en tirer) indemne, avoir la vie sauve.
heel'kunde *v.* chirurgie *f.*
heelkun'dig I *b.n.* chirurgical; **II** *bw.* chirurgicalement.
heelkun'dige *m.* chirurgien *m.*
heel'meester *m.* chirurgien *m.*; ***zachte* —*s maken stinkende wonden,*** on ne guérit pas les grands maux en les flattant.
heel'middel *o.* remède *m.* vulnéraire.
heel'pleister *v.(m.)* emplâtre *m.*
heel'ster *v.* receleuse *f.*
heel'vlees *o.* ***goed*** (*of* ***kwaad***) **—,** chair qui se guérit facilement (*of* difficilement).
heem'raad *m.* membre *m.* du conseil des eaux.

heem'raadschap *o.* administration *f.* des digues; inspection *f.* des digues. [Aymon.
Heems'kinderen *mv.* ***de vier —,*** les quatre fils
heemst *v.(m.)* (*Pl.*) guimauve, althée *f.*
heen, henen *bw.* ***er —,*** y; ***— en terug,*** aller et retour; ***— -en-weergaan,*** aller et venir; ***ga —,*** va-t'en; ***waar gaat u —?*** où allez-vous? ***— en-weerreizen*** (***-gaan, enz.***), faire la navette; ***nergens —,*** nulle part; ***overal —,*** partout; de tous côtés, en tous sens; ***ergens —,*** quelque part; ***waar moet dat —?*** où allons-nous? ***ik zal er — gaan,*** j'irai; ***over de tafel —,*** par-dessus la table.
heen'gaan I *on.w.* **1** (*weggaan*) s'en aller, partir, se retirer; **2** (*verlopen*) passer, s'écouler; **3** (*uit dienst*) s'en aller, quitter le service; ***daar gaat veel tijd mee heen,*** cela prend (*of* demande) beaucoup de temps; **II** *z.n., o.* ***het —,*** le départ.
heen'glijden *on.w.* ***over iets —,*** glisser sur qc.
heen'komen *o.* retraite *f.*, refuge *m.*; ***een goed — zoeken,*** se sauver, s'enfuir.
heen'lopen *on.w.* s'en aller; ***loop heen!*** va-t'en! à d'autres!
heen'reis *v.(m.)* aller *m.*, voyage *m.* à...; ***op de —,*** en allant, à l'aller.
heen'rit *m.* aller *m.*
heen'snellen *on.w.* partir en courant.
heen'spoeden *on.w.* se précipiter, s'élancer.
heen'stappen *on.w.* s'en aller d'un pas ferme; ***over iets —,*** **1** enjamber qc., passer pardessus qc.; **2** (*fig.*) passer sur qc., passer outre à qc., pardonner.
heen'stuiven *on.w.* partir comme un trait.
heen'trekken *on.w.* partir.
heen'varen *on.w.* partir. [rapidement.
heen'vlieden *on.w.* **1** fuir, s'enfuir; **2** passer
heen'vluchten *on.w.* s'enfuir.
heen'vracht *v.(m.)* fret *m.* d'aller, — de sortie.
heen'weg *m.* aller *m.*; ***op de —,*** en allant, à l'aller.
heen'zeilen *on.w.* partir (à la voile).
heer I *m.* **1** (*alg.*) monsieur *m.* (*mv.:* messieurs); **2** (*adellijke titel*) seigneur *m.*; **3** (*vorst*) souverain *m.*; **4** (*baas*) maître, patron *m.*; **5** (*begeleider v. dame*) cavalier *m.*; **6** (*in kaartspel*) roi *m.*; ***de Heer,*** le Seigneur, l'Éternel; ***Onze lieve H—,*** le bon Dieu; ***het gebed des Heren,*** l'oraison dominicale; ***in het jaar onzes heren...,*** en l'an de grâce...; ***de H— der schepping,*** le maître de la création; ***ontslapen in de H—,*** pieusement décédé; ***de — des huizes,*** le maître de la maison (*of* du logis); ***de jonge —,*** le fils de la maison; ***die jonge —,*** ce jeune homme; ***aan de jonge — A.,*** à monsieur A.; ***Waarde H—,*** Cher Monsieur; ***Weledele H—, Geachte H—,*** Monsieur; ***de — A.,*** monsieur A.; ***onze — A.,*** (*H.*) notre sieur A.; ***de grote heren,*** les gros bonnets; ***de grote — uithangen,*** trancher du grand seigneur, faire le grand seigneur; ***hij is het —tje,*** il boit du lait, il est beau; ***niemand kan twee heren dienen,*** on ne peut servir deux maîtres à la fois; ***met grote heren is het kwaad kersen eten,*** qui mange poires avec son seigneur, il ne choisit pas les meilleures; ***strenge heren regeren niet lang,*** la violence ne saurait durer; ***nieuwe heren, nieuwe wetten,*** nouveau roi, nouvelle loi; ***langs 's heren straten lopen,*** battre le pavé, courir les rues; **II** *o.* armée *f.* [un monsieur.
heer'achtig I *b.n.* de monsieur; **II** *bw.* comme
heer'baan *v.(m.)* grande route *f.*
heer'broer *m.* ***mijn —,*** mon frère l'abbé.
heer'lijk *b.n.* **1** (*prachtig*) magnifique, splendide, superbe, merveilleux; **2** (*lekker*) délicieux, exquis; **3** (*uitstekend*) excellent; **4** (*v. de heer*) seigneurial; ***— vinden,*** adorer.
heer'lijkheid *v.* **1** (*pracht*) magnificence, splendeur, gloire *f.*; **2** (*genot*) délices *m.pl.*; **3** (*iets heerlijks*) chose *f.* exquise, — merveilleuse; **4** (*adellijk goed*) seigneurie, terre *f.* seigneuriale.
heer'oom *m.* ***mijn —,*** mon oncle l'abbé.
heer'schap *o.* monsieur; maître *m.*; ***een lastig —,*** un particulier peu commode; ***een raar —,*** un drôle de client; ***dat —,*** (*ong.*) ce particulier, ce coco.
heerschappij' *v.* **1** (*overheersing*) domination *f.*; **2** (*invloed*) empire, pouvoir *m.*; **3** (*macht, gezag*) puissance, autorité *f.*; ***onbeperkte —,*** dictature *f.*; ***— in de lucht,*** maîtrise *f.* de l'air; ***— voeren over,*** régner sur.
heer'scharen *mv.* armées *f.pl.*
heer'sen *on.w.* **1** dominer; **2** gouverner; régner; **3** (*v. ziekte*) sévir, régner; **4** (*v. mode*) être répandu; ***— over,*** régner sur.
heer'send *b.n.* **1** dominant, prédominant; **2** régnant; **3** répandu, général, existant; ***de —e klasse,*** la classe dirigeante; ***de —e mode,*** la mode qui court; ***de —e denkbeelden,*** les idées du jour.
heer'ser *m.* **1** (*gebieder*) maître *m.*; **2** (*vorst*) souverain *m.*
heerseres' *v.* **1** maîtresse *f.*; **2** souveraine *f.*
heers'zucht *v.(m.)* **1** (*eerzucht*) ambition *f.*; **2** (*zucht naar macht*) désir *m.* de dominer, esprit *m.* de domination.
heerszuch'tig *b.n.* **1** ambitieux; **2** dominateur, autoritaire; despotique.
heer'tje *o.* **1** petit monsieur *m.*; **2** petit*-maître* *m.*; ***een verwend —,*** un père douillet; ***hij is het —,*** il boit du lait, il est beau.
heer'weg *m.* grande route *f.*
hees *b.n.* enroué; rauque; ***— worden,*** s'enrouer; ***zich — schreeuwen,*** s'égosiller.
hees'heid *v.* enrouement *m.*
hees'ter *m.* arbrisseau, arbuste *m.*
heet I *b.n.* **1** chaud; **2** (*brandend —*) brûlant; **3** (*kokend —*) bouillant; **4** (*v. luchtstreek*) torride; **5** (*v. vuur; fig.*) ardent; ***op hete kolen staan,*** être sur des charbons ardents; ***hete tranen storten,*** pleurer à chaudes larmes; ***— van de naald,*** tout chaud; ***in 't —st van de strijd,*** au plus fort de la mêlée, au plus chaud du combat; ***in 't —st van de zomer,*** dans les grandes chaleurs de l'été; ***op heterdaad betrappen,*** prendre sur le fait, prendre en flagrant délit; **II** *bw.* ***— eten*** (*of* ***drinken***), manger (*of* boire) chaud; ***— lopen,*** (*tn.*) s'échauffer; ***—!*** (*bij spel*) on brûle!
heetgeba'kerd *b.n.* vif, brusque; ***— zijn,*** avoir la tête près du bonnet. [brûlé.
heet'hoofd *m.-v.* tête *f.* chaude, cerveau *m.*
heethoof'dig *b.n.* emporté, fougueux.
heethoof'digheid *v.* ardeur, fougue *f.*; passion *f.*, fanatisme *m.*
heet'lopen *on.w.* (*tn.*) s'échauffer. [du peuple.
hef, hef'fe *v.(m.)* lie *f.*; ***de — des volks,*** la lie
hef'boom *m.* levier *m.*, commande *v.*
hef'brug *v.(m.)* pont *m.* levant, — transbordeur.
heffe, *zie* ***hef.***
hef'fen *ov.w.* **1** (*optillen*) lever, hausser; (*iets zwaars*) soulever; **2** (*belasting*) lever, percevoir; (*percentage*) opérer.
hef'fing *v.* levée, perception *f.*; ***— ineens,*** prélèvement *m.* sur le capital.
hef'hoogte *v.* hauteur *f.* de chute.
hef'kraan *v.(m.)* grue *f.*
hef'pomp *v.(m.)* pompe *f.* élévatoire.
hef'schroefvliegtuig *o.* hélicoptère *m.*

hef'spier *v.(m.)* muscle *m.* élévateur.
heft *o.* **1** manche *m.*; **2** (*fig.*) pouvoir *m.*; ***het — in handen hebben,*** tenir la queue de la poêle; ***het — in handen nemen,*** prendre les rênes entre les mains.
hef'tig *b.n.* violent, véhément.
hef'tigheid *v.* violence, véhémence *f.*
hef'vermogen *o.* puissance élévatoire, force *f.* de soulèvement.
heg'(ge) *v.(m.)* haie *f.*; ***groene —,*** haie vive; ***over — en steg,*** par monts et par vaux, à travers tous les obstacles.
heg'gekruid *o.* alsine, morgeline *f.*
heg'gerank *v.(m.)* bryone, vigne *f.* folle.
heg'(ge)schaar *v.(m.)* cisailles *f.pl.* à haies.
hei I *v.(m.)* **1** (*tn.*) mouton *m.*, sonnette *f.*; **2** (*v. plaveisel*) hie, dame *f.*; **II** *tw.* hé! hola!; ***men moet geen — roepen voor men over de brug is,*** il ne faut pas se moquer des chiens avant d'être sorti du village; **III** *zie* ***heide.***
hei'bei, haai(e)baai *v.* mégère, diablesse *f.*
hei'bel *m.* boucan, pétard *m.*
hei'bezem *m.* balai *m.* de bruyère.
hei'bloem, *zie* ***heidebloem.***
hei'blok *o.* (*tn.*) mouton, bélier *m.*
hei'brand, *zie* ***heidebrand.***
hei(de) *v.(m.)* bruyère *f.*
hei'deachtigen *mv.* (*Pl.*) éricacées *f.pl.*
hei'(de)bloem *v.(m.)* fleur *f.* de bruyère.
hei'(de)brand *m.* feu *m.* de bruyère.
hei'(de)grond *m.* terre *f.* de bruyère.
hei'(de)honig *m.* miel *m.* de bruyère.
hei'(de)kruid *o.* bruyère, érica *f.*
hei'demaatschappij *v.* compagnie (*of* société) *f.* pour le défrichement des bruyères.
hei'den *m.* **1** païen *m.*; **2** (*zigeuner*) bohémien *m.*; **3** (*niet-jood*) gentil *m.*; ***aan de —en overgeleverd,*** être traité de Turc à Maure.
hei'dendom *o.* paganisme *m.*
hei'dens *b.n.* païen; ***een — leven maken,*** faire le diable à quatre, faire un bruit infernal.
hei'(de)plag(ge) *v.(m.)* motte *f.* de bruyère.
hei'(de)struik *m.* bruyère *f.*
hei'(de)veld *o.* bruyère *f.*
heidin' *v.* **1** païenne *f.*; **2** bohémienne *f.*
hei'en *ov.w.* hier; enfoncer des pilotis.
hei'er *m.* hieur *m.*
hei'grond, *zie* ***heidegrond.***
hei'honig, *zie* ***heidehonig.***
hei'ig *b.n.* vaporeux, nébuleux.
hei'igheid *v.* nébulosité *f.*
hei'ing *v.* hiement; enfoncement *m.* de pilotis.
hei'kruid, *zie* ***heidekruid.***
Hei'kruis *o.* Hautecroix.
heil *o.* **1** (*welzijn*) salut *m.*; **2** (*voorspoed*) prospérité, félicité *f.*; **3** (*geluk*) bonheur *m.*; ***veel — en zegen (in 't nieuwe jaar),*** je vous la souhaite bonne et heureuse.
Hei'land *m.* Sauveur *m.*
heil'bede *v.(m.)* vœu *m.*
heil'bot *m.* (*Dk.*) flétan *m.*
heil'dronk *m.* toast *m.*, santé *f.*
heil'gymnastiek *v.* gymnastique *f.* médicale.
hei'lig I *b.n.* saint; ***de —e Franciscus,*** saint François; ***de H—e Geest,*** le Saint-Esprit; ***het — Graf,*** le Saint-Sépulcre; ***het — Hart,*** le Sacré-Cœur; ***het — Land,*** les lieux saints, la terre sainte; ***de —e Stoel,*** le saint-siège; ***de —e Vader,*** le Saint-Père; ***een —e dag,*** un jour de fête; ***— voornemen,*** intention sincère; ***—e overtuiging,*** conviction intime; ***— verklaren,*** canoniser; ***— boontje,*** sainte-nitouche *f.*, petit saint *m.*; ***— huisje,*** (*fig.*) l'arche sainte; (*cafeetje*) cabaret *m.*; **II** *bw.* saintement; ***— beloven,*** promettre solennellement.
heiliga'vond *m.* vigile *f.*
hei'ligbeen *o.* sacrum *m.*
hei'ligdom *o.* **1** sanctuaire *m.*; **2** (*heidens*) temple *m.*; ***iets als een — bewaren,*** conserver qc. comme une relique.
hei'lige *m.-v.* saint *m.*, —e *f.*; ***de gemeenschap der —n,*** la communion des saints; ***het — der —n,*** le saint des saints.
hei'ligen *ov.w.* sanctifier; ***het doel heiligt de middelen,*** la fin justifie les moyens.
hei'ligenbeeld *o.* image *f.* de (*of* d'un) saint.
hei'ligendienst *m.*, **hei'ligenverering** *v.* culte *m.* des saints.
hei'ligheid *v.* sainteté *f.*; ***Zijne H—,*** Sa Sainteté (le Pape).
hei'liging *v.* sanctification *f.*
hei'ligmakend *b.n.* sanctifiant.
hei'ligmaking *v.* sanctification *f.*
heiligschen'nend, heiligschen'dend *b.n.* sacrilège.
heiligschen'ner *m.* sacrilège *m.*
heiligschen'nis *v.* sacrilège *m.*
hei'ligverklaring *v.* canonisation *f.*
heil'loos *b.n.* funeste, fatal.
heil'rijk *b.n.* heureux, salutaire.
heils'leger *o.* armée *f.* du salut.
heil'soldaat *m.* salutiste *m.-f.*
heil'staat *m.* cité *f.* future, eldorado *m.*, utopie *f.*
heils'zekerheid *v.* certitude *f.* d'élection (divine).
heil'wens *m.* félicitation *f.*, vœu *m.* (de bonheur).
heil'zaam *b.n.* **1** salutaire; **2** (*doelmatig*) efficace.
heil'zaamheid *v.* effet *m.* salutaire; efficacité *f.*
hei'machine *v.* sonnette *f.*, machine *f.* à hier.
hei'mast *m.* pilotis *m.*
hei'melijk *b.n.* **1** secret; **2** (*steels*) furtif; **3** (*ong.*) clandestin; ***—e hoop,*** espoir inavoué; ***— genoegen,*** plaisir sournois.
hei'melijkheid *v.* secret, mystère *m.*; caractère *m.* secret, — clandestin.
heim'wee *o.* mal *m.* du pays, nostalgie *f.*; ***— krijgen (naar),*** être pris de la nostalgie (de).
Hein *m.* Henri *m.*; ***magere —,*** (*fam.*) la Camarde.
hein'de *bw.* ***van — en ver,*** de près et de loin, de partout, des quatre coins du monde.
hei'ning *v.* **1** clôture, enceinte *f.*; **2** (*v. palen*) palissade *f.*
Hein'tje 1 *o. en m.* Henriot *m.*; **2** *o. en v.* Henriette *f.*
hei'paal *m.* pilotis, pieu, pilot *m.*
hei'plag, *zie* ***heideplag.***
heir'leger *o.* armée *f.*
heir'schaar *v.* armée *f.*; ***de hemelse heirscharen,*** les milices *f.pl.* célestes.
hei'sa! *tw.* courage! allons!
hei'stelling *v.* sonnette *f.*
hei'struik, hei'destruik *m.* bruyère *f.*
hei'veld, hei'develd *o.* bruyère *f.*
hei'werk *o.* pilotage *m.*, travaux *m.pl.* de pilotage
hek *o.* **1** (*v. hout*) barrière, clôture *f.*; **2** (*v. ijzer*) grille *f.*
he'kel *m.* **1** séran, peigne *m.*; **2** (*fijne —*) affinoir *m.*; **3** (*fig.*) aversion *f.*; ***een — hebben aan iem.,*** avoir qn. en aversion (*of* en grippe), détester qn.; ***iem. over de — halen,*** déchirer qn. à belles dents; (*in kritiek*) éreinter qn.
he'kelaar *m.* **1** séranceur; affineur *m.*; **2** (*fig.*) auteur *m.* satirique, critique *m.*
he'keldicht *o.* satire *f.*, poème *m.* satirique.
he'keldichter *m.* poète *m.* satirique.
he'kelen *ov.w.* **1** sérancer; affiner; **2** (*fig.*) critiquer, dauber (sur).
he'kelig *b.n.* satirique.

he'keling *v.* **1** sérançage *m.*; **2** (*fig.*) critique, satire *f.*
he'kelschrift *o.* satire *f.*; (*ong.*) pamphlet *m.*
he'keltaal *v.*(*m.*) langage *m.* satirique.
hek'kesluiter, *zie* ***heksluiter.***
He'kla *v.* Hécla *m.*
heks *v.* **1** sorcière *f.*; **2** (*fig.*) mégère *f.*; ***kleine* —,** gamine, petite coquine *f.*
hek'sen *on.w.* user de sorcellerie, jeter des sorts; ***ik kan niet* —,** je ne suis pas sorcier.
hek'sendans *m.* sabbat *m.*
hek'senjacht *v.*(*m.*) chasse *f.* aux sorcières.
hek'senketel *m.* **1** rendez-vous *m.* des sorcières; **2** chaudière *f.* infernale.
hek'senkeuken *v.*(*m.*) officine *f.* du diable.
hek'senmeester *m.* sorcier, magicien *m.*
hek'senproces *o.* procès *m.* de sorcellerie, — contre les sorcières.
hek'sensabbat *m.* (ronde *f.* du) sabbat *m.*
hek'sentoer *m.*, **hek'senwerk** *o.* sorcellerie *f.*, sortilège *m.*; ***dat is een* —,** c'est le diable.
hekserij' *v.* sorcellerie *f.*, sortilège *m.*
hek'sluiter, hek'kesluiter *m.* **1** (*mil.*) serre-file *m.*; **2** (*kind*) dernier enfant, culot *m.*
hekt-, *zie* ***hect-.***
hek'werk *o.* grillage, treillage *m.*
hel I *v.*(*m.*) **1** enfer *m.*; **2** (*sch.*) fosse *f.* aux lions; ***'t is zo donker als de* —,** il fait noir comme dans un four; **II** *b.n.* **1** (*v. licht*) clair, vif, éclatant; **2** (*v. geluid*) perçant; ***in —le kleuren,*** sous de vives couleurs; **III** *bw.* vivement; **—** ***verlicht,*** inondé de lumière, vivement éclairé.
helaas'! *tw.* hélas!
held *m.* héros *m.*; ***de — van de dag,*** le héros du jour; le roi de la fête; ***hij is een — in,*** il excelle à, il est fort en; ***als een* —,** en héros, héroïquement; ***een — op sokken,*** un faux brave. [— d'éclat.
hel'dendaad *v.*(*m.*) exploit *m.*, action *f.* héroïque;
hel'dendicht *o.* poème *m.* épique, épopée *f.*
hel'dendichter *m.* poète *m.* épique.
hel'dendood *m. en v.* mort *f.* héroïque; ***de — sterven,*** mourir en héros.
hel'denfeit *o.* exploit *m.*, action *f.* héroïque.
hel'denmoed *m.* héroïsme *m.*
hel'densage *v.*(*m.*) légende *f.* héroïque.
hel'denschaar *v.*(*m.*) armée *f.* de héros, phalange *f.* (héroïque).
hel'denstrijd *m.* lutte *f.* de héros, — héroïque.
hel'dentenor *m.* premier ténor *m.*, fort ténor *m.*
hel'dentijd(perk) *m.*(*o.*) temps *m.pl.* héroïques.
hel'denvolk *o.* peuple *m.* de héros.
hel'denzang *m.* chant *m.* de héros; épopée *f.*
hel'denziel *v.*(*m.*) âme *f.* héroïque.
Hel'der, Den —, *m.* le Helder.
hel'der I *b.n.* **1** (*v. licht, enz.*) clair, vif; **2** (*v. water*) limpide, clair; **3** (*v. geluid*) clair, net, sonore; (*schel*) aigu; **4** (*v. lucht*) serein; **5** (*v. verstand*) lucide; **6** (*zindelijk*) propre; **7** (*doorschijnend*) transparent; **8** (*v. linnen*) blanc; **II** *bw.* clair, clairement; lucidement; **— *blauw,*** bleu clair; **— *rood,*** rouge vif; **— *branden,*** donner une vive lumière; **— *klinken,*** rendre un son clair, sonner clair.
hel'derheid *v.* **1** clarté *f.*; **2** limpidité *f.*; **3** sérénité *f.*; **4** lucidité *f.*; **5** propreté *f.*
helderziend' *b.n.* clairvoyant, lucide.
helderzien'de *m.-v.* (clair)voyant *m.*, —e *f.*
helderziend'heid *v.* clairvoyance *f.*
heldhaf'tig *b.n.* héroïque.
heldhaf'tigheid *v.* héroïsme *m.*
heldin' *v.* héroïne *f.*
heleboel, *een* —, bien des, pas mal de.
helemaal *bw.* tout à fait, entièrement; **— *niet,*** aucunement, pas (*of* point) du tout.
he'len I *ov.w.* **1** (*gestolen voorwerp*) recéler; **2** (*verhelen*) cacher, celer; **II** *ov.w.* (*genezen*) guérir; **III** *on.w.* se guérir; se cicatriser.
He'lena *v.* Hélène *f.*
he'ler *m.* receleur *m.*
helft *v.*(*m.*) **1** moitié *f.*; **2** (*sp.*) mi-temps *f.*; ***voor de — van de prijs,*** à moitié prix; ***de — duurder,*** plus cher de la moitié; ***wij zijn op de — (van de weg),*** nous sommes à mi-chemin; ***de — verschil,*** une différence du simple au double; ***de eerste* —,** (*sp.*) la première mi-temps.
Hel'goland *o.* Héligoland *m.*
hel'hond *m.* Cerbère *m.*
helicop'ter, *zie* ***helikopter.***
He'licon, He'likon *m.* Hélicon *m.*
helikop'ter, helicop'ter *m.* hélicoptère *m.*
he'ling I *v.* (*genezing*) guérison *f.*; **II** *v.* (*v. gestolen voorw.*) recèlement, recel *m.*
heliograaf' *m.* héliographe *m.*
heliogra'fisch I *b.n.* héliographique; **II** *bw.* héliographiquement.
heliogravu're *v.*(*m.*) héliogravure *f.*
heliotroop' *v.*(*m.*) (*Pl.*) héliotrope *m.*
he'lium *o.* hélium *m.*
Hel'kijn *o.* Helchin.
Hel'las *o.* l'Hellade *f.*
hel'lebaard *v.*(*m.*) hallebarde *f.*
hellebaardier' *m.* hallebardier *m.*
Helleen' *m.* Hellène *m.*
Helleens' *b.n.* hellène, hellénique.
hel'len *on.w.* pencher, aller en pente, être incliné.
hel'lend *b.n.* incliné, en pente, en talus; **— *vlak*** *o.* plan *m.* incliné.; ***sterk* —,** à forte déclivité.
hellenis'me *o.* hellénisme *m.*
hel'lepijn *v.*(*m.*) tortures *f.pl.* de l'enfer, tourments *m.pl.* —.
Hellespont' *v.* l'Hellespont *m.*
hel'levaart *v.*(*m.*) descente *f.* en enfer.
hel'leveeg *v.* diablesse, mégère, furie *f.*
hel'ling *v.* **1** (*alg.*) inclinaison *f.*; penchant *m.*; **2** (*van boven naar onder*) rampe *f.*; (*van onder naar boven*) pente *f.*; **3** (*v. berg*) versant *m.*; **4** (*wal, dijk*) glacis *m.*; **5** (*scheeps*—) cale *f.*; chantier *m.*; **6** (*v. spoorbaan*) rampe *f.*
hel'lingshoek *m.* angle *m.* d'inclinaison.
helm I *m.* **1** (*hoofddeksel*) casque *m.*; **2** (*v. kolf*) chapiteau *m.*; **3** (*bouwk.*) coupole *f.*; ***hij is met de — geboren,*** il est né coiffé; **II** *v.*(*m.*) (*Pl.*) gourbet, roseau des sables; ammophile *m.*
helm'bos *m.* panache *m.*
helm'draad *m.* (*Pl.*) filet *m.* (d'une étamine).
helm'hoed *m.* casque *m.* colonial, chapeau*-casque* *m.*
helm'kam *m.* crête *f.* de casque.
helm'knop *m.* (*Pl.*) anthère *f.*
helm'kruid *o.* (*Pl.*) scrofulaire *f.*
helm'plant *v.*(*m.*) (*Pl.*) ammophile *m.*
helm'spits *v.*(*m.*) pointe *f.* du casque.
helm'stok *m.* (*sch.*) timon *m.*, barre *f.* (du gouvernail).
helm'teken *o.* (*wap.*) cimier *m.*
heloot' *m.* ilote *m.*
help! *tw.* au secours!
hel'pen I *ov.w.* **1** (*hulp verlenen*) aider; secourir; **2** (*bijstaan*) assister, seconder; **3** (*in winkel: bedienen*) servir; ***iem. een handje* —,** donner un coup de main à qn.; ***dat helpt niet veel,*** cela ne sert à rien; ***iem. aan een betrekking* —,** procurer une place à qn.; ***iem. uit de brand (of uit de nood)* —,** tirer qn. d'embarras, tirer qn. d'un

mauvais pas; ***iem. in de grond*** (*of* ***op het stro***) **—,** ruiner qn.; ***dat geneesmiddel heeft mij geholpen,*** ce remède m'a fait du bien, — m'a guéri; ***God helpe u!*** Dieu vous soit en aide! ***iem. met geld —,*** aider qn. de sa bourse; ***iem. — uitstappen,*** aider qn. à descendre de voiture; ***iem. in 't graf —,*** donner le coup de grâce à qn.; ***ik kan 't niet —,*** ce n'est pas ma faute; ***— ont-houden,*** rappeler (qc. à qn.); **II** *on.w.* **1** prêter secours, — aide; prêter son concours; **2** (*gen.*) être efficace; ***dat middel helpt tegen hoofdpijn,*** ce remède est efficace (*of* est bon) contre les maux de tête; ***niets hielp,*** rien n'y fit, — faisait; ***alle beetjes —,*** tout fait nombre; **III** *w.w.* ***zich zelf —,*** s'aider; ***elkaar —,*** s'entraider; ***men moet zich weten te —,*** il faut savoir se tirer d'affaire.

hel'per *m.* aide *m.*; assistant *m.*

help'ster *v.* aide *f.*

hels *b.n.* **1** infernal, d'enfer; **2** (*fig.*) diabolique; **3** (*woedend*) furieux; ***— worden,*** se fâcher tout rouge; ***een — lawaai maken,*** faire un tapage infernal, faire le diable à quatre.

Hel'singen *o.* Halanzy.

Helve'tië *v.* l'Helvétie *f.*

Helve'tiër *m.* Helvète *m.*

Helve'tisch *b.n.* helvétique.

hem *vnw.* le; lui; ***dat is het —,*** voilà ce que c'est.

hemd *o.* chemise *f.*; ***nat tot op het —,*** mouillé (*of* trempé) jusqu'aux os; ***een schoon*** (*of* ***ander***) ***— aantrekken,*** changer de chemise; ***hij heeft geen — aan zijn lijf,*** il n'a rien à se mettre sur le dos; ***het — is nader dan de rok,*** charité bien ordonnée commence par soi-même; ***iem. in zijn — zetten,*** déshabiller qn.; ***in zijn — staan,*** en être pour sa courte honte.

hemd'broek *v.*(*m.*) combinaison *f.*

hem'denfabrikant *m.* chemisier *m.*

hem'denlinnen *o.* toile *f.* à chemises.

hem'denmaker *m.* chemisier *m.*

hemds'boord *o. en m.* col *m.* de chemise.

hemds'knoop *m.* bouton *m.* de chemise.

hemds'kraag *m.* col *m.* (de chemise).

hemds'mouw *v.*(*m.*) manche *f.*; ***in —en,*** en bras de chemise.

he'mel *m.* **1** ciel *m.*; **2** (*troon—*) dais, baldaquin *m.*; **3** (*uitspansel*) firmament *m.*; **4** (*v. preekstoel*) abat-voix *m.*; ***— en aarde bewegen,*** remuer ciel et terre; ***lieve —!*** bonté divine! juste ciel! ***een — op aarde hebben,*** avoir le paradis sur terre; ***onder de blote — slapen,*** coucher à la belle étoile; ***als de — valt, zijn alle mussen dood,*** si le ciel venait à tomber, il y aurait bien des alouettes prises.

he'melbeschrijving *v.* uranographie *f.*

he'melbode *m.* messager du ciel; ange *m.*

he'melbol *m.* globe *m.* céleste.

he'melboog *m.*, **-gewelf** *o.* firmament *m.*, voûte *f.* céleste.

he'melhoog I *b.n.* qui s'élève jusqu'aux cieux, qui perce les nues, haut comme le ciel; **II** *bw.* ***— verheffen,*** élever jusqu'aux nues.

he'meling *m.* **1** esprit *m.* céleste, ange *m.*; **2** (*zalige*) bienheureux *m.*

he'melkaart *v.*(*m.*) planisphère *m.*, carte *f.* céleste.

he'mellichaam *o.* corps *m.* céleste, astre *m.*

he'mellicht *o.* **1** lumière *f.* céleste; **2** (*bliksem*) foudre *f.*, éclair *m.*; **3** (*daglicht*) jour *m.*, lumière *f.* du jour.

he'melpoort *v.*(*m.*) porte *f.* du ciel.

he'melrijk *o.* royaume *m.* des cieux.

he'mels I *b.n.* céleste, divin; ***het H—e rijk,*** le Céleste Empire; ***—e deugd!*** bonté du ciel! **II** *bw.* divinement. [céleste.

he'melsblauw I *b.n.* bleu ciel; **II** *o.* bleu *m.*

he'melsbreed I *b.n.* immense, énorme; **II** *bw.* ***— verschillen,*** différer du tout au tout, — du blanc au noir.

he'melsbreedte *v.* **1** latitude *f.*; **2** distance *f.* à vol d'oiseau.

he'melsleutel *m.* **1** clef *f.* du paradis; **2** (*Pl.*) primevère *f.*

he'melsnaam, ***in 's—,*** au nom du ciel.

he'melstreek *v.*(*m.*) **1** (*klimaat*) climat *m.*; **2** (*gordel*) zone *f.*

he'melswil, ***om 's—,*** pour l'amour de Dieu.

he'meltergend *b.n.* monstrueux, qui crie vengeance au ciel. [Assomption *f.*

He'melvaart *v.*(*m.*) Ascension *f.*; ***Maria —,***

He'melvaartsdag *m.* (fête de l') Ascension *f.*

he'melvreugde *v.* joie *f.* céleste.

he'melvuur *o.* feu *m.* du ciel.

he'melwaarts *bw.* vers le ciel.

hem'men, hum'men *on.w.* faire hem! tousser.

hen I *v.* poule *f.*; **II** *vnw.* les; eux.

hendel, *zie* ***handel II.***

Hen'drik *m.* Henri *m.*; ***brave —,*** petit saint.

Hendri'ka *v.* Henriette *f.*

Hen'drikskapel'le *o.* Henri-Chapelle.

He'negouwen *o.* le Hainaut.

He'negouwer *m.* Hennuyer *m.*

He'negouws *b.n.* hennuyer.

he'nen, *zie* ***heen.***

heng *v.*(*m.*) gond *m.*

hen'gel *m.* canne *f.* à pêche; ***met de — vissen,*** pêcher à la ligne.

hen'gelaar *m.* pêcheur *m.* à la ligne.

hen'gelen *on.w.* pêcher à la ligne; (*fig.*) ***naar iets —,*** aspirer à qc.; ***naar een man —,*** faire la chasse au mari.

hen'gelroe(de) *v.*(*m.*) canne *f.* à pêche.

hen'gelsnoer *o.* ligne *f.*

hen'gelstok *m.* canne *f.* à pêche.

heng'sel *o.* **1** anse *f.*; **2** (*v. koffer*) portant *m.*; **3** (*v. deur*) gond *m.*

heng'selmand *v.*(*m.*) panier *m.* à anse.

hengst *m.* étalon *m.*

heng'sten *on.w.* piocher, trimer.

heng'stenkeuring *v.* inspection *f.* d'étalons.

hengst'veulen *o.* poulain *m.*

Henk *m.* Henriot *m.*

hen'nep *m.* chanvre *m.*

hen'nepakker *m.* chènevière *f.*

hen'nepbraak *v.*(*m.*) macque, broie *f.*; brisoir *m.*

hen'nepbreker *m.* teilleur *m.*

hen'nepdraad *m.* fil *m.* de chanvre.

hen'nepen *b.n.* de chanvre.

hen'nephekel *m.* séran *m.*

hen'neplinnen *o.* toile *f.* de chanvre.

hen'nepolie *v.*(*m.*) huile *f.* de chanvre.

hen'nepteelt *v.*(*m.*) culture *f.* du chanvre.

hen'nepvezel *v.*(*m.*) teille, tille *f.*

hen'nepzaad *o.* chènevis *m.*

hen'nepzeel *o.* **1** sangle *f.*; **2** (*v. kruiwagen*) bretelle *f.*

hens *mv.* ***alle —,*** tout le monde; ***alle — aan dek!*** en haut tout le monde! hommes sur le pont!

her *bw.* ***van ouds —,*** de tout temps, de temps immémorial.

hera'demen *on.w.* reprendre haleine, respirer.

heral'dicus *m.* héraldiste *m.*

heraldiek' *v.* héraldique *f.*, blason *m.*

heral'disch I *b.n.* héraldique; **II** *bw.* héraldiquement.

heraut' *m.* héraut *m.* (d'armes).
herba'rium *o.* herbier *m.*
her'bebossen *ov.w.* reboiser.
herbeleg'gen *ov.w.* réinvestir.
herbenoe'men *ov.w.* **1** maintenir dans sa charge, continuer —; **2** (*na ontslag*) réintégrer.
herbenoe'ming *v.* **1** maintien *m.* en charge, renouvellement *m.* de sa charge; **2** réintégration *f.*
her'berg *v.*(*m.*) **1** auberge, hôtellerie *f.*; **2** (*tapperij*) café, cabaret, estaminet *m.*, taverne *f.*
her'bergen *ov.w.* héberger, loger.
herbergier' *m.* aubergiste, cabaretier *m.*
her'berging *v.* logement, logis *m.*
herberg'zaam I *b.n.* hospitalier; **II** *bw.* hospitalièrement.
herberg'zaamheid *v.* hospitalité *f.* [mer.
her'bewapenen, ***zich —,*** *ov.w. en w.w.* (se) réar-
her'bewapening *v.* réarmement *m.*; ***morele —,*** regénération *f.* morale, — des mœurs.
herbo'ren *b.n.* régénéré; ***— worden,*** renaître.
her'bouw *m.* reconstruction *f.*
herbou'wen *ov.w.* rebâtir, reconstruire.
Her'cules *m.* Hercule *m.*
hercu'lisch *b.n.* herculéen.
herden'ken *ov.w.* **1** commémorer; **2** (*vieren*) célébrer; **3** (*zich herinneren*) se rappeler, se ressouvenir de.
herden'king *v.* **1** commémoration *f.*; **2** célébration *f.*; ***ter — van,*** en commémoration de.
herden'kingszegel *m.* timbre*-poste *m.* commémoratif.
her'der *m.* **1** (*alg.*) pâtre *m.*; **2** (*schaap—*) berger *m.*; **3** (*koe—*) vacher *m.*; **4** (*bij de Ouden*) pasteur *m.*; **5** (*geestelijke*) pasteur *m.*; (*pastoor*) curé *m.*
herderin' *v.* bergère *f.*
her'derlijk *b.n.* **1** pastoral; **2** (*fig.*) bucolique; ***—e brief,*** lettre pastorale.
her'dersambt *o.* ministère *m.*, fonctions *f.pl.* pastorales, pastorat *m.*
her'dersdicht *o.* poème *m.* bucolique, églogue *f.*
her'dersfluit *v.*(*m.*) chalumeau *m.*; flûte *f.* de berger.
her'dershond *m.* chien *m.* de berger; ***Duitse —,*** chien d'Alsace.
her'dershut *v.*(*m.*) cabane *f.* de berger.
her'dersknaap *m.* jeune berger *m.*
her'dersleven *o.* **1** vie *f.* de berger; **2** (*lett.*) vie *f.* pastorale. [pastourelle *f.*
her'derslied *o.* chanson *f.* pastorale, bergerie *f.*;
her'dersmeisje *o.* jeune bergère, bergerette *f.*
her'dersspel *o.* pastorale *f.*
her'dersstaf *m.* **1** (*v. herder*) houlette *f.*; **2** (*v. bisschop*) crosse *f.*
her'derstas *v.*(*m.*) **1** panetière *f.*; **2** (*Pl.*) bourse*-à-pasteur, bourse*-de-berger *f.*
her'dersvolk *o.* peuple *m.* pasteur, — nomade.
her'derszang *m.* poème *m.* pastoral, chant *m.* —, pastorale *f.*, poème *m.* bucolique, bucolique *f.*, églogue *f.*; bergerie *f.*
herdisconte'ren *ov.w.* (*H.*) réescompter.
herdiscon'to *o.* (*H.*) réescompte *m.*
herdiskonte'ren *ov.w.* (*H.*) réescompter.
her'doop *m.* rebaptisation *f.*
herdo'pen *ov.w.* rebaptiser.
her'druk *m.* réimpression; nouvelle édition *f.*; ***in — zijn,*** être en réimpression.
herdruk'ken *ov.w.* réimprimer.
he'reboer *m.* riche cultivateur *m.*
her'eksamen, *zie* ***herexamen.***
(h)eremiet' *m.* ermite *m.*
he'remijntijd' *tw.* mon Dieu!
he'rendienst *m.* corvée, prestation *f.*
he'renfiets *m. en v.* bicyclette *f.* d'homme.
he'renhuis *o.* maison *f.* de maître, hôtel *m.* (particulier).
here'nigen *ov.w.* **1** réunir; rassembler; **2** (*verzoenen*) réconcilier.
here'niging *v.* **1** réunion *f.*; rassemblement *m.*; **2** (*verzoening*) réconciliation *f.*; **3** (*v. gebieden*) rattachement *m.*, réunification *f.*
he'renkapper *m.* coiffeur *m.* pour messieurs.
he'renknecht *m.* laquais *m.*, valet *m.* de chambre.
he'renleven *o.* ***een — hebben,*** vivre comme un coq en pâte.
her'examen, her'eksamen *o.* examen *m.* à refaire, examen supplémentaire.
herfst *m.* automne *m.*; ***in de —,*** en automne.
herfst'achtig *b.n.* automnal.
herfst'avond *m.* soir *m.* (*of* soirée *f.*) d'automne.
herfst'bloem *v.*(*m.*) fleur *f.* automnale.
herfst'dag *m.* jour *m.* (*of* journée *f.*) d'automne.
herfst'draad *m.* filandre *f.*, fil *m.* de la Vierge.
herfst'hooi *o.* regain *m.*
herfst'koorts *v.*(*m.*) fièvre *f.* automnale.
herfst'lucht *v.*(*m.*) air *m.* automnal.
herfst'maand *v.*(*m.*) (mois de) septembre *m.*
herfst'nacht *m.* nuit *f.* d'automne.
herfst'roos *v.*(*m.*) rose *f.* trémière.
herfst'sering *v.*(*m.*) phlox *m.*
herfst'tijd *m.* automne *m.*, saison *f.* d'automne, arrière-saison* *f.*
herfst'we(d)er *o.* temps *m.* d'automne.
herfst'wind *m.* vent *m.* d'automne.
herge'ven *ov.w.* **1** (*weer geven*) redonner; **2** (*teruggeven*) rendre; **3** (*spel*) refaire.
hergie'ten *ov.w.* refondre.
her'groeperen *ov.w.* regrouper.
her'groepering *v.* regroupement *m.*
herhaald' *b.n.* répété, réitéré; ***—e malen,*** à plusieurs reprises.
herhaal'delijk *bw.* à plusieurs reprises, plusieurs fois; ***— gebeuren,*** être fréquent.
herha'len *ov.w.* **1** (*opnieuw zeggen*) répéter; **2** (*nog eens zeggen*) redire; **3** (*weer doen*) répéter; refaire; **4** (*wens*) renouveler; **5** (*muziek*) bisser; ***tot vervelens toe —,*** rabâcher, ressasser.
herha'ling *v.* répétition; récapitulation *f.*; ***bij —,*** plus d'une fois; à plusieurs reprises; (*recht*) en cas de récidive; ***in —en vervallen,*** se répéter.
herha'lingscursus, -kursus *m.* cours *m.* complémentaire.
herha'lingsoefeningen *mv.* (*mil.*) rappel *m.*; période *f.* d'exercices; (*Fr.*) les vingt-huit jours.
herha'lingsonderwijs *o.* enseignement *m.* postscolaire.
herha'lingsschool *v.*(*m.*) cours *m.* d'adultes.
herha'lingsteken *o.* (*muz.*) points *m.pl.* de reprise.
her'ijk *m.* vérification *f.* des poids et mesures, nouveau jaugeage *m.*
her'ijken *ov.w.* étalonner de nouveau, jauger —.
herin'neren I *ov.w.* rappeler (qc. à qn.), faire souvenir (qn. de qc.); **II** *w.w.* ***zich —,*** se rappeler, se souvenir de; ***als ik mij goed herinner,*** si j'ai bonne mémoire; ***ik herinner mij er niets van,*** je n'en ai aucun souvenir.
herin'nering *v.* souvenir *m.*, mémoire *f.*; ***iem. iets in — brengen,*** rappeler qc. à qn.; ***ter — aan,*** à la mémoire de; (*ter herdenking van*) en commémoration de.
herin'neringsfeest *o.* fête *f.* commémorative.
herin'neringsmedaille *v.*(*m.*) médaille *f.* commémorative.
herin'neringsvermogen *o.* mémoire *f.*

herkan'sing *v.* (*sp.*) reclassement, repêchage *m.*
her'kapitalisatie, -izatie *v.* réinvestissement *m.* de capital.
herkau'wen *ov.w.* **1** ruminer, remâcher; **2** (*fig.*) remâcher, rabâcher.
her'kauwer *m.* ruminant *m.*
her'kauwing *v.* **1** rumination *f.*; **2** rabâchage *m.*
Herk-de-Stad *o.* Herk-la-Ville.
herken'baar *b.n.* reconnaissable.
herken'nen *ov.w.* reconnaître.
herken'ning *v.* reconnaissance *f.*
herken'ningsmelodie *v.* indicatif *m.* (musical).
herken'ningsplaatje *o.* plaque *f.* d'identité.
herken'ningsteken *o.* **1** (*overeengekomen*) signe *m.* convenu; **2** (*voor groep*) signe *m.* de ralliement.
herken'ningswoord *o.* mot *m.* d'ordre.
herker'stening *v.* rechristianisation *f.*
her'keuren *ov.w.* **1** réexaminer, réviser; **2** essayer de nouveau; **3** (*mil.*) faire passer devant la commission de réforme, — le conseil de révision.
her'keuring *v.* **1** nouvel examen *m.*; **2** second essai *m.*; **3** nouvelle visite *f.* médicale, contre-visite* *f.*
herkies'baar *b.n.* rééligible; ***zich niet — stellen,*** refuser le renouvellement de son mandat, refuser une nouvelle candidature.
herkies'baarheid *v.* rééligibilité *f.*
herkie'zen *ov.w.* réélire.
herkie'zing *v.* réélection *f.*
her'komst *v.* origine, provenance *f.*
herkom'stig *b.n.* originaire, provenant de.
her'komstverklaring *v.* certificat *m.* d'origine.
her'koop *m.* rachat *m.*
herkrij'gen *ov.w.* recouvrer.
herkrij'ging *v.* recouvrement *m.*
herleid'baar *b.n.* réductible.
herleid'baarheid *v.* réductibilité *f.*
herlei'den *ov.w.* réduire; ***guldens tot franken —,*** faire la conversion de florins en francs.
herlei'ding *v.* réduction *f.*; ***— van breuken,*** réduction de nombres fractionnaires.
herlei'dingstabel' *v.*(*m.*) barême *m.*
herle'ven *on.w.* **1** revivre, renaître; **2** (*na bezwijming*) se ranimer; ***doen —,*** **1** ranimer, rappeler à la vie; **2** (*fig.*) renouveler, faire prospérer.
herle'ving *v.* résurrection, renaissance *f.*
herle'zen *ov.w.* relire.
herle'zing *v.* seconde lecture *f.*
Her'man *m.* Armand, Germain *m.*
hermelijn' *m.* hermine *f.*, martre *f.* blanche.
hermelijn'bont *o.* hermine *f.*
hermelijn'vlinder *m.* (*Dk.*) hermine *f.*
Her'mes *m.* Hermès *m.*
herme'tisch I *b.n.* hermétique; **II** *bw.* hermétiquement.
Hermi'na *v.* Germaine *f.*
hermita'ge *v.* ermitage *m.*
hermun'ten *ov.w.* remonnayer, refrapper.
Her'ne *o.* Hérinnes.
herne'men *ov.w.* **1** (*terug nemen*) reprendre; **2** (*heroveren*) reconquérir; **3** (*antwoorden*) répondre.
herne'ming *v.* reprise *f.*
hern'hutter *m.* Hernute *m.*, frère *m.* morave.
hernieu'wen *ov.w.* renouveler.
hernieu'wer *m.* rénovateur *m.*
hernieu'wing *v.* renouvellement *m.*; rénovation *f.*
Hero'des *m.* Hérode *m.*
Herodi'as *v.* Hérodiade *f.*
Hero'dotus *m.* Hérodote *m.*
hero'ïne *v.*(*m.*) héroïne *f.*
hero'ïsch *b.n.* héroïque.
hero'penen *ov.w.* rouvrir.
hero'pening *v.* réouverture *f.*
herop'leving *v.* regain *m.*, renaissance *f.*
hero'veren *ov.w.* reconquérir.
hero'vering *v.* reconquête, reprise *f.*
herplaat'sen *ov.w.* **1** replacer; remettre en place; **2** (*advertentie*) insérer de nouveau; **3** (*ambtenaar*) réinstaller.
herplaat'sing *v.* **1** replacement *m.*; **2** seconde insertion *f.*, nouvelle —; **3** réinstallation *f.*
herplan'ten *ov.w.* replanter.
herplan'ting *v.* replantation *f.*
her'rie *v.*(*m.*) **1** (*drukte, lawaai*) tapage, vacarme, tumulte *m.*; **2** (*gedrang, verwarring*) bagarre *f.*; **3** (*ruzie*) dispute *f.*, engueulage *m.*; ***— schoppen*** (*of* ***maken***), **1** faire du boucan; **2** (*op school*) faire du chahut, chahuter; ***wat een — voor niets,*** que de chichi pour rien; ***ze hebben — gehad,*** ils se sont querellés, ils ont eu du bruit ensemble.
her'riemaker *m.* tapageur *m.*
herrij'zen *on.w.* remonter, s'élever de nouveau; ***uit het graf —,*** ressusciter.
herroep'baar *b.n.* révocable.
herroep'baarheid *v.* révocabilité *f.*
herroe'pelijk *b.n.* révocable.
herroe'pen *ov.w.* révoquer; ***een belofte*** (*of* ***gezegde***) ***—,*** se dédire; ***zijn woord —,*** se dédire.
herroe'ping *v.* révocation *f.*
herschat'ten *ov.w.* retaxer, réestimer.
herschat'ting *v.* seconde taxation, réestimation *f.*
herschep'pen *ov.w.* **1** (*weer scheppen*) recréer, refaire; **2** (*van gedaante doen veranderen*) métamorphoser, transformer; **3** (*verbeteren*) régénérer.
herschep'ping *v.* **1** métamorphose, transformation *f.*; **2** régénération *f.*
herscho'len *ov.w.* rééduquer, reconvertir.
her'scholing *v.* réadaptation (*of* reconversion) *f.* professionnelle; rééducation *f.*
her'senarbeid *m.* travail *m.* intellectuel.
her'senbloeding *v.* hémorragie *f.* cérébrale.
her'senen, her'sens *mv.* cerveau *m.*; cervelle *f.*; ***hij heeft geen —,*** il n'a pas de cervelle, c'est une tête sans cervelle; ***hij heeft goede —,*** c'est un cerveau; ***iem. de — inslaan,*** casser la tête à qn.
her'sengymnastiek *v.* gymnastique *f.* intellectuelle.
her'senkoorts *v.*(*m.*) fièvre *f.* cérébrale.
her'senkronkel *m.* circonvolution *f.* (du cerveau).
her'senloos *b.n.* **1** sans cervelle; **2** (*fig.*) écervelé.
her'senontsteking *v.* encéphalite *f.*
her'senpan *v.*(*m.*) crâne *m.*
hersens, *zie* ***hersenen.***
her'senschim *v.*(*m.*) chimère *f.*
her'senschimmig *b.n.* chimérique.
her'senschudding *v.* commotion *f.* cérébrale.
her'senspoeling *v.* lavage *m.* de cerveau.
her'senverweking *v.* ramollissement *m.* du cerveau.
her'senvlies *o.* méninge *f.*; ***buitenste —,*** dure*-mère* *f.*; ***zachte —,*** pie*-mère* *f.*
her'senvliesontsteking *v.* méningite *f.*
her'senwerk *o.* travail *m.* intellectuel, ouvrage *m.* de l'esprit.
her'senziekte *v.* affection *f.* cérébrale.
hersme'den *ov.w.* reforger.
hersmel'ten *ov.w.* refondre.
hersmel'ting *v.* refonte *f.*
Her'stal *o.* Héristal, Herstal *m.*
herstel' *o.* **1** (*na ziekte*) rétablissement *m.*, guérison *f.*; **2** (*v. grief*) redressement *m.*; **3** (*v. fout, schade*) réparation *f.*; **4** (*v. recht*) réintégration *f.*; **5** (*eer—*) réhabilitation *f.*; **6** (*v. wet; kunst*) restauration *f.*
herstel'baar *b.n.* **1** réparable; **2** (*gen.*) guérissable.
herstel'betaling(en) *v.*(*mv.*) réparations *f.pl.*

herstel'len I *ov.w.* **1** (*weer bruikbaar maken*) réparer; **2** (*orde, evenwicht*) rétablir; **3** (*kunstwerk; krachten*) restaurer; **4** (*in eer*) réhabiliter; **5** (*in vorige staat*) remettre; ***in zijn rechten* —,** réintégrer dans ses droits; ***de gelederen* —,** (*mil.*) reformer les rangs; ***de markt herstelde zich,*** le marché se relevait; **II** *on.w.* (*genezen*) guérir, se rétablir; **III** *w.w.* ***zich* —, 1** se rétablir, se remettre, se ressaisir, se relever; **2** (*mil.*) se reformer.
herstel'lende *m.-v.* convalescent *m.*, —e *f.*
herstel'ler *m.* **1** réparateur *m.*; **2** (*v. kunstwerken*) restaurateur *m.*
herstel'ling *v.* **1** réparation *f.*; **2** rétablissement *m.*; **3** restauration *f.*; **4** guérison *f.*
herstel'lingsoord *o.* sanatorium *m.*, maison *f.* de convalescence.
herstel'lingsteken *o.* (*muz.*) bécarre *m.*
herstel'plan *o.* projet *m.* de réparations.
herstel'werkzaamheden *mv.* travaux *m.pl.* de réfection.
herstemmen *on.w.* voter de nouveau; **— *tussen twee kandidaten,*** ballotter deux candidats.
herstemming *v.* second tour *m.* de scrutin; ballottage *m.*; ***in* — *komen,*** être en ballottage.
hert *o.* cerf *m.*; ***jong* —,** faon *m.*; ***vliegend* —,** (*Dk.*) cerf*-volant* *m.*, scarabée *m.* cornu.
her'tebout *m.* cuissot *m.* de cerf.
her'tejacht *v.*(*m.*) chasse *f.* au cerf.
her'tekoe *v.* biche, daine *f.*
her'tele(d)er, herts'le(d)er *o.* peau *f.* de cerf.
her'tenkamp *m.* parc *m.* aux cerfs.
her'tog *m.* duc *m.*
her'togdom *o.* duché *m.*
herto'gelijk *b.n.* ducal.
Hertogenbosch', *'s*—, *o.* Bois-le-Duc *m.*
hertogin' *v.* duchesse *f.*
her'togskroon *v.*(*m.*) couronne *f.* ducale.
her'trouw *m.* second mariage *m.*, secondes noces *f.pl.*
hertrou'wen *on.w.* se remarier.
herts'hoorn *o. en m.* corne *f.* de cerf.
herts'le(d)er, her'tele(d)er *o.* peau *f.* de cerf.
her'uitzenden *ov.w.* (*radio*) relayer.
her'uitzending *v.* relais *m.*
hervat'ten *ov.w.* reprendre.
hervat'ting *v.* reprise *f.*; **— *der lessen,*** rentrée des classes.
her'verkaveling *v.* remembrement *m.*
her'verzekeren *ov.w.* réassurer.
her'verzekering *v.* réassurance, contre-assurance* *f.*
hervin'den *ov.w.* retrouver.
hervorm'de *m.-v.* réformé *m.*, —e *f.*
hervor'men *ov.w.* **1** réformer; **2** (*omvormen*) transformer.
hervor'mer *m.* réformateur *m.*
hervor'ming *v.* **1** réforme *f.*; **2** transformation *f.*; **3** (*kerk*—) Réformation *f.*
hervor'mingsdag *m.* fête *f.* de la Réformation.
hervor'mingsplan *o.* projet *m.* de réforme.
her'waarderen *ov.w.* (*H.*) revaloriser, revaluer.
her'waardering *v.* (*H.*) revalorisation.
her'waarts *bw.* par ici, de ce côté; ***her- en derwaarts,*** çà et là.
herwij'den *ov.w.* consacrer de nouveau.
herwin'nen *ov.w.* **1** (*heroveren*) reconquérir, reprendre; **2** (*kracht, enz.*) recouvrer; **3** (*weer krijgen*) regagner.
her'wissel *m.* (*H.*) retraite *f.*
Herzeeuw' *o.* Herseaux.
herzeg'gen *ov.w.* **1** redire; **2** (*herhalen*) répéter; **3** (*opmerking*) réitérer.
Herzegowi'na *o.* Herzégovine *f.*
herzien' *ov.w.* **1** revoir; **2** (*proces; drukproef*) reviser, réviser.
herzie'ner *m.* reviseur *m.*
herzie'ning *v.* révision, réadaptation *f.*
hes *v.*(*m.*) blouse, jaquette *f.*
Hes *m.* Hessois *m.*
hesp *v.*(*m.*) jambon *m.*
Hesperi'den *mv.* Hespérides *f.pl.*
hes'seling *m.* (*Dk.*) meunier, dobule *m.*
Hes'sen *o.* la Hesse.
Hes'sisch *b.n.* hessois.
het I *lidw.* le, la; **II** *vnw.* il, elle; le, la; lui; ce; **— *is mooi,*** c'est beau; **— *moet,*** il le faut; ***ik ben* —,** c'est moi; ***zij zijn* —,** ce sont eux; **— *van* —,** le fin du fin; ***hoe moet ik* — *aanleggen?*** comment m'y prendrai-je? [chaud.
heteluchtverwarming *v.* chauffage *m.* à air
he'ten I *ov.w.* **1** (*noemen*) appeler, nommer; **2** (*bevelen*) dire, ordonner; ***iem. welkom* —,** souhaiter la bienvenue à qn.; **II** *on.w.* s'appeler, se nommer; ***zoals het heet,*** comme on dit; ***naar het heet,*** à ce que l'on dit; ***dat heet ik werken,*** voilà qui s'appelle travailler; **III** *ov.w.* chauffer.
heterdaad', *op* — *betrappen,* prendre en flagrant délit, — sur le fait.
heterogeen' *b.n.* hétérogène.
hetgeen' *vnw.* ce qui, ce que.
hetwelk' *vnw.* lequel, laquelle; qui, que.
hetzelf'de *vnw.* **1** (*bijvoegl.*) le (*of* la) même; **2** (*zelfst.*) la même chose; **— *doen,*** en faire autant; ***dat komt op* — *neer,*** cela revient au même; ***het is mij* —,** cela m'est égal.
hetzij' *vw.* soit, soit que.
heug *v.* ***tegen* — *en meug,*** à contre-cœur, à regret.
heu'gel *m.* crémaillère *f.*
heu'gen, *dat heugt mij nog,* je me le rappelle encore, je m'en souviens encore; ***dat zal hem* —!** il s'en (res)souviendra!
heu'genis *v.* souvenir *m.*, mémoire *f.*; ***bij mensen*—,** de mémoire d'homme; ***lang* — *hebben van,*** garder longtemps la mémoire de.
heug'lijk *b.n.* **1** (*verblijdend*) joyeux, heureux; **2** (*gedenkwaardig*) mémorable.
heul 1 *m.* (*Pl.*) pavot *m.*; **2** *o.* (*hulp, toevlucht*) recours, refuge *m.*; (*troost*) consolation *f.*, soulagement *m.*; **3** *v.*(*m.*) (*riool, goot*) rigole *f.*; égout *m.*; (*brug*) passerelle *f.*
heul'bol *m.* (*Pl.*) tête *f.* de pavot.
heu'len *on.w.* être d'intelligence, être de connivence, s'entendre (avec qn.); ***met de vijand* —,** (*ook:*) pactiser avec l'ennemi.
heul'sap *o.* **1** huile *f.* de pavots blancs; **2** essence *f.* de pavot, opium *m.*; **3** (*fig.*) drogue *f.*
heul'zaad *o.* graine *f.* de pavot.
heup *v.*(*m.*) hanche *f.*; (*fig.*) ***het op zijn* —*en hebben,*** avoir (mis) son bonnet de travers.
heup'been *o.* os *m.* iliaque, — coxal, iléum *m.*
heup'gewricht *o.* articulation *f.* coxo-fémorale.
heup'jicht *v.*(*m.*) sciatique *f.*
heup'ontwrichting *v.* déhanchement *m.*, luxation *f.* de la hanche.
heup'wiegen *on.w.* (se) dandiner.
heup'ziekte *v.* coxalgie *f.*
heus I *b.n.* **1** (*beleefd, vriendelijk*) poli, honnête; courtois; **2** (*echt, wezenlijk*) vrai, véritable; ***een* —*e graaf,*** un comte authentique; **II** *bw.* **1** poliment, honnêtement; courtoisement; **2** vraiment, en effet; ***ik wist het* — *niet,*** vraiment, je ne le savais pas; ***het is* — *waar,*** je vous l'assure, je vous assure que c'est vrai; **—*?*** vrai? bien sûr?
heus'heid *v.* politesse, courtoisie *f.*

heu'vel *m.* **1** colline *f.*; **2** (*hoogte*) élévation, éminence, hauteur *f.*; **3** (*heuveltje*) coteau, tertre *m.*; **4** (*aardhoop, kogelvanger*) butte *f.*
heu'velachtig *b.n.* vallonné, accidenté, couvert de collines.
heu'velrug *m.* crête *f.* de colline.
heu'veltop *m.* sommet *m.* d'une colline.
heve'a *v.*(*m.*) (*Pl.*) hévée *f.*
he'vel *m.* siphon *m.*
he'velbarometer *m.* baromètre *m.* à siphon.
he'velen *on.w.* siphonner.
he'velpomp *v.*(*m.*) pompe *f.* à siphon.
he'velvormig *b.n.* en forme de siphon.
He'verding *o.* Habergy.
he'vig I *b.n.* violent, véhément; fort, rude; ***—e dorst,*** soif ardente; ***— gevecht,*** lutte chaude, — acharnée; ***—e koorts,*** grosse (*of* forte) fièvre; ***—e pijn,*** douleur aiguë, — intense, vive douleur; **II** *bw.* violemment; fortement, vivement.
he'vigheid *v.* violence, véhémence, intensité *f.*
Hexagoon *m.* Hexagone *m.*; l'Europe des Six.
hexa'meter *m.* hexamètre *m.*
hiaat' *m. en o.* **1** hiatus *m.*; **2** (*fig.*) lacune *f.*
hiel *m.* talon *m.*; ***de —en lichten,*** montrer les talons, décamper; ***iem. op de —en zitten,*** poursuivre qn., être aux trousses de qn.
hiel'been *o.* os *m.* du talon, calcanéum *m.*
hiel'stuk *o.* **1** (*v. schoen*) quartier, contrefort *m.*; **2** (*v. kous*) talonnette *f.*
hiep *tw.* hip! hip! (hourra!).
hier *bw.* ici; ***— en daar,*** çà et là; par ci, par là; par endroits; ***— ben ik,*** me voici; ***— is uw boek,*** voici votre livre; ***— te lande,*** dans ce pays, dans notre pays; ***— ter stede,*** dans cette (*of* notre) ville; ***— ligt begraven,*** ci-gît, ici repose.
hier'aan *bw.* à ceci, y, en; ***— twijfel ik niet,*** je n'en doute pas; ***— denk ik nooit,*** je n'y pense jamais; ***— is veel gelegen,*** c'est de la dernière importance.
hierach'ter *bw.* ci-après; ci-derrière; là-dessous; ***wat steekt — ?*** qu'y a-t-il là dessous?
hiërarchie' *v.* hiérarchie *f.*
hiërar'chisch I *b.n.* hiérarchique; **II** *bw.* hiérarchiquement.
hierbene'den *bw.* **1** (*onder dit*) ci-dessous; **2** (*op aarde*) ici-bas.
hierbene'vens *bw.* **1** ci-joint, ci-inclus; **2** (*bovendien*) en outre, d'ailleurs.
hierbij *bw.* **1** (*dicht bij*) près d'ici; **2** (*bijgevoegd*) ci-joint, ci-inclus; **3** (*brief*) par la présente; ***wij zullen het — laten,*** nous en resterons là.
hierbin'nen *bw.* ici, ici-dedans, à l'intérieur.
hierbo'ven *bw.* **1** (*boven ons*) au-dessus de nous; **2** (*in boek*) ci-dessus; **3** (*in de hemel*) dans l'autre monde, là-haut, au ciel.
hierbui'ten *bw.* dehors; ***hier kan ik niet buiten,*** **1** (*kan niet anders*) je ne puis faire autrement; **2** (*heb het nodig*) je ne puis m'en passer.
hierdoor *bw.* **1** (*plaats*) par ici; **2** (*reden*) c'est pour cela que, c'est pourquoi; **3** (*wijze*) de cette manière.
hier'heen *bw.* par ici, de ce côté-ci.
hier'in *bw.* **1** en ceci, en cela, y; **2** ici-dedans, là-dedans; **3** (*ingesloten*) ci-inclus.
hier'langs *bw.* par ici.
hier'me(d)e *bw.* avec ceci, avec cela, en; ***wat wilt u — zeggen?*** qu'est-ce que vous voulez dire par là?
hier'na *bw.* **1** ci-après; après ceci; **2** (*vervolgens*) ensuite.
hier'naar *bw.* **1** d'après ceci; **2** là-dessus.
hiernaast' *bw.* **1** à côté, tout près d'ici; **2** ci-contre.
hierna'maals I *bw.* dans l'autre monde; **II** *z.n., o.* l'au-delà *m.*
hierne'vens *bw.* ci-joint.
hiërogliel', hiëroglу'fe *v.*(*m.*) hiéroglyphe *m.*
hiërogli'fisch, hiërogly'fisch *b.n.* hiéroglyphique.
hier'om *bw.* **1** (*hier omheen*) autour (de ceci); **2** (*om die reden*) pour cela, pour cette raison, c'est pourquoi.
hieromheen' *bw.* autour de ceci.
hier'omtrent *bw.* **1** à cet égard; à ce sujet, là-dessus; **2** (*in de omgeving*) dans les environs, quelque part par ici.
hier'onder *bw.* **1** (*plaats*) ci-dessous, là-dessous; **2** (*v. personen*) parmi eux; ***wat verstaat u — ?*** qu'est-ce que vous entendez par là? ***zie —,*** (*in tekst*) voir plus bas.
hier'op *bw.* **1** (*plaats*) là-dessus; **2** (*tijd*) après cela, sur cela.
hier'over *bw.* **1** (*aangaande het genoemde*) là-dessus, en, à ce sujet; **2** (*hiertegenover*) vis-à-vis, en face (d'ici).
hier'tegen *bw.* contre ceci, contre cela, y.
hiertegeno'ver *bw.* vis-à-vis, en face (d'ici).
hier'toe *bw.* **1** à ceci, à cela; **2** (*tot dit doel*) à cet effet, pour cela; ***tot —,*** jusqu'ici.
hier'tussen *bw.* **1** entre ces deux (choses); **2** (*tussen meerdere*) parmi ces choses.
hier'uit *bw.* **1** d'ici, de là, de ceci, en; ***— volgt dat...,*** il s'ensuit que; ***ik besluit —, dat...,*** j'en conclus que.
hier'van *bw.* en, de ceci, de cela.
hier'voor *bw.* **1** (*plaats*) devant; **2** (*tijd*) avant ce temps, auparavant; **3** (*in ruil*) pour cela, en échange de cela; **4** (*daarom*) pour cela, à cet effet; ***hij is — ongevoelig,*** il y est insensible.
hier'zo *bw.* (*pop.*) **1** (*hier*) ici; **2** (*ziehier*) voici, voilà, tenez, tiens.
hij *vnw.* il, lui; ***—, die,*** celui qui; ***een —,*** un homme, un garçon.
hij'gen I *on.w.* haleter; (*fig.*) ***— naar,*** désirer ardemment, soupirer après; (*fig.*) ***—d voortgaan,*** ahaner; **II** *z.n.* ***het —,*** le halètement.
hij'ging *v.* respiration *f.* haletante, halètement *m.*
hijs *m.* ***dat is een hele —,*** (*fig.*) c'est tout un travail.
hijs'blok *o.* poulie *f.*
hij'sen *ov.w.* **1** hisser; **2** (*met machine*) guinder; ***de vlag —,*** arborer le drapeau, hisser —; (*fam.: bier*) lamper, pinter.
hijs'kabel *m.* câble *m.* de levage.
hijs'kraan *v.*(*m.*) grue *f.*
hijs'toestel *o.* appareil *m.* de levage, — à hisser, monte-charge *m.*
hijs'touw *o.* drisse *f.*, corde *f.* de poulie.
hijs'tuig *zie* ***hijstoestel.***
hik *m.* hoquet *m.*
hik'ken *on.w.* avoir le hoquet.
hilariteit' *v.* hilarité *f.*
Himala'ya *m.* l'Himalaya *m.*
hin'de *v.* biche *f.*
hin'dekalf *o.* faon *m.*
hin'der *m.* **1** incommodité, gêne *f.*, embarras *m.*; **2** (*stoornis*) dérangement *m.*; **3** (*schade*) tort, dommage *m.*; ***ik heb er geen — van,*** cela ne me gêne pas.
hin'deren I *ov.w.* **1** (*last veroorzaken*) incommoder, gêner, embarrasser; **2** (*storen*) déranger; **3** (*lastig vallen, vervelen*) agacer, importuner; **4** (*schaden*) faire tort à, nuire; **5** (*ergeren*) scandaliser; **6** (*verdriet veroorzaken*) chagriner; **II** *on.w.* gêner, être gênant; ***dat hindert niet,*** cela ne fait rien, cela n'a pas d'importance, il n'y a pas de mal.
hin'derlaag *v.*(*m.*) embuscade *f.*, embûches *f.pl.*;

guet*-apens *m.*; ***een — leggen,*** dresser une embuscade.
hin'derlijk I *b.n.* gênant, embarrassant, incommode; agaçant; ***— zijn,*** gêner, incommoder; importuner, agacer; **II** *bw.* d'une manière gênante; — agaçante.
hin'dernis *v.* **1** obstacle *m.*; **2** (*belemmering*) entrave *f.*; **3** (*beletsel*) empêchement *m.*; ***wedren met —sen,*** course *f.* à obstacles, steeple-chase* *m.*
hin'derpaal *m.* obstacle *m.*; ***de hinderpalen te boven komen,*** vaincre les obstacles; ***hinderpalen uit de weg ruimen,*** écarter des obstacles.
hin'derwet *v.*(*m.*) loi *f.* sur les établissements incommodes, insalubres ou dangereux.
Hin'doe *m.* Hindou *m.*
hindoeïs'me *o.* (h)indouisme *m.*
Hin'does *b.n.* hindou.
Hindoestan' *o.* l'Hindoustan *m.*
hin'kelbaan *v.*(*m.*) marelle *f.* [pied.
hin'kelen *on w.* jouer à la marelle, sauter à cloche
hin'kelspel *o.* marelle *f.*, jeu *m.* de la marelle.
hin'ken *on.w.* boiter, clocher, clopiner; aller à cloche-pied; ***op twee gedachten —,*** ne savoir quel parti prendre. [clopant.
hin'kend *b.n.* boiteux, clochant; ***al —,*** clopin
hin'kepink *m.* boiteux, gambillard *m.*
hink-stap-sprong *m.* (*sp.*) triple saut *m.*
hin'niken I *on.w.* hennir; **II** *z.n.* ***het —,*** le hennissement.
Hippo'crates *m.* Hippocrate *m.*
Hippoly'tus *m.* Hippolyte *m.*
hispanoloog' *m.* hispanisant *m.*
histo'ricus *m.* historien *m.*
histo'rie *v.* histoire *f.*
histo'rieschrijver *m.* **1** historien *m.*; **2** (*officieel, aangesteld*) historiographe *m.* [ment.
histo'risch I *b.n.* historique; **II** *bw.* historique-
hit *m.* bidet, petit cheval *m.*
hit'sig *b.n.* **1** chaud, ardent; **2** (*v. paard*) fougueux.
hit'te *v.* **1** chaleur; ardeur *f.*; **2** (*fig.*) chaleur, ardeur. fougue *f.*
hit'tegolf *v.*(*m.*) vague *f.* de chaleur.
hit'tegraad *m.* degré *m.* de chaleur.
hit'tepuistje *o.* bouton *m.* de chaleur.
h'm! *tw.* hem!
ho! *tw.* ho! halte-là!
hob'bel *m.* inégalité, bosse *f.*
hob'belen *on.w.* (se) balancer; cahoter.
hob'belig *b.n.* inégal, raboteux cahoteux, cahotant.
hob'beligheid *v.* inégalité *f.*
hob'beling *v.* balancement; cahotement *m.*
hob'belpaard *o.* cheval *m.* à bascule.
hob'belwagen *m.* patache *m.*
hob'bezak *m.*, ***ze is een echte —,*** elle est faite comme un fagot. [hobby *m.*
hob'by *m.* dada *m.*, marotte *f.*, violon *m.* d'Ingres,
ho'bo *m.* (*muz.*) hautbois *m.*
hoboïst' *m.* (*muz.*) hautboïste *m.*
hoc'key *o.* hockey *m.*
hoc'keyen *on.w.* (*sp.*) jouer au hockey.
hoc'keyspeler *m.* hockeyeur *m.*
hoc'keystick *m.* crosse *f.* [*m.* de passe-passe.
ho'cus-po'cus, ho'kus-po'kus *m. en o.* tour
hoe I *bw.* **1** (*wijze*) comment, de quelle manière; **2** (*graad*) comme, combien, que; ***— laat is het?*** quelle heure est-il? ***— oud is hij?*** quel âge a-t-il? ***— eer — liever,*** le plus tôt possible; ***— langer — meer,*** de plus en plus; ***— langer — moeilijker,*** de plus en plus difficile; ***— hij ook riep,*** il avait beau crier; ***— hoog is die muur?*** quelle est la hauteur de ce mur? ***— rijk hij ook is,*** quelque riche qu'il soit; tout riche qu'il est; ***u weet niet — zeer hij geleden heeft,*** vous ne savez pas combien il a souffert; ***—!*** quoi! ***—zo?*** comment cela? ***— dan ook,*** d'une manière ou d'une autre, n'importe comment; ***ik wil weten — of wat,*** je demande une réponse catégorique; **II** *z.n., o.* ***het — en waarom,*** le comment et le pourquoi; ***het komt maar aan op het —,*** c'est le ton qui fait la musique.
hoed *m.* **1** chapeau *m.*; **2** (*vilt—*) feutre *m.*, chapeau *m.* mou; **3** (*ronde stijve —*) chapeau *m.* melon; **4** (*hoge—*) chapeau *m.* haut de forme, (chapeau) haute forme; (*fam.*) tube *m.*; **5** (*kastoren —*) castor *m.*; ***de — afnemen,*** se découvrir; ***zijn — ophouden,*** rester couvert, garder son chapeau sur la tête; ***met de — in de hand,*** le chapeau à la main, chapeau bas; ***met de — in de hand, komt men door het ganse land,*** humilité passe partout.
hoeda'nig *vnw.* **1** quel? quelle sorte de? comment? **2** tel que, comme.
hoeda'nigheid *v.* qualité *f.*; ***in mijn — van,*** en ma qualité de.
hoe'de *v.*(*m.*) garde, protection *f.*; ***onder zijn — nemen,*** prendre sous sa garde; veiller sur; ***op zijn — zijn,*** être sur ses gardes, se tenir sur le qui-vive; ***op zijn — zijn voor,*** se garder de.
hoe'debol *m.* forme *f.* (de chapeau).
hoe'deborstel *m.* brosse *f.* à chapeau.
hoe'dedoos *v.*(*m.*) carton *m.*, boîte *f.* à chapeau.
hoe'den I *ov.w.* garder, mener paître; **II** *w.w.* ***zich — voor,*** se garder de; (*wantrouwen*) se méfier de. [chapeaux.
hoe'denfabriek *v.* chapellerie *f.*, fabrique *f.* de
hoe'denfabrikant *m.* chapelier *m.*, fabricant *m.* de chapeaux.
hoe'denkapstok *m.* porte-chapeaux *m.*
hoe'denkoopman *m.* chapelier *m.*
hoe'denmaakster *v.* modiste *f.*
hoe'denmaker *m.* chapelier *m.*
hoe'denmakerij *v.* chapellerie *f.*
hoe'denstander *m.* champignon *m.*
hoe'denwinkel *m.* **1** (*voor heren*) chapellerie *f.*; **2** (*voor dames*) magasin *m.* de modes.
hoe'depen, hoe'despeld *v.*(*m.*) épingle *f.* à chapeau, fixe-chapeau* *m.*
hoe'der *m.* **1** gardien *m.*; **2** (*v. kudde, enz.*) gardeur *m.*; berger, vacher *m.*
hoe'despeld, *zie* **hoedepen.**
hoed'je *o.* **1** petit chapeau *m.*; **2** (*v. kandelaar*) bobèche *f.*; ***zij spelen onder één —,*** ils s'entendent comme larrons en foire, ils sont de connivence l'un avec l'autre; ***hij is onder een — te vangen,*** il est doux comme un agneau.
hoef *m.* **1** sabot *m.*; **2** (*bij éénhoevigen*) corne *f.*
hoef'beslag *o.* ferrure *f.*
hoef'blad *o.* (*Pl.*) pas *m.* d'âne, tussilage *m.*
hoef'getrappel *o.* bruit *m.* de sabots; trépignement *m.*
hoef'hamer *m.* (*tn.*) brochoir *m.*
hoef'ijzer *o.* fer *m.* (à cheval).
hoef'ijzerboog *m.* (*bouwk.*) arc *m.* outrepassé.
hoef'ijzervormig *b.n. en bw.* en fer à cheval.
hoef'magneet *m.* aimant *m.* en fer à cheval.
hoef'mes *o.* boutoir *m.*
hoef'nagel *m.* clou *m.* à ferrer.
hoef'slag *m.* **1** coup *m.* de pied de cheval; **2** (*spoor v. paardenhoef*) empreinte *f.*; **3** (*geluid*) bruit *m.* de sabots de chevaux.
hoef'smederij *v.* forge, maréchalerie *f.*
hoef'smid *m.* maréchal *m.* ferrant.
hoef'stal *m.* travail *m.* (*mv.:* travails).

hoegenaamd *bw.* quoi que ce soit; *— niet,* point du tout, pas le moins du monde; *— niets,* rien du tout, absolument rien; *er was — niemand,* il n'y avait âme qui vive.
hoegroot'heid *v.* **1** (*grootte*) grandeur *f.*; **2** (*bedrag*) montant *m.*; **3** (*omvang*) capacité *f.*; **4** (*hoeveelheid*) quantité *f.*
Hoei *o.* Huy *m.*
hoek *m.* **1** (*v. straat, kamer, enz.*) coin *m.*; **2** (*meetk.*) angle *m.*; *scherpe —,* angle aigu; *stompe —,* angle obtus; *aanliggende —,* angle adjacent; *overstaande —,* angle opposé par le sommet; *overeenkomstige —,* angle correspondant; *inspringende —,* angle rentrant; *uitspringende —,* angle saillant; **3** (*beurs*) compartiment *m.*; **4** (*landspits, kaap*) pointe *f.* de terre; cap *m.*; **5** (*vishaak*) hameçon *m.*; **6** (*bocht*) coude *m.*; *in alle —en en gaten,* dans tous les coins et recoins; *iem. in een — duwen,* reléguer qn. à l'arrière-plan; *om de — komen kijken,* se montrer; *uit de — komen,* placer son mot; *men moet zien uit welke — de wind waait,* il faut voir de quel côté vient le vent.
hoek'beslag *o.* cantonnière, cornière *f.*
hoek'huis *o.* maison *f.* du coin, — qui fait le coin.
hoe'kig *b.n.* **1** anguleux; **2** (*vorm*) angulaire; **3** (*fig.*) cornu.
hoek'ijzer *o.* cornière *f.*
hoek'je *o.* petit coin *m.*; *het — omgaan,* souffler sa chandelle, casser sa pipe.
hoek'kast *v.(m.)* encoignure *f.*
hoek'lijn *v.(m.)* diagonale *f.*
hoek'man *m.* **1** (*H.*) remisier *m.*; **2** (*sp.*) ailier *m.*
hoek'meetkunde *v.* goniométrie *f.*
hoek'pand *o.* immeuble *m.* d'angle.
hoek'pijler *m.* (*bouwk.*) pilier *m.* cornier.
hoek'plaats *v.(m.)* place *f.* de coin (fenêtre *of* couloir).
hoek'punt *o.* sommet *m.* d'un angle.
hoek'puntslijn *v.(m.)* diagonale *f.*
hoek'raam *o.* vitre *f.* du coin, fenêtre *f.* —.
hoek'schop *m.* (*sp.*) coup *m.* de pied de coin, corner *m.*; *een — nemen,* corner.
hoek'schot *o.* shoot *m.* en coin.
hoeks'gewijs, -gewijze *bw.* angulairement.
hoek'snelheid *v.* vitesse *f.* angulaire.
hoek'spar *m.* (*bouwk.*) arêtier *m.*
hoek'steen *m.* **1** (*bouwk.*) pierre *f.* angulaire; **2** (*fig.*) clef *f.* de voûte, pierre *f.* angulaire, arc*-boutant* *m.*
hoek'tand *m.* dent *f.* canine; — œillère.
hoek'toren *m.* tour *f.* d'angle.
hoek'venster *o.* fenêtre *f.* du coin.
hoek'vormig *b.n.* en forme d'angle, en angle.
hoek'zak *m.* (*bilj.*) blouse *f.* de coin.
hoek'zuil *v.(m.)* colonne *f.* cornière; pilier *m.* cornier.
hoe'lang *bw.* combien de temps; *tot —,* jusqu'à quand.
hoen *o.* poule *f.*; *jong —,* poulet *m.*; *gemest —,* poularde *f.*; *zo fris als een —,* frais comme une rose, frais comme l'œil.
hoen'derachtig *b.n.* gallinacé; *de —en,* les gallinacés *m.pl.*
hoen'derborst *v.(m.)* blanc *m.* de poulet.
hoen'derbout *m.* cuisse *f.* de poulet.
hoen'derdief *m.* voleur *m.* de poules.
hoen'derei *o.* œuf *m.* de poule.
hoen'derhof *m.* basse*-cour* *f.*
hoen'derhok *o.* poulailler *m.*
hoen'derkorf *m.* cage *f.* à poules.
hoen'dermarkt *v.(m.)* marché *m.* à volaille.
hoen'dernest *o.* nid *m.* de poule.
hoen'derpark *o.* parc *m.* aux poules, — à volailles.
hoen'derpastei *v.(m.)* pâté *m.* de poulet.
hoen'derrek *o.* juchoir, perchoir *m.*
hoen'dersoort *v.(m.)* *en o.* espèce *f.* galline.
hoen'derteelt *v.(m.)* aviculture *f.*, élève *f.* des poules.
hoe'pel *m.* cerceau, cercle *m.*; *van —s voorzien,* cercler.
hoe'pelen *on.w.* jouer au cerceau.
hoe'pelmaker *m.* cerclier *m.*
hoe'pelrok *m.* crinoline, bouffante *f.*
hoe'pelstok *m.* baguette *f.*, petit bâton *m.*, bâtonnet *m.* de cerceau.
hoep'hout *o.* feuillard *m.*
hoer *v.* putain, fille (publique), prostituée *f.*
hoera'! *tw.* hourra!
hoera'geroep *o.* les hourras *m.pl.*
hoe'renjong *o.* (*drukk.*) ligne *f.* boiteuse (*of* creuse).
hoes *v.(m.)* housse *f.*
hoest *m.* toux *f.*
hoest'bui *v.(m.)* accès *m.* de toux, quinte *f.* —.
hoes'ten *on.w.* tousser.
hoest'middel *o.* béchique *m.*
hoest'stillend *b.n.* béchique; *— middel,* béchique *m.*
hoe've *v.(m.)* ferme, métairie *f.*
hoeveel' *telw.* combien; *met hoevelen zijn jullie?* combien êtes-vous?
hoeveel'heid *v.* quantité *f.*
hoeveel'ste *telw.* quantième, quel; *de — hebben we?* quel quantième avons-nous? *de — bent u?* le quantième êtes-vous? *op de — bladzijde?* à quelle page?
hoe'ven *on.w.* être nécessaire; *het hoeft niet,* ne vous dérangez pas.
hoever' *bw.* jusqu'où, à quelle distance; *— is het tot B?* combien y a-t-il jusqu'à B? *in —?* à quel point?
hoewel' *vw.* bien que, quoique.
hoezee'! *tw.* hourra!
hoezeer' **I** *bw.* combien, à quel point; **II** *vw.* bien que, quoique.
hof **I** *m.* **1** (*tuin*) jardin *m.*; **2** (*omheinde ruimte*) enclos *m.*; **II** *o.* **1** (*v. vorst*) cour *f.*; **2** (*gerecht*) cour *f.* (de justice); *het — van Verbreking (of Cassatie),* la cour de Cassation; *iem. het — maken,* faire la cour à qn., courtiser qn.; conter fleurette à qn.; *open — houden,* tenir table ouverte.
hof'arts *m.* médecin *m.* de la cour.
hof'bal *o.* bal *m.* à la cour.
hof'dame *v.* dame *f.* d'honneur.
hof'dignitaris *m.* dignitaire *m.* de cour.
hof'felijk **I** *b.n.* courtois, galant; **II** *bw.* courtoisement.
hof'felijkheid *v.* courtoisie, galanterie *f.*
hoff'mann(s)druppels *mv.* liqueur *f.* d'Hoffmann (*f.*), gouttes *f.pl.* d'Angleterre.
hof'gebruik *o.* étiquette *f.*; usage *m.* de la cour.
hof'hond *m.* chien *m.* de garde, — de basse-cour, mâtin *m.*
hof'houding *v.* cour, maison *f.* (du roi, du prince); *een schitterende —,* un train de maison luxueux.
hof'je *o.* cité *f.* de maisons de retraite; béguinage *m.*
hof'jonker *m.* gentilhomme *m.* de la cour.
hof'kapel *v.(m.)* chapelle *f.* de (la) cour.
hof'kliek *v.(m.)* camarilla, cabale *f.*
hof'kring *m.* *de —en,* la cour, les gens de la cour, l'entourage du roi (*of* de la reine).
hof'lakei *m.* laquais *m.* de la cour.
hof'leven *o.* vie *f.* à la cour.
hof'leverancier *m.* fournisseur *m.* de la cour.
hof'maarschalk *m.* grand maréchal *m.* (de la cour).
hof'makerij *v.* (*fam.*) cour *f.*, assiduités *f.pl.*, courtisement *m.*

hof'meester *m.* **1** maître *m.* d'hôtel; **2** (*op boot*) commissaire *m.* (aux vivres).
hof'meesteres *v.* lingère *f.*
hof'meier *m.* (*gesch.*) maire *m.* du palais.
hof'nar *m.* (*gesch.*) fou *m.* du roi.
hof'prediker *m.* **1** aumônier *m.* de la cour; **2** (*prot.*) prédicateur *m.* de la cour.
hof'raad *m.* conseiller *m.* privé, conseiller (à la cour).
hof'rijtuig *o.* voiture *f.* de gala.
hof'rouw *m.* deuil *m.* de la cour.
hof'stad *v.*(*m.*) résidence *f.* (de la cour).
hof'ste(d)e *v.*(*m.*) ferme, métairie *f.*
hof'stoet *m.* suite *f.* (du roi).
hogedruk'gebied *o.* aire *f.* de hautes pressions.
ho'gelijk *bw.* très, fort, extrêmement.
hogelucht'kuur *v.*(*m.*) cure *f.* d'altitude.
hogepries'ter *m.* **1** grand*-prêtre* *m.*; **2** (*kath.*) pontife *m.*
hogepries'terlijk *b.n.* pontifical.
hogepries'terschap *o.* pontificat *m.*
ho'ger I *b.n.* plus haut, supérieur; ***de —e geestelijkheid,*** le haut clergé; ***— onderwijs,*** enseignement supérieur; ***—e burgerschool,*** lycée *m.* moderne; **II** *bw.* plus haut; ***al — en —,*** toujours plus haut.
hogerhand' *bw.* ***van —,*** de la part du gouvernement; d'en haut, par voie d'autorité.
Ho'gerhuis *o.* Chambre *f.* des Lords, — haute.
hogerop' *bw.* **1** plus haut, en plus haut lieu; **2** (*stroomopwaarts*) en amont; ***— willen,*** vouloir monter, être ambitieux.
hogeschool' *v.*(*m.*) université *f.*, école *f.* supérieure; ***technische —,*** école *f.* polytechnique.
hogeschool'rijdster *v.* (*circus*) écuyère *f.* de Haute École.
hok *o.* **1** (*kleine bergplaats*) débarras *m.*; décharge, remise *f.*; **2** (*v. hond*) niche *f.*; **3** (*v. wild dier*) cage *f.*; **4** (*in gevangenis*) cachot *m.*; **5** (*vak, in lade, enz.*) case *f.*; **6** (*krot*) taudis, trou, bouge *m.*
hok'hond *m.* chien *m.* d'attache.
hok'je *o.* **1** (*voor dier*) loge, cage *f.*; **2** (*van zwembad*) cabine *f.*; **3** (*vakje*) case *f.*
hok'ken *on.w.* rester dans son coin; ***thuis —,*** mener une vie casanière; ***bij elkaar —,*** rester ensemble; ***met elkaar —,*** vivre maritalement; ***er hokt wat,*** il y a qc. qui cloche.
hok'kerig *b.n.* mal distribué, à petites pièces.
hok'spel *o.* (jeu de) hoc *m.*
hokus-pokus, *zie* ***hocus-pocus.***
hok'vast *b.n.* casanier.
hol I *b.n.* **1** (*niet massief*) creux; **2** (*ledig*) vide; **3** (*ingevallen*) creux, enfoncé; **4** (*v. lens*) concave; **5** (*v. stem*) caverneux; **6** (*v. kies*) carié, creux; ***een —le zee,*** une mer houleuse; ***—le woorden,*** des paroles creuses, — vides de sens; ***in het —st van de nacht,*** au milieu de la nuit; **II** *bw.* ***— klinken,*** sonner creux; **III** *z.n., o.* **1** (*in rots, enz.*) caverne *f.*, antre *m.*; **2** (*v. dieren*) trou, repaire *m.*; **3** (*v. vos, wolf, enz.*) tanière *f.*; **4** (*v. konijn*) terrier *m.*; **5** (*v. rovers*) repaire *m.*; **6** (*v. schip*) creux *m.*; **IV** *m.* ***op — slaan*** (*of* ***gaan***), prendre le mors aux dents, s'emporter, s'emballer; ***iem. het hoofd op — brengen,*** tourner la tête à qn.
ho'la! *tw.* holà! hé!
hol'ader *v.*(*m.*) veine *f.* cave.
hol'beitel *m.* (*tn.*) gouge *f.*
hol'bewoner *m.* homme *m.* des cavernes, troglodyte *m.*
holbol' *b.n.* convexe-concave.
hol'boor *v.*(*m.*) évidoir *m.*
holderdebol'der *bw.* sens dessus dessous; ***— de trap afvliegen,*** dégringoler de l'escalier.
hol'ding-com'pany *v.*(*m.*) société *f.* holding, — de contrôle, — gouvernante.
hold-up' *m.* hold-up *m.*, attaque *f.* à main armée.
hole *m.* (*sp.*) trou *m.*
ho'lebeer *m.* ours *m.* des cavernes.
ho'lemens *m.* homme *m.* des cavernes.
ho'letekening *v.* dessin *m.* pariétal.
hol'heid *v.* creux *m.*, cavité *f.*; concavité *f.*; (*fig.*) ineptie *f.*, vide *m.*
hol'klinkend *b.n.* caverneux.
Hol'land *o.* la Hollande; ***— in last,*** l'alarme au camp.
Hol'lander *m.* Hollandais *m.*; ***de Vliegende —,*** le vaisseau fantôme; ***een vliegende —,*** un autoskiff, un trirameur.
Hol'lands I *b.n.* hollandais; **II** *z.n.* ***het —,*** le hollandais.
hol'len *on.w.* courir (au galop); ***een —d paard,*** un cheval emporté; ***het is met hem — of stilstaan,*** il passe d'une extrémité à l'autre.
hollerith'kaart *v.*(*m.*) statistique *f.* à carte perforée.
hollerith'machine *v.* machine *f.* à statistiques à cartes perforées, machine Hollerith.
hol'letje *o.* ***op een —,*** en courant au galop, au galop.
holo'gig *b.n.* aux yeux enfoncés, — caves.
Holopher'nes *m.* Holopherne *m.*
hol'rond *b.n.* concave.
hol'rondheid *v.* concavité *f.*
hols'blok *o.* sabot *m.*
hol'schaaf *v.*(*m.*) gueule*-de-loup *f.*
Hol'stein *o.* le Holstein.
Hol'steiner *m.* Holsteinois.
Hol'steins *b.n.* holsteinois.
hol'ster *m.* fonte *f.*
hol'te *v.* **1** creux *m.*, cavité *f.*; **2** (*uitholling, v. grond, enz.*) excavation *f.*; **3** (*oog—*) orbite *f.*
hol'tedieren *mv.* cœlentérés *m.pl.*
holwan'gig *b.n.* aux joues creuses.
hom *v.*(*m.*) **1** (*v. vis*) laite, laitance *f.*; **2** (*aan overhemd*) jabot *m.*
hom'baars *m.* perche *f.* laitée.
Hom'burg *o.* Hombourg *m.*
home *o.* home, intérieur *m.*
homeopaat', homœopaat' *m.* homéopathe *m.*
homeopat(h)ie', homœopat(h)ie *v.* homéopathie *f.*
homeopa't(h)isch, homœopa't(h)isch *b.n.* homéopathique.
home'risch *b.n.* homérique.
Home'rus *m.* Homère *m.*
hom'mel *v.*(*m.*) bourdon *m.*
hom'melen *on.w.* bourdonner.
hom'meles *bw.* des histoires *f.pl.*; ***'t is er —,*** le torchon brûle, il y a du grabuge.
homœopa-, *zie* ***homeopa-.***
homofiel' *b.n.* homophile.
homogeen' *b.n.* homogène.
homologe'ren I *ov.w.* homologuer; **II** *z.n.* ***het —,*** l'homologation *f.*
homoniem' I *b.n.* homonyme; **II** *z.n., o.* homonyme *m.*
ho'moseksualiteit', -sexualiteit' *v.* inversion *f.* (sexuelle), homosexualité *f.*
homp *v.*(*m.*) **1** (*brood*) chanteau *m.*; **2** (*kaas, vlees enz.*) gros morceau *m.*
hom'pelen *on.w.* boiter, clocher.
hond *m.* chien *m.*; ***blaffende —en bijten niet,*** chien qui aboie ne mord pas; ***hij is bekend als de bonte —,*** il est connu comme le loup blanc (*of*

gris); ***wie een — wil slaan, vindt licht een stok,*** qui veut noyer son chien l'accuse de la rage; ***veel —en zijn der hazen dood,*** contre la force il n'y a pas de résistance; ***slapende —en wakker maken,*** réveiller le chat qui dort; ***de — in de pot vinden,*** dîner par cœur, dîner avec les chevaux de bois.
hon'debaantje *o.* sale métier *m.*, chien de métier, métier *m.* de chien.
hon'debrood *o.* pain *m.* de chien.
hon'dehaar *o.* poil *m.* de chien.
hon'dehok *o.* niche *f.* (du chien), chenil *m.*
hon'dekar *v.(m.)* charrette *f.* à chien(s).
hon'deketting *m. en v.* chaîne *f.* de chien.
hon'dekot *o.* chenil *m.*
hon'deleven *o.* vie *f.* de chien, chienne *f.* de vie.
Hon'delingen *o.* Hondelange.
hon'denasiel, -asyl *o.* **1** pension *f.* pour chiens; **2** (*kosteloos*) asile *m.* pour chiens.
hon'denbelasting *v.* taxe *f.* sur les chiens.
hon'deneus *m.* nez *m.* de chien; ***een — hebben,*** avoir le nez fin, avoir du flair.
hon'denspan *o.* attelage *m.* de chiens.
hon'dententoonstelling *v.* exposition *f.* canine.
hon'depenning *m.* médaille *f.* de chien.
hon'deras *o.* race *f.* de chiens, — canine.
hon'derd I *telw.* cent; ***het is — tegen één,*** il y a cent contre un à parier; ***— jaar oud,*** centenaire; **II** *z.n., o.* centaine *f.*; ***bij —en,*** par centaines; ***—en en duizenden,*** des mille et des cents; ***vijf ten —,*** cinq pour cent; ***in 't — sturen,*** embrouiller; ***alles loopt in 't —,*** tout s'embrouille; ***— uit praten,*** jaser à bouche perdue.
hon'derddelig *b.n.* **1** (*wisk.*) centésimal; **2** (*thermometer*) centigrade.
honderddui'zend *telw.* cent mille; ***—en,*** des centaines de mille; ***—ste,*** cent millième.
hon'derdjarig *b.n.* centenaire, de cent ans, séculaire; ***het — bestaan,*** le centenaire.
hon'derdjarige *m.-v.* centenaire *m.-f.*
hon'derdman *m.* **1** (*gesch.*) centurion *m.*; **2** (*bijbel*) centenier *m.*
hon'derdste I *telw.* centième; **II** *z.n., o.* centième [*m.*
hon'derdtal *o.* centaine *f.*
hon'derdvoud *o.* centuple *m.*
honderdvou'dig I *b.n.* centuple; **II** *bw.* au centuple, avec usure.
hon'desnoet *m.* museau *m.* (de chien).
hon'devel *o.* peau *f.* de chien.
hon'devoer *o.* pâtée *f.* (des chiens).
hon'dewacht *v.(m.)* second quart *m.*
hon'deweer *o.* chien *m.* de temps, temps *m.* de chien, temps à ne pas mettre un chien dehors.
hon'deziekte *v.* maladie *f.* des (jeunes) chiens.
hon'dezweep *v.(m.)* fouet *m.* à chien.
honds I *b.n.* **1** de chien; **2** (*onbeschoft*) brutal, grossier; **3** (*schaamteloos*) effronté, éhonté; **II** *bw.* **1** comme un chien; **2** brutalement, grossièrement.
honds'dagen *mv.* canicule *f.*, jours *m.pl.* caniculaires.
honds'dol'heid *v.* rage *f.* (des chiens), — canine, hydrophobie *f.*
honds'draf *v.(m.)* lierre *m.* terrestre.
honds'gras *o.* (*Pl.*) chiendent *m.*
honds'haai *m.* (*Dk.*) grande roussette *f.* [*m.*
honds'heid *v.* brutalité *f.*; effronterie *f.*; cynisme
honds'roos *v.(m.)* (*Pl.*) rose *f.* canine, — de chien, églantine *f.*
honds'ster *v.(m.)* canicule *f.*
honds'tand *m.* **1** (*Pl.*) dent*-de-chien *f.*, érythrone *m.*; **2** (*oogtand*) dent *f.* canine.
honds'tong *v.(m.)* (*Pl.*) cynoglosse *f.* (officinale).
honds'vot *v.(m.) en o.* coquin *m.*, canaille *f.*
Hondu'ras *o.* le Honduras; ***uit —,*** hondurien.
ho'nen *ov.w.* **1** honnir, outrager, insulter; **2** (*fam.*) bafouer, conspuer.
ho'nend I *b.n.* outrageant, insultant; **II** *bw.* d'une manière outrageante, d'une façon insultante.
Hongaar' *m.* Hongrois *m.*
Hongaars' I *b.n.* hongrois; **II** *z.n.* ***het —,*** le hongrois.
Hongarij'e *o.* la Hongrie.
hon'ger *m.* faim *f.*; ***— hebben,*** avoir faim; ***grote — hebben,*** avoir grand-faim; ***— hebben als een paard,*** avoir une faim de loup, — une faim canine; ***— lijden,*** souffrir la faim; ***van — omkomen,*** mourir de faim; ***— is de beste saus,*** il n'est chère que d'appétit; ***— is een scherp zwaard,*** la faim chasse.
hon'gerdood *m. en v.* mort *f.* (causée) par la faim; ***de — sterven,*** mourir de faim.
hon'geren *on.w.* avoir faim, être affamé (de); ***zich dood laten —,*** se laisser mourir de faim.
hon'gerig *b.n.* **1** affamé; **2** (*hongerlijdend*) famélique; ***— zijn,*** avoir faim.
hon'gerigheid *v.* **1** faim *f.*; **2** (*begerigheid*) avidité *f.* [nel).
hon'gerkunstenaar *m.* jeûneur *m.* (profession-
hon'gerkuur *v.(m.)* diète *f.* absolue.
hon'gerlijder *m.* **1** affamé *m.*; **2** (*fig.*) meurt-de-faim: crève-la-faim *m.*; ***er uitzien als een—,*** avoir un air famélique.
hon'gerloon *o.* salaire *m.* de famine, traitement *m.* de misère.
hon'geroedeem *o.* oedème *m.* de carence.
hon'geroptocht *m.* procession *f.* de la faim.
hon'gersnood *m.* famine *f.*
hon'gerstaker *m.* gréviste *m.* de la faim.
hon'gerstaking *v.* grève *f.* de la faim.
hon'gerwinter *m.* hiver *m.* de la grande famine.
ho'ni(n)g *m.* miel *m.*; ***iem. — om de mond smeren,*** flatter qn., cajoler qn., passer de la pommade à qn.
ho'ni(n)gachtig *b.n.* mielleux.
ho'ni(n)gbij *v.(m.)* abeille *f.* domestique, mouche *f.* à miel.
ho'ni(n)gdauw *m.* miellat *m.*, miellée *f.*
ho'ni(n)gdrank *m.* hydromel *m.*
ho'ni(n)ggevend *b.n.* mellifère.
ho'ni(n)gkelk *m.* (*Pl.*) nectaire *m.*
ho'ni(n)gklaver *v.(m.)* (*Pl.*) mélilot *m.*
ho'ni(n)gkoek *m.* gâteau *m.* au miel.
ho'ni(n)gpot *m.* pot *m.* à miel. [—.
ho'ni(n)graat *v.(m.)* rayon *m.* de miel, gâteau *m.*
ho'ni(n)gsap *o.* suc *m.* de miel.
ho'ni(n)gsuiker *m.* sucre *m.* de miel.
ho'ni(n)gwater *o.* eau *f.* miellée. [vierge.
ho'ni(n)gzeem *o. en m.* miel *m.* de goutte, —
ho'ni(n)gzoet *b.n.* doux comme (le) miel, mielleux.
honk *o.* **1** but *m.*; **2** (*hoek, schuilplaats*) coin, poste *m.*; **3** (*tehuis*) logis *m.*; ***bij — blijven,*** rester chez soi; être casanier; ***van — zijn,*** être absent.
honk'bal *o.* base-ball *m.*, balle *f.* au poing.
honkvast' *b.n.* casanier.
hon'nig *b.n.* (*fam.*) gentil, charmant, mignon.
honora'rium *o.* honoraires *m.pl.*
honore'ren *ov.w.* **1** (*werk, enz.*) rétribuer, rémunerer; **2** (*wissel*) honorer, faire bon accueil à.
hoofd *o.* **1** tête *f.*; **2** (*persoon*) chef *m.*; **3** (*v. brief*) en-tête*, titre *m.*; **4** (*geest, verstand*) tête, cervelle *f.*, cerveau *m.*; esprit *m.*; **5** (*haven—*) jetée *f.*; ***het — der school,*** le directeur de l'école; ***van het — tot de voeten,*** des pieds à la tête; ***een — groter zijn dan,*** dépasser qn. de la tête; ***met opgeheven***

—, la tête haute; ***met het — voorover,*** la tête la première; ***met het — in de nek,*** la tête tendue en arrière; ***het — laten hangen,*** baisser la tête; être découragé; ***het — bedekken,*** se couvrir, coiffer la tête; ***het — ontbloten,*** se découvrir; ***boven het — groeien,*** surpasser qn.; ***naar het — stijgen,*** entêter, monter à la tête; ***het — stoten,*** échouer; (*fig.*) essuyer un refus; ***iem. voor het — stoten,*** froisser qn., blesser qn.; ***iem. het — op hol brengen,*** tourner la tête à qn.; ***zich voor 't — schieten,*** se brûler la cervelle; ***iets over 't — zien,*** négliger qc.; ***dat heb ik over 't — gezien,*** je ne l'ai pas remarqué; ***aan het — van de tafel,*** au haut bout de la table; ***aan het — v. d. brief,*** en tête de la lettre; ***aan het — staan van,*** être à la tête de; ***niet goed bij het — zijn,*** avoir le cerveau dérangé; ***zwaar in het — zijn,*** avoir la tête lourde; ***ergens een zwaar — over in hebben,*** voir les choses au pis; ***hij weet niet wat hem boven 't — hangt,*** il ne sait pas ce qui le menace; ***iem. iets uit het — praten,*** dissuader qn. de qc.; ***uit zijn — leren,*** apprendre par cœur; ***uit zijn — opzeggen,*** réciter de mémoire; ***uit het — spelen,*** jouer sans notes; jouer de mémoire; ***zijn eigen — volgen,*** n'en faire qu'à sa tête; ***het in zijn — krijgen om,*** s'aviser de; ***uit —e van,*** pour cause de, en raison de; ***uit dien —e,*** pour ce motif, pour cette raison, de ce chef; ***zich muizenissen in 't — halen,*** se mettre martel en tête; ***zich het — breken met,*** se rompre la tête à; ***het — boven water houden,*** se maintenir; ***het — bieden aan,*** tenir tête à; ***hij is zijn — kwijt,*** sa tête n'y est plus; ***het — verliezen,*** perdre la contenance; ***zijn — staat er niet naar,*** il n'a pas la tête (*of* l'esprit) à ça; ***de —en bij elkaar steken,*** se concerter, comploter; ***het — van jut,*** une tête de Turc; ***zoveel —en, zoveel zinnen,*** autant de têtes, autant d'avis.

hoofd'aanlegger *m.* auteur *m.* principal.
hoofd'aanvoerder *m.* chef *m.*, général *m.* en chef.
hoofd'ader *v.*(*m.*) **1** (*v. het hoofd*) veine *f.* céphalique; **2** (*voornaamste a.*) veine *f.* principale; **3** (*fig.*) grande artère *f.*
hoofd'afdeling *v.* **1** section *f.*; **2** (*Dk.*) embranchement *m.*
hoofd'agent *m.* agent *m.* principal, — général.
hoofd'akte *v.*(*m.*) brevet *m.* supérieur.
hoofd'altaar *o. en m.* maître*-autel* *m.*
hoofd'ambtenaar *m.* haut fonctionnaire *m.*
hoofd'arbeid *m.* travail *m.* intellectuel.
hoofd'arbeider *m.* travailleur *m.* intellectuel.
hoofd'artikel *o.* **1** article *m.* principal; **2** (*in dagblad*) article *m.* de fond, éditorial *m.*
hoofd'balk *m.* **1** (*v. huis*) maîtresse *f.* poutre; **2** (*v. schip*) architrave *f.*
hoofd'beginsel *o.* premier principe *m.*
hoofd'begrip *o.* idée *f.* principale, — fondamentale.
hoofd'bestanddeel *o.* élément *m.* principal; partie *f.* constituante.
hoofd'bestuur *o.* direction *f.* centrale, comité *m.* central; bureau *m.* central.
hoofd'bestuurder *m.* membre *m.* du comité (*of* bureau) central, — de la direction.
hoofd'bewerker *m.* auteur *m.* principal.
hoofd'bewerking *v. **de vier —en,*** les quatre opérations *f.pl.* fondamentales, les quatre règles *f.pl.*
hoofd'bewoner *m.* principal locataire *m.*
hoofd'bezigheid *v.* occupation *f.* principale.
hoofd'boekhouder *m.* chef*-comptable* *m.*
hoofd'breken *o.* cassement *m.* de tête, casse-tête *m.*; ***dat heeft mij heel wat — gekost,*** cela m'a causé bien des soucis.
hoofd'brekend *b.n.* difficile, fatigant, qui vous casse la tête.
hoofd'bureau *o.* bureau *m.* central.
hoofd'commies, -kommies *m.* commis *m.* principal.
hoofd'commissariaat, -kommissariaat *o.*, — ***van politie*** (***te Parijs***), préfecture *f.* de police.
hoofd'commissaris, -kommissaris *m.* commissaire *m.* en chef.
hoofd'conducteur, -kondukteur *m.* chef *m.* de train.
hoofd'dader *m.* auteur *m.* principal.
hoofd'deksel *o.* coiffure *f.*, couvre-chef* *m.*
hoofd'denkbeeld *o.* idée *f.* fondamentale.
hoofd'depot *o. en m.* dépôt *m.* central.
hoofd'deugd *v.*(*m.*) principale vertu *f.*; ***de —en,*** les vertus *f.pl.* cardinales.
hoofd'deur *v.*(*m.*) grande porte *f.*, portail *m.*
hoofd'doek *m.* **1** coiffe *f.*, serre-tête *m.*; **2** (*in Indië*) madras, turban *m.*, mouchoir *m.* de tête.
hoofd'doel *o.* but *m.* principal.
hoofd'eigenschap *v.* propriété *f.* principale.
hoofd'eind(**e**) *o.* chevet *m.*
hoof'delijk *b.n.* par tête; ***—e omslag,*** taxe *f.*, impôt *m.* personnel; — ***onderwijs,*** enseignement individuel; ***—e stemming,*** vote par appel nominal.
hoof'deloos *b.n.* **1** sans tête; **2** (*fig.*) sans chef.
hoofd'figuur *v.*(*m.*) figure *f.* centrale; principal *m.*
hoofd'film *m.* grand film *m.*
hoofd'gebouw *o.* **1** bâtiment *m.* principal, édifice *m.* —; **2** (*v. woning*) corps *m.* de logis.
hoofd'gebrek *o.* défaut *m.* principal.
hoofd'gedachte *v.* idée *f.* principale.
hoofd'geld *o.* (impôt *m.* de) capitation *f.*
hoofd'gerecht *o.* **1** pièce *f.* de résistance; **2** (*fig.*) morceau *m.* de résistance, gros morceau.
hoofd'getal *o.* nombre *m.* cardinal.
hoofd'grond *m.* motif *m.* principal.
hoofd'haar *o.* cheveux *m.pl.*; chevelure *f.*
hoof'dig I *b.n.* **1** entêté, opiniâtre; **2** (*v. wijn*) capiteux; **II** *bw.* opiniâtrement.
hoof'digheid *v.* entêtement *m.*, opiniâtreté *f.*
hoofd'ingang *m.* entrée *f.* principale.
hoofd'ingenieur *m.* ingénieur *m.* en chef, — principal.
hoofd'inhoud *m.* résumé, sommaire *m.*, contenu *m.* principal.
hoofd'inspecteur, -inspekteur *m.* inspecteur *m.* en chef.
hoofd'kaas *m.* fromage *m.* de cochon.
hoofd'kantoor *o.* **1** bureau *m.* principal; **2** (*H.: bank, enz.*) siège *m.* principal; **3** (*post*) bureau *m.* central.
hoofd'kerk *v.*(*m.*) église *f.* principale; (*met kapittel*) (église) collégiale *f.*; (*in bisschopsstad*) cathédrale *f.*
hoofd'klerk *m.* commis *m.* principal.
hoofd'kleur *v.*(*m.*) couleur *f.* dominante, — principale.
hoofd'knik *m.* signe *m.* de tête.
hoofdkom-, *zie* ***hoofdcom-.***
hoofdkondukteur, *zie* ***hoofdconducteur.***
hoofd'kraan *v.*(*m.*) robinet *m.* principal.
hoofd'kussen *o.* oreiller *m.*
hoofd'kwartier *o.* quartier *m.* général.
hoofd'leiding *v.* **1** direction *f.* générale; **2** (*v. water, gas*) conduite *f.* principale; **3** (*el.*) conducteur *m.* principal.
hoofd'letter *v.*(*m.*) majuscule *f.*
hoofd'lijn *v.*(*m.*) grande ligne *f.*
hoofd'macht *v.*(*m.*) (*mil.*) gros *m.* (de l'armée).
hoofd'man *m.* **1** chef *m.*; **2** (*v. gilde*) doyen *m.*
hoofd'nummer *o.* pièce *f.* maîtresse.

hoofd'officier *m.* officier *m.* supérieur.
hoofd'onderscheid *o.* différence *f.* essentielle.
hoofd'onderwijzer *m.* instituteur *m.* en chef; directeur *m.* d'école.
hoofd'onderwijzersexamen, —eksamen *o.* examen *m.* pour le brevet supérieur. [tielle.
hoofd'oorzaak *v.*(*m.*) cause *f.* principale, — essen-
hoofd'opzichter *m.* inspecteur *m.* en chef.
hoofd'peluw *v.*(*m.*) traversin *m.*
hoofd'persoon *m.* personnage *m.* principal; héros *m.*, héroïne *f.*, protagoniste *m.-f.*
hoofd'pijn *v.*(*m.*) mal *m.* de tête; ***schele —,*** migraine *f.*; ***— hebben,*** avoir mal à la tête.
hoofd'pijnstillend *b.n.* antimigraineux.
hoofd'plaats *v.*(*m.*) chef*-lieu* *m.*
hoofd'postkantoor *o.* bureau *m.* central des postes. [gros lot *m.*
hoofd'prijs *m.* **1** premier prix *m.*; **2** (*in loterij*)
hoofd'punt *o.* point *m.* principal, — capital.
hoofd'redacteur, -redakteur *m.* rédacteur *m.* en chef; directeur *m.*
hoofd'redactie, -redaktie *v.* direction *f.*
hoofd'regel *m.* règle *f.* principale.
hoofd'rekenen *o.* calcul *m.* mental.
hoofd'rol *v.*(*m.*) premier rôle *m.*, rôle *m.* principal.
hoofd'schotel *m. en v.* **1** plat *m.* principal, — de résistance; **2** (*fig.*) gros morceau *m.*
hoofd'schudden *o.* hochement *m.* de tête.
hoofd'schuddend *bw.* en hochant (*of* en secouant) la tête.
hoofd'schuld *v.*(*m.*) (*H.*) dette *f.* principale.
hoofd'schuldenaar *m.* (*H.*) débiteur *f.* principal.
hoofd'schuldige *m.-v.* auteur *m.* principal.
hoofd'sieraad *o.* ornement *m.* de tête; diadème *m.* [total *m.*
hoofd'som *v.*(*m.*) capital *m.*; somme *f.* totale;
hoofd'stad *v.*(*m.*) capitale *f.*
hoofd'station *o.* gare *f.* centrale, — principale.
hoofd'stel *o.* têtière *f.* (de bride).
hoofd'stelling *v.* **1** thèse *f.* principale, — fondamentale; **2** (*mil.*) position *f.* principale.
hoofd'steuntje *o.* repose*-tête, appui*-tête *m.*; ***stoelen met —,*** des fauteuils à repose*-tête.
hoofd'straat *v.*(*m.*) grand-rue* *f.*, rue principale.
hoofd'studie *v.* étude *f.* principale.
hoofd'stuk *o.* chapitre *m.*
hoofd'tak *m.* **1** (*v. boom*) branche *f.* principale; **2** (*v. rivier*) bras *m.* principal.
hoofd'telwoord *o.* nombre *m.* cardinal.
hoofd't(h)ema *o.* thème *m.* principal.
hoofd'tooi *m.* ornement *m.* de tête; diadème *m.*
hoofd'toon *m.* **1** (*nat.*) son *m.* fondamental; **2** (*muz.*) tonique *f.*; **3** (*taalk.*) accent *m.* principal; **4** (*fig.: v. rede, enz.*) ton *m.* général.
hoofd'trek *m.* trait *m.* caractéristique, — principal; ***de —ken,*** les grandes lignes *f.pl.*; ***in —ken ontwerpen,*** ébaucher, esquisser.
hoofd'vak *o.* branche *f.* principale.
hoofd'verband *o.* bandage *m.* de la tête.
hoofd'verdeling *v.* division *f.* principale.
hoofd'verdienste *v.* **1** (*inkomen*) revenu *m.* principal; **2** (*vooraamste verdienste*) mérite *m.* principal, plus grand mérite. [principale.
hoofd'verkeersweg *m.* (grande) artère *f.*, artère
hoofd'verkenner *m.* chef scout *m.*
hoofd'verpleegster *v.* infirmière *f.* en chef.
hoofd'vertegenwoordiger *m.* agent *m.* général.
hoofd'wacht *v.*(*m.*) **1** (*mil.*) corps *m.* de garde; **2** (*sch.*) premier quart *m.*
hoofd'wassing *v.* lavage *m.* de (la) tête; shampooing *m.*
hoofd'weg *m.* route *f.* nationale, grand-route* *f.*
hoofd'werk *o.* **1** (*vooraamste werk*) œuvre *f.* principale; **2** (*hoofdarbeid*) travail *m.* intellectuel.
hoofd'wet *v.*(*m.*) loi *f.* fondamentale.
hoofd'windstreken *mv.* points *m.pl.* cardinaux.
hoofd'wond(e) *v.*(*m.*) blessure *f.* à la tête.
hoofd'woord *o.* **1** (*taalk.*) mot *m.* principal; **2** (*drukk.*) mot*-tête* *m.*, tête *f.* d'article.
hoofd'zaak *v.*(*m.*) chose *f.* principale, substance *f.*; ***de —,*** l'essentiel, le principal *m.*; ***in —,*** **1** au fond, essentiellement, en principe, en substance; **2** en grande partie.
hoofdza'kelijk I *b.n.* principal, essentiel; **II** *bw.* principalement, surtout.
hoofd'zee *v.*(*m.*) océan *m.*
hoofd'zeer *o.* séborrhée *f.*
hoofd'zetel *m.* siège *m.* principal.
hoofd'zin *m.* proposition *f.* principale.
hoofd'zonde *v.*(*m.*) péché *m.* capital.
hoofs *b.n.* courtois.
hoofs'heid *v.* courtoisie *f.*
hoog I *b.n.* **1** (*niet laag*) haut, élevé; **2** (*verheven*) éminent; **3** (*groot*) grand; **4** (*sterk, hevig*) fort, gros; **5** (*v. boord, japon, enz.*) montant; ***een hoge gast,*** un hôte illustre; ***hoge koorts,*** forte fièvre *f.*; ***het hoge noorden,*** l'extrême nord; ***een hoge rug,*** un dos rond; ***een hoge leeftijd,*** un âge avancé, un grand âge; ***de hoge raad,*** la cour de cassation; ***hoge zee,*** grosse mer, mer démontée; ***— water,*** marée *f.* haute; ***drie meter —,*** haut de trois mètres; ***dat is mij te —,*** cela me passe; ***het hoge woord is eruit,*** le grand mot est lâché; ***— spel spelen,*** jouer gros jeu, risquer gros; ***de hoge omes,*** les grosses légumes; ***een hoge eer,*** un honneur insigne; ***het —ste geluk,*** le bonheur suprême; ***de —ste bieder,*** (*H.*) le plus offrant; ***de hoge c,*** l'ut *m.* de poitrine; **II** *bw.* haut; hautement; ***— aangeschreven staan,*** être bien noté; ***— stijgen,*** monter haut; ***het — in het hoofd hebben,*** porter la tête haute; ***iets — opnemen,*** être offensé de qc.; ***— opgeven van,*** vanter; ***het — nodige,*** le strict nécessaire; ***het wordt — tijd,*** il est grand temps, il n'est que temps; **III** *z.n., o.* ***God in den hoge,*** le Très-Haut, le Roi des cieux; ***bij — en laag zweren,*** jurer ses grands dieux; ***een hoge,*** **1** un gros bonnet; (*fam.*) une grosse légume; **2** (*mil.*) un grand calot; un galonnard.
hoog'achten *ov.w.* estimer, vénérer; ***—d,*** (*brief*) Agréez, M., l'assurance de ma haute considération.
hoog'achting *v.* estime *f.*, respect *m.*, (haute) considération *f.*
hoog'adellijk *b.n.* de haute noblesse.
hoog'altaar *o.* maître*-autel* *m.*
hoog'bedaagd, hoog'bejaard *b.n.* fort âgé.
hoog'blauw *b.n.* (d'un) bleu vif.
hoog'blond *b.n.* d'un blond ardent.
hoog'bouw *m.* construction *f.* en hauteur.
hoog'conjunctuur, -konjunktuur *v.* conjoncture *f.* de prospérité.
hoog'dag *m.* grande fête *f.*
hoogdra'vend I *b.n.* pompeux, emphatique, boursouflé; **II** *bw.* ***— redeneren,*** pérorer.
hoogdra'vendheid *v.* emphase, enflure *f.*; style *m.* pompeux, — ampoulé.
hoog'druk *m.* impression *f.* en relief.
Hoog'duits *o.* (haut) allemand *m.*
hoog'edel(geboren) *b.n.* très noble.
hoog'eerwaarde *b.n.* révérend; ***Uw H—,*** Votre Révérence.
hoog'feest *o.* grande fête *f.* [quence.
hoog'frequent, -frekwent *b.n.* de haute fré-
hoog'gaand *b.n.* violent, excessif; ***—e ruzie,*** dispute vive.

hoog'geacht *b.n.* très estimé.
hoog'gebergte *o.* hautes montagnes *f.pl.*
hoog'geboren *b.n.* très noble, illustre.
hoog'geëerd *b.n.* très honoré.
hoog'geleerd *b.n.* très savant; ***een —e,*** un professeur d'Université.
hoog'geplaatst *b.n.* haut placé.
hoog'gerechtshof *o.* haute cour *f.*
hoog'geschat *b.n.* très estimé, fort apprécié.
hoog'gespannen *b.n.* **1** de haute fréquence; **2** (*fig.*) très tendu.
hoog'gestemd *b.n.* exalté; noble.
hooghar'tig *b.n.* hautain, fier, orgueilleux; ***— behandelen,*** traiter de haut.
hooghar'tigheid *v.* hauteur, fierté *f.*, orgueil *m.*
hoogheem'raad *m.* membre *m.* du conseil d'administration des digues, intendant *m.* des digues.
hoogheem'raadschap *o.* administration *f.* des digues. [son Altesse.
hoog'heid *v.* **1** grandeur, élévation *f.*; **2** ***Zijne —,***
hoog'houden *ov.w.* **1** tenir haut; **2** (*fig.*) maintenir, faire respecter.
hoogkonjunktuur, *zie* ***hoogconjunctuur.***
hoog'land *o.* plateau *m.*; ***de Schotse H—en,*** les Highlands.
hoog'lander *m.* **1** (*alg.*) montagnard *m.*; **2** (*Schotse —*) highlander *m.*
hoogle'raar *m.* professeur *m.* d'université; ***buitengewoon —,*** chargé *m.* de cours.
hoogle'raarsambt *o.* professorat *m.*
hoog'lied *o.* Cantique *m.* des Cantiques.
hoog'lopend *b.n.* violent.
hoog'mis *v.(m.)* grand-messe* *f.*
hoog'moed *m.* orgueil *m.*; ***— komt voor de val,*** l'orgueil est l'avant-coureur de la chute.
hoogmoe'dig *b.n.* orgueilleux; hautain, arrogant.
hoog'moedswaanzin *m.* folie *f.* des grandeurs, mégalomanie *f.*
hoogmo'gend *b.n.* très puissant, haut et puissant.
hoog'moleculair *b.n.* macromoléculaire.
hoog'nodig *b.n.* **1** absolument nécessaire, indispensable; **2** (*dringend*) urgent.
hoog'oven *m.* haut fourneau *m.*
hoog'ovenslak *v.(m.)* scorie *f.*, mâchefer *m.*
hoog'rood *b.n.* **1** (d'un) rouge vif; **2** (*v. gelaat*) haut en couleur; rubicond.
hoog'schatten *ov.w.* avoir en haute estime, estimer beaucoup; faire grand cas de.
hoog'schatting *v.* haute considération *f.*
hoog'spanning *v.* (*el.*) haute tension *f.* [sion.
hoog'spanningsdraad *m.* fil *m.* de haute ten-
hoog'springen *o.* saut *m.* en hauteur.
hoogst I *b.n.* **1** le plus haut; **2** (*opperste*) suprême; ***het —e geluk,*** le comble de bonheur, le bonheur suprême; ***het —e woord voeren,*** tenir le dé de la conversation; **II** *z.n., o.* ***het —e,*** ce qu'il y a de plus élevé; le point culminant; ***op het —,*** à son comble; ***op zijn —,*** tout au plus.
hoog'staand *b.n.* éminent. [posés *m.pl.*
hoogst'aangeslagenen *mv.* les plus haut im-
hoogstam'mig *b.n.* de haute futaie.
hoog'stand *m.* équilibre *m.*; ***een —je maken,*** faire l'arbre.
hoogst'biedende *m.* plus offrant *m.*
hoogst'dezelve *vnw.* Sa Majesté; Son Altesse.
hoogst'eigen *b.n.* ***in — persoon,*** en (propre) personne.
hoog'stens *bw.* tout au plus. [babilité.
hoogst'waarschijnlijk *bw.* selon toute pro-
hoog'te *v.* **1** hauteur *f.*; **2** (*boven zeespiegel*) altitude *f.*; **3** (*verhevenheid*) élévation, hauteur, éminence *f.*; **4** (*heuvel*) colline *f.*, coteau *m.*; ***in de — gaan,*** monter, s'élever; ***in de — steken,*** vanter, élever aux nues; ***op dezelfde —,*** à la même hauteur, au même niveau; ***zich op de — stellen,*** se mettre au courant (de); se renseigner; ***op de — zijn,*** être au courant, être à la hauteur, être à la page; ***op de — van de tijd,*** à la hauteur de son temps, dans le mouvement; ***goed op de — zijn,*** être bien informé (de); ***tot op zekere —,*** (*fig.*) jusqu'à un certain point; ***op de — van Blankenberghe,*** à la hauteur de B., au large de B.; ***iem. uit de — behandelen,*** traiter qn. de haut en bas. [(*aardr.*) parallèle *m.*
hoog'tecirkel *m.* **1** cercle *m.* de latitude; **2**
hoog'tedoorgang *m.* gabarit *m.*
hoog'tegrens *v.(m.)* plafond *m.*
hoog'telijn *v.(m.)* ligne *f.* de hauteur.
hoog'temeter *m.* altimètre *m.*
hoog'temeting *v.* altimétrie *f.*
hoog'tepunt *o.* **1** plus haut point *m.*, point culminant; **2** (*v. roem*) apogée *f.*; **3** (*v. ziekte*) crise *f.*
hoog'terecord, -rekord *o.* record *m.* d'altitude.
hoog'teroer *o.* gouvernail *m.* d'altitude, — de plongeon.
hoog'tesprong *m.* (*sp.*) saut *m.* en hauteur.
hoog'teverschil *o.* dénivellation *f.*
hoog'tevlucht *v.(m.)* vol *m.* à grande altitude.
hoog'tevrees *v.(m.)* phobie *f.* des hauteurs.
hoog'tezon *v.(m.)* **1** soleil *m.* d'altitude, — artificiel; **2** (*behandeling*) héliothérapie *f.*
hoog'tijd *m.* grande fête; solennité *f.*
hoog'veen *o.* hautes fagnes *f.pl.*
hoog'verheven *b.n.* sublime.
hoog'verraad *o.* haute trahison *f.*
hoog'vlakte *v.* plateau *m.*
hoog'vliegend *b.n.* **1** élevé, sublime; **2** (*stijl*) emphatique. [un aigle.
hoog'vlieger *m.* ***het is geen —,*** ce n'est pas
hoogwaar'dig *b.n.* vénérable; ***—e ertsen,*** minerai *m.* riche.
Hoogwaar'dige *o.* Saint-Sacrement *m.*
Hoogwaar'digheid *v.* Monseigneur *m.*; ***Zijne —,*** Sa Grandeur; ***Uwe —,*** Monseigneur. [taire *m.*
hoogwaar'digheidsbekleder *m.* haut digni-
hoogwa'terstand *m.* **1** grande crue *f.*, les hautes eaux *f.pl.*; **2** (*vloed*) marée *f.* haute.
hooi *o.* foin *m.*; ***het — binnenhalen,*** rentrer les foins; ***men moet niet te veel — op zijn vork nemen,*** qui trop embrasse, mal étreint; ***te — en te gras,*** de temps en temps, de temps à autre.
hooi'berg *m.* meule *f.* (de foin).
hooi'boter *v.(m.)* beurre *m.* d'hiver.
hooi'bouw *m.* fenaison *f.*
hooi'broei *m.* échauffement *m.* du foin.
hooi'en I *on.w.* faner, faire les foins; **II** *z.n.* ***het —,*** la fenaison.
hooi'er *m.* faneur *m.*
hooi'gat *o.* abat-foin *m.*
hooi'hark *v.(m.)* fauchet *m.*
hooi'kaas *m.* fromage *m.* d'hiver (*of* d'automne).
hooi'kist *v.(m.)* marmite *f.* norvégienne.
hooi'koorts *v.(m.)* fièvre *f.* des foins.
hooi'maand *v.(m.)* juillet *m.*
hooi'machine *v.* faneuse *f.*
hooi'mijt *v.(m.)* meule *f.*, tas *m.* de foin.
hooi'oogst *m.* fenaison *f.*, récolte *f.* des foins.
hooi'schelf *v.(m.)* meule *f.* de foin.
hooi'schuur *v.(m.)* fenil *m.*
hooi'tijd *m.* fenaison *f.*, époque *f.* des foins.
hooi'vork *v.(m.)* fourche *f.* à faner.
hooi'wagen *m.* **1** chariot *m.* à foin; **2** (*spin*) faucheur, faucheux *m.*

hooi'zolder *m.* fenil *m.*, grenier *m.* à foin.
hoon *m.* outrage *m.*, insulte *f.*
hoon'gelach *o.* ricanement *m.*, rire *m.* moqueur.
hoop I *m.* **1** tas, monceau, amas *m.*; **2** (*stapel*) pile *f.*; **3** (*fig.*) foule, troupe, multitude, masse *f.*; ***bij de — kopen,*** acheter en bloc, — en masse; ***de grote —,*** la masse; le vulgaire, le peuple; ***te — lopen,*** s'attrouper, se rassembler; **II** *v.(m.)* **1** (*deugd*) espérance *f.*; **2** (*bepaald*) espoir *m.*; ***— hebben,*** avoir quelque espoir; ***alle — hebben,*** être plein d'espoir; ***— koesteren,*** nourrir l'espoir; ***de — opgeven,*** renoncer à tout espoir; ***op — van zegen,*** en espérant le mieux; ***tussen — en vrees,*** entre la crainte et l'espérance; ***de Kaap de Goede H—,*** le Cap de Bonne Espérance; ***— doet leven,*** espérer c'est vivre.
hoop'vol *b.n.* **1** plein d'espoir; **2** (*veelbelovend*) promettant beaucoup.
hoor! tu sais, vous savez; ***ja —,*** oui-dà; ***neen —,*** mais non.
hoor'apparaat *o.* appareil *m.* acoustique, aide-ouïe *m.*
hoor'baar *b.n.* perceptible.
hoor'baarheid *v.* perceptibilité *f.*
hoor'buis *v.(m.)* cornet *m.* acoustique.
hoor'der *m.* auditeur *m.*
hoorn I, ho'ren *m.* **1** (*v. rund, auto, enz.*) corne *f.*; **2** (*v. hert*) bois *m.*; **3** (*muz.*) cor; cornet *m.*; (*mil.*) clairon *m.*; **4** (*tel.*) récepteur, cornet *m.*; ***op de — blazen,*** sonner du cor, — du clairon; ***de — van overvloed,*** la corne d'abondance; ***de —s opsteken,*** se cabrer, renâcler; ***te veel op zijn —s hebben,*** avoir trop de besogne; **II** *o.* (*stof*) corne *f.*
hoorn'aar *m.* frelon *m.*
hoorn'achtig *b.n.* corné.
hoorn'beest, ho'renbeest *o.* bête *f.* à cornes.
hoorn'blazer, ho'renblazer *m.* **1** (*mil.*) clairon *m.*; **2** (*in orkest*) corniste *m.*
hoor'nen *b.n.* de (*of* en) corne.
hoorn'geschal, ho'rengeschal *o.* **1** son *m.* du cor; **2** (*mil.*) les clairons *m.pl.*
hoorn'loos, ho'renloos *b.n.* sans cornes.
hoorn'schelp, ho'renschelp *v.(m.)* buccin *m.*
hoorn'signaal, ho'rensignaal *o.* sonnerie *f.*
hoorn'slak, ho'renslak *v.(m.)* limaçon *m.*
hoorn'slang, ho'renslang *v.(m.)* céraste *m.*
hoorn'uil, ho'renuil *m.* hibou *m.* cornu.
hoorn'vee, ho'renvee *o.* bêtes *f.pl.* à cornes.
hoorn'vlies *o.* cornée *f.*
hoorn'vliestransplantatie *v.* déplacement *m.* de cornée.
hoorn'weefsel *o.* substance *f.* cornée.
hoor'spel *o.* pièce *f.* radiophonique, scène *f.* —.
hoos *v.(m.)* **1** trombe *f.*; **2** (*op zee*) siphon *m.*, trombe *f.* d'eau.
hoos'gat *o.* ousseau, ossec *m.*, sentine *f.*
hoos'vat *o.* écope, sasse *f.*
hop I *v.(m.)* (*Pl.*) houblon *m.*; **II** *m.* (*Dk.*) huppe *f.*, coq *m.* puant; **III** *tw.* houp! hop!
hop'akker *m.* houblonnière *f.*
ho'peloos I *b.n.* désespéré, sans espoir; **II** *bw.* désespérément.
hopeloos'heid *v.* état *m.* désespéré.
ho'pen I *on.w.* espérer; ***— op God,*** espérer en Dieu; ***— op een beloning,*** s'attendre à (*of* espérer) une récompense; **II** *ov.w.* espérer; ***het beste ervan —,*** espérer le mieux; ***ik hoop dat hij genezen zal,*** j'aime à croire qu'il se rétablira; ***het is te —,*** espérons.
hop'je *o.* hopje *m.*; caramel *m.* au café; ***Haagse —s,*** caramels *m.pl.* de Hollande, hopjes *m.pl.*
hop'klaver *v.(m.)* (*Pl.*) lupuline *f.*
hop'man *m.* (*gesch.*) capitaine *m.*
hop'pen I *ov.w.* houblonner; **II** *z.n.* ***het —,*** le houblonnage.
hop'sasa! *tw.* hop!
hop'teelt *v.(m.)* culture *f.* du houblon.
hop'veld *o.* houblonnière *f.*
hor *v.(m.)* **1** treillis *m.*; **2** (*voor muggen*) moustiquaire *f.*
Hora'tius *m.* Horace *m.*
hor'de (*v.m.*) (*bende*) horde, bande *f.*
hor'denloop *m.* course *f.* de haies.
hore'ca(f)bedrijf *o.* industrie *f.* hôtelière.
hore'ca(f)personeel *o.* personnel *m.* hôtelier.
ho'ren I *ov.w.* **1** (*met oor waarnemen*) entendre; **2** (*vernemen*) apprendre; (*horen zeggen*) entendre dire; **3** (*verhoren*) (*gebed*) écouter; (*getuigen*) entendre, ouïr; ***wij hebben het van — zeggen,*** nous le savons par ouï-dire; ***u zult wel van mij —,*** vous aurez de mes nouvelles; ***hij laat niets van zich —,*** il ne donne point de ses nouvelles; ***hij wil er niet van —,*** il ne veut pas en entendre parler; ***ik wil er niets meer van —,*** ne m'en parlez plus, qu'on ne m'en parle plus; ***laat eens —!*** voyons! ***ik zal eens gaan —,*** je vais m'informer; **II** *on.w.* **1** entendre; **2** (*luisteren*) écouter; ***slecht —,*** avoir l'oreille dure, être dur d'oreille; ***goed*** (*of* ***scherp***) ***—,*** avoir l'oreille fine; ***wie niet — wil, moet voelen,*** dommage rend sage; **III** *z.n.*, *o.* ouïe *f.*; ***het — der getuigen (enz.),*** l'audition des témoins (etc.); ***na het — der getuigen,*** ouï les témoins; ***een leven dat — en zien vergaat,*** un tapage de tous les diables; **IV** *zie* ***hoorn I.***
horen-, *zie* ***hoorn-.***
ho'rizon(t) *m.* horizon *m.*
horizontaal' *b.n.* horizontal.
hor'lepijp *v.(m.)* hornpipe *f.*
horlo'ge *o.* montre *f.*; ***op zijn — kijken,*** regarder sa montre, regarder l'heure à sa montre; ***zijn — opwinden,*** remonter sa montre.
horlo'gearmband *m.* montre*-bracelet* *f.*
horlo'geband *m.* cordon *m.* de montre.
horlo'geglas *o.* verre *m.* de montre.
horlo'gehandel *m.* horlogerie *f.*
horlo'gehanger *m.* porte-montre *m.*
horlo'gekast *v.(m.)* boîte *f.* de montre.
horlo'geketting *m.* en *v.* chaîne *f.* de montre.
horlo'gemaker *m.* horloger *m.*
horlo'geplaat *v.(m.)* cadran *m.*
horlo'gesleutel *m.* clef *f.* de montre.
horlo'gestandaard *m.* porte-montre *m.*
horlo'geveer *v.(m.)* ressort *m.* de montre.
horlo'gezakje *o.* gousset *m.*
hormo(o)n *o.* hormone *f.*
hormoon'preparaat *o.* médicament *m.* hormonal.
horoscoop, horoskoop' *m.* horoscope *m.*
horoscoop'trekken, horoskoop'trekken *o.* horoscopie *f.*
horoscoop'trekker, horoskoop'trekker *m.* faiseur *m.* d'horoscopes.
hor'relvoet *m.* pied *m.* bot.
hor'retje *o.* treillis *m.*
hort 1 *m.* heurt, choc *m.*, secousse *f.*; ***met —en en stoten,*** par cahots et secousses, à bâtons rompus, par saccades; ***spreken met —en en stoten,*** parler d'une voix saccadée; **2** ***hij is altijd op de —,*** il est toujours par voies et par chemins.
hor'ten *on.w.* heurter; discontinuer.
hor'tend *b.n.* saccadé.
Horten'sia *v.* Hortense *f.*
horten'sia *v.(m.)* (*Pl.*) hortensia *m.*
hortula'nus *m.* directeur *m.* du jardin botanique.
hor'tus *m.* jardin *m.* botanique, — des plantes.
hor'zel *v.(m.)* frelon, taon *m.*

hos'pes *m.* **1** hôte, propriétaire, bourgeois *m.*; **2** (*v. herberg*) hôte, aubergiste *m.*
hos'pita *v.* hôtesse, propriétaire, bourgeoise *f.*
hos'pitaal *o.* hôpital *m.* (militaire).
hos'pitaaldienst *m.* (*mil.*) service *m.* hospitalier.
hos'pitaaldoek *o.* toile *f.* cirée.
hos'pitaalkoorts *v.(m.)* fièvre *f.* d'hôpital.
hos'pitaallinnen *o.* toile *f.* d'hôpital, — imperméable — caoutchoutée.
hos'pitaalridder *m.* hospitalier *m.*
hos'pitaalschip *o.* bateau*-hôpital* *m.*
hos'pitaalsoldaat *m.* infirmier *m.* militaire.
hos'pitaaltrein *m.* train *m.* sanitaire.
hospitant' *m.* auditeur *m.* (libre).
hospite'ren *on.w.* assister à un cours (facultatif).
hospi'tium *o.* hospice *m.*
hos'sebossen *on.w.* cahoter, secouer.
hos'sen *on.w.* **1** sauter, gambader, danser; **2** (*v. kar*) cahoter.
hos'tie *v.* hostie *f.*
hos'tiekelk *m.* ciboire *m.*
hot I *v.(m.)* lait *m.* caillé; **II** *tw.* hue! ***hij weet van — noch haar,*** il ne sait ni A ni B.
hotel' *o.* hôtel *m.*
hotel'bedrijf *o.* industrie *f.* hôtelière, hôtellerie *f.*
hotel'houder *m.* hôtelier *m.*
hotel'kamer *v.(m.)* chambre *f.* d'hôtel.
hotel'rat *v.(m.)* rat *m.* d'hôtel.
hotel'rekening *v.* note *f.* d'hôtel, addition *f.*
hotel'schakelaar *m.* va-et-vient *m.*
hotel'school *v.(m.)* école *f.* hôtelière.
hotel'wezen *o.* hôtellerie *f.*, industrie *f.* hôtelière.
hot'sen *on.w.* cahoter, secouer.
hot'ten *on.w.* se cailler, se coaguler, tourner.
Hot'tentot *m.* Hottentot *m.*
Hot'tentots I *b.n.* hottentot; **II** *z.n.* ***het —,*** le hottentot.
hou I *b.n.* ***— en trouw,*** fidèle et loyal; **II** *tw.* arrête! halte(-là)!
houd'baar *b.n.* **1** tenable; **2** (*fig.*) soutenable.
hou'den I *ov.w.* **1** (*alg.*) tenir; **2** (*bezitten*) avoir, posséder; (*record*) détenir; **3** (*behouden; niet verlaten*) tenir, garder; **4** (*bevatten*) contenir, renfermer; ***een redevoering —,*** prononcer un discours, faire —; ***duiven —,*** élever des pigeons; ***kostgangers —,*** recevoir des hôtes; ***zijn mond —,*** tenir sa langue; ***in 't geheugen —,*** retenir; ***de wacht —,*** monter la garde; ***zijn waarde —,*** garder sa valeur; ***zijn woord niet —,*** manquer à sa parole; ***een zaak slepende —,*** tirer une affaire en longueur; ***het met de vijand —,*** être d'intelligence avec l'ennemi; ***ik houd het met u,*** je suis de votre avis; ***hij kon zijn lachen niet —,*** il ne pouvait se tenir de rire; ***de prijzen laag —,*** maintenir bas les prix; ***in het oog —,*** ne pas perdre de vue; ***een boek in de hand —,*** avoir un livre à la main; ***ik houd hem voor een Engelsman,*** je le prends pour un Anglais; ***iets voor zich —,*** (*verzwijgen*) taire qc.; ***zijn gedachten er bij —,*** avoir la tête à la besogne; ***uit elkaar —,*** distinguer; ***ik ben daartoe niet gehouden,*** je n'y suis pas tenu; ***houdt de dief!*** au voleur! **II** *ov.w.* tenir; ***— van,*** aimer; ***meer — van,*** aimer mieux, préférer; ***rechts —,*** tenir la droite; ***die koopman kan het niet —,*** ce marchand ne peut se tenir debout; ***de zieke zal het niet lang meer —,*** le malade n'en a plus pour longtemps; **III** *w.w.* ***zich —,*** se tenir; ***zich aan de voorschriften —,*** se conformer aux instructions; ***hij weet nu waaraan zich te —,*** il sait à quoi s'en tenir; ***zich staande —,*** se maintenir; ***zich er buiten —,*** se tenir à l'écart; ***zich dood —,*** faire le mort; ***zich doof —,*** faire la sourde oreille; ***zich goed —,*** **1** (*v. personen*) (*bedwingen*) maîtriser son émotion; (*lach—*) garder son sérieux; (*zich flink —*) se bien tenir; (*stand houden*) tenir bon; (*vastberadenheid tonen*) faire bonne contenance; **2** (*v. waren*) se conserver, se garder (bien); ***zich — alsof,*** faire semblant de; ***zich onzijdig —,*** rester neutre; ***zich stil —,*** se tenir tranquille; ***zich zelf voor een groot dichter —,*** se croire grand poète; **IV** *z.n., o.* ***met al zijn hebben en —,*** avec tout son saint-frusquin; ***er was geen — aan,*** il n'y avait pas moyen de le(s) retenir.
hou'der *m.* **1** (*alg.*) porteur *m.*; **2** (*v. café, speelhuis, enz.*) tenancier *m.*; **3** (*v. aandeel*) détenteur *m.*; **4** (*v. aandeel op naam, v. pas*) titulaire *m.*; **5** (*bewaarder*) dépositaire *m.*
hou'ding *v.* **1** (*alg.*) attitude; tenue *f.*; **2** (*bij het gaan*) démarche, allure *f.*; **3** (*voorkomen; manieren*) maintien *m.*; **4** (*handelwijze*) attitude *f.*, façon *f.* d'agir; **5** (*gedrag*) conduite *f.*; ***de — der troepen,*** la tenue des troupes; ***de — aannemen,*** (*mil.*) prendre la position de garde à vous; ***in de —,*** (*mil.*) au port d'armes; ***een — aannemen,*** prendre une attitude; ***een afwachtende — aannemen,*** rester dans l'expectative; ***zich een — geven,*** se donner une contenance; ***liggende —,*** position couchée, — allongée; ***zittende —,*** position assise; ***staande —,*** position debout.
House of Lords *o.* Chambre *f.* des Lords.
hout *o.* bois *m.*; ***een —,*** une pièce de bois; ***groen —,*** bois vert; ***dor —,*** bois mort; ***hoogstammig —,*** (haute) futaie *f.*; ***op het — kopen,*** acheter sur pied; ***alle — is geen timmerhout,*** tout bois n'est pas bon à faire flèche; ***dat snijdt geen —,*** cela ne tient pas debout, ce raisonnement ne vaut.
hout'aankap *m.* **1** coupe *f.* (de bois); **2** (*bosontginning*) exploitation *f.* forestière.
hout'achtig *b.n.* ligneux.
hout'as *v.(m.)* cendre *f.* de bois.
hout'azijn *m.* vinaigre *m.* de bois.
hout'bestrating *v.* pavage *m.* en bois.
hout'bewerker *m.* ouvrier *m.* de bois.
hout'blok *o.* bille *f.*, billot *m.*; (*v. open haard*) bûche *f.*
hout'cel *v.(m.)* cellule *f.* ligneuse.
hout'draaier *m.* tourneur *m.* en bois.
hout'druk *m.*, **hout'drukkunst** *v.* xylographie *f.*
hout'duif *v.(m.)* ramier *m.*
hou'ten *b.n.* de (of en) bois; ***— hamer,*** maillet *m.*; ***— vloer,*** plancher *m.*
hou'terig I *b.n.* raide, gauche; **II** *bw.* avec raideur, gauchement.
hou'terigheid *v.* raideur *f.*
hout'geest *m.* esprit *m.* de bois, alcool *m.* méthylique.
hout'gewas *o.* bois *m.* taillis.
hout'graniet *o.* xylolithe *f.*, granité *m.*
hout'gravure *v.(m.)* gravure *f.* sur bois.
hout'hak *m.* coupe *f.*
hout'hakken *o.* coupe *f.* (du bois).
hout'hakker *m.* bûcheron *m.*
hout'handel *m.* commerce *m.* de bois.
hout'handelaar *m.* marchand *m.* de bois.
hout'haven *v.(m.)* bassin *m.* au bois.
hout'je *o.* morceau *m.* de bois; ***iets op zijn eigen — doen,*** faire qc. de son propre chef; ***hij moet op een — bijten,*** il n'a rien à se mettre sous la dent.
hout'kever *m.* perce-bois, lignivore *m.*
hout'koper *m.* marchand *m.* de bois.
hout'laag *v.(m.)* couche *f.* ligneuse.
hout'lijm *m.* colle *f.* forte.
hout'luis *v.(m.)* horloge *f.* de la mort.
hout'mijt *v.(m.)* pile *f.* de bois, bûcher *m.*
hout'opstand *m.* bois *m.* sur pied.

hout'pap *v.(m.)* pâte *f.* de bois.
hout'papier *o.* papier *m.* de pulpe de bois.
hout'pulp *v.(m.)* pâte *f.* de bois.
hout'rijk *b.n.* très boisé.
hout'schroef *v.(m.)* vis *f.* à bois.
hout'schuur *v.(m.)* hangar *m.* au bois.
houts'kool *v.(m.)* **1** *(om te branden)* charbon *m.* de bois; braise *f.*; **2** *(om te tekenen)* fusain *m.*, charbon *m.* à dessiner.
houts'kooltekening *v.* fusain *m.*
hout'slijp *o.* sciure *f.* de bois.
hout'sne(d)e *v.(m.)* gravure *f.* sur bois; bois *m.*
hout'snijder *m.* graveur *m.* sur bois.
hout'snijkunst *v.*, **hout'snijwerk** *o.* sculpture *f.* sur bois.
hout'snip *v.(m.)* **1** *(Dk.)* bécasse *f.*; **2** *(brood met kaas)* sandwich *m.*
hout'soort *v.(m.)* **1** *(aan de boom)* essence *f.* (de bois); **2** *(anders)* bois *m.*
hout'spaander *m.* **1** copeau *m.*; **2** *(bij 't vellen)* bûchette *f.*
hout'splinter *m.* éclat *m.* de bois.
hout'stapel *m.* pile *f.* de bois, bûcher *m.*
hout'teelt *v.(m.)* culture *f.* des bois, sylviculture *f.*
hout'teer *m. en o.* goudron *m.* végétal.
hout'tuin *m.* chantier *m.*
hout'veiling, hout'verkoping *v.* vente *f.* de [bois.
hout'vester *m.* garde *m.* forestier.
houtvesterij' *v.* **1** économie *f.* forestière; **2** district *m.* forestier.
hout'vestersschool *v.(m.)* école *f.* forestière.
hout'vezel *v.(m.)* fibre *f.* ligneuse.
hout'vezelplaat *v.(m.)* plaque *f.* (*of* panneau *m.*) en fibre de bois.
hout'vijl *v.(m.)* râpe *f.* à bois.
hout'vlot *o.* train *m.* de bois, radeau *m.*
hout'vlotter *m.* flotteur *m.*
hout'vrij *b.n.* ***— papier,*** papier de chiffon.
hout'vuur *o.* feu *m.* de bois.
hout'waren *mv.* objets *m.pl.* en bois.
hout'werf *v.(m.)* entrepôt *m.* de bois.
hout'werk *o.* **1** *(aan gebouw)* charpente; boiserie *f.*; *(lambrizering)* lambris *m.*; **2** *(in mijn)* boisage *m.*
hout'werker *m.* ouvrier *m.* en bois.
hout'wol *v.(m.)* fibre *f.* de bois.
hout'worm *m.* perce-bois, xylophage *m.*
hout'zaag *v.(m.)* scie *f.* à bois.
hout'zaagmolen *m.* **1** scierie *f.*; **2** moulin *m.* à [scier.
hout'zager *m.* scieur *m.* de bois.
houtzagerij' *v.* scierie *f.*
hout'zolder *m.* grenier *m.* au bois, bûcher *m.*
houvast' *o.* **1** *(kram)* crampon, tenon *m.*; **2** *(fig.)* prise *f.*; ***— hebben,*** avoir prise, trouver un appui à.
houw *m.* **1** *(met bijl, sabel, enz.)* coup *m.*; **2** *(snede in 't gelaat)* balafre *f.*; **3** *(litteken)* cicatrice *f.*; **4** *(insnijding)* entaille *f.*
houw'bijl *v.(m.)* cognée, hache *f.*
houw'blok *o.* billot, hachoir *m.*
houw'degen *m.* **1** espadon *m.*; **2** *(fig.: persoon)* sabreur *m.*
houweel' *o.* **1** pioche *f.*; **2** *(landbouwwerktuig)* [houe *f.*
hou'wen I *ov.w.* **1** *(vlees, enz.)* couper; **2** *(steen)* tailler; **3** *(hakken)* hacher; **4** *(kloven)* fendre; ***het hoofd van de romp —,*** trancher la tête; **II** *on.w.* couper, frapper.
hou'wer *m.* **1** coutelas, sabre *m.*; **2** *(snoeimes, hakmes)* serpe, serpette *f.*; **3** *(persoon)* sabreur *m.*; **4** *(in mijn)* piqueur, rebatteur *m.*
houwit'ser *m.* obusier *m.*
houwit'sergranaat *v.(m.)* obus *m.*
hovaar'dig I *b.n.* orgueilleux; **II** *bw.* orgueilleusement.
hovaar'digheid, hovaardij' *v.* orgueil *m.*
ho'veling *m.* courtisan *m.*
hovenier' *m.* jardinier *m.*
hovenie'ren *on.w.* jardiner, travailler au jardin.
ho'ving *v.* jardin *m.*
ho'zebek *m.* baudroie *f.*
ho'zen I *ov.w.* écoper; **II** *on.w.* vider l'eau.
hu! *tw.* hue!
Huber'tus *m.* Hubert *m.*
Hu'genoot *m.* huguenot *m.*
Hu'go *m.* Hugues *m.*
hui *v.(m.)* petit*-lait* *m.*
Hui'bert *m.* Hubert *m.*
hui'chelaar *m.*, **hui'chelaarster** *v.* hypocrite *m.-f.*, grippeminaud *m.*
hui'chelachtig I *b.n.* hypocrite; **II** *bw.* hypocrite- [ment.
hui'chelachtigheid *v.* hypocrisie *f.*
huichelarij' *v.* hypocrisie *f.*
hui'chelen I *ov.w.* feindre, simuler; **II** *on.w.* feindre, dissimuler, faire d'hypocrite; **III** *z.n.*, ***het —,*** la dissimulation, l'hypocrisie *f.*
huid *v.(m.)* **1** peau *f.*; **2** *(v. schip)* bordages *m.pl.* extérieurs; ***gezouten —en,*** peaux salées; ***gelooide —en,*** peaux tannées; ***de — aftrekken,*** écorcher; ***iem. de — vol schelden,*** chanter pouilles à qn., accabler qn. d'injures, engueuler qn.; ***met — en haar verslinden,*** avaler tout cru; ***zijn — duur verkopen,*** vendre chèrement sa vie; ***nat tot op de —,*** trempé jusqu'aux os; ***iem. op zijn — geven,*** rosser qn.
huid'aandoening *v.* dermatose *f.*
huid'arts *m.* dermatologiste *m.*
hui'denhandel *m.* peausserie *f.*
hui'denkoper *m.* marchand *m.* de peaux, peaus- [sier *m.*
hui'dig *b.n.* d'aujourd'hui, de nos jours, actuel; ***de —e dag,*** aujourd'hui; ***ten —en dage,*** actuellement.
huid'kleur *v.(m.)* teint *m.*, couleur *f.* de la peau.
huid'klier *v.(m.)* glande *f.* cutanée.
huid'uitslag *m.* éruption *f.*, eczéma *m.*
huid'vlek *v.(m.)* tache *f.* sur la peau.
huid'zenuw *v.(m.)* nerf *m.* cutané.
huid'ziekte *v.* maladie *f.* de la peau; ***leer van de —n,*** dermatologie *f.*
huif *v.(m.)* **1** *(kap)* coiffe *f.*; **2** *(v. kar)* bâche, banne *f.*; **3** *(v. valk)* chaperon *m.*
huif'kar *v.(m.)* charrette *f.* à bâche.
huig *v.(m.)* luette *f.*; ***iem. (van) de — lichten,*** **1** remettre la luette à qn.; **2** *(fig.)* soutirer de l'argent à qn., escroquer qn.
huik *v.(m.)* cape *f.*, capuchon *m.*; ***de — naar de wind hangen,*** tourner à tout vent.
huil'bui *v.(m.)* crise *f.* de larmes.
hui'lebalk *m.* pleurnicheur, pleurard, larmoyeur *m.*
hui'lebalken *on.w.* pleurnicher.
hui'len I *on.w.* **1** *(v. kind)* pleurer; pleurnicher; **2** *(grienen)* larmoyer; **3** *(v. wolf, hond)* hurler; **4** *(v. wind)* siffler, hurler, mugir; ***— met de wolven in het bos,*** hurler avec les loups; ***zij huilt gemakkelijk,*** elle a la larme facile; **II** *z.n.* ***het —,*** **1** les pleurs *m.pl.*; **2** le hurlement.
hui'lend *b.n.* en larmes.
hui'lerig *b.n.* **1** pleurard, pleurnicheur; **2** *(v. toon)* larmoyant.
huil'partij *v.* pleurerie *f.*
huil'toon *m.* ton *m.* larmoyant, — pleureur.
huis *o.* **1** *(alg.)* maison *f.*; **2** *(woning)* demeure *f.*, logis, immeuble *m.*; **3** *(heren—)* hôtel *m.*; **4** *(firma)* maison *f.* (de commerce); **5** *(geslacht)* maison, famille *f.*; **6** *(v. slak)* coquille *f.*; *(v. schildpad)* carapace *f.*; **7** *(v. kompas)* habitacle *m.*; ***gesloten —,*** maison bourgeoise; ***— van bewaring,*** maison d'arrêt;

van goeden huize, de bonne famille; ***van — gaan,*** sortir; ***naar — gaan,*** rentrer; ***naar — schrijven,*** écrire à sa famille; ***iem. naar — sturen,*** renvoyer qn.; ***ik kom van uw —,*** je viens de chez vous; ***van — afhalen,*** enlever à domicile; ***aan — geleverd,*** rendu à domicile; ***— en erf,*** maison avec ses dépendances; ***vrij aan —,*** franco à domicile; ***men kan huizen op hem bouwen,*** on peut faire fond sur lui; ***elk — heeft zijn kruis,*** chacun a sa croix; ***een eigen — hebben,*** avoir pignon sur rue.
huis'akte *v.(m.)* diplôme *m.* privé.
huis'altaar *o.* autel *m.* domestique.
huis'apot(h)eek *v.* pharmacie *f.* de famille, — portative, armoire *f.* à pharmacie.
huis'arbeid *m.* travail *m.* à domicile.
huis'archief *o.* archives *f.pl.* privées.
huis'arrest *o.* arrêts *m.pl.*; ***hij heeft —,*** il est consigné chez lui.
huis'arts *m.* médecin *m.* ordinaire, — de la [famille.
huis'baas *m.* propriétaire *m.*
huis'bakken *b.n.* terre à terre, banal, de tous les jours; ***— brood,*** pain de ménage.
huis'bediende *m.-v.* domestique *m.-f.*
huis'bewaarder *m.* gardien *m.* (d'une maison).
huis'bezoek *o.* visite *f.* (à domicile), visite pastorale; ***de pastoor is op —,*** le curé fait sa tournée pastorale.
huis'bijbel *m.* bible *f.* de famille.
huis'braak *v.(m.)* effraction *f.*
huis'brand *m.* combustibles *m.pl.*, charbons *m.pl.* domestiques.
huis'brandolie *v.(m.)* pétrole *m.* de chauffage, mazout *m.* domestique.
huis'collecte, -kollekte *v.(m.)* quête *f.* de porte en porte.
huis'deur *v.(m.)* porte *f.* d'entrée, — de la maison; ***hij stond aan zijn —,*** il se tenait sur le seuil (*of* le pas) de sa porte.
huis'dier *o.* animal *m.* domestique.
huis'dokter *m.* médecin *m.* de la famille, — ordinaire, — de médecine générale.
huis'duif *v.(m.)* pigeon *m.* domestique.
huis'eigenaar *m.* propriétaire *m.*
hui'selijk I *b.n.* **1** (*betrekking hebbende op het huis*) domestique; du ménage; de famille; **2** (*zijn genoegen thuis zoekend*) casanier, qui se plaît chez lui; **3** (*gezellig*) confortable, intime, agréable; ***een — man,*** un homme d'intérieur; ***de —e haard,*** le foyer; ***in de —e kring,*** en famille, au sein de la famille; **II** *bw.* sans cérémonie; en famille.
hui'selijkheid *v.* vie *f.* de famille, goût *m.* du foyer.
huis'gas *o.* gaz *m.* domestique.
huis'genoot *m.* **1** membre *m.* de la famille, — de la maison; **2** (*medebewoner*) colocataire *m.-f.*; **3** (*kostganger*) pensionnaire *m.-f.*; ***de huisgenoten,*** les gens de la maison. [—.
huis'gewaad *o.* robe *f.* d'intérieur, vêtement *m.*
huis'gezin *o.* famille *f.*
huis'goden *mv.* pénates, (dieux) lares *m.pl.*
huis'heer *m.* propriétaire *m.*
huis'hen *v.* **1** poule *f.* domestique; **2** (*fig.*) personne *f.* casanière, femme *f.* pot-au-feu.
huis'houdbeurs *v.(m.)* **1** bourse *f.* de la ménagère; **2** foire *f.* des ménagères.
huis'houdboek *o.* livre *m.* de ménage.
huishou'delijk *b.n.* **1** ménager, de ménage; **2** (*spaarzaam*) économe; ***—e artikelen,*** articles de ménage; ***voor — gebruik,*** pour l'usage journalier; ***— reglement,*** règlement (d'ordre) intérieur; ***—e vergadering,*** réunion ordinaire (privée).
huis'houden I *on.w.* **1** faire le ménage; ***zij kan goed —,*** elle est bonne ménagère; **2** commettre des excès, se livrer aux (pires) excès; **II** *z.n.*, *o.* ménage *m.*; ***een — opzetten,*** monter son ménage, entrer en ménage; ***een — van Jan Steen,*** la cour du roi Pétaud.
huis'houdgeld *o.* argent de (*of* pour le) ménage *m.*
huis'houding *v.* ménage *m.*, direction *f.* d'un ménage, gestion *f.* —.
huis'houdjam *m. en v.* confiture *f.*
huis'houdkunde *v.* économie *f.* (domestique).
huis'houdkundig *b.n.* ménager; versé dans l'économie. [ger.
huis'houdonderwijs *o.* enseignement *m.* ména-
huis'houdschool *v.(m.)* école *f.* ménagère.
huis'houdschort *v.(m.) en o.* tablier *m.* à bretelles.
huis'houdster *v.* **1** (*huisvrouw*) ménagère *f.*; **2** (*bij heer*) gouvernante *f.*
huis'houdzeep *v.(m.)* savon *m.* de ménage.
huis'huur *v.(m.)* loyer *m.*
huis'industrie *v.* industrie *f.* à domicile.
huis'japon *m.* robe *f.* d'intérieur, — de maison.
huis'jasje *o.* veston *m.* d'intérieur, pet-en-l'air *m.*
huis'jesmelker *m.* propriétaire *m.* de maisons ouvrières; (*fam.*) proprio, vautour *m.*
huis'jesslak *v.(m.)* limaçon, colimaçon, escargot *m.*
huis'kamer *v.(m.)* salle *f.* à manger, — de séjour; petit salon *m.*; pièce *f.* commune.
huis'kapel *v.(m.)* chapelle *f.* privée, oratoire *m.*
huis'klok *v.(m.)* pendule *f.* [m.
huis'knecht *m.* valet *m.* de chambre, domestique
huis'kollekte, *zie* ***huiscollecte.***
huis'krekel *m.* grillon *m.*; (*fam.*) cricri *m.* [m.
huis'leraar *m.* précepteur *m.*; (*vroeger*) gouverneur
huis'meester *m.* intendant *m.* (de la maison).
huis'middeltje *o.* remède *m.* de bonne femme.
huis'moeder *v.* mère *f.* de famille.
huis'moederlijk *b.n.* maternel.
huis'mus *v.(m.)* **1** moineau, passereau *m.*; **2** (*fig.*) personne *f.* casanière.
huis'naaister *v.* couturière *f.* à la journée.
huis'nijverheid *v.* industrie *f.* à domicile.
huis'nummer *o.* numéro *m.* de la maison.
huis'onderwijs *o.* instruction *f.* (donnée) dans la famille.
huis'onderwijzer *m.* précepteur, gouverneur *m.*
huis'onderwijzeres *v.* gouvernante *f.*
huis'plaag *v.(m.)* fléau *m.* de la maison.
huis'prelaat *m.* (*kath.*) prélat *m.* de Sa Sainteté.
huis'raad *o.* mobilier *m.*, meubles *m.pl.*
huis'schilder *m.* peintre *m.* en bâtiments.
huis'slak *v.(m.)* limace *f.*
huis'sleutel *m.* clef *f.* de la maison.
huis'sloof *v.* ménagère *f.* [que).
huis'spin *v.(m.)* araignée *f.* (familière *of* domesti-
huis'telefoon *m.* téléphone *m.* intérieur.
huis'tiran *m.* despote *m.* domestique.
huis'vader *m.* père *m.* de famille.
huis'vesten *ov.w.* loger, héberger.
huis'vesting *v.* **1** logement *m.*; **2** (*wijze v.*) habitat *m.*; ***iem. — verlenen,*** loger qn.
huis'vlijt *v.(m.)* industries *f.pl.* familiales, industrie *f.* à domicile.
huis'vredebreuk *v.(m.)* violation *f.* de domicile.
huis'vriend *m.* ami *m.* de la maison, familier *m.* (de la maison).
huis'vrouw *v.* **1** mère *f.* de famille, maîtresse *f.* de la maison; **2** (*echtgenote*) épouse *f.*; ***een goede —,*** une bonne ménagère.
huis'vuil *o.* ordures *f.pl.* ménagères. [rentrer.
huis'waarts *bw.* à (*of* vers) la maison; ***— keren,***

huis'werk *o.* **1** travaux *m.pl.* domestiques; **2** (*v. school*) devoirs *m.pl.*
huis'zittend *b.n.* casanier, sédentaire; ***de —e armen,*** les secourus à domicile.
huis'zoeking *v.* visite *f.* domiciliaire, perquisition *f.*
huis'zwaluw *v.(m.)* hirondelle *f.* domestique, — de fenêtre.
hui'veren *on.w.* **1** frissonner; **2** (*sidderen*) frémir; **3** (*terugdeinzen*) hésiter à.
hui'verig *b.n.* **1** frissonnant; frémissant; **2** (*fig.*) irrésolu; ***— zijn om,*** hésiter à.
hui'verigheid *v.* **1** frissonnement *m.*; **2** (*fig.*) hésitation, crainte *f.*
hui'vering *v.* frisson; frémissement *m.*
hui'veringwekkend *b.n.* qui donne le frisson, qui fait frémir, terrifiant, affreux.
hui'zen *on.w.* demeurer, loger, être logé.
hui'zenblok *o.* pâté *m.* de maisons.
hui'zenkant *m.* côté *m.* des maisons.
hui'zing *v.* demeure, habitation *f.*
hul *v.(m.)* **1** (*v. boerin*) coiffe *f.*; **2** (*v. kind*) béguin *m.*
hul'de *v.* hommage *m.*; ***— brengen,*** rendre hommage.
hul'debetoon *o.* **1** hommages *m.pl.*; **2** (*ovatie*) ovation *f.*
hul'deblijk *o.* hommage *m.*
hul'digen *ov.w.* rendre hommage à, témoigner du respect à; ***een geleerde —,*** fêter un savant; ***een leerstelsel —,*** adhérer à une doctrine.
hul'diging *v.* hommage *m.*
hul'digingseed *m.* (*gesch.*) serment *m.* de fidélité.
hul'len I *ov.w.* **1** envelopper, couvrir; **2** (*fig.*) voiler (de), déguiser (sous); ***in duisternis —,*** plonger dans l'obscurité, — les ténèbres; **II** *w.w.* ***zich — in,*** s'envelopper de, se draper dans.
hulp *v.(m.)* aide *f.*; secours *m.*; (*bijstand*) assistance *f.*; ***— bieden,*** aider, secourir, assister; ***iemands — inroepen,*** appeler qn. à son aide, demander (*of* implorer) le secours de qn.; ***om — roepen,*** appeler (*of* crier) au secours; ***iem. te — komen,*** venir en aide à qn., — à la rescousse de; ***iem. te — snellen,*** voler au secours de qn.; ***— verlenen,*** prêter aide, — secours; ***met de — van,*** avec l'aide de; ***met Gods —,***avec l'aide de Dieu, Dieu aidant; ***— in de huishouding,*** aide familiale; ***eerste — bij ongelukken,*** premier secours aux blessés; ***onderlinge —,*** secours mutuel.
hulp'akte *v.(m.)* brevet *m.* élémentaire; diplôme *m.* de capacité.
hulp'bank *v.(m.)* banque *f.* auxiliaire.
hulpbehoe'vend *b.n.* **1** (*arm*) nécessiteux, indigent; **2** (*gebrekkig*) infirme.
hulpbehoe'vendheid *v.* **1** indigence *f.*; **2** infirmité *f.*
hulp'betoon *o.* assistance *f.*, secours *m.*; ***maatschappelijk —,*** assistance (*of* sécurité) *f.* sociale; ***onderling —,*** secours *m.* mutuel, entraide *f.* sociale.
hulp'boek *o.* livre *m.* auxiliaire.
hulp'bron *v.(m.)* ressource *f.*
hul'peloos *b.n.* **1** (*zonder steun, verlaten*) sans ressources, sans appui, délaissé; **2** (*gebrekkig*) infirme.
hulpeloos'heid *v.* **1** abandon, délaissement *m.*; **2** infirmité *f.*
hulp'geroep *o.* cris *m.pl.* de détresse.
hulp'kantoor *o.* bureau *m.* auxiliaire.
hulp'kerk *v.(m.)* (église) succursale *f.*
hulp'kist *v.(m.)* boîte *f.* de secours.
hulp'kreet *m.* cri *m.* de détresse.
hulp'kruiser *m.* croiseur *m.* auxiliaire.
hulp'lijn *v.(m.)* **1** (*meetk.*) ligne *f.* auxiliaire, droite *f.* —; **2** (*spoor*) voie *f.* auxiliaire; **3** (*muz.*) ligne *f.* additionnelle.
hulp'middel *o.* **1** ressource *f.*; **2** (*red—, uitweg*) expédient *m.*
hulp'motor *m.* moteur *m.* auxiliaire.
hulp'onderwijzer *m.* instituteur *m.*
hulp'onderwijzeres *v.* institutrice *f.*
hulp'personeel *o.* personnel *m.* auxiliaire.
hulp'postkantoor *o.* bureau *m.* (de poste) auxiliaire.
hulp'prediker *m.* **1** (*kath.*) prédicateur *m.* adjoint; **2** (*prot.*) pasteur *m.* adjoint.
hulp'priester *m.* prêtre *m.* suppléant.
hulp'stelling *v.* (*meetk.*) lemme *m.*
hulp'stoffen *mv.* matières *f.pl.* auxiliaires.
hulp'troepen *mv.* troupes *f.pl.* auxiliaires, — de secours.
hulpvaar'dig *b.n.* serviable, secourable.
hulpvaar'digheid *v.* complaisance, serviabilité *f.*
hulp'verlening *v.* assistance *f.*, secours *m.*
hulp'verleningspost *m.* poste *m.* de secours.
hulp'werkwoord *o.* (verbe) auxiliaire *m.*
hulp'wetenschap *v.* science *f.* auxiliaire.
huls *v.(m.)* **1** (*v. fles*) paillon *m.* (de bouteille); **2** (*v. patroon*) douille *f.*
hul'sel *o.* enveloppe *f.*
hulst *m.* (*Pl.*) houx *m.*
hulst'bes *v.(m.)* cenelle *f.*, baie *f.* de houx.
hulst'bos *o.* houssaie *f.*
hum I *tw.* hum! hem!; **II** *o.* ***in zijn — zijn,*** être de bonne humeur, être bien luné.
humaan' I *b.n.* **1** humain; **2** (*welwillend*) bienveillant; **II** *bw.* avec humanité.
humanio'ra *mv.* humanités *f.pl.*
humanis'me *o.* humanisme *m.*
humanist' *m.* humaniste *m.*
humaniteit' *v.* humanité *f.*
hu'man rela'tions *mv.* human relations, relations *f.pl.* humaines.
hum'bug *m.* blague *f.*, bluff *m.*
humeur' *o.* humeur, disposition *f.*; ***in zijn — zijn,*** être de bonne humeur; ***uit zijn — zijn,*** être de mauvaise humeur.
humeu'rig *b.n.* capricieux, inégal d'humeur.
hum'mel *m.* bambin, mioche *m.*
hum'men *on.w.* faire hum, se gratter le gosier.
hu'mor *m.* plaisanterie *f.*, humour *m.*
humores'ke *v.(m.)* nouvelle *f.* humoristique.
humorist' *m.* humoriste *m.*
humoris'tisch I *b.n.* humoristique; **II** *bw.* humoristiquement.
hu'mus *m.* terre *f.* végétale, humus, terreau *m.*
hu'muslaag *v.(m.)* couche *f.* d'humus.
hu'muszuur *o.* acide *m.* humique.
hun *vnw.* **1** (*pers.*) à eux, à elles; leur; **2** (*bez.*) [leur.
Hun *m.* Hun *m.*
hu'nebed *o.* dolmen *m.*
hun'keren *on.w.* désirer ardemment; ***— naar,*** soupirer après, aspirer à.
hun'kering *v.* désir *m.* ardent.
hun'nent *bw.* ***te(n) —,*** chez eux.
hun'nentwege *bw.* ***van —,*** de leur part.
hun'nentwil *bw.* ***om —,*** pour eux (*of* elles), pour l'amour d'eux (*of* d'elles), à leur intention.
hup! *tw.* houp!
hup'pelaar *m.* gambadeur *m.*
hup'peldans *m.* sauteuse *f.*
hup'pelen I *on.w.* sautiller, gambader; **II** *z.n. o.* le sautillement, les gambades *f.pl.*
hups I *b.n.* courtois, gentil, galant; **II** *bw.* courtoisement, gentiment; galamment.

hups'heid *v.* courtoisie, gentillesse *f.*
hu'ren *ov.w.* **1** louer; **2** (*pachten: boerderij, enz.*) prendre à bail; **3** (*plaats*) retenir; **4** (*rijtuig*) arrêter; **5** (*personeel*) engager; **6** (*schip*) affréter.
hurk *v.* ***op de —en zitten,*** être accroupi.
hur'ken *on.w.* s'accroupir, se blottir.
hussiet' *m.* Hussite *m.*
hut *v.*(*m.*) **1** chaumière, cabane *f.*; (*schuilplaats*) hutte *f.*; **2** (*sch.*) cabine *f.*
hut'bagage *v.* (*sch.*) bagages *m.pl.* de cabine.
hut'genoot *m.* compagnon *m.* de cabine.
hut'jongen *m.* (*sch.*) garçon *m.* de cabine.
hut'koffer *m.* malle *f.* de cabine, malle*-cabine *f.*
hut'kooi *v.*(*m.*) couchette *f.*
hut'passagier *m.* passager *m.* de chambre.
hut'selen *on.w.* secouer, agiter, remuer.
huts(e)pot *m.* **1** hochepot, pot*-pourri* *m.*; **2** (*fig.*) salmigondis *m.*
huur *v.*(*m.*) **1** (*bedrag*) loyer *m.*, prix *m.* de location; **2** (*het huren*) louage *m.*, location *f.*; **3** (*loon*) salaire *m.*, gages *m.pl.*; ***zijn — betalen,*** payer son loyer, — son terme; ***te —,*** à louer, en location; ***de — opzeggen,*** résilier le bail. [—.
huur'auto *m.* automobile *f.* de location, voiture *f.*
huur'bordje *o.* écriteau *m.*, enseigne *f.* "à louer".
huur'ceel *v.*(*m.*) *en o.* **huur'contract, -kontrakt** *o.* bail *m.* (à loyer), contrat *m.* de louage, — de location.
huur'der *m.* locataire *m.*
huur'flat *m.* immeuble *m.* locatif; appartement *m.* loué.
huur'geld *o.* loyer *m.*, prix *m.* de location.
huur'houder *m.* (*Z.N.*) loueur *m.* de chevaux et de voitures.
huur'huis *o.* maison *f.* de louage.
huur'kazerne *v.*(*m.*) maison*-caserne* *f.*
huur'koets *v.*(*m.*) fiacre *m.*, voiture *f.* de place.
huur'koetsier *m.* cocher *m.* de fiacre.
huur'kontrakt, *zie* ***huurceel.***
huur'koop *m.* (*H.*) location-vente *f.*
huur'ling *m.* mercenaire *m.*
huur'opslag *m.* majoration *f.* de loyer.
huur'paard *o.* cheval *m.* de louage.
huur'penning *m.* arrhes *f.pl.*; ***de —en,*** le loyer.
huur'prijs *m.* loyer *m.*, prix *m.* de location, location *f.*
huur'rijtuig *o.* fiacre *m.*, voiture *f.* de place, — de louage.
huur'ster *v.* locataire *f.*
huur'toeslag *m.* allocation *f.* (de) logement.
huur'troepen *mv.* troupes *f.pl.* mercenaires.
huur'verhoging *v.* augmentation *f.* du loyer.
huur'vracht *v.*(*m.*) affrètement *m.*
huur'waarde *v.* valeur *f.* locative.
huur'wet *v.*(*m.*) loi *f.* sur les loyers.
huw'baar *b.n.* à marier; mariable, nubile.
huw'baarheid *v.* nubilité *f.*
hu'welijk *o.* mariage *m.*; alliance, union *f.*; (*dicht.*) hyménée *m.*; ***een — sluiten,*** contracter mariage; ***in het — treden,*** se marier; ***het — inzegenen,*** donner la bénédiction nuptiale; ***het — sluiten*** (*of* ***voltrekken***), **1** (*in de kerk*) célébrer le mariage; **2** (*op 't stadhuis*) conclure le mariage; ***het kerkelijk —,*** le mariage religieux; ***het burgerlijk —,*** le mariage civil; ***een — beneden zijn stand,*** une mésalliance; ***de —e staat,*** l'état marié.
hu'welijksaangifte *v.* déclaration *f.* de mariage.
hu'welijksaankondiging *v.* **1** (*brief of kaart*) faire-part *m.* de mariage; **2** (*in krant*) annonce *f.* de mariage.
hu'welijksaanzoek *o.* demande *f.* en mariage.
hu'welijksadvertentie *v.* annonce *f.* matrimoniale. [bans.
hu'welijksafkondiging *v.* publication *f.* des
hu'welijksband *m.* lien *m.* conjugal.
hu'welijksbeletsel *o.* empêchement *m.* à un mariage (pour).
hu'welijksbelofte *v.* promesse *f.* de mariage.
hu'welijksbericht *o.* faire-part *m.* de mariage.
hu'welijksbootje *o.* ***in 't — stappen,*** entrer dans la grande confrérie, entrer dans la confrérie de Saint-Pris.
hu'welijkscadeau *o.* cadeau *m.* de noce.
hu'welijkscandidaat, *zie* ***huwelijkskandidaat.***
hu'welijkscontract, -kontrakt *o.* contrat *m.* de mariage.
hu'welijksfeest *o.* célébration *f.* du mariage; noces *f.pl.*
hu'welijksgeluk *o.* bonheur *m.* conjugal.
hu'welijksgeschenk *o.* cadeau *m.* de noce.
hu'welijksgift *v.*(*m.*) **1** (*geld*) dot *f.*; **2** (*uitzet*) trousseau *m.*
hu'welijksgoed *o.* dot *f.*
hu'welijksinzegening *v.* bénédiction *f.* nuptiale.
hu'welijkskandidaat, -candidaat *m.* prétendant *m.* [les.
hu'welijkskansen *mv.* chances *f.pl.* matrimonia-
hu'welijkskontrakt, *zie* ***huwelijkscontract.***
hu'welijksleven *o.* vie *f.* conjugale.
hu'welijksliefde *v.* amour *m.* conjugal.
hu'welijksmakelaar *m.* courtier *m.* matrimonial.
hu'welijksplannen *mv.* projets *m.pl.* matrimoniaux.
hu'welijksplicht *m. en v.* devoir *m.* conjugal.
hu'welijksrecht *o.* droit *m.* matrimonial.
hu'welijksreis *v.*(*m.*) voyage *m.* de noce(s).
hu'welijkstrouw *v.*(*m.*) foi *f.* conjugale.
hu'welijksvoltrekking *v.* mariage *m.*
hu'welijksvoorwaarden *mv.* conventions *f.pl.* matrimoniales, régime *m.* dotal; ***met — getrouwd,*** marié sous le régime dotal.
hu'welijkszegen *m.* bénédiction *f.* nuptiale.
hu'wen I *ov.w.* **1** (*trouwen met*) épouser, se marier avec; **2** (*fig.*) joindre, unir; **3** (*uithuwelijken*) marier; **II** *on.w.* se marier.
huzaar' *m.* hussard *m.*
huza'renmuts *v.*(*m.*) colback *m.*
huza'rensabel *m.* sabre *m.* de hussard.
huza'rensla *v.*(*m.*) salade *f.* russe.
hyacint' *v.*(*m.*) jacinthe *f.*
hybri'disch *b.n.* hybride.
hy'dra *v.*(*m.*) hydre *f.*
hydraat' *o.* hydrate *m.*
hydrau'lica, hydrau'lika *v.* hydraulique *f.*
hydrau'lisch *b.n.* hydraulique.
hy'drodynamisch *b.n.* hydrodynamique.
hy'droëlectrisch, -elektrisch *b.n.* hydroélectrique.
hydrofiel' *b.n.* hydrophile.
hydrogra'fisch *b.n.* hydrographique.
hye'na *v.*(*m.*) hyène *f.*
hygië'ne *v.*(*m.*) hygiène *f.*
hygië'nisch I *b.n.* hygiénique; **II** *bw.* hygiéniquement.
hygiënist' *m.* hygiéniste *m.*
hy'grometer *m.* hygromètre *m.*
hygrosko'pisch *b.n.* hygroscopique.
hym'ne *v.*(*m.*) hymne *m. et f.*
hyperbo'lisch *b.n.* hyperbolique.
hy'permodern *b.n.* ultramoderne.
hy'peron *o.* hypéron *m.*
hypno'se *v.* hypnose *f.*

hypnotise'ren, hypnotize'ren *ov.w. en on.w.* hypnotiser.
hypnotis'me *o.* hypnotisme *m.*
hypnotiz-, *zie* ***hypnotis-.***
hypotecair, *zie* ***hypothecair.***
hypoteek(-), *zie* ***hypotheek(-).***
hypotenu'sa *v.(m.)* hypoténuse *f.*
hypotese, *zie* ***hypothese.***
hypotetisch, *zie* ***hypothetisch.***
hypot(h)ecair' *b.n.* hypothécaire; ***onder — verband,*** grevé d'hypothèque.
hypot(h)eek' *v.* **1** hypothèque *f.*; **2** (*belegging*) placement *m.* hypothécaire; ***eerste —,*** hypothèque en premier rang; ***de — aflossen,*** purger les hypothèques; ***vrij van —,*** franc d'hypothèque; ***met — bezwaard,*** grevé d'hypothèque(s).
hypot(h)eek'akte *v.(m.)* acte *m.* hypothécaire.
hypot(h)eek'bank *v.(m.)* caisse (*of* banque) *f.* hypothécaire, banque *f.* foncière.
hypot(h)eek'bewaarder *m.* conservateur *m.* des hypothèques.
hypot(h)eek'bewijs *o.* titre *m.* hypothécaire.
hypot(h)eek'gever *m.* prêteur *m.* sur hypothèque.
hypot(h)eek'houder *m.* créancier *m.* hypothécaire.
hypot(h)eek'nemer *m.* emprunteur *m.* sur hypothèque.
hypot(h)eek'schuld *v.(m.)* dette *f.* hypothécaire.
hypot(h)e'se *v.* hypothèse *f.*
hypot(h)e'tisch *b.n.* hypothétique.
hy'sop *m.* (*Pl.*) hysope *f.*
hyste'ricus *m.*, **hyste'rica** *v.* hystérique *m.-f.*
hysterie' *v.* hystérie *f.*
hyste'risch *b.n.* hystérique.

I

i *v.(m.)* i *m.*; ***de puntjes op de — zetten,*** mettre les points sur les i.
Ibe'rië *o.* l'Ibérie *f.*
Ibe'riër *m.* Ibérien *m.*
Ibe'risch *b.n.* ibérique, ibérien.
i'bis *m.* ibis *m.*
I'carus *m.* Icare *m.*
iconoscoop', ikonoskoop' *m.* (*televisie*) iconoscope *m.*
ico(o)n', iko(o)n' *v.(m.)* icône *f.*
ideaal' I *o.* **1** idéal *m.*; **2** (*droom*) rêve *m.*; **II** *b.n.* idéal; **III** *bw.* d'une manière idéale, idéalement.
idealise'ren, idealize'ren *ov.w.* idéaliser.
idealist' *m.* idéaliste *m.*
idealis'tisch I *b.n.* idéaliste; **II** *bw.* en idéaliste.
idealizeren, *zie* ***idealiseren.***
idee' *o. en v.* idée *f.*; ***van — zijn,*** être d'avis; ***daar heb je geen — van,*** on n'a pas idée de cela.
ideëel *b.n.* idéal.
idem *bw.* idem.
identiek' *b.n.* identique.
identifice'ren *ov.w.* identifier.
identiteit' *v.* identité *f.*; ***bewijs van —,*** carte *f.* d'identité; ***de — vaststellen,*** établir l'identité.
identiteits'kaart *v.(m.)* carte *f.* d'identité.
ideologie' *v.* idéologie *f.*
idioma'tisch *b.n.* idiomatique.
idioom' *o.* idiome *m.*
idioot' I *b.n.* idiot; **II** *z.n. m.* idiot *m.*
idioot'heid *v.* idiotie *f.*
idio'ticon, idio'tikon *o.* glossaire *m.*
idiotis'me *o.* (*taaleigen*) idiotisme *m.*
idyl'le *v.(m.)* idylle *f.*
idyl'lisch *b.n.* idyllique.
ie'der *vnw.* (*afzond.*) chaque; (*alg.*) tout; (*zelfst.*) chacun; ***— mens,*** tout homme; ***— van ons,*** chacun de nous.
iedereen' *vnw.* chacun, tout le monde.
ie'gelijk, *een —,* chacun, qui que ce soit.
ie'mand *vnw.* **1** (*bevestigende betekenis*) quelqu'un; **2** (*ontkennende betekenis*) personne, aucun; ***beter dan —,*** mieux que personne; ***zonder — te groeten,*** sans saluer personne; ***— anders,*** un autre, quelqu'un d'autre.
i(e)m'ker *m.* apiculteur *m.*, éleveur *m.* d'abeilles.
ie'p(eboom) *m.* orne *m.*; ***jonge —,*** ormeau *m.*
ie'penbos *o.* bois *m.* d'ormes, ormaie *f.*
Ie'per *o.* Ypres.
Ie'pers *b.n.* yprois.
Ier *m.* Irlandais *m.*
Ier'land *o.* l'Irlande *f.*
Iers I *b.n.* irlandais; **II** *z.n.* ***het —,*** l'irlandais.
iet *vnw.* une chose, quelque chose; ***— of wat,*** un peu, tant soit peu; ***als niet komt tot —, kent — zich zelve niet,*** il n'est orgueil que de pauvre enrichi; vilain enrichi ne connaît ni parents ni amis.
iets I *vnw.* quelque chose; (*ontkennende betekenis*) rien; ***— anders,*** autre chose; ***zonder — te zeggen,*** sans rien dire; **II** *bw.* un peu; ***— beter,*** un peu mieux; ***— meer*** un peu plus.
iet'wat *bw.* quelque peu, un peu.
i(e)zegrim *m.* grincheux, bourru *m.*
if'te *v.* lierre *m.* terrestre.
Igna'tius *m.* Ignace *m.*
ij'del I *b.n.* **1** (*verwaand*) vain, vaniteux; **2** (*nutteloos*) vain, inutile; **3** (*lichtzinnig, onbeduidend*) frivole, futile sans valeur; **4** (*ongegrond*) chimérique, imaginaire; **5** (*vergankelijk*) périssable; **6** (*ledig*) (*inz. Z.N.*) vide; ***— vertoon,*** ostentation *f.*; **II** *bw.* vainement, en vain, inutilement.
ij'delheid *v.* vanité *f.*; frivolité, futilité *f*; ***behaagzieke —,*** coquetterie *f.*
ij'dellijk *bw.* vainement, en vain.
ij'deltuit *v.(m.)* évaporée *f.*, femme *f.* frivole, étourdie *f.*
ij'deltuiterij *v.* frivolité, légèreté, étourderie *f.*
ijf *m.* if *m.*
ijk *m.* **1** (*merk*) poinçon *m.*, marque *f.* d'étalonnage, empriente *f.* —; **2** (*het ijken*) poinçonnage, étalonnage *m.*; **3** (*kantoor*) bureau *m.* de vérification des poids et mesures.
ij'ken *ov.w.* poinçonner, étalonner.
ij'ker *m.* vérificateur *m.* des poids et mesures, étalonneur *m.*
ijk'gewicht *o.* poids *m.* étalon.
ijk'ijzer *o.* poinçon *m.*, fer *m.* à étalonner.
ij'king *v.* poinçonnage, étalonnage *m.*
ijk'kantoor *o.* bureau *m.* de vérification des poids et mesures.
ijk'maat *v.(m.)* étalon, échantillon *m.*
ijkmeester, *zie* ***ijker.***
ijl I *v.* ***in der —,*** à la hâte, en hâte; ***in aller —,*** en toute hâte; **II** *b.n.* **1** (*leeg*) vide; **2** (*luchtig*) vaporeux; **3** (*met lege plaatsen*) peu serré, clair; **4** (*v. weefsel*) lâche; **5** (*in 't hoofd*) léger; ***—e haring,*** hareng gai; ***de —e ruimte,*** le vide.

ijl'bode *m.* courrier *m.*, estafette *f.*
ij'len *on.w.* 1 (*zich haasten*) se hâter, courir, voler; 2 (*in koorts*) délirer, avoir le délire; 3 (*fig.*) divaguer.
ij'lend *b.n.* 1 délirant; 2 divagant.
ijl'goed *o.* marchandises *f.pl.* de grande vitesse; ***als —***, par grande vitesse.
ijl'heid *v.* 1 (*v. lucht*) rareté *f.*; 2 (*v. weefsel*) lâcheté [*f.*
ijl'hoofd *m.-v.* étourdi *m.*, —e *f.*, tête *f.* légère.
ijlhoof'dig *b.n.* 1 étourdi; 2 (*gen.*) en délire, délirant.
ijlhoof'digheid *v.* 1 étourderie *f.*; 2 délire *m.*
ij'lings *bw.* en toute hâte, promptement, au plus vite.
ijs *o.* glace *f.*; ***een portie —***, une glace; ***in —***, frappé, à la glace; ***het — breken***, (*eig.*) briser la glace; (*fig.*) rompre la glace; ***beslagen ten — komen***, être ferré à glace; ***op glad — staan***, se trouver dans une position critique; ***zich op glad — wagen***, s'engager (*of* se risquer) sur un terrain glissant.
ijs'afzetting *v.* givrage *m.*
ijs'baan *v.(m.)* piste (de glace), patinoire *f.*
ijs'bank *v.(m.)* 1 (*in rivier*) embâcle *m.*; 2 (*in zee*) banquise *f.*, barrière *f.* de glace. [léché.
ijs'beer *m.* 1 ours *m.* blanc; 2 (*fig.*) ours *m.* mal
ijs'beren *on.w.* arpenter la chambre.
ijs'berg *m.* iceberg *m.*
ijs'bloemen *mv.* fleurs *f.pl.* de glace, arborisation *f.*
ijs'blok *o.* 1 (*in fabriek of rivier*) bloc *m.* de glace; 2 (*v. gletsjer*) sérac *m.*
ijs'breker *m.* brise-glace *m.*
ijs'bus *v.(m.)* sorbétière *f.*
ijs'club, -klub *v.(m.)* club *m.* de patinage, cercle *m.* des patineurs.
ijs'co *m.* glace *f.*; (*met chocolade*) esquimau *m.*
ijs'coman *m.* glacier *m.*
ijs'dam *m.* amas *m.* de glaçons.
IJ'sel m. Yssel *of* IJsel *m.*
ij'selijk *b.n.* affreux, horrible.
ij'selijkheid *v.* horreur, abomination *f.*
IJselmeer' *o.* Lac *m.* d'IJsel, — d'Yssel.
ijs'emmer(tje) *m.* (*o.*), seau *m.* à glace, sorbétière *f.*
ijs'fabriek *v.* usine *f.* frigorifique, fabrique *f.* de glace, glacerie *f.*
ijs'fabrikant *m.* glacier *m.*
ijs'feest *o.* fête *f.* sur la glace.
ijs'gang *m.* débâcle *f.*
ijs'heilige(n) *m.* (*mv.*) saint(s) *m.(pl.)* de glace.
ijs'hockey *o.* hockey *m.* sur glace.
ijs'je *o.* glace *f.*
ijs'kast *v.(m.)* glacière *f.*, frigidaire, réfrigérateur, frigo *m.*
ijs'kegel *m.* glaçon *m.*, chandelle *f.* de glace.
ijs'kelder *m.* glacière *f.*
ijs'klub, *zie* ***ijsclub***.
ijs'kompres *o.* compresse *f.* à la glace.
ijs'korst *v.(m.)* croûte *f.* de glace.
ijs'koud *b.n.* 1 (*handen; fig.: begroeting*) glacé; 2 (*wind; fig.: ontvangst*) glacial; ***— bier***, bière à la glace; ***—e voeten***, des pieds comme des glaçons.
ijs'kristallen *mv.* cristaux *m.pl.* de glace.
ijs'kruid *o.* glaciale *f.*
ijs'laag *v.(m.)* couche *f.* de glace.
IJs'land *o.* l'Islande *f.*
IJs'lander *m.* Islandais *m.*
IJs'lands *b.n.* islandais, d'Islande.
ijs'machine *v.* glacière *f.*, appareil *m.* à glace.
ijs'massa *v.(m.)* masse *f.* de glace. [laine.
ijs'muts *v.(m.)* passe-montagne* *m.*, bonnet *m.* de
ijs'naald *v.(m.)* aiguille *f.* de glace.
ijs'pegel *m.* glaçon *m.*, chandelle *f.* de glace.
ijs'ploeg *m. en v.* brise-glace *m.*
ijs'pudding *m.* pouding *m.* à la glace.
ijs'salon *m.* glacier *m.*
ijs'schol, ijs'schots *v.(m.)* glaçon *m.*
ijs'sle(d)e *v.(m.)* traineau *m.*
ijs'spoor *v.(m.)* crampon *m.* à glace.
ijs'taart *v.(m.)* bombe *f.* glacée.
ijs'tijd *m.* ère (*of* époque) *f.* glaciaire.
ijs'veld *o.* 1 (*alg.*) champ *m.* de glace; 2 (*op de bergen*) glacier *m.*; 3 (*aan de pool*) banquise *f.*
ijs'vermaak *o.* patinage *m.*, plaisirs *m.pl.* de la glace.
ijs'vogel *m.* martin*-pêcheur*, alcyon *m.* [glas.
ijsvorming *v.* glaciation *f.*, formation *f.* du ver-
ijs'vos *m.* renard *m.* bleu.
ijs'vrij *b.n.* libre, ouvert.
ijs'wafeltje *o.* gaufrette *f.*
ijs'water *o.* eau *f.* glacée.
ijs'wol *v.(m.)* laine *f.* zéphir.
ijs'zak *m.* (*gen.*) poche *f.* à glace.
ijs'zee *v.(m.)* mer *f.* glaciale; ***Noordelijke IJ—***, Océan *m.* (glacial) Arctique; ***Zuidelijke IJ—***, Océan *m.* (glacial) Antarctique.
ij'ver *m.* 1 zèle *m.*; 2 (*vurigheid*) ardeur *f.*; 3 (*voortdurende zorg*) assiduité *f.*; 4 (*in godsdienst*) ferveur *f.*; ***blinde —***, excès d'ardeur, — de zèle; ***iets met — doorzetten***, mener qc. activement.
ij'veraar *m.* zélateur *m.*
ij'veraarster *v.* zélatrice *f.*
ij'veren *on.w.* travailler avec zèle, s'appliquer —; ***voor iets —***, faire de la propagande pour qc.
ij'verig I *b.n.* 1 zélé; 2 (*v. leerling*) appliqué; 3 (*werkzaam*) travailleur, assidu; 4 (*in godsdienst*) fervent; **II** *bw.* avec zèle; avec ferveur; diligemment.
ij'verzucht *v.(m.)* jalousie *f.*
ijverzuch'tig *b.n.* jaloux.
ij'zel *m.* verglas; ***met — bedekt***, verglacé.
ij'zelen *onp.w.* faire du verglas.
ij'zelvorming *v.* givrage *m.*
ij'zen *on.w.* être saisi d'horreur, être glacé d'effroi, frissonner, frémir.
ij'zer *o.* fer *m.*; ***gedegen —***, fer natif; ***geslagen —***, tôle *f.*; ***gegoten —***, fonte *f.*; ***gesmeed —***, fer forgé; ***gloeiend —***, fer rouge; ***oud —***, ferraille *f.*; ***de —s***, les fers, les menottes; ***in de —s slaan***, mettre aux fers; ***men kan geen — met handen breken***, à l'impossible nul n'est tenu; ***men moet het — smeden als het heet is***, il faut battre le fer quand il est chaud; ***hij is van — en staal***, il a une santé de fer.
IJzer *m.* Yser *m.*
ij'zeraarde *v.(m.)* terre *f.* ferrugineuse.
ij'zerachtig *b.n.* ferrugineux.
ij'zerbeslag *o.* ferrure *f.*, garniture *f.* de fer.
ij'zerdraad *o. en m.* fil *m.* de fer.
ij'zerdraadtrekkerij *v.* tréfilerie *f.*
ij'zeren *b.n.* de fer.
ij'zererts *o.* minerai *m.* de fer.
ij'zerfabriek *v.* forge *f.* [fer.
ij'zergaas *o. en m.* toile *f.* métallique, gaze *m.* de
ij'zergaren *o.* fil *m.* glacé, — double, — à mode.
ij'zergieter *m.* fondeur *m.* de fer.
ij'zergieterij *v.* fonderie *f.* de fer.
ij'zerglans *o.* fer *m.* spéculaire.
ij'zergrauw *b.n.* gris de fer.
ij'zerhandel *m.* 1 (*in 't groot*) commerce *m.* du fer; 2 (*winkel*) ferronnerie, quincaillerie *f.*
ij'zerhandelaar *m.* ferronnier, quincaillier *m.*
ij'zerhard *b.n.* dur comme (le) fer.
ij'zerhoudend *b.n.* 1 ferrugineux; 2 (*scheik.*) ferrifère; ***niet-—***, non-ferreux.

ij'zerhout *o.* bois *m.* de fer.
ij'zerindustrie *v.* industrie *f.* du fer. — sidérurgique, sidérurgie *f.*
ij'zerkleur *v.(m.)* couleur *f.* de fer.
ij'zerkleurig *b.n.* couleur de fer.
ij'zerkoper *m.* marchand *m.* de fer; ferronnier *m.*
ij'zerkruid *o.* (*Pl.*) verveine *f.*
ij'zermijn *v.(m.)* mine *f.* de fer.
ij'zeroer *o.* limonite *f.*, minerai *m.* de fer.
ij'zeroxyde *o.* oxyde *m.* ferrique.
ij'zerpletterij *v.* laminerie *f.*
ij'zerroest *m. en o.* rouille *f.*
ij'zerschroot *o.* grenaille *f.* de fer.
ij'zerschuim *o.* mâchefer *m.*
ij'zerslakken *mv.* scories *f.pl.*
ij'zersmederij *v.* forge *f.*
ij'zersmelterij *v.* fonderie *f.*
ij'zersmet *v.(m.)* tache *f.* de fer, — de rouille.
ij'zersmid *m.* forgeron *m.*
ij'zersteen *o. en m.* hématite *f.*
ij'zersterk *b.n.* **1** très solide; **2** (*v. kleren, enz.*) inusable; ***een — gestel,*** une santé de fer, un corps de fer.
ij'zersulfaat *o.* sulfate *m.* de fer.
ij'zertijd *m.* âge *m.* de fer.
ij'zerverkoper *m.* ferronnier *m.*
ij'zervijlsel *o.* limaille *f.* de fer.
ij'zervlek *v.(m.)* tache *f.* de fer.
ij'zervreter *m.* foudre *m.* de guerre, fier-à-bras; (*ironisch*) pourfendeur, tranche-montagne* *m.*
ij'zerwaren *mv.* ferronnerie, quincaillerie *f.*
ij'zerwerk *o.* ferrure; serrurerie *f.*
ij'zerwinkel *m.* quincaillerie, ferronnerie *f.*
ij'zig *b.n.* **1** (*ijskoud*) glacial; **2** (*huiveringwekkend*) affreux, épouvantable, horrible. [lugubre.
ijzingwek'kend *b.n.* horrible, épouvantable,
ik *pers. vnw.* je, moi; ***— en hij,*** lui et moi; ***— ben het,*** c'est moi; ***mijn tweede —,*** mon autre moi-même, mon alter ego.
iko(o)n, *zie* ***ico(o)n.***
I'lias *v.(m.)* Iliade *v.*
illegaal' *b.n.* illégal; clandestin; résistant.
illegaliteit' *v.* clandestinité; résistance *f.*; maquis *m.*
illumina'tie *v.* illumination *f.*
illumine'ren *ov.w.* illuminer.
illumineer'glaasje *o.* lampion *m.*
illu'sie, illu'zie *v.* illusion *f.*
illustra'tie *v.* (journal *m.*) illustré *m.*, revue *f.*
illustre'ren *ov.w.* illustrer.
illu'zie, illu'sie *v.* illusion *f.*
Illy'rië *o.* l'Illyrie *f.*
Illy'riër *m.* Illyrien *m.*
Illy'risch *b.n.* illyrien.
imaginair' *b.n.* ***—e winst,*** bénéfice imaginaire, profit présumé.
imita'tie *v.* imitation *f.*
imita'tieleder *o.* similicuir *m.*
imite'ren *ov.w.* imiter.
im'ker, *zie* ***iemker.***
im'mer *bw.* toujours; ***voor —,*** pour toujours, à jamais; ***— meer,*** de plus en plus.
im'mers *bw.* puisque; car; (*in vraag*) n'est-ce pas; ***hij is — ziek?*** il est malade, n'est-ce pas?
immigrant' *m.* immigrant *m.*
immigra'tie *v.* immigration *f.*
immoreel' *b.n.* immoral.
immortel'le *v.(m.)* immortelle *f.*
immuniteit' *v.* immunité *f.*
immuun' *b.n.* **1** à l'abri de, insensible (à); **2** (*gen.*) immunisé; ***— maken,*** immuniser.
imperatief I *b.n.* impératif; **II** *z.n. m.* impératif *m.*
imperiaal' *o. en v.(m.)* **1** (*v. omnibus*) impériale *f.*; **2** (*v. rijtuig*) galerie *f.*; **3** *o.* (*drukk.*) grand jésus *m.*
impliciet' *b.n.* implicite.
imponderabi'lia *mv.* impondérables *f.pl.*
impone'ren I *ov.w.* en imposer (à qn.), impressionner (qn.); **II** *on.w.* commander le respect.
impone'rend *b.n.* imposant.
im'port *m.* importation(s) *f.(pl.).*
im'portartikel *o.* article *m.* d'importation.
im'port- en ex'portfirma *v.(m.)* maison (*of* firme) *f.* d'import-export.
importeur' *m.* importateur *m.*
im'porthandel *m.* commerce *m.* d'importation.
im'post *m.* **1** (*belasting*) impôt *m.*; **2** (*bouwk.*) imposte *f.*
impotent' *b.n.* impuissant.
imprima'tur *o.* **1** (*kerk. goedkeuring*) imprimatur *m.*; **2** (*drukk.*) bon à tirer *m.*
improvise'ren, -ize'ren *ov. en on.w.* improviser.
impuls' *m.* impulsion *f.*
impulsief' *b.n.* impulsif.
in I *vz.* dans, en, à; ***— een bos,*** dans un bois; ***— het bos,*** au bois; ***— de lente,*** au printemps; ***— de zomer,*** en été; ***— de lengte,*** dans le sens de la longueur; ***— Frankrijk,*** en France; ***— Nederland,*** aux Pays-Bas; ***— Parijs,*** à Paris; ***hij woont — de Breedstraat,*** il demeure Rue Large; ***100 fr. — de maand,*** 100 fr. par mois; ***— een klooster gaan,*** entrer au couvent; ***— koelen bloede,*** de sang froid; ***— studie nemen,*** mettre à l'étude; ***— alle opzichten,*** sous tous les rapports; ***— een andere vorm,*** sous une autre forme; ***hij is — de veertig,*** il a passé la quarantaine; ***— de veertig boeken,*** plus de quarante livres; ***doctor — de letteren,*** docteur ès lettres; ***leraar — de wiskunde,*** professeur de mathématiques; ***— hun midden,*** parmi eux; ***— 't zwart (gekleed),*** en noir; vêtu de noir; ***— gelijkenissen spreken,*** parler par paraboles; ***— vervulling gaan,*** s'accomplir; ***— slaap zijn,*** être endormi; ***dat wil er bij mij niet —,*** je n'admets pas cela; **II** *bw.* y; **III** ***in—*** *vv.*, très, fort; ***—koud,*** terriblement froid; ***—treurig,*** profondément triste.
inaccuraat', inakkuraat' *b.n.* inexact.
inacht'neming *v.* **1** observation; **2** (*godsd.*) observance *f.*; ***met — van,*** en observation de, en tenant compte de.
in'ademen *ov.w.* **1** (*ademen*) respirer; **2** (*gen.*) inhaler; **3** (*tegenover uitademen*) aspirer, inspirer.
in'ademing *v.* **1** respiration *f.*; **2** inhalation *f.*; **3** aspiration *f.*
inakkuraat, *zie* ***inaccuraat.***
inaugureel' *b.n.* inaugural; ***inaugurele rede,*** leçon *f.* d'ouverture, discours *m.* inaugural.
in'baar *b.n.* recouvrable, encaissable.
in'bakeren I *ov.w.* **1** emmailloter; **2** (*fig.*) emmitoufler; **II** ***zich —,*** *w.w.* s'emmitoufler.
in'bakering *v.* emmaillotement *m.*
in'balsemen *ov.w.* embaumer.
in'beelden, *zich —,* *w.w.* s'imaginer; ***zich veel —,*** avoir une bonne opinion de soi-même, être infatué de soi-même.
in'beelding *v.* **1** (*verbeelding*) imagination *f.*; **2** (*bedrieglijke schijn*) illusion *f.*; **3** (*droombeeld, hersenschim*) chimère *f.*; **4** (*zinsbegoocheling*) hallucination *f.*; **5** (*verwaandheid*) présomption, infatuation, vanité *f.*
in'begrepen *b.n* compris; ***de kosten —,*** y compris les frais; ***vracht en rechten —,*** frais de transport et droits compris; ***alle onkosten —,*** tous frais compris.
in'begrip *o.* ***met — van,*** y compris.

inbeslag'neming *v.* saisie *f.*, arrêt *m.*
in'beuren *ov.w.* **1** faire entrer (en soulevant), soulever; **2** (*fig.*) toucher.
inbewaar'geving *v.* mise *f.* en dépôt.
inbezit'neming *v.* prise *f.* de possession, occupation *f.*
inbezit'stelling *v.* mise *f.* en possession.
in'bijten *on.w.* corroder, ronger.
in'bijtend *b.n.* corrosif.
in'bijting *v.* corrosion *f.*
in'binden I *ov.w.* **1** (*boek*) relier; **2** (*zeil*) ferler; **3** (*aanhalen*) serrer; **4** (*binden in*) nouer, envelopper; **5** (*fig.: intomen, v. driften*) réprimer, refréner; (*een lagere toon aanslaan*) baisser de ton; **II** *w.w.* se modérer, se contenir.
in'binding *v.* **1** (*v. boek*) reliure *f.*; **2** (*fig.*) modération, retenue *f.*
in'blazen *ov.w.* **1** insuffler; **2** (*fig.*) inspirer.
in'blazer *m.* instigateur *m.*
in'blazing *v.* **1** (*gen.*) insufflation *f.*; **2** (*fig.*) inspiration *f.*
in'blikken *ov.w.* mettre en conserve.
in'boedel *m.* mobilier *m.*, meubles *m.pl.*
in'boeken *ov.w.* inscrire.
in'boeten *ov.w.* **1** (*v. planten*) repiquer; **2** (*verliezen*) perdre; ***er het leven bij* —,** y laisser la vie.
in'boezemen *ov.w.* inspirer; ***achting* —,** imposer du respect.
in'boezeming *v.* inspiration *f.*
in'boorling *m.* **1** indigène *m.*; **2** (*onbeschaafd*) naturel *m.*
in'boorlingschap *o.* indigénat *m.*
in'boorlingsrecht *o.* naturalisation *f.*
in'boren *ov.w.* percer.
in'borst *v.(m.)* naturel, caractère *m.*
in'braak *v.(m.)* effraction *f.*, cambriolage *m.*; (*pop.*) fric-frac *m.*
in'braakverzekering *v.* assurance *f.* contre le vol avec effraction.
in'braakvrij *b.n.* à l'abri de l'effraction.
in'branden *ov.w.* **1** marquer au fer (chaud); **2** (*gen.*) cautériser.
in'breken *on.w.* pénétrer par infraction; ***in een huis* —,** cambrioler (*of* forcer) une maison.
in'breker *m.* cambrioleur *m.*
in'breng *m.* **1** (*in onderneming, enz.*) apport *m.*; **2** (*bij spaarbank*) dépôt *m.*
in'brengen *ov.w.* **1** (*binnen brengen*) faire entrer, introduire; **2** (*zijn aandeel*) apporter; **3** (*storten*) verser; **4** (*opleveren*) rapporter, produire; **5** (*bij spaarbank*) déposer; **6** (*aanvoeren*) objecter; alléguer; ***hij heeft niets in te brengen,*** il n'a pas voix au chapitre.
in'brenger *m.* **1** (*alg.*) introducteur *m.*; **2** (*bij spaarbank*) déposant *m.*
in'brengst *v.* apport *m.*; mise *f.* de fonds.
in'breuk *v.(m.)* infraction, violation *f.*; **— *maken op,*** porter atteinte à, violer, faire une entorse à.
in'brokkelen I *ov.w.* **1** émietter; **2** (*kapitaal*) entamer; **II** *on.w.* s'émietter.
in'buigen I *ov.w.* courber en dedans; **II** *on.w.* fléchir.
in'burgeren I *ov.w.* (*burgerschap verlenen*) naturaliser; **II** *w.w.* ***zich* —,** s'acclimater, acquérir droit de cité.
incarnaat, *zie* ***inkarnaat.***
incasseer'der, inkasseer'der *m.* garçon *m.* de recettes.
incasse'ren, inkasse'ren *ov.w.* (*H.*) encaisser. recouvrer.
incasse'ring, inkasse'ring *v.* (*H.*) encaissement *m.*; ***een wissel ter — geven,*** envoyer une traite en recouvrement.
incas'so *o.* (*H.*) encaissement *m.*
incas'sobank *v.(m.)* banque *f.* d'encaissement.
incas'sokosten *mv.* courtage *m.* pour encaissement.
incas'sowissel *m.* effet *m.* au recouvrement.
incident' *o.* incident *m.*
inclina'tie, inklina'tie *v.* **1** (*helling*) inclinaison *f.*; **2** (*neiging*) penchant *m.*; **3** (*genegenheid*) inclination *f.*
incluis', inkluis' *bw.* inclusivement, y compris.
inclusief' *bw.* y compris, inclusivement.
incog'nito I *b.n.* incognito; **II** *z.n., o.* incognito *m.*
incompleet', inkompleet' *b.n.* incomplet.
inconsequent', inkonsekwent' I *b.n.* inconséquent; **II** *bw.* d'une manière inconséquente, sans esprit de suite.
inconsequen'tie, inkonsekwen'tie *v.* inconséquence *f.*, manque *m.* de suite dans les idées.
incourant' *b.n.* n'ayant pas cours; **—*e fondsen,*** valeurs *f.pl.* non cotées en bourse.
indach'tig *b.n.* se souvenant de; **— *zijn aan,*** se souvenir de; ***iem. iets — maken,*** rappeler qc. à qn.
in'dagen *ov.w.* assigner, citer.
in'daging *v.* sommation, assignation *f.*
in'dammen *ov.w.* endiguer.
in'delen *ov.w.* **1** (*alg.*) diviser; **2** (*in graden*) graduer; **3** (*in klassen*) classer; **4** (*inlijven*) incorporer; ***hij is ingedeeld bij het 9e,*** il est affecté au 9e de ligne.
in'deling *v.* **1** division *f.*; **2** graduation *f.*; **3** classification *f.*; **4** incorporation *f.*; **5** (*v. huis*) distribution *f.*
in'denken, *zich* —, *w.w.* pénétrer dans; (*vertrouwd worden met*) se familiariser avec; ***zich in iemands toestand* —,** se mettre à la place de qn.; ***zich in een nieuwe toestand* —,** se familiariser avec un nouvel état de choses; ***zich in zijn rol* —,** entrer dans l'esprit de son rôle.
inderdaad' *bw.* en effet, effectivement.
inderhaast' *bw.* à la hâte, en hâte.
indertijd' *bw.* dans le temps, autrefois, jadis.
in'deuken *ov.w.* bossuer, cabosser, défoncer.
in'dex *m.* index *m.*; ***op de — staan,*** être à l'index; ***op de — zetten,*** mettre à l'index.
in'dexcijfer *o.* (chiffre) indice *m.*, indice *m.* (général) du coût de la vie.
In'dia *o.* l'Inde *f.*
Indiaan' *m.* Indien *m.*
Indiaans' *b.n.* indien.
In'diaas *b.n.* hindou, indien.
indien' *vw.* si.
in'dienen *ov.w.* **1** (*verzoek, voorstel*) présenter; **2** (*wetsontwerp*) déposer; ***een klacht* —,** porter plainte; ***zijn ontslag* —,** donner sa démission; ***zijn stukken* —,** produire ses titres.
in'diening *v.* **1** présentation *f.*; **2** déposition *f.*; **3** production *f.*
indienst'treding *v.* entrée *f.* en fonction.
In'diër *m.* **1** Indou, Indien *m.*; **2** Indonésien *m.*
in'digo *m.* indigo *m.*
in'digoblauw *o.* inde *f.*
in'digofabriek *v.* indigoterie *f.*
in'digofabrikant *m.* indigotier *m.*
in'digoplant *v.(m.)* indigotier *m.*
in'dijken *ov.w.* endiguer.
in'dijking *v.* endiguement *m.*
in'dikken *ov.w.* épaissir (par évaporation).
in'direct, in'direkt I *b.n.* indirect; **—*e belastingen,*** contributions indirectes; **II** *bw.* indirectement.
In'disch *b.n.* indien, des Indes.
In'dischgast, In'dischman *m.* colonial *m.*, colon *m.* des Indes.

indispone'ren *ov.w.* indisposer.
individualiteit' *v.* individualité *f.*
individueel' *b.n.* individuel.
In'do *m.* métis, demi-sang *m.*
Indo-Chi'na *o.* l'Indochine *f.*
in'doen *ov.w.* mettre dans.
In'do-europeaan *m.* **1** Eurasien, métis; **2** *zie* ***Indogermaan.*** [*m.*
Indogermaan' *m.* Indo-européen, Indo-germain
Indogermaans' *b.n.* indo-européen, indo-germanique.
indologie' *v.* indianisme *m.*
indoloog' *m.* indianiste *m.*
in'dommelen *on.w.* s'assoupir.
in'dommeling *v.* assoupissement *m.*
in'dompelen *ov.w.* **1** immerger, plonger dans; **2** (*dopen in*) tremper dans.
in'dompeling *v.* immersion *f.*
Indone'sië *o.* l'Indonésie *f.*
Indone'siër *m.* Indonésien *m.*
Indone'sisch *b.n.* indonésien.
in'dopen *ov.w.* tremper dans; ***zijn pen —,*** prendre de l'encre.
indoss-, *zie* ***endoss-.***
in'draaien *ov.w.* **1** faire entrer (en tournant, en vissant); **2** (*fig.*) ***de doos —,*** mettre au violon; ***zich ergens —,*** s'insinuer (*of* se fourrer) quelque part.
in'dragen *ov.w.* porter dans, apporter.
in'drijven *ov.w.* **1** (*spijker*) chasser; **2** (*paal*) enfoncer; **3** (*koeien, paarden, enz.*) faire entrer.
in'dringen I *ov.w.* faire pénétrer, pousser dans; **II** *on.w.* pénétrer (dans); **III** *w.w.* ***zich —,*** s'introduire, s'insinuer, se faufiler, se fourrer.
in'dringer *m.* **1** intrus *m.*; **2** (*konkelaar*) intrigant *m.*
indrin'gerig I *b.n.* insinuant; ***—e buren,*** des voisins envahissants; **II** *bw.* d'une manière insinuante.
in'dringingsvermogen *o.* (*v. projectiel*) puissance *f.* de pénétration.
in'dringster *v.* intruse; intrigante *f.*
in'drinken *ov.w.* **1** (*drinken*) boire, avaler; **2** (*opslorpen*) absorber, s'imbiber de.
in'droevig *b.n.* fort triste.
in'drogen *on.w.* **1** (*opdrogen*) sécher, se dessécher; **2** (*door drogen in omvang afnemen*) se rétrécir en séchant.
in'droppelen, in'druppelen I *ov.w.* (*gen.*) instiller; **II** *on.w.* couler goutte à goutte dans.
in'druisen *on.w.* ***— tegen,*** **1** (*gebruiken, enz.*) être contraire à, aller contre, aller à l'encontre (de); **2** (*meningen, enz.*) heurter de front; être contraire à; ***dat druist tegen het gezonde verstand in,*** cela choque le bon sens; ***dat druist tegen mijn beginselen in,*** cela va à l'encontre de mes principes.
in'druk *m.* **1** (*spoor*) empreinte *f.*; **2** (*fig.*) impression *f.*; ***— maken,*** faire impression, produire de l'effet; ***een diepe — maken op,*** produire une grande (*of* forte) impression sur, impressionner fortement, — profondément; ***een slechte — maken (op),*** faire mauvais effet, — une mauvaise impression sur; ***onder de — van,*** sous l'impression de; ***onder de — der ontroering,*** sous le coup de l'émotion; ***vatbaar voor —ken,*** impressionnable.
in'drukken *ov.w.* **1** (*induwen*) enfoncer; **2** (*in was, enz.*) imprimer; **3** (*fig.*) étouffer; ***de opstand de kop —,*** étouffer la révolte.
in'druksel *o.* empreinte *f.*
indrukwek'kend *b.n.* impressionnant, imposant.
in'druppelen, *zie* ***indroppelen.***
induce'ren *ov.w.* induire.
induc'tie, induk'tie *v.* induction *f.*
induc'tieklos, induk'tieklos *m. en v.* (*el.*) bobine *f.* d'induction.
induc'tiestroom, induk'tiestroom *m.* (*el.*) courant *m.* d'induction, — induit.
induc'tietoestel, induk'tietoestel *o.* (*el.*) inducteur *m.*
induc'tor *m.* (*el.*) inducteur *m.*
induk'tie(-), *zie* ***inductie(-).***
indult' *o.* **1** (*H.*) sursis *m.* (de payement); **2** (*pauselijke vergunning*) indult *m.*
industrialise'ren, -ize'ren *ov.w.* industrialiser.
industrie' *v.* industrie *f.*; ***de zware —,*** l'industrie lourde.
industrie'briketten *mv.* briquettes *f.pl.*, agglomérés *m.pl.* [*m.*
industrieel' I *b.n.* industriel; **II** *z.n. m.* industriel
industrie'gas *o.* gaz *m.* industriel.
industrie'school *v.*(*m.*) école *f.* professionnelle, — industrielle.
industrie'stad *v.*(*m.*) ville *f.* industrielle.
industrie'terrein *o.* terrain *m.* industriel.
in'dutten *on.w.* s'assoupir.
in'dutting *v.* assoupissement *m.*
in'duwen *ov.w.* **1** (*door duwen stukmaken*) enfoncer, défoncer; **2** (*in iets duwen*) faire entrer (de force, en poussant).
ineen' *bw.* l'un dans l'autre; (*samen*) ensemble.
ineen'draaien *ov.w.* tortiller, tordre, cordonner, corder.
ineen'dringen *ov.w.* comprimer, resserrer.
ineen'drukken *ov.w.* comprimer.
ineen'drukking *v.* compression *f.*
ineen'duiken *on.w.* **1** se blottir; **2** (*hurken*) s'accroupir; ***ineengedoken in een hoek,*** tapi dans un coin.
ineen'duwen *ov.w.* comprimer.
ineen'flansen *ov.w.* bâcler.
ineen'frommelen *ov.w.* chiffonner, froisser.
ineen'gedoken *b.n.* blotti, replié, ramassé sur soi-même.
ineen'gedraaid *b.n.* entortillé.
ineen'gedrongen *b.n.* ramassé, trapu.
ineen'krimpen *on.w.* **1** (*v. persoon : v. ouderdom*) se ratatiner; **2** (*v. pijn*) se tordre; **3** (*v. de huid*) se crisper, se contracter; **4** (*v. hart*) se serrer; **5** (*v. leer*) se rétrécir; **6** (*v. perkament, enz.*) se recroqueviller.
ineen'krimping *v.* crispation, contraction *f.*; serrement *m.*; rétrécissement *m.*
ineen'kronkelen *on.w.* se recroqueviller.
ineen'lopen *on.w.* **1** (*v. kamers*) communiquer; **2** (*v. kleuren*) se confondre; **3** (*v. rivieren*) se joindre; **4** (*v. lichtstralen*) converger.
ineen'lopend *b.n.* **1** (*v. rivieren*) confluent; **2** (*v. stralen*) convergent; ***—e kamers,*** chambres en enfilade.
ineen'passen *on.w.* s'emboîter, s'adapter.
ineen'persen *ov.w.* comprimer.
ineen'rollen I *ov.w.* enrouler; **II** *w.w.* ***zich —,*** se rouler, se replier sur soi-même.
ineens' *bw.* (tout) d'un coup; soudain.
ineen'schakelen *ov.w.* coordonner.
ineen'schakeling *v.* coordination *f.*
ineen'schrijven *on.w.* écrire serré.
ineen'schrompelen *on.w.* se recroqueviller.
ineen'schuiven I *ov.w.* emboîter; **II** *on.w.* s'emboîter.
ineen'slaan *ov.w.* ***de handen —,*** **1** (*v. verwondering*) lever les bras au ciel; **2** (*samenvouwen*) joindre les mains; **3** (*fig.*) agir de concert.

ineen'sluiten *ov.w.* emboîter.
ineen'smelten I *ov.w.* (*metalen*) amalgamer; **II** *on.w.* (*fig.*) se fondre, se fusionner.
ineen'smelting *v.* fusion *f.*
ineen'storten *on.w.* s'écrouler.
ineen'storting *v.* écroulement *m.*
ineen'strengelen *ov.w.* enlacer.
ineen'strengeling *v.* enlacement *m.*
ineen'trappen *ov.w.* briser (*of* enfoncer) à coups de pieds.
ineen'vlechten *ov.w.* entrelacer.
ineen'vloeien *on.w.* **1** (*v. rivieren*) confluer; **2** (*fig.*) se fondre.
ineen'voegen *ov.w.* emboîter, joindre.
ineen'vouwen *ov.w.* plier.
ineen'zakken *on.w.* **1** (*v. persoon*) s'affaisser; **2** (*v. gebouw*) s'écrouler, s'effondrer.
ineen'zetten *ov.w.* **1** (*machine, enz.*) monter; **2** (*stukken*) assembler; **3** (*fig.: samenstellen*) composer.
in'enten *ov.w.* **1** (*bomen*) greffer, enter; **2** (*met smetstof*) inoculer; **3** (*met koepokstof*) vacciner.
in'enting *v.* **1** greffe *f.*; **2** inoculation *f.*; **3** vaccination *f.*
infant'(e) *m.*(*v.*), infant(e) *m.*(*f.*).
infanterie *v.* infanterie *f.* [*m.*
infanterist' *m.* fantassin *m.*; (*fam.*) pousse-cailloux
infecte'ren, infekte'ren *ov.w.* infecter.
infec'tie, infek'tie *v.* infection *f.*
infec'tiehaard, infek'tiehaard *m.* foyer *m.* d'infection. [infectieuse.
infec'tieziekte, infek'tieziekte *v.* maladie *f.*
inferioriteit' *v.* infériorité *f.*
infiltre'ren *on.w.* s'infiltrer. [mal.
infinitesimaal'rekening *v.* calcul *m.* infinitési-
infla'tie *v.* inflation *f.*
inflatoir *b.n.* inflationniste.
influence'ren *ov.w.* influer (sur).
influen'za *v.*(*m.*) influenza, grippe *f.*
in'fluisteraar *m.* souffleur *m.*
in'fluisteren *ov.w.* **1** souffler; **2** (*fig.: inblazen*) suggérer; ***iem. iets* —,** dire qc. à l'oreille à qn., glisser (*of* couler) qc. à l'oreille de qn.
informa'tie *v.* renseignement *m.*; ***—s inwinnen,*** prendre des renseignements, recueillir des informations. [ments.
informa'tiebureau *o.* bureau *m.* de renseigne-
informeel' *b.n.* familier, à titre non-officiel.
informe'ren *on.w.* prendre des renseignements; ***naar iets* —,** s'informer de qc., se renseigner sur qc., s'enquérir de qc.; ***naar een zieke gaan* —,** prendre des nouvelles d'un malade.
infra *bw.* ci-dessous, plus bas.
in'frarood *b.n.* infrarouge.
infu'siediertje *o.* infusoire *m.*
in'gaan I *ov.w.* **1** entrer dans; **2** (*inslaan*) s'engager dans; **II** *on.w.* **1** (*binnengaan*) entrer; **2** (*beginnen*) commencer; **— *op een verzoek,*** faire droit à une requête; **— *op een voorstel,*** accepter une proposition; ***de rente gaat 1 januari in,*** les intérêts prennent cours le 1 janvier.
in'gaand *b.n.* ***—e rechten,*** droits d'entrée.
in'gang *m.* entrée *f.*; (*v. métro*) bouche *f.*; ***met — van 15 mei,*** à partir du 15 mai; **— *vinden,*** être admis, être goûté; avoir du succès; **— *doen vinden,*** (*gedachten, enz.*) propager, accréditer (une idée).
in'gebeeld *b.n.* **1** (*denkbeeldig*) imaginaire; (*hersenschimmig*) chimérique; **2** (*verwaand*) vaniteux, infatué, prétentieux; ***—e winst,*** bénéfice imaginaire.
in'geboren *b.n.* inné.
in'gebouwd *b.n.* construit dans, faisant corps avec; (*motor*) caréné; (*luidspreker*) incorporé.
ingebre'kestelling *v.* mise *f.* en demeure.
ingebruik'neming *v.* mise *f.* en service.
in'geburgerd *b.n.* implanté, embourgeoisé.
in'gedeukt *b.n.* défoncé, cabossé, bossué.
in'gekankerd *b.n.* invétéré, enraciné. [polder.
in'geland *m.* propriétaire *m.* (foncier) dans un
in'gelegd *b.n.* **1** (*in zout*) salé; **2** (*in azijn*) mariné; **3** (*in suiker*) confit; **4** (*met metaal*) incrusté; (*hout*) marqueté; ***—e vloer,*** parquet *m.*
in'gemaakt *b.n.* **1** (*alg.*) conservé; **2** (*in zout*) salé; **3** (*in azijn*) mariné; **4** (*in suiker*) confit; ***—e groenten,*** légumes *m.pl.* de conserves, conserves *f.pl.*
in'gemeen *b.n.* ignoble, canaille.
in'genaaid *b.n.* broché.
ingenieur' *m.* ingénieur *m.* (des ponts et chaussées, des mines, de la marine, des chemins de fer, civil, agronome, etc.).
in'genomen *b.n.* **— *met,*** prévenu en faveur de; ***bijzonder — met,*** épris de, entiché de, charmé de; ***met zich zelf — zijn,*** être infatué de soi-même, être content de sa petite personne; **— *tegen,*** prévenu contre.
ingeno'menheid *v.* **1** prévention *f.*; **2** (*plotselinge* —) engouement *m.*; **— *met zich zelf,*** infatuation, suffisance *f.*
in'geroest *b.n.* **1** mangé par la rouille, enrouillé; **2** (*fig.*) invétéré.
in'geschreven *b.n.* inscrit.
in'gesloten *b.n.* **1** (*v. brief, enz.*) ci-inclus, ci-joint; **2** (*v. terrein*) enclavé.
in'gesneeuwd *b.n.* enneigé, bloqué par la neige.
in'gespannen *b.n.* **1** attelé; **2** (*fig.*) tendu; ***altijd — zijn,*** avoir l'esprit toujours tendu.
in'getogen *b.n.* **1** (*v. houding*) modeste, réservé; **2** (*v. leven*) rangé; **3** (*v. gebed*) recueilli.
ingeto'genheid *v.* **1** modestie, réserve *f.*; **2** recueillement *m.*
ingeval' *vw.* dans le cas où, en cas que.
in'gevallen *b.n.* **1** (*v. mond*) édenté; **2** (*v. oog*) profondément enfoncé.
in'geven *ov.w.* **1** (*geneesmiddel, drankje*) faire prendre, administrer; **2** (*vergif*) faire avaler; **3** (*gedachte*) suggérer, inspirer.
in'geving *v.* inspiration, suggestion *f.*; ***de — van 't hart,*** la voix du cœur.
ingevol'ge *vz.* suivant, selon, conformément à; (*krachtens*) en vertu de.
in'gewanden *mv.* entrailles *f.pl.*, intestins *m.pl.*
in'gewandsontsteking *v.* entérite *f.*
in'gewandsziekte *v.* maladie *f.* intestinale.
in'gewijde *m.-v.* initié *m.*, —e *f.*
ingewik'keld *b.n.* **1** compliqué; **2** (*verward*) embrouillé; **3** (*duister*) obscur.
ingewik'keldheid *v.* complication *f.*
in'geworteld *b.n.* enraciné, invétéré.
ingeze'tene *m.-v.* habitant *m.*, —e *f.*
ingeze'tenschap *o.* citoyenneté *f.*
in'gezonden *b.n.* communiqué; **— *stuk,*** lettre (à la rédaction du journal); **— *stukken,* 1** correspondance *f.*; **2** (*als rubriek*) boîte aux lettres.
in'gieten *ov.w.* **1** verser dans; **2** (*doen slikken*) faire avaler (qc. à qn.); **3** (*fig.*) inculquer.
in'glijden *on.w.* glisser dans.
in'gluren *on.w.* **1** jeter un regard furtif dans; **2** (*bespieden*) épier. [pain.
in'goed *b.n.* très bon, excellent, bon comme le bon
in'gooien *ov.w.* **1** jeter dans, lancer dans; **2** (*door worp verbrijzelen*) casser, briser (à coups de pierres); ***de ruiten* —,** lancer des pierres dans les vitres; ***zijn eigen glazen* —,** gâter son affaire.
in'graven I *ov.w.* enfouir, enterrer; **II** *w.w.*

***zich* —,** 1 (*v. mol, enz.*) se terrer; 2 (*mil.*) se retrancher. [materiaux *m.pl.*
ingrediën'ten *mv.* ingrédients *m.pl.*; éléments,
in'greep *m.* intervention *f.*; ***chirurgische* —** intervention chirurgicale.
in'griffelen *ov.w.* graver.
in'grijpen *on.w.* 1 (*v. raderen*) (s') engrener; 2 (*tussenkomen*) intervenir; 3 (*inbreuk maken op*) empiéter sur.
ingrij'pend *b.n.* 1 (*v. maatregel*) énergique; 2 (*v. verandering*) profond, radical.
in'grijping *v.* 1 engrenage *m.*; 2 intervention *f.*; 3 empiétement *m.* (sur).
in'hagelen *ov.w.* être brisé par la grêle; ***het heeft hier ingehageld,*** la grêle est entrée ici.
in'haken *ov.w.* accrocher, agrafer.
in'hakken I *ov.w.* 1 entailler; 2 enfoncer (à coups de hache); **II** *on.w.* ***er op* —,** charger; ***op de vijand* —,** se lancer (*of* fondre) sur l'ennemi.
in'halen I *ov.w.* 1 (*oogst, vlag, enz.*) rentrer; 2 (*naar zich toe halen*) attirer, tirer à soi; 3 (*achterhalen*) rejoindre, rattraper; (*auto, rivaal*) doubler, dépasser; 4 (*herwinnen*) (*tijd*) rattraper; (*'t verlorene*) se dédommager de, regagner; 5 (*loopplank, enz.*) retirer, rentrer; 6 (*netten*) relever; 7 (*zeilen*) serrer; 8 (*vorst, enz.*) recevoir solennellement; ***de pastoor* —,** faire l'installation solennelle du curé.
inhale'ren *on.w.* inhaler, avaler la fumée.
inha'lig *b.n.* avide, cupide, intéressé; avare.
inha'ligheid *v.* avidité, avarice *f.*
in'haling *v.* 1 (*v. oogst*) rentrée *f.*; 2 (*plechtige ontvangst*) accueil *m.* solennel, réception *f.* solennelle; 3 (*aanstelling*) installation *f.*
in'ham *m.* 1 (*kleine baai*) anse, crique, baie *f.*; 2 (*in straat*) renfoncement *m.*
in'hameren *ov.w.* enfoncer.
in'hangen *ov.w.* suspendre, accrocher.
in'hebben *ov.w.* 1 (*betekenen*) signifier; 2 (*bevatten*) contenir, renfermer; 3 (*van belang zijn*) être d'importance; ***dat heeft niet veel in,*** cela n'a pas grande importance; (*fig.*) ***de duivel* —,** avoir le diable au corps.
inhech'tenisneming *v.* arrestation *f.*
inheems' *b.n.* 1 indigène, du pays; 2 (*v. ras*) autochtone; **—*e ziekte,*** maladie endémique.
in'heien *ov.w.* enfoncer (des pilotis).
in'heiing *v.* enfoncement, pilotage *m.*
inherent' *b.n.* inhérent.
in'houd *m.* 1 (*wat in iets begrepen is*) contenu *m.*; 2 (*wat iets inhouden kan*) contenance, capacité *f.*; 3 (*omvang*) volume *m.*; 4 (*v. boek, enz.*) contenu *m.*; (*behandelde stof*) sujet *m.*, matière *f.*; (*woordelijke* —) teneur *f.*; 5 (*—sopgave*) index *m.*, table *f.* des matières; 6 (*korte* —) résumé, sommaire *m.*
in'houden I *ov.w.* 1 (*bevatten*) contenir, renfermer; 2 (*tegenhouden*) retenir; 3 (*afhouden*) retenir; déduire; ***zijn adem* (*of* *zijn tranen*) —,** retenir son haleine (*of* ses larmes); ***zijn gramschap* —,** contenir sa colère; **II** *w.w.* ***zich* —,** se retenir.
in'houding *v.* retenue *f.*
in'houdsmaat *v.*(*m.*) mesure *f.* de capacité.
in'houdsopgaaf, -opgave *v.*(*m.*) index *m.*, table *f.* des matières.
in'huldigen *ov.w.* 1 (*pastoor, burgemeester, enz.*) installer; 2 (*vorst*) inaugurer.
in'huldiging *v.* 1 installation *f.* solennelle; 2 inauguration *f.*
in'huren *ov.w.* 1 (*huis*) renouveler le bail de; 2 (*bediende*) rengager.
in'huring *v.* 1 continuation *f.* de bail, renouvellement *m.* —; 2 rengagement *m.*
initiaal' *v.*(*m.*) initiale *f.*
initiatief' *o.* initiative *f.*; ***op eigen* —,** de sa propre initiative, de son propre mouvement.
in'jagen *ov.w.* faire entrer, chasser dans.
injec'tie, injek'tie *v.* injection *f.*; ***iem. een* — *geven,*** piquer qn., donner une piqûre.
injec'tiespuit, injek'tiespuit *v.*(*m.*) injecteur *m.*, seringue *f.*
in'kalken *ov.w.* chauler.
in'kalking *v.* chaulage *m.*
in'kalven *on.w.* s'ébouler.
in'kalving *v.* éboulement *m.*
in'kankeren *on.w.* (*fig.: kwaad, gewoonte*) s'invétérer, prendre racine.
in'kappen *ov.w.* (*boom*) étêter.
in'kapselen, *zich* —, s'enkyster; (*v. insekt*) coconner.
inkarnaat', incarnaat' *o.* incarnat *m.*
inkasse-, *zie* ***incasse-.***
in'kassen *ov.w.* enchâsser.
in'keep *v.*(*m.*) entaille, incision *f.*
in'keer *m.* 1 (*bezinning*) retour *m.* sur soi-même; 2 (*berouw*) repentir *m.*; ***tot* — *komen,*** revenir à de meilleurs sentiments.
in'kelderen *ov.w.* encaver, mettre en cave.
in'kepen *ov.w.* entailler, encocher.
in'keping *v.* entaille, encoche, incision *f.*
in'keren *on.w.* ***tot zich zelf* —,** rentrer en soi-même.
in'kerven *ov.w.* entailler, encocher.
in'kerving *v.* 1 entaille, coche *f.*; 2 (*daad*) encochure *f.*
in'kijk *m.* ***er is hier veel* —,** on est exposé ici aux regards des passants, le regard entre librement ici; ***geen* — *hebben,*** ne pas avoir de vis-à-vis.
in'kijken I *ov.w.* jeter un coup d'œil sur (*of* dans); ***een boek* —,** parcourir un livre; **II** *on.w.* 1 regarder (*of* voir) à l'intérieur; 2 (*begluren*) épier.
in'klaren *ov.w.* (*H.*) dédouaner.
in'klaring *v.* (*H.*) dédouanement *m.*; ***kosten van* —,** frais de douane.
in'kleden *ov.w.* 1 (*een novice*) habiller, vêtir; 2 (*brief, antwoord*) rédiger; ***mooi* —,** donner une belle forme, une forme élégante à.
in'kleding *v.* 1 vêture *f.*; 2 forme, présentation *f.*; 3 (*zinswending*) tournure, rédaction *f.* [—.
in'klimmen *on.w.* entrer par escalade, s'introduire
in'klimming *v.* escalade *f.*
inklina'tie, *zie* ***inclinatie.***
in'kloppen *ov.w.* (*spijker*) chasser, enfoncer.
inkluis, *zie* ***incluis.***
in'koken *on.w.* se réduire en bouillant.
in'kom *m.* entrée *f.*
in'komen I *on.w.* 1 (*binnenkomen*) entrer; 2 (*v. geld*) rentrer; 3 (*aankomen*) arriver; ***er zijn veel brieven ingekomen,*** on a reçu beaucoup de lettres; ***er zijn klachten ingekomen over,*** on s'est plaint de; ***ingekomen stukken,*** pièces reçues; ***daar kan ik* —,** cela s'entend, je comprends cela; ***daar komt niets van in,*** il n'en sera rien; **II** *z.n., o.* 1 (*het binnenkomen*) entrée *f.*; 2 (*v. gelden*) rentrée *f.*; 3 (*het aankomen*) arrivée *f.*; 4 (*de inkomsten*) revenu(s) *m.*(*pl.*); 5 (*salaris*) appointements *m.pl.*
in'komend *b.n.* entrant; **—*e rechten,*** droit *m.pl.* d'entrée.
inkompleet', incompleet' *b.n.* incomplet.
in'komst *v.* entrée *f.*; ***blijde* —,** joyeuse entrée *f.*; **—*en,*** revenu(s) *m.*(*pl.*); rentes *f.pl.*
in'komstenbelasting *v.* impôt *m.* sur le revenu.
inkonsekw-, *zie* ***inconsequ-.***
in'koop *m.* 1 (*handeling*) achat *m.*; 2 (*het gekochte*

in winkel) emplette *f.*; **3** (*prijs*) prix *m.* de revient, — d'achat; ***inkopen doen,*** faire des achats, — des emplettes.
in'koopboek *o.* (*H.*) facturier *m.* d'entrée.
in'koopcentrale *v.*(*m.*) centrale *f.* d'achats.
in'kooprijs, *zie* ***inkoopsprijs.***
in'kooprekening *v.* compte *m.* d'achat.
in'koop(s)prijs *m.* prix *m.* d'achat, — de revient.
in'koopster *m.* acheteuse *f.*
in'kopen *ov.w.* acheter; (*in winkel*) faire emplette [de.
in'koper *m.* acheteur *m.*
in'korten *ov.w.* **1** (*kledingstuk, touw, enz.*) raccourcir; **2** (*verhaal*) abréger; **3** (*verminderen*) diminuer; **4** (*straf*) réduire; **5** (*schuld*) éteindre; ***iemands rechten inkorten,*** empiéter sur les droits de qn.
in'korting *v.* raccourcissement *m.*; diminution *f.*; réduction *f.*
in'krijgen *ov.w.* **1** faire entrer; **2** (*koopwaren*) recevoir; **3** (*geld*) toucher; ***water* —, 1** (*persoon*) boire, avaler de l'eau; **2** (*schip*) faire eau.
in'krimpen I *on.w.* **1** (*stoffen*) se rétrécir; **2** (*zenuwen*) se contracter; **II** *ov.w.* **1** (*laken*) décatir; **2** (*mil.: front*) resserrer; **3** (*uitgaven*) réduire; **III** *w.w.* ***zich* —,** réduire ses dépenses, diminuer —, se restreindre, restreindre son train de maison.
in'krimping *v.* rétrécissement *m.*; contraction *f.*; décatissage *m.*; resserrement *m.*; réduction, diminution *f.*; *zie* ***inkrimpen.***
in'kruipen *on.w.* **1** entrer en rampant; se glisser dans; **2** (*fig.*) s'introduire insensiblement, se glisser dans.
inkt *m.* encre *f.*; ***Oostindische* —,** encre de Chine; ***geef mij pen en* —,** donnez-moi de quoi écrire.
ink'ten *ov.w.* (*drukk.*) encrer.
inkt'fles *v.*(*m.*) bouteille *f.* à l'encre.
inkt'koker *m.* **1** encrier *m.*; **2** (*met schrijfgereedschap*) écritoire *f.*
inkt'kussen *o.* tampon *m.*
inkt'lap *m.* essuie-plume* *m.*
inkt'lint *o.* ruban *m.* (d'une machine à écrire).
inkt'pot *m.* encrier *m.*
inkt'potlood *o.* crayon *m.* à l'aniline, — à copier.
inkt'rol *v.*(*m.*) (*drukk.*) rouleau *m.* encreur.
inkt'stel *o.* écritoire *f.*
inkt'tafel *v.*(*m.*) (*drukk.*) encrier *m.*
inkt'vis *m.* seiche *f.*, poulpe *m.*; ***achtarmige* —,** pieuvre *f.*
inkt'vlek *v.*(*m.*) tache *f.* d'encre; (*fam.*) pâté *m.*
in'kuilen I *ov.w.* **1** (*aardappelen*) mettre en terre, enfouir; **2** (*graan*) ensiler; **II** *z.n.* ***het* —, 1** l'enfouissement *m.*; **2** l'ensilage *m.*
in'kwartieren *ov.w.* loger (chez les habitants).
in'kwartiering *v.* (*mil.*) **1** (*huisvesting v. soldaten*) logement *m.* (chez les habitants); **2** (*de soldaten zelf*) soldats *m.pl.* en logement.
in'kwartieringsbiljet *o.* billet *m.* de logement.
in'laag, in'lage *v.*(*m.*) **1** (*in zaak*) mise *f.* de fonds, apport *m.*; **2** (*in spaarbank*) dépôt *m.*
in'laat *m.* entrée *f.*, embouchure, (*v. motor*) admission *f.*
in'laatopening *v.* orifice *m.* d'entrée.
in'laatsluis *v.*(*m.*) écluse *f.* d'irrigation.
in'laden *ov.w.* charger, embarquer.
in'lader *m.* chargeur *m.*
in'lading *v.* charge *f.*, embarquement *m.*
inlage, *zie* ***inlaag.***
in'lander *m.* indigène *m.*; (*onbeschaafd*) naturel *m.*
in'lands *b.n.* **1** indigène, autochtone; **2** (*v. ziekte*) endémique; ***—e aardappelen,*** des pommes de terre du pays.
in'lassen *ov.w.* **1** (*letter, blad, dag*) insérer, intercaler; **2** (*hout*) emboîter, emmortaiser.
in'lassing *v.* insertion, intercalation *f.*
in'laten I *ov.w.* **1** (*binnen laten*) faire entrer; (*de deur openen*) ouvrir la porte (à qn.); **2** (*niet beletten binnen te gaan*) laisser entrer; **3** (*spijker, bout, enz.*) noyer; **4** (*balk*) entailler; **II** *w.w.* ***zich — met,* 1** (*zaken*) se mêler de; **2** (*personen*) s'occuper de.
in'lave'ren *on.w.* entrer en louvoyant.
in'leg *m.* **1** (*bij spel*) mise *f.*, enjeu *m.*; **2** (*in zaak*) mise *f.* de fonds; **3** (*in spaarbank*) dépôt *m.*; **4** (*v. kledingstuk*) rempli *m.*; **5** (*v. schoen*) remplissage *m.*; **6** (*in vereniging*) droit *m.* d'entrée; **7** (*inmaak*) conservation; salaison *f.*
in'legblad *o.* **1** (*v. tafel, enz.*) rallonge *f.*; **2** (*drukk.*) feuillet *m.* mobile (*of* volant), encart *m.*
in'legboekje *o.* livret *m.* d'épargne.
in'legeren *ov.w.* (*mil.*) mettre en garnison; loger; cantonner.
in'legering *v.* logement; cantonnement *m.*
in'leggeld *o.* **1** (*bij spel*) mise *f.*, enjeu *m.*; **2** (*bij coöperatie*) part *f.*
in'leggen I *ov.w.* **1** (*alg.*) mettre dans; **2** (*geld*) déposer; **3** (*bij spel*) mettre au jeu; **4** (*met hout*) marqueter; **5** (*met metaal, ivoor*) incruster; **6** (*tuinbouw: loten* —) marcotter; **7** (*inmaken: groenten, fruit*) conserver; (*in zout*) saler; (*in pekel*) mariner; **8** (*kledingstuk*) remplier; **9** (*drukk.*) marger (les feuilles); **10** ***een trein* —,** intercaler un train; ***met iets eer* —,** retirer de la gloire de qc.; **II** *on.w.* faire des conserves.
in'legger *m.* **1** déposant *m.*; **2** (*drukk.*) margeur *m.*
in'legkapitaal *o.* mise *f.*
in'legstuk *o.* pièce *f.* de rapport.
in'legvel *o.* feuille *f.* intercalaire, encart *m.*
in'legwerk *o.* **1** (*hout*) marqueterie *f.*; **2** (*koper, ivoor, enz.*) incrustation *f.*
in'legzool *v.*(*m.*) semelle *f.* de feutre, — de liège, — amovible.
in'leiden *ov.w.* **1** introduire; **2** (*spreker*) présenter; **3** (*bespreking*) ouvrir la discussion sur.
in'leidend *b.n.* introductif, introductoire; ***een — woord,*** une brève introduction; ***— verzoek,*** (*recht*) requête introductive.
in'leider *m.* introducteur *m.*
in'leiding *v.* **1** introduction *f.*; **2** (*v. rede*) préambule, exorde *m.*
in'leven, *zich* —, s'habituer à, se familiariser [avec.
in'leveren *ov.w.* présenter, remettre, déposer; ***zijn stukken* —,** produire ses titres.
in'levering *v.* présentation, remise, production *f.*
in'leveringstermijn *m.* délai *m.* de grâce.
in'lichten *ov.w.* **1** (*onwetend*) renseigner, informer; **2** (*twijfelend*) éclaircir.
in'lichting *v.* **1** renseignement *m.*; **2** éclaircissement *m.*; ***—en inwinnen,*** prendre des renseignements.
in'lichtingendienst *m.* service *m.* des renseigne- [ments.
in'liggend *b.n.* ci-inclus, ci-joint, sous ce pli.
in'lijsten I *ov.w.* encadrer; **II** *z.n.* ***het* —,** l'encadrement *m.*
in'lijven *ov.w.* **1** (*manschappen*) incorporer; **2** (*land*) annexer.
in'lijving *v.* **1** incorporation *f.*; **2** annexion *f.*
in'lokken *ov.w.* attirer dans.
in'loodsen *ov.w.* piloter (*of* faire entrer) dans un [port.
in'loodsing *v.* pilotage *m.*
in'loop *m.* entrée *f.*
in'lopen I *on.w.* **1** (*huis, haven, enz.*) entrer dans; **2** (*v. polder*) être inondé; **3** (*krimpen*) se retirer; ***een deur* —,** enfoncer une porte; ***een straat* —** (*inslaan*), enfiler une rue, prendre —; ***iem. er laten***

—, mettre qn. dedans; ***hij is er ingelopen,*** il a donné dedans; il s'est laissé prendre; **II** *ov.w.* enfoncer; (*achterstand*) rattraper, regagner.
in'lossen *ov.w.* dégager, retirer; ***een hypotheek —,*** purger une hypothèque; ***een wissel —,*** payer une traite.
in'lossing *v.* dégagement, retrait *m.*
in'loten *on.w.* être désigné par le sort.
in'luiden *ov.w.* **1** annoncer au son des cloches; carillonner; **2** (*fig.*) inaugurer.
in'maak *m.* **1** conservation *f.*; **2** (*in zout*) salaison *f.*; **3** (*in pekel*) marinage *m.*; **4** (*het ingemaakte*) conserves *f.pl.*; (*jam*) confitures *f.pl.*
in'maakbus *v.(m.)* boîte *f.* à conserves.
in'maakfles *v.(m.)* bocal *m.* à conserves.
in'maakgroenten *mv.* conserves *f.pl.* de légumes.
in'maakpot *m.* saloir *m.*, pot *m.* à conserves.
in'maaksel *o.* conserves; confitures *f.pl.*
in'maaktijd *m.* saison *f.* pour faire les conserves.
in'maken *ov.w.* **1** (*groenten, fruit*) conserver; **2** (*in zout*) saler; **3** (*in pekel*) mariner; **4** (*vruchten*) confire; **5** (*tegenstander*) faucher.
in'mengen I *ov.w.* mêler (dans, à); **II** *w.w.* ***zich mengen in,*** se mêler de; (*tussenkomen*) intervenir dans.
in'menging *v.* **1** (*tussenkomst*) intervention *f.*; **2** (*ong.*) immixtion *f.*
in'meten *ov.w.* **1** mesurer; **2** perdre par le mesurage.
in'metselen *ov.w.* **1** (*in muur*) sceller (dans); **2** (*met metselwerk omringen*) emmurer.
inmid'dels *bw.* en attendant, pendant ce temps, sur ces entrefaites, cependant.
in'moffelen *ov.w.* emmitoufler.
in'naaien *ov.w.* **1** (*iets*) coudre dans; **2** (*boek*) brocher; **3** (*kledingstuk*) remplier, faire un rempli.
in'naaier *m.* brocheur *m.*
in'naaiing *v.* **1** (*v. boek*) brochage *m.*; **2** (*v. kledingstuk*) rempli *m.*
in'nemen *ov.w.* **1** (*veroveren*) prendre, s'emparer de; **2** (*binnenhalen: vlag, linnen*) rentrer; **3** (*beslaan*) prendre, occuper, tenir; **4** (*in bezit nemen: plaats*) occuper; **5** (*kledingstuk*) rétrécir, remplier; **6** (*zeilen*) serrer; **7** (*geneesmiddel*) prendre; **8** (*sch.*) (*alg.*) s'approvisionner en; ***kolen*** (*of* ***water***) ***—,*** faire du charbon (*of* de l'eau); ***iem. tegen zich —,*** prévenir qn. contre soi; ***iem. voor zich —,*** gagner les sympathies de qn.
inne'mend I *b.n.* **1** engageant, prévenant; **2** (*uiterlijk*) avenant; **3** (*karakter*) sympathique; **II** *bw.* d'une manière (*of* façon) engageante.
in'nemendheid *v.* manières *f.pl.* engageantes.
in'neming *v.* **1** (*v. stad*) prise *f.*; **2** (*v. land*) conquête *f.*; **3** (*v. kledingstuk*) rempliage *m.*
in'nen I *ov.w.* **1** (*geld*) (*ontvangen*) toucher; (*invorderen*) encaisser, recouvrer; **2** (*belasting*) percevoir; **II** *z.n.* ***het —,*** **1** l'encaissement, le recouvrement *m.*; **2** la perception.
in'nerlijk *b.n.* **1** (*niet uiterlijk*) intérieur; **2** (*inwendig*) interne; **3** (*v. waarde*) intrinsèque; **4** (*v. overtuiging*) intime.
in'nig I *b.n.* **1** (*hartelijk*) cordial, tendre; **2** (*waar, echt*) intime; **3** (*vurig*) (*v. gebed*) fervent; (*v. verlangen*) ardent; **4** (*oprecht*) sincère; **II** *bw.* **1** tendrement; **2** intimement; **3** avec ferveur; ardemment; ***— blij zijn,*** éprouver une joie sincère.
in'nigheid *v.* tendresse *f.*; intimité *f.*; ferveur *f.*; sincérité *f.*
in'ning *v.* **1** (*v. geld*) encaissement, recouvrement *m.*; **2** (*v. belasting*) perception *f.*
in'oogsten *ov.w.* **1** récolter, moissonner; **2** (*fig.*) recueillir; ***lof —,*** recevoir des éloges.
in'pakken I *ov.w.* **1** emballer, empaqueter; **2** (*in papier, enz. wikkelen*) envelopper; **3** (*warm —*) emmitoufler; **4** (*fig.*) captiver, enjôler; **II** *on.w.* faire ses malles; **III** *w.w.* ***zich —,*** s'emmitoufler.
in'pakker *m.* empaqueteur *m.*
in'palmen *ov.w.* **1** (*naar zich toehalen*) attirer à soi; **2** (*fig.: geld, goed*) s'approprier; **3** (*persoon*) enjôler, empaumer; **4** (*overweldigen*) usurper; **5** (*beslag leggen op*) accaparer.
in'passen I *ov.w.* ajuster; **II** *on.w.* s'emboîter.
in'pekelen I *ov.w.* saler, saumurer; **II** *z.n.* ***het —,*** le salage, le saumurage.
in'pennen *ov.w.* **1** emmortaiser; **2** (*plant*) enter, greffer.
in'peperen *ov.w.* **1** poivrer; **2** (*fig.*) faire payer cher à qn.; ***ik zal het hem —,*** il me le payera cher.
in'pepering *v.* (*fig.*) revanche *f.*
in'persen *ov.w.* faire entrer de force dans; serrer.
in'pikken *ov.w.* **1** (*sch.*) croquer, accrocher; **2** (*stelen*) chiper, grapiller; **3** (*aanhouden*) pincer, cueillir; **4** (*het aanleggen*) arranger, s'y prendre.
in'plakken *ov.w.* coller (dans un album).
in'planten *ov.w.* **1** (*in de grond*) planter; **2** (*haren*) planter, insérer; **3** (*fig.: inprenten*) inculquer; **4** (*fig.: ingang doen vinden*) implanter.
in'planting *v.* implantation, insertion *f.*
in'polderen *ov.w.* **1** endiguer; **2** (*droogleggen*) assécher.
in'poldering *v.* endiguement *m.*; assèchement *m.*
in'pompen *ov.w.* **1** pomper dans; **2** (*fig.*) enfoncer, fourrer.
in'poten *ov.w.* planter en terre.
in'prenten *ov.w.* inculquer.
impresa'rio *m.* imprésario *m.*
in'proppen *ov.w.* bourrer (qn. de qc.); fourrer (qc.) dans.
in'puilen *on.w.* s'enfoncer, devenir creux.
inquisi'tie *v.* Inquisition *f.*
in'regenen *on.w.* pleuvoir dans; ***het regent hier in,*** la pluie entre ici.
in'reisvisum *o.* visa *m.* d'entrée.
in'rekenen *ov.w.* **1** (*inrakelen*) couvrir (le feu) de cendres; **2** (*aanhouden*) pincer, arrêter, cueillir.
in'richten I *ov.w.* **1** (*huis*) arranger, aménager; **2** (*kamer, fabriek*) installer; **3** (*staat, werk, enz.*) organiser; ***wij zijn daarop niet ingericht,*** nous ne sommes pas installés pour cela; **II** *w.w.* ***zich —,*** se meubler, s'installer.
in'richter *m.* **1** organisateur *m.*; **2** (*fig.*) metteur *m.* en scène.
in'richting *v.* **1** (*regeling*) arrangement *m.*; **2** (*v. magazijn, bibliotheek, enz.*) agencement *m.*; **3** (*v. staat, leger*) organisation *f.*; **4** (*schikking*) disposition *f.*; **5** (*indeling*) distribution *f.*; **6** (*meubilering*) installation *f.*; **7** (*gebouw*) établissement *m.*; **8** (*instelling*) institution *f.*; **9** (*bij machine*) dispositif *m.*
in'rij *m.* entrée *f.*; ***verboden —,*** passage *m.* interdit, sens *m.* interdit.
in'rijden I *on.w.* entrer (à cheval, en voiture, etc.); ***op elkaar,*** **1** (*v. treinen, auto's*) se tamponner; **2** (*vijandelijke ruiters*) fondre l'un sur l'autre; **II** *ov.w.* **1** (*stuk rijden*) défoncer; briser, casser; **2** (*v. auto*) roder, avoir en rodage.
in'rijgen *ov.w.* **1** (*korset*) serrer; **2** (*kleed*) faufiler; **3** (*paarlen*) enfiler.
in'rijpoort *v.(m.)* porte *f.* cochère.
in'rit *m.* entrée *f.*; ***verboden —,*** sens *m.* interdit.
in'roepen *ov.w.* **1** appeler, inviter à entrer; **2** (*hulp*) réclamer, requérir, invoquer; (*smekend*) implorer.
in'roeping *v.* appel *m.*, invocation *f.*
in'roesten *on.w.* se rouiller.
in'rollen I *on.w.* rouler dans; **II** *ov.w.* rouler, enrouler (dans).
in'ruilen *ov.w.* échanger, troquer.

in'ruiling *v.* échange, troc *m.*
in'ruimen *ov.w.* **1** (*kamer*) ranger; **2** (*afstaan*) céder, abandonner; ***iem. een plaats —,*** faire place à qn.
in'rukken *on.w.* **1** (*binnentrekken*) entrer dans; **2** (*mil.: uiteengaan*) rompre les rangs.
in'schakelaar *m.* (*el.*) commutateur *m.*
in'schakelen *ov.w.* (*el.*) intercaler (*of* mettre) dans le circuit; ***een motor —,*** embrayer un moteur; (*fig.*) mobiliser, incorporer.
in'schakeling *v.* intercalation *f.*; (*fig.*) mobilisation, incorporation.
in'schenken I *ov.w.* remplir (un verre, une tasse etc.); ***iem. —,*** verser à boire à qn.; ***iem. thee —,*** servir le thé à qn.; **II** *on.w.* ***schenk eens in!*** **1** sers-toi; **2** sers à boire à...
in'schepen I *ov.w.* embarquer; **II** *w.w.* ***zich —,*** [s'embarquer.
in'scheping *v.* embarquement *m.*
in'scheppen *ov.w.* verser dans, mettre —.
in'scherpen *ov.w.* inculquer.
in'scheuren I *ov.w.* déchirer, faire une déchirure; **II** *on.w.* se déchirer, se fendre.
in'schieten *ov.w.* **1** jeter, lancer dans; **2** (*v. vuurwapen*) régler le tir, fixer la portée; **3** (*brood*) enfourner; ***er geld bij —,*** y perdre de l'argent, en être pour son argent; ***het leven er bij —,*** y perdre la vie.
inschik'kelijk I *b.n.* accommodant, complaisant, indulgent; **II** *bw.* avec complaisance.
inschik'kelijkheid *v.* complaisance, indulgence *f.*
in'schikken *on.w.* se ranger pour faire place; ***voor iem. —,*** faire place à qn.; (*toegeven*) être accommodant.
in'schoppen I *ov.w.* **1** faire entrer à coups de pied; **2** enfoncer à coups de pied; **3** (*sp.*) donner le coup d'envoi; **II** *z.n.* ***het — van de bal,*** le coup d'envoi.
in'schopper *m.* (*sp.*) envoyeur *m.*
in'schrift *o.* inscription *f.*
in'schrijfgeld *o.* frais *m.* d'inscription.
in'schrijven I *ov.w.* **1** inscrire; **2** (*in register*) enregistrer; **3** (*soldaten*) enrôler; ***zich laten —,*** **1** se faire inscrire; **2** (*aan hogeschool*) prendre une inscription; **II** *on.w.* **1** (*intekenen*) souscrire (pour 100 francs, à un livre); **2** (*voor aanbesteding*) soumissionner.
in'schrijver *m.* **1** (*alg.*) souscripteur *m.*; **2** (*op aanbesteding*) soumissionnaire *m.*
in'schrijving *v.* **1** inscription *f.*; **2** enregistrement *m.*; **3** souscription *f.*; **4** (*op naamrol*) immatriculation *f.*; **5** (*voor tentoonstelling*) engagement *m.*; ***de laagste —,*** l'offre la plus avantageuse, la soumission au plus bas prix; ***bij —,*** par voie de soumission, par adjudication; ***—en worden ingewacht voor 1 september,*** les souscriptions seront reçues jusqu'au 1er septembre; ***—en worden ingewacht voor de levering van aardappelen,*** la souscription pour la livraison de pommes de terre est ouverte.
in'schrijvingsbiljet *o.* **1** (*alg.*) bulletin *m.* de souscription; formulaire *m.*; **2** (*bij aanbesteding*) bulletin *m.* de soumission.
in'schrijvingslijst *v.*(*m.*) liste *f.* de souscription.
in'schrijvingsprijs *m.* prix *m.* de la souscription.
in'schroeven *ov.w.* visser.
in'schuifbed *o.* deux-en-un *m.*
in'schuifblad *o.* rallonge *f.*
in'schuiftafel *v.*(*m.*) table *f.* à rallonges.
in'schuiven I *ov.w.* pousser dans, glisser dans; **II** *on.w.* se serrer.
in'schuld *v.*(*m.*) créance *f.*, dette *f.* active.
insect(-), *zie* ***insekt(-).***
insecta'rium *o.* collection *f.* d'insectes.
insekt', insect' *o.* insecte *m.*
insek'tendodend, insec'tendodend *b.n.* insecticide.
insek'tenetend, insec'tenetend *b.n.* insectivore.
insek'teneters, insec'teneters *mv.* insectivores [*m.pl.*
insek'tenkenner, insec'tenkenner *m.* entomologiste *m.*
insek'tenkunde, insec'tenkunde *v.* entomo- [logie *f.*
insek'tenpoeder, insec'tenpoeder, -poeier *o. en m.* poudre *f.* insecticide.
insgelijks' *bw.* aussi, également; ***—!*** pareillement! je vous en souhaite autant!
in'sider *m.* expert, initié *m.*
insig'ne *o.* insigne *m.*
insinua'tie *v.* insinuation *f.*
in'slaan I *ov.w.* **1** ficher, enfoncer; **2** (*spijker*) chasser; **3** (*ruiten*) briser, casser; **4** (*vat*) défoncer; **5** (*zoom, mouw, jurk*) remplier, rendoubler; **6** (*voorraad*) faire provision de; **7** (*straat; weg*) prendre, enfiler; s'engager dans; **II** *on.w.* **1** (*bliksem*) tomber; **2** (*fig.*) prendre, porter; ***dit artikel slaat niet in,*** cet article ne prend pas; ***dat zal —,*** cela fera de l'impression; ***de mazelen zijn ingeslagen,*** la rougeole est rentrée; ***die opmerking sloeg in,*** cette remarque porta; ***zijn woorden zijn ingeslagen,*** ses paroles ont pris.
in'slag *m.* **1** (*daad*) approvisionnement *m.*; (*voorraad*) provision *f.*; **2** (*zoom*) ourlet *m.*; **3** (*opnaaisel*) rempli *m.*; **4** (*bij weefsel*) trame *f.*
in'slagdraad *m.* trame *f.*, jet *m.* de trame.
in'slapen *on.w.* s'endormir; ***doen —,*** endormir.
in'slepen *ov.w.* traîner dans.
in'slikken *ov.w.* **1** avaler; (*groter*) engloutir; **2** (*fig.: intrekken*) ravaler; **3** (*slecht uitspreken*) manger; ***zijn woorden weer —,*** ravaler ses paroles, se dédire.
in'slokken *ov.w.* **1** avaler; (*verslinden*) dévorer; **2** (*inzwelgen*) gober; **3** (*fig.*) engloutir.
in'sluimeren *on.w.* s'assoupir, s'endormir; ***doen —,*** assoupir.
in'sluipen *on.w.* **1** se glisser dans; s'introduire furtivement dans; **2** (*fig.*) s'introduire, se glisser dans.
in'sluiper *m.* cambrioleur *m.*
in'sluiping *v.* introduction *f.* furtive; intrusion *f.*; cambriolage *m.*
in'sluiten *ov.w.* **1** (*wegsluiten*) enfermer; (*iets kostbaars*) mettre sous clef; **2** (*bijvoegen*) joindre à; **3** (*bevatten*) comprendre, renfermer, contenir; **4** (*omsingelen: vesting*) investir, bloquer; (*legerkorps*) cerner, environner.
in'sluiting *v.* **1** (*v. vesting*) investissement, blocus *m.*; **2** (*v. legerkorps*) encerclement *m.*; **3** (*v. brief*) insertion *f.*
in'slurpen *ov.w.* **1** (*drank*) siroter; **2** (*ei, vleesnat*) humer; **3** (*oesters*) gober.
in'smeersel *o.* **1** onguent *m.*; **2** (*gen.*) liniment *m.*
in'smelten *on.w.* **1** se fondre, se réduire par la fonte; **2** (*fig.*) diminuer.
in'smeren *ov.w.* graisser, enduire de graisse; (*met olie*) huiler; (*met zeep*) savonner; (*met zalf*) oindre.
in'sneeuwen *on.w.* neiger dans; ***het sneeuwt hier in,*** la neige pénètre ici; ***ingesneeuwd zijn,*** être bloqué par la neige, être enneigé.
in'snijden *ov.w.* **1** inciser, entailler; **2** (*gen.*) faire une incision.
in'snijding *v.* **1** entaille, incision *f.*; **2** (*v. blad*) découpure *f.*
in'snijmes *o.* (*gen.*) bistouri *m.*
in'snoeren *ov.w.* lacer; resserrer.

in'snuiven *ov.w.* 1 respirer; 2 (*opsnuiven*) renifler.
insoli'de *b.n.* peu solide, peu sûr.
insolvent' *b.n.* insolvable.
insolven'tie *v.* insolvabilité *f.*
in'soppen *ov.w.* tremper (dans).
in'spannen I *ov.w.* 1 atteler; 2 (*iem.* —) équiper qn., pourvoir qn. du nécessaire; ***al zijn krachten* —,** faire tous ses efforts; ***met ingespannen aandacht,*** avec une attention soutenue; **II** *w.w.* ***zich* —,** s'efforcer, faire des efforts, se donner de la peine.
in'spanning *v.* effort(s) *m.(pl.)*; ***met — van alle krachten,*** en faisant tous ses efforts.
inspecte'ren, inspekte'ren *ov.w.* 1 inspecter, faire l'inspection de; 2 (*troepen*) passer en revue.
inspecteur', inspekteur' *m.* inspecteur *m.*
inspec'tie, inspek'tie *v.* inspection *f.*; ***op* —,** en tournée d'inspection; **— *houden,*** 1 passer l'inspection; 2 (*door generaal*) passer les troupes en revue.
inspec'tiereis, inspek'tiereis *v.(m.)* tournée *f.* (d'inspection).
in'spelden *ov.w.* attacher avec des épingles.
in'spelen I *ov.w.* travailler, essayer; **II** *w.w.* ***zich* —,** s'essayer.
in'spijkeren *ov.w.* clouer (dans).
inspira'tie *v.* inspiration *f.*
inspire'ren *ov.w.* inspirer.
in'spraak *v.(m.)* 1 inspiration *f.*; 2 (*inwendige stem*) voix *f.* intérieure.
in'spreken *ov.w.* inspirer; ***hoop* —,** donner de l'espoir; ***moed* —,** encourager, inspirer du courage, donner —.
in'springen I *on.w.* 1 sauter dans; 2 (*veer*) entrer; 3 (*hoek*) rentrer; ***voor iem. inspringen,*** remplacer qn.; **II** *ov.w.* renfoncer; ***een regel laten* —,** renfoncer une ligne, rentrer —.
in'springend *b.n.* rentrant; ***—e hoek,*** angle rentrant; ***—e regel,*** ligne en retrait.
in'spuiten *ov.w.* 1 seringuer; 2 (*gen.*) injecter; ***de oren* —,** seringuer les oreilles.
in'spuiting *v.* injection, piqûre *f.*
in'staan *on.w.* ***voor iets* —,** être (*of* se porter) garant de qc., répondre de qc.
installa'tie *v.* installation *f.*
in'stampen *ov.w.* 1 enfoncer; 2 (*volproppen*) bourrer dans; 3 (*fig.*) inculquer (qc. à qn.), faire entrer dans la tête de (qn.).
instand'houding *v.* maintien *m.*, conservation *f.*
instan'telijk *bw.* instamment.
instan'tie *v.* instance *f.*; ***in laatste* —,** en dernier ressort; ***in hoogste* —,** en dernier ressort, en dernière instance.
in'stappen *on.w.* 1 monter (en voiture); 2 (*binnenstappen*) entrer; ***—!*** en voiture!
in'steekblad *o.* rallonge *f.*
in'steekcontact, -kontakt *o.* prise *f.* de courant à fiches.
in'steekkamer *v.(m.)* (chambre *f.* à l') entresol *m.*
insteekkontakt, *zie* ***insteekcontact.***
in'steektafel *v.(m.)* table *f.* à rallonges.
in'steken I *ov.w.* 1 (*hand, vinger*) introduire; 2 (*paal, enz.*) enfoncer, ficher; 3 (*blad*) insérer; 4 ***een draad* —,** enfiler une aiguille; 5 (*pen in inkt*) tremper; **II** *z.n., o.* 1 introduction *f.*; 2 enfoncement *m.*; 3 insertion *f.*; 4 enfilement *m.*
in'stellen *ov.w.* 1 (*onderzoek*) ouvrir; 2 (*commissie*) établir; 3 (*sacrament, rechtbank*) instituer; 4 (*feest*) constituer; 5 (*prijs*) fonder; 6 (*bisdom*) ériger; 7 (*geding, vervolging*) entamer; (*rechtseis*) introduire; 8 (*ridderorde*) créer; 9 (*toost*) porter; 10 (*camera, optisch toestel, enz.*) mettre au point.
in'steller *m.* fondateur *m.*
in'stelling *v.* 1 (*inrichting*) établissement *m.*, institution *f.*; 2 (*oprichting*) fondation *f.*; 3 (*recht*) introduction *f.*; 4 (*camera, enz.*) mise *f.* au point; 5 (*gebouw*) établissement *m.*, institution *f.*
in'stemmen *on.w.* **— *met,*** 1 être d'accord avec; 2 (*toestemmen*) consentir à; 3 (*goedkeuren*) approuver.
in'stemming *v.* 1 accord *m.*; 2 consentement *m.*; 3 approbation *f.*; ***zijn — betuigen met,*** donner son adhésion à.
in'stijgen *on.w.* monter (en voiture).
instinct', instinkt' *o.* instinct *m.*; ***bij* —,** d'instinct, par instinct.
instinctma'tig, instinktma'tig I *b.n.* instin tif; **II** *bw.* instinctivement.
insti uut' *o.* 1 (*instelling, stichting*) institution *f.*; 2 (*gebouw*) établissement *m.*; 3 (*school*) institution *f.*, pensionnat *m.*; 4 (*wetenschappelijk*) institut *m.*; **— *voor de marine,*** école navale; ***de instituten,*** (*recht*) les institutes *f.pl.*
in'stoppen *ov.w.* 1 (*volstoppen*) fourrer (qc.) dans; 2 (*warm* —) emmitoufler; ***de dekens* —,** border le lit; ***zich* —,** s'emmitoufler.
in'stormen *ov.w.* entrer en coup de vent, entrer brusquement; ***op de vijand* —,** fondre sur l'ennemi, se précipiter —.
in'storten *on.w.* 1 s'écrouler, s'effondrer; 2 (*geleidelijk*) tomber en ruine; 3 (*gen.*) avoir une rechute, retomber dans une maladie; ***dat huis dreigt in te storten,*** cette maison menace ruine.
in'storting *v.* 1 écroulement, effondrement *m.*; 2 ruine *f.*; 3 rechute *f.*
in'stoten *ov.w.* 1 enfoncer, défoncer; 2 (*ruit*) briser, casser.
in'stouwen *ov.w.* arrimer.
in'stromen *on.w.* affluer dans, entrer —.
instructeur', instrukteur' *m.* 1 (*mil.*) instructeur *m.*; 2 (*sp.*) moniteur *m.*
instruc'tie, instruk'tie *v.* instruction *f.*
instruc'tieschip, instruk'tieschip *o.* navire*-école* *m.*
instrue'ren *ov.w.* 1 (*recht*) instruire; 2 (*voorschriften geven*) donner des instructions.
instrukt(-), *zie* ***instruct(-).***
instrument' *o.* 1 (*muz., gen., enz.*) instrument *m.*; 2 (*toestel*) appareil *m.*
instrumenta'tie *v.* instrumentation *f.*
instrumen'tenbord *o.* tableau *m.* de bord.
instrumen'tendoos *v.(m.)* boîte *f.* à instruments, trousse *f.*
instrumen'tentas *v.* trousse *f.* (de chirurgien).
instrument'maker *m.* fabricant (*of* facteur) *m.* d'instruments.
in'studeren *ov.w.* 1 (*muz., enz.*) étudier; 2 (*toneel*) mettre à l'étude.
in'stuif *m.* centre *m.* d'accueil, accueil *m.*; réception *f.*
in'stuiven *on.w.* 1 entrer par le vent; 2 (*fig.*) entrer en coup de vent.
in'sturen *ov.w.* 1 envoyer; 2 (*sch.*) faire entrer, conduire.
in'subordina'tie *v.* insubordination *f.*
in'suikeren *ov.w.* confire, sucrer.
insuli'ne *v.(m.)* insuline *f.*
insurgent' *m.* insurgé *m.*
intact', intakt' *b.n.* intact.
in'teelt *v.(m.)* reproduction *f.* consanguine.
inte'gendeel *bw.* au contraire.
integraal' *b.n.* intégral.
integraal'rekening *v.* calcul *m.* intégral.
integra'tie *v.* intégration *f.*
integre'rend *b.n.* intégrant.
integriteit' *v.* intégrité *f.*

in'tekenaar *m.* souscripteur, abonné *m.*
in'tekenbiljet *o.* bulletin *m.* de souscription.
in'tekenen *on.w.* souscrire; **— *op,*** souscrire (*of* s'abonner) à.
in'tekening *v.* souscription (à) *f.*, abonnement *m.*
in'teken(ing)lijst *v.(m.)* liste *f.* de souscription.
intellect', intellekt' *o.* intellect *m.*
intellectueel', intellektueel' I *b.n.* intellectuel; **II** *z.n., m.* intellectuel *m.*
intelligent' *b.n.* intelligent.
intelligen'tiequotiënt, -kotiënt *o.* quotient *m.* d'intelligence. [gence.
intelligen'tietest *m.* test *m.* (de quotient) d'intelli-
intendan'ce *v.(m.)* intendance *f.* (militaire).
intendant' *m.* intendant, régisseur *m.*
intens' I *b.n.* intense; **II** *bw.* d'une façon intense.
intensief' *b.n.* intensif.
intensiteit' *v.* intensité *f.*
inten'tie *v.* intention *f.*; ***tot zekere* —,** pour une intention particulière.
interacade'misch, -akade'misch *b.n.* interuniversitaire.
intercellulair' *b.n.* intercellulaire.
intercommunaal', -kommunaal' *b.n.* interurbain.
intercontinentaal', -kontinentaal' *b.n.* intercontinental; **— *lijnvliegtuig,*** long-courrier* *m.*
interdepartementaal' *b.n.* interministériel.
interdict', interdikt' *o.* interdit *m.*
in'teren I *on.w.* s'appauvrir, écorner son capital; **II** *ov.w.* ***zijn kapitaal* —,** entamer son capital, manger sa fortune.
interesse'ren I *ov.w.* intéresser; **II** *w.w.* ***zich* — *voor,*** s'intéresser à.
in't(e)rest *m.* interêt *m.*; ***samengestelde* —,** intérêts composés; ***enkelvoudige* —,** intérêts simples; ***op* — *zetten,*** placer à intérêt.
in't(e)restrekening *v.* **1** (*H.*) compte *m.* d'intérêt; **2** règle *f.* des intérêts.
interferen'tie *v.* interférence *f.*
in'terim *o.* intérim *m.*; ***ad* —,** par intérim.
in'terimaandeel *o.* action *f.* provisoire, titre *m.* provisoire.
in'terimbetaling *v.* payement *m.* intérimaire.
in'terimdividend *o.* acompte *m.* de dividende, dividende *m.* intérimaire.
interker'kelijk *b.n.* interconfessionnel.
interkontinentaal, *zie* ***intercontinentaal.***
interland'wedstrijd *m.* match *m.* (de championnat) international.
interli'nie *v.* interligne *f.*, entre-ligne* *m.*
interlini'ëren *ov.w.* (*drukk.*) chasser.
in'terlock *o. en m.* interlock *m.*
interlokaal' *b.n.* interurbain.
intermez'zo *o.* intermède *m.*
intermitte'rend *b.n.* intermittent.
intern' I *b.n.* interne; **II** *z.n. m.* interne *m.*
internaat' *o.* internat *m.*
internationaal' *b.n.* international.
interne'ren *ov.w.* interner.
interne'ring *v.* internement *m.*
interne'ringskamp *o.* camp *m.* d'internement.
internist' *m.* médecin *m.* pour les maladies internes.
internun'tius *m.* internonce *m.*
interpellant' *m.* interpellateur, interpellant *m.*
interpella'tie *v.* interpellation *f.*
interpelle'ren *ov.w.* interpeller.
interplanetair' *b.n.* interplanétaire.
interpreta'tie *v.* interprétation *f.*
interprete'ren *ov.w.* interpréter.
interpunc'tie, interpunk'tie *v.* ponctuation *f.*
interpunge'ren *ov.w.* ponctuer, mettre la ponctuation.
interpunk'tie, interpunc'tie *v.* ponctuation *f.*
interreg'num *o.* interrègne *m.*
interrumpe'ren *ov.w.* interrompre.
interrup'tie *v.* interruption *f.*
in'terval *o.* intervalle *m.*
interveniënt' *m.* intervenant *m.*
intervenië'ren *on.w.* intervenir.
interven'tie *v.* intervention *f.*
interview' *o.* interview *f. et m.*
intervie'wen *ov.w.* interviewer.
intervie'wer *m.* interviewer, intervieweur *m.*
intiem' *b.n.* intime.
intijds' *bw.* à temps.
intimiteit' *v.* intimité *f.*
in'tocht *m.* entrée *f.* (solennelle).
in'tomen I *ov.w.* **1** brider, dompter; **2** (*fig.*) refréner, réprimer; **II** *w.w.* ***zich* —,** se retenir.
in'toming *v.* répression *f.*, refrènement *m.*
intracellulair' *b.n.* intracellulaire.
intramoleculair' *b.n.* intramoléculaire.
intransigent' *b.n.* intransigeant.
intransitief' *b.n.* intransitif.
in'trappen *ov.w.* enfoncer (à coups de pied).
intraveneus' *b.n.* intraveineux.
in'tre(d)e *v.(m.)* **1** (*het ingaan*) entrée *f.*; **2** (*begin*) commencement, début *m.*
in'treden *on.w.* **1** entrer dans; **2** commencer; ***de dood is ingetreden,*** la mort a fait son œuvre; ***het ingetreden boekjaar,*** l'exercice en cours.
intree, *zie* ***intrede.***
in'treebiljet *o.* billet *m.* d'entrée. [d'entrée.
in'treegeld *o.*, **in'treeprijs** *m.* entrée *f.*, prix *m.*
in'trek *m.* ***zijn* — *nemen,* 1** (*in hotel*) descendre (à un hôtel), s'installer; **2** (*bij iem.*) aller demeurer (chez qn.), s'installer (chez qn.).
intrek'baar *b.n.* escamotable; rétractable.
in'trekken I *ov.w.* **1** (*terugtrekken*) (*benen*) retirer; (*nagels, klauwen*) rentrer, rétracter; (*schouders*) effacer; (*staart*) serrer; **2** (*afschaffen*) (*wet*) abroger; (*verordening*) révoquer; **3** (*terugnemen*) (*woord, kandidatuur*) retirer; (*voorstel, laster*) rétracter; **II** *on.w.* **1** (*in stad*) entrer; **2** (*in huis*) emménager; ***bij iem.* —,** aller demeurer chez qn.
in'trekking *v.* retrait *m.*; abrogation *f.*; révocation *f.*; rétraction *f.*; (*v. rijbewijs*) suspension *f.*; *zie* ***intrekken.***
intrest(-), *zie* ***interest(-).***
intrigant' *m.* intrigant *m.*
intri'ge *v.(m.)* intrigue *f.*
intrige'ren *on.w. en ov.w.* intriguer.
intrige'rend *b.n.* intrigant.
intrinsiek' *b.n.* intrinsèque.
introducé' *m.* visiteur, hôte, invité *m.*
introduce'ren *ov.w.* introduire.
introduc'tie, introduk'tie *v.* introduction *f.*
intro'ïtus *m. en o.* introït *m.*
intronisa'tie, introniza'tie *v.* intronisation *f.*
introvert' *b.n.* introspectif.
intuï'tie *v.* intuition *f.*; ***bij* —,** intuitivement.
intuïtief' *b.n.* intuitif. [cependant.
intus'sen *bw.* en attendant, sur ces entrefaites,
inunda'tie *v.* inondation *f.*
in'vaart *v.(m.)* entrée *f.*
in'val *m.* **1** (*mil.*) invasion *f.*; (*plotselinge* —) irruption *f.*; **2** (*gedachte*) idée *f.*; (*ong.*) fantaisie *f.*; ***geestige* —,** saillie, pointe *f.*; ***de zoete* —,** la maison du bon Dieu. [*m.-f.*
invali'de I *b.n.* invalide; **II** *z.n. m.-v.* invalide
invali'denhuis *o.* home *m.* pour invalides; (*te Parijs*) hôtel *m.* des invalides.

invali'denwagen *m.* voiture(tte) *f.* d'invalide, — d'infirme, fauteuil *m.* roulant.
invaliditeit' *v.* invalidité *f.*
in'vallen I *on.w.* **1** tomber dans, entrer dans; **2** (*in land*) envahir, faire une invasion dans; **3** (*huis, enz.*) s'écrouler, s'effondrer; **4** (*zieke*) faire une rechute, avoir —; **5** (*vorst, dooi*) commencer, arriver; **6** (*muz.*) partir, entrer, commencer; **7** (*sch.*) entrer, relâcher; ***op de vijand —,*** fondre sur l'ennemi, tomber —; ***voor een ander —,*** remplacer qn.; ***de duisternis valt in,*** le soir tombe; ***het — van de avond,*** la tombée du soir, — de la nuit; ***zijn naam valt me niet in,*** son nom ne me revient pas; ***ingevallen ogen,*** des yeux caves; ***ingevallen wangen,*** des joues creuses.
in'valler *m.* remplaçant *m.*
in'valshoek *m.* angle *m.* d'incidence.
in'valsweg *m.* grande voie *f.* d'entrée, autoroute *f.* de liaison.
in'varen *on.w.* entrer (dans).
inva'sie *v.* invasion *f.*; ***de — v. 1944,*** le débarquement.
inventa'ris *m.* inventaire *m.*; ***de — opmaken,*** dresser l'inventaire.
inventarisa'tie, inventariza'tie *v.* inventaire. [*m.*
inventarise'ren, inventarize'ren *ov.w.* faire l'inventaire de, inventorier.
inverzuim'stelling *v.* mise *f.* en demeure.
investeer'der *m.* investisseur *m.*
investe'ren *ov.w.* investir.
investe'ring *v.* investissement *m.*
investe'ringsplan *o.* plan *m.* d'investissement.
investituur' *v.* investiture *f.*
investituur'recht *o.* droit *m.* d'investiture.
investituur'strijd *m.* querelle *f.* des investitures.
in'vetten I *ov.w.* graisser; **II** *z.n.* ***het —,*** le graissage.
in'vetter *m.* graisseur *m.*
invita'tie *v.* invitation *f.*; lettre *f.* d'invitation.
invite'ren *ov.w.* inviter.
in'vlechten *ov.w.* entrelacer; insérer.
in'vliegen I *on.w.* entrer (en volant, en courant), voler dans; ***hij is er ingevlogen,*** **1** (*werd bedot*) il a donné dans le panneau, il a donné dedans; **2** (*werd gesnapt*) il a été attrapé; **II** *on.w.* faire des vols d'essai avec, essayer; **III** *z.n., o.* mise *f.* au point, vol *m.* d'essai.
in'vlieger *m.* pilote *m.* d'essai.
in'vloed *m.* **1** influence *f.*; **2** (*overwicht*) ascendant *m.*; **3** (*macht*) empire *m.*; ***— hebben op,*** avoir de l'influence sur, influer sur; ***onder iemands — staan,*** se laisser influencer par qn.
in'vloedrijk *b.n.* influent.
in'vloedssfeer *v.*(*m.*) zone *f.* d'influence.
in'vloeien *on.w.* couler dans, entrer dans.
in'vluchten *on.w.* se réfugier dans.
in'vochten *ov.w.* humecter.
in'voegen *ov.w.* (*fig.*) intercaler, insérer.
in'voeging *v.* intercalation, insertion *f.*
in'voegsel *o.* partie *f.* intercalée, intercalation *f.*
in'voer *m.* importation *f.*
in'voerbeperking *v.* contingentement *m.*
in'voerder *m.* **1** (*H.*) importateur *m.*; **2** (*v. mode, enz.*) créateur, auteur, introducteur *m.*
in'voerdraad *m.* fil *m.* d'entrée.
in'voeren *ov.w.* **1** (*H.*) importer; **2** (*verandering, gebruik*) introduire; **3** (*mode*) créer, lancer; **4** (*belasting, wet*) établir.
in'voerhandel *m.* (*H.*) commerce *m.* d'importation.
in'voerhaven *v.*(*m.*) pont *m.* d'entrée.
in'voering *v.* introduction *f.*
in'voerrecht *o.* droit *m.* d'entrée.
in'voerverbod *o.* interdiction *f.* d'importation.
in'voervergunning *v.* permis *m.* d'importation.
in'volgen *ov.w.* obéir à, suivre, obtempérer à.
in'vorderbaar *b.n.* exigible.
in'vorderen *ov.w.* **1** réclamer, exiger; recouvrer; **2** (*belasting*) percevoir.
in'vordering *v.* **1** réclamation *f.*; recouvrement *m.*; **2** perception *f.*
in'vouwen *ov.w.* **1** replier; **2** (*drukw.*) encarter.
in'vreten I *ov.w.* **1** (*roest, worm*) ronger; **2** (*zuur*) corroder; **II** *on.w.* **1** mordre sur; **2** (*fig.*) (*kwaad*) s'enraciner, se répandre; (*gen.*) se gangrener.
in'vretend *b.n.* corrosif, mordant; ***— zuur,*** acide mordant.
in'vreting *v.* corrosion *f.*
in'vriezen I *on.w.* être pris dans les glaces; **II** *ov.w.* frigorifier.
invrij'heidstelling *v.* mise *f.* en liberté.
in'vullen *ov.w.* **1** remplir; **2** (*wat ontbreekt*) compléter.
in'vulling *v.* remplissage *m.*
in'vuloefening *v.* thème *m.* d'application.
in'waaien *on.w.* **1** entrer dans, souffler dans; **2** être brisé par le vent.
in'waarts I *bw.* en dedans; **II** *b.n.* vers l'intérieur; ***—e beweging,*** mouvement vers l'intérieur.
in'wachten *ov.w.* attendre.
inwen'dig I *b.n.* intérieur, interne; ***het —e,*** l'intérieur *m.*; **II** *bw.* intérieurement, à l'intérieur.
in'werken I *ov.w.* **1** faire entrer; **2** (*weefsel*) brocher; **II** *on.w.* ***— op,*** agir sur; **III** *w.w.* ***zich in iets —,*** se mettre au courant de qc.
in'werking *v.* action, influence *f.*
inwer'kingstelling *v.* mise *f.* en route, — en service.
inwer'kingtreding *v.* entrée *f.* en vigueur.
in'werpen *ov.w.* **1** jeter dans; **2** (*stuk werpen*) briser (*of* casser) à coups de pierres.
in'weven *ov.w.* tisser dans; **2** (*fig.*) entremêler de.
in'wijden *ov.w.* **1** (*kerk, kapel*) consacrer; **2** (*vaandel, enz.*) bénir; **3** (*gebouw, spoorweg, enz.*) inaugurer; **4** (*jas, hoed, fiets*) étrenner; **5** (*klok*) baptiser; ***een nieuwe woning — (met feestje),*** pendre la crémaillère; (*fig.*) ***iem. — in,*** initier qn. à.
in'wijding *v.* **1** consécration *f.*; **2** bénédiction *f.*; **3** inauguration *f.*; **4** baptême *m.*; **5** initiation *f.*; *zie* ***inwijden.***
in'wijdingsfeest *o.* (fête d') inauguration *f.*
in'wijdingsrede *v.*(*m.*) discours *m.* d'inauguration.
in'wikkelen *ov.w.* **1** envelopper; **2** (*fig.*) impliquer.
in'wikkeling *v.* implication *f.*
in'willigen *ov.w.* consentir à; acquiescer à; (*verlangen*) accéder à.
in'williging *v.* consentement, acquiescement *m.*
in'winnen *ov.w.* regagner; ***inlichtingen —,*** prendre des renseignements, — des informations; ***iemands raad —,*** consulter qn.
in'wippen I *ov.w.* jeter dans; **II** *on.w.* entrer en sautant.
inwis'selbaar *b.n.* remboursable; convertible, échangeable.
in'wisselen *ov.w.* **1** échanger; **2** (*omzetten*) convertir en; **3** (*coupons*) rembourser; encaisser.
in'wisseling *v.* échange *m.*; remboursement *m.*
in'wonen *on.w.* loger, demeurer chez.
in'woner *m.* **1** (*bewoner*) habitant *m.*; **2** (*huurder*) locataire *m.*
in'woning *v.* **1** colocation *f.*; **2** logement *m.*; ***kost en —,*** la table et le logement, nourri et logé.
in'wortelen *on.w.* **1** prendre racine; **2** (*fig.*) s'enraciner.
in'wrijven *ov.w.* **1** faire entrer (en frottant); **2** (*insmeren*) frotter de; **3** (*gen.*) frictionner.
in'wrijving *v.* frottement *m.*; friction *f.*
in'zaaien *ov.w.* ensemencer (de).
in'zage *v.*(*m.*) inspection *f.*, examen *m.*; ***— nemen***

van, prendre connaissance de; ***ter — zenden,*** envoyer à vue; — à l'examen; ***de stukken liggen ter — op 't stadhuis,*** les pièces peuvent être consultées à l'hôtel de ville.
inza'ke en matière de, au sujet de.
in'zakken *on.w.* s'affaisser, s'effondrer; céder sous le poids.
in'zakking *v.* affaissement, éboulement *m.*
in'zamelaar *m.* quêteur *m.*
in'zamelen *ov.w.* **1** (*giften*) quêter; **2** (*vruchten*) recueillir, récolter, faire la cueillette de.
in'zameling *v.* **1** quête, collecte *f.*; **2** récolte, cueillette *f.*
in'zegenen *ov.w.* **1** bénir; **2** (*inwijden*) consacrer; **3** (*huwelijk*) donner la bénédiction nuptiale.
in'zegening *v.* **1** bénédiction *f.*; **2** consécration *f.*
in'zeilen *on.w.* entrer (au port).
in'zenden *ov.w.* **1** envoyer, faire parvenir; **2** (*op tentoonstelling*) exposer; ***ingezonden stukken,*** (*in krant*) correspondance *f.*
in'zender *m.* **1** envoyeur *m.*; **2** exposant *m.*
in'zending *v.* envoi *m.*
in'zepen *ov.w.* **1** savonner; **2** (*fig.*) donner un savon à qn.
in'zeping *v.* **1** savonnage *m.*; **2** (*fig.*) savon *m.*
in'zet *m.* **1** (*bij verkoop*) mise *f.* à prix; **2** (*bij spel*) enjeu *m.*; mise *f.*
in'zetten I *ov.w.* **1** mettre dans; **2** (*ruiten, tanden*) poser; **3** (*bij verkopen*) mettre à prix, faire la première offre; **4** (*edelgesteenten*) monter, enchâsser; **5** (*muz.*) entonner, attaquer; **6** (*aanbrengen*) mettre (à); **II** *on.w.* **1** (*bij spel*) mettre son enjeu; **2** (*muz.*) partir; **3** (*beginnen*) débuter, commencer.
in'zicht *o.* **1** (*mening*) idée, notion, opinion *f.*, avis *m.*; **2** (*bedoeling*) but, dessein *m.*, intention *f.*; **3** (*begrip*) compréhension *f.*; ***hij heeft geen — in die zaak,*** il ne voit pas clair dans cette affaire; ***naar mijn —,*** à mon avis.
in'zien I *ov.w.* **1** (*vluchtig doorzien*) parcourir, jeter un coup d'œil sur; **2** (*nauwkeuriger nazien*) examiner; **3** (*begrijpen*) comprendre, sentir, s'apercevoir; **4** (*erkennen*) reconnaître; ***zijn fouten —,*** se rendre compte de ses défauts; ***donker —,*** voir en noir; **II** *z.n., o.* opinion *f.*; avis *m.*; sentiment *m.*; ***bij nader —,*** tout bien considéré; ***mijns —s,*** à mon avis.
in'zinken *on.w.* s'enfoncer; s'affaisser.
in'zinking *v.* **1** enfoncement *m.*; **2** (*gen.*) dépression *f.*; **3** (*sp.*) défaillance *f.*; **4** (*H.*) dépression *f.*
in'zitten *on.w.* ***ergens over —,*** s'inquiéter de qc.; ***er warmpjes —,*** avoir du foin dans les bottes, avoir de quoi.
in'zittende *m.* voyageur *m.*
inzon'derheid *bw.* notamment, particulièrement, surtout.
in'zouten *ov.w.* saler.
in'zouting *v.* salaison *f.*
in'zuigen *ov.w.* **1** sucer, humer; **2** (*water*) absorber.
in'zuiging *v.* sucement *m.*; absorption *f.*
in'zulten *ov.w.* mariner.
in'zwachtelen *ov.w.* **1** bander, entourer de bandages; emmailloter; **2** (*fig.*) emmitoufler.
in'zwelgen *ov.w.* engloutir, avaler (goulûment).
in'zwelging *v.* engloutissement *m.*
ion' *o.* ion *m.*
io'nenstraal *m. en v.* faisceau *m.* ionique.
io'nenstraling *v.* radiations *f.pl.* ionisantes.
io'nent(h)eorie *v.* théorie *f.* des ions.
io'nenuitwisseling *v.* échange *m.* d'ions.
Io'nië *o.* Ionie *f.*
Io'niër *m.* Ionien *m.*
ionisa'tie, -iza'tie *v.* ionisation *f.*
ionisa'tiespanning, ionizatiespanning *v.* potentiel *m.* d'ionisation, tension *f.* d'amorçage.
Io'nisch *b.n.* ionique.
ioniza'tie(-), *zie* ***ionisatie(-).***
ionosfeer' *v.(m.)* ionosphère *f.*
Iraaks' *b.n.* irakien, iraquien.
Iraans' *b.n.* iranien.
I'rak *o.* l'Irak *m.*
I'ran *o.* l'Iran *m.*
Ira'niër *m.* Iranien *m.*
Ire'ne *v.* Irène *f.*
ire'nisch *b.n.* conciliant, irénique.
iri'dium *o.* iridium *m.*
i'ris *v.(m.)* **1** (*v. oog*) iris *m.*; **2** (*Pl.*) iris *m.*
Irokees' *m.* Iroquois *m.*
ironie' *v.* ironie *f.*
iro'nisch *b.n.* ironique.
ironise'ren, -ize'ren *on.w.* ironiser.
irrationeel' *b.n.* irrationel.
irrelevant' *b.n.* négligeable.
irrige'ren *ov.w.* irriger.
irrite'ren *ov.w.* irriter.
irrite'rend I *b.n.* irritant; **II** *bw.* d'une façon [irritante.
Isabel'la *v.* Isabelle *f.*
is'chias *v.(m.)* sciatique *f.*
islam' *m.* islam *m.*
islamiet' *m.* islamite *m.*
islami'tisch *b.n.* islamique.
isobaar' *m.* (ligne) isobare *f.*, courbe *f.* isobarique, ligne *f.* —.
isola'tieband *o.* ruban *m.* isolant; chatterton *m.*
isolationis'me *o.* isolationisme *m.*
isola'tor *m.* isolateur *m.*
isoleer'bank *v.(m.).* **isoleer'stoel** *m.* isoloir *m.*
isolement' *o.* isolement *m.*
isole'ren I *ov.w.* isoler; **II** *z.n.* ***het —,*** l'isolement [*m.*
isole'rend *b.n.* isolateur.
isomeer' I *m.* isomère *m.*; **II** *adj.* isomère.
isomerie' *v.* isomérie *f.*
isome'risch *b.n.* isomérique.
isot(h)erm' *m.* (ligne) isotherme *f.*
isotoop' *m.* isotope *m.*
isotopie' *v.* isotopie *f.*
Is'raël *o.* Israel *m.*
Israë'li *m.* Israélien *m.*
Israëliet' *m.* Israélite *m.*
Israë'lisch *b.n.* israélien.
Israeli'tisch *b.n.* israélite.
Italiaan' *m.* Italien *m.*
Italiaans' I *b.n.* italien; ***het — boekhouden,*** (*H.*) la comptabilité en partie double; **II** *z.n., o.* italien *m.*
Ita'lië *o.* l'Italie *f.*
I'thaka *o.* Ithaque *f.*
It'ter *o.* Ittre.
ivoor *m. of o.* ivoire *m.*
ivoor'achtig *b.n.* ivoirin.
ivoor'draaier *m.* tourneur *m.* en ivoire.
ivoor'draaierij *v.* ivoirerie *f.*
Ivoor'kust *v.* Côte *f.* d'Ivoire.
ivoor'snijder *m.* ivoirier *m.*
ivoor'werk *o.* ouvrage *m.* en ivoire; objets *m.pl.* en ivoire.
ivoor'wit *b.n.* blanc ivoire.
ivoor'zwart *o.* noir *m.* d'ivoire.
ivo'ren *b.n.* en ivoire, d'ivoire.
I'zaak *m.* Isaac *m.*
Izabel' *v.* Isabelle *f.*
I'zegrim *m.* Isengrin *m.*
i'zegrim, *zie* ***iezegrim.***

J

J *v.(m.)* j *m.*
ja I *bw.* **1** oui; **2** (*na ontkenning*) si; **—?** vrai? vraiment? ***ik geloof (van) —,*** je crois que oui; ***— knikken,*** faire un signe de tête affirmatif, faire oui de la tête; ***— zeggen,*** **1** (*bevestigen*) dire que oui; **2** (*aannemen*) accepter; ***op alles — en amen zeggen,*** opiner du bonnet; ***— zeker,*** **1** (*bevestigend*) mais oui; bien sûr, certainement; **2** (*schertsend*) bien oui!; ***— zelfs,*** et même; ***zo —,*** si oui, dans l'affirmative; **II** *z.n., o.* oui *m.*
jaag'geld *o.* halage *m.*, frais *m.pl.* de halage.
jaag'lijn *v.(m.)* cordelle, cincenelle *f.*
jaag'loon *o.* halage *m.*
jaag'paard *o.* cheval *m.* de halage.
jaag'pad *o.* chemin *m.* de halage, lé *m.* [d'eau.
jaag'schuit *v.(m.)* barque *f.* de trait, coche *m.*
Jaap *m.* Jacques *m.*
jaap *m.* **1** (*alg.*) coupure *f.*; **2** (*in gezicht*) balafre *f.*
jaar *o.* an *m.*; (*duur*) année *f.*; ***een half —,*** six mois; ***het — Onzes Heren,*** l'an de grâce; ***het kerkelijk —,*** l'année liturgique; ***het burgerlijk —,*** l'année civile; ***de jaren des onderscheids,*** l'âge de raison, l'âge de discrétion; ***het ene — door het andere,*** bon an, mal an; une année dans l'autre; ***per —,*** par an, l'an; ***ieder —,*** tous les ans; ***tweemaal 's —s,*** deux fois l'an; ***— in, — uit,*** d'année en année; ***— op —,*** d'année en année, année par année; ***na drie —,*** au bout de trois ans; ***sedert — en dag,*** depuis (très) longtemps; ***op jaren,*** d'un âge avancé; ***van mijn jaren,*** de mon âge; ***in zijn jonge jaren,*** dans son jeune âge.
jaar'balans *v.(m.)* bilan *m.* annuel.
jaar'bericht *o.* bulletin *m.* annuel.
jaar'beurs *v.(m.)* foire *f.* commerciale, — annuelle, foire*-exposition* *f.*
jaar'boek *o.* annuaire *m.*; ***—en,*** annales *f.pl.*
jaar'dag *m.* anniversaire *m.*
jaar'dienst *m.* (*kath.*) service *m.* anniversaire, messe *f.* —.
jaar'feest *o.* anniversaire *m.*, fête *f.* annuelle.
jaar'gang *m.* année *f.*
jaar'geld *o.* pension *f.*
jaar'getij (de) *o.* **1** (*seizoen*) saison *f.*; **2** (*jaardienst v. overledene*) service *m.* (*of* messe *f.*) anniversaire, obit *m.* (fixe).
jaar'kring *m.* **1** (*jaar*) année *f.*; **2** (*sterr.*) cycle *m.*; **3** (*Pl.*) cerne *m.*
jaar'lijks I *bw.* tous les ans, par an, annuellement; **II** *b.n.* annuel; ***—e aflossing,*** annuité *f.*
jaar'markt *v.(m.)* foire *f.*
jaar'premie *v.* prime *f.* annuelle, annuité *f.*
jaar'rekening *v.* compte *m.* annuel.
jaar'ring *m.* cerne *m.* [annuelle.
jaar'staat *m.* états *m.pl.* annuels, balance *f.*
jaar'tal *o.* **1** (*jaar*) année *f.*; **2** (*datum, in gesch.*) date *f.*; **3** (*op munt*) millésime *m.*
jaar'tallenboekje *o.* table *f.* chronologique.
jaar'talvers *o.* chronogramme *m.*
jaar'telling *v.* ère *f.* (chrétienne, etc.).
jaar'vergadering *v.* assemblée *f.* annuelle, réunion *f.* —.
jaar'verslag *o.* rapport *m.* annuel, compte rendu *m.* annuel. [*m.pl.* annuels.
jaar'wedde *v.(m.)* traitement *m.*, appointements
jaar'wisseling *v.* changement *m.* d'année.
ja'broer *m.* qui consent à tout; ***hij is een —,*** il opine du bonnet.
jacht I *v.(m.)* chasse *f.*; ***— maken op,*** donner la chasse à; ***op (de) — gaan,*** aller à la chasse; **II** *o.* (*sch.*) yacht *m.*
jacht'akte *v.(m.)* permis *m.* de chasse.
jacht'club, -klub *v.(m.)* cercle *m.* nautique, club *m.* —, yachting-club* *m.*
jachtcostuum, *zie* ***jachtkostuum.***
jach'ten I *ov.w.* presser; **II** *on.w.* se hâter.
jacht'gebied *o.* chasse *f.* gardée, terrain *m.* de chasse.
jacht'geweer *o.* fusil *m.* de chasse.
jacht'godin *v.* Diane *f.* chasseresse.
jacht'hond *m.* chien *m.* de chasse. [trompe *f.*
jacht'hoorn, -horen *m.* cor *m.* de chasse,
jacht'huis *o.* pavillon *m.* de chasse, maison *f.* —.
jachtklub, *zie* ***jachtclub.***
jacht'kostuum, -costuum *o.* complet *m.* de chasse; tenue *f.* de chasse.
jacht'mes *o.* coutelas, couteau *m.*
jacht'opziener *m.* garde*-chasse *m.*
jacht'partij *v.* partie *f.* de chasse.
jacht'recht *o.* droit *m.* de chasse.
jacht'schotel *m. en v.* miroton *m.*, pot-au-feu *m.* aux oignons. [*f.* de neige.
jacht'sneeuw *v.(m.)* neige *f.* (très) fine, poussière
jacht'stoet *m.* équipage *m.* de chasse.
jacht'term *m.* terme *m.* de chasse, — de vénerie, — cynégétique.
jacht'tijd *m.* chasse *f.*, saison *f.* de la chasse.
jacht'vermaak *o.* plaisir *m.* de la chasse.
jacht'vlieger *m.* aviateur *m.* de chasse.
jacht'vliegtuig *o.* (*mil.*) avion *m.* de chasse, chasseur *m.*
jacht'wet *v.(m.)* loi *f.* sur (la police de) la chasse.
jacht'wezen *o.* chasse; vénerie *f.*
Ja'cob, Ja'kob *m.* **1** Jacques *m.*; **2** (*Oud-Test.*) Jacob *m.*
Jaco'ba, Jako'ba *v.* Jacqueline *f.*
jacobijn', jakobijn' *m.* Jacobin *m.*
jacquet' *o. en v.(m.)* jaquette *f.*
ja'gen I *on.w.* **1** chasser, aller à la chasse; **2** (*gejaagd zijn*) être agité, être pressé; **3** (*haasten*) se presser, se hâter; ***hij jaagt altijd,*** il va toujours grand train; (*fig.*) ***— naar,*** courir après, poursuivre; ***de wolken —,*** les nuages courent; **II** *ov.w.* **1** (*wegjagen*) chasser; **2** (*trekschuit*) haler (à la cordelle); **3** (*fig.*) presser; ***iem. een kogel door het hoofd —,*** brûler la cervelle à qn.; ***over de kling —,*** passer au fil de l'épée; ***iem. op kosten —,*** mettre qn. en frais; **III** *z.n., o.* **1** chasse *f.*; **2** (*v. wolken*) course *f.*; **3** (*het hijgen*) halètement *m.*; **4** (*sch.*) halage *m.*
ja'ger *m.* **1** (*op wild; mil.*) chasseur *m.*; **2** (*v. schuit*) haleur *m.*; **3** (*sch.*) chasseur *m.*; **4** (*vogel*) stercoraire *m.*; **5** (*vl.*) avion *m.* de chasse, chasseur *m.*
jageres' *v.* chasseuse; chasseresse *f.* [rie.
ja'germeester *m.* veneur *m.*, maître *m.* de la véne-
ja'gerslatijn *o.* histoires *f.pl.* de chasse, fanfaronnades *f.pl.* de chasseur, tartarinades *f.pl.*
ja'gerstas *v.(m.)* gibecière, carnassière *f.*
ja'guar *m.* jaguar *m.*
jak *o.* casaquin, caraco *m.*; camisole *f.*
jak'hals *m.* **1** chacal *m.*; **2** (*fig.*) gueux *m.*; ***een kale —,*** un pauvre diable, un pelé, un va-nu-pieds.
jak'keren I *ov.w.* talonner; éreinter; **II** *on.w.* aller à fond de train.
jakob (-), *zie* ***jacob (-).***

ja'kobsschelp *v.(m.)* coquille *f.* Saint-Jacques.
jalap'(pe) *m.* (*Pl.*) jalap *m.*
jaloers' *b.n.* jaloux.
jaloers'heid *v.* jalousie *f.*
jaloezie' *v.* **1** (*jaloersheid*) jalousie *f.*; **2** (*zonneblind*) jalousie, persienne *f.*
jam *m. en v.* confiture *f.*
Jama'ica *o.* la Jamaïque; ***uit* —,** jamaïquain.
jam'be *v.(m.)* ïambe *m.*
jam'bisch *b.n.* ïambique.
jam'fabriek *v.* confiturerie *f.*
jam'mer *o. en m.* **1** (*klacht*) lamentation *f.*; **2** (*ellende*) misère *f.*; ***het is* —,** c'est dommage; ***wat* —!** quel dommage!
jam'merdal *o.* vallée *f.* de larmes.
jam'meren *on.w.* se lamenter.
jam'merklacht *v.(m.)* lamentation, plainte *f.*, (*fam.*) jérémiade *f.*
jam'merkreet *m.* cri *m.* de détresse.
jam'merlijk *b.n.* misérable, pitoyable, lamentable, piteux.
jam'pot *m.* confiturier *m.*
jam'potje *o.* verre *m.* à confiture.
Jan *m.* **1** Jean *m.*; **2** (*kelner*) garçon *m.*; **— *en alleman,*** tout le monde; ***kwaad spreken van — en alleman,*** médire du tiers et du quart; **— *Klaassen,*** Polichinelle *m.*; (*fig.*) pantin *m.*; **—, *Piet of Klaas,*** Pierre ou Paul; *zie* ***jan en alleman***; **— *Rap en zijn maat,*** la canaille; **— *Salie,*** homme mou, homme sans énergie; ***de — uithangen,*** trancher du grand seigneur; ***boven — zijn,*** être hors d'embarras, avoir repris le dessus.
jan'boel *m.* pétaudière, pagaille (*of* pagaye) *f.*, désordre *m.*
janha'gel **1** *o.* (*gemeen volk*) populace, canaille, racaille *f.*; **2** *m.* (*koek*) croquet *m.*, gâteau *m.* croquant.
janhen' *m.* tâte-poule *m.*; jocrisse *m.*
janitsaar' *m.* janissaire *m.*
jan'ken *on.w.* **1** (*v. hond*) glapir, japper; **2** (*v. kind, mens*) piailler, criailler, pleurer.
jan'ker *m.* criailleur, piailleur *m.*
janklaas'senspel *o.* guignol *m.*, théâtre *m.* de marionnettes, marionnettes *f.pl.*
jan'maat *m.* les mathurins *m.pl.*, les cols *m.pl.* [bleus.
janplezier' *m.* char *m.* à bancs.
jansa'lieachtig *b.n.* mou, apathique, sans énergie.
jansa'liegeest *m.* manque *m.* d'énergie, apathie, indolence *f.*
jansenis'me *o.* jansénisme *m.*
jansenist' *m.* janséniste *m.*
Jan'sje *v. en o.* Jeannette, Jeanneton *f.*
Jan'tje *o.* **1** Jeannot *m.*; **2** (*matroos, pop.*) mathurin *m.*, col *m.* bleu; ***de* —*s,*** (*ook:*) les flambards; **— *rechtuit,*** saint Jean Bouche d'or; ***zich met een —-van-leiden er vanaf maken,*** dire quelques banalités.
janua'ri *m.* janvier *m.*
jan-van-gent' *m.* (*Dk.*) gannet *m.*
Ja'pan *o.* le Japon.
Japannees,' Japan'ner *m.* Japonais *m.*
Japans' *b.n.* japonais.
ja'pen *ov.w.* balafrer.
japon' *m.* robe *f.*
japon'naaister *v.* couturière *f.*
japon'rok *m.* jupe *f.*
japonschort, *zie* ***jasschort.***
japon'stof *v.(m.)* étoffe *f.* pour robes, tissu *m.* —.
ja'renlang I *b.n.* de plusieurs années; **II** *bw.* durant de longues années.
ja'rig *b.n.* **1** (*een jaar oud*) d'un an; **2** ***hij is* —,** c'est sa fête (*of* son anniversaire) aujourd'hui; ***de —e,*** la personne (*of* celui) qui fête son anniversaire; le héros de la fête, l'héroïne —.
jas I *v.* **1** (*zonder panden*) veston *m.*; **2** (*met panden*) jaquette *f.*; **3** (*gekleed*) redingote *f.*; **4** (*over—*) pardessus, paletot *m.*; **II** *m.* (*troefboer in kaartspel*) valet *m.* d'atout.
jas'beschermer *m.* garde-boue *m.*
jasmijn' *v.(m.)* **1** jasmin *m.*; **2** (*boeren—*) seringa *m.*
jaspe'ren *ov.w.* jasper.
jaspe'ring *v.* jaspure *f.*
jas'pis *m.* jaspe *m.*
jas'schort *v.(m.)* tablier*-fourreau* *m.*
jas'sen I *on.w.* (*kaartspel*) jouer au jeu du valet, — de "jas"; **II** *ov.w.* (*aardappelen schillen*) peler, éplucher (des pommes de terre).
jas'zak *m.* poche *v.* d'habit, — de redingote.
Ja'va *o.* Java *m.*
Javaan' *m.* Javanais *m.*
Javaans' *b.n.* javanais. [ah ouiche!
jawel' *bw.* **1** (*bevestigend*) si, si fait; **2** (*schertsend*)
ja'woord *o.* oui *m.*; ***het — vragen,*** demander la main de; ***het — geven,*** **1** (*v. meisje*) prononcer le grand oui; **2** (*v. ouders*) donner son consentement.
jazz'muziek *v.* jazz *m.*
je I *pers. vnw.* (*onderw.*) vous, tu; (*bep.*) te; (*onbep.*) on; **— *kunt nooit weten,*** on ne sait jamais; **II** *bez. vnw.* votre, vos; ton, ta, tes.
jee! *tw.* bonté divine! mon Dieu! ***o —, nee!*** ah que non!
jeep *m.* jeep *f.*
je'gens *vz.* envers, à l'égard de.
Jeho'va *m.* Jéhovah *m.*
Je'ker *m.* Geer *m.*
jek'ker *m.* vareuse *f.*, (*met bontkraag*) canadienne *f.*
jelui, *zie* ***jullie.***
Je'men *o.* Yémen *m.*
Jemeni'tisch *b.n.* yéménite.
jene'ver *m.* genièvre *m.*
jene'verbes *v.(m.)* baie *f.* de genévrier.
jene'verboom *m.* genévrier *m.*
jene'verbrander *m.* distillateur *m.* (de genièvre).
jene'verbranderij *v.* distillerie *f.*
jene'verfles *v.(m.)* bouteille *f.* à genièvre.
jene'verglas *o.* verre *m.* à genièvre.
jene'verkruik *v.(m.)* cruchon *m.* à genièvre, — à Schiedam.
jene'verlucht *v.(m.)* **1** odeur *f.* de genièvre; **2** (*adem*) haleine *f.* de genièvre.
jene'verneus *m.* nez *m.* rouge, — enluminé, — bourgeonnant.
jene'verstoker *m.* distillateur *m.* (de genièvre); ***geheim* —,** bouilleur *m.* de crû.
jene'verstokerij *v.* distillerie, genièvrerie *f.*
jene'verstruik *m.* genévrier *m.*
jene'vervat *o.* tonneau *m.* à genièvre.
jen'gelen *on.w.* piailler, pleurnicher.
jenof'fel *v.(m.)* (*Pl.*) giroflée *f.*
Jeremi'a(s) *m.* Jérémie *m.*
jeremia'de *v.* jérémiade *f.*
Je'rez *o.* Xérès.
Jeroen' *m.* Jérôme *m.*
jer'sey *m.* jersey *m.*
Jeru'zalem *o.* Jérusalem *m.*
Jesa'ja *m.* Isaïe *m.*
Jet *v.* Henriette *f.*
Jet'je *v.* Juliette *f.*
jet'motor *m.* moteur *m.* à réaction.
jeugd *v.(m.)* **1** jeunesse *f.*; **2** (*vleesnat, —sap*) (*Z.N.*) jus *m.* (de viande); ***van zijn prilste — af,*** dès sa première jeunesse, dès (*of* depuis) sa tendre enfance.
jeugd'afdeling *v.* section *f.* cadette.

jeugd'beweging *v.* mouvement *m.* de jeunesse.
jeugd'concert, -koncert *o.* concert *m.* pour la jeunesse.
jeugd'herberg *v.(m.)* auberge *f.* de la jeunesse.
jeugd'herinnering *v.* souvenir *m.* de jeunesse.
jeug'dig *b.n.* **1** jeune; juvénile; **2** (*mals*) (*Z.N.*) tendre; ***—e bevalligheid,*** grâce juvénile; ***een —e grijsaard,*** un vieillard encore vert; ***er — uitzien,*** avoir un air de jeunesse, avoir l'air jeune; ***met — vuur,*** avec le feu de la jeunesse.
jeug'digheid *v.* **1** (*uiterlijk*) air *m.* de jeunesse; **2** (*blijk van —*) fraîcheur, vigueur *f.*
jeugd'kamp *o.* camp *m.* de jeunesse.
jeugdkoncert, *zie* ***jeugdconcert.***
jeugd'leider *m.* moniteur *m.*
jeugd'leidster *v.* cheftaine, monitrice *f.*
jeugd'werk *o.* œuvres *f.pl.* pour la jeunesse.
jeugd'zonde *v.(m.)* erreur *f.* de jeunesse.
jeugd'zorg *v.(m.)* œuvre *m.* de jeunesse.
jeuk *m.* **1** démangeaisons *f.pl.*; **2** (*gen.*) prurit *m.*; ***ik heb — aan mijn arm,*** le bras me démange.
Jeuk *o.* Goyer.
jeu'ken *on.w.* démanger; (*fig.*) ***mijn maag begint te —,*** mon estomac commence à crier famine.
jeu'kerig *b.n.* qui démange.
jeu'king *v.* **1** démangeaisons *f.pl.*; **2** (*gen.*) prurit *m.*
jeuk'poeder, -poeier *o. en m.* poil *m.* à gratter.
jeuk'te *v.* prurit *m.*
jezuïet' *m.* jésuite *m.*
jezuïe'tenklooster *o.* couvent *m.* des jésuites.
jezuïe'tenorde *v.(m.)* compagnie *f.* de Jésus, société *f.* —.
jezuïe'tisch *b.n.* jésuitique.
Je'zus *m.* Jésus *m.* [— vague.
jicht *v.(m.)* goutte *f.*; ***vliegende —,*** goutte volante,
jicht'aanval *m.* attaque *f.* de goutte.
jich'tig *b.n.* goutteux, arthritique.
jicht'knobbel *m.* enflure *f.* arthritique; gonflement *m.* articulaire.
jicht'lijder *m.* goutteux, arthritique *m.*
jij *vnw.* toi, tu; vous.
jij'en *ov.w.* tutoyer.
Job *m.* Job *m.* [messager *m.* de malheur.
jobs'bode *m.* porteur *m.* de mauvaises nouvelles;
jobs'geduld *o.* patience *f.* de Job, — à toute épreuve, — d'ange.
jobs'tijding *v.* mauvaise nouvelle *f.*, fâcheuse —.
joch, jo'chie *o.* (*fam.*) gosse *m.*
jock'ey *m.* jockey *m.*
jock'eypet *v.(m.)* casquette *f.* de jockey.
jo'delen *on.w.* iouler, jodler.
jo'denbuurt *v.(m.)* quartier *m.* juif.
jo'dendom *o.* **1** (*leer*) judaïsme *m.*; **2** (*de joden*) juifs *m.pl.*; **3** (*ong.*) juiverie *f.*
jo'denfooi *v.(m.)* **1** pourboire *m.* dérisoire, — de rien du tout; **2** (*fig.*) piètre rétribution *f.*, salaire *m.* dérisoire.
jo'denhaat *m.* antisémitisme *m.*
jo'denhater *m.* antisémite *m.*
jo'denkerk *v.(m.)* synagogue *f.*; ***het lijkt wel een —,*** c'est un vrai sabbat.
jo'denkerkhof *o.* cimetière *m.* juif.
jo'denlijm *m.*, **jo'denpek** *o.* **1** asphalte, bitume *m.*; **2** (*fam.*) salive *f.*
jo'dentaal *v.(m.)* jargon *m.* juif.
jo'dentoer *m.* casse-tête *m.*, travail *m.* difficile; ***het is een —,*** c'est une sacrée besogne; ***dat is geen —,*** ce n'est pas sorcier.
jo'denvervolging *v.* persécution *f.* des juifs.
jo'denwijk *v.(m.)* quartier *m.* juif, — des juifs.
jodin' *v.* juive *f.*, Israélite *f.*
jo'dium *o.* iode *m.*
jo'diumtinctuur, -tinktuur *v.* teinture *f.* d'iode.
jodoform' *m.* iodoforme *f.*
joe'delen, *zie* ***jodelen.***
Joegosla'vië *o.* Yougoslavie *f.*
Joegosla'visch *b.n.* yougoslave. [ment.
joe'len *on.w.* pousser des cris, se divertir bruyam-
jogh'urt, *zie* ***yoghurt.***
Johan'na *v.* Jeanne *f.* [Baptiste.
Johan'nes *m.* Jean *m.*; ***— de Doper,*** saint Jean
johan'nesbrood *o.* (*Pl.*) caroube, carouge *f.*
jok *m.* raillerie, plaisanterie *f.*, badinage *m.*
joka'ri *o.* jokari *m.*; ***— spelen,*** jouer au jokari.
jo'ker *m.* (*kaartsp.*) joker *m.*
jok'ken I *on.w.* **1** railler, plaisanter, badiner; **2** (*fig.*) raconter des craques, mentir; **II** *z.n.* ***het —,*** la menterie.
jok'kenaar *m.* blagueur, menteur *m.*
jok'kentje *o.* craque, menterie *f.*
jok'ker(d) *m.* menteur *m.*
jokkernij' *v.* **1** blague, plaisanterie *f.*; **2** menterie *f.*
jol *v.(m.)* (*sch.*) yole, chaloupe *f.*
jo'lig I *b.n.* gai, folâtre; (*fam.*) rigolo; **II** *bw.* gaiement, d'une manière amusante.
jo'ligheid *v.* gaieté, pétulance *f.*
Jo'nas *m.* Jonas *m.*
jo'nashaai *m.* requin *m.*
jo'nassen *ov.w.* berner.
jong I *b.n.* jeune; ***— bier,*** bière jeune; ***—e wijn,*** vin *m.* nouveau; ***—e dame,*** demoiselle, jeune personne; ***—e heer,*** jeune homme; ***het —e paar,*** les jeunes époux, les jeunes mariés; ***—e groenten,*** primeurs *f.pl.*; ***van —e datum,*** de date récente; **II** *z.n.*, *o.* petit *m.*
jongedoch'ter *v.* jeune fille, demoiselle *f.*
jongeheer' *m.* jeune homme *m.*; (*in aanspraak*) monsieur *m.*
jongejuf'frouw *v.* jeune fille, demoiselle *f.*; (*in aanspraak*) mademoiselle; ***een oude —,*** une vieille demoiselle. [adolescent *m.*
jon'geling *m.* jeune homme *m.*; ***aankomend —,***
jon'gelingschap *v.* **1** (*het jongeling zijn*) adolescence *f.*; **2** (*de gezamenlijke jongelingen*) jeunes gens *m.pl.*; ***de studerende —,*** la jeunesse studieuse.
jon'gelingsjaren *mv.* adolescence *f.*
jon'gelingsvereniging *v.* association *f.* de jeunes gens, union *f.* —.
jongelui' *mv.* jeunes gens *m.pl.*
jongeman' *m.* jeune homme *m.*
jon'gen *m.* **1** garçon *m.*; (*fam.*) gamin, gosse *m.*; **2** (*leer—*) apprenti *m.*; **3** (*loop—*) coursier *m.*; **4** (*scheeps—*) mousse *m.*; ***kleine —,*** petit garçon, garçonnet *m.*; ***zijn — is ziek,*** son fils est malade; ***een flinke —,*** **1** (*kranig*) un brave garçon; **2** (*ferm, dik*) un gros garçon; ***onze —s,*** **1** nos garçons; **2** (*mil.*) nos gars; ***ouwe —,*** mon vieux.
jon'gensachtig I *b.n.* **1** (*als van een jongen*) gamin, d'un gamin, d'un garçon; **2** (*kinderachtig*) puéril; **3** (*jongensgek*) garçonnier; **II** *bw.* en garçon, comme un garçon, à la garçonne.
jon'gensgek *v.* garçonnière *f.*
jon'gensjaren *mv.* enfance *f.*, jeune âge *m.*
jon'genskiel *m.* tunique *f.* [*m.* —.
jon'genspak *o.* complet *m.* de garçon, costume
jon'gensschool *v.(m.)* école *f.* de garçons.
jon'gensstreek *m. en v.* gaminerie *f.*, tour *m.* de gamin.
jon'ger *b.n.* plus jeune; ***hij is drie jaar — dan ik,*** il est mon cadet de trois ans, il a trois ans de moins que moi, il est plus jeune que moi de trois ans; ***er — uitzien dan men is,*** ne pas paraître son âge; ***zijn —e broer,*** son frère cadet.

jon'getje *o.* petit garçon, garçonnet *m.*
jonggebo'rene *m.-v.* nouveau-né(e)* *m.(f.).*
jonggehuw'de *m.-v.* nouveau marié *m.*, nouvelle mariée *f.*; ***de —n,*** les jeunes époux, les nouveaux mariés *m.pl.*
jonggezel' *m.* célibataire, garçon *m.*
jongle'ren *on.w.* jongler.
jongmaat'je *o.* (jeune) apprenti *m.*
jongmens' *o.* jeune homme *m.*
jongst *b.n.* **1** (*v. leeftijd*) le (*of* la) plus jeune; **2** (*v. tijd*) récent, dernier; ***mijn —e broer,*** mon frère cadet; ***de —e gebeurtenissen,*** les événements (les plus) récents; ***de —e bediende,*** le petit, dernier employé (*of* commis); ***de —e dag,*** le (jour du) jugement dernier; ***het —e gericht,*** le jugement dernier; ***de —e berichten,*** les dernières nouvelles.
jong'ste *m.-v.* dernier*-né* *m.*, dernière*-née* *v.*
jongst'leden *b.n.* dernier.
jonk *m.* (*sch.*) jonque *f.*
jon'ker *m.* **1** (jeune) gentilhomme, jeune noble *m.*; **2** (*ong.*) hobereau *m.*; ***kale —,*** gentillâtre *m.*
jon'kerpartij *v.* parti *m.* des hobereaux.
jonk'heer *m.* écuyer, gentilhomme *m.*
jonk'heid *v.* jeunesse *f.*
jonk'man *m.* jeune homme *m.*; ***— blijven,*** rester garçon. [(noble).
jonk'vrouw *v.* jeune fille *f.* noble, demoiselle *f.*
jonkvrou'welijk *b.n.* virginal.
jood *m.* juif *m.*, Israélite *m.-f.*; ***de wandelende —,*** le Juif errant; ***twee joden weten wat een bril kost,*** les loups ne se mangent pas entre eux; on ne me la fait pas.
joods *b.n.* juif, judaïque; Israélite. [chrétien.
joods'-christelijk, joods'-kristelijk *b.n.* judéo-
joods'gezind *b.n.* judéophile.
joods-kristelijk, *zie* ***joods-christelijk.***
jool *m.* joie, gaieté; fête *f.*, joie *f.* bruyante.
Joop *m.* Jeannot *m.*
Joost *m.* Juste, Josse *m.*; ***dat mag — weten,*** Dieu le sait, le diable le sait.
Jordaan' *v.* Jourdain *m.*
Jorda'nië *o.* Jordanie *f.*; ***uit —,*** jordanien.
Jo'ris *m.* Georges *m.*; ***— Goedbloed,*** jean-jean *m.*
jo'ta *v.(m.)* iota *m.*
jou *pers. vnw.* te, toi; vous.
journaal' *o.* **1** (*H.*) journal, livre *m.* journal; **2** (*scheeps—*) journal *m.* de bord; **3** (*film*) actualités *f.pl.* [journal.
journalise'ren, -ize'ren *ov.w.* (*H.*) porter au
journalist' *m.* journaliste *m.*
journalistiek' *v.* journalisme *m.*
journalizeren, *zie* ***journaliseren.***
jouw *bez. vnw.* ton, ta, tes; votre, vos.
jou'wen *on.w.* huer.
joviaal' *b.n.* jovial.
jovialiteit' *v.* jovialité *f.* [cœur.
Jo'zef *m.* Joseph *m.*; ***de ware —,*** l'élu *m.* du
Jo'zua *m.* Josué *m.*
ju'bel *m.* cris *m.pl.* de joie, transports *m.pl.* —.
ju'belen *on.w.* pousser des cris de joie, jubiler.
ju'belfeest *o.* jubilé *m.* [f. sainte.
ju'beljaar *o.* **1** année *f.* jubilaire; **2** (*kath.*) année
ju'belkreet *m.* cri *m.* de joie.
ju'bellied *o.* chant *m.* d'allégresse.
jubila'ris *m.* **1** héros *m.* de la fête; **2** (*bij 50-jarig jubileum*) jubilaire *m.*
jubile'ren *on.w.* célébrer sa fête jubilaire.
jubile'um *o.* **1** fête *f.* (jubilaire); **2** (*50-jarig*) jubilé *m.*; **3** (*in de Kerk*) jubilé *m.*; année *f.* sainte.
jubile'umjaar *o.* année *f.* jubilaire, — de jubilé.
jucht'le(d)er *o.* cuir *m.* de Russie.
Ju'da *m.* Juda *m.*
Ju'das *m.* Judas *m.*
ju'dasboom *m.* (*Pl.*) gaînier *m.*
ju'dasgeld *o.* salaire *m.* de Judas, — de trahison.
ju'daskus *m.* baiser *m.* de Judas.
ju'dasloon *o.* salaire *m.* de trahison.
ju'daspenning *m.* (*Pl.*) monnaie-du-pape, grande lunaire *f.*, lunaire *f.* annuelle.
ju'dassen *ov.w.* agacer, tourmenter, faire enrager.
ju'dasstreek *m. en v.* coup *m.* de Jarnac, tour *m.* de Judas.
Jude'a *o.* la Judée.
Judees' *b.n.* judaïque.
judicieel' *b.n.* judiciaire.
judi'cium *o.* **1** jugement, verdict *m.*; **2** (*v. examen*) décision *f.* (du jury); proclamation *f.* (des résultats de l'examen).
ju'do *o.* judo *m.*
ju'doën *on.w.* pratiquer le judo, faire du judo.
ju'dogreep *m.* prise *f.* de judo.
judo'ka *m.* judoka *m.-f.* ,
juf'fer *v.* **1** demoiselle *f.*; **2** (*aanspreektitel*) mademoiselle *f.*; **3** (*paal*) espar(t) *m.*
juf'ferachtig I *b.n.* de demoiselle; **II** *bw.* comme une demoiselle.
juf'fershondje *o.* chien *m.* d'appartement; (*fig.*) ***beven als een —,*** trembler comme une feuille.
juf'fertje *o.* **1** (*meisje*) jeune fille, demoiselle *f.*; **2** (*insekt*) demoiselle, libellule *f.*; **3** (*Pl.*) ***— in 't groen,*** nigelle *f.* de Damas, toute*-épice* *f.*
juf'frouw *v.* **1** demoiselle; dame *f.*; **2** (*aanspreektitel*) mademoiselle; madame *f.*; **3** (*onderwijzeres*) institutrice *f.*; (*huisonderwijzeres*) gouvernante *f.*; ***— van gezelschap,*** dame *f.* de compagnie.
jui'chen *on.w.* pousser des cris de joie, jubiler.
juich'kreet *m.* cri *m.* de joie.
juich'toon *m.* cri *m.* d'allégresse.
juist I *b.n.* **1** (*nauwkeurig*) juste, précis, exact; **2** (*zoals 't moet zijn*) juste, correct; ***— daarom,*** précisément à cause de cela; ***—, zo is het,*** parfaitement, c'est comme cela; ***het —e woord,*** le terme propre; **II** *bw.* justement, exactement; ***— op tijd,*** juste à temps; ***ik heb — geschreven,*** je viens d'écrire; ***wij gaan — beginnen,*** nous allons commencer; ***— raden,*** deviner juste; ***daar is hij —,*** le voilà.
juist'heid *v.* justesse, précision, exactitude *f.*
juju'be *m. en v.* pâte *f.* de jujube.
juju'beboom *m.* jujubier *m.*
juk *o.* **1** (*alg.*) joug *m.*; **2** (*draag—*) palanche *f.*; **3** (*v. brug*) palée *f.*; ***een — ossen,*** une couple (*of* paire) de bœufs; ***onder het — brengen,*** subjuguer; ***het — afwerpen,*** secouer le joug.
juk'been *o.* pommette *f.*, os *m.* de la pommette; zygoma *m.*, os *m.* zygomatique.
ju'ke-box *m.* juke-box *m.*, machine *f.* à sous.
ju'li *m.* juillet *m.*
Ju'lia *v.* Julie *f.*
Juliaans' *b.n.* julien; ***—e kalender,*** calendrier *m.* julien; ***—e tijdrekening,*** ère *f.* julienne.
Julia'na *v.* Julienne *f.*
Julia'nus *m.* Julien *m.*
Ju'lius *m.* Jules *m.* [votre, vos.
jul'lie 1 (*pers. vnw.*) vous, vous autres; **2** (*bez. vnw.*)
jum'per *m.* blouse *f.*
jung'le *v.(m.)* jungle, brousse *f.*, bled *m.*
ju'ni *m.* juin *m.*
ju'nikever *m.* (*Dk.*) fromentée *f.*
ju'nior, jeune; ***de heer Legrand —,*** **1** (*zoon*) monsieur Legrand fils; **2** (*jongste broer*) M. Legrand jeune.
Ju'no *v.* Junon *f.*

Jupijn' *m.* Jupin, Jupiter *m.*
Ju'ra *v.* Jura *m.*
Jurbeke *o.* Jurbise.
juri'disch *b.n.* juridique, d'ordre juridique; ***een —e beslissing,*** une décision de droit; ***een — boek,*** un livre de jurisprudence; ***de —e faculteit,*** la faculté de droit.
jurisdic'tie, -dik'tie *v.* juridiction *f.*
jurispruden'tie *v.* jurisprudence *f.*
jurist' *m.* **1** (*rechtsgeleerde*) jurisconsulte *m.*; **2** (*schrijver over recht*) juriste *m.*; **3** (*student in de rechten*) étudiant *m.* en droit.
jurk *v.*(*m.*) robe *f.*
ju'ry *v.*(*m.*) jury *m.* [membre *m.* du jury.
ju'rylid *o.* **1** (*bij rechtbank*) juré *m.*; **2** (*bij examen*)
jus *m.* sauce *f.*
jus'kom *v.*(*m.*) saucière *f.*
justeer'der *m.* ajusteur *m.*
justeer'derschaal *v.*(*m.*) ajustoir *m.* [*m.*
juste'ren I *ov.w.* ajuster; **II** *z.n.* ***het —,*** l'ajustage
justi'tie *v.* justice *f.*; ***met de — in aanraking komen,*** avoir maille à partir avec la justice.
justitieel' *b.n.* judiciaire.
Jus'tus *m.* Juste *m.*
jut I *v.*(*m.*) (*peer*) mouille-bouche *f.*, poire *f.* fondante; **II** *m.* (*sch.*) bout*-dehors *m.*; **III** (***J—***), ***kop van —,*** tête *f.* de Turc.
ju'te *v.*(*m.*) jute *m.*
ju'tedoek *o.* toile *f.* de jute.
ju'tezak *m.* sac *m.* en toile de jute.
Jut'land *o.* le Jutland. [dante.
jut'tepeer *v.*(*m.*) mouille-bouche *f.*, poire *f.* fon-
jut'ter *m.* (*sch.*) naufrageur *m.*
juvenaat' *o.* juvénat *m.* [précieuse.
juweel' *o.* **1** bijou, joyau *m.*; **2** (*edelsteen*) pierre *f.*
juweel'doosje, juweel'kistje *o.* **1** écrin *m.*, coffret *m.* à bijoux; **2** (*voor ringen*) baguier *m.*
juwelier' *m.* bijoutier, joailler *m.*
juweliers'werk *o.* ouvrage *m.* de joaillerie.
juweliers'winkel *m.* bijouterie, joaillerie *f.*

K

K *v.*(*m.*) k *m.*
ka *v.*(*m.*) **1** (*kade*) quai *m.*; **2** (*Dk.*) choucas *m.*
kaag *v.*(*m.*) (*sch.*) cague *f.*
kaai *v.*(*m.*) **1** (*kade*) quai *m.*; **2** (*dijkje*) petite digue *f.*; ***aan de — liggen,*** être sur quai; ***lossen aan de —,*** décharger au quai.
kaai'drager *m.* débardeur; portefaix *m.*
kaai'geld, ka'degeld *o.* quayage *m.*, droit *m.* de quai.
kaai'man *m.* (*Dk.*) caïman, alligator *m.*
kaai'meester, ka'demeester *m.* garde*-quai *m.*, inspecteur *m.* des quais.
kaai'muur, ka'demuur *m.* mur *m.* du quai.
kaai'ring *m.* (*sch.*) organeau *m.*
kaai'werker, ka'dewerker *m.* débardeur *m.*, ouvrier *m.* des quais.
kaak *v.*(*m.*) **1** (*kaakbeen*) mâchoire *f.*; **2** (*wang*) joue *f.*; **3** (*harington*) caque *f.*; ***iem. aan de — stellen,*** mettre qn. au pilori; ***met beschaamde kaken staan,*** en être pour sa courte honte.
kaak'been, kaaks'been, ka'kebeen *o.* os *m.* maxillaire.
kaak'je *o.* (petit) biscuit *m.*
kaak'klier *v.*(*m.*) glande *f.* maxillaire.
kaak'kramp *v.*(*m.*) trisme *m.*
kaak'slag *m.* soufflet *m.*
kaak'spier *v.*(*m.*) (muscle) buccinateur *m.*
kaal *b.n.* **1** (*schedel*) chauve; **2** (*voorhoofd, slapen*) dégarni; **3** (*gelaat*) glabre; **4** (*v. kleren*) râpé, usé; **5** (*v. bomen*) dénudé, dépouillé; **6** (*v. vogels*) déplumé; **7** (*v. muur, vertrek*) nu, dégarni; **8** (*v. berg, rots*) pelé, aride; **9** (*armoedig*) pauvre, gueux, sans le sou; (***het***) ***— worden,*** calvitie *f.*; (*gen.*) alopécie *f.*; ***een kale jonker,*** un purotin; ***een kale saus,*** une sauce maigre; ***een kale ontvangst,*** une maigre réception; ***een kale uitvlucht,*** une mauvaise défaite; ***iem. — plukken,*** plumer qn.; ***er — afkomen,*** revenir avec sa courte honte; ***hoe kaler hoe royaler,*** bourse plate, habit chamarré.
kaal'achtig *b.n.* un peu chauve.
kaal'heid *v.* **1** (*v. hoofd*) calvitie *f.*; **2** (*v. gelaat, boom, rots, enz.*) nudité *f.*; **3** (*v. kleren*) usure *f.*; **4** (*armoede*) pauvreté, misère *f.*
kaalhoof'dig *b.n.* chauve.
kaalhoof'digheid *v.* calvitie *f.*
kaal'kop *m.* tête *f.* chauve, pelé *m.*
kaam *v.*(*m.*), **kaam'sel** *o.* fleurs *f.pl.*, moisissure *f.*
kaan *v.*(*m.*) creton *m.*
kaap *v.*(*m.*) cap *m.*; ***een — omvaren*** (*of* ***omzeilen***), doubler un cap; ***ter — varen,*** faire la course.
Kaap'kolonie *v.* (*gesch.*) colonie *f.* du Cap.
Kaaps *b.n.* du Cap.
kaap'schip *o.* corsaire *m.*
Kaap'stad *v.* le Cap.
kaap'stander *m.* (*sch.*) cabestan *m.*
kaap'vaarder *m.* corsaire *m.*
kaap'vaart *v.*(*m.*) course *f.*; ***ter — gaan,*** faire la course.
Kaap-Ver'dische ei'landen *mv.* îles *f.pl.* du Cap-Vert.
kaar *v.*(*m.*) banneton *m.*
kaar'd(e) *v.*(*m.*) **1** (*Pl.*) chardon *m.* [à foulon carde *f.*; **2** (*tn.*) carde *f.*
kaar'debol *m.* cardère *f.*, chardon *m.* à foulon.
kaar'dedistel *m. en v.* chardon *m.* à foulon, cardère *f.* [lainage *m.*
kaar'den I *ov.w.* carder, lainer; **II** *z.n.*, *o.* cardage
kaar'der *m.* cardeur *m.*
kaarderij' *v.* carderie, lainerie *f.*
kaard'machine *v.* cardeuse *f.*
kaard'sel *o.* cardée *f.*
kaard'ster *v.* cardeuse *f.*
kaard'wol *v.*(*m.*) laine *f.* cardée.
kaars *v.*(*m.*) **1** (*stearine—*) bougie *f.*; **2** (*vet—*) chandelle *f.*; **3** (*was—, kerk—*) cierge *m.*; **4** (*Pl.*) chandelle *f.*; ***een eindje —,*** un bout de chandelle; ***zo recht als een —,*** droit comme un cierge.
kaar'sedief *m.* moucheron *m.*
kaar'senfabriek *v.* fabrique *f.* de bougies.
kaar'senmaker *m.* chandelier *m.*
kaar'senmakerij *v.* chandellerie *f.*, fabrique *f.* de bougies.
kaar'sensterkte *v.* intensité *f.* lumineuse.
kaar'sepit *v.*(*m.*) mèche *f.*
kaar's(e)snuiter *m.* mouchettes *f.pl.*
kaars'lantaarn, -lanta'ren *v.*(*m.*) lanterne *f.* à bougie.
kaars'licht *o.* lumière *f.* d'une bougie; ***bij —,*** aux bougies, aux chandelles.
kaars'recht *b.n.* droit comme un cierge.
kaars'snuiter, *zie* ***kaarsesnuiter.***

kaars'vet *o.* suif *m.*
kaart *v.(m.)* **1** carte *f.*; (— à jouer, — géographique, — d'entrée); **2** (*v. spoor, enz.*) billet, ticket *m.*; ***blinde —,*** (*aardr.*) carte muette; ***het is doorgestoken —,*** c'est un coup monté; ***de —en schudden,*** battre les cartes, mêler les cartes; ***de —en afnemen,*** couper les cartes; ***een —je leggen,*** faire une partie; ***de — leggen,*** tirer les cartes; ***open — spelen,*** jouer cartes sur table; ***in iemands — spelen,*** faire le jeu de qn.; ***zich in de — laten kijken,*** découvrir son jeu; ***zich niet in de — laten kijken,*** cacher son jeu; ***alles op één — zetten,*** mettre tous ses œufs dans le même panier.
kaart'catalogus *m.* catalogue *m.* sur fiches.
kaar'ten *on.w.* jouer aux cartes.
kaar'tenfabriek *v.* fabrique *f.* de cartes.
kaar'tenhuis *o.* château *m.* de cartes.
kaar'tenkamer *v.(m.)* (*sch.*) kiosque *m.* (des cartes).
kaar'tenpapier *o.* carton *m.*
kaar'tentekenaar *m.* cartographe *m.*
kaart'je *o.* **1** (*adres—*) carte *f.* (de visite); **2** (*v. spoor, tram, enz.*) billet, ticket *m.*; ***zijn — afgeven,*** déposer sa carte (chez qn.); ***een — leggen,*** faire une partie de cartes.
kaart'jesautomaat *m.* distributeur *m.* (automatique) de billets (*of* tickets).
kaart'leggen *v.* cartomancie *f.*
kaart'legster *v.* cartomancienne *f.*
kaart'lezen *on.w.* lecture *f.* des cartes.
kaart'projectie, -projektie *v.* projection *f.* géographique.
kaart'spel *o.* jeu *m.* de cartes.
kaart'speler *m.* joueur *m.* de cartes.
kaart'systeem *o.* **1** classement *m.* par fiches; **2** (*register*) fichier *m.*
kaas *m.* fromage *m.*; ***Hollandse —,*** fromage de Hollande; ***Zwitserse —,*** gruyère, fromage de (la) Suisse; ***zachte —,*** fromage blanc; ***halfvette —,*** fromage de lait partiellement écrémé; ***volvette —,*** fromage gras, double-crème *m.*; ***zich de — niet van 't brood laten eten,*** ne pas se laisser marcher sur le pied; défendre son vin; ***hij heeft er geen — van gegeten,*** il ne s'y connaît pas; il n'en sait pas le premier mot.
kaas'achtig *b.n.* casséeux, caséiforme.
kaas'bereiding *v.* fabrication *f.* des fromages.
kaas'boer *m.* fromager *m.*, marchand de fromage.
kaas'bol *m.* **1** boule *f.* de fromage; **2** (*fig.*) (chapeau) melon *m.*
kaas'boor *v.(m.)* sonde *f.*
kaas'handel *m.* commerce *m.* de fromage, fromagerie *f.*
kaas'jeskruid *o.* mauve *f.*, fromageon *m.*
kaas'kop *m.* **1** moule *m.* à fromage; **2** tête *f.* carrée.
kaas'koper *m.* marchand *m.* de fromage, fromager *m.*
kaas'korst *v.(m.)* croûte *f.* (du fromage).
kaas'leb *v.(m.)* présure *f.*
kaas'lucht *v.(m.)* odeur *f.* de fromage.
kaas'made *v.(m.)* ver *m.* du fromage.
kaas'maker *m.* fromager *m.*
kaas'makerij' *v.* fromagerie *f.*
kaas'markt *v.(m.)* marché *m.* au fromage.
kaas'mes *o.* **1** couteau *m.* à fromage; **2** (*fig.*) coupe-choux *m.*
kaas'mijt *v.(m.)* mite *f.*, ver *m.* du fromage.
kaas'pakhuis *o.* magasin *m.* de fromage.
kaas'pers *v.(m.)* presse *f.*
kaas'rasp *v.(m.)* râpe *f.* à fromage.
kaas'stof *v.(m.)* caséine *f.*, caséum *m.*
kaas'stolp *v.(m.)* cloche *f.* à fromage.
kaas'stremsel *o.* présure *f.*
kaas'vorm *m.* moule *m.* à fromage.
kaas'winkel *m.* magasin *m.* de fromage, fromagerie *f.*
Kaat'je *o. en v.* Catherine *f.*
kaats *v.(m.)* chasse *f.*
kaats'baan *v.(m.)* jeu *m.* de paume.
kaats'bal *m.* balle *f.*; éteuf *m.*
kaat'sen *on.w.* jouer à la balle; jouer à la paume; ***wie kaatst moet de bal verwachten,*** qui veut railler doit s'attendre à la riposte.
kaat'ser *m.* joueur *m.* de paume.
kaats'net *o.* raquette *f.*
kaats'spel *o.* jeu *m.* de paume, pelote *f.*
kabaal' *o.* vacarme, tapage *m.*; (*op school*) boucan, chahut *m.*
kabaal'maker *m.* tapageur *m.*; (*op school*) chahuteur *m.*
kabaret', *zie* ***cabaret.***
kabas' *v.(m.)* cabas *m.*
kabba'la *v.(m.)* cabale *f.*
kabbalist' *m.* cabaliste *m.*
kabbalis'tisch *b.n.* cabalistique.
kab'belen *on.w.* murmurer, onduler, clapoter.
kab'beling *v.* murmure *m.*, (douce) ondulation *f.*, clapotement, clapotis *m.*
ka'bel *m.* câble *m.*
kabela'ring *v.(m.)* (*sch.*) tournevire *m.*
ka'belbaan *v.(m.)* funiculaire *m.*
ka'belballon *m.* ballon *m.* captif.
ka'belbericht *o.* câblogramme *m.*
ka'belen *ov.w.* câbler.
ka'belgaren *o.* fil *m.* de caret, caret, toron *m.*
kabeljauw' *m.* morue *f.*; ***verse —,*** cabillaud *m.*, morue *f.* fraîche; ***een spiering uitgooien om een — te vangen,*** donner un œuf pour avoir un bœuf.
kabeljauw'vangst, kabeljauw'visserij *v.* pêche *f.* de la morue.
ka'bellas *v.(m.)* épissure *f.*
ka'bellengte *v.* (*sch.*) encablure *f.*, câble *m.*
ka'belnet *o.* réseau *m.* de câbles.
ka'belrand *m.* cordonnet *m.*
ka'belschip *o.* câblier *m.*
ka'belspoorweg *m.* funiculaire *m.*
ka'beltelegram *o.* câblogramme *m.*
ka'beltouw *o.* câble *m.*
ka'belwagen *m.* porte-câble *m.*
kabi'ne, cabi'ne *v.* cabine *f.*
kabinet' *o.* **1** (*kamertje*) cabinet *m.*; **2** (*ouderwets meubel*) buffet, bahut *m.*, meuble *m.* à tiroirs; **3** (*fig.: de ministers*) cabinet *m.*
kabinet'formaat *o.* format *m.* album.
kabinets'crisis, -krisis *v.* crise *f.* ministérielle.
kabinets'formateur, (*Z.N.*) **kabinets'formeerder** *m.* personne *f.* chargée de constituer un cabinet, président *m.* (du conseil) désigné.
kabinetskrisis, *zie* ***kabinetscrisis.***
kabinets'kwestie *v.* question *f.* de cabinet, — de confiance; ***de — stellen,*** poser la question de cabinet.
kabinets'raad *m.* conseil *m.* des ministres, — de cabinet.
kabinets'stuk *o.* document *m.* sortant du cabinet.
kabinet'stuk *o.* **1** tableau *m.* de chevalet; **2** pièce *f.* rare.
kabinet'werker *m.* ébéniste *m.*
kabou'ter *m.* **1** lutin, gnome *m.*; **2** (*fig.*) bout *m.* d'homme, nain *m.*
kabuis'kool *v.(m.)* chou *m.* cabus.
ka'chel *v.(m.)* poêle *m.*; ***grote —,*** calorifère *m.*; ***vul—,*** calorifère à feu continu.
ka'chelglans *m.* mine *f.* de plomb, brillant *m.*
ka'chelgruis *o.* charbon *m.* menu.
ka'chelhout *o.* bois *m.* de chauffage.
ka'chelijzer *o.* tisonnier *m.*
ka'chelkolen *mv.* charbon *m.* à brûler.

ka'chelpijp *v.(m.)* **1** tuyau *m.* de poêle; **2** (*fig.*) tuyau *m.* de poêle, tube *m.*
ka'chelplaat *v.(m.)* (*liggend*) plaque *f.* de poêle, contre-feu* *m.*
ka'chelpoets *v.(m.)* mine *f.* de plomb; brillant *m.*
ka'chelpook *m. en v.* attisoir *m.*
ka'chelsmid *m.* poêlier *m.*
ka'chelwarmte *v.* chaleur *f.* du poêle.
kadans', *zie* ***cadans.***
kadas'ter *o.* cadastre *m.*
kadastraal' *b.n.* cadastral; ***— bekend,*** cadastré.
kadastre'ren I *ov.w.* cadastrer; **II** *z.n., o.* ***het —,*** la cadastration.
kada'ver, cada'ver *o.* cadavre *m.*
ka'de, ka, kaai *v.(m.)* quai *m.*
kade-, *zie* ***kaai-.***
ka'der *o.* cadre *m.*; (*techn.*) cadres *m.pl.*; ***in het — van,*** dans le cadre de; ***buiten het — vallen,*** sortir du cadre de..., déborder le cadre de...
ka'derlid *o.* cadre *m.*
ka'deroefening *v.* (*mil.*) exercice *m.* de cadres.
ka'derschool *v.(m.)* (*B.*) école *f.* régimentaire; (*F.*) école *f.* militaire préparatoire.
kadet(-), *zie* ***cadet(-).***
kadet'je *o.* (*broodje*) petit pain *m.*
ka'di *m.* cadi *m.*
kaduuk', caduc' *b.n.* **1** caduc; **2** (*v. voorwerpen*) usé, cassé.
kaf *o.* balle *f.*; ***het — van het koren scheiden,*** (*Bijb.*) séparer le bon grain de l'ivraie.
Kaf'fer *m.* **1** Cafre *m.*; **2** (*fig.*) rustre, lourdaud, butor *m.*
kaft *o. en v.(m.)* **1** couverture *f.*; **2** (*losse omslag*) chemise *f.*
kaf'tan *m.* caftan *m.*
kaf'ten *ov.m.* mettre une couverture à.
kaft'papier *o.* papier *m.* de garde.
Ka'ïn *m.* Caïn *m.*
Ka'ïnsteken *o.* marque *f.* de Caïn.
Kaï'ro *o.* le Caire.
Ka'jafas *m.* Caïphe *m.*
kajapoet'boom *m.* cajeputier *m.*
kajapoet'olie *v.(m.)* huile *f.* de cajeput, essence *f.* —.
kajuit' *v.(m.)* cabine *f.*
kajuits'jongen *m.* mousse *m.*
ka'kebeen, kaak(s)'been *o.* mâchoire *f.*, os *m.* maxillaire.
ka'kelaar *m.* babillard *m.*
ka'kelbont *b.n.* bariolé, bigarré.
ka'kelen *on.w.* **1** (*hen*) caqueter, glousser; **2** (*ekster*) jacasser; **3** (*fig.*) bavarder, jaser.
ka'ken *ov.w.* caquer.
ka'ker *m.* caqueur *m.*
ka'ketoe *m.* (*Dk.*) cacatois, kakatoès *m.*
ka'ki *o.* kaki *m.*
kak'ken *on.w.* chier, faire caca.
kak'kerlak *m.* (*Dk.*) blatte *f.*; cancrelat *m.*
kak'tus(-), *zie* ***cactus(-).***
kalan'der I *m.* (*Dk.*) calandre *f.*, charançon *m.*; **II** *v.(m.)* (*tn.*) calandre *f.*
kalan'deren *ov.w.* calandrer.
kalan'dermolen *m.* moulin *m.* à calandrer.
kal(e)bas' *v.(m.)* calebasse, courge, gourde *f.*
kal(e)bas'boom *m.* calebassier *m.*
kalefat(er)en, *zie* ***kalfat(er)en.***
kaleidosko-, *zie* ***caleidosco-.***
kalen'der *m.* calendrier; almanach *m.*
kalen'derblok *o.* bloc *m.* éphéméride.
kalen'derjaar *o.* année *f.* civile.
kalf *o.* **1** veau *m.*; **2** (*fig.*) niais *m.*, bonne pâte *f.* d'homme; **3** (*bouwk.*) linteau *m.*; ***het gouden — aanbidden,*** adorer le veau d'or; ***als 't — verdronken is, dempt men de put,*** on ferme l'écurie quand les chevaux sont dehors.

kalfa'teraar *m.* (*sch.*) calfat *m.*
kalfa't(er)en *ov.w.* calfater, radouber.
kalfa'tering *v.* radoub *m.*
kalf'koe *v.* vache *f.* pleine.
kalfs'bout *m.* quartier *m.* de veau.
kalfs'gehakt *o.* hachis *m.* de veau.
kalfs'karbonade *v.* côtelette *m.* de veau.
kalfs'kop *m.* tête *f.* de veau.
kalfs'kotelet *v.(m.)* côtelette *f.* de veau.
kalfs'lapjes *mv.* tranches *f.pl.* de veau.
kalfs'le(d)er *o.* (cuir de) veau *m.*; ***fijn —,*** vélin *m.*
kalfs'lever *v.(m.)* foie *m.* de veau.
kalfs'oester *v.(m.)* escalope *f.* de veau.
kalfs'ogen *mv.* **1** yeux *m.pl.* de veau; **2** (*fig.*) yeux *m.pl.* à fleur de tête, gros yeux saillants; **3** (*eieren*) œufs *m.pl.* sur le plat.
kalfs'poelet *o. en m.* veau *m.* en hachis.
kalfs'rib *v.(m.)* côte *f.* de veau.
kalfs'schenkel, -schinkel *m.* jarret *m.* de veau.
kalfs'schijf *v.(m.)* rouelle *f.* de veau.
kalfs'soep *v.(m.)* potage *m.* de veau.
kalfs'tong *v.(m.)* langue *f.* de veau.
kalfs'vel *o.* **1** cuir *m.* de veau; **2** (*fig.*) tambour *m.*
kalfs'vlees *o.* veau *m.*
kalfs'voet *m.* pied *m.* de veau; (*Pl.*) pied*-de-veau *m.*
kalfs'zwezerik *m.* ris *m.* de veau.
ka'li *m.* potasse *f.*; ***bijtende —,*** potasse caustique.
kali'ber *o.* **1** calibre *m.*; **2** (*fig.*) aloi, acabit *m.*; ***mensen van dat —,*** des gens de cette trempe; ***van groot —,*** de grand calibre.
kalief' *m.* calife *m.*
kalifaat' *o.* califat *m.*
ka'lium *o.* potassium *m.*
kalk *m.* chaux *f.*; ***ongebluste —,*** chaux vive; ***gebluste —,*** chaux hydratée, — éteinte.
kalk'aarde *v.(m.)* terre *f.* calcaire, calcaire *m.*
kalk'achtig *b.n.* calcaire.
kalk'bak *m.* auge *f.*
kalk'bemesting *v.* chaulage *m.*
kalk'brander *m.* chaufournier *m.*
kalk'branderij *v.* **1** (*oven*) four *m.* à chaux, chaufour *m.*; **2** (*het kalkbranden*) cuisson *f.* de la chaux.
kalkeer(-), *zie* ***calqueer(-).***
kalk'ei *o.* **1** (*in kalk bewaard*) œuf *m.* de conserve; **2** (*nestei*) nichet *m.*
kal'ken *ov.w.* **1** (*met kalk bestrijken*) enduire de chaux; **2** (*bemesten*) chauler; **3** (*v. eieren*) conserver à l'eau de chaux.
kalk'groef, -groeve *v.(m.)* carrière *f.* de pierre à chaux.
kalk'grond *m.* terrain *m.* calcaire.
kalk'houdend *b.n.* calcaire.
kalk'kloet *m.* rabot *m.*
kalk'licht *o.* lumière *f.* oxhydrique, — Drummond.
kalk'meel *o.* chaux *f.* en poudre.
kalk'melk *v.(m.)* lait *m.* de chaux.
kalk'mortel *m.* mortier *m.* à chaux.
kalkoen' *m.* **1** (*haan*) dindon *m.*, coq *m.* d'Inde; **2** (*hen*) dinde *f.*, poule *f.* d'Inde.
kalkoe'neëi *o.* œuf *m.* de dinde.
kalkoens' *b.n.* ***—e haan,*** dindon *m.*; ***—e hen,*** dinde *f.*
kalkoen'tje *o.* **1** dindonneau *m.*; **2** (*flesje wijn*) quart *m.* de bouteille, carafon *m.*
kalk'oven *m.* four *m.* à chaux, chaufour *m.*
kalk'puin *o.* gravats *m.pl.*, gravier *m.* de plâtre.
kalk'put *m.* **1** (*v. metselaar*) fosse *f.* à chaux; **2** (*v. looier*) plain *m.*
kalk'steen *m.* pierre *f.* calcaire, — à chaux.
kalk'trog *m.* auge *f.*
kalkula'tie, *zie* ***calculatie.***
kalk'water *o.* eau *f.* de chaux.
kal'len *on.w.* jaser, bavarder.

kalligraaf', calligraaf' *m.* calligraphe *m.*
kalm *b.n.* **1** (*uitwendig*) tranquille; **2** (*inwendig*) calme; **3** (*onbewogen*) serein; **4** (*beurs*) calme; ***de markt was — gestemd,*** la tenue du marché était calme.
kalme'ren I *ov.w.* calmer; ***—d middel,*** tranquillisant *m.*; **II** *on.w.* se calmer.
kal'moes *m.* acore *m.* [ment.
kalmp'jes *bw.* tranquillement, avec calme, douce-
kalm'te *v.* tranquillité *f.*; calme *m.*; (*in verheven zin*) sérénité *f.*
Kalmuk' *m.* Kalmouc *m.*
kalor-, *zie* ***calor-.***
kalot' *v.(m.)*, **—je** *o.* calotte *f.*
kalvarieberg, *zie* ***calvarieberg.***
kal'ven *on.w.* vêler. [folâtre.
kal'verachtig *b.n.* **1** (*dom*) niais; **2** (*dartel, speels*)
kal'verliefde *v.* amour *m.* d'adolescent, amours *f.pl.* d'écolier.
kam *m.* **1** (*haar—*) peigne *m.*; ***fijne —,*** peigne fin; ***grove —,*** démêloir *m.*; **2** (*v. haan, berg*) crête *f.*; **3** (*v. rad*) dent *f.*; **4** (*v. viool*) chevalet *m.*; **5** (*tn.: v. kamrad*) came *f.*; **6** (*v. helm*) cimier *m.*; ***allen over één — scheren,*** mettre tous dans le même sac, traiter tous de la même façon.
Kambod'zja *o.* Cambodge *m.*; ***uit —,*** cambodgien.
kam'dragend *b.n.* (*Dk.*) crêté.
kameel' *m.* chameau *m.*
kameel'drijver *m.* chamelier *m.*
kameel'haar *o.* alpaga *m.*
kameel'ruiter *m.* méhariste *m.*
kameleon' *o. en m.* caméléon *m.*
kamelia, *zie* ***camelia.***
kamelin' *v.* chamelle *f.*
kamelot' *o.* camelot *m.*
ka'men *on.w.* se couvrir de fleurs, (se) moisir.
kamenier' *v.* **1** femme *f.* de chambre, camériste *f*; **2** (*toneel*) soubrette *f.* [bre.
kamenie'ren *on.w.* servir comme femme de cham-
ka'mer *v.(m.)* **1** (*slaap—, hotel—*) chambre *f.*; **2** (*vertrek*) pièce *f.*; **3** (*zij—; werk—*) cabinet *m.*; **4** (*v. het hart*) ventricule *m.*; ***Eerste K—,*** Sénat *m.*; ***Tweede K—, K— van volksvertegenwoordigers,*** Chambre des députés; ***donkere —,*** chambre noire; ***op —s wonen,*** demeurer en garni.
kameraad' *m.-v.* camarade *m.-f.*
kameraad'schap *v.* camaraderie *f.*
kameraadschap'pelijk I *b.n.* amical, confraternel; **II** *bw.* en camarade(s).
ka'merantenne *v.(m.)* antenne *f.* intérieure.
ka'merarrest *o.* (*mil.*) consigne *f.*, arrêts *m.pl.*; ***— geven,*** consigner, mettre aux arrêts.
ka'merdeur *v.(m.)* porte *f.* de (la) chambre.
ka'merdienaar *m.* valet *m.* de chambre.
ka'merdoek *o.en m.* toile *f.* de Cambrai, batiste *f.*
ka'merfractie, -fraktie *v.* groupe *m.* (de députés). [en chambre.
ka'mergeleerde *m.-v.* savant *m.* de cabinet, —
ka'mergymnastiek *v.* gymnastique *f.* de (*of* en) chambre. [*vorst*) chambellan *m.*
ka'merheer *m.* **1** (*v. de paus*) camérier *m.*; **2** (*v.*
ka'merhuur *v.(m.)* loyer *m.* d'une chambre.
Ka'merijk *o.* Cambrai *m.*
Ka'merijks *b.n.* cambrésien.
ka'merjapon *m.* robe *f.* de chambre.
ka'merjuffer *v.* femme *f.* de chambre.
ka'merlid *o.* député *m.*
ka'merling, *zie* ***kamerheer.***
ka'merlucht *v.(m.)* air *m.* renfermé.
ka'mermeisje *o.* **1** femme *f.* de chambre; **2** (*toneel*) soubrette *f.*
ka'mermuziek *v.* musique *f.* de chambre.
Kameroen' *o.* le Cameroun; ***uit —,*** camerounais.
ka'merontbinding *v.* dissolution *f.* du parlement.
ka'merorkest *o.* orchestre *m.* de chambre.
ka'meroudste *m.-v.* doyen *m.* de chambrée.
ka'meroverzicht, *o.* *zie* ***kamerverslag.***
ka'merplant *v.(m.)* plante *f.* d'appartement.
ka'merscherm *o.* paravent *m.*
ka'mertemperatuur *v.* température *f.* normale.
ka'mertje *o.* chambrette *f.*
ka'mervergadering *v.* réunion *f.* de la chambre, assemblée *f.* —, séance *f.* —.
ka'merverhuurder *m.* logeur *m.* (en garni).
ka'merverkiezing *v.* élection *f.* législative.
ka'merverslag *o.* compte rendu *m.* de la Chambre.
ka'merwacht *m.* (*mil.*) homme *m.* de chambrée.
ka'merzetel *m.* siège *m.* de député.
ka'merzitting *v.* séance *f.* de la Chambre.
kam'fer *v.* camphre *m.*
kam'ferachtig *b.n.* camphré.
kam'ferboom *m.* camphrier *m.*
kam'feren *ov.w.* camphrer.
kam'ferspiritus *m.* alcool *m.* camphré.
kam'ferzuur *o.* acide *m.* camphorique.
kam'garen I *o.* **1** laine *f.* peignée; **2** fil *m.* d'estame; **II** *b.n.* de laine peignée.
kam'gras *o.* crételle *f.*
kam'hagedis *v.(m.)* iguane *f.*
ka'mig *b.n.* moisi, couvert de fleurs.
kamil'le *v.(m.)* (*Pl.*) camomille *f.*
kamil'let(h)ee *m.* infusion *f.* de camomille.
kamizool' *o.* camisole *f.*
kam'men *ov.w.* peigner; ***wol —,*** carder la laine.
kam'menmaker *m.* peignier *m.* [cardeur *m.*
kam'mer *m.* **1** (*v. haar*) peigneur *m.*; **2** (*v. wol*)
kamoes'le(d)er *o.* cuir *m.* bronzé.
kamp I *o.* camp, campement *m.*; ***een versterkt —,*** un camp retranché; **II** *m.* combat *m.*, lutte *f.*; **III** *bw. en b.n.* quitte; ***— geven,*** céder, céder le pas, renoncer à la lutte; ***geen — geven,*** tenir bon, tenir jusqu'au bout, ne pas se rendre (au jeu).
kampan'je *v.(m.)* (*sch.*) dunette *f.* [camping.
kampeer'benodigdheden *mv.* matériel *m.* de
kampeer'centrum *o.* centre *m.* de camping, camping *m.* homologué.
kampeer'der *m.* campeur *m.*
kampeer'ster *v.* campeuse *f.*
kampeer'tent *v.(m.)* tente *f.* de camping.
kampeer'terrein *o.* terrain *m.* de camping.
kampeer'tocht *m.* voyage *m.* avec camping.
kampeer'uitrusting *v.* équipement *m.* de camping.
kampeer'verbod *o.* interdiction *f.* de camping.
kampeer'vergunning *v.* autorisation *f.* de camper, licence *f.* de camping.
kampeer'wagen *m.* caravane *f.* familiale.
kam'pen *on.w.* lutter, combattre; ***te — hebben met,*** être aux prises avec.
kam'per *m.* lutteur, combattant *m.*
kampe'ren I *on.w.* camper, faire du camping; **II** *z.n.*, *o.* **1** (*mil.*) campement *m.*; **2** (*sp.*) camping *m.*
kamperfoe'lie *v.(m.)* chèvrefeuille *m.*
kampe'ring *v.(mil.)* campement *m.* [pignon *m.*
kampernoe'lie, kampernoel'je *v.(m.)* cham-
kampioen' *m.* champion *m.*
kampioe'ne *v.* championne *f.*
kampioen'schap *o.* championnat *m.*
kamp'leider *m.* chef *m.* (de camp).
kamp'leidster *m.* cheftaine *f.* (de camp).
kamp'plaats *v.(m.)* **1** (*mil.*) lieu *m.* du combat; **2** (*sp.*) lice *f.*, champ *m.* clos.
kamp'rechter *m.* **1** arbitre *m.*; **2** (*gesch.*) juge *m.* du camp.

kamp'vechter *m.* lutteur, combattant; champion *m.*
kamp'vuur *o.* feu *m.* de camp, — de bivouac.
kam'rad *o.* roue *f.* dentée, — à dents.
kam'sel *o.* peignures *f.pl.*
kam'vormig *b.n.* en forme de peigne.
kam'wol *v.(m.)* laine *f.* peignée, peigné *m.*
kan *v.(m.)* **1** (*alg.*) pot *m.*; **2** (*wijnkan*) broc *m.*; **3** (*oude maat*) litre *m.*; **4** (*lampetkan*) aiguière *f.*; ***die het onderste uit de — wil hebben, krijgt het deksel op de neus,*** qui veut tout, n'a rien.
kanaal' *o.* **1** (*waterweg*) canal *m.*; **2** (*pijp, buis*) conduit, tuyau *m.*; **3** (*zeeëngte*) détroit *m.*; **4** (*fig.*) voie *f.*, débouché *m.*; (*bron*) source *f.*; ***hij heeft overal zijn kanalen,*** il a des débouchés partout; il a partout des agents, — des relations; ***het K—,*** la Manche.
kanaal'keuzeknop *m.* (*T.V.*) commande *f.* du [rotateur.
kanaal'keuzeschakelaar *m.* (*T.V.*) rotateur *m.*
kanaal'pand *o.* bief *m.*
kanaal'recht *o.* droit *m.* de navigation, — de [canal.
kanaal'sluis *v.(m.)* écluse *f.* à sas.
kanaal'stralen *mv.* faisceau *m.* ionique.
Ka'naän *o.* Chanaan *m.*
Kanaäniet' *m.* Chananéen *m.*
kanalisa'tie, kanaliza'tie *v.* canalisation *f.*
kanalise'ren, kanalize'ren *ov.w.* canaliser.
kanal'je(-), *zie* ***canaille(-)***.
kanapee', canapé' *m.* canapé *m.*
kana'rie *m.* canari *m.*, serin *m.* des Canaries.
kana'riegeel *b.n.* (*o.*) jaune (*m.*) serin.
kana'riekooi *v.(m.)* cage *f.* de canari.
kana'rievogel *m.* canari *m.*
kana'riezaad *o.* graine *f.* de canari.
k(a)nas'ter *m.* canasse *f.*
kandeel' *v.(m.)* chandeau *m.*
kan'delaar *m.* **1** chandelier; bougeoir *m.*; **2** (*veelarmig*) candélabre *m.*; **3** (*hoge —*) flambeau *m.*
kan'delaarshoedje *o.* bobèche *f.*
kandela'ber, candela'ber *m.* candélabre *m.*
Kan'dia *o.* **1** (île de) Candie *f.*, (la) Crète *f.*; **2** (*stad*) Candie *f.*
kandidaat', candidaat' *m.* **1** candidat *m.*; **2** (*bij examen*) *ook:* aspirant *m.*; ***— onderwijzer,*** aspirant instituteur; **3** (*aan universiteit*) licencié *m.*; ***zich — stellen,*** se porter candidat; se présenter aux élections; poser sa candidature.
kandidaat'-notaris, candidaat'-notaris *m.* notaire *m.* stagiaire, aspirant *m.* au notariat.
kandidaat'schap, candidaat'schap *o.* **1** candidature *f.*; **2** (*univ.*) licence *f.*
kandidaats'examen, -eksamen, candidaats'examen *o.* examen *m.* de licencié; licence *f.*; ***zijn — doen,*** prendre sa licence.
kandidaat'stelling, candidaat'stelling *v.* candidature *f.*; déclaration *f.* de candidature.
kandida'tenlijst, candida'tenlijst *v.(m.)* liste *f.* des candidats.
kandidatuur', candidatuur' *v.* candidature *f.*; ***zijn — intrekken,*** se désister; ***zijn — stellen,*** *zie* ***zich kandidaat stellen.***
kandide'ren, candide'ren *ov.w.* porter candidat; présenter aux électeurs.
kandij' *v.(m.)* (sucre) candi *m.*
kandij'stroop *v.(m.)* mélasse *f.*
kandij'suiker *m.* sucre *m.* candi.
kaneel' *m.* en *o.* cannelle *f.*
kaneel'boom *m.* cannelier *m.*
kaneel'hout *o.* bois *m.* de cannelier.
kaneel'olie *v.(m.)* huile *f.* de cannelle.
kaneel'pijp *v.(m.)* bâton *m.* de cannelle.
kanefas', *zie* ***canevas.***
kan'goeroe *m.* kangourou *m.*
kan'jer *m.* ***een — van 'n appel,*** une pomme énorme; ***een — van een wijf,*** un hussard; ***'t is een —!*** c'est un fameux!
kan'ker *m.* **1** (*gen.*) cancer, carcinome *m.*; **2** (*Pl.*) chancre *m.*; **3** (*fig.*) gangrène *f.*
kan'keraandoening *v.* affection *f.* cancéreuse.
kan'keraar *m.* grincheux *m.*
kan'kerachtig *b.n.* cancéreux; chancreux.
kan'kerbestrijding *v.* lutte *f.* contre le cancer, — anticancéreuse.
kan'keren *on.w.* **1** (*gen.*) être rongé par le cancer; (*Pl.*) — par un chancre; **2** (*fig.*) s'enraciner, s'invétérer; **3** (*fam.*) ronchonner.
kan'kergezwel *o.* tumeur *f.* cancéreuse.
kan'kerlijder *m.* cancéreux *m.*
kan'kerspecialist *m.* carcinologue *m.*
kan'kervorming *v.* cancérisation *f.*
kannibaal' *m.* cannibale *m.*
ka'no *m.* **1** (*sch.*) pirogue *f.*; **2** (*sp.*) périssoire *f.*, [canoë *m.*
ka'noën *on.w.* faire de la périssoire; — du canoë; ***naar A. —,*** aller à A. en canoë.
kanon' *o.* canon *m.*
kanon'gebulder *o.* grondement *m.* du canon.
kanoni-, *zie* ***canoni-.***
kanonneer'boot *m.* en *v.* canonnière *f.*
kanonne'ren *ov.w.* canonner.
kanon'nevlees *o.* chair *f.* à canon.
kanonnier' *m.* **1** canonnier, artilleur *m.*; **2** (*geschutbediende*) servant *m.*
kanon'schot *o.* coup *m.* de canon.
kanon'schotsafstand *m.* portée *f.* de canon.
kanons'kogel *m.* (*ouderwets*) boulet *m.*; obus *m.*
kanon'vuur *o.* feu *m.* d'artillerie, canonnade *f.*
ka'nosport *v.(m.)* canoéisme *m.*
ka'novaarder *m.* canoéiste *m.*
kans *v.(m.)* **1** (*geluk*) chance *f.*; **2** (*gevaar, risico*) risque *m.*; **3** (*gelegenheid*) occasion *f.*; **4** (*middel*) moyen *m.*; **5** (*toeval*) hasard *m.*; ***de — is verkeken,*** le moment favorable est passé, ce n'est plus possible, il n'y a plus moyen; ***— hebben te winnen,*** avoir des chances de gagner; ***daar is geen — op,*** il n'y faut pas songer, cela n'est pas probable; ***— lopen,*** courir risque (de); ***de — wagen,*** tenter l'aventure, risquer le coup; ***de — waarnemen,*** profiter de l'occasion.
kan'sel *m.* chaire *f.*; ***van de —,*** du haut de la [chaire.
kanselarij' *v.* chancellerie *f.*
kanselarij'stijl *m.* style *m.* de palais.
kanselier' *m.* chancelier *m.*
kan'selrede *v.(m.)* sermon, prêche *m.* [sacré.
kan'selredenaar *m.* prédicateur *m.*, orateur *m.*
kan'selstijl *m.* style *m.* de la chaire.
kan'selwelsprekendheid *v.* éloquence *f.* de la chaire.
kans'overeenkomst *v.* contrat *m.* aléatoire.
kans'rekening *v.* calcul *m.* des probabilités.
kans'spel *o.* jeu *m.* de hasard.
kant I *m.* **1** (*zijde*) côté *m.*; **2** (*oever*) bord *m.*; **3** (*scherpe kant*) arête *f.*; **4** (*v. bladzijde*) marge *f.*; **5** (*v. bos: zoom*) lisière *f.*; ***de goede —,*** (*v. stof*) l'endroit *m.*; ***de verkeerde —,*** l'envers *m.*; ***dat raakt — noch wal,*** cela n'a ni rime ni raison, cela n'a pas le sens commun; ***een zaak van alle —en bekijken,*** épuiser une question, considérer une question sous toutes ses faces; ***zijn zaak aan — doen,*** se retirer des affaires; ***een steen op zijn — zetten,*** poser une pierre de champ; ***een vat op zijn — zetten,*** redresser un tonneau; ***niets over zijn — laten gaan,*** y regarder de près; ***hij is van de — van Gent,*** il est des environs de Gand; ***zich naar alle —en verspreiden,*** se répandre

dans toutes les directions; ***dat mes snijdt aan twee —en,*** c'est une arme à deux tranchants; ***aan uw rechter —,*** à votre droite; ***van — maken,*** tuer; ***zich van — maken,*** se suicider; **II** *m.* **1** dentelle *f.*; **2** (*naald*—) point *m.*; **3** (*oplegsel v. kantwerk*) application *f.*; **4** (*zijden* —) blonde *f.*; **III** *b.n.* **1** (*met scherpe kanten*) équarri; **2** (*geschikt, degelijk*) convenable; **3** (*gereed*) fait, en ordre; ***alles is — en klaar,*** tout est prêt, tout est en ordre.
kantarel', *zie* ***kantharel.***
kanta'te, canta'te *v.*(*m.*) cantate *f.*
kanteel' *m.* créneau *m.*; ***met kantelen,*** crénelé.
kan'telen I *ov.w.* tourner, renverser; **II** *on.w.* chavirer, verser, basculer.
kan'teling *v.* renversement *m.*, culbute *f.*
kan'ten I *ov.w.* équarrir; **II** *w.w.* ***zich — tegen,*** s'opposer à; **III** *b.n.* de dentelle.
kant'garen *o.* fil *m.* à dentelle.
kant'handel *m.* commerce *m.* de dentelle.
kant(h)arel', cant(h)arel' *m.* chanterelle *f.*
kant'hout *o.* **1** bois *m.* équarri; **2** *mv.* dentelle *f.*
kan'tig *b.n.* (*hoekig*) anguleux; ***die wijn is —,*** ce vin a un goût de tonneau.
kanti'ne, canti'ne *v.* cantine *f.* [*m.*
kanti'nehouder, canti'nehouder *m.* cantinier
kant'je *o.* ***op 't — af,*** tout juste; ***dat is op 't — van onbeleefd,*** cela frise l'impolitesse.
kant'klossen *o.* fabrication *f.* de la dentelle au fuseau.
kant'koek *m.* croûton(s) *m.*(*pl.*) de pain d'épices.
kant'kussen *o.* coussin *m.* à dentelle.
kant'lijn *v.*(*m.*) **1** (*v. schrift*) marge *f.*; **2** (*ribbe*) arête *f.*
kant'naald *v.*(*m.*) épingle *f.* à dentelle; aiguille *f.* de dentellière.
kanton' *o.* canton *m.*
kanton'gerecht *o.* justice *f.* de paix.
kantonnaal' *b.n.* cantonal.
kanton'rechter *m.* juge *m.* de paix.
kantoor' *o.* **1** (*bureel*) bureau *m.*; **2** (*handelszaak*) maison *f.* (de commerce); **3** (*in koloniën: factorij*) factorerie *f.*, comptoir *m.*; **4** (*v. notaris, advocaat*) étude *f.*; ***u bent aan 't verkeerde —,*** vous vous trompez d'adresse, — de porte.
kantoor'bediende *m.-v.* employé *m.* (de commerce), commis *m.* (de bureau).
kantoor'behoeften *mv.* fournitures *f.pl.* (*of* articles *m.pl.*) de bureau.
kantoor'boek *o.* livre *m.* de commerce.
kantoor'boekhandel *m.* librairie*-papeterie* *f.*
kantoor'gebouw *o.* immeuble *m.* de bureaux.
kantoor'inkt *m.* encre *f.* double.
kantoor'klerk *m.* **1** employé, commis *m.*; **2** (*v. notaris*) clerc *m.*
kantoor'knecht *m.* garçon *m.* de bureau.
kantoor'kruk *v.*(*m.*) tabouret *m.*
kantoor'loper *m.* garçon *m.* de recettes.
kantoor'meubelen *mv.* meubles *m.pl.* pour bureaux.
kantoor'stoel *m.* chaise *f.* de bureau.
kantoor'tijd *m.*, **kantoor'uren** *mv.* heures *f.pl.* de bureau. [nistration *f.*
kantoor'werk *o.* travail *m.* de bureau, admi-
kantoor'werkzaamheden *mv.* affaires (*of* activités) *f.pl.* de bureau.
kant'steek *m.* point *m.* de dentelle.
kant'steen *m.* **1** pierre *f.* d'angle; **2** (*trottoirband*) bordure *f.* [*zoekschrift*) apostille *f.*
kant'tekening *v.* **1** note *f.* marginale; **2** (*bij ver-*
kant'werk *o.* dentelle *f.*
kant'werkschool *v.*(*m.*) école *f.* dentellière.
kant'werkster *v.* dentellière *f.*
kant'zuil *v.*(*m.*) prisme *m.*
kanun'nik *m.* chanoine *m.*
kan'vas, *zie* ***canevas.***
kap *v.*(*m.*) **1** (*hoofddeksel*) coiffe, cape *f.*; **2** (*v. monnik*) capuce *f.*; **3** (*v. mantel*) capuchon *m.*; **4** (*vrouwen*—) capuche *f.*; **5** (*v. lamp*) abat-jour *m.*; **6** (*v. huis*) toit *m.*, toiture *f.*; **7** (*v. rijtuig*) capote *f.*; **8** (*v. kar*) bâche *f.*; **9** (*v. laars*) revers *m.*; **10** (*v. preekstoel*) abat-voix *m.*; **11** (*v. valk, v. muur*) chaperon *m.*; **12** (*v. kinderwagen*) soufflet *m.*; **13** (*v. station*) hall *m.*; ***iem. op zijn — zitten,*** talonner qn.
kapaciteit', *zie* ***capaciteit.***
kap'blok *o.* billot *m.*
kap'doos *v.*(*m.*) boîte *f.* de toilette.
kapel' *v.*(*m.*) **1** (*bedehuisje*) chapelle *f.*; **2** (*Dk.*) papillon *m.*; **3** (*muz.*) orchestre *m.*; (*mil.*) corps *m.* de musique; musique *f.* militaire.
kapelaan' *m.* **1** vicaire; desservant *m.*; **2** (*bedienaar v. kapel*) chapelain *m.*; **3** (*Dk.*) capelan *m.*
kapelanie' *v.* vicariat *m.*
Kapel'len-op-den-Bos *o.* Capelle-au-Bois.
kapel'meester *m.* **1** (*v. kerkmuziek*) maître *m.* de chapelle; **2** (*v. orkest*) chef *m.* d'orchestre; **3** (*mil.*) chef *m.* de musique.
ka'pen I *on.w.* pirater, écumer les mers; (*officieel*) faire la course; **II** *ov.w.* **1** (*op zee*) prendre; **2** (*fig.*) enlever, dérober, chiper.
ka'per *m.* **1** corsaire; pirate *m.*; **2** (*schip*) vaisseau *m.* corsaire; ***er zijn —s op de kust,*** il y a des concurrents.
ka'perbrief *m.* (*sch.*) lettre *f.* de marque.
ka'perkapitein *m.* capitaine *m.* de corsaire, chef *m.* de corsaires.
ka'perschip *o.* (vaisseau) corsaire *m.*
kap'gebint *o.* comble, faîtage *m.*
kapitaal' I *o.* capital *m.*; ***dood —,*** capital improductif; ***volgestort —,*** capital versé; ***voltekend —,*** capital souscrit; ***vlottend —,*** capital de roulement, — circulant; **II** *v.*(*m.*) capitale *f.*, lettre *f.* majuscule; **III** *b.n.* excellent, superbe, capital; ***er — uitzien,*** avoir excellente mine.
kapitaal'bandje *o.* comète, tranchefile *f.*
kapitaal'belegging *v.* placement *m.*
kapitaal'goederen *mv.* immobilisations *f.pl.*
kapitaal'heffing *v.* prélèvement *m.* sur le capital, — sur la fortune.
kapitaalkrach'tig *b.n.* **1** (*solide*) solvable; **2** (*over veel kapitaal beschikkend*) d'une grande puissance financière. [capitaux.
kapitaal'markt *v.*(*m.*) marché *m.* financier, — des
kapitaal'rekening *v.* compte *m.* de capitaux.
kapitaal'vlucht *v.*(*m.*) fuite *f.* des capitaux, évasion *f.* —.
kapitaal'vorming *v.* capitalisation *f.*
kapitalise'ren, kapitalize'ren *ov.w.* capitaliser.
kapitalis'me *o.* capitalisme *m.*
kapitalist' *m.* capitaliste *m.*
kapitalis'tisch *b.n.* capitaliste.
kapitalize'ren, *zie* ***kapitaliseren.***
kapiteel' *o.* chapiteau *m.*
kapitein' *m.* capitaine *m.*; ***—-ter-zee,*** capitaine *m.* de vaisseau.
kapitein'-luitenant *m.* capitaine *m.* de frégate.
kapiteins'rang *m.* grade *m.* de capitaine.
Kapitool' *o.* Capitole *m.*
kapit'tel *o.* chapitre *m.*; ***een stem in het — hebben,*** avoir voix au chapitre. [(à qn.).
kapit'telen *ov.w.* chapitrer, tancer, faire un prêche
kapit'telheer *m.* chanoine *m.*
kapit'telzaal *v.*(*m.*) salle *f.* capitulaire.
kapitul-, *zie* ***capitul-.***

kap'kar *v.(m.)* tombereau *m.*
kap'laars *v.(m.)* botte *f.* à revers, — à l'écuyère.
kap'laken *o.* (*sch.*) chapeau *m.* (de mérite).
kap'mantel *m.* **1** (*mantel met kap*) capote *f.*, manteau *m.* à capuchon; **2** (*voor 't kappen*) peignoir *m.*
kap'mes *o.* couperet, hachoir *m.*
kapoen' *m.* (*Dk.*) chapon *m.*
kapoe'nen *ov.w.* chaponner.
kapoe'res *b.n.*, *zie* ***kapot.***
kapok' *m.* capoc *m.*
kapok'boom *m.* cotonnier, capoquier *m.*
kapok'matras *v.(m.) en o.* matelas *m.* en capoc.
kapot' *b.n.* **1** (*stuk*) cassé, brisé, abîmé; en morceaux; **2** (*v. kleren*) déchiré; **3** (*v. schoenen*) troué; **4** (*kaartspel*) capot; **5** (*dood*) mort, crevé; **6** (*fig.*) brisé, fichu, claqué, recru, rendu; — ***gaan,*** se briser; s'abîmer; se trouer; — ***slaan,*** briser; — ***maken,*** abîmer.
kapot'jas *m. en v.* (*mil.*) capote *f.*
kap'pen I *ov.w.* **1** (*hakken*) couper; **2** (*omhakken*) abattre; **3** (*snoeien*) tailler, élaguer; **4** (*kleinhakken*) fendre; **5** (*fijnhakken*) hacher; **6** (*haar*) coiffer; **7** (*tennis*) couper (la balle); **II** *w.w.* ***zich —,*** se coiffer.
kap'per *m.* coiffeur *m.*
kap'perboom *m.* (*Pl.*) câprier *m.*
kap'perkool *v.(m.)* (*Pl.*) chou *m.* cabus.
kap'persaus *v.(m.)* sauce *f.* aux câpres.
kap'persbediende *m.* garçon *m.* coiffeur.
kap'perswinkel *m.* salon *m.* de coiffure.
kap'ping *v.* taille, coupure *f.*
kapriool', *zie* ***capriool.***
kaproen' *v.(m.)* **1** chaperon *m.*; **2** (*v. paard*) caveçon *m.*
kap'salon *m. en o.* salon *m.* de coiffure.
kap'seizen *on.w.* chavirer, capoter.
kap'sel *o.* coiffure *f.*
kap'sies, kapso'nes *mv.* in : — ***maken,*** (*fam.*) faire des bisbilles *f.pl.*, chicaner.
kap'spiegel *m.* psyché *m.*
kap'ster *v.* coiffeuse *f.*
kap'stok *m.* portemanteau *m.*
kap'tafel *v.(m.)* coiffeuse, toilette *f*
kap'tie, *zie* ***captie.***
kapucijn', capucijn' *m.* capucin *m.*
kapucij'ner, capucij'ner *m.* **1** capucin *m.*; **2** (*erwt*) pois *m.* gris.
kapucij'nermonnik, capucij'nermonnik *m.* capucin *m.*
kap'wagen *m.* voiture *f.* à capote, chariot *m.* à bâche.
kar *v.(m.)* **1** (*met 2 wielen*) charrette *f.*; **2** (*wip—, voor vuilnis, enz.*) tombereau *m.*; **3** (*vracht—*) camion *m.*; **4** (*bier —*) haquet *m.*; **5** (*fiets*) bécane *f.*, vélo *m.*
karaat' *o.* carat *m.*; *zie* ***goud.***
karabijn' *v.(m.)* carabine *f.*
karabinier' *m.* carabinier *m.*
karaf' *v.(m.)* carafe *f.*
karak'ter *o.* caractère *m.*; ***geen — hebben,*** manquer de caractère; ***een goed — hebben,*** avoir bon caractère.
karak'tereigenschap *v.* trait *m.* de caractère.
karak'terfout *v.(m.)* défaut *m.* de caractère.
karakterise'ren, karakterize'ren *ov.w.* caractériser.
karakteristiek' *b.n.* caractéristique.
karakterizeren, *zie* ***karakteriseren.***
karak'terloos *b.n.* sans caractère.
karak'terloosheid *v.* manque *m.* de caractère.
karak'terroman *m.* roman *m.* d'analyse, — psychologique.
karak'terschets *v.(m.)* esquisse *f.*, analyse *f.* (d'un caractère).
karak'terschilder *m.* peintre *m.* de caractères.
karak'terstuk *o.* pièce *f.* à caractères, comédie *f.* de caractère.
karak'tertrek *m.* trait *m.* de caractère.
karak'tervorming *v.* formation *f.* du caractère.
karambol (-), *zie* ***carambol***(-).
karamel', caramel' *v.(m.)* caramel *m.*
karavaan' *v.(m.)* **1** caravane *f.*; **2** (*caravan*) remorque *f.* de camping, caravane.
karavaan'herberg *v.(m.)* caravansérail *m.*
karavaan'weg *m.* route *f.* de caravanes.
karbied (-), *zie* ***carbid***(-).
karbies' *v.(m.)* cabas *m.*
karbol (-), *zie* ***carbol***(-).
karbon-, *zie* ***carbon-.***
karbona'de *v.* côtelette *f.*; carbonnade *f.*
karbon'kel *m.* **1** (*steen*) escarboucle *f.*; **2** (*gen.*) anthrax, charbon *m.*
karbon'kelneus *m.* nez *m.* rubicond, — fleuri.
karbouw' *m.* karbau, buffle *m.*, bœuf *m.* à bosse.
karbura'tor, *zie* ***carburator.***
kardeel' *o.* (*sch.*) drisse *f.*
kardinaal' *m.* cardinal *m.*
kardinaal'-ka'merling *m.* camerlingue *m.*
kardinaal'-primaat' *m.* cardinal*-primat* *m.*
kardinaal'schap *o.* cardinalat *m.*
kardinaals'hoed *m.* chapeau *m.* de cardinal.
kardinaals'mantel *m.* pourpre *f.* cardinalice.
kardinalaat' *o.* cardinalat *m.*
kardoes' I *m.* (*Dk.*) barbet, caniche *m.*; **II** *v.(m.)* **1** (*patroon*) cartouche *f.*; **2** (*lading buskruit*) gargousse *f.*
kardoes'huls *v.(m.)* douille *f.* (de cartouche).
kardoes'tas *v.(m.)* cartouchière *f.*
kareel'(steen) *m.* carreau *m.*
karekiet', *zie* ***karkiet.***
Ka'rel *m.* Charles *m.*; — ***de Grote,*** Charlemagne; — ***de Stoute,*** Charles le Téméraire; — ***de Vijfde,*** **1** (*keizer*) Charles-Quint; **2** (*koning v. F.*) Charles Cinq; — ***de Kale,*** Charles le Chauve; — ***de Eenvoudige,*** Charles le Simple.
Ka'reltje *o. en m.* Charlot *m.*
karet'schildpad *v.(m.)* caret *m.*
kariati'de, caryati'de *v.* cariatide, caryatide *f.*
ka'rig I *b.n.* **1** (*v. persoon*) parcimonieux, chiche, mesquin; **2** (*v. maal*) maigre; **3** (*v. loon*) minime, modeste; — ***met woorden,*** avare de paroles; ***een — vuurtje,*** un feu de veuve; **II** *bw.* chichement; avarement.
ka'righeid *v.* parcimonie, chicherie, mesquinerie *f.*
karikaturise'ren, -ize'ren *ov.w.* caricaturer.
karikatuur', caricatuur' *v.* caricature *f.*
karikatuur'tekenaar, caricatuur'tekenaar *m.* caricaturiste *m.*
Karin'thië *o.* la Carinthie.
Karin'thiër *m.* Carinthien *m.*
karkant' *m.* collier *m.* de pierreries.
karkas' *o. en v.(m.)* carcasse *f.*, squelette *m.*
karkiet', karekiet' *m.* rousserolle *f.*, fauvette *f.* des roseaux.
karmeliet' *m.* carme *m.*; ***ongeschoeide —,*** carme déchaussé.
karmelietes' *v.* carmélite *f.*
karmijn' *o.* carmin *m.*
karmozijn' *o.* cramoisi *m.*
karmozijn'rood *b.n.* cramoisi.
karn *v.(m.)* baratte *f.*
kar'naval, car'naval *o.* carnaval *m.*
kar'nemelk *v.(m.)* lait *m.* battu, babeure *m.*, lait *m.* de beurre.
kar'nemelk(s)pap *v.(m.)* bouillie *f.* de lait de beurre.
kar'nen I *ov.w. en on.w.* battre (le beurre), baratter; **II** *z.n.* ***het —,*** le barattage.
karn'machine *v.* baratte *f.* mécanique.

karn'molen *m.* machine *f.* à battre le beurre, baratte *f.* rotative.
karn'ton *v.(m.)* baratte *f.*
Karolin'ger *m.* (*gesch.*) Carolingien *m.*
Karolin'gisch *b.n.* carolingien.
karos' *v.(m.)* carrosse *m.*
karot' *v.(m.)* carotte *f.* (de tabac).
Karpa'then *mv.* Carpathes *m.pl.*
kar'per *m.* carpe *f.*; ***jonge* —,** carpeau *m.*
karpet' *o.* tapis *m.*; carpette *f.*
kar'reknecht, kar'reman *m.* charretier *m.*
kar'ren I *ov.w.* (*met kar vervoeren*) charrier, voiturer; **II** *on.w.* (*fam.: fietsen*) pédaler, rouler.
kar'repaard *o.* cheval *m.* de charrette, — de trait.
kar'(re)spoor *o.* ornière *f.*
kar'retje *o.* **1** petite charrette *f.*; **2** (*fiets*) bécane, machine *f.*, vélo *m.*
kar'revoerder *m.* charretier *m.*
kar'revracht *v.(m.)* charretée *f.*
kar'reweg *m.* route *f.* carrossable, — charretière.
kar'spel *o.* paroisse *f.*
kar'spoor, *zie* ***karrespoor.***
kartabel' *v.* cartabelle *f.*
kar'tel *m.* **1** (*kerf*) entaille *f.*; **2** (*v. zegel*) dent *f.*
kartel', cartel' *o.* (*H.: produktie-vereniging*) cartel *m.*
kartel'afspraak *v.(m.)* convention *f.* de cartel.
kartel'besluit *o.* décret *m.* sur les cartels.
kar'teldarm *m.* côlon *m.*
kar'telen I *ov.w.* **1** (*inkerven*) entailler; **2** (*uittanden*) denteler; **3** (*v. munten*) cordonner, créneler; **II** *on.w.* (*v. melk: schiften*) se cailler.
kar'telig *b.n.* **1** entaillé; **2** dentelé; **3** crénelé; **4** caillé.
kar'teling *v.* entaille *f.*; cordonnet *m.*; grènetis *m.*; caillement *m.*
kar'telmes *o.* couteau*-scie* *m.*
kar'telrand *m.* **1** (*v. munt*) cordonnet *m.*, crénelure *f.*; **2** (*v. kant*) engrêlure *f.*; **3** (*v. breiwerk*) dentelure *f.*
karte'ren, carte'ren *ov.w.* mettre en carte.
karte'ring, carte'ring *v.* mise *f.* en carte, cartographie *f.*
kartets' *v.(m.)* boîte *f.* à mitraille.
kartets'kogel *m.* (*mil.*) balle *f.* à mitraille.
kartets'vuur *o.* (*mil.*) feu *m.* de mitraille.
karton' *o.* carton *m.*; ***geribd* —,** carton côtelé.
karton'fabriek *v.* cartonnerie *f.*
karton'maker *m.* cartonnier *m.*
kartonneer'der *m.* cartonneur *m.*
karton'nen *b.n.* de carton, en carton.
kartonne'ren I *ov.w.* cartonner; **II** *z.n.* ***het* —,** le cartonnage.
kartot(h)eek', cartot(h)eek *v.* fichier *m.*, jeu *m.* de fiches.
kartui'zer *m.* chartreux *m.*
kartui'zerklooster *o.* chartreuse *f.*
kartui'zernon *v.* chartreuse *f.*
karveel' *v.(m.)* *en o.* (*sch.*) caravelle *f.*
karviel'nagel *m.* (*sch.*) chevillot *m.*
karwats' *v.(m.)* cravache *f.*
karwei' *v.(m.)* *en o.* corvée *f.*; ***'t is een hele* —,** c'est toute une affaire.
karwei'tje *o.* petit ouvrage *m.*, bricole *f.*; ***een aardig* —,** une bonne affaire.
karwij' *v.(m.)* (*Pl.*) carvi *m.*
karwij'zaad *o.* graine *f.* de carvi.
kas *v.(m.)* **1** (*v. geld*) caisse *f.*; **2** (*broei—*) serre *f.* chaude; **3** (*v. horloge*) boîte *f.*; **4** (*v. edelsteen*) chaton *m.*; **5** (*v. relikwie*) châsse *f.*; **6** (*tand—*) alveole *f.*; **7** (*oog—*) orbite *f.*; ***goed bij — zijn,*** être en fonds; ***slecht bij — zijn,*** être (à) court d'argent; ***de — opmaken,*** faire la caisse; ***uit de openbare* —,** des deniers publics.
kas'bescheiden *mv.* pièces *f.pl.* comptables.
kas'bloem *v.(m.)* fleur *f.* de serre chaude.
kas'boek *o.* (*H.*) livre *m.* de caisse.
kas'diefstal *m.* détournement *m.*, enlèvement *m.* de la caisse.
kas'druiven *mv.* raisins *m.pl.* de serre.
kas'geld *o.* argent *m.* de caisse, encaisse *f.*
kas'houder *m.* **1** (*H.*) caissier *m.*; **2** (*goudsmid*) orfèvre *m.*
kasj'mier, cachemir *o.* cachemire *m.*
kasj'mieren, cachemiren *b.n.* de cachemire, en —.
kas'loper *m.* encaisseur *m.*
kas'middelen *mv.* encaisse *f.*, moyens *mpl.* de trésorerie.
Kas'per *m.* Gaspard *m.*
Kas'pische Zee *v.* mer *f.* Caspienne.
kas'plant *v.(m.)* plante *f.* de serre chaude.
kas'positie *v.* liquidité *f.*; relevé *m.* de la caisse.
kas'register *o.* caisse *f.* enregistreuse, — automatique, caisse*-contrôle *f.*
kas'rekening *v.* (*H.*) compte *m.* de caisse.
kas'sa, cas'sa *v.(m.)* (*H.*) caisse *f.*; ***per*—,** au comptant.
kas'sabon *m.* bon *m.* de caisse.
kas'saldo *o.* encaisse *f.*
kassa'tie, *zie* ***cassatie.***
kassei' *m. en v.* (*Z.N.*) **1** (*weg*) chaussée *f.*; **2** (*steen*) [pavé *m.*
kassei'en *ov.w.* paver.
kassei'legger *m.* paveur *m.*
kassei'steen *m.* pavé *m.*
kassei'weg *m.* chaussée *f.*
kas'sen *ov.w.* enchâsser, sertir.
kasserol', *zie* ***kastrol.***
kassier' *m.* (*H.*) caissier *m.*
kassiers'boekje *o.* (*H.*) carnet *m.* de banque.
kassiers'briefje *o.* chèque *m.*
kassiers'firma *v.(m.)* (*H.*) banque *f.*, maison *f.* de banque.
kassiers'kantoor *o.* (*H.*) banque *f.* (particulière).
kassiers'loon *o*, **kassiers'provisie** *v* courtage *m*
kas'stuk *o.* **1** pièce *f.* à recette; **2** pièce *f.* comp-[table.
kast *v.(m.)* **1** (*alg.*) armoire *f.*; **2** (*muur—*) placard *m.*; **3** (*v. piano*) coffre *m.*; **4** (*v. horloge*) boîte *f.*; **5** (*gevangenis*) boîte, prison *f.*, violon *m.*; ***iem. in de — zetten,*** coffrer qn., mettre qn. au violon.
kastan'je *v.(m.)* **1** (*eetbare*) marron *m.*; **2** (*wilde*) châtaigne *f.*; marron *m.* d'Inde; ***voor iem. de —s uit het vuur halen,*** tirer les marrons du feu pour qn.
kastan'jeboom *m.* **1** (*tamme*) marronnier *m.*; **2** (*wilde*) châtaignier *m.*; marronnier *m.* d'Inde.
kastan'jebos *o.* châtaigneraie *f.*
kastan'jebruin *b.n.* **1** (*v. haar*) châtain; **2** (*v. stof*) marron.
kastanjet', *zie* ***castagnet.***
kast'deur *v.(m.)* porte *f.* d' (*of* de l') armoire; porte de (*of* du) placard.
kas'te *v.(m.)* caste *f.*
kasteel' *o.* **1** château *m.*; **2** (*gesch.*) citadelle *f.*; **3** (*schaakspel*) tour *f.*
Kasteel'brakel *o.* Braine-le-Château.
kasteel'plein *o.* cour *f.* d'honneur.
kasteel'tje *o.* châtelet *m.*
kas'tegeest *m.* esprit *m.* de caste.
kas'tekort *o.* déficit *m.*
kastelein' *m.* **1** (*herbergier*) aubergiste, cabaretier *m.*; **2** (*gesch.*) châtelain *m.*

kas'tenmaker *m.* menuisier, ébéniste *m.*
kas'tenstelsel *o.* système *m.* des castes.
kas'terolie, cas'torolie *v.(m.)* huile *f.* de ricin.
kastiga'tie, *zie* ***castigatie.*** [tifier.
kastij'den *ov.w.* châtier; ***zijn vlees* —,** se mor-
kastij'ding *v.* châtiment *m.*; **— *van het vlees,*** mortification *f.*
kast'je *o.* petite armoire *f.*; (*laden*—) cabinet *m.*; ***iem. van 't — naar de muur zenden,*** (r)envoyer qn. de Caïphe à Pilate.
kastoor' *o.* (poil de) castor *m.*
kasto'ren *b.n.* de castor.
kas'torolie, cas'torolie *v.(m.)* huile *f.* de ricin.
kast'papier *o.* papier *m.* dentelle, — pour placards.
kast'plank *v.(m.)* rayon *m.* de placard, — d'armoire.
kast'rand *m.* papier *m.* dentelle, bordure *f.*
kastre'ren, *zie* ***castreren.*** [serole *f.*
kastrol', kasserol', casserol'le *v.(m.)* cas-
kasua'ris, casua'ris *m.* casoar *m.*
kasueel', *zie* ***casueel.***
kas'voorraad *m.* (*H.*) encaisse *f.*
kat *v.(m.)* chat *m.*; chatte *f.*; ***een — in de zak kopen,*** acheter chat en poche; ***leven als — en hond,*** vivre comme chien et chat; ***de — de bel aanbinden,*** attacher le grelot; ***de — bij het spek zetten*** (***op het spek binden***)**,** enfermer le loup dans la bergerie; ***te kijken staan als een — in een vreemd pakhuis,*** être complètement dépaysé; ***de — uit de boom kijken,*** regarder de quel côté vient le vent; ***als de — van honk is, dansen de muizen op tafel,*** (quand) le chat (est) parti, les souris dansent; ***de — in 't donker knijpen,*** être hypocrite, faire des horreurs dans l'ombre; ***om wille van het smeer likt de — de kandeleer,*** pour l'amour du saint on baise les reliques; ***'s nachts zijn alle —ten grauw,*** la nuit tous les chats sont gris.
kat'aas *o.* **1** amorce *f.*; **2** gamin, mauvais sujet *m.*
kat'achtig *b.n.* **1** félin; **2** (*fig.*) perfide.
katafalk' *v.(m.)* catafalque *m.*
katakom'ben, *zie* ***catacomben.***
katalogize'ren, *zie* ***catalogiseren.***
katalysa'tor *m.* catalyseur *m.*
kataly'se *v.* catalyse *f.*
kat'anker *o.* (*sch.*) empennelle *f.*
ka'tapult, ca'tapult *m.* **1** (*gesch.*) catapulte, fronde *f.*; **2** (*sp.*) lance-pierres *m.*
katar', catar're *v.(m.)* catarrhe *m.*
katarakt', cataract' *v.(m.)* cataracte *f.* [que.
katastrofaal', catastrofaal' *b.n.* catastrophi-
katechi-, *zie* ***catechi-.***
kate'der, *zie* ***katheder.***
katedraal', *zie* ***kathedraal.***
kateg-, *zie* ***categ-.***
ka'ter *m.* matou *m.*; (*fam.*) ***een — hebben,*** avoir mal aux cheveux.
katern' *v.(m.) en o.* **1** (*drukkerij*) quaternion *m.*; **2** (*papier*) cahier *m.* (de six feuilles).
kat'haak *m.* (*sch.*) croc *m.* de capon.
kat(h)e'der *m.* chaire *f.* (de professeur).
kat(h)edraal' *v.(m.)* cathédrale *f.*
kat(h)o'de *v.* cathode *f.*
kat(h)o'destraalbuis *v.(m.)* tube *m.* cathodique.
kat(h)o'destralen *mv.* rayons *m.pl.* cathodiques.
kat(h)olicis'me *o.* catholicisme *m.*
kat(h)oliciteit' *v.* catholicité *f.*
kat(h)oliek' I *b.n.* catholique; **II** *bw.* catholiquement, en bon catholique; **III** *z.n., m.-v.* catholique *m.-f.*
kat(h)olise'ren *on.w.* s'initier au catholicisme.

kat'je *o.* **1** petit chat *m.*, petite chatte *f.*; **2** (*Pl.*) chaton, iule *m.*; ***zij is geen — om zonder handschoenen aan te pakken,*** qui s'y frotte s'y pique.
kat'jesspel *o.* ***dat loopt uit op —,*** cela finira mal, — par des coups, — par une querelle, on finira par se quereller.
kato'de(-), *zie* ***kathode(-).***
katoen' *o. en m.* **1** coton *m.*; **2** (*stuk*) toile *f.* de coton, calicot *m.*; **3** (*gedrukt*) indienne *f.*; **4** (*draad*) fil *m.* de coton; **5** (*pit*) mèche *f.*; ***hem van — geven,*** (*fam.*) **1** (*zich inspannen*) abattre de la besogne; **2** (*afranselen*) l'étriller.
katoen'achtig *b.n.* cotonneux.
katoen'baal *v.(m.)* balle *f.* de coton.
katoen'batist *o.* percale *f.*
katoen'boom *m.* cotonnier *m.* [nière.
katoen'bouw *m.* culture *f.* du coton, — coton-
katoen'drukkerij *v.* indiennerie *f.*, imprimerie *f.* d'indiennes. [cotonnades *f.pl.*
katoe'nen *b.n.* de coton, en —; **— *stoffen,*** des
katoen'fluweel *o.* velours *m.* de coton.
katoen'garen *o.* fil *m.* de coton.
katoen'handel *m.* commerce *m.* de coton; — d'indiennes.
katoen'industrie *v.* industrie *f.* cotonnière.
katoen'markt *v.(m.)* marché *m.* cotonnier.
katoen'plant *v.(m.)* cotonnier *m.*
katoen'plantage *v.* plantation *f.* de cotonniers, cotonnerie *f.*
katoen'pluis *o.* duvet *m.* de coton. [—.
katoen'spinner *m.* fileur *m.* de coton, filateur *m.*
katoen'spinnerij *v.* filature *f.* de coton.
katoen'teelt *v.(m.)* culture *f.* cotonnière.
katoen'tje *o.* cotonnade *f.*, calicot *m.*
katoen'verver *m.* teinturier *m.* sur coton.
katoen'ververij *v.* teinturerie *f.* sur coton.
katoen'wever *m.* tisserand *m.*, tisseur *m.* (de coton). [coton.
katoen'weverij *v.* manufacture *f.* de toile(s) de
katoen'zaad *o.* graine *f.* de coton.
katoen'zaadolie *v.(m.)* huile *f.* de coton.
katoli-, *zie* ***katholi-.***
kat'oog, kat'teoog *o.* œil*-de-chat *m.*
Katrijn' *v.* Catherine *f.*
katrol' *v.(m.)* poulie *f.*
katrol'blok *o.* moufle *f.*
katrol'schijf *v.(m.)* rouet *m.* de poulie.
kat'tebak *m.* **1** plateau *m.* (de terre) du chat; **2** (*eet*—) terrine *f.* de (*of* du) chat, écuelle *f.*; **3** (*aan rijtuig*) siège *m.* de derrière, — du valet; **4** (*v. auto*) spider *m.*
kat'tebelletje *o.* petit mot, petit billet *m.*
kat'tedarm *m.* **1** boyau *m.* de chat; **2** (*v. viool*) corde *f.* de boyau.
Kat'tegat *o.* Cattégat *m.*
kat'tegekrol *o.* cris *m.pl.* de chats.
kat'tegemauw *o.* miaulement *m.*
kat'tegespin *o.* ronron *m.*; ***eerste gewin is —,*** ceux qui commencent par gagner finissent par perdre.
kat'tekop *m.* tête *f.* de chat.
kat'tekruid *o.* herbe *f.* aux chats, cataire *f.*
kat'tekwaad *o.* espièglerie, malice, polisonnerie *f.*; — ***uithalen, — doen,*** faire des niches.
kat'temuziek *v.* **1** musique *f.* de chats, concert *m.* de chats; **2** (*fig.*) charivari *m.*
kat'ten *ov.w.* **1** (*sch.*) empenneler; **2** (*H.: v. koopwaar*) refuser.
kat'tengeslacht *o.* ***het —,*** la race féline.
kat'teoog, *zie* ***katoog.***
kat'terig *b.n.* — ***zijn,*** avoir mal aux cheveux.
kat'terigheid *v.* mal *m.* aux cheveux, déboire *m.*
kat'tesprong *m.* **1** saut *m.* de chat; **2** (*fig.*)

petit bout de chemin; **een — ver,** à deux pas d'ici.
kat'testaart *m.* **1** queue *f.* de chat; **2** (*Pl.*) épilobe *m.* à épi.
kat'tetongetjes *mv.* langues *f.pl.* de chat.
kat'tevel *o.* peau *f.* de chat.
kat'tig *b.n.* acariâtre, hargneux.
kat'uil *m.* (*Dk.*) chat*-huant* *m.*
kat'vis *m.* fretin *m.*, menuaille *f.*
kat'zwijm *o.* pâmoison *f.*, évanouissement *m.*; **in — liggen** (*of* **vallen**), être (*of* tomber) en pâmoison.
Kauka'sië *o.* la Caucasie.
Kauka'siër *m.* Caucasien *m.*
Kauka'sisch *b.n.* caucasien.
Kauka'sus *m.* le Caucase.
kausaal', *zie* **causaal.**
kau'tie, *zie* **cautie.**
kauw *v.*(*m.*) (*Dk.*) choucas *m.*
kau'wen I *ov.w. en on.w.* mâcher, mastiquer; **II** *z.n.* **het —,** la mastication.
kau'wer *m.* mâcheur *m.*
kauw'gom *m. of o.* gomme *f.* à mâcher.
kau'wing *v.* mastication *f.*
kauw'middel *o.* (*gen.*) masticatoire *m.*
kauw'sel *o.* aliments *m.pl.* mâchés.
kauw'spier *v.*(*m.*) (muscle) masticateur *m.*
kavaleri-, *zie* **cavaleri-.**
ka'vel *m.* lot *m.*
ka'velen *ov.w.* diviser en lots, lotir.
ka'veling *v.* **1** (*het kavelen*) lotissement *m.*; **2** (*partij, gedeelte*) lot *m.*, parcelle *f.*
kaviaar' *m.* caviar *m.*
kazak' *v.*(*m.*) casaque *f.*
kazemat' *v.*(*m.*) casemate *f.*
ka'zen I *ov.w.* faire du fromage; **II** *on.w.* se cailler.
kazer'ne *v.*(*m.*) caserne *f.*
kazer'neleven *o.* vie *f.* de caserne.
kazerne'ren *ov.w.* caserner.
kazerne'ring *v.* casernement *m.*
kazer'netaal *v.*(*m.*) langage *m.* de corps de garde.
kazer'newoning *v.* caserne *f.*
kazui'fel *m.* chasuble *f.*
Kee'(tje) *v. en o.* Cornélie *f.*
keel *v.*(*m.*) **1** (*v. buiten*) gorge *f.*; **2** (*v. binnen*) gosier *m.*; **de — afsnijden,** égorger; **een droge — hebben, 1** (*v. dorst*) avoir le gosier sec; **2** (*door andere oorzaak*) avoir la gorge sèche; **dat hangt me de — uit,** j'en ai soupé; **een grote — opzetten,** crier à gorge déployée, crier à tue-tête.
keel'ader *v.*(*m.*) veine *f.* jugulaire.
keel'band *m.* bride *f.*
keel'gat *o.* gosier *m.*; **het is in 't verkeerde — gekomen,** j'ai avalé de travers.
keel'geluid *o.* son *m.* guttural.
keel'gezwel *o.* tumeur *f.* à la gorge.
keel'holte *v.* pharynx *m.*
keel'klank *m.* son *m.* guttural.
keel'knobbel *m.* nœud *m.* de la gorge.
keel'letter *v.*(*m.*) (lettre) gutturale *f.*
keel'ontsteking *v.* angine *f.*; (*v. strottenhoofd*) laryngite *f.*; (*v. slokdarmhoofd*) pharyngite *f.*
keel'pijn *v.*(*m.*) mal *m.* de gorge; **— hebben,** avoir mal à la gorge.
keel'riem *m.* sous-gorge *m.*
keel'specialist *m.* laryngologue *m.*
keel'spiegel *m.* laryngoscope *m.*
keel'stem *v.*(*m.*) voix *f.* de (la) gorge.
keel'ziekte *v.* maladie *f.* de la gorge, angine *f.*
keen *v.*(*m.*) **1** (*kloof, barst*) gerce, gerçure *f.*, crevasse *f.* (de la peau); **2** (*kiem*) germe *m.*
keep I *v.*(*m.*) (*insnijding, kerf*) entaille, encoche, coche *f.*; **II** *m.* (*Dk.: bergvink*) pinson *m.* des Ardennes, — de montagne, montain *m.*
kee'per *m.* (*Eng., sp.*) gardien *m.* de but.
keep'mes *o.* cochoir *m.*
keer *m.* **1** (*wending*) tour *m.*, tournure *f.*; **2** (*maal*) fois *f.*; **in één —,** en une fois, d'un seul coup; **— op —,** coup sur coup; **op een —,** un jour; **te — gaan, 1** (*bestrijden*) s'opposer à, contrecarrer; **2** (*tieren, opspelen*) crier, se démener; **3** (*leven maken*) faire le diable à quatre; **te — gaan als een bezetene,** se démener comme un possédé, — comme un forcené; **een — nemen,** tourner, revirer; **een gunstige — nemen,** prendre une tournure favorable; **gedane zaken nemen geen —,** à chose faite, point de remède.
keer'dam *m.* batardeau *m.*, dame *f.*
keer'dicht *o.* rondeau *m.*
keer'koppeling *v.* changement *m.* de marche.
keer'kring *m.* tropique *m.*
keer'kringsland *o.* pays *m.* tropical.
keer'kringsplant *v.*(*m.*) plante *f.* tropicale.
keer'lijn *v.*(*m.*) (*sch.*) redresse *f.*
keer'punt *o.* **1** (*v. ziekte, enz.*) moment *m.* critique, crise *f.*; **2** (*sterr.*) point *m.* culminant; **3** (*v. weg; in gesch.*) tournant *m.*
keer'rijm *o.* refrain *m.*
keer'weer, keer'weg *m.* impasse *f.*, cul*-de sac [*m.*
keer'zij(de) *v.*(*m.*) **1** (*v. stof*) envers *m.*; **2** (*v. papier*) verso *m.*; **3** (*v. medaille*) revers *m.*
Kees *m.* Corneille *m.*; **en klaar is —,** et le tour est joué.
kees'(hond) *m.* chien*-loup*, loulou *m.*
keet *v.*(*m.*) **1** (*zout—*) saline, saunerie *f.*; **2** (*loods*) hangar *m.*, baraque *f.*; **3** (*v. polderwerkers*) cabane *f.*; **4** (*directie—*) intendance *f.*; **5** (*warboel, herrie*) chahut, boucan *m.*; **een echte —,** une pétaudière; **— maken, 1** s'amuser; **2** chahuter.
kef'fen I *on.w.* japper, glapir; **II** *z.n., o.* **het —,** le jappement, le glapissement.
kef'fer *m.* jappeur *m.*
kef'fertje *o.* roquet *m.*
keg, keg'ge *v.*(*m.*) coin *m.*
ke'gel *m.* **1** (*v. spel*) quille *f.*; **2** (*wisk.*) cône *m.*
ke'gelaar *m.* joueur *m.* de quilles.
ke'gelbaan *v.*(*m.*) jeu *m.* de quilles.
ke'gelbal *m.* boule *f.* [quilles.
ke'gelclub, -klub *v.*(*m.*) société *f.* de joueurs de
ke'geldragend *b.n.* (*Pl.*) conifère.
ke'gelen *on.w.* jouer aux quilles.
ke'geljongen *m.* garçon *m.* du jeu de quilles, marqueur *m.*
ke'gelklub, *zie* **kegelclub.**
ke'gelplaat *v.*(*m.*) quillier *m.*
ke'gelprojectie, -projektie *v.* projection *f.* conique. [tronqué.
ke'gelschijf *v.*(*m.*) disque *m.* conoïde; cône *m.*
ke'gelsne(d)e *v.*(*m.*) section *f.* conique.
ke'gelspel *o.* jeu *m.* de quilles.
ke'gelsport *v.*(*m.*) sport *m.* des quilles.
ke'gelvlak *o.* surface *f.* latérale du cône.
ke'gelvormig *b.n.* conique, coniforme.
keg'ge, *zie* **keg.**
kei *m.* **1** caillou *m.*; **2** (*straatsteen*) pavé *m.*; **3** (*fig.*) **een —,** un as; **op de —en zetten,** mettre sur le pavé, mettre à la porte; **zo hard als een —,** dur comme pierre.
kei'achtig *b.n.* caillouteux.
kei'hard *b.n.* **1** dur comme pierre, dur comme un caillou; **2** (*fig.*) pauvre comme Job, pauvre comme un rat d'église; **3** sans cœur, inexorable.
keil *m.* coin *m.*
kei'legger *m.* paveur *m.*

kei'len I *ov.w.* jeter, lancer; II *on.w.* faire des ricochets (sur l'eau).
keil'schrift *o.* écriture *f.* cunéiforme.
keil'steen *m.* galet *m.*
kei'steen *m.* caillou *m.*
kei'weg *m.* chaussée *f.* cailloutée, chemin *m.* empierré.
kei'zand *o.* gravier *m.*
kei'zer *m.* 1 empereur *m.*; 2 (*sleutel*) passe-partout *m.*; ***waar niets is, verliest de — zijn recht,*** où il n'y a rien, le roi lui-même perd ses droits; ***geef de — wat des —s is,*** rendez à César ce qui est à César.
keizerin' *v.* impératrice *f.*
kei'zerlijk I *b.n.* impérial; II *bw.* en empereur.
kei'zerrijk *o.* empire *m.*
kei'zerschap *o.* dignité *f.* impériale, empire *m.*
kei'zershof *o.* cour *f.* impériale.
kei'zerskroon *v.(m.)* couronne *f.* impériale.
kei'zersmantel *m.* manteau *m.* impérial.
kei'zersne(d)e *v.(m.)* opération *f.* césarienne.
kei'zerstitel *m.* titre *m.* impérial.
ke'ker(erwt) *v.(m.)* pois *m.* chiche.
kel'der *m.* 1 cave *f.*; 2 (*provisie- en wijn—*) cellier *m.*; 3 (*graf—*) caveau *m.*; ***naar de — gaan,*** 1 périr, couler à fond; 2 (*fig.*) se ruiner.
kel'derachtig *b.n.* de cave; souterrain.
kel'deren I *ov.w.* 1 mettre en cave, encaver; 2 (*schip*) couler; II *on.w.* (*H.: fondsen*) dégringoler.
kel'dergat *o.* soupirail *m.*
kel'dergewelf *o.* cave *f.* voûtée.
kel'derijs *o.* (*Z.N.*) glace *f.* qui a des boursouflures.
kel'derkamer *v.(m.)* chambre *f.* de sous-sol, pièce *f.* d'entresol.
kel'derkeuken *v.(m.)* cuisine *f.* au sous-sol.
kel'derlucht *v.(m.)* odeur *f.* de cave.
kel'derluik *o.* trappe *f.*
kel'dermeester *m.* 1 (*in restaurant*) sommelier *m.*; 2 (*in klooster*) cellérier *m.*; 3 (*bij vorst*) bouteiller *m.*
kel'dermot *v.(m.)* (*Dk.*) cloporte *m.*
kel'derraam *o.* soupirail *m.*
kel'derrat *v.(m.)* rat *m.* de cave.
kel'dertrap *m.* escalier *m.* de cave.
kel'dervenster *o.* soupirail *m.*
kel'derverdieping *v.* sous-sol* *m.*
kel'derwoning *v.* appartement *m.* au sous-sol, sous-sol* *m.*
ke'len *ov.w.* couper la gorge à, égorger.
kelk *m.* 1 (*beker*) coupe *f.*; 2 (*mis—; Pl.*) calice *m.*
kelk'blaadje *o.* (*Pl.*) sépale *f.*
kelk'bloem *v.(m.)* fleur *f.* calicine.
kelk'deksel *o.* pale *f.*
kelk'doek *m.* purificatoire *m.*
kelk'schoteltje *o.* patène *f.*
kelk'vormig *b.n.* caliciforme.
Kel'mis *o.* La Calamine.
kel'ner *m.* garçon *m.* (de café, d'hôtel, etc.).
kelnerin' *v.* serveuse *f.*
Kelt *m.* Celte *m.*
Kel'tisch *b.n.* celtique.
ke'mel *m.* chameau *m.*
ke'melsgaren *o.* fil *m.* de poil de chèvre.
ke'melshaar *o.* 1 poil *m.* de chameau; 2 (*Pl.*) racine *f.* de barbon.
Kem'pen *mv.* Campine *f.*
Kem'penaar *m.* Campinois *m.*
Kem'pens *b.n.* campinois.
kemp'haan *m.* 1 (*Dk.*) combattant *m.*; 2 (*fig.*) batailleur, querelleur *m.*
Kem'pisch *b.n.* campinois.
ken'baar *b.n.* (re)connaissable; ***— maken,*** (*wensen, enz.*) faire connaître, exprimer; (*bezwaren*) présenter.
ken'getal *o.*, **ken'letter** *v.(m.)*, **ken'melodie** *v.* indicatif *m.* (d'appel).
ken'merk *o.* 1 marque *f.*, signe *m.*; 2 (*karakter*) caractère *m.*; 3 (*bijzonder karakter, stempel*) cachet *m.*; 4 (*kenmerkende eigenschap*) caractéristique *f.*
ken'merken *ov.w.* 1 marquer; 2 (*fig.*) caractériser; ***zich — door,*** se caractériser par, se distinguer par.
ken'merkend *b.n.* caractéristique.
ken'nel *m.* chenil *m.*; meute *f.*
ken'nelijk I *b.n.* évident, manifeste; ***in —e staat (van dronkenschap),*** en état d'ébriété (*of* d'ivresse) manifeste; II *bw.* évidemment, manifestement.
ken'nelijkheid *v.* évidence *f.*
ken'nen I *ov.w.* 1 connaître; 2 (*wat geleerd is*) savoir; ***niet —,*** ignorer; ***iem. leren —,*** faire la connaissance de qn.; ***kent u elkaar ?*** êtes-vous en relations ? ***iem. in iets —,*** demander l'avis de qn., consulter qn.; ***te — geven,*** 1 (*bekend maken*) faire connaître; 2 (*te verstaan geven*) donner à entendre; ***een taal goed*** (*of* ***door en door***) ***—,*** posséder une langue, connaître une langue à fond; II *w.w.* ***zich —,*** se connaître (soi-même).
ken'ner *m.* connaisseur *m.*
ken'nersblik *m.* regard *m.* de connaisseur.
ken'nis I *v.-m.* (*persoon*) connaissance *f.*; ***een — van mij,*** une de mes connaissances; ***een goede — van mij,*** un de mes amis; II *v.* 1 (*kunde*) connaissance *f.*, savoir *m.*; 2 (*bewustzijn*) connaissance, conscience *f.*; ***buiten —,*** sans connaissance; ***buiten — raken,*** perdre connaissance; ***buiten mijn —,*** à mon insu; ***hij droeg daarvan geen —,*** il n'en était pas informé; ***— geven,*** faire savoir, informer, porter à la connaissance de; ***— krijgen van iets,*** être informé de qc.; ***— maken met iem.,*** faire la connaissance de qn.; ***met — van zaken handelen,*** agir en connaissance de cause; ***weer bij — komen,*** revenir à soi; ***ter algemene — brengen,*** porter à la connaissance du public.
ken'nisgeving *v.* 1 (*alg.*) avis *m.*; communication *f.*; 2 (*v. huwelijk, overlijden, enz.*) (lettre *f.* de) faire-part *m.*; ***voor — aannemen,*** passer outre; ***— van verhuizing,*** avis *m.* de changement d'adresse.
ken'nisje *o.* (petite) amie *f.*
ken'nismaking *v.* première entrevue, — rencontre *f.*; ***onze — dateert van drie jaar geleden,*** nous nous sommes rencontrés pour la première fois il y a trois ans; ***bij nadere —,*** après plus ample connaissance, en y regardant de plus près; ***hij valt mee bij nadere —,*** il gagne à être mieux connu; ***ter —,*** (*H.*) en communication.
ken'nisneming *v.* examen *m.*, inspection *f.*; ***ter — zenden,*** envoyer en communication; ***na —,*** après en avoir pris communication; ***na — der stukken,*** sur le vu des pièces.
ken'nist(h)eorie *v.* théorie *f.* de la connaissance; critique *f.* de la raison.
ken'schets *v.(m.)* 1 (*omschrijving*) esquisse *f.*; 2 (*eigenschap*) caractéristique *f.*
ken'schetsen *ov.w.* caractériser.
ken'schetsend *b.n.* caractéristique.
ken'signaal *o.* indicatif *m.* (d'appel).
ken'spreuk *v.(m.)* devise *f.*
kentaur', *zie* ***centaur.***
ken'teken *o.* 1 (*kenmerk*) marque *f.*, signe *m.* caractéristique; 2 (*uiterlijk teken*) insigne, attribut *m.*; 3 (*gen.*) symptôme *m.*; 4 (*aanduiding*) indice *m.*

ken'tekenbewijs *o.* (*v. auto*) certificat *m.* d'immatriculation.
ken'tekenen *ov.w.* **1** caractériser; **2** (*onderscheiden*) distinguer.
ken'tekenplaat *v.*(*m.*) plaque *f.* d'immatriculation, — de police.
ken'teren I *ov.w.* **1** (*lading*) renverser; **2** (*goederen*) transborder; **3** (*schip*) cabaner; **II** *on.w.* **1** (*schip*) chavirer; **2** (*tij, stroom*) refouler, refluer; **3** (*wind*) tourner; **4** (*fig.*) changer, tourner.
ken'terhaak *m.* renard *m.*
ken'tering *v.* renversement; transbordement; chavirement; refoulement *m.*; (*v. wind*) changement *m.*; (*fig.*) revirement *m.*
ken'vermogen *o.* connaissance, intelligence; cognition *f.*
Ke'nya *o.* Kenya, Kénia *m.*
ke'pen *ov.w.* entailler, cocher.
ke'per *m.* **1** (*v. weefsel*) croisure *f.*; **2** (*de stof*) croisé *m.*; **3** (*wap.*) chevron *m.*; ***iets op de — beschouwen,*** regarder qc. de près; examiner qc. à fond.
ke'peren *ov.w.* (*weefsel*) croiser, tisser en croisé.
ke'pie *v.*(*m.*) képi *m.*
keramiek', ceramiek' *v.* céramique *f.*
Ker'berus, *zie* ***Cerberus.***
ke'rel *m.* **1** individu, personnage *m.*; **2** (*gesch.*) vilain *m.*; ***een goeie —,*** un bon garçon, un bon type, une bonne pâte d'homme; ***een flinke (grote) —,*** un (grand) gaillard; ***een rare —,*** un drôle de corps; ***een dronken —,*** un soûlard, un poivrot; ***arme —,*** pauvre diable.
ke'reltje *o.* petit bout *m.* d'homme, bambin *m.*
ke'ren I *ov.w.* **1** (*omkeren*) tourner; **2** (*kledingstuk*) retourner; **3** (*afwenden*) prévenir, détourner, empêcher; ***het hooi —,*** remuer le foin; ***het kwaad trachten te —,*** essayer d'enrayer le mal; ***het kwaad is niet meer te —,*** le mal est irrémédiable; **II** *on.w.* **1** tourner; **2** (*v. auto*) virer; ***naar huis —,*** rentrer, retourner chez soi; ***in zich zelf —,*** rentrer en soi-même; ***rechtsom-keert!*** (*mil.*) demi-tour à droite! ***beter ten halve gekeerd dan ten hele gedwaald,*** il vaut mieux se raviser que de se ruiner; **III** *w.w.* ***zich —,*** se tourner; **IV** *z.n., o.* **1** (*v. wind*) changement *m.*; **2** (*v. kans, fortuin*) retour *m.*; **3** (*v. kledingstuk*) retournage *m.*; **V** *ov.w.* (*vegen*) balayer, nettoyer.
kerf *v.*(*m.*) entaille, coche *f.*
kerf'bank *v.*(*m.*) machine *f.* à couper le tabac.
kerf'mes *o.* couperet; cochoir *m.*
kerf'stok *m.* taille *f.*; ***hij heeft heel wat op zijn —,*** il est loin d'avoir la conscience nette, il a bien des choses à son compte.
kerk *v.*(*m.*) **1** (*organisme*) Église *f.*; **2** (*gebouw*) église *f.*; **3** (*prot.*) temple *m.*; **4** (*godsdienstoefening*) office, service *m.*; ***de strijdende, de lijdende, de zegepralende —,*** l'Église militante, souffrante, triomphante; ***de — in 't midden laten,*** laisser le moutier où il est.
kerk'ambt *o.* fonction *f.* ecclésiastique.
kerk'ban *m.* excommunication *f.*
kerk'bank *v.*(*m.*) banc *m.* d'église.
kerk'besluit *o.* décret *m.* ecclésiastique.
kerk'bestuur *o.* fabrique *f.* d'église; administration *f.* de l'église.
kerk'bewaarder *m.* sacristain *m.*
kerk'bode *m.* bulletin *m.* paroissial.
kerk'boek *o.* **1** (*kath.*) paroissien *m.*, livre *m.* de messe, missel *m.*; **2** (*prot.*) livre *m.* de psaumes.
kerk'concert, -koncert *o.* concert *m.* spirituel.
kerk'dag *m.* jour *m.* d'office divin, — de culte.
kerk'deur *v.*(*m.*) porte *f.* d'église.
kerk'dienst *m.* service *m.* divin, office *m.*
ker'kedienaar *m.* bedeau; suisse *m.*
ker'kekamer *v.*(*m.*) **1** (*kath.*) sacristie *f.*, salle *f.* du conseil de fabrique; **2** (*prot.*) (salle *f.* du) consistoire *m.*
ker'keknecht *m.* bedeau, suisse *m.*
ker'kelijk I *b.n.* ecclésiastique; ***het — huwelijk,*** le mariage religieux; ***een —e plechtigheid,*** une cérémonie religieuse; ***het — recht,*** le droit canon; ***het — jaar,*** l'année liturgique; ***—e muziek,*** musique sacrée; ***de —e Staat,*** les États pontificaux, les États de l'Église; ***de —e partij,*** le parti clérical; **II** *bw.* religieusement; ***— goedgekeurd,*** avec approbation ecclésiastique; ***een huwelijk — inzegenen,*** bénir un mariage.
ker'ker *m.* prison *f.*, cachot *m.*, geôle *f.*
ker'keraad *m.* **1** (*kath.*) conseil *m.* de fabrique; **2** (*prot.*) consistoire *m.*
ker'keraadsbank *v.*(*m.*) banc *m.* d'œuvre.
ker'keraadslid *o.* **1** (*kath.*) fabricien *m.*; **2** (*prot.*) membre *m.* du consistoire.
ker'keren *ov.w.* emprisonner, incarcérer.
ker'kerhol *o.* cachot *m.*
ker'kering *v.* emprisonnement *m.*, incarcération *f.*
kerk'(e)zakje *o.* bourse *f.* de quête.
kerk'fabriek *v.* fabrique *f.* d'église.
kerk'feest *o.* fête *f.* d'église, — religieuse.
kerk'gang *m.* **1** (*kath.*) relevailles *f.pl.*; **2** (*kerkbezoek*) visite *f.* à l'église.
kerk'ganger *m.* fidèle *m.*; ***hij is een trouw —,*** **1** (*kath.*) il va régulièrement à l'église, c'est un paroissien assidu; **2** (*prot.*) il fréquente assidûment le culte.
kerk'gebouw *o.* **1** (*kath.*) église *f.*; **2** (*prot.*) temple *m.*
kerk'gemeenschap *v.* communauté *f.* religieuse; ***joodse —,*** communauté juive.
kerk'gemeente *v.* Église *f.*; ***lutherse (of calvinistische) —,*** Église luthérienne (*of* calviniste).
kerk'genootschap *o.* communauté *f.* religieuse, confession *f.*
kerk'geschiedenis *v.* histoire *f.* de l'Église.
kerk'gewelf *o.* voûte *f.* d'église.
kerk'gezag *o.* autorité *f.* religieuse.
kerk'gezang *o.* **1** (*het zingen*) chant *m.* d'église; **2** (*gewijde muziek*) musique *f.* sacrée; **3** (*kerklied*) cantique *m.*; **4** (*lofzang*) hymne *f.*
kerk'goed *o.* biens *m.pl.* de l'église.
kerk'hervormer *m.* réformateur *m.*
kerk'hervorming *v.* réformation, réforme *f.*
kerk'hof *o.* cimetière *m.*; ***de dader ligt op het —,*** c'est le chat qui l'a fait.
kerk'hofbloem *v.*(*m.*) (*Pl.*) grande mauve *f.*; ***—en,*** (*fig.*) pâquerettes *f.pl.* de cimetière.
kerk'kaars *v.*(*m.*) cierge *m.*
kerk'klok *v.*(*m.*) cloche *f.* (d'église).
kerk'koncert, *zie* ***kerkconcert.***
kerk'koor *o.* (*kath.*) maîtrise *f.* paroissiale.
kerk'kraai *v.*(*m.*) (*Dk.*) choucas *m.*
kerk'latijn *o.* latin *m.* d'Église, — de l'Église.
kerk'leer *v.*(*m.*) doctrine *f.* de l'Église, — religieuse.
kerk'leraar *m.* (*kath.*) docteur *m.* de l'Église.
kerk'meester *m.* (*kath.*) fabricien, marguillier *m.*
kerk'muziek *v.* musique *f.* sacrée.
kerk'orde *v.*(*m.*) ordre *m.* synodal.
kerk'plein *o.* parvis *m.*
kerk'portaal *o.* portail *m.* d'église.
kerk'provincie *v.* province *f.* ecclésiastique.
kerk'raam *o.* vitrail *m.*
kerk'rat *v.*(*m.*) rat *m.* d'église.
kerk'recht *o.* droit *m.* canon.
kerkrech'telijk *b.n.* canonique.
kerk'register *o.* registre *m.* d'église.
kerk'roof *m.* vol *m.* d'église, sacrilège *m.*

kerks *b.n.* assidu à visiter l'église; **— *zijn,*** pratiquer assidûment.
kerk'schat *m.* trésor *m.* de l'église.
kerk'schender *m.* sacrilège, profanateur *m.*
kerk'schennis *v.* sacrilège *m.*, profanation *f.*
kerk'scheuring *v.* schisme *m.*
kerk'schip *o.* **1** vaisseau *m.*; **2** nef *f.* d'église; ***hospitaal-—,*** (*sch.*) vaisseau*-hôpital* *m.*; navire*-église* *m.*
kerks'gezind *b.n.* religieux, pieux, dévot.
kerks'gezindheid *v.* dévotion *f.*
kerk'sieraad *o.* ornement *m.* d'église.
kerk'stoel *m.* **1** chaise *f.* d'église; **2** (*koorstoel*) stalle *f.*
kerk'tijd *m.* l'heure *f.* de la messe; ***het is —,*** il est l'heure de la messe; ***na —,*** (*kath.*) après la messe; (*prot.*) après l'office.
kerk'toonsoort *v.*(*m.*) mode *m.* du plain-chant.
kerk'toren *m.* clocher *m.*, tour *f.* d'église.
kerk'uil *m.* **1** (*Dk.*) effraie *f.*; **2** (*fig.*) bigot *m.*
kerk'vaan *v.*(*m.*) bannière *f.*
kerk'vader *m.* père *m.* de l'Église.
kerk'venster *o.* vitrail *m.*
kerk'vergadering *v.* **1** (*kath.*) concile *m*; **2** (*prot.*) synode *m.*
kerk'verordening *v.* ordonnance *f.* de l'Église.
kerk'vervolging *v.* persécution *f.* de l'Église.
kerk'visitatie *v.* visite *f.* pastorale, — décanale.
kerk'voogd *m.* **1** (*kath.*) prélat *m.*; **2** (*prot.*) membre *m.* du consistoire.
kerk'vorst *m.* prince *m.* de l'Église.
kerk'wet *v.*(*m.*) loi *f.* canonique.
kerk'wijding *v.* consécration *f.* d'une église, dédicace *f.*
kerk'zakje *o.* bourse *f.* de quête.
kerk'zang *m.* **1** chant *m.* d'église; **2** (*gregoriaans*) plain*-chant* *m.*; **3** (*lofzang*) cantique *m.*
kerk'zanger *m.* **1** (*kath.*) chanteur, choriste *m.*; **2** (*prot.*) chantre *m.*
kerk'zwaluw *v.*(*m.*) (*Dk.*) martinet *m.*
ker'men I *on.w.* gémir, se lamenter; **II** *z.n.* ***het —,*** le gémissement.
ker'mes *v.*(*m.*) (*Dk.*) kermès *m.*
ker'mis *v.*(*m.*) kermesse; (*Vlaanderen en Nederland*) fête *f.* foraine; foire *f.*; ***'t is — in de hel,*** le diable bat sa femme; ***van een koude — thuiskomen,*** en être pour ses frais, s'en retourner avec sa courte honte.
ker'misbed *o.* lit *m.* de fortune, — improvisé.
ker'misdeun *m.* air *m.* populaire, chanson *f.* de foire.
ker'misgast *m.* forain *m.*
ker'miskraam *v.*(*m.*) *en o.* baraque *f.* de foire, — foraine.
ker'misreiziger *m.* forain *m.*
ker'misspel *o.* spectacle *m.* de foire, théâtre *m.* forain.
ker'misstuk *o.* pièce *f.* foraine.
ker'mistent *v.*(*m.*) baraque *f.* de foire, — foraine, tente *f.*
ker'misterrein *o.* champ *m.* de foire.
ker'mistijd *m.* temps *m.* de la foire.
ker'misvolk *o.* forains *m.pl.*
ker'miswagen *m.* roulotte *f.*, voiture *f.* de forain.
ker'miszanger *m.* chanteur *m.* forain.
kern *v.*(*m.*) **1** (*v. appel, peer, enz.*) pépin *m.*; **2** (*v. steenvrucht*) (*met hulsel*) noyau *m.*; (*zonder hulsel*) amande *f.*; **3** (*fig.*) essentiel *m.*, quintessence, substance *f.*; **4** (*v. onderwerp, kwestie*) cœur, fond *m.*; **5** (*v. schroef, kanon, buis*) âme *f.*; **6** (*v. atoom*) noyau *m.*; ***tot de — der zaak doordringen,*** pénétrer jusqu'au fond de l'affaire.
kern'achtig *b.n.* **1** vigoureux, énergique; **2** (*v. spreuk, gezegde*) lapidaire; **3** (*v. stijl ook*) plein, nourri.
kern'achtigheid *v.* **1** énergie *f.*; **2** (*in de uitdrukking*) concision *f.* (substantielle).
kern'deling *v.* division *f.* du noyau.
kern'energie *v.* énergie *f.* nucléaire.
kern'fusie *v.* fusion *f.* nucléaire.
kern'fysica, -fysika *v.* physique *f.* nucléaire.
kern'fysisch *b.n.* de physique nucléaire.
kern'gezond *b.n.* (d'une santé) robuste; ***er — uitzien,*** respirer la santé; (*fig.*) ***—e denkbeelden,*** des idées très saines.
kern'hout *o.* duramen *m.*
kern'lading *v.* charge *f.* nucléaire.
kern'probleem *o.* problème *m.* nucléaire.
kern'proeven *mv.* expériences *f.pl.* nucléaires.
kern'reactor *m.* réacteur *m.* nucléaire, pile *f.* atomique.
kern'splitsing *v.* fission *f.* nucléaire.
kern'spreuk *v.*(*m.*) maxime *f.*, aphorisme *m.*
kern'springstof *v.*(*m.*) explosif *m.* nucléaire.
kern'stop *m.* arrêt *m.* des essais nucléaires.
kern'transformatie, -transmutatie *f.* transmutation *f.* nucléaire.
kern'troepen *mv.* troupes *f.pl.* d'élite.
kern'vrucht *v.*(*m.*) fruit *m.* à pépins.
kern'wapen *o.* arme *f.* atomique; ***—s,*** armes nucléaires.
kerosi'ne *v.* kérosène *m.*
kerr'effekt, -effekt *o.* polarisation *f.* électro-optique.
ker'rie *m.* cari, kari, curry *m.*
kers *v.*(*m.*) **1** (*vrucht*) cerise *f.*; **2** (*plant*) cresson *m.*; ***Oostindische —,*** (*Pl.*) capucine *f.*, cresson *m.* d'Inde.
ker'sebloesem *m.* fleur *f.* de cerisier.
ker'seboom *m.* cerisier *m.*
ker'seboomgaard *m.* cerisaie *f.*
ker'senbrandewijn *m.* eau*-de-vie *f.* de cerises, kirsch *m.*
ker'senjam *m. en v.* confiture *f.* de cerises.
ker'sentijd *m.* saison *f.* des cerises.
ker'sepit *v.*(*m.*) **1** noyau *m.* de cerise; **2** (*fig.*) caboche, tête *f.*
ker'spel *o.* paroisse *f.*
kers'rood *b.n.* (rouge) cerise.
kerst'avond *m.* veille *f.* de Noël.
kerst'boom *m.* arbre *m.* de Noël.
kerst'dag *m.* jour *m.* de Noël, Noël *m.*
ker'stenen *ov.w.* christianiser; (*dopen*) baptiser.
ker'stening *v.* christianisation *f.*
kerst'feest *o.* fête *f.* de Noël, Noël *m.*
kerst'geschenk *o.* cadeau *m.* de Noël.
Kerst'kindje *o.* l'enfant Jésus, le petit Noël *m.*
kerst'krans *m.* gâteau *m.* de Noël.
kerst'kribbetje *o.* crèche *f.* de Noël.
kerst'lied *o.* (chant de) Noël *m.*
kerst'maal *o.* **1** repas *m.* de Noël; **2** (*in kerstnacht*) réveillon *m.*
kerst'mannetje *o.* ***het —,*** le père Noël.
Kerst'mis I *m.* (*feestdag*) Noël *m.*, fête *f.* de Noël; **II** *v.*(*m.*) (*nachtmis*) messe *f.* de minuit; ***een witte —,*** un Noël blanc; ***een groene —, een witte Pasen,*** Noël aux balcons, Pâques aux tisons.
kerst'morgen *m.* matinée *f.* de Noël.
kerst'nacht *m.* nuit *f.* de Noël.
kerst'nummer *o.* numéro *m.* de Noël.
kerst'tijd *m.* (temps de) Noël *m.*
kerst'vakantie, -vacantie *v.* vacances *f.pl.* de Noël.
kerst'week *v.*(*m.*) semaine *f.* de Noël.
kerst'zang *m.* Noël *m.*, cantique *m.* de Noël.
kers'vers I *b.n.* tout frais; **II** *bw.* fraîchement; ***hij komt — van de Universiteit,*** il est frais émoulu de l'Université.
ker'vel *m.* (*Pl.*) cerfeuil *m.*; ***dolle—,*** ciguë *f.*
ker'ven I *ov.w.* **1** (*inkepen*) entailler, encocher;

2 (*tabak*) couper, hacher; 3 (*vis*) taillader; 4 (*bouwk.*) créneler; II *on.w.* (*v. stoffen*) s'érailler.
ker'ver *m.* hacheur *m.* de tabac.
ker'ving *v.* coupure; taillade *f.*
ke'tel *m.* 1 (*water- of thee—*) bouilloire *f.*; 2 (*kook—*) chaudron *m.*; (*vlees—*) marmite *f.*; 3 (*stoom—*) chaudière *f.*
ke'telbikker *m.* désincrusteur *m.*, nettoyeur *m.* de chaudières.
ke'teldal *o.* vallée *f.* encaissée, cirque *m.*
ke'telhaak *m.* crémaillère *f.*
ke'telhuis *o.* bâtiment *m.* des chaudières.
ke'tellapper *m.* chaudronnier *m.*
ke'telmuziek *v.* charivari *m.*
ke'telruim *o.* chambre *f.* de chauffe.
ke'telsteen *o. en m.* incrustation *f.*
ke'teltje *o.* petit chaudron *m.*; petite marmite *f.*; bouillotte *f.*
ke'teltrom(mel) *v.(m.)* (*muz.*) timbale *f.*
ke'teltromslager *m.* (*muz.*) timbalier *m.*
ke'telwand *m.* enveloppe *f.* de chaudière.
ke'ten *v.(m.)* 1 chaîne *f.*; 2 (*fig.*) servitude *f.*
ke'tenen *ov.w.* 1 enchaîner; mettre aux fers; 2 (*fig.*) dompter.
ke'tening *v.* enchaînement *m.*
ke'tenschakel *m. en v.* chaînon *m.*
ket'sen I *on.w.* 1 (*v. wapen*) rater; 2 (*bilj.*) faire fausse queue; 3 (*fig.*) rater; II *ov.w.* 1 faire échouer; 2 (*verwerpen*) rejeter.
ket'sing *v.* 1 raté *m.*; 2 fausse queue *f.*; 3 (*fig.*) insuccès *m.*, non-réussite *f.*; 4 refus *m.*
ket'ter *m.* hérétique *m.*; ***vloeken als een —,*** jurer comme un païen, — comme un charretier.
ket'teren *on.w.* rager, tempêter, se démener.
ket'terhoofd *o.* hérésiarque *m.*
ketterij' *v.* hérésie *f.*
ket'ters *b.n.* hérétique.
ket'ting *m. en v.* 1 chaîne *f.*; 2 (*hals—*) collier *m.*; ***een schip aan de — leggen,*** mettre l'embargo sur un navire.
ket'tingarmband *m.* gourmette *f.*
ket'tingbotsing *v.* collision *f.* en chaîne; carambolage, télescopage *m.* en série.
ket'tingbreuk *v.(m.)* (*rek.*) fraction *f.* continue.
ket'tingbrief *m.* boule *f.* de neige.
ket'tingbrug *v.(m.)* pont *m.* suspendu.
ket'tingdraad *m.* (fil *m.* de) chaîne *f.*
ket'tingganger *m.* forçat *m.*
ket'tinggaren *o.* fil *m.* de chaîne.
ket'tinghandel *m.* commerce *m.* non patenté.
ket'tinghandelaar *m.* intermédiaire *m.* non patenté; (*ong.*) mercanti *m.*
ket'tinghond *m.* chien *m.* d'attache.
ket'tingkabel *m.* câble*-chaîne* *m.*
ket'tingkast *v.(m.)* couvre-chaîne*, garde-chaîne [*m.*
ket'tingloos *b.n.* sans chaîne, acatène.
ket'tingpomp *v.(m.)* pompe *f.* à chapelet.
ket'tingrad *o.* roue *f.* à chaîne.
ket'tingreactie, -reaktie *v.* réaction *f.* en chaîne.
ket'tingregel *m.* (*rek.*) règle *f.* conjointe.
ket'tingroker *m.* fumeur *m.* à la chaîne, — enragé.
ket'tingschakel *m. en v.* chaînon *m.*
ket'tingslot *o.* chaînette *f.* antivol.
ket'tingspanner *m.* vis *f.* de tension.
ket'tingsteek *m.* point *m.* de chaînette.
ket'tingstraf *v.(m.)* la chaîne, les fers *m.pl.*
ket'tingwiel *o.* pignon *m.* (à chaîne).
ket'tingzij(de) *v.(m.)* organsin *m.*
ket'tinkje *o.* chaînette *f.*
keu *v.(m.)* (*bilj.*) queue *f.*
keu'ken *v.(m.)* cuisine *f.*; ***koude —,*** mets *m.pl.* froids; ***schrale —,*** mauvaise chère; ***centrale —,*** cuisine centrale.
keu'kenafval *o. en m.* ordures *f.pl.* ménagères.
keu'kenboek *o.* livre *m.* de cuisine.
keu'kendoek *m.* torchon *m.* (de cuisine).
keu'kenfornuis *o.* cuisinière *f.*; fourneau *m.* de cuisine.
keu'kengereedschap, keu'kengerei *o.* 1 ustensiles *m.pl.* de cuisine; 2 (*v. metaal*) batterie *f.* de cuisine; 3 (*v. aardewerk*) vaisselle *f.*
keu'kenhanddoek *m.* essuie-main* *m.*
keu'kenkast *v.(m.)* buffet *m.* de cuisine; garde-manger *m.*
keu'kenmeester *m.* chef *m.* de cuisine.
keu'kenmeid *v.* cuisinière *f.*; ***bekwame —,*** cordon-bleu *m.*
keu'kenmeidenroman *m.* roman *m.* de quatre sous, — de concierge.
keu'kenpiet *m.* tâte-au-pot *m.*
keu'kenprinses *v.* cuisinière *f.*, cordon-bleu *m.*
keu'kenstoel *m.* chaise *f.* de cuisine.
keu'kenstroop *v.(m.)* mélasse *f.*
keu'kentafel *v.(m.)* table *f.* de cuisine.
keu'kenuitrusting *v.*, **-uitzet** *m. en o.* batterie *f.* de cuisine.
keu'kenwagen *m.* (*mil.*) cuisine *f.* roulante, — de campagne. [sel *m.*
keu'kenzout *o.* sel *m.* de cuisine, — commun, gros
Keu'len *o.* Cologne *f.*; ***kijken of men het in — hoort donderen,*** être tout ébaubi; tomber des nues; ***—en Aken zijn niet op één dag gebouwd,*** Paris (*of* Rome) n'a pas été bâti(e) en un jour.
Keu'lenaar *m.* habitant *m.* de Cologne, Colonais *m.*
Keuls *b.n.* de Cologne; ***— aardewerk,*** gresserie *f.*; ***—e pot,*** pot *m.* de grès; ***— water,*** eau *f.* de Cologne.
keur *v.(m.)* 1 (*keuze*) choix *m.*; 2 (*het puik*) élite *f.*; choix *m.*; 3 (*merk: v. goud, enz.*) poinçon *m.*; 4 (*gesch.*) charte *f.*; ***te kust en te —,*** en abondance, à foison; ***goud met —,*** or au titre.
keur'bende *v.(m.)* corps *m.* d'élite, troupe *f.* —.
keur'der *m.* 1 essayeur *m.*; 2 (*v. voedingswaren*) contrôleur, inspecteur *m.*; 3 (*v. wijn*) gourmet *m.*; 4 (*v. boeken*) censeur *m.*
keu'ren *ov.w.* 1 (*v. goud, enz.*) essayer; 2 (*v. wijn, enz.*) goûter, déguster; 3 (*met merk*) poinçonner; 4 (*onderzoeken*) examiner; 5 (*v. boeken*) censurer; 6 (*v. dienstplichtigen*) faire passer devant le conseil de révision; 7 (*v. kandidaten*) faire subir un examen médical, — examen d'aptitude physique.
keur'gewicht *o.* étalon *m.*
keu'rig I *b.n.* 1 (*uitgelezen*) exquis, choisi; 2 (*net*) propre; 3 (*v. schrift*) soigné; 4 (*v. kleding*) élégant; 5 (*kieskeurig*) difficile; délicat; II *bw.* 1 exquisement; 2 élégamment; ***— gekleed,*** habillé avec élégance.
keu'righeid *v.* 1 délicatesse *f.*; 2 propreté *f.*; 3 élégance *f.*; 4 goût *m.* difficile.
keur'ijzer *o.* poinçon *m.*
keu'ring *v.* 1 (*v. goud*) essai *m.*; 2 (*v. wijn, enz.*) dégustation *f.*; 3 (*met merk*) poinçonnage *m.*; 4 (*onderzoek*) examen *m.*; 5 (*v. boeken*) censure *f.*; 6 (*v. dienstplichtige*) révision *f.*, conseil *m.* de révision; (*voor zieke*) conseil *m.* de réforme; 7 (*v. kandidaten*) examen *m.* médical; ***morgen is er —,*** demain il y aura séance du conseil de révision.
keu'ringscommissie, -kommissie *v.* conseil *m.* de révision.
keu'ringsdienst *m.* 1 service *m.* de contrôle; 2 (*gen.*) inspection *f.* sanitaire.
keuringskommissie, *zie* ***keuringscommissie.***

keur'korps *o.* corps *m.* d'élite.
keur'meester *m.* **1** (*v. goud, enz.*) essayeur *m.*; **2** (*v. levensmiddelen*) inspecteur, contrôleur *m.*
keur'merk *o.* poinçon *m.* (de garantie).
keur'prins *m.* prince *m.* électoral.
keurs'(lijf) *o.* **1** corset *m.*; **2** (*fig.*) tunique *f.* de Nessus. [d'essai.
keur'stempel *o. en m.* poinçon *m.*, marque *f.*
keur'troepen *mv.* troupes *f.pl.* d'élite.
keur'verwantschap *v.* (*scheik.*) affinité *f.* élective.
keur'vorst *m.* (prince) électeur *m.*
keurvor'stelijk *b.n.* électoral.
keur'vorstendom *o.* électorat *m.*
keur'vrij *b.n.* sous réserve d'approbation.
keur'zaad *o.* semence *f.* sélectionnée.
keus, keuze *v.(m.)* **1** choix *m.*; **2** (*uit twee*) option *f.*; ***— tussen twee dingen, gedwongen —,*** alternative *f.*; ***moeilijke —,*** dilemme *m.*; ***— te over hebben, verlegen staan in zijn —,*** avoir l'embarras du choix; ***naar —,*** au choix; ***een vak naar —,*** une branche facultative; ***bij — bevorderd,*** (*mil.*) promu au choix; ***zijn — bepalen tot,*** s'arrêter à.
keu'tel *m.* crotte *f.*, crottin *m.*
keu'terboer *m.* closier *m.*, petit métayer *m.*
keu'velaar *m.* causeur *m.*
keuvelarij' *v.* causerie *f.*, babillage *m.*
keu'velen *on.w.* causer, babiller, tailler une bavette.
keu'ze, *zie* ***keus.***
keu'zecommissie, -kommissie *v.* (*concours*) jury *m.* de sélection, (*sp.*) comité *m.* —.
keu'zevak *o.* matière *f.* à option.
ke'ver *m.* coléoptère *m.*; scarabée *m.*
ke'vie *v.* cage *f.*
Khmer *o.* le royaume Khmer.
Khmer-beschaving *v.* la civilisation khmer.
kib'belaar *m.* querelleur *m.*
kib'belachtig *b.n.* querelleur.
kibbelarij' *v.* querelle, dispute, bisbille *f.*
kib'belen *on.w.* se quereller, se disputer, se chamailler.
kib'belpartij *v.* querelle, chamaillerie *f.*
kib'belziek *b.n.* querelleur, disputeur, hargneux.
kib'belzucht *v.(m.)* esprit *m.* hargneux.
kiek *m.* photo, vue *f.*, instantané *m.*
kie'keboe! *tw.* coucou!
kie'ken I *o.* **1** poulet *m.*; **2** (*kuiken*) poussin *m.*; **II** *ov.w.* prendre, photographier.
kie'kendief *m.* **1** voleur *m.* de volaille; **2** (*Dk.*) busard; milan *m.*
kiek'je *o.* vue, photo(graphie) *f.* [*m.*
kiek'toestel *o.* appareil *m.* photographique, kodak
kiel I *m.* **1** blouse *f.*; **2** (*lange* —) salopette *f.*; **3** (*boeren*—) sarrau *m.*; **II** *v.(m.)* **1** (*sch.*) quille *f.*; **2** (*fig.*) vaisseau *m.*; **3** (*Pl.*) carène *f.*
kie'len I *ov.w.* (*sch.*) caréner; **II** *z.n., o.* carénage *m.*
kiel'gang *m.* (*sch.*) gabord, galbord *m.*
kiel'halen *ov.w.* **1** (*v. matroos: als straf*) donner la (grande) cale à; **2** (*v. schip*) caréner.
kiel'haling *v.* (*sch.*) cale *f.*
kie'ling *v.* carène *f.*; carénage *m.*
kiel'legging *v.* mise *f.* sur quille.
kiel'lichter *m.* ponton *m.*
kiel'water *o.* remous, sillage *m.*; ***iem. in zijn — zeilen,*** suivre qn. de près.
kiel'zog *o.* sillage, remous *m.*
kiem *v.(m.)* germe *m.*; ***in de — smoren,*** étouffer dans l'œuf.
kiem'blad *o.* (*Pl.*) cotylédon *m.*
kiem'cel *v.(m.)* cellule *f.* germinative, blastomère *m.*
kiem'dodend *b.n.* germicide.
kiem'drager *m.* porteur *m.* de germes.
kie'men *on.w.* germer.
kie'ming *v.* germination *f.*
kiem'kracht *v.(m.)* pouvoir *m.* germinatif, faculté *f.* germinative.
kiem'plantje *o.* plantule *f.*
kiem'vermogen, *zie* ***kiemkracht.***
kiem'vrij *b.n.* stérilisé.
kiem'wit *o.* albumen *m.*
kien *v.* quine *m.*
kien'dopje *o.* boule *f.* de loto.
kie'nen *on.w.* jouer au loto.
kien'spel *o.* loto *m.*
kie'peren *ov.w.* lancer, verser.
kier *m. en v.* **1** entrebâillement *m.*; **2** (*reet, spleet in schutting, enz.*) fente *f.*; ***de deur staat op een —,*** la porte est entrebâillée, — entrouverte; ***de deur op een — zetten,*** entrebâiller la porte; ***door een — zien,*** regarder à travers une fente.
kies I *v.(m.)* grosse dent *f.*; molaire *f.*; ***holle —,*** dent creuse, dent cariée; ***iem. een — trekken,*** **1** arracher une dent à qn.; **2** (*fig.*) saigner qn., écorcher qn.; **II** *o.* pyrite *f.*; **III** *b.n.* **1** délicat; **2** (*kieskeurig*) difficile; **IV** *bw.* délicatement, avec délicatesse.
kies'baar *b.n.* éligible.
kies'baarheid *v.* éligibilité *f.*
kies'bevoegd *b.n.* possédant le droit de suffrage; ***— zijn,*** être électeur.
kies'bevoegdheid *v.* droit *m.* de suffrage, capacité *f.* électorale.
kies'briefje *o.* bulletin *m.* (de vote).
kies'college, -kollege *o.* collège *m.* électoral.
kies'deler *m.* coefficient *m.*, quotient *m.* électoral.
kies'district, -distrikt *o.* circonscription *f.* (électorale), arrondissement *m.*
kies'dwang *m.* vote *m.* obligatoire.
kies'gerechtigd, *zie* ***kiesbevoegd.***
kies'gerechtigde *m.-v.* électeur *m.*
kies'heid *v.* délicatesse *f.*
kies'heidshalve *bw.* par délicatesse.
kies'kauwen *on.w.* manger du bout des dents, chipoter, pignocher. [des dents.
kies'kauwer *m.* chipotier, qui mange du bout
kieskeu'rig *b.n.* difficile (à contenter).
kies'kollege, *zie* ***kiescollege.***
kies'kring *m.* circonscription *f.* électorale.
kies'pijn *v.(m.)* mal *m.* de dents; ***— hebben,*** avoir mal aux dents.
kies'plicht *m. en v.* **1** (*plicht als kiezer*) devoir *m.* d'électeur; **2** (*kiesdwang*) vote *m.* obligatoire.
kies'recht *o.* droit *m.* de suffrage, — électoral; ***algemeen —,*** suffrage *m.* universel.
kies'rechthervorming *v.* réforme *f.* électorale.
kies'rechtvrouw *v.* suffragette *f.*
kies'schijf *v.(m.)*, (*tel.*) disque *m.* d'appel.
kies'stelsel *o.* système *m.* électoral.
kies'vereniging *v.* comité *m.* électoral, collège *m.* électoral.
kies'vergadering *v.* réunion *f.* électorale, — d'électeurs.
kies'wet *v.(m.)* loi *f.* électorale.
kiet, *zie* ***quitte.***
kie'telen *ov.w.* chatouiller.
kieuw *v.(m.)* branchie, ouïe *f.*
kieuw'deksel *o.* opercule *m.* (branchial).
kieuw'dragend *b.n.* branchié.
kieuw'holte *v.* cavité *f.* branchiale.
kieuw'potigen *mv.* branchiopodes *m.pl.*
kieuw'spleet *v.(m.)* fente *f.* branchiale.
kie'vi(e)t *m.* vanneau *m.*; ***vlug als een —,*** agile comme un lièvre.

kie'vi(e)tsei *o.* œuf *m.* de vanneau.
kie'zel *o. en m.* silex *m.*; caillou *m.*
kie'zelaarde *v.(m.)* silice *f.*, terre *f.* silicieuse.
kie'zelachtig *b.n.* siliceux.
kie'zelpad *o.* sentier *m.* caillouté.
kie'zelsteen *m.* caillou *m.*
kie'zelweg *m.* route *f.* de gravier.
kie'zelzand *o.* gravier *m.*, gros sable *m.*
kie'zelzuur *o.* acide *m.* silicique.
kie'zelzuurzout *o.* silicate *m.*
kie'zen I *ov.w.* **1** (*alg.*) choisir; **2** (*verkiezen*) élire; **3** (*tussen twee: gedwongen*) opter; ***tot voorzitter —,*** élire président; ***zee —,*** prendre le large; ***partij —,*** prendre parti; **II** *on.w.* **1** choisir; **2** (*bij verkiezingen*) voter; **3** opter; ***je moet — of delen,*** c'est à prendre ou à laisser; il faut prendre un parti.
kie'zentrekker *m.* **1** (*persoon*) arracheur *m.* de dents; **2** (*werktuig*) pélican *m.*
kie'zer *m.* électeur *m.*
kie'zerschap *o.* électorat *m.*
kie'zerslijst *v.(m.)* liste *f.* électorale.
kie'zersvolk *o.* masse *f.* électorale.
kijf *v.* contestation *f.*; ***buiten —,*** sans contredit, incontestablement.
kijf'achtig *b.n.* querelleur, hargneux.
kijf'lust *m.* humeur *f.* querelleuse.
kijf'ster *v.* querelleuse *f.*
kijk *m.* **1** vue *f.*; **2** (*blik*) regard *m.*; ***geen — hebben op,*** n'avoir aucune idée de; ***een goede —,*** un coup d'œil juste; ***daar is geen — op,*** il ne faut pas s'y attendre, c'est peu probable; ***te — zetten,*** exposer; ***een —je nemen,*** jeter un coup d'œil (sur).
kijk'dag *m.* exposition *f.*, jour *m.* d'exposition.
kij'ken I *on.w.* regarder; ***gaan —,*** aller voir; ***op zijn neus —,*** être tout penaud; ***daar stond hij van te —,*** il en restait ébahi, il n'en revenait pas; ***niet nauw —,*** ne pas y regarder de près; ***even in de spiegel —,*** jeter un coup d'œil à la glace; ***hij kijkt niet op een paar franken,*** il n'en est pas à regarder à quelques francs; ***uit het venster —,*** regarder par la fenêtre; ***naar de kinderen —,*** voir ce que font les enfants, avoir l'œil sur les enfants; ***daar komt heel wat bij —,*** cela ne va pas tout seul, ce n'est pas peu de chose; ***hij komt pas —,*** il sort à peine du nid, — de la coquille, il est encore tout neuf; **II** *ov.w.* regarder, voir; ***prentjes —,*** regarder des images; ***laat eens —!*** fais voir!; ***zich de ogen uit het hoofd —,*** être émerveillé.
kij'ker *m.* **1** (*toeschouwer*) spectateur, curieux *m.*; (*T.V.*) téléspectateur; **2** (*verrekijker*) lunette, longue*-vue* *f.*; **3** (*toneel—*) lorgnette, jumelle *f.*; ***in de —(d) lopen,*** attirer l'attention, se faire remarquer. [judas *m.*
kijk'gat *o.* **1** trou *m.*, ouverture *f.*; **2** (*in deur, enz.*)
kijk'geld *o.* (*T.V.*) redevance *f.*
kijk'glas *o.* **1** (*kijker*) jumelle *f.*; **2** (*v. telescoop, enz.*) verre *m.*
kijk'graag *m.* curieux *m.*
kijk'kast *v.(m.)* (boîte *f.* d') optique *f.*
kijk'spel *o.* diorama *m.*, baraque *f.* de foire.
kijk'spleet *v.(m.)* dioptre *m.*
kijk'toren *m.* **1** belvédère *m.*; **2** (*mil.*) guérite *f.*
kijk'venster(tje) *o.* (*in deur, enz.*) vasistas, judas, guichet *m.*
kij'ven *on.w.* se quereller, se disputer, se chamailler.
kij'ver *m.* querelleur, disputeur *m.*
kijverij' *v.* querelle, dispute *f.*
kik *m.* ***geen — geven,*** ne souffler mot.
kik'ken *on.w.* piper; ***niet —,*** ne souffler mot.
kik'ker *m.* grenouille *f.*
kik'kerdril *v.(m.)* frai *m.* de grenouilles.
kik'kerrit *o.* frai *m.* de grenouille(s).
kik'kerspel *o.* jeu *m.* du tonneau.
kik'kervisje *o.* têtard *m.*
kik'vors *m.* grenouille *f.*; ***boom—,*** rainette, grenouillette *f.*; ***bruine —,*** grenouille rousse.
kik'vorsachtigen *mv.* batraciens *m.pl.*
kik'vorsenpoel *m.* grenouillère *f.*
kik'vorsgezwel *o.* grenouillette, ranule *f.*
kik'vorsman *m.* homme*-grenouille* *m.*
kil I *v.(m.)* chenal *m.*, passe *f.*; **II** *b.n.* **1** frais, froid, glacé; **2** (*v. ontvangst*) glacial.
kil'heid *v.* froid *m.*, fraîcheur *f.*
kil'lig *b.n.* frileux, frisquet.
ki'lo, ki'logram *o.* kilogramme *m.*
ki'loliter *m.* kilolitre *m.*
ki'lometer *m.* kilomètre *m.*
ki'lometerboekje *o.* livret *m.* kilométrique, cornet *m.* —. [borne *f.* —.
ki'lometerpaal *m.* poteau *m.* kilométrique,
kil'lometertal *o.* kilométrage *m.*; ***hoog —,*** long kilométrage.
ki'lometerteller *m.* compteur *m.* kilométrique.
ki'lometervreter *m.* bouffeur *m.* de kilomètres, dévoreur *m.* —.
ki'lowatt *m.* (*el.*) kilowatt *m.* (*pl.: —s*).
kilowattuur' *o.* kilowattheure *f.*
kil'te *v.* froid *m.* humide.
kim, kim'me *v.(m.)* **1** (*gezichtseinder*) horizon *m.*; **2** (*v. kuip, tobbe, enz.*) jable, bord *m.*; **3** (*sch.*) fleur *f.*
Kim'bren *mv.* Cimbres *m.pl.*
kim'duiking *v.* abaissement *m.* de l'horizon.
kim'kiel *v.(m.)* quille *f.* latérale, — de roulis.
kim'me, *zie* ***kim.***
kimo'no *m.* kimono *m.*
kin *v.(m.)* menton *m.*
ki'na *m.* quinquina *m.*
ki'nabast *m.* écorce *f.* de quinquina, quinquina *m.*
ki'naboom *m.* quinquina *m.*
ki'nadrank *m.* potion *f.* au quinquina.
ki'nadruppels *mv.* gouttes *f.pl.* de quinquina.
ki'nawijn *m.* vin *m.* de (*of* au) quinquina.
ki'nawortel *m.* salsepareille *f.* de Chine.
ki'nazuur *o.* acide *m.* quinique.
kin'baard(je) *m.(o.)* barbiche *f.*
kin'band *m.* mentonnière *f.*
kind *o.* enfant *m.*; ***een — van zijn tijd,*** un homme de son temps; ***hij heeft — noch kraai,*** il n'a personne au monde; il n'a ni enfants ni suivants; il n'a ni femme ni enfants; ***het — van de rekening zijn,*** être le dindon de la farce; être la dupe de l'affaire; ***van — af,*** dès l'enfance; ***het — bij zijn naam noemen,*** appeler un chat un chat; trancher le mot; ***—eren en gekken zeggen de waarheid,*** la vérité sort de la bouche des enfants; les enfants et les fous disent tout ce qu'ils pensent; ***wie zijn —eren liefheeft, kastijdt ze,*** qui aime bien, châtie bien. [fant Jésus.
kin'deke *o.* petit enfant *m.*; ***het K— Jezus,*** l'En-
kin'derachtig I *b.n.* puéril, enfantin; **II** *bw.* puérilement, en enfant; ***zich — gedragen,*** faire l'enfant, se conduire en enfant.
kin'derachtigheid *v.* puérilité *f.*, enfantillage *m.*
kin'deraftrek *m.* exonération *f.* pour charges de famille, déduction *f.* pour enfants.
kin'derarbeid *m.* travail *m.* des enfants.
kin'derarts *m.* médecin *m.* infantile, — pour (les) enfants.
kin'derbal *o.* bal *m.* d'enfants.
kin'derbedje *o.* couchette *f.*; lit *m.* d'enfant.
kin'derbedtijd *m.* heure *f.* de coucher.

kin'derbescherming *v.* protection *f.* de l'enfance.
kin'derbewaarplaats *v.(m.)* crèche *f.*, garderie *f.* (d'enfants).
kin'derbijslag *m.* indemnité *f.* (pour charges) de famille; allocation *f.* familiale.
kin'derboek *o.* livre *m.* pour les enfants, — pour la jeunesse. [—.
kin'derdief *m.* voleur *m.* d'enfants, ravisseur *m.*
kin'derdokter, *zie* ***kinderarts.***
kin'derfeest *o.* fête *f.* enfantine.
kin'dergek *m.* personne *f.* qui raffole des enfants.
kin'dergeschreeuw *o.* **1** cris *m.pl.* d'enfant(s); **2** (*v. pasgeboren kind*) vagissement *m.*
kin'dergoed *o.* vêtements *m.pl.* d'enfants.
kin'derhand *v.(m.)* menotte *f.*, main *f.* d'enfant; ***een — is gauw gevuld,*** un enfant est facile à contenter.
kin'derhart *o.* cœur *m.* d'enfant, — candide.
kin'derhoofdje *o.* tête *f.* d'enfant.
kin'derjaren *mv.* enfance *f.*, années *f.pl.* d'enfance.
kin'derjuffrouw *v.* bonne *f.* d'enfants; gouvernante *f.*
kin'derjurk *v.(m.)* robe *f.* d'enfant.
kin'derkaartje *o.* billet *m.* d'entrée pour enfant, — demi-tarif pour enfant.
kin'derkamer *v.(m.)* chambre *f.* des enfants.
kin'derkerk *v.(m.)* (*prot.*) service *m.* pour les enfants.
kin'derkleding *v.* vêtements *m.pl.* d'enfants.
kin'derkliniek *v.* clinique *f.* infantile.
kin'derkoor *o.* chorale *f.* enfantine.
kin'derledikant *o.* couchette *f.*
kin'derleesboek *o.* livre *m.* de lecture enfantine.
kin'derliedje *o.* **1** chanson *f.* enfantine, ronde *f.* enfantine; **2** (*wiegeliedje*) berceuse *f.*
kin'derliefde *v.* **1** (*v. d. ouders*) amour *m.* des parents, — paternel, — maternel; **2** (*v. kinderen voor ouders*) piété *f.* filiale, amour *m.* filial.
kin'derlijk I *b.n.* **1** enfantin; **2** (*ongekunsteld, onschuldig*) naïf, candide, ingénu; **3** (*tegenover ouders*) filial; **II** *bw.* **1** d'une manière enfantine, comme un enfant; **2** naïvement, candidement, ingénument; **3** filialement, en bon enfant.
kin'derlijkheid *v.* naïveté, candeur; ingénuité *f.*
kin'derloos *b.n.* sans enfants.
kin'dermeel *o.* farine *f.* lactée. [fants.
kin'dermeid *v.*, **kin'dermeisje** *o.* bonne *f.* d'en-
kin'dermis *v.(m.)* messe *f.* pour enfants.
kin'dermoord *m. en v.* infanticide *m.*; ***de — van Bethlehem,*** le massacre des Innocents.
kin'dermoorde(naa)r *m.* infanticide *m.*
kin'dermuts *v.(m.)* béguin *m.*, bonnet *m.* d'enfant.
kin'deropvoeding *v.* pédologie *f.*
kin'derpartij *v.* partie *f.* d'enfants, fête *f.* enfantine.
kin'derplicht *m. en v.* devoir *m.* filial.
kin'derpokken *mv.* petite vérole *f.*
kin'derpolitie *v.* brigade *f.* des mineurs.
kin'derpostzegel *m.* timbre *m.* (émis au profit des œuvres) pour l'enfant.
kin'derpraat *m.* **1** babil *m.* d'enfants, caquet *m.* d'enfants; **2** (*fig.*) enfantillages *m.pl.*
kin'derpsychologie *v.* psychologie *f.* de l'enfant.
kin'derrechtbank *v.(m.)* tribunal *m.* pour enfants.
kin'derrechter *m.* juge *m.* pour enfants.
kin'derrijk *b.n.* riche en enfants.
kin'derrijmpje *o.* poésie *f.* enfantine. [—.
kin'derroof *m.* enlèvement *m.* d'enfant, rapt *m.*
kin'derrover *m.* voleur *m.* d'enfants.
kin'derrubriek *v.* rubrique *f.* pour la jeunesse.
kin'derschoen *m.* soulier *m.* d'enfant; ***hij is de —en ontwassen,*** ce n'est plus un enfant; ***in de —en staan,*** être dans les langes, — nouvellement né.
kin'derschool *v.(m.)* **1** école *f.* enfantine; **2** (*bewaarschool*) (école) maternelle *f.* [fants).
kin'derspeelgoed *o.* joujoux, jouets *m.pl.* (d'en-
kin'derspel *o.* **1** jeu *m.* d'enfant; **2** (*fig.*) badinage *m.*; ***het is geen —,*** ce n'est pas une bagatelle. [femme.
kin'dersprookje *o.* conte *m.* de fée(s); — de bonne
kin'derstem *v.(m.)* voix *f.* enfantine.
kin'dersterfte *v.* mortalité *f.* infantile.
kin'derstoel *m.* chaise *f.* d'enfant.
kin'derstreek *m. en v.* enfantillage *m.*; gaminerie, espièglerie *f.*
kin'dertaal *v.(m.)* langage *m.* enfantin, — d'enfant.
kin'dertoeslag *m.* indemnité *f.* pour charges familiales, allocation *f.* familiale.
kin'dertuin *m.* jardin *m.* d'enfants.
kin'deruurtje *o.* (*radio*) les ondes *f.pl.* enfantines; émission *f.* pour enfants.
kin'derverhaal *o.* conte *m.* pour les enfants.
kin'derverlamming *v.* paralysie *f.* infantile, polio(myélite) *f.*
kinderversje, *zie* ***kinderrijmpje.***
kin'derverzorging *v.* puériculture *f.*
kin'derverzorgster *v.* puéricultrice *f.*
kin'dervoeding *v.* alimentation *f.* des enfants.
kin'dervoetje *o.* (petit) peton *m.* [tine.
kin'dervoorstelling *v.* représentation *f.* enfan-
kin'dervraag *v.(m.)* question *f.* enfantine.
kin'dervriend *m.* ami *m.* des enfants.
kin'derwagen *m.* voiture *f.* d'enfant, poussette *f.*
kin'derweegschaal *v.(m.)* pèse-bébé* *m.*
kin'derwereld *v.(m.)* monde *m.* des enfants, petit monde *m.*
kin'derwerk *o.* enfantillage *m.*, bagatelle *f.*
kin'derwet *v.(m.)* loi *f.* sur la protection de l'enfance.
kin'derwetgeving *v.* législation *f.* protectrice de l'enfance.
kin'derzegen *m.* joies *f.pl.* de la paternité, — de la maternité; ***een overvloedige —,*** une nombreuse famille. [infantile.
kin'derziekenhuis *o.* hôpital *m.* d'enfants, —
kin'derziekte *v.* **1** (*alg.*) maladie *f.* d'enfant, — infantile; **2** (*kinderpokken*) petite vérole *f.*; **3** (*fig.*) ***—n,*** difficultés *f.pl.* du début.
kind'lief *o.* mon enfant, mon chéri *m.*
kinds *bn.* **1** (*kinderlijk*) puéril, enfantin; **2** (*ong.: v. bejaarde mensen*) sénile; gâteux; ***— worden,*** tomber en enfance.
kinds'been *o.* ***van — af,*** dès l'enfance.
kind'schap *o.* filialité *f.*
kinds'deel, kinds'gedeelte *o.* part *f.* d'enfant, portion *f.* légitime.
kinds'heid *v.* **1** enfance *f.*; **2** seconde enfance *f.*, imbécilité *f.* sénile, gâtisme *m.*
kinds'kind *o.* petit*-enfant* *m.*
kine-, *zie* ***cine-.***
kine'tica, kine'tika *v.* cinétique *f.*
kine'tisch *b.n.* cinétique.
kini'ne *v.(m.)* quinine *f.*
kini'nepil *v.(m.)* pilule *f.* de quinine.
kini'netablet *v.(m.) en o.* tablette *f.* de quinine.
kini'nevergiftiging *v.* quininisme *m.*
kink *v.(m.)* coque *f.*; ***er is een — in de kabel,*** il y a qc. qui cloche, il y a un accroc.
kin'kel *m.* lourdaud, rustre *m.* [ment.
kin'kelachtig I *b.n.* grossier; **II** *bw.* grossière-
kin'ketting *m. en v.* gourmette, sous-mentonnière* *f.*

kink'hoest *m.* coqueluche *f.*
kink'hoorn, -horen *m.* conque *m.* (marine); (*klein*) cornet *m.* de mer.
kin'kuiltje *o.* fossette *f.*
kin'nebak *v.*(*m.*) mâchoire *f.*
kinoloog' *m.* quinologiste *m.*
kin'verband *o.* mentonnière *f.*
kiosk' *v.*(*m.*) kiosque *m.*
kip *v.* **1** (*alg.*) poule *f.*; **2** (*jonge* —) poulette *f.*; **3** (*gemeste* —) poularde *f.*; **4** (*vogelknip*) trébuchet *m.*; ***zo lekker als —,*** frais comme une rose; ***met de —pen op stok gaan,*** se coucher avec (*of* comme) les poules; ***praten als een — zonder kop,*** raisonner comme une pantoufle; ***er als de —pen bij zijn,*** être sur le qui-vive; accourir comme les poules au grain; ***er was geen —,*** il n'y avait pas un chat; ***de — met de gouden eieren slachten,*** couper l'arbre pour avoir le fruit; ***— ik heb je!*** te voilà pris!
kip'auto *m.* auto *f.* à bascule.
kip'kar *v.*(*m.*) **1** tombereau *m.*; **2** wagonnet *m.* à bascule, — culbuteur.
kip'peborst *v.*(*m.*) poitrine *f.* enfoncée.
kip'peboutje *o.* cuisse *f.* de poulet.
kip'peëi *o.* œuf *m.* de poule.
kip'pegaas *o.* toile *f.* métallique.
kip'pekuur *v.*(*m.*) lubie *f.*, caprice *m.*
kip'pen *ov.w.* **1** faire trébucher; **2** (*sch.: v. anker*) traverser.
kip'penboer *m.* poulailler *m.*, marchand *m.* de volaille.
kip'pendief *m.* voleur *m.* de basse-cour.
kip'penfokkerij *v.* élevage *m.* des poules.
kip'penhok *o.* poulailler *m.*
kip'penladder *v.*(*m.*) échelle *f.* de poulailler.
kip'penloop, kip'penren *m.* promenoir *m.* (pour les poules), parquet *m.* (de poulailler).
kip'pepoot *m.* patte *f.* de poule.
kip'pesoep *v.*(*m.*) bouillon *m.* de poulet.
kip'pestok *m.* échelier, perchoir *m.*
kip'petje *o.* poulet *m.*; poulette *f.*; (*fig.*) cocotte *f.*
kip'pevel *o.* chair *f.* de poule; ***daar krijg je — van,*** cela vous donne la chair de poule.
kip'pevoer *o.* pâtée *f.* des poules.
kip'pig *b.n.* myope.
kip'pigheid *v.* myopie *f.*, vue *f.* basse.
kip'wagen, *zie* ***kipkar.***
kir'ren I *on.w.* roucouler; **II** *z.n., o.* roucoulement *m.*
kis'kassen *on.w.* faire des ricochets.
kis'sen *ov.w.* exciter.
kist *v.*(*m.*) **1** caisse *f.*; **2** (*voor sigaren, enz.*) boîte *f.*; **3** (*voor geld, kleren, enz.*) coffre *m.*; **4** (*dood*—) cercueil *m.*; **5** (*arg.: vl.*) coucou, zinc *m.*
kist'dam *m.* caisson *m.*, batardeau *m.* à coffre.
kist'deksel *o.* couvercle *m.* de caisse.
kis'ten *ov.w.* **1** (*v. lijk*) mettre en bière; **2** (*v. dijk*) renforcer (par un batardeau); ***hij laat zich niet —,*** il ne se laisse pas mettre en boîte, il ne se laisse pas faire.
kis'tenmaker *m.* **1** layetier *m.*, fabricant *m.* de caisses; **2** fabricant *m.* de cercueils.
kistenmakerij' *v.* layeterie *f.*
kis'ting *v.* **1** (*v. lijk*) mise *f.* en bière; **2** (*v. dijk*) renforcement, batardeau, encaissement *m.*
kist'je *o.* **1** (*alg.*) caissette *f.*; **2** (*juwelen*—) coffret *m.*; **3** (*geld*—) cassette *f.*; **4** (*sigaren*—) boîte *f.*
kit I *v.*(*m.*) **1** (*kan, kruik*) broc *m.*; **2** (*kolen*—) seau *m.* verseur; **3** (*opium*—) fumerie *f.* (d'opium); **II** *v.*(*m.*) *en o.* (*kleefmiddel*) colle *f.*
kit'lijm *m.* **1** colle *f.* (forte); **2** mastic *m.*, pâte *f.*; lut *m.*
kitsch *m.* du toc, du faux.
kit'telachtig *b.n.* chatouilleux.
kit'telachtigheid *v.* (*fig.*) susceptibilité *f.*
kit'telen, kie'telen *on.w.* chatouiller.
kit'telig, *zie* ***kittelachtig.***
kit'teling *v.* **1** chatouillement *m.*; **2** (*gen.*) titillation *f.*
kittelo'rig *b.n.* chatouilleux, irascible, irritable.
kittelo'righeid *v.* irascibilité, irritabilité *f.*
kit'tig *b.n.* alerte, pimpant; propre; de bon pied, de bon œil.
kit'tigheid *v.* air *m.* alerte, — pimpant.
klaag'achtig *b.n.* plaintif.
klaag'brief *m.* lettre *f.* de doléance.
klaag'geschrei *o.* lamentation(s) *f.*(*pl.*), cri(s) *m.*(*pl.*) plaintif(s).
klaag'lied *o.* **1** chant *m.* plaintif; **2** (*bijb.*) lamentation *f.*; **3** (*lett.*) élégie *f.*; **4** (*fig.*) plainte, jérémiade, doléance *f.*
klaag'lijk I *b.n.* plaintif, lamentable; **II** *bw.* plaintivement, lamentablement.
klaag'muur *m.* mur *m.* des lamentations.
klaag'psalm *m.* psaume *m.* de la pénitence.
klaag'stem *v.*(*m.*) voix *f.* plaintive.
klaag'ster *v.* **1** (*fam.*) plaignarde *f.*; **2** (*recht*) plaignante, demanderesse *f.*
klaag'toon *m.* ton *m.* plaintif.
klaag'zang *m.* *zie* ***klaaglied.***
klaar I *b.n.* **1** (*helder: v. lucht, water, enz.*) clair; **2** (*v. water*) limpide, clair; **3** (*zuiver*) pur; **4** (*v. hemel*) serein; **5** (*duidelijk*) évident, manifeste; **6** (*gereed*) prêt; terminé, achevé; **7** (*v. jenever*) sec; ***kant en —,*** tout prêt; ***zo — als een klontje,*** clair comme du cristal, clair comme de l'eau de roche, simple comme bonjour; ***zo — als koffiedik,*** clair comme la bouteille à l'encre, clair comme de l'eau de boudin; ***klare wijn schenken,*** y aller franchement, dire toute sa pensée, parler net et clair; ***dat is klare onzin,*** cela n'a pas le sens commun; ***— is Kees!*** voilà qui est fait! **II** *bw.* clairement, évidemment; ***— wakker,*** tout éveillé.
klaarblij'kelijk I *b.n.* évident, manifeste; **II** *bw.* évidemment.
klaarblij'kelijkheid *v.* évidence *f.*
klaarblij'kend *b.n.* évident.
klaar'hebben *on.w.* avoir fini, avoir achevé.
klaar'heid *v.* **1** clarté *f.*; **2** limpidité *f.*; **3** pureté *f.*; **4** sérénité *f.*; **5** évidence *f.*; **6** (*fig.: v. geest*) clarté, lucidité *f.*; *zie* ***klaar.***
klaar'komen *on.w.* achever, finir; venir à bout de.
klaar'krijgen *ov.w.* venir à bout de, finir, achever.
klaar'leggen *ov.w.* préparer.
klaar'licht *b.n.* ***op —e dag,*** en plein jour; ***'t was —e dag,*** il faisait grand jour.
klaar'liggen *on.w.* être prêt.
klaar'maken I *ov.w.* **1** préparer; **2** (*verraardigen*) confectionner; **3** (*v. recept*) exécuter; **4** (*v. schip*) armer; **II** *w.w.* ***zich — (om),*** se préparer (à); se disposer (à); ***zich —,*** achever sa toilette.
klaar'maker *m.* apprêteur *m.*
klaar'spelen *ov.w.* réussir (à), parvenir (à), venir à bout de; ***iets —,*** venir à bout de qc.; ***iets gauw —,*** enlever vivement qc.
klaar'staan *on.w.* être prêt; ***hij stond klaar om te vertrekken,*** il allait partir.
klaar'stomen *ov.w.* chauffer.
Klaar'tje *v. en o.* Clairette *f.*
klaar'zetten *ov.w.* **1** préparer; **2** (*v. maaltijd: opdienen*) servir.
klaar'ziend *b.n.* subtil, pénétrant, clairvoyant.
Klaas *m.* Nicolas *m.*; ***een houten —,*** une vraie bûche, une vraie souche, un balai, un empaillé.
klabak' *m.* (*pop.*) sergot, flic *m.*
Klab'beek *o.* Clabecq.

klacht *v.(m.)* **1** plainte *f.*; **2** (*v. publiek*) réclamation, doléance *f.*; ***een — indienen,*** porter plainte.
klach'tenboek *o.* registre *m.* des réclamations.
klad I *v.(m.)* **1** (*vlek*) tache *f.*; **2** (*v. inkt*) tache *f.*, pâté *m.*; **3** (*vuil*) crasse *f.*; ***een — werpen op,*** calomnier; ***iem. bij de —den pakken,*** saisir qn. au collet, prendre —; ***ergens de — in brengen,*** gâter le métier; **II** *o.* brouillon *m.*; ***een werk in het — schrijven,*** faire un devoir au brouillon.
klad'boek *o.* **1** brouillon *m.*, cahier *m.* de brouillons; **2** (*H.*) main *f.* courante, brouillon, brouillard *m.*
klad'den *on.w.* **1** faire des taches (d'encre); **2** salir, gâter, brouiller; **3** (*v. schilder*) barbouiller; **4** (*v. papier: vloeien*) boire; **5** (*v. handelaar*) gâter le métier; **6** (*v. schrift*) griffonner.
klad'der *m.* **1** souillon *m.*; **2** barbouilleur *m.*; **3** gâte-métier *m.*
klad'derig *b.n.* **1** couvert de pâtés, — de taches; **2** sale, souillé, barbouillé; **3** (*v. druk*) baveux.
klad'druk *m.* maculature *f.*
klad'je *o.* brouillon *m.*
klad'papier *o.* brouillon *m.*, papier *m.* brouillard.
klad'schilder *m.* barbouilleur, peintureur, mauvais peintre *m.*; croûtier *m.*
klad'schilderen *on.w.* barbouiller, peinturer.
klad'schilderij *v.* barbouillage *m.*, croûte *f.*
klad'schrift *o.* **1** cahier *m.* de brouillons; **2** (*knoeierig schrift*) griffonnage, barbouillage *m.*
klad'schrijver *m.* barbouilleur , gâte-papier *m.*
klad'schuld *v.(m.)* petite dette *f.*
klad'werk *o.* **1** (*kladschrift*) brouillon *m.*; **2** (*knoeiwerk*) barbouillage *m.*
kla'gen I *on.w.* se plaindre (de); se lamenter; ***wat hebt u te —?*** de quoi vous plaignez-vous? ***het is God geklaagd,*** c'est révoltant; cela crie vengeance (au ciel); **II** *ov.w.* ***iem. zijn nood —,*** conter ses peines à qn., confier —; ***steen en been —,*** se lamenter (sans cesse), pousser les hauts cris.
kla'gend *b.n.* plaintif; ***de —e partij,*** (*recht*) le plaignant; la plaignante.
kla'ger *m.* **1** celui qui se plaint; **2** (*recht*) plaignant; demandeur *m.*
klak I *v.(m.)* claquement *m.*; **II** *v.(m.)* **1** (*vlek, spat*) tache *f.* (d'encre), pâté *m.*; **2** (*v. slijk*) éclaboussure *f.*; **3** (*klakhoed*) claque *m.*; **4** (*Z.N.: pet*) casquette *f.*
klak'kebus *v.(m.)* **1** canonnière *f.*; **2** (*mil.*) pétard *m.*
klak'keloos I *b.n.* **1** (*ongemotiveerd*) gratuit, sans motif; **2** (*plotseling, onverwacht*) soudain, inattendu, inopiné; **3** (*v. vertaling*) servile; **II** *bw.* **1** gratuitement, sans motif; **2** soudainement, inopinément; **3** servilement.
klak'son *m.* klaxon *m.*
klam *b.n.* moite; ***— zweet,*** sueur froide.
klamaai' *m.* (*sch.*) traversin *m*
klamaai'en *on.w.* (*sch.*) patarasser.
klamaai'ijzer *o.* patarasse *f.*
klam'boe *m.* moustiquaire *f. et m.*
klam'heid *v.* moiteur *f.*
klamp *m. en v.* **1** (*tn.*) tenon, tasseau *m.*, patte *f.*; **2** (*sch.*) clamp *m.*; taquet *m.*
klam'pen *ov.w.* **1** (*tn.*) empatter, joindre par des pattes, — par des tenons; **2** (*sch.*) acclamper; ***aan boord —,*** **1** aborder; **2** (*fig.*) accoster.
klam'per *m.* (*Z.N.: wouw*) milan *m.*
klandestien', *zie* ***clandestien.***
klandi'zie *v.* **1** (*het geregeld kopen*) pratique *f.*, achalandage *m.*; **2** (*de klanten*) clientèle *f.*, clients *m.pl.*; ***veel — hebben,*** être fort achalandé, avoir une grande clientèle; ***— krijgen,*** s'achalander.
klank *m.* **1** son *m.*; **2** (*muzikaal: v. instrument, stem*) timbre *m.*; **3** (*toon, stembuiging*) ton *m.*, intonation *f.*; **4** (*taalk.*) son, phonème *m.*; ***holle —en,*** paroles vides de sens; ***ijdele —en,*** vain bruit de paroles; paroles en l'air; ***zijn naam heeft een goede —,*** il a une bonne (*of* excellente) réputation.
klank'aanpassing *v.* assimilation *f.*
klank'afwijking *v.* consonance *f.* imparfaite, assonance *f.*
klank'beeld *o.* image *f.* sonore.
klank'bodem *m.* **1** chambre *f.* de résonance, caisse *f.* —; **2** (*v. piano*) table *f.* d'harmonie.
klank'bord *o.* **1** (*v. preekstoel*) abat-voix *m.*; **2** (*v. toren*) abat-son(s) *m.*; **3** (*v. piano*) table *f.*; **4** (*v. radio*) baffle *m.*
klank'effect, -effekt *o.* sonorité *f.*
klank'figuur *v.(m.)* *en o.* (*muz.*) figure *f.* modale.
klank'film *m.* film *m.* sonore.
klank'gehalte *o.* tonalité *f.*
klank'kast *v.(m.)* chambre *f.* de résonance, caisse *f.* —.
klank'kleur *v.(m.)* timbre *m.*
klank'ladder *v.(m.)* gamme *f.*, échelle *f.* des sons.
klank'leer *v.(m.)* **1** (*taalk.*) phonétique *f.*; **2** (*nat.*) acoustique *f.*
klank'loos *b.n.* sourd, éteint, peu sonore; ***een klankloze stem,*** une voix blanche.
klank'maat *v.(m.)* rythme *m.*
klank'meter *m.* phonomètre *m.*
klank'nabootsend *b.n.* imitatif; ***— woord,*** onomatopée *f.*
klank'nabootsing *v.* **1** onomatopée *f.*; **2** (*in poëzie, enz.*) harmonie *f.* imitative.
klank'rijk *b.n.* sonore.
klank'rijkdom *m.*, **klank'rijkheid** *v.* sonorité *f.*, richesse *f.* de timbre.
klank'rijm *o.* assonance *f.*
klank'schrift *o.* écriture *f.* phonétique.
klank'stelsel *o.* système *m.* phonétique.
klank'teken *o.* **1** accent *m.*; **2** signe *m.* phonétique.
klank'trap *m.* intervalle *m.*
klank'verandering *v.* changement *m.* phonétique.
klank'verdover *m.* sourdine *f.*
klank'verschuiving *v.* transformation *f.* phonétique, changement *m.* —; (*in Germ. talen*) mutation *f.* consonantique, substitution *f.* de consonnes.
klank'versmelting *v.* fusion *f.* sonore.
klank'verspringing *v.* métathèse *f.*
klank'vol *b.n.* sonore.
klank'volume *o.* volume *m.* de l'émission sonore.
klank'voortbrenging *v.* émission *f.*
klank'vorming *v.* phonation *f.*
klank'weerkaatsing *v.* répercussion *f.*
klank'wet *v.(m.)* **1** (*taalk.*) loi *f.* phonétique; **2** (*nat.*) loi *f.* phonique.
klank'wijziging *v.* modification *f.* phonétique, transformation *f.* —.
klank'wisseling *v.* alternance *f.* vocalique, changement *m.* de la voyelle radicale, apophonie *f.*
klant *m.* client *m.*, pratique *f.*; ***een vaste —,*** un habitué; ***de vaste —en,*** la clientèle; ***een rare —,*** un drôle de corps; ***een slimme —,*** un rusé compère.
klan'tenbinding *v.* achalandage *m.*
klap I *m.* **1** (*geluid: v. zweep, enz.*) claquement *m.*; **2** (*slag*) coup *m.*; tape *f.*; **3** (*gesnap*) babil, bavardage *m.*, caquet(s) *m.(pl.)*; **4** (*tegenslag*) revers *m.* de fortune; ***een — om de oren,*** un soufflet; ***een — in 't gezicht,*** **1** une gifle; **2** (*fig.*) un affront; ***een — met de zweep,*** un coup de fouet; ***er zullen —pen vallen,*** il y aura du tabac, les coups vont pleuvoir, on va distribuer des coups;

de — op de vuurpijl, le bouquet; ***twee vliegen in één — slaan,*** faire d'une pierre deux coups; ***hij heeft een — van de molen weg,*** il a un coup de marteau, il est un peu toqué, il a reçu un coup de hache; **II** *v.* **1** cliquette *f.*; **2** (*v. tafel*) abatant *m.*; **3** (*v. vliegtuig*) aileron *m.*; ***op de — lopen,*** écornifler.
klap'achtig *b.n.* bavard, jaseur, loquace, potinier.
klap'bankje, *zie* ***klapstoeltje.***
klap'bes *v.*(*m.*) groseille *f.* à maquereau, baguenaude *f.*
klap'besseboom *m.* groseillier *m.* à maquereau, baguenaudier *m.*
klap'boei *v.*(*m.*) balise *f.*
klap'brug *v.*(*m.*) pont*-levis *m.*
klap'bus *v.*(*m.*) canonnière *f.*
klap'camera *v.*(*m.*) appareil *m.* pliant.
klap'deur *v.*(*m.*) porte *f.* battante, — retombante, portillon *m.* automatique.
klap'ekster *v.*(*m.*) **1** (*Dk.*) pie*-grièche* *f.*; **2** (*fig.*) pie, jacasse *f.*
klap'hek *o.* barrière *f.* battante.
klap'hout *o.* douvain, merrain *m.*
klap'houtje *o.* cliquette, castagnette *f.*
klap'lopen *on.w.* écornifler.
klap'loper *m.* écornifleur, parasite, pique-assiette *m.*
klaploperij' *v.* parasitisme *m.*
klap'muts *v.*(*m.*) **1** calotte *f.* à oreilles, casquette *f.* —; **2** (*sch.*) boulingue *f.*
klappei' *v.* bavarde, jacasse, pie *f.*
klappei'en *on.w.* bavarder, jacasser.
klap'pen I *on.w.* **1** claquer; **2** bavarder, jaser, babiller; ***in de handen —,*** battre des mains; ***met de zweep —,*** faire claquer le fouet; ***uit de school —,*** rapporter, vendre la mèche; **II** *z.n., o.* claquement *m.*; ***het — van de zweep kennen,*** savoir de quoi il retourne.
klap'per *m.* **1** (*prater*) bavard, babillard *m.*; **2** (*muz.*) castagnettes *f.pl.*; **3** (*v. molen*) claquet *m.*; **4** (*v. vuurwerk*) pétard *m.*; **5** (*register, op boek, enz.*) registre, répertoire (alphabétique), index *m.*; **6** (*klikspaan*) rapporteur *m.*
klap'perboom *m.* **1** (*kokospalm*) cocotier *m.*; **2** (*trilpopulier*) tremble *m.*
klap'pereend *v.*(*m.*) garrot *m.*
klap'peren *on.w.* **1** (*v. tanden*) claquer; **2** (*v. deur*) battre sans cesse, — continuellement.
klap'perkruid *o.* estragon *m.*
klap'perman, *zie* ***klepperman.***
klap'permelk *v.*(*m.*) lait *m.* de coco.
klap'permolen, klep'permolen *m.* **1** moulin *m.* à claquets; **2** (*fig.*) moulin *m.* à paroles.
klap'pernoot *v.*(*m.*) noix *f.* de coco.
klap'perolie *v.*(*m.*) huile *f.* de coco, — de palme.
klap'pertanden *on.w.* claquer des dents; grelotter.
klap'pertuin *m.* cocoteraie, palmeraie *f.*
klap'perwater *o.* lait *m.* de coco.
klap'roos *v.*(*m.*) coquelicot *m.*
klap'sigaar *v.*(*m.*) cigare *m.* à pétard, — explosible.
klap'stoel *m.* strapontin, pliant *m.*, siège *m.* à bascule; fauteuil *m.* à siège basculant.
klap'stoeltje *o.* strapontin *m.*
klap'stuk *o.* côte *f.* de bœuf, plate côte *f.*
klap'tafel *v.*(*m.*) table *f.* pliante; table *f.* à volets.
klap'venster *o.* (*in dak*) tabatière *f.*
klap'vlies *o.* valve, valvule *f.*
klap'wagen *m.* voiture *f.* pliante.
klap'wieken *on.w.* battre des ailes.
klap'zoen *m.* baiser *m.* retentissant.
Kla'ra *v.* Claire *f.*
kla're *m.* schiedam *m.*, eau*-de-vie *f.*
kla'ren I *ov.w.* **1** (*zuiveren, helder maken*) clarifier; **2** (*v. suiker*) claircer; **3** (*v. wijn*) coller; **4** (*sch.: v. anker*) parer; **5** (*fig.*) arranger; ***goederen —,*** acquitter les droits (de); **II** *on.w.* s'éclaircir.
klarinet' *v.*(*m.*) clarinette *f.*
klarinet'speler, klarinettist' *m.* clarinette *f.*, clarinettiste *m.*
kla'ring *v.* **1** clarification *f.*; **2** (*v. suiker*) clairçage *m.*; **3** (*v. wijn*) collage *m.*; **4** (*fig.*) arrangement *m.*
klaroen' *v.*(*m.*) clairon *m.*
klaroen'blazer *m.* clairon *m.*
klaroe'nen *on.w.* claironner.
klaroen'geschal *o.* sonnerie *f.* de clairons, bruit *m.* —.
klas(**se**) *v.* classe *f.*; ***derde — reizen,*** voyager en troisième (classe); ***een eerste — auto,*** une auto de (première) marque, — de grande classe; ***een eerste — werkman,*** un ouvrier de premier ordre, — de grande classe.
klas'sebewustzijn *o.* conscience *f.* de classe.
klas'(**se**)**boek** *o.* journal *m.* de classe.
klas'(**se**)**genoot** *m.* condisciple *m.*, camarade *m.* de classe.
klas'sejustitie *v.* justice *f.* de caste.
klas'(**se**)**leraar** *m.* professeur *m.* de classe.
klas'(**se**)**lokaal** *o.* (salle *f.* de) classe *f.*
klassement' *o.* classement *m.*
klas'senhaat *m.* haine *f.* des classes.
klas'senstrijd *m.* lutte *f.* des classes.
klas'senverdeling *v.* classification *f.*
klas'(**se**)**oudste** *m.* chef *m.* de classe, délégué *m.* des élèves.
klas'sepatiënt *m.* malade *m.* de première (*of* de seconde) classe.
klasse'ren *ov.w.* classer.
klassiaan' *m.* (*mil.*) disciplinaire, punitionnaire *m.*
klassiek', classiek' I *b.n.* classique; **II** *bw.* classiquement; **III** *mv.* ***de —en,*** les classiques *m.pl.*
klassifi-, *zie* ***classifi-.***
klassikaal', classicaal' I *b.n.* ***— werk,*** travail *m.* de classe, — fait en classe; ***— onderwijs,*** enseignement *m.* simultané; **II** *bw.* en classe.
kla'terabeel *m.* tremble *m.*
kla'teren *on.w.* **1** (*v. beek*) murmurer, clapoter; **2** (*v. donder*) gronder, rouler.
kla'tergoud *o.* clinquant *m.*, oripeaux *m.pl.*
kla'tering *v.* **1** clapotement *m.*; **2** (*v. donder*) grondement, roulement *m.*
klau'teraar *m.* grimpeur *m.*
klau'teren *on.w.* grimper.
klau'tering *v.* ascension *f.*
klau'termast *m.* **1** mât *m.* de cocagne; **2** (*bij gymnastiek*) mât *m.*
klauw *m. en v.* **1** (*v. verscheurend dier*) griffe *f.*; **2** (*v. roofvogel*) serre *f.*; **3** (*sch.: v. anker*) patte *f.*; **4** (*pop.: v. mens*) griffe, patte *f.*; ***in iemands —en vallen,*** tomber entre les griffes de qn.; ***weg met je —en! blijf er met je —en af!*** à bas les pattes!
klau'wen *ov.w.* gratter, égratigner.
klauw'hamer *m.* (*tn.*) marteau *m.* à dent, pied*-de-biche *m.*
klauwier' *m.* **1** (*tn.*) clou *m.* à crochet, clavette *f.*; **2** (*Dk.*) pie*-grièche* *f.*; **3** (*Pl.*) vrille *f.*
klauw'zeer *o.* (***mond- en —***) fièvre *f.* aphteuse.
klavecim'bel, clavecim'bel *m. en o.* clavecin *m.*
kla'ver *v.*(*m.*) trèfle *m.*; ***Franse —,*** luzerne *f.*; ***rode —,*** trèfle incarnat; ***witte —,*** triolet *m.*; ***zure —,*** oxalide *f.* acide, surelle *f.*
klaveraas', klaverenaas' *m. of o.* as *m.* de trèfle.
kla'verblad *o.* **1** (*Pl.*) feuille *f.* de trèfle; **2** (*bouwk.*) trèfle *m.*; **3** (*fig.: v. vrienden, enz.*) trio *m.*
klaverbladvor'mig *b.n.* en (feuille de) trèfle.
klaverboer', *zie* ***klaverenboer.***
kla'veren *v.*(*m.*) (*kaartsp.*) trèfle *m.*

klaverenaas, *zie* ***klaveraas.***
klaver(en)boer' *m.* (*kaartsp.*) valet *m.* de trèfle.
kla'verhonig *m.* miel *m.* de trèfle.
klavertjevier', *zie* ***klavervier.***
kla'verveld *o.* champ *m.* de trèfle, tréflière *f.*
klavervier', klavertjevier' *v.*(*m.*) trèfle *m.* à quatre (feuilles).
kla'verzaad *o.* graine *f.* de trèfle.
kla'verzuring *v.*(*m.*) oxalide *f.* (acide), surelle *f.*
klavier' *o.* **1** (*toetsenbord*) clavier *m.*; **2** (*piano*) piano *m.*
klavier'spel *o.* jeu *m.* de piano.
klavier'speler *m.* joueur *m.* de piano, pianiste *m.*
klavier'uittreksel *o.* partition *f.* pour le piano.
Klazi'na *v.* Nicolette, Nicole *f.*
kle'den I *ov.w.* **1** habiller; vêtir; **2** (*fig.*) draper, costumer; ***goed gekleed,*** bien mis; ***in 't zwart gekleed,*** habillé de noir, vêtu —; ***dat kleedt hem goed,*** cela lui va bien; ***dat kleedt,*** c'est très habillé; ***geklede jas,*** redingote *f.*; ***geklede japon,*** robe *f.* habillée; **II** *w.w.* ***zich —,*** s'habiller; ***zich dik —,*** se couvrir chaudement.
kle'derdracht *v.*(*m.*) costume *m.*
kle'derpracht *v.*(*m.*), **-tooi** *m.* parure *f.*, costume *m.* riche, riche costume; (*v. vrouw*) beaux atours *m.pl.*
kledij', kle'ding *v.* **1** habillement *m.*; **2** habits, vêtements, effets *m.pl.*; **3** toilette *f.*; **4** (*in klooster*) vêture *f.*
kle'dingindustrie *v.* industrie *f.* du vêtement.
kle'dingmagazijn *o.* **1** magasin *m.* de confection(s); **2** (*mil.*) magasin *m.* d'habillement.
kle'dingstuk *o.* vêtement *m.*, pièce *f.* d'habillement.
kleed *o.* **1** (*alg.*) habit, vêtement *m.*; **2** (*japon*) robe *f.*; **3** (*vloer—*) tapis *m.*; (*tafel—*) tapis *m.* (de table); **4** (*overtreksel*) housse, couverture *f.*; ***andere kleren aandoen,*** changer d'habits; ***iem. in de kleren steken,*** habiller qn.; ***de kleren maken de man,*** la belle plume fait le bel oiseau; ***de kleren maken de man niet,*** l'habit ne fait pas le moine; ***dat raakt mijn koude kleren niet,*** cela ne me fait ni chaud ni froid; cela glisse sur moi; je m'en soucie comme de l'an quarante; ***vast —,*** moquette *f.*
kleed'geld *o.* frais *m.pl.* de toilette; (*v. vrouw*) épingles *f.pl.*
kleed'je *o.* **1** (*v. kind*) (petite) robe *f.*; **2** (*vloer—*) petit tapis *m.*; (*voor bed*) descente *f.* de lit.
kleed'kamer *v.*(*m.*) **1** cabinet *m.* de toilette; **2** (*v. schouwburg, enz.*) vestiaire *m.*
Kleef *o.* Clèves *m.*; ***hij is van —,*** il est dur à la détente; il tient bien ce qu'il tient.
kleef'achtig *b.n.* gluant, visqueux.
kleef'deeg *o.* lut, mastic *m.*
kleef'gras *o.* (*Pl.*) racle *f.*, cenchrus *m.*
kleef'kracht *v.*(*m.*) pouvoir *m.* adhésif.
kleef'kruid *o.* (*Pl.*) grateron *m.*, teigne *f.*
kleef'middel *o.* agglutinatif *m.*
kleef'pleister *v.*(*m.*) sparadrap *m.*, emplâtre *m.* adhésif.
kleef'stof *v.*(*m.*) gluten *m.*
kleer'borstel *m.* brosse *f.* à habits.
kleer'hanger, kle'renhanger *m.* **1** (*kapstok*) porte-vêtement, porte-habit, portemanteau *m.*; **2** (*haak*) patère *f.*
kleer'kamer, kle'renkamer *v.*(*m.*) garde-robe* *f.* [armoire *f.*
kleer'kast, kle'renkast *v.*(*m.*) garde-robe*,
kleer'kist *v.*(*m.*) bahut *m.*
kleer'klopper *m.* vergettes *f.pl.*, martinet *m.*, tapette *f.*
kleer'koper, kle'renkoper *m.* marchand *m.* d'habits, fripier, décrochez-moi-ça *m.*
kleer'maker *m.* tailleur *m.*
kleer'makersknecht *m.* garçon *m.* tailleur.
kleer'makerswerkplaats *v.*(*m.*) atelier *m.* de confection.
kleer'mand *v.*(*m.*) panier *m.* à (*of* au) linge.
kleer'mot *v.*(*m.*) teigne *f.*
kleer'scheuren *mv.* accroc *m.*, avarie, déchirure *f.*; ***er zonder — afkomen,*** s'en tirer sain et sauf, en sortir indemne, l'échapper belle.
kleer'schuier, *zie* ***kleerborstel.***
kleer'verkoper *m.* fripier *m.*
kleer'winkel, kle'renwinkel *m.* **1** magasin *m.* de confection(s); **2** (*v. oude kleren*) friperie *f.*
klef *b.n.* pâteux, mal cuit.
klei'(aarde) *v.*(*m.*) **1** (*alg.*) argile *f.*, terre *f.* argileuse, limon *m.*; **2** (*voor pottenbakkers*) terre *f.* glaise; ***smeltbare —,*** argile figuline; ***vuurvaste —,*** argile réfractaire; ***in de — zitten,*** être dans l'embarras.
klei'achtig *b.n.* argileux.
klei'arbeid *m.* modelage *m.*
klei'groef, -groeve *v.*(*m.*) glaisière *f.*
klei'grond *m.* sol *m.* argileux.
klei'laag *v.*(*m.*) couche *f.* argileuse.
klei'land *o.* terre *f.* argileuse.
klei'mergel *o.* marne *f.* argileuse.
klein I *b.n.* **1** petit; **2** (*gering: v. inkomen, enz.*) exigu, mince; **3** (*v. hout, kolen, geld, wild*) menu; **4** (*v. straf, verschil*) léger; **5** (*v. gezelschap*) peu nombreux; **6** (*v. schrift*) fin; ***— octaaf,*** (*muz.*) octave *f.* (diminuée); ***—e letter,*** minuscule *f.*; ***een — uur,*** un peu moins d'une heure; ***een — verstand,*** une intelligence bornée; ***de —e man,*** les petites gens, le menu peuple; ***zeer —,*** minuscule; minime; ***uiterst —,*** imperceptible, microscopique; ***—er,*** **1** plus petit; **2** (*geringer*) moindre; ***— maar dapper,*** petit de taille, (mais) grand de cœur; dans les petites boîtes les bons onguents; **II** *bw.* petitement; ***— behuisd zijn,*** être logé à l'étroit; ***— schrijven,*** écrire fin, — menu, — petit; ***— snijden,*** couper menu, — en petits morceaux; ***alles kort en — slaan,*** mettre tout en pièces; **III** *z.n., o.* —(e), petit *m.*; ***— en groot,*** grands et petits; ***in 't — verkopen,*** vendre en détail; ***wie het —e niet eert, is het grote niet weerd,*** il n'y a pas de petites économies.
klein'achten *ov.w.* dédaigner, mépriser.
klein'achting *v.* dédain, mépris *m.*
Klein-A'zië *o.* Asie *f.* Mineure.
klein'bedrijf *o.* petite industrie *f.*; industrie *f.* à domicile.
klein'beeldcamera *v.*(*m.*) appareil *m.* pour petit format; — pour format réduit.
kleinbur'gerlijk *b.n.* petit*-bourgeois, de petits bourgeois, de petites gens.
klein'dochter *v.* petite*-fille* *f.*
Kleinduimp'je *o. en m.* Petit Poucet *m.*
klei'ne *m.-v.* petit *m.*, —e *f.*
kleineer'der *m.* détracteur, dépréciateur *m.*
kleine'ren *ov.w.* rabaisser, détracter, ravaler.
kleine'ring *v.* rabaissement *m.*, détraction *f.*
kleingees'tig I *b.n.* mesquin, petit, borné; ***hij is —,*** il a l'esprit étroit; **II** *bw.* mesquinement, petitement.
kleingees'tigheid *v.* mesquinerie, petitesse *f.*
kleingeld' *o.* **1** (menue) monnaie *f.*; **2** (*pasmunt*) monnaie *f.* divisionnaire.
Klein-Gel'men *o.* Petit-Jamine.
kleingelo'vig *b.n.* de peu de foi, de petite foi.
kleingelo'vigheid *v.* petite foi *f.*, manque *m.* de foi.

klein'goed *o.* petits gâteaux, petis fours secs, petits biscuits *m.pl.*
klein'hakken *ov.w.* fendre; hacher menu.
klein'handel *m.* commerce *m.* de détail.
klein'handelaar *m.* détaillant *m.*, marchand *m.* de détail. [mement.
kleinhar'tig I *b.n.* pusillanime; **II** *bw.* pusillani-
kleinhar'tigheid *v.* pusillanimité *f.*
klein'heid *v.* **1** petitesse *f.*; petite taille *f.*; **2** (*onbeduidendheid*) insignifiance *f.*, peu *m.* d'importance.
klein'houden *ov.w.* ***iem.* —,** tenir qn. en brassières, — en lisières.
klei'nigheid *v.* **1** bagatelle *f.*, rien, petit rien, petit quelque chose *m.*; **2** (*klein voorwerp*) petit objet *m.*; ***geef hem een —,*** donnez-lui quelque chose; ***dat is geen —,*** ce n'est pas une petite affaire, ce n'est pas une bagatelle.
kleinkapita'len *mv.* petites capitales, médiuscules *f.pl.*
klein'kinderen *mv.* petits-enfants *m.pl.*
klein'krijgen *ov.w.* **1** (*v. zaken*) (parvenir à) mettre en morceaux; **2** (*v. bankbiljet*) changer, faire de la monnaie de; **3** (*v. persoon*) faire obéir, réduire à l'obéissance.
klein'kunst *v.* arts *m.pl.* mineurs.
klein'maken, *zie* ***kleinkrijgen.***
kleinmoe'dig, *zie* ***kleinhartig.***
klei'nood *o.* bijou, joyau *m.*
Klein-Rus'land *o.* la Petite-Russie.
Klein'russisch *b.n.* petit-russien*.
klein'schilder *m.* peintre *m.* en miniature, miniaturiste *m.* [moindre.
kleinst *b.n.* **1** (le) plus petit; **2** (*geringst*) (le)
kleinsteeds' *b.n.* de petite ville, provincial, qui sent la province.
kleinsteeds'heid *v.* esprit *m.* de clocher, — provincial.
klein'tje *o.* **1** petit, petiot *m.*; petite *f.*; **2** (*v. zaken*) bagatelle *f.*; ***een — koffie,*** une demi-tasse*; ***veel —s maken een groot,*** les petits ruisseaux font les grandes rivières; plusieurs peu font un beaucoup; ***men moet op de —s passen,*** il n'y a pas de petites économies; ***met een — tevreden zijn,*** se contenter de peu; ***hij is voor geen — vervaard,*** il n'a pas froid aux yeux.
klein'vee *o.* menu bétail *m.*
kleinze'rig *b.n.* délicat, douillet.
kleinze'righeid *v.* délicatesse, douilletterie *f.*
kleinzie'lig I *b.n.* mesquin, petit, borné; **II** *bw.* mesquinement, petitement.
kleinzie'ligheid *v.* mesquinerie, petitesse *f.*
klein'zoon *m.* petit*-fils *m.*
klei'streek *v.(m.)* région *f.* argileuse.
klei'treder *m.* marcheur *m.*
klei'weg *m.* chemin *m.* argileux.
klem *v.(m.)* **1** (*v. paard*) torche-nez, caveçon *m.*; **2** (*voor ratten, vogels, enz.*) piège *m.*; **3** (*tn.*) vis *f.* de raccord; (*v. tennisracket*) presse-raquette *m.*; **4** (*nadruk*) emphase, énergie *f.*; **5** (*gen.*) tétanos, trisme *m.*; **6** (*verlegenheid*) embarras *m.*; ***in de — zitten,*** être dans le pétrin, être fort embarrassé; ***met — van redenen,*** par raison démonstrative; par raisonnement serré, avec force arguments; ***met — verdedigen,*** défendre avec chaleur.
klem'band *m.* chemise *f.* pour dossiers à ressort, classeur *m.* avec pince.
klemen'tie, *zie* ***clementie.*** [pince *f.*
klem'haak *m.* valet, serre-joint(s), étreignoir *m.*,
klem'men I *ov.w.* **1** serrer, étreindre, presser; **2** (*knellen*) pincer, serrer; ***zijn vinger —,*** se serrer le doigt, se pincer —; **II** *on.w.* **1** (*v. deur*) forcer; **2** (*v. machine-onderdelen*) se coincer, se bloquer; **3** (*sch.*) toucher; **4** (*fig.: v. argument*) être concluant.
klem'mend *b.n.* convaincant, concluant; ***een — betoog,*** une argumentation serrée.
klem'schroef *v.(m.)* (*tn.*) vis *f.* de serrage, serre-joint(s), serre-fil(s) *m.*
klem'tang *v.(m.)* pincette(s) *f.(pl.).*
klem'toon *m.* accent *m.* (tonique); ***de — leggen op,*** accentuer.
klem'toonteken *o.* accent *m.*
klens *v.(m.)* tamis *m.*; étamine *f.*; filtre *m.*
klen'zen *ov.w.* tamiser; filtrer.
klep *v.(m.)* **1** (*v. kan, enz.*) couvercle *m.*; **2** (*v. pomp*) clapet *m.*; **3** (*v. pet*) visière *f.*; **4** (*v. tafel*) abatant *m.*; **5** (*v. machine of motor*) soupape *f.*; **6** (*v. zak, tas*) patte *f.*; **7** (*v. broek*) pont *m.*; **8** (*Pl.: v. vrucht*) valve *f.*; **9** (*v. paard; oog—*) œillère *f.*; **10** (*v. kachelpijp*) clef *f.*; **11** (*luik, valluik*) volet *m.*, trappe *f.*; **12** (*v. orgel*) anche *f.*; **13** (*v. hart*) valvule *f.*
klep'broek *v.(m.)* pantalon *m.* à pont.
kle'pel *m.* battant *m.*; ***haar — staat nooit stil,*** elle ne déparle pas; son battant va tout le temps; ***hij heeft de klok horen luiden, maar weet niet waar de — hangt,*** il ne sait pas le fort et le fin de l'affaire (*of* le fin mot de l'affaire).
klep'hoorn, -horen *m.* cor *m.* à clefs, piston *m.*
klep'mand *v.(m.)* panier *m.* à provisions.
klep'pen I *on.w.* **1** (*v. klok*) tinter, sonner; **2** (*v. deur*) battre; **3** (*v. ooievaar*) craqueter; **II** *ov.w.* sonner, faire tinter.
klep'per *m.* **1** (*paard*) trotteur *m.*, cheval *m.* de selle; **2** (*persoon*) veilleur *m.* de nuit; **3** (*klapbeentje*) claquette *f.*
klep'peren *on.w.* **1** (*v. ooievaar*) craqueter; **2** (*v. deur*) battre; **3** (*met houtjes*) cliqueter.
klep'perman, klap'perman *m.* veilleur *m.* de nuit.
klep'permolen, *zie* ***klappermolen.***
klep'perschouw *v.* (*sch.*) marie*-salope* *f.*
kleptomaan' *m.* cleptomane *m.*
kleptomanie' *v.* cleptomanie *f.*
kleren(-), *zie* ***kleed, kleer-.***
klerikaal', clericaal' *b.n.* clérical.
klerk *m.* **1** employé *m.* (de bureau), commis *m.*; **2** (*v. notaris, advocaat*) clerc *m.*
kle'rus, *zie* ***clerus.***
klets I *v.(m.)* **1** (*klap*) claque *f.*; soufflet *m.*; **2** (*v. zweep*) coup *m.* de fouet; claquement *m.*; **3** (*dwaas gebabbel*) potins, cancans *m.pl.*; ***een — water,*** une flaquée d'eau; **II** *tw.* flac! vlan! patatras! flic-flac!
klet'sen I *on.w.* **1** (*v. water, enz.*) clapoter; **2** (*v. zweep*) claquer; **3** (*babbelen*) bavarder, jaser, papoter; ***de regen kletst tegen de ruiten,*** la pluie fouette les vitres; ***met de zweep —,*** faire claquer le fouet; ***hij kletst maar raak,*** il ne déparle pas; **II** *ov.w.* flanquer.
klet'ser *m.* jaseur, bavard *m.*
kletserij' *v.* racontars, potins, papotages *m.pl.*, commérage *m.*
klets'kop *m.* **1** (*hoofd*) tête *f.* teigneuse; **2** (*persoon*) teigneux *m.*; **3** (*koekje*) croquante *f.*
klets'kous *v.(m.)* commère, cancanière, potinière *f.*; parleur, rebâcheur *m.* [os.
klets'nat *b.n.* ruisselant, trempé, mouillé jusqu'aux
klets'praatje *o.* potin *m.*, conte *m.* en l'air; ***—s,*** balivernes *f.pl.*, cancans *m.pl.*
klet'teren *on.w.* **1** (*v. wapens*) cliqueter; **2** (*v. regen*) ruisseler; ***— tegen de ruiten,*** fouetter les vitres, battre —. [glacé.
kleu'men *on.w.* être transi (de froid), geler, être

kleu'mer *m.* frileux *m.*
kleur *v.(m.)* **1** *(alg.)* couleur *f.*; **2** *(v. gelaat)* teint *m.*; **3** *(kunst)* coloris *m.*; **4** *(schakering)* nuance *f.*; ***een — krijgen,*** rougir; ***geen — hebben,*** avoir les joues décolorées; ***een hoge — hebben,*** être haut en couleur; ***in — en en geuren vertellen,*** raconter par le menu; ***— houden,*** *(v. stoffen, enz.)* être bon teint; ***geen — houden,*** se déteindre; ***— bekennen,*** jouer cartes sur table.
kleur'bad *o.* **1** bain *m.* de couleur; **2** *(fot.)* (bain de) virage *m.*
kleur'boek *o.* album *m.* à colorier.
kleur'breking *v.* réfraction *f.* des couleurs.
kleur'doos *v.(m.)* boîte *f.* de couleurs.
kleurecht' *b.n.* grand teint, bon teint, inaltérable.
kleu'ren I *ov.w.* **1** colorer; **2** *(v. plaat, kaart, enz.)* colorier, enluminer; **3** *(v. foto)* virer; ***gekleurd glas,*** verre de couleur; ***gekleurd papier,*** papier teint; papier de couleur; **II** *on.w.* **1** se colorer; **2** *(blozen)* rougir, changer de couleur; ***— tot achter de oren,*** rougir jusqu'à la racine des cheveux, rougir jusqu'au blanc des yeux; **III** *z.n., o.* **1** coloration *f.*; **2** coloriage *m.*; **3** la teinture; **4** *(kaartsp.)* jeu *m.* de commerce.
kleu'renblind *b.n.* daltonien.
kleu'renblindheid *v.* daltonisme *m.*
kleu'rendia *m.* diapositive *f.* en couleurs.
kleu'rendruk *m.* chromotypographie *f.*, impression *f.* en couleurs; ***in —,*** en couleurs.
kleu'renets *v.(m.)* eau*-forte* *f.* en couleurs.
kleu'renfilm *m.* film *m.* (en) couleurs.
kleu'renfilter *m. en o.* *(fot.)* écran *m.* polychrome.
kleu'renfixeerbad *o.* (bain de) viro-fixage *m.*
kleu'renfotografie *v.* photo(graphie) *f.* en couleurs.
kleu'rengamma *v.(m.) en o.* gamme *f.* chromatique.
kleu'rengloed *m.* éclat *m.* des couleurs.
kleu'renhoutsne(d)e *v.(m.)* bois *m.* en couleurs.
kleu'renmengeling *v.* harmonie *f.* de couleurs.
kleu'renschijf *v.(m.)* disque *m.* de Newton.
kleu'renspectrum, -spektrum *o.* spectre *m.* (solaire).
kleu'renspel *o.* jeu *m.* des couleurs, chatoiement *m.*
kleu'rensteendruk *m.* chromolithographie *f.*
kleur'filter *m. en o.* écran *m.*
kleur'fixeerbad *o.* viro-fixateur *m.*
kleur'houdend *b.n.* bon teint, grand teint; ***niet —,*** faux teint, mauvais teint.
kleu'rig 1 *b.n.* coloré; bariolé; **2** *(hel, afstekend)* voyant; **3** *(v. wang)* vermeil.
kleu'ring *v., zie* ***kleuren,* III.**
kleur'krijt *o.* pastel *m.*; crayon *m.* pastel.
kleur'ling *m.*, **—e** *v.* homme *m.* de couleur, femme *f.* —; métis *m.*, —se *f.*
kleur'loos *b.n.* **1** sans couleur, incolore; **2** *(verschoten)* décoloré; **3** *(fot.)* achromatique; **4** *(v. dagblad, enz.)* neutre.
kleur'middel *o.* colorant *m.*
kleur'potlood *o.* crayon *m.* de couleur.
kleur'prent *v.(m.)* image *f.* à colorier.
kleur'schakering *v.* nuance *f.*
kleur'schifting *v.* **1** dispersion *f.* (des couleurs); **2** *(fot.)* chromatisme *m.*
kleur'sel *o.* colorant *m.*, matière *f.* colorante.
kleur'stof *v.(m.)* **1** matière *f.* colorante, couleur *f.*, colorant *m.*; **2** *(v. haar, huid)* pigment *m.*
kleur'stoffenfabriek *v.* usine *f.* de colorants.
kleur'verandering *v.* changement *m.* de couleur.
kleur'versmelting *v.* nuance *f.*; dégradation *f.* de nuances.
kleu'ter *m.* mioche *m.-f.*, petit *m.*, —e *f.*, bambin *m.*, —e *f.*
kleu'terleidster *v.* jardinière *f.*, monitrice *f.* de jardins d'enfants .
kleu'teronderwijs *o.* école *f.* maternelle.
kleu'terschool *v.(m.)* petite classe, maternelle *f.*; jardin *m.* d'enfants.
kle'ven I *on.w.* **1** coller, se coller; **2** *(fig.)* s'attacher, adhérer; ***er — gebreken aan dit werk,*** cet ouvrage présente des défauts, cet ouvrage n'est pas sans défauts; **II** *ov.w.* coller, attacher.
kle'verig *b.n.* **1** gluant, visqueux, poisseux; **2** *(v. tong)* empâté.
kle'verigheid *v.* viscosité *f.*
kle'wang *m.* kléban *m.*
klezoor' *m.* *(tn.)* nigoteau *m.*, quart *m.* de brique.
kliek *v.(m.)* **1** *(bende)* clique, bande; coterie *f.*; **2** *(v. maaltijd)* restes, reliefs *m.pl.*; *(fam.)* rogatons *m.pl.*
klie'ken *on.w.* laisser des restes (sur son assiette).
kliek'geest *m.* esprit *m.* de coterie.
kliek'je *o.* reste, restant *m.*, rogatons *m.pl.*
kliek'jesdag *m.* jour *m.* des rogatons.
kliënt(-), *zie* ***cliënt(-).***
klier *v.(m.)* **1** glande *f.*; **2** *(fig.)* crampon *m.*; ***—en,*** scrofules, écrouelles *f.pl.*; ***—en hebben,*** être scrofuleux.
klier'achtig *b.n.* **1** glanduleux; **2** scrofuleux.
klier'cel *v.(m.)* cellule *f.* glandulaire.
klier'gezwel *o.* tumeur *f.* glanduleuse.
klier'kruid *o.* *(Pl.)* scrofulaire *f.*
klier'lijder *m.* scrofuleux *m.*
klier'ontsteking *v.* adénite *f.*
klier'stof *v.(m.)* matière *f.* de la scrofule.
klier'tje *o.* glandule *f.*
klier'vormig *b.n.* **1** glandulaire; **2** adénoïde.
klier'ziekte *v.* maladie *f.* scrofuleuse, scrofulose *f.*
klie'ven *ov.w.* fendre.
klif *o.* falaise *f.*
klik *m.* **1** *(v. klok)* avant-quart *m.*; **2** *(v. kolf)* gros bout *m.*; **3** *(sch.)* safran *m.* (du gouvernail); **4** *(fig.)* lourdaud *m.*
klik'ken *ov.w.* **1** rapporter; **2** *(fam.: school)* cafarder.
klik'ker *m.* rapporteur; cafard *m.*
klik'spaan *v.(m.)* cafard *m.*; casserole *f.*, rapporteur *m.*
klik'ster *v.* rapporteuse *f.*
klim *m.* ascension, grimpée *f.*; ***dat is een hele —,*** c'est toute une montée.
klimaat' *o.* climat *m.*; ***aan het — wennen,*** (s')acclimater.
klimaat'gesteldheid *v.* conditions *f.pl.* climatériques, — climatologiques.
klimaat'gordel *m.* zone *f.* climatérique.
klimaat'invloeden *mv.* influences *f.pl.* climatologiques.
klimaat'kunde *v.* climatologie *f.*
klimaat'regeling *v.* climatisation *f.*
klim'boon *v.(m.)* haricot *m.* (grimpant).
klim'erwt *v.(m.)* fève *f.* montante, pois *m.* montant.
klim'ijzer *o.* grappin *m.*
klim'mast *m.* mât *m.* de cocagne.
klim'men I *on.w.* **1** grimper (sur), monter (sur), gravir; **2** *(fig.: toenemen)* augmenter, s'élever; ***—de leeuw,*** *(wap.)* lion rampant; ***—de belangstelling,*** intérêt croissant; **II** *z.n., o.* montée *f.*; ***bij het — der jaren,*** quand on avance en âge.
klim'mer *m.* **1** grimpeur *m.*; **2** *(bergbeklimmer)* ascensionniste *m.*
klim'ming *v.* **1** ascension *f.*; **2** *(taalk).* gradation *f.*
klimop' *m. en o.* lierre *m.*
klim'paal *m.* mât *m.* de cocagne.
klim'partij *v.* montée, ascension, escalade *f.*
klim'plant *v.(m.)* plante *f.* grimpante.
klim'roos *v.(m.)* rose *f.* grimpante.

klim'spoor *v.(m.)* grappin *m.*
klim'stok *m.* perche *f.* fixe.
klim'touw *o.* corde *f.* lisse, — à nœuds.
klim'vis *m.* grimpeur *m.*; *(wet)* anabas *m.*
klim'vogel *m.* grimpeur *m.*
kling *v.(m.)* **1** lame *v.*; **2** *(v. bajonet)* pointe *f.*; ***over de — jagen,*** passer au fil de l'épée.
Klinge, *De —,* La Clinge.
klin'gelen *on.w.* tinter, carillonner.
klin'geling! *tw.* drelin, drelin!
kliniek' *v.* clinique *f.*
kli'nisch *b.n.* clinique.
klinist' *m.* clinicien *m.*
klink *v.(m.)* **1** *(v. deur, enz.)* loquet *m.*; **2** *(tn.)* cliquet *m.*; **3** *(v. slot)* alvéole *f.*; **4** *(v. kous)* coin, talon, renforcé *m.*; **5** *(scheur: in kleren)* déchirure *f.*; accroc *m.*
klink'bout *m.* rivet *m.*, boulon *m.* rivé.
klink'deur *v.(m.)* **1** porte *f.* à loquet; **2** *(valdeurtje)* trappe *f.*
klink'dicht *o.* sonnet *m.*
klin'ken I *on.w.* **1** sonner; **2** *(v. klok)* tinter; **3** *(weer—)* résonner; **4** *(met glazen)* trinquer, choquer les verres; ***dat klinkt ongelofelijk,*** cela semble incroyable; **II** *ov.w.* **1** *(v. spijker)* river; **2** *(v. stoomketel)* boulonner; **3** *(vastleggen in soldeersel)* sceller; **4** *(fig.: vastklinken, ketenen)* enchaîner, river; ***—de munt,*** espèces sonnantes.
klin'ker *m.* **1** *(letter)* voyelle *f.*; **2** *(steen)* brique *f.*; **3** *(tn.)* riveur *m.*
klin'kerbestrating *v.* **1** pavé *m.* de briques; **2** *(het werk)* pavage *m.* en briques.
klin'kerpad *o.* trottoir *m.* de briques.
klin'kerweg *m.* chemin *m.* (pavé) de briques.
klinket' *o.* guichet *m.*
klink'hamer *m.* rivoir *m.*, marteau *m.* à river.
klink'ijzer *o.* fonçoir *m.*
klink'klaar *b.n.* tout pur; ***dat is —klare onzin,*** cela n'a pas le sens commun.
klink'klank *m.* **1** clinquant *m.*; **2** faux diamants, faux brillants *m.pl.*; **3** *(fig.)* cliquetis *m.* (de paroles), mots *m.pl.* sonores et vides, phrases *f.pl.* à effet.
klink'nagel *m.* rivet *m.*
klip *v.(m.)* écueil *m.*; ***blinde —,*** brisant *m.*, écueil à fleur d'eau; ***liegen tegen de —pen op,*** mentir effrontément, — comme un arracheur de dents; ***tussen de —pen doorzeilen,*** éviter les écueils, naviguer entre les écueils.
klip'geit *v.(m.)* chamois *m.*
klip'per *m.* *(sch.)* clipper *m.*
klip'pig *b.n.* plein d'écueils.
klip'vis *m.* chétodon *m.*
klip'zout *o.* sel *m.* gemme.
klip'zwaluw *v.(m.)* salangane *f.*
klis *v.(m.)* **1** nœud *m.* entortillé; **2** *(v. haar)* touffe *f.* de cheveux; **3** *(Pl.)* glouteron *m.*, grande bardane *f.*
klis'(se)kruid *o.* glouteron *m.*, bardane *f.*
klis'sen *on.w.* s'entortiller, être mêlé, être entortillé.
klisteer'spuit *v.(m.)* clysopompe *m.*, seringue *v.* à lavement.
klis'ter *m.* caïeu *m.*
kliste'ren *on.w.* administrer un lavement à.
klit *v.(m.)* *(Pl.)* glouteron *m.*, bardane *f.*
klit'gras *o.* racle *f.*
klit'wortel *m.* bardane *f.* officinale.
klizeer'schaaf *v.(m.)* doucine *f.*
klod'der *m.* **1** *(v. bloed)* caillot *m.*; **2** *(v. boter)* noix *f.*; **3** *(v. verf)* tache *f.*; **4** *(v. kalk)* jet *m.*
kloek I *v.* (poule) couveuse *f.*; **II** *b.n.* **1** *(flink, sterk)* fort, vigoureux, robuste; **2** *(dapper)* vaillant, brave, courageux; **3** *(mannelijk: v. houding, antwoord)* mâle, viril; **4** *(wijs, schrander)* sage, sensé; **5** *(v. besluit)* ferme; **III** *bw.* vaillamment, bravement; virilement.
kloekmoe'dig I *b.n.* vaillant, courageux, hardi; **II** *bw.* vaillamment, courageusement, hardiment.
kloekmoe'digheid *v.* vaillance *f.*, courage *m.* hardiesse, intrépidité *f.*
kloet *m.* **1** *(kalkstok)* rabot *m.*, gâche *f.*; **2** *(schippersboom)* perche *f.*
klok *v.(m.)* **1** cloche *f.*; **2** *(uurwerk)* pendule *f.*; **3** *(grote —)* horloge *f.*; **4** *(v. klokken)* poule *f.* couveuse; ***de — slaat twaalf,*** midi sonne, minuit —; ***de — slaat negen,*** neuf heures sonnent; ***een stem als een —,*** une voix tonnante, une voix de stentor; ***aan de grote — hangen,*** publier sur les toits, crier —, publier à son de trompe; ***op de — af,*** montre en main; ***hij kan al op de — kijken,*** il connaît déjà l'heure; ***'t is een man van de —,*** il est réglé comme une horloge; *zie* ***klepel.***
klok'bloem *v.(m.)* campanule, ancolie *f.*
klok'bloemig *b.n.* campanulacé.
klok'gebrom *o.* bruit *m.* de cloches, bourdonnement *m.* (d'une cloche *of* de cloches).
klok'gelui *o.* sonnerie *f.* de cloches.
klok'hen *v.* (poule) couveuse *f.*
klok'hoed *m.* chapeau *m.* cloche.
klok'huis *o.* **1** *(v. toren)* beffroi *m.*; **2** *(v. appel, enz.)* *(zaadhuisje)* cœur *m.*; *(overblijfsel)* trognon *m.*; **3** *(in pijp)* culot *m.*
klok'je *o.* **1** clochette *f.*; **2** petite pendule *f.*; **3** *(Pl.)* campanule *f.*
klok'jesachtigen *mv.* campanulacées *f.pl.*
klok'(ke)luider *m.* sonneur *m.*
klok'ken I *on.w.* **1** *(v. fles)* glouglouter, faire glouglou; **2** *(v. hen)* glousser; **II** *z.n., o.* **1** glouglou *m.*; **2** gloussement *m.*
klok'kengieter *m.* fondeur *m.* de cloches.
klok'kengieterij *v.* fonderie *f.* de cloches.
klokkenist' *m.* carillonneur *m.*
klok'kenmaker *m.* horloger *m.*
klok'kenspel *o.* carillon *m.*
klok'kenspeler *m.* carillonneur *m.*
klok'kestoel *m.* châssis *m.* pour cloches.
klok'ketoren *m.* clocher *m.*
klok'ketorentje *o.* clocheton *m.*
klok'ketouw *o.* corde *f.* de cloche.
klok'klepel *m.* battant *m.* (de cloche).
klok'luider, klok'keluider *m.* sonneur *m.*
klok'rok *m.* jupe *f.* à godets.
klok'slag *m.* coup *m.* de cloche; ***— acht uur,*** à huit heures précises, sur le coup de huit heures.
klok'spijs *v.(m.)* **1** bronze, airain *m.*; **2** mets *m.* favori, plat *m.* —; ***dat gaat er in als —,*** c'est un morceau de roi, cela fond dans la bouche, ça passe comme du petit-lait.
klok'vormig *b.n. en bw.* en forme de cloche.
klok'winde *v.(m.)* *(Pl.)* liseron *m.*, clochette *f.*
klomp *m.* **1** *(v. metalen, enz.)* masse *f.*; **2** *(v. aarde, boter, enz.)* motte *f.*; **3** *(holsblok)* sabot *m.*; ***een — goud,*** une pépite; ***nu breekt mij de —!*** c'est renversant! c'est la fin du monde!
klom'pendans *m.* sabotière *f.*, danse *f.* rustique.
klom'penmaker *m.* sabotier *m.*
klom'penmakerij *v.* **1** saboterie *f.*; **2** *(werkplaats)* sabotière *f.*
klomp'schoen *m.* galoche *f.*
klomp'vis *m.* môle *f.*, poisson*-lune* *m.*
klomp'voet *m.* pied *m.* bot.
klont *m. en v.* **1** *(v. bloed)* caillot *m.*; **2** *(in saus, enz.)* grumeau *m.*; **3** *(v. suiker)* morceau *m.*
klon'ter *m.* **1** caillot *m.*; **2** grumeau *m.*

klon'terachtig *b.n.* grumeleux.
klon'teren *on.w.* **1** se cailler; **2** se grumeler.
klon'tering *v.* **1** caillement *m.*, coagulation *f.*, **2** grumellement *m.*
klont'je *o.* **1** grumeau *m.*; **2** morceau *m.* (de sucre).
klont'jessuiker *m.* sucre *m.* en morceaux.
kloof, klo've *v.(m.)* **1** *(alg.)* fente, crevasse *f.*; **2** *(in huid)* gerçure *f.*; **3** *(fig.)* abîme, gouffre *m.*
kloof'beitel *m.* fendoir *m.*
kloof'bijl *v.(m.)* cognée *f.*
kloof'blok *o.* billot *m.*
kloof'hamer *m.* masse *f.*, maillet *m.*
kloof'hout *o.* bois *m.* de refend.
kloof'mes *o.* hachette *f.*
kloos'ter *o.* **1** couvent; cloître *m.*; **2** *(v. oude orde)* monastère *m.*; ***in een — gaan,*** entrer dans un couvent; se faire religieux; *(v. vrouwen ook:)* prendre le voile.
kloos'terachtig *b.n.* claustral, monastique.
kloos'terbroeder *m.* religieux, moine, frère *m.*
kloos'tercel *v.(m.)* cellule *f.*
kloos'teren *ov.w.* cloîtrer, enfermer dans un couvent.
kloos'tergang *m.* cloître *m.*
kloos'tergehoorzaamheid *v.* obédience *f.*
kloos'tergelofte *v.* vœu *m.* religieux, — monastique.
kloos'tergemeente *v.* communauté *f.*
kloos'tergewaad *o.* habit *m.* religieux.
kloos'tergoed *o.* biens *m.pl.* religieux.
kloos'terkapel *v.(m.)* chapelle *f.* de couvent.
kloos'terkerk *v.(m.)* église *f.* de couvent.
kloos'terlatijn *o.* latin *m.* médiéval, bas-latin *m.*
kloos'terleven *o.* vie *f.* monastique, — monacale, cénobitisme *m.*
kloos'terlijk I *b.n.* monastique, claustral; **II** *bw.* monacalement.
kloos'terling *m.*, **—e** *v.* religieux *m.*, —euse, nonne, bonne sœur *f.*
kloos'ternaam *m.* nom *m.* en religion.
kloos'terorde *v.(m.)* ordre *m.* religieux.
kloos'terregel *m.* règle *f.* monastique.
kloos'terschool *v.(m.)* école *f.* religieuse, — *f.* congréganiste.
kloos'tertucht *v.(m.)* discipline *f.* claustrale.
kloos'tervoogd *m.* supérieur, abbé, prieur *m.*
kloos'tervoogdes *v.* supérieure, abbesse, prieure *f.*
kloos'terwezen *o.* vie *f.* conventuelle.
kloos'terzuster *v.* religieuse, bonne sœur, nonne *f.*
kloot *m.* **1** globe *m.*, sphère *f.*; **2** *(bal)* boule *f.*
klop *m.* **1** coup *m.*; **2** *(v. hart)* battement *m.*; ***— geven,*** rosser, battre; ***— krijgen,*** être battu, recevoir des coups; ***—, —!*** toc-toc!
klop'geest *m.* esprit *m.* frappeur.
klop'hamer *m.* maillet *m.*
klop'hengst *m.* cheval *m.* bistourné.
klop'hout *o.* **1** battoir *m.*; **2** *(drukk.)* taquoir *m.*
klop'jacht *v.(m.)* **1** battue *f.*; **2** *(op dieven, enz.)* rafle, razzia *f.*
klop'partij *v.* rixe, bagarre *f.*, chamaillis *m.*
klop'pen I *on.w.* **1** *(aan deur)* frapper; **2** *(hard —)* heurter; **3** *(v. hart)* battre, palpiter; **4** *(fig.: overeenstemmen)* concorder, correspondre; *(v. boeken)* être d'accord, être conformes; ***dat klopt,*** c'est juste; ***dat klopt niet,*** cela ne concorde pas, le compte n'y est pas, cela n'est pas exact; **II** *ov.w.* **1** *(v. tapijt, eieren, enz.)* battre; **2** *(v. kolen, stenen)* casser; **3** *(verslaan)* battre; ***iem. geld uit de zak —,*** taper qn., carotter (de l'argent à) qn.; ***dienst —,*** faire du service; **III** *z.n., o.* **1** *(v. hart)* battement *m.*; **2** *(v. tapijten, enz.)* battage *m.*; **3** cassage *m.*
klop'per *m.* **1** *(v. deur)* battant, marteau, heurtoir *m.*; **2** *(v. persoon)* batteur *m.*; **3** *(steen—)* casseur, concasseur *m.*; **4** *(eier—)* fouet *m.*; **5** *(voor linnen)* battoir *m.*; **6** *(v. telegraaf.)* trembleur *m.*
klop'ping *v.* **1** *(v. hart)* battement *m.*, palpitation *f.*; **2** *(in ader)* pulsation *f.*
klop'steen *m.* billot *m.*
klop'tor *v.(m.)* **1** (scarabée) pulsateur *m.*; **2** horloge *f.* de la mort.
klop'werend middel *o.* antidétonant *m.*
klos *m. en v.* **1** *(hout—)* bûche *f.*; billot *m.*; **2** *(voor garen)* bobine *f.*; **3** *(v. kantkussen)* fuseau *m.*
klos'baan *v.(m.)* jeu *m.* de boule.
klos'beitel *m.* maillet *m.*
klos'beugel *m.* passe *f.*
kloset(-), *zie* ***closet(-).***
klos'kant *v.(m.)* dentelle *f.* aux fuseaux.
klos'sen I *ov.w.* **1** *(op een klos winden)* bobiner; **2** *(v. kant: met klossen vervaardigen)* faire aux fuseaux; **II** *on.w.* **1** *(zwaar lopen)* marcher lourdement; **2** *(sp.)* jouer à la boule.
klots *m.* *(bilj.)* contre *m.*
klot'sen *on.w.* **1** heurter, choquer; **2** *(v. golven)* clapoter, battre le rivage; *(breken en uiteenspatten)* déferler (sur), se briser; **3** *(bilj.)* faire un contre.
klot'sing *v.* **1** choc *m.*; **2** clapotis *m.*
klove, *zie* ***kloof.***
klo'ven I *ov.w.* **1** fendre; **2** *(v. diamant)* cliver; **II** *on.w.* se fendre.
klovenier', kolvenier' *m.* *(gesch.)* arquebusier *m.*
klown(-), *zie* ***clown(-).***
klub(-), *zie* ***club(-).***
klucht *v.(m.)* farce, bouffonnerie *f.*
kluch'tig I *b.n.* comique: drôle, bouffon; **II** *bw.* d'une manière comique, plaisamment.
kluch'tigheid *v.* drôlerie, bouffonnerie *f.*
klucht'spel *o.* farce *f.*
klucht'speler *m.* farceur; bouffon *m.*
kluif I *v.(m.)* **1** *(been)* os *m.* à ronger; **2** *(klauw)* griffe; serre *f.*; **II** *z.n. m.* *(veel arbeid)* corvée *f.*; ***een lekkere —,*** un bon morceau; ***dat is een hele —,*** c'est tout un travail, c'est une rude besogne à mâcher.
kluif'fok *v.(m.)* *(sch.)* foc *m.* de beaupré, trinquette *f.*
kluif'hout *o.* *(sch.)* bâton *m.* de beaupré.
kluis *v.(m.)* **1** *(v. kluizenaar)* ermitage *m.*; **2** *(cel)* cellule *f.*; **3** *(brandvrij keldergewelf)* cave *f.* blindée, chambre *f.* forte; *(in bank)* salle *f.* des coffres-forts; **4** *(sch.: —gat)* écubier *m.*
kluis'deur *v.(m.)* porte *f.* réfractaire.
kluis'gat *o.* *(sch.)* écubier *m.*
kluis'ter *v.(m.)* **1** chaîne *f.*, fer *m.*; **2** *(v. paard)* entrave *f.*; **3** *(fig.)* joug *m.*, entrave *f.*
kluis'teren *ov.w.* **1** enchaîner; **2** *(v. paard)* entraver; **3** *(fig.)* enchaîner, lier.
kluis'tering *v.* enchaînement *m.*
kluit I *m. en v.* **1** *(v. aarde, enz.)* motte *f.*; **2** *(v. boter, vet)* pelote *f.*; ***flink uit de —en gewassen,*** bien découplé; ***de hele —,*** tout le bazar, tout le tremblement; **II** *m.* *(Dk.)* avocette *f.*
klui'tenbreker *m.* **1** *(tn.)* brise-mottes, émottoir *m.*; **2** *(persoon)* émotteur *m.*
kluit'je *o.* petite motte *f.*; ***iem. met een — in 't riet sturen,*** éconduire qn., payer qn. en monnaie de singe, payer qn. de belles paroles.
kluit'kalk *m.* chaux *f.* vive.
klui'ven I *ov.w.* ronger; ***iem. wat te — geven,*** donner du fil à retordre à qn., tailler de la besogne à qn.; ***daar is heel wat aan te —,*** c'est tout un travail! il y a là du coton! il y a là un bon boulot! **II** *on.w.* ronger.
klui'ver *m.* **1** rongeur *m.*; **2** *(sch.)* foc *m.*; **3** *(fig.)* avare, harpagon *m.*
klui'zen *on.w.* mener une vie retirée, vivre en ermite.

klui'zenaar *m.* **1** ermite, solitaire *m.*; **2** (*in woestijn*) anachorète *m.*
klui'zenaarshut *v.*(*m.*) ermitage *m.*
klui'zenaarsleven *v.* vie *f.* d'ermite.
klui'zenaarswoning *v.* ermitage *m.*
klun'gel *v.*(*m.*) **1** chiffon; lambeau *m.*; **2** bagatelle *f.*, rien *m.*
klun'gelaar *m.* lambin *m.*
klun'gelen *on.w.* s'amuser à des riens, vétiller, [niaiser.
klun'gelwerk *o.* bousillage *m.*
klup'pel, *zie* ***knuppel.***
kluts *v.*(*m.*) ***de — kwijt zijn,*** avoir perdu la carte, — la boussole, — la tramontane.
kluts'ei *o.* **1** (*in glas, enz.*) œuf *m.* battu; **2** (*in pan*) œuf *m.* brouillé.
klut'sen *ov.w.* battre; brouiller.
klu'wen I *o.* pelote *f.*; ***tot een — winden,*** pelotonner; **II** *ov.w.* pelotonner.
klu'wentje *o.* peloton *m.*
knaag'dier *o.* rongeur *m.*
knaap *m.* **1** garçon, adolescent *m.*; **2** (*klerenhanger*) portemanteau, porte-habit, cintre *m.*
knab'belaar *m.* grignoteur *m.*
knab'belen *ov.w. en on.w.* grignoter.
kna'gen *ov.w. en on.w.* **1** ronger; **2** (*fig.*) ronger, tourmenter.
kna'gend *b.n.* **1** rongeant; rongeur; **2** (*v. pijn*) sourd; rongeant; **3** (*v. geweten*) bourrelé.
kna'ger *m.* rongeur *m.*
kna'ging *v.* **1** rongement *m.*; **2** (*fig.*) remords *m.pl.*
knak I *m.* **1** (*breuk, scheur*) brisure, fêlure *f.*; **2** (*schade, nadeel*) atteinte *f.*, coup *m.*; **3** (*krakend geluid*) crac, craquement *m.*; ***een — krijgen,*** recevoir un coup, subir une atteinte, être atteint; **II** *tw.* crac!
knak'ken I *on.w.* **1** craquer; **2** se fêler; **3** se casser, se briser; se rompre; **II** *ov.w.* **1** faire craquer; **2** rompre; **3** (*fig.*) porter atteinte à; **4** ruiner.
knak'worst *v.*(*m.*) (du) petit cervelas *m.*
knal *m.* **1** coup, éclat *m.*; **2** (*v. vuurwapen*) détonation *f.*; **3** (*nat.*) fulmination *f.*; **4** (*v. motor*) explosion *f.*
knal'bonbon *m.* diablotin *m.*, papillote *f.* à pétard.
knal'demper *m.* silencieux *m.*
knal'effect, -effekt *o.* coup *m.* de théâtre, feu *m.* d'artifice; phrase *f.* à effet.
knal'fuif *v.*(*m.*) fête *f.* épatante, — à tout casser, (*fam.*) boum *m.*
knal'gas *o.* gaz *m.* détonant, — fulminant.
knal'goud *o.* or *m.* fulminant.
knal'kwik *o.* fulminate *m.* de mercure, mercure *m.* fulminant.
knal'len I *on.w.* **1** (*alg.*) éclater; **2** (*v. vuurwapen*) détoner; **3** (*v. zweep*) claquer; **4** (*v. motor*) pétarader; **II** *z.n., o.* **1** éclatement *m.*; **2** détonation *f.*; **3** claquement *m.*; **4** pétarades *f.pl.*
knal'mengsel *o.* mélange *m.* détonant.
knal'poeder, -poeier *o. en m.* poudre *f.* fulminante.
knal'pot *m.* pot *m.* d'échappement, silencieux *m.*
knal'rood *b.n.* rouge très vif.
knal'sigaar *v.*(*m.*) cigare *m.* à pétard.
knal'signaal *o.* (*spoorw.*) pétard, signal*-pétard* *m.*
knal'zilver *o.* argent *m.* fulminant.
knal'zuur *o.* acide *m.* fulminique.
knap I *b.n.* **1** (*mooi: v. uiterlijk*) joli, de bonne mine; **2** (*welgevormd*) bien fait, bien tourné; **3** (*netjes, zindelijk*) propre; **4** (*bekwaam*) habile; intelligent; savant; **5** (*krap, nauw*) juste, étroit; ***een —pe kop,*** une forte tête; ***— in wiskunde,*** fort en (*of* sur les) mathématiques; ***hij is u te — af,*** il est plus fort que vous; **II** *z.n., m.* craquement *m.*; **III** *tw.* crac!
knaphan'dig I *b.n.* adroit, leste; **II** *bw.* adroitement, lestement.
knap'heid *v.* **1** beauté, bonne mine *f.*; **2** (*netheid*) propreté *f.*; **3** (*bekwaamheid*) habileté *f.*; aptitudes *f.pl.*
knap'jes *bw.* **1** joliment; **2** (*netjes*) proprement; **3** (*bekwaam*) habilement.
knap'kers *v.*(*m.*) bigarreau *m.*, merise *f.*
knap'koek *m.* croquembouche *m.*, croquante *f.*
knap'pen I *on.w.* **1** (*v. vuur: knetteren*) pétiller, crépiter; **2** (*v. glas, enz.: barsten*) se fêler; craquer; **3** (*breken*) se casser, se rompre; **4** (*v. brood, enz.*) croustiller; **II** *ov.w.* **1** (*eten*) croquer; **2** (*v. vlas*) broyer, maquer, macquer; ***een uiltje —,*** piquer un chien, faire un petit somme.
knap'pend *b.n.* **1** (*v. vuur*) pétillant, crépitant; **2** (*v. brood, koek, enz.*) croquant, croustillant.
knap'perd *m.* (*fam.*) forte tête *f.*, as, aigle *m.*
knap'peren *on.w.* **1** craquer, craqueter; **2** (*v. vuur*) pétiller.
knap'zak *m.* **1** bissac, sac, havresac *m.*; **2** (*v. jager*) gibecière *f.*; **3** (*v. soldaat; broodzak*) musette *f.*; **4** (*v. zwerver*) besace *f.*
knar *m.* **1** (*v. boom*) souche *f.*; **2** (*fig.*) avare *m.*; **3** (*fam.*) vieux *m.*
knars'been *o.* cartilage *m.*
knar'sen I *on.w.* **1** (*v. tanden, enz.*) grincer; **2** (*v. deur, enz.*) crier; **3** (*v. nieuw werktuig*) hier; **II** *z.n., o.* **1** grincement *m.*; **2** crissement *m.*; **3** hiement *m.*
knar'setanden *on.w.* grincer des dents.
knar'sing *v.* **1** grincement *m.*; **2** crissement *m.*; **3** hiement *m.*
knas'ter, kanas'ter *m.* canasse *m.*
knauw *m.* **1** coup *m.* de dent; **2** (*fig.*) atteinte *f.*; ***een lelijke — krijgen,*** recevoir un rude coup, subir une rude atteinte.
knau'wen I *on.w.* ronger; **II** *ov.w.* **1** ronger, mordiller; **2** (*fig.*) abîmer, endommager; porter (une rude) atteinte à.
knecht *m.* **1** valet, domestique *m.*; **2** (*bij patroon*) ouvrier, garçon *m.*; **3** (*Bijb.*) serviteur *m.*; ***zo heer, zo —,*** tel maître, tel valet.
knech'ten *ov.w.* asservir, réduire en servitude.
knech'ting *v.* asservissement *m.*
knecht'je *o.* garçon *m.*; chasseur *m.*
knechts *b.n.* servile.
knecht'schap *o.* servitude *f.*
kne'den I *ov.w.* **1** pétrir; **2** (*v. klei*) corroyer; ***iem. — als was,*** modeler qn. comme une cire molle; **II** *z.n., o.* pétrissage *m.*
kne'der *m.* pétrisseur *m.*
kne'ding *v.* pétrissage *m.*
kneed'baar *b.n.* pétrissable; malléable.
kneed'baarheid *v.* plasticité *f.*
kneed'bom *v.*(*m.*) bombe *f.* au plastic, — plastique.
kneed'machine *v.* pétrisseuse *f.*
kneed'trog *m.* pétrin *m.*
kneep *v.*(*m.*) **1** (*handeling*) pincement *m.*; **2** (*spoor op huid*) pinçon *m.*; **3** (*fig.: streek*) ruse, manigance *f.*, truc *m.*; ***daar zit hem de —,*** voilà le nœud de la question; (*fam.*) voilà le hic.
kneep'je *o.* pinçon *m.*
kneep'muts *v.*(*m.*) bonnet *m.* tuyauté.
kne'kelhuis *o.* ossuaire; charnier *m.*
kne'kels *mv.* ossements *m.pl.*
knel *v.*(*m.*) **1** étreinte, gêne *f.*; **2** (*val*) piège *m.*, trappe *f.*; ***in de — zitten,*** être dans le pétrin, être dans l'embarras.
knel'len *ov.w.* **1** serrer; **2** (*v. schoen*) blesser; **3** (*fig.*) vexer, tourmenter; ***—de belastingen,*** des impôts vexatoires.

knel'ling *v.* **1** serrement, pincement *m.*; **2** (*fig.*) vexation, oppression *f.*
knel'punt *o.* goulot *m.* d'étranglement.
kner'sen, *zie* ***knarsen.*** [décrépiter.
knet'teren *on.w.* **1** pétiller, crépiter; **2** (*scheik.*)
knet'tergek *b.n.* fou à lier, archifou.
knet'tering *v.* **1** pétillement, crépitement *m.*; **2** décrépitation *f.*; **3** (*v. telefoon*) friture *f.*
kneu *v.(m.)* (*Dk.*) linotte *f.*
kneu'kel *m.* nœud *m.*, jointure *f.*; ***iem. op de —s slaan,*** donner sur les doigts à qn.
kneus'wond(e) *v.(m.)* plaie *f.* contuse.
kneu'zen *ov.w.* **1** (*v. lichaamsdeel*) meurtrir, contusionner, froisser; **2** (*v. vrucht*) taler, meurtrir.
kneu'zing *v.* meurtrissure, contusion, froissure *f.*; ***inwendige —,*** lésion *f.* interne.
kne'vel *m.* **1** (*snorbaard*) moustache *f.*; **2** (*mondprang*) bâillon *m.*; **3** (*zaag*) garrot *m.*
kne'velaar *m.* **1** (*knoeier, afperser*) concussionnaire *m.*; **2** (*uitzuiger, woekeraar*) exacteur, usurier *m.*
knevelarij' *v.* **1** concussion *f.*; **2** exaction, usure *f.*
kne'velen *ov.w.* **1** (*binden*) garrotter, ligoter; **2** (*met prop*) bâillonner; **3** (*afpersen*) extorquer; pressurer.
kneveling, *zie* ***knevelarij.***
knib'belaar *m.* marchandeur, chicaneur *m.*
knib'belachtig *b.n.* chicaneur; mesquin.
knibbelarij' *v.* **1** (*het afdingen*) marchandage *m.*; **2** (*gepingel*) chicanerie *f.*
knib'belen *on.w.* **1** marchander, rabattre sur le prix; **2** chicaner; vétiller; **3** (*op loon*) chipoter; **4** (*spel*) jouer aux jonchets.
knib'belspel *o.* jeu *m.* de jonchets.
knib'belziek *b.n.* chicaneur *m.*
knib'belzucht *v.(m.)* esprit *m.* de chicane.
knie *v.(m.)* **1** genou *m.*; **2** (*gewricht, boog*) jarret *m.*; **3** (*kromming*) coude *m.*; **4** (*sch.*) courbe *f.*; ***op de —ën vallen,*** se mettre à genoux, s'agenouiller; ***iets onder de — hebben,*** savoir quelque chose à fond, avoir étudié —, posséder qc.; ***over de — leggen,*** donner une fessée à; ***ik heb nog geen — gebogen,*** je ne me suis pas assis une minute.
knie'band *m.* jarretière *f.*
knie'beschermer *m.* genouillère *f.*
knie'boog *m.* jarret *m.*
knie'broek *v.(m.)* culotte *f.*
knie'buiging *v.* **1** (*alg.*) génuflexion *f.*; **2** (*gymn.*) flexion *f.* des genoux; **3** (*dans*) plié *m.*
knie'dicht *o.* impromptu *m.*
knie'gewricht *o.* articulation *f.* du genou, — ginglyme; (*v. paard*) grasset *m.*
knie'holte *v.* jarret *m.*
knie'hout *o.* bois *m.* coudé.
knie'kous *v.(m.)* genouillère *f.*, demi-bas *m.*
knie'lap *m.* genouillère *f.*
kniel'bank(je) *v.(m.)* (*o.*) **1** agenouilloir *m.*; **2** (*bidstoel*) prie-Dieu *m.*
knie'len *on.w.* s'agenouiller, se mettre à genoux; se prosterner.
knie'lend *b.n.* agenouillé; prosterné.
knie'ling *v.* génuflexion *f.*
kniel'kussen *o.* agenouilloir *m.*
knier *v.(m.)* charnière *f.*
knie'schijf *v.(m.)* rotule *f.*
knies'oor *m.-v.* hypocondre *m.-f.*; grincheux *m.*, —euse *f.*, homme *m.* morne, femme *f.* —.
knie'stuk *o.* **1** (*v. wapenrusting*) genouillère *f.*; **2** (*tn.*) coude *m.*
knie'val *m.* génuflexion *f.*; ***een — doen voor iem.,*** se jeter aux genoux de qn.
knie'vers *o.* impromptu *m.*, poème *m.* improvisé.
knie'viool *v.(m.)* violoncelle *m.*
knie'water *o.* synovie *f.* [de chagrin.
knie'zen *on.w.* se chagriner, bouder, se consumer
knie'zer, *zie* ***kniesoor.***
knie'zerig *b.n.* chagrin, morose.
knijp *v.(m.)* gêne *f.*; embarras *m.*; ***in de — zitten,*** être dans le pétrin, être dans l'embarras.
knijp'bril *m.* pince-nez, lorgnon *m.*
knij'pen I *ov.w.* **1** pincer, serrer; **2** (*fig.*) pressurer, vexer; ***die schoen knijpt me,*** ce soulier me blesse; **II** *on.w.* **1** pincer; **2** (*pop.*) avoir le trac; ***het knijpt,*** ça pince, il fait un froid vif; ***het zal er —,*** ça va chauffer, l'affaire sera chaude.
knij'per *m.* **1** pinceur *m.*; **2** (*tang*) pincette *f.*; **3** (*v. kreeft*) pince *f.*; **4** (*voor brieven, enz.*) pince-notes *m.*; **5** (*voor de was*) pince *f.* à linge; **6** (*fig.: vrek*) avare, pince-maille* *m.*
knij'ping *v.* pincement *m.*
knijp'kat *v.(m.)* dynamo *m.* à main; lampe *f.* de poche à magnéto.
knijp'tang *v.(m.)* tenailles *f.pl.*
knik *m.* **1** brisure, fêlure *f.*; **2** (*arch.*) flambage *m.*; **3** mouvement *m.* de tête, inclination *f.* de tête; signe *m.* de tête.
knik'bloem *v.(m.)* (*Pl.*) chondrille *f.*
knik'kebenen *on.w.* flageoler (sur ses jambes).
knik'kebollen *on.w.* dodeliner de la tête, branler la tête.
knik'ken *on.w.* **1** saluer de la tête, faire un signe de tête; **2** (*v. knieën*) fléchir; **3** (*breken*) se briser; ***ja —,*** faire signe que oui; ***goedkeurend —,*** approuver d'un signe de tête.
knik'ker *m.* **1** bille *f.*; **2** (*fig.: fam.*) caboche, boule *f.*; ***een kale —,*** un genou, une bille de billard; ***'t gaat niet om de —s, maar om het spel,*** ce n'est pas une question d'intérêt, mais de principe; ce n'est pas le pécule que je défends, mais le principe.
knik'keren I *on.w.* jouer aux billes; jouer à la fossette; **II** *ov.w.* ***iem. van de baan —,*** évincer qn., écarter qn.; ***iem. eruit —,*** balancer qn., flanquer qn. à la porte.
knik'kerspel *o.* jeu *m.* de billes.
knip I *m.* **1** (*met duim*) chiquenaude *f.*; **2** (*met schaar*) coup *m.* de ciseau, coupure, entaille *f.*; **3** (*voor de neus*) nasarde *f.*; ***hij is geen — voor de neus waard,*** il ne vaut pas les quatre fers d'un chien, il ne vaut pas cher; **II** *v.(m.)* **1** (*v. deur: grendel*) targette *f.*, verrou *m.*; **2** (*vogel—*) trébuchet, piège *m.*; **3** (*v. beurs*) ressort *m.*
knip'beugel *m.* fermoir *m.* à ressort.
knip'beursje *o.* bourse *f.* à ressort.
knip'brood *o.* pain *m.* fendu.
knip'cursus, -kursus *m.* cours *m.* de coupe.
knip'kaart *v.(m.)* carte *f.* à poinçonner.
knip'kursus, -cursus *m.* cours *m.* de coupe.
knip'mes *o.* couteau *m.* pliant.
knip'ogen *on.w.* cligner des yeux; clignoter.
knip'oogje *o.* œillade *f.*, clignement *m.* d'œil; ***iem. een — geven,*** jeter une œillade à qn.
knip'patroon *o.* patron *m.* découpé, modèle *m.* à découper.
knip'pen I *ov.w.* **1** (*snijden: v. haar, enz.*) tailler, couper; **2** (*v. figuur*) découper; **3** (*v. metaal*) cisailler; **4** (*v. kaartjes*) poinçonner; **5** (*v. rentebewijs*) détacher; **6** (*vangen: v. vogel*) prendre au trébuchet; **7** (*v. dief, enz.*) pincer; ***hij is ervoor geknipt,*** cela lui va comme un gant; **II** *on.w.* cligner (des yeux); **III** *z.n., o.* **1** taille, coupe *f.*; **2** découpage *m.*; **3** poinçonnage *m.*; **4** prise *f.*; **5** clignement *m.*

knip'perbol *m.* feu *m.* clignotant (pour passage des piétons).
knip'peren *on.w.* **1** jouer aux jonchets; **2** clignoter (des yeux).
knip'perlicht *o.* feux *m.pl.* clignotants; (*v. auto*) clignotants *m.pl.*, clignoteur *m.*
knip'persignaal *o.* signal *m.* intermittent.
knip'perspel *o.* jeu *m.* de jonchets.
knip'prent *v.*(*m.*) image *f.* à découper.
knip'schaar *v.*(*m.*) découpoir *m.*
knip'sel *o.* **1** coupure, découpure *f.*; **2** (*afval*) rognures *f.pl.*
knip'selbureau *o.* agence *f.* de coupures de presse.
knip'slot *o.* serrure *f.* à cliquet, cadenas *m.* à ressort.
knip'tang *v.*(*m.*) pince *f.* coupante.
knip'tor *v.*(*m.*) (*Dk.*) taupin, tape-marteau* *m.*
knob'bel *m.* **1** (*op hoofd, enz.*) bosse *f.*; **2** (*in hout, glas*) nœud *m.*; **3** (*in papier*) pâton *m.*; **4** tubercule *m.*; **5** (*fig.*)bosse; ***een—hebben voor...,*** avoir la bosse de...
knob'belig *b.n.* **1** bossué; **2** noueux; **3** tuberculeux.
knob'beligheid *v.* **1** nodosité *f.*; **2** tubérosité *f.*
knob'beljicht *v.*(*m.*) goutte *f.* noueuse, arthrite *f.* noueuse.
knob'beluitwas *m. en o.* tubercule *m.*, tubérosité *f.*
knob'belvormig *b.n.* noduleux; tuberculeux.
knob'belziekte *v.* rachitisme *m.*
knock-out' *m.* knock-out *m.*; ***— slaan,*** mettre knock-out, — hors de combat.
knoe'del *m.* **1** (*v. vlees*) boulette *f.*; **2** (*meelspijs*) nouilles *f.pl.*
knoei *m.* **1** (*knoeiboel*) gâchis *m.*; **2** (*klem*) embarras *m.*; ***in de — zitten,*** être dans le pétrin, être dans l'embarras.
knoei'boel *m.* **1** gâchis *m.*; **2** (*fig.*) tripotage *m.*
knoei'en *on.w.* **1** (*met werk*) bousiller, barbouiller; **2** (*in water, enz., morsen*) barboter; **3** (*fig.: in zaken*) tripoter.
knoei'er *m.* **1** bousilleur, barbouilleur, gâte-pâte *m.*; **2** barboteur *m.*; **3** tripoteur *m.*; **4** (*bedrieger*) fraudeur *m.*
knoeierij' *v.* **1** bousillage, barbouillage *m.*; **2** barbotage *m.*; **3** tripotage *m.*; **4** fraude *f.*; **5** (*afpersing door ambtenaar*) concussion *f.*
knoei'pot *m.* bousilleur *m.*
knoei'werk *o.* bousillage; barbotage *m.*
knoest *m.* nœud *m.*; loupe *f.*; ***vol —en,*** noueux.
knoes't(er)ig *b.n.* noueux.
knoes't(er)igheid *v.* nodosité *f.*
knoet *m.* **1** (*lomperd*) lourdaud, rustre *m.*; **2** (*zweep*) knout, fouet *m.*
knof'look *o. en m.* ail *m.*
knof'lookbolletje *o.* gousse *f.* d'ail.
knof'looksaus *v.*(*m.*) sauce *f.* à l'ail.
kno'kig *b.n.* osseux; noueux.
knok'kel *m.* nœud *m.*, jointure *f.*
knok'kelachtig *b.n.* noueux, noduleux.
knok'kelkoorts *v.*(*m.*) dengue *f.*
knok'ken *on.w.* se battre à coups de poing; se bûcher, se cogner.
knok'partij *v.* bagarre *f.*
knok'ploeg *v.*(*m.*) équipe *f.* exécutante, hommes *m.pl.* de choc.
knol *m.* **1** (*Pl.*) tubercule *m.*; **2** (*raap*) navet *m.*; **3** (*paard*) canasson *m.*, haridelle, rosse *f.*; **4** (*horloge*) oignon *m.*; ***iem. —len voor citroenen verkopen,*** faire prendre à qn. des vessies pour des lanternes.
knol'achtig *b.n.* tuberculeux, bulbeux.
knol'begonia *v.*(*m.*) bégonia *m.* à oignon.
knol'dragend *b.n.* tuberculeux, bulbeux.
knol'gewas *o.* tubercule, tuberculeux *m.*
knol'lenakker *m.*, **knol'lenland** *o.* champ *m.* de navets.
knol'lentuin *m.* ***in zijn — zijn,*** être dans son assiette.
knol'raap *v.*(*m.*) chou*-rave*, rutabaga *m.*
knol'radijs *v.*(*m.*) radis *m.*
knol'selderij, -selder(ie) *m.* céleri*-rave* *m.*, céleri *m.* à navets.
knol'vormig *b.n.* tubéreux.
knoop *m.* **1** (*in touw, enz.*) nœud *m.*; **2** (*aan kleren*) bouton *m.*; **3** (*fig.: fam.*) juron *m.*; **4** (*sch.*) nœud *m.*; ***de — doorhakken,*** trancher le nœud; ***daar zit hem de —,*** voilà le nœud de l'affaire, voilà l'enclouure, voilà le hic; ***in de — raken,*** s'enchevêtrer, s'empêtrer; ***uit de — halen,*** dépêtrer, démêler; ***twaalf knopen per uur lopen,*** filer 12 nœuds à l'heure; ***hij is van de blauwe —,*** il porte la Croix Bleue, — l'Étoile Bleue; ***in de — raken,*** s'enchevêtrer, s'empêtrer; ***uit de — halen,*** dépêtrer, démêler.
knoop'je *o.* (petit) bouton *m.*
knoop'kruid *o.* (*Pl.*) jacée *f.*
knoop'laars *v.*(*m.*) bottine *f.* à boutons.
knoop'naald *v.*(*m.*) navette *f.*
knoop'punt *o.* nœud *m.*, centre *m.* d'intérêt.
knoops'gat *o.* boutonnière *f.*; ***in zijn — dragen,*** arborer à sa boutonnière.
knoops'gatenzij(de) *v.*(*m.*) cordonnet *m.* pour boutonnière.
knoop'werk *o.* ouvrage *m.* filoché.
knoop'zij(de) *v.*(*m.*) soie *f.* à filocher.
knop *m.* **1** (*v. bloem, deur, bel*) bouton *m.*; **2** (*v. stok*) pomme *f.*; **3** (*v. degen*) pommeau *m.*; **4** (*v. speld*) tête *f.*; **5** (*v. plant*) bourgeon *m.*; ***—pen krijgen,*** (*Pl.*) bourgeonner.
kno'pehaakje *o.* tire-bouton* *m.*
kno'pen I *ov.w.* **1** nouer; **2** (*dicht —*) boutonner; **3** (*v. net*) faire; mailler; ***zich iets in 't oor —,*** se tenir qc. pour dit; prendre bonne note de qc.
kno'pendraaier *m.* **1** tourneur *m.* en boutons; **2** (*fig.: bedrieger*) dupeur; aigrefin, imposteur *m.*
kno'penfabriek *v.* boutonnerie *f.*
kno'penmaker *m.* boutonnier *m.*
kno'peschaar *v.*(*m.*) patience *f.*
kno'pig *b.n.* noueux.
kno'ping *v.* boutonnement *m.*
knop'pen *on.w.* (*Pl.*) bourgeonner; boutonner.
knop'penvreter *m.* (*Dk.*) bouvreuil *m.*
knop'speld *v.*(*m.*) épingle *f.* à grosse tête.
knop'vorming *v.* (*Pl.*) gemmation *f.*
knor *m.* **1** (*knoest*) nœud *m.*; **2** (*been*) cartilage *m.*; **3** (*geluid: geknor*) grognement *m.*
knor'been *o.* cartilage *m.*
knor'der *m.* bougon, grognon *m.*
knor'haan *m.* (*Dk.*) trigle *m.*
knor'ren I *on.w.* **1** bougonner, grogner; **2** (*v. hond*) gronder; **II** *z.n., o.* grondement *m.*; ***— krijgen,*** être grondé, être tancé.
knor'repot *m.* grognon; ronchonneur, ronchon *m.*
knor'rig I *b.n.* grognon, grognard, maussade; **II** *bw.* d'un ton grognon.
knor'righeid *v.* mauvaise humeur *f.*, humeur maussade, — bourrue, maussaderie *f.*
knot *v.*(*m.*) **1** (*v. wol*) écheveau *m.*; **2** (*v. vlas, hennep, enz.*) touffe *f.*
knot'eik *m.* chêne *m.* étêté.
knots *v.*(*m.*) **1** massue *f.*, casse-tête *m.*; **2** (*gymn.*) mil *m.*, massue *f.*
knots'slag *m.* coup *m.* de massue.
knots'zwaaien *o.* (*sp.*) maniement *m.* des massues.
knot'ten I *ov.w.* **1** (*v. wol, enz.*) mettre en écheveaux; **2** (*v. boom*) étêter, écimer; **3** (*v. kegel*) tronquer; **4** (*fig.*) réprimer, dompter, rabattre;

5 (*v. macht*) briser; **II** *z.n., o.* **1** étêtement, écimage *m.*; **2** (*fig.*) répression *f.*
knot'wilg *m.* saule *m.* étêté, têtard *m.*
knuf'felen *ov.w.* **1** (*ruw schudden*) secouer, houspiller, manier rudement; **2** (*liefkozen*) embrasser, mignoter, bichonner.
knuist *m. en v.* **1** (*knoest*) nœud *m.*; **2** (*vuist*) poing *m.*; (*fam.*) patte *f.*
knuist'je *o.* menotte *f.*
knul *m.* niais, sot, nigaud *m.*; bonne pâte *f.* d'homme.
knul'lig *b.n.* niais, bête.
knup'pel, klup'pel *m.* **1** gourdin *m.*, trique *f.*; matraque *f.*; **2** (*knots*) massue *f.*; **3** (*talhout*) rondin *m.*
knup'peldam *m.* barrage *m.* en rondins.
knup'pelen, klup'pelen *ov.w.* assommer (à coups de bâton).
knup'pelhout *o.* rondin *m.*
knus'(jes) **I** *b.n.* intime, confortable; commode; **II** *bw.* dans l'intimité, confortablement; commodément.
knut'selaar *m.* bricoleur, fignoleur *m.*
knutselarij' *v.* bricole(s) *f.(pl.)*, passe-temps *m.*
knut'selen *on.w.* bricoler, passer le temps (à des babioles).
knut'selwerk *o.* bricole *f.*
Ko *m.* Jacques *m.*
koalitie, *zie* ***coalitie.***
Ko'ba *v.* Jacqueline *f.*
kobalt' *o.* cobalt *m.*
kobalt'blauw *o.* bleu *m.* de cobalt.
kobalt'straling *v.* radiation *f.* au cobalt.
ko'bra, co'bra *v.(m.)* cobra *m.*
Ko'bus *m.* Jacques, Jacquot *m.*
ko'dak *m.* kodak *m.*
kod'debeier *m.* garde*-chasse(s) *m.*
kod'dig **I** *b.n.* drôle, comique; **II** *bw.* drôlement, comiquement.
kod'digheid *v.* drôlerie, bouffonnerie *f.*
kode(-), *zie* ***code(-).***
kodifice'ren, *zie* ***codificeren.***
koe *v.* vache *f.*; ***jonge —,*** génisse *f.*; ***—ien met gouden horens beloven,*** promettre monts et merveilles; ***men weet nooit hoe een — een haas vangt,*** il ne faut jurer de rien; à poule aveugle ne faut pas le grain; ***oude —ien uit de sloot halen,*** déterrer de vieilles histoires; remuer les vases du passé; ***men noemt geen — bont, of er is een vlekje aan,*** il n'y a pas de fumée sans feu; ***een waarheid als een —,*** une vérité de Monsieur de la Palisse; ***zo dom als een —,*** un vrai bœuf; ***veel —ien veel moeien,*** qui terre a, guerre a; ***er is meer dan een — die Blaar heet,*** il y a à la foire plus d'un âne qui s'appelle Martin.
koe'beest *o.* vache *f.*
koe'brug *v.(m.)* (*sch.*) faux-pont* *m.*
koe'drijver *m.* vacher, bouvier *m.*
koëduka'tie, *zie* ***coëducatie.***
koëfficiënt', *zie* ***coëfficiënt.***
koe'haar *o.* poil *m.* de vache.
koe'handel *m.* marchandage *m.*
koe'herder(in) *m.* (*v.*) vacher *m.*, —ère *f.*
koe'hoorn, koe'horen *m.* **1** corne *f.* de vache; **2** (*muz.*) cornet *m.* de vacher, cor *m.* des Alpes.
koei'ekop *m.* tête *f.* de vache.
koe'(ie)mest *m.* fumier *m.* de vache, bouse *f.* —.
koei'enhoeder *m.* vacher *m.*
koe'(ie)staart *m.* queue *f.* de vache.
koe'(ie)stal *m.* étable *f.*
koeione'ren *ov.w.* vexer, tourmenter, malmener.
koek *m.* **1** (*alg.*) gâteau *m.*; **2** (*peper—, ontbijt—*) pain *m.* d'épice; **3** (*panne—*) crêpe *f.*; **4** (*veevoeder: lijn—, raap—*) tourteau *m.*; **5** (*massa*) masse *f.* (compacte); **6** (*v. bloed*) caillot *m.*; ***dat is andere —,*** c'est une autre paire de manches; ***voor zoete — aannemen,*** prendre pour argent comptant; ***'t is — en ei tussen hen,*** ils sont à pot et à rôt; ils sont comme les deux doigts de la main; ce sont deux têtes dans un bonnet.
koe'kamp *m.* enclos, pré, pâturage *m.*
koek'bakker, koe'kenbakker *m.* **1** pâtissier *m.*; **2** fabricant *m.* de pain d'épice.
koekbakkerij', koekenbakkerij' *v.* **1** pâtisserie *f.*; **2** fabrique *f.* de pain d'épice.
koek'bakkerswinkel, koe'kenbakkerswinkel *m.* pâtisserie *f.*
koek'deeg *o.* pâte *f.* de pain d'épice.
koekeloe'ren *on.w.* bayer aux corneilles, guigner (aux mouches), muser.
koe'kenbakker(-), *zie* ***koekbakker(-).***
koe'kepan *v.(m.)* poêle *f.* (à frire).
koek'je *o.* petit gâteau *m.*, gâteau sec, biscuit *m.*, galette *f.*
koek'kraam *v.(m.) en o.* baraque *f.* de marchand de pain d'épice, boutique *f.* aux pains d'épice.
koe'koek *m.* **1** (*Dk.*) coucou *m.*; **2** (*klok*) pendule*-coucou *f.*, coucou *m.*; **3** (*bouwk.: venster*) lucarne *f.*; **4** (*sch.*) claire*-voie* *f.*; ***'t is altijd — één zang,*** c'est toujours la même rengaine (*of* antienne); ***loop naar de —,*** que le diable t'emporte !
koe'koeksbloem *v.(m.)* (*Pl.*) œillets *m.* des prés.
koe'koeksklok *v.(m.)* pendule*-coucou *f.*
koe'koekszang *m.* chant *m.* de coucou, cri *m.* —.
koek'winkel *m.* pâtisserie *f.*
koel **I** *b.n.* **1** (*v. weer, lokaal, enz.*) frais; **2** (*v. weer, wind*) frais, frisquet; **3** (*v. drank*) rafraîchissant; **4** (*fig.*) froid, réservé; ***— houden,*** craint la chaleur; ***in —en bloede,*** de sang froid; **II** *bw.* **1** fraîchement; **2** (*fig.*) froidement; ***iem. — bejegenen,*** battre froid à qn.; ***zijn hoofd — houden,*** garder son sang-froid.
koel'apparaat *o.* (appareil *m.*) frigorifique, frigo *m.*
koel'bak *m.* rafraîchissoir *m.*
koelbloe'dig **I** *b.n.* froid, flegmatique; **II** *bw.* froidement, de sang froid; stoïquement.
koelbloe'digheid *v.* sang-froid, flegme; stoïcisme *m.*
koel'cel *v.(m.)* chambre *f.* froide.
koel'drank *m.* boisson *f.* rafraîchissante.
koel'emmer *m.* rafraîchissoir *m.*, seau *m.* à rafraîchir, — à glace.
koe'len **I** *ov.w.* **1** rafraîchir; **2** (*v. gloeiend ijzer, enz.*) refroidir; **3** (*fig.*) apaiser; assouvir.
koe'ler *m.* refroidisseur, condenseur, réfrigérateur *m.*
koelhar'tig *b.n.* froid.
koel'heid *v.* **1** fraîcheur *f.*; **2** (*fig.*) froideur *f.*
koel'huis *o.* caveau *m.* réfrigérant, entrepôt *m.* frigorifique.
koel'huisboter *v.(m.)* beurre *m.* de réfrigérant.
koe'lie *m.* coolie *m.*
koe'liewerk *o.* travail *m.* forcé.
koe'ling *v.* **1** refroidissement, rafraîchissement *m.*; réfrigération *f.*; **2** (*v. metaal*) trempe *f.*
koel'inrichting *v.* installation *f.* frigorifique, chambre *f.* réfrigérante, caveau *m.* réfrigérant; (*fam.*) frigo *m.*
koel'kamer *v.(m.)* chambre *f.* froide, — réfrigérante, glacière *f.*, frigorifère *m.*
koel'kast *v.(m.)* réfrigérateur, frigidaire *m.*, glacière *f.*, armoire *f.* frigorifique.
koel'kelder *m.* cave *f.* frigorifique.
koel'ketel *m.* rafraîchissoir *m.*
koel'kruik *v.(m.)* alcarazas *m.*
koel'machine *v.* machine *f.* frigorifique.
koel'middel *o.* réfrigérant *m.*

koel'pakhuis *o.* entrepôt *m.* réfrigérant, frigorifique *m.*
koel'ruim *o.* (*in schip*) chambre (*of* cale) *f.* frigorifique.
koel'te *v.* **1** fraîcheur *f.*; **2** (*wind*) frais *m.*
koel'techniek *v.* froid *m.*, technique *f.* du froid.
koel'tje *o.* frais *m.*, brise *f.* légère, zéphir *m.*
koel'tjes *bw.* froidement; avec froideur.
koel'toestel *o.* appareil *m.* de refroidissement; — frigorifique.
koel'vat *o.* **1** rafraîchissoir *m.*; **2** (*scheik.*) réfrigérant *m.*
koel'wagen *m.* wagon *m.* frigorifique, wagon*-glacière* *m.*, camion *m.* isotherme.
koel'water *o.* eau *f.* de refroidissement.
koe'melk *v.*(*m.*) lait *m.* de vache.
koe'melker *m.* trayeur *m.*
koe'mest, koei'emest *m.* fumier *m.* de vache, bouse *f.* de vache.
koen I *b.n.* hardi, intrépide, courageux; **II** *bw.* hardiment, intrépidement, courageusement.
koen'heid *v.* hardiesse, intrépidité *f.*, courage *m.*
Koen'(raad) *m.* Conrad *m.*
koe'pel *m.* **1** (*bouwk.*) dôme *m.*, coupole *f.*; **2** (*in tuin*) pavillon *m.*
koe'peldak *o.* dôme *m.*, toit *m.* en coupole.
koe'pelfort *o.* (*mil.*) fort *m.* à coupole.
koe'pelgewelf *o.* voûte *f.* en dôme, — en plein cintre.
koe'pelkerk *v.*(*m.*) église *f.* à coupole.
koe'pelvormig *b.n.* en forme de coupole.
koeplet, *zie* ***couplet.***
koe'pokinenting *v.* vaccination *f.*
koe'pokinrichting *v.* institut *m.* vaccinogène, dispensaire *m.* de vaccination.
koe'pokken *mv.* vaccine *f.*
koe'pokstof *v.*(*m.*) vaccin *m.*
koepon(-), *zie* ***coupon(-).***
Koerd *m.* Kurde, Kourde *m.*
Koer'distan *o.* le Kurdistan.
koe'ren I *on.w.* roucouler; **II** *z.n., o.* roucoulement *m.*
koerier' *m.* courrier *m.*
Koer'land *o.* la Courlande.
koers *m.* **1** (*richting*) direction *f.*; **2** (*sch.*) route *f.*; cours *m.*; **3** (*H.*) cours; prix *m.*; **4** (*v. rente*) taux *m.*; **5** (*wissel*—) (cours du) change *m.*; ***buiten — stellen,*** mettre hors cours, retirer de la circulation; ***de — kwijt raken,*** perdre la boussole (*of* la tramontane); faire fausse route; ***— van uitgifte,*** taux *m.* d'émission, cours *m.* —; ***geboden en gelaten —,*** cours offert et accepté; ***tegen de — van de dag,*** au cours du jour; ***gedwongen —,*** cours forcé; ***de nieuwe — in de politiek,*** la nouvelle orientation en politique; ***— zetten naar,*** faire route vers, mettre le cap sur.
koers'bericht *o.* (*H.*) bulletin *m.* de la Bourse, cours *m.* —, cote *f.*
koers'daling *v.* (*H.*) baisse *f.*
koer'sen I *on.w.* (*sch.*) naviguer; ***— naar,*** avoir (*of* mettre) le cap sur; **II** *ov.w.* (*H.*) **1** (*schatten, begroten*) évaluer, estimer; **2** (*ten uitvoer brengen*) exécuter, mener à bonne fin.
koerse'ren *on.w.* avoir cours.
koers'herstel *o.* reprise *f.*
koers'houdend *b.n.* (*H.*) ferme.
koers'inzinking *v.* inflation *f.*; ***plotselinge —,*** effondrement *m.* des cours.
koers'lijst *v.*(*m.*) cote *f.*
koers'notering *v.* **1** cote *f.*; **2** (*handeling*) cotation *f.*
koers'peil *o.* cote *f.*, cours *m.*
koers'rekening *v.* calcul *m.* du change.
koers'schommelingen *mv.* fluctuations *f.pl.* des cours.
koers'stijging *v.* hausse *f.*
koers'val *m.* chute *f.* des cours.
koers'verbetering *v.* amélioration *f.* des cours, hausse *f.*
koers'verhoging *v.* hausse *f.*
koers'verlaging *v.* baisse *f.*
koers'verlies *o.* perte *f.* au change.
koers'verschil *o.* écart *m.* (de cours).
koers'waarde *v.* cours *m.* du marché.
koers'winst *v.* bénéfice *m.* au change.
koest! *tw.* couche-toi! tout beau! paix! ***zich — houden,*** se tenir coi; (*v. dier*) couché !
koe'staart, koei'estaart *m.* queue *f.* de vache.
koe'stal, koei'estal *m.* étable *f.*
koes'teren I *ov.w.* **1** (*warmen*) réchauffer; **2** (*verzorgen*) soigner, prendre soin de; **3** (*vertroetelen*) choyer, dorloter; **4** (*fig.: v. wens, gedachte, enz.*) nourrir; **5** (*v. wrok*) garder; **II** *w.w.* ***zich —,*** **1** se chauffer; **2** se choyer, se dorloter.
koes'terend *b.n.* doux, caressant.
koet *m.* (*Dk.*) poule *f.* d'eau.
koe'teren *on.w. en ov.w.* baragouiner, jargonner.
koeterwaals' *o.* baragouin, jargon *m.*
koe'tje *o.* petite vache *f.*; ***over —s en kalfjes praten,*** parler de la pluie et du beau temps; ***zijn —s op het droge hebben,*** avoir fortune faite.
koets *v.*(*m.*) carrosse *m.*, voiture *f.*
koet'senmaker *m.* carrossier *m.*
koets'huis *o.* remise *f.*
koetsier' *m.* cocher *m.*
koets'paard *o.* cheval *m.* de carrosse, carrossier *m.*
koets'poort *v.*(*m.*) porte *f.* cochère.
koets'werk *o.* carrosserie *f.*
koe'vlieg *v.*(*m.*) taon *m.*
koe'voet *m.* (*tn.*) pied*-de-chèvre *m.*
koe'wachter *m.* bouvier *m.*, gardeur *m.* de vaches.
Koeweit *o.* Koweït, Kuwait *m.*
kof'fer *m.* **1** (*reis*—) malle *f.*; **2** (*kist*) coffre *m.*; **3** (*mil.*) caponnière *f.*; ***zijn —s pakken,*** faire ses malles, boucler ses valises; ***zijn —s uitpakken,*** défaire ses malles, — ses valises.
kof'ferdam *m.* batardeau *m.*
kof'fergrammofoon *m.* phonographe (*of* gramophone) *m.* portatif, électrophone *m.* portatif, — en mallette.
kof'ferradio *m.* poste *m.* portatif.
kof'ferschrijfmachine *v.* machine *f.* à écrire portative (*of* en étui).
kof'fertje *o.* petite malle *f.*; valise *f.*
kof'fervis *m.* (*Dk.*) coffre *m.*
kof'fie *m.* café *m.*; ***gebrande —,*** café torréfié; — grillé; ***gemalen —,*** café en poudre; ***ongebrande —,*** café vert; ***— zetten,*** faire le café; ***na de —,*** après (le) déjeuner; ***— met veel melk,*** café au lait; ***— met weinig melk,*** café crème; ***— zonder melk,*** café noir; ***gefiltreerde —,*** café-filtre.
kof'fiebaal *v.*(*m.*) balle *f.* à café.
kof'fiebes *v.*(*m.*) baie *f.* de café.
kof'fieboom *m.* caféier *m.*
kof'fieboon *v.*(*m.*) grain *m.* de café, fève *f.* —; ***koffiebonen,*** café *m.* en grains.
kof'fiebranden *o.* torréfaction *f.*
kof'fiebrander *m.* torréfacteur, brûloir *m.* (à café).
kof'fiebranderij *v.* torréfaction *f.* de café, brûlerie *f.* —.
kof'fiebus *v.*(*m.*) boîte *f.* à café.
kof'fiecultuur, -kultuur *v.* culture *f.* du café.
kof'fiedik *o.* marc *m.* de café; ***het is zo helder als —,*** c'est la bouteille à l'encre.
kof'fiedrinken *o.* déjeuner, lunch *m.*
kof'fie-extract, -extrakt *o.* essence *f.* de café.
kof'fiefilter *m. en o.* filtre *m.* de cafetière, cafetière *f.* filtrante.
kof'fiehuis *o.* café *m.*

kof'fiehuisbediende *m.* garçon *m.* de café.
kof'fiehuishouder *m.* cafetier *m.*
kof'fiehuisknecht *m.* garçon *m.* de café.
kof'fiekamer *v.*(*m.*) **1** (*in schouwburg*) foyer *m.*; **2** (*v. station*) buffet *m.*; buvette *f.*
kof'fiekan *v.*(*m.*) cafetière *f.*
kof'fieketel *m.* bouilloire *f.*, percolateur *m.*
kof'fiekopje *o.* tasse *f.* à café.
kof'fiekultuur, *zie* ***koffiecultuur.***
kof'fielepeltje *o.* cuillère *f.* à café.
kof'fiemachine *v.* percolateur *m.*
kof'fiemakelaar *m.* courtier *m.* en cafés.
kof'fiemarkt *v.*(*m.*) marché *m.* au café.
kof'fiemelk *v.*(*m.*) lait *m.* au café.
kof'fiemolen *m.* moulin *m.* à café.
kof'fiepauze *v.*(*m.*) pause-café *f.*
kof'fieplant *v.*(*m.*) caféier *m.*
kof'fieplantage *v.* caféière, caféterie *f.*
kof'fieplanter *m.* planteur *m.* de café.
kof'fiepluk *m.* cueilletté *f.* de café.
kof'fiepoeder, -poeier *o. en m.* café *m.* en poudre.
kof'fiepot *m.* cafetière *f.*
kof'fieservies *o.* service *m.* à café.
kof'fiestroop *v.*(*m.*) chicorée-café *f.*
kof'fiesurrogaat *o.* succédané *m.* de café.
kof'fietafel *v.*(*m.*) **1** table *f.* à café; **2** (*maaltijd*) (second) déjeuner, lunch *m.*
kof'fieteelt *v.*(*m.*) culture *f.* du café.
kof'fietijd *m.* heure *f.* du déjeuner.
kof'fietrommel *v.*(*m.*) boîte *f.* à café.
kof'fietuin *m.* champ *m.* de café.
kof'fieuurtje *o.* heure *f.* du déjeuner.
kof'fieveiling *v.* vente *f.* de café.
kof'fievergiftiging *v.* caféisme *m.*
kof'fiezak *m.* sac *m.* à café.
kof'schip *o.* koff *m.* (navire à deux mâts).
ko'gel *m.* **1** (*v. geweer*) balle *f.*; **2** (*v. kanon*) boulet *m.*; **3** (*meetk.*) globe *m.*, sphère *f.*; **4** (*v. fiets*) bille *f.*; ***tot de — veroordelen,*** condamner à être fusillé; ***de — krijgen,*** être passé par les armes, être fusillé; ***de — is door de kerk,*** le sort en est jeté; ***zich een — door het hoofd jagen,*** se brûler la cervelle.
ko'gelas *v.*(*m.*) essieu *m.* à billes.
ko'gelbaan *v.*(*m.*) trajectoire *f.*
ko'gelbak *m.* parc *m.* à boules.
ko'gelbeweging *v.* roulement *m.* à billes.
ko'gelen *on.w.* **1** tirer à balles; tirer à boulets; **2** lancer des pierres, jeter —.
ko'gelfles(je) *v.*(*m.*) (*o.*) **1** (*met glazen kogeltje*) bouteille *f.* à bille; bouteille *f.* à fermeture automatique; **2** (*scheik.*) ballon *m.*
ko'gelgewricht *o.* énarthrose *f.*, articulation *f.* parfaite. [à billes.
ko'gellager *o.* (*tn.*) palier *m.* à billes, roulement *m.*
ko'gelpot *m.* (*tn.*) crapaudine *f.* à billes.
ko'gelregen *m.* grêle (*of* pluie) *f.* de balles.
ko'gelrond *b.n.* sphérique.
ko'gelscharnier *o.* joint *m.* à boulet.
ko'gelschot *o.* coup *m.* à balle.
ko'gelstoten *o.* (*sp.*) lancement *m.* du poids.
ko'geltang *v.*(*m.*) tire-balle* *m.*; pince *f.* à mors.
ko'geltrekker *m.* tire-balle* *m.*
ko'gelvanger *m.* pare-balles *m.*; butte *f.*
ko'gelvis *m.* orbe *m.* épineux.
ko'gelvorm *m.* **1** forme *f.* sphérique; **2** (*gietvorm*) moule *m.* à balles, — à boulets.
ko'gelvormig *b.n.* sphérique, en boule.
ko'gelvrij *b.n.* à l'abri des balles.
ko'gelwagen *m.* caisson *m.* (d'artillerie).
kohesie, *zie* ***cohesie.***
kohier' *o.* rôle *m.* (des contributions).
kohort'(e), cohort'(e) *v.*(*m.*) cohorte *f.*
kok *m.* **1** cuisinier *m.*; **2** (*sch.*) coq *m.*; **3** (*mil.*) cuistot, cuistancier *m.*; ***het zijn niet allen —s, die lange messen dragen,*** l'habit ne fait pas le moine; ***veel —s bederven de brij,*** trop de cuisiniers gâtent la sauce.
kokar'de *v.*(*m.*) cocarde *f.*
ko'ken I *ov.w.* **1** (*v. vloeistof*) faire bouillir; **2** (*v. spijzen*) faire cuire; ***soep —,*** faire de la soupe; ***zij kan goed —,*** elle sait bien faire la cuisine; **II** *on.w.* **1** (*v. vloeistof*) bouillir; **2** (*v. spijzen*) cuire; **3** (*v. zee*) bouillonner, écumer; **4** (*fig.: v. ongeduld, woede*) bouillir; ***mijn bloed kookt,*** j'enrage; **III** *z.n., o.* **1** (*v. vloeistof*) ébullition *f.*; **2** (*v. spijs*) cuisson *f.*; **3** (*v. zee*) bouillonnement, remous *m.*; **4** (*kookkunst*) cuisine *f.*; **5** (*fig.*) bouillonnement *m.*
ko'kend I *b.n.* **1** bouillant; en ébullition; **2** bouillonnant; **3** (*fig.*) bouillant; **II** *bw.* ***—heet,*** tout bouillant, brûlant.
ko'ker *m.* **1** étui *m.*; **2** (*v. pijlen*) carquois *m.*; **3** (*schede*) gaine *f.*; **4** (*buis*) conduit, tuyau *m.*; ***dat komt uit zijn —,*** cela sort de sa boutique; ***dat komt niet uit zijn —,*** cela ne sort pas de sa caboche; ce n'est pas de son cru; ***veel pijlen in zijn — hebben,*** avoir plus d'une corde à son arc.
kokerij' *v.* **1** cuisine, gargote *f.*; **2** (*sch.*) coquerie *f.*
ko'kervrucht *v.*(*m.*) (*Pl.*) follicule *m.*
koket' *b.n.* coquet.
kokette'ren *on.w.* coqueter, flirter.
kok'haan *m.* bigorneau *m.*
kok'halzen *on.w.* avoir des haut-le-cœur.
ko'king *v. zie* ***koken* III.**
kok'ker(d) *m.* (*neus*) pif, piton, blair *m.*; ***een — van een appel,*** une pomme énorme.
kokkerel'len *on.w.* cuisiner, fricoter, marmitonner.
kokkin' *v.* cuisinière *f.*
kok'meeuw *v.*(*m.*) mouette *f.* rieuse.
kokon', cocon' *m.* cocon *m.*
ko'kos *o.* fibre *f.* de coco.
ko'kosbast *m.* mésocarpe *m.*, (écorce *f.*) de coco.
ko'kosboom *m.* cocotier *m.*
ko'kosboter *v.*(*m.*) beurre *m.* de coco.
ko'kosloper *m.* tapis *m.* d'escalier (*of* de corridor) en fibre de coco. [brosse* *m.*
ko'kosmat *v.*(*m.*) tapis *m.* en fibre de coco, tapis-
ko'kosmelk *v.*(*m.*) lait *m.* de coco.
ko'kosnoot *v.*(*m.*) noix *f.* de coco, coco *m.*
ko'kosolie *v.*(*m.*) huile *f.* de coco.
ko'kospalm *m.* cocotier *m.*
ko'kosvet *o.* beurre *m.* de coco.
ko'kosvezel *v.*(*m.*) fibre *f.* de coco.
ko'koszeep *v.*(*m.*) savon *m.* (à huile) de coco.
koks'jongen *m.* **1** marmiton, fouille-au-pot *m.*; **2** (*fam.*) gâte-sauce *m.* [aide*-coq* *m.*
koks'maat *m.* **1** aide*-cuisinier* *m.*; **2** (*sch.*)
koks'muts *v.*(*m.*) toque *f.*
kol'bak *m.* (*mil.*) colback *m.*
kolbert(-), *zie* ***colbert(-).***
kol'bijl *v.*(*m.*) merlin *m.*
kolchoz' *m. en v.* kolkhoze *m.*, collectivité *f.* paysanne de production.
kol'der *m.* **1** cotte *f.* (d'armes); **2** (*vlieger*) cerf*-volant* *m.*; **3** (*paardenziekte*) immobilité *f.*; vertigo *m.*; **4** (*dwaasheid*) folie *f.*; ***de — in de kop hebben,*** **1** être pris d'immobilité; être atteint du vertigo; **2** (*fig.*) prendre le mors aux dents; se démener comme un fou; avoir la cervelle à l'envers.
kol'derpoëzie *v.* poésie *f.* macaronique.
kol'dervers *o.* vers *m.* macaronique.
ko'len *mv.* charbon *m.*, houille *f.*; ***— innemen,*** faire du charbon; ***op hete — staan*** (*of* ***zitten***),

être sur des charbons ardents; ***magere*** (*of* ***vette***) **—,** du charbon maigre (*of* gras).
ko'lenader, kool'ader *v.*(*m.*) veine *f.* de houille, couche *f.* —.
ko'lenas, kool'as *v.*(*m.*) cendre *f.* de charbons.
ko'lenbak, kool'bak *m.* boîte *f.* à (*of* au) charbon, caisse *f.* au charbon.
kolenbedding, koolbedding, *zie* ***kolenlaag.***
ko'lenbekken, kool'bekken *o.* bassin *m.* houiller, gisement *m.* de houille.
ko'lenbergplaats, kool'bergplaats *v.*(*m.*) **1** charbonnier *m.*; **2** (*sch.*) soute *f.* à charbon.
kolenboer *m.* (*pop.*) bougnat *m.*
ko'lenbrander, kool'brander *m.* charbonnier *m.* [nière *f.*
ko'lenbranderij, kool'branderij *v.* charbon-
ko'lendamp, kool'damp *m.* émanation *f.* de charbon, vapeur *f.* —; oxyde *m.* de carbone.
ko'lendampvergiftiging, kool'dampvergiftiging *v.* oxycarbonisme *m.*, asphyxie *f.* par l'oxyde de carbone.
ko'lendrager, kool'drager *m.* porteur *m.* de charbon; (débardeur) charbonnier *m.*
ko'lenemmer, kool'emmer *m.* seau *m.* à charbon.
Kolen- en Staalgemeenschap *v.* le Charbon-Acier, communauté *f.* charbon-acier, (C.E.C.A.).
ko'lengloed, kool'gloed *m.* braise *f.*
ko'lengruis, kool'gruis *o.* menu charbon *m.*
ko'lenhandel, kool'handel *m.* charbonnerie *f.*
ko'lenhandelaar, kool'handelaar *m.* charbonnier *m.* [charbon.
ko'lenhaven, kool'haven *v.*(*m.*) port *m.* à
ko'lenhok, kool'hok *o.* charbonnière *f.*
ko'lenkit, kool'kit *v.*(*m.*) seau *m.* à charbon, verseur *m.*
ko'lenlaag, kool'laag *v.*(*m.*) gisement *m.* houiller, couche *f.* de charbon.
ko'lenmand, kool'mand *v.*(*m.*) banne *f.*, panier *m.* à charbon.
ko'lenmijn, kool'mijn *v.*(*m.*) houillère *f.*, mine *f.* de houille, charbonnage *m.*
ko'lennood *m.* manque *m.* de charbon.
ko'lenpan *v.*(*m.*) brasero *m.* [bon.
ko'lenruim, kool'ruim *o.* (*sch.*) soute *f.* à char-
ko'lenschip, kool'schip *o.* (bateau) charbonnier *m.* [bon.
ko'lenschop, kool'schop *v.*(*m.*) pelle *f.* à char-
ko'lenschuit, kool'schuit *v.*(*m.*) chaland *m.* de charbon.
ko'lensintels, kool'sintels *mv.* escarbilles *f.pl.*
ko'lenslakken, kool'slakken *mv.* scories *f.pl.*
ko'lenstation, kool'station *o.* dépôt *m.* de charbon.
ko'lenstof, kool'stof *o.* poussier *m.*
ko'lenstreek, kool'streek *v.*(*m.*) bassin *m.* houiller.
ko'lentip, kool'tip *m.* basculeur *m.* à charbon.
ko'lentrein, kool'trein *m.* train *m.* charbonnier.
ko'lentremmer, kool'tremmer *m.* (*sch.*) soutier *m.*
ko'lenveld, kool'veld *o.* champ *m.* de houille.
ko'lenvoorziening *v.* approvisionnement *m.* en charbon.
ko'lenvuur, kool'vuur *o.* **1** feu *m.* de charbon; brasier *m.*; **2** (*in open lucht*) brasero *m.*
ko'lenwagen, kool'wagen *m.* **1** (*v. kolenhandelaar*) voiture *f.* à charbon, charrette *f.* —; **2** (*v. trein*) wagon *m.* charbonnier, — à houille; **3** (*achter locomotief*) tender *m.*; **4** (*in mijn*) berline, benne *f.*
ko'lenzak, kool'zak *m.* sac *m.* à charbon.
ko'lenzeef, kool'zeef *v.*(*m.*) tamis *m.* à charbon.
kolf *v.*(*m.*) **1** (*v. geweer*) crosse *f.*; **2** (*scheik.*) cornue *f.*; **3** (*Pl.*) spadice *m.*
kolf'baan *v.*(*m.*) jeu *m.* de crosse, — de boule.
kolf'bal *m* boule *f.*
kolf'bloem *v.*(*m.*) fleur *f.* spadicée.
kolf'fles *v.*(*m.*) cornue *f.*
kolf'je *o.* petite crosse *f.*; ***dat is een — naar zijn hand,*** cela lui va comme un gant.
kolf'plaat *v.*(*m.*) (*mil.*) plaque *f.* de couche.
kolf'slag *m.* coup *m.* de crosse.
kolf'spel *o.* crosse *f.*, jeu *m.* de crosse, — de boule.
kolf'speler *m.* crosseur *m.*
kolf'stoot *m.* coup *m.* de crosse. [mouche* *m.*
kolibrie' *m.* colibri, oiseau*-abeille*, oiseau*-
koliek' *o. en v.* colique *f.*
koliek'pijn *v.*(*m.*) tranchées *f.pl.*
kolk *m. en v.* **1** (*kuil, put*) creux, trou *m.*, fosse *f.*; **2** (*in zee*) gouffre, abîme *m.*; **3** (*v. sluis*) chambre *f.*; **4** (*draai—*) tournant, tourbillon *m.*
kol'ken *on.w.* **1** tournoyer, monter en tournoyant; **2** (*v. ingewanden*) grouiller; **3** (*v. water*) tourbillonner.
kolk'sluis *v.*(*m.*) écluse *f.* à tambour.
kollat-, *zie* ***collat-.***
kolleg-, *zie* ***colleg-.***
kollekt-, *zie* ***collect-.***
kolokwint' *m.* coloquinte *f.*
kolom' *v.*(*m.*) colonne *f.*; ***een — oningevuld laten,*** laisser une colonne en blanc.
kolombijn'tje, colombijn'tje *o.* **1** (*gebak*) madeleine *f.*; **2** (*Dk.*) colibri *m.*
kolom'kachel *v.*(*m.*) poêle *m.* droit, — colonne.
kolonel' *m.* colonel *m.*
koloniaal' I *b.n.* colonial, des colonies; ***koloniale waren,*** denrées coloniales; — ***complex,*** complexe *m.* de colonisé; **II** *z.n. m.* colonial *m.*, soldat *m.* de l'armée coloniale.
kolo'nie *v.* colonie *f.*
kolonisa'tie, koloniza'tie *v.* colonisation *f.*
kolonise'ren, kolonize'ren *ov.w. en on.w.* coloniser.
kolonist' *m.* colon *m.*; (*ong.*) colonialiste *m.*
koloniz-, *zie* ***kolonis-.***
kolonne, *zie* ***colonne.***
koloratuur-, *zie* ***coloratuur-.***
koloriet', coloriet' *o.* coloris *m.*
kolorist', colorist' *m.* coloriste *m.*
kolos' *m.* colosse *m.*
kolossaal' I *b.n.* colossal, énorme; **II** *bw.* colossalement, énormement.
kolporte'ren, *zie* ***colporteren.***
kol'ven *on.w.* jouer à la crosse, — à la boule.
kolvenier', *zie* ***klovenier.***
kol'ver *m.* joueur *m.* de crosse.
kom *v.*(*m.*) **1** (*v. hout, aardewerk*) écuelle *f.*; **2** (*voor koffie, melk*) jatte *f.*; **3** (*was—*) cuvette *f.*; **4** (*voor vissen*) bocal *m.*; **5** (*bekken, diepte*) bassin *m.*; **6** (*v. gemeente*) centre *m.*; **7** (*bebouwde —*) agglomération *f.*
komaan'! *tw.* allons donc! voyons!
komaf' *m.* origine *f.*
kombin-, *zie* ***combin-.***
kom'buis *v.*(*m.*) cambuse *f.*
komediant' *m.* (*ong.*) comédien, acteur *m.* cabotin.
kome'die *v.* **1** (*gebouw*) théâtre *m.*; **2** (*zaal*) salle *f.* de théâtre; **3** (*vertoning*) spectacle *m.*, représentation *f.*; **4** (*stuk*) pièce *f.* (de théâtre); **— *spelen,*** jouer la comédie; ***de — is uit,*** la farce (*of* la comédie) est jouée.
kome'diespel *o.* comédie *f.*
kome'diespeler *m.* acteur, comédien *m.*; (*ong.*) cabotin, histrion *m.*

komeet' *v.(m.)* comète *f.*

ko'men I *on.w.* **1** (*naar spreker toe*) venir; **2** (*van spreker af*) aller; **3** (*aankomen*) arriver; ***thuis —,*** rentrer (chez soi); ***kom, kom!*** voyons! allons donc! ***hoe komt dat?*** comment cela se fait-il? ***ik weet niet hoe dat komt,*** je ne sais pas à quoi cela tient; ***hij zal niet ver —,*** il n'ira pas loin; ***zij kunnen er niet —,*** ils ne parviennent pas à joindre les deux bouts; ***daarmee — wij niet veel verder,*** cela ne nous avance guère; ***hij is door zijn examen gekomen,*** il a réussi; ***er komt regen,*** nous aurons de la pluie; ***als hij komt te sterven,*** s'il vient à mourir; ***u zult aan de beurt —,*** vous aurez votre tour; ***achter iets —,*** découvrir qc.; ***achter 't geheim —,*** éventer la mèche; ***dat komt er van!*** voila ce que c'est! ***er is niet aan die waren te —,*** **1** (*wegens schaarste*) il est impossible de se procurer ces marchandises; **2** (*wegens prijs*) ces marchandises sont inabordables; ***ik kan er niet toe —,*** je ne puis pas m'y résoudre; ***daar kan niets van —,*** il n'en sera rien; ***op hoeveel komt u dat kostuum?*** à combien vous revient ce costume? ***ik kan niet op zijn naam —,*** son nom m'échappe; son nom ne me revient pas à l'esprit; ***het gesprek kwam op de oorlog,*** l'entretien tomba (*of* se porta) sur la guerre; ***zijn vader zal ertussen —,*** son père interviendra; ***wij zijn — lopen,*** nous sommes venus à pied; ***hij kwam juist uit de schouwburg,*** il sortait du théâtre; ***er is een tijd van — en er is een tijd van gaan,*** il n'y a si bonne compagnie qui ne se quitte; ***dat zal hem duur te staan —,*** il le paiera cher; ***die eerst komt, die eerst maalt,*** premier venu, premier moulu; qui premier vient, premier engrène; **II** *z.n., o.* venue *f.*

Ko'men *o.* Comines *f.*

ko'mend *b.n.* **1** venant; **2** futur; **3** prochain; ***de —e geslachten,*** les générations futures; ***de —e maand,*** le mois prochain; ***de gaande en —e man,*** les allants et venants.

kome'testaart *m.* queue *f.* de comète.

komfoor' *o.* réchaud *m.*

komfort(-), *zie* ***comfort(-).***

komiek' I comique, drôle; **II** *bw.* comiquement, drôlement; **III** *z.n., m.* comique *m.*; ***een droge —,*** un pince-sans-rire *m.*

komijn' *m.* cumin *m.*

komij'nekaas *m.* fromage *m.* au cumin.

komijn'zaad *o.* graine *f.* de cumin.

ko'misch I *b.n.* comique; ***—e opera,*** opéra bouffe *m.*; **II** *bw.* comiquement.

komitee', comité' *o.* comité *m.*

komkom'mer *v.(m.)* concombre *m.*

komkom'mersla *v.(m.)* salade *f.* de concombres.

komkom'mertijd *m.* **1** saison *f.* des concombres; **2** (*fig.*) morte*-saison* *f.*, mois *m.pl.* creux de l'été.

kom'ma *v.(m.) of o.* **1** virgule *f.*; **2** (*muz.*) comma *m.*; ***Duitse —,*** barre *f.* d'espacement.

kommand-, *zie* ***command-.***

kommapunt' *v.(m.) en o.* point et virgule *m.*

kommen-, *zie* ***commen-.***

kom'mer *m.* **1** (*verdriet, smart*) chagrin *m.*, affliction *f.*; **2** (*zorg*) souci(s) *m.(pl.)*; **3** (*angst*) inquiétude *f.*

kom'merlijk I *b.n.* **1** soucieux, plein de soucis; **2** pénible; misérable; **II** *bw.* péniblement; misérablement.

kom'merloos *b.n.* sans souci, insouciant.

kom'mervol, *zie* ***kommerlijk.***

kom'metje *o.* (petite) jatte *f.*

kommies(-), *zie* ***commies(-).***

kommiss-, *zie* ***commiss-.***

kommitt-, *zie* ***committ-.***

kommun-, *zie* ***commun-.***

kompagn-, *zie* ***compagn-.***

kompar-, *zie* ***compar-.***

kompas' *o.* **1** (*alg.*) boussole *f.*; **2** (*sch.*) compas *m.* (de mer); **3** (*v. horloge*) raquette *f.*

kompas'beugel *m.* balancier *m.*

kompas'doos *v.(m.)* boîte *f.* de boussole.

kompas'huisje *o.* habitacle *m.*

kompas'naald *v.(m.)* aiguille *f.* aimantée, — de boussole.

kompas'roos *v.(m.)* rose *f.* des vents.

kompas'streek *v.(m.)* aire *f.* de vent, rumb *m.*

kompens-, *zie* ***compens-.***

kompet-, *zie* ***compet-.***

kompila'tie, *zie* ***compilatie.***

komple-, *zie* ***comple-.***

kompli-, *zie* ***compli-.***

komplot' *o.* complot *m.*

komplotte'ren *on.w.* comploter.

kompon-, *zie* ***compon-.***

kompos-, *zie* ***compos-.***

kompres' *o.* compresse *f.*; ***nat —,*** compresse mouillée.

kompromi-, *zie* ***compromi-.***

komptabiliteit(-), *zie* ***comptabiliteit(-).***

komst *v.(m.)* **1** (*alg.*) arrivée, venue *f.*; **2** (*v. Christus*) avènement *m.*; ***hij is op —,*** il ne tardera pas à venir.

koncentr-, *zie* ***concentr-.***

koncept(-), *zie* ***concept(-).***

koncert(-), *zie* ***concert(-).***

koncessie(-), *zie* ***concessie(-).***

kond *b.n.* ***— doen,*** notifier, faire savoir.

kondens-, *zie* ***condens-.***

konditi-, *zie* ***conditi-.***

kondol-, *zie* ***condol-.***

kon'dor, con'dor *m.* condor *m.*

kond'schap *v.* notification *f.*, avis *m.*; ***op — uitgaan,*** **1** aller aux informations; **2** (*mil.*) aller à la découverte.

kond'schappen *ov.w.* annoncer, notifier, informer, faire savoir.

kond'schapper *m.* informateur, rapporteur *m.*

kondukteur, *zie* ***conducteur.***

konfedera'tie, confedera'tie *v.* confédération *f.*

konfektie(-), *zie* ***confectie(-).***

konferen'tie, conferen'tie *v.* conférence *f.*

konfess-, *zie* ***confess-.***

konfid-, *zie* ***confid-.***

konfij'ten *ov.w.* confire.

konfij'ter *m.* confiseur *m.*

konfiska'tie, confisca'tie *v.* confiscation *f.*

konflikt, *zie* ***conflict.***

konfr-, *zie* ***confr-.***

konges'tie, conges'tie *v.* congestion *f.*

Kon'go *v.* le Congo.

Kongolees' I *m.* Congolais *m.*; **II** *b.n.* congolais.

kongr-, *zie* ***congr-.***

kong'si(e) *v.(m.)* association *f.* (secrète); syndicat *m.*

konijn' *o.* lapin *m.*, (*vr.:* lapine, hase *f.*); ***tam —,*** lapin de clapier, — domestique; ***wild —,*** lapin de garenne; ***jong —,*** lapereau *m.*

konij'nehok *o.* clapier *m.*, lapinière *f.*

konij'nehol *o.* terrier *m.* de lapin.

konij'nenberg *m.* garenne, lapinière *f.*

konij'nenfokker *m.* éleveur *m.* de lapins.

konij'nenfokkerij *v.* élève *f.* des lapins.

konij'nenpark *o.* garenne *f.*

konij'nepeper *m.* gibelotte *f.* de lapin.

konij'nevel *o.* peau *f.* de lapin.

konij'neziekte *v.* myxomatose *f.*
konijn'tje *o.* lapereau *m.*
ko'ning *m.* roi *m.*; ***de Drie K—en,*** les (Rois) Mages; ***Christus K—,*** le Christ-Roi; ***hij is de — te rijk,*** le roi n'est pas son cousin; ***— kraaien,*** chanter victoire.
koningin' *v.* **1** reine *f.*; **2** (*in schaaksp.*) dame, reine *f.*; ***—-moeder,*** reine*-mère* *f.*; ***—-regentes,*** reine *f.* régente; ***—-weduwe,*** reine *f.* douairière.
koningin'nedag *m.* fête *f.* de la reine.
koningin'nekruid *o.* eupatoire *f.*
ko'ningsadelaar *m.* aigle *m.* royal; —impérial.
Ko'ningsbergen *o.* Kœnigsberg *m.*
ko'ningsblauw *o.* bleu *m.* de roi.
ko'ningschap *o.* royauté *f.*
ko'ningsdochter *v.* fille *f.* de roi; princesse *f.*
ko'ningsgeel *o.* orpiment *m.*
ko'ningsgeslacht *o.* dynastie *f.*
ko'ningsgezind *b.n.* royaliste.
koningsgezind'heid *v.* royalisme *m.*
ko'ningshuis *o.* maison *f.* royale; dynastie *f.*
ko'ningskaars *v.(m.)* (*Pl.*) molène *f.*
ko'ningskind *o.* enfant *m.* royal.
ko'ningskroon *v.(m.)* couronne *f.* royale.
ko'ningsmantel *m.* **1** manteau *m.* royal; **2** (*Dk.*) morio *m.*
ko'ningsmoord *m. en v.* régicide *m.*
ko'ningsmoorde(naa)r *m.* régicide *m.*
ko'ningspalm *m.* (*Pl.*) palmier *m.* royal.
ko'ningsstaf *m.* sceptre *m.* royal.
ko'ningstijger *m.* tigre *m.* royal.
ko'ningstroon *m.* trône *m.* royal.
ko'ningsvaren *v.(m.)* (*pl.*) osmonde *f.* royale.
ko'ningswater *o.* eau *f.* régale.
ko'ningszeer *o.* écrouelles *f.pl.*
ko'ningszoon *m.* fils *m.* de roi; prince *m.*
ko'ninkje *o.* roitelet *m.*
ko'ninklijk I *b.n.* royal; **II** *bw.* royalement.
ko'ninkrijk *o.* royaume *m.*
ko'nisch *b.n.* conique.
konju-, *zie* ***conju-.***
kon'kelaar *m.*, **—ster** *v.* intrigant *m.*, —e *f.*, tripotier *m.*, —ière *f.*
konkelarij' *v.* intrigue *f.*, tripotage *m.*; menées *f.pl.* secrètes.
kon'kelen *on.w.* intriguer, tripoter.
konkelfoezen, *zie* ***konkelen.***
konklu-, *zie* ***conclu-.***
konkordaat', concordaat' *o.* concordat *m.*
konkreet', concreet' *b.n.* concret.
konkurr-, *zie* ***concurr-.***
konsekra'tie, consecra'tie *v.* consécration *f.*
konsekw-, *zie* ***consequ-.***
konsent, *zie* ***consent.***
konserv-, *zie* ***conserv-.***
konsi-, *zie* ***consi-.***
konso-, *zie* ***conso-.***
konsta'bel *m.* maître *m.* canonnier.
konsta'belsmaat *m.* aide*-canonnier* *m.*
konsta'belsmajoor *m.* capitaine *m.* d'armes.
Konstantino'pel *o.* Constantinople *f.*
konstate'ren, constate'ren *ov.w.* constater.
konstella'tie, constella'tie *v.* constellation *f.*
konsterna'tie, consterna'tie *v.* consternation *f.*
konstitut-, *zie* ***constitut-.***
konstru-, *zie* ***constru-.***
konsu-, *zie* ***consu-.***
kontakt(-), *zie* ***contact(-).***
kontant, *zie* ***contant.***
kontemplatie, *zie* ***contemplatie.***
konterfei'ten *ov.w.* peindre, faire le portrait de.
konterfeit'sel *o.* portrait *m.*, image *f.*
kontinentaal', continentaal' *b.n.* continental.
kontingent(-), *zie* ***contingent(-).***
kontinu-, *zie* ***continu-.***
kontrakt(-), *zie* ***contract(-).***
kontrast(-), *zie* ***contrast(-).***
kontribu-, *zie* ***contribu-.***
kontrol-, *zie* ***control-.***
konven-, *zie* ***conven-.***
konver-, *zie* ***conver-.***
konvokatie(-), *zie* ***convocatie(-).***
konvooi' *o.* (*sch.*) convoi *m.*, escorte *f.*; ***onder — varen,*** être convoyé.
konvooi'brief *m.* laissez-passer *m.*
konvooie'ren *ov.w.* convoyer, escorter.
konvooi'loper *m.* courtier *m.* d'affrètements, entrepreneur *m.* de chargement et de déchargement de navires.
konvooi'schip *o.* convoyeur *m.*
kooi *v.(m.)* **1** (*v. vogel, enz.*) cage *f.*; **2** (*voor veel vogels*) volière *f.*; **3** (*v. schapen*) bergerie *f.*; **4** (*sch.*) couchette *f.*; hamac *m.*; **5** (*drukk.*) décognoir, coin *m.*; **6** (*bouwk.*) cage *f.*
kooi'eend *v.(m.)* canard *m.* d'appel.
kooi'en *ov.w.* **1** (*v. vogels*) mettre en cage, encager; **2** (*v. schapen*) parquer; **3** (*v. vorm*) serrer.
kooi'ker, kooi'man *m.* canardier *m.*
kook *v.(m.)* ébullition *f.*; ***aan de — brengen,*** faire bouillir, porter à ébullition; ***van de — zijn,*** **1** ne plus bouillir; **2** (*fig.*) ne pas être dans son assiette; être tout démonté.
kook'boek *o.* livre *m.* de cuisine.
kook'cursus, -kursus *m.* cours *m.* de cuisine.
kook'fornuis *o.* fourneau *m.* de cuisine.
kook'gas *o.* gaz *m.* de chauffage.
kook'gereedschap, kook'gerei *o.* batterie *f.* de cuisine.
kook'hitte *v.* température *f.* d'ébullition.
kook'kachel *v.(m.)* cuisinière *f.*
kook'ketel *m.* marmite *f.*; chaudron *m.*
kook'kunst *v.* art *m.* culinaire.
kook'kursus, *zie* ***kookcursus.***
kook'pan *v.(m.)* casserole *f.*
kook'plaat *v.(m.)* plaque *f.* chauffante.
kook'punt *o.* point *m.* d'ébullition.
kooks(-), *zie* ***cokes(-).***
kook'school *v.(m.)* école *f.* culinaire, — de cuisine.
kook'ster *v.* cuisinière *f.* d'extra.
kook'toestel *o.* cuisinière *f.*, réchaud *m.*
kool *v.(m.)* **1** chou *m.*; **2** (*steen*—) houille *f.*; charbon *m.* (*zie* ***kolen***); **3** (*scheik.*) carbone *m.*; **4** (*el.; v. booglamp*) charbon, crayon *m.*; ***iem. een — stoven,*** jouer un tour à qn., mettre qn. dedans; ***het sop is de — niet waard,*** le jeu ne vaut pas la chandelle.
kool'achtig *b.n.* carbonique.
koolader, koolas, koolbak, koolbekken, koolbergplaats, *zie* ***kolenader, kolenas*** *enz.*
kool'blad *o.* feuille *f.* de chou.
koolbrander, kooldamp(-), *zie* ***kolenbrander, kolendamp(-).***
kool'distel *m. en v.* (*Pl.*) quenouille *f.*
kool'draad *m.* fil(ament) *m.* de charbon.
kool'draadlamp *v.(m.)* lampe *f.* à filament de charbon.
kooldrager, *zie* ***kolendrager.***
kool'druk *m.* photo *f.* au charbon, impression *f.* —, photographie *f.* inaltérable.
kool'drukpapier *o.* papier *m.* au charbon.
koolemmer, koolgloed, koolgruis, koolhandel, koolhaven, koolhok, *zie* ***kolenemmer, kolengloed*** *enz.*
kool'filter *m.* filtre*-charbon *m.*
kool'hydraat *o.* hydrate *m.* de carbone.

koolkit, koollaag, koolmand, *zie* ***kolenkit, kolenlaag, kolenmand.***
kool'mees *v.(m.)* (*Dk.*) (mésange) charbonnière *f.*
kool'mes *o.* coupe-légumes *m.*
koolmijn, *zie* ***kolenmijn.***
kool'oxyde *o.* oxyde *m.* de carbone.
kool'raap *v.(m.)* chou*-navet* *m.*; (*boven de grond*) chou*-rave*, rutabaga *m.*
koolruim, *zie* ***kolenruim.***
kool'rups *v.(m.)* chenille *f.* du chou.
kool'schaaf *v.(m.)* rabot *m.* à chou, coupe-choux *m.*
koolschip, koolschop, koolschuit, koolsintels, koolslakken, *zie* ***kolenschip, kolenschop*** *enz.*
kool'soep *v.(m.)* soupe *f.* aux choux.
kool'spits *v.(m.)* (*el.*) baguette *f.* de charbon.
koolstation, *zie* ***kolenstation.***
kool'stof I *v.(m.)* carbone *m.*; **II** *o. zie* ***kolenstof.***
kool'stofverbinding *v.* composé *m.* de carbone.
koolstreek, *zie* ***kolenstreek.***
kool'stronk *m.* trognon *m.* de chou.
kool'teer *m. en o.* goudron *m.* minéral, — de houille.
kooltip, *zie* ***kolentip.***
kooltje-vuur' *o.* (*Pl.*) adonide, goutte-de-sang *f.*
kooltrein, kooltremmer, *zie* ***kolentrein, kolentremmer.***
kool'veld *o.* **1** champ *m.* de choux; **2** (*steenkoolveld*) champ *m.* de houille.
kool'vis *m.* merlan *m.* noir.
koolwagen, *zie* ***kolenwagen.***
kool'waterstof *v.(m.)* hydrogène *m.* carburé.
kool'waterstofgas *o.* carbone *m.* hydrogéné.
kool'witje *o.* (*Dk.*) papillon *m.* blanc du chou, piéride *f.* du chou.
kool'zaad *o.* **1** colza *m.*; **2** (*zaad van kool*) graine *f.* de chou.
kool'zaadolie *v.(m.)* huile *f.* de colza.
koolzak, koolzeef, *zie* ***kolenzak, kolenzeef.***
kool'zuur *o.* acide *m.* carbonique.
kool'zuurhoudend *b.n.* carbonique, carbonaté.
kool'zuurzout *o.* carbonate *m.*
kool'zwart *b.n.* noir comme jais.
koon *v.(m.)* joue *f.*
koop *m.* **1** achat; marché *m.*; **2** (*het gekochte, gering*) emplette *f.*; **3** (*v. onr. goed; aanwinst*) acquisition *f.*; **4** (*verkaveling*) lot *m.*; ***een — sluiten,*** conclure un marché; ***op de — toe,*** pardessus le marché; ***— op levering,*** marché à terme; ***— op tijd,*** marché à terme; ***uit de hand te —,*** à vendre de gré à gré; ***te —,*** à vendre; ***te — bieden,*** offrir en vente; ***te — lopen met,*** faire étalage de, faire montre de, afficher; ***hij weet wat er in de wereld te — is,*** il sait ce qui se passe dans le monde.
koop'akte *v.(m.)* contrat *m.* de vente.
koop'baar *b.n.* **1** achetable, qu'on peut acheter; **2** (*ong.: veil*) vénal.
koop'brief *m.* contrat *m.* de vente.
koop'cedel, koop'ceel *v.(m.) en o.*, **koop'contract, -kontrakt** *o. zie* ***koopakte.***
koop'centrum *o.* centre *m.* commerçant.
koop'dag *m.* jour *m.* de vente.
koöperatie(f), *zie* ***coöperatie(f).***
koop'geld *o.* prix *m.* d'achat.
koop'gierig *b.n.* avide d'acheter.
koop'goed *o.* articles *m.pl.* confectionnés; — de fabrique.
koop'handel *m.* commerce; négoce *m.*; ***kamer van —,*** chambre *f.* de commerce.
koop'je *o.* **1** emplette *f.*, petit achat *m.*; **2** (*buitenkansje*) occasion *f.*; ***dat is een —,*** c'est bon marché, c'est donné; ***op een —,*** à peu de frais; ***iem. een — leveren,*** jouer un tour à qn., mettre qn. dedans.
koopkontrakt, *zie* ***koopakte.***
koop'kracht *v.(m.)* capacité *f.* d'achat, puissance *f.* —, pouvoir *m.* —.
koopkrach'tig *b.n.* disposant d'une grande puissance d'achat; (*v. geld*) non déprécié.
koop'lust *m.* **1** envie *f.* d'acheter; **2** (*H.*) demande *f.*
kooplus'tig *b.n.* avide d'acheter.
koop'man *m.* **1** (*alg.*) commerçant; marchand *m.*; **2** (*groothandelaar*) négociant *m.*; **3** (*straat—*) marchand *m.* ambulant, camelot *m.*
koop'mansbeurs *v.(m.)* bourse *f.* de commerce.
koop'mansboek *o.* livre *m.* de commerce.
koop'mansbrief *m.* lettre *f.* de commerce.
koop'manschap *v.* commerce *m.*
koop'mansgeest *m.* esprit *m.* mercantile.
koop'mansstand *m.* commerce *m.*
koop'mansstijl *m.* style *m.* commercial.
koop'mansterm *m.* terme *m.* de commerce.
koop'order *v.(m.) en o.* ordre *m.* d'achat.
koop'penningen *mv.* deniers *m.pl.* de la vente; prix *m.* d'achat.
koop'prijs *m.*, **koop'som** *v.(m.)* prix *m.* d'achat.
koop'stad *v.(m.)* ville *f.* commerçante.
koop'ster *v.* acheteuse *f.*
koop'vaarder *m.* (*sch.*) **1** vaisseau *m.* marchand; **2** capitaine *m.* marchand.
koopvaardij' *v.* **1** marine *f.* marchande; **2** commerce *m.* maritime.
koopvaardij'haven *v.(m.)* port *m.* de commerce.
koopvaardij'kapitein *m.* capitaine *m.* marchand.
koopvaardij'schip *o.* vaisseau *m.* marchand, navire *m.* —.
koopvaardij'vlag *v.(m.)* pavillon *m.* commercial.
koopvaardij'vloot *v.(m.)* marine *f.* marchande.
koopvernie'tigend *b.n.* rédhibitoire.
koop'vrouw *v.* marchande, commerçante *f.*
koop'waar *v.(m.)* marchandise *f.*
koop'waarde *v.* valeur *f.* marchande.
koop'ziek *b.n.* avide d'achats, dépensier.
koop'zucht *v.(m.)* manie *f.* d'acheter.
koor *o.* **1** chœur *m.*; **2** (*vereniging*) société *f.* chorale.
koor'bank *v.(m.)* banc *m.* de chœur; stalle *f.*
koor'boek *o.* antiphonaire *m.*
koord *o. en v.(m.)* **1** corde *f.*; cordon *m.*; **2** (*v. beurs*) tirant *m.*; **3** (*belegsel*) galon *m.*; ***de —en van de beurs in handen hebben,*** tenir les cordons de la bourse; ***op het slappe — dansen,*** voltiger.
koord'dansen *on.w.* danser sur la corde.
koord'danser *m.* danseur *m.* de corde, funambule, voltigeur *m.*
koor'de *v.(m.)* (*meetk.*) corde, sous-tendante* *f.*
koor'deken *m.* (*kath.*) doyen *m.* de chapitre.
koor'dendraaier *m.* cordier *m.*
koor'dewerk *o.* corderie *f.*
koor'directeur, -direkteur *m.* maître *m.* de chapelle, (*kerk*) chef *m.* de maîtrise.
koord'je *o.* ficelle, cordelette *f.*
koord'zij(de) *v.(m.)* galon *m.* de soie.
koor'fantasie *v.* (*muz.*) fantasie *f.* avec chœur, — chorale.
koor'gebed *o.* **1** prière *f.* canoniale; **2** prière *f.* vocale en commun.
koor'gestoelte *o.* stalles *f.pl.* (d'église).
koor'gezang *o.* chœur *m.*; choral *m.*
koor'heer *m.* chanoine *m.*

koor'hek *o.* grille *f.* du chœur.
koor'hemd *o.* surplis *m.*
koor'kap *v.*(*m.*) chape; pluviale *f.*
koor'knaap *m.* enfant *m.* de chœur.
koor'lessenaar *m.* lutrin *m.*
koor'mantel *m.* chape *f.*
koor'meester *m.* chef *m.* de chœur.
koor'muziek *v.* musique *f.* de chœur.
koor'stoel *m.* stalle *f.*
koor'tabel' *v.* cartabelle *f.* [abside *f.*
koor'trans *m.* 1 déambulatoire *m.*; 2 (*bouwk.*)
koorts *v.*(*m.*) fièvre *f.*; ***de — krijgen,*** attraper la fièvre; ***iem. de — op het lijf jagen,*** faire mourir qn. de peur, donner la fièvre à qn.; ***lichte —,*** fiévrotte *f.*
koorts'aanval *m.* accès *m.* de fièvre.
koorts'achtig I *b.n.* 1 fiévreux; 2 (*fig.*) fébrile; **II** *bw.* 1 fiévreusement; 2 (*fig.*) fébrilement.
koorts'achtigheid *v.* état *m.* fiévreux; — fébrile, fébrilité *f.*
koorts'blaasje *o.* bouton *m.* de fièvre, éruption *f.* fébrile.
koorts'drank(je) *m.* (*o.*) potion *f.* fébrifuge.
koorts'gloed *m.* chaleur *f.* fébrile.
koort'sig *b.n.* fiévreux.
koorts'lijder *m.* fiévreux, fébricitant *m.*
koorts'middel *o.* (remède) fébrifuge *m.*
koorts'rilling *v.* frisson *m.* fébrile. [dical.
koorts't(h)ermometer *m.* thermomètre *m.* mé-
koorts'uitslag *m.* éruption *f.* fébrile.
koorts'verdrijvend *b.n.* fébrifuge, antipyrétique; ***— middel,*** antipyrine *f.*
koorts'verwekkend *b.n.* fébrigène, fiévreux.
koorts'vrij *b.n.* sans fièvre; apyrétique.
koortswerend, *zie* ***koortsverdrijvend.***
koor'werk *o.* œuvre *f.* chorale.
koor'zang *m.* chant *m.* choral. [*m.*
koor'zanger *m.* 1 choriste *m.*; 2 (*in kerk*) chantre
Koos *m.* Jacquot *m.*
Koosje *v. en o.* Jacqueline *f.*
koos'jer *b.n.* kas(c)her, cawcher.
koot *v.*(*m.*) 1 astragale *m.*; 2 (*v. paard*) paturon *m.*, jointe *f.*; 3 (*v. vinger*) phalange *f.*; 4 (*bikkel*) osselet *m.*
koot'been *o.* astragale *m.*
koot'gewricht *o.* boulet *m.*
koot'gezwel *o.* molette *f.*
koot'je *o.* 1 osselet *m.*; 2 (*v. vinger*) phalange *f.*
koot'spel *o.* jeu *m.* des osselets.
kop *m.* 1 (*hoofd*) tête *f.*; 2 (*voor koffie, thee*) tasse *f.*; 3 (*v. pijp*) fourneau *m.*; 4 (*v. motor*) culasse *f.*; 5 (*v. dagbladartikel*) vedette *f.*; 6 (*fam.: hoofd*) boule, caboche *f.*; ***zich voor de — schieten,*** se brûler la cervelle; ***iem. op zijn — geven,*** 1 rosser qn.; 2 (*fig.*) laver la tête à qn.; ***de spijker op de — slaan,*** mettre le doigt dessus; toucher juste, deviner —; ***een — als vuur krijgen,*** devenir rouge comme un coq; ***een — tonen,*** être récalcitrant, s'opiniâtrer; ***over de — gaan,*** 1 (*v. auto*) capoter, chavirer; 2 (*v. vliegtuig*) chavirer; 3 (*fig.: H.*) faire faillite; ***op de — af,*** ni plus ni moins; ***op de — tikken,*** acheter par hasard, trouver —, mettre le doigt dessus; ***— of munt,*** croix ou pile; ***al ging hij op zijn — staan,*** quand même il ferait sortir tous les diables de l'enfer; ***er is geen — of staart aan te vinden,*** cela n'a ni queue ni tête; ***een bemanning van 200 —pen,*** un équipage de deux cents hommes, — de 200 têtes; ***— van jut,*** tête *f.* de Turc.
ko'pal, co'pal *o. en m.* copal *m.*
kop'bal *m.* heading *m.*
kop'bout *m.* boulon *m.* à tête.
ko'pek, kope'ke *m.* copeck *m.*
ko'pen *ov.w. en on.w.* 1 (*alg.*) acheter; 2 (*v. onr. goed, enz.*) acquérir, faire l'acquisition de; 3 (*kaartsp.*) rentrer, aller aux cartes; 4 (*dominosp.*) piocher, aller à la pioche, pêcher; ***voor een appel en een ei —,*** acheter à vil prix; ***een kat in de zak —,*** acheter chat en poche.
Kopenha'gen *o.* Copenhague *f.*
ko'per I *m.* 1 acheteur *m.*; 2 acquéreur *m.*; 3 (*in winkel*) client *m.*; 4 (*op veiling*) adjudicataire *m.*; **II** *o.* cuivre *m.*; ***rood —,*** cuivre rouge; ***geel —,*** cuivre jaune, laiton *m.*; ***elektrolytisch —,*** cuivre électrolytique; ***geraffineerd —,*** cuivre raffiné au feu; ***het —,*** (*muz.*) les cuivres.
ko'perachtig *b.n.* cuivreux, cuivré.
koperdiep'druk *m.* héliogravure, rotogravure *f.*
ko'perdraad *m.* fil *m.* de cuivre; (*H.*) cuivre barres à fil.
ko'perdruk *m.* taille*-douce* *f.*
ko'peren I *ov.w.* cuivrer, revêtir de cuivre, doubler de cuivre; **II** *b.n.* de cuivre, en cuivre.
ko'pererts *o.* minerai *m.* de cuivre.
ko'pergeld *o.* monnaie *f.* de cuivre.
ko'pergieten *o.* fonte *f.* de cuivre.
ko'pergieter *m.* fondeur *m.* de cuivre.
ko'pergieterij *v.* fonderie *f.* de cuivre.
ko'pergoed *o.* cuivres *m.pl.*
ko'pergraveur *m.* graveur *m.* en taille-douce.
ko'pergravure *v.*(*m.*) (gravure *f.* en) taille*-douce*, planche *f.* —, gravure *f.* sur cuivre.
ko'pergroen *o.* vert*-de-gris *m.*; ***met — bedekt,*** vert-de-grisé.
ko'perhoudend *b.n.* cuprifère.
ko'perkleur *v.*(*m.*) couleur *f.* de cuivre.
ko'perkleurig *b.n.* cuivré, cuivreux.
ko'perlege'ring *v.* alliage *m.* de cuivre.
ko'permijn *v.*(*m.*) mine *f.* de cuivre.
ko'permunt *v.*(*m.*) monnaie *f.* de cuivre.
ko'peroxyde *o.* oxyde *m.* cuivrique.
ko'perpoets *o.* pâte *f.* à cuivre.
ko'perroest *o.* vert *m.* de gris, verdet *m.* gris.
ko'perrood I *b.n.* rouge cuivré; **II** *z.n.*, *o.* sulfate *m.* de cuivre.
ko'perslager *m.* chaudronnier *m.*
ko'perslagerij *v.* chaudronnerie *f.* [cuivre.
ko'persulfaat *o.* vitriol *m.* bleu; (*H.*) sulfate *m.* de
ko'pervitriool *o. en m.* sulfate *m.* de cuivre.
ko'perwaarden *mv.* (*H.*) valeurs *f.pl.* cuprifères.
ko'perwaren *mv.* chaudronnerie *f.* [derie *f.*
ko'perwerk *o.* 1 chaudronnerie *f.*; 2 (*geel*) dinan-
ko'perzuur *o.* acide *m.* de cuivre.
kopie', copie' *v.* copie *f.*
kopie'boek, copie'boek *o.* copie-lettres *m.*
kopieer'boek, copieer'boek *o.* copie-lettres *m.*
kopieer'inkt, copieer'inkt *m.* encre *f.* à copier.
kopieer'papier, copieer'papier *o.* papier *m.* à copier. [copier.
kopieer'pers, copieer'pers *v.*(*m.*) presse *f.* à
kopieer'potlood, copieer'potlood *o.* crayon *m.* à copier. [à copier.
kopieer'werk, copieer'werk *o.* ouvrage *m.*
kopië'ren, copië'ren *ov.w.* copier.
kopiist', copiist' *m.* copiste *m.*
kopij' *v.* 1 copie *f.*; 2 (*handschrift*) manuscrit *m.*
kopij'recht *o.* droit *m.* d'auteur.
kopje-on'der *o.* passade *f.*
kop'klasse *v.* classe *f.* de première supérieure.
kop'klep *v.*(*m.*) soupape *f.* en tête.
kop'lamp *v.*(*m.*) phare *m.*
kop'lengte *v.* demi-tête *f.*; ***met een — winnen,*** gagner d'une demi-tête.
kop'licht *o.* phare *m.*

kop'pel I *m. en v.* **1** (*koppelband*) lien *m.*, lanière *f.*; **2** (*mil.: v. degen*) ceinturon *m.*; **3** (*voor jachthonden*) laisse *f.*; **4** (*muz.*) tirasse *f.*; **II** *o.* couple *m.*
kop'pelaar *m.*, **-ster** *v.* entremetteur *m.*, —euse
koppelarij' *v.* **1** entremise *f.* matrimoniale; **2** (*recht*) proxénétisme *m.*
kop'pelband *m.* laisse *f.*
kop'pelen *ov.w.* **1** (*v. ossen*) accoupler; **2** (*v. honden, raderen*) coupler; **3** (*twee aan twee*) apparier; **4** (*v. spoorwagens*) atteler; **5** (*v. balken, kanonnen*) jumeler; ***een huwelijk* —,** s'entremettre pour faire un mariage, maquignonner un mariage.
kop'pelend *b.n.* (*gram.*) copulatif.
kop'pelhout *o.* traverse *f.*
kop'peling *v.* **1** couplement, accouplement *m.*; **2** (*tn.*) embrayage *m.*; **3** (*spoorw.*) attelage *m.*; **4** (*muz.*) tirasse *f.*; **5** jumelage *m.*; **6** (*v. huwelijk*) entremise *f.* matrimoniale; **7** (*v. motor*) joint *m.*
kop'pelingspedaal *o. en m.* pédale *f.* d'embrayage; *zie* ***embrayagepedaal.***
kop'pelingsplaat *v.*(*m.*) (*tn.*) disque *m.*
kop'pelplaat *v.*(*m.*) (*mil.*) plaque *f.* de ceinturon.
kop'pelriem *m.* accouple, laisse *f.*
kop'pelstang *v.*(*m.*) **1** (*tn.*) bielle *f.* d'accouplement; **2** (*v. trein*) barre *f.* d'attelage.
kop'pelteken *o.* trait *m.* d'union.
kop'pelverkoop *m.* marché *m.* parallèle.
kop'pelwedstrijd *m.* course *f.* par couples.
kop'pelwerkwoord *o.* copule *f.*
kop'pelwoord *o.* particule *f.* copulative.
kop'pen *ov.w.* **1** (*gen.*) ventouser; **2** (*sp.*) renvoyer le ballon d'un coup de tête, donner un coup de tête au ballon; **3** (*de kop tonen*) faire la tête.
kop'pensnellen *o.* chasse *f.* aux têtes.
kop'pensneller *m.* coupeur *m.* de têtes, chasseur *m.* —.
kop'per(tjes)maandag *m.* le premier lundi *m.* après le jour des Rois.
kop'pig I *b.n.* **1** têtu, entêté, obstiné, opiniâtre; **2** (*v. wijn*) capiteux; **II** *bw.* obstinément, opiniâtrement.
kop'pigheid *v.* entêtement *m.*, obstination *f.*
ko'pra *v.*(*m.*) copra(h) *f.*
ko'praolie *v.*(*m.*) huile *f.* de copra(h).
kop'regel *m.* ***sprekende* —*s*,** titre *m.* courant.
kop'riem *m.* frontal *m.*
kop'schuw *b.n.* farouche.
kop'snede *v.*(*m.*) (*v. boek*) tranche *f.* de tête.
kop'station *o.* tête *f.* de ligne, gare *f.* de tête.
kop'stem *v.*(*m.*) (*muz.*) voix *f.* de tête.
kop'stoot *m.* **1** (*sp.*) coup *m.* de tête; renvoi *m.* du ballon avec la tête; **2** (*v. bokser*) coup *m.* de bélier.
kop'stuk *o.* **1** (*v. toom*) têtière *f.*; **2** (*koppig mens*) opiniâtre *m.-f.*, personne *f.* entêtée; **3** (*v. partij, enz.*) chef *m.*, gros bonnet *m.*
Kopt *m.* Copte *m.*
kop'telefoon *m.* casque *m.* récepteur, serre-tête *m.*
Kop'tisch *b.n.* copte.
kop'werk *o.* (*sp.*) jeu *m.* de la tête.
kop'zorg(en) *v.*(*m.*) (*mv.*) tintouin, casse-tête *m.*, tracasseries *f.pl.*
koraal' I *o.* **1** (*lied*) choral *m.*; **2** (*Dk.*) corail *m.*; **II** *v.*(*m.*) grain *m.* de corail; ***de koralen van een rozenkrans,*** les grains d'un chapelet.
koraal'achtig *b.n.* **1** corallin; **2** (*muz.*) en forme de choral.
koraal'bank *v.*(*m.*) banc *m.* de coraux.
koraal'boek *o.* livre *m.* de cantiques.
koraal'dier *o.* coralliaire *m.*
koraal'eiland *o.* île *f.* (*of* îlot *m.*) de corail, atoll *m.*
koraal'gezang *o.* choral *m.*
koraal'mos *o.* coralline *f.*
koraal'muziek *v.* choral *m.*
koraal'rif *o.* récif *m.* corallien.
koraal'rood *b.n.* corallin, rouge de corail.
koraal'vereniging *v.* société *f.* chorale (*of* de chant), chorale *f.*
koraal'visser *m.* corailleur *m.*
koraal'visserij *v.* pêche *f.* du corail.
koraal'vorming *v.* formation *f.* corallienne.
koraal'zee *v.*(*m.*) mer *f.* de corail.
kora'len *b.n.* de corail, en —.
koran' *m.* Coran, Alcoran *m.*
kordaat' I *b.n.* résolu, hardi, ferme, intrépide; **II** *bw.* résolument, hardiment, fermement, intrépidement.
kordaat'heid *v.* résolution, hardiesse, fermeté *f.*
kordon', cordon' *o.* cordon *m.*
Kore'a *o.* la Corée.
Koreaan' *m.* Coréen *m.*
Koreaans' *b.n.* coréen.
ko'ren *o.* **1** (*gewas*) blé *m.*; **2** (*zaad*) grain *m.*; **3** (*graangewassen*) céréales *f.pl.*; ***Turks* —,** maïs *m.*, blé *m.* de Turquie; ***wild* —,** vulpine *f.*; ***zijn* — *groen eten,*** manger son blé en herbe; ***dat is* — *op zijn molen,*** cela lui vient à propos, cela fait son affaire, cela lui va comme un gant, c'est de l'eau à son moulin.
ko'renaar *v.*(*m.*) épi *m.* (de blé).
ko'renakker *m.* champ *m.* de blé.
ko'renbeurs *v.*(*m.*) halle *f.* aux blés.
ko'renbijter *m.* calandre, charançon *m.* (du blé).
ko'renblauw *b.n.* bleu foncé.
ko'renbloem *v.*(*m.*) bluet, barbeau *m.*; ***rode* —,** coquelicot *m.*
ko'renbrandewijn *m.* eau*-de-vie *f.* de grains.
ko'rendorsen *o.* battage *m.* (du blé).
ko'rendorser *m.* batteur *m.* en grange.
ko'rengarf, -garve *v.*(*m.*) gerbe *f.*
ko'renhalm *m.* tige *f.* de blé.
ko'renhandel *m.* commerce *m.* des blés.
ko'renhandelaar *m.* marchand *m.* de blé.
ko'renland *o.* champ *m.* de blé.
ko'renmaaier *m.* moissonneur *m.*
ko'renmaaimachine *v.* moissonneuse *f.*
ko'renmaat *v.*(*m.*) mesure *f.* à blé; ***zijn licht onder de* — *zetten,*** mettre la lumière sous le boisseau.
ko'renmarkt *v.*(*m.*) marché *m.* au blé, halle *f.* —.
ko'renmolen *m.* moulin *m.* à blé.
ko'renoogst *m.* moisson *f.* (de blé).
ko'renschoof *v.*(*m.*) gerbe *f.* de blé.
ko'renschuur *v.*(*m.*) **1** grange *f.* (à blé); **2** (*fig.*) [grenier *m.*
ko'renstoppel *m.* éteule *f.*, chaume *m.*
ko'renveld *o.* champ *m.* de blé.
ko'renwan *v.*(*m.*) van *m.* à blé.
ko'renwanner *m.* vanneur *m.* (de blé).
korenworm, *zie* ***korenbijter.***
ko'renzak *m.* sac *m.* à blé.
ko'renzeef *v.*(*m.*) crible *m.* (à blé).
ko'renzolder *m.* grenier *m.*
koreografie', choreografie' *v.* chorégraphie *f.*
korf *m.* **1** panier *m.*; **2** (*zonder hengsels*) corbeille *f.*; **3** (*rug*—) hotte *f.*; ***een* — *krijgen,*** être refusé; ***leven uit de* — *zonder zorg,*** se la couler douce.
korf'bal *o.* (*sp.*) basket-ball *m.*; jeu *m.* de la table au panier (percé).
korf'drager *m.* hotteur *m.*
Kor'foe *o.* Corfou *f.*
kor'haan *m.*, **kor'hoen** *o.* coq *m.* de bruyère, poule *f.* —, petit tétras *m.*
korian'der *m.* (*Pl.*) coriandre *f.*
Korin'the *o.* Corinthe *f.*
korist' *m.* choriste *m.*

kornet' I *m.* (*mil.*) cornette; porte-drapeau *m.*; II *v.*(*m.*) 1 (*muz.*) cornet *m.* (à pistons); 2 (*muts*) cornette *f.*
kornis' *v.*(*m.*) corniche *f.*
kornoel'je *v.*(*m.*) cornouille *f.*
kornoel'jeboom *m.* cornouiller *m.*
kornuit' *m.* copain, compagnon *m.*
korporaal' *m.* caporal *m.*
korporaals'strepen *mv.* chevrons *m.pl.* de caporal.
korporatie(**f**), *zie* ***corporatie***(*f*).
korps *o.* corps *m.*
korps'commandant, -kommandant *m.* commandant *m.* de corps d'armée.
korps'geest *m.* esprit *m.* de corps.
korps'kommandant, *zie* ***korpscommandant.***
korpulen'tie, corpulen'tie *v.* corpulence *f.*
kor'pus, cor'pus *o.* corps *m.*
korrekt'(**-**), *zie* ***correct***(**-**).
kor'rel *m.* 1 (*v. graan, zaad, enz.*) grain *m.*; 2 (*gewicht*) décigramme *m.*; 3 (*mil.*) guidon *m.*; ***op de — nemen,*** coucher en joue, viser (qn.).
kor'relen I *ov.w.* 1 (*v. metaal*) granuler; 2 (*v. kruit*) grener; 3 (*v. leder*) greneter; II *on.w.* se granuler, se grener.
kor'relig *b.n.* 1 (*in korrels*) granuleux; 2 (*v. oppervlakte*) grenu.
kor'reling *v.* 1 granulation *f.*; 2 grenage *m.*; 3 (*v. leer, tekening*) grenure *f.*
kor'relsago *m.* sagou *m.* granulé.
kor'relsuiker *m.* sucre *m.* granulé.
kor'relvormig *b.n.* granul, grenu.
korrespond-, *zie* ***correspond-.***
korrige'ren, corrige'ren *ov.w.* corriger.
korrupt(**ie**), *zie* ***corrupt***(***ie***).
korset' *o.* corset *m*
korset'lijfje *o.* cache-corset* *m.*
korset'tenmaker *m.*, **korset'tenmaakster** *v.* corsetier *m.*, —ière *f.*
korset'veter *m.* lacet *m.* (de corset).
korst *v.*(*m.*) 1 (*aan brood, enz.*) croûte *f.*; 2 (*gen.: v. wond*) croûte, escarre, eschare *f.*; 3 (*hard, brood —*) croûton *m.*
korst'achtig *b.n.* croûteux.
korst'deeg *o.* croustade *f.*
kor'sten *on.w.* se croûter.
korstig, *zie* ***korstachtig.***
korst'je *o.* croûton *m.*
korst'mos *o.* lichen *m.*
korst'vorming *v.* incrustation *f.*
Kors'worm *o.* Corswarem.
kort I *b.n.* 1 court; 2 (*v. duur*) bref; 3 (*v. persoon*) petit; 4 (*bondig*) succinct; ***—e ribben,*** fausses côtes; ***Pepijn de K—e,*** Pepin le Bref; ***—e klinker,*** voyelle brève; ***— begrip,*** précis *m.*; ***—e inhoud,*** abrégé, résumé *m.*; ***een — gebaar,*** un geste sec; ***op —e termijn,*** à courte échéance; ***—e tijd blijven,*** rester un peu de temps; ***vóór —e tijd,*** l'autre jour; ***— en klein slaan,*** briser en mille morceaux; ***—er maken,*** raccourcir; ***—e metten met iets maken,*** ne pas y aller par quatre chemins; ***— papier,*** traites à courte échéance; ***te — schieten,*** 1 être insuffisant; faire défaut; 2 (*v. persoon*) se trouver en défaut, être en défaut; manquer à; ***in zijn plicht te — schieten,*** manquer à ses devoirs; ***in zijn taak te — schieten,*** faillir à sa tâche, échouer; II *bw.* courtement; brièvement; ***— gekleed,*** court vêtu; ***— bij,*** tout près; ***— daarna,*** peu après; ***— geleden,*** dernièrement, il y a peu de temps; ***— te voren,*** peu auparavant, peu avant; ***— vóór zijn vertrek,*** à la veille de son départ; ***iem. te — doen,*** faire tort à qn.; ***er is vijf frank te —,*** il manque cinq francs; ***— en goed, om — te gaan,*** bref; ***te — schieten in,*** manquer à; ***— aangebonden zijn,*** avoir la tête près du bonnet.
korta'demig *b.n.* asthmatique.
korta'demigheid *v.* asthme *m.*
kortaf' I *bw.* brièvement, en peu de mots; ***— weigeren,*** refuser (tout) net; II *b.n.* ***— zijn,*** être brusque, être court, avoir le parler court.
kort'bekkig *b.n.* brévirostre.
kort'benig *b.n.* à jambes courtes.
kortbon'dig *b.n.* concis; laconique.
kortbon'digheid *v.* concision *f.*; laconisme *m.*
kortegolf'- (*in samenstellingen*) à ondes courtes.
kortelas' *v.*(*m.*) coutelas *m.*
kor'telings *bw.* depuis peu, récemment.
kor'ten I *ov.w.* 1 (*alg.*) raccourcir; 2 (*v. haar*) couper; 3 (*v. nagels, vleugels*) rogner; 4 (*bij betaling: aftrekken*) rabattre, déduire, retrancher; 5 (*v. tijd*) passer; II *on.w.* 1 se raccourcir; 2 (*v. dagen*) décroître, raccourcir.
kort'halzig *b.n.* à cou court.
kort'harig *b.n.* 1 (*v. persoon*) à cheveux courts; 2 (*v. dier*) à poil court; à poil ras.
kort'heid *v.* 1 (*v. duur: leven, enz.*) courte durée, brièveté *f.*; 2 (*beknoptheid*) concision *f.*
kort'heidshalve *adv.* pour abréger.
kort'hoornig *b.n.* brévicorne.
kor'ting *v.* 1 (*v. prijs*) rabais *m.*, réduction *f.*; 2 (*voor contant*) escompte *m.*; 3 (*op salaris*) retenue *f.*; (*vermindering*) réduction *f.*; ***5 p. c. — verlenen,*** accorder une remise de 5 p. c.
kort'jan *o.* couteau *m.* de poche, — à cran d'arrêt.
kortom' *bw.* bref, en un mot.
kort'oor *m.* 1 chien *m.* essorillé; 2 (cheval) courtaud *m.*
kort'oren *ov.w.* 1 (*v. hond*) essoriller; 2 (*v. paard*) courtauder.
Kort'rijk *o.* Courtrai *m.*; ***uit —,*** courtraisien.
kort'schaaf *v.*(*m.*) demi-varlope* *f.*
kortsche'delig *b.n.* brachycéphale.
kort'schrift *o.* sténographie *f.*
kort'sluiting *v.* court*-circuit* *m.*
kort'snavelig *b.n.* brévirostre.
kort'staart *m.* courtaud *m.*
kort'staarten *ov.w.* courtauder.
kort'steel *m.* (*appel*) court-pendu* *m.*
kort'stengelig *b.n.* brévicaule.
kortston'dig *b.n.* 1 (*kort van duur*) bref, court, de courte durée; 2 (*tijdelijk*) temporaire, passager, éphémère.
kortston'digheid *v.* brièveté, courte durée *f.*
korts'wijl *v.*(*m.*) plaisanterie, raillerie *f.*; ***uit —,*** histoire de rire.
kort'vleugelig *b.n.* brévipenne.
kort'weg *bw.* tout court, brièvement, tout simplement.
kort'wieken *ov.w.* rogner les ailes à.
kort'zicht *o.* ***op —,*** (*H.*) à courte échéance, à courts jours.
kortzich'tig *b.n.* 1 (*bijziende*) myope; 2 (*fig.*) à courte vue, aux vues courtes; borné, imprévoyant.
kortzich'tigheid *v.* 1 myopie *f.*; 2 vue *f.* courte; imprévoyance *f.*
kort'zichtwissel *m.* (*H.*) lettre *f.* de change à courte échéance.
korvee', *zie* ***corvee.***
korvet' *v.*(*m.*) (*sch.*) corvette *f.*
kor'zelig *b.n.* irascible.
kor'zeligheid *v.* irascibilité *f.*
kosmetiek', cosmetiek' *v.* cosmétique *m.*
kosmografie', cosmografie' *v.* cosmographie *f.*
kosmopoliet', cosmopoliet' *m.* cosmopolite *m.*

kosmopoli'tisch, cosmopoli'tisch *b.n.* cosmopolite.

kos'mos, cos'mos *m.* univers, cosmos *m.*

kost *m.* nourriture *f.*; aliment(s) *m.(pl.)*, mets *m.*; ***in de —,*** en pension; ***— en inwoning,*** le vivre et le couvert; la table et le logement; ***de — verdienen,*** gagner sa vie, gagner son pain; ***met moeite de — verdienen,*** tirer le diable par la queue; ***oude —,*** du réchauffé; ***zijn ogen de — geven,*** repaître ses yeux; ouvrir l'œil; ***effecten in de — geven,*** déposer des valeurs en nantissement; ***ten —e leggen aan,*** dépenser pour, mettre à; ***wat doet hij voor de —?*** quel métier exerce-t-il?

kost'baar *b.n.* **1** (*duur*) cher, coûteux, dispendieux; **2** (*van grote waarde*) précieux; **3** (*prachtig*) magnifique, superbe.

kost'baarheid *v.* **1** prix *m.*, grande valeur *f.*; **2** (*luister, pracht*) magnificence, somptuosité *f.*. ***kostbaarheden,*** *mv.* objets *m.pl.* précieux; bijoux *m.pl.*

kost'baas *m.* hôte; logeur *m.*

kos'telijk I *b.n.* **1** (*kostbaar*) précieux; coûteux; **2** (*mooi, prachtig*) magnifique, superbe, splendide; **3** (*heerlijk, lekker: v. spijzen, enz.*) délicieux, exquis; **4** (*v. weer*) excellent, délicieux; **II** *bw.* superbement.

kos'telijkheid *v.* **1** grand prix *m.*; **2** magnificence, splendeur *f.*; **3** délicatesse, exquisité *f.*; **4** excellence *f.*

kos'teloos I *b.n.* gratuit; **II** *bw.* gratuitement, gratis, à titre gracieux, à titre gratuit.

kos'teloosheid *v.* gratuité *f.*

kos'ten I *on.w.* coûter; revenir à; ***het koste wat het wil,*** coûte que coûte, à tout prix, quoi qu'il en coûte; ***het kost hem moeite om...,*** il a de la peine à; il lui en coûte de; ***dat zal veel tijd —,*** cela demandera beaucoup de temps; **II** *z.n. mv.* **1** frais *m.pl.*; **2** (*prijs*) coût *m.*; ***— maken,*** se mettre en dépense; ***voor gezamenlijke —,*** à dépense commune; ***ten koste van zijn leven,*** au prix de sa vie; ***ten koste van zijn gezondheid,*** au détriment de sa santé; ***zijn — goedmaken,*** faire ses frais; ***in de — verwijzen,*** (*recht*) condamner aux frais, — aux dépens; ***vaste —,*** frais généraux; ***variabele —,*** frais spéciaux.

kos'tenberekening *v.* relevé *m.* des frais, devis *m.* (estimatif) des frais.

kos'ter *m.* **1** (*kath.*) sacristain *m.*; **2** (*prot.*) marguillier *m.*

kosterij' *v.* maison *f.* du sacristain, — du marguillier.

kos'terschap *o.* place *f.* de sacristain.

kost'ganger *m.*, **—ster** *v.* pensionnaire *m.-f.*

kost'geld *o.* pension *f.*

kost'huis *o.* pension *f.*

kost'juffrouw *v.* maîtresse *f.* de pension, logeuse *f.*

kost'leerling *m.*, **-e** *v.* pensionnaire *m.-f.*, élève *m.-f.* interne.

kost'prijs *m.* prix *m.* coûtant, — de revient.

kost'school *v.(m.)* pension *f.*, pensionnat *m.*

kost'schoolhouder *m.*, **—es** *v.* directeur *m.* de pension(nat), directrice (*of* maîtresse) *f.* —; (*ong.*) marchand *m.* de soupe.

kostuum', costuum' *o.* costume *m.*

kostuum'naaister, costuum'naaister *v.* costumière *f.*

kostuum'pop, costuum'pop *v.(m.)* mannequin *m.*

kost'vrij *bw.* sans frais.

kost'winner *m.* gagne-pain *m.*, soutien *m.* de famille.

kost'winnersvergoeding *v.* allocation *f.* de soutien de famille.

kost'winning *v.* gagne-pain *m.*; métier *m.*, profession *f.*

kot *o.* **1** taudis, galetas *m.*; **2** (*v. hond*) chenil *m.*, niche *f.*; **3** (*v. varkens*) toit *m.*; **4** (*sl.: gevangenis*) cachot *m.*; **5** (*ong.*) bouge *m.*

kotelet' *v.(m.)* côtelette *f.*

ko'terhaak *m.* ringard *m.*

kotiënt, *zie* ***quotiënt.***

kot'sen *on.w.* vomir, rendre; ***ik kots van hem,*** il me fait vomir, je peux le vomir.

kot'ter *m.* (*sch.*) cotre *m.*

kou, *zie* ***koude.***

koud I *b.n.* froid; ***het is —,*** il fait froid; ***ik heb het —,*** j'ai froid; ***ik ben door en door —,*** je suis transi; ***—e voeten hebben,*** avoir froid aux pieds, avoir les pieds froids; ***— worden,*** se refroidir; ***dat laat mij —,*** cela m'est égal; cela ne me fait ni chaud ni froid; ***dat raakt mijn —e kleren niet,*** je m'en soucie comme de l'an quarante; ***ik word er — van,*** cela me fait frémir; j'en ai froid dans le dos; ***—e oorlog,*** guerre *f.* froide; **II** *bw.* **1** froidement; **2** (*tn.*) à froid.

koudbloe'dig *b.n.* à sang froid.

kou'(de) *v.* **1** froid *m.*; **2** (*verkoudheid*) rhume *m.*; ***— vatten,*** prendre froid, s'enrhumer.

kou'degolf *v.(m.)* vague *f.* de froid.

koud'lijm *m.* colle *f.* à froid.

koud'makend *b.n.* **1** refroidissant; **2** (*scheik.*) réfrigérant.

koud'vuur *o.* gangrène *f.*

koudwa'terbehandeling *v.* traitement *m.* hydrothérapique.

koudwa'tergeneeskunde *v.* hydrothérapie *f.*

koudwa'terkompres *o.* compresse *f.* à l'eau froide.

koudwa'terkuur *v(.m.)* traitement *m.* (*of* cure *f.*) hydrothérapique.

koud'weg *bw.* froidement.

kou'kleum *m.-v.* frileux *m.*, —euse *f.*

kous *v.(m.)* **1** bas *m.*; **2** (*korte —, sok*) chaussette *f.*; **3** (*v. gloeilicht*) manchon *m.*; ***elastieken —,*** bas à varices; ***met de — op de kop thuis komen,*** revenir avec sa courte honte, en être pour —, revenir bredouille.

kou'seband *m.* jarretière *f.*

kou'senfabriek *v.* fabrique *f.* de bas.

kou'senhandel *m.* bonneterie *f.*

kou'senstopster *v.* ravaudeuse *f.* de bas.

kou'senwever *m.* tisserand *m.* en bas.

kou'senwinkel *m.* bonneterie *f.*

kous'je *o.* (*v. olielamp*) mèche *f.*; (*v. gloeilamp*) manchon *m.*

kous'ophouder *m.* jarretelle *f.*

kout *m.* causerie *f.* (familière *of* intime).

kou'ten *on.w.* causer, deviser, tailler une bavette.

kou'ter I *m.* causeur *m.*; **II** *o.* (*v. ploeg*) coutre *m.*

kou'welijk *b.n.* frileux; douillet; sensible au froid.

kou'welijkheid *v.* sensibilité *f.* au froid; frilosité *f.*

kozak' *m.* Cosaque *m.*

ko'zen *ov.w.* caresser, conter fleurette.

kozijn' I *o.* châssis *m.*; **II** *m.* *zie* ***neef.***

kraag *m.* **1** (*v. jas*) collet *m.*; **2** (*los*) col *m.*; **3** (*opening*) encolure *f.*; **4** (*oudt.: geplooid*) fraise, collerette *f.*; ***bij de — pakken,*** saisir au collet, prendre —; ***een stuk in zijn — hebben,*** avoir un verre dans le nez, avoir une cuite; ***Spaanse —,*** fraise à l'espagnole.

kraag'beschermer *m.* protège-col *m.*

kraag'eend *v.(m.)* canard *m.* histrion.

kraag'je *o.* collerette *f.*

kraag'lijster *v.(m.)* merle *m.* à collier.

kraag'mantel *m.* pèlerine *f.*

kraag'steen *m.* (*bouwk.*) corbeau *m.*

kraag'wijdte *v.* encolure *f.*

kraai *v.(m.)* corneille *f.*; ***bonte* —,** corneille mantelée; ***jonge* —,** corneillard *m.*; ***de ene — pikt de andere de ogen niet uit,*** les loups ne se mangent pas entre eux; ***één bonte — maakt nog geen winter,*** une hirondelle ne fait pas le printemps; ***kind noch* —,** ni enfants ni suivants.
kraai'emars *m.* ***de — blazen,*** **1** (*vluchten*) jouer de l'épée à deux talons; **2** (*sterven*) passer l'arme à gauche; s'en aller au royaume des taupes; défiler la parade.
kraai'en I *on.w.* **1** (*v. haan*) chanter; **2** (*v. vreugde*) pousser des cris de joie; **II** *ov.w.* ***oproer* —,** prêcher la révolte, pousser à la révolte; ***victorie* —,** chanter victoire; ***de rode haan laten* —,** faire flamber la maison.
kraai'enest *o.* **1** nid *m.* de corneille; **2** (*sch.*) nid *m.* de corbeau, hune *f.* de vigie.
kraai'heide *v.(m.)* (*Pl.*) camarine *f.*
kraai'look *o.* (*Pl.*) ail *m.* sauvage.
kraak I *v.(m.)* (*sch.*) caraque *f.*; **II** *m.* craquement [*m.*
kraak'amandel *v.(m.)* amande *f.* cassante.
kraak'been *o.* cartilage *m.*
kraak'beenachtig *b.n.* cartilagineux.
kraak'bes *v.(m.)* myrtille *f.*
kraak'gas *o.* gaz *m.* de désintégration.
kraak'installatie *v.* installation *f.* de cracking.
kraak'porselein *o.* porcelaine *f.* caraque.
kraak'stem *v.(m.)* voix *f.* de perroquet.
kraak'zindelijk *b.n.* d'une propreté extrême, reluisant de propreté.
kraal *v.(m.)* **1** grain *m.*; perle *f.* de verre; **2** (*Zuid-Afrika*) kraâl, corral *m.*; **3** (*op soep*) œil *m.*
kraal'oogjes *mv.* yeux *m.pl.* de souris.
kraam *v.(m.)* *en o.* **1** (*op kermis*) baraque *f.*, boutique *f.* (de foire); **2** (*bevalling*) couches *f.pl.*; ***de hele* —,** tout le tremblement; ***dat komt niet in zijn — te pas,*** cela ne fait pas son affaire; cela n'entre pas dans son jeu.
kraam'bed *o.* couches *f.pl.*
kraam'bezoek *o.* visite *f.* de relevailles.
kraam'goed *o.* layette *f.* de l'enfant nouveau-né.
kraam'inrichting *v.* maternité *f.*, clinique *f.* d'accouchement.
kraam'kamer *v.(m.)* chambre *f.* de l'accouchée.
kraam'koorts *v.* fièvre *f.* puerpérale.
kraam'verpleegster *v.* garde*-couches *f.*, infirmière *f.* d'accouchée.
kraam'vrouw *v.* accouchée *f.*
kraan I *m.* **1** (*Dk.*) grue *f.*; **2** (*fig.: fam.*) crâne *m.*; aigle, as *m.*; **II** *v.(m.)* **1** (*hijstuig*) grue *f.*; **2** (*v. fontein, gas, enz.*) robinet *m.*; ***verplaatsbare* —,** grue flottante; ***drijvende* —,** ponton*-grue* *m.*
kraan'arm *m.* volée *f.*
kraan'auto *m.* auto *f.* de dépannage.
kraan'balk *m.* (*sch.*) bossoir *m.*
kraan'bek *m.* bec*-de-grue *m.*
kraan'bok *m.* pied*-de-chèvre *m.*
kraan'brug *v.(m.)* pont*-grue* *m.*
kraan'drijver *m.* grutier *m.*
kraan'geld *o.* droit *m.* de grue.
kraan'hals *m.* cou *m.* de grue.
kraan'ladder *v.(m.)* rancher; échelier *m.*
kraan'machinist *m.* grutier *m.*
kraan'sleutel *m.* clef *f.* de robinet.
kraan'vogel *m.* grue *f.*
kraan'wagen *m.* voiture *f.* de dépannage; camion*-grue*, chariot*-grue* *m.*
kraan'zomer *m.* (*in oktober*) été *m.* de la St. Michel; (*in november*) été *m.* de la Saint-Martin.
krab (*ook* **krab'be**) *v.(m.)* **1** (*Dk.*) crabe *m.*; **2** (*krauw*) égratignure, griffure *f.*
krab'bel *v.(m.)* **1** égratignure *f.*; griffure *f.*; **2** (*schetsje*) croquis *m.* rapide; coup *m.* de crayon; **3** (*v. schrift*) griffonnage *m.*
krab'belaar *m.* **1** griffonneur, gribouilleur *m.*; **2** (*v. schaatsenrijder*) mauvais patineur *m.*; **3** (*v. schrijver*) écrivailleur *m.*
krabbelarij' *v.* **1** griffonnage, gribouillage *m.*; **2** écrivaillerie *f.*
krab'belen I *on.w.* **1** (*krabben*) gratter, égratigner; **2** (*schrijven*) griffonner, gribouiller; **3** mal patiner; **II** *ov.w.* griffonner.
krab'belig *b.n.* griffonné, mal écrit.
krab'beling *v.* **1** (*v. geschrift*) griffonnage *m.*; **2** (*v. tekening*) croquis *m.* [mouche.
krab'belpootje *o.* griffonnage *m.*, pattes *f.pl.* de
krab'ben I *ov.w.* **1** gratter; **2** (*met nagels*) égratigner, griffer; **II** *w.w.* ***zich* —,** se gratter.
krab'ber *m.* **1** gratteur *m.*; **2** (*tn.*) grattoir, racloir *m.*; **3** (*gen.*) curette *f.*
krab'ijzer *o.* grattoir, racloir *m.*
krab'sel *o.* raclure *f.*
krach *m.* krach *m.*, débâcle *f.* financière.
kracht *v.(m.)* **1** (*alg.*) force, vigueur *f.*; **2** (*v. wil*) énergie *f.*; **3** (*werkdadigheid: v. geneesmiddel, enz.*) efficacité *f.*; **4** (*macht*) pouvoir *m.*, puissance *f.*; **5** (*v. vergif*) activité *f.*; ***uit — van,*** en vertu de; ***elektrische* —,** énergie électrique; ***— van wet hebben,*** avoir force de loi; ***van — blijven,*** rester en vigueur; ***van — worden,*** entrer en vigueur; (*bij aanstelling*) compter pour une période; ***in de volle — van zijn leven,*** dans toute la force de l'âge; ***de fabriek werkt met volle* —,** la fabrique travaille à plein rendement; ***op halve — werken,*** travailler au ralenti; ***God geeft — naar kruis,*** à brebis tondue Dieu mesure le vent; Dieu donne le froid selon l'habit (*of* selon le drap).
kracht'bron *v.(m.)* source *f.* d'énergie.
krachtda'dig I *b.n.* énergique; efficace; **II** *bw.* énergiquement, efficacement.
krachtda'digheid *v.* énergie *f.*; efficacité *f.*
krach'teloos *b.n.* **1** sans force, sans vigueur; **2** faible, débile; **3** impuissant, invalide; **4** (*v. stem*) faible; **5** (*recht*) nul; ***— maken,*** **1** affaiblir; **2** (*fig.*) annuler.
krach'teloosheid *v.* **1** manque *m.* de force; **2** faiblesse, débilité *f.*; **3** impuissance *f.*; **4** nullité *f.*
krach'tenleer *v.(m.)* dynamique *f.*
krach'tens *vz.* en vertu de.
kracht'herstellend *b.n.* reconstituant; ***— middel,*** reconstituant *m.*
krach'tig I *b.n.* **1** fort, vigoureux; **2** énergique; **3** efficace; **4** (*v. voedsel*) substantiel; **5** (*v. gebed*) fervent; **II** *bw.* **1** fortement, vigoureusement; **2** énergiquement; **3** efficacement.
kracht'installatie *v.* (*el.*) usine *f.* génératrice, centrale *f.* (électrique). [trique).
kracht'leiding *v.* transmission *f.* d'énergie (élec-
kracht'lijn *v.(m.)* ligne *f.* de force.
kracht'mens *m.* athlète; hercule *m.*
kracht'meter *m.* dynamomètre *m.*
kracht'meting *v.* dynamométrie *f.* [gie.
kracht'overbrenging *v.* transmission *f.* d'éner-
kracht'patser *m.* homme *m.* à poigne.
kracht'proef *v.* épreuve *f.* de force.
krachts'besef *o.* conscience *f.* de (sa) force.
krachts'eenheid *v.* unité *f.* dynamique, — de force.
krachts'inspanning *v.* effort *m.*, tension *f.*
kracht'sport *v.(m.)* athlétisme *m.*
kracht'station *o.* usine *f.* génératrice; centrale *f.* (électrique). [puissance.
krachts'uiting *v.* manifestation *f.* de force, — de
kracht'term *m.* parole *f.* énergique, mot *m.* —.

kracht'toer *m.* tour *m.* de force.
kracht'veld *o.* champ *m.* de forces, — magnétique.
kracht'verlies *o.* perte *f.* de force, — d'énergie.
kracht'verspilling *v.* déperdition *f.* de force.
kracht'vertoon *o.* déploiement *m.* de force.
kracht'voe(de)r *o.* **1** (*v. mens*) nourriture *f.* substantielle; **2** (*v. dier*) fourrage *m.* concentré.
krak I *m.* **1** (*gekraak*) craquement *m.*; **2** (*barst, scheur*) fente, crevasse *f.*; **II** *tw.* crac! cric!
Kra'kau *o.* Cracovie *f.*; ***uit* —,** cracovien.
krakeel' *o.* querelle, dispute, chamaillerie *f.*
krakeel'achtig *b.n.* querelleur.
krak'eend *v.(m.)* chipeau *m.*, ridenne *f.*
krake'len *on.w.* quereller, se chamailler.
krake'ler *m.* querelleur *m.*
kra'keling *m.* craquelin *m.*
kra'ken I *on.w.* **1** (*alg.*) craquer, craqueter; **2** (*v. schoenen, sneeuw*) crier; ***het vriest dat het kraakt,*** il gèle à pierre fendre; **II** *ov.w.* **1** (*v. noot, enz.*) casser; ***een —de stem,*** une voix de perroquet; ***dat is een harde noot om te —,*** c'est lourd à digérer; **2** (*v. fles*) vider; (*fam.*) flûter; **3** (*opeten, verslinden*) croquer.
kram *v.(m.)* **1** (*alg.*) crampon *m.*; **2** (*haak*) agrafe *f.*; **3** (*v. boek*) fermoir *m.*; **4** (*v. gebroken voorwerp*) attache *f.*
kra'men *on.w.* s'accoucher.
kra'mer *m.* **1** marchand *m.* ambulant, colporteur *m.*; **2** (*in garen en band*) mercier *m.*
kramerij' *v.* mercerie *f.*; articles *m.pl.* de Paris.
kram'men *ov.w.* (*tn.*) cramponner.
kramp *v.(m.)* **1** crampe *f.*; **2** (*gen.*) spasme *m.*
kramp'achtig I *b.n.* spasmodique, convulsif; **II** *bw.* spasmodiquement; ***zich — vasthouden aan,*** se cramponner à.
kramp'hoest *m.* toux *f.* spasmodique, — convulsive.
kramp'middel *o.* antispasmodique *m.*
kramp'stillend *b.n.* antispasmodique.
kramp'vis *m.* torpille *f.*
kramp'werend *b.n.* antispasmodique.
kra'nig I *b.n.* **1** crâne; **2** (*v. werk, enz.*) excellent; **II** *bw.* **1** crânement; **2** d'une manière excellente; ***dat ziet er — uit,*** cela ne manque pas d'allure.
kra'nigheid *v.* crânerie *f.*; excellence *f.*
krank *b.n.* malade.
krank'heid *v.* maladie *f.*
krankzin'nig *b.n.* aliéné, dément, fou.
krankzin'nige *m.-v.* aliéné, dément, fou *m.*
krankzin'nigenarts *m.* (médecin) aliéniste *m.*
krankzin'nigengesticht *o.* maison *f.* d'aliénés, hospice *m.* —; maison *f.* de santé.
krankzin'nigenverpleger *m.* infirmier *m.* aliéniste.
kranzin'nigenwerk *o.* travail *m.* de fou.
krankzin'nigheid *v.* aliénation *f.* mentale, démence, folie *f.*
krans *m.* **1** couronne *f.*; **2** (*bloemslinger*) guirlande *f.*; **3** (*fig.: v. vrienden, enz.*) cercle *m.* (d'amis), réunion *f.*; **4** (*v. zuil*) ceinture *f.*; ***goede wijn behoeft geen —,*** à bon vin point d'enseigne.
kran'sen *ov.w.* couronner; enguirlander.
krans'je *o.* **1** petite couronne *f.*; **2** (*koekje*) gimblette *f.*; **3** cercle *m.*, petit club *m.* (pour dames).
krans'kruid *o.* (*Pl.*) marjolaine *f.*
krans'legging *v.* déposition *f.* d'une couronne.
krant, courant *v.(m.)* journal *m.*
kran'teartikel *o.* article *m.* de journal.
kran'tebericht *o.* nouvelle *f.* de journal.
kran'teknipsel *o.* coupure *f.* de journal.
kran'tenhanger *m.* porte-journaux *m.*
kran'tenieuws *o.* nouvelles *f.pl.* de journaux.
kran'tenjongen, kran'tenman *m.* porteur *m.* de journaux.
kran'tenpapier *o.* papier *m.* journal.
kran'teschrijver *m.* journaliste *m.*
krap I *v.(m.)* **1** (*meekrap*) garance *f.*; **2** (*kram, boekslot*) fermoir *m.*; **3** (*varkensrib*) côtelette *f.*; **II** *b.n.* **1** (*nauw, nauwsluitend*) étroit, étriqué; trop juste; **2** (*schraal; nauwelijks genoeg*) gêné; à peine suffisant; **III** *bw.* étroitement; ***iem. — houden,*** tailler les morceaux bien courts à qn.; ***— toekomen,*** vivre à l'étroit, y arriver tout juste; ***— zitten,*** être gêné, être à court d'argent.
krap'jes *bw.* étroitement, tout juste; ***— leven,*** avoir de la peine à joindre les deux bouts.
kras I *v.(m.)* raie, rayure *f.*; **II** *b.n.* **1** (*v. persoon*) robuste, vigoureux; **2** (*v. grijsaard*) vert; **3** (*v. maatregel: streng, scherp*) vigoureux, énergique; **4** (*v. middel*) violent; **III** *bw.* vigoureusement, énergiquement; ***dat is — gesproken,*** c'est beaucoup dire; ***zich — uitdrukken,*** s'exprimer en termes vifs.
kras'heid *v.* **1** force, vigueur *f.*; **2** (*v. grijsaard*) verdeur *f.*; **3** (*v. maatregel*) rigueur *f.*; **4** violence *f.*
kras'sen *on.w.* **1** (*v. pen*) grincer, crier, crisser; **2** (*v. kraai*) croasser; ***op de viool —,*** racler du violon.
krat *o.* caisse *f.* à claire-voie; châssis *m.*
kra'ter *m.* cratère *m.*
kra'termeer *o.* lac *m.* de cratère, cratère*-lac* *m.*
kra'teropening *v.* orle *m.*
kra'tervormig *b.n.* cratériforme.
krauw *v.(m.)* coup *m.* de griffe, égratignure *f.*
krau'wel *m.* **1** fourche *f.* recourbée; **2** griffe *f.*
krau'wen *ov.w.* gratter; égratigner.
krediet' *o.* crédit *m.*; ***— geven,*** faire crédit; ***een — openen,*** ouvrir un crédit; ***open (of blanco) —,*** crédit à découvert, — en blanc.
krediet'bank *v.(m.)* société *f.* de crédit, banque *f.* —.
krediet'brief *m.* lettre *f.* de crédit.
krediet'instelling *v.* établissement *m.* de crédit, société *f.* —.
krediet'nemer *m.* demandeur *m.* de crédit.
krediet'verlenging *v.* renouvellement *m.* de crédit.
krediet'verzekering *v.* assurance *f.* contre les risques du crédit.
kredietwaar'dig *b.n.* solvable.
kredietwaar'digheid *v.* solvabilité *f.*
krediet'wezen *o.* crédit *m.*
kreeft *m. en v.* **1** (*rivier—*) écrevisse *f.*; **2** (*zee—*) homard *m.*; **3** (*pantser—*) langouste *f.*; **4** (*sterr.*) cancer *m.*
kreef'tegang *m.* marche *f.* de l'écrevisse; mouvement *m.* à reculons; ***de — gaan,*** aller à reculons, rétrograder.
kreef'tesla *v.(m.)* salade *f.* aux homards.
kreef'tesoep *v.(m.)* potage *m.* (à la) bisque, bisque *f.* aux écrevisses.
kreefts'keerkring *m.* tropique *m.* du cancer.
kreek *v.(m.)* crique *f.*
kreet *m.* cri *m.*
kre'gel(ig) *b.n.* irritable, irascible; hargneux; ***— maken,*** irriter.
kre'geligheid *v.* irascibilité, humeur *f.* irascible; caractère *m.* hargneux.
krek I *b.n.* (*pop.*) exact, juste, précis; **II** *bw.* exactement, justement, précisément; ***— eender,*** absolument identique.
kre'kel *m.* grillon *m.*; (*pop.*) cri-cri* *m.*
krema'tie, crema'tie *v.* crémation *f.*
kreng *o.* **1** charogne *f.*; **2** (*fig.*) carogne *f.*, chameau *m.*
kren'ken *ov.w.* **1** (*grieven, kwetsen*) froisser, blesser, offenser; **2** (*benadelen: v. gezondheid, enz.*) altérer, porter atteinte à; **3** (*v. geest*) déranger;

4 (*v. goede naam*) flétrir, ternir; ***iem. geen haar —,*** ne pas toucher un cheveu à qn., ne pas faire de mal à qn.
kren'kend I *b.n.* blessant, offensant; **II** *bw.* d'une manière blessante.
kren'king *v.* **1** offense *f.*, froissement *m.*; **2** atteinte *f.*; **3** dérangement *m.*; **4** flétrissure *f.*
krent *v.(m.)* **1** raisin *m.* de Corinthe; **2** (*gen.*) croûte *f.* (dartreuse); **3** (*fig.*) pingre *m.*
kren'tenbaard *m.* menton *m.* fleuri.
kren'tenbol *m.* petit pain *m.* aux raisins de Corinthe.
kren'tenbrood *o.* pain *m.* aux raisins de Corinthe.
kren'tenkoek *m.* gâteau *m.* aux raisins.
kren'terig I *b.n.* parcimonieux, pingre, chiche, rapiat; ***niet —,*** rond (*of* coulant) en affaire; **II** *bw.* parcimonieusement, chichement; ***— zijn,*** chicaner, vétiller, lésiner.
kren'terigheid *v.* parcimonie, chicherie, pingrerie [*f.*
kreools', creools' *b.n.* créole.
kreosoot', creosoot' *m. en o.* créosote *f.*
krepe'ren, crepe'ren *on.w.* (*pop.*) crever.
Kre'ta *o.* la Crète; ***uit —,*** crétois.
Kreten'zer *m.* Crétois *m.*
kreuk *v.(m.)* **1** faux pli *m.*; **2** (*fig.*) tache, tare *f.*
kreu'kel *v.(m.)* faux pli *m.*
kreu'kelen I *ov.w.* chiffonner; froisser; **II** *on.w.* se chiffonner; se froisser.
kreu'kelig *b.n.* **1** (*vol kreukels*) plein de faux plis, chiffonné; **2** (*licht kreukels krijgende*) se chiffonnant facilement, froissable.
kreu'ken I *ov.w.* **1** chiffonner, froisser; **2** (*fig.*) porter atteinte à, violer; **II** *on.w.* se chiffonner; se froisser.
kreuk'herstellend *b.n.* infroissable.
kreukvrij *b.n.* infroissable.
kreu'nen I *on.w.* gémir; **II** *z.n., o.* ***het —,*** les gémissements *m.pl.*
kreu'pel *b.n.* **1** boiteux; éclopé; **2** (*fig.*) défectueux, pitoyable, misérable; ***— lopen,*** boiter, clocher; ***zich — lachen,*** se tordre (de rire).
kreu'pelbos *o.* taillis *m.*; broussailles *f.pl.*
kreu'pele *m.-v.* boiteux *m.*, —euse *f.*
kreu'pelhout *o.* taillis *m.*; broussailles *f.pl.*
krib'(be) *v.(m.)* **1** (*voederbak*) mangeoire; crèche *f.*; **2** (*slaapplaats*) couchette *f.*; **3** (*mil.*) châlit *m.*; **4** (*in rivier*) épi, éperon *m.*
krib'bebijter *m.* **1** (*v. paard*) tiqueur *m.*; **2** (*fig.*) grincheux *m.*, homme *m.* hargneux.
krib'big *b.n.* hargneux, querelleur, grincheux.
krib'bigheid *v.* humeur *f.* hargneuse.
krie'bel *m.* fourmillement *m.*; ***de — in zijn benen hebben,*** avoir des fourmis dans les jambes.
krie'belen I *ov.w.* chatouiller; **II** *on.w.* **1** (*slecht, slordig schrijven*) griffonner, gribouiller, faire des pattes de mouche; **2** (*jeuken*) démanger.
krie'belig *b.n.* chatouilleux; ***— worden,*** s'impatienter; ***— schrift,*** pattes *f.pl.* de mouche.
krie'beling *v.* **1** chatouillement *m.*; **2** démangeaison *f.*
krie'belmugje *o.* simulie *f.*
krie'belschrift *o.* gribouillage, griffonnage *m.*, pattes *f.pl.* de mouche.
krie'belziekte *v.* prurigo *m.*
kriek *v.(m.)* **1** (*kers*) guigne *f.*; **2** (*krekel*) grillon, criquet *m.*; ***zingen als een —,*** chanter à plein gosier; ***zich een — lachen,*** rire comme un bossu, se tordre.
krie'keboom *m.* guignier *m.*
krie'ken I *on.w.* **1** (*v. krekel, enz.*) chanter, griller, criqueter, faire cri-cri; **2** (*v. dag*) poindre; **II** *z.n., o.* **1** (*v. krekel*) grésillement, cri-cri *m.*; **2** (*v. dag*) point *m.*; ***het — van de dag,*** le point du jour, l'aube, la première heure du jour.
kriel I *o.* **1** (*uitschot, kleingoed*) rebut *m.*, choses *f.pl.* menues; fretin *m.*; **2** (*kl. aardappelen*) petites pommes *f.pl.* de terre; **II** *m.* bout *m.* d'homme, marmouset *m.*; **III** *b.n.* pétulant.
krie'len *on.w.* fourmiller, grouiller.
kriel'haan *m.* coq *m.* nain.
kriel'hen *v.* poule *f.* naine.
krieu'welen I *ov.w.* chatouiller; **II** *on.w.* démanger.
krieu'welig *b.n.* prurigineux.
krieu'weligheid *v.* impatience *f.*
krieu'weling *v.* fourmillement *m.*; démangeaison *f.*
krijg *m.* guerre *f.*; ***— voeren,*** faire la guerre.
krij'gen *ov.w.* **1** (*ontvangen*) recevoir; **2** (*verwerven*) acquérir; **3** (*bekomen*) obtenir; **4** (*grijpen, pakken*) prendre, saisir; **5** (*halen*) prendre, chercher; **6** (*opdoen: v. ziekte, enz.*) gagner, attraper; ***aan de gang —,*** mettre en marche; ***we — regen,*** nous aurons de la pluie; ***ik zal hem wel —,*** je l'aurai, il me le payera; ***die goederen zijn niet meer te —,*** on ne peut plus se procurer ces marchandises; ***hoeveel krijgt u van mij?*** combien vous dois-je? ***wij konden niets uit hem —,*** nous ne pouvions rien tirer de lui; ***wij kregen dorst,*** nous eûmes soif; ***ik krijg er genoeg van,*** je commence à en avoir assez; ***ik zal dat wel gedaan —,*** j'en viendrai à bout; ***de bijvoeglijke naamwoorden — een e in 't vrouwelijk,*** les adjectifs prennent un e au féminin; ***men krijgt hem nooit te spreken,*** on n'arrive jamais à lui parler; ***men krijgt hem nooit te zien,*** il ne se montre jamais; on ne le voit jamais; ***hij heeft het van zijn vader gekregen,*** son père lui en a fait cadeau; ***ik krijg lust om...,*** l'envie me prend de; ***woorden — met iem.,*** se disputer avec qn.
krij'ger *m.* guerrier *m.*, homme *m.* de guerre.
krij'gertje *o.* ***— spelen,*** jouer au chat, jouer aux barres.
krijgs'banier *v.(m.)* étendard *m.* de la guerre.
krijgs'bedrijf *o.* action *f.* militaire, fait *m.* d'armes.
krijgs'behoeften *mv.* munitions *f.pl.*
krijgs'beleid *o.* tactique *f.*
krijgs'bende *v.(m.)* troupe *f.* (irrégulière), cohorte *f.*
krijgs'daad *v.(m.)* fait *m.* d'armes, action *f.* héroïque, exploit *m.*
krijgs'dienst *m.* service *m.* militaire.
krijgs'eer *v.(m.)* honneur *m.* militaire; ***met — vertrekken,*** se retirer avec les honneurs de la guerre.
krijgs'gebruik *o.* usage(s) *m.(pl.)* de la guerre; ***naar —,*** militairement.
krijgs'geluk *o.* fortune *f.* des armes.
krijgs'geschiedenis *v.* histoire *f.* militaire.
krijgs'gevaar *o.* danger *m.* de la guerre.
krijgs'gevangen *b.n.* prisonnier de guerre, captif.
krijgs'gevangene *m.-v.* prisonnier *m.* de guerre.
krijgs'gevangenschap *v.* captivité *f.*
krijgs'geweld *o.* force *f.* des armes.
krijgs'gewoel *o.* tumulte *m.* de la guerre.
krijgs'god *m.* dieu *m.* de la guerre, Mars *m.*
krijgshaf'tig I *b.n.* vaillant; martial; belliqueux; **II** *bw.* vaillamment; martialement, d'un air martial; d'une façon belliqueuse.
krijgshaf'tigheid *v.* vaillance; martialité *f.*; humeur *f.* guerrière.
krijgs'held *m.* héros *m.*; (*iron.*) foudre *m.* de guerre.
krijgs'hoofd *o.* chef *m.* de guerre, grand chef, grand capitaine *m.*
krijgs'kans *v.(m.)* fortune *f.* de armes; hasard *m.* de la guerre.
krijgs'kas *v.(m.)* trésor *m.* de guerre.

krijgs'knecht *m.* guerrier, troupier *m.*
krijgs'kunde *v.* science *f.* militaire, stratégie *f.*
krijgskun'dig *b.n.* stratégique.
krijgs'leven *o.* vie *f.* militaire.
krijgs'lied *o.* chant *m.* de guerre, hymne *m.* [guerrier.
krijgs'lieden *mv.* gens *m.pl.* de guerre, guerriers *m.pl.*
krijgs'list *v.(m.)* stratagème *m.*, ruse *f.* de guerre.
krijgs'macht *v.(m.)* forces *f.pl.* militaires.
krijgs'makker *m.* compagnon *m.* d'armes, frère *m.* —. [de guerre.
krijgs'man *m.* guerrier, soldat *m.*, homme *m.*
krijgs'mansdeugd *v.(m.)* vertu *f.* militaire.
krijgs'manseer *v.(m.)* honneur *m.* militaire.
krijgs'mansstand *m.* métier *m.* militaire, carrière *f.* —.
krijgs'manstaal *v.(m.)* langage *m.* martial.
krijgs'muziek *v.* musique *f.* militaire.
krijgs'oefening *v.* exercice *m.* militaire.
krijgs'plicht *m. en v.* **1** (*dienstplicht*) service *m.* militaire; **2** (*plicht als soldaat*) devoir *m.* militaire.
krijgs'raad *m.* conseil *m.* de guerre, cour *f.* martiale; ***voor de — roepen,*** traduire devant le conseil de guerre (*of* cour martiale).
krijgs'recht *o.* droit *m.* de la guerre, loi *f.* martiale.
krijgs'rumoer *o.* tumulte *m.* de la guerre; bruit *m.* des armes.
krijgs'school *v.(m.)* ***hogere —,*** école *f.* (supérieure) de guerre.
krijgs'tocht *m.* campagne, expédition *f.* militaire.
krijgs'toneel *o.* théâtre *m.* de la guerre.
krijgs'tucht *v.(m.)* discipline *f.* militaire.
krijgs'verrichting *v.* opération *f.* militaire.
krijgs'volk *o.* soldats *m.pl.*, gens *m.pl.* de guerre, troupes *f.pl.*
krijgs'voorraad *m.* munitions *f.pl.*
krijgs'wet *v. (m.)* loi *f.* de la guerre, — martiale.
krijgs'wetenschap *v.* science *f.* militaire.
krijgszuch'tig *b.n.* belliqueux.
krijs *m.* cri *m.* perçant.
krij'sen *on.w. en ov.w.* **1** pousser des cris perçants (*of* aigus); crier, hurler; **2** (*v. kind*) piailler.
krijt *o.* **1** craie *f.*; **2** (*strijdperk*) lice, arène *f.*; ***gekleurd —,*** pastel *m.*; ***rood —,*** rubrique *f.*; ***zwart —,*** crayon *m.* noir; ***bij iem. in het — staan,*** devoir de l'argent à qn.; ***met dubbel — schrijven,*** marquer à la fourchette; mettre des queues aux zéros; ***in het — treden,*** entrer en lice, descendre dans l'arène.
krijt'aarde *v.(m.)* terre *f.* crayeuse.
krijt'achtig *b.n.* crayeux, crayonneux.
krijt'berg *m.* montagne *f.* crétacée.
krij'ten I *on.w.* **1** crier; **2** (*wenen*) pleurer; **II** *ov.w.* **1** enduire de craie; **2** (*bilj.*) ***de keu —,*** mettre du blanc à la queue.
krijt'formatie *v.* formation *f.* crétacée.
krijt'groef, -groeve *v.(m.)* crayère *f.*
krijt'rots *v.(m.)* roche *f.* crétacée.
krijt'streep *v.(m.)* trait *m.* à la craie.
krijt'tekening *v.* **1** crayon *m.*; **2** (*gekleurd*) pastel *m.*; **3** (*rood*) sanguine *f.*
krijt'wit *b.n.* **1** blanc comme (la) craie, blanc comme neige; **2** (*fig.*) pâle comme un mort, blanc comme un linge.
krik I *tw.* cric! cric-crac! **II** *z.n.*, *v.(m.)* (*tn.*) cric *m.*
Krim *v.* la Crimée.
krimin-, *zie* ***crimin-.***
Krim'oorlog *m.* guerre *f.* de Crimée.
krimp *m.* **1** (*v. stoffen*) rétrécissement *m.*; **2** (*nood, gebrek*) disette *f.*, manque *m.*; ***geen — hebben,*** être à l'abri du besoin.
krim'pen I *on.w.* **1** (*v. stoffen*) se rétrécir; **2** (*v. metaal, zenuw, enz.*) se contracter; **3** (*v. wind*) rapprocher; **II** *ov.w.* décatir.
krim'ping *v.* **1** rétrécissement *m.*; **2** contraction *f.*, retrait *m.*; **3** décatissage *m.*; **4** (*v. beton, bitumen*) retrait *m.*
krimp'vis *m.* poisson *m.* tout frais.
krimp'vrij *b.n.* irrétrécissable; décati.
kring *m.* **1** (*cirkel*) cercle, rond *m.*; **2** (*om oog*) cerne *m.*; **3** (*om zon, maan*) halo *m.*; **4** (*v. vrienden, enz.*) cercle *m.*; **5** (*v. post*) rayon urbain *m.*; ***de hogere —en,*** la haute société, le grand monde; ***in de —en der arbeiders,*** dans le monde ouvrier; ***de —, waarin hij leeft,*** le milieu (social) dans lequel il vit; ***in de — der zijnen,*** au sein de sa famille; ***in een — zitten,*** être assis en rond.
krin'gelen *on.w.* former des volutes.
kring'loop *m.* mouvement *m.* circulaire; circuit *m.*; ***de — der jaargetijden,*** le retour (*of* cycle) des saisons.
krings'gewijs, -gewijze *bw.* circulairement.
kring'vlucht *v.* circuit *m.*
kring'vormig *b.n.* circulaire.
kring'zaag *v.(m.)* scie *f.* circulaire.
krin'kel *m.* tortillement, repli *m.*
krin'kelen *on.w.* se tortiller, se crisper; serpenter; monter en volutes.
krioe'len *on.w.* fourmiller, grouiller.
krioe'ling *v.* fourmillement, grouillement *m.*
krip *o.* crêpe *m.*
kris I *bw.* ***— kras door elkaar,*** pêle-mêle; ***bij — en bij kras volhouden,*** soutenir mordicus; ***bij — en bij kras zweren,*** jurer ses grands dieux; **II** *z.n.*, *v.* criss, poignard *m.*
krisis (-), *zie* ***crisis (-).***
kris'ma, chris'ma *o.* (*kath.*) (saint-)chrème *m.*
kristal' *o.* cristal *m.*
kristal'achtig *b.n.* cristallin; cristalloïde.
kristal'detector *m.* détecteur *m.* à cristaux, — à galène.
kristal'fabriek *v.* cristallerie *f.*
kristal'helder *b.n.* cristallin.
kristal'len *b.n.* de cristal.
kristal'lens *v.(m.)* cristallin *m.*
kristallijn' *o.* cristal *m.*
kristallise'ren, kristallize'ren *ov.w.* (*on.w.*), (se) cristalliser. [tion *f.*
kristallise'ring, kristallize'ring *v.* cristallisa-
kristal'ontvanger *m.* poste *m.* à galène.
kristal'structuur, -struktuur *v.* structure *f.* cristalline.
kristal'suiker *m.* sucre *m.* cristallisé.
kristal'vorm *m.* forme *f.* cristalline.
kristal'vorming *v.* cristallisation *f.*
kristal'werk *o.* cristallerie *f.*
kriste-, *zie* ***christe-.***
kristin', christin' *v.* chrétienne *f.*
Kris'tus, Chris'tus *m.* le Christ.
kritiek' *v.* critique *f.*; ***beneden alle —,*** au-dessous de toute critique, immédiatement au-dessous de rien; indigne, infâme; ***opbouwende —,*** critique constructive; ***afbrekende —,*** éreintement *m.*
kritikas'ter, criticas'ter *m.* critiqueur *m.*
kri'tisch *b.n.* critique.
kritise'ren, kritize'ren, critise'ren I *ov.w.* critiquer, censurer; **II** *z.n.* ***het —,*** la critique
Kroaat' *m.* Croate *m.*
Kroa'tië *o.* la Croatie.
Kroa'tisch *b.n.* croate.
krocht *v.(m.)* **1** (*hol, spelonk*) caverne *f.*, antre *m.*; **2** (*kath.*) crypte *f.* [cercle *m.*
kroeg *v.(m.)* **1** cabaret *m.*, taverne *f.*; **2** (*fam.*)
kroeg'baas *m.* mastroquet *m.*; (*pop.*) bistrot *m.*

kroeg'houder *m.*, **kroeg'houdster** *v.* cabaretier *m.*, —ière *f.*, mastroquet, bistrot *m.*
kroeg'je *o.* cabaret *m.*; bistro, bistrot *m.*
kroeg'loper *m.* pilier *m.* de cabaret.
kroep *m.* croup *m.*
kroep'hoest *m.* toux *f.* croupale.
kroes I *m.* **1** gobelet *m.*; **2** (*kinder*—) timbale *f.*; **3** (*smelt*—) creuset *m.*; **II** *b.n.* **1** (*gekruld*) crépu, frisé; **2** (*dicht*—) moutonné; **3** (*gerimpeld: v. voorhoofd*) ridé, froncé.
kroes'haar *o.* cheveux *m.pl.* crépus.
kroes'harig *b.n.* crépu, frisé, aux cheveux crépus.
kroes'kop *m.* tête *f.* crépue, — frisée.
kroe'zen *ov.w.* (*on.w.*), (se) crêper, (se) friser.
kroket'je, croquet'je *o.* croquette *f.*
krokodil' *m. en v.* crocodile *m.*
krokodil'letranen *mv.* larmes *f.pl.* de crocodile.
kro'kus, cro'cus *m.* (*Pl.*) crocus *m.*
krol'len *on.w.* miauler.
krols *b.n.* en chaleur.
krom I *b.n.* **1** (*v. lijn, oppervlak*) courbe; **2** (*v. stok, enz.: gebogen*) courbé; **3** (*bochtig, kronkelend*) sinueux, tortueux; **4** (*gewelfd*) voûté; **5** (*v. benen*) torse; **6** (*v. neus*) crochu, busqué; **7** (*fig.*) défectueux; **8** malhonnête; ***— maken, — buigen,*** courber; ***zich — werken,*** s'esquinter le tempérament; ***zich — lachen,*** se tordre; ***—me sprongen maken,*** **1** faire des bêtises, faire des siennes, faire les cent coups; **2** (*uitvluchten, zoeken*) chercher des faux-fuyants; ***—me wegen volgen,*** suivre des chemins tortueux (*of* des voies tortueuses); **II** *bw.* ***— lopen,*** marcher courbé; ***— spreken,*** écorcher la langue, baragouiner, parler petit nègre.
krom'benig *b.n.* **1** (*alg.*) bancroche; **2** (*met o-benen: naar buiten*) bancal; **3** (*met x-benen: naar binnen*) cagneux.
krom'groeien *on.w.* se déformer, se tordre.
krom'heid *v.* courbure *f.*
krom'hout *o.* (*sch.*) courbe *f.*
krom'liggen *on.w.* (*fig.*) s'imposer des privations, tirer le diable par la queue, se saigner aux quatre veines.
krom'lijnig *b.n.* curviligne.
krom'lopen *on.w.* **1** marcher courbé; **2** (*weg, rivier*) serpenter.
krom'me (*wisk.*) *v.*(*m.*) courbe *f.*
krom'men I *ov.w.* **1** (*v. rug*) courber; **2** (*v. hout*) cambrer; **II** *on.w.* **1** se courber, se voûter; **2** se cambrer; **III** *w.w.* ***zich —,*** **1** se courber, se voûter; **2** se cambrer; **3** (*v. rivier*) faire un coude.
krom'mes' *o.* **1** (*v. schoenmaker*) tranchet *m.*; **2** (*voor tuinbouw*) serpette *f.*
krom'ming *v.* **1** courbure *f.*; **2** (*v. weg, enz.*) courbe *f.*; **3** (*v. rivier*) coude *m.*; **4** (*v. dek*) tonture *f.*
krom'passer *m.* compas *m.* d'épaisseur.
krom'snavel *m.* bécarde *f.*
krom'snavelig *b.n.* curvirostre.
krom'spreken *on.w.* zie ***krom* II.**
krom'staf *m.* crosse *f.*
krom'te *v.* courbure *f.*
krom'trekken *on.w.* se déjeter, gauchir.
krom'trekking *v.* gauchissement *m.*
krom'zwaard *o.* cimeterre *m.*
kro'nen *ov.w.* couronner; ***tot koning —,*** couronner roi.
kroniek' *v.* chronique *f.*
kroniek'schrijver *m.* chroniqueur *m.*
kro'ning *v.* couronnement *m.*
kro'ningseed *m.* serment *m.* de fidélité à la constitution.
kro'ningsfeest *o.* fête *f.* du couronnement.
kro'ningsplechtigheid *v.* cérémonie *f.* du couronnement.
kro'nisch, chro'nisch *b.n.* chronique.
kron'kel *m.* **1** repli *m.*; **2** (*kreuk*) faux pli *m.*; **3** (*v. rivier, weg*) méandre *m.*; sinuosité *f.*; **4** (*v. slang*) anneau *m.*; ***— in de darmen,*** occlusion *f.* intestinale; ***een — in zijn hersens,*** un peu maboul.
kron'kelachtig *b.n.* tortueux; entortillé.
kron'keldarm *m.* iléon *m.*
kron'kelen I *on.w.* **1** (*kronkels maken*) se replier; **2** (*ineen*—) s'entortiller; **3** (*v. weg, rivier*) serpenter; **4** (*v. stof*) se froncer; **II** *w.w.* ***zich —,*** serpenter.
kron'kelend, kron'kelig *b.n.* tortueux, sinueux.
kron'keling *v.* **1** (*v. weg*) repli, détour *m.*; **2** (*v. rivier*) sinuosité *f.*, méandre *m.*; **3** (*handeling*) entortillement *m.*
kron'kelpad *o.* sentier *m.* tortueux.
krono-, *zie* ***chrono-.***
kroon *v.*(*m.*) **1** (*alg.*) couronne *f.*; **2** (*Pl.*) corolle *f.*; **3** (*licht* —) lustre *m.*, girandole *f.*; **4** (*bouwk.*) couronnement *m.*; **5** (*v. boom*) cime *f.*; ***de pauselijke —,*** la tiare; ***de — spannen,*** l'emporter, avoir le dessus; ***iem. naar de — steken,*** rivaliser avec qn.; ***de — op het werk zetten,*** couronner l'œuvre; ***de — neerleggen,*** abdiquer (la couronne).
kroon'blad *o.* (*Pl.*) pétale *f.*
kroon'domein *o.* domaine *m.* de la couronne.
kroon'getuige *m.-v.* (principal) témoin *m.* à charge; indicateur *m.*
kroon'jaar *o.* année *f.* lustrale, — de lustre.
kroon'juweel *o.* joyau *m.* de la couronne.
kroon'kandelaar *m.* lustre *m.*, girandole *f.*
kroon'kolonie *v.* colonie *f.* de la couronne.
kroon'kurk *v.*(*m.*) bouchon *f.* à coiffe.
kroon'lijst *v.*(*m.*) corniche *f.*
kroon'luchter *m.* lustre *m.*
kroon'pretendent *m.* prétendant *m.* au trône.
kroon'prins *m.* prince *m.* royal, — impérial, — héritier.
kroon'prinses *v.* princesse *f.* royale, — impériale, — héritière.
kroon'raad *m.* conseil *m.* de la couronne; conseil privé du roi, *etc.*
kroon'recht *o.* prérogative *f.* de la couronne.
kroon'tje *o.* **1** petite couronne *f.*; **2** (*v. peer, enz.*) œil, nombril *m.*
kroon'vormig *b.n.* en forme de couronne.
kroos *o.* (*Pl.*) lentille *f.* d'eau.
kroos'je *o.* petite prune *f.* de damas.
kroost *o.* **1** enfants *m.pl.*; **2** (*nakomelingen*) progéniture *f.*
kroot *v.*(*m.*) betterave *f.* rouge, — potagère.
krop I *m.* **1** (*v. vogel*) jabot *m.*; **2** (*gen.: gezwel*) goitre *m.*; **3** (*v. maag, enz.*) orifice *m.*; ***een — in de keel hebben,*** avoir le cœur gros; ***een — opzetten,*** (*fig.*) plastronner; **II** *v.* pomme *f.* de laitue; **III** *o.* farine *f.* non blutée.
krop'achtig *b.n.* goitreux.
krop'brood *o.* pain *m.* complet.
krop'duif *v.*(*m.*) pigeon *m.* boulant, — grosse-[gorge.
krop'gans *v.*(*m.*) **1** (*pelikaan*) pélican *m.*; **2** (*vette gans*) oie *f.* engraissée.
krop'gezwel *o.* goitre *m.*
krop'kool *v.*(*m.*) chou *m.* cabus, — pommé.
krop'pen I *ov.w.* **1** (*v. vogel*) gaver, empâter; **2** (*uitstaan, verduren*) supporter, endurer; **II** *on.w.* (*v. sla*) se pommer.
krop'per *m.* **1** (*v. persoon*) goitreux *m.*; **2** (*sla*) laitue *f.* pommée; **3** (*duif*) *zie* ***kropduif.***

krop'salade, -sla *v.(m.)* laitue *f.* pommée.
krop'ziekte *v.* crétinisme *m.*
krot *o.* taudis, galetas *m.*, bicoque, masure *f.*
krot'opruiming *v.* suppression *f.* des taudis.
krot'woning *v.* taudis *m.*
kruid *o.* **1** (*Pl.*) herbe *f.*, plante *f.* (herbacée); **2** (*specerij*) épices *f.pl.*; ***geneeskrachtige —en,*** simples *m.pl.*, plantes *f.pl.* médicinales; ***daar is geen — voor gewassen,*** c'est un mal sans remède.
kruid'achtig *b.n.* herbacé.
kruid'boek *o.* herbier *m.*
krui'den *ov.w.* épicer; assaisonner.
krui'denaftreksel *o.* tisane, infusion *f.* (d'herbes).
krui'denazijn *m.* vinaigre *m.* aromatique.
krui'denhandel *m.* herboristerie, droguerie *f.*
kruidenier' *m.* épicier *m.*
kruideniers'bediende *m.* garçon *m.* épicier.
kruideniers'mentaliteit *v.* esprit *m.* mesquin, — étriqué.
kruideniers'waren *mv.* épiceries *f.pl.*
kruideniers'winkel *m.*, **kruideniers'zaak** *v.(m.)* épicerie *f.*
krui'denlezer *m.* herborisateur *m.*
krui'dent(h)ee *m.* infusion *f.* de simples, tisane.
krui'denwijn *m.* vin *m.* aromatique, — aromatisé.
krui'denzakje *o.* sachet *m.* aromatique.
kruiderij' *v.* épiceries, épices *f.pl.*
krui'dig *b.n.* épicé, aromatique.
krui'digheid *v.* arome *m.*, goût *m.* aromatique.
kruidje-roer'-mij-niet *o.* **1** (*Pl.*) sensitive *f.*; **2** (*fig.*) personne *f.* irascible, fagot *m.* d'épines.
kruid'kaas *m.* fromage *m.* épicé.
kruid'kenner *m.* botaniste *m.*
kruid'koek *m.* pain *m.* d'épices.
kruid'kunde *v.* botanique *f.*
kruidkun'dig *b.n.* botanique.
kruidkun'dige *m.* botaniste *m.*
kruid'nagel *m.* clou *m.* de girofle.
kruid'nagelboom *m.* giroflier *m.*
kruid'nagelolie *v.(m.)* huile *f.* de girofle.
kruid'noot *v.(m.)* noix *f.* muscade.
kruid'tuin *m.* jardin *m.* botanique.
kruid'zoeker *m.* herborisateur *m.*
krui'en I *ov.w.* **1** brouetter, transporter sur une brouette; **2** (*fig.: in ambt*) pistonner; **II** *on.w.* charrier (des glaçons); **III** *z.n., o.* ***het —,*** (*v. ijs*) la débâcle.
krui'er *m.* **1** brouettier *m.*; **2** (*aan station, enz.*) commissionnaire; porteur *m.*
krui'ersloon *o.* portage *m.*, frais *m.pl.* de factage.
krui'ing *v.* charriage *m.*; débâcle *f.*
kruik *v.(m.)* **1** cruche *f.*; **2** (*askruik, urn*) urne *f.*; **3** (*bed—*) bouillotte *f.*, cruchon *m.*; ***de — gaat zolang te water tot zij breekt,*** tant va la cruche à l'eau qu'à la fin elle se brise.
kruik'je *o.* cruchon *m.*
kruik'vol *v.* cruchée *f.*
kruim *v.(m.)* *en o.* **1** (*v. brood*) mie *f.*; **2** (*fig.*) esprit *m.*
krui'mel *m.* miette *f.*
krui'melen *ov.w.* (*on.w.*) (s')émietter.
krui'melig *b.n.* **1** tombant en miettes, qui s'émiette aisément; **2** (*v. aardappelen*) farineux; **3** (*fig.*) chiche, mesquin.
krui'meling *v.* émiettement *m.*
krui'melveger *m.* ramasse-miettes *m.*
kruin *v.(m.)* **1** (*v. hoofd, berg*) sommet *m.*; **2** (*v. priester*) tonsure *f.*; **3** (*v. golf*) cime *f.*
kruin'mutsje *o.* calotte *f.*
kruin'schering *v.* tonsure *f.*
kruip'broek *v.(m.)* barboteuse *f.*
kruip'-door-sluip-door *o.* jeu *m.* de pontlevis.
krui'pen *on.w.* **1** ramper; **2** (*fig.: v. uren, tijd*) se traîner; ***— door,*** se glisser à travers; ***op handen en voeten —,*** marcher à quatre pattes; ***in zijn bed —,*** se fourrer au lit; ***in zijn schulp —,*** rentrer dans sa coquille.
krui'pend I *b.n.* **1** rampant; **2** (*Pl.*) traçant; **3** (*fig.*) obséquieux; ***—e dieren,*** reptiles *m.pl.*; **II** *bw.* **1** en rampant; **2** obséquieusement.
krui'per *m.* flagorneur *m.*, chien *m.* couchant.
krui'perig *b.n.* rampant, servile, obséquieux.
kruiperij' *v.* servilité, obséquiosité *f.*
kruip'pak *o.* barboteuse *f.*
kruip'plant *v.(m.)* plante *f.* grimpante.
kruis *o.* **1** croix *f.*; **2** (*v. broek*) fond *m.*, enfourchure *f.*; **3** (*v. dier*) croupe *f.*; **4** (*drukk.*) étendoir *m.*; ferlet *m.*; **5** (*v. raam, anker*) croisée *f.*; **6** (*muz.*) dièse *m.*; ***'t is een —,*** c'est un fléau; ***— noch munt hebben,*** n'avoir pas le sou, n'avoir ni sou ni maille; ***het Rode K—,*** la Croix-Rouge.
kruis'afneming *v.* descente *f.* de (la) croix.
kruis'arcering *v.* contre-hachure * *f.*
kruis'arm *m.* (*bouwk.*) croisillon *m.*
kruis'band *m.* **1** bande *f.*; **2** (*v. verband*) ligament *m.* croisé; **3** (*mil.*) traverse *f.* en croix.
kruis'banier *v.(m.)* bannière *f.* de la croix.
kruis'beeld *o.* crucifix *m.*
kruis'berg *m.* calvaire *m.*
kruis'bes *v.(m.)* groseille *f.* à maquereau.
kruis'bessestruik *m.* groseillier *m.* à maquereau.
kruis'bestuiving *v.* (*Pl.*) allogamie *f.*
kruis'beuk *m. en v.* transept *m.*
kruis'bloem *v.(m.)* (*bouwk.*) fleuron *m.*
kruis'bloemigen *mv.* crucifères *f.pl.*
kruis'boog *m.* arbalète *f.*
kruis'boogschutter *m.* arbalétrier *m.*
kruis'dagen *mv.* (*kath.*) Rogations *f.pl.*
kruis'distel *m. en v.* panicaut *m.*
kruis'dood *m. en v.* mort *f.* sur la croix.
kruis'dragend *b.n.* (*Pl.*) crucifère.
kruis'drager *m.* porte-croix *m.*
kruis'draging *v.* portement *m.* de croix.
krui'selings *bw.* en croix; ***met de benen — over elkaar,*** les jambes croisées.
krui'sen I *ov.w.* **1** (*kruiswijze over elkaar leggen*) croiser; **2** (*kruisigen*) crucifier; **3** (*v. rassen*) croiser, métisser; **II** *on.w.* (*sch.*) croiser, faire une croisière.
krui'ser *m.* (*sch.*) croiseur *m.*
kruis'gang *m.* **1** (*in klooster*) cloître *m.*; **2** (*fig.*) calvaire *m.*
kruis'gesprek *o.* conversation *f.* en émission multiplex.
kruis'gewelf *o.* voûte *f.* en crête.
kruis'gewijs, -gewijze *bw.* en forme de croix.
kruis'heer *m.* (*kath.*) (père) croisier *m.*
kruis'hout *o.* **1** (*bouwk.*) croisée *f.*, croisillon *m.*; **2** ***het K—,*** l'Arbre *m.* de la Croix.
krui'sigen *ov.w.* crucifier.
krui'siging *v.* mise *f.* en croix, crucifiement *m.*
krui'sing *v.* **1** (*v. wegen, rassen*) croisement *m.*; **2** (*in weefsel; v. rijmen*) croisure *f.*
kruis'jassen *on.w.* jouer à la belote à quatre.
kruis'je *o.* (petite) croix *f.*; ***een — halen,*** (*kath.*) aller chercher les Cendres; ***zes —s achter de rug hebben,*** avoir dépassé la soixantaine, avoir doublé le cap de la soixantaine.
kruis'kerk *v.(m.)* église *f.* (bâtie) en forme de croix.
kruis'koppeling *v.* joint *m.* de cardan.
kruis'kozijn *o.* croisée *f.*
kruis'net *o.* carrelet, carreau *m.*, macle *f.*
kruis'offer *o.* sacrifice *m.* de la croix.
kruis'peiling *v.* **1** (*alg.*) repérage *m.* par intersection; **2** (*radio*) repérage *m.* par le son, — par radiophare.
kruis'punt *o.* **1** (*v. wegen*) croisée *f.*, carrefour *m.*;

2 (*v. lijnen*) point *m.* d'intersection; **3** (*v. spoorwegen*) croisement *m.*; croissière *f.*; (*zijlijn*) embranchement *m.*
kruis'raadsel *o.* mots *m.pl.* croisés.
kruis'raam *o.* croisée *f.*
kruis'rijm *o.* rimes *f.pl.* croisées.
kruis'snarig *b.n.* (*muz.*) à cordes obliques.
kruis'sne(d)e *v.(m.)* incision *f.* cruciale.
kruis'snelheid *v.* (*v. vliegtuig*) vitesse *f.* de croisière.
kruis'spin *v.(m.)* araignée *f.* porte-croix.
kruis'steek *m.* point *m.* de croix, — croisé.
kruis'straat *v.(m.)* rue *f.* transversale.
kruis'teken *o.* signe *m.* de la croix.
kruis'tocht *m.* **1** (*gesch.*) croisade *f.*; **2** (*sch.*) croisière *f.*
kruis'vaarder *m.* croisé *m.*
kruis'vaart *v.(m.)* croisade *f.*
kruis'verband *o.* bandage *m.* en croix.
Kruis'verheffing *v.* Exaltation *f.* de la Croix.
kruis'verhoor *o.* contre-interrogatoire* *m.*; ***aan een — onderwerpen,*** interroger contradictoirement.
Kruis'vinding *v.* Invention *f.* de la Croix.
kruis'vlucht *v.(m.)* croisière *f.*
kruis'vormig *b.n.* **1** en (forme de) croix; **2**(*Pl.*) cruciforme, crucifère; **3** (*gen.*) crucial.
kruis'vuur *o.* feu *m.* croisé.
kruis'weg *m.* **1** (*kath.*) chemin *m.* de la croix; **2** (*snijpunt v. wegen*) carrefour *m.*
kruis'wissel *m. en o.* (*spoorw.*) traversée *f.* de voie.
kruis'woorden *mv.* paroles *f.pl.* de la croix.
kruis'woordraadsel *o.* mots *m.pl.* croisés.
kruis'woordraadselliefhebber *m.* cruciverbiste, mots-croisiste* *m.-f.*
kruit *o.* poudre *f.* (à canon); ***met los — schieten,*** tirer à blanc; ***zijn — op de mussen verschieten,*** tirer sa poudre aux moineaux; ***hij heeft al zijn — verschoten,*** il est au bout de son latin.
kruit'damp *m.* fumée *f.* de la poudre.
kruit'huis *o.* poudrière *f.*, magasin *m.* à poudre.
kruit'kamer *v.(m.)* soute *f.* aux poudres, chambre *f.* de mine; (*sch.*) sainte*-barbe* *f.*
kruit'lading *v.* charge *f.*
kruit'magazijn *o.* poudrière *f.*
kruit'maker *m.* poudrier *m.*
kruit'molen *m.* moulin *m.* à poudre, poudrière *f.*
kruit'schip *o.* vaisseau *m.* à poudre.
kruit'toren *m.* tour *f.* à poudre.
kruit'vat *o.* baril *m.* (à poudre).
kruit'vlag *v.(m.)* (*mil., sch.*) pavillon *m.* rouge.
kruit'wagen *m.* caisson *m.* (à poudre).
krui'wagen *m.* **1** brouette *f.*; **2** (*fig.*) piston *m.*; ***hij heeft goede —s,*** il est bien pistonné.
krui'zeel *o.* bretelles *f.pl.*
kruizemunt' *v.(m.)* (*pl.*) menthe *f.* crépue.
kruizemunt'olie *v.(m.)* huile *f.* de menthe.
kruk I *v.(m.)* **1** béquille *f.*; **2** (*v. machine, enz.*) manivelle *f.*; **3** (*v. deur*) bouton *m.*; **4** (*stoel zonder leuning*) tabouret *m.*; **5** (*voor vogel*) perchoir *m.*; ***op —ken lopen,*** marcher avec des béquilles; **II** *m.* (*knoeier, broddelaar*) gâte-métier, bousilleur *m.*
kruk'as *v.(m.)* (*tn.*) arbre *m.* coudé, axe *m.* —.
kruk'boor *v.(m.)* tarière *f.*
kruk'je *o.* tabouret *m.*
kruk'kast *v.(m.)* carter *m.*
kruk'ken *on.w.* **1** marcher avec des béquilles; **2** (*fig.*) traîner la jambe, languir.
kruk'stang *v.(m.)* bielle *f.*
krul *v.(m.)* **1** (*v. haar*) boucle *f.*; **2** (*afschaafsel v. hout*) copeau *m.*, planure *f.*; **3** (*v. letter, handtekening*) parafe *m.*; **4** (*bouwk.*) volute *f.*
krul'andijvie *v.(m.)* chicorée *f.* frisée, — endive.
krul'haar *o.* cheveux *m.pl.* frisés, — bouclés.
krul'hond *m.* barbet, caniche *m.*
krul'ijzer *o.* fer *m.* à friser.
krul'kool *v.(m.)* chou *m.* frisé.
krul'lebol *m.* **1** tête *f.* bouclée, — frisée; **2** personne *f.* à tête bouclée.
krul'len I *ov.w.* boucler, friser; **II** *on.w. en w.w.* **1** (*v. haar*) (se) friser; **2** (*v. papier*) se rouler, se recoquiller.
krul'lenjongen *m.* apprenti *m.* menuisier.
krul'letter *v.(m.)* lettre *f.* d'ornement.
krul'lig *b.n.* **1** bouclé, frisé; **2** (*fig.*) bizarre.
krul'ling *v.* frisure *f.*
krul'speld *v.(m.)* épingle *f.* à friser.
krul'staart *m.* queue *f.* en tire-bouchon.
krul'tabak *m.* tabac *m.* frisé.
krul'tang *v.(m.)* fer *m.* à friser.
kryp'ton *o.* krypton *m.*
krysant', *zie* ***chrysant.***
kubiek' *b.n.* **1** (*v. vorm*) cubique; **2** (*v. meter*) cube.
kubiek'wortel *m.* racine *f.* cubique.
kubis'me *o.* cubisme *m.*
kubis'tisch *b.n.* cubiste.
ku'bus *m.* cube *m.*
kuch I *o.* (*mil.*) boule *f.* de son, saint-honoré* *m.*; pain *m.* de munition; **II** *m.* toussotement *m.*, toux *f.* sèche.
ku'chen I *on.w.* toussoter, tousser légèrement; **II** *z.n., o.* toussotement *m.*
ku'cher *m.* tousseur *m.*
kuch'je *o.* toux *f.* légère.
kud'de *v.(m.)* troupeau *m.*
kud'degeest *m.* esprit *m.* grégaire, — moutonnier.
kud'demens *m.* mouton *m.* de Panurge.
kui'er *m.* tour *m.*, promenade *f.*
kui'eren *on.w.* faire un tour, se promener.
kuif *v.(m.)* **1** (*v. mens*) toupet *m.*; **2** (*v. vogel*) huppe *f.*
kuif'eend *v.(m.)* morillon *m.*
kuif'hen *v.* poule *f.* huppée.
kuif'leeuwerik *m.* alouette *f.* huppée.
kuif'mees *v.(m.)* mésange *f.* huppée.
kui'ken *o.* poussin *m.*; poulet *m.*
kui'kendief *m.* (*Dk.*) milan *m.*
kuil *m.* **1** fosse *f.*; **2** (*hol*) trou, creux *m.*; ***wie een — graaft voor een ander, valt er zelf in,*** tel est pris qui croyait prendre.
kui'len I *ov.w.* (*inkuilen*) enterrer, ensiler; **II** *on.w.* (*spel*) jouer à la fossette.
kuil'tje *o.* fossette *f.*
kuil'voe(de)r *o.* fourrage *m.* ensilé.
kuip *v.(m.)* cuve *f.*; baquet *m.*; ***ik weet welk vlees ik in de — heb,*** je sais à quoi m'en tenir; je connais mon homme.
kuip'bad *o.* bain *m.* chaud.
kuip'band *m.* cerceau *m.*
kui'pen *on.w.* **1** faire des tonneaux; **2** (*fig.*) intriguer, cabaler.
kui'per *m.* **1** tonnelier *m.*; **2** intrigant, cabaleur *m.*
kuiperij' *v.* **1** tonnellerie *f.*; **2** intrigue, cabale *f.*
kui'persboor *v.(m.)* amorçoir *m.*
kui'pershamer *m.* maillet *m.*
kui'perswerkplaats *v.(m.)* tonnellerie *f.*
kuip'hout *o.* merrain *m.*
kuip'je *o.* cuveau *m.*, cuvette *f.*
kuip'vol *v.* cuvée *f.*
kuis I *b.n.* chaste, pudique; **II** *bw.* chastement, pudiquement.
kui'sen *ov.w.* **1** purifier, épurer; **2** (*v. stijl, enz.*) châtier; **3** (*Z.N.: schoonmaken*) nettoyer.
kuis'heid *v.* chasteté; pudeur *f.*
kuis'heidsgordel *m.* ceinture *f.* de chasteté.
kuit *v.(m.)* **1** (*v. been*) mollet *m.*, gras *m.* de la jambe;

2 (*v.vis*) frai *m.*, œufs *m.pl.*; — ***schieten,*** frayer.
kuit'been *o.* péroné *m.*
kui'tenflikker *m.* entrechat *m.*
kui'ter *m.* poisson *m.* œuvé.
kuit'haring *m.* hareng *m.* œuvé.
kuit'kramp *v.*(*m.*) crampe *f.* au mollet.
kuit'laarsje *o.* demi-botte* *f.*
kuit'spier *v.*(*m.*) muscle *m.* soléaire.
kuit'vis *m.* poisson *m.* œuvé.
kukeleku'! *tw.* cocorico!
kul *m.* ***flauwe —,*** bêtises, fadaises *f.pl.*
kulas' *v.*(*m.*) culasse *f.*
kulmin-, *zie* ***culmin-.***
kult-, *zie* ***cult-.***
kumula'tie, *zie* ***cumulatie.***
kun'de *v.* **1** savoir *m.*; **2** (*wetenschap*) science, érudition *f.*
kun'dig *b.n.* habile; capable; instruit, savant.
kun'digheid *v.* savoir *m.*, connaissances *f.pl.*; érudition *f.*
kun'ne *v.*(*m.*) sexe *m.*
kun'nen I *ov. w. en on.w.* **1** (*in staat zijn*) pouvoir; **2** (*geleerd hebben*) savoir; ***hij kan niet lezen zonder bril,*** il ne peut pas lire sans lunettes; ***ik kan u niet zeggen waar hij woont,*** je ne saurais vous dire où il demeure; ***ik kan niet meer,*** je n'en peux plus; ***hij kan niet tegen de warmte,*** il ne supporte pas bien la chaleur; ***ik kan het niet helpen,*** je n'en puis mais; ***hij kan er niet buiten,*** il ne peut s'en passer; **II** *z.n.*, *o.* savoir *m.*
kunst *v.* **1** art *m.*; **2** (*handigheid, behendigheid*) habileté, adresse *f.*; **3** (*kunststuk*) tour *m.*, tour d'adresse; ***—en,*** (*grillen; fratsen*) caprices *m.pl.*, lubies *f.pl.*; grimaces *f.pl.*; ***de zwarte —,*** **1** (*toverij*) la magie noire; **2** (*kopergravure*) la manière noire; ***de beeldende —en,*** les arts plastiques; ***de vrije —en,*** les arts libéraux; ***de schone —en,*** les beaux arts; ***dat is geen —,*** cela n'est pas difficile.
kunst'aardewerk *o.* produits *m.pl.* de la céramique.
kunst'academie, -akademie *v.* école *f.* des beaux-arts.
kunst'ambacht *o.* métier *m.* d'art.
kunst'arm *m.* bras *m.* artificiel.
kunst'been *o.* jambe *f.* artificielle.
kunst'beoefening *v.* culture *f.* de l'art.
kunst'beoordelaar *m.* critique *m.* d'art.
kunst'beoordeling *v.* critique *f.* d'art.
kunst'bewerking *v.* opération; manipulation *f.*
kunst'bezit *v.* richesses *f.pl.* artistiques.
kunst'bloem *v.*(*m.*) fleur *f.* artificielle.
kunst'boekhandel *m.* librairie *f.* d'art.
kunst'boter *v.*(*m.*) margarine *f.*
kunst'broeder *m.* confrère *m.*
kunst'criticus *m.* critique *m.* d'art.
kunst'draaier *m.* tourneur, tabletier *m.*
kunst'drukpapier *o.* papier *m.* couché.
kun'stelen *ov.w.* mettre de la recherche dans.
kun'steloos *b.n.* sans art; naturel, sans artifice.
kun'stenaar *m.*, **kunstenares'** *v.* artiste *m.-f.*
kun'stenmaker *m.* acrobate; saltimbanque *m.*
kunst'gebit *o.* dentier *m.*
kunst'genootschap *o.* société *f.* artistique.
kunst'genot *o.* plaisir *m.* artistique.
kunst'geschiedenis *v.* histoire *f.* de l'art.
kunst'gevoel *o.* sentiment *m.* de l'art, — esthétique.
kunst'gewrocht *o.* œuvre *f.* d'art.
kunst'greep *m.* tour *m.* de main; truc *m.*
kunst'handel *m.* **1** commerce *m.* d'objets d'art; **2** (*winkel*) magasin *m.* d'objets d'art.
kunst'handelaar *m.* marchand *m.* d'objets d'art.
kunst'handwerken *mv.* industrie *f.* d'art.
kunst'hars *o. en m.* résine *f.* synthétique, aminoplaste *m.*
kunst'haven *v*(.*m.*) port *m.* artificiel.
kunst'honi(n)g *m.* miel *m.* de fantaisie.
kun'stig *b.n.* **1** (*bedreven*) habile; **2** (*vernuftig*) ingénieux; **3** (*kunstmatig*) artificiel; **4** (*kunstrijk*) artiste.
kunst'ijs *o.* glace *f.* artificielle.
kunst'ijsbaan *v.*(*m.*) patinoire *f.* artificielle, piste —.
kunst'je *o.* tour *m.* d'adresse, truc *m.*
kunst'kenner *m.* connaisseur *m.*
kunst'koper *m.* marchand *m.* de tableaux, — d'objets d'art.
kunst'kring *m.* cercle *m.* artistique.
kunst'kritiek *v.* critique *f.* d'art.
kunst'le(d)er *o.* similicuir *m.*
kunst'licht *o.* lumière *f.* artificielle.
kunst'liefhebber *m.* amateur d'art; dilettante *m.*
kunstlie'vend *b.n.* amateur des arts; — ***lid,*** membre adhérent.
kunst'maan *v.*(*m.*) satellite *m.* artificiel, lune *f.* artificielle.
kunst'marmer *o.* similimarbre *m.*
kunstma'tig I *b.n.* **1** (*volgens de regelen*) méthodique; **2** (*niet natuurlijk*) artificiel; **II** *bw.* **1** méthodiquement; **2** artificiellement.
kunst'mest *m.* engrais *m.*(*pl.*) chimique(s).
kunst'middel *o.* expédient *m.*; truc *m.*, tour *m.* de main.
kunst'minnaar *m.* amateur *m.* d'art.
kunst'moeder *v.*(*m.*) couveuse *f.* artificielle.
kunst'naaldwerk *v.* travail *m.* artistique à l'aiguille.
kunstnij'verheid *v.* art *m.* industriel; industrie *f.* artistique.
kunstnij'verheidsonderwijs *o.* enseignement *m.* des arts industriels.
kunstnij'verheidsschool *v.*(*m.*) école *f.* des arts et métiers.
kunst'oog *o.* œil *m.* artificiel.
kunst'produkt, -product *o.* produit *m.* de l'art.
kunst'rijden *o.*, *zie* ***kunstschaatsen*** **(II).**
kunst'rijder *m.* **1** écuyer *m.*; **2** (*op schaatsen*) patineur *m.* artistique.
kunst'rubber *m. en o.* caoutchouc *m.* synthétique.
kunst'rubriek *v.* rubrique *f.* d'art.
kunst'schaatsen I *mv.* patins *m.pl.* pour patinage artistique; **II** *o.* patinage *m.* artistique.
kunst'schatten *mv.* trésors *m.pl.* d'art.
kunst'schilder *m.* artiste *m.* peintre.
kunst'smeedwerk *o.* ferronnerie *f.* d'art.
kunst'stoffen *mv.* plastiques *f.pl.*
kunst'stuk *o.* **1** (*meesterwerk*) chef *m.* d'œuvre; **2** (*kunstje*) tour *m.* d'adresse, — de force.
kunst'taal *v.*(*m.*) langue *f.* universelle, — auxiliaire.
kunst'tand *m.* dent *f.* artificielle.
kunst'term *m.* terme *m.* technique.
kunstvaar'dig I *b.n.* habile; **II** *bw.* habilement.
kunstvaar'digheid *v.* habileté *f.*
kunst'veiling *v.* **1** vente *f.* d'objets d'art; **2** (*v. schilderijen*) vente *f.* de tableaux.
kunst'verzameling *v.* collection *f.* (d'objets) d'art.
kunst'vezel *v.*(*m.*) fibran(n)e *f.*, fibre *f.* artificielle, — synthétique.
kunst'vlijt *v.*(*m.*) industrie *f.* artistique.
kunst'voortbrengsel *o.* produit *m.* de l'art; production *f.* d'art.
kunst'voorwerp *o.* objet *m.* d'art.
kunst'vriend *m.* amateur *m.* d'art.
kunst'waarde *v.* valeur *f.* artistique.
kunst'wereld *v.*(*m.*) monde *m.* des artistes; — des arts.

kunst'werk *o.* **1** (*v. kunstenaar*) œuvre *f.* d'art; **2** (*bouwk.*) ouvrage *m.* d'art.
kunst'wol *v.*(*m.*) laine *f.* artificielle.
kunst'zaal *v.*(*m.*) salle *f.* d'exposition, galerie *f.* [d'art.
kunst'zij(**de**) *v.* (*m.*) rayonne *f.*, soie *f.* artificielle.
kunst'zin *m.* sens *m.* de l'art, sentiment *m.* esthétique.
kuras' *o.* cuirasse *f.*
kurassier' *m.* cuirassier *m.*
kurate'le, *zie* ***curatele.***
ku'ren *on.w.* faire une cure.
kur'haus *o.* casino *m.*
kuri-, *zie* ***curi-.***
Ku'ringen *o.* Curange.
kurk I *o. en m.* (*stof*) liège *m.*; **II** *v.*(*m.*) (*voorwerp*) bouchon *m.*
kurk'achtig *b.n.* subéreux, liégeux.
kurk'droog *b.n.* très sec.
kurk'eik *m.* chêne*-liège* *m.*
kur'ken I *b.n.* de liège; **II** *ov.w.* boucher.
kur'kenfabriek *v.* bouchonnerie *f.*
kur'ketrekker *m.* tire-bouchon* *m.*
kurk'zeil *o.* tapis-liège* *m.*
kurs-, *zie* ***curs-.***
kus *m.* baiser *m.*; ***iem. een — geven,*** embrasser qn., donner un baiser à qn.
kus'hand(**je**) *v.*(*m.*) (*o.*) baiser *m.*; ***iem. een — toewerpen,*** envoyer un baiser à qn.
kus'je *o.* bécot *m.*
kus'sen I *ov.w.* **1** (*v. persoon*) embrasser, donner un baiser à; **2** (*v. voorwerp*) baiser; **II** *o.* **1** (*alg.*) coussin *m.*; **2** (*hoofd* —) oreiller *m.*; **3** (*voet*—) carreau *m.*; ***op het — komen,*** arriver au pouvoir.
kus'sensloop *v.*(*m.*) *en o.* taie *f.* (d'oreiller).
kus'sentje *o.* **1** coussinet *m.*; **2** (*van suiker*) caramel, berlingot *m.*
kust I *v.*(*m.*) côte *f.*; (*strook langs de zee*) rive *f.*; (*breder*) rivage *m.*; ***langs de — varen,*** caboter, faire du cabotage; ***op de — zetten,*** échouer (un navire); **II** ***te — en te keur,*** en abondance, à souhait, à foison.
kust'artillerie *v.* artillerie *f.* de côte, — côtière.
kust'batterij *v.* batterie *f.* côtière.
kust'bevolking *v.* population *f.* côtière.
kust'bewaking *v.* surveillance *f.* des côtes.
kust'bewoner *m.* habitant *m.* du littoral.
kust'boot *m. en v.* bâtiment *m.* côtier, cabotier *m.*
kust'gebergte *o.* chaîne *f.* côtière.
kust'gebied *o.* littoral *m.*
kust'haven *v.*(*m.*) port *m.* de la côte.
kus'ting *v.* titre *m.* hypothécaire.
kust'land *o.* littoral *m.*
kust'licht *o.* phare, fanal *m.*
kust'lijn *v.*(*m.*) ligne *f.* de la côte.
kust'loods *m.* pilote *m.* côtier.
kust'meer *o.* lagune *f.*
kust'plaats *v.*(*m.*) ville *f.* du littoral.
kust'schip *o.* garde-côtes *m.*
kust'station *o.* station *f.* côtière.
kust'streek *v.*(*m.*) zone *f.* littorale, région *f.* —.
kust'strook *v.*(*m.*) zone *f.* côtière, — littorale; (*smal*) cordon *m.* littoral.
kust'telegraaf *m.* sémaphore *m.*
kust'vaarder *m.* **1** (*schipper*) caboteur *m.*; **2** (*schip*) caboteur, cabotier *m.*
kust'vaart *v.*(*m.*) cabotage *m.*, navigation *f.* côtière; ***kapitein bij de —,*** maître *m.* de cabotage.
kust'vaartuig *o.* cabotier, caboteur *m.*
kust'verdediging *v.* défense *f.* des côtes.
kust'verlichting *v.* service *m.* des phares, les feux *m.pl.* de la côte.
kust'visser *m.* pêcheur *m.* côtier.
kust'visserij *v.* pêche *f.* côtière.
kust'wachter *m.* **1** (*schip*) garde-côte* *m.*; **2** (*soldaat*) garde*-côte, guetteur *m.*
kuur *v.*(*m.*) **1** (*gril, luim*) caprice *m.*, coup *m.* de tête, lubie, fredaine *f.*; **2** (*gen.*) cure *f.*, traitement *m.*; ***een — volgen,*** faire une cure, suivre un traitement.
kwaad I *b.n.* **1** (*niet goed*) mauvais; **2** (*boosaardig, ondeugend*) méchant; **3** (*schadelijk; ongunstig*) fâcheux; défavorable; **4** (*toornig*) fâché, irrité; ***— worden,*** se fâcher; ***het te — krijgen,*** être ému, ne pas pouvoir maîtriser son émotion; ***in een — blaadje staan,*** être mal noté; ***zo goed en zo — als 't gaat,*** tant bien que mal; ***ze zijn kwade vrienden,*** ils sont brouillés; ***dat is —,*** c'est grave; ***kwade schulden,*** mauvaises créances *f.pl.*; **II** *bw.* mal; ***hij meent het niet —,*** il n'y entend pas malice; **III** *z.n.*, *o.* **1** mal *m.*; **2** (*nadeel*) préjudice *m.*; ***— spreken van iem.,*** médire de qn.; ***van — tot erger komen,*** tomber de mal en pis; ***iem. — doen,*** faire du mal à qn.; nuire à qn.; ***ik zie er geen — in,*** je n'y vois pas de malice; ***dat zal meer — dan goed doen,*** cela fera plus de tort que de bien.
kwaadaar'dig *b.n.* **1** (*boosaardig, slecht*) méchant, malicieux; **2** (*verderfelijk, schadelijk*) malin; **3** (*boos, nijdig*) haineux, agressif; emporté; **4** (*v. blik*) furieux; **5** (*v. toon*) colérique; **6** (*v. koorts*) malin (*f.*: maligne).
kwaadaar'digheid *v.* **1** méchanceté *f.*; **2** (*gen.*) malignité *f.*
kwaadden'kend *b.n.* méfiant, soupçonneux.
kwaadden'kendheid *v.* méfiance *f.*; caractère *m.* soupçonneux.
kwaad'doener *m.* malfaiteur *m.*
kwaadgezind' *b.n.* malveillant, malintentionné.
kwaadgezind'heid *v.* malveillance *f.*
kwaad'heid *v.* **1** (*slechtheid*) méchanceté *f.*; **2** (*boosheid, woede*) mauvaise humeur, irritation, colère *f.* [gré.
kwaad'schiks *bw.* ***goedschiks —,*** bon gré mal
kwaad'spreken *on.w.* médire (de), dire du mal (de), mal parler (de).
kwaadspre'kend *b.n.* médisant.
kwaadspre'kendheid *v.* médisance *f.*
kwaad'spreker *m.* médisant, calomniateur *m.*
kwaadsprekerij' *v.* médisance, calomnie *f.*
kwaadwil'lig *b.n.* **1** (*kwalijk gezind*) malveillant, malintentionné; **2** (*weerspannig*) indocile.
kwaadwil'ligheid *v.* **1** malveillance *f.*; mauvais desseins *m.pl.*; **2** mauvaise volonté; indocilité *f.*
kwaak'eend *v.*(*m.*) garrot *m.*
kwaal *v.*(*m.*) **1** mal *m.*; **2** (*gen.*) maladie chronique *f.*
kwab'(**be**) *v.*(*m.*) **1** (*v. lever*) lobe *m.*; **2** (*v. rund*) fanon *m.*
kwadraat', quadraat' I *o.* carré *m.*; ***in 't — brengen*** (*of* ***verheffen***), élever au carré; **II** *b.n.* carré.
kwadraat'getal, quadraat'getal *o.* nombre *m.* carré.
kwadraat'wortel, quadraat'wortel *m.* racine *f.* carrée.
kwadrageen', *zie* ***quadrageen.***
kwadrant', quadrant' *o.* **1** quart *m.* de cercle; quadrant *m.*; **2** (*muz.*) bécarre *m.*
kwadratuur', quadratuur' *v.* quadrature *f.*
kwajon'gen *m.* gamin, polisson *m.*
kwajon'gensachtig I *b.n.* gamin, polisson, de gamin; **II** *bw.* en gamin.
kwajon'gensstreek *m. en v.* gaminerie, polissonnerie *f.*
kwak I *tw.* couac! pouf! **II** *z.n.*, *m.* **1** bruit *m.*

sourd; 2 (*Dk.*) bihoreau *m.*; 3 (*in glas, fles*) reste, fond *m.*; 4 (*hoop*) tas *m.*
kwa'ken *on.w.* 1 (*v. kikkers*) coasser; 2 (*v. eenden*) caqueter, canqueter; 3 (*v. ganzen*) cacarder.
kwa'ker *m.* quaker *m.* (*f.;* quakeresse).
kwak'kel *m. en v.* (*Dk.*) caille *f.*
kwak'kelaar *m.* bavard, babillard *m.*
kwak'kelen *on.w.* 1 (*slaan: v. kwakkel*) courcailler, rappeler; 2 (*babbelen, snappen*) bavarder, babiller; 3 (*sukkelen, kwijnen*) être maladif, traîner, languir; ***de winter kwakkelt,*** l'hiver est doux, — tiède, — pluvieux.
kwak'kelslag *m.* courcaillet *m.*
kwak'kelwinter *m.* hiver *m.* doux, — pluvieux, — pourri.
kwak'kelziekte *v.* maladie *f.* traînante.
kwak'ken I *on.w.* 1 (*v. kikkers*) coasser; 2 (*een kwak maken bij 't vallen*) faire un bruit sourd (en tombant); **II** *ov.w.* flanquer, jeter violemment.
kwak'zalven *on.w.* faire le charlatan.
kwak'zalver *m.* charlatan *m.*
kwak'zalverachtig *b.n.* charlatanesque.
kwakzalverij' *v.* charlatanerie *f.*, charlatanisme *m.*
kwak'zalversmiddel *o.* remède *m.* de charlatan, — de bonne femme. [moule *f.*
kwal *v.*(*m.*) 1 méduse *f.*, ortie *f.* de mer; 2 (*fig.*)
kwalifica'tie, kwalifika'tie, qualifica'tie *v.* qualification *f.*
kwalifice'ren, qualifice'ren *ov.w.* qualifier.
kwa'lijk I *b.n.* 1 mal; 2 malade, indisposé; ***— worden,*** se sentir mal; se trouver mal; ***— nemen,*** prendre en mauvaise part; se formaliser (de); ***— ruiken,*** sentir mauvais; **II** *bw.* 1 (*moeilijk, bezwaarlijk*) difficilement; 2 (*nauwelijks*) à peine.
kwa'lijkgezind' *b.n.* malveillant, malintentionné.
kwa'lijkheid *v.* faiblesse, défaillance *f.*; mal *m.* au cœur.
kwa'lijkriekend *b.n.* malodorant, puant, fétide.
kwalitatief', qualitatief' I *b.n.* qualitatif; **II** *bw.* au point de vue de la qualité.
kwaliteit' *v.* qualité *f.*
kwan'selaar *m.* troqueur *m.*
kwanselarij' *v.* troc *m.*
kwan'selen *on.w.* troquer, échanger.
kwansuis' *bw.* sous prétexte de, en faisant semblant de.
kwant *m.* gaillard *m.*; ***een rare —,*** un drôle de corps, type; ***een vrolijke —,*** un gai luron, un joyeux drille.
kwan'titatief, quantitatief I *b.n.* quantitatif; **II** *bw.* quantitativement.
kwantiteit', quantiteit' *v.* quantité *f.*
kwantum, *zie* ***quantum.***
kwart I *o.* quart *m.*; ***— over vier,*** quatre heures et quart; ***— voor vier,*** quatre heures moins le quart; **II** *v.*(*m.*) (*muz.*) 1 (*interval*) quarte *f.*; 2 (*noot*) noire *f.*
kwartaal' *o.* trimestre *m.*, trois mois *m.pl.*
kwartaal'staat *m.* état *m.* trimestriel.
kwar'tel *m. en v.* caille *f.*; ***zo doof als een —,*** sourd comme un pot.
kwartet' *o.* (*muz.*) quatuor *m.*
kwart'finale *v.*(*m.*) quart *m.* de finale.
kwartier' *o.* 1 (*v. maan, stad, enz.*) quartier *m.*; 2 (*v. uur*) quart *m.* d'heure; 3 logement *m.*; ***een goed — hebben,*** être bien logé; ***— geven,*** donner quartier.
kwartier'arrest *o.* (*mil.*) consigne *f.* (au quartier).
kwartier'maker *m.* officier (*of* sous-officier) *m.* de logement; fourrier *m.*
kwartier'meester *m.* 1 (*mil.*) officier *m.* d'administration; 2 (*sch.*) quartier*-maître* *m.*
kwartier'muts *v.*(*m.*) (*mil.*) bonnet *m.* de police.
kwartier'standen *mv.* phases *f.pl.* de la lune.
kwartijn' *m.* in-quarto *m.*
kwart'je *o.* quart *m.* de florin, pièce *f.* de 25 cents, dix sous *m.pl.*
kwart'jesvinder *m.* bonneteur *m.*
kwart'noot *v.*(*m.*) (*muz.*) noire *f.*
kwar'to, quar'to *bw.* quatrièmement, quarto.
kwar'toboek, quar'toboek *o.* livre-in-quarto *m.*
kwart'rust *v.*(*m.*) (*muz.*) soupir *m.*
kwarts *o.* quartz *m.*
kwarts'achtig *b.n.* quartzeux.
kwart'slag *m.* quart *m.* (de tour).
kwarts'lamp *v.*(*m.*) lampe *f.* de quartz.
kwart'toon *m.* (*muz.*) quart *m.* de ton.
kwasi, *zie* ***quasi.***
kwas'siehout *o.* quassia, quassier *m.*
kwast *m.* 1 (*in hout*) nœud *m.*; 2 (*verf—*) brosse *f.*; 3 (*poeder—*) houppe *f.*; 4 (*als versiersel*) houppe *f.*; pompon, gland *m.*; 5 (*wijwater—*) goupillon *m.*; 6 (*v. degen*) dragonne *f.*; 7 (*fig.: gek, fat*) sot, fat, pédant *m.*; 8 (*drank*) citron *m.* pressé, — à l'eau, — nature.
kwas'terig *b.n.* fat, sot.
kwas'tig *b.n.* noueux.
kwast'je *o.* pompon *m.*
kwatertem'per, *zie* ***quatertemper.***
kweb'bel *v.* péronnelle, cancanière *f.*
kweb'belen *on.w.* javotter, caqueter, jaboter.
kwee *v.*(*m.*), **kweeappel** *m.* coing *m.*; ***wilde —,*** cognasse *f.*
kwee'boom *m.* cognassier *m.* [élevage *m.*
kweek I *v.*(*m.*) (*Pl.*) chiendent *m.*; **II** *m.* culture *f.*;
kweek'bed *o.* couche; planche *f.*
kweek'plaats *v.*(*m.*) pépinière *f.*, berceau *m.*
kweek'school *v.*(*m.*) 1 école *f.* normale; 2 (*fig.*) école, pépinière *f.*
kweek'vijver *m.* alevinier *m.*
kweek'vis *m.* alevin *m.*
kwee'peer *v.*(*m.*) coing *m.*; ***wilde —,*** cognasse *f.*
kwe'keling *m.* 1 (*alg.*) élève *m.*; 2 (*onderwijzer*) normalien, élève*-instituteur* *m.*
kwe'ken *ov.w.* 1 (*v. kinderen; dieren*) élever; 2 (*v. planten; kunst, enz.*) cultiver; 3 (*fig.*) faire naître; ***de gekweekte rente,*** les intérêts cumulés.
kwe'ker *m.* 1 (*v. dieren*) éleveur *m.*; 2 (*v. planten*) cultivateur *m.*
kwekerij' *v.* 1 (*v. planten*) pépinière *f.*; 2 (*v. vissen*) élevage *m.*
kwe'king *v.* culture *f.*; élevage *m.*
kwel'der *v.*(*m.*) terre *f.* hors de la digue, — non endigué.
kwel'dijk *m* digue *f.* intérieure.
kwel'duivel, kwel'geest *m.* 1 lutin, diablotin *m.*; 2 (*fig.*) homme *m.* tracassier; taquin *m.*
kwe'len *on.w.* gazouiller.
kwel'geest *m.*, *zie* ***kwelduivel.***
kwel'len *ov.w.* tourmenter, torturer, tracasser.
kwel'ling *v.* tourment *m.*, peine *f.*, ennui *m.*
kwel'water *o.* eau *f.* d'infiltration.
kwel'ziek *b.n.* taquin.
kwel'zucht *v.*(*m.*) esprit *m.* taquin.
kwes'tie *v.* 1 (*vraag*) question *f.*; 2 (*geschil*) différend *m.*, querelle *f.*; ***dat is een — van smaak,*** c'est une affaire de goût; ***dat is buiten —,*** c'est hors de doute; ***de persoon in —,*** la personne en cause; ***het is nog de — of,*** reste à savoir si.
kwestieus', quaestieus' *b.n.* douteux, incertain.
kwes'tor, kwestuur', *zie* ***quaest-.***
kwets *v.*(*m.*) (*Pl.*) quetsche *f.*
kwets'baar *b.n.* vulnérable.
kwets'baarheid *v.* vulnérabilité *f.*

kwet'sen *ov.w.* **1** blesser; léser; **2** (*v. vrucht*) meurtrir; **3** (*fig.: v. gevoelens*) froisser; **4** (*beledigen*) offenser; **5** (*v. naam*) flétrir.
kwet'sing *v.* **1** blessure; lésion *f.*; **2** meurtrissure *f.*; **3** offense *f.*
kwetsuur' *v.* blessure *f.*
kwet'teraar *m.* bavard, jaseur *m.*
kwet'teren I *on.w.* **1** gazouiller; **2** (*fig.*) bavarder, jaser, jacasser; **II** *ov.w.* (*kneuzen*) meurtrir.
kwe'zel *v.* **1** béguine *f.*; **2** (*ong.*) bigote, cagote *f.*
kwe'zelachtig I *b.n.* bigot; **II** *bw.* d'une manière bigote.
kwe'zelachtigheid *v.* bigoterie *f.*
kwezelarij' *v.* bigoterie, cagoterie, fausse dévotion, bondieuserie *f.*
kwe'zelen *on.w.* faire le bigot (*f.:* la bigote).
kwi'bus, qui'bus *m.* sot, fou; fat, quidam *m.*
kwiek *b.n.* vif, alerte, éveillé.
kwijl *v.(m.) en o.* bave, salive *f.*
kwij'len *on.w.* baver.
kwij'ler *m.* baveur *m.*
kwij'nen *on.w.* languir, dépérir.
kwij'nend I *b.n.* **1** (*v. gezondheid, handel, enz.*) languissant; **2** (*v. ziekte*) de langueur; **3** (*v. blik*) langoureux; **II** *bw.* **1** languissamment; **2** langoureusement.
kwij'ning *v.* langueur *f.*, dépérissement *m.*
kwijt *b.n.* quitte; ***iets — raken,*** perdre qc.; ***hij is de koorts —,*** la fièvre l'a quitté; ***ik kon hem niet — raken,*** je ne pouvais me débarrasser de lui, il m'était impossible de me défaire de cet homme.
kwijt'brief *m.* quittance *f.*
kwij'ten I *ov.w.* payer; s'acquitter de, se libérer de; **II** *w.w.* ***zich — van,*** s'acquitter de.
kwij'ting *v.* acquittement *m.*; ***— verlenen,*** donner quittance, donner décharge; ***ter algehele — van,*** en règlement intégral.
kwijt'raken *ov.w.* perdre; se débarrasser de, se défaire de.
kwijt'schelden *ov.w.* **1** (*v. schuld*) tenir quitte de; **2** (*v. zonden*) remettre, pardonner; **3** (*v. straf*) lever; **4** (*v. politieke misdrijven*) amnistier.
kwijt'schelding *v.* **1** décharge *f.*; **2** rémission *f.*; pardon *m.*; **3** amnistie *f.*
kwijt'schrift *o.* quittance *f.*
kwik I *b.n. zie* ***kwiek***; **II** *z.n., o.* mercure, vif-argent *m.*; ***hij is als —,*** il est vif comme le mercure, il a du vif-argent dans les veines.
kwik'bad *o.* bain *m.* de mercure.
kwik'bakje *o.* cuvette *f.*
kwik'barometer *m.* baromètre *m.* à mercure.
kwik'buis *v.(m.)* tube *m.* à mercure.
kwik'dampen *mv.* vapeurs *f.pl.* mercurielles.
kwik'damplamp *v.(m.)* lampe *f.* à vapeur de mercure.
kwik'kolom *v.(m.)* colonne *f.* de mercure.
kwik'lamp *v.(m.)* lampe *f.* à vapeur de mercure.
kwik'metaal *o.* amalgame *m.*
kwik'middel *o.* préparation *f.* mercurielle; remède *m.* mercuriel.
kwik'oxyde *o.* oxyde *m.* de mercure, — mercurique.
kwik'staart *m.* (*Dk.*) hochequeue *m.*; ***gele —,*** bergeronnette *f.*
kwik't(h)ermometer *m.* thermomètre *m.* à mercure.
kwik'verbinding *v.* combinaison *f.* mercurielle.
kwik'vergiftiging *v.* intoxication *f.* mercurielle.
kwik'zalf *v.(m.)* onguent *m.* mercuriel.
kwik'zilver *o.* mercure *m.*
kwik'zout *o.* sel *m.* mercuriel.
kwinkele'ren *on.w.* gazouiller, chanter.
kwinkele'ring *v.* gazouillement, gazouillis *m.*
kwink'slag *m.* saillie, pointe *f.*, bon mot *m.*
kwint, quint *v.(m.)* **1** (*kuur, gril*) caprice *m.*; **2** (*loze streek*) finesse, ruse *f.*; **3** (*muz.*) quinte *f.*; **4** (*snaar*) chanterelle *f.*
kwint'essens, quint'essens *v.* quintessence *f.*
kwintet', quintet' *o.* quintette *m.*
kwint'snaar *v.(m.)* chanterelle *f.*
kwis'pel *m.* **1** touffe *f.*; **2** (*wijkwast*) goupillon, aspersoir *m.*
kwis'pelen, kwis'pelstaarten *on.w.* agiter la queue, frétiller de la queue.
kwis'tig I *b.n.* prodigue; **II** *bw.* prodigalement, avec prodigalité.
kwis'tigheid *v.* prodigalité *f.*
kwitan'tie *v.* quittance *f.*
kwitan'tieboekje *o.* livre *m.* de recettes.
kwitan'tieloper *m.* encaisseur *m.*, garçon *m.* de recettes.
kwitan'tiezegel *m.* timbre*-quittance* *m.*
kwite'ren *ov.w.* acquitter, signer pour acquit.
kwite'ring *v.* acquittement *m.*
kwote'ren, *zie* ***quoteren.***
kwotisa'tie, *zie* ***quotisatie.***

L

L *v.(m.)* l *m.*
la *v.(m.)* **1** (*muz.*) la *m.*; **2** (*lade*) tiroir *m.*
laad'bak *m.* benne *f.* (basculante).
laad'boom *m.* (*sch.*) bigue *f.*
laad'brief *m.* connaissement *m.*
laad'brug *v.(m.)* rampe *f.* mobile, — fixe.
laad'dag *m.* (*sch.*) jour *m.* de planche.
laad'gat *o.* (*mil.*) lumière *f.*, lunette *f.* de chargement.
laad'haven *v.(m.)* port *m.* d'embarquement.
laad'kraan *v.(m.)* grue *f.* de chargement.
laad'lijn *v.(m.)* ligne *f.* de charge, — de flottaison.
laad'perron *o.* quai *m.* de chargement.
laad'plaats *v.(m.)* embarcadère *m.*
laad'poort *v.(m.)* sabord *m.* d'embarquement, — de charge.
laad'ruim *o.* cale *f.* de charge.
laad'ruimte *v.* capacité *f.*, tonnage *m.*
laad'spoor *o.* voie *f.* de chargement.
laad'station *o.* station*-service *f.*
laad'steiger *m.* appontement *m.* de chargement, embarcadère *m.*
laad'stok *m.* **1** (*v. geweer*) baguette *f.*; **2** (*v. kanon*) refouloir *m.*
laad'tijd *m.* jour *m.* de chargement.
laad'vermogen *o.* capacité *f.* de charge, chargement *m.* maximum.
laaf'drank *m.* boisson *f.* rafraîchissante.
laag I *b.n.* **1** bas, peu élevé; **2** (*gering, nederig*) humble, obscur; **3** (*gemeen, vuig*) vil, vilain, ignoble; **4** (*muz.*) grave, bas; ***tegen lage prijs,*** à bas prix, à un prix modique; ***de prijzen — houden,*** comprimer les prix; ***een land met lage valuta,*** un pays à change déprécié; ***bij — water,*** à la marée basse; **II** *bw.* **1** bas; **2** (*fig.*) bassement; ***— vliegen,*** voler

bas, — en rase-mottes, faire du rase-mottes; ***— zingen,*** chanter bas; ***— op iem. neerzien,*** regarder qn. de haut; ***— bij de grond,*** (*fig.*) terre à terre; ***een toontje lager zingen,*** baisser le ton; **III** *v.*(*m.*) **1** (*v. zand, enz.*) couche *f.*; **2** (*v. stenen*) assise *f.*; **3** (*v. steenkolen*) couche *f.*, gisement *m.*; **4** (*v. kanonnen*) bordée *f.*; **5** (*hinderlaag, valstrik*) embuscade *f.*; piège *m.*; ***de onderste lagen der maatschappij,*** les couches *f.pl.* inférieures (*of* les bas-fonds *m.pl.*) de la société; ***de volle — krijgen,*** essuyer une bordée; ***iem. de volle — geven,*** lâcher une bordée contre qn.
laag'frekwent, -frequent *b.n.* de basse fréquence.
laag'gezonken *b.n.* dégradé, dénaturé.
laaghar'tig *b.n.* bas, vil, ignoble, infâme.
laaghar'tigheid *v.* bassesse, infamie *f.*
laag'heid *v.* **1** (*het laag zijn*) bassesse *f.*; (*gemeenheid*) bassesse, vilenie, infamie *f.*; **3** (*v. geboorte*) bassesse *f.*, infériorité *f.*; **4** (*v. prijs*) modicité *f.*
laag'land *o.* plaine *f.*
laags'gewijs, -gewijze *bw.* stratifié, par couches superposées.
laag'spanning *v.* (*el.*) basse tension *f.*
laag'stammig *b.n.* de basse tige; ***een —e boom,*** un arbre nain.
laag'te *v.* **1** terrain *m.* bas, endroit *m.* bas, bas-fond* *m.*; **2** vallon *m.*, vallée *f.*; **3** (*fig.*) bassesse *f.*; **4** (*v. prijs*) modicité *f.*; ***in de —,*** en bas; ***naar de — gaan,*** descendre.
laag'tepunt *o.* (*sterr.*) périgée *m.*
laagveen *o.* marais *m.* tourbeux.
laag'vlakte *v.* plaine *f.* basse; (*Ardennen*) basses fagnes *f.pl.*
laai'(e) *v.*(*m.*) ***in lichter — staan,*** être tout en flammes. [hensible.
laak'baar *b.n.* blâmable, digne de blâme, répré-
laak'baarheid *v.* qualité *f.* blâmable.
laan *v.*(*m.*) **1** (*in park, oprijlaan*) allée *f.*; **2** (*weg met bomen*) avenue *f.*; (*Z.N.*) *ook:* boulevard *m.*; ***de — uitgaan,*** avoir son congé, être mis à la porte; ***iem. de — uitsturen,*** donner son congé à qn., renvoyer qn. à la gare.
laar *o.* clairière *f.*
laars *v.*(*m.*) **1** (*schoen*) bottine *f.*; **2** (*met schacht*) botte *f.*; ***Spaanse —,*** brodequin *m.*; ***hij weet er geen — van,*** il n'y entend rien.
laar'zekap *v.*(*m.*) genouillère *f.*
laar'zeknecht *m.* tire-botte* *m.*
laar'zeleest *v.*(*m.*) forme *f.*, embauchoir *m.*
laar'zenmaker *m.* bottier *m.*
laar'zeschacht *v.*(*m.*) tige *f.* de botte.
laar'zetrekker *m.* **1** tirant *m.*; **2** tire-botte* *m.*
laat I *b.n.* **1** tard; **2** (*v. vrucht*) tardif; **3** (*v. uur*) avancé; ***het wordt —,*** il se fait tard; ***te — zijn,*** être en retard; **II** *bw.* tard; tardivement; ***hoe — is het?*** quelle heure est-il? ***hoe — komt u?*** à quelle heure viendrez-vous? ***de trein was 10 minuten te —,*** le train était en retard de 10 minutes; ***— in de nacht,*** bien avant dans la nuit; ***hij weet nu hoe — het is,*** il sait maintenant à quoi s'en tenir; ***beter — dan nooit,*** mieux vaut tard que jamais.
laat'bekken *o.* palette *f.*
laat'beurs *v.*(*m.*) (*H.*) séance *f.* de l'après-midi.
laat'bloeiend *b.n.* tardif.
laatdun'kend *b.n.* présomptueux, arrogant, suffisant, plein de morgue.
laatdun'kendheid *v.* présomption, arrogance, suffisance, morgue *f.*
laat'je *o.* petit tiroir *m.*; ***aan 't — zitten,*** (*fam.*) tenir l'assiette au beurre.
laat'koers *m.* (*H.*) cours *m.* vendeurs, — papier (P).
laat'komer *m.* **1** tard-venu* *m.*; **2** (*fig.*) retardataire *m.*
laat'kop *m.* (*gen.*) ventouse *f.*
laat'mes *o.* (*gen.*) lancette *f.*
laatst I *b.n.* **1** dernier; **2** (*uiterst*) extrême, suprême; ***de —e adem uitblazen,*** rendre le dernier soupir; ***het —e Oordeel,*** le jugement dernier; ***het —e*** (*of* ***nieuwste***) ***snufje,*** le dernier cri; ***ten —e,*** à la fin, en dernier lieu; ***ten langen —e,*** à la fin des fins; ***op één na de —e,*** l'avant-dernier*; le (*of* la) pénultième; **II** *bw.*, (*onlangs*) dernièrement, l'autre jour, il n'y a pas longtemps.
laat'stelijk *bw.* finalement; dernièrement.
laatst'geboren *b.n.* dernier*-né*, benjamin(e).
laatst'genoemd *b.n.* dernier nommé.
laatst'genoemde *m.-v.* celui-ci; celle-ci.
laatst'leden I *b.n.* dernier; **II** *bw.* dernièrement.
laba'rum *o.* labarum *m.*
labberdaan' *m.* morue *f.* salée.
lab'beren *on.w.* barbeyer; souffler doucement.
lab'berkoelte *v.* brise *f.* légère, vent *m.* faible.
label' *m.* adresse *f.* volante, étiquette *f.*
labiel' *b.n.* instable.
laborant'(e) *m.*(*v.*) laborantin(e) *m.*(*f.*).
laborato'rium *o.* laboratoire *m.*, (*v. apotheek*) officine *f.*
labore'ren *on.w.*, ***aan iets —,*** souffrir de qc.
Labrador' *o.* Labrador *m.*
labyrint' *o.* labyrinthe, dédale *m.*
Lacedemo'nië *o.* Lacédémone *f.*
Lacedemo'niër *m.* Lacédémonien *m.*
Lacedemo'nisch *b.n.* lacédémonien.
lach *m.* rire *m.*; ***—je,*** sourire *m.*; ***in een — schieten,*** éclater de rire.
lach'bek, *zie* ***lachebek.*** [fou rire *m.*
lach'bui *v.*(*m.*) accès *m.* de rire; ***onbedaarlijke —,***
lach'duif *v.*(*m.*) (*Dk.*) tourterelle *f.* à collier, colombe *f.* rieuse.
la'ch(e)**bek** *m.-v.* rieur *m.*, —euse *f.*
la'chen I *on.w.* rire; ***luid —,*** rire à gorge déployée; ***onbedaarlijk —,*** rire aux larmes; ***honend —,*** ricaner; ***gedwongen —,*** rire du bout des dents; ***flauwtjes —,*** sourire; ***— als een boer die kiespijn heeft,*** rire jaune; ***— met,*** se rire de, se moquer de; ***wie het laatst lacht, lacht het best,*** rira bien qui rira le dernier; **II** *ov.w.*, ***zich een ongeluk —,*** rire comme un bossu, se tordre de rire; ***zich tranen —,*** rire aux larmes; **III** *z.n., o.* rire *m.*
la'chend I *b.n.* riant; souriant; **II** *bw.* en riant.
la'cher *m.* rieur *m.*
la'cherig *b.n.* rieur.
lach'gas *o.* gaz *m.* hilarant.
lach'je *o.* sourire *m.*
lach'kramp *v.*(*m.*) rire *m.* convulsif, — spasmodique.
lach'lust *m.* hilarité *f.*, envie *f.* de rire; ***de — opwekken,*** faire rire, prêter à rire.
lach'salvo *o.* fusée *f.* de rires.
lach'spiegel *m.* miroir *m.* déformant.
lach'spier *v.*(*m.*) (muscle) risorius *m.*; ***het op de —en krijgen,*** éclater de rire; ***de —en in beweging brengen,*** donner à rire; exciter l'hilarité générale.
lach'succes, -sukses *o.* succès *m.* de (fou) rire, — d'hilarité.
lach'vogel *m.* (*Dk.*) (oiseau) rieur *m.*
lachwek'kend *b.n.* risible.
lach'ziek *b.n.* rieur.
laconiek', lakoniek' I *b.n.* laconique; **II** *bw.* laconiquement.
lacu'ne *v.*(*m.*) lacune *f.*
lad'der *v.*(*m.*) **1** échelle *f.*; **2** (*muz.*) portée *f.*; **3**

(*v. wagen*) ridelle *f.*; **4** (*v. kous*) échelle *f.*, démaillage *m.*; ***met—s beklimmen,*** escalader; ***stijgen op de maatschappelijke —,*** s'élever dans l'échelle sociale.
lad'derboom *m.* montant *m.* d'échelle.
lad'deren *on.w.* se démailler.
lad'dersport *v.(m.)* échelon *m.*
lad'dertje *o.* petite échelle, échelette *f.*
lad'dervrij *b.n.* indémaillable.
lad'derwagen *m.* chariot *m.* à ridelles.
la'(de) *v.(m.)* **1** (*v. kast, enz.*) tiroir *m.*; **2** (*v. geweer*) fût *m.*; ***de — lichten,*** voler la caisse.
la'den I *ov.w.* charger; ***een grote verantwoordelijkheid op zich —,*** assumer une grave responsabilité; ***het op iem. geladen hebben,*** en vouloir à qn.; **II** *on.w.* charger; **III** *z.n.* ***het —,*** le chargement, la charge.
la'der *m.* **1** chargeur *m.*; **2** (*sch.*) fréteur *m.*
la'ding *v.* **1** (*handeling*) chargement *m.*; **2** (*vracht*) charge *f.*; chargement *m.*; **3** (*sch.*) cargaison *f.*; **4** (*v. vuurwapen; el.*) charge *f.*; ***— innemen,*** (*sch.*) faire son chargement; ***in — liggen,*** être en chargement.
la'dingmeester *m.* facteur, chargeur *m.*
la'dingsbrief *m.* connaissement *m.*
la'dingsplaats *v.(m.)* embarcadère *m.*
Ladro'nen *mv.* îles *f.pl.* des Larrons.
la'dykiller *m.* don Juan, briseur *m.* de cœurs.
laf *b.n.* **1** (*lafhartig*) lâche, poltron; **2** (*v. weer: zwoel*) mou, lourd; **3** (*zouteloos*) fade; **4** (*fig.*) insipide, inepte.
laf'aard *m.* lâche, poltron *m.*, poule *f.* mouillée.
laf'bek *m.* **1** (*zot*) jeune fat, sot *m.*; **2** (*lafaard*) lâche, poltron *m.*
la'fenis *v.* **1** rafraîchissement *m.*; **2** (*fig.*) soulagement *m.*, consolation *f.*; ***tot — der gelovige zielen,*** pour le soulagement (*of* la délivrance) des âmes du purgatoire. [lâchement.
lafhar'tig I *b.n.* lâche, poltron, peureux; **II** *bw.*
lafhar'tigheid *v.* lâcheté, poltronnerie *f.*
laf'heid *v.* **1** (*lafhartigheid*) lâcheté, poltronnerie *f.*; **2** (*v. smaak: zouteloosheid*) fadeur, insipidité *f.*; **3** (*laf praatje*) bêtise, ineptie *f.*
la'ger I *b.n.* plus bas; ***—e rang,*** rang inférieur; ***de —e geestelijkheid,*** le bas clergé; ***— onderwijs,*** enseignement primaire; ***—e akte,*** brevet élémentaire; **II** *o.* (*tn.*) palier *m.*; **III, la'ger(bier)** *o.* bock *m.*, bière *f.* de conserve, — de garde.
La'gerhuis *o.* Chambre *f.* des Communes, les Communes.
lagerwal' *m.* côté *m.* sous le vent; ***aan — (ge)raken,*** **1** (*sch.*) s'affaler; **2** (*fig.*) se ruiner.
lagu'ne *v.(m.)* lagune *f.*
lak I *o. en m.* **1** (*vernis—*) laque *f.*; **2** (*zegel—*) cire *f.* (à cacheter); ***een pijp —,*** un bâton de cire; **II** *m.* blagues *f.pl.*; ***ik heb er — aan,*** je m'en fiche; ***dat is allemaal —,*** c'est des blagues.
Lakedie'ven *mv.* Laquedives *f.pl.*
lakei' *m.* laquais *m.*
la'ken I *ov.w.* blâmer, critiquer, reprendre; ***te —,*** répréhensible; **II** *z.n., o.* **1** (*stof*) drap *m.*; **2** (*v. bed*) drap *m.* (de lit); **3** (*v. biljart*) tapis *m.*; ***schone —s,*** des draps blancs, des draps propres; ***de —s uitdelen,*** jouer le premier rôle; ***hij kreeg van 't zelfde — een pak,*** il fut payé de la même monnaie.
La'ken *o.* Laeken.
la'kenfabriek *v.* manufacture *f.* de drap. [*m.*
la'kenfabrikant *m.* fabricant *m.* de drap, drapier
la'kenhal(le) *v.(m.)* halle *f.* aux draps.
la'kenhandel *m.* commerce *m.* de drap(s).
la'kenhandelaar *m.* marchand *m.* de drap(s), drapier *m.*
la'kenindustrie *v.* industrie *f.* des draps.
la'kenkoper *m.* drapier *m.*
la'kenpers *v.* presse *f.* à drap.
la'kens *b.n.* de drap, en —.
la'kenscheerder *m.* tondeur *m.* de drap.
la'kenvelder *m.*, **lakenveldse koe** *v.* bœuf *m.* pie, vache *f.* pie.
la'kenverver *m.* teinturier *m.* en drap.
la'kenvolder, -voller *m.* foulon, foulonnier *m.*
la'kenwever *m.* drapier *m.*, tisserand *m.* en drap.
la'kenweverij' *v.* draperie *f.*
la'kenwinkel *m.* magasin *m.* de draps.
la'king *v.* blâme *m.*, critique *f.*
lak'ken I *ov.w.* **1** (*vernissen*) laquer, vernir; **2** (*met lak sluiten*) cacheter; **II** *z.n.* ***het —,*** **1** le vernissage, le laquage; **2** le cachetage.
lak'ker *m.* laqueur, vernisseur *m.*
lak'moes *o.* tournesol *m.*
lak'moespapier *o.* papier *m.* au tournesol.
lak'moesplant *v.(m.)* tournesol *m.*
lak'neus *m.* bout *m.* verni.
lakoniek', *zie* ***laconiek.***
lakooi' *v.(m.)* (*Pl.*) giroflée *f.* (des jardins).
laks *b.n.* indolent, apathique.
lak'schoen *m.* soulier *m.* verni.
laks'heid *v.* indolence, apathie *f.*
lak'verf *v.(m.)* peinture *f.* laquée.
lak'werk *o.* laques *m.pl.*
lak'zegel *o.* cachet *m.* de cire.
lam I *b.n.* **1** (*verlamd*) paralysé, paralytique, perclus; **2** (*v. moeheid*) épuisé, éreinté; **3** (*v. weer*) lourd; **4** (*naar, vervelend*) embêtant, contrariant, vexant; **5** (*stuk*) cassé; ***— leggen,*** paralyser; ***iem. — slaan,*** rouer qn. de coups; ***zich — werken,*** se tuer à travailler; **II** *z.n. o.* (*Dk.*) agneau *m.*; ***het — Gods,*** l'Agneau sans tache, l'Agneau de Dieu, l'Agneau Mystique; ***zacht als een —,*** doux comme un mouton.
la'ma *m.* **1** lama *m.*; **2** *m.* (*Dk.*) lama *m.*
lambrize'ren *ov.w.* lambrisser.
lambrize'ring *v.* lambris *m.*
lamente'ren *ov.w.* se lamenter.
lam'fer *m. en o.* crêpe *m.*
lam'heid *v.* **1** paralysie *f.*; **2** (*fig.*) manque *m.* d'énergie; ***met — geslagen,*** paralysé.
lamlen'dig I *b.n.* **1** éreinté; **2** (*fig.*) veule, apathique, avachi; **3** (*doodmoe*) patraque; **II** *bw.* sans énergie.
lamlen'digheid *v.* veulerie, apathie *f.*
lam'me *m.-v.* paralytique *m.-f.*
lam'meling *m.* misérable, sale type *m.*
lammena'dig *b.n.* **1** (*lamlendig*) las, indolent, apathique; **2** (*vervelend*) embêtant; **3** (*doodmoe*) tout patraque.
lam'mergier *m.* vautour *m.* griffon, griffon *m.*
lam'metje *o.* agnelet *m.*
lam'metjespap *v.(m.)* bouillie *f.* (de farine).
lamoen' *o.* limonière *f.*, brancards *m.pl.*
lamoen'boom *m.* limon, brancard *m.*
lamp *v.(m.)* lampe *f.*; ***staande —,*** lampe à pied; ***altaar—,*** lampe de (*of* du) sanctuaire; ***tegen de — lopen,*** se brûler à la chandelle.
lam'peglas *o.* verre *m.* de lampe.
lam'pekap *v.(m.)* abat-jour *m.*
lam'pekousje *o.* **1** mèche *f.*; **2** (*gas*) manchon *m.*
lam'penfabriek *v.* fabrique *f.* de lampes.
lampenist' *m.* lampiste *m.*
lam'penmaker *m.* lampiste *m.*
lam'pepit *v.(m.)* mèche *f.*
lampet' *o.* cuvette *f.*
lampet'kan *v.(m.)* pot *m.* à eau, broc *m.* à eau, — de lavabo.

lampet'kom *v.(m.)* cuvette *f.*
lampion' *m.* **1** (*in papier*) lanterne *f.* vénitienne, — chinoise; **2** (*vetpotje*) lampion *m.*
lamp'licht *o.* lumière *f.* de la lampe, — artificielle.
lamp'olie *v.(m.)* huile *f.* à brûler.
lamprei' *v.(m.)* (*Dk.*) lamproie *f.*
lamp'zwart *o.* noir *m.* de fumée, — de lampe.
lams'bout *m.* gigot *m.* d'agneau.
lam'slaan *ov.w.* rouer de coups.
lams'vlees *o.* agneau *m.*
lanceer'basis *v.* rampe (*of* base) *f.* de lancement.
lanceer'buis *v.(m.)* tube *m.* lance-torpilles.
lanceer'inrichting *v.* lanceur *m.*; ***— voor raketten,*** lance-raquettes, lance-fusées *m.*
lancet' *o.* lancette *f.*
land *o.* **1** (*tegenover: zee*) terre *f.*; **2** (*bouw—*) champ, terrain *m.*; **3** (*grond, bodem*) terre *f.*, sol *m.*; **4** (*eigendom*) terre *f.*; **5** (*platteland*) campagne *f.*; **6** (*staat*) pays *m.*; **7** (*vaderland*) patrie *f.*, pays *m.*; ***het vaste —,*** la terre ferme; ***buitens —s,*** à l'étranger; ***het — van belofte,*** la Terre promise, — de promission; ***het Heilige L—,*** la Terre-Sainte; ***het — hebben,*** s'embêter, s'ennuyer; ***het — hebben aan iem.,*** avoir qn. en grippe, détester qn.; ***iem. het — injagen,*** contrarier qn.; ***aan — gaan,*** débarquer; ***aan — komen,*** **1** débarquer; mettre pied à terre; **2** (*v. vliegtuig*) atterrir; ***passagiers aan — zetten,*** débarquer des passagers; ***hier te —e,*** dans ce pays; chez nous; ***'s —s wijs, 's —s eer,*** chaque pays, chaque mode; à Rome comme à Rome; ***te — en ter zee,*** sur terre et sur mer, par terre et par mer.
land'aanwinning *v.* atterrissement *m.*; colmatage *m.* [lité *f*
land'aard *m.* **1** caractère *m.* national; **2** nationa-
land'adel *m.* noblesse *f.* terrienne, — de campagne.
land'afschuiving *v.* éboulement *m.*
land'arbeid *m.* travaux *m.pl.* des champs.
land'arbeider *m.* ouvrier *m.* agricole.
lan'dauer *m.* landau *m.*
land'bestuur *o.* gouvernement *m.*
land'bevolking *v.* population *f.* rurale.
land'bewoner *m.* campagnard *m.*, habitant *m.* de la campagne.
land'bezit *o.* propriété *f.* foncière.
land'bezitter *m.* propriétaire *m.* foncier.
land'bouw *m.* agriculture *f.*
land'bouwartikelen *mv.* produits *m.pl.* agricoles.
land'bouwbank *v.(m.)* banque *f.* agricole.
land'bouwbedrijf *o.* agriculture *f.*
land'bouwbevolking *v.* population *f.* agricole.
land'bouwconsulent, -konsulent *m.* conseiller *m.* agricole.
land'bouwcrisis, -krisis *v.* crise *f.* agraire.
land'bouwend *b.n.* agricole, agriculteur.
land'bouwer *m.* agriculteur, laboureur *m.*
land'bouwgereedschap *o.* instruments *m.pl.* aratoires.
land'bouwhervorming *v.* réforme *f.* agraire.
land'bouwhogeschool *v.(m.)* institut *m.* agronomique, École *f.* supérieure d'agriculture ; (*Parijs*) École Grignon.
land'bouwingenieur *m.* ingénieur *m.* agronome.
land'bouwkolonie *v.* colonie *f.* agricole.
land'bouwkonsulent, *zie* ***landbouwconsulent.***
land'bouwkrediet *o.* crédit *m.* agricole.
land'bouwkredietbank *v.(m.)* banque *f.* de crédit agricole.
landbouwkrisis, *zie* ***landbouwcrisis.***
land'bouwkunde *v.* agronomie *f.*, art *m.* agricole.
landbouwkun'dig *b.n.* agronomique; ***— ingenieur,*** ingénieur agronome.
landbouwkun'dige *m.* agronome *m.*
land'bouwonderneming *v.* exploitation *f.* agricole. [cole.
land'bouwonderwijs *o.* enseignement *m.* agri-
land'bouwprodukt, -product *o.* produit *m.* agricole.
land'bouwproefstation *o.* station *f.* agronomique, laboratoire *m.* agricole.
land'bouwschool *v.(m.)* école *f.* d'agriculture.
land'bouwstreek *v.(m.)* région *f.* agricole.
land'bouwtentoonstelling *v.* exposition *f.* (*o* concours *m.*) agricole.
land'bouwverlof *o.* permission *f.* agricole; congé *m.* pour travaux agricoles.
land'bouwvolk *o.* peuple *m.* agricole.
land'bouwwerktuigen *mv.* instruments *m.pl.* aratoires. [des champs.
land'bouwwerkzaamheden *mv.* travaux *m.pl.*
land'dag *m.* diète *f.*, assemblée *f.* nationale; (*fig.*) ***Poolse —,*** cour *f.* du roi Pétaud, pétaudière *f.*
land'dier *o.* animal *m.* terrestre.
land'edelman *m.* gentilhomme *m.* campagnard; (*ong.*) hobereau *m.*
land'eigenaar *m.* propriétaire *m.* foncier.
land'eigendom *o.* propriété *f.* terrienne.
lan'delijk *b.n.* champêtre; rural, rustique.
lan'delijkheid *v.* caractère *m.* champêtre; — rural.
lan'den I *on.w.* **1** (*persoon*) mettre pied à terre, débarquer; **2** (*schip*) aborder; **3** (*vl.*) atterrir; **II** *ov.w.* débarquer; **III** *z.n.* ***het —,*** **1** le débarquement; **2** l'atterrissage, l'atterrissement *m.*
land'engte *v.* isthme *m.*
lan'denklassement *o.* classement *m.* par nation.
lan'derig *b.n.* maussade, morose, ennuyé, de mauvaise humeur. [humeur *f.*
lan'derigheid *v.* maussaderie, ennui *f.*, mauvaise
landerij'en *mv.* terres *f.pl.*
land'genoot *m.*, **land'genote** *v.* compatriote *m.-f.*
land'goed *o.* **1** (*buitengoed*) maison *f.* de campagne; **2** (*grond*) propriété *f.*, domaine *m.*
land'graaf *m.* landgrave *m.*
land'graafschap *o.* landgraviat *m.*
land'heer *m.* **1** propriétaire *m.* foncier, terrien *m.*; **2** (*eertijds*) seigneur *m.*
land'hoeve *v.(m.)* ferme, métairie *f.*
land'honger *m.* besoin *m.* d'expansion, — d'espace vital.
land'hoofd *o.* jetée *f.*
land'huis *o.* maison *f.* de campagne, villa *f.*
land'huishoudkunde *v.* économie *f.* rurale.
land'huishoudkundige *m.* agronome *m.*
land'huisje *o.* cottage, bungalow *m.*, vide-bouteille*.
land'huur *v.(m.)* fermage *m.* [sage *m.*
lan'ding *v.* **1** débarquement *m.*; **2** (*vl.*) atterris-
lan'dingsbaan *v.(m.)* (*vl.*) piste *f.* d'atterrissage.
lan'dingsboot *m.* en *v.* péniche *f.* de débarquement. [ment.
lan'dingsdivisie *v.* (*mil.*) division *f.* de débarque-
lan'dingsgestel *o.* (*vl.*) train *m.* d'atterrissage.
lan'dingshoofd *o.* tête *f.* de pont.
lan'dingslicht *o.* (*vl.*) phare *m.* d'atterrissage.
lan'dingsmast *m.* mât *m.* d'amarrage.
lan'dingsplaats *v.(m.)* **1** débarcadère *m.*, lieu *m.* de débarquement; **2** (*vl.*) lieu *m.* d'atterrissage, escale *f.*
lan'dingssteiger *m.* débarcadère *m.*
lan'dingsterrein *o.* (*vl.*) terrain *m.* d'atterrissage, aire *f.* —, piste *f.* —. [ment.
lan'dingstroepen *mv.* troupes *f.pl.* de débarque-
land'jonker *m.* gentilhomme *m.* campagnard; (*ong.*) hobereau *m.*
land'juweel *o.* concours *m.* de rhétorique.

land'kaart *v.(m.)* carte *f.* géographique.
land'klimaat *o.* climat *m.* continental.
land'leger *o.* armée *f.* de terre.
land'leven *o.* vie *f.* des champs, — champêtre (*of* rurale).
land'lieden *mv.* campagnards, paysans *m.pl.*; (*dorpsbewoners*) villageois *m.pl.*
land'loper *m.* vagabond *m.*
landloperij' *v.* vagabondage *m.*
land'macht *v.(m.)* armée *f.* de terre; forces *f.pl.* —.
land'man *m.* campagnard, paysan *m.*
land'meetkunde *v.* géodésie *f.*
land'meter *m.* arpenteur, géomètre *m.*
land'meting *v.* arpentage *m.*
land'mijn *v.(m.)* mine *f.* terrestre, — de terre.
land'ontginning *v.* défrichement *m.* (du sol).
landouw' *v.(m.)* campagne, contrée *f.*, paysage *m.*
land'paal *m.* borne *f.*
land'pacht *v.(m.)* fermage *m.*
land'raad *m.* **1** diète *f.* provinciale; tribunal *m.* de district, — cantonal; **2** membre *m.* de diète *enz.*
landrat, *zie* ***landrot.***
land'recht *o.* droit *m.* coutumier.
land'reis *v.(m.)* voyage *m.* par terre.
land'rot, -rat *v.(m.)* **1** rat *m.* domestique; **2** (*fig.*) terrien *m.*
lands'bestuur *o.* gouvernement *m.*
land'schap *o.* paysage *m.*
land'schapschilder *m.* paysagiste *m.*
lands'dienaar *m.* fonctionnaire *m.*, serviteur *m.* de l'état.
lands'drukkerij *v.* imprimerie *f.* nationale.
lands'heer *m.* souverain *m.*
lands'kas *v.(m.)* trésor *m.* public.
lan(d)s'knecht *m.* mercenaire, lansquenet *m.*
lands'man *m.* compatriote *m.*
lands'regering *v.* gouvernement *m.*
lands'taal *v.(m.)* langue *f.* nationale, — du pays.
land'storm *m.* (*mil.*) réserve *f.* de l'armée territoriale.
land'streek *v.(m.)* région, contrée *f.* [soldat *m.*
lands'verdediger *m.* défenseur *m.* du pays,
lands'verdediging *v.* défense *f.* nationale.
lands'vrouwe *v.* souveraine *f.*
land'tong *v.(m.)* langue *f.* de terre, pointe *f.*
land'verhuizer *m.* émigrant *m.*; immigrant *m.*
land'verhuizing *v.* émigration *f.*; migrations *f.pl.*
land'verkenning *v.* atterrage *m.*, reconnaissance *f.*
land'verraad *o.* haute trahison *f.*
land'verrader *m.* traître *m.* [*m.pl.*
land'volk *o.* population *f.* rurale, campagnards
land'voogd *m.* gouverneur *m.*
landvoogdes' *v.* gouvernante *f.*
landvoogdij' *v.* gouvernement *m.*
land'vorst *m.* souverain *m.*
land'waarts *bw.* vers la côte, vers la terre; — ***in,*** vers l'intérieur.
land'weer *v.(m.)* armée *f.* territoriale.
land'weerman *m.* territorial *m.*
land'weg *m.* **1** chemin *m.* vicinal, sentier *m.*; **2** (*over land*) voie *f.* de terre, route *f.* par terre.
land'werk *o.* travaux *m.pl.* des champs.
land'wijn *m.* vin *m.* du pays, — du cru.
land'wind *m.* vent *m.* de terre.
land'winning *v.* **1** atterrissement *m.*; alluvion *f.*; **2** (*verovering*) conquête *f.*
land'ziek *b.n.* qui a le mal du pays, nostalgique.
land'ziekte *v.* **1** mal *m.* du pays, nostalgie *f.*; **2** (*eigen aan 't land*) maladie *f.* endémique.
land'zij(de) *v.(m.)* côté *f.* de la terre.
lang I *b.n.* **1** long; **2** (*v. mens*) grand, de haute taille; ***tien meter —,*** long de dix mètres; ***het is (net) zo — als 't breed is,*** cela revient au même; ***— van stof,*** long, prolixe; ***met —e tanden eten,*** manger du bout des dents; ***een — gezicht trekken,*** avoir la mine allongée; —(***er***) ***worden,*** s'allonger; ***ik heb hem in —e jaren niet meer gezien,*** je ne l'ai plus vu depuis des années; ***op de —e baan schuiven,*** traîner en longueur, renvoyer aux calendes grecques; ***— zichtwissel,*** traite à longue échéance; **II** *bw.* **1** (*lange tijd*) longtemps; **2** (*uitvoerig*) longuement; ***al —,*** depuis longtemps; ***bij —e na niet,*** rien moins que; ***— daarna,*** longtemps après; ***niet — daarna,*** peu (de temps) après; ***— leven,*** vivre vieux; ***hoe — ?*** combien de temps ? ***drie jaar —,*** pendant (*of* durant) trois ans; ***hij zal het niet — meer maken,*** il n'en a plus pour longtemps; ***zo — als,*** aussi longtemps que; ***hoe —er hoe mooier,*** de plus en plus beau; ***hij is — zo verstandig niet als zijn broer,*** il s'en faut de beaucoup qu'il soit aussi intelligent que son frère.
langarmig *b.n* **1** à bras longs; **2** (*nat.*) longimane.
langbenig *b.n.* haut sur jambes, — sur pattes.
langdra'dig I *b.n.* fastidieux, filandreux, prolixe; **II** *bw.* avec prolixité, d'une façon prolixe.
langdra'digheid *v.* prolixité *f.*
langdu'rig *b.n.* long, de longue durée.
langdu'righeid *v.* longueur *f.*, longue durée *f.*
lange-af'standbommenwerper *m.* bombardier *m.* intercontinental.
lan'gen *ov.w.* passer, donner, remettre; (*Z.N.*) prendre.
lan'ger I *b.n.* plus long; ***een — verblijf,*** un séjour prolongé; **II** *bw.* plus longtemps.
lang'gehoopt *b.n.* espéré longtemps.
lang'gewenst *b.n.* tant désiré.
lang'hals *m.* **1** qui a le cou long, personne à long cou; **2** (*fles*) bouteille à long col.
lang'harig *b.n.* **1** (*v. mens*) chevelu, qui a les cheveux longs; **2** (*v. dier*) à long poil.
lang'jarig *b.n.* de plusieurs années.
lang'oor *m.-v.* **1** personne aux oreilles longues, — qui a de longues oreilles; **2** *m.* (*fig.: ezel*) âne, baudet *m.*
lang'poot *m.* **1** (*hooiwagen*) faucheur, faucheux *m.*; **2** (*ooievaar*) cigogne *f.*
langs *vz.* le long de; ***— boord,*** sous palan; ***— welke weg ?*** par quel chemin ? ***hier—,*** par ici; ***hij is — ons huis gekomen,*** il a passé devant notre maison; ***— de huizen lopen,*** longer les maisons; ***— de straten lopen,*** courir les rues; ***er van — krijgen,*** recevoir une (bonne) raclée, prendre qc.
langsche'delig *b.n.* dolichocéphale.
langs'doorsne(d)e *v.(m.)* coupe *f.* longitudinale.
lang'slaper *m.* dormeur *m.*
langs'ligger *m.* bancard *m.*
lang'snavelig *b.n.* longirostre. [microsillon *m.*
lang'speelplaat *v.(m.)* disque *m.* à longue durée;
langst I *b.n.* le plus long; ***op zijn —,*** au plus tard, tout au plus; **II** *bw.* ***het —,*** le plus longtemps.
langst'levend *b.n.* survivant.
langst'levende *m.* (dernier) survivant *m.*
lang'tong *v.(m.)* bavard *m.*, —e *f.*
lang'uit *bw.* tout de son long.
langwer'pig *b.n.* oblong; ***— rond,*** ovale; ***— vierkant,*** rectangulaire.
langwij'lig *b.n.* long, prolixe, fastidieux, ennuyeux.
lang'zaam I *b.n.* lent; **II** *bw.* lentement; (*langzamerhand*) peu à peu; ***langzamer lopen,*** ralentir sa marche, — le pas; ***— draaien,*** (*v. motor*) tourner au ralenti; ***— aan!*** doucement!
langzaam-aan'-actie, -aktie *v.* grève *f.* perlée; — au ralenti.
lang'zaamheid *v.* lenteur *f.*

lang'zamerhand *bw.* peu à peu, insensiblement.
lang'zicht *o.* **op —,** (*H.*) à longue échéance.
lang'zichtwissel *m.* (*H.*) lettre *f.* de change à longue échéance.
lankmoe'dig I *b.n.* indulgent, longanime, clément; **II** *bw.* avec indulgence, avec longanimité.
lankmoe'digheid *v.* indulgence, longanimité, patience *f.*
lans *v.*(*m.*) lance *f.*; ***een — breken voor,*** rompre une lance pour.
lansier' *m.* lancier *m.*
lans'knecht, *zie* ***landsknecht.***
lans'punt *m.* fer *m.* de lance.
lans'steek, lans'stoot *m.* coup *m.* de lance.
lans'vormig *b.n.* en forme de lance, lancéolé.
lantaarn', lanta'ren *v.*(*m.*) **1** (*alg.*) lanterne *f.*; **2** (*v. auto*) phare *m.*; **3** (*v. schip*; *locomotief*) fanal *m.*; **4** (*straat—*) réverbère *m.*; bec *m.* de gaz; **5** (*dieven—*) lanterne *f.* sourde; **6** (*bouwk.*) lanterne *f.*, toit *m.* vitré; **7** (*stok—*) falot *m.*
lantaarn'drager, lanta'rendrager *m.* porte-lanterne; porte-falot *m.*; lampadaire *m.*
lantaarn'opsteker, lanta'renopsteker *m.* allumeur *m.* de réverbères.
lantaarn'paal, lanta'renpaal *m.* (poteau de) réverbère *m.*
lantaarn'plaatje, lanta'renplaatje *o.* diapositive *f.*
lantaarn'spiegel, lanta'renspiegel *m.* réflecteur *m.*
lan'terfant *m.* fainéant, badaud *m.*
lan'terfanten *on.w.* fainéanter, battre le pavé, flâner.
lan'terfanter, *zie* ***lanterfant.***
lanterfanterij' *v.* fainéantise *f.*
Lao'tisch *b.n.* laotien.
lap *m.* **1** (*stof*) pièce *f.* d'étoffe; **2** (*vod*) chiffon *m.*, guenille *f.*; **3** (*flard*) lambeau *m.*; **4** (*ingezet stuk*) pièce *f.*; **5** (*overgeschoten —*) coupon *m.*; **6** (*grond*) pièce *f.*, lopin *m.*; **7** (*vlees*) tranche *f.*; **8** (*afsnijdsel*) retaille *f.*; **9** (*klap*) souffet *m.*; **10** (*dronkaard*) ivrogne, biberon, soûlard *m.*; **11** (*Laplander*) Lapon *m.*; **12** (*sch.*) voile *f.*; ***doorregen —pen,*** lambeaux *m.pl.* entrelardés; ***vette —pen,*** lambeaux de lard.
lapel' *m.* revers *m.*
la'pis inferna'lis *m.* pierre *f.* infernale.
la'pis la'zuli *m.* pierre *f.* d'azur.
lap'je *o.* petit lambeau *m.*, etc.; (*zie* **lap**); ***iem. voor 't — houden,*** se payer la tête de qn., se moquer de qn.; ***een — van duizend,*** (*fam.*) un billet de mille; ***de wind voor het — hebben,*** avoir le vent arrière.
Lap'land *o.* la Laponie.
Lap'lander *m.* Lapon *m.*
Lap'lands *b.n.* lapon.
lap'middel *o.* palliatif *m.*
lap'naald *v.*(*m.*) aiguille *f.* à reprises.
lap'naam *m.* (*Z.N.*) surnom; sobriquet *m.*
lap'pen *ov.w.* **1** (*verstellen*) raccommoder, rapiécer; (*schoenen*) ressemeler; (*oude schoenen*) carreler; (*kousen*) ravauder; **2** (*ruiten, enz.*) nettoyer (à la peau de chamois); ***door de keel —, er door —,*** dilapider, gaspiller, manger; ***dat lap ik aan mijn laarzen,*** je m'en fiche, je m'en bats l'œil; ***hoe heeft hij dat gelapt?*** comment a-t-il ficelé cela? ***hoe moeten*** (*of* ***zullen***) ***we dat —?*** comment nous y prendre? ***wie heeft mij dat gelapt?*** qui m'a joué ce tour? qui m'a fichu cela?
lap'pendag *m.* vente *f.* de coupons.
lap'pendeken *v.*(*m.*) couverture *f.* d'arlequin.
lap'penmand *v.*(*m.*) panier *m.* à retailles, — aux chiffons, chiffonnier *m.*; ***in de — zijn,*** être souffrant; (*fam.*) se sentir patraque, être sur le côté.
lap'penmarkt *v.*(*m.*) marché *f.* de friperie.
lap'per *m.* **1** (*v. kleren*) raccommodeur *m.*; **2** (*v. schoenen*) savetier *m.*
lap'sus *m.* erreur *f.*
lap'werk *o.* **1** raccommodage; rapiéçage *m.*; **2** (*fig.*) bousillage *m.*
lap'zalf *v.*(*m.*) onguent *m.* miton-mitaine, palliatif *m.*
lardeer'priem *m.* lardoire *f.*
lardeer'spek *o.* lard *m.* à larder.
larde'ren *ov.w.* larder, entrelarder.
larf, lar've *v.*(*m.*) larve *f.*
la'rie *v.* absurdités *f.pl.*, blague *f.*
la'riks(boom) *m.* larix mélèze *m.*
lar've, larf *v.*(*m.*) larve *f.*
las *v.*(*m.*) (*tn.*) joint *m.*, jointure *f.*; (*v. metaal*) soudure *f.*
las'apparaat *o.* (*tn.*) appareil *m.* pour soudure autogène.
las'brander *m.* (*tn.*) chalumeau *m.* oxhydrique.
las'ijzer *o.* (*tn.*) clou *m.* à river.
las'naad *m.* soudure *f.*
las'plaat *v.*(*m.*) (*tn.*) éclisse *f.*, couvre-joint* *m.*
las'sen *ov.w.* (*tn.*) joindre, assembler, souder.
las'ser *m.* soudeur *m.*
las'sing *v.* (*tn.*) jointure *f.*, assemblage, soudage *m.*
las'so *m.* lasso *m.*
last I *m.* **1** (*alg.*) charge *f.*; **2** (*zware —, vracht*) fardeau, faix *m.*; **3** (*ongemak*) embarras, ennui *m.*, gêne *f.*; **4** (*v. schip*) cargaison *f.*; **5** (*opdracht*) charge, commission *f.*; **6** (*bevel*) ordre *m.*, injonction *f.*; **7** (*v. hefboom: nat.*) résistance *f.*; **8** (*belasting*) impôt *m.*, charge *f.*; ***ten —e van,*** à la charge de, pour le compte de; ***ten —e komen van,*** incomber à; ***iem. iets ten —e leggen,*** imputer qc. à qn., accuser qn. de qc.; ***de kosten komen te uwen —e,*** les frais sont à votre charge; ***— bezorgen,*** causer de l'embarras; ***— hebben van,*** être incommodé par; ***ik heb er geen — van,*** ça ne me gêne pas; ***hij heeft — van zijn maag,*** il souffre de l'estomac; ***— krijgen om,*** recevoir l'ordre de; ***kinderen ten —e hebben,*** être chargé de famille; ***baten en —en,*** actif et passif; ***iem. — geven iets te doen,*** charger qn. de faire qc.; **II** *o. en m.* **1** (*gewicht*) last(e) *m.*; **2** (*inhoudsmaat*) 30 hectolitres.
last'brief *m.* mandat *m.*, lettre *f.* d'instruction.
last'dier *o.* bête *f.* de somme.
last'drager *m.* **1** (*persoon*) portefaix *m.*; **2** (*voorw.*) support *m.*, console *f.*
las'ten *mv.* charges *f.pl.*; ***sociale —,*** charges sociales; ***baten en —,*** actif et passif.
las'ter *m.* calomnie, diffamation *f.*
las'teraar *m.* calomniateur, diffamateur, détracteur *m.*
las'terachtig *b.n.* calomnieux, diffamatoire.
las'tercampagne *v.*(*m.*) campagne *f.* de calomnie, — diffamatoire.
las'teren *ov.w.* calomnier, diffamer, détracter; ***God —,*** blasphémer.
las'tering *v.* **1** calomnie, diffamation, détraction *f.*; **2** (*gods—*) blasphème *m.*
las'terlijk *b.n.* calomnieux, diffamatoire.
las'termond *m.* mauvaise langue *f.*
las'terpraatje *o.* propos *m.pl.* calomnieux, cancan *m.*
las'terschrift *o.* pamphlet *m.*, écrit *m.* diffamatoire.
las'tertaal *v.*(*m.*) calomnie, médisance *f.*, propos *m.pl.* calomnieux.
las'tertong *v.*(*m.*) mauvaise langue *f.*, langue *f.* de vipère.
las'terwoord *o.* calomnie *f.*, parole *f.* calomnieuse.
last'geld *o.* droit *m.* de tonnage.
last'gever *m.* commettant *m.*
last'geving *v.* mandat *m.*, commission *f.*
last'hebber *m.* mandataire *m.*

last'hefmagneet *m.* magnéto *f.*; machine *f.* magnéto-électrique*.
las'tig *b.n.* **1** (*moeilijk*) difficile; **2** (*onaangenaam, hinderlijk*) ennuyeux, incommode; embarrassant, gênant; **3** (*v. persoon*) d'un caractère difficile; difficile à contenter; **4** (*v. kind*) (*druk*) turbulent, remuant; (*ongehoorzaam*) désobéissant, indocile; ***iem. — vallen,*** importuner, déranger qn.; ***dat valt mij —,*** cela m'est difficile; ***het zal — gaan,*** cela sera difficile.
las'tigheid *v.* difficulté; incommodité; gêne *f.*; embarras *m.*; caractère *m.* difficile; turbulence *f.*
last'paard *o.* cheval *m.* de somme, — de bât, sommier *m.*
last'post *m.* **1** charge *f.* onéreuse; **2** (*fig.*) homme *m.* difficile; enfant *m.* turbulent.
last'schip *o.* vaisseau *m.* de transport.
last'wagen *m.* camion *m.*, voiture *f.* de roulier.
lat *v.*(*m.*) **1** latte *f.*; **2** (*v. jaloezie*) lame *f.*; **3** (*sabel*) latte *f.*; **4** (*voetbal*) transversale *f.*; ***op de — kopen,*** acheter à crédit; ***met —ten voorzien,*** latter.
la'tafel *v.*(*m.*) commode *f.*
la'ten *ov.w.* **1** (*toestaan*) laisser; **2** (*doen, opdragen*) faire; **3** (*nalaten, niet doen*) s'abstenir de; **4** (*achterlaten*) laisser, abandonner, quitter; **5** (*loslaten*) lâcher; (*zucht*) pousser; (*tranen*) verser; **6** (*afstaan*) laisser, céder; ***iem. iets — weten,*** faire savoir qc. à qn.; informer qn. de qc.; ***waar zal ik al die boeken — ?*** où est-ce que je mettrai tous ces livres? ***wij zullen het daarbij —,*** nous en resterons là; ***de dokter — halen,*** envoyer chercher le médecin; ***geboden en gelaten koers,*** cours offert et accepté; ***het leven erbij —,*** y laisser la vie; ***dat zal hij wel —,*** il n'en fera rien, il s'en gardera bien; ***— wij vertrekken,*** partons; ***laat hij zwijgen,*** qu'il se taise; ***— begaan,*** laisser faire; ***— varen,*** abandonner; ***— zakken,*** descendre.
latent' *b.n.* latent.
la'ter I *b.n.* ultérieur, postérieur; plus récent; **II** *bw.* ultérieurement, postérieurement; plus tard; ***enige tijd —,*** après quelque temps.
lateraal' *b.n.* latéral.
Lateraans' *b.n.* de Latran.
la'tex *o. en m.* latex *m.*
la'texdraad *o. en m.* fil *m.* de latex.
la't(h)yrus *m.* (*Pl.*) gesse *f.*; ***welriekende —,*** pois *m.* de senteur.
Latijn *o.* latin *m.*; ***middeleeuws —,*** bas latin; ***volks —,*** latin populaire.
Latijns' *b.n.* latin.
la'ting *v.* (*gen.*) saignée *f.*
latinis'me *o.* latinisme *m.*
latinist' *m.* latiniste *m.*
la'tuw *v.*(*m.*) (*Pl.*) laitue *f.*
lat'werk *o.* **1** (*bouwk.*) lattis, treillis *m.*; claire*-voie* *f.*; **2** (*v. bomen*) espalier, treillage *m.*
latyrus, *zie* ***lathyrus.***
lau'den *mv.* laudes *f.pl.*
Lau'ra *v.* Laure, Laurette *f.*
Lau'rens *m.* Laurent *m.*
laurier' *m.* laurier *m.*
laurier'blad *o.* feuille *f.* de laurier.
laurier'boom *m.* laurier *m.*
laurier'kers *m.* laurier*-cerise* *m.*
laurier'olie *v.*(*m.*) huile *f.* de laurier.
lauw *b.n.* **1** tiède; **2** (*fig.*) tiède, indifférent.
Lauw *o.* Lowaige.
lau'wen *ov.w.* attiédir.
lau'wer *m.* laurier *m.*; ***—en plukken,*** cueillir des lauriers; ***op zijn —en rusten,*** se reposer sur ses lauriers.
lau'werkrans *m.* couronne *f.* de lauriers.
lauw'heid *v.* **1** tiédeur *f.*; **2** (*fig.*) tiédeur, indifférence *f.*
la'va *v.*(*m.*) lave *f.*
lavabo' *m.* lavabo *m.*
la'vastroom *m.* coulée *f.* (de lave).
la'veloos *b.n.* ivre mort(e).
lavement' *o.* lavement *m.*
lavement'spuit *v.*(*m.*) clysopompe *f.*, seringue *f.* à lavement, clysoir *m.*
la'ven I *ov.w.* **1** rafraîchir, désaltérer; **2** (*dorst*) étancher; **3** (*fig.*) soulager, réconforter.
laven'del *v.*(*m.*) lavande *f.*
laven'delolie *v.*(*m.*) huile *f.* de lavande.
lave'ren *on.w.* **1** (*sch.*) louvoyer, faire des bordées; **2** (*fig.*) louvoyer, manœuvrer, biaiser; ***over straat —,*** zigzaguer.
lawaai' *o.* bruit, tapage, vacarme *m.*
lawaai'en *on.w.* faire du tapage.
lawaai'erig *b.n.* tapageur, bruyant.
lawaai'maker *m.* tapageur *m.*
lawaai'saus *v.*(*m.*) (*fam.*) lavasse *f.*
lawi'ne *v.* avalanche *f.*
lawn'-tennis *o.* tennis *m.*
laxeer'middel *o.* laxatif, purgatif *m.*
laxeer'pil *v.*(*m.*) pilule *f.* laxative.
laxe'ren *ov.w.* (se) purger prendre un laxatif.
lay-out' *m.* mise *f.* en page, disposition *f.* typographique.
lazaret' *o.* lazaret *m.*; (*mil.*) ambulance *f.*
lazarij', lazerij' *v.* **1** lèpre *f.*; **2** léproserie *f.*
La'zarus *m.* Lazare *m.*
lazerij', lazarij' *v.* **1** lèpre *f.*; **2** léproserie *f.*
lazuur' I *o.* azur *m.*; **II** *b.n.* azuré, d'azur.
lazuur'blauw *b.n.* azuré, d'azur.
lazuur'gewelf *o.* voûte *f.* azurée.
lea'sing o. leasing *m.*
lea'singtermijn *m.* terme *m.* de —.
leb'(be) *v.*(*m.*) **1** (*v. herkauwers*) caillette *f.*; **2** (*vloeistof*) présure *f.*
leb'beren *on.w.* siroter.
leb'big *b.n.* **1** aigre, qui sent la présure; **2** (*fig.*) renfrogné.
leb'maag *v.*(*m.*) caillette *f.*
lec'tor, lek'tor *m.* maître *m.* de conférences.
lectuur', lektuur' *v.* **1** lecture *f.*; **2** journaux, livres *m.pl.*
le'dematen *mv.* membres *m.pl.*
le'denlijst *v.*(*m.*) liste *f.* des membres.
le'denpop *v.*(*m.*) **1** mannequin *m.*; **2** (*fig.*) pantin [*m.*
le'dental *o.* nombre *m.* de membres, — d'adhérents.
le'(d)er *o.* cuir *m.*; *zie ook* ***leer.***
le'(d)erbereiding *v.* corroi *m.*, corroyerie *f.*
le'(d)ergoed *o.* **1** cuir *m.*, objets *m.pl.* en cuir; **2** (*mil.*) buffleterie *f.*, fourniment *m.*; **3** (*fijn ledergoed*) maroquinerie *f.*
le'(d)erhandel *m.* commerce *m.* de(s) cuirs, peausserie *f.*
le'(d)erhandelaar *m.* marchand *m.* de cuirs.
le'(d)erhuid *v.*(*m.*) derme *m.*
le'(d)erwaren *mv.* articles *m.pl.* en cuir; *zie* ***ledergoed.***
le'dewater *o.* épanchement *m.* de synovie, synovite *f.* séreuse.
le'dig *b.n.* **1** (*niet gevuld*) vide; **2** (*niet bezet*) libre, non occupé; (*openstaand*) vacant; **3** (*niet bewoond*) inhabité; **4** (*onbeschreven, onbedrukt*) (en) blanc; **5** (*zinledig*) vide de sens; ***—e tijd,*** loisirs *m.pl.*; ***met —e handen thuiskomen,*** rentrer les mains vides; (*v. jacht en fig.*) rentrer bredouille; ***een —e maag hebben,*** avoir le ventre creux; ***— zitten,*** rester oisif.

le'digaard, leeg'aard m. fainéant, paresseux m.
le'digen, le'gen ov.w. vider.
le'diggang m. oisiveté, fainéantise f.; désœuvrement m.
le'digganger, leeg'ganger m. fainéant, paresseux m.
le'digheid v. 1 (*het niet gevuld zijn*) vide m.; 2 (*niet bezigheid*) désœuvrement m.; (*luiheid*) oisiveté, fainéantise f.; — ***is des duivels oorkussen,*** l'oisiveté est la mère de tous les vices.
ledikant' o. bois m. de lit, lit, châlit m.
leed o. 1 (*verdriet*) chagrin m.; 2 (*smart*) douleur, peine f.; 3 (*spijt*) regret m.; 4 (*kwaad*) mal m.; 5 (*ongeluk*) malheur m.; ***in lief en —,*** dans la bonne et (dans) la mauvaise fortune; ***zijn — betuigen,*** exprimer ses regrets; ***iem. zijn — klagen,*** conter ses peines à qn.
leed'vermaak o. joie f. maligne.
leed'wezen o. regret m.
leef'baar b.n. viable.
leef'net o. (*viss.*) filet m. à cercles, bourriche f.
leef'regel m. régime m.; diète f.
leef'tijd m. âge m.; ***een hoge —,*** un âge avancé; ***op rijpere —,*** à l'âge mûr; ***op — komen,*** prendre de l'âge, avancer en âge; ***van middelbare —,*** entre deux âges; ***de kritieke —,*** retour m. de l'âge.
leef'tijdsgrens v.(m.) limite f. d'âge.
leef'tijdsklas(se) v. âge m., âges m.pl. successifs.
leef'tocht m. vivres m.pl. provisions f.pl.
leef'wijze v.(m.) manière f. de vivre, train m. de vie.
leeg, *zie* ***ledig.***
leeg'drinken, leeg'eten ov.w. vider.
leeg'ganger, *zie* ***ledigganger.***
leeg'hoofd o. en v.-m. cervelle f. vide, songecreux m.
leeg'lopen on.w. 1 (*v. persoon*) fainéanter; 2 (*v. zaal, vat, enz.*) se vider; 3 (*v. fiets- of autoband*) se dégonfler.
leeg'loper m. oisif, fainéant m.
leeg'maken, leeg'pompen, leeg'scheppen ov.w. vider.
leeg'staan on.w. 1 (*niet bezig zijn*) ne rien faire être oisif; 2 (*onbewoond zijn*) être inhabité, être inoccupé.
leeg'te v. 1 (*ledige ruimte*) vide m.; 2 (*leemte*) lacune f.
leeg'zitten on.w. ne rien faire, être oisif.
leek m. 1 laïque m.; 2 (*fig.*) profane m.
leem o. en m. terre f. glaise, argile f.; limon m.
leem'achtig b.n. argileux, glaiseux.
leem'groef, -groeve v.(m.), **leem'kuil** m. glaisière f.
leem'te v. 1 lacune f.; 2 (*gebrek*) défaut m.; 3 (*weglating*) omission f.; ***een — aanvullen,*** combler une lacune, suppléer à une lacune.
leen I o. (*gesch.*) fief, bien féodal m.; **II** v. ***te — geven,*** prêter; ***te — krijgen,*** emprunter; ***te — hebben,*** avoir à titre de prêt.
leen'bank v.(m.) caisse f. de prêts.
Leen'dert m. Léonard m.
leen'dienst m. (*gesch.*) vasselage m., corvée f.
leen'goed o. (*gesch.*) fief, bien m. féodal.
leen'heer m. (*gesch.*) suzerain; seigneur m. féodal.
leen'hulde v. (*gesch.*) hommage m.
leen'man m. (*gesch.*) vassal, feudataire m.
leen'manschap o. (*gesch.*) vasselage m.
leen'plicht m. en v. (*gesch.*) hommage m. (féodal).
leenplich'tig b.n. (*gesch.*) lige, mouvant (de).
leenplich'tigheid v. (*gesch.*) vasselage m.
leen'recht o. (*gesch.*) droit m. féodal, — de fief.
leenroe'rig b.n. (*gesch.*) féodal; ***het — tijdperk,*** la féodalité.
leenroe'righeid v. féodalité f.
leen'stelsel o. (*gesch.*) régime m. féodal.
Leen'tje o. en v. Madelon f.
leen'tjebuur, — *spelen,* aller à la cour des aides.
leen'vorst m. (*gesch.*) prince m. féodal.
leen'wezen o. (*gesch.*) régime m. féodal.
leen'woord o. mot m. d'emprunt.
leep I b.n. 1 (*slim*) malin, rusé, roublard; 2 (*v. ogen*) chassieux; **II** bw. d'une façon maligne, — rusée.
leep'heid v. ruse, finesse f.; roublardise f.
leep'oog o. œil m. chassieux.
leer I, le'der o. cuir m.; ***het —,*** (*voetbal*) le ballon; ***met — bedekt,*** couvert de peau; ***van — trekken,*** dégainer; ***— om —,*** œil pour œil, dent pour dent; à beau jeu beau retour; ***van andermans — is het goed riemen snijden,*** de cuir d'autrui large courroie; **II** v.(m.) 1 (*leerstelsel*) doctrine f.; (*in wetenschap*) théorie f.; 2 (*leerstelling, dogma*) dogme m.; 3 (*les*) leçon, instruction f.; 4 (*leertijd*) apprentissage m.; ***in de — doen,*** mettre en apprentissage; ***in de — zijn,*** faire son apprentissage, être en apprentissage; **III** v.(m.) *zie* ***ladder.***
leer'behoeften mv. outillage m. scolaire.
leer'bereiding, *zie* ***lederbereiding.***
leer'boek o. 1 (*handboek*) cours, traité, manuel m.; 2 (*studieboek*) livre m. d'étude; ***beknopt —,*** précis m.
leer'dicht o. poème m. didactique.
leer'dichter m. poète m. didactique.
leer'doek o. en m. moleskine f.
leer'film m. film m. d'enseignement, — documentaire.
leer'gang m. cours m.; méthode f.
leer'geld o. 1 apprentissage m.; 2 (*schoolgeld*) écolage m., rétribution f. scolaire; — ***betalen,*** apprendre à ses dépens; *ook:* être payé pour le savoir.
leergie'rig b.n. studieux, désireux d'apprendre.
leergie'righeid v. application f., avidité f. de savoir, fièvre f. d'apprendre, amour m. de l'étude.
leer'huid, le'derhuid v.(m.) derme m.
leer'jaar o. 1 (*school*) année f. scolaire; 2 (*ambacht*) année f. d'apprentissage.
leer'jongen m. apprenti m.
leer'kracht v.(m.) (*onderwijzer(es)*) instituteur m., —trice f.; (*leraar*) professeur m.
leer'ling m. 1 élève m.; 2 (*v. Christus; v. wijsgeer*) disciple m.; 3 (*leerjongen*) apprenti m.
leer'lingenschaal v.(m.) échelle f. des élèves.
leer'looien o. tannage m.
leer'looier m. tanneur m.
leerlooierij' v. tannerie f.
leer'lust m., *zie* ***leergierigheid.***
leer'meester m. 1 instituteur, maître, professeur m.; 2 (*privé*) précepteur, (*vroeger*) gouverneur m.
leermeesteres' v. institutrice, maîtresse f.
leer'meisje o. apprentie f.
leer'met(h)ode v. méthode f. d'enseignement.
leer'middelen mv. fournitures f.pl. scolaires.
leer'plan o. programme m. (des études); plan m. d'étude.
leer'plicht m. en v. instruction f. obligatoire.
leerplich'tig b.n. en âge d'école, en âge de scolarité.
leer'plichtwet v.(m.) loi f. sur l'enseignement (*of* l'instruction) obligatoire.
leer'rede v.(m.) sermon m., homélie f.
leer'rijk b.n. instructif.
leer'school v.(m.) école f.; (*v. normaalschool*) école f. d'application; ***hij is op een goede — geweest,*** il a été à bonne école; ***hij heeft een harde — doorlopen,*** il en a vu de dures.
leerspreuk v.(m.) sentence f., aphorisme m.
leerstel'lig b.n. dogmatique.
leer'stelling v. 1 thèse, maxime f.; 2 (*godsd.*) dogme m.

leer'stelsel *o.* système *m.*, théorie, doctrine *f.*
leer'stoel *m.* chaire *f.* (de professeur).
leer'stof *v.(m.)* matière(s) *f.(pl.)* du programme.
leer'stuk *o.* dogme *m.*
leer'tijd *m.* **1** (*school*) temps *m.* de l'étude; **2** (*ambacht*) apprentissage *m.*
leer'tje *o.* **1** (*stukje leder*) bout *m.* de cuir; **2** (*laddertje*) petite échelle *f.*
leer'toon *m.* ton *m.* professoral, — dogmatique.
leer'touwen *o.* corroi, corroyage *m.*
leer'touwer *m.* corroyeur *m.*
leertouwerij' *v.* corroirie *f.*
leer'vak *o.* branche *f.*
leer'vertrek *o.* salle *f.* d'étude.
leer'waren, *zie* ***lederwaren.***
leer'wijze *v.(m.)* méthode *f.*
leer'zaam *b.n.* **1** (*leergierig*) appliqué; **2** (*leerrijk*) instructif. [instructif.
leer'zaamheid *v.* **1** application *f.*; **2** caractère *m.*
leer'zucht *v.(m.)* désir *m.* d'apprendre, envie *f.* —.
lees'baar I *b.n.* lisible; **II** *bw.* lisiblement.
lees'baarheid *v.* lisibilité *f.*
lees'beurt *v.(m.)* **1** (*beurt om te lezen*) tour *m.* de lire; (*voordracht*) conférence *f.*
lees'bibliot(h)eek *v.* cabinet *m.* de lecture.
lees'blindheid *v.* alexie *f.*
lees'boek *o.* livre *m.* de lecture.
lees'bril *m.* lunettes *f.pl.* de lecture.
lees'gewoonte *v.* habitude *f.* de lecture.
lees'gezelschap *o.* société *f.* de lecture, bibliothèque *f.* circulante, — ambulante.
lees'honger *m.* fringale *f.* de lecture.
lees'inrichting *v.* bibliothèque *f.*
lees'lamp *v.(m.)* liseuse *f.*
lees'les *v.(m.)* leçon *f.* de lecture.
lees'lust *m.* goût *m.* de la lecture, amour *m.* —.
lees'met(h)ode *v.* méthode *f.* de lecture.
lees'museum *o.* cabinet *m.* de lecture.
lees'oefening *v.* exercice *m.* de lecture.
lees'onderwijs *o.* enseignement *m.* de la lecture.
leest *v.(m.)* **1** (*gestalte*) taille *f.*; **2** (*v. schoen*) forme *f.*, embauchoir *m.*; ***een schoen op de — zetten,*** (*bij 't maken*) façonner un soulier sur une forme; (*nadien*) remettre un soulier sur forme; ***schoenmaker blijf bij uw —,*** à chacun son métier, les vaches seront bien gardées; ***op dezelfde — geschoeid,*** taillé sur le même patron; ***op een andere — schoeien,*** arranger autrement; ***uitzetbare —,*** conformateur *m.*
lees'tafel *v.(m.)* table *f.* de lecture.
lees'teken *o.* **1** (*gram.*) signe *f.* de ponctuation; **2** (*leeswijzer*) signet *m.*
lees'tenmaker *m.* formier *m.*
lees'toon *m.* façon *f.* de lire.
lees'voer *o.* lecture *f.* de pacotille.
lees'wijzer *m.* signet *m.*, liseuse *f.* [lire.
lees'woede *v.(m.)* fureur *f.* de lecture, manie *f.* de
lees'zaal *v.(m.)* salle *f.* de lecture.
leeuw *m.* lion *m.*; ***jonge —,*** lionceau *m.*
leeuw'achtig *b.n.* léonin, de lion.
leeu'webek *m.* **1** gueule *f.* de lion; **2** (*Pl.*) gueule*-de-loup *f.*, muflier *m.*
leeu'wedeel *o.* part *f.* du lion.
leeu'wehart *o.* cœur *m.* de lion; ***Richard L—,*** Richard Cœur de Lion.
leeu'wehok *o.* (*voor leeuw bestemd*) cage *f.* de lion; (*met leeuwen*) cage *f.* aux (*of* des) lions.
leeu'wehol *o.* antre *m.* (de lion).
leeu'wehuid *v.(m.)* peau *f.* de lion.
leeu'wejong *o.* lionceau *m.*
leeu'weklauw *m. en v.* **1** griffe *f.* de lion; **2** (*Pl.*) pied*-de-lion *m.*
leeu'wekop *m.* tête *f.* de lion.
leeu'wekuil *m.* fosse *f.* aux lions.
leeu'wemanen *mv.* crinière *f.* de (*of* du) lion.
leeu'wemoed *m.* courage *m.* de lion; ***zich met — verdedigen,*** se défendre comme un lion.
leeu'wemuil *m.* gueule *f.* de (*of* du) lion.
leeu'werik *m.* alouette *f.*
leeu'wetand *m.* dent *f.* de lion.
leeu'wewelp *m. en o.* lionceau *m.*
leeuwin' *v.* lionne *f.*
leeuw'tje *o.* **1** lionceau *m.*; **2** (*hond*) bichon *m.*
lee'water *o.* synovie *f.*
lef *o. en m.* (*pop.*) courage *m.*; ***— hebben,*** avoir du toupet, avoir du cœur.
lef'schopper *m.* crâneur *m.*
leg *m.* ponte *f.*; ***aan de — zijn,*** pondre.
legaal' I *bn.* légal; **II** *bw.* légalement.
legaat' 1 *m.* (*afgezant*) légat *m.*; **2** *o.* (*erfstelling*) legs *m.*
legalise'ren, -ize'ren *ov.w.* légaliser.
legata'ris *m.* légataire *m.*
legate'ren *ov.w.* léguer.
lega'tie *v.* légation *f.*
leg'balk *m.* couche *f.*
leg'boor *v.(m.)* pondoir *m.*
leg'doos *v.(m.)* jeu *m.* de patience, puzzle *m.*
le'gen, le'digen *ov.w.* vider.
legenda'risch *b.n.* légendaire.
legen'de *v.(m.)* légende *f.*
legen'dendichter, legen'denschrijver *m.* légendaire *m.*, auteur *m.* de légendes.
le'ger *o.* **1** (*mil.*) armée *f.*; ***staand —,*** armée active, — permanente; **2** (*bed*) lit *m.*; **3** (*nachtverblijf*) gîte *m.*; **4** (*v. haas*) gîte *m.*; **5** (*v. wilde dieren*) repaire *m.*; **6** (*v. wolf*) liteau *m.*; **7** (*v. wild zwijn*) bauge *f.*; **8** (*kamp*) camp *m.*; ***vliegend —,*** camp volant; **9** (*fig.*) foule *f.*
le'geraanvoerder *m.* général *m.* (en chef), chef *m.* d'armée.
le'gerafdeling *v.* division *f.*, corps *m.* d'armée.
le'gerarts *m.* médecin *m.* militaire, — des troupes.
le'gerbende *v.(m.)* troupe *f.* (de soldats).
le'gerbericht *o.* communiqué, bulletin *m.* (militaire).
le'gerbestuur, -bevel *o.* haut commandement *m.*
le'gercommando, -kommando *o.* haut commandement *m.*
le'geren *on.w. en ov.w.* camper, cantonner.
lege'ren *ov.w.* (*v. metalen*) allier.
le'gerhoofd *o.* chef *m.* d'armée, général *m.* en chef.
lege'ring *v.* (*v. metalen*) alliage *m.*
le'gering *v.* campement *m.*
legerkommando, *zie* ***legercommando.***
le'gerkorps *o.* corps *m.* d'armée.
le'gerleiding *v.* commandement *m.* de l'armée.
le'germacht *v.(m.)* armée *f.*, force *f.* militaire.
le'gernummer *o.* numéro *m.* matriculaire.
le'gerorder *v.(m.) en o.* ordre *m.* du jour.
le'gerplaats *v.(m.)* camp *m.*
le'gerscharen *mv.* armées *f.pl.*
le'gerstede *v.(m.)* **1** (*bed*) lit *m.*; couche *f.*; **2** (*ligplaats*) gîte *m.*
le'gersterkte *v.* force(s) *f.pl.* numérique(s).
le'gertent *v.(m.)* tente *f.* [d'une armée).
le'gertrein, le'gertros *m.* train *m.* (de l'armée,
le'gertucht *v.(m.)* discipline *f.* militaire.
le'gervoorraden *mv.* provisions *f.pl.* d'armée.
le'gerwagen *m.* fourgon *m.* régimentaire.
le'ges *mv.* droits *m.pl.* d'expédition.
leg'gen I *ov.w.* **1** (*plaatsen*) mettre; placer; poser; **2** (*neer—*) déposer; **3** (*uitstrekken*) coucher; **4** (*bij 't worstelen*) tomber; ***eieren —,*** pondre (des œufs);

***aan de dag* —, montrer, manifester; *de hand aan iets* —, mettre la main à qc.; *de kaart* —, tirer les cartes; *de eerste steen* —, poser la première pierre; *ter perse* —,** mettre sous presse; **II** *on.w.* pondre; **III** *z.n. o.* **1** pose; mise *f.*; **2** ponte *f.*
leg'ger *m.* **1** (*onderste molensteen*) meule *f.* dormante; **2** (*vloerbalk*) solive *f.*; **3** (*bij spoorrails*) traverse *f.*; **4** (*register*) registre *m.*; **5** (*onderlegger*) sous-main *m.*; **6** (*sch.*) baril *m.* (de galère).
leg'hen *v.* pondeuse *f.*
leg'hok *o.* pondoir *m.*
leg'horn *m.* leghorn *f.*
le'gio *o.* légion *f.*; ***— zijn,*** être légion.
legioen' *o.* légion *f.*, ***— van eer,*** Légion d'honneur.
legioen'soldaat *m.* légionnaire *m.*
legitiem' *b.n.* légitime.
legitima'tie *v.* légitimation *f.*
legitima'tiebewijs *o.* document *m.* de légitimation, carte *f.* d'identité.
legitima'tiekaart *v.*(*m.*) carte *f.* d'identité.
legitime'ren *ov.w.* légitimer.
leg'kaart *v.*(*m.*) jeu *m.* de patience, puzzle *m.*
leg'kast *v.*(*m.*) armoire *f.* à linge.
leg'kip *v.* pondeuse *f.*
leg'penning *m.* jeton *m.*
leg'puzzel, -puzzle, *zie* ***legkaart.***
leg'tijd *m.* ponte *f.*, temps *m.* de la ponte.
leguaan' *m.* **1** (*Dk.*) iguane *m.*; **2** (*sch.*) bourrelet *m.*
lei 1 *o.* (*delfstof*) schiste *m.*, ardoise *f.*; **2** *v.*(*m.*) (*voorwerp*) ardoise *f.*; **3** *v.* (*Z.N.*) (*laan*) avenue *f.*
lei'achtig *b.n.* schisteux.
lei'band *m.* lisière *f.*; ***aan de — lopen,*** être tenu en laisse, être mené à la lisière, se laisser gouverner.
lei'boom *m.* espalier *m.*
lei'dak *o.* toit *m.* d'ardoise(s).
lei'dekker *m.* couvreur *m.* (en ardoises).
lei'dekkershamer *m.* assette *f.*, asseau *m.*
lei'den I *ov.w.* **1** conduire; mener; **2** (*tot gids dienen*) guider; **3** (*besturen*) diriger; ***een leven —,*** mener une vie; ***iem. om de tuin leiden,*** duper qn., tromper qn.; ***een vergadering —,*** présider une séance; ***leid ons niet in bekoring,*** ne nous induisez point en tentation; **II** *on.w.* mener, conduire; ***tot niets —,*** ne pas aboutir, n'aboutir à rien.
Lei'den *o.* Leyde *f.*; ***— in last,*** l'alarme au camp.
Lei'denaar *m.* habitant *m.* de Leyde.
lei'dend *b.n.* dirigeant; ***— beginsel,*** principe directeur.
lei'der *m.* **1** (*v. troep*) chef, guide *m.*; **2** (*v. toeristen, enz.*) guide *m.*; **3** (*v. onderneming, partij, enz.*) chef *m.*; (*v. onderneming ook:*) directeur; gérant *m.*; **4** (*v. organisatie*) dirigeant, leader *m.*; **5** (*ong.: v. opstand, enz.*) meneur *m.*
lei'ding *v.* **1** (*handeling*) direction, conduite *f.*; **2** (*buis*) conduit *m.*; ***een — aanleggen,*** (*v. gas, enz.*) faire une installation; ***de — hebben,*** **1** (*aan 't hoofd staan*) commander, être à la tête; **2** (*wedstrijd*) tenir la tête; ***de — nemen,*** (*in wedstrijd*) prendre la tête.
lei'dinggevend *b.n.* directeur, dirigeant.
lei'dingwater *o.* eau *f.* de ville, (*pop.*)—de robinet.
leid'motief *o.* leitmotiv *m.* (*pl.* : —e).
lei'draad *m.* **1** fil *m.* conducteur; **2** (*fig.*) guide *m.*, méthode *f.*; (*boek*) manuel, précis *m.*
Leids *b.n.* de Leyde; ***—e fles,*** bouteille *f.* de Leyde, jarre *f.* électrique.
lei(d)'sel *o.* guide, rêne *f.*
leids'man *m.* guide, conducteur *m.*
leid'ster I *v.*(*m.*) **1** étoile *f.* polaire; **2** (*fig.*) guide *m.*, boussole *f.*; **II** *v.* cheftaine, monitrice *f.*
leids'vrouw *v.* conductrice *f.*
leid'zaam *b.n.* facile à conduire.
Lei'e *v.* Lys *f.*
lei'en *b.n.* d'ardoise; ***het gaat van een — dakje,*** cela marche comme sur des roulettes.
lei'groef, -groeve *v.*(*m.*) ardoisière *f.*
lei'kleur *v.*(*m.*) couleur *f.* d'ardoise.
lei'kleurig *b.n.* couleur d'ardoise, ardoisé.
Leip'zig *o.* Leipzig *m.*
lei'reep *m.*, **lei'sel** *o.* rêne, guide *f.*
lei'steen *o. en m.* schiste *m.*, ardoise *f.*
Leitmotiv *zie* ***leidmotief.***
lek I *o.* **1** (*in leiding, enz.*) fuite *f.*; **2** (*in schip*) voie *f.* d'eau; ***een — hebben,*** (*v. schip*) faire eau; ***een — stoppen,*** aveugler une voie d'eau; **II** *b.n.* troué; qui a une fuite; ***— zijn,*** **1** (*v. leiding, enz.*) avoir une fuite; **2** (*v. schip*) faire eau; ***—ke band,*** pneu crevé, — à plat; ***zo — als een mandje,*** faire eau de toutes parts.
lek'bak *m.* égouttoir *m.*
le'kebroeder *m.* frère *m.* lai, — convers.
le'keleraar *m.* professeur *m.* laïc, — laïque.
le'kenapostolaat *o.* apostolat *m.* laïque.
le'kenkelk *m.* communion *f.* sous les deux espèces.
le'kenrechtspraak *v.*(*m.*) juridiction *f.* par un jury de cour d'assises.
le'kespel *o.* pièce *f.* (*of* théâtre *m.*) profane.
le'kezuster *v.* sœur *f.* laie, — converse.
lekka'ge *v.* **1** trou *m.*, voie *f.* d'eau; fuite *f.*; **3** filtration *f.*, égouttement *m.*; **4** (*H.*) coulage *m.*; ***er is een — aan het dak,*** le toit perce.
lek'ken *on.w.* **1** (*v. vat*) couler, fuir, avoir une fuite; **2** (*v. vloeistof*) s'écouler, s'enfuir; dégoutter; **3** (*v. schip*) faire eau; **4** (*v. dak, enz.*) laisser entrer l'eau.
lek'ker I *b.n.* **1** (*aangenaam v. smaak of geur*) bon, délicieux; **2** (*fijn*) exquis, excellent; **3** (*smakelijk uitziend*) appétissant; **4** (*kieskeurig*) délicat, difficile; **5** (*gezond, wel*) bien, bien portant; ***hij is niet erg —,*** il n'est pas bien en train, il n'est pas dans son assiette, il est un peu souffrant; ***zo — als kip,*** frais comme l'œil; ***het is hier —,*** il fait bon ici; ***iem. — maken,*** **1** flatter qn., pommader qn.; **2** mettre qn. en goût; **II** *bw.* délicieusement; ***dank je —!*** merci bien! ***— ruiken,*** sentir bon; ***niet — ruiken,*** sentir mauvais; ***graag — eten,*** aimer la bonne chère; ***dat ziet er — uit,*** **1** cela a l'air appétissant; **2** (*ong.*) c'est du joli!
lek'kerbeetje *o.* friandise *f.*, bon morceau *m.*
lek'kerbek *m.* gourmet, fin bec *m.*, fine bouche *f.*; (*snoeper*) friand *m.*
lek'kerbekken *on.w.* faire bonne chère.
lek'kerbekkig *b.n.* gourmet, friand.
lekkernij' *v.* friandise(s) *f.*(*pl.*). [choses *f.pl.*
lek'kers *o.* bonbons *m.pl.*, sucreries, bonnes
lek'kertjes *bw.* joliment; agréablement.
lek'steen *m.* pierre *f.* à filtrer.
lekt-, *zie* ***lect-.***
lel *v.*(*m.*) **1** (*v. oor*) lobe *m.*, bout *m.* de l'oreille; **2** (*v. haan*) barbe *f.*; **3** (*v. kalkoen*) fenon *m.*; **4** (*huig*) luette *f.*
le'lie *v.*(*m.*) lis *m.*; (*als afbeelding*) fleur *f.* de lis.
le'lieachtig *b.n.* liliacé. [de lis.
le'lieblad *o.* feuille *f.* de lis; (*v. de bloem*) pétale *m.*
le'lieblank *b.n.* blanc comme un lis.
le'liebloem *v.*(*m.*) fleur *f.* de lis; lis *m.*
le'lietje *o.* petit lis *m.*; ***— van dalen,*** muguet *m.*
le'lijk I *b.n.* **1** (*niet mooi*) laid; **2** (*slecht*) vilain, méchant; ***— als de nacht,*** laid comme le péché; ***wat 'n — weer,*** quel vilain (*of* mauvais) temps; ***— worden,*** **1** (*v. persoon*) enlaidir; **2** (*v. voorwerp*) devenir laid; ***een —e daad,*** une vilenie; ***een —e hoest,*** une vilaine toux; **II** *bw.* vilainement; ***iem. — aankijken,*** regarder qn. de travers; ***— gekleed,*** mal habillé; ***er — uitzien,*** (*v. persoon*) avoir mau-

vaise mine; ***hij heeft zich — vergist,*** il s'est joliment trompé; ***er — aan toe zijn,*** être dans de beaux draps; ***hij heeft het — te pakken,*** il est bien pincé.
le'lijkerd *m.* **1** homme laid, laideron *m.*; **2** vilain type *m.*; (*als scheldwoord*) vilain matou!
le'lijkheid *v.* laideur *f.*
lel'len *on.w.* rabâcher; ***iem. aan de oren —,*** rompre les oreilles à qn., rabattre (*of* rebattre) les oreilles à qn.
le'men I *ov.w.* glaiser, enduire de glaise; **II** *b.n.* d'argile. [souche* *m.*
lem'ma *o.* lemme *m.*; (*in woordenboek*) mot*-
lem'mer *o.* lame *f.*
lem'met *o.* **1** (*v. kaars*) mèche *f.*; **2** (*v. lamp*) lumignon *m.*; **3** (*lemmer*) lame *f.*
lem'ming *m.* (*Dk.*) lemming *m.*
lemoen' *o.* limon *m.*
Le'na *v.* Hélène, Madeleine *f.*
len'den, len'denen *mv.* reins, lombes *m.pl.*, région *f.* lombaire; ***de — omgorden,*** se ceindre les reins.
len'dendoek *m.* pagne *m.*
len'denjicht *v.*(*m.*) sciatique *f.* [bago *m.*
len'denpijn *v.*(*m.*) douleurs *f.pl.* lombaires, lum-
len'denstreek *v.*(*m.*) région *f.* lombaire.
len'destuk *o.* aloyau *m.*
len'dewervel *m.* vertèbre *f.* lombaire.
le'nen *ov.w.* **1** (*aan iem.*) prêter (à); **2** (*van iem.*) emprunter (à, de); ***de hand — tot,*** prêter la main à; ***het oor — aan,*** prêter l'oreille à; ***zich — tot,*** se prêter à; ***zich niet — tot,*** se refuser à.
le'ner *m.* **1** (*aan iem.*) prêteur *m.*; **2** (*van iem.*) emprunteur *m.*
leng I *m.* (*Dk.*) lingue *f.*; **II** *o.* élingue *f.*
len'gen I *ov.w.* allonger; **II** *on.w.* (*v. dagen*) augmenter, s'allonger, croître.
leng'te *v.* **1** longueur *f.*; **2** (*gestalte*) stature, taille *f.*; **3** (*aardr.*) longitude *f.*; ***in de —,*** dans le sens de la longueur; ***in zijn volle —,*** tout de son long; ***tot in — van dagen,*** de toute éternité.
leng'teas *v.*(*m.*) **1** axe *m.* longitudinal; **2** (*tn.*) arbre *m.* longitudinal.
leng'tecirkel *m.* méridien *m.*
leng'tedal *o.* vallée *f.* longitudinale.
leng'tedoorsne(d)e *v.*(*m.*) profil *m.* en long.
leng'tegraad *m.* degré *m.* de longitude.
leng'temaat *v.*(*m.*) mesure *f.* de longueur.
le'nig *b.n.* souple, flexible.
le'nigen *ov.w.* soulager, adoucir.
le'nigheid *v.* souplesse *f.*
le'niging *v.* soulagement, adoucissement *m.*
le'ning *v.* **1** (*aan iem.*) prêt *m.*; **2** (*van iem.*) emprunt *m.*; ***bank van —,*** mont*-de-piété *m.*; ***een — aangaan,*** contracter un emprunt; ***op een — inschrijven,*** souscrire à un emprunt; ***een — plaatsen,*** placer un emprunt; ***een — uitgeven,*** émettre un emprunt.
lens I *v.*(*m.*) lentille *f.*; ***bolle —,*** lentille convexe; ***holle —,*** lentille concave; **2** (*v. oog*) cristallin *m.*; **II** *b.n.* vide; ***de pomp is —,*** la pompe est affranchie; ***— pompen,*** affranchir la pompe; ***mijn beurs is —,*** ma bourse est plate, je suis à sec.
lens'afsluiter *m.* obturateur *m.*
lens'opening *v.* objectif *m.* [ment.
lens'pomp *v.*(*m.*) pompe *f.* de cale, — d'épuise-
lens'vormig *b.n.* lenticulaire.
len'te *v.*(*m.*) printemps *m.*; ***in de —,*** au printemps; ***van de —,*** du printemps, printanier.
len'teachtig *b.n.* printanier.
len'tebloem *v.*(*m.*) fleur *f.* printanière.
len'tebode *m.* messager *m.* de (*of* du) printemps.
len'tedag *m.* jour *m.* de printemps, journée *f.* —.
len'teklokje *o.* (*Pl.*) campanelle *f.*
len'telied *o.* chanson *f.* printanière.
len'telucht *v.*(*m.*) air *m.* du printemps.
len'temaand *v.*(*m.*) mars *m.*, mois *m.* de mars.
len'tenachtevening *v.* équinoxe *m.* du printemps.
len'teregen *m.* ondée *f.* de printemps.
len'tetijd *m.* printemps *m.*
len'tewe(d)er *o.* temps *m.* printanier.
len'zen I *ov.w.* vider, épuiser; **II** *on.w.* courir sur la lame.
len'zenstel *o.* trousse *f.*
Le'o *m.* Léon *m.*
Leonar'dus *m.* Léonard *m.*
Leono'ra *v.* Éléonore *f.*
Le'opold *m.* Léopold *m.*
Le'opoldsburg *o.* Bourg-Léopold *m.*
Lepan'to *o.* Lépante *f.*
le'pel *m.* **1** cuillère, cuiller *f.*; **2** (*— vol*) cuillerée *f.*; **3** (*v. haas*) oreille *f.*
le'pelaar *m.* (*Dk.*) spatule *f.*
le'pelblad *o.* **1** (*holte v. lepel*) cuilleron *m.*; **2** (*Pl.*) cochléaria *m.* [cuiller.
le'pelboor *v.*(*m.*) (*tn.*) cuvette *f.*, mèche *f.* à
le'peldoosje *o.* boîte *f.* à cuillers.
le'pelen *ov.w.* **1** manger à la (*of* avec une) cuillère; **2** (*ong.*) manger gloutonnement.
le'pelkost *m.* mets *m.* semi-liquide.
le'pelvol *m.* cuillerée *f.*
le'pelvormig *b.n.* en forme de cuillère.
le'perd *m.* fin matois, roublard *m.*
lep'pen *ov.w. en on.w.* siroter, buvoter.
le'pra *v.*(*m.*) lèpre *f.*
le'pralijder *m.* lépreux *m.*
leproos' *b.n.* lépreux.
leproos'heid *v.* lèpre *f.* [serie *f.*
lepro'zenhuis *o.* hôpital *m.* de lépreux; lépro-
le'raar *m.* **1** professeur *m.*; **2** (*godsdienst—: prot.*) pasteur *m.*; **3** (*huis—*) précepteur *m.* [seur.
le'raarsambt *o.* professorat *m.*; place *f.* de profes-
le'raarsvergadering *v.* réunion *f.* de(s) professeurs.
le'raren *ov.w. en on.w.* **1** enseigner, professer; **2** (*prediken*) prêcher.
le'rarencorps *o.* corps *m.* enseignant.
lerares' *v.* professeur *m.*; **2** (*privé*) gouvernante, dame *f.* professeur.
le'ren I *ov.w.* **1** (*zich eigen maken*) apprendre; étudier; **2** (*onderwijzen*) (*iets*) enseigner; (*iem.*) instruire, enseigner; ***van buiten —,*** apprendre par cœur; ***ik zal hem mores —,*** je lui apprendrai à vivre; **II** *on.w.* apprendre; ***al doende leert men,*** en forgeant on devient forgeron; ***iem. — kennen,*** faire la connaissance de qn.; **III, le'deren** *b.n.* de (*of* en) cuir.
le'ring *v.* **1** (*onderricht*) instruction, leçon *f.*; **2** (*leerstelsel*) doctrine *f.*; **3** (*catechismus*) catéchisme *m.*; ***de christelijke —,*** le catéchisme.
les *v.*(*m.*) leçon *f.*; ***onder de —,*** pendant la leçon, — la classe; ***— geven,*** enseigner; ***— geven in Frans,*** donner des leçons de français; ***iem. de — lezen,*** faire la leçon à qn.
les'auto *m.* voiture*-école* *f.*
les'bak *m.* auge *f.* (de forgeron).
les'geld *o.* cachet *m.*
les'gever *m.* professeur *m.*
les'je *o.* petite leçon *f.*; ***hij zou u een — kunnen geven,*** il pourrait vous rendre des points.
les'rooster, les'senrooster *m. en o.* tableau *m.* des leçons, horaire *m.* des cours.
les'sen *ov.w.* **1** (*dorst*) étancher; **2** (*blussen*) éteindre; (*fig.*) **3** satisfaire, assouvir.

Les'sen *o.* Lessines.
les'senaar *m.* pupitre *m.*; (*koorlessenaar in kerk*) lutrin *m.*
Lessenbos' *o.* Bois-de-Lessines.
les'senrooster, *zie* ***lesrooster.***
lessing *v.* **1** étanchement *m.*; **2** extinction *f.*; **3** assouvissement *m.*
lest *bw.*, *zie* ***laatst***; ***— best,*** aux derniers les bons; ***ten langen —e,*** à la fin des fins.
les'uur *o.* leçon *f.*; heure *f.* de classe.
les'vliegtuig *o.* avion*-école* *m.*
les'wagen *m.* voiture*-école* *f.*
Let *m.* Letton *m.*
let(h)ar'gisch *b.n.* léthargique.
Let'land *o.* la Lettonie.
Lets *b.n.* letton.
let'sel *o.* **1** (*verwonding*) mal *m.*; **2** (*schade*) dommage, tort *m.*; ***zonder —,*** sain et sauf, indemne; ***lichamelijk —,*** accident *m.* personnel.
Let'telingen *o.* Petit-Enghien.
let'ten I *on.w.*, ***— op,*** faire attention à; ***let wel,*** notez bien; **II** *ov.w.* **1** (*hinderen*) nuire à, faire tort à; **2** (*beletten*) empêcher, retenir.
let'ter *v.*(*m.*) **1** lettre *f.*; (*letterteken*) caractère *m.*; **2** (*op drukkerij*) caractère, type *m.*, lettre *f.*; ***hoofd—,*** majuscule *f.*; ***kleine —,*** minuscule *f.*; ***met vette —,*** en caractères gras; ***naar de —,*** à la lettre, au pied de la lettre; ***doctor in de —en,*** docteur-ès-lettres; ***brieven onder —s A. B.,*** (*in advertentie*) lettres sous les initiales A. B.; ***een dode — blijven,*** rester lettre morte.
let'terafstand *m.* écartement *m.* entre les caractères.
let'terbakje *o.* cassetin *m.*
let'terbanket *o.* lettres *f.pl.* en pâtisserie, pâtisserie *f.* en pâte d'amandes.
let'terdief *m.* plagiaire *m.*
let'terdieverij *v.* plagiat *m.*, larcin *m.* littéraire.
let'teren I *mv.* **1** (*brief*) lettre *f.*; **2** (*letterkunde*) (belles) lettres *f.pl.*, littérature *f.*; ***doctor in de —,*** docteur-ès-lettres *m.*; **II** *ov.w.* marquer.
let'tergieten *o.* fonte *f.* de caractères.
let'tergieter *m.* fondeur *m.* de caractères.
lettergieterij' *v.* fonderie *f.* de caractères.
let'tergreep *v.*(*m.*) syllabe *f.*
let'tergreepraadsel *o.* charade *f.*
let'terhoogte *v.* hauteur *f.* du caractère.
let'terkast *v.*(*m.*) casse *f.*
let'terkunde *v.* littérature *f.*, lettres *f.pl.*
letterkun'dig *b.n.* littéraire.
letterkun'dige *m.-v.* homme *m.* (*of* femme *f.*) de lettres; littérateur, écrivain *m.*
letterlie'vend *b.n.* ami des lettres; ***— genootschap,*** société littéraire.
let'terlijk I *b.n.* littéral; **II** *bw.* littéralement; ***iets — opnemen,*** prendre qc. au pied de la lettre.
let'teromzetting *v.* métathèse, anagramme *f.*
let'terplaat *v.*(*m.*) (*drukk.*) cliché *m.*, planche *f.* stéréotype.
let'terproef *v.*(*m.*) catalogue *m.* de caractères.
let'terraadsel *o.* logogriphe *m.*
let'terschrift *o.* écriture *f.* en lettres, caractères *m.pl.*
let'terslot *o.* serrure *f.* à combinaison, cadenas *m.* —.
let'tersnijder *m.* graveur *m.* de caractères.
let'tersoort *v.*(*m.*) type *m.*
let'terteken *o.* lettre *f.*, caractère *m.*
let'tertje *o.* (*briefje*) billet, mot *m.*
let'tervers *o.* acrostiche *m.*
let'terverspringing *v.* (*taalk.*) métathèse *f.*
let'terwijs *b.n.* lettré; ***iem. — maken,*** informer qn., donner à qn. les premiers renseignements.
let'terwoord *o.* mot *m.* par sigles, sigle *m.*
let'terzetten *o.* composition *f.*
let'terzetter *m.* compositeur; typographe *m.*
let'terzetterij *v.* atelier *m.* de composition.
let'terzifter *m.* puriste *m.*, censeur *m.* pointilleux, épilogueur *m.*
let'terzifterij *v.* critique *f.* minutieuse, — à outrance, purisme *m.*
leu'gen *v.*(*m.*) mensonge *m.*; ***een — om bestwil,*** un mensonge officieux; ***iem. een — op de mouw spelden,*** en faire accroire à qn.; ***al is de — nog zo snel, de waarheid achterhaalt haar wel,*** les mensonges ont les jambes courtes.
leu'genaar *m.* menteur *m.*; ***een eerste —,*** un fieffé (*of* furieux) menteur.
leu'genachtig *b.n.* **1** (*v. persoon*) menteur; **2** (*v. zaken*) mensonger.
leu'gendetector *m.* détecteur *m.* de mensonge.
leu'gentaal *v.*(*m.*) mensonge *m.*
leu'gentje *o.* petit mensonge *m.*, bourde *f.*; ***een — om bestwil,*** un pieux mensonge.
leu'genzak *m.* fieffé menteur *m.*; (*fam.*) colleur *m.*
leuk I *b.n.* amusant, drôle; agréable; charmant; ***zich — houden,*** ne faire semblant de rien; faire comme si de rien n'était; ***een die zich — houdt,*** un pince-sans-rire; ***een — boek,*** un livre intéressant; **II** *bw.* **1** d'une manière amusante, drôlement; agréablement; **2** comme si de rien n'était.
leu'kerd *m.* type *m.* amusant, farceur *m.*; ***je bent ook een —!*** tu es bon, toi!
leu'koplast *o. en m.* sparadrap *m.*
leuk'weg *bw.* sans avoir l'air d'y toucher, ne faisant semblant de rien.
leu'nen *on.w.* s'appuyer (à); (*met de rug*) s'adosser (contre); ***met de ellebogen — op,*** s'accouder sur.
leu'ning *v.* **1** (*voor arm*) accoudoir *m.*; **2** (*voor rug*) dos, dossier *m.*; **3** (*v. trap*) rampe *f.*; **4** (*v. brug*) parapet, garde-fou* *m.*; **5** (*v. schip*) garde-corps *m.*; **6** (*hek*) balustrade *f.*, appuie*-bras *m.*
leu'ningstoel, leun'stoel *m.* fauteuil *m.*
leun'stokje *o.* appui*-main *m.*
leur'der *m.* colporteur, camelot *m.*
leu'ren *ov.w.* colporter, faire le camelot.
leus, leu'ze *v.*(*m.*) **1** (*kenspreuk*) devise *f.*; **2** (*wachtwoord*) mot *m.* d'ordre; **3** (*vals, snorkend*) slogan *m.*; ***iets voor de — doen,*** faire qc. pour la frime, — pour sauver les apparences.
leut *v.*(*m.*) plaisir *m.*; rigolade, farce *f.*; ***— hebben,*** s'amuser; ***voor de —,*** pour rire.
leu'teraar *m.*, **—ster** *v.* lambin *m.*, —e *f.*; bavard *m.*, —e *f.*, rabâcheur *m.*, —euse *f.*
leu'teren *on.w.* **1** (*talmen*) lambiner; **2** (*kletsen*) bavarder, rabâcher; **3** (*loszitten*) branler.
leu'terig *b.n.* **1** (*heen en weer bewegend*) vacillant; **2** (*besluiteloos*) indécis, irrésolu; **3** (*babbelziek*) jaseur.
leu'terpraat *m.* bavardages *m.pl.*
leu'tig *b.n.* amusant, rigolo.
Leu'ven *o.* Louvain *m.*
Leu'venaar *m.* Louvaniste *m.*
Leu'vens I *b.n.* de Louvain, lovanois; **II** *z.n.*, *o.* bière *f.* de Louvain.
leu'ver *m.* (*sch.*) ansette *f.*
leu'ze, *zie* ***leus.***
Levant' *v.* Levant *m.*
Levantijn' *m.* Levantin *m.*
Levantijns' *b.n.* levantin.
le'ven I *on.w.* vivre; ***armoedig —,*** vivre pauvrement; ***deugdzaam —,*** bien vivre; ***op grote voet —,*** mener grand train, vivre sur un grand pied; ***slecht —,*** mener une vie déréglée; ***zuinig —,*** vivre avec économie; ***hij leeft niet meer,*** il n'est plus (en vie), — de ce monde; ***in dat land is het***

duur* —,** il fait cher vivre dans ce pays, la vie est chère dans ce pays; ***dat portret leeft, ce portrait est vivant; ***blijven* —,** rester en vie; ***die dan leeft, die dan zorgt,*** qui vivra verra; après nous le déluge; **II** *o.* **1** vie, existence *f.*; **2** (*levendigheid*) vivacité *f.*; **3** (*drukte*) animation *f.*, mouvement *m.*; **4** (*lawaai*) bruit, tapage *m.*; ***heb ik van mijn* —!** a-t-on jamais vu ça! non; ***het* — *geven aan,*** donner le jour à, donner naissance à; ***een nieuw* — *beginnen,*** refaire sa vie; ***een hels* — *maken,*** faire le diable à quatre; ***bij zijn* —,** de son vivant; ***in de bloei van zijn* —,** à la fleur de l'âge; ***in 't* — *roepen,*** créer, faire naître, susciter; ***om het* — *komen,*** périr, perdre la vie; ***naar het* — *getekend,*** **1** peint d'après nature; **2** (*fig.*) pris sur le vif; ***het* — *is duur,*** le coût de la vie est élevé; ***nooit van zijn* —,** jamais de la vie; ***op* — *en dood,*** à outrance, à mort; ***voor het* — (*benoemd*),** à vie; **— *geven aan,*** animer, vivifier.

le'vend *b.n.* vivant, en vie; vif; **— *begraven,*** **1** (*marteling*) enterrer vif; **2** (*schijndode*) enterrer vivant; ***er was geen* —*e ziel,*** il n'y avait âme qui vive; ***in* —*en lijve,*** en chair et en os; ***de* —*e talen,*** les langues vivantes; **—*e bloemen,*** des fleurs naturelles; **—*e kalk,*** chaux vive; **— *vee,*** bétail sur pied.

le'vendbarend *b.n.* vivipare.

le'vendig *b.n.* **1** vif, alerte; **2** (*v. ogen, kind*) éveillé; **3** (*druk: straat, enz.*) animé; (*druk bezocht*) (très) fréquenté.

le'vendigheid *v.* vivacité, agilité *f.*; animation *f.*

le'vendmakend *b.n.* vivifiant.

le'venloos *b.n.* inanimé, sans vie; inerte.

le'venloosheid *v.* manque *m.* de vie.

le'venmaker *m.* tapageur *m.*

le'vensaanvaarding *v.* consentement *m.* à la vie.

le'vensadem *m.* souffle *m.* de vie.

le'vensader *v.*(*m.*) source *f.* de vie.

le'vensavond *m.* déclin *m.* de la vie.

le'vensbeginsel *o.* principe *m.* vital.

le'vensbehoeften *mv.* vivres *m.pl.*; nécessités *f.pl.* de la vie; ***de eerste* —,** les objets de première nécessité.

le'vensbehoud *o.* salut *m.*, vie *f.*

le'vensbelang *o.* intérêt *m.* vital.

le'vensbericht *o.* notice *f.* biographique.

le'vensbeschouwing *v.* conception *f.* de la vie.

le'vensbeschrijver *m.* **1** biographe *m.*; **2** (*v. heilige*) hagiographe *m.*

le'vensbeschrijving *v.* biographie; (*v. heilige*) hagiographie *f.*

le'vensboom *m.* arbre *m.* de vie.

le'vensbron *v.*(*m.*) source *f.* de (la) vie.

le'vensdagen *mv.* vie *f.*, jours *m.pl.*, temps *m.* de [la vie.

le'vensdoel *o.* but *m.* de la vie.

le'vensdraad *m.* trame *f.* de la vie, vie *f.*

le'vensdrang *m.* volonté *f.* de vivre, élan *m.* vital, vitalité *f.*

le'vensduur *m.* durée *f.* de la vie.

le'venselixer, -elixir *o.* élixir *m.* de longue vie.

le'vensgeesten *mv.* esprits *m.pl.* vitaux; ***de* — *weer opwekken,*** rappeler à la vie.

le'vensgeluk *o.* bonheur *m.*

le'vensgenot *o.* jouissance *f.* de la vie, épicu[risme *m.*

le'vensgeschiedenis *v.* biographie *f.*

le'vensgevaar *o.* danger *m.* de mort; ***met* —,** au péril de sa vie.

le'vensgevaarlijk *b.n.* périlleux; **—!** danger de [mort!

le'vensgezel *m.* compagnon, époux *m.*

le'vensgezellin *v.* compagne, épouse *f.*

le'vensgroot *b.n.* de grandeur naturelle; ***meer dan* —,** plus grand que nature.

le'vensgrootte *v.* grandeur *f.* naturelle.

le'venshouding *v.* attitude *f.* devant la vie.

le'venskans *v.*(*m.*) chance *f.* de vie.

le'venskiem *v.*(*m.*) germe *m.* vital.

le'venskracht *v.*(*m.*) vitalité *f.*, force *f.* vitale, vigueur *f.*

le'venskrachtig *b.n.* vigoureux.

le'venskunst *v.* art *m.* de vivre, eubiotique *f.*

le'venskwestie *v.* question *f.* vitale.

le'venslang *b.n.* à vie, qui dure toute la vie, perpétuel; **—*e rente,*** rente viagère; **—*e dwangarbeid,*** travaux forcés à perpétuité.

le'vensleer *v.*(*m.*) biologie *f.*

le'venslicht *o.* vie *f.*, jour *m.*; ***het* — *aanschouwen,*** voir le jour, naître.

le'vensloop *m.* cours *m.* de la vie; carrière *f.*

le'venslot *o.* sort *m.*

le'venslust *m.* **1** joie *f.* de vivre, attachement *m.* à la vie; **2** (*opgeruimdheid*) gaieté *f.*

le'venslustig *b.n.* gai, joyeux, vif, sémillant.

le'vensmiddelen *mv.* vivres *m.pl.*; (*voorraad*) provisions *f.pl.*; (*voedingsmiddelen*) articles *m.pl.* d'alimentation; ***van* — *voorzien,*** ravitailler; ***fabriek van verduurzaamde* —,** fabrique de conserves alimentaires.

le'vensmiddelenbedrijf *o.* alimentation *f.*

le'vensmiddelenvoorziening *v.* ravitaillement [*m.*

le'vensminimum *o.* minimum *m.* vital.

le'vensmoe(de) *b.n.* las de vivre.

le'vensmoed *m.* courage *m.* de vivre.

le'vensmoeheid *v.* dégoût *m.* de la vie, — de l'existence.

le'vensomstandigheden *mv.* circonstances, conditions *f.pl.* de la vie.

le'vensonderhoud *o.* **1** subsistance, vie *f.*, entretien *m.*; **2** (*recht*) aliments *m.pl.*; ***uitkering voor* —,** (*recht*) pension *f.* alimentaire; ***in zijn* — *voorzien,*** gagner sa vie; ***kosten van* —,** coût *m.* de la vie.

le'vensopvatting *v.* conception *f.* de la vie.

levenspeil, *zie* ***levensstandaard.***

le'venspositie *v.* position *f.* d'avenir, situation *f.* [—.

le'vensregel *m.* règle *f.* de conduite, maxime *f.*

le'vensruimte *v.* espace *m.* vital.

le'venssappen *mv.* sève *f.* (de la vie).

le'vensschets *v.*(*m.*) esquisse *f.* biographique.

le'vensstandaard *m.* **1** conditions *f.pl.* (*of* niveau *m.*) de vie; **2** coût (*of* standard) *m.* de la vie.

le'vensstijl *m.* style *m.* de vie.

le'venstaak *v.*(*m.*) mission *f.*

le'vensteken *o.* signe *m.* de vie.

levensvat'baar *b.n.* viable.

levensvat'baarheid *v.* viabilité *f.*

le'vensverrichtingen *mv.* fonctions *f.pl.* vitales.

le'vensverzekering *v.* assurance *f.* (sur la) vie.

le'vensverzekering(s)maatschappij *v.* compagnie *f.* d'assurances sur la vie.

le'vensvoorwaarde *v.*(*m.*) condition *f.* vitale; ***de* —*n,*** les conditions de la vie.

le'vensvraag *v.*(*m.*) question *f.* vitale, — de vie ou [de mort.

le'vensvreugde *v.* joie *f.* de vivre.

le'venswandel *m.* vie, conduite *f.*

le'vensweg *m.* route, vie *f.*

le'venswijsheid *v.* expérience *f.* de la vie.

le'venswijze *v.*(*m.*) manière *f.* de vivre.

le'venswil *m.* volonté *f.* de vivre.

le'ventje *o.* ***een lekker* — *leiden,*** faire bonne chère; ***een lui* — *leiden,*** se la couler douce.

le'venwekkend *b.n.* vivifiant.

le'ver *v.*(*m.*) foie *m.*; ***een droge* — *hebben,*** avoir une éponge au gosier; ***iemands* — *schudden,*** désopiler la rate à qn.

le'veraandoening *v.* affection *f.* du foie, crise *f.* de foie.
leverancier' *m.* fournisseur *m.* [son *f.*
leveran'tie *v.* **1** fourniture *f.*; **2** (*aflevering*) livrai-
le'verbaar *b.n.* livrable.
le'veren I *ov.w.* **1** fournir; **2** (*afleveren*) livrer; ***hoe heeft hij hem dat geleverd?*** comment s'y est-il pris? **II** *on.w.* livrer.
le'vering *v.* **1** fourniture *f.*; **2** (*aflevering*) livraison *f.*; ***op* —,** (*H.*) à terme.
le'veringscontract, -kontrakt *o.* (*H.*) contrat *m.* de livraison.
le'veringstermijn *m.* (*H.*) délai *m.* de livraison, terme *m.* —. [de livraison.
le'veringsvoorwaarden *mv.* (*H.*) conditions *f.pl.*
le'verkleur *v.*(*m.*) couleur *f.* de foie.
le'verkleurig *b.n.* couleur de foie.
le'verkwaal *v.*(*m.*) maladie *f.* de foie. [patite *f.*
le'verontsteking *v.* inflammation *f.* du foie, hé-
le'verpastei *v.*(*m.*) pâté *m.* de foie gras.
le'vertijd, *zie* ***leveringstermijn.***
le'vertraan *m.* huile *f.* de foie de morue.
le'verworst *v.*(*m.*) saucisson *m.* de foie gras.
le'verziekte *v.* maladie *f.* de foie. [leçon à qn.
leviet' *m.* lévite *m.*; ***iem. de —en lezen,*** faire la
Levi'ticus *m.* Lévitique *m.*
levi'tisch *b.n.* lévitique.
lexicograaf', lexikograaf' *m.* lexicographe *m.*
lexicogra'fisch, lexikogra'fisch *b.n.* lexicographique.
lex'icon *o.* lexique, dictionnaire *m.*
lexikogr-, *zie* ***lexicogr-.***
le'zen I *ov.w.* **1** (*boek, enz.*) lire; **2** (*verzamelen*) recueillir, ramasser; **3** (*aren*) glaner; **4** (*schiften*) trier; **5** (*bidden*) (*Z.N.*) prier; ***de mis* —,** dire la messe, célébrer —; ***een gelezen mis,*** une messe basse; ***iem. de les* —,** faire la leçon à qn.; ***van het blad* —,** (*muz.*) déchiffrer; ***kruiden* —,** herboriser; **II** *on.w.* lire; faire la lecture (de); **III** *z.n., o.* **1** lecture *f.*; **2** (*v. aren*) glanage *m.*; **3** (*v. erwten*) triage *m.*; **4** (*v. de mis*) célébration *f.*
le'zenaar *m.* pupitre *m.*; (*in kerk*) lutrin *m.* [lu.
lezenswaard'(ig) *b.n.* intéressant, digne d'être
le'zer *m.* **1** lecteur *m.*; **2** (*veellezer*) liseur *m.*; **3** (*aren*—) glaneur *m.*
le'zing *v.* **1** lecture *f.*; **2** (*voordracht*) conférence *f.*; **3** (*wijze van voorstelling, v. verklaring*) version *f.*; ***een — houden,*** faire une conférence.
liaan', lia'ne *v.*(*m.*) (*Pl.*) liane *f.*
lias' 1 *v.*(*m.*) liasse *f.*; **2** *o.* lias *m.*
Libanees' *m.* Libanais *m.*
Li'banon *m.* Liban *m.*
libel' I *o.* (*schotschrift*) libelle *m.*; **II** *v.*(*m.*) **1** (*insekt*) libellule *f.*; **2** (*waterpas*) niveau *m.* à bulle d'air.
liberaal' I *b.n.* **1** libéral; **2** (*vrijgevig*) large, généreux; **II** *bw.* **1** libéralement; **2** (*vrijgevig*) largement, généreusement; **III** *z.n., m.* libéral *m.*
liberalis'me *o.* libéralisme *m.*
Libe'ria *o.* le Libéria; ***uit* —,** libérien.
Li'bië *o.* Libye *f.*
Li'bisch *b.n.* libyen, libyque.
librettist' *m.* librettiste *m.*
libret'to *o.* livret *m.*, paroles *f.pl.*
licentiaat' *m.* (*België*) , *zie* ***doctorandus.***
licen'tie *v.* licence, patente *f.*
li'chaam *o.* corps *m.*; ***vast* —,** (corps) solide *m.*; ***naar — en ziel,*** physiquement et moralement.
li'chaampje *o.* petit corps, corpuscule *m.*
li'chaamsarbeid *m.* travail *m.* physique.
li'chaamsbeweging *v.* exercice *m.*
li'chaamsbouw *m.* **1** structure *f.* du corps, conformation *f.* —; **2** (*gestalte*) taille, stature *f.*
li'chaamscultuur, -kultuur *v.* culture *f.* physique.
li'chaamsdeel *o.* partie *f.* du corps. [porel.
li'chaamsgebrek *o.* infirmité *f.*, défaut *m.* cor-
li'chaamsgestalte *v.* taille, stature *f.*
li'chaamsgestel *o.* constitution *f.*, tempérament *m.*
li'chaamshouding *v.* tenue, attitude *f.*, port *m.*
li'chaamskastijding *v.* mortification, macération *f.*
li'chaamskracht *v.*(*m.*) force *f.* corporelle.
li'chaamskultuur, *zie* ***lichaamscultuur.***
li'chaamsoefening *v.* exercice *m.* du corps; ***—en,*** exercices physiques.
li'chaamsstraf *v.*(*m.*) peine *f.* corporelle.
li'chaamstemperatuur *v.* température *f.* du corps humain.
li'chaamstoestand *m.* état *m.* physique.
li'chaamswarmte *v.* chaleur *f.* corporelle, — animale.
li'chaamszwakte *v.* faiblesse *f.* de constitution.
licha'melijk *b.n.* **1** corporel; physique; **2** matériel; ***—e opvoeding,*** culture *f.* physique.
licha'melijkheid *v.* matérialité, corporalité *f.*
licht I *o.* **1** (*alg.*) lumière *f.*; **2** (*dag*—) jour *m.*; **3** (*helderheid*) clarté *f.*; **4** (*v. vuurtoren, ook:*) feu *m,* (*v. auto*) phare *m.*; ***zwak* —,** lueur *f.*; ***vals* —,** faux jour; ***driekleurig* —,** feu *m.* tricolore; ***het — van de maan,*** le clair de la lune; ***het — aandraaien,*** tourner le commutateur, tourner le bouton de l'électricité; ***iem. in het — staan,*** intercepter la lumière à qn.; ***elkaar het — in de ogen niet gunnen,*** se jalouser; ***er ging mij een — op,*** ce fut un trait de lumière pour moi; ***er gaat mij een — op,*** la lumière se fait dans mon esprit; ***hij is geen* —,** ce n'est pas un aigle; ***het — zien,*** voir le jour, paraître; ***het — schuwen,*** craindre la lumière, fuir —; ***aan het — brengen,*** mettre au jour; ***in 't — geven,*** publier; ***in het — stellen,*** mettre en lumière; ***tussen — en donker,*** entre chien et loup; ***bij het* —,** à la lumière; ***tegen het* —,** à contre-jour; **II** *b.n.* **1** (*helder*) clair; **2** (*niet zwaar*) léger; **3** (*gemakkelijk*) facile, aisé; **4** (*lichtzinnig*) léger; ***'t is* —,** il fait jour; ***'t is — in de kamer,*** il fait clair dans la chambre; ***— bier,* 1** (*v. kleur*) bière blonde; **2** (*niet zwaar*) petite bière; ***—e sigaar,*** cigare doux; ***—e wijn,*** vin léger; ***—e vorst,*** faibles gelées; ***— in 't hoofd zijn,*** avoir la tête légère, être sujet au vertige, avoir le vertige; ***met een — hart,*** le cœur léger, — allégé; ***—er maken,*** alléger; **III** *bw.* **1** légèrement; **2** facilement; **3** (*wellicht*) peut-être; probablement.
licht'baak, -baken *v.*(*m.*) (*sch.*) feu *m.* flottant, balise *f.* lumineuse (*of* éclairée), fanal *m.*
licht'bad *o.* bain *m.* de lumière.
licht'bak *m.* lanterne *f.* de braconnier.
licht'baken, *zie* ***lichtbaak.***
licht'beeld *o.* **1** (*op doek*) projection *f.* lumineuse; **2** (*op papier*) photographie *f.*
licht'blauw *b.n.* bleu clair, bleu pâle.
licht'blond *b.n.* blond pâle.
licht'boei *v.*(*m.*) (*sch.*) bouée *f.* lumineuse.
licht'bom *v.*(*m.*) bombe *f.* lumineuse.
licht'breking *v.* réfraction *f.* [mière.
licht'bron *v.*(*m.*) source *f.* lumineuse, — de lu-
licht'bruin *b.n.* **1** (*alg.*) brun clair; **2** (*v. haar*) châtain clair.
licht'bundel *m.* faisceau *m.* de rayons.
licht'courant, -krant *v.*(*m.*) journal *m.* lumineux.
licht'demping *v.* occultation *f.*
licht'drager *m.* porte-flambeau *m.*

licht'druk *m.* phototypie *f.*
licht'echt *b.n.* inaltérable.
licht'effect, -effekt *o.* effet *m.* de lumière.
lich'tekooi *v.* prostituée *f.*
lichtelaaie, *zie* ***lichterlaaie.***
lich'telijk *bw.* **1** aisément, facilement; **2** légèrement, un peu.
lich'ten I *on.w.* **1** (*aanbreken v. dag*) faire jour; **2** (*licht verspreiden*) luire; **3** (*weerlichten*) faire des éclairs, éclairer; **4** (*v. de zee*) brasiller; ***de zee licht,*** (*ook:*) la mer est phosphorescente; **II** *ov.w.* **1** (*bijlichten*) éclairer; **2** (*lichter maken*) alléger, décharger; **3** (*brievenbus; anker*) lever; **4** (*schip*) remettre à flot, relever; ***iem. uit de zadel —,*** désarçonner qn.; ***iem. de voet —,*** donner un croc-en-jambe à qn., supplanter qn.; ***iemands doopceel —,*** dire bien du mal de qn.; ***de hand — met iets,*** prendre qc. à la légère; ***de staar —,*** (*gen.*) abaisser la cataracte; **III** *z.n., o.* **1** (*weerlicht*) éclairs *m.pl.*; **2** (*v. de zee*) brasillement *m.*, phosphorescence *f.*; **3** (*'t lichter maken*) allègement *m.*; **4** (*v. gezonken schip*) renflouement *m.*, remise *f.* à flot; **5** (*v. brievenbus*) levée *f.*; **6** (*v. staar*) extraction *f.*
lich'tend *b.n.* lumineux; luisant, rayonnant; phosphorescent.
lich'ter *m.* (*sch.*) allège, gabare *f.*
lich'terlaaie *bw.*, ***in —,*** tout en flammes.
licht'filter *m. en o.* filtre *m.* coloré.
licht'gas *o.* gaz *m.* d'éclairage.
licht'gebouwd *b.n.* de construction légère.
licht'geel *b.n.* jaune pâle.
lichtgelo'vig I *b.n.* crédule; **II** *bw.* crédulement.
lichtgelo'vigheid *v.* crédulité *f.*
lichtgeraakt' *b.n.* susceptible, irascible.
lichtgeraakt'heid *v.* susceptibilité, irascibilité *f.*
licht'gevend *b.n.* lumineux; phosphorescent.
lichtgevoe'lig *b.n.* sensible, photosensible.
licht'gewapend *b.n.* léger; légèrement armé.
licht'gewicht *o.* (*sp.*) poids *m.* léger.
licht'glans *m.* lustre *m.*
licht'golf *v.*(*m.*) onde *f.* lumineuse.
licht'groen *b.n.* vert clair, vert pâle, vert tendre.
licht'hart *m.-v.* cœur *m.* gai; sans-souci *m.*
lichthar'tig *b.n.* léger, insouciant.
lichthar'tigheid *v.* légèreté *f.* de cœur, insouciance *f.*
licht'heid *v.* **1** (*licht gewicht en vlugheid*) légèreté *f.*; **2** (*gemak*) facilité, aisance *f.*
licht'hoofd *m.-v.* tête *f.* légère, — de linotte, étourdi *m.*, —e *f.*
lichthoof'dig *b.n.* **1** (*onbezonnen*) étourdi; **2** (*duizelig*) sujet au vertige.
lichthoof'digheid *v.* **1** étourderie, légèreté *f.*; **2** vertige, étourdissement *m.*
lich'ting *v.* **1** (*v. brievenbus*) levée *f.*; **2** (*mil.*) (*handeling*) levée *f.*; (*opgeroepen soldaten*) classe *f.* (de recrues); **3** (*sch.*) allègement; relèvement *m.*
licht'installatie *v.* éclairage *m.*, installation *f.* électrique.
licht'jaar *o.* année*-lumière *f.*
licht'kap *v.*(*m.*) **1** abat-jour *m.*; **2** (*reflector: lichtkaatser*) réflecteur *m.*
licht'kegel *m.* cône *m.* de lumière, — lumineux.
licht'kever *m.* luciole *f.*
licht'kogel *m.* balle *f.* à feu, cône *m.* de lumière.
licht'kracht *v.*(*m.*) pouvoir *m.* éclairant, intensité *f.* lumineuse.
licht'krans *m.* **1** (*v. heiligen*) auréole *f.*; **2** (*nat.*) halo *m.*
licht'krant, *zie* ***lichtcourant.***
licht'kroon *v.*(*m.*) lustre *m.*
licht'kwantum, *zie* ***lichtquantum.***
licht'leer *v.*(*m.*) **1** théorie *f.* de la lumière; **2** optique *f.*
licht'leiding *v.* circuit*-lumière *m.*
licht'matroos *m.* simple matelot, novice *m.*
licht'meter *m.* photomètre *m.*
licht'mis *m.* noceur, libertin, mauvais sujet, sacripant *m.*
Licht'mis *m.*, ***Maria —,*** la Chandeleur, la Purification.
licht'net *o.* réseau *m.* (d'éclairage).
licht'olie *v.*(*m.*) huile *f.* d'éclairage, — lampante.
licht'punt *o.* **1** point *m.* lumineux; **2** (*fig.*) lueur *f.* d'espoir, rayon *m.* de lumière.
licht'quantum, -kwantum *o.* photon *m.*
licht'reclame, -reklame *v.*(*m.*) publicité *f.* lumineuse, réclame *f.* lumineuse, enseigne *f.* lumineuse.
licht'rood' *b.n.* rouge clair.
licht'schakelaar *m.* interrupteur *m.* de lumière.
licht'scherm *o.* garde-vue, écran *m.*
licht'schip *o.* bateau*-phare* *m.*
licht'schuw *b.n.* **1** (*gen.*) photophobe; **2** (*nat.*) lucifuge, nocturne; **3** (*fig.*) qui craint la lumière.
lichtschuw'heid *v.* (*gen.*) photophobie *f.*
licht'signaal *o.* signal *m.* lumineux.
licht'spoormunitie *v.* munitions *f.pl.* à raie lumineuse.
licht'spoorpatroon *v.*(*m.*) balle *f.* traçante.
licht'stad *v.*(*m.*) ville*-lumière *f.*
licht'sterkte *v.* intensité *f.* lumineuse.
licht'straal *m. en v.* rayon *m.* de lumière.
licht'streep *v.*(*m.*) trait de lumière, — lumineux *m.*
licht'stroom *m.* flot (torrent) de lumière *m.*
licht'trilling *v.* phosphène *m.*
lichtvaar'dig I *b.n.* **1** léger; **2** (*onbezonnen*) étourdi; **3** (*vermetel*) téméraire; **II** *bw.* à la légère, légèrement; étourdiment; témérairement.
lichtvaar'digheid *v.* légèreté; étourderie; témérité *f.*
licht'verschijnsel *o.* phénomène *m.* lumineux.
licht'wachter *m.* gardien *m.* du phare.
licht'weerkaatser *m.* projecteur *m.*
licht'werper *m.* projecteur *m.*
licht'zijde *v.*(*m.*) **1** côté *m.* du jour; **2** (*fig.*) bon côté, aspect *m.* favorable, jour *m.* —.
lichtzin'nig I *b.n.* léger, étourdi, frivole; **II** *bw.* à la légère, à l'étourdi, étourdiment.
lichtzin'nigheid *v.* légèreté, étourderie *f.*
licht'zuil *v.*(*m.*) colonne *f.* lumineuse.
lic'tor *m.* licteur *m.*
lid *o.* **1** (*alg.*) membre *m.*; **2** (*v. vinger, teen*) phalange *f.*; **3** (*v. insekt*) article *m.*; **4** (*gewricht*) jointure, articulation *f.*; **5** (*afdeling*) section *f.*; **6** (*v. wetsartikel*) alinéa *m.*; **7** (*deksel*) couvercle *m.*; ***— van de gemeenteraad,*** conseiller municipal; ***— van de Tweede Kamer,*** député *m.*; ***— van de Eerste Kamer,*** sénateur *m.*, membre du Conseil d'État; ***uit het —,*** (*gen.*) démis, disloqué; ***weer in het — zetten,*** remboîter; ***geen — kunnen verroeren,*** ne pas pouvoir bouger; ***een ziekte onder de leden hebben,*** couver une maladie; ***— worden,*** **1** se faire inscrire comme membre; s'affilier à; **2** (*gekozen*) être élu membre.
lid'maat *m.-v. en o.* membre *m.*
lid'maatschap *o.* qualité *f.* de membre; — de sociétaire; ***bewijs van —,*** carte *f.* de membre; ***voor het — bedanken,*** démissionner.
lid'steng *v.*(*m.*) (*Pl.*) pesse *f.*
lid'woord *o.* article *m.*
lied *o.* **1** chant *m.*, chanson *f.*; **2** (*over teder, aandoenlijk onderw.*) romance *f.*; **3** (*geestelijk —*) cantique *m.*, hymne *f.*; **4** (*romantiek*) lied *m.* (*pl.:* —er); ***— zonder woorden,*** romance sans paroles.
lied'boek, *zie* ***liederboek.***
lie'den *mv.* gens *m.pl.*, personnes *f.pl.*

lie'deravond *m.* soirée *f.* musicale.
lie'd(er)boek *o.* chansonnier *m.*, livre *m.* de chansons.
lie'derdichter *m.* chansonnier *m.*
lie'derlijk I *b.n.* **1** (*v. zeden*) débauché, licencieux; **2** (*v. kleding*) débraillé; **3** (*slordig*) négligent, nonchalant; **II** *bw.* licencieusement, d'une manière licencieuse; d'une manière débraillée; négligemment, nonchalamment.
lie'derlijkheid *v.* **1** débauche, licence *f.*; **2** débraillé *m.*; **3** négligence, nonchalance *f.*
lie'dertafel *v.(m.)* orphéon *m.*, chorale *f.*, société *f.* philharmonique.
lied'je *o.* chansonnette *f.*, air *m.*; ***altijd hetzelfde —,*** toujours la même chanson; ***'t is weer 't oude —,*** c'est la même ritournelle; ***het — van verlangen zingen,*** traînasser.
lied'jesdichter *m.* chansonnier *m.*
lied'jeszanger *m.* **1** chanteur *m.* des rues; **2** chansonnier *m.*
lied'jeszangeres *v.* chanteuse, chansonnière *f.*
lief I *b.n.* **1** (*bemind*) cher, chéri, aimé; **2** (*v. uiterlijk*) gentil, mignon, charmant; **3** (*vriendelijk, voorkomend*) aimable, gentil; affectueux; ***Onze-Lieve-Heer,*** Notre Seigneur; ***Onze-Lieve-Vrouw,*** la Sainte Vierge, Notre-Dame; ***lieve deugd!*** juste ciel! ***dat is — van je,*** c'est bien aimable à vous; ***— krijgen,*** prendre en affection; ***voor — nemen,*** se contenter de; **II** *bw.* gentiment, aimablement; mignonnement; ***— doen,*** faire le gentil, faire l'aimable, faire le joli cœur; ***ik ging er net zo — niet heen,*** j'aimerais autant ne pas y aller; **III** *z.n., o.* **1** ***— en leed,*** la bonne et la mauvaise fortune; **2** (*fam.: geliefd persoon*) bon ami *m.*, bonne amie *f.*; ***— en leed met iem. delen,*** partager les joies et les peines de qn.
liefda'dig *b.n.* charitable; ***—e instelling,*** établissement de bienfaisance.
liefda'digheid *v.* bienfaisance, charité *f.*
liefda'digheidsfeest *o.* fête *f.* de bienfaisance.
liefda'digheidsinstelling *v.* établissement *m.* (*of* institution *f.*) de bienfaisance.
lief'de *v.* **1** amour *m.*; (*tederheid*) tendresse *f.*; (*genegenheid*) affection *f.*; **2** (*deugd*) charité *f.*; ***akte van —,*** acte de charité; ***kinderlijke —,*** piété filiale; ***— koesteren voor,*** avoir de l'amour pour; ***om de — Gods,*** pour l'amour de Dieu; (*aandringend*) de grâce; ***uit —,*** par amour; ***met — (doen),*** de bonne cœur; ***oude — roest niet,*** on revient toujours à ses premières amours.
lief'deband *m.* lien *m.* d'amour.
lief'debetuiging, *zie* ***liefdesbetuiging.***
lief'deblijk *o.* témoignage *m.* d'affection, — d'amour.
lief'debrief, *zie* ***liefdesbrief.***
lief'dedienst *m.* bon office *m.*, obligeance *f.*; service *m.* charitable.
lief'degave, lief'degift *v.(m.)* aumône *f.*, don *m.* charitable.
lief'degeschiedenis, *zie* ***liefdesgeschiedenis.***
lief'degloed *m.* feux *m.pl.* de l'amour.
lief'deloos I *b.n.* impitoyable, dur; **II** *bw.* durement, avec dureté, impitoyablement.
liefdeloos'heid *v.* dureté, insensibilité *f.*
lief'demaal *o.* agape *f.*
lief'depand *o.* gage *m.* d'amour.
lief'derijk *b.n.* charitable, généreux; doux.
lief'derijkheid *v.* charité, générosité *f.*; douceur *f.*
lief'desavontuur *o.* aventure *f.* amoureuse, — galante.
lief'de(s)betuiging *v.* témoignage *m.* d'amour.
lief'de(s)brief *m.* billet *m.* doux, — d'amour.
lief'de(s)geschiedenis *v.* **1** histoire *f.* d'amour, roman *m.*; **2** aventure *f.* galante.
lief'desmart *v.(m.)* peine *f.* d'amour, — de cœur.
lief'de(s)teken *o.* signe *m.* d'amour. [aveu *m.*
lief'de(s)verklaring *v.* déclaration *f.* (d'amour),
lief'detaal *v.(m.)* langage *m.* amoureux.
lief'deteken, *zie* ***liefdesteken.***
lief'deverklaring, *zie* ***liefdesverklaring.***
lief'devol I *b.n.* tendre, plein de tendresse; **II** *bw.* avec tendresse, avec amour.
lief'dewerk *o.* œuvre *f.* de charité, — pie.
lief'dezuster *v.* sœur *f.* de charité.
liefdoenerij' *v.* afféterie, amabilité *f.* exagérée.
lie'f(e)lijk *b.n.* **1** gracieux, charmant, doux; **2** (*v. streek*) riant; **3** (*v. toon: muz.*) mélodieux.
lie'f(e)lijkheid *v.* grâce(s) *f.(pl.)*, douceur, suavité *f.*, charme *m.*
lief'hebben *ov.w.* aimer, chérir; ***wie zijn kind liefheeft, spaart de roede niet,*** qui aime bien, châtie bien.
lief'hebbend *b.n.* aimant, affectionné, tendre; ***uw —e,*** ton affectionné.
lief'hebber *m.* **1** amateur *m.*; **2** (*dilettant*) dilettante, amateur *m.*; ***er kwamen geen —s opdagen,*** il n'y avait pas d'amateurs.
lief'hebberen *on.w.* être amateur de, faire qc. en amateur.
liefhebberij' *v.* goût *m.*, passion *f.*, penchant *m.*; ***uit —,*** par goût, en amateur; ***— hebben in,*** trouver du plaisir à, avoir le goût de; ***het is maar —,*** c'est du dilettantisme.
liefhebberij'werk *o.* travail *m.* d'amateur.
lief'heid *v.* amabilité, gentillesse *f.*
lief'je *o.* bonne amie *f.*; chérie *f.*
lief'jes *bw.* gentiment.
lief'kozen *ov.w.* caresser, cajoler.
liefkozerij' *v.* caresses, cajoleries *f.pl.*
lief'kozing *v.* caresse, câlinerie *f.*
lief'lijk(-), *zie* ***liefelijk(-).***
liefst I *b.n.* favori, préféré; **II** *bw.* de préférence; ***het — hebben, — doen,*** préférer; ***— niet,*** plutôt pas, j'aime mieux que non.
lief'ste *m.-v.* **1** bien-aimé *m.*, —e *f.*; **2** (*ong.*) amant *m.*, —e *f.*
lieftal'lig I *b.n.* charmant, gracieux, affable; **II** *bw.* d'une façon charmante, gracieusement.
lieftal'ligheid *v.* charme *m.*, grâce, affabilité *f.*
lie'gen I *on.w.* mentir; ***— alsof 't gedrukt stond,*** mentir comme un arracheur de dents; ***heten —,*** démentir, donner un démenti (à qn.); ***hij liegt dat hij zwart ziet,*** il ment comme un arracheur de dents; **II** *ov.w.*, ***hij liegt het,*** il ment, c'est un mensonge.
Liek *o.* Oleye.
Lier *o.* Lierre *m.*; ***uit —,*** lierrois.
lier *v.(m.)* **1** lyre *f.*; **2** (*met draaikruk*) vielle *f.*; **3** (*sch.*) treuil *m.*
lier'dicht *o.* poème *m.* lyrique.
lier'dichter *m.* poète *m.* lyrique.
lie'reman *m.* vielleur *m.*, joueur *m.* de vielle.
Lie'renaar *m.* Lierrois *m.*, habitant *m.* de Lierre; ***l—,*** *m.* couteau *m.* pliant.
lier'vis *m.* (*Dk.*) lyre *f.*
lier'vogel *m.* (*Dk.*) lyre *f.*
lier'zang *m.* poème *m.* lyrique.
lies *v.(m.)* aine *f.*
lies'breuk *v.(m.)* hernie *f.* inguinale.
lies'gezwel *o.* tumeur *f.* inguinale.
Lies'je *o. en v.* Lisette, Lison *f.* [nelle *f.*
lieveheers'beestje *o.* bête *f.* du bon Dieu, coccilie'veling *m.* favori *m.*; (enfant) préféré, chéri *m.*; ***mijn —,*** mon chéri, mon trésor.

lie'velingsbezigheid *v.* occupation *f.* favorite.
lie'velingsdichter *m.* poète *m.* favori.
lie'velingskost *m.* mets *m.* favori.
lievemoe'deren *on.w.*, ***daar helpt geen — aan,*** il n'y a pas de „bon Dieu", il n'y a pas à dire mon bel ami.
lie'ven *ov.w.* aimer, chérir.
lie'ver I *b.n.* plus cher; plus aimable; **II** *bw.* de préférence, plutôt; ***— doen, — drinken, — willen,*** *enz.* aimer mieux, préférer; ***ik verlang niets —,*** je ne demande pas mieux.
lie'verd *m.* mignon *m.*, —ne *f.*; chéri(e), bien-aimé(e) *m.*(*f.*). [graduellement.
lie'verlede *bw.*, ***van —,*** peu à peu, insensiblement,
lievevrouwebed'stro *o.* (*Pl.*) petit-muguet *m.* reine*-des-bois *f.*
Lievevrou'webeeld *o.* vierge *f.*
Lievevrou'wekerk *v.*(*m.*) église *f.* Notre-Dame.
lie'vigheid *v.* **1** gentillesse *f.*; **2** (*ong.*) flatteries, cajoleries *f.pl.*
Lie'ze *o.* Lixhe.
lif'laf *b.n.* insipide, fade.
lif'laffen *on.w.* cajoler, caresser; dire des fadaises.
lif'lafjes *mv.* bagatelles *f.pl.* de bouche; mets *m.pl.* doux et fades; des amuse-gueule(s).
lift *m.* **1** ascenseur; (*goederen*—) monte-charge* *m.*; **2** (*vl.*) poussée *f.*; **3** (*auto*) stop *m.*
lift'bak *m.* cabine *f.* d'ascenseur. [stop *m.*
lif'ten I *on.w.* faire de l'auto-stop; **II** *o.* (auto-)
lif'ter *m.-v.* (auto)stoppeur, liftier *m.*
lift'jongen *m.* garçon *m.* d'ascenseur.
lift'koker *m.*, **-kooi** *v.*(*m.*) cage *f.* d'ascenseur.
li'ga *v.*(*m.*) ligue *f.*
lig'dagen *mv.* (*sch.*) jours *m.pl.* de planche, staries, estarie *f.* [d'entrepôt.
lig'geld *o.* (*sch.*) (droit *m.* de) starie *f.*, droit *m.*
lig'gen *on.w.* **1** (*alg.*) être couché; **2** (*plaats aan rivier, enz.*) être situé; **3** (*zich bevinden*) se trouver, être; ***te bed*** (***ziek***) ***—,*** être au lit, être alité; ***op sterven —,*** être à l'agonie; ***hier ligt*** (***begraven***), ici repose, ci-gît; ***dat ligt eraan,*** cela dépend; ***het ligt niet aan mij,*** ce n'est pas de ma faute; ***het ligt aan hem,*** c'est (de) sa faute; ***het zal aan mij niet —...,*** il ne tiendra pas à moi (que); ***gaan —,*** **1** (*alg.*) se coucher; **2** (*v. zieke*) s'aliter; **3** (*v. wind*) s'abattre, s'abaisser; ***blijven —,*** rester couché; ***op de loer —,*** être à l'affût; ***op het noorden —,*** être exposé au nord; ***voor anker —,*** être à l'ancre; ***aan de kade —,*** être mouillé au quai; ***dat ligt voor de hand,*** c'est évident; cela s'impose; ***het ligt niet op mijn weg om...,*** il ne m'appartient pas de...; ***laten —,*** **1** laisser, laisser en place; **2** (*vergeten*) oublier; ***dat kind ligt met de mazelen,*** cet enfant a la rougeole; ***die wijn heeft acht jaar gelegen,*** ce vin a huit ans de cave; ***vol — met,*** être plein de.
lig'gend *b.n.* **1** couché; **2** (*op slagveld, enz.*) gisant; **3** (*gelegen*) situé; ***— geld,*** argent oisif; (*contanten*) argent comptant; ***—e leeuw,*** (*wap.*) lion au repos.
lig'ger *m.* **1** (*dwarsligger*) traverse *f.*; **2** (*standaardmaat*) étalon *m.*; **3** (*H.: onverkoopbaar artikel*) garde-boutique, garde-magasin, rossignol *m.*
lig'ging *v.* **1** (*plaats*) situation, position *f.*; **2** (*nachtleger*) gîte *m.*, couchette *f.*
lig'hal *v.*(*m.*) galerie *f.* de cure, aérium *m.*
lig'kuur *v.*(*m.*) cure *f.* d'air.
lig'plaats *v.*(*m.*) **1** embarcadère *m.*; **2** (*voor ankeren*) mouillage, amarrage *m.*
lig'stoel *m.* chaise*-lit* *f.*, chaise *f.* longue.
lig'stro *o.* **1** (*voor mens*) paille *f.*; **2** (*voor vee*) litière *f.*
ligus'ter *m.* (*Pl.*) troène *m.*

lij *v.*(*m.*), ***in —,*** (*sch.*) sous le vent.
lij'boord *o.* (*sch.*) côté *m.* sous le vent.
lij'delijk I *b.n.* passif; **II** *bw.* d'une manière passive, passivement; ***— verzet,*** résistance passive.
lij'delijkheid *v.* passivité, résignation *f.*
lij'den I *ov.w.* **1** (*verduren*) souffrir; **2** (*verdragen, met geduld dragen*) supporter, endurer; **3** (*dulden*) tolérer; **4** (*ondergaan*) souffrir, subir, éprouver, essuyer; ***schipbreuk —,*** faire naufrage; ***iem. mogen —,*** aimer qn.; ***ik mag het —,*** **1** (*ik hoop het*) je l'espère; **2** (*ik heb geen bezwaar*) je veux bien, j'y consens; **II** *on.w.* souffrir; ***dat kan niet —,*** c'est au-dessus de mes moyens, cela dépasse mes moyens; ***aan de maag —,*** souffrir de l'estomac; ***— aan duizeligheid,*** être sujet au vertige; ***zijn gezondheid zal daaronder —,*** sa santé s'en ressentira, — en pâtira; **III** *z.n.*, *o.* **1** (*alg.*) souffrance *f.*; **2** (*van Christus*) Passion *f.*; **3** (*smart*) peine(s), douleur(s) *f.*(*pl.*); ***hij is uit zijn —,*** il ne souffre plus, il est mort; ***na — komt verblijden,*** après la pluie le beau temps.
lij'dend *b.n.* **1** souffrant; **2** (*gram.*) passif; ***de —e partij,*** (*recht*) la partie lésée; ***—e vorm,*** voix passive; ***— voorwerp,*** complément direct.
lij'densbeker *m.* calice (d'amertume, de souffrance) *m.*; ***de — tot de bodem ledigen,*** boire le calice jusqu'à la lie.
lij'densgeschiedenis *v.* **1** (*v. Jezus*) Passion *f.*; **2** (*fig.*) histoire *f.* douloureuse, long supplice, calvaire *m.*
lij'denskelk, *zie* ***lijdensbeker.***
lij'denspreek *v.*(*m.*) passion *f.*
lij'densweek *v.*(*m.*) semaine *f.* sainte.
lij'densweg *m.* chemin *m.* de croix, calvaire *m.*
lij'der *m.*, **—es** *v.* malade *m.-f.*
lijd'zaam I *b.n.* résigné, patient; **II** *bw.* avec résignation, patiemment.
lijd'zaamheid *v.* résignation, patience *f.*
lijf *o.* **1** (*lichaam*) corps *m.*; **2** (*romp*) tronc *m.*; **3** (*bovenlijf*) taille *f.*, buste *m.*; **4** (*buik*) ventre *m.*; **5** (*leven*) vie *f.* ; **6** (*v. japon*) corsage *m.*; ***blijf van mijn —,*** ne me touche pas; ***iem. een schrik op het — jagen,*** donner la frousse (*of* une peur bleue) à qn.; ***in levenden lijve,*** en chair et en os; ***hij zal het aan den lijve voelen,*** il en fera l'expérience (*of* il l'apprendra) à ses dépens; ***iem. te — gaan,*** attaquer qn., tomber dessus à qn.; ***iem. tegen 't — lopen,*** tomber sur qn.; ***aan iem.'s — hangen,*** être pendu aux côtés de qn.; ***dat heeft niets om 't —,*** cela n'a pas d'importance; ***zich een ziekte op 't — halen,*** gagner une maladie.
lijf'arts *m.* médecin *m.* ordinaire (*of* attitré) (du roi, etc.).
lijf'blad *o.* journal *m.* préféré, — favori.
lijf'eigendom *m.* (*gesch.*) servage *m.*
lijf'eigene *m.-v.* (*gesch.*) serf *m.*, serve *f.*
lijf'eigenschap *v.* (*gesch.*) servitude *f.*, servage *m.*
lij'felijk *b.n.* corporel.
lijf'garde *v.*(*m.*) garde *f.* (du corps).
lijf'goed *o.* linge *m.* de corps.
lijf'je *o.* **1** corsage *m.*; **2** (*keurs*) corset *m.*
lijf'kastijding *v.* punition *f.* corporelle.
lijf'knecht *m.* valet *m.* de chambre, laquais *m.*
Lijf'land *o.* la Livonie.
Lijf'lander *m.* Livonien *m.*
Lijf'lands *b.n.* livonien.
lijf'rente *v.*(*m.*) rente *f.* viagère.
lijf'rentenier *m.* rentier *m.* viager, crédirentier *m.*
lijf'renteverzekering *v.* assurance *f.* viagère.
lijf'rok *m.* camisole *f.*, tricot *m.*
lijfs'behoud *o.* salut *m.*
lijfs'dwang *m.* contrainte *f.* par corps.

lijf'sieraad *o.* parure *f.*
lijf'spreuk *v.(m.)* devise *f.*
lijf'straf *v.(m.)* peine *f.* corporelle.
lijf'straffelijk *b.n.* (*recht*) criminel.
lijf'tocht *m.* **1** (*levensmiddelen; proviand*) vivres *m.pl.*, provisions *f.pl.*; **2** (*vruchtgebruik; weduwgift*) usufruit; apanage *m.*
lijf'trawant *m.* (*fig.*) satellite, acolyte *m.*, âme *f.* damnée.
lijf'wacht 1 *v.(m.)* garde *f.* du corps; **2** *m.* garde *m.* du corps.
lijk *o.* **1** cadavre; mort, corps *m.*; **2** (*fam.*) bouteille *f.* vide, cadavre *m.*; **3** (*sch.*) ralingue *f.*; ***bleek als een —,*** pâle comme un mort, livide; ***het — volgen,*** suivre le cortège (funèbre); ***uit de —en geslagen,*** (tout) déconcerté, ahuri, consterné.
lijk'achtig *b.n.* cadavéreux.
lijk'as *v.(m.)* cendres *f.pl.* (funéraires).
lijk'auto *m.* fourgon *m.* funèbre.
lijk'baar *v.(m.)* civière *f.*
lijk'bidder *m.* employé *m.* des pompes funèbres, croque-mort* *m.*
lijk'dienst *m.* service *m.* funèbre; office *m.* (*of* messe *f.*) des morts. [funèbres.
lijk'drager *m.* porteur *m.*, employé *m.* des pompes
lij'kegif *o.* cadavérine *f.*
lij'ken I *on.w.* **1** (*gelijken*) ressembler à; **2** (*schijnen*) sembler, paraître, avoir l'air de; **3** (*aanstaan*) convenir; ***hij lijkt wel gek,*** on dirait qu'il est fou; ***dat zou mij wel —,*** cela me conviendrait, cela m'irait bien; ***dat lijkt er niet naar,*** il s'en faut de beaucoup; ***iets dat er op lijkt,*** qc. d'approchant; ***op elkaar —,*** se ressembler; ***sprekend op elkaar —,*** ressembler comme un frère (*of* des frères) à, se ressembler comme deux gouttes d'eau; **II** *ov.w.* (*sch.*) ralinguer.
lij'kenhuis *o.* morgue *f.*.
lijk'graver *m.* fossoyeur *m.*
lijk'huisje *o.* (*bij kerkhof*) dépositoire *m.*
lijk'kist *v.(m.)* bière *f.*
lijk'kleed *o.* **1** (*over de kist*) drap *m.* mortuaire, poêle *m.*; **2** (*lijkwade*) linceul *m.*
lijk'kleur *v.(m.)* lividité *f.*, teint *m.* cadavéreux.
lijk'kleurig *b.n.* livide.
lijk'koets *v.(m.)* corbillard *m.*
lijk'krans *m.* couronne *f.* mortuaire.
lijk'lucht *v.(m.)* odeur *f.* cadavéreuse. [les.
lijk'maal *o.* repas *m.* d'enterrement, — de funérail-
lijk'offer *o.* sacrifice *m.* funèbre.
lijk'opening *v.* autopsie, dissection *f.*
lijk'oven *m.* crématorium *m.*, four *m.* crématoire.
lijk'plechtigheid *v.* funérailles, obsèques *f.pl.*, cérémonie *f.* funèbre.
lijk'rede *v.(m.)* **1** (*v. geestelijke*) oraison *f.* funèbre; **2** (*v. leek*) discours *m.* prononcé sur la tombe (*of* devant la fosse) de qn.
lijk'schennis *v.* violation *f.* de sépulture.
lijk'schouwer *m.* **1** (*om overlijden vast te stellen*) médecin *m.* des morts; **2** (*die sectie verricht*) médecin *m.* légiste.
lijk'schouwing *v.* **1** (*sectie*) autopsie *f.*; **2** (*zonder sectie*) constatation *f.* du décès, inspection *f.* du (*of* d'un) cadavre.
lijk'staatsie *v.* **1** pompe *f.* funèbre; obsèques, funérailles *f.pl.*; **2** (*begrafenisstoet*) cortège *m.* funèbre. [nèbre).
lijk'stoet *m.* cortège *m.* funèbre, convoi *m.* (fu-
lijk'verbranding *v.* incinération, crémation *f.*
lijk'verbrandingsgebouw *o.* crematorium *m.*
lijk'verbrandingsoven *m.* four *m.* crématoire.
lijk'wa(de) *v.(m.)* linceul *m.*
lijk'wagen *m.* corbillard *m.*
lijk'zang *m.* chant *m.* funèbre, requiem *m.*
lijm *m.* **1** colle *f.*; **2** (*vogel*) glu *f.*; **3** (*voor stoffen*) apprêt *m.*
lijm'achtig *b.n.* visqueux, gluant.
lij'men I *ov.w.* **1** coller; **2** (*met lijm bestrijken*) enduire de colle; **3** (*vogels*) attraper avec de la glu, prendre à la glu, engluer; **4** (*fig.*) engluer; ***verzen —,*** rimailler; **II** *on.w.* traîner la voix.
lij'mer *m.* **1** colleur *m.*; **2** (*bij 't spreken*) qui traîne la voix, traînard *m.*
lij'merig I *b.n.* **1** visqueux, gluant; **2** (*fig.*) (*spraak*) traînard; (*stijl*) pâteux; **II** *bw.* ***— spreken,*** traîner les mots, parler avec un accent traînard.
lij'merigheid *v.* viscosité *f.*
lijm'koker *m.* fabricant *m.* de colle.
lijmkokerij' *v.* fabrique *f.* de colle.
lijm'kwast *m.* brosse *f.* à coller.
lijm'kwastje *o.* pinceau *m.* à colle.
lijm'pot *m.* pot *m.* à colle.
lijm'roede *v.(m.)*, **lijm'stok** *m.* gluau *m.*
lijm'stof *v.(m.)* gélatine *f.*
lijm'verf *v.(m.)* détrempe *f.*
lijm'water *o.* eau *f.* de colle.
lijn *v.(m.)* **1** (*streep*) ligne *f.*; **2** (*touw*) corde *f.*; **3** (*v. hovenier*) cordeau *m.*; **4** (*v. hond*) laisse *f.*; **5** (*tram, spoor*) ligne *f.*; (*v. spoor ook:*) voie *f.*; **6** (*jaag—*) cordeau *m.*, cordelle *f.*; ***rechte —,*** (ligne) droite *f.*; ***kromme —,*** courbe *f.*; ***gebroken —,*** ligne brisée; ***de — trekken,*** tirer au flanc; ***één — trekken,*** marcher de concert, agir —; ***erfgenaam in de rechte —,*** héritier direct; ***op één — stellen,*** mettre sur le même plan.
lijn'baan *v.(m.)* corderie, filerie *f.*
lijn'boot *m. en v.* (*sch.*) navire *m.* régulier; (*over de oceaan*) transatlantique *m.*
lijn'cliché *o.* cliché *m.* au trait.
lijn'dienst *m.* service *m.* de ligne.
lijn'draaier *m.* cordier *m.*
lij'nen *ov.w.* **1** tracer des lignes; **2** (*papier*) régler.
lijn'koek *m.* tourteau *m.* de lin.
lijn'meel *o.* farine *f.* de lin.
lijn'olie *v.(m.)* huile *f.* de lin.
lijn'pap *v.(m.)* cataplasme *m.* de farine de lin.
lijn'pen *v.(m.)* tire-ligne* *m.* [linéaire.
lijn'perspectief, -perspektief *o.* perspective *f.*
lijn'piloot *m.* pilote *m.* de ligne.
lijn'recht I *b.n.* **1** en ligne droite; **2** (*v. straat*) tiré au cordeau; **3** (*— opstaand*) perpendiculaire; **II** *bw.* tout droit; perpendiculairement, verticalement; ***— tegenover,*** diamétralement opposé (à); ***— in strijd met,*** directement contraire à.
lijn'schip *o.* vaisseau *m.* de messagerie.
lijn'tekenen *o.* dessin *m.* linéaire.
lijn'tekening *v.* dessin *m.* linéaire, — graphique.
lijn'tje *o.* **1** ligne *f.*, (petit) trait, tiret *m.*; **2** (*touwtje*) cordeau *m.*; ***iem. aan 't — houden,*** tenir qn. en haleine, mener qn. par le nez; ***iem. aan 't — houden,*** tenir qn. par le (bout du) nez; ***met een zoet —,*** tout doucement, en douceur, sans rien brusquer; ***zachtjes aan, dan breekt het — niet,*** qui veut voyager loin, ménage sa monture.
lijn'toestel, *zie* ***lijnvliegtuig.***
lijn'trekken *on.w.* tirer au flanc, carotter.
lijn'trekker *m.* tireur *m.* au flanc, carottier, fricoteur, tir-au-flanc *m.*
lijntrekkerij' *v.* carottage, fricotage *m.*
lijn'verbinding *v.* chaîne *f.*
lijn'vliegtuig *o.* avion *m.* de ligne; (*lange afstand*) long-courrier* *m.*
lijn'vlucht *v.(m.)* vol *m.* de ligne.
lijn'vormig *b.n.* linéaire. [linge *m.*
lijn'waad *o.* **1** (*stof*) toile (de lin) *f.*; **2** (*linnengoed*)

lijn'wachter *m.* garde*-voie(*), garde*-ligne(*) *m.*
lijn'zaad *o.* graine *f.* de lin.
Lijs *v.* Lisette *f.*
lijs *v.(m.)*, ***lange —***, (long) vase *m.* de porcelaine bleue, vase de Chine; **2** (*fig.*) longue perche *f.*; ***een — van een vent,*** un lambin, un traînard, un long flandrin.
lijst *v.(m.)* **1** (*v. schilderij, enz.*) cadre *m.*; **2** (*bouwk.*) bande, moulure *f.*; **3** (*v. namen, enz.*) liste *f.*; **4** (*mil.*) rôle *m.*; **5** (*betalings—*) état *m.*; **6** (*v. raam*) châssis *m.*; **7** (*sch.*) lisse *f.*; ***in een — zetten,*** encadrer; ***zwarte —,*** liste noire, liste des suspects.
lijst'aanvoerder *m.* tête *f.* de liste.
lijs'ten *ov.w.* encadrer.
lijs'tenmaker *m.* encadreur *m.*
lijs'ter *v.(m.)* grive *f.*; ***zwarte —,*** merle *m.* noir; ***zingen als een —,*** chanter comme un pinson.
lijs'terbes 1 *v.(m.)* (*vrucht*) sorbe *f.*; **2** *m.* (*boom*) sorbier *m.*
lijs'terbesseboom *m.* sorbier *m.*
lijs'terboog, lijs'terstrik *m.* lacet *m.* à prendre des grives.
lijst'trekker *m.* tête *f.* de liste.
lijst'verbinding *v.* apparentement *m.* de listes.
lijst'werk *o.* moulure *f.*
lij'vig *b.n.* **1** (*v. persoon*) corpulent, replet; **2** (*v. boek, enz.*) gros, volumineux; **3** (*v. dossier*) volumineux; **4** (*v. vloeistof*) épais, consistant.
lij'vigheid *v.* corpulence *f.*; volume *m.*; consistance *f.*
lij'waarts *bw.* (*sch.*) sous le vent.
lij'zeil *o.* (*sch.*) bonnette *f.*
lij'zig I *b.n.* traînard, lambin, indolent; **II** *bw.* d'une voix traînante, — traînarde; ***— spreken,*** traîner la voix.
lij'zigheid *v.* lenteur, indolence, mollesse *f.*
lij'zij(de) *v.(m.)* (*sch.*) côté *m.* sous le vent.
lik *m.* **1** coup *m.* de langue; **2** (*slag*) soufflet *m.*; (*fam.*) gifle *f.*; ***een — stroop,*** un peu de sirop.
lik'doorn, lik'doren *m.* cor, œil*-de-perdrix *m.*
lik'doornmes(je), lik'dorenmes(je) *o.* coupe-cors *m.*
lik'doornpleister, lik'dorenpleister *v.(m.)* emplâtre *m.* contre les cors, coricide *m.*
lik'doornsnijder, lik'dorensnijder *m.* pédicure *m.* [coricide *m.*
lik'doornzalf, lik'dorenzalf *v.(m.)* onguent
likeur' *v.(m.)* liqueur *f.*
likeur'achtig *b.n.* liquoreux.
likeur'bonbon *m.* bonbon *m.* liquoreux, — à liqueur.
likeur'fabrikant *m.* liquoriste *m.*
likeur'glaasje *o.* (petit) verre *m.* à liqueur.
likeur'stel *o.* service *m.* à liqueurs, cabaret *m.* (à liqueurs), porte-liqueurs *m.* [quoriste *m.*
likeur'stoker *m.* fabricant *m.* de liqueurs, li-
likeurstokerij' *v.* fabrique *f.* de liqueurs.
likeur'verkoper *m.* liquoriste *m.*
lik'hout *o.* astic *m.*
lik'kebaard *m.* gourmand, gourmet *m.*
lik'kebaarden *on.w.* se lécher les lèvres.
lik'kebroer *m.* gourmet, friand *m.*
lik'ken *ov.w. en on.w.* lécher; ***aan iets —,*** passer la langue sur qc., lécher qc.
lik'kepot *m.* (*gen.*) électuaire *m.*
lik'ker *m.* **1** lécheur *m.*; **2** (*tn.*) polisseur *m.*; **3** (*fig.*) lécheur, flagorneur *m.*
lik'steen *m.* lissoir *m.*, pierre *f.* à lisser.
likwida'tie(-), *zie* ***liquidatie(-).***
likwide'ren, *zie* ***liquideren.***
lil *o. en m.* gelée *f.* (de viande); gélatine *f.*
li'la I *o.* lilas *m* ; **II** *b.n.* lilas.
lil'len *on.w.* palpiter.
lil'lend *b.n.* pantelant, palpitant.
lil'ling *v.* palpitation *f.*
lil'liputter *m.* lilliputien *m.*
Lim'burg *o.* le Limbourg.
Lim'burger *m.* Limbourgeois *m.*
Lim'burgs *b.n.* limbourgeois.
limiet' *v.(m.)* limite *f.*
limiet'prijs *m.* prix *m.* minimum.
limite'ren *ov.w.* limiter; ***de door u gelimiteerde prijs,*** votre limite, le prix fixé par vous.
lim'metje *o.* (*Pl.*) limette *f.*
limoen' *m.* (*Pl.*) limon, citron *m.*
limoen'boom *m.* limonier *m.*
limoen'drank *m.* limonade *f.*
limoen'sap *o.* jus *m.* de citron.
limona'de *v.(m.)* limonade *f.*, sirop *m.*
Li'na *v.* Caroline *f.*
lin'de *v.(m.)*, **—boom** *m.* tilleul *m.*
lin'debloesem *m.* fleur *f.* de tilleul.
lingerie'zaak *v.(m.)* magasin *m.* de blanc, — de lingerie.
linguïst' *m.* linguiste *m.-f.*
linguïstiek' *v.* linguistique *f.*
linguïs'tisch *b.n.* linguistique.
liniaal' *v.(m.) en o.* règle *f.*
li'nie *v.* **1** ligne *f.*; **2** (*rij*) rangée, file *f.*; **3** (*evenaar*) équateur *m.*; ***afdalende —,*** ligne descendante; ***jongere —,*** branche cadette.
linieer'der *m.* régleur *m.*
linië'ren *ov.w.* régler.
li'nieschip *o.* vaisseau *m.* de ligne.
li'nietroepen *mv.* (troupes *f.pl.* de) ligne *f.*
lin'ker *b.n.* **1** gauche; **2** (*wap.*) senestre.
lin'kerarm *m.* bras *m.* gauche.
lin'kerbeen *o.* jambe *f.* gauche.
lin'kerd *m.* **1** gaucher *m.*; **2** (*fig.*) homme *m.* rusé.
lin'kerhand *v.(m.)* main *f.* gauche.
lin'kerkant *m.* côté *m.* gauche, gauche *f.*
lin'kervleugel *m.* aile *f.* gauche.
lin'kerzij(de) *v.(m.)* côté *m.* gauche, gauche *f.*; (*in de Kamer*) gauche *f.*
links I *bw.* **1** à gauche; **2** (*fig.: onhandig*) gauchement; **3** (*politiek*) de gauche; ***— eten,*** manger de la main gauche; ***— houden,*** tenir sa (*of* la) gauche; ***— laten liggen,*** négliger; ***naar —,*** du côté gauche, vers la gauche; **II** *b.n.* **1** gauche; **2** (*met linkerhand werkend*) gaucher; **3** (*onhandig*) gauche, maladroit.
linksaf' *bw.* à gauche, vers la gauche, du côté gauche.
linksbin'nen *m.* (*sp.*) intérieur *m.* gauche; (*fam.*) inter gauche *m.* [gauche.
linksbui'ten *m.* (*sp.*) ailier *m.* gauche, extrême *m.*
link'se *v.(m.)* crochet *m.* gauche.
linkshalf' *m.* (*sp.*) demi *m.* gauche.
links'heid *v.* gaucherie, maladresse *f.*
linksom' *bw.* à gauche.
lin'nen I *o.* **1** (*stof*) toile *f.*; **2** (*linnengoed*) linge *m.*; ***grof —,*** bougran *m.*; **II** *b.n.* **1** (*stof*) de toile; **2** (*draad*) de lin.
lin'nenfabriek *v.* toilerie *f.* [de corps.
lin'nengoed *o.* **1** linge *m.*; **2** (*lijfgoed*) linge *m.*
lin'nenhandel *m.* lingerie, toilerie *f.*
lin'nenjuffrouw *v.* **1** (*in hotel, enz.*) lingère *f.*; **2** (*sch.*) femme *f.* de chambre.
lin'nenkamer *v.(m.)* lingerie *f.*, garde-linge *m.*
lin'nenkast *v.(m.)* armoire à (*of* au) linge, (armoire) lingère *f.*
lin'nenkoper *m.* toilier, linger *m.*
lin'nenmeid *v.* lingère *f.*
lin'nenmand *v.(m.)* panier *m.* à linge.
lin'nennaaister *v.* lingère *f.*

lin'nenweefsel *o.* tissu *m.* de toile, — de lin.
lin'nenwever *m.* tisserand *m.*
linnenweverij' *v.* tisseranderie *f.*
lin'nenwinkel *m.* magasin *m.* de blanc, lingerie *f.*
lino'leum *o. en m.* linoléum *m.*
lino'leumsnede *v.(m.)* lino *m.*
lino'leumwas *m. en o.* encaustique *f.*
li'notype *v.(m.)* linotype *f.*
li'notypezetter *m.* linotypiste, opérateur *m.*
Linsmeel *o.* Linsmeau.
lint *o.* ruban *m.*; ***het zingende —,*** le ruban sonore.
lint'bebouwing *v.* construction *f.* en bordure de la route.
lint'fabrikant *m.* rubanier *m.*
lint'je *o.* **1** ruban *m.*; (bout de) ruban *m.*; **2** (*smal lintje*) faveur *f.*; ***hij krijgt een —,*** il aura un bout de ruban. [corations.
lint'jesregen *m.* (*fam.*) pluie (*of* averse) *f.* de dé-
lint'werker, lint'wever *m.* rubanier *m.*
lint'worm *m.* ver *m.* solitaire, ténia *m.*
lint'zaag *v.(m.)* scie *f.* à ruban.
lin'ze *v.(m.)* lentille *f.*
lin'zenmaal *o.* repas *m.* de lentilles.
lin'zensoep *v.(m.)* potage *m.* aux lentilles.
lip *v.(m.)* **1** lèvre *f.*; **2** (*hanglip v. dier*) babine *f.*; **3** (*v. orgelpijp*) biseau *m.*; ***de — laten hangen,*** faire la moue, — la lippe; ***hij heeft het hart op de —pen,*** il a le cœur sur la main; ***aan iemands—pen hangen,*** être suspendu aux lèvres de qn.; ***ik had het woord op de —pen,*** j'avais le mot sur le bout de la langue, le mot me brûlait les lèvres; ***er kwam geen woord over zijn —pen,*** il n'a pas soufflé mot.
lip'bloem *v.(m.)* (*Pl.*) labiée *f.*
lipbloe'migen *mv.* labiées *f.pl.*
lip'letter *v.(m.)* labiale *f.*
lip'lezen *o.* lecture *f.* labiale, — sur les lèvres.
lip'penpommade *v.(m.)* pommade *f.* pour les lèvres.
lip'penrood *o.* rouge *m.* à lèvres.
lip'penstift *v. (m.)* bâton *m.* de rouge (à lèvres); ***de — gebruiken,*** se mettre du rouge aux lèvres.
lip'penzalf *v.(m.)* pommade *f.* pour les lèvres.
lip'vormig *b.n.* en forme de lèvre, labié.
liquida'tie, likwida'tie *v.* (*H.*) liquidation *f.*
liquida'tiekoers, likwida'tiekoers *m.* (*H.*) cours *m.* de compensation.
liquida'tieuitverkoop, likwida'tieuitverkoop *m.* vente *f.* pour cause de cessation.
liquida'tor *m.* (*H.*) liquidateur *m.*
liqui'de *b.n.* liquide; ***— middelen,*** argent *m.* liquide, disponibilités *f.pl.*; ***— kapitaal,*** capital *m.* flottant. [liquider.
liquide'ren, likwide'ren *ov.w. en on.w.* (*H.*)
li're *v.(m.)* lire *f.*
lis *v.(m.)* nœud *m.* coulant, ganse *f.*
lis'(bloem) *v.(m.)* iris *m.*
lis'dodde *v.(m.)* (*Pl.*) massette *f.*, masse *f.* d'eau.
lis'pelaar *m.* zézayeur *m.*
lis'pelen *on.w.* **1** zézayer, susseyer; **2** (*fluisteren*) chuchoter, murmurer; **3** (*v. wind*) murmurer, frémir (doucement).
Lis'sabon *o.* Lisbonne *f.*; ***uit —,*** lisbonnin.
list *v.(m.)* **1** (*alg.*) ruse *f.*; (*sluwheid*) astuce *f.*; **2** (*kunstgreep*) artifice *m.*; **3** (*krijgs—*) stratagème *m.*
lis'tig I *b.n.* **1** rusé, fin; **2** (*ong.*) astucieux, captieux, madré, matois; **II** *bw.* avec ruse; astucieusement, captieusement.
lis'tigheid *v.* ruse, astuce, finesse *f.*
lis'tiglijk, *zie **listig** **II**.*
litanie' *v.(m.)* litanie *f.*; (*kerk*) litanies *f.pl.*
li'ter *m.* litre *m.*
litera-, *zie **littera-**.* [litre.
li'terfles *v.(m.)* litre *m.*, bouteille *f.* contenant un
lit(h)ograaf' *m.* lithographe *m.*
lit(h)ografe'ren *ov.w.* lithographier.
lit(h)ogra'fisch *b.n.* lithographique.
Litou'wen *o.* la Lithuanie.
Litou'wer *m.* Lithuanien *m.*
Litouws' *b.n.* lithuanien.
lits-jumeaux *o.* deux lits *m.pl.* jumeaux.
lit'teken *o.* **1** cicatrice *f.*; **2** (*v. houw*) balafre *f.*
lit(t)erair' I littéraire; **II** *b.w.* littérairement.
lit(t)era'tor *m.* littérateur *m.*, homme *m.* de lettres.
lit(t)eratuur' *v.* littérature *f.*, lettres *f.pl.*; (*over bepaald onderw.*) bibliographie *f.*
lit(t)eratuur'verwijzing *v.* référence *f.* bibliographique.
liturgie' *v.* liturgie *f.*
litur'gisch *b.n.* liturgique.
li'ving(room) *v.(m.)* salle *f.* de séjour, — à manger.
Livor'no *o.* Livourne *f.*; ***uit —,*** livournien.
livrei' *v.(m.)* livrée *f.*
livrei'bediende *m.* laquais *m.*
livrei'rok *m.* habit *m.* de livrée.
lob *v.(m.)* **1** (*ontleedk.*) lobe *m.*; **2** (*Pl.*) cotylédon *m.*
lob'bes *m.* **1** bon enfant, (grand) nigaud *m.*; **2** (*hond*) bon gros chien *m.*
lob'besachtig *b.n.* bon enfant, bonne poire.
lob'vormig *b.n.* lobé.
localiteit', lokaliteit' *v.* local *m.*
lo'co, *de — burgemeester,* le bourgmestre (*of* maire) suppléant (*of* par intérim); (*H.*) ***— station Antwerpen,*** à Anvers, pris en gare; ***— goederen,*** marchandises *f.pl.* disponibles; ***— prijs,*** prix de place; ***— verkopen,*** vendre en disponible; ***— voorraad,*** disponible *m.*
locomobiel', lokomobiel' *m.* locomobile *f.*
locomotief', lokomotief' *v.(m.)* locomotive *f.*
locomotie'venloods, lokomotie'venloods *v. (m.)* dépôt *m.* de machines, remise *f.* à locomotives.
lod'derig I *b.n.* **1** (*slaperig*) somnolent, lourd de sommeil; **2** (*aanlokkend, smachtend*) langoureux; **II** *bw.* **1** d'un regard somnolent, — terne, d'un œil mi-clos; **2** langoureusement. [reux.
lod'deroog *o.* **1** œil *m.* mi-clos; **2** œil *m.* langou-
lo'den I *ov.w.* **1** mettre au plomb; plomber; **2** (*sch.*) sonder; **II** *b.n.* **1** de plomb; **2** de loden.
lo'ding *v.* sondage *m.*, coup *m.* de sonde.
Lo'dewijk *m.* Louis *m.*
loe'der *o. en m.* (*pop.*) voyou, misérable, infâme *m.*
loef *v.(m.)* (*sch.*) lof *m.*; ***de — hebben,*** (*sch.*) être au lof; ***iem. de — afsteken,*** l'emporter sur qn., donner le pion à qn.
loef'waarts *bw.* (*sch.*) au lof, au vent.
loef'zij(de) *v.(m.)* (*sch.*) côté *m.* du vent, lof *m.*
loei'en I *on.w.* **1** beugler, mugir; **2** (*v. wind*) hurler, mugir; **II** *z.n., o.* beuglement, mugissement *m.*
loe'nik *m.* lounik *m.*
loens *b.n. en bw.* louche; ***— kijken,*** loucher.
loen'sen *on.w.* loucher.
loep, lou'pe *v.(m.)* loupe *v.*
loer I *v.(m.)* **1** guet *m.*; **2** (*lap, vod*) leurre *m.*; ***op de — liggen*** (*of **staan***), être à l'affût; être aux aguets; ***iem. een — draaien,*** jouer un mauvais tour à qn., mettre qn. dedans; **II** *m.* nigaud; lourdaud *m.*
loer'der *m.* guetteur, espion *m.*
loe'ren *on.w.* guetter, épier, espionner; être à l'affût; ***op de gelegenheid —,*** guetter l'occasion.
loe'rend I *b.n.* scrutateur; **II** *bw.* l'œil aux aguets.
loe'ven *on.w.* (*sch.*) lofer, aller au lof, porter au vent.
loe'ver(t), *te —,* (*sch.*) au lof.
lof I *m.* louange *f.*, éloge *m.*; ***de — zingen van,*** faire l'éloge de; ***iemands — zingen,*** chanter les

louanges de qn.; ***God —!*** Dieu merci! Dieu soit loué! ***dat strekt hem tot —,*** cela lui fait honneur; ***eigen — stinkt,*** qui se loue s'emboue; **II** *o.* (*kath.*) salut *m.*; **III** *o.* chicorée *f.*; ***Brussels —,*** chicorée *f.* de Bruxelles, endive *f.*
lof'bazuin *v.*(*m.*) **1** trompette *f.* héroïque; **2** (*fig.*) éloge *m.*; ***de — steken voor iem.,*** entonner les louanges de qn., faire le panégyrique de.
lof'dicht *o.* panégyrique *m.*
lof'dichter *m.* panégyriste *m.*
lof'felijk *b.n.* **1** (*lof verdienend*) digne d'éloge, louable; **2** (*lof schenkend*) élogieux.
lof'felijkheid *v.* mérite *m.*
lof'gezang *o.* **1** chant *m.* de louange; **2** (*kerkelijk*) hymne *f.*, cantique *m.*
loflied, *zie* ***lofgezang.***
Lofod'den *mv.* les îles *f.pl.* Lofoten.
lof'prijzing *v.* louange *f.*, éloge *m.*
lof'psalm *m.* psaume *m.* de louange.
lof'rede *v.*(*m.*) éloge, panégyrique *m.*; ***een — houden op,*** faire l'éloge de.
lof'redenaar *m.* panégyriste *m.*
lof'spraak *v.*(*m.*) éloge *m.*
lof'trompet, *zie* ***lofbazuin.***
lof'tuiting *v.* éloge *m.*, louanges *f.pl.*
lofwaar'dig *b.n.* digne de louanges, louable.
lof'werk *o.* (*bouwk.*) feston(s), rinceau(x) *m.*(*pl.*).
lof'zang *m.* chant *m.* de louange, hymne *f.*
log I *b.n.* lourd, épais, pesant; ***— worden,*** s'alourdir; **II** *bw.* lourdement, pesamment; **III** *z.n.*, *v.* (*sch.*) loch *m.*
logarit'me *v.*(*m.*) logarithme *m.*
logarit'mentafel *v.*(*m.*) table *f.* des logarithmes, — logarithmique.
log'boek *o.* (*sch.*) livre *m.* de loch.
lo'ge *v.*(*m.*) loge *f.*
logé' *m.*, **—e** *v.* hôte *m.-f.*, ami(e) *m.*(*f.*).
logeer'gast, *zie* ***logé.***
logeer'kamer *v.*(*m.*) chambre *f.* d'amis.
lo'gegebouw *o.* temple *m.*, loge *f.* maçonnique.
logement' *o.* auberge, hôtellerie *f.*
logement'houder *m.* aubergiste, hôtelier *m.*
lo'gen I *ov.w.* lessiver; **II** *z.n.*, *o.* lessivage *m.*
lo'genstraffen *ov.w.* démentir, donner (*of* infliger) un démenti à.
lo'genstraffing *v.* démenti *m.*
loge'ren I *on.w.* **1** (*in hotel*) loger, être descendu à; **2** (*bij iem.*) être l'hôte de, passer quelque temps chez; ***bij iem. gaan —,*** aller passer quelque temps chez qn.
log'gen *on.w.* (*sch.*) jeter le loch.
log'ger *m.* (*sch.*) lougre *m.*
log'gia *v.*(*m.*) loge *f.*
log'glas *o.* (*sch.*) horloge *f.* du loch.
log'heid *v.* lourdeur, pesanteur *f.*
lo'gica, lo'gika *v.* logique *f.*
logies' *o.* logement *m.*; ***— en ontbijt,*** chambre et petit déjeuner; ***— vragen,*** demander l'hospitalité.
lo'gika, lo'gica *v.* logique *f.*
lo'gisch I *b.n.* logique; **II** *bw.* logiquement.
log'lijn *v.*(*m.*) (*sch.*) ligne *f.* de loch.
lo'gos *m.* **1** (le) Verbe; **2** raison *f.*; **3** intellect *m.*
lok *v.*(*m.*) boucle, mèche *f.* (de cheveux).
lokaal' I *o.* local *m.*, salle *f.*; **II** *b.n.* local.
lokaal'spoorweg *m.* chemin *m.* de fer vicinal, — de banlieue, ligne *f.* d'intérêt local.
lokaal'trein *m.* train *m.* omnibus, — de banlieue.
lokaal'verkeer *o.* service *m.* local.
lok'aas *o.* **1** amorce *f.*, appât *m.*; **2** (*fig.*, *ook:*) leurre *m.*
lokalise'ren, -ize'ren *ov.w.* localiser, circonscrire.
lokaliteit', localiteit' *v.* local *m.*, locaux *m.pl.*
lok'duif *v.*(*m.*) pigeon *m.* appelant.
lok'eend *v.*(*m.*) canard *m.* appelant.
loket' *o.* **1** (*voor verkoop*) guichet *m.*; **2** (*vak in kast, enz.*) case *f.*; **3** (*kluis, in bank*) coffre*-fort* *m.*
loket'dienst *m.* service *m.* de guichet.
loket'kast *v.*(*m.*) casier *m.*
loket'kluis *v.*(*m.*) cave *f.* blindée.
lokettist' *m.* guichetier *m.*, préposé(e) *m.* (*f.*) au guichet.
lok'fluitje *o.* appeau, pipeau *m.*
lok'ken *ov.w.* attirer, allécher; amorcer; ***de vijand in een hinderlaag —,*** attirer l'ennemi dans une embuscade.
lok'kend *b.n.* séduisant, séducteur.
lok'kig *b.n.* bouclé, frisé.
lok'mees *v.*(*m.*) mésange *f.* appeleuse.
lok'middel *o.* appât *m.*, moyen *m.* de séduction.
lokomo-, *zie* ***locomo-.***
lok'spijs *v.*(*m.*) appât *m.*, amorce *f.*
lok'stem *v.*(*m.*) **1** voix *f.* séduisante, — de sirène; **2** (*bij jagers*) voix *m.* de l'appelant.
lok'vink *m. en v.* **1** pinson *m.* appelant; **2** (*fig.*) appeleur; **3** (*H.*) article *m.* de réclame.
lok'vogel *m.* **1** (oiseau) appelant, appeleur *m.*; **2** (*fig.*) leurre *m.*; (*v. oplichter, enz.*) compère *m.*
lol *v.*(*m.*) (*fam.*) plaisir *m.*; ***— hebben, — maken,*** rigoler.
lol'len *on.w.* **1** (*v. kat*) miauler; **2** (*slecht zingen*) brailler, chanter mal.
lol'lepot *m.* couvet *m.*
lol'letje *o.* farce, rigolade *f.*
lol'lig *b.n.* rigolo.
lol'ly *m.* sucette *f.*
lol'maker *m.* rigoleur *m.*
Lombardij'e *o.* la Lombardie.
Lombardijs', Lombar'disch *b.n.* lombard.
lom'mer *o.* ombre *f.*, ombrage *m.*
lom'merd *m.* mont*-de-piété *m.*; (*fam.*) clou *m.*, ma tante; ***in de — zetten,*** porter au mont-de-piété; engager.
lom'merdbriefje *o.* reconnaissance *f.* (du mont-de-piété).
lom'merdhouder *m.* prêteur *m.* sur gages, tenancier *m.* d'un mont-de-piété.
lom'merig *b.n.* ombragé.
lom'merrijk *b.n.* ombragé, ombreux.
lomp I *v.*(*m.*) **1** (*slechte kleding*) haillon *m.*, guenille *f.*; **2** (*lap, vod*) chiffon *m.*; **II** *b.n.* **1** lourd, grossier, disgracieux; **2** (*onhandig*) maladroit.
lom'pengaarder *m.* chiffonnier *m.*
lom'penhandel *m.* commerce *m.* des chiffons.
lom'penkoopman *m.* marchand *m.* de chiffons.
lom'penpapier *o.* papier *m.* de chiffons.
lom'pensorteerder *m.* trieur *m.* (de chiffons), chiffonnier *m.*
lom'perd *m.* maladroit; lourdaud, rustre, butor *m.*
lomp'heid *v.* maladresse; lourdeur, grossièreté, rustrerie *f.*
Lon'den *o.* Londres *m.*
Lon'denaar *m.* Londonien *m.*
Lon'dens *b.n.* londonien.
lo'nen *ov.w.* récompenser, payer; ***de moeite —,*** en valoir la peine; ***de zaak loonde niet,*** l'affaire ne rendait pas.
lo'nend *b.n.* lucratif, avantageux, rémunérateur.
long *v.*(*m.*) poumon *m.*; ***ijzeren —,*** poumon d'acier.
long'aandoening *v.* affection *f.* pulmonaire.
long'ader *v.*(*m.*) veine *f.* pulmonaire.
long'blaasje *o.* alvéole *f.* pulmonaire.
long'kanker *m.* cancer *m.* pulmonaire.
long'knobbel *m.* tubercule *m.*
long'kruid *o.* (*Pl.*) pulmonaire *f.*
long'kwaal *v.*(*m.*) maladie *f.* du poumon, affection *f.* pulmonaire.

long'kwab(be) *v.(m.)* lobe *m.* du poumon.
long'lijder *m.*, **—es** *v.* poitrinaire, pulmonique [*m.-f.*
long'ontsteking *v.* pneumonie *f.*, fluxion *f.* de poitrine.
long'pijp *v.(m.)* bronche *f.*
long'room *m.* carré *m.* des officiers, mess *m.*
long'slagader *v.(m.)* artère *f.* pulmonaire.
long'tering *v.* tuberculose *f.*, phtisie *f.* pulmonaire.
long'ziekte *v.* tuberculose *f.*, phtisie *f.* pulmonaire.
lonk *m.* œillade *f.*
lon'ken *on.w.* **1** jeter des œillades, lancer —, faire de l'œil; **2** (*scheel zien*) loucher.
lont *v.(m.)* mèche *f.*; ***— ruiken,*** flairer qc., flairer la mèche; ***de — in 't kruit steken,*** mettre le feu aux poudres.
lont'stok *m.* boutefeu *m.*
loo'chenaar *m.* dénégateur *m.*
loo'chenbaar *b.n.* niable.
loo'chenen *ov.w.* **1** (*ontkennen*) nier, contester, disconvenir (de); **2** (*logenstraffen*) démentir; **3** (*verloochenen*) désavouer. [aveu *m.*
loo'chening *v.* dénégation *f.*; démenti *m.*; dés-
lood *o.* **1** (*metaal*) plomb *m.*; **2** (*schietlood*) niveau *m.* à plomb, plomb *m.*; **3** (*dieplood*) plomb *m.* de sonde, plomb *m.*; **4** (*gewicht*) décagramme *m.*; **5** (*tegengewicht*) poids, contrepoids *m.*; ***het — gooien,*** (*sch.*) jeter la sonde; ***'t is — om oud ijzer,*** c'est bonnet blanc et blanc bonnet, c'est chou vert et vert chou; ***in — gevatte ruiten,*** vitraux *m.pl.*; ***— in blokken,*** plomb en saumons; ***zacht —,*** plomb doux; ***de muur staat niet in het —,*** le mur n'est pas d'aplomb.
lood'achtig *b.n.* (*kleur*) plombé.
lood'bleek *b.n.* livide, blême.
lood'erts *o.* minerai *m.* de plomb.
lood'geel *o.* massicot *m.*
lood'gieter *m.* plombier *m.*
loodgieterij' *v.* plomberie *f.*
lood'glans *o.* galène *f.*
lood'grijs *b.n.* gris-plomb.
lood'houdend *b.n.* plombifère.
lood'je *o.* plomb *m.*; ***het — leggen,*** avoir le dessous, payer les pots cassés; ***de laatste —s wegen 't zwaarst,*** il n'y a rien de plus difficile à écorcher que la queue, ce sont les derniers moments qui pèsent.
lood'kabel *m.* câble *m.* sous plomb. [lividité *f.*
lood'kleur *v.(m.)* **1** couleur *f.* de plomb; **2** (*v. tint*)
lood'kleurig *b.n.* **1** couleur de plomb; **2** livide.
lood'lijn *v.(m.)* **1** (*dieplood*) ligne *f.* de sonde; **2** (*schietlood*) fil *m.* à plomb; **3** (*rechtstaande lijn*) perpendiculaire, verticale *f.*; ***een — oprichten,*** ériger une perpendiculaire; ***een — neerlaten,*** abaisser une perpendiculaire.
lood'metaal *o.* soudure *f.*
lood'mijn *v.(m.)* mine *f.* de plomb.
lood'recht I *b.n.* perpendiculaire, vertical; **II** *bw.* perpendiculairement, verticalement.
loods I *v.(m.)* **1** (*hok*) baraque *f.*; **2** (*afdak*) hangar *m.*; **II** *m.* (*sch.*) pilote *m.*
loods'boot *m. en v.* (*sch.*) bateau*-pilote* *m.*
loods'dienst *m.* (*sch.*) (service de) pilotage *m.*
lood'sen I *ov.w.* (*sch.*) piloter; **II** *z.n., o.* pilotage, lamanage *m.* [nage *m.*
loods'geld *o.* (*sch.*) (droit *m.* de) pilotage, lama-
loods'kotter *m.* (*sch.*) bateau *m.* pilote.
lood'slakken *mv.* scories *f.pl.* de plomb.
loods'mannetje *o.* (*Dk.*) pilote *m.*, conducteur *m.* du requin.
loods'vaartuig *o.* (*sch.*) bateau*-pilote* *m.*
loods'vlag *v.(m.)* pavillon *m.* de pilote.
loods'wezen *o.* pilotage *m.*
lood'vatting *v.* (*v. ramen*) plombure *f.*
lood'vergiftiging *v.* empoisonnement *m.* par le plomb, saturnisme *m.*
lood'wit *o.* blanc *m.* de céruse, céruse *f.*
lood'witfabriek *v.* céruserie *f.*
lood'zekering *v.* plomb *m.* fusible.
lood'zwaar *b.n.* **1** lourd comme du plomb; **2** (*fig.*) accablant, écrasant.
loof *o.* **1** (*groen*) verdure *f.*; **2** (*bladeren*) feuillage *m.*, feuilles *f.pl.*
loof'boom *m.* arbre *m.* à feuilles.
loof'bos *o.* bois *m.* feuillu.
loof'dak *o.* toit *m.* de verdure.
loof'hut *v.(m.)* **1** (*in tuin*) tonnelle *f.*, berceau *m.* de verdure; **2** (*bij de joden*) tabernacle *m.*
Loofhut'tenfeest *o.* fête *f.* des Tabernacles.
loof'rijk *b.n.* feuillu, touffu.
loof'werk *o.* **1** feuillage *m.*; **2** (*bouwk.*) rinceaux, festons *m.pl.*
loog *v.(m.) en o.* **1** lessive *f.* (de soude caustique *of* de potasse caustique); **2** (*om zeep te maken*) alcali *m.* caustique; ***in de — zetten,*** lessiver.
loog'as *v.(m.)* cendres *f.pl.* gravelées; charrée *f.*
loog'bad *o.* bain *m.* de potasse.
loog'bak *m.* auge *f.* à lessive.
loog'kruid *o.* (*Pl.*) soude *f.*
loog'kuip *v.(m.)* cuve *f.* à lessive.
loog'water *o.* lessive *f.*
loog'zout *o.* sel *m.* alcalin, alcali *m.*
looi *v.(m.)* tan *m.*
looi'en I *ov.w.* tanner; **II** *z.n., o.* tannage *m.*
looi'er *m.* tanneur *m.* [nage *m.*
looierij' *v.* **1** (*plaats*) tannerie *f.*; **2** (*handeling*) tan-
looi'erskalk *m.* plamée *f.*
looi'ersmes *o.* écharnoir *m.*
looi'erskuil *m.* fosse *f.* à tan.
looi'kuip *v.(m.)* cuve *f.* de tanneur.
looi'stof *v.(m.)* tanin *m.*, corticine *f.*, acide *m.* tanique.
looi'zuur *o.* acide *m.* tannique, tanin *m.*
look *o. en m.* (*Pl.*) ail *m.*
look'bol *m.* tête *f.* d'ail.
look'prei *v.(m.)* (*Pl.*) ail *m.* poireau.
look'saus *v.(m.)* sauce *f.* à l'ail.
loom *b.n.* las, lourd, engourdi; languissant; (*v. markt*) mou. [apathie *f.*
loom'heid *v.* lassitude, lourdeur; langueur;
loon *o.* **1** (*algemeen*) salaire *m.*; **2** (*v. ambtenaar*) appointements *m.pl.*, traitement *m.*; **3** (*v. dienstbode, matroos*) gages *m.pl.*; **4** (*v. soldaat*) solde, (*v. arbeider*) paye *f.*; **5** (*v. dokter, advocaat, enz.*) honoraires *m.pl.*; **6** (*beloning*) récompense *f.*; ***hij heeft zijn verdiende —,*** il n'a que ce qu'il mérite, c'est pain bénit; ***— naar werken ontvangen,*** avoir selon ses œuvres, moissonner comme on a semé; ***— betalen,*** salarier, payer; ***ondank is 's werelds —,*** le monde est ingrat.
loon'actie, -aktie *v.* action *f.* pour l'amélioration des salaires, agitation *f.* —, mouvement *m.* —.
loon'arbeid *m.* travail *m.* salarié.
loon'bederver *m.* gâte-métier *m.*
loon'belasting *v.* impôt *m.* (*of* taxe *f.*) sur les salaires.
loon'beslag *o.* saisie*-arrêt* *f.* sur le salaire (*of* sur les appointements).
loon'briefje *o.* feuille *f.* de paye.
loon'dag *m.* jour *m.* de paye.
loon'dienst *m.* travail *m.* salarié.
loon'eis *m.* revendication *f.* de salaire.
loon'lijst *v.(m.)* liste *f.* (*of* bordereau *m.*) des salaires.
loon'peil *o.* niveau *m.* des salaires.

loon'plafond *o.* plafond *m.* des salaires, salaire *m.* plafond.
loon'politiek *v.* régime *m.* des salaires.
loon'ronde *v.(m.)* palier *m.*
loon'schaal *v.(m.)* échelle *f.* des salaires; ***glijdende* —,** échelle *f.* (*of* barème *m.*) mobile des salaires.
loon'slaaf *m.* tâcheron *m.*, esclave *m.* salarié.
loon'staat *m.* feuille *f.* de salaires.
loon'standaard *m.* taux *m.* du salaire.
loon'stelsel *o.* salariat *m.*
loon'stop *m.* blocage (*of* plafond) *m.* des salaires.
loon'strijd *m.* lutte *f.* pour l'amélioration des salaires.
loons'verhoging *v.* augmentation *f.* (de salaire), hausse *f.* du salaire.
loons'vermindering *v.* diminution *f.* du salaire.
loon'tarief *o.* bordereau *m.* des salaires.
loon'trekkend *b.n.* salarié, à gages.
loon'trekken *on.w.* être salarié.
loon'trekker *m.* salarié *m.*
loon'vloer *m.* salaire *m.* de base.
loon'vraagstuk *o.* question *f.* du salariat.
loon'wet *v.(m.)* loi *f.* du salaire; ***ijzeren* —,** loi d'airain des salaires.
loon'zakje *o.* enveloppe *f.* de paie.
loop *m.* **1** (*v. persoon*) démarche, allure *f.*; **2** (*snel*) course *f.*; **3** (*v. zaken*) marche *f.*; **4** (*v. planeet, rivier, enz.*) cours *m.*; **5** (*richting*) ligne, direction *f.*; **6** (*omloop: v. bloed, geld, enz.*) circulation *f.*; **7** (*v. geweer*) canon *m.*; **8** (*gen.*) diarrhée *f.*; **9** (*muz.*) roulade *f.*, trait *m.*; **10** (*v. kippenhok*) parquet *m.*; ***rode* —,** (*gen.*) caquesangue, dysenterie *f.*; ***de* — *der bevolking,*** le mouvement de la population; ***de vrije* — *geven* (*of laten*) *aan,*** laisser libre carrière à; donner libre cours à; ***in de* — *van de avond,*** dans la soirée; ***in de* — *van de dag* (*of de maand*),** dans le courant de la journée (*of* du mois); ***in de* — *van 't jaar,*** dans le cours de l'année; ***in de* — *der tijden,*** dans la suite des temps; ***een geweer met dubbele* —,** un fusil à deux coups; ***dat is 's werelds* —,** ainsi va le monde; ***op de* — *gaan,*** **1** (*v. persoon*) se sauver, décamper; **2** (*v. paard*) s'emballer, prendre le mors aux dents.
loop'baan *v.(m.)* **1** (*v. persoon*) carrière *f.*; **2** (*v. planeet*) orbite *f.*; **3** (*sp.*) piste *f.*
loop'brug *v.(m.)* passerelle *f.*
loop'fiets *m. en v.* trottinette *f.*
loop'gang *m.* (*sch.*) passavant *m.*
loop'graaf *v.(m.)* tranchée *f.*
loop'graafmortier *m.* crapouillot *m.*
loop'gravenoorlog *m.* guerre *f.* des tranchées.
loo'ping *m.* looping *m.*
loop'je *o.* **1** (*korte loop*) petite course *f.*; **2** (*aanloop*) élan *m.*; **3** (*muz.*) roulade *f.*, trait *m.*; ***met iem. een* — *nemen,*** se moquer de qn., monter un bateau à qn., se payer la tête de qn.; ***allerlei* —*s kennen,*** avoir plus d'un tour dans son sac.
loop'jongen *m.* garçon *m.* de courses, galopin, coursier *m.*; (*v. notaris*) saute-ruisseau *m.*
loop'kever *m.* carabe *m.*
loop'knecht *m.* garçon *m.* de courses.
loop'kraan *v.(m.)* grue *f.* roulante.
loop'lamp *v.(m.)* lampe *f.* portative, — baladeuse.
loop'maar, -mare *v.* (*m.*) bruit *m.* courant, rumeur *f.* publique.
loop'meisje *o.* coursière *f.*, jeune fille *f.* pour les courses.
loop'pas *m.* pas *m.* de course, — gymnastique.
loop'plank *v.(m.)* **1** (*alg.*) planche *f.*; **2** (*v. trein*) marchepied *m.*; **3** (*v. boot*) passerelle *f.*, pont *m.* volant.
loop'richting *v.* (*v. papier*) sens *m.* (de fabrication), — machine.
loops, ***ter* —,** en passant.
loop'tijd *m.* durée *f.* de validité; (*v. wissel*) délai *m*
loop'vlak *o.* surface (*of* bande) *f.* de roulement, chape *f.*; ***een nieuw* — *leggen,*** rechaper.
loop'vogel *m.* (oiseau) coureur *m.*
loop'vuur *o.* traînée *f.* de poudre.
loop'wagen *m.* roulette *f.*, chaise *f.* à roulettes.
loor *v.*, ***te* — *gaan,*** se perdre, disparaître.
loos *b.n.* **1** (*listig*) rusé, malin, fin; **2** (*v. slaap: niet vast*) léger; **3** (*vals*) faux, feint; **4** (*ledig*) vide, creux; **— *alarm,*** fausse alarme; **— *onderwerp,*** (*gram.*) sujet grammatical.
loos'heid *v.* ruse, finesse *f.*
loos'pijp *v.(m.)* tuyau *m.* d'écoulement.
loot *v.(m.)* **1** (*Pl.*) jet, rejeton *m.*; **2** (*afzetsel*) bouture, marcotte *f.*; **3** (*fig.: telg*) rejeton, descendant *m.*
lo'pen I *on.w.* **1** (*gaan*) marcher, aller (à pied); **2** (*snel* —) courir; **3** (*wandelen*) se promener; **4** (*v. vloeistof*) couler; **5** (*v. 't bloed*) circuler; **6** (*v. schip*) filer; **7** (*v. fiets, enz.*) rouler; **8** (*v. werktuigen*) marcher, fonctionner; **9** (*H.: wissel*) être en circulation; **10** (*geldig zijn*) courir; **11** (*zich uitstrekken*) s'étendre, courir; ***in elkaar* —,** (*v. kamers*) communiquer; ***in elkaar* —*de kamers,*** des chambres en enfilade; ***achter* —,** (*v. horloge*) retarder; ***voor* —,** avancer; **— *door,*** passer par, passer à travers, traverser; ***aan de grond* —,** (*sch.*) échouer; toucher le fond; ***achterna* —,** courir après; ***hoog* —,** monter haut; ***in de miljoenen* —,** se monter à des millions; ***evenwijdig* —,** être parallèle; **— *langs,*** passer le long de, longer; ***die weg loopt naar A.,*** cette route mène à A.; ***hij loopt naar de zestig,*** il frise la soixantaine, il va sur les soixante ans; ***naar boven* —,** monter; ***naar beneden* —,** descendre; ***hij loopt op sloffen* (*of klompen*),** il porte des pantoufles (*of* sabots); ***om de dokter* —,** aller chercher (*of* quérir) le médecin; ***over de brug* —,** passer par le pont; ***het loopt tegen tienen,*** il est près de dix heures, il va être dix heures; ***tegen het eind* —,** tirer à sa fin; ***heen en weer* —,** aller et venir, courir çà et là; ***leren* —,** apprendre à marcher; ***met kranten* —,** porter des journaux; ***met 'n meisje* —,** faire la cour à une jeune fille; ***in 't oog* —,** attirer l'attention; ***uit de rails* —,** dérailler; ***op de tenen* —,** marcher sur la pointe du pied; ***ik weet niet hoe het* — *zal,*** je ne sais pas comment les choses tourneront; ***alles loopt verkeerd,*** tout va mal; ***wij hebben nog een uur te* —,** nous en avons encore pour une heure (de marche); ***wij zijn komen* —,** nous sommes venus à pied; ***gaan* —,** se sauver; ***warm* —, 1** (*tn.*) s'échauffer; **2** (*fig.*) s'emballer (pour qc.); **II** *ov.w.*, ***gevaar* —,** courir risque; ***zijn schoenen scheef* —,** tordre ses chaussures, tourner ses souliers; ***zich buiten adem* —,** courir à perte d'haleine; ***zich dood* —,** s'éreinter (à courir), se tuer à force de courir; ***zich in 't zweet* —,** se mettre en sueur (en courant); **III** *z.n., o.* ***het* —,** la marche; ***het op een* — *zetten,*** prendre les jambes à son cou; ***het* — *op de spoorbaan is verboden,*** la circulation sur la voie est défendue.
lo'pend I *b.n.* courant; ***het* — *dienstjaar,*** l'exercice en cours; ***de* —*e maand,*** le mois courant; **— *schrift,*** écriture courante, — cursive; ***als een* — *vuurtje,*** comme une traînée de poudre; ***aan de* —*e band,*** à la chaîne; **— *want,*** (*sch.*) manœuvres *f.pl.* courantes; **II** *bw.* en courant.
lo'per *m.* **1** (*die loopt*) coureur *m.*; **2** (*loopjongen*) garçon *m.* de courses, coursier *m.*; **3** (*bode*) messager *m.*; **4** (*kantoor*—) garçon *m.* de recettes; **5** (*krantenbezorger*) porteur *m.* de journaux; **6** (*v. molen*)

meule *f.* courante; **7** (*sleutel*) passe-partout *m.*; (*om slot open te steken*) rossignol *m.*; **8** (*trap—*) tapis *m.* d'escalier; **9** (*tafel—*) chemin *m.* (de table); **10** (*gang—*) chemin *m.*; **11** (*schaken*) fou *m.*
lor *o. en v.(m.)* **1** chiffon *m.*; loque *f.*, haillon *m.*; **2** (*fig.*) bagatelle *f.*, objet *m.* sans valeur; ***hij weet er geen — van,*** il n'en sait pas un traître mot, — le premier mot.
lord-ma'yor *m.* lord*-maire* *m.*
Loret'to *o.* Lorette *f.*
lorgnet' *v.(m.) en o.* lorgnon; pince-nez *m.*
lork, —eboom *m.* mélèze, larix *m.*
lor're *m.* (*Dk.*) Jacquot *m.*
lor'regoed *o.* camelote *f.*, articles *m.pl.* de pacotille.
lor'renmand *v.(m.)* chiffonnier *m.*
lor'renvrouw *v.* chiffonnière *f.*
lor'rie *v.* lori *m.*
lor'rig *b.n.* de rien, mal fait, sans valeur; ***een — hoedje,*** un chapeau de quatre sous.
lo'rum, ***in de —,*** pris de vin, saoul; ***in de — zijn,*** avoir perdu la boule.
los I *b.n.* **1** (*beweeglijk*) mobile, branlant; **2** (*niet vastgemaakt*) détaché, dégagé; **3** (*v. grond, enz.*) meuble, mouvant; **4** (*ongedwongen: toon, houding*) libre, dégagé; **5** (*losbandig*) déréglé, relâché, léger; **6** (*v. slaap*) léger; **7** (*v. brood*) léger, mou, spongieux; **8** (*muz.: snaar, enz.*) à vide; **9** (*sch.*) largue; **10** (*onbestendig: weer*) inconstant; **11** (*H.*) en vrac; **12** (*tn.*) isolé; **13** (*v. stijl*) dégagé; **14** (*v. wiel, katrol, enz.*) fou; **15** (*v. weefsel*) peu serré; ***—se band,*** (*v. boek*) emboîtage *m.*; — ***blad,*** feuille volante; ***—se bloemen,*** fleurs coupées; ***—geld,*** menue monnaie; — ***haar,*** cheveux flottants; ***—se patroon,*** (*mil.*) cartouche à blanc; ***met — kruit schieten,*** tirer à blanc; ***met —se teugel,*** à bride abattue; ***op —se gronden beweren,*** prétendre sans raisons probantes; — ***weer,*** temps variable, — inconstant; — ***werkman,*** (manœuvre) journalier; **II** *bw.* librement, d'une manière dégagée; légèrement; — ***zitten,*** branler, vaciller; ***erop — leven,*** vivre au jour le jour; ***erop — praten,*** parler à tort et à travers; ***erop — slaan,*** cogner dans le tas, cogner comme un sourd, frapper à tort et à travers; **III** *z.n. m.* (*Dk.*) lynx, loup*-cervier* *m.*
los'baar *b.n.* **1** (*v. rente*) amortissable, rachetable; **2** (*v. pand, effect*) remboursable.
losban'dig *b.n.* déréglé, dissolu, licencieux, débauché.
losban'digheid *v.* dérèglement *m.*, dissolution *f.*, libertinage *m.*, débauche *f.*
los'barsten *on.w.* **1** (*uiteen —*) éclater, crever; **2** (*v. onweer*) éclater, se déchaîner; **3** (*fig.*) éclater.
los'barsting *v.* **1** éclatement *m.*, explosion *f.*; **2** (*v. onweer*) décharge *f.*; **3** (*fig.*) éclat *m.*, explosion *f.*
los'binden *ov.w.* délier, dénouer.
los'bladig *b.n.* **1** (*v. boek, enz.*) à feuillets mobiles; **2** (*Pl.*) dialypétale.
los'bol *m.* noceur, bambocheur, libertin *m.*
los'branden I *ov.w.* décharger; **II** *on.w.* se décharger.
los'branding *v.* décharge, salve *f.*
los'breken I *ov.w.* détacher, briser; **II** *on.w.* **1** (*v. onweer, gramschap*) éclater; **2** (*v. hond, enz.*) se détacher; **3** (*ontsnappen*) s'évader.
los'brokkelen *on.w.* se détacher.
los'dag *m.* (*sch.*) jour *m.* de décharge.
los'doen *ov.w.* détacher, défaire.
los'draaien *ov.w.* **1** (*losschroeven*) dévisser; **2** (*rem*) débloquer; **3** (*kraan*) lâcher, ouvrir; **4** (*losmaken*) desserrer.
los- en laadhoofd *o.* jetée *f.* de chargement.
los'gaan *on.w.* **1** (*wat geplakt was*) se détacher, se défaire; **2** (*genaaid*) se découdre; **3** (*gespijkerd*) se déclouer; **4** (*knoop*) se dénouer; **5** (*gesp*) se déboucler; **6** (*v. ijs: kruien*) se débâcler; **7** (*soldeer*) se dessouder; **8** (*sch.*) larguer; ***op iem. —,*** fondre sur qn., attaquer qn.
los'geld *o.* rançon *f.*
los'gespen *ov.w.* déboucler.
los'gooien *ov.w.* (*sch.*) démarrer; (*zeil*) larguer (les voiles, les amarres). [dételer.
los'haken *ov.w.* **1** dégrafer, décrocher; **2** (*v. wagon*)
los'hangen *on.w.* être détaché, flotter en l'air; ***—d haar,*** cheveux flottants, — défaits, — au vent, — épars.
los'heid *v.* **1** (*beweeglijkheid*) mobilité; légèreté *f.*; **2** (*losbandigheid*) libertinage *m.*; **3** (*v. houding*) désinvolture *f.*; **4** (*v. manieren*) aisance *f.*; **5** (*v. weefsel*) laxité, légèreté *f.*; **6** (*v. stijl*) facilité *f.*
los'hoofd *m.-v.* écervelé, étourdi *m.*, tête *f.* de linotte.
loshoof'dig *b.n.* écervelé, étourdi.
los'jes *bw.* légèrement, avec souplesse; — ***heenlopen over,*** glisser sur, effleurer.
los'knippen *ov.w.* défaire à coups de ciseaux.
los'knopen *ov.w.* **1** (*kleren*) déboutonner; **2** (*v. touw, enz.*) dénouer; défaire.
los'komen *on.w.* **1** se dégager, se délivrer; **2** (*ontsnappen*) échapper; **3** (*uit gevangenis ontslagen*) être mis en liberté, être élargi; **4** (*mil.*) se déclencher; **5** (*v. vl.*) décoller; **6** (*fig.*) quitter sa réserve; **7** (*sp.*) être déchaîné.
los'kopen *ov.w.* racheter, payer la rançon de.
los'koping *v.* rachat, rançonnement *m.*
los'koppelen *ov.w.* découpler; (*tn.*) débrayer.
los'kraan *v.(m.)* grue *f.*
los'krijgen *ov.w.* **1** (parvenir à) détacher, défaire; **2** (*fig.*) obtenir (qc. de qn.).
los'laten I *ov.w.* **1** (*niet meer vasthouden*) lâcher; **2** (*in vrijheid stellen*) relâcher, libérer, élargir; **3** (*plan*) abandonner; ***niets —,*** (*fig.*) ne rien lâcher, avoir la bouche cousue; **II** *on.w.* **1** se détacher, se décoller; **2** (*wat men vast heeft*) lâcher prise.
los'lating *v.* élargissement *m.*
loslip'pig *b.n.* peu discret, indiscret.
loslip'pigheid *v.* intempérance *f.* de langue, manque *m.* de retenue.
los'loon *o.* (*sch.*) frais *m.pl.* de déchargement.
los'lopen *on.w.* (*v. dier*) être détaché; ***dat zal wel —,*** cela s'arrangera; ***dat is te gek om los te lopen,*** c'est par trop bête.
los'lopend *b.n.* (*Dk.*) errant.
los'maken I *ov.w.* **1** (*touw*) dénouer; **2** (*knoop*) défaire; **3** (*kleren*) déboutonner; **4** (*hond*) détacher; **5** (*v. boeien, bevrijden*) délier, dégager; **6** (*zeilen*) déferler; **II** *w.w.,* ***zich —,*** se dégager, se détacher.
los'making *v.* détachement; dégagement *m.*
los'peuteren *ov.w.* défaire péniblement.
los'plaats *v.(m.)* débarcadère *m.*
los'prijs *m.* rançon *f.*
los'raken *on.w.* **1** se détacher, se dégager; **2** (*sch.*) se remettre à flot.
los'rijgen *ov.w.* délacer.
los'rukken I *ov.w.* arracher; ***op de vijand —,*** marcher sur l'ennemi; **II** *w.w.* ***zich —,*** s'arracher.
löss *v.(m.)* lœss *m.*, éolien *m.* [se séparer.
los'scheuren I *ov.w.* arracher; **II** *w.w.* ***zich —,***
los'schieten *on.w.* se détacher.
los'schroeven *ov.w.* dévisser.
los'sen *ov.w.* **1** (*boot, wagon, goederen*) décharger; **2** (*hout*) débarder; **3** (*schot*) tirer, lâcher, décharger; **4** (*pand*) dégager, retirer.

los'ser *m.* déchargeur; débardeur *m.*
los'sing *v.* déchargement, débarquement *m.*; débardage *m.*; dégagement *m.*
los'snijden *ov.w.* couper, détacher.
los'spelden *ov.w.* enlever les épingles de, dépingler.
los'springen *on.w.* se détacher; sauter, éclater.
los'stormen *on.w.*, ***— op,*** s'élancer sur.
los'tijd *m.* délai *m.* de décharge.
los'tornen *ov.w.* découdre.
los'trekken *ov.w.* détacher, arracher.
los'weken I *ov.w.* décoller, détacher (en trempant); **II** *on.w.* se détacher, se décoller.
los'werken I *ov.w.* détacher (à force de travail, à force d'efforts); **II** *w.w.*, ***zich —,*** se dégager, s'arracher.
los'wringen I *ov.w.* détacher, arracher; **II** *w.w.*, ***zich —,*** se dégager.
loszin'nig *b.n.* léger.
los'zitten *on.w.* branler; vaciller; (*v. hoef*) locher.
lot *o.* **1** (*levenslot*) sort *m.*; fortune *f.*; **2** (*noodlot*) destin *m.*, destinée *f.*; **3** (*v. loterij*) billet *m.* de loterie; **4** (*prijs*) lot *m.*; **5** (*Pl.: loot*) pousse *f.*, rejeton *m.*; ***het — is geworpen,*** le sort en est jeté; ***het hoogste — trekken,*** gagner le gros lot; ***aan zijn — overlaten,*** abandonner.
lo'teling *m.* conscrit *m.*
lo'ten I *on.w.* **1** tirer au sort; **2** (*mil.*) tirer à la conscription; ***er in —,*** tirer un mauvais numéro; (***zich***) ***vrij —,*** tirer un bon numéro; **II** *z.n.*, ***het —,*** le tirage au sort.
lo'tenlening *v.* emprunt *m.* à primes.
loterij' *v.* loterie *f.*; ***in de — spelen,*** mettre (*of* jouer) à la loterie.
loterij'briefje *o.* billet *m.* de loterie.
loterij'kantoor *o.* bureau *m.* de loterie.
loterij'lijst *v.(m.)* liste *f.* du tirage.
loterij'trekking *v.* tirage *m.*
lot'genoot *m.* (*goed*) compagnon *m.* de fortune; (*slecht*) — d'infortune.
lot'geval *o.* aventure *f.*
Lo'tharingen *o.* la Lorraine.
Lo'tharinger *m.* Lorrain *m.*
Lo'tharings *b.n.* lorrain.
Lotha'rius *m.* Lothaire *m.*
lo'ting *v.* **1** tirage *m.* au sort; **2** (*mil.*) conscription *f.*; ***bij —,*** par le sort, par voie du sort.
Lot'je *o. en v.* Charlotte *f.*; ***hij is van — getikt,*** il est toqué.
lots'bestemming *v.* destinées *f.pl.*
lots'verbetering *v.* amélioration *f.* de sa condition, — du (*of* de son) sort.
lots'verbondenheid *v.* solidarité *f.*; unité *f.* de [fortune.
lots'wisseling *v.* vicissitude *f.*
lot'to (spel) *o.* (jeu de) loto *m.*
lo'tus *m.* lotus *m.*
lo'tusachtig *b.n.* loté.
lo'tusboom *m.* alisier *m.*
loupe, loep *v.(m.)* loupe *v.*
lou'ter *b.n.* **1** (*zuiver*) pur, fin; **2** (*niets dan*) ne... que, rien que; ***dat is — geluk,*** c'est un pur hasard; ***de —e waarheid,*** la vérité toute pure; ***— leugens,*** un tissu de mensonges.
lou'teren *ov.w.* **1** affiner; **2** (*fig.*) épurer, purifier.
lou'tering *v.* **1** affinage *m.*, épuration *f.*; **2** (*fig.*) épurement *m.*, purification, catharsis *f.*
louw'maand *v.(m.)* (mois de) janvier *m.*
lo'ven I *ov.w.* **1** (*verheerlijken*) chanter les louanges de, glorifier; **2** (*prijzen*) louer; **II** *on.w.*, ***— en bieden,*** marchander.
lo'ver *o.* feuillage *m.*, verdure *f.*
lo'verdak *o.* toit *m.* de feuillage (*of* de verdure), voûte *f.* de verdure.
lo'vertje *o.* paillette *f.*
loyaal' I *b.n.* loyal; **II** *bw.* loyalement.
loyaliteit' *v.* loyauté *f.*
lo'zen *ov.w.* **1** (*water*) lâcher, décharger; évacuer; (*zucht*) pousser; **2** (*fig.*) se défaire de; (*fam.*) semer.
lo'zing *v.* décharge, évacuation *f.*
lub'ben I *ov.w.* châtrer; **II** *o.* castration *f.*
Lu'cas *m.* Luc *m.*; ***het evangelie van —,*** l'évangile selon saint Luc.
Luc'ca Lucques.
lucht *v.(m.)* **1** air *m.*; **2** (*dampkring*) atmosphère *f.*; **3** (*uitspansel*) ciel *m.*; **4** (*wolkgevaarte*) nuage *m.*, nuée *f.*; **5** (*reuk*) odeur *f.*; arome *m.*; ***in de open —,*** en plein air, au grand air; ***door de —,*** à travers l'air; par la voie des airs; ***verandering van —,*** changement d'air, — de climat; ***een gat in de — slaan,*** tomber des nues; ***in de — springen, — vliegen,*** sauter; ***uit de lucht gegrepen,*** inventé de toutes pièces, dénué de fondement; ***in de — hangen,*** être dans l'air; ***— geven aan,*** épancher, exhaler; ***de — krijgen van iets,*** avoir vent de qc.; ***van de — leven,*** vivre de l'air du temps; ***zijn hart — geven,*** épancher son cœur; ***de — doorklieven,*** fendre les airs.
lucht'aanval *m.* (*mil.*) attaque *f.* aérienne, raid *m.* aérien.
lucht'acrobatie, -akrobatie *v.* acrobatie *f.* de l'air, — aérienne.
lucht'afweer *m.* défense *f.* aérienne, — contre avions.
lucht'afweergeschut *o.* artillerie *f.* antiaérienne.
lucht'akrobatie, *zie* ***luchtacrobatie.***
lucht'alarm *o.* alerte *f.* (aérienne).
lucht'bad *o.* bain *m.* d'air.
lucht'ballon *m.* ballon, aérostat *m.*
lucht'band *m.* chambre *f.* à air, pneu *m.*
lucht'basis *v.* base *f.* aérienne.
lucht'bed *o.* matelas *m.* pneumatique.
lucht'bel *v.(m.)* bulle *f.* d'air.
lucht'belwaterpas *o.* niveau *m.* à bulle d'air.
lucht'bescherming *v.* défense *f.* antiaérienne,— passive.
lucht'blaas *v.(m.)* **1** (*luchtbel*) bulle *f.* d'air; **2** (*in glas*) bouillon *m.*; **3** (*Dk.*) vessie *f.* à air.
lucht'bol, *zie* ***luchtballon.***
lucht'bom *v.(m.)* (*mil.*) bombe *f.* aérienne.
lucht'bombardement *o.* bombardement *m.* aérien.
lucht'brug *v.(m.)* **1** pont *m.* aérien, corridor *m.* —; **2** (*boven spoor*) passerelle *f.*
lucht'buis *v.(m.)* **1** (*in huis, enz.*) tuyau *m.* à air, — d'aérage; **2** (*Dk.*) trachée *f.*
lucht'cartering, *zie* ***luchtkartering.***
lucht'dek *o.* matelas *m.* d'air.
lucht'dicht I *b.n.* hermétique; **II** *bw.* ***— gesloten,*** hermétiquement fermé.
luchtdicht'heid *v.* densité *f.* de l'air.
lucht'dienst *m.* service *m.* postal aérien.
lucht'doelartillerie *v.* artillerie *f.* antiaérienne.
lucht'doop *m.* baptême *m.* de l'air.
lucht'druk *m.*, **lucht'drukking** *v.* pression *f.* atmosphérique.
lucht'drukmeter *m.* manomètre *m.*
lucht'drukrem *v.(m.)* frein *m.* à vide, — pneumatique, — à air comprimé.
luch'ten I *ov.w.* **1** (*v. plaats*) aérer, renouveler l'air de (*of* dans); **2** (*v. kleren, enz.*) éventer, exposer à l'air; **3** (*fig.: kennis, enz.*) faire étalage de, afficher; (*smart, spijt, enz.*) exhaler; (*z'n hart*) épancher, décharger; ***iem. niet kunnen — (of zien),*** ne (pas) pouvoir sentir (*of* souffrir) qn., je ne peux le voir même en peinture.

luch'ter *m.* candélabre *m.*
lucht'eskader *o.* escadrille *f.* d'avions.
lucht'foto *v.(m.)* vue *f.* aérienne; photographie *f.* aérienne.
lucht'gat *o.* **1** (*in kelder*) soupirail *m.*; **2** (*in schoorsteen, dek v. schip*) ventouse *f.*
lucht'geest *m.* esprit *m.* aérien, sylphe *m.*
lucht'gekoeld *b.n.* à refroidissement par air.
lucht'gesteldheid *v.* climat *m.*
lucht'gevecht *o.* combat *m.* aérien.
luchthar'tig *b.n.* insouciant, léger.
luchthar'tigheid *v.* insouciance, légèreté *f.*
lucht'haven *v.(m.)* aéroport *m.*, port *m.* aérien.
luch'tig *b.n.* **1** (*fris, open*) frais, aéré; **2** (*v. kleren, muziek*) léger; **3** (*v. voedsel*) léger, facile à digérer; **4** (*los*) libre; **5** (*opgewekt*) gai, enjoué.
luch'tigheid *v.* fraîcheur *f.*; légèreté *f.*; gaîté *f.*
luch'ting *v.* aération *f.*
lucht'inlaat *m.* prise *f.* d'air.
lucht'inlaatklep *v.(m.)* soupape *f.* d'admission.
lucht'je *o.* **1** (*wind*) souffle *m.*, vent *m.* léger; **2** (*geur, reuk*) odeur *f.*; ***een — scheppen,*** prendre l'air; ***er is een — aan,*** **1** cela sent mauvais; **2** (*fig.*) il y a là qc. de louche.
lucht'kabel *m.* câble *m.* aérien.
lucht'kartering, -cartering *v.* cartographie *f* aérienne.
lucht'kasteel *o.* château *m.* en Espagne, chimère *f.*
lucht'klep *v.(m.)* soupape *f.* (à air).
lucht'koeling *v.* refroidissement *m.* par air.
lucht'koker *m.* **1** cheminée *f.* d'aérage; **2** (*in mijn*) puits *m.* d'aérage; **3** (*op schip*) bouche *f.* à air.
lucht'krabber *m.* gratte-ciel *m.*
lucht'kussen *o.* coussin *m.* à air.
lucht'kuur *v.(m.)* cure *f.* d'air.
lucht'laag *v.(m.)* couche *f.* d'air.
lucht'landingstroepen *mv.* troupes *f.pl.* aéroportées.
luchtle'dig *b.n.* vide; ***het —e,*** le vide.
lucht'leiding *v.* **1** ligne *f.* aérienne; **2** traction *f.* aérienne.
lucht'lijn *v.(m.)* (*vl.*) ligne *f.* aérienne.
lucht'macht *v.(m.)* forces *f.pl.* aériennes.
lucht'matras *v.(m.)* *en o.* matelas *m.* pneumatique.
lucht'meter *m.* aéromètre *m.*
lucht'mijn *v.(m.)* mine *f.* aérienne.
lucht'motor *m.* aéromoteur *m.*
lucht'net *o.* réseau *m.* aérien.
lucht'oorlog *m.* guerre *f.* aérienne.
lucht'perspomp *v.(m.)* compresseur *m.* (d'air).
lucht'pijp *v.(m.)* **1** trachée*-artère* *f.*; **2** (*bij werktuigen, enz.*) tuyau *m.* à air.
lucht'pijpontsteking *v.* trachéite, bronchite *f.*
lucht'pijptak *m.* bronche *f.*; ***ontsteking der —ken,*** bronchite *f.*
lucht'pomp *v.(m.)* **1** (*nat.*) machine *f.* pneumatique; **2** (*v. auto's, enz.*) pompe *f.* à air.
lucht'post *v.(m.)* poste *f.* aérienne; ***per —,*** par avion.
lucht'postblad *o.* aérogramme *m.*
lucht'postpapier *o.* papier *m.* avion, — pelure.
lucht'postzegel *m.* timbre*-avion *m.*
lucht'raid *m.* raid *m.* aérien.
lucht'ramp *v.(m.)* catastrophe *f.* aérienne.
lucht'recht *o.* **1** port *m.* pour la poste aérienne, — aéropostal; **2** droit *m.* de l'air.
lucht'reclame, -reklame *v.(m.)* réclame (*of* publicité) *f.* aérienne.
lucht'reinigend *b.n.* désodorisant.
lucht'reis *v.(m.)* voyage *m.* aérien.
lucht'reiziger *m.* **1** aéronaute *m.*; **2** passager *m.* (d'avion).
lucht'reklame, *zie* ***luchtreclame.***
lucht'rem *v.(m.)* frein *m.* à air (comprimé).
lucht'ruim *o.* atmosphère *f.*
lucht'scheepvaart *v.(m.)* navigation *f.* aérienne, aérostation *f.*
lucht'schip *o.* aéronef, dirigeable, aérostat *m.*
lucht'schipper *m.* **1** aéronaute *m.*; **2** (*v. vliegtuig*) aviateur *m.*
lucht'schroef *v.(m.)* vis *m.* à air; vis *m.* d'Archimède.
lucht'schuw *b.n.* aérophobe.
lucht'spiegeling *v.* mirage *m.*; fantasmagorie *f.*
lucht'sprong *m.* gambade, cabriole *f.*, entrechat, saut *m.* (en l'air).
lucht'steen *m.* aérolithe *m.*
lucht'storingen *mv.* perturbations *f.pl.* atmosphériques.
lucht'streek *v.(m.)* **1** région *f.* atmosphérique; **2** (*aardr.*) zone *f.*; **3** (*klimaat*) climat *m.*; ***de hete —,*** la zone torride; ***de koude —,*** la zone glaciale.
lucht'strijdkrachten *mv.* forces *f.pl.* aériennes.
lucht'stroom *m.* courant *m.* d'air.
lucht'tanken I *on.w.* ravitailler en vol; **II** *o.* ravitaillement *m.* en vol.
lucht'taxi *m.* avion *m.* taxi, taxi-*avion* *m.*
lucht'toevoer *m.* **1** aération *f.*; **2** (*tn.*) appel *m.* d'air, prise *f.* d'air.
lucht'torpedo *v.(m.)* torpille *f.* aérienne.
lucht'trilling *v.* vibration *f.* de l'air, — aérienne.
lucht'vaart *v.(m.)* navigation *f.* aérienne, aviation, aéronautique *f.*
lucht'vaartclub , -klub *v.(m.)* aéro-club* *m.*
lucht'vaartdienst *m.* service *m.* aérien.
lucht'vaartindustrie *v.* industrie *f.* aéronautique.
lucht'vaartklub, *zie* ***luchtvaartclub.***
lucht'vaartmaatschappij *v.* compagnie *f.* de navigation aérienne, — aéronautique.
lucht'vaartschool *v.(m.)* école *f.* d'aviation.
lucht'vaartstation *o.* poste *m.* aérien, — d'aviation.
lucht'veiligheid *v.* sécurité *f.* aérienne.
lucht'verbinding *v.* liaison *f.* aérienne.
lucht'verdediging *v.* défense *f.* aérienne.
lucht'verdunning *v.* raréfaction *f.* de l'air.
lucht'verkeer *o.* trafic *m.* aérien, navigation *f.* aérienne.
lucht'verkenning *v.* reconnaissance *f.* par avion.
lucht'verschijnsel *o.* météore *m.*, phénomène *m.* atmosphérique.
lucht'verversing *v.* aération, ventilation *f.*
lucht'vervoer *o.* transport *m.* aérien.
lucht'verzekering *v.* assurance *f.* des transports aériens.
lucht'vloot *v.(m.)* flotte *f.* aérienne.
lucht'vormig *b.n.* aériforme.
luchtwaar'dig *b.n.* capable de tenir l'air; navigable.
luchtwaar'digheid *v.* navigabilité *f.*
lucht'wachtdienst *m.* service *m.* de guet.
lucht'wapen *o.* aviation *f.* (militaire).
lucht'weg *m.* **1** (*v. ademhaling*) voie *f.* respiratoire; **2** (*v. luchtvaartuig*) voie *f.* aérienne.
lucht'wortel *m.* (*Pl.*) racine *f.* aérienne.
lucht'zeemacht *v.(m.)* forces *f.pl.* aéronavales.
lucht'ziek *b.n.* ayant le mal de l'air.
lucht'ziekte *v.* mal *m.* de l'air.
Lu'cia *v.* Lucie *f.*
Lu'cifer *m.* Lucifer *m.*
lu'cifer *m.* allumette *f.*
lu'cifersdoosje *o.* boîte *f.* à allumettes.
lu'ciferstandaard *m.* porte-allumettes *m.*
Lucre'tia *v.* Lucrèce *f.*
Lucul'lus *m.* Luculle *m.*
lucul'lisch *b.n.* lucullesque.

lui I *b.n.* 1 paresseux, fainéant; 2 (*H.*) mou; **II** *bw.* paresseusement; **III** *z.n. mv.* gens *m.pl.*, personnes *f.pl.*
lui'aard *m.* 1 paresseux, fainéant *m.*; 2 (*Dk.*) paresseux, aï *m.*
lui'bakken *on.w.* (*fam.*) faire le paresseux, fainéanter.
luid I *b.n.* 1 (*v. stem*) haut; 2 (*v. lach*) bruyant; **II** *bw.* à haute voix; — ***spreken,*** parler haut.
lui'den I *ov.w.* 1 (*klok*) sonner; 2 (*bel*) agiter; **II** *on.w.* 1 (*klinken*) sonner; 2 (*v. woorden*) porter, être conçu en ces termes; ***zijn antwoord luidt ongunstig,*** sa réponse n'est pas favorable; **III** *z.n. mv.* gens *m.pl.*
lui'dens *vz.* selon, suivant.
lui'der *m.* sonneur *m.*
luid'keels *bw.* 1 à haute voix; 2 (*schreeuwen*) à tue-tête; 3 (*lachen*) aux éclats, à gorge déployée.
luidruch'tig *b.n.* bruyant.
luidruch'tigheid *v.* joie *f.* bruyante.
luid'spreker *m.* haut-parleur* *m.*
lui'er *v.*(*m.*) lange *m.*, couche *f.*
lui'erbroekje *o.* couche*-culotte* *f.*
lui'eren *on.w.* paresser, faire le paresseux, fainéanter.
lui'ermand *v.*(*m.*) layette *f.*
lui'erstoel *m.* chaise *f.* longue.
lui'fel *v.*(*m.*) 1 (*v. huis*) auvent *m.*; 2 (*v. hoed*) passe *f.*
lui'heid *v.* paresse *f.*; — ***is des duivels oorkussen,*** l'oisiveté est mère de tous les vices.
Luik *o.* Liège *f.*
luik *o.* 1 (*v. venster*) volet, contrevent *m.*; 2 (*valluik*) trappe *f.*; 3 (*sch.*) écoutille *f.*
Lui'kenaar *m.* Liégeois *m.*
Lui'ker *b.n.* liégeois, de Liège.
luik'gat *o.* (*sch.*) écoutille *f.*
lui'klok *v.*(*m.*) bourdon *m.*
Luik'se *o.*, ***het —,*** le pays de Liège.
lui'lak *m.* (*fam.*) paresseux, flemmard, flémard *m.*
lui'lakken *on.w.* paresser, fainéanter, battre sa flemme.
luilek'kerland *o.* pays *m.* de cocagne.
luim *v.*(*m.*) 1 (*gemoedsgesteldheid*) humeur *f.*; 2 (*gril*) caprice *m.*, fantaisie *f.*; 3 (*humor*) humour *m.*; 4 (*aardige inval*) saillie *f.*
lui'mig I *b.n.* 1 (*grillig*) capricieux, plein d'humeur; 2 (*grappig*) comique, plaisant, humoristique.
lui'migheid *v.* 1 humeur *f.* capricieuse, — variable; 2 humour, esprit *m.* (plaisant).
lui'paard *m.* léopard *m.*
luis *v.*(*m.*) pou *m.*
luis'ter *m.* éclat *m.*, splendeur *f.*
luis'teraar *m.* 1 écouteur *m.*; 2 (*v. radio*) auditeur *m.*
luis'terapparaat *o.* 1 appareil *m.* d'écoute; 2 détecteur *m.*
luis'terbijdrage *v.*(*m.*) taxe *f.* radiophonique.
luis'teren *on.w.* 1 écouter; prêter l'oreille à; (*tel.*) être à l'écoute; 2 obéir; ***staan —,*** être aux écoutes; ***naar iemands raad —,*** écouter les conseils de qn., se rendre à l'avis de qn.; ***naar 't roer —,*** obéir au gouvernail, répondre —; ***dat toestel luistert nauw,*** cet appareil est très sensible.
luis'tergeld *o.* redevance (*of* taxe) *f.* radiophonique.
luis'terpost *m.* (*mil.*) poste *m.* d'écoute.
luis'terrijk *b.n.* éclatant, brillant, magnifique, splendide.
luis'tervergunning *v.* permis *m.* d'écoute.
luis'tervink *m. en v.* 1 écouteur *m.* indiscret; 2 auditeur, sans-filiste* *m.*
luis'tervinken *on.w.* être aux écoutes, écouter (aux portes).
luis'terzuster *v.* (*in klooster*) sœur *f.* écoute.
luit *v.*(*m.*) luth *m.*
lui'tenant *m.* lieutenant *m.*; ***tweede —,*** sous-lieutenant* *m.*; ***—-ter-zee 1e klasse,*** lieutenant de vaisseau; ***—-ter-zee 2e klasse,*** enseigne *m.* de vaisseau.
lui'tenant-admiraal *m.* vice-amiral* *m.*
lui'tenant-generaal *m.* général *m.* de division.
lui'tenant-kolonel *m.* lieutenant*-colonel* *m.*
lui'tenant-kwartiermeester *m.* lieutenant *m.* d'intendance.
lui'tenant-ter-zee, *zie* ***luitenant.***
luit'maker *m.* luthier *m.*
luit'spel *o.* jeu *m.* de luth.
luit'speler *m.* joueur *m.* de luth.
lui'wagen *m.* frottoir *m.*
lui'wammes *m.* paresseux, fainéant *m.*
lui'zen *ov.w.* épouiller.
lui'zenbos *m.* pouilleux *m.*
lui'zenkam *m.* délentoir *m.*, peigne *m.* fin.
lui'zenmarkt *v.*(*m.*) marché *m.* aux puces, les Puces.
luk'ken *on.w.* réussir.
luk'raak *bw.* au petit bonheur.
lum'mel *m.* 1 (*sul*) niais, nigaud, dadais *m.*; 2 (*lomperd*) lourdaud, manant *m.*
lum'melachtig *b.n.* 1 niais, nigaud; 2 lourd, grossier.
lum'melachtigheid *v.* nigauderie; grossièreté *f.*
lum'melen *on.w.* fainéanter, flâner.
lu'napark *o.* parc *m.* d'attractions.
lunch *m.* déjeuner, lunch *m.*; ***warme —,*** déjeuner *m.* dînatoire.
lun'chen *on.w.* faire un lunch, luncher.
lunch'pakket *o.* panier-froid, panier-repas *m.*; paquet *m.* déjeuner.
lunch'room *m.* crémerie*-restaurant* *f.*, restaurant*-crémerie* *m.*
lunet' *v.*(*m.*) 1 (*v. paard*) œillère *f.*; 2 (*mil.*) lunette *f.*
lu'nik *m.* lounik *m.*
luns *v.*(*m.*) esse *f.*
lupi'ne *v.*(*m.*) (*Pl.*) lupin *m.*
lu'pus *m.* (*gen.*) lupus *m.*
lu'ren, ***in de — leggen,*** embobiner qn., mettre qn. dedans.
lurf *v.* pan *m.*; ***iem. bij de lurven pakken,*** prendre qn. au collet.
lur'ken *on.w.* suçoter, siroter, boire à petits coups.
lus *v.*(*m.*) ganse *f.*; nœud *m.*
lust *m.* 1 (*begeerte, verlangen*) envie *f.*, désir, goût *m.*; 2 (*vreugde*) joie *f.*; 3 (*genot*) plaisir, délice *m.*; 4 (*hartstocht*) passion *f.*; ***het is een — om dat te zien,*** cela fait plaisir à voir; ***ik krijg — om,*** l'envie me prend de; ***als u er — in hebt,*** si le cœur vous en dit; ***ik heb er geen — in,*** je n'en ai pas envie; ***het is zijn — en zijn leven,*** c'est toute sa vie.
lus'teloos I *b.n.* 1 apathique; indolent; 2 (*H.*) lourd, mou; **II** *bw.* apathiquement, sans envie.
lus'teloosheid *v.* 1 apathie, indolence *f.*; 2 (*H.*) lourdeur, torpeur *f.*
lus'ten I *on.w.* avoir envie de; ***hij zal ervan —,*** il lui en cuira; **II** *ov.w.* aimer, trouver à son goût; ***liever —,*** préférer, aimer mieux; ***hij lust geen kaas,*** il n'aime pas le fromage; ***eten zoveel men lust,*** manger à son appétit.
lus'ter *m.* lustre *m.*
lust'hof *m.* jardin *m.* de plaisance.
lust'huis *o.* maison *f.* de plaisance, — de campagne, villa *f.*
lus'tig I *b.n.* gai, joyeux, enjoué; **II** *bw.* gaîment, joyeusement.
lus'tigheid *v.* gaîté *f.*
lust'moord *m. en v.* meurtre *m.* sadique, crime (*of* meurtre) *m.* crapuleux.
lust'moordenaar *m.* assassin *m.* sadique.
lust'oord *o.* 1 lieu *m.* de plaisance; 2 (*fig.*) paradis *m.*

lust'prieel *o.* pavillon, berceau *m.*
lus'tre *o.* lustrine *f.*
lus'trum *o.* lustre *m.*
lust'slot *o.* château *m.* de plaisance.
lust'warande *v.(m.)* parc *m.* de plaisance.
Lute'tia *v.* Lutèce *f.*
lutheraan' *m.* luthérien *m.*
lu'thers *b.n.* luthérien.
lut'tel I *b.n.* petit, mince, chétif; **II** *bw.* peu.
luur *v.(m.)* lange *m.*, couche *f.*; ***iem. in de luren leggen,*** mettre qn. dedans, duper qn.
luw *b.n.* à l'abri du vent, sous le vent.
lu'wen *on.w.* s'apaiser, tomber.
luw'te *v.* abri *m.*, lieu *m.* abrité, lieu à l'abri du vent.
lu'xe *m.* luxe *m.*
lu'xeartikel *o.* article *m.* de luxe, — de Paris.
lu'xebrood *o.* pain *m.* de fantaisie.
lu'xehotel *o.* palace *m.*
Lu'xemburg *o.* le Luxembourg.
Lu'xemburger *m.* Luxembourgeois *m.*
Lu'xemburgs *b.n.* luxembourgeois.
lu'xepaard *o.* cheval *m.* d'agrément.
lu'xewagen *m.* voiture *f.* de luxe.
Luzern' *o.* Lucerne *m.*
luzer'ne(klaver) *v.(m.)* *(Pl.)* luzerne *f.*
Luzon' *o.* Luçon *m.*
lyce'um *o.* lycée *m.*
Lycur'gus *m.* Lycurgue *m.*
Ly'dië *o.* la Lydie.
Ly'diër *m.* Lydien *m.*
lymfa'tisch *b.n.* lymphatique.
lym'f(e) *v.(m.)* lymphe *f.*
lym'f(e)klier *v.(m.)* ganglion *m.* lymphatique.
lym'f(e)vaten *mv.* vaisseaux *m.pl.* lymphatiques.
lyn'chen I *ov.w.* lyncher; **II** *z.n., o.* lynchage *m.*
lynch'wet *v.(m.)* loi *f.* de Lynch.
lynx *m.* *(Dk.)* lynx, loup*-cervier*, chat*-cervier* *m.*
lynx'ogen *mv.* yeux *m.pl.* de lynx.
lyriek' *v.* lyrisme *m.*
ly'risch *b.n.* lyrique.
lyris'me *o.* lyrisme *m.*
Lysem *o.* Lincent.
lysol' *o. en m.* lysol *m.*

M

m *v.(m.)* m *f.*
ma *v.* maman *f.*
maag I *v.(m.)* estomac *m.*; ***een zwakke —,*** un mauvais estomac; ***een lege —,*** un estomac creux, — vide; ***een slechte —,*** un estomac délabré, un mauvais estomac; ***dat ligt zwaar op de —,*** cela reste (*of* pèse) sur l'estomac; ***daar zit ik mee in mijn —,*** je ne sais qu'en faire, je ne sais comment m'en débarrasser, cela me reste pour compte; ***iem. iets in de — stoppen,*** coller qc. à qn.; **II** *m.-v.* *(bloedverwant)* parent *m.*, —e *f.*
maag'bitter *o.* élixir *m.* stomachique.
maag'bloeding *v.* gastrorragie *f.* [l'estomac.
maag'catarre, -katar *v.(m.)* catarrhe *m.* de
maagd *v.* vierge *f.*; ***de Heilige M—,*** la sainte Vierge; ***de M— van Orleans,*** la Pucelle d'Orléans; ***Vestaalse —,*** vestale *f.*
maag'delijk *b.n.* virginal; ***—e sneeuw,*** neige vierge, neige immaculée; ***— woud,*** forêt vierge.
maag'delijkheid *v.* virginité *f.*
maag'denblos *m.* rougeur *f.* virginale, rouge *m.* de la pudeur.
Maag'denburg *o.* Magdebourg *m.*
Maag'denburger *b.n.* de Magdebourg.
maag'denhoni(n)g *m.* miel *m.* vierge.
maag'denolie *v.(m.)* huile *f.* d'olive vierge.
maag'denpalm *m.* *(Pl.)* pervenche *f.*
maag'denpeer *v.(m.)* demoiselle *f.*
maag'denrei *m.* chœur *m.* de vierges.
maag'denroof *m.* enlèvement, rapt *m.*; ***de Sabijnse —,*** l'enlèvement des Sabines.
maag'denwas *m. en o.* cire *f.* vierge.
maag'dom *m.* virginité *f.*
maag'douche *v.(m.)* lavage *m.* de l'estomac.
maag'elixer, -elixir *o.* élixir *m.* stomachique.
maag'hevel *m.* sonde *f.* stomacale.
maag'hoest *m.* toux *f.* hystérique.
maag'holte *v.* creux *m.* de l'estomac.
maag'kanker *m.* cancer *m.* de l'estomac.
maag'katar, *zie* ***maagcatarre.***
maag'kramp *v.* *(m.)* crampe(s) *f.(pl.)* d'estomac, spasme *m.* gastrique.
maag'kuil *m.*creux *m.* de l'estomac.
maag'kwaal *v.(m.)* maladie *f.* (chronique) de l'estomac; ***hij heeft een —,*** il souffre de l'estomac.
maag'lijder *m.* gastropathe *m.*, personne *f.* qui souffre de l'estomac.
maag'middel *o.* (remède) stomachique *m.*
maag'ontsteking *v.* gastrite *f.*
maag'operatie *v.* gastrotomie *f.*
maag'pijn *v.(m.)* douleur *f.* d'estomac, gastralgie *f.*
maag'poeder, -poeier *o. en m.* poudre *f.* stomachique.
maag'sap *o.* suc *m.* gastrique.
maag'schap *o. en v.* parenté *f.*
maag'sterkend *b.n.* stomachique, stomacal.
maag'streek *v.(m.)* épigastre *m.*, région *f.* épigastrique.
maag'zenuw *v.(m.)* nerf *m.* gastrique.
maag'ziekte *v.* maladie *f.* d'estomac, — gastrique.
maag'zuur *o.* **1** *(sap)* suc *m.* gastrique; **2** *(gen.)* aigreurs *f.pl.*, aigrure *f.*
maag'zweer *v.(m.)* ulcère *m.* d'estomac.
maai'binder *m.* moissonneuse*-lieuse* *f.*
maai'dorser *m.* moissonneuse*-batteuse* *f.*
maai'en I *ov.w.* **1** faucher, couper; **2** *(fig.)* récolter, moissonner; **II** *z.n.*, ***het —,*** le fauchage, la coupe.
maai'er *m.* **1** faucheur *m.*; **2** moissonneur *m.*
maai'land *o.* pré *m.* à faucher.
maai'machine *v.* faucheuse, moissonneuse *f.*
maai'tijd *m.* fauchaison *f.*, temps *m.* de la moisson; *(v. hooi)* fenaison *f.*
maai'voet *m.* pied *m.* fauchant.
maak *v.(m.)*, ***in de — zijn,*** **1** être en préparation, être chez l'ouvrier; **2** *(voor herstel)* être en réparation; ***in de — geven,*** **1** faire faire; **2** *(voor herstel)* faire réparer.
maak'loon *o.* façon *f.*, main*-d'œuvre *f.*
maak'sel *o.* **1** *(fatsoen, vorm)* façon, forme *f.*; **2** *(voortbrengsel)* produit, ouvrage *m.*, œuvre *f.*
maak'ster *v.* **1** faiseuse *f.*; **2** *(schrijfster)* auteur *m.*
maak'werk *o.* ouvrage *m.* à façon.
maal I *v.(m.) en o.* *(keer)* fois *f.*; ***tot drie — toe,*** à trois reprises; ***verscheidene malen,*** à plusieurs reprises, plusieurs fois; ***ten enen male,*** entièrement, tout à fait; **II** *o.* repas *m.*
maalderij' *v.* minoterie *f.*
maal'geld, maal'loon *o.* mouture *f.*

maal'steen *m.* **1** (*in molen*) meule *f.*; **2** (*v. schilder: wrijfsteen*) molette *f.*
maal'stok *m.* (*v. schilder*) appui*-main *m.*
maal'stroom *m.* **1** tourbillon, tournant, gouffre *m.*; **2** (*fig.*) tourbillon *m.*; ***de M—,*** le Malstrom, le Maelström.
maal'tand *m.* (dent) molaire *f.*
maal'teken *o.* signe *f.* de multiplication.
maal'tijd *m.* repas; dîner *m.*; ***dat is mosterd na de —,*** c'est de la moutarde après (le) dîner.
maan *v.*(*m.*) **1** lune *f.*; **2** (*sterr.*) satellite *m.*, planète *f.* secondaire; ***de — schijnt,*** il fait clair de lune; ***halve*** (***wassende***) ***—,*** croissant *m.*; ***halve*** (***afnemende***) ***—,*** décroissant *m.*; ***het is donkere —,*** il n'y a pas de lune; ***het is volle —,*** la lune est dans son plein; ***hij is naar de —,*** il est flambé (*of* perdu, foutu *of* fichu); ***loop naar de —!*** va te promener! allez vous promener! allez au diable! ***reis naar de —,*** voyage *m.* dans la lune.
maan'bewoner *m.* habitant *m.* de la lune, sélénite, sélénien *m.*
maan'blind *b.n.* (*gen.*) lunatique.
maan'brief *m.* réclamation *f.*, lettre *f.* de rappel, avertissement *m.*
maan'cirkel *m.* cycle *m.* lunaire.
maand *v.*(*m.*) mois *m.*; ***de — mei,*** le mois de mai.
maan'dag *m.* lundi *m.*; ***— houden,*** fêter saint Lundi, faire le lundi; ***een blauwe —,*** très peu (de temps).
maan'daghouder *m.* fêteur *m.* du lundi, ouvrier *m.* qui fait le lundi.
maan'dags I *b.n.* du (*of* de) lundi; **II** *bw.* le lundi.
maand'bericht *o.* bulletin *m.* mensuel.
maand'blad *o.* revue *f.* mensuelle, feuille *f.* —.
maan'delijks I *b.n.* mensuel, de chaque mois; ***—e toelage*** (***storting, enz.***), mensualité *f.*; **II** *bw.* mensuellement, tous les mois.
maand'geld *o.* mois *m.*, mensualité *f.*
maand'huur *v.*(*m.*) loyer *m.* mensuel.
maand'lijst *v.*(*m.*) état *m.* mensuel.
maand'rapport *o.* bulletin *m.* mensuel.
maand'register *o.* registre *m.* mensuel.
maand'rekening *v.* décompte *m.* mensuel.
maand'roos *v.*(*m.*) (*Pl.*) rose *f.* des quatre saisons, rose remontante.
maand'schrift *o.* revue *f.* mensuelle, feuille *f.* —.
maand'staat *m.* état *m.* mensuel, bordereau *m.* mensuel.
maand'stonden *mv.* menstrues *f.pl.*
maand'verband *o.* serviette *f.* hygiénique.
maand'verslag *o.* rapport *m.* mensuel.
maan'eclips, -eklips *v.*(*m.*) éclipse *f.* de lune.
maan'gestalte *v.* phase *f.* de la lune.
Maan'godin *v.* Séléné, Diane *f.*
maan'jaar *o.* année *f.* lunaire.
maan'kop *m.* **1** (*Pl.*) pavot *m.*; **2** (*kop, zaadhuisje*) tête *f.* de pavot.
maan'krans *m.* **1** cycle *m.* lunaire; **2** (*om de maan*) [halo *m.*
maan'kruid *o.* (*Pl.*) lunaire *f.*
maan'landschap *o.* **1** paysage *m.* lunaire; **2** effet *m.* de lune.
maan'licht *o.* clair *m.* de lune; clarté *f.* de la lune; [***bij —,*** au clair de lune.
maan'raket *v.*(*m.*) fusée *f.* lunaire.
maan'schijf *v.*(*m.*) disque *m.* lunaire.
maan'schot *o.* tir *m.* sur la lune.
maan'stand *m.* phase *f.* de la lune.
maan'steen *m.* pierre *f.* de lune.
maans'verduistering *v.* éclipse *f.* de lune.
maan'vlek *v.*(*m.*) tache *f.* de la lune.
maan'vormig *b.n.* luné, luniforme.
maan'zaad *o.* graine *f.* de pavot.
maan'ziek *b.n.* lunatique.
maan'zieke *m.-v.* lunatique *m.-f.*
maan'ziekte *v.* mal *m.* de lune, lunatisme *m.*
maar I *vw.* mais; **II** *bw.* seulement, ne... que; ***er zijn er — tien,*** il n'y en a que dix; ***als hij — op tijd komt,*** pourvu qu'il vienne à temps; ***kijk — eens,*** regardez un peu; ***pas — op,*** prenez garde; ***kom maar,*** venez donc; ***zo —,*** comme ça, pour rien, sans effort; ***hij bleef — roepen,*** il ne cessait de crier; **III** *z.n., o.* (*bedenking*) mais *m.*; ***er is een — bij,*** il y a un mais; ***neen —!*** crois-tu! non mais! **IV ma're** *v.*(*m.*) nouvelle *f.*, bruit *m.*
maar'schalk *m.* maréchal *m.*
maar'schalkschap *o.* maréchalat *m.*
maar'schalksstaf *m.* bâton *m.* de maréchal.
maart *m.* (mois de) mars *m.*
Maar'ten *m.* Martin *m.*
maarts *b.n.* de mars; ***—e buien,*** giboulées de mars.
Maas *v.* Meuse *f.*
maas *v.*(*m.*) maille *f.*; ***door de mazen kruipen,*** passer à travers les mailles.
maas'bal *m.* œuf *m.* à repriser, boule *f.* à rem- [mailler.
maas'garen *o.* fil *m.* à lacer.
maas'steek *m.* maille *f.* de lacis.
Maastricht' *o.* Maëstricht *m.*
Maastricht'enaar *m.* Maëstrichtois *m.*
Maastrichts' *b.n.* maëstrichtois.
maas'werk *o.* lacis *m.*
maas'wol *v.*(*m.*) laine *f.* à lacer, — à remailler.
maat I *v.*(*m.*) **1** (*alg.*) mesure *f.*; **2** (*v. kleren*) taille *f.*; **3** (*v. schoenen, handschoenen*) pointure *f.*; **4** (*v. hoed*) numéro *m.*, entrée *f.*; **5** (*v. boord*) encolure *f.*; **6** (*mil.: maatstok*) toise *f.*; **7** (*taalk.*) rythme *m.*; ***maten en gewichten,*** poids et mesures; ***met twee maten meten,*** avoir deux poids et deux mesures; ***bij de — verkopen,*** vendre à la mesure; ***op —,*** sur mesure; ***onder de — zijn,*** (*mil.*) ne pas avoir la taille requise; ***ruime — geven,*** faire bonne mesure; ***vaste maten,*** mesures étalonnées; ***in de —,*** (*muz.*) en mesure; ***uit de —,*** (*muz.*) hors de mesure; ***uit de — raken,*** (*muz.*) perdre la mesure; ***met mate,*** modérément; ***in hoge mate,*** singulièrement; ***— houden,*** observer la mesure; ***iem. de — nemen,*** prendre la mesure à qn.; ***de — slaan,*** battre la mesure; **II** *m.* **1** (*makker*) compagnon, camarade; (*fam.*) copain *m.*; **2** (*spel*) partenaire *m.*; **3** (*v. werkman*) aide *m.*
maat'buisje *o.* éprouvette *f.* graduée.
maat'eenheid *v.* unité *f.* de mesure.
maat'fles *v.*(*m.*) bouteille *f.* graduée.
maat'gevoel *o.* sens *m.* de la mesure, — du rythme.
maat'glas *o.* verre *m.* gradué.
maat'goed *o.* vêtements *m.pl.* sur mesure.
maat'je *o.* **1** (*0,1 liter*) décilitre *m.*; **2** camarade, ami *m.*; **3** apprenti, garçon *m.*; **4** (*mama*) maman, petite mère *f.*
maat'jesharing *m.* hareng *m.* vierge, — gai.
maat'jespeer *v.*(*m.*) bergamote *f.*
maat'kleding *v.* vêtements *m.pl.* sur mesure.
maat'lat *v.*(*m.*) jauge *f.*
maat'regel *m.* mesure *f.*; ***zijn —en nemen,*** s'arranger (pour), prendre ses dispositions.
maat'schap *v.* **1** association, compagnie *f.*; **2** camaraderie *f.*
maatschap'pelijk I *b.n.* social; **II** *bw.* socialement; ***— werk,*** assistance *f.* sociale; ***— werker,*** assistant social; ***— werkster,*** assistante sociale.
maatschappij' *v.* **1** (*gemeenschap*) société *f.*; **2** (*H.*) société, compagnie, association *f.*; ***— op aandelen,*** (*H.*) société par actions; ***— met beperkte aansprakelijkheid,*** société à responsabilité limitée; ***— onder firma,*** société en nom collectif; ***in de —,*** dans le monde.

maatschappij'leer *v.(m.)* sociologie *f.*
maat'schoenmaker *m.* chausseur *m.*
maat'slag *m.* (*muz.*) battement *m.* de la mesure.
maat'staf *m.* **1** (*maat*) mesure *f.*; **2** (*schaal*) échelle *f.*; **3** (*v. belasting*) taux *m.*; **4** (*richtsnoer, norm*) norme *f.*; **5** (*fig.*) critérium *m.*; ***volgens die* —,** sur cette base; ***een — aanleggen,*** prendre pour base; se régler sur.
maat'stok *m.* **1** (*duimstok*) règle *f.*, mètre *m.* pliant; **2** (*voor diepte*) jauge *f.*; **3** (*muz.*) bâton *m.* de mesure.
maat'streep *v.(m.)* (*muz.*) barre *f.*
maat'verdeling *v.* (*muz.*) division *f.* en mesures.
maat'werk *o.* travail *m.* fait sur mesure.
macadam', makadam' *o. en m.* macadam *m.*
macadamise'ren, makadamise'ren, -ize'ren **I** *ov.w.* macadamiser; **II** *z.n.*, ***het* —,** macadamisage *m.*
macadam'weg, makadam'weg *m.* route *f.* macadamisée.
macaro'ni *m.* macaroni *m.*
Macedo'nië *o.* la Macédoine.
Macedo'niër *m.* Macédonien *m.*
Macedo'nisch *b.n.* macédonien.
Machabee'ër *m.* Machabée *m.*
Machiavel'li *m.* Machiavel *m.*
machinaal' **I** *b.n.* **1** (*werktuiglijk, onwillekeurig*) machinal; **2** (*met machine*) mécanique; ***machinale kant,*** dentelle à la mécanique; **II** *bw.* **1** machinalement; **2** mécaniquement; à la machine.
machi'ne *v.* machine *f.*
machi'ne-as *v.(m.)* arbre *m.* de transmission.
machinebank'werker *m.* ajusteur*-monteur* *m.*
machi'nebouw *m.*, **-kunde** *v.* construction *f.* des machines.
machi'nefabriek *v.* atelier(s) *m.(pl.)* de construction. [chines.
machi'nefabrikant *m.* constructeur *m.* de ma-
machi'negaren *o.* fil *m.* pour machine à coudre.
machi'negeweer *o.* mitrailleuse *f.*
machi'neindustrie *v.* industrie *f.* mécanique.
machi'nekamer *v.(m.)* **1** salle (*of* chambre) *f.* des machines; **2** (*sch.*) chaufferie *f.*, chambre *f.* de chauffe. [machines.
machi'nekolen *mv.* charbon *m.* maigre, — pour
machi'neloods *v.(m.)* dépôt *m.* (des locomotives).
machi'neolie *v.(m.)* huile *f.* à graisser.
machi'nepistool *o.* mitraillette *f.*
machinerie'ën *mv.* installation *f.* mécanique; outillage *m.*; appareils *m.pl.*
machi'neschrift *o.* dactylographie *f.*
machi'neschrijven *o.* dactylographie *f.*
machi'neschrijver *m.*, **machi'neschrijfster** *v.* dactylographe *m.-f.*
machi'nespuitje *o.* burette *f.*
machi'nestikster *v.* piqueuse *f.* [chines.
machi'netekenaar *m.* dessinateur *m.* de ma-
machi'newezen *o.* machinisme *m.*
machi'nezetter *m.* (*drukk.*) linotypiste *m.*
machinist' *m.* **1** mécanicien *m.*; (*fam.*) mécano *m.*; **2** (*sch.*) officier *m.* mécanicien.
machinis'tenschool *v.(m.)* école *f.* d'apprentissage pour mécaniciens.
macht *v.(m.)* **1** (*kracht*) force *f.*; **2** (*gezag*) pouvoir *m.*, puissance; autorité *f.*; **3** (*vermogen*) faculté *f.*; **4** (*menigte, groot getal*) quantité, foule; masse *f.*; **5** (*rek.*) puissance *f.*; degré *m.*; ***tweede* —,** carré *m.*; ***derde* —,** troisième puissance *f.*; cube *m.*; ***uit alle* —,** de toutes ses forces; ***uit alle — lopen,*** courir à toutes jambes; ***uit alle — schreeuwen,*** crier à tue-tête; ***de gestelde —en,*** les pouvoirs constitués; ***de openbare* —,** la force publique; ***de wereldlijke* —,** le pouvoir temporel; ***gewapende* —,** force *f.* armée; ***— gaat boven recht,*** la force prime le droit; ***niet bij —e zijn om,*** ne pas être en état de, être dans l'impuissance de; ***— hebben over,*** avoir de l'empire sur; ***zijn — te buiten gaan,*** outrepasser ses pouvoirs.
macht'brief *m.* procuration *f.*, plein pouvoir *m.*
mach'teloos *b.n.* **1** impuissant; sans autorité; **2** (*lichamelijk*) sans force.
mach'teloosheid *v.* impuissance *f.*
macht'gever *m.* mandant, constituant, commettant *m.*
macht'hebbende *m.* **1** puissant *m.*; autorité *f.*; **2** mandataire *m.-f.*
macht'hebber *m.* **1** homme *m.* du pouvoir; autorité *f.*; **2** (*gemachtigde*) fondé *m.* de pouvoirs; (*alg.*) mandataire *m.-f.*
mach'tig **I** *b.n.* **1** (*veel macht hebbende*) puissant, fort; **2** (*in staat om, tot*) capable de; **3** (*in 't bezit van, kunnende beschikken over*) maître de, en possession de; **4** (*erg krachtig, zwaar: v. eten*) nourrissant, gras, lourd; ***iets — worden,*** s'emparer de qc., se rendre maître de qc.; entrer en possession de qc.; ***een taal — zijn,*** posséder une langue; ***de ontroering was hem te* —,** il ne put dominer son émotion; **II** *bw.* **1** puissamment; **2** (*zeer*) fort, extrêmement; ***— veel geld,*** un tas d'argent, des sommes énormes.
mach'tigen *ov.w.* autoriser.
mach'tiging *v.* autorisation *f.*
machts'aanvaarding *v.* accession *f.* au pouvoir.
machts'aanwijzer *m.* exposant *m.*
machts'apparaat *o.* appareil *m.* de domination.
machts'betoon *o.* démonstration *f.* de pouvoir, — militaire. [torité.
machts'misbruik *o.* abus *m.* de pouvoir, — d'au-
machts'ontwikkeling *v.* (*ontplooiing*) déploiement *m.* de forces.
machts'overschrijding *v.* excès *m.* d'autorité.
macht'spreuk *v.(m.)* **1** décision *f.* absolue, — arbitraire; **2** (*dooddoener*) phrase *f.* à effet.
machts'verheffing *v.* (*wisk.*) élévation *f.* à une puissance.
machts'vertoon *o.* **1** démonstration *f.* de pouvoir; **2** (*mil.*) déploiement *m.* de forces.
machts'wellust *m.* volupté *f.* du pouvoir, despotisme *m.* [cosme *m.*
ma'crocosmos, ma'krokosmos *m.* macro-
Madagas'car *o.* Madagascar *m.*; ***van* —,** malgache, madécasse; *zie* ***Malagasië.***
madapolam' *o.* madapolam, calicot *m.*
ma'de *v.(m.)* **1** ver *m.*, mite *f.*; **2** (*als aas*) asticot *m.*
madelief'je *o.* pâquerette, (petite) marguerite *f.*
Made'ra **I** *o.* Madère *f.*, île *f.* de Madère; **II** *m.* (vin de) Madère *m.*
Madon'na *v.* Madone, Sainte-Vierge *f.*
madriga(a)l' *o.* madrigal *m.*
Madrileen' *m.* Madrilène *m.*
maece'nas, mece'nas *m.* mécène *m.*
maf **I** *b.n.* **1** mou, apathique, indolent; **2** (*v. weer*) étouffant, lourd; **II** *z.n. m.* (*fam.*) ***— hebben,*** avoir sommeil.
maf'fen *on.w.* roupiller, pioncer.
magazijn' *o.* **1** (*bergplaats, pakhuis*) magasin, dépôt *m.*; **2** (*winkel*) magasin *m.*; **3** (*tijdschrift*) magazine, magasin *m.*, revue *f.*; **4** (*v. geweer*) magasin *m.*; **5** (*v. revolver*) barillet *m.*; ***een artikel in — hebben,*** avoir un article en stock.
magazijn'bediende *m.* commis *m.* de magasin; — magasinier.
magazijn'boek *o.* facturier *m.* (*of* livre *f.*) des entrées et (des) sorties; registre *m.*

magazijn'geweer *o.* fusil *m.* à répétition.
magazijn'houder *m.* entrepositaire, magasinier *m.*
magazijn'meester *m.* **1** chef *m.* de magasin, — de dépôt; **2** (*mil.*) garde*-magasin(*), intendant *m.*
Magdale'na *v.* Madeleine, Madelon *f.*
Ma'gelhaens Magellan.
ma'ger I *b.n.* **1** (*schraal, niet vet*) maigre, décharné, mince, malingre; **2** (*dun*) grêle; **3** (*fig.: dor*) sec, aride; ***lang en —,*** efflanqué; ***een —e winst,*** un piètre bénéfice; ***— worden,*** s'amaigrir; **II** *bw.* maigrement; piètrement.
ma'gerheid *v.* **1** maigreur *f.*; **2** (*fig.*) sécheresse. aridité, stérilité *f.*
ma'gerte *v.* maigreur *f.*
ma'gertjes *bw.* pauvrement, chétivement.
magie' *v.* magie *f.*
ma'giër *m.* mage *m.*
magi'rusladder *v.(m.)* grande échelle *f.*
ma'gisch *b.n.* magique.
magis'ter *m.* **1** maître *m.*; **2** (*in klooster*) maître *m.* des novices.
magistraal' I *b.n.* magistral; **II** *bw.* magistralement.
magistraat' *m.* magistrat *m.*
magistratuur' *v.* magistrature *f.*
magnaat' *m.* magnat *m.*
Mag'na Char'ta *v.(m.)* Grande Charte *f.*
magneet' *m.* aimant *m.*; (*v. auto*) magnéto *f.*
magneet'anker *o.* armature *f.* d'aimant.
magneet'ijzer *o.* fer *m.* aimanté.
magneet'kracht *v.(m.)* magnétisme *m.*, force *f.* magnétique.
magneet'naald *v.(m.)* aiguille *f.* aimantée.
magneet'pool *v.(m.)* pôle *m.* magnétique.
magneet'steen *m.* aimant *m.*
magne'sia *v.(m.)* magnésie *f.*
magne'sium *o.* magnésium *m.*
magne'siumhoudend *b.n.* magnésien.
magne'siumlamp *v.(m.)* lampe *f.* au magnésium.
magne'siumlicht *o.* lumière *f.* magnésique, — de magnésium.
magne'siumpoeder, -poeier *o.* en *m.* poudre *f.* éclair, — éclairante.
magne'tisch *b.n.* magnétique; ***— maken,*** aimanter; ***—e as,*** axe *m.* magnétique; ***—e kracht,*** force *f.* magnétique, magnétisme *m.*
magnetise'ren, -ize'ren I *ov.w.* magnétiser; **II** *z.n.*, ***het —,*** la magnétisation.
magnetis'me *o.* magnétisme *m.*
magnetizeren, *zie* ***magnetiseren.***
magnetofoon' *m.* magnétophone *m.*
magnifiek' *b.n.* magnifique.
magno'lia *v.(m.)* magnolier, magnolia *m.*
Magyaar' *m.* Magyare *m.*
Magyaars' *b.n.* magyare.
maharad'ja *m.* maharajah, maharadjah *m.*
maho'niehout *o.* (bois d')acajou *m.*
mai'den-speech *m.* discours *m.* de début.
mail *v.(m.)* malle *f.* (postale), courrier *m.*
mail'boot *m.* en *v.* paquebot*-(poste), bateau*-poste *m.*
mail'brief *m.* lettre *f.*
mail'dienst *m.* service *m.* postal maritime.
mail'editie *v.* édition *f.* d'outre-mer.
maillot' *o.* collant *m.*
mail'papier *o.* papier *m.* pelure.
mail'stomer *m.* paquebot*-poste *m.*
mail'trein *m.* train*-poste *m.*, train *m.* postal.
mail'zak *m.* sac *m.* de lettres, — à dépêches.
Main *m.* Mein, Main *m.*
maintenee' *v.* femme *f.* entretenue.
Mainz *o.* Mayence *f.*
Main'zer *b.n.* mayençais.
maïs, mais *m.* maïs *m.*, blé *m.* de Turquie.
maïs'kolf *v.(m.)* épi *m.* de maïs.
maïs'meel, mais'meel *o.* farine *f.* de maïs.
maïze'na, maize'na *m.* farine *f.* de maïs.
ma'jesteit *v.* majesté *f.*
ma'jesteitsschennis *v.* (crime *m.* de) lèse-majesté *f.*
majestueus' *b.n.* majestueux.
majo'lica, majo'lika *o.* en *v.(m.)* majolique *f.*
majoor' *m.* **1** (*grootmajoor*) commandant *m.*; (*cavalerie*) chef *m.* d'escadron; **2** (*sergeant-majoor*) sergent*-major* *m.*
Major'ca, Mallor'ca *o.* Majorque; ***uit—,*** majorquin.
majordo'mus *m.* (*gesch.*) maire *m.* du palais.
mak *b.n.* **1** (*tam*) apprivoisé; **2** (*gedwee, handelbaar*) doux, traitable; ***— maken,*** (*v. dier*) apprivoiser; ***hij is niet —,*** il n'est pas commode; ***er gaan veel —ke schapen in een hok,*** à doux moutons bon parcage.
makadam(-), *zie* ***macadam(-).***
makas'sarolie *v.(m.)* huile *f.* de Macassar.
ma'kelaar *m.* courtier *m.*; ***— in effecten,*** agent de change; ***onbeëdigd —,*** coulissier, courtier marron; (*fig.*) entremetteur *m.*
makelaardij' *v.* courtage *m.*
ma'kelaarsloon *o.* courtage *m.*
makelarij' *v.* courtage *m.*
makelij' *v.* façon, facture *f.*
ma'ken I *ov.w.* **1** (*alg.*) faire; **2** (*vervaardigen, fabriceren*) fabriquer; **3** (*in elkaar zetten*) composer; **4** (*kleren*) confectionner; **5** (*bouwen*) construire; **6** (*herstellen*) réparer; **7** (*scheppen*) créer, former; **8** (*met bijv. nw.*) rendre; ***schulden —,*** contracter des dettes; ***een begin met iets —,*** commencer qc.; ***plaats —,*** **1** faire de la place; **2** (*opzij gaan*) se ranger; ***haast —,*** se dépêcher; ***groter —,*** agrandir; ***koud —,*** refroidir; ***warm —,*** chauffer; ***waar —,*** prouver; ***laten —,*** faire réparer, faire remettre en état; ***u hebt daar niets mee te —,*** cela ne vous regarde (*of* concerne) pas, vous n'avez rien à y voir; ***dat heeft daar niets mee te —,*** cela n'a rien à voir avec l'affaire; ***hij heeft het er naar gemaakt,*** il n'a que ce qu'il mérite, il ne l'a pas volé; ***het te erg —,*** aller trop loin; ***hij maakt het goed,*** **1** (*v. gezondheid*) il est en bonne santé, il se porte bien; **2** (*in zaken*) il fait bien ses affaires; ***hoe maakt u het ?*** comment allez-vous ? comment vous portez-vous ? ***hij maakt het slecht,*** **1** (*v. gezondheid*) il se porte mal; **2** (*v. zieke*) il est bien bas; **3** (*H.*) il ne fait pas de bonnes affaires; ***het iem. lastig —,*** rendre la vie difficile à qn.; ***hij kan mij niets —,*** il ne peut rien contre moi; ***het kort —,*** être bref; ***het lang —,*** être long; ***iem. gezond —,*** rendre la santé à qn., guérir qn.; **II** *w.w.* **1** se faire; **2** (*met bijv. nw.*) se rendre; ***zich gereed —,*** s'apprêter; ***zich uit de voeten —,*** décamper, se sauver, s'esquiver; ***zich bekend —,*** se faire connaître; ***zich bemind —,*** se faire aimer; ***zich een voorstelling van iets —,*** se faire une idée de qc.; **III** *z.n.*, ***het —,*** **1** la fabrication; **2** la confection; **3** (*maaksel, snit; maakloon*) la façon; **4** (*v. tekst, lijsten, enz.*) la composition; **5** (*herstellen*) la réparation.
ma'ker *m.* **1** fabricant *m.*; **2** (*v. boek, enz.*) auteur *m.*; **3** (*schepper*) créateur *m.*; **4** (*ong.*) faiseur *m.*
make-up' *m.* maquillage *m.*
mak'heid *v.* **1** douceur, docilité *f.*; **2** (*tamheid*) état *m.* apprivoisé.
mak'ker *m.* camarade, compagnon *m.*; (*fam.*) copain *m.*
makreel' *m.* maquereau *m.*

ma'krokosmos, ma'crocosmos *m.* macrocosme *m.*
mal I *b.n.* **1** sot, fou; **2** (*vreemd*) étrange; **3** (*onaangenaam*) fâcheux; ***ben je —?*** tu n'es pas fou? ***—le gedachten,*** des idées saugrenues; ***voor de — houden,*** se moquer de; ***een — figuur maken,*** jouer un sot personnage, faire une étrange figure; **II** *z.n.m.* **1** (*model*) modèle *m.*; **2** (*v. projectiel*) calibre *m.*; **3** (*bouwk.*) cintre *m.*; **4** (*sch., spoorw.*) gabari(t) *m.*; **5** (*teken—*) pistolet *m.*
malachiet' *o.* malachite *f.*
Malaga'sië *o.* Rép. Malgache; ***uit —,*** malgache.
ma'laga(wijn) *m.* malaga *m.*, vin *m.* de Malaga.
malai'se *v.* malaise *m.*; ***de algemene —,*** la crise économique, le marasme général des affaires.
mala'ria *v.(m.)* malaria *f.*, fièvre *f.* paludéenne, paludisme *m.*
mala'rialijder *m.* malarique *m.*
mala'riamug *v.(m.)* anophèle *m.*
Malay'sia *o.* (Fédération *f.* de) Malaisie *f.*; ***uit —,*** [malaisien.
Maledie'ven *mv.* les Maldives *f.pl.*
Malei'er *m.* Malais *m.*
Maleis' I *b.n.* malais; **II** *z.n.*, ***het —,*** le malais.
Malei'sië, *zie* ***Malaysia.***
Malei'sisch *b.n.* malaisien.
ma'len I *ov.w.* **1** (*koffie, graan, enz.*) moudre; **2** (*vermalen, verbrijzelen*) broyer; **3** (*water — uit*) épuiser, tirer de l'eau de; **4** (*schilderen*) peindre; **II** *on.w.* **1** (*ijlen*) divaguer, radoter; **2** (*zeuren*) rabâcher; ***dat maalt hem in het hoofd,*** cela lui trotte dans la cervelle; ***hij maalt er niet om,*** il s'en moque, il s'en fiche; ***die eerst komt, die eerst maalt,*** premier venu, premier moulu.
Ma'len *o.* Melin.
mal'heid *v.* sottise, folie *f.*
Ma'li *o.* le Mali; ***uit —,*** malien.
ma'lie *v.* **1** (*ringetje*) maille *f.*; **2** (*v. veter*) ferret *m.*; **3** (*kolf*) mail *m.*; **4** (*v. schoen, enz.*) œillet *m.*
ma'liebaan *v.(m.)* mail *m.*
ma'liënkolder *m.* (*gesch.*) cotte *f.* de mailles.
ma'ling *v.* **1** (*mijmering*) rêvasserie *f.*; **2** (*onrust, beslommering*) ennui, tracas *m.*; **3** (*wartaal*) radotage *m.*; ***ik heb er — aan,*** je m'en fiche; je m'en moque comme de l'an quarante; ***iem. in de — nemen,*** se moquer de qn., se payer la tête de qn.
Ma'lisch *b.n.* malien.
mallejan' *m.* **1** (*wagen*) haquet, fardier *m.*; **2** (*aan pont*) tablier *m.*
mal'lemolen *m.* chevaux *m.pl.* de bois, manège *m.*
mal'len *on.w.* blaguer, badiner, folâtrer, plaisanter; ***zonder —,*** sans blague.
mal'lepraat *m.* sottises, sornettes, bêtises, bla[gues *f.pl.*
mal'ligheid *v.* badinage *m.*, plaisanterie, folie *f.*; sottise, bêtise *f.* blagues *f.pl.*
malloot' *m.-v.* sot, fou *m.*; sotte, folle *f.*
Mallor'ca, *zie* ***Majorca.***
mals *b.n.* **1** (*v. vlees, gras*) tendre; **2** (*v. vruchten*) succulent; **3** (*v. weide, grond*) gras; **3** (*v. regen*) bienfaisant; **4** (*fig.*) suave; ***lang niet —,*** peu tendre, plutôt dur.
mals'heid *v.* **1** (*v. vlees, enz.*) tendreté *f.*; **2** (*fig.*) douceur *f.*
Mal'ta *o.* Malte *f.*
Malte'zer I *m.* Maltais *m.*; **II** *b.n.* maltais, de Malte; ***— ridder,*** chevalier de l'Ordre de Malte.
ma'luwe, mal've *v.(m.)* mauve *f.*
ma'luweroos *v.(m.)* rose *f.* trémière.
mal've, ma'luwe *v.(m.)* mauve *f.*
malvezij' *m.* malvoisie *f.*
mama' *v.* maman *f.*
mammeluk' *m.* mameluk, mamelouk *m.*
mam'moet *m.* mammouth *m.*
mam'moetwet *v.(m.)* (*Ned.*) loi *f.* mammouth.
mam'mon *m.* Mammon *m.*; ***de — dienen,*** adorer le veau d'or.
man *m.* **1** (*alg.*) homme *m.*; **2** (*echtgenoot*) mari *m.*; ***de gemene —,*** le vulgaire; ***de kleine —,*** le petit peuple; ***met — en muis vergaan,*** périr corps et biens; ***met — en macht,*** de toutes ses forces; ***hij is er de — niet naar om,*** il n'est pas homme à; ***— en paard noemen,*** donner des précisions, citer son auteur; ***— van betekenis,*** homme éminent; ***— van de klok,*** homme exact; ***— van zijn woord,*** homme de parole; ***als één —,*** comme un seul homme; ***zijn — staan,*** ne pas céder, ne pas flancher; ***op de — af,*** sans préambule, à brûle-pourpoint; ***aan de — brengen,*** **1** (*H.*) trouver un acheteur; **2** (*uithuwelijken*) caser; ***aan de — komen,*** trouver à se marier; ***20 fr. per —,*** 20 francs par personne, — par tête; ***— voor —,*** un à un; ***als de nood aan de — komt,*** au moment critique; ***een — een —, een woord een woord,*** un homme d'honneur n'a que sa parole.
man'achtig *b.n.* hommasse.
man'ager *m.* **1** manager, dirigeant, gérant *m.*; **2** (*kunst*) imprésario *m.*; **3** (*sp.*) directeur *m.* sportif.
man'baar *b.n.* nubile, pubère.
man'baarheid *v.* nubilité, puberté *f.*
man'che *v.(m.)* manche *f.*
manches'ter *b.n.* velours *m.* à côtes, — de chasse.
manchet' *v.(m.)* **1** manchette *f.*; **2** (*op bier*) faux-col* *m.*
manchet'knoop *m.* bouton *m.* de manchette.
man'co *o.* **1** déficit *m.*, insuffisance *f.*; **2** (*v. gewicht*) déchet *m.*; ***korting eisen wegens —,*** réclamer une réduction à cause de déchet.
mand *v.(m.)* **1** panier *m.*; **2** (*zonder hengsel: v. bloemen, fruit, enz.*) corbeille *f.*; **3** (*v. wild, vis*) bourriche *f.*; **4** (*v. mosselen*) manne *f.*; **5** (*draagkorf, op rug*) hotte *f.*; **6** (*grote —*) banne *f.*; ***door de — vallen,*** se couper, manger le morceau; avouer, faire des aveux.
mandaat' *o.* **1** mandat *m.*; **2** (*v. betaling*) ordonnance *f.* de payement.
mandaat'gebied *o.* territoire *m.* sous mandat.
mandaat'gever *m.* mandant *m.*
mandaat'houder *m.* mandataire *m.*
man'dag *m.* prestation *f.* journalière d'un ouvrier.
mandarijn' *m.* mandarin *m.*
mandarijn'tje *o.* (*Pl.*) mandarine *f.*
mandata'ris *m.* mandataire *m.*
mandate'ren *ov.w.* mandater; ordonnancer.
man'defles *v.(m.)* **1** (*voor wijn, enz.*) bouteille *f.* clissée, dame*-jeanne* *f.*; **2** (*voor zuren*) tourie *f.*
man'denmaken *o.* vannerie *f.*
man'denmaker *m.* vannier *m.*
mandenmakerij' *v.* vannerie *f.*
man'denwinkel *m.* magasin *m.* de vannerie.
man'dewerk *o.* ouvrage *m.* d'osier, vannerie *f.*
mand'je *o.* **1** (petit) panier *m.*; corbeille *f.*; ***in zijn — kruipen,*** se mettre dans les draps, se mettre sous la bâche.
mandoli'ne *v.* mandoline *f.*
mandril' *m.* (*Dk.*) mandrill *m.*
Mandsjoe'kwo *o.* le Mandchoukwo.
Mandsjoerij'e *o.* la Mandchourie.
Mandsjoerijs' *b.n.* mandchou.
mand'vol *v.(m.)* panerée; corbeillée *f.*
mane'ge *v.(m.)* manège *m.*, école *f.* d'équitation.
ma'nen I *mv.* crinière *f.*; **II** *ov.w.* **1** (*aansporen*) exhorter (à); **2** (*tot betaling*) sommer de payer, réclamer une dette.
ma'ner *m.* créancier *m.*
ma'neschijn *m.* clair *m.* de lune.

maneu'ver, manœu'vre *v.(m.) en o.* manœuvre *f.*
maneuvre'ren, manœuvre'ren *on.w.* manœuvrer.
mangaan' *o.* manganèse *m.*
mangaan'erts *o.* manganèse *m.* oxydé.
mangaan'ijzer *o.* ferromanganèse *m.*
man'gat *o.* **1** (*v. ketel*) trou *m.* d'homme; **2** (*v. riool*) regard *m.* d'égout.
man'gel I *m.* (*tn.*) calandre *f.*, cylindre *m.*; **II** *o.* manque, défaut *m.*
man'gelaar *m.* calandreur *m.*
man'gelen I *ov.w.* calandrer, cylindrer; **II** *on.w.* (*ontbreken*) manquer.
man'gelgoed *o.* linge *m.* à calandrer; — calandré.
man'gelkamer *v.(m.)* chambre *f.* à calandrer.
man'gelrol *v.(m.)* rouleau *m.*
man'gelwortel *m.* betterave *f.*
mangro've *m.* manglier, palétuvier *m.*
manhaf'tig *b.n.* **1** (*dapper*) vaillant, courageux; **2** (*onverschrokken*) intrépide; **3** (*vastberaden*) résolu. [résolution, fermeté *f.*
manhaf'tigheid *v.* courage *m.*; intrépidité *f.*;
maniak' *m.* maniaque *m.*
manichee'ër *m.* manichéen *m.*
manicu're I *m.-v.* manucure *m.-f.*; **II** *v.(m.)* soin *m.* des mains.
manicu'ren I *ov.w.* faire les mains à, soigner les mains de, manucurer; **II** *w.w.*, ***zich —,*** se faire les ongles.
manie' *v.* manie *f.*
manier' *v.(m.)* **1** manière, façon *f.*; **2** (*handelwijze*) procédé *m.*, méthode *f.*; **3** (*gewoonte*) coutume *f.*, genre *m.*; ***dat is geen —,*** ce n'est pas comme il faut, on ne fait pas cela (*of* ces choses là); ***geen —en hebben,*** n'avoir aucun usage; ***bij — van spreken,*** par manière de dire; ***de — waarop,*** la manière dont; ***mijn — van doen,*** mon genre.
manier'lijk *b.n.* poli, bien élevé.
manifest' *o.* manifeste *m.*
manifesta'tie *v.* manifestation *f.*
manifeste'ren *on.w.* manifester.
Manil'la *o.* Manille. [Manille.
manil'la(sigaar) *v.(m.)* manille *m.*, cigare *m.* de
manil'latouw *o.* corde *f.* en manille.
manil'le *v.(m.)* (*kaartsp.*) manille *f.*
ma'ning *v.* sommation *f.*
maniok' *m.* manioc *m.*
maniok'brood *o.* pain *m.* de manioc, cassave *f.*
maniok'meel *o.* cassave *f.*, tapioca *m.*
mani'pel *m.* manipule *m.* [tage *m.*
manipula'tie *v.* **1** manipulation *f.*; **2** (*H.*) tripo-
manipule'ren *ov.w.* manipuler.
mank *b.n.* boiteux; ***— gaan,*** boiter, clocher; ***aan een euvel — gaan,*** avoir un défaut. [mité *f.*
mankement' *o.* **1** défaut *m.*; **2** (*lichamelijk*) infir-
manke'ren *on.w.* manquer; ***wat mankeert je?*** qu'est-ce que tu as? ***zonder —!*** je n'y manquerai pas! sans faute!
mank'heid *v.* boitement, clochement *m.*
man'kracht *v.(m.)* main*-d'œuvre *f.*; ***met —,*** à force de bras.
man'lief *m.* **1** (*aanduiding*) mon mari; **2** (*aansprekin*g) mon ami, (mon) chéri, mon petit mari.
man'lijk, *zie* ***mannelijk.***
manmoe'dig I *b.n.* viril, courageux; *zie* ***manhaftig***; **II** *bw.* virilement, courageusement.
manmoe'digheid *v.* virilité *f.*, courage *m.*
man'na *o.* manne *f.*; ***het hemels —*** la manne céleste.
man'nagras *o.* manne *f.* de Pologne. [me.
man'neke *o.* petit bonhomme, (petit) bout d'hom-
man'(ne)lijk I *b.n.* **1** mâle; **2** (*gram.*) masculin; **3** (*fig.*) viril; courageux; **II** *bw.* virilement; courageusement.
man'nelijkheid *v.* masculinité *f.*; virilité *f.*
man'nenklooster *o.* couvent *m.* d'hommes.
man'nenkoor *o.* chœur *m.* d'hommes.
man'nenmoed *m.* courage *m.* d'homme.
man'nenstem *v.(m.)* voix *f.* d'homme.
man'nentaal *v.(m.)* langage *m.* énergique.
man'nenwerk *o.* travail *m.* d'homme.
man'nenzaal *v.(m.)* salle *f.* des hommes.
man'netje *o.* **1** petit homme *m.*; (*fam.*) bout *m.* d'homme; **2** (*Dk.*) mâle *m.*; **3** (*getekend, enz.*) bonhomme *m.*; ***hij staat zijn —,*** il n'a pas froid aux yeux.
man'netjesolifant *m.* éléphant *m.* mâle.
man'netjesputter *m.* **1** (*Dk.*) chardonneret *m.*; **2** (*fig.*) rude gaillard, costaud, poilu *m.*
man'netjesvaren *v.(m.)* (*Pl.*) fougère *f.* mâle.
man'nie *m.* mon ami, mon petit homme *m.*
mannin' *v.* **1** (*Bijb.*) femme *f.* hommasse; **2** (*fig.*) virago *f.*
manœu'vre, maneu'ver *v.(m.) en o.* manœuvre *f.*
manœuvre'ren, maneuvre'ren *on.w.* manœuvrer.
ma'nometer *m.* manomètre *m.*
mans, *heel wat — zijn,* **1** ne pas avoir froid aux yeux; **2** (*v. vrouw*) être une maîtresse femme; ***— genoeg zijn om,*** être de taille à, être assez fort pour.
man'schap *v.* **1** (*sch.*) équipage *m.*; **2** (*mil.*) garnison *f.*; ***—pen,*** hommes, soldats *m.pl.*, troupes *f.pl.*
mans'hemd *o.* chemise *f.* d'homme.
mans'hoogte *v.* hauteur *f.* d'homme.
mans'kleren *mv.* habits *m.pl.* d'homme; ***in —,*** déguisé(e) en homme.
man'slag *m.* homicide *m.*
mans'lengte *v.* taille *f.* d'homme.
mans'persoon *m.* homme, individu *m.*
man'(s)volk *o.* hommes *m.pl.*
man'tel *m.* **1** manteau; paletot *m.*; **2** (*v. soldaat*) capote *f.*; **3** (*v. trap*) cage *f.*; **4** (*v. kanon*) jaquette *f.*; **5** (*v. projectiel*) enveloppe *f.*; **6** (*v. kegel, enz.*) surface *f.* latérale; ***iem. de — uitvegen,*** laver la tête à qn., dire son fait à qn.
man'telcostuum, *zie* ***mantelkostuum.***
man'teljas *m. en v.* paletot; carrick *m.*
man'telkap *v.(m.)* capuchon *m.*
man'telkostuum *o.* (costume) tailleur *m.*
man'telkraag *m.* collet *m.* de manteau.
man'telmeeuw *v.(m.)* bleu*-manteau* *m.*; ***kleine —,*** grisard *m.*; ***grote —,*** goéland *m.* à manteau.
man'telorganisatie, -izatie *v.* organisation *f.* clandestine; — crypto + *b.n.*
man'telpak *o.* (costume) tailleur *m.*
man'telstof *v.(m.)* étoffe *f.* pour manteaux.
man'teltje *o.* petit manteau, mantelet *m.*
Man'tua *o.* Mantoue *f.*
manuaal' *o.* **1** (*handboek*) manuel *m.*; **2** (*orgel—*) clavier *m.*; **3** (*handgebaar*) geste *m.* familier.
manufactu'ren, manufaktu'ren *mv.* nouveautés *f.pl.*
manufactu'renwinkel, manufakturenwinkel, *zie* ***manufactuurwinkel.***
manufacturier', manufakturier' *m.* marchand *m.* de nouveautés.
manufactuur'winkel, manufaktuur'winkel, manufactu'ren-, manufaktu'renwinkel *m.* magasin *m.* de nouveautés.
Ma'nus *m.* Germain *m.*; ***—je van alles,*** Maître Jacques, Jean-fait-tout *m.*
manuscript', manuskript' *o.* manuscrit *m.*
man'uur *o.* heure *f.* de travail.

man'volk, mans'volk *o.* hommes *m.pl.*
man'wijf *o.* virago *f.*
man'ziek *b.n.* érotomane, érotomaniaque.
map *v.(m.)* **1** *(boekentas)* serviette *f.*; **2** *(voor tekeningen, enz.)* portefeuille *m.*; **3** *(v. karton)* carton *m.*; **4** *(losse band v. brieven, enz.)* classeur *m.*
ma'raboe *m.* *(Dk.)* marabout *m.*
ma'raboet *m.* marabout *m.*
maraskijn' *m.* marasquin *m.*
ma'rat(h)onloop *m.* (course *f.* de) marathon *m.*
marche(-), *zie* ***mars(-).***
marche'ren *on.w.* marcher.
marconigram' *o.* radiotélégramme *m.*
marconist' *m.* radio(télégraphiste) *m.*, opérateur *m.* de T. S. F.; *(sch., vl.)* radionavigant *m.*
Mar'cus *m.* Marc *m.*
ma're, maar *v.(m.)* nouvelle *f.*, bruit *m.*
marechaussee' I *v.* *(korps)* gendarmerie *f.*; **II** *m.* *(persoon)* gendarme *m.*
ma'retak *m.* gui *m.*
mar'gapatroon *v.(m.)* cartouche *f.* blanche.
Margare'ta *v.* Marguerite *f.*
margari'ne *v.(m.)* margarine *f.*
margari'nefabriek *v.* margarinerie *f.*
margari'nefabrikant *m.* margarinier *m.*
margari'nezuur *o.* acide *m.* margarique.
margina'liën *mv.* notes *f.pl.* marginales.
Margriet' *v.* Marguerite *f.*
margriet' *v.(m.)* *(Pl.)* grande marguerite *f.*
Mari'a *v.* Marie *f.* [Vierge *f.*
Mari'abeeld *o.* statue *f.* de la Vierge, madone,
Mari'a-Bood'schap *v.* Annonciation *f.*
Mari'acongres *o.* congrès *m.* marial. [Vierge.
Mari'a-Geboor'te *v.* Nativité *f.* de la sainte
Mari'a-He'melvaart *v.(m.)* Assomption *f.*
Mari'a-Licht'mis *v.(m.)* la Chandeleur, Purification *f.* de la Vierge. [tion.
Mari'a-Ontvan'genis *v.* Immaculée *f.* Concep-
Maria'verering *v.* culte *m.* de la sainte Vierge, — marial.
Mariet'je *v. en o.* Mariette, Marion, Manon *f.*
marihua'na *v.(m.)* marihuana, mariyuana *f.*
marihua'nasigaret *v.(m.)* cigarette *f.* marihuana.
mari'ne *v.* marine *f.*
mari'ne-attaché *m.* attaché *m.* naval.
mari'nebasis *v.* base *f.* navale.
mari'neblauw *b.n.* bleu marine.
mari'ne-eenheden *mv.* les marines *f.pl.*, les troupes *f.pl.* marines.
mari'ne-etablissement *o.* arsenal *m.* naval.
mari'nehaven *v.(m.)* port *m.* de guerre.
mari'nekijker *m.* lunette *f.* d'approche. [naval.
marineluchtʼvaartdienst *m.* service *m.* aéro-
mari'neofficier *m.* officier *m.* de la marine.
marine'ren *ov.w.* mariner.
mari'newerf *v.(m.)* arsenal *m.* maritime, chantier *m.* de constructions navales.
marinier' *m.* soldat *m.* de l'infanterie de marine; fusilier *m.* marin.
Mari'no, ***San* —,** *o.* Saint-Marin *m.*
marionet' *v.(m.)* marionnette *f.*
marionet'tenspel *o.* théâtre *m.* de marionnettes.
marjolein' *v.(m.)* *(Pl.)* marjolaine *f.* [marche *f.*
mark I *m.* *(munt)* mark *m.*; **II** *v.(m.)* *(aardr.)*
Mark *o.* Marcq.
markant' *b.n.* marquant.
Mar'ken *o.* l'(ancienne) île de Marken.
marke'ren *ov.w.* marquer. [—ière *f.*
marketen'ter *m.*, **—ster** *v.* *(mil.)* vivandier *m.*,
markeur' *m.* *(bilj.)* marqueur *m.*
mark'graaf *m.* margrave *m.*
mark'graafschap *o.* margraviat *m.*
mark'gravin *v.* margrave, margravine *f.*
markies' I *m.* marquis *m.*; **II** *v.(m.)* marquise *f.*, store *m.*
Markie'zen-eilanden *mv.* îles *f.pl.* Marquises.
markiezin' *v.* marquise *f.*
markizaat' *o.* marquisat *m.*
markt *v.(m.)* **1** *(alg.)* marché *m.*; **2** *(plein)* place *f* du marché; **3** *(prijs)* prix *m.*; **4** *(afzetgebied)* marché, débouché *m.*; ***overdekte* —,** halle *f.*; ***onder de* — *verkopen,*** vendre au-dessous du prix; ***aan de* — *komen,*** paraître sur le marché; ***aan de* — *brengen,*** mettre sur le marché; ***de* — *drukken,*** déprimer le marché; ***een* — *vinden voor,*** trouver un débouché pour; ***op de* — *gooien,*** mettre à la vente; ***van alle —en thuis zijn,*** s'entendre à tout, être de tout métier, être propre à tout.
markt'bericht *o.* bulletin *m.* du marché, mercuriale *f.*
markt'dag *m.* jour *m.* de marché.
mark'ten *on.w.* aller au marché.
markt'gang *m.* visite *f.* au marché.
markt'ganger *m.* visiteur *m.* du marché.
markt'geld *o.* droit *m.* d'emplacement, — de stationnement; hallage *m.*
markt'hal *v.(m.)* marché *m.* couvert, halle *f.*
markt'koopman *m.* marchand *m.* forain.
markt'kraam *v.(m.)* baraque, boutique *f.*
markt'meester *m.* inspecteur *m.* du marché.
markt'plaats *v.(m.)* marché *m.*
markt'plein *o.* place *f.* du marché. [marché.
markt'prijs *m.* prix *m.* courant, cours *m.* du
markt'schreeuwer *m.* charlatan, bonisseur *m.*
markt'vlek *o.* bourg *m.*; ***klein* —,** bourgade *f.*
markt'vrouw *v.* dame *f.* de la halle, vendeuse *f.*
markt'waarde *v.* valeur *f.* marchande.
mar'len *ov.w.* *(sch.)* marliner.
mar'mel *m.* bille, chique *f.*
marmela'de *v.(m.)* confiture; marmelade *f.*
mar'mer *o.* marbre *m.*
mar'merachtig *b.n.* marbré, marmoréen.
mar'merader *v.(m.)* veine *f.* de marbre.
mar'merbeeld *o.* statue *f.* de marbre.
mar'merbewerker *m.* marbrier *m.*
mar'merbewerking *v.* travail *m.* du marbre.
mar'merblad *o.* plaque *f.* de marbre.
mar'meren I *ov.w.* **1** marbrer; **2** *(v. boek)* jasper; **II** *z.n., o.* **1** marbrure *f.*; **2** jaspure *f.*; **III** *b.n.* de (*of* en) marbre.
mar'mergroef, -groeve *v.(m.)* marbrière *f.* carrière *f.* de marbre.
mar'mering *v.* **1** marbrure *f.*; **2** *(v. boek)* jaspure *f.*
mar'merpapier *o.* papier *m.* marbré.
mar'merplaat *v.(m.)* plaque *f.* de marbre.
mar'merslijper *m.* marbrier, polisseur *m.* (de marbre).
marmerslijperij' *v.* marbrerie *f.*
mar'mersteen *m.* marbre *m.*
mar'merzaag *v.(m.)* sciotte *f.*
marmot' *v.(m.)* **1** marmotte *f.*; **2** cochon *m.* d'Inde, cobaye *m.*
marokijn'(le(d)er) *o.* maroquin *m.*
marokij'nen *b.n.* de (*of* en) maroquin.
Marokkaan' *m.* Marocain *m.*
Marokkaans' *b.n.* marocain.
Marok'ko *o.* le Maroc.
marot' *v.(m.)* marotte *f.*
Mars *m.* Mars *m.*
mars I *v.(m.)* **1** *(mand)* balle *f.* de colporteur; **2** *(rugkorf)* hotte *f.*; **3** *(sch.)* hune *f.*; ***hij heeft wat in zijn* —,** il a beaucoup dans son sac, son bagage n'est pas mince, c'est un homme instruit; ***hij heeft niet veel in zijn* —,** son bagage est mince; **II**

marche *m. en v.* marche *f.*; ***op* —,** en route, en marche; ***voorwaarts,* —*!*** (*mil.*) en avant, marche; ***— naar Rome,*** marche *f.* sur Rome.
mars'bataljon, marchebataljon *o.* (*mil.*) bataillon *m.* de marche.
Mars'bewoner *m.* Martien *m.*
mars'drager *m.* colporteur *m.*
marsepein' *m. en o.* massepain *m.*
mars'gast *m.* (*sch.*) gabier *m.* [teur *m.*
mars'kramer *m.* marchand *m.* ambulant, colpor-
marskramerij' *v.* colportage *m.*
mars'land *o.* marécage *m.*, pays *m.* marécageux.
mars'lantaarn, -lantaren *v.*(*m.*) feu *m.* de hune, fanal *m.* de hune.
mars'lied, marchelied *o.* chanson *f.* de route.
mars'order, marcheorder *v.*(*m.*) *en o.* feuille *f.* de route.
mars'route, marcheroute *v.*(*m.*) itinéraire *m.*, tableau *m.* de marche.
mars'steng *v.*(*m.*) (*sch.*) mât *m.* de hune.
mars'tempo, marchetempo *o.* temps *m.* de marche.
mars'tenue, marchetenue *o. en v.*(*m.*) tenue *f.* de campagne. [marcher.
marsvaar'dig, marchevaardig *b.n.* prêt à
mars'zeil *o.* voile *f.* de hune, hunier *m.*
mar'telaar *m.* **1** martyr *m.*; **2** (*beul*) bourreau *m.*
mar'telaarsboek *o.* martyrologe *m.*
mar'telaarschap *o.* martyre *m.*
mar'telaarskroon *v.*(*m.*) couronne *f.* du martyre.
martelares' *v.* martyre *f.*
mar'teldood *m. en v.* martyre *m.*
mar'telen *ov.w.* **1** (*om 't geloof*) martyriser; **2** (*folteren*) torturer, tourmenter. [ment *m.*
mar'teling *v.* **1** martyre *m.*; **2** torture *f.*, tour-
Mar'telingen *o.* Martelange.
mar'telpaal *m.* poteau *m.* de torture.
mar'teltuig *o.* instruments *m.pl.* de torture.
mar'ter *m.* (*Dk.*) martre *f.*
mar'terbont *o.* peau *f.* de martre.
Mar'tha *v.* Marthe *f.*
martiaal' *b.n.* martial. [nique.
Martini'que *o.* la Martinique; ***op* —,** à la Marti-
Marti'nus *m.* Martin *m.* [marine.
mar'va *v.* A.F.A.M., auxiliaire *f.* féminine de la
marxis'tisch *b.n.* marxiste. [veine *m.*
mascot'te *v.*(*m.*) mascotte *f.*, porte-bonheur, porte-
mas'ker *o.* masque *m.*; ***het — afleggen,*** jeter le masque, lever —.
maskera'de *v.* mascarade *f.* [mulus *m.*
mas'kerbloem *v.*(*m.*) (*Pl.*) fleur *f.* personée, mi-
mas'keren, maske'ren *ov.w.* masquer.
mas'sa *v.*(*m.*) masse *f.*; ***de grote* —,** la foule, la multitude; ***bij de — verkopen,*** vendre en bloc.
massaal' *b.n.* en masse.
mas'sa-arrestatie *v.* arrestation *f.* en masse.
mas'sa-artikel *o.* article *m.* fabriqué en masse (*of* en série), article *m.* de série.
massa'ge *v.* massage *m.*
mas'sagraf *o.* fosse *f.* commune, charnier *m.*
mas'samens *m.* homme-masse *m.*, homme *m.* des foules.
mas'samoord *m. en v.* massacre *m.*
mas'sa-ontslag *o.* licenciement *m.* en masse.
mas'saproduct, -produkt *o.* produit *m.* de (grande) série.
mas'saproductie, -produktie *v.* production *f.* en masse, fabrication *f.* —. [— des masses.
mas'sapsychologie *v.* psychologie *f.* de la masse,
mas'sapsychose *v.* psychose *f.* collective.
mas'saregie *v.* mise *f.* en scène à grand spectacle, entraînement *m.* de la foule, direction *f.* de masse.
mas'sastaking *v.* grève *f.* générale.
mas'sasuggestie *v.* suggestion *f.* de la masse, — des masses.
mas'savervoering *v.* hystérie *f.* collective.
masseer'der *m.* masseur *m.*
masse'ren *ov.w.* masser.
masse'ring *v.* massage *m.*
masseur' *m.* masseur *m.* [pleins.
massief' *b.n.* massif; ***massieve banden,*** pneus
mast *m.* **1** (*sch.*) mât *m.*; **2** (*voor 't klimmen*) mât *m.* de cocagne; **3** (*el. en tel.*) pylône *m.*
mast'blok *o.* (*sch.*) chouquet *m.* [mâture* *m.*
mast'bok *m.* (*tn.*) bigue *f.*; ***drijvende* —,** ponton*-
mast'boom *m.* **1** (*Pl.*) pin *m.*; **2** (*sch.*) mât *m.*
mast'bos *o.* forêt *f.* de pins, sapinière *f.*
masteluin' *m. of o.* méteil *m.*
mas'ten *ov.w.* (*sch.*) mâter.
mas'tenmaker *m.* mâteur *m.*
mast'hout *o.* mâture *f.*
mastiek' *m. en o.* mastic *m.*
mastiek'boom *m.* lentisque *m.*
mast'klimmen *o.* jeu *m.* de mât de cocagne.
mast'korf *m.* hune *f.*
mastodont' *m.* mastodonte *m.*
mast'worp *m.* demi-nœud* *m.*
mat I *v.*(*m.*) **1** (*vloer*—) paillasson *m.*; **2** (*gevlochten*) natte *f.*; **3** (*vijgen*—) cabas *m.*; ***zijn —ten oprollen,*** plier bagage, faire ses paquets; **II** *b.n.* **1** (*v. goud, glas, enz.*) mat; **2** (*v. kleur: dof*) terne; **3** (*fig.: vermoeid, afgemat, uitgeput*) fatigué, las, languissant; ***— licht,*** lumière faible; ***—te ogen,*** yeux battus; ***de stemming der markt is* —,** la tenue du marché est languissante; **III** *bw.*, ***— zetten,*** faire mat, mater.
match *m. en v.* match *m.*, rencontre *f.*
ma'te *v.*(*m.*) mesure *f.*; ***in gelijke* —,** à un égal degré; ***in die* —,** à tel point, tellement; ***in hoge* —,** fort, extrêmement; ***met* —,** modérément.
ma'teloos *b.n.* sans mesure, démesuré; immense.
ma'teloosheid *v.* immensité *f.*
matemati-, *zie* ***mathemati-.***
materiaal' *o.* matériaux *m.pl.*
materialis'me *o.* matérialisme *m.*
materialist' *m.* matérialiste *m.*
materialis'tisch *b.n.* matérialiste.
mate'rie *v.* **1** (*stof*) matière *f.*; **2** (*gen.*) pus *m.*
materieel' I *b.n.* matériel; **II** *bw.* matériellement; **III** *z.n., o.* matériel *m.*; ***rollend* —,** matériel roulant.
mate'sis, *zie* ***mathesis.***
mat'glas *o.* verre *m.* dépoli.
mat'heid *v.* **1** (*dofheid*) matité *f.*, dépoli *m.*; **2** (*vermoeidheid, enz.*) abattement *m.*, lassitude *f.*; **3** (*v. stijl*) langueur *f.*
mat(h)ema'ticus *m.* mathématicien *m.*
mat(h)ema'tisch I *b.n.* mathématique; **II** *bw.* mathématiquement.
mat(h)e'sis *v.* mathématiques *f.pl.*
Mathil'de *v.* Mathilde *f.*
ma'tig I *b.n.* **1** (*sober, eenvoudig*) sobre; **2** (*v. prijs*) modique, modéré; **3** (*v. spijs en drank*) frugal; **4** (*v. warmte*) tempéré, modéré; ***een — succes,*** un succès d'estime; **II** *bw.* sobrement; modérément; frugalement; ***maar* —,** médiocrement; ***— ingenomen met,*** peu enthousiaste de.
ma'tigen I *ov.w.* **1** (*temperen*) modérer, tempérer; **2** (*beperken*) borner; **3** (*verminderen*) diminuer; **4** (*verzachten, bedaren*) calmer; **5** (*vaart*) réduire, enrayer, ralentir; **6** (*vonnis*) mitiger; **7** (*betomen*) contenir; **II** *w.w.*, ***zich* —,** se modérer; se calmer.
ma'tigheid *v.* sobriété, frugalité *f.*; modération; tempérance *f.*; (*v. prijzen*) modicité *f.*

ma'tigheidsbond *m.* ligue *f.* antialcoolique.
ma'tigheidsgenootschap *o.* société *f.* de tempérance.
ma'tiging *v.* modération *f.*
matineus' *b.n.* **1** (*vroeg op*) matinal; **2** (*gewoonlijk vroeg op*) matineux.
mat'je *o.* **1** (*alg.*) petite natte *f.*; **2** (*tafel—*) dessous *m.*
matras' *v.*(*m.*) *en o.* **1** matelas *m.*; **2** (*v. paardehaar of als paljas dienend*) sommier *m.*; ***springveren —,*** sommier élastique.
matras'senmaker *m.* matelassier *m.*
matras'veer *v.*(*m.*) ressort *m.* de sommier.
matras'zak *m.* taie *f.*
matrijs' *v.*(*m.*) (*tn.*) matrice *f.*
matrijs'veer *v.*(*m.*) ressort *m.* de matrice.
matroos' *m.* matelot *m.*; ***vol —,*** matelot amariné.
matroos'je *o.* petit matelot, mousse *m.*
matro'zengeld *o.* gages *m.pl.* (de matelot).
matro'zenkraag *m.* col *m.* marin.
matro'zenmuts *v.*(*m.*) bonnet *m.* de matelot.
matro'zenpak *o.* **1** (*v. matroos*) costume *m.* de matelot; **2** (*v. jongen*) costume *m.* marin, matelot *m.*; **3** (*v. meisje*) marinière *f.*
mat'se *m.* pain *m.* azyme, — sans levain.
mat'teklopper *m.* tapette *f.*, battoir *m.*
mat'ten I *ov.w.* **1** (*v. stoel*) rempailler; (*rieten zitting*) canner; **2** (*v. flessen*) clisser; **II** *b.n.* empaillé; canné.
mat'tenbiezen *mv.* joncs *m.pl.*
mat'tenmaker *m.* nattier *m.*
mat'tenstoel *m.* chaise *f.* paillée, — cannée.
mat'tenvlechter *m.* nattier *m.*
mat'ter *m.* nattier; rempailleur *m.*
Mat'terhorn *m.*, ***de —,*** le Mont Cervin.
Matthe'us, Matthijs' *m.* Matthieu *m.*
mat'verf *v.*(*m.*) couleur *f.* mate.
mat'vijl *v.*(*m.*) lime *f.* à matir.
mat'werk *o.* vannerie *f.*, nattes *f.pl.*
Mau'rits *m.* Maurice *m.*
Mauri'tius *o.* l'île *f.* Maurice, l'Ile-de-France *f.*; ***op —,*** à la Maurice.
mausole'um *o.* mausolée *m.*
mau'wen I *on.w.* miauler; **II** *z.n.*, *o.* miaulement *m.*
maximaal' *b.n.* maximum; ***...male belasting,*** maximum de charge, charge maximum (*of* maxima).
Maximiliaan' *m.* Maximilien *m.*
ma'ximum *o.* maximum *m.*; ***tot het — opvoeren,*** porter à son maximum.
ma'ximumprijs *m.* prix *m.* maximum, ***— prijzen,*** prix maxima.
ma'ximumsnelheid *v.* vitesse *f.* maximum.
ma'ximumtemperatuur *v.* température *f.* maximum (*pl.:* —s maxima), — maximale (*pl.:* —s —s).
ma'ximumt(h)ermometer *m.* thermomètre *m.* à maxima.
mayonai'se *v.* mayonnaise *f.*
ma'zelen *mv.* rougeole *f.*
ma'zen *ov.w.* **1** (*breiwerk herstellen*) remailler; **2** (*net*) lacer; **3** (*met mazen maken*) mailler.
ma'zenwerk *o.* lacis *m.*
mazur'ka *m. en v.* (*muz.*) mazurka *f.*
maz'zelen *on.w.* réussir un bon coup.
me, *zie* ***mij.***
mecanicien' *m.* mécanicien *m.*
mece'nas, maece'nas *m.* Mécène *m.*
mecha'nica, mecha'nika *v.* mécanique *f.*
mecha'nicus *m.* mécanicien, mécano *m.*
mechaniek', mekaniek' *v. en o.* mécanisme *m.*
mecha'nisch I *b.n.* mécanique, machinal; **II** *bw.* mécaniquement, machinalement.
mechanise'ren, mechanize'ren *ov.w.* mécaniser.
mechanis'me, mekanis'me *o.* mécanisme *m.*
mechanizeren, *zie* ***mechaniseren.***
Me'chelaar *m.* Malinois *m.*
Me'chelen *o.* Malines *f.*
Me'chelen-Bovelingen *o.* Marlinne.
Me'chels *b.n.* malinois, de Malines.
Meck'lenburg *o.* le Mecklembourg.
Meck'lenburger *m.* Mecklembourgeois *m.*
Meck'lenburgs *b.n.* mecklembourgeois.
medail'le *v.*(*m.*) médaille *f.*
me'(d)e I *v.*(*m.*) **1** (*honigdrank*) hydromel *m.*; **2** (*meekrap*) garance *f.*; **II** *bw.* aussi, également.
medeanspra'kelijk *b.n.* coresponsable, qui partage la responsabilité.
me'deambtenaar *m.* confrère, collègue *m.*
me'dearbeiden *on.w.* collaborer.
me'dearbeider *m.* collaborateur *m.*
me'debeklaagde *m.-v.* coaccusé(e) *m.*(*f.*).
me'debelanghebbende *m.-v.* coïntéressé(e) *m.*(*f.*).
me'debeschuldigde *m.-v.* coaccusé(e) *m.*(*f.*).
me'debestuurder *m.* codirecteur *m.*
me'debetalen *on.w.* entrer dans les frais, — les dépenses.
me'debewoner *m.* **1** cohabitant *m.*; **2** (*huurder*) colocataire *m.*
me'debezitter *m.* copropriétaire *m.*
me'debrengen, *zie* ***meebrengen.***
me'debroeder *m.* **1** frère, prochain *m.*; **2** (*in klooster*) confrère *m.*; **3** (*ambtgenoot*) collègue, confrère *m.*
me'deburger *m.* concitoyen *m.*
me'dedader *m.* complice; (*in moord ook:*) coauteur *m.*
mededeel'baar *b.n.* communicable.
me'dedeelgenoot *m.* associé; (*deelhebber*) participant *m.*
me'dedeelhebber *m.* participant *m.*
mededeel'zaam *b.n.* **1** (*geneigd tot geven*) charitable, libéral; **2** (*spraakzaam*) communicatif, expansif, ouvert.
mededeel'zaamheid *v.* **1** bienfaisance, libéralité *f.*; **2** caractère *m.* communicatif.
me'dedelen, mee'delen *ov.w.* communiquer.
me'dedelend *b.n.* communicatif.
me'dedeling *v.* communication *f.*
me'dedingen, mee'dingen *on.w.* concourir; rivaliser; (*H.*) faire concurrence à; ***— naar een prijs,*** concourir pour un prix.
me'dedinger *m.* **1** rival *m.*; **2** concurrent *m.*; **3** (*in wedstrijd*) compétiteur *m.*
me'dedinging *v.* **1** rivalité *f.*; **2** concurrence *f.*; **3** compétition *f.*; ***buiten —,*** hors concours.
me'dedogen *o.* compassion, pitié *f.*
me'deëigenaar *m.* copropriétaire *m.*
me'deërfgenaam *m.* cohéritier *m.*
me'defirmant *m.* (*H.*) sieur *m.*
me'degaan, *zie* ***meegaan.***
me'degerechtigde *m.* (*recht*) coayant* *m.* droit.
me'degevangene *m.-v.* codétenu(e) *m.*(*f.*).
me'degevoel, mee'gevoel *o.* **1** sympathie *f.*; **2** (*medelijden*) compassion *f.*
me'dehelper *m.*, **—ster** *v.* aide *m.-f.*, assistant(e) *m.*(*f.*).
me'dehuurder *m.* colocataire *m.*
me'deïngezetene *m.* concitoyen, cohabitant *m.*
me'deklinker *m.* consonne *f.*
me'deleerling *m.* condisciple *m.*, compagnon *m.* d'études.
me'deleven, *zie* ***meeleven.***
me'delid *o.* membre; confrère, collègue *m.*
me'delijden, mee'lij *o.* pitié, compassion *f.*; ***— hebben met,*** avoir pitié de; ***met iem. — krijgen,*** prendre qn. en pitié; ***om — mee te krijgen,*** à faire pitié; ***uit — met,*** par pitié pour.
medelij'dend I *b.n.* compatissant; **II** *bw.* avec compassion, avec pitié.
me'delijdend *b.n.* sympathique.

medelijdenswaar'd(ig) *b.n.* pitoyable, qui fait pitié, qui excite la pitié.
me'demens *m.* prochain, semblable *m.*
me'deminnaar *m.* rival *m.*
me'deminnares *v.* rivale *f.*
Me'den *mv.* Mèdes *m.pl.*
me'deondertekenaar *m.* cosignataire *m.*
me'deondertekenen, mee'ondertekenen *ov.w.* contresigner; signer aussi.
me'deoorzaak *v.(m.)* cause *f.* secondaire.
me'depassagier *m.* copassager *m.*, compagnon *m.* de voyage, — de traversée.
medeplich'tig *b.n.* complice.
medeplich'tige *m.-v.* complice *m.-f.*
medeplich'tigheid *v.* **1** complicité *f.*; **2** (— *door oogluiking*) connivence *f.*
me'dereiziger *m.* compagnon *m.* de voyage, covoyageur *m.*
me'dereizigster *v.* compagne *f.* de voyage.
me'deschepsel *o.* semblable *m.*
me'deschuldig, *zie* ***medeplichtig.***
me'deslepen, mee'slepen *ov.w.* entraîner.
me'despeler *m.* **1** (*bij spel*) partenaire, coéquipier *m.*; **2** (*speelmakker*) compagnon *m.* de jeu.
me'destander *m.* partisan *m.*
me'destrijden, mee'strijden *on.w.* prendre part à la lutte.
me'destrijder *m.* **1** compagnon *m.* de lutte; **2** (*mil.*) frère *m.* d'armes.
me'dewerken, mee'werken *on.w.* **1** coopérer; **2** (*aan boek, tijdschrift, enz.*) collaborer.
me'dewerker *m.* **1** coopérateur *m.*; **2** collaborateur *m.*
me'dewerking *v.* **1** concours *m.*, coopération *f.*; **2** collaboration *f.*; ***met — van,*** avec la collaboration de, en collaboration avec.
me'deweten *o.* connaissance *f.*; ***buiten mijn —,*** à mon insu; ***met zijn —,*** de son aveu, à son escient; ***met — van zijn vader,*** avec l'assentiment de son père.
me'dezeggenschap *v. en o.* participation *f.*; ***— hebben,*** avoir voix au chapitre.
mediaan' I *b.n.* médian, moyen; **II** *z.n., v.(m.)* médiane *f.*, ligne *f.* médiane.
mediaan'letter *v.(m.)* (*drukk.*) corps *m.* onze, [cicéro *m.*
mediaan'lijn *v.(m.)* médiane *f.*, ligne *f.* médiane.
mediaan'papier *o.* médian *m.*
medicijn' *v.(m.)* médicament *m.*; ***in de —en studeren,*** étudier la médecine, faire —.
medicijn'drank *m.* potion *f.*
medicijn'fles *v.(m.)* fiole *f.*
medicijn'kistje *o.* pharmacie *f.* de famille.
medicinaal' *b.n.* **1** (*v. de artsenij*) médicinal; **2** (*geneeskundig*) médical. [en médecine.
me'dicus *m.* **1** médecin *m.*; **2** (*student*) étudiant *m.*
Me'dië *o.* la Médie.
Me'diër *m.* Mède *m.*
Medi'na *o.* Médine *f.*
me'dio *bw.*, ***— november,*** à la mi-novembre, le quinze novembre.
Me'disch *b.n.* médique.
me'disch *b.n.* médical; ***— student,*** étudiant en médecine; ***—e faculteit,*** faculté de médecine; ***— advies,*** avis du médecin; ***— attest,*** certificat médical; ***—e hulp inroepen,*** appeler le médecin; ***— onderzoek,*** contrôle *m.* médical.
medita'tie *v.* méditation *f.*
medite'ren *on.w.* méditer.
me'dium *o.* médium *m.*
me'diumschap *o.* médiumnité *f.*
Medu'sa *v.* **1** Méduse *f.*; **2** (*Dk.*) méduse *f.*
mee, me'de *bw.* aussi; ***hij gaat niet —,*** il ne nous accompagne pas; ***ga je —?*** viens-tu avec moi? ***zich ergens — bemoeien,*** se mêler de qc.; ***hij lacht er —,*** il en rit; ***de wind — hebben,*** avoir le vent en poupe.
mee'brengen, me'debrengen *ov.w.* **1** (*wat men draagt*) apporter; **2** (*wat men niet draagt, wat loopt*) amener; **3** (*veroorzaken*) entraîner, occasionner, produire; **4** (*fig.*) comporter; ***het gebruik brengt dat mee,*** l'usage le veut, c'est l'usage.
mee'delen, me'dedelen *ov.w.* communiquer, faire savoir; faire part de; ***— in,*** participer à.
mee'dingen, *zie* ***mededingen.***
mee'doen *on.w.* prendre part à; être de la partie; ***doet u mee?*** serez-vous de la partie? serez-vous des nôtres? ***ik doe mee,*** j'en suis; ***hij kan goed —,*** il tient bien sa partie.
meedo'gend I *b.n.* compatissant, miséricordieux; **II** *bw.* avec compassion.
meedo'genloos I *b.n.* impitoyable; **II** *bw.* impitoyablement.
mee'ëter *m.* convive *m.-f.*, commensal *m.*
mee'gaan, me'degaan *on.w.* **1** aller avec (qn.), accompagner (qn.); **2** (*fig.*) être d'accord (avec), partager l'opinion (de); ***met zijn tijd —,*** être à la hauteur de son temps.
meegaand' *b.n.* facile à vivre, accommodant, de bonne composition. [modant.
meegaand'heid *v.* caractère *m.* facile, — accom-
mee'geven I *ov.w.* **1** (*geven*) donner; **2** (*toevertrouwen*) confier; **3** (*ten huwelijk*) donner en dot; **4** (*iemand, als gids, enz.*) faire accompagner de; **II** *on.w.* céder; ***niet —,*** résister.
mee'gevoel, *zie* ***medegevoel.***
mee'helpen *on.w.* aider; ***aan iets —,*** prêter son concours à qc., coopérer à qc.
mee'komen *on.w.* venir aussi; (*op school*) suivre; ***met iem. —,*** venir avec qn., accompagner qn.
mee'krap *v.(m.)* garance *f.*
mee'kraprood *o.* rouge *m.* garance.
mee'krapveld *o.* garancière *f.*
mee'krapwortel *m.* alizari *m.*
mee'krijgen *ov.w.* **1** recevoir; **2** (*ten huwelijk*) recevoir en dot; ***ik kon hem niet —,*** il ne voulait pas venir.
mee'kunnen *on.w.* pouvoir suivre (en classe).
meel *o.* farine *f.*; ***met — bestrooien,*** enfariner.
meel'achtig *b.n.* farineux.
meel'bloem *v.(m.)* fleur *f.* de farine.
meel'buil *m.* blutoir *m.*
meel'dauw *m.* (*Pl.*) mildiou, mildew *m.*
meel'deeg *o.* pâte *f.* de farine.
meel'draad *m.* (*Pl.*) étamine *f.*
mee'leven, me'deleven *on.w.*, ***met iem. —,*** vivre de la vie de qn.
meel'fabriek *v.* minoterie *f.*
meel'fabrikant *m.* minotier *m.* [farines.
meel'handel *m.* minoterie *f.*, commerce *m.* des
meel'handelaar *m.* minotier, farinier *m.*
mee'lij, *zie* ***medelijden.***
meel'kalk *m.* chaux *f.* en poudre.
meel'kever *m.* ténébrion, meunier *m.*
meel'kist *v.(m.)* huche *f.*, caisse *f.* à farine.
meel'kost *m.* farineux *m.pl.*; aliments *m.pl.* farineux.
meel'kruid *o.* (*Pl.*) clématite *f.*
mee'lokken *ov.w.* entraîner (avec soi), attirer.
mee'lopen *on.w.* accompagner; ***een eind met iem. —,*** faire un bout de chemin avec qn.; ***alles loopt hem mee,*** tout lui réussit; ***het is hem meegelopen,*** il a eu de la chance.
mee'lopers *mv.* la gent moutonnière.
meel'pap *v.(m.)* bouillie *f.* de farine.

meel'spijs *v.(m.)* farineux *m.*; mets *m.* de farine.
meel'tor *v.(m.)* meunier *m.*, escarbot *m.* de la farine.
meel'trog *m.* pétrin *m.*
meel'worm *m.* ver *m.* de farine.
meel'zak *m.* sac *m.* à farine.
meel'zeef *v.(m.)* tamis *m.* à farine.
meel'zolder *m.* grenier *m.* à farine.
mee'maken *ov.w.* prendre part à; participer à; ***hij heeft veel meegemaakt,*** il en a vu de toutes les couleurs.
mee'nemen *ov.w.* **1** (*wat men draagt*) emporter, prendre avec soi; **2** (*wat loopt*) emmener; ***dat is meegenomen,*** c'est autant de gagné.
mee'ondertekenen, *zie* ***medeondertekenen.***
mee'pakken *ov.w.* emporter.
mee'praten *on.w.* prendre part à la conversation; ***daar weet ik van mee te praten,*** j'en sais quelque chose.
meer I *bw.* plus; (*zonder b.n. of vergelijking, aan einde van zin*) davantage; ***— dan,*** **1** (*vergelijking*) plus que; **2** (*hoeveelheid*) plus de; ***— dan de helft,*** plus de la moitié; (*na z.n., telw. of onb. vnw.*) de plus; ***100 fr. —,*** 100 francs de plus; ***— en —,*** de plus en plus; ***des te —,*** d'autant plus; ***hoe langer hoe —,*** de plus en plus; ***veel —,*** bien plus; ***zonder —,*** tout court; ***hij weet er — van,*** il en sait plus long; ***dat smaakt naar —,*** cela a un goût de revenez-y; ***ik heb dat — gedaan,*** ce n'est pas la première fois que je fais cela; ***wat wil je nog — ?*** que veux-tu de plus ? ***wat — is,*** ce qui plus est; (*tussen 2 komma's*) qui plus est; **II** *o.* lac *m.*
meer'boei *v.(m.)* (*sch.*) corps-mort* *m.*
meer'der *b.n.* plus grand, supérieur; ***de —e waarde,*** la plus-value*; ***de —e kosten,*** les frais supplémentaires.
meer'dere *m.-v.* supérieur(e) *m.(f.)*.
meer'deren *on.w.* augmenter.
meer'derheid *v.* **1** (*groter aantal*) majorité *f.*; **2** (*overwicht, gezag*) supériorité *f.*; ***volstrekte —,*** majorité absolue; ***bij — van stemmen,*** à la majorité des voix.
meer'dering *v.* augmentation *f.*, accroissement *m.*
meerderja'rig *b.n.* majeur.
meerderja'rige *m.-v.* majeur(e) *m.(f.)*.
meerderja'righeid *v.* majorité *f.*
meerderja'rigverklaring *v.* émancipation *f.*
mee'reizen *on.w.* voyager avec qn.
mee'rekenen *ov.w.* faire entrer en ligne de compte, compter; ***de zieken niet meegerekend,*** sans compter les malades; ***de zieken meegerekend,*** y compris les malades; ***alles meegerekend,*** tout compte fait; ***niet —,*** décompter.
meer'gemeld, meer'genoemd *b.n.* susdit, susmentionné, précité.
mee'rijden *on.w.* accompagner (à bicyclette, en voiture, etc.).
meer'kat *v.(m.)* (*Dk.*) guenon *f.*, macaque *m.*
meer'ketting *m. en v.* chaîne *f.* d'amarrage.
meer'koet *m.* (*Dk.*) morelle *f.*
meer'kol *m.* (*Dk.*) geai *m.*
meerlettergre'pig *b.n.* de plusieurs syllabes, polysyllabique, polysyllabe.
meer'maals, meer'malen *bw.* plusieurs fois plus d'une fois.
meer'man *m.* triton *m.*, homme *m.* marin.
meer'min *v.* néréide, sirène *f.*
meer'motorig *b.n.* multimoteur.
meer'nimf *v.* naïade, ondine *f.*
meer'paal *m.* poteau *m.* d'amarrage.
meer'plant *v.(m.)* plante *f.* lacustre.
meerpo'lig *b.n.* multipolaire.
meer'ring *m.* boucle *f.* de quai, organeau *m.*
meer'schuim *o.* écume *f.* de mer; ***—en pijp,*** pipe en écume.
meerslach'tig *b.n.* hétérogène.
meerslach'tigheid *v.* hétérogénéité *f.*
meer'stemmig *b.n.* (*muz.*) à plusieurs voix.
meerta'lig *b.n.* plurilingue.
meer'touw *o.* (*sch.*) amarre *f.*
meer'trapsraket *v.(m.)* fusée *f.* à (plusieurs) étages.
meer'val *m.* (*Dk.*) silure *m.*
meer'voud *o.* pluriel *m.*
meer'voudig *b.n.* **1** pluriel; **2** (*v. stemrecht*) plural.
meer'voudsuitgang *m.* terminaison *f.* plurielle, — du pluriel.
meer'voudsvorm *m.* forme *f.* du pluriel.
meer'voudsvorming *v.* formation *f.* du pluriel.
meer'waarde *v.* plus-value* *f.*
meerwaar'dig *b.n.* **1** supérieur; **2** (*scheik.*) plurivalent.
meerwaar'digheidscomplex *o.* complexe *m.* de supériorité.
mees *v.(m.)* mésange *f.*
mee'slepen, me'deslepen *ov.w.* entraîner.
mee'slepend *b.n.* entraînant.
mee'sleuren *on.w.* entraîner.
mees'muilen *on.w.* sourire ironiquement; rire dans sa barbe.
mees'muiler *m.* ricaneur *m.*
mee'spelen *on.w.* prendre part au jeu; être de la partie.
mee'spreken *on.w.* prendre part à la conversation; ***hij heeft ook een woordje mee te spreken,*** il a voix au chapitre.
meest I *b.n.* le plus; ***de —e fouten,*** **1** (*meer dan de anderen*) le plus de fautes; **2** (*het merendeel*) la plupart des fautes; **II** *bw.* le plus souvent.
meestal' *bw.* le plus souvent.
meest'begun'stigd *b.n.* le plus favorisé.
meestbegun'stigingsclausule *v.(m.)* clause *f.* du plus favorisé.
meest'bie'dende *m.* le plus offrant *m.*
mees'tendeels *bw.* pour la plupart.
mee'stemmen *on.w.* prendre part au vote.
mees't(en)tijds *bw.* le plus souvent, la plupart du temps.
mees'ter *m.* **1** (*alg.*) maître *m.*; **2** (*onderwijzer*) maître *m.* d'école, instituteur *m.*; **3** (*baas, patroon*) chef, patron *m.*; **4** (*heelmeester*) chirurgien *m.*; ***— in de rechten,*** docteur en droit; (*als titel v. advocaat of notaris*) maître *m.*; ***zich — maken van,*** s'emparer de, se rendre maître de; ***een taal — zijn,*** posséder une langue; ***zich zelf niet meer — zijn,*** ne plus se posséder; ***oude —s,*** vieux maîtres.
mees'terachtig I *b.n.* **1** de maître, impérieux; **2** (*schoolmeesterachtig*) pédant; **II** *bw.* **1** en maître; **2** avec pédanterie.
meesteres' *v.* maîtresse *f.*
mees'terhand *v.(m.)* main *f.* de maître.
mees'terknecht *m.* contre-maître*, chef *m.* d'atelier.
mees'terlijk I *b.n.* magistral, de maître, supérieur; **II** *bw.* magistralement, en maître, de main de maître.
mees'terschap *o.* maîtrise, maestria; supériorité *f.*
mees'terstitel *m.* grade *m.* de docteur en droit.
mees'terstuk *o.* chef*-d'œuvre *m.*
mees'terwerk *o.* chef*-d'œuvre *m.*
mees'terzanger *m.* maître chanteur *m.*
mee'strijden, me'destrijden *on.w.* prendre part à la lutte.
meest'tijds, *zie* ***meestentijds.***
meet *v.(m.)* marque, ligne *f.*, endroit *m.* marqué.
meet'baar *b.n.* **1** (*alg.*) mesurable; **2** (*wisk.*)

(*onderling* —) commensurable; (*getal, hoeveelheid*) rationnel.
meet'baarheid *v.* **1** mesurabilité *f.*; **2** commensurabilité *f.*; **3** rationalité *f.*
meet'brief *m.* certificat *m.* de jauge, — de tonne.
mee'tellen *on.w.* entrer en ligne de compte, compter; ***de kinderen niet meegeteld,*** sans compter les enfants.
mee'ting *v.(m.)* meeting *m.*, réunion *f.* de masse, — sportive.
meet'instrument *o.* instrument *m.* de mesure.
meet'ketting *m. en v.* chaînette *f.* d'arpenteur.
meet'kunde *v.* géométrie *f.*; ***beschrijvende —,*** géométrie descriptive; ***vlakke —,*** géométrie plane.
meetkun'dig I *b.n.* géométrique; **II** *bw.* géométriquement.
meetkun'dige *m.* géomètre *m.*
meet'lijn *v.(m.)* corde *f.* d'arpenteur.
meet'lint *o.* mètre *m.* à ruban.
mee'tronen *ov.w.* entraîner avec soi, attirer.
meet'stok *m.* jalon *m.* d'arpenteur.
meet'tafel *v.(m.)* planchette *f.*
meet'werktuig *o.* instrument *m.* de mesure; — d'arpentage.
meeuw *v.(m.)* mouette *f.*
mee'vallen *on.w.* dépasser l'attente, — les espérances; être plus agréable qu'on n'avait pensé; ***dat vraagstuk is meegevallen,*** ce problème a été moins difficile que je n'avais cru (*of* pensé); ***niet —,*** ne pas répondre à l'attente.
mee'valler *m.* (bonne) aubaine, bonne fortune *f.*, avantage *m.* inespéré, bénéfice *m.* —, coup *m.* de chance.
mee'vechten *on.w.* prendre part au combat.
mee'voelen *on.w.*, ***met iem. —,*** entrer dans la douleur de qn.
mee'voeren *ov.w.* emmener, entraîner.
meewa'rig I *b.n.* compatissant; ***een — gezicht,*** un air peiné; **II** *bw.* avec compassion.
meewa'righeid *v.* compassion, pitié, commisération *f.*, apitoiement *m.*
meewerken, *zie* ***medewerken.***
mee'zenden *ov.w.* envoyer en même temps.
mee'zingen *on.w. en ov.w.* chanter avec les autres.
megafoon' *m.* mégaphone *m.*
mei *m.* (mois de) mai *m.*
mei'bloem *v.(m.)* muguet *m.*
mei'boom *m.* mai *m.*
mei'boter *v.(m.)* beurre *m.* de mai.
meid *v.* **1** (*meisje*) (jeune) fille *f.*; **2** (*dienstbode*) bonne, servante *f.*; ***— alleen,*** bonne à tout faire; (*boeren—*) fille *f.* de ferme.
mei'denkamer *v.(m.)* chambre *f.* de bonne; — des servantes.
mei'denkleding *v.* costume *m.* de bonne.
mei'denloon *o.* gages *m.pl.*
mei'denpraatjes *mv.* commérages, potins *m.pl.*, propos *m.pl.* de domestiques.
mei'denwerk *o.* ouvrage *m.* de servante.
mei'doorn, -doren *m.* aubépine *f.*, épine *f.* blanche.
mei'er *m.* **1** métayer, fermier *m.*; **2** (*gesch.*) bailli *m.*
meierij' *v.* **1** métairie, ferme *f.*; **2** bailliage *m.*
mei'kers *v.(m.)* cerise *f.* de mai, — hâtive.
mei'kever *m.* hanneton *m.*
mei'maand *v.(m.)* **1** mai *m.*, mois *m.* de mai; **2** (*Mariamaand*) mois *m.* de Marie.
meine'dig *b.n.* parjure.
meine'dige *m.-v.* parjure *m.-f.*
meine'digheid *v.* parjure *m.*, violation *f.* du serment.
mein'eed *m.* parjure, faux serment *m.*; ***een — doen,*** se parjurer.
mei'regen *m.* pluie *f.* de mai.
mei'roos *v.(m.)* rose *f.* de mai.
meis'je *o.* **1** jeune fille *f.*; **2** (*naast: jongen; dochter*) fille *f.*; **3** (*klein—*) petite fille, fillette *f.*; **4** (*aanstaande*) fiancée, future *f.*; **5** (*dienstbode*) bonne, domestique *f.*; **6** (*kamermeisje*) femme *f.* de chambre.
meis'jesachtig I *b.n.* de jeune fille, comme une jeune fille; **II** *bw.* en jeune fille.
meis'jesgek *m.* coureur *m.* de filles.
meis'jesgezicht *o.* (*v. jongen*) air *m.* de demoiselle, tête *f.* de fille.
meis'jesjaren *mv.* années *f.pl.* de jeune fille, adolescence *f.*
meis'jeskostschool *v.(m.)* pensionnat *m.* de jeunes filles, — de demoiselles.
meis'jeslyceum *o.* lycée *m.* pour jeunes filles.
meis'jesnaam *m.* nom *m.* de jeune fille.
meis'jesschool *v.(m.)* école *f.* de (jeunes) filles; ***middelbare —,*** école *f.* secondaire de jeunes filles.
meis'jesstem *v.(m.)* voix *f.* de fille.
meis'jesstudent *v.* étudiante *f.*
mei'tak *m.* mai *m.*; branche *f.* d'aubépine.
mei'worm *m.* ver *m.* luisant, luciole *f.*
mei'zoentje *o.* marguerite, pâquerette *f.*
mejuf'fer, mejuf'frouw *v.* mademoiselle *f.*; (*voor gehuwde vrouw: in Holland*) madame *f.*
mekaniek', mechaniek' *v. en o.* mécanique *f.*
mekanis'me, mechanis'me *o.* mécanisme *m.*
Mek'ka *o.* la Mecque.
Mek'kaganger *m.* pèlerin *m.* pour la Mecque.
Mekong *m.* Mékong *m.*
melaats' *b.n.* lépreux.
melaat'se *m.-v.* lépreux *m.*, —euse *f.*
melaat'senhuis *o.* léproserie *f.*
melaats'heid *v.* lèpre *f.*
melancholie' *v.* mélancolie *f.*
melancholiek' *b.n.* mélancolique.
melas'se *v.(m.)* mélasse *f.*
mel'de *v.(m.)* (*Pl.*) arroche, bonne*-dame* *f.*
mel'den I *ov.w.* **1** (*laten weten*) annoncer, faire savoir; **2** (*schriftelijk*) notifier, mander; **3** (*vermelden*) mentionner, citer; ***niets te —,*** rien à signaler; ***een driekaart —,*** (*kaartsp.*) annoncer une tierce; **II** *w.w.*, ***zich —,*** se présenter; ***zich ziek —,*** se porter malade.
meldenswaar'd(ig) *b.n.* digne d'être mentionné.
mel'ding *v.* mention *f.*, avis *m.*; ***— maken van iets,*** faire mention de qc.
me'lig *b.n.* **1** (*v. aardappelen*) farineux; **2** (*v. vruchten*) pâteux; **3** (*fam.*) ennuyeux.
meliniet' *o.* mélinite *f.*
me'lis *m.* sucre *m.* blanc.
melis'(se) *v.(m.)*, **melis'sekruid** *o.* (*Pl.*) mélisse *f.*
melk *v.(m.)* lait *m.*; ***hij heeft heel wat in de — te brokken,*** il a beaucoup d'influence; ***er uitzien als — en bloed,*** avoir un teint de lis et de roses; ***volle —,*** lait entier.
melk'achtig *b.n.* laiteux.
melk'ader *v.(m.)* veine *f.* lactée.
melk'afscheiding *v.* lactation *f.*
melk'baard *m.* blanc*-bec* *m.*
melk'boer *m.* **1** laitier *m.*; **2** (*bezorger*) porteur *m.* de lait.
melk'boerenhon'dehaar *o.* cheveux *m.pl.* blondasses, — poivre et sel.
melk'boerin *v.* **1** laitière *f.*; **2** porteuse *f.* de lait.
melk'brood *o.* pain *m.* au lait.
melk'bus *v.(m.)* bidon *m.* (à lait).
melk'chocola(de) *m.* chocolat *m.* au lait.
melk'dieet *o.* régime *m.* lacté, diète *f.* lactée.
melk'distel *m. en v.* laiteron *m.*
melk'emmer *m.* **1** seau *m.* au lait; **2** (*om te melken*) seau *m.* à traire.

mel'ken I *ov.w.* traire; ***duiven —,*** élever des pigeons; **II** *z.n.*, ***het —,*** la traite.
mel'ker *m.* trayeur *m.*
melkerij' *v.* **1** laiterie *f.*; **2** (*stal*) vacherie *f.*
melk'fles *v.(m.)* **1** bouteille *f.* à lait; **2** (*zuigfles*) biberon *m.*
melk'gebit *o.* dentition *f.* de lait.
melk'geit *v.* chèvre *f.* laitière.
melk'gevend *b.n.* à lait; ***— koe,*** vache *f.* à lait, — laitière.
melk'glas *o.* **1** (*drinkglas*) verre *m.* à lait; **2** (*melkkleurig glas*) verre *m.* opale.
melk'inrichting *v.* laiterie, crèmerie *f.*
melk'kaas *m.* fromage *m.* de lait.
melk'kalf *o.* veau *m.* de lait. [crémière *f.*
melk'kan *v.(m.)* pot *m.* à (*of* au) lait; ***kleine —,***
melk'karn *v.(m.)* baratte *f.*
melk'kies *v.(m.)* dent *f.* de lait.
melk'kleur *v.(m.)* couleur *f.* de lait.
melk'kleurig *b.n.* laiteux.
melk'koe *v.* vache *f.* à lait, — laitière.
melk'koker *m.* bouilloire *f.* à lait, cuit-lait *m.*
melk'kom *v.(m.)* écuelle *f.* au lait.
melk'kost *m.* laitage *m.*
melk'kruik *v.(m.)* cruche *f.* à lait.
melk'kuur *v.(m.)* régime *m.* lacté, diète *f.* lactée.
melk'man *m.* laitier *m.*
melk'meid *v.* fille *f.* de laiterie, laitière; vachère *f.*
melk'meisje *o.* jeune laitière *f.*
melk'meter *m.* pèse-lait, lactomètre *m.*
melk'muil *m.* blanc*-bec*, jeune niais, béjaune *m.*
melk'onderzoek *o.* **1** (*ontleding*) analyse *f.* du lait; **2** (*toezicht*) contrôle *m.* du lait.
melk'ontromer *m.* écrémeuse *f.*, séparateur *m.*
melk'pap *v.(m.)* bouillie *f.* au lait.
melk'poeder, -poeier *o. en m.* lait *m.* en poudre.
melk'pot *m.* pot *m.* au lait.
melk'produkt, -product *o.* produit *m.* de la laiterie, — lacté.
melk'salon *m. en o.* crémerie *f.*
melk'sap *o.* (*Pl.*) latex *m.*, lait *m.* végétal.
melk'saus *v.(m.)* sauce *f.* au lait.
melk'spiegel *m.* écusson *m.*
melk'spijs *v.(m.)* laitage *m.*
melk'ster *v.* trayeuse *f.*
melk'suiker *m.* sucre *m.* de lait.
melk'tand *m.* dent *f.* de lait.
melk'tankwagen *m.* camion*-citerne* *m.* laitier.
melk'teil *v.(m.)* terrine *f.* à lait.
melk'tijd *m.*, **melk'uur** *o.* heure *f.* de la traite.
melk'vat *o.* tonneau *m.* à (*of* au) lait; ***de —en,*** (*gen.*) les vaisseaux *m.pl.* lactifères.
melk'vee *o.* bêtes *f.pl.* à lait, bétail *m.* laitier.
melk'vrouw *v.* laitière *f.*
melk'wagen *m.* **1** voiture *f.* de laitier; **2** (*v. flessenmelk*) laitière *f.*
melk'weg *m.* voie *f.* lactée.
melk'weger *m.* pèse-lait, lactomètre *m.*
melk'wei *v.(m.)* petit*-lait* *m.*
melk'winkel *m.* laiterie, crémerie *f.* [opalin.
melk'wit *b.n.* blanc comme du lait, d'un blanc
melk'zeef *v.(m.)* couloire *f.*, passe-lait *m.*, passoire *f.*
melk'zuur *o.* acide *m.* lactique.
melodie' *v.* mélodie *f.*
melodieus' *b.n.* mélodieux.
melo'disch *b.n.* **1** (*welluidend, zangerig*) mélodieux; **2** (*een melodie bevattend*) mélodique.
melodra'ma *o.* mélodrame *m.*
melodrama'tisch *b.n.* mélodramatique.
meloen' *m. en v.* melon *m.*
meloen'bed *o.* melonnière *f.*
meloen'pit *v.(m.)* graine *f.* de melon.

Me'mel 1 (*land*) Mémel; **2** (*rivier*) Njémen *m.*
memoran'dum *o.* mémorandum, mémoire, aide-mémoire *m.*, note *f.*
memore'ren *ov.w.* remémorer, rappeler, relever le fait.
memoriaal' *o.* **1** mémorial *m.*; **2** (*H.*) brouillard, mémorial *m.* [logique.
memo'riam, *in —,* nécrologie *f.*, article *m.* nécro-
memo'rie *v.* **1** (*geheugen*) mémoire *f.*; **2** (*geschrift*) mémoire *m.*; ***pro —,*** (*H.*) pour mémoire; ***— van toelichting,*** exposé *m.* des motifs.
memorise'ren, memorize'ren *ov.w.* apprendre par cœur.
men *onb. vnw.* on, l'on; ***— zegt,*** on dit; ***als — hem geloven mag,*** à l'en croire.
mena'ge *v.* (*mil.*) ordinaire *m.*
mena'geketel *m.* gamelle *f.*
mena'gemeester *m.* chef *m.* de gamelle.
meneer', *zie* ***mijnheer.***
me'nen *ov.w.* **1** (*denken*) penser, croire; **2** (*van plan zijn*) avoir l'intention (de); **3** (*bedoelen*) vouloir dire, avoir en vue, entendre; **4** (*zich verbeelden*) s'imaginer; ***wat meent hij wel ?*** qu'est-ce qu'il s'imagine ? ***hij meent het ernstig,*** il parle sérieusement; ***hij meent het goed met u,*** il vous veut du bien; ***hij meent het niet kwaad,*** il n'y entend pas malice; ***dat meen je toch niet ?*** vous voulez rire; vous n'y pensez pas!
Me'nen *o.* Menin.
me'nens sérieux.
meng'baar *b.n.* miscible.
meng'baarheid *v.* miscibilité *f.*
meng'bak *m.* mélangeur *m.*, cuve *f.* à mélanger.
meng'buis *v.(m.)* mélangeur, mixeur *m.*
men'geldichten *mv.* mélanges *m.pl.* poétiques, poésies *f.pl.* diverses.
men'gelen *ov.w.* mêler, mélanger.
men'geling *v.* mélange, méli*-mélo* *m.*
men'gelmoes *o. en v.(m.)* **1** (*mengsel*) mélange *m.*; **2** (*allegaartje*) salmigondis, méli*-mélo* *m.*, salade *f.*; **3** (*v. woorden*) galimatias *m.*
men'gelwerk *o.* **1** (*lett.*) mélanges *m.pl.*, variétés *f.pl.*; **2** (*Z.N.*) feuilleton *m.*
men'gen I *ov.w.* **1** (*verschillende bestanddelen*) mêler, mélanger; **2** (*metalen*) allier; **3** (*wijn, melk*) couper; **4** (*kleuren*) broyer; **5** (*gift*) préparer; ***met gemengde gevoelens,*** avec des sentiments mêlés; ***gemengd nieuws,*** faits divers *m.pl.*; **II** *w.w.*, ***zich — in,*** se mêler de, s'immiscer dans; ***zich — in het gesprek,*** prendre part à la conversation, se mêler à la conversation.
men'ger *m.* mélangeur *m.*
men'ging *v.* **1** (*v. waren, kleuren, enz.*) mélange *m.*; **2** (*v. metalen*) alliage *m.*; **3** (*v. scheikundige e. d. bestanddelen*) mixtion *f.*
meng'koren *o.* méteil *m.*
meng'kraan *v.(m.)* robinet *m.* à voies.
meng'machine *v.* mélangeur, malaxeur *m.*
meng'sel *o.* **1** mélange *m.*; **2** alliage *m.*; **3** mixture *f.*
meng'taal *v.(m.)* langue *f.* mixte.
meng'tafel *v.(m.)* table *f.* de mélange.
me'nie *v.(m.)* minium *m.*
me'niën *ov.w.* enduire de minium.
me'nig *onb. vnw.* maint, plusieurs, bien (des).
me'nigeen *onb. vnw.* plus d'un. [espèces.
me'nigerlei *b.n.* de plusieurs espèces, de différentes
me'nigmaal *bw.* bien des fois, plusieurs fois, souvent; ***hoe —,*** combien de fois.
me'nigte *v.* **1** foule, multitude *f.*; **2** (*groot aantal*) grand nombre *m.*, quantité *f.*; ***in —,*** en foule, en masse. [*lei*) divers.
menigvul'dig *b.n.* **1** (*talrijk*) nombreux; **2** (*veler-*

menigvul'digheid *v.* 1 multiplicité, abondance *f.*; 2 diversité *f.*

me'nigwerf *bw.* bien des fois, plusieurs fois, souvent.

me'ning *v.* 1 (*denkwijze, gevoelen, oordeel*) opinion *f.*, sentiment, avis *m.*; 2 (*gedachte*) idée, pensée *f.*; 3 (*bedoeling*) intention *f.*; ***naar mijn —,*** à mon avis, à mon sens; ***in de — verkeren dat,*** croire que; ***bij zijn — blijven,*** s'en tenir à son opinion; ***van — veranderen,*** changer d'opinion, — d'avis; ***de heersende —,*** l'opinion générale; ***naar onze bescheiden —,*** à notre humble avis.

meningi'tis *v.* méningite *f.*

me'ningsverschil *o.* divergence *f.* d'opinion, — de vues.

menist' *m.* mennonite *m.*

menis'tenblauw *b.n.* azur, bleu clair, bleu ciel.

menis'tenkerk *v.(m.)* église *f.* des mennonites.

menis'tenstreek *m. en v.* finesse *f.*, artifice *m.*

men'nen *ov.w.* 1 conduire; 2 (*fig.*) mener, conduire.

men'ner *m.* 1 conducteur *m.*; 2 (*fig.*) meneur *m.*

mennoniet' *m.* mennonite *m.*

menopau'ze *v.(m.)* ménopause *f.*

mens *m.* 1 (*alg.*) homme *m.*; 2 (*schepsel*) créature *f.*; 3 (*ong., individu*) individu, personnage *m.*; 4 (*persoon*) personne *f.*; ***de —en,*** (*'t publiek*) les gens *m.pl*; le monde, le public; ***ieder —,*** (*afzonderlijk*) chacun; (*in 't geheel*) tout le monde; ***—en verwachten,*** attendre du monde; ***de grote —en,*** les grandes personnes; ***onder de —en komen,*** voir du monde; ***geen —,*** personne.

men'sa *v.(m.)* restaurant *m.* universitaire.

mens'aap *m.* homme*-singe*, anthropoïde *m.*

mens'dom *o.* genre *m.* humain, humanité *f.*

men'selijk I *b.n.* humain; **II** *bw.* humainement.

men'selijkheid *v.* humanité *f.*; nature *f.* humaine.

men'senbloed *o.* sang *m.* humain.

men'sendodend *b.n.* homicide.

men'seneten *o.* cannibalisme *m.*, anthropophagie *f.*

men'seneter *m.* cannibale, anthropophage *m.*

men'sengedaante *v.* forme *f.* humaine.

men'sengeslacht *o.* 1 genre *m.* humain; 2 (*tijdgenoten*) génération *f.*

men'senhaat *m.* misanthropie *f.*

men'senhater *m.* misanthrope *m.*

men'senheugenis *v.*, ***sedert —,*** de mémoire d'homme.

men'senjacht *v.(m.)* razzia, rafle *f.*

men'senkenner *m.* connaisseur *m.* du cœur humain, — des hommes.

men'senkennis *v.* connaissance *f.* du cœur humain, — des hommes; (*praktisch*) entregent, savoir-vivre *m.*

men'senkind *o.* homme *m.*, être *m.* humain.

men'senleeftijd *m.* génération *f.*

men'senleven *o.* 1 vie *f.* d'homme; 2 (*menselijk bestaan*) existence *f.* humaine; ***er waren verscheidene —s te betreuren,*** il y eut plusieurs victimes (*of* plusieurs morts) à déplorer.

men'senliefde *v.* philanthropie, charité *f.*

men'senmassa *v.(m.)* masse *f.* humaine.

men'senmateriaal *o.* matériel *m.* humain.

men'senmoord *m. en v.* homicide, massacre *m.*

men'senoffer *o.* sacrifice *m.* humain.

men'senpaar *o.* couple *m.* humain.

men'senplicht *m. en v.* devoir *m.* humain.

men'senras *o.* race *f.* humaine.

men'senrecht *o.* droit *m.* de l'homme.

men'senroof *m.* rapt *m.*

men'senschuw *b.n.* farouche, sauvage, insociable.

men'senschuwheid *v.* humeur *f.* farouche, sauvagerie, insociabilité *f.*

men'senstem *v.(m.)* voix *f.* humaine.

men'senstroom *m.* flot *m.* (humain).

men'senverstand *o.* entendement *m.* humain; ***het gezonde —,*** le bon sens.

men'senvlees *o.* chair *f.* humaine.

men'senvrees *v.(m.)* 1 crainte *f.* des hommes; 2 (*menselijk opzicht*) respect *m.* humain.

men'senvriend *m.* philanthrope *m.*

men'senwaarde *v.* dignité *f.* humaine.

men'senwerk *o.* ouvrage *m.* d'homme.

mens'heid *v.* humanité *f.*; genre *m.* humain.

menskun'dig *b.n.* qui connaît le cœur humain.

menslie'vend I *b.n.* humain, philanthropique; **II** *bw.* en philanthrope.

menslie'vendheid *v.* humanité, philanthropie *f.*

mensonte'rend *b.n.* déshonorant pour l'humanité.

menstrua'tie *v.* menstruation *f.*, menstrues, règles *f.pl.*

mens'vormig *b.n.* anthropomorphe.

menswaar'dig *b.n.* digne d'une créature humaine.

mens'wording *v.* incarnation *f.*

mentaliteit' *v.* mentalité *f.*

ment(h)ol- (*in samenst.*) -mentholé.

menu' *o. en m.* menu *m.*; carte *f.*

menuet' *o. en m.* (*muz.*) menuet *m.*

mep *m. en v.* soufflet *m.*, gifle, taloche *f.*

Mephisto'pheles *m.* Méphistophélès *m.*

mep'pen *ov.w.* souffleter, gifler, flanquer un soufflet (à qn.).

mercantiel', merkantiel' *b.n.* mercantile.

Mercu'rius *m.* Mercure *m.*

me'rel *m. en v.* merle *m.*

me'ren *ov.w.* (*sch.*) amarrer.

me'rendeel *o.* plupart; ***het — is vertrokken,*** la plupart sont partis.

me'rendeels *bw.* 1 pour la plupart; 2 (*in de meeste gevallen*) le plus souvent, ordinairement.

merg *o.* moelle *f.*; ***door — en been,*** jusqu'à la moelle des os.

merg'achtig *b.n.* moelleux.

merg'been *o.* os *m.* moelle, — moelleux.

mer'gel *m.* marne *f.*

mer'gelaarde *v.(m.)* terre *f.* marneuse.

mer'gelachtig *b.n.* marneux.

mer'gelen *ov.w.* marner.

mer'gelgraver *m.* marneron *m.*

mer'gelgroef, -groeve *v.(m.)* marnière *f.*

mer'gelkalk *m.* chaux *f.* marneuse.

mer'gelklei *v.(m.)* argile *f.* marneuse.

merg'houdend *b.n.* 1 (*Pl.*) médulleux; 2 (*ontl.*) médullaire.

merg'pijp *v.(m.)* os *m.* à moelle, — moelleux.

meridiaan' *m.* méridien *m.*

meridiaan'cirkel *m.* cercle *m.* horaire.

meridiaans'hoogte *v.* hauteur *f.* méridienne.

me'rinos *o.* mérinos *m.*

me'rinoswol *v.(m.)* laine *f.* mérinos.

merk *o.* 1 (*alg.*) marque *f.*; 2 (*v. post*) cachet, timbre *m.*; 3 (*v. oorsprong, enz.*) estampille *f.*; 4 (*keur*) poinçon *m.*; 5 (*v. wijn*) marque *f.*, cru *m.*; ***de fijne —en,*** les grands crus; ***een goed — sigaren,*** un cigare de choix, un cigare fin.

merkantiel' *b.n.* mercantile.

merk'artikel *o.* produit *m.* de marque (déposée).

merk'baar I *b.n.* perceptible, sensible; **II** *bw.* perceptiblement, sensiblement.

merk'baarheid *v.* perceptibilité *f.*

mer'kelijk *b.n.* notable, considérable.

mer'ken *ov.w.* 1 (*van een merk voorzien*) marquer; 2 (*bemerken*) s'apercevoir (de), remarquer, se douter de; ***doen alsof men niets merkt,*** faire semblant de rien; ***zonder iets te —,*** sans se douter de rien; ***laten —,*** faire entendre, trahir.

mer'kenwet *v.(m.)* loi *f.* des marques contrôlées, — sur les marques de fabrique.

mer'ker *m.* marqueur *m.*
merk'garen *o.* fil *m.* à marquer.
merk'ijzer *o.* fer *m.* à marquer.
merk'inkt *m.* encre *f.* à marquer.
merk'lap *m.* marquoir *m.*
merk'letter *v.(m.)* (*op linnen*) chiffre *m.*
merk'teken *o.* **1** (*alg.*) marque *f.*; **2** (*stempel*) estampille *f.*; **3** (*landmeetk.*) repère *m.*
merkwaar'dig *b.n.* **1** (*opmerkenswaardig*) remarquable; **2** (*gedenkwaardig*) mémorable; **3** (*eigenaardig*) curieux.
merkwaar'digheid *v.* curiosité *f.*
merk'zij(de) *v.(m.)* soie *f.* à marquer.
Merovin'ger *m.* Mérovingien *m.*
Merovings' *b.n.* mérovingien.
mer'rie *v.* jument *f.*
mer'rieveulen *o.* pouliche *f.*
mes *o.* couteau *m.*; (*valbijl*) couperet *m.*; (*fig.*) ***er het — inzetten,*** trancher dans le vif; ***iem. het — op de keel zetten,*** mettre à qn. le couteau sur la gorge; ***zijn — snijdt aan twee kanten,*** il mange à deux râteliers, il prend des deux mains.
Me'sen *o.* Messines.
mes'heft *o.* manche *m.* de couteau.
Mesopota'mië *o.* la Mésopotamie.
mes'punt *m.* (*hoeveelheid*) pincée *f.*
mess *m., zie* ***messroom.***
mes'selegger *m.* porte-couteau *m.*
mes'senbak *m.* boîte *f.* à couteaux.
mes'senfabriek *v.* coutellerie *f.*
mes'senfabrikant *m.* coutelier *m.*
mes'senhandel *m.* coutellerie *f.*
mes'senmaker *m.* coutelier *m.*
mes'senmakerij *v.* coutellerie *f.*
mes'senplank *v.(m.)* planche *f.* à aiguiser les couteaux.
mes'senslijper *m.* **1** (*persoon*) rémouleur *m.*; **2** (*werktuig*) affiloir *m.*
mes'senwinkel *m.* coutellerie *f.*
Messiaans' *b.n.* messianique.
Messi'as *m.* Messie *m.*
Messi'na *o.* Messine *f.*; ***uit —,*** messinois.
mes'sing I *o.* cuivre *m.* jaune, laiton *m.*; **II** *v.(m.)* (*tn.*) languette *f.*
mes'sne(d)e *v.(m.)* tranchant *m.*
mess'(room) *m.* carré *m.* des officiers, mess *m.*
mes'steek *m.* coup *m.* de couteau.
mest *m.* **1** (*uitwerpselen*) excréments *m.pl.*; **2** (*stal—*) fumier *m.*; **3** (*voor bemesting*) engrais *m.*
mest'aarde *v.(m.)* terreau *m.*
mest'dier *o.* bête *f.* d'engrais.
mes'ten *ov.w.* **1** (*grond*) fumer; **2** (*vee*) engraisser.
mest'gaffel *v.(m.)* fourche *f.* à fumier.
mest'gier *v.(m.)* purin *m.*
mest'hoen *o.* poularde *f.*
mest'hoop *m.* (tas de) fumier *m.*
mesties' *m.-v.* métis *m.*, métisse *f.*
mes'ting *v.* **1** (*v. grond*) fumage *m.*; **2** (*v. dier*) engraissage, engraissement *m.*; **3** (*meststof*) engrais *m.*
mest'kalf *o.* **1** (*dat vetgemest wordt*) veau *m.* à l'engrais; **2** (*dat vetgemest is*) veau *m.* gras.
mest'kar *v.(m.)* tombereau *m.* à fumier.
mest'kever *m.* bousier *m.*
mest'koe *v.* vache *f.* à l'engrais.
mest'kuil *m.* fosse *f.* à fumier.
mest'put *m.* trou *m.* à fumier.
mest'stof *v.(m.)* engrais *m.*
mest'vaalt *v.(m.)* (tas de) fumier *m.*
mest'varken *o.* cochon (*of* porc) *m.* à l'engrais.
mest'vee *o.* bétail *m.* à l'engrais.
mest'vork *v.(m.)* fourche *f.* à fumier.
mest'wagen *m.* chariot *m.* à fumier.
met *vz.* avec; (*als middel, ook:*) par, à, en; (*tijd*) à, pour; (*na werkwoorden, ook:*) de; ***tot en —,*** jusqu'à.. y compris, jusqu'à... inclus; ***— dat al,*** avec tout cela; ***— elkander,*** ensemble; ***— iem. meegaan,*** accompagner qn.; ***wij zijn — ons zessen,*** nous sommes six; ***wij hebben dat gedaan — ons zessen,*** nous avons fait cela à six; ***— de trein van 8 uur,*** par le train de 8 heures; ***— de trein reizen,*** voyager en chemin de fer; ***— de fiets,*** à bicyclette; ***— de auto,*** en auto; ***— bankbiljetten betalen,*** payer en billets de banque; ***— Pasen,*** à Pâques; ***— 15 oktober,*** le 15 octobre; ***een kind — blauwe ogen,*** un enfant aux yeux bleus; ***— tranen in de ogen,*** les larmes aux yeux; ***— open armen ontvangen,*** accueillir à bras ouverts; ***— geweld,*** de force; ***beladen —,*** chargé de; ***dit woord wordt — twee l's geschreven,*** ce mot s'écrit par deux l; ***het gaat goed — hem,*** il va bien.
metaal' *o.* métal *m.*
metaal'aarde *v.(m.)* iridium *m.*
metaal'achtig *b.n.* métallique.
metaal'arbeider *m.* métallurgiste *m.*
metaal'barometer *m.* baromètre *m.* anéroïde.
metaal'bewerker *m.* (ouvrier) métallurgiste *m.*
metaal'bewerking *v.* métallurgie *f.*
metaal'dekking *v.* (*H.*) réserve *f.* métallique.
metaal'draad *m.* **1** fil *m.* métallique; **2** (*in el. lamp*) filament *m.* métallique.
metaal'gaas *o.* toile *f.* métallique.
metaalgieterij' *v.* fonderie *f.*
metaal'glans *m.* éclat *m.* métallique.
metaal'houdend *b.n.* métallifère.
metaal'industrie *v.* industrie *f.* métallurgique, métallurgie *f.*
metaal'klank *m.* résonance *f.* métallique.
metaal'kleur *v.(m.)* couleur *f.* métallique.
metaal'kleurig *b.n.* métallin.
metaal'lege'ring *v.* alliage *m.*
metaal'schaar *v.(m.)* cisailles *f.pl.*
metaal'schuim *o.* chiasse *f.*, laitier *m.*
metaal'slakken *mv.* crasses, scories *f.pl.*
metaal'voorraad *m.* **1** stock *m.* en métal; **2** (*v. bank*) encaisse *f.* métallique.
metaal'waren *mv.* quincaillerie *f.*
metaal'zaag *v.(m.)* scie *f.* à métaux.
metafoor', meta'fora *v.(m.)* métaphore *f.*
metafo'risch I *b.n.* métaphorique; **II** *bw.* métaphoriquement.
metafy'sica, metafy'sika *v.* métaphysique *f.*
metafy'sisch I *b.n.* métaphysique; **II** *bw.* métaphysiquement.
meta'len *b.n.* de métal, métallique.
metalloï'de *o.* métalloide *m.*
metamorfo'se, -fo'ze *v.* métamorphose *f.*
metat(h)e'sis *v.* métathèse *f.*
metazo'(ön) *o.* métazoaire *m.*
meteen' *bw.* **1** (*tegelijkertijd*) en même temps; **2** (*zo aanstonds*) tout de suite, à l'instant, tout à l'heure.
me'ten I *ov.w.* **1** (*alg.*) mesurer; **2** (*recht*) mensurer; **3** (*land*) arpenter; **4** (*hout*) corder; **5** (*schip*) jauger; **6** (*met meter*) mesurer, métrer; **7** (*met el*) auner; ***onze artikelen kunnen zich met alle andere —,*** nos articles peuvent soutenir toute concurrence; **II** *on.w.* mesurer; jauger; ***ruim —,*** faire bonne mesure.
meteoor' *m.* météore *m.*; (*vurige* —) bolide *m.*
meteoor'steen *m.* **1** (*de steen*) aérolithe *m.*; pierre *f.* météorique; **2** (*vuurbol*) bolide *m.*
meteo'risch *b.n.* météorique.
meteorolo'gisch *b.n.* météorologique.
meteoroloog' *m.* météorologue, météorologiste *m.*

me'ter I *m.* **1** mètre *m.*; **2** (*v. gas, taxi, enz.*) compteur *m.*; **3** (*persoon*) mesureur; jaugeur *m.*; ***strekkende* —,** mètre courant; ***vierkante* —,** mètre carré; ***kubieke* —,** mètre cube; **II** *v.* marraine *f.*
me'terhuur *v.(m.)* loyer *m.* du compteur.
me'teropnemer *m.* releveur *m.*
me'terstand *m.* relevé *m.* du compteur.
met'gezel *m.*, **—lin** *v.* compagnon *m.*, compagne *f.*
met(h)o'de *v.* méthode *f.*
met(h)odiek' *v.* méthodologie *f.*
met(h)o'disch I *b.n.* méthodique; **II** *bw.* méthodiquement.
Methu'salem *m.* Mathusalem *m.*
met(h)yl' *o.* méthyle *m.*; **— *alcohol*,** alcool méthylique.
me'ting *v.* **1** (*alg.*) mesurage *m.*; **2** (*recht*) mensuration *f.*; **3** (*v. land*) arpentage *m.*; **4** (*v. schip*) jaugeage *m.*; **5** (*met el*) aunage *m.*
metod-, *zie* ***method-.***
metriek' I *b.n.* métrique; **II** *z.n., v.* métrique *f.*
metropoliet' *m.* métropolitain *m.*
metro'polis *v.(m.)* métropole *f.*
metropolitaan' *m.* métropolite *m.*
metropolitaans' *b.n.* métropolitain.
me'trum *o.* mètre, rythme *m.*
met'selaar *m.* maçon *m.*
met'selaarsbaas *m.* maître *m.* maçon.
met'selaarsbak *m.* auge *f.* de maçon.
met'selaarsknecht *m.* ouvrier *m.* maçon.
metselarij' *v.* maçonnerie *f.*
met'selen *ov.w. en on.w.* maçonner.
met'selkalk *m.* mortier *m.*
met'selsteen *m.* brique *f.*
met'selwerk *o.* maçonnerie *f.*
met'ten *mv.* matines *f.pl.*; ***de donkere* —,** les Ténèbres; ***iem. de — lezen*,** laver la tête à qn.; ***korte — maken*,** ne pas y aller par quatre chemins.
metterdaad' *bw.* effectivement, en effet.
metterhaast' *bw.* en hâte, à la hâte.
mettertijd' *bw.* **1** (*na zekere tijd*) avec le temps, un jour; **2** (*allengskens*) peu à peu.
metterwoon' *bw.*, **— *gevestigd te*,** domicilié à; ***zich — vestigen te*,** s'établir à, établir son domicile à.
met'worst *v.(m.)* saucisson *m.*
metyl', *zie* ***methyl.***
Metz *o.* Metz; ***uit* —,** messin.
meu'bel *o.* meuble *m.*
meu'belbewaarplaats *v.(m.)* garde-meuble* *m.*
meu'belen *ov.w.* meubler.
meu'belfabriek *v.* fabrique *f.* de meubles.
meu'belgordijn *o.* draperie *f.* meublante.
meu'belindustrie *v.* industrie *f.* des meubles.
meu'belmagazijn *o.* magasin *m.* de meubles.
meu'belmaker *m.* ébéniste *m.*
meubelmakerij' *v.* ébénisterie *f.*
meu'belpapier *o.* papier *m.* peint.
meu'belplaat *v.(m.)* contre-plaqué* *m.*
meu'belstof *v.(m.)* étoffe *f.* d'ameublement.
meu'belstuk *o.* meuble *m.*
meu'belwagen *m.* voiture *f.* de déménagement, tapissière *f.*
meu'belwas *m. en o.* cire *f.* pour meubles.
meu'belwinkel *m.* magasin *m.* de meubles.
meubilair' *o.* mobilier, ameublement *m.*; meubles *m.pl.*
meubile'ren *ov.w.* meubler; ***gemeubileerde kamers*,** chambres *f.pl.* garnies, appartement *m.* garni; ***op gemeubileerde kamers wonen*,** demeurer en garni.
meubile'ring *v.* ameublement *m.*
meug *m.*, ***ieder zijn* —,** (à) chacun son goût; ***tegen heug en* —,** à contre-cœur.
meu'ken I *ov.w.* mitonner; **II** *on.w.* faire mitonner.
mevrouw' *v.* madame *f.*
Mexicaan' *m.* Mexicain *m.*
Mexicaans' *b.n.* mexicain; ***—e hond*,** parasite *m.*
Me'xico *o.* **1** (*land*) le Mexique; **2** (*stad*) Mexico *m.*
mez'zosopraan *v.(m.)* mezzo-soprano* *m.*
mi *v.(m.)* (*muz.*) mi *m.*
mias'ma *o.* miasme *m.*
miauw'! *tw.* miaou!
miau'wen *on.w.* miauler.
mi'ca, mi'ka *o. en m.* (fumivore *m.* de) mica *m.*
mi'cabril, mi'kabril *m.* lunettes *f.pl.* en mica.
Mi'chaël *m.* Michel *m.*
Michel An'gelo, Michel-Ange.
Michiel' *m.* Michel *m.*
micro'be, mikro'be *v.(m.)* microbe *m.*
mi'crochemie, mi'krochemie *v.* microchimie *f.*
mi'crocosmos, mi'krokosmos *m.* microcosme *m.*
mi'crofilm, mi'krofilm *m.* microfilm *m.*
microfoon', mikrofoon' *m.* microphone *m.*; (*fam.*) micro *m.*
mi'crofoto, mi'krofoto *v.(m.)* microphotographie *f.*
mi'crogroef, mi'krogroef *v.(m.)* microsillon *m.*
mi'cron, mi'kron *o. en m.* micron *m.*
Microne'sië *o.* la Micronésie.
mi'croprojectie, mikroprojektie *v.* microprojection *f.*
microscoop', mikroskoop' *m.* microscope *m.*
microsco'pisch, mikrosko'pisch *b.n.* microscopique; **— *wezen*,** micro-organisme* *m.*
microtoom', mikrotoom' *m.* microtome *m.*
mid'dag *m.* **1** (*12 uur*) midi *m.*; **2** (*na 12 uur*) après-midi *m.*; ***tegen de* —,** vers midi; ***om 3 uur 's —s*,** à 3 heures de l'après-midi.
mid'dagcirkel *m.* méridien *m.*
mid'dagdienst *m.* service *m.* de l'après-midi.
mid'dagdutje *o.* méridienne, sieste *f.*
mid'dageten *o.* dîner *m.*
mid'daghitte *v.* chaleur(s) *f.(pl.)* de l'après-midi.
mid'daghoogte *v.* zénith *m.*
mid'daglijn *v.(m.)* méridienne *f.*
mid'dagmaal *o.* dîner *m.*; ***het — gebruiken*,** dîner.
mid'dagmalen *on.w.* dîner.
mid'dagslaapje *o.* méridienne, sieste *f.*
mid'daguur *o.* heure *f.* de midi; ***de middaguren*,** l'après-midi *m. et f.*
mid'dagvoorstelling *v.* matinée *f.*
mid'del I *o.* taille, ceinture *f.*, milieu *m.* du corps; ***om het — vatten*,** **1** saisir par la taille; **2** (*in gevecht*) saisir à bras le corps; ***tot aan het* —,** à mi-corps; **II** *o.* **1** (*alg.*) moyen *m.*; **2** (*genees—*) remède *m.*; **3** (*hulp—*) ressource *f.*; **4** (*handelwijze*) procédé *m.*; **5** (*red—*) expédient *m.*; ***door — van*,** au moyen de; ***—en*,** **1** (*fortuin*) fortune *f.*, biens *m.pl.*; **2** (*v. de staat*) revenus *m.pl.*; ***zonder —en*,** sans ressources, sans fortune.
mid'delaar *m.* médiateur *m.*
mid'delaarschap *o.* médiation *f.*
middelares' *v.* médiatrice *f.*
mid'delbaar *b.n.* moyen; **— *onderwijs*,** enseignement secondaire; ***middelbare akte*,** brevet secondaire; ***van middelbare leeftijd*,** entre deux âges.
Mid'delburg *o.* Middelbourg *m.*
mid'deleeuwen *mv.* moyen âge *m.*; ***de late* —,** le bas moyen âge; ***de vroege* —,** le haut moyen âge.
mid'deleeuws *b.n.* du moyen âge; médiéval, moyenâgeux.

middelerwijl' *bw.* en attendant, sur ces entrefaites, entretemps.
middelevenre'dige *v.(m.)* (*wisk.*) moyenne *f.* proportionnelle.
mid'delgewicht, mid'dengewicht *o.* (*sp.*) poids *m.* moyen.
mid'delhand *v.(m.)* métacarpe *m.*
mid'delhandsbeentje *o.* métacarpien *m.*
mid'deling *v.* médiation *f.*
mid'delklasse *v.* **1** classe *f.* moyenne; **2** *zie* ***middenklasse.***
mid'dellands *b.n.* méditerrané; ***—e zee,*** Méditerranée *f.*
mid'dellijk I *b.n.* indirect; médiat; **II** *bw.* indirectement; médiatement.
mid'dellijn *v.(m.)* **1** (*v. cirkel*) diamètre *m.*; **2** (*bouwk.*) ligne *f.* de centre; **3** (*evenaar*) équateur *m.*
middellood'lijn *v.(m.)* médiatrice *f.*
mid'delmaat *v.(m.)* médiocrité *f.*; ***de gulden —,*** le juste milieu.
middelma'tig I *b.n.* **1** moyen; **2** (*ong.*) médiocre; **II** *bw.* **1** moyennement; **2** (*ong.*) médiocrement.
middelma'tigheid *v.* médiocrité *f.*
mid'delmoot, mid'denmoot *v.(m.)* darne *f.* du milieu, tranche *f.* —.
mid'delmuur *m.* mur *m.* mitoyen.
Mid'delnederlands I *b.n.* moyen-néerlandais; **II** *z.n., o.* moyen néerlandais *m.*
mid'delpunt *o.* **1** centre *m.*; **2** (*v. aardbeving*) épicentre *m.*
mid'delpuntsbeweging *v.* mouvement *m.* circulaire.
mid'delpuntshoek *m.* angle *m.* central.
mid'delpuntvliedend *b.n.* centrifuge.
mid'delpuntzoekend *b.n.* centripète.
mid'delschot, mid'denschot *o.* cloison *f.*
mid'delsoort, mid'densoort *v.(m.)* espèce *f.* moyenne, sorte *f.* —, qualité *f.* —, grandeur *f.* —.
mid'delste *b.n.* **1** du milieu; **2** (*in het middelpunt*) central; **3** (*taalk.*) médial.
mid'delstuk, *zie* ***middenstuk.***
mid'deltoon *m.* (*muz.*) médiante *f.*
mid'delvinger, mid'denvinger *m.* doigt *m.* du milieu, médius *m.*
mid'delvoet *m.* métatarse *m.*
mid'den I *o.* **1** milieu *m.*; **2** (*middelpunt*) centre *m.*; ***in het — van september,*** à la mi-septembre; ***iets in het — brengen,*** émettre une idée, faire observer qc.; ***iets in het — laten,*** laisser qc. de côté; ***te — van,*** au milieu de; ***in ons —,*** parmi nous; **II** *bw.* au milieu; ***— op de dag,*** en plein jour, en plein midi; ***— door het veld,*** à travers champs; ***— in de vakantie,*** en pleines vacances.
Mid'den-A'frika *o.* Afrique *f.* Centrale.
Mid'den-Ame'rika *o.* Amérique *f.* Centrale.
mid'denbalkon *o.* balcon *m.* de face.
mid'denberm *m.* terre-plein* *m.* central; ***begroeide —,*** terre-plein planté d'arbustes.
mid'denbeuk *m. en v.* nef *f.* principale, grande nef *f.*
mid'dendatum *m.* date *f.* moyenne.
middendoor' *bw.* par le milieu, en deux.
Mid'den-Euro'pa *o.* Europe *f.* Centrale.
mid'denfrequent *b.n.* fréquence *f.* intermédiaire, moyenne fréquence.
mid'dengewicht, *zie* ***middelgewicht.***
mid'dengolf *v.(m.)* ondes *f.pl.* moyennes, petites ondes.
middenin' *bw.* au milieu, au centre.
mid'denklasse *v.* (*v. auto's, e. dgl.*) catégorie *f.* moyenne.
mid'denkoers *m.* cours *m.* moyen.
mid'denmoot, *zie* ***middelmoot.***
middenoor'ontsteking *v.* otite *f.* moyenne, mastoïdite *f.*
Midden-Oos'ten *o.* Moyen-Orient *m.*
mid'denpad *o.* sentier *m.* (*of* allée *f.*) du milieu.
mid'denprijs *m.* prix *m.* moyen.
mid'denrif *o.* diaphragme *m.*
mid'denschip *o.* nef *f.* centrale, — principale.
mid'denschot, mid'delschot *o.* cloison *f.*
mid'densoort, *zie* ***middelsoort.***
mid'denspeler *m.* (*sp.*) demi *m.*
mid'denstand *m.* classe *f.* moyenne, bourgeoisie *f.*
mid'denstander *m.* bourgeois *m.*, membre de la classe moyenne; ***kleine —,*** petit bourgeois.
mid'denstandsexamen, -eksamen *o.* examen *m.* pour le commerce de détail.
mid'denstandsorganisatie *v.* organisation *f.* de la classe moyenne.
mid'denstem *v.(m.)* (*muz.*) médium *m.*
mid'denstof *v.(m.)* milieu *m.*
mid'denstuk, mid'delstuk *o.* pièce *f.* de (*of* du) milieu; surtout *m.* (de table).
mid'denterm *m.* terme *m.* moyen.
mid'denterrein *o.* (*v. wedrennen*) pelouse *f.*
mid'denvinger, *zie* ***middelvinger.***
mid(den)voor' *m.* (*sp.*) avant-centre* *m.*
mid'denweg *m.* **1** chemin *m.* du milieu; **2** (*fig.*) moyen *m.* terme, — d'accommodement; ***gulden —,*** juste milieu; ***er is geen —,*** il n'y a pas de milieu.
middernacht' *m.* minuit *m.*
middernach'telijk *b.n.* de minuit.
middernachts'maal *o.* réveillon *m.* (de Noël, *of* du nouvel An).
middernacht'zon *v.(m.)* soleil *m.* de minuit.
midhalf' *m.* (*sp.*) demi *m.* centre.
mid'scheeps *bw.* au milieu du navire.
midvoor', middenvoor' *m.* (*sp.*) avant-centre* *m.*
midwin'ter *m.* milieu *m.* de l'hiver.
mier *v.(m.)* fourmi *f.*
mie'reëi *o.* œuf *m.* de fourmi.
mie'ren *on.w.* rabâcher; ***lig niet te —,*** ne m'embêtez pas; ***het kan me niet —,*** je m'en fiche.
mie'reneter *m.* fourmilier *m.*
mie'renhoop *m.* fourmilière *f.*
mie'renleeuw *m.* fourmi*-lion* *m.*
mie'rennest *o.* fourmilière *f.*
mie'rezuur *o.* (*scheik.*) acide *m.* formique.
mie'rik(s)(wortel) *m.* raifort *m.* (sauvage).
Mies *v.* Mimi, Marion *f.*
Miet'je *o. en v.* Manon, Mariette *f.*
mie'zerig *b.n.* **1** (*vochtig*) humide; **2** (*bedrukt*) triste, maussade; **3** (*v. uiterlijk*) chafouin; ***— weer,*** temps pluvieux.
migrai'ne *v.(m.)* migraine *f.*
migrai'nestift *v.(m.)* crayon *m.* antimigraine, — mentholé.
mij *pers. vnw.* me, moi, à moi.
mij'den *ov.w.* éviter, fuir; (*Zuidn.*) ***zich — voor,*** se garder de.
mijl *v.(m.)* lieue *f.*, mille *m.*; ***Nederlandse —,*** kilomètre *m.*; ***een — afleggen,*** courir une lieue; ***de — op zeven gaan,*** prendre le chemin des écoliers; ***dat is de — op zeven,*** c'est tout un détour.
mijl'paal *m.* **1** (*langs de weg*) borne *f.* kilométrique, pierre *f.* milliaire; **2** (*langs spoorweg*) poteau *m.* kilométrique; **3** (*fig.*) étape *f.*
mijl'schaal *v.(m.)* échelle *f.*
mij'meraar *m.* rêveur *m.*
mij'meren *on.w.* rêver, rêvasser, être plongé (*of* absorbé) dans ses rêveries.
mij'merend *b.n.* rêveur.
mijmerij', mij'mering *v.* rêverie *f.*
mijn I *bez. vnw.* mon, ma; mes; ***het —e, de —e,*** le mien, la mienne, les miens, les miennes; ***het —e,*** *z.n., o.* le mien; ***ik wil er het —e van hebben,***

je veux en avoir le cœur net; **II** *z.n., v.* (*m.*) **1** mine *f.*; **2** (*mil.*) mine *f.*; ***—en leggen,*** mouiller des mines; ***open —,*** mine (*of* puits *m.*) à ciel ouvert; **III** *v.*(*m.*) (*afslag*) criée *f.*
mijn'aandelen *mv.* actions *f.pl.* minières.
mijn'ader *v.*(*m.*) filon *m.*, veine *f.*
mijn'arbeid *m.* travail *m.* des mines.
mijn'bekken *o.* bassin *m.* minier.
mijn'bouw *m.* exploitation *f.* des mines, — minière.
mijn'bouwkundig *b.n.* minier; ***— ingenieur,*** ingénieur des mines.
mijn'bouwmaatschappij *v.* société *f.* minière.
mijn'bouwonderneming *v.* entreprise *f.* minière.
mijn'bouwschool *v.*(*m.*) école *f.* minière, — des mines.
mijn'brand *m.* incendie *m.* de mine.
mijn'concessie, -koncessie *v.* concession *f.* minière.
mijn'delver *m.* mineur *m.*
mij'nen *ov.w. en on.w.* acheter à la criée, — dans une vente aux enchères.
mij'nenlegger *m.* mouilleur (*of* poseur) de mines, lance-mines *m.*
mij'nent *bw.*, ***te(n) —,*** chez moi.
mij'nenthalve *bw.* pour moi, quant à moi.
mij'nentwege *bw.* pour ma part, quant à moi; de ma part.
mij'nentwil(le) *bw.*, ***om —,*** pour moi, pour l'amour de moi.
mij'nenveger *m.* dragueur *m.* de mines, drague-mines *m.*
mij'nenveld *o.* champs *m.* de mines.
mij'ner *m.* acheteur (à la criée, aux enchères).
mij'nerzijds *bw.* de ma part.
mijn'gang *m.* galerie *f.* de mine.
mijn'gas *o.* grisou *m.*
mijn'gasontploffing *v.* coup *m.* de grisou.
mijn'groeve *v.*(*m.*) minière *f.*
mijnheer' *m.* monsieur *m.*; ***— Dinges,*** Monsieur Chose, monsieur un tel.
mijn'industrie *v.* industrie *f.* minière.
mijn'ingenieur *m.* ingénieur *m.* des mines.
mijn'kamer *v.*(*m.*) (*mil.*) fourneau *m.* de mine.
mijn'koker *m.* (*mil.*) auget *m.*
mijn'koncessie, *zie* ***mijnconcessie.***
mijn'kruit *o.* poudre *f.* de mine.
mijn'lamp *v.*(*m.*) lampe *f.* de mineur, — de sûreté, — de Davy.
mijn'opzichter *m.* porion *m.*
mijn'pomp *v.*(*m.*) pompe *f.* d'épuisement.
mijn'put *m.* puits *m.* (de mine).
mijn'ramp *v.*(*m.*) catastrophe *f.* minière.
mijn'schacht *v.*(*m.*) puits *m.* (de mine).
mijn'streek *v.*(*m.*) région *f.* minière.
mijn'trechter *m.* (*mil.*) entonnoir *m.* d'obus, — de mine.
mijn'waarden *mv.* valeurs *f.pl.* minières.
mijn'wagentje *o.* benne, herche *f.*
mijn'werker *m.* mineur *m.*
mijn'werkerslamp, *zie* ***mijnlamp.***
mijn'werkersstaking *v.* grève *f.* minière.
mijn'werper *m.* (*mil.*) lance-bombes *m.*
mijn'wezen *o.* régime *m.* minier.
mijn'zout *o.* sel *m.* gemme.
mijt *v.*(*m.*) **1** (*hout—*) bûcher *m.*; **2** (*hooi—, enz.*) meule *f.*; **3** (*insekt*) mite *f.*
mij'ten *ov.w.* entasser.
mij'ter *m.* mitre *f.*
mij'terdragend *b.n.* mitré.
mij'teren *ov.w.* donner la mitre à.
mik I *v.*(*m.*) **1** (*bloem*) fleur *f.* de farine; **2** (*brood*) miche *f.*; **3** (*boomtak*) fourche *f.*, fourchon *m.*; **II** *m.* **1** visée *f.*; **2** (*doelwit*) blanc *m.*
mi'ka, mi'ca *o. en m.* (fumivore *m.* de) mica *m.*
mi'kabril *m.* lunettes *f.pl.* en mica.
mika'do *m.* mikado *m.*
mik'ken *on.w.* viser; ***— op,*** viser.
mik'mak *m.* histoires *f.pl.*, embarras, chichi *m.*
mik'punt *o.* point *m.* de mire; cible *f.*; souffre-douleur *m.*; ***iem. tot — dienen,*** servir de cible à qn.; ***iem. tot — kiezen,*** prendre qn. pour (*of* de) cible.
mikro-, *zie* ***micro-.***
milaan' *m.* (*Dk.*) milan *m.*
Milaan' *o.* Milan *m.*
Milanees' *m.* **I** Milanais *m.*; **II** *b.n.* milanais.
mild *b.n.* **1** (*vrijgevig, gul*) (*persoon*) libéral; (*persoon, gift*) généreux; **2** (*rijkelijk*) large, abondant; **3** (*zacht*) doux; **4** (*v. straf*) léger; **5** (*v. regen*) fécond, bienfaisant.
mildda'dig I *b.n.* généreux, libéral; **II** *bw.* généreusement, libéralement.
mildda'digheid *v.* générosité, libéralité *f.*
mild'heid *v.* générosité *f.*; libéralité *f.*; largesse *f.*; légèreté *f.*; *zie* ***mild.***
milicien' *m.* conscrit *m.*, recrue *f.*
milieu' *o.* milieu, climat, cadre *m.*
militair' I *b.n.* militaire; **II** *z.n., m.* militaire *m.*
militaris'me *o.* militarisme *m.*
mili'tie *v.* **1** armée *f.* (de conscrits) **2** (*volksleger*) milice *f.*; ***nationale —,*** milice nationale.
mili'tieplicht *m. en v.* obligation *f.* militaire.
mili'tieraad *m.* conseil *m.* de recrutement; — de révision.
mili'tiewet *v.*(*m.*) loi *f.* du recrutement, — sur le recrutement (de l'armée).
mili'tiezaal *v.*(*m.*) bureau *m.* de recrutement.
miljard' *o.* milliard *m.*
miljardair' *m.* milliardaire *m.*
miljoen' *o.* million *m.*; ***duizend —,*** milliard *m.*
miljoe'nennota *v.*(*m.*) projet *m.* du budget général.
miljoe'nenrede *v.*(*m.*) exposé *m.* budgétaire.
miljoen'ste *telw.* millionième.
miljonair' *m.* millionnaire *m.*
millen'nium *o.* règne *m.* millénaire.
mil'libar *m.* millibar *m.*
mil'ligram *o.* milligramme *m.*
mil'limeter *m.* millimètre *m.*
mil'limeteren *ov.w.* couper ras.
milt *v.*(*m.*) **1** rate *f.*; **2** (*hom*) laitance, laite *f.*
milt'vuur *o.* sang *m.* de rate, charbon *m.*
milt'ziekte *v.* **1** hypocondrie *f.*, spleen *m.*; **2** (*bij zwijnen*) ratelle *f.*
milt'zucht *v.*(*m.*) hypocondrie *f.*, spleen *m.*
mil'va *v.* A.F.A.T., auxiliaire féminine de l'armée de terre.
mi'micry *v.*(*m.*) mimétisme *m.*
mimiek' *v.* mimique *f.*
mi'misch *b.n.* mimique.
mimi'tafeltje *o.* table *f.* gigogne.
mimo'sa *v.*(*m.*) mimosa *m.*, mimeuse *f.*; sensitive *f.*
min I *v.* (*voedster*) nourrice *f.*; **II** *v.*(*m.*) (*liefde*) amour *m.*; **III** *b.n.* **1** (*nietig, zwak*) chétif, mince; **2** (*gering*) petit; **3** (*laag, verachtelijk*) bas, vil, méprisable; **4** (*v. zieke*) bas; **5** (*middelmatig, slecht*) médiocre, mauvais; **IV** *bw.* **1** peu; **2** moins; ***— of meer,*** plus ou moins.
min'achten *ov.w.* dédaigner, mépriser.
min'achtend I *b.n.* dédaigneux; **II** *bw.* dédaigneusement, avec dédain.
min'achting *v.* dédain, mépris *m.*
minaret' *v.*(*m.*) minaret *m.*
min'der I *b.n.* **1** moindre, plus petit; **2** (*lager*) inférieur; (*v. prijs*) plus bas; ***— worden,*** diminuer,

baisser; ***de zieke is —,*** le malade est pis; ***in — dan geen tijd,*** en moins de rien; ***dat is —,*** qu'à cela ne tienne, n'importe, cela ne fait rien; **II** *bw.* moins; ***hoe langer, hoe —,*** de moins en moins.
min'derbroeder *m.* frère *m.* mineur, franciscain; (*oud*) cordelier *m.*
min'dere *m.-v.* inférieur(e) *m.(f.).*
min'deren I *ov.w.* diminuer; **II** *on.w.* **1** (*minder worden*) diminuer, s'amoindrir; **2** (*v. zieke*) baisser, décliner; **3** (*breiwerk*) diminuer, rétrécir.
min'derheid *v.* **1** (*in aantal*) minorité *f.*; **2** (*v. hoedanigheid, aanleg, enz.*) infériorité *f.*; ***in de — zijn,*** être en minorité.
min'dering *v.* **1** (*vermindering*) diminution *f.*; **2** (*korting*) déduction *f.*; (*afslag*) rabais *m.*; **3** (*v. zieke*) déclin *m.*; **4** (*v. breiwerk*) diminution *f.*; ***in — brengen,*** déduire, porter en décharge; ***in — ontvangen,*** recevoir en déduction de compte.
minderja'rig *b.n.* mineur.
minderja'rige *m.-v.* mineur(e) *m.(f.).*
minderja'righeid *v.* minorité *f.*
minderwaar'dig *b.n.* **1** inférieur; **2** (*laag, verachtelijk*) bas, vil, méprisable.
minderwaar'digheid *v.* **1** infériorité *f.*; **2** bassesse, vilenie *f.*
minderwaar'digheidscomplex *o.* complexe *m.* d'infériorité.
mineraal' I *b.n.* minéral; **II** *z.n., o.* minéral *m.*
mineraal'water *o.* eau *f.* minérale.
mineralogie' *v.* minéralogie *f.*
mineralo'gisch *b.n.* minéralogique.
mineraloog' *m.* minéralogiste *m.*
Miner'va *v.* Minerve *f.*
miner'val *o.* rétribution *f.* scolaire.
mineur' *v.(m.)* (*muz.*) mode *m.* mineur; ***in —,*** en mineur.
mineur'-toonaard *m.* (*muz.*) mode *m.* mineur.
mineur'-toonladder *v.(m.)* (*muz.*) gamme *f.* mineure.
miniatuur' *v.* miniature *f.*
miniatuur'- *voorv.* ... en miniature.
miniatuur'schilder *m.* peintre *m.* en miniature, miniaturiste *m.*
miniem' *b.n.* minime.
minimaal' *b.n.* minimum; ***— rendement,*** rendement *m.* minimum.
mi'nimum *o.* minimum *m.*; ***een — aan,*** un minimum de.
mi'nimumloon *o.* salaire *m.* minimum; minimum *m.* de salaire.
mi'nimumsnelheid *v.* vitesse *f.* minimum.
mi'nimumtemperatuur *v.* température *f.* minimum.
mi'nimumt(h)ermometer *m.* thermomètre *m.* à minima.
minis'ter *m.* ministre *m.*; ***eerste —,*** président du conseil; ***— van Staat,*** ministre d'État; ***gevolmachtigd —,*** ministre plénipotentiaire.
ministe'rie *o.* ministère *m.*; ***openbaar —,*** ministère *m.* public; (*B.*) procureur *m.* du roi; (*F.*) procureur de la république; (*Ned.*) procureur de la reine.
ministerieel' *b.n.* ministériel.
minis'terportefeuille *m.* portefeuille *m.* ministériel.
minis'ter-president *m.* président *m.* du conseil.
minis'terraad *m.* conseil *m.* des ministres.
minis'terschap *o.* ministère, portefeuille *m.*
min'lijk, *zie* ***minnelijk.***
min'naar *m.* **1** (*geliefde*) amant *m.*; **2** (*liefhebber*) amateur *m.*
minnares' *v.* amante; maîtresse *f.*
minnarij' *v.* intrigue(s) amoureuse(s), amourette(s) [*f.(pl.).*
min'ne *v.(m.),* ***in der — schikken,*** arranger à l'amiable, régler —.
min'nebrief *m.* lettre *f.* d'amour.
min'nebriefje *o.* billet *m.* doux.
min'nedicht *o.* poème *m.* érotique.
min'nedichter *m.* poète *m.* érotique.
min'negloed *m.* flamme *f.*
min'negod *m.* Amour, Cupidon *m.*
min'nehandel *m.* amourette(s), intrigue(s) amoureuse(s) *f.(pl.).*
min'neklacht *v.(m.)* plainte *f.* amoureuse.
min'nekozen *on.w.* faire l'amoureux, conter fleurettes. [*f.pl.*
min'nekozing *v.* langage *m.* amoureux, caresses
min'nelied *o.* chanson *f.* amoureuse, — d'amour.
min'(ne)lijk I *b.n.* aimable, affable, gracieux; ***—e schikking,*** arrangement à l'amiable; **II** *bw.* aimablement, avec affabilité, gracieusement.
min'nen *ov.w.* aimer, chérir.
min'nend *b.n.* aimant, amoureux.
min'nenijd *m.* jalousie *f.*
minnenswaar'dig *b.n.* digne d'être aimé, aimable.
min'nepijn *v.(m.)* peine *f.* de cœur.
min'nezang *m.* chanson *f.* amoureuse.
min'nezanger *m.* ménestrel; troubadour *m.*
Minor'ca *o.* Minorque *f.*
Minotau'rus *m.* Minotaure *m.*
minst I *b.n.* le (la) moindre; le moins; ***de —e fouten,* 1** (*de geringste*) les moindres fautes; **2** (*minder dan anderen*) le moins de fautes; ***de —e prijs,*** le prix le plus bas; ***de —e zijn,*** céder; **II** *bw.*, ***ten —e,* 1** (*op zijn minst*) au moins; **2** (*althans*) du moins, tout au moins, pour le moins; ***wij gaan uit, ten —e als het niet te koud is,*** nous sortirons à moins qu'il ne fasse trop froid; ***op zijn —,*** au moins; ***in het — niet,*** pas le moins du monde.
min'stens *bw.* au moins, pour le moins.
minstreel *m.* ménestrel *m.*
min'teken *o.* moins *m.*, signe *m.* de la négation.
mi'nus *bw.* moins; ***plus —,*** environ, à peu près.
minuut' *v.(m.)* minute *f.*; ***een — maken,*** prendre note (de); faire une minute.
minuut'wijzer *m.* grande aiguille *f.*, aiguille des minutes.
minvermo'gend *b.n.* peu fortuné, pauvre, nécessiteux.
minvermo'gende *m.-v.* nécessiteux *m.*, —euse *f.*, indigent *m.*, —e *f.*
min'zaam I *b.n.* aimable, affable, gracieux; **II** *bw.* aimablement, gracieusement; ***onder minzame aanbeveling,*** tout en nous recommandant à la faveur de vos ordres; tout en nous recommandant affectueusement; je demeure votre dévoué serviteur. [lance *f.*
min'zaamheid *v.* amabilité, affabilité, bienveil-
mirabel' *v.(m.)* mirabelle *f.*
mira'kel *o.* **1** (*bovennatuurlijk*) miracle *m.*; **2** (*wonder*) prodige *m.*; ***een lelijk —,*** une caricature; ***voor — liggen,*** (*fam.*) être ivre mort.
mira'kelspel *o.* miracle *m.*
mir're *v.(m.)* myrrhe *f.*
mir'reboom *m.* balsamée *f.*, baumier *m.*
mirt(e) *m.* myrte *m.*
mir'tebes *v.(m.)* myrtille *f.*
mir'tekrans *m.* couronne *f.* de myrte.
mis I *v.(m.)* messe *f.*; ***gelezen —,*** messe basse, — lue; ***hoogmis,*** grand-messe*; ***de — doen*** (*of* ***lezen***), dire la messe, célébrer —; ***— horen,*** entendre la messe; **II** *b.n. en bw.* manqué; ***dat loopt —,*** cela finira mal; ***het — hebben,*** se tromper, être dans l'erreur; ***—, vriendje!*** erreur, mon ami!
misbaar' *o.* tapage, bruit, vacarme; ***iets aankon-***

digen met veel* —,** annoncer qc. à grands cris; ***groot — maken, jeter les hauts cris.
misbak'ken *b.n.* mal cuit; mal réussi; manqué.
mis'baksel *o.* **1** chose *f.* mal cuite; **2** (*fig.*) avorton *m.*
mis'boek *o.* missel; paroissien, livre *m.* de messe.
mis'bruik *o.* abus *m.*; ***— maken van,*** abuser de.
misbrui'ken *ov.w.* abuser (de).
miscella'nea *mv.* mélanges *m.pl.*
mis'daad *v.*(*m.*) crime *m.*; ***grove —,*** forfait *m.*
misda'dig I *b.n.* criminel; **II** *bw.* criminellement.
mis'dadiger *m.* criminel, malfaiteur *m.*
misda'digheid *v.* criminalité *f.* [rité.
misdeeld' *b.n.* dépourvu (de), mal partagé, déshé-
misde'len *ov.w.* mal partager, déshériter.
mis'dienaar *m.* enfant *m.* de chœur, servant *m.* (de messe).
misdoen' *on.w.* faire du mal; (*zondigen*) pécher.
mis'draaien *on.w.* tourner mal, — de travers.
misdra'gen, *zich* —, *w.w.* se conduire mal.
mis'drijf *o.* délit; méfait, crime *m.*
misdrij'ven *ov.w.* faire du mal.
mis'druk *m.* maculature *f.*
misdui'den *ov.w.* **1** (*ongunstig uitleggen*) interpréter à mal; **2** (*kwalijk nemen*) prendre en mauvaise part.
misdui'ding *v.* fausse interprétation *f.*, interprétation erronée.
mise'rie *v.* misère *f.* [rater.
mis'gaan *on.w.* manquer, ne pas réussir, échouer,
mis'geld *o.* casuel *m.* (*of* honoraires *m.pl.*) de messe.
misgel'den, *zie* ***ontgelden.***
mis'gewaad *o.* chasuble *f.*
mis'gewas *o.* mauvaise récolte *f.*, récolte manquée.
mis'gooien *on.w.* manquer le but.
mis'greep *m.* méprise, erreur, bévue *f.*
misgrij'pen I *on.w.* manquer son coup; **II** *w.w.*, ***zich —,*** se méprendre; (*zich vergrijpen aan*) attenter à. [à qn.
misgun'nen *ov.w.* envier; ***iem. iets —,*** envier qc.
misgun'stig *b.n.* envieux, jaloux.
misha'gen *on.w.* déplaire (à). [liser.
mishan'delen *ov.w.* maltraiter, malmener, bruta-
mishan'deling *v.* **1** mauvais traitement *m.*, brutalité *f.*; **2** (*recht*) voies de fait, sévices *f.pl.*
mis'hemd *o.* aube *f.*
mis'horen *on.w.* entendre la messe.
mis'kelk *m.* calice *m.*
misken'nen *ov.w.* méconnaître.
misken'ning *v.* méconnaissance *f.*
miskocht', *— zijn,* avoir fait (*of* conclu) un mauvais marché.
mis'koop *m.* mauvais marché, marché *m.* de dupe.
mis'kraam *v.*(*m.*) *en o.* fausse couche *f.*; ***een — krijgen,*** faire fausse couche. [en erreur.
mislei'den *ov.w.* tromper, abuser, duper, induire
mislei'der *m.* trompeur, imposteur *m.*
mislei'ding *v.* tromperie, imposture *f.*
mis'lezer *m.* célébrant *m.*
mis'lopen I *on.w.* échouer, tourner mal, marcher de travers; ***dat loopt mis,*** cela se gâte; **II** *ov.w.*, ***een gelegenheid —,*** manquer une occasion, rater —; ***iem. —,*** manquer qn., ne pas rencontrer qn.
misluk'keling *m.* raté *m.*
misluk'ken *on.w.* échouer, ne pas réussir; ***alles mislukt hem,*** il ne réussit en rien; ***de oogst is mislukt,*** la récolte est manquée.
misluk'king *v.* échec, insuccès *m.*, non-réussite *f.*
mismaakt' *b.n.* difforme, contrefait.
mismaakt'heid *v.* difformité *f.*
misma'ken *ov.w.* **1** rendre difforme; **2** (*gelaat*) défigurer; **3** (*verminken*) mutiler.
misma'king *v.* défiguration *f.*; mutilation *f.*
mismoe'dig I *b.n.* découragé, abattu, morose; **II** *bw.* avec découragement, avec abattement, d'un air morose.
mismoe'digheid *v.* découragement, abattement *m.*, morosité *f.*
misnoegd' *b.n.* mécontent. [ment *m.*
misnoegd'heid *v.*, **mis'noegen** *o.* mécontente-
mis'offer *o.* messe *f.*; ***het Heilig M—,*** le Saint Sacrifice.
mis'oogst *m.* récolte *f.* manquée, — déficitaire.
mis'pas *m.* faux pas *m.*
mis'pel *v.*(*m.*) nèfle *f.*
mis'pelboom *m.* néflier *m.*
misplaat'sen *ov.w.* mal placer.
misplaatst' *b.n.* déplacé. [damner.
misprij'zen *ov.w.* désapprouver, blâmer, con-
mis'punt *o.* **1** (*bilj.*) manque *m.* de touche; **2** (*persoon*) pleutre, sale type *m.*
mis'raden *ov.w.* (*niet juist raden*) ne pas deviner (juste), se tromper.
misra'den (*verkeerde raad geven*) mal conseiller, donner un mauvais conseil.
misre'kenen I *ov.w.* mal calculer; **II** *w.w.*, ***zich —,*** se tromper; faire un faux calcul.
misre'kening *v.* **1** (*verkeerde berekening*) erreur (de calcul), méprise *f.*; **2** (*teleurstelling*) mécompte *m.*, déception *f.* [canon *m.*
missaal' *o.* **1** (*misboek*) missel *m.*; **2** (*letter*) gros
misschien' *bw.* **1** peut-être; **2** (*in vraag: soms*) par hasard; ***— wel,*** cela se peut bien. [coup.
mis'schieten *on.w.* manquer le but; manquer son
mis'schot *o.* coup *m.* manqué.
mis'selijk *b.n.* **1** (*flauw*) fade; **2** (*walgelijk*) dégoûtant, écœurant; **3** (*lelijk*) laid; ***— zijn*** (*onpasselijk*)**,** avoir mal au cœur, être pris de nausées; ***— maken,*** donner la nausée; ***daar word ik — van,*** cela me soulève le cœur, cela me donne des nausées; ***een —e vent,*** un sale type.
mis'selijkheid *v.* mal *m.* de cœur, nausées *f.pl.*
mis'sen I *ov.w.* **1** (*niet raken, niet halen*) manquer; **2** (*ontberen*) manquer de; se passer de; ***het nodige —,*** manquer du nécessaire; ***ik kan dat boek niet —,*** je ne peux me passer de ce livre; ***ik mis twee boeken,*** il me manque deux livres; ***ik mis mijn pen,*** je ne trouve plus ma plume; ***hij mist zijn vader,*** son père lui manque; ***hij heeft geen enkel woord gemist,*** il n'a pas perdu un seul mot; ***ik kan hem — als kiespijn,*** je ne peux le souffrir, je l'aime comme la colique; **II** *on.w.* manquer; ***dat kan niet —,*** cela ne peut manquer.
mis'sie *v.* mission *f.*
mis'siebisschop *m.* évêque *m.* missionnaire.
mis'siefeest *o.* fête *f.* missionnaire.
mis'siefilm *m.* film *m.* missionnaire.
mis'siegebied *o.* région *f.* missionnaire.
mis'siehuis *o.* maison *f.* missionnaire, séminaire *m.* des missions étrangères.
mis'siekruis *o.* croix *f.* de la mission.
mis'siepreek *v.*(*m.*) sermon *m.* de la mission.
mis'siestatie *v.* station *f.* missionnaire.
mis'sietentoonstelling *v.* exposition *f.* des missions, — missionnaire.
mis'sieweek *v.*(*m.*) semaine *f.* des missions.
mis'siewerk *o.* œuvre *f.* des missions.
mis'siewetenschap *v.* missiologie *f.*
mis'siezuster *v.* sœur *f.* missionnaire.
missioloog' *m.* missiologue *m.*
missiona'ris *m.* missionnaire *m.*
Mississip'pi *m.* Mississipi *m.*
missi've *v.*(*m.*) **1** missive *f.*; **2** (*H.*) lettre, honorée, estimée *f.*

mis'slaan *on.w. en ov.w.* manquer son coup; ***de bal —,*** se méprendre, se tromper.
mis'slag *m.* **1** coup *m.* manqué; **2** (*fig.*) faute, erreur *f.*
misstaan' *on.w.* aller mal, messeoir; ne pas convenir.
mis'stand *m.* tort; défaut *m.*, anomalie *f.*; (*in de maatschappij*) abus *m.*
mis'stap *m.* **1** faux pas *m.*; **2** (*fig.*) faute, erreur *f.*
mis'stappen *on.w.* faire un faux pas.
mis'stoot *m.* **1** (*alg.*) coup *m.* manqué; **2** (*bilj.*) manque *m.* de touche; **3** (*schermen*) fausse botte *f.*
mis'stoten *on.w.* **1** manquer son coup; **2** (*bilj.*) manquer la bille, — de touche.
mist *m.* brouillard *m.*; (*vooral op zee*) brume *f.*; ***lichte —,*** brumaille *f.*
mist'achtig *b.n.* brumeux.
mis'tasten *on.w.* se méprendre, se tromper.
mist'bank *v.*(*m.*) banc *m.* de brumes.
mist'boei *v.*(*m.*) bouée *f.* à sirène.
mis'tel *m.* (*Pl.*) gui *m.*
mis'tellen *on.w.* compter mal, se tromper.
mis'telling *v.* erreur *f.* de calcul, mécompte *m.*
mis'telstruik *m.* gui *m.*
mis'teltak *m.* branche *f.* de gui.
mis'ten *on.w.* faire du brouillard, brumer.
mist'hoorn *m.* sirène *f.* de brume.
mis'tig *b.n.* brumeux; ***het is —,*** il fait du brouillard, il fait brumeux.
mist'lamp *v.* (*m.*) phare *m.* antibrouillard.
mis'tletoe *v.*(*m.*) *en o.* gui *m.*
mis'trappen *on.w.* **1** faire un faux pas; **2** (*sp.*) manquer le ballon.
mistroos'tig *b.n.* découragé, abattu, affligé, désolé.
mistroos'tigheid *v.* découragement, abattement *m.*, désolation *f.*
mistrou'wen *ov.w.* se méfier de.
mis'trouwen *o.* méfiance *f.*
mistrou'wend, mistrou'wig *b.n.* méfiant, soupçonneux.
mist'sein *o.* signal *m.* de brume.
mis'vatten *ov.w.* mal comprendre, se méprendre.
mis'vatting *v.* **1** méprise, erreur *f.*; **2** (*misverstand*) malentendu *m.*
mis'verstaan, *zie* ***misvatten.***
mis'verstand *o.* **1** malentendu; quiproquo *m.*; **2** (*onenigheid*) mésintelligence *f.*, désaccord *m.*
misvormd' *b.n.* difforme.
misvor'men *ov.w.* difformer; défigurer.
misvor'ming *v.* déformation, défiguration *f.*
mis'was, *zie* ***misoogst.***
miszeg'gen *ov.w.* s'exprimer mal, mal exprimer; ***hij heeft niets miszegd,*** il n'a rien dit de mal.
mitrailleur' *m.* mitrailleuse *f.*; ***lichte —,*** fusil *m.* mitrailleur.
mitrailleur'geweer *o.* fusil*-mitrailleuse* *m.*
mitrailleurs'nest *o.* nid *m.* de mitrailleuses.
mits *vw.* pourvu que, à condition que.
mitsdien' *vw.* c'est pourquoi, par conséquent.
mitsga'ders *vw.* ainsi que, de même que.
mi'xer *m.* **1** (*keuken*) mixer, mixeur, mélangeur *m.*; **2** (*cocktail*) mixer de cocktails.
mixtuur' *v.* mixture *f.*, mélange *m.*
mobiel' *b.n.* mobile.
mobilair' *o.* mobilier *m.*
mobilisa'tie, -iza'tie *v.* mobilisation *f.*
mobilise'ren, -ize'ren *ov.w. en on.w.* mobiliser.
mobilofoon' *m.* mobilophone, interphone *m.*, cornet *m.* acoustique électronique.
modaal' *b.n.* modal.
modaliteit' *v.* modalité *f.*
mod'der *m.* **1** boue *f.*; bourbe, fange *f.*; **2** (*bezinksel v. rivier, enz.*) vase *f.*; **3** (*slib*) limon *m.*; **4** (*op kleren, enz.*) crotte *f.*; ***in de — vastraken,*** s'embourber.
mod'deraar *m.* **1** gâcheur, barbouilleur *m.*; **2** (*fig.*) intrigant, tripoteur *m.*
mod'derachtig *b.n.* boueux, bourbeux, fangeux.
mod'derbad *o.* bain *m.* de boue.
mod'derbank *v.*(*m.*) banc *m.* de vase.
mod'deren *on.w.* **1** barboter; **2** (*fig.*) intriguer.
mod'derig *b.n.* boueux, bourbeux, fangeux.
mod'derkuil *m.* bourbier *m.*
mod'derlaarzen *mv.* bottes *f.pl.* de dragueur.
mod'dermolen *m.* cure-môle *m.*
mod'derpoel *m.* bourbier *m.*, fondrière *f.*
mod'derschuit *v.*(*m.*) (bateau) dragueur *m.*, marie*-salope* *f.*; ***dat staat als een vlag op een —,*** cela va comme un tablier à une vache.
mod'dersloot *v.*(*m.*) fossé *m.* bourbeux.
mod'derweg *m.* chemin *m.* bourbeux.
mo'de *v.*(*m.*) mode *f.*; ***in de — brengen,*** mettre à la mode, mettre en vogue; ***in de — zijn,*** être à la mode, être en vogue; ***naar de —,*** à la mode; ***uit de —,*** passé de mode, démodé; ***uit de — raken,*** se démoder; ***in de — komen,*** devenir à la mode; ***laatste —,*** haute nouveauté.
mo'deartikel *o.* **1** article *m.* de mode; **2** nouveauté *f.*
mo'deblad *o.* journal *m.* des modes.
mo'deboek *o.* journal *m.* de modes.
mo'degek *m.* snob, fat, dandy, élégant *m.*, esclave *m.* des modes.
mo'degekkin *v.* esclave des modes, snobinette *f.*
mo'degril *v.*(*m.*) caprice *m.* de la mode.
mo'dekleur *v.*(*m.*) couleur *f.* à la mode.
model' **I** *o.* modèle *m.*; (*geboetseerd klein —*) maquette *f.*; **II** *b.n.* (*mil.*) d'ordonnance.
model'actie, -aktie *v.* grève *f.* du zèle.
model'boerderij *v.*, **model'hoeve** *v.*(*m.*) ferme*-modèle*, ferme*-école*, ferme*-pilote* *f.*
model'bouw *m.* construction *f.* modèle.
model'inrichting *v.* établissement *m.* modèle.
model'kamer *v.*(*m.*) salle *f.* de modèles.
model'kleding *v.* vêtements *m.pl.* réglementaires.
modelle'ren *ov.w.* modeler, façonner.
modelle'ring *v.* modelage, modelé *m.*
model'tekenaar *m.* modéliste *m.*
mo'demaakster *v.* modiste *f.*
mo'demagazijn *o.* magasin *m.* de nouveautés.
Mode'na *o.* Modène; ***uit —,*** modénais.
mo'deontwerper *m.* grand couturier *m.*
mo'deplaat *v.*(*m.*) gravure *f.* de modes.
mo'depop *v.*(*m.*) élégant(e) *m.*(*f.*), petit*-maître* *m.*, petite*-maîtresse* *f.*
modera'men *o.* bureau, conseil *m.*
modera'tor *m.* modérateur *m.*
modern' **I** *b.n.* moderne; **II** *bw.* à la moderne.
modernise'ren, -ize'ren *ov.w.* moderniser.
mo'deschrijver *m.* auteur *m.* en vogue.
mo'deshow *m.* défilé *m.* (de mannequins).
mo'desnufje *o.* dernière (*of* haute) nouveauté *f.*
mo'destof *v.*(*m.*) nouveauté *f.*
mo'devak *o.* mode *f.*
mo'dewinkel *m.* magasin *m.* de modes, — de nouveautés.
mo'dezaak, *zie* ***modewinkel.***
modieus' **I** *b.n.* élégant, à la mode, du dernier goût; **II** *bw.* avec élégance, à la mode.
modinet'te *v.* midinette *f.*
modis'te *v.* modiste *f.*
modula'tie *v.* modulation *f.*
modula'tieband *m.* bande *f.* de modulation.
modula'tiediepte *v.* taux *m.* de modulation.
module'ren *ov.w.* moduler.

mo'dus viven'di *m.* modus vivendi *m.*
moe I *v.* maman, petite mère *f.*; **II, moe'de** *b.n.* fatigué; ***iets — zijn,*** être las de qc.
moed *m.* courage, cœur *m.*; ***de — verliezen,*** perdre courage; ***droef te —e,*** attristé; ***wel te —e zijn,*** être bien disposé; ***de— erin houden,*** garder bon courage.
moe'(de) *b.n.* fatigué; ***iets — worden,*** se lasser [de qc.
moe'deloos *b.n.* découragé, abattu.
moe'deloosheid *v.* découragement, abattement *m.*
moe'der *v.* **1** mère *f.*; (*fam.*) maman *f.*; **2** (*v. weeshuis, enz.*) directrice *f.*
moe'deraarde *v.*(*m.*) terre *f.* nourricière.
moe'derbij *v.*(*m.*) reine *f.*
moe'derbinding *v.* indissolubilité *f.* ombilicale.
moe'derdag *m.* fête *f.* des mères, journée *f.* —.
moe'derhart *o.* cœur *m.* maternel, — de mère.
moe'derhuis *o.* **1** maison mère *f.*; **2** (*Z.N.*) maternité *f.*
moe'derkerk *v.*(*m.*) église *f.* métropole; notre sainte mère, l'Église.
moe'derkoorn, -koren *o.* seigle *m.* ergoté.
moe'derland *o.* mère*-patrie*, métropole *f.*
moe'derlief *v.* chère maman, petite mère *f.*
moe'derliefde *v.* amour *m.* maternel.
moe'derlijk I *b.n.* maternel; **II** *bw.* maternelle-[ment.
moe'derloog *v.*(*m.*) *en o.* eau*-mère* *f.*
moe'derloos *b.n.* sans mère, orphelin(e) de mère.
Moe'dermaagd *v.* (la) sainte Vierge.
moe'dermaatschappij *v.* (*H.*) société *f.* mère.
moe'dermelk *v.*(*m.*) lait *m.* maternel.
moe'dermoord *m. en v.* matricide *m.*
moe'dermoorde(naa)r *m.* matricide *m.*
moe'dernaakt *b.n.* tout nu, nu comme un ver.
moeder-o'verste *v.* mère *f.* supérieure.
moe'derrecht *o.* matriarcat *m.*
moe'derschap *o.* maternité *f.*
moe'derschapszorg *v.*(*m.*) œuvre *f.* de la mater-[nité.
moe'derschip *o.* navire *m.* porte-avions.
moe'derschoot *m.* giron *m.*, sein *m.*
moe'derskant, *van —,* du côté maternel.
moe'derskind(je) *o.* enfant *m.* gâté.
moe'derszoontje *o.* fils *m.* à maman.
moe'dertaal *v.*(*m.*) **1** langue *f.* maternelle; **2** (*v. andere talen*) langue *f.* mère, — originaire.
moe'dertje *o.* **1** petite mère *f.*; **2** (*oudje*) vieille *f.*
moe'dervlek *v.*(*m.*) tache *f.* de naissance, — de beauté, grain *m.* de beauté.
moe'derziel, *— alleen,* tout seul.
moe'derzorg *v.*(*m.*) soin *m.* maternel.
moe'dig *b.n.* courageux, vaillant, brave.
moed'wil *m.* malice *f.*; volonté *f.* de faire le mal; ***iets met — doen,*** faire qc. exprès.
moedwil'lig I *b.n.* **1** (*v. persoon*) de mauvaise volonté, malin, malicieux; **2** (*v. handeling*) malveillant; **II** *bw.* exprès, à dessein, de gaieté de cœur.
moedwil'ligheid, *zie* ***moedwil.***
moe'heid *v.* fatigue, lassitude *f.*
moei *v.* tante *f.*
moei'en I *ov.w.* déranger, incommoder; **2** faire de la peine à; ***de hele dag is er mee gemoeid,*** cela dure toute la journée; ***zijn leven is er mee gemoeid,*** il y va de sa vie; ***iem. in een zaak —,*** mêler qn. à une affaire; **II** *w.w.*, ***zich —,*** se mêler (de).
moei'lijk I *b.n.* **1** difficile; **2** (*vermoeiend, pijnlijk*) pénible; **3** (*bezwaarlijk: spijsvertering, enz.*) laborieux; **4** (*fig.: vraagstuk, enz.*) ardu; ***een —e toestand,*** une situation critique; ***een — kind,*** un enfant inadapté; **II** *bw.* **1** difficilement; **2** péniblement; **3** laborieusement; ***hij zal dat werk — kunnen uitvoeren,*** il aura de la peine (*of* de la difficulté) à exécuter ce travail; ***dat valt mij —,*** cela me coûte; ***ik kan het — geloven,*** j'ai peine à le croire.
moei'lijkheid *v.* difficulté *f.*; ***iem. in — brengen,*** mettre qn. dans l'embarras; ***—heden,* 1** (*tegenwerpingen*) objections *f.pl.*; **2** (*hinderpalen*) obstacles *m.pl.*; ***in — komen,*** s'attirer des difficultés; ***in — zijn,*** (*H.*) être en difficulté; ***in financiële — gewikkeld zijn,*** avoir des difficultés pécuniaires; ***op — stuiten,*** se heurter à des difficultés; ***de — ontduiken,*** tourner la difficulté.
moei'te *v.* **1** (*last*) peine *f.*, mal *m.*; **2** (*arbeid, inspanning*) travail, effort *m.*; ***— doen,*** se donner de la peine; ***geen — is hem te veel,*** il ne plaint pas sa peine; ***zich veel — geven,*** se mettre en frais; ***het is de — niet waard,*** cela ne vaut pas la peine; ***het gaat in één — door,*** c'est faire d'une pierre deux coups, cela ne coûtera pas plus cher, ça ne fait qu'un travail.
moei'tevol, moei'zaam *b.n.* difficile, pénible, [laborieux.
moe'ke *v. en o.* petite mère *f.*
Moe'lingen *o.* Mouland.
moer *v.*(*m.*) **1** (*droesem, bezinksel*) (*v. wijn*) lie *f.*; (*v. koffie*) marc *m.*; **2** (*v. schroef*) écrou *m.*
moeras' *o.* marais, marécage *m.*
moeras'achtig *b.n.* marécageux.
moeras'damp *m.* vapeur *f.* des marais, miasme *m.*
moeras'gas *o.* gaz *m.* des marais, méthane *m.*
moeras'koorts *v.*(*m.*) fièvre *f.* des marais, — paludéenne, malaria *f.*
moeras'plant *v.*(*m.*) plante *f.* des marais.
moeras'sig *b.n.* marécageux.
moeras'veen *o.* marais *m.* tourbeux.
moeras'vogel *m.* oiseau *m.* de(s) marais.
moer'balk *m.* (sou)poutre *f.*, poitrail *m.*
moer'bei, moer'bezie *v.*(*m.*) mûre *f.*
moer'beiboom *m.* mûrier *m.*
moer'bezie, moer'bei *v.*(*m.*) mûre *f.*
moer'boor *v.*(*m.*) taraud *m.*
moer'bout *m.* boulon *m.* à écrou.
moer'konijn *o.* lapine *f.*
moer'land *o.* terrain *m.* marécageux.
Moer'manskust *v.*(*m.*) la côte mourmane.
moer'plaatje *o.* rondelle *f.*
moer'schroef *v.*(*m.*) écrou *m.*
moer'sleutel *m.* clef *f.* à écrou, — anglaise, serre-[écrou *m.*
moer'tje *o.* (*insekt*) chrysomèle *m.*
moer'touw *o.* amarre *f.*
moes *o.* **1** (*groente*) herbes *f.pl.* potagères; **2** (*v. appelen, enz.*) marmelade *f.*; **3** (*fig.*) mélange, salmigondis *m.*; ***tot — slaan,*** mettre en compote.
moeselien', mousseli'ne *v.*(*m.*) *en o.* mousseline *f.*
moes'groente *v.* légume *m.*, herbes *f.pl.* potagères.
moes'je I *v. en o.* petite mère, maman *f.*; **II** *o.* **1** (*op wang*) mouche *f.*; **2** (*op stof*) pois *m.*, moucheture *f.*
Moes'kroen *o.* Mouscron.
moes'kruid *o.* herbes *f.pl.* potagères.
moes'son *m.* mousson *f.*
moes'tuin *m.* (jardin) potager *m.*
moet I *v.*(*m.*) **1** (*vlek*) tache *f.*; **2** (*indruksel*) marque, trace *f.*; **II** *m.* faire-le-faut *m.*, nécessité *f.*
moe'ten I *on.w.* devoir; falloir; ***het moet,*** il le faut; ***wij — wel...,*** force nous est bien de...; **II** *ov.w.* ***wat moet hij?*** qu'est-ce qu'il lui faut? ***wat moet hij van mij?*** qu'est-ce qu'il me veut? ***wat moet dat?*** qu'est-ce que cela signifie? ***ik moet naar Brussel,*** je dois aller à Bruxelles; ***hij moet een ander boek hebben,*** il lui faut un autre livre; ***ik moest lachen,*** je ne pouvais m'empêcher de rire; ***hij moest het (eens) weten!*** si jamais il le savait!

Moe'zel *v.* Moselle *f.*
moe'zelwijn *m.* vin *m.* de (la) Moselle, moselle *m.*
moe'zen *ov.w.* réduire en purée (*of* en compote, en pulpe).
mof I *v.(m.)* **1** (*tn.*) manchon *m.*; **2** (*pols—*) miton *m.*; **II** *m.* **1** Prussien *m.*; **2** (*ong.*) boche *m.*; ***zwijgen als een —,*** ne souffler mot.
mof'fel *m.* moufle *m.*
mof'felaar *m.* escamoteur; tricheur *m.*
moffelarij' *v.* tricherie, tromperie *f.*
mof'felen *ov.w.* **1** escamoter; tricher; **2** (*fiets, enz.*) moufler; **3** (*badkuip, enz.*) émailler.
mof'feloven *m.* four *m.* à moufles, — à émailler.
mof'je *o.* petit manchon *m.*
mo'gelijk I *b.n.* possible; ***alles is —,*** tout arrive; ***dat is —,*** cela se peut; ***het is — dat...,*** il est possible que, il se peut que; ***het is best —,*** il se peut bien; ***de —e gevolgen,*** les suites éventuelles; ***zo spoedig —,*** le plus tôt possible, au plus vite, au plus tôt; ***zoveel —,*** autant que possible; ***niet wel —,*** difficile; **II** *bw.* peut-être; ***— komt hij morgen,*** il se peut qu'il vienne demain.
mo'gelijkerwijs *bw.* peut-être, possiblement.
mo'gelijkheid *v.* possibilité *f.*; éventualité *f.*
mo'gen *ov.w.* **1** pouvoir; avoir la permission (de); avoir le droit (de); **2** (*gaarne hebben*) aimer; ***als de prijs hoger mocht zijn,*** si le prix se trouve être plus élevé; ***hij mag zeggen wat hij wil, hij zal dat baantje niet krijgen,*** il a beau dire, il n'obtiendra pas cette place; ***zij mag hem niet zien,*** elle ne peut le souffrir; ***moge hij genezen!*** puisse-t-il se rétablir! ***wel moge het u bekomen!*** grand bien vous fasse! ***dat mag niet,*** cela n'est pas permis.
mo'gendheid *v.* puissance *f.*
Mo'hammed *m.* Mahomet *m.*
mohammedaan' *m.* mahométan *m.*
mohammedaans' *b.n.* mahométan.
Mohikaan' *m.* Mohican *m.*
moire'ren *ov.w.* moirer.
mok *v.(m.)* moque *f.*
mo'ker *m.* marteau *m.* de forge.
mo'keren *ov.w.* marteler, battre.
mok'ka(koffie) *m.* moka *m.*
mok'ken *on.w.* bouder, faire la moue.
mok'kend *b.n.* boudeur.
mok'ker *m.* boudeur *m.*
mol I *m.* (*Dk.*) taupe *f.*; **II** *v.(m.)* (*muz.*) bémol *m.*
Molda'vië *o.* la Moldavie.
Molda'viër *m.* Moldave *m.*
Molda'visch *b.n.* moldave, moldavique.
moleculair' *b.n.* moléculaire.
molecu'le, molekuul' *v.(m.) en o.* molécule *f.*
mo'len *m.* moulin *m.*; ***dat is koren op zijn —,*** cela fait son affaire; ***hij heeft een slag van de — te pakken,*** il a une araignée au plafond, il est toqué.
mo'lenaar *m.* **1** meunier *m.*; **2** (*meikever*) hanneton *m.*; **3** (*vis*) merlan *m.*
mo'lenaarsknecht *m.* garçon *m.* meunier.
mo'lenas *v.(m.)* arbre *m.* (du moulin).
mo'lenbeek *v.(m.)* bief *m.*, canal *m.* de moulin.
mo'lenkap *v.(m.)* toit *m.* de moulin, calotte *f.* —.
mo'lenpaard *o.* cheval *m.* de moulin, — de meule; ***werken als een —,*** travailler comme un nègre.
mo'lenrad *o.* roue *f.* de moulin.
mo'lensteen *m.* meule *f.*
mo'lentje *o.* moulinet *m.*; ***met —s lopen,*** être un peu toqué.
mo'lenvang *v.(m.)* frein *m.* de moulin, arrêt *m.* —.
mo'lenvliet *m.* coursier *m.*
mo'lenwiek *v.(m.)* aile *f.* de moulin, volant *m.*
mo'lenzeil *o.* toile *f.*
molest' *o.* molestation *f.*, risques *m.pl.* de guerre.
moleste'ren *ov.w.* molester.
moleste'ring *v.* molestation *f.*
molest'premie *v.* prime *f.* pour risques de guerre.
molest'risico *o. en m.* risques *m.pl.* de guerre, — maritimes.
molest'verzekering *v.* assurance *f.* contre les risques de guerre.
moliè're *m.* soulier *m.* Molière, — bas.
mo'lik *m.* épouvantail *m.*
mol'kleurig *b.n.* taupe.
mol'legat, mols'gat *o.* trou *m.* à taupe.
mol'lenvanger *m.* taupier *m.*
mol'leval *v.(m.)* taupière *f.*
mol'level *o.* peau *f.* de taupe.
mol'lig *b.n.* **1** (*zacht op het gevoel*) doux; **2** (*v. kussen, enz.*) moelleux; **3** (*poezelig*) grassouillet, potelé, dodu. [potelée.
mol'ligheid *v.* douceur *f.*; moelleux *m.*; rondeur *f.*
molm *m. en o.* **1** (*v. hout*) vermoulure *f.*; **2** (*v. turf*) poussière *f.* de tourbes.
molm'achtig *b.n.* vermoulu.
mol'men *on.w.* se vermouler.
mol'salade, -sla *v.(m.)* salade *f.* de pissenlit.
mols'gat, mol'legat *o.* trou *m.* à taupe.
mols'hoop *m.* taupinière *f.*
mol'sla, -salade *v.(m.)* salade *f.* de pissenlit.
mol'teken *o.* (*muz.*) bémol *m.*
mol'ton *o.* molleton *m.*; ***met — voeren,*** molletonner.
mol'tonnen *b.n.* de (*of* en) molleton.
mol'toonschaal *v.(m.)* (*muz.*) gamme *f.* mineure.
Moluk'ken, *de —,* *mv.* les Moluques *f.pl.*
mom *v.(m.) en o.* masque *m.*
mom'bakkes *o.* masque *m.*
moment' *o.* moment *m.*
momentaan', momenteel' I *b.n.* momentané; **II** *bw.* momentanément.
moment'afsluiter *m.* obturateur *m.*
momenteel', *zie* ***momentaan.***
moment'opname *v.(m.)* instantané *m.*
moment'sluiter *m.* obturateur *m.*
mom'pelen *ov.w. en on.w.* murmurer, marmotter, bourdonner.
mom'peling *v.* murmure, marmottage, bourdonnement *m.*
monarch' *m.* monarque *m.*
monarchaal' *b.n.* monarchique.
monarchie' *v.* monarchie *f.*
monarchist' *m.* monarchiste *m.*
monarchis'tisch *b.n.* monarchiste.
mond *m.* **1** (*alg.*) bouche *f.*; **2** (*v. rivier*) embouchure *f.*; **3** (*v. maag*) cardia *m.*; **4** (*v. oven, kanon*) gueule *f.*; **5** (*ronde opening*) orifice *m.*; ***een grote — opzetten,*** parler avec des airs de matamore; ***een grote — opzetten tegen iem.,*** donner des paroles grossières à qn.; ***geen — opendoen,*** ne pas desserrer les dents, ne pas ouvrir la bouche; ***met de — vol tanden staan,*** ne savoir que dire, rester muet; ***de — houden,*** se taire, tenir sa langue; ***iem. de — snoeren,*** fermer la bouche à qn.; ***geen blad voor de — nemen,*** ne pas mâcher les mots; ***met twee —en praten,*** souffler le chaud et le froid; ***u neemt mij de woorden uit de —,*** c'est ce que j'allais dire, j'avais le mot sur le bout de la langue; ***waar het hart van vol is, loopt de — van over,*** de l'abondance du cœur, la bouche parle; ***zijn — voorbijpraten,*** se couper, en dire trop.
mond'arts *m.* stomatologiste, stomatologue *m.*
mond'behoeften *mv.* provisions *f.pl.* de bouche, vivres *m.pl.*
mon'deling I *b.n.* **1** (*examen, enz.*) oral; **2** (*boodschap, enz.*) verbal; **II** *bw.* oralement; verbalement, de vive voix.

mond- en klauw'zeer *o.* stomatite (*of* fièvre) *f.* aphteuse.
mond'gat *o.* embouchure *f.*
mond'harmonica, -harmonika *v.* harmonica *m.* (à bouche), musique *f.* à bouche.
mond'hoek *m.* **1** coin *m.* de la bouche; **2** commissure *f.* des lèvres.
mond'holte *v.* cavité *f.* buccale.
mon'dig *b.n.* majeur; ***— verklaren,*** émanciper.
mon'digheid *v.* majorité *f.*
mon'digverklaring *v.* émancipation *f.*
mond'ijzer *o.* mors *m.*
mon'ding *v.* embouchure, bouche *f.*
mond'je *o.* petite bouche *f.*; ***— dicht!*** bouche close! ***zij is niet op haar — gevallen,*** elle a la langue bien pendue.
mondjesmaat *v.(m.)* juste assez; ***met —,*** avec parcimonie, pauvrement, à lèche-doigts.
mond'jevol *o.* bouchée *f.*
mond'klem *v.(m.)* (*gen.*) trisme *m.*
mond'kost *m.* vivres *m.pl.*, denrées *f.pl.*
mond'prop *v.(m.)* bâillon *m.*
mond'spier *v.(m.)* muscle *m.* buccal.
mond'spoeling *v.* gargarisme *m.*
mond'stuk *o.* **1** (*v. instrument*) embouchure *f.*; (*aangezet —*) anche *f.*; **2** (*bit v. een paard*) mors *m.*; **3** (*v. pijp*) bout, bouquin *m.*
mond'vol *o.* **1** (*eten*) bouchée *f.*; **2** (*drinken*) gorgée *f.*; **3** (*rook*) bouffée *f.*; ***een — Frans,*** deux ou trois mots de français.
mond'voorraad *m.*, *zie* ***mondbehoeften.***
mond'water *o.* eau *f.* dentifrice.
mond'zeer *o.* fièvre *f.* aphteuse.
Monegask' *m.* Monégasque *m.*
Monegas'kisch *b.n.* monégasque.
monetair' *b.n.* monétaire.
Mongo'lië *o.* la Mongolie.
Mongool' *m.* Mongol *m.*
Mongools' *b.n.* mongol.
mongool'tje *o.* mongolien *m.*; —ne *f.*
mo'nitor *m.* **1** (*schip*) monitor *m.*; **2** (*persoon*) moniteur *m.*
mon'nik *m.* moine *m.*; (*in 't algemeen: kloosterling*) religieux *m.*; ***'t zijn niet allen —en die kappen dragen,*** l'habit ne fait pas le moine.
mon'nikachtig *b.n.* monacal.
mon'nikenklooster *o.* couvent *m.* de moines, monastère *m.*
mon'nikenlatijn *o.* latin *m.* médiéval.
mon'nikenleven *o.* vie *f.* monacale.
mon'nikenorde *v.(m.)* ordre *m.* monastique.
mon'nikenwerk *o.* **1** ouvrage *m.* de moines; **2** (*fig.*) travail *m.* de bénédictin.
mon'nikenwezen *o.* monachisme *m.* [aconit *m.*
mon'nikskap *v.(m.)* **1** capuchon *m.*; **2** (*Pl.*)
mon'nikskleed *o.*, **mon'nikspij** *v.(m.)* froc *m.*
monogram' *o.* **1** monogramme *m.*; **2** (*op linnen, enz.*) chiffre *m.*
monoliet' *m.* monolithe *m.*
monoloog' *m.* monologue *m.*
monomaan' *m.* monomane *m.* [mère *m.*
monomeer' **I** *b.n.* (*scheik.*) monomère; **II** *o.* mono-
monopo'lie *o.* monopole *m.*
monopolise'ren, -ize'ren *ov.w.* monopoliser.
monot(h)eïs'tisch *b.n.* monothéiste.
monotoon' *b.n.* monotone.
mon'ster *o.* **1** (*staaltje*) échantillon *m.*; **2** (*model*) modèle *m.*; patron *m.*; **3** (*gedrocht*) monstre *m.*; (*groot*) mastodonte *m.*; ***—s trekken,*** échantillonner, prélever des échantillons.
mon'sterachtig **I** *b.n.* monstrueux; **II** *bw.* monstrueusement.
mon'sterachtigheid *v.* monstruosité *f.* [*m.* —.
mon'sterboek *o.* cahier *m.* d'échantillons, carnet
mon'stercollectie, -kollektie *v.* jeu *m.* (*of* collection *f.*) d'échantillons, échantillonnage *m.*
mon'sterdier *o.* monstre *m.*
mon'steren *ov.w.* **1** (*beschouwen*) examiner, inspecter; **2** (*vergelijkend nagaan*) confronter; **3** (*aanmonsteren*) enrôler; **4** (*mil.*) passer en revue.
mon'sterflesje *o.* (*H.*) flacon*-échantillon* *m.*
mon'stering *v.* inspection *f.*; enrôlement *m.*; revue *f.*
mon'sterkaart *v.(m.)* carte *f.* d'échantillons.
mon'sterkamer *v.(m.)* (*H.*) salle *f.* d'échantillons; exposition *f.*
mon'sterkollektie, *zie* ***monstercollectie.***
mon'stermeeting *v.(m.)* réunion *f.* monstre.
mon'sterrol *v.(m.)* (*sch.*) rôle *m.* d'équipage.
mon'sterverbond *o.* alliance *f.* monstre, — antinaturelle.
mon'sterzakje *o.* (*H.*) sachet *m.* à échantillons.
monstrans' *m. en v.* ostensoir *m.*
monta'ge *v.* ajustage, montage *m.*
monta'gebouw *m.* construction *f.* préfabriquée, — d'immeubles préfabriqués.
monta'gehal *v.(m.)* atelier *m.* de montage.
monta'gewagen *m.* chariot*-échelle* *m.*
monta'gewoning *v.* maison *f.* préfabriquée.
Montenegrijn' *m.* Monténégrin *m.*
Montenegrijns' *b.n.* monténégrin.
Montene'gro *o.* le Monténégro.
mon'ter **I** *b.n.* dispos, gai, allègre; **II** *bw.* gaîment, allègrement.
monte'ren *ov.w.* **1** (*v. machine, edelgesteenten*) monter; **2** (*uitrusten*) équiper.
mon'terheid *v.* humeur *f.* gaie.
monte'ring *v.* **1** (*het in elkaar zetten*) montage *m.*; **2** (*uitrusting, uniform*) uniforme *m.*, effets *m.pl.* d'habillement. [ne.
montesso'rischool *v.(m.)* école *f.* montessorien-
monteur' *m.* monteur, monteur *m.* mécanicien, ajusteur, mécano *m.* [châsse *f.*
montuur' *o. en v.* (*v. steen, bril, enz.*) monture,
monument' *o.* monument *m.*
monumentaal' *b.n.* monumental.
monumen'tenzorg *v.(m.)* service *m.* des monuments historiques.
mooi **I** *b.n.* **1** beau, joli; **2** (*lief*) gentil; ***— zo!*** très bien! bravo! ***daar ben ik — mee,*** cela me fait une belle jambe; ***dat is wat —s,*** voilà une belle histoire; c'est du propre; ***hij haalt —e streken uit,*** il en fait de belles; ***— maken,*** embellir; enjoliver; ***zich — maken,*** se parer; ***hij kan daar nog lang — mee zijn,*** il en a encore pour longtemps; ***het is — weer,*** il fait beau; **II** *bw.* joliment; ***hij heeft — praten,*** il en parle à son aise; il a beau parler; ***— kunnen praten,*** avoir une bouche d'or; ***hij zingt —,*** il chante bien; **III** *z.n.*, *o.*, ***al dat —s,*** toutes ces belles choses.
mooi'heid, mooi'igheid *v.* beauté *f.*; gentillesse *f*
mooi'praatster *v.* flatteuse, enjôleuse, cajoleuse *f.*
mooi'prater *m.* flatteur, enjôleur, cajoleur *m.*
Moo'kerhei *v.(m.)*, ***loop naar de —!*** allez au diable; ***naar de — wensen,*** envoyer au diable.
Moor *m.* **1** Maure *m.*; **2** (*neger, moriaan*) nègre *m.*
moor *o.* (*stof*) noire *f.*
moord *m. en v.* **1** (*alg.*) meurtre *m.*; **2** (*manslag*) homicide *m.*; **3** (*verraderlijk, met voorbedachten rade*) assassinat *m.*; **4** (*velen tegelijk*) massacre *m.*; ***— en brand schreeuwen,*** crier comme un enragé, jeter les hauts cris.
moord'aanslag *m.* attentat *m.* (à la vie de qn.), tentative *f.* de meurtre, — d'assassinat.

moordda'dig *b.n.* **1** meurtrier; **2** (*bloedig*) sanglant.
moordda'digheid *v.* humeur *f.* sanguinaire; cruauté *f.*
moor'den *ov.w. en on.w.* assassiner, égorger, massacrer.
moor'denaar *m.* meurtrier, assassin *m.*; ***de goede* —,** le bon larron.
moor'dend *b.n.* meurtrier.
moorderij' *v.* **1** massacre *m.*; **2** (*bloedbad*) carnage *m.*, boucherie *f.*
moord'geschreeuw *o.* cris *m.pl.* de meurtre.
moord'hol *o.* repaire *m.* d'assassins, coupe-gorge *m.*
moord'kuil *m.* repaire *m.* d'assassins, coupe-gorge *m.*; ***van zijn hart geen — maken,*** dire (franchement) ce qu'on a sur le cœur.
moord'partij *v.* tuerie *f.*
moord'toneel *o.* scène *f.* du meurtre, lieu *m.* du crime.
moord'tuig *o.* instrument *m.* du crime.
moord'wapen *o.* arme *f.* meurtrière.
moord'zucht *v.*(*m.*) férocité *f.*
moor'kop *m.* chou *m.* à la crème.
moor'paard *o.* (cheval) moreau *m.*
Moors *b.n.* maure; mauresque.
moot *v.*(*m.*) **1** (*v. vis*) darne, tranche *f.*; **2** (*v. paling*) tronçon *m.*
mop I *m.* (*hond*) carlin *m.*; **II** *v.*(*m.*) **1** (*koek*) galette *f.*, gateau *m.* sec; **2** (*v. inkt*) pâté *m.* (d'encre); **3** (*metselsteen*) (grande) brique *f.*; **4** (*brok, stuk*) morceau; fragment *m.*; **5** (*grap, kwinkslag*) farce, plaisanterie, blague *f.*; **6** (*muz.*) air *m.*; ***voor de —,*** pour la blague, pour rigoler; ***—pen hebben,*** avoir de la galette, avoir des picaillons.
mop'neus *m.* **1** nez *m.* carlin; **2** (*persoon*) camard *m.*
mop'pentapper *m.* diseur *m.* de bons mots.
mop'pentrommel *v.*(*m.*) **1** boîte *f.* aux galettes; **2** (*fig.*) sac *m.* aux bons mots, — aux bons tours, — à malices.
mop'peraar *m.* grognon, grondeur *m.*
mop'peren *on.w.* grogner, gronder, rouspéter; ***zonder —,*** sans murmurer, sans rouspéter.
mop'pig *b.n.* **1** drôle, comique; **2** (*v. persoon*) farceur.
mops(hond) *m.* carlin *m.*
moraal' *v.*(*m.*) morale *f.*
moraal't(h)eologie *v.* théologie *f.* morale.
moraal't(h)eoloog *m.* moraliste *m.*
moralist' *m.* moraliste *m.*
moraliteit' *v.* moralité *f.*
morato'rium *o.* moratorium, moratoire *m.*
Mora'vië *o.* la Moravie.
Mora'viër *m.* Morave *m.*
Mora'visch *b.n.* morave.
More'a *o.* la Morée.
moreel' I *b.n.* moral; **II** *bw.* moralement; **III** *z.n.*, *o.* moral *m.*
morel' *v.*(*m.*) (*Pl.*) griotte *f.*
morel'leboom *m.* griottier *m.*
more'ne *v.*(*m.*) moraine *f.*
mo'res *mv.*, ***iem. — leren,*** apprendre à vivre à qn.
morfi'ne *v.*(*m.*) morphine *f.*
morfi'nespuitje *o.* seringue *f.* à morphine.
morfi'nevergiftiging *v.* morphinisme *m.*
morfinist' *m.* morphinomane *m.*
morgana'tisch *b.n.* morganatique.
mor'gen I *m.* **1** matin *m.*; **2** (*als duur*) matinée *f.*; ***'s —s,*** le matin; ***'s —s vroeg,*** de grand matin; ***de volgende —,*** le lendemain matin; ***iem. goede — wensen,*** souhaiter le bonjour à qn.; **II** *bw.* demain; ***— over veertien dagen,*** de demain en quinze; ***— aan de dag,*** dès demain; ***— brengen!*** va-t'en voir s'ils viennent!; **III** *m. en o.* (*landmaat*) arpent *m.*
morgena'vond *bw.* demain soir.
mor'gendauw *m.* rosée *f.* du matin.
mor'gendrank *m.* apéritif *m.*
mor'gengebed *o.* prière *f.* du matin.
mor'gengewaad *o.* négligé *m.*, déshabillé *m.* du matin.
mor'gengroet *m.* bonjour *m.*
mor'genjapon *m.*, **mor'genjas** *m. en v.* déshabillé *m.* (du matin).
mor'genland *o.* Orient *m.*
mor'genlicht *o.* aube *f.*, petit jour *m.*
mor'genlied *o.* cantique *m.* du matin.
morgenmid'dag *bw.* demain (dans l')après-midi.
mor'gennevel *m.* brume *f.* du matin.
morgenoch'tend *bw.* demain matin.
mor'genrood *o.* aurore *f.*
mor'genschemering *v.* crépuscule *m.* du matin, aube *f.*, pointe *f.* du jour.
mor'genster *v.*(*m.*) **1** étoile *f.* du matin; **2** (*Pl.*) narcisse *m.* blanc.
mor'genstond *m.* heure *f.* matinale; ***de — heeft goud in de mond,*** à qui se lève matin Dieu aide et prête la main.
mor'genuur *o.* heure *f.* matinale.
mor'genwijding *v.* méditation *f.* du matin.
moriaan' *m.* moricaud *m.*; ***'t is de — gewassen,*** à laver la tête d'un Maure on perd sa lessive.
mor'mel *o.* **1** marmotte *f.*; **2** (*kind*) moutard *m.*, marmot *m.*; **3** (*fig.*) chenillon, monstre *m.*; ***lelijk —!*** vilain matou!
mormoon' *m.* Mormon *m.*
Mor'pheus *m.* Morphée *m.*
mor'relen *on.w.* fourgonner, fouiller.
mor'ren *on.w.* murmurer; gronder.
mor'rig *b.n.* grondeur.
mors'boel *m.* saleté *f.*, patrouillis *m.*
mors'dood *b.n.* raide mort.
mor'sealfabet *o.* alphabet *m.* Morse.
mor'sebel *v.*(*m.*) souillon *m.-f.*, salope *f.*
mor'sen I *on.w.*, ***— op,*** salir; **II** *ov. w.* répandre.
mors(e)pot *m.* souillon *m.-f.*, salope *f.*
mor'sesleutel *m.* manipulateur *m.* (de l'appareil Morse).
mor'sig *b.n.* sale, malpropre.
mor'sigheid *v.* saleté, malpropreté *f.*
mors'mouw *v.*(*m.*) garde-manche* *m.*, fausse manche *f.*
mors'pot, *zie* ***morsepot.***
mor'tel *m.* mortier *m.*
mor'telbak *m.* auge *f.* à mortier.
mor'telen I *ov.w.* réduire en poussière; **II** *on.w.* tomber en poussière.
mortier' *m. en o.* (*mil.*) obusier, mortier *m.*
mortier'stamper *m.* pilon *m.*
mor'zel *m.* morceau; ***te — slaan,*** mettre en pièces.
mos *o.* mousse *f.*
mos'achtig *b.n.* moussu.
mos'groen *b.n.* vert mousse.
moskee' *v.* mosquée *f.*
moskee'toren *m.* minaret *m.*
Mos'kou *o.* Moscou *m.*
Moskoviet' *m.* Moscovite *m.*
Mosko'visch *b.n.* moscovite; ***— gebak,*** gâteau *m.* de Savoie.
mos'lem, mos'lim *m.* mahométan, musulman *m.*
mos'roos *v.*(*m.*) rose *f.* moussue.
mos'sel *v.*(*m.*) moule *f.*
mos'selbank *v.*(*m.*) moulière *f.*, banc *m.* de moules.
mos'selkweker *m.* mytiliculteur *m.*
mosselkwekerij' *v.* moulière *f.*, parc *m.* à moules.
mos'selman *m.* moulier *m.*
mos'selplaat *v.*(*m.*), **mos'selput** *m.* moulière *f.*
mos'selschelp *v.*(*m.*) coquille *f.* de moule.
mos'selteelt *v.*(*m.*) élevage *m.* des moules, mytiliculture *f.*

mos'selvangst *v.* pêche *f.* des moules.
mos'selvrouw *v.* femme *f.* aux moules.
mos'sig *b.n.* moussu.
most *m.* moût *m.*, vin *m.* doux.
mos'terd, mos'taard *m.* moutarde *f.*; ***— na de maaltijd,*** de la moutarde après dîner.
mos'terdfabrikant *m.* moutardier *m.*
mos'terdgas *o.* gaz *m.* moutarde.
mos'terdpap *v.(m.)* cataplasme *m.* de moutarde.
mos'terdplant *v.(m.)* sénevé *m.*
mos'terdpleister *v.(m.)* sinapisme *m.*
mos'terdpoeder, -poeier *o. en m.* farine *f.* de moutarde.
mos'terdpot *m.* moutardier *m.*
mos'terdsaus *v.(m.)* sauce *f.* à la moutarde.
mos'terdvaatje *o.* moutardier *m.*
mos'terdzaad *o.* graine *f.* de moutarde.
mos'terdzuur *o.* pickles *m.pl.* à la moutarde.
mot *v.(m.)* **1** teigne *f.*, artison *m.*, mite *f.*; **2** (*vlinder*) phalène *f.*; ***de — zit er in,*** **1** c'est rongé des mites, — des teignes; **2** (*fig.*) cela va mal; ***in de — hebben,*** avoir vent de qc.
motel' *o.* motel *m.*
mot'gat *o.* mangeure *f.* de teigne, trou *m.* de mite.
mo'tie *v.* motion *f.*; ***— van vertrouwen,*** motion de confiance; ***— van afkeuring,*** motion de défiance, — de censure; ***— van orde,*** motion d'ordre.
motief' *o.* motif *m.*
motive'ren *ov.w.* motiver.
motive'ring *v.* exposé *m.* des motifs.
mo'tor *m.* moteur *m.*
mo'toraak *m. en v.* péniche *f.* motorisée.
mo'torafdeling *v.* unités *f.pl.* motorisées.
mo'torboot *m. en v.* canot *m.* automobile.
mo'torbrandstof *v.(m.)* carburant *m.*
mo'torbrigade *v.* brigade *f.* motocycliste.
mo'torbril *m.* lunettes *f.pl.* d'automobiliste.
mo'tordefect, -defekt *o.* panne *f.* de moteur.
mo'torfiets *m. en v.* motocyclette *f.*
mo'torhandschoen *m. en v.* gant *m.* pour moto.
moto'risch *b.n.* moteur, —trice.
motorise'ren, -ize'ren *ov.w.* motoriser.
mo'torjacht *o.* yacht *m.* automobile.
mo'torjas *m. en v.* veston*-moto *m.*
mo'torkap *v.(m.)* cache-moteur *m.*, (*v. auto*) capot *m.*
mo'torklep *v.(m.)* soupape *f.*
mo'torolie *v.(m.)* huile *f.* à moteur.
mo'torongeluk *o.* accident *m.* de moto(cyclette).
mo'torordonnans *m.* estafette *f.*
mo'torpech *m.* panne *f.* (de moteur).
mo'torpolitie *v.* police *f.* motorisée, motards.
mo'torpomp *v.(m.)* pompe *f.* à moteur.
mo'torrennen *mv.* courses *f.pl.* sur moteurs.
mo'torrijder *m.* motocycliste *m.*
mo'torrijwiel *o.* motocyclette *f.*
mo'torschip *o.* navire *m.* à moteurs.
mo'torwagen *m.* **1** (voiture) automobile *f.*; **2** (*v. tram*) tracteur *m.*
mo'torwet *v.(m.)* loi *f.* sur la circulation automobile.
mo'torzijspan *o. en m.* side-car, sidecar *m.*
mot'regen *m.* bruine *f.*, crachin *m.*
mot'regenen *on.w.* bruiner.
mots *m.* (chien, cheval) courtaud *m.*
mot'sen *ov.w.* courtauder.
mot'tenballetje *o.* boule *f.* de naphtaline.
mot'tenzak *m.* sac *m.* anti-mites.
mot'tig *b.n.* **1** (*door de mot beschadigd*) artisonné; **2** (*fig.: pokdalig*) marqué de la petite vérole, grêlé.
mot'to *o.* devise *f.*
motvrij' *b.n.* résistant aux teignes.
mousseli'ne, moeselien' *v.(m.) en o.* mousseline *f.*

mousse'rend *b.n.* mousseux.
mout *o. en m.* malt *m.*
mou'ten I *ov.w.* malter; **II** (*z.n.*) ***het —,*** le maltage.
mou'ter *m.* malteur *m.*
mouterij' *v.* malterie *f.*
mout'koffie *m.* café *m.* de malt.
mout'molen *m.* moulin *m.* à malt.
mout'wijn *m.* moût *m.*, vin *m.* doux.
mouw *v.(m.)* manche *f.*; ***een — aan iets passen,*** trouver le joint, arranger une affaire; ***iets uit de — schudden,*** improviser qc.; (*iets onwaars*) inventer qc. de toutes pièces; ***iem. iets op de — spelden,*** en faire accroire à qn.; en donner à garder à qn.; ***hij heeft het achter de —,*** c'est un sournois; ***de handen uit de —en steken,*** se mettre à l'ouvrage, mettre la main à la pâte; ***daar komt de aap uit de —,*** il montre le bout de l'oreille.
mou'wenplankje *o.* jeannette *f.*
mouw'schort *v.(m.) en o.* tablier *m.* (à manches).
mouw'strepen *mv.* chevrons *m.pl.*
mouw'vest *o.* gilet *m.* à manches.
mozaïek' *o.* mosaïque *f.*
mozaïek'tegel *m.* dalle *f.* pour mosaïque.
mozaïek'vloer *m.* pavé *m.* en mosaïque, parquet *m.* —.
mozaïek'werker *m.* mosaïste *m.*
Moza'ïsch *b.n.* mosaïque.
Mo'zes *m.* Moïse *m.*
mo'zeskorfje *o.* moïse *m.*
mud *o. en v.(m.)* hectolitre *m.*
muf' (fig) *b.n.* qui sent le relent (*of* le moisi, le renfermé); ***het ruikt —,*** cela sent le moisi, — le renfermé.
muf'heid *v.* relent *m.*, odeur *f.* de renfermé, — de moisi.
mug *v.(m.)* cousin, moucheron *m.*; (*steekmug*) moustique *m.*
mug'gebeet *m.* piqûre *f.* de cousin, — de moustique.
mug'gendoek *o.* gaze *f.*
mug'genscherm *o.* cousinière, moustiquaire *f.*
mug'geziften *on.w.* chicaner, ergoter, couper un cheveu en quatre.
mug'gezifter *m.* chicaneur, ergoteur, vétilleur *m.*
mug'gezifterij *v.* chicane *f.*, ergotage *m.*, pointillerie *f.*
mug'je *o.* moucheron *m.*
Mühl'hausen *o.* Mulhouse.
muil I *m.* **1** gueule *f.*; **2** (*snuit*) museau, mufle *m.*; **II** *v.(m.)* (*pantoffel*) mule *f.*
muil'band *m.* muselière *f.*
muil'banden *ov.w.* **1** museler; **2** (*fig.*) museler, bâillonner.
muil'dier *o.*, **muil'ezel** *m.* mulet *m.*, mule *f.*
muil'ezeldrijver *m.* muletier *m.*
muil'ezelpad *o.* chemin *m.* muletier, sentier *m.* de mules.
muil'korf *m.* muselière *f.*
muil'korven *ov.w.* museler.
muil'peer *v.(m.)* gifle, calotte *f.*
muis *v.(m.)* **1** souris *f.*; **2** (*v. hand*) thénar *m.*; ***met man en — vergaan,*** périr corps et biens; ***met spek vangt men muizen,*** on prend des mouches avec du miel.
muis'grauw *b.n.* (gris de) souris.
muis'je *o.* souriceau *m.*; ***—s,*** dragées *f.pl.* d'anis; anis *m.pl.* de Verdun; ***dat — zal een staartje hebben,*** cette affaire aura des suites.
muis'kat *v.(m.)* bon preneur *m.* de souris.
muis'kleur *v.(m.)* gris *m.* de souris.
muis'stil *b.n.*, ***het was —,*** on aurait entendu tomber une épingle.
muit'(e) *v.(m.)* cage *f.*
mui'teling *m.* mutin, révolté, séditieux *m.*

mui'ten *on.w.* se mutiner, se révolter, se rebeller.
mui'ter *m.* mutin, rebelle, séditieux *m.*
muiterij' *v.* mutinerie, rébellion, sédition *f.*
muit'ziek *b.n.* mutin, séditieux, rebelle.
mui'zegat *o.* trou *m.* de souris.
mui'zekeutel *m.* crotte *f.* de souris.
mui'zen *on.w.* **1** faire la chasse aux souris; **2** (*fig.*) manger, boulotter.
mui'zenest *o.* **1** nid *m.* de souris; **2** (*fig.*) souci *m.*
mui'zengif(t) *o.* mort *f.* aux rats.
mui'zenis *v.* souci *m.*; ***—sen in het hoofd hebben,*** avoir martel en tête.
mui'zentarwe *v.(m.)* mort *f.* aux rats.
mui'zenvalk *m.* (*Dk.*) buse *f.*
mui'zenvanger *m.* preneur *m.* de souris.
mui'zeval *v.(m.)* souricière *f.*
mul *b.n.* croulier, mouvant, ébouleux.
mulat' *m.* mulâtre *m.*
mulat'tin *v.* mulâtresse *f.*
mul'der *m.* meunier *m.*
mul'heid *v.* incohérence *f.*, état *m.* croulier.
mu'loschool *v.(m.)* école *f.* primaire supérieure.
mul'timiljonair *m.* multimillionnaire *m.*
mul'tiplex *o.* contreplaqué *m.* de plus de trois couches.
multiplice'ren *ov.w.* multiplier.
mum'melen *on.w.* mâchonner.
mum'mie *v.* momie *f.*
mummifica'tie, -fika'tie *v.* momification *f.*
Mün'chen *o.* Munich *f.*
Mün'chener I *b.n.* munichois; **II** *z.n., o.* bière *f.* de Munich, munich *m.*
muni'tie *v.* munitions *f.pl.*
muni'tiewagen *m.* (*mil.*) caisson *m.*
Mun'ster *o.* **1** (*in Duitsland*) Münster *f.*; **2** (*in Zwitserland*) Moutiers *m.*
munt *v.(m.)* **1** (*geld*) monnaie *f.*; **2** (*geldstuk*) pièce *f.* de monnaie; **3** (*gebouw*) Monnaie *f.*; **4** (*naast kruis*) pile *f.*; **5** (*penning*) médaille *f.*; **6** (*Pl.*) menthe *f.*; ***klinkende —,*** espèces *f.pl.* sonnantes, numéraire *m.*; ***kruis of — spelen,*** jouer à croix ou à pile; ***voor goede — aannemen,*** prendre pour argent comptant; ***— slaan uit,*** battre monnaie de; ***iem. met gelijke — betalen,*** rendre la pareille à qn.
munt'biljet *o.* billet *m.* de banque.
munt'conventie, -konventie *v.* convention *f.* monétaire.
munt'eenheid *v.* unité *f.* monétaire.
mun'ten I *ov.w.* monnayer; **II** *z.n., o.* monnayage [*m.*
mun'ter *m.* monnayeur *m.*; ***valse —,*** faux-monnayeur* *m.*
munt'gas *o.* gaz *m.* du compteur à payement préalable; (*fam.*) gaz *m.* à sous.
munt'gasmeter *m.* compteur *m.* à sous, — (à gaz) à payement préalable.
munt'gebouw *o.* hôtel *m.* de la Monnaie.
munt'gehalte *o.* alloi, titre *m.*
munt'kabinet *o.* cabinet *m.* de médailles.
munt'kenner *m.* numismate *m.*
munt'konventie, *zie* ***muntconventie.***
munt'kunde *v.* numismatique *f.*
munt'loon *o.* droit *m.* de monnayage.
munt'meester *m.* directeur *m.* de la monnaie.
munt'meter, *zie* ***muntgasmeter.***
munt'olie *v.(m.)* huile *f.* de menthe.
munt'pariteit *v.* parité *f.* monétaire, — des changes.
munt'pers *v.(m.)* presse *f.* monétaire.
munt'rand *m.* cordon *m.*
munt'recht *o.* droit *m.* de battre monnaie.
munt'schaaltje *o.* trébuchet, ajustoir *m.*
munt'specie *v.* espèces *f.pl.*
munt'standaard *m.* étalon *m.*
munt'stelsel *o.* système *m.* monétaire.
munt'stempel *m.* coin *m.*
munt'stuk *o.* pièce *f.* de monnaie.
munt'teken *o.* déférent *m.*
munt'unie *v.* union *f.* monétaire.
munt'vervalsing *v.* faux monnayage *m.*
munt'verzwakking *v.* affaiblissement *m.* de la monnaie.
munt'voet *m.* titre *m.*
munt'wet *v.(m.)* loi *f.* monétaire. [taire.
munt'wezen *o.* monnayage *m.*, régime *m.* moné-
mu'rik *v.(m.)* (*Pl.*) mouron *m.*
mur'melen I *on.w.* murmurer, gazouiller; **II** *z.n.,* ***het —,*** le murmure, le gazouillement.
murw *b.n.* tendre; bien cuit; mou; (*fig.*) ***— slaan,*** battre comme plâtre.
mur'wen *ov.w.* attendrir, ramollir.
murw'heid *v.* tendreté *f.*, tendre *m.*
mus *v.(m.)* moineau, passereau, pierrot *m.* [*m.*
muse'um *o.* musée *m.*; (*natuurhistorisch*) muséum
mu'sical *m.* comédie *f.* musicale.
musice'ren *on.w.* faire de la musique.
mu'sic-hall *m.* music-hall* *m.*
mu'sicus *m.* musicien *m.*
muskaat' I *m.* (*wijn*) vin *m.* muscat; **II** *v.(m.)* muscade *f.*
muskaat'boom *m.* muscadier *m.*
muskaat'druif *v.(m.)* raisin *m.* muscat.
muskaat'noot *v.(m.)* (noix) muscade *f.*
muskaat'olie *v.(m.)* huile *f.* de muscade.
muskaat'wijn *m.* (vin) muscat *m.*
muskadel'(druif) *v.(m.)* raisin *m.* muscat.
muskadel'peer *v.(m.)* muscadelle *f*
musket' *o.* (*gesch.*) mousquet *m.*
musketier' *m.* (*gesch.*) mousquetaire *m.*
musket'vuur *o.* mousquetade *f.*
muskiet' *m.* moustique *m.*
muskie'tebeet *m.* piqûre *f.* de moustique.
muskie'tengaas *o.* tulle *f.* moustiquaire.
muskie'tennet *o.* moustiquaire *f.*
mus'kus *m.* musc *m*
mus'kusdier *o.* musc *m.*
mus'kuskat *v.(m.)* civette *f.*
mus'kuslucht *v.(m.)* odeur *f.* de musc.
mus'kuspeer *v.(m.)* poire *f.* musquée, muscat *m.*
mus'kusrat *v.(m.)* rat *m.* musqué.
mus'kusreuk *m.* odeur *f.* de musc.
mus'kuszaad *o.* graine *f.* d'ambrette.
mus'senest *o.* nid *m.* de moineau.
mus'senhagel *m.* dragée, cendrée *f.*
muta'tie *v.* mutation *f.*; ***—s,*** mouvement *m.* (dans le personnel).
muta'tiet(h)eorie *v.* mutationnisme *m.*
muts *v.(m.)* **1** bonnet, béret *m.*; **2** (*v. boerin*) coiffe *f.*; **3** (*Dk.: v. maag*) bonnet *m.*; ***hij gooit er met de — naar,*** il y va au petit bonheur; ***zijn — staat verkeerd,*** il a son bonnet de travers.
mut'saard, mut'serd *m.* fagot *m.*; ***naar de — rieken,*** sentir le fagot.
mut'seband *m.* bride *f.* (de bonnet).
mut'sebol *m.* tête à bonnets, marotte *f.*
mut'senmaker *m.* bonnetier *m.*
mut'serd, *zie* ***mutsaard.***
muur I *m.* **1** mur *m.*; **2** (*dikke, hoge —*) muraille *f.*; **II** *v.(m.)* (*Pl.*) mouron *m.* [agrafe *f.*
muur'anker *o.* ancre *f.* (de muraille), tirant *m.*,
muur'bloem *v.(m.)* giroflée *f.* jaune; (*fig.*) ***— zijn,*** faire tapisserie.
muur'bord *o.* assiette *f.* décorative.
muur'kalk *m.* plâtre, crépi *m.*
muur'kast *v.(m.)* placard *m.*

muur'kruid *o.* mouron *m.*
muur'lamp *v.(m.)* (lampe) applique *f.*
muur'schildering *v.* peinture *f.* murale.
muur'specht *m.* grimpereau *m.* de muraille.
muur'spleet *v.(m.)* lézarde *f.*
muur'tapijt *o.* tapisserie *f.* [muraille.
muur'tegel *m.* carreau *m.* de revêtement, — de
muur'vast *b.n.* inébranlable, solide comme un mur.
muur'versiering *v.* décoration *f.* murale.
muur'vlak *o.* pan *m.* de mur.
muur'werk *o.* maçonnerie *f.*
muur'zwaluw *v.(m.)* martinet *m.* (des murailles).
mu'ze *v.* muse *f.*
mu'zelman *m.* Musulman *m.*
muziek' *v.* musique *f.*; ***met —,*** aux sons de la musique; ***op — zetten,*** mettre en musique.
muziek'avond *m.* soirée *f.* musicale.
muziek'blad *o.* feuille *f.* de musique.
muziek'boek *o.* livre *m.* de musique, cahier *m.* —.
muziek'doos *v.(m.)* boîte *f.* à musique.
muziek'feest *o.* fête *f.* musicale, festival *m.*
muziek'geschiedenis *v.* histoire *f.* de la musique.
muziek'gezelschap *o.* société *f.* musicale.
muziek'handel *m.* magasin *m.* de musique.
muziek'instrument *o.* instrument *m.* de musique.
muziek'kenner *m.* musicologue *m.*
muziek'kennis *v.* musicologie *f.*
muziek'korps *o.* **1** orchestre *m.*; **2** (*v. regiment*) musique *f.* (du régiment).
muziek'leraar *m.* professeur *m.* de musique.
muziek'les *v.(m.)* leçon *f.* de musique.
muziek'lessenaar *m.* pupitre *m.* de musique.
muziek'liefhebber *m.* amateur *m.* de musique, mélomane *m.*
muziek'meester *m.* professeur *m.* de musique.
muziek'mis *v.(m.)* messe *f.* en musique.
muziek'noot *v.(m.)* note *f.* de musique, — musicale.
muziek'onderwijs *o.* enseignement *m.* musical.
muziek'papier *o.* papier *m.* à musique.
muziek'portefeuille *m.* porte-musique *m.*
muziek'rol *v.(m.)* rouleau *m.* porte-musique.
muziek'school *v.(m.)* école *f.* de musique.
muziek'sleutel *m.* clef *f.* de musique.
muziek'stander *m.* casier *m.* à musique.
muziek'stuk *o.* morceau *m.* de musique.
muziek'tas *v.(m.)* sac *m.* à musique.
muziek'tent *v.(m.)* kiosque *m.*
muziek'uitvoering *v.* concert *m.*
muziek'vereniging *v.* société *f.* philharmonique.
muziek'wetenschap *v.* musicologie *f.*
muziek'winkel *m.* magasin *m.* de musique.
muziek'zaal *v.(m.)* salle *f.* de concert.
muzikaal' *b.n.* musical; ***— zijn,*** être musicien(ne); ***— gehoor hebben,*** avoir de l'oreille; ***geen — gehoor hebben,*** manquer d'oreille.
muzikaliteit' *v.* talent *m.* musical, dispositions *f.pl.* musicales.
muzikant' *m.* musicien *m.*
mylord' *m.* milord *m.*
my'riagram *o.* myriagramme *m.*
my'riameter *m.* myriamètre *m.*
myste'rie *o.* mystère *m.*
myste'riespel *o.* mystère *m.*
mysterieus' **I** *b.n.* mystérieux; **II** *bw.* mystérieusement.
mysticis'me *o.* mysticisme *m.*
mys'ticus *m.* mystique *m.*
mystiek' **I** *b.n.* mystique; **II** *bw.* mystiquement; **III** *z.n., v.* mystique *f.*
mystifica'tie, -fika'tie *v.* mystification *f.*
mystifice'ren *ov.w.* mystifier.
mystifika'tie, *zie* ***mystificatie.***
my't(h)e *v.(m.)* mythe *m.*
my't(h)isch *b.n.* mythique.
my't(h)ologie' *v.* mythologie *f.*
myt(h)olo'gisch *b.n.* mythologique.
myt(h)oloog' *m.* mythologiste *m.*

N

N *v.(m.)* n *m. et f.*
na **I** *vz.* après; ***— elkander,*** l'un après l'autre; ***driemaal — elkander,*** trois fois de suite; ***— een jaar,*** au bout d'un an, un an après; ***drie maanden — dato,*** (*H.*) à trois mois de date; **II** *bw.* près; ***op één —,*** un seul excepté; ***allen op één —,*** tous moins un; ***op vijf frank —,*** à cinq francs près; ***op de verpakking —,*** excepté l'emballage, l'emballage non compris; ***op verre — niet, bij lange — niet,*** il s'en faut de beaucoup; ***kom mij niet te —!*** ne m'approchez pas!
naad *m.* **1** (*aan kleding*) couture *f.*; **2** (*v. planken, enz.*) jointure *f.*; **3** (*gen.*) suture *f.*; ***losgetornde —,*** décousure *f.*; ***uit de — gaan,*** se découdre; ***hij wil het naadje van de kous weten,*** il veut savoir le fin mot de l'affaire.
naad'loos *b.n.* **1** sans couture; **2** (*tn.*) sans soudure.
naaf *v.(m.)* moyeu *m.*
naaf'dop *m.* chapeau *m.* de moyeu.
naaf'ring *m.* frette *f.*
naai'atelier *o.* atelier *m.* de couture.
naai'cursus, -kursus *m.* cours *m.* de couture.
naai'doos *v.(m.)* boîte *f.* à ouvrage, nécessaire *m.* (à ouvrage); boîte *f.* à coudre; travailleuse *f.* [suture.
naai'en *ov.w. en on.w.* **1** coudre; **2** (*gen.*) faire une
naai'garen *o.* fil *m.* à coudre.
naai'garnituur *o.* trousse *f.* à couture.
naai'kamer *v.(m.)* couturerie *f.*
naai'kistje *o.* boîte *f.* à ouvrage, nécessaire *m.*
naai'kransje *o.* cercle *m.* de couture, ouvroir *m.*
naai'kursus, *zie* ***naaicursus.***
naai'kussen *o.* pelote *f.*
naai'machine *v.* machine *f.* à coudre.
naai'mandje *o.* corbeille *f.* à ouvrage, — à couture.
naai'meisje *o.* apprentie *f.* couturière, cousette, petite main *f.*
naai'naald *v.(m.)* aiguille *f.* à coudre.
naai'school *v.(m.)* école *f.* de couture.
naai'sel *o.* couture *f.*
naai'ster *v.* couturière *f.*
naai'tafel *v.(m.)* table *f.* à ouvrage, — de couture.
naai'werk *o.* couture *f.*, ouvrage *m.* de couture.
naai'winkel *m.* atelier *m.* de couture.
naai'zij(de) *v.(m.)* soie *f.* à coudre.
naakt **I** *b.n.* **1** nu; **2** (*v. boom*) dénudé; ***de —e waarheid,*** la vérité toute nue; **II** *bw.* à nu.
naakt'figuur *v.(m.)* nu *m.*
naakt'heid *v.* nudité *f.*
naaktloperij' *v.* nudisme *m.*
naald *v.(m.)* **1** aiguille *f.*; **2** (*v. toren*) flèche *f.*; ***droge —,*** (*kunst*) pointe *f.* sèche; ***heet van de —,*** frais, tout chaud; tout neuf.
naald'boom *m.* conifère *m.*
naald'bos *o.* bois *m.* de sapins.

naal'denboekje *o.* porte-aiguilles *m.*, sachet *m.* d'aiguilles.
naal'denfabriek *v.* fabrique *f.* d'aiguilles.
naal'denkoker *m.* étui *m.* à aiguilles, porte-aiguilles *m.*
naal'denkussen *o.* pelote *f.*
naal'denmaker *m.* aiguillier *m.*
naal'deoog *o.* chas *m.*, trou *m.* de l'aiguille.
naald'(e)werk *o.* ouvrage *m.* fait à l'aiguille, travaux *m.pl.* à l'aiguille, dentelle *f.* à l'aiguille.
naald'geweer *o.* fusil *m.* à aiguille.
naald'hak *v.(m.)* talon *m.* aiguille.
naald'hout *o.* conifères *m.pl.*
naald'steek *m.* point *m.* d'aiguille.
naald'vis *m.* (*Dk.*) aiguille *f.*, serpent *m.* de mer, aiguillette *f.*
naald'vormig *b.n.* aiguillé, aciculaire.
naald'werk, *zie* ***naaldewerk.***
naam *m.* **1** nom *m.*; (*benaming*) dénomination *f.*; **2** (*faam*) réputation *f.*, renom *m.*, renommée *f.*; ***aangenomen —,*** **1** (*alg.*) nom *m.* d'emprunt; **2** (*v. schrijver*) nom *m.* de plume, pseudonyme *m.*, nom *m.* de guerre; ***zonder —,*** anonyme; ***— maken,*** se faire un nom; ***— hebben,*** avoir de la renommée; ***een andere — aannemen,*** changer de nom; ***zijn — noemen,*** décliner son nom; ***met name,*** notamment; ***ten name van,*** au nom de; ***de — hebben van...,*** passer pour...; ***aandeel op —,*** (*H.*) action nominative; ***met — en toenaam,*** par nom et surnom; ***in Gods —,*** **1** (*plechtige aanhef*) au nom de Dieu; **2** (*berusting*) résignons-nous! soit! **3** (*aandrang*) à la grâce de Dieu; ***de — van een straat veranderen,*** débaptiser une rue; ***de namen afroepen,*** faire l'appel nominal; ***het mag geen — hebben,*** cela n'a aucune importance, ce n'est rien, ce n'est pas la peine; ***een goede — is goud waard,*** bonne renommée vaut mieux que ceinture dorée; ***van slechte —,*** mal famé, de mauvaise réputation.
naam'bordje *o.* **1** écriteau *m.*; **2** (*v. straat*) plaque *f.* (indicatrice).
naam'cijfer *o.* chiffre, monogramme *m.*
naam'dag *m.* fête *f.*
naam'dicht *o.* acrostiche *m.*
naam'feest *o.* fête *f.* (patronale).
naam'genoot *m.* homonyme *m.*
naam'kaartje *o.* carte *f.* de visite.
naam'kunde *v.* onomastique *f.* [rôle *m.*
naam'lijst *v.(m.)* liste *f.* des noms, nomenclature *f.*,
naam'loos *b.n.* **1** anonyme; **2** (*fig.*) sans nom, indicible; ***naamloze vennootschap,*** société anonyme.
naam'loosheid *v.* anonymat *m.*
naam'plaatje *o.* écriteau *m.* (indicateur); plaque *f.* (indicatrice).
Naams *b.n.* namurois.
naam'stempel *m.* **1** (*handtekening*) griffe *f.*; **2** (*naam*) cachet *m.* [nom.
naams'verandering *v.* changement *m.* de
naams'verwisseling *v.* erreur *f.* de nom.
naam'val *m.* cas *m.*; *1ste* **—,** nominatif *m.*; *2de* **—,** génitif *m.*; *3de* **—,** datif *m.*; *4de* **—,** accusatif *m.*
naam'valsuitgang *m.* désinence *f.* casuelle.
naam'verwisseling *v.* confusion *f.* de nom, erreur *f.* nominale.
naam'woord *o.* nom *m.*; ***zelfstandig —,*** substantif *m.*; ***bijvoeglijk —,*** adjectif *m.*
na'äpen *ov.w.* imiter servilement, copier, contrefaire, singer.
na'äper *m.* imitateur *m.* servile, copiste, singe *m.*
naäperij', na'äping *v.* imitation *f.* servile, singerie *f.*

naar I *vz.* **1** (*richting*) vers; (*stad, dorp*) à; (*land*) en; (*meerv. en mann. buiten Europa*) aux, au; **2** (*volgens*) d'après, suivant, selon; ***de weg — Gent,*** la route de Gand; ***— Engeland vertrekken,*** partir pour l'Angleterre, — en Angleterre; ***smaken —,*** avoir un goût de; ***— huis gaan,*** rentrer (chez soi); ***— boven gaan,*** monter; ***— iem. toe gaan,*** **1** (*toetreden op*) s'approcher de qn.; **2** (*thuis*) aller trouver qn.; ***— iem. vragen,*** demander qn.; ***de dorst — goud,*** la soif de l'or; ***— tabak ruiken,*** sentir le tabac; ***— wens,*** à souhait; ***— de schijn oordelen,*** juger sur les apparences; ***— het Frans bewerkt,*** adapté du français; ***hij heet — zijn oom,*** il porte le nom de son oncle; ***het is er ook —,*** il y paraît; **II** *vw.* ***— ik vernomen heb,*** comme j'ai appris; ***— men zegt,*** à ce qu'on dit; **III** *b.n.* **1** (*akelig, treurig*) triste, affreux, morne, sombre; **2** (*vervelend; onaangenaam*) ennuyeux; désagréable; **3** (*ziek*) indisposé, malade; ***hij is er — aan toe,*** il est bien bas; ***een nare droom,*** un cauchemar; ***een nare vent,*** un type embêtant.
naardien' *vw.* puisque, vu que, attendu que.
naargees'tig *b.n.* sombre, maussade, morne.
naargees'tigheid *v.* tristesse, mélancolie *f.*, humeur *f.* sombre, — maussade. [que.
naargelang' I *vz.* suivant, selon; **II** *vw.* à mesure
naar'heid *v.* horreur *f.*
naarma'te *vw.* à mesure que.
naar'stig I *b.n.* zélé, travailleur, laborieux, appliqué, assidu, diligent; **II** *bw.* avec zèle, avec application, diligemment, assidûment.
naar'stigheid *v.* zèle *m.*, application, diligence, assiduité, activité *f.*
naast I *vz.* à côté de, (tout) près de, aux côtés de (qn.); ***— elkander,*** l'un à côté de l'autre, côte à côte; ***— God,*** après Dieu; **II** *b.n.* le plus proche, prochain; ***zijn —e buur,*** son voisin le plus proche; ***het —e dorp,*** le village voisin; ***de —e weg,*** le chemin le plus court, — le plus direct; ***zijn —e omgeving,*** son entourage immédiat; ***de —e prijs,*** le dernier prix; ***ten —e bij,*** à peu près approximativement; ***ieder is zichzelf het —,*** charité bien ordonnée commence par soi-même.
naast'bijgelegen, naast'bijliggend *b.n.* le plus proche, prochain.
naas'te *m.-v.* prochain *m.*
naast'elkanderplaatsing *v.* juxtaposition *f.*
naas'ten *ov.w.* **1** (*onteigenen*) exproprier; **2** (*zich toeëigenen*) s'approprier, s'emparer de; **3** (*in beslag nemen*) confisquer, saisir.
naas'tenliefde *v.* amour *m.* du prochain, charité *f.*
naas'ting *v.* **1** expropriation *f.*; **2** saisie *f.*
naas'tingsrecht *o.* droit *m.* de rachat, — de saisie, — d'expropriation.
na'babbelen *ov.w.* redire, répéter (ce que quelqu'un a dit). [qn.).
na'bauwen *ov.w.* imiter, contrefaire la voix (de
na'behandeling *v.* (*gen.*) traitement *m.* postopératoire.
na'bericht *o.* postface *f.*
na'berouw *o.* remords, repentir, regret *m.*
na'beschouwing, *zie* ***nabetrachting.***
na'bestaande *m.-v.* proche parent *m.*, —e *f.*
na'bestellen *ov.w.* (*H.*) faire une seconde commande de.
na'bestelling *v.* commande *f.* supplémentaire, nouvelle commande, seconde —.
na'betalen *ov.w.* payer après.
na'betaling *v.* supplément *m.* (de paiement), paiement *m.* complémentaire.
na'betrachting *v.* **1** (*overdenking*) méditation *f.*; réflexion *f.*; **2** (*v. redevoering*) péroraison *f.*

na'beurs *v.(m.)* (*H.*) après-bourse *f.*, bourse *f.* tenue après l'heure réglementaire; transactions *f.pl.* d'après-bourse.
na'biecht *v.(m.)* prière *f.* après la confession.
nabij' I *b.n.* proche; ***het —e Oosten,*** le proche Orient; **II** *bw.* près, tout près; ***van —,*** de près.
nabij'gelegen *b.n.* proche, voisin.
nabij'heid *v.* **1** proximité *f.*; **2** (*omtrek*) voisinage *m.*
nabij'komend *b.n.* se rapprochant de, ressemblant à, tenant de; approchant, approximatif.
na'blaffen *ov.w.* aboyer après.
na'blijven *on.w.* **1** (*achterblijven*) rester en arrière; **2** (*schoolblijven*) être en retenue; ***de —den,*** les survivants *m.pl.*
na'blijver *m.* (*school*) élève *m.* en retenue.
na'bloeden *on.w.* continuer de saigner.
na'bloei *m.* seconde floraison, arrière-fleur* *f.*
na'bloeien *on.w.* **1** refleurir; **2** fleurir plus tard.
na'bloeier *m.* (*Pl.*) plante *f.* refleurissante, — qui refleurit.
na'bob *m.* nabab *m.*
na'bootsen *ov.w.* imiter, contrefaire, copier.
na'bootser *m.* imitateur *m.*
na'bootsing *v.* imitation, copie, contrefaçon *f.*; [pastiche *f.*
na'breien *ov.w.* tricoter d'après un modèle.
nabu'rig *b.n.* voisin; (*aangrenzend*) attenant, adjacent, limitrophe.
na'buur *m.* voisin *m.*
na'buurschap *v.* voisinage *m.*
nacht *m.* nuit *f.*; ***'s —s,*** la nuit, pendant la nuit; ***goede —,*** bonsoir, bonne nuit; ***diep in de —,*** bien avant dans la nuit; ***een slapeloze —,*** une nuit blanche; ***het is —,*** il est nuit, c'est la nuit; ***het wordt —,*** il se fait nuit; ***bij — en ontij,*** à des heures indues; ***om drie uur 's —s,*** à trois heures du matin.
nacht'arbeid *m.* **1** travail *m.* de nuit; **2** (*studie*) veilles *f.pl.*
nacht'asiel, -asyl *o.* asile *m.* de nuit.
nacht'bel *v.(m.)* sonnette *f.* de nuit.
nacht'bezoek *o.* visite *f.* nocturne.
nacht'blaker *m.* bougeoir *m.*
nacht'blind *b.n.* héméralope.
nacht'blindheid *v.* héméralopie *f.*
nacht'bloem *v.(m.)* fleur *f.* nocturne.
nacht'boot *m. en v.* bateau *m.* de nuit.
nacht'braken *on.w.* faire du jour la nuit, faire la fête, veiller.
nacht'braker *m.* noceur, noctambule *m.*
nacht'café *o.*, **-club, -klub** *v.(m.)* boîte *f.* de nuit; night-club* *m.*
nacht'dienst *m.* service *m.* de nuit.
nacht'dier *o.* animal *m.* nocturne.
nach'tegaal *m.* rossignol *m.*
nach'tegaalszang *m.* chant *m.* du rossignol.
nach'telijk *b.n.* nocturne, de (la) nuit.
nacht'evening *v.* équinoxe *m.*
nacht'gelegenheid *v.* boîte *f.* de nuit.
nacht'gewaad *o.* toilette *f.* de nuit.
nacht'glas *o.* (*sch.*) horloge *f.* de quart.
nacht'goed *o.* vêtements *m.pl.* de nuit.
nacht'hemd *o.* chemise *f.* de nuit.
nacht'jager *m.* (*vl.*) chasseur *m.* de nuit.
nacht'japon *m.* robe *f.* de nuit.
nacht'kaars *v.(m.)* **1** bougie *f.* de veille; veilleuse *f.*; **2** (*Pl.*) bouillon *m.* blanc; ***als een — uitgaan,*** s'éteindre doucement, finir en queue de poisson.
nacht'kapel *v.(m.)* (*Dk.*) papillon *m.* de nuit, phalène *f.*
nacht'kastje *o.* table *f.* de nuit.
nacht'kroeg *v.(m.)* boîte *f.* de nuit.
nacht'kus *m.* baiser *m.* de bonne nuit.
nacht'kwartier *o.* logement *m.* de nuit, quartier *m.* de nuit.
nacht'lamp *v.(m.)* lampe *f.* de nuit, veilleuse *f.*
nacht'leger *o.* gîte *m.*
nacht'leven *o.* vie *f.* nocturne.
nacht'lichtje *o.* veilleuse *f.*
nacht'lucht *v.(m.)* **1** air *m.* de la nuit; **2** (*koelte*) fraîcheur *f.* de la nuit.
nacht'merrie *v.(m.)* cauchemar *m.*
nacht'mis *v.(m.)* messe *f.* de minuit.
nacht'muts *v.(m.)* bonnet *m.* de nuit.
nacht'muziek *v.* sérénade *f.*
nacht'officie *o.* office *m.* nocturne, — de nuit.
nacht'permissie *v.* permission *f.* de minuit.
nacht'pitje *o.* veilleuse *f.*
nacht'ploeg *v.(m.)* équipe *f.* de nuit.
nacht'pon *m.* robe *f.* de nuit.
nacht'raaf *v.(m.)* **1** (*Dk.*) bihoreau *m.*; **2** (*fam.*) noctambule *m.*, coureur *m.* de nuit.
nacht'ronde *v.(m.)* ronde *f.* de nuit.
nacht'rust *v.(m.)* repos *m.* de nuit, sommeil *m.*
nacht'schade *v.(m.)* (*Pl.*) morelle *f.* noire.
nacht'schaduw *v.(m.)* ombres *f.pl.* de la nuit.
nacht'schel *v.(m.)* sonnette *f.* de nuit.
nacht'schone *v.* (*Pl.*) belle*-de-nuit *f.*, violette *f.* du Pérou.
nacht'slot *o.* serrure *f.* de sûreté; ***op 't — doen,*** fermer à double tour.
nacht'spiegel *m.* vase *m.* de nuit.
nacht'spook *o.* fantôme *m.* de nuit.
nacht'stilte *v.* silence *m.* de la nuit.
nacht'studie *v.* veilles *f.pl.*
nacht'tafel *v.(m.)* table *f.* de nuit.
nacht'tarief *o.* tarif *m.* de nuit.
nacht'trein *m.* train *m.* de nuit.
nacht'uil *m.* **1** chouette *f.*, hibou *m.*; **2** (*vlinder*) phalène *f.*
nacht'veiligheidsdienst *m.* surveillance *f.* de [nuit.
nacht'verblijf *o.* logement *m.* de nuit, gîte *m.*
nacht'verlichting *v.* éclairage *m.* nocturne.
nacht'vlinder *m.* phalène *f.*, papillon *m.* nocturne.
nacht'vlucht *v.(m.)* vol *m.* de nuit.
nacht'vogel *m.* oiseau *m.* nocturne.
nacht'vorst *m.* gelée *f.* nocturne.
nacht'vorstin *v.* astre *m.* de la nuit.
nacht'waak, -wake *v.(m.)* veilles *f.pl.*, veillée *f.*
nacht'wacht *v.(m.)* **1** garde *f.* de nuit; **2** (*schilderij v. Rembrandt*) la Ronde de nuit.
nacht'wake, *zie* ***nachtwaak.***
nacht'waker *m.* veilleur *m.* (de nuit); (garde) vigile *m*,
nacht'wandelaar *m.* somnambule *m.*
nacht'wandelen *o.* somnambulisme *m.*
nacht'werk, *zie* ***nachtarbeid.***
nacht'wind *m.* vent *m.* de nuit.
nacht'zak *m.* sac *m.* de nuit.
nacht'zoen *m.* baiser *m.* de bonne nuit.
na'cijferen *ov.w.* vérifier (un calcul).
nadat' *vw.* après que.
na'deel *o.* désavantage, préjudice *m.*; (*schade*) dommage, tort, détriment *m.*; ***ten nadele van,*** au détriment de, au préjudice de; ***ik heb er — bij,*** j'y perds; ***— berokkenen,*** nuire (à).
nade'lig *b.n.* **1** désavantageux, préjudiciable; **2** (*ongunstig*) défavorable; **3** (*schadelijk*) nuisible; **4** (*v. saldo*) passif; ***— zijn,*** nuire à.
na'denken I *on.w.* réfléchir, méditer; **II** *z.n., o.* réflexion, méditation *f.*; ***dat stemt tot —,*** cela donne à penser; ***zonder —,*** sans réfléchir.
naden'kend *b.n.* pensif, rêveur.

na'der I *b.n.* **1** (*dichter bij*) plus proche, plus voisin; **2** (*korter*) plus court; ***— bericht,*** communication ultérieure; ***tot — bericht,*** jusqu'à nouvel ordre; ***zonder — bericht,*** sans autre avis; ***—e bijzonderheden,*** de plus amples détails; ***bij — inzien,*** à la réflexion; **II** *bw.* **1** plus près; **2** (*uitvoeriger*) plus amplement.
naderbij' *bw.* plus près; ***— komen,*** approcher.
na'deren I *on.w.* approcher, s'approcher (de), s'avancer (vers); ***tot de sacramenten —,*** s'approcher des sacrements; **II** *ov.w.* s'approcher de; ***de zestig —,*** approcher de la soixantaine; **III** *z.n.* ***het —,*** l'approche *f.*; ***bij het — van,*** à l'approche de.
naderhand' *bw.* plus tard, après.
na'dering *v.* approche *f.*
nadien' *bw.* depuis ce temps, après.
na'doen *ov.w.* imiter, contrefaire, copier.
na'dorst, *— hebben,* avoir la gueule de bois.
na'dragen *ov.w.* ***iem. iets —,*** porter qc. derrière qn.
na'druk *m.* **1** (*v. boek- of plaatwerk*) reproduction *f.*; **2** (*namaak*) contrefaçon *f.*; **3** (*klemtoon*) accent *m.* (tonique); ***met —,*** **1** (*met klem*) avec force, avec emphase; **2** (*met aandrang*) expressément, énergiquement; ***de — leggen op,*** **1** (*bij lezen*) accentuer; **2** (*fig.*) appuyer sur, faire ressortir.
nadruk'kelijk I *b.n.* exprès; énergique; **II** *bw.* expressément; énergiquement.
na'drukken *ov.w.* contrefaire.
na'drukker *m.* contrefacteur *m.*
na'fluiten *ov.w.* (*fig.*) siffler, huer (qn.).
naf'ta *m.* naphte *m.*
naftali'ne *v.*(*m.*) naphtaline *f.*
na'fuif *v.*(*m.*) **1** continuation *f.* de la fête; **2** fête *f.* du lendemain.
na'fuiven *on.w.* continuer la fête.
na'gaan I *ov.w.* **1** (*volgen*) suivre, marcher après; **2** (*bespieden*) épier; **3** (*toezien op*) surveiller, veiller à, contrôler; **4** (*rekening*) vérifier; **5** (*onderzoeken*) examiner; **6** (*overdenken, begrijpen*) penser, réfléchir; comprendre; ***zijn zaken —,*** vaquer à ses affaires; ***als we dat alles —,*** en tenant compte de tout cela; **II** *on.w.* (*achterlopen*) retarder.
na'galm *m.* retentissement; écho *m.*
na'galmen *on.w.* retentir, résonner.
na'gapen *ov.w.* suivre béatement (*of* bêtement) des yeux.
na'geboorte *v.* arrière-faix, placenta *m.*
na'gedachte *v.* réflexion, méditation *f.*
na'gedachtenis *v.* mémoire *f.*, souvenir *m.*; ***ter — van,*** à la (*of* en) mémoire de; en commémoration de.
na'gel *m.* **1** (*v. vinger*) ongle *m.*; **2** (*spijker*) clou *m.*; **3** (*klink—*) rivet *m.*; **4** (*houten —*) cheville *f.*; ***zijn —s knippen,*** se faire les ongles; ***op zijn —s bijten,*** se ronger les ongles; ***dat is een — aan zijn doodkist,*** cela le mettra au tombeau, cela hâtera sa mort.
na'gelbed *o.* lit *m.* unguéal.
na'gelbijter *m.* rongeur *m.* d'ongles.
na'gelbloem *v.*(*m.*) œillet *m.*
na'gelboom *m.* giroflier *m.*
na'gelborstel *m.* brosse *f.* à ongles.
na'gelen *ov.w.* clouer.
na'geletui *o.* onglier *m.*
na'gelgarnituur *o.* onglier *m.*
na'gelkaas *m.* fromage *m.* aux clous de girofle.
na'gelkruid *o.* (*Pl.*) benoîte *f.*
na'gellak *o. en m.* vernis *m.* à ongles.
na'gelnieuw *b.n.* tout battant neuf.
na'gelolie *v.*(*m.*) essence *f.* de girofle.
na'gelriem *m.* matrice *f.*
na'gelschaar *v.*(*m.*) ciseaux *m.pl.* à ongles, coupe-ongles *m.*, ongliers *m.pl.*
na'gelschuier *m.* brosse *f.* à ongles.
na'geltang *v.*(*m.*) loup *m.*
na'gelvast *b.n.* tenant à fer et à clou, cloué.
na'gelvijltje *o.* lime *f.* à ongles, cure-ongles *m.*
na'gelvlies *o.* onglet *m.*
na'gelvormig *b.n.* onguiforme.
na'gelwortel *m.* racine *f.* des ongles.
na'gemaakt *b.n.* **1** imité, artificiel; **2** (*haar*) postiche; **3** (*goud*) en toc; **4** (*juwelen*) en simili; **5** (*H.*) contrefait.
nagenoeg' *bw.* à peu près.
na'genoemd *b.n.* nommé ci-après.
na'gerecht *o.* dessert *m.*
na'geslacht *o.* descendance, postérité *f.*
na'geven *ov.w.* **1** (*beschuldigen*) accuser (qn. de qc.), imputer (qc. à qn.); **2** (*erkennen*) reconnaître; ***dat moet men hem —,*** c'est une justice à lui rendre.
na'gewas *o.* seconde récolte *f.*, recrû *m.*
na'gluren *ov.w.* suivre des yeux, épier.
na'gras *o.* regain *m.*
na'groei *m.* recrû *m.*
na'herfst *m.* arrière-saison* *f.*, fin *f.* de l'automne.
na'hollen *ov.w.* courir après.
na'hooi *o.* refoin *m.*
na'houden *ov.w.* retenir (à l'école).
naïef' *b.n.* naïf, ingénu.
na'ijlen *ov.w.* s'élancer après, courir après.
na'ijver *m.* **1** (*wedijver*) émulation *f.*; **2** (*afgunst*) jalousie, envie *f.*
na'ijverig *b.n.* jaloux, envieux.
naïveteit', naïviteit' *v.* naïveté, ingénuité *f.*
na'jaar *o.* automne *m.*, arrière-saison* *f.*
na'jaarsbloem *v.*(*m.*) fleur *f.* d'automne.
na'jaarsdraad *m.* filandre *f.*, fil *m.* de la Vierge.
na'jaarsopruiming *v.* vente *f.* d'automne.
naja'de *v.* naïade *f.*
na'jagen *ov.w.* **1** poursuivre; **2** (*fig.*) (*eer*) rechercher; (*baantjes*) ambitionner, aspirer à; (*vermaken, enz.*) faire la chasse à, courir après.
na'jaging *v.* chasse, poursuite *f.*
na'jouwen *ov.w.* huer. [*gend*) imminent.
na'kend *b.n.* **1** (*naderend*) qui s'approche; **2** (*drei-*
na'kijken *ov.w.* **1** (*volgen met de ogen*) suivre des yeux, — du regard; **2** (*onderzoekend nagaan: rekeningen, enz.*) examiner, vérifier, contrôler; **3** (*verbeteren*) corriger.
na'klank *m.* **1** résonance *f.*; **2** (*fig.*) écho *m.*
na'klinken *on.w.* **1** résonner; **2** faire écho.
nako'meling *m.* **1** descendant *m.*; ***onze —en,*** notre postérité, nos petits-fils; **2** (*mil.*) traînard *m.*
nako'melingschap *v.* postérité, descendance *f.*
na'komen I *on.w.* venir plus tard, venir après; **II** *ov.w.* **1** suivre; **2** (*fig.*) (*reglement, gebod*) observer, suivre; (*bevel*) exécuter; (*voorschrift*) se conformer à; (*verplichting*) s'acquitter de, remplir; (*belofte*) tenir; ***zijn woord niet —,*** manquer à sa parole.
na'komer *m.* **1** descendant *m.*; **2** successeur *m.*
na'komertje *o.* enfant *m.* venu sur le tard, tardillon *m.* [complissement *m.*
na'koming *v.* observation *f.*; exécution *f.*; ac-
na'kroost *o.* descendance, postérité *f.*
na'kruipen *ov.w.* suivre en rampant.
na'kuur *v.*(*m.*) cure *f.* secondaire.
na'laten *ov.w.* **1** (*bij overlijden*) laisser, léguer; **2** (*iets niet doen*) ne pas faire; (*plicht*) négliger, manquer à; **3** (*gewoonte*) quitter, abandonner; ***ik kan niet — te...,*** je ne puis m'empêcher de; ***wij zullen niet — dit te doen,*** nous ne manquerons pas de faire cela.

nala'tenschap *v.* succession *f.*, héritage *m.*
nala'tig *b.n.* négligent, nonchalant.
nala'tigheid *v.* négligence, nonchalance *f.*
na'leven *ov.w.* observer, exécuter, suivre; *zie ook* ***nakomen.***
na'leveren *ov.w.* livrer le reste, livrer en complément de fourniture.
na'levering *v.* livraison *f.* ultérieure.
na'leving *v.* observation, exécution *f.*
na'lezen *ov.w.* **1** (*overlezen*) relire, revoir; **2** (*aren*) glaner.
na'lezing *v.* **1** (*herlezing*) seconde lecture *f.*; révision, revision *f.*; **2** (*in boek*) errata *m.*; **3** (*v. aren*) glanage *m.*
na'lopen I *ov.w.* **1** courir après, suivre; poursuivre; **2** (*fig.: zorgen voor*) s'occuper de, veiller à; **II** *on.w.* (*achterblijven*) retarder.
na'maak *m.*, **—sel** *o.* **1** (*nabootsing*) imitation *f.*; **2** (*H.*) contrefaçon *f.*
na'maakdiamant *m.* similidiamant *m.*
na'maken *ov.w.* imiter, copier, contrefaire.
na'maker *m.* imitateur, copiste, contrefacteur *m.*
na'making *v.* imitation, copie, contrefaçon *f.*
na'melijk *bw.* savoir, c'est-à-dire, en effet; c'est que, puisque.
na'meloos *b.n.* indicible, inexprimable, sans nom.
Na'men *o.* Namur *m.*
na'mens *vz.* au nom de, de la part de.
na'meten *ov.w.* vérifier.
na'meting *v.* vérification *f.*
namid'dag *m.* après-midi *m.*; ***om 3 uur 's —s,*** à trois heures de l'après-midi.
namid'dagdutje *o.*, **namid'dagslaap** *m.* sieste, méridienne *f.*
na'nacht *m.* fin *f.* de la nuit.
na'neef *m.* arrière-neveu* *m.*
nan'king *o.* nankin *m.*
Nan'king *o.* Nankin *m.*
na'ogen *ov.w.* suivre des yeux.
na'ontsteking *v.* retard *m.* (à l'allumage).
na'oogst *m.* regain *m.*
na'-oorlogs *b.n.* d'après-guerre.
nap *m.* écuelle, jatte *f.*
na'palm *o.* napalm *m.*
na'palmbom *v.(m.)* bombe *f.* au napalm, — incendiaire.
na'peinzen *on.w.* réfléchir (à), méditer (sur).
Na'pels I *o.* Naples *f.*; **II** *b.n.* de Naples, napolitain.
na'pijn *v.(m.)* arrière-douleur* *f.*
nap'je *o.* (*Pl.*) cupule *f.*
nap'jesdragers *mv.* (*Pl.*) cupulifères *f.pl.*
na'pleiten *on.w.* revenir sur une affaire.
na'pluizen *ov.w.* éplucher, fouiller (dans); examiner minutieusement, contrôler —.
na'pluizing *v.* examen *m.* minutieux, recherche *f.* minutieuse.
na'pluk *m.* seconde cueillette *f.*
Napo'leon *m.* Napoléon *m.*
Napoleon'tisch *b.n.* napoléonien.
Napolitaan' *m.* Napolitain *m.*
Napolitaans' *b.n.* napolitain.
na'praten I *ov.w.* **1** répéter, redire; **2** imiter; parler comme (qn.); **II** rester (encore) à parler; épiloguer sur.
na'prater *m.* rediseur *m.*
na'pret *v.(m.)* joie *f.* après-coup.
nar *m.* fou, sot, bouffon *m.*
narcis *v.(m.)* narcisse *m.*
nar'coanalyse *v.* narco-analyse* *f.*
narco'se *v.* narcose *f.*; ***onder — brengen,*** chloroformiser, chloroformer, endormir.
narco'tica *mv.* stupéfiants *m.pl.*, drogues *f.pl.*, narcotique(s) *m.(pl.)*.
narco'tisch *b.n.* narcotique.
narcotise'ren, -ize'ren *ov.w.* anesthésier.
narcotiseur' *m.* anesthésiste *m.*
nar'dus *m.* nard *m.*
nar'dusgeur *m.* odeur *f.* de nard.
na'rede *v.(m.)* **1** (*v. boek*) postface *f.*, épilogue *m.*; **2** (*v. redevoering*) péroraison *f.*
na'reizen *ov.w.* suivre pour rejoindre.
na'rekenen *ov.w.* vérifier, contrôler (le calcul).
na'rekening *v.* vérification *f.*, contrôle *m.*
na'rennen *ov.w.* courir après.
na'richt *o.* **1** (*bericht*) nouvelle, information *f.*, avis *m.*; **2** (*waarschuwing*) avertissement *m.*; ***tot uw —,*** pour votre gouverne.
na'righeid *v.* misères *f.pl.*, ennuis *m.pl.*
na'rijden *ov.w.* **1** suivre (en voiture, à cheval, à bicyclette, etc.); **2** (*fig.*) talonner, être sur les talons de (qn.).
na'roepen *ov.w.* crier après (qn.); huer.
nar'ren *ov.w.* agacer, vexer.
nar'renkap *v.(m.)* marotte *f.*
nar'renpak *o.* costume *m.* de bouffon.
nar'wal *m.* narval *m.*, licorne *f.* de mer.
nasaal' *b.n.* nasal.
nasaal'klank *m.* son *m.* nasal.
nasale'ren *ov.w.* nasaliser.
nasale'ring *v.* nasalisation *f.*
na'schetsen *ov.w.* copier, prendre un croquis de, croquer.
na'schilderen *ov.w.* copier.
na'schreeuwen *ov.w.* crier après.
na'schrift *o.* **1** (*v. brief*) post-scriptum *m.*; **2** (*v. boek*) postface *f.*, épilogue *m.*
na'schrijven *ov.w.* **1** copier, transcrire; **2** (*ong.*) plagier.
na'schrijver *m.* **1** copiste *m.*; **2** plagiaire *m.*
na'seinen *ov.w.* faire suivre.
na'seizoen *o.* arrière-saison* *f.*
na'slaan *ov.w.* consulter, chercher dans.
na'slag *m.* **1** second coup *m.*; **2** (*muz.*) note *f.* de complément.
na'slagwerk *o.* ouvrage *m.* de référence.
na'sleep *m.* **1** suite *f.*, train *m.*; **2** (*fig.*) cortège *m.*; conséquences *f.pl.*, séquelle *f.*; ***met al de — van dien,*** et tout ce qui s'ensuit.
na'slepen I *ov.w.* traîner après (*of* avec) soi; **II** *on.w.* traîner (après).
na'sluipen *ov.w.* suivre furtivement.
na'smaak *m.* arrière-goût* *m.*
na'snellen *ov.w.* s'élancer après, courir —.
na'snuffelen *ov.w.* fouiller, fureter dans.
na'spel *o.* **1** (*muz.*) finale *f.*; **2** (*op orgel*) postlude *m.*, sortie *f.*; **3** (*toneel*) petite pièce *f.* pour finir; (*v. 't stuk*) épilogue *m.*
na'spelen *ov.w.* ***op 't gehoor —,*** jouer d'oreille.
na'spellen *ov.w.* répéter en épelant.
na'speuren *ov.w.* **1** (*wild*) suivre à la piste; **2** (*fig.*) scruter, fouiller dans, rechercher.
na'speuring *v.* recherche, investigation *f.*
na'spoelen *ov.w.* rincer à grandes eaux.
na'sporen, *zie* ***naspeuren.***
na'spreken, *zie* ***napraten.***
na'springen *ov.w.* sauter après.
Nas'sau *o.* Nassau *m.*
Nas'sauer *m.* Nassauvien *m.*
Nas'saus *b.n.* nassauvien.
na'staren *ov.w.* suivre des yeux, — du regard.
na'stevenen *ov.w.* suivre (en bateau).
na'streven *ov.w.* (*doel*) poursuivre, viser; ***iem. —,*** marcher sur les traces de qn.
na'stuk *o.* pièce *f.* finale.
na'sturen *ov.w.* faire suivre.
na'synchronisatie, na'synkronisatie, -izatie *v.* doublage *m.*

na'synchroniseren, na'synkroniseren, -izeren *ov.w.* doubler.
nat I *b.n.* **1** mouillé; **2** (*doornat*) trempé; **3** (*vochtig*) humide; **4** (*vloeibaar*) liquide; **5** (*v. verf*) frais; ***— maken,*** mouiller; (*bevochtigen*) humecter; ***— worden,*** se mouiller; ***— van 't zweet,*** baigné de sueur, en nage; **II** *z.n., o.* **1** (*water*) eau *f.*; **2** (*vocht*) humidité *f.*; **3** (*vloeistof*) liquide *m.*; ***het zilte —,*** l'onde amère; ***'t is één pot —,*** c'est blanc bonnet et bonnet blanc; ***voor nat te bewaren,*** craint l'humidité.
nat'achtig *b.n.* humide.
na'tafelen *on.w.* rester à table.
na'tekenen *ov.w.* copier, dessiner d'après.
na'tellen *ov.w.* recompter, vérifier le compte.
nat'hals *m.* soiffard, soiffeur, ivrogne *m.*
nat'heid *v.* humidité *f.*
na'tie *v.* nation *f.*
nationaal' *b.n.* national; ***nationale schuld,*** dette *f.* nationale, — publique.
nationalisa'tie, -izatie *v.* nationalisation *f.*
nationalise'ren, -ize'ren *ov.w.* nationaliser.
nationalis'me *o.* nationalisme *m.*
nationalis'tisch *b.n.* nationaliste.
nationaliteit' *v.* nationalité *f.*
nationaliteits'beginsel *o.* principe *m.* des nationalités.
nationaliteits'bewijs *o.* **1** certificat *m.* de nationalité; **2** — d'origine.
nationaliteits'gevoel *o.* esprit *m.* national, sentiment *m.* de la nationalité.
nationaliz-, *zie* ***nationalis-.***
nat'je *o.* ***zijn — en zijn droogje hebben,*** avoir à boire et à manger.
nat'maken *ov.w.* mouiller; (*bevochtigen*) humecter.
na'trekken *ov.w.* **1** suivre; **2** (*tekening*) copier, calquer.
na'trium *o.* sodium *m.*, soude *f.*
na'triumlamp *v.(m.)* lampe *f.* à vapeur de sodium.
na'triumlicht *o.* lumière *f.* à vapeur de sodium.
na'triumzout *o.* sel *m.* de sodium.
na'tron *o.* natron, natrum *m.*
na'tronloog *v.(m.)* *en o.* soude *f.* caustique.
nat'tig *b.n.* humide.
nat'tigheid *v.* humidité *f.*
natu'ra, ***in —,*** en nature.
naturalisa'tie, -iza'tie *v.* naturalisation *f.*
naturalise'ren, -ize'ren *ov.w.* naturaliser.
naturalis'tisch *b.n.* naturaliste.
naturaliz-, *zie* ***naturalis-.***
natuur' *v.* **1** nature *f.*; **2** (*aard, karakter*) naturel *m.*; tempérament *m.*; ***— gaat boven de leer,*** chassez le naturel, il revient au galop; ***in de vrije —,*** en plein air; (*buiten*) à la campagne; ***naar de —,*** d'après nature; ***tegen de —,*** contre nature.
natuur'bad *o.* (piscine-)plage *f.*
natuur'beschrijving *v.* description *f.* de la nature.
natuur'boter *v.(m.)* beurre *m.* naturel.
natuur'drift *v.(m.)* instinct *m.*, penchant *m.* naturel.
natuur'filosofie *v.* philosophie *f.* de la nature; — naturelle.
natuur'geneeswijze *v.(m.)* physiothérapie *f.*
natuur'genoot *m.* prochain, semblable *m.*
natuur'genot *o.* plaisir *m.* du plein air.
natuur'getrouw *b.n.* **1** nature, pris sur le vif; **2** (*v. beschrijving*) fidèle.
natuur'godsdienst *m.* religion *f.* naturelle.
natuurhisto'risch *b.n.* biologique.
natuur'kenner *m.* **1** (*v. biologie*) naturaliste *m.*; **2** (*in andere gevallen*) physicien *m.*
natuur'kennis *v.* histoire *f.* naturelle, sciences *f.pl.* naturelles.
natuur'kind *o.* enfant *m.* de la nature; sauvageon [*m.*
natuur'kracht *v.(m.)* force *f.* de la nature.
natuur'kunde *v.* physique *f.*
natuurkun'dig I *b.n.* physique; **II** *bw.* physiquement.
natuurkun'dige *m.* physicien *m.*
natuur'liefhebber *m.* ami *m.* de la nature.
natuur'lijk I *b.n.* naturel; ***de —e loop der ziekte,*** le cours normal de la maladie; ***een —e dood sterven,*** mourir de sa belle mort; ***—e historie,*** histoire *f.* naturelle; ***op —e grootte,*** grandeur *f.* nature; **II** *bw.* **1** (*logisch gevolg*) naturellement; **2** (*klaarblijkelijk, zeer waarschijnlijk*) évidemment.
natuurlijkerwijs', -wij'ze *bw.* naturellement.
natuur'lijkheid *v.* **1** (*natuurlijke aanleg*) naturel *m.*; **2** (*eenvoud, ongekunsteldheid*) simplicité, naïveté *f.*
natuur'mens *m.* **1** homme *m.* de la nature; **2** homme primitif; sauvage *m.*
natuur'monument *o.* monument *m.* naturel.
natuur'onderzoeker *m.* naturaliste *m.*
natuur'produkt, -product *o.* produit *m.* naturel.
natuur'ramp *v.(m.)* calamité *f.*; cataclysme *m.*
natuur'recht *o.* droit *m.* naturel.
natuur'reservaat *o.* réserve *f.* botanique et zoologique, site *m.* réservé.
natuur'schoon *o.* beautés *f.pl.* de la nature.
natuur'speling *v.* jeu *m.* de la nature.
natuur'staat *m.* **1** état *m.* de nature; **2** (*v. d. mens*) état *m.* natif.
natuur'steen *o. en m.* pierre *f.* naturelle.
natuur'tafereel *o.* tableau *m.* de la nature, paysage *m.*
natuur'verschijnsel *o.* phénomène *m.* (de la nature).
natuur'volk *o.* peuple *m.* primitif.
natuur'voortbrengsel *o.* produit *m.* naturel.
natuur'vorser *m.* naturaliste *m.*
natuur'wet *v.(m.)* **1** loi *f.* de la nature; **2** (*zedenwet*) loi *f.* naturelle.
natuur'wetenschappelijk *b.n.* appartenant au domaine des sciences naturelles.
natuur'wetenschappen *mv.* sciences *f.pl.* naturelles.
natuur'wijn *m.* vin *m.* naturel.
natuur'wol *v.(m.)* laine *f.* écrue.
natuur'wonder *o.* prodige *m.* de la nature.
natuur'zij(de) *v.(m.)* soie *f.* écrue.
nau'tilus *m.* nautile *m.*
nau'tisch *b.n.* nautique.
nauw I *b.n.* **1** étroit; **2** (*dicht*) serré; **3** (*v. kleed*) trop juste; ***— van geweten,*** scrupuleux; ***— van geweten zijn,*** (*ook:*) avoir la conscience étroite; ***een —e broek,*** un pantalon collant; ***—er maken,*** rétrécir; **II** *bw.* étroitement; à l'étroit; ***— behuisd zijn,*** être logé à l'étroit; ***— zitten,*** (*op bank, enz.*) être serré, être à l'étroit; ***hij neemt het zo — niet,*** il n'y regarde pas de si près; ***dat luistert —,*** **1** le mécanisme en est très délicat; **2** (*fig.*) c'est très sensible; **III** *z.n., o.* **1** (*zeeëngte*) détroit *m.*; ***het N— van Calais*** (*Z.N.* ***Kales***)***,*** le Pas de Calais; **2** (*verlegenheid*) embarras *m.*, peine *f.*; ***in 't — drijven,*** mettre au pied du mur.
nau'welijks *bw.* à peine.
nauwgezet *b.n.* exact, consciencieux.
nauwgezet'heid *v.* exactitude, ponctualité *f.*; conscience *f.*
nauw'heid *v.* étroitesse *f.*
nauwkeu'rig *b.n.* exact, correct; précis; ***tot op een honderdste graad —,*** à un centième de degré près.
nauwkeu'righeid *v.* exactitude; précision *f.*

nauwlet'tend *b.n.* attentif, exact; **— *bewaken,*** surveiller de près, surveiller étroitement.
nauwlet'tendheid *v.* grande attention *f.*
nauwsluit'tend *b.n.* bien juste, étroit, collant.
nauw'te *v.* **1** (*engte*) défilé *m.*, passage *m.* étroit; **2** (*zeeëngte*) détroit *m.*; **2** (*fig.*) angoisse, anxiété *f.*
na'varen *ov.w.* suivre en bateau.
Navar'ra *o.* Navarre *f.*
Navarrees' *m.* Navarrais *m.*
na'vel *m.* nombril, ombilic *m.*
na'velband *m.* pansement *m.* ombilical.
na'velbreuk *v.*(*m.*) hernie *f.* ombilicale.
na'velstreng *v.*(*m.*) cordon *m.* ombilical.
na'vertellen *ov.w.* **1** répéter; **2** (*v. boek*) imiter, adapter.
na'verwant I *m.* proche parent *m.*; **II** *b.n.* proche parent.
na'verwantschap *v.* proche parenté *f.*
naviga'tie *v.* navigation *f.*
naviga'tielichten *mv.* feux *m.pl.* de position.
navolg'baar *b.n.* imitable.
na'volgen *ov.w.* **1** suivre; **2** imiter.
navol'gend *b.n.* suivant.
navolgenswaar'd(ig) *b.n.* digne d'être imité.
na'volger *m.* imitateur *m.*
na'volging *v.* imitation *f.*; ***in — van,*** à l'exemple de, à l'instar de.
na'vorderen *ov.w.* réclamer.
na'vordering *v.* perception *f.* supplémentaire.
na'vorsen *ov.w.* rechercher, explorer, scruter, s'enquérir de.
na'vorser *m.* chercheur, scrutateur *m.*
na'vorsing *v.* recherche, exploration, enquête *f.*
na'vraag *v.*(*m.*) **1** (*om inlichting*) information *f.*; **2** (*H.*) demande *f.*; ***naar dat artikel is veel —,*** cet article est très demandé; ***— doen naar,*** s'informer de; prendre des renseignements sur.
na'vragen *ov.w.* s'informer de, s'enquérir de.
na'wee *o.* suites, (tristes) conséquences *f.pl.*; ***—ën,*** (arrière-)douleurs *f.pl.*
na'wegen *ov.w.* vérifier le poids de.
na'werken *on.w.* **1** travailler plus longtemps, faire du travail supplémentaire; **2** se faire sentir après, se faire sentir longtemps.
na'werking *v.* suite *f.*, effet *m.*; ***de — ondervinden van,*** se ressentir de.
na'wijzen *ov.w.* montrer (du doigt).
na'winter *m.* fin *f.* de l'hiver.
na'woord *o.* postface *f.*
na'zaat *m.* descendant *m.*; ***de nazaten,*** la postérité.
Nazare'ner *m.* Nazaréen *m.*
na'zeggen *ov.w.* répéter, redire.
na'zenden *ov.w.* **1** envoyer; **2** (*brief, enz.*) faire suivre.
na'zending *v.* envoi *m.* ultérieur, expédition *f.* ultérieure.
na'zetten *ov.w.* donner la chasse à, poursuivre.
na'zetting *v.* poursuite, chasse (à).
na'zi *m.* nazi *m.*
na'zien I *ov.w.* **1** (*volgen met de ogen*) suivre des yeux; **2** (*drukproeven, enz.*) revoir; **3** (*werk: verbeteren*) corriger; **4** (*lessen*) repasser; **5** (*rekening, enz.*) vérifier; **6** (*bagage*) inspecter, visiter; **II** *z.n., o.* revision *f.*; correction *f.*; vérification *f.*; inspection, visite *f.*
na'zitten *ov.w.* poursuivre.
na'zoeken *ov.w.* chercher, faire des recherches, fouiller dans.
na'zomer *m.* **1** fin *f.* de l'été; **2** (*warm najaar*) été *m.* de la St. Martin.
na'zorg *v.*(*m.*) surveillance *f.*
na'zwemmen *ov.w.* suivre à la nage.
Nean'dertaler *m.* homme *m.* de Néandert(h)al.
neb'(be) *v.*(*m.*) long bec, bec *m.* long et pointu.
Nebucadne'zar *m.* Nabuchodonosor *m.*
necessaire *m.* nécessaire *m.*; trousse *f.*
necrolo'gisch, nekrolo'gisch *b.n.* nécrologique.
nec'tar, nek'tar *m.* nectar *m.*
ne'der, *zie* ***neer.***
ne'derdaling *v.* descente *f.*
Ne'derduits I *b.n.* bas-allemand; **II** *z.n., o.* bas-allemand *m.*
ne'derig *b.n.* humble, modeste.
ne'derigheid *v.* humilité, modestie *f.*
ne'derlaag *v.*(*m.*) défaite *f.*; (*mislukking, ook:*) échec *m.*; ***een — lijden,*** essuyer une défaite, subir un échec.
Ne'derland *o.* les Pays-Bas *m.pl.*, la Hollande, la Néerlande.
Ne'derlander *m.* Néerlandais, Hollandais *m.*
Ne'derlanderschap *o.* nationalité *f.* néerlandaise.
Ne'derlands I *b.n.* néerlandais, hollandais; **II** *z.n., o.* néerlandais, hollandais *m.*
Ne'der-Rijn *m.* Bas-Rhin *m.*
Nederrijns' *b.n.* du Bas-Rhin.
ne'derwaarts, *zie* ***neerwaarts.***
ne'derzetting *v.* établissement *m.*; colonie *f.*
nee, *zie* ***neen.***
neef *m.* **1** (*zoon v. broer of zuster*) neveu *m.*; **2** (*zoon v. oom of tante*) cousin *m.*; ***volle —,*** cousin germain.
neef'schap *o.* cousinage *m.*
Neel *v.* Cornélie *f.*
neen, nee *bw.* non; ***ik zeg (van) —,*** je dis que non; ***— zeggen,*** refuser; ***wel —!*** mais non!
neep *v.*(*m.*) **1** pinçon *m.*; **2** (*v. muts*) pli *m.*
neep'jesmuts *v.*(*m.*) bonnet *m.* tuyauté.
neer *bw.* à bas, en bas; ***op en — lopen,*** marcher de long en large, faire les cent pas; ***in de kamer op en — lopen,*** arpenter la chambre; ***de trap op en — lopen,*** monter et descendre l'escalier; ***ter —,*** en bas, à bas.
neer'buigen I *ov.w.* baisser, courber; **II** *w.w.* ***zich —,*** se baisser, se courber.
neerbui'gend I *b.n.* condescendant; **II** *bw.* avec condescendance.
neer'bukken *on.w.* se baisser.
neer'dalen *on.w.* **1** descendre; **2** (*v. watervliegtuig*) amerrir.
neer'doen *ov.w.* baisser, abaisser.
neer'draaien *ov.w.* baisser.
neer'druipen *on.w.* dégoutter.
neer'drukken *ov.w.* **1** enfoncer; **2** (*fig.*) accabler.
neer'duiken *on.w.* plonger; se blottir, se pelotonner.
neer'gang *m.* descente *f.*
neer'glijden *on.w.* glisser en bas.
neer'gooien *ov.w.* jeter par terre.
neer'haal *m.* (*v. letter*) plein, jambage *m.*
neer'hakken *ov.w.* abattre.
neer'halen *ov.w.* **1** baisser, abaisser; **2** (*muur*) abattre; **3** (*zeil*) amener; **4** (*fig.*) démolir, rabaisser.
neer'hangen *on.w.* pendre.
neer'hurken *on.w.* s'accroupir, se tenir accroupi.
neer'kijken *on.w.* regarder en bas; ***op iem.—,*** regarder qn. de haut en bas.
neer'kladden *ov.w.* jeter à la hâte sur le papier, etc.
neer'klimmen *on.w.* descendre.
neer'knielen *on.w.* s'agenouiller, se mettre à genoux.
neer'knieling *v.* génuflexion *f.*
neer'komen *on.w.* **1** descendre; **2** (*fig.*) s'abattre (sur); retomber (sur); ***alles komt op hem neer,*** **1** (*treft hem*) tout retombe sur lui; **2** (*moet alles op zich nemen*) tout repose sur lui; ***dat komt op hetzelfde neer,*** cela revient au même.

neer'krabbelen *ov.w.* griffonner.
neerlan'dicus *m.* spécialiste *m.* de la langue néerlandaise.
neer'laten *ov.w.* 1 baisser; 2 (*zak, enz.*) descendre.
neer'leggen I *ov.w.* 1 poser; 2 (*wapens, vracht, enz.*) déposer; 3 (*zieke, gewonde*) coucher; ***zijn ambt* —,** démissionner, donner sa démission; ***zijn hoofd* —,** 1 reposer sa tête; 2 (*fig.*) mourir; ***de kroon* —,** abdiquer (la couronne); II *w.w.* ***zich* —,** se coucher, s'étendre; ***zich bij iets* —,** se résigner à qc.
neer'liggen *on.w.* être couché; (*ziek*) être alité.
neer'ploffen *on.w.* s'abattre, tomber lourdement.
neer'schieten *ov.w.* abattre, tuer.
neer'schrijven *ov.w.* écrire; mettre par écrit.
neer'schuiven *ov.w.* (*venster*) baisser.
neer'slaan I *ov.w.* 1 (*naar beneden slaan, omslaan*) abattre; 2 (*sluier*) rabattre; 3 (*ogen*) baisser; II *on.w.* 1 (*neervallen: v. persoon*) tomber, s'affaisser, s'abattre; 2 (*v. rook*) se rabattre; 3 (*scheik.*) déposer, se précipiter.
neerslach'tig *b.n.* abattu, découragé.
neerslach'tigheid *v.* abattement, découragement *m.*, tristesse *f.*
neer'slag I *m. en o.* 1 (*scheik.*) dépôt, précipité *m.*; 2 (*aardk.*) dépôt *m.*; II *m.* 1 (*regen*) précipitations *f.pl.*, régime *m.* pluvial, quantité *f.* d'eau tombée; 2 (*muz.*) frappé *m.*; ***radioactieve* —,** retombées *f.pl.* radio-actives.
neer'slagoverschot *o.* surplus *m.* de pluie, — de précipitation(s).
neer'slagtekort *o.* manque *m.* de pluie, — de précipitation(s), — de quantité d'eau tombée.
neer'smakken, neer'smijten *ov.w.* flanquer par terre.
neer'storten I *ov.w.* 1 précipiter, jeter en bas; 2 (*afval, enz.*) verser; II *on.w.* 1 (*neervallen*) s'abattre; 2 se précipiter, se jeter; 3 (*vl.*) s'écraser.
neer'storting *v.* chute *f.*, écroulement *m.*
neer'stoten *ov.w.* 1 renverser; 2 tuer.
neer'strijken I *ov.w.* baisser, rabattre; II *on.w.* (*v. vogels*) s'abattre, se rabattre.
neer'stromen *on.w.* 1 descendre; 2 (*v. regen*) tomber à torrents.
neer'tellen *ov.w.* compter, aligner.
neer'tuimelen *on.w.* tomber, s'abattre, dégringoler.
neer'vallen *on.w.* 1 tomber; 2 (*knielen*) se prosterner; 3 (*met geweld*) s'abattre; 4 (*instorten*) s'écrouler.
neer'vellen *ov.w.* 1 abattre; 2 tuer.
neer'vlijen I *ov.w.* coucher doucement; II *w.w.* ***zich* —,** s'étendre, se coucher doucement.
neer'waarts, ne'derwaarts I *bw.* de haut en bas; II *b.n.* de haut en bas, descendant.
Neerwaas'ten *o.* Bas-Warneton.
neer'werpen I *ov.w.* jeter par terre, renverser; II *w.w.* ***zich* —,** se prosterner.
neer'zakken *on.w.* 1 descendre; 2 (*neerzijgen*) s'affaisser, s'affaler.
neer'zetten I *ov.w.* poser, déposer; II *w.w.* ***zich* —,** 1 s'asseoir; 2 (*zich vestigen*) s'établir, se fixer.
neer'zien *on.w.* jeter les yeux sur; ***uit de hoogte op iem.* —,** regarder qn. de haut; ***laag* — *op*,** dédaigner, mépriser.
neer'zijgen *on.w.* s'affaisser, s'affaler.
neer'zitten *on.w.* être assis.
neet *v.(m.)* 1 lente *f.*; 2 (*tn.*) rivet *m.*
negatief' I *b.n.* négatif; II *z.n., o.* négatif, phototype *m.*
ne'gen I *telw.* neuf; ***het is bij* —*en*,** il est près de neuf heures; ***ze zijn met z'n* —*en*,** ils sont neuf; II *z.n., v.(m.)* neuf *m.*; ***schoppen* —,** neuf de pique.
ne'gendaags *b.n.* de neuf jours.
ne'gende *b.n.* neuvième; ***de* — *augustus*,** le neuf août; ***Lodewijk de* —,** Louis neuf, Saint Louis; ***ten* —,** neuvièmement.
ne'genhoek *m.* ennéagone *m.*
ne'genjarig *b.n.* de neuf ans.
ne'genoog *v.(m.)* 1 (*gen.*) anthrax, furoncle *m.*; 2 (*Dk.*) lamproie *f.*
ne'genproef *v.(m.)* épreuve *f.* par neuf.
ne'gentien *telw.* dix-neuf.
ne'gentiende *b.n.* dix-neuvième.
ne'gentig *telw.* quatre-vingt-dix.
ne'gentiger *m.* nonagénaire *m.-f.*
ne'gentigjarig *b.n.* nonagénaire.
ne'gentigjarige *m.-v.* nonagénaire *m.-f.*
ne'gentigste *b.n.* quatre-vingt-dixième.
ne'genvoud *o.* nonuple *m.*; ***het* —,** neuf fois autant.
ne'genvoudig *b.n.* nonuple.
ne'ger *m.* nègre *m.*; (*thans*) noir *m.*
ne'gerbevolking *v.* population *f.* nègre; — noire.
ne'gerdans *m.* danse *f.* nègre.
ne'gerdorp *o.* village *m.* nègre.
ne'geren *ov.w.* brimer, maltraiter.
nege'ren *ov.w.* nier; ***iem.* —,** ignorer qn.
ne'gerhandel *m.* traite *f.* des noirs.
ne'gerhut *v.(m.)* case *f.* (de nègre).
negerij', negorij' *v.* (petit) trou *m.* de province.
negerin' *v.* négresse *f.*
negerin'netje *o.* négrillonne *f.*
ne'gerknaap *m.* négrillon *m.*
ne'gerland *o.* pays *m.* des nègres.
ne'germuziek *v.* musique *f.* nègre.
ne'gerschip *o.* (vaisseau) négrier *m.*
ne'gerslaaf *m.* esclave *m.* nègre.
ne'gerstaat *m.* état *m.* nègre.
ne'gertaal *v.(m.)* langue *f.* nègre, nègre *m.*
ne'gertaaltje *o.* petit-nègre *m.*
ne'gervolk *o.* peuple *m.* nègre, — noir.
ne'gerwijk *v.(m.)* quartier *m.* nègre, — des Noirs.
ne'gerzanger *m.* chanteur *m.* nègre.
negorij', *zie* ***negerij.***
negotiant' *m.* colporteur, petit marchand *m.*
nego'tie *v.* négoce *m.*; petit commerce *m.*
ne'gro-spiri'tual *m.* negro spiritual *m.* (*pl.* : —s).
nei'gen I *on.w.* s'incliner; II *ov.w.* pencher, baisser; ***ter kimme* —,** descendre à l'horizon; ***men is geneigd te denken...*,** on est porté à croire...
nei'ging *v.* penchant *m.*, inclination, tendance *f.*; ***— hebben tot kopen*,** être disposé à acheter.
nek *m.* 1 nuque *f.*; 2 (*hals*) cou *m.*; ***zijn — breken*,** 1 se casser le cou; 2 (*fig.*) se casser les reins; ***iem. met de — aanzien*,** regarder qn. par-dessus l'épaule; ***iem. in de — zien*,** tromper, rouler qn.; ***een stijve* —,** un torticolis.
nek'haar *o.* poils *m.pl.* de la nuque; poils (*of* cheveux) follets.
nek'ken *ov.w.* 1 casser le cou à, tuer; 2 (*fig.*) ruiner (qn.), casser les reins (à qn.); 3 (*plan*) faire échouer; 4 (*wet, enz.*) démolir; 5 (*fles*) vider.
nek'kramp *v.(m.)* méningite cérébro-spinale *f.*
nekrolo'gisch, *zie* ***necrologisch.***
nek'schot *o.* coup *m.* de grâce, — dans la nuque.
nek'slag *m.* 1 coup *m.* sur la nuque; 2 (*fig.*) coup *m.* de grâce.
nek'spier *v.(m.)* muscle *m.* du cou, — cervical.
nek'tar, nec'tar *m.* nectar *m.*
Nel *v.* Cornélie *f.*
ne'men *ov.w.* 1 prendre; 2 (*wegnemen*) ôter;

3 (*aanvaarden*) accepter; ***een aanvang* —,** commencer; ***een einde* —,** prendre fin; ***in acht* —,** observer; ***op zich* —,** se charger de; (*verantwoordelijkheid*) assumer; ***in dienst* —,** prendre à son service; engager; (*v. werkvolk*) embaucher; ***de moeite* —,** se donner la peine; ***uit elkaar* —,** démonter; ***zijn toevlucht* — *tot*,** recourir à, avoir recours à; ***iets voor lief* —,** se contenter de qc., s'arranger de qc.; ***genoegen* — *met*,** se contenter de; ***wraak* —,** se venger; ***van school* —,** retirer de l'école; ***het ervan* —,** se la couler (*of* faire) douce; ***de wijk* —,** prendre la fuite; ***alles bij elkaar genomen*,** tout compte fait.
ne'mer *m.*(*H.*) preneur *m.*
neofiet' *m.* néophyte *m.*
neologis'me *o.* néologisme *m.*
ne'on *o.* néon *m.*
ne'onbuis *v.*(*m.*) tube *m.* (de) néon.
ne'onlicht *o.* lumière *f.* au néon.
ne'onverlichting *v.* éclairage *m.* au néon.
nepotis'me *o.* népotisme *m.*
nep'pe *v.* (*Pl.*) herbe *f.* aux chats.
Neptu'nisch *b.n.* neptunien.
Neptu'nus *m.* Neptune *m.*
Ne'reus *m.* Nérée *m.*
nerf *v.*(*m.*) **1** (*v. blad*) nervure *f.*; **2** (*v. leer*) grain *m.*; **3** (*v. huid*) fleur *f.*
ner'gens *bw.* nulle part; ***dat dient* — *toe*,** cela ne sert à rien; ***hij geeft* — *om*,** il ne se soucie de rien.
ne'ring *v.* **1** (*handel*) commerce *m.*, commerce de détail; **2** (*bedrijf*) métier *m.*; ***goede* — *hebben*,** être bien achalandé; ***zijn* — *van kant doen*,** vendre son fonds (de commerce), céder —; ***zet de tering naar de* —,** à petit mercier petit panier, selon ta bourse gouverne ta bouche.
ne'ringdoende *m.-v.* boutiquier *m.*, —ière *f.*, débitant(e), détaillant(e) *m.*(*f.*).
Ne'ro *m.* Néron *m.*
nerts *o.* vison *m.*
nervatuur' *v.* (*Pl.*) nervation *f.*
ner'ven *ov.w.* grainer, greneler.
nerveus' *b.n.* nerveux.
nerveus'heid *v.* nervosité *f.*
ner'vig *b.n.* plein de nervures.
Nes'sus *m.* Nessus *m.*
Nes'sushemd *o.* tunique *f.* de Nessus.
nest *o.* **1** nid *m.*; **2** (*v. roofvogel*) aire *f.*; **3** (*met jongen*) nichée *f.*; **4** (*v. rovers*) repaire *m.*; **5** (*krotwoning*) niche, bicoque, masure *f.*, taudis *m.*; **6** (*negerij*) trou, patelin *m.*; **7** (*bed*) pieu, plumard *m.*; **8** (*meisje*) petite friponne, pécore *f.*; **9** (*schalen, pannen*) série *f.*; ***in de —en zitten*,** être dans l'embarras.
nest'ei *o.* nichet *m.*
nes'tel *m.* **1** (*veter*) lacet *m.*; **2** (*schouderversiersel*) aiguillette *f.*; **3** (*beslag*) ferret *m.*
nes'telbeslag *o.* ferret *m.*
nes'telen I *on.w.* **1** (*een nest bouwen*) nicher, faire son nid; **2** (*een nest hebben*) être niché; **II** *w.w.* ***zich* —,** se nicher; **III** *ov.w.* (*met nestel toerijgen*) lacer.
nes'telgat *o.* œillet *m.*
nesterij' *v.* vétille, bagatelle *f.*
nest'haar *o.* duvet, premier poil *m.*
nes'tig *b.n.* méchant, mauvais.
nest'kastje *o.* nichoir *m.*
nest'kuiken *o.* culot *m.*
Nes'tor *m.* Nestor *m.*
Nestoriaan' *m.* Nestorien *m.*
nest'veren *mv.* duvet *m.*
nest'vogel *m.* culot, béjaune *m.*
nest'vol *o.* nichée *f.*
net I *b.n.* **1** (*mooi*) joli; **2** (*zindelijk*) propre; **3** (*beschaafd, fatsoenlijk*) honnête, poli, convenable, comme il faut; ***hij heeft —te manieren*,** il est distingué, il a de bonnes manières; **II** *bw.* **1** proprement; **2** poliment, convenablement, comme il faut; **3** (*juist, precies*) justement, précisément; — ***gekleed*,** bien mis, bien habillé; — ***op tijd*,** juste à temps; ***hij is* — *vertrokken*,** il vient de partir; ***het is* — *drie uur*,** trois heures viennent de sonner; ***u komt* — *van pas*,** vous arrivez juste à propos; — ***als de anderen*,** tout comme les autres; ***hij is* — *zijn vader*,** il a tout de son père; **III** *z.n.*, *o.* (*v. verbeterd werk*) copie *f.*; ***in 't* — *schrijven*,** mettre au net; **IV** *o.* **1** (*alg.*) filet *m.*; **2** (*v. vogels*) rets, lacs *m.*; **3** (*v. wild*) panneau *m.*; **4** (*in trein en v. boodschappen*) filet *m.*; **5** (*haarnetje*) résille *f.*; **6** (*v. spoorwegen, enz.*) réseau *m.*; **7** (*v. spin*) toile *f.*; **8** (*voetbal*) filets *m.pl.*; ***achter het* — *vissen*,** manquer son coup, manquer l'occasion, venir trop tard; ***iem. in zijn —ten vangen*,** prendre qn. dans ses filets.
Net *v.* Toinette *f.*
ne'tel *v.*(*m.*) ortie *f.*
ne'teldoek *o. en m.* mousseline *f.*
ne'teldoeks *b.n.* de (*of* en) mousseline.
ne'teldraad *m.* filament *m.*
ne'telen *ov.w.* piquer avec des orties.
ne'telgaren *o.* fil *m.* d'ortie.
ne'telig *b.n.* **1** épineux; **2** (*fig.*) épineux, délicat, difficile, critique; ***een —e kwestie*,** une question délicate; ***een —e toestand*,** une situation critique, — difficile.
ne'teligheid *v.* difficulté *f.*, caractère *m.* épineux.
ne'telkoorts, ne'telroos *v.*(*m.*) urticaire *v.*
net'heid *v.* **1** propreté *f.*, ordre *m.*; **2** honnêteté, politesse *f.*
net'hemd *o.* gilet *m.* en filet.
net'je *o.* **1** petit filet *m.*; **2** (*haar—*) résille *f.*; **3** (*nethemd*) gilet en filet, tricot à jour; (*v. plastic*) réseau *m.* de mailles en plastique.
net'jes *bw.* **1** proprement; **2** convenablement, comme il faut; — ***gekleed*,** bien habillé.
net'jesappel *m.* reinette *f.* marbrée, drap *m.* d'or.
net'maag *v.*(*m.*) (*Dk.*) bonnet *m.*
net'meloen *m. en v.* melon *m.* brodé.
net'nummer *o.*, (*tel.*) indicatif *m.* du réseau.
net'nylons *mv.* bas *m.* nylon à résille.
net'schrift *o.* **1** copie *f.*; cahier *m.* de corrigés.
net'spanning *v.* tension *f.*, voltage *m.*
net'ten *ov.w.* humecter, mouiller.
net'tenboeter, net'tenbreier, net'tenknoper *m.* tricoteur *m.* de filets, mailleur *m.*
net'to *b.n.* (*H.*) net; — ***à contant*,** au comptant sans escompte.
net'togewicht *o.* poids *m.* net.
net'to-opbrengst *v.*(*m.*) produit *m.* net.
net'to-tar'ra *v.*(*m.*) tare *f.* réelle.
net'vleugeligen *mv.* névroptères *m.pl.*
net'vlies *o.* rétine *f.*
net'vliesontsteking *v.* (*gen.*) rétinite *f.*
net'vormig *b.n.* réticulaire, réticulé.
net'werk *o.* **1** (*al de netten*) filets *m.pl.*; **2** (*vlechtwerk*) entrelacs, treillis *m.*; **3** (*gaas*) toile *f.* métallique; **4** (*hout*) claire-voie *f.*
neuralgie' *v.* névralgie *f.*
neural'gisch *b.n.* névralgique.
neurast(h)enie' *v.* neurasthénie *f.*
neurast(h)e'nisch *b.n.* neurasthénique.
Neu'renberg *o.* Nuremberg *m.*
Neu'renberger *m.* Nurembergeois *m.*
Neu'renbergs *b.n.* nurembergeois, de Nuremberg.

neu'riën *ov.w. en on.w.* fredonner.
neuroloog' *m.* neurologiste *m.*
neuro'se *v.* névrose *f.*
neuro'tisch *b.n.* névralgique.
neus *m.* **1** (*alg.*) nez *m.*; **2** (*v. schoen*) bout *m.*; **3** (*v. kaars*) moucheron *m.*; ***een fijne — hebben,*** avoir le nez fin; ***brede —,*** nez épaté; ***kromme —,*** nez aquilin; nez crochu; ***platte —,*** nez écrasé; ***rode —,*** nez rubicond, nez enluminé; ***zijn — snuiten,*** se moucher; ***door de — spreken,*** parler du nez, nasiller; ***iem. bij de — nemen,*** duper qn., mener par le bout du nez; ***de — optrekken*** (*of* ***ophalen***) ***voor iets,*** faire fi de qc.; ***overal zijn — in steken,*** fourrer son nez partout; ***de — in de wind steken,*** porter le nez au vent; ***iem. iets aan zijn — hangen,*** raconter qc. à qn.; ***iets in de — krijgen,*** avoir vent de qc.; ***iem. iets onder de — wrijven,*** jeter qc. à la face à qn.; ***op zijn — staan te kijken,*** être tout penaud; ***wie zijn — schendt, schendt zijn aangezicht,*** qui se coupe le nez, dégarnit son visage; ***een lange — maken,*** faire un pied de nez; ***een wassen —,*** de la frime; ***iem. een wassen — aandraaien,*** en faire accroire à qn.
neus'been *o.* os *m.* nasal, — du nez.
neus'bloeding *v.* saignement *m.* de nez, hémorragie *f.* nasale.
neus'brandertje *o.* (*Z.N.*) brûle-gueule *m.*
neus'doek *m.* mouchoir *m.*
neus'gat *o.* **1** narine *f.*; **2** (*v. dier*) naseau *m.*
neus'geluid *o.* **1** voix *f.* nasillarde, nasillement *m.*; **2** (*neusklank*) son *m.* nasal.
neus'gezwel *o.* polype *m.*
neus'holte *v.* fosse *f.* nasale.
neus'hoorn, -horen *m.* rhinocéros *m.*
neus'je *o.* petit nez *m.*; ***'t — van de zalm,*** le morceau le plus fin; le dessus du panier.
neuskeel'holte *v.* rhino-pharynx *m.*
neus'klank *m.* son *m.* nasal.
neus'klinker *m.* voyelle *f.* nasale.
neus'letter *v.*(*m.*) nasale *f.*
neus'ontsteking *v.* rhinite *f.*
neus'poliep *v.*(*m.*) (*gen.*) polype *m.* (naso-pharyngien).
neus'riem *m.* muserolle *f.*
neus'ring *m.* **1** (*v. varkens*) boucle *f.*; **2** (*v. wilden*) anneau *m.* de nez.
neus'schot *o.* cloison *f.* du nez.
neus'stem *v.*(*m.*) voix *f.* nasillarde.
neus'verkouden *b.n.* enchifrené.
neus'verkoudheid *v.* coryza *m.*, rhume *m.* de cerveau.
neus'vleugel *m.* aile *f.* du nez.
neus'warmertje *o.* brûle-gueule *m.*, bouffarde *f.*
neus'wijs *b.n.* **1** (*verwaand*) pédant, suffisant, prétentieux; **2** (*onbeschaamd*) impertinent.
neus'wijsheid *v.* pédanterie, présomption *f.*
neus'wortel *m.* racine *f.* du nez.
neutraal' *b.n.* neutre; ***neutrale school,*** école laïque.
neutralise'ren, -ze'ren *ov.w.* neutraliser.
neutraliteit' *v.* neutralité *f.*
neutraliteits'politiek *v.* neutralisme *m.*
neutralize'ren, *zie* ***neutraliseren.***
neu'tron *o.* neutron *m.*
neu'trum *o.* neutre *m.*
neu'zen *on.w.* fureter, fourrer le nez dans.
ne'vel *m.* **1** brouillard *m.*; **2** (*vooral op zee*) brume *f.*; **3** (*fig.*) nuage, voile *m.*
ne'velachtig *b.n.* nébuleux, brumeux.
ne'velachtigheid *v.* nébulosité *f.*
ne'velbank *v.*(*m.*) banc *m.* de brouillard.
ne'velen *on.w.* faire du brouillard.
ne'velgordijn *o.* vapeur *f.* fumigène.
ne'velig *b.n.* brumeux, nébuleux.
ne'veligheid *v.* nébulosité *f.*
ne'velvlek *v.*(*m.*) nébuleuse *f.*
ne'venbedoeling *v.* projet *m.* de derrière la tête.
ne'vengeschikt *b.n.* coordonné.
ne'venhoek *m.* angle *m.* supplémentaire, — contigu.
ne'venman *m.* voisin *m.*
ne'venprodukt, -product *o.* produit *m.* annexe, dérivé *m.*
ne'vens *vz.* **1** à côté de, près de; **2** (*fig.*) avec.
ne'venschikkend *b.n.* (*gram.*) coordonné.
ne'venschikking *v.* (*gram.*) coordination *f.*
ne'vensgaand *b.n.* ci-joint.
ne'venstaand *b.n.* ci-contre, en regard.
Newfound'land *o.* Terre-Neuve *f.*
Newfound'lander *m.* **1** (*inwoner*) Terre-Neuvien *m.*; **2** (*hond*) terre-neuve, terre-neuvien* *m.*
Niaga'ra *v.* Niagara *m.*
Nicara'gua *o.* le Nicaragua; ***uit —,*** nicaraguayen.
Nice'a *o.* Nicée *f.*
nicht *v.* **1** (*dochter v. broer of zuster*) nièce *f.*; **2** (*dochter v. oom of tante*) cousine *f.*; ***volle —,*** cousine germaine.
Ni'colaas *m.* Nicolas *m.*
nicoti'ne *v.*(*m.*) nicotine *f.*
nicoti'nevergiftiging *v.* nicotinisme *m.*
nicoti'nevrij *b.n.* sans nicotine, dénicotinisé.
nie'mand *vnw.* personne; nul, aucun; ***er is —,*** il n'y a personne; ***— anders,*** personne d'autre; ***— is tevreden met zijn lot,*** nul n'est content de son sort; ***— thuis vinden,*** trouver visage de bois.
nie'mandsland *o.* no man's land *m.*, zone *f.* neutre.
niemendal' *bw.* rien, rien du tout.
niemendal'letje *o.* petit rien *m.*
nier *v.*(*m.*) **1** rein *m.*; **2** (*om te eten*) rognon *m.*; ***wandelende —,*** rein flottant, — mobile.
nier'bekken *o.* bassinet *m.* des reins.
nier'graveel *o.* gravelle *f.*
nier'koliek *o. en v.* colique *f.* néphrétique.
nier'lijder *m.* néphrétique *m.*
nier'ontsteking *v.* néphrite *f.*
nier'pijn *v.*(*m.*) néphralgie *f.*
nier'steen *m.* **1** (*gen.*) calcul *m.* rénal, — néphrétique; **2** (*aardk.*) jade, néphrite *f.*
nier'stuk *o.* longe *f.* (de veau).
nier'vet *o.* graisse *f.* des reins.
nier'vormig *b.n.* réniforme.
nier'ziekte *v.* maladie *f.* des reins, néphralgie *f.*
nie'sen, nie'zen *on.w.* éternuer.
nies'kruid *o.* (*Pl.*) ellébore *m.*
nies'middel *o.*, **nies'poeder, -poeier** *o. en m.* sternutatoire *m.*
niet I *bw.* ne... pas, ne... point, non, non pas; ***— dat...,*** non que, non pas que, ce n'est pas que...; ***— alleen,*** non seulement; ***in 't geheel —, volstrekt —,*** pas du tout, absolument pas, aucunement; ***— meer,*** ne... plus; **II** *m.* billet *m.* blanc; **III** *o.* néant *m.*; ***te — doen,*** **1** anéantir; **2** (*overeenkomst*) défaire; **3** (*werking*) annihiler; ***te — gaan,*** s'anéantir, se réduire à rien; (*verdwijnen*) disparaître; ***voor —,*** gratuitement, gratis.
niet-aan'valsverdrag *o.* pacte *m.* de non-agression.
niet-bestaand' *b.n.* inexistant.
nie'teling *m.* homme *m.* insignifiant, — nul.
nie'ten *ov.w.* riveter.
niet'-geleider *m.* matières *f.pl.* isolantes, isolant *m.*
nie'tig *b.n.* **1** nul; **2** (*onbeduidend*) futile, frivole, insignifiant; **3** (*v. persoon*) chétif; **4** (*zonder gevolg*) sans effet; ***— verklaren,*** annuler.
nie'tigheid *v.* nullité *f.*; futilité, frivolité *f.*; rien *m.*, bagatelle *f.*
nie'tigverklaring *v.* annulation *f.*

niet'je *o.* agrafe *f.*
niet-katholiek' *b.n.* non-catholique.
niet-lad'derend *b.n.* indémaillable.
niet'machientje *o.* agrafeuse *f.*
niet-na'koming *v.* défaillance *f.*
niet'-officieel *b.n.* officieux; ***...ciële markt,*** (*beurs*) coulisse *f.*
niet-ontvan'kelijk *b.n.* non-recevable.
niet-roker *m.* non-fumeur* *m.*
niets *vnw.* rien, ne... rien; ***hij verkoopt — dan boeken,*** il ne vend que des livres; ***daar is — van aan,*** il n'en est rien; ***er is — zo goed als,*** il n'y a rien de tel que; ***dat is —,*** cela ne fait rien; ***— meer,*** plus rien; ***— méér,*** rien de plus; ***dat is — voor mij,*** cela n'est pas mon affaire; ***— goeds,*** rien qui vaille, rien de bon; ***waar — is, verliest de keizer zijn recht,*** où il n'y a pas de quoi, le roi perd son droit.
nietsbete'kenend, nietsbedui'dend *b.n.* insignifiant.
niets'doen *o.* désœuvrement *m.*; oisiveté *f.*; (dolce) farniente *m.*
niets'doener *m.* fainéant *m.*; désœuvré *m.*
niets'nut *m.* propre*-à-rien *m.*
nietswaar'dig *b.n.* **1** (*zonder waarde*) sans valeur, de nulle valeur; **2** (*laag, gemeen*) vil, indigne.
nietszeg'gend *b.n.* vide de sens, banal.
niettegenstaan'de I *vz.* malgré, nonobstant; **II** *vw.* bien que, quoique.
niettemin' *bw.* néanmoins, cependant, toutefois, pourtant.
nietverschij'ning *v.* (*recht*) défaut *m.*
nieuw I *b.n.* **1** (*niet oud*) nouveau; **2** (*niet gebruikt*) neuf; **3** (*pas gebeurd*) récent; **4** (*modern*) moderne; ***—e groenten,*** des primeurs *f.pl.*; ***—e haring,*** hareng frais; ***de —ste tijdingen,*** les dernières nouvelles; ***—ste mode,*** haute nouveauté, dernier cri, dernière mode; **II** *bw.* nouvellement; récemment; fraîchement; **III** *z.n., o.* ***het —e,*** le nouveau, la nouveauté, le neuf; le moderne.
nieuwaan'gekomene *m.* nouvel arrivé, nouveau venu *m.*
nieuwbakken *b.n.* **1** nouveau; **2** (*v. brood, enz.*) frais, tendre; **3** (*pas geslaagd*) frais émoulu; **4** (*v. adel*) de fraîche date.
nieuwbekeer'de *m.-v.* nouveau converti *m.*, nouvelle convertie *f.*; prosélyte *m.-f.*; (*dag v. 't doopsel*) néophyte *m.-f.*
nieuw'bouw *m.* nouvelles constructions *f.pl.*
nieu'weling *m.* **1** (*pas aangekomen*) nouveau*-venu* *m.*; **2** (*op school*) nouveau *m.*; **3** (*in vak*) apprenti *m.*; **4** (*vooral in klooster; ook universiteit*) novice *m.*; **5** (*in kunst*) débutant *m.*
nieuwerwets' I *b.n.* nouveau, moderne, à la mode; **II** *bw.* à la mode, d'après la dernière mode, à la moderne.
nieuwgeboren *b.n.* nouveau-né*.
nieuwgevormd *b.n.* **1** de formation récente; **2** (*taalk.*) néologique.
Nieuw-Guine'a *o.* la Nouvelle Guinée.
nieuw'heid *v.* nouveauté, fraîcheur *f.*
nieu'wigheid *v.* nouveauté *f.*; innovation *f.*
nieuw'jaar *o.* **1** nouvel an *m.*; **2** (*—sdag*) jour *m.* de l'an; ***zalig*** (*of* ***gelukkig***) ***—!*** bonne année!
nieuw'jaarsbezoek *o.* visite *f.* de nouvel an.
nieuw'jaarsboodschap *v.* message *m.* de fin d'année, — de nouvel an.
nieuw'jaarsdag *m.* jour *m.* de l'an.
nieuw'jaarsgeschenk *o.* étrennes *f.pl.*
nieuw'jaarskaartje *o.* carte *f.* de nouvel an, — de félicitations pour le nouvel an.
nieuw'jaarswens *m.* souhait *m.* de bonne année, vœu *m.* de nouvel an.
nieuwlichterij' *v.* hétérodoxie *f.*; modernisme *m.*
nieuwmo'disch *b.n.* moderne, à la mode.
Nieuw-Or'leans *o.* la Nouvelle-Orléans.
Nieuw'poort *o.* Nieuport *m.*
nieuws *o.* **1** (*berichten*) nouvelles *f.pl.*; **2** (*iets nieuws*) du nouveau, une nouveauté; ***gemengd —,*** faits divers; ***dat is oud —,*** c'est de l'histoire ancienne.
nieuws'agentschap *o.* agence *f.* télégraphique.
nieuws'bericht *o.* nouvelle *f.*; ***—en,*** journal *m.* parlé, bulletin *m.* d'information.
nieuws'blad *o.* journal *m.*
nieuws'bode *m.* porteur *m.* de nouvelles.
Nieuw-Schot'land *o.* la Nouvelle-Écosse.
nieuwsgie'rig *b.n.* curieux.
nieuwsgie'righeid *v.* curiosité *f.*
nieuws'tijding *v.* nouvelle *f.*
nieuwtestamen'tisch *b.n.* nouveau testamentaire.
nieuw'tje *o.* **1** (*tijding*) nouvelle *f.*; **2** (*nieuwigheid*) nouveauté *f.*; ***het is nog een —,*** cela a encore le charme de la nouveauté.
nieuw'tjesjager *m.* colporteur *m.* de nouvelles, gazette *f.*, nouvelliste *m.*
Nieuw-Zee'land *o.* la Nouvelle-Zélande.
Nieuwzee'lander *m.* Néo-Zélandais *m.*
Nieuwzee'lands *b.n.* néo-zélandais.
nieuwzil'ver *o.* maillechort *m.*
Nieuw'-Zuid-Wales *o.* la Nouvelle-Galles du Sud.
nie'zen, nie'sen *on.w.* éternuer.
Ni'ger *o.* Niger *m.*; ***uit —,*** nigérien.
Nige'rië *o.* la Nigérie.
ni'hil *vnw.* rien du tout, nul, néant.
nihilis'me *o.* nihilisme *m.*
nihilist' *m.* nihiliste *m.*
nihilis'tisch *b.n.* nihiliste.
nijd *m.* envie, jalousie *f.*
nij'das *m.* grincheux, hargneux *m.*
nij'dig I *b.n.* **1** (*afgunstig*) jaloux; **2** (*boos*) fâché, furieux; **3** (*v. dier*) méchant; **II** *bw.* d'un ton fâché; méchamment.
nij'digaard *m.* envieux *m.*
nij'digheid *v.* **1** (*afgunst*) jalousie, envie *f.*; **2** (*toorn*) colère *f.*
nij(d)'nagel *m.* envie *f.*
nij'gen *on.w.* s'incliner, faire la révérence.
nij'ging *v.* révérence *f.*
Nijl *m.* Nil *m.*
nijl'paard *o.* hippopotame *m.*
Nij'megen *o.* Nimègue *f.*
nij'nagel, nijd'nagel *m.* envie *f.*
nij'pen *ov.w.* **1** pincer, serrer; **2** (*fig.*) gêner, presser.
nij'pend *b.n.* **1** (*nood, armoede*) pressant; **2** (*koude*) perçant, pénétrant; **3** (*pijn*) cuisant, aigu; **4** (*gevaar*) imminent; **5** (*honger*) dévorant.
nij'per *m.* **1** (*v. kreeft*) pince *f.*; **2** (*instrum.*) pincette(s) *f.(pl.)*; **3** (*tn.*) tenailles *f.pl.*
nijp'tang *v.(m.)* **1** (*groot*) tenailles *f.pl.*; **2** (*klein*) pincette *f.*
Nij'vel *o.* Nivelles *m.*
Nij'velaar *m.* Nivellois *m.*
Nij'vels *adj.* nivellois.
nij'ver *b.n.* actif, laborieux, industrieux.
nij'verheid *v.* industrie *f.*
nij'verheidsman *m.* industriel *m.*
nij'verheidsschool *v.(m.)* école *f.* industrielle.
nij'verheidsvoortbrengsel *o.* produit *m.* de l'industrie.
nik'kel *o.* nickel *m.*
nik'kelen I *b.n.* en nickel; **II** *ov.w.* nickeler.
nik'kelwerk *o.* (*v. auto*) les chromes *m.pl.*
nik'ken *on.w.* faire un signe de tête.
nik'ker *m.* **1** moricaud, nègre *m.*; **2** esprit *m.* malin.

nik'kertje *o.* négrillon *m.*
Nikode'mus *m.* Nicodème *m.*
Ni'kolaas *m.* Nicolas *m.*
niks, *zie* ***niets.***
nim'bus *m.* nimbe *m.*, auréole *f.*
nimf *v.* nymphe *f.*
nim'mer *bw.* jamais, ne... jamais.
Nim'rod *m.* Nemrod *m.*
Ni'niveh *o.* Ninive *f.*; ***uit —,*** ninivite.
nip'pel *m.* (*tn.*) mamelon *m.*, douille *f.*
nip'pertje *o.* ***op het —,*** au dernier moment; à la dernière minute; de justesse.
nis *v.*(*m.*) niche *f.*
nitraat' *o.* nitrate *m.*
nitrocellulo'se *v.*(*m.*) nitrocellulose *f.*
nitroglyceri'ne *v.*(*m.*) nitroglycerine *f.*
niveau' *o.* niveau, taux *m.*; ***op hoog —,*** à un niveau élevé; ***ontmoeting op het hoogste —,*** rencontre *f.* à l'échelon le plus élevé, — au sommet.
nivelle'ren *ov.w.* niveler.
nivelle'ring *v.* nivellement *m.*
Niz'za *o.* Nice *f.*
Nje'men *m.* Niémen *m.*
No'ach *m.* Noé *m.*
no'bel *b.n.* noble, généreux.
Nobel'prijswinnaar *m.* (lauréat *m.* du) prix *m.* Nobel.
noch *vw.* ni; ***Frans — Pieter,*** ni François ni [Pierre.
nochtans' *bw.* cependant, pourtant, toutefois.
no'de *bw.* à regret, à contre-cœur; ***van — hebben,*** avoir besoin de; ***van — zijn,*** être nécessaire.
no'deloos *b.n.* inutile.
no'deloosheid *v.* inutilité *f.*
no'den *ov.w.* inviter.
no'dig I *b.n.* nécessaire; ***— hebben,*** avoir besoin de, falloir; ***ik heb boeken —,*** il me faut des livres; ***dat heb ik juist —,*** voilà mon affaire, voilà ce qu'il me faut; ***hij heeft drie uren — gehad om zijn werk te maken,*** il a mis trois heures à faire ses devoirs; ***'t is dringend —,*** c'est urgent; ***zo —,*** au besoin; ***voor zover —,*** en tant que de besoin; ***het —e,*** le nécessaire; ***zij hebben het —e niet om van te leven,*** ils n'ont pas de quoi vivre; **II** *bw.* nécessairement.
no'digen *ov.w.* inviter (à), convier (à).
no'diging *v.* invitation *f.*
noem'baar *b.n.* exprimable.
noe'men *ov.w.* **1** nommer, appeler; **2** (*benoemen*) dénommer; **3** (*betitelen*) qualifier de; **4** (*uitschelden voor*) traiter de; **5** (*vermelden*) citer; ***zijn naam —,*** décliner son nom; ***bij zijn naam —,*** nommer par son nom; ***een voorbeeld —,*** donner un exemple, citer —; ***zich iemands vriend —,*** se dire l'ami de qn.; ***bij het — van die naam,*** à ce nom.
noemenswaar'd(ig) *b.n.* digne d'être nommé; notable, important; ***niet —,*** insignifiant.
noe'mer *m.* dénominateur *m.*
noen *m.* midi *m.* [ner *m.*
noen'maal *o.* repas *m.* de midi, (second) déjeu-
noest I *m.* (*kwast in hout*) nœud *m.*; **II** *b.n.* actif, laborieux.
noest'heid *v.* application, activité, assiduité *f.*
nog *bw.* encore; ***— altijd, — steeds,*** toujours; ***— steeds niet,*** toujours pas; ***tot — toe,*** jusqu'à présent; ***vandaag —,*** aujourd'hui même; ***ik heb — maar 50 frank,*** je n'ai plus que 50 francs; ***al roept hij — zo hard,*** il a beau crier; ***dat ontbreekt er — aan,*** il ne manquerait plus que cela; ***en dat is — wel een neef van hem,*** et dire que c'est son cousin; ***hij zal — ziek worden,*** il finira par tomber malade.
no'ga *m.* nougat *m.*
nogal' *bw.* **1** (*tamelijk*) assez; **2** (*vrij veel*) assez bien, pas mal.
nog'maals *bw.* encore une fois, de nouveau.
no i'ron sans repassage.
nok I *v.*(*m.*) **1** (*v. dak*) faîte *m.*; **2** (*sch.*) bout *m.* de vergue; **II** *m.* sanglot *m.*
nok'balk *m.* faîtage *m.*
nok'kenas *v.*(*m.*) arbre *m.* à cames; — à excentrique; — de distribution.
nok'lijn *v.*(*m.*) ligne *f.* de faîte, faîte *m.*
nok'pan *v.*(*m.*) tuile *f.* faîtière, faîtière, arêtière *f.*
no'lens vo'lens *bw.* bon gré mal gré.
noma'denvolk *o.* peuple *m.* nomade.
noma'disch *b.n.* nomade.
nominaal' *b.n.* nominal.
nomina'tie *v.* nomination *f.*; ***op de — staan,*** être sur la liste.
nominatief' *m.* nominatif *m.*
nom'mer, *zie* ***nummer.***
non *v.* religieuse *f.*; ***— worden,*** prendre le voile.
no'na *v.* (*gen.*) nona *m.*, maladie *f.* du sommeil.
non-actief', non-aktief' *b.n.* en non-activité, en disponibilité; (*mil.*) en demi-solde.
non-activiteit', non-aktiviteit' *v.* non-activité, disponibilité *f.*; ***op —,*** en non-activité, en disponibilité; (*mil.*) en demi-solde.
non-agres'siepact, -pakt *o.* pacte *m.* de non-agression.
nonchalant' I *b.n.* nonchalant; **II** *bw.* nonchalamment.
no'ne *v.*(*m.*) **1** (*muz.*) none, neuvième *f.*; **2** (*kath.*) none *f.*
no'nius *m.* nonius, vernier *m.*
non'kel *m.* oncle *m.*
non'nenkleed *o.* habit *m.* de religieuse.
non'nenklooster *o.* couvent *m.* de femmes.
non'nenleven *o.* vie *f.* de religieuse.
non-paschant' *m.* qn. qui ne fait pas ses Pâques.
non'sens *m.* non-sens *m.*, absurdité, bêtise *f.*
non-stop'vlucht *v.*(*m.*) vol *m.* sans escales.
nood *m.* **1** (*behoefte, noodzakelijkheid*) nécessité *f.*; **2** (*kommer, gebrek*) besoin *m.*, nécessité *f.*; misère *f.*; **3** (*gevaar*) danger, péril *m.*, détresse *f.*; ***een schip in —,*** un navire en détresse; ***als de — aan de man komt,*** quand la nécessité l'exige; (*in dreigend gevaar*) en cas d'urgence; ***zijn — klagen,*** se plaindre; ***uit de — helpen,*** tirer d'affaire; ***— breekt wet,*** nécessité n'a point de loi; ***van de — een deugd maken,*** faire de nécessité vertu; ***— leert bidden,*** la faim chasse le loup du bois.
nood'adres *o.* besoin *m.*
nood'anker *o.* (*sch.*) ancre *f.* de miséricorde.
nood'bed *o.* lit *m.* de détresse .
nood'bel *v.*(*m.*) sonnette *f.* d'alarme.
nood'brug *v.*(*m.*) pont *m.* provisoire.
nood'deur *v.*(*m.*) porte *f.* de secours, — de dégagement, sortie *f.* en cas d'alerte.
nood'doop *m.* ondoiement *m.*, baptême *m.* urgent; ***de — toedienen,*** ondoyer, baptiser d'urgence.
nood'druft *m. en v.* besoin *m.*, nécessité *f.*; choses *f.pl.* de première nécessité.
nooddruf'tig *b.n.* indigent, nécessiteux.
nooddruf'tigheid *v.* indigence, nécessité *f.*
nood'dwang *m.* contrainte *f.*; nécessité *f.* absolue.
nood'gebied *o.* région *f.* sinistrée.
noodgedwon'gen *bw.* forcément.
nood'geld *o.* monnaie *f.* de guerre.
nood'geschrei *o.* cris *m.pl.* de détresse.
nood'geval *o.* cas *m.* d'urgence.
nood'haven *v.*(*m.*) escale *f.*, port *m.* d'échouage, — de salut.

nood'hulp *v.(m.)* aide *m.-f.* provisoire, bouche-trou* *m.*
nood'kerk *v.(m.)* église *f.* provisoire, — de fortune.
nood'klok *v.(m.)* tocsin *m.*
nood'kreet *m.* cri *m.* de détresse.
nood'landing *v.* atterrissage *m.* forcé.
nood'leugen *v.(m.)* pieux mensonge *m.*, mensonge officieux.
noodlij'dend *b.n.* **1** pauvre, indigent, nécessiteux; **2** (*H.*) en souffrance.
noodlij'dende *m.-v.* indigent, nécessiteux *m.*
nood'lot *o.* destin *m.*, destinée, fatalité *f.*
noodlot'tig I *b.n.* funeste, fatal; **II** *bw.* fatalement.
noodlot'tigheid *v.* fatalité *f.*
nood'maatregel *m.* mesure *f.* d'urgence; — forcée.
nood'mast *m.* (*sch.*) mât *m.* de fortune.
nood'munt *v.(m.)* **1** monnaie *f.* de guerre; **2** (*oudheid*) monnaie *f.* obsidionale.
nood'rantsoen *o.* (*mil.*) vivres *m.pl.* de réserve, ration *f.* de fer, — de réserve.
nood'rem *v.(m.)* **1** signal *m.* d'alarme; **2** frein *m.* de secours, — de sûreté.
nood'roer *o.* (*sch.*) gouvernail *m.* de fortune.
nood'schot *o.* coup *m.* de détresse.
nood'sein *o.* signal *m.* d'alarme, — de détresse.
nood'slachting *v.* abattage (*of* abatage) *m.* instantané, — forcé.
nood'sprong *m.* coup *m.* de désespoir.
nood'stal *m.* (*v. hoefsmid*) travail *m.*
nood'toestand *m.* état *m.* d'urgence, — d'alerte; situation *f.* désespérée.
nood'trap *m.* escalier *m.* de secours.
nood'uitgang *m.* sortie *f.* de secours.
nood'verband *o.* bandage *m.* de campagne; — provisoire, premier pansement *m.*
nood'verlichting *v.* éclairage *m.* de secours.
nood'verordening *v.* décret*-loi* *m.*
nood'vlag *v.(m.)* pavillon *m.* de détresse.
nood'we(d)er *o.* tempête, tourmente *f.*, temps *m.* orageux, chien *m.* de temps, gros temps.
nood'weer *v.(m.)* légitime défense *f.* [inévitable.
noodwen'dig *b.n.* nécessaire, indispensable,
noodwen'digheid *v.* nécessité *f.*
nood'wet *v.(m.)* loi *f.* provisoire. [que *f.*
nood'woning *v.* logement *m.* provisoire; bara-
nood'zaak *v.(m.)* contrainte *f.*; nécessité *f.*; ***uit —,*** par nécessité.
noodza'kelijk *b.n.* nécessaire; (*onmisbaar*) indispensable; ***—e levensbehoeften,*** articles de première nécessité.
noodza'kelijkerwijs, -wijze *bw.* forcément.
noodza'kelijkheid *v.* nécessité, urgence *f.*
nood'zaken *ov.w.* obliger (à), forcer (à), contraindre (à).
nooit *bw.* jamais, ne... jamais; ***— meer,*** plus jamais; ***— ofte nimmer,*** au grand jamais; ***— iets,*** jamais rien.
Noor *m.* Norvégien *m.*
noord I *b.n.* nord; septentrional; **II** *bw.* au nord, du nord; ***de wind is —,*** le vent souffle du nord; **III** *z.n., o. en v.* nord *m.*
Noord-A'frika *o.* l'Afrique *f.* du Nord.
Noordafrikaans' *b.n.* nord-africain.
Noord-Ame'rika *o.* l'Amérique *f.* du Nord, — septentrionale.
Noordamerikaans' *b.n.* de l'Amérique du Nord.
Noord-Bra'bant *o.* le Brabant septentrional.
Noordduits' *b.n.* de l'Allemagne du Nord.
Noordduit'ser *m.* Allemand *m.* du Nord.
Noord-Duits'land *o.* l'Allemagne du Nord.
noor'delijk I *b.n.* du nord; septentrional; (*v. pool*) boréal, arctique; ***het — gedeelte van de stad,*** la partie nord de la ville; **II** *bw.* au nord, vers le nord.
noor'den *o.* nord *m.*; ***het hoge —,*** les régions arctiques; ***ten — van,*** au nord de; ***op het — (liggen),*** (être exposé) au nord. [aquilon *m.*
noor'denwind *m.* vent *m.* du nord, bise *f.*; (*dicht.*)
noor'derbreedte *v.* latitude *f.* nord.
noor'derkeerkring *m.* tropique *m.* du Cancer.
noor'derlicht *o.* aurore *f.* boréale.
noor'derzon *v.(m.)*, ***met de — vertrekken,*** déménager à la cloche de bois, mettre la clef sous la porte, faire un trou à la lune.
Noord-Hol'land *o.* la Hollande septentrionale.
Noord'kaap *v.(m.)* Cap *m.* Nord.
noord'kant *m.* côté *m.* (du) nord.
noord'kust *v.(m.)* côte *f.* septentrionale.
Noord-Ne'derland *o.* la Hollande.
Noordne'derlander *m.* Hollandais *m.*
Noordne'derlands *b.n.* hollandais.
noordoost'(elijk) *b.n.* nord-est.
noordoos'ten *o.* nord-est *m.*
noordoos'tenwind *m.* vent *m.* du nord-est, bise *f.*
noord'pool *v.(m.)* pôle *m.* nord, — arctique.
noord'poolcirkel *m.* cercle *m.* polaire arctique.
noord'poollanden *mv.* terres *f.pl.* arctiques.
noord'poolreiziger *m.* explorateur *m.* du pôle nord.
noord'poolzee *v.(m.)* mer *f.* arctique.
noords *b.n.* **1** du nord, nord, septentrional; **2** (*volk, taal*) nordique.
noord'ster *v.(m.)* étoile *f.* du nord, — polaire.
noord'waarts *bw.* au nord, vers le nord.
noordwest'(elijk) *b.n.* nord-ouest.
noordwes'ten *o.* nord-ouest *m.*
noordwes'tenwind *m.* vent *m.* du nord-ouest.
Noord'zee *v.* mer *f.* du Nord.
noord'zij(de) *v.(m.)* côté *m.* (du) nord.
Noor'man *m.* Norman(d) *m.*
Noors *b.n.* norvégien.
Noor'wegen *o.* la Norvège.
noot *v.(m.)* **1** noix *f.*; **2** (*muz.*) note *f.*; ***een hele —,*** une ronde; ***een kwart —,*** une noire; ***een halve —,*** une blanche; ***een achtste —,*** une croche; ***een zestiende —,*** double croche; ***veel noten op zijn zang hebben,*** être fort exigeant, être très difficile à contenter.
noot'cijfer *o.* appel *m.* de note.
noot'je *o.* **1** petite noix *f.*; **2** (*muz.*) petite note *f.*
noot'jeskolen *mv.* têtes *f.pl.* de moineau.
nootmuskaat', notemuskaat' *v.(m.)* (noix) muscade *f.*
nootmuskaat'boom *m.* muscadier *m.*
nop *v.(m.)* nœud *m.*, nope *f.*; ***goed in de —pen zitten,*** être bien habillé.
no'pen *ov.w.* **1** (*aansporen*) exciter, pousser; **2** (*fig.: dwingen*) forcer, obliger, contraindre.
no'pens *vz.* concernant, touchant, quant à.
nop'jes *mv.* ***in zijn — zijn,*** être de bonne humeur, être très content, être dans son assiette.
nop'jesgoed *o.* ratine *f.*, ratiné *m.*
nop'pen *ov.w.* énouer, éplucher, énoper.
nop'per *m.* énoueur, nopeur *m.*
nop'pig *b.n.* plein de nœuds, plein de nopes.
nor *v.(m.)* violon, bloc *m.*
norbertijn' *m.* (père) prémontré *m.*
norm *v.(m.)* norme *f.*
normaal' *b.n.* normal.
normaal'film *m.* film *m.* normal.
normaal'kaars *v.(m.)* bougie *f.*
normaal'oplossing *v.* (*scheik.*) solution *f.* normale.
normaal'school *v.(m.)* école *f.* normale (primaire).

normaal'spoor *o.* voie *f.* normale.
normaal'vlak *o.* (*wisk.*) plan *m.* normal.
normalisa'tie, -iza'tie *v.* normalisation *f.*
normalise'ren, -ize'ren *ov.w.* régulariser.
normalist' *m.* normalien *m.*
normaliz-, *zie* ***normalis-.***
Norman'dië *o.* la Normandie.
Norman'diër *m.* Normand *m.*
Norman'disch *b.n.* normand.
nors I *b.n.* bourru, renfrogné, rébarbatif, brusque; **II** *bw.* d'un ton bourru, d'un air renfrogné.
nors'heid *v.* renfrognerie, brusquerie *f.*, air *m.* rébarbatif.
no'ta *v.*(*m.*) note *f.*; mémorandum *m.*; (*in café of restaurant*) addition *f.*; ***— van iets nemen,*** prendre note de qc., prendre acte de qc.
nota'bel *b.n.* notable.
nota'belen *mv.* notables *m.pl.*, notabilités *f.pl.*
nota be'ne *tw.* remarquez bien; (*iron.*) par exemple.
notabiliteit' *v.* notabilité *f.*
notariaat' *o.* **1** (*ambt*) notariat *m.*; **2** (*praktijk, kantoor*) étude *f.* (de notaire), cabinet *m.* notarial.
notarieel' I *b.n.* **1** (*v. ambt*) notarial; **2** (*v. akte*) notarié, passé par-devant notaire, authentique; **II** *bw.* par acte notarié.
nota'ris *m.* notaire *m.*
nota'risambt *o.* notariat *m.*
nota'riskantoor *o.* étude *f.* de notaire.
nota'risklerk *m.* clerc *m.* de notaire.
nota'risschap *o.* notariat *m.*
no'tebolster *m.* brou *m.* de noix, écale *f.*
no'teboom *m.* noyer *m.*
no'tedop *m.* coquille *f.* de noix; ***in een —,*** en raccourci, en résumé.
no'tehout *o.* noyer *m.*
no'tehouten *b.n.* de (*of* en) noyer.
no'tekraker *m.* **1** (*tn.*) casse-noix, casse-noisettes *m.*; **2** (*Dk.*) casse-noix *m.*
no'temuskaat, *zie* ***nootmuskaat.***
no'ten *b.n.* de (*of* en) noyer.
no'tenbalk *m.* (*muz.*) portée *f.*
no'tenpapier *o.* (*muz.*) papier *m.* à musique.
no'tenrol *v.*(*m.*) (*muz.*) cylindre *m.* noté.
no'tenschrift *o.* (*muz.*) notation *f.* musicale.
no'teolie *v.*(*m.*) huile *f.* de noix.
note'ren *ov.w.* **1** (*aantekenen*) noter, marquer; prendre note de; **2** (*beurskoers*) coter; **3** (*boeken*) porter en compte.
note'ring *v.* **1** notation *f.*; **2** (*beurs—*) cote *f.*
no'tie *v.* notion *f.*; ***hij heeft er geen — van,*** il n'en sait pas le premier mot.
notifica'tie, -fika'tie *v.* notification *f.*
notifice'ren *ov.w.* notifier.
notifika'tie, -fica'tie *v.* notification *f.*
noti'tie *v.* annotation, note *f.*; ***—s maken,*** prendre des notes; ***— nemen van,*** prendre (bonne) note de; faire attention à; ***geen — van iem. nemen,*** ignorer qn.
noti'tieboekje *o.* carnet, calepin *m.*
no'tulen *mv.* procès-verbal* *m.*; ***de — arresteren, — goedkeuren,*** approuver le procès-verbal.
no'tulenboek *o.* livre *m.* des procès-verbaux.
No'va-Zem'bla *o.* la Nouvelle-Zemble.
noveen', nove'ne *v.*(*m.*) neuvaine *f.*
novel'le *v.*(*m.*) **1** (*verhaal*) nouvelle *f.*; **2** (*recht*) modification *f.* d'une loi; novelle *f.*
novel'lenschrijver, novellist' *m.* nouvellier; nouvelliste *m.*
novem'ber *m.* novembre *m.*
nove'ne, noveen' *v.*(*m.*) neuvaine *f.*
novi'ce *m.-v.* novice *m.-f.*
novi'cenmeester *m.* maître *m.* des novices.
noviciaat' *o.* noviciat *m.*
noviet' *m.-v.* novice *m.*
no'vum *o.* fait *m.* nouveau.
no'zem *m.* blouson *m.* noir.
nu I *bw.* **1** (*thans*) maintenant, à présent; **2** (*in 't verleden: toen*) alors; **3** (*dus*) donc, après cela; ***tot — toe,*** jusqu'ici, jusqu'à présent; ***van — af aan,*** désormais, dès maintenant; ***— en dan,*** de temps en temps, de temps à autre; ***— eens..., dan weer,*** tantôt... tantôt; ***wat — weer ?*** qu'est-ce encore ? **II** *vw.* puisque, maintenant que; **III** *tw.* allons! voyons! eh bien!; **IV** *z.n., o.* présent *m.*
nuan'ce *v.*(*m.*) nuance *f.*
nuance'ren *ov.w.* nuancer.
nuance'ring *v.* nuancement *m.*
Nu'bië *o.* la Nubie.
Nu'biër *m.* Nubien *m.*
Nu'bisch *b.n.* nubien.
nuch'ter *b.n.* **1** (*nog niet gegeten hebbende*) à jeun; **2** (*niet dronken*) à sec, qui n'a pas bu, qui n'est pas ivre; **3** (*bezadigd*) modéré, calme, flegmatique, froid, retenu; **4** (*onnozel*) simple, naïf; **5** (*van alle verdichting ontdaan*) prosaïque; ***het —e leven,*** la vie prosaïque; ***een — verstand,*** un esprit pondéré; ***de —e waarheid,*** la vérité toute nue; ***een — kalf,*** un veau nouveau-né; ***de —e darm,*** le jéjunum.
nuch'terheid *v.* **1** état *m.* d'être à jeun; **2** sobriété *f.*; **3** calme *m.*, froideur *f.*; **4** simplicité, naïveté *f.*; **5** sobriété *f.*, réalisme *m.*; **6** (*v. stijl*) fadeur *f.*
nucleo'nen *mv.* nucléons *m.pl.*, particules *m.pl.* nucléaires.
Nu'dorp *o.* Wihogne.
nuf *v.* mijaurée, petite sotte *f.*
nuf'fig *b.n.* qui se donne des airs, sot, prétentieux.
nuf'figheid *v.* pruderie, fierté *f.*
nuk *v.*(*m.*) caprice *m.*, quinte *f.*
nuk'kig *b.n.* capricieux, quinteux.
nuk'kigheid *v.* humeur *f.* capricieuse.
nul *v.*(*m.*) **1** zéro *m.*; **2** (*fig.*) homme *m.* nul, nonvaleur *f.*; ***van — en gener waarde,*** d'aucune valeur; ***— op het rekest krijgen,*** essuyer un refus; ***hij is een grote —,*** c'est une parfaite nullité, — un zéro; ***een — in 't cijfer,*** un zéro en chiffre.
nulliteit' *v.* nullité *f.*, homme *m.* nul, non-valeur *f.*
nul'meridiaan *m.* méridien *m.* origine, premier méridien.
nul'punt *o.* zéro.
Nu'meri *o.* les Nombres *m.pl.*
numeriek' *b.n.* numérique.
Numi'dië *o.* la Numidie.
Numi'diër *m.* Numide *m.*
Numi'disch *b.n.* numide.
numismatiek' *v.* numismatique *f.*
num'mer *o.* **1** (*alg.*) numéro *m.*; **2** (*v. schoenen, handschoenen*) pointure *f.*; **3** (*bij wedstrijd*) épreuves *f.pl.*; ***ik heb — 42*** (*voor schoenen*), je chausse du quarante-deux; ***ik heb — 7*** (*v. handschoenen*), je gante du sept; ***hij is altijd — één,*** il est toujours premier; ***iem. op zijn — zetten,*** remettre qn. à sa place; ***een — draaien,*** composer un numéro.
num'meraar *m.* numéroteur *m.*
num'merbewijs *o.* indicatif *m.*
num'merbord *o.* tableau *m.* indicateur.
num'meren *ov.w.* numéroter.
num'mering *v.* numérotage *m.*
num'merplaat *v.*(*m.*) plaque *f.* d'immatriculation, — de police.
num'merschijf *v.*(*m.*) (*tel.*) disque *m.* d'appel.
nuntiatuur' *v.* nonciature *f.*
nun'tius *m.* nonce *m.*

nurk(s) *m.* grincheux, grognard, bourru *m.*
nurks *b.n.* grincheux, grognon, insociable, bourru.
nurks'heid *v.* humeur chagrine *f.*
nur'se *v.* nurse, gouvernante *f.*
nut *o.* **1** utilité *f.*; **2** (*voordeel*) avantage, intérêt *m.*; **3** (*winst*) profit, bénéfice *m.*; ***zich iets ten —te maken,*** faire son profit de qc., profiter de qc.; ***onteigening ten algemenen —te,*** expropriation pour cause d'utilité publique; ***van — zijn,*** être utile (à).
nut'teloos I *b.n.* inutile; ***dat zal — werk zijn,*** ce sera peine perdue; **II** *bw.* inutilement.
nut'teloosheid *v.* inutilité *f.*
nut'ten *ov.w.* **1** (*dienstig zijn tot*) être utile à, servir à; **2** (*nuttigen*) manger, prendre.
nut'tig *b.n.* utile; profitable, avantageux.
nut'tigen *ov.w.* prendre, manger.
nut'tigheid, *zie* ***nut.***
nut'tiging *v.* **1** (*v. spijzen*) ingestion; consommation *f.*; **2** (*in de mis*) communion *f.*
ny'lon 1 *o. en m.* nylon; **2** *zie* ***nylonkous.***
ny'lonkous *v.*(*m.*) bas *m.* nylon.
ny'lontent *v.*(*m.*) tente *f.* de nylon.

O

O *v.*(*m.*) o *m.*
o! *tw.* **1** (*in aanroeping*) ô; ***— God,*** ô mon Dieu! **2** oh! ah!; ***— wee!*** aïe; ***— jee!*** oh là là; ***— zo!*** ah ça, tu parles!; ***— foei!*** fi (donc)!
oa'se, oa'ze *v.* oasis *f.*
obediën'tie *v.* obédience *f.*
obelisk' *m.* obélisque *m.*
o'-benen *mv.* jambes *f.pl.* bancales.
o'ber(**kelner**) *m.* maître *m.* d'hôtel, garçon.
object', objekt' *o.* **1** objet *m.*; **2** (*gram.*) objet, complément *m.*
objectief', objektief' I *b.n.* objectif; **II** *bw.* objectivement; **III** *z.n., o.* objectif *m.*
objectiviteit', objektiviteit' *v.* objectivité *f.*
oblaat' I *v.*(*m.*) **1** (*hostie*) hostie *f.*; **2** (*ouwel*) pain *m.* à cacheter; **II** *m.* oblat *m.*
oblie' *v.* **1** oublie *f.*; **2** (*opgerold*) cornet *m.*
obligaat' *o.* (*muz.*) partie *f.* obligée; ***— partij,*** solo *m.*
obliga'tie *v.* obligation *f.*; ***— op naam,*** obligation [nominative.
obliga'tiehouder *m.* obligataire *m.*
obliga'tielening *v.* émission *f.* d'obligations; emprunt *m.* d'obligations.
obliga'tieschuld *v.*(*m.*) dette *f.* obligataire.
obli'go *o.* (*H.*) engagement *m.*; ***zonder ons —,*** sans engagement de notre part.
oblitere'ren *ov.w.* oblitérer.
oblong' *b.n.* oblong, (format) à l'italienne.
obool' *m.* obole *f.*
observant' *m.* observantin *m.*
observan'tie *v.* observance *f.*
observa'tie *v.* observation *f.*
observa'tieballon *m.* ballon *m.* d'observation.
observa'tiepost *m.* (*mil.*) poste *m.* d'observation.
observa'tor *m.* observateur *m.*
observato'rium *o.* observatoire *m.*
obses'sie *v.* obsession *f.*
obsidiaan' *o.* obsidienne *f.*
obsta'kel *o.* obstacle *m.*; encombrement *m.*
obste'trisch I *b.n.* obstétrical; **II** *bw.* obstétricalement.
obstinaat' *b.n.* obstiné; ***— worden,*** s'obstiner.
obstruc'tie, obstruk'tie *v.* obstruction *f.*
obstructionis'me, obstruktionis'me *o.* obstruction *f.*, obstructionisme *m.*
ocari'na, okari'na *v.*(*m.*) ocarina *m.*
oceaan' *m.* océan *m.*; ***de Grote O—,*** l'océan Pacifique, le Pacifique.
oceaan'stomer *m.* transatlantique *m.*
oceaan'vlucht *v.*(*m.*) traversée *f.* de l'océan (en avion), vol *m.* transocéanique.
Ocea'nië *o.* l'Océanie, Australasie *f.*
ocea'nisch *b.n.* océanique.
och! *tw.* ah! hélas!; ***— ja!*** mon Dieu, oui! ma foi, oui!; ***— kom!*** bah, allons donc!; ***— hemel,*** oh là là.
och'tend *m.* matin *m.*; ***'s —s,*** le matin.
och'tendblad *o.* journal *m.* du matin.
och'tendgloren *o.* aube *f.*
och'tendgymnastiek *v.* réveil *m.* musculaire.
och'tendjapon *m.* peignoir, saut*-de-lit *m.*
och'tendstond *m.* pointe *f.* du jour, aurore *f.*
och'tendtrein *m.* train *m.* du matin.
octaaf', oktaaf' *o. en v.*(*m.*) **1** octave *f.*; **2** (*boek*) in-octavo *m.*
octaaf'dag, oktaaf'dag *m.* octave *f.*
octaaf'fluit, oktaaf'fluit *v.*(*m.*) (*muz.*) octavin [*m.*
octaan'getal, oktaan'getal *o.* indice *m.* d'octane.
octant', oktant' *m.* octant *m.*
Octavia'nus *m.* **1** Octave *m.*; **2** (*gesch.*) Octavien [*m.*
octa'vo-formaat *o.* in-octavo *m.*
octet', oktet' *o.* octuor *m.*
octo'ber, *zie* ***oktober.***
octrooi', oktrooi' *o.* **1** (*vergunning*) octroi *m.*; **2** (*v. uitvinding*) brevet *m.* (d'invention); ***— aanvragen,*** demander un brevet d'invention.
octrooi'bezorger, oktrooi'bezorger *m.* agent *m.* de brevets d'invention.
octrooi'brief, oktrooi'brief *m.* **1** lettre *f.* d'octroi; **2** brevet *m.* d'invention.
octrooie'ren, oktrooie'ren *ov.w.* **1** octroyer; **2** breveter.
octrooi'wet, oktrooi'wet *v.*(*m.*) loi *f.* sur les brevets d'invention.
oculair' *o.* oculaire *m.*
ocula'tie, okula'tie *v.* greffe *f.* en écusson, [écussonnage *m.*
oculeer'mes, okuleer'mes *o.* greffoir *m.*
ocule'ren, okule'ren *ov.w.* greffer en écusson, écussonner.
o'de *v.*(*m.*) ode *f.*
odeur' *m.* odeur *f.*, parfum *m.*
odeur'flesje *o.* flacon *m.* d'odeur.
odyssee' *v.* Odyssée *f.*
Odys'seus *m.* Ulysse *m.*
oecume'nisch *b.n.* oecuménique.
oedeem' *o.* oedème *m.*
œ'dipuscomplex *o.* complexe *m.* d'Œdipe.
oef! *tw.* ouf!
oe'fenen I *ov.w.* **1** exercer; **2** (*soldaten*) exercer, dresser; ***geduld —,*** prendre patience; ***wraak —,*** se venger; ***geweld —,*** user de violence; **II** *w.w.* ***zich —,*** s'exercer (à).
oe'fening *v.* **1** exercice *m.*; **2** (*praktijk*) pratique *f.*; ***leren door de —,*** apprendre par la pratique; ***— baart kunst,*** en forgeant on devient forgeron; l'usage rend maître; ***vrije en orde—en,*** exercices sans appareils; ***lichamelijke —,*** exercice *m.* physique.

oe'feningsschip *o.* navire*-école* *m.*
oe'feningstijd *m.* période *f.* d'instruction.
oe'fenkamp *o.* camp *m.* d'entraînement, — d'instruction.
oe'fenmeester *m.* moniteur *m.*
oe'fenperk *o.* lice, arène *f.*
oe'fenplaats *v.(m.)* lieu *m.* d'exercice.
oe'fenplein *o.* champ *m.* de manœuvres.
oe'fenschool *v.(m.)* **1** école *f.* d'application; **2** (*fig.*) école *f.*
oe'fentijd *m.* **1** temps *m.* d'exercice; **2** (*mil.*) période *f.* d'instruction.
oe'fentocht *m.* tournée *f.* d'entraînement.
oe'fenvlucht *v.(m.)* (*vl.*) vol *m.* d'entraînement.
oe'fenwedstrijd *m.* (*sp.*) partie *f.* d'entraînement.
Oegan'da *o.* Uganda, Ouganda *m.*; ***uit* —,** ougandais.
oe'hoe *m.* (*Dk.*) chat*-huant* *m.*
oei! *tw.* aïe!
oeka'ze *v.(m.)* ukase *m.*
oekele'le *m.* guitare *f.* hawaïenne.
Oekraï'ne *v.* Ukraine *f.*
Oekraïe'ner *m.* Ukranien *m.*
Oekraïens' *b.n.* ukranien.
oer *o.* limonite *f.*
Oer'al *m.* les Monts *m.pl.* Ourals.
oer'bank *v.(m.)* banc *m.* de limonite.
oer'bewoner *m.* aborigène *m.*
oer'dier *o.* protozoaire *m.*
oer'grond *m.* terrain *m.* primitif.
oer'komisch *b.n.* d'un comique fou.
Oer'le *o.* Oreye.
oer'mens *m.* homme *m.* primitif.
Oeroen'di *zie* ***Boeroendi.***
oer'oud *b.n.* archiséculaire, de la plus haute [antiquité.
oer'stof *v.(m.)* matière *f.* fundamentale.
oer'taal *v.(m.)* langue *f.* primitive.
oer'tekst *m.* texte *m.* primitif.
oer'tijd *m.* les premiers temps du monde.
oer'uitgave *v.(m.)* édition *f.* princeps.
oer'volk *o.* peuple *m.* primitif.
oer'vorm *m.* forme *f.* primordiale, — primitive, archétype, prototype *m.*
oer'woud *o.* forêt *f.* vierge.
oes'ter *v.(m.)* huître *f.*
oes'terbaard *m.* barbe *f.* d'huître.
oes'terbank *v.(m.)* banc *m.* d'huîtres, huîtrière *f.*
oes'tercultuur, -kultuur *v.* ostréiculture *f.*
oes'terkoopman *m.* huîtrier *m.*
oes'terkultuur, *zie* ***oestercultuur.***
oes'terkweker *m.* ostréiculteur *m.*
oes'terkwekerij *v.* **1** (*handeling*) ostréiculture *f.*, élevage *m.* des huîtres; **2** (*plaats*) parc *m.* aux huîtres.
oes'termand *v.(m.)* bourriche *f.* (d'huîtres).
oes'terpark *o.* parc *m.* à huîtres.
oes'terput *m.* parc *m.* à huîtres, huîtrière *f.*
oes'terschaal, oes'terschelp *v.(m.)* écaille *f.* (d'huître).
oes'terteelt *v.(m.)* ostréiculture *f.*
oes'terteler *m.* ostréiculteur *m.*
oes'tervangst *v.* pêche *f.* des (*of* aux) huîtres.
oes'terverkoper *m.* huîtrier *m.*
oes'tervisser *m.* pêcheur *m.* d'huîtres.
oestervisserij', *zie* ***oestervangst.***
oes'tervormig *b.n.* ostréiforme.
oes'terzaad *o.* naissain *m.*
oe'ver *m.* **1** (*alg.*) bord *m.*; **2** (*v. rivier*) rive *f.*; **3** (*uitgestrekter*) rivage *m.*; **4** (*kust*) côte *f.*; **5** (*vlak, zandig*) grève *f.*; **6** (*hellende* —) berge *f.*; ***de rivier treedt buiten haar —s,*** la rivière sort de son lit.
oe'veraas *o.* éphémère *m.*
oe'verbewoner *m.* riverain *m.*
oe'verkant *m.* berge *f.*
oe'verkruid *o.* littorelle *f.*
oe'verlicht *o.* fanal *m.*
oe'verloos *b.n.* sans bords.
oe'verplant *v.(m.)* plante *f.* aquatique.
oe'verriet *o.* roseau *m.*
oe'versnip *v.(m.)* courlis *m.*
oe'verval *m.* affouillement *m.*
oe'vervogel *m.* oiseau *m.* de rivage.
oe'verzand *o.* grève *f.*
oe'verzoom *m.* littoral *m.*
oe'verzwaluw *v.(m.)* hirondelle *f.* de rivage.
of *vw.* **1** ou; **2** (*onderschikkend*) si; que; **3** (*alsof*) comme si; ***4 — 5 kilo,*** 4 à 5 kilos; ***een kilo — 5,*** environ 5 kilos; **— ... — ...,** ou bien ... ou, soit ... soit ...; ***een stuk — twintig,*** une vingtaine; ***— u wilt — niet,*** que vous le vouliez ou non; ***— ik al riep...,*** j'avais beau crier; ***ik twijfel — hij komen zal,*** je doute qu'il vienne, — s'il viendra; ***hij deed — hij niets begreep,*** il faisait semblant de ne rien comprendre; ***ik ben benieuwd —,*** je suis curieux de savoir si; ***— hij blij was!*** tu penses s'il était content! ***net —,*** tout comme.
offensief' **I** *b.n.* offensif; **II** *bw.* offensivement; ***— optreden,*** prendre l'offensive; **III** *z.n., o.* offensive *f.*; ***het — inzetten,*** déclencher l'offensive.
of'fer *o.* **1** (*alg.*) sacrifice *m.*; **2** (*gave*) offrande *f.*; **3** (*slachtoffer*) victime *f.*; ***ten — vallen aan,*** mourir victime de, périr —; ***zijn leven ten — brengen,*** faire le sacrifice de sa vie; ***zich —s getroosten,*** s'imposer des sacrifices; ***ten — gaan,*** (*kath.*) aller à l'offrande.
of'feraar *m.* sacrificateur *m.*
of'ferande *v.(m.)* **1** (*gave; deel v. zielmis*) offrande *f.*; **2** (*gebed v. de mis*) offertoire *m.*; **3** (*daad*) sacrifice *m.*
of'ferbeeld *o.* ex-voto *m.*
of'ferbeest *o.* victime *f.*
of'ferblok *o.* tronc *m.* (d'église).
of'ferbrood *o.* pain *m.* d'oblation.
of'ferbus *v.(m.)* tronc *m.*
of'ferdier *o.* victime *f.*
of'ferdrank *m.* (vin *m.* des) libations *f.pl.*
of'feren **I** *ov.w.* **1** (*als offer aanbieden*) sacrifier, offrir en sacrifice; **2** (*v. dier: doden*) immoler; **3** (*pop.*) payer; **II** *on.w.* **1** sacrifier; **2** (*bij belasting: pop.*) casquer, s'exécuter.
of'ferfeest *o.* sacrifice *m.* solennel.
of'fergave *v.(m.)* offrande *f.*
of'fergebed *o.* (*v. de mis*) offertoire *m.*
of'fergeld *o.* offrande *f.*
of'fergewaad *o.* habit *m.* du sacrificateur.
of'fering *v.* sacrifice *m.*, immolation *f.*
of'ferkelk *m.* calice *m.*
of'ferlam *o.* agneau *m.* mystique.
of'fermaal *o.* repas *m.* sacrificatoire.
of'ferplechtigheid *v.* cérémonies *f.pl.* sacrifica- [toires.
of'ferpriester *m.* sacrificateur *m.*
of'ferschaal *v.(m.)* **1** vase *m.* sacré; **2** (*v. de offerande*) plateau *m.*
of'fersteen *m.* pierre *f.* sacrificatoire.
offer'te *v.(m.)* (*H.*) offre *f.*; ***vaste —,*** offre ferme; ***vrijblijvende —,*** offre sans engagement.
offerto'rium *o.* offertoire *m.*
offervaar'dig *b.n.* généreux, libéral.
offervaar'digheid *v.* générosité, libéralité *f.*, esprit *m.* de sacrifice.
of'fervee *o.* bétail *m.* immolé.
of'ferwichelaar *m.* (*oudh.*) aruspice *m.*
of'ferwijn *m.* **1** (*oudh.*) vin *m.* de libation; **2** (*miswijn*) vin *m.* de messe.
offi'cie *o.* **1** office *m.*; **2** (*ambt, post*) emploi *m.*, [charge *f.*

officieel' I *b.n.* officiel; **II** *bw.* officiellement.
officier' *m.* officier *m.*; ***— van gezondheid,*** 1 médecin *m.* militaire; 2 (*F.*) major *m.*; ***eerste —,*** (*sch.*) capitaine *m.* en second; ***— van de wacht,*** (*sch.*) officier de quart; ***— van justitie,*** (*B.*) procureur *m.* du roi, (*N.*) — de la reine, (*F.*) — de la république.
officie'rensociëteit *v.* cercle *m.* militaire.
officiers'boekje *o.* annuaire *m.* militaire.
officiers'rang *m.* grade *m.* d'officier.
officiers'tafel *v.*(*m.*) mess *m.* (des officiers).
officieus' I *b.n.* officieux; **II** *bw.* officieusement.
offi'cio, ex —, d'office.
offre'ren *ov.w.* offrir.
off'set *m.* procédé *m.* offset.
off-side (*sp.*) hors jeu.
ofschoon' *vw.* quoique, bien que, encore que.
o'genblik *o.* moment, instant *m.*; ***ieder —,*** à tout moment; ***hij kan ieder — komen,*** il peut arriver d'un moment à l'autre; ***een onaangenaam —,*** un mauvais quart d'heure; ***het volgende —,*** l'instant après; ***het — van betalen,*** le quart d'heure de Rabelais; ***in een —,*** en un moment, en un clin d'œil; ***over een —,*** dans un moment.
ogenblik'kelijk I *b.n.* 1 (*op dit ogenblik*) momentané, instantané; 2 (*terstond*) immédiat; **II** *bw.* 1 momentanément, instantanément; 2 (*terstond*) immédiatement.
o'gendienaar *m.* courtisan, flagorneur *m.*
o'gendienst *m.* basse complaisance *f.*
o'gendokter *m.* (médecin) oculiste *m.*
ogenschijn'lijk I *b.n.* apparent; **II** *bw.* en apparence, apparemment.
o'genschouw *v.* inspection *f.*, examen *m.*; ***in — nemen,*** inspecter, examiner; passer en revue.
ogief' *o.* 1 (*stijl*) ogive *f.*; 2 (*lijst, versiering*) doucine *f.*
ogief'vorm *m.* forme *f.* ogivale.
ogief'vormig *b.n.* ogival.
ohm *o. en m.* (*el.*) ohm *m.*
ojee!' *tw.* oh! oh oh!
ojief' *o.* doucine *f.*
oka'pi *m.* okapi *m.*
okari'na, ocari'na *v.*(*m.*) ocarina *m.*
o'ker *m.* ocre *f.*
o'keraarde *v.*(*m.*) argile *f.* ocreuse.
o'kerachtig *b.n.* ocreux.
o'kergeel *o.* ocre *f.* jaune.
o'kerkleurig *b.n.* ocreux.
ok'kernoot *v.*(*m.*) noix *f.*
ok'kernoteboom *m.* noyer *m.*
oksaal', doksaal' *o.* jubé *m.*
ok'sel *m.* 1 aisselle *f.*; 2 (*v. mouw*) gousset *m.*
ok'selblad *o.* (*Pl.*) feuille *f.* axillaire.
ok'selholte *v.* creux *m.* de l'aisselle.
ok'selstuk *o.* gousset *m.*
oks'hoofd *o.* barrique *f.*
okta-, *zie* ***octa-.***
oktet', octet' *o.* octuor *m.*
okto'ber, octo'ber *m.* octobre *m.*
oktrooi(-), *zie* ***octrooi.***
okul-, *zie* ***ocul-.***
Ol'denburg *o.* Oldenbourg *m.*
olean'der *m.* oléandre, laurier*-rose* *m.*
oleas'ter *m.* olivier *m.* sauvage.
o'lie *v.*(*m.*) huile *f.*; ***de Heilige O—,*** les Saintes Huiles *f.pl.*, le saint Chrême *m.*; ***fijne —,*** huile d'olive; ***ruwe —,*** huile brute; ***— in het vuur werpen,*** jeter de l'huile sur le feu.
o'lieachtig *b.n.* huileux, oléagineux.
o'liebol *m.* croustillon *m.*
o'lieboot *m. en v.* pétrolier, navire*-citerne* *m.*
o'liebrander *m.* brûleur *m.* à huile combustible.
o'liebunker *m.* réservoir (*of* bac) *m.* de stockage pour produits pétroliers.
o'liedom *b.n.* bête comme (un) chou, bête comme [ses pieds.
o'liedrukrem *v.*(*m.*) frein *m.* à pression à huile.
olie-en-azijn'stelletje *o.* 1 huilier *m.*; 2 (*volledig: met zout, enz.*) ménagère *f.*
o'liefabriek *v.* huilerie *f.*
o'liefilter *m. en o.* filtre *m.* à huile.
o'liefles *v.*(*m.*) bouteille *f.* d'huile, — à l'huile.
o'lieflesje *o.* burette *f.* à l'huile.
o'liegroef *v.*(*m.*) patte *f.* d'araignée.
o'liehoudend *b.n.* oléagineux.
o'liehouder *m.* (*v. machine*) graisseur *m.*
o'liejas *m. en v.* caban *m.*; (*fam.*) ciré *m.*
o'liekachel *v.*(*m.*) poêle *m.* à mazout, — à pétrole.
o'liekan *v.*(*m.*) bidon *m.*
o'liekannetje *o.* burette *f.* (à l'huile).
o'liekoek *m.* 1 beignet *m.*; 2 (*veevoeder*) tourteau *m.*
o'liekop *m.* 1 (*tn.*) graisseur *m.*; 2 (*pijp*) tête *f.* à l'huile.
o'liekruik *v.*(*m.*) bidon *m.* à l'huile, cruche *f.* —.
o'lielamp *v.*(*m.*) lampe *f.* à l'huile.
o'lieleiding *v.* pipeline, oléoduc *m.*
o'lieman *m.* 1 graisseur *m.*; 2 (*koopman*) marchand *m.* d'huile.
o'liemolen *m.* huilerie *f.*
o'liën I *ov.w.* huiler; graisser; **II** *z.n., o.* huilage *m.*; graissage *m.*
o'lienoot *v.*(*m.*) arachide *f.*
o'liepak *o.* complet *m.* ciré.
o'liepalm *m.* (*Pl.*) palmier *m.* à huile.
o'liepapier *o.* papier *m.* huilé.
o'liepers *v.*(*m.*) pressoir *m.* (à l'huile).
o'liepit *v.*(*m.*) mèche *f.*
o'liepot *m.* 1 (*tn.*) godet *m.* graisseur; 2 (*v. wielen*) boîte *f.* à l'huile.
o'lieraffinaderij *v.* raffinerie *f.* de pétrole.
o'liesel *o.* ***het Heilig O—,*** l'Extrême-Onction *f.*
o'lieslager *m.* huilier *m.*, fabricant *m.* d'huile.
olieslagerij' *v.* huilerie *f.*
o'liesmaak *m.* goût *m.* oléagineux.
o'liespuitje *o.* burette *f.*, porte-huile *m.*
o'liesteen *m.* pierre *f.* à l'huile, — à aiguiser.
o'liestel *o.* huilier *m.*
o'liestook(installatie) *v.* chauffage *m.* au [mazout.
o'liestookketel *m.* chaudière *f.* à mazout.
o'lietank *m.* réservoir *m.* d'huile, — de mazout.
o'lievat *o.* tonneau *m.* à huile, — à pétrole.
o'lieveld *o.* gisement *m.* de pétrole, nappe *f.* de pétrole, — pétrolière.
o'lieverbruik *o.* consommation *f.* d'huile.
o'lieverf *v.*(*m.*) couleur *f.* à l'huile; ***met — schilderen,*** peindre à l'huile.
o'lieverfschilderij *o. en v.* peinture *f.* à l'huile, tableau *m.* —.
o'lievernis *o. en m.* vernis *m.* gras.
o'lieverversing *v.* vidange *f.* (d'huile).
o'lievet *o.* oléine *f.*
o'lievlek *v.*(*m.*) tache *f.* d'huile.
o'liewaarden *mv.* valeurs *f.pl.* pétrolifères.
o'lieweger *m.* oléomètre *m.*
o'liewijding *v.* (*v. priester, enz.*) onction *f.*
o'liewinning *v.* exploitation *f.* de pétrole.
o'liezaad *o.* graine(s) *f.*(*pl.*) oléagineuse(s).
o'liezuur *o.* acide *m.* oléique.
o'lifant *m.* éléphant *m.*
o'lifantachtig *b.n.* éléphantin.
o'lifantejacht *v.*(*m.*) chasse *f.* à l'éléphant.
o'lifantshuid *v.*(*m.*) peau *f.* d'éléphant.
o'lifantsleider *m.* cornac *m.*
o'lifantssnuit *m.* trompe *f.*
o'lifantstand *m.* dent *f.* d'éléphant.

o'lifantsziekte *v.* éléphantiasis *f.*
oligarch' *m.* oligarque *m.*
oligar'chisch *b.n.* oligarchique.
olijf' I *v.(m.)* (*vrucht*) olive *f.*; **II** *m.* **1** (*boom*) olivier *m.*; **2** (*zinnebeeld*) rameau *m.* d'olivier.
olijf'achtig I *b.n.* (*kleur*) olivâtre; **II** ***—en,*** *mv.* (*Pl.*) oléacées *f.pl.*
Olijf'berg *m.* mont *m.* des Oliviers.
olijf'boom *m.* olivier *m.*
olijf'boomgaard *m.* olivaie *f.*
olijf'groen *b.n.* olivâtre, vert (d')olive.
olijf'hout, olij'vehout *o.* bois *m.* d'olivier.
olijf'kleur *v.(m.)* couleur *f.* d'olive, olive *m.*
olijf'kleurig *b.n.* olivâtre, olive; couleur d'olive.
olijf'olie *v.(m.)* huile *f.* d'olive.
olijf'tak *m.* branche *f.* d'olivier; rameau *m.* d'olivier.
olijf'vormig *b.n.* olivaire, en forme d'olive.
o'lijk I *b.n.* **1** (*dom, onnozel*) bête; **2** (*slim, guitig*) fin; gamin, malicieux, espiègle; **II** *bw.* malicieusement.
o'lijkerd *m.* malin, espiègle, fin matois *m.*
o'lijkheid *v.* malice, espièglerie *f.*
olij'vehout, olijf'hout *o.* bois *m.* d'olivier.
olij'venoogst *m.* récolte *f.* des olives, olivaison *f.*
o'lim *bw.* ***de dagen van —,*** le temps jadis, le temps où la reine Berthe filait.
O'livier *m.* Olivier *m.*
olm *m.* orme *m.*; ***jonge —,*** ormeau *m.*
ol'mehout *o.* bois d'orme *m.*
ol'menbos *o.* ormaie *f.*
olograf'isch *b.n.* (*recht*) olographe.
Olym'pia *v.* Olympe *f.*
olympia'de *v.* olympiade(s) *f.(pl.)*.
olym'pisch *b.n.* **1** (*v. de Olympus*) olympien; **2** (*uit Olympia*) olympique; ***de —e spelen,*** les jeux olympiques.
Olym'pus *m.* Olympe *m.*
om I *vz.* **1** (*rondom*) autour de; **2** (*omstreeks*) aux environs de, vers; **3** (*te: v. uur*) à; **4** (*doel: ten einde*) pour; **5** (*in ruil voor*) pour, contre; **6** (*telkens na*) tous les; ***— de tafel zitten,*** être assis autour de la table; ***— Kerstmis,*** aux environs de Noël, vers Noël; ***— die tijd,*** vers ce temps; ***— vijf uur,*** à cinq heures; ***om die reden,*** pour cette raison; ***— geld verkopen,*** vendre pour de l'argent, — contre argent; ***— de drie dagen,*** tous les trois jours; ***— het uur,*** chaque heure; ***— de andere dag,*** de deux jours l'un; tous les deux jours; ***— de beurt,*** à tour de rôle; ***— iets lachen,*** rire de qc.; ***aardig — te zien,*** joli à voir; ***moeilijk — te begrijpen,*** difficile à comprendre; ***— de waarheid te zeggen,*** pour dire vrai; à vrai dire; ***ergens — heen praten,*** tourner autour du pot; ***— het hardst roepen,*** crier à qui mieux mieux; **II** *bw.* ***de tijd is —,*** **1** (*voorbij*) le temps est passé; **2** (*'t is tijd*) c'est l'heure; **3** (*v. termijn: verstreken*) le terme est expiré; ***die weg is 10 minuten —,*** c'est un détour de 10 minutes, ce chemin fait un détour de 10 m.; ***de wind is —,*** le vent a tourné; ***de Kamer is —,*** la majorité dans la chambre s'est déplacée; ***— en —,*** tour à tour.
o'ma *v.* (*fam.*) grand-maman*, bonne*-maman* *f.*
omar'men *ov.w.* embrasser, serrer dans ses bras.
omar'ming *v.* embrassement *m.*, étreinte *f.*
om'ber I *o.* (*spel*) hombre *m.*; **II** *v.(m.)* (*aarde*) terre *f.* d'ombre.
om'berdoos *v.(m.)* boîte *f.* aux fiches.
om'beren *on.w.* jouer à l'hombre.
om'berspel *o.* (jeu d')hombre *m.*
om'bervis *m.* **1** (*riviervis*) ombre *m.*; **2** (*zeevis*) ombre *m.* de mer, maigre *m.*
om'bervogel *m.* ombrette *f.*
om'binden *ov.w.* **1** lier autour de; **2** (*schaatsen, enz.*) attacher; **3** (*om het middel*) ceindre (qn. de qc.); ***zich iets —,*** se ceindre de qc.; ***een das —,*** mettre une cravate.
om'blad *o.* (*v. sigaar*) sous-cape *f.*
om'bladeren *ov.w.* (*v. boek*) feuilleter.
om'blazen *ov.w.* renverser (d'un souffle).
om'boorden *ov.w.* border, galonner.
om'boording *v.* bordage *m.*
omboord'sel *o.* bordure *f.*, galon *m.*
om'bouw *m.* reconstruction *f.*
om'bouwen *ov.w.* reconstruire.
om'brassen *on.w.* (*sch.*) contre-brasser.
om'brengen *ov.w.* **1** (*rondbrengen*) distribuer; colporter; **2** (*v. tijd*) passer; **3** (*doden*) tuer; mettre à mort; assassiner.
om'brenger *m.* porteur, distributeur *m.*
om'brenging *v.* **1** distribution *f.*; **2** meurtre *m.*; mise *f.* à mort.
om'buigen I *ov.w.* **1** courber; **2** (*verkeerd, te sterk*) fausser; **II** *on.w.* **1** (se) recourber; (se) replier; **2** se fausser.
om'buiging *v.* recourbement *m.*
om'buitelen *on.w.* culbuter, faire la culbute.
om'buiteling *v.* culbute *f.*
omdam'men *ov.w.* entourer d'une digue.
omdat' *vw.* **1** parce que; **2** (*als reden al bekend is*) puisque; ***dat komt — je niet opgelet hebt,*** c'est que tu n'as pas fait attention; ***hij is gestraft — hij in de klas gespeeld heeft,*** il a été puni pour avoir joué en classe.
omdij'ken *ov.w.* entourer de digues, endiguer.
om'doen *ov.w.* **1** (*v. kleed, enz.*) mettre; **2** (*mantel*) s'envelopper de.
om'dolen *on.w.* **1** errer çà et là; **2** (*ong.*) rôder, vagabonder.
om'dopen *ov.w.* rebaptiser.
om'draai *m.* **1** (*v. rad, enz.*) tour *m.*; **2** (*v. weg*) coude, tournant *m.*
om'draaien I *ov.w.* **1** (*hoek, rad, blad, enz.*) tourner; **2** (*kaart*) retourner; **3** (*om spil*) pivoter; ***de nek —,*** tordre le cou; ***de sleutel tweemaal —,*** donner deux tours de clef; **II** *on.w.* **1** tourner; **2** (*sch.*) virer de bord; **3** (*fig.*) faire volte-face, tourner casaque, virer de bord; ***het hart draait me om in het lijf,*** cela me fait tourner le cœur; **III** *w.w.* ***zich —,*** se retourner.
om'draaiing *v.* **1** (*v. wiel, enz.*) tour *m.*; **2** (*om as*) rotation *f.*; **3** (*v. hemellichaam*) révolution *f.*
om'dragen *ov.w.* **1** porter (sur, avec soi); **2** porter en procession; **3** (*fig.*) ***met zich —,*** **1** (*v. plan*) méditer; nourrir; **2** (*v. ziekte*) couver.
om'drogen *ov.w.* essuyer; sécher.
om'duikelen *on.w.* culbuter, faire la culbute.
om'duwen *ov.w.* renverser.
om'dwalen *on.w.* errer çà et là, errer de tous côtés.
om'eggen *ov.w.* herser.
omelet' *v.(m.)* omelette *f.*
omflad'deren *ov.w.* tournoyer autour de, voleter —.
omfloer'sen *ov.w.* **1** entourer d'un crêpe, couvrir —; **2** (*fig.*) voiler.
om'gaan I *ov.w.* **1** faire le tour de; **2** (*een hoek*) tourner; **II** *on.w.* **1** (*gebeuren*) se passer; **2** (*een omweg maken*) faire un détour; ***een heel eind —,*** faire un grand détour; ***een eindje —,*** faire une petite promenade; ***er gaat veel om,*** (*H.*) il y a un bon courant d'affaires, on y fait beaucoup d'affaires; ***dat gaat buiten mij om,*** cela ne me regarde pas, je n'ai rien à y voir; ***met iem. —,*** fréquenter qn.; ***met iets —,*** manier qc.; ***met het publiek —,*** avoir affaire au public; ***met bedrog —,*** user de tromperie; ***met leugens —,*** user

de mensonges, mentir; ***met mensen weten om te gaan,*** savoir vivre.
om'gaande *b.n.* ***per* —,** par retour du courrier, courrier par courrier.
om'gang *m.* **1** (*met personen*) fréquentation *f.*, commerce *m.*, conversation *f.*; **2** (*rond gebouw, galerij*) galerie *f.*, tour *m.*; **3** (*v. wiel*) tour *m.*; **4** (*kath.: processie*) procession *f.*; ***minzaam in de* —,** d'un commerce agréable; ***lastig in de* —,** difficile à vivre; ***hij heeft met niemand* —,** il ne voit personne; ***stille* —,** procession *f.* nocturne.
om'gangstaal *v.*(*m.*) langage *m.* usuel, langue *f.* de tous les jours.
om'gangsvormen *mv.* savoir-vivre *m.*
om'gekeerd I *b.n.* **1** renversé, retourné; **2** (*v. verhouding, enz.*) inverse; **3** (*tegendeel*) contraire; **—*e reden,*** (*wisk.*) rapport (*of* raison) inverse; ***in —e orde,*** à rebours; **II** *bw.* **1** inversement; **2** (*wederkerig*) réciproquement; **— *evenredig met,*** en raison inverse de.
om'gekocht *b.n.* vendu.
om'gelegen *b.n.* environnant.
om'geschreven *b.n.* (*wisk.*) circonscrit.
om'gespen *ov.w.* ceindre, boucler.
omge'ven *ov.w.* **1** entourer; **2** (*omringen*) environner; **3** (*met muren*) ceindre.
omge'ving *v.* **1** (*v. persoon*) entourage *m.*; **2** (*omstreken*) environs, alentours *m.pl.*
om'gieten *ov.w.* **1** (*v. klokken, enz.*) refondre; **2** (*v. vloeistof: in ander vat*) transvaser.
om'gooien *ov.w.* **1** renverser; culbuter; **2** (*kegels, enz.*) abattre; **3** (*mantel*) mettre à la hâte, jeter sur les épaules.
om'gorden *ov.w.* **1** ceindre; **2** (*fig.*) entourer; **3** (*macht*) revêtir de.
omgor'ding *v.* ceinture *f.*
om'graven *ov.w.* **1** (*v. grond*) remuer, creuser; **2** (*v. tuin*) bêcher. [entourer.
omgren'zen *ov.w.* **1** borner, limiter; **2** (*omringen*)
omgren'zing *v.* limitation, circonscription *f.*
om'haal *m.* **1** (*v. letter*) trait *m.*; **2** (*bij handtekening*) paraphe *m.*; **3** (*omslag, drukte*) embarras *m.*, façons *f.pl.*; **— *van woorden,*** ambages *f.pl.*, paroles *f.pl.* inutiles, long circuit *m.* de paroles.
om'haken *ov.w.* agrafer.
om'hakken *ov.w.* abattre.
om'halen *ov.w.* **1** (*omverhalen*) abattre, renverser; **2** (*muur, enz.*) démolir, jeter bas; **3** (*v. grond: omwoelen*) remuer; **4** (*lade, enz.*) retourner, bouleverser; **5** (*sch.: v. schip*) faire virer; **6** (*v. zeil*) orienter.
om'hangen *ov.w.* mettre.
omhan'gen *ov.w.* **1** orner de, garnir de; **2** (*met ordetekens*) revêtir de.
omhang'sel *o.* draperie *f.*
om'hebben *ov.w.* être vêtu de, porter; ***hem* —,** (*fam.*) être pompette, avoir son aigrette.
omheen' *bw.* autour; ***er — draaien,*** tourner autour du pot.
omhei'nen *ov.w.* enclore, entourer d'une haie, — d'une cloison, — d'une clôture.
omhei'ning *v.* enclos *m.*; clôture *f.*
omhel'zen *ov.w.* embrasser. [embrassade *f.*
omhel'zing *v.* **1** embrassement *m.*; **2** (*fam.*)
omhoog' *bw.* en haut, en l'air; ***de prijzen — jagen,*** forcer les prix.
omhoog'drijven *ov.w.* faire monter.
omhoog'gaan *on.w.* monter. [lever.
omhoog'heffen *ov.w.* **1** soulever; **2** (*hoofd, enz.*)
omhoog'steken *ov.w.* soulever, lever.
om'houden *ov.w.* garder, ne pas ôter.
om'houwen *ov.w.* abattre.

omhul'len *ov.w.* **1** envelopper; **2** couvrir, voiler.
omhul'sel *o.* enveloppe *f.*; ***stoffelijk* —,** dépouille *f.* mortelle.
omineus' *b.n.* de mauvais augure, inquiétant.
om'kantelen I *ov.w.* renverser; **II** *on.w.* verser, chavirer.
om'kappen *ov.w.* abattre.
om'keer, om'mekeer *m.* **1** changement *m.* complet; **2** (*v. gedachten, enz.*) bouleversement *m.*; **3** (*v. openbare mening*) retour, revirement *m.*; ***plotselinge* —,** coup *m.* de théâtre.
omkeer'baar *b.n.* **1** réversible; **2** (*v. stelling*) convertible. [vertibilité *f.*
omkeer'baarheid *v.* **1** réversibilité *f.*; **2** con-
om'kegelen *ov.w.* renverser, abattre.
om'keren I *ov.w.* **1** (*v. stof, kaart, enz.*) retourner; **2** (*v. hoofd, hand, enz.*) tourner; **3** (*meubel, enz.*) renverser; **4** (*toestanden*) bouleverser; **5** (*verwisselen: rol, enz.*) intervertir; **6** (*v. stelling*) convertir; **7** (*el.: stroom*) renverser; **8** (*muz.: akkoord*) renverser; ***de zaak is omgekeerd,*** l'affaire a changé de face; **II** *on.w.* **1** tourner; **2** (*terugkeren*) (s'en) retourner, rebrousser chemin; **3** (*fig.*) changer (d'avis, de parti); **— *als een blad aan een boom,*** faire une volte-face complète; **III** *w.w.* ***zich* —,** **1** se retourner; tourner la tête; **2** (*in bed*) se retourner, changer de flanc.
om'kering *v.* **1** retournement *m.*; **2** renversement *m.*; **3** bouleversement *m.*; **4** inversion *f.*; **5** conversion *f.*; **6** changement *m.*
om'kijken *on.w.* se retourner, tourner la tête; (*fig.*) ***naar iets* —,** s'enquérir de qc.; ***naar iem.* —,** s'intéresser à qn.
om'kippen *ov.w.* faire basculer.
omkle'den *ov.w.* **1** revêtir, recouvrir; **2** (*fig.*) envelopper, revêtir; ***met redenen omkleed,*** motivé.
om'kleden I *ov.w.* changer de vêtements, mettre d'autres habits à; **II** *w.w.* ***zich* —,** changer de toilette.
omkleed'sel *o.* **1** enveloppe *f.*; **2** vêtement *m.*
omklem'men *ov.w.* serrer, étreindre, embrasser.
omklem'ming *v.* étreinte *f.*
om'kneden *ov.w.* **1** repétrir; **2** (*fig.*) refondre.
omknel'len *ov.w.* étreindre, serrer avec force.
om'knoopdoekje *o.* fichu *m.*
om'knopen *ov.w.* attacher (autour du cou).
om'komen I *ov.w.* (*een hoek*) tourner; **II** *on.w.* périr, succomber; ***hoe komen die uren om?*** comment passer ces heures?
omkoop'baar *b.n.* corruptible, vénal.
omkoop'baarheid *v.* corruptibilité, vénalité *f.*
om'kopen *ov.w.* corrompre, acheter; ***zich laten* —,** se vendre.
om'koper *m.* corrupteur *m.*
omkoperij,' om'koping *v.* corruption *f.*
omkor'sten *ov.w.* encroûter, entourer d'une croûte, couvrir —.
omkor'sting *v.* encroûtement *m.*, incrustation *f.*
omkran'sen *ov.w.* couronner; auréoler.
om'krijgen *ov.w.* **1** (*v. kledingstuk*) parvenir à mettre; **2** (*v. boom, enz.*) parvenir à renverser; **3** (*v. tijd*) passer, tuer.
om'kruipen I *ov.w.* ramper autour de, se traîner —; **II** *on.w.* (*fig.*) passer lentement.
om'krullen I *ov.w.* **1** recourber; **2** (*v. lip*) relever retrousser; **3** (*friseren*) friser; **II** *on.w.* **1** se recourber; **2** (*in krullen*) se friser.
om'kuieren *on.w.* se promener, faire un tour, faire une promenade.
omlaag' *bw.* en bas; **— *gaan,*** (*v. prijzen*) descendre; baisser; ***van* —,** d'en bas.

omlaag'drukken *ov.w.* abaisser.
omlaag'houden *ov.w.* renverser; tenir en bas.
om'laden I *ov.w.* **1** charger sur une autre voiture; **2** (*sch.*) transborder; **II** *z.n., o.* **1** rechargement *m.*; **2** transbordement *m.*
om'laten *ov.w.* garder, ne pas ôter.
om'leggen *ov.w.* **1** entourer de, mettre autour de; **2** (*verband*) appliquer; **3** (*sch.*) caréner, abattre en carène; **4** (*v. roer*) changer; **5** (*v. punt, mes*) fausser; **6** (*v. autobus, weg, enz.*) dévier; ***de wissels —,*** changer les aiguilles de position.
om'leiden *ov.w.* **1** mener autour de; **2** promener (qn.); **3** (*v. stroom*) détourner.
om'liggen *on.w.* **1** être renversé; **2** (*omgekeerd*) être retourné; **3** (*v. punt*) être faussé.
omlig'gend *b.n.* environnant, avoisinant.
omlij'nen *ov.w.* **1** contourner; **2** (*fig.: juist omschrijven*) définir, préciser; ***een scherp omlijnd voorstel,*** un projet bien défini.
omlij'ning *v.* contour *m.*
omlijs'ten *ov.w.* encadrer.
omlijs'ting *v.* **1** encadrement *m.*, plate*-bande* *f.*; **2** (*fig.*) entourage *m.*
om'loop *m.* **1** (*alg.*) mouvement *m.* (circulaire); tour *m.*; **2** (*om as*) rotation *f.*; **3** (*v. hemellichaam*) révolution *f.*; **4** (*v. bloed, geld*) circulation *f.*; **5** (*bouwk.*) galerie *f.*, pourtour *m.*; **6** (*gen.: verzwering*) tourniole *f.*; ***in — brengen,*** mettre en circulation; ***bankbiljetten in — brengen,*** émettre des billets de banque; ***geruchten in — brengen,*** faire circuler des bruits; ***geruchten zijn in —,*** il court des bruits; ***in — zijn,*** circuler; ***aan de — onttrekken,*** (*v. geld*) démonétiser; (*ook v. wissel*) retirer de la circulation.
om'loopsnelheid *v.* **1** vitesse *f.* de révolution; **2** (*H.*) vitesse *f.* de circulation.
om'loop(s)tijd *m.* période *f.* (de révolution), (période *f.* de) révolution *f.*
om'lopen I *ov.w.* **1** (*omverlopen*) bousculer, renverser en courant; **2** (*om iets heen lopen*) tourner, faire le tour de; **II** *on.w.* **1** (*wandelen*) se promener, faire une promenade; **2** (*een omweg maken*) faire un détour; **3** (*v. wind*) changer, tourner; ***een eindje —,*** faire un bout de promenade; ***een heel eind —,*** faire un grand détour; ***het hoofd loopt mij om,*** la tête me tourne.
om'lopend *b.n.* circulant; ***— kapitaal,*** capital circulant.
omman'telen *ov.w.* entourer de remparts, emmanteler.
omman'teling *v.* remparts *m.pl.*
om'megaand, *zie* ***omgaande.***
om'mekeer, *zie* ***omkeer.***
om'mekomst *v.* expiration *f.*
om'melanden *mv.* environs *m.pl.*
om'mezien *o.* ***in een —,*** en un tour de main, en un clin d'œil; *zie ook* ***omzien.***
om'mezij (de) *v.(m.)* (*v. bladzijde*) verso *m.*; ***zie —,*** voir au verso; tourner la page.
om'mezwaai, *zie* ***omzwaai.***
ommu'ren *ov.w.* entourer de murailles.
ommu'ring *v.* enceinte, fortification *f.*
om'nibus *m. en v.* omnibus *m.*
o'moe *v.* (*fam.*) grand-mère* *f.*
om'pakken *ov.w.* **1** (*v. koffer*) refaire; **2** remballer, emballer de nouveau.
ompa'len *ov.w.* **1** (*met paalwerk*) palissader; **2** (*v. akker, enz.*) délimiter.
ompa'ling *v.* palissade, enceinte *f.*
ompant'seren *ov.w.* cuirasser.
ompant'sering *v.* cuirasse *f.*
omper'ken *ov.w.* enclore.
om'planten *ov.w.* **1** (*overplanten*) replanter, transplanter; **2** (*omringen met bomen, enz.*) entourer d'arbres (etc.).
om'ploegen *ov.w.* retourner, labourer.
om'praten *ov.w.* **1** (*overtuigen*) persuader; **2** (*van inzicht doen veranderen*) faire changer d'avis.
omran'den *ov.w.* border.
omran'ken *ov.w.* enlacer.
omras'teren *ov.w.* **1** (*met traliewerk*) treillager; **2** (*met paalwerk*) palissader.
omras'tering *v.* **1** treillage *m.*; **2** palissade *f.*
om'reis *v.(m.)* **1** (*rondreis*) tournée *f.*, voyage *m.*; **2** (*omweg*) détour *m.*
om'reizen I *ov.w.* faire le tour de; **II** *on.w.* faire un détour.
om'rekenen *ov.w.* (*H.*) réduire, convertir.
om'rekening *v.* (*H.*) réduction, conversion *f.*
om'rekeningskoers *m.* cours *m.* de compensation.
om'rekeningstabel *v.(m.)* tableau *m.* de réduction des monnaies.
om'rennen *ov.w.* **1** faire le tour (de qc.) en courant; **2** (*omver—*) renverser (en courant).
om'rijden I *ov.w.* **1** faire le tour de; **2** renverser; **II** *on.w.* faire un détour.
omrin'gen *ov.w.* **1** entourer; environner; **2** (*omhullen*) envelopper; **3** (*v. vesting*) investir.
omrin'gend *b.n.* **1** environnant; **2** (*fig.*) ambiant; ***de —e lucht,*** l'air ambiant.
om'rit *m.* détour *m.* [T. S. F.
om'roep *m.* radiodiffusion *f.*, émissions *f.pl.* de
om'roepen *ov.w.* **1** publier à son de trompe, crier; **2** (*v. radio: uitzenden*) diffuser.
om'roeper *m.* **1** crieur *m.* public; **2** (*v. radio*) annonceur, speaker *m.*
om'roeporkest *o.* orchestre *m.* de radiodiffusion.
om'roepstation *o.* poste *m.* de T. S. F., — d'émission.
om'roepster *v.* (*T.V.*) speakerine, présentatrice, annonceuse *f.*
om'roepvereniging *v.* société *f.* de radiodiffusion.
om'roeren *ov.w.* **1** remuer, tourner; **2** (*v. sla*) fatiguer; **3** (*v. ei*) brouiller; **4** (*v. saus*) battre; **5** (*fig.*) agiter. [abattre.
om'rollen *ov.w.* **1** rouler, tourner; **2** renverser,
om'ruilen I *ov.w.* échanger (contre), troquer; **II** *on.w.* faire un échange.
om'ruiling *v.* échange, troc *m.*
om'rukken *ov.w.* renverser, faire tomber.
omscha'duwen *ov.w.* ombrager.
om'schakelaar *m.* (*el.*) commutateur *m.*
om'schakelen *ov.w.* (*el.*) inverser.
om'schakeling *v.* (*el.*) inversion *f.* [ments.
omschan'sen *ov.w.* (*mil.*) entourer de retranche-
om'scheppen *ov.w.* transformer, métamorphoser.
om'schepping *v.* transformation, métamorphose *f.*
om'schieten I *ov.w.* **1** (*omverschieten*) renverser, abattre (d'un coup de fusil, — de canon); **2** (*sch.: v. kabel*) chavirer; **II** *on.w.* (*v. hoek, wind*) tourner brusquement.
om'schikken *on.w.* se ranger, faire place.
om'scholen *ov.w.* reconvertir; ***omgeschoold worden,*** se reconvertir.
om'scholing *v.* reconversion *f.*
om'schoppen *ov.w.* renverser d'un coup de pied.
om'schrift *o.* **1** (*op munt*) légende *f.*; **2** inscription *f.*
omschrij'ven *ov.w.* **1** (*juist aanduiden*) définir, déterminer, préciser; **2** (*nader bepalen*) détailler; **3** (*uitbreiden: v. tekst*) paraphraser; **4** (*v. woord*) périphraser; **5** (*wisk.*) circonscrire.

omschrij'ving *v.* **1** définition *f.*; **2** description *f.*; **3** paraphrase *f.*; **4** périphrase *f.*; **5** circonscription *f.*
om'schudden *ov.w.* remuer, secouer, agiter.
omschut'ten *ov.w.* enclore, entourer de palissades.
omsin'gelen *ov.w.* **1** (*v. stad*) investir; **2** (*v. leger*) cerner; **3** (*met schepen*) bloquer.
omsin'geling *v.* **1** investissement *m.*; **2** encerclement *m.*
omsin'gelingsbeweging *v.* mouvement *m.* d'encerclement, — d'investissement. [clement.
omsin'gelingspolitiek *v.* politique *f.* d'encer-
om'slaan I *ov.w.* **1** (*omgooien*) abattre, renverser; **2** (*v. jas*) mettre (promptement); **3** (*v. mantel, enz.*) jeter sur ses épaules, s'envelopper dans; **4** (*v. mouw, enz.*) retrousser; **5** (*ombuigen*) courber, rabattre; **6** (*v. blad*) tourner; **7** (*verdelen: v. belasting*) répartir, faire la répartition de; **8** (*v. hoek*) tourner; **II** *on.w.* **1** (*v. rijtuig*) verser; **2** (*v. auto*) verser, capoter; **3** (*v. schip*) chavirer; **4** (*v. vliegtuig*) capoter; **5** (*v. stem*) se casser; **6** (*v. wind*) changer, tourner; **7** (*v. weer*) changer subitement, — brusquement; (*fig.*) ***het blaadje is omgeslagen,*** le vent a tourné; ***omgeslagen boord,*** col rabattu.
omslach'tig I *b.n.* **1** compliqué; **2** (*v. woorden*) prolixe; **II** *bw.* **1** d'une manière compliquée; **2** avec prolixité. [*f.*
omslach'tigheid *v.* **1** complication *f.*; **2** prolixité
om'slag I *m. en o.* **1** (*v. brief*) enveloppe *f.*; **2** (*v. boek*) chemise *f.*; couverture *f.*; **3** (*rand*) rebord, revers *m.*; ***natte —,*** compresse *f.*; **II** *m.* **1** (*v. belasting*) répartition *f.*; **2** (*omhaal, drukte*) embarras *m.*; **3** (*complimenten*) façons *f.pl.*; ***zonder veel —,*** sans façons; ***veel — maken,*** faire beaucoup de façons; ***hij maakt geen —,*** il n'y va pas par quatre chemins.
om'slagboor *v.(m.)* vilebrequin *m.*
om'slagdoek *m.* châle *m.*
om'slagdoekje *o.* fichu *m.*
om'slagtekening *v.* (*v. boek*) dessin *m.* de couverture.
om'slepen *ov.w.* traîner. [entortiller.
omslin'geren *ov.w.* (*slingerend omgeven*) enlacer,
om'slingeren *ov.w.* (*omverwerpen*) renverser.
omslui'eren *ov.w.* voiler.
omslui'ten *ov.w.* **1** (*omringen*) entourer; **2** (*bevatten, in zich sluiten*) contenir, renfermer; **3** (*v. vesting*) cerner, investir; **4** (*met vreemd gebied —*) enclaver. [quer par terre.
om'smakken *ov.w.* renverser brusquement, flan-
om'smelten *ov.w.* refondre.
om'smelting *v.* refonte *f.*
om'smijten *ov.w.* renverser; jeter par terre.
omspan'nen *ov.w.* embrasser.
om'spannen *ov.w.* (*paarden*) atteler autrement.
om'spartelen *on.w.* s'ébattre, se débattre.
omspin'nen *ov.w.* **1** filer autour; **2** envelopper de ses fils; **3** (*fig.*) embobiner, embobeliner.
om'spitten *ov.w.* bêcher, retourner à la bêche.
om'spoelen *ov.w.* rincer, laver à grande eau.
omspoe'len *ov.w.* baigner, arroser.
om'springen I *on.w.* **1** sautiller; **2 — met,** manier; ***met iets weten om te springen,*** se connaître à qc.; **II** *ov.w.* (*omverspringen*) renverser (en sautant).
om'staand *b.n.* **1** présent; **2** nommé ci-contre.
om'stander *m.* assistant *m.*
omstan'dig I *b.n.* détaillé, circonstancié; **II** *bw.* en détail, amplement, tout au long.
omstan'digheid *v.* **1** circonstance *f.*; **2** (*toestand*) situation, condition *f.*; ***toevallige —,*** circonstance fortuite, contingence *f.*; ***verzachtende —,*** circonstance atténuante; ***verzwarende —,*** circonstance aggravante; ***onder de dwang der omstandigheden,*** forcé par les circonstances.
om'stevenen *ov.w.* **1** (*v. kaap*) doubler; **2** (*fig.*) tourner.
om'storten I *ov.w.* renverser; **II** *on.w.* **1** se renverser; **2** (*v. rijtuig*) verser; **3** (*v. gebouw*) s'écrouler.
om'stoten *ov.w.* renverser, faire tomber.
omstra'len *ov.w.* **1** entourer de (ses) rayons; **2** (*fig.*) entourer d'une auréole.
om'streeks I *bw.* environ; **II** *vz.* vers; ***— het midden der 19e eeuw,*** vers le milieu du 19e siècle.
om'streken *mv.* environs *m.pl.*
omstren'gelen *ov.w.* **1** enlacer, entortiller; **2** (*fig.*) enlacer, étreindre.
omstren'geling *v.* enlacement *m.*, étreinte *f.*
om'strikken *ov.w.* **1** (*v. das*) nouer; **2** (*fig.*) entourer de pièges, environner —.
omstu'wen *ov.w.* entourer, se presser autour de.
om'tasten *on.w.* tâtonner; aller (*of* marcher) à tâtons.
om'toveren *ov.w.* métamorphoser, changer comme par enchantement, changer d'un coup de baguette.
om'trappen *ov.w.* renverser d'un coup de pied.
om'trek *m.* **1** (*v. tekening*) contour *m.*; **2** (*v. gebouw*) pourtour *m.*; **3** (*v. stad*) circuit *m.*; **4** (*v. persoon*) silhouette *f.*; **5** (*v. cirkel*) circonférence *f.*; **6** (*v. rechthoek, enz.*) périmètre *m.*; **7** (*omstreken*) environs *m.pl.*; ***tien mijlen in de —,*** dix lieues à la ronde.
om'trekken *ov.w.* **1** (*omver—*) renverser, faire tomber; **2** (*v. stad, enz.*) faire le tour de; **3** (*mil.: v. vijand*) tourner.
om'trekkend *b.n.* (*mil.*) tournant, enveloppant.
om'trekking *v.* **1** renversement *m.*; **2** tour *m.*; **3** (*mil.*) mouvement *m.* tournant.
om'treklijn *v.(m.)* cerne *m.*
om'trekshoek *m.* angle *m.* inscrit.
omtrent' I *bw.* **1** environ; **2** à peu près, presque; **II** *vz.* **1** (*v. hoeveelheid*) environ, à peu près; **2** (*v plaats*) près de; **3** (*ten opzichte van*) au sujet de, concernant, sur.
om'tuimelen *on.w.* culbuter, tomber à la renverse.
om'tuimeling *v.* culbute *f.*
omtui'nen *ov.w.* enclore.
om'vaart *v.(m.)* tour *m.* (en bateau).
omva'(de)men *ov.w.* embrasser.
om'vallen *on.w.* **1** se renverser, tomber par terre, tomber; **2** (*achterover—*) tomber à la renverse; **3** (*v. rijtuig*) verser; ***— van de slaap,*** dormir debout, tomber de sommeil; ***— van 't lachen,*** tomber de rire, se tordre, se rouler; ***daar val je van om,*** c'est renversant.
omva'men, *zie* ***omvademen.***
om'vang *m.* **1** (*omtrek*) circonférence *f.*, tour *m.*; **2** (*ruimte, uitgestrektheid*) étendue *f.*; **3** (*uitgebreidheid*) volume *m.*; **4** (*dikte*) grosseur *f.*; **5** (*v. geest, talent*) envergure *f.*; **6** (*v. stem*) étendue *f.*, clavier *m.*; **7** (*H.*) importance *f.*; ***in zijn volle —,*** dans toute son ampleur, dans toute son étendue; ***in — toenemen,*** prendre de l'extension.
omvan'gen *ov.w.* **1** environner, entourer; **2** (*fig.: met blik*) embrasser.
omvang'rijk *b.n.* **1** (*v. werk*) considérable, étendu, de longue haleine; **2** (*lijvig*) volumineux; **3** (*omvangrijk*) vaste; **4** (*v. stem*) ample, volumineux.
omvang'rijkheid *v.* étendue *f.*
om'varen I *ov.w.* **1** faire le tour de; **2** (*v. kaap*) doubler, contourner; **II** *on.w.* (*langs een omweg varen*) faire un détour.

om'varing *v.* circumnavigation *f.*
omvat'ten *ov.w.* **1** (*met hand*) empoigner, saisir; **2** (*met armen*) enlacer, entourer; embrasser; **3** (*hebben, bevatten*) comprendre; **4** (*verenigen*) englober; **5** (*omringen*) entourer, envelopper; **6** (*met blik, geest*) embrasser; **7** (*v. juwelen*) sertir; enchâsser.
omvat'tend *b.n.* **1** qui renferme; qui embrasse; **2** (*omvangrijk*) vaste.
omvat'ting *v.* enlacement, embrassement *m.*
omver' *bw.* à terre, par terre, à la renverse.
omver'gooien *ov.w.* renverser, bouleverser.
omver'halen *ov.w.* **1** bouleverser; **2** (*omhalen*) abattre.
omver'lopen *ov.w.* bousculer.
omver'rijden *ov.w.* renverser, faucher.
omver'smijten *ov.w.* renverser.
omver'waaien *on.w.* être renversé par le vent.
omver'werpen *ov.w.* **1** renverser; **2** (*fig.*) flanquer par terre.
omver'werping *v.* renversement *m.*
om'vliegen I *on.w.* (*snel voorbijgaan*) passer vite, filer, s'envoler; **II** *ov.w.* **1** (*omheen vliegen*) voler autour de; **2** (*omvervliegen*) renverser (en volant).
om'vormen *ov.w.* transformer.
om'vorming *v.* transformation *f.*
om'vouwen *ov.w.* plier, replier.
om'waaien *on.w.* être renversé par le vent.
omwal'len *ov.w.* (*mil.*) entourer de remparts.
omwal'ling *v.* (*mil.*) circonvallation *f.*, remparts *m.pl.*
om'wandelen I *ov.w.* (*rondom iets wandelen*) se promener (autour de), faire le tour de; **II** *on.w.* faire un détour. [détour *m.*
om'wandeling *v.* **1** promenade *f.*, tour *m.*; **2**
om'wassen *ov.w.* laver, rincer, nettoyer.
om'weg *m.* **1** détour *m.*; **2** (*fig.*) biais *m.*; ***langs —en,*** par des voies détournées; ***een — maken,*** faire un détour, faire un circuit; ***—en zoeken,*** chercher des détours, biaiser; ***zonder —en,*** sans détours, sans ambages.
om'wenden I *ov.w.* tourner; ***het hoofd —,*** tourner la tête, se retourner; ***de steven —,*** (*sch.*) virer de bord; **II** *on.w.* **1** tourner, se retourner; **2** (*sch.*) virer; **3** changer. [ment *m.*
om'wending *v.* **1** tour *m.*; **2** virage *m.*; **3** change-
om'wentelen I *ov.w.* tourner, retourner; rouler; **II** *w.w.* ***zich —,*** **1** se retourner; **2** (*om as*) tourner.
om'wenteling *v.* **1** (*om as*) rotation, révolution *f.*; **2** (*v. rad*) tour *m.*, révolution *f.*; **3** (*fig.*) révolution *f.*; **4** (*v. de aarde*) rotation *f.*
om'wentelingsas *v.(m.)* axe *m.* de rotation.
om'wentelingsgeest *m.* esprit *m.* révolutionnaire. [tion.
om'wentelingslichaam *o.* solide *m.* de révolu-
om'wentelingssnelheid *v.* vitesse *f.* de révolution. [période *f.*
om'wentelingstijd *m.* (durée *f.* de) révolution *f.*,
om'wentelingsvlak *o.* surface *f.* de révolution.
om'werken *ov.w.* **1** (*werk, boek, enz.*) refondre, remanier; **2** (*v. grond, enz.*) retourner, labourer, remuer; **3** (*v. akker*) dérompre.
om'werking *v.* refonte *f.*, remaniement *m.*
om'werpen *ov.w.* **1** renverser; **2** verser.
om'wikkelen *ov.w.* envelopper.
om'winden *ov.w.* envelopper; entourer de.
omwind'sel *o.* enveloppe *f.*; bandage *m.*
om'wippen I *ov.w.* renverser; **II** *on.w.* faire la culbute. [permutable.
omwis'selbaar *b.n.* échangeable, convertible,
omwis'selbaarheid *v.* convertibilité *f.*
om'wisselen I *ov.w.* **1** (*geld, enz.*) changer; **2** (*ruilen*) échanger; **II** *on.w.* changer de place; permuter.
om'wisseling *v.* **1** changement *m.*; **2** échange *m.*; **3** (*v. beurt*) permutation; **4** (*v. aandelen*) conversion *f.*
om'woelen I *ov.w.* **1** (*grond*) remuer, fouiller; **2** (*lade*) bouleverser; **II** *on.w.* se remuer, s'agiter.
omwoe'len *ov.w.* (*draad*) envelopper; (*met vlechtwerk*) clisser.
om'wonend *b.n.* voisin, limitrophe.
om'woners *mv.* voisins *m.pl.*
om'wringen *ov.w.* tordre.
om'wroeten *ov.w.* remuer, fouiller.
omzei'len *ov.w.* **1** (*v. kaap*) doubler; **2** (*fig.*) éviter.
om'zeilen *on.w.* faire un détour.
omzei'ling *v.* circumnavigation *f.*
om'zendbrief *m.* **1** circulaire *f.*; **2** (*kerkelijk*) mandement *m.*
om'zenden *ov.w.* **1** envoyer partout; **2** faire circuler.
om'zet *m.* **1** (*aan de Beurs*) transactions, opérations *f.pl.*; **2** (*in handelszaak*) chiffre *m.* d'affaires; ***zijn —,*** le chiffre de ses affaires; ***kleine winst, grote —,*** gros débit, petit profit; ***een levendige — in...,*** un vif mouvement d'affaires en...
om'zetbaar *b.n.* convertible, convertissable.
om'zetbelasting *v.* impôt *m.* (*of* taxe *f.*) sur le chiffre d'affaires; (*B.*) taxe *f.* de transmission.
om'zetpremie *v.* prime *f.* sur le chiffre d'affaires.
om'zetprovisie *v.* commission *f.* sur les affaires conclues, — sur le chiffre d'affaires.
om'zetsnelheid *v.* rythme *m.* de l'écoulement.
om'zetten *ov.w.* **1** (*doen verwisselen van plaats*) changer de place, déplacer; **2** (*volgorde v. woorden, enz.*) intervertir, changer l'ordre de; **3** (*muz.*) transposer; **4** (*nat.*; *in N. V.*) transformer; **5** (*letters, cijfers*) permuter; **6** (*omwisselen*) échanger; **7** (*in baar geld*) convertir; **8** (*v. goederen*) vendre, débiter; (***voor***) ***10.000 fr. —,*** faire 10.000 francs d'affaires; ***een machine —,*** renverser la marche d'une machine.
omzet'ten *ov.w.* border (de).
om'zetting *v.* **1** déplacement *m.*; **2** inversion *f.*; **3** transposition *f.*; **4** transformation *f.*; **5** permutation *f.*; **6** échange *m.*; **7** convertissement *m.*; **8** (*v. letters*) métathèse *f.* (*zie* ***omzetten***).
omzich'tig I *b.n.* circonspect, prudent; **II** *bw.* avec circonspection, prudemment.
omzich'tigheid *v.* circonspection, prudence *f.*; ***met — te werk gaan,*** user de circonspection.
om'zien *on.w.* **1** tourner la tête, se retourner; **2** (*fig.: — **naar, zoeken***) chercher, s'enquérir de; ***niet — naar,*** ne pas se soucier de, ne pas s'intéresser à; ***doe wel en zie niet om,*** fais ce que dois, advienne que pourra; bien faire et laisser dire.
om'zomen *ov.w.* **1** ourler; **2** (*fig.*) border.
om'zwaai, om'mezwaai *m.* **1** virement *m.*; **2** (*v. rad, enz.*) rotation, révolution *f.*; **3** (*fig.* revirement *m.*
om'zwaaien I *ov.w.* **1** faire tourner; **2** (*v. sabel*) brandir; agiter; **II** *on.w.* **1** tourner brusquement; **2** (*sch.*) virer de bord; **3** (*fig.*) changer d'opinion, changer de parti, faire une volte-face.
omzwach'telen *ov.w.* **1** bander, panser; **2** (*v. kind*) emmailloter.
omzwach'teling *v.* **1** bandage, pansement *m.*; **2** (*v. kind*) emmaillotement *m.*
om'zwalken *on.w.* **1** (*op zee*) courir les mers; **2** (*fig.*) errer (çà et là), vagabonder, rouler sa bosse.
om'zwemmen *ov.w.* faire le tour (en nageant).

om'zwenken *on.w.* 1 faire demi-tour; 2 (*fig.*) faire volte-face.
omzwer'men *ov.w.* se presser autour de.
om'zwerven *on.w.* errer, vagabonder, rôder.
om'zwerving *v.* 1 vagabondage *m.*; 2 (*reizen en trekken*) pérégrination(s) *f.(pl.)*.
om'zweven *ov.w.* 1 planer autour de, flotter —; 2 entourer, environner; 3 (*fig.*) papillonner autour de.
om'zwikken *on.w.* se fouler le pied; ***mijn voet is omgezwikt,*** (*ook:*) le pied m'a tourné.
onaandach'tig I *b.n.* inattentif; II *bw.* inattentivement, sans attention.
onaandach'tigheid *v.* inattention *f.*
onaandoen'lijk I *b.n.* impassible, insensible, stoïque; II *bw.* impassiblement, insensiblement, stoïquement.
onaandoen'lijkheid *v.* impassibilité, insensibilité *f.*, stoïcisme *m.*
onaan'gedaan *b.n.* impassible.
onaan'gediend *bw.* sans être annoncé.
onaan'gekleed *b.n. en bw.* en négligé, en déshabillé.
onaan'gemeld, *zie* ***onaangediend.***
onaan'genaam I *b.n.* désagréable; II *bw.* désagréablement.
onaan'genaamheid *v.* désagrément *m.*; ***onaangenaamheden hebben,*** avoir des difficultés; — des disputes; ***onaangenaamheden zeggen,*** dire des choses désobligeantes.
onaan'geroerd *b.n.* intact; ***— laten,*** 1 ne pas toucher à; 2 (*fig.*) passer sous silence.
onaan'getast *b.n.* 1 intact; 2 incontesté.
onaan'gevochten *b.n.* incontesté.
onaanlok'kelijk *b.n.* peu attrayant.
onaanne'melijk *b.n.* inacceptable, inadmissible.
onaanne'melijkheid *v.* inadmissibilité *f.*
onaantast'baar *b.n.* 1 (*v. persoon*) inviolable; 2 (*v. waarheid, stelling*) inattaquable; 3 (*v. geld*) insaisissable; 4 (*v. recht*) imprescriptible.
onaantast'baarheid *v.* 1 inviolabilité *f.*; 2 imprescriptibilité *f.*
onaantrek'kelijk *b.n.* peu attrayant.
onaanvaard'baar *b.n.* inacceptable, irrecevable.
onaanvecht'baar *b.n.* inattaquable.
onaanzien'lijk *b.n.* 1 (*niet groot, niet belangrijk*) peu considérable, peu important; 2 (*v. voorkomen*) chétif; 3 (*v. stand, huis*) modeste, humble; ***niet —,*** assez considérable.
onaanzien'lijkheid *v.* 1 peu *m.* de valeur; 2 apparence *f.* chétive; 3 modicité, pauvreté *f.*
onaar'dig I *b.n.* 1 (*niet bevallig*) disgracieux, sans grâce; 2 (*onaangenaam*) désagréable; 3 (*onbeleefd*) peu aimable, impoli; ***niet —,*** assez joli; assez gentil, assez aimable; ***een niet — bedrag,*** une somme assez coquette, — assez rondelette; II *bw.* d'une manière peu aimable; ***niet —,*** pas mal; assez bien.
onaar'digheid *v.* 1 manque *m.* de grâce; 2 désagrément *m.*; 3 désobligeance, impolitesse *f.*
onacht'zaam I *b.n.* 1 négligent, nonchalant; 2 (*onoplettend*) inattentif; II *bw.* 1 négligemment, nonchalamment; 2 inattentivement; par inadvertance.
onacht'zaamheid *v.* 1 négligence, nonchalance *f.*; 2 inattention, inadvertance *f.*
onaf'betaald *b.n.* en souffrance.
onaf'gebroken I *b.n.* continuel, continu, ininterrompu; II *bw.* 1 continuellement, sans interruption; 2 (*v. lopen*) d'une traite; 3 (*v. werken*) d'arrache-pied.
onaf'gedaan *b.n.* 1 (*niet voltooid*) inachevé; 2 (*v. rekening*) impayé, non-payé; 3 (*v. schuld*) en souffrance.
onaf'gehaald *b.n.* non réclamé.
onaf'gehandeld *b.n.* en suspens.
onaf'gelost *b.n.* non amorti; ***—e schulden,*** dettes actives; créances arriérées.
onaf'geroomd *b.n.* non-écrémé.
onaf'gesneden *b.n.* non rogné.
onaf'gewend *b.n.* fixe, obstiné; ***de blik — gevestigd houden op,*** regarder avec obstination.
onaf'gewerkt *b.n.* inachevé.
onafhan'kelijk *b.n.* indépendant.
onafhan'kelijkheid *v.* indépendance *f.*
onafkoop'baar *b.n.* irrachetable.
onaflos'baar *b.n.* 1 non amortissable; 2 (*v. schuld*) perpétuel; 3 (*v. lening*) consolidé.
onaflos'baarheid *v.* perpétuité *f.*
onafscheid'baar, onafschei'delijk I *b.n.* inséparable; ***— van,*** (*één met*) inhérent à; II *bw.* inséparablement.
onafschei'delijkheid *v.* inséparabilité *f.*
onafweer'baar *b.n.* irrésistible. [fatal.
onafwend'baar *b.n.* inévitable, inéluctable;
onafwijs'baar *b.n.* 1 qu'on ne saurait refuser; 2 (*v. eis*) impérieux.
onafzet'baar *b.n.* inamovible.
onafzet'baarheid *v.* inamovibilité *f.*
onafzien'baar I *b.n.* 1 immense, qui s'étend à perte de vue; 2 (*v. reeks, enz.: eindeloos*) interminable; II *bw.* à perte de vue.
onafzien'baarheid *v.* immensité *f.*
on'alledaags *b.n.* peu commun.
onanie' *v.* onanisme *m.*
on'arbeidzaam *b.n.* inactif, indolent.
onbaatzuch'tig I *b.n.* désintéressé; II *bw.* avec désintéressement, d'une manière désintéressée.
onbaatzuch'tigheid *v.* désintéressement, altruisme *m.*
onbarmhar'tig I *b.n.* impitoyable; II *bw.* impitoyablement, sans pitié.
onbarmhar'tigheid *v.* inhumanité, dureté *f.*
onbeant'woord *b.n.* resté sans réponse.
on'bebouwd *b.n.* 1 (*v. land*) inculte, non cultivé; 2 (*v. terrein*) vague; (*zonder gebouwen*) non-bâti.
on'bedaar'lijk I *b.n.* qui ne peut être apaisé; inextinguible; ***een — gelach,*** un fou rire; II *bw.* ***— lachen,*** se tordre (de rire).
on'bedacht I *b.n.* étourdi, léger, inconsidéré; II *bw.* étourdiment, à la légère; ***een — ogenblik,*** un moment d'inadvertance, — d'irréflexion.
onbedacht'zaam I *b.n.* irréfléchi, inconsidéré; II *bw.* sans réfléchir, inconsidérément.
onbedacht'zaamheid *v.* irréflexion, inconsidération *f.*
onbedeesd' I *b.n.* hardi, assuré; II *bw.* hardiment, avec assurance.
on'bedekt' I *b.n.* découvert, nu; II *bw.* 1 à découvert; 2 (*fig.*) franchement, ouvertement.
onbeden'kelijk *b.n.* 1 inimaginable; 2 sans danger; ***niet —,*** assez grave, hasardeux, précaire, sujet à caution.
onbeder'felijk *b.n.* incorruptible.
onbeder'felijkheid *v.* incorruptibilité *f.*
onbedor'ven *b.n.* 1 (*v. eetwaren*) frais, inaltéré; 2 (*v. natuur*) intact; 3 (*fig.: rein, onschuldig*) pur, innocent. [innocence *f.*
onbedor'venheid *v.* 1 fraîcheur *f.*; 2 (*fig.*) pureté,
onbedre'ven *b.n.* 1 (*ongeoefend*) inexercé, inexpérimenté; 2 (*onhandig*) inhabile.
onbedre'venheid *v.* 1 inexpérience *f.*; 2 inhabileté *f.*
onbedrieg'lijk *b.n.* infaillible; sûr.

on'beducht *b.n.* sans crainte, sans peur.
onbedui'dend I *b.n.* insignifiant; futile, de peu d'importance; ***niet* —,** assez important; **II** *bw.* ***niet* —,** fortement, assez considérablement.
onbedui'dendheid *v.* insignifiance *f.*; futilité *f.*
onbedwing'baar *b.n.* **1** (*v. persoon*) indomptable, invincible; **2** (*v. slaap*) insurmontable; **3** (*v. lach*) inextinguible; **4** (*v. kracht, enz.*) irrépressible; ***een onbedwingbare lach,*** (*ook:*) un fou rire.
on'bedwongen *b.n.* indompté, invaincu.
on'beëdigd *b.n.* non assermenté, insermenté.
on'begaafd' *b.n.* sans talent(s); ***hij is niet* —,** il n'est pas dépourvu de moyens (*of* de talents).
on'begaafd'heid *v.* incapacité *f.*, manque *m.* de talents.
onbegaan'baar *b.n.* impraticable.
onbegaan'baarheid *v.* impraticabilité *f.*
on'begeerd' *b.n.* peu désiré.
on'begon'nen *b.n.* **1** (*zonder begin of einde*) éternel; **2** (*onuitvoerbaar*) ***dat is — werk,*** c'est la mer à boire.
on'begrensd' *b.n.* **1** illimité, infini, immense; **2** (*v. vertrouwen*) absolu.
onbegrensd'heid *v.* immensité *f.*
on'begre'pen *b.n.* incompris.
onbegrij'pelijk I *b.n.* **1** incompréhensible; **2** (*v. handeling: ondenkbaar*) inconcevable; ***dat is mij* —,** je m'y perds; **II** *bw.* **1** d'une manière incompréhensible; **2** (*handelen, enz.*) d'une manière inconcevable; ***— veel,*** énormément.
onbegrij'pelijkheid *v.* **1** incompréhensibilité *f.*; **2** inexplicabilité *f.*
onbehaag'lijk *b.n.* désagréable; ***een — gevoel,*** un (sentiment de) malaise *m.*
onbehaag'lijkheid *v.* désagrément *m.*; ***gevoel van* —,** malaise *m.*
on'behaard *b.n.* sans poils, glabre.
onbeheerd' *b.n.* **1** abandonné; sans maître; **2** (*recht; v. eigendom, enz.*) jacent; **3** (*v. nalatenschap*) vacant, en déshérence.
on'beheerst' *b.n.* imprévisible.
on'behen'dig I *b.n.* maladroit; **II** *bw.* maladroitement.
on'behen'digheid *v.* maladresse *f.*
on'behol'pen I *b.n.* maladroit, gauche; **II** *bw.* maladroitement, gauchement.
on'behol'penheid *v.* maladresse, gaucherie *f.*
on'behoor'lijk I *b.n.* inconvenant; **II** *bw.* d'une manière inconvenante.
on'behoor'lijkheid *v.* inconvenance *f.*
on'behou'wen I *b.n.* **1** (*v. steen*) non dégrossi, non équarri; **2** (*v. persoon*) grossier, impoli; **II** *bw.* grossièrement, impoliment.
on'behou'wenheid *v.* grossièreté *f.*
on'behulp'zaam *b.n.* peu obligeant, peu serviable.
on'bekend' *b.n.* **1** (*niet bekend, vreemd*) inconnu; **2** (*ongekend, weinig naam hebbend*) peu connu, ignoré; **3** (*v. afkomst, enz.*) obscur; ***ik ben hier* —,** je suis étranger ici; ***hij is mij* —,** je ne le connais pas; ***— zijn met,*** ignorer; ***—e grootheid,*** **1** (*wisk.*) inconnue *f.*; **2** (*v. persoon*) illustre inconnu *m.*; ***— maakt onbemind,*** on n'aime que ce qu'on connaît; inconnu, méconnu.
onbeken'de I *m.-v.* inconnu(e) *m.(f.)*; **II** *v.(m.)* (*wisk.*) inconnue *f.*; **III** ***het* —,** l'inconnu *m.*
onbekend'heid *v.* **1** ignorance *f.*; **2** obscurité *f.*
on'beklemd *b.n.* libre, dégagé.
on'beklim'baar *b.n.* inaccessible.
on'bekommerd I *b.n.* insouciant, sans souci; **II** *bw.* d'une manière insouciante; sans souci.
onbekom'merdheid *v.* insouciance *f.*
on'bekookt' I *b.n.* étourdi, irréfléchi, inconsidéré; **II** *bw.* étourdiment, à l'étourdie.
onbekookt'heid *v.* étourderie, irréflexion *f.*
on'bekoor'lijk *b.n.* dépourvu de charmes, disgracieux.
on'bekrompen I *b.n.* **1** (*overvloedig*) abondant; **2** (*mild, vrijgevig*) généreux, libéral; **3** (*v. geest*) large; **II** *bw.* **1** abondamment; **2** généreusement, libéralement, avec libéralité; **3** largement; sans étroitesse d'esprit; ***— leven,*** vivre dans l'aisance.
onbekrom'penheid *v.* **1** abondance *f.*; **2** libéralité *f.*; **3** largeur *f.* (d'esprit).
on'bekwaam' *b.n.* incapable (de).
onbekwaam'heid *v.* **1** incapacité *f.*; **2** (état *m.* d')ivresse *f.*
on'belang'rijk *b.n.* peu important; peu intéressant; ***niet* —,** assez important; (*v. aantal*) assez considérable; ***— vraagstuk,*** question *f.* oiseuse, — académique.
onbelang'rijkheid *v.* peu *m.* d'importance, insignifiance *f.*, intérêt *m.* médiocre.
on'belast' *b.n.* **1** (*v. wagen, enz.*) sans charge; **2** (*v. belastingen: onbezwaard*) dégrevé, non chargé (d'impôts).
onbelast'baar *b.n.* non imposable, exempt d'impôts.
onbeleefd' I *b.n.* impoli; **II** *bw.* impoliment.
onbeleefd'heid *v.* impolitesse *f.*
on'bele'gen *b.n.* **1** (*v. brood*) frais; **2** (*v. bier, wijn*) jeune, nouveau.
on'belem'merd *b.n.* libre, sans entraves, sans obstacle, sans contrainte.
on'bele'zen *b.n.* illettré.
on'beloond' *b.n.* sans récompense.
on'bemand *b.n.* (*v. schip*) sans équipage; (*v. paard*) non monté; (*v. fort*) sans garnison.
onbemerk'baar *b.n.* imperceptible.
on'bemerkt' I *b.n.* inaperçu; **II** *bw.* sans être aperçu.
on'bemid'deld *b.n.* sans fortune, sans moyens, sans ressources; ***niet* —,** aisé.
onbemind' *b.n.* peu aimé, impopulaire.
onbemin'nelijk *b.n.* peu aimable.
on'beneveld *b.n.* **1** clair, serein; **2** (*fig.*) sans préjugés.
onbenijd' *b.n.* à l'abri des jaloux, — des envieux.
on'benoemd' *b.n.* ***— getal,*** (*rek.*) nombre abstrait.
onbenul'lig I *b.n.* **1** insignifiant; **2** (*dom*) stupide, bête; **II** *bw.* stupidement, bêtement.
onbenul'ligheid *v.* **1** insignifiance, médiocrité *f.*; **2** bêtise, stupidité *f.*
on'benut *b.n.* inutilisé.
onbepaal'baar *b.n.* indéfinissable.
on'bepaald' I *b.n.* **1** (*niet begrensd, onbeperkt*) illimité, sans bornes; **2** (*niet vastgesteld, niet omschreven*) indéterminé, indéfini; **3** (*onzeker*) incertain, vague; **4** (*onduidelijk*) indistinct; ***— verlof,*** congé de libération; ***— voornaamwoord,*** pronom indéfini; ***—e wijs,*** infinitif; **II** *bw.* d'une manière indéterminée; vaguement; (se prolonger, s'étendre) indéfiniment.
onbepaald'heid *v.* **1** indétermination *f.*; **2** manque *m.* de précision, vague *m.*; **3** incertitude *f.*; ***lidwoord van* —,** article indéfini.
on'beperkt' I *b.n.* **1** (*onbegrensd*) illimité; **2** (*volstrekt; v. macht, vrijheid*) absolu; ***—e volmacht,*** plein(s) pouvoir(s) *m.(pl.)*, carte *f.* blanche; **II** *bw.* sans limite, sans bornes.
on'beproefd' *b.n.* ***niets — laten om,*** ne rien négliger pour, tenter tous les moyens pour, mettre tout en œuvre pour.
on'bera'den I *b.n.* indélibéré, inconsidéré; **II** *bw.* indélibérément, inconsidérément.
on'bera'denheid *v.* inconsidération, étourderie, irréflexion *f.*

on'bere'den *b.n.* **1** (*mil.: v. officier*) non monté; **2** (*v. paard*) neuf; **3** (*v. weg*) peu fréquenté; non battu.
on'beredeneerd' **I** *b.n.* irréfléchi, irraisonné; **II** *bw.* sans réfléchir, d'une manière irréfléchie.
on'bereik'baar *b.n.* inaccessible; hors d'atteinte, inabordable; irréalisable.
on'bereisd' *b.n.* **1** (*v. persoon*) qui n'a pas beaucoup voyagé, casanier; **2** (*v. streek, land*) peu fréquenté (des voyageurs); (*afgelegen*) écarté.
on'bere'kenbaar **I** *b.n.* incalculable; instable; **II** *bw.* (*buitengewoon*) extrêmement, excessivement.
on'bere'kend *b.n.* désintéressé.
onberijd'baar *b.n.* **1** (*v. weg*) impraticable; **2** (*v. paard*) immontable.
on'berijmd *b.n.* non rimé; en prose; en vers blancs.
on'beris'pelijk **I** *b.n.* **1** (*v. gedrag, enz.*) irréprochable; **2** (*v. kleding, spraak*) impeccable; **II** *bw.* **1** irréprochablement, d'une manière irréprochable; **2** impeccablement.
onberis'pelijkheid *v.* **1** caractère *m.* irréprochable; **2** impeccabilité *f.*
on'beroerd' *b.n.* calme, tranquille, imperturbable.
on'beschaafd' **I** *b.n.* **1** (*v. persoon*) grossier, impoli; **2** (*v. geest*) inculte; **3** (*v. volk*) non civilisé, incivilisé; **II** *bw.* grossièrement.
onbeschaafd'heid *v.* **1** grossièreté, impolitesse *f.*; **2** état *m.* sauvage, barbarie *f.*
on'beschaamd' *b.n.* effronté, impudent, insolent.
onbeschaamd'heid *v.* effronterie, impudence, insolence *f.*, dévergondage *m.*
on'bescha'digd *b.n.* intact, indemne.
on'beschei'den **I** *b.n.* indiscret, arrogant; **II** *bw.* indiscrètement, avec arrogance.
onbeschei'denheid *v.* indiscrétion, arrogance *f.*
on'beschermd' *b.n.* **1** sans protection; **2** (*gevaarlijk, blootgesteld aan gevaar, enz.*) exposé.
on'beschoft', *zie* ***onbeschaamd.***
on'beschre'ven *b.n.* blanc, vierge; ***het — recht,*** le droit coutumier; ***— laten,*** laisser en blanc.
onbeschrij'f(e)lijk **I** *b.n.* indescriptible, inexprimable, indicible, ineffable; **II** *bw.* d'une façon (*of* manière) indescriptible.
on'beschroomd' **I** *b.n.* hardi; **II** *bw.* hardiment, sans crainte.
on'beschroomd'heid *v.* hardiesse, assurance *f.*
on'beschut' *b.n.* inabrité, sans abri.
on'besla'gen *b.n.* **1** (*v. paard*) non ferré; **2** (*fig.*) non préparé; ***— ten ijs komen,*** s'embarquer sans biscuit.
onbesla'pen *b.n.* non-défait.
on'beslecht' *b.n.* (*v. proces, enz.*) pendant, en litige.
on'beslist' *b.n.* **1** (*niet uitgemaakt*) indécis; **2** (*twijfelachtig, onzeker*) douteux, incertain; ***— blijven,*** demeurer en suspens.
on'beslist'heid *v.* indécision *f.*
on'besmet' *b.n.* pur, sans tache, immaculé.
onbesne'den *b.n.* incirconsis.
on'bespeel'baar *b.n.* impraticable.
on'bespeeld' *b.n.* (*v. instrument*) neuf.
on'bespro'ken *b.n.* **1** (*v. gedrag*) irréprochable; **2** (*v. plaats*) libre; **3** (*v. onderwerp*) non discuté.
onbestaan'baar *b.n.* impossible; ***— met,*** incompatible avec.
onbestel'baar *b.n.* (resté) en souffrance; (*op brief*) (destinataire) inconnu; ***als — ter zijde leggen,*** mettre au rebut.
on'bestemd' *b.n.* vague, indéfini.
on'bestemd'heid *v.* vague *m.*
on'besten'dig *b.n.* **1** (*v. persoon: wispelturig*) inconstant, changeant; **2** (*v. weer*) variable; **3** (*v. toestand*) instable.
on'besten'digheid *v.* **1** inconstance *f.*; **2** variabilité *f.*; **3** instabilité *f.*
on'bestor'ven *b.n.* (*v. vlees*) non mortifié, frais; ***— weduwe,*** veuve blanche, femme dont le mari est absent.
on'bestre'den *b.n.* incontesté.
onbestrijd'baar *b.n.* incontestable.
onbestuur'baar *b.n.* indirigeable.
on'besuisd' **I** *b.n.* étourdi; **II** *bw.* étourdiment.
onbesuisd'heid *v.* étourderie *f.*
onbetaal'baar *b.n.* impayable.
on'betaald *b.n.* impayé, non-payé, (laissé) en souffrance.
onbeta'melijk **I** *b.n.* malséant, inconvenant; **II** *bw.* d'une manière inconvenante.
onbeta'melijkheid *v.* inconvenance *f.*
onbetekenend, *zie* ***onbeduidend.***
on'beteugeld *b.n.* sans frein, effréné, indompté.
onbetre'den *b.n.* non-frayé.
onbetrouw'baar *b.n.* **1** (*v. persoon*) peu sûr, peu digne de confiance; **2** (*v. inlichting, enz.*) douteux, sujet à caution.
onbetrouw'baarheid *v.* caractère *m.* peu sûr, — dangereux.
onbetuigd' *b.n.* ***zich niet — laten,*** ne pas rester en arrière.
on'betwist' *b.n.* incontesté.
onbetwist'baar **I** *b.n.* incontestable; **II** *bw.* incontestablement.
onbetwist'baarheid *v.* incontestabilité *f.*
onbevaar'baar *b.n.* impropre à la navigation, innavigable.
onbevaar'baarheid *v.* innavigabilité *f.*
on'beval'lig **I** *b.n.* disgracieux; **II** *b.n.* disgracieusement, sans grâce, sans élégance.
on'beval'ligheid *v.* manque *m.* de grâce, mauvaise grâce *f.*
on'bevan'gen **I** *b.n.* **1** (*zonder vooroordeel*) sans préjugé, sans parti pris, impartial; **2** (*vrijmoedig, ongekunsteld*) ingénu, naïf; **II** *bw.* **1** sans parti pris, impartialement; **2** ingénument, naïvement.
onbevan'genheid *v.* **1** impartialité *f.*; **2** ingénuité *f.*
on'beva'ren *b.n.* **1** (*v. rivier, enz.*) peu fréquenté; **2** (*v. matroos*) novice, inexpérimenté; ***een — matroos,*** un novice.
onbevat'telijk *b.n.* **1** (*traag v. begrip, dom*) peu intelligent, stupide; **2** (*onbegrijpelijk*) inconcevable, incompréhensible.
on'bevestigd *b.n.* resté sans confirmation.
on'bevlekt' *b.n.* sans tache, immaculé; ***de O—e Ontvangenis,*** l'Immaculée Conception.
onbevlekt'heid *v.* pureté, chasteté, virginité *f.*
on'bevoegd' *b.n.* **1** non-autorisé; **2** (*onbekwaam om*) incapable (de); **3** (*v. rechtbank, enz.*) incompétent; **4** (*onvolledig bevoegd*) non-titulaire; ***—e uitoefening,*** exercice *m.* (*of* pratique *f.*) illégal(e).
onbevoegd'heid *v.* **1** incapacité *f.*; **2** incompétence *f.*
onbevolkt' *b.n.* inhabité, désert.
onbevooroor'deeld *b.n. en bw.* sans préjugés.
on'bevracht *b.n.* (*v. schip*) sur lest.
on'bevre'digd *b.n.* **1** peu satisfait; **2** (*v. honger, dorst*) inapaisé; **3** (*v. hartstocht*) inassouvi.
on'bevre'digdheid *v.* **1** inapaisement *m.*; **2** inassouvissement *m.*
onbevre'digend *b.n.* peu satisfaisant.
on'bevreesd' **I** *b.n.* sans crainte, hardi, intrépide; **II** *bw.* hardiment, intrépidement.
onbevreesd'heid *v.* hardiesse, intrépidité *f.*
on'bevrucht' *b.n.* non fécondé.
on'bewaakt' *b.n.* non surveillé, sans surveillance; ***—e overweg,*** passage à niveau non gardé; ***in een — ogenblik,*** dans un moment de faiblesse, — de défaillance.

on'beweeg'baar *b.n.* inébranlable.
on'beweeg'baarheid *v.* 1 immobilité *f.*; 2 (*fig.*) fermeté *f.* inébranlable.
on'beweeg'lijk *b.n.* 1 immobile; 2 inébranlable; 3 (*fig.*) inflexible.
on'beweeg'lijkheid *v.* 1 immobilité *f.*; 2 inflexibilité *f.*
on'bewerkt' *b.n.* 1 (*v. grondstoffen*) brut, non-ouvré; 2 (*niet versierd*) sans ornement; 3 (*v. grond*) qui n'a pas été cultivé; 4 (*v. zijde*) écru; ***—e grondstof,*** matière première.
on'bewerk'tuigd *b.n.* inorganique.
on'bewe'zen *b.n.* sans preuves, sans fondement.
on'bewijs'baar *b.n.* indémontrable, impossible à démontrer.
on'bewijs'baarheid *v.* impossibilité *f.* de démontrer, — de prouver.
on'bewimpeld I *b.n.* 1 (*v. antwoord, enz.*) franc; 2 (*v. waarheid, enz.*) non déguisé; **II** *bw.* 1 franchement, sans fard; sans déguisement; 2 (*fig.*) carrément.
on'bewo'gen *b.n.* 1 immobile; 2 (*fig.: ongevoelig, onverschillig*) impassible.
on'bewo'genheid *v.* 1 immobilité *f.*; 2 impassibilité *f.*
on'bewolkt' *b.n.* sans nuages, serein, clair.
onbewoon'baar *b.n.* inhabitable.
onbewoon'baarverklaring *v.* interdiction *f.* de location.
on'bewoond' *b.n.* 1 inhabité; 2 (*verlaten*) désert, abandonné.
on'bewust' I *b.n.* 1 (*niet kennend, niet wetend*) inconscient; 2 (*instinctmatig*) instinctif; 3 (*onwillekeurig*) involontaire; 4 (*niet duidelijk, vaag: v. angst, voorgevoel, enz.*) vague; **II** *bw.* 1 inconsciemment; 2 instinctivement; 3 involontairement; 4 vaguement; ***van iets — zijn,*** ignorer qc.
onbewust'heid *v.* inconscience; ignorance *f.*
onbeza'digd I *b.n.* irréfléchi, étourdi; immodéré; **II** *bw.* étourdiment, à l'étourdie; immodérément.
onbeza'digdheid *v.* irréflexion, étourderie *f.*; manque *m.* de modération.
on'bezet' *b.n.* 1 (*ledig*) inoccupé, libre; 2 (*niet waargenomen: v. betrekking, enz.*) vacant; 3 (*mil.*) sans garnison.
on'bezield' *b.n.* 1 inanimé, sans âme; 2 (*fig.*) terne; sans vie.
on'bezoe'deld *b.n.* 1 sans tache, sans souillure; 2 pur, immaculé.
on'bezoldigd *b.n.* non rétribué, non salarié.
on'bezon'nen I *b.n.* étourdi, irréfléchi; ***— streek,*** étourderie *f.*; ***— mens,*** étourdi *m.*; **II** *bw.* à l'étourdie, étourdiment.
onbezon'nenheid *v.* étourderie, irréflexion *f.*
on'bezorgd' I *b.n.* 1 insouciant; 2 (*v. leven*) sans souci; 3 (*H.: v. goederen*) non délivré; **II** *bw.* dans l'insouciance.
onbezorgd'heid *v.* insouciance *f.*
on'bezwaard' *b.n.* 1 (*v. geweten*) net, tranquille; 2 (*v. gemoed*) exempt de soucis, — de préoccupations; 3 (*v. goederen*) exempt (d'hypothèques, de dettes).
on'bezweken *b.n.* constant, ferme; ***— trouw,*** fidélité à toute épreuve.
onbil'lijk I *b.n.* inéquitable, injuste; **II** *bw.* inéquitablement, injustement.
onbil'lijkheid *v.* iniquité, injustice *f.*
on'bloedig *b.n.*, ***een — offer,*** un sacrifice non sanglant.
onblus'baar *b.n.* inextinguible.
onboetvaar'dig I *b.n.* impénitent; **II** *bw.* dans l'impénitence.
onboetvaar'digheid *v.* impénitence *f.*
on'brand'baar *b.n.* incombustible, ininflammable, ignifuge, ignifugé.
on'brand'baarheid *v.* incombustibilité *f.*
on'breek'baar *b.n.* 1 incassable; 2 (*fig.*) solide, à toute épreuve; ***onbreekbare banden,*** des liens indissolubles.
on'bruik *o.* ***in — raken,*** tomber en désuétude; ***in —,*** inusité, hors d'usage, désuet.
onbruik'baar *b.n.* 1 inutilisable; 2 (*v. weg*) impraticable; 3 (*v. bediende, werkman*) incapable; ***— maken,*** mettre hors de service.
onbruik'baarheid *v.* 1 (*v. voorwerp*) mauvais état *m.*; 2 (*v. weg*) impraticabilité *f.*; 3 (*v. persoon*) incapacité, inaptitude *f.*
onbuig'baar *b.n.* inflexible.
onbuig'baarheid *v.* inflexibilité *f.*
onbuig'zaam, *zie* ***onbuigbaar.***
onchris'telijk, onkris'telijk I *b.n.* peu chrétien, barbare, inhumain; **II** *bw.* peu chrétiennement.
on'daad *v.(m.)* forfait *m.*
on'dank *m.* ingratitude *f.*; ***zijns —s,*** malgré lui; ***— is 's werelds loon,*** le monde paie d'ingratitude; sur dix obligés il y a neuf ingrats.
ondank'baar I *b.n.* ingrat; **II** *bw.* ingratement.
ondank'baarheid *v.* ingratitude *f.*
ondank'bare *m.* ingrat *m.*
on'danks *vz.* malgré, en dépit de.
ondeel'baar I *b.n.* 1 indivisible; 2 (*nat.*) insécable; ***— getal,*** nombre premier; ***een — ogenblik,*** un instant (*of* moment) très court; ***— stofdeeltje,*** atome *m.*; électron *m.*; **II** *bw.* indivisiblement; ***— klein,*** infiniment petit.
ondeel'baarheid *v.* indivisibilité *f.*
onde'gelijk *b.n.* 1 (*v. persoon*) mou, flasque; 2 (*v. kennis*) superficiel, sans fond; 3 (*v. waren*) de pacotille, peu solide, peu résistant.
ondenk'baar *b.n.* inconcevable, inimaginable.
on'der I *vz.* 1 (*v. plaats*) sous; au-dessous de; 2 (*v. ruimte: te midden van*) entre; parmi, au milieu de; 3 (*v. tijd: gedurende*) pendant, durant; ***— andere(n),*** entre autres; ***— water,*** 1 sous l'eau; 2 (*v. duikboot*) en plongée; ***— water staan,*** être inondé; ***— water zetten,*** inonder; ***— stoom,*** (*tn.*) sous pression; ***— schot,*** à (bonne) portée; ***— ons gezegd,*** soit dit entre nous; ***— weg,*** en route, chemin faisant; ***— de duizend frank,*** moins de mille francs; ***— de indruk komen van,*** être impressionné par; ***— het zingen,*** (tout) en chantant; ***— iem. staan,*** dépendre de qn., être sous les ordres de qn.; ***— zich hebben,*** avoir en mains, avoir par devers soi; **II** *bw.* en bas; ***— aan de bladzijde,*** au bas de la page; ***— aan de berg,*** au pied de la montagne; ***—in de mand,*** au fond du panier; ***de zon is —,*** le soleil est couché; ***hij woont —,*** il habite le rez-de-chaussée; ***er op of er —,*** vaincre ou périr.
on'deraan' *bw.* en bas de; au bas de; ***— de brief,*** au pied de la lettre, au bas de la lettre.
on'deraandeel *o.* coupure *f.*
on'deraannemer *m.* sous-traitant* *m.*
on'deraards' *b.n.* souterrain; ***— gewelf,*** 1 souterrain *m.*; 2 (*in kerk*) crypte *f.*
on'deradjudant *m.* adjudant *m.*
on'deraf' *bw.* d'en bas; ***van —,*** de bas en haut.
on'derafdeling *v.* 1 subdivision *f.*; 2 (*op tentoonstelling*) sous-section* *f.*, sous-secteur* *m.*
on'derarm *m.* avant-bras *m.*
on'derbaas *m.* contremaître *m.*; chef *m.* d'équipe.
on'derbalk *m.* (*bouwk.*) architrave *f.*
on'derband *m.* 1 sous-bande* *f.*; 2 (*mil.: v. geweer*) grenadière *f.*
on'derbelichten *ov.w.* sous-exposer.

on'derbelichting *v.* sous-pose*, sous-exposition**f.*
on'derbetaald *b.n.* trop peu payé (*of* salarié).
on'derbevelhebber *m.* commandant *m.* en second.
on'derbevolkt *b.n.* sous-peuplé*.
on'derbevrachten *ov.w.* (*H.*) sous-affréter.
on'derbewust' *b.n.* subconscient; ***het —e,*** le subliminal. [conscient.
on'derbewustzijn *o.* subconscience *f.*; le sub-
on'derbezetting *v.* manque *m.* de personnel.
on'derbibliot(h)ecaris, -bibliot(h)ekaris *m.* sous-bibliothécaire* *m.*
onderbie'den *ov.w.* mésoffrir. [mettre.
on'derbinden *ov.w.* (*v. schaatsen, enz.*) attacher,
onderbin'den *ov.w.* (*gen.*) ligaturer.
on'derblad *o.* **1** (*v. sigaar*) sous-cape *f.*; **2** (*v. viool*) dos, fond *m.* (de violon). [l'eau.
on'derblijven *on.w.* **1** rester en bas; **2** rester sous
on'derbouw *m.* **1** (*bouwk.*) soubassement *m.*, substruction *f.*; **2** (*v. spoorwegen*) infrastructure *f.*; **3** (*v. lyceum*) classes *f.pl.* inférieures.
onderbre'ken *ov.w.* interrompre.
onderbre'ker *m.* interrupteur *m.*
onderbre'king *v.* interruption *f.*
on'derbrengen *ov.w.* **1** mettre à l'abri; **2** faire rentrer (dans une rubrique, une catégorie, etc.).
on'derbroek *v.(m.)* **1** (*heren—*) caleçon *m.*; **2** (*dames—*) pantalon *m.*
on'derbuik *m.* bas-ventre*, abdomen *m.*
on'derbuiksspier *v.(m.)* muscle *m.* abdominal.
on'derburen *mv.* voisins *m.pl.* d'en bas.
on'dercommissaris, -kommissaris *m.* sous-commissaire* *m.*
on'derconsumptie, -konsumptie *v.* sous-consommation* *f.*
on'derdaan *m.* sujet *m.*; ***onderdanen,*** (*fam.*) jambes, quilles *f.pl.*
on'derdak *o.* abri *m.*; ***— verlenen aan,*** abriter, héberger; ***geen — hebben,*** n'avoir ni feu ni lieu.
onderda'nig I *b.n.* **1** (*gehoorzaam*) obéissant; **2** (*onderworpen*) soumis, sujet, assujetti; **3** (*ong.*) obséquieux; ***uw —e dienaar,*** votre très humble serviteur; **II** *bw.* humblement.
onderda'nigheid *v.* **1** obéissance *f.*; **2** soumission, sujétion *f.*; **3** obséquiosité *f.*
on'derdeel *o.* **1** (*onderste gedeelte*) dessous *m.*, partie *f.* inférieure; **2** (*v. werk*) subdivision *f.*; **3** (*v. wetenschap*) branche *f.*; **4** (*v. machine*) accessoire *m.*; partie *f.* (de rechange), pièce *f.* détachée; **5** (*bijkomstig, ondergeschikt deel*) partie *f.* accessoire, détail *m.*; **6** (*v. meter, enz.*) sous-multiple* *m.*
on'derdek *o.* **1** (*v. schip*) premier pont *m.*; **2** (*v. brug*) tablier, plancher *m.*
on'derdekblad *o.* (*v. sigaar*) sous-cape* *f.*
on'derdeken *v.(m.)* couverture *f.* de dessous.
on'derdekken *ov.w.* border.
onderdeks' *bw.* en bas, dans la cabine. [rieur.
on'derdeur *v.(m.)* contre-huis *m.*; vantail *m.* infé-
on'derdiaken *m.* sous-diacre* *m.* [*m.*
on'derdirecteur, -direkteur *m.* sous-directeur*
on'derdoen I *ov.w.* (*v. schaatsen, sandalen*) attacher, mettre; **II** *on.w.* ***voor iem. —,*** le céder à qn.; ***onze merken doen voor geen andere onder,*** nos marques soutiennent toute concurrence.
on'derdompelen I *ov.w.* plonger dans l'eau; immerger; **II** *on.w.* plonger; s'immerger.
on'derdompeling *v.* **1** immersion *f.*; **2** (*duiken*) plongeon *m.*
onderdoor' *bw.* par-dessous; (*fig.*) ***er — lopen,*** passer dans le nombre.
on'derdruk *m.* dépression *f.*
onderdruk'ken *ov.w.* **1** (*v. volk*) opprimer; **2** (*oproer, enz.*) réprimer, étouffer; **3** (*gramschap, enz.*) maîtriser.
onderdruk'ker *m.* oppresseur *m.*
onderdruk'king *v.* **1** oppression *f.*; **2** répression *f.*
on'derduiken *on.w.* **1** plonger; **2** (*v. hoogte*) piquer une tête; **3** (*v. duikboot*) se mettre en plongée; **4** (*in bezettingstijd*) prendre le maquis, (*verstoppen*) se planquer.
on'derduiker *m.* **1** (*strijdbaar*) maquisard *m.*; **2** planqué *m.*
on'derduwen *ov.w.* enfoncer sous l'eau; submerger, faire plonger.
ondereen' *bw.* pêle-mêle.
on'dereind(e) *o.* **1** extrémité *f.* inférieure; **2** (*v. tafel*) bas bout *m.*
on'deren *bw.* ***naar —,*** vers le bas; ***naar — gaan,*** descendre; ***van —,*** d'en bas, de dessous.
on'dergaan *on.w.* **1** (*v. zon*) se coucher, descendre à l'horizon; **2** (*v. schip: zinken*) couler à fond; sombrer; **3** (*fig.*) périr; succomber.
ondergaan' *ov.w.* **1** subir; **2** (*v. verlies, nederlaag, enz.*) essuyer, subir. [en déclin.
on'dergaand *b.n.* **1** (*v. zon*) couchant; **2** (*fig.*)
on'dergang *m.* **1** (*v. zon*) coucher *m.*; **2** (*verval*) déclin *m.*, décadence *f.*; **3** (*verderf*) perte, ruine *f.*; ***zijn — tegemoet gaan,*** courir à sa perte, — à sa ruine.
ondergeschikt' *b.n.* **1** (*v. persoon*) subalterne, inférieur; **2** (*v. zin*) subordonné; **3** (*van mindere betekenis*) secondaire, accessoire; ***— maken aan,*** subordonner à.
ondergeschik'te *m.-v.* subordonné(e), sous-ordre*, subalterne *m.-f.*
ondergeschikt'heid *v.* **1** subordination *f.*; infériorité *f.*; **2** importance *f.* secondaire; **3** (*afhankelijkheid*) dépendance *f.*
on'dergeschoven *b.n.* supposé.
ondergete'kende *m.-v.* soussigné(e) *m.(f.)*; ***ik —,*** je soussigné.
on'dergewaad *o.* sous-vêtement* *m.*
on'dergewicht *o.* manque *m.* de poids.
on'dergoed *o.* vêtements *m.pl.* de dessous, sous-vêtements *m.pl.*, linge *m.* (de corps).
on'dergordijntje *o.* brise-vue *m.*
ondergra'ven *ov.w.* saper, miner.
on'dergrond *m.* **1** sous-sol* *m.*; **2** (*fig.*) fond *m.*
ondergronds' *b.n.* souterrain; ***de —e strijder,*** le maquisard, le résistant.
ondergrond'se *v. of m.* **1** maquis *m.*, Résistance *f.*; **2** métro(politain) *m.*
ondergronds'ploeg *m.* (*landb.*) sous-soleuse* *f.*
ondergrond'spoorweg *m.* chemin *m.* de fer souterrain; (*te Parijs*) métropolitain *m.*; (*fam.*) métro *m.*
onderhan'delaar *m.* **1** négociateur *m.*; **2** (*mil.*) parlementaire *m.*
onderhan'delen *on.w.* **1** négocier, traiter de; **2** parlementer; ***over een lening —,*** négocier un emprunt; ***ze zijn nog aan het —,*** ils sont encore en négociations, — en pourparlers.
onderhan'deling *v.* négociation *f.*, pourparlers *m.pl.*; ***—en voeren,*** négocier.
on'derhands' I *bw.* sous la main, en sous-main; **II** *b.n.* **1** (*v. verkoop*) de gré à gré, à l'amiable; **2** (*v. akte*) sous seing privé.
onderha'vig *b.n.* en question; ***in het —e geval,*** dans l'espèce; dans le cas qui nous occupe.
onderheb'bend *b.n.* ***zijn —e manschappen,*** les hommes placés sous ses ordres.
onderhe'vig *b.n.* **1** (*aan ziekte, enz.*) sujet à; **2** (*aan belasting*) soumis à, assujetti à; ***aan twijfel —,*** douteux, incertain.

onderho'rig *b.n.* **1** (*v. persoon*) subordonné (à), dépendant (de); **2** (*v. gebied*) ressortissant (à).
onderho'rige *m.* subordonné *m.*
onderho'righeid *v.* **1** subordination, dépendance *f.*; **2** (*v. gebied*) dépendance *f.*
on'derhoud *o.* **1** (*instandhouding*) entretien, maintien *m.*; **2** (*verzorging, voeding, enz.*) entretien *m.*, subsistance *f.*; **3** (*gesprek*) entretien *m.*, conversation *f.*; **4** (*omgang*) commerce *m.*; ***in het — voorzien van,*** subvenir aux besoins de.
on'derhouden *ov.w.* **1** tenir sous l'eau; **2** (*v. tegenstander*) maintenir sous soi, maintenir par terre.
onderhou'den I *ov.w.* **1** (*instandhouden*) entretenir; ***het huis is goed —,*** la maison est en bon état; **2** (*van het nodige voorzien*) subvenir aux besoins de; **3** (*voeden*) nourrir, alimenter; **4** (*reglement, enz.*) observer; **5** (*aangenaam bezighouden*) entretenir agréablement, distraire; **6** (*spreken met*) entretenir (qn.); ***iem. over iets —,*** s'entretenir avec qn. sur qc.; **II** *w.w.* ***zich — (met),*** s'entretenir (avec).
onderhou'dend *b.n.* **1** (*v. boek, enz.*) amusant; **2** (*v. persoon*) divertissant.
on'derhoudskosten *mv.* frais *m.pl.* d'entretien.
on'derhoudsplicht *m. en v.* obligation *f.* alimentaire.
on'derhoudswerken *mv.* travaux *m.pl.* d'entretien.
on'derhout *o.* taillis, sous-bois *m.*
on'derhuid *v.(m.)* **1** derme *m.*; **2** (*sch.*) bordage *m.* intérieur.
onderhuids' *b.n.* sous-cutané*, hypodermique.
on'derhuis *o.* **1** sous-sol* *m.*; **2** (*benedenhuis*) rez-de-chaussée *m.*
onderhu'ren *ov.w.* (*v. werklieden*) débaucher.
on'derhuren *ov.w.* sous-louer.
on'derhuur *v.(m.)* sous-location* *f.*; sous-bail* *m.*
on'derhuur'der *m.* sous-locataire* *m.*
on'derin' *bw.* au fond, en bas.
on'derjurk *v.(m.)* jupon *m.*, sous-jupe* *f.*
on'derkaak *v.(m.)* mâchoire *f.* inférieure.
on'derkant *m.* dessous *m.*, côté *m.* inférieur.
on'derkast *v.(m.)* **1** (*v. meubel*) armoire *f.* inférieure; **2** (*v. drukker*) bas *m.* de casse.
onderken'nen *ov.w.* **1** reconnaître; **2** distinguer, discerner; **3** (*gen.*) spécifier, dépister.
onderken'ning *v.* **1** discernement *m.*; **2** spécification *f.*, dépistage *m.*
on'derkerk *v.(m.)* crypte *f.*
on'derkin *v.(m.)* double menton *m.*
on'derkleding *v.* vêtements *m.pl.* de dessous.
on'derkleed *o.* **1** habit *m.* de dessous; **2** (*v. japon*) sous-jupe* *f.*
on'derkok *m.* aide *m.* de cuisine.
on'derkomen I *on.w.* trouver un abri; **II** *z.n., o.* abri, gîte *m.*; ***geen — hebben,*** être sans abri, n'avoir ni feu ni lieu.
on'derkommissaris, *zie* ***ondercommissaris.***
on'derkoning *m.* vice-roi* *m.*
on'derkoningschap *o.* vice-royauté* *f.*
on'derkonsumptie, *zie* ***onderconsumptie.***
on'derkrijgen *ov.w.* **1** terrasser; **2** (*fig.*) soumettre.
onderkrui'pen *ov.w.* supplanter, évincer.
onderkrui'per *m.* **1** supplanteur *m.*; **2** (*H.*) gâte-métier *m.*; **3** (*bij werkstaking*) jaune, renard *m.*
onderkruiperij' *v.* supplantation *f.*, intrigues *f.pl.*
on'derlaag *v.(m.)* **1** (*v. grond*) couche *f.* inférieure; **2** (*v. ledikant*) fond *m.*; **3** (*v. huis*) assise *f.*
on'derlaken *o.* drap *m.* de dessous.
on'derlangs' *bw.* par en bas, en contrebas (de).
onderlegd' *b.n.* ***goed — zijn,*** être bien instruit; être bien préparé; ***goed — zijn in,*** être ferré sur.
on'derleggen *ov.w.* **1** placer sous, mettre —; **2** (*v. tegenstander*) tomber, terrasser.
on'derlegger *m.* **1** (*bij 't schrijven*) sous-main *m.*; **2** (*papier met lijnen*) transparent *m.*; **3** (*op tafel*) dessous *m.* de plat, garde-nappe(*), sous-plat* *m.*; **4** (*balk*) poutre *f.*
on'derliggen *on.w.* **1** se trouver en dessous, — en bas; **2** (*bij strijd*) avoir le dessous.
on'derlijf *o.* **1** partie *f.* inférieure du corps; **2** (*buik*) bas-ventre*, abdomen *m.*
on'derlijfje *o.* camisole *f.*
onderlij'nen *ov.w.* souligner.
on'derling I *b.n.* mutuel, réciproque; ***—e onenigheden,*** dissensions intestines; ***vereniging voor —e bijstand,*** société *f.* de secours mutuel, mutuelle *f.*; ***door — overleg,*** d'un commun accord; **II** *bw.* mutuellement, réciproquement, entre eux (*of* elles); ***— vergelijken,*** comparer entre eux (*of* elles).
on'derlinnen *o.* linge *m.* de corps.
on'derlip *v.(m.)* lèvre *f.* inférieure.
on'derlopen *on.w.* être inondé, être submergé.
on'derluitenant *m.* sous-lieutenant* *m.*
on'dermaans' I *b.n.* sublunaire, terrestre; **II** *z.n., o.* ***het —e,*** la terre; ***in dit —e,*** dans ce bas monde, ici-bas.
on'dermaat *v.(m.)* déficit *m.* sur la mesure.
on'dermatras *v.(m.) en o.* sommier *m.*
on'dermelk *v.(m.)* lait *m.* écrémé.
ondermij'nen *ov.w.* **1** miner, saper; **2** (*fig.*) miner, ébranler, saper.
ondermij'ning *v.* **1** mine, sape *f.*; **2** ébranlement *m.*
on'dermouw *v.(m.)* manche *f.* de dessous.
on'dermuur *m.* soubassement *m.*
onderne'men *ov.w.* entreprendre.
onderne'mend *b.n.* entreprenant.
onderne'mer *m.* entrepreneur *m.*
onderne'ming *v.* **1** entreprise *f.*; **2** (*plantage*) plantation *f.*; **3** (*firma*) entreprise *f.*; établissement *m.*
onderne'mingsgeest *m.* esprit *m.* d'entreprise, — d'initiative.
onderne'mingsraad *m.* comité *m.* d'entreprise.
on'derofficier *m.* sous-officier * *m.*
onderons'je *o.* petit comité, petit cercle *m.*, réunion *f.* intime.
on'derontwikkeld *b.n.* ***— gebied,*** pays *m.* sous-développé*, — en voie de développement.
on'derpacht *v.(m.)* sous-bail* *m.*, sous-ferme* *f.*
on'derpachter *m.* sous-fermier* *m.*
on'derpand *o.* **1** (*alg.*) gage *m.*; **2** (*waarborg*) garantie *f.*; **3** (*hypotheek*) hypothèque *f.*; ***als — geven,*** donner en nantissement, — comme gage; ***zakelijk —,*** garantie *f.* accessoire; arrière-caution* *f.*
on'derpastoor *m.* vicaire *m.*
on'derploegen *ov.w.* enfouir (à la charrue).
on'derprefect, -prefekt *m.* sous-préfet* *m.*
on'derprior *m.* sous-prieur* *m.*
on'derra *v.(m.)* (*sch.*) basse vergue *f.*
on'derraaklijn *v.(m.)* sous-tangente* *f.*
on'derrand *m.* bord *m.* inférieur.
on'derregenen *on.w.* être inondé par la pluie.
on'derricht *o.* enseignement *m.*; instruction *f.*; ***iem. — geven,*** instruire qn.; ***iem. — geven in iets,*** enseigner qc. à qn.
onderrich'ten *ov.w.* **1** (*onderwijzen*) instruire; **2** (*inlichten*) informer (qn. de qc.), mettre au courant (de), renseigner (qn. sur qc.).
onderrich'ting *v.* **1** instruction *f.*, enseignement *m.*; **2** information *f.*

on'derrok *m.* jupon *m.*
on'derruim *o.* fond *m.* de cale.
onderschat'ten *ov.w.* sous-estimer, sous-évaluer; mésestimer; faire peu de cas de; ***niet te —,*** pas à dédaigner. [luation *f.*
onderschat'ting *v.* sous-estimation, sous-éva-
on'derscheid *o.* **1** (*verschil*) différence; distinction *f.*; **2** (*onderscheiding*) discernement *m.*; ***fijn —,*** nuance subtile; ***zonder —,*** indistinctement, sans distinction, indifféremment; ***de jaren des —s,*** l'âge de discrétion; ***handelen met oordeel des —s,*** agir en connaissance de cause.
onderschei'den I *ov.w.* **1** distinguer; **2** discerner; **II** *w.w.* ***zich —,*** se distinguer; **III** *b.n.* **1** (*verschillend*) différent; distinct; **2** (*meerdere*) divers.
onderschei'ding *v.* distinction *f.*
onderschei'dingsgave *v.(m.)* discernement *m.*
onderschei'dingsteken *o.* **1** caractère *m.* distinctif, marque *f.* distinctive, signe *m.* caractéristique; **2** insigne, attribut *m.*
onderschei'dingsvermogen *o.* discernement *m.*
onderschep'pen *ov.w.* **1** (*v. brief*) intercepter; **2** (*mil.*) couper.
onderschep'ping *v.* interception *f.*
on'derschikkend *b.n.* de subordination.
on'derschikking *v.* subordination *f.*
onderschra'gen *ov.w.* **1** étayer, étançonner; **2** (*fig.*) soutenir.
on'derschrift *o.* **1** (*handtekening*) signature *f.*; **2** (*v. munt, medaille*) légende *f.* [souscrire à.
onderschrij'ven *ov.w.* **1** signer, souscrire; **2** (*fig.*)
onderschrij'ving *v.* souscription *f.*
on'derschuifbed *o.* deux-en-un *m.*
on'derschuiven *ov.w.* **1** glisser sous, mettre —; **2** (*fig.*) supposer, substituer.
onderschui'ving *v.* supposition, substitution *f.*
on'dersecretaris, -sekretaris *m.* sous-secrétaire* *m.*
ondershands, *zie* ***onderhands.***
on'dersneeuwen *on.w.* se couvrir de neige; ***ondergesneeuwd,*** enneigé.
onderspan'nen *ov.w.* sous-tendre.
on'derspit *o.* ***het — delven,*** avoir le dessous.
on'derspitten *ov.w.* enfouir (à la bêche).
on'derspoelen *ov.w.* inonder, submerger.
on'derst *b.n.* inférieur.
on'derstaan *on.w.* être inondé, — submergé.
onderstaan' *ov.w.* oser, tenter, avoir l'audace de.
on'derstaand *b.n.* ci-dessous, ci-après.
on'derstand *m.* **1** (*ondersteuning*) assistance *f.*, secours *m.* (alimentaire); **2** (*mil.*) abri *m.*
on'derstandig *b.n.* (*Pl.*) infère.
onderstboven, *zie* ***ondersteboven.***
on'derste *o.* **1** (*benedenste gedeelte*) partie *f.* inférieure; **2** (*v. mand, glas, enz.*) fond *m.*; ***wie het — uit de kan wil hebben, krijgt het lid*** (*of* ***het deksel***) ***op de neus,*** on risque de tout perdre en voulant trop gagner.
onderst(e)bo'ven *b.n.* à l'envers, sens dessus dessous; ***— keren*** (*of* ***werpen***) renverser, mettre sens dessus dessous, bouleverser.
on'dersteek *m.* bassin *m.* de lit, — à queue.
ondersteken, *zie* ***onderschuiven.***
on'derstel *o.* **1** pied *m.*; **2** (*v. zuil*) base *f.*; **3** (*v. wagen, auto, enz.*) châssis *m.*
onderstel'len *ov.w.* supposer.
onderstel'ling *v.* supposition, hypothèse *f.*
ondersteu'nen *ov.w.* **1** (*muur, enz.*) étayer, étançonner; **2** (*fig.*) soutenir; **3** (*v. verzoek*) appuyer; **4** (*v. armen*) assister, secourir.
ondersteu'ning *v.* **1** étayage, étançonnage *m.*; **2** soutien *m.*; **3** appui *m.*; **4** assistance *f.*, secours *m.*
ondersteu'ningsfonds *o.* caisse *f.* de secours, — d'assistance.
on'derstoppen *ov.w.* **1** couvrir; **2** (*in bed*) border.
onderstre'pen *ov.w.* souligner.
onderstre'ping *v.* soulignement *m.*
on'derstromen *on.w.* être inondé, — submergé.
on'derstroom *m.* courant *m.* inférieur.
on'derstuk *o.* partie *f.* inférieure, dessous *m.*
onderstut'sel *o.* étai, étançon *m.*
onderstut'ten *ov.w.* étayer, étançonner.
onderstut'ting *v.* étayage, étayement *m.*
on'dertand *m.* dent *f.* inférieure.
onderte'kenaar *m.* signataire *m.*
onderte'kenen *ov.w.* signer. [tion *f.*
onderte'kening *v.* **1** signature *f.*; **2** (*H.*) souscrip-
on'dertitel *m.* sous-titre* *m.* [*f.*
on'dertoon *m.* courant *m.* (d'optimisme), tendance
on'dertrouw *m.* publication *f.* des bans.
ondertrouw'de *m.-v.* fiancé(e) *m.(f.)*; futur époux *m.*, future épouse *f.*
ondertrou'wen *on.w.* faire publier les bans.
ondertus'sen *bw.* entretemps, en attendant; sur ces entrefaites.
ondervan'gen *ov.w.* **1** (*opvangen*) saisir; **2** (*onderstutten*) étançonner; **3** (*onderscheppen*) intercepter; **4** (*afweren: v. slag, stoot*) parer; **5** (*v. bezwaar, tegenwerping*) couper court à, parer à; **6** (*voorkomen*) prévenir.
on'derverdelen *ov.w.* subdiviser.
on'derverdeling *v.* subdivision *f.*
on'derverhuren *ov.w.* sous-louer.
on'derverhuring *v.* sous-location *f.*
on'derverhuurder *m.* sous-loueur*, sous-bailleur* *m.*
ondervin'den *ov.w.* **1** (*v. gevoel: gewaarworden*) éprouver, ressentir; **2** (*leren kennen*) faire l'expérience de, expérimenter; **3** (*v. vriendschap*) rencontrer; **4** (*v. behandeling*) subir.
ondervin'ding *v.* expérience *f.*; ***zonder —,*** inexpérimenté; ***— is de beste leermeesteres,*** expérience passe science; ***— opdoen,*** acquérir de l'expérience.
on'dervlak *o.* (sur)face *f.* inférieure.
ondervoed' *b.n.* mal nourri, sous-alimenté, en dénutrition. [*f.*
ondervoe'ding *v.* sous-alimentation*, dénutrition
on'dervoorzitter *m.* vice-président* *m.*
on'dervoorzitterschap *o.* vice-présidence* *f.*
ondervra'gen *ov.w.* **1** interroger, questionner; **2** (*bij examen*) examiner. [teur *m.*
ondervra'ger *m.* **1** interrogateur *m.*; **2** examina-
ondervra'ging *v.* **1** interrogation *f.*; **2** examen *m.*; **3** (*voor rechtbank*) interrogatoire *m.*
onderwa'tervisserij *v.* plongée *f.* marine, pêche *f.* sous-marine.
onderwa'terzetting *v.* inondation, submersion *f.*
onderweg' *bw.* en chemin, en route; chemin faisant.
on'derwereld *v.(m.)* ***de —,*** **1** les enfers *m.pl.*; **2** (*fig.*) les bas-fonds *m.pl.* (d'une grande ville), le milieu, la mafia.
on'derwerp *o.* sujet *m.*
onderwer'pen I *ov.w.* **1** (*aan oordeel, examen, enz.*) soumettre; **2** (*v. volk*) soumettre, assujettir, subjuguer; **II** *w.w.* ***zich —,*** **1** se soumettre; **2** (*berusten*) se résigner (à); ***zich aan een examen —,*** passer un examen.
onderwer'ping *v.* **1** soumission *f.*; **2** assujettissement *m.*, sujétion, subjugation *f.*; **3** résignation *f.*
on'derwerpszin *m.* proposition *f.* subjective.
on'derwicht *o.* manque *m.* de poids, manquant *m.*
onderwijl' *bw.* en attendant, sur ces entrefaites.
on'derwijs *o.* enseignement *m.*; instruction *f.*;

lager* —,** enseignement primaire; ***uitgebreid lager* —,** enseignement primaire supérieur; ***middelbaar* —,** enseignement secondaire; ***hoger* —,** enseignement supérieur; ***openbaar* —,** (*F.*) enseignement public; (*B.*) enseignement officiel; ***bijzonder* —,** enseignement libre; **— *geven in, enseigner; ***bij het* — *zijn,*** être dans l'enseignement; ***hij heeft goed* — *genoten,*** il a reçu une bonne instruction.

on'derwijsinrichting *v.* établissement *m.* d'enseignement.

on'derwijsinspectie, -inspektie *v.* académie *f.*

on'derwijskrachten *mv.* personnel *m.* enseignant.

on'derwijsman *m.* pédagogue *m.*; homme *m.* d'enseignement, enseignant *m.*

on'derwijsmiddelen *mv.* **1** matériel *m.* scolaire; **2** moyens *m.pl.* d'instruction.

on'derwijsvraagstuk *o.* question *f.* de l'enseignement.

on'derwijswet *v.(m.)* loi *f.* sur l'enseignement.

onderwij'zen *ov.w.* enseigner (qc. à qn.), instruire (qn.), apprendre (qc. à qn.).

onderwij'zer *m.* **1** instituteur *m.*; **2** (*huis*—) précepteur *m.*

onderwijzeres' *v.* institutrice *f.*

onderwij'zersakte *v.(m.)* brevet *m.* d'instituteur, — simple (*of* élémentaire); (*B.*) diplôme *m.* d'instituteur.

onderwij'zersexamen, -eksamen *o.* examen *m.* d'instituteur.

onderwij'zersgenootschap *o.* association *f.* des instituteurs.

onderwij'zing *v.* instruction *f.*

onderwor'pen *b.n.* **1** soumis; **2** (*aan belasting, enz.*) passible de; **3** (*gelaten*) résigné.

onderwor'penheid *v.* **1** soumission *f.*; **2** résignation *f.*

onderzee'boot *m. en v.* , **onderzee'ër** *m.* sous-marin* *m.*

onderzee'kabel *m.* câble *m.* sous-marin.

onderzees' *b.n.* sous-marin*.

on'derzeil *o.* (*sch.*) basse voile *f.*

on'derzetten *ov.w.* inonder.

on'derzetter *m.* (*v. glas*) dessous *m.* en verre.

on'derzetting *v.* inondation *f.*

on'derzij(de) *v.(m.)* côté *m.* inférieur, dessous *m.*

on'derzinken, *zie* ***zinken.***

on'derzoek *o.* **1** (*alg.*; *wetensch.*) recherches *f.pl.*; **2** (*gen.*) examen *m.*; **3** (*v. douane*) visite *f.*; **4** (*ambtelijk* —) enquête *f.*; **5** (*door gerecht*) instruction *f.*; ***deskundig* —,** expertise *f.*; ***scheikundig* —,** analyse *f.* (chimique); **— *doen naar,*** rechercher, s'informer de; ***een* — *instellen,*** **1** faire des recherches; **2** ouvrir une enquête; ***tot nader* —,** (*recht*) jusqu'à plus ample informé; **— *van de geloofsbrieven,*** vérification des pouvoirs.

onderzoe'ken *ov.w.* **1** (*alg.*) examiner; **2** (*v. douane, enz.*) visiter; **3** (*doorzoeken*) fouiller; **4** (*navraag doen*) s'informer de, prendre des informations, s'enquérir de; **5** (*deskundig* —, *v. schade, enz.*) expertiser; **6** (*de juistheid* —) vérifier; **7** (*scheikundig*) analyser; **8** (*nauwkeurig* —, *uitvorsen*) éplucher, scruter, sonder.

onderzoe'kend I *b.n.* scrutateur, investigateur; **II** *bw.* d'un regard scrutateur.

onderzoe'ker *m.* **1** examinateur *m.*; **2** enquêteur *m.*; **3** vérificateur *m.*; **4** investigateur *m.*

onderzoe'king *v.* examen *m.*; recherche *f.*

onderzoe'kingsmet(h)ode *v.* méthode *f.* d'investigation.

onderzoe'kingstocht *m.* exploration *f.*

on'deskun'dig *b.n.* incompétent.

on'deugd I *v.(m.)* **1** vice *m.*; **2** (*guitigheid*) malice, espièglerie *f.*; **II** *m.-v.* (mauvais) garnement *m.*, espiègle *m.-f.*, petit(e) fripon(ne) *m.(f.)*.

ondeug'delijk *b.n.* **1** défectueux, imparfait; **2** (*v. waren*) avarié, détérioré.

ondeug'delijkheid *v.* **1** méchanceté, turbulence *f.*; **2** espièglerie, malice *f.*

ondeu'gend *b.n.* **1** (*stout, ongezeglijk*) méchant, turbulent; **2** (*guitig*) espiègle, malicieux, malin.

on'dicht *o.* prose *f.*

ondich'terlijk *b.n.* prosaïque, terre à terre.

on'dienst *m.* mauvais service *m.*; ***iem. een* — *bewijzen,*** desservir qn.

ondien'stig *b.n.* inutile; inopportun.

ondien'stigheid *v.* inutilité *f.*; inopportunité *f.*

on'dienstvaar'dig *b.n.* peu serviable, peu complaisant.

on'diep *b.n.* **1** peu profond; **2** superficiel.

on'diepte *v.* **1** manque *m.* de profondeur; **2** (*ondiepe plek*) bas-fond*, petit*-fond*; haut*-fond* *m.*

on'dier *o.* monstre *m.*

on'ding *o.* **1** (*iets onbestaanbaars*) absurdité *f.*; **2** (*prul*) chose *f.* de nulle valeur, chiffon *m.*

ondoelma'tig I *b.n.* peu pratique; **II** *bw.* peu pratiquement.

ondoelma'tigheid *v.* caractère *m.* peu pratique.

ondoeltref'fend *b.n.* inefficace.

ondoeltref'fendheid *v.* inefficacité *f.*

ondoen'lijk *b.n.* impossible, impraticable.

on'doordacht' I *b.n.* irréfléchi, inconsidéré étourdi; **II** *bw.* inconsidérément, étourdiment.

ondoordacht'heid *v.* irréflexion, inconsidération étourderie *f.*

ondoordring'baar *b.n.* **1** (*alg.*) impénétrable; **2** (*voor water*) imperméable; **3** (*voor lucht*) hermétique; **4** (*v. duisternis: dicht*) épais.

ondoordring'baarheid *v.* **1** impénétrabilité *f.*; **2** imperméabilité *f.*

ondoorgron'delijk *b.n.* impénétrable, inscru table, insondable.

ondoorgron'delijkheid *v.* impénétrabilité *f.*

ondoorschij'nend *b.n.* opaque, non transparent.

ondoorschij'nendheid *v.* intransparence, opacité *f.*

ondoorwaad'baar *b.n.* non guéable.

ondoorzich'tig *b.n.* non transparent, adiaphane.

ondoorzich'tigheid *v.* intransparence, opacité *f.*

ondoorzocht' *b.n.* (*v. land*) inexploré.

ondraag'lijk *b.n.* insupportable, intolérable.

ondrink'baar *b.n.* **1** imbuvable, impossible à boire; **2** (*v. water*) non potable.

on'dubbelzin'nig I *b.n.* clair, évident; **II** *bw.* clairement, nettement, carrément, sans réserve.

on'dubbelzin'nigheid *v.* clarté, netteté, franchise *f.*

ondui'delijk I *b.n.* **1** (*v. beeld*) indistinct; **2** (*v. schrift*) peu lisible; **3** (*v. antwoord, verklaring*) vague; **II** *bw.* **1** indistinctement; **2** peu lisiblement; **3** vaguement.

ondui'delijkheid *v.* **1** manque *m.* de clarté, — de précision; **2** caractère *m.* peu lisible; **3** vague *m.*, confusion *f.*

ondula'tie *v.* ondulation *f.*

onduld'baar I *b.n.* intolérable; **II** *bw.* intolérablement.

onduld'baarheid *v.* intolérabilité *f.*

ondule'ren *ov.w.* onduler.

on'echt' *b.n.* **1** (*vals*) faux; **2** (*nagemaakt*) contrefait, imité; **3** (*onwettig*) illégitime; **4** (*v. haar*) postiche; **5** (*v. documenten*) non authentique, faux; **— *kind,*** enfant illégitime, — naturel, bâtard *m.*; ***—e breuk,*** expression fractionnaire; ***—e kleuren,*** couleurs non solides.

onecht'heid *v.* **1** fausseté *f.*; **2** illégitimité *f.*

onecono'misch, onekono'misch *b.n.* inéconomique.

on'edel I *b.n.* **1** (*laaghartig*) ignoble, vulgaire,

vilain; **2** (*niet van adel*) roturier; **II** *bw.* ignoblement.
onedelmoe'dig I *b.n.* peu généreux; **II** *bw.* peu généreusement.
oneens' *b.n.* **1** (*verdeeld*) divisé, en désaccord; **2** (*niet van 't zelfde gevoelen*) d'un avis opposé, d'opinion différente; ***het — zijn,*** ne pas être d'accord; ***met zichzelf —,*** (*besluiteloos*) irrésolu.
oneensgezind' *b.n.* **1** divisé; désuni; **2** d'opinion contraire.
oneensgezind'heid *v.* **1** discorde, désunion *f.*; **2** diversité *f.* d'opinion.
on'eer *v.*(*m.*) déshonneur *m.*; ***— aandoen,*** déshonorer.
oneer'baar *b.n.* déshonnête, immodeste; indécent.
oneer'baarheid *v.* déshonnêteté, immodestie; indécence *f.*
oneerbie'dig I *b.n.* irrespectueux, irrévérencieux; **II** *bw.* irrespectueusement, irrévérencieusement.
oneerbie'digheid *v.* manque *m.* de respect, irrévérence *f.*
oneer'lijk I *b.n.* **1** (*bedrieglijk*) malhonnête, improbe; **2** (*niet te goeder trouw*) déloyal; ***—e concurrentie,*** concurrence déloyale; **II** *bw.* **1** malhonnêtement; **2** déloyalement.
oneer'lijkheid *v.* **1** malhonnêteté, improbité *f.*; **2** déloyauté *f.*
oneer'vol *b.n.* sans honneur; ***— ontslaan,*** révoquer.
oneet'baar *b.n.* immangeable, qu'on ne peut manger, incomestible.
on'ef'fen *b.n.* **1** inégal; **2** (*v. plank, enz.*) raboteux.
onef'fenheid *v.* inégalité *f.*
on'ei'genlijk I *b.n.* **1** (*niet echt*) impropre; **2** (*fig.*) figuré; **II** *bw.* **1** improprement; **2** au figuré.
onein'dig I *b.n.* infini; **II** *bw.* infiniment; ***tot in het —e,*** à l'infini.
onein'digheid *v.* **1** infinité *f.*; **2** (*v. God*) caractère *m.* infini; **3** (*v. ruimte, enz.*) immensité *f.*
onekono'misch, *zie* ***oneconomisch.***
on'elegant' *b.n.* inélégant.
one'nig *b.n.* divisé, désuni.
one'nigheid *v.* division, désunion, discorde *f.*; ***— stichten,*** semer la discorde; ***met elkaar in — leven,*** vivre en mauvaise intelligence.
onerbar'melijk *b.n.* impitoyable.
onergden'kend *b.n.* ingénu, naïf.
onerken'telijk *b.n.* ingrat.
onerva'ren *b.n.* inexpérimenté, sans expérience, novice.
onerva'renheid *v.* inexpérience *f.*
onest(h)e'tisch *b.n.* peu esthétique.
on'even *b.n.* impair.
one'venheid *v.* imparité *f.*
onevenma'tig *b.n.* (*wisk.*) aliquante.
onevenre'dig I *b.n.* disproportionné (à), hors de proportion (avec); **II** *bw.* disproportionnément, d'une manière disproportionnée; ***— groot,*** disproportionné, trop grand en proportion.
onevenre'digheid *v.* disproportion *f.*
onevenwich'tig *b.n.* déséquilibré, (esprit) manquant d'équilibre.
onfatsoen'lijk I *b.n.* **1** (*onwellevend*) malhonnête; **2** (*onwelvoeglijk*) inconvenant; **3** (*oneerbaar*) indécent; **II** *bw.* **1** malhonnêtement; **2** d'une manière inconvenante; **3** indécemment.
onfatsoen'lijkheid *v.* **1** malhonnêteté *f.*; **2** inconvenance *f.*; **3** indécence *f.*
onfeil'baar I *b.n.* infaillible; **II** *bw.* infailliblement.
onfeil'baarheid *v.* infaillibilité *f.*
onfortuin'lijk *b.n.* malchanceux; infortuné.
on'fris' *b.n.* **1** (*niet helder*) malpropre; **2** (*onsmakelijk*) peu appétissant; **3** (*onlekker*) pas bien, indisposé.
onfris'heid *v.* malpropreté *f.*
on'gaar' *b.n.* pas assez cuit.
on'gaar'ne *bw.* à contre-cœur; à regret; ***— iets zien,*** ne pas aimer qc., voir qc. d'un mauvais œil.
on'gang'baar *b.n.* hors de cours.
on'gast'vrij *b.n.* inhospitalier.
on'geaccepteerd' *b.n.* non-accepté.
on'geacht I *b.n.* (*niet geacht*) peu estimé; **II** *vz.* (*niettegenstaande, ondanks*) malgré, nonobstant.
on'geanimeerd' *b.n.* (*v. markt*) à tendance faible.
on'gebaand' *b.n.* non frayé.
on'gebleekt' *b.n.* **1** non blanchi, qui n'a pas été blanchi; **2** (*v. linnen, katoen, enz.*) écru.
on'geblust' *b.n.* non éteint; ***—e kalk,*** chaux vive.
on'gebo'gen *b.n.* non courbé, droit.
on'gebon'den I *b.n.* **1** (*v. boek*) broché, non relié; **2** (*los, niet vastgemaakt*) non attaché, qui n'est pas lié, détaché; **3** (*losbandig*) dissolu, déréglé, licencieux; ***— stijl,*** prose *f.*; ***— scherts,*** (= *loszinnig*) plaisanterie gauloise; **II** *bw.* licencieusement; d'une manière déréglée.
ongebon'denheid *v.* dissolution *f.*, dérèglement *m.*, licence *f.*
ongebo'ren *b.n.* encore à naître.
on'gebrand *b.n.* (*v. koffie*) vert.
on'gebrei'deld *b.n.* effréné, sans frein.
on'gebro'ken *b.n.* entier, intact.
on'gebrui'kelijk *b.n.* inusité; peu usuel.
on'gebruikt' *b.n.* neuf, n'ayant pas servi; ***niet — laten*** (***voorbijgaan***), profiter de, mettre à profit; ***zijn tijd niet — laten,*** ne pas perdre son temps.
on'gebuild *b.n.* non bluté; entier; ***— brood,*** pain entier.
on'gecompliceerd', on'gekompliceerd' *b.n.* simple, fruste.
ongedaan' *b.n.* inachevé; ***— maken,*** **1** (*v. flater, vergissing*) réparer; **2** (*v. koop*) annuler; ***iets — laten,*** ne pas faire qc., laisser qc. en plan.
on'gedacht *b.n.* inespéré, inattendu, imprévu.
on'gedeeld' *b.n.* impartagé; sans mélange, pur.
on'gedeerd' *b.n.* indemne, sain et sauf, intact.
on'gedekt' *b.n.* **1** découvert; **2** (*H.*; *mil.*) à découvert; **3** (*sp.: voetbal*) démarqué; ***—e vorderingen,*** le découvert; ***—e bankbiljetten,*** billets de banque sans couverture or; ***—e cheque,*** chèque sans provision, — sans couverture; ***—e lening,*** emprunt non gagé; ***—e uitgaven,*** dépenses non couvertes.
on'gedempt *b.n.* **1** (*v. gracht*) non comblé; **2** (*v. geluid, enz.*) non amorti; ***—e golf,*** (*el.*) onde entretenue.
on'gede'semd *b.n.* azyme.
ongedien'stig *b.n.* peu serviable, peu complaisant.
on'gedierte *o.* vermine *f.*
on'gediplomeerd' *b.n.* sans diplôme, sans brevet.
on'gedoopt' *b.n.* non baptisé.
on'gedra'gen *b.n.* non porté, neuf.
on'gedroomd *b.n.* inespéré.
on'gedrukt' *b.n.* **1** non imprimé; inédit; **2** (en) manuscrit; **3** (*v. stof*) uni.
on'geduld *o.* impatience *f.*
ongedul'dig *b.n.* impatient; ***— maken,*** impatienter; ***— worden,*** s'impatienter, perdre patience.
ongedu'rig *b.n.* **1** (*v. kind*) turbulent, remuant; **2** (*v. geest*) instable, inconstant; **3** (*onrustig*) inquiet.
ongedu'righeid *v.* **1** turbulence *f.*; **2** instabilité, inconstance *f.*; **3** inquiétude *f.*
on'gedwee' *b.n.* indocile, récalcitrant.
on'gedwon'gen I *b.n.* **1** (*zonder dwang*) sans contrainte, libre; **2** (*ongekunsteld*) non affecté,

naturel; **3** (*v. houding*) dégagé, désinvolte; **4** (*vrij*) sans façon; **II** *bw.* **1** sans contrainte; **2** sans affection; **3** d'une manière dégagée.
ongedwon'genheid *v.* **1** absence *f.* de contrainte, aisance *f.*; **2** naturel *m.*; **3** ton *m.* dégagé, désinvolture *f.*, manières *f.pl.* dégagées; **4** sans-façon *m.*
on'geëi'fend *b.n.* raboteux.
on'geëvenaard' *b.n.* sans égal, sans pareil.
on'geëvenre'digd *b.n.* mal (*of* non) proportionné (à), en disproportion (avec), disproportionné (à).
on'gefrankeerd' *b.n.* non affranchi.
on'gefundeerd' *b.n.* sans fondement.
on'gegeneerd' *b.n. en bw.* sans gêne, sans façon.
on'gegeneerd'heid *v.* sans-gêne, sans-façon *m.*, désinvolture *f.*
on'gegist' *b.n.* non fermenté.
on'gegrond' *b.n.* mal fondé, sans fondement; ***een beroep — verklaren,*** débouter qn. de sa plainte.
ongegrond'heid *v.* manque *m.* de fondement.
on'gegund' *b.n.* envié.
ongeha'vend *b.n.* indemne, intact.
on'gehin'derd I *b.n.* libre; **II** *bw.* librement, sans encombre.
on'gehoopt I *b.n.* inespéré; **II** *bw.* inespérément.
on'gehoord' *b.n.* **1** inouï;**2** (*v. prijs*) exorbitant.
ongehoor'zaam *b.n.* désobéissant.
ongehoor'zaamheid *v.* désobéissance *f.*
on'gehui'cheld I *b.n.* sincère; **II** *bw.* sincèrement.
on'gehuwd' *b.n.* célibataire, non marié; ***—e staat,*** célibat *m.*; ***—e moeder,*** fille*-mère* *f.*; ***—e man,*** garçon *m.* célibataire; ***—e vrouw,*** jeune fille, vieille fille, célibataire *f.*; ***— blijven,*** (*v. meisje*) coiffer sainte Catherine.
on'gekamd' *b.n.* non peigné.
on'gekend' *b.n.* inconnu.
on'gekleed' *b.n.* **1** en déshabillé, en négligé; **2** déshabillé, nu.
on'gekleurd' *b.n.* **1** incolore, sans couleur; **2** (*v. hout, leder*) naturel, non teinté.
on'gekompliceerd' *zie* ***ongecompliceerd.***
on'gekookt' *b.n.* **1** (*rauw*) cru; **2** (*v. water, enz.*) non bouilli.
on'gekrenkt' *b.n.* intact; vigoureux.
ongekreukt' *b.n.* **1** lisse, sans un pli; **2** (*fig.*) inaltérable, irréprochable, à toute épreuve.
on'gekroond' *b.n.* sans couronne.
on'gekun'steld I *b.n.* naturel, simple, naïf, ingénu; **II** *bw.* sans recherche, sans art.
ongekun'steldheid *v.* naturel *m.*, simplicité, naïveté, ingénuité *f.*
on'gel *v.*(*m.*) suif *m.*; saindoux *m.*; graisse *f.*
on'gela'den *b.n.* non chargé; (*niet bevracht*) sans cargaison, sur lest.
on'gel'dig *b.n.* non valable, nul, de nulle valeur; ***— verklaren,*** invalider, annuler, frapper de nullité.
ongel'digheid *v.* nullité; invalidité *f.* [tion *f.*
ongel'digverklaring *v.* annulation, invalida-
on'geleed' *b.n.* **1** (*Pl.*) lisse, uni, sans nœuds; **2** (*Dk.*) inarticulé.
on'geleerd' *b.n.* ignorant, illettré.
ongele'gen I *b.n.* (*ongeschikt*) inopportun; **II** *bw.* mal à propos; ***— komen,*** **1** déranger (qn.), incommoder (qn.); **2** venir mal à propos.
ongele'genheid *v.* **1** dérangement *m.*, incommodité *f.*, embarras *m.*; **2** (*v. maatregel, enz.*) inopportunité *f.*; ***iem. in — brengen,*** causer de l'embarras à qn., incommoder qn.; ***in — zijn,*** être dans l'embarras.
ongelet'terd *b.n.* illettré; ***een —e,*** un illettré.
on'gele'zen *b.n.* non lu; ***— terugsturen,*** renvoyer sans l'avoir lu(e).
on'gelijk' I *b.n.* **1** (*niet gelijk*) inégal; **2** (*verschillend*) différent, dissemblable; **3** (*uiteenlopend, niet samenpassend*) disparate; **4** (*v. strijd, enz.*) inégal, disproportionné; **5** (*geen paar vormend: v. handschoenen, enz.*) dépareillé; **6** (*onregelmatig*) irrégulier; ***zich zelf — zijn,*** être inconséquent avec soi-même; ***iem. in 't — stellen,*** donner tort à qn., mettre qn. dans son tort; **II** *bw.* **1** inégalement; **2** différemment.
on'gelijk *o.* tort *m.*; ***— hebben,*** avoir tort; ***— erkennen,*** faire amende honorable; reconnaître ses torts; ***op kosten van —,*** aux frais du perdant.
ongelijkbe'nig *b.n.* scalène, inéquilatéral.
ongelijkbe'nigheid *v.* **1** inégalité *f.*; **2** différence, dissemblance *f.*; **3** disparité *f.*; **4** imparité *f.*
ongelijk'heid *v.* inégalité; différence; dissemblance *f.*
ongelijklui'dend *b.n.* dissonant.
ongelijkma'tig I *b.n.* irrégulier, inégal; **II** *bw.* irrégulièrement, inégalement.
ongelijkma'tigheid *v.* irrégularité, inégalité *f.*
ongelijkna'mig *b.n.* **1** de nom différent; **2** (*wisk.*) non équinome; **3** (*el.*) de nom contraire.
ongelijkslach'tig *b.n.* hérérogène.
ongelijksoor'tig *b.n.* dissemblable, hétérogène.
ongelijksoor'tigheid *v.* dissemblance, hétérogénéité *f.*
ongelijktij'dig *b.n.* non simultané.
ongelijkvor'mig *b.n.* dissemblable.
ongelijkvor'migheid *v.* dissemblance *f.*
ongelijkwaar'dig *b.n.* non équivalent.
ongelijkwaar'digheid *v.* différence *f.* de valeur.
ongelijkzij'dig *b.n.* inéquilatéral, scalène.
on'gelijmd' *b.n.* non collé.
on'gelijnd *b.n.* non réglé.
on'gelikt' *b.n.* non léché; grossier; ***een —e beer,*** un ours mal léché, malappris, rustre *m.*
on'gelimiteerd' *b.n.* sans limite, — limitation.
on'gelinieerd' *b.n.* non réglé.
ongelo'felijk, ongeloof'lijk I *b.n.* incroyable; **II** *bw.* incroyablement.
on'gelogen *bw.* vrai, sans mentir, (sur) ma parole.
on'geloof *o.* incrédulité *f.*
ongeloof'baar *b.n.* incroyable.
ongeloof'lijk, *zie* ***ongelofelijk.***
ongeloofwaar'dig *b.n.* peu digne de foi, suspect.
ongeloofwaar'digheid *v.* (*v. verhaal, enz.*) invraisemblance *f.*
on'gelou'terd *b.n.* impur, non purifié.
on'gelo'vig *b.n.* **1** (*wantrouwend*) incrédule, sceptique; **2** (*in godsdienstzaken*) incroyant; **3** (*v. heidenen*) infidèle; ***een —e Thomas,*** un incrédule.
ongelo'vige *m.-v.* **1** incroyant, mécréant *m.*; **2** (*heiden*) infidèle *m.*
ongelo'vigheid *v.* **1** incrédulité *f.*; **2** infidélité *f.*
on'geluk *o.* **1** (*alg.*) malheur *m.*; **2** (*ongeval*) accident *m.*; **3** (*groot —, brand, enz.*) sinistre *m.*; **4** (*ramp*) désastre *m.*; catastrophe, calamité *f.*; **5** (*tegenspoed*) mésaventure; infortune *f.*; **6** (*voortdurende tegenspoed*) malchance, guigne *f.*; ***— hebben,*** jouer de malheur; ***bij —,*** par accident, par malheur; ***zich een — lachen,*** se tordre (de rire); ***dat is zijn —,*** cela le perd; ***een — komt nooit alleen,*** un malheur en attire un autre; ***een — ligt in een klein hoekje,*** un malheur est bien vite arrivé.
ongeluk'kig I *b.n.* **1** (*v. persoon*) malheureux, infortuné; **2** (*jammer, spijtig*) fâcheux; malencon-

treux, déplorable; **3** (*noodlottig*) fatal, funeste; **4** (*droevig*) triste, déplorable; **5** (*v. liefde*) contrarié, déçu; **II** *bw.* malheureusement; ***— getrouwd,*** mal marié; ***u treft het —,*** vous n'avez pas de chance; vous jouez de malheur.
ongeluk'kige *m.-v.* malheureux *m.*, —euse *f.*; infortuné(e) *m.*(*f.*).
ongeluk'kigerwijs, -wijze *bw.* malheureusement, par malheur.
on'geluksbode *m.* messager *m.* de malheur, porte-malheur *m.*
on'geluksdag *m.* jour *m.* de malheur, — néfaste.
on'geluksgetal *o.* mauvais nombre *m.*, nombre malheureux, point *m.* de Judas.
on'gelukskind *o.* **1** enfant *m.* de malheur; **2** (*ongeluksvogel*) malchanceux *m.*; déveinard, guignard *m.*
on'geluksprofeet *m.* prophète *m.* de malheur.
on'geluksvogel *m.* **1** oiseau *m.* de mauvais augure; **2** (*fig.*) déveinard, guignard *m.*
on'gemaakt, *zie* ***ongekunsteld.***
on'gemak *o.* **1** inconvénient *m.*, incommodité *f.*; **2** (*last*) gêne *f.*, désagrément *m.*; **3** (*gen.*) mal *m.*, infirmité *f.*
ongemak'kelijk I *b.n.* **1** (*v. houding, stoel, enz.*) incommode; **2** (*hinderlijk*) gênant; **3** (*in omgang*) difficile, peu accommodant; **4** (*gemelijk*) morose, rechigné; **II** *bw.* **1** incommodément; **2** d'une manière gênante; **3** difficilement.
ongemak'kelijkheid *v.* **1** incommodité *f.*; **2** gêne *f.*; **3** humeur *f.* difficile.
on'gema'len *b.n.* non moulu.
ongemanierd' I *b.n.* mal élevé, grossier; **II** *bw.* grossièrement.
ongemanierd'heid *v.* grossièreté, incivilité *f.*, défaut *m.* d'éducation.
on'gemas'kerd *b.n.* sans masque.
on'gema'tigd I *b.n.* **1** immodéré; **2** (*in spijs en drank ook:*) intempéré; **II** *bw.* immodérément, sans modération.
ongema'tigdheid *v.* **1** immodération *f.*; **2** intempérance *f.*
on'gemeen' I *b.n.* **1** (*niet alledaags*) peu commun; **2** (*buitengewoon*) extraordinaire; **II** *bw.* **1** d'une façon peu commune; **2** extraordinairement.
ongemeend' *b.n.* faux, feint.
on'gemengd *b.n.* pur, sans mélange.
on'gemerkt' I *b.n.* **1** (*onopgemerkt*) inaperçu; **2** (*zonder merkteken*) non marqué; **II** *bw.* **1** sans être aperçu; **2** (*langzamerhand*) peu à peu, insensiblement; ***— weggaan,*** filer à la douce.
ongemeubileerd' *b.n.* non meublé, sans meubles.
ongemoeid' *b.n.* ***— laten,*** laisser tranquille, laisser en paix.
on'gemotiveerd' *b.n.* non motivé, injustifié, gratuit.
on'gemuil'band *b.n.* sans muselière.
on'gemunt' *b.n.* en barres.
ongenaak'baar *b.n.* **1** inaccessible; **2** (*fig.*) inabordable.
ongenaak'baarheid *v.* inaccessibilité *f.*
on'genade *v.*(*m.*) disgrâce, défaveur *f.*; ***in — vallen,*** tomber en disgrâce, être disgracié; ***zich op genade of — overgeven,*** se rendre à discrétion.
on'gena'dig I *b.n.* impitoyable; ***een —e slag,*** un coup terrible, — formidable; ***een — weer,*** un temps épouvantable; ***een — pak slaag,*** une bonne raclée; **II** *bw.* impitoyablement; ***— afranselen,*** rosser d'importance; ***'t is — koud,*** il fait un froid de loup; ***'t is — warm,*** il fait terriblement chaud.
ongenees'lijk, ongene'selijk *b.n.* incurable, inguérissable.
ongenees'lijkheid, ongene'selijkheid *v.* incurabilité *f.*
ongene'gen *b.n.* **1** peu disposé (à); **2** (*geen genegenheid voelend*) mal disposé (envers); ***niet — zijn om,*** consentir à, vouloir bien.
ongene'selijk(-), *zie* ***ongeneeslijk***(-).
ongeniet'baar *b.n.* **1** insupportable, assommant; **2** (*v. boek*) insipide, sans saveur.
on'genoegen *o.* **1** (*ontevredenheid, misnoegen*) mécontentement, déplaisir *m.*; **2** (*onenigheid*) querelle, brouillerie *f.*; ***— krijgen,*** se brouiller, se disputer.
ongenoeg'zaam I *b.n.* insuffisant; **II** *bw.* insuffisamment.
ongenoeg'zaamheid *v.* insuffisance *f.*
on'genoemd' *b.n.* anonyme; inconnu.
on'genood I *b.n.* non invité; ***een ongenode gast,*** un intrus; **II** *bw.* sans être invité.
on'genum'merd *b.n.* non numéroté.
on'geoe'fend *b.n.* **1** (*niet geoefend*) inexercé, peu exercé, novice; **2** (*onervaren*) inexpérimenté.
on'geoe'fendheid *v.* **1** manque *m.* d'exercice; **2** inexpérience *f.*
on'geoor'loofd I *b.n.* **1** illicite; **2** (*verboden*) défendu; **II** *bw.* illicitement.
on'geopend *b.n.* sans avoir été ouvert; intact; ***— laten,*** ne pas ouvrir.
on'geor'dend *b.n.* désordonné, en désordre.
ongeorganiseerd' *b.n.* **1** (*v. arbeiders*) non syndiqué; **2** désordonné, sans ordre.
on'gepaard' *b.n.* **1** (*v. handschoenen, enz.*) dépareillé; **2** (*Pl.*) impair.
on'gepast' I *b.n.* **1** (*onbetamelijk*) inconvenant, malséant, incongru; **2** (*misplaatst: v. grap, opmerking, enz.*) déplacé; **3** (*v. woord in zin*) impropre.
ongepast'heid *v.* **1** inconvenance, incongruité *f.*; **2** (*v. woord in zin*) incorrection *f.*
on'gepeld' *b.n.* brut; ***—e rijst,*** riz en graine.
ongepermitteerd' *b.n.* scandaleux, abusif; ***het is —,*** cela dépasse la mesure, — les bornes.
on'gepijnd *b.n.* (*v. honig*) vierge, non pressé.
on'geploegd' *b.n.* en friche, non labouré.
on'gepolijst' *b.n.* **1** mat, brut; **2** (*fig.*) grossier.
on'gera'den *b.n.* imprudent.
on'gerech'tig I *b.n.* injuste; **II** *bw.* injustement.
ongerech'tigheid *v.* injustice, iniquité *f.*
ongerechtvaar'digd *b.n.* injustifié.
on'gereed' *b.n.* pas prêt, inachevé; ***in het ongerede raken,*** **1** (*v. voorwerp*) s'égarer, se perdre; **2** (*v. toestel, enz.*) se détraquer.
on'gere'geld I *b.n.* **1** (*onregelmatig*) irrégulier; **2** (*losbandig*) déréglé; ***— goed,*** soldes *m.pl.*; ***—e klanten,*** clients de passage; **II** *bw.* **1** irrégulièrement; **2** d'une façon déréglée.
ongere'geldheid *v.* **1** irrégularité *f.*; **2** dérèglement *m.*
on'gerekend *b.n.* non compris, sans compter.
on'gerept' *b.n.* intact, vierge, pur, immaculé, sans tache.
ongerept'heid *v.* virginité, pureté *f.*
on'gerief *o.* inconvénient *m.*, incommodité *f.*
ongerief'(e)lijk I *b.n.* incommode, gênant; **II** *bw.* incommodément, d'une manière incommode.
ongerief'(e)lijkheid *v.* incommodité *f.*
on'gerijmd' *b.n.* absurde, saugrenu; ***uit het —e bewijzen,*** démontrer par l'absurde.
ongerijmd'heid *v.* absurdité, saugrenuité *f.*
on'gerim'peld *b.n.* **1** sans rides; **2** (*fig.*) serein.
on'geroe'pen *b.n.* sans être appelé.
ongerust' *b.n.* inquiet; ***zich — maken,*** s'inquiéter, se tourmenter, s'alarmer (de).

ongerust'heid *v.* inquiétude *f.*
on'gescha'pen *b.n.* incréé.
on'geschikt' *b.n.* **1** impropre (à); **2** (*onbekwaam*) incapable (de); **3** (*niet gepast: v. ogenblik, enz.*) inopportun; **4** (*onhandelbaar*) intraitable, peu accommodant; **5** (*mil.*) inapte; ***dat is — voor mij,*** cela ne peut me servir.
ongeschikt'heid *v.* **1** impropriété *f.*; **2** incapacité *f.*; **3** humeur *f.* peu accommodante; **4** (*mil.*) inaptitude *f.*
on'geschoeid *b.n.* sans chaussure, déchaussé.
on'geschokt' *b.n.* inébranlé.
on'geschon'den *b.n.* intact, entier.
ongeschon'denheid *v.* intégrité *f.*
ongeschoold' *b.n.* **1** inculte, illettré; **2** inhabile, sans éducation; **3** (*v. arbeidskracht*) non qualifié, non spécialisé.
ongeschre'ven *b.n.* qui n'est pas écrit; ***— recht,*** droit coutumier.
on'geslepen *b.n.* **1** brut; **2** (*v. mes*) émoussé.
on'gesta'dig *b.n.* **1** inconstant; **2** (*v. weer*) variable, incertain; **3** (*v. karakter*) changeant, versatile.
ongesta'digheid *v.* **1** inconstance *f.*; **2** variabilité, instabilité *f.*; **3** caractère *m.* changeant, — versatile.
ongesteld' *b.n.* indisposé; (*alg.*) souffrant.
ongesteld'heid *v.* indisposition *f.*
on'gestempeld *b.n.* non oblitéré; non timbré.
on'gestild *b.n.* inassouvi, inapaisé.
ongestoffeerd' *b.n.* non garni.
on'gestoord' I *b.n.* **1** tranquille; **2** (*niet onderbroken*) ininterrompu; **3** (*v. bezit: onbetwist*) incontesté; ***— geluk,*** bonheur sans mélange; **II** *bw.* tranquillement; ***— genieten,*** jouir en paix; ***— bezitten,*** posséder en paix.
on'gestort *b.n.* non payé; ***— kapitaal,*** capital non versé.
on'gestraft' I *b.n.* impuni; **II** *bw.* impunément; ***— handelen*** *o.*, impunité *f.*
on'gestudeerd' *b.n.* illettré.
on'getand *b.n.* indenté.
on'gete'kend *b.n.* **1** non signé; **2** (*v. brief, enz.*) anonyme.
on'geteld *b.n.* **1** non compté; **2** (*ontelbaar*) innombrable.
on'getemd' *b.n.* indompté, non apprivoisé.
on'getem'perd *b.n.* non mitigé.
on'getroost' *b.n.* inconsolé, sans consolation.
on'getrouwd' *b.n.* célibataire, non marié.
on'getwij'feld *bw.* certainement, sans aucun doute, indubitablement.
on'gevaar'lijk *b.n.* **1** sans danger; **2** (*onschuldig*) inoffensif.
on'geval *o.* accident *m.* (fâcheux); ***door een —,*** accidentellement.
on'gevallenverzekering *v.* assurance *f.* contre les accidents (du travail, du voyage, etc.).
on'gevallenwet *v.(m.)* loi *f.* sur les accidents du travail.
ongeval'lig *b.n.* désagréable; ***het zou mij niet — zijn,*** je ne serais pas fâché; cela me serait assez agréable.
ongeveer' *bw.* environ, à peu près.
on'geveinsd I *b.n.* sincère, franc; **II** *bw.* sincèrement, franchement.
ongeveinsd'heid *v.* sincérité, franchise *f.*
on'geverfd *b.n.* **1** sans peinture, sans couleur; **2** (*v. zijde*) écru.
on'gevleugeld *b.n.* **1** sans ailes; **2** (*Dk.*) aptère.
ongevoeg'lijk I *b.n.* indécent; **II** *bw.* indécemment.
ongevoeg'lijkheid *v.* indécence *f.*
on'gevoe'lig I *b.n.* **1** insensible; **2** (*onaandoenlijk*) impassible; ***— maken,*** insensibiliser, anesthésier; **II** *bw.* impassiblement.
on'gevoe'ligheid *v.* **1** insensibilité *f.*; **2** impassibilité (*voor*, devant); **3** anesthésie *f.*
on'gevoerd' *b.n.* sans doublure.
on'gevraagd' *b.n.* **1** non demandé; **2** (*niet uitgenodigd*) non invité; ***—e opmerkingen,*** remarques gratuites; ***— is ongeweigerd,*** ce qui n'est pas défendu est permis.
on'gewa'pend *b.n.* **1** sans armes, sans défense; **2** (*Dk. en Pl.*) inerme; ***met het — oog,*** à l'œil nu.
on'gewas'sen I *b.n.* non lavé, malpropre, sale; mal débarbouillé; ***— wol,*** laine grasse; **II** *bw.* (*zonder omwegen*) carrément; ***iem. — iets zeggen,*** dire à qn. ses quatre vérités.
on'gewenst' *b.n.* indésirable.
on'gewerveld *b.n.* invertébré; ***de —e dieren,*** les invertébrés *m.pl.*
on'gewet'tigd *b.n.* mal fondé, sans raison légitime.
on'gewijd *b.n.* **1** non bénit; **2** (*v. geschiedenis, enz.: profaan*) profane.
on'gewij'zigd *b.n.* non modifié, sans modification.
on'gewild *b.n.* **1** (*onvrijwillig*) involontaire; **2** (*H.: niet gevraagd*) peu recherché.
ongewil'lig *b.n.* **1** (*niet volgzaam*) indocile; **2** (*weerspannig*) rebelle.
on'gewis' *b.n.* incertain.
ongewis'heid *v.* incertitude *f.*
on'gewoon' *b.n.* **1** (*niet gewend*) inaccoutumé; **2** (*niet gebruikelijk: v. woord, handelwijze*) inusité; **3** (*niet alledaags, vreemd*) étrange, singulier; **4** (*v. geluid, enz.*) insolite.
ongewoon'heid *v.* **1** étrangeté *f.*; **2** caractère *m.* insolite.
on'gewoonte *v.* manque *m.* d'habitude, inhabitude *f.*
on'geza'deld *b.n.* sans selle.
on'geze'geld *b.n.* non timbré; ***— papier,*** papier libre.
ongezeg'lijk *b.n.* désobéissant, indocile.
ongezeg'lijkheid *v.* désobéissance, indocilité *f.*
ongezel'lig I *b.n.* **1** (*v. persoon*) insociable, peu agréable; **2** (*v. zaak*) peu attrayant, peu engageant; **3** (*v. kamer*) peu confortable; peu intime.
ongezel'ligheid *v.* **1** insociabilité *f.*; **2** manque *m.* de confort; — d'intimité.
on'gezien' *b.n.* **1** inaperçu; **2** *zie* **ongeacht.**
on'gezind' *b.n.* peu disposé (à).
on'gezocht I *b.n.* **1** qu'on n'a pas cherché; **2** (*natuurlijk, ongedwongen*) naturel, spontané; **II** *bw.* spontanément.
ongezocht'heid *v.* naturel *m.*, spontanéité *f.*
on'gezond' *b.n.* **1** (*v. persoon*) maladif; **2** (*v. beroep*) malsain; **3** (*v. streek, klimaat*) insalubre; **4** (*v. boek, enz.*) nuisible, pernicieux.
ongezond'heid *v.* **1** mauvaise santé *f.*; **2** caractère *m.* malsain; **3** insalubrité *f.*; **4** caractère *m.* pernicieux.
on'gezouten I *b.n.* **1** (*niet gezouten*) non salé, sans sel; **2** (*vers*) frais; **3** (*fig.: v. taal*) rude; **II** *bw.* (*fig.*) rudement, vertement; ***iem. — de waarheid zeggen,*** dire à qn. ses quatre vérités.
on'gezuiverd *b.n.* **1** brut; impur; **2** (*v. suiker*) non raffiné.
on'gezuurd *b.n.* sans levain, azyme.
on'godsdien'stig I *b.n.* **1** irréligieux; **2** (*goddeloos*) impie; **II** *bw.* irréligieusement.
on'godsdien'stigheid *v.* **1** irréligion, irréligiosité *f.*; **2** impiété *f.*
on'grondwet'tig I *b.n.* inconstitutionnel, anticonstitutionnel; **II** *bw.* inconstitutionnellement, anticonstitutionnellement.
on'grondwet'tigheid *v.* inconstitutionnalité *f.*

on'gunst *v.* disgrâce, défaveur *f.*
ongun'stig I *b.n.* **1** défavorable; **2** (*onvoordelig*) désavantageux; ***—e uitslag,*** résultat *m.* négatif, insuccès *m.*; ***een — jaar,*** une mauvaise année; **II** *bw.* **1** défavorablement; **2** désavantageusement; ***— bekend staan,*** être mal famé.
ongun'stigheid *v.* **1** défaveur *f.*, état *m.* défavorable; **2** (*v. weer*) inclémence *f.*
on'guur' *b.n.* **1** (*afschuwelijk, afstotelijk*) rébarbatif, sinistre; **2** (*ruw: v. taal, enz.*) grossier, trivial; **3** (*v. weer*) rude, âpre.
onguur'heid *v.* **1** caractère *m.* rébarbatif; **2** trivialité *f.*; **3** rudesse, âpreté *f.*
onhan'delbaar *b.n.* intraitable.
onhan'delbaarheid *v.* humeur *f.* intraitable.
onhan'dig I *b.n.* **1** (*v. persoon*) maladroit, gauche; **2** (*v. zaken*) peu maniable, incommode; **II** *bw.* maladroitement, avec maladresse, gauchement.
onhan'digheid *v.* **1** maladresse, gaucherie *f.*; **2** incommodité *f.*
onhar'telijk *b.n.* sec, froid, peu cordial, peu affectueux.
onheb'belijk I *b.n.* **1** (*ongemanierd, ongepast*) inconvenant, incongru; **2** (*ruw, lomp*) grossier; **3** (*brutaal*) impertinent, insolent; **II** *bw.* **1** incongrûment; **2** grossièrement; **3** insolemment.
onheb'belijkheid *v.* **1** inconvenance, incongruité *f.*; **2** grossièreté *f.*; **3** impertinence, insolence *f.*
on'heel'baar *b.n.* incurable.
on'heil *o.* désastre, sinistre *m.*, catastrophe *f.*; ***de plaats des —s,*** le lieu du sinistre; ***— stichten,*** causer malheur.
on'hei'lig *b.n.* **1** (*profaan*) profane; **2** (*onrein*) impur; **3** (*goddeloos*) impie.
on'heilsbode *m.* messager *m.* de malheur.
onheilspel'lend *b.n.* de mauvais augure, sinistre, lugubre, alarmant.
on'heilzaam *b.n.* inefficace.
onherberg'zaam *b.n.* inhospitalier.
onherberg'zaamheid *v.* inhospitalité *f.*
on'herken'baar *b.n.* méconnaissable.
on'herkies'baar *b.n.* non rééligible.
on'herleid'baar *b.n.* irréductible.
onherleid'baarheid *v.* irréductibilité *f.*
on'herroe'pelijk I *b.n.* irrévocable; **II** *bw.* irrévocablement; ***— verloren,*** perdu sans retour.
onherstel'baar I *b.n.* **1** irréparable; **2** (*v. ongeluk*) irrémédiable; **II** *bw.* **1** irréparablement; **2** (*v. ongeluk*) irrémédiablement.
onheug'lijk *b.n.* immémorial; ***sedert —e tijden,*** de temps immémorial.
on'heus' I *b.n.* désobligeant, discourtois; **II** *bw.* désobligeamment, discourtoisement.
on'histo'risch *b.n.* anachronique, antihistorique.
onhof'felijk I *b.n.* impoli, peu courtois; **II** *bw.* impoliment, peu courtoisement.
onhof'felijkheid *v.* impolitesse, discourtoisie *f.*
on'hoorbaar I *b.n.* imperceptible; **II** *bw.* imperceptiblement.
onhoud'baar *b.n.* **1** (*v. toestand*) intenable; **2** (*v. stelling*) insoutenable.
onhoud'baarheid *v.* impossibilité *f.*
onhui'selijk *b.n.* peu casanier, qui n'aime pas la vie de famille.
on'huwbaar *b.n.* impubère.
on'hygië'nisch *b.n.* antihygiénique, peu hygiénique.
onin'baar *b.n.* irrécouvrable; ***de oninbare posten,*** les non-valeurs *f.pl.*; ***oninbare vorderingen,*** créances non-recouvrables.
onin'gebonden *b.n.* non relié; broché.
on'ingenaaid *b.n.* en feuille(s).
onin'gepakt *b.n.* non emballé; en vrac.
onin'gevuld *b.n.* (laissé) en blanc.
onin'gewijd *b.n.* profane, non initié.
on'invor'derbaar *b.n.* inexigible.
on'inwis'selbaar *b.n.* inconvertible.
on'juist' I *b.n.* **1** inexact, incorrect; **2** (*verkeerd, vals*) faux, erroné; **II** *bw.* **1** inexactement, incorrectement; **2** erronément.
onjuist'heid *v.* **1** inexactitude *f.*; **2** fausseté, erreur *f.*
onken'baar *b.n.* **1** (*wijsb.*) inconnaissable; **2** (*onherkenbaar*) méconnaissable.
onken'baarmaking *v.* défiguration *f.*
onker'kelijk *b.n.* **1** profane, laïque; **2** non-pratiquant, non-rattaché.
on'kies' I *b.n.* indélicat, peu délicat; **II** *bw.* indélicatement, d'une manière peu délicate.
onkies'heid *v.* indélicatesse *f.*
on'klaar' *b.n.* **1** (*niet helder*) trouble; **2** (*fig.: v. tekst, enz.*) peu clair, obscur; **3** (*in 't ongerede*) dérangé, détraqué; **4** (*sch.: v. anker*) surjalé; ***— raken,*** **1** se détraquer; **2** (*v. motor*) avoir une panne.
on'kosten *mv.* **1** frais, faux frais *m.pl.*; **2** (*uitgaven*) dépenses *f.pl.*; **3** (*recht*) dépens *m.pl.*; ***zijn — weer goed maken,*** rentrer dans ses frais; ***iem. op — jagen,*** mettre qn. en frais.
on'kostenberekening *v.* devis *m.* estimatif.
on'kostenboek *o.* livre *m.* de frais, registre *m.* de débours.
on'kostennota *v.*(*m.*) (*H.*) note *f.* de frais.
on'kreuk'baar *b.n.* **1** (*onveranderlijk, onverbreekbaar*) inaltérable, inviolable; **2** (*onomkoopbaar*) intègre; **3** (*v. naam*) hors d'atteinte; **4** (*letterlijk*) défroissable; ***van onkreukbare eerlijkheid,*** d'une honnêteté à toute épreuve, d'une scrupuleuse honnêteté.
onkreuk'baarheid *v.* **1** inviolabilité *f.*; **2** intégrité *f.*
onkris'telijk, *zie* ***onchristelijk.***
on'kruid *o.* mauvaise(s) herbe(s) *f.*(*pl.*), ivraie *f.*; ***— vergaat niet,*** mauvaise herbe croît toujours.
on'kuis' *b.n.* impudique, impur, incontinent.
onkuis'heid *v.* impudeur, impureté, incontinence *f.*
on'kunde *v.* ignorance *f.*
onkun'dig *b.n.* ignorant (de); ***— zijn van,*** ignorer.
onkwets'baar *b.n.* invulnérable.
onkwets'baarheid *v.* invulnérabilité *f.*
on'langs' *bw.* l'autre jour, récemment, dernièrement.
onle'dig *b.n.* occupé; ***zich — houden met,*** s'occuper à.
onlees'baar *b.n.* illisible; indéchiffrable.
onlees'baarheid *v.* illisibilité *f.*
onlek'ker *b.n.* mal à l'aise, indisposé.
onles'baar *b.n.* inaltérable, inextinguible.
onlicha'melijk *b.n.* incorporel.
onlijd'baar *b.n.* intolérable.
onlo'gisch I *b.n.* illogique; **II** *bw.* illogiquement; ***het —e,*** l'illogisme *m.*
onloo'chenbaar *b.n.* indéniable, incontestable, irréfutable, évident.
onloo'chenbaarheid *v.* irréfutabilité, évidence *f.*
on'lust *m.* **1** (*naarheid*) peine *f.*; **2** (*tegenzin*) aversion *f.*, dégoût *m.*; ***—en,*** troubles *m.pl.*
onmaatschap'pelijk I *b.n.* antisocial; **II** *bw.* antisocialement.
onmaatschap'pelijkheid *v.* caractère *m.* antisocial.
on'macht *v.*(*m.*) **1** (*machteloosheid*) impuissance, faiblesse *f.*; **2** (*bezwijming*) défaillance, syncope *f.*, évanouissement *m.*; ***in — vallen,*** s'évanouir, tomber en défaillance.
onmach'tig *b.n.* impuissant.
onman'lijk *b.n.* **1** indigne d'un homme; peu viril; **2** (*verwijfd*) efféminé.

onma'tig I *b.n.* **1** (*in spijs en drank*) intempérant; **2** (*mateloos*) démesuré, désordonné; **3** (*buitensporig*) excessif, immodéré; **II** *bw.* **1** démesurément, sans mesure; **2** excessivement, immodérément.
onma'tigheid *v.* **1** intempérance *f.*; **2** excès *m.*
onmededeel'baar *b.n.* incommunicable.
onmededeel'zaam *b.n.* peu communicatif, (très) réservé.
onmeedo'gend I *b.n.* impitoyable; **II** *bw.* impitoyablement, sans pitié.
onmeedo'gendheid *v.* manque *m.* de pitié, cruauté *f.*
onmeet'baar *b.n.* **1** incommensurable; **2** (*v. getal*) irrationnel. [mensité *f.*
onmeet'baarheid *v.* incommensurabilité; im-
onmeng'baar *b.n.* immiscible.
on'mens *m.* monstre, barbare *m.*, brute *f.*
onmen'selijk I *b.n.* inhumain, cruel; **II** *bw.* inhumainement, cruellement. [barie *f.*
onmen'selijkheid *v.* inhumanité, cruauté, bar-
onmerk'baar I *b.n.* imperceptible, insensible; **II** *bw.* imperceptiblement, insensiblement.
onme'telijk I *b.n.* immense; **II** *bw.* immensément.
onme'telijkheid *v.* immensité *f.*
onmid'dellijk I *b.n.* **1** (*dadelijk*) immédiat; **2** (*rechtstreeks*) direct; **3** (*plotseling*) subit, soudain; **II** *bw.* **1** immédiatement; **2** directement; **3** subitement, soudainement; ***— gedood,*** tué sur le coup; ***de dood is — ingetreden,*** la mort a été instantanée.
on'min *v.(m.)* brouillerie *f.*, dissension(s) *f.(pl.)*; ***in — leven met,*** être brouillé avec, vivre en mauvaise intelligence avec; ***in — geraken,*** se brouiller.
onmis'baar *n.n.* indispensable.
onmis'baarheid *v.* nécessité *f.* absolue.
onmisken'baar I *b.n.* évident, indéniable, qu'on ne saurait méconnaître, qui ne trompe point; **II** *bw.* évidemment.
onmisken'baarheid *v.* évidence *f.*
onmo'gelijk I *b.n.* impossible; ***een —e hoed,*** un chapeau invraisemblable; ***het is — om,*** il n'y a pas moyen de, il est impossible de; **II** *bw.* ***ik kan — komen,*** il m'est impossible de venir.
onmo'gelijkheid *v.* impossibilité *f.*
onmon'dig *b.n.* mineur.
onmon'digheid *v.* minorité *f.*
on'muzikaal' *b.n.* **1** (*v. klanken*) discordant; **2** (*v. persoon*) peu musicien, ignorant la musique.
onnaden'kend I *b.n.* irréfléchi, étourdi; **II** *bw.* sans réfléchir, étourdiment; ***— handelen,*** agir à la légère, agir étourdiment.
onnaden'kendheid *v.* irréflexion, étourderie *f.*
onnaspeur'lijk I *b.n.* impénétrable, insaisissable; **II** *bw.* inpénétrablement, insaisissablement.
onnatuur'lijk I *b.n.* **1** (*niet natuurlijk*) contraire à la nature; **2** (*ontaard: v. gevoelens, ouders, enz.*) dénaturé; **3** (*gemaakt*) affecté, recherché, guindé; **4** (*gedwongen*) contraint, forcé; **5** (*onwerkelijk*) irréel.
onnatuur'lijkheid *v.* **1** manque *m.* de naturel, affectation, recherche *f.*; **2** contrainte *f.*
onnauwkeu'rig I *b.n.* inexact; **II** *bw.* inexactement. [sion *f.*
onnauwkeu'righeid *v.* inexactitude, impréci-
onnavolg'baar I *b.n.* inimitable; **II** *bw.* inimitablement. [ble.
onneem'baar *b.n.* (*mil.*) imprenable, inexpugna-
onneem'baarheid *v.* inexpugnabilité *f.*
on'nodig I *b.n.* **1** inutile; **2** (*overbodig*) superflu; **II** *bw.* inutilement, sans nécessité.
onnoem'baar, onnoe'm(e)lijk *b.n.* **1** (*onuitsprekelijk*) inexprimable, indicible; **2** (*ong.*) innommable; **3** (*ontelbaar*) innombrable, sans nombre.
onno'zel I *b.n.* **1** simple, naïf; **2** (*dom*) niais, nigaud; **3** (*onschuldig*) innocent; ***enige —e franken,*** quelques misérables francs; ***—e hals,*** niais, nigaud *m.*; ***— staan kijken,*** avoir l'air de tomber des nues; **II** *bw.* niaisement.
Onno'zele-kin'derendag *m.* Jour *m.* des Saints Innocents.
onno'zelheid *v.* **1** simplicité, naïveté *f.*; **2** niaiserie *f.*; **3** innocence *f.*
on'nut I *b.n.* inutile; **II** *bw.* inutilement; **III** *m.-v.* propre *m.* à rien.
onomkoop'baar *b.n.* incorruptible.
onomkoop'baarheid *v.* incorruptibilité *f.*
onomsto'telijk I *b.n.* **1** (*onbetwistbaar*) incontestable; **2** (*onweerlegbaar*) irréfutable; **II** *bw.* **1** incontestablement; **2** d'une manière irréfutable.
on'omwon'den I *b.n.* net, franc, sans réserve; **II** *bw.* nettement, franchement, sans ambages, sans détours.
on'onderbroken *b.n.* ininterrompu.
on'ontbeer'lijk *b.n.* indispensable.
on'ontbeer'lijkheid *v.* nécessité *f.* absolue.
on'ontbind'baar *b.n.* indissoluble.
on'ontbind'baarheid *v.* indissolubilité *f.*
on'ontcij'ferbaar *b.n.* indéchiffrable.
on'ontgin'baar *b.n.* inexploitable.
onontgon'nen *b.n.* **1** inexploité; **2** (*fig.*) inexploré.
onontkoom'baar *b.n.* inéluctable, inévitable.
on'ontplof'baar *b.n.* inexplosible.
on'ontvan'kelijk *b.n.* **1** (*onaannemelijk*) irrecevable; **2** (*onvatbaar voor*) insusceptible (à, de).
on'ontvan'kelijkheid *v.* **1** irrecevabilité *f.*; **2** insusceptibilité *f.*; indifférence *f.*
on'ontvlam'baar *b.n.* ininflammable.
on'ontwar'baar I *b.n.* inextricable; **II** *bw.* inextricablement.
onontwijk'baar *b.n.* inéluctable, inévitable.
onontwik'keld *b.n.* **1** (*v. persoon*) peu instruit, ignorant, sans éducation; **2** (*v. organen*) peu développé.
onoog'lijk *b.n.* laid, sordide, repoussant, qui ne paie pas de mine.
onoog'lijkheid *v.* laideur *f.*, aspect *m.* repoussant.
onoor'baar *b.n.* malséant.
on'oordeelkun'dig I *b.n.* peu judicieux; **II** *bw.* peu judicieusement.
ono'pengesneden *b.n.* non coupé.
on'op'gehelderd *b.n.* inéclairci.
on'op'gelost *b.n.* **1** (*v. vraagstukken*) non résolu; **2** (*v. stoffen*) indissous.
on'op'gemaakt *b.n.* **1** (*v. bed, haar*) défait; **2** (*v. stoffen*) sans apprêt; **3** (*v. hoed*) non garni.
onop'gemerkt I *b.n.* inaperçu; **II** *bw.* sans être aperçu.
on'op'gesmukt *b.n.* sobre, simple, sans ornements.
onop'gevoed *b.n.* mal élevé, sans éducation.
onop'gevraagd *b.n.* non réclamé, abandonné; ***— kapitaal,*** capital non appelé.
onophou'delijk I *b.n.* incessant, continuel; **II** *bw.* sans cesse, continuellement, sans relâche.
onoplet'tend I *b.n.* inattentif; distrait; **II** *bw.* inattentivement.
onoplet'tendheid *v.* inattention *f.*, manque *m.* d'attention; distraction *f.*
on'oplos'baar *b.n.* **1** (*v. vraagstuk*) insoluble; **2** (*v. stof*) indissoluble. [solubilité *f.*
on'oplos'baarheid *v.* **1** insolubilité *f.*; **2** indis-
onoprecht' I *b.n.* peu sincère, faux, dissimulé; **II** *bw.* d'une manière peu sincère.
onoprecht'heid *v.* manque *m.* de sincérité; fausseté, dissimulation *f.*

on'opval'lend *b.n.* (*v. persoon*) discret, effacé; (*v. huis*) sans grand caractère.
on'opzeg'baar *b.n.* **1** perpétuel; **2** (*v. lening*) non remboursable; **3** (*v. hypotheek*) irrévocable.
on'opzet'telijk I *b.n.* involontaire; **II** *bw.* involontairement.
onor'delijk I *b.n.* **1** (*v. persoon*) désordonné, négligent; **2** (*v. zaken*) en désordre; **II** *bw.* sans ordre; en désordre.
onor'delijkheid *v.* manque *m.* d'ordre, désordre *m.*
onorden'telijk I *b.n.* malhonnête; **II** *bw.* malhonnêtement.
onoverbrug'baar *b.n.* infranchissable.
on'overdacht' *b.n.* irréfléchi.
on'overdraag'baar *b.n.* incessible.
onoverdraag'baarheid *v.* incessibilité *f.*
on'overgan'kelijk I *b.n.* intransitif; **II** *bw.* intransitivement.
on'overko'melijk *b.n.* insurmontable.
onoverlegd' *b.n.* irréfléchi, inconsidéré.
on'overtref'baar *b.n.* insurpassable, sans rival.
on'overtrof'fen *b.n.* sans rival.
on'overwin'(ne)lijk *b.n.* **1** (*v. leger, enz.*) invincible; **2** (*v. vesting*) imprenable: inexpugnable; **3** (*v. bezwaar, moeilijkheid*) insurmontable.
on'overwin'(ne)lijkheid *v.* invincibilité *f.*
onoverwon'nen *b.n.* invaincu, indompté.
on'overzichtelijk *b.n.* embrouillé; obscur.
on'overzien'baar *b.n.* **1** (*v. uitgestrektheid*) immense; **2** (*v. gevolgen*) incalculable.
on'paar *b.n.* impair.
on'pa'rig *b.n.* dépareillé.
on'parlementair' *b.n.* imparlementaire; ***—e uitdrukking,*** expression *f.* peu parlementaire.
on'partij'dig I *b.n.* impartial; **II** *bw.* impartialement.
on'partij'digheid *v.* impartialité *f.*
on'pas *bw.* ***te —,*** mal à propos, hors de propos.
onpas'selijk *b.n.* indisposé; ***— worden,*** se trouver mal; ***— zijn,*** avoir mal au cœur.
onpas'selijkheid *v.* mal *m.* de cœur.
on'pedago'gisch *b.n.* peu pédagogique, antipédagogique.
onpeil'baar *b.n.* **1** insondable; **2** (*fig.*) inscrutable, impénétrable.
onpeil'baarheid *v.* abîme *m.* insondable.
on'persoon'lijk I *b.n.* impersonnel; **II** *bw.* impersonnellement.
on'persoon'lijkheid *v.* impersonnalité *f.*
onplezie'rig *b.n.* **1** (*onaangenaam*) désagréable, déplaisant; **2** (*niet al te wel*) mal à l'aise, indisposé.
onplich'tig *b.n.* (*Z. N.*) innocent.
onplichtma'tig *b.n.* contraire à son devoir.
on'populair *b.n.* impopulaire.
on'prak'tisch, on'prac'tisch I *b.n.* peu pratique; **II** *bw.* peu pratiquement.
on'produktief', -productief' *b.n.* improductif.
on'raad *o.* danger, péril *m.*; ***— merken,*** avoir des soupçons; entendre des bruits suspects.
onraad'zaam *b.n.* inopportun.
on'recht *o.* injustice *f.*, tort *m.*; ***iem. — aandoen,*** faire du tort à qn.; ***ten —e,*** à tort, à titre injuste.
onrechtma'tig I *b.n.* injuste, illégitime; **II** *bw.* injustement, illégitimement.
onrechtma'tigheid *v.* injustice, illégitimité *f.*
on'rechtvaar'dig I *b.n.* injuste, inique; **II** *bw.* injustement, iniquement.
on'rechtvaar'digheid *v.* injustice, iniquité *f.*
onrechtzin'nig *b.n.* hétérodoxe.
onrechtzin'nigheid *v.* hétérodoxie *f.*
onre'delijk I *b.n.* **1** (*onverstandig, onlogisch*) déraisonnable; **2** (*onbillijk, onrechtvaardig*) injuste; **3** (*Z.N.: redeloos*) irraisonnable; **II** *bw.* **1** déraisonnablement; **2** injustement.
onre'delijkheid *v.* **1** déraison *f.*; **2** injustice *f.*
on'regelma'tig I *b.n.* irrégulier; **II** *bw.* irrégulièrement.
onregelma'tigheid *v.* irrégularité *f.*
on'rein' *b.n.* **1** (*onzindelijk, vuil*) malpropre, sale; **2** (*onkuis*) impudique; **3** (*v. dier*) immonde.
onrein'heid *v.* **1** malpropreté, saleté *f.*; **2** impudicité *f.*; **3** immondice *f.*
onrek'baar *b.n.* inextensible.
onrid'derlijk I *b.n.* peu chevaleresque; **II** *bw.* peu chevaleresquement.
on'rijm *o.* prose *f.*; ***in rijm en —,*** en prose et en vers.
on'rijp' *b.n.* **1** vert, (qui n'est) pas mûr; **2** (*fig.*) prématuré, précoce.
onrijp'heid *v.* **1** verdeur *f.*; **2** immaturité, précocité *f.*
on'roerend *b.n.* immeuble; ***—e goederen,*** immeubles, biens immeubles *m.pl.*; ***agent van —e goederen,*** agent *m.* immobilier.
on'rust *v.*(*m.*) **1** (*gejaagdheid*) agitation *f.*; **2** (*angst*) inquiétude *f.*; **3** (*beroering*) trouble *m.*; **4** (*in uurwerk*) balancier *m.*; pendillon *m.*
onrustba'rend I *b.n.* inquiétant, alarmant; **II** *bw.* d'une façon inquiétante, — alarmante.
onrus'tig I *b.n.* **1** agité; **2** inquiet; **3** (*woelig*) remuant; **II** *bw.* d'une manière agitée; ***— slapen,*** dormir d'un sommeil agité.
on'ruststoker *m.* agitateur, fauteur de troubles, boutefeu *m.*
ons I *o.* **1** hectogramme *m.*; **2** (*vroeger*) once *f.*; **II** *pers. vnw.*, nous; **III** *bez. vnw.* notre; ***de onzen,*** les nôtres.
on'samendruk'baar *b.n.* incompressible.
on'samendruk'baarheid *v.* incompressibilité *f.*
on'samenhan'gend I *b.n.* incohérent, décousu; ***het —e,*** l'incohérence *f.*, le décousu; **II** *bw.* d'une façon décousue.
onscha'delijk *b.n.* inoffensif, innocent; ***— maken,*** mettre hors d'état de nuire.
onscha'delijkheid *v.* innocuité, innocence *f.*
onschat'baar *b.n.* **1** inestimable, inappréciable; **2** (*kostbaar*) précieux.
onscheid'baar *b.n.* **1**, inséparable, indissoluble, lié; **2** (*scheik.*) indécomposable; ***— verbonden,*** indissociable.
onschend'baar I *b.n.* inviolable; **II** *bw.* inviolablement.
onschend'baarheid *v.* inviolabilité *f.*
onscherp' *b.n.* flou.
on'schuld *v.*(*m.*) **1** innocence *f.*; **2** (*v. kind*) candeur *f.*; **3** (*argeloosheid*) ingénuité *f.*; ***ik was mijn handen in —,*** je m'en lave les mains.
onschul'dig I *b.n.* **1** innocent; **2** candide; **3** ingénu; **II** *bw.* **1** innocemment; **2** candidement; **3** ingénument.
on'sier'lijk *b.n.* inélégant.
onslijt'baar *b.n.* inusable.
onsma'kelijk I *b.n.* **1** fade, insipide; **2** peu appétissant, dégoûtant; **II** *bw.* **1** sans goût; **2** d'une manière dégoûtante.
onsma'kelijkheid *v.* **1** fadeur, insipidité *f.*; **2** mauvais goût *m.*
on'smelt'baar *b.n.* **1** infusible; **2** (*vuurvast*) réfractaire.
on'smelt'baarheid *v.* infusibilité *f.*
on'splin'terbaar glas *o.* sécurit *m.*
onsportief' *b.n.* antisportif.
on'spring'baar *b.n.* (*v. band*) increvable.
on'staatkun'dig I *b.n.* impolitique; **II** *bw.* impolitiquement.
on'stabiel' *b.n.* instable.

onstandvas'tig I *b.n.* 1 inconstant, changeant; 2 (*v. evenwicht*) instable; II *bw.* inconstamment.
onstandvas'tigheid *v.* inconstance *f.*
onster'felijk *b.n.* immortel.
onster'felijkheid *v.* immortalité *f.*
onsterk' *b.n.* peu solide.
on'stich'telijk I *b.n.* peu édifiant, scandaleux; II *bw.* d'une manière peu édifiante.
on'stof'felijk *b.n.* immatériel.
on'stof'felijkheid *v.* immatérialité *f.*
onstraf'baar *b.n.* impunissable.
onstui'mig I *b.n.* 1 (*v. weer*) orageux; 2 (*v. wind, karakter*) impétueux; 3 (*v. zee*) houleux, démonté, agité; 4 (*v. hartstocht*) fougueux, tumultueux; 5 (*v. paard*) fougueux; II *bw.* 1 orageusement; 2 impétueusement; 3 fougueusement.
onstui'migheid *v.* 1 impétuosité *f.*; 2 agitation *f.*; 3 fougue *f.*
on'sympat(h)iek I *b.n.* peu sympathique; II *bw.* d'une manière peu sympathique.
ontaard' *b.n.* 1 dénaturé; 2 dégénéré, pervers.
ontaar'den *on.w.* dégénérer.
ontaar'ding *v.* dégénération, dégénérescence *f.*
ontast'baar *b.n.* impalpable, intangible.
ontast'baarheid *v.* intangibilité *f.*
ontbe'ren *ov.w.* 1 (*niet bezitten*) manquer de; 2(*missen*) se passer de; se dispenser de, se priver de.
ontbe'ring *v.* privation *f.*
ontbie'den *ov.w.* mander, faire venir.
ontbijt' *o.* (petit) déjeuner *m.*; ***tweede* —,** (second) déjeuner, lunch *m.*
ontbijt'bordje *o.* petite assiette *f.*
ontbij'ten *on.w.* déjeuner.
ontbijt'kamer *v.(m.)* salle *f.* à manger, — à [déjeuner.
ontbijt'koek *m.* pain *m.* d'épice.
ontbijt'servies *o.* (service à) déjeuner *m.*
ontbijt'spek *o.* bacon *m.*
ontbijt'tafel *v.(m.)* table *f.* du déjeuner.
ontbind'baar *b.n.* dissoluble.
ontbind'baarheid *v.* dissolubilité *f.*
ontbin'den *ov.w.* 1 (*losmaken*) délier, détacher; 2 (*v. parlement, huwelijk, enz.*) dissoudre; 3 (*v. optocht*) disloquer; 4 (*nat., wisk.*) décomposer; 5 (*scheik.*) dissocier; 6 (*v. atoom*) désintégrer; 7 (*v. troepen*) licencier.
ontbin'dend *b.n.* (*scheik.*) dissolvant.
ontbin'ding *v.* 1 dénouement, déliement *m.*; 2 dissolution *f.*; 3 dislocation *f.*; 4 décomposition *f.*; 5 dissociation *f.*; 6 désintégration *f.*; 7 licenciement *m.*; ***tot — overgaan,*** entrer en décomposition, se décomposer; ***in staat van —,*** en état de décomposition, — de putréfaction.
ontbla'deren *ov.w.* effeuiller, dépouiller de ses [feuilles.
ontbloot' *b.n.* 1 dénudé; 2 (*fig.*) dénué (de); ***van alle grond —,*** dénué de tout fondement.
ontblo'ten *ov.w.* 1 dénuder, mettre à nu, découvrir; 2 (*ontdoen van, beroven van*) défaire (de), dépouiller (de), dénuer (de); ***het hoofd —,*** se découvrir.
ontblo'ting *v.* 1 mise *f.* à nu; 2 dépouillement *m.*; 3 dénûment *m.*
ontboe'zemen *ov.w.* épancher, exhaler.
ontboe'zeming *v.* épanchement *m.*, effusion *f.*
ontbol'steren *ov.w.* 1 (*v. noten*) écaler; 2 (*fig.: v. persoon*) dégrossir, dégourdir.
ontbol'stering *v.* 1 écalage *m.*; 2 dégrossissement [*m.*
ontbos'sen *ov.w.* déboiser.
ontbos'sing *v.* déboisement *m.*
ontbrand'baar *b.n.* inflammable.
ontbrand'baarheid *v.* inflammabilité *f.*
ontbran'den *on.w.* 1 prendre feu, s'enflammer; 2 (*fig.*) s'allumer.
ontbran'ding *v.* inflammation *f.*
ontbre'ken *on.w.* manquer, faire défaut; ***er — enige boeken,*** il manque quelques livres; ***de gelegenheid ontbreekt mij,*** l'occasion me manque; ***hem ontbreekt niets,*** il a tout ce qu'il lui faut; il ne lui manque rien; ***hij laat het zich aan niets —,*** il ne se prive de rien; ***het —de,*** le déficit, ce qui manque, les marchandises qui manquent.
ontcij'feren *ov.w.* déchiffrer.
ontcij'fering *v.* déchiffrement *m.*
ontdaan' *b.n.* défait, décontenancé, consterné; ***— van,*** dépouillé de, denué de, dégarni de.
ontdek'ken *ov.w.* 1 (*vinden*) découvrir, déceler; 2 (*ontsluieren*) dévoiler, révéler, découvrir.
ontdek'ker *m.* 1 explorateur *m.*; (*soms*) découvreur *m.*; 2 révélateur *m.*
ontdek'king *v.* découverte *f.*; (*nat.*) détection *f.*
ontdek'kingsreis *v.(m.)*, **ontdek'kingstocht** *m.* voyage *m.* de découverte, — d'exploration.
ontdek'kingsreiziger *m.* explorateur *m.*
ontdoen' I *ov.w.* défaire; dépouiller; II *w.w.* ***zich — van,*** 1 (*v. kleren*) ôter; 2 (*v. goederen, enz.*) se défaire de; 3 (*v. jas, stok, enz.*) se débarrasser de.
ontdooi'en I *on.w.* 1 dégeler; 2 (*smelten*) se fondre; 3 (*fig.*) se dégeler, se dégourdir; II *ov.w.* dégeler.
ontdooi'ing *v.* 1 dégel *m.*; 2 fonte *f.*
ontdui'ken *ov.w.* 1 (*duikende ontwijken*) éviter (en se baissant), esquiver; 2 (*v. wet*) éluder, tourner; frauder (le fisc); 3 (*v. moeilijkheid*) (con)tourner; 4 (*v. verplichting*) se soustraire à.
ontdui'king *v.* fraude *f.*
onteer'der *m.* 1 diffamateur *m.*; 2 violateur *m.*
ontegenspre'kelijk, ontegenzeg'lijk I *b.n.* indiscutable, incontestable; II *bw.* incontestablement, sans contredit.
ontei'genen *ov.w.* exproprier; déposséder.
ontei'gening *v.* expropriation; dépossession *f.*; ***— ten algemenen nutte,*** expropriation pour cause d'utilité publique.
ontel'baar *b.n.* innombrable, sans nombre.
ontem'baar *b.n.* indomptable.
ontem'baarheid *v.* indomptabilité *f.*
onte'ren *ov.w.* 1 (*alg.*) déshonorer; 2 (*lasteren*) diffamer; 3 (*ontwijden*) profaner.
onte'rend *b.n.* 1 déshonorant; 2 diffamant; 3 (*v. straf*) infamant.
onte'ring *v.* 1 déshonneur *m.*; 2 diffamation *f.*; 3 profanation *f.*; 4 infamie *f.*
onter'ven *ov.w.* déshériter, exhéréder.
onter'ving *v.* exhérédation *f.*
ontevre'den *b.n.* mécontent; ***— maken,*** mécon- [tenter.
ontevre'denheid *v.* mécontentement *m.*
ontevre'denheidsbetuiging *v.* réprimande *f.*, blâme *m.*
ontfer'men *w.w.* ***zich — (over),*** avoir pitié (de).
ontfer'ming *v.* pitié, miséricorde *f.*
ontfut'selen *ov.w.* dérober, escamoter, filouter, chiper.
ontfut'seling *v.* escamotage, filoutage *m.*
ontgaan' I *ov.w.* éviter, esquiver, fuir; II *on.w.* échapper (à); ***dat is me —,*** 1 (*ik heb het niet gezien*) cela m'a échappé, cela a échappé à mon attention; 2 (*ik heb het vergeten*) je l'ai oublié, je n'y ai pas pensé.
ontgel'den *ov.w.* expier; ***het moeten —,*** (*fam.*) écoper; ***iem. iets laten —,*** s'en prendre à qn. de qc.
ontgin'nen *ov.w.* 1 (*grond*) défricher; 2 (*v. mijn*) exploiter; 3 (*produktief maken*) mettre en valeur; 4 (*fig.*) défricher.
ontgin'ning *v.* 1 défrichement *m.*; 2 exploitation *f.*; 3 mise *f.* en valeur.

ontglan'zen *ov.w.* dépolir; délustrer.
ontglip'pen *on.w.* **1** échapper (à); glisser (entre les mains); **2** (*ontsnappen*) s'esquiver.
ontgloe'ien *on.w.* s'enflammer, s'allumer.
ontgloei'ing *v.* inflammation *f.*
ontgoo'chelen *ov.w.* désillusionner, désenchanter, désabuser.
ontgoo'cheling *v.* désillusion *f.*, désenchantement, désabusement *m.*
ontgra'ven *ov.w.* déterrer.
ontgren'delen *ov.w.* déverrouiller.
ontgroei'en *on.w.* devenir trop grand pour.
ontgroe'nen *ov.w.* **1** déniaiser; **2** (*v. student*) brimer; **3** (*v. soldaat*) débleuir.
ontgroe'ning *v.* **1** déniaisement *m.*; **2** brimade(s) *f.*(*pl.*).
onthaal' *o.* accueil *m.*; réception *f.*; ***een gunstig — vinden,*** être bien (*of* favorablement) accueilli, trouver un accueil favorable.
ontha'len *ov.w.* **1** accueillir, recevoir; **2** (*trakteren*) traiter; **— op,** régaler de.
onthal'zen *ov.w.* décoller, décapiter.
onthand' *b.n.* incommodé. [peler.
ontha'ren *ov.w.* **1** dépiler, épiler; **2** (*v. huiden*)
ontha'ring *v.* dépilation, épilation *f.*
ontha'ringsmiddel *o.* (d)épilatoire *m.*
onthech'ten *ov.w.* détacher (de).
onthech'ting *v.* détachement *m.*
ontheem'de *m.-v.* personne *f.* déplacée, apatride *m.*
onthef'fen *ov.w.* **1** (*ontslaan v. verplichting, vrijstellen*) dispenser (de), exempter (de); **2** (*ontlasten, bevrijden*) débarrasser (de), déliver (de); **3** (*v. ambt*) relever (de); **4** (*v. belastingen*) exonérer.
onthef'fing *v.* **1** dispense, exemption *f.*; **2** décharge *f.*; **3** relèvement *m.*, révocation *f.*; **4** exonération *f.*
onthei'ligen *ov.w.* profaner.
onthei'ligend *b.n.* profane, sacrilège.
onthei'liger *m.* profanateur, sacrilège *m.*
onthei'liging *v.* profanation *f.*, sacrilège *m.*
onthoof'den *ov.w.* décapiter.
onthoof'ding *v.* décapitation, décollation *f.*
onthou'den I *ov.w.* **1** (*inhouden*) retenir; **2** (*niet vergeten*) retenir, se rappeler, se souvenir de; ***iem. iets helpen —,*** faire souvenir qn. de qc.; ***hij is goed van —,*** il a bonne mémoire; **II** *w.w.* ***zich iets —,*** se refuser qc., se priver de qc.; ***zich — van,*** s'abstenir de; renoncer à.
onthou'der *m.* **1** (*v. alcohol, enz.*) abstinent, tempérant *m.*; **2** (*bij stemming*) abstentionniste, abstenant *m.*
onthou'ding *v.* **1** abstinence *f.*; **2** (*bij stemming*) abstention *f.*; **3** (*zed.*) continence *f.*
onthou'dingsdag *m.* (*kath.*) jour *f.* d'abstinence.
onthul'len *ov.w.* **1** (*v. standbeeld, enz.*) inaugurer; **2** (*ontsluieren*) dévoiler, révéler.
onthul'ling *v.* **1** inauguration *f.*; **2** révélation *f.*
onthut'sen *ov.w.* troubler, déconcerter, effarer.
onthutst' *b.n.* troublé, déconcerté, effaré, interdit.
on'tij, ***bij nacht en —,*** à des heures indues.
on'tij'dig *b.n.* **1** (*niet te rechter tijd*) intempestif; inopportun, mal à propos; **2** (*te vroeg*) prématuré; (*v. geboorte*) avant terme.
on'tij'digheid *v.* intempestivité; inopportunité *f.*
ontkal'ken *ov.w.* déchauler.
ontkal'king *v.* **1** (*v. huiden*) déchaulage *m.*; **2** (*gen.*) décalcification *f.*
ontken'nen *ov.w.* **1** (*v. feit*) nier; **2** (*v. schuld: loochenen*) dénier; **3** (*v. recht: betwisten*) contester; ***ik zal het niet —,*** je n'en disconviens pas.
ontken'nend I *b.n.* négatif; **II** *bw.* négativement.
ontken'ning *v.* négation; dénégation *f.*
ontker'stenen *ov.w.* déchristianiser.
ontker'stening *v.* déchristianisation *f.*
ontke'tenen *ov.w.* **1** déchaîner; **2** (*fig.: v. oorlog*) déclencher.
ontke'tening *v.* déchaînement *m.*
ontkie'men *on.w.* **1** germer; **2** (*uitkomen*) poindre, pousser.
ontkie'ming *v.* germination *f.*
ontkle'den *ov.w.* déshabiller, dévêtir.
ontkle'ding *v.* déshabillement *m.*
ontkleu'ren *ov.w.* décolorer.
ontkleu'ring *v.* décoloration *f.*
ontkleu'ringsmiddel *o.* décolorant *m.*
ontkluis'teren *ov.w.* déchaîner.
ontkno'pen *ov.w.* **1** dénouer; **2** (*losknopen: v. jas, enz.*) déboutonner; **3** (*v. knoop*) dénouer, défaire; **4** (*fig.: v. intrige*) dénouer, démêler.
ontkno'ping *v.* **1** dénouement *m.*; **2** déboutonnement *m.*; **3** démêlement *m.*
ontko'men *on.w.* **1** échapper (à); **2** (*ontvluchten*) se sauver, s'évader; ***er is geen — aan,*** pas moyen d'y échapper; ***nog juist —,*** l'échapper belle.
ontkop'pelen *ov.w.* **1** (*jacht: v. honden*) découpler; **2** (*v. wagons*) désaccoupler; **3** (*tn.*) désembrayer.
ontkop'peling *v.* **1** découplé *m.*; **2** désaccouplage *m.*; **3** désembrayage *m.*
ontkor'sten *ov.w.* décroûter.
ontkor'sting *v.* décroûtage *m.*
ontkur'ken *ov.w.* déboucher.
ontlaad'kraan *v.*(*m.*) robinet *m.* d'échappement.
ontlaad'tang *v.*(*m.*) (*el.*) excitateur *m.*
ontla'den *ov.w.* décharger.
ontla'der *m.* **1** déchargeur *m.*; **2** (*el.: — tang*) excitateur *m.*
ontla'ding *v.* **1** (*v. wagon, enz.*) déchargement *m.*; **2** (*el.; wapen, enz.*) décharge *f.* [ment.
ontla'dingsplaats *v.*(*m.*) lieu *m.* de débarque-
ontlas'ten I *ov.w.* **1** (*v. voertuig, schip*) alléger; **2** (*v. paard, enz.*) décharger; **3** (*v. belasting, hypotheek*) dégrever; **4** (*fam.: v. beurs, portefeuille*) délester (de); **5** (*v. zijn hart*) soulager; **6** (*ontdoen van*) débarrasser; ***de spoorwegen —,*** décongestionner les chemins de fer; **II** *w.w.* ***zich —,*** **1** se décharger; **2** se débarrasser de; **3** se soulager, aller à la selle; **4** évacuer; ***zich — in de zee,*** se décharger dans la mer.
ontlas'ting *v.* **1** allègement *m.*; **2** décharge *f.*; **3** dégrèvement *m.*; **4** soulagement *m.*; **5** (*gen.*) évacuation *f.*; **6** (*uitwerpselen*) excréments *m.pl.*, selles *f.pl.*; ***getuige ter —,*** témoin à décharge.
ontlast'klep *v.*(*m.*) soupape *f.* de sûreté.
ontlast'kraan *v.*(*m.*) robinet *m.* purgeur.
ontlast'pijp *v.*(*m.*) **1** (*voor water*) tuyau *m.* de décharge; **2** (*voor stoom*) tuyau *m.* d'échappement.
ontla'ten I *on.w.* **1** (*zachter worden*) s'amollir; **2** (*v. weer*) se radoucir; **3** (*ontdooien*) dégeler; **II** *ov.w.* (*v. staal, enz.*) détremper, recuire.
ontla'ting *v.* **1** radoucissement *m.*; **2** dégel *m.*; **3** détrempe *f.*, recuit *m.* (recuite *f.*).
ontle'den *ov.w.* **1** (*v. element, zin, enz.*) analyser; **2** (*v. woord, bijzin*) décomposer; **3** (*ontleedk.: v. lijk*) disséquer, anatomiser.
ontle'der *m.* (*gen.*) disséqueur, anatomiste *m.*
ontle'ding *v.* **1** analyse *f.*; **2** décomposition *f.*; **3** dissection, anatomie *f.*; ***redekundige —,*** analyse logique; ***taalkundige —,*** analyse grammaticale.
ontleed'kamer *v.*(*m.*) amphithéâtre *m.* de dissection.
ontleed'kunde *v.* anatomie *f.*
ontleedkun'dig *b.n.* anatomique.
ontleedkun'dige *m.* anatomiste *m.*
ontleed'mes *o.* scalpel, bistouri *m.*

ontleed'tafel *v.(m.)* table *f.* de dissection.
ontle'nen *ov.w.* emprunter (qc. à qn.); ***zijn naam — aan,*** prendre (*of* tirer) son nom de.
ontle'ner *m.* emprunteur *m.*
ontle'ning *v.* emprunt *m.*
ontle'ren *ov.w.* désapprendre.
ontlo'ken *b.n.* éclos, épanoui; ***pas — bloemen,*** des fleurs fraîches écloses.
ontlok'ken *ov.w.* **1** (*v. tranen, belofte, enz.*) arracher; **2** (*v. geheim*) soutirer, arracher; **3** (*v. klanken*) tirer.
ontlo'pen *ov.w.* **1** (*v. strijd, enz.*) fuir; **2** (*v. gevaar*) échapper (à); **3** (*v. moeilijkheid*) esquiver; **4** (*fig.: verschillen*) différer; ***dat zal elkaar niet veel —,*** il n'y aura pas de grande différence, ce sera à peu près la même chose; ***zij — elkaar niet veel,*** (*gelijken op elkaar*) ils se ressemblent fort; ***elkaar —,*** (*vermijden*) s'éviter, se fuir. [naître.
ontlui'ken *on.w.* **1** éclore, s'épanouir; **2** (*fig.*)
ontlui'king *v.* éclosion *f.*, épanouissement *m.*
ontluis'teren *ov.w.* ternir, obscurcir.
ontlui'zen *ov.w.* épouiller, délenter.
ontmaag'den *ov.w.* déflorer.
ontman'nen *ov.w.* châtrer. [démonter.
ontman'telen *ov.w.* **1** démanteler; **2** (*v. industrie*)
ontman'teling *v.* **1** démantèlement *m.*; **2** (*v. industrie*) démontage *m.*
ontmas'keren *ov.w.* démasquer.
ontmas'kering *v.* **1** démasqué *m.*; **2** (*fig.*) dévoilement *m.*
ontmas'ten *ov.w.* (*sch.*) démâter; ***een ontmast schip,*** un navire ras.
ontmen'ging *v.* ségrégation *f.*
ontmoe'digen *ov.w.* décourager.
ontmoe'diging *v.* découragement *m.*
ontmoe'ten *ov.w.* rencontrer.
ontmoe'ting *v.* **1** rencontre *f.*; **2** (*officieel, belangrijk*) entrevue *f.*
ontmun'ten *ov.w.* démonétiser.
ontmun'ting *v.* démonétisation *f.*
ontne'men *ov.w.* enlever, ôter, prendre.
ontne'ming *v.* enlèvement *m.*
ontnes'telen *ov.w.* dénicher.
ontnuch'teren *ov.w.* **1** dégriser; **2** (*fig.: ontgoochelen*) désenchanter; désillusionner, désabuser.
ontnuch'tering *v.* **1** dégrisement *m.*; **2** désenchantement *m.*, désillusion *f.*
ontoegan'kelijk *b.n.* inaccessible, inabordable.
ontoegan'kelijkheid *v.* inaccessibilité *f.*
ontoege'vend *b.n.* peu complaisant; peu indulgent.
ontoege'vendheid *v.* manque *m.* de complaisance, — d'indulgence.
ontoelaat'baar *b.n.* inadmissible.
ontoelaat'baarheid *v.* inadmissibilité *f.*
ontoerei'kend I *b.n.* insuffisant; **II** *bw.* insuffisamment.
ontoerei'kendheid *v.* insuffisance *f.*
ontoere'kenbaar *b.n.* irresponsable.
ontoere'kenbaarheid *v.* irresponsabilité *f.*
on'toeschie'telijk *b.n.* peu secourable, peu avenant.
ontologie' *v.* ontologie *f.*
ontolo'gisch *b.n.* ontologique.
ontoom'baar *b.n.* indomptable.
ontoon'baar *b.n.* non présentable; pitoyable, déplorable.
ontper'sen *ov.w.* **1** (*ontrukken*) arracher; **2** (*afpersen*) extorquer.
ontplof'baar *b.n.* explosible.
ontplof'baarheid *v.* explosibilité *f.*
ontplof'fen *on.w.* exploser, faire explosion, éclater.
ontplof'fend *b.n.* explosif.
ontplof'fing *v.* **1** explosion *f.*; **2** (*het geluid*) détonation *f.*
ontplof'fingsgeluid *o.* **1** bruit *m.* explosif; **2** (*klankl.*) explosive *f.*
ontplof'fingsmiddel *o.* explosif *m.*
ontplooi'en I *ov.w.* **1** déplier; **2** (*v. vleugels, enz.*) déployer; **3** (*v. zeilen*) déferler; **II** *w.w.* ***zich —,*** se déployer; prendre son essor.
ontplooi'ing *v.* déploiement *m.*; essor *m.*
ontpop'pen, *zich —,* *w.w.* **1** sortir de sa chrysalide; **2** (*fig.*) se révéler (comme).
ontraad'selen *ov.w.* déchiffrer, deviner.
ontra'den *ov.w.* **1** (*afraden*) déconseiller; **2** (*uit het hoofd praten*) dissuader (qn. de qc.).
ontra'felen *ov.w.* érailler. [parer.
ontred'deren *ov.w.* **1** délabrer; **2** (*sch.*) désem-
ontred'dering *v.* **1** (*alg.*) désarroi *m.*; **2** (*v. financiën*) délabrement *m.*
ontref'baar *b.n.* **1** (*ongevoelig*) insensible (à); **2** (*onkwetsbaar*) invulnérable. [bilité *f.*
ontref'baarheid *v.* **1** insensibilité *f.*; **2** invulnéra-
ontrei'nigen *ov.w.* souiller, salir.
ontrie'ven *ov.w.* priver (qn. de qc.); incommoder; ***als ik u niet ontrief,*** si cela ne vous incommode (*of* gêne) pas.
ontrim'pelen *ov.w.* dérider.
ontroerd' I *b.n.* troublé, ému; **II** *bw.* d'une voix altérée.
ontroe'ren I *ov.w.* émouvoir, troubler; attendrir; **II** *on.w.* s'émouvoir, se troubler; s'attendrir.
ontroe'rend *b.n.* émouvant, émotionnant.
ontroe'ring *v.* émotion *f.*, trouble *m.*; attendrissement *m.*
ontrol'len *ov.w.* **1** (*uitrollen, openrollen*) dérouler; **2** (*ontstelen, ontfutselen*) voler, escamoter.
ontro'men *ov.w.* écrémer.
ontro'mer *m.* écrémeuse *f.*
ontro'ming *v.* écrémage *m.*
ontron'selen *ov.w.* débaucher.
ontroost'baar *b.n.* inconsolable, désolé.
ontroost'baarheid *v.* désolation; douleur *f.* inconsolable.
on'trouw I *b.n.* **1** infidèle; **2** (*v. bediende*) indélicat, malhonnête; ***zijn belofte — worden,*** manquer à sa promesse; **II** *z.n., v.(m.)* **1** infidélité *f.*; **2** indélicatesse *f.*; **3** déloyauté *f.*
ontro'ven *ov.w.* dérober, ravir, enlever, voler.
ontro'ving *v.* ravissement, enlèvement, vol *m.*
ontrui'men *ov.w.* **1** (*v. zaal, stad*) évacuer, déblayer; **2** (*v. huis*) quitter.
ontrui'ming *v.* évacuation *f.*
ontruk'ken *ov.w.* arracher.
ontsche'pen *ov.w.* débarquer; ***zich —,*** débarquer; mettre pied à terre.
ontsche'ping *v.* débarquement *m.*
ontschie'ten *on.w.* **1** échapper (à), s'échapper (de); glisser (de); **2** (*fig.: ontgaan*) échapper, fuir; ***dat woord is mij ontschoten,*** ce mot m'a échappé.
ontschor'sen *ov.w.* écorcer, décortiquer.
ontschor'sing *v.* écorçage *m.*, décortication *f.*
ontsie'ren *ov.w.* déparer, défigurer.
ontslaan' I *ov.w.* **1** (*v. bediende*) renvoyer, congédier; **2** (*v. ambtenaar*) destituer, révoquer; **3** (*v. troepen, werklieden: afdanken*) licencier; **4** (*uit militaire dienst*) réformer; **5** (*vrijstellen*) dispenser, exempter, décharger; **6** (*v. belofte, verplichting*) dégager, débarrasser; **7** (*uit gevangenis*) relâcher, libérer, élargir; ***van rechtsvervolging —,*** renvoyer des fins de la poursuite, — de la plainte; **II** *w.w.* ***zich — van,*** **1** (*v. persoon*) se débarrasser de; **2** (*v. verplichting*) se libérer de.

ontslag' *o.* **1** (*v. bediende*) renvoi, congédiement *m.*; **2** (*v. ambtenaar*) destitution, révocation, démission *f.*; **3** (*v. troepen*) licenciement *m.*; **4** (*vrijstelling: v. opdracht, enz.*) décharge *f.*; **5** (*uit gevangenis*) libération *f.*, élargissement *m.*; ***zijn — aanvragen, — indienen,*** donner sa démission; ***— krijgen,*** être congédié; ***— van rechtsvervolging,*** non-lieu *m.*, renvoi *m.* des fins de la plainte.

ontslag'aanvrage *v.(m.)* (envoi *m.* de sa) démission *f.*

ontslag'brief *m.* lettre *f.* de démission.

ontslag'neming *v.* démission *f.*

ontsla'pen *on.w.* expirer; rendre l'âme, rendre le dernier soupir; ***in de Heer —,*** s'endormir dans le Seigneur.

ontslui'eren *ov.w.* dévoiler.

ontslui'ering *v.* dévoilement *m.*

ontslui'ten I *ov.w.* ouvrir; **II** *w.w.* ***zich —,*** **1** s'ouvrir; **2** (*v. bloemen*) s'épanouir, éclore.

ontslui'ting *v.* **1** ouverture *f.*; **2** épanouissement *m.*, éclosion *f.*

ontsmet'ten *ov.w.* désinfecter.

ontsmet'ting *v.* désinfection *f.*

ontsmet'tingsdienst *m.* service *m.* de désinfection.

ontsmet'tingsinrichting *v.* installation *f.* de [désinfection.

ontsmet'tingsmiddel *o.* désinfectant *m.*

ontsmet'tingsoven *m.* étuve *f.* à désinfection.

ontsmet'tingstoestel *o.* appareil *m.* désinfecteur.

ontsnap'pen *ov.w.* **1** (*ontkomen*) échapper; **2** (*ontvluchten*) s'échapper, s'évader; **3** (*uit gezelschap, vergadering*) s'esquiver; ***dat woord is me ontsnapt,*** **1** (*ik heb het vergeten*) ce mot m'a échappé; **2** (*het is me ontvallen*) ce mot m'est échappé.

ontsnap'ping *v.* évasion, fuite *f.*

ontsnap'pingssnelheid *v.* (*ruimtevaart*) vitesse *f.* de libération.

ontspan'nen I *ov.w.* **1** (*v. veer*) détendre, démonter; **2** (*v. boog*) débander; **3** (*v. snaar*) relâcher; **4** (*fig.*) délasser, distraire; **II** *w.w.* ***zich —,*** **1** se détendre, se décontracter; **2** (*fig.*) se délasser, se distraire, se divertir; **III** *b.n.* décontracté, détendu.

ontspan'ning *v.* **1** détente *f.*; **2** relâchement *m.*; **3** (*fig.*) délassement *m.*, distraction *f.*, divertissement *m.*, récréation *f.*

ontspan'ningslectuur, -lektuur *v.* lecture *f.* de détente, — de distraction, — récréative.

ontspan'ningslokaal *o.* salle *f.* de récréation.

ontspa'ring *v.* désépargne *f.*, régression *f.* de dépôts (en banque).

ontspin'nen, ***zich —,*** *w.w.* (*v. gesprek, enz.*) s'engager, se développer.

ontspo'ren *on.w.* dérailler, sortir des rails.

ontspo'ring *v.* déraillement *m.*

ontsprin'gen *on.w.* **1** (*v. bron*) jaillir; **2** (*v. rivier*) prendre sa source; **3** (*gevaar, enz.*) échapper (à); ***de dans —,*** l'échapper belle.

ontsprui'ten *on.w.* **1** (*Pl.*) germer, pousser, croître; **2** (*fig.: ontstaan*) prendre son origine, naître; **3** (*voortvloeien*) résulter, provenir.

ontstaan' I *on.w.* **1** (*v. moeilijkheid, conflict*) naître, surgir; **2** (*v. twijfel*) s'élever; **3** (*v. ziekte, brand*) se déclarer; **4** (*v. zweer, gezwel*) se former; **5** (*v. stilte*) se faire; ***doen —,*** faire naître; **II** *z.n., o.* **1** (*oorsprong*) naissance, origine *f.*; **2** (*begin*) commencement *m.*; **3** (*vorming*) formation *f.*; **4** (*diepere oorsprong: v. oorlog, roman, enz.*) genèse *f.*

ontste'ken I *ov.w.* **1** (*v. vuur*) allumer; **2** (*v. lucifer; kruit; fig.*) enflammer; **II** *on.w.* s'enflammer; prendre feu; ***in toorn —,*** se mettre en colère, s'enflammer de colère, s'emporter.

ontste'king *v.* **1** inflammation *f.*; **2** (*v. auto, enz.*) allumage *m.*; **3** (*—smiddel*) détonateur *m.*, amorce *f.*

ontste'kingskoorts *v.(m.)* fièvre *f.* inflammatoire.

ontste'kingsziekte *v.* maladie *f.* inflammatoire.

ontsteld' *b.n.* consterné; effaré, troublé.

ontste'len *ov.w.* dérober, voler.

ontstel'len I *ov.w.* consterner; effarer, troubler; **II** *on.w.* s'effarer, se troubler, se déconcerter.

ontstel'tenis *v.* effroi, trouble *m.*, consternation, frayeur, alarme *f.*

ontstemd' *b.n.* **1** (*muz.*) désaccordé; **2** (*fig.*) fâché, de mauvaise humeur.

ontstemd'heid *v.* mauvaise humeur *f.*

ontstem'men *ov.w.* **1** (*muz.*) désaccorder; **2** (*fig.*) indisposer, fâcher.

ontstem'ming *v.* **1** désaccord *m.*; **2** mauvaise humeur *f.*; mécontentement *m.*

ontsten'tenis *v.* défaut *m.*; ***bij — van,*** **1** (*v. persoon*) en l'absence de, en cas d'absence de; **2** (*v. zaak*) à défaut de.

ontstich'ten *ov.w.* scandaliser, choquer.

ontstij'gen *on.w.* monter de, s'élever de, s'arracher à.

ontsto'ken *b.n.* **1** allumé; **2** (*gen.*) enflammé.

ontstop'pen *ov.w.* déboucher, désobstruer.

ontta'kelen *ov.w.* (*sch.*) dégréer, désarmer.

ontta'keling *v.* dégréement, désarmement *m.*

onttrek'ken I *ov.w.* **1** (*aan blik, invloed, enz.*) soustraire (à); **2** (*aan bestemming*) détourner; **3** (*ontnemen*) enlever, faire perdre; **4** (*warmte, enz.*) soutirer; **II** *w.w.* ***zich — aan,*** **1** (*aan verplichting, enz.*) se soustraire à; **2** (*aan blikken*) se dérober à; ***zich aan de verantwoordelijkheid —,*** reculer devant la responsabilité.

onttrek'king *v.* **1** soustraction *f.*; **2** détournement *m.*; **3** enlèvement *m.*; **4** soutirage *m.*; **5** (*recht*) distraction *f.*

onttro'nen *ov.w.* détrôner.

onttro'ning *v.* détrônement *m.* [dégréer.

onttui'gen *ov.w.* **1** (*v. paard*) dételer; **2** (*sch.*)

on'tucht *v.(m.)* débauche, luxure *f.*; immoralité *f.*; ***huis van —,*** maison *f.* de tolérance.

ontuch'tig I *b.n.* **1** impudique; **2** (*v. leven, enz.*) luxurieux; **3** (*v. persoon*) débauché; ***een — leven leiden,*** mener une vie de débauche; **II** *bw.* **1** impudiquement; **2** luxurieusement; **3** en débauché.

on'tuig *o.* **1** (*afval*) rebut *m.*, déchets *m.pl.*; **2** (*gespuis*) canaille *f.*

ontval'len *on.w.* **1** tomber (de la main); **2** (*v. woord*) échapper; ***hij is ons —,*** il nous a été enlevé par la mort; ***dat woord is me —,*** cette parole m'est échappée.

ontvang'antenne *v.(m.)* antenne *f.* intérieure.

ontvang'bewijs *o.* **1** reçu, récépissé *m.*; **2** (*v. brief*) accusé *m.* de réception.

ontvang'dag *m.* jour *m.* de réception.

ontvan'gen I *ov.w.* **1** recevoir; **2** (*v. persoon, bericht: onthalen*) accueillir; **3** (*v. belasting*) percevoir; **4** (*geld, salaris*) toucher.

ontvan'genis *v.,* ***de Onbevlekte O—,*** l'Immaculée Conception *f.*

ontvan'ger *m.* **1** (*v. douane, registratiën*) receveur *m.*; **2** (*der dir. belastingen*) percepteur *m.*; **3** (*el., tel.*) récepteur *m.*; **4** (*werktuig*) récipient *m.*; **5** (*v. brief*) destinataire *m.*

ontvan'gerskantoor *o.* bureau *m.* des contributions, — de perception. [ception.

ontvang'kamer *v.(m.)* salon *m.*; salle *f.* de ré-

ontvangst' *v.* **1** (*handeling*) réception *f.*; **2** (*onthaal*) accueil *m.*; **3** (*geld*) recette(s) *f.(pl.)*; ***in — nemen,*** **1** accepter; **2** (*H.*) prendre livraison de; ***bij —***

dezes, au reçu de la présente; ***de — bevestigen van,*** accuser réception de; ***de —en van deze week,*** les recettes de cette semaine.
ontvang'station *o.* poste *m.* récepteur.
ontvangst'bericht *o.* accusé *m.* de réception.
ontvangst'bewijs *o.* récépissé, reçu *m.* [cueil.
ontvangst'centrum *o.* centre (*of* cercle) *m.* d'ac-
ontvangst'termijn *m.* délai *m.* de livraison.
ontvangst'tijd *m.* délai *m.* de livraison.
ontvang'toestel *o.* récepteur *m.*, appareil *m.* récepteur.
ontvan'kelijk *b.n.* **1** (*recht*) recevable, admissible; **2** (*v. geest*) ouvert, réceptif; **3** (*vatbaar voor*) susceptible (de), sensible (à); **4** (*vatbaar voor indrukken*) impressionnable; ***niet-—,*** non-recevable; ***niet-—verklaring,*** fin de non-recevoir, forclusion *f.*
ontvan'kelijkheid *v.* **1** recevabilité, admissibilité *f.*; **2** réceptivité *f.*; **3** susceptibilité *f.*; **4** impressionnabilité *f.*
ontvein'zen *ov.w.* dissimuler.
ontvein'zing *v.* dissimulation *f.*
ontvel'len *ov.w.* écorcher, érafler, érailler.
ontvel'ling *v.* écorchure, éraflure *f.*
ontvet'ten *ov.w.* **1** dégraisser; **2** (*v. wol*) dessuinter.
ontvet'ting *v.* **1** dégraissage *m.*; **2** dessuintage *m.*
ontvet'tingskuur *v.*(*m.*) cure *f.* contre l'obésité, régime *m.* amaigrissant.
ontvlam'baar *b.n.* inflammable.
ontvlam'baarheid *v.* inflammabilité *f.*
ontvlam'men **I** *ov.w.* enflammer; **II** *on.w.* s'enflammer.
ontvlam'ming *v.* inflammation *f.*
ontvleesd' *b.n.* décharné.
ontvlek'ken *ov.w.* détacher; dégraisser.
ontvlek'kingsmiddel *o.* détachant *m.*
ontvle'zen *ov.w.* décharner.
ontvlie'den *ov.w.* (*dicht.*) fuir, échapper (à).
ontvlie'gen *on.w.* s'envoler de, échapper à.
ontvluch'ten **I** *ov.w.* fuir, éviter; **II** *on.w.* **1** fuir, s'enfuir; se sauver; **2** (*v. gevangene*) s'évader; **3** (*fam.*) prendre la clef des champs.
ontvluch'ting *v.* fuite; évasion *f.*
ontvoer'der *m.* ravisseur *m.*
ontvoe'ren *ov.w.* enlever, ravir.
ontvoe'ring *v.* enlèvement, ravissement, rapt *m.*; ***— van minderjarige,*** détournement *m.* de mineur.
ontvol'ken *ov.w.* dépeupler.
ontvol'king *v.* dépeuplement *m.*, dépopulation *f.*
ontvon'ken **I** *ov.w.* allumer, enflammer; **II** *on.w.* s'allumer, s'enflammer.
ontvoog'den *ov.w.* émanciper.
ontvoog'ding *v.* émancipation *f.*
ontvou'wen *ov.w.* **1** (*openvouwen*) déplier; **2** (*uitspreiden*) déployer; **3** (*fig.: uiteenzetten*) exposer; (*uitvoeriger*) développer.
ontvou'wing *v.* **1** déploiement *m.*; **2** exposé *m.*, exposition *f.*
ontvreem'den *ov.w.* détourner, dérober.
ontvreem'ding *v.* **1** détournement, vol *m.*; **2** (*v. landsgelden*) péculat *m.* [*o.* réveil *m.*
ontwa'ken **I** *on.w.* s'éveiller; se réveiller; **II** *z.n.*,
ontwa'king *v.* réveil *m.*
ontwa'penen *ov.w.* désarmer.
ontwa'pening *v.* désarmement *m.*
ontwa'peningsconferentie, -konferentie *v.* conférence *f.* du (*of* sur le) désarmement.
ontwa'ren *ov.w.* **1** (*zien*) apercevoir, découvrir; **2** (*bemerken*) s'apercevoir (de).
ontwar'ren *ov.w.* **1** démêler; **2** (*v. kwestie*) débrouiller; **3** (*ophelderen*) éclaircir.
ontwar'ring *v.* démêlage; débrouillement *m.*
ontwas'sen *on.w.* **1** devenir trop grand pour; **2** être trop âgé pour; ***de kinderschoenen —,*** sorti de l'enfance.
ontwa'teren *ov.w.* drainer; dessécher.
ontwa'tering *v.* drainage *m.*
ontwei'(d)en *ov.w.* (*v. wild*) éventrer, étriper.
ontwel'digen *ov.w.* arracher, ravir.
ontwel'diger *m.* ravisseur *m.*
ontwel'diging *v.* ravissement *m.*
ontwel'len *on.w.* jaillir de.
ontwen'nen **I** *ov.w.* déshabituer (de), désaccoutumer (de); **II** *on.w.* se déshabituer (de), se désaccoutumer (de), perdre l'habitude (de).
ontwen'ningskuur *v.*(*m.*) cure *f.* d'inhibition.
ontwerp' *o.* **1** (*tekening, schets*) ébauche, esquisse *f.*; **2** (*ruw* —) canevas *m.*; **3** (*bestek*) devis, tracé *m.*; **4** (*plan*) projet; plan *m.*; **5** (*model: v. beeld, gebouw*) maquette *f.* [jeter, faire un projet.
ontwer'pen *ov.w.* **1** ébaucher, esquisser; **2** pro-
ontwer'per *m.* auteur *m.* (d'un projet).
ontwerp'tekening *v.* croquis, avant-projet* *m.*
ontwij'den *ov.w.* profaner.
ontwij'der *m.* profanateur *m.*
ontwij'ding *v.* profanation *f.*
ontwij'felbaar **I** *b.n.* indubitable, hors de doute; **II** *bw.* indubitablement.
ontwijk'baar *b.n.* évitable.
ontwij'ken *ov.w.* **1** (*v. persoon*) éviter, fuir; **2** (*v. kwestie, moeilijkheid*) éluder; **3** (*v. debat*) esquiver.
ontwij'kend **I** *b.n.* évasif; **II** *bw.* évasivement.
ontwij'king *v.* **1** évitement *m.*; **2** esquivement *m.*; **3** (*uitvlucht*) évasion *f.*
ontwik'kelaar *m.* (*fot.*) révélateur *m.*
ontwik'kelbad *o.* révélateur *m.*
ontwik'keld *b.n.* **1** développé; **2** (*fig.*) instruit, cultivé; ***een sterk —e kust,*** une côte fortement découpée.
ontwik'kelen **I** *ov.w.* **1** (*alg.*) développer; **2** (*v. geest*) instruire, cultiver; **3** (*v. reuk, gassen*) dégager; **4** (*v. kracht, energie*) déployer; **5** (*v. plan: verklaren, uiteenzetten*) exposer; **II** *w.w.* ***zich —,*** **1** se développer; **2** s'instruire; **3** se dégager; **4** se déployer.
ontwik'keling *v.* **1** développement *m.*; **2** instruction, culture *f.*; **3** dégagement *m.*; **4** déploiement *m.*; **5** (*evolutie*) évolution *f.*; ***algemene —,*** culture générale.
ontwik'kelingsgang *m.* évolution *f.*
ontwik'kelingsgebieden *mv.* pays *m.pl.* sous-développés, — en voie de développement.
ontwik'kelingsgeschiedenis *v.* évolution (historique), transformation *f.* [développés.
ontwik'kelingshulp *v.*(*m.*) aide *f.* aux pays sous-
ontwik'kelingslanden *mv.* pays *m.pl.* sous-développés, — en (voie de) développement.
ontwik'kelingsleer *v.*(*m.*) théorie *f.* évolutionniste, évolutionnisme *m.*
ontwik'kelingsstadium *o.* stade *m.* évolutif.
ontwik'kelingstijdperk *o.* **1** période *f.* de développement; **2** (*gen.*) incubation *f.*
ontwin'den *ov.w.* **1** (*v. klos, spoel*) dévider; **2** (*vaandel, enz.*) déployer.
ontwoe'keren *ov.w.* arracher (à); ***aan de baren*** (***aan de zee***) ***—,*** arracher aux flots, conquérir sur la mer.
ontwor'stelen **I** *ov.w.* arracher (à); **II** *w.w.* ***zich — aan,*** **1** se dégager de; **2** (*fig.*) s'arracher à.
ontwor'telen *ov.w.* déraciner.
ontwrich'ten *ov.w.* **1** déboîter, démettre, disloquer; **2** (*fig.*) désorganiser, disloquer, désaxer.
ontwrich'ting *v.* **1** déboîtement *m.*, dislocation, luxation *f.*; **2** désorganisation (d'un service) *f.*; **3** (*geestelijke* —) désorientation *f.*

ontwrin'gen *ov.w.* **1** arracher (à); **2** (*afpersen*) extorquer.
ontza'delen *ov.w.* **1** (*v. paard*) desseller; **2** (*v. lastdier*) débâter; **3** (*v. ruiter*) désarçonner.
ontzag' *o.* **1** respect *m.*; **2** (*gezag, overwicht*) autorité *f.*, prestige, ascendant *m.*
ontzag'lijk I *b.n.* **1** imposant, majestueux; **2** (*v. ruimte: zee, enz.*) immense; **3** (*v. hoogte*) vertigineux; **4** (*v. menigte, enz.*) énorme; imposant; **II** *bw.* immensément; énormément, colossalement; terriblement, excessivement; **— *rijk,*** immensément riche; **— *veel,*** énormément; **— *veel eten,*** manger comme un ogre; **— *veel drinken,*** boire comme un trou (*of* une éponge).
ontzag'lijkheid *v.* énormité *f.*
ontzagwek'kend *b.n.* imposant, impressionnant.
ontze'gelen *ov.w.* **1** décacheter; desceller; **2** (*recht*) lever les scellés de; **3** (*loodjes wegnemen*) déplomber.
ontze'geling *v.* **1** enlèvement *m.* des cachets; descellement *m.*; **2** levée *f.* des scellés; **3** déplombage *m.*
ontzeg'gen I *ov.w.* **1** (*weigeren*) refuser, dénier; **2** (*verbieden*) interdire; ***iem. zijn huis —,*** interdire sa porte à qn.; ***iem. zijn eis —,*** (*recht*) débouter qn. de sa demande; **II** *w.w.* ***zich iets —,*** se refuser qc.; se priver de qc.
ontzeg'ging *v.* **1** refus, déni *m.*; **2** (*recht*) débouté [*m.*
ontzei'len *ov.w.* éviter, échapper à.
ontze'nuwen *ov.w.* **1** (*verzwakken: v. lichaam*) affaiblir; **2** (*v. geest, wil*) énerver; **3** (*v. argument*) réfuter; **4** (*v. pogingen*) neutraliser; **5** (*verlammen: werking v. gerecht*) paralyser.
ontze'nuwing *v.* **1** affaiblissement *m.*; **2** énervement *m.*; **3** réfutation *f.*; **4** neutralisation *f.*
ontzet' I *o.* délivrance *f.*, levée *f.* du siège; **II** *b.n.* épouvanté.
ontzet'ten *ov.w.* **1** (*een ambt ontnemen*) destituer; révoquer; relever de ses fonctions; **2** (*uit bezit*) déposséder; **3** (*v. stad*) délivrer, faire lever le siège (de); **4** (*door schrik verbijsteren*) épouvanter, consterner, terrifier; ***uit de ouderlijke macht ontzet,*** déchu de la puissance paternelle.
ontzet'tend I *b.n.* **1** (*verschrikkelijk*) affreux, épouvantable; **2** (*verbazend groot*) énorme; formidable; **3** (*v. koude*) terrible; **II** *bw.* **1** affreusement; **2** énormément; **3** terriblement; **— *veel,*** énormément (de), une quantité énorme (de).
ontzet'ting *v.* **1** (*uit ambt*) destitution; révocation *f.*; **2** (*uit bezit*) dépossession *f.*; **3** (*uit macht*) déchéance *f.*; **4** (*uit recht*) forclusion *f.*; **5** (*v. stad*) délivrance *f.*; **6** (*schrik*) épouvante, consternation *f.*
ontzet'tingsleger *o.* armée *f.* de secours.
ontzield' *b.n.* mort, inanimé.
ontzie'len *ov.w.* tuer, priver de la vie.
ontzien' I *ov.w.* **1** (*eerbiedigen*) respecter; **2** (*vrezen*) redouter, craindre; **3** (*sparen*) ménager, épargner; ***geen moeite —,*** ne pas épargner sa peine (*of* ses peines); ***geen kosten —,*** ne pas regarder à la dépense; ***zonder iets te —,*** sans ménagements; ***geen middel —,*** ne reculer devant aucun moyen pour; **II** *w.w.* ***zich —,*** se ménager; ***zich niet — om,*** ne pas craindre de, ne pas se gêner de.
ontzil'ten *ov.w.* dessaler.
ontzind' *b.n.* **1** (*dwaas*) insensé; **2** (*beroofd van verstand*) fou, forcené, dément.
ontzin'ken *on.w.* échapper; ***de moed ontzinkt hem,*** son courage l'abandonne.
ontzou'ten *ov.w.* dessaler.
ontzwach'telen *ov.w.* débander.
ontzwa'velen *ov.w.* désulfurer.
ontzwa'veling *v.* désulfuration *f.*
onuitblus'baar *b.n.* inextinguible.
onuit'gedrukt *b.n.* inexprimé.
onuit'gegeven *b.n.* **1** (*v. boek, geschrift*) inédit; **2** (*v. geld*) non dépensé.
onuit'gemaakt *b.n.* **1** non décidé, indécis; **2** (*recht*) en litige.
onuit'gesproken *b.n.* inexprimé.
onuit'gevoerd *b.n.* inexécuté.
onuitput'telijk I *b.n.* inépuisable; intarissable; **II** *bw.* inépuisablement, intarissablement; ***hij is — over dat onderwerp,*** il ne tarit pas sur ce sujet.
onuitroei'baar *b.n.* inextirpable; indéracinable; indestructible.
onuitspre'kelijk I *b.n.* inexprimable, indicible, ineffable; **II** *bw.* inexprimablement, indiciblement, ineffablement.
onuitspre'kelijkheid *v.* ineffabilité *f.*
onuitstaan'baar *b.n.* **1** insupportable; **2** (*niet te dulden*) intolérable; **3** (*fam.: vervelend*) assommant.
onuitstaan'baarheid *v.* insupportabilité *f.*, caractère *m.* insupportable.
onuitvoer'baar *b.n.* **1** inexécutable; **2** (*niet te verwezenlijken*) irréalisable.
onuitvoer'baarheid *v.* impossibilité *f.*
onuitwis'baar I *b.n.* ineffaçable, indélébile; **II** *bw.* ineffaçablement, indélébilement.
onuitwis'baarheid *v.* indélébilité *f.*
onva'derlands *b.n.* antipatriotique, antinational.
onvaderlandslie'vend *b.n.* antipatriotique.
onvast' I *b.n.* **1** peu ferme; **2** (*v. grond*) peu solide; **3** (*v. pas*) incertain, mal assuré; **4** (*v. hand*) vacillant; **5** (*v. slaap*) léger; agité; **6** (*H.: v. markt*) irrégulier; **7** (*v. weder*) changeant, incertain; **8** (*v. karakter*) inconstant; **II** *bw.* **1** sans fermeté; **2** peu solidement; **— *slapen,*** dormir d'un sommeil léger.
onvast'heid *v.* **1** manque *m.* de solidité; **2** manque *m.* d'assurance; **3** légèreté *f.*; **4** irrégularité *f.*; **5** instabilité *f.*; **6** inconstance *f.*
onvat'baar *b.n.* (*fig.*) **— *voor,*** peu susceptible de; incapable de; (*gen.*) immunisé; **— *maken,*** (*gen.*) immuniser.
onvat'baarheid *v.* **1** incapacité *f.*; **2** immunité *f.*
onveerkrach'tig *b.n.* **1** peu élastique; **2** (*fig.*) sans ressort.
onvei'lig *b.n.* peu sûr, dangereux; **— *maken,*** infester; **— *sein,*** signal fermé; ***het sein staat op —,*** (*spoorw.*) la voie n'est pas libre; ***door een — sein rijden,*** brûler les signaux (*of* les feux).
onvei'ligheid *v.* insécurité *f.*
on'veranderd *b.n.* **1** non changé; **2** inaltéré; **3** (*v. gelaat*) impassible; ***toestand —,*** situation inchangée.
on'veranderlijk I *b.n.* **1** invariable; **2** (*onwrikbaar*) immuable; **3** inaltérable; **II** *bw.* invariablement, immuablement, inaltérablement.
on'veranderlijkheid *v.* **1** invariabilité *f.*; **2** immutabilité *f.*; **3** inaltérabilité *f.*
on'verant'woord *b.n.* injustifié, non justifié.
on'verantwoor'delijk *b.n.* **1** (*v. persoon*) irresponsable; **2** (*niet verschoonbaar, onvergefelijk*) inexcusable, impardonnable.
on'verantwoor'delijkheid *v.* **1** irresponsabilité *f.*; **2** caractère *m.* impardonnable.
on'verbasterd *b.n.* de race (pure), non dégénéré.
on'verbe'terd *b.n.* non corrigé.
on'verbe'terlijk I *b.n.* **1** (*voor verbetering onvatbaar*) incorrigible; **2** (*v. fout: onherstelbaar*) irréparable; **3** (*v. gedrag, enz.: voortreffelijk, onberispelijk*) parfait, irréprochable; **4** (*v. grap, mop*)

impayable; **II** *bw.* irréprochablement, d'une manière irréprochable; dans la perfection.
onverbid'delijk I *b.n.* inexorable, implacable; **II** *bw.* inexorablement, implacablement.
onverbid'delijkheid *v.* inexorabilité, implacabilité *f.*
on'verbloemd I *b.n.* **1** (*niet bedekt*) non déguisé; **2** (*rondborstig, oprecht*) franc, sincère; **II** *bw.* sans détours, sans ambages; franchement.
on'verbogen *b.n.* non décliné, invariable.
on'verbrand'baar *b.n.* incombustible.
on'verbreek'baar I *b.n.* **1** (*onschendbaar: v. wet, trouw, enz.*) inviolable; **2** (*v. band*) indissoluble; **II** *bw.* **1** inviolablement; **2** indissolublement.
on'verbreek'baarheid *v.* **1** inviolabilité *f.*; **2** indissolubilité *f.*
on'verbuig'baar *b.n.* indéclinable.
on'verdacht' *b.n.* non suspect, insoupçonné.
on'verde'digbaar *b.n.* **1** indéfendable; **2** (*fig.*) insoutenable.
on'verdedigd *b.n.* sans défense.
on'verdeeld' I *b.n.* **1** entier; **2** (*recht*) indivis; **3** (*v. aandacht*) soutenu; **II** *bw.* **1** en entier; **2** par indivis; **3** (*fig.: v. hart, liefde*) sans partage.
onverdeeld'heid *v.* (*recht*) indivision *f.*; ***in —,*** par indivis.
on'verdelg'baar *b.n.* indestructible.
on'verder'felijk *b.n.* **1** incorruptible; **2** (*onvergankelijk; eeuwig*) impérissable; éternel.
on'verdiend I *b.n.* **1** immérité; **2** injuste; **II** *bw.* **1** sans l'avoir mérité; **2** injustement.
onverdien'stelijk *b.n. en bw.* sans mérite, peu méritoire.
onverdor'ven *b.n.* pur, candide.
onverdraag'lijk I *b.n.* insupportable, intolérable; **II** *bw.* insupportablement, intolérablement.
onverdraag'lijkheid *v.* insupportabilité; intolérabilité *f.*
onverdraag'zaam I *b.n.* intolérant; **II** *bw.* [avec intolérance.
onverdraag'zaamheid *v.* intolérance *f.*
on'verdroten I *b.n.* infatigable, assidu, acharné; **II** *bw.* infatigablement, assidûment, sans relâche.
onverdund' *b.n.* pur, non délayé.
on'vere'nigbaar *b.n.* **1** (*v. ambten*) incompatible; **2** (*strijdig*) inconciliable.
on'vere'nigbaarheid *v.* incompatibilité *f.*
on'verflauwd I *b.n.* **1** (*v. ijver, toewijding*) inlassable; **2** (*bestendig*) constant; **II** *bw.* sans se lasser.
on'vergan'kelijk *b.n.* **1** impérissable; indestructible; **2** (*v. trouw*) indéfectible.
on'vergan'kelijkheid *v.* **1** indestructibilité *f.*; **2** indéfectibilité *f.*
on'vergeef'lijk *b.n.* impardonnable, irrémissible.
on'vergeet'baar *b.n.* inoubliable.
on'vergelij'kelijk I *b.n.* incomparable; **II** *bw.* incomparablement.
on'vergelij'kelijkheid *v.* incomparabilité *f.*
on'vergenoegd' *b.n.* mécontent.
on'verge'telijk *b.n.* inoubliable.
on'vergezeld' *b.n.* sans compagnie; seul.
on'vergol'den *b.n.* non récompensé, sans récompense, non rémunéré.
on'verhan'delbaar *b.n.* (*H.*) innégociable, invendable, incourant.
on'verhinderd I *b.n.* libre, sans obstacle; **II** *bw.* librement, sans obstacle, sans empêchement.
on'verhoeds I *bw.* à l'improviste, au dépourvu; **II** *b.n.* inattendu, imprévu.
on'verholen I *b.n.* non déguisé, manifeste; **II** *bw.* sans déguisement, franchement, sans ambages.
on'verhoopt I *b.n.* inespéré, inopiné; **II** *bw.* inopinément, contre toute attente.
on'verhoord' *b.n.* inexaucé.
on'verjaar'baar *b.n.* imprescriptible.
on'verkies'baar *b.n.* inéligible.
on'verkies'baarheid *v.* inéligibilité *f.*
on'verklaar'baar I *b.n.* **1** inexplicable; **2** (*raadselachtig*) indéfinissable; **II** *bw.* inexplicablement.
on'verklaar'baarheid *v.* inexplicabilité *f.*
on'verkocht' *b.n.* invendu; ***mits —,*** sauf invendu.
on'verkoop'baar *b.n.* **1** invendable; **2** (*v. effecten*) innégociable.
on'verkort' *b.n.* **1** (*v. tekst*) entier, sans coupures; **2** (*v. recht, enz.: ongeschonden*) entier, intact.
onverkrijg'baar *b.n.* introuvable, inabordable.
on'verkwik'kelijk *b.n.* **1** peu agréable, désagréable, détestable, fâcheux; **2** (*v. boek*) ennuyeux, scabreux.
on'verlaat *m.* scélérat, gredin, vaurien *m.*
on'verlet' I *b.n.* **1** (*vrij, onbelemmerd*) libre; **2** (*ongedeerd*) sain et sauf; **II** *bw.* **1** librement, sans encombre; **2** sans blessure.
on'verlicht *b.n.* obscur, non éclairé.
onverma'kelijk I *b.n.* ***niet —,*** assez amusant; **II** *bw.* ***niet —,*** d'une manière assez amusante.
onvermeld' *b.n.* ***— laten,*** passer sous silence.
on'vermengd' *b.n.* pur, sans mélange.
on'vermij'delijk I *b.n.* **1** inévitable, inéluctable; **2** (*voorbeschikt*) fatal; **II** *bw.* **1** inévitablement, inéluctablement; **2** fatalement; ***zich in het —e schikken,*** se faire une raison.
onvermij'delijkheid *v.* **1** nécessité *f.* (absolue); **2** fatalité *f.*
on'verminderd I *b.n.* entier, intact; ***met —e ijver,*** avec un zèle inlassable; ***met —e kracht,*** avec une force toujours égale; **II** *vz.* (*behoudens*) sans préjudice de.
on'vermoed *b.n.* imprévu; inopiné.
onvermoei'baar I *b.n.* infatigable, inlassable; **II** *bw.* infatigablement, inlassablement.
onvermoei'baarheid *v.* infatigabilité *f.*
on'vermoeid I *b.n.* infatigable, inlassable; **II** *bw.* sans se lasser.
on'vermogen *o.* impuissance *f.*; ***— om te betalen,*** insolvabilité *f.*; ***bewijs van —,*** certificat *m.* d'indigence.
on'vermo'gend *b.n.* **1** impuissant; **2** indigent.
on'vermurw'baar I *b.n.* inexorable, inflexible; **II** *bw.* inexorablement, inflexiblement.
on'verniel'baar, on'vernie'tigbaar *b.n.* indestructible.
on'vernuf'tig I *b.n.* ***niet —,*** assez ingénieux; **II** *bw.* assez ingénieusement.
on'verpakt' *b.n.* **1** non emballé, sans emballage; **2** (*sch.*) en vrac.
on'verplicht' *b.n.* **1** non obligé; libre; **2** (*naar goedvinden*) facultatif; **3** (*v. bijdrage, enz.*) volontaire.
on'verpoosd I *b.n.* ininterrompu; assidu; **II** *bw.* sans interruption, sans relâche.
on'verricht *b.n.* inaccompli, inachevé; ***—er zake,*** sans résultat, sans succès.
on'versaagd I *b.n.* intrépide; **II** *bw.* intrépide- [ment.
on'versaagdheid *v.* intrépidité *f.*
on'verscheurbaar *b.n.* indéchirable.
on'verschil'lig I *b.n.* indifférent; ***— wie,*** n'importe qui; ***het is mij volmaakt —,*** cela m'est parfaitement égal; **II** *bw.* indifféremment, avec indifférence.
onverschil'ligheid *v.* indifférence *f.*
on'verschoon'baar *b.n.* inexcusable.
on'verschrok'ken I *b.n.* intrépide, hardi; **II** *bw.* intrépidement, hardiment.
on'verschrok'kenheid *v.* intrépidité *f.*

onverslaan'baar *b.n.* imbattable.
on'verslijt'baar *b.n.* inusable.
on'verslijt'baarheid *v.* qualité *f.* (*of* caractère *m.*) inusable, durabilité *f.*
on'versneden *b.n.* non coupé, pur.
on'versplin'terbaar *b.n.* (*v. glas*) de sécurité.
on'verstaan'baar *b.n.* inintelligible, incompréhensible.
on'verstaan'baarheid *v.* inintelligibilité *f.*
on'verstand *o.* **1** (*onberedeneerdheid*) manque *m.* de jugement; **2** (*onzin, dwaasheid*) déraison, sottise *f.*
on'verstan'dig *b.n.* **1** (*niet schrander*) inintelligent; **2** (*onredelijk*) déraisonnable.
on'verstan'digheid *v.* **1** inintelligence *f.*; **2** bêtise *f.*
on'verstoor'baar I *b.n.* imperturbable, impassible; **II** *bw.* imperturbablement, impassiblement.
on'vertaal'baar *b.n.* intraduisible.
on'vertaald *b.n.* intraduit.
on'verteer'baar *b.n.* indigeste.
on'verteer'baarheid *v.* indigestibilité *f.*
on'verteerd' *b.n.* non digéré.
on'verto'gen *b.n.* offensant, indécent.
on'vervaard I *b.n.* intrépide; **II** *bw.* intrépidement.
onvervaard'heid *v.* intrépidité *f.*
on'vervalst *b.n.* **1** non falsifié; **2** (*v. melk, wijn, enz.*) pur; **3** (*v. wijn ook:*) non frelaté; **4** (*v. document*) authentique.
on'vervang'baar *b.n.* irremplaçable, insubstituable.
onvervoer'baar *b.n.* intransportable.
onvervreemd'baar *b.n.* inaliénable.
onvervreemd'baarheid *v.* inaliénabilité *f.*
on'vervul'baar *b.n.* irréalisable.
onvervuld' *b.n.* non réalisé.
on'verwacht' I *b.n.* inattendu, imprévu; **II —s,** *bw.* à l'improviste, contre toute attente.
onverwarmd' *b.n.* froid; sans chauffage.
on'verwelk'baar *b.n.* **1** inflétrissable, qui ne se fane (*of* ne se flétrit) pas; **2** (*fig.*) impérissable; incorruptible.
on'verwijld I *b.n.* immédiat; **II** *bw.* immédiatement, sans retard, sans délai.
on'verwoest'baar *b.n.* indestructible.
onverza'delijk *b.n.* insatiable.
onverza'delijkheid *v.* insatiabilité *f.*
on'verza'digd *b.n.* **1** (*v. persoon*) non rassasié; **2** (*v. oplossing*) insaturé; **3** (*v. hartstocht*) inassouvi.
on'verze'geld *b.n.* non cacheté, ouvert.
on'verzet'telijk I *b.n.* inébranlable, inflexible; **II** *bw.* inébranlablement, inflexiblement.
on'verzet'telijkheid *v.* inflexibilité, opiniâtreté *f.*
on'verzoen'lijk I *b.n.* irréconciliable, implacable; **II** *bw.* irréconciliablement, implacablement.
on'verzoen'lijkheid *v.* irréconciliabilité, implacabilité *f.*
on'verzorgd' *b.n.* **1** (*zonder middelen*) sans ressources, sans moyens de subsistance; **2** (*v. persoon, stijl*) peu soigné; **3** (*v. baard*) inculte.
on'verzwakt' *b.n. en bw.* avec la même vigueur, dans toute sa force.
onvind'baar *b.n.* introuvable.
onvlek'baar *b.n.* intachable.
onvoeg'zaam I *b.n.* inconvenant, indécent; **II** *bw.* d'une manière inconvenante.
onvoeg'zaamheid *v.* inconvenance, indécence *f.*
onvoel'baar *b.n.* **1** impalpable; **2** (*onmerkbaar*) insensible.
on'voldaan *b.n.* **1** (*teleurgesteld*) désappointé; **2** (*ontevreden*) mécontent; **3** (*v. rekening: niet betaald*) non acquitté.
on'voldaan'heid *v.* **1** désappointement *m.*; **2** mécontentement *m.*
on'voldoend' I *b.n.* **1** (*niet toereikend*) insuffisant; **2** (*v. uitslag, enz.: niet bevredigend*) peu satisfaisant; **II** *bw.* **1** insuffisamment; **2** d'une manière peu satisfaisante; ***— ontwikkeld,*** **1** mal développé; **2** (*v. kennis*) peu instruit.
on'voldra'gen *b.n.* **1** né avant terme; **2** (*fig.*) insuffisamment mûri; inachevé; avorté.
on'volko'men I *b.n.* **1** (*onvolmaakt*) imparfait; **2** (*onvolledig*) incomplet; **3** (*gebrekkig*) défectueux; **II** *bw.* **1** imparfaitement; **2** incomplètement.
onvolko'menheid *v.* imperfection *f.*
on'volle'dig I *b.n.* **1** incomplet; **2** (*taalk.*) elliptique; **II** *bw.* incomplètement.
onvolle'digheid *v.* défectuosité *f.*
on'volmaakt I *b.n.* imparfait; **II** *bw.* imparfaitement.
on'volmaakt'heid *v.* imperfection *f.*
on'volpre'zen *b.n.* au-dessus de tout éloge.
on'voltal'lig *b.n.* incomplet; ***de Kamer was —,*** la Chambre n'était pas en nombre.
on'voltooid' *b.n.* **1** inachevé; **2** (*gram.*) imparfait; ***— tegenwoordige tijd,*** présent *m.*; ***— verleden tijd,*** imparfait *m.*
on'volwaar'dig *b.n.* physiquement diminué; ***een —e,*** un diminué physique; ***geestelijk —e,*** déficient *m.* mental.
on'volwas'sen *b.n.* **1** (*v. plant*) qui n'a pas toute sa croissance; **2** (*v. persoon*) qui n'a pas atteint l'âge adulte.
onvoor'bedacht I *b.n.* **1** non prémédité; **2** (*spontaan*) spontané; **II** *bw.* sans préméditation.
onvoor'bereid I *b.n.* **1** non préparé; **2** (*v. rede*) improvisé; **II** *bw.* **1** sans préparation; **2** (*onverwachts*) au dépourvu, à l'improviste; ***— spreken,*** improviser, parler d'abondance.
on'voorde'lig I *b.n.* désavantageux; **II** *bw.* désavantageusement.
on'voorspoe'dig *b.n.* peu prospère.
on'voorwaar'delijk I *b.n.* absolu, inconditionné; **II** *bw.* sans condition, sans réserve, absolument.
onvoorzich'tig I *b.n.* imprudent; **II** *bw.* imprudemment.
onvoorzich'tigheid *v.* imprudence *f.*
on'voorzien' *b.n.* imprévu.
on'voorziens' *bw.* à l'improviste.
onvor'stelijk *b.n.* indigne d'un prince, peu princier.
on'vre(d)e *m. en v.* discorde, dissension *f.*
onvrien'delijk I *b.n.* peu aimable, désobligeant; **II** *bw.* peu aimablement, désobligeamment, d'un ton sec.
onvrien'delijkheid *v.* désobligeance; brusquerie, rudesse *f.*
on'vriendschap'pelijk I *b.n.* peu amical, désobligeant; **II** *bw.* peu amicalement, désobligeamment.
onvrij *b.n.* **1** qui n'est pas libre; **2** (*gehinderd*) gêné.
on'vrije *m.* (*gesch.*) serf, esclave *m.*
onvrij'heid *v.* **1** manque *m.* de liberté; **2** (*dwang*) contrainte *f.*; **3** (*dienstbaarheid*) servitude *f.*
on'vrijmoe'dig *b.n.* contraint, gêné.
on'vrijwil'lig I *b.n.* involontaire; **II** *bw.* involontairement.
on'vrijzin'nig *b.n.* illibéral, antilibéral, intolérant.
on'vrou'welijk I *b.n.* indigne d'une femme; **II** *bw.* d'une manière indigne d'une femme.
on'vrucht'baar *b.n.* **1** infertile, stérile; **2** (*fig. ook:*) infructueux; **3** (*dor*) aride.
on'vrucht'baarheid *v.* **1** infertilité, stérilité *f.*; **2** infructuosité *f.*; **3** aridité *f.*
on'waar' I *b.n.* **1** (*v. bericht enz.*) faux; **2** (*leugenachtig*) mensonger; **3** (*onoprecht*) peu sincère; **II** *bw.* contrairement à la vérité.
onwaarach'tig I *b.n.* faux, mensonger; **II** *bw.* faussement.

onwaarach'tigheid *v.* 1 fausseté *f.*; 2 (*v. persoon*) duplicité *f.*
on'waarde *v.* invalidité, nullité *f.*; ***van* —,** nul.
onwaardeer'baar *b.n.* inappréciable, inestimable.
on'waar'dig I *b.n.* indigne; II *bw.* indignement.
on'waar'digheid *v.* indignité *f.*
onwaar'heid *o.* 1 (*het niet waar zijn*) fausseté, contre-vérité *f.*; 2 (*leugen*) mensonge *m.*
onwaarneem'baar *b.n.* imperceptible.
onwaarschijn'lijk I *b.n.* invraisemblable, peu probable; II *bw.* invraisemblablement.
onwaarschijn'lijkheid *v.* invraisemblance, improbabilité *f.*
onwan'kelbaar I *b.n.* inébranlable, immuable, ferme; II *bw.* inébranlablement, immuablement, fermement.
onwan'kelbaarheid *v.* fermeté *f.*
on'we(d)er *o.* orage *m.*; ***er komt* —,** nous aurons de l'orage; ***er zit* — *in de lucht,*** le temps est à l'orage; ***het* — *brak los,*** 1 l'orage éclata; 2 (*fig.*) la bombe creva, l'orage éclata.
onwederroe'pelijk I *b.n.* irrévocable; II *bw.* irrévocablement.
on'wederspre'kelijk I *b.n.* incontestable; II *bw.* incontestablement.
onweeg'baar *b.n.* impondérable; ***...bare factoren,*** impondérables *f.pl.*
on'weer, *zie* ***onweder.***
on'weerachtig *b.n.* orageux.
on'weerleg'baar I *b.n.* irréfutable, incontestable; II *bw.* irréfutablement, incontestablement.
on'weerleg'baarheid *v.* irréfutabilité, incontestabilité *f.*
on'weersbui *v.(m.)* 1 orage *m.*; 2 pluie *f.* d'orage.
on'weerslucht *v.(m.)* ciel *m.* orageux.
on'weerspro'ken *b.n.* incontesté.
onweerstaan'baar I *b.n.* irrésistible; II *bw.* irrésistiblement.
onweerstaan'baarheid *v.* irrésistibilité *f.*
on'weerswolk *v.(m.)* nuée *f.* d'orage.
onwel' *b.n.* indisposé; incommodé.
onwelgeval'lig I *b.n.* désagréable; II *bw.* désagréablement.
onwel'kom *b.n.* 1 (*ongelegen*) inopportun; 2 (*hinderlijk, lastig*) importun, fâcheux.
onwel'levend I *b.n.* impoli, mal élevé; II *bw.* impoliment.
onwelle'vendheid *v.* impolitesse *f.*
onwellui'dend I *b.n.* peu mélodieux; discordant; II *bw.* peu harmonieusement.
onwellui'dendheid *v.* manque *m.* (*of* défaut *m.*) d'harmonie; discordance *f.*
onwelrie'kend *b.n.* mal odorant.
onwelvoeg'lijk I *b.n.* inconvenant; II *bw.* d'une manière inconvenante.
onwelvoeg'lijkheid *v.* inconvenance *f.*
onwelwil'lend I *b.n.* malveillant; II *bw.* sans bienveillance.
onwelwil'lendheid *v.* malveillance *f.*, mauvais [vouloir *m.*
onwen'nig *b.n.* inaccoutumé, peu habitué.
onwen'selijk *b.n.* indésirable, peu désirable.
on'weren *on.w.* faire de l'orage, tonner; ***het onweert,*** il tonne; ***het zal* —,** nous aurons de l'orage.
onwer'kelijk *b.n.* irréel.
onwe'tend *b.n.* ignorant; ***volkomen* —,** ignare.
onwe'tendheid *v.* ignorance *f.*
onwe'tens *bw.* sans le savoir, à mon (son, etc.) [insu.
on'wetenschap'pelijk I *b.n.* inscientifique, peu scientifique; II *bw.* inscientifiquement.
on'wetenschap'pelijkheid *v.* absence *f.* (*of* manque *m.*) d'esprit scientifique.
onwet'tig I *b.n.* 1 (*niet wettig*) illégal, extralégal; illégitime; 2 (*v. kind*) illégitime; naturel; 3 (*niet geoorloofd*) illicite; II *bw.* 1 illégalement; illégitimement; 2 illicitement.
onwet'tigheid *v.* illégalité, illégitimité *f.*
onwe'zenlijk *b.n.* 1 irréel; 2 (*denkbeeldig*) imaginaire; 3 (*bijkomstig*) inessentiel.
onwe'zenlijkheid *v.* irréalité *f.*, irréel *m.*
onwijs' I *b.n.* insensé, sot, idiot; II *bw.* sottement, idiotement.
onwijsge'rig *b.n.* peu philosophique.
onwijsge'righeid *v.* sottise, déraison *f.*
on'wil *m.* mauvaise volonté *f.*
on'willekeu'rig I *b.n.* 1 (*onvrijwillig*) involontaire; 2 (*uit natuurdrift*) instinctif; II *bw.* 1 involontairement; 2 instinctivement.
on'willens *bw.* 1 involontairement, sans le vouloir; 2 malgré soi; ***willens of* —,** bon gré mal gré.
on'wil'lig I *b.n.* 1 indocile, obstin, récalcitrant; 2 (*soms: onvrijwillig*) involontaire; ***zich* — *betonen,*** se faire tirer l'oreille; II *bw.* à contre-cœur.
on'wil'ligheid *v.* mauvaise volonté *f.*
on'wis' *b.n.* incertain.
on'wis'heid *v.* incertitude *f.*
on'wraak'baar I *b.n.* irréfutable, irrécusable; II *bw.* irréfutablement, irrécusablement.
on'wrik'baar I *b.n.* 1 (*niet van zijn plaats te wrikken*) immobile, immuable; 2 (*fig.*) inébranlable; ferme; II *bw.* 1 immuablement; 2 inébranlablement.
on'wrik'baarheid *v.* fermeté *f.* inébranlable.
o'nyx *m.* onyx *m.*
onzacht I *b.n.* rude, dur; II *bw.* rudement, durement.
onzachtheid *v.* rudesse, dureté *f.*
onza'lig *b.n.* 1 (*noodlottig*) funeste, néfaste, fatal; 2 (*diep ongelukkig*) misérable, pitoyable, navrant.
onze *vnw.* notre; nos; ***de* (*of* *het*) —,** le (*of* la) nôtre.
onze'delijk I *b.n.* immoral; II *bw.* immoralement.
onze'delijkheid *v.* immoralité *f.*
onze'dig I *b.n.* immodeste, déshonnête; II *bw.* immodestement, déshonnêtement.
onze'digheid *v.* immodestie, déshonnêteté *f.*
onzeewaar'dig *b.n.* innavigable.
onzeewaar'digheid *v.* innavigabilité *f.*
onzeg'lijk I *b.n.* indicible; II *bw.* indiciblement.
onze'ker I *b.n.* 1 (*twijfelachtig*) incertain, douteux; 2 (*onvast*) mal assuré; 3 (*wisselvallig*) précaire, aléatoire; ***het* —e,** l'incertain *m.*; la précarité; ***in het* —e *verkeren,*** être dans l'incertitude; II *bw.* 1 incertainement; 2 précairement.
onze'kerheid *v.* 1 incertitude *f.*; 2 précarité *f.*, état *m.* précaire; 3 aléas *m.pl.*
on'zelfstan'dig *b.n.* dépendant; impersonnel.
on'zelfstan'digheid *v.* dépendance *f.*; impersonnalité *f.*
on'zelfzuch'tig *b.n.* désintéressé.
Onze-Lieve-Heer' *m.* Notre-Seigneur *m.*
onze-lieve-heers'beestje *o.* bête *f.* à bon Dieu, coccinelle *f.*
Onze-Lieve-Vrouw' *v.* Notre-Dame *f.*
onze-lieve-vrouwebed'stro *o.* (*Pl.*) aspérule *f.*
Onze-Lieve-Vrou'webeeld *o.* statue *f.* de la sainte Vierge, madone *f.*
Onze-Lieve-Vrouw-Lom'beek *o.* Lombeek-Sainte-Marie.
Onze-Lieve-Vrouw-Waver *o.* Wavre-Notre-Dame.
on'zent, ***ten* —,** *bw.* chez nous.
on'zentwege *bw.* ***van* —,** de notre part.
on'zentwil(le) *bw.*, ***om* —,** pour nous.
on'zerzijds *bw.* de notre part, de notre côté.
onzeva'der *o.* oraison *f.* dominicale, pater *m.*
onzicht'baar I *b.n.* invisible; II *bw.* invisiblement

onzicht'baarheid *v.* invisibilité *f.*
onzij'dig *b.n.* **1** neutre; **2** (*onpartijdig*) impartial; **— *blijven,*** rester neutre, observer la neutralité.
onzij'digheid *v.* **1** neutralité *f.*; **2** impartialité *f.*
onzij'digheidspolitiek *v.* politique *f.* de neutralité, isolationnisme *m.*
on'zin *m.* **1** (*ongerijmdheid*) absurdité *f.*; **2** (*onzinnige uiting*) non-sens *m.*; **3** (*wartaal*) galimatias *m.*, divagations *f.pl.*; **— *uitslaan,*** déraisonner.
onzin'delijk I *b.n.* malpropre; **II** *bw.* malproprement.
onzin'delijkheid *v.* malpropreté *f.*
on'zink'baar *b.n.* insubmersible.
onzin'nig I *b.n.* **1** insensé; **2** (*buitensporig*) extravagant; **3** (*v. woord: zinledig*) inepte; **II** *bw.* **1** d'une manière insensée; **2** extravagamment, d'une manière extravagante; **3** ineptement.
onzin'nigheid *v.* **1** insanité *f.*; **2** extravagance *f.*; **3** ineptie *f.*
onzorgvul'dig I *b.n.* nonchalant; **II** *bw.* nonchalamment.
onzui'ver I *b.n.* **1** impur; **2** (*vuil*) malpropre; **3** (*ongezuiverd*) brut; **4** (*v. winst, gewicht: bruto*) brut; **5** (*v. redenering*) inexact, erroné, faux; **6** (*v. taal, stijl*) incorrect; **7** (*v. afdruk*) baveux; **II** *bw.* **1** faussement; **2** incorrectement; **3** (*muz.*) faux.
onzui'verheid *v.* **1** impureté *f.*; **2** malpropreté *f.*; **3** inexactitude *f.*; **4** incorrection *f.*
ooft *o.* fruits *m.pl.*
ooft'boom *m.* arbre *m.* fruitier.
ooft'handel *m.* fruiterie *f.*
ooft'teelt *v.(m.)* culture *f.* fruitière, — des fruits.
ooft'tuin *m.* verger *m.*
oog *o.* **1** (*alg.*) œil *m.(pl.: yeux)*; **2** (*blik*) regard *m.*; **3** (*voorkomen, uiterlijk*) apparence *f.*; **4** (*v. touw*) boucle *f.*, nœud *m.*; **5** (*v. naald*) chas, trou *m.*; **6** (*v. schaar*) anneau *m.*; **7** (*v. dobbelsteen*) point *m.*; **8** (*v. haak*) agrafe *f.*; **9** (*vetergat*) œillet, trou *m.*; ***in 't — houden,*** surveiller, observer; ne pas perdre de vue; ***de ogen opslaan,*** lever les yeux; ***de ogen neerslaan,*** baisser les yeux; ***de ogen sluiten voor,*** fermer les yeux sur; ***een — in 't zeil houden,*** avoir l'œil au guet; ***in 't — krijgen,*** apercevoir, aviser; ***iets op het — hebben,*** avoir qc. en vue; ***op 't —,*** **1** (*in schijn*) en apparence; **2** (*op 't eerste gezicht*) à première vue; ***op het — hebben,*** viser, avoir en vue; ***een begerig — slaan op,*** jeter son dévolu sur; ***geen — voor iets hebben,*** ne pas avoir d'yeux pour qc.; ***zijn — op iets laten vallen,*** jeter l'œil sur; fixer son choix sur; ***zijn ogen de kost geven,*** ouvrir l'œil; se rincer l'œil; ***grote ogen opzetten,*** ouvrir de grands yeux; ***goede ogen hebben,*** avoir la vue bonne, avoir de bons yeux; ***goed uit zijn ogen zien,*** y regarder de près; ***iem. de ogen openen,*** dessiller les yeux de qn.; ***in 't — lopen,*** sauter aux yeux, attirer l'attention; ***iem. de ogen uitsteken,*** **1** crever les yeux à qn.; **2** (*fig.*) faire mourir qn. d'envie; ***in zijn ogen,*** à ses yeux, à son avis; ***met het blote —,*** à l'œil nu; ***onder vier ogen,*** entre quatre yeux, tête-à-tête; ***onder het — brengen,*** remontrer, faire observer; ***naar de ogen zien,*** servir à l'œil (et au doigt); flatter; ***met het — op,*** (*toekomst*) en vue de; (*heden, verleden*) eu égard à, vu; ***iem. in de ogen zien,*** regarder qn. en face; ***iets met lede ogen aanzien,*** voir qc. d'un mauvais œil; ***zo ver het — reikt,*** à perte de vue, aussi loin que porte la vue; ***zijn ogen bederven,*** se gâter la vue; ***zijn ogen niet kunnen geloven,*** ne pas en croire ses yeux; ***op het — schatten,*** estimer à vue d'œil; ***voor het — van de wereld,*** pour le monde; ***iem. onder de ogen komen,*** se présenter devant qn.; ***door het — van een naald kruipen,*** l'échapper belle; ***het boze —,*** le mauvais œil; ***uit het — uit het hart,*** loin des yeux loin du cœur; ***het — wil ook wat hebben,*** il faut sacrifier qc. à l'apparence; ***het — van de meester maakt het paard vet,*** il n'est pour voir que l'œil du maître; l'œil de la fermière engraisse le veau; l'œil du fermier vaut fumier.
oog'aandoening *v.* affection *f.* oculaire.
oog'appel *m.* **1** globe *m.* de l'œil; **2** (*pupil*) prunelle *f.*; ***zijn —,*** (*fig.*) la prunelle de ses yeux.
oog'arts *m.* (médecin) oculiste *m.*
oog'bad(je) *o.* œillère *f.*
oog'bol *m.* globe *m.* de l'œil.
oog'dokter, *zie* ***oogarts.***
oog'getuige *m.-v.* témoin *m.* oculaire.
oog'getuigeverslag *o.* reportage *m.* parlé.
oog'glas *o.* **1** (*v. toestel*) oculaire *m.*; **2** (*v. lorgnet*) monocle *m.*; lorgnon *m.*
oog'haar *o.* cil *m.*
oog'heelkunde *v.* ophtalmologie *f.*
oogheelkun'dig *b.n.* ophtalmologique.
oogheelkun'dige *m.* oculiste *m.*
oog'hoek *m.* coin *m.* de l'œil.
oog'holte *v.* orbite *f.*
oog'je *o.* **1** (*klein oog*) petit œil *m.*; **2** (*lonkje*) œillade *f.*; ***—s geven,*** lancer des œillades, faire les yeux doux; ***een — dicht doen,*** fermer l'œil (sur qc.); ***een — op iem. hebben,*** avoir des vues sur qn.
oog'kas *v.(m.)* orbite *f.*
oog'klep *v.(m.)* œillère *f.*, garde-vue *m.*
oog'knipje *o.* clin *m.* d'œil.
oog'kwaal *v.(m.)* maladie *f.* ophtalmique, affection *f.* des yeux.
oog'lap *m.* œillère *f.*
oog'lid *o.* paupière *f.*
oog'lijder *m.* malade *m.* des yeux.
oog'lijdersgesticht *o.* clinique *f.* ophtalmologique.
oog'lijk *b.n.* agréable à l'œil.
oogluikend *bw.* ***iets — toelaten,*** fermer les yeux sur qc., conniver à qc.
oog'luiking *v.* connivence *f.*
oog'merk *o.* but *m.*, intention *f.*, dessein *m.*; ***met het — om,*** afin de, dans le but de.
oog'ontsteking *v.* ophtalmie *f.*
oog'opslag *m.* coup *m.* d'œil; ***bij de eerste —,*** de prime abord.
oog'pijn *v.(m.)* mal *m.* aux yeux.
oog'punt *o.* point *m.* de vue.
oog'rand *m.* bord *m.* des paupières.
oog'scherm *o.* **1** (*alg.*) garde-vue *m.*; **2** (*v. glasblazer*) écran *m.*
oog'schroef *v.(m.)* vis *f.* à œillet.
oog'spiegel *m.* ophtalmoscope *m.*
oog'spier *v.(m.)* muscle *m.* de l'œil.
oogst *m.* **1** (*alg.*) récolte *f.*; **2** (*v. koren*) moisson *f.*; **3** (*v. wijn*) vendange *f.*; **4** (*v. hooi*) fenaison *f.*; **5** (*v. fruit: het plukken*) cueillette *f.*
oog'sten I *ov.w.* **1** récolter; **2** moissonner; **3** faner; **4** (*fig.*) recueillir; ***bijval —,*** obtenir du succès; **II** *on.w.* faire la récolte.
oog'ster *m.* moissonneur *m.*
oogst'feest *o.* fête *f.* de la moisson.
oogst'jaar *o.* année *f.* de récolte.
oogst'lied *o.* chanson *f.* des moissonneurs.
oogst'maand *v.(m.)* août *m.*
oogst'raming *v.* évaluation *f.* de la récolte, estimations (*of* probabilités) *f.pl.* de la récolte.
oogst'tijd *m.* récolte, moisson *f.*, époque *f.* (*of* temps *m.*) de la moisson.
oog'tand *m.* (dent) œillère *f.*
oog'verblindend *b.n.* éblouissant.
oog'vlek *v.(m.)* dragon *m.*, taie *f.*

oog'vlies *o.* membrane *f.* de l'œil; ***doorschijnend* —,** cornée transparente; ***hard* —,** cornée opaque, sclérotique *f.*
oog'vormig *b.n.* en forme d'œil.
oog'water *o.* collyre *m.* (liquide).
oog'wenk *m.* clin *m.* d'œil.
oog'wimper *v.(m.)* cil *m.*
oog'wit *o.* **1** blanc *m.* de l'œil; **2** (*fig.*) but *m.*
oog'zenuw *v.(m.)* nerf *m.* optique.
oog'ziekte *v.* maladie *f.* des yeux.
ooi *v.* brebis *f.*
ooi'evaar *m.* cigogne *f.*
ooi'evaarsbek *m.* (*Pl.*) géranium *m.*
ooi'evaarsbloem *v.(m.)* lis *m.* des marais.
ooi'evaarsnest *o.* nid *m.* de cigogne.
ooi'lam *o.* **1** agnelle *f.*; **2** (*fig.*) agneau *m.*
ooit *bw.* jamais.
ook *bw.* aussi; également; encore; ***niet alleen..., maar* —,** non seulement... mais encore; ***ik ken hem* — *niet,*** je ne le connais pas non plus; ***ik* — *niet,*** ni moi non plus; ***dat is* — *wat!*** la belle affaire! ***mij* — *goed,*** cela m'est égal; ***dat is waar* —!** mais j'y pense; c'est vrai; ***of* —,** ou bien; ***of* — *wel,*** ou encore; ***al is hij* — *rijk,*** quoiqu'il soit riche.
oom *m.* oncle *m.*; ***de hoge omes,*** les grosses légumes; **— *Jan,*** **1** l'oncle Jean; **2** (*fig.*) ma tante, mon oncle (du prêt).
oomsdoch'ter *v.* cousine *f.* germaine.
oomskind' *o.* cousin(e) germain(e) *m.(f.)*.
oom'zegger *m.* neveu *m.*
oom'zegster *v.* nièce *f.*
oor *o.* **1** (*alg.*) oreille *f.*; **2** (*v. kopje, mand, enz.*) anse *f.*; **3** (*in boek*) corne, oreille *f.*; **4** (*Pl.: v. blad*) auricule *f.*; ***geheel* — *zijn,*** être tout oreilles; ***aan dat* — *is hij doof,*** il n'entend pas de cette oreille-là; ***iem. oren aannaaien,*** en faire accroire à qn.; duper qn.; ***een open* — *hebben voor,*** accueillir favorablement; ***tot over de oren,*** par-dessus la tête; ***hij zit tot over de oren in de schuld,*** il est criblé de dettes; ***zijn oren niet geloven,*** ne pas en croire ses oreilles; ***iets in 't* — *knopen,*** prendre bonne note de qc.; ***het* — *lenen aan,*** prêter l'oreille à; ***hij heeft er wel oren naar,*** il ne dit pas non; ***de oren spitsen,*** dresser l'oreille; ***ter ore komen,*** arriver aux oreilles (de qn.), parvenir —; ***mij komt ter ore,*** j'apprends; ***zich achter de oren krabben,*** se gratter l'oreille; ***mijn oren tuiten,*** les oreilles me tintent, — cornent; ***iem. de oren wassen,*** laver la tête à qn.; frotter les oreilles à qn.; ***wie oren heeft die hore,*** à bon entendeur salut; ***iem. het vel over de oren halen,*** écorcher qn.; ***de zaak is op een* — *na gevild,*** autant vaut fait; ***voor dove oren preken,*** prêcher dans le désert; ***kleine potjes hebben ook oren,*** petit chaudron, grandes oreilles.
oor'arts *m.* auriste, auriculiste *m.*
oor'baar *b.n.* convenable, décent, comme il faut, licite.
oor'bel *v.(m.)* boucle *f.* d'oreille, pendant *m.* d'oreille.
oor'biecht *v.(m.)* confession *f.* auriculaire.
oor'blazer *m.* médisant *m.*
oorblazerij' *v.* médisance *f.*
oord *o.* lieu, endroit *m.*
oor'deel *o.* **1** jugement *m.*; **2** (*mening, gevoelen*) opinion *f.*, avis *m.*; **3** (*vonnis*) jugement *m.*; ***zijn* — *opschorten,*** suspendre son jugement; ***van* — *zijn,*** être d'avis; ***een* — *vellen,*** **1** juger de; **2** (*recht*) prononcer un jugement; ***naar mijn* —,** à mon avis, selon moi; ***met* —,** judicieusement; ***het laatste* —,** le jugement dernier.
oordeelkun'dig **I** *b.n.* judicieux; **II** *bw.* judicieusement.
oor'deelsdag *m.* jour *m.* du jugement dernier.
oor'deelvelling *v.* jugement *m.*
oor'delen *ov.w.* **1** juger; **2** (*van mening zijn*) penser; ***nodig* —,** estimer nécessaire, juger —.
oor'dokter *m.* auriste *m.*
oor'geruis, oor'gesuis *o.* tintement *m.* d'oreilles.
oor'getuige *m.-v.* témoin *m.* auriculaire.
oor'hanger *m.* pendant *m.* d'oreille.
oor'heelkunde *v.* otologie *f.*
oorheelkun'dige *m.* auriste, otologue *m.*
oor'holte *v.* cavité *f.* de l'oreille.
oor'ijzer *o.* casque *m.*
oor'klep *v.(m.)* oreillette *f.*
oor'klier *v.(m.)* glande *f.* auriculaire.
oor'knopje *o.* dormeuse *f.*, bouton *m.* d'oreille.
oor'konde *v.(m.)* **1** document *m.*; **2** (*gesch.*) charte *f.*
oor'kondenboek *o.* cartulaire, chartrier *m.*
oor'kondenkenner *m.* chartiste, diplomatiste *m.*
oor'kondenkennis *v.*, **oor'kondenleer** *v.(m)* diplomatique *f.*
oor'kussen *o.* oreiller *m.*
oor'lam **I** *m.* (*matroos*) matelot *m.* amariné, gabier *m.*; **II** *o.* (*borrel*) petit verre *m.*, goutte *f.*
oor'lel *v.(m.)* bout *m.* de l'oreille, lobe *m.*
oor'lepeltje *o.* cure-oreille* *m.*
oor'log *m.* guerre *f.*; **— *voeren,*** faire la guerre; ***in* —,** en guerre; ***de tachtigjarige* —,** les guerres de religion; ***de koude* —,** la guerre froide; ***psychologische* —,** guerre psychologique.
oor'logen *on.w.* guerroyer, faire la guerre.
oor'logend *b.n.* belligérant.
oor'logsapparaat *o.* dispositif *m.* de guerre.
oor'logsbazuin *v.(m.)* trompette *f.* guerrière.
oor'logsbegroting *v.* budget *m.* de la guerre.
oor'logsbehoeften *mv.* munitions *f.pl.* de guerre.
oor'logsbelasting *v.* contribution *f.* de guerre.
oor'logsbenden *mv.* troupes *f.pl.*
oor'logsbodem *m.* navire *m.* de guerre, vaisseau *m.* —.
oor'logsbuit *m.* butin *m.* (de guerre).
oor'logscorrespondent, -korrespondent *m.* correspondant *m.* de guerre.
oor'logsdaad *v.(m.)* **1** (*vijandige daad*) action *f.* hostile; **2** (*wapenfeit*) fait *m.* d'armes.
oor'logsfeit *o.* fait *m.* d'armes.
oor'logsgebruik *o.* usage *m.* de la guerre.
oor'logsgeweld *o.* force *f.* des armes.
oor'logsgezind *b.n.* belliqueux.
oor'logsgod *m.* dieu *m.* de la guerre, Mars *m.*
oor'logshandeling, *zie* ***oorlogsdaad.***
oor'logshaven *v.(m.)* port *m.* de guerre.
oor'logshitser *m.* belliciste *m.*, fauteur *m.* de guerre.
oor'logsinvalide *m.-v.* invalide *m.-f.* de guerre.
oorlogskorrespondent, *zie* ***oorlogscorrespondent.***
oor'logskosten *mv.* frais *m.pl.* de la guerre, dépenses *f.pl.* militaires.
oor'logskreet *m.* cri *m.* de guerre.
oor'logslasten *mv.* contribution(s) *f.(pl.)* de guerre.
oor'logslening *v.* emprunt *m.* de guerre.
oor'logsmacht *v.(m.)* force(s) *f.(pl.)* militaire(s).
oor'logsmateriaal *o.* matériel *m.* de guerre.
oor'logsmisdaad *v.(m.)* crime *m.* de guerre.
oor'logsmisdadiger *m.* criminel *m.* de guerre.
oor'logsmoed *m.* valeur *f.* militaire.
oor'logsmoeheid *v.* lassitude *f.* de la guerre.
oor'logsmolestverzekering *v.* assurance *f.* contre les risques de guerre.
oor'logsnoodzaak *v.(m.)* raison *f.* de guerre.
oor'logspad *o.* sentier *m.* de la guerre; ***op het* —,** sur la piste de guerre.
oor'logsplan *o.* plan *m.* de campagne.

oor'logspsychose *v.* psychose *f.* de guerre, — belliqueuse.
oor'logsrecht *o.* droit *m.* de guerre, — militaire.
oor'logsrisico *o. en m.* risque *m.* de guerre.
oor'logsschade *v.(m.)* dommages *m.pl.* de guerre.
oor'logsschatting *v.* tribut *m.* de guerre.
oor'logsschip *o.* vaisseau *m.* de guerre.
oor'logsschulden *mv.* dettes *f.pl.* de guerre.
oor'logsslachtoffer *o.* victime *f.* de guerre, sinistré *m.* —.
oor'logsstemming *v.* disposition *f.* guerrière.
oor'logssterkte *v.* effectif *m.* de guerre.
oor'logsterrein *o.* théâtre *m.* de la guerre.
oor'logstijd *m.* temps *m.* de guerre.
oor'logstoebereidselen *mv.* préparatifs *m.pl.* de guerre.
oor'logstoestand *m.* état *m.* de guerre.
oor'logstoneel *o.* théâtre *m.* de la guerre.
oor'logstuig *o.* engins *m.pl.* de guerre.
oor'logsvaartuig *o.* vaisseau *m.* de guerre.
oor'logsverklaring *v.* déclaration *f.* de guerre.
oor'logsvloot *v.(m.)* marine *f.* de guerre, — militaire.
oor'logswet *v.(m.)* loi *f.* de (la) guerre.
oor'logswinst *v.* bénéfice(s) *m.(pl.)* de guerre.
oor'logswinstbelasting *v.* impôt *m.* sur les bénéfices de guerre.
oor'logswinstmaker *m.* profiteur *m.* de guerre.
oor'logszucht *v.(m.)* bellicisme, esprit *m.* belliqueux.
oor'logszuch'tig *b.n.* belliqueux, belliciste.
oorlogszuch'tige *m.-v.* belliciste *m.-f.*
oor'logvoerend *b.n.* belligérant.
oor'ontsteking *v.* otite *f.*
oor'pijn *v.(m.)* mal *m.* d'oreille, otalgie *f.*
oor'rand *m.* bord *m.* de l'oreille.
oor'ring *m.* boucle *f.* d'oreille.
oor'schelp *v.(m.)* pavillon *m.* de l'oreille, auricule *f.*
oor'smeer *o.* cérumen *m.*
oor'spiegel *m.* otoscope *m.*
oor'sprong *m.* **1** (*aanvang, begin*) commencement *m.*; **2** (*bron*) source *f.*; **3** (*aanleiding*) cause *f.*; **4** (*afkomst; herkomst*) origine *f.*
oorspron'kelijk I *b.n.* **1** (*echt*) original; **2** (*aanvankelijk*) originel; **3** (*eerst*) primitif; **4** (*afkomstig uit*) originaire (de); **5** (*v. woud*) vierge; ***—e betekenis,*** signification *f.* primitive; ***—e maatschappij,*** société *f.* mère; **II** *bw.* dans l'origine; primitivement.
oorspron'kelijkheid *v.* originalité *f.*
oor'spuitje *o.* seringue *f.* auriculaire.
oor'suizing *v.* tintement *m.* d'oreille(s).
oor'tje I *o.* (*oud muntstuk*) obole *f.*, liard *m.*; ***kijken of men zijn laatste — versnoept heeft,*** avoir l'air penaud; ***geen — waard zijn,*** ne pas valoir un sou vaillant; **II** *o.* (*klein oor*) oreillon *m.*
oor'veeg, *zie* ***oorvijg.***
oor'verdovend *b.n.* assourdissant.
oor'verscheurend *b.n.* déchirant, qui déchire l'oreille; à briser le tympan, assourdissant.
oor'vijg *v.(m.)* soufflet *m.*, gifle, calotte *f.*
oor'vlies *o.* tympan *m.*
oor'worm, -wurm *m.* perce-oreille* *m.*
oor'zaak *v.(m.)* cause *f.*; ***ter oorzake van,*** à cause de.
oorza'kelijk *b.n.* causal; ***— verband,*** rapport de cause à effet.
oorza'kelijkheid *v.* causalité *f.*
oor'zenuw *v.(m.)* nerf *m.* auriculaire.
oor'ziekte *v.* maladie *f.* de l'oreille, affection *f.* —.
oost I *v.(m.)* est *m.*; ***de O—,*** les Indes néerlandaises; ***— west, thuis best,*** chaque oiseau trouve son nid beau; il n'y a rien de tel que d'avoir un chez soi; **II** *b.n.* est, d'est.
Oost'-Afrika *o.* Est-Africain *m.*
Oost'-Azië *o.* Extrême-Orient *m.*
Oost'duits *b.n.* de l'Allemagne de l'Est, — orientale.
Oost-Duits'land *o.* l'Allemagne *f.* de l'Est, — orientale.
oost'einde *o.* extrémité *f.* est.
oos'telijk *b.n.* d'est; oriental.
oos'ten *o.* est, orient *m.*; ***het nabije —,*** le Proche Orient; ***het verre —,*** l'Extrême Orient.
Oosten'de *o.* Ostende *m.*
Oostends' *b.n.* ostendais.
Oos'tenrijk *o.* l'Autriche *f.*
Oos'tenrijker *m.* Autrichien *m.*
Oos'tenrijks *b.n.* autrichien.
oostenwind' *m.* vent *m.* d'est.
oos'terkim(me) *v.(m.)* horizon *m.* de l'est.
oosterleng'te *v.* longitude *f.* est.
oos'terling *m.* oriental *m.*
oos'ters *b.n.* oriental, d'orient; ***— tapijt,*** tapis d'Orient.
Oost'-Europa *o.* l'Europe *f.* orientale.
Oost'europees *b.n.* de l'Europe orientale.
Oost'-Goot *m.* Ostrogot(h) *m.*
Oost-In'dië *o.* les Indes *f.pl.* Orientales.
Oostin'disch *b.n.* des Indes (Orientales); ***—e inkt,*** encre *f.* de Chine; ***—e kers,*** capucine *f.*; ***— doof zijn,*** faire la sourde oreille.
oost'kant *m.* côté *m.* est.
Oost'kerk *o.* Oisquercq.
oost'kust *v.(m.)* côte *f.* orientale.
oost'moesson *m.* mousson *f.* d'été, — chaude, — sèche.
Oost-Prui'sen *o.* la Prusse orientale.
Oostvlaams' *b.n.* de la Flandre orientale.
Oost-Vlaan'deren *o.* la Flandre orientale.
oost'waarts *bw.* vers l'est.
Oostzee' *v.(m.)* la mer Baltique.
Oostzee'staten *mv.* États *m.pl.* baltes.
oost'zij(de) *v.(m.)* côté *m.* est.
oot'je *o.* **1** petit cercle, petit rond *m.*; **2** (*kleine letter o*) petit o *m.*; ***iem. in 't — nemen,*** en conter à qn., monter un bateau à qn.
oot'moed *m.* humilité *f.*
ootmoe'dig I *b.n.* humble; **II** *bw.* humblement.
ootmoe'digheid *v.* humilité *f.*
op I *vz.* **1** sur; **2** à, en, dans; **3** par; **4** de; ***— de tafel,*** sur la table; ***— den duur,*** à la longue; ***— een fiets,*** à bicyclette; ***— straat,*** dans la rue; ***— een avond,*** un soir; ***— een mooie avond,*** par une belle soirée; ***— een ruwe toon,*** d'un ton brusque; ***— reis,*** en voyage; ***— mijn kamer,*** dans ma chambre; ***— de grond,*** à terre, par terre; ***— school,*** à l'école; ***— de vlucht jagen,*** mettre en fuite; ***— de fluit spelen,*** jouer de la flûte; ***— welke manier ?*** de quelle manière ? ***— zijn minst,*** au moins; ***— een eiland,*** dans une île; ***— Sumatra,*** à Sumatra; ***— straf van boete,*** sous peine d'amende; ***— bevel van de minister,*** par ordre du ministre; ***— mijn reis,*** pendant (*of* dans) mon voyage; ***het was — een zondag,*** c'était un dimanche; ***— zondag,*** le dimanche; ***— rekening,*** **1** (*kopen*) à crédit; **2** (*geven*) en dépôt; **3** (*in mindering*) à compte; **II** *bw.* ***— zijn,*** **1** (*uit bed*) être levé; **2** (*v. vermoeidheid*) être épuisé; **3** (*v. ouderdom*) être usé; ***— en neer gaan,*** monter et descendre; ***hoger —,*** plus haut; ***ik moet vroeg —,*** je dois me lever de bonne heure; ***ik kan er niet — komen,*** je ne me le rappelle pas; ***de boter is —,*** il n'y a plus de beurre; ***hij heeft zijn hoed —,*** il a son chapeau (sur la tête); ***—!*** debout! ***— en af,*** en montant et en descendant; ***— en neer,*** de long en large; ***er —,*** dessus; ***— en top,*** tout à fait.

o'pa *m.* grand*-père*, bon*-papa* *m.*
opaal' *o. en m.* opale *f.*
opaal'achtig *b.n.* opalin.
opaal'kleurig *b.n.* opalin, opale.
op'baggeren *ov.w.* draguer.
op'bakken *ov.w.* recuire, faire cuire (*of* frire) de nouveau.
op'bellen *ov.w.* **1** appeler au téléphone, donner un coup de téléphone (à); **2** (*wakker bellen*) éveiller (en sonnant).
op'bergen *ov.w.* **1** serrer; enfermer; **2** (*H.*) emmagasiner; **3** (*fig.: v. misdadiger*) boucler.
op'beuren *ov.w.* **1** (*optillen*) lever, soulever; **2** (*fig.: bemoedigen*) ranimer, relever, rendre le courage (à).
opbeu'rend *b.n.* réconfortant.
op'beuring *v.* **1** soulèvement *m.*; **2** (*fig.*) relèvement, encouragement *m.*, consolation *f.*
op'biechten *ov.w.* avouer, confesser.
op'bieden *on.w.* enchérir, renchérir; ***— tegen,*** enchérir sur.
op'bieding *v.* surenchère *f.*
op'binden *ov.w.* **1** (*koren, enz.*) lier; **2** (*takken, leiboom*) accoler; **3** (*haar*) relever; **4** (*schort, enz.*) retrousser.
op'blazen I *ov.w.* **1** (*v. wangen, zeepbel, enz.*) gonfler; **2** (*v. blaas, fig.*) enfler; **3** (*mil.: v. brug, enz.*) faire sauter; **4** (*v. stijl*) boursoufler; **II** *w.w.* ***zich —,*** **1** s'enfler, se gonfler; **2** (*fig.*) bouffir d'orgueil.
op'blijven *on.w.* veiller, ne pas se coucher.
op'bloei *m.* épanouissement *m.*
op'bloeien *on.w.* s'épanouir.
op'bod *o.* enchère, surenchère *f.*; ***bij — verkopen,*** vendre à l'enchère.
op'boeien *ov.w.* (*v. schip*) rehausser le bordage.
op'borrelen *on.w.* bouillonner, surgir, jaillir.
op'borreling *v.* bouillonnement, jaillissement *m.*
op'borstelen *ov.w.* brosser, donner un coup de brosse à.
op'bossen *ov.w.* **1** mettre en bottes; mettre en gerbes; **2** (*v. hout*) fagoter.
op'bossing *v.* **1** bottelage *m.*; **2** fagotage *m.*
op'bouw *m.* **1** construction *f.*; **2** (*fig.: v. stelsel, enz.*) édification, constitution *f.*
op'bouwen *ov.w.* **1** construire, élever; **2** édifier; ***weer —,*** reconstruire.
op'bouwend *b.n.* constructif; ***—e kritiek,*** critique bienveillante, — reconstructive.
op'braden *ov.w.* (faire) rôtir de nouveau.
op'branden I *on.w.* se consumer; **II** *ov.w.* consumer, brûler.
op'brassen *ov.w.* (*sch.*) mettre en panne.
op'breken I *ov.w.* **1** (*v. straat*) dépaver; **2** (*v. akker*) labourer, vider; **3** (*v. kamp, beleg*) lever; **II** *on.w.* **1** (*vertrekken*) décamper, plier bagage, déloger; **2** (*oprispen*) remonter (à la gorge); ***het zal je —,*** il vous en cuira, cela vous coûtera cher.
op'breking *v.* **1** dépavage *m.*; **2** levée *f.*; **3** délogement, départ *m.*
op'brengen *ov.w.* **1** (*omhoogbrengen*) monter, porter en haut; **2** (*v. maaltijd*) servir; **3** (*v. schip*) amener; **4** (*opleveren, voortbrengen*) produire, rapporter; **5** (*door politie*) conduire au poste; **6** (*v. belasting*) payer; **7** (*opvoeden*) élever; ***zij kunnen dat niet —,*** c'est au-dessus de leurs moyens.
op'brenging *v.* **1** (*door politie*) arrestation *f.*; **2** (*v. belasting*) payement *m.*; **3** (*opvoeding*) éducation *f.*
op'brengst *v.* **1** (*v. verkoop*) produit *m.*; **2** (*v. huis, enz.*) rapport *m.*; **3** (*v. belastingen*) rendement *m.*; **4** (*oogst*) récolte *f.*
op'bruisen *ov.w.* **1** entrer en effervescence; **2** (*fig.*) bouillonner, fermenter; **3** s'emporter.
opbrui'send *b.n.* **1** effervescent; **2** bouillant, fougueux; irascible.
opbrui'sendheid *v.* effervescence *f.*
op'bruising *v.* **1** effervescence *f.*; **2** bouillonnement *m.*; **3** emportement *m.*
op'centen *mv.* centimes *m.pl.* additionnels.
op'dagen *on.w.* paraître, survenir, se montrer.
opdat' *vw.* afin que, pour que (*met Subj.*); afin de, pour (*met Inf.*).
op'delven *ov.w.* **1** déterrer; **2** (*fig.*) mettre au jour, exhumer.
op'delving *v.* **1** fouille *f.*; **2** (*fig.*) découverte *f.*
op'dienen *ov.w.* servir.
op'diepen *ov.w.* **1** approfondir, rendre plus profond; **2** (*fig.*) déterrer, dénicher; ***iets uit een boek —,*** pêcher qc. dans un livre.
op'dirken I *ov.w.* attifer, accoutrer, affubler; **II** *w.w.* ***zich —,*** se pomponner.
op'dissen *ov.w.* **1** servir; **2** (*fig.: leugens, enz.*) débiter.
op'doeken I *ov.w.* **1** (*sch.: v. zeil*) plier les voiles, serrer —; **2** (*fig.: afschaffen, aan kant doen*) se défaire de, se débarrasser de; **II** *on.w.* fermer boutique, plier bagage; ***kunnen —,*** n'avoir qu'à filer.
op'doemen *on.w.* (ap)paraître à l'horizon, surgir brusquement.
op'doen I *ov.w.* **1** (*opdienen*) servir; **2** (*kopen, inslaan*) faire provision de, se pourvoir de; **3** (*verkrijgen: v. kennis, ervaring*) acquérir; **4** (*vernemen: v. nieuws*) apprendre; **5** (*v. verkoudheid, enz.*) prendre, attraper; **6** (*Z.N.: verkwisten*) dépenser, dissiper; **II** *w.w.* ***zich —,*** se présenter.
op'doffen *ov.w.* **1** bouillonner; **2** (*mil.*) astiquer.
op'dokken *on.w.* **1** débourser; **2** (*fam.*) casquer, dépocher.
op'donderen *on.w.* ficher le camp.
op'draaien I *ov.w.* **1** (*v. uurwerk, gas*) remonter; **2** (*v. knevel*) relever, retrousser; **II** *on.w.* faire les frais de qc.
op'dracht *v.(m.)* **1** (*last, taak*) charge, mission *f.*; **2** (*bevel*) ordre, mandat *m.*; **3** (*v. boek*) dédicace *f.*; ***in — van,*** sur l'ordre de; suivant ordre de; ***zich van een — kwijten,*** remplir une mission; ***de O— in de tempel,*** la Présentation au temple.
op'dragen *ov.w.* **1** (*gelasten*) charger; **2** (*toevertrouwen*) confier; **3** (*afdragen: v. kleren*) user; **4** (*opdienen*) servir; **5** (*v. boek*) dédier; **6** (*v. de mis*) célébrer; ***iem. het beheer — van,*** confier à qn. la gestion de.
op'dreunen *ov.w.* ânonner.
op'drijven *ov.w.* **1** (*v. prijzen*) faire monter, augmenter; **2** (*bij verkoping*) pousser aux enchères, renchérir; **3** (*te hoog opvoeren: eisen, enz.*) exagérer; **4** (*v. goud- of zilverwerk*) bosseler; **5** (*scheik.*) sublimer.
op'drijving *v.* surenchère, hausse *f.*
op'dringen I *ov.w.* **1** pousser (qn.); **2** ***iem. iets —,*** imposer qc. à qn.; presser qn. d'accepter qc.; **II** *on.w.* se presser, se bousculer, se pousser en avant; **III** *w.w.* ***zich —,*** s'imposer.
opdrin'gerig *b.n.* importun.
op'drinken *ov.w.* boire, vider, achever.
op'drogen I *ov.w.* sécher; (*afdrogen*) essuyer; **II** *on.w.* **1** se dessécher; **2** (*v. bron*) se tarir.
op'drogend *b.n.* dessiccatif; ***— middel,*** dessiccatif *m.*
op'droging *v.* **1** desséchement *m.*; **2** (*v. bron*) tarissement *m.*
op'druk *m.* surcharge *f.*
op'drukken *ov.w.* **1** imprimer sur; **2** (*v. zegel*) apposer.

op'duikelen *ov.w.* dénicher.
op'duiken *on.w.* **1** paraître à la surface, revenir —; **2** (*fig.*) apparaître, surgir.
op'duwen *ov.w.* pousser (en avant).
op'dweilen *ov.w.* nettoyer, essuyer, donner un coup de torchon (à).
opeen' *bw.* l'un sur l'autre, ensemble.
opeen'gepakt *b.n.* serré, tassé.
opeen'hopen *ov.w.* entasser, amasser, amonceler.
opeen'hoping *v.* entassement, amas *m.*, accumulation *f.*
opeen'pakken *ov.w.* serrer, tasser.
opeens' *bw.* tout à coup.
opeen'stapelen *ov.w.* entasser, empiler, amonceler, accumuler.
opeen'stapeling *v.* entassement, amoncellement *m.*; accumulation *f.*
opeen'volgen *on.w.* se succéder (l'un à l'autre); se suivre (l'un l'autre).
opeenvol'gend *b.n.* successif.
opeen'volging *v.* succession *f.*
opeen'zetten *ov.w.* entasser.
opeen'zitten *on.w.* être (très) serré(s).
opeis'baar *b.n.* exigible.
op'eisen *ov.w.* **1** (*zijn deel, geld, enz.*) réclamer; **2** (*v. rechten*) revendiquer; **3** (*mil.*) réquisitionner.
op'eising *v.* **1** réclamation *f.*; **2** revendication *f.*; **3** réquisition *f.*
o'pen *b.n.* **1** ouvert; **2** (*niet overdekt*) découvert; (*auto*) découvert, décapotable; **3** (*niet bezet*) libre; vacant; **4** (*met openingen*) à jour, ajouré; **5** (*fig.*) ouvert, franc; — ***brief,*** lettre *f.* ouverte; — ***dak,*** toit *m.* ouvrant; — ***haard,*** cheminée *f.*; — ***krediet,*** (*H.*) crédit en blanc; — illimité; — ***polis,*** police flottante; ***een — post,*** (*H.*) un poste en souffrance; ***een — stad,*** une ville ouverte; ***in 't — veld,*** en pleine (*of* rase) campagne; — ***wagen,*** voiture *f.* décapotable; — ***wond,*** plaie *f.* vive; — ***plek,*** **1** (espace) vide *m.*; **2** (*in bos*) clairière *f.*; ***in de — lucht,*** au grand air, en plein air; ***met — kaart spelen,*** jouer cartes sur table; ***een — oog hebben voor,*** ne pas être aveugle à; ***een — oor hebben voor,*** ne pas être sourd à, prêter l'oreille à; ***met — mond luisteren,*** écouter bouche béante; ***met — armen ontvangen,*** recevoir à bras ouverts; ***— en bloot,*** ouvertement.
openbaar' **I** *b.n.* **1** public (*fém.:* publique); **2** (*klaar, duidelijk*) manifeste, évident; ***een — geheim,*** le secret de Polichinelle; ***de openbare mening,*** l'opinion publique; — ***onderwijs,*** instruction publique, éducation nationale; — ***maken,*** **1** (*publiceren, afkondigen*) publier; proclamer; **2** (*ruchtbaar maken*) rendre public, livrer à la publicité; **II** *bw.* publiquement; en public; **III** *z.n., o.* ***in 't —,*** en public; ***in 't — verkopen,*** vendre aux enchères, vendre à l'encan.
openbaar'heid *v.* publicité *f.*
openbaar'maken *ov.w.* **1** publier; **2** rendre public, divulguer.
openbaar'making *v.* **1** publication *f.*; **2** divulgation *f.*
openba'ren **I** *ov.w.* **1** révéler; **2** (*v. geheim*) dévoiler, découvrir; **3** (*v. mening: blijk geven*) manifester; **II** *w.w.* ***zich —,*** **1** se révéler; **2** se manifester, apparaître.
openba'ring *v.* **1** révélation *f.*; **2** manifestation *f.*; ***de goddelijke —,*** la révélation divine; ***het boek der O—,*** l'Apocalypse *f.*
openba'ringsleer *v.(m.)* doctrine *f.* de la révélation.
o'penbarsten *on.w.* crever.
o'penbarsting *v.* crevaison *f.*
o'penbreken **I** *ov.w.* **1** (*v. slot*) forcer; **2** (*v. deur*) enfoncer; **3** (*v. brief*) ouvrir, décacheter; **4** (*v. brandkast*) fracturer; **II** *on.w.* **1** s'ouvrir; **2** (*v. zweer*) crever.
opendoek'je *o.* applaudissements *m.pl.* frénétiques; rappel *m.*
o'pendoen *ov.w.* ouvrir.
o'penduwen *ov.w.* pousser, ouvrir (en poussant).
o'penen **I** *ov.w.* **1** (*alg.*) ouvrir; **2** (*v. fles*) déboucher; ***half —,*** entrouvrir; ***een filiaal —,*** fonder une succursale, ouvrir —; ***een spoorweg —,*** mettre en service une nouvelle ligne; ***de markt opende vast,*** le marché ouvrait ferme; **II** *w.w.* ***zich —,*** **1** (*alg.*) s'ouvrir; **2** (*v. bloemen*) s'épanouir; **III** *z.n.,* ***het —,*** l'ouverture *f.*
o'pengaan *on.w.* **1** (*alg.*) s'ouvrir; **2** (*v. bloemen*) s'épanouir, éclore; **3** (*v. zweer*) s'ouvrir, crever.
o'pengevallen *b.n.* (*v. plaats*) vacant.
o'pengewerkt *b.n.* à jour, ajouré.
openhar'tig **I** *b.n.* franc, sincère; **II** *bw.* franchement, sincèrement.
openhar'tigheid *v.* franchise, sincérité *f.*
o'penhouden *ov.w.* **1** (*v. deur, enz.*) tenir ouvert; **2** (*v. plaats*) garder, réserver; **3** (*v. betrekking*) laisser vacant.
o'pening *v.* **1** ouverture *f.*; **2** (*gat*) trou; orifice *m.*; **3** (*v. lijk*) autopsie, dissection *f.*
o'peningskoers *m.* prix *m.* d'ouverture; premier cours *m.*
o'peningsplechtigheid *v.* inauguration *f.*
o'peningsrede *v.(m.)* discours *m.* d'ouverture; — inaugural.
o'peningszet *m.* premier coup *m.*
o'peningszitting *v.* séance *f.* d'inauguration.
o'penkrabben *ov.w.* ouvrir (en grattant), égratigner.
o'penkrijgen *ov.w.* parvenir à ouvrir, réussir —.
o'penlaten *ov.w.* **1** (*v. deur, enz.*) laisser ouvert; **2** (*v. plaats*) laisser vacant; **3** (*v. woord*) laisser en blanc.
o'penleggen *ov.w.* **1** ouvrir; **2** (*blootleggen*) mettre à découvert; **3** (*ontvouwen, uiteenzetten*) exposer, expliquer.
o'penliggen *on.w.* être ouvert (à).
o'penlijk **I** *b.n.* **1** ouvert; **2** public; **II** *bw.* **1** ouvertement; **2** publiquement.
openlucht'meeting *v.(m.)* meeting *m.* en plein air, réunion *f.* —.
openlucht'spel *o.* **1** jeu *m.* en plein air; **2** théâtre *m.* de verdure, — en plein air.
openlucht'school *v.(m.)* école *f.* de plein air.
openlucht'theater *o.* théâtre *m.* en plein air, — de verdure, — de la nature.
openlucht'voorstelling *v.* représentation *f.* en plein air.
o'penmaken *ov.w.* **1** (*v. deur, enz.*) ouvrir; **2** (*v. fles*) déboucher; **3** (*v. brief*) décacheter; **4** (*v. gezwel*) ouvrir, percer; **5** (*v. oesters*) écailler.
o'penrijten *ov.w.* déchirer; érafler, éventrer.
o'penrukken *ov.w.* ouvrir brusquement.
o'penscheuren *ov.w.* déchirer, crever, éventrer.
o'penschuiven *ov.w.* **1** ouvrir; **2** (*v. gordijn*) écarter.
o'penslaan **I** *ov.w.* **1** (*v. boek, enz.*) ouvrir; **2** (*v. servet*) déplier; **II** *on.w.* s'ouvrir brusquement.
o'pensluiten *ov.w.* ouvrir.
o'pensmijten *ov.w.* ouvrir (brusquement).
o'pensnijden *ov.w.* **1** (*alg.*) ouvrir; **2** (*v. boek*) couper; **3** (*v. dier*) éventrer; **4** (*gen.*) inciser.
o'penspalken *ov.w.* **1** (*alg.*) ouvrir; **2** (*v. de ogen*) écarquiller.
o'pensperren *ov.w.* écarquiller, ouvrir tout grand.
o'penspreiden *ov.w.* déplier.
o'penspringen *on.w.* **1** (*v. deur, enz.*) s'ouvrir

(brusquement); **2** (*v. huid*) se gercer; **3** (*Pl.*) s'ouvrir.
o'penspringend *b.n.* (*Pl.*) déhiscent.
o'penstaan *on.w.* **1** (*v. deur, venster, enz.*) être ouvert; **2** (*v. betrekking*) être vacant; **3** (*v. rekening*) être à découvert, être en souffrance; ***de gelegenheid staat open,*** l'occasion se présente; ***openstaande rekening,*** compte non réglé; ***openstaande orders,*** ordres en mains.
o'pensteken *ov.w.* **1** (*v. vat; zweer*) percer; **2** (*v. slot*) crocheter.
o'penstellen *ov.w.* **1** ouvrir; **2** (*v. gelegenheid*) offrir; **3** (*v. weg*) livrer à la circulation.
o'penstelling *v.* ouverture *f.*; ***uren van — voor de dienst,*** heures de service.
o'penstoten *ov.w.* ouvrir (en poussant), pousser.
o'pentrappen *ov.w.* enfoncer (à coups de pied).
o'pentrekken *ov.w.* **1** (*v. lade, enz.*) ouvrir; **2** (*v. gordijn*) ouvrir, tirer; **3** (*v. fles*) déboucher.
o'penvallen *on.w.* **1** s'ouvrir; **2** (*v. ambt, betrekking*) devenir vacant.
o'penvliegen *on.w.* s'ouvrir brusquement.
o'penvouwen *ov.w.* déplier.
o'penwaaien *on.w.* s'ouvrir, être ouvert par [le vent.
o'penwerpen *ov.w.* ouvrir brusquement.
o'penzetten *ov.w.* **1** (*alg.*) ouvrir; **2** (*v. sluis*) lâcher.
o'pera *m.* opéra *m.*; ***— buffa,*** opéra bouffe.
o'peratekst *m.* libretto, livret *m.*, paroles *f.pl.*
operateur' *m.* (*gen.*; *tn.*) opérateur *m.*
opera'tie *v.* opération *f.*; ***een — ondergaan,*** subir une opération, se faire opérer.
operatief' I *b.n.* opératoire; **II** *bw.*, ***— ingrijpen,*** opérer.
opera'tiekamer *v.(m.)* **1** salle *f.* d'opérations; **2** (*v. tandarts enz.*) cabinet *m.*
opera'tiemes *o.* bistouri *m.*
opera'tietafel *v.(m.)* plate*-forme* *f.* opératoire, table *f.* —; (*fam.*) billard *m.*
opera'tieveld *o.* théâtre *m.* d'opérations.
opera'tiezaal *v.(m.)* salle *f.* d'opérations.
o'perazanger *m.* chanteur *m.* d'opéra, artiste *m.* lyrique.
o'perazangeres *v.* cantatrice *f.* d'opéra, artiste *f.* [lyrique.
opere'ren *ov.w. en on.w.* opérer.
operet'te *v.(m.)* opérette *f.*
op'eten *ov.w.* **1** manger; **2** avaler; **3** (*fig.*) consumer; ***om op te eten,*** (*fig.*) joli à croquer; ***voor zoete koek —,*** avaler comme du pain bénit.
op'flakkeren *on.w.* flamber.
op'fleuren I *ov.w.* ranimer, ragaillardir, égayer; **II** *on.w.* se ranimer, renaître.
op'flikken *ov.w.* **1** (*herstellen, oplappen*) réparer, rafistoler; **2** (*fig.: opschikken, versieren*) parer, attifer.
op'flikkeren *on.w.* **1** flamber; **2** se ranimer; **3** (*plat*) ficher (*of* foutre) le camp.
op'flikkering *v.* **1** flambée *f.*; **2** sursaut *m.* de vie.
op'fokken *ov.w.* élever, nourrir.
op'fokker *m.* éleveur *m.*
op'fokking *v.* élevage *m.*
op'frissen I *ov.w.* rafraîchir; **II** *on.w.* se rafraîchir.
op'frissing *v.* rafraîchissement *m.*
op'gaaf, op'gave *v.(m.)* **1** (*verklaring*) déclaration *f.*; **2** (*aanduiding*) désignation *f.*; **3** (*vraagstuk*) problème *m.*; **4** (*v. examen*) épreuve *f.* (écrite); **5** (*taak*) tâche *f.*; **6** (*oefening*) exercice *m.*; **7** (*v. raadsel*) proposition *f.*; ***opgave doen van,*** faire une déclaration de.
op'gaan *on.w.* **1** (*stijgen*) s'élever, monter; **2** (*v. zon*) se lever; **3** (*rek.*) être sans reste, ne pas laisser de reste; ***de trap —,*** monter l'escalier; ***voor een examen —,*** se présenter à un examen; ***de straat —,*** sortir dans la rue, descendre —, aller —; ***in vlammen —,*** être consumé par le feu, brûler; ***in zijn werk —,*** être absorbé par son travail; ***in de menigte —,*** se perdre dans la foule; ***er gaan klachten op,*** il s'élève des plaintes; ***daar gaat me een licht op,*** c'est pour moi un trait de lumière; ***die redenering gaat niet op,*** ce raisonnement ne tient pas debout; ***die vlieger gaat niet op,*** (*fig.*) cela ne prendra pas.
op'gaand *b.n.* ***—e bomen,*** haute futaie *f.*, arbres *m.pl.* de haute futaie; ***— hout,*** taillis *m.*; ***de —e zon,*** le soleil levant; ***—e lijn,*** ligne ascendante; ***—e deling,*** division sans reste.
op'gang *m.* **1** montée *f.*; **2** (*trap*) escalier *m.*; **3** (*v. de zon*) lever *m.*; **4** (*bijval*) succès *m.*; ***— maken,*** avoir du succès; ***veel — maken,*** faire fureur.
op'garen *ov.w.* recueillir; amasser.
op'gave, *zie* ***opgaaf.***
op'geblazen *b.n.* **1** gonflé; boursouflé; **2** (*v. stijl*) enflé, ampoulé; **3** (*verwaand*) orgueilleux, présomptueux.
opgebla'zenheid *v.* **1** (*gen.*) boursouflure *f.*; **2** (*v. stijl*) enflure, boursouflure *f.*; **3** orgueil *m.*, présomption, arrogance *f.*
op'gedirkt *b.n.* fagoté.
op'gehoogd *b.n.* rehaussé; en remblai; relevé; ***—e bocht,*** virage relevé.
op'geien *ov.w.* (*sch.*) carguer.
op'geld *o.* **1** surplus *m.*; **2** (*H.: agio*) agio *m.*; ***— doen,*** faire prime.
Opgel'denaken *o.* Jodoigne-Souveraine.
op'gelegd *b.n.* **1** (*voorgeschreven*) imposé; **2** (*v. hout*) plaqué; **3** (*Z.N.: ingelegd*) de conserve.
op'gemaakt *b.n.* maquillé.
op'geprikt *b.n.* guindé, endimanché, fagoté, *zie ook:* ***opprikken.***
op'gepropt *b.n.* bourré; ***— zijn met,*** regorger de, être encombré de, bourré de.
op'geruimd I *b.n.* enjoué, de bonne humeur, gai; ***— staat netjes,*** c'est un bon débarras; **II** *bw.* d'une manière enjouée, gaîment.
opgeruimd'heid *v.* enjouement *m.*, bonne humeur, gaieté *f.*
op'gescheept *b.n.*, ***— zijn met,*** avoir sur les bras.
op'geschoten *b.n.* grand, élancé; ***— jongen,*** adolescent *m.* (élancé).
op'geschroefd *b.n.* guindé, emphatique, déclamatoire.
opgeschroefd'heid *v.* guindage *m.*
op'gesloten *b.n.* **1** enfermé; **2** (*fig.*) impliqué; ***daarin ligt —,*** cela implique que...
op'gesmukt *b.n.* **1** orné, paré, attifé, affublé; **2** (*v. stijl*) boursouflé.
opgesmukt'heid *v.* **1** parure *f.*; **2** emphase, [affectation *f.*
op'getogen *b.n.* ravi, enchanté; en extase.
opgeto'genheid *v.* ravissement, enchantement *m.*; extase *f.*
op'geven I *ov.w.* **1** (*v. last*) lever; **2** (*v. vraagstuk, raadsel*) proposer; **3** (*v. taak: opleggen, opdragen*) imposer, charger de; **4** (*in de steek laten*) laisser là, renoncer à, abandonner; **5** (*v. naam, identiteit*) décliner; **6** (*v. zieke*) condamner; **7** (*vermelden, zeggen*) indiquer, dire; (*verklaren*) déclarer; **8** (*v. bloed*) cracher; ***de moed —,*** perdre courage; jeter le manche après la cognée; ***ik geef het op,*** **1** j'y renonce; **2** (*v. raadsel*) je jette (*of* donne) ma langue aux chiens (*of* au chat); **II** *on.w.* **1** (*rijzen*) lever; **2** (*vocht afgeven: v. muur, vloer, enz.*) donner de l'humidité, suinter; ***van iets hoog (en breed) —,***

vanter qc., dire monts et merveilles de qc.; **III** *w.w.* ***zich* —,** se faire inscrire.
op'gewassen *b.n.* de taille (à), de force (à); ***tegen zijn taak — zijn,*** être à la hauteur de sa tâche; ***ze zijn tegen elkaar —,*** ils se valent.
op'gewekt I *b.n.* éveillé, gai, vif; **II** *bw.* d'une manière éveillée, gaîment, avec vivacité.
opgewekt'heid *v.* gaieté, vivacité *f.*
op'gewonden *b.n.* agité, monté, (sur)excité; **— *standje,*** tête chaude.
op'gewondenheid *v.* agitation, excitation, nervosité *f.*
op'gezet *b.n.* gonflé, enflé, bouffi.
op'gezetheid *v.* gonflement *m.*; enflure *f.*
op'gezwollen *b.n.* gonflé, enflé; tuméfié.
opgezwol'lenheid *v.* gonflement *m.*, enflure *f.*; tuméfaction *f.* [infuser.
op'gieten *ov.w.* (*Z.N.: v. koffie, thee*) faire; faire
op'gooien *ov.w.* jeter en haut, — en l'air; ***een balletje van iets* —,** lancer un ballon d'essai.
op'graven *ov.w.* **1** déterrer; **2** (*v. lijk*) exhumer.
op'graving *v.* **1** déterrement *m.*; **2** exhumation *f.*; **3** (*oudheidkundig*) fouilles *f.pl.*
op'groeien *on.w.* grandir, croître, pousser.
op'haal *m.* (*v. letter*) délié *m.*
op'haalbak *m.* cage *f.*
op'haalbrug *v.*(*m.*) pont*-levis *m.*, pont à bascule.
op'haaldienst *m.* (service *m.* de) ramassage *m.*
op'haalgordijn *o.* store *m.*
op'haalnet *o.* carrelet *m.*
op'hakken I *ov.w.* **1** couper à la hache; **2** (*v. grond*) piocher; **II** *on.w.* (*fig.: grootspreken*) gasconner, hâbler, blaguer.
op'hakker *m.* fanfaron, hâbleur, gascon *m.*
ophak'kerig *b.n.* fanfaron, hâbleur, gascon.
ophakkerij' *v.* fanfaronnade, hâblerie *f.*
op'halen *ov.w.* **1** (*omhoog halen*) monter; (*v. zeilen*) hisser; (*v. brug*) lever; (*v. kabel*) haler; (*v. vis*) amener; (*v. lijk*) repêcher; (*v. net*) relever; **2** (*afhalen*) chercher, prendre; **3** (*inzamelen*) (*v. geld*) quêter; (*v. bijdragen*) recueillir; **4** (*v. kleur*) rafraîchir, aviver, renforcer; **5** (*v. schouder*) hausser; **6** (*v. herinneringen*) évoquer; **7** (*ladders in kous*) remmailler un bas; ***zijn neus voor iets* —,** faire fi de qc.; ***zijn hart aan iets* —,** s'en donner à cœur joie; ***het weer* —,** (*v. zieke*) se remettre; ***het bij de dood* —,** revenir de très loin.
op'haler *m.* **1** quêteur *m.*; **2** (*sch.*) hale-à-bord *m.*
ophan'den *b.n.* proche, prochain; — ***zijn,*** (s')approcher.
op'hangen I *ov.w.* **1** (*alg.*) suspendre, pendre; **2** (*v. persoon*) pendre; **3** (*aan spijker, haak*) accrocher; **4** (*v. wasgoed*) étendre (sur la corde), mettre à sécher; **5** (*v. gordijnen*) poser; ***een vreselijk tafereel van iets* —,** dépeindre qc. sous les couleurs les plus sombres; **II** *w.w.* ***zich* —,** se pendre.
op'hanging *v.* **1** suspension *f.*; **2** accrochage *m.*; **3** (*aan galg*) pendaison *f.*
op'harken *ov.w.* **1** (*bijeenharken*) râteler; **2** (*aanharken*) ratisser.
op'hebben *ov.w.* **1** (*op het hoofd hebben*) avoir sur la tête, porter; **2** (*opgegeten hebben*) avoir fini (sa tartine, etc.); ***veel met iem.* —,** faire grand cas de qn.; ***hij heeft wat op,*** il a bu; il est gris; il a un verre dans le nez.
op'hef *m.* louanges *f.pl.* outrées; ***veel — van iets maken,*** faire grand bruit de qc.; ***veel — van iem. maken,*** porter qn. aux nues.
op'heffen *ov.w.* **1** (*v. hoofd, ogen*) lever; **2** (*wat gevallen is*) relever; **3** (*iets zwaars*) soulever; **4** (*v. wet*) abroger; **5** (*v. recht*) abolir; **6** (*v. bepaling, instelling*) supprimer; **7** (*v. school*) fermer; **8** (*v. zitting*) lever; ***die krachten heffen elkander op,*** ces forces se neutralisent.
op'heffer *m.* (*spier*) (muscle) élévateur *m.*
op'heffing *v.* **1** (*het optillen*) élévation *f.*; soulèvement *m.*; **2** (*v. wet*) abrogation *f.*; **3** (*v. recht*) abolition *f.*; **4** (*v. bepaling*) suppression *f.*; **5** (*v. school*) fermeture *f.*; **6** (*v. zitting*) levée *f.*; ***de — van de Hostie,*** (*in de mis*) l'élévation *f.*; ***— van beslag,*** main-levée *f.*
op'heffingsspier, *zie* ***opheffer.***
op'helderen I *ov.w.* **1** éclaircir; expliquer; **2** (*met voorbeelden*) illustrer; **II** *on.w.* **1** (*v. weer, lucht*) s'éclaircir; **2** (*v. gezicht*) se rasséréner.
op'heldering *v.* **1** éclaircissement *m.*; explication *f.*; **2** (*v. weer*) éclaircie *f.*
op'helpen *ov.w.* relever, aider à se relever.
op'hemelen *ov.w.* élever jusqu'aux nues, exalter, préconiser.
op'hemeling *v.* préconisation, exaltation *f.*
op'hijsen I *ov.w.* hisser, guinder; **II** *w.w.* ***zich* —,** se hisser.
op'hitsen *ov.w.* **1** exciter; **2** (*tot opstand*) provoquer; **3** (*v. hond*) agacer.
op'hitser *m.* **1** excitateur *m.*; **2** provocateur; boutefeu *m.*
op'hitsing *v.* **1** excitation *f.*; **2** provocation *f.*
op'hoepelen *on.w.* décamper, ficher le camp; ***hoepel op!*** va te promener! fiche-moi la paix!
op'hogen *ov.w.* **1** (*v. terrein: hoger maken*) remblayer; **2** (*v. glooiing, dijk*) rehausser; **3** (*meer bieden*) renchérir sur.
op'hoging *v.* **1** remblai *m.*; **2** rehaussement *m.*; **3** enchère *f.*, renchérissement *m.*
op'hopen I *ov.w.* **1** entasser; amonceler; **2** (*v. rijkdommen*) accumuler; **II** *w.w.* ***zich* —, 1** s'entasser, s'amasser; **2** s'accumuler.
op'hoping *v.* **1** entassement, amas *m.*; **2** accumulation *f.*
op'houden I *ov.w.* **1** (*omhooghouden*) tenir levé; **2** (*v. jurk, enz.*) relever; **3** (*v. hoed*) garder; **4** (*bouwk.: stutten*) étayer, étançonner, supporter; **5** (*v. stand*) tenir; **6** (*v. eer*) maintenir; **7** (*Z.N.: inhouden, v. adem, enz.*) retenir; **8** (*v. persoon*) retenir; ***zijn hand* —,** tendre la main; ***een huis* —,** (*bij de verkoping*) retirer une maison de la vente; **II** *on.w.* **1** (*eindigen*) cesser, finir; **2** (*stilstaan*) s'arrêter; **III** *w.w.* ***zich* —,** s'arrêter, séjourner; ***zich — met,*** s'occuper de, s'amuser à; **IV** *z.n., o.* **1** arrêt *m.*; ***zonder* —,** sans cesse, sans discontinuer.
opi'nie *v.* opinion *f.* [publique.
opi'nieonderzoek *o.* sondage *m.* de l'opinion
o'pium *m. en o.* opium *m.*
o'piumhoudend *b.n.* opiacé.
o'piumkit *v.*(*m.*) fumerie *f.* (d'opium).
o'piumroker, o'piumschuiver *m.* fumeur *m.* d'opium.
op'jagen *ov.w.* **1** (*alg.*) chasser; **2** (*v. wild*) traquer; dégîter; **3** (*v. patrijzen, enz.*) faire lever; **4** (*v. stof*) soulever; **5** (*v. water*) faire monter; **6** (*Z.N.: v. planten*) forcer; **7** (*bij verkoping*) pousser (le prix de).
op'jager *m.* **1** (*bij jacht*) rabatteur *m.*; **2** (*H.*) renchérisseur, allumeur *m.*
op'kalefat(er)en *ov.w.* radouber; rapetasser.
op'kamer *v.*(*m.*) chambre *f.* de l'entresol.
op'kammen *ov.w.* **1** peigner, relever (les cheveux); ***even* —,** donner un coup de peigne à; **2** (*fig.*) flatter, encenser, donner des coups d'encensoir (à).
op'karren *on.w.* déguerpir, ficher le camp.
op'kijken *on.w.* **1** lever les yeux; **2** (*vreemd* —) ouvrir de grands yeux.

op'kikkeren I *ov.w.* ranimer, remonter, ragaillardir; **II** *on.w.* se ranimer, se refaire, se recaler.
op'kisten *ov.w.* rehausser.
op'kisting *v.* rehaussement *m.*
op'klapbed *o.* lit*-cage*, lit*-bibliothèque* *m.*, lit *m.* à bascule.
op'klaren I *ov.w.* (*v. wijn*) clarifier; **II** *on.w.* **1** (*v. weer*) s'éclaircir; **2** (*v. gelaat*) se rasséréner.
op'klaring *v.* **1** clarification *f.*; **2** éclaircissement *m.*; **3** rassérénement *m.*
op'klauteren *ov.w.* **1** (*v. muur*) escalader; **2** (*v. boom*) grimper dans (*of* sur).
op'kleuren *ov.w.* aviver les couleurs de.
op'klimmen I *ov.w.* **1** (*v. berg*) gravir; **2** (*v. trap*) monter; **II** *on.w.* (*fig.*) monter (en grade), obtenir de l'avancement; ***tot de middeleeuwen —,*** remonter au moyen âge.
op'klimmend *b.n.* **1** montant; **2** (*fig.*) ascendant.
op'klimming *v.* **1** montée *f.*; **2** (*in rang*) avancement *m.*; **3** (*trapsgewijze —*) gradation *f.*
op'knabbelen *ov.w.* croquer, grignoter.
op'knappen I *ov.w.* **1** (*opschikken, redderen*) ranger, arranger; **2** (*v. kledingstuk, enz.*) remettre à neuf, enjoliver; **3** (*v. hoed*) retaper; **4** (*v. zaak: in orde brengen*) arranger; **5** (*v. persoon: opkikkeren*) recaler, retaper; **II** *on.w.* **1** (*v. persoon*) se refaire; se remettre; **2** (*v. weer*) se remettre au beau; **3** (*mooier worden*) s'embellir.
op'knopen *ov.w.* **1** relever (par des boutons, en boutonnant); **2** (*v. paardestaart, enz.*) nouer; **3** (*ophangen*) pendre.
op'knoping *v.* pendaison *f.*
op'koken *ov.w.* **1** faire bouillir, faire cuire; **2** (*opnieuw koken*) recuire.
op'komeling *m.* parvenu *m.*
op'komen I *on.w.* **1** (*opgaan*) monter, se lever; **2** (*v. deeg, gewassen*) lever; **3** (*groeien*) pousser, croître; **4** (*op toneel*) entrer en scène; **5** (*v. soldaat*) rejoindre son régiment; **6** (*v. onweer, storm*) s'annoncer, s'élever; (*opeens*) survenir; **7** (*na ziekte*) se remettre, se relever; **8** (*v. zaad*) germer; **9** (*v. twijfel, vermoeden*) s'élever, surgir; ***dat komt niet bij mij op,*** je n'y pense pas; ***die gedachte kwam bij ons op,*** cette idée nous vint, cette idée se présenta à notre esprit; ***tegen iets —,*** protester contre qc., s'opposer à qc.; ***voor iem. —,*** **1** (*verdedigen*) défendre qn., défendre les intérêts de qn.; **2** (*in zijn plaats komen*), se présenter à la place de qn.; **II** *z.n.*, ***het —,*** **1** (*v. zon*) le lever; **2** (*op toneel*) l'entrée *f.* en scène.
op'komend *b.n.* **1** levant; **2** (*fig.*) naissant; ***het — geslacht,*** la génération nouvelle, — montante.
op'komst *v.* **1** (*v. zon*) lever *m.*; **2** (*op toneel*) entrée *f.* en scène; **3** (*v. zieke*) rétablissement *m.*; **4** (*v. koopman, enz.*) fortune *f.*; **5** (*v. regiem*) débuts *m.pl.*; ***in —,*** naissant; ***geringe —,*** assistance peu nombreuse; ***er was een goede*** (***talrijke***) ***—,*** l'assistance était (très) nombreuse.
op'kooien *ov.w.* **1** (*v. vogels*) encager; **2** (*v. schapen*) mettre dans la bergerie; **3** (*drukk.*) serrer.
op'kopen *ov.w.* **1** acheter; **2** (*ong.: hamsteren*) accaparer.
op'koper *m.* **1** (*alg.*) acheteur *m.*; **2** (*ong.*) accapareur *m.*; **3** (*uitdrager*) revendeur *m.*
op'korten I *ov.w.* raccourcir; **II** *on.w.* diminuer.
op'krabbelen *on.w.* **1** se remettre sur ses pieds; **2** (*na ziekte*) se récoquer, se refaire.
op'krijgen *ov.w.* **1** (*met moeite opzetten*) parvenir à mettre; **2** (*opeten*) parvenir à avaler; **3** (*v. werk, taak*) recevoir, avoir à faire.
op'krikken *ov.w.* soulever à l'aide d'un cric.
op'kroppen *ov.w.* **1** (*v. voedsel*) avaler, dévorer; **2** (*fig.: v. verdriet*) dévorer, refouler; **3** (*v. tranen*) refouler; ***opgekropte woede,*** fureur concentrée; ***opgekropte smart,*** douleur contenue.
op'kruipen *ov.w. en on.w.* monter; gravir.
op'kunnen I *ov.w.* **1** ***ik kan het niet op,*** je ne puis manger (*of* boire) tout, je n'en viens pas à bout; **2** (*fig.*) je n'en reviens pas; **II** *on.w.* pouvoir se lever; ***tegen iem. —,*** être de force à se mesurer avec qn.; pouvoir se mesurer —.
op'kweken *ov.w.* **1** élever; **2** (*v. planten*) cultiver.
op'kwikken *ov.w.* **1** (*verkwikken*) ranimer, remonter; **2** (*tn.: v. spiegel*) rétamer.
op'laag, op'lage *v.*(*m.*) **1** (*uitgaaf*) édition *f.*; **2** (*aantal exemplaren*) tirage *m.*
op'laaien *on.w.* **1** (*v. vlam*) monter (haut dans le ciel); **2** (*v. hartstocht*) s'allumer.
op'laden *ov.w.* charger.
op'lader *m.* chargeur *m.*
op'lading *v.* chargement *m.*
op'lage, *zie* ***oplaag.***
op'lappen *ov.w.* rapiécer, raccommoder, rafistoler.
op'lapping *v.* rapiéçage, raccommodage *m.*
op'laten I *ov.w.* **1** (*v. vlieger, ballon*) faire monter; **2** (*v. vlieger ook:*) lancer; **3** (*v. duiven*) lâcher; ***zijn hoed —,*** garder son chapeau, rester couvert; **II** *z.n.*, ***het —,*** **1** (*v. ballon*) l'enlèvement *m.*, l'ascension *f.*; **2** (*v. vlieger*) le lancement; **3** (*v. duiven*) le lâcher.
op'lawaai, *zie* ***opstopper.***
op'legblad *o.* plaque *f.*, placage *m.*
op'leggen *ov.w.* **1** (*leggen op iets*) poser sur, mettre sur; **2** (*de handen*) imposer; **3** (*met hout*) plaquer; **4** (*v. straf*) infliger; **5** (*drukk.*) tirer, imprimer; **6** (*v. schip*) désarmer; **7** (*v. eed*) déférer; **8** (*v. taak, verplichting, stilzwijgen*) imposer; **9** (*v. goederen*) emmagasiner; ***het er dik —,*** exagérer.
op'legger *m.* **1** plaqueur *m.*; **2** (*v. auto*) remorque *f.*
op'legging *v.* **1** application *f.*; **2** (*v. handen, taak, enz.*) imposition *f.*; **3** (*v. straf*) infliction *f.*; **4** (*v. schip*) désarmement *m.*
op'leghout *o.* bois *m.* de placage.
op'legsel *o.* **1** (*op hout*) applique *f.*; **2** (*op kleren*) garniture *f.*, parement *m.*
op'legwerk *o.* placage *m.*
op'leiden *ov.w.* **1** conduire; mener; **2** (*fig.*) former, élever; ***— voor,*** préparer à.
op'leider *m.* préparateur *m.*
op'leiding *v.* **1** éducation, instruction *f.*; **2** (*v. leerlingen*) formation, préparation *f.*; **3** (*mil.*) instruction *f.*
op'leidingscursus, -kursus *m.* cours *m.* préparatoire.
op'leidingsschip *o.* vaisseau*-école*, navire*-[école* *m.*
op'leidingsschool *v.*(*m.*) école *f.* d'application.
op'lepelen *ov.w.* **1** manger avec une cuiller; **2** (*fig.*) débiter.
op'letten *on.w.* faire attention; prendre garde; ***opgelet!*** attention!
oplet'tend I *b.n.* attentif; **II** *bw.* attentivement, avec attention.
oplet'tendheid *v.* attention *f.*
op'leven *on.w.* revivre, renaître.
op'leveren *ov.w.* **1** (*v. winst*) rapporter; **2** (*v. vruchten, resultaat*) produire; **3** (*verschaffen*) donner, procurer; **4** (*v. werk*) livrer; ***ons onderzoek leverde niets op,*** notre enquête restait sans résultat.
op'leveringstermijn *m.* délai *m.* de livraison.
op'leving *v.* **1** (*godsdienstig*) renouveau *m.*; **2** (*v. zaken*) reprise *f.*; **3** (*v. krachten*) regain *m.*
op'lezen *ov.w.* **1** lire à haute voix; **2** (*korenaren*) glaner.
op'lezing *v.* **1** lecture *f.* (à haute voix); **2** glanage [*m.*

op'lichten *ov.w.* **1** (*optillen*) lever, soulever; **2** (*schaken, ontvoeren*) enlever; **3** (*bedriegen, benadelen*) duper, escroquer.
op'lichter *m.* escroc *m.*; chevalier *m.* d'industrie.
oplichterij' *v.* escroquerie *f.*
op'lichting *v.* **1** soulèvement *m.*; **2** enlèvement *m.*; **3** escroquerie *f.*
op'likken *ov.w.* lécher.
op'loeven *on.w.* (*sch.*) aller au lof, lofer.
op'loop *m.* **1** rassemblement, attroupement *m.*; **2** (*sch.*) marsouin *m.*
op'lopen I *ov.w.* **1** (*trap, enz.*) monter; **2** (*v. straf*) s'attirer, encourir; **3** (*v. boete*) encourir; **4** (*v. slagen, kou*) attraper; **5** (*v. koorts*) contracter; **6** (*v. ziekte*) prendre, attraper, gagner; **7** (*v. schip: averij*) encourir; ***een pak slaag* —,** recevoir une raclée, attraper —; ***een vlieger* —,** monter un cerf-volant; **II** *on.w.* **1** (*stijgen*) monter; **2** (*zwellen, opzetten*) s'enfler, se gonfler; **3** (*v. kosten, enz.*) monter, s'accroître, augmenter; **4** (*in prijs verhogen*) enchérir, hausser; **5** (*vooruit lopen*) aller en avant; ***de rente laten* —,** laisser s'accumuler les intérêts; ***een eindje met iem.* —,** faire un bout de chemin avec qn.; ***bij iem.* —,** passer chez qn.
oplopend *b.n.* **1** (*hoger wordend: v. weg, enz.*) montant; **2** (*fig.: opvliegend, driftig*) emporté, fougueux.
oplo'pendheid *v.* emportement *m.*, fougue *f.*
oplos'baar *b.n.* **1** (*v. stof*) soluble; **2** (*v. vraagstuk*) résoluble.
oplos'baarheid *v.* solubilité *f.*
op'losmiddel *o.* solvant *m.*
op'lossen I *ov.w.* **1** (*in vloeistof*) dissoudre; **2** (*in bestanddelen scheiden*) décomposer, analyser; **3** (*v. vraagstuk*) résoudre; **4** (*v. geschil*) vider, arranger; **5** (*v. raadsel*) solutionner, deviner; **6** (*v. bezwaren*) dissiper; **II** *on.w. en w.w.* (***zich* —**), **1** se dissoudre; **2** se résoudre; se dissiper.
op'lossend *b.n.* dissolvant; **— *middel*,** dissolvant [*m.*
op'lossing *v.* **1** (*scheik.*) solution, dissolution *f.*; **2** (*v. vraagstuk*) solution *f.*; **3** (*v. raadsel*) mot *m.* (de l'énigme).
op'lossingsteken *o.* (*muz.*) bécarre *m.*
op'luchten I *ov.w.* **1** rafraîchir (l'air), aérer; **2** (*fig.: verlichten*) soulager; **II** *on.w.* ***dat lucht op*,** c'est un bon (*of* fameux) débarras.
op'luchting *v.* soulagement *m.*; débarras *m.*
op'luisteren *ov.w.* **1** (*v. feest, enz.*) rehausser l'éclat de; **2** (*v. boek: met platen, voorbeelden*) illustrer.
op'luistering *v.* illustration *f.*; ***ter* — *van*,** pour rehausser l'éclat de.
op'maak *m.* **1** (*v. gelaat*) maquillage *m.*; **2** (*v. drukwerk*) disposition *f.* typographique; montage *m.*; mise *f.* en page(s); **3** façon *f.*; ***de* — *van manufacturen*,** la façon de manufactures.
op'maat *v.*(*m.*) anacrouse *f.*, levée *f.*
op'maken I *ov.w.* **1** (*opeten*) manger, consommer; **2** (*verteren, verkwisten*) dépenser, dissiper; dilapider; **3** (*v. stoffen*) apprêter; **4** (*v. hoed*) garnir; **5** (*v. haar*) arranger; **6** (*v. pruik*) coiffer; **7** (*v. bed*) faire; **8** (*v. inventaris, balans, proces-verbaal*) dresser; **9** (*v. linnengoed*) plier; **10** (*drukk.*) mettre en pages; **11** (*v. kas*) faire; **12** (*v. statistiek*) établir; **13** (*gevolgtrekkingen maken, besluiten*) conclure; **14** (*Z.N.: opstoken*) exciter; ***een connossement* —,** délivrer un connaissement; ***een saldo* —,** solder un compte; **II** *w.w.* ***zich* — *om*,** se mettre en devoir de, se préparer à.
op'maker *m.* **1** (*v. stoffen*) apprêteur *m.*; **2** (*v. geld*) dissipateur, gaspilleur *m.*; **3** (*drukk.*) metteur *m.* en pages; **4** (*v. gelaat*) maquilleur *m.*
op'making *v.* **1** (*v. stoffen*) apprêt, apprêtage *m.*; **2** (*verkwisting*) dissipation *f.*; **3** (*drukk.*) mise *f.* en pages.
op'marche, *zie* ***opmars.***
op'marcheren *on.w.* **1** (*mil.*) se mettre en marche; **2** (*fam.*) décamper, déguerpir, filer.
op'mars, op'marche *m. en v.* (*mil.*) marche *f.* en avant, avance *f.*
opmer'kelijk I *b.n.* remarquable, singulier; **II** *bw.* remarquablement, singulièrement.
op'merken *ov.w.* **1** (*waarnemen*) remarquer, observer; **2** (*opmerking maken*) faire remarquer, faire observer.
opmerkenswaar'd(ig) *b.n.* remarquable, digne de remarque.
op'merker *m.* observateur *m.*
op'merking *v.* remarque, observation *f.*
op'merkingsgave *v.* esprit *m.* d'observation.
opmerk'zaam I *b.n.* attentif; **— *maken op*,** faire remarquer, appeler l'attention sur; **II** *bw.* attentivement, avec attention.
opmerk'zaamheid *v.* attention *f.*
op'meten *ov.w.* **1** mesurer; **2** (*v. land*) arpenter.
op'meter *m.* arpenteur *m.*
op'meting *v.* **1** mesurage *m.*; **2** arpentage *m.*
op'mogen *on.w.* pouvoir se lever.
op'monteren *ov.w.* égayer, ragaillardir.
op'montering *v.* égaiement *m.*
op'naaien *ov.w.* **1** raccourcir (par un rempli); **2** coudre (sur).
op'naaisel *o.* rempli, troussis *m.*
op'name *v.*(*m.*) **1** (*in dagblad*) insertion *f.*; **2** (*v. foto: afbeelding*) vue, photographie *f.*; (*negatief*) cliché *m.*; (*v. film, foto*) prise *f.* de vue; **3** (*v. terrein*) levé *m.*; **4** (*v. stenogram*) prise *f.*; **5** (*op grammofoonplaat*) enregistrement *m.*; **6** (*H.: v. kas*) relève *f.*
op'neemdoek *m.* torchon *m.*
op'nemen I *ov.w.* **1** (*in handen nemen*) prendre; **2** (*oprapen*) ramasser; **3** (*v. rok*) retrousser; relever; **4** (*in dagblad*) insérer; **5** (*v. wees, vluchteling, enz.*) recueillir, recevoir; **6** (*v. schade: schatten*) évaluer; **7** (*bekijken*) regarder, examiner; (*ong.*) toiser; **8** (*v. kas*) faire; **9** (*temperatuur: v. zieke*) prendre; **10** (*v. tijd*) noter, enregistrer, chronométrer; **11** (*v. film, grammofoon*) enregistrer (sur bande magnétique); ***in ernst* (*of ernstig*) —,** prendre au sérieux; ***iets kwalijk* —,** prendre qc. en mauvaise part; ***goed* —,** prendre en bonne part; ***het voor iem.* —,** prendre le parti de qn.; ***de vloer* —, 1** (*schoonmaken*) nettoyer le plancher, balayer; **2** (*opbreken*) lever le plancher; ***de meter* —,** relever le compteur; ***in de prijscourant* —,** (*v. beurs*) admettre à la cote; ***het* — *tegen*,** s'attaquer à; **II** *on.w.* avoir du succès, réussir.
op'nemer *m.* **1** (*v. gas, enz.*) releveur, contrôleur *m.*; **2** (*v. landmeting*) arpenteur *m.*; **3** (*v. film*) opérateur *m.*
op'neming *v.* **1** ramassage *m.*; **2** retroussement *m.*; relevage *m.*; **3** insertion *f.*; **4** accueil *m.*, réception *f.*; **5** évaluation *f.*; **6** (*v. kas*) relève *f.*; **7** (*het nazien*) examen *m.*, vérification *f.*; **8** (*in ziekenhuis*) admission *f.*; ***de* — *van de stemmen*,** le dépouillement du scrutin.
opnieuw' *bw.* de nouveau; **— *beginnen*,** recommencer.
op'noemen *ov.w.* **1** (*noemen*) nommer; **2** (*opsommen*) énumérer.
op'noeming *v.* énumération *f.*
o'poe *v.* bonne*-maman*, grand-maman* *f.*
op'offeren I *ov.w.* sacrifier; immoler; **II** *w.w.* ***zich* —, 1** se sacrifier; **2** (*zich wijden aan*) se dévouer.

op'offering *v.* **1** sacrifice *m.*; **2** (*toewijding*) dévouement *m.*; **3** (*zelfverloochening*) abnégation *f.*
op'onthoud *o.* **1** (*vertraging*) retard *m.*; délai *m.*; **2** (*kort verblijf*) (bref) séjour *m.*
op'pakken *ov.w.* **1** (*oprapen*) ramasser; relever; **2** (*aanhouden*) arrêter.
op'pas *m.* **1** soins *m.pl.*; **2** garde *m.-f.* d'enfant(s).
op'pasdienst *m.* service *m.* de garde d'enfants à domicile.
op'passen I *ov.w.* **1** (*v. zieke*) soigner, garder; **2** (*v. hoed, enz.*) essayer; **3** (*bedienen*) servir; **II** *on.w.* faire attention, prendre garde; ***goed* —,** se conduire bien; ***slecht* —,** se déranger; ***opgepast!*** attention!
oppas'send *b.n.* **1** (*v. kind*) appliqué, docile; **2** (*v. werkman, enz.*) rangé; sobre.
oppas'sendheid *v.* **1** application, docilité *f.*; **2** bonne conduite *f.*, vie *f.* rangée; **3** (*matigheid*) tempérance *f.*
op'passer *m.* **1** (*knecht*) valet, domestique *m.*; **2** (*mil.*) brosseur, planton *m.*; ordonnance *f.*; **3** (*v. zieke*) garde*-malade*, infirmier *m.*
op'passing *v.* **1** soins *m.pl.*; **2** (*v. hoed, enz.*) essayage *m.*
op'passter *v.* garde*-malade*, infirmière *f.*
op'per *m.* **1** (*v. hooi*) meulon *m.*; **2** (*sch.*) côté *m.* sous le vent, abri *m.*
op'peradmiraal *m.* grand*-amiral* *m.*
op'perarm *m.* arrière-bras *m.*
op'perbest I *b.n.* excellent; **II** *bw.* à merveille, très bien.
op'perbevel *o.* commandement *m.* en chef.
op'perbevelhebber *m.* commandant *m.* en chef, généralissime *m.*
op'perbewind *o.* **1** direction *f.* générale; **2** (*v. land*) gouvernement *m.* central.
opperceremo'niemeester *m.* grand maître *m.* des cérémonies.
op'percommando, -kommando *o.* commandement *m.* suprême.
op'peren I *ov.w.* **1** (*te berde brengen*) proposer, mettre sur le tapis, mettre en avant; **2** (*v. bezwaren, enz.*) soulever; **3** (*v. twijfel*) élever; **4** (*v. hooi: aan oppers zetten*) mettre en tas; **II** *on.w.* faire l'aide-maçon, servir les maçons.
op'pergebied *o.* souveraineté *f.*
op'pergebieder *m.* souverain *m.*
op'pergerechtshof *o.* tribunal *m.* suprême, haute cour *f.* [suprême.
op'pergezag *o.* souveraineté *f.*; pouvoir *m.*
op'perheer *m.* souverain *m.*
op'perheerschappij, *zie* ***oppergezag.***
op'perherder *m.* chef *m.* suprême, souverain *m.* pontife.
op'perhoofd *o.* chef *m.*
op'perhuid *v.(m.)* épiderme *m.*
op'perjagermeester *m.* grand veneur *m.*
op'perkamerheer *m.* grand chambellan *m.*
op'perkommando, *zie* ***oppercommando.***
op'perleen *o.* fief *m.* dominant.
op'permacht *v.(m.)* pouvoir *m.* suprême, puissance *f.* souveraine.
oppermachtig I *b.n.* tout-puissant; souverain; **II** *bw.* en souverain.
op'perman *m.* aide*-maçon*, manœuvre *m.*
op'perofficier *m.* officier général *m.*
op'perpriester *m.* **1** grand*-prêtre* *m.*; **2** (*de paus*) souverain *m.* pontife.
op'perpriesterlijk *b.n.* pontifical.
op'perpriesterschap *o.* pontificat *m.*
op'perrabbijn *m.* grand rabbin *m.*
op'perrechter *m.* juge *m.* suprême.
op'perscheidsrechter *m.* surarbitre *m.*
op'perschenker *m.* grand échanson *m.*
op'persen *ov.w.* **1** (*v. kledingstuk*) donner un coup de fer à, repasser; **2** (*v. water, enz.*) faire monter (par la pression).
Op'per-Sile'zië *o.* la Haute Silésie.
op'perstalmeester *m.* grand écuyer *m.*
op'perste I *b.n.* **1** principal; **2** suprême; **II** *z.n., m.* chef, supérieur *m.*
op'perstuurman *m.* second *m.*
op'pertoezicht *o.* surintendance *f.*
op'pervlak *o.* **1** (*bovenste vlak*) surface *f.*; **2** (*grootte*) superficie *f.*
oppervlak'kig I *b.n.* superficiel; **II** *bw.* superficiellement; **— *beschouwd,*** à première vue; ***iets* — *behandelen,*** passer légèrement sur qc.
oppervlak'kigheid *v.* caractère *m.* superficiel.
op'pervlakte *v.* **1** (*bovenste gedeelte*) surface *f.*; **2** (*uitgestrektheid*) superficie *f.*
Op'per-Vol'ta *o.* Haute-Volta *f.*; ***uit* —,** voltaïque.
op'perwachtmeester *m.* maréchal *m.* des logis chef; (*afk.:* marchef *m.*).
Op'perwezen *o.* Être *m.* suprême.
op'peuzelen *ov.w.* croquer, grignoter.
op'pikken *ov.w.* **1** picorer, becqueter; **2** (*v. drenkeling*) recueillir; **3** (*fig.: onderweg* —) cueillir, (re)pêcher.
op'plakken *ov.w.* **1** coller; **2** (*v. kaart*) entoiler; **3** (*v. foto*) monter.
op'poetsen *ov.w.* **1** (*schoonmaken*) nettoyer; **2** (*v. schoenen, enz.*) cirer; **3** (*v. metaal, wapen*) astiquer, fourbir.
op'poken *ov.w.* attiser, tisonner.
op'pompen *ov.w.* **1** (*v. water*) pomper; **2** (*v. band, enz.*) gonfler.
opponent' *m.* opposant; adversaire *m.*
oppone'ren I *ov.w.* opposer; **II** *on.w.* présenter des objections à, s'opposer à.
op'porren *ov.w.* **1** (*v. vuur*) attiser; **2** (*fig.: aanzetten*) talonner, presser.
opportunist' *m.* opportuniste *m.*
opportuniteit' *v.* opportunité *f.*
opportuun' *b.n.* opportun.
opposi'tie *v.* opposition *f.*
opposi'tiepartij *v.* (parti *m.* de l') opposition *f.*; partie *f.* adverse.
op'potten *ov.w.* amasser, thésauriser.
op'prikken *ov.w.* (*v. vlinders*) épingler.
op'proppen *ov.w.* bourrer, gorger. [l'air.
op'raapsel *o.* (*verzinsel*) invention *f.*, conte *m.* en
op'rakelen *ov.w.* **1** attiser; **2** (*fig.*) raviver, attiser.
op'raken *on.w.* s'épuiser; se consommer; ***het geld raakt op,*** l'argent commence à manquer.
op'rapen *ov.w.* **1** ramasser; **2** (*steek v. breiwerk*) relever, reprendre.
oprecht' I *b.n.* sincère, franc, loyal; **II** *bw.* sincèrement, franchement, loyalement.
oprecht'heid *v.* sincérité, franchise, loyauté *f.*
op'redderen *ov.w.* ranger, mettre en ordre.
op'reddering *v.* rangement *m.*
op'rekken *ov.w.* **1** (*v. linnengoed, enz.*) étendre; **2** (*v. handschoenen*) étirer, ouvrir.
op'richten I *ov.w.* **1** (*v. standbeeld*) ériger, dresser; **2** (*v. gebouw, enz.*) élever; **3** (*stichten: v. school, firma*) établir, fonder, créer; **4** (*v. maatschappij*) constituer, fonder; **5** (*v. loodlijn*) ériger; **6** (*recht zetten*) relever, redresser; **II** *w.w.* ***zich* —,** se relever; se dresser; ***zich in bed* —,** se mettre sur son séant.
op'richter *m.* fondateur *m.*
op'richtersaandeel *o.* part *f.* de fondateur.
op'richting *v.* **1** érection *f.*; **2** élévation *f.*; **3** établissement *m.*, fondation *f.*; **4** constitution *f.*

op'richtingskapitaal *o.* capital *m.* premier.
op'richtingskosten *mv.* frais *m.pl.* de premier établissement. [enfiler
op'rijden *on.w.* **1** monter; **2** (*v. weg*) prendre,
op'rijlaan *v.(m.)* **1** avenue *f.*; **2** (*v. park*) entrée *f.*
op'rijten *ov.w.* déchirer, écorcher.
op'rijzen *on.w.* **1** se lever; **2** (*fig.*) s'élever, surgir.
op'rispen *on.w.* causer des renvois, — des éructations.
op'risping *v.* renvoi *m.*, éructation *f.*
op'rit *m.* montée *f.*
op'roeien *on.w.* **1** faire force de rames; **2** remonter (le courant); **3** (*fig.*) tenir tête à; remonter le courant.
op'roep *m.* **1** appel *m.*, convocation *f.*; **2** (*telegr.*, *ook draadloos*) appel *m.*
op'roepen *ov.w.* **1** (*roepen*) appeler; **2** (*v. soldaat*) appeler sous les drapeaux; **3** (*bijeenroepen*) convoquer; **4** (*v. getuige*) citer; **5** (*v. geest*) évoquer; **6** (*wekken*) réveiller.
op'roeping *v.* **1** (*mil.*) appel *m.*, ordre *m.* d'appel; **2** convocation *f.*; **3** citation *f.*; **4** évocation *f.*; **5** (*voor betrekking*) mise *f.* au concours.
op'roepingsbiljet *o.* convocation *f.*
op'roer *o.* **1** rébellion, révolte *f.*; **2** sédition, insurrection *f.*; émeute *f.*
oproe'rig *b.n.* rebelle, révolté; séditieux, insurgé; factieux.
oproe'righeid *v.* esprit *m.* de rébellion, — de révolte.
op'roerkraaier *m.* fomentateur *m.* de troubles, boutefeu *m.*
op'roerkreet *m.* cri *m.* de révolte.
op'roerling *m.* rebelle, révolté, séditieux, insurgé *m.*
op'roermaker *m.* perturbateur, factieux *m.*
op'roervaan *v.(m.)* étendard *m.* de la révolte.
op'roken *ov.w.* **1** (*v. tabak*) consommer; **2** (*v. sigaar, sigaret*) finir, fumer jusqu'au bout.
op'rollen I *ov.w.* **1** (*v. papier*) enrouler; **2** (*v. paraplu*) rouler; **3** (*sch.: v. zeilen*) plier; **II** *on.w.* s'enrouler.
op'ruien *ov.w.* exciter, ameuter.
op'ruiend *b.n.* séditieux, subversif.
op'ruier *m.* agitateur, excitateur, émeutier *m.*
op'ruiing *v.* agitation, excitation *f.*, soulèvement *m.*
op'ruimen I *ov.w.* **1** (*wegbergen*) serrer; **2** (*v. tafel*) débarrasser, desservir; **3** (*v. kamer*) ranger; **4** (*H.: uitverkopen*) vendre au rabais; **5** (*van de hand doen*) se défaire de; **II** *on.w.* ranger.
op'ruiming *v.* **1** débarras *m.*; **2** arrangement *m.*; **3** (*H.*) mise *f.* en vente; liquidation *f.*; **4** (*wegruiming*) déblaiement *m.*
op'ruimingsprijs *m.* prix *m.* de solde.
op'rukken *on.w.* se mettre en marche; pousser en avant; marcher (*naar*, sur); ***ruk op!*** (*fam.*) fiche-moi le camp!
op'scharrelen *ov.w.* trouver, dénicher, déterrer.
op'schenken *ov.w.* **1** verser (sur); **2** (*v. koffie, enz.*) faire infuser.
op'schepen *ov.w.* ***iem. — met iets,*** mettre qc. sur les bras à qn.
op'scheppen I *ov.w.* **1** ramasser (à la pelle); **2** (*met lepel*) enlever avec une cuiller; **3** (*opdissen*) servir (à table); ***de soep —,*** servir le potage; ***de boel —,*** faire du potin, mettre tout sens dessus dessous; ***het ligt hier niet opgeschept,*** nous ne vivons (*of* nageons) pas dans l'abondance; **II** *on.w.* **1** servir (à table); **2** (*fig.*) gasconner, faire le fanfaron, épater la galerie, fanfaronner, faire du bluff, bluffer.
op'schepper *m.* **1** louche *f.*, cuiller *f.* à pot; **2** (*fig.*) fanfaron *m.*
opschepperij' *v.* fanfaronnade, blague *f.*, bluff *m.*
op'scheren *ov.w.* **1** (*v. haag*) tondre; **2** raser à contrepoil.
op'schieten I *ov.w.* **1** (*v. pijl*) tirer en l'air; **2** (*v. vuurpijl*) lancer; **II** *on.w.* **1** (*v. planten*) pousser, grandir; **2** (*opstijgen: v. ballon, enz.*) s'élever, monter rapidement; **3** (*vooruitkomen, vorderen*) avancer, progresser, faire du progrès; ***met iem. kunnen —,*** (pouvoir) s'entendre avec qn. [gnolage *m.*
op'schik *m.* parure, toilette *f.*, atours *m.pl.*, fi-
op'schikken I *ov.w.* (*tooien, sieren*) parer, orner; attifer; **II** *on.w.* (*plaats maken*) faire place, se ranger, se serrer.
op'schilderen *ov.w.* repeindre, peindre à neuf.
op'schorsen *ov.w.* remettre, suspendre.
op'schorsing *v.* suspension *f.*
op'schorten *ov.w.* **1** (*v. kleed*) retrousser; **2** (*uitstellen*) surseoir à, remettre, suspendre; **3** (*v. mening*) réserver.
op'schorting *v.* **1** retroussement *m.*; **2** (*fig.*) surséance *f.*; suspension *f.*
op'schrift *o.* **1** (*v. brief*) suscription *f.*; **2** (*v. boek*) titre *m.*; **3** (*op standbeeld, enz.*) inscription *f.*; **4** (*op fles*) étiquette *f.*; **5** (*v. munt*) légende *f.*; **6** (*v. penning*) exergue *m.*; **7** (*v. herberg*) enseigne *f.*; **8** (*motto*) épigraphe *f.*; **9** (*hoofd*) en-tête* *m.* [*m.*
op'schrijfboekje *o.* carnet, calepin, aide-mémoire
op'schrijven *ov.w.* **1** écrire, noter; **2** (*inventariseren*) faire l'inventaire de, inventorier.
op'schrijving *v.* **1** notation *f.*; **2** inventaire *m.*
op'schrikken I *on.w.* **1** sursauter, tressaillir; **2** (*uit slaap*) se réveiller en sursaut; **II** *ov.w.* faire sursauter, effrayer.
op'schroeven *ov.w.* **1** (*op iets schroeven*) visser; **2** (*naar boven schroeven, opwinden*) relever, remonter; **3** (*fig.*) vanter, exalter.
op'schudden *ov.w.* **1** (*v. kussen, enz.*) secouer, remuer; **2** (*bed v. zieke*) rafraîchir; **3** (*v. stromatras*) brasser; **4** (*fig.*) agiter, remuer.
op'schudding *v.* **1** remuage *m.*; **2** (*drukte*) remue-ménage, branle-bas *m.*; **3** (*ontsteltenis*) émoi, trouble *m.*, agitation *f.*; ***— verwekken,*** **1** faire du bruit; **2** causer de l'émoi; ***in — brengen,*** mettre en émoi; jeter dans le désarroi.
op'schuiven I *ov.w.* **1** (*v. venster*) ouvrir; **2** (*uitstellen*) ajourner, remettre; **II** *on.w.* (*opschikken*) se ranger, faire place.
op'sieren *ov.w.* **1** orner, parer, embellir; **2** (*fig.: v. verhaal*) broder, ajouter à.
op'siering *v.* **1** ornementation, parure *f.*, embellissement *m.*; **2** broderie *f.* [(les branles).
op'sjorren *ov.w.* **1** remonter; **2** (*sch.*) relever
op'slaan I *ov.w.* **1** (*opwaarts slaan*) lancer, faire monter; **2** (*v. ogen*) lever; **3** (*v. voorraad: opdoen*) faire provision de, stocker; **4** (*v. goederen; in pakhuis*) emmagasiner, mettre en entrepôt; **5** (*de prijs verhogen*) augmenter (le prix de); hausser, enchérir; **6** (*v. loon, huur*) augmenter; **7** (*v. boek; opendoen*) ouvrir; **8** (*v. mouwen, enz.*) retrousser, relever; **9** (*v. kamp*) établir; **10** (*v. bed*) monter; **II** *on.w.* **1** (*v. prijzen*) monter; **2** (*Pl.*) pousser; **3** (*v. vocht*) suinter, suer.
op'slag *m.* **1** (*v. prijs*) hausse *f.*; **2** (*v. huur, loon*) augmentation, majoration *f.*; **3** (*H.: oplegging v. goederen*) emmagasinage *m.*; **4** (*v. kraag*) revers *m.*; **5** (*v. mouw*) parement *m.*; **6** (*bij 't maatslaan*) levé *m.*; **7** (*opbod*) enchère *f.*; ***bij — verkopen,*** vendre aux enchères; ***iem. — geven,*** augmenter qn.

op'slagbewijs *o.* (*H.*) certificat *m.* d'entrepôt; récépissé*-warrant* *m.*
op'slagkosten *mv.* magasinage *m.*
op'slagplaats *v.*(*m.*) (*H.*) entrepôt *m.*
op'slagrecht *o.* droit *m.* de magasin.
op'slagruimte *v.* magasin, dépôt *m.*
op'slagterrein *o.* entrepôt *m.*
op'slokken *ov.w.* **1** avaler; **2** (*fig.*) engloutir.
op'slorpen *ov.w.* **1** (*v. ei*) gober, humer; **2** (*v. oesters*) gruger; **3** (*v. wijn*) siroter; **4** (*v. licht*) boire; **5** (*v. water, enz.: inzuigen*) absorber.
op'slorpend *b.n.* absorbant.
op'slorping *v.* absorption *f.*
op'slorpingsvermogen *o.* force *f.* d'absorption.
op'sluiten I *ov.w.* **1** enfermer; **2** (*in gevangenis*) emprisonner; **3** (*mil.: v. gelederen*) serrer; **4** (*tn.*) assembler; **II** *w.w.* ***zich* —,** s'enfermer; (*ong.*) se claquemurer.
op'sluiting *v.* **1** enfermement *m.*; **2** emprisonnement *m.*; **3** serrement *m.*; ***eenzame* —,** réclusion *f.*
op'sluitpin *v.*(*m.*) boulon *m.* de chaîne.
op'slurpen, *zie* ***opslorpen.***
op'smijten *ov.w.* lancer en haut, — en l'air.
op'smuk *m.* parure *f.*, ornement, apprêt *m.*; ***zonder* —,** sans apprêt.
op'smukken *ov.w.* parer, orner, attifer.
op'snijden I *ov.w.* (*v. brood, enz.*) couper; (*aansnijden*) entamer; **II** *on.w.* blaguer, hâbler, se vanter; gasconner, épater, faire du bluff.
op'snijder *m.* blagueur, hâbleur, vantard *m.*
opsnijderij' *v.* blague, hâblerie, vantardise, gasconnade *f.*
op'snoepen *ov.w.* **1** croquer; **2** (*v. geld*) dépenser (en friandises).
op'snorren *ov.w.* dénicher, dépister.
op'snuiven *ov.w.* renifler, humer.
op'snuiving *v.* reniflement *m.*
op'sommen *ov.w.* énumérer, faire l'énumération de; dénombrer.
op'somming *v.* énumération *f.*
op'spannen I *ov.w.* **1** tendre; **2** (*v. trommel*) bander; **3** (*v. viool*) monter; **II** *on.w.* se gonfler.
op'spanning *v.* tension *f.*
op'sparen *ov.w.* épargner, économiser.
op'spatten *on.w.* rejaillir; ***—d gesteente,*** gravillons *m.pl.*
op'spelden *ov.w.* épingler, attacher avec des [épingles.
op'spelen I *ov.w.* (*v. kaart*) jouer; **II** *on.w.* tempêter, rager, s'emporter.
op'sperren *ov.w.* **1** ouvrir (tout grand); **2** (*v. ogen*) écarquiller.
op'spitten *ov.w.* (*v. vlees*) embrocher.
op'spoelen *ov.w.* rincer.
op'sporen *ov.w.* **1** rechercher; **2** (*v. wild*) dépister; quêter.
op'sporing *v.* recherche *f.*
op'sporingsdienst *m.* sûreté *f.* générale.
op'spraak *v.*(*m.*) blâme *m.*; ***in — brengen,*** compromettre; ***in — komen,*** se compromettre.
op'springen *on.w.* **1** (*v. persoon*) sursauter; **2** (*v. vreugde*) tressaillir; **3** (*v. bal*) rebondir; **4** (*v. water*) jaillir; ***van zijn stoel* —,** sauter de sa chaise.
op'spuiten I *ov.w.* lancer (en haut), faire jaillir; **II** *on.w.* (re)jaillir.
op'staan I *on.w.* **1** se lever; **2** (*rechtstaan*) être debout, se tenir debout; **3** (*na ziekte*) se relever; **4** (*in opstand komen*) se révolter, se soulever; **5** (*v. haar*) être hérissé, se hérisser; **6** (*v. eten: op 't vuur*) être sur le feu; ***uit het graf* —,** ressusciter; **II** *z.n.,* ***het* —,** le lever.
op'staand *b.n.* **1** (*v. voorwerp*) debout; **2** (*v. kraag*) relevé, droit; **3** (*v. haar*) hérissé; ***— haar*** (*gelijk geknipt*) cheveux en brosse.
op'stal *m.* **1** bâtiment, immeuble *m.*; **2** (*sch.*) mâture *f.*; ***recht van* —,** droit *m.* de superficie.
op'stand *m.* **1** révolte, rébellion *f.*, soulèvement *m.*; **2** (*bouwk.*) élévation *f.*; ***in — komen tegen,*** s'insurger contre, se révolter contre.
op'standeling *m.* rebelle, révolté *m.*
opstan'dig *b.n.* révolté.
op'standing *v.* résurrection *f.*
op'stap *m.* marchepied *m.*
op'stapelen *ov.w.* **1** empiler; entasser; **2** (*fig.*) accumuler.
op'stapeling *v.* **1** entassement, empilement *m.*; **2** accumulation *f.*
op'stappen *on.w.* **1** (*in rijtuig, enz.*) monter; **2** (*heengaan*) s'en aller, partir; **3** (*fam.: sterven*) lâcher la rampe.
op'steken I *ov.w.* **1** (*v. hand, vinger*) lever; **2** (*v. oren*) dresser; **3** (*v. sigaar, enz.: aansteken*) allumer; **4** (*v. paraplu*) ouvrir; **5** (*v. vat*) percer, ouvrir; **6** (*v. geld*) empocher; **II** *on.w.* s'élever, (*v. wind*) se lever.
op'steker *m.* **1** (*lantaarn—*) allumeur *m.* (de réverbères); **2** (*hooivork*) fourche *f.* à foin.
op'stel *o.* **1** (*letterkundig*) essai *m.*; **2** (*in tijdschrift*) article *m.*; **3** (*op school*) composition *f.*
op'stellen I *ov.w.* **1** (*ontwerpen*) ébaucher, esquisser; **2** (*v. machine*) monter; **3** (*v. troepen*) ranger, disposer; **4** (*v. kanon*) mettre en batterie; **5** (*schrijven*) écrire, rédiger; **6** (*v. optocht*) ordonner.
op'steller *m.* rédacteur; auteur *m.*
op'stelling *v.* **1** ébauche *f.*; **2** montage *m.*; **3** (*v. troepen*) formation *f.*; **4** (*v. kanon*) mise *f.* en batterie.
op'stijgen *on.w.* **1** monter, s'élever; **2** (*v. ruiter*) se mettre en selle; **3** (*vl.*) prendre l'air, prendre son vol; **4** (*in luchtballon*) faire une ascension; ***verticaal* —,** monter à la verticale.
op'stijging *v.* **1** (*vl.*) prise *f.* de vol; **2** (*v. ballon*) ascension *f.*
op'stijven I *ov.w.* **1** raffermir; **2** (*v. linnengoed*) empeser; **II** *on.w.* se raidir; durcir.
op'stoken *ov.w.* **1** (*v. vuur*) attiser; **2** (*fig.*) exciter, instiguer.
op'stoker *m.* instigateur, excitateur, provocateur [*m.*
op'stokerij' *v.* excitation, instigation, provocation *f.*
op'stomen I *ov.w.* (*v. leerling*) chauffer; **II** *on.w.* (*sch.*) **1** s'approcher de la côte; **2** (*v. rivier*) remonter en vapeur.
op'stootje *o.* bagarre *f.*, rassemblement *m.*
op'stoppen *ov.w.* **1** (*v. stoel, kussen*) rembourrer; **2** (*v. pijp*) bourrer; **3** (*v. dier*) empailler; **4** (*verstoppen*) obstruer, encombrer.
op'stopper *m.* bourrade, torgniole *f.*, coup *m.* de poing.
op'stopping *v.* **1** (*op straat*) encombrement *m.*; (*v. voertuigen*) embouteillage *m.*; **2** (*gen.*) obstruction *f.*
op'stoven *ov.w.* **1** étuver (de nouveau), réchauffer; **2** (*fig.*) réchauffer.
op'streek *m.* (*muz.*) poussé *m.*
op'strijden *ov.w.* soutenir avec acharnement, contester.
op'strijken I *ov.w.* **1** (*v. linnen, enz.*) repasser; **2** (*licht —, v. hoed, enz.*) donner un coup de fer à; **3** (*v. geld, winst*) empocher; **II** *on.w.* (*muz.*) pousser l'archet.
op'strijkmes *o.* spatule *f.*
op'stropen *ov.w.* retrousser (ses manches).

op'stuiten *on.w.* rebondir.
op'stuiven *on.w.* **1** (*v. stof*) s'élever; ***doen* —,** soulever; **2** (*fig.*) s'emporter, se mettre en colère, se cabrer; ***de trap* —,** monter l'escalier quatre à quatre.
op'sturen *ov.w.* **1** envoyer; **2** (*nazenden*) faire suivre.
op'stuwen *ov.w.* refouler (l'eau).
op'stuwing *v.* refoulement *m.*
op'takelen *ov.w.* **1** élever, hisser (à l'aide d'un palan); **2** (*sch.*) gréer.
op'tekenen *ov.w.* noter, prendre note de.
op'tekening *v.* annotation, note *f.*
op'tellen *ov.w.* **1** (*samentellen*) additionner; **2** (*opsommen*) énumérer.
op'telling *v.* **1** addition *f.*; **2** énumération *f.*
op'teren *ov.w.* (*opmaken*) dépenser, consommer.
opte'ren *on.w.* opter.
op'tica, op'tika *v.* optique *f.*
opticien' *m.* opticien *m.*
op'tie *v.* option *f.*; préférence *f.*
op'tierecht *o.* droit *m.* de préemption.
op'tika, op'tica *v.* optique *f.*
op'tillen *ov.w.* lever, soulever.
op'timaal *bw.* au plus haut degré.
optimis'me *o.* optimisme *m.*
optimist' *m.* optimiste *m.*
optimis'tisch I *b.n.* optimiste; **II** *bw.* en optimiste.
op'timmeren *ov.w.* construire.
op'tisch *b.n.* optique; **— *artikel,*** article *m.* d'optique; **— *bedrog,*** illusion *f.* optique.
op'tocht *m.* **1** cortège *m.*; **2** (*v. ruiters*) cavalcade *f.*
op'tomen *ov.w.* brider.
op'tooien *ov.w.* orner, parer.
op'tooiing *v.* ornement, parement *m.*
op'tooisel *o.* parure *f.*
op'tornen I *ov.w.* découdre; **II** *on.w.* **— *tegen,*** (*v. wind*) lutter contre; (*v. moeilijkheden*) surmonter.
op'tre(d)e *v.(m.)* **1** (*v. rijtuig*) marchepied *m.*; **2** (*v. huis*) perron *m.*
op'treden I *on.w.* **1** (*als spreker*) monter à la tribune; monter en chaire; **2** (*op toneel*) paraître, monter sur la scène; (*opkomen*) entrer en scène; **3** (*handelen*) agir; intervenir; **4** (*v. ziekte*) se déclarer; ***voor het eerst* —,** débuter; ***als kandidaat* —,** se porter candidat; ***krachtig* —,** prendre des mesures énergiques; ***brutaal* —,** payer d'audace; ***tegen iem.* —,** agir contre qn., se poser en adversaire de qn.; **II** *z.n., o.* **1** apparition *f.* sur la scène; **2** (*houding*) attitude *f.*; **3** (*handelwijze*) conduite *f.*; ***eerste* —,** débuts *m.pl.*
op'tree, *zie* ***optrede.***
op'trekje *o.* pied-à-terre, vide-bouteille* *m.*
op'trekken I *ov.w.* **1** (*omhoog trekken*) monter; **2** (*v. gordijn, scherm*) lever; **3** (*v. huis, enz.: bouwen*) construire, bâtir; **4** (*ophogen*) rehausser; **II** *on.w.* **1** (*v. nevel*) se dissiper; monter; **2** (*heengaan*) s'en aller; se mettre en marche; **— *tegen de vijand,*** marcher sur l'ennemi; ***de vloer trekt op,*** le carreau est humide.
op'trommelen *ov.w.* battre le rappel (de).
op'tuigen I *ov.w.* **1** (*v. paard*) harnacher; **2** (*v. schip*) gréer; **II** *w.w.* ***zich* —,** se harnacher.
op'tuiging *v.* **1** harnachement *m.*; **2** gréement *m.*
o'pus *o.* œuvre *f.*; ***nagelaten* —,** œuvre posthume.
op'vaart *v.(m.)* (*v. rivier*) montée *f.*, parcours *m.* en amont.
op'vallen *ov.w.* frapper, surprendre, attirer l'attention.
opval'lend *b.n.* frappant, surprenant.
op'vangcentrum *o.* centre *m.* d'accueil.
op'vangdraad *m.* (*el.*) antenne *f.*
op'vangen *ov.w.* **1** (*in de vaart vangen*) attraper, saisir (au vol); **2** (*v. bal*) prendre au bond; **3** (*v. vloeistof*) recueillir; **4** (*v. licht, brief*) intercepter; **5** (*v. gesprek, woord*) surprendre; **6** (*v. stoot*) amortir.
op'varen *on.w.* **1** monter; **2** (*v. rivier*) remonter; ***de* —*den,*** les personnes à bord; (*bemanning*) l'équipage *m.*
op'vatten *ov.w.* **1** (*ter hand nemen*) entreprendre, commencer; **2** (*opnemen, oprapen*) relever, ramasser; **3** (*v. gevoelens, plan*) concevoir; **4** (*begrijpen*) entendre; ***genegenheid* — *voor,*** prendre en affection; ***verkeerd* —,** prendre de travers.
op'vatting *v.* **1** entreprise *f.*, commencement *m.*; **2** conception *f.*; **3** (*uitleg*) interprétation *f.*; ***volgens zijn* —,** d'après son explication; ***een andere* — *hebben,*** avoir une autre manière de voir.
op'veegsel *o.* balayures *f.pl.*
op'vegen *ov.w.* balayer, nettoyer.
op'verven *ov.w.* peindre, repeindre.
op'vijzelen *ov.w.* **1** lever (avec des vérins); **2** (*fig.*) exalter, prôner, porter aux nues.
op'vissen *ov.w.* **1** pêcher, retirer de l'eau; **2** (*fig.*) déterrer, dénicher, découvrir.
op'vlammen *on.w.* **1** flamboyer, flamber; **2** (*fig.*) s'allumer.
op'vliegen *on.w.* **1** s'envoler, prendre son vol; **2** se lever brusquement; **3** (*fig.: driftig worden*) s'emporter; ***de trap* —,** monter l'escalier quatre à quatre.
opvlie'gend *b.n.* emporté, irascible, soupe au lait.
opvlie'gendheid *v.* emportement *m.*, irascibilité *f.*, violence *f.* de caractère.
op'vlieging *v.* emportement *m.*
op'voeden *ov.w.* **1** (*grootbrengen*) nourrir, élever; **2** faire l'éducation de, élever.
op'voedend *b.n.* éducatif.
op'voeder *m.* éducateur *m.*
op'voeding *v.* éducation *f.*; ***lichamelijke* —,** culture *f.* physique.
op'voedingsgesticht *o.* maison *f.* d'éducation, — de redressement.
op'voedkunde *v.* pédagogie *f.*
opvoedkun'dig I *b.n.* pédagogique; **II** *bw.* pédagogiquement.
opvoedkun'dige *m.-v.* pédagogue *m.*
op'voeren *ov.w.* **1** (*v. toneelstuk*) représenter, donner; **2** (*v. prijzen*) hausser, augmenter; **3** (*omhoog voeren; v. water, enz.*) faire monter; **4** (*v. produktie*) intensifier, augmenter.
op'voering *v.* **1** représentation *f.*; **2** augmentation *f.*; hausse *f.*, accroissement *m.*
op'volgen *ov.w.* **1** (*v. persoon*) succéder à; **2** (*v. raad, enz.*) suivre; **3** (*v. bevel*) obéir à; ***hij werd opgevolgd door zijn neef,*** son neveu lui succéda.
op'volger *m.* successeur *m.*
op'volging *v.* succession *f.*
opvor'derbaar *b.n.* exigible; ***dadelijk* —,** exigible sans préavis.
op'vorderen *ov.w.* réclamer, revendiquer.
op'vordering *v.* réclamation, revendication *f.*
opvouw'baar *b.n.* pliant, démontable.
op'vouwen *ov.w.* plier, replier.
op'vouwing *v.* pliage *m.*
op'vragen *ov.w.* **1** redemander; **2** (*v. geld*) retirer.
op'vreten I *ov.w.* **1** manger, dévorer; **2** (*invreten, v. metaal*) ronger, corroder; **3** (*fig.*) dévorer; ruiner; **II** *w.w.* ***zich* —,** se consumer, se manger le sang.
op'vrolijken *ov.w.* égayer, ragaillardir.
op'vrolijking *v.* égayement *m.*
op'vullen *ov.w.* **1** (*alg.*) remplir; **2** (*v. stoel, kussen*) rembourrer; **3** (*v. vlees*) farcir; **4** (*opzetten*) empailler.
op'vulling *v.* **1** remplissage *m.*; **2** rembourrement *m.*

op'vulsel *o.* 1 remplissage *m.*; 2 rembourrure *f.*; 3 (*v. vlees*) farce *f.*
op'waaien I *ov.w.* (*v. stof: opwaarts jagen*) soulever; **II** *on.w.* s'élever, être soulevé par le vent.
op'waarts I *bw.* 1 vers le haut, en haut; 2 (*v. rivier*) en amont; **II** *b.n.* ascendant; ***—e drukking,*** pression de bas en haut.
op'wachten *ov.w.* 1 attendre au passage; 2 (*ontvangen*) recevoir.
op'wachting *v.* 1 attente *f.*; 2 visite *f.*; ***zijn — bij iem. maken,*** rendre ses devoirs (*of* ses respects) à qn.
op'wandelen *on.w.* aller en avant, avancer.
op'warmen *ov.w.* réchauffer; ***iem. —,*** monter la tête à qn.
op'warming *v.* réchauffage *m.*
op'wassen *on.w.* grandir, croître.
op'wegen *on.w.* ***tegen iets —,*** contrebalancer qc., faire équilibre à qc.; ***tegen elkaar —,*** se valoir; ***tegen goud —,*** valoir son pesant d'or.
op'wekken *ov.w.* 1 (*wakker maken*) réveiller; 2 (*v. dode*) ressusciter; 3 (*prikkelen, aanwakkeren*) exciter, animer; stimuler; 4 (*v. elektriciteit: doen ontstaan*) produire, générer; 5 (*opvrolijken*) ragaillardir.
opwek'kend *b.n.* 1 (*prikkelend*) excitatif; 2 (*bemoedigend*) réconfortant; 3 (*vrolijk*) gai, animé; 4 (*gen.*) stimulant; ***een — middel,*** un stimulant.
op'wekking *v.* 1 réveil *m.*; 2 résurrection *f.*; 3 excitation, stimulation *f.*; 4 génération, production *f.*
op'wellen I *ov.w.* faire bouillir, faire mitonner; **II** *on.w.* 1 jaillir, surgir; 2 (*fig.*) naître, s'élever.
op'welling *v.* 1 jaillissement *m.*; 2 (*fig.*) impulsion *f.*; ***— van gramschap,*** mouvement *m.* de colère.
op'werken I *ov.w.* 1 (*naar boven werken*) monter, faire monter (péniblement); 2 (*afwerken*) monter, achever; 3 (*bijwerken*) rehausser, retoucher; **II** *on.w.* monter, s'élever; ***tegen elkaar —,*** rivaliser; **III** *w.w.* ***zich —,*** s'élever dans l'échelle sociale.
op'werpen I *ov.w.* 1 (*omhoog werpen*) jeter en l'air, lancer; 2 (*v. kaart*) jouer, jeter; 3 (*v. stof*) soulever; 4 (*v. dam, dijk*) élever; 5 (*v. kwestie, enz.*) soulever, mettre sur le tapis; 6 (*v. bezwaar*) élever, soulever; **II** *w.w.* ***zich — als,*** (*rechter, criticus*) s'ériger en; (*beschuldiger*) se porter.
op'werping *v.* 1 (*v. dijk, enz.*) construction *f.*; 2 (*fig.*) objection *f.*
op'winden I *ov.w.* 1 (*v. uurwerk*) remonter; 2 (*met windas*) guinder; 3 (*v. kluwen*) pelotonner, dévider; 4 (*v. klos*) bobiner; 5 (*fig.: v. persoon*) exciter; animer; **II** *w.w.* ***zich —,*** s'emballer, se monter, se monter la tête, s'énerver.
opwin'dend *b.n.* excitant, énervant.
op'winding *v.* 1 excitation, agitation *f.*; 2 emportement, emballement *m.*
op'wippen I *ov.w.* 1 faire basculer; 2 (*oplichten*) soulever; **II** *on.w.* se lever brusquement, — en sursaut; ***de trap —,*** monter l'escalier en courant.
op'wrijven *ov.w.* frotter, polir, faire reluire.
op'wroeten *ov.w.* 1 (*v. grond*) creuser, fouiller, remuer; 2 (*v. voorwerp*) déterrer.
op'zadelen *ov.w.* 1 (*v. paard*) seller; 2 (*v. lastdier*) bâter.
op'zakken *ov.w.* mettre en sacs.
op'zamelen *ov.w.* 1 rassembler, recueillir; 2 collectionner.
op'zameling *v.* rassemblement *m.*
opzeg'baar *b.n.* révocable, résiliable.
opzeg'baarheid *v.* révocabilité, résiliabilité *f.*
op'zeggen *ov.w.* 1 (*v. les*) réciter; 2 (*v. verzen*) réciter, déclamer; 3 (*v. contract, huurceel*) résilier; 4 (*v. verdrag*) dénoncer; 5 (*v. bediende*) congédier; ***zijn abonnement —,*** se désabonner; ***iem. zijn vertrouwen —,*** retirer sa confiance à qn.
op'zegging *v.* 1 récitation, déclamation *f.*; 2 résiliation *f.*; 3 dénonciation *f.*; 4 congé *m.*; ***met drie maanden —,*** à trois mois de préavis; ***recht van —,*** droit *m.* de renonciation; ***zonder voorafgaande —,*** sans avis préalable.
op'zeggingstermijn *m.* terme *m.* de révocation, échéance *f.*
op'zeilen *ov.w.* remonter (à la voile).
op'zenden *ov.w.* 1 envoyer, expédier; 2 (*nazenden*) faire suivre.
op'zending *v.* 1 envoi *m.*, expédition *f.*; 2 transfert *m.*
op'zet I *o.* (*plan, voornemen*) projet, dessein *m.*; ***met —,*** à dessein, de propos délibéré; ***zonder —,*** sans le faire exprès, sans le vouloir, sans intention; **II** *m.* 1 arrangement *m.*; 2 (*v. ontwerp*) ordonnance *f.*; 3 (*mil.: v. kanon*) hausse *f.*; 4 (*v. paard*) fausse rêne *f.*; 5 (*op bouwsom*) majoration *f.*; (*fig.*) ***de hele —,*** toute l'organisation.
opzet'telijk I *b.n.* intentionnel; **II** *bw.* intentionnellement, exprès, à dessein, de propos délibéré.
op'zetten I *ov.w.* 1 (*rechtzetten*) mettre debout; 2 (*v. kraag*) relever; 3 (*v. hoed, enz.*) mettre; 4 (*opvullen: v. vogel, enz.*) empailler; 5 (*v. winkel, onderneming; breiwerk*) monter; 6 (*op vuur*) mettre sur le feu; 7 (*fig.*) exciter; ***een keel —,*** crier à tue-tête; ***grote ogen —,*** ouvrir de grands yeux; ***een eigen huishouding —,*** se mettre en ménage, fonder un foyer; ***een hoge borst —,*** se rengorger, se pavaner; **II** *on.w.* 1 enfler; 2 (*v. maag, lever*) se dilater; ***komen —,*** 1 (*v. persoon*) arriver; 2 (*v. water*) monter; 3 (*v. onweer*) menacer.
op'zetteugel *m.* fausse rêne *f.*
op'zetting *v.* 1 enflement *m.*; 2 (*v. maag, lever*) dilatation *f.*; 3 (*ophitsing*) excitation *f.*
op'zicht *o.* 1 (*toezicht*) surveillance *f.*, contrôle *m.*; 2 (*oogpunt*) rapport, égard *m.*; ***in dit —,*** sous ce rapport, à ce point de vue; ***in ieder —,*** en tout point; ***menselijk —,*** respect humain; ***te zijnen —e,*** à son endroit, envers lui, à son égard.
op'zichter *m.* 1 surveillant *m.*; 2 (*meesterknecht*) contremaître *m.*; ***— bij de waterstaat,*** conducteur des ponts et chaussées.
opzich'tig I *b.n.* voyant; (*v. kleding*) tapageur; trop élégant; **II** *bw.* d'une manière voyante.
op'zien I *on.w.* 1 lever les yeux; 2 (*omhoog zien*) regarder en haut; ***vreemd —,*** être surpris, ouvrir de grands yeux; ***tegen de moeite —,*** reculer devant la peine; ***tegen iets —,*** avoir peur d'entreprendre qc.; ***ik zie er niet tegen op,*** cela ne m'effraye pas; ***tegen iem. —,*** respecter qn.; **II** *z.n., o.* 1 regard *m.*; 2 sensation *f.*; ***— baren,*** faire sensation, faire du bruit.
opzienba'rend *b.n.* sensationnel, retentissant.
op'ziener *m.* 1 inspecteur *m.*; 2 (*bewaker*) surveillant *m.*
op'zienersambt *o.* inspection *f.*
op'zitten *on.w.* 1 (*in bed*) se tenir sur son séant; 2 (*buiten bed*) être levé; 3 (*v. hond*) faire le beau; ***laat —,*** veiller, se coucher tard; ***er zal iets voor je —,*** tu prendras (*of* vas recevoir) qc.; ***— en pootjes geven,*** faire des courbettes.
op'zoeken *ov.w.* chercher, rechercher; ***iem. gaan —,*** aller trouver qn., aller voir qn.
op'zoekingen *mv.* recherches *f.pl.*
op'zouten *ov.w.* 1 saler; 2 (*fig.*) garder, conserver.
op'zuigen *ov.w.* 1 (*v. vloeistof, stof*) aspirer; 2 (*v. inkt, regen*) boire, absorber.

op'zuipen *ov.w.* **1** (*opdrinken*) boire, lamper; **2** (*verteren*) dépenser, dilapider.
Opzul'lik *o.* Silly.
op'zwelgen *ov.w.* avaler, engloutir.
op'zwellen *on.w.* **1** enfler, se gonfler; **2** (*gen.*) se tuméfier. [méfaction *f.*
op'zwelling *v.* **1** enflure *f.*, gonflement *m.*; **2** tu-
op'zwemmen *ov.w.* remonter (à la nage).
op'zwepen *ov.w.* **1** fouetter; **2** (*fig.*) exciter.
ora'kel *o.* oracle *m.*
ora'kelachtig I *b.n.* oraculeux, énigmatique; **II** *bw.* comme un oracle.
ora'kelen *on.w.* parler comme un oracle.
ora'kelspreuk *v.*(*m.*) oracle *m.*
ora'keltaal *v.*(*m.*) langage *m.* oraculeux, — énigmatique.
orang-oe'tan(**g**) *m.* orang*-outan(g)* *m.*
Oran'je *o.* Orange; (*eertijds*) principauté *f.* d'Orange.
oran'je I *z.n.* **1** *m.* (*boom*) oranger *m.*; **2** *v.* (*vrucht*) orange *f.*; **3** *o.* (*kleur*) orange *m.*; **II** *b.n.* orange, orangé.
oran'jeappel *m.* orange *f.*
oran'jebitter *o. en m.* bitter *m.* orangé.
oran'jebloesem *m.* fleur *f.* d'oranger.
oran'jeboom *m.* oranger *m.*
oran'jegezind *b.n.* orangiste.
oranjegezin'de *m.-v.* orangiste *m.-f.*
oran'jehuis *o.* maison *f.* d'Orange.
oran'jeklant *m.* orangiste *m.*
oran'jekleur *v.*(*m.*) couleur *f.* d'orange.
oran'jekleurig *b.n.* orange, orangé.
oran'jelint *o.* ruban *m.* orange.
oranjerie' *v.* orangerie *f.*
oran'jerood *b.n.* rouge orangé, nacarat.
oran'jeschil *v.*(*m.*) pelure *f.* d'orange, zeste *m.* —.
oran'jesnippers *mv.* orangeat *m.*
oran'jestrik *m.* nœud *m.* de ruban orange.
oran'jevlag *v.*(*m.*) pavillon *m.* d'Orange.
Oranje-Vrij'staat *m.* État *m.* d'Orange.
ora'tie *v.* **1** discours *m.*, harangue *f.*; **2** (*gebed*) oraison *f.*
orato'risch *b.n.* oratoire.
orato'rium *o.* **1** (*kapel: congregatie*) oratoire *m.*; **2** (*muz.*) oratorio *m.*
orchidee' *v.*(*m.*) orchidée *f.*
or'de *v.*(*m.*) **1** (*fig.*) ordre *m.*; **2** (*tucht*) discipline *f.*; ***in — brengen*** (*of* ***maken***), arranger; mettre en ordre; rajuster; ***in — komen,*** s'arranger, se redresser; ***— houden,*** maintenir la discipline, — l'ordre; ***de — herstellen,*** rétablir l'ordre; ***aan de —,*** à l'ordre du jour; ***zijn maag is niet in —,*** il a l'estomac dérangé, — délabré, — à l'envers; ***zijn papieren zijn niet in —,*** ses papiers ne sont pas en règle; ***hij is weer in —,*** il est rétabli; ***'t is in —,*** ça y est; ***overgaan tot de — van de dag,*** passer à l'ordre du jour; ***voor de goede —,*** pour la bonne règle.
or'deband *m.* ruban *m.* (d'un ordre).
or'debroeder *m.* religieux *m.*
or'dedienst *m.* service *m.* d'ordre.
or'deketen *v.*(*m.*) collier *m.* (d'un ordre).
or'dekleed *o.* habit *m.* religieux.
or'dekruis *o.* croix *f.* (d'un ordre).
ordelie'vend *b.n.* ordonné; ami de l'ordre.
ordelie'vendheid *v.* esprit *m.* d'ordre, amour *m.* de l'ordre, esprit *m.* méthodique.
or'delijk I *b.n.* **1** (*geregeld*) régulier; **2** (*stelselmatig*) méthodique; **3** (*v. huishouden*) bien tenu; **4** (*v. leven, persoon*) rangé; **II** *bw.* **1** régulièrement; **2** méthodiquement; ***— inrichten,*** arranger avec ordre.
or'delijkheid *v.* **1** ordre *m.*; **2** méthode *f.*
or'delint *o.* ruban *m.* (d'un ordre).
or'deloos I *b.n.* **1** irrégulier; **2** déréglé; **3** sans ordre, désordonné; **II** *bw.* sans ordre.
ordeloos'heid *v.* désordre *m.*
or'denen *ov.w.* **1** (*regelen*) arranger; **2** (*schikken*) classer, disposer; **3** (*tot priester* —) ordonner (prêtre).
or'dening *v.* **1** arrangement *m.*; **2** classement *m.*, disposition *f.*; **3** ordination *f.*
orden'telijk I *b.n.* convenable, honnête; **II** *bw.* convenablement, comme il faut.
orden'telijkheid *v.* convenance *f.*
or'der *v.*(*m.*) *en o.* **1** ordre *m.*; **2** (*H.: bestelling*) commande *f.*; ***tot nader —,*** jusqu'à nouvel ordre; ***— tot terugbetaling,*** mandat de restitution *m.*
or'derboek *o.* livre *m.* de commander.
or'derbriefje *o.* billet *m.* à ordre.
or'deregel *m.* ordre *m.*
or'derformulier *o.* bulletin *m.* de commandes.
or'derpapier *o.* papier *m.* à ordre.
or'desgeestelijke *m.* régulier *m.*
or'deteken *o.* décoration *f.*
or'deverstoorder *m.* perturbateur *m.*
ordinaat' *v.*(*m.*) (*wisk.*) ordonnée *f.*
ordinair' *b.n.* **1** (*gewoon*) ordinaire; **2** (*alledaags, plat*) vulgaire, trivial.
ordina'rium *o.* **1** budget *m.* ordinaire; **2** (*v. mis*) ordinaire *m.*
ordine'ren *ov.w.* ordonner.
Or'dingen *o.* Ordange *m.*
ord'ner *m.* classeur *m.*
ordonnans' *m.* **1** officier *m.* d'ordonnance; **2** (*v. officier*) planton, brosseur *m.*, ordonnance *f.*
ordonnan'tie *v.* ordonnance *f.*
ordonne'ren *ov.w.* ordonner.
ore'mus *o.* orémus *m.*; ***'t is daar —,*** le torchon brûle.
ore'ren *on.w.* prononcer un discours, pérorer; (*scherts*) pérorer; palabrer, épiloguer (sur).
orgaan' *o.* organe *m.*; organisme *m.*
organiek' *b.n.* organique.
organisa'tie, -iza'tie *v.* organisation *f.*
organisa'tietalent *o.* esprit *m.* organisateur, — d'initiative.
organisa'tor, -iza'tor *m.* organisateur *m.*
orga'nisch I *b.n.* organique; ***—e stoffen,*** des matières *f.pl.* organiques; **II** *bw.* organiquement.
organise'ren, -ize'ren *ov.w.* organiser.
organis'me *o.* organisme *m.*
organist' *m.* organiste *m.*
organizat-, organizeren, *zie* ***organisat-, organiseren.***
or'gel *o.* **1** (*in kerk*) orgue *m.*, orgues *f.pl.*; **2** (*draaiorgel*) orgue *m.* de Barbarie.
or'gelblaasbalg *m.* soufflet *m.* d'orgue.
or'gelbouwer *m.* organier *m.*, facteur *m.* d'orgues.
or'gelconcert, -koncert *o.* **1** concert *m.* d'orgue; **2** (*muziekstuk*) concerto *m.* pour orgue.
or'geldraaier *m.* joueur *m.* d'orgue (de Barbarie).
or'gelen *on.w.* **1** jouer de l'orgue; **2** (*v. vogel*) chanter à plein gosier.
or'gelkast *v.*(*m.*) buffet *m.* d'orgue.
or'gelklank *m.* son *m.* d'un orgue.
or'gelkoncert, *zie* ***orgelconcert.***
or'gelmaker *m.* facteur *m.* d'orgues, fabricant *m.* —.
or'gelmuziek *v.* musique *f.* d'orgue.
or'gelpedaal *o. en m.* pédalier *m.*
or'gelpijp *v.*(*m.*) tuyau *m.* d'orgue.
or'gelpunt *v.*(*m.*) *en o.* point *m.* d'orgue.
or'gelregister *o.* jeu *m.* (d'orgue).

or'gelspel *o.* jeu *m.* d'orgue.
or'gelspeler *m.* organiste *m.*
or'geltoon *m.* son *m.* de l'orgue.
or'geltrapper *m.* souffleur *m.* d'orgue.
oriënte'ren *w.w.*, ***zich —,*** s'orienter.
oriënte'ring *v.* orientation *f.*; ***te uwer —,*** pour votre gouverne.
oriënte'ringspunt *o.* point *m.* de repère.
oriënte'ringsvermogen *o.* sens *m.* de la direction.
originaliteit' *v.* originalité *f.*
origineel' **I** *b.n.* original; **II** *bw.* originalement; **III** *z.n., o.* **1** (*alg.*) original *m.*; **2** (*v. akte*) minute *f.*; **3** (*v. vertaling*) texte *m.*; ***originele verpakking,*** premier emballage; **IV** (*v. persoon*) *m.* original *m.*
Orino'co *v.* Orénoque *m.*
orkaan' *m.* ouragan *m.*
Orka'dische eilanden *mv.* Orcades *f.pl.*
orkest' *o.* orchestre *m.*
orkest'bak *m.* fosse *f.* (d'orchestre).
orkest'bezetting *v.* ensemble *m.* des (*of* d')instrumentistes dans un orchestre.
orkest'directeur, -direkteur *m.* chef *m.* d'orchestre.
orkest'leider *m.* chef *m.* d'orchestre.
orkest'meester *m.* second chef *m.* d'orchestre.
orkest'partij *v.* partie *f.* (d'orchestre).
orkest'partituur *v.* partition *f.* pour orchestre.
orkestra'tie *v.* orchestration *f.*
orkestre'ren *ov.w.* orchestrer.
orkest'stuk *o.* morceau *m.* d'ensemble (pour orchestre).
ornaat' *o.* ***vol —,*** **1** costume *m.* d'apparat, grand apparat *m.*; **2** (*kath.*) habits *m.pl.* pontificaux.
ornament', ornement' *o.* ornement *m.*
ornamente'ren *ov.w.* orner, ornementer.
ornamente'ring *v.* ornementation *f.*
ornamentiek' *v.* ornementation *f.*
ornement', ornament' *o.* ornement *m.*
Or'pheus *m.* Orphée *m.*
ort(h)odox' *b.n.* orthodoxe.
ort(h)ografie' *v.* ortographe *f.*
ort(h)ogra'fisch **I** *b.n.* orthographique; **II** *bw.* orthographiquement.
ortolaan' *m.* ortolan *m.*
os *m.* **1** bœuf *m.*; **2** (*fig.*) imbécile, butor *m.*; ***de —sen achter de ploeg spannen,*** mettre la charrue devant les bœufs; ***van de — op de ezel springen,*** faire des coq-à-l'âne.
Osmaans' *b.n.* ottoman.
osmo'se *v.* osmose *f.*
os'sebloed *o.* sang *m.* de bœuf.
os'segebraad *o.* rôti *m.* de bœuf.
os'sehaas *m.* filet *m.* de bœuf.
os'seharst *m.* aloyau *m.* (de bœuf).
os'sehuid *v.(m.)* peau *f.* de bœuf.
os'sekop *m.* tête *f.* de bœuf.
os'selapje *o.* tranche *f.* de bœuf.
os'sendrijver *m.* bouvier *m.*
os'senmarkt *v.(m.)* marché *m.* aux bœufs.
os'seoog *o.* **1** œil *m.* de bœuf; **2** (*Pl.*) camomille *f.* des champs; **3** (*fig.*) œil*-de-bœuf *m.*
os'sestal *m.* bouverie *f.*
os'setong *v.(m.)* langue *f.* de bœuf.
os'sevlees *o.* (du) bœuf *m.*
os'sewagen *m.* chariot *m.* à bœufs.
os'tensorium *o.* ostensoir *m.*
Ottenburg *o.* Ottenbourg.
ot'ter *m.* loutre *f.*
ot'terbont *o.* loutre *f.*
ot'tervangst *v.* chasse *f.* aux loutres.
ot'tervel *o.* (peau de) loutre *f.*
Ot'to *m.* Othon *m.*
Ottomaans' *b.n.* ottoman.
oud *b.n.* **1** (*niet jong*) vieux; **2** (*v. leeftijd*) âgé (de); **3** (*vroeger*) ancien; **4** (*ouderwets*) antique; **5** (*gebruikt, versleten*) vieux, usé; ***hoe — is hij?*** quel âge a-t-il? ***hij is 20 jaar,*** il est âgé de 20 ans, il a 20 ans; ***hij is — genoeg om,*** il est en âge de; ***— worden,*** vieillir; ***— brood,*** du pain rassis; ***een —e cheque,*** un chèque périmé; ***—e kaas,*** du fromage fait; ***het —e testament,*** l'ancien testament; ***van de —e stempel,*** de la vieille roche; ***— en jong,*** jeunes et vieux; ***de —-burgemeester,*** l'ancien bourgmestre; ***de —e geschiedenis,*** l'histoire ancienne; ***de —e talen,*** les langues anciennes; ***de —e dag,*** la vieillesse; ***de —e Adam afleggen,*** dépouiller le vieil homme; ***er — uitzien,*** être plus vieux que son âge; ***vroeg — zijn,*** être vieux avant l'âge; ***ouwe kost,*** (*fig.*) du réchauffé; ***—e kerel,*** vieille barbe; ***—e vrijer,*** vieux garçon célibataire *m.*; ***—e vrijster,*** vieille fille *f.*; ***—e rommel,*** vieilleries *f.pl.*; ***een —e rot,*** un vieux renard, un vieux routier; ***zo — als de weg naar Rome,*** vieux comme le monde, vieux comme les rues.
oud'achtig *b.n.* un peu vieux, vieillot.
oudbak'ken *b.n.* **1** (*v. brood*) rassis; **2** (*fig.*) suranné, rebattu, antique.
oude *m.-v.* vieux, vieillard *m.*; vieille (femme) *f.*; ***de O—n,*** les Anciens; ***hij blijft de —,*** il est toujours le même; ***alles is bij het — gebleven,*** il n'y a rien de changé; ***alles bij het — laten,*** laisser les affaires telles quelles; ***zoals de —n zongen piepen de jongen,*** bon chien chasse de race; le moine répond comme l'abbé chante.
oudejaar' *o.*, **—sdag** *m.* la veille de l'an, la Saint-Sylvestre *f.*
oudejaarsa'vond *m.* la Saint-Sylvestre.
oude-kleer'koper *m.* fripier *m.*, marchand *m.* d'habits.
oude-kleerkoperij' *v.* friperie *f.*
oudeman'nenhuis *o.* hospice *m.* (des vieillards).
ou'der **I** *b.n.* plus âgé; plus vieux; ***hij is drie jaar — dan ik,*** il est mon aîné de 3 ans, il a 3 ans de plus que moi, il est plus âgé que moi de 3 ans; ***— gewoonte,*** comme d'habitude; ***hoe —, hoe gekker,*** il n'est folie que de vieilles gens; **II** *z.n., m.* père *m.*, mère *f.*; ***van — tot —,*** de père en fils; ***—s,*** parents *m.pl.*; ***zijn —s,*** ses père et mère, ses parents.
ou'derdom *m.* **1** (*leeftijd*) âge *m.*; **2** (*hoge leeftijd*) vieillesse *f.*; **3** (*oude mensen*) vieilles gens *m.pl.*; vieillesse *f.*; ***op hoge —,*** dans un âge avancé.
ou'derdomskwaal *v.(m.)* maladie *f.* de vieillesse infirmité *f.* —.
ou'derdomspensioen *o.* retraite *f.* à la vieillesse, — de la sécurité sociale.
ou'derdomsrente *v.(m.)* pension *f.* de vieillesse.
ou'derdomszwakte *v.* décrépitude *f.*
ouderejaars' *m.-v.* ancien *m.*, —ne *f.*
ou'derhart *o.* cœur *m.* de père, — de mère.
ou'derhuis *o.* maison *f.* paternelle.
ou'derliefde *v.* amour *m.* paternel, — maternel.
ou'derlijk *b.n.* paternel, des parents.
ou'derling *m.* **1** ancien, marguillier *m.*; **2** (*Z.N.: oude man*) vieillard *m.*
ou'derlingenbank *v.(m.)* banc *m.* d'œuvre.
ou'derloos *b.n.* orphelin, sans parents.
ou'derpaar *o.* parents *m.pl.*
ou'dervereniging *v.* association *f.* de parent d'élèves. [rents.
ou'dervreugde *v.* joie *f.* paternelle, — des pa-
ouderwets' **I** *b.n.* **1** suranné, démodé, vieux jeu,

vieux style, antique; **2** (*v. uitdrukking*) vieilli; **3** (*v. stijl*) archaïque, (*antiek*) ancien; **4** (*v. bedrijf*) vétuste, anachronique; **II** *bw.* à l'ancienne mode.
ouderwets'heid *v.* caractère *m.* démodé, — suranné.
oudevrou'wenhuis *o.* hospice *m.* (de femmes).
oudewij'venpraat *m.* commérage *m.*, conte *m.* de vieille femme.
oud'gast *m.* ancien colonial, vieux colonial *m.* [*f.*
oudgedien'de *m.* vétéran *m.*; (*eert.*) morte*-paye*
oud'heid *v.* **1** (*gesch.*) antiquité *f.*; **2** (*v. rang, familie*) ancienneté *f.*; **3** (*het oud zijn*) vieillesse *f.*; ***museum van oudheden,*** musée d'antiquités; ***uit de —,*** antique.
oud'heidkenner *m.* archéologue *m.*
oud'heidkunde *v.* archéologie *f.*
oudheidkun'dig I *b.n.* archéologique; **II** *bw.* archéologiquement.
Oud-He'verlee o. Vieux-Héverlé.
oudhol'lands *b.n.* vieux hollandais; ***— papier,*** papier de Hollande.
oud'je *o.* vieux *m.*; vieille, sans-dent* *f.*
oud-kat(h)oliek' I *b.n.* vieux-catholique; **II** *z.n. m.* vieux-catholique* *m.*
oud-leer'ling *m.* ancien élève *m.*
oud'oom *m.* grand*-oncle* *m.*
oudroest' *o.* vieille ferraille *f.*
ouds *bw.* ***van —,*** depuis longtemps.
oudsher' *bw.* ***van —,*** depuis très longtemps, depuis toujours, de temps immémorial.
oud-soldaat' *m.* ancien soldat *m.*
oud'ste *m.* **1** (*eerstgeborene*) aîné *m.*; **2** (*bejaardste*) le plus âgé; le plus vieux *m.*; **3** (*deken*) doyen *m.*
oud-strij'der *m.* ancien combattant *m.*
oud-student' *m.* ancien étudiant *m.*
oud'tante *v.* grand*-tante* *f.*
oudtestamen'tisch *b.n.* ancien testamentaire.
oud'tijds *bw.* anciennement, jadis, autrefois.
oudva'derlijk I *b.n.* patriarcal; **II** *bw.* patriarcalement.
out'cast *m.* réprouvé, outcast, paria *m.*
outilla'ge *v.* outillage *m.*
out'line *v.(m.)* ligne *f.* de touche.
out'sider *m.* outsider *m.*
ou'we *m.* (*fam.*) vieux *m.*
ou'wel *m.* **1** pain *m.* azyme; **2** (*niet geconsacreerde hostie*) pain *m.* d'autel; **3** (*gen.*) cachet *m.*; **4** (*eertijds voor brieven*) pain *m.* à cacheter.
ou'welijk *b.n.* vieillot.
ovaal' I *b.n.* ovale; **II** *z.n., o.* ovale *m.*
ova'rium *o.* ovaire *m.*
ova'tie *v.* ovation *f.*
o'ven *m.* **1** (*v. bakker*) four *m.*; **2** (*fornuis, smeltoven*) fourneau *m.*; ***gloeiende —,*** fournaise *f.*; ***in de — schieten,*** enfourner; ***uit de — halen,*** désenfourner.
o'vendeur *v.(m.)* porte *f.* d'un four, bouchoir *m.*
o'vengaffel *v.(m.)* fourgon *m.*
o'vengat *o.* gueule *f.* du four.
o'venhuis *o.* fournil *m.*
o'venkachel *v.(m.)* cuisinière *f.*, fourneau *m.*
o'venkrabber *m.* râble *m.*
o'venplaat *v.(m.)* plaque *f.* de fourneau.
o'venschop *v.(m.)* pelle *f.* de boulanger.
o'venvuur *o.* fournaise *f.*
o'ver I *vz.* **1** (*boven*) au-dessus de; **2** (*aan de andere kant van*) au delà de, de l'autre côté de; **3** (*tegenover*) en face de; (*vlak tegenover*) vis-à-vis de; **4** (*v. tijd: na*) dans; (*gedurende*) pendant; **5** (*v. de weg: via*) par; **6** (*betreffende*) sur; **7** (*meer dan*) plus de; **8** (*dwarsover*) en travers de; ***— zee,*** par mer; ***— land,*** par la voie de terre; ***— enige dagen,*** d'ici quelques jours, dans quelques jours; ***vandaag — acht dagen,*** d'aujourd'hui en huit; ***— de sloot springen,*** sauter par-dessus le fossé, franchir le fossé; ***'t is — vieren,*** il est quatre heures passées; ***kwart — acht,*** huit heures et (un) quart; ***— de brug gaan,*** passer sur le pont; traverser le pont; ***wij werken — dag,*** nous travaillons le jour, — pendant la journée; ***het eens zijn — iets,*** être d'accord au sujet de qc.; ***hij is — de zestig,*** il a dépassé la soixantaine, il a soixante ans accomplis (*of* sonnés); ***klagen —,*** se plaindre de; ***zich verwonderen —,*** s'étonner de; ***van — 't graf,*** d'outre-tombe; **II** *bw.* **1** (*voorbij*) passé; **2** (*te veel, overig*) de reste; ***ik heb niets —,*** il ne me reste rien; ***hij heeft geld te —,*** il a de l'argent en abondance; ***— en weer,*** de part et d'autre, réciproquement; ***— en weer lopen,*** aller et venir; ***wij hebben familie —,*** nous avons des parents chez nous.
overal' *bw.* partout; ***van —,*** de toutes parts. [*f.*
overal(l)' *m.* combinaison *f.* (de travail); salopette
o'verbabbelen *ov.w.* rapporter, trahir.
o'verbakken *ov.w.* recuire. [connu.
o'verbekend *b.n.* connu de tout le monde, archi-
o'verbelasten *ov.w.* **1** (*v. vracht*) surcharger; **2** (*v. belastingen*) surimposer. [tion *f.*
o'verbelasting *v.* **1** surcharge *f.*; **2** surimposi-
o'verbeleefd *b.n.* trop poli, trop complaisant; (*kruiperig*) obséquieux.
o'verbeleefdheid *v.* politesse *f.* excessive; obséquiosité *f.*
o'verbelichten *ov.w.* surexposer.
o'verbelichting *v.* surexposition *f.*
o'verbeschaafd *b.n.* raffiné, surcivilisé.
o'verbeschaafdheid, o'verbeschaving *v.* civilisation *f.* trop raffinée, excès *m.* de civilisation, hyperculture *f.*
o'verbevolking *v.* **1** (*daad*) surpeuplement *m.*; **2** surpopulation *f.*, excès *m.* de population.
overbevolkt' *b.n.* surpeuplé.
overbie'den *ov.w.* surenchérir, renchérir (sur qn.).
o'verbinden *ov.w.* **1** lier sur; **2** (*opnieuw binden*) rattacher de nouveau, relier.
o'verblijfsel *o.* **1** (*overschot*) reste; restant *m.*; **2** (*v. maal*) reliefs *m.pl.*; **3** (*brokjes*) bribes *f.pl.*; **4** (*bezinksel, na verdamping, enz.*) résidu *m.*; **5** (*spoor*) trace *f.*, vestige *m.*; **6** (*v. heilige: reliek*) relique *f.*; **7** (*v. instelling, gebruik*) survivance *f.*; **8** (*bouwval*) débris *m.*; **9** (*v. ziekte*) reliquat *m.*
o'verblijven *on.w.* **1** (*overschieten*) rester; **2** (*blijven leven*) rester en vie, survivre; **3** (*op school*) rester à l'école; **4** (*overnachten*) passer la nuit.
o'verblijvend *b.n.* **1** restant; **2** (*v. plant*) vivace; ***de —en,*** les survivants.
o'verblijver *m.* **1** (*Pl.*) pérot *m.*; **2** (*op school*) demi-pensionnaire* *m.*
overbluf'fen *ov.w.* déconcerter, ahurir, interloquer, épater.
overbluft' *b.n.* ahuri, interdit, abasourdi, épaté.
overbo'dig *b.n.* superflu, inutile.
overbo'digheid *v.* inutilité *f.*
o'verboeken *ov.w.* **1** (*in grootboek, enz.*) transcrire; **2** (*op andere rekening*) virer.
o'verboeking *v.* **1** transcription *f.*; **2** virement *m.*
overboord' *bw.* **1** par-dessus bord; **2** (*fig.*) perdu; ***een man —!*** un homme à la mer!
o'verbrengen *ov.w.* **1** (*v. bevel, nieuws*) transmettre; **2** (*vervoeren: v. meubelen, gekwetste enz.*) transporter; **3** (*v. kantoor, zetel, gevangene*) transférer; **4** (*v. boodschap*) faire; s'acquitter de; **5** (*klikken*) rapporter; **6** (*H.*) reporter; **7** (*vertalen*) traduire; ***in het Engels —,*** (*fam. ook:*) mettre en anglais.

o'verbrenger *m.* **1** (*v. boodschap, brief*) porteur *m.*; **2** (*ong.: klikker*) rapporteur *m.*
o'verbrenging *v.* **1** transmission *f.*; **2** transport *m.*; **3** transfert *m.*; **4** (*H.*) report *m.*; **5** (*v. lijk*) translation *f.*; **6** (*vertaling*) traduction *f.*; **7** (*v. machine*) transmission *f.*
o'verbrieven *ov.w.* rapporter, répéter.
overbrug'gen *ov.w.* **1** jeter un pont sur; **2** (*fig.: v. geschil*) aplanir.
overbrug'ging *v.* **1** construction *f.* d'un pont; **2** aplanissement *m.*
overbrug'gingsgeld *o.* prime *f.* d'attente.
overbrug'gingsperiode *v.* période *f.* de soudure.
o'verbuigen I *ov.w.* faire pencher, recourber; **II** *on.w.* pencher; **III** *w.w.* ***zich —,*** se pencher (*naar*, vers, du côté de).
o'verbuiging *v.* inflexion *f.*
o'verbuur *m.* **1** voisin *m.* d'en face; **2** (*aan tafel*) vis-à-vis *m.*
overcompleet', overkompleet' *b.n.* de trop, en surnombre.
o'verdaad *v.*(*m.*) **1** (*overvloed*) surabondance, profusion *f.*; **2** (*verkwisting*) prodigalité *f.*, gaspillage *m.*; **3** (*buitensporigheid, onmatigheid*) excès *m.*; **4** (*overdadige weelde*) luxe *m.*, somptuosité *f.*
overda'dig I *b.n.* **1** superflu; **2** prodigue; **3** excessif; **II** *bw.* avec prodigalité; excessivement, outre mesure.
overda'digheid *v.* profusion *f.*; excès *m.*
overdag' (pendant) le jour, de jour.
overdek'ken *ov.w.* couvrir, recouvrir.
overdek'king *v.* **1** couverture *f.*; **2** (*zeil*) bâche *f.*
overdekt' *b.n.* **1** couvert; **2** (*sch.*) ponté; ***—e markt,*** halle(s) *f.*(*pl.*).
overden'ken *ov.w.* méditer, réfléchir (sur), peser (qc.).
overden'king *v.* méditation, réflexion *f.*
o'verdisponeren *on.w.* (*H.*) prendre à découvert.
o'verdoen *ov.w.* **1** (*opnieuw doen*) refaire, recommencer; **2** (*overdragen, verkopen*) céder, vendre; ***zijn winkel —,*** céder son fonds (de commerce).
overdon'deren *ov.w.* abasourdir, interloquer.
o'verdopen *ov.w.* rebaptiser.
overdraag'baar *b.n.* transmissible, négociable, transférable; ***niet —,*** incessible.
overdraag'baarheid *v.* transmissibilité *f.*
o'verdracht *v.*(*m.*) **1** (*v. goed, ambt*) transmission *f.*; **2** (*recht*) transfert *m.*; **3** (*op rekening*) virement, transfert *m.*; **4** (*afstand*) cession *f.*; **5** (*v. schuld*) translation, délégation *f.*; ***de — van een wissel,*** l'endos d'une lettre de change; ***rechten van —,*** droits de mutation.
overdrach'telijk I *b.n.* figuré, métaphorique; **II** *bw.* au figuré, métaphoriquement.
o'verdrachttaks *v.*(*m.*) (*Belg.*) **1** (*Belg.*) taxe *f.* de transmission; **2** impôt *m.* (*of* taxe *f.*) sur le chiffre d'affaires.
o'verdragen *ov.w.* **1** (*van een plaats naar een andere*) transporter, transférer; **2** (*afstaan, overgeven*) céder, remettre; **3** (*H.: overboeken*) reporter; **4** (*v. wissel*) endosser; **5** (*v. recht, enz.*) déléguer, transmettre.
overdre'ven I *b.n.* **1** exagéré, outré; **2** (*buitensporig*) extravagant, exorbitant, excessif; **II** *bw.* **1** d'une manière exagérée; **2** trop, à l'excès.
overdre'venheid *v.* **1** exagération *f.*; **2** extravagance *f.*, excès *m.*
o'verdrijven *on.w.* (*v. onweer*) passer.
overdrij'ven I *ov.w.* **1** exagérer, outrer; **2** (*v. rol, schilderij*) charger; **II** *on.w.* exagérer.
overdrij'ver *m.* exagérateur *m.*
overdrij'ving *v.* exagération, outrance *f.*
o'verdruk *m.* **1** (*drukk.*) tirage *m.* à part; **2** (*op postzegel*) surcharge *f.*; **3** (*v. machine*) surcroît *m.* de pression.
o'verdrukken *ov.w.* **1** (*herdrukken*) réimprimer; **2** (*boven de oplaag*) tirer de plus; **3** (*v. artikel, enz.*) tirer à part; **4** (*v. plaatje, enz.*) décalquer.
o'verdrukplaatje *o.* image *f.* à décalquer.
o'verduidelijk *b.n* très clair, trop évident, clair comme le jour.
overdwars' I *b.n.* transversal; **II** *bw.* de (*of* en) travers, transversalement.
overeen' *bw.* l'un sur l'autre, l'un au-dessus de l'autre; ***dat komt — uit,*** cela revient au même.
overeen'brengen *ov.w.* mettre d'accord, accorder, concilier (avec).
overeen'komen *on.w.* **1** (*overeenstemmen*) concorder, correspondre; **2** (*v. kleuren*) s'harmoniser; **3** (*v. personen*) s'entendre; **4** (*gram.*) s'accorder; **5** (*het eens worden*) tomber d'accord, s'accorder, convenir (de).
overeen'komend *b.n.* conforme (à), concordant.
overeen'komst *v.* **1** (*gelijkenis*) analogie *f.*; **2** (*gelijkvormigheid: v. belangen, enz.*) conformité *f.*; **3** (*afspraak*) convention *f.*, arrangement, accord *m.*; **4** (*vergelijk*) compromis *m.*; **5** (*contract, verdrag*) contrat *m.*, convention *f.*, traité *m.*; ***eenzijdige —,*** contrat unilatéral; ***volgens onderlinge —,*** de commun accord.
overeenkom'stig I *b.n.* **1** (*gelijkend*) analogue (à); **2** (*gelijk*) conforme (à); **3** (*wisk.: v. hoek*) correspondant; **4** (*v. zijde*) homologue; **II** *vz.* conformément à, en vertu de; en conformité avec.
overeen'liggend *b.n.* **1** superposé; **2** (*Pl.*) imbriqué.
overeen'stemmen *on.w.* **1** (*alg.*) être d'accord; concorder; **2** (*v. karakters*) s'accorder; **3** (*gram.*) s'accorder; **4** (*overeenkomen met: woorden met daden, enz.*) cadrer (avec).
overeen'stemming *v.* **1** accord *m.*, harmonie *f.*; **2** (*gelijkvormigheid*) conformité, concordance *f.*; **3** (*gelijkluidendheid: v. klanken*) consonance *f.*; **4** (*verstandhouding*) entente *f.*; **5** (*v. gedachten, gevoelens*) communauté *f.*; ***in — met,*** **1** (*met iem.*) d'accord avec; **2** (*overeenkomstig*) conformément à.
overeind' *bw.* debout; ***— zetten,*** dresser, mettre debout; ***— gaan zitten,*** se mettre sur son séant.
overer'felijk *b.n.* héréditaire, héréditairement transmissible.
o'vererven I *ov.w.* hériter; **II** *on.w.* **1** (*v. goed*) passer (à); **2** (*v. ziekte*) se transmettre (par hérédité).
o'vererving *v.* hérédité, transmission *f.*
overe'ten, *zich —,* *w.w.* manger trop, se donner une digestion.
o'vergaaf, o'vergave *v.*(*m.*) **1** (*mil.: v. stad*) capitulation, reddition *f.*; **2** (*overhandiging*) remise, livraison *f.*; **3** (*v. bestuur*) transmission *f.*
o'vergaan *on.w.* **1** (*v. brug*) traverser, passer sur; **2** (*v. straat*) passer dans; traverser; **3** (*v. bel*) marcher, sonner; **4** (*v. pijn, kwaal, enz.: ophouden*) passer; disparaître, se guérir; **5** (*op school*) passer à une classe supérieure; ***tot bederf —,*** se corrompre, pourrir, se putréfier; ***ik kan er niet toe —,*** je ne puis m'y décider; ***tot de verkoop —,*** procéder à la vente; ***tot de katholieke godsdienst —,*** se convertir au catholicisme; ***de lading ging over,*** la cargaison fut transférée; ***in andere handen —,*** changer de mains.
o'vergang *m.* **1** passage *m.*; **2** (*recht*) mutation *f.*; **3** (*letterk.*) transition *f.*; **4** (*v. mening, enz.*) changement *m.*; **5** (*v. kleur*) gradation *f.*; demi-teinte* *f.*; **6** (*bekering*) conversion *f.*
o'vergangsbepaling *v.* disposition *f.* transitoire; article *m.* additionnel.

o'vergangsexamen, -eksamen *o.* examen *m.* de passage.
o'vergangsklimaat *o.* climat *m.* intermédiaire.
o'vergangsleeftijd *m.* âge *m.* critique; ménopause *f.*
o'vergangsmaatregel *m.* mesure *f.* de transition, — transitoire.
o'vergangsrecht *o.* droit *m.* de mutation.
o'vergangstijdperk *o.* période *f.* de transition.
o'vergangstoestand *m.* période *f.* de transition.
o'vergangsvorm *m.* forme *f.* intermédiaire.
o'vergangswet *v.(m.)* loi *f.* de transition.
overgan'kelijk I *b.n.* transitif; **II** *bw.* transitivement.
o'vergave, *zie* ***overgaaf***; ***tegen — van,*** contre remise de; ***— aan God,*** abandon *m.* à Dieu; soumission *f.* à Dieu.
o'vergedienstig I *b.n.* obséquieux, trop empressé; **II** *bw.* obséquieusement.
o'vergedienstigheid *v.* obséquiosité *f.*
o'vergelukkig *b.n.* trop heureux, ivre de bonheur, ravi.
o'vergeven I *ov.w.* **1** (*overreiken*) remettre, passer; **2** (*overleveren: aan plundering, enz.*) livrer (à); **3** (*mil.: v. stad, vesting*) rendre, livrer; **4** (*afstand doen van: v. recht, enz.*) céder; **5** (*braken*) rendre, vomir; **II** *on.w.* vomir; **III** *w.w.* ***zich —,*** **1** se rendre; **2** (*vaak ong.*) s'adonner; ***zich — aan de drank,*** s'adonner à la boisson; ***zich aan uitspattingen —,*** se livrer à des excès; ***zich — aan zijn hartstocht,*** s'abandonner à sa passion.
o'vergeving, *zie* ***overgaaf.***
overgevoe'lig *b.n.* trop sensible, sentimental; hyperémotif.
overgevoe'ligheid *v.* trop grande sensibilité, sentimentalité, sensiblerie *f.*
o'vergewicht *o.* excédent *m.* de poids.
o'vergieten *ov.w.* **1** (*in ander vat, enz.*) transvaser; **2** (*morsen*) répandre.
overgie'ten *ov.w.* **1** arroser; **2** (*fig.: met licht*) baigner; **3** (*v. vruchten, enz. met suiker*) couvrir; ***ze zijn met hetzelfde sop overgoten,*** ils sont de même farine.
o'verglijden *on.w.* glisser (sur).
o'vergooien *ov.w.* jeter (par-dessus).
o'vergooier *m.* casaque *f.*
o'vergordijn *o.* rideau *m.*
o'vergreep *m.* (*muz.*) démanchement *m.*
o'vergrijpen *on.w.* (*muz.*) démancher.
overgroei'en *ov.w.* couvrir.
o'vergroot *b.n.* énorme, capital; ***de overgrote meerderheid,*** l'immense majorité.
o'vergrootmoeder *v.* bisaïeule *f.*
o'vergrootouders *mv.* bisaïeuls *m.pl.*
o'vergrootvader *m.* bisaïeul *m.*
o'verhaal *m.* **1** passage *m.*; **2** (*overzetveer*) bac *m.*
o'verhaalglas *o.* alambic *m.*
overhaast' *b.n.* trop pressé, précipité.
overhaas'ten I *ov.w.* trop hâter, précipiter; **II** *w.w.* ***zich —,*** se presser trop, se hâter.
overhaastig I *b.n.* trop pressé; **II** *bw.* trop vite, avec précipitation.
overhaas'ting *v.* précipitation *f.*
o'verhalen *ov.w.* **1** (*over water*) passer; **2** (*v. balans*) faire pencher; **3** (*scheik.*) distiller; alambiquer; **4** (*fig.: overreden, doen besluiten*) persuader, décider (qn. à faire qc.); ***de haan —,*** armer un fusil; ***de rem —,*** faire fonctionner le frein; ***een bal —,*** (*bilj.*) faire un doublé.
o'verhaling *v.* **1** passage *m.*; **2** distillation *f.*; **3** persuasion *f.*
o'verhand *v.(m.)* avantage *m.*, supériorité *f.*; ***de — hebben,*** avoir le dessus; ***de — krijgen,*** prendre le dessus, l'emporter.
overhan'digen *ov.w.* remettre.
overhan'diging *v.* remise *f.*
overhands' I *bw.* en surjet; **II** *b.n.* ***—e naad,*** surjet *m.*; ***—e steek,*** point *m.* de surjet.
o'verhangen *on.w.* **1** (*v. takken, enz.*) pencher sur (*of* au-dessus de); **2** (*v. rots*) surplomber; **3** (*v. muur*) déverser, pencher; **4** (*over 't vuur*) être sur le feu.
o'verhangend *b.n.* surplombant; penché, incliné.
o'verhebben *ov.w.* avoir de reste; ***ik heb er geen geld voor over,*** je ne veux pas y mettre de l'argent; ***ik heb er de kosten voor over,*** je suis disposé à en payer les frais.
overheen' *bw.* par-dessus; ***zich ergens — zetten,*** se consoler de qc., prendre son parti de qc.; ***ik ben er al lang —,*** il y a longtemps que je ne m'en fais plus; ***er is al een jaar —,*** il y a déjà un an de cela; ***er — stappen,*** (*fig.*) passer outre à.
o'verheerlijk I *b.n.* **1** délicieux, exquis, surfin; **2** (*v. weer*) splendide; **II** *bw.* délicieusement, exquisement.
overheer'sen *ov.w. en on.w.* dominer.
overheer'send *b.n.* dominant.
overheer'ser *m.* dominateur, usurpateur *m.*
overheer'sing *v.* **1** domination *f.*; **2** (*overwicht*) prédominance *f.*
o'verheid *v.* autorité *f.* (publique).
o'verheidsambt *o.* magistrature *f.*
o'verheidsbedrijf *o.* entreprise *f.* publique.
o'verheidsbeleid *o.* régime *m.* d'état.
o'verheidsbemoeiing *v.* intervention *f.* gouvernementale, ingérence *f.* de l'Etat.
o'verheidsdienst *m.* fonction *f.* publique.
o'verheidsinstelling *v.* organisme *m.* publique.
o'verheidspersoneel *o.* agents *m.pl.* de l'État, personnel *m.* des services publics.
o'verheidspersoon *m.* magistrat *m.*
o'verheidswege, *van —,* de la part de l'autorité.
o'verheidszorg *v.(m.)* sécurité *f.* sociale.
o'verhellen *on.w.* **1** pencher, s'incliner; **2** (*fig.*) incliner (à), être porté (à).
o'verhelling *v.* **1** inclinaison *f.*; **2** (*fig.*) penchant *m.*
o'verhemd *o.* chemise *f.* (de jour).
o'verhemdje *o.* plastron *m.*
o'verhemdsknoop *m.* bouton *m.* de chemise.
o'verhevelen *ov.w.* siphonner.
overhoeks' I *bw.* en diagonale, diagonalement, de biais; **II** *b.n.* diagonal.
overhoop' *bw.* pêle-mêle, sens dessus-dessous.
overhoop'halen *ov.w.* mettre sens dessus-dessous, jeter pêle-mêle.
overhoop'liggen *on.w.* **1** être pêle-mêle, être en désordre; **2** ***met iem. —,*** être brouillé avec qn.
overhoop'schieten *ov.w.* tuer, abattre.
overhoop'smijten *ov.w.* jeter sens dessus-dessous.
overhoop'steken *ov.w.* poignarder, tuer.
overho'ren *ov.w.* faire réciter, interroger sur.
o'verhouden *ov.w.* **1** garder, conserver; **2** avoir de reste; ***die peren kan men —,*** ces poires se conservent; ***ik houd 5 fr. over,*** il me reste cinq francs.
o'verig I *b.n.* **1** (*overblijvend*) restant, qui reste; **2** (*ander*) autre; **II** *z.n.*, ***het —e,*** le reste; ***voor 't —e,*** pour le reste, au reste, au demeurant; ***de —en,*** les autres.
o'verigens *bw.* au reste, du reste, d'ailleurs, au demeurant.
overijld' I *b.n.* **1** précipité; **2** (*voorbarig*) prématuré; **3** (*v. woord*) inconsidéré; **II** *bw.* précipitamment; ***— te werk gaan,*** précipiter les choses.
o'verijlen, *zich —,* *w.w.* se précipiter, se hâter trop.
overij'ling *v.* précipitation *f.*, trop grande hâte *f.*
Overij'sel *o.* Overyssel *m.*

o'verijverig *b.n.* fanatique, trop zélé.
o'verinvestering *v.* surinvestissement *m.*
overjarig *b.n.* de plus d'un an.
o'verjas *m. en v.* pardessus *m.*; paletot *m.*; (*lichte*) demi-saison*, demi *m.*
o'verkabelen *ov.w.* câbler.
o'verkant *m.* autre côté, côté opposé; autre bord *m.*; ***aan de* —,** en face.
overkap'pen *ov.w.* couvrir d'un toit.
overkap'ping *v.* hall, vitrage *m.*; voûte *f.*; (*v. station*) verrière, marquise *f.*
o'verkijken *ov.w.* **1** (*v. les, enz.*) revoir, repasser; **2** (*overheen kijken*) regarder par-dessus.
o'verkisten *ov.w.* remballer, changer de caisse, — de cercueil.
o'verklauteren *ov.w.* grimper par-dessus.
o'verkleed *o.* **1** vêtement *m.* de dessus, habit *m.* —, surtout *m.*; **2** (*koorhemd*) surplis *m.*
o'verklikken *ov.w.* rapporter.
o'verklimmen *ov.w.* **1** grimper par-dessus, franchir; **2** (*met ladder*) escalader.
o'verklimming *v.* escalade *f.*
overklui'zen *ov.w.* couvrir d'une voûte.
overkoe'pelen *ov.w.* intégrer; coordonner.
overkoe'peling *v.* **1** jonction *f.*; **2** intégration *f.*
overkoe'pelingsorgaan *o.* organisme *m.* (*of* organisation *f.*) de coordination.
o'verkoken *on.w.* déborder; se répandre, s'enfuir; ***de melk kookt over,*** le lait s'en va.
overko'melijk *b.n.* **1** surmontable; **2** (*te herstellen*) réparable.
o'verkomen I *ov.w.* (*oversteken*) traverser; **II** *on.w.* (*bij iem. komen*) venir voir qn.
overko'men *on.w.* arriver, survenir; ***wat overkomt u?*** qu'avez-vous?
overkompleet', *zie* ***overcompleet.***
o'verkomst *v.* arrivée *f.*; venue *f.*
o'verkrijgen *ov.w.* faire passer; ***wij krijgen gasten over,*** nous aurons des invités.
overkropt' *b.n.* ***— gemoed,*** cœur trop plein; ***— met werk,*** débordé, surchargé de travail.
overkruis' *bw.* en croix.
o'verlaadkraan *v.(m.)* grue *f.* de transbordement.
o'verlaadstation *o.* gare *f.* de transbordement.
o'verlaat *m.* déversoir *m.*, vanne *f.*
o'verladen *ov.w.* **1** (*op schip, trein, enz.*) transborder; **2** (*opnieuw laden*) recharger.
overla'den I *ov.w.* **1** (*te zwaar laden*) surcharger; **2** (*fig.: met weldaden, eerbewijzen*) combler; **3** (*met verwijten, enz.*) accabler; **4** (*met werk*) surmener; **5** (*met versieringen, enz.*) encombrer, surcharger; ***de markt is — met,*** le marché est encombré de; ***zijn maag —,*** se surcharger l'estomac; **II** *w.w.* ***zich —,*** se surcharger.
o'verlading *v.* **1** transbordement *m.*; **2** rechargement *m.*
overla'ding *v.* **1** surcharge *f.*; **2** (*met werk*) surmenage *m.*; **3** (*v. maag*) indigestion *f.*
o'verladingskosten *mv.* frais *m.pl.* de transbordement.
overland' *bw.* par (la) voie de terre.
overland'mail *v.(m.)* courrier *m.* (par la voie) de terre.
overlangs' I *bw.* longitudinalement, dans le sens de la longueur; **II** *b.n.* longitudinal.
overlap'pen *on.w.* chevaucher.
o'verlast *m.* **1** gêne *f.*, embarras *m.*, importunité *f.*; **2** (*recht*) molestation *f.*; ***— aandoen,*** **1** gêner, causer de la gêne, importuner, incommoder; **2** molester.
o'verlaten *ov.w.* laisser, abandonner; ***te wensen —,*** laisser à désirer; ***laat dat maar aan mij over,*** je m'en charge, j'en fais mon affaire; ***aan zijn lot —,*** abandonner à son sort.

overle'den *b.n.* décédé, défunt, mort.
overle'dene *m.-v.* défunt(e) *m.(f.)*.
o'verle(d)er *o.* empeigne *f.*
overleg' *o.* **1** (*nadenken*) réflexion *f.*; **2** (*beraad*) délibération, considération *f.*; ***georganiseerd —,*** commission *f.* paritaire (des syndicats); ***in — met,*** de concert avec; ***met gemeen —,*** de concert, d'un commun accord; ***na rijp —,*** après un examen approfondi, après mûre réflexion.
o'verleggen I *ov.w.* **1** (*besparen, ter zijde leggen*) épargner, économiser, mettre de côté; **2** (*laten zien*) montrer, produire, exhiber; **3** (*H.: v. balans*) soumettre; **II** *on.w.* faire des économies.
overleg'gen *ov.w.* **1** réfléchir sur, peser, examiner; **2** (*met iem.*) se consulter, se concerter.
o'verlegging *v.* (*v. stukken, enz.*) production *f.*; ***tegen — van,*** sur production de.
overleg'ging *v.*, *zie* ***overleg.***
overle'ven *ov.w.* survivre à.
overle'vende *m.-v.* survivant(e) *m.* (*f.*); (*v. ramp*) rescapé(e) *m.(f.)*.
o'verleveren *ov.w.* **1** (*overgeven*) livrer; **2** (*v. legende, gebruik, enz.*) transmettre.
o'verlevering *v.* **1** (*het overleveren*) transmission *f.*; **2** (*het overgebrachte: gebruik, enz.*) tradition *f.*; ***bij —,*** par tradition.
overle'ving *v.* survivance, survie *f.*
overle'vingscontract, -kontrakt *o.* contrat *m.* de survie.
o'verlezen *ov.w.* **1** (*opnieuw lezen*) relire; **2** (*v. les*) repasser; **3** (*doorlezen*) parcourir; **4** (*Z.N.: belezen*) exorciser; **5** (*v. ontwerp*) lire en seconde lecture.
o'verlezing *v.* **1** lecture *f.* rapide; **2** seconde lecture *f.*
o'verligdag *m.* (jour *m.* de) surestarie *f.*
o'verliggeld *o.* (*H.*) surestaries *f.pl.*
o'verliggen *on.w.* **1** rester trop longtemps; **2** avoir des jours de planche supplémentaires; **3** se conserver.
overlij'den I *on.w.* trépasser, décéder; **II** *z.n., o.* décès, trépas *m.*, mort *f.*; ***wegens —,*** pour cause de décès.
overlom'meren *ov.w.* couvrir d'ombre, ombrager.
o'verloop *m.* **1** (*doorgang*) passage *m.*, galerie *f.*; **2** (*gang*) couloir *m.*; **3** (*portaal: v. trap*) palier *m.*; **4** (*sch.: dek*) pont *m.*; **5** (*het overlopen*) débordement *m.*; **6** (*gen.*) épanchement *m.*
o'verlopen I *on.w.* **1** (*oversteken*) traverser; **2** (*v. vloeistof*) déborder, se répandre; **3** (*bij koken, ook:*) s'enfuir, s'en aller; ***de melk loopt over,*** le lait s'en va; ***— van gezondheid,*** éclater de santé; ***hij loopt niet over van edelmoedigheid,*** ce n'est pas la générosité qui l'étouffe; ***de gal loopt hem over,*** la moutarde lui monte au nez; ***naar de vijand —,*** passer à l'ennemi; **II** *ov.w.* (*v. brief, enz.*) parcourir rapidement.
overlo'pen *ov.w.* importuner de visites, visiter trop souvent.
o'verloper *m.* déserteur, transfuge *m.*
o'verloping *v.* désertion *f.*
o'verluid *bw.* à haute voix, tout haut.
o'vermaat *v.(m.)* **1** (*boven de maat*) surmesure *f.*, comble *m.*; **2** (*te veel*) excédent, surplus *m.*; **3** (*fig.: buitensporigheid*) excès *m.*; ***tot — van ramp,*** pour comble de malheur.
o'vermacht *v.(m.)* **1** (*grotere getalsterkte*) nombre *m.* supérieur, supériorité *f.* de forces; **2** (*overwicht*) prépondérance *f.*; **3** (*noodzaak*) force *f.* majeure; ***voor de — zwichten,*** céder devant le nombre, — la force.
overmachtig *b.n.* plus fort, supérieur en nombre.
o'vermaken *ov.w.* **1** (*opnieuw maken*) refaire;

2 (*overzenden*) envoyer, faire parvenir, remettre, transférer.
o'vermaking *v.* envoi *m.*, remise *f.*
o'verman *m.* **1** (*aan tafel, overbuur*) vis-à-vis *m.*; **2** (*bij spel*) partenaire *m.*
overman'nen *ov.w.* vaincre, écraser, prendre (*of* s'emparer) par surprise de; ***door slaap overmand worden,*** être accablé de sommeil, céder au sommeil, succomber —.
overma'tig I *b.n.* démesuré, excessif, outré; **II** *bw.* démesurément, excessivement, à l'excès, outre mesure.
overmees'teren *ov.w.* **1** vaincre, subjuguer; **2** (*v. land*) envahir; **3** (*v. drift, enz.*) maîtriser.
overmees'tering *v.* **1** conquête, prise *f.*; **2** envahissement *m.*
overmits' *vw.* puisque, attendu que.
o'vermoed *m.* témérité *f.*; arrogance *f.*; ***uit —,*** par bravade.
overmoe'dig I *b.n.* téméraire; présomptueux; **II** *bw.* témérairement, présomptueusement.
o'vermorgen *bw.* après-demain.
o'vermouw *v.(m.)* fausse manche *f.*, garde-manche* [*m.*
o'vernaad *m.* surjet *m.*
overnach'ten *on.w.* passer la nuit, coucher.
o'vername *v.(m.)* (*H.*) reprise *f.*, achat *m.*; ***ter —,*** cessible; ***ter — gevraagd,*** on demande à acheter; ***ter — aangeboden,*** à céder.
o'vernemen *ov.w.* **1** (*uit iemands hand aannemen*) prendre, accepter (qc. des mains de qn.); **2** (*op zich nemen*) se charger de, assumer, prendre sur soi; **3** (*ontlenen*) emprunter; **4** (*v. bericht, artikel, enz.*) reproduire; **5** (*kopen*) acheter; ***het bevel —,*** (*mil.*) prendre le commandement; ***een zaak —,*** reprendre le commerce de qn.; acheter un fonds de boutique.
o'verneming *v.* **1** (*inbezitneming*) prise *f.* de possession; **2** (*v. ambt*) prise *f.* en charge; **3** (*koop*) achat *m.*
overnoe'ming *v.* métonymie *f.*
o'vernummeren *ov.w.* changer les numéros, renuméroter.
o'veroud *b.n.* **1** (*zeer oud*) archivieux, antique; **2** (*eeuwenoud*) séculaire.
o'verpad *o.* passage *m.*
o'verpakken *ov.w.* remballer.
overpein'zen *ov.w.* réfléchir sur, méditer sur.
overpein'zing *v.* réflexion, méditation *f.*
o'verplaatsen *ov.w.* déplacer; ***overgeplaatst worden,*** (*mil.*) changer de garnison.
o'verplaatsing *v.* déplacement, changement *m.*
o'verplakken *ov.w.* **1** coller; **2** recoller.
o'verplanten *ov.w.* **1** (*v. zaailing*) repiquer; **2** transplanter.
o'verplanting *v.* **1** repiquage *m.*; **2** transplantation *f.*
o'verpleisteren *ov.w.* enduire de plâtre.
o'verpleistering *v.* replâtrage *m.*
o'verpoten, *zie* ***overplanten.***
o'verpotten *ov.w.* changer de pot.
overprik'kelen *ov.w.* surexciter.
overprik'keling *v.* surexcitation *f.*
o'verproductie, -produktie *v.* surproduction *f.*, excès *m.* de production.
overre'den *ov.w.* persuader (à), convaincre (de).
overre'dend *b.n.* persuasif.
overre'ding *b.n.* persuasion *f.*
overre'dingskracht *v.(m.)* force *f.* persuasive, persuasion *f.*
overre'dingskunst *v.* art *m.* de persuader.
o'verreiken *ov.w.* passer, remettre.
o'verrekenen *ov.w.* vérifier, recalculer.
overrij'den *ov.w.* **1** (*omverrijden*) renverser, écraser; **2** (*v. paard: afjakkeren*) surmener.
o'verrijden I *on.w.* (*over iets rijden*) passer (à cheval, en auto, etc.); **II** *ov.w.* faire passer, transporter.
O'verrijns *b.n.* d'outre-Rhin; transrhénan.
o'verrijp *b.n.* trop mûr.
o'verroeien I *ov.w.* passer; **II** *on.w.* traverser [la rame.
o'verrok *m.* jupe *f.*
overrom'pelen *ov.w.* **1** (*verrassen*) surprendre; **2** (*onverwachts overvallen*) prendre au dépourvu prendre par surprise.
overrom'peling *v.* **1** surprise *f.*; **2** (*mil.*) attaque *f.* par surprise.
overscha'duwen *ov.w.* **1** ombrager; **2** (*fig.* éclipser, effacer.
o'verschakelen *on.w.* **1** changer de vitesse **2** (*v. radio*) commuter; ***— op,*** brancher sur (un autre poste).
o'verschakeling *v.* **1** changement *m.* de vitesse **2** commutation.
overschat'ten *ov.w.* **1** estimer trop haut, priser —, surfaire; **2** (*v. belasting*) surtaxer; ***zijn krachten —,*** trop présumer de ses forces; ***iem. —,*** avoir trop bonne opinion de qn.
overschat'ting *v.* **1** surestimation *f.*; **2** (*v. belang, verdienste, enz.*) exagération *f.*
o'verschenken *ov.w.* transvaser.
o'verschenking *v.* transvasement *m.*
o'verschepen *ov.w.* transborder.
o'verscheping *v.* transbordement *m.*
o'verscheppen *ov.w.* transvaser.
o'verschieten *on.w.* rester.
o'verschilderen *ov.w.* **1** repeindre; **2** retoucher
o'verschildering *v.* **1** retouches *f.pl.*; **2** (*schilderij*) repeint *m.*
overschit'teren *ov.w.* éclipser, effacer.
o'verschoen *m.* caoutchouc *m.*; galoche *f.*
o'verschoon *b.n.* magnifique, splendide, superbe
o'verschot *o.* **1** (*alg.*) reste *m.*; **2** (*v. rekening saldo*) solde *m.*; **3** (*scheik.*) résidu *m.*; **4** (*teveel*) excédent, surplus *m.*; **5** (*batig* —) bénéfice *m.*; ***stoffelijk —,*** dépouille *f.* mortelle.
o'verschotje *o.* **1** (petit) restant *m.*; **2** (*fig.*) laissé*-pour-compte *m.*
overschreeu'wen I *ov.w.* **1** (*iem.*) crier plu fort que (qn.), couvrir la voix de (qn.); **2** (*v. ruimte*) remplir de sa voix; **II** *w.w.* ***zich —,*** s'égosiller forcer sa voix.
overschrij'den *ov.w.* **1** (*v. beek, enz.*) enjamber; **2** (*v. ruimte*) franchir; **3** (*v. grens*) passer; **4** (*fig.: v. prijs, begroting*) dépasser; **5** (*v. bevoegdheid*) excéder, outrepasser; **6** (*v. verbod*) transgresser.
overschrij'ding *v.* **1** enjambement *m.*; **2** passage *m.*; **3** dépassement *m.*; **4** excès *m.*; **5** transgression; infraction *f.*
o'verschrijven *ov.w.* **1** copier, transcrire; **2** (*in 't net*) mettre au net; **3** (*H.*) transmettre; **4** (*van een rekening op andere*) virer.
o'verschrijving *v.* **1** copie, transcription *f.* **2** virement *m.*; **3** transfert *m.*
o'verschrijvingskosten *mv.* frais *m.pl.* de transcription.
o'verschrijvingsrecht *o.* droits *m.pl.* de trans- [cription.
o'verseinen *ov.w.* **1** télégraphier, transmettre; **2** (*over zee*) câbler.
o'verslaan I *ov.w.* (*v. woord, regel, enz.*) omettre, passer; ***geen feest —,*** ne pas manquer une fête; **II** *on.w.* **1** (*v. weegschaal*) pencher; **2** (*v. stem*) faire couac; **3** (*v. brand*) gagner, prendre; ***— in,*** changer en.
o'verslag *m.* **1** (*v. kledingstuk*) rebord *m.*; **2** (*v.*

mouw) parement *m.*; **3** (*v. zak*) patte *f.*; **4** (*raming*) estimation, évaluation *f.*; **5** (*v. belasting*) répartition *f.*; **6** transbordement *m.* en vrac.
o'verslagkraan *v.(m.)* (*in haven*) grue *f.* de transbordement.
o'versmokkelen *ov.w.* faire passer en fraude.
overspan'nen I *ov.w.* **1** (*met zeil, enz.*) couvrir; **2** (*te sterk spannen*) tendre trop fort; **3** (*fig.: z'n zenuwen*) surexciter; **II** *w.w.* ***zich* —,** se surmener; **III** *b.n.* **1** (*overprikkeld*) surexcité; **2** (*overwerkt*) surmené; **3** (*v. denkbeelden*) exalté, extravagant.
overspan'ning *v.* **1** (*v. brug*) portée, ouverture *f.*; **2** surexcitation *f.*; **3** surmenage *m.*; **4** exaltation, extravagance *f.*
o'versparen *ov.w.* économiser, épargner, mettre de côté.
o'verspel *o.* adultère *m.*; ***— plegen,*** être adultère.
o'verspelen, *— naar,* *ov.w.* (*sp.*) passer à.
o'verspeler *m.* adultère *m.*
overspe'lig *b.n.* adultère.
overspoe'len *ov.w.* inonder, submerger.
o'versprei *v.(m.)* couvre-lit* *m.*
overspreiden *ov.w.* recouvrir (de).
overspren'kelen *ov.w.* arroser, asperger.
o'verspringen I *ov.w.* **1** sauter par-dessus, franchir; **2** (*overslaan*) sauter, passer; **II** *on.w.* **1** (*elektr. vonk*) sauter, jaillir; **2** (*v. verzen*) enjamber.
o'verstaan *o.* ***ten — van,*** en présence de, par-devant.
o'verstaand *b.n.* opposé; ***—e hoeken,*** angles opposés par le sommet.
overstag' *bw.* ***— gaan,*** **1** (*sch.*) virer de bord; **2** (*fig.*) se raviser; ***iem. — helpen,*** donner un croc-en-jambe à qn.
o'verstapkaartje *o.* correspondance *f.*
o'verstappen I *ov.w.* **1** (*over iets heen stappen*) enjamber; **2** (*fig.*) passer outre à; passer sous silence; **II** *on.w.* changer (de train, de voiture).
o'verste I *m.* **1** chef *m.*; **2** (*in klooster*) supérieur *m.*; **3** (*mil.*) lieutenant*-colonel* *m.*; **II** *v.* supérieure *f.*; ***moeder —,*** révérende mère *f.*
o'versteek *m.* traversée *f.*
o'versteekplaats *v.(m.)* passage *m.* clouté, les clous; passage *m.* pour piétons, — protégé, (*Ned.*) passage zébré.
o'versteken I *ov.w.* **1** (*overreiken*) donner, passer; **2** (*v. straat*) traverser; **3** (*v. wijn*) transvaser; **II** *on.w.* **1** (*overvaren*) traverser, passer (à l'autre rive); **2** (*uitsteken*) saillir, faire saillie; **3** (*ruilen*) échanger; ***gelijk —,*** donnant donnant.
overstel'pen *ov.w.* **1** couvrir, envahir, assiéger; **2** (*fig.*) (*iets aangenaams*) combler; **3** (*onaangenaams*) accabler; ***overstelpt met werk,*** débordé de besogne; ***de markt wordt overstelpt met,*** le marché est encombré de.
overstel'ping *v.* accablement.
overstem'men *ov.w.* **1** (*v. geluid*) couvrir, dominer; **2** (*fig.*) couvrir la voix de; **3** (*v. kreten*) étouffer.
o'verstemmen *on.w.* voter de nouveau.
overstro'men I *ov.w.* inonder, submerger; **II** *on.w.* déborder.
overstro'ming *v.* **1** (*v. beek, rivier*) débordement *m.*; **2** (*v. land*) inondation, submersion *f.*
overstrooi'en *ov.w.* **1** saupoudrer; **2** (*fig.*) parsemer, joncher (de).
o'versturen *ov.w.* envoyer, faire parvenir.
overstuur' *b.n.* **1** (*in de war*) en désordre; dérangé; **2** (*fig.*) défait, déconcerté, troublé, décontenancé; ***mijn maag is —,*** j'ai l'estomac dérangé; ***hij is ervan —,*** il en est tout défait; il n'en revient pas; cela le renverse.
overtal'lig *b.n.* surnuméraire, en surnombre, de trop, superflu.
o'vertalrijk *b.n.* très nombreux.
o'vertappen *ov.w.* **1** transvaser; **2** (*v. bloed*) transfuser.
o'vertekenen I *ov.w.* **1** (*opnieuw tekenen*) dessiner de nouveau, refaire; **2** (*natekenen*) copier; **II** *on.w.* (*mil.*) se rengager.
overte'kenen *ov.w.* (*v. lening*) dépasser le montant de; ***de lening is overtekend,*** l'emprunt a été plus que couvert, le montant de la souscription a été dépassé.
o'vertellen *ov.w.* recompter.
o'vertikken *ov.w.* (re)taper.
overtil'len, *zich —,* *w.w.* se forcer.
o'vertocht *m.* **1** (*v. rivier, gebergte*) passage *m.*; **2** (*per spoor*) trajet, parcours *m.*; **3** (*per boot*) traversée *f.*
overto'gen *b.n.*, ***— met,*** recouvert de, revêtu de.
overtol'lig *b.n.* **1** (*boven het nodige getal*) en surnombre, de trop; **2** (*rijkelijker dan nodig is*) surabondant; **3** (*onnodig*) inutile, superflu; **4** (*taalk.*) pléonastique.
overtol'ligheid *v.* **1** surabondance *f.*; **2** superflu *m.*, inutilité *f.*; **3** pléonasme *m.*
overtre'den *ov.w.* transgresser, enfreindre, contrevenir à.
overtre'der *m.* transgresseur, contrevenant *m.*
overtre'ding *v.* transgression, infraction, contravention *f.*; ***in — zijn,*** être en contravention.
overtref'fen *ov.w.* **1** surpasser; **2** (*fig.*) l'emporter sur, être supérieur à, surpasser; **3** (*v. voorganger*) devancer; **4** (*v. verwachtingen*) dépasser.
overtref'fend *b.n.* ***—e trap,*** superlatif *m.*
o'vertrek *o.* **1** (*v. kussen*) taie *f.*; **2** (*v. bed*) couvre-lit* *m.*; **3** (*v. stoel, enz.*) housse *f.*; **4** (*v. paraplu*) fourreau *m.*
overtrek'ken *ov.w.* recouvrir, revêtir (de).
o'vertrekken I *ov.w.* **1** (*v. rivier, gebergte, grens*) traverser, franchir; **2** (*naar de andere zijde trekken*) tirer de l'autre côté; **3** (*v. wissel*) déplacer; **4** (*v. hefboom*) tirer; **5** (*v. tekening, kaart*) calquer; **II** *on.w.* (*v. onweer*) passer, se dissiper.
overtroe'ven *ov.w.* **1** (*in kaartspel*) surcouper; **2** (*fig.*) surpasser, l'emporter sur.
overtui'gen *ov.w.* convaincre, persuader; ***zich van de waarheid —,*** s'assurer de la vérité.
overtui'gend *b.n.* **1** convaincant; **2** (*v. toon*) persuasif; **3** (*recht*) convictionnel.
overtui'ging *v.* **1** (*toestand*) conviction *f.*; **2** (*handeling*) persuasion *f.*; ***stuk van —,*** pièce de conviction; ***in de — dat,*** avec la conviction que.
overtui'gingsstuk *o.* pièce *f.* à (*of* de) conviction.
o'veruur *o.* heure *f.* supplémentaire (de travail).
o'vervaart *v.(m.)* **1** (*v. rivier*) passage *m.*; **2** (*v. zee*) traversée *f.*
o'verval *m.* **1** surprise *f.*, attaque *f.* imprévue; **2** (*gen.*) attaque *f.*, accès *m.*; **3** (*op bank, enz.*) attaque *f.*
overval'len *ov.w.* **1** (*onverwachts aanvallen*) assaillir, attaquer; **2** (*verrassen*) surprendre, prendre au dépourvu.
o'vervalwagen *m.* camion *m.* de descente.
o'vervaren *ov.w.* **1** traverser; **2** (*overzetten per boot*) passer en bateau.
o'ververhitten *ov.w.* surchauffer.
o'ververhitter *m.* (*tn.*) surchauffeur *m.*
o'ververhitting *v.* surchauffage *m.*
oververmoeid' *b.n.* recru de fatigue, éreinté.
o'ververtellen *ov.w.* **1** répéter; **2** (*klikken*) rapporter.
o'ververven *ov.w.* **1** repeindre; **2** (*v. doek*) reteindre.

o'ververzadigen *ov.w.* 1 rassasier à l'excès; 2 (*scheik.*) sursaturer.
o'ververzadiging *v.* sursaturation *f.*
o'vervet *b.n.* trop gras.
overvleu'gelen *ov.w.* 1 déborder; 2 (*fig.*) surpasser, éclipser.
overvleu'geling *v.* 1 débordement *m.*; 2 (*fig.*) supériorité *f.*
o'vervliegen *ov.w.* traverser en volant, voler par-dessus.
o'vervlieger *m.* (*fig.*) aigle, phénix *m.*
o'vervloed *m.* 1 abondance *f.*; 2 (*v. versiering*) profusion *f.*; 3 (*weelde, rijkdom*) opulence *f.*; ***in —,*** en abondance, à foison, à profusion; ***ten —e,*** par surcroît, au surplus.
overvloe'dig I *b.n.* 1 abondant; surabondant; 2 (*v. maaltijd*) copieux; ***— zijn,*** abonder; II *bw.* 1 abondamment, en abondance, à foison; 2 copieusement.
o'vervloeien *on.w.* 1 déborder; 2 (*fig.*) abonder en.
o'vervloeiing *v.* débordement *m.*
overvoe'den *ov.w.* suralimenter.
overvoe'ding *v.* suralimentation *f.*
o'vervoeren *ov.w.* transporter.
overvoe'ren *ov.w.* (*v. markt*) encombrer.
overvoe'ring *v.* encombrement *m.*
o'vervol *b.n.* 1 trop plein; 2 (*v. zaal*) comble; ***— zijn,*** (*ook:*) regorger de monde.
o'vervolheid *v.* trop-plein *m.*
o'vervracht *v.*(*m.*) 1 excédent *m.* (de bagages); 2 (*spoorw.*) surcharge *f.*, surpoids *m.*
overvra'gen *ov.w.* (*H.*) surfaire, demander trop.
overvra'ging *v.* surdemande *f.*
o'vervriendelijk *b.n.* trop aimable, obséquieux.
o'verwaaien *on.w.* 1 être transporté par le vent; 2 (*fig.: overgaan*) passer; ***komen —,*** arriver à l'improviste, tomber chez qn.
o'verwaarde *v.* plus-value* *f.*
overwa'semen *ov.w.* couvrir de vapeur.
o'verwassen *ov.w.* reblanchir.
o'verweg *m.* passage *m.* à niveau; ***onbewaakte —,*** passage à niveau non gardé.
overweg' *bw.* ***met iem. — kunnen,*** s'entendre avec qn.; ***met iets — kunnen,*** savoir manier qc.; ***zij kunnen goed met elkaar —,*** ils s'accordent bien, ils font bon ménage.
o'verwegen *ov.w.* 1 repeser; 2 (*fig.*) prévaloir.
overwe'gen *ov.w.* peser, considérer, réfléchir mûrement sur.
overwe'gend *b.n.* prépondérant; prédominant; ***van — belang,*** d'une importance capitale.
overwe'ging *v.* considération, réflexion *f.*; ***in — nemen,*** prendre en considération; ***in — geven,*** soumettre, proposer.
o'verwegwachter *m.* garde*-barrière *m.*
overwel'digen *ov.w.* 1 (*v. macht, troon*) usurper, se rendre maître de; 2 (*v. land*) envahir; 3 (*iem., v. slaap, enz.*) accabler.
overwel'digend *b.n.* imposant, écrasant.
overwel'diger *m.* usurpateur *m.*
overwel'diging *v.* 1 usurpation *f.*; 2 envahissement *m.*
overwelf'sel *o.* voûte *f.*
overwel'ven *ov.w.* voûter.
o'verwerk *o.* travail *m.* supplémentaire.
o'verwerken *on.w.* travailler plus longtemps, faire des heures supplémentaires.
overwer'ken, *zich —,* *w.w.* se surmener.
overwer'king *v.* surmenage *m.*
overwerkt' *b.n.* surmené.
o'verwicht *o.* 1 surpoids *m.*, excédent *m.* de poids; 2 (*fig.: zedelijk —*) ascenndat *m.*; 3 (*overmacht*) prépondérance *f.*; 4 (*aanzien*) prestige *m.*; 5 (*meerderheid*) supériorité *f.*; ***het — hebben*** prévaloir.
overwin'naar *m.* vainqueur *m.*
overwin'nen *ov.w.* 1 vaincre; 2 (*v. hartstocht*) maîtriser, vaincre; 3 (*v. moeilijkheid*) surmonter; 4 (*v. hinderpaal*) surmonter, franchir.
overwin'nend *b.n.* vainqueur, victorieux.
overwin'ning *v.* victoire *f.*, triomphe *m.*
o'verwinst *v.* bénéfice *m.* net, profit, gain *m.*
overwin'teren *on.w.* 1 passer l'hiver, hiverner; 2 (*slapend*) hiberner.
overwin'tering *v.* 1 hivernage *m.*; 2 hibernation *f.*
o'verwippen *on.w.* sauter par-dessus; ***even komen —,*** venir voir qn., dire un petit bonjour à qn.
o'verwitten *ov.w.* reblanchir.
overwoe'keren *ov.w.* couvrir, envahir.
overwon'nene *m.* vaincu *m.*
overzee'handel *m.* trafic *m.* d'outre-mer.
overzees' *b.n.* d'outre-mer; transatlantique.
overzee'vlucht *v.*(*m.*) vol *m.* transcontinental, — transocéanique.
o'verzeggen *ov.w.* 1 répéter, redire; 2 (*ong.: klikken*) rapporter.
o'verzeilen *ov.w.* (*per zeilschip oversteken*) traverser à la voile.
o'verzenden *ov.w.* envoyer, expédier.
o'verzending *v.* envoi *m.*, expédition *f.*
o'verzetboot *m. en v.* bac *m.*
o'verzetten I *ov.w.* 1 (*overvaren; overvoeren*) passer; transporter; 2 (*vertalen*) traduire; 3 (*muz.*) transcrire; 4 (*drukk.*) recomposer; 5 (*v. zet*) refaire; II *z.n., o.* 1 passage *m.*; transport *m.*; 2 traduction *f.*; 3 transcription *f.*; 4 recomposition *f.*
o'verzetter *m.* 1 (*met overzetboot*) passeur *m.*; 2 (*vertaler*) traducteur *m.*; 3 (*muz.*) transcripteur *m.*
o'verzetting *v.* 1 passage *m.*; transport *m.*; 2 traduction *f.*
o'verzetveer *o.* passage *m.* (d'eau).
o'verzicht *o.* 1 vue *f.* d'ensemble, vue générale, panorama *m.*; 2 (*fig.: v. toestand*) aperçu *m.*; 3 (*korte inhoud*) abrégé, sommaire *m.*; 4 (*samenvatting*) résumé *m.*; 5 (*beknopt handboek*) précis *m.*; ***tabellarisch —,*** tableau *m.* synoptique; ***financieel —,*** revue financière, bulletin financier.
overzich'telijk I *b.n.* 1 facile à embrasser d'un coup d'œil; 2 (*fig.*) précis, net, (très) clair; II *bw.* clairement.
overzich'telijkheid *v.* disposition *f.* claire, clarté.
overzien' *ov.w.* 1 (*in zijn geheel zien*) embrasser d'un coup d'œil; 2 (*zien over*) parcourir du regard (des yeux); 3 (*nagaan*) se rendre compte de; ***niet te —,*** incalculable; ***de gevolgen zijn niet te —,*** on ne saurait en calculer les conséquences; ***van hier overziet men de hele stad,*** d'ici on domine la ville.
o'verzien *ov.w.* (*vluchtig nazien*) revoir, repasser.
overzien'baar *b.n.* que la vue peut embrasser, qu'on embrasse d'un coup d'œil.
o'verzij(de) *v.*(*m.*) autre côté, autre bord *m.*; ***aan de —,*** 1 (*v. straat*) de l'autre côté; 2 (*v. rivier*) sur l'autre rive; 3 en face.
o'verzwemmen *ov.w.* passer (*of* traverser) à la nage.
Ovi'dius *m.* Ovide *m.*
owee'ër *m.* nouveau riche, profiteur *m.* de guerre.
oxaal'zuur *o.* acide *m.* oxalique.
oxyda'tie *v.* oxydation *f.*

oxy'de *o.* oxyde *m.*
oxyde'ren I *ov.w.* oxyder; **II** *on.w.* s'oxyder; **III** *z.n., o.* oxydation *f.*
oxygoon' *b.n. en z.n., m.* acutangle (*m.*).
ozon' *o. en m.* ozone *m.*
ozon'houdend *b.n.* ozonifère.
ozonise'ren, ozonize'ren *ov.w.* ozoniser.
ozon'water *o.* eau *f.* ozonisée.

P

p *v.(m.)* p *m.*; ***de — inhebben,*** bisquer.
pa *m.* papa *m.*
paad'je *o.* petit sentier *m.*
paai *m.* vieux bonhomme *m.*
paai'en I *ov.w.* **1** (*tevreden stellen*) contenter, satisfaire; **2** (*sussen, stillen*) bercer, enjôler; **3** (*sch.*) espalmer; ***met mooie beloften —,*** payer de belles paroles, bercer de belles promesses; **II** *on.w.* (*v. vissen*) frayer.
paai'plaats *v.(m.)* frayère *f.*
paal I *m.* **1** poteau *m.*; **2** (*v. omheining, enz.*) pieu *m.*; **3** (*heipaal*) pilotis *m.*; **4** (*korte, puntige —*) piquet *m.*; **5** (*grens—*) borne *f.*; **6** (*pilaar*) pilier *m.*; **7** (*wap.*) pal *m.*; ***de palen te buiten gaan,*** dépasser les bornes; ***— en perk stellen aan,*** mettre un frein à; enrayer; ***dat staat als een — boven water,*** c'est hors de doute, c'est clair comme le jour; **II** *m.* (*v. bakker*) pelle *f.*
paal'beschoeiing *v.* revêtement *m.* de pilotes.
paal'brug *v.(m.)* pont *m.* de pilotis.
paal'dorp *o.* village *m.* construit sur pilotis.
paal'funde'ring *v.* fondation *f.* sur pilotis.
paal'heining *v.* palissade *f.*
paal'mens *m.* homme *m.* lacustre.
paal'steek *m.* nœud *m.* d'agui.
paal'tje *o.* petit pieu, piquet *m.*
paal'vast I *b.n.* inébranlable; **II** *bw.* inébranlablement.
paal'werk *o.* **1** palissade *f.*; **2** (*heiwerk*) pilotis *m.*
paal'woning *v.* habitation *f.* lacustre.
paan'der *m.* panier *m.* (d'osier).
paap *m.* papiste, calotin *m.*
paaps'(gezind) *b.n.* papiste.
paar I *o.* **1** ((*hand*)*schoenen, enz.*) paire *f.*; **2** (*twee bijeenbehorende mensen of dieren*) couple *m.*; **3** (*een stel van twee: vazen, enz.*) couple *f.*; ***een — boeken,*** quelques livres; ***een — maanden,*** deux ou trois mois; ***bij paren,*** deux à deux, par couples; ***een gelukkig —,*** un couple heureux; **II** *b.n.* pair.
paard *o.* **1** (*alg.*) cheval *m.*; **2** (*in schaakspel*) cavalier *m.*; **3** (*gymnastiek*) cheval *m.* de bois; **4** (*dicht.*) coursier *m.*; ***iem. op het — helpen,*** mettre le pied à l'étrier à qn.; ***iem. over 't — tillen,*** surfaire qn., gâter qn. par des louanges excessives; ***de —en achter de wagen spannen,*** mettre la charrue devant les bœufs; ***ik weet waar het paard gebonden ligt,*** je sais où gît le lièvre; ***het beste — struikelt wel eens,*** il n'est si bon cheval qui ne bronche; ***een gegeven — ziet men niet in de bek,*** à cheval donné on ne regarde pas la bride; ***werken als een —,*** travailler comme un nègre; ***op 't verkeerde — wedden,*** jouer sur la mauvaise carte.
paar'debek *m.* bouche *f.* (de cheval).
paar'debit *o.* mors *m.*
paar'debloem *v.(m.)* (*Pl.*) pissenlit *m.*, dent*-de-lion *f.*
paar'deboon *v.(m.)* (*Pl.*) féverole *f.*
paar'deborst *v.(m.)* poitrail *m.*
paar'dedek *o.* caparaçon *m.*
paar'dedeken *v.(m.)* couverture *f.* de cheval.
paar'dedistel *m.en v.(Pl.)* panicaut *m.* des champs.
paar'dehaam *o.* collier *m.* (de cheval).
paar'dehaar *o.* crin *m.*
paar'dehals *m.* encolure *f.*
paar'dehalster *m.* licou, licol *m.*
paar'deharen *b.n.* de crin, en crin.
paar'dehoef *m.* sabot *m.* (de cheval).
paar'dehorzel *v.(m.)* taon, frelon *m.*
paar'dekastanje I *m.* (*boom*) marronnier *m.* d'Inde; **II** *v.* (*vrucht*) marron *m.* d'Inde.
paar'deknecht *m.* valet *m.* d'écurie.
paar'dekop *m.* tête *f.* de cheval.
paar'dekracht *v.(m.)* (*tn.*) cheval*-vapeur, cheval *m.*
paardekrachtuur' *o.* (*tn.*) heure *f.* chevaux-vapeur.
paar'dekrib *v.* mangeoire *f.*
paar'delijn *v.(m.)* cordelle *f.*
paar'demest *m.* fumier *m.* de cheval.
paar'demiddel *o.* **1** remède *m.* de cheval; **2** (*fig.*) remède *m.* héroïque.
paar'denarts *m.* vétérinaire *m.*
paar'denfokker *m.* éleveur *m.* de chevaux.
paardenfokkerij' *v.* **1** (*handeling*) élève *f.* des chevaux; **2** (*plaats*) haras *m.*
paar'dengast *m.* (*Z. N.*) valet *m.* d'écurie.
paar'denhandel *m.* commerce *m.* de chevaux.
paar'denhandelaar *m.* marchand *m.* de chevaux.
paar'denkenner *m.* connaisseur *m.* en chevaux.
paar'denkeuring *v.* inspection *f.* des chevaux.
paar'denkoper *m.* marchand *m.* de chevaux, maquignon *m.*
paar'denmarkt *v.(m.)* marché *m.* aux chevaux.
paar'denrennen *mv.* courses *f.pl.* de chevaux.
paar'denslachter *m.* boucher *m.* de chevaux.
paardenslachterij' *v.* boucherie *f.* chevaline.
paar'densmid *m.* maréchal *m.* ferrant.
paar'denspel *o.* cirque, hippodrome *m.*
paar'denstamboek *o.* stud-book *m.*
paardenstoeterij' *v.* haras *m.*
paar'denstro *o.* litière *f.* de chevaux.
paar'denvilder *m.* équarrisseur *m.*
paar'denvolk *o.* (*mil.*) cavalerie *f.*
paar'denwed *o.* abreuvoir *m.*
paar'denwedstrijd *m.* concours *m.* hippique.
paar'depoot *m.* pied *m.* (*of* jambe *f.*) de cheval.
paar'deras *o.* race *f.* chevaline.
paar'desport *v.(m.)* sport hippique, hippisme *m.*
paar'destaart *m.* **1** queue *f.* de cheval; **2** (*Pl.*) prêle *f.*
paar'destal *m.* écurie *f.*
paar'detram, -trem *m.* tramway *m.* à cheval, — à traction animale.
paar'detuig *o.* harnais, harnachement *m.*
paar'devijg *v.(m.)* crotte *f.*, crottin *m.*
paar'devlees *o.* viande *f.* de cheval, cheval *m.*
paar'devlieg *v.(m.)* taon *m.*
paar'devoeder *o.* fourrage *m.*
paar'devoet *m.* pied *m.* bot.
paar'devracht *v.(m.)* charge *f.* d'un cheval.
paar'dewerk *o.* travail *m.* de nègre.
paard'je *o.* petit cheval, bidet *m.*; ***— rijden,*** jouer au cheval.
paard'mens *m.* centaure *m.*
paard'rijden *o.* équitation *f.*
paard'rijder *m.* **1** cavalier *m.*; **2** (*in circus*) écuyer *m.*

paard'rijdster *v.* **1** amazone *f.*; **2** (*circus*) écuyère *f.*
paarlemoer', **parelmoer'** *o.* nacre *f.*
paarlemoer'achtig, **parelmoer'achtig** *b.n.* nacré. [huître *f.* perlière.
paarlemoer'schelp, **parelmoer'schelp** *v.*(*m.*)
paarlemoer'vlinder, **parelmoer'vlinder** *m.* (*Dk.*) argynne *m.* nacré.
paars I *b.n.* violet; **II** *z.n.*, *o.* violet *m.*
paars'achtig *b.n.* violacé.
paars'gewijs, **-gewijze** *bw.* deux à deux, deux par deux, par couples, par paires.
paar'tijd *m.* pariade *f.*, rut *m.*
paar'tje *o.* couple *m.*
Paas'avond *m.* veille *f.* de Pâques.
paas'beest *o.* bœuf *m.* gras.
paas'best, ***op zijn — gekleed,*** sur son trente-et-un, brave comme un jour de Pâques, endimanché.
paas'biecht *v.*(*m.*) confession *f.* pascale.
paas'bloem *v.*(*m.*) **1** (*madeliefje*) pâquerette *f.*; **2** (*sleutelbloem*) primevère *f.*
paas'brood *o.* **1** gâteau (*of* pain) *m.* de Pâques; **2** (*v. de Joden*) pain *m.* azyme.
paas'communie, **-kommunie** *v.* communion *f.* pascale. [de Pâques.
paas'dag *m.* jour *m.* de Pâques; ***tweede —,*** lundi
paas'ei *o.* œuf *m.* de Pâques.
paas'feest *o.* fête *f.* de Pâques.
paas'gezang *o.* cantique *m.* de Pâques.
paas'kaars *v.*(*m.*) cierge *m.* pascal.
paas'koek *m.* gâteau *m.* pascal.
paas'kommunie, *zie* ***paascommunie.***
paas'lam *o.* agneau *m.* pascal.
paas'lelie *v.*(*m.*) narcisse *m.* jaune.
Paasmaan'dag *m.* lundi *m.* de Pâques.
paas'os *m.* bœuf *m.* gras.
paas'plicht *m. en v.* devoir *m.* pascal; ***zijn — vervullen,*** faire ses Pâques.
paas'tijd *m.* temps *m.* pascal. [Pâques.
paas'vakantie, **-vacantie** *v.* vacances *f.pl.* de
paas'viering *v.* célébration *f.* de la fête de Pâques.
paas'vuur *o.* feu *m.* de Pâques.
paas'wake *v.*(*m.*) vigile *f.* pascale, veillée *f.* —.
paas'week *v.*(*m.*) semaine *f.* de Pâques.
Paasza'terdag *m.* samedi *m.* saint.
Paaszon'dag *m.* dimanche *m.* de Pâques.
paat'je *o.* petit père, papa *m.*
pacht *v.*(*m.*) **1** (*overeenkomst*) bail *m.*; **2** (*handeling*) affermage *m.*; **3** (*pachtsom*) fermage *m.*; ***in — hebben,*** tenir à ferme, avoir loué; ***in — geven*** (***nemen***), donner (prendre) à ferme; ***de wijsheid in — hebben,*** croire avoir la science infuse, se croire la sagesse même.
pacht'akte *v.*(*m.*) bail *m.*, bail à ferme
pacht'brief *m.*, **-contract**, **-kontrakt** *o.* bail *m.*
pach'ten I *ov.w.* prendre à bail, — à ferme, affermer; **II** *z.n.*, *o.*, ***het —,*** l'affermage *m.*
pach'ter *m.* **1** fermier *m.*; **2** tenancier *m.*
pachteres' *v.* fermière *f.*
pach'tersvrouw *v.* fermière *f.*
pacht'geld *o.* fermage *m.* [tairie *f.*
pacht'hoeve *v.*(*m.*) **1** ferme *f.*; **2** (*kleine —*) mé-
pacht'huur *v.*(*m.*) fermage *m.*
pacht'kontrakt, *zie* ***pachtbrief.***
pacht'som *v.*(*m.*) fermage *m.*
pacht'stelsel *o.* système *m.* des fermages.
pacht'ster *v.* fermière *f.*
pacht'tijd *m.* bail *m.*
pacht'vrij *b.n.* exempt de fermage.
pacht'waarde *v.* valeur *f.* locative (du sol).
pacifica'tie, **pacifika'tie** *v.* pacification *f.*
pacifice'ren *ov.w.* pacifier.
pacifiek' *b.n.* paisible, placide.
pacifika'tie, *zie* ***pacificatie.***
pacifist' *m.* pacifiste *m.*
pacifis'tisch *b.n.* pacifiste.
pact, **pakt** *o.* pacte *m.*
pad I *o.* sentier *m.*; ***altijd op — zijn,*** être toujours en route; ***het begane — volgen,*** suivre les sentiers battus; ***een verkeerd — inslaan,*** faire fausse route; ***het verkeerde — opgaan,*** tourner au vice, mal tourner; **II** *v.*(*m.*) (*Dk.*) crapaud *m.*
pad'degif(t) *o.* venin *m.* de crapaud.
pad'denest *o.* crapaudière *f.*
pad'desteen *m.* crapaudine *f.*
pad'destoel *m.* champignon *m.*
paddestoeldo'dend *b.n.* fongicide.
pad'dock *m.* enceinte *f.* réservée, paddock *m.*
Pa'dua *o.* Padoue *f.*; ***uit —,*** padouan.
pad'vinder *m.* boy-scout*, scout, éclaireur *m.*
padvinderij' *v.* scoutisme *m.* [scoutisme.
pad'vinderskamp *o.* camp *m.* de scouts, — de
pad'vindersleider *m.* chef *m.*
pad'vindersleidster *v.* cheftaine *f.*
pad'vinderswet *v.*(*m.*) loi *f.* scoute.
pad'vindster *v.* guide *f.*
paf I *tw.* pan! paf! pouf! **II** *b.n.* **1** (*onthutst*) abasourdi, stupéfait, ébahi; **2** (*dik, opgezet*) gonflé, enflé; **3** (*lusteloos*) las, énervé; **4** (*loom*) lourd; ***hij stond er — van,*** il en est resté baba, — comme deux ronds de flan.
paf'fen *on.w.* **1** (*schieten*) tirer (des coups de fusil); **2** (*blazen*) souffler.
paf'f(er)ig *b.n.* bouffi.
paf'figheid *v.* **1** gonflement *m.*; **2** (*loomheid*) mollesse, lassitude *f.*
paf'zak *m.* bouffi, patapouf *m.*
pagaai' *m.* pagaie *f.*
pagaai'bootje *o.* périssoire *f.*
pagaai'en *on.w.* pagayer, aller à la pagaie.
pagadet' *v.*(*m.*) (pigeon) bagadais *m.*
paganist' *m.* païen *m.*
pa'ge *m.* page *m.*
pa'gekopje *o.* coiffure *f.* à la Jeanne d'Arc.
pa'gina *v.*(*m.*) page *f.*
pa'ginapapier *o.* (*drukk.*) porte-page *m.*
paginatuur' *v.* pagination *f.*
pa'ginaverwijzing *v.* référence *f.* de page.
pagine'ren *ov.w.* paginer.
pagine'ring *v.* pagination *f.*
pair *m.* pair *m.*
pair'schap *o.* pairie *f.*
pais, *zie* ***peis.***
pak *o.* **1** paquet *m.*; **2** (*goederen*) balle *f.*; **3** (*stoffen*) ballot *m.*; **4** (*papieren, brieven*) liasse *f.*; **5** (*kostuum*) costume *m.*; (*van één stof*) complet *m.*; **6** (*v. klein kind*) maillot *m.*; **7** (*fig.*) fardeau *m.*; ***met — en zak vertrekken,*** partir avec armes et bagages, plier bagage; ***bij de —ken blijven neerzitten,*** laisser tomber les bras, rester les bras croisés, perdre courage; ***dat is een — van mijn hart,*** cela m'enlève un poids du cœur, me voilà déchargé d'un grand poids; ***een — slaag,*** une volée de coups, une raclée, une rossée; ***iem. een — voor de broek geven,*** fesser qn.
pak'doek *o.* toile *f.* d'emballage.
pak'drager *m.* portefaix *m.*
pak'ezel *m.* bardot *m.*
pak'garen *o.* fil *m.* d'emballage.
pak'goederen *mv.* marchandises *f.pl.* en balles.
pak'haak *m.* crochet *m.* à ballot.
pak'huis *o.* **1** magasin *m.*; **2** (*openbaar —*) entrepôt *m.*; ***in een — opslaan,*** emmagasiner.
pak'huishuur *v.*(*m.*) magasinage *m.*
pak'huisknecht *m.* garçon *m.* de magasin.

pak'huismeester *m.* magasinier, garde *m.* magasin.
pak'ijs *o.* banquise *f.*
Pakistaans' *b.n.* du Pakistan, pakistanais.
Pa'kistan *o.* le Pakistan.
Pakista'ner *m.* Pakistanais *m.*
pak'je *o.* **1** petit paquet *m.*; **2** costume *m.*; ***elk moet zijn — dragen,*** à chacun son fardeau.
pak'jesavond *m.* soirée *f.* de(s) cadeaux-surprises.
pak'jesdrager *m.* commissionnaire, porteur *m.* (de paquets).
pak'ken I *ov.w.* **1** (*grijpen*) prendre, saisir, empoigner; **2** (*vangen: muis, enz.*) prendre, attraper; **3** (*aanhouden*) arrêter, pincer; **4** (*inpakken*) emballer, empaqueter; **5** (*fig.*) saisir, enlever; (*aangrijpen, boeien*) empoigner; ***in kisten —,*** encaisser; ***zijn koffer —,*** faire sa malle; ***zijn biezen —,*** plier bagage; ***hij heeft een kou te —,*** il a attrapé un rhume; ***iem. te — nemen,*** **1** (*bedriegen*) mettre qn. dedans; **2** (*grap*) monter le job à qn.; ***op elkaar gepakt zitten als haring in een ton,*** être pressés comme des harengs, être comme des harengs en caque; **II** *on.w.* **1** faire sa malle, — ses malles; **2** (*v. verf*) prendre; **3** (*v. sneeuw*) tenir, prendre; **4** (*v. wiel*) s'engrener, mordre.
pak'kend *b.n.* **1** (*v. boek, enz.*) prenant, passionnant; **2** (*v. schouwspel*) saisissant; **3** (*ontroerend*) poignant.
pak'ker *m.* emballeur *m.*
pakkerij' *v.* atelier *m.* d'emballage.
pakket' *o.* **1** paquet *m.*; **2** (*post*) colis *m.* postal.
pakket'boot *m. en v.* paquebot *m.*
pakket'post *v.(m.)* service *m.* des colis postaux.
pakket'vaart *v.(m.)* service *m.* de paquebots, messageries *f.pl.* maritimes.
pak'king *v.* (*tn.*) garniture *f.*; enveloppage *m.*
pak'kingring *m.* garniture *f.* métallique.
pak'kist *v.(m.)* caisse *f.* à emballer.
pak'kistenfabriek *v.* layeterie, layetterie *f.*
pak'knecht *m.* emballeur *m.*
pak'kosten *mv.* frais *m.pl.* d'emballage.
pak'linnen *o.* toile *f.* d'emballage.
pak'loon *o.* emballage *m.*, frais *m.pl.* d'emballage.
pak'naald *v.(m.)* aiguille *f.* d'emballage, — d'emballeur.
pak'papier *o.* papier *m.* d'emballage, — bulle.
pak'riem *m.* courroie *f.* de serrage.
pak'schuit *v.(m.)* gabare *f.*, bateau *m.* pour le transport des marchandises.
pak'stro *o.* paille *f.* d'emballage.
pakt, *zie* ***pact.***
pak'touw *o.* ficelle *f.* d'emballage.
pak'wol *v.(m.)* laine *f.* de bois.
pak'zadel *m. of o.* bât *m.*
pak'zolder *m.* grenier *m.* à emballer, grenier*-magasin* *m.*
pal I *m.* **1** (*tn., v. slot, enz.*) arrêt *m.*; **2** (*v. dommekracht*) cliquet *m.*; **II** *b.n.* ferme; ***— staan,*** être inébranlable, tenir ferme; ***— blijven staan,*** s'arrêter net (*of* pile); **III** *bw.* fermement; ***— noord,*** plein nord.
paladijn' *m.* paladin *m.*
Palame'des *m.* Palamède *m.*
palankijn' *m.* **1** (*draagstoel*) palanquin *m.*; **2** (*rijtuig*) malabar *m.*
palatijn' *m.* palatin *m.*
palei' *v.(m.)* poulie *f.*
paleis' *o.* palais *m.*; ***ten paleize,*** au palais; ***glazen —,*** maison (moderne) toute en baies vitrées.
pa'len *on.w.* confiner (à).
Paler'mo *o.* Palerme *f.*; ***uit —,*** palermitain.
Palestijns' *b.n.* palestinien.
Palesti'na *o.* la Palestine.

palet' *o.* **1** (*v. schilder*) palette *f.*; **2** (*kaatsplankje*) battoir *m.*, palette *f.*
palet'mes *o.* amassette *f.*, couteau *m.* à palette.
palet'stok *m.* appui*-main *m.*
palet'ten *on.w.* jouer à la balle, jouer au volant.
palfrenier' *m.* palefrenier *m.*
palimpsest' *m.* palimpseste *m.*
pa'ling *m.* anguille *f.*
pa'lingfuik *v.(m.)* nasse *f.* aux anguilles.
palissan'derhout *o.* palissandre *m.*
paljas' *m.* paillasse, pitre, clown *m.*
pal'las *m.* (*mil.*) latte *f.*
pal'len *ov.w.* (*tn.*) **1** arrêter; **2** encliqueter.
palm I *m.* **1** (*v. hand*) paume *f.*; **2** (*maat*) palme, décimètre *m.*; **3** (*Pl.*) buis *m.*; **II** *m.* **1** (*boom*) palmier *m.*; (*ook*) palme *f.*; **2** (*—tak*) palme *f.*; ***de — wegdragen,*** remporter la palme.
palm'blad *o.* feuille *f.* de palmier.
palm'boom *m.* palmier *m.*
palm'boompje *o.* (*buksboom*) buis *m.*
palm'bos *o.* palmeraie *f.*
palm'boter *v.(m.)* beurre *m.* de palme.
pal'men *on.w. en ov.w.* hisser main sur main.
palmet' *v.(m.)* palmette *f.*
palm'hout *o.* buis, bois *m.* de palmier.
palm'houten *b.n.* de buis.
palmiet' *o.* palmite *m.*
palm'kool *v.(m.)* chou*-palmiste* *m.*
palm'merg *o.* palmite *m.*
palm'olie *v.(m.)* huile *f.* de palme.
Palmpaas', Palmpa'sen *m.* dimanche *m.* des Rameaux, les Rameaux *m.pl.*, pâques *f.pl.* fleuries.
palm'pit *v.(m.)* amande *f.* de coco, noyau *m.* d'éléis; palmiste *m.*
palm'pitolie *v.(m.)* huile *f.* de palmiste.
palm'riet *o.* rotin *m.*
palm'slag *m.* coup *m.* de main.
palm'spier *v.(m.)* muscle *m.* palmaire.
palm'struik *m.* buis *m.*
palm'suiker *m.* sucre *m.* de palme, — de palmier.
palm'tak *m.* **1** (*v. Palmzondag*) rameau *m.* de buis; **2** (*v. palmboom*) rameau *m.* de palmier; **3** (*fig.*) palme *f.*
palm'wijn *m.* vin *m.* de palme.
Palmzon'dag *m.* dimanche *m.* des Rameaux, Pâques *f.pl.* fleuries.
pal'rad *o.* rochet *m.*
Palts, *de —,* *v.* le Palatinat.
palts'graaf *m.* comte *m.* palatin.
palts'graafschap *o.* palatinat *m.*
paltsgravin' *v.* comtesse *f.* palatine.
pamflet' *o.* pamphlet *m.*
pamflet'schrijver *m.* pamphlétaire *m.*
pam'pa *v.(m.)* pampa *f.*
Pampelo'na *o.* Pampelune *f.*; ***uit —,*** pampelonnais.
pan *v.(m.)* **1** (*braad—*) poêle *f.*; **2** (*stoof—, braad—*) casserole *f.*; **3** (*v. dak*) tuile *f.*; **4** (*v. geweer*) bassinet *m.*; **5** (*v. gewricht*) cotyle, boîte *f.*; **6** (*in de duinen*) glouze *f.*; **7** (*herrie, warboel*) chahut, boucan *m.*; ***het was een gezellige —,*** c'était bien amusant; ***een veeg uit de —,*** un coup de griffe; ***heet uit de —,*** tout chaud; ***in de — hakken,*** tailler en pièces; ***uit twee —nen bakken,*** souffler le froid et le chaud.
Pa'nama *o.* Panama *m.*; ***uit —,*** panamien.
pa'nama(hoed) *m.* panama *m.*
pan'appel *m.* pomme *f.* à cuire.
panchroma'tisch *b.n.* (*fot.*) panchromatique.
pand I *o.* **1** (*onderpand*) gage *m.*; **2** (*bij schuldeiser*) nantissement *m.*; **3** (*huis*) maison *f.*; (*perceel, eigendom*) immeuble *m.*, propriété *f.*; **4** (*v. kanaal*) bief *m.*; ***tot*** (*of* ***in***) ***— geven,*** engager, mettre en

gage; ***een — inlossen,*** retirer un gage; **II** *m. en o.* (*v. jas*) pan *m.*
panda'nus *m.* (*Pl.*) pandanus, vaquois *m.*
pand'bele'ner *m.* emprunteur *m.* sur gages.
pand'beslag *o.* saisie*-gagerie* *f.* [piété.
pand'bewijs *o.* reconnaissance *f.* du mont-de-
pand'bezitter *m.* détenteur (*of* rétentionnaire) *m.* d'un gage. [thécaire.
pand'brief *m.* lettre *f.* de gage; obligation *f.* hypo-
pand'briefhouder *m.* détenteur (*of* porteur) d'une lettre de gage, créancier *m.* hypothécaire.
pandec'ten, pandek'ten *mv.* pandectes *f.pl.*
pan'den *ov.w.* engager.
pand'gever *m.* emprunteur *m.* sur gage.
pand'goederen *mv.* objets *m.pl.* engagés au mont-de-piété. [*m.pl.* nantis.
pand'houdende crediteu'ren *mv.* créditeurs
pand'houder *m.* détenteur *m.* d'un gage.
pan'ding *v.* saisie*-exécution*, saisie *f.* de biens, vente *f.* judiciaire.
pand'jeshuis *o.* mont*-de-piété *m.*, maison *f.* de prêt (sur gage).
pand'jeshuishouder *m.* prêteur *m.* sur gages.
pand'jesjas *m. en v.* jaquette *f.* [gage.
pand'lossing *v.* retrait (*of* dégagement) *m.* d'un
pand'nemer *m.* prêteur *m.* sur gage.
pandoer' *o. en m.* pandour *m.*
pandoe'ren *on.w.* jouer à la manille, — au pandour.
pandoer'spel *o.* manille *f.*
Pando'ra *v.* Pandore *f.*; ***de doos van —,*** la boîte de Pandore.
pand'recht *o.* droit *m.* de nantissement, — d'hypothèque. [sur gage.
pand'schuld *v.*(*m.*) dette *f.* hypothécaire; dû *m.*
pand'spel *o.* jeu *m.* du gage touché.
pand'verbeuren I *on.w.* jouer au gage touché; **II** *z.n., o.* jeu *m.* du gage touché, gages *m.pl.*
paneel' *o.* **1** (*v. deur*) panneau *m.*; **2** (*v. spiegel*) fond *m.*; **3** (*schilderij*) panneau; tableau *m.* sur bois.
paneel'hout *o.* merrain *m.*
paneel'raam *o.* membrure *f.*
paneel'radiator *m.* radiateur *m.* à panneaux.
paneel'schilderij *o. en v.* tableau *m.* sur bois.
paneel'werk *o.* boiserie *f.*, lambrissage *m.*
paneel'zoldering *v.* plafond *m.* à caissons.
paneer'meel *o.* panure, chapelure *f.*
pane'ren *ov.w.* paner. [unifiée.
Pan-Euro'pa *o.* les États-Unis d'Europe, l'Europe
pang! *tw.* pan!
pangermanis'me *m.* pangermanisme *m.*
pan'haring *m.* hareng *m.* frais.
paniek' *v.* panique *f.*; ***een — verwekken,*** causer une panique; ***in —,*** alarmé. [quard *m.*
paniek'zaaier *m.* semeur *m.* de panique, pani-
pa'nikgras *o.* panis *m.*
pa'nisch *b.n.* panique.
pan'klaar *b.n.* prêt à la cuisson.
pan'lat *v.*(*m.*) panne *f.*, volige *f.*
pan'likker, *zie* ***pannelikker.***
Pan'ne, De —, La Panne.
pan'nekoek *m.* crêpe *f.*, pannequet *m.*
pan'nelap *m.* lavette *f.* (métallique).
pan'(ne)likker *m.* pique-assiette, écornifleur, parasite *m.*
pan'nenbakker *m.* tuilier *m.*
pannenbakkerij' *v.* tuilerie *f.*
pan'nendak *o.* toit *m.* en tuiles.
pan'nendekker *m.* couvreur *m.* (en tuiles).
pan'nesteel *m.* queue *f.* de (*of* d'une) poêle.
pan'netje *o.* petite poêle *f.*, poêlon *m.*
pan'nevis, *zie* ***panvis.***
panop'ticum *o.* musée *m.* de figures de cire.
panora'ma *o.* panorama *m.*
panslavis'me *o.* panslavisme *m.*
pantalon' *m.* pantalon *m.*; ***— met smalle pijpen,*** — fuseau.
pan'ter *m.* panthère *f.*
pan'terhaai *m.* roussette *f.*
pan'terkat *v.*(*m.*) chat*-pard* *m.*
pantof'fel *v.*(*m.*) pantoufle *f.*; ***onder de — zitten,*** se laisser gouverner par sa femme, subir la loi de sa femme; ***hij kan het op zijn —s af,*** il mène une vie en pantoufles.
pantof'feldiertje *o.* paramécie *f.*
pantof'felheld *m.* mari *m.* soumis.
pantof'felparade *v.* promenade *f.* du beau monde.
pantomi'me *v.*(*m.*) pantomime *f.*
pantomi'mespeler *m.* mime *m.*
pant'ser *o.* **1** (*mil., sch.*) cuirasse *f.*, blindage *m.*; **2** (*v. schildpad*) carapace *f.*
pant'seraffuit *v.*(*m.*) affût *m.* cuirassé.
pant'serafweerkanon *o.* canon *m.* antitank.
pant'serauto *m.* **1** auto *f.* blindée; **2** (*met geschut*) autocanon, char *m.* de combat.
pant'serbrigade *v.* brigade *f.* blindée.
pant'serdek *o.* pont *m.* cuirassé; — blindé.
pant'serdier *o.* tatou *m.*
pant'serdivisie *v.* division *f.* blindée.
pant'seren *ov.w.* cuirasser; blinder.
pant'serfort *o.* forteresse *f.* cuirassée.
pant'sergalerij *v.* abri *m.* blindé.
pant'sergevechtswagen *m.* tank, char *m.* d'assaut (blindé et armé).
pant'serglas *o.* verre *m.* armé.
pant'sergranaat *v.*(*m.*) obus *m.* de rupture.
pant'serhagedis *v.*(*m.*) lézard cuirassé, — écailleux *m.* [bert *m.*
pant'serhemd *o.* (*gesch.*) cotte *f.* de mailles, hau-
pant'sering *v.* cuirassement; blindage *m.*
pant'serkoepel *m.* coupole *f.* cuirassée, tourelle *f.*
pant'serkruiser *m.* croiseur *m.* cuirassé.
pant'serplaat *v.*(*m.*) plaque *f.* de blindage; — de cuirasse.
pant'serschild *m.* bouclier *m.*
pant'serschip *o.* cuirassé *m.*
pant'sertoren *m.* tourelle *f.* cuirassée.
pant'sertrein *m.* train *m.* blindé.
pant'serwagen *m.* char *m.* d'assaut, blindé *m.*
pan'vis, pan'nevis *m.* poisson *m.* à frire; poisson *m.* frit, friture *f.*
pap *v.*(*m.*) **1** (*v. rijst, enz.*) bouillie *f.*; **2** (*v. brood*) panade *f.*; **3** (*voor stoffen*) apprêt *m.*; **4** (*om te plakken*) colle *f.* de pâte; **5** (*v. papier*) pâte *f.*; **6** (*gen.*) cataplasme *m.*; ***iem. de — in de mond geven,*** seriner qn.
papa' *m.* papa *m.*
papaat'je *o.* petit père, pépère *m.*
pap'achtig *b.n.* pâteux.
papa'ver *v.*(*m.*) (*Pl.*) **1** (*maankop*) pavot *m.*; **2** (*klaproos*) coquelicot *m.*
papa'verachtigen *mv.* papavéracées *f.pl.*
papa'verolie *v.*(*m.*) huile *f.* de pavot, œillette *f.*
papa'verzaad *o.* graine *f.* de pavot.
papegaai' *m.* **1** perroquet *m.*; perruche *f.*; **2** (*spel*) papegai *m.*; ***klappen als een —,*** jaser comme une pie.
papegaai'achtigen *mv.* (*Dk.*) psittacidés *m.pl.*
papegaai'ziekte *v.* psittacose *f.* [de mer.
papegaai'vis *m.* bec*-de-perroquet, perroquet *m.*
Pa'pegem *o.* Papignies.
pa'penbloem *v.*(*m.*) (*Pl.*) pissenlit *m.*
pa'penhoed *m.* (*Pl.*) fusain *m.*
pa'penvreter *m.* (*ong.*) mangeur *m.* de curés.
paperas'sen *mv.* paperasse(s) *f.*(*pl.*).

pa'perclip *v.(m.)* attache *f.* métallique, pince-notes *m.*, attache, agrafe *f.*
pap'eter *m.* **1** amateur (*of* mangeur) *m.* de bouillie; **2** (*fig.*) jocrisse *m.*
papier' *o.* papier *m.*; ***eerstehands—,*** papier de premier ordre; ***tweedehands—,*** papier de second ordre; ***geschept —,*** papier à la cuve (à la main, *of* à la forme); ***gelinieerd —,*** papier réglé, papier commercial; ***hebt u — en inkt?*** avez-vous de quoi écrire? — de l'encre et du papier? ***— aan toonder,*** (*H.*) titre *m.* au porteur; ***kort*** (***lang***) ***—,*** (*H.*) papier court (long); ***—en,*** (*H.*) pièces *f.pl.*, titres, effets *m.pl.* publics; ***dat loopt in de —en,*** cela coûte gros; ***— is geduldig,*** le papier souffre tout; ***op — brengen,*** coucher par écrit.
papier'achtig *b.n.* comme du papier.
papier'bekladder *m.* écrivailleur *m.*
papier'bloem *v.(m.)* (*Pl.*) immortelle *f.*
papie'ren *b.n.* de (*of* en) papier; ***— doos,*** boîte *f.* de carton; ***— geld,*** papier-monnaie *m.*
papier'fabriek *v.* papeterie *f.*
papier'fabrikant *m.* papetier *m.*
papier'geld *o.* papier-monnaie *m.*
papier'handel *m.* papeterie *f.*
papier'handelaar *m.* papetier *m.*
papier'industrie *v.* industrie *f.* papetière.
papier'knijper *m.* pince-notes *m.*, agrafe *f.*
papier-maché' *o.* carton-pâte *m.*
papier'magazijn *o.* magasin *m.* de papeterie.
papier'mand *v.(m.)* panier *m.* à papier, corbeille *f.* à papier.
papier'merk *o.* filigrane *m.*
papier'mes *o.* coupe-papier *m.*
papier'molen *m.* papeterie *f.*
papier'pap *v.(m.)* pâte (à papier), bouillie *f.*
papier'plant *v.(m.)* (*Pl.*) papyrus *m.*
papier'snijder *m.* coupe-papier *m.*
papier'snipper *m.* rognure *f.* de papier.
papier'strook *v.(m.)* bande *f.* (de papier).
papier'tje *o.* morceau (*of* bout) *m.* de papier.
papier'verbruik *o.* consommation *f.* (*of* emploi *m.*) du papier. [paperasse *f.*
papier'winkel *m.* **1** papeterie *f.*; **2** (*fig.: ong.*)
papier'worm *m.* ciron *m.*
papil' *v.(m.)* papille *f.* [papilloter.
papillot' *v.(m.)* papillote *f.*; ***in —ten zetten,***
Papiniaans' *b.n.*, ***—e pot,*** marmite *f.* de Papin.
papi'rus, *zie* ***papyrus.***
papist' *m.* papiste *m.*
papis'tisch *b.n.* papiste.
pap'kind *o.* enfant *m.* nourri de bouillie.
pap'lepel *m.* **1** cuiller *f.* à bouillie; **2** (*hoeveelheid*) cuillerée *f.*; ***met de — ingegeven,*** sucé avec le lait.
Pa'poea *m.* Papou(a) *m.*
pap'pen *ov.w.* **1** (*papier*) coller; **2** (*stof*) apprêter; **3** (*gen.*) appliquer des cataplasmes (sur), fomenter.
pap'penheimers, ***hij kent zijn —,*** il connaît son monde.
pap'p(er)ig *b.n.* **1** pâteux; **2** (*werk*) mou, flasque.
pap'ping *v.* (*gen.*) application *f.* de cataplasmes, fomentation *f.*
pap'pleister *v.(m.)* cataplasme *m.*
pap'pot *m.* marmite *f.* (*of* pot *m.*) à bouillie; ***bij moeders — blijven,*** rester au coin du feu, ne pas bouger de la maison.
pa'prika *v.* paprika *m.*
papy'rus, papi'rus *m.* papyrus *m.*
pap'zak *m.* gros poussah *m.*
paraaf' *m.* paraphe *m.*
paraat' *b.n.* **1** prêt; **2** en état de défense; **3** (*v. executie*) sommaire; ***parate kennis,*** connaissances *f.pl.* toujours disponibles.
paraat'heid *v.* état *m.* de préparation; actualité *f.*
para'bel *v.(m.)* parabole *f.*
parabo'lisch *b.n.* parabolique. [bolique.
parabool' *v.(m.)* parabole *f.*, trajectoire *f.* para-
parachu'tefakkel *v.(m.)* fusée*-parachute* *f.*
parachu'tespringer *v.(m.)* parachutiste, para *m.*
parachu'tesprong *m.* saut *m.* en parachute.
parachu'tetroepen *mv.* troupes *f.pl.* parachutées, parachutistes *m.pl.*, paras *m.pl.*
parachutist' *m.* parachutiste, para *m.*
para'de *v.* parade *f.*, revue *f.*; ***— houden,*** passer la revue; ***grote — en klein garnizoen,*** belles pochettes et rien dedans, beaucoup de bruit pour rien.
para'debed *o.* lit *m.* de parade.
para'demarche, -mars *m. en v.* défilé *m.*
para'depaard *o.* cheval *m.* de parade.
para'depas *m.* pas *m.* de parade.
para'deplaats *v.(m.)* place *f.* d'armes.
parade'ren *on.w.* parader, faire parade de; faire montre, — étalage de; — la roue.
paradijs' *o.* paradis *m.*; ***aards —,*** paradis terrestre.
paradijs'achtig *b.n.* paradisiaque.
paradijs'appel *m.* **1** (*appel*) pomme *f.* de paradis; **2** (*tomaat*) tomate *f.*
paradijs'hout *o.* garou *m.* des Indes, bois *m.* d'aloès. [sier *m.*
paradijs'vogel *m.* oiseau *m.* de paradis, paradi-
paradijs'zaad *o.* graine *f.* de paradis.
paradox', paradoks' I *z.n., m.* paradoxe *m.*; **II** *b.n.* paradoxal.
paradoxaal', paradoksaal' I *b.n.* paradoxal; **II** *bw.* paradoxalement.
parafe'ren *ov.w.* parapher.
paraffi'ne *v.(m.)* paraffine *f.*
paragraaf' *m.* paragraphe *m.*
Paraguay' *o.* le Paraguay; ***uit —,*** paraguayen, paraguéen.
parallel' I *b.n.* parallèle; **II** *bw.* parallèlement; **III** *z.n., v.(m.)* **1** parallèle *f.*; **2** (*fig. en sterr.*) parallèle *m.*; ***een — trekken tussen,*** établir (*of* tracer) un parallèle entre.
parallel'cirkel *m.* parallèle *m.*
parallel'klas(se) *v.* classe *f.* parallèle.
parallellepi'pedum *o.* parallélépipède *m.*
parallellogram' *o.* parallélogramme *m.*
parallel'markt *v.(m.)* marché *m.* parallèle.
parallel'plaats *v.(m.)* parallèle *m.*
parallel'schakeling *v.* connexion *f.* en parallèle.
parallel'toonladder *v.(m.)* gamme *f.* parallèle.
parallel'weg *m.* chemin *m.* parallèle.
parallel'wikkeling *v.* bobinage *m.* en parallèle.
paramagne'tisch *b.n.* paramagnétique.
parament', parement' *o.* (*R.K.*) ornement *m.* liturgique; ***—en,*** vêtements *m.pl.* sacerdotaux.
paranimf' *m.* paranymphe *m.*; parrain *m.*
pa'ranoot *v.(m.)* noix *f.* du Brésil.
paraplu' *m.* parapluie *m.*; (***oude, grote —; spuit***) riflard *m.* [pluie.
paraplu'antenne *v.(m.)* (*rad.*) antenne *f.* en para-
paraplu'bak *m.* porte-parapluies *m.*
paraplu'foedraal *o.* fourreau *m.* de parapluie.
paraplu'standaard *m.* porte-parapluies *m.*
paraplu'stok *m.* manche *m.* de parapluie.
pa'rapsychologie *v.* parapsychologie *f.*
parasiet' *m.* parasite *m.*
parasiet'plant *v.(m.)* plante *f.* parasite.
parasite'ren I *on.w.* **1** vivre en parasite; **2** (*fig.*) faire le parasite; **II** *z.n., o.*, parasitisme *m.*
parasol' *m.* **1** (*v. dames*) ombrelle *f.*; **2** parasol *m.*
parasol'zwam *v.(m.)* (*Pl.*) agaric *m.*
pa'ratroepen *mv.* des troupes *f.pl.* aéroportées.
pa'ratyfus *m.* (*gen.*) paratyphoïde *f.*

parcours', parkoers' *o.* parcours *m.*
par'del *m.* (*Dk.*) panthère *f.*
pardoen' *v.*(*m.*) (*sch.*) galhauban *m.*
pardoes' *bw.* subitement; tout droit; sans crier gare, à brûle-pourpoint. [faire quartier.
pardon' *o.* pardon *m.*; ***geen — geven,*** (*mil.*) ne pas
pa'rel *v.*(*m.*) **1** perle *f.*; **2** (*v. hert*) perlure *f.*; **3** (*lettersoort*) parisienne *f.*; ***de mooiste — aan zijn kroon,*** le plus beau fleuron de sa couronne; ***—en voor de zwijnen werpen,*** jeter des perles devant les pourceaux.
pa'relachtig *b.n.* perlaire, perlé.
pa'relbank *v.*(*m.*) banc *m.* d'huîtres perlières.
pa'relduiker *m.* **1** pêcheur *m.* de perles; **2** (*Dk.*) grand plongeur *m.*
pa'relen *on.w.* **1** perler; **2** (*v. wijn*) pétiller.
pa'relgerst *v.*(*m.*) orge *m.* perlé.
pa'relglans *m.* éclat *m.* de la perle.
pa'relgort *m.* gruau *m.* perlé.
pa'relgrijs *b.n.* gris perle.
pa'relhoen *o.* (*Dk.*) pintade *f.*
pa'relkleur *v.*(*m.*) gris *m.* (de) perle.
pa'relkroon *v.*(*m.*) couronne *f.* de perles.
pa'relkruid *o.* (*Pl.*) perlière *f.*, millet *m.* perlé.
pa'relmoer(-), *zie* ***paarlemoer(-)***.
pa'relmossel *v.*(*m.*) moule *f.* perlière.
pa'reloester *v.*(*m.*) huître *f.* perlière.
pa'relsago *m.* sagou *m.* en perles.
pa'relschelp *v.*(*m.*) coquille *f.* perlière.
pa'relsnoer *o.* collier *m.* de perles.
pa'reltje *o.* perlette *f.*
pa'relvisser *m.* pêcheur *m.* de perles.
pa'relvisserij *v.* **1** (*handeling*) pêche *f.* des perles; **2** (*plaats*) pêcherie *f.* de perles.
pa'relvormig *b.n.* perlé.
pa'relziekte *v.* tuberculose *f.* (du bétail).
parement', *zie* ***parament.***
pa'ren I *ov.w.* **1** (*ossen*) accoupler, apparier; **2** (*kousen, handschoenen*) apparier, appareiller; **3** (*dansers*) disposer par couples; **4** (*fig.*) joindre; **II** *w.w.*, ***zich —,*** **1** s'accoupler; **2** s'apparier, s'appareiller; **3** se joindre; s'unir; ***gepaard gaan met,*** être accompagné de.
parent(h)e'se, paren't(h)esis *v.* parenthèse *f.*
pare'ren *ov.w.* parer.
parfume'ren *ov.w.* parfumer.
parfumerie'ën *mv.* parfums *m.pl.*
parfumerie'ënfabrikant, parfumerie'ënhandelaar *m.* parfumeur *m.*
pa'ri *o.* (*H.*) pair *m.*; ***a — staan,*** être au pair; ***boven (beneden) —,*** au dessus (au dessous) du pair.
pa'ria *m.-v.* paria *m.*
Parijs' I *o.* Paris *m.*; **II** *b.n.* parisien, de Paris.
Parij'zenaar *m.* Parisien *m.*
pa'rikoers *m.* parité *f.*
pa'ring *v.* accouplement *m.*
pariteit' *v.* (*H.*) parité *f.*
park *o.* parc *m.*
parkeer'klok *v.*(*m.*) horloge *f.* de parking.
parkeer'licht *o.* feu(x) *m.* (*pl.*) de position, — de stationnement.
parkeer'meter *m.* disque *m.* de stationnement.
parkeer'plaats *v.*(*m.*) parc, endroit *m.* de stationnement, parking *m.* (payant *of* non-payant), parcage *m.*
parkeer'schijf *v.*(*m.*) disque *m.* de stationnement.
parkeer'terrein *o.*, *zie* ***parkeerplaats.***
parkeer'verbod *o.* interdiction *f.* de parcage.
parke'ren I *ov.w.* parquer, garer; **II** *on.w.* stationner; **III** *z.n.*, *o.* parcage *m.*
parket' *o.* **1** (*alg.*) parquet *m.*; **2** (*in schouwburg*) orchestre *m.*; ***in een moeilijk — zitten,*** se trouver dans l'embarras, être dans le pétrin; ***iem. in een lelijk — brengen,*** mettre qn. dans l'embarras, mettre qn. en mauvaise posture.
parket'vloer *m.* parquet *m.*
parkiet' *m.* (*Dk.*) perruche *f.*
parkoers', *zie* ***parcours.***
park'wagen *m.* (*mil.*) chariot *m.* de parc.
parlement' *o.* parlement *m.*
parlementair' I *b.n.* parlementaire; **II** *bw.* parlementairement; **III** *z.n.*, *m.* parlementaire *m.*
parlements'gebouw *o.* palais *m.* du parlement.
parlements'lid *o.* membre *m.* du parlement.
parlevin'ken I *on.w.* **1** (*venten*) colporter; **2** (*fig.*) radoter; **II** *ov.w.* (*taal, enz.*) baragouiner.
parlofoon' *m.* parlophone *m.*
Par'ma *o.* Parme *f.*
parman't(ig) I *b.n.* **1** (*zelfbewust*) assuré; **2** (*deftig, fier*) grave, fier; **II** *bw.* **1** d'un air assuré, avec assurance; **2** gravement, fièrement.
parman'tigheid *v.* **1** assurance *f.*; **2** gravité *f.*; **3** aplomb *m.*
parmezaan' *m.* (fromage) parmesan *m.*
parmezaans' *b.n.* parmesan.
Parnas'sus *m.* Parnasse *m.*
parnas'suskruid *o.* (*Pl.*) parnassie *f.*
parochiaal' *b.n.* paroissial.
parochiaan' *m.* paroissien *m.*
paro'chie *v.* paroisse *f.*
paro'chiekerk *v.*(*m.*) église *f.* paroissiale.
parodie' *v.* parodie *f.*
parodië'ren *ov.w.* parodier.
parool' *o.* mot *m.* d'ordre, mot *m.* (de passe).
part I *o.* part, portion *f.*; ***er — noch deel aan hebben,*** n'y être pour rien; ***voor mijn —,*** pour ma part; quant à moi; **II** *v.*(*m.*) **1** (*gril*) caprice *m.*; **2** (*streek, poets*) tour *m.*; ***iem. —en spelen,*** jouer un mauvais tour à qn.
parter're I *z.n.*, *o. en m.* **1** (*v. schouwburg*) parterre *m.*; **2** (*v. huis*) rez-de-chaussée *m.*; **II** *bw.* au rez-de-chaussée.
particulier', partikulier' I *b.n.* **1** particulier; **2** (*v. kantoor, instelling*) privé; **II** *z.n.*, *m.* particulier *m.*, personne *f.* privée; **III** *bw.* en privé.
partij' *v.* **1** (*goederen; spel*) partie *f.*; **2** (*politiek*) parti *m.*; **3** (*feest*) partie, fête *f.*; (*avond—*) soirée *f.*; **4** (*toneel*) rôle *m.*; **5** (*kaveling*) lot *m.*; ***bij —en verkopen,*** vendre par lots; ***in maandelijkse —en,*** en livraisons (parties) mensuelles; ***zij is een goede —,*** elle est un bon parti; ***voor iem. — kiezen,*** prendre le parti de qn.; ***iemands — opnemen,*** prendre parti pour qn.; ***de wijste — kiezen,*** prendre le parti le plus sage; ***de beslissende — spelen,*** jouer la belle; ***— trekken van,*** tirer parti de; mettre à profit; ***de betrokken —en,*** les parties intéressées; ***zich — stellen,*** (*recht*) se constituer partie; ***de — is niet gelijk aan het monster,*** le lot n'est pas conforme à l'échantillon.
partij'belang *o.* intérêt *m.* de parti.
partij'bestuur *o.* comité *m.* directeur du parti.
partij'blad *o.* journal *m.* de parti.
partij'dig I *b.n.* partial; **II** *bw.* partialement.
partij'digheid *v.* partialité *f.*
partij'ganger *m.* partisan *m.*
partij'geest *m.* esprit *m.* de parti.
partij'genoot *m.* ami *m.* politique, adhérent, membre du parti.
partij'haat *m.* haine *f.* de parti.
partij'hoofd *o.*, **partij'leider** *m.* chef *m.* de parti.
partij'loos *b.n.* sans parti, sauvage.
partij'man *m.* homme *m.* de parti, partisan *m.*
partij'program(ma) *o.* programme *m.* politique, — du parti.

partij'schap v. faction f., division; intrigue f.
partij'strijd m. lutte f. des partis.
partij'zucht v.(m.) esprit m. de parti, — de faction.
parti'kel o. particule f.
partikulier', zie ***particulier.***
partituur' v. (muz.) partition f.
partizaan' m. partisan m.
part'ner m. partenaire m. et f.
parvenu' m. parvenu m.
pas I m. **1** (stap) pas m.; **2** (v. paard: telgang) amble m.; **3** (v. berg) défilé, col, passage m.; **4** (reispas) passeport m.; ***iem. de — afsnijden,*** barrer la route à qn.; ***uit de — raken,*** perdre le pas; ***bij iem. in de — komen,*** gagner les bonnes grâces de qn.; **II** o. **1** (geschikt tijdstip) (bon) moment m.; **2** (gewenste maat) (bonne) mesure f.; ***juist van — komen,*** arriver à point, arriver au bon moment, venir juste à propos; ***dat kan van — komen,*** cela pourra servir; ***dat komt niet te —, dat geeft geen —,*** cela ne convient pas; ***van — maken,*** ajuster; ***te — en te onpas,*** à tort et à travers; ***te — brengen,*** placer en temps utile, alléguer à propos; **III** bw. **1** (zoëven) justement; **2** (nog niet lang) récemment; **3** (nauwelijks) à peine; ***hij is — vertrokken,*** il vient de partir; ***— verschenen!*** vient de paraître! ***een — verschenen boek,*** un livre nouveau, — récent; ***— geplukte rozen,*** des roses fraîches cueillies; ***— geverfd,*** peint de frais; ***de voorstelling begint — om 8 uur,*** la représentation ne commence qu'à 8 heures.
pas'bekeerde m.-v. néophyte, prosélyte m.-f.
Pa'sen m. **1** Pâques m.; **2** (Joods) pâque f.; ***zijn — houden,*** faire ses Pâques; ***beloken —,*** Pâques closes f.pl., (dimanche de) Quasimodo m.
pas'foto v.(m.) photo f. d'identité.
pas'gang m. amble m.
pas'ganger m. ambleur m.
pas'gebo'ren b.n. nouveau-né*; ***— kind,*** nouveau-né* m.
pas'gehuwd' b.n. nouveau marié; ***de —en,*** les nouveaux mariés.
pas'geld o. monnaie d'appoint, petite monnaie f.
pas'je o. **1** (kleine schrede) petit pas m.; **2** (op tram) correspondance f.; **3** (drukk.) cadratin m.
pas'juffrouw v. essayeuse f.
pas'kamer v.(m.) salon m. d'essayage.
pas'klaar b.n. prêt pour l'essayage; ***— maken,*** apprêter pour l'essayage.
paskwil' o. **1** (geschrift of tekening) caricature, charge f.; **2** (schotschrift) libelle m.; **3** (belachelijk iets) farce, plaisanterie f.
pas'lood o. **1** (schietlood) plomb, fil m. à plomb; **2** (waterpas) niveau m. (à plomb).
pas'munt v.(m.) monnaie f. d'appoint, — divisionnaire.
pas'poort o. **1** (reispas) passeport m.; **2** (fig.) congé m. (définitif); ***zijn — krijgen,*** être congédié.
pasporte'ren ov.w. (mil.) congédier, libérer.
passaat', zie ***passaatwind.***
passaat'gordel m. zone f. des vents alizés.
passaat'(wind) m. (vent m.) alizé m.
passa'ge v. **1** (doorgang) passage m.; **2** (winkelgalerij) passage m., galeries f.pl.; ***— bespreken,*** retenir une place à bord, prendre passage; ***een straat met veel —,*** une rue passante.
passa'gebiljet o. billet (of bulletin) m. de passage.
passa'gebureau o. agence f. de voyages.
passa'gegeld o. (prix de) passage m.
passagier' m. **1** (in trein, bus, enz.) voyageur m.; **2** (boot, vliegtuig) passager m.; ***blinde —,*** voyageur m. à fond de cale, passager clandestin, passevolant*.
passagie'ren on.w. (sch.) aller à terre, courir une bordée.
passagiers'boot m. en v. paquebot m.
passagiers'goed o. bagages m.pl.
passagiers'lijst v.(m.) liste f. des passagers, feuille f. de contrôle.
passagiers'trein m. train m. de voyageurs.
passant' m. **1** (in hotel) voyageur (of hôte) m. de passage; **2** (mil.) passant m., patte f. d'uniforme.
passa'to b.n. dernier, passé.
passement' o. passement m.
passement'werker m. passementier m.
passement'winkel m. passementerie f.
pas'sen I on.w. **1** (v. kleren) aller (bien), être juste; **2** (betamen) convenir, être convenable; **3** (bij kaartspel) passer; **4** (bij dominospel) bouder; ***die sleutel past niet op het slot,*** cette clef ne va pas à la serrure; ***het deksel past precies,*** le couvercle s'adapte exactement; ***met gepast geld betalen,*** faire l'appoint; ***wie de schoen past, trekke hem aan,*** qui se sent morveux, se mouche; ***bij elkaar —,*** cadrer bien, aller bien ensemble; ***die kleuren — niet bij elkaar,*** ces couleurs ne vont pas bien ensemble; ***in elkaar —,*** s'emboîter; ***— op,*** surveiller; faire attention à; ***op zijn woorden —,*** se surveiller; ***ik pas ervoor,*** grand merci! **II** ov.w. **1** (aanpassen) essayer; **2** (passend maken) ajuster, adapter; ***kunt u het niet —?*** vous n'avez pas de monnaie?
pas'send I b.n. **1** (v. kleren) juste, ajusté; **2** (welvoeglijk) convenable, bienséant; **3** (bijpassend) assortissant, assorti (à); **II** bw. convenablement.
passe-partout' m. passe-partout m.
pas'ser m. **1** (tn.) compas m.; **2** (v. kleren) essayeur m.
pas'serbeen o. branche f. de compas.
pas'serdoos v.(m.) boîte f. de compas.
passe'ren I ov.w. **1** (voorbijgaan: huis, enz.) passer (devant); (stad, enz.) passer (par); **2** (overschrijden) franchir; **3** (voorbijrijden: station, auto) dépasser; **4** (straat) traverser; **5** (fig.: bij benoeming overslaan) faire manquer sa promotion à (qn.); **6** (akte, contract) passer; ***de douane —,*** passer à la douane; ***een kaap —,*** doubler un cap; **II** on.w. (gebeuren) se passer, arriver, avoir lieu.
pas'sie v. passion f.
pas'siebloem v.(m.) (Pl.) passiflore f.
pas'sieboek o. passionnaire m.
passief' I b.n. passif; **II** bw. passivement; **III** z.n. o. passif m.
pas'siespel o. passion f., jeu m. de la Passion.
Pas'siezondag m. dimanche m. de la Passion.
pas'sim bw. un peu partout.
passiviteit' v. passivité f.
pas'sus m. passage m.
pas'ta m. en o. pâte f.
pastei' v.(m.) pâté m.
pastei'bakker m. pâtissier m.
pastei'bakkerij v. pâtisserie f.
pastei'korst v.(m.) timbale, croûte f. de pâté.
pastei'tje o. petit pâté m., bouchée f.
pastel' 1 o. (kleurstift) pastel m.; **2** v.(m.) (Pl.) guède f.
pastel'blauw b.n. bleu pastel.
pastel'portret o. portrait m. au pastel.
pastel'schilder m. pastelliste m.
pastel'tekening v. pastel m.
pastel'tint v.(m.) teinte f. pastel.
pasteurisa'tie, -iza'tie v. pasteurisation f.
pasteurise'ren, -ize'ren ov.w. pasteuriser.
pastil'le v. pastille f., comprimé m.
pastinaak' v.(m.) (Pl.) panais m.
pastoor' m. curé m.
pastoors'plaats v.(m.) cure, charge f. de curé.
pastoors'woning v. presbytère m.
pastoraal' b.n. pastoral.

pastorie' *v.* presbytère *m.*; cure *f.*
pas'vorm *m.* façon *f.*
pat *v.*(*m.*) (*in schaakspel*) pat *m.*
Patago'nië *o.* la Patagonie.
Patago'niër *m.* Patagon *m.*
Patago'nisch *b.n.* patagon.
patat' *m. en v.* patate *f.*; pomme *f.* de terre.
pateen' *v.*(*m.*) patène *f.*
patent' I *z.n.*, *o.* **1** (*belasting*) patente *f.*; **2** (*octrooibrief*) brevet *m.* d'invention; **II** *b.n.* excellent; **III** *bw.* à merveille.
patent'belasting *v.* patente *f.* [patentes.
patent'brief *m.* brevet *m.* d'invention; lettres *f.pl.*
patente'ren *ov.w.* breveter.
patent'geneesmiddel *o.* spécialité *f.* (pharmaceutique), remède *m.* patenté.
patent'houder *m.* breveté; concessionnaire *m.*
patent'kali *m.* potasse *f.* caustique.
patent'olie *v.*(*m.*) huile *f.* (de colza) à brûler, — de lampe.
patent'plichtig *b.n.* patentable.
patent'recht *o.* (droit *m.* de) patente *f.* [tée).
patent'sluiting *v.* fermeture *f.* patentée (*of* breve-
patent'wet *v.*(*m.*) loi *f.* sur les patentes.
pa'ter *m.* père, religieux *m.*; (*in aanspraak*) mon père; ***de bruine —s,*** les franciscains; ***de witte —s,*** les pères blancs; les prémontrés; les dominicains.
paternos'ter I *o.* (*onzevader*) Pater *m.*; **II** *m.* **1** (*rozenkrans*) chapelet *m.*; **2** (*pop.: handboei*) menottes *f.pl.*
pa'terskerk *v.*(*m.*) église *f.* sous la direction de Pères, église de prêtres réguliers.
pa'terstuk *o.* entrecôte *m.*
pa'terstukje *o.* le meilleur morceau, le morceau *m.* le plus délicat.
pat(h)e'tisch *b.n.* pathétique; grandiloquent; ***een —e toon aanslaan,*** chausser le cothurne.
pat(h)olo'gisch I *b.n.* pathologique; **II** *bw.* pathologiquement.
pat(h)oloog' *m.* pathologiste *m.*
pa't(h)os *o.* emphase *f.*; pathétique *m.*, émotion *f.*
patien'cespel *o.* jeu *m.* de patience.
patiënt'(e) *m.* (*v.*) **1** (*alg.*) malade *m.*(*f.*); **2** (*bij operatie*) patient *m.*, —e *f.*
patiën'tie *v.* patience *f.*
pa'tina *o.* patine *f.*
pa'tio *m.* patio *m.* à l'espagnole.
pat'jakker *m.* fieffé gredin, vaurien *m.*
pato-, *zie* ***patho-***.
patriarch' *m.* patriarche *m.* [ment.
patriarchaal' I *b.n.* patriarcal; **II** *bw.* patriarcale-
patriarchaat' *o* patriarcat *m.*
patriciaat' *o.* patriciat *m.*
patri'ciër *m.* patricien *m.*
patri'cisch *b.n.* patricien.
patrijs' 1 *m. en v.* (*Dk.*) perdrix *f.*; **2** *m.* (*tn.*) poinçon *m.*; ***jonge —,*** perdreau *m.*
patrijs'hond *m.* épagneul *m.*
patrijs'kruid *o.* (*Pl.*) pariétaire *f.*
patrijs'poort *v.*(*m.*) (*sch.*, *vl.*) hublot *m.*
patrij'zejacht *v.*(*m.*) chasse *f.* aux perdrix.
patrij'zennet *o.* tonnelle *f.*
patrimo'nium *o.* patrimoine *m.*
patriot' *m.* patriote *m.* [ment.
patriot'tisch I *b.n* patriotique; **II** *bw.* patriotique-
patronaat' *o.* **1** patronage *m.*; **2** (*de patroons*) patronat *m.*
patrones' *v.* **1** (*beschermheilige*; *meesteres*) patronne *f.*; **2** (*beschermvrouw*) patronnesse *f.*
patroon' I *m.* (*beschermer*) patron *m.*; **II** *m.* (*baas*) patron *m.*; **III** *v.*(*m.*) (*v. geweer*) cartouche *f.*; ***losse —,*** cartouche à blanc; ***scherpe —,*** cartouche à balle; **IV** *o.* (*model*) patron, modèle *m.*
patroon'band *m.* bande *f.* de cartouches.
patroon'fabriek *v.* cartoucherie *f.*
patroon'gordel *m.* porte-cartouches *m.*
patroon'houder *m.* chargeur *m.*
patroon'huls *v.*(*m.*), **patroon'koker** *m.* **1** gargousse *f.*; **2** (*v. geweer en revolver*) douille *f.*
patroon'papier *o.* carte *f.* de moulage.
patroon'riem *m.* ceinture*-cartouchière*, bandoulière *f.* à cartouches.
patroon'schap *o.* **1** patronat *m.*; **2** (*beschermheerschap*) patronage *m.* [nal.
patroons'vakvereniging *v.* syndicat *m.* patro-
patroon'tas *v.*(*m.*) **1** (*mil.*) cartouchière, giberne *f.*; **2** (*sch.*) cartouchier *m.*
patrouil'le *v.*(*m.*) patrouille *f.*, commando *m.*
patrouil'leboot *m. en v.* patrouilleur *m.*
patrouille'ren *on.w.* patrouiller, être en patrouille.
patrouil'levaartuig *o.* patrouilleur *m.*
pats I *z.n.*, *v.*(*m.*) gifle, taloche, calotte *f.*; **II** *tw.* vlan! pan! flac!
pat'ser *m.* (*pop.*) goujat, mufle *m.*, canaille *f.*
pat'serig *b.n.* mufle, canaille.
pauk *v.*(*m.*) (*muz.*) timbale *f.*
pau'ken *on.w.* battre (*of* jouer) des timbales.
pau'kengeschal *o.* bruit *m.* des timbales.
paukenist', **pau'keslager** *m.* timbalier *m.*
Pau'la *v.* Paule *f.*
Pauli'na *v.* Pauline *f.*
Pauli'nisch *b.n.* paulinien.
Pau'lus *m.* Paul *m.*
pau'per *m.* pauvre, miséreux *m.*
pauperis'me *o.* paupérisme *m.*
paus *m.* pape, souverain pontife *m.*
paus'dom *o.* papauté *f.*
pau'selijk *b.n.* papal; pontifical; ***de —e stoel,*** le saint siège.
paus'gezind *b.n.* papalin.
paus'keuze *v.*(*m.*) élection *f.* du pape.
paus'schap *o.* **1** (*waardigheid*) papauté *f.*; **2** (*regering*) pontificat *m.*
pauw *m.* paon *m.*; ***als een — stappen,*** se pavaner.
pau'w(e)oog 1 *o.* œil *m.* de (la queue du) paon; **2** *m.* (*vlinder*) paon *m.* de jour, — de nuit.
pau'westaart *m.* queue *f.* de paon.
pau'weveer *v.*(*m.*) plume *f.* de paon.
pauw'fazant *m.* faisan*-paon* *m.*
pauwin' *v.* paonne *f.*
pauw'oog, **pau'weoog** *m.* (*Dk.*) paon (de jour, de nuit), œil*-de-paon *m.*
pauw'staart *m.* (*Dk.*) (pigeon) paon, pigeon queue de paon, trembleur *m.* [tracte *m.*
pau'ze *v.*(*m.*) **1** pause *f.*; **2** (*in schouwburg*) en-
pauze'ren *on.w.* faire une pause. [tracte *m.*
pauze'ring *v.* **1** pause *f.*; **2** (*in schouwburg*) en-
Pavi'a *o.* Pavie *f.*
paviljoen' *o.* pavillon *m.*
pech *m.* déveine, guigne *f.*; (*motor*) panne *f.*; ***— hebben,*** jouer de malheur, avoir de la déveine, — de la guigne, — du guignon.
pech'vogel *m.* déveinard, guignard *m.*
pecuniair' *b.n.* pécuniaire, financier.
pedaal' *o. en m.* **1** pédale *f.*; **2** (*tn.*) marche *f.*; **3** (*v. orgel*) pédalier *m.*; ***zachte —,*** (*muz.*) pédale *f.* d'étouffement.
pedaal'harp *v.*(*m.*) harpe *f.* à pédale.
pedaal'kruk *v.*(*m.*) (*tn.*) pédalier *m.*
pedaal'toets *m.* touche *f.* de pédalier.
pedagogie(k) *v.* pédagogie *f.*
pedago'gisch I *b.n.* pédagogique; **II** *bw.* pédagogiquement.
pedagoog' *m.* pédagogue *m.*

pedant' I *b.n.* 1 (*verwaand*) présomptueux, fat; 2 (*schoolvosserig*) pédant, pédantesque; — ***heer,*** présomptueux, fat *m.*; pédant *m.*; II *bw.* 1 présomptueusement; 2 avec pédanterie.
pedanterie' *v.* 1 présomption *f.*; 2 pédanterie *f.*
ped'delaar *m.* 1 cycliste *m.*; 2 (*ong.: onbekwaam*) pédard *m.*
ped'delen *on.w.* pédaler.
pedel' *m.* appariteur *m.*, massier *m.* de la faculté, porte-verge, porte-masse *m.*
pedestal', piëdestal' *o. en m.* piédestal *m.*
pedicu're 1 *m.-v.* (*persoon*) pédicure *m.-f.*; 2 *v.*(*m.*) (*behand.*) chirurgie *f.* pédicure.
pedigree' *m.* pedigree *m.*; état *m.* civil.
pedologie' *v.* pédologie *f.*
pedoloog' *m.* pédologue *m.*
pee'koffie *m.* chicorée *f.*
peel *v.*(*m.*) marécage *m.*
peen *v.*(*m.*) carotte *f.*
peen'haar *o.* des cheveux *m.pl.* carotte.
peer *v.*(*m.*) 1 (*vrucht*) poire *f.*; 2 (*el. lamp*) ampoule *f.*; 3 (*v. el. bel*) poire *f.*; ***daar zit hij met de gebakken peren,*** le voilà dans de beaux draps; ***hoe smaakt u die — ?*** comment la trouvez-vous ? comment trouvez-vous le bouillon ?
peer'schakelaar *m.* poire*-commutateur* *f.*
peer'vormig *b.n.* en poire, piriforme.
pees *v.*(*m.*) 1 (*v. spier*) tendon *m.*; 2 (*v. boog*) corde *f.*
pees'achtig *b.n.* tendineux.
pees'knoop *m.* ganglion *m.*
pees'schede *v.*(*m.*) gaine *f.* du tendon.
pees'vleugelig *b.n.* névroptère.
peet *m.-v.* parrain *m.*, marraine *f.*
peet'dochter *v.* filleule *f.*
peet'oom *m.* parrain *m.*
peet'schap *o.* parrainage *m.*
peet'tante *v.* marraine *f.*
peet'zoon *m.* filleul *m.*
Pe'gasus *m.* Pégase *m.*
pe'gel *m.* 1 (*merkteken in maat*) marque *f.*; 2 (*v. ijs*) glaçon *m.*; 3 (*aan neus*) roupie *f.*
pe'gelen *ov.w.* étalonner.
peil *o.* 1 (*waterstand*) niveau *m.*; 2 (*normaal* —) étiage *m.*; 3 (*sch.: diepgang*) tirant *m.* d'eau; 4 (*op schaal*) cote *f.*; ***Amsterdams —,*** zéro *m.* d'Amsterdam, étiage *m.* —; ***er is geen — op te trekken,*** on ne sait pas à quoi s'en tenir; ***op hetzelfde — houden,*** maintenir au même niveau; ***beneden —,*** 1 au-dessous du niveau; 2 (*fig.*) au-dessous de tout; 3 (*onvoldoende*) insuffisant.
peil'baar *b.n.* sondable.
peil'ballon *m.* ballon*-sonde* *m.*
peil'buis *v.*(*m.*) indicateur *m.* de niveau.
pei'len *ov.w.* 1 sonder; 2 (*in vat*) jauger; 3 (*alcoholgehalte*) vérifier; 4 (*fig.*) sonder, approfondir; ***de zon —,*** prendre la hauteur du soleil.
pei'ler *m.* sondeur; jaugeur *m.*
peil'glas *o.* tube *m.* de niveau.
pei'ling *v.* 1 sondage *m.*; 2 (*in vat*) jaugeage *m.*; 3 (*alcoholgehalte*) vérification *f.*
peil'lood *o.* sonde *f.*, plomb *m.* (de sonde).
peil'loos *b.n.* sans fond, insondable.
peil'roede *v.*(*m.*) sonde *f.* de pompe; verge *f.* de jaugeur.
peil'schaal *v.*(*m.*) échelle *f.* d'eau, — d'étiage.
peil'stok *m.* sonde *f.*; verge *f.* de jaugeur, jauge *f.*
pein'zen *on.w.* 1 (*denken over*) réfléchir (sur), songer (à); 2 (*ernstig nadenken over*) méditer (sur); 3 (*mijmeren*) rêver (à); ***op middelen — (om),*** aviser aux moyens (de).
pein'zend *b.n.* pensif, rêveur, absorbé (dans ses rêveries).
pein'zer *m.* rêveur *m.*
peis, pais *v.*(*m.*) ***het is er alles — en vree,*** tout y respire le calme (*of* la paix).
pek *o. en m.* poix *f.*; ***wie met — omgaat, wordt ermee besmeurd,*** on ne peut toucher au chaudron sans se salir les doigts; ***met — bestrijken,*** poisser.
pek'achtig *b.n.* poisseux.
pek'draad *m.* ligneul *m.*
pe'kel *m.* saumure *f.*; ***in de — leggen,*** saler, mettre dans la saumure; ***in de — zitten,*** être dans le pétrin.
pe'kelachtig *b.n.* saumâtre, d'un goût de saumure.
pe'kelen I *ov.w.* saler, mettre dans la saumure; II *z.n. o.* ***het —,*** la salaison.
pe'kelharing *m.* hareng *m.* pec.
pe'kelnat *o.* saumure *f.*
pe'kelsaus *v.*(*m.*) marinade *f.*
pe'kelspek *o.* lard *m.* salé.
pe'kelvlees *o.* viande *f.* salée.
pe'kelzonde *v.*(*m.*) peccadille *f.*
pekinees' *m.* pékinois *m.*
Pe'king *o.* Pékin *m.*
pek'ken *ov.w.* 1 poisser, enduire de poix; 2 (*sch.*) brayer.
pek'ton *v.*(*m.*) tonneau *m.* à (*of* de) poix.
pek'toorts *v.*(*m.*) torche *f.* à poix.
pek'zwart *b.n.* noir comme jais.
pel *v.*(*m.*) 1 (*v. boon, erwt*) cosse *f.*; 2 (*v. vrucht*) pelure *f.*; 3 (*vlies*) pellicule, peau *f.*; 4 (*v. garnaal*) carapace *f.*
pela'gisch *b.n.* pélagique.
Pelas'gen *mv.* Pélasges *m.pl.*
Pelas'gisch *b.n.* pélasgien, pélasgique.
pe'len *ov.w.* peler, épiler, débourrer.
peleri'ne *v.*(*m.*) pèlerine *f.*
pel'grim *m.* pèlerin *m.*
pelgrima'ge *v.* pèlerinage *m.*
pel'grimsfles *v.*(*m.*) gourde *f.*
pel'grimskleed *o.* habit *m.* de pèlerin.
pel'grimsreis *v.*(*m.*) pèlerinage *m.*
pel'grimsstaf, pel'grimsstok *m.* bâton *m.* de pèlerin, bourdon *m.*
pel'grimstas *v.*(*m.*) panetière *f.*
pel'grimstocht *m.* pèlerinage *m.*
pelikaan' *m.* pélican *m.*
pel'len I *ov.w.* 1 (*erwten, bonen*) écosser; 2 (*granen, rijst*) décortiquer; 3 (*gerst*) monder; 4 (*vruchten, amandel, enz.*) peler; 5 (*garnalen*) éplucher; 6 (*ei*) enlever la coquille; II *z.n. o.*, ***het —,*** le décortiquage; le mondage; le pelage; l'épluchage *m.*
Pel'len *o.* Pellaines.
pel'lengoed *o.* toile *f.* ouvrée.
pel'ler *m.* décortiqueur *m.*
pellerij' *v.* décortiquerie *f.*
pel'machine *v.* décortiqueur *m.*
pel'molen *m.* moulin *m.* à monder; décortiquerie *f.*
Peloponne'sisch *b.n.* péloponésien.
Peloponne'sus *m.* le Péloponèse.
peloton' *o.* peloton *m.*
pelotons'gewijs, -gewijze *bw.* par pelotons.
peloton'(s)vuur *o.* feu *m.* de peloton.
pels *m.* 1 (*bontwerk*) fourrure *f.*; 2 (*jas*) pelisse *f.*; 3 (*dierehuid*) peau *f.*
pels'dier *o.* animal *m.* à fourrure.
pel'ser *m.* (*Dk.*) pilchard *m.*, sardine *f.*
pels'handel *m.* pelleterie *f.*
pels'jager *m.* chasseur *m.* de fourrures.
pels'jas *m. en v.* pelisse, fourrure *f.*, paletot *m.* de fourrure.
pels'kraag *m.* collet *m.* de fourrure.
pels'maker *m.* fourreur, pelletier *m.*
pels'mantel *m.* pelisse *f.*, manteau *m.* de fourrure.

pels'muts *v.(m.)* bonnet *m.* de fourrure.
pels'werk *o.* fourrures *f.pl.*, pelleterie *f.*
pelterij'handel *m.* pelleterie *f.*
pelterij'handelaar *m.* pelletier *m.*
pe'luw *v.(m.)* traversin *m.*
pe'luwovertrek *o.* taie *f.* de traversin.
pel'zen *b.n.* de fourrure.
pen *v.(m.)* **1** (*schrijf—, veer*) plume *f.*; **2** (*pin*) cheville *f.*; tenon *m.*; **3** (*stift*) clavette *f.*; **4** (*knijper, prang*) pince *f.*; **5** (*v. egel*) piquant *m.*; ***stalen —,*** **1** (*om te schrijven*) plume *f.* métallique; **2** (*kledingstuk*) queue *f.* de morue; ***een welversneden —,*** une plume bien taillée; ***met geen — te beschrijven,*** indescriptible; ***de — voeren,*** tenir la plume; ***van zijn — leven,*** vivre de sa plume; ***het is in de —,*** c'est en voie de préparation; ***met de — getekend,*** dessiné à la plume.
pe'nalty *m.* penalty (*pl.:* ...ties), coup *m.* de pénalité.
penant' *o.* trumeau *m.*
penant'kast *v.(m.)* bahut *m.*
penant'kastje *o.* desserte *f.*
penant'spiegel *m.* (glace *f.* de) trumeau *m.*
penant'tafeltje *o.* console *f.*, entre-deux *m.*
pena'rie *v.* misère *f.*; ***in de — zitten,*** être dans la tourbe, — la dêche, — dans une (grave) pénurie d'argent; (*angst*) être dans ses petits souliers.
pena'ten *mv.* pénates *m.pl.*
pendant' *o. en m.* pendant *m.*; ***de — zijn van,*** faire pendant à.
pen'deldienst *m.* service *m.* en navette.
pendu'le *v.(m.)* pendule *f.*
pene, *zie* ***poene.***
pen'houder, pen'nehouder *m.* porte-plume *m.*
penicilli'ne *v.(m.)* pénicilline *f.*
penitentia'ris *m.* pénitencier *m.*
peniten'tie *v.* **1** pénitence *f.*; **2** (*fig.*) torture *f.*, supplice *m.*
pen'(ne)houder *m.* porte-plume *m.*
pen'nelikker *m.* gratte-papier, écrivassier *m.*
pen'nemes *o.* canif *m.*
pen'nen *ov.w.* **1** (*schrijven*) écrire; **2** (*tn.*) cheviller.
pen'nenbakje *o.* plumier *m.*
pen'nendoosje *o.* boîte *f.* à plumes.
pen'nenkoker *m.* étui *m.* à plumes, plumier *m.*
pen'nestreek *v.* trait *m.* de plume.
pen'nestrijd *m.* polémique *f.*; guerre *f.* de plume.
pen'netrek *m.* **1** trait *m.* de plume; **2** parafe *m.*
pen'nevrucht *v.(m.)* œuvre, production *f.* (littéraire).
pen'newisser *m.* essuie-plume* *m.*
pen'ning *m.* **1** (*muntstuk*) denier *m.*; **2** (*gedenk—*) médaille *f.*; **3** (*speel—*) fiche *f.*, jeton *m.*; ***'s lands —en,*** les deniers publics; ***op de — zijn,*** être dur à la détente; ***tot de laatste — betalen,*** payer jusqu'au dernier centime.
pen'ningkabinet *o.* cabinet *m.* des (monnaies et) médailles, collection *f.* de médailles.
pen'ningkruid *o.* nummulaire *f.*
pen'ningkunde *v.* numismatique *f.*
pen'ningkundige *m.* numismate *m.*
pen'ningmeester *m.* trésorier *m.*
pen'ningmeesterschap *o.* trésorerie *f.*
pen'ningske *o.* denier *m.*, obole *f.*; ***het — van de weduwe,*** le denier de la veuve.
pens *v.(m.)* **1** (*maagafdeling van herkauwers*) panse *f.*; **2** (*pop.: buik*) panse *f.*, bidon *m.*; **3** (*ingewand*) tripes *f.pl.*
penseel' *o.* **1** pinceau *m.*; **2** (*v. varkenshaar*) [brosse *f.*
penseel'bakje *o.* pincelier *m.*
penseel'streek, penseel'trek *m.* coup *m.* de pinceau, touche *f.*
penseel'vormig *b.n.* **1** en forme de pinceau; **2** (*wet.*) penicillé.
pense'len *ov.w.* peindre; ***de keel —,*** badigeonner [la gorge.
pensioen' *o.* (pension de) retraite *f.*; ***— nemen,*** prendre (*of* demander) sa retraite; ***op — stellen,*** mettre à la retraite; ***met — gaan,*** prendre sa retraite.
pensioen'fonds *o.* caisse *f.* de retraite.
pensioen'gerechtigd *b.n.* ayant droit à la retraite; ***—e leeftijd,*** l'âge de la retraite.
pensioen'kas *v.(m.)* caisse *f.* de retraite.
pensioen(s)aanvraag, -vrage *v.(m.)* demande *f.* de retraite.
pensioen'(s)bijdrage *v.(m.)* retenue *f.* (*of* versement *m.*) pour la retraite.
pensioen'(s)korting *v.* cotisation *f.* de retraite.
pensioen'(s)regeling *v.* régime *m.* des pensions, — de retraite.
pensioen'(s)verzekering *v.* assurance *f.* de retraite.
pensioen'trekker *m.* retraité *m.*, fonctionnaire (*of* ouvrier) *m.* à la retraite.
pensioen'wet *v.(m.)* loi *f.* des pensions, — des re- [traites.
pensioen'zegel *o.* timbre *m.* retraite.
pension' *o.* pension *f.* (de famille).
pensionaat' *o.* pensionnat *m.*
pensiona'ris *m.* pensionnaire *m.*
pensione'ren *ov.w.* mettre à la retraite; ***gepensioneerd,*** en retraite.
pensione'ring *v.* (mise à la) retraite *f.*
pension'gast *m.* pensionnaire *m.*
pension'houder *m.* maître (*of* patron) *m.* d'une [pension.
pension'prijs *m.* prix *m.* de la pension.
Pensylva'nië *o.* la Pensylvanie.
Pen'tagon *o.* Pentagone *m.*
Pentateuch' *m.* Pentateuque *m.*
pen'tekening *v.* dessin *m.* à la plume.
pe'per *m.* poivre *m.*; ***Spaanse —,*** piment *m.*; ***gemalen —,*** poivre en poudre; ***ongemalen —,*** poivre en grains; ***—-en-zoutstelletje,*** salière double.
pe'perachtig *b.n.* poivré.
pe'perboom *m.* poivrier *m.*
pe'perboompje *o.* daphné, garou, mézéréon *m.*
pe'perbus *v.(m.)* poivrier *m.*, poivrière *f.*
pe'perduur' *b.n.* poivré, salé, épicé; ***dat is —,*** cela (vous) coûte les yeux de la tête.
pe'peren *ov.w.* **1** poivrer, pimenter; **2** (*fig.*) (*rekening, enz.*) saler; (*duur verkopen*) vendre très cher.
pe'perhuisje *o.* cornet *m.*
pe'perkoek *m.* pain *m.* d'épice.
pe'perkorrel *m.* grain *m.* de poivre.
pe'perkruid *o.* raifort *m.* sauvage.
pe'perland *o.* **1** (*veld*) poivrière, plantation *f.* de poivre; **2** (*Indië*) les Indes orientales *f.pl.*; ***iem. naar het — zenden,*** envoyer qn. à tous les diables.
pe'permolen *m.* moulin *m.* à poivre.
pepermunt' *v.(m.)* menthe *f.* poivrée.
pepermunt'je *o.* pastille *f.* de menthe.
pepermunt'olie *v.(m.)* huile *f.* de menthe, essence *f.* —.
pepermunt'water *o.* eau *f.* de menthe.
pe'pernoot *v.(m.)* dé *m.* de pain d'épice.
pe'perplant *v.(m.)* poivrier *m.*
pe'persaus *v.(m.)* poivrade *f.*
pe'perstruik *m.* poivrier *m.*
pe'pervaatje *o.* poivrière *f.*
pe'perwortel *m.* faux raifort *m.*
Pepijn' *m.* Pépin *m.*; ***— de Korte,*** Pépin le Bref.
pep'pel *m.* peuplier *m.*
pepsi'ne *v.(m.)* pepsine *f.*
pep'ton *o.* peptone *f.*

per *vz.* par; **— *adres,*** aux (bons) soins de; à l'adresse de; **— *fiets,*** à bicyclette; **— *auto,*** en auto; **— *spoor,*** par chemin de fer; **— *vliegtuig,*** 1 (*reizen*) en avion; 2 (*verzenden*) par avion; **— *15 september,*** au 15 septembre; **— *meter verkopen,*** vendre au mètre; ***20 frank — meter,*** vingt francs le mètre; ***50 frank — dag,*** cinquante francs par jour; **— *post,*** par la poste; **— *omgaande,*** par retour du courrier; **— *saldo,*** pour solde de compte; **— *hoofd,*** par tête.
perceel' *o.* 1 (*deel*) lot *m.*, parcelle *f.*; 2 (*huis, pand*) immeuble *m.*, propriété *f.*
perceels'gewijs, -gewijze I *b.n.* parcellaire; II *bw.* par lots, par parcelles.
percent' *o.* pour-cent *m.*; ***tegen 4 —,*** à quatre pour cent, au taux de quatre pour cent.
percenta'ge *o.* pourcentage *m.*
percent'rekening *v.* calcul *m.* des intérêts.
percents'gewijs', -gewijze *bw.* à tant pour cent.
percus'sie, perkus'sie *v.* percussion *f.*
percus'siehoedje, perkus'siehoedje *o.* capsule *f.*
percus'siegeweer, perkus'siegeweer *o.* fusil *m.* à percussion.
pe'rebloesem *m.* fleur *f.* de poirier.
pe'reboom *m.* poirier *m.*
pe'rehout *o.* bois *m.* de poirier.
pe'rencider, pe'rendrank *m.* poiré *m.*
pe'renmoes *o.* marmelade *f.* de poires.
pe'renwijn *m.* poiré *m.*
pe'resap *o.* jus *m.* de poires.
pe'reschil *v.*(*m.*) pelure *f.* de poire.
perfect', perfekt' I *b.n.* parfait, excellent; II *bw.* parfaitement.
perfec'tie, perfek'tie *v.* perfection *f.*
perfectione'ren *ov.w.* perfectionner.
perfec'tum *o.* (*gram.*) parfait *m.*
perfekt(-), *zie* ***perfect(-).***
perforeer'machine *v.* machine *f.* à perforer.
perfore'ren *ov.w.* perforer; pointiller.
perifeer' *bn.* périphérique.
periferie' *v.* périphérie.
perihe'lium *o.* périhélie *m.*
peri'kel *o.* péril, souci *m.*; ***—en,*** tribulations *f.pl.*; ennuis *m.pl.*
perio'de *v.* période *f.*; ***bij —n,*** périodiquement.
periodiek' I *b.n.* périodique; II *bw.* périodiquement; III *z.n. o.* périodique *m.*, publication *f.* périodique.
periscoop', periskoop' *m.* périscope *m.*
perk *o.* 1 (*gras*—) pelouse *f.*; 2 (*bloem*—) parterre *m.*; 3 (*strijd*—) lice, arène *f.*; 4 (*ren*—) carrière *f.*; 5 (*grens*) borne, limite *f.*; ***alle —en te buiten gaan,*** (dé)passer les bornes; ***binnen de —en der wet,*** dans les termes de la loi; ***paal en — stellen aan,*** mettre le holà à, mettre fin à.
perkament' *o.* parchemin *m.*
perkament'achtig *b.n.* parcheminé.
perkamen'ten *b.n.* de (*of* en) parchemin.
perkament'fabriek *v.* parcheminerie *f.*
perkament'papier *o.* papier-parchemin *m.*; papier *m.* parcheminé.
perkussie(-), *zie* ***percussie(-).***
permanent' I *b.n.* permanent; II *bw.* en permanence; III *z.n. m.* indéfrisable *f.*
permanen'ten *ov.w.* faire une indéfrisable (à qn.); ***zich laten —,*** se faire faire une indéfrisable.
permis'sie *v.* 1 permission *f.*; 2 (*mil.*) congé *m.*
permis'siebiljet *o.* permis *m.*
permitte'ren *ov.w.* permettre (qc. à qn.).
Pernambu'co *o.* Pernambouc *m.*
perora'tie *v.* péroraison *f.*
peroxy'de *o.* eau *f.* oxygénée.
perpe'tuum mo'bile *o.* mouvement *m.* perpétuel.
perplex' *b.n.* perplexe.
perron' *o.* 1 (*op station*) quai *m.*; 2 (*stoep*) perron *m.*
perron'kaartje *o.* billet *m.* de quai, ticket *m.* —, [carreau *m.*
perron'kap *v.*(*m.*) marquise *f.* (de gare).
Pers *m.* Persan *m.*; ***de Perzen,*** (*oudheid*) les Perses.
pers *v.*(*m.*) 1 (*alg.*) presse *f.*; 2 (*v. druiven, enz.*) pressoir *m.*; 3 (*v. stoffen*) lustre, cati, apprêt *m.*; ***ter —e,*** sous presse; ***van de — komen,*** sortir de presse.
pers'agentschap *o.* agence *f.*
pers'berichten *mv.* 1 nouvelles *f.pl.* de presse; (*telegrafisch, enz.*) informations *f.pl.*; 2 communiqué *m.* de presse.
pers'boom *m.* barreau *m.* de presse.
pers'bureau *o.* bureau *m.* de la presse, agence *f.* télégraphique, agence d'information.
pers'campagne *v.*(*m.*) campagne *f.* de presse.
pers'conferentie, -konferentie *v.* conférence *f.* de presse; ***een — houden,*** tenir une conférence de presse.
pers'delict, pers'delikt *o.* délit *m.* de presse.
pers'dienst *m.* service *m.* de l'information.
pers'doek *o.* étamine *f.*
per se' forcément, nécessairement.
per'sen *ov.w.* 1 (*alg.*) presser; 2 (*samen*—) comprimer; 3 (*uitpersen*) pressurer; 4 (*glad* —) lisser; 5 (*v. stoffen*) catir; 6 (*fig.*) forcer, contraindre (à); ***olie —,*** extraire de l'huile; ***iem. tranen uit de ogen —,*** arracher des larmes à qn.
Per'seus *m.* Persée *m.*
pers'fotograaf *m.* reporter *m.* photographique.
pers'gas *o.* gaz *m.* comprimé.
pers'gesprek *o.* interview *m. et f.*
pers'glans *m.* cati, lustre *m.*
per'sico *m.* persicot *m.*
pers'ijzer *o.* 1 (*strijkijzer*) fer *m.* à repasser; 2 (*tn.*)
per'sing *v.* 1 pression *f.*; 2 (*samen*—) compression *f.*; 3 (*uit*—) pressurage *m.*; 4 (*v. stoffen*) catissage *m.*; 5 (*olie*) extraction *f.*
pers'kaart *v.*(*m.*) coupe-file *m.*, carte *f.* de presse.
pers'klaar *b.n.* prêt pour l'impression; bon à tirer.
pers'konferentie, *zie* ***persconferentie.***
pers'man *m.* homme *m.* de presse, journaliste *m.*
pers'muskiet *m.* faucon *m.* de la presse.
persona'ge *o. en v.* personnage *m.*
persona'lia *mv.* détails *m.pl.* personnels, — biographiques; choses *f.pl.* personnelles.
personaliteit' *v.* personnalité *f.*
personeel' I *b.n.* personnel; II *bw.* personellement; III *z.n. o.* 1 (*ambtenaren*) personnel *m.*; employés *m.pl.*; 2 (*dienst*—) gens (de service), domestiques *m.pl.*; 3 (*belasting*) impôt *m.* personnel; ***het onderwijzend —,*** le corps enseignant.
perso'nenauto *m.* voiture *f.* particulière.
perso'nenlift *m.* ascenseur *m.*
perso'nentrein *m.* train *m.* de voyageurs.
perso'nenvervoer *o.* transport *m.* des voyageurs.
personifica'tie, personifika'tie *v.* personnification *f.*
personifië'ren *ov.w.* personnifier.
personifika'tie, *zie* ***personificatie.***
persoon' *m.* 1 (*alg.*) personne *f.*; 2 (*belangrijk*) personnage *m.*; 3 (*gramm.*) personne *f.*; ***in eigen —,*** en personne, personnellement; ***iem. van — kennen,*** connaître qn. de vue; ***hij is de aangewezen — om,*** il est tout désigné pour; ***ik voor mijn —,*** quant à moi.
persoon'lijk I *b.n.* personnel; individuel; ***zonder —e ongelukken,*** sans accidents de personne(s); **— *worden,*** devenir agressif, s'en prendre directe-

ment aux personnes; **—e rekening,** compte privé; **om —e redenen,** pour des raisons de convenance personnelle; **—e schulden,** dettes privées *f.pl.*; **II** *bw.* personnellement, en personne.
persoon'lijkheid *v.* personnalité *f.*
persoons'beschrijving *v.* signalement *m.*
persoons'bewijs *o.* carte *f.* d'identité.
persoons'uitgang *m.* (*spraakk.*) désinence *f.*
persoon'tje *o.* petite personne *f.*; **een aardig —,** elle est bien faite de sa personne.
pers'orgaan *o.* organe *m.* de la presse.
pers'overzicht *o.* revue *f.* de la presse.
perspectief', perspektief' *o.* perspective *f.*
perspecti'visch, perspekti'visch I *b.n.* perspectif; **II** *bw.* en perspective.
pers'plank *v.*(*m.*) passe-carreau* *m.*
pers'pomp *v.*(*m.*) pompe *f.* foulante.
pers'revisie *v.* dernière épreuve, tierce *f.*
pers'stemmen *mv.* revue *f.* de presse.
pers'telegram *o.* télégramme *m.* de presse.
pers'tribune *v.*(*m.*) tribune *f.* des journalistes.
pers'verslag *o.* compte rendu *m.*
pers'vrijheid *v.* liberté *f.* de la presse.
pertinent' I *b.n.* **1** (*afdoend*) pertinent; **2** (*nadrukkelijk*) catégorique, formel; **3** (*stellig*) positif; **II** *bw.* **1** pertinemment **2** catégoriquement, formellement; **3** positivement; **4 — liegen,** mentir effrontément; **— volhouden dat...,** s'obstiner à dire que.
Pe'ru *o.* le Pérou.
Peruaan' *m.* Péruvien *m.*
pe'rubalsem *m.* baume *m.* du Pérou.
Peru'gia *o.* Pérouse *f.*; **uit —,** pérousin, pérugin.
Peruviaans' *b.n.* péruvien, du Pérou.
Perwijs *o.* Perwez.
Per'zië *o.* la Perse.
per'zik I *v.*(*m.*) pêche *f.*; **II** *m.* (*boom*) pêcher *m.*
per'zik(e)boom. *m* pêcher *m.*
per'zik(e)brandewijn *m.* persicot *m.*
per'zik(e)pit *v.*(*m.*) noyau *m.* de pêche.
Per'zisch I *b.n.* persan; perse; **de —e golf,** le golfe Persique; **II** *z.n.* **1** *o.*, **het —,** le persan; **2** *v.*, **—e,** Persane *f.*
pessimis'me *o.* pessimisme *m.*
pessimist' *m.* pessimiste *m.*
pessimis'tisch I *b.n.* pessimiste; **II** *bw.* en pessimiste.
pest *v.*(*m.*) peste *f.*; **de — aan iets gezien hebben,** avoir qc. en horreur; **de — in hebben,** être bien ennuyé (*of* embêté), crever dans sa peau, bisquer; **schuwen als de —,** fuir comme la peste.
pest'achtig *b.n.* pestilentiel.
pest'bacil *m.* bacille *m.* de la peste, — pesteux.
pest'buil *v.*(*m.*) bubon *m.* pestilentiel.
pest'damp *m.* vapeur *f.* pestilentielle.
pes'ten *ov.w.* vexer, harceler, faire endêver (qn.), faire des mistoufles (à qn.).
pesterij' *v.* rosserie, mistoufle *f.*
pest'hol *o.* **1** trou *m.* infect; **2** lieu *m.* de contagion.
pest'huis *o.* lazaret *m.* (des pestiférés).
pest'kop *m.* (*pop.*) rosse *f.*, brimard *m.*
pest'lijder *m.* pestiféré *m.* [pestilentielle.
pest'lucht *v.*(*m.*) **1** air *m.* pestilentiel; **2** odeur *f.*
pest'pokken *mv.* variole *f.* noire.
pest'serum *o.* sérum *m.* antipesteux.
pest'stank *m.* odeur *f.* pestilentielle.
pest'stof *v.*(*m.*) matière *f.* pestilentielle.
pest'verwekkend *b.n.* pestifère, pestilentiel.
pest'vogel *m.* (*Dk.*) grand jaseur, jaseur de Bohème, geai de Bohème *m.*
pest'werend *b.n.* antipesteux.
pest'ziekte *v.* peste *f.*
pet *v.*(*m.*) **1** casquette *f.*; **2** (*mil.*) képi *m.*; **dat gaat boven mijn —,** cela me passe; **met de — naar gooien,** bâcler.
pe'tekind *o.* filleul *m.*, **—e** *f.*
pe'temoei *v.* marraine *f.*
pe'ter *m.* parrain *m.*
Pe'ter *m.* Pierre *m.*
Pe'tersburg *o.* Saint-Pétersbourg *m.*
pe'terschap *o.* parrainage *m.*
peterse'lie *v.*(*m.*) persil *m.*
peterse'liesaus *v.*(*m.*) sauce *f.* au persil.
petie'terig *b.n.* minuscule, petiot.
peti'tie *v.* pétition *f.*
petitionnement' *o.* pétitionnement *m.*
peti'tio principii *v.* pétition *f.* de principes.
Petrar'ca *m.* Pétrarque *m.*
Pe'trem *o.* Piétrain.
petrochemie' *v.* pétrochimie *f.*
Pe'trograd *o.* Pétrograd *m.*; Léninegrad *m.*
petro'leum *m.* pétrole *m.*; **gezuiverde —,** huile *f.* de pétrole; **ruwe —,** pétrole brut.
petro'leumbasis *v.* base *f.* pétrolière.
petro'leumblik *o.* bidon *m.* à pétrole.
petro'leumbron *v.*(*m.*) source *f.* de pétrole.
petro'leumet(h)er *m.* gazoline *f.*
petro'leumgas *o.* gaz *m.* de pétrole.
petro'leumhaven *m.* port *m.* pétrolier.
petro'leumhoudend *b.n.* pétrolifère.
petro'leumindustrie *v.* industrie *f.* pétrolière.
petro'leumkachel *v.*(*m.*) poêle *m.* à pétrole.
petro'leumkan *v.*(*m.*) bidon *m.* à pétrole.
petro'leumlaag *v.*(*m.*) nappe *f.* de pétrole.
petro'leumlamp *v.*(*m.*) lampe *f.* à pétrole.
petro'leumleiding *v.* conduit *m.* de pétrole.
petro'leummaatschappij *v.* société *f.* pétrolière, — pétrolifère.
petro'leummotor *m.* moteur *m.* à pétrole.
petro'leumraffinaderij *v.* pétrolerie *f.*
petro'leumschip *o.* pétrolier *m.*, navire *m.* pétrolier. [*m.*
petro'leumstel *o.* fourneau *m.* à pétrole, réchaud
petro'leumtank *m.* citerne *f.* à pétrole.
petro'leumtankschip *o.* bateau*-citerne* *m.*
petro'leumvat *o.* baril *m.* à pétrole.
petro'leumveld *o.* champ *m.* de pétrole, — pétrolifère, gisement *m.* de pétrole. [gazéifié.
petro'leumvergasser *m.* réchaud *m.* à pétrole
petro'leumwaarden *mv.* valeurs *f.pl.* pétrolières.
Petronel'la *v.* Pierrette *f.*
Pe'trus *m.* Pierre *m.*
Pe'trusbanden *mv.* saint Pierre aux Liens.
pet'tenmaker *m.* fabricant *m.* de casquettes.
pet'ticoat *m.* jupon *m.* empesé.
pet'to, in — houden, tenir en réserve, réserver.
petu'nia *v.*(*m.*) pétunia *m.*
peu'eraar *m.* pêcheur *m.* à la vermée.
peu'eren, peu'ren *on.w.* pêcher à la vermée.
peu'kel (*Z.N.*) *v.*(*m.*) bouton *m.*, pustule *f.*
peuk'je *o.* **1** (*stompje, kort eindje*) mégot *m.*; **2** (*fig.*) bout *m.* d'homme.
peul *v.*(*m.*) **1** (*hulsel*) cosse, gousse *f.*; **2** (*Pl.*) silique *f.*; **—en,** des pois *m.pl.* mange-tout, — sans cosse.
peul'erwt *v.*(*m.*) pois *m.* mange-tout.
peul'(e)schil *v.*(*m.*) cosse (*of* gousse) *f.* de pois; **—letje,** *o.* (*fig.*) bagatelle, paille *f.*
peul'gewas *o.* légumineuse *f.*
peul'schil, *zie* **peuleschil.**
peul'vormig (*Pl.*) *b.n.* siliqueux.
peul'vrucht *v.*(*m.*), *zie* **peulgewas.**
peur *v.*(*m.*) vermée, vermille *f.*
peur'der *m.* pêcheur *m.* à la vermée.
peu'ren *on.w.* pêcher à la vermée.

peu'ter *m.* **1** (*voor pijp*) cure-pipe* *m.*; **2** (*kind*) mioche, bambin *m.*; **3** (*klein persoon*) bout *m.* d'homme; ***de —s,*** la marmaille.
peu'teraar *m.* fignoleur, pignocheur *m.*
peu'teren *on.w.* **1** (*wroeten, snuffelen*) fouiller, farfouiller, fourgonner; **2** (*in neus*) fouiller (dans), se curer le nez; **3** (*in oor*) gratter (dans), curer (l'oreille); **4** (*peuterwerk doen*) faire un travail de bénédictin; **5** (*kunst*) fignoler; **6** (*hard werken*) piocher.
peu'terig I *b.n.* **1** pointilleux, chicaneur; **2** (*v. werk*) minutieux, méticuleux, fignoleur; **II** *bw.* pointilleusement, méticuleusement.
peu'terigheid *v.* minutie *f.* (extrême).
peu'terwerk *o.* travail minutieux, fignolage *m.*
peu'zel *m.* **1** (*dreumes*) mioche, marmot *m.*; **2** (*ong.: treuzelaar*) traînard *m.*
peu'zelaar *m.* croqueur, grignoteur *m.*
peu'zelen *on.w. en ov.w.* croquer, grignoter.
pe'zerik *m.* nerf *m.* de bœuf.
pe'zig *bn.* tendineux.
Phœ'dra *v.* Phèdre *f.*
Philadel'phia *v.* Philadelphie *f.*
Philippen'zen *mv.* Philippiens *m.pl.*
Philippij'nen *mv.* les (îles) Philippines *f.pl.*
Philippijns' *b.n.* des Philippines.
Philip'pus, Philips' *m.* Philippe *m.*
Philistijn', Filistijn' *m.* Philistin *m.*
Phœ'bus *m.* Phébus *m.*
Piacen'za *o.* Plaisance.
pia'ma-, *zie **pyjama-.***
piani'no *v.(m.)* piano droit, pianino *m.*
pianist' *m.* pianiste *m.*
pia'no *v.(m.)* piano *m.*; ***— spelen,*** jouer du piano.
pia'nobankje *o.* banquette *f.* de piano.
pia'noconcert *o.* **1** concert *m.* de piano, récital *m.* de piano; **2** concerto *m.* pour piano.
pia'nojuffrouw *v.* maîtresse *f.* de piano.
pia'nokoncert, *zie **pianoconcert.***
pia'nokruk *v.(m.)* tabouret *m.*
pia'nokwartet *o.* quatuor *m.*
piano'la *v.(m.)* pianola *m.*
pia'nolamp *v.(m.)* lampe *f.* de piano.
pia'noleraar *m.* professeur *m.* de piano.
pia'noles *v.(m.)* leçon *f.* de piano.
pia'nomuziek *v.* **1** (*muziek op piano*) musique *f.* de piano; **2** (*muziekstuk voor piano*) musique *f.* pour piano.
pia'no-orgel *o.* piano *m.* de Barbarie, — mécanique.
pia'noscharnier *o.* charnière *f.* de piano.
pia'nospeelster *v.* pianiste *f.*
pia'nostemmer *m.* accordeur *m.* (de piano).
pi'as *m.* paillasse, clown, pitre *m.*
pias'ter *m.* piastre *f.*
Picar'dië *o.* la Picardie.
Picar'diër *m.* Picard *m.*
Picar'disch *b.n.* picard.
pic'colo *m.* **1** (*muz.*) piccolo *m.*, petite flûte *f.*; **2** (*in café, restaurant*) chasseur *m.*
pic'colofluit *v.(m.)* (*muz.*) petite flûte *f.*, octavin *m.*
pick'les *mv.* pickles *m.pl.*
pick'nick, pik'nik *m.* pique-nique* *m.*
pick'nicken *on.w.* pique-niquer.
pick'nicker *m.*, **-ster** *v.* pique-niqueur* *m.*, ...queuse * *f.*
pick-up' *m.* pick-up, tourne-disque*, électrophone *m.*
picri'nezuur, pikri'nezuur *o.* acide *m.* picrique.
piè'ce de milieu' *o.* surtout *m.* (de table).
piëdestal', *zie **pedestal.***
pief-paf-poef'! *tw.* pif, paf, pouf!
piek *v.(m.)* **1** (*lans*) pique *f.*; **2** (*bergspits*) pic *m.*; **3** (*haar*) mèche (folle) *f.*; **4** (*scherp woord*) trait piquant, coup *m.* de patte; ***zijn — schuren,*** (*fam.*) ficher le camp, tirer ses grègues, déguerpir; ***het regent —en,*** il pleut des hallebardes.
piek'drager *m.* piquier *m.*
pie'ken *ov.w.* **1** (*sch.*) dresser (les vergues); **2** piquer, coudre.
piekenier' *m.* piquier *m.*
pie'keren *on.w.* **1** se torturer l'esprit, s'inquiéter; **2** (*nadenken*) réfléchir, rêver, rêvasser.
piek'fijn I *b.n.* chic, rupin; **II** *bw.*, ***— gekleed,*** tiré à quatre épingles.
piek'uur *o.* heure *f.* de pointe, — de grande affluence.
piel *m.* (*Dk.*) caneton *m.*
pien'ter I *b.n.* habile, éveillé, alerte, avisé; débrouillard, dégourdi; (*fam.*) futé, madré; **II** *bw.* habilement, ingénieusement.
pien'terheid *v.* habileté, intelligence *f.*
piep! *tw.* cuic!
pie'pen *on.w.* **1** (*v. vogel*) piailler; **2** (*v. mus*) pépier; **3** (*v. kuiken*) piauler; **4** (*v. muis*) guiorer; **5** (*v. deur, enz.*) grincer, crier, gémir; **6** (*v. borst*) crépiter; (*bij ademhaling*) siffler; **7** (*v. schoenen*) craquer; ***een —de stem,*** une voix grêle.
pie'per *m.* **1** (*lokfluitje*) pipeau *m.*; **2** (*v. herder*) chalumeau *m.*; **3** (*Dk.: graspieper*) pitpit, pipit *m.*, alouette *f.* des prés; **4** (*mil.: aardappel*) patate, piote *f.*
pie'perig *b.n.* grêle, aigu.
piep'jong *b.n.* tout jeune, jeun.
piep'kuiken *o.* poussin *m.*
piep'stem *v.(m.)* voix *f.* flûtée.
piep'zak *m.*, ***in de — zitten,*** avoir la frousse, avoir le trac.
pier *m.* **1** (*aardworm*) ver *m.* de terre; **2** (*als aas*) asticot *m.*; **3** (*havenhoofd, wandelhoofd*) jetée *f.*; (*landings—*) môle *m.*; ***dood als een —,*** raide, bien mort.
pie'ren *ov.w.* (*pop.*) tromper, duper.
pie'renbak *m.* **1** boîte *f.* aux asticots; **2** (*fig.: zwemplaats*) grenouillère *f.*
pie'renverschrikkertje *o.* (*fam.*) petit verre *m.*, goutte *f.*; ***een — nemen,*** tuer le ver.
pie'rewaaien *on.w.* faire la noce, bambocher.
pie'rewaaier *m.* noceur, bambocheur *m.*
pies *m.* pisse, urine *f.*
pie'sen *on.w.* uriner, faire pipi, (*pop.*) pisser.
pies'pot *m.* pot *m.* de chambre, vase *m.* de nuit.
Piet *m.* Pierre *m.*; ***een grote —,*** un gros bonnet, un grand seigneur; ***zwarte —,*** **1** (*bij St.-Nicolaas*) le Père Fouettard *m.*; **2** (*schoppenboer*) valet *m.* de pique.
piëteit' *v.* piété *f.*
pietepeu'terig I *b.n.* tatillon; **II** *bw.* d'une manière tatillonne.
pie'terig *b.n.* mince, mesquin.
pie'terman *m.* (*Dk.*) vive *f.*, épine *f.* de Judas.
Pieternel' *v.* Pierrette *f.*
pieterse'lie, *zie **peterselie.***
Pie'terspenning *m.* denier *m.* de saint Pierre.
piëtis'me *o.* piétisme *m.*
piëtist' *m.* piétiste *m.*
Piet'je 1 *m. en o.* petit Pierre *m.*; **2** *v. en o.* Perrette *f.*
pietlut' *m.-v.* vétillard, vétilleur *m.*; vétilleuse *f.*
pietlut'tig I *b.n.* vétillard, vétilleur, vétilleux, mesquin; **II** *bw.* d'une façon mesquine, — minutieuse.
pietlut'tigheid *v.* mesquinerie, minutie *f.* mesquine.
pigmee', *zie **pygmee.***
pigment' *o.* pigment *m.*
pigmente'ring *v.* pigmentation *f.*
pij *v.(m.)* **1** (*stof*) bure *f.*; **2** (*monniks—*) froc *m.*
pij'jekker *m.* vareuse *f.*
pijl *m.* **1** flèche *f.*; **2** (*v. boog*) trait *m.*; ***meer dan***

één — op zijn boog hebben, avoir plus d'une corde à son arc; ***al zijn —en verschoten hebben,*** se trouver au bout de son rouleau, — au bout de son latin; ***als een — uit de boog,*** *zie* ***pijlsnel.***
pij'laken *o.* bure *f.*
pijl'(en)bundel *m.* faisceau *m.*
pij'ler *m.* **1** (*bouwk.: pilaar, enz.*) pilier *m.*; **2** (*v. brug*) pile *f.*; **3** (*zuil*) colonne *f.*
pijl'koker *m.* carquois *m.*
pijl'kruid *o.* (*Pl.*) sagittaire, flèche *f.* d'eau.
pijl'naad *m.* suture *f.* sagittaire.
pijl'recht *b.n.* droit comme une flèche.
pijl'snel I *b.n.* (rapide) comme un trait; **II** *bw.* avec la rapidité d'un trait.
pijl'staart *m.* **1** (*vogel*) canard *m.* à longue queue; **2** (*vis*) pastenague *f.*
pijl'staartrog *m.* pastenague *f.*
pijl'staartvlinder *m.* sphinx *m.* du pin.
pijl'tje *o.* fléchette *f.*
pijl'veer *v.(m.)* penne *f.*
pijl'vormig *b.n.* **1** en forme de flèche; **2** (*Pl.*) sagitté.
pijl'wortel *m.* pivot *m.*
pijl'wortelmeel *o.* arrow-root *m.*
pijn I *v.(m.)* douleur *f.*, mal *m.*, (*kindertaal*) bobo *m.*; ***brandende —,*** douleur cuisante, — lancinante; ***stekende —,*** point *m.*; ***— van schade,*** peine *f.* du dam; ***— lijden,*** souffrir; ***iem. — doen,*** faire mal à qn., (*fig.*) blesser qn.; ***— in de keel hebben,*** avoir mal au gorge; **II** *m.* (*boom*) pin *m.*
pijn'appel *m.* pomme *f.* de pin.
pijn'appelklier *v.(m.)* glande *f.* pinéale.
pijn'bank *v.(m.)* chevalet *m.*, torture *f.*; ***iem. op de — leggen,*** soumettre qn. à la torture, — à la question.
pijn'boom *m.* pin *m.*
pijn'bos *o.* forêt de pins, pineraie, pinaie, pinède *f.*
pij'nen *ov.w.* (*honig*) pressurer.
pij'nigen *ov.w.* **1** faire souffrir, torturer; **2** (*fig.*) tourmenter.
pij'niger *m.* bourreau *m.*
pij'niging *v.* **1** torture *f.*; **2** (*fig.*) tourment *m.*
pijn'lijk I *b.n.* **1** pénible, douloureux; **2** (*v. persoon*) souffrant; **3** (*v. ledematen*) endolori; **II** *bw.* péniblement, douloureusement.
pijn'lijkheid *v.* douleur *f.*, état *m.* douloureux.
pijn'loos *b.n.* **1** sans douleur; **2** (*gen.*) indolore, indolent; ***de zieke is —,*** le malade ne souffre pas; ***— maken,*** insensibiliser.
pijn'stillend *b.n.* lénitif, anodin, anesthésique; ***— middel,*** lénitif, anodin, anesthésique, analgésique *m.*
pijp *v.(m.)* **1** (*buis*) tuyau *m.*; **2** (*leiding*) conduit *m.*; **3** (*muz.*) fifre *m.*; **4** (*om te roken*) pipe *f.*; (*fam.*) bouffarde *f.*; **5** (*v. broek*) jambe *f.*, canon *m.*; **6** (*lak, drop, enz.*) bâton *m.*; **7** (*v. locomotief*) cheminée *f.*; **8** (*vat*) pipe *f.*; **9** (*been*) os *m.* (long et creux); ***een stenen —,*** une pipe en terre; ***zijn — stoppen (uitkloppen),*** bourrer (débourrer) sa pipe; ***een lelijke — roken,*** passer un mauvais quart d'heure; ***naar iemands —en dansen,*** se laisser mener par qn., faire les quatre volontés de qn.; ***iem. naar zijn —en laten dansen,*** mener qn. à la baguette; ***alles danst naar zijn —en,*** il fait la pluie et le beau temps.
pijp'aarde *v.(m.)* terre *f.* de pipe, — à pipes.
pijp'bloem *v.(m.)* (*Pl.*) aristoloche *f.*
pij'p(e)boor *v.(m.)* aiguillette *f.*
pij'pedoorsteker *m.* cure-pipe* *m.*
pij'pedop *m.* chapeau (*of* couvercle) *m.* de pipe.
pij'pekop *m.* **1** fourneau *m.* de (*of* d'une) pipe; **2** tête *f.* de pipe.
pij'pen I *on.w.* **1** fumer la (*of* une) pipe; **2** jouer de la flûte; **II** *ov.w.* (*muts, enz.*) tuyauter.
pij'penbord *o.* tamis *m.* (d'orgue).
pij'penfabriek *v.* fabrique *f.* de pipes.
pij'penfabrikant *m.* fabricant *m.* de pipes.
pij'penla(de) *v.(m.)* **1** tiroir *m.* à pipes; **2** (*fig.: lokaal*) pièce en coup de fusil; (*keuken, enz.*) boyau *m.*; **3** (*muz.*) sommier *m.*
pij'penrek *o.* râtelier *m.* à pipes, porte-pipes *m.*
pij'per *m.* joueur *m.* de flûte, fifre *m.*
pij'pereiniger *m.* nettoie-pipe*, cure-pipe* *m.*
pij'pestander *m.* porte-pipes *m.*
pij'pesteel *m.* tuyau *m.* de pipe.
pij'pestoker *m.* débourre-pipe* *m.*
pij'pestopper *m.* tampon *m.*
pijp'je *o.* **1** (*buisje*) petit tuyau *m.*; tube *m.*; **2** (*om te roken*) petite pipe *f.*, brûle-gueule *m.*; **3** (*v. sigaren, sigaretten*) porte-cigare, porte-cigarette *m.*
pijp'kaneel *m. en o.* cannelle *f.* en bâtons.
pijp'koraal *o.* corail *m.* artificiel.
pijp'kruid *o.* (*Pl.*) cerfeuil *m.* sauvage.
pijp'leiding *v.* **1** canalisation *f.*; **2** (*bij mach.*) tuyauterie *f.*; **3** (*v. petroleum*) pipe-line*, oléoduc *m.*
pijp'muts *v.(m.)* bonnet *m.* tuyauté.
pijp'tabak *m.* tabac *m.* à pipe.
pijp'zak *m.* (*muz.*) cornemuse, musette *f.*
pijp'zwam *v.(m.)* (*Pl.*) bolet *m.*
pijp'zwavel *m.* soufre *m.* en bâtons.
pik I *o. en m.* (*pek*) poix *m.*; ***wie met — omgaat, wordt ermee besmet,*** dis-moi qui tu hantes, je te dirai qui tu es; **II** *m.* **1** (*v. vogel*) coup *m.* de bec; **2** (*met vork*) coup *m.* de fourchette; **3** (*fig.*) rancune, haine *f.*; ***de — op iem. hebben,*** avoir une dent contre qn.; **III** *v.(m.)* (*houweel*) pic *m.*
pik'achtig *b.n.* poisseux.
pikant' I *b.n.* **1** (*prikkelend*) piquant; **2** (*bits, vinnig*) sarcastique, mordant, acéré; ***— maken,*** donner du montant à; ***een —e grap,*** une plaisanterie gauloise; **II** *bw.* d'une manière piquante; **III** ***het pikante hiervan is,*** ce qu'il y a de ragoûtant.
pikanterie' *v.* **1** (*het pikant zijn*) piquant *m.*; **2** (*bitsheid*) sarcasme *m.*; **3** (*wrok*) animosité *f.*; **4** (*stekelig gezegde*) trait *m.* piquant.
pik'broek *m.* matelot, marsouin *m.*
pik'donker *b.n.* noir comme dans un four, tout noir.
pik'draad *m.* ligneul *m.*
piket' *o.* piquet *m.*
piket'paal *m.* piquet *m.*
piket'spel *o.* (jeu de) piquet *m.*
piket'ten *on.w.* jouer au piquet.
pikeur' *m.* piqueur *m.*
pik'haak *m.* (bâton à) crochet *m.*
pik'houweel *o.* pic *m.*
pik(ke)donker *b.n.* noir comme dans un four, tout noir.
pik'ken I *ov.w.* **1** becqueter, picoter; **2** (*korrels, enz.*) picorer; **3** (*aardappel*) piquer; **II** *on.w.* **1** piquer; **2** (*fig.*) critiquer (qn.), donner des coups de bec à; **III** *ov.w.* (*met pek besmeren*) poisser.
pik'ketel *m.* marmite *f.* à brai.
piknik(-), *zie* ***picknick(-).***
pik'olie *v.(m.)* huile *f.* de poix.
pikri'nezuur, *zie* ***picrinezuur.***
pik'ton *v.(m.)* tonneau *m.* à poix.
pik'toorts *v.(m.)* torche *f.* à poix, — à résine.
pik'zwart *b.n.* noir comme du jais.
pil *v.(m.)* **1** pilule *f.*; **2** (*homp*) quignon *m.*; ***—len slikken,*** avaler des pilules; ***een bittere —,*** un dur morceau à digérer, une dragée amère; ***de — vergulden,*** dorer la pilule.

pilaar' *m.* pilier *m.*; colonne *f.*; (*fig.*) soutien *m.*
pilaar'bijter *m.* cagot *m.*
pilaarbijterij' *v.* cagoterie *f.*
pilaar'hoofd *o.* chapiteau *m.*
pilaar'schacht *v.*(*m.*) fût *m.* de colonne.
pilas'ter *m.* pilastre *m.*
Pila'tus *m.* Pilate *m.*
pil'lendoosje *o.* boîte *f.* à pilules.
pil'lendraaier *m.* apothicaire *m.*, (*pop.*) potard *m.*
pil'lenmachine *v.* pilulier *m.*
pi'lo *o.* drap *m.* pilote.
piloot' *m.* pilote *m.*; ***tweede —,*** copilote *m.*; ***automatische —,*** pilote automatique.
pils *m. en o.* bière *f.* de Pilsen.
pil'varen *v.*(*m.*) (*Pl.*) pilulaire *f.*
piment' *o.* piment *m.*; ***met — bereid,*** pimenté.
pim'pel *m.* **1** (*Dk.*) mésange *f.* bleue; **2** ***aan de — zijn,*** boire sec, pinter, lamper.
pim'pelaar *m.* biberon, ivrogne *m.*
pim'pelen *on.w.* pinter, lamper, biberonner.
pim'pelmees *v.*(*m.*), *zie* ***pimpel.***
pim'pelpaars' *b.n.* violet foncé, violacé.
pimpernel' *v.*(*m.*) pimprenelle *f.*; ***de rode —,*** le mouron rouge.
pim'pernoot *v.*(*m.*) pistache *f.* sauvage.
pim'pernoteboom *m.* faux pistachier *m.*
pin *v.*(*m.*) **1** (*tn.*) cheville *f.*; **2** (*houten —*) tenon *m.*; **3** (*v. scharnier*) clavette *f.*
pi'nang(boom) *m.* aréquier, arec *m.*
pinas' *v.*(*m.*) (*sch.*) pinasse *f.*
pincet' *o. en m.* pincette *f.*
pin'da *v.*(*m.*) arachide, cacahuète *f.*
pin'dakaas *m.* beurre *m.* d'arachides.
pin'danoot *v.*(*m.*) arachide, cacahuète *f.*
Pin'darus *m.* Pindare *m.*
pin'gel *v.*(*m.*) pignon *m.*
pin'gelaar *m.* marchandeur, chipoteur *m.*
pin'gelen *on.w.* marchander, chipoter.
pingoeïn', *zie* ***pinguïn.***
ping'pong *o.* ping-pong *m.*, tennis *m.* de table.
ping'pongen *on.w.* jouer au tennis de table.
ping'pongtafel *v.*(*m.*) table *f.* de ping-pong.
pinguïn', pingoeïn' *m.* pingouin *m.*
pin'hamer *m.* martoire *m.*
pink *m.* **1** petit doigt, auriculaire *m.*; ***— op de naad van de broek,*** le petit doigt sur la couture du pantalon; ***bij de —en zijn,*** ne pas avoir froid aux yeux, être éveillé; **2** (*sch.*) pink, bateau *m.* pêcheur; **3** veau *m.* d'un an.
pin'ken *on.w.* clignoter (des yeux).
pin'ker *m.* bâtonnet *m.*
pin'keren *on.w.* jouer aux bâtonnets.
pin'kers *mv.* cils *m.pl.*
pink'ogen *on.w.* clignoter, cligner des yeux.
Pinkstera'vond *m.* veille *f.* de la Pentecôte.
pink'sterbloem *v.*(*m.*) **1** (*Pl.*) cardamine *f.* des prés; **2** (*fig.*) jeune fille *f.* habillée de neuf pour la Pentecôte.
Pink'steren *m.* la Pentecôte.
pink'sterfeest *o.* (fête de) la Pentecôte *f.*
Pinkstermaan'dag *m.* lundi *m.* de la Pentecôte.
pinksterna'kel *v.*(*m.*) (*Pl.*) panais *m.*
pink'sterroos *v.*(*m.*) (*Pl.*) pivoine *f.*
pink'stervakantie, -vacantie *v.* congé *m.* de la Pentecôte.
pink'stier *m.* bouvillon *m.* d'un an.
pink'stokje *o.* bâtonnet *m.*
pin'nen *ov.w.* (*tn.*) cheviller.
pin'netje *o.* goupille *f.*
pint *v.*(*m.*) **1** (*oude maat*) pinte *f.*; **2** (*nieuw*) demi-litre *m.*; ***een — pakken,*** (*fam.*) vider un pot, boire une chope.
Pin'te, De —, La Pinte.
pioen'(roos) *v.*(*m.*) pivoine *f.*
pion' *m.* pion *m.*
pionier' *m.* pionnier *m.*
piot' *m.* (*mil.*) pioupiou, troupier *m.*
pip *v.*(*m.*) pépie *f.*
pipe-line *v.* pipe-line*, oléoduc *m.*
pipet' *v.*(*m.*) *en o.* pipette *f.*
pip'peling *m.* petite reinette *f.*
pips *b.n.* **1** qui a la pépie; **2** (*fig.*) pâlot, languissant.
pips'heid *v.* pâleur, langueur *f.*
piramidaal' **I** *b.n.* pyramidal; **II** *bw.* pyramidalement.
pirami'de *v.* pyramide *f.*
Piræ'us *m.*, ***de —,*** le Pirée.
Pi'ringen *o.* Pirange.
pis *m.* urine *f.*, *zie* ***pies(-).***
Pi'sa *o.* Pise *f.*; ***uit —,*** pisan.
pis'afdrijvend *b.n.* diurétique.
pi'sang **1** *v.*(*m.*) (*vrucht*) banane *f.*; **2** *m.* (*boom*) bananier *m.*; ***een rare —,*** un drôle de coco, un drôle de type.
pis'bak *m.* urinoir *m.*, vespasienne *f.*
pis'blaas *v.*(*m.*) vessie *f.*
pis'buis *v.*(*m.*) urètre *m.*
pis'fles *v.*(*m.*) urinal *m.*
pis'sebed **1** *m.v.* pissenlit *m. et f.*; **2** *v.*(*m.*) (*Dk.*) cloporte *m.*
pis'sen, pie'sen *on.w.* uriner; (*pop.*) pisser.
pista'che *v.*(*m.*) **1** (*Pl.*) pistache *f.*; **2** (*knalbonbon*) diablotin *m.*
pista'cheboom *m.* pistachier *m.*
piston' *m.* (*muz.*) cornet *m.* à pistons.
pistonist' *m.* cornettiste *m.*
pistool' **I** *o.* pistolet *m.*; ***automatisch —,*** pistolet *m.* mitrailleur; **II** *v.* (*munt*) pistole *f.*
pistool'holster *m.* fonte *f.* de selle, fourreau *m.* de pistolet.
pistool'schot *o.* coup *m.* de pistolet.
pit **I** *v.*(*m.*) **1** (*v. druif, appel, enz.*) pépin *m.*; **2** (*steen: v. kers, enz.*) noyau *m.*; **3** (*kern*) amande *f.*; **4** (*v. meloen*) graine *f.*; **5** (*v. noot*) cerneau *m.*; **6** (*v. lamp*) mèche *f.*; **7** (*gas—*) bec *m.*; ***—ten hebben,*** avoir des picaillons; **II** *o. en v.*(*m.*) **1** (*merg*) moelle *f.*; **2** (*fig.*) quintessence, sève *f.*; ***er zit — in hem,*** il a du nerf, — du cran.
pitch'pine *m. en o.* pitchpin *m.*
pi'thon, *zie* ***python.***
pit'mop *v.*(*m.*) biscotin *m.* aux amandes; (*B.*) pain *m.* d'amandes.
pi'ton, *zie* ***pyton.***
pit'riet *o.* rotin *m.* à moelle.
pit'tig **I** *b.n.* moelleux; **2** (*v. wijn*) corsé; **3** (*v. stijl*) vigoureux; **4** (*v. verhaal*) piquant; **5** (*v. sigaar*) savoureux, un peu fort; **II** *bw.* d'une manière piquante.
pit'tigheid *v.* **1** corps *m.*; **2** vigueur *f.*; **3** piquant *m.*; **4** nerf *m.*
pit'vis *m.* lavandière *f.*, draconcule *m.*
pit'vrucht *v.*(*m.*) fruit *m.* à pépins.
Pi'us *m.* Pie *m.*
plaag *v.*(*m.*) **1** (*kwelling, verdriet*) tourment *m.*, peine, affliction *f.*; **2** (*onheil, ramp*) fléau *m.*, calamité *f.*; **3** (*v. Egypte*) plaie *f.*
plaag'geest *m.* **1** taquin, lutin *m.*; **2** (*ong.*) homme tracassier, tourmenteur *m.*
plaag'ziek *b.n.* **1** taquin; **2** tracassier.
plaag'zucht *v.*(*m.*) **1** taquinerie *f.*; **2** humeur *f.* tracassière.
plaat *v.*(*m.*) **1** (*alg.*) plaque *f.*; **2** (*hout, marmer*) tablette *f.*; **3** (*dunne —*) lame *f.*; **4** (*v. plaatsnijder, graveerder*) planche *f.*; **5** (*plank*) madrier *m.*; **6** (*prent*) gravure, image *f.*; **7** (*grammofoon—*) disque *m.*; **8** (*zandbank*) banc *m.* de sable; **9** (*v. ge-*

weer) platine *f.*; ***gevoelige —,*** plaque *f.* sensible; ***de — poetsen,*** déguerpir, décamper.
plaat'brood *o.* pain *m.* cuit au moule.
plaat'druk *m.* impression *f.* en taille-douce.
plaat'drukker *m.* imprimeur *m.* d'estampes, — en taille-douce.
plaatdrukkerij' *v.* imprimerie *f.* d'estampes, — en taille-douce. [forte.
plaat'etser *m.* aquafortiste, graveur *m.* à l'eau
plaat'ijzer *o.* tôle *f.*
plaat'je *o.* **1** *(alg.)* plaquette, lamelle *f.*; **2** *(als dekstuk)* platine *f.*; **3** *(prentje)* image, gravure *f.*
plaat'koek *m.* galette *f.*
plaat'koper *o.* cuivre *m.* en feuilles.
plaat'letterdruk *m.* stéréotypie *f.*
plaat'papier *o.* papier *m.* grand colombier.
plaat'radiator *m.* radiateur *m.* plat.
plaats *v.(m.)* **1** *(alg.)* lieu *m.*; **2** *(plek)* endroit *m.*; **3** *(ruimte voor)* place *f.*; **4** *(terrein)* emplacement *m.*; **5** *(bewoonde —: dorp, stad, enz.)* localité *f.*; village *m.*; ville *f.*; **6** *(plein)* place (publique) *f.*; **7** *(bij huis)* cour *f.*; **8** *(in boek)* passage *m.*; **9** *(betrekking)* place *f.*, emploi *m.*, position *f.*; **10** *(buiten—)* maison de campagne, villa *f.*; **11** *(Z.N.)* *(kamer)* pièce *f.*; ***openbare —,*** lieu public; ***zekere —,*** les lieux; (aller) quelque part; ***meetkundige —,*** lieu *m.* géométrique; ***veel — beslaan,*** occuper beaucoup d'espace; ***de — ruimen,*** vider les lieux; ***de — van de misdaad,*** les lieux du crime; ***de — des onheils,*** le lieu du sinistre; ***dat beslaat te veel —,*** c'est trop encombrant; ***— hebben,*** avoir lieu; ***— nemen,*** prendre place, s'asseoir; ***de eerste (tweede enz.) — innemen,*** se classer premier (second, etc.); ***zijn — bepalen,*** faire le point; ***als ik in uw — was,*** à votre place, si j'étais que de vous; ***in de eerste —,*** en premier lieu; ***in — van,*** au lieu de; ***in de — treden van,*** se substituer à; ***niet van de — komen,*** ne pas bouger; ***op de —, rust,*** en place, repos; ***te bestemder —,*** en son lieu et place; ***ter —e,*** sur place; ***terzelfder —e,*** aux lieu et place; ***voor iem. — maken,*** faire place à qn.; ***op zijn — laten,*** laisser en place; ***iem. op zijn — zetten,*** remettre qn. à sa place; ***hij is de rechte man op de rechte —,*** c'est l'homme de la fonction; ***opgestaan, — vergaan,*** qui va à la chasse, perd sa place; ***een goed woord vindt een goede —,*** petite pluie abat grand vent.
plaats'aanwijsster *v.* ouvreuse *f.*
plaats'aanwijzer *m.* placier *m.*
plaats'aanwijzing *v.* placement *m.*
plaats'bekleder *m.* **1** *(ambtenaar)* titulaire *m.*; **2** *(vervanger)* remplaçant *m.*; **3** *(stedehouder)* lieutenant *m.* [*f.* de lieu.
plaats'bepaling *v.* localisation *f.*, détermination
plaats'beschrijvend *b.n.* topographique.
plaats'beschrijver *m.* topographe *m.*
plaats'beschrijving *v.* topographie *f.*
plaats'bespreking *v.* **1** *(in schouwburg)* location *f.*; **2** *(op boot)* engagement *m.* d'une cabine (*of* d'une place à bord).
plaats'bewaarster *v.* ouvreuse *f.*
plaats'bewijs, plaats'biljet *o.* billet, ticket *m.*
plaats'bureau *o.* **1** bureau *m.* de location; **2** *(mil.)* bureau *m.* (du major) de la place.
plaats'commandant, -kommandant *m.* *(mil.)* commandant *m.* de place.
plaats'disconto *o.* escompte *m.* local.
plaat'selijk I *b.n.* **1** *(van de plaats)* local; **2** *(ter plaatse)* sur place, sur les lieux; **3** *(v. geneesmiddel)* topique; **4** *(gemeentelijk)* communal, municipal; **5** *(hier en daar)* par places; **II** *bw.* **1** localement; **2** sur place; **3** *(gen.)* topiquement; **4** par endroits.

plaatsen I *ov.w.* **1** *(alg.)* mettre; **2** *(op bepaalde wijze, op bestemde plaats)* placer; **3** *(vooral voor zaken)* poser; **4** *(wacht, enz.)* poster; **5** *(aankondiging, artikel)* insérer; **6** *(in zekere orde, rangschikken)* disposer, ranger; **7** *(aanstellen)* placer, donner un emploi à; **8** *(zijn kinderen —)* établir (ses enfants); ***een machine —,*** monter une machine; ***orders —,*** obtenir des ordres; ***op elkaar —,*** superposer; **II** *w.w.* ***zich —,*** se placer.
plaats'gebrek *o.* manque *m.* de place; ***wegens —,*** faute de place.
plaats'geld *o.* *(staangeld)* droit *m.* de stationnement, — d'emplacement, — de place.
plaats'grijpen, plaats'hebben *on.w.* avoir lieu, se passer, se faire, se dérouler, se produire.
plaat'sing *v.* placement *m.*; pose *f.*; insertion *f.*; disposition *f.*; établissement *m.*; *zie* ***plaatsen.***
plaat'singskantoor *o.* bureau (*of* office) *m.* de placement.
plaats'kaartenbureau, -kantoor *o.* bureau *m.* de location de places.
plaats'kaartje *o.* billet, ticket *m.*
plaats'kommandant, *zie* ***plaatscommandant.***
plaat'slijper *m.* polisseur *m.*
plaats'naam *m.* nom *m.* de lieu, — de localité.
plaats'naamkunde *v.* toponymie *f.*
plaats'naamkundig *b.n.* toponymique.
plaat'snijden I *on.w.* graver au burin; **II** *z.n., o.* ***het —,*** la gravure au burin.
plaat'snijder *m.* graveur *m.* au burin.
plaats'ruimte *v.* espace *m.*; ***bij gebrek aan —,*** faute de place.
plaats'trap *m.* *(voetbal)* coup *m.* de pied en place.
plaats'verandering *v.* déplacement *m.*
plaats'vervangend *b.n.* **1** *(rechter, griffier)* suppléant; **2** *(tijdelijk)* intérimaire; ***— middel,*** succédané *m.*
plaats'vervanger *m.* **1** remplaçant *m.*; **2** *(v. rechter, leraar)* suppléant *m.*; ***— zijn,*** remplir une suppléance.
plaats'vervanging *v.* **1** remplacement *m.*; **2** *(v. rechter, leraar)* suppléance *f.*
plaats'vinden, *zie* ***plaatsgrijpen.***
plaats'vulling *v.* remplissage *m.*
plaat'werk *o.* ouvrage *m.* illustré.
plaat'zilver *o.* argent *m.* en feuille.
pladijs' *m.* plie *f.*
plafon(d)' *o.* plafond *m.*
plafon(d)'lamp *v.(m.)* plafonnier *m.*
plafon(d)'verwarming *v.* chauffage *m.* par le plafond.
plafonne'ren *ov.w.* plafonner.
plafonne'ring *v.* plafonnage *m.*
plafonniè're *v.* plafonnier *m.*
plafon'verwarming, *zie* ***plafond—.***
plag, plagge *v.(m.)* motte *f.* de gazon, — de bruyère; plaque *f.* de gazon; ***—gen steken,*** lever (*of* couper) des mottes.
pla'gen *ov.w.* **1** taquiner; **2** *(ong.: kwellen)* tourmenter; **3** *(steeds —)* tracasser, vexer; ***mag ik u even —?*** puis-je vous déranger un instant?
pla'ger *m.* **1** taquin *m.*; **2** homme tracassier *m.*
pla'gerig I *b.n.* **1** taquin; **2** tracassier; **II** *bw.* par taquinerie. [tion *f.*
plagerij' *v.* **1** taquinerie *f.*; **2** tracasserie, vexa-
plag'ge, *zie* ***plag.***
plag'genhut *v.(m.)* hutte *f.* de terre.
plag'gensteker *m.* **1** *(persoon)* leveur *m.* de mottes, qui coupe les gazons; **2** *(werktuig)* coupe-gazon* *m.*
plagiaat' *o.* plagiat *m.*
plagia'ris, plagia'tor *m.* plagiaire *m.*

plaid *m.* plaid *m.*
plak *v.(m.)* **1** (*schijf*) tranche *f.*; (*v. appel, enz.*) rouelle *f.*; (*v. worst*) rondelle *f.*; **2** (*chocolade*) tablette *f.*; **3** (*v. inkt*) pâté *m.*; **4** (*oud strafmiddel*) férule *f.*; **5** (*Z.N.*) (*oorveeg*) soufflet *m.*, gifle *f.*; ***onder de — zitten,*** être sous la férule, être sous la coupe de qn.
plak'band *o.* bande *f.* gommée, — adhésive, ruban *m.* adhésif.
plak'boek *o.* album *m.* pour découpures, — à gravures découpées.
plak'bord *o.* tableau *m.* d'affichage.
plak'brief *m.* affiche *f.*
plak'briefje *o.* étiquette *f.*
plakkaat' *o.* **1** placard *m.*, affiche *f.*; **2** (*gesch.*) édit, décret *m.*
plak'ken I *ov.w.* **1** coller; **2** (*aanplakken*) afficher; **II** *on.w.* **1** coller; **2** (*fig.: ergens blijven*) ne pas s'en aller, prendre racine; (*ong.*) être collant; **3** (*Z.N.*) acheter à crédit.
plak'ker *m.* **1** colleur *m.*; afficheur *m.*; **2** (*fig.*) ***'t is een —,*** il est collant, il est casse-pied.
plak'kerig *b.n.* collant, gluant.
plak'plaatje *o.* image *f.* à coller.
plak'pleister *v.(m.)* emplâtre *m.* [placage *m.*
plak'werk *o.* **1** collage *m.*; **2** (*v. houtwerk; mil.*)
plak'zegel *m.* timbre*-quittance *m.*
plamu'ren *ov.w.* **1** mettre la première couche à; apprêter; **2** (*hout*) poncer, abreuver.
plamuur'mes *o.* couteau *m.* palette.
plamuur'sel *o.* première couche *f.*; apprêt *m.*
plan *o.* **1** (*voornemen*) projet *m.*; **2** (*bedoeling*) intention, vue *f.*, dessein *m.*; **3** (*ontwerp*) plan *m.*; **4** (*ruw ontwerp, schets*) ébauche *f.*; ***op een hoger —,*** sur un plan plus élevé; ***een uitgewerkt —,*** un plan détaillé; ***— van aflossing,*** tableau *m.* d'amortissement; ***een — opmaken,*** arrêter un plan; ***van — zijn om,*** avoir l'intention de, se proposer de; ***van — veranderen,*** se raviser, changer ses plans; ***snode —nen,*** de noirs desseins.
plan'bureau *o.* bureau *m.* de planification.
plan'economie *v.* planisme *m.*, économie *f.* planifiée.
planeer'der *m.* **1** planeur *m.*; **2** colleur *m.*
planeer'hamer *m.* planoir *m.*
planeer'machine *v.* planeuse *f.*
planeet' *v.(m.)* planète *f.*; ***kleine —,*** astéroïde *f.*; ***iemands — lezen,*** tirer l'horoscope de qn.; ***onder een ongelukkige — geboren,*** né sous une mauvaise étoile.
planeet'baan *v.(m.)* orbite *f.* planétaire.
planeet'boek *o.* livre (*of* traité) *m.* d'astrologie.
planeet'jaar *o.* année *f.* planétaire.
planeet'kenner *m.* astrologue *m.*
planeet'kennis *v.* astrologie *f.*
planeet'lezer *m.* tireur *m.* d'horoscopes.
plane'ren *ov.w.* **1** (*hout*) planer, planir; **2** (*papier*) coller.
planeta'rium *o.* planétaire *m.*
plane'tenstelsel *o.* système *m.* planétaire.
planetise'ring *v.* planétisation *f.*
planimetrie' *v.* planimétrie, géométrie *f.* plane.
planisfeer' *v.(m.)* planisphère *m.*
plank *v.(m.)* **1** (*alg.*) planche *f.*; **2** (*dik*) madrier *m.*; **3** (*in kast, enz.*) rayon *m.*; ***de —en,*** (*toneel*) les planches *f.pl.*; ***stijf als een —,*** raide comme un piquet; ***de — misslaan,*** se tromper, manquer son coup; ***het is van de bovenste —,*** c'est le dessus du panier, c'est de la fine fleur. [rampe.
plan'kenkoorts *v.(m.)* trac *m.*, fièvre *f.* de la
plan'kenvloer *m.* plancher *m.*
planket' *o.* **1** (*vloer*) plancher *m.*; **2** (*beschot*) cloison *f.*; **3** (*latwerk*) espalier, lattis *m.*; **4** (*meettafeltje*) planchette *f.* [*m.*
plankier' *o.* plate*-forme* *f.* en planches, plancher
plank'je *o.* planchette *f.*
plank'ton *o.* plancton *m.*
plan'nen *ov.w.* planifier. [*m.* de projets.
plan'nenmaker, plan'nensmeder *m.* faiseur
plan'ning *v.* dirigisme *m.*; planification *f.*
pla'no, *in —,* in folio.
plant *v.(m.)* **1** (*alg.*) plante *f.*; **2** (*v. kool, enz.*) plant *m.*; **3** (*gewas*) végétal *m.*; ***—en verzamelen,*** herboriser.
plant'aarde *v.(m.)* terre *f.* végétale; terreau *m.*
plantaar'dig *b.n.* végétal; ***— voedsel,*** aliments *m.pl.* végétaux.
planta'ge *v.* **1** (*in de tropen*) plantation *f.*; **2** (*plantsoen*) parc *m.*, promenade *f.* (publique).
plant'dier *o.* zoophyte *m.*
plan'teboter *v.(m.)* beurre *m.* végétal.
plan'tecel *v.(m.)* cellule *f.* végétale.
plan'tegif(t) *o.* poison *m.* végétal.
plan'televen *o.* vie *f.* végétale, — végétative; ***een — leiden,*** végéter.
plan'temelk *v.* lait *m.* végétal.
plan'ten *ov.w.* **1** planter; **2** (*v. vaandel*) arborer.
plan'tenboek *o.* herbier *m.*
plan'tenbus *v.(m.)* boîte *f.* à herborisation.
plan'tendons *o.* duvet *m.*, bourre *f.*
plan'tenetend *b.n.* herbivore.
plan'teneter *m.* herbivore *m.*
plan'tengordel *m.* zone *f.* de végétation.
plan'tengroei *m.* végétation *f.*
plan'tenkenner *m.* botaniste *m.*
plan'tenkwekerij' *v.* pépinière *f.*
plan'tenleer *v.(m.)* botanique *f.*
plan'tenrijk *o.* règne *m.* végétal.
plan'tenteelt *v.(m.)* culture *f.* des plantes.
plan'tentuin *m.* jardin *m.* botanique, — des plantes.
plan'tenvoeding *v.* régime *m.* végétarien.
plan'tenwereld *v.(m.)* végétation *f.*, règne *m.* végétal.
plan'teolie *v.(m.)* huile *f.* végétale.
plan'ter *m.* planteur *m.*
planterij' *v.* plantation *f.*
plan'tesap *o.* sève *f.*
plan'tevet *o.* graisse *f.* végétale.
plan'tevezel *v.(m.)* fibre *f.* végétale, filament *m.*
plan'teziektenkunde *v.* phytopathologie *f.*, pathologie *f.* végétale.
plan'teziektenkundig *b.n.* phytopathologique.
plan'tezout *o.* sel *m.* végétal.
plant'goed *o.* semis *m.* (de fleurs, etc.), plant *m.* (de vigne).
plant'ijzer *o.* plantoir *m.*
plan'ting *v.* plantation *f.*, plantage *m.*
plant'kunde *v.* botanique *f.*
plantkun'dig *b.n.* botanique.
plantkun'dige *m.* botaniste *m.*
plantsoen' *o.* **1** (*jeugdig gewas*) plant *m.*; **2** (*wandelplaats*) jardin *m.* public, parc *m.*
plantsoen'aanleg *m.* arrangement *m.* (*of* plantation *f.*) d'un jardin public.
plas *m.* **1** (*v. regen*) flaque *f.* (d'eau); **2** (*groot*) mare *f.*; **3** (*meer*) étang, lac *m.*; ***de wijde —,*** la plaine salée; ***een — bloed,*** une mare de sang; ***—je doen,*** faire pipi.
plas'dankje *o.* simple merci *m.*, parole *f.* aimable; ***een — zoeken te behalen,*** faire le bon valet.
plas'ma *o.* plasme *m.*
plas'regen *m.* pluie *f.* battante, averse, ondée *f.*
plas'regenen *on.w.* pleuvoir à verse.

plas'sen *on.w.* barboter, barbouiller; ***het water plast,*** l'eau jaillit.
plasserij' *v.* barbotage *m.*
plas'tic I *o.* plastiques *m.pl.*, matière *f.* plastique; **II** *b.n.* en matière plastique, de plastique.
plasticeer'middel *o.* plastifiant *m.*
plastice'ren *ov.w.* plastifier.
plastiek' *v.* plastique *f.*
plas'tisch I *b.n.* plastique; **II** *bw.* plastiquement.
plat I *b.n.* **1** (*vlak*) plat, uni; (*v. terrein*) peu accidenté; **2** (*wisk.*) plan; **3** (*afgeplat*) aplati; **4** (*fig.*) trivial, vulgaire, plat; ***—te neus,*** nez écrasé (épaté, camus); ***— bord,*** assiette plate; ***de —te hand,*** la main ouverte; ***—te naad,*** couture abattue; ***— dak,*** toit plat; ***het — Duits,*** le bas-allemand; ***— maken,*** aplatir; ***— worden,*** s'aplatir; **II** *bw.* platement; trivialement, vulgairement; à plat; ***— op zijn buik,*** à plat ventre; ***zich — ter aarde werpen,*** se plaquer à terre; ***— spreken,*** parler patois, avoir un accent vulgaire; ***— trappen,*** fouler, écraser; **III** *z.n.*, *o.* **1** plate*-forme*; terrasse *f.*; **2** (*v. sabel, boek, enz.*) plat *m.*; **3** (*v. voet*) plante *f.*, plat *m.*
plataan'(boom) *m.* platane *m.*
plataan'bos *o.* platanaie *f.*
plat'achtig *b.n.* aplati, un peu plat.
Platamsterdams' *o.* patois *m.* d'Amsterdam.
plat'bodemd, plat'boomd *b.n.* (*sch.*) à fond plat, plat; ***— vaartuig,*** bâtiment à fond plat, bateau *m.* plat.
platdak' *o.* plate*-forme*, terrasse *f.*
plat'drukken *ov.w.* aplatir, écraser.
Plat'duits *o.* bas allemand *m.*
Plateau, *het Centrale —,* le Massif Central.
plateel' *o.* faïence *f.*
plateel'bakker *m.* faïencier *m.*
plateelbakkerij' *v.* faïencerie *f.*
plateel'werk *o.* faïence *f.*
pla'tehoes *v.(m.)* pochette *f.* de disque.
pla'tenalbum *o.* album *m.* à disques.
pla'tenatlas *m.* album *m.*
pla'tenhandelaar *m.* disquaire *m.*
pla'tenkoffertje *o.* porte-disques, coffret*-discothèque *m.*
pla'tenspeler *m.* tourne-disque* *m.*
pla'tenwisselaar *m.* changeur *m.* de disques (automatique).
pla'teschijf *f.* plateau *m.*
plat'form *o.* plate*-forme*; terrasse *f.*
plat'heid *v.* **1** forme *f.* plate; **2** (*fig.*) trivialité, platitude *f.*
pla'tina *o.* platine *m.*
pla'tinadraad *m.* fil *m.* de platine.
pla'tinadruk *m.* platinotypie *f.*
pla'tinahoudend *b.n.* platinifère.
pla'tinapapier *o.* papier *m.* au platine.
platine'ren *ov.w.* **1** couvrir de platine; **2** (*v. haar*) platiner.
plat'kloppen *ov.w.* aplatir, planer.
plat'kop *m.* **1** (*spijker*) clou *m.* à tête (plate); **2** (*vis*) platycéphale *m.*
plat'leggen *ov.w.* poser à plat.
plat'liggend *b.n.* gisant.
plat'lood *o.* plomb *m.* en feuilles.
plat'lopen *ov.w.* (*schoenen*) éculer; ***de deur bij iem. —,*** assiéger la porte de qn., importuner qn.
plat'luis *v.(m.)* (*Dk.*) morpion *m.*
plat'maken *ov.w.* aplatir.
plat'making *v.* aplatissement *m.*
plat'neus *m.* camard, camus *m.*
Pla'to *m.* Platon *m.*
plato'nisch I *b.n.* platonique, (*filos.*) platonicien; **II** *bw.* platoniquement.
plat'schaaf *v.(m.)* rabot *m.* plat.
plat'schieten *ov.w.* détruire (à coups de canon), battre en ruine.
plat'slaan *ov.w.* aplatir.
platteer'werk *o.* plaqué *m.*
plattegrond' *m.* plan *m.*
platteland' *o.* campagne; province *f.*
platteland'bewoner *m.* campagnard *m.*
plattelan'der *m.* campagnard, rural *m.*
plattelands'bevolking *v.* population *f.* rurale.
plattelands'school *v.(m.)* école *f.* rurale.
platte'ren *ov.w.* plaquer.
plat'trappen *ov.w.* aplatir, fouler, écraser.
plat'vis *m.* pleuronecte *m.*
plat'voet 1 *m.* pied *m.* plat; **2** *v.* (*sch.*) petit quart, premier quart *m.*
platvoe'tig *b.n.* à pieds plats.
plat'weg *b.n.* sans détours, carrément, rondement.
plat'zak *b.n.*, ***— zijn,*** être à sec; loger le diable dans sa bourse; ***— thuiskomen,*** revenir bredouille(s).
plavei' *m.* **1** (*vloersteen*) carreau *m.*, dalle *f.*; **2** (*straatsteen*) pavé *m.*
plavei'en *ov.w.* **1** carreler; **2** (*straat*) paver.
plavei'er *m.* paveur *m.*
plavei'ing *v.* **1** carrelage *m.*; **2** pavage *m.*
plavei'sel *o.* pavé *m.*
plavuis' *m.* carreau *m.*
plebaan' *m.* pléban, plébain *m.*
plebe'jer *m.* plébéien *m.*
plebe'jisch *b.n.* plébéien.
plebisciet' *o.* plébiscite *m.*
plebs *o.* plèbe *f.*
plecht *v.(m.)* (*sch.*) **1** gaillard *m.*; **2** (*in sloep*) tille *f.*
plecht'anker *o.* **1** (*sch.*) maîtresse ancre *f.*, ancre *f.* de veille; **2** (*fig.*) ancre *f.* de salut.
plecht'gewaad *o.* habit *m.* de cérémonie.
plech'tig I *b.n.* solennel, grave; **II** *bw.* solennellement, gravement.
plech'tigheid *v.* **1** solennité *f.*; **2** (*cerem.*) cérémonie *f.*
plechtsta'tig I *b.n.* solennel, majestueux, pompeux; **II** *bw.* solennellement, majestueusement, pompeusement.
plechtsta'tigheid *v.* (grande) solennité *f.*; gravité *f.*
plec'trum *o.* plectre *m.*
pleeg'broe(de)r *m.* **1** frère *m.* adoptif; **2** (*verpleger*) infirmier, garde*-malade* *m.*
pleeg'dochter *v.* fille *f.* adoptive.
pleeg'kind *o.* enfant *m.* adoptif.
pleeg'moeder *v.* mère *f.* adoptive.
pleeg'ouders *mv.* parents *m.pl.* adoptifs.
pleeg'vader *m.* père *m.* adoptif.
pleeg'zoon *m.* fils *m.* adoptif.
pleeg'zuster *v.* **1** sœur *f.* adoptive; **2** (*verpleegster*) infirmière, garde*-malade* *f.*
pleet *o.* doublé, plaqué *m.*
ple'gen I *ov.w.* (*bedrijven, doen*) commettre, faire; **II** (*gewoon zijn*) avoir l'habitude de, être accoutumé à, avoir coutume de; ***overleg — met iem.,*** s'entendre avec qn.
pleidooi' *o.* **1** (*recht*) plaidoirie *f.*, plaidoyer *m.*; **2** (*fig.*) plaidoyer *m.*
plein *o.* **1** (*alg.*) place (publique) *f.*; **2** (*met bomen*) square *m.*; **3** (*v. kerk*) parvis *m.*; **4** (*bij woning*) cour *f.*; **5** (*bij fort*) esplanade *f.*; **6** (*mil. oefen—*) plaine *f.*
plein'vrees *v.(m.)* agoraphobie *f.*
pleis'ter I *o.* plâtre, gypse, stuc *m.*; **II** *v.(m.)* emplâtre *m.*; ***Engelse —,*** sparadrap, taffetas *m.* d'Angleterre; ***een — op de wond leggen,*** verser du baume sur la blessure.
pleis'teraar *m.* plâtrier, stucateur *m.*

pleis'terachtig *b.n.* plâtreux.
pleis'terafgietsel *o.* plâtre *m.* [plâtre.
pleis'terbeeld(je) *o.* plâtre *m.*, statue(tte) *f.* de
pleis'teren I *ov.w.* plâtrer, crépir; **II** *on.w.* **1** s'arrêter; **2** (*met paarden*) relayer, faire halte.
pleis'tergroeve *v.(m.)* plâtrière *f.*
pleis'terkalk *m.* plâtre, stuc, crépi *m.*
pleis'terkuil *m.* plâtrière *f.*
pleis'termodel' *o.* plâtre *m.*; ***naar — tekenen,*** dessiner d'après la bosse.
pleis'terornament *o.* ornement *m.* en plâtre, — en stuc. [étape *f.*
pleis'terplaats *v.(m.)* relais *m.*, halte, station,
pleis'tertekening *v.* dessin *m.* d'après la bosse.
pleis'terverband *o.* bandage *m.* plâtré.
pleis'terwerk *o.* plâtrage *m.*, plâtres *m.pl.*
pleis'terwerker *m.* plâtrier, stucateur *m.*
pleit *o.* procès *m.*, cause *f.*; ***het — winnen,*** gagner sa cause; ***het — is beslist,*** l'affaire est décidée.
pleit'bezorger *m.* **1** (*alg.*) avocat *m.*; **2** (*in burgerlijke zaken*) avoué *m.*
plei'ten *on.w.* **1** plaider (pour qn.), défendre (qn.); **2** (*fig.*) plaider en faveur de; militer en faveur de; ***dat pleit niet voor hem,*** cela ne plaide pas en sa faveur.
plei'ter *m.* plaideur *m.*
pleit'geding *o.* cause *f.*, procès *m.*
pleit'kunst *v.* éloquence *f.* (*of* art *m.*) du barreau.
pleit'nota *v.(m.)* note *f.* de plaidoirie.
pleit'rede *v.(m.)* plaidoyer *m.*, plaidoirie *f.*
pleit'ster *v.* plaideuse *f.*
pleit'zaak *v.(m.)* cause *f.*
pleit'zaal *v.(m.)* salle *f.* d'audience.
pleit'ziek *b.n.* processif, procédurier.
pleit'ziekte *v.* manie *f.* de plaider.
pleja'de *v.* (*lett.*) pléiade *f.*; ***de P—n,*** (*sterr.*) les Pléiades *f.pl.*
plek *v.(m.)* **1** (*plaats*) endroit *m.*; **2** (*vlek*) tache *f.*; ***een rode —,*** une plaque rouge; ***een blauwe —,*** un bleu; ***een pijnlijke —,*** un point douloureux.
plek'je *o.* endroit *m.*; ***een mooi —,*** un beau site; ***een — grond,*** un coin de terre.
plek'ken I *on.w.* prendre des taches, se tacher; **II** *ov.w.* **1** (*stof*) tacher; **2** (*vrucht*) taler. [né.
plek'kerig *b.n.* **1** tacheté; **2** (*v. vrucht*) contusion-
plem'pen *ov.w.* combler, remplir, terrasser.
plen'gen *ov.w.* répandre, verser.
plen'ging *v.* **1** (*v. wijn*) libation *f.*; **2** (*v. bloed*) effusion *f.*
pleng'offer *o.* libation *f.*
plens *v.* flaquée *f.*
plens'regen *m.* pluie *f.* battante.
ple'num *o.* réunion *f.* plénière.
pleonas'me *o.* pléonasme *m.*
pleonas'tisch *b.n.* pléonastique.
plet'baar *b.n.* malléable.
plet'baarheid *v.* ductilité *f.*, malléabilité *f.*
plet'cilinder, -cylinder *m.* (*tn.*) laminoir *m.*
plet'hamer *m.* (*tn.*) aplatissoir *m.*
plet'machine *v.*, **plet'molen** *m.* (*tn.*) laminoir.
plet'rol *v.(m.)*, *zie* ***pletcilinder.***
plet'steen *m.* rouleau *m.* compresseur.
plet'ten I *ov.w.* **1** (*plat maken*) aplatir; **2** (*metalen*) laminer; **3** (*stenen*) écraser; **4** (*metaaldraad*) écacher; **II** *z.n., o.* **het —, 1** l'aplatissement *m.*; **2** le laminage; **3** l'écrasement *m.*; **4** l'écachement *m.*
plet'ter *m.* (*tn.*) lamineur *m.*; ***te — slaan,*** écraser; ***te — vallen,*** s'écraser, être écrasé.
pletterij' *v.* laminerie *f.*
plet'ting *v.* **1** laminage *m.*; **2** (*v. fluweel*) mâchure, écrasure *f.*
plet'werk *o.* laminage *m.*

pleu'ris *v.(m.)* en *o.* pleurésie *f.*
pleu'rislijder *m.* pleurétique *m.*
pleuri'tis *v.* en *o.* pleurésie *f.*
pleuri'tisch *b.n.* pleurétique.
plevier', *zie* ***pluvier.***
ple'xiglas *o.* plexiglas *m.*
plezier' *o.* **1** plaisir *m.*; **2** (*genoegen*) satisfaction *f.*, agrément *m.*; **3** (*vermaak*) divertissement *m.*; ***— maken,*** se divertir; ***— hebben in,*** prendre plaisir à, se plaire à; ***— beleven aan,*** éprouver de la satisfaction de; ***met alle —,*** de tout mon cœur; ***hij is niet voor zijn — uit,*** il n'est pas à la noce; ***geen — hebben van zijn moeite,*** en être pour sa peine. [plaisance.
plezier'boot *m.* en *v.* bateau *m.* d'excursion, — de
plezie'ren *ov.w.* faire plaisir à, rendre service à.
plezie'rig I *b.n.* amusant, agréable; **II** *bw.* agréablement.
plezier'jacht *o.* yacht *m.* de plaisance.
plezier'maker *m.* fêtard *m.*
plezier'paard *o.* cheval *m.* de luxe.
plezier'partij *v.* partie *f.* de plaisir.
plezier'reis *v.(m.)* voyage *m.* d'agrément, — de plaisir.
plezier'reiziger *m.* touriste, excursionniste *m.*
plezier'rijtuig *o.* voiture *f.* d'agrément.
plezier'tocht *m.* **1** excursion *f.*; **2** (*met boot*) croisière *f.*
plezier'trein *m.* train *m.* de plaisir.
plezier'vaart *v.(m.)* excursion *f.* en bateau, croisière *f.*
plezier'vaartuig *o.* bateau *m.* de plaisance.
plicht *m.* en *v.* **1** (*alg.*) devoir *m.*; **2** (*verplichting*) obligation *f.*; ***het is zijn — om,*** il est de son devoir de; ***iem. van zijn — ontslaan,*** décharger qn. de ses obligations; ***zijn — verzaken,*** déserter son devoir.
plichtbe-, *zie* ***plichtsbe-.***
plichtge-, *zie* ***plichtsge-.***
plichtma'tig I *b.n.* consciencieux; **II** *bw.* consciencieusement, selon son devoir.
plicht'pleging *v.* compliment *m.*, cérémonie *f.*; ***—en maken,*** faire des façons, faire des compliments.
plicht(s)'besef *o.* sentiment *m.* du devoir.
plicht(s)'betrachting *v.* accomplissement *m.* du devoir.
plicht(s)getrouw *b.n.* soumis au devoir.
plicht(s)gevoel, *zie* ***plichtsbesef.***
plichts'halve *bw.* par devoir.
plicht(s)'verzuim *o.* **1** oubli *m.* du devoir, manquement *m.* à ses devoirs; **2** (*v. ambtenaar*) prévarication, forfaiture *f.*
plicht'vergeten *b.n.* déloyal, sans conscience, qui oublie son devoir.
plicht'verzaking *v.* prévarication, forfaiture *f.*
plicht'verzuim, *zie* ***plichtsverzuim.***
plint *v.(m.)* plinthe *f.*
plisseer'machine *v.* plisseuse *f.*
plisse'ren *ov.w.* plisser.
ploeg I *m.* en *v.* charrue *f.*; ***de handen aan de — slaan,*** mettre la main à la pâte; ***achter de — lopen,*** conduire la charrue; **II** *v.(m.)* (*arbeiders, enz.*) équipe *f.*
ploeg'baas *m.* **1** chef *m.* d'équipe; **2** (*in mijn*) gouverneur *m.*
ploeg'boom *m.* flèche, haie *f.* (de charrue).
ploe'gen I *ov.w.* **1** labourer; **2** (*plank*) rainer; (*fig.*) ***de baren —,*** fendre les flots; **II** *on.w.* labourer; **III** *z.n., o.* labourage, labour *m.*
ploe'genstelsel *o.* système *m.* de roulement, travail *m.* par équipes.

ploe'ger *m.* laboureur *m.*
ploeg'ijzer *o.* coutre *m.*
ploeg'ketting *m. en v.* chaîne *f.* de charrue.
ploeg'kouter *o.* coutre *m.*
ploeg'land *o.* terre *f.* labourable.
ploeg'maat *m.* coéquipier *m.*
ploeg'machine *v.* charrue *f.* mécanique.
ploeg'mes *o.* **1** (*v. ploeg*) coutre *m.*; **2** (*v. boekbinder*) couteau *m.* à rogner.
ploeg'os *m.* bœuf *m.* de labour.
ploeg'paard *o.* cheval *m.* de labour.
ploeg'schaaf *v.*(*m.*) (*tn.*) bouvet *m.*, rabot *m.* à rainures.
ploeg'schaar *v.*(*m.*) soc *m.*
ploeg'staart, ploeg'steel *m.* mancheron *m.*, manche *m.* (de la charrue).
ploeg'stok *m.* tige *f.*
ploeg'strijkbord *o.* versoir *m.*
ploeg'voor *v.*(*m.*) sillon *m.*
ploert *m.* **1** gredin, goujat, mufle *m.*, canaille *f.*; **2** (*stud.*) philistin, bourgeois *m.*; **3** (*kostbaas*) logeur *m.*
ploert'achtig I *b.n.* vulgaire, mufle, rustre; **II** *bw.* en mufle.
ploertach'tigheid *v.* muflerie *f.*
ploer'tendoder *m.* assommoir, casse-tête *m.*, canne *f.* à plomb.
ploer'tendom *o.* (*stud.*) les mufles *m.pl.*, le vulgaire [*m.*
ploer'tenstreek *m. en v.* muflerie *f.*
ploerterij' *v.* **1** muflerie *f.*; **2** (*stud.*) logeur *m.* (et sa famille).
ploer'tig, *zie* ***ploertachtig.***
ploertin' *v.* (*stud.*) logeuse, bourgeoise *f.*
ploe'teraar *m.* **1** barboteur *m.*; **2** (*fig.*) trimeur, piocheur *m.*
ploe'teren *on.w.* **1** (*plassen*) patauger, barboter; **2** (*fig.*) trimer, piocher.
plof I *tw.* vlan! patatras! **II** *z.n., m.* **1** bruit *m.* sourd; **2** (*doffe slag, val*) coup *m.* sourd, chute *f.*
plof'fen I *on.w.* **1** faire un bruit sourd; **2** tomber lourdement, s'abattre; **3** (*v. kachel*) péter; **II** *ov.w.* flanquer (*of* jeter) par terre; ***een dolk in het hart —,*** plonger un poignard dans le sein.
plok *m.* touffe, poignée *f.*
plok'geld *o.* prime *f.*
plok'worst *v.*(*m.*) chipolata *f.*, salami *m.*
plom'be *v.*(*m.*) plomb *m.*
plombeer'der *m.* plombeur *m.*
plombeer'lood *o.* plomb *m.*
plombeer'sel *o.* plomb, amalgame *m.*
plombe'ren *ov.w.* plomber.
plombe'ring *v.* plombage *m.*
plomp I *b.n.* grossier, lourd, gauche, maladroit; **II** *bw.* grossièrement, lourdement, gauchement; **III** *tw.* pan! patatras! **IV** *z.n., m.* bruit *m.* sourd; coup *m.* sourd, lourde chute *f.*; **V** *v.*(*m.*) (*Pl.*) nénuphar *m.*; ***kleine —,*** souci *m.* d'eau.
plom'pen I *on.w.* tomber à l'eau, faire un plongeon, tomber avec un bruit sourd; **II** *ov.w.* flanquer.
plom'perd *m.* lourdaud *m.*
plomp'heid *v.* lourdeur, grossièreté *f.*
plomp'verlo'ren *bw.* à l'improviste; de but en blanc.
plomp'weg *bw.* carrément.
plons I *tw.* plouf! patatras! **II** *z.n., m.* bruit *m.* sourd.
plons'stok *m.* bouille *f.*, bouloir *m.*
plon'zen I *on.w.* **1** tomber à l'eau; **2** remuer l'eau avec une bouille; **3** patauger; **II** *ov.w.* jeter dans l'eau.
plooi *v.*(*m.*) **1** pli *m.*; **2** (*v. voorhoofd*) ride *f.*; **3** (*ronde —: v. kraag, enz.*) godron *m.*; ***in — en vallen,*** faire des plis; ***zijn gezicht in de — zetten,*** composer son visage, prendre un air grave; ***uit de — komen,*** **1** se déplier; **2** (*fig.*) sortir du pli, se dégeler, se dérider; ***hij komt nooit uit de —,*** il ne se déride jamais, il a toujours l'air grave.
plooi'baar *b.n.* **1** pliable; **2** (*fig.*) souple, traitable, accommodant.
plooi'baarheid *v.* **1** pliabilité *f.*; **2** souplesse *f.*
plooi'bout *m.* fer *m.* à tuyauter.
plooi'en I *ov.w.* **1** (*plooien maken in*) plisser; **2** (*rond: v. muts, enz.*) tuyauter; **3** (*vouwen*) plier; **4** (*voorhoofd*) rider; **5** (*fig.: regelen*) arranger, accommoder; ***het voorhoofd —,*** froncer le(s) sourcil(s), rider le front; **II** *w.w.* ***zich — (naar),*** se plier (à).
plooi'er *m.* plieur; plisseur *m.*
plooi'ijzer *o.* fer *m.* à tuyauter.
plooi'ing *v.* **1** pliage *m.*; **2** plissage *m.*; **3** tuyautage *m.*
plooi'machine *v.* plisseuse *f.*
plooi'muts *v.*(*m.*) bonnet *m.* tuyauté.
plooi'rok *m.* jupe *f.* plissée.
plooi'sel *o.* **1** plissé *m.*; **2** (*v. kant*) ruche *f.*
plooi'ster *v.* plisseuse *f.*
plooi'werk *o.* ouvrage *m.* plissé; ruches *f.pl.*
ploot'wol *v.*(*m.*) laine *f.* de plamage.
plo'ten *ov.w.* plamer.
plots *bw.*, *zie* ***plotseling.***
plot'seling I *b.n.* **1** soudain, subit; **2** (*onverwacht*) imprévu, brusque; **II** *bw.* soudainement, subitement, tout à coup; ***— wakker worden,*** s'éveiller en sursaut; ***—e dood,*** mort *f.* subite.
plu'che *o. en m.* peluche *f.*
plug *v.*(*m.*) **1** (*stop*) bouchon *m.*; (*v. vat*) bondon *m.*; **2** (*pin*) cheville *f.*; **3** (*sch.*) épite *f.*
plug'fitting *m.* douille *f.* voleuse, — à prises de courant multiples.
plug'ijzer *o.* épitoir *m.*
plug'trekker *m.* tire-bondon* *m.*
pluim *v.*(*m.*) **1** (*veder*) plume *f.*; **2** (*bos; op hoed; v. rook*) panache *m.*; **3** (*kwastje*) touffe, mèche *f.*; **4** (*v. stijve veren*) aigrette *f.*; **5** (*v. haas; jacht*) queue *f.*; **6** (*Pl.*) panicule *f.*
pluim'achtig *b.n.* plumeux.
pluima'ge *v.* plumage *m.*; ***... van alle —,*** ... de toutes les couleurs; ...de toute poil.
pluim'bal *m.* volant *m.*
pluim'balspel *o.* jeu *m.* de volant.
pluim'borstel *m.* plumeau *m.*
pluim'bos *m.* panache, plumet *m.*
plui'men *ov.w.* plumer, déplumer.
pluim'gedierte, *zie* ***pluimvee.***
pluim'graaf *m.* basse-courier* *m.*, gardien *m.* de basse-cour.
pluim'pje *o.* **1** petite plume *f.*; **2** petit panache *m.*; **3** (*fig.*) compliment *m.*, parole *f.* aimable; ***iem. een — geven,*** faire un compliment à qn., louer qn.
pluim'staart *m.* queue *f.* en panache.
pluim'strijken *ov.w. en on.w.* flatter, cajoler, flagorner, aduler.
pluim'strijker *m.* flatteur, cajoleur, flagorneur, adulateur *m.*
pluimstrijkerij' *v.* flatterie, cajolerie, flagornerie, adulation *f.*
pluim'vee *o.* oiseaux *m.pl.* de basse-cour, volaille *f.*
pluim'veetentoonstelling *v.* exposition *f.* avicole.
pluim'vormig *b.n.* **1** en panaché; **2** (*Pl.*) paniculé.
pluis I *v.*(*m.*) (*stof*) peluche *f.*; **II** *o.* (*geplozen touw*) corde *f.* épluchée; **III** *b.n.* sûr; ***dat is niet —,*** ce n'est pas en règle; ***'t is daar niet —,*** il ne fait pas bon là, il y a du louche dans cette affaire.
pluis'fluweel *o.* panne *f.*
pluis'je *o.* (petite) peluche *f.*, flocon *m.*
pluis'mesje *o.* épluchoir *m.*, épluchette *f.*
plui'zen I *ov.w.* **1** (*wol*) éplucher; **2** (*stof*) effi-

locher; **3** (*touw*) effiler; **4** (*gevogelte*) plumer, déplumer; **II** *on.w.* **1** (*pluisjes afgeven*) se cotonner, pélucher; **2** (*peuzelen*) pignocher.
plui'zer *m.* éplucheur *m.*
pluizerij' *v.* épluchage, effilochage *m.*
plui'zerig *b.n.* pelucheux, peluché.
pluk *m.* **1** (*het plukken*) cueillette *f.*; **2** (*de oogst*) récolte *f.*; **3** (*plok*) touffe *f.*; **4** (*fig.*) peine *f.*; ***het is een hele* —,** ça coutera beaucoup de travail, c'est toute une affaire.
pluk'haren *on.w.* se chamailler, se prendre aux [cheveux.
pluk'ken I *ov.w.* **1** (*vruchten*) cueillir; **2** (*gevogelte*) plumer; **3** (*pluizen*) éplucher; **4** (*fig.: persoon*) plumer; (*voordeel, enz.*) recueillir; **II** *on.w.* faire la cueillette; **III** *z.n., o.* la cueillette.
pluk'ker *m.* cueilleur *m.*
pluk'korf *m.*, cueilloir *m.*
pluk'loon *o.* paye *f.* de la cueillette.
pluk'mand *v.*(*m.*) cueilloir *m.*
pluk'sel *o.* charpie *f.*
pluk'ster *v.* cueilleuse *f.*
pluk'tijd *m.* cueillaison *f.*, saison *f.* de la cueillette.
pluk'trechter *m.* cueille-fruits *m.*
pluk'vrucht *v.*(*m.*) fruit *m.* mûr, — bon à cueillir.
plumeau' *m.* plumeau *m.*
plum'pudding *m.* pouding, plum-pudding *m.*
plun'deraar *m.* pillard, pilleur *m.*
plun'deren I *ov.w.* **1** (*mil.*) piller; saccager; **2** (*beroven*) dévaliser, détrousser; **3** (*boom, enz.*) dépouiller; **II** *on.w.* piller; saccager.
plun'dering *v.* pillage *m.*; sac *m.*, déprédation *f.*
plun'dermarkt *v.*(*m.*) friperie *f.*
plun'dertocht *m.* razzia, rafle *f.*
plun'je *v.*(*m.*) hardes, frusques *f.pl.*, garde-robe* *f.*
plun'jezak *m.* paquetage *m.*
plura'lis *m.* pluriel *m.*
plu'riformiteit' *v.* pluriformité *f.*
plu'ritonaliteit' *v.* pluritonalité *f.*
plus *bw.* plus, avec... en sus; ***zeven* —,** sept fort.
plusmi'nus *bw.* environ, à peu près.
plus'teken *o.* plus *m.*
Plutar'chus *m.* Plutarque *m.*
Plu'to *m.* Pluton *m.*
plutocraat', plutokraat' *m.* ploutocrate *m.*
plutocratie', plutokratie' *v.* ploutocratie *f.*
plutocra'tisch, plutokra'tisch *b.n.* ploutocratique.
pluto'nisch *b.n.* plutonien.
pluto'nium *o.* plutonium *m.*
pluvier', plevier' *m.* (*Dk.*) pluvier *m.*; ***kleine* —,** guignard *m.*
Plu'vius *m.* Jupiter Pluvius *m.*
pneumatiek' *v.* pneumatique *f.*
pneuma'tisch *b.n.* **1** pneumatique; **2** (*v. rem*) à vide; **—*e boor*,** marteau pneumatique.
Po *v.*, ***de* —,** le Pô.
po'chen *on.w.* hâbler; **— *op*,** se vanter de.
po'cher *m.* hâbleur, fanfaron *m.*
pocherij' *v.* hâblerie, fanfaronnade, blague, gasconnade *f.*
poch'hans *m.* hâbleur, fanfaron *m.*
poc'ketboek *o.* livre *m.* de poche.
po'dagra *o.* (*gen.*) podagre *f.*
podagreus' *b.n.* podagre.
podagrist' *m.* podagre *m.*
po'dium *o.* **1** estrade *f.*; **2** (*v. toneel*) avant-scène *f.*; **3** (*nieuw*) podium *m.*
poe'del *m.* **1** barbet, caniche *m.*; **2** (*spel*) chou *m.* blanc.
poe'delhond *m.* barbet *m.*
poedelnaakt' *b.n.* nu comme un ver.
poe'delprijs *m.* prix *m.* de consolation.
poe'der, poei'er *o. en m.* **1** poudre *f.*; **2** (*gen.*) cachet *m.*; ***tot* — *maken*,** pulvériser, réduire en poudre.
poe'derchocola(de), poei'er- *m.* chocolat *m.* en poudre.
poe'derdonsje, poeier- *o.*, houppe *f.* à poudrer.
poe'derdoos, poei'er- *v.*(*m.*) boîte *f.* à poudre, poudrière *f.*
poe'deren, poei'eren I *ov.w.* poudrer; **II** *w.w.* ***zich* —,** mettre de la poudre.
poe'derkoffie, poeier-, *m.* café *m.* en poudre.
poe'derkwast, poei'er- *m.* houppe *f.* à poudrer.
poe'derpruik, poei'er- *v.* perruque *f.* poudrée.
poe'dersuiker, poei'er- *m.* sucre *m.* en poudre.
poe'dervorm *m.* pulvérulence *f.*; ***in* —,** en poudre, pulvérulent.
poëet' *m.* poète *m.*
poef! I *tw.* pouf!; **II** *z.n., m.* pouf *m.*
poeha' *o. en m.* embarras *m.*; **— *maken*,** faire des chichis, faire de l'embarras; ***met veel* —,** à grand fracas.
poeha'maker *m.* faiseur *m.* d'embarras.
poei'er (-), *zie* ***poeder*** (-).
poel *m.* **1** mare *f.*, bourbier *m.*; **2** (*fig.*) gouffre, abîme *m.*
poelepetaat' *m.* pintade *f.*
poelet' *o. en m.* poitrine *f.* (de veau).
poelier' *m.* marchand *m.* de volaille.
poel'snip *v.*(*m.*) double bécassine *f.*
poel'vogel *m.* oiseau *m.* palustre.
poe'ma *m.* puma *m.*
poen *m.* **1** (*geld*) galette *f.*; **2** (*ploert*) canaille *f.*, goujat, mufle *m.*; **3** (*fat*) dandy, gandin, gommeux *m.*
poe'ne, pe'ne *v.*, ***op* — *van*,** sous peine de.
poep *m.* **1** vent, pet; **2** caca *m.*, merde *f.*
poe'pen *on.w.* faire caca; ***in de broek* —,** le faire dans sa culotte.
Poe'rim (-), *zie* ***Purim*** (-).
poes *v.*(*m.*) **1** (*Dk.*) chat, minet *m.*, minette *f.*; **2** (*bont*) boa *m.*; ***hij is voor de* —,** il est perdu (fichu, flambé); ***hij is niet voor de* —,** il n'est pas commode; ***dat is niet voor de* —,** ce n'est pas de la petite bière, ce n'est pas un jeu d'enfant.
poes'je *o.* petit chat, minet *m.*, minette *f.*
poes'lief I *b.n.* doucereux; **— *zijn*,** être tout sucre et tout miel; **II** *bw.* d'une façon doucereuse.
poes'mooi *b.n.* pimpant, bichonné.
poes'pas *m.* ratatouille *f.*, salmigondis *m.*
poe'sta *v.*(*m.*) pusta *f.*, steppe *f.* hongroise.
poëtas'ter *m.* rimailleur *m.*
poë'tisch *b.n.* poétique.
poets *v.*(*m.*) tour *m.*, niche *f.*; ***iem. een* — *bakken*,** jouer un tour à qn., faire une niche à qn.
poets'borstel *m.* brosse *f.* à polir.
poets'doek *m.* torchon, chiffon *m.*
poet'sen *ov.w.* **1** (*alg.*) nettoyer, frotter; **2** (*schoenen: afborstelen*) décrotter; (*met schoensmeer*) cirer; **3** (*koper*) faire reluire, polir; **4** (*wapens*) fourbir; **5** (*met doek*) torchonner.
poet'ser *m.* **1** frotteur *m.*; **2** (*afborstelen*) décrotteur *m.*; **3** (*met schoensmeer*) cireur *m.*; **4** (*koper enz.*) polisseur *m.*
poets'goed *o.* tripoli *m.*
poets'katoen *o. en m.* bourre *f.* de coton, coton *m.* de dégraissage, étoupe *f.*
poets'lap *m.* torchon, chiffon, frottoir *m.*
poets'middel *o.* produit *m.* d'entretien.
poets'poeder, -poeier *o.* poudre *f.* à polir.
poets'pommade *v.*(*m.*) pâte *f.* à polir.
poets'zak *m.* sac *m.* à astiquer.
poe'zelig *b.n.* potelé, dodu.

poe'zeligheid *v.* potelé *m.*
poëzie' *v.* poésie *f.*
poëzie'album *o.* album *m.* de (*of* pour) poésies.
pof! I *tw.* pouf!; **II** *m.* bruit *m.* sourd, pouf *m.*; ***op de* —,** à crédit; **III** *v.*(*m.*) (*aan kleren*) bouffant *m.*
pof'broek *v.*(*m.*) culotte *f.* bouffante.
pof'fen I *on.w.* **1** tomber lourdement; **2** (*roken*) bouffarder, lancer des bouffées de fumée; **II** *ov.w.* **1** (*slaan*) donner des bourrades à; **2** (*kastanjes*) griller; **3** (*aardappelen*) faire cuire sous la cendre; **4** (*v. stoffen*) faire bouffer; **5** (*op krediet kopen*) acheter à crédit, acheter à l'œil; **6** (*op krediet geven*) faire crédit. [à crédit.
pof'fer *m.* **1** pistolet *m.* de poche; **2** acheteur *m.*
pof'fertje *o.* (petit) beignet *m.*
pof'fertjeskraam *v.*(*m.*) *en o.* baraque *f.* (*of* salon *m.*) à (petits) beignets.
pof'mouw *v.*(*m.*) manche *f.* bouffante.
po'gen I *ov.w.* tenter de, essayer de, tâcher de, s'efforcer de; **II** *z.n.*, *o.* effort *m.*
po'ging *v.* tentative *f.*, effort *m.*; ***— tot diefstal,*** tentative *f.* de vol.
pogrom' *m.* pogrom(e) *m.*
pointe'ren *ov.w.* pointer, braquer.
pok *v.*(*m.*) **1** pustule *f.*, bouton *m.* (*of* marque *f.*) de petite vérole; **2** (*v. inenting*) bouton *m.* de vaccine; ***de —ken,*** la petite vérole, la variole.
pok'achtig *b.n.* varioleux.
pok'boom *m.* gaïac *m.*
pokda'lig *b.n.* marqué de la petite vérole; grêlé.
po'ken *on.w.* tisonner, attiser le feu.
po'ker *o.* poker *m.*
po'keren *on.w.* jouer au poker.
pok'gif *o.* virus *m.* variolique.
pok'hout *o.* (bois de) gaïac *m.*
pok'inenting *v.* vaccination *f.*
pok'ken *on.w.* avoir la petite vérole.
pok'kenbriefje *o.* certificat *m.* de vaccination.
pok'lijder *m.* varioleux *m.*
pok'stof *v.*(*m.*) vaccin *m.*, virus *m.* variolique.
pok'ziekte *v.* petite vérole *f.*
pol *m.* touffe *f.*
polak' *m.* Polonais *m.*
polair' *b.n.* polaire, polarisé.
polarisa'tie, polariza'tie *v.* polarisation *f.*
polarise'ren, polarize'ren *ov.w.* polariser.
pola'risraket *v.*(*m.*) fusée *f.* Polaris.
polariteit' *v.* polarité *f.*
polariz-, *zie* ***polaris-.***
pol'der *m.* polder *m.*
pol'derbemaling *v.* épuisement *m.* de polder, régularisation *f.* du niveau des eaux dans un polder.
pol'derbestuur *o.* administration *f.* d'un polder.
pol'dergast, *m.* terrassier *m.*
pol'dergemaal *o.* épuise *f.* de polder, pompe *f.* d'épuisement de polder.
pol'derjongen *m.* terrassier *m.*
pol'derland *o.* pays *m.* de polder, — des polders.
pol'derpeil *o.* niveau *m.* des canaux d'écoulement (dans un polder).
pol'derwerker *m.* terrassier *m.*
poleer'staal *o.* brunissoir *m.*
polemiek' *v.* polémique *f.*
pole'misch *b.n.* polémique.
polemise'ren, polemize'ren *on.w.* polémiser.
polemist' *m.* polémiste *m.*, écrivain polémique.
polemize'ren, *zie* ***polemiseren.***
Po'len *o.* la Pologne.
pole'ren *ov.w.* aléser, polir, brunir.
polichinel' *m.* polichinelle *m.* [polype *m.*
poliep' *v.*(*m.*) **1** (*Dk.*) polype *m.*, hydre *f.*; **2** (*gen.*)
poliep'achtig *b.n.* polypeux.
polijst'aarde *v.*(*m.*) terre *f.* à polir.
polijst'baar *b.n.* polissable.
polijs'ten *ov.w.* **1** polir; **2** (*goud, staal*) brunir; **3** (*wapen*) fourbir; **4** (*fig.*) dégrossir, polir, civiliser.
polijs'ter *m.* **1** polisseur *m.*; **2** brunisseur *m.*
polijst'glas *o.* verre *m.* poli.
polijst'hout *o.* polissoir *m.*
polijs'ting *v.* **1** polissure *f.*, polissage *m.*; **2** fourbissure *f.*, fourbissage *m.*
polijst'papier *o.* papier *m.* de verre.
polijst'poeder, -poeier *o. en m.* tripoli, émeri *m.*
polijst'staal *o.*, **polijst'steen** *m.* polissoir *m.*
polijst'vijl *v.*(*m.*) carrelette *f.* [polir.
polijst'werk *o.* **1** polissage *m.*; **2** objets *m.pl.* à
polikliniek' *v.* polyclinique *f.*, dispensaire *m.*
po'liokind *o.* enfant *m.-f.* poliomyélitique.
po'lis *v.*(*m.*) police *f.* (d'assurance); ***een — afsluiten,*** passer une police; ***doorlopende —,*** police générale; ***vrije —,*** police libérée; ***open —,*** police flottante.
po'lisboekje *o.* livret*-police* *m.*
po'lishouder *m.* assuré *m.*, détenteur *m.* de police.
po'liswijziging *v.* avenant *m.*
po'liszegel *m.* timbre *m.* de police.
poli'ticus *m.* **1** politique *m.*; **2** (*ong.*) politicien *m.*
poli'tie *v.* police *f.*; ***bereden —,*** police montée.
poli'tieagent *m.* agent *m.* de police, sergent *m.* de ville; (*te Parijs*) gardien *m.* de la paix.
poli'tiebeambte *m.* employé *m.* de la police, policier *m.* [sariat *m.*
poli'tiebureau *o.* bureau *m.* de police, commis-
poli'tiecommissaris, -kommissaris *m.* commissaire *m.* de police.
poli'tiedienst *m.* service *m.* policier; ***— verrichten,*** faire la police.
politieel' *b.n.* policier, de police.
poli'tiehond *m.* chien *m.* policier.
politiek' I *b.n.* politique; rusé; **II** *bw.* avec adresse; **III** *z.n.* **1** *v.* politique *f.*; **2** *o.* tenue *f.* civile, vêtements *m.pl.* civils; ***in —,*** en civil, en bourgeois.
poli'tiekamer *v.*(*m.*) salle *f.* de police.
poli'tiekommissaris, *zie* ***politiecommissaris.***
poli'tiemaatregel *m.* mesure *f.* de police.
poli'tiemacht *v.*(*m.*) forces *f.pl.* policières.
poli'tieman *m.* policier *m.*
poli'tiemuts *v.*(*m.*) (*mil.*) bonnet *m.* de police.
poli'tieovertreding *v.* contravention *f.*
poli'tiepost *m.* permanence *f.*, poste *m.* de police.
poli'tierechtbank *v.*(*m.*) tribunal *m.* de simple police.
poli'tierechter *m.* juge *m.* du (*of* d'un) tribunal de simple police; juge *m.* unique.
poli'tiespion *m.* indicateur, mouchard *m.*
poli'tiestaat *m.* état *m.* policier.
poli'tieverordening *v.* ordonnance *f.* (*of* règlement *m.*) de police.
politise'ren, politize'ren *on.w.* parler politique.
politoer' 1 *o. en m.* (*glans*) poli *m.*, polissure *f.*; **2** *o.* (*glansmiddel*) liquide *m.* à polir, vernis *m.*; (*voor meubels*) encaustique *f.*
politoe'ren *ov.w.* polir, vernir; encaustiquer.
pol'ka *m. en v.* polka *f.*
pol'kahaar *o.* cheveux *m.pl.* courts, — coupés à la page.
pol'kazeep *v.*(*m.*) soude *f.*
pollak' *m.* (*Dk.*) merlan *m.* jaune. [louche *f.*
pol'lepel *m.* **1** cuiller *f.* à pot; **2** (*v. soep, enz.*)
po'lohemd *o.* chemise *f.* Lacoste.
polonai'se *v.* polonaise *f.*
pols *m.* **1** (*—slag*) pouls *m.*; **2** (*gewricht*) poignet *m.*; **3** (*—stok*) perche *f.*; ***iem. de — voelen,*** tâter le pouls à qn.

pols'ader *v.(m.)* artère *f.*
pols'armband *m.* bracelet *m.* [térielle.
pols'druk *m.* poussée *f.* du pouls; tension *f.* ar-
pol'sen *ov.w.* **1** tâter le pouls (à qn.); **2** (*fig.*) pressentir, sonder, tâter (qn.).
pols'horloge *o.* montre*-bracelet* *f.*
pol'sing *v.* consultation *f.*, sondage *m.*
pols'klopping *v.* pulsation *f.*
pols'mofje *o.* miton *m.*
pols'slag *m.* pulsation *f.*
pols'stok *m.* perche *f.*
pols'stokspringen I *on.w.* sauter à la perche; **II** *z.n., o.* saut *m.* à la perche.
polychroom' *b.n.* polychrome.
polyfoon' *b.n.* polyphone.
polygaam' *b.n.* polygame.
polygonaal' *b.n.* polygone. [*m.*
polymeer' I *b.n.* (*scheik.*) polymère; **II** *o.* polymère
Polyne'sië *o.* la Polynésie.
Polyne'siër *m.* Polynésien *m.*
polytech'nisch *b.n.* polytechnique.
pomerans' *v.(m.)* **1** (*bilj.*) procédé *m.*; **2** (*Pl.*) orange *f.* amère; **3** (*likeur*) liqueur *f.* d'orange, amer *m.* d'orange.
pomerans'boom *m.* bigaradier *m.*
pomma'de *v.(m.)* pommade *f.*
pomma'dedoos *v.(m.)* boîte *f.* à pommade.
pommade'ren *ov.w.* pommader.
Pom'mer *m.* Poméranien *m.*
Pom'meren *o.* la Poméranie.
Pom'mers *b.n.* poméranien.
Pomo'na *v.* Pomone *f.*
pomp *v.(m.)* pompe, fontaine *f.*; ***loop naar de —,*** va-t'en au diable!
pomp'bak *m.* réservoir *m.* de pompe.
pomp'bediende *m.* pompiste *m.*
pomp'boor *v.(m.)* rouanne *f.*
pomp'buis *v.(m.)* tuyau *m.* de pompe, corps *m.* de pompe.
Pompe'ji *o.* Pompéi *f.*
Pompe'jus *m.* Pompée *m.*
pom'pelmoes *v.(m.)* pamplemousse *f.*
pom'pen *ov.w. en on.w.* pomper; ***leeg —,*** vider.
pom'per *m.* pompier *m.*
pompernik'kel *m.* pain *m.* noir (de Westphalie), pompernickel *m.*
pomp'gast *m.* pompier *m.*
pomp'gat *o.* trou *m.* d'écoulement.
pompier' *m.* pompier *m.*
pomp'klep *v.(m.)* soupape *f.* de pompe.
pompoen' *m.* citrouille, courge *f.*
pompon' *m.* pompon *m.*
pomp'put *m.* puits *m.*
pomp'schoen *m.* heuse *f.*
pomp'slinger *m.* balancier *m.* (de pompe).
pomp'stang *v.(m.)* tige (*of* verge) *f.* de pompe.
pomp'station *o.* **1** station *f.* hydraulique, — élévatoire; **2** (*benzine*) station*-service *f.*
pomp'steel *m.* tige *f.* (de pompe).
pomp'water *o.* eau *f.* de pompe.
pomp'werk *o.* machine *f.* d'épuisement, — hydraulique.
pomp'zuiger *m.* piston *m.*
pomp'zwengel, *zie* ***pompslinger.***
pon *m.* robe *f.* de nuit.
pond *o.* livre *f.*; ***— sterling,*** livre sterling; ***bij het — verkopen,*** vendre à la livre; ***iem. het volle — geven,*** donner la part belle à qn., donner à qn. tout son dû.
ponds'gewijs, -gewijze *bw.* à la livre.
pondsponds'gewijs, -gewijze *bw.* au prorata de (la mise, etc.), au marc le franc.
pone'ren *ov.w.* mettre en avant, énoncer, prétendre, avancer.
pon'jaard *m.* poignard *m.*
pons *m.* **1** (*tn.*) poinçon *m.*; **2** (*drank*) punch *m.*
pon'sen I *ov.w.* (*tn.*) poinçonner; **II** *z.n., o.* ***het —,*** le poinçonnage.
pons'kaart *v.(m.)* carte *f.* à poinçonner.
pons'machine *v.* machine *f.* à poinçonner, poinçonneuse *f.*
pons'tang *v.(m.)* pince *f.* à billets.
pont *v.(m.)* (*sch.*) bac *m.*
pont'brug *v.(m.)* tablier *m.*
pont'geld *o.* pontonnage, passage *m.*
pontificaal', pontifikaal' I *b.n.* pontifical; **II** *bw.* pontificalement; **III** *z.n., o.* ornements *m.pl.* pontificaux; ***in —,*** (*fam.*) en grande tenue, en grand gala.
pontificaat', pontifikaat' *o.* pontificat *m.*
pontifice'ren *on.w.* pontifier.
pontifika-, *zie* ***pontifica-.***
Pon'tius *m.* Ponce *m.*; ***iem. van — naar Pilatus sturen,*** renvoyer qn. de Caïphe à Pilate.
pon'to *m.* ponte *m.*
ponton' *m.* ponton *m.*
ponton'brug *v.(m.)* ponton, pont *m.* de bateaux.
pontonnier' *m.* pontonnier *m.*
ponton'schipper *m.* passeur *m.*
ponton'trein *m.* train *m.* de pontons; équipage *m.* de pont.
pont'veer *o.* bac *m.*
po'ny *m.* poney *m.* [chien.
po'nyhaar *o.* cheveux *m.pl.* (*of* coiffure *f.*) à la
pooi'en *on.w.* lamper, pomper, chopiner, boire sec.
pooi'er *m.* buveur, poivrot, soiffard *m.*
pook *m. en v.* **1** (*v. kachel*) attisoir, fourgon, tisonnier *m.*; **2** (*v. ketel, locomotief*) pique-feu *m.*; **3** (*v. hoogovens*) ringard *m.*
Pool *m.* Polonais *m.*
pool I *m.* (*jas*) paletot *m.* de fourrure, pardessus *m.* d'hiver; **II** *v.(m.)* **1** (*eindpunt magneet, — aardas*) pôle *m.*; **2** (*van tapijt enz.*) poil *m.*; **III** (*Engels; voetbal, enz.*) *m.* pool *m.*
pool'beer *m.* ours *m.* blanc.
pool'cirkel *m.* cercle *m.* polaire.
pool'expeditie *v.* expédition *f.* polaire.
pool'ijs *o.* banquise *f.*
pool'kap *v.(m.)* calotte *f.* polaire.
pool'landen *mv.* régions (*of* terres) *f.pl.* polaires.
pool'licht *o.* aurore *f.* polaire (boréale, *of* australe).
pool'nacht *m.* nuit *f.* polaire.
pool'nederzetting *v.* station *f.* polaire, — (ant)-arctique.
pool'onderzoek *o.* exploration *f.* polaire.
pool'reis *v.(m.)* voyage *m.* polaire.
pool'reiziger *m.* explorateur *m.* polaire.
Pools *b.n.* polonais; ***—e landdag,*** cour *f.* du roi Pétaud, pétaudière *f.*
pools'hoogte *v.* hauteur (*of* élévation) *f.* du pôle; ***— nemen,*** **1** faire le point; **2** (*fig.*) aller aux informations, sonder le terrain.
pool'ster *v.(m.)* étoile *f.* polaire.
pool'streek *v.(m.)* région *f.* polaire.
pool'tocht *m.* expédition *f.* polaire.
pool'vos *m.* renard *m.* bleu, — polaire.
pool'wisselaar *m.* (*el.*) inverseur *m.*
pool'zee *v.(m.)* mer *f.* polaire; (*noord.*) océan *m.* arctique; (*zuid.*) océan *m.* antarctique.
poon *m.* (*Dk.*) grondin *m.*; ***gestreepte —,*** rouget *m.* camard.
poort *v.(m.)* porte *f.*
poort'ader *v.(m.)* veine *f.* porte.
poort'deur *v.(m.)* porte *f.* cochère.

poor'ter *m.* (*gesch.*) **1** bourgeois, citoyen *m.*; **2** (*in tegenst. met edelen*) vilain *m.*
poor'terrecht *o.* (*gesch.*) droit *m.* de bourgeoisie.
poor'terschap *o.* (*gesch.*) bourgeoisie *f.*
poort'gat *o.* (*sch.*) sabord *m.*
poort'luik *o.* (*sch.*) contre-sabord* *m.*
poort'vleugel *m.* vantail *m.* (de porte).
poort'wachter *m.* (*gesch.*) guichetier, portier *m.*
poos *v.*(*m.*) **1** (*tijdruimte*) espace *m.* de temps; **2** (*tussenruimte*) intervalle *m.*; ***een hele —,*** pas mal de temps, assez longtemps, un bon moment; ***bij pozen,*** de temps en temps, par moments.
poot I *m.* **1** (*v. dier*) patte *f.*; **2** (*v. paard, koe; v. meubel*) pied *m.*; **3** (*v. aap*) main *f.*; ***blijf er met je poten af!*** à bas les pattes! ***dat staat op poten,*** c'est bien tapé; ***een brief die op poten staat,*** une lettre à cheval; ***op zijn achterste poten gaan staan,*** monter sur ses ergots; ***op zijn — spelen,*** monter sur ses grands chevaux; ***de zaak staat op poten,*** l'affaire tient debout; ***geen — om iets verzetten,*** ne pas remuer un doigt; **II** *v.*(*m.*) (*stekje*) plançon, plantard *m.*
pootaan' *bw.* ***— spelen,*** ne pas y aller de main morte, se dépêcher, faire tous ses efforts, s'évertuer à.
poot'aardappel *m.* pomme *f.* de terre à planter, — de semence.
poot'goed *o.* **1** (*v. planten*) plants *m.pl.*, pommes de terre (etc.) à planter; **2** (*v. vissen*) nourrain, alevin *m.*; **3** (*v. oesters en mosselen*) naissain *m.*
poot'hout, poot'ijzer *o.* plantoir *m.*
poot'je *o.* **1** petite patte *f.*; **2** (*gen.*) podagre *f.*; ***een — geven,*** donner la patte; ***op zijn —s terecht komen,*** **1** (*v. persoon*) retomber sur ses pieds; **2** (*v. zaak*) s'arranger; ***met hangende —s,*** l'oreille basse, la queue entre les pattes.
poot'jebaden *on.w.* barboter, faire la trempette.
poot'machine *v.* planteuse *f.*
poot'stok *m.* plantoir *m.*
poot'vijver *m.* alevinier *m.*
poot'vis *m.* nourrain, alevin *m.*
pop *v.*(*m.*) **1** (*alg.*) poupée *f.*; **2** (*v. poppenkast*) marionnette *f.*; **3** (*draad—*) pantin *m.*; **4** (*kostuum—*) mannequin *m.*; **5** (*vogel*) femelle *f.*; **6** (*v. insekt*) chrysalide, nymphe *f.*; **7** (*in kaartspel*) figure *f.*; **8** (*tekening*) bonhomme *m.*; **9** (*kind*) mignon *m.*, mignonne *f.*, poupée *f.*; **10** (*sneeuw—*) homme *m.* de neige; ***de —pen zijn aan het dansen,*** le feu est aux étoupes, la tempête est déchaînée, le torchon brûle.
po'pel *m.* peuplier *m.*
po'pelen *on.w.* **1** (*v. hart*) palpiter, battre; **2** (*beven*) trembler, frémir, tressaillir; **3** (*v. ongeduld*) brûler (de).
popeli'ne *o. en m.* popeline *f.*
po'peling *v.* **1** palpitation *f.*; **2** tressaillement *m.*
pop'je *o.* **1** petite poupée *f.*; **2** (*kind*) poupon *m.*
pop'pegezicht *o.* visage *m.* de poupée.
pop'pegoed *o.* vêtements *m.pl.* de poupée.
pop'pejurk *v.*(*m.*) robe *f.* de poupée.
pop'pekleren *mv.*, *zie* ***poppegoed.***
pop'pekop *m.* **1** tête *f.* de poupée; **2** (*als model*) tête *f.* à bonnets.
pop'pendokter *m.* raccommodeur *m.* de poupées.
pop'penhuis *o.* maison *f.* de poupée(s).
pop'penkast *v.*(*m.*) **1** théâtre *m.* de(s) marionnettes, guignol *m.*; **2** (*mal gedoe*) des fadaises *f.pl.*
pop'penkraam *v.*(*m.*) *en o.* baraque *f.* de poupées.
pop'penspel *o.*, *zie* ***poppenkast.***
pop'penwinkel *m.* boutique *f.* de poupées.
pop'perig *b.n.* de poupée, poupin; mièvre.
pop'pewagen *m.* voiture *f.* de poupée.
populair' I *b.n.* populaire; ***— worden,*** se populariser; **II** *bw.* d'une manière populaire; ***— gezegd,*** soit dit familièrement.
populair-wetenschap'pelijk *b.n.* de vulgarisation.
popularise'ren, -ize'ren *ov.w.* vulgariser.
popularise'ring, -ize'ring *v.* vulgarisation *f.*
populariteit' *v.* popularité *f.*
populariz-, *zie* ***popularis-.***
populier' *m.* peuplier *m.*
por *m.* coup *m.* (de poing, d'épée, etc.).
por'der *m.* réveilleur *m.*
poreus' *b.n.* poreux.
poreus'heid *v.* porosité *f.*
porfier' *o.* porphyre *m.*
po'rie *v.* pore *m.*; (*Pl.*) stomate *m.*
por'ren *ov.w.* **1** (*vuur*) attiser; **2** (*wekken*) réveiller; **3** (*aanzetten*) exciter, talonner, pousser.
porselein' *o.* porcelaine *f.*
porselein'aarde *v.*(*m.*) terre *f.* à porcelaine, kaolin *m.*
porselein'blauw *b.n.* bleu de faïence, — de porcelaine.
porselei'nen *b.n.* de porcelaine.
porselein'fabriek *v.* fabrique *f.* de porcelaine.
porselein'goed *o.* porcelaines *f.pl.*
porselein'handelaar *m.* porcelainier *m.*
porselein'kast *v.*(*m.*) armoire *f.* à porcelaine(s).
porselein'kleurig *b.n.* couleur de porcelaine.
porselein'schilder *m.* peintre *m.* sur porcelaine.
porselein'winkel *m.* magasin *m.* de porcelaine(s).
port I *o. en m.* (*v. brief*) port *m.* (de lettre), affranchissement *m.*, taxe *f.*; **II** *m.* porto, vin *m.* de Porto.
portaal' *o.* **1** (*v. kerk*) portail, porche *m.*; **2** (*v. huis*) vestibule *m.*; **3** (*v. trap*) palier, carré *m.*
porte-brisée' *v.* porte *f.* à coulisses.
portefeuil'le *m.* **1** (*alg.*) portefeuille *m.*; **2** (*v. advocaat, enz.*) serviette *f.*; **3** (*voor platen en tekeningen*) carton *m.*; **4** (*in zak*) porte-billets *m.*; **5** (*lees—*) bibliothèque *f.* circulante, — ambulante.
portefeuil'lekwestie *v.* question *f.* de confiance; ***de — stellen,*** demander le vote d'un ordre du jour de confiance.
portemonnaie', portemonnee' *m.* porte-monnaie *m.*, bourse *f.*
port'glas *o.* verre *m.* à porto.
por'tie *v.* **1** (*bepaalde hoeveelheid*) portion *f.*; **2** (*aandeel*) part *f.*; **3** (*mil., sch.: rantsoen*) ration *f.*; **4** (*fig.: geduld*) provision *f.*; ***afgepaste —,*** portion congrue; ***legitieme —,*** réserve *f.*; ***iemands legitieme —,*** part réservataire de qn.; ***— ijs,*** une glace.
portiek' *v.* **1** (*met zuilen*) portique *m.*; **2** (*v. huis*) porche *m.*
portier I *m.* **1** (*alg.*) concierge *m.*; **2** (*v. hotel, paleis, klooster*) portier *m.*; **3** (*v. gevangenis*) guichetier *m.*; **4** (*v. de maag*) pylore *m.*; **II** *o.* (*deur*) portière *f.*
portier'glas *o.* glace *f.* (de portière).
portier'luik *o.* guichet *m.*
portier'raampje *o.* glace *f.* (de portière).
portiers'woning *v.* loge *f.* de (*of* du) concierge, logement *m.* de concierge.
Portiun'cula *v.* Portioncule *f.*
por'to *o. en m.* port *m.* (de lettres).
por'tokosten *mv.* frais *m.pl.* de port.
portret' *o.* **1** portrait *m.*; **2** (*foto*) photographie *f.*; ***een lastig —,*** une personne difficile.
portret'album *o.* album *m.* pour photographies.
portret'lijst *v.*(*m.*) cadre *m.* (de portrait).
portret'schilder *m.* portraitiste *m.*
portret'standaard *m.* porte-photographie* *m.*
portrette'ren *ov.w.* faire le portrait (de), photographier.
Por'tugal *o.* le Portugal.

Portugees' I *m.* Portugais *m.*; II *b.n.* portugais.
portulak' *m.* pourpier *m.* à grandes fleurs.
portuur' *v. en o.* parti *m.*; ***dat is geen —,*** les parties ne sont pas égales, il n'est pas de force.
port'vrij *b.n.* 1 franc de port; 2 (*gefrankeerd*) affranchi; 3 (*recht betaald, bij abonnement, enz.*) port payé.
port'vrijdom *m.* franchise *f.* de port, — postale.
port'wijn *m.* porto *m.*, vin *m.* de porto.
port'zegel *m.* timbre*-taxe, chiffre*-taxe* *m.*
po'se *v.* pose *f.*
Po'sen *o.* 1 la Posnanie; 2 (*stad*) Posen *m.*
pose'ren *on.w.* 1 (*bij schilder, enz.*) poser; 2 (*fig.*) poser, prendre des poses.
poseur' *m.* poseur *m.*
posi'tie *v.* 1 position *f.*; 2 (*betrekking*) position, situation *f.*; ***maatschappelijke —,*** position sociale; ***in — zijn,*** être dans une position intéressante, être enceinte.
positief' I *b.n.* positif; II *bw.* positivement.
posi'tiejapon *m.* robe *f.* prénatale, — de grossesse.
posi'tiekleding *v.* confection *f.* pour futures mamans.
posi'tieoorlog *m.* guerre *f.* de positions.
positie've(n) *v.* bon sens *m.*; ***niet goed bij zijn — zijn,*** avoir perdu la tête; ***weer bij zijn — komen,*** reprendre connaissance, reprendre ses sens; ***nog goed bij zijn — zijn,*** jouir de la plénitude de ses facultés, avoir encore toute sa tête.
po'sitron *o.* positon *m.*
post I *m.* 1 (*mil.: wachtpost*) poste *m.*; 2 (*schildwacht*) sentinelle *f.*; 3 (*deel v. rekening*) article *m.* (de compte); 4 (*ambt*) emploi, poste *m.*, fonction, charge *f.*; 5 (*postbode*) facteur *m.*; 6 (*v. deur*) montant *m.*; (*bij staking*) piquet *m.*; ***een kwade —,*** (*H.*) une mauvaise créance; ***een dubieuze —,*** (*H.*) une créance douteuse; ***een — boeken,*** (*H.*) passer un article; ***een — aanzuiveren,*** (*H.*) régler un compte; ***op —,*** à son poste, en faction; ***op — zetten,*** poster; ***— vatten,*** 1 se poster; 2 (*v. mening, enz.*) s'établir; II *v.(m.)* 1 (*brievenpost*) poste *f.*; 2 (*—kantoor*) bureau *m.* de poste, poste *f.*; 3 (*al de brieven*) courrier *m.*; 4 (*bestelling*) courrier *m.*, distribution *f.*; ***de eerste —,*** le premier courrier, la première distribution; ***met de —, per —,*** par la poste; ***op de — doen,*** mettre à la poste, — à la boîte; ***per kerende —,*** par retour du courrier.
post'abonnement *o.* abonnement*-poste, abonnement *m.* postal.
postadministra'tie *v.* administration *f.* des postes.
post'agent *m.* agent *m.* des postes.
post'ambtenaar *m.* employé *m.* des postes, postier *m.*
postament' *o.* piédestal, socle *m.*
post'auto *m.* auto *f.* postale, — des postes.
post'band *m.* bande *f.* imprimée.
post'beambte *m.* employé *m.* des postes, postier *m.*
post'bestelling *v.* distribution *f.* (par la poste).
post'bewijs *o.* bon *m.* de poste.
post'blad *o.* carte*-lettre* *f.*
post'bode *m.* facteur *m.*
post'boot *m. en v.* bateau*-poste *m.*
post'box *m.* boîte *f.* postale.
post'bus *v.(m.)* boîte *f.* postale.
post'cheque, post'check *m.* chèque *m.* postal.
post'cheque- en girodienst *m.* service *m.* des virements postaux; (*B.*) service *m.* des chèques postaux.
post'commies, -kommies *m.* aide*-commis *m.*
post'dateren *ov.w.* postdater.
post'diefstal *m.* vol *m.* de valeurs postales.
post'dienst *m.* service *m.* (*of* administration) *f.*) des postes.
post'directeur, -direkteur *m.* receveur *m.* des postes.
post'duif *v.(m.)* pigeon *m.* voyageur.
post'duivenhoudersvereniging *v.* société *f.* colombophile.
postelein' *m.* (*Pl.*) pourpier *m.*
pos'ten I *ov.w.* 1 (*brief, enz.*) poster, mettre à la poste; 2 (*mil.*) placer des sentinelles; 3 (*bij staking*) surveiller, piqueter (les portes); réconduire (des ouvriers); II *z.n., o.* ***het —,*** 1 la mise à la poste *f.*; 2 la surveillance (de l'usine, etc.) *f.*, le picketing.
pos'ter *m.* (*bij staking*) factionnaire *m.*
poste'ren I *ov.w.* poster, placer, stationner; II *w.w.* ***zich —,*** se poster.
poste-restan'te *bw.* poste-restante.
posterij'en *mv.* postes *f.pl.*
post'formaat *o.* petit format *m.*
post'gids *m.* indicateur *m.* (*of* annuaire *m.*) des postes.
post'giro *m.* virement *m.* postal.
post'girobiljet *o.* chèque *m.* de virement postal.
post'hoorn, post'horen *m.* cor *m.* de postillon.
postiljon', post'jongen *m.* postillon *m.*
post'kaart (*Z.N.*) *v.(m.)* carte *f.* postale.
post'kantoor *o.* 1 bureau *m.* de poste, — des P.T.T.; 2 (*hoofdkantoor*) hôtel *m.* des postes.
post'kar *v.(m.)* voiture *f.* postale.
post'koets *v.(m.)* diligence *f.*
post'kommies, *zie* ***postcommies.***
post'kwitantie *v.* quittance *f.* postale.
post'loper *m.* facteur *m.*, coureur *m.* postal.
post'man *m.* postier *m.*
post'meester *m.* 1 receveur *m.* des postes; 2 (*oud*) maître *m.* de la poste aux chevaux.
post'merk *o.* timbre *m.* de la poste; ***datum —,*** date *f.* de la poste.
post'overeenkomst *v.* convention *f.* postale.
post'paard *o.* cheval *m.* de poste.
post'pakket *o.* colis *m.* postal.
post'pakketformulier *o.* bulletin *m.* de colis postal.
post'papier *o.* papier *m.* à lettres.
post'rekening *v.* compte *m.* de chèques postaux.
post'rijder *m.* (*oud*) courrier *m.*
post'rijtuig *o.* wagon*-poste *m.*
postscrip'tum *o.* post-scriptum *m.*
post'sjees *v.(m.)* chaise *f.* de poste.
post'spaarbank *v.(m.)* caisse *f.* d'épargne postale.
post'spaarbankboekje *o.* livret *m.* (de la caisse d'épargne postale).
post'station *o.* poste *f.*, relais *m.*
post'stempel *o. en m.* timbre *m.* de la poste.
post'stuk *o.* pièce *f.* postale, objet *m.* de correspondance.
post'tarief *o.* taxe *f.* postale, tarifs *m.pl.* postaux; ***internationaal —,*** tarif international; ***binnenlands —,*** tarif intérieur.
post'tijd *m.* heure *f.* du courrier.
post'trein *m.* train*-poste, train *m.* postal.
postulaat' *o.* postulat *m.*
postulant' *m.* postulant *m.*
postule'ren *ov.w.* postuler.
post'unie *v.* union *f.* postale.
postuum' I *b.n.* posthume; II *bw.* à titre posthume.
postuur' *o.* 1 (*gestalte, lichaamsbouw*) taille, stature *f.*; 2 (*houding, stand*) attitude, posture *f.*; 3 (*klein beeld*) (*Z.N.*) statuette *f.*; ***zich in — stellen,*** se mettre en garde; ***een mooi —,*** une taille bien prise.
postuur'naad *m.* couture *f.* de taille.
post'verdrag *o.* convention *f.* postale.

post'vereniging *v.* union *f.* postale.
post'verkeer *o.* trafic *m.* postal.
post'verordening *v.* règlement *m.* postal.
post'vliegtuig *o.* avion *m.* postal.
post'vlucht *v.(m.)* transport *m.* aérien.
post'wagen *m.* **1** voiture *f.* postale; **2** (*in trein*) wagon*-poste *m.*; **3** (*oud*) diligence *f.*
post'wezen *o.* postes *f.pl.*, administration *f.* des postes.
post'wissel *m.* mandat*-poste *m.*; mandat *m.* de poste, — postal; ***buitenlandse* —,** mandat *m.* international; ***telegrafische* —,** mandat *m.* télégraphique, dépêche*-mandat* *f.*
post'wisselformulier *o.* formulaire *m.* de mandat-poste.
post'zak *m.* sac *m.* de dépêches, — postal.
post'zegel *m.* timbre*-poste *m.* [poste.
post'zegelalbum *o.* album *m.* pour timbres-
post'zegelautomaat *m.* distributeur *m.* automatique de timbres-poste.
post'zegelbevochtiger *m.* mouilleur *m.* (pour timbres-poste), mouille-étiquettes *m.*
post'zegelkunde *v.* philatélisme *m.*
post'zegelmarkt *v.(m.)* marché *m.* aux timbres.
post'zegelverzamelaar *m.* philatéliste *m.*
post'zegelverzameling *v.* collection *f.* de timbres-poste.
post'zending *v.* envoi *m.* postal.
pot *m.* **1** (*alg.*) pot *m.*; **2** (*v. ijzer*) marmite *f.*; **3** (*v. kachel*) foyer *m.*; **4** (*nacht—*) vase *m.* de nuit, pot *m.* de chambre **5** (*v. spel: inzet*) enjeu *m.*, mise *f.*; (*speelpot*) cagnotte *f.*; ***de — verteren,*** manger la cagnotte; ***de dagelijkse —,*** l'ordinaire *m.*; ***eten wat de — schaft,*** dîner à la fortune du pot; ***de hond in de — vinden,*** dîner par cœur; ***het is één — nat,*** c'est tout un, c'est bonnet blanc et blanc bonnet; ***de — verwijt de ketel dat hij zwart ziet,*** la pelle se moque du fourgon.
pot'aarde *v.(m.)* terre *f.* glaise.
pot'as *v.(m.)* potasse *f.*; ***bijtende* —,** potasse *f.* caustique.
pot'asblauw *o.* bleu *m.* de Prusse.
pot'aszout *o.* sel *m.* de potassium.
pot'bloem *v.(m.)* fleur *f.* en pot.
pot'boter *v.(m.)* beurre *m.* de conserve. [*m.*
pot'deksel *v.* **1** couvercle *m.*; **2** (*sch.*) plat*-bord*
pot'dicht *b.n.* **1** hermétiquement fermé; **2** (*v. weer*) bouché; **3** (*fig.*) boutonné.
pot'doof *b.n.* sourd comme un pot.
po'teling *m.* plant *m.*
po'ten *ov.w.* planter; ***vis in een vijver —,*** aleviner un étang. [de pistolet.
potentaat' *m.* potentat *m.*; ***een raar —,*** un drôle
potentiaal' **I** *b.n.* potentiel; **II** *z.n.*, *m.* potentiel *m.*
potentiaal'verschil *o.* différence *f.* de potentiel.
poten'tie *v.* puissance *f.* [sance *f.*
potentieel' **I** *b.n.* en puissance; **II** *z.n.*, *o.* puis-
po'ter *m.* **1** planteur *m.*; **2** (*pootaardappel*) pomme *f.* de terre à planter.
pot'hengsel *o.* anse *f.* d'un pot.
pot'huis *o.* échoppe *f.*
po'tig *b.n.* robuste, fort.
po'ting *v.* **1** (*v. aardappelen*) plantation *f.*; **2** (*v. vis*) alevinage *m.*
potje *o.* **1** (*alg.*) petit pot *m.*; **2** (*verf—*) godet *m.*; **3** (*spaar—*) magot *m.*, économies *f.pl.*; ***een — bier,*** un bock *m.*, une chope *f.* (de bière); ***hij mag een — breken,*** on lui pardonne beaucoup; ***zijn eigen — koken,*** faire la popote.
pot'jeslatijn *o.* latin *m.* de cuisine, charabia *m.*
pot'kachel *v.(m.)* fourneau *m.* de fonte, poêle*-fourneau *m.*; (*F.*) cloche *f.* (lyonnaise).
pot'kijker, *zie* ***pottekijker.***
pot'lepel *m.* cuiller *f.* à pot, louche *f.*
pot'loden *ov.w.* frotter à la mine de plomb, passer au noir.
pot'lood *o.* **1** (*om te schrijven*) crayon *m.*; **2** (*erts*) graphite *m.*; **3** (*om te poetsen*) mine *f.* de plomb.
pot'loodaantekening *v.* crayonnage *m.*
pot'loodhouder *m.* porte-crayon *m.*
pot'loodslijper *m.* taille-crayon *m.*
pot'loodstreep *v.(m.)* trait *m.* au crayon.
pot'loodtekening *v.* dessin *m.* au crayon.
pot'plant *v.(m.)* plante *f.* en pot.
pot'pourri *m.* en *o.* pot*-pourri* *m.*; sélection *f.*
pots *v.(m.)* **1** (*grap, klucht*) farce, bouffonnerie *f.*; **2** (*muts*) (*Z.N.*) béret *m.*
pot'scherf *v.(m.)* tesson *m.*
pot'schraper *m.* **1** racloir *m.*, curette *f.*; **2** (*fig.: gierigaard*) grippe-sou*, avare *m.*
pot'senmaker *m.* (*grappenmaker*) farceur, bouffon *m.* [*f.*
potsenmakerij' *v.* bouffonnerie, pitrerie, clownerie
potsier'lijk **I** *b.n.* drôle, bouffon, burlesque, comique; **II** *bw.* drôlement, rigolo.
potsier'lijkheid *v.* drôlerie *f.*, comique *m.*
pot'spel *o.* (*bilj.*) poule *f.*
pot'spelen *on.w.* (*bilj.*) faire une poule.
pot'(te)kijker *m.* tâte-au-pot *m.*, lumière *f.* de cheminée.
pot'ten **I** *on.w.* mettre de l'argent de côté, thésauriser, faire son magot; **II** *ov.w.* (*plant, bloem*) mettre en pot; **III** *o.* thésaurisation *f.*
pot'tenbakker *m.* potier, céramiste *m.*
pot'tenbakkerij' *v.* poterie, fabrique *f.* de poterie(s).
pot'tenbakkerskunst *v.* céramique *f.*
pot'tenkast *v.(m.)* armoire *f.* à vaisselle.
pot'tenwinkel *m.* magasin *m.* de poterie.
pot'ter *m.* thesauriseur *m.*
pot'verteren *on.w.* manger la cagnotte.
pot'vis *m.* grand cachalot *m.*
pot'vol *m.* potée *f.*
pousse'ren *ov.w.* ***iem. —,*** pistonner qn.; ***een kaartje —,*** déposer sa carte (de visite).
po'ver **I** *b.n.* pauvre, mesquin; **II** *bw.* pauvrement.
po'verheid *v.* pauvreté, mesquinerie *f.*
po'vertjes *bw.* pauvrement, mesquinement.
po'zen *on.w.* **1** (*rusten*) se reposer; **2** (*verwijlen: ophouden*) s'arrêter; faire trêve.
Praag *o.* Prague *f.*; ***uit —,*** pragois.
praai'en *ov.w.* (*sch.*) héler. [parade *f.*
praal *v.(m.)* pompe, magnificence *f.*, apparat *m.*,
praal'bed *o.* lit *m.* de parade.
praal'graf *o.* mausolée *m.*
praal'hans *m.* glorieux, plastronneur *m.*
praal'koets *v.(m.)* carrosse *m.* de parade.
praal'vertoon *o.* pompe, ostentation *f.*
praal'ziek *b.n.* fastueux, ostentateur; aimant l'ostentation. [tion *f.*
praal'zucht *v.(m.)* amour *m.* du faste, ostenta-
praam *v.(m.)* (*sch.*) chaland *m.*
praat *m.* **1** causerie *f.*; **2** (*gesprek*) entretien *m.*; **3** (*gebabbel*) caquet, babil *m.*; ***aan de — raken,*** entrer en conversation; ***iem. aan de — houden,*** **1** retenir qn.; **2** (*fig.*) entretenir qn. avec de belles promesses, entretenir de belles espérances.
praat'achtig *b.n.* bavard, loquace.
praat'al *m.-v.* bavard *m.*, —e *f.*
praat'graag *b.n.* bavard.
praat'je *o.* **1** (*klein gesprek*) causette *f.*, bout *m.* de causette; **2** (*geklets*) bavardage, commérage *m.*; **3** (*verzinsel, uitvlucht*) prétexte *m.*, feinte *f.*; ***een — maken,*** tailler une bavette, faire un bout de

causette; ***de —s van de mensen,*** les cancans *m.pl.*, les qu'en-dira-t-on; ***—s voor de vaak,*** des sornettes *f.pl.*; des contes *m.pl.* à dormir debout; ***—s verkopen,*** tenir des propos; ***allemaal —s,*** chansons que tout cela; ***—s vullen geen gaatjes,*** autant en emporte le vent; ***—s!*** des blagues!
praat'jesmaker *m.* **1** (*kletsmajoor*) parleur, discoureur *m.*; **2** (*bluffer*) hâbleur *m.*
praat'kous *m.-v.* bavard *m.*, —e *f.*
praatlus'tig *b.n.* bavard.
praat'stoel *m.* ***op zijn — zitten,*** pérorer; bavarder tout son soûl.
praat'ziek *b.n.* bavard, babillard.
praat'zucht *v.(m.)* loquacité *f.*
pracht *v.(m.)* **1** (*alg.*) splendeur, magnificence *f.*; **2** (*praal, staatsie*) pompe *f.*; **3** (*weelde*) luxe *m.*
pracht'band *m.* reliure *f.* de luxe.
pracht'exemplaar, -eksemplaar *o.* **1** (*boek*) exemplaire *m.* de luxe; **2** (*spottend*) bel échantillon *m.*
prach'tig I *b.n.* **1** magnifique; **2** (*weelderig*) somptueux; **3** (*heerlijk*) splendide, superbe; **4** (*bewonderenswaardig*) admirable; **II** *bw.* magnifiquement, admirablement, à merveille.
prachtlie'vend *b.n.* fastueux, magnifique.
prachtlie'vendheid *v.* magnificence *f.*, amour *m.* du faste.
pracht'stuk *o.* spécimen *m.* magnifique.
pracht'uitgave *v.(m.)* édition *f.* de luxe.
pracht'werk *o.* ouvrage *m.* de luxe.
prac'ticum *o.* exercices *m.pl.* pratiques, cours *m.* pratique.
prac'ticus *m.* **1** homme *m.* pratique; **2** (*ervaren vakman*) praticien *m.*
pract-, *zie* ***prakt-.***
præ-, *zie* ***pre-.***
præ'ses, pre'ses *m.* président *m.*
prai'rie *v.* prairie *f.*
prai'riebrand *m.* feu *m.* de prairie.
prai'riehond *m.* chien *m.* des prairies.
prai'riewolf *m.* loup *m.* des prairies.
prakkeze'ren, prakkize'ren I *on.w.* réfléchir, rêver, rêvasser; **II** *ov.w.* imaginer.
praktijk', practijk' *v.(m.)* **1** pratique *f.*; **2** (*v. dokter*) clientèle *f.*; ***kwade —en,*** menées (sourdes), intrigues, machinations *f.pl.*; ***een — overnemen,*** acheter un cabinet médical, une étude de notaire, etc.; ***zijn — overdoen,*** céder (vendre *of* liquider) son cabinet (*of* étude); ***zijn — hervatten,*** reprendre ses consultations; ***een grote — hebben,*** avoir une nombreuse clientèle; ***een — waarnemen,*** remplacer.
prak'tisch, prac'tisch I *b.n.* pratique; ***—e zin,*** sens *m.* pratique, réalisme, pragmatisme *m.*; **II** *bw.* pratiquement.
praktize'ren *on.w.* **1** (*v. dokter*) pratiquer la médecine, exercer; **2** (*v. advocaat*) exercer l'état d'avoué; ***—d geneesheer,*** praticien *m.*; ***—d katholiek,*** catholique pratiquant.
praktizijn' *m.* praticien *m.*, agent *m.* d'affaires.
pra'len *on.w.* **1** (*schitteren*) briller; **2** (*snoeven*) se glorifier; **3** (*vertoon maken*) ***— met,*** faire étalage de, faire parade de, se vanter de.
pra'ler *m.* vantard, fanfaron, glorieux, poseur *m.*
pra'lerig *b.n.* ostentateur.
pralerij' *v.* ostentation *f.*, étalage *m.*
pra'men *ov.w.* presser.
prang *v.(m.)* **1** (*drukking*) pression *f.*; **2** (*nood*) gêne *f.*
pran'gen *ov.w.* (*eig.*) **1** presser, serrer; **2** (*fig.*) opprimer, oppresser.
pran'gend *b.n.* crucial, pressant.
pran'ger *m.* **1** (*neusknijper*) caveçon, tord-nez *m.*; **2** (*klemschroef: v. timmerwerk*) serre-joint* *m.*; **3** (*gesch.: schandpaal*) pilori *m.*
prat *b.n.* fier, glorieux (de); ***— gaan op,*** se vanter de, se glorifier de, s'enorgueillir de.
pra'ten *on.w.* **1** parler, causer; **2** (*babbelen*) bavarder, jaser; ***laat hem maar —,*** laissez-le dire; ***u hebt mooi —,*** vous en parlez à votre aise; ***over politiek —,*** causer politique; ***iem. naar de mond —,*** abonder dans le sens de qn.; flatter qn.; ***iem. iets uit het hoofd —,*** ôter qc. de la tête de qn.; dissuader qn. de faire qc.; ***er omheen —,*** tourner autour du pot; ***langs elkaar heen —,*** ne pas s'entendre.
pra'ter *m.* **1** causeur *m.*; **2** (*ong.*) bavard, jaseur *m.*
prauw *v.(m.)* pirogue *f.*, prao *m.*
prau'wel *v.* oublie, gaufrette *f.*
prauw'ijzer *o.* gaufrier *m.*
pre'advies, præ'advies *o.* avis *m.* préalable; ***commissie van —,*** commission *f.* d'études; ***— uitbrengen,*** préaviser.
pre'adviseren *ov.w.* préaviser.
preben'de *v.(m.)* commende, prébende *f.*, bénéfice *m.*
precair' *b.n.* précaire.
precedent' *o.* précédent, antécédent *m.*
precies' I *b.n.* précis, exact; **II** *bw.* précisément, exactement; ***— om 3 uur,*** à trois heures précises; ***— om half vier,*** à trois heures et demie précises, — juste; ***— om 10 minuten over drie,*** à trois heures dix minutes juste; ***ik weet het niet —,*** je ne le sais pas au juste; ***al te —,*** pointilleux.
precio'sa *mv.* objets précieux, bijoux *m.pl.*
precipitaat' *o.* précipité *m.*
precipite'ren *on.w.* se précipiter.
precise'ren, precize'ren *ov.w.* préciser, mettre au point.
preci'sie *v.* précision, exactitude *f.*
preci'sie-instrument *o.* instrument *m.* de précision.
precize'ren, *zie* ***preciseren.***
predikaat', prædicaat' *o.* **1** (*gram.*) prédicat, attribut *m.*; **2** (*titel*) titre *m.*; **3** (*vermelding*) mention *f.*
predikaatsno'men *o.* prédicat *m.* nominal.
pre'dikambt *o.* ministère *m.* pastoral, office *m.* de pasteur.
predikant' *m.* **1** (*kath.*) prédicateur *m.*; **2** (*prot.*) pasteur, ministre *m.* du culte.
predikants'woning *v.* presbytère *m.*
predika'tie *v.* **1** (*de preek*) sermon *m.*; **2** (*het prediken*) prédication *f.*
pre'dikbeurt, preek'beurt *v.(m.)* tour *m.* de prêcher.
pre'dikbeurtenblad *o.* bulletin *m.* des services religieux.
pre'diken *ov.w. en on.w.* prêcher.
pre'diker *m.* **1** prédicateur *m.*; **2** (*Bijb.*) ***de P—,*** l'Ecclésiaste *m.*
pre'dikheer, preek'heer *m.* dominicain *m.*
pre'diking *v.* prédication *f.*
pre'dikstoel, *zie* ***preekstoel.***
pre'disponeren *ov.w.* prédisposer.
preek *v.(m.)* **1** (*alg.*) sermon *m.*; **2** (*zondags—*) prône *m.*; **3** (*prot.*) prêche *m.*
preekbeurt, preekheer, *zie* ***predik-.***
preek'stijl *m.* style *m.* de la chaire.
preek'stoel, pre'dikstoel *m.* chaire *f.* (de vérité); ***van de —,*** du haut de la chaire.
preek'toon *m.* ton *m.* prêcheur, — d'homélie.
preek'trant *m.* manière *f.* de prêcher.
pre'fabriceren *ov.w.* préfabriquer.
prefa'tie *v.* préface *f.*
prefect', prefekt' *m.* préfet *m.*
preferent' *b.n.* **1** (*verkieslijk*) préférable, à préférer; **2** (*v. aandelen, schuldeiser: bevoorrecht*) privilégié.

preferen'tie *v.* 1 préférence *f.*; 2 priorité *f.*
pre'historie *v.* préhistoire *f.*
pre'historisch, præ'historisch *b.n.* préhistorique.
prehomini'nen *mv.* préhominiens *m.pl.*
prei *v.(m.)* poireau, porreau *m.*
prei'achtig *b.n.* porracé.
prejudicië'ren *ov.w.* 1 (*voorbarig oordelen*) préjuger; 2 (*nadeel toebrengen, nadelig zijn*) nuire à, être préjudiciable à.
pre'ken *ov.w. en on.w.* prêcher; ***voor stoelen en banken —***, parler pour les banquettes, prêcher devant les banquettes; ***er wordt vandaag niet gepreekt***, il n'y a pas de sermon aujourd'hui; (*prot.*) il n'y a pas de culte aujourd'hui.
pre'ker *m.* (*ong.*) prêcheur, sermonneur *m.*
pre'kerig *b.n.* prêcheur.
prelaat' *m.* prélat *m.*
prelaat'schap *o.* prélature *f.*
preliminair' *b.n.* préliminaire.
prelu'dium, praelu'dium *o.* prélude *m.*
prematuur' I *b.n.* prématuré; II *bw.* prématurément.
pre'mie *v.* 1 (*H., assurantie, enz.*) prime *f.*; 2 (*jaarlijkse —*) annuité *f.*; 3 (*bijprijs in loterij*) second prix *m.*
pre'mieaffaire *v.* (*H.*) marché *m.* (*of* affaire *f.*) à prime.
pre'mieaflossing *v.* remboursement (*of* amortissement) *m.* des lots.
pre'miebetaling *v.* versement *m.* de la prime.
pre'miebon *m.* ticket*-prime* *m.*
pre'miecoupon, -koepon *m.* coupon *m.* de prime.
pre'miegeld *o.* argent *m.* à prime.
pre'miejager *m.* courtier *m.* marron.
pre'miekoepon, *zie* ***premiecoupon.***
pre'mielening *v.* emprunt *m.* à lots.
pre'mielot *o.* valeur *f.* à lots; lot *m.* d'un emprunt à primes.
pre'mieloterij *v.* loterie *f.* à primes.
pre'mieobligatie *v.* obligation *f.* à lots.
pre'mieplaat *v.(m.)* gravure *f.* donnée en prime.
premier' *m.* premier ministre *m.*, président *m.* du conseil.
premiè're *v.* première *f.*
pre'miereserve *v.(m.)* réserve *f.* mathématique, excédent *m.* des primes.
pre'miestelsel *o.* système *m.* de primes.
pre'mietrekking *v.* tirage *m.* des primes.
pre'mievrij *b.n.* sans versement obligatoire; ***—e polis***, police libérée.
premis'se *v.* prémisse *f.*
premonstraten'zer *m.* (père) Prémontré *m.*
prent *v.(m.)* 1 (*alg.: voor kinderen, enz.*) image *f.*; 2 (*kunst—*) gravure, estampe *f.*; 3 (*voor reclame*) chromo *f.*
prent'briefkaart *v.(m.)* carte *f.* postale illustrée, carte*-vue* *f.*
pren'ten *ov.w.* 1 imprimer; 2 (*fig.*) graver.
pren'tenbijbel *m.* bible *f.* illustrée.
pren'tenboek *o.* livre *m.* d'images.
pren'tenkabinet *o.* cabinet *m.* des estampes.
prent'je *o.* image *f.*
prent'kunst *v.* gravure *f.*, art *m.* du graveur.
preparaat' *o.* préparation *f.*; ***chemisch —***, produit *m.* chimique; ***anatomisch —***, pièce *f.* d'anatomie.
prepare'ren I *ov.w.* préparer; II *o.* préparation *f.*
presbyteriaan' *m.* presbytérien *m.*
presbyteriaans' *b.n.* presbytérien.
presen'ning *v.(m.)* (*sch.*) prélart *m.*
present', prezent' I *o.* présent, cadeau *m.*; ***iem. iets — geven***, faire cadeau de qc. à qn.; II *b.n.* présent.
presenteer'blad, prezenteer'blad *o.* plateau, [cabaret *m.*
presenteer'stel, prezenteer'stel *o.* service *m.* à liqueurs, cabaret *m.*
presente'ren, prezente'ren I *ov.w.* présenter; ***wat mag ik u — ?*** que puis-je vous offrir ? II *w.w.* ***zich —***, se présenter.
present'exemplaar, prezenteksemplaar *o.* hommage *m.* de l'auteur, — de l'éditeur; exemplaire *m.* gratuit.
presen'tiegeld, prezen'tiegeld *o.* jeton *m.* de présence. [de présence.
presen'tielijst, prezen'tielijst *v.(m.)* feuille *f.*
pre'ses, *zie* ***praeses.*** [doyen *m.*
president' *m.* 1 président *m.*; 2 (*v. faculteit*)
president'-commissa'ris *m.* président *m.* du conseil d'administration.
presiden'te *v.* présidente *f.*
presidents'-, présidentiel.
president'schap *o.* présidence *f.*
presidents'hamer *m.* maillet *m.*
presidents'zetel *m.* fauteuil *m.* présidentiel.
preside'ren I *ov.w.* présider; II *on.w.* occuper le fauteuil présidentiel.
presi'dium, praesi'dium *o.* présidence *f.*
pres'kop *m.* fromage *m.* d'Italie.
pres'sen *ov.w.* 1 (*dwingen*) presser; 2 (*met list of geweld aanwerven*) enrôler de force, racoler.
pres'sie *v.* pression *f.*
pres'siegroep *v.(m.)* groupe *m.* de pression.
pres'sing *v.* enrôlement forcé, racolage *m.*, presse *f.*
prestant' *m.* (*muz.*) prestant, fond *m.* d'orgue.
presta'tie *v.* 1 (*afgelegde proef*) performance *f.*; 2 (*verrichting*) prestation *f.*
presta'tieloon *o.* prime *f.* au rendement.
preste'ren *ov.w.* produire; ***niet veel —***, ne pas faire grand-chose; ***diensten —***, rendre des services.
presti'ge *o.* prestige *m.*
pret *v.(m.)* 1 (*vermaak*) plaisir, amusement, divertissement *m.*; 2 (*vreugde*) joie *f.*; ***— hebben, — maken***, s'amuser, se divertir; ***voor de —***, pour rire, pour s'amuser.
pret'bederver *m.* trouble-fête *m.*
pretendent' *m.* prétendant *m.*
pretende'ren *ov.w.* prétendre.
preten'tie *v.* 1 (*aanmatiging*) prétention *f.*; 2 (*vordering*) créance *f.*
pretentieus' *b.n.* prétentieux.
pret'maker *m.* 1 joyeux compère, — compagnon *m.*; 2 (*ong.*) noceur, viveur, fêtard *m.*
pret'tig I *b.n.* agréable, amusant, gai, joyeux; II *bw.* agréablement, d'une manière amusante, joyeusement; ***ik vind het —***, j'aime (à); ***— vinden, dat***, se réjouir que. [humeur *f.*
pret'tigheid *v.* agrément *m.*, gaîté *f.*; bonne
preu'telen *on.w.* 1 (*zachtjes koken*) mitonner, bouillonner; 2 (*mopperen*) murmurer.
preuts I *b.n.* prude, bégueule; II *bw.* prudement; ***— doen***, faire la prude.
preuts'heid *v.* pruderie, bégueulerie *f.*
prevalent' *b.n.* prédominant.
prevale'ren *on.w.* prévaloir.
pre'velaar *m.* marmotteur *m.*
prevelarij' *v.* marmottage *m.*
re'velen *ov.w. en on.w.* marmotter, marmonner.
preven'tie *v.* prévention *f.*
preventief' I *b.n.* préventif; II *bw.* préventivement; ***—tieve hechtenis***, détention *f.* préventive.
prezent(-), *zie* ***present***(-).
prieel' *o.* tonnelle *f.*, berceau *m.*
prie'gel *m.* (*fam.*) raclée, tripotée *f.*

prie'gelen *ov.w.* rosser.
priem *m.* **1** (*tn.*) poinçon *m.*; **2** (*v. schoenmaker: els*) alène *f.*; **3** (*breinaald*) aiguille *f.* à tricoter; **4** (*dolk*) poignard *m.*; (*kleine dolk*) stylet *m.*
prie'men *ov.w.* **1** piquer, percer; **2** poignarder; ***—de pijn,*** douleur aiguë.
priem'getal *o.* nombre *m.* premier.
priem'kruid *o.* (*Pl.*) genêt *m.*
pries'ter *m.* **1** (*kath.*) prêtre *m.*; **2** (*moslems*) iman *m.*; **3** (*boeddh.*) bonze *m.*
pries'terambt *o.* sacerdoce *m.*
pries'terdom *o.* **1** (*waardigheid*) prêtrise *f.*; **2** (*al de priesters*) clergé *m.*
priesteres' *v.* prêtresse *f.*
pries'tergewaad *o.* **1** (*misgewaad*) habits *m.pl.* sacerdotaux; **2** (*kleed*) soutane *f.*
pries'terkleed *o.* soutane *f.*
pries'terkoor *o.* chœur *m.*
pries'terlijk *b.n.* sacerdotal.
pries'terschap I *o.* **1** (*waardigheid*) sacerdoce *m.*, prêtrise *f.*; **2** (*sacrament*) ordre *m.*; **II** *v.* (*al de priesters*) clergé *m.*
pries'terstand *m.* clergé *m.*
pries'terwijding *v.* ordination, prêtrise *f.*
pries'terzegen *m.* bénédiction *f.* sacerdotale.
prij *v.* **1** (*kreng*) charogne *f.*; **2** (*fig.: feeks*) mégère *f.*
prij'ken *on.w.* briller; ***— met,*** **1** (*versierd zijn*) être orné de; **2** (*pronken met*) faire parade de.
prijs I *m.* **1** (*waarde, koopsom*) prix *m.*; **2** (*etiket*) étiquette *f.*; **3** (*beloning*) prix *m.*, récompense *f.*; ***kostende —,*** (*H.*) **1** (*inkoopprijs*) prix d'achat; **2** (*inkoop met onkosten*) prix de revient; ***naaste (uiterste) —,*** (*H.*) dernier prix; ***overeengekomen —,*** (*H.*) prix fait; ***— nader overeen te komen,*** (*H.*) prix à débattre; ***tot elke —,*** **1** à tout prix; **2** (*fig.*) coûte que coûte; ***beneden de —,*** à vil prix; ***boven de —,*** hors de prix; ***tegen verlaagde —,*** au rabais, à prix réduit; ***tegen vaste —,*** à prix fixe; ***op — stellen,*** apprécier; ***— stellen op,*** apprécier, estimer, tenir à; ***een — uitloven,*** proposer un prix; **II** *v.*(*m.*) (*buit*) prise, capture *f.*; ***voor goede — verklaren,*** déclarer de bonne prise; ***— maken,*** capturer.
prijs'aanpassing *v.* péréquation *f.* des prix.
prijs'aanvraag, -vrage *v.*(*m.*) demande *f.* de prix.
prijs'bederver *m.* (*h.*) gâte-métier* *m.*
prijs'beheersing *v.* contrôle *m.* des prix.
prijs'beleid *o.* régime *m.* des prix.
prijs'bemanning *v.* équipage *m.* de prises.
prijs'bepaler *m.* priseur *m.*
prijs'bepaling *v.* mise *f.* à prix, évaluation *f.*
prijs'berekening *v.* cote *f.*; calcul *m.* des prix.
prijs'binding *v.* maintien *m.* des prix (*of* du prix fort).
prijs'briefje *o.* étiquette *f.*
prijs'courant, prijs'koerant *m.* prix courant [*m.*
prijs'daling *v.* baisse *f.* des prix.
prijs'(e)lijk I *b.n.* louable; **II** *bw.* louablement.
prijs'gericht *o.* tribunal *m.* des prises.
prijs'geven I *ov.w.* **1** (*overgeven: aan vijand, enz.*) livrer; **2** (*afstand doen van*) abandonner; **3** (*afzien van: plan, enz.*) renoncer à, abandonner; **II** *w.w.* ***zich —,*** se livrer; s'abandonner.
prijshou'dend *b.n.* (*H.*) soutenu, invariable, ferme.
prijs'kamp *m.* concours *m.*
prijs'koerant, *zie* ***prijscourant.***
prijs'lijk, *zie* ***prijselijk.***
prijs'lijst *v.*(*m.*) **1** (*prijscourant*) prix courant *m.*; **2** (*in winkel, restaurant, enz.*) tarif *m.*; **3** (*v. markt, beurs*) mercuriale *f.*; ***herziene —,*** prix courant rectifié.
prijs'notering *v.* cote *f.*, cours *m.*
prijs'opdrijving *v.* surenchérissement *m.*, hausse *f.* illicite.
prijs'opgaaf, -opgave *v.*(*m.*) prix courant *m.*, relevé *m.* des prix; ***monsters met —,*** échantillons avec indication des prix.
prijs'opslag *m.* augmentation *f.* de prix.
prijs'peil *o.* palier *m.* des prix.
prijs'politiek *v.* taxation *f.* des prix.
prijs'recht *o.* (*recht*) droit *m.* de prise, — de capture.
prijs'schaal *v.*(*m.*) échelle *f.* des prix.
prijs'schieten *o.* concours *m.* de tir.
prijs'schip *o.* navire *m.* capturé.
prijs'schommeling *v.* fluctuation *f.* des prix.
prijs'stijging *v.* hausse *f.* des prix.
prijs'stop *m.* plafond *m.*, limite *f.* des prix.
prijs'uitdeling *v.* distribution *f.* des prix.
prijs'verhoging *v.* augmentation *f.* de prix, hausse *f.*
prijs'verlaging *v.* abaissement *m.* des (*of* du) prix; diminution *f.* de prix; rabais *m.*
prijs'vermindering *v.* diminution *f.* de prix; rabais *m.*
prijs'verschil *o.* différence *f.* de prix, écart *m.*
prijs'voorschriften *mv.* prescriptions *f.pl.* fixant les prix.
prijs'vorming *v.* taxation *v.*
prijs'vraag *v.*(*m.*) question *f.* mise au concours; ***een — uitschrijven (over iets),*** mettre (qc.) au concours.
prijs'winnaar *m.* **1** (*persoon*) gagnant (du prix), lauréat *m.*; **2** (*v. paard*) cheval *m.* qui a gagné le prix.
prij'zen I *ov.w.* **1** (*loven*) louer; vanter; **2** (*verheerlijken*) glorifier; **3** (*prijs aangeven*) coter; **4** (*met etiket*) étiqueter; marquer; ***gelukkig —,*** estimer heureux; **II** *w.w.* ***zich gelukkig —,*** s'estimer heureux, se féliciter (de).
prij'zenbeschikking *v.* dirigisme *m.* des prix.
prij'zenhof *o.* conseil *m.* des prises, cour *f.* —.
prijzenswaar'd(ig) *b.n.* louable, digne d'éloges.
prij'zig *b.n.* cher.
prik *m.* **1** (*v. speld, naald*) piqûre *f.*; **2** (*v. degen, enz.*) coup *m.*; **3** (*v. gereedschap*) pointe *f.*; **4** (*vis*) lamproie *f.*; **5** (*gen.*) acuponcture *f.*; ***op een — kennen,*** connaître sur le bout du doigt; ***voor een —je,*** pour rien, à vil prix, pour une bouchée de pain, c'est donné.
prik'kel *m.* **1** (*Dk.: angel; voor ossen*) aiguillon *m.*; **2** (*punt*) pointe *f.*; **3** (*v. plant*) piquant *m.*; (*doorn*) épine *f.*; **4** (*fig.: op orgaan*) excitant, stimulant *m.*; (*aandrift*) impulsion *f.*; (*een reflex teweegbrengend*) excitation *f.*; (*van buiten*) irritation *f.*
prik'kelbaar *b.n.* **1** excitable; **2** (*v. karakter*) irritable, susceptible; **3** (*v. eergevoel*) chatouilleux.
prik'kelbaarheid *v.* **1** excitabilité *f.*; **2** irritabilité, susceptibilité *f.*
prik'keldraad *o. en m.* fil *m.* de fer barbéle, ronce *f.* (artificielle). [barbelé.
prik'keldraadschaar *v.*(*m*) cisailles *f.pl.* à fil
prik'keldraadversperring *v.* (*mil*) réseau *m.* de fils de fer barbelés, ligne *f.* de barrage en fils barbelés, barrage *m.* de barbelés.
prik'kelen I *ov.w.* **1** (*ogen, tong*) picoter; **2** (*opwekken: nieuwsgierigheid*) piquer, exciter; **3** (*ijver*) stimuler; **4** (*zenuwen, ongeduld*) irriter; **5** (*smaak, enz.*) affecter; **6** (*aangenaam —*) chatouiller; **II** *on.w.* **1** picoter; **2** (*fig.*) exciter; ***in de keel —,*** prendre à la gorge; ***in de neus —,*** monter au nez.
prik'kelend *b.n.* **1** (*v. saus, koude*) piquant;

2 (*v. middel*) excitant, stimulant; **3** (*v. woord*) irritant; **4** (*v. rede*) provocateur; **5** (*v. blik*) provocant.
prik'keling *v.* **1** picotement *m.*; **2** (*gen.*) irritation, stimulation *f.*; **3** (*fig.*) excitation *f.*; **4** (*aangenaam*) chatouillement *m.*
prik'kellectuur, -lektuur *v.* littérature *f.* surexcitante, — malsaine.
prik'ken *ov.w.* **1** piquer; **2** pointer.
prik'klok *v.(m.)* appareil *m.* de pointage.
prik'sle(d)e *v.(m.)* **1** traîneau *m.* (qu'on fait avancer avec des bâtons ferrés); **2** (*in Zwitserland*) luge *f.*
prik'stok *m.* **1** aiguillon *m.*; **2** (*v. slede*) bâton [*m.* ferré.
prik'tol *m.* toupie *f.*
pril *b.n.* frais; ***de —le jeugd,*** la plus tendre (*of* la première) jeunesse.
pri'ma *b.n.* **1** premier; **2** (*uitgelezen*) de premier choix; **3** (*H.*) extra-fin; de qualité supérieure; ***— huis,*** maison de premier ordre; ***— waarden,*** valeurs *f.pl.* de tout repos; ***— wissel,*** (*H.*) première de change; ***— kwaliteit,*** première qualité, qualité supérieure; ***dat is —,*** c'est supérieur.
primaat' *m.* primat *m.*
primaat'schap *o.* primatie *f.*
primair' *b.n.* primaire.
pri'me *v.(m.)* **1** (*muz.*) tonique *f.*; **2** (*kath.*) prime *f.*; **3** (*drukk.*) premier folio *m.*
primeur' *v.(m.)* primeur *m.*
primitief' **I** *b.n.* primitif; **II** *bw.* primitivement.
pri'mo *bw.* primo, premièrement.
primula (**ve'ris**) *v.(m.)* (*Pl.*) primevère *f.*
pri'mus *m.* **1** premier *m.* (de la classe); **2** (*vergasser*) primus *m.*, réchaud *m.* à pétrole.
princiep', *zie* ***principe.***
principaal' *m.* **1** chef, patron, principal *m.*; **2** (*lastgever*) mandant *m.*
princi'pe, princiep' *o.* principe *m.*; ***uit —,*** par principe; ***in —,*** en principe.
principieel' **I** *b.n.* **1** (*v. vergissing, enz.*) fondamental, essentiel; **2** (*krachtens beginsel*) de principe; **3** (*v. mens*) à principes; **II** *bw.* en principe; par principe.
prins *m.* prince *m.*; ***van de — geen kwaad weten,*** être tout innocent, ne rien savoir d'une affaire; ***de — gesproken hebben,*** avoir un verre dans le nez.
prins-bis'schop *m.* prince*-évêque* *m.*
prins'dom *o.* principauté *f.*
prin'selijk **I** *b.n.* princier, de prince; **II** *bw.* prin[cièrement.
prinses' *v.* princesse *f.*
prinses'senboon *v.(m.)* haricot *m.* vert.
prins-gemaal' *m.* prince*-consort* *m.*
prins'gezind *b.n.* orangiste.
pri'or *m.* prieur *m.*
priores' *v.* prieure *f.*
priorij' *v.* prieuré *m.*
priorin' *v.* prieure *f.*
prioriteit' *v.* priorité *f.*
prioriteits'aandeel *o.* action *f.* de priorité.
pri'orschap *o.* prieuré *m.*
priseer'der *m.* priseur, taxateur *m.*
prise'ren *ov.w.* priser, taxer, estimer.
prise'ring *v.* taxation, évaluation *f.*
pris'ma *o.* prisme *m.*
pris'makijker *m.* jumelle *f.* à prismes.
prisma'tisch *b.n.* prismatique, prismé.
privaat' **I** *o.* cabinet *m.*; **II** *b.n.* privé; particulier; ***— persoon,*** particulier, homme privé *m.*
privaat'bezit *o.* propriété *f.* privée.
privaat'docent *m.* professeur *m.* libre, — agrégé.
privaat'leraar *m.* précepteur, répétiteur *m.*
privaat'les *v.(m.)* leçon *f.* particulière.
privaat'leven *o.* vie *f.* privée.
privaat'onderwijs *o.* enseignement *m.* à domi[cile; — libre.
privaat'recht *o.* droit *m.* privé.
privaat'rechtelijk *b.n.* de droit privé.
privaat'rekening *v.* compte *m.* de particuliers.
privaat'vermogen *o.* fortune *f.* personnelle.
privatief' *b.n.* **1** (*jacht, enz.*) privé; **2** (*gram.*) privatif.
priva'tim *bw.* à titre privé, en privé, en particulier.
privé' *o.* cabinet *m.*; ***in —,*** à titre privé, — particulier.
privé'-kantoor *o.* bureau *m.* du chef.
privé'-leven *o.* vie *f.* privée, — intime.
privé'-secretaresse, -sekretaresse *v.* secrétaire *f.* particulière.
privile'g(i)e *o.* privilège *m.*
pro *o.* pour *m.*; ***het — en contra,*** le pour et le contre; ***— forma,*** pour la forme; ***—-formafactuur,*** facture simulée.
probaat' *b.n.* efficace, excellent.
probeer'sel *o.* essai *m.*
probeer'steen *m.* (*tn.*) pierre *f.* de touche.
probe'ren *ov.w.* essayer (de), tenter (de); ***het —,*** tenter sa chance.
probleem' *o.* problème *m.*; ***een — onder ogen zien,*** envisager (*of* affronter) un problème.
probleem'stelling *v.* problème *m.* posé.
problematiek' *v.* problématique *f.*
problema'tisch *b.n.* problématique.
procédé' *o.* procédé *m.*
procede'ren *on.w.* procéder, plaider.
procent' *o.* pour cent *m.*
proces' *o.* **1** (*recht*) procès *m.*; **2** (*scheik.: handeling*) procédé *m.*; (*voortgang*) processus *m.*; **3** (*v. ziekte*) cours *m.*; ***in — liggen,*** être en procès; ***iem. een — aandoen,*** intenter un procès à qn.
proces'kosten *mv.* frais *m.pl.* de procédure, — de justice.
proces'recht *o.* droit *m.* de procédure.
proces'sie *v.* procession *f.*
proces'siegewijs *bw.* processionnellement.
proces'stukken *mv.* dossier *m.*, pièces *f.pl.*
proces-verbaal', procesverbaal' *o.* procès-verbal* *m.*; ***— opmaken tegen,*** dresser procès-verbal à, dresser une contravention à, verbaliser contre (qn.).
proces'zaak *v.(m.)* affaire *f.* en litige, — judiciaire.
proclama'tie, proklama'tie *v.* proclamation *f.*
proclame'ren, proklame'ren *ov.w.* proclamer.
procura'tie, prokura'tie *v.* procuration *f.*; ***— verlenen,*** conférer la procuration à; ***per — tekenen,*** signer par procuration.
procura'tiehouder, prokura'tiehouder *m.* fondé *m.* de pouvoirs, — de procuration, porteur *m.* de la procuration.
procureur', prokureur' *m.* **1** (*pleitbezorger*) avoué *m.*; **2** (*Belg.*) procureur *m.* du roi; (*Fr.*) procureur de la République.
procureur-generaal', prokureur-generaal *m.* procureur *m.* général.
pro De'o **I** *b.n.* (à titre) gratuit, sans frais; **II** *bw.* gratuitement.
producent' *m.* producteur *m.*
produ'cer *m.* réalisateur *m.*
produce'ren *ov.w.* produire.
produkt', product' *o.* **1** (*voortbrengsel*) produit *m.*; **2** (*geestes—*) production *f.*; ***gedurig —,*** produit de plusieurs facteurs; ***merkwaardig —,*** produit remarquable.
produk'tie, produc'tie *v.* production *f.*
produk'tieapparaat, productieapparaat *o.* **1** appareil *m.* de production; **2** outillage *m.* national.

produktief', productief' *b.n.* **1** (*voortbrengend*) producteur; **2** (*winstgevend*) productif; **3** (*vruchtbaar*) fécond; — ***maken,*** faire valoir, exploiter; — ***zijn,*** rapporter, rendre (*of* donner) du bénéfice.
produk'tiekosten, produc'tiekosten *mv.* frais *m.pl.* de fabrication, — de production.
produk'tiemiddelen, productiemiddelen *mv.* (*economie*) biens *m.pl.* de production, — indirects.
produk'tietoeslag, produc'tietoeslag *m.* prime *f.* au rendement.
produk'tievermogen, produc'tievermogen *o.* productivité *f.*
produktiviteit', productiviteit' *v.* productivité [*f.*
produkt'schap, product'schap *o.* groupement *m.* (d'après les produits).
proef *v.*(*m.*) **1** (*alg.*) épreuve *f.*, essai *m.*; **2** (*rek.*; *bewijs*) épreuve *f.*; **3** (*van natuurkunde*) expérience *f.*; **4** (*druk, foto*) épreuve *f.*; **5** (*monster, staaltje*) échantillon, spécimen *m.*; **6** (*gehalte: v. goud, enz.*) titre *m.*; ***de — op de som nemen,*** mettre la chose à l'épreuve; ***de — met iets nemen,*** essayer qc., faire l'essai de qc.; ***op —,*** à titre d'essai; ***op de — stellen,*** mettre à l'épreuve, éprouver; ***als —,*** à titre d'essai.
proef'abonnement *o.* abonnement *m.* à l'essai.
proef'balans *v.*(*m.*) (*H.*) bilan *m.* de vérification.
proef'ballon *m.* ballon *m.* d'essai.
proef'bank *v.*(*m.*) (*tn.*) banc *m.* d'épreuve.
proef'bestelling *v.* ordre *m.* (*of* commande *f.*) d'essai.
proef'blad *o.* épreuve *f.*
proef'boring *v.* sondage *m.* d'essai.
proef'buisje *o.* éprouvette *f.*
proef'dier *o.* animal *m.* à expérience, — sur lequel on fait une expérience.
proef'draaien I *o.* (*vl.*) essais *m.pl.* du moteur; **II** *on.w.* faire des essais.
proef'druk *m.* **1** (*v. drukkerij*) épreuve *f.*; **2** (*v. graveur*) épreuve (*of* gravure) *f.* avant la lettre.
proef'flesje *o.* échantillon *m.*
proef'gesprek *o.* conversation *f.* expérimentale.
proef'getal *o.* résultat *m.* (d'une preuve).
proef'gewicht *o.* étalon *m.*
proef'glas *o.* éprouvette *f.*
proef'goud *o.* or *m.* au titre.
proef'houdend *b.n.* **1** (*v. eigenschap*) éprouvé; **2** (*v. metalen*) de bon aloi.
proef'jaar *o.* **1** année *f.* d'essai; **2** (*v. advocaat, enz.*) stage *m.* d'un an; **3** (*in klooster*) noviciat *m.*
proef'je *o.* échantillon, spécimen *m.*
proef'kistje *o.* boîte*-échantillon* *f.*
proef'konijntje *o.* (*fig.*) sujet *m.* d'expériences.
proef'leerling *m.* novice *m.*
proef'les *v.*(*m.*) leçon *f.* d'essai.
proef'lokaal *o.* salle *f.* de dégustation.
proef'naald *v.*(*m.*) aiguille *f.* d'essai.
proef'nemer *m.* expérimentateur *m.*
proef'neming *v.* **1** (*alg.*) essai *m.*; **2** (*handeling*) expérimentation *f.*; **3** (*v. natuurkunde*) expérience *f.*
proef'nummer *o.* numéro spécimen *m.*
proef'ondervindelijk I *b.n.* expérimental; **II** *bw.* expérimentalement.
proef'order, *zie* ***proefbestelling.***
proef'pakket *o.* paquet*-échantillon* *m.*
proef'persoon *m.* sujet *m.* d'expérience.
proef'preek *v.*(*m.*) sermon *m.* d'essai.
proef'proces *o.* procès *m.* d'essai, similiprocès *m.*
proef'rit *m.* essai *m.*; course *f.* d'essai.
proef'school *v.*(*m.*) école*-pilote* *f.*
proef'schrift *o.* thèse *f.* de doctorat; ***een — verdedigen,*** soutenir (*of* présenter) une thèse.
proef'station *o.* **1** (*alg.*) laboratoire *m.*; **2** (*landbouw*) laboratoire *m.* agricole, station *f.* agronomique.
proef'steen *m.* pierre *f.* de touche.
proef'stomen I *on.w.* faire des essais; **II** *z.n., o.* les essais (de machine).
proef'stuk *o.* **1** coup *m.* d'essai, preuve *f.*; **2** (*v. koopwaar*) spécimen, échantillon *m.*; **3** (*gesch.: bij de gilden*) chef*-d'œuvre *m.*
proef'tijd *m.* **1** (*alg.*) temps *m.* d'essai; **2** stage *m.*; **3** (*in klooster*) noviciat *m.*
proef'tocht *m.* essais *m.pl.*
proef'tuin *m.* jardin *m.* d'expérience, — d'essais.
proef'vaart *v.*(*m.*) **1** essais *m.pl.*; **2** (*voor genoegen*) voyage *m.* inaugural, — d'essais.
proef'veld *o.* champ *m.* d'expérience, — d'-expérimentation.
proef'vlucht *v.*(*m.*) vol *m.* d'essai, — d'entraînement.
proef'werk *o.* **1** (*op school*) composition *f.*, concours *m.*; **2** (*bij examen*) épreuve *f.* écrite.
proef'zending *v.* envoi *m.* à titre d'essai.
proes'ten *on.w.* **1** (*niezen*) éternuer; **2** (*v. paard*) s'ébrouer; — ***van het lachen,*** pouffer de rire.
proe've, *zie* ***proef***; — ***van bewerking,*** (*H.*) spécimen *m.* de fabrication.
proe'ven *ov.w.* **1** (*alg.*) goûter; **2** (*v. dranken*) déguster; **3** (*met aandacht en genot*) savourer; **4** (*tn.: v. goud, enz.*) essayer; **5** (*fig.: ondervinden*) éprouver.
proe'venlezer *m.* correcteur *m.* d'épreuves.
proe'ver *m.* **1** (*v. wijnen*) dégustateur *m.*; **2** (*fijn—*) gourmet *m.*; **3** (*tn.*) essayeur *m.*; **4** (*fig.*) buveur, soiffard, soiffeur *m.*
profaan' *b.n.* profane.
profana'tie *v.* profanation *f.*
profane'ren *ov.w.* profaner; ***—d,*** profanateur.
profeet' *m.* prophète *m.*
profes'sen I *on.w.* faire sa profession (au couvent); **II** *ov.w.* ***iem. —,*** recevoir la profession (d'un religieux); ***een geprofest kloosterling,*** un religieux profès.
profes'sional *m.* (*sp.*) professionnel *m.*
profes'sor *m.* professeur *m.* (de faculté), — à l'université.
professoraal I *b.n.* professoral; **II** *bw.* professoralement.
professoraat' *o.* professorat *m.*
profete'ren *ov.w.* prophétiser, prédire.
profetes' *v.* prophétesse *f.*
profetie' *v.* prophétie *f.*
profe'tisch I *b.n.* prophétique; **II** *bw.* prophétiquement.
profiel' *o.* **1** profil *m.*; ***in —,*** de profil; **2** (*band, enz.*) dessin *m.*
profiel'ijzer *o.* (fer *m.*) profilé *m.*, fer embouti.
profijt' *o.* **1** (*voordeel*) profit, avantage *m.*; **2** (*winst*) bénéfice *m.*; — ***trekken van,*** tirer profit de, profiter de.
profij'telijk I *b.n.* profitable, avantageux; **II** *bw.* profitablement, avantageusement.
profij'tertje *o.* brûle-tout *m.*
profite'ren *on.w.* profiter.
profiteur' *m.* profiteur *m.* de guerre.
pro-for'marekening *v.* compte *m.* simulé, facture *f.* simulée, — pro forma.
profylac'tisch, profylak'tisch *b.n.* prophylactique.
progno'se *v.* pronostic *m.*
prognostice'ren *ov.w.* pronostiquer.
program'(ma) *o.* programme *m.*
program'mamuziek *v.* musique *f.* descriptive.
programme'ren *ov.w.* programmer.
programme'ring *v.* programmation *f.*
progres'sie *v.* progression *f.*
progressief' I *b.n.* progressif; **II** *bw.* progressivement.
project', projekt' *o.* projet *m.*
projecte'ren, projekte'ren *ov.w.* projeter.

projec'tie, projek'tie *v.* projection *f.*
projec'tiedoek, projek'tiedoek *o.* écran *m.*
projectiel', projektiel' *o.* projectile *m.*; ***geleid* —,** engin *m.* téléguidé, missile *m.*
projec'tielantaarn, -lantaren, projek'tielantaarn, -lantaren *v.(m.)* lampe *f.* de projection.
projec'tiescherm, projek'tiescherm *o.* écran [*m.*
projec'tietekening, projek'tietekening *v.* projection *f.*
projec'tievlak, projek'tievlak *o.* plan *m.* de [projection.
projector' *m.* projecteur *m.*
projekt(-), *zie* ***project(-).***
prok-, *zie* ***proc-.***
proleet' *m.* canaille *f.*, goujat, mufle *m.*
prolego'mena *mv.* prolégomènes *m.pl.*
proletariaat' *o.* prolétariat *m.*
proleta'riër *m.* prolétaire *m.*
proleta'risch *b.n.* prolétarien.
prolonga'tie *v.* **1** report *m.*, prolongation *f.*; **2** (*v. wissel*) renouvellement *m.*, prorogation *f.*; **3** (*belening op effecten*) avances *f.pl.* sur titres; ***in — geven,*** se faire reporter; ***geld op —,*** prêts *m.pl.* à court terme.
prolonga'tiegever *m.* reporteur *m.*
prolonga'tienemer *m.* reporté *m.*
prolonga'tierente *v.(m.)* taux *m.* de report.
prolonge'ren I *ov.w.* (*v. wissel*) renouveler; **II** *on.w.* (*H.*) se faire reporter.
proloog' *m.* prologue *m.*
promena'dedek *o.* (*sch.*) pont*-promenade* *m.*
promes'se *v.* (*H.*) billet *m.* à ordre.
Prome'theus *m.* Prométhée *m.*
prominent' *b.n.* de classe, en vedette.
promo'tie *v.* **1** (*verhoging in graad*) promotion *f.*; **2** (*bevordering*) avancement *m.*; **3** (*v. doctorandus*) soutenance *f.* de thèse; doctorat *m.*
promo'tiediner *o.* dîner *m.* à l'occasion d'une promotion.
promo'tielijst *v.(m.)* tableau *m.* d'avancement.
promo'tiewedstrijd *m.* finale *f.* de championnat.
promo'tor *m.* **1** (*aan universiteit*) président *m.* de thèse; **2** (*H.*) promoteur *m.*
promoven'dus *m.* candidat *m.* au doctorat.
promove'ren I *ov.w.* promouvoir; ***iem. tot doctor —,*** conférer à qn. le grade de docteur, recevoir qn. docteur; **II** *on.w.* soutenir sa thèse; être reçu docteur, être promu au grade de docteur.
prompt I *b.n.* **1** (*vlug*) prompt, rapide; **2** (*juist, stipt op tijd*) exact, ponctuel; ***—e bediening,*** service rapide; ***tegen —e betaling,*** argent comptant; **II** *bw.* **1** (*vlug*) promptement, rapidement; **2** (*stipt op tijd*) ponctuellement.
prompt'heid *v.* **1** (*vlug*) promptitude *f.*; **2** (*stipt*) exactitude, ponctualité *f.*
promulge'ren *ov.w.* promulguer.
pronk *m.* **1** (*sieraad*) parure *f.*; **2** (*vertoon, pralerij*) ostentation, parade *f.*, apparat *m.*; ***te — staan,*** être exposé à tous les regards; ***te — stellen,*** mettre au pilori.
pronk'appel *m.* pomme *f.* d'ornement.
pronk'bed *o.* lit *m.* de parade.
pronk'bloem *v.(m.)* (*Pl.*) dorelle *f.*
pronk'boon *v.(m.)* (*Pl.*) haricot *m.* d'Espagne.
pronk'degen *m.* épée *f.* de parade.
pron'ken *on.w.* **1** faire parade de, faire étalage de; **2** (*v. pauw*) faire la roue; ***met eens anders veren —,*** se parer des plumes du paon. [*m.*
pron'ker *m.* fat, dandy, gommeux, petit*-maître*
pron'kerig I *b.n.* vain, fastueux, qui aime la parade; **II** *bw.* fastueusement, avec ostentation.
pronkerij' *v.* ostentation, parade *f.*
pronk'erwt *v.(m.)* (*Pl.*) pois *m.* de senteur, gesse *f.*, lathyrus *m.* [— de gala.
pronk'gewaad *o.* habit(s) *m.(pl.)* de cérémonie,
pronk'juweel *o.* **1** bijoux *m.* précieux; **2** (*fig.*) joyau *m.*, perle *f.*
pronk'kamer *v.(m.)* salon *m.*, salle *f.* d'apparat.
pronk'kast *v.(m.)* vitrine *f.*
pronk'lelie *v.(m.)* (*Pl.*) glorieuse *f.*
pronk'paard *o.* cheval *m.* de parade.
pronk'stuk *o.* **1** pièce *f.* d'ornement; **2** (*fig.*) modèle *m.*, perle *f.*
pronk'ziek *b.n.* fastueux, ostentateur.
pronk'zucht *v.(m.)* ostentation *f.*, envie *f.* de paraître, amour *m.* du faste.
prooi *v.(m.)* proie *f.*; ***ten — aan,*** en proie à.
proosdij' *v.* prévôté *f.*
proost I *m.* prévôt *m.*; **II** *tw.* *zie* ***prosit.***
proost'schap *o.* prévôté *f.*
prop *v.(m.)* **1** (*v. linnen, enz.*) tampon *m.*; **2** (*stopkurk*) bouchon *m.*; **3** (*v. papier*) boule, boulette *f.*; **4** (*in geweer*) bourre *f.*; **5** (*v. deeg*) pâton *m.*; **6** (*hout in muur*) cheville *f.*; **7** (*persoon*) boulot *m.*, boulotte *f.*; ***een — in de keel hebben,*** avoir un nœud à la gorge; avoir la gorge serrée; ***met iets op de —pen komen,*** mettre qc. sur le tapis; sortir qc.; ***weer op de —pen komen met iets,*** rabâcher qc.
propaan' *o.* propane *m.*
propaedeuse, propedeuse *v.* propédeutique *f.*, études *f.pl.* propédeutiques.
propaedeu'tisch, propedeu'tisch I *b.n.* préparatoire; **II** *z.n.*, *o.* examen *m.* préparatoire.
propagan'da *v.(m.)* propagande *f.*
propagan'damaker *m.* propagandiste *m.*
propagandist' *m.* propagandiste *m.*
propagandis'tisch *b.n.* de propagande.
propage'ren *ov.w.* propager, divulguer.
propedeu'-, *zie* ***propaedeu-.***
propel'ler *m.* (*sch.*, *vl.*) hélice *f.*
pro'per I *b.n.* propre; **II** *bw.* proprement.
proponent' *m.* proposant, candidat *m.*
propone'ren *ov.w.* proposer.
propor'tie *v.* proportion *f.*; ***in — met,*** au prorata de; ***naar —,*** relativement. [gaver.
prop'pen *ov.w.* **1** bourrer; **2** (*vogel*) empâter,
prop'peschieter *m.* canonnière, sarbacane *f.*
prop'petrekker *m.* tire-bourre* *m.*
pro'prium *o.* propre *m.*
prop'vol *b.n.* bondé, comble, plein comme un œuf; ***— met,*** regorgeant de, encombré de, bourré de.
prosec'tor *m.* aide *m.* d'anatomie, — de chirurgie, prosecteur *m.*
proseliet' *m.* prosélyte *m.*
proselietenmakerij' *v.* prosélytisme *m.*
pro'sit!, proost *tw.* **1** à votre santé! **2** (*bij 't niezen*) grand bien vous fasse!
prospect', prospekt' *o.* vue, perspective *f.*
prospec'tus, prospek'tus *o.* prospectus *m.*
protec'tie, protek'tie *v.* **1** protection *f.*; **2** (*fig.*) piston *m.*
protectionis'me, protektionis'me *o.* protectionnisme *m.* [niste *m.*
protectionist', protektionist' *m.* protection-
protectionis'tisch, protektionis'tisch *b.n.* protectionniste.
protec'tor, protek'tor *m.* protecteur *m.*
protectoraat', protektoraat' *o.* protectorat *m.*
protege'ren *ov.w.* protéger.
protekt-, *zie* ***protect-.***
protest' *o.* **1** (*alg.*) protestation *f.*; **2** (*H.: v. wissel*) protêt *m.*; ***— van niet-betaling,*** protêt faute de payement; ***— van non-acceptatie,*** protêt faute

d'acceptation; — ***aantekenen,*** protester; — ***opmaken,*** (faire) lever protêt; — ***uitbrengen,*** faire protester.
protest'akte *v.(m.)* acte *m.* de protêt.
protestant' *m.* protestant *m.*
protestantis'me *o.* protestantisme *m.*
protestants' *b.n.* protestant.
proteste'ren I *on.w.* protester, rouspéter, se récrier; **II** *ov.w.* (*H.*) ***een wissel laten —,*** faire protester une traite.
proteste'rend *b.n.* protestataire.
protest'kosten *mv.* (*H.*) frais *m.pl.* de protêt.
protest'meeting *v.(m.)* meeting *m.* de protestation, réunion *f.* protestataire.
protest'nota *v.(m.)* note *f.* de protestation.
protest'staking *v.* grève *f.* de protestation.
protest'vergadering, *zie* ***protestmeeting.***
Pro'teus *m.* Protée *m.*
protocol', protokol' *o.* protocole *m.*
protocolair' *b.n.* protocolaire; ***—e verplichtingen,*** charges *f.pl.* protocolaires.
protokol', *zie* ***protocol.***
pro'ton *o.* proton *m.*
protonota'rius *m.* protonotaire *m.*
protoplas'ma *o.* protoplasme *m.*
pro'totype *o.* prototype *m.*
protozo'(ön) *o.* protozoaire *m.*
protuberan'tie *v.* protubérance *f.*, éruption *f.* solaire.
pro've *v.(m.)* prébende *f.*
Provençaal' *m.* Provençal *m.*
Provençaals' *b.n.* provençal.
provenier' *m.* prébendier *m.*
proveniers'huis *o.* hospice *m.*
provenu' *o.* produit *m.*
proviand' *m. en o.* provisions *f.pl.* (de bouche).
proviande'ren *ov.w.* ravitailler, approvisionner (de vivres).
proviande'ring *v.* ravitaillement, approvisionnement *m.*
proviand'huis *o.* (*mil.*) magasin *m.* de vivres.
proviand'meester *m.* (*mil.*) commis *m.* aux vivres.
proviand'schip *o.* vaisseau *m.* ravitailleur.
proviand'wagen *m.* (*mil.*) fourgon *m.* à vivres.
proviand'wezen *o.* ravitaillement *m.*
providentieel' I *b.n.* providentiel; **II** *bw.* providentiellement.
provinciaal' I *b.n.* provincial; **II** *z.n., m.* (*v. kloosterorde; buitenman*) provincial *m.*
provin'cie *v.* province *f.*
provin'ciehout *o.* bois *m.* de teinture, bois de campêche, bois rouge.
provin'cieroos *v.(m.)* (*Pl.*) rose *f.* de Provins.
provin'ciestad *v.(m.)* ville *f.* de province.
provi'sie *v.* **1** (*voorraad*) provision *f.*; **2** (*percentsgewijs loon*) commission *f.*, courtage *m.*; — ***opdoen,*** faire des provisions.
provi'siekamer *v.(m.)* **1** (*etenskast*) dépense *f.*; **2** (*aanrechtkamer*) office *f.*; **3** (*om fris te bewaren, vliegenkast, enz.*) garde-manger *m.*; **4** (*voorraadkamer*) cellier *m.*
provi'siekast *v.(m.)* garde-manger *m.*
provi'siekelder *m.* **1** (*alg.*) cave *f.*; **2** (*vooral voor wijn*) cellier *m.*
provi'sie-nota *v.(m.)* compte *m.* de commission.
provisioneel' I *b.n.* **1** provisoire; **2** (*recht*) provisionnel; **II** *bw.* **1** provisoirement, à titre provisoire; **2** provisionnellement.
provi'sor *m.* **1** pharmacien *m.* titulaire; **2** (*in klooster*) économe *m.*
provisoraat' *o.* économat *m.*
proviso'risch *b.n.* provisoire.
provitami'ne *v.(m.)* provitamine *f.*
provoca'tie *v.* provocation *f.*
provoce'ren *ov.w.* provoquer.
provoost' I *m.* prévôt *m.*; **II** *v.(m.)* prison, salle *f.* d'arrêt; (*fam.*) bloc *m.*
provoost'arrest *o.* détention *f.* à la salle d'arrêt.
provoost'schap *o.* prévôté *f.*
pro'za *o.* prose *f.*
proza'isch I *b.n.* prosaïque; **II** *bw.* prosaïquement.
prozaïst' *m.* prosateur *m.*
pro'zamens *m.* homme *m.* prosaïque.
pro'zaschrijver *m.* prosateur.
Prudens' *m.* Prudent *m.*
pruik *v.(m.)* **1** perruque *f.*; **2** (*bos haar*) tignasse *f.*; **3** (*fig.*) vieille perruque *f.*
prui'kebol *m.* tête *f.* à perruque.
prui'kenmaker *m.* perruquier *m.*
prui'kenstijl *m.* style *m.* rococo.
prui'kentijd *m.* époque *f.* des perruques, — du rococo.
prui'kerig *b.n.* suranné, passé de mode, rococo.
prui'len *on.w.* bouder, faire la moue.
prui'lend *b.n.* boudeur.
prui'ler *m.* boudeur *m.*
pruilerij' *v.* bouderie *f.*
pruil'mond *m.* boudeur *m.*
pruim *v.(m.)* **1** (*alg.*) prune *f.*; **2** (*blauwe —*) prune *f.* de Monsieur; **3** (*gele —*) mirabelle *f.*; **4** (*groene —*) reine*-claude *f.*; **5** (*kleine wilde —*) prunelle *f.*; **6** (*gedroogde —*) pruneau *m.*; **7** (*v. tabak*) chique *f.*
prui'meboom *m.* prunier *m.*; ***wilde —,*** prunellier *m.*
pruimedant' *v.(m.)* **1** prune *f.* d'ente, — d'Agen; **2** (*gedroogd*) pruneau *m.*
prui'melaar *m.* prunier *m.*
prui'memondje *o.* bouche *f.* en cœur, — de poule.
prui'men *on.w.* **1** mâcher du tabac, chiquer; **2** (*fig.: eten*) boulotter, bouffer.
prui'mengelei *m. en v.* prunelée *f.*
prui'menjam *m. en v.* confiture *f.* de prunes, — de mirabelles.
prui'menmoes *o.* marmelade *f.* de prunes.
prui'mentaart *v.* tarte *f.* aux prunes.
prui'mepit *v.(m.)* noyau *f.* de prune.
prui'mer *m.* chiqueur *m.*
prui'mesap *o.* jus *m.* de prunes.
pruim'tabak *m.* tabac *m.* à chiquer.
pruim'vormig *b.n.* pruniforme.
Pruis *m.* Prussien *m.*
Prui'sen *o.* la Prusse.
Prui'sisch *b.n.* prussien; — ***blauw,*** bleu de Prusse; — ***zuur,*** acide prussique.
prul *o.* **1** (*vod*) chiffon *m.*, guenille *f.*; **2** (*waardeloos boek*) livre *m.* de peu de valeur, livre de rien; **3** (*persoon*) bélître *m.*, homme de rien; ***een — van een roman,*** un roman de quatre sous.
prul'blaadje *o.* feuille *f.* de chou.
prul'dichter *m.* rimailleur, poétereau *m.*
prul'film *m.* navet *m.*
prulla'ria *mv.*, **prul'legoed** *o.* pacotille, camelote *f.*
prul'lenkast *v.(m.)* décharge *f.*
prul'lenkist *v.(m.)* boîte *f.* aux vieux chiffons.
prul'lenmand *v.(m.)* panier *m.* à papier, — aux chiffons.
prullerij' *v.* pacotille, camelote *f.*
prul'(le)werk *o.* bousillage *m.*, (*kunst en letteren*) navet *m.*
prul'lig *b.n.* mauvais, sans valeur, misérable.
prul'schilderij *o.* croûte *f.*, navet *m.*
prul'schrift *o.* écrit *m.* de nulle valeur.
prul'schrijver *m.* écrivailleur, écrivassier, gâte-papier *m.*
prul'werk, *zie* ***prullewerk.***
prunel' *v.(m.)* (*Pl.*) prunelle *f.*

prut I *z.n., v.(m.)* **1** (*bezinksel*) dépôt, marc *m.*; **2** (*v. koffie*) marc *m.*; **3** (*v. melk*) caillebotte *f.*; **II** *b.n.* tourné; caillé.
pruts'ding *o.* machin *m.* sans valeur, bagatelle *f.*
prut'sen *on.w.* s'amuser à des riens, bricoler.
prut'ser *m.* bricoleur *m.*
pruts'werk *o.* bricole *f.*, bousillage *m.*
prut'telaar *m.* grondeur, bougon, bougonneur *m.*
pruttelarij' *v.* grognerie *f.*
prut'telen *on.w.* **1** (*mopperen*) murmurer, grommeler, bougonner; **2** (*borrelend koken*) mitonner, bouillonner.
prut'telig *b.n.* grondeur, grogneur.
psalm *m.* psaume *m.* [psaumes.
psalm'berijming *v.* paraphrase *f.* en vers de
psalm'boek *o.* psautier *m.*
psalm'dichter *m.* psalmiste *m.*
psalm'gezang *o.* psalmodie *f.*
psalmist' *m.* psalmiste *m.*
psal'ter *o.* **1** (*boek*) psautier *m.*; **2** (*instrument*) psaltérion *m.* [plume.
pseudoniem' *o.* pseudonyme *m.*, nom *m.* de
psy'ché *m.* psyché *f.*
psychia'ter *m.* psychiatre, neurologiste, (médecin) aliéniste *m.*
psychia'trisch *b.n.* psychiatrique; ***—e inrichting,*** maison *f.* de santé.
psy'chisch *b.n.* psychique.
psy'choanalyse *v.* psychanalyse *f.*
psy'chogene'se *v.* psychogénèse *f.*
psy'chogene'tisch *b.n.* psychogénétique.
psycholo'gisch I *b.n.* psychologique; ***—e roman,*** roman d'analyse; **II** *bw.* psychologiquement.
psycholoog' *m.* psychologue *m.*
psychopaat' *m.* psychopathe *m.*
psycho'se *v.* **1** psychose *f.*, maladie *f.* psychique; **2** (*individueel*) obsession *f.*
psychosomatiek' *v.* psychosomatique *f.*
psychosoma'tisch *b.n.* psychosomatique.
psy'chotechnisch *b.n.* psychotechnique.
psy'chot(h)erapie *v.* psychothérapie *f.*
Ptolemæ'us *m.* Ptolémée *m.*
Ptolema'ïs *o.* Saint-Jean d'Acre *f.*
puberteit' *v.* puberté *f.*
puberteits'jaren *mv.* âge *m.* de la puberté.
publica'tie, *zie* ***publikatie.***
publice'ren *ov.w.* publier.
publicis'tisch *b.n.* (d'ordre *m.*) publicitaire.
publiciteit' *v.* publicité *f.*
publiciteits'kantoor *o.* agence *f.* de publicité.
publiciteits'orgaan *o.* organe *m.* de publicité.
pu'blic rela'tions *mv.* public relations, relations *f.pl.* publiques.
publiek' I *b.n.* public; ***— geheim,*** secret *m.* de polichinelle; ***— maken,*** rendre public; **II** *bw.* publiquement; **III** *z.n., o.* public *m.*; ***een talrijk —,*** une nombreuse assistance; ***er is weinig —,*** il y a peu de monde; ***in het —,*** en public; ***— verkopen,*** vendre aux enchères; ***—e veiling,*** vente publique, — aux enchères.
publiekrech'telijk *b.n.* de droit public.
publika'tie, publica'tie *v.* publication *f.*
pud'delen *on.w.* (*tn.*) puddler.
pud'deler *m.* puddleur *m.*
pud'ding *m.* flan *m.* [poudre.
pud'dingpoeder, -poeier *o. en m.* flan *m.* en
pud'dingvorm *m.*, moule *m.* (à pouding).
puf *v.(m.)* envie *f.*
puf'fen *on.w.* souffler, étouffer.
puf'ferig *b.n.* étouffant, suffocant.
pui *v.(m.)* **1** (*ondergevel*) façade *f.*; **2** (*v. winkel*) devanture *f.*; **3** (*bordes*) perron *m.*

puik I *b.n.* excellent, exquis; **II** *bw.* excellemment, on ne peut mieux; **III** *z.n., o.* fleur, crème, élite *f.*; le dessus du panier, la fine fleur; la crème (de la crème); ***iets —s,*** du chenu.
puik'best *b.n.* surfin.
puil'ader *v.(m.)* veine variqueuse, varice *f.*
puil'aderig *b.n.* variqueux.
pui'len *on.w.* saillir, sortir.
pui'men I *ov.w.* poncer; **II** *z.n., o.* ***het —,*** le ponçage.
puim'steen *m. en o.* pierre *f.* ponce.
puim'steenachtig *b.n.* ponceux.
puin *o.* **1** (*stort—*) éboulis *m.*; **2** (*afval*) décombres *m.pl.*; **3** (*—gruis*) gravois *m.pl.*; **4** (*—hoop*) ruine(s) *f.(pl.)*; ***in — vallen,*** tomber en ruine.
puin'hoop *m.* **1** ruine *f.*; **2** tas *m.* de décombres.
puin'kar *v.(m.)* tombereau *m.*
puist *v.(m.)* bouton *m.* [leux.
puist'(acht)ig *b.n.* boutonné, boutonneux; pustu-
puist'je *o.* pustule *f.*
puit'aal *m.* (*Dk.*) lotte *f.*
puk *m.* **1** petit bout *m.*; **2** (*hond*) carlin *m.*
puk'je *o.* **1** (*hond*) carlin *m.*; **2** (*fam.: v. sigaar*) mégot *m.*
puk'kel *v.(m.)* bouton *m.*
puk'kelig *b.n.* boutonneux; pustuleux.
pul *v.(m.)* **1** cruche *f.*, vase, pot *m.*; **2** (*om te versieren*) potiche *f.*
pul'ken *on.w.* fouiller (dans).
pull'manrijtuig *o.* voiture *f.* Pullman.
pullo'ver *m.* pull-over*, pull, sweater *m.*
pulp *v.(m.)* pulpe *f.*
pul'ver *o.* poudre *f.*; ***tot — slaan,*** réduire en poudre, pulvériser.
pum'mel *m.* manant, rustre *m.*
pump *m.* escarpin *m.*
punai'se *v.* punaise *f.*
punch *m.* punch *m.*
punch'bowl *m.* bol *m.* de (*of* à) punch.
punc'tie *v.* ponction *f.*
punctualiteit', punktualiteit' *v.* ponctualité *f*
punctua'tie, punktua'tie *v.* ponctuation *f.*
punctueel', punktueel' I *b.n.* ponctuel; **II** *bw.* ponctuellement.
Pu'nisch *b.n.* punique.
punkt-, *zie* ***punct-.***
punt I *m.* **1** (*v. potlood, enz.*) pointe *f.*; **2** (*v. neus, schoen, enz.*) bout *m.*; **3** (*v. zakdoek*) coin *m.*; **4** (*steek*) corne *f.*; ***een — slijpen aan een potlood,*** tailler un crayon; **II** *v.(m.) en o.* (*na een zin*) point *m.*; ***dubbele —,*** deux points; **III** *o.* point *m.*; ***het — van aanklacht,*** le chef d'accusation; ***hij staat op het — om te vertrekken,*** il va partir, il est sur le point de partir; ***op het — van eer,*** en fait d'honneur; ***dode —,*** point mort; ***—en ter bespreking,*** objets à l'ordre du jour; ***een — ter sprake brengen,*** soulever une question.
punt'asperge *v.(m.)* asperge *f.* en pointe.
punt'baard *m.* barbe *f.* en pointe.
punt'beitel *m.* biseau, ciseau *m.* de marbrier.
punt'beschermer *m.* protège-pointe *m.*
punt'dicht *o.* épigramme *f.*
punt'dichter *m.* épigrammatiste *m.*
punt'draad *o. en m.* fil *m.* de fer barbelé.
punteer'der *m.* pointeur *m.*
punteer'ijzer *o.* pointeau *m.*
pun'ten *ov.w.* **1** (*v. potlood*) tailler, tailler une pointe à; **2** (*v. haar*) rafraîchir, couper les ailes à.
pun'tenlijst *v.(m.)* bulletin *m.* (scolaire).
punter *m.* (*sch.*) barque *f.*
punte'ren I *ov.w.* **1** rendre pointu; **2** (*potlood*) tailler; **3** (*spelden, enz.*) appointir; **4** (*het haar*)

rafraîchir; **II** *ov.w.* **1** pointer; **2** (*v. tekening*) pointiller.
pun'teslijper *m.* taille-crayon(s) *m.*
punt'gevel *m.* pignon *m.*
punt'helm *m.* (*mil.*) casque *m.* à pointe.
punt'hoed *m.* chapeau *m.* pointu.
punt'hoofd *o.* tête *f.* pointue.
pun'tig I *b.n.* **1** pointu, en pointe *f.*; **2** (*fig.*) (*scherp*) piquant; (*geestig*) spirituel; **II** *bw.* **1** en pointe; **2** d'une manière piquante.
pun'tigheid *v.* **1** forme *f.* pointue; **2** (*fig.*) piquant *m.*; pointe *f.*
pun'tje *o.* **1** petite pointe *f.*; **2** bout *m.*; **3** petit point *m.*; ***in de —s gekleed,*** tiré à quatre épingles; ***in de —s weten,*** connaître dans tous les détails; ***de fijne —s gaan eraf,*** les détails s'en vont; ***het was in de —s,*** c'était parfait, — irréprochable.
punt'kogel *m.* balle *f.* cylindro-conique.
puntkom'ma *v.*(*m.*) *of o.* point et virgule *m.*
punt'lassen *o.* soudure *f.* par points.
punt'lijn *v.*(*m.*) pointillé *m.*
punt'schedelig *b.n.* acrocéphale.
punts'gewijs *bw.* point par point, article par article.
punt'zak *m.* cornet *m.*
pupil' I *m.-v.* (*kind*) pupille *m. et f.*; **II** *v.*(*m.*) (*v. het oog*) pupille *f.*
pupil'lenschool *v.*(*m.*) (*F.*) école *f.* militaire préparatoire; (*B.*) école *f.* des pupilles.
puree' *v.* **1** (*v. aardappelen*) purée *f.*; **2** (*v. erwten*) coulis *m.*
puree'zeef *v.*(*m.*) presse-purée *m.*
pu'ren *ov.w.* **1** (*zuiveren*) purifier; **2** (*honig uit bloemen*) butiner.
purga'tie *v.* **1** (*handeling*) purgation *f.*; **2** (*middel*) purgatif *m.*
purgatief' *o.* purgatif *m.*
purgeer'drank *m.* potion *f.* purgative.
purgeer'middel *o.* purgatif *m.*
purgeer'pil *v.*(*m.*) pillule *f.* purgative.
purge'ren *ov.w.* purger.
purge'rend *b.n.* purgatif, laxatif.
Pu'rim(feest), Poe'rim(feest) *o.* Purim *m.*
purist' *m.* puriste *m.*
puristerij' *v.* purisme *m.*
puris'tisch *b.n.* puriste.
puritein' *m.* puritain *m.*
puriteins' I *b.n.* puritain; **II** *bw.* en puritain, puritainement.
pur'per I *z.n., o.* **1** (*kleur*) pourpre *m.*; **2** (*kleed*) pourpre *f.*; **II** *b.n.* pourpre.
pur'perachtig *b.n.* pourpré, purpurin.
pur'perbloem *v.*(*m.*) (*Pl.*) fleur *f.* purpurine.
pur'peren I *b.n.* pourpre, de pourpre; **II** *ov.w.* teindre en pourpre.
pur'pergloed *m.* pourpre *m.*
pur'perkleur *v.*(*m.*) pourpre *m.*, couleur *f.* de pourpre.
pur'perkleurig *b.n.* pourpre, pourpré.
pur'perkoorts *v.*(*m.*) (*gen.*) pourpre *m.*, fièvre *f.* pourprée.
pur'perreiger *m.* héron *m.* pourpré.
pur'perrood *b.n.* rouge pourpré, purpurin.
pur'perslak *v.*(*m.*) pourprier *m.*
pus *o. en m.* pus *m.*
put *m.* **1** (*v. water, enz.*) puits *m.*; **2** (*kuil*) fosse *f.*; **3** (*kuiltje*) fossette *f.*; **4** (*v. aardappel*) œil *m.*; **5** (*v. pokken*) marque *f.*; ***in de — zitten,*** **1** (*in verlegenheid*) être dans le pétrin; **2** (*terneergeslagen*) être abattu; ***als het kalf verdronken is, dempt men de —,*** on ferme l'écurie, quand les chevaux sont dehors; après la mort, le médecin.
put'boor *v.*(*m.*) sonde *f.*
put'boring *v.* sondage, forage, percement *m.*
put'deksel *o.* couvercle *m.* de puits.
put'delver *m.* puisatier *m.*
put'emmer *m.* seau *m.* de puits.
put'graver, *zie* ***putdelver.***
put'haak *m.* croc (*of* crochet) *m.* de puits; ***over de — getrouwd,*** marié de la main gauche.
put'je *o.* **1** petit puits *m.*; **2** (*kuiltje*) fossette *f.*
put'jesschepper, put'jesruimer *m.* vidangeur *m.*, boueur *m.*
put'rand *m.* margelle *f.*
puts(e) *v.*(*m.*) seau *m.*, seille *f.*
putsch *m.* soulèvement, putsch *m.*
put'sen *ov.w.* puiser avec un seau.
put'steen *m.* margelle *f.*
put'ten *ov.w.* puiser.
put'ter *m.* (*Dk.*) chardonneret *m.*
put'ting *v.*(*m.*) puisage *m.*
put'tingwant *o.* (*sch.*) gambes *f.pl.*
put'water *o.* eau *f.* de puits.
puur I *b.n.* pur; **II** *bw.* purement, tout à fait, entièrement.
puur'heid *v.* pureté *f.*
puz'zel, puz'zle *m.* **1** puzzle *m.*; **2** (*fig.*) casse-tête *m.*
puz'zelaar *m.* amateur *m.* de puzzle.
puz'zelen *on.w.* jouer au puzzle.
puzzle *m., zie* ***puzzel.***
pygmee', pigmee' *m.* pygmée *m.*
pyja'ma, pia'ma *m.* pyjama *m.*
pyja'mabroek, pia'mabroek *v.*(*m.*) pantalon *m.* de pyjama.
pyja'majasje, pia'majasje *o.* veste *f.* de pyjama.
Pyrenee'ën *mv.* Pyrénées *f.pl.*
Pyrenees' *b.n.* pyrénéen; ***het Pyrenese schiereiland,*** la péninsule ibérique.
py'rexglas *o.* pyrex *m.*
py'rexschaal *v.* (*m.*) cocotte *f.* (*of* plat *m.*) en pyrex.
pyriet' *o.* pyrite *f.*
py'rotechniek *v.* pyrotechnie *f.*
pyrotech'nisch *b.n.* pyrotechnique.
Pytha'goras *m.* Pythagore *m.*
Pythago'risch *b.n.* pythagorique.
Py'thia *v.* Pythie *f.*
py't(h)on, pit(h)on *m.* python *m.*

Q

q *v.*(*m.*) q *m.*
qua *bw.* en qualité de; comme.
quadraat(-), *zie* ***kwadraat(-).***
quadrageen', kwadrageen' *v.*(*m.*) quarantaine *f.*
Quadrage'sima *m.* quadragésime *f.*
quadrant, *zie* ***kwadrant.***
quadratuur, *zie* ***kwadratuur.***
quadril'le *m. en v.* (*dans*) quadrille *m.*
quadrille'ren *on.w.* **1** (*dansen*) danser le quadrille; **2** (*kaart spelen*) faire une partie de quadrille.
quæs'tor, kwes'tor *m.* questeur *m.*
quæstuur', kwestuur' *v.* questure *f.*
quali-, *zie* ***kwali-.***
quan'tent(h)eorie *v.* théorie *f.* des quanta.
quanti-, *zie* ***kwanti-.***
quan'tum, kwan'tum *o.* **1** quantité; **2** somme *f.*
quan'tumchemie *v.* chimie *f.* quantique.
quan'tummechanica *v.* mécanique *f.* quantique.

quarantai'ne *v.(m.)* quarantaine *f.*; ***zonder — binnengaan,*** entrer sans être soumis à quarantaine.
quarantai'nemaatregelen *mv.* mesures *f.pl* [quarantenaires.
Quartair' *o.* Quaternaire *m.*, ère *f.* quaternaire.
quarto (-), *zie* ***kwarto*** (-).
qua'si, kwa'si *bw.* pour ainsi dire; pour la forme, en apparence; quasiment; ***— iets doen,*** faire semblant de faire qc.; ***— slapende,*** feignant (*of* faisant semblant) de dormir.
qua'si-contract, kwa'si-kontrakt *o.* contrat *m.* simulé. [temps *m.*
quatertem'per, kwatertem'per *m.* quatre-
quatre-mains' *m.* morceau *m.* à quatre mains.
queue *v.(m.)*, ***— maken,*** faire la queue, prendre la file.
qui'bus, *zie* ***kwibus.***
quint (-), *zie* ***kwint*** (-).
Quirinaal' *o.* Quirinal *m.*
quit'te, kiet *b.n. en bw.* quitte, qui ne doit plus rien; ***wij zijn —,*** nous sommes quittes.
quitte'ren *ov.w.* acquitter.
qui-vi've *o.* qui vive *m.*; ***op zijn — zijn,*** être sur le qui vive.
quiz *m.* jeu concours *m.*
quiz'master *m.* animateur *m.* de jeu.
quo'ta *v.(m.)* quote*-part* *f.*
quote'ren, kwote'ren *ov.w.* cotiser.
quotiënt', kotiënt' *o.* quotient *m.*
quotisa'tie, quotiza'tie, kwotisa'tie *v.* cotisation *f.*
quo'tum *o.* quote*-part* *f.*

R

R *v.(m.)* r *m.*
ra *v.(m.)* (*sch.*) vergue *f.*
raad *m.* **1** (*raadgeving*) conseil, avis *m.*; **2** (*vergadering*) conseil *m.*; **3** (*lid v. vergadering*) conseiller *m.*; **4** (*hulp, middel*) remède *m.*, ressource *f.*, moyen, expédient *m.*; ***de Hoge R—,*** la Cour de cassation; ***de R— van State,*** le Conseil d'État; ***— van beheer*** (***van commissarissen, van toezicht***), conseil d'administration; ***— geven,*** conseiller, aviser; ***— vragen,*** demander conseil (à qn.), consulter (qn.); ***iemands — opvolgen,*** se rendre à l'avis de qn.; ***overal — op weten,*** avoir remède à tout; ***— weten op*** (***iets***), avoir (trouver) remède à (qc.); ***— schaffen,*** trouver remède à; ***ten einde — zijn,*** ne plus savoir à quel saint se vouer, ne savoir où donner de la tête, être au désespoir; ***geen — weten met,*** ne savoir que faire de; ***met raad en daad bijstaan,*** assister en paroles et en actes; aider de toutes ses forces; ***te rade gaan bij,*** consulter; ***te rade gaan met,*** se concerter avec; ***op — van,*** sur l'avis de, (*arts*) sur le conseil de; ***met voorbedachten rade,*** de dessein prémédité; ***komt tijd, komt —,*** qui vivra verra; qui a temps, a vie.
raad'geefster *v.* conseillère *f.*
raad'gevend *b.n.* **1** (*stem*) consultatif; **2** (*advocaat*) consultant.
raad'gever *m.* conseiller *m.*
raad'geving *v.* conseil, avis *m.*
raad'huis *o.* hôtel *m.* de ville; (*F.*) mairie *f.*
raad'kamer *v.(m.)* **1** salle *f.* du conseil; **2** (*recht*) chambre *f.* [*m.*
raadpensiona'ris *m.* (*gesch.*) grand pensionnaire
raad'plegen I *ov.w.* consulter; **II** *on.w.*, ***met iem. —,*** se concerter avec qn.
raad'pleging *v.* consultation, déliberation *f.*
raads'besluit *o.* décision, résolution *f.*, arrêt, décret *m.*
raad'sel *o.* **1** énigme *f.*; **2** (*klein —*) devinette *f.*; **3** (*letter—*) logogriphe *m.*; **4** (*lettergreep—*) charade *f.*; ***het is mij een —,*** je n'y comprends rien; ***ik heb het — opgelost,*** j'ai trouvé le mot de l'énigme.
raad'selachtig *b.n.* énigmatique, mystérieux, incompréhensible.
raad'selachtigheid *v.* mystère *m.*, caractère *m.* énigmatique. [etc.).
raad'selboek *o.* recueil *m.* d'énigmes (de charades,
raads'heer *m.* **1** conseiller *m.*; membre *m.* du conseil; **2** (*op schaakbord*) fou *m.*; **3** (*duif*) (pigeon) capucin *m.*
raads'lid *o.* **1** conseiller *m.*; **2** (*v. gemeenteraad*) conseiller *m.* municipal.
raads'man *m.* conseiller *m.* [du conseil.
raads'vergadering *v.* réunion (*of* assemblée) *f.*
raads'verkiezing *v.* élection *f.* municipale.
raads'verslag *o.* compte *m.* rendu de la réunion du conseil.
raads'zaal, *zie* ***raadzaal.***
raads'zitting *v.* séance *f.* du conseil (municipal).
raad'zaal, raads'zaal *v.(m.)* salle *f.* du conseil.
raad'zaam *b.n.* recommandable, opportun; ***— achten,*** juger de propos.
raad'zaamheid *v.* opportunité *f.*
raaf *v.(m.)* corbeau *m.*; (*fig.*) ***een witte —,*** un merle blanc; ***stelen als de raven,*** voler comme une pie.
raag'bol, ra'gebol *m.* tête*-de-loup, hure *f.*, (*fig.*) tignasse *f.*
raai'gras *o.* ray-grass *m.*
raak *b.n. en bw.* touché; ***die slag was —,*** ce coup a porté; ***— slaan,*** toucher (*of* frapper) juste.
raak'cirkel *m.* cercle *m.* tangent.
raak'hoek *m.* angle *m.* de contingence.
raak'lijn *v.(m.)* tangente *f.*
raak'punt *o.* point *m.* de contact, — de tangence.
raak'vlak *o.* plan *m.* tangent.
raam *o.* **1** (*v. schilderij, enz.*) cadre *m.*; **2** (*v. venster, matras, enz.*) châssis *m.*; **3** (*venster*) fenêtre, croisée *f.*; **4** (*borduur—*) (*vierkant*) métier *m.*; (*rond*) tambour *m.*; **5** (*v. fiets*) cadre *m.*; ***voor het — liggen,*** être à l'étalage, — à la devanture.
raam'antenne *v.(m.)* antenne *f.* à cadre.
raam'biljet *o.* affiche *f.* de fenêtre, affiche*-réclame* de fenêtre.
raam'gewicht *o.* contrepoids *m.*
raam'horretje *o.* écran *m.* en treillis.
raam'koord *o. en v.(m.)* corde *f.* de contrepoids.
raam'kozijn *o.* bâti *m.* de croisée.
raam'lood *o.* contrepoids *m.*
raam'pje *o.* **1** (*alg.*) petite fenêtre *f.*; **2** (*in auto, trein, enz.*) glace *f.*; **3** (*v. schip*) hublot *m.*; **4** (*in deur*) guichet *m.*
raam'wet *v.(m.)* loi*-cadre* *f.*
raam'zaag *v.(m.)* scie *f.* montée.
raam'zoeker *m.* (*fot.*) viseur *m.* à miroir optique.
raap *v.(m.)* navet *m.*
raap'achtig *b.n.* rapacé.
raap'kalk *m.* crépi *m.*
raap'koek *m.* tourteau *m.* (de navette).
raap'kool *v.(m.)* chou*-rave* *m.*

raap'land *o.* ravière *f.*
raap'loof *o.* verdure *f.* de navets.
raap'olie *v.(m.)* huile *f.* de navette.
raap'stelen *mv.* feuilles *f.pl.* de navets.
raap'zaad *o.* navette *f.*; graine *f.* de colza.
raar I *b.n.* étrange, singulier, bizarre; ***een rare kerel,*** un drôle de corps; **II** *bw.* étrangement; ***— van iets opkijken,*** ouvrir de grands yeux être surpris de qc.; ***ik voel me zo —,*** je me sens tout chose.
raar'heid *v.* étrangeté, singularité, bizarrerie *f.*
raas'bol *m.* criailleur *m.*
raas'kallen *on.w.* radoter, extravaguer, délirer.
raat *v.(m.)* rayon *m.* (de miel).
raat'honi(n)g *m.* miel *m.* en gâteau.
Raats'hoven *o.* Racour.
rabar'ber *v.(m.)* rhubarbe *f.*
rabat' *o.* **1** (*korting*) remise *f.*, rabais *m.*; **2** (*omslag, kraag*) revers *m.*; **3** (*v. gordijn*) draperie *f.*; **4** (*bef*) rabat *m.*; **5** (*v. rijtuig*) gouttière *f.*; **6** (*smal tuinbed*) plate*-bande* *f.*
rabat'rekening *v.* (*H.*) calcul *m.* des remises.
rabat'zegel *m.* (*H.*) timbre*-escompte, timbre*-rabais *m.*
rab'belaar *m.* bredouilleur *m.*
rab'belen *on.w.* bredouiller.
rab'beltaal *v.(m.)* jargon, baragouin *m.*
rabbijn' *m.* rabbin *m.*
rabbijns' *b.n.* rabbinique.
ra'ce *m.* course *f.*
ra'ceauto *m.* auto *f.* de course.
ra'cebaan *v.(m.)* piste *f.*
ra'ceboot *m. en v.* canot *m.* de course.
ra'cefiets *m. en v.* bicyclette *f.* de course.
ra'cen *on.w.* courir; prendre part à une course.
ra'cepaard *o.* cheval *m.* de course.
ra'cer *m.* **1** (*persoon*) coureur *m.*; **2** (*paard*) cheval *m.* de course.
ra'ceterrein *o.* champ *m.* de course.
ra'cewagen *m.* voiture *f.* de course.
rac'ket *o.* raquette *f.* (de tennis).
rad I *o.* roue *f.*; ***de —eren,*** le rouage; ***het — van avontuur,*** la roue de la Fortune; ***iem. een — voor de ogen draaien,*** jeter de la poudre aux yeux de qn.; **II** *b.n.* agile, alerte, leste, rapide; ***— van tong zijn,*** parler avec (une grande) volubilité; **III** *bw.* vite, rapidement.
ra'dar *m.* radar *m.*
ra'dargolven *mv.* ondes *f.pl.* (du) radar.
ra'darscherm *o.* écran *m.* de radar.
ra'darschild *o.* antiradar *m.*, dispositif *m.* anti-[radar.
ra'darspecialist *m.* radariste *m.*
ra'darstation *o.* station *f.* de radar.
rad'braken *ov.w.* **1** (*foltering*) rouer, rompre (sur la roue); **2** (*fig.: taal*) écorcher; (*naam, taal*) estropier.
rad'draaier *m.* instigateur, boutefeu *m.*
radeer'gom *m. of o.* gomme *f.* grattoir.
radeer'mesje *o.* grattoir *m.*
radeer'naald *v.(m.)* échoppe *f.*, burin *m.*
radeer'water *o.* eau *f.* forte.
radeer'wieltje *o.* roulette *f.*
ra'deloos *b.n.* affolé, éperdu, désespéré; ***— maken,*** exaspérer.
radeloos'heid *v.* **1** affolement, désespoir *m.*; **2** [(*verslagenheid*) perplexité *f.*
ra'den *ov.w.* **1** (*raad geven, aanraden*) conseiller; **2** (*gissen, vermoeden*) deviner, conjecturer; ***als ik u — mag,*** si j'ai un conseil à vous donner; ***u raadt het nooit,*** je vous le donne en cent; ***mis geraden!*** vous n'y êtes pas!
ra'denrepubliek *v.* république *f.* des conseils de soldats et d'ouvriers, — des Soviets.
ra'derboot *m. en v.* bateau *m.* à roues.
ra'derdiertje *o.* rotateur, rotifère *m.*
rade'ren *ov.w. en on.w.* **1** (*uitkrabben*) gratter; **2** (*etsen*) graver à l'eau forte.
rade'ring *v.* rature *f.*
ra'derkast *v.(m.)* tambour *m.*
ra'derwerk *o.* rouage, mécanisme *m.*
rad'heid *v.* **1** (*alg.*) rapidité, agilité, vitesse *f.*; **2** (*v. tong*) volubilité, loquacité *f.*
radia'tor *m.* radiateur *m.*
radicaal', radikaal' I *b.n.* **1** (*vooruitstrevend*) radical; **2** (*volkomen*) complet; radical; **3** (*doeltreffend*) efficace; ***een — geneesmiddel,*** un remède efficace; **II** *bw.* radicalement; **III** *z.n., o.* **1** (*wisk., scheik.*) radical *m.*; **2** (*diploma*) diplôme, brevet *m.*; **3** (*recht: eigenschap*) qualité *f.*
radijs' *v.(m.)* radis *m.*
radijs'zaad *o.* graine *f.* de radis.
radikaal', *zie* ***radicaal.***
ra'dio *m.* radio(phonie) *f.*, T.S.F. *f.*, sans-fil *m.*; ***voor de — zingen,*** chanter devant le micro.
radioactief', -aktief' *b.n.* radio-actif; ***—tieve neerslag,*** retombées *f.pl.* radio-actives.
radioactiviteit', -aktiviteit' *v.* radio-activité *f.*
ra'dio-amateur *m.* sans-filiste* *m.*
ra'diobaken *o.* radiophare *m.*
ra'diobericht *o.* information *f.* radiophonique.
ra'dioboodschap *v.* message *m.* radio(phonique).
ra'diochemie *v.* radiochimie *f.*
ra'dioconcert, -koncert *o.* radio-concert* *m.*
ra'diodistributie *v.* radiodistribution *f.*
radiofo'nisch *b.n.* radiophonique.
ra'diogolven *mv.* ondes *f.pl.* radiophoniques.
radiogra'fisch I *b.n.* radiographique; **II** *bw.* radiographiquement.
radiogram' *o.* **1** radiogramme; **2** radio-message* *m.*; message par T.S.F.; ***een — maken,*** radiographier.
ra'diohut *v.(m.)* cabine *f.* du radiotélégraphiste, [— de la radio.
ra'dio-isotoop *m.* radio-isotope* *m.*
ra'diojournaal *o.* journal *m.* parlé; radiojournal.
ra'diokompas *o.* radiocompas *m.*
ra'diokoncert, -concert *o.* radio-concert* *m.*
ra'diolamp *v.(m.)* lampe *f.* (de réception).
ra'diolicht'toren *m.* radiophare *m.*
radioloog' *m.* radiologue, radiologiste *m.*
ra'dioluisteraar *m.* sans-filiste* *m.*
ra'diomast *m.* pylône *m.*
ra'dio-omroep *m.* radiodiffusion *f.*
ra'dio-omroeper *m.* parleur, speaker *m.*
ra'dio-orkest *o.* orchestre *m.* de studio, — de la radio.
ra'diopeiling *v.* sondage *m.* radio, radiorépérage *m.*
ra'diopeilstation *o.* poste *m.* de répérage.
ra'diopositie *v.* position *f.* radiogoniométrique.
ra'dioprogramma *o.* radioprogramme *m.*
ra'diorede *v.(m.)* discours *m.* radiodiffusé.
ra'dioreporter *m.* radioreporter *m.*
radioscopie' *v.* radioscopie *f.*
ra'diostation *o.* station *f.* radiotélégraphique, — [de radio.
ra'diostoringen *mv.* parasites, troubles *m.pl.* parasitaires.
ra'diostraling *v.* radiation *f.*
ra'diotechnicus *m.* technicien de la radio, radiotechnicien *m.*
ra'diotechniek *v.* technique de la radio, radiotechnique *f.*
radiotelefonie' *v.* radiotéléphonie *f.*
radiotelegrafist' *m.* radiotélégraphiste *m.*, opérateur *m.* de T.S.F.
ra'diotelegram, *zie* ***radiogram.***
radiot(h)erapie' *v.* radiothérapie, curiethérapie *f.*, traitement *m.* par les rayons X.

ra'diotoestel *o.* appareil *m.* de T. S. F., poste *m.* (récepteur). [sion *f.*
ra'diouitzending *v.* (radio-)émission, radiodiffu-
ra'dioverbinding *v.* communication *f.* radiotélégraphique, radiocommunication.
ra'diozender *m.* émetteur, radio-émetteur* *m.*
ra'dium *o.* radium *m.*
ra'diumemanatie *v.* émanation *f.* de radium.
ra'diumgeneeswijze *v.* radiothérapie *f.*
ra'diumhoudend *b.n.* radifère.
ra'dius *m.* rayon *m.*
rad'ja *m.* raja(h) *m.*
rad'naaf *v.(m.)* moyeu *m.*
ra'don *o.* radon *m.*, émanation *f.* du radium.
rad'spaak *v.(m.)* rayon *m.* de roue.
rad'stand *m.* écartement *m.*
rad'velg *v.(m.)* jante *f.*
rad'vormig *b.n.* en forme de roue, rotulaire.
rafac'tie, rafak'tie, refac'tie *v.* (*H.*) réfaction *f.*
ra'fel *v.(m.)* éraillure, effilure *f.* [s'effilocher.
ra'felen I *ov.w.* effilocher; **II** *on.w.* s'érailler,
ra'felig *b.n.* qui s'effile.
ra'feling *v.* éraillure, effilure *f.*
ra'felzij(de) *v.(m.)* soie *f.* effilée.
raf'felen *on.w.* bredouiller.
raf'fia *m. en o.* raphia *m.*
raf'fiawerk *o.* travail *m.* en raphia.
raffina'de *v.(m.)* **1** (*handeling*) raffinerie *f.*, raffinage *m.*; **2** (*suiker*) sucre *m.* raffiné.
raffinaderij' *v.* raffinerie *f.*
raffinadeur' *m.* raffineur *m.*
raffine'ren *ov.w.* raffiner.
rag *o.* toile *f.* d'araignée.
ra'ge *v.(m.)* manie *f.*
ra'gebol, *zie* ***raagbol.***
ra'gen *on.w.* enlever les toiles d'araignées.
rag'fijn *b.n.* fin comme une toile d'araignée.
rag'lanmouw *v.(m.)* manche *f.* raglan.
raiffei'senbank *v.(m.)* banque *f.* de crédit agricole.
rail, reel *v.(m.)* rail *m.*
rail'auto, reel'auto *m.* autorail *m.*
rail'wijdte, reel'wijdte *v.* écartement *m.*
ra'kelen *ov.w.* râbler, fourgonner.
ra'kelijzer *o.* râble *m.*
ra'kelings *bw.* tout près, tout contre; ***— langs iets gaan,*** effleurer qc., raser qc.
ra'ken I *ov.w.* **1** (*aanraken*) toucher; **2** (*treffen: door slag, stoot, enz.*) atteindre, frapper, toucher; **3** (*betreffen*) regarder, concerner; **4** (*roeren*) émouvoir, toucher; **5** (*wisk.*) être tangent à; ***aan de grond —,*** échouer; ***even —,*** effleurer, frôler; ***wat raakt mij dat?*** qu'est-ce que cela me fait? **II** *on.w.* (*geraken*) ***in brand —,*** prendre feu, s'allumer; ***in ongenade —,*** tomber en disgrâce; ***in schulden —,*** s'endetter; ***uit de mode —,*** passer de mode; ***uit het spoor —,*** dérailler; (*fig. ook:*) quitter le droit chemin; ***slaags —,*** en venir aux mains; ***buiten kennis —,*** perdre connaissance; ***zoek —,*** se perdre, s'égarer.
raket' I *v.(m.)* **1** (*Pl.*) roquette *f.*; **2** (*vuurpijl*) fusée *f* missile *m.*, roquette *f.*; ***getrapte —,*** fusée *f.* à étages; ***geleide —,*** fusée téléguidée, — télécommandée; ***— van middelbare draagwijdte,*** fusée à portée moyenne; ***— van lange draagwijdte,*** fusée à longue portée; **II** *o. en v.(m.)* raquette *f.*
raket'aandrijving *v.* propulsion *f.* par fusée.
raket'bal *m.* volant *m.*
raket'basis *v.* rampe *f.* de lancement de fusées, installation *f.* de fusées.
raket'bom *v.(m.)* bombe*-fusée* *f.*
raket'brandstof *v.(m.)* propergol *m.*; ***vloeibare —,*** propergol liquide.
raket'lanceerinrichting *v.* lance-roquettes, lance-fusées *m.*
raket'motor *m.* moteur*-fusée* *m.*
raket'spel *o.* jeu *m.* du volant.
raket'ten *on.w.* jouer au volant. [*m.*
raket'vliegtuig *o.* avion *m.* à fusée, avion*-fusée*
ra'king *v.* **1** (*alg.*) attouchement *m.*; **2** (*wisk.*) tangence, contingence *f.*
ra'kingshoek *m.* angle *m.* de contingence. [*m.*
rak'ker *m.* gamin, polisson, (mauvais) garnement
ral'ly *m.* rallye *m.*
ram *m.* **1** (*Dk. en mil.*) bélier *m.*; **2** (*sch.*) éperon *m.*
ra'men *on.w.* **1** (*schatten*) estimer, évaluer; **2** (*mikken*) viser. [**3** (*bestek*) devis *m.*
ra'ming *v.* **1** estimation, évaluation *f.*; **2** visée *f.*;
rammei' *v.(m.)* (*gesch.*) bélier *m.* [bélier).
rammei'en *ov.w.* battre, enfoncer (à coups de
ram'mel I *v.* bavarde *f.*; **II** *m.* (*slagen*) raclée *f.*
ram'melaar *m.* **1** (*persoon*) bavard *m.*; **2** (*speelgoed*) hochet *m.*
ram'melen *on.w.* **1** faire du bruit, résonner; **2** (*druk in 't wild praten*) babiller, jacasser, parler à tort et à travers; ***met geld —,*** faire sonner des pièces de monnaie, faire sonner son argent; ***op de piano —,*** tapoter du piano; ***— van de honger,*** avoir une faim de loup, avoir l'estomac dans les talons.
ram'meling *v.* raclée *f.*
ram'melkast *v.(m.)* **1** (*voertuig*) patache, patraque *f.*; **2** (*piano*) chaudron, sabot *m.*
ram'men *ov.w.* **1** (*sch.*) éperonner; **2** (*rammeien*) enfoncer à coups de bélier.
rammenas' *v.(m.)* raifort *m.*, radis *m.* noir.
ramp *v.(m.)* **1** désastre, sinistre *m.*, catastrophe *f.*; **2** (*publieke —*) calamité *f.*; ***tot overmaat van —,*** pour comble (*of* par surcroît) de malheur.
ram'penfonds *o.* fonds *m.* de secours aux sinistrés.
ramp'gebied *o.* région *f.* sinistrée.
ramp'spoed *m.* infortune, adversité; calamité *f.*
rampspoe'dig I *b.n.* malheureux, infortuné, fatal; désastreux; **II** *bw.* malheureusement, fatalement.
rampza'lig I *b.n.* **1** (*ongelukkig*) malheureux, misérable; **2** (*noodlottig*) funeste, désastreux; **II** *bw.* misérablement; funestement, désastreusement.
rampza'ligheid *v.* misère, fatalité *f.*
ramsj'goed *o.* soldes *f.pl.*
ranch *m.* ranch *m.*
rancu'ne *v.(m.)* rancune *f.*
rancuneus' *b.n.* rancunier.
rand *m.* **1** (*alg.*) bord *m.*; **2** (*opgezette —*) rebord *m.*; **3** (*v. boek*) marge *f.*; **4** (*v. bos*) lisière *f.*; **5** (*omlijsting*) bordure, plate*bande* *f.*; **6** (*scherpe —*) arête *f.*; **7** (*v. put*) margelle *f.*; **8** (*v. munt*) crénelage, cordonnet *m.*; ***op de — van 't verderf,*** à deux doigts de sa perte, au bord du précipice.
rand'belegsel *o.* bordure *f.*, ourlet *m.* [ner.
ran'den *ov.w.* **1** border; **2** (*munt*) créneler, cordon-
rand'gebergte *o.* montagne(s) *f.(pl.)* bordant un (*of* le) plateau.
rand'gemeente *v.* commune *f.* limitrophe (d'une grande ville) , — suburbaine.
rand'schrift *o.* **1** (*in boek, enz.*) note *f.* marginale; **2** (*v. munt*) légende *f.*
rand'staat *m.* état *m.* limitrophe.
rand'versiering *v.* **1** encadrement *m.*, bordure *f.* décorée; **2** (*v. munt*) crénelage, cordon *m.* **3** (*v. drukwerk*) vignette *f.*; **4** frise *f.* décorative.
rang *m.* **1** (*alg.*) rang, ordre *m.*; **2** (*stand*) condition, classe *f.*; **3** (*graad*) grade *m.*; ***in — staan boven,*** dépasser hiérarchiquement.
rang'cijfer *o.* numéro *m.* d'ordre. [wagons.
rangeer'der *m.* wagonnier *m.*, accrocheur *m.* de

rangeer'locomotief, -lokomotief *v.(m.)* locomotive *f.* de manœuvre, machine *f.* —.
rangeer'spoor *o.* voie *f.* de service, — de garage.
rangeer'station *o.* gare *f.* de triage, — d'évitement.
rangeer'terrein *o.* terrain *m.* de manœuvre.
rangeer'trein *m.* train*-manœuvre *m.*
rangeer'wissel *m. en o.* aiguille *f.* de manœuvre.
range'ren I *ov.w.* **1** (*rangschikken: papieren, enz.*) ranger; **2** (*v. treinen*) faire la manœuvre avec; **II** *on.w.* faire la manœuvre; **III** *z.n.*, ***het —***, **1** le rangement; **2** la manœuvre.
rang'getal *o.* nombre *m.* ordinal.
rang'lijst *v.(m.)* tableau *m.* d'ordre.
rang'nummer *o.* numéro *m.* d'ordre.
rang'orde *v.(m.)* ordre *m.*, hiérarchie *f.*
rang'regeling *v.* **1** (*recht*) collocation *f.*, classement *m.* (des créances); **2** (*mil.*) hiérarchie *f.*
rang'schikken *ov.w.* ranger, classer.
rang'schikkend *b.n.* ordinal.
rang'schikking *v.* rangement, arrangement *m.*, classification, disposition *f.*
rang'telwoord *o.* nombre *m.* ordinal.
rank I *v.(m.)* **1** (*stengel*) tige *f.*; **2** (*dunne twijg*) branche *f.*; **3** (*v. wijnstok*) sarment *m.*; **4** (*hecht—*) vrille *f.*; **II** *b.n.* **1** frêle; **2** (*slank*) svelte.
ran'ken *on.w.* pousser des sarments, — des vrilles.
rank'heid *v.* **1** sveltesse *f.*; **2** fragilité *f.*
ranon'kel *v.(m.)* renoncule *f.*, bouton*-d'or *m.*
ranon'kelachtigen *mv.* (*Pl.*) renonculacées *f.pl.*
rans *b.n.* rance; ***— worden,*** rancir.
ran'sel *m.* **1** (*mil.*) sac *m.*; **2** (*fam.: slagen*) raclée *f.*
ran'selen *ov.w.* rosser, étriller.
ran'seling *v.* raclée *f.*
rans'heid *v.* rancidité *f.*
ran'sig, ran'zig *b.n.* rance; ***— worden,*** rancir.
rantsoen' *o.* **1** (*portie*) ration *f.*; **2** (*losprijs*) rançon *f.*; ***op — stellen,*** rationner.
rantsoene'ren *ov.w.* **1** rationner; **2** (*losgeld eisen*) rançonner, mettre à rançon; **3** (*vrijkopen*) racheter, payer la rançon de.
rantsoene'ring *v.* **1** rationnement *m.*; **2** rançonnement *m.*
rantsoen'kaart *v.(m.)* carte *f.* de ravitaillement.
rantsoen'zegel *m.* timbre *m.* de ravitaillement.
ran'zig, ran'sig *b.n.* rance.
rap I *b.n.* agile, leste; **II** *bw.* agilement, lestement.
rapail'le *o.* racaille, canaille *f.*
ra'pen *ov.w.* ramasser, recueillir.
ra'penveld *o.* ravière *f.*
rap'heid *v.* agilité *f.*
rapier' *o.* rapière *f.*, épée *f.* longue.
rapport' *o.* **1** (*verslag*) rapport *m.*; **2** (*v. leerling*) bulletin *m.*, notes *f.pl.*; ***— maken van iets,*** rapporter qc.; ***— uitbrengen over,*** faire un rapport sur.
rapport'cijfer *o.* note *f.*
rapporte'ren *ov.w.* rapporter
rapporteur' *m.* rapporteur *m.*
rarekiek' *m.* optique *f.*, diorama *m.*
ra'righeid *v.* étrangeté, bizarrerie *f.*
rariteit' *v.* curiosité *f.*
ras I *o.* race *f.*; **II** *bw.* rapidement, promptement; **III** *b.n.* rapide, prompt.
ras'echt *b.n.* **1** de race; **2** (*v. paard*) pur sang; **3** (*Fransman, enz.*) racé.
ras'genoot *m.* personne *f.* de la même race.
ras'heid *v.* rapidité, promptitude *f.*
ras'hoenders *mv.* poules *f.pl.* de race.
ras'hond *m.* chien *m.* de race.
rasp *v.(m.)* râpe *f.*
ras'paard *o.* cheval *m.* de race, pur-sang *m.*
ras'pen *ov.w.* **1** (*kaas, enz.*) râper; **2** (*brood*) chapeler.
ras'ping *v.* râpage *m.*
rasp'vijl *v.(m.)* râpe *f.*, riflard *m.*
rasp'zaag *v.(m.)* scie *f.* double.
ras'sehaat *m.* haine *f.* des races.
ras'semoord *m. en v.* génocide *m.*
ras'sendiscriminatie *v.* discrimination *f.* raciale.
ras'senleer *v.(m.)* racisme *m.*, théorie *f.* des races.
ras'senscheiding *v.* ségrégation *f.* raciale.
ras'senstrijd *m.* lutte *f.* de(s) races, — raciale.
ras'sentoenadering, -versmelting *v.* intégration *f.* raciale.
ras'senvraagstuk *o.* problème *m.* racial.
ras'ter *o. en m.* **1** latte *f.*; **2** (*v. cliché*) trame *f.*
ras'tercliché *o.* similigravure *f.*
ras'terdraad *m.* fil *m.* de fer.
ras'tering *v.* treillis, grillage *m.* [réseau *m.*
ras'terwerk *o.* **1** grillage, treillage *m.*; **2** (*drukk.*)
ras'zuiver *b.n.* de race (pure).
rat, rot *v.(m.)* rat *m.*; ***een slimme —,*** un rusé compère, un rusé luron.
rataplan' I *tw.* rataplan! **II** *z.n.*, *m.* ***de hele —,*** tout le tremblement, tout le bazar, tout le fourbi.
ra'tel *m.* **1** crécelle *f.*; **2** (*v. molen*) claquet *m.*; **3** (*fig.*) moulin *m.* à paroles.
ra'telaar *m.* **1** (*boom*) tremble *m.*; **2** (*fig.*) crécelle *f.*, moulin *m.* à paroles.
ra'telen *on.w.* tourner la crécelle; (*fig.*) jacasser.
ra'telpopulier *m.* (peuplier) tremble *m.*
ra'telslang *v.(m.)* serpent *m.* à sonnettes.
ratifica'tie, ratifikatie *v.* ratification *f.*
ratifice'ren *ov.w.* ratifier.
ratifika'tie, *zie* ***ratificatie.***
ratijn' *o.* ratine *f.*
rationalis'tisch *b.n.* rationaliste.
rationeel' I *b.n.* rationel; **II** *bw.* rationellement.
rat'je *o.* raton, ratillon *m.*
rat'jetoe *m. en o.* **1** (*mil.*) ratatouille *f.*; **2** (*fig.*) salade *f.*, salmigondis *m.*
ra'to *o.*, ***naar — van,*** au prorata de, à raison de.
rats *v.(m.)* ratatouille *f.*; ***in de — zitten,*** être dans la nasse, être dans le pétrin; avoir la frousse.
rat'teklem, rat'teknip *v.(m.)* ratière *f.*
rat'tenest *o.* **1** nid *m.* de rats; **2** (*fig.*) nid *m.* à rats.
rat'tenkruit *o.* mort-aux-rats *f.*, arsenic *m.*
rat'tenvanger *m.* **1** (*persoon*) preneur *m.* de rats; **2** (*hond*) ratier *m.*
rat'tenvangst *v.* chasse *f.* aux rats.
rat'tenverdelging *v.* extermination *f.* de rats.
rat'tenvergif(t) *o.* mort-aux-rats *f.*
rat'testaart *m.* (*tn.*) queue*-de-rat *f.*
rat'teval *v.(m.)* ratière *f.*
rauw *b.n.* **1** (*v. vlees, melk*) cru; **2** (*v. groenten, fruit*) vert; **3** (*v. stem*) rauque, enroué.
rauw'heid *v.* **1** crudité *f.*; **2** verdeur *f.*; **3** raucité *f.*
rauw'kost *m.* (régime *m.* des) crudités *f.pl.*, cuisine *f.* naturelle.
rava'ge *v.* ravage *m.*
ra'vebek *m.* **1** bec *m.* de corbeau; **2** (*tn.*) bec*-de-corbin, corbin *m.*
ra'vegekras *o.* croassement *m.*
ra'vezwart *b.n.* noir comme un corbeau.
ravijn' *o.* ravin *m.*
ravot'ten *on.w.* folâtrer, batifoler.
ravot'ter *m.* enfant *m.* turbulent.
rayon' *o. en m.* **1** rayon *m.*; **2** (*v. agent*) rayon d'activité; **3** *zie* ***rayonstof.***
rayon'stof *v.(m.)* rayonne *f.*
rayon'vezel *v.(m.)* fibranne *f.*
ra'zeil *o.* (*sch.*) voile *f.* à vergue, — carrée.

ra'zen *on.w.* 1 rager, se démener, tempêter; 2 (*rumoer maken*) faire du tapage; 3 (*v. water*) chanter, frémir.
ra'zend I *b.n.* furibond, furieux, enragé, forcené; ***een —e pijn,*** une douleur terrible; ***een —e honger,*** une faim de loup, une faim canine; **II** *bw.* furieusement.
ra'zende *m.-v.* enragé *m.*, —e *f.*, furibond *m.*, —e *f.*; ***te keer gaan als een —,*** se démener comme un forcené.
razernij' *v.* 1 rage, fureur *f.*; 2 (*woede*) frénésie *f.*; 3 (*koorts en waanzin*) délire *m.*
raz'zia *v.(m.)* rafle *f.*, razzia *f.*
re *v.(m.)* (*muz.*) ré *m.*
reac'tie, reak'tie *v.* réaction *f.*
reac'tiemotor, reak'tiemotor *m.* moteur *m.* à réaction.
reac'tiesnelheid, reak'tiesnelheid *v.* temps *m.* de réaction.
reactionair', reaktionair' I *b.n.* réactionnaire; **II** *z.n.*, *m.* réactionnaire *m.*
reac'tor *m.* réacteur *m.*; ***kern—,*** réacteur nucléaire.
reageer'buisje *o.* éprouvette *f.*, tube *m.* à essais.
reageer'middel *o.* réactif *m.*
reagens' *o.* réactif *m.*
reage'ren *on.w.* réagir.
reakt-, *zie* ***react-***.
realise'ren, realize'ren *ov.w.* réaliser.
realis'me *o.* réalisme *m.*
realist' *m.* réaliste *m.*
realis'tisch I *b.n.* réaliste; **II** *bw.* d'une manière réaliste.
realize'ren, *zie* ***realiseren.***
Rebek'ka *v.* Rébecca *f.*
rebel' *m.* rebelle *m.*
rebelle'ren *on.w.* se révolter, se rebeller.
rebellie' *v.* rébellion, révolte *f.*
rebels' *b.n.* rebelle.
re'bus *m.* rébus *m.*
recalcitrant' *b.n.* récalcitrant.
recensent' *m.* critique *m.*; chroniqueur *m.*
recense'ren *ov.w.* critiquer; rendre compte de, faire un compte rendu de.
recen'sie *v.* critique *f.*, compte *m.* rendu; ***ter —,*** pour compte rendu.
recen'sie-exemplaar, -eksemplaar *o.* exemplaire (*of* service) *m.* de presse.
recepis' *o. en v.(m.)* 1 récépissé *m.*; 2 titre *m.* provisoire, certificat *m.* —.
recept' *o.* 1 (*v. dokter*) ordonnance, prescription *f.*; 2 (*voor keuken*) recette *f.*
recep'tenboek *o.* pharmacopée *f.*, codex *m.*
recepte'ren *ov.w.* 1 ordonner; 2 préparer.
recep'tie *v.* réception *f.*; ***— houden,*** recevoir.
recep'tiegelden *mv.* indemnité *f.* pour frais de représentation.
reces' *o.* 1 (*verdaging der zittingen*) vacances *f.pl.* parlementaires; ***op — gaan,*** se proroger; 2 (*schriftelijk vergelijk*) convention *f.*, contrat *m.*; 3 (*achterstand*) arriéré *m.*
recher'che *v.(m.)* sûreté *f.*, police *f.* secrète.
rechercheur' *m.* agent *m.* de la sûreté, — de la police secrète.
recht I *b.n.* 1 (*niet krom*) droit; 2 (*rechtstreeks*) direct; 3 (*waar, juist*) vrai, véritable, juste; 4 (*billijk; rechtvaardig*) juste, légitime; ***de —e man op de —e plaats,*** l'homme qu'il faut, l'homme de la situation, — de la circonstance; ***de —e manier,*** la bonne manière; ***dat is de —e man,*** voilà l'homme qu'il nous faut; ***in —e lijn,*** en droite ligne, directement; ***hij is niet — bij het hoofd,*** il a la tête fêlée; ***hij heeft het hart op de —e plaats,*** il a le cœur bien placé; ***te —er tijd,*** en temps utile; ***— zitten,*** se tenir droit; **II** *bw.* 1 droit, directement; 2 bien, justement; ***— tegenover,*** juste en face; ***— door zee gaan,*** aller droit devant soi; ***— op het doel afgaan,*** aller droit au but; ***— toe — aan,*** toujours tout droit; **III** *z.n.*, *o.* 1 (*wetten, enz.*) droit *m.*; 2 (*gerechtigheid*) justice *f.*; 3 (*gerecht*) tribunal *m.*; 4 (*aanspraak*) droit, titre *m.*; 5 (*heffing*) droit *m.*, redevance, taxe *f.*; ***te — staan,*** comparaître devant le tribunal; ***— doen,*** dire le droit; ***in —en,*** juridiquement, en justice; ***volgens — en billijkheid,*** en toute justice; ***iem. — laten wedervaren,*** faire justice à qn.; ***— spreken,*** rendre la justice; ***in de —en studeren,*** faire son droit; ***met het volste —,*** à juste titre, à bon droit, en droit et en raison; ***student in de —en,*** étudiant en droit; ***zich — verschaffen,*** se faire justice; ***iets tot zijn — laten komen,*** faire valoir qc., faire ressortir qc.; ***het — van initiatief,*** la prérogative parlementaire.
rechtaan' *bw.* tout droit, droit devant soi.
recht'bank *v.(m.)* 1 tribunal *m.*, cour *f.* (de justice); 2 (*keuken —*) dressoir *m.*; ***voor de —,*** en justice.
recht'buigen *ov.w.* redresser.
rechtdoor' *bw.* tout droit.
recht'draads' *bw.* de droit fil.
rech'te *v.(m.)* (*wisk.*) ligne *f.* droite.
rech'teloos *b.n.* illégal; sans droits.
rech'ten *ov.w.* 1 (*recht zetten*) dresser, rendre droit; 2 (*op rechte lijn plaatsen*) aligner; 3 (*recht spreken*) juger, rendre la justice.
rech'tens *bw.* de droit.
rechter I *m.* juge *m.*; ***— van instructie,*** juge *m.* d'instruction; ***zijn eigen — zijn,*** se faire justice; **II** *b.n.* (*in samenstellingen*) droit.
rech'terarm *m.* bras *m.* droit.
rechter-commissa'ris, -kommissa'ris *m.* juge *m.* commis; — commissaire.
rech'terhand *v.(m.)* 1 main *f.* droite; 2 (*fig.*) bras *m.* droit; ***aan uw —,*** à votre droite.
rechter-kommissaris, *zie* ***rechter-commissaris.***
rech'terlijk I *b.n.* judiciaire; **II** *bw.* judiciairement, par la justice.
rech'ter-plaats'vervanger *m.* juge *m.* suppléant.
rech'tersambt *o.* fonctions *f.pl.* de juge.
rech'terstoel *m.* tribunal *m.*
rech'terzij(de) *v.(m.)* 1 côté *m.* droit; 2 (*in politiek*) droite *f.*
recht'geaard *b.n.* honnête, loyal.
rechtgelo'vig *b.n.* orthodoxe.
rechtgelo'vige *m.-v.* orthodoxe *m.-f.*
rechtgelo'vigheid *v.* orthodoxie *f.*
recht'hebbende *m.-v.* ayant* droit *m.-f.*
recht'heid *v.* rectitude, droiture *f.*
recht'hoek *m.* rectangle *m.*
recht'hoekig *b.n.* 1 rectangulaire; 2 (*v. driehoek*) rectangle.
recht'hoekszijde *v.(m.)* côté *m.* de l'angle droit.
rech'tigen *ov.w.* autoriser.
rechtlij'nig *b.n.* 1 rectiligne; 2 (*v. tekening*) linéaire.
rechtma'tig I *b.n.* juste, légitime, équitable; **II** *bw.* légitimement.
rechtma'tigheid *v.* légitimité, justice *f.*
rechtop' *bw.* droit; debout; ***— zitten,*** se tenir droit.
rechtop'staand *b.n.* droit, vertical; ***met —e haren,*** les cheveux hérissés.
rechto'ver *bw.* en face (de).
rechts I *bw.* à droite; ***— houden,*** tenir la (*of* sa) droite; ***— uit de flank,*** (*mil.*) par le flanc droit; **II** *b.n.* 1 droit, à droite; 2 (*v. persoon*) droitier; 3 (*in politiek*) de droite.
rechtsaf' *bw.* à droite.

rechts'bedeling *v.* régime *m.* judiciaire, administration *f.* de la justice.
rechts'beginsel *o.* principe *m.* de droit, — de [justice.
rechts'begrip *o.* idée *f.* de droit.
rechts'bevoegd *b.n.* compétent.
rechtsbevoegd'heid *v.* compétence, juridiction *f.*
rechts'bewustzijn *o.* sentiment *m.* du droit.
rechtsbin'nen *m.* (*sp.*) intérieur *m.* droit; (*fam.*) inter *m.* droit.
rechts'bron *v.*(*m.*) source *f.* de droit.
rechtsbui'ten *m.* (*sp.*) ailier *m.* droit, extrême *m.* droit.
rechtscha'pen I *b.n.* droit, probe, honnête, loyal; **II** *bw.* droitement, honnêtement, avec probité.
rechtscha'penheid *v.* droiture, probité, honnêteté, loyauté *f.*
rechts'college, -kollege *o.* tribunal *m.*, cour, [juridiction *f.*
rechts'dwang *m.* contrainte *f.* (juridique).
rechts'gebied *o.* ressort *m.* (d'un tribunal), juridiction *f.*
rechts'gebruik *o.* formes *f.pl.* judiciaires, procé- [dure *f.*
rechts'geding *o.* procès *m.*
rechtsgel'dig *b.n.* valide; ***— zijn,*** faire foi.
rechtsgel'digheid *v.* validité *f.*, force *f.* de loi.
rechts'geleerd *b.n.* juridique; ***de —e faculteit,*** la faculté de droit; ***—e werken,*** des ouvrages de jurisprudence.
rechts'geleerde *m.* jurisconsulte, légiste *m.*
rechts'geleerdheid *v.* jurisprudence *f.*; (science *f.* du) droit *m.*
rechts'gelijkheid *v.* égalité *f.* devant la loi.
rechts'gevoel *o.* sentiment *m.* de justice, esprit *m.* —.
rechts'grond *m.* titre *m.*
rechtshalf' *m.* (*sp.*) demi *m.* droit.
rechtshan'dig *b.n.* droitier.
rechts'herstel *o.* restauration *f.* du droit.
rechts'ingang *m.*, ***— verlenen,*** autoriser des poursuites; ***— weigeren,*** récuser le droit de procédure.
rechts'kollege, *zie* ***rechtscollege.***
rechts'kracht *v.*(*m.*) force *f.* de loi.
rechts'kroniek *v.* chronique *f.* judiciaire.
rechtskun'dig I *b.n.* juridique; **II** *bw.* juridiquement; ***— adviseur,*** conseiller *m.* juridique.
rechtskun'dige *m.* expert *m.* judiciaire.
rechts'macht *v.*(*m.*) pouvoir *m.* judiciaire, juridiction *f.*
rechts'middel *o.* recours *m.* (de droit).
rechtsom' *bw.* à droite.
rechtsomkeer(t)' *b.n.* demi-tour à droite; ***— maken,*** faire demi-tour.
rechts'orde *v.*(*m.*) ordre *m.* légal.
rechts'persoon *m.* personne *f.* civile.
rechts'persoonlijkheid *v.* personnalité *f.* civile; ***— bezittend,*** investi de *etc.*
rechts'pleging *v.* procédure, jurisprudence *f.*
rechts'positie *v.* position *f.* judiciaire.
recht'spraak *v.*(*m.*) **1** (*uitspraak v. rechter*) arrêt *m.*, sentence *f.*; **2** (*verzameling v. vonnissen, enz.*) jurisprudence *f.*; **3** (*wijze, ambt*) jurisprudence, justice *f.*
recht'spreken *on.w.* **1** rendre la justice; **2** (*uitspraak doen*) prononcer un jugement.
rechts'staat *m.* état *m.* de droit.
rechts'taal *v.*(*m.*) langage *m.* juridique; style *m.* du palais.
rechtstam'mig *b.n.* à tronc droit.
rechtstan'dig I *b.n.* perpendiculaire, vertical; **II** *bw.* verticalement, à plomb.
rechts'term *m.* terme *m.* de droit, — de jurisprudence, — de palais, — de pratique.
rechts'toestand *m.* **1** situation *f.* juridique; **2** (*v. ambtenaren*) statut *m.*
recht'streeks I *bw.* directement; ***hij komt — uit Brussel,*** il arrive tout droit de Bruxelles; ***niet — antwoorden,*** répondre à côté; **II** *b.n.* direct, immédiat.
recht'strijken *ov.w.* aplanir, lisser, dresser.
rechts'veiligheid *v.* sécurité *f.* publique, garanties *f.pl.* légales.
rechts'verkrachting *v.* violation *f.* du droit.
rechts'vervolging *v.* poursuite(s) *f.*(*pl.*) judiciaire(s); ***van — ontslaan,*** renvoyer des fins de la plainte.
rechts'vorderaar *m.* plaignant, demandeur *m.*
rechts'vordering *v.* action, demande *f.*; instance *f.*; ***wetboek van burgerlijke —,*** code de procédure civile.
rechts'vorm *m.* forme *f.* judiciaire.
rechts'vraag *v.*(*m.*) question *f.* de droit.
rechts'wege *bw.*, ***van —,*** de droit.
rechts'wetenschap *v.* (science *f.* du) droit *m.*, jurisprudence *f.*
rechts'wezen *o.* justice *f.*
rechts'zaak *v.*(*m.*) procès *m.*, affaire *f.* de justice.
rechts'zaal *v.*(*m.*) salle *f.* d'audience; prétoire *m.*
rechtsze'kerheid *v.* garanties *f.pl.* légales.
rechts'zitting *v.* audience, séance *f.*
rechtuit' *bw.* **1** tout droit; **2** (*fig.*) franchement, sans détours.
rechtvaar'dig I *b.n.* juste, équitable; **II** *bw.* justement, avec justice; équitablement.
rechtvaar'digen *ov.w.* justifier.
rechtvaar'digend *b.n.* justificatif.
rechtvaar'digheid *v.* justice *f.*
rechtvaar'diging *v.* justification *f.*; ***stukken ter —,*** pièces justificatives.
recht'verkrijgende *m.-v.* ayant* cause *m.-f.*
rechtvleu'geligen *mv.* (*Dk.*) orthoptères *m.pl.*
recht'zetten *ov.w.* **1** dresser, redresser; **2** (*fig.*) rectifier, corriger, (re)mettre au point.
rechtzin'nig I *b.n.* orthodoxe; **II** *bw.* d'une manière orthodoxe.
rechtzin'nigheid *v.* orthodoxie *f.*
recidive'ren *on.w.* récidiver, faire une rechute.
recidivist' *m.* récidiviste *m.*, repris *m.* de justice.
recipiën'dus *m.* récipiendaire *m.*
recipië'ren *ov.w.* recevoir.
reciproce'ren *ov.w.* réciproquer.
recital' *o.* (*muz.*) récital *m.* (*pl.:* —s).
recitatief' *o.* (*muz.*) récitatif *m.*
reciteer'toon *m.* ton *m.* récitatif.
recite'ren *ov.w.* dire, réciter.
reclamant', reklamant' *m.* réclamant *m.*
recla'me, rekla'me *v.*(*m.*) **1** (*H.*) réclame *f.*; **2** *beklag*) réclamation *f.*; ***— maken,*** faire de la publicité, faire de la réclame.
recla'meadviseur, rekla'meadviseur *m.* conseiller *m.* en publicité, agent-conseil *m.*
recla'meartikel, rekla'meartikel *o.* objet *m.* réclame; article *m.* de (*of* en) réclame.
recla'mebiljet, rekla'mebiljet *o.* affiche *f.*
recla'meboek, rekla'meboek *o.* livre *m.* des réclamations, registre *m.* —.
recla'mebord, rekla'mebord *o.* réclame *f.*, panneau*-réclame *m.*, panneau publicitaire.
recla'mebureau, rekla'mebureau *o.* agence *f.* de publicité.
recla'mecampagne, reklamecampagne *v.*(*m.*) campagne *f.* de publicité.
recla'mefilm, rekla'mefilm *m.* film *m.* de réclame, — publicitaire.
recla'mekunst, rekla'mekunst *v.* art *m.* publi- [citaire.

recla'memateriaal, rekla'memateriaal *o.* matériel *m.* de réclame.
recla'memiddel, rekla'memiddel *o.* moyen *m.* de réclame, — de publicité, tire-l'œil *m.*
reclame'ren, reklame'ren *ov.w. en on.w.* réclamer; ***— over,*** se plaindre de; ***— tegen een aanslag,*** faire appel contre une imposition.
recla'mestrook, rekla'mestrook *v.(m.)* bande *f.* publicitaire.
recla'metekenaar, rekla'metekenaar *m.* dessinateur *m.* publicitaire, affichiste *m.*
recla'meverkoop, rekla'meverkoop *m.* vente*-réclame *f.*
recla'mevliegtuig, rekla'mevliegtuig *o.* avion*-réclame *m.* [réclame *f.*
recla'mewagen, rekla'mewagen *m.* voiture*-
recla'mewezen, rekla'mewezen *o.* réclame, publicité *f.* [réclame *m.*
recla'mezegel, rekla'mezegel *m.* timbre*-
recla'mezuil, rekla'mezuil *v.(m.)* poteau*-réclame *m.*, colonne *f.* d'affiches.
reclasse'ring, reklasse'ring *v.* reclassement *m.*; réadaptation *f.*
recogni'tie *v.* (*recht*) récognition *f.*
recogni'tieakte *v.(m.)* récognitif *m.*
reconstrue'ren, rekonstrue'ren *ov.w.* reconstruire.
reconvalescent' *m.* convalescent *m.*
reconvenië'ren, rekonvenië'ren *on.w.* déposer une demande reconventionnelle. [tion *f.*
reconven'tie, rekonven'tie *v.* (*recht*) réconven-
record', rekord' *o.* record *m.*; ***een — maken,*** établir un record; ***een — verbeteren,*** battre un record; ***een — glansrijk verbeteren,*** pulvériser un record.
record'cijfer, rekord'cijfer *o.* chiffre*-record *m.*
record'houder, rekord'houder *m.* détenteur du (*of* d'un) record, recordman *m.*
record'tijd, rekord'tijd *m.* temps *m.* record.
recrea'tiecentrum, rekrea'tiecentrum *o.* parc *m.* de jeux.
recrea'tiezaal, rekrea'tiezaal *v.(m.)* salle *f.* de récréation.
recreditief' *o.* lettres *f.pl.* de récréance.
recru-, *zie* ***rekru-.***
rectifica'tie, rektifika'tie *v.* rectification *f.*
rectifice'ren, rektifice'ren *ov.w.* rectifier.
rec'tor, rek'tor *m.* **1** (*v. hogeschool*) recteur *m.*; **2** (*v. gymnasium*) proviseur *m.*; **3** (*v. college*) directeur *m.*; **4** (*v. atheneum: B.*) préfet *m.*; **5** (*v. klooster*) aumônier *m.*; ***— magnificus,*** recteur *m.*
rectoraal', rektoraal' *b.n.* rectoral.
rectoraat', rektoraat' *o.* rectorat; provisorat *m.*
reçu' *o.* **1** (*alg.*) reçu, récépissé *m.*; **2** (*v. bagage*) bulletin *m.* de bagages.
redacteur', redakteur' *m.* rédacteur *m.*
redac'tie, redak'tie *v.* rédaction *f.*
redac'tiebureau, redak'tiebureau *o.* rédaction *f.*
redactioneel', redaktioneel' *b.n.* de la rédaction; ***— werk,*** travail de rédaction; ***— (hoofd)-artikel,*** éditorial *m.*
redakt-, *zie* ***redact-.***
red'deloos I *b.n.* sans espoir, sans remède; irréparable; **II** *bw.* irréparablement.
red'deloosheid *v.* état *m.* désespéré.
red'den I *ov.w.* **1** sauver; **2** (*bevrijden*) délivrer; **II** *w.w.* ***zich —,*** **1** se sauver; **2** (*fig.*) se tirer d'affaire; ***hij kan zich — met Engels,*** il sait se faire comprendre en anglais.
red'der *m.* **1** (*alg.*) sauveur *m.*; **2** (*bij brand, schipbreuk*) sauveteur *m.*
red'deren *ov.w.* ranger, arranger, mettre en ordre.
red'dering *v.* arrangement *m.*
red'ding *v.* **1** (*heil*) salut *m.*; **2** (*bevrijding*) délivrance *f.*; **3** (*bij brand, schipbreuk*) sauvetage *m.*; **4** (*zaligmaking*) rédemption *f.*
red'ding(s)boei *v.(m.)* bouée *f.* de sauvetage.
red'ding(s)boot *m. en v.* canot *m.* de sauvetage, bateau *m.* sauveteur.
red'ding(s)brigade *v.* brigade *f.* de sauvetage.
red'ding(s)gordel *m.* ceinture *f.* de sauvetage.
red'ding(s)ladder *v.(m.)* échelle *f.* à incendie, — de sauvetage.
red'ding(s)lijn *v.(m.)* ligne *f.* de sauvetage, amarre *f.* [tage.
red'ding(s)maatschappij *v.* société *f.* de sauve-
red'ding(s)medaille *v.(m.)* médaille *f.* de sauvetage. [de sauvetage.
red'ding(s)plank *v.(m.)* planche *f.* de salut, —
red'ding(s)toestel *o.* appareil *m.* de sauvetage.
red'ding(s)werk *o.* sauvetage *m.*
re'de I *v.(m.)* **1** (*verstand, oordeel*) raison *f.*; **2** (*redevoering*) discours *m.*; **3** (*toespraak*) allocution, harangue *f.*; ***iem. in de — vallen,*** interrompre qn.; ***naar — luisteren, — verstaan,*** entendre raison; ***iem. tot — brengen,*** mettre qn. à la raison; **II, ree** *v.(m.)* (*ankerplaats*) rade *f.*; ***op de — liggen,*** être en rade (de).
re'dedeel *o.* (*gram.*) partie *f.* du discours.
re'dekavelen *on.w.* argumenter, discuter, raisonner. [raisonnement *m.*
re'dekaveling *v.* argumentation, discussion *f.*,
re'dekundig I *b.n.* de rhétorique; ***—e ontleding,*** analyse logique; **II** *bw.* ***— ontleden,*** faire l'analyse logique (de).
re'dekundige *m.* rhétoricien, rhéteur *m.*
re'dekunst *v.* rhétorique *f.*
re'dekunstig *b.n.* de rhétorique; ***—e figuur,*** figure de rhétorique.
re'delijk I *b.n.* **1** (*met rede begaafd*) doué de raison, raisonnable; **2** (*billijk*) raisonnable; **3** (*tamelijk goed*) assez bon, passable; **4** (*v. pijn*) supportable; **II** *bw.* **1** raisonnablement; **2** assez bien, passablement.
redelijkerwijs', -wijze *bw.* raisonnablement.
re'delijkheid *v.* raison, équité *f.*
re'deloos *b.n.* **1** (*zonder verstand: dier, enz.*) privé de raison; **2** (*fig.: onzinnig*) irraisonnable, fou.
re'deloosheid *v.* **1** manque *m.* de raison; **2** folie *f.*
redemptorist' *m.* rédemptoriste *m.*
re'den *v.(m.)* **1** (*beweeggrond, oorzaak*) raison, cause *f.*, motif *m.*; **2** (*verhouding*) raison, proportion *f.*; (*v. evenredigheid*) rapport *m.*; ***— hebben te vrezen,*** avoir lieu de craindre; ***er is geen — tot ongerustheid,*** il n'y a pas de quoi s'inquiéter; ***er is alle — om,*** tout porte à croire; ***— te meer om,*** raison de plus pour; ***zonder —,*** sans aucun motif; ***niet zonder —,*** pour cause; ***met —en omkleed,*** motivé, raisonné, argumenté.
re'denaar *m.* orateur *m.*
re'denaarsgave *v.(m.)*, **re'denaarstalent** *o.* don *m.* de la parole; éloquence *f.*
redena'tie *v.* raisonnement *m.*
redeneer'der *m.* raisonneur *m.*
redeneer'kunde *v.* logique, dialectique *f.*
redeneer'trant *m.* dialectique *f.*
redene'ren *on.w.* **1** raisonner; **2** (*betogen*) argumenter; **3** (*praten*) discourir; ***— als een kip zonder kop,*** raisonner à tort et à travers; ***daarover valt niet te —,*** cela ne se raisonne pas.
redene'ring *v.* raisonnement *m.*
re'dengevend *b.n.* (*gram.*) causal, causatif.

re'der *m.* (*sch.*) armateur *m.*
rederij' *v.* (*sch.*) société *f.* d'armateurs.
re'derijker *m.* rhétoricien *m.*
re'derijkerskamer *v.*(*m.*) chambre *f.* de rhétorique.
re'detwist *m.* **1** dispute *f.*; **2** (*openbare* —) débat *m.*; **3** (*over theologie of wetenschap*) controverse *f.*
re'detwisten *on.w.* disputer; ***over iets* —,** discuter qc.
re'devoeren *on.w.* prononcer un discours, discourir.
re'devoering *v.* **1** discours *m.*; **2** (*toespraak*) allocution, harangue *f.*
redige'ren *ov.w.* rédiger.
red'middel *o.* **1** moyen *m.* de salut; **2** (*uitweg*) ressource *f.*, expédient *m.*
re'doubleren *on.w. en ov.w.* (*kaartsp.*) surcontrer.
redres' *o.* redressement, remède *m.*
reduce'ren *ov.w.* réduire (à).
reduc'tie, reduk'tie *v.* réduction *f.*
reduc'tiemiddel, reduk'tiemiddel *o.* (*scheik.*) réducteur *m.*
ree I *v.*(*m.*) *en o.* chevreuil *m.*; **II** *v.*(*m.*) *zie* ***rede* II.**
ree'bok *m.* chevreuil *m.*
ree'bout *m.* gigue *f.*, cuisse *f.* de chevreuil.
reeds *bw.* déjà; ***— bij 't eerste woord,*** dès le premier mot; ***— nu,*** dès maintenant.
reëel' I *b.n.* réel; **II** *bw.* réellement.
reef, rif *o.* (*sch.*) ris *m.* (de voile); ***een — inbinden,*** (*fig.*) réduire son train de vie, rogner sur sa dépense.
ree'geit *v.* chevrette *f.*
reeks *v.*(*m.*) **1** série *f.*; **2** (*opeenvolging*) suite *f.*; **3** (*rij: bomen, huizen, enz.*) rangée *f.*; **4** (*wisk.*) progression *f.*; ***een — van klachten,*** une kyrielle de plaintes, un chapelet —.
reel(-), *zie* ***rail***(-).
reep *m.* **1** (*strook*) bande *f.*; **2** (*touw*) corde *f.*; **3** (*ketting*) chaîne *f.*; **4** (*streng*) trait *m.*; **5** (*v. chocolade*) bâton *m.*; **6** (*hoepel*) cerceau *m.*
reep'maker *m.* cordier *m.*
ree'rug *m.* selle *f.* de chevreuil.
ree'schaaf, rij'schaaf *v.*(*m.*) (*tn.*) varlope *f.*
reet *v.*(*m.*) **1** (*spleet*) fente, fissure *f.*; **2** (*barst, kloof*) crevasse *f.*; **3** (*weekplaats voor vlas*) rouissoir, routoir *m.*
ree'vlees *o.* (du) chevreuil *m.*
refac'tie, *zie* ***rafactie.***
refecto'rium *o.* réfectoire *m.*
referaat' *o.* rapport *m.*, compte *m.* rendu.
referein, *zie* ***refrein.***
referenda'ris *m.* chef *m.* de division.
referen'dum *o.* referendum *m.*
referent' *m.* rapporteur *m.*
referen'tie *v.* référence *f.*
refere'ren *on.w.* rapporter; ***zich — aan,*** s'en référer à.
refer'te *v.*(*m.*) renvoi *m.*; ***onder — aan uw schrijven,*** me référant à votre lettre.
reflectant', reflektant' *m.* intéressé *m.*
reflecte'ren, reflekte'ren I *ov.w.* (*terugkaatsen*) réfléchir, refléter; **II** *on.w.* (*acht geven op*) prendre en considération, faire attention à; (*op advertentie*) répondre à.
reflec'tor, reflek'tor *m.* réflecteur *m.*
reflekt-, *zie* ***reflect-.***
reflex'beweging *v.* mouvement *m.* réflexe.
reflexief' *b.n.* réfléchi.
reforma'tie *v.* Réforme, Réformation *f.*
reformato'risch *b.n.* réformateur.
reforme'ren *ov.w.* réformer.
reform'kleding *v.* vêtements *m.pl.* réforme, costume*-réforme *m.*
reform'paard *o.* cheval *m.* de réforme.
refrein', referein' *o.* refrain *m.*
ref'ter *m.* réfectoire *m.*
regaal' *o.* **1** (*recht*) droit *m.* régalien; **2** (*v. orgel*) régale *m.*
regat'ta *v.*(*m.*) (*sp.*) régate(s) *f.*(*pl.*).
regeer'der *m.* gouvernant *m.*
regeer'kunst *v.* art *m.* de gouverner, politique *f.*
re'gel *m.* **1** (*v. boek, enz.*) ligne *f.*; **2** (*v. gedicht*) vers *m.*; **3** (*v. spraakleer, spel, enz.*) règle *f.*; **4** (*stelregel*) maxime *f.*; **5** (*voorschrift*) précepte *m.*; **6** (*beginsel*) principe *m.*; **7** (*orde, regelmaat*) ordre *m.*, régularité *f.*; **8** (*v. verkeer*) code *m.* de la route; ***in de —,*** généralement, ordinairement; ***als — aannemen,*** se faire une règle de; adopter comme principe; ***tussen de —s door,*** entre les lignes; ***nieuwe —!*** à la ligne!
re'gelaar *m.* **1** (*tn.*) régulateur *m.*; **2** (*persoon*) organisateur *m.*
re'gelafstand *m.* interligne *m.*
re'gelbaar *b.n.* réglable.
re'gelen *ov.w.* **1** (*alg.*) régler; **2** (*schikken*) arranger; **3** (*feest, plechtigheid*) ordonner, organiser; **4** (*bij verordening*) réglementer; **5** (*regelmatig maken*) régulariser; ***zich — naar,*** se régler sur.
re'geling *v.* règlement *m.*; arrangement *m.*; organisation *f.*; ***een — treffen,*** faire un arrangement.
re'gelingscommissie, -kommissie *v.* comité *m.* d'organisation.
re'gelknop *m.* bouton *m.* de réglage.
re'gelloos *b.n.* **1** (*zonder regel*) sans règle, irrégulier; **2** (*ordeloos*) désordonné; **3** (*v. leven*) déréglé.
re'gelloosheid *v.* irrégularité *f.*
re'gelmaat *v.*(*m.*) régularité *f.*
regelma'tig I *b.n.* régulier, réglé; **II** *bw.* régulièrement.
regelma'tigheid *v.* régularité *f.*
regelma'tigheidsproef *v.*(*m.*) épreuve *f.* de régularité.
re'gelrecht *bw.* **1** tout droit; **2** (*fig.: rechtstreeks*) directement.
re'gelversteller *m.* (*v. schrijfmachine*) levier *m.* d'interligne.
re'gelweerstand *m.* résistance *f.* réglable, — variable, rhéostat *m.*
re'gen *m.* pluie *f.*; ***hevige —,*** pluie battante; averse *f.*; ***van de — in de drop komen,*** tomber de fièvre en chaud mal; ***na — komt zonneschijn,*** après la pluie le beau temps; ***gouden —,*** (*Pl.*) cytise *m.*; ***blauwe —,*** (*Pl.*) glycine *f.*
re'genachtig *b.n.* pluvieux; ***het is —, ook:*** le temps est à la pluie.
re'genachtigheid *v.* temps *m.* pluvieux.
re'genbak *m.* citerne *f.*
re'genboog *m.* arc*-en-ciel *m.*
re'genboogvlies *o.* iris *m.*
re'genbui *v.*(*m.*) ondée, averse *f.*
re'gendag *m.* jour *m.* de pluie.
re'gendicht *b.n.* imperméable.
re'gendroppel, -druppel *m.* goutte *f.* de pluie.
re'genen I *on.w.* pleuvoir; ***het regent,*** il pleut; il tombe de la pluie; **II** *ov.w.* pleuvoir; ***het regent bakstenen,*** il pleut des hallebardes.
regenera'tor *m.* récupérateur *m.*
re'genjas *m. en v.* imperméable *m.*
re'genlucht *v.*(*m.*) ciel *m.* pluvieux.
re'genmaand *v.*(*m.*) mois *m.* de pluie.
re'genmantel *m.* imperméable *m.*
re'genmeter *m.* pluviomètre *m.*
re'genput *m.* citerne *f.*
re'genrivier *v.*(*m.*) rivière *f.* alimentée par la pluie (*of* par les pluies).
Re'gensburg *o.* Ratisbonne *f.*
re'genscherm *o.* parapluie *m.*
re'genseizoen *o.* saison *f.* des pluies.
regent' *m.* **1** régent *m.*; **2** (*v. gesticht*) directeur *m.*; **3** (*beheerder*) administrateur *m.*

regen'tenkamer *v.(m.)* chambre *f.* des directeurs.
regentes' *v.* régente *f.*; directrice *f.*
re'gentijd *m.* saison *f.* des pluies.
re'genton *v.(m.)* citerne *f.*
regent'schap *o.* régence *f.*
re'genval *m.* quantité *f.* de pluie, précipitation(s) *f.(pl.).*
re'genverlet *o.* chômage *m.* pour cause de pluie.
re'genverzekering *v.* assurance *f.* contre le mauvais temps, — contre la pluie.
re'genvlaag *v.(m.)* ondée *f.*
re'genwater *o.* eau *f.* de pluie, — pluviale.
re'genweer *o.* temps *m.* pluvieux.
re'genwolk *v.(m.)* nuage *m.* chargé de pluie.
re'genworm *m.* ver *m.* de terre, lombric *m.*
rege'ren I *ov.w.* **1** (*besturen*) gouverner; **2** (*v. vorst, enz.*) régner (sur); **3** (*gram.*) régir; **4** (*leiden*) conduire; **II** *on.w.* régner.
rege'rend *b.n.* régnant.
rege'ring *v.* **1** gouvernement *m.*; **2** (*v. vorst*) règne *m.*; ***aan de — komen,*** **1** (*v. partij*) arriver au pouvoir; **2** (*v. vorst*) monter sur le trône; ***afstand doen van de —,*** abdiquer.
rege'ringloos *b.n.* anarchique.
rege'ringloosheid *v.* anarchie *f.*
rege'ringsalmanak *m.* annuaire *m.* officiel; (*F.*) — général; (*B.*) almanach *m.* royal.
rege'ringsambt *o.* fonction *f.* publique.
rege'ringsbeleid *o.* politique *f.* du gouvernement. [*m.* royal.
rege'ringsbesluit *o.* (*F.*) décret *m.*; (*B.*) arrêté
rege'ringsblad *o.* feuille *f.* gouvernementale.
rege'ringscommissaris, -kommissaris *m.* commissaire *m.* du gouvernement.
rege'ringscrisis, -krisis *v.* crise *f.* gouvernementale.
rege'ringsgebouw *o.* bâtiment *m.* de l'État.
rege'ringsinstantie *v.* organisme *m.* public.
rege'ringsjubileum *o.* jubilé *m.* du roi (de la reine, etc.).
rege'ringskind *o.* pupille *f.* de l'État, — de l'assistance publique.
regeringskommissaris, *zie* ***regeringscommissaris.*** [mentaux.
rege'ringskringen *mv.* milieux *m.pl.* gouverne-
rege'ringskrisis, *zie* ***regeringscrisis.***
rege'ringspartij *v.* parti *m.* du gouvernement.
rege'ringspersoon *m.* membre *m.* du gouvernement.
rege'ringspost *m.* fonction *f.* publique.
rege'ringsprogram(ma) *o.* programme *m.* gouvernemental. [régime *m.*
rege'ringsstelsel *o.* système *m.* gouvernemental,
rege'ringstelegram *o.* télégramme *m.* officiel.
rege'ringstroepen *mv.* troupes *f.pl.* gouvernementales; les nationaux *m.pl.* [rielle.
rege'ringsverklaring *v.* déclaration *f.* ministé-
rege'ringsvorm *m.* (forme *f.* du) gouvernement *m.*, régime *m.* [vernement.
rege'ringswege, *van —,* de la part du gou-
regie' *v.* **1** régie *f.*; **2** (*v. toneel*) mise *f.* en scène.
regi'me *o.* régime *m.*
regiment' *o.* régiment *m.*
regiments'commandant, -kommandant *m.* commandant *m.* de régiment, colonel *m.*
regiments'dokter *m.* (*F.*) médecin*-major* *m.*; (*B. en Ned.*) médecin *m.* militaire. [***mandant***
regiments'kommandant, *zie* ***regimentscom-***
Regi'na *v.* Régine *f.* [réaliser.
regisse'ren *ov.w.* mettre en scène; (*v. film*)
regisseur' *m.* régisseur *m.*, metteur *m.* en scène; (*v. film*) réalisateur *m.*

regis'ter *o.* **1** (*inschrijvingsboek*) registre *m.*; **2** (*inhoudsopgave*) table *f.* des matières, index *m.*; **3** (*v. orgel*) registre, jeu *m.*
regis'terdeel *o.* tome *m.* de registre.
regis'terkas *v.(m.)* caisse *f.* enregistreuse.
regis'terton *v.(m.)* (*sch.*) tonne *f.* de registre, tonneau *m.* de jauge.
registra'tie *v.* enregistrement *m.*
registra'tiekantoor *o.* bureau *m.* de l'enregistrement. [ment.
registra'tiekosten *mv.* frais *m.pl.* d'enregistre-
registreer'toestel *o.* (appareil) enregistreur *m.*
registre'ren *ov.w.* enregistrer.
registre'ring *v.* enregistrement *m.*
reglement' *o.* règlement *m.*
reglementair' *b.n.* réglementaire.
reglemente'ren *ov.w.* réglementer.
reglemente'ring *v.* réglementation *f.*
regres *o.* (*H.*) recours *m.*
regressief' *b.n.* **1** (*teruggaand*) régressif; **2** (*terugwerkend*) rétroactif. [régulariser.
regularise'ren, regularize'ren *ov.w.* régler;
regulateur', regula'tor *m.* régulateur *m.*
reguleer'kachel *v.(m.)* poêle *m.* régulateur.
regule'ren *ov.w.* régler; régulariser.
rei *m.* **1** (*koor*) chœur *m.*; **2** (*reidans*) danse, ronde *f.*
rei'dansen *on.w.* chanter en chœur, danser —.
rei'ger *m.* héron *m.*; ***blauwe —,*** héron *m.* cendré; demi-aigrette* *f.*; ***jonge —,*** héronneau *m.*
rei'gerachtigen *mv.* ardéidés *m.pl.*
rei'gerbos I *m.* aigrette *f.*; **II** *o.* héronnière *f.*
rei'gereend *v.(m.)* morillon *m.*
rei'gerjacht *v.(m.)* chasse *f.* aux hérons.
rei'ger(s)bek *m.* (*Pl.*) érodie *f.*
rei'ger(s)nest *o.* nid *m.* de héron.
rei'gervalk *m. en v.* faucon *m.* héronnier.
rei'ken I *ov.w.* **1** (*aanbieden, geven*) donner, tendre; offrir; **2** (*toereiken*) passer; **II** *on.w.* **1** (*komen tot*) aller (jusqu'à), atteindre (à); **2** (*in hoogte*) s'élever (jusqu'à); **3** (*in laagte*) descendre (jusqu'à); **4** (*in ruimte*) s'étendre (jusqu'à); **5** (*v. gezicht, stem*) porter; ***zover het oog reikt,*** à perte de vue; ***hij wil met de hand aan de hemel —,*** (*fig.*) il veut prendre la lune avec les dents.
reik'halzen *on.w.* tendre le cou; (*fig.*) ***— naar,*** aspirer à, soupirer après, désirer ardemment.
rei'len *on.w.*, ***zoals het reilt en zeilt,*** tel quel.
rein I *b.n.* **1** (*zuiver*) pur, propre; **2** (*eerbaar, kuis*) innocent, chaste; **3** (*muz.*) juste; ***een zaak in het —e brengen,*** arranger une affaire, démêler —; ***een — geweten hebben,*** avoir la conscience nette; **II** *bw.* purement.
Rei'naard *m.* Renard *m.*
Rei'naert *m.*, ***— de Vos,*** Renart *m.*
rein'bezie, rijn'bezie *v.(m.)* (*Pl.*) (baie *f.* de) nerprun *m.*
reïncarna'tie *v.* réincarnation *f.*
rein'heid *v.* **1** pureté, propreté *f.*; **2** innocence, chasteté *f.*
Reinier' *m.* René *m.* [purifier.
rei'nigen *ov.w.* nettoyer; (*ook scheik. en fig.*)
rei'nigend *b.n.* (*gen.*) dépuratif.
rei'niging *v.* **1** nettoiement, nettoyage *m.*; **2** purification *f.*; **3** (*door afwassing*) ablution *f.*
rei'nigingsdienst *m.* service *m.* du nettoyage, — de la voirie. [gent *m.*
rei'nigingsmiddel *o.* détersif, détergent, abster-
Rein'out *m.* Renaud *m.*
reis *v.(m.)* **1** (*alg.*) voyage *m.*; **2** (*zaken—*) tournée *f.*; **3** (*uitstapje*) excursion *f.*; **4** (*rondreis*) tour *m.*; **5** (*overtocht*) trajet *m.*, traversée *f.*; ***een kaartje enkele —,*** un billet simple; ***de enkele — kost***

15 fr., le simple parcours coûte 15 francs; ***op — gaan***, partir en voyage, aller —.
reis'apot(h)eek *v.* pharmacie *f.* portative.
reis'bagage *v.* effets, bagages *m. pl.*
reis'behoeften, reis'benodigdheden *mv.* articles *m.pl.* de voyage.
reis'beschrijving *v.* récit *m.* de voyage.
reis'biljet *o.* billet, ticket *m.* [voyage.
reis'boek *o.* guide *m.*; carnet *m.* de route, — de
reis'brief *m.* **1** lettre *f.* de voyage; **2** (*v. kloosterling*) obédience *f.*
reis'bureau *o.* agence *f.* de voyages, bureau *m.* (*of* agence *f.*) de tourisme.
reis'cheque, -check *m.* chèque *m.* de voyage.
reis'declaratie, -deklaratie *v.* déclaration *f.* de frais de voyage.
reis'deken *v.*(*m.*) couverture *f.* de voyage.
reis- en verblijf'kosten *mv.* frais *m.pl.* de déplacement, indemnités *f.pl.* de route et de séjour.
reis'exemplaar *o.* échantillon *m.*, spécimen *m.* du démarcheur.
reis'geld *o.* frais *m.pl.* de voyage.
reis'gelegenheid *v.* moyen *m.* de transport.
reis'genoot, reis'gezel *m.* compagnon *m.* de voyage, — de route. [route.
reis'gezellin *v.* compagne *f.* de voyage, — de
reis'gezelschap *o.* société *f.* de voyageurs.
reis'gids *m.* guide *m.*
reis'goed *o.* effets, bagages *m.pl.*
reis'je *o.* petit voyage *m.*, excursion *f.*
reis'kaart *v.*(*m.*) carte *f.* routière, itinéraire *m.*
reis'koffer *m.* malle *f.*
reis'kosten *mv.* frais *m.pl.* de voyage, — de déplacement.
reis'kredietbrief *m.* lettre *f.* de crédit circulaire.
reis'lectuur, -lektuur *v.* lecture *f.* pour le voyage. [voyager.
reis'lust *m.* goût *m.* des voyages, envie *f.* de
reislus'tig *b.n.* qui aime à voyager, voyageur; ***— zijn***, aimer les voyages.
reis'makker *m.* compagnon *m.* de voyage.
reis'mand *v.*(*m.*) panier*-valise* *m.*
reis'necessaire *m.* trousse *f.* (de voyage).
reis'pas *m.* passeport *m.*
reis'plan *o.* plan *m.* de (*of* d'un) voyage; ***—nen hebben***, avoir des projets de voyage.
reis'route *v.*(*m.*) itinéraire *m.*
reis'seizoen *o.* saison *f.* des voyages. [tout *m.*
reis'tas *v.*(*m.*) sac *m.* de voyage, valise *f.*, fourre-
reisvaar'dig *b.n.* prêt à partir; ***zich — maken***, faire ses malles.
reis'vereniging *v.* association *f.* touristique.
reis'verhaal *o.* récit *m.* de voyage.
reis'wagen *m.* voiture *f.* de voyage. [voyage.
reis'wieg *v.*(*m.*) porte-bébé *m.*, berceau *m.* de
reis'wissel *m.* lettre *f.* de crédit circulaire.
reis'zak *m.* sac *m.* de voyage.
rei'zen *on.w.* voyager; ***naar Gent —***, aller à Gand; ***over Gent —***, passer par Gand; ***wij hebben samen gereisd***, nous avons fait route ensemble; ***met het spoor —***, voyager par chemin de fer; ***over land —***, voyager par (voie de) terre.
rei'ziger *m.* **1** voyageur *m.*; **2** (*handels—*) voyageur *m.* de commerce, commis *m.* voyageur; **3** (*stads—*) placier *m.*
rei'zigersverkeer *o.* mouvement *m.* touristique, — des voyageurs.
rek I *o.* **1** (*plank*) étagère *f.*; **2** (*droog—*) séchoir *m.*; **3** (*vogel—*) juchoir *m.*; **4** (*v. pijpen, geweren*) râtelier *m.*; **5** (*v. boekenkast*) rayon *m.*; **6** (*keuken—*) porte-vaisselle *m.*; **II** *m.* (*afstand*) distance *f.*, bout *m.* de chemin; ***het is een hele —***, c'est une bonne trotte, c'est tout un voyage; **III** *m.* (*rekbaarheid*) élasticité *f.*
rek'baar *b.n.* **1** extensible; **2** (*v. metalen*) ductile; **3** (*elastisch; fig.*) élastique.
rek'baarheid *v.* **1** extensibilité *f.*; **2** ductilité *f.*; **3** élasticité *f.*
rek'bank *v.*(*m.*) argue, filière *f.*
rek'draad *o. en m.* fil *m.* d'archal.
re'kel *m.* **1** chien *m.*; **2** (*fig.*) (*onbeschoft*) rustre *m.*; (*vlegel*) vaurien *m.*
re'kelachtig I *b.n.* brutal; **II** *bw.* brutalement.
re'kenaar *m.* calculateur *m.*
re'kenboek *o.* livre *m.* d'arithmétique.
re'keneenheid *v.* (*geldleer*) monnaie *f.* de compte.
re'kenen I *on.w.* calculer; compter; ***uit het hoofd —***, calculer de tête; ***buiten de waard —***, compter sans son hôte; ***— op***, compter sur; **II** *ov.w.* **1** (*berekenen*) compter; **2** (*uitrekenen*) calculer; **3** (*schatten*) évaluer, estimer; ***door elkaar gerekend***, en moyenne, l'un dans l'autre; ***ik reken het mij ten plicht***, je le considère comme mon devoir; **III** *z.n.*, *o.* calcul *m.*
re'kenfout *v.*(*m.*) erreur *f.* de calcul.
re'kening *v.* **1** (*wat verschuldigd is*) compte *m.*; **2** (*H.: factuur*) facture *f.*; **3** (*v. dokter, advocaat*) note *f.*, mémoire *m.*; **4** (*berekening*) calcul *m.*; **5** (*schatting*) estimation *f.*; **6** (*in café, restaurant*) addition *f.*; ***— houden met***, compter avec, tenir compte de; ***zijn — betalen***, régler son compte; ***in — brengen***, compter, mettre en ligne de compte; ***een — opmaken***, dresser une facture; ***op — kopen***, acheter à crédit; ***op nieuwe — overbrengen***, reporter à nouveau, porter à compte nouveau; ***voor eigen —***, pour son compte, à son propre compte; ***voor gezamenlijke —***, de compte à demi; ***voor — en risico van de koper***, aux risques et périls (*of* pour compte et aux risques) de l'acheteur; ***— en verantwoording***, reddition *f.* de comptes; ***dat laat ik voor zijn —***, je lui en laisse la responsabilité; ***dat neem ik voor mijn —***, je m'en charge; ***— geven***, rendre compte; ***dat is een streep door de —***, c'est un mécompte; ***lopende —***, compte courant; ***pro forma —***, facture simulée; ***per slot van —***, au bout du compte, en fin de compte, tout compte fait, après tout.
re'kening-courant *v.* (*H.*) compte *m.* courant.
re'keninghouder *m.* **1** (*H.*) titulaire *m.* de compte; **2** (*post—*) titulaire *m.* d'un compte courant postal.
re'kenkamer *v.*(*m.*) cour *f.* des comptes.
re'kenkunde *v.* arithmétique *f.*
rekenkun'dig I *b.n.* arithmétique; **II** *bw.* arithmétiquement.
rekenkun'dige *m.* arithméticien *m.*
re'kenles *v.*(*m.*) leçon *f.* d'arithmétique.
re'kenliniaal *v.*(*m.*) *en o.* règle *f.* à calcul.
rekenmachine *v.* machine *f.* à calculer, calculatrice *f.*; ***elektronische —***, calculateur *m.* électronique.
re'kenmet(h)ode *v.* méthode *f.* d'arithmétique.
re'kenmunt *v.*(*m.*) monnaie *f.* fictive, — de compte.
re'kenoefening *v.* exercice *m.* d'arithmétique.
rekenplich'tig *b.n.* comptable.
rekenplich'tigheid *v.* comptabilité.
re'kenraam *o.* boulier *m.*
re'kenschap *v.* compte *m.*, explication *f.*; ***— afleggen***, rendre compte; ***— geven van***, rendre compte de; ***iem. geen — verschuldigd zijn***, ne pas devoir de comptes à qn.
re'kensom *v.*(*m.*) problème *m.* d'arithmétique.

re'kenwerk *o.* travail *m.* de calcul.
rekest', rekwest' *o.* requête *f.*
rekestreren, *zie* ***rekwestreren.***
rek'je *o.* étagère *f.*; râtelier *m.*
rek'kelijk *b.n.* **1** souple, élastique; **2** (*fig.: meegaand, inschikkelijk*) traitable, accommodant.
rek'kelijkheid *v.* **1** souplesse, élasticité *f.*; **2** complaisance *f.*, humeur *f.* traitable.
rek'ken I *ov.w.* **1** étendre, allonger; **2** (*metaal, linnen*) étirer; **3** (*v. konijn*) (*Z.N.*) sacrifier; **4** (*fig.*) traîner en longueur, tirer —; **II** *on.w.* **1** s'étendre, s'allonger; **2** (*v. leder, handschoenen*) (se) prêter; **3** (*v. kippen, enz.: op het rek gaan*) jucher; **III** *w.w.* ***zich —,*** s'étirer.
rek'king *v.* **1** extension *f.*; **2** allongement, étirage [*m.*
rekla-, *zie* ***recla-.***
rek'laars *v.*(*m.*) botte *f.* molle.
rek'leer *o.* cuir *m.* souple.
rekonstrue'ren, *zie* ***reconstrueren.***
rekonven-, *zie* ***reconven-.***
rekord(-), *zie* ***record(-).***
rekreatie-, *zie* ***recreatie-.***
rekrute'ren, recrute'ren *ov.w.* recruter.
rekrute'ring, recrute'ring *v.* recrutement *m.*
rekruut', recruut' *m.* recrue *f.*, conscrit *m.*
rek'spier *v.*(*m.*) extenseur *m.*
rek'stok *m.* barre *f.* fixe.
rek'tang *v.*(*m.*) (*voor handschoenen*) demoiselle *f.*
rektif-, *zie* ***rectif-.***
rektor(-), *zie* ***rector(-).***
rek(w)est' *o.* requête, pétition *f.*; ***een — indienen,*** présenter une requête.
rekwestrant' *m.* pétitionnaire *m.*
rek(w)estre'ren *on.w.* présenter une requête, pétitionner.
rekwirant', requirant' *m.* demandeur *m.*
rekwire'ren, require'ren *ov.w.* **1** (*recht*) requérir; **2** (*mil.*) réquisitionner. [soires *m.pl.*
rekwisiet'(en), requisiet'(en) *o.*(*mv.*) acces-
rekwisiteur' *m.* accessoiriste *m.*
rekwisitoor', requisitoir' *o.* réquisitoire *m.*
rel *m.* bagarre, rixe *f.*
relaas' *o.* récit, exposé *m.*
relais' *o.* relais *m.*
rela'tie *v.* rapport *m.*, relation *f.*; ***in — brengen met,*** mettre en relation d'affaires avec, mettre en rapport avec.
relatief' I *b.n.* relatif; **II** *bw.* relativement.
relativiteit' *v.* relativité *f.*
relativiteits't(h)eorie *v.* théorie *f.* de la relativité, — d'Einstein.
relaye'ren *ov.w.* relayer.
relevant' *b.n.* d'importance.
releve'ren *ov.w.* relever, noter.
reliëf' *o.* relief *m.*
reliëf'kaart *v.*(*m.*) plan*-relief *m.*
reliek' *v. en o.* relique *f.*
reliek'schrijn *o. en m.* châsse *f.*, reliquaire *m.*
reli'gie *v.* religion *f.*
religieus' *b.n.* religieux.
religieu'ze *v.* religieuse *f.*
relikwie' *v.* relique *f.*
relikwie'ënkast *v.*(*m.*) reliquaire *m.*, châsse *f.*
re'ling *v.*(*m.*) rambarde; lisse *f.*
rel'len *on.w.* bavarder, caqueter.
rel'letje *o.* bagarre, scène, dispute *f.*
rel'muis *v.*(*m.*) loir *m.*
rem *v.*(*m.*) frein *m.*; ***automatische —,*** frein *m.* automatique, — Westinghouse.
rem'blok *o.* (*tn.*) sabot *m.*
rembours' *o.* remboursement *m.*; ***onder —,*** contre remboursement.
reme'die *v. en o.* remède *m.*
rem'hokje *o.* cage *f.* de (*of* du) serre-frein.
remi'se *v.* **1** remise *f.*; **2** (*sp.*) partie *f.* remise.
remittent' *m.* remetteur, expéditeur *m.*
remitte'ren *ov.w.* **1** (*overmaken*) remettre; **2** (*terugzenden*) renvoyer; **3** (*afslag geven*) faire une remise (de).
rem'ketting *m. en v.* chaîne *f.* d'enrayage.
rem'kruk *v.*(*m.*) manivelle *f.* de frein.
rem'men I *on.w.* freiner, refréner, serrer le frein, enrayer; **II** *ov.w.* freiner, enrayer; **III** *z.n.*, ***het —,*** le freinage.
rem'mer *m.* garde*-frein(*), serre-frein(s), freineur, enrayeur *m.* [inhibition *f.*
rem'ming *v.* **1** freinage, enrayage *m.*; **2** (*gen.*)
remonstrant' *m.* remontrant, arminien *m.*
remonstran'tie *v.* remontrance *f.*
remonstrants' *b.n.* remontrant.
remonstre'ren *ov.w.* remontrer.
remon'te *v.*(*m.*) (*mil.*) remonte *f.*
remon'tedepot *o. en m.* dépôt *m.* de remonte.
remon'tedienst *m.* service *m.* des remontes.
remon'tepaard *o.* cheval *m.* de remonte.
remontoir' *o.* (montre *f.* à) remontoir *m.*
rem'pedaal *o. en m.* pédale *f.* de frein.
rem'raket *v.*(*m.*) rétrofusée *f.*
rem'schoen *m.* sabot *m.* d'enrayage, — de frein, mâchoire *f.*
rem'spoor *o.* trace(s) *f.* (*pl.*) de freinage.
rem'stang *v.*(*m.*) tige *f.* du frein.
rem'systeem *o.* système *m.* de freinage.
rem'toestel *o.* frein *m.*
rem'trommel *v.*(*m.*) tambour *m.* de frein.
rem'voering *v.* garniture *f.* de frein. [d'arrêt.
rem'weg *m.* parcours *m.* de freinage, distance *f.*
ren I *m.* galop *m.*, course *f.*; **II** *v.*(*m.*), (*v. kippenhok*) promenoir *m.*
renaissan'ce *v.*(*m.*) renaissance *f.*
ren'baan *v.*(*m.*) champ *m.* de course, piste *f.*, turf *m.*
ren'bode *m.* estafette *f.* [rentable.
renda'bel *b.n.* d'un bon rendement; productif,
rendement' *o.* rendement *m.*
rende'ren *on.w.* rapporter; être productif; ***goed —,*** donner de bons bénéfices.
rende'rend *b.n.* d'un bon rendement.
ren'dier *o.* renne *f.*
renegaat' *m.* renégat *m.*
renet' *v.*(*m.*) (*Pl.*) reinette *f.*
ren'nen *on.w.* **1** (*galopperen*) galoper; **2** (*snel lopen*) courir à toutes jambes; ***de deur uit —,*** sortir précipitamment.
ren'ner *m.* coureur *m.*
ren'paard *o.* cheval *m.* de course.
ren'perk *o.* **1** lice *f.*; **2** cirque, hippodrome *m.*
ren'sport *v.*(*m.*) sport *m.* hippique.
ren'stal *m.* écurie *f.* de courses, haras *m.* [dement.
rentabiliteit' *v.* rentabilité *f.*; capacité *f.* de ren-
ren'te *v.*(*m.*) **1** rente *f.*; **2** (*interest*) intérêt *m.*; ***van zijn — leven,*** vivre de ses rentes; ***op — zetten,*** placer à intérêt; ***achterstallige —n,*** arrérages *m.pl.*; ***— op —,*** à intérêts composés.
ren'tebrief *m.* titre *m.* de rente.
ren'tegevend *b.n.* productif d'intérêt(s), qui rapporte des rentes.
ren'tekapitaal *o.* capital *m.* d'intérêt.
ren'teloos *b.n.* improductif; ***— voorschot,*** avance *f.* sans intérêt, — gratuite, prêt *m.* gratuit.
ren'ten *on.w.* rendre, rapporter.
rentenier' *m.* rentier *m.*
rentenie'ren *on.w.* vivre de ses rentes.
ren'teschuld *v.*(*m.*) arrérages *m.pl.*
ren'testandaard *m.* taux *m.* d'intérêt.

ren'tevergoeding *v.* bonification *f.* d'escompte.
ren'tevoet *m.* taux *m.* d'intérêt; ***wettelijke —,*** taux légal.
ren'tezegel *m.* timbre*-retraite *m.*
rent'meester *m.* régisseur, intendant *m.*
rent'meesterschap *o.* **1** administration *f.* intendance; **2** (*betrekking*) charge *f.* d'administrateur.
renvooi' *o.* renvoi *m.*
ren'wagen *m.* voiture *f.* de course.
reorganisa'tie, -iza'tie *v.* réorganisation *f.*
reorganise'ren, -ize'ren *ov.w.* réorganiser.
reostaat' *m.* (*el.*) rhéostat *m.*
rep *m.*, ***in — en roer,*** en émoi, en alarme; ***in — en roer brengen,*** mettre en émoi, alarmer.
repara'tie *v.* réparation *f.*, raccommodage *m.*
repare'ren *ov.w.* réparer, raccommoder.
repatrië'ren *on.w.* se rapatrier, rentrer au pays.
re'pel *m.* broie, drège *f.*, brisoir *m.*
re'pelaar *m.* broyeur, drégeur, teilleur *m.*
re'pelen *ov.w.* broyer, dréger, teiller.
repertoire' *o.* répertoire *m.*
reperto'rium *o.* répertoire *m.*
repeteer'geweer *o.* fusil *m.* à répétition.
repetent' *m.* (*rek.*) période *f.* (d'une fraction périodique).
repete'ren *ov.w. en on.w.* répéter.
repete'rend *b.n.*, ***—e breuk,*** fraction *f.* périodique.
repeti'tie *v.* **1** répétition *f.*; **2** (*op school*) récapitulation *f.*
repeti'tiehorloge *o.* montre *f.* à répétition.
repeti'tor *m.* (maître) répétiteur, préparateur *m.*
replice'ren *ov.w. en on.w.* répliquer.
repliek' *v.* réplique *f.*; ***van — dienen,*** répliquer.
reporta'gewagen *m.* car *m.* de reportage.
repor'ter *m.* reporter *m.*; ***vrouwelijke —,*** reporteuse *f.*
rep'pen I *on.w.* mentionner; ***van iets —,*** mentionner qc., faire mention de qc.; **II** *ov.w.*, ***geen woord van iets —,*** ne souffler mot de qc.; **III** *w.w.*, ***zich —,*** se dépêcher, se hâter.
represail'lemaatregel *m.* représailles *f.pl.*
representatief' *b.n.* représentatif.
reproduce'ren *ov.w.* reproduire.
reproduk'tie, reproduc'tie *v.* reproduction *f.*
reptie'len *mv.* reptiles *m.pl.*
republiek' *v.* république *f.*
republikein' *m.* républicain *m.*
republikeins' *b.n.* républicain.
reputa'tie *v.* réputation *f.*; ***deze artikelen hebben een uitstekende —,*** ces articles sont très bien renommés.
re'quiemmis *v.(m.)* messe *f.* de requiem.
requir-, *zie* ***rekwir-.***
requisi-, *zie* ***rekwisi-.***
requisitoir', rekwisitoor' *o.* réquisitoire *m.*
rescon'tre *v.(m.)* liquidation *f.*
rescon'tredag *m.* jour *m.* de liquidation.
rescon'trekoers *m.* cours *m.* de compensation.
rescontre'ren *ov.w.* liquider.
rescript', reskript' *o.* rescrit *m.*, ordonnance *f.*
research' *m.* recherches *f.pl.* (scientifiques).
re'seda *v.(m.)* réséda *m.*
reservaat' *o.* **1** réserve *f.*; **2** (*kerk*) réservation *f.*
reser've *v.(m.)* réserve *f.*; ***bij de — ingedeeld worden,*** (*mil.*) passer au cadre de réserve; ***— aan,*** réserves de.
reser'veanker *o.* ancre *f.* de miséricorde.
reser'veband *m.* pneu *m.* de rechange.
reser'vebrandstoffen *mv.* combustibles *m.pl.* (*of* charbon *m.*) de réserve.
reser'vedelen *mv.* (*tn.*) pièces *f.pl.* de rechange.
reser'vefonds *o.* fonds *m.* de réserve.
reser'vekader *o.* cadre *m.* de réserve.
reser'vekapitaal *o.* capital *m.* de réserve, réserve *f.*
reser'veofficier *m.* officier *m.* de réserve.
reser'veonderdeel *o.* pièce *f.* de rechange.
reserve'ren *ov.w.* réserver; ***plaatsen —,*** retenir des places.
reser'vestuk *o.* pièce *f.* de rechange.
reser'vetroepen *mv.* troupes *f.pl.* de réserve, réserve *f.*
reser'vevoedsel *o.* vivres *m.pl.* de réserve.
reser'vevoorraad *m.* stock *m.*, réserve *f.*
reser'vewiel *o.* roue *f.* de secours.
reservist' *m.* réserviste *m.*
reservoir' *o.* réservoir *m.*
resident' *m.* résident *m.*
residen'tie *v.* résidence *f.* (du roi, de la reine).
residen'tiestad *v.(m.)* (ville-)résidence *f.*
reside'ren *on.w.* résider.
resistent' *b.n.* résistant.
reskript', rescript' *o.* rescrit *m.*, ordonnance *f.*
resoluut' I *b.n.* résolu, énergique; **II** *bw.* résolument, énergiquement.
resonans'bodem *m.* (*muz.*) **1** caisse *f.* de résonance; **2** (*v. piano, enz.*) table *f.* d'harmonie.
resorp'tie *v.* résorption *f.*; ***door — verdwijnen,*** se résorber.
respect', respekt' *o.* respect *m.*; ***met alle —,*** sauf votre respect.
respecte'ren, respekte'ren *ov.w.* respecter.
respectie'velijk, respektie'velijk *bw.* respectivement.
respekt(-), *zie* ***respect(-).***
respijt' *o.* répit, délai *m.*
respijt'dag *m.* jour *m.* de grâce.
respondent' *m.* répondant *m.*
responde'ren *on.w.* répondre.
respon'siecollege *o.* cours *m.* d'interrogation.
responso'rie *v.* répons *m.*
ressort' *o.* ressort *m.*
ressorte'ren *on.w.*, ***— onder,*** ressortir à, être du ressort de, relever de.
rest *v.(m.)* reste *m.*
restant' *o.* **1** (*alg.*) reste, restant *m.*; **2** (*v. betaling*) arriéré *m.*; **3** (*v. bedrag*) reliquat *m.*; **4** (*overschot*) surplus, excédent *m.*
restan'ten *mv.* soldes *m.pl.*
restaurant' *o.* restaurant *m.*
restaura'tie *v.* **1** (*herstelling*) restauration *f.*; **2** (*spijshuis*) restaurant *m.*; **3** (*in station*) buffet *m.*
restaura'tiehouder *m.* **1** restaurateur *m.*; **2** (*in station*) buffetier *m.*
restaura'tiewagen *m.* wagon*-restaurant* *m.*, voiture*-restaurant* *f.*
restaure'ren *ov.w.* remettre à neuf, restaurer.
res'ten, reste'ren *on.w.* rester, être de reste.
restitue'ren *ov.w.* (*H.*) rembourser.
restitu'tie *v.* restitution *f.*
restor'no *m.* (*H.*) ristourne *f.*
restric'tie, restrik'tie *v.* restriction *f.*
rest'zetel *m.* siège *m.* dû à des restants de voix.
resultaat' *o.* résultat *m.*; ***geen — opleveren,*** ne donner aucun résultat.
resulta'tenrekening *v.* compte *m.* de profits et pertes.
resume'ren *ov.w.* résumer.
re'susfactor, -faktor *m.* facteur *m.* Rhésus.
reten'tie *v.*, ***recht van —,*** droit de rétention.
reticu'le *m.* réticule *m.*
retira'de *v.* cabinet(s) *m.(pl.)*, toilette *f.*
re'tor *m.* rhéteur *m.*
reto'rica, reto'rika *v.* rhétorique *f.*
reto'risch *b.n.* de rhétorique, oratoire; ***—e figuur,*** figure *f.* de rhétorique; ***—e wending,*** mouvement *m.* oratoire.

retort' *v.(m.)* cornue *f.*, alambic *m.*
retouche'ren I *ov.w.* retoucher; **II** *z.n.*, ***het —,*** la retouche.
retour'biljet, retour'kaartje *o.* billet *m.* d'aller et retour.
retour'lading *v.* chargement *m.* de retour.
retour'rekening *v.* (*H.*) compte *m.* de retour.
retour'vlucht *v.(m.)* vol *m.* de retour.
retour'vracht *v.(m.)* (*H.*) fret *m.* de retour.
retour'wedstrijd *m.* match*-retour *m.*
retour'wissel *m.* (*H.*) effet *m.* de retour.
retrai'te *v.(m.)* retraite *f.*
retrai'tehuis *o.* maison *f.* de retraite.
return'match *m. en v.* match*-retour *m.*, match de revanche.
reu *m.* chien *m.* mâle.
reuk *m.* **1** (*zintuig*) odorat *m.*; **2** (*lucht*) odeur *f.*; **3** (*aangename geur*) parfum *m.*; ***een fijne — hebben,*** avoir le nez fin, avoir l'odorat subtil; ***er is een —je aan,*** **1** cela sent mauvais; **2** (*fig.*) il y a du louche; ***de — van iets hebben,*** avoir vent de qc.; ***in een kwade — staan,*** avoir une mauvaise réputation.
reuk'altaar *o. en m.* autel *m.* des parfums.
reu'k(e)loos *b.n.* sans odeur, inodoré.
reu'k(e)loosheid *v.* absence *f.* d'odeur.
reuk'flesje *o.* flacon *m.* d'odeur.
reuk'gevend *b.n.* odorant.
reuk'kussentje *o.* sachet, sultan *m.*
reukloos(-), *zie* ***reukeloos(-).***
reuk'offer *o.* sacrifice *m.* de parfums.
reuk'orgaan *o.* organe *m.* de l'odorat.
reuk'spuitje *o.* vaporisateur *m.* à parfum.
reuk'vermogen *o.* odorat *m.*
reuk'water *o.* eau *f.* de senteur, parfum *m.*
reuk'werk *o.* parfums *m.pl.*, parfumerie *f.*
reuk'werker *m.* parfumeur *m.*
reuk'zeep *v.(m.)* savon *m.* parfumé.
reuk'zenuw *v.(m.)* nerf *m.* olfactif.
reuk'zin *m.* odorat *m.*
reu'ma *o.* rhumatisme *m.*
reu'malijder, *zie* ***reumatieklijder.***
reumatiek' *v.* rhumatisme *m.*
reu'ma(tiek')lijder *m.* rhumatisant *m.*
reuma'tisch *b.n.* rhumatismal; ***hij is —,*** il a des rhumatismes.
reünie' *v.* réunion *f.*
Réunion *o.* la Réunion; ***op —,*** à la Réunion.
reünist' *m.* ancien camarade (*of* copain) d'études; labadens *m.*
reus *m.* géant; colosse *m.*
reusach'tig *b.n.* **1** gigantesque; **2** (*zeer groot*) énorme; **3** (*buitengewoon*) épatant.
reu'tel *m.* râle, râlement *m.*
reu'telaar *m.* grogneur, bougon *m.*
reu'telen *on.w.* **1** (*v. stervende*) râler; **2** (*brommen*) grogner, bougonner; **3** (*bazelen*) bafouiller, radoter.
reuze! *tw.* chic alors ! chouette !; ***dat is —,*** ça c'est chic! c'est épatant.
reu'zel *m.* **1** saindoux *m.*; **2** (*vetweefsel*) panne *f.* (de porc).
reu'zenarbeid *m.* labeur *m.* gigantesque.
reu'zengeslacht *o.* race *f.* de géants.
reu'zengestalte *v.* taille *f.* de géant.
reu'zengraf *o.* dolmen *m.*
reu'zenhaai *m.* (*Dk.*) pèlerin *m.*
reu'zenkracht *v.(m.)* force *f.* herculéenne.
reu'zenletters *mv.* lettres *f.pl.* gigantesques, caractères *m.pl.* —.
reu'zenmoeite *v.* mal *m.* fou.
reu'zenschrede *v.(m.)* pas *m.* de géant.
reu'zenslang *v.(m.)* python *m.*
reu'zenstrijd *m.* combat *m.* de géants; combat *m.* gigantesque, — cyclopéen.
reu'zensucces *o.* succès *m.* fou.
reu'zentaak *v.(m.)* travail *m.* gigantesque, — d'Hercule.
reu'zenvaren *v.(m.)* (*Pl.*) fougère *f.* géante.
reu'zenwerk *o.* *zie* ***reuzentaak.***
reu'zenworsteling *v.* lutte *f.* de géants.
reuzin' *v.* géante *f.*
revalida'tie *v.* revalidation *f.*
revalida'tiecentrum *o.* centre *m.* de rééducation.
revalue'ren *ov.w.* réévaluer.
revan'che *v.(m.)*, ***— nemen,*** prendre sa revanche.
revan'chepartij *v.* partie *f.* de revanche.
reveil' *o.* réveil, renouveau *m.* religieux.
reveil'le *v.(m.)*, (*mil.*) diane *f.*, réveil *m.*; ***— blazen*** (*of* ***slaan***), sonner le réveil, battre la diane.
re'velaar *m.* radoteur *m.*
re'velen *on.w.* radoter.
re'veling *v.* radotage *m.*
re'ven *ov.w.* (*sch.*) arriser, prendre les ris.
revide'ren *ov.w.* revoir, reviser, faire la revision de.
revi'sie *v.* **1** revision, révision *f.*; **2** (*drukproef*) seconde épreuve *f.*
revi'sor *m.* **1** réviseur, vérificateur *m.*; **2** (*drukk.*) correcteur *m.*
revolu'tie *v.* révolution *f.*
revolu'tiebouw *m.* construction *f.* en papier mâché.
revolu'tiegeest *m.* esprit *m.* révolutionnaire.
revolutionair' I *b.n.* révolutionnaire; **II** *z.n.*, *m.* révolutionnaire *m.*
revol'ver *m.* revolver, colt *m.*
revol'verdraaibank *v.(m.)* tour *m.* revolver.
revol'verschot *o.* coup *m.* de revolver.
revol'vertas *v.(m.)* porte-revolver *m.*, fonte *f.*
revue' *v.(m.)* revue *f.*; ***de — doen passeren,*** passer en revue.
Rhe'tische Alpen *mv.* Alpes *f.pl.* Rhétiques.
Rhode'sië *o.* les Rhodésies *f.pl.*; ***van —,*** rhodésien.
Rho'dos *o.* Rhodes *m.*; ***van —,*** rhodien.
Rhô'nedal *o.* vallée *f.* rhodanienne.
riant' I *b.n.* riant; **II** *bw.*, ***— gelegen,*** agréablement situé.
rib(be) *v.(m.)* **1** (*alg.*) côte *f.*; **2** (*v. varken, schaap*) côtelette *f.*; **3** (*wisk.*) arête *f.*; **4** (*v. boek*) nervure *f.*; **5** (*bouwk.*) solive *f.*; ***dunne —,*** (*vlees*) aloyau *m.*; ***dikke —,*** train *m.* de côtes; ***hij had drie —ben gebroken,*** il avait trois côtes enfoncées.
rib'bebreuk *v.(m.)* fracture *f.* des côtes.
rib'belig *b.n.* à côtes.
rib'beltje *o.* cannelure, nervure *f.*
rib'benbuis *v.(m.)* tube *m.* à ailettes.
rib'benkast *v.(m.)* **1** thorax *m.*, cavité *f.* thoracique; **2** (*fam.*) poitrine *f.*, coffre *m.*; ***iem. op zijn — geven,*** casser les os à qn.
rib'besmeer *o.* raclée *f.*
rib'bestoot *m.* bourrade *f.*, coup *m.* dans le flanc.
rib'(be)stuk *o.* entrecôte *f. et m.*
rib'betje *o.* **1** côtelette *f.*; **2** (*bouwk.*) soliveau *m.*
rib'bezenuw *v.(m.)* nerf *m.* costal.
rib'fluweel *o.* velours *m.* à côtes.
rib'stuk, rib'bestuk *o.* entrecôte *f. et m.*
ri'chel *v.(m.)* **1** (*v. meubel*) rebord *m.*; **2** (*metalen —*) tringle *f.*; **3** (*houten —*) latte *f.*
richt'bok *m.* chevalet *m.* de pointage.
richt'datum *m.* date *f.* limite, — prévue.
rich'ten I *ov.w.* **1** (*alg.*) diriger; tourner; **2** (*kanon*) pointer; **3** (*verrekijker, enz.*) braquer; **4** (*brief, vraag*) adresser; **5** (*sch.*) (*roer*) dresser; (*zeil*) orienter; **6** (*peloton*) aligner; **7** (*politiek, onderwijs*) orienter; ***te gronde —,*** perdre, ruiner; **II** *w.w.*, ***zich —*** (***naar***), **1** (*alg.*) se régler (sur), se conformer (à); **2** (*gram.*) s'accorder (avec); **3** (*mil.*) s'aligner.
rich'ter *m.* (*mil.*) pointeur *m.*; ***het Boek R—en,*** (*Bijb.*) le Livre des Juges.

rich'tig *b.n.* **1** (*niet verkeerd*) correct, bon; **2** (*juist*) juste; **3** (*v. rekening, uitkomst*) exact; ***die zaak is niet —,*** il y a du louche dans cette affaire; ***hij is niet — in het hoofd,*** il a le cerveau fêlé, il est un peu toqué.
rich'tigheid *v.* **1** correction *f.*; **2** justesse *f.*; **3** exactitude *f.*
rich'ting *v.* **1** (*alg.*) direction *f.*; **2** pointage *m.*; **3** orientation *f.*; **4** (*strekking*) tendance *f.*; ***in alle —en,*** en tous sens; ***in tegengestelde —,*** en sens inverse, dans la direction inverse; ***in de — van,*** en direction de; ***in de — gaan van,*** prendre la direction de.
rich'tingaanwijzer *m.* clignoteur *m.*, flèche *f.*, indicateur *m.* de direction.
rich'tingbord *o.* tableau *m.* de signalisation.
rich'tinggevend *b.n.* directif.
rich'tingroer *o.* gouvernail *m.* de direction.
rich'tingslijn *v.(m.)* **1** ligne *f.* de direction; **2** (*wisk.*) directrice *f.*; **3** (*bouwk.*) alignement *m.*
rich'tingstuur *o.* gouvernail *m.* de direction.
rich'tingwijzer *m.* flèche *f.*, clignoteur *m.*, indicateur *m.* de direction.
rich'tingzoeker *m.* goniomètre *m.*
richt'kijker *m.* appareil *m.* de visée, viseur *m.*
richt'lijn *v.(m.)* **1** ligne *f.* de mire; **2** (*fig.*) directive *f.*
richt'prijs *m.* prix *m.* pilote.
richt'punt *o.* point *m.* de repère, — de mire.
richt'schroef *v.(m.)* vis *m.* de pointage.
richt'snoer *o.* **1** ligne *f.*; **2** (*meetlijn*) cordeau *m.*; **3** (*gedragslijn*) ligne *f.* de conduite; **4** (*v. politiek, enz.*) ligne *f.* directrice, idée *f.* —; **5** (*voorbeeld*) modèle, guide *m.*; ***tot uw —,*** pour votre gouverne.
richt'straalantenne *v.(m.)* antenne *f.* directive.
richt'toestel *o.* télépointeur *m.*
richt'vlag *v.(m.)* fanion *m.*
rici'nus *m.* (*Pl.*) ricin *m.*
rici'nusolie *v.(m.)* huile *f.* de ricin.
rid'der *m.* chevalier *m.*; ***tot — slaan,*** armer chevalier; ***— in het Legioen van Eer,*** chevalier de la Légion d'honneur, légionnaire.
rid'derburcht *m. en v.* bourg *m.* féodal, manoir *m.*
rid'derdienst *m.* service *m.* de chevalier, attention *f.* courtoise.
rid'dereer *v.(m.)* honneur *m.* chevaleresque.
rid'derepos *o.* chanson *f.* de geste.
rid'deren *ov.w.* armer chevalier, nommer —, [décorer.
rid'dergoed *o.* terre *f.* seigneuriale, seigneurie *f.*
rid'derkasteel *o.* château *m.* (de chevalier).
rid'derkruis *o.* croix *f.* (de chevalier).
rid'derleen *o.* fief *m.* noble.
rid'derlijk **I** *b.n.* chevaleresque, de chevalier; **II** *bw.* en chevalier.
rid'derlijkheid *v.* esprit *m.* chevaleresque.
rid'derorde *v.(m.)* **1** ordre *m.* de chevalerie; **2** décoration *f.*
rid'derroman *m.* roman *m.* de chevalerie.
rid'derschap *v.* chevalerie *f.*
rid'derslag *m.* accolade *f.*
rid'derspel *o.* tournoi, carrousel *m.*
rid'derspoor *v.(m.)* (*Pl.*) dauphinelle, *f.* pied*-d'alouette *m.*, éperon *m.* de chevalier.
rid'derstand *m.* chevalerie *f.*
rid'dertijd *m.* époque *f.* de la chevalerie.
rid'derwezen *o.* chevalerie *f.*
rid'derzaal *v.(m.)* salle *f.* d'honneur, — du trône; ***de R—,*** la Salle des chevaliers.
riek *m.* **1** ringard *m.*; **2** fourche *f.* à fumier.
rie'ken *on.w.* sentir.
rie'kend *b.n.* odorant.
riem *m.* **1** (*v. leer*) courroie *f.*; **2** (*smal*) lanière *f.*; **3** (*gordel*) ceinture *f.*; **4** (*voor scheermes*) cuir *m.*; **5** (*v. schoen*) cordon *m.*; **6** (*roei—*) rame *f.*, aviron *m.*; ***— zonder eind,*** courroie sans fin; ***een — papier,*** une rame de papier; ***iem. een hart onder de — steken,*** remettre du cœur au ventre à qn.; ***eerst in de boot, keur van —en,*** premier venu, premier moulu; ***men moet roeien met de —en die men heeft,*** qui ne peut galopper, qu'il trotte.
riem'beslag *o.* fusée *f.* (d'aviron).
riem'blad *o.* (*v. roeispaan*) pale *f.* de rame.
riem'overbrenging *v.* renvoi *m.* à courroie.
riem'pen *v.(m.)* (*sch.*) tolet *m.*
riem'slag *m.* (*sch.*) coup *m.* de rame.
riet *o.* **1** roseau, jonc *m.*; **2** (*op dak*) chaume *m.*; ***beven als een —,*** trembler comme une feuille; ***in 't — laten lopen,*** **1** mettre sur la rive; **2** (*fig.*) laisser aller à la débandade, faire échouer.
riet'bos *o.* jonchaie *f.*
riet'dekker *m.* couvreur *m.* en chaume.
rie'ten *b.n.* **1** de roseau, de jonc; **2** de chaume; **3** (*v. stoel*) canné.
riet'fluitje *o.* chalumeau, pipeau *m.*
riet'gans *v.(m.)* oie *f.* vulgaire.
riet'gors *v.(m.)* (*Dk.*) friquet *m.*
riet'gras *o.* laîche *f.*
riet'hoen *o.* (*Dk.*) râle *m.*
riet'je *o.* chalumeau *m.*, paille *f.*
riet'lijster *v.(m.)* rousserolle *f.*
riet'mat *v.(m.)* natte *f.* de joncs.
riet'mus *v.(m.)* friquet *m.*
riet'pijp *v.(m.)* chalumeau, pipeau *m.*
riet'snip *v.(m.)* bécassine *f.*
riet'stok *m.* canne *f.* de jonc.
riet'suiker *m.* sucre *m.* de canne.
riet'veld *o.* jonchaie *f.*
riet'vlechten *ov.w.* vanner.
riet'voren, -voorn *m.* (*Dk.*) rotengle *m.*
riet'zanger *m.* fauvette *f.* des roseaux, rousserolle *f.*
rif *o.* **1** (*klip*) récif, écueil *m.*; **2** (*geraamte, skelet*) squelette *m.*
rij *v.(m.)* **1** (*personen, knopen, paarlen*) rang *m.*; **2** (*bomen, vensters*) rangée *f.*; **3** (*auto's, rijtuigen*) file *f.*; **4** (*voorouders*) lignée, suite *f.*; **5** (*personen voor loket, enz.*) queue *f.*; **6** (*beelden, enz.*) série *f.*; ***op een — lopen,*** **1** (*naast elkaar*) marcher de front; **2** (*achter elkaar*) marcher à la file; ***op een — gaan staan,*** s'aligner; ***de — sluiten,*** fermer la marche; ***op de — af,*** à tour de rôle.
rij'baan *v.(m.)* **1** (*op ijs*) piste, patinoire *f.*; **2** (*rijschool*) manège *m.*; **3** (*v. weg*) bande *f.* de roulement, voie *f.* de circulation.
rij'bewijs *o.* permis *m.* de conduire.
rij'broek *v.(m.)* culotte *f.* à (*of* de) cheval, — d'équitation.
rij'costuum, *zie* ***rijkostuum.***
rij'den **I** *on.w.* **1** (*alg.*) aller, se promener, être (à cheval, en voiture, en auto, à bicyclette, etc.); **2** (*op ijs*) patiner; **3** (*v. schip*) chasser sur ses ancres; ***zelf —,*** conduire soi-même; ***paard —,*** faire de l'équitation; ***naar de stad —,*** aller à la ville; ***achteruit —,*** (*in trein, tram*) aller en arrière; ***hij rijdt 100 km,*** il marche 100 km à l'heure; ***stapvoets —,*** aller au pas; ***de trein rijdt hard,*** le train file à toute vitesse; ***Sinterklaas heeft gereden,*** Saint-Nicolas a passé; ***iem. in de wielen —,*** marcher sur les brisées de qn.; ***op elkaar —,*** entrer en collision, se tamponner, se télescoper; **II** *ov.w.* **1** (*personen*) conduire; **2** (*vervoeren*) transporter; **3** (*zand, stenen*) voiturer, charrier; ***iem. omver —,*** renverser qn., écraser qn.; ***zijn paard dood —,*** crever son cheval; **III** *z.n., o.* **1** promenade *f.*: à

cheval, en voiture, en auto, à bicyclette; **2** équitation *f.*
rij'dend *b.n.* itinérant, ambulant; ***—e artillerie,*** artillerie montée.
rij'der *m.* **1** (*te paard*) cavalier *m.*; **2** (*in circus*) écuyer *m.*; **3** (*schaatsenrijder*) patineur *m.*; **4** (*fietser*) cycliste *m.*; **5** (*renner*) coureur *m.*
rij'dier *o.* monture *f.*
rijf *v.*(*m.*) **1** (*hark*) râteau *m.*; **2** (*rasp*) râpe *f.*
rijg'band *m.* lacet *m.*
rijg'draad *m.* faufil, bâte *m.*
rij'gen I *ov.w.* **1** (*naaien*) faufiler, bâtir, coudre à grands points; **2** (*schoenen, enz.*) lacer; **3** (*parels, enz.*) enfiler; **II** *w.w.*, ***zich —,*** se lacer, se serrer la taille, se sangler dans.
rijg'garen *o.* fil *m.* à lacer.
rijg'koord *o. en v.*(*m.*) lacet *m.*
rijg'laars *v.*(*m.*) brodequin *m.*, bottine *f.* à lacets.
rijg'naad *m.* faufilure *f.*
rijg'naald, rijg'pen *v.*(*m.*) aiguille *f.* à lacer, passe-lacet*, passe-cordon* *m.*
rijg'schoen *m.* soulier *m.* à lacets, bottine *f.* —.
rijg'steek *m.* bâti *m.*, point *m.* devant.
rijg'veter *m.* lacet *m.*
rij'handschoen *m. en v.* gant *m.* de cheval.
rij'jool *m.* promenade *f.* en voiture.
rijk I *b.n.* riche; ***— maken,*** enrichir; ***— worden,*** s'enrichir; ***— zijn aan,*** être riche en; **II** *bw.* richement; **III** *zn., o.* **1** (*koninkrijk*) royaume *m.*; **2** (*keizerrijk*) empire *m.*; **3** (*staat*) état *m.*; ***het Derde Rijk,*** le troisième Reich; ***het — der dromen,*** le pays des songes; ***de drie —en der natuur,*** les trois règnes de la nature; ***zijn — is uit,*** son règne est fini.
rijk'aard *m.* richard *m.*
rijk'dom *m.* richesse *f.*; ***grote —,*** opulence *f.*
rij'ke *m.-v.* riche *m.-f.*
rij'kelijk I *b.n.* **1** (*overvloedig*) abondant, copieux; **2** (*ruim*) large, ample; **II** *bw.* **1** richement; **2** (*ruimschoots*) largement; **3** (*overvloedig*) abondamment, copieusement.
rijk'heid *v.* richesse *f.*; opulence *f.*
rij'kleed *o.* amazone *f.*, habit *m.* d'amazone, robe [*f.* —.
rij'knecht *m.* **1** (*stalknecht*) palefrenier *m.*; **2** (*bij wedrennen*) jockey *m.*; **3** (*bij jacht*) piqueur *m.*
rij'koets *v.*(*m.*) carrosse *m.*
rij'kostuum, -costuum *o.* costume *m.* de cheval; — d'amazone.
rijks'ambt *o.* fonction *f.* publique.
rijksamb'tenaar *m.* fonctionnaire *m.* de l'État.
rijks'appel *m.* globe *m.* (impérial).
rijks'archief *o.* archives *f.pl.* de l'État, — nationales.
rijks'archivaris *m.* directeur *m.* des archives de l'État, archiviste *m.* des archives nationales.
rijks'ban *m.* ban *m.* de l'empire.
rijks'bank *v.*(*m.*) banque *f.* d'empire.
rijks'begroting *v.* budget *m.*
rijks'belasting *v.* contributions *f.pl.* de l'État.
rijks'bemiddelaar *m.* arbitre *m.* gouvernemental.
rijks'bestuur *o.* gouvernement *m.*
rijks'betaalmeester *m.* agent *m.* du trésor.
rijks'bureau *o.* bureau *m.* de l'État.
rijksdaal'der *m.* rixdale *f.*, pièce de cinq francs (or), deux florins cinquante.
rijks'dag *m.* diète *f.* (d'empire), chambre *f.* des députés. [*f.* —.
rijks'gebied *o.* territoire *m.* de l'État, juridiction
rijks'gebouw *o.* édifice *m.* de l'État.
rijks'grond *m.* domaine *m.* de l'État, — national.
rijkshogerebur'gerschool *v.*(*m.*) lycée *m.*
rijks'instelling *v.* établissement *m.* de l'État.
rijks'kanselier *m.* chancelier *m.* de l'empire.
rijks'kosten, *op —,* aux frais du gouvernement.
rijks'kweekschool *v.*(*m.*)école *f.* normale de l'Etat.
rijksland'bouwconsulent, -konsulent *m.* conseiller *m.* agricole de l'État.
rijksland'bouwschool *v.*(*m.*) école *f.* nationale d'agriculture; institut *m.* agronomique.
rijks'leen *o.* fief *m.* de l'empire.
rijks'leger *o.* armée *f.* de l'empire.
rijks'merk *o.* marque *f.* de contrôle de l'État.
rijks'middelen *mv.* fonds *m.* de l'État.
rijks'munt *v.*(*m.*) hôtel *m.* des Monnaies.
rijks'museum *o.* musée *m.* de l'État.
rijksontvan'ger *m.* (*F.*) percepteur *m.* (des impôts); (*B.*) receveur *m.* (des contributions).
rijksop'voedingsgesticht *o.* (*F.*) maison *f.* de correction; (*B.*) école *f.* de bienfaisance.
rijks'politie *v.* gendarmerie *f.*
rijkspost'spaarbank *v.*(*m.*) (*F.*) caisse *f.* nationale d'épargne postale; (*B.*) caisse *f.* générale d'épargne de l'État. [pes.
rijkspren'tenkabinet *o.* cabinet *m.* des estam-
rijks'regering *v.* gouvernement *m.* d'empire.
rijks'staf *m.* sceptre *m.* (impérial).
rijks'telegraaf *m.* télégraphe *m.* de l'État.
rijks'universiteit *v.* université *f.* de l'État.
rijksveld'wachter *m.* gendarme *m.*
rijksverze'keringsbank *v.*(*m.*) Caisse *f.* nationale d'assurance contre les accidents du travail.
rijks'wacht *v.*(*m.*) gendarmerie *f.*
rijks'weg *m.* (*F.*) route *f.* nationale; (*B.*) route *f.* de l'État.
rijks'wege, *van —,* de la part du gouvernement.
rijks'werf *v.*(*m.*) arsenal *m.* maritime.
rijkswerk'inrichting *v.* dépôt *m.* de mendicité.
rijks'wet *v.*(*m.*) loi *f.* de l'État.
rijks'zegel *o.* sceaux *m.pl.*
rij'kunst *v.*(*m.*) équitation *f.*
rij'laars *v.*(*m.*) botte *f.* à l'écuyère, — de cavalier.
rij'les *v.*(*m.*) **1** leçon *f.* d'équitation; **2** (*v. auto*) leçon *f.* de conduire.
rijm I *m.* givre *m.*; **II** *o.* rime *f.*; ***op —,*** en vers; ***staand —,*** rime masculine; ***slepend —,*** rime féminine.
rij'mantel *m.* manteau *m.* de cavalier.
rijm'bijbel *m.* Bible *f.* rimée.
rij'melaar *m.* rimailleur *m.*
rijmelarij' *v.* rimaillerie *f.*
rij'melen *on.w.* rimailler.
rij'men *on.w.* **1** rimer; **2** (*verzen maken*) faire des vers; (*fig.*) ***dat rijmt niet met elkaar,*** cela ne s'accorde pas.
rij'mer *m.* rimeur *m.*
rijm'kroniek *v.* chronique *f.* rimée.
rijm'kunst *v.* art *m.* de rimer.
rijm'loos *b.n.* sans rime; ***rijmloze verzen,*** vers blancs.
rijm'pje *o.* rime *f.*; ***—s,*** des versicules *m.pl.*
rijm'prent *v.*(*m.*) poésie *f.* illustrée.
rijm'werk *o.* ouvrage *m.* en vers.
rijm'woord *o.* rime *f.*
rijm'woordenboek *o.* dictionnaire *m.* des rimes.
Rijn *m.* Rhin *m.*
rijn'aak *m. en v.* (*sch.*) péniche *f.*, chaland *m.* du Rhin.
Rijn'-Bei'eren *o.* Bavière *f.* rhénane.
rijn'bezie, rein'bezie *v.*(*m.*) (*Pl.*) (baie *f.* de) nerprun *m.*
rijn'boot *m. en v.* bateau *m.* du Rhin.
rijn'graaf *m.* rhingrave *m.*
rijn'graafschap *o.* rhingraviat *m.*
Rijn'land *o.* **1** la Rhénanie; **2** (*in Z.-Holland*) la Rhinlande.

Rijn'lander *m.* Rhénan *m.*
Rijn'lands *b.n.* **1** rhénan; **2** de Rhinlande.
rijn'leger *o.* armée *f.* du Rhin.
Rijn'provincie *v.* province *f.* rhénane.
Rijn'-Prui'sen *o.* Prusse *f.* rhénane.
Rijns' *b.n.* rhénan, du Rhin.
rijn'schip *o.* chaland *m.* du Rhin, péniche *f.*
Rijn'streek *v.(m.)* bassin *m.* rhénan.
Rijn'vaart *v.(m.)* navigation *f.* sur le Rhin.
Rijn'verbond *o.* (*gesch.*) confédération *f.* rhénane, — du Rhin.
rijn'wijn *m.* vin *m.* du Rhin.
rijp I *m.* (*rijm*) gelée *f.* blanche, givre *m.*; **II** *b.n.* mûr; ***— worden,* 1** mûrir; **2** (*gen.*) aboutir.
rij'paard *o.* cheval *m.* de selle, monture *f.*
rij'pad *o.* allée *f.* cavalière.
rij'pelijk *bw.* mûrement.
rij'pen I *on.w.* faire du givre, geler à blanc; **II** *ov.w. en on.w.* **1** mûrir; **2** (*gen.*) aboutir; **III** *z.n.* ***het —,*** la maturation.
rijp'heid *v.* **1** maturité *f.*; **2** (*fig.*) âge *m.* mûr.
rij'ping *v.* maturation *f.*
rij'pingsjaren *mv.* années *f.pl.* de puberté.
rij'pingsproces *o.* processus *m.* de maturation.
rij'proef *v.(m.)*, ***een — afleggen,*** passer son permis de conduire.
rijp'wording *v.* maturation *f.*
rij'rok *m.* habit *m.* de cheval.
rijs *o.* **1** (*twijgje, loot*) scion *m.*; **2** (*erwten —*) rame *f.*; **3** (*takken, brandhout*) menu bois *m.*, branchages *m.pl.*
rijs'bezem *m.* balai *m.* de bouleau.
rijs'bos I *m.* fascine, bourrée *f.*, fagot *m.*; **II** *o.* oseraie *f.*
rij'schaaf, ree'schaaf *v.(m.)* (*tn.*) varlope *f.*
rij'school *v.(m.)* **1** manège *m.*, école *f.* d'équitation; **2** (*v. auto*) école *f.* de conduite, auto-école* *f.*
Rij'sel *o.* Lille *f.*; ***uit —,*** lillois.
rijs'hout *o.* menu bois *m.*, ramilles *f.pl.*
rijs'je *o.* brindille *f.*; ***veel —s maken een bezem,*** les petits ruisseaux font les grandes rivières.
rij'snelheid *v.* vitesse *f.* (kilométrique).
rij'spoor *o.* ornière *f.*
rijst *m.* riz *m.*; ***gepelde —,*** riz décortiqué.
rijst'akker *m.* rizière *f.*
rijst'baal *v.(m.)* balle *f.* de riz.
rijst'bouw *m.* culture *f.* du riz.
rijs'tebrij *m.* bouillie *f.* de riz, riz *m.* au lait.
rijs'tekoekje *o.* gâteau *m.* au riz.
rijs't(e)meel *o.* farine *f.* de riz.
rijs'temelk *v.(m.)* lait *m.* au riz.
rijs't(e)pap *v.(m.)* bouillie *f.* de riz.
rijs't(e)water *o.* eau *f.* de riz.
rijst'handelaar *m.* marchand *m.* de riz.
rijst'kalander *m.* charançon *m.* du riz.
rijst'korrel *m.* grain *m.* de riz.
rijst'land *o.* plantation *f.* de riz, rizière *f.*
rijst'meel, rijs'temeel *o.* farine *f.* de riz.
rijst'molen *m.* rizerie *f.*
rijst'oogst *m.* récolte *f.* du riz.
rijst'pap, rijs'tepap *v.(m.)* bouillie *f.* de riz.
rijst'papier *o.* papier *m.* de riz.
rijstpellerij' *v.* moulin *m.* à riz, rizerie *f.*, usine *f.* à décortiquer le riz.
rijst'pelmachine *v.* décortiqueur *m.*
rijst'planter *m.* riziculteur *m.*
rijst'pudding *m.* pouding *m.* de (*of* au) riz.
rijst'soep *v.(m.)* soupe *f.* au riz, potage *m.* —.
rijst'stro *o.* paille *f.* de riz.
rijst'taart *v.(m.)* tarte *f.* au riz.
rijst'tafel *v.(m.)* table *f.* de riz, repas *m.* au riz.
rijst'veld *o.* rizière *f.*
rijst'vogel *m.* alouette *f.* de Java.
rijst'water, rijs'tewater *o.* eau *f.* de riz.
rijst'wijn *m.* saké *m.*
rijs'werk *o.* ouvrage *m.* de fascines, clayonnage *m.*
rij'ten *ov.w.* déchirer.
rij'tijd *m.* durée *f.* du trajet, temps *m.* de parcours.
rij'toer *m.* promenade *f.* en voiture (en auto, à cheval).
rij'tuig *o.* voiture *f.*; ***paard en —,*** équipage *m.*
rij'tuigfabriek *v.* carrosserie *f.*
rij'tuigfabrikant *m.* carrossier *m.*
rij'tuigmaker *m.* carrossier *m.*
rij'tuigschilder *m.* peintre *m.* en voitures.
rij'tuigverhuurder *m.* loueur *m.* de voitures.
rijvaar'digheidsbewijs *o.* permis *m.* de conduire.
rij'ven *ov.w.* **1** (*harken*) râteler; **2** (*raspen*) râper.
rij'verkeer *o.* circulation *f.* routière, trafic *m.* routier.
rij'weg *m.* chaussée *f.*, route *f.* carrossable; ***afgesloten —,*** rue barrée.
rij'wiel *o.* bicyclette *f.*, vélo *m.*
rij'wielband *m.* pneu *m.*
rij'wielbelasting *v.* impôt *m.* sur les bicyclettes.
rij'wielbergplaats *v.(m.)* garage *f.* pour bicyclettes.
rij'wielfabriek *v.* fabrique *f.* de bicyclettes.
rij'wielfabrikant *m.* fabricant *m.* de bicyclettes.
rij'wielhandel *m.* commerce *m.* de bicyclettes.
rij'wielhersteller *m.* réparateur *m.* de bicyclettes.
rij'wiellantaarn, -lantaren *v.(m.)* lanterne *f.* pour cyclistes.
rij'wielpad *o.* piste *f.* cyclable.
rij'wielplaatje *o.* plaque *f.* de bicyclette.
rij'wielpomp *v.(m.)* pompe *f.* à pneumatique.
rij'wielslot *o.* cadenas *m.* de bicyclette.
rij'wielsport *v.(m.)* cyclisme *m.*
rij'wielstalling *v.* garage *m.* pour bicyclettes.
rij'wielstander *m.* porte-bicyclette(s) *m.*
rij'wieltasje *o.* sacoche *f.*
rij'zadel *m. of o.* selle *f.*
rij'zen I *on.w.* **1** (*omhoog gaan*) monter, s'élever; **2** (*v. deeg*) lever; **3** (*v. prijs*) hausser, monter; **4** (*v. water*) croître; **5** (*v. barometer*) monter; **6** (*ontstaan: moeilijkheden, enz.*) naître; ***de markt rijst,*** le marché est en hausse; ***zijn haren — te berge,*** ses cheveux se dressent sur la tête; **II** *z.n.*, ***het —,*** **1** (*v. deeg*) le levage; **2** (*v. water*) la crue; **3** (*H.: markt, fondsen*) la hausse.
rij'zend *b.n.* montant; ***de —e zon,*** le soleil levant.
rij'zig *b.n.* élancé, de haute taille, svelte.
rij'zigheid *v.* haute taille *f.*, taille élancée.
rij'zing *v.*, *zie* ***rijzen* II.**
rij'zweep *v.(m.)* cravache *f.*
Rik *m.* Henri *m.*
Ri'ka *v.* Henriette *f.*
rik'ketik *m.* tictac *m.*; ***in zijn — zitten,*** avoir la frousse, — le trac.
rik'sja *m.* pousse-pousse *m.*
ril'len *on.w.* frissonner; grelotter, trembler.
ril'ling *v.* frisson *m.*
rim'boe *v.(m.)* brousse, jungle *f.*, bled *m.*
rim'pel *m.* **1** (*v. huid*) ride *f.*; **2** (*vouw, kreuk*) fronce *f.*, faux pli, repli *m.*; ***—s krijgen,*** prendre des rides.
rim'pelachtig *b.n.* ridé.
rim'pelen I *on.w.* **1** (*v. huid*) se rider, se froncer; **2** (*v. kousen*) grimacer; **3** (*verschrompelen*) se ratatiner; **II** *ov.w.* rider, froncer.
rim'pelig *b.n.* **1** ridé, sillonné de rides; **2** (*verschrompeld*) ratatiné.
rim'peling *v.* **1** froncement *m.*; **2** (*sch.*) risette *f.*
rim'ram *m.* bavardage, radotage *m.*

ring *m.* **1** (*alg.*) anneau *m.*; **2** (*aan vinger*) bague *f.*; **3** (*trouw—*) alliance *f.*; **4** (*oor—*) boucle *f.*; **5** (*servet—*) rond *m.* (de serviette); **6** (*schuif—*) coulant *m.*; **7** (*sch.: anker—*) organeau *m.*; **8** (*gen.*) pessaire *m.*; **9** (*boks—*) ring *m.*, enceinte *f.*; ***naar de — steken,*** courir la bague.
ring'baan *v.(m.)* ligne *f.* circulaire, chemin *m.* de fer de ceinture.
ring'baard *m.* barbe *f.* en collier.
ring'bout *m.* (*tn.*) cheville *f.* à piton; boulon *m.* à œillet.
ring'dijk *m.* digue *f.* autour d'un polder.
ring'(el)duif *v.(m.)* ramier *m.*, palombe *f.*
rin'gelen *ov.w.* **1** boucler; **2** (*fig.*) soumettre, dompter.
rin'gelmus *v.(m.)* friquet *m.*
rin'geloren I *ov.w.* vexer, harceler; mener à la cravache; **II** *z.n., o.* mesures *f.pl.* vexatoires.
rin'gelrups *v.(m.)* livrée *f.*
rin'gen *ov.w.* **1** (*varken*) boucler, ferrer; **2** (*duif, sigaren*) baguer; **3** (*boom*) couronner.
rin'getje *o.* annelet *m.*, petite bague *f.*; ***om door een — te halen,*** il est tiré à quatre épingles.
ring'gebergte *o.* cercle *m.* de montagnes.
ring'kistje *o.* baguier *m.*
ring'kraag *m.* hausse-col* *m.*
ring'merel *m. en v.* merle *m.* à collier.
ring'mus *v.(m.)* friquet *m.*
ring'muur *m.* enceinte *f.*, mur *m.* de clôture.
ring'rijden I *on.w.* courir la bague; **II** *z.n., o.* course *f.* aux (*of* de) bagues.
ring'rijder *m.* coureur *m.* de bagues.
ringrijderij' *v.* course *f.* aux (*of* de) bagues, carrousel *m.*
ring'rups *v.(m.)* chenille *f.* annulaire.
ring'schroef *v.(m.)* piton *m.* à vis.
ring'sgewijs, -wijze *bw.* en cercle.
ring'slang *v.(m.)* couleuvre *f.* à collier.
ring'steken I *o.* course *f.* aux bagues, jeu *m.* de bagues; **II** *on.w.* courir la bague.
ring'vaart *v.(m.)* canal *m.* de ceinture.
ring'valk *m. en v.* lanier *m.* cendré.
ring'vinger *m.* (doigt) annulaire *m.*
ring'vormig *b.n.* annulaire, en forme d'anneau.
ring'wal *m.* rempart *m.* circulaire.
ring'worm *m.* annélide *m.*
rin'kel *m.* petite plaque *f.* de métal; grelot *m.*
rin'kelbel *v.(m.)* hochet *m.*
rin'kelbom *v.(m.)* tambour *m.* de basque.
rin'kelen *on.w.* sonner, faire du bruit, tinter; (*v. ramen*) trembler, (*v. metaal*) cliqueter.
rin'keling *v.* tintement *m.*
rinkin'ken *on.w.* sonner, tinter, faire du bruit.
rino'ceros *m.* rhinocéros *m.*
rins *b.n.* aigrelet, acidulé, sur, suret.
rins'heid *v.* goût *m.* aigrelet, — acidulé.
rio'lenstelsel, *zie* ***rioolstelsel.***
riole'ren *ov.w.* pourvoir d'égouts.
riole'ring *v.* **1** (*het rioleren*) construction *f.* d'égouts; **2** (*samenstel van riolen*) système *m.* d'égouts.
riool' *o. en v.(m.)* égout *m.*
riool'buis, riool'pijp *v.(m.)* tuyau *m.* d'égout.
riool'deksel *o.* bouche *f.* d'égout.
riool'mond *m.* regard *m.*
riool'stelsel, rio'lenstelsel *o.* système *m.* d'égouts.
riool'werker *m.* égoutier *m.*
rips *o.* reps *m.*, étoffe *f.* à côtes.
rips'fluweel *o.* velours *m.* de chasse.
Ripua'risch *b.n.* ripuaire.
ris, *zie* ***rist.***
ri'sico *o. en m.* **1** risque *m.*; **2** (*onzekerheid*) aléa *m.*; ***op uw —,*** à vos risques et périls; ***er is altijd een —,*** il y a toujours des aléas.
ri'sico-pre'mie *v.* prime *f.* contre les risques; (*économie*) prime *f.* de risque.
riskant', risquant' *b.n.* hasardé, risqué.
riske'ren, risque'ren *ov.w.* risquer.
risq-, *zie* ***risk-.***
rissen, *zie* ***risten.***
ris(t) *v.(m.)* **1** (*zonder bessen*) rafle *f.*; **2** (*met bessen*) grappe *f.*; **3** (*v. uien*) glane *f.*; chapelet *m.*; **4** (*v. bananen*) régime *m.*; **5** (*v. vogeltjes*) chapelet *m.*; **6** (*reeks*) série; rangée *f.*; **7** (*v. kinderen*) ribambelle *f.*; **8** (*v. decoraties*) brochette *f.*
risten, rissen *ov.w.* mettre en glanes.
rit *m.* promenade *f.* en voiture (en auto, à cheval, etc.), tour *m.*; (*v. trein, tram*) parcours *m.*; ***'t is een hele —,*** c'est toute une course; ***een frank per —,*** un franc la course.
rit'me *o.* rythme *m.*
rit'meester *m.* capitaine *m.* de cavalerie, chef *m.* d'escadron.
ritmiek' *v.* rythmique *f.*
rit'misch *b.n.* rythmique.
rit'mus *m.* rythme *m.* cadence *f.*
ritornel' *o.* ritournelle *f.*
rits I *v.(m.)* **1** (*tn.*) traçoir *m.*; **2** (*groef, inkrassing*) coche, entaille *f.*; **3** (*scheur*) déchirure *f.*; **II** *tw.* crac!
rit'selen *on.w.* **1** (*v. bladeren, enz.*) bruire, frémir, murmurer; **2** (*v. zijde*) faire frou-frou.
rit'seling *v.* **1** bruissement, frémissement *m.*; **2** frou-frou *m.*
rit'sen *ov.w.* **1** (*karton*) entailler; **2** (*hout, bomen*) marquer; **3** (*vaten*) rouanner.
rits'hout *o.* trusquin *m.*
rits'ijzer *o.* **1** traçoir *m.*; **2** rouanne *f.*
rit'sing *v.* traçage *m.*
rits'sluiting *v.* fermeture*-éclair *f.*, fermeture *f.* à glissière.
rituaal' *o.* rituel *m.*
ritueel' I *b.n.* rituel; **II** *bw.* rituellement; **III** *z.n., o.* rituel *m.*, le(s) rite(s) *m.pl.*
ri'tus *m.* rite *m.*
rivaal' *m.* rival *m.*
rivaliteit' *v.* rivalité *f.*
rivier' *v.(m.)* **1** rivière *f.*; **2** (*die zich in zee stort*) fleuve *m.*; ***aan de —,*** sur la rivière.
Rivie'ra *v.* la Rivière (de Gênes, de Nice); (*Franse —*) la Côte d'Azur.
rivier'aal *m.* anguille *f.* commune.
rivier'arm *m.* bras *m.* de (*of* d'une) rivière.
rivier'baars *m.* perche *f.* de rivière.
rivier'bed *o.*, **rivier'bedding** *v.(m.)* lit *m.* d'une rivière; ***de —,*** le lit de la rivière, — du fleuve.
rivier'haven *v.(m.)* port *m.* fluvial.
rivier'klei *v.(m.)* argile *f.* fluviale.
rivier'kreeft *m. en v.* écrevisse *f.* (d'eau douce).
rivier'loods *m.* pilote *m.* lamaneur.
rivier'mond *m.* embouchure *f.*; (*wijde*) estuaire *m.*
rivier'oever *m.* **1** rive *f.*, bord *m.*; **2** (*steil*) berge *f.*; **3** (*v. grote rivier*) rivage *m.*
rivier'paard *o.* hippopotame *m.*
rivier'politie *v.* brigade *f.* fluviale.
rivier'scheepvaart *v.(m.)* navigation *f.* fluviale.
rivier'schip *o.* bateau *m.* de rivière, péniche *f.*
rivier'schipper *m.* batelier, marinier *m.*
rivier'slib *o.* alluvions *f.pl.*, vase *f.* de rivière.
rivier'stand *m.* niveau *m.* des rivières.
rivier'stelsel *o.* régime *m.* des eaux.
rivier'vaart *v.(m.)* navigation *f.* fluviale.
rivier'vis *m.* poisson *m.* d'eau douce.
rivier'visserij *v.* pêche *f.* fluviale.

rivier'water *o.* eau *f.* de rivière.
rivier'zand *o.* sable *m.* de rivière.
roast'beef, *zie* ***rosbief.***
rob I *m.* phoque *m.*; **II** *v.(m.)* (*vismaag*) estomac *m.*
rob'bedoes *m.-v.* enfant *m.-f.* bruyant(e), — turbulent(e), brise-tout *m.*
rob'bejacht *v.(m.)* chasse *f.* aux phoques.
rob'ber *m.* rob, robre *m.*
Rob'bert *m.* Robert *m.*
rob'betraan *m.* huile *f.* de phoque.
robijn' *m.* (*stofnaam: o.*) rubis *m.*
robij'nen *b.n.* de rubis.
ro'bot *m.* robot *m.*
ro'botportret *o.* portrait *m.* robot.
robuust' *b.n.* robuste.
rocha'de, *zie* ***rokade.***
ro'chel *m.* **1** (*fluim*) crachat *m.*; **2** (*reutel*) râle *m.*
ro'chelaar *m.* cracheur *m.*
ro'chelen *on.w.* **1** cracher; **2** râler.
Ro'chus *m.* Roch *m.*
rococo'stijl *m.* rococo *m.*
rod'delaar *m.* bâcleur *m.*, mauvaise langue *f.*
rod'delen *on.w.* faire des ragots, médire, calomnier.
ro'de *m.* **1** (*met rood haar*) roux *m.*; **2** (*in politiek*) rouge *m.*
rodehond' *m.* rubéole *f.*
rodekool' *v.(m.)* chou *m.* rouge.
rodekoorts' *v.(m.)* fièvre *f.* scarlatine.
rodekruis' *o.* croix-rouge *f.*
rodekruis'post *m.* poste *m.* de secours.
rodekruis'vliegtuig *o.* avion *m.* sanitaire.
ro'delbaan *v.(m.)* piste *f.* pour luges.
ro'delen *on.w.* luger.
rodeloop' *m.* (*gen.*) dysenterie *f.*
rododen'dron *m.* rhododendron *m.*, laurier*-rose* *m.*, rose *f.* des Alpes.
roe, *zie* ***roede.***
roe'bel *m.* rouble *m.*
roe'(de) *v.(m.)* **1** (*alg.*) verge *f.*; **2** (*stok*) baguette *f.*; **3** (*tucht*—) férule *f.*; **4** (*hengel*—) canne *f.* (à pêche); **5** (*gesel*—) fouet *m.*, verges *f.pl.*; **6** (*gordijn*—) tringle *f.*; **7** (*maat*) décamètre *m.*; (*oud:*) verge *f.*; ***vierkante* —,** are *m.*; ***de* — *ontwassen zijn,*** être hors de page, n'être plus sous la férule.
roe'deloper *m.* sourcier *m.*
roef *v.(m.)* **1** rouf *m.*; **2** (*bouwk.*) patte *f.* à tasseaux.
roei'bank *v.(m.)* banc *m.* de rameurs, — de nage.
roei'boot *m. en v.* **1** bateau *m.* à rames; **2** (*sp.*) canot *m.*
roei'club, -klub *v.(m.)* rowing-club* *m.*
roei'dol *m.* tolet, porte-rame *m.*
roei'en I *on.w.* **1** (*sch.*) ramer; **2** (*meten*) jauger; ***hard* —,** faire force de rames; **II** *z.n., o.* canotage, rowing *m.* [(*peiler*) jaugeur *m.*
roei'er *m.* **1** rameur *m.*; **2** (*sp.*) canotier *m.*; **3**
roei'klub, -club *v.(m.)* rowing-club* *m.*
roei'pen *v.(m.)* tolet *m.* [*m.*
roei'riem *m.*, **roei'spaan** *v.(m.)* rame *f.*, aviron
roei'sport *v.(m.)* canotage, aviron *m.*
roei'stok *m.* jauge *f.* [bateau.
roei'tochtje *o.* promenade *f.* en canot, — en
roei'vereniging *v.* société *f.* de canotage, club *m.* nautique. [— de canots.
roei'wedstrijd *m.* régates *f.pl.*, course *f.* nautique,
roek *m.* (*Dk.*) freux *m.*
roe'keloos I *b.n.* téméraire; **II** *bw.* témérairement.
roe'keloosheid *v.* témérité *f.*
roekoe'ken *on.w.* roucouler.
Roe'land *m.* Roland *m.*
Roe'lof *m.* Rodolphe, Raoul *m.*
roem *m.* **1** gloire *f.*; **2** (*in kaartspel*) séquence, suite *f.*; ***eigen* — *stinkt,*** qui se loue s'emboue.
Roemeen' *m.* Roumain *m.*
Roemeens' *b.n.* roumain.
Roeme'lië *o.* la Roumélie.
roe'men I *ov.w.* **1** (*prijzen*) vanter; **2** (*ophemelen*) exalter; **3** (*verheerlijken*) glorifier; **4** (*kaartspel*) annoncer; **II** *on.w.* — ***op,*** se glorifier de.
Roeme'nië *o.* la Roumanie.
roemenswaar'd(ig) *b.n.* louable.
roe'mer *m.* **1** (*grootspreker*) vantard *m.*; **2** (*glas*) gobelet *m.*, verre *m.* (à vin).
roemgie'rig *b.n.* avide de gloire.
roem'loos *b.n.* sans gloire, obscur.
roem'rijk I *b.n.* glorieux, illustre; **II** *bw.* glorieusement.
roemruch't(ig) *b.n.* célèbre, glorieux.
roemwaar'dig *b.n.* digne de gloire.
roem'zucht *v.(m.)* amour *m.* de la gloire, désir *m.* —, passion *f.* —.
roemzuch'tig *b.n.* avide de gloire.
roep *m.* **1** (*geroep*) appel, cri *m.*, voix *f.*; **2** (*gerucht*) bruit *m.*; **3** (*faam*) réputation *f.*, renom *m.*, renommée *f.*; **4** (*huwelijksafkondiging*) ban *m.*; ***in een kwade* — *staan,*** avoir mauvaise réputation.
roe'pen I *on.w.* crier; ***om hulp* —,** crier au secours; ***om wraak* —,** crier vengeance; **II** *ov.w.* appeler; ***tot de orde* —,** rappeler à l'ordre; ***ter zijde* —,** prendre à part; ***u komt als geroepen,*** vous venez à point (*of* nommé); ***in het leven* —,** créer.
roe'per *m.* **1** (*persoon*) crieur *m.*; **2** (*voorwerp*) porte-voix *m.*
roe'ping *v.* vocation *f.*; ***een* — *vervullen,*** remplir une mission.
roep'letter *v.(m.)* indicatif *m.* (d'appel).
roep'naam *m.* appellation *f.* familiale.
roep'stem *v.(m.)* voix *f.* (intérieure).
roep'vogel *m.* appelant *m.*
roer *o.* **1** (*v. schip*) gouvernail *m.*; **2** (*roerpen*) barre *f.*, timon *m.*; **3** (*v. pijp*) tuyau *m.*; **4** (*v. geweer*) canon *m.*; ***aan het* — *komen,*** arriver au pouvoir; ***het* — *in handen hebben,*** **1** tenir le gouvernail; **2** (*fig.*) conduire la barque; ***het* — *omgooien,*** **1** (*sch.*) changer la barre; **2** (*fig.*) prendre une nouvelle orientation; ***naar het* — *luisteren,*** obéir au gouvernail.
Roer *v.* la Ruhr.
roer'bak *m.* **1** cuve *f.*; **2** (*papierkuip*) pile *f.*
roer'domp *m.* (*Dk.*) butor *m.*
roer'ei *o.* œuf *m.* brouillé.
roe'ren I *ov.w.* **1** (*dooreenmengen*) remuer, agiter; **2** (*ontroeren, treffen*) remuer, émouvoir, toucher; ***de trom* —,** battre le tambour; ***de grote trom* —,** battre la grosse caisse; ***zijn tong* —,** faire aller sa tapette; **II** *on.w.* — ***aan iets,*** toucher à qc.; — ***in iets,*** remuer qc.; **III** *w.w. **zich* —,** **1** bouger; **2** (*fig.*) se remuer; ***hij kan zich goed* —,** il a de quoi, il est dans l'aisance.
roe'rend *b.n.* **1** (*v. feestdagen*) mobile; **2** (*v. goederen*) meuble; **3** (*aandoenlijk*) touchant, émouvant; pathétique.
roer'ganger *m.* (*sch.*) timonier *m.*, homme à la barre.
Roer'gebied *o.* la Ruhr.
roe'rig *b.n.* **1** (*beweeglijk*) remuant; **2** (*rumoerig*) turbulent.
roe'righeid *v.* turbulence, agitation *f.*
roe'ring *v.* **1** (*beweging*) mouvement *m.*; **2** (*fig.: politiek, enz.*) agitation *f.*; **3** émotion *f.*, trouble *m.*; **4** (*gen.*) diarrhée *f.*
roer'ketting *m. en v.* drosse *f.* (de gouvernail).
roer'kruid *o.* (*Pl.*) gnaphale *m.*
roer'lepel *m.* cuiller *f.* à pot.

roer'loos *b.n.* **1** (*onbeweeglijk*) immobile; **2** (*zonder roer*) sans gouvernail.
roer'loosheid *v.* immobilité *f.*
Roermond' *o.* Ruremonde *f.*
roer'pen *v.*(*m.*) (*sch.*) timon *m.*, barre *f.*
roer'sel *o.* émotion *f.*; mouvement *m.*; motif *m.* (secret).
roer'spaan *v.*(*m.*) **1** (*v. apotheker, enz.*) spatule *f.*; **2** (*v. brouwer, metaalsmelter, enz.*) brassoir *m.*
roer'staafje *o.* agitateur *m.*
roer'trom *v.*(*m.*) tambourin *m.*
roer'vink *m. en v.* **1** (*Dk.*) pinson *m.* appelant; **2** (*fig.*) boutefeu, instigateur *m.*
roes *m.* pointe *f.* (de vin); griserie *f.*, éblouissement *m.*; ***een — hebben,*** avoir une pointe, — son plumet; ***zijn — uitslapen,*** cuver son vin; ***bij de — verkopen,*** vendre en bloc.
Roe'selare *o.* Roulers *m.*
Roe'sig *o.* Rachecourt.
roest *m. en o.* **1** rouille *f.*; ***oud —,*** ferraille *f.*; **2** juchoir, perchoir *m.*
roest'achtig *b.n.* rouillé.
roes'ten *on.w.* **1** (se) rouiller; **2** (*v. vogels*) jucher, percher; ***oude liefde roest niet,*** on revient toujours à ses premières amours; ***rust roest,*** dans l'oisiveté l'esprit se rouille.
roes'tig *b.n.* rouillé.
roes'tigheid *v.* rouillure *f.*
roest'kleurig *b.n.* rouilleux, érugineux.
roest'laag *v.*(*m.*) pellicule *f.* de rouille.
roest'middel *o.* antirouille *m.*, moyen *m.* contre la rouille.
roest'papier *o.* papier *m.* à dérouiller, — de verre.
roest'stok *m.* juchoir, perchoir *m.*
roest'vlek *v.*(*m.*) tache *f.* de rouille.
roest'vorming *v.* formation *f.* de rouille, rouillure *f.*
roest'vrij *b.n.* inoxydable.
roest'werend *b.n.* antirouille.
roet *o.* suie *f.*; ***zo zwart als —,*** noir comme du charbon; ***— in het eten gooien,*** gâter le plaisir.
roet'aanslag *m.* couche *f.* de suie.
roet'achtig *b.n.* fuligineux.
roet'bruin *b.n.* roussâtre, couleur de bistre.
roet'deeltje *o.* parcelle *f.* de suie.
roet'kleur *v.*(*m.*) couleur *f.* de suie.
roet'kleurig *b.n.* couleur de suie, fuligineux.
roet'mop *v.*(*m.*) moricaud *m.*
roets'baan *v.*(*m.*) montagnes *f.pl.* russes.
roet'zwart I *b.n.* noir comme du charbon, — du jais; **II** *z.n., o.* noir *m.* de fumée.
roe'zemoes *m.* tohu-bohu, désordre *m.*
roe'zemoezen *on.w.* faire du tapage.
roe'zemoezig *b.n.* **1** (*druk*) bruyant, tapageur; **2** (*v. weer*) orageux.
roe'zen *ov.w.* (*ongeteld kopen of verkopen*) acheter en bloc, vendre —.
roe'zig *b.n.* **1** *zie* ***roezemoezig***; **2** entre deux vins, un peu gris.
rof'fel *m.* **1** (*schaaf*) riflard *m.*; **2** (*trommelslag*) roulement *m.* de tambour; **3** (*fig.*) verte réprimande *f.*, savon *m.*; ***een — krijgen,*** recevoir une correction, — un savo.
rof'felaar *m.* bousilleur *m.*
rof'felen I *on.w.* **1** battre un roulement; **2** raboter avec le riflard; **II** *ov.w.* **1** (*tn.*) rifler; **2** bousiller, bâcler; **3** donner une correction.
rof'felig *b.n.* bousillé, bâclé.
rof'felschaaf *v.*(*m.*) riflard *m.*
rof'felvuur *o.* bombardement *m.*, feu *m.* roulant.
rof'felwerk *o.* bousillage *m.*, travail *m.* bousillé, — bâclé.
rog *m.* raie *f.*
rog'ge *v.*(*m.*) seigle *m.*
rog'geaar *v.*(*m.*) épi *m.* de seigle.
rog'geakker *m.* champ *m.* de seigle.
rog'gebloem *v.*(*m.*) fleur *f.* de farine de seigle.
rog'gebrood *o.* pain *m.* noir, — de seigle.
rog'gemeel *o.* farine *f.* de seigle.
rog'gestro *o.* paille *f.* de seigle.
rog'geveld *o.* champ *m.* de seigle.
Rogier' *m.* Roger *m.*
rok *m.* **1** (*v. vrouwen*) jupe *f.*; **2** (*v. mannen*) habit (noir), frac *m.*; **3** (*onder—*) jupon *m.*; **4** (*Pl.*) tunique *f.*; ***in —,*** en habit, en frac; ***met korte —ken,*** court-vêtu*.
roka'de, rocha'de *v.* (*schaaksp.*) roque *m.*
rok'beschermer *m.* garde-jupe *m.*
rok'costuum, *zie* ***rokkostuum.***
ro'ken I *on.w.* fumer; ***niet —,*** défense de fumer; ***daar kan mijn schoorsteen niet van —,*** cela ne fait pas bouillir la marmite; ***het rookt in de kamer,*** il y a de la fumée dans la chambre; **II** *ov.w.* fumer; ***hij houdt van —,*** il aime la pipe (*of* le cigare); **III** *z.n., o.* **1** (*v. vlees, vis*) fumage *m.*; **2** (*v. bokking*) saurissage *m.*
ro'kend *b.n.* fumant, fumeux.
ro'ker *m.* fumeur *m.*
ro'kerig *b.n.* **1** fumeux; **2** (*berookt*) enfumé; **3** qui sent la fumée.
rokerij' *v.* fumoir *m.*
roket' *o.* rochet *m.*
ro'king *v.* **1** (*v. vlees*) fumigation *f.*; **2** (*v. bokking*) saurissage *m.*
rok'je *o.* ***zijn — omkeren,*** tourner casaque, retourner son habit.
rok'ken *o.* (*spin—*) quenouille *f.*
rok'kostuum, -costuum *o.* frac, habit *m.*; (*fam.*) queue*-de-pie *f.*
rok'ophouder *m.* relève-jupe, porte-jupe *m.*
rok'pand *m. en o.* pan *m.* d'habit.
rok'zak *m.* poche *f.* (d'habit, de jupe).
rol I *v.*(*m.*) **1** (*papier, enz.*; *werkt.*) rouleau *m.*; **2** (*cilinder*) cylindre *m.*; **3** (*toneel, recht*) rôle *m.*; **4** (*lijst, register*) rôle *m.*, liste *f.*; ***uit zijn — vallen,*** sortir de son rôle; **II** *m.* (*v. kanarievogel*) roulades *f.pl.*
rol'baan *v.*(*m.*) (*vl.*) piste *f.* (de décollage, et d'atterrissage).
rol'band *m.* ruban *m.* en rouleau.
rol'bed *o.* lit *m.* à roulettes.
rol'beurt *v.*(*m.*) tour *m.* de rôle.
rol'bezetting *v.* distribution *f.* des rôles.
rol'blind *o.* jalousie *f.*
rol'blok *o.* rouleau, cylindre *m.*
rol'brug *v.*(*m.*) pont *m.* roulant.
rol'deeg *o.* abaisse *f.*
rol'deur *v.*(*m.*) porte *f.* roulante.
rol'film *m.* pellicule *f.* en bobine.
rol'gordijn *o.* store *m.*
rol'ham *v.*(*m.*) jambon *m.* roulé.
rol'handdoek *m.* touaille *f.*
rol'klaver *v.*(*m.*) (*Pl.*) lotier *m.*
rol'koets *v.*(*m.*) chaise *f.* roulante.
rol'laag *v.*(*m.*) terre-plein *m.*, assise *f.* de champ.
rolla'de *v.* morceau *m.* de bœuf roulé, roulade *f.*
rol'len I *on.w.* **1** (*alg.*) rouler; **2** (*v. donder*) gronder; **3** (*van tafel, stoel, enz.*) tomber; ***van de trap —,*** dégringoler (de) l'escalier, rouler en bas de l'escalier; ***er door —,*** se tirer d'affaire; **II** *ov.w.* **1** (*bal, vat, enz.*) rouler; **2** (*stoffen, weg, enz.*) cylindrer; **3** (*pop.: stelen*) voler (à la tire), escamoter; ***iemands zakken —,*** vider les poches à qn.
rol'ler *m.* (*sch.*) lame *f.* de fond.
rol'letje *o.* petit rouleau *m.*, roulette *f.*; ***dat loopt op —s,*** cela marche comme sur des roulettes.

rol'ling *v.* roulement *m.*
rol'luik *o.* **1** volet *m.* mécanique, — mobile; **2** (*voor winkel*) store *m.* métallique.
rol'mops *m.* rollmops *m.*, filet *m.* de hareng mariné.
rol'paard *o.* **1** cheval *m.* à roulettes; **2** (*sch.*) affût *m.* de canon de bord.
rol'pens *v.*(*m.*) bœuf *m.* mariné; (marinade de) panse *f.* de bœuf.
rol'prent *v.*(*m.*) film *m.*
rol'rond *b.n.* cylindrique.
rol'schaats *v.*(*m.*) patin *m.* à roulettes.
rol'schaats(en)baan *v.*(*m.*) **1** piste *f.* du skating; **2** (*gebouw*) skating *m.*
rol'schelp *v.*(*m.*) volute *f.* (conique).
rol'slak *v.*(*m.*) volutier *m.*
rol'steen *m.* **1** caillou *m.* roulé; **2** (*landb.*) rouleau *m.* de pierre.
rol'stoel *m.* chaise *f.* à roulettes, fauteuil *m.* —; chaise *f.* roulante.
rol'stok *m.* rouleau, roulet *m.*
rol'tabak *m.* tabac *m.* en rouleau, — roulé.
rol'tafel *v.*(*m.*) table *f.* à roulettes.
rol'trap *m.* escalier *m.* roulant, — mécanique, escalator *m.*
rol'vast *b.n.* qui sait bien son rôle.
rol'verdeling *v.* distribution *f.* des rôles; (*film*) générique *m.*
rol'vormig *b.n.* cylindrique, en rouleau.
rol'wagen *m.* **1** (*kinder—*) roulette *f.* (d'enfant); **2** (*voertuig*) chariot *m.* à roulettes; **3** (*vrachtwagen*) camion, haquet *m.*; **4** (*porseleinen vaas*) vase *m.* rond.
rol'zoom *m.* couture *f.* rabattue.
Romaans' *b.n.* roman.
roman' *m.* roman *m.*
roman'ce *v.*(*m.*) romance, ballade *f.*
roman'cyclus *m.* roman*-fleuve* *m.*
romanesk' *b.n.* romanesque.
roman'held *m.* héros *m.* (de roman).
romanist' *m.* romaniste *m.*
roman'lit(t)eratuur *v.* littérature *f.* romanesque, roman *m.*
roman'schrijver *m.*, **romanschrijfster** *v.* romancier *m.*, —ière *f.*
romantiek' *v.* romantisme *m.*
roman'tisch I *b.n.* **1** (*lett.*) romantique; **2** (*avontuurlijk*) romanesque; **II** *bw.* **1** d'une manière romantique; **2** — romanesque.
romantis'me *o.* romantisme *m.*
rombus' *m.* rhombe *m.*
Ro'me *o.* Rome *f.*; ***met vragen komt men te —,*** qui langue a, à Rome va; ***zo oud als de weg naar —,*** vieux comme les rues, — comme le monde; ***alle wegen leiden naar —,*** tout chemin mène à Rome.
Romein' *m.* Romain *m.*
romein'letter *v.*(*m.*) caractère *m.* romain.
Romeins' *b.n.* romain.
ro'men I *ov.w.* (*ontdoen v. room*) écrémer; **II** *on.w.* (*room afzetten*) crémer.
ro'mer *m.* verre *m.* (à vin).
rom'mel *m.* **1** (*prullen*) fatras, ramas *m.*; **2** (*meubelen, enz.*) bric-à-brac *m.*; **3** (*boel die overhoop is*) ménage *m.* déréglé; **4** (*vodden*) friperie *f.*, guenilles *f.pl.*; ***de hele —,*** tout le bazar, tout le bataclan.
rom'melen *on.w.* **1** (*overhoop halen*) jeter tout sens dessus dessous; **2** (*v. donder*) gronder; **3** (*v. buik*) grouiller; ***in een lade —,*** farfouiller dans un tiroir, tripoter —.
rom'melhok *o.* fourre-tout *m.*
rom'melig *b.n.* en désordre, désordonné.
rom'meling *v.* **1** (*v. donder*) roulement *m.*; **2** (*in buik*) grouillement, borborygme *m.*
rom'melkamer *v.*(*m.*) (cabinet *m.* de) débarras *m.*
rom'melkast *v.*(*m.*) débarras *m.*, décharge *f.*
rom'melpot *m.* pot *m.* bourdonnant, — à vessie.
rom'melzo *v.*(*m.*) *zie* ***rommel.***
rom'melzolder *m.* débarras *m.*, décharge *f.*
romp *m.* **1** (*v. lichaam*) tronc, torse *m.*; (*geraamte*) carcasse *f.*; **2** (*v. gebouw*) charpente *f.*; **3** (*v. schip*) coque *f.*; (*op de werf*) rouche *f.*; **4** (*v. vliegtuig*) carlingue *f.*
rom'pelig *b.n.* inégal, raboteux.
romp'parlement *o.* (*gesch.*) parlement *m.* croupion.
romp'slomp *m.* fatras, attirail *m.*; (*fig.*) tracas *m.*
Ro'mulus *m.* Romulus *m.*
rond I *b.n.* **1** (*alg.*) rond; **2** (*bol—*) sphérique; **3** (*cirkel—*) circulaire; **4** (*rol—*) cylindrique; **5** (*afgerond*) arrondi; **6** (*fig.: openhartig*) rond, franc; ***een — getal,*** un chiffre rond; ***een —e hoed,*** un chapeau melon; ***een — jaar,*** une année entière; ***—e wangen,*** des joues pleines; ***— maken,*** arrondir; **II** *bw.* **1** (*in het rond*) à la ronde; **2** (*ongeveinsd, openhartig*) rondement, franchement; **III** *z.n., o.* rond, cercle *m.*; ***in het — dansen,*** danser en rond.
rond'achtig *b.n.* arrondi.
rondas' *v.*(*m.*) (*gesch.*) rondache *f.*
rond'bazuinen *ov.w.* crier sur les toits, trompeter.
rond'blikken *on.w.* jeter un regard (*of* des regards) autour de soi.
rond'boog *m.* (*bouwk.*) plein cintre *m.*
rondbor'stig I *b.n.* franc, rond; **II** *bw.* franchement, rondement.
rondbor'stigheid *v.* franchise, rondeur *f.*
rond'brengen *ov.w.* distribuer; colporter.
rond'brenger *m.* **1** (*bladen, brood, enz.*) porteur *m.*; **2** (*v. winkel*) (garçon) livreur *m.*
rond'brieven *ov.w.* colporter, répandre.
rond'dansen *on.w.* danser en rond.
rond'delen *ov.w.* distribuer.
rond'dienen *ov.w.* servir (à la ronde).
rond'dobberen *on.w.* flotter, être ballotté par le vent.
rond'dolen *on.w.* errer, vagabonder.
rond'draaien *on.w.* **1** tourner; tournoyer; **2** (*om een spil*) pivoter; **3** tourner en rond.
rond'draaiend *b.n.* tournant; ***een —e beweging,*** un mouvement rotatif.
rond'drentelen *on.w.* flâner.
rond'drijven, *zie* ***ronddobberen.***
rond'dwalen, *zie* ***ronddolen.***
rond'dwarrelen *on.w.* tourbillonner.
ron'de *v.*(*m.*) **1** (*mil.*) ronde, patrouille *f.*; **2** (*sp.: v. baan*) tour *m.* de piste; ***het gerucht doet de —,*** le bruit court.
ron'dedans *m.* ronde *f.*, danse *f.* en rond.
rondeel' *o.* rondeau, rondel *m.*
ron'den I *ov.w.* arrondir; **II** *on.w.* s'arrondir.
rondeta'felconferentie, -konferentie *v.* conférence *f.* de la table ronde.
rond'fladderen *on.w.* voleter çà et là.
rond'flaneren *on.w.* battre le pavé.
rond'gaan *on.w.* **1** (*v. wiel, enz.*) tourner; **2** (*door menigte, straten, enz.*) circuler; **3** (*plein, stad*) faire le tour de; **4** (*geld ophalen*) faire la quête; ***laten —,*** faire circuler; (*in kring*) passer à la ronde; ***een straatje —,*** faire un petit détour.
rond'gaand *b.n.* circulaire.
rond'geven *ov.w.* distribuer; faire circuler.
rond'gluren *on.w.* regarder furtivement de tous côtés.
rond'heid *v.* **1** rondeur; rotondité *f.*; **2** (*fig.*) franchise *f.*
rond'hollen *on.w.* courir partout.
rond'hout *o.* bois rond; rondin *m.*; ***—en,*** (*v. schip*) mâture *f.*

ron'ding *v.* 1 rondeur *f.*; 2 (*bouwk.*) galbe *m.*
rond'je *o.* 1 (*bij spel*) reprise *f.*; 2 (*in café*) tournée *f.*; ***een — geven,*** offrir une tournée, payer la tournée.
rond'kijken *on.w.* regarder autour de soi.
rond'komen *on.w.* 1 faire le tour de; 2 (*genoeg hebben*) avoir assez (de); pouvoir se tirer d'affaire (avec); 3 (*met inkomen, salaris*) joindre (*of* nouer) les deux bouts.
rond'kraaien, *zie* ***rondbazuinen.***
rond'kruipen *on.w.* se traîner, ramper çà et là.
rond'kuieren *on.w.* se balader.
rond'leiden *ov.w.* promener, mener partout, servir de guide (à qn.), piloter.
rond'leiding *v.* visite *f.* commentée, — guidée, promenade*-conférence* *f.*
rond'lopen *on.w.* 1 (*wandelen*) se promener; 2 (*slenteren*) flâner, battre le pavé; 3 (*rond iets*) faire le tour de; ***met een lijst —,*** circuler avec une liste; ***met een plan —,*** avoir un projet en tête; ***loop rond!*** allez vous promener!
rond'loper *m.* badaud *m.*
rond'maken *ov.w.* arrondir.
rond'neuzen *on.w.* fureter un peu partout.
rondom' I *bw.* autour; II *vz.* autour de.
rond'plassen *on.w.* patauger.
rond'reis *v.(m.)* voyage *m.* circulaire.
rond'reisbiljet *o.* billet *m.* circulaire.
rond'reizen *ov.w.* 1 faire le tour de; 2 (*doorkruisen*) parcourir en tous sens.
rond'reizend *b.n.* ambulant.
rond'rijden *on.w.* 1 se promener (en auto, en voiture, à cheval); 2 faire le tour de.
rond'rit *m.* tour, circuit *m.*, tournée *f.*
ronds *v.* (*tn.*) roue *f.* (d'une presse).
rond'scharrelen *on.w.* 1 se traîner, marcher à tâtons; 2 (*fig.*) avoir de la peine à joindre les deux bouts, tirer le diable par la queue.
rond'schenken *ov.w.* verser, servir.
rond'schrift *o.* ronde *f.*
rond'schriftpen *v.(m.)* plume *f.* de (*of* pour la) ronde.
rond'schrijven *o.* (lettre*-) circulaire* *f.*
rond'sel *o.* (*tn.*) pignon *m.*
rond'slenteren *on.w.* flâner, battre le pavé.
rond'slingeren *on.w.* 1 se traîner; 2 (*fig.*) traîner.
rond'sluipen *on.w.* se glisser autour de; rôder (autour de).
rond'snuffelen *on.w.* fureter partout.
rond'springen *on.w.* gambader, sautiller.
rond'strooien *ov.w.* 1 (*voorwerpen*) répandre, éparpiller; 2 (*fig.*) colporter, répandre.
rond'sturen *ov.w.* envoyer, faire circuler.
rond'tasten *on.w.* tâtonner, aller à tâtons; ***in 't duister —,*** nager en plein mystère.
rond'te *v.* 1 (*het ronde*) rond *m.*; 2 (*rondheid*) rondeur, rotondité *f.*; ***in de —,*** 1 en rond; 2 (*in kring*) en cercle; ***twee uren in de —,*** à deux lieues à la ronde.
rond'tollen *on.w.* tourner en rond, tourner sur [soi-même.
rond'trekkend *b.n.* itinérant, ambulant.
rond'uit *bw.* franchement, sans détours, sans ambages; ***— gezegd,*** à parler franchement.
rond'vaart *v.(m.)* promenade *f.* en bateau, tour *m.* —.
rond'vaartboot *m. en v.* vedette *f.* automobile.
rond'venten I *ov.w.* colporter; II *z.n.* ***het —,*** le colportage.
rond'venter *m.* marchand *m.* ambulant, came- [lot *m.*
rond'vertellen *ov.w.* raconter partout, colporter.
rond'vliegen *on.w.* 1 voler autour de; 2 voler çà et là, voleter en tous sens.
rond'vlucht *v.(m.)* circuit *m.*
rond'voeren *ov.w.* promener; servir de guide [(à qn.).
rond'vraag *v.(m.)* consultation *f.*, demande *f.* faite à la ronde; ***in — brengen,*** mettre aux voix.
rond'wandelen I *on.w.* se promener; II *ov.w.* faire le tour de.
rond'waren *on.w.* rôder.
rond'weg, *zie* ***ronduit.***
rond'wentelen *ov.w.* tourner (en tous sens).
rond'zaaien *ov.w.* semer, répandre partout.
rond'zenden *ov.w.* envoyer, faire circuler.
rond'zien *on.w.* regarder autour de soi.
rond'zwalken *on.w.* 1 errer à l'aventure; 2 (*sch.*) être ballotté par le vent, — sur les flots, flotter.
rond'zwerven *on.w.* errer, vagabonder, courir la pretantaine (*of* pretentaine); (*ong.*) rôder.
rond'zwervend *b.n.* vagabond, ambulant.
ron'ken I *on.w.* ronfler; II *z.n.* ***het —,*** le ronflement.
ron'ker *m.* ronfleur *m.*
Ron'se *o.* Renaix *m.*
ron'selaar *m.* racoleur, recruteur *m.*
ron'selen *ov.w.* racoler, embaucher.
ron'seling *v.* racolage, embauchage *m.*
rönt'genen *ov.w.* radiographier.
rönt'genfoto *v.(m.)* radiographie *f.*
rönt'genologie *v.* radiologie *f.*
rönt'genoloog *m.* radiologue, radiologiste *m.*
rönt'genonderzoek *o.* examen *m.* aux rayons X.
rönt'genstralen *mv.* rayons *m.pl.* X.
rönt'gent(h)erapie *v.* radiothérapie *f.*
ron'zebons *m.* guignol *m.*, marionnettes *f.pl.*
rood I *b.n.* rouge; (*rossig*) roux; ***— maken, — worden,*** rougir; ***— worden van kwaadheid,*** se fâcher tout rouge; ***hij heeft geen rode cent,*** il n'a pas le sou; ***een rode leeuw,*** (*wap.*) un lion de gueules; II *z.n.*, *o.* rouge *m.*, couleur *f.* rouge; ***een rode,*** 1 (*roodharige*) un roux; 2 (*socialist*) un rouge.
rood'aarde *v.(m.)* craie *f.* rouge, rubrique *f.*
rood'achtig *b.n.* 1 rougeâtre; 2 (*rossig*) roussâtre.
rood'bloedig *b.n.* à sang rouge.
rood'bont *b.n.* 1 (*v. stof*) rouge et blanc; 2 (*v. dieren*) pie.
rood'borstje *o.* rouge*-gorge* *m.*
rood'bros *b.n.* (*ijzer, enz.*) rouverin.
rood'bruin *b.n.* 1 rouge brun; 2 (*v. paard*) bai.
rood'gespikkeld *b.n.* tacheté de rouge.
rood'gestreept *b.n.* rayé de rouge.
rood'gevlekt *b.n.* tacheté de rouge.
rood'gloeiend *b.n.* rouge, chauffé au rouge.
rood'harig *b.n.* roux.
rood'heid *v.* rougeur *f.*, rouge *m.*
rood'hout *o.* fernambouc *m.*, bois *m.* de campêche.
rood'huid *m.* Peau*-Rouge* *m.*
roodkap'je *o.* petit chaperon *m.* rouge.
rood'kleurig *b.n.* (de couleur) rouge.
rood'kop *m.* 1 rousseau, rouquin *m.*; 2 (*Dk.*) millouin *m.*
rood'koper *o.* cuivre *m.* rouge.
rood'krijt *o.* craie *f.* rouge, rubrique *f.*
rood'maken *ov.w.* 1 (*alg.*) rougir, peindre en rouge; 2 (*v. stoffen*) teindre en rouge.
rood'schimmel *m.* rouan *m.*
rood'sel *o.* rouge *m.*
rood'snavel *m.* (*Dk.*) bec*-rouge* *m.*
rood'staartje *o.* (*Dk.*) rouge*-queue* *m.*
rood'vonk *v.(m.)* *en o.* (*gen.*) (fièvre) scarlatine *f.*
rood'vonklijder *m.* scarlatineux *m.*
rood'vos *m.* alezan *m.*
rood'wangig *b.n.* aux joues rouges, — vermeilles
roof I *m.* rapine *f.*; brigandage, pillage *m.*; (*men-*

sen—) ravissement, rapt *m.*; **II** *v.(m.)* croûte, escarre *f.*
roof'achtig *b.n.* voleur, rapace.
roof'bouw *m.* **1** (*v. grond*) culture *f.* excessive, — épuisante; **2** (*v. mijnen*) exploitation *f.* à outrance.
roof'dier *o.* carnassier *m.*, bête *f.* féroce.
roofgie'rig I *b.n.* rapace; **II** *bw.* avec rapacité.
roofgie'righeid *v.* rapacité *f.*
roof'goed *o.* butin, pillage *m.*
roof'hol *o.* repaire *m.* de brigands.
roof'kever *m.* staphylin *m.*
roof'mier *v.(m.)* fourmi *f.* légionnaire.
roof'moord *m. en v.* assassinat *m.*
roof'nest *o.* repaire *m.* de brigands.
roof'overval *m.* agression *f.* à main armée, attaque *f.* —.
roof'ridder *m.* chevalier *m.* brigand, — pillard.
roof'schip *o.* corsaire *m.*
roof'staat *m.* état *m.* pirate, — de corsaires.
roof'tocht *m.* expédition *f.*, incursion *f.* de brigands, razzia, rafle *f.*
roof'vogel *m.* oiseau *m.* de proie.
roof'vogelnest *o.* aire *f.*
roof'ziek *b.n.* rapace.
roof'zucht *v.(m.)* rapacité *f.*
roofzuch'tig *b.n.* rapace, pillard. [alignement *m.*
rooi *v.(m.)* **1** (*het mikken*) visée *f.*; **2** (*rooilijn*) alignement *m.*
rooi'en *ov.w.* **1** (*mikken op*) viser (à); **2** (*in de rooilijn zetten*) aligner, mettre à l'alignement; **3** (*meten*) jauger, mesurer; **4** (*v. aardappelen, wortelen*) déterrer, arracher; **5** (*v. bomen*) déraciner; ***met dat bedrag kan hij het wel —,*** avec cette somme il pourra s'en tirer; ***hij kan het met zijn inkomen niet —,*** il n'arrive pas à joindre les deux bouts.
rooi'ing *v.* **1** alignement *m.*; **2** jaugeage *m.*; **3** (*v. aardappelen*) récolte *f.*
rooi'lijn *v.(m.)* alignement *m.*
rooi'machine *v.* arracheuse *f.*
rooi'meester *m.* (architecte) voyer *m.*
rooi'paal *m.* jalon *m.*
rook I *v.(m.)* (*hooistapel*) meulon *m.* (de foin); **II** *m.* fumée *f.*; ***in de — hangen,*** (*vlees, enz.*) fumer; ***naar de — smaken,*** sentir la fumée; ***in — opgaan,*** se dissiper en fumée, s'évanouir.
rook'achtig *b.n.* qui sent la fumée.
rook'artikelen *mv.* articles *m.pl.* pour fumeurs.
rook'bom *v.(m.)* grenade *f.* fumigène.
rook'coupé *m.* compartiment *m.* pour fumeurs.
rook'gang *m.* conduit *m.* de (*of* pour) la fumée.
rook'gat *o.* trou *m.* à fumée.
rook'gordijn *o.* rideau *m.* de fumée.
rook'hok *o.* tabagie *f.*
rook'kamer *v.(m.)* fumoir *m.*
rook'kast *v.(m.)* boîte *f.* à fumée.
rook'kolom *v.(m.)* colonne *f.* de fumée.
rook'leider *m.* tuyau *m.* à fumée.
rook'loos *b.n.* sans fumée.
rook'lucht *v.(m.)* odeur *f.* de fumée.
rook'masker *o.* appareil *m.* respiratoire.
rook'ontwikkeling *v.* dégagement *m.* de fumée.
rook'pluim *v.(m.)* panache *m.* de fumée.
rook'salon *m. en o.* fumoir *m.*
rook'scherm *o.* (*mil.*) écran *m.* de fumée.
rook'spek *o.* lard *m.* fumé.
rook'stel *o.* service *m.* de fumeur, garniture *f.* pour fumeurs.
rook'tabak *m.* tabac *m.* à fumer.
rook'tafeltje *o.* service *m.* de fumeur.
rook'vang *m.* **1** (*v. schoorsteen, fornuis*) hotte *f.*; **2** (*v. lamp*) fumivore *m.*; **3** (*v. locomotief*) bonnet, pare-étincelles *m.*
rook'verdrijvend *b.n.* fumifuge.
rook'verdrijver *m.* **1** (*persoon*) fumiste *m.*; **2** (*toestel*) (appareil) fumifuge *m.*
rookvlees' *o.* viande *f.* fumée.
rook'vrij *b.n.* sans fumée.
rook'wagen *m.* voiture *f.* pour fumeurs.
rook'walm *m.* épaisse fumée *f.*
rook'wolk *v.(m.)* **1** nuage *m.* de fumée; **2** (*v. pijp, enz.*) bouffée *f.* de fumée.
rook'worst *v.(m.)* saucisse *f.* fumée.
rook'zaal *v.(m.)* fumoir *m.*
rook'zolder *m.* fumoir *m.*
rook'zuil *v.(m.)* colonne *f.* de fumée.
rook'zwart *o.* noir *m.* de fumée.
room *m.* crème *f.*; ***geslagen —,*** crème fouettée.
room'afscheider *m.* écrémeuse *f.*
room'boter *v.(m.)* beurre *m.* de crème.
room'horentje, -hoorntje *o.* cornet *m.* à la crème.
room'huis *o.* crémerie *f.*
room'ijs *o.* glace *f.* à la crème, crème *f.* glacée.
room'kaas *m.* fromage *m.* de crème, petit*-suisse* *m.*
room'kannetje *o.* pot *m.* à crème.
room'kleur *v.(m.)* couleur *f.* crème.
room'kleurig *b.n.* crème.
room'lepel *m.* écrémoire *f.*
rooms *b.n.* catholique; ***de —e Kerk,*** l'Église romaine; ***—e boon,*** fève *f.* de marais, grosse fève *f.*
room'saus *v.(m.)* sauce *f.* à la crème.
rooms'gezind *b.n.* catholique.
rooms'-kat(h)oliek' *b.n.* catholique romain.
room'soes *v.(m.)* chou *m.* à la crème.
room'stel *o.* service *m.* à crème.
room'taart *v.(m.)* gâteau *m.* à la crème, tarte *f.* —.
room'taartje *o.* petit gâteau *m.* à la crème, tartelette *f.* —.
room'vla *v.(m.)* crème *f.*, flan *m.*
roos *v.(m.)* **1** (*alg.*) rose *f.*; **2** (*v. lint*) rosette *f.*; **3** (*bouwk.*) rosace *f.*; **4** (*gen.*) érysipèle *m.*; ***wilde —,*** églantine *f.*; ***Gelderse —,*** boule*-de-neige *f.*; rose *f.* de Gueldre; ***slapen als een —,*** dormir à poings fermés; ***geen rozen zonder doornen,*** point de roses sans épines.
roos'achtig *b.n.* **1** rosé; **2** (*gen.*) érysipélateux.
roos'achtigen *mv.* (*Pl.*) rosacées *f.pl.*
Roos'beek *o.* Rebecq-Rognon.
roos'je I *o.* **1** petite rose *f.*; **2** (*diamant*) rose *f.*; **II** *v. en o.* (*meisjesnaam*) Rose *f.*
roos'kleur *v.(m.)* couleur *f.* de rose, rose *m.*
rooskleu'rig, ***alles — inzien,*** voir tout en rose; ***— voorstellen,*** colorer.
roos'ten *ov.w.* griller, faire rôtir.
roos'ter *m. en o.* **1** (*om te braden*) gril *m.*; **2** (*v. kachel, v. afsluiting*) grille *f.*; **3** (*traliewerk*) grillage *m.*; **4** (*lijst*) tableau *m.*; ***volgens — aftreden,*** sortir selon le tableau de roulement.
roos'teren *ov.w.* **1** griller, faire rôtir; **2** (*v. koffie*) torréfier.
roos'tering *v.* grillage, rôtissage *m.*
roos'tervormig *b.n.* grillagé.
roos'terwerk *o.* grillage, treillis *m.*
Roost-Kren'wik *o.* Rosoux-Crenwick.
roos'venster *o.* (*bouwk.*) rosace *f.*
roos'vormig *b.n.* en forme de rose.
root *v.(m.)* **1** routoir, rouissoir *m.*; **2** (*Z.N.*) (*rij*) rangée *f.*; file *f.*
ropij' *v.(m.)* roupie *f.* [*b.n.* roux.
ros I *o.* **1** coursier *m.*; **2** (*ong.*) rossinante *f.*; **II**
ros'achtig *b.n.* roussâtre.

ros'achtigheid *v.* rousseur *f.*
rosa'rium *o.* rosaire *m.*
ros'bief, roast'beef *m.* rosbif; bœuf *m.* nature.
rosha'rig *b.n.* roux.
ros'kam *m.* **1** étrille *f.*; **2** (*fig.*) critique *f.* sévère.
ros'kammen *ov.w.* étriller.
ros'kammer *m.* étrilleur *m.*
rosmarijn', rozemarijn' *m.* (*Pl.*) romarin *m.*
rosmarijn'olie, rozemarijn'olie *v.*(*m.*) huile *f.* de romarin, essence *f.* —.
rosmarijn'water, rozemarijn'water *o.* eau *f.* de romarin. [turbiner.
rosmolen *m.* manège *m.*; ***in de — lopen,*** trimer,
ros'sen I *ov.w.* **1** (*roskammen*) étriller; **2** (*slaan*) rosser, étriller; **II** *on.w.* aller ventre à terre; ***altijd rijden en —,*** être toujours en route, être toujours par voies et par chemins.
ros'sig *b.n.* roussâtre.
ros'sigheid *v.* rousseur *f.*
rot I, rat *v.*(*m.*) rat *m.*; ***een ouwe —,*** un vieux routier, un vieux lapin; **II** *o.* **1** (*troep*) troupe *f.*; **2** (*bende*) bande, clique *f.*; **3** (*mil.*) file *f.*; **4** (*v. geweren*) faisceau *m.*; ***de geweren aan —ten zetten,*** former les faisceaux; ***de geweren uit de —ten nemen,*** rompre les faisceaux; **III** *b.n.* pourri; putréfié; ***een —te appel,*** une pomme gâtée.
rot'achtig *b.n.* putride, qui sent le pourri.
ro'tan *o. en m.* rotang, rotin *m.*
ro'tanmeubel *o.* meuble *m.* en rotin.
rota'riër *m.* rotarien *m.*
rota'tiedruk *m.* impression *f.* à la rotative.
rota'tiepers *v.*(*m.*) (presse) rotative *f.*
rot'bak *m.* (*tn.*) pourrissoir *m.*
ro'ten I *ov.w.* rouir; **II** *z.n.* ***het —,*** le rouissage.
rote'ren *on.w.* tourner en rond, pivoter.
rote'rend *b.n.* rotatoire.
rot'gans *v.*(*m.*) (*Dk.*) barnacle, barnache *f.*
rot'heid *v.* pourriture, putridité, corruption *f.*
ro'ting *v.* rouissage *m.*
rot'je *o.* pétard *m.* [mie *f.*
rot'koorts *v.*(*m.*) (*gen.*) fièvre *f.* putride, septicé-
rot'kuip *v.*(*m.*) (*tn.*) pourrissoir *m.*
rot'lucht *v.*(*m.*) odeur *f.* putride, — de pourriture.
ro'togravure *v.*(*m.*) rotogravure *f.*
roton'de *v.*(*m.*) rotonde *f.*
rots *v.*(*m.*) **1** (*steil*) rocher *m.*, roche *f.*; **2** (*hard*) roc *m.*; **3** (*onder water ook:*) récif *m.*
rots'achtig *b.n.* rocheux; rocailleux.
rots'bank *v.*(*m.*) banc *m.* de rochers.
rots'been *o.* rocher *m.*
rots'bewoner *m.* troglodyte *m.*
rots'blok *o.* bloc *m.* de rocher.
rots'duif *v.*(*m.*) (*Dk.*) biset *m.*, pigeon *m.* de roche.
rots'eiland *o.* île *f.* rocheuse.
rots'flora *v.*(*m.*) flore *f.* rupestre.
Rots'gebergte *o.* Montagnes *f.pl.* Rocheuses.
rots'gevaarte *o.* masse *f.* de rochers.
rots'grond *m.* sol *m.* rocheux.
rots'hol *o.* antre *m.*, caverne *f.*
rots'klomp *m.* bloc *m.* de rocher.
rots'kloof *v.*(*m.*) crevasse *f.*
rots'kristal *o.* cristal *m.* de roche.
rots'laag *v.*(*m.*) banc *m.* de roches.
rots'muur *m.* paroi *f.* rocheuse.
rots'pad *o.* sentier *m.* creusé dans le rocher, piste *f.* rocheuse.
rotsplantje *o.* plante *f.* de rocaille.
rots'punt *m.* pointe *f.* de rocher.
rots'schildering *v.* peinture *f.* rupestre.
rots'spleet *v.*(*m.*) crevasse *f.*
rots'tuin *m.* jardin *m.* de rocaille.
rots'valk *m.* émerillon, rochier *m.*
rots'vast *b.n.* inébranlable.
rots'wand *m.* paroi *f.* de rocher, rocher *m.* escarpé.
rots'werk *o.* rocaille *f.*
rots'zout *o.* sel *m.* gemme. [se gâter.
rot'ten *on.w.* **1** pourrir, se putréfier; **2** (*v. vruchten*)
rot'tenvuur *o.* (*mil.*) feu *m.* de file.
Rotterdam'mer *m.* Rotterdamois *m.*
Rotterdams' *b.n.* rotterdamois.
rot'tig *b.n.* **1** pourri; **2** (*v. vruchten*) gâté.
rot'tigheid *v.* pourriture *f.*
rot'ting I *v.* **1** (*het rotten*) putréfaction *f.*; **2** (*v. lompen*) pourrissage *m.*; **3** (*het roten*) rouissage *m.*; ***tot — overgaan,*** se putréfier, tomber en pourriture; **II** *m.* **1** (*stok*) canne *f.*; **2** (*Pl.*) rotin, rotang *m.*
rot'tingknop *m.* pomme *f.* de canne.
rot'tingolie *v.*(*m.*) huile *f.* de cotret.
rot'tingwerend *b.n.* antiputride.
Rouaan' *o.* Rouen *f.*
Rouaans' *b.n.* rouennais.
rou'ge *m. en o.* rouge *m.* [tourner.
roula'tie *v.* roulement *m.*; ***in — brengen,*** faire
rouleer'systeem *o.* système *m.* de roulement.
roule'ren *on.w.* être dans la circulation.
rou'te *v.*(*m.*) itinéraire, parcours *m.*
routi'ne *v.* routine *f.*
routine'ren, *zich —,* *w.w.* acquérir de la routine.
rouw *m.* deuil *m.*; ***over iem. in de — zijn,*** porter le deuil de qn., être en deuil de qn.; ***in — dompelen,*** plonger dans le deuil; ***zware —,*** grand deuil; ***halve —,*** demi-deuil*; ***lichte —,*** petit deuil.
rouw'artikelen *mv.* articles *m.pl.* de deuil.
rouw'auto *m.* voiture *f.* de deuil, (auto *f.*) suiveuse *f.*
rouw'band *m.* crêpe *m.*; brassard *m.* de deuil.
rouw'beklag *o.* compliments *m.pl.* de condoléance, condoléances *f.pl.*
rouw'brief *m.* lettre *f.* de faire part, — de deuil.
rouw'das *v.*(*m.*) cravate *f.* de deuil.
rouw'dienst *m.* office *m.* des morts.
rou'wen *on.w.* porter le deuil (de), être en deuil; ***het zal hem —,*** il s'en repentira, il le regrettera.
rouw'floers *o.* crêpe *m.*
rouw'gedicht *o.* poème *m.* funèbre.
rouw'geld *o.* **1** (*bij koop*) dédit *m.*; **2** (*bij wedren*) forfait *m.* [*m.pl.* —.
rouw'gewaad *o.* habit *m.* de deuil, vêtements
rou'wig *b.n.* affligé; ***ik ben er niet — om,*** je ne le regrette pas.
rouw'jaar *o.* année *f.* de deuil.
rouw'japon *m.* robe *f.* de deuil.
rouw'kamer *v.*(*m.*) chambre *f.* ardente.
rouw'kapel *v.*(*m.*) chapelle *f.* ardente.
rouw'klacht *v.*(*m.*) lamentation *f.*
rouw'kleed *o.* habit *m.* de deuil, robe *f.* —; ***rouwkleren,*** vêtements de deuil.
rouw'kleur *v.*(*m.*) couleur *f.* de deuil.
rouw'koets *v.*(*m.*) **1** (*lijkwagen*) corbillard *m.*; **2** (*volgrijtuig*) voiture *f.* de deuil.
rouw'koop *m.* dédit *m.*, folle enchère *f.*
rouw'lint *o.* ruban *m.* de deuil.
rouw'maal *o.* repas *m.* funèbre.
rouw'mis *v.*(*m.*) messe *f.* de requiem.
rouwmoe'dig *b.n.* contrit.
rouw'nagels *mv.* ongles *m.pl.* en deuil.
rouw'papier *o.* papier *m.* de deuil.
rouw'plechtigheid *v.* cérémonie *f.* funèbre.
rouw'rand *m.* bord *m.* noir; ***—en om de nagels hebben,*** avoir les ongles en deuil.
rouw'sluier *m.* crêpe *m.*
rouw'tijd *m.* deuil *m.*
rouw'vlag *v.*(*m.*) **1** pavillon *m.* noir; **2** (*sch.*) pavillon *m.* en berne.

rouw'winkel *m.* magasin *m.* de deuil.
ro'ven I *ov.w.* ravir, enlever; **II** *on.w.* **1** piller, brigander, marauder; **2** (*op zee*) pirater.
ro'ver *m.* **1** brigand, bandit *m.*; **2** (*op zee*) pirate *m.*; **3** (*v. kind, enz.*) ravisseur *m.*
roverij' *v.* **1** brigandage *m.*; rapine *f.*; vol *m.* à main armée; **2** piraterie *f.*; **3** (*beroving*) déprédation *f.* [*f.* —.
ro'ver(s)bende *v.(m.)* troupe *f.* de brigands, bande
ro'ver(s)geschiedenis *v.* histoire *f.* de brigands.
ro'vershol *o.* repaire *m.* de brigands, coupe-gorge *m.*
ro'ver(s)hoofdman *m.* chef *m.* de brigands.
royaal' I *b.n.* **1** (*mild, onbekrompen*) généreux, large, libéral; **2** (*ruim*) spacieux; **II** *bw.* **1** généreusement, largement, libéralement; **2** spacieusement; ***— leven,*** vivre largement, mener grand train; ***het — aanleggen,*** faire grand.
royalist' *m.* royaliste *m.*
royalis'tisch *b.n.* royaliste.
royaliteit' *v.* générosité, libéralité *f.*
roy'alty *v.(m.)* tantième *m.*, redevance *f.*
royement' *o.* exclusion, radiation *f.*
roye'ren I *ov.w.* **1** (*v. lijst*) rayer, radier; **2** (*v. partij*) exclure; **3** (*recht*) mettre hors de cour; **II** *z.n.* ***het —,*** la rayure.
ro'zeblad *o.* feuille *f.* de rose.
ro'zeboom *m.* rosier *m.*
ro'zebottel *v.(m.)* gratte-cul *m.*
ro'zegeur *m.* odeur *f.* de roses.
ro'zehout *o.* bois *m.* de rosier, — de rose.
ro'zekleur *v.(m.)* couleur *f.* de rose, rose *m.*
ro'zeknop *m.* bouton *m.* de rose.
ro'zekruiser *m.* rose-croix *m.*
ro'zelaar *m.* rosier *m.*
rozemarijn(-), *zie* ***rosmarijn(-).***
ro'zemond *m.* bouche *f.* vermeille.
Ro'zenaken *o.* Russeignies.
ro'zenbalsem *m.* baume *m.* rosat.
ro'zenbed *o.* **1** parterre *m.* de roses; **2** (*fig.*) lit *m.* de roses.
ro'zengaard *m.* jardin *m.* de roses, roseraie *f.*
rozenhoed'je *o.* rosaire *m.*
ro'zenhoni(n)g *m.* miel *m.* rosat.
ro'zenkrans *m.* **1** (*gebed*) rosaire *m.*; **2** chapelet *m.*
ro'zenkransje *o.* (*Pl.*) pied*-de-chat *m.*
ro'zenkweker *m.* rosiériste *m.*
ro'zenmaakster *v.* rosière *f.*
ro'zenmaand *v.(m.)* mois *m.* des roses.
ro'zenolie *v.(m.)* essence *f.* de roses, huile *f.* —.
ro'zenstroop *v.(m.)* sirop *m.* rosat.
ro'zentuin *m.* roseraie *f.*
ro'zenwater *o.* eau *f.* de rose.
ro'zenzalf *v.(m.)* onguent *m.* rosat.
ro'zenzeep *v.(m.)* savon *m.* aux roses.
ro'zerood *b.n.* (couleur de) rose, rosé.
ro'zestekje *o.* bouture *f.* de rosier.
ro'zestruik *m.* rosier *m.*
rozet' *v.(m.)* **1** rosette *f.*; **2** (*bouwk.*) rosace *f.*; **3** (*diamant*) rose *f.*
ro'zetak *m.* branche *m.* de rosier.
rozet'venster *o.* (*bouwk.*) (fenêtre en) rosace *f.*
rozet'vormig *b.n.* en (forme de) rosace, en rosette.
ro'zig *b.n.* **1** rose, vermeil, frais comme une rose; **2** (*gen.*) érysipélateux.
ro'zigheid *v.* (*gen.*) inflammation *f.* érysipélateuse.
rozijn' *v.(m.)* raisin *m.* sec.
rozij'nenbrood *o.* pain *m.* aux raisins (secs).
rub'ber *m. en o.* caoutchouc *m.*
rub'berboom *m.* caoutchoutier *m.*
rub'berboot *m. en v.* bateau *m.* pneumatique.
rub'bercultuur, -kultuur *v.* culture *f.* du caoutchouc.
rub'bermaatschappij *v.* société *f.* caoutchoutière.
rub'berplantage *v.* plantation *f.* de caoutchouc.
rub'berwaarden *mv.* (*H.*) valeurs *f.pl.* de caoutchoucs, caoutchoutières.
rub'berzool *v.(m.)* semelle *f.* crêpe.
rubriek' *v.* rubrique *f.*
rucht'baar *b.n.* ébruité, connu, public; ***— maken,*** ébruiter, divulguer; ***— worden,*** s'ébruiter.
rucht'baarheid *v.* publicité *f.* [gation *f.*
rucht'baarmaking *v.* ébruitement *m.*, divul-
rudimentair' *b.n.* rudimentaire.
Ru'dolf *m.* Rodolphe *m.*
rug *m.* **1** (*alg.*) dos *m.*; **2** (*v. hand*) revers, dos *m.*; **3** (*v. berg*) crête, croupe *f.*; **4** (*v. stoel, enz.*) dossier, dos *m.*; **5** (*v. leger*) derrières *m.pl.*; ***achter zijn —,*** à son insu, en son absence; ***hij heeft de vijftig achter de —,*** il a dépassé la cinquantaine; ***een hoge — hebben,*** avoir le dos rond; ***een brede — hebben,*** **1** avoir le dos large; **2** (*fig.*) avoir bon dos; ***met de — tegen iets leunen,*** s'adosser à qc.; ***iem. de — toekeren,*** tourner le dos à qn.; ***dat is alweer achter de —,*** voilà qui est fait; ***met de handen op de —,*** les mains derrière le dos; ***op de — zwemmen,*** faire la planche.
rug'by *o.* rugby *m.*
rug'gegraat *v.(m.)* **1** épine *f.* dorsale, colonne *f.* vertébrale; **2** (*fig.: v. onderneming, enz.*) armature *f.*; ***— tonen,*** montrer de la fermeté.
rug'gegraatontsteking *v.* spondylite *f.*
rug'gegraatsverkromming *v.* déviation *f.* de l'épine dorsale; (*op zij*) scoliose *f.*
rug'gelings *bw.* **1** (*achterover*) à la renverse; **2** (*achterwaarts*) à reculons; **3** (*met de ruggen tegen elkaar*) dos à dos.
rug'gemerg *o.* moelle *f.* épinière; ***het verlengd —,*** la moelle allongée.
rug'gemergontsteking *v.* inflammation *f.* de la moelle épinière.
rug'gemergskanaal *o.* canal *m.* rachidien.
rug'gemergstering *v.* ataxie *f.* locomotrice, phtisie *f.* dorsale.
rug'gespraak *v.(m.)* consultation *f.* préalable; ***— houden met iem.*** s'entendre avec qn., s'aboucher avec qn.
rug'gesteun *m.* soutien, appui *m.*; (*fig.*) — moral.
rug'gestreng *v.(m.)* colonne *f.* vertébrale.
rug'(ge)wervel *m.* vertèbre *f.* dorsale.
rug'klier *v.(m.)* glande *f.* dorsale.
rug'korf *m.* hotte *f.*
rug'leuning *v.* dossier, dos *m.*
rug'nummer *o.* dossard *m.*
rug'pijn *v.(m.)* douleur *f.* dorsale.
rug'plat *o.* *zie* ***achterplat.***
rug'slag *m.* (*sp.*) nage *f.* sur le dos.
rug'sluiting *v.* fermeture *f.* dos; ***japon met —,*** robe *f.* à fermeture dos.
rug'spier *v.(m.)* muscle *m.* dorsal.
rug'steunen *ov.w.* **1** soutenir, appuyer; **2** (*fig.*) épauler.
rug'streek *v.(m.)* région *f.* dorsale.
rug'stuk *o.* **1** (*v. schaap*) selle *f.*; **2** (*v. varken*) échinée *f.*; **3** (*v. haas, konijn*) râble *m.*; **4** (*v. rund*) aloyau *m.*
rug'titel *m.* titre *m.* du dos.
rug'vin *v.(m.)* (nageoire) dorsale *f.*
rug'waarts I *bw.* en arrière; **II** *b.n.* rétrograde.
rug'wervel, *zie* ***ruggewervel.*** [fonds *m.pl.*
rug'wit *o.* (*drukk.*) blanc *m.* de couture; (bois *m.* de)
rug'wol *v.(m.)* mère laine *f.*
rug'zak *m.* sac *m.* touriste, — alpin.
rug'zenuw *v.(m.)* nerf *m.* dorsal.

rug'zwemmen *o.* nage *f.* sur le dos.
rui *m.* mue *f.*
rui'en I *on.w.* muer; **II** *z.n.* ***het* —,** la mue.
ruif *v.(m.)* râtelier *m.*
ruig *b.n.* **1** (*harig*) poilu, velu, couvert de poil; **2** (*ruw*) rude; **3** (*v. grond; baard*) broussailleux; **4** (*Pl.*) hispide, cotonneux; **5** (*v. handdoek, enz.*) peluché; ***het heeft — gevroren,*** il y a du givre, il a fait de la gelée blanche; ***een —e klant,*** un dur.
ruig'harig *b.n.* poilu; hirsute.
ruig'heid *v.* **1** peluché *m.*; **2** (*v. karakter*) rudesse *f.*
ruig'schaaf *v.(m.)* riflard *m.*
ruig'te *v.* **1** peluché *m.*; **2** (*wild gewas*) broussailles, mauvaises herbes *f.pl.*
rui'ken I *ov.w.* **1** (*alg.*) sentir; **2** (*met opzet: beruiken*) sentir, flairer; **3** (*fig.*) flairer, pressentir; ***lont —,*** éventer la mècle; ***ik kan dat niet —,*** je ne peux deviner cela; **II** *on.w.* **1** (*alg.*) sentir; **2** (*aan iets*) flairer; ***naar tabak —,*** sentir le tabac; ***sterk —,*** sentir fort; ***uit de adem —,*** avoir l'haleine forte, — fétide.
rui'kend *b.n.* odorant.
rui'ker *m.* bouquet *m.*
ruil *m.* échange, troc *m.*; ***een goede — doen,*** gagner au change; ***een slechte — doen,*** perdre au change; ***in — geven,*** donner en échange; ***in — voor,*** en échange de, en contrepartie de.
ruil'baar *b.n.* échangeable.
rui'lebuiten *on.w.* troquer.
rui'lebuiter *m.* troqueur *m.*
rui'len I *ov.w.* **1** échanger; **2** (*fam.*) troquer; **II** *on.w.* **1** changer; **2** (*v. ambtenaar, enz.*) permuter; ***willen wij —?*** voulez-vous faire un échange ?
rui'ler *m.* troqueur *m.*
ruil'handel *m.* (commerce d') échange *m.*; troc *m.*
ruil'handelaar *m.* échangiste *m.*
rui'ling *v.* **1** échange, troc *m.*; **2** permutation *f.*
ruil'middel *o.* instrument *m.* d'échange.
ruil'object, -objekt *o.* objet *m.* d'échange.
ruil'verdrag *o.* contrat *m.* d'échange.
ruil'verkaveling *v.* remembrement *m.* parcellaire.
ruil'verkeer *o.*, zie ***ruilhandel.***
ruil'voet *m.* taux *m.* de change.
ruil'waarde *v.* valeur *f.* d'échange.
ruim I *b.n.* **1** (*veel ruimte biedend*) spacieux; **2** (*uitgestrekt*) étendu, vaste; **3** (*v. kleren, enz.*) ample; ***een — bestaan,*** une vie large; ***een —e beurs,*** une bourse bien garnie; ***een —e blik hebben,*** voir grand; ***een —e oogst,*** une abondante récolte; ***de —e zee,*** le large; ***hij heeft het niet —,*** il n'en mène pas large; il vit dans la gêne; ***op —e schaal,*** sur une grande échelle; ***in de —ste zin (des woords),*** dans toute la force du terme, dans la meilleure acception du mot; **II** *bw.* **1** spacieusement; **2** largement, amplement; ***— een maand,*** plus d'un mois; ***hij is — dertig jaar,*** il a plus de trente ans; ***— ademhalen,*** respirer librement; ***— baan maken,*** faire place, écarter la foule; **III** *z.n., o.* **1** (*ruimte*) étendue *f.*, espace *m.*; **2** (*sch.*) cale *f.*; **3** (*v. kerk*) nef *f.*
ruim'bagage *v.* (*sch.*) bagages *m.pl.* de cale.
rui'men I *ov.w.* **1** (*ledig maken*) vider; **2** (*v. vuil zuiveren*) curer; (*haven*) débâcler; **3** (*verlaten, ontruimen*) quitter, évacuer; **4** (*opruimen*) arranger; ***uit de weg —,*** **1** (*hinderpalen*) écarter, aplanir; **2** (*persoon*) faire disparaître; ***voor iem. het veld —,*** céder la place à qn.; **II** *on.w.* (*sch.: v. wind*) adonner, franchir.
rui'mer *m.* vidangeur *m.*
ruim'heid *v.* **1** espace *m.*; **2** ampleur, largeur *f.*
rui'ming *v.* **1** vidange *f.*; **2** curage; nettoyage *m.*; **3** évacuation *f.*
ruim'koffer *m.* malle *f.* de soute, — de cale.
ruim'naald *v.(m.)* (*tn.*) dégorgeoir *m.*
ruim'schoots I *bw.* **1** largement, amplement; **2** (*mild*) généreusement; **II** *b.n.* large; généreux.
ruim'te *v.* **1** espace *m.*; **2** (*uitgestrektheid*) étendue *f.*; **3** (*plaats*) place *f.*; **4** (*tussen—*) intervalle *m.*; **5** (*speel—: fig.*) marge *f.*; **6** (*inhoud*) capacité *f.*; **7** (*overvloed*) abondance *f.*; **8** (*open zee*) large *m.*; ***de — kiezen,*** **1** (*sch.*) prendre le large; **2** (*fig.*) déguerpir; ***lege —,*** vide; ***— beslaan,*** occuper de la place.
ruim'tebegrip *o.* sens *m.* de l'espace.
ruim'tecapsule *v.(m.)* capsule *f.* spatiale, — de l'espace.
ruim'te-eenheid *v.* unité *f.* de volume.
ruim'telijk *b.n.* spatial.
ruim'temaat *v.(m.)* mesure *f.* de capacité.
ruim'teonderzoek *o.* exploration *f.* spatiale, recherches *f.pl.* spatiales.
ruim'tepak *o.* tenue *f.* spatiale.
ruim'teprojectiel, -projektiel *o.* projectile *m.* spatial.
ruim'tereiziger *m.* astronaute *m.*, voyageur *m.* de l'espace.
ruim'teschip *o.* astronef *m.*, vaisseau *m.* cosmique.
ruim'tesprong *m.* saut *m.* dans l'espace, — spatial.
ruim'testation *o.* station *f.* spatiale, — orbitale.
ruim'tevaarder *m.* cosmonaute, astronaute *m.*
ruim'tevaart *v.(m.)* navigation *f.* interplanétaire, astronautique *f.*, aéronautique *f.* de l'espace.
ruim'tevaartuig *o.* véhicule *m.* spatial.
ruim'teverdeling *v.* mise *f.* en place.
ruim'tevlucht *v.(m.)* vol *m.* cosmique,— spatial, — intersidéral, — orbital.
ruim'tevrees *v.(m.)* agoraphobie *f.*
ruin *m.* (cheval) hongre *m.*
ruï'ne *v.* ruine *f.*
ruïne'ren *ov.w.* ruiner.
rui'sen I *on.w.* **1** (*v. wind*) bruire, murmurer; **2** (*v. beek*) murmurer; **3** (*v.bladeren*) frémir; **4** (*v. zee*) bruire, mugir; **5** (*v. zijde*) faire frou-frou; **II** *z.n., o.* **1** murmure *m.*; **2** frémissement *m.*; **3** bruissement, mugissement *m.*; **4** frou-frou *m.*
ruis'hoorn, -horen *m.* conque *f.*
ruit *v.(m.)* **1** (*v. venster*) carreau *m.*, vitre *f.*; **2** (*meetk.*) losange, rhombe *m.*; **3** (*v. dam- en schaakbord*) case *f.*, carré *m.*; **4** (*v. edelsteen*) facette *f.*; **5** (*v. stof*) carreau *m.*; **6** (*Pl.*) rue *f.*; ***de —en ingooien,*** casser les vitres.
rui'ten *v.(m.)* (*kaartsp.*) carreau *m.*
ruitenaas' *m. of o.* as *m.* de carreau.
ruitenboer' *m.* valet *m.* de carreau.
rui'tentikker *m.* briseur *m.* de vitres.
rui'ter *m.* **1** cavalier *m.*; **2** (*vogel*) chevalier *m.*; ***Spaanse —,*** cheval *m.* de frise.
rui'terbende *v.(m.)* **1** troupe *f.* de cavalerie; **2** (*afdeling*) escadron *m.*
rui'tergevecht *o.* combat *m.* de cavalerie.
ruiterij' *v.* cavalerie *f.*
rui'terlijk I *b.n.* franc; cavalier; **II** *bw.* franchement, cavalièrement.
rui'terpad *o.* allée *f.* cavalière, accotement *m.* réservé aux cavaliers.
rui'tersabel *m.* sabre *m.* de cavalerie.
rui'tersport *v.(m.)* sport *m.* équestre.
rui'terstandbeeld *o.* statue *f.* équestre.
rui'tertroep *m.* **1** cavalcade *f.*; **2** escadron *m.*
rui'tertrom *v.(m.)* timbale *f.*
rui'tervaan *v.(m.)* étendard *m.* de cavalerie.
rui'tervaantje *o.* banderole *f.*
rui'terwacht *v.(m.)* vedette *f.*

rui'tewisser *m.* essuie-glace* *m.*
rui'tijd *m.* mue *f.*
ruit'jesgoed *o.* étoffe *f.* à carreaux.
ruit'jespapier *o.* papier *m.* quadrillé.
ruit'vormig *b.n.* en forme de losange.
ruk *m.* mouvement *m.* brusque; (*onderbroken*) saccade *f.*; ***bij —ken,*** par à-coups; ***een — aan de bel,*** un violent coup de sonnette; ***met één —,*** tout d'un coup; ***aan één — door,*** d'une traite.
Ruk'kelingen-Loon' *o.* Roclenge-Looz.
Ruk'kelingen-op-de-Jeker *o.* Roclenge-sur-Geer.
ruk'ken I *on.w.* tirer; ***aan de bel —,*** donner un violent coup de sonnette, tirer la sonnette avec force; **II** *ov.w.* arracher; ***iem. een boek uit de handen —,*** arracher un livre des mains de qn.; ***woorden uit hun verband —,*** forcer le sens des mots, dénaturer —. [***zee,*** revolin *m.*
ruk'wind *m.* coup *m.* de vent, rafale *f.*; ***— op***
rul I *b.n.* **1** (*hobbelig, oneffen*) raboteux, inégal; **2** (*v. aarde*) meuble; **3** (*v. zand*) mouvant; **II** *z.n. v.(m.)* **1** (*toeloop*) affluence *f.*; **2** (*H.*) forte demande, forte hausse *f.*
rul'heid *v.* inégalité *f.*
rul'ijs *o.* glace *f.* raboteuse.
rum *m.* rhum *m.*
rum'boon *v.(m.)* bonbon *m.* au rhum.
rum'grog, -grok *m.* grog *m.* au rhum.
rumoer' *o.* rumeur *f.*, tapage, tumulte *m.*
rumoe'ren *on.w.* faire du bruit.
rumoe'rig *b.n.* bruyant, tapageur, remuant.
rumoe'righeid *v.* tumulte *m.*, turbulence *f.*
rum'pudding *m.* pouding *m.* au rhum.
rumstokerij' *v.* rhumerie *f.*
run *v.(m.)* tan *m.*
rund *o.* bœuf *m.*; bête *f.* à cornes.
run'deren *mv.* gros bétail *m.*, race *f.* bovine.
run'dergebraad *o.* rôti *m.* de bœuf.
run'derhaas *m.* filet *m.* de bœuf.
run'derharst *m.* aloyau *m.* de bœuf.
run'derhorzel *v.(m.)* taon *m.* (des bœufs).
run'derlapjes *mv.* tranches *f.pl.* de bœuf.
run'derpest *v.(m.)* peste *f.* bovine.
run'derrib *v.(m.)* entrecôte *m.* de bœuf.
run'derteelt *v.(m.)* élève *f.* bovine.
run'derziekte *v.* maladie *f.* du bétail.
rund'vee *o.* gros bétail *m.*
rund'veestapel *m.* cheptel *m.*
rund'vet *o.* graisse *f.* de bœuf.
rund'vlees *o.* (du) bœuf *m.*
rune *v.(m.)* rune *f.*
ru'nenschrift *o.* runes *f.pl.*, écriture *f.* runique.
run'kleurig *b.n.* tanné.
run'molen *m.* moulin *m.* à tan.
run'nen *on.w.* **1** (*stollen*) (*v. melk*) cailler; (*v. bloed*) se coaguler; **2** (*rennen*) courir.
run'ner *m.*, (*voor hotel*) pisteur *m.*
rups *v.(m.)* chenille *f.*
rups'auto *m.* autochenille *f.*
rups'band *m.* (*tn.*) chenille *f.*
rup'senbestrijding *v.* échenillage *m.*
rup'sendoder *m.* **1** (*insekt*) ichneumon *m.*; **2** (*vogel*) échenilleur *m.*
rup'senhaak *m.* échenilloir *m.*
rup'senlijm *m.* ceinture *f.* gluante.
rup'sennest *o.* chenillère *f.*, nid *m.* de chenilles.
rup'senvanger, rup'senverdelger *m.* échenilleur *m.*
rup'seschaar *v.(m.)* échenilloir *m.*
rups'klaver *v.(m.)* luzerne *f.*
rups'vormig *b.n.* vermiculé.
rups'wiel *o.* (*tn.*) pedrail *m.*, chenille *f.*

Rus *m.* Russe *m.*
rus *m.* (*Pl.*) jonc *m.*
Rus'land *o.* la Russie.
rus'leer *o.* cuir *m.* de Russie.
Russin' *v.* Russe *f.*
Rus'sisch *b.n.* russe.
rust *v.(m.)* **1** (*alg.*) repos *m.*; **2** (*slaap*) sommeil *m.*; **3** (*vrede*) paix *f.*; **4** (*v. geweten*) tranquillité *f.*; **5** (*muz.*) pause *f.*; **6** (*sp.*) mi-temps *f.*; **7** (*v. uurwerk, instrument, enz.*) arrêt, repos *m.*; **8** (*v. geweer*) cran *m.* de sûreté; ***halve maat —,*** (*muz.*) demi-pause* *f.*; ***kwart —,*** soupir *m.*; ***achtste —,*** demi-soupir* *m.*; ***de openbare —,*** l'ordre public; ***laat mij met —,*** laissez-moi tranquille; ***zich ter —e begeven,*** (aller) se coucher; ***hij heeft — noch duur,*** il n'a ni paix, ni trêve.
rust'altaar *o. en m.* reposoir *m.*
rust'bank *v.(m.)* divan, canapé *m.*
rust'bed *o.* lit *m.* de repos.
rust'bewaarder *m.* gardien *m.* de la paix.
rust'dag *m.* jour *m.* de (*of* du) repos.
rus'teloos I *b.n.* **1** sans repos; **2** (*steeds in beweging*) toujours en mouvement, ne s'arrêtant jamais; **3** (*v. kind*) remuant, turbulent; **4** (*v. leven*) agité; **II** *bw.* sans arrêt, sans s'arrêter jamais.
rus'teloosheid *v.* agitation *f.*; activité *f.* continuelle.
rus'ten I *on.w.* **1** reposer, être en repos; **2** (*uitrusten*) se reposer; ***de zieke heeft vannacht niet gerust,*** le malade n'a pas dormi cette nuit; ***iets laten —,*** laisser qc.; ***— op,*** (*v. hypotheek*) être grevé de; ***wij zullen de zaak laten —,*** nous ne parlerons plus de cette affaire; ***de blikken — op,*** les regards se fixent (*of* s'arrêtent) sur; ***de plicht rust op hem,*** le devoir lui incombe; ***wel te —!*** bonne nuit! dormez bien! ***hier rust...,*** ici repose...; ci-gît...; **II** *ov.w.* ***zich*** (***ten strijde***) ***—,*** se préparer (au combat).
rus'tend *b.n.* **1** en retraite, retraité; **2** (*v. geestelijke, professor*) émérite.
rust'huis *o.* maison *f.* de repos.
rustiek' *b.n.* rustique.
rus'tig I *b.n.* **1** tranquille, paisible; **2** (*bedaard*) calme; **II** *bw.* tranquillement, paisiblement.
rus'tigheid *v.* tranquillité *f.*; calme *m.*
rus'tigjes *bw.* tranquillement.
rus'ting *v.* armure *f.*
rust'kamer *v.(m.)* chambrée *f.*; arsenal *m.*
rust'kuur *v.(m.)* cure *f.* de repos.
rust'oord *o.* lieu *m.* de repos, retraite *f.*
rust'plaats *v.(m.)* **1** lieu *m.* de repos, retraite *f.*; **2** (*wijkplaats*) asile *m.*; **3** (*in processie*) reposoir *m.*; ***laatste —,*** dernière demeure.
rust'punt *o.* **1** (point de) repos *m.*; **2** (*pauze*) (point d') arrêt *m.*, pause *f.*; **3** (*v. hefboom, balk*) point *m.* d'appui.
rust'stand *m.* repos *m.*
rust'stoel *m.* fauteuil *m.*, bergère *f.*
rust'teken *o.* repos, silence *m.* [cances *f.pl.*
rust'tijd *m.* **1** temps *m.* de repos; **2** (*vakantie*) va-
rust'uur *o.* **1** heure *m.* de repos; **2** récréation *f.*
rust'verstoorder *m.* **1** perturbateur *m.* (de la paix publique); **2** (*opruier*) agitateur *m.*; **3** (*brekespel*) trouble-fête *m.*
rust'verstoring *v.* perturbation *f.* de l'ordre.
rut *b.n.* ***— zijn,*** être à sec, être panné.
Rut'ger *m.* Roger *m.*
Rutheen' *m.* Ruthène *m.*
Rutheens' *b.n.* ruthène.
Rut'ten *o.* Russon.
ruw I *b.n.* **1** (*grof*) rude, grossier; **2** (*hobbelig*) raboteux; **3** (*oneffen, niet glad*) rugueux; **4** (*on-*

bewerkt: erts, glas, leder) cru; (*produkt, peterolie, suiker; gewicht*) brut; **5** (*v. wind*) âpre; **6** (*v. schatting, enz.: oppervlakkig, globaal*) approximatif; **7** (*fig.*) rude, grossier, impoli, brusque; **II** *bw.* rudement, grossièrement; approximativement.
ruw'aard *m.* (*gesch.*) gouverneur *m.*
ruw'bouw *m.* gros œuvre *m.*
ruw'harig *b.n.* poilu, velu.
ruw'heid *v.* rudesse *f.*; rugosité *f.*; âpreté *f.*; crudité *f.*; grossièreté, brusquerie *f.* (*zie* ***ruw***).
ruw'ijzer *o.* fer *m.* brut.
ruw'kruid *o.* (*pl.*) aspérule *f.*
ruw'staal *o.* acier *m.* brut.
ru'zie *v.* dispute, querelle *f.*; ***— hebben,*** se quereller; ***— maken met iem.,*** chercher querelle à qn.; ***— zoeken met iem.,*** chercher noise (*of* querelle) à qn.
ru'zieachtig *b.n.* querelleur, hargneux.
ru'ziemaker *m.* querelleur, chamailleur *m.*
ru'zietoon *m.* ton *m.* querelleur.
ru'ziezoeker *m.* querelleur, bagarreur *m.*, chercheur *m.* de noise.
Rwan'da *o.* Rwanda, Ruanda, Rouanda *m.*
Rwandees' *b.n.* rwandais.

S

S *v.*(*m.*) s *m. et f.*
sa! ça! allons!
saai I *o. en m.* serge, saie *f.*; **II** *b.n.* **1** (*v. persoon*) morose *f.*; **2** (*v. boek*) ennuyeux, fade; **3** (*v. rede*) aride; **4** (*langdradig, eentonig*) filandreux, monotone.
saai'en *b.n.* de saie, de serge.
saai'heid *v.* ennui *m.*; aridité *f.*; monotonie *f.*
saam, *zie* ***samen.***
saamho'rig *b.n.* solidaire.
saamho'righeid *v.* solidarité *f.*
Saar *v.* **1** Sarah *f.*; **2** (*rivier*) Sarre *f.*
Saar'bekken *o.* bassin *m.* de la Sarre.
Saarbrück'en *o.* Sarrebruck; ***uit —,*** sarrebruckois.
Saar'burg *o.* Sarrebourg *m.*
Saar'gebied *o.* la Sarre.
Saar'lander *m.* Sarrois *m.*
sab'bat(dag) *m.* sabbat *m.*; ***de — houden,*** observer le sabbat.
sab'bat(s)rust *v.*(*m.*) repos *m.* sabbatique.
sab'bat(s)schennis *v.* violation *f.* du sabbat.
sabbattist' *m.* sabbataire *m.*
sab'belen, zab'belen *on.w.* suçoter.
sab'beren, zab'beren *on.w.* baver.
sa'bel I *m.* sabre *m.*; ***kromme —,*** cimeterre *m.*; ***met ontblote —,*** sabre au clair; **II** *m.* (*Dk.*) zibeline *f.*; **III** *o.* **1** (*bont*) zibeline *f.*; **2** (*zwart*) sable *m.*
sa'belbajonet *v.*(*m.*) sabre*-baïonnette* *m.*
sa'belbeen *o.* bancal *m.*
sabelbe'nig *b.n.* **1** arqué; **2** (*v. paard*) long-jointé.
sa'belbont *o.* zibeline *f.*
sa'beldier *o.* zibeline *f.*
sa'belen *on.w.* sabrer.
sa'belgekletter *o.* cliquetis *m.* de sabres.
sa'belgevest *o.* poignée *f.* de sabre.
sa'belhouw *m.* **1** coup *m.* de sabre; **2** (*wond*) balafre *f.*
sa'belkling *v.*(*m.*) lame *f.* de sabre.
sa'belknop *m.* pommeau *m.*
sa'belkoppel *m. en v.* ceinturon, porte-sabre *m.*
sa'belkwast *m.* dragonne *f.*
sa'belschede *v.*(*m.*) fourreau *m.* de sabre.
sa'belslag *m.* coup *m.* de sabre.
sa'beltas *v.*(*m.*) sabretache *f.*
sa'belvel *o.* peau *f.* de zibeline.
sa'belvormig *b.n.* **1** en forme de sabre; **2** (*Pl.*) ensiforme.
Sabijn' *m.* Sabin *m.*
Sabijns' *b.n.* sabin.
sabote'ren *ov.w.* saboter.
sachari'ne *v.*(*m.*) saccharine *f.*
sacraal', sakraal' *b.n.* sacré.
sacrament', sakrament' *o.* sacrement *m.*; ***het — des altaars,*** le saint sacrement; ***voorzien van de heilige —en,*** muni des sacrements de l'Église, muni des secours de la religion.
sacramenta'liën, sakramenta'liën *mv.* sacramentaux *m.pl.*
sacramenteel', sakramenteel' I *b.n.* sacramentel; **II** *bw.* sacramentellement.
Sacraments'dag, Sakraments'dag *m.* la Fête*-Dieu.
sacristein' *m.* sacristain *m.*
sacristie', sakristie' *v.* sacristie *f.*
Sadducee'ër *m.* Saducéen *m.*
sadis'me *o.* sadisme *m.*
sadist' *m.* sadique *m.*
sadis'tisch *b.n.* sadique.
sa'fe I *b.n.* dépourvu de risques; **II** *z.n., m.* coffre*-fort* *m.*
safe-depo'sit *v.* **1** dépôt *m.* de valeurs; **2** (*kluis*) coffre*-fort* *m.* à location; **3** (*dienst*) location *f.* de coffres-forts.
sa'feloket *o.* compartiment *m.* de coffre-fort, coffre *m.*
saffiaan' *o.* maroquin *m.*
saffier' *o. en m.* saphir *m.*
saffier'blauw *o.* saphirin.
saffloer' *o.* **1** (*Pl.*) safran *m.* bâtard; carthame *m.*; **2** (*scheik., kobalterts*) safre *m.*
saffraan' *m.* safran *m.*
saffraan'achtig *b.n.* safrané.
saffraan'geel *b.n.* (jaune) safran, safrané.
saffraan'kleurig *b.n.* safrané.
saffraan'plant *v.*(*m.*) safran *m.*
sa'ga *v.*(*m.*) saga *f.*
sagaai' *v.*(*m.*) sagaie, zagaie *f.*
sa'ge *v.*(*m.*) legende *f.*, mythe *m.*
sa'go *m.* sagou, tapioca *m.*
sa'gomeel *o.* farine *f.* de sagou.
sa'gopalm *m.* sagou(t)ier *m.*
sa'gopap *v.*(*m.*) bouillie *f.* de sagou.
Saha'ra *v.* Sahara *m.*; ***uit de —,*** saharien.
sajet' *m.* estame, laine *f.*
sajet'ten *b.n.* d'estame, de laine.
sakkerloot'! *tw.* sacrebleu! saperlotte!
sakr-, *zie* ***sacr-.***
Saks *m.* Saxon *m.*
Sak'sen *o.* la Saxe.
Sak'ser *m.* Saxon *m.*
Sak'sisch I *b.n.* saxon; **II** *z.n., o.* **1** (*porselein*) saxe *m.*, porcelaine *f.* de Saxe; **2** (*taal*) saxon *m.*
sala'de, sla *v.*(*m.*) **1** (*plant*) laitue *f.*; **2** (*groente*) salade *f.*; ***de — aanmaken,*** assaisonner la salade, préparer —.
Salaman'ca *o.* Salamanque *f.*
salaman'der *m.* salamandre *f.*
Sa'lamis *o.* Salamine *f.*
salarië'ren *ov.w.* **1** (*v. bediende*) rétribuer; **2** (*v. werkman*) salarier.

sala'ris *o.* **1** (*v. ambtenaar*) appointements *m.pl.*; **2** (*v. bediende*) salaire *m.*
sala'risklasse *v.* zone *f.* de salaire.
sala'rispeil *o.* niveau *m.* des salaires.
sala'risregeling *v.* barème *m.* des traitements; statut *m.* —.
salde'ren *ov.w.* **1** (*v. rekening: afsluiten*) arrêter, clore; **2** (*betalen*) solder, acquitter.
sal'do *o.* (*H.*) solde *m.*; ***batig* —,** excédent *m.*, solde *m.* en bénéfice; ***het — vereffenen,*** régler le solde; ***nadelig* —,** solde débiteur, déficit *m.*; ***een nadelig — aanwijzen,*** se solder en déficit; ***per* —, 1** solde *m.*; **2** (*fig.*) en fin de compte.
sal'dobedrag *o.* solde *m.*
sal'dobetaling *v.* solde *m.* de compte, acquittement *m.* du solde, apurement *m.*
sa'lep *v.* salep *m.*
Saler'no *o.* Salerne *f.*; ***uit* —,** salernitain.
salet'jonker *m.* petit*-maître*, dandy, muguet *m.*
salet'juffer *v.*, **salet'pop** *v.*(*m.*) coquette, élégante *f.* [poule *f.* mouillée.
sa'lie *v.*(*m.*) (*Pl.*) sauge *f.*; ***Jan S—,*** lambin *m.*,
sa'liemelk *v.*(*m.*) lait *m.* saugé.
Sa'lisch *b.n.* salique; ***—e wet,*** loi salique.
salmiak' *m.* sel *m.* ammoniac. [*m.*
salmiak'geest *m.* alcali *m.* volatil, ammoniaque
salmoniak' *m.* sel *m.* ammoniac.
Sa'lomo *m.* Salomon *m.*
Sa'lomonsoordeel *o.* jugement *m.* de Salomon.
sa'lomonszegel *m.* (*Pl.*) sceau *m.* de Salomon, grenouillet *m.*
salon' *m. en o.* salon *m.* [salon.
salon'ameublement *o.* ameublement *m.* de
salon'boot *m. en v.* bateau*-salon* *m.*
Saloni'ki *o.* Salonique *f.*; ***uit* —,** saloniquiste.
salon'muziek *v.* musique *f.* de salon.
salon'stuk *o.* (*muz.*) morceau *m.* de genre.
salon'vleugel *m.* piano *m.* demi-queue.
salon'wagen *m.* wagon*-salon* *m.*
salpe'ter *m. en o.* salpêtre *m.*
salpe'teraarde *v.*(*m.*) terre *f.* nitreuse.
salpe'terachtig *b.n.* salpêtreux, nitreux.
salpe'terdamp *m.* vapeur *f.* de salpêtre.
salpe'terfabriek *v.* salpêtrerie *f.*
salpe'tergeest *m.* esprit *m.* de nitre.
salpe'tergroef, -groeve *v.*(*m.*) nitrière *f.*
salpe'terhoudend *b.n.* nitré, nitreux.
salpe'terigzuur *o.* acide *m.* nitreux, — azoteux; ***zout van* —,** nitrite azotite *m.*
salpe'terzuur *o.* acide *m.* nitrique, — azotique; (*pop.*) eau*-forte* *f.*; ***zout van* —,** nitrate, azotate *m.*; ***verdund* —,** eau*-seconde* *f.*
salto-morta'le *m.* saut *m.* périlleux.
salue'ren I *ov.w.* saluer; **II** *on.w.* **1** saluer; **2** (*mil.*) faire le salut militaire.
saluut' *o.* salut *m.* [salut).
saluut'schot *o.* coup *m.* de canon (en guise de
Salvador', *El* —, le Salvador.
sal'vo *o.* salve *f.*
Samaritaan' *m.* Samaritain *m.*; ***de barmhartige* —,** le bon Samaritain.
Samaritaans' *b.n.* samaritain; ***de —e vrouw,*** la Samaritaine.
Sam'ber *v.* Sambre *f.*
sa'men, saam *bw.* ensemble; (*beiden*) l'un et l'autre, tous (*of* toutes) les deux; ***goede avond* —,** bonsoir tout le monde, bonsoir la compagnie; ***— ruzie hebben,*** se quereller, se disputer.
sa'menbinden *ov.w.* **1** lier, attacher (ensemble); **2** (*v. boekdelen*) relier (en un volume).
sa'menblijven *on.w.* rester ensemble.
sa'menbrengen *ov.w.* **1** (*v. zaken, troepen*) réunir, rassembler; **2** (*v.geld, vermogen*) recueillir; amasser, accumuler; **3** (*v. personen*) rapprocher, aboucher; confronter.
sa'mendoen I *ov.w.* réunir; assembler; **II** *on.w.* agir de concert, être d'accord.
sa'mendrommen *on.w.* se masser.
sa'mendrukbaar *b.n.* compressible.
sa'mendrukbaarheid *v.* compressibilité *f.*
sa'mendrukken *ov.w.* comprimer.
sa'mendrukking *v.* compression *f.*
sa'menduwen *ov.w.* presser, serrer; comprimer.
sa'menfrommelen *ov.w.* chiffonner.
sa'mengaan *on.w.* **1** aller ensemble, aller de pair avec; **2** (*v. kleuren, enz.*) s'allier, s'accorder; ***niet — met,*** être incompatible avec, ne pas cadrer avec.
sa'mengegroeid *b.n.* (*Pl.*) concrescent.
sa'mengesteld *b.n.* **1** (*v. zin, bloem, enz.*) composé; **2** (*ingewikkeld*) compliqué, complexe; **3** (*bouwk.*) composite; ***— getal,*** nombre *m.* hétérogène.
sa'mengesteldheid *v.* complication, complexité *f.*
sa'mengroeien *on.w.* se joindre, se souder.
sa'menhang *m.* **1** (*v. zinnen*) liaison *f.*; **2** (*in rede*) suite *f.*; **3** (*v. gedachten, enz.*) cohérence *f.*; enchaînement *m.*; **4** (*v. feiten*) rapport *m.*, relation *f.*; ***zonder* —,** incohérent, décousu.
sa'menhangen *on.w.* **1** être lié, être cohérent; **2** (*in verband staan met*) être en rapport (avec); **3** (*nat.*) avoir de la cohésion.
sa'menhangend *b.n.* **1** lié; **2** connexe, en rapport; **3** (*v. verhaal, enz.*) suivi, régulier; ***dat vormt een — geheel,*** cela forme un tout.
sa'menhechten *ov.w.* joindre, attacher.
sa'menhokken *on.w.* faire vie commune, vivre en concubinage.
sa'menketenen *ov.w.* enchaîner, river ensemble.
sa'menklank *m.* accord *m.*, harmonie *f.*
sa'menklutsen *ov.w.* brouiller, mêler.
sa'menknijpen *ov.w.* comprimer, serrer.
sa'menknopen *ov.w.* nouer ensemble.
sa'menkomen *on.w.* se réunir, s'assembler, se joindre.
sa'menkomst *v.* rencontre *f.*; réunion *f.*
sa'menkoppelen *ov.w.* **1** accoupler, réunir; **2** (*v. gelijke soort*) appareiller.
sa'menkoppeling *v.* accouplement *m.*, réunion *f.*
sa'menladen *ov.w.* grouper.
sa'menlading *v.* groupage *m.*, envois *m.pl.* combinés. [société.
sa'menleven *on.w.* vivre ensemble, vivre en
sa'menleving *v.* société *f.*, vie *f.* sociale.
sa'menloop *m.* **1** (*v. rivieren*) confluent *m.*; **2** (*v. volk*) affluence *f.*, attroupement, rassemblement *m.*; **3** (*v. stralen*) convergence *f.*; **4** (*v. sporen*) jonction *f.*; **5** (*v. omstandigheden*) concours *m.*
sa'menlopen *on.w.* **1** (*v. rivieren*) confluer; **2** (*v. volk*) affluer, s'attrouper; **3** (*v. stralen*) converger; **4** (*v. sporen*) se joindre; **5** (*v. omstandigheden*) concourir.
sa'menpakken I *ov.w.* faire un paquet de, lier ensemble; **II** *w.w.* ***zich* —,** s'amonceler, s'entasser.
sa'menpersen *ov.w.* comprimer.
sa'menpersing *v.* compression *f.*
sa'menplakken *ov.w.* coller ensemble.
sa'menraapsel *o.* **1** ramassis *m.*; **2** (*v. leugens, laster*) tissu *m.*; **3** (*fig.*) pot*-pourri* *m.*
sa'menrapen *ov.w.* ramasser, rassembler.
sa'menrijgen *ov.w.* lacer; faufiler.
sa'menrijging *v.* faufilage *m.*
sa'menroepen *ov.w.* convoquer.
sa'menroeping *v.* convocation *f.*
sa'menrotten *on.w.* s'attrouper, s'ameuter.
sa'menscholen *on.w.* s'attrouper.

sa'menscholing *v.* attroupement *m.*
sa'menschrapen *ov.w.* amasser sou par sou.
sa'mensmelten I *ov.w.* **1** fondre (ensemble); **2** (*fig.*) fusionner; **II** *on.w.* se fondre, se fusionner.
sa'mensmelting *v.* fusion *f.*
sa'mensnoeren *ov.w.* serrer, étrangler.
sa'menspannen *on.w.* conspirer, comploter, conjurer, se liguer.
sa'menspanning *v.* conspiration *f.*, complot *m.*, conjuration *f.*
sa'menspel *o.* (jeu d') ensemble *m.*
sa'menspraak *v.(m.)* **1** (*onderhoud*) entretien, colloque *m.*; **2** (*vooral Z.N.; tweespraak*) dialogue *m.*
sa'menstel *o.* **1** (*v. verschillende delen*) combinaison *f.*, appareil, assemblage *m.*; **2** (*stelsel*) système *m.*; **3** (*inrichting, bouw*) construction *f.*
sa'menstellen *ov.w.* **1** (*v. werk, woord, enz.*) composer; **2** (*v. zin, machine, enz.*) construire; **3** (*v. commissie, enz.*) constituer.
sa'menstellend *b.n.* constitutif; **— *deel,*** partie *f.* composante, élément *m.*
sa'mensteller *m.* auteur; rédacteur; compositeur *m.*
sa'menstelling *v.* **1** composition *f.*; **2** (*v. zin, machine, enz.*) construction *f.*; **3** (*v. commissie, bestuur*) (*v. handeling*) constitution *f.*; (*v. personen*) composition *f.*; **4** (*v. lijst, enz.*) confection *f.*
sa'menstemmen *on.w.* être d'accord, s'accorder.
sa'menstemming *v.* accord *m.*, harmonie *f.*
sa'menstromen *on.w.* **1** affluer; **2** (*v. rivieren*) confluer.
sa'mentellen *ov.w.* additionner.
sa'mentreffen I *on.w.* **1** (*v. personen*) se rencontrer; **2** (*v. gebeurtenissen*) coïncider; **II** *z.n., o.* **1** rencontre *f.*; **2** coïncidence *f.*
sa'mentrekbaar *b.n.* contractile.
sa'mentrekbaarheid *v.* contractilité *f.*
sa'mentrekken I *ov.w.* **1** (*v.spieren; lettergrepen*) contracter; **2** (*v. knoop, band*) resserrer; **3** (*v. troepen, enz.*) concentrer; **4** (*v. wenkbrauwen*) froncer; **5** (*optrekken*) additionner; **II** *w.w.* ***zich —,*** **1** se contracter; **2** se resserrer; **3** (*in één punt*) se concentrer; **4** se froncer; **5** (*v. wolken*) s'amasser; **6** (*v. onweer*) se préparer.
sa'mentrekkend *b.n.* **1** (*gen.*) astringent, constringent; **2** (*v. spier*) constricteur.
sa'mentrekking *v.* **1** (*v. spieren, lettergrepen*) contraction *f.*; **2** (*v. knoop, band*) resserrement *m.*; **3** (*v. troepen*) concentration *f.*; **4** (*v. wenkbrauwen*) froncement *m.*; **5** (*optrekken*) addition *f.*; **6** (*gen.*) astriction *f.* [flexe.
sa'mentrekkingsteken *o.* accent *m.* circon-
sa'menvallen I *on.w.* **1** se rencontrer; **2** (*v. gebeurtenissen; meetk.*) coïncider; **II** *z.n.* ***het —,*** la coïncidence *f.*
sa'menvallend *b.n.* coïncident.
sa'menvatten *ov.w.* **1** (*alg.*) réunir, assembler; **2** (*in 't kort —*) résumer; **3** (*wijsgerig*) synthétiser.
sa'menvatting *v.* **1** résumé, aperçu *m.*; **2** synthèse *f.*
sa'menvlechten *ov.w.* entrelacer.
sa'menvlechting *v.* entrelacement *m.*
sa'menvloeien *on.w.* **1** (*v. rivieren*) confluer; **2** (*v. kleuren, lijnen*) se fondre, se confondre.
sa'menvloeiing *v.* **1** confluent *m.*; **2** fusion *f.*
sa'menvoegen *ov.w.* **1** réunir, joindre; **2** accoupler; **3** (*tn.*) assembler.
sa'menvoeging *v.* **1** réunion, jonction *f.*; **2** accouplement *m.*; **3** assemblage *m.* [joindre.
sa'menvouwen *ov.w.* **1** plier; **2** (*v. handen*)
sa'menweefsel *o.* tissu *m.*
sa'menwerken *on.w.* **1** agir de concert, opérer —; **2** (*v. geestesarbeid*) collaborer; **3** concourir à, coopérer à.
sa'menwerking *v.* **1** collaboration *f.*; **2** concours *m.*, coopération *f.*
sa'menweven *ov.w.* tisser, entrelacer.
sa'menwonen *on.w.* **1** demeurer ensemble; **2** (*echtelijk*) cohabiter.
sa'menwoning *v.* cohabitation *f.*
sa'menwringen *ov.w.* crisper, tordre.
sa'menzijn *o.* réunion *f.*; ***gezellig —,*** réunion intime.
sa'menzweerder *m.* conspirateur, conjuré *m.*
sa'menzweren *on.w.* conspirer, conjurer, comploter. [complot *m.*
sa'menzwering *v.* conspiration, conjuration *f.*,
sam'melaar *m.* lambin, lanternier, clampin *m.*
sammelarij' *v.* lambinage *m.*, lanternerie, fainéantise *f.*
sam'melen *on.w.* lambiner, lanterner.
samoem' *m.* simoun *m.*
Samoje'den *mv.* Samoyèdes *m.pl.*
Sa'muel *m.* Samuel *m.*
sanato'rium *o.* sanatorium *m.*
sanc'tie *v.* sanction *f.*
sandaal' *v.(m.)* sandale *f.*
san'delboom *m.* santal, santalin *m.*
san'delhout *o.* (bois de) santal *m.*
san'delrood *o.* santaline *f.*
San Domin'go *o.* Saint-Domingue *m.*
sandrak' *o.* sandaraque *f.*
sand'wich *m.* sandwich *m.* [sandwich* *m.*
sand'wichman *m.* homme*-affiche*, homme*-
sane'ren *ov.w.* assainir.
sane'ring *v.* assainissement *m.*
sangui'nisch *b.n.* sanguin. [sanitaire.
sanitair' I *b.n.* sanitaire; **II** *z.n., o.* installation *f.*
San Mari'no *o.* Saint-Marin *m.*
Sanskriet' *o.* sanscrit *m.*
san'tenkraam *v.(m.)* en *o.*, ***de hele —,*** tout le bazar, toute la boutique.
Saoe'di-Ara'bië *o.* Arabie Séoudite.
sap *o.* **1** (*v. vruchten, enz.*) suc, jus *m.*; **2** (*v. vlees*) jus *m.*; **3** (*v. planten*) sève *f.*; **4** (*v. 't lichaam*) humeur *f.*; ***kwade —pen,*** humeurs peccantes, humeurs corrompues.
sap'groen *o.* vert *m.* végétal, — de glaïeul.
sap'loos *b.n.* desséché, sec; sans sève.
sap'pe *v.(m.)* (*mil.*) sape, tranchée *f.*
sapperloot'! *tw.* saprelotte! sabre de bois!
sappeur' *m.* (*mil.*) sapeur *m.*
sap'pig *b.n.* **1** (*v. vlees*) succulent; **2** (*v. vruchten*) juteux, fondant; **3** (*fig.:v. taal, enz.*) savoureux; ***—e plant,*** plante grasse.
sap'pigheid *v.* **1** succulence *f.*; **2** (*fig.*) suc *m.*
sap'verf *v.(m.)* couleur *f.* végétale.
Saraceen' *m.* Sarrasin *m.*
Saraceens' *b.n.* sarrasin.
Saragos'sa *o.* Saragosse *f.*; ***uit —,*** saragossain.
sarcas'me, sarkas'me *o.* sarcasme *m.*
sarcas'tisch, sarkas'tisch I *b.n.* sarcastique; **II** *bw.* sarcastiquement.
sarcofaag', sarkofaag' *m.* sarcophage *m.*
sardien', sardi'ne *v.(m.)* sardine *f.*
sardie'nenblikje, sardi'neblikje *o.* boîte *f.* de (*of* à) sardines.
sardie'nenvangst, sardi'nenvangst *v.* pêche *f.* à la sardine.
sardie'nenvisser, sardi'nenvisser *m.* sardinier *m.*
sardine(-), *zie* ***sardien(en-).***
Sardi'nië *o.* la Sardaigne.
Sardi'niër *m.* Sarde *m.*

Sardi'nisch *b.n.* sarde.

sardo'nisch I *b.n.* sardonique; **II** *bw.* sardoniquement.

sardonyx' *m.* sardoine *f.*

Sargas'so-zee *v.(m.)* mer *f.* des Sargasses.

sark-, *zie* ***sarc-.***

sa'rong *m.* sarong *m.*

sar'ren *ov.w.* agacer, provoquer; tracasser, vexer.

sar'rig *b.n.* agaçant, provocant; tracassier; taquin.

sas *o.* sas *m.*; ***niet in zijn — zijn,*** ne pas être dans son assiette.

sas'sen *on.w.* sasser, ouvrir l'écluse.

sas'ser *m.* éclusier *m.*

sas'sluis *v.(m.)* écluse *f.* à sas.

sa'tan *m.* Satan *m.*

sata'nisch I *b.n.* satanique; **II** *bw.* sataniquement.

sa'tanskind *o.* fils *m.* (*of* fille *f.*) de satan.

sa'tanswerk *o.* œuvre *f.* diabolique, travail *m.* du diable.

satelliet' *m.* satellite *m.*

satelliet'staat *m.* état *m.* satellite.

sa'ter *m.* satyre *m.*

satijn' *o.* satin *m.*

satijn'achtig *b.n.* satiné.

satij'nen *b.n.* de satin.

satijn'glans *m.* satiné *m.*

satijn'papier *o.* papier *m.* satiné.

satine'ren I *ov.w.* satiner; **II** *z.n.* ***het —,*** le satinage.

satinet' *o. en m.* satinette *f.*

sati're *v.(m.)* satire *f.*

sati'rendichter, sati'ricus *m.* (poète) satirique *m.*, auteur *m.* de satires.

satiriek', sati'risch I *b.n.* satirique; **II** *bw.* satiriquement.

saturna'liën *mv.* Saturnales *f.pl.*

Satur'nus *m.* Saturne *m.*

saucijs' *v.(m.)* saucisse *f.*; (*dikke* —) saucisson *m.*

saucijs'je *o.* saucisse *f.*

saucij'zebroodje *o.* petit pain *m.* à la saucisse, pain *m.* fourré de saucisse.

Sau'lus *m.* Saul *m.*

sau'riërs *mv.* sauriens *m.pl.*

saus *v.(m.)* **1** sauce *f.*; **2** (*fig.: standje*) savon *m.*; **3** (*regen*) bouillon *m.*, rincée *f.*; ***hij maakt er een lange — bij,*** son discours est délayé; ***honger is de beste —,*** il n'est chère que d'appétit.

sau'sen, sau'zen I *ov.w.* **1** saucer, assaisonner; **2** (*v. tabak*) saucer, mouiller; **3** (*fig.*) réprimander, tancer; **II** *on.w.* vaser, pleuvoir; ***het gaat —,*** il va tomber des hallebardes, — de la sauce.

saus'kom *v.(m.)* saucière *f.*

saus'lepel *m.* cuiller *f.* à sauce.

saus'pan *v.(m.)* saucière *f.*

sau'zen, *zie* ***sausen.***

savan'ne *v.(m.)* savane *f.*

savooi'(e)kool *v.(m.)* chou *m.* d'Espagne, — de Milan, — de Savoie.

Savoyaard' *m.* Savoyard *m.*

Savoy'e *o.* la Savoie.

sa'wa *m.* rizière *f.* humide.

sax'hoorn, -horen *m.* (*muz.*) saxhorn *m.*

saxofoon' *m.* (*muz.*) saxophone *m.*

sca'bies *o. en v.(m.)* gale *f.*

sca'la *v.(m.)* échelle, gamme *f.*

scalp, skalp *m.* scalpe *m.*, peau *f.* du crâne.

scalpe'ren, skalpe'ren I *ov.w.* scalper; **II** *z.n.* ***het —,*** la scalpation.

scandaleus', *zie* ***schandaleus.***

scande'ren, skande'ren *ov.w.* scander.

Scandina'vië, Skandina'vië *o.* la Scandinavie.

Scandina'viër, Skandina'viër *m.* Scandinave *m.*

Scandina'visch, Skandina'visch *b.n.* scandinave.

scapulier', skapulier', schapulier' *o. en m.* scapulaire *m.*

scena'rio *o.* scénario *m.*

scena'rioschrijver *m.* scénariste *m.*

scep'ter, skep'ter *m.* sceptre *m.*; ***de — zwaaien,*** porter le sceptre, tenir —.

scep'ticus, skep'ticus *m.* sceptique *m.*

scep'tisch, skep'tisch I *b.n.* sceptique; **II** *bw.* sceptiquement.

scha, *zie* ***schade.***

schaaf *v.(m.)* rabot *m.*; ***de — over iets laten gaan,*** passer le rabot sur qc.; ***met de ruwe — er over gaan,*** bâcler la besogne, ne pas y aller de main morte.

schaaf'bank *v.(m.)* établi *m.*

schaaf'beitel *m.* fer *m.* (du rabot).

schaaf'blok *o.* fût *m.* (du rabot).

schaaf'ijzer *o.* fer *m.*

schaaf'krullen *mv.* copeaux *m.pl.*

schaaf'machine *v.* raboteuse *f.*

schaaf'mes *o.* racloir *m.*

schaaf'sel *o.* raclures *f.pl.*; copeaux *m.pl.*

schaaf'stro *o.* (*Pl.*) prêle *f.*

schaaf'wond(e) *v.(m.)* écorchure *f.*

schaak *o.* échec *m.*; ***— spelen,*** jouer aux échecs; ***— staan,*** être (en) échec; ***— zetten,*** faire échec (à); (*koning*) ***— !*** échec au roi !

schaak'bord *o.* échiquier *m.*

schaakmat' *o.* (échec et) mat; ***iem. — zetten,*** **1** donner échec et mat à qn.; **2** (*fig.*) acculer qn.

schaak'partij *v.* partie *f.* d'échecs.

schaak'probleem *o.* problème *m.* d'échecs.

schaak'spel *o.* jeu *m.* d'échecs.

schaak'spelen *on.w.* jouer aux échecs.

schaak'speler *m.* joueur *m.* d'échecs.

schaak'stuk *o.* pièce *f.* (du jeu d'échecs), échec *m.*

schaak'to(e)rnooi *o.* tournoi *m.* d'échecs.

schaak'wedstrijd *m.* tournoi *m.* d'échecs, concours *m.* d'échecs.

schaal *v.(m.)* **1** (*schotel*) plat *m.*; **2** (*voor vruchten*) coupe *f.* (à fruits); **3** (*kom, nap*) écuelle *f.*; **4** (*maatstaf*) échelle *f.*; **5** (*toonladder*) gamme *f.*; **6** (*v. ei, noot*) coquille *f.*; **7** (*v. kreeft, schildpad*) carapace *f.*; **8** (*v. oester*) écaille *f.*; **9** (*v. balans*) plateau, bassin *m.*; **10** (*weeg—*) balance *f.*; ***op — tekenen,*** dessiner à l'échelle; ***gewicht in de — leggen,*** peser dans la balance; ***dat doet de — overslaan,*** cela fait pencher la balance; ***met de — rondgaan,*** faire le tour avec le plat à quêter; ***op grote —,*** à grande échelle.

schaal'collecte, -kollekte *v.(m.)* collecte *f.* au bassin.

schaal'dier *o.* crustacé *m.*

schaalkollekte, *zie* ***schaalcollecte.***

schaal'rechten *mv.* droits *m.pl.* différentiels.

schaal'tje *o.* **1** petit plat *m.*; **2** (petite) écuelle *f.*

schaal'verdeling *v.* graduation *f.*

schaam'achtig *b.n.* **1** honteux; pudique; **2** timide.

schaam'achtigheid *v.* **1** honte *f.*; pudeur *f.*; **2** timidité *f.*

schaam'been *o.* pubis *m.*

schaam'delen *mv.* parties *f.pl.* honteuses.

schaam'rood I *b.n.* rouge de honte; rouge de pudeur; **II** *z.n., o.* rouge *m.* de la honte; rouge *m.* pudique, rougeur *f.* —.

schaam'schoenen *mv.,* ***de — uittrekken,*** bannir toute honte, — toute pudeur.

schaam'schort *v.(m.) en o.* pagne *m.*

schaam'streek *v.(m.)* région *f.* pubienne.

schaam'te *v.(m.)* **1** honte *f.*; **2** pudeur *f.*; ***valse —,*** fausse honte; ***alle — afgelegd hebben,*** avoir dépouillé toute honte (*of* toute pudeur) ; ***hij is zonder —,*** il est sans vergogne.

schaam'tegevoel *o.* sentiment *m.* de pudeur, — de honte.
schaam'teloos *b.n.* **1** (*zonder schaamte*) éhonté, sans honte, sans vergogne, dévergondé; **2** (*brutaal*) effronté, insolent, impudent.
schaam'teloosheid *v.* **1** dévergondage *m.*; **2** effronterie, insolence, impudence *f.*
schaap *o.* **1** mouton *m.*; brebis *f.*; **2** (*v. persoon*) bonne bête *f.*; (*onnozel* —) nigaud, sot *m.*; ***arm —!*** pauvre innocent! ***het zwarte —,*** la brebis noire; ***het verloren —,*** la brebis égarée; ***een schurftig —,*** une brebis galeuse; ***als er één — over de dam is, volgen er meer,*** ce sont (*of* ils suivent comme) les moutons de Panurge; le public est moutonnier; ***er gaan veel makke schapen in een hok,*** à doux moutons bon parcage; ***vijf poten aan een — verlangen,*** demander un veau à cinq pattes; demander l'impossible.
schaap'achtig I *b.n.* niais, simple, naïf; **II** *z.n., mv.,* ***de —en,*** les ovinés *m.pl.*
schaap'achtigheid *v.* niaiserie, simplicité, moutonnerie *f.*
schaap'herder *m.* berger; pasteur, pâtre *m.*
schaap'herderin *v.* bergère *f.*
schaap'herdershond *m.* chien *m.* de berger.
schaap'je *o.* petit mouton *m.*; ***zijn —s op het droge hebben,*** avoir son pain cuit.
schaap'jeswolken *mv.* moutons *m.pl.*
schaap'kameel *m.* lama *m.*
schaaps'doorn, -doren *m.* (*Pl.*) bugrane *f.*, arrête-bœuf *m.*
schaaps'kleren *mv.* ***een wolf in —,*** un loup en habits de brebis. [bercail *m.*
schaaps'kooi *v.*(*m.*) **1** bergerie *f.*; **2** (*fig., dicht.*)
schaaps'kop *m.* (*fig.*) butor *m.*, moule *f.*, idiot *m.*
schaapsle(d)er, *zie* ***schapele(d)er.***
schaaps'vacht, scha'pevacht *v.*(*m.*) toison *f.*, lainage *m.*
schaar *v.*(*m.*) **1** ciseaux *m.pl.*; **2** (*voor metaal, haag enz.*) cisailles *f.pl.*; **3** (*v. ploeg*) soc *m.*; **4** (*v. kreeft, enz.*) pince, serre *f.*; **5** (*menigte*) foule, troupe *f.*; ***een kleine —,*** un cercle restreint; ***daar hangt de — uit,*** on y tond les clients; ***twee scharen,*** deux paires de ciseaux.
Schaarbeek *o.* Schaerbeek.
schaar'bos *o.* taillis *m.*
schaard(e) *v.*(*m.*) brèche, dent *f.*
schaar'den *ov.w.* ébrécher.
schaar'hout *o.* bois *m.* de taillis.
schaars I *bw.* **1** rarement; **2** (*nauwelijks*) à peine; **II** *b.n.* rare. [pénurie *f.*
schaars'heid *v.* **1** rareté; disette *f.*; **2** (*v. geld*)
schaar'sliep, scha'rensliep *m.* rémouleur; gagne-petit *m.*
schaars'te *v.*, *zie* ***schaarsheid.***
schaar'verrekijker *m.* binoculaire *m.*
schaats *v.*(*m.*) patin *m.*; ***—en rijden,*** patiner.
schaat's(e)band *m.* cordon *m.* de patin.
schaat'sen *on.w.* patiner.
schaat'senbaan *v.*(*m.*) **1** piste *f.* de patinage; **2** (*v. rolschaatsen*) skating (-rink) *m.*
schaat'senrijden I *on.w.* patiner; **II** *z.n., o.* patinage *m.*
schaat'senrijder *m.* patineur *m.*
schaats'ijzer *o.* lame *f.* de patin.
schaats'riem *m.* courroie *f.* de patin.
schab'berig *b.n.* **1** (*v. kleren*) râpé; **2** (*v. persoon*) dépenaillé, loqueteux.
schabel' *v.*(*m.*) escabeau *m.*
schablone, schabloon, *zie* ***sjablone.***
schacht *v.*(*m.*) **1** (*v. zuil, geweer, enz.*) fût *m.*; **2** (*v. pen, sleutel, laars*) tige *f.*; **3** (*v. lans*) bois *m.*; **4** (*v. mijn*) puits *m.*; (*lucht*—) buse *f.*; **5** (*v. hoogoven*) cuve *f.*
scha'(de) *v.*(*m.*) **1** (*alg.*) dommage *m.*; **2** (*beschadiging*) dégât(s) *m.*(*pl.*); **3** (*nadeel*) détriment, désavantage, préjudice *m.*; **4** (*verlies*) perte *f.*; ***— aanrichten,*** causer des dégâts; ***— lijden,*** faire une perte, essuyer des pertes; ***er zonder — afkomen,*** en sortir indemne; ***zijn — inhalen,*** se rattraper (sur); ***baten en —n,*** bénéfices et pertes; ***door — en schande wordt men wijs,*** dommage rend sage.
scha'delijk *b.n.* **1** (*schade veroorzakende*) nuisible; **2** (*gen.: v. microbe, enz.*) nocif; **3** (*noodlottig: v. leer, enz.*) pernicieux, funeste; **4** (*onvoordelig*) peu économique.
scha'delijkheid *v.* nocivité, nocuité *f.*; caractère *m.*, nuisible, — pernicieux, — funeste.
scha'deloos *b.n.* innocent, inoffensif; ***— stellen,*** indemniser, dédommager.
scha'deloosstelling *v.* **1** (*daad*) dédommagement *m.*, indemnisation *f.*; **2** (*bedrag*) indemnité *f.*; **3** (*recht*) dommages-intérêts *m.pl.*
scha'den *on.w.* **1** (*nadeel toebrengen*) nuire (à), faire tort (à); **2** (*nadelig zijn*) porter préjudice (à); être nuisible (à).
scha'depost *m.* perte *f.*
scha'devergoeding *v.* indemnité *f.*; (*recht*) dommages-intérêts *m.pl.*; ***eis tot —,*** demande *f.* en indemnité.
scha'deverhaal *o.* recours *m.*
scha'deverzekering *v.* assurance *f.* de dommages (*of* de choses), assurance indemnité.
scha'duw *v.*(*m.*) **1** ombre *f.*; **2** (*v. bomen: lommer*) ombrage *m.*; **3** (*schim*) ombre *f.*, fantôme *m.*, silhouette *f.*; ***iem. in de — stellen,*** éclipser qn.; ***in de — blijven,*** (*fig.*) rester dans l'ombre; ***in de — treden,*** s'effacer; ***niet in iemands — kunnen staan,*** ne pas aller à la cheville de qn.
scha'duwachtig *b.n.* vague, vaporeux.
scha'duwbeeld *o.* silhouette *f.* [en filature.
scha'duwen *ov.w.* **1** ombrer; **2** filer, suivre, prendre
scha'duwkegel *m.* (*sterr.*) cône *m.* d'ombre.
scha'duwregering *v.* gouvernement *m.* fantôme.
scha'duwrijk *b.n.* ombragé; ombreux.
scha'duwspel *o.* ombres *f.pl.* chinoises.
scha'duwzijde *v.*(*m.*) **1** côté *m.* de l'ombre; **2** (*fig.*) inconvénient *m.*, revers *m.* de la médaille.
schaf'fen *on.w.* **1** (*verschaffen*) procurer, fournir; **2** (*opdissen*) servir, donner à manger; ***raad —,*** donner conseil, porter conseil; ***ik heb niets met hem te —,*** je n'ai rien à démêler avec lui; ***eten wat de pot schaft,*** dîner à la fortune du pot.
Schaff'hausen *o.* Schaffhouse *f.*
schaf'ten *on.w.* manger, casser la croûte.
schaft'huis, schaft'lokaal *o.* restaurant *m.* ouvrier. [— du casse-croûte.
schaft'tijd *m.*, **schaft'uur** *o.* heure *f.* du repas,
scha'kel *m. en v.* **1** (*v. ketting*) anneau, chaînon, maillon *m.*; **2** (*v. net*) maille *f.*; **3** (*fig.*) enchaînement, lien *m.*; chaînon *m.*
scha'kelaar *m.* (*el.*) interrupteur, commutateur *m.*
scha'kelarmband *m.* gourmette *f.*, bracelet *m.* gourmette.
scha'kelbord *o.* **1** (*el.*) tableau *m.* (de distribution); **2** (*tel.*) multiple *m.*
scha'kelcel *v.*(*m.*) élément *m.* de régulation.
scha'kelen *ov.w.* **1** enchaîner, lier; **2** (*el.*) accoupler.
scha'keling *v.* **1** enchaînement *m.*, liaison *f.*; **2** (*el.*) accouplement *m.*; ***mechanische —,*** changement *m.* de vitesse mécanique.
scha'kelkast *v.*(*m.*) boîte *f.* de distribution.

scha'kellijm *m.* colle *f.* liquide.
scha'kelnet *o.* trémail, tramail *m.*
scha'kelrad *o.* (*tn.*) roue *f.* de rencontre.
scha'kelring *m.* bague *f.* gourmette.
scha'ken I *ov.w.* (*ontvoeren*) enlever, ravir; **II** *on.w.* (*schaakspelen*) jouer aux échecs.
scha'ker *m.* **1** ravisseur *m.*; **2** joueur *m.* d'échecs.
schake'ren *ov.w.* nuancer.
schake'ring *v.* nuance *f.*
scha'king *v.* enlèvement, rapt *m.*
schal *m.* son *m.*
Schalafie *o.* Escanaffles.
schal'beker *m.* (*muz.*) pavillon *m.*
scha'lie *v.* ardoise *f.*
scha'liedak *o.* toit *m.* couvert d'ardoises.
schalk I *m.* farceur, fripon, espiègle *m.*; **II** *b.n.* fripon, espiègle.
schalk'achtig I *b.n.* fripon, espiègle, malin, malicieux; **II** *bw.* malicieusement. [espiègle.
schalks I *bw.* malicieusement; **II** *b.n.* malicieux,
schalks'heid *v.* espièglerie, malice *f.*
schal'len *on.w.* retentir, sonner, résonner.
schalm *m.* anneau *m.*, maille *f.*
schalmei' *v.*(*m.*) chalumeau *m.*
scha'mel I *b.n.* pauvre, maigre, misérable, chétif; **II** *bw.* pauvrement, misérablement, chétivement.
scha'melheid *v.* pauvreté, misère, nécessité *f.*
scha'men, *zich —*, *w.w.* avoir honte, rougir (de); ***zich de ogen uit het hoofd —*,** mourir (*of* être écrasé) de honte, rougir jusqu'au blanc des yeux.
schamp *m.* éraflure, égratignure *f.*; effleurement *m.*, coup *m.* manqué.
schamp'dek *o.* plat*-bord* *m.*
scham'pen *ov.w.* érafler, égratigner; effleurer.
scham'per I *b.n.* aigre, sarcastique; **II** *bw.* aigrement, sarcastiquement.
scham'perheid *v.* aigreur *f.*, sarcasme *m.*, ton *m.* sarcastique.
schamp'scheut, *zie* ***schimpscheut.***
schamp'schot *o.* éraflure *f.*
schandaal' *o.* **1** scandale *m.*; **2** honte, infamie *f.*; ***het is een —*,** c'est une honte, — une infamie; ***— maken*,** faire de l'esclandre.
sc(h)andaleus', schanda'lig *b.n.* scandaleux, honteux.
schandalise'ren, -lize'ren *ov.w.* scandaliser.
schand'bord *o.* écriteau *m.* (infamant).
schand'daad *v.*(*m.*) infamie *f.*, action *f.* infame.
schan'de *v.*(*m.*) **1** (*alg.*) honte *f.*; **2** (*schandvlek, oneer*) opprobre, déshonneur *m.*; **3** (*daad, gedrag*) infamie, ignominie *f.*; ***te — maken*, 1** déshonorer; **2** (*v. bedrieger*) confondre; **3** (*logenstraffen*) démentir; ***armoede is geen —*,** pauvreté n'est pas vice.
schan'delijk I *b.n.* **1** honteux; **2** (*v. gedrag*) indigne, infâme; **II** *bw.* **1** honteusement; **2** indignement.
schan'delijkheid *v.* indignité, infamie *f.*
schand'hout *o.* gibet *m.*
schand'merk *o.* flétrissure *f.*, stigmate *m.*
schand'paal *m.* pilori *m.*
schand'schrift *o.* libelle *m.*, écrit *m.* diffamatoire.
schand'straf *v.*(*m.*) peine *f.* infamante.
schand'teken *o.* stigmate *m.*
schand'vlek *v.*(*m.*) opprobre, stigmate *m.*, flétrissure *f.*; tare *f.*
schand'vlekken *ov.w.* déshonorer, stigmatiser, flétrir, couvrir de honte.
schans *v.*(*m.*) **1** (*mil.*) fortification, redoute *f.* rempart *m.*; **2** (*sch.*) gaillard *m.* d'arrière.
schans'dek *o.* (*sch.*) bastingue *f.*, bastingage *m.*
schans'graver *m.* (*mil.*) pionnier *m.*
schans'korf *m.* (*mil.*) gabion *m.*
schans'loper *m.* (*sch.*) capote, vareuse *f.*
schans'paal *m.* palissade *f.*
schap *o. en v.*(*m.*) rayon *m.*
scha'pebout *m.* gigot *m.* de mouton.
scha'pehok *o.* bergerie *f.*
scha'pekaas *m.* fromage *m.* de brebis.
scha'pekop *m.* **1** tête *f.* de mouton; **2** (*fig.* niais, nigaud *m.*
scha'pele(d)er, schaaps'le(d)er *o.* (peau *f.* de) mouton *m.*; ***imitatie —*,** basané *m.*
scha'pemelk *v.*(*m.*) lait *m.* de brebis.
scha'penfokker *m.* éleveur *m.* de moutons.
scha'penfokkerij' *v.* élève *f.* de moutons.
scha'penscheerder *m.* tondeur *m.* (de moutons).
scha'penteelt *v.*(*m.*) élève *f.* de moutons.
scha'peras *o.* race *f.* ovine.
scha'perib *v.*(*m.*) côtelette *f.* de mouton.
scha'pestal *m.* bergerie *f.* [lainage *m.*
scha'pevacht, schaaps'vacht *v.*(*m.*) toison *f.*,
scha'pevel *o.* peau *f.* de mouton.
scha'pevet *o.* graisse *f.* de mouton.
scha'pevlees *o.* mouton *m.*
scha'pewol *v.*(*m.*) laine *f.* de mouton.
scha'pewolkjes *mv.* moutons *m.pl.*, nuages *m.pl.* moutonnés.
schap'pelijk I *b.n.* **1** (*v. prijs*) raisonnable, modique, abordable; **2** (*v. persoon*) accommodant; coulant (en affaires); **3** (*v. gedrag*) passable; **II** *bw.* passablement, assez bien.
schap'pelijkheid *v.* **1** modicité *f.*; **2** humeur *f.* accommodante.
sc(h)apulier', skapulier' *o. en m.* scapulaire *m.*
schar *v.*(*m.*) (*Dk.*) limande *f.*
scha're, schaar *v.*(*m.*) troupe, foule *f.*
scha'ren I *ov.w.* ranger; aligner; **II** *w.w.* ***zich — (om)*,** se ranger (autour).
scha'rensliep, scha'renslijper, schaar'sliep *m.* rémouleur; gagne-petit *m.*
scharla'ken *o.* écarlate *f.* [kermès *m.*
scharla'kenbes *v.*(*m.*) (*Pl.*) graine *f.* d'écarlate,
scharla'kenkleur *v.*(*m.*) couleur *f.* d'écarlate.
scharla'kenkoorts *v.*(*m.*) (fièvre) scarlatine *f.*
scharla'kenrood I *b.n.* écarlate; **II** *z.n., o.* écarlate *f.*
scharmin'kel *o. en m.* gringalet, maigriot *m.*; ***lange —*,** grand escogriffe, grand flandrin *m.*; grande perche *f.*
scharnier' *o.* charnière *f.*
scharnier'gewricht *o.* ginglyme *m.*
schar'rebijter *m.* (*Dk.*) carabe *m.*
schar'rel *m.* flirt, flirtage *m.*
schar'relaar *m.* **1** (*op de beurs*) tripoteur *m.*; **2** (*sjacheraar*) brocanteur *m.*; **3** (*v. werkman*) bousilleur, bricoleur *m.*; **4** mauvais patineur *m.*; **5** juponnier *m.*; **6** (*Dk.*) rollier *m.*
schar'relen *on.w.* **1** tripoter; **2** brocanter; **3** bousiller, bricoler; **4** patiner gauchement; **5** flirter; **6** (*v. kippen*) gratter; **7** (*met moeite rondkomen*) trimer; tirer le diable par la queue; ***in een lade —*,** fourrager dans un tiroir; ***bijeen —*,** ramasser, rassembler.
schar'retong *v.*(*m.*) cardine *f.*
schat *m.* trésor *m.*; ***een — van ondervinding*,** une longue expérience; ***een — van geleerdheid*,** un fond inépuisable d'érudition; ***een — van boeken*,** une magnifique collection (*of* une collection inestimable) de livres.
schat'bewaarder *m.* trésorier *m.*
scha'teren *on.w.* **1** éclater de rire, rire aux éclats; **2** (*weerklinken*) retentir.
scha'terend *b.n.* éclatant, retentissant.

scha'terlach *m.* éclat *m.* de rire. [éclats.
scha'terlachen *on.w.* éclater de rire, rire aux
schat'graver *m.* chercheur *m.* de trésors.
schat'kamer *v.(m.)* trésor *m.*, trésorerie *f.*
schat'kist *v.(m.)* Trésor *m.* (public), deniers *m.pl.* publics.
schat'kistbiljet *o.* bon *m.* du Trésor.
schat'meester *m.* trésorier *m.*
schatplich'tig *b.n.* tributaire (de).
schat'rijk *b.n.* richissime, opulent, puissamment riche, prodigieusement —.
schat'ten *ov.w.* **1** (*de waarde bepalen, ramen*) estimer, évaluer, taxer; **2** (*op prijs stellen*) apprécier, priser; ***te hoog* —,** surfaire; ***te laag* —,** rabaisser; ***hoe oud schat u hem?*** quel âge lui donnez-vous?
schat'ter *m.* **1** (*alg.*) taxateur *m.*; **2** (*beëdigd: bij veiling*) commissaire*-priseur* *m.*
schat'tig *b.n.* joli (à croquer), gentil, mignon; ***hij ziet er — uit,*** il est à croquer; ***een — armbandje,*** un amour de petit bracelet.
schat'ting *v.* **1** estimation, évaluation, taxation *f.*; **2** appréciation *f.*; **3** (*heffing, belasting*) droit, impôt; tribut *m.*; ***naar ruwe* —,** d'après une estimation globale.
schat'tingskosten *mv.* frais *m.pl.* d'expertise.
scha'veling *m.* copeau *m.*
scha'ven *ov.w.* **1** raboter; **2** (*v. huid: ontvellen*) écorcher, (s')érafler; **3** (*v. groenten, enz.*) couper en tranches, émincer; **4** (*v. verzen*) ciseler; **5** (*v. persoon*) dégrossir, polir.
schaverdijn' *v.(m.)*, *zie* ***schaats.***
schavot' *o.* échafaud *m.*
schavuit' *m.* vaurien, fripon, filou, gredin *m.*
schavui'tenstreek *m. en v.* friponnerie, filouterie, gredinerie *f.*, tour *m.* de fripon.
sche'de, schee *v.(m.)* **1** (*alg.*) gaine *f.*; **2** (*v. degen*) fourreau *m.*; **3** (*ontleedk.*) vagin *m.*; **4** (*Pl.*) spathe *f.*; ***het zwaard in de — steken,*** rengainer l'épée.
sche'del *m.* crâne *m.*
sche'delbasisfractuur, -fraktuur *v.* fracture *f.* de la base du crâne.
sche'delbeen *o.* os *m.* du crâne.
sche'delboor *v.(m.)* trépan *m.*
sche'delboring *v.* trépanation *f.*
sche'delbreuk *v.(m.)* fracture *f.* du crâne.
sche'delholte *v.* cavité *f.* du crâne.
sche'delleer *v.(m.)* cran(i)ologie, phrénologie *f.*
sche'delmeting *v.* craniométrie *f.*
sche'delnaad *m.* suture *f.* du crâne.
sche'delvlies *o.* péricrâne *m.*
schee, *zie* ***schede.***
scheef I *b.n.* **1** (*meetk.*) oblique; **2** (*v. muur*) incliné; **3** (*v. ledematen*) tors; **4** (*scheef getrokken*) déversé, déjeté; **5** (*fig.: v. gedachte, voorstelling*) faux; ***scheve toren,*** tour penchée; ***een scheve neus,*** un nez de travers; ***een — gezicht zetten,*** faire la moue, faire la grimace; ***— hangen,*** pencher de côté; **II** *bw.* **1** obliquement; de biais; **2** (*redeneren, oordelen*) de travers; ***— aankijken,*** regarder de travers; ***de zaak gaat —,*** l'affaire tourne mal.
scheefbe'nig *b.n.* bancroche, bancal.
scheef'heid *v.* **1** (*alg.*) obliquité *f.*; **2** (*v. lichaam*) déviation *f.* (du torse, des jambes, etc.).
scheef'hoek *m.* parallélogramme *m.*
scheefhoe'kig *b.n.* obliquangle, à angles obliques.
scheef'lopen *ov.w.* **1** (*v. hak*) éculer; **2** (*v. schoen*) tourner.
scheef'trekken *on.w.* gauchir, se déjeter.
scheel *b.n.* louche; ***— zien,*** loucher; ***met schele ogen aanzien,*** voir d'un mauvais œil, voir d'un œil d'envie; ***dat geeft schele ogen,*** cela fait naître de la jalousie; ***— zien van de honger,*** avoir une faim de loup; ***schele hoofdpijn,*** migraine *f.*
scheel'heid *v.* loucherie *f.*, strabisme *m.*
scheel'oog *m.-v.* louche, louchon *m.-f.*
scheen *v.(m.)* devant *m.* de la jambe; (*wet.*) tibia *m.*; ***zijn schenen stoten,*** manquer son coup; ***iem. het vuur na aan de schenen leggen,*** mettre qn. au pied du mur; forcer qn. dans ses derniers retranchements.
scheen'been *o.* tibia *m.*
scheen'plaat *v.(m.)* (*v. harnas*) jambière *f.*
scheep *bw.* à bord; ***— gaan,*** s'embarquer; ***die — is moet varen,*** le vin est tiré, il faut le boire.
scheepje *o.* **1** petit navire, petit bateau *m.*; **2** (*dicht.*) nacelle *f.*
scheeps'aandeel *o.* part *f.* de navire.
scheeps'affuit *v.(m.)* affût *m.* de bord, — marin.
scheeps'agent *m.* agent *m.* maritime.
scheeps'agentuur *v.* agence *f.* maritime.
scheeps'artikelen *mv.* fournitures *f.pl.* de vaisseau.
scheeps'artillerie *v.* artillerie *f.* navale.
scheeps'arts *m.* médecin *m.* de bord.
scheeps'bakker *m.* panetier *m.*
scheeps'barometer *m.* baromètre *m.* nautique.
scheeps'behoeften *mv.* victuailles *f.pl.*, approvisionnements *m.pl.* de navire.
scheeps'bemanning *v.* équipage *m.*
scheeps'bericht *o.* (*journaal*) journal *m.* de bord.
scheeps'berichten *mv.* (*in dagblad, enz.*) nouvelles *f.pl.* maritimes.
scheeps'beschuit *v.(m.)* biscuit *m.* de mer.
scheeps'bevelhebber *m.* commandant *m.*
scheeps'bevrachter *m.* affréteur *m.*
scheeps'bevrachting *v.* nolis, nolisement *m.*
scheeps'bewijs *o.* charte*-partie* *f.*
scheeps'bijl *v.(m.)* hache *f.* d'abordage.
scheeps'blok *o.* poulie *f.*
scheeps'bouw *m.* construction *f.* navale, constructions *f.pl.* maritimes.
scheeps'bouwer *m.* constructeur *m.* maritime, — de navires.
scheeps'bouwkunde *v.* architecture *f.* navale, construction *f.* maritime.
scheeps'bouwkundig *b.n.*, ***— ingenieur,*** ingénieur des constructions navales.
scheeps'dek *o.* pont *m.* [*m.* —.
scheeps'dokter *m.* docteur *m.* de bord, médecin
scheeps'gelegenheid *v.*, ***per — verzenden,*** expédier par bateau; ***met de eerste —,*** par le premier bateau en partance.
scheeps'geleide *o.* escorte *f.*
scheeps'geschut *o.* artillerie *f.* navale.
scheeps'gevecht *o.* combat *m.* naval.
scheeps'helling *v.* cale *f.*, chantier *m.*
scheeps'jongen *m.* mousse *m.* [*m.* —.
scheeps'journaal *o.* journal *m.* de bord, livre
scheeps'kapitein *m.* capitaine *m.* (de navire).
scheeps'keuken *v.(m.)* cambuse *f.*, cuisine *f.* de vaisseau.
scheeps'kist *v.(m.)* coffre *m.* (de bord).
scheeps'kok *m.* cuisinier *m.* de vaisseau, maître*-coq* *m.*
scheeps'kompas *o.* compas *m.*, boussole *f.*
scheeps'kost *m.* ordinaire *m.* (de vaisseau, du bord).
scheeps'kraan *v.(m.)* grue *f.*
scheeps'lading *v.* cargaison *f.*, chargement *m.*
scheeps'lantaarn, -lantaren *v.(m.)* fanal *m.*

scheeps'last *m.* last *m.*
scheeps'lengte *v.* longueur *f.* de navire.
scheeps'lijst *v.(m.)* rôle *m.* (de l'équipage).
scheeps'luik *o.* écoutille *f.*
scheeps'maat *m.* mousse, (jeune) matelot *m.*
scheeps'makelaar *m.* courtier *m.* maritime.
scheeps'model *o.* gabarit *m.*
scheeps'mossel *v.(m.)* donace *f.* trigonine.
scheeps'officier *m.* officier *m.* de marine.
scheeps'papieren *mv.* papiers *m.pl.* de bord.
scheeps'plank *v.(m.)* planche *f.* de bord.
scheeps'raad *m.* conseil *m.* de vaisseau.
scheeps'ramp *v.(m.)* sinistre *m.* sur mer.
scheeps'recht *o.* droit *m.* maritime; ***driemaal is —,*** on peut s'y reprendre trois fois; jamais deux sans trois; la troisième fois est la bonne.
scheeps'reder *m.* armateur *m.*
scheeps'roeper *m.* porte-voix *m.*
scheeps'rol *v.(m.)* rôle *m.* (de l'équipage).
scheeps'ruim *o.* cale *f.*
scheeps'ruimte *v.* tonnage *m.*
scheeps'sloep *v.(m.)* chaloupe *f.*
scheeps'sloper *m.* dépeceur *m.* de vaisseaux, déchireur *m.* —.
scheeps'spiegel *m.* tableau *m.*
scheeps'taal *v.(m.)* langage *m.* nautique.
scheeps'takel *m. en o.* palan *m.*
scheeps'term *m.* terme *m.* de marine.
scheeps'tijdingen *mv.* nouvelles *f.pl.* maritimes.
scheeps'timmerman *m.* charpentier *m.*, constructeur *m.* de navires.
scheeps'timmerwerf *v.(m.)* chantier *m.* de construction.
scheeps'toerusting *v.* équipement, armement *m.*
scheeps'ton *v.(m.)* tonne *f.* de jauge.
scheeps'touwwerk *o.* cordages *m.pl.*
scheeps'tuig *o.* agrès apparaux *m.pl.*
scheeps'verzekering *v.* assurances *f.pl.* maritimes.
scheeps'vlag *v.(m.)* pavillon *m.*
scheeps'volk *o.* équipage *m.*, marins *m.pl.*
scheeps'vracht *v.(m.)* **1** (*lading*) cargaison *f.*; **2** (*prijs*) prix *m.* de transport; — de passage; **3** (*huur*) fret, nolis *m.*
scheeps'wacht *v.(m.)* quart *m.*
scheeps'want *o.* agrès *m.pl.* [— naval.
scheeps'werf *v.(m.)* chantier *m.* de construction,
scheep'vaart *v.(m.)* navigation *f.*
scheep'vaartberichten *mv.* nouvelles *f.pl.* maritimes. [time.
scheep'vaartbeweging *v.* mouvement *m.* mari-
scheep'vaartkunde *v.* art *m.* de la navigation.
scheep'vaartmaatschappij *v.* compagnie *f.* de navigation. [maritime.
scheep'vaartverbinding *v.* communication *f.*
scheer'apparaat *o.* **1** (*elektr.*) rasoir *m.* électrique; **2** (*veiligheidsscheermes*) rasoir de sûreté.
scheer'bekken *o.* plat *m.* à barbe.
scheer'crème *v.(m.)* crème *f.* à raser.
scheer'der *m.* **1** (*v. schapen, laken*) tondeur *m.*; **2** (*baard—*) barbier *m.*
scheer'gereedschap, scheer'gerei *o.* nécessaire *m.* à barbe, tout ce qu'il faut pour la barbe.
scheer'kwast *m.* blaireau *m.*, pinceau *m.* à barbe.
scheer'ling *v.(m.)* (*Pl.*) ciguë *f.*
scheer'mes *o.* rasoir *m.*
scheer'mesje *o.* (*v. gilette*) lame *f.*
scheer'riem *m.* cuir *m.* à rasoir.
scheer'sel *o.* **1** (*v. laken*) tontisse *f.*; **2** (*v. schapen*) tonte *f.* [barbe.
scheer'spiegel *m.*, **-spiegeltje** *o.* miroir *m.* à
scheer'tijd *m.* (*voor schapen*) (temps *m.* de la) tonte *f.* des brebis.
scheer'vlucht *v.(m.)* rase-mottes *f.*
scheer'water *o.* eau *f.* (chaude) pour la barbe.
scheer'zeep *v.(m.)* savon *m.* à barbe, crème *f.* de savon.
scheg'beeld *o.* figure *f.* de proue.
schei *v.(m.)* **1** (*in 't haar*) raie *f.*; **2** (*schede*) gaine *f.*; **3** (*sch.: dwarshout*) entretoise *f.*
scheid'baar *b.n.* séparable.
scheid'baarheid *v.* séparabilité *f.*
schei'den I *ov.w.* **1** séparer; **2** (*verdelen*) partager; diviser; **3** (*v. echtgenoten*) prononcer le divorce entre; **4** (*scheik.*) décomposer; dissocier; **II** *on.w.* **1** se séparer, se quitter; **2** divorcer; ***zich laten —,*** demander le divorce, divorcer; ***uit het leven —,*** quitter ce monde; ***hij kan niet van zijn geld —,*** il estdur à la détente; ***bij het — van de markt leert men de kooplui kennen,*** on ne peut juger de la farine que quand le pain est cuit.
schei'ding *v.* **1** (*alg.*) séparation *f.*; **2** (*verdeling*) partage *m.*; **3** (*echtgenoten*) divorce *m.*; **4** (*scheik.*) décomposition *f.*; **5** (*in 't haar*) raie *f.*; **6** (*scheidingslijn, grenslijn*) ligne *f.* de démarcation, limite *f.*; **7** (*v. twee metalen*) départ *m.*; — ***van tafel en bed,*** séparation de corps et de biens.
schei'dingslijn *v.(m.)* ligne *f.* de démarcation.
scheids'gerecht *o.* tribunal *m.* d'arbitrage, cour *f.* —.
scheids'lijn *v.(m.)* ligne *f.* de démarcation.
scheids'man *m.* **1** arbitre *m.*; **2** (*middelaar*) médiateur *m.*
scheids'muur *m.* **1** mur *m.* mitoyen; **2** (*binnenmuur*) mur *m.* de refend; **3** (*fig.*) barrière *f.*
scheids'raad *m.* conseil *m.* de prud'hommes.
scheids'rechter *m.* arbitre *m.*
scheids'rechterlijk I *b.n.* arbitral; **II** *bw.* arbitralement.
schei'kunde *v.* chimie *f.* [ment.
scheikun'dig I *b.n.* chimique; **II** *bw.* chimique-
scheikun'dige *m.-v.* chimiste *m.-f.*
schei'lijn *v.(m.)* ligne *f.* de démarcation.
schei'teken *o.* signe *m.* de ponctuation.
schel I *v.(m.)* **1** sonnette *f.*, timbre *m.*; **2** *zie* ***schil; de —len zijn hem van de ogen gevallen,*** les écailles lui sont tombées des yeux; **II** *b.n.* **1** (*v. geluid*) aigu, perçant, strident; **2** (*v. kleur*) voyant, criard; **3** (*v. licht*) cru, intense, éblouissant; **III** *bw.* d'une manière perçante; — ***klinken,*** produire un son aigu; — ***verlichten,*** éclairer d'un jour cru.
Schel'de *v.* Escaut *m.*
schel'den I *ov.w.* injurier, invectiver; — ***voor,*** traiter de; **II** *on.w.* tempêter, pester; — ***op,*** déblatérer contre, invectiver —.
scheld'naam *m.* sobriquet *m.*, nom *m.* injurieux, appellation *f.* injurieuse.
scheld'partij *v.* engueulade *f.*, diatribes *f.pl.*
scheld'woord *o.* injure, invective *f.*, gros mot *m.*
sche'len *on.w.* **1** (*verschillen*) différer; **2** (*ontbreken*) manquer; ***dat scheelt 5 frank,*** cela fait une différence de 5 francs; ***het kan mij niet —,*** cela m'est égal; peu m'importe; je ne m'en soucie pas; ***het scheelt veel,*** il s'en faut de beaucoup; ***het scheelde weinig of hij viel,*** il s'en est fallu de peu qu'il ne tombât; ***wat scheelt u?*** qu'avez vous? ***het scheelt hem in het hoofd,*** il est un peu toqué, il a le timbre fêlé.
schelf *v.(m.)* tas *m.*, meule *f.*
schel'heid *v.* **1** (*v. geluid*) acuité *f.*; **2** (*v. kleur*) violence, crudité *f.*; **3** (*v. licht*) intensité, crudité *f.*
schel'klinkend *b.n.* aigu, perçant, strident.
schel'koord *o. en v.(m.)* cordon *m.* de sonnette.

schel'kruid *o.* (*Pl.*) chélidoine *f.*
schel'lak *o. en m.* gomme*-laque* *f.*, laque *f.* en écailles.
schel'len *on.w.* sonner.
schel'lenboom *m.* chapeau *m.* chinois.
schel'linkje *o.* paradis, poulailler *m.*
schelm *m.* fripon, coquin *m.*
schelm'achtig *b.n.* **1** fourbe, fripon; **2** (*snaaks, guitig*) espiègle, malicieux.
schel'menstreek *m. en v.*, **schelmerij'** *v.* **1** friponnerie, coquinerie, fourberie *f.*; **2** malice, espièglerie *f.*
schelms *b.n.*, *zie* ***schelmachtig.***
schelm'stuk *o.* **1** friponnerie, fourberie *f.*; **2** espièglerie, malice *f.*
schelp *v.*(*m.*) **1** (*alg.*) coquille *f.*, coquillage *m.*; **2** (*v. weekdier*) valve *f.*; **3** (*v. oor*) pavillon *m.*; **4** (*v. neus*) aile *f.*; ***in zijn schulp kruipen,*** rentrer dans sa coquille.
schelp'dier *o.* coquillage *m.*
schel'penpad *o.* sentier *m.* pavé de coquillages.
schelp'goud *o.* or *m.* en coquille, — moulu.
schelp'kalk *m.* chaux *f.* de coquilles, — de coquillages.
schelp'laag *v.*(*m.*) couche *f.* de coquillages.
schelp'visser *m.* pêcheur *m.* coquillier.
schelp'weg, *zie* ***schelpenpad.***
schelp'werk *o.* rocaille *f.*
schelp'zand *o.* sable *m.* coquilleux.
schel'vis *m.* aiglefin, aigrefin *m.*
schel'visogen *mv.* (grands) yeux *m.pl.* à fleur de [tête.
sche'ma *o.* **1** schéma *m.*; **2** (*fig.*) canevas *m.*
schema'tisch I *b.n.* schématique; **II** *bw.* schématiquement.
sche'mer *m.* **1** demi-jour* *m.*, demi-obscurité* *f.*; **2** (*avond—*) brune *f.*, crépuscule *m.*
sche'merachtig *b.n.* **1** crépusculaire; **2** (*fig.*) vague.
sche'meravond *m.* crépuscule *m.*, brune *f.*
sche'merdonker *o.* demi-jour* *m.*
sche'meren *on.w.* **1** faire demi-jour; **2** rester (*of* causer) dans la demi-obscurité; **3** luire faiblement, répandre une faible lueur; ***het schemert reeds,*** **1** (*'s avonds*) le soir tombe déjà; **2** (*'s morgens*) il commence déjà à faire jour, le jour commence déjà à percer; ***het schemert mij voor de ogen,*** j'ai des éblouissements, j'ai comme un voile devant les yeux; ***er schemert mij iets van voor de geest,*** j'en ai comme un vague souvenir.
sche'merig *b.n.* **1** crépusculaire; **2** (*fig.*) vague.
sche'mering *v.* **1** (*ochtend of avond*) demi-jour* *m.*; **2** (*'s avonds*) crépuscule *m.*; **3** (*'s morgens*) aube *f.* (du jour); ***in de —,*** à la brune, à la nuit tombante, entre chien et loup.
sche'merlamp *v.*(*m.*) veilleuse *f.*, lampadaire *m.*
sche'merlicht *o.* **1** lumière *f.* crépusculaire, lueur *f.* —; **2** demi-jour* *m.*
sche'mertijd *m.* crépuscule *m.*
sche'meruur *o.* heure *f.* du crépuscule, brune *f.*
schen'den *ov.w.* **1** (*onteren*) violer, déshonorer; **2** (*ontheiligen*) profaner; **3** (*v. boek, enz.*) abîmer, mutiler; **4** (*onvolledig maken: v. verzameling, enz.*) dépareiller; **5** (*v. eed, wet, enz.*) violer; **6** (*belasteren*) calomnier, diffamer, noircir; ***iemands vertrouwen —,*** trahir la confiance de qn.; ***van de pokken geschonden,*** marqué de la petite vérole.
schen'der *m.* violateur; profanateur *m.*
schen'ding *v.* **1** violation *f.*; **2** profanation *f.*; **3** endommagement *m.*; **4** dépareillement *m.*; **5** (*v. wet, enz.*) violation, transgression, infraction *f.*; **6** diffamation *f.*
schend'schrift *o.* libelle *m.*
schenk'blad *o.* plateau, cabaret *m.*
schen'kel, schin'kel *m.* cuisse *f.*; (*v. schaap*) gigot *m.*; (*v. os*) jarret *m.*
schen'kelvlees *o.* jarret *m.* de bœuf.
schen'ken I *ov.w.* **1** (*v. vloeistof*) verser; **2** (*ten geschenke geven*) donner, faire cadeau de; **3** (*v. schuld, straf*) remettre; **4** (*de vrijheid*) accorder; ***vol —,*** remplir; ***klare wijn —,*** jouer cartes sur table, parler à cœur ouvert, dire nettement sa pensée; ***iem. vergiffenis —,*** pardonner à qn.; ***het leven —,*** **1** donner la vie, mettre au monde; **2** (*aan veroordeelde*) faire grâce de la vie; **II** *on.w.* (*drank verkopen, slijten*) débiter des boissons.
schen'ker *m.* **1** échanson *m.*; **2** (*in café*) (garçon) verseur *m.*; **3** (*gever*) donateur *m.*
schen'king *v.* **1** don *m.*; **2** (*daad*) donation *f.*
schen'kingsakte *v.*(*m.*) acte *m.* de donation.
schenk'kan *v.*(*m.*) broc *m.*; verseuse *f.*
schenk'ketel *m.* bouilloire *f.*
schenk'kurk *v.*(*m.*) verseur *m.*, bouchon *m.* à [verser.
schenk'tafel *v.*(*m.*) buffet *m.*
schen'nis *v.* violation; profanation *f.*, sacrilège *m.*
schep *m.* **1** pelletée *f.*; **2** (*v. lepel*) cuillerée *f.*; **3** (*zeer veel*) tas *m.*; ***dat kost een — geld,*** cela coûte gros, cela coûte les yeux de la tête.
schep'bord *o.* palette, aube *f.*
sche'pel *o. en m.* décalitre *m.*; (*vroeger*) boisseau *m.*
sche'peling *m.* marin *m.*, homme *m.* de l'équipage; ***de —en,*** l'équipage *m.*
sche'pen *m.* échevin *m.*
sche'pencollege, -kollege *o.* collège *m.* échevinal. [vinal.
sche'per *m.* berger *m.*
schep'je *o.*, *zie* ***schep.***
schep'lepel *m.* **1** puisoir *m.*; **2** (*pot—*) louche *f.*
schep'net *o.* truble *f.*
schep'netje *o.* épuisette *f.*
schep'pen *ov.w.* **1** (*putten*) puiser; **2** (*maken*) créer; **3** (*v. papier*) faire à la forme; ***vol —,*** remplir; ***leeg —,*** vider; ***adem —,*** respirer; ***behagen — in,*** se plaire à; ***kolen op het vuur —,*** mettre du charbon sur le feu.
schep'pend *b.n.* créateur.
schep'per *m.* **1** créateur *m.*; **2** (*werkman*) puiseur *m.*; **3** (*werktuig, gereedschap*) puisoir *m.*
schep'ping *v.* création *f.*
schep'pingsboek *o.* Genèse *f.*
schep'pingsdrang *m.* impulsion *f.* créatrice.
schep'pingskracht *v.*(*m.*) faculté *f.* créatrice.
schep'pingsverhaal *o.* récit *m.* de la Genèse, histoire *f.* de la création du monde
schep'pingswerk *o.* création *f.*, œuvre *f.* de la création.
schep'rad *o.* roue *f.* à aubes.
schep'sel *o.* créature *f.*
schep'vat *o.* **1** baillotte *f.*; **2** (*hoosvat*) écope *f.*
sche'ren I *ov.w.* **1** (*v. baard*) raser, faire la barbe à; **2** (*v. schapen, laken, haag, enz.*) tondre; **3** (*draden v. getouw*) ourdir; **4** (*v. schip*) licer; **5** (*v. kruin*) tonsurer; **6** (*fig.: afzetten*) écorcher, plumer, rançonner; ***—, alstublieft!*** la barbe, s'il vous plaît! ***pas geschoren,*** rasé de frais; ***hij zou de varkens —,*** il tondrait sur un œuf; ***zich geduldig laten —,*** se laisser tondre la laine sur le dos; ***ik zit met hem geschoren,*** je l'ai sur le dos, — sur les bras; **II** *on.w.* ***— langs,*** effleurer, frôler; ***langs de grond —,*** raser le sol; **III** *w.w.* ***zich —,*** se raser, se faire la barbe; ***scheer je weg!*** allons ouste! filez! hors d'ici! **IV** *z.n.*, ***het —,*** **1** (*v. baard*) la coupe; **2** (*v. schapen*) la tonte, la tondaison; **3** (*v. laken, haag*) la tonture.
scherf *v.*(*m.*) **1** (*v. pot, fles*) tesson *m.*; **2** (*v. granaat*) éclat *m.*; **3** (*alg.: v. fles, glas, enz.*) débris (*m.pl*).;

aan scherven vallen, tomber en morceaux, se réduire en pièces.
scherf'granaat *v.(m.)* obus *m.* brisant.
scherf'vrij *b.n.* à l'épreuve des éclats.
scherf'weer *v.(m.)* *(mil.)* pare-éclats *m.*
sche'ring *v.* *(tn.)* chaîne *f.*; ***dat is daar — en inslag,*** on n'y voit que cela; ***dat is — en inslag bij hem,*** il ne fait que cela; il ne parle que de cela; cela lui arrive à tout bout de champ.
sche'ringdraad *m.* fil *m.* de chaîne.
scherm *o.* **1** *(tocht—)* paravent *m.*; **2** *(haard—, vuur—)* écran *m.*; **3** *(v. toneel: gordijn)* rideau *m.*; toile *f.*; **4** *(losse toneelwand)* coulisse *f.*; **5** *(Pl.)* ombelle *f.*; **6** *(voor raam: zonne—)* marquise *f.*; ***achter de —en blijven,*** rester dans la coulisse *(of* les coulisses).
scherm'bloemigen *mv.* ombellifères *f.pl.*
scherm'club, -klub *v.(m.)* cercle *m.* d'escrime.
scherm'degen *m.* fleuret *m.*
scherm'dragend *b.n.* *(Pl.)* ombellifère.
scher'men I *on.w.* **1** faire de l'escrime, faire des armes; **2** *(fig.)* s'escrimer (de qc.); ***in de wind —,*** se battre contre des moulins; ***met grote woorden —,*** faire des phrases, faire sonner de grands mots; **II** *z.n.*, ***het —,*** l'escrime *f.*
scher'mer *m.* escrimeur, tireur *m.*; ***een goed —,*** un bon tireur, une fine lame.
scherm'handschoen *m. en v.* gant *m.* d'escrime.
scherm'klub, -club *v.(m.)* cercle *m.* d'escrime.
scherm'kunst *v.* escrime *f.*
scherm'les *v.(m.)* leçon *f.* d'escrime.
scherm'lokaal *o.* salle *f.* d'armes.
scherm'masker *o.* masque *m.* d'escrime.
scherm'meester *m.* maître *m.* d'armes.
scherm'oefeningen *mv.* exercices *m.pl.* de salle, travaux *m.pl.* de salle.
scherm'sabel *m.* espadon *m.*
scherm'school *v.(m.)* salle *f.* d'armes, — d'escrime.
schermut'selaar *m.* escarmoucheur *m.*
schermut'selen *on.w.* escarmoucher.
schermut'seling *v.* escarmouche *f.*
scherm'vereniging *v.* société *f.* d'escrime.
scherm'vest *o.* veste *f.* de salle.
scherm'wedstrijd *m.* assaut *m.*, concours *m.* d'escrime.
scherm'zaal *v.(m.)* salle *f.* d'armes, — d'escrime.
scherp I *b.n.* **1** *(v. mes, enz.: snijdend)* tranchant, coupant; **2** *(geslepen)* (bien) affilé; **3** *(puntig)* pointu, effilé; **4** *(v. hoek, kant)* aigu; **5** *(v. doorn, enz.)* piquant; **6** *(v. rook, lucht, smaak)* âcre; **7** *(v. spijzen)* fort, piquant; **8** *(v. geluid)* aigu, strident, perçant; **9** *(v. koude)* âpre, intense, vif; **10** *(v. vocht: bijtend)* corrosif; **11** *(v. vergif)* violent; **12** *(v. woord, kritiek)* acerbe; **13** *(v. beeld, afscheiding, verdeling)* net; **14** *(v. ondervraging, verhoor)* rigoureux; **15** *(v. vermaning)* sévère; **16** *(v. gehoor)* fin; **17** *(v. gezicht)* perçant; **18** *(v. verstand)* subtil, pénétrant; **19** *(v. oordeel)* sagace; **20** *(v. verwijt)* amer, vif; ***—e gelaatstrekken,*** des traits nettement accusés; ***—e patroon,*** cartouche à balle; ***—e concurrentie,*** concurrence acharnée; ***—e instelling,*** *(fot.)* mise au point exacte; ***— toezicht,*** surveillance active; ***een —e tong,*** une langue de vipère; ***de —e kanten wegnemen,*** arrondir les angles; ***een —e bocht,*** un tournant brusque; ***honger is een — zwaard,*** ventre affamé n'a pas d'oreilles; **II** *bw.* âprement; vivement; nettement; ***— afkeuren,*** censurer aigrement; ***— beoordelen,*** critiquer sévèrement; ***— bewaken,*** surveiller étroitement, — de près; ***— berispen,*** réprimander vertement; ***— verwijten,*** reprocher amèrement, — vivement; ***— zetten,*** *(v. paard)* ferrer à glace; ***— horen,*** avoir l'oreille *(of* l'ouïe) fine; ***— oordelen,*** raisonner juste, juger avec sagacité, être sagace; ***de wind blaast —,*** il souffle un vent âpre; ***— toelopen,*** finir en pointe; ***— instellen,*** *(fot.)* mettre (exactement) au point; ***tegen — concurrerende prijzen,*** à des prix défiant toute concurrence; ***zich — aftekenen tegen,*** se dessiner nettement sur; **III** *z.n.*, *o.* **1** *(v. mes)* tranchant *m.*; **2** *(v. degen)* fil *m.*; ***met — schieten,*** tirer à balle.
scher'pen *ov.w.* **1** *(v. mes, enz.)* aiguiser, affiler; **2** *(v. werktuig)* affûter, aiguiser; **3** *(v. potlood)* tailler; **4** *(v. molensteen)* repiquer, rhabiller; **5** *(fig.: v. verstand, kunstzin)* affiner; **6** *(v. geest)* aiguiser; **7** *(v. geheugen)* exercer.
Scherpenheu'vel *o.* Montaigu *m.*
scherp'heid *v.* **1** tranchant *m.*; **2** fil *m.*; **3** *(v. kou, enz.)* âpreté *f.*; **4** *(v. punt)* finesse *f.*; **5** *(v. geluid, hoek, enz.)* acuité *f.*; **6** *(v. vocht)* âcreté, acidité *f.*; **7** *(v. omtrekken, verdeling)* netteté *f.*; **8** *(juistheid)* exactitude *f.*; **9** *(bitsheid)* mordacité *f.*; **10** *(v. geest)* sagacité *f.*; **11** *(v. verstand)* subtilité *f.*; **12** *(v. woord, stijl)* acerbité *f.*, mordant *m.*
scherphoe'kig *b.n.* acutangle.
scher'ping *v.* **1** aiguisement, aiguisage, affilage *m.*; **2** affûtage *m.*; **3** repiquage *m.*; **4** *(fig.)* exercice *m.*
scherp'klinkend *b.n.* aigu, perçant.
scherp'rechter *m.* bourreau *m.*
scherp'schutter *m.* tirailleur *m.*, bon tireur *m.*, tireur d'élite.
scherp'slijper *m.* chicaneur *m.*
scherp'snijdend *b.n.* tranchant, bien affilé.
scherp'te *v.* *(v. beeld, enz.)* netteté *f.*; *(v. pijn)* acuité *f.*; *zie verder:* ***scherpheid.***
scherp'ziend *b.n.* **1** qui a le regard *(of* la vue) perçant(e); **2** *(fig.: v. oog)* pénétrant, perçant; **3** *(v. geest)* perspicace.
scherpzin'nig I *b.n.* sagace, pénétrant, perspicace; **II** *bw.* ingénieusement, avec sagacité.
scherpzin'nigheid *v.* sagacité, pénétration, perspicacité *f.*
scherts *v.(m.)* plaisanterie *f.*, badinage *m.*; ***— kunnen verdragen,*** entendre raillerie; ***— ter zijde,*** badinage à part.
schert'sen *on.w.* plaisanter, badiner, railler; ***— met,*** se moquer de, se railler de.
schert'send I *b.n.* plaisant, badin, railleur; **II** *bw.* d'un ton railleur, par plaisanterie.
schert'senderwijs, -wijze *bw.* pour rire, par plaisanterie, en raillant.
schert'ser *m.* railleur *m.*
scher'vengericht *o.* ostracisme *m.*
schets *v.(m.)* **1** esquisse, ébauche *f.*, croquis *m.*; **2** *(v. boek, enz.)* aperçu *m.*
schets'boek *o.* **1** album *m.* (à dessin); **2** *(met schetsen)* album *m.* de croquis.
schet'sen I *ov.w.* **1** esquisser, ébaucher, croquer; **2** *(fig.)* dépeindre, décrire; donner un aperçu de; **II** *on.w.* prendre des croquis.
schet'ser *m.* **1** dessinateur, crayonneur *m.*; **2** *(fig.)* peintre *m.*
schets'kaart *v.(m.)* croquis *m.*
schetsma'tig *b.n.* esquissé, schématique.
schets'tekening *v.* esquisse, ébauche *f.*, croquis, crayon *m.*
schet'teraar *m.* braillard, brailleur *m.*
schet'teren *on.w.* **1** retentir, éclater; **2** *(fig.)* faire des phrases, avoir le verbe haut.
schet'terend *b.n.* **1** retentissant, éclatant; **2** *(fig.)* ronflant, brailleur.
schet'tering *v.* son *m.* éclatant, bruit *m.* de fanfare.
scheur *v.(m.)* **1** *(alg.)* déchirure *f.*; **2** *(in muur)* lézarde, fissure *f.*; **3** *(in hout)* fente *f.*; **4** *(kloof, barst)*

crevasse *f.*; **5** (*in vaas, enz.*) fêlure *f.*; **6** (*winkelhaak*) accroc *m.*
scheur'buik *m. en o.* scorbut *m.*
scheur'buiklijder *m.* scorbutique *m.*
scheu'ren I *ov.w.* **1** (*verscheuren*) déchirer; **2** (*splijten*) lézarder; fendre; crevasser; fêler; **3** (*losrukken, wegrukken*) arracher; **4** (*v. weiland, enz.: omploegen*) rompre; ***in stukken* —,** mettre en pièces; **II** *on.w.* **1** se déchirer; **2** se lézarder; se fendre; se crevasser; se fêler.
scheu'ring *v.* **1** déchirement *m.*; **2** (*in partij*) scission, dissidence *f.*; **3** (*in kerk*) schisme *m.*
scheur'kalender *m.* éphéméride *f.*, calendrier *m.* à effeuiller.
scheur'kies *v.*(*m.*) carnassière *f.*
scheur'maker *m.* schismatique *m.*
scheur'mand *v.*(*m.*) panier *m.* (à papier).
scheur'papier *o.* papier *m.* de rebut.
scheut *m.* **1** (*v. plant: loot*) pousse *f.*, scion, (re)jet *m.*; **2** (*azijn*) filet *m.*; **3** (*wijn*) coup *m.*; **4** (*melk*) nuage *m.*; **5** (*v. pijn*) élan, élancement *m.*; **6** (*v. slot*) pêne *m.*
scheu'tig *b.n.* **1** (*slank, opgeschoten*) élancé; **2** (*vrijgevig*) généreux, libéral, large.
scheu'tigheid *v.* générosité, libéralité *f.*
scheut'je *o.* **1** (*Pl.*) brindille *f.*; **2** (*v. water, enz.*) filet *m.*; **3** (*v. melk in thee, enz.*) soupçon, nuage *m.*
Sche'veningen *o.* Schéveningue *f.*
schicht *m.* flèche *f.*; dard *m.*
schich'tig *b.n.* **1** (*v. paard*) ombrageux; **2** (*v. persoon*) farouche; **3** (*v. gelaat*) effaré; **4** (*v. gebaar*) nerveux; **— *worden,*** prendre ombrage; **— *maken,*** effaroucher.
schich'tigheid *v.* humeur *f.* farouche; timidité *f.*; effarement *m.*; nervosité *f.*
schie'lijk I *b.n.* **1** rapide, prompt, précipité; **2** (*onverwacht*) inopiné, imprévu; **3** (*v. dood*) subit; **II** *bw.* **1** rapidement, vite, promptement, précipitamment; **2** inopinément; **3** subitement.
schie'lijkheid *v.* rapidité, promptitude, précipitation *f.*
schie'man *m.* (*sch.*) (quartier-)maître *m.*
schier *bw.* presque, à peu près.
schier'eiland *o.* presqu'île *f.*; (*groot* —) péninsule *f.*
schier'eilandbewoner *m.* péninsulaire *m.*
schiet'baan *v.*(*m.*) **1** tir *m.*; **2** (*voor artillerie*) polygone *m.*
schiet'beitel *m.* bec*-d'âne, bédane *m.*
schie'ten I *on.w.* **1** (*met vuurwapen, boog*) tirer; **2** (*Pl.*) pousser (des rejets, des rejetons); **3** (*sp.*) shooter; **4** (*fig.*) s'élancer, se précipiter; ***een bok* —,** commettre quelque impair; faire une gaffe; ***te kort* —,** manquer à; tromper les attentes; ***met scherp* —,** tirer à balle(s); ***aren* —,** monter en épis; ***wakker* —,** s'éveiller en sursaut; ***de tranen* — *hem in de ogen,*** ses yeux se remplissent de larmes; ***in de hoogte* —,** s'élever rapidement, s'élancer dans l'air; ***uit de grond* —,** sortir de terre; ***uit de hand* —,** échapper de la main; ***in 't zaad* —,** monter en graine; ***met spek* —,** conter des blagues, — des bourdes, blaguer, gasconner; ***dat woord schiet me niet te binnen,*** je ne puis me rappeler ce mot; **II** *ov.w.* **1** tuer, tuer d'un coup de fusil; **2** (*v. vonken*) lancer; **3** (*v. stralen*) darder; **4** (*v. netten: uitwerpen*) jeter; ***een schip in de grond* —,** (faire) couler un navire; ***brood in de oven* —,** enfourner le pain; ***kuit* —,** frayer; ***zich voor de kop* —,** se brûler la cervelle; ***wortel* —,** prendre racine, s'enraciner; ***laten* —,** (laisser) filer, larguer; **III** *z.n.*, ***het* —,** le tir.
schie'ter *m.* **1** (*persoon*) tireur *m.*; **2** (*v. slot*) pêne *m.*; **3** (*Dk.*) mite, teigne *f.*
schiet'gat *o.* meurtrière *f.*
schiet'gebed *o.* oraison *f.* jaculatoire.
schiet'geweer *o.* fusil *m.*, arme *f.* à feu.
schiet'katoen *o. en m.* coton*-poudre, fulmicoton [*m.*
schiet'kraam *v.*(*m.*) *en o.* tir *m.*, salon *m.* de tir.
schiet'lood *o.* plomb *m.*, fil *m.* à plomb.
schiet'masker *o.* masque *m.* d'abatage.
schiet'oefening *v.* exercice *m.* de tir.
schiet'partij *v.* fusillade *f.*
schiet'schijf *v.*(*m.*) cible *f.*
schiet'school *v.*(*m.*) école *f.* de tir.
schiet'spoel *v.*(*m.*) navette *f.*
schiet'stoel *m.* (*vl.*) siège *m.* éjectoire, — éjectable.
schiet'tent, *zie* ***schietkraam.***
schietterrein, *zie* ***schietbaan.***
schiet'wapen *o.* arme *f.* à feu.
schiet'wedstrijd *m.* concours *m.* de tir.
schiet'wilg *m.* (*Pl.*) osier *m.* blanc.
schif'ten I *ov.w.* **1** (*scheiden*) séparer; **2** (*uitzoeken*) trier; **3** (*fig.*) examiner, éplucher; **II** *on.w.* **1** (*v. melk*) se cailler, tourner; **2** (*v. stof: rafelen*) s'érailler.
schif'ting *v.* **1** séparation *f.*; **2** triage *m.*; **3** épluchage *m.*; **4** (*v. melk*) caillement *m.*, coagulation *f.*; **5** (*v. stof*) éraillure *f.*
schijf *v.*(*m.*) **1** (*alg.*) disque *m.*; **2** (*v. kalfsvlees, appel, enz.*) rouelle *f.*; **3** (*snede: v. ham, enz.*) tranche *f.*; **4** (*v. worst, enz.*) rond *m.*, rondelle *f.*; **5** (*bij damspel*) pion *m.*; **6** (*schiet*—) cible *f.*; ***vliegende* —,** soucoupe *f.*; ***hij heeft schijven,*** (*fam.*) il a des picaillons, — des écus; ***dat loopt over veel schijven,*** c'est bien compliqué; cela passe par beaucoup de rouages.
schijf'koper *o.* cuivre *m.* en rosette.
schijf'remmen *mv.* freins *m.pl.* à disque.
schijf'schieten *o.* tir *m.* à la cible.
schijf'vormig *b.n.* en forme de disque, discoïde, discoïdal.
schijf'wiel *o.* roue *f.* pleine.
schijn *m.* **1** (*licht*) lumière; clarté *f.*, éclat *m.*; **2** (*schijnsel*) lueur *f.*; **3** (*weerschijn*) reflet *m.*; **4** (*voorkomen*) apparence *f.*, semblant *m.*; ***de* — *redden,*** sauver les apparences; ***de* — *hebben van,*** avoir l'air de; ***onder de* — *van,*** sous le masque de, sous prétexte de; ***naar alle* —,** selon toute apparence, apparemment; **— *bedriegt,*** les apparences sont trompeuses; ***zonder* — *of schaduw van bewijs,*** sans la moindre trace d'évidence; ***valse* —,** faux-semblant* *m.* [que *f.* simulée.
schijn'aanval *m.* simulacre *m.* d'attaque, attaque *f.* simulée.
schijn'baar I *b.n.* **1** apparent; **2** (*voorgewend*) simulé, feint; **II** *bw.* en apparence.
schijn'beeld *o.* **1** fausse image *f.*, vaine apparence *f.*; **2** (*fig.*) illusion *f.*, mirage *m.*
schijn'behoefte *v.* besoin *m.* apparent.
schijn'beweging *v.* **1** (*sterr.*) mouvement *m.* apparent; **2** (*sp.*) feinte *f.*; **3** (*mil.*) démonstration *f.*
schijn'bewijs *o.* preuve *f.* apparente, sophisme *m.*
schijn'christen, -kristen *m.* faux chrétien *m.*
schijn'dividend *o.* (*H.*) dividende *m.* fictif.
schijn'dood I *m. en v.* mort *f.* apparente, léthargie *f.*; **II** *b.n.* mort en apparence, en léthargie.
schij'nen *on.w.* **1** luire, briller; **2** (*fig.*) jeter de l'éclat, briller; **3** (*lijken*) paraître, sembler, avoir l'air; ***de zon schijnt,*** il fait du soleil, le soleil luit; ***de maan schijnt,*** il fait clair de lune, il y a lune; ***naar het schijnt,*** à ce qu'il paraît.
schijn'geleerde *m.* faux savant *m.*
schijn'geleerdheid *v.* fausse science, fausse érudition *f.*; pédantisme *m.*

schijn'geluk *o.* bonheur *m.* apparent.
schijn'gestalte *v.* phase *f.* (de la lune).
schijn'gevecht *o.* simulacre *m.* de combat, combat *m.* simulé.
schijn'handeling *v.* transaction *f.* fictive.
schijnhei'lig I *b.n.* hypocrite; pharisaïque; **II** *bw.* hypocritement, pharisaïquement.
schijnhei'lige *m.-v.* hypocrite *m.-f.*, faux dévot *m.*, fausse dévote *f.*
schijnhei'ligheid *v.* hypocrisie, fausse dévotion *f.*
schijn'koning *m.* **1** roi *m.* de carton; **2** (*gesch.*) roi *m.* fainéant.
schijn'koop *m.* marché *m.* simulé, achat *m.* —.
schijn'kristen, *zie* ***schijnchristen.***
schijn'reden *v.(m.)* sophisme *m.*; prétexte *m.*
schijn'sel *o.* lueur *f.*, reflet *m.*; ***het — van de maan,*** le clair de la lune.
schijn'stoot *m.* feinte *f.*
schijn'tje *o.* bagatelle *f.*; ***voor een —,*** pour quatre sous, pour une bouchée de pain, pour un rien; *zie ook:* ***schijn.***
schijn'verdienste *v.* faux mérite *m.*, mérite [apparent.
schijn'verdrag *o.* contrat *m.* simulé.
schijn'verkoop *m.* vente *f.* simulée.
schijn'vrede *m. en v.* paix *f.* fourrée, — plâtrée.
schijn'vriend *m.* faux ami *m.*
schijn'vroom *b.n.*, *zie* ***schijnheilig.***
schijn'vroomheid, *zie* ***schijnheiligheid.***
schijn'werper *m.* projecteur, phare *m.*
schijn'wijsheid *v.* pseudoscience *f.*, pédantisme [*m.*
schik *m.* **1** (*orde*) arrangement *m.*; **2** (*genoegen*) contentement, plaisir *m.*; ***in zijn — zijn,*** être content, — satisfait, — de bonne humeur; ***ik heb — in hem,*** **1** il me plaît; **2** il m'amuse.
schik'godin *v.* Parque *f.*; ***de —nen,*** les (trois) sœurs filandières.
schik'kelijk *b.n.* **1** (*v. persoon*) accommodant, complaisant; **2** (*v. prijs*) modique.
schik'kelijkheid *v.* complaisance *f.*, humeur *f.* accommodante.
schik'ken I *ov.w.* **1** (*rangschikken*) ranger, disposer; **2** (*v. papieren, enz.*) classer; **3** (*v. zaken*) arranger; **4** (*v. geschil, enz.: regelen*) régler; accommoder; **5** (*v. kleuren*) assortir; ***ten beste —,*** disposer pour le mieux; ***in der minne —,*** arranger à l'amiable, régler —; **II** *on.w.* convenir; ***dat schikt nogal,*** cela va assez bien; cela ne va pas mal; ***als het u schikt,*** si cela vous convient, si cela ne vous dérange pas; ***die datum schikt mij niet,*** cette date ne me convient pas; **III** *w.w.* ***zich —,*** s'arranger; ***zich — in,*** se résigner à; ***zich — naar,*** se régler sur; ***zich — naar de omstandigheden,*** se conformer aux circonstances, s'accommoder —.
schik'king *v.* **1** (*ordening, rangschikking*) arrangement, classement *m.*; **2** (*voorziening*) disposition *f.*; **3** (*overeenkomst*) arrangement, compromis, accommodement *m.*; **4** (*recht*) transaction *f.*; ***minnelijke —,*** arrangement à l'amiable; ***tot een — komen,*** s'arranger.
schil *v.(m.)* **1** (*v. vruchten, aardappelen*) pelure, peau *f.*; **2** (*als afval*) épluchure *f.*; **3** (*v. sinaasappel, citroen*) écorce *f.*, zeste *m.*; **4** (*v. bonen, erwten*) gousse, cosse *f.*; **5** (*v. ui*) tunique, peau *f.*; *zie ook:* ***schel.***
schild *o.* **1** (*gesch.: wapentuig*) bouclier *m.*; **2** (*klein —*) écu *m.*; **3** (*wap.*) écusson, écu *m.*; **4** (*Dk.: v. schildpad*) carapace *f.*; **5** (*v. winkel: uithangbord*) enseigne *f.*; **6** (*v. dak*) croupe *f.*; **7** (*v. kalender*) carton *m.*; ***ik weet niet wat hij in zijn — voert,*** je ne sais (pas) ce qu'il manigance; je ne sais pas de quel bois est son feu; je ne sais pas ce qu'il a dans le ventre; ***iets kwaads in zijn — voeren,*** nourrir quelque méchant dessein.
schild'dak *o.* (*mil.*) tortue *f.*
schild'drager *m.* **1** écuyer *m.*; **2** (*wap.*) tenant, support *m.*
schil'der *m.* peintre *m.*; ***huis—,*** peintre en bâtiments; ***kunst—,*** (artiste) peintre.
schil'deracademie, -akademie *v.* école des Beaux-Arts, académie *f.* de peinture.
schil'derachtig I *b.n.* pittoresque; **II** *bw.* pittoresquement.
schil'derachtigheid *v.* pittoresque *m.*
schilderakade'mie, *zie* ***schilderacademie.***
schil'derdoek *o.* toile *f.*
schil'deren I *ov.w.* **1** peindre; **2** (*fig.*) dépeindre; **II** *on.w.* **1** peindre, faire de la peinture; **2** (*op schildwacht staan*) être en sentinelle, être en faction; **3** (*fig.*) attendre, faire le pied de grue; ***iem. laten —,*** poser un lapin à qn.; ***blauw —,*** peindre en bleu; ***dat zit u als geschilderd,*** cela vous va comme un gant; **III** *z.n., o.* **1** peinture *f.*; **2** (*het verven*) peinturage *m.*; **3** (*mil.*) faction *f.*
schilderes' *v.* peintre *m.*, femme *f.* peintre.
schil'derhuisje *o.* guérite *f.*, abrivent *m.*
schilderij' *o. en v.* tableau *m.*, peinture, toile *f.*
schilderij'enkabinet *o.* cabinet *m.* de tableaux.
schilderij'enmuseum *o.* musée *m.* de peinture.
schilderij'ententoonstelling *v.* exposition *f.* de peinture, Salon *m.*, galerie *f.* de tableaux.
schilderij'koord *o. en v.(m.)* câblé *m.*
schilderij'lijst *v.(m.)* cadre *m.* (d'un tableau).
schil'dering *v.* **1** peinture *f.*; **2** (*fig.*) description *f.*
schil'derkunst *v.* peinture *f.*
schil'derschool *v.(m.)* école *f.* de peinture; ***de Hollandse —,*** l'école hollandaise.
schil'dersezel *m.* chevalet *m.* (de peintre).
schil'dersgezel, schil'dersknecht *m.* ouvrier *m.* peintre.
schil'derskwast *m.* brosse *f.* de peintre.
schil'dersleerling *m.* apprenti *m.* peintre.
schil'dersmes *o.* spatule, amassette *f.*
schil'dersmodel *o.* modèle *m.* de peintre.
schil'derspalet *o.* palette *f.*
schil'derspenseel *o.* pinceau *m.*, brosse *f.*
schil'dersstok *m.* appui*-main *m.*, baguette *f.*
schil'derstuk *o.* tableau *m.*, peinture, toile *f.*
schil'derswinkel *m.* atelier *m.* de peintre.
schil'derwerk *o.* peinture *f.*
schild'houder, *zie* ***schilddrager.***
schild'kever *m.* casside *f.*
schild'klier *v.(m.)* glande *f.* thyroïde.
schild'knaap *m.* écuyer *m.*
schild'luis *v.(m.)* cochenille *f.*
schild'pad I *v.(m.)* tortue *f.*; **II** *o.* écaille *f.* (de [tortue).
schild'padachtigen *mv.* (*Dk.*) chéloniens *m.pl.*
schild'padden *b.n.* d'écaille, en écaille.
schild'padsoep *v.(m.)* potage *m.* à la tortue.
schild'varken *o.* tatou *m.*
schild'vleugelig *b.n.* coléoptère; ***— insekt,*** coléoptère *m.*
schild'vormig *b.n.* scutiforme.
schild'wacht I *m.* (*mil.*) sentinelle *f.*, factionnaire *m.*; **II** *v.(m.)* faction *f.*; ***op — staan,*** **1** être en faction, faire sentinelle; **2** (*fig.*) monter la garde, veiller, se tenir aux aguets.
schild'wachthuisje *o.* guérite *f.*
schil'fer *m.* **1** écaille, écaillure *f.*; **2** (*gen.: op 't hoofd*) pellicule *f.*
schil'ferachtig *b.n.* écailleux.
schil'feren *on.w.* s'écailler; s'exfolier.
schil'ferig *b.n.* écailleux.
schil'fering *v.* écaillement *m.*; exfoliation *f.*

schil'fersteen *m.* schiste *m.*
schil'fertje *o.* **1** écaillure *f.*; **2** (*op 't hoofd*) pellicule *f.*
schil'len *ov.w.* **1** (*v. vruchten*) peler; **2** (*v. aardappelen*) éplucher; **3** (*ontschorsen*) écorcer, décortiquer; ***met iem. een appeltje te — hebben,*** avoir un compte à régler avec qn.
schil'lenboer *m.* ramasseur *m.* (de déchets ménagers).
schil'lenmand *v.*(*m.*) panier *m.* aux pelures.
schil'lerhemd *o.* chemise *f.* de sport.
schil'lerkraag *m.* col *m.* américain, — Danton.
schil'machine *v.* machine *f.* à peler.
schil'mesje *o.* couteau *m.* à peler.
schil'ster *v.* éplucheuse *f.*
schim *v.*(*m.*) **1** (*schaduw*) ombre *f.*; **2** (*spook*) fantôme, spectre *m.*; **3** (*hersenschim*) chimère *f.*; **4** (*v. d. doden*) mânes *m.pl.*
schim'achtig *b.n.* fantômal.
schim'mel I *m.* moisissure *f.*; **II** *m.* cheval *m.* blanc.
schim'melen *on.w.* (se) moisir.
schim'melig *b.n.* moisi.
schim'meling *v.* moisissure *f.*
schim'melplantje *o.* moisissure *f.*
schim'menrijk *o.* royaume *m.* des Ombres, champs *m.pl.* Élysées.
schimp *m.* insulte *f.*, outrage *m.*; ***uit —,*** par dérision.
schimp'dicht *o.* poème *m.* satirique, satire *f.*
schimp'dichter *m.* poète *m.* satirique.
schim'pen *on.w.* insulter, injurier, outrager.
schimp'naam *m.* sobriquet *m.*
schimp'rede *v.*(*m.*) diatribe *f.*
schimp'scheut *m.* trait *m.* piquant, — méchant, brocard, sarcasme *m.*
schimp'schrift *o.* libelle, pamphlet *m.*
schimp'woord *o.* injure, invective *f.*
schin'kel, *zie* ***schenkel.***
schip *o.* **1** navire *m.*; **2** (*groot—*) vaisseau *m.*; **3** (*v. kerk*) nef *f.*; ***het — van staat,*** le char de l'État; ***schoon — maken,*** faire place nette; faire table rase; se purger.
schip'breuk *v.*(*m.*) naufrage *m.*; ***— lijden,*** faire naufrage.
schip'breukeling *m.* naufragé *m.*
schip'brug *v.*(*m.*) pont *m.* de bateaux.
schip'per *m.* **1** (*bij binnenvaart*) batelier, marinier *m.*; **2** (*gezagvoerder*) capitaine *m.*; **3** (*bij marine*) maître d'équipage, premier maître *m.*
schip'peraar *m.* louvoyeur *m.*
schip'peren *on.w.* **1** s'arranger; **2** conduire sa barque; **3** (*geven en nemen*) louvoyer, tergiverser, transiger.
schipperij' *v.* **1** (*binnenscheepvaart*) navigation *f.* fluviale; **2** (*de schippers*) les bateliers *m.pl.*
schip'persbeurs *v.*(*m.*) bourse *f.* des bateliers.
schip'persbevolking *v.* population *f.* batelière.
schip'pershaak *m.* gaffe *f.*
schip'perskinderen *mv.* jeunesse *f.* batelière.
schip'persknecht *m.* garçon *m.* marinier.
schip'perspet *v.*(*m.*) casquette *f.* marine.
schip'persvrouw *v.* batelière *f.*
schis'ma *o.* schisme *m.*
schisma'ticus *m.* schismatique *m.*
schismatiek' *b.n.* schismatique.
schit'teren *on.w.* briller, luire, resplendir, rayonner.
schit'terend I *b.n.* brillant, éclatant, resplendissant, rayonnant; **II** *bw.* brillamment.
schit'tering *v.* **1** éclat *m.*; splendeur *f.*; **2** (*v. diamant*) feux *m.pl.*
schit'terlicht *o.* lumière *f.* éblouissante.
schizofreen' I *b.n.* schizoïde; **II** *m.* schizophrène *m.*
schizofrenie' *v.* schizophrénie *f.*
schla'ger *m.* scie *f.*, chanson *f.* populaire.
schmink' *m.* fard *m.*
schmin'ken *ov.w.* farder.
schob'bejak *m.* maroufle, malandrin *m.*, fripouille *f*
schoei'en *ov.w.* **1** (*op leest*) chausser; **2** (*met planken bekleden*) revêtir de planches.
schoei'ing *v.* revêtement *m.*; boiserie *f.*
schoei'sel *o.* chaussure *f.*
schoel'je *m.* fripouille *f.*, malandrin *m.*
schoen *m.* **1** soulier *m.*; **2** (*hoge —*) bottine *f.*; **3** (*zware —*) brodequin, godillot *m.*; ***zijn —en aantrekken,*** mettre ses souliers, se chausser; ***zijn —en uittrekken,*** se déchausser; ***vast in zijn schoenen staan,*** être ferme sur les arçons (*of* sur ses étriers), être sûr de son fait, être sûr de ce qu'on avance; ***niet vast in zijn —en staan,*** être vacillant, ne pas être sûr de son affaire; ***de stoute —en aantrekken,*** prendre son courage à deux mains; ***ik zou niet in zijn —en willen staan,*** je ne voudrais pas être dans sa peau; ***hij gaat niet recht in zijn —en,*** il ne va pas le droit chemin; ***iem. iets in de —en schuiven,*** mettre qc. sur le dos de qn.; ***ieder weet het best waar hem de — wringt,*** chacun sait où le bât le blesse; ***wie de — past, trekke hem aan,*** qui se sent morveux se mouche.
schoen'aantrekker *m.* chausse-pied* *m.*
schoen'borstel *m.* brosse *f.* à souliers; — à décrotter.
schoen'crème *v.*(*m.*) cirage *m.* crème.
schoe'n(en)fabriek *v.* cordonnerie *f.*
schoe'n(en)industrie *v.* industrie *f.* de la chaussure.
schoe'n(en)winkel *m.* cordonnerie *f.*, magasin *m.* de chaussures.
schoe'ner *m.* schooner *m.*
schoen'fabriek, *zie* ***schoenenfabriek.***
schoen'gesp *m. en v.* boucle *f.* de soulier.
schoen'haakje *o.* crochet *m.* à bottines.
schoen'industrie, *zie* ***schoenenindustrie.***
schoen'klomp *m.* galoche *f.*
schoen'lak *o. en m.* vernis *m.* pour chaussures.
schoen'lappen *o.* raccommodage *m.* de souliers.
schoen'lapper *m.* **1** savetier *m.* ; **2** (*Dk.: vlinder*) paon *m.* du jour.
schoen'le(d)er *o.* empeigne *f.*
schoen'leest *v.*(*m.*) forme *f.* (de soulier).
schoen'lepel *m.* chausse-pied* *m.*
schoen'maken *o.* cordonnerie *f.*
schoen'maker *m.* cordonnier *m.*; ***— blijf bij je leest,*** à chacun son métier, les vaches seront bien gardées.
schoenmakerij' *v.* cordonnerie *f.*
schoen'makersmes *o.* tranchet *m.*
schoen'makersnaald *v.*(*m.*) carrelet *m.*
schoen'poetsen *o.* **1** décrottage *m.*; **2** (*glanzen*) cirage *m.* [(de bottes).
schoen'poetser *m.* décrotteur *m.*; cireur *m.*
schoen'poetsersbankje *o.* sellette *f.*
schoen'riem *m.* cordon *m.* de soulier, courroie *f.* de soulier.
schoen'smeer *o. en m.* cirage *m.*
schoen'spanner *m.* tendeur *m.* (pour chaussures).
schoen'spijker *m.* clou *m.* (de soulier); (*groot*) caboche *f.*
schoen'trekker *m.* tirant *m.*
schoen'veter *m.* lacet *m.*
schoen'werk *o.* chaussure *f.*
schoen'winkel, *zie* ***schoenenwinkel.***
schoen'zool *v.*(*m.*) semelle *f.*

schoep *v.(m.)* aube, palette *f.*
schoffeer'der *m.* violateur *m.*
schof'fel *v.(m.)* sarcloir *m.*, ratissoire *f.*
schof'felen *ov.w. en on.w.* sarcler, ratisser.
schof'feling *v.* sarclage, ratissage *m.*
schoffe'ren *ov.w.* violer.
schoft I *m.* coquin, gredin *m.*; II *v.(m.)* 1 (*schouder*) épaule *f.*; 2 (*v. paard*) garrot *m.*
schoft'achtig I *b.n.* coquin, insolent, grossier; II *bw.* en goujat, insolemment.
schok *m.* 1 secousse *f.*; choc, heurt *m.*; 2 (*v. voertuig*) cahot *m.*; 3 (*el.*) commotion *f.*; 4 (*v. aarde*) secousse *f.*; 5 (*fig.*) coup *m.*, secousse, commotion *f.*
schok'beton *o.* béton *m.* vibré, — précontraint.
schok'breker *m.* amortisseur, pare-chocs *m.*
schok'buis *v.(m.)* détonateur *m.*
schok'ken I *ov.w.* 1 secouer, heurter, donner un choc à; 2 cahoter; 3 (*fig.*) émouvoir, agiter, ébranler, donner une commotion à; ***zijn gezondheid is geschokt,*** sa santé a reçu une atteinte, sa santé est affaiblie; ***een geschokte gezondheid,*** une santé ébranlée; II *on.w.* cahoter, être cahoté; III *z.n., o.* cahotement *m.*
schok'kend *b.n.* 1 émouvant, poignant; 2 sensationnel.
schok'schouderen *on.w.* hausser les épaules.
schok'troep *m.* formation *f.* de choc.
schok'vrij *b.n.* antichoc.
schol I *v.(m.)* 1 (*v. ijs*) glaçon *m.*; 2 (*v. aarde*) motte *f.* (de terre); II *m.*, (*Dk.*) plie *f.*, carrelet *m.*
scholas'ticus *m.* scolastique *m.*
scholastiek' *v.* scolastique *f.*
schol'ekster *v.(m.)* pie *f.* de mer, huîtrier *m.*
scho'len *on.w.* s'attrouper.
scholier' *m.* écolier *m.*
scho'ling *v.* instruction, formation *f.*
scho'lingscursus, -kursus *m.* cours *m.* d'instruction.
schol'levaar, schol'ver(d) *m.* (*Dk.*) cormoran, nigaud *m.*
schom'mel I *m. en v.* escarpolette, balançoire *f.*; II *v.* (*fam.*) grosse commère, dondon *f.*
schom'melen *on.w.* 1 (*op schommel*) se balancer; 2 (*v. slinger, enz.*) osciller; 3 (*v. schip*) rouler; 4 (*waggelen*) branler, brandiller; 5 (*fig.: v. prijzen*) osciller.
schom'melend *b.n.* 1 (*v. beweging*) oscillant, oscillatoire; 2 (*v. prijzen*) variable.
schom'meling *v.* 1 balancement *m.*; 2 oscillation *f.*; 3 (*v. prijzen, markt*) fluctuation *f.*
schom'melstoel *m.* fauteuil *m.* à bascule, rocking-chair* *m.*
scho'ne *v.* belle, beauté *f.*
schon'kig *b.n.* osseux, ossu.
schoof *v.(m.)* gerbe *f.*; ***in schoven zetten,*** mettre en gerbes.
schooi'en *ov.w. en on.w.* gueuser, mendier.
schooi'er *m.* gueux, mendiant *m.*; (*pop.*) va-nu-pieds, vagabond *m.*
schooi'erig *b.n.* 1 gueux, déguenillé; 2 (*fig.*) vil, abject.
schooierij' *v.* gueuserie *f.*, vagabondage *m.*
school *v.(m.)* 1 école *f.*; 2 (*v. vissen*) banc *m.*; ***lagere —,*** école primaire; ***middelbare —,*** école secondaire; ***bijzondere —,*** école particulière, — confessionnelle; ***openbare —,*** école laïque; ***de — verzuimen,*** 1 (*wegens ziekte, enz.*) manquer la classe; 2 (*spijbelen*) faire l'école buissonnière; ***er is geen —,*** il n'y a pas de classe, on a congé; ***op —,*** à l'école, en classe; ***waar gaat hij op —?*** quelle école est-ce qu'il fréquente? ***uit de — klappen,*** jaser, bavarder, commettre une indiscrétion.

school'agenda *v.(m.)* carnet (*of* agenda) *m.* scolaire.
school'akte *v.(m.)* diplôme *m.* scolaire.
school'arrest *o.* privation *f.* de sortie.
school'arts *m.* médecin *m.* scolaire, — des écoles.
school'atlas *m.* atlas *m.* classique.
school'bank *v.(m.)* banc *m.* d'école; ***op de —en zitten,*** fréquenter l'école.
school'bataljon *o.* (*mil.*) bataillon *m.* scolaire.
school'behoeften *mv.* fournitures *f.pl.* d'école, — de classe, — scolaires.
school'bestuur *o.* direction *f.* (de l'école).
school'bezoek *o.* 1 (*v. leerlingen*) fréquentation *f.* scolaire; scolarité *f.*; 2 (*door overheid*) inspection *f.*
school'bibliot(h)eek *v.* bibliothèque *f.* scolaire.
school'bioscoop, -bioskoop *m.* cinéma *m.* d'enseignement.
school'bus *m. en v.* autobus *m.* scolaire.
school'blijven I *on.w.* être en retenue; II *z.n., o.* retenue *f.*
school'blijver *m.* élève *m.* en retenue.
school'boek *o.* livre *m.* classique, — scolaire.
school'boekhandel *m.* librairie *f.* classique.
school'bord *o.* tableau *m.* noir.
school'commissie, -kommissie *v.* commission *f.* scolaire, — des écoles.
school'dag *m.* jour *m.* de classe.
school'dwang *m.* obligation *f.* scolaire.
school'elftal *o.* équipe *f.* scolaire.
school'examen, -eksamen *o.* examen *m.* scolaire.
school'feest *o.* fête *f.* scolaire.
school'film *m.* film *m.* d'enseignement, — éducatif.
school'frik *m.* pion, cuistre *m.*
school'gaan *on.w.* aller à l'école, fréquenter une école; ***—de kinderen,*** enfants en âge d'aller en classe.
school'gebouw *o.* (maison d')école *f.*
school'geld *o.* rétribution *f.* scolaire, écolage *m.*
school'geleerde *m.* pédant *m.*
school'geleerdheid *v.* science *f.* livresque, savoir *m.* —.
school'hoofd *o.* directeur *m.* d'école.
school'houden I *on.w.* faire la classe; II *ov.w.* garder en retenue, mettre —.
school'hygiëne *v.(m.)* hygiène *f.* scolaire.
school'inspectie, -inspektie *v.* inspection *f.* scolaire.
school'jaar *o.* 1 année *f.* scolaire; 2 (*leertijd*) année *f.* d'école, — de collège.
school'jaren *mv.* scolarité *f.*
school'jeugd *v.(m.)* jeunesse *f.* scolaire, écoliers *m.pl.*
school'jongen *m.* écolier; élève *m.*
school'juffrouw *v.* institutrice *f.*
school'kameraad *m.* camarade *m.* d'école, ami *m.* de collège.
school'kennis I *v.* savoir *m.* scolaire, — livresque; II *m.* camarade *m.* d'école.
school'kind *o.* écolier *m.*; écolière *f.*
school'kommissie, *zie* ***schoolcommissie.***
school'leven *o.* régime *m.* scolaire; vie *f.* de collège.
school'lokaal *o.* classe *f.*; salle *f.* d'étude.
school'makker, *zie* ***schoolkameraad.***
school'man *m.* pédagogue *m.*
school'meester *m.* 1 maître *m.* d'école; 2 (*ong.*) pédant, cuistre *m.*
school'meesterachtig I *b.n.* pédant; II *bw.* d'une manière pédante.
school'meisje *o.* écolière *f.*
school'museum *o.* musée *m.* scolaire, — pédagogique.

school'onderwijs *o.* instruction *f.* à l'école, enseignement *m.* scolaire, instruction *f.* —.
school'opziener *m.* inspecteur *m.* (de l'enseignement) primaire, inspecteur *m.* scolaire.
school'plaats *v.(m.)* préau *m.*, cour *f.* (de récréation).
school'plein *o.* place *f.* de l'école.
school'plicht *m. en v.* instruction *f.* obligatoire.
schoolplich'tig *b.n.* en âge de scolarité.
school'potlood *o.* crayon *m.* d'écolier.
school'radio *m.* radio *f.* scolaire.
school'rapport *o.* bulletin *m.*
school'reglement *o.* règlement *m.* scolaire.
school'reis *v.(m.)* voyage *m.* scolaire.
schools *b.n.* **1** méthodique; **2** (*ong.*) pédantesque.
school'schip *o.* vaisseau*-école* *m.*
school'schrift *o.* cahier *m.* d'écolier.
schools'heid *v.* pédantisme *m.*
school'slag *m.* brasse *f.*
school'strijd *m.* lutte *f.* scolaire.
school'tas *v.(m.)* cartable, sac *m.*, gibecière, serviette *f.*
school'tijd *m.* **1** (*lesuren*) heures *f.pl.* de classe; classe *f.*; **2** (*cursus*) cours *m.*; **3** (*leerjaren*) scolarité *f.*; années *f.pl.* de collège; ***onder* —,** pendant la classe; ***buiten* —,** en dehors des heures de classe.
school'toezicht *o.* inspection *f.* scolaire.
school'tucht *v.(m.)* discipline *f.* scolaire.
school'tuin *m.* jardin *m.* scolaire.
school'uitgaaf, -uitgave *v.(m.)* édition *f.* classique.
school'uitzending *v.* émission *f.* radioscolaire.
school'uur *o.* heure *f.* de classe.
school'verband *o.* ***in* —,** scolaire; ***buiten* —,** extrascolaire.
school'vergadering *v.* réunion *f.* d'école, — [scolaire.
school'vertrek, *zie* ***schoollokaal.***
school'verzuim *o.* absences *f.pl.* (scolaires).
school'voeding *v.* soupe *f.* scolaire.
school'vos *m.* (*ong.*) maître *m.* d'école, pédant *m.*
schoolvosserij' *v.* pédantisme *m.*
school'vriend *m.* camarade *m.* d'école, ami *m.* de collège, condisciple *m.* [match *m.* —.
school'wedstrijd *m.* concours *m.* interscolaire,
school'wereld *v.(m.)* milieux *m.pl.* scolaires, monde *m.* de l'école.
school'werk *o.* devoirs *m.pl.*
school'wet *v.(m.)* loi *f.* scolaire, — sur l'instruction publique.
school'wetgeving *v.* législation *f.* scolaire.
school'wezen *o.* instruction *f.* publique.
school'wijsheid, *zie* ***schoolgeleerdheid.***
school'woordenboek *o.* dictionnaire *m.* scolaire.
school'ziekte *v.* maladie *f.* simulée.
schoon I *b.n.* **1** (*mooi*) beau, charmant, superbe; **2** (*v. linnen, enz.*) propre; blanc; **3** (*v. water*) pur; ***Philips de Schone,*** Philippe le Bel; **— *connossement,*** connaissement sans réserves; **II** *bw.* **1** bien, joliment, élégamment; **2** proprement; **3** tout à fait; ***het is — op,*** il n'en reste rien; **— *opmaken,* 1** (*v. eten*) nettoyer; **2** (*v. geld*) épuiser, dépenser entièrement; **— *aan de haak,*** net; **III** *z.n., o.* beau *m.*; **IV** *vw.* quoique, bien que.
schoon'broe(de)r *m.* beau*-frère* *m.*
schoon'dochter *v.* belle*-fille*, bru *f.*
schoon'druk *m.* **1** impression *f.* au recto; **2** côté de première (*of* de une).
schoon- en weerdruk *m.* impression *f.* recto-verso.
schoon'heid *v.* **1** beauté *f.*; **2** propreté *f.*
schoon'heidsbehandeling *v.* soins *m.* de beauté.
schoon'heidscommissie, -kommissie *v.* comité *m.* d'esthétique, — d'urbanisme. [du beau.
schoon'heidsgevoel *o.* sens *m.* esthétique, —
schoon'heidsinstituut *o.* institut (*of* salon) *m.* de beauté.
schoon'heidskoningin *v.* reine *f.* de beauté.
schoon'heidskommissie, *zie* ***schoonheidscommissie.***
schoon'heidsleer *v.(m.)* esthétique *f.*
schoon'heidsmiddel *o.* cosmétique *m.*
schoon'heidssalon *m. en o.* salon *m.* de beauté.
schoon'heidsspecialiste *v.* esthéticienne *f.*
schoon'heidsvlekje *o.* grain *m.* de beauté.
schoon'heidswater *o.* eau *f.* cosmétique.
schoon'heidswedstrijd *m.* concours *m.* de beauté.
schoon'heidszin, *zie* ***schoonheidsgevoel.***
schoon'houden *ov.w.* tenir propre, nettoyer.
schoon'klinkend *b.n.* **1** mélodieux, harmonieux; **2** (*v. naam, enz.*) bien sonnant; **—*e woorden,*** de belles paroles.
schoon'maak *m.* (grand) nettoyage *m.*
schoon'maakster *v.* femme *f.* de journée, — de ménage.
schoon'maaktijd *m.* saison *f.* de nettoyage.
schoon'maken I *ov.w.* **1** (*alg.*) nettoyer; **2** (*spoelen*) rincer; **3** (*v. schoenen*) décrotter; brosser; **4** (*v. groenten*) éplucher; **5** (*v. vis, kip*) vider; **6** (*met borstel*) balayer; **7** (*v. put, enz.*) curer; **8** (*gen.: v. wond*) absterger; **II** *z.n., o.* **1** nettoyage *m.*; **2** rinçage *m.*; **3** décrottage; brossage *m.*; **4** épluchage *m.*; **5** vidage *m.*; **6** balayage *m.*; **7** curage *m.*; **8** abstersion *f.*
schoon'moeder *v.* belle*-mère* *f.*
schoon'ouders *mv.* beaux-parents *m.pl.*
schoon'rijden *o.,* **schoon'rijderij'** *v.* **1** (*op schaatsen*) patinage *m.* artistique; traçage *m.* de figures; **2** (*v. paarden*) haute école *f.*
schoon'schijnend *b.n.* spécieux.
schoon'schrift *o.* calligraphie *f.*, écriture *f.* calligraphique.
schoon'schrijven *o.* calligraphie *f.*
schoon'schrijver *m.* calligraphe *m.*
schoon'vader *m.* beau*-père* *m.*
schoon'vegen *ov.w.* nettoyer, balayer.
schoon'wassen I *ov.w.* **1** laver; **2** (*fig.*) blanchir; **II** *w.w.* ***zich* —,** (*fig.*) se blanchir, se disculper.
schoon'zoon *m.* gendre *m.*
schoon'zuster *v.* belle*-sœur* *f.*
schoor *m.* **1** (*bouwk.*) étai, étançon *m.*; **2** (*sch.*) accore *m.*
schoor'balk *m.* étai, sommier *m.*
schoor'hout *o.* bois *m.* d'appui, étai, étançon *m.*
schoor'muur *m.* contrefort *m.*, mur *m.* de soutènement.
schoor'paal *m.* étai, étançon *m.*
schoor'steen *m.* cheminée *f.*; ***daar kan de — niet van roken,*** cela ne fait pas bouillir la marmite.
schoor'steenbrand *m.* feu *m.* de cheminée.
schoor'steenkap *v.(m.)* chaperon *m.*; abat-vent *m.*
schoor'steenkleedje *o.* devant *m.* de cheminée.
schoor'steenloper *m.* dessus *m.* de cheminée.
schoor'steenmantel *m.* manteau *m.* de cheminée.
schoor'steenpijp *v.(m.)* tuyau *m.* de cheminée.
schoor'steenplaat *v.(m.)* plaque *f.* de cheminée.
schoor'steenvegen I *on.w.* ramoner; **II** *z.n., o.* ramonage *m.*
schoor'steenveger *m.* ramoneur *m.*
schoor'steenwissel *m.* (*H.*) billet *m.* de complaisance.
schoor'steenzwaluw *v.(m.)* hirondelle *f.* rustique, — de cheminée.

schoor'voeten *on.w.* hésiter.
schoor'voetend I *b.n.* hésitant, indécis; **II** *bw.* à contre cœur; **— *iets doen,*** hésiter à faire qc.
schoor'zuil *v.(m.)* contrefort (*of* pilier) *m.* de soutènement.
schoot *m.* **1** giron *m.*; genoux *m.pl.*; **2** (*binnenste*) sein *m.*; **3** (*sch.*) écoute *f.*; **4** (*v. slot*) pêne *m.*; ***de — der kerk,*** le giron de l'Église; ***op iemands — zitten,*** être sur les genoux de qn.; ***in de — van zijn gezin,*** au sein de sa famille; ***in de — der aarde,*** dans les entrailles de la terre; ***de handen in de — leggen,*** demeurer (*of* rester) les bras croisés; ***het hoofd in de — leggen,*** se soumettre.
schoot'blok *o.* (*sch.*) poulie *f.* d'écoute.
schoot'hondje *o.* bichon *m.*, chien *m.* de manchon.
schoot'kind(je) *o.* **1** petit enfant, bébé *m.*; **2** (*fig.*) enfant *m.* gâté.
schoot'lijn *v.(m.)* (*mil.*) ligne *f.* de tir.
schoots'afstand *m.* portée *f.*
schoots'hoek *m.* angle *m.* de tir.
schoots'vel *o.* tablier *m.* de cuir.
schoots'veld *o.* (*mil.*) champ *m.* de tir.
schoots'verheid *v.* portée *f.* (*d'une arme*).
schoot'vrij, *zie* ***schotvrij.***
schop I *m.* **1** coup *m.* de pied; **2** (*v. paard*) coup *m.* de sabot; ***iem. de — geven,*** mettre qn. à la porte, congédier qn.; ***vrije —,*** (*sp.*) coup franc; **II** *v.(m.)* **1** pelle *f.*; **2** (*spade*) bêche *f.*; **3** (*schopvol*) pelletée *f.*
schop'pen I *on.w.* **1** donner des coups de pied; **2** (*sp.*) botter; **3** (*v. paard*) ruer; **II** *ov.w.* donner des coups de pied à; **III** *z.n. v.(m.)* (*bij kaartspel*) pique *m.*
schoppenaas' *m. of o.* as *m.* de pique.
schoppenboer' *m.* valet *m.* de pique.
schop'stoel *m.* planchette *f.* (*of* siège *m.*) d'escarpolette; ***op de — zitten,*** branler dans le manche.
schor I *b.n.* rauque, enroué; **II** *bw.* d'un ton (*of* d'une voix) rauque.
scho'rem *o.* canaille, crapule, racaille *f.*
scho'ren *ov.w.* **1** (*bouwk.*) étayer, étançonner, appuyer; **2** (*sch.*) accorer.
schor'heid *v.* raucité *f.*, enrouement *m.*
scho'ring *v.* étayage, étayement *m.*
Schoris'se *o.* Escornaix.
schorpioen' *m.* scorpion *m.*
schorpioen'kruid *o.* (*Pl.*) scorpiure *f.*
schorpioen'vis *m.* scorpène *f.*
schor'r(i)emorrie *o.* populace, crapule, canaille, [pègre *f.*
schors *v.(m.)* écorce *f.*
schor'sen *ov.w.* **1** suspendre; **2** (*uitstellen*) remettre, différer; **3** (*v. priester*) interdire; ***iem. —,*** suspendre qn. de ses fonctions.
schorseneel', schorseneer' *v.(m.)* salsifis *m.* (noir), scorsonère *f.*
schor'sing *v.* **1** (*v. zitting, traktement, enz.*) suspension *f.*; **2** (*v. priester*) (*daad*) interdiction *f.*; (*besluit*) interdit *m.*
schors'kever *m.* scolyte *m.*
schort *v.(m.) en o.* tablier *m.*
schor'teband *m.* ruban *m.* de tablier.
schor'ten *on.w.* ***wat schort er aan?*** qu'avez-vous?
schot *o.* **1** coup *m.* (coup de feu, coup de fusil, coup de canon); **2** (*lading*) charge *f.*; **3** (*tussen—: v. planken: v. neus, enz.*) cloison *f.*; **4** (*hok*) étable *f.* (à porcs, à brebis); **5** (*knal*) détonation *f.*; **6** (*sp.*) shot, tir, shoot *m.*; ***buiten — blijven,*** se tenir à l'écart, ne pas s'exposer; ***buiten — zijn,*** être hors d'atteinte; ***onder — krijgen,*** amener à portée; ***er zit geen — in,*** cela n'avance pas; ***er komt — in,*** cela commence à marcher; ***— brengen in,*** dépêcher, expédier; ***er komt — in het kind,*** l'enfant commence à grandir; ***er komt — in het graan,*** le grain commence à germer; ***er komt — in de kolen,*** on commence à voir la fin des charbons; ***zonder een — te lossen,*** sans brûler une amorce; ***ieder — is geen eendvogel,*** tous les jours de chasse ne sont pas jours de prise; on ne réussit pas à tout coup; ***die een varken is, moet in het —,*** c'est aux chiens à ronger les os.
Schot *m.* Écossais *m.*
schot'beest *o.* bête *f.* à l'engrais.
scho'tel *m. en v.* plat *m.*
scho'teldoek *m.* torchon *m.*
scho'tellikker *m.* écornifleur, pique-assiette(s) *m.*
scho'telrek *o.* porte-vaisselle *m.*
scho'telring *m.* porte-assiette* *m.*
scho'teltje *o.* **1** petit plat *m.*; **2** (*onder kopje*) soucoupe *f.*
scho'telwasser *m.* plongeur *m.*
schot'je *o.* **1** petite (*of* mince) cloison *f.*; **2** (*vis*) truite *f.* de mer.
Schot'land *o.* l'Écosse *f.*
schots I *v.(m.)* glaçon *m.*; **II** *bw.* rudement, grossièrement; **— *en scheef,*** tout de travers; **III** *b.n.* **1** rude, grossier; **2** (*v. stof*) à carreaux.
Schots I *b.n.* écossais; **II** *z.n., o.* écossais *m.*
schots'bont *b.n.* écossais, à carreaux bariolés; ***—e stof,*** tartan *m.*
schot'schrift *o.* libelle, pamphlet *m.*
schot'spijker *m.* clou *m.* de tillac.
schotvaar'digheid *v.* puissance *f.* de tir.
schot'vrij, schoot'vrij *b.n.* **1** (*buiten bereik*) à l'abri des balles, à couvert des balles; **2** (*kogelvrij*) à l'épreuve des balles; **3** (*fig.*) à l'abri des coups; invulnérable.
schot'werk *o.* cloisonnage *m.*
schot'wilg *m.* saule *m.* blanc.
schot'wond(e) *v.(m.)* blessure *f.* par arme à feu coup *m.* de feu.
schou'der *m.* épaule *f.*; ***brede —s hebben,*** avoir bon dos; ***hoge —s hebben,*** avoir le dos voûté (*of* rond); ***— aan —,*** côte à côte; ***iem. over de — aanzien,*** regarder qn. pardessus l'épaule; ***de —s ophalen,*** hausser les épaules.
schou'derband *m.* **1** (*v. japon*) épaulière *f.*; **2** (*v. hemd enz.*) épaulette *f.*; **3** (*v. verband*) scapulaire *m.*; **4** (*v. kinderjurkje*) bretelle *f.*
schou'derbedekking *v.* épaulette *f.*
schou'derblad *o.* omoplate *f.*
schou'derbreedte *v.* carrure *f.*, largeur *f.* des [épaules.
schou'deren *ov.w.* **1** prendre sur l'épaule; **2** (*v. geweer*) porter.
schou'dergewricht *o.* articulation *f.* de l'épaule; (*wet.*) articulation *f.* scapulo-humérale.
schou'derhoogte *v.* hauteur *f.* d'épaule.
schou'derkwast *m.* épaulette *f.*
schou'dermantel *m.* pèlerine *f.*
schou'derophalen *o.* haussement *m.* d'épaules.
schou'derriem *m.* épaulière *f.*
schou'dersnoer *o.* aiguillette(s) *f.(pl.).*
schou'derstuk *o.* **1** (*v. kledingstuk*) épaulette *f.*; **2** (*v. harnas*) épaulière *f.*; **3** (*v. dier*) paleron *m.*
schou'dertas *v.(m.)* sac *m.* en bandoulière, sacoche *f.* —.
schou'dervelum *o.* (*kath.*) vélum *m.*
schou'derverband *o.* bandage *m.* de l'épaule; ligament *m.* huméral.
schout *m.* (*gesch.*) bailli *m.*
schout-bij-nacht' *m.* contre-amiral* *m.*
schouw I *v.(m.)* **1** (*schoorsteen*) cheminée *f.*; **2** (*schuit*) chaland *m.*, bateau *m.* plat; **3** (*pont*) bac *m.*; **II** *m.* (*schouwing, inspectie*) inspection,

visite *f.*; **III** *b.n.* **1** (*wild, woest*) sauvage, turbulent; **2** (*ong.: schuin*) obscène.
schouw'burg *m.* théâtre *m.*
schouw'burgbezoek *o.* fréquentation *f.* du théâtre.
schouw'burgbezoeker *m.* spectateur *m.*
schouw'burgbiljet *o.* billet *m.* de théâtre.
schouw'burgzaal *v.*(*m.*) salle *f.* de théâtre, — de spectacle.
schou'wen I *ov.w.* **1** (*v. troepen, enz.: inspecteren*) inspecter; **2** (*v. lijk*) faire l'autopsie de; **II** *on.w.* (*dicht.: zien*) regarder, voir.
schou'wing *v.* **1** inspection *f.*; **2** (*v. lijk*) autopsie *f.*
schouw'plaats *v.*(*m.*) théâtre *m.*, scène *f.*
schouw'spel *o.* spectacle *m.*
schouw'toneel *o.* théâtre *m.*
scho'ven *ov.w.* mettre en gerbes, gerber.
scho'venbinder *m.* gerbeur *m.*, lieur *m.* en gerbes.
schraag *v.*(*m.*) tréteau; chevalet *m.*
schraag'balk *m.* sommier *m.*, solive *f.*
schraag'pijler *m.* pilier *m.*
schraag'stoel *m.* ferme *f.*
schraal I *b.n.* **1** (*mager*) maigre, mince, sec; **2** (*v. grond, inkomen, enz.*) maigre; **3** (*v. wind*) âpre; **4** (*v. eten*) frugal, pauvre; **5** (*v. betaling*) modique; **6** (*v. tijd*) dur, difficile; **7** (*v. beurs*) mal garni; ***een schrale huid hebben,*** avoir la peau sèche; ***— bier,*** petite bière; ***schrale troost,*** faible consolation; **II** *bw.* chichement, pauvrement; ***— bij kas zijn,*** être à court d'argent; ***— rondkomen,*** avoir de la peine à joindre les deux bouts, avoir ses morceaux taillés; ***er — van eten,*** faire maigre chère.
schraal'hans *m.* pince-maille* *m.*; ***— is er keukenmeester,*** on y fait pauvre chère; on y danse devant le buffet.
schraal'heid *v.* **1** maigreur *f.*; **2** âpreté *f.*; **3** frugalité, pauvreté *f.*; **4** modicité *f.*
schraal'tjes *bw.* maigrement, pauvrement.
schraap'achtig *b.n.* avare, chiche, rapace.
schraap'achtigheid *v.* avarice, rapacité, lésinerie *f.*
schraap'ijzer *o.* racloir, grattoir *m.*
schraap'mes *o.* racloir *m.*
schraap'sel *o.* raclure, ratissure *f.*
schraap'zucht *v.*(*m.*) avarice, cupidité, lésinerie *f.*
schraapzuch'tig *b.n.* avare.
schrab *v.*(*m.*) égratignure *f.*
schrab'ben *ov.w.* égratigner.
schrab'ber *m.* grattoir, racloir *m.*
schrab'mes *o.* racloir *m.*
schra'gen *ov.w.* **1** étayer; **2** (*fig.*) soutenir, appuyer.
schra'ging *v.* **1** étayement *m.*; **2** soutien, appui *m.*
schram *v.*(*m.*) égratignure, éraflure, écorchure *f.*
schram'men *ov.w.* égratigner, érafler, écorcher.
schran'der *b.n.* **1** (*verstandig*) intelligent; **2** (*vernuftig*) ingénieux; **3** (*v. blik, enz.*) vif; **4** (*scherpzinnig*) sagace; **5** (*gevat, geestig*) spirituel.
schran'derheid *v.* **1** intelligence *f.*; **2** ingénuité *f.*; **3** vivacité *f.*; **4** sagacité *f.*; **5** esprit *m.*
schrank *v.*(*m.*) **1** (*schraag*) tréteau *m.*; **2** (*afsluiting*) clôture *f.*
schrans *m.* bouffeur, goulu, goinfre *m.*
schran'sen, schran'zen *on.w.* bouffer, goinfrer.
schran'ser, schranzer, *zie* ***schrans.***
schrap I *v.*(*m.*) **1** (*schram*) égratignure *f.*; **2** (*streep*) trait *m.*, barre, ligne *f.*; **3** (*op meubel, enz.*) raie *f.*; **II** *bw.* ***— staan,*** être inébranlable, ne pas lâcher pied; ***zich — zetten,*** s'arc-bouter, se mettre en posture.
schra'pen *ov.w.* **1** racler, gratter; **2** (*fig.*) amasser; ***zich de keel —,*** se gratter le gosier.
schra'per *m.* **1** racloir *m.*; **2** (*fig.*) grippe-sou*, pince-maille*, ladre *m.*
schra'perig *b.n.*, *zie* ***schraapzuchtig.***
s(c)hrap'nel *m.* shrapnel *m.*
schrap'pen *ov.w.* **1** (*v. wortelen, enz.*) gratter; **2** (*v. vis*) écailler; **3** (*v. huiden, enz.*) racler; **4** (*v. woord*) barrer; **5** (*v. lijst, lidmaatschap*) rayer.
schrap'per *m.* grattoir; racloir *m.*
schrap'ping *v.* radiation *f.*
schrap'sel *o.* raclure, ratissure *f.*
schre'de *v.*(*m.*) **1** pas *m.*; enjambée *f.*; **2** (*fig.*) démarche *f.*; ***met rasse —n,*** à grands pas, à pas rapides, à grandes enjambées; ***op zijn —n terugkeren,*** revenir sur ses pas.
schreef *v.*(*m.*) trait *m.*, barre, ligne *f.*; ***dat gaat buiten de —,*** cela passe les bornes; ***dat gaat boven mijn —,*** cela dépasse mes moyens.
schreef'je *o.* (petit) trait *m.*; ***hij heeft een — voor,*** on lui passe bien des choses, on lui pardonne beaucoup.
schreeuw *m.* cri *m.*
schreeuw'achtig *b.n.* criard.
schreeuw'bek *m.* braillard *m.*
schreeu'wen I *on.w.* **1** (*alg.*) crier; pousser des cris; **2** (*v. kindje*) vagir; **3** (*huilen*) piailler; **4** (*hard —*) brailler, criailler; **5** (*brullen*) hurler; **6** (*uitroepen*) s'écrier; **7** (*heftig, woest*) vociférer; ***om hulp —,*** crier au secours; ***om wraak —,*** crier vengeance; ***hij schreeuwt voordat hij geslagen wordt,*** il crie avant qu'on l'écorche; **II** *ov.w.* crier; ***iem. doof —,*** assourdir qn. (de ses cris); ***wakker —,*** réveiller par ses cris; ***zich hees —,*** s'égosiller, s'enrouer à force de crier.
schreeu'wend *b.n.* **1** (*v. stem, kleur, enz.*) criard; **2** (*v. onrecht*) criant.
schreeu'wer *m.* **1** criard *m.*; **2** (*pop.*) braillard *m.*; **3** (*straatventer*) camelot *m.*, vendeur *m.* des rues; **4** (*fig.: pocher*) fanfaron, blagueur *m.*
schreeu'werig *b.n.* criard, braillard.
schreeuw'lelijk *m.* braillard *m.*, —e *f.*, criailleur *m.*, —euse *f.*
schrei'en I *on.w.* pleurer; ***dat schreit ten hemel,*** cela crie vengeance (au ciel); **II** *ov.w.* pleurer; ***hete tranen —,*** pleurer à chaudes larmes; ***tranen met tuiten —,*** pleurer comme un veau.
schrei'end *b.n.* pleurant, en pleurs; ***op —e toon,*** avec des larmes dans la voix; d'un ton pleurard.
schrei'er *m.* pleureur *m.*
schrei'erig *b.n.* pleurard, pleurnicheur.
schriel I *b.n.* **1** maigre, pauvre, chétif; **2** (*gierig*) chiche, pingre, ladre; **II** *bw.* chichement.
schriel'hannes *m.* grippe-sou*, pince-maille* *m.*
schriel'heid *v.* mesquinerie, ladrerie *f.*
schrift I *o.* **1** écriture *f.*; **2** (*geschrift*) écrit *m.*; **3** (*schrijfboek*) cahier *m.*; ***lopend —,*** (écriture) cursive; ***staand —,*** bâtarde *f.*; ***rond —,*** ronde *f.*; ***op — brengen,*** mettre par écrit; **II** *v.*(*m.*) ***de*** (***heilige***) ***S—,*** l'Écriture *f.* (sainte), les Saintes Écritures.
schrift'beeld *o.* image *f.* graphique.
schrif'telijk I *b.n.* écrit; ***— werk,*** (*bij examen*) épreuves écrites; ***—e cursus,*** cours *m.* par correspondance; **II** *bw.* par écrit.
schrift'geleerde *m.* docteur *m.* de la loi, scribe *m.*; connaisseur *m.* des livres sacrés.
schrift'geleerdheid *v.* connaissance *f.* des livres sacrés, — de l'Écriture.
schrift'kenner *m.* **1** (*schriftkundige*) expert *m.* en écritures; **2** (*v. oude handschriften*) paléographe *m.*; **3** (*v. Bijbel*) connaisseur *m.* de l'Écriture, — de la Bible.

schrift'kunde *v.* **1** graphologie *f.*; **2** (*v. oude handschriften*) paléographie *f.*
schriftkun'dige *m.* **1** expert *m.* en écritures; **2** (*om karakter te bepalen*) graphologue *m.*; **3** paléographe *m.*
schrift'onderzoek *o.* expertise *f.* en écriture.
schrift'uitlegger *m.* exégète *m.*
schrift'uitlegging *v.* exégèse *f.*
schriftuur' *v.* **1** (*geschrift*) écrit *m.*; **2** (*H., recht*) document, acte *m.*; **3** ***de S—,*** l'Écriture *f.* sainte.
schriftuur'lijk I *b.n.* tiré de la Bible; **II** *bw.* conformément à la Bible.
schriftuur'plaats *v.*(*m.*) passage *m.* de la Bible.
schriftuur'vast *b.n.* versé dans l'Écriture sainte, versé dans la Bible, ferré sur l'Écriture.
schriftuur'woord *o.* parole *f.* de l'Écriture.
schrift'verklaarder, *zie* ***schriftuitlegger.***
schrift'vervalser *m.* faussaire *m.*
schrift'vervalsing *v.* faux *m.* en écritures.
schrij'delings, *zie* ***schrijlings.***
schrij'den *on.w.* marcher à grands pas, — à pas comptés, arpenter.
schrijf'bakje *o.* écritoire *f.*
schrijf'behoeften *mv.* fournitures *f.pl.* de bureau; tout ce qu'il faut pour écrire.
schrijf'blok *o.* bloc*-notes *m.*
schrijf'boek *o.* cahier *m.*
schrijf'bureau *o.* bureau *m.*
schrijf'cassette *v.* nécessaire *m.* d'écriture.
schrijf'fout *v.*(*m.*) **1** lapsus *m.*; erreur *f.* de copiste; **2** (*spelfout*) faute *f.* d'orthographe.
schrijf'garnituur *o.* garniture *f.* de bureau.
schrijf'gereedschap, *zie* ***schrijfbehoeften.***
schrijf'inkt *m.* encre *f.* à écrire.
schrijf'kramp *v.*(*m.*) crampe *f.* des écrivains.
schrijf'kunst *v.* art *m.* d'écrire, écriture *f.*
schrijf'les *v.*(*m.*) leçon *f.* d'écriture.
schrijf'lessenaar *m.* pupitre *m.*
schrijf'letter *v.*(*m.*) **1** caractère *m.* d'écriture; **2** (*drukk.*) italique *m.*
schrijf'loon *o.* salaire *m.* de copiste.
schrijf'lust *m.* envie *f.* d'écrire.
schrijf'machine *v.* machine *f.* à écrire.
schrijf'map *v.*(*m.*) portefeuille *m.*
schrijf'papier *o.* **1** papier *m.* à écrire; **2** (*voor brieven*) papier *m.* à lettres.
schrijf'ster *v.* femme *f.* auteur, auteur, écrivain *m.*
schrijf'taal *v.*(*m.*) langue *f.* écrite.
schrijf'tafel *v.*(*m.*) bureau *m.*, table *f.* à écrire.
schrijf'tafeltje *o.* **1** petit bureau *m.*; **2** (*oudh.*) tablettes *f.pl.*
schrijf'telegraaf *m.* télégraphe *m.* de Morse.
schrijf'trant *m.* manière *f.* d'écrire, style *m.*
schrijf'voorbeeld *o.* modèle *m.* d'écriture, exemple *m.* (d'écriture).
schrijf'werk *o.* **1** ouvrage *m.* de copiste; **2** (*op school*) devoirs *m.pl.* écrits.
schrijf'wijze *v.*(*m.*) **1** (*v. woord*) graphie *f.*, manière *f.* d'écrire; **2** (*v. schrijver*) style *m.*
schrijf'woede *v.*(*m.*) passion *f.* d'écrire.
schrij'lings *bw.* à califourchon, à cheval.
schrijn *o. en m.* **1** (*kistje*) écrin *m.*; **2** (*reliek—*) châsse *f.*, reliquaire *m.*
schrij'nen I *ov.w.* écorcher, blesser; **II** *on.w.* cuire.
schrij'nend *b.n.* cuisant.
schrijn'hout *o.* bois *m.* de menuiserie.
schrijn'werk *o.* ébénisterie *f.*; menuiserie *f.*
schrijn'werker *m.* ébéniste *m.*; menuisier *m.*
schrijn'werkersbank *v.*(*m.*) établi *m.* d'ébéniste.
schrijn'werkerslijm *m.* colle *f.* forte.
schrij'ven I *ov.w. en on.w.* écrire; ***in 't net —,*** mettre au net; ***mooi —,*** avoir une belle écriture; ***een recept —,*** faire une ordonnance; ***op een advertentie —,*** répondre à une annonce; ***op rekening —,*** porter au compte (de); ***voluit —,*** écrire en toutes lettres; ***met potlood —,*** écrire au crayon; ***wij schreven toen*** (*'t jaar*) ***1924,*** on était en 1924; ***zich rijk —,*** gagner une fortune avec sa plume; s'enrichir par ses livres; **II** *z.n., o.* **1** (*handeling*) écriture *f.*; **2** (*brief*) lettre *f.*; ***uw*** (***geëerd***) ***— van 14 dezer,*** votre honorée (lettre) du 14 courant.
schrij'ver *m.* **1** (*letterkundige*) écrivain, auteur *m.*; **2** (*op kantoor*) employé *m.* de bureau; **3** (*bij notaris*) clerc *m.*; **4** (*mil.*) scribe *m.*; ***de — van deze brief,*** la personne qui a écrit cette lettre; ***de gewijde —s,*** les auteurs sacrés. [copiste.
schrijverij' *v.* **1** écrivaillerie *f.*; **2** travail *m.* de
schrik *m.* **1** (*angst*) frayeur *f.*, effroi *m.*; **2** (*ontsteltenis*) terreur, épouvante *f.*; **3** (*plotseling*) alerte *f.*; **4** (*algemeen*) panique *f.*; **5** (*radeloosheid*) affolement *m.*; ***— aanjagen,*** effrayer, épouvanter; ***met een — wakker worden,*** se réveiller en sursaut; ***door — bevangen,*** saisi (*of* paralysé) de frayeur; ***met de — vrijkomen,*** en être quitte pour la peur.
schrik'aanjagend *b.n.* terrifiant.
schrik'aanjaging *v.* intimidation *f.*
schrik'achtig *b.n.* **1** (*v. persoon*) peureux; **2** (*v. paard*) ombrageux.
schrik'achtigheid *v.* naturel *m.* peureux.
schrikba'rend I *b.n.* terrible, effroyable, horrible; **II** *bw.* terriblement, effroyablement, horriblement.
schrik'beeld *o.* fantôme, cauchemar *m.*
schrik'bewind *o.* terreur *f.*, terrorisme *m.*; ***het S—,*** la Terreur.
schrik'draad *o. en m.* fil *m.* de rebut, — électrifié.
schrik'keldag *m.* jour *m.* intercalaire.
schrik'kelijk I *b.n.* terrible, effroyable; **II** *bw.* terriblement, effroyablement.
schrik'keljaar *o.* année *f.* bissextile.
schrik'kelmaand *v.*(*m.*) (mois de) février *m.*
schrik'ken *on.w.* s'effrayer, s'épouvanter, avoir peur; ***wakker —,*** se réveiller en sursaut; ***iem. doen —,*** effrayer qn.; ***zich dood —,*** mourir de peur. [terrifiant.
schrikwek'kend *b.n.* effrayant, épouvantable,
schril I *b.n.* **1** (*beschroomd, angstvallig*) timide; farouche; **2** (*v. kleur*) criard; **3** (*v. kreet, enz.*) perçant, strident; **II** *bw.* d'une voix perçante, d'une manière stridente.
schrob'ben *ov.w.* **1** (*v. vloer*) nettoyer, laver; **2** (*sch.*) fauberter. [faubert *m.*
schrob'ber *m.* **1** frottoir; lave-place *m.*; **2** (*sch.*)
schrobbe'ring *v.* réprimande; (*pop.*) semonce *f.*
schrob'net *o.* drague *f.*
schrob'zaag *v.*(*m.*) scie *f.* à couteau, — à guichet.
schroef *v.*(*m.*) **1** (*alg.*) vis *f.*; **2** (*bank—*) étau *m.*; **3** (*vl.*; *sch.*) hélice *f.*; **4** (*v. pers*) clef *f.*; **5** (*muz.: v. snaarinstrument*) cheville *f.*; **6** (*Pl.*) cyme *f.* scorpoïde; ***op losse schroeven zetten,*** remettre en question; rendre instable.
schroef'as *v.*(*m.*) arbre *m.* d'hélice.
schroef'bank *v.*(*m.*) (banc à) étau *m.*
schroef'blad *o.* aile *f.* d'hélice.
schroef'boor *v.*(*m.*) taraud *m.*
schroef'boot *m. en v.* bateau *m.* à hélice.
schroef'bout *m.* **1** boulon *m.* fileté, — taraudé; **2** (*voor rails*) tire-fond *m.*
schroef'deksel *o.* couvercle *m.* à vis.
schroef'dop *m.*, (*v. auto*) enjoliveur *m.*; (*v. fles*) capuchon *m.* (vissant).
schroef'draad *m.* filet *m.* (de vis).
schroef'draadsafstand *m.* pas *m.* de vis.

schroef'fles *v.(m.)* bouteille *f.* à fermeture filetée.
schroef'gang *m.* **1** spire *f.* (de vis); **2** (*sch.*) pas *m.* d'hélice.
schroef'klem *v.(m.)* serre-joint(s) *m.*
schroef'kop *m.* tête *f.* de vis.
schroef'lijn *v.(m.)* hélice, spire *f.*
schroef'loos *b.n.* (*vl.*) à réaction.
schroef'micrometer, -mikrometer *m.* vis *f.* micrométrique.
schroef'moer *v.(m.)* écrou *m.*
schroef'oog *o.* piton *m.* (à vis). [spirale.
schroefsgewijs, -gewijze *bw.* en hélice, en
schroef'sleutel *m.* clef *f.* anglaise, — à écrou.
schroef'sluiting *v.* fermeture *f.* à vis.
schroef'stoomboot *m. en v.* vapeur *m.* à hélice.
schroef'tang *v.(m.)* tenaille *f.* à vis, — à écrou.
schroef'vlak *o.* hélicoïde *m.*, surface *f.* hélicoïdale.
schroef'vliegtuig *o.* hélicoptère *m.*
schroef'vormig *b.n.* hélicoïde, hélicoïdal, spiral.
schroei'en *ov.w.* **1** (*v. kleren, vlees, enz.*) roussir; **2** (*v. kip, enz.*) brûler, flamber; **3** (*gen.: v. wonde*) cautériser.
schroei'ijzer *o.* cautère *m.* [cautérisation *f.*
schroei'ing *v.* **1** brûlure *f.*; flambage *m.*; **2** (*gen.*)
schroe'vedraaier *m.* tournevis *m.*
schroe'ven *ov.w.* visser, fixer (*of* serrer) avec une vis; ***uit elkaar* —,** dévisser; ***vaster* —,** serrer les vis.
schrok, *zie* ***schrokker.***
schrok'achtig *b.n.* glouton, goulu.
schrok'achtigheid *v.* gloutonnerie *f.*
schrok'ken *on.w.* manger goulûment, — gloutonnement, s'empiffrer, se gaver.
schrok'ker *m.* goinfre, glouton, goulu *m.*
schrok'kerig, schrok'kig *b.n.* **1** glouton, goulu; **2** (*fig.*) avide.
schro'melijk I *b.n.* terrible, énorme; **II** *bw.* terriblement, énormément.
schro'men *ov.w.* **1** (*vrezen*) redouter, craindre, avoir peur de; **2** (*aarzelen*) hésiter (à), se faire un scrupule (de); ***zonder* —,** sans hésiter, sans hésitation, sans crainte.
schrom'pelen *on.w.* se rider, se ratatiner, se recroqueviller.
schrom'pelig *b.n.* ridé, ratatiné.
schrood'beitel *m.* tranche *f.*
schroom *m.* **1** (*vrees*) crainte, peur *f.*; **2** (*aarzeling*) hésitation *f.*; **3** (*angstvalligheid*) scrupule *m.*
schroom'achtig, schroomval'lig I *b.n.* **1** craintif, timide; **2** hésitant; **3** scrupuleux; **II** *bw.* **1** craintivement, timidement; **2** avec hésitation; **3** scrupuleusement. [tion *f.*
schroomval'ligheid *v.* **1** timidité *f.*; **2** hésita-
schroot *o.* **1** (*mil.*) mitraille *f.*; **2** (*hagel*) menu plomb *m.*, plomb de chasse; **3** (*munt*) flan *m.*; **4** (*H.*) ferraille.
schroot'hamer *m.* bou(v)ard *m.*
schroot'vuur *o.* feu *m.* de mitraille.
schub(be) *v.(m.)* écaille *f.*
schub'achtig *b.n.* écailleux.
schub'be, schub *v.(m.)* écaille *f.*
schub'ben *ov.w.* écailler.
schub'big *b.n.* **1** écailleux; **2** (*v. dier*) squameux.
schub'dier *o.* **1** animal *m.* écailleux; **2** pangolin *m.*
schub'kever *m.* hoplie *m.*
schub'vis *m.* poisson *m.* à écailles, — écailleux.
schub'vleugelig *b.n.* lépidoptère.
schub'vormig, *zie* ***schubachtig.*** [ment.
schuch'ter I *b.n.* timide, sauvage; **II** *bw.* timide-
schuch'terheid *v.* timidité, sauvagerie *f.*
schud'debollen *on.w.* branler (de) la tête, dodeliner de la tête.
schud'den I *ov.w.* **1** secouer; **2** (*heen en weer*) agiter, remuer; **3** (*v. hoofd*) secouer; (*bedenkelijk*) hocher; **4** (*v. bed*) retourner; **5** (*v. kaarten*) battre, mêler; **6** (*vruchten v. boom*) faire tomber; ***wakker* —,** réveiller en secouant; ***iem. de hand* —,** serrer la main à qn.; ***iets uit de mouw* —,** improviser qc.; **II** *on.w.* **1** secouer; **2** (*heen en weer gaan*) s'agiter; **3** (*trillen*) vibrer; **4** (*v. wagen*) cahoter; **5** (*v. trein*) trépider; ***neen* —,** faire un signe de dénégation, faire non de la tête; ***doen* —,** ébranler; **— *van 't lachen,*** rire à gorge déployée, se tenir les côtes de rire, se tordre.
schud'ding *v.* **1** (*handeling*) secouement *m.*; **2** (*schok*) secousse *f.*, tremblement *m.*; **3** (*v. flesje*) agitation *f.*; **4** (*trilling*) vibration; oscillation *f.*; **5** (*schommeling*) trépidation *f.*
schud'goot *v.(m.)* conduit *m.* à secousses.
schud'rooster *o.* grille *f.* à secousses, — mobile.
schui'er *m.* brosse *f.*
schui'eren *ov.w. en on.w.* brosser.
schui'ering *v.* brossage *m.*
schuif *v.(m.)* **1** (*grendel, knip*) targette *f.*; **2** (*v. tafel*) rallonge *f.*; **3** (*v. bureau*) tablette *f.*; **4** (*v. kachel*) clef *f.*, papillon *m.*; **5** (*v. machine*) tiroir *m.*; **6** (*v. sluis*) vanne *f.*; **7** (*bij schaaksp., enz.: zet*) coup *m.*; **8** (*v. japon*) coulisse *f.*; **9** (*v. deur*) glissoire, glissière *f.*; ***een* — *geld,*** beaucoup d'argent, le gros sac; ***hij kreeg het —je,*** (*in biechtstoel*) on lui a donné la planche.
schuif'bank *v.(m.)* banc *m.* à coulisse.
schuif'blad *o.* rallonge *f.*
schuif'bout *m.* barre *f.* à coulisse.
schuif'brug *v.(m.)* pont *m.* volant.
schuif'dak *o.* toit *m.* ouvrant. [sières.
schuif'deur *v.(m.)* porte *f.* à coulisse, — à glis-
schui'felen *on.w.* **1** (*v. slang*) siffler; **2** (*schuiven*) traîner les pieds, glisser.
schui'feling *v.* sifflement *m.*
schuif'gordijn *o. en v.(m.)* rideau *m.*
schuif'kast *v.(m.)* tiroir *m.*
schuif'klep *v.(m.)* vanne *f.*
schuif'knoop *m.* nœud *m.* coulant.
schuifla, -lade *v.(m.)* tiroir *m.*
schuif'ladder *v.(m.)* échelle *f.* coulissante.
schuif'la(de) *v.(m.)* tiroir *m.*
schuif'potlood *o.* porte-mine *m.*, crayon *m.* à coulisse. [lisses.
schuif'raam *o.* fenêtre *f.* à guillotine, — à cou-
schuif'rad *o.* roue *f.* à rochet.
schuif'ring *m.* coulant *m.*
schuif'sle(d)e *v.(m.)* traîneau *m.* à bras.
schuif'slot *o.* serrure *f.* à ressort.
schuif'tafel *v.(m.)* table *f.* à rallonges.
schuif'trompet *v.(m.)* trombone *m.*, trompette *f.* à coulisse.
schuif'venster, *zie* ***schuifraam.***
schuil *b.n.* à l'abri (de), à couvert (de); **— *gaan,*** se cacher, disparaître; ***zich* — *houden,*** se cacher; se tenir à l'écart.
schui'len *on.w.* **1** (*zich verbergen*) se cacher; **2** (*voor regen, enz.*) se mettre à l'abri, s'abriter; ***daar schuilt iets achter,*** il y a quelque chose là-dessous; ***er schuilt een adder onder 't gras,*** il y a anguille sous roche. [cache.
schui'levinkje *o.,* **— *spelen,*** jouer à cache-
schuil'gaan *on.w.* se cacher.
schuil'haven *v.(m.)* (*sch.*) bassin *m.* de garage.
schuil'hoek *m.* **1** retraite, cachette *f.*; **2** (*fig.*) coin, recoin *m.*
schuil'hol *o.* repaire, réduit *m.*
schuil'houden, *zich* —, *w.w., zie* ***schuil.***
schuil'kelder *m.* abri; refuge *m.* souterrain.

schuil'loopgraaf *v.(m.)* abri *m.*
schuil'naam *m.* **1** pseudonyme *m.*, nom *m.* de plume; **2** nom *m.* de guerre. [**2** asile *m.*
schuil'plaats *v.(m.)* **1** *(alg. en mil.)* abri *m.*;
schuim *o.* **1** écume *f.*; **2** *(op bier, enz.)* mousse *f.*; **3** *(fig.: afval)* rebut *m.*; **4** *(v. volk)* lie *f.*
schuim'achtig *b.n.* **1** écumeux; **2** mousseux.
schuim'bekken *on.w.* écumer (de rage).
schuim'bier *o.* bière *f.* mousseuse.
schuim'blaasje *o.* perle *f.*, bulle *f.* d'écume.
schui'men I *on.w.* **1** écumer; **2** *(v. bier, enz.)* mousser; **3** *(v. zeep)* savonner, écumer; **4** *(fig.: op zee)* pirater; **5** *(klaplopen)* écornifler; **II** *ov.w.* écumer.
schui'mend *b.n.* **1** *(v. dranken)* mousseux; **2** *(v. zeep)* savonneux, écumant; **3** écumant, écumeux; **4** *(v. golven)* moutonneux.
schui'mer *m.* écornifleur, pique-assiette *m.*
schui'ming *v.* **1** *(het schuimen)* effervescence *f.*; **2** *(het afschuimen)* écumage *m.*
schuim'klopper *m.* moussoir *m.*
schuim'kop *m.* mouton *m.*
schuim'koppen *on.w.* moutonner.
schuim'lepel *m.* écumoire *f.*
schuim'omelet *v.* omelette *f.* soufflée.
schuim'pje *o.* baiser *m.*
schuim'rubber *m. en o.* caoutchouc *m.* mousse, — éponge, mousse *f.* de latex, — de caoutchouc.
schuim'spaan *v.(m.)* écumoire *f.*
schuim'vlok *v.(m.)* flocon *m.* d'écume.
schuim'wijn *m.* vin *m.* mousseux.
schuin I *b.n.* **1** *(overdwars)* oblique; en biais; **2** *(hellend, scheef)* incliné, penché, en pente; **3** *(v. schrift)* couché; **4** *(fig.)* grivois, égrillard, folichon; ***de —e zijde,*** le côté opposé à l'angle droit; ***—e mop,*** grivoiserie *f.*; ***—e blik,*** regard *m.* torve; **II** *bw.* obliquement, de biais; ***iem. — aankijken,*** regarder qn. d'un œil torve, lancer un regard torve à qn.; ***— oversteken,*** traverser de biais.
schuin'balk *m.* *(wap.)* **1** *(begint links boven)* bande *f.*; **2** *(begint rechts boven)* barre *f.*
schui'nen *ov.w.* rendre oblique; incliner.
schuin'heid *v.* **1** obliquité *f.*; **2** inclinaison, pente *f.*; **3** *(fig.)* grivoiserie *f.*
schuins I *bw.* obliquement, de biais; **II** *b.n.* oblique.
schuin'schrift *o.* écriture *f.* couchée.
schuins'marcheerder *m.* bambocheur, noceur, fêtard *m.*
schuin'te *v.* **1** obliquité *f.*; **2** inclinaison *f.*; ***in de —,*** *zie* ***schuins* I.**
schuit *v.(m.)* **1** barque *f.*; bateau *m.*; **2** *(trek—)* barque *f.* de trait, coche *m.* d'eau.
schui'tehuis *o.* hangar *m.* pour (les) bateaux, abri *m.* —.
schui'tevoerder *m.* batelier, marinier *m.*
schuit'je *o.* petit bateau *m.*, barquette *f.*; **2** *(v. ballon)* nacelle *f.*; **3** *(v. naaimachine)* navette *f.*; ***zij varen in één —,*** ils sont du même bord; ***hij zal nog wel in ons — komen,*** il finira par se ranger à notre avis; ***wie in het — zit, moet meevaren,*** quand le vin est tiré, il faut le boire.
schuit'jevaren I *o.* **1** canotage *m.*; **2** promenade *f.* en bateau; **II** *on.w.* se promener en bateau.
schuit'vormig *b.n.* naviculaire.
schui'ven I *ov.w.* **1** *(v. meubel, enz.)* pousser, glisser; **2** *(v. damschijf)* avancer; **3** *(omhoog —)* lever; **4** *(v. opium)* fumer; ***de schuld op iem. —,*** rejeter la faute sur qn.; ***een stoel bij de tafel —,*** rapprocher une chaise de la table; **II** *on.w.* **1** (se) glisser; (se) couler; **2** fumer de l'opium; ***gaan —,*** s'esquiver, décamper, filer.
schui'ver *m.* fumeur *m.* d'opium.
schuld *v.(m.)* **1** *(te betalen)* dette *f.*; **2** *(oorzaak v. kwaad)* faute *f.*; **3** *(schuldigheid)* culpabilité *f.*; ***vergeef ons onze —,*** pardonnez-nous nos offenses; ***het is mijn — niet,*** ce n'est pas ma faute; je n'y suis pour rien; ***— belijden,*** s'avouer coupable, passer condamnation; ***iem. de — geven,*** rejeter la faute sur qn.; ***kwade —en,*** mauvaises créances; ***—en maken,*** s'endetter; ***hij zit tot over de oren in de —,*** il est criblé de dettes; ***zich in —en steken,*** s'endetter; ***de — op zich nemen,*** assumer la responsabilité; ***een — voldoen,*** acquitter une dette.
schuld'bekentenis *v.* **1** *(H.)* titre *m.* de créance; **2** *(v. staat, enz.)* obligation *f.*; **3** *(belijdenis)* aveu *m.*; confession *f.* de sa faute.
schuld'belijdenis *v.* confession *f.* de sa faute.
schuld'besef *o.* conscience *f.* de sa culpabilité, — de sa faute.
schuld'bewijs *o.* créance *f.*; obligation *f.*
schuld'bewust *b.n.* conscient de sa faute.
schuld'boek *o.* livre *m.* de dettes.
schuld'brief *m.* obligation *f.*
schuld'delging *v.* **1** extinction *f.* (d'une dette); **2** *(aflossing)* amortissement *m.* [ment.
schuld'delgingskas *v.(m.)* caisse *f.* d'amortisse-
schuld'eiser *m.* créancier *m.*
schul'deloos *b.n.* innocent.
schul'deloosheid *v.* innocence *f.*
schul'denaar *m.* débiteur *m.*
schul'denlast *m.* dettes *f.pl.*, fardeau *m.* de dettes; *(fig.)* remords *m.*
schul'dig *b.n.* **1** *(verschuldigd)* dû *(fém.:* due); **2** *(verplicht, gehouden)* obligé (de, à), tenu (de); **3** *(v. geldsom; te danken hebben)* redevable (de); **4** *(strafbaar)* coupable; ***iem. iets — zijn,*** devoir qc. à qn.; ***iem. het antwoord — blijven,*** rester interdit, ne trouver rien à répondre; ***hoeveel ben ik u —?*** c'est combien ?
schul'dige *m.-v.* coupable *m.-f.*
schul'digheid *v.* culpabilité *f.*
schul'digverklaring *v.* verdict *m.* de culpabilité.
schuld'invordering *v.* *(H.)* recouvrement *m.*
schuld'misdrijf *o.* délit *m.* par imprudence.
schuld'post *m.* *(H.)* article *m.* au passif.
schuld'vereffenaar *m.* *(H.)* liquidateur *m.*
schuld'vereffening *v.* liquidation *f.*
schuld'vergelijking *v.* compensation *f.*
schuld'vernieuwing *v.* novation *f.* (d'une dette).
schuld'voldoening *v.* libération *f.*, acquittement *m.* (d'une dette).
schuld'vordering *v.* **1** créance *f.*, titre *m.* de créance; **2** *(handeling)* recouvrement, encaissement *m.*
schuld'vraag *v.(m.)* **1** *(alg.)* question *f.* de la culpabilité; **2** *(v. oorlog)* question *f.* de la responsabilité de la guerre.
schuld'vrij *b.n.* **1** *(onschuldig)* innocent; sans reproche; **2** *(zonder schulden)* exempt de dettes.
schulp, *zie* ***schelp.***
schul'pen 1 canneler; **2** orner de coquillages.
schun'nig I *b.n.* **1** *(vervallen, haveloos)* minable, sordide; **2** *(v. kleed)* miteux; **3** *(v. gedrag)* bas, crapuleux; **4** *(v. boek, geschrift)* scandaleux, ignoble; **5** *(v. woorden, enz.)* grivois, graveleux; **II** *bw.* bassement; ignoblement; ***zich — gedragen,*** se conduire comme un mufle.
schun'nigheid *v.* **1** air *m.* sordide, état *m.* minable; **2** bassesse *f.*; **3** grivoiserie *f.*
schu'ren I *ov.w.* **1** *(boenen)* frotter; **2** *(v. koper, enz.)* récurer; **3** *(v. huid)* écorcher, érafler; **II** *on.w.*

frotter contre; — ***langs,*** frôler; **III** *z.n., o.* **1** frottement *m.*; **2** récurage *m.*
schurft *v.(m.) en o.* **1** *(v. mens)* gale *f.*; *(ingevreten)* rogne *f.*; **2** *(Pl.)* rogne *f.*; **3** *(op hoofd)* teigne *f.*; **4** *(v. paard, hond)* rouvieux *m.*; **5** *(v. schaap)* tac *m.*
schurft'achtig *b.n.* scabieux.
schurf'tig *b.n.* **1** galeux; rogneux; **2** teigneux; **3** rogneux; **4** rouvieux; **5** *(fig.: v. zaak)* véreux, louche.
schurft'kruid *o. (Pl.)* scabieuse *f.*, oreille *f.* d'âne.
schurft'mijt *v.(m.)* acare *m.* de la gale.
schurft'zalf *v.(m.) (gen.)* onguent *m.* gris.
schu'ring *v.* **1** frottement *m.*; **2** récurage *m.*
schu'ringsgeluid *o. (gram.)* fricative *f.*
schurk *m.* gredin, coquin *m.*, fripouille *f.*, fourbe *m.*
schurk'achtig **I** *b.n.* fourbe, fripon, de coquin; **II** *bw.* en coquin.
schurk'achtigheid *v.* fourberie, coquinerie *f.*
schur'kenstreek *m. en v.* coquinerie, friponnerie, fourberie *f.*, tour *m.* de fripon.
schurkerij' *v.* fourberie *f.*
schurk'paal *m.* pieu *m.* à frotter.
schut *o.* **1** *(schot)* cloison *f.*; **2** *(scherm)* écran, paravent *m.*
schut'blad *o.* **1** *(v. boek)* feuille *f.* de garde; **2** *(Pl.)* [bractée *f.*
schut'bord *o.* vanne *f.*
schut'deur *v.(m.)* porte *f.* (d'écluse).
schut'geld *o.* droit *m.* d'écluse, péage *m.*
schut'hok *o.* fourrière *f.*, enclos *m.*
schut'kamer *v.(m.)* sas *m.*
schut'kleur *v.(m.)* couleur *f.* mimétique.
schut'kolk *v.(m.)* sas, bassin *m.*
schut'paal *m.* chasse-roue(s) *m.*
schuts'engel *m.* ange *m.* gardien.
schut'sluis *v.(m.)* écluse *f.* à sas.
schuts'patroon *m.* patron *m.*
schuts'patrones *v.* patrone *f.*
schut'stal *m.* fourrière *f.*
schuts'vrouw *v.* patronne, protectrice *f.*
schut'ten **I** *ov.w.* **1** *(v. vee)* mettre en fourrière; **2** *(v. schip)* écluser, faire passer par une écluse; **3** *(in veiligheid brengen)* mettre en sûreté; **II** *on.w.* passer par une écluse.
schut'ter *m.* **1** tireur *m.*; **2** *(gesch.) (F.)* garde *m.* national; *(B.)* garde *m.* civique; **3** *(sterr.)* ***de S—,*** le Sagittaire.
schut'terig *b.n.* gauche, godiche.
schut'terigheid *v.* gaucherie, maladresse *f.*
schutterij' *v. (F.)* garde *f.* nationale; *(B.)* garde *f.* civique.
schut'tersboog *m.* arbalète *f.*
schut'tersgilde *o. en v.(m.)* société *f.* de tir.
schut'tersstuk *o.* tableau *m.* de gardes civiques.
schut'ting *v.* **1** *(afsluiting)* clôture, cloison *f.*; **2** *(v. vee)* mise *f.* en fourrière; **3** *(v. schip)* éclusage *m.*, passage *m.* par une écluse.
schut'water *o.* éclusée *f.*
schuur *v.(m.)* **1** grange *f.*; **2** *(loods, bergplaats)* hangar *m.*, remise *f.*
schuur'borstel *m.* brosse *f.*, frottoir *m.*
schuur'deur *v.(m.)* porte *f.* de grange.
schuur'doek *m.* frottoir *m.*
schuur'goed *o.* grès *m.* à récurer.
schuur'kerk *v.(m.)* église*-abri *f.*, église *f.* enclavée.
schuur'linnen *o.* toile *f.* émeri.
schuur'middel *o.* abrasif *m.*
schuur'papier *o.* papier*-émeri *m.*, papier *m.* d'émeri, — de verre.
schuur'poeder, -poeier *o. en m.* poudre *f.* abrasive, — à récurer.
schuur'steen *m.* pierre *f.* ponce.
schuur'ster *v.* récureuse *f.*
schuur'tje *o.* baraque *f.*, hangar *m.*
schuur'zand *o.* grès *m.*, sable *m.* à récurer.
schuw **I** *b.n.* **1** timide, farouche, sauvage; **2** *(v. paard)* ombrageux; — ***worden,*** s'effaroucher; **II** *bw.* timidement, d'un air farouche, sauvagement.
schu'wen *ov.w.* **1** *(vermijden)* éviter, fuir; **2** *(vrezen)* craindre.
schuw'heid *v.* humeur *f.* farouche, timidité, [sauvagerie *f.*
Schwarz'wald *o.* Forêt *f.* noire.
sci'ence-fiction *v.(m.)* science-fiction *f.*
scoo'ter *m.* scooter *m.*, vespa *f.*
scoo'terrijder *m.* scootériste *m.*
sco're *m. (sp.)* score, total *m.*; ***de — openen,*** ouvrir le score.
sco'ren *on.w. (sp.)* marquer, faire un total de, scorer.
scribent' *m.* écrivailleur, écrivassier *m.*
scrimma'ge *v. (sp.)* cafouillage *m.*
scrip'-dividend *o. (H.)* dividende*-actions *m.*, dividende *m.* en nouvelles actions.
scru'pel, skru'pel *o.* scrupule *m.*
scrupuleus', skrupuleus' *b.n.* scrupuleux.
Scyl'la *v.* Scylla *f.*; ***van — in Charybdis vervallen,*** tomber de Charybde en Scylla.
seal'skin *o.* peau *f.* de phoque, sealskin *f.*
Sebas'tiaan *m.* Sébastien *m.*
se'cans *v.(m.)* sécante *f.*
seces'sie *v.* sécession *f.*
secondair', *zie* ***secundair.***
secondant', sekondant' *m.* **1** *(bij duel)* témoin, second *m.*; **2** *(bij bokswedstrijd)* soigneur *m.*
secon'de, sekon'de *v.(m.)* seconde *f.*
secon'denhorloge, sekon'denhorloge *o.* chronomètre *m.*
secon'dewijzer, sekon'dewijzer *m.* (aiguille) trotteuse *f.*
secre'ta *v. (kath.)* secrète *f.*
secretares'se, sekretares'se *v.* secrétaire *f.*; ***— van de directie,*** secrétaire *f.* de direction.
secretariaat', sekretariaat' *o.* secrétariat *m.*
secretarie', sekretarie' *v.* **1** secrétariat *m.*; **2** *(v. gezantschap)* secrétairerie *f.*
secreta'ris, sekreta'ris *m.* secrétaire *m.*
secreta'ris-generaal', sekretaris-generaal *m.* secrétaire général *m.*, sous-secrétaire* *m.* d'État.
secreta'risvogel, sekreta'risvogel *m. (Dk.)* secrétaire *m.*
sectari-, *zie* ***sektari-.***
secte, *zie* ***sekte.***
sec'tie, sek'tie *v.* **1** section *f.*; **2** *(gen.: lijkopening)* dissection, autopsie *f.*
sec'tiemes, sek'tiemes *o.* scalpel *m.*
sec'tietafel, sek'tietafel *v.(m.)* table *f.* de dissection.
sec'tor, sek'tor *m.* secteur *m.*
seculier', sekulier' *b.n.* séculier.
secun'da *v. (H.)* seconde *(of* deuxième) *f.* de change.
secundair', secondair' *b.n.* secondaire.
securiteit', sekuriteit *v.* **1** *(zekerheid)* sûreté, certitude *f.*; **2** *(veiligheid)* sécurité *f.*; ***voor de —,*** pour plus de sûreté.
secuur', sekuur' **I** *b.n.* **1** *(stipt, nauwkeurig)* exact, ponctuel; **2** *(zorgvuldig)* minutieux; **3** *(zeker)* sûr; **4** *(v. horloge)* précis; **II** *bw.* **1** exactement, ponctuellement; **2** minutieusement; **3** sûrement; **4** précisément, avec précision.
sede'cimo *o.* in-seize *m.*
se'dert **I** *bw.* depuis lors, depuis ce temps-là;

II *vz.* depuis; — ***lang,*** depuis longtemps; — ***lang kennen,*** connaître de longue date; **III** *vw.* depuis que.
sef'fens *bw.* tout de suite.
segment' *o.* segment *m.*
segrijn' *o.* (peau *f.* de) chagrin *m.*
segrij'nen *b.n.* de chagrin.
segrijn'(le(d)er) *o.* (peau *f.* de) chagrin *m.*
sein *o.* signal *m.*; ***door de —en heen rijden,*** brûler les signaux; — ***geven,*** faire des signaux.
sein'antenne *v.(m.)* antenne *f.* d'émission.
sein'boek *o.* livre *m.* des signaux.
sein'bord *o.* correspondance *f.*
sei'nen I *ov.w.* **1** (*sch.*) signaler; **2** télégraphier; **II** *on.w.* faire des signaux.
sei'ner, *zie* ***seingever.***
sein'fluit *v.(m.)* sifflet *m.*
sein'gever *m.* **1** (*bij spoor*) signaleur *m.*; **2** (*v. telegraaf*) manipulateur; transmetteur *m.*
sein'hoorn, -horen *m.* cor *m.* d'appel, trompe *f.* d'appel.
sein'huisje *o.* cabine *f.*; guérite *f.* de l'aiguilleur.
sein'huiswachter *m.* signaleur; aiguilleur *m.*
sein'kosten *mv.* frais *m.pl.* de transmission.
sein'lantaarn, -lantaren *v.(m.)* fanal, feu *m.*
sein'licht *o.* feu *m.* de signal, projection *f.*
sein'mast *m.* sémaphore *m.*
sein'ontvanger *m.* récepteur *m.*
sein'paal *m.* sémaphore *m.*
sein'post *m.* poste *m.* sémaphorique, — transmetteur.
sein'raket *v.(m.)* fusée *f.*
sein'register *o.* code *m.* (de signaux).
sein'schip *o.* aviso *m.*
sein'sleutel *m.* manipulateur *m.*
sein'spiegel *m.* héliographe *m.*
sein'station *o.* poste *m.* sémaphorique.
sein'teken *o.* signal *m.*
sein'toestel *o.* **1** (appareil) avertisseur, sémaphore *m.*; **2** (*tel.*) transmetteur *m.*
sein'toren *m.* sémaphore *m.*
sein'vlag *v.(m.)* pavillon *m.* de signal.
sein'vuur *o.* feu *m.* (de signal), projection *f.*
sein'wachter *m.* sémaphoriste, garde*-sémaphore *m.*
sein'wezen *o.* (système *m.* de) signalisation *f.*
sein'wijzer *m.* indicateur *m.*
sein'wimpel *m.* flamme *f.* de signal.
sein'zaal *v.(m.)* station *f.* à signaux.
seis'misch *b.n.* sismique.
seismograaf' *m.* sismographe *m.*
seismologie' *v.* sismologie *f.*
seismome'ter *m.* sismomètre *m.*
seizoen' *o.* saison *f.*; ***eind van het —,* 1** arrière-saison* *f.*; **2** (*H.*) fin *f.* de saison; ***het stille —,*** la morte saison.
seizoen'arbeider *m.* ouvrier *m.* saisonnier.
seizoen'opruiming *v.* vente *f.* de fin de saison.
seizoen'verplaatsing *v.* migration *f.* saisonnière.
seizoen'werkloosheid *v.* chômage *m.* saisonnier.
sekond-, *zie* ***second-.***
sekreet' *o.* cabinet *m.* (d'aisances).
sekretar-, *zie* ***secretar-.***
sek'se, se'xe *v.* sexe *m.*
sekstant', *zie* ***sextant.***
seksualiteit', sexualiteit' *v.* sexualité *f.*
seksueel', sexueel' I *b.n.* sexuel; **II** *bw.* sexuellement.
sekta'riër, secta'riër *m.* sectaire *m.*
sekta'risch, secta'risch *b.n.* sectaire.
sek'te, sec'te *v.(m.)* secte *f.*; ***aanhanger van een —,*** sectateur *m.*
sek'tegeest, sec'tegeest *m.* sectarisme *m.*, esprit *m.* de secte, — de parti.
sek'teschool, sec'teschool *v.(m.)* école *f.* confessionnelle.
sektie(-), *zie* ***sectie(-).***
sek'tor, *zie* ***sector.***
seku-, *zie* ***secu-.***
sekwestre'ren, sequestre'ren *ov.w.* sequestrer.
sel'derie, sel'derij *m.* céleri *m.*
sel'der(ie)soep, sel'derijsoep *v.(m.)* potage *m.* au céleri.
selec'tie, selek'tie *v.* sélection *f.*; ***bij —,*** par voie de sélection, par voie d'élimination.
selectief', selektief' *b.n.* sélectif.
self'made, — *man,* fils *m.* de ses œuvres.
semes'ter *o.* semestre *m.*
semestraal' *b.n.* semestriel.
se'mi-arts *m.* candidat *m.* docteur.
Semiet' *m.* Sémite *m.*
semilor, *zie* ***similigoud.***
semina'rie *o.* séminaire *m.*
seminarist' *m.* séminariste *m.*
Semi'tisch *b.n.* sémitique.
senaat' *m.* sénat *m.*
senaats'besluit *o.* sénatus-consulte* *m.*
sena'tor *m.* sénateur *m.*
Se'neca *m.* Sénèque *m.*
Se'negal *o.* le Sénégal.
Senegalees' *m.* Sénégalais *m.*
seniel' *b.n.* sénile.
se'nior I *b.n.* **1** aîné; **2** (*vader*) père; **II** *z.n., m.* (*sp.*) sénior, vétéran *m.*
sensa'tie *v.* sensation *f.*
sensa'tiebericht *o.* nouvelle *f.* à sensation, — sensationnelle.
sensa'tiefilm *m.* film *m.* sensationnel.
sensa'tielectuur, -lektuur *v.* littérature *f.* à scandale.
sensa'tiemakend *b.n.* sensationnel.
sensa'tiepers *v.(m.)* presse *f.* à scandale.
sensa'tieproces *o.* cause *f.* célèbre.
sensa'tieroman *m.* roman *m.* à sensation.
sensationeel' I *b.n.* sensationnel; **II** *bw.* d'une manière sensationnelle.
sen'so-moto'risch *b.n.* sensitivo-moteur, -trice.
sensualiteit' *v.* sensualité.
sensueel' *b.n.* sensuel.
senten'tie *v.* sentence *f.*
sentimentaliteit' *v.* sentimentalité *f.*
sentimenteel' I *b.n.* sentimental; **II** *bw.* sentimentalement.
separaat' I *b.n.* séparé; **II** *bw.* séparément.
separatist' *m.* séparatiste *m.*
separatis'tisch *b.n.* séparatiste.
se'pia *v.(m.)* sépia *f.*
septem'ber *m.* septembre *m.*
septet' *o.* (*muz.*) septuor *m.*
septiem', septi'me *v.(m.)* (*muz.*) septième *f.*; ***—-akkoord,*** accord *m.* de septième.
sep'tisch *b.n.* (*gen.*) septique.
Septuage'sima *m.* Septuagésime *f.*
Septuagin't(a) *v.(m.)* ***de overzetting der —,*** la version des septante.
sequen'tie *v.* séquence *f.*
sequestre'ren, *zie* ***sekwestreren.***
se'raf(ijn') *m.* séraphin *m.*
serafijns' *b.n.* séraphique.
serafi'neorgel *o.* harmonium *m.*
serena'de *v.* sérénade *f.*
ser'ge *v.(m.)* serge *f.*
sergeant' *m.* **1** (*mil.*) sergent *m.*; **2** (*tn.*) serre-joint* *m.*
sergeant'-majoor' *m.* sergent*-major* *m.*
sergeants'strepen *mv.* (*mil.*) galons *m.pl.* de sergent.

se'rie *v.* série *f.*
se'rieproduktie, -productie *v.* production *f.* en série, — à la chaîne. [*f.*) en série.
se'rieschakeling *v.* couplage *m.* (*of* connexion
se'riewikkeling *v.* bobinage *m.* en série.
serieus' I *b.n.* sérieux; **II** *bw.* sérieusement.
sering' *v.*(*m.*) lilas *m.*
sermoen' *v.* sermon *m.*
serpent' *o.* serpent *m.* [tine *f.*
serpentijn' I *v.* (*mil.*) serpentin *m.*; **II** *o.* serpen-
serpentijn'steen *o. en m.* serpentine *f.*
serpenti'ne *v.* serpentin *m.*
serre *v.*(*m.*) **1** (*broeikas*) serre *f.* (chaude); **2** (*v. huis*) véranda *f.*
se'rum *o.* sérum *m.*
se'rumbehandeling *v.* sérothérapie *f.* [que.
se'ruminrichting *v.* laboratoire *m.* microbiologi-
se'rumziekte *v.* maladie *f.* microbienne.
Servaas', Serva'tius *m.* Servais *m.*
serveer'ster *v.* serveuse *f.*
serve'ren *ov.w. en on.w.* servir.
servet' *o.* serviette *f.*
servet'band *m.* cordon *m.* de serviette.
servet'goed *o.* toile *f.* à serviettes. [*m.*
servet'je *o.* **1** petite serviette *f.*; **2** papier*-toilette
servet'ring *m.* rond *m.* (de serviette).
ser'vice *m.* service *m.*
ser'vicestation *o.* station *f.* service.
Ser'vië *o.* la Serbie.
serviel' *b.n.* servile, rampant.
Ser'viër *m.* Serbe *m.* [baret *m.*
servies' *o.* service *m.*; (*voor likeuren ook:*) ca-
Ser'visch *b.n.* serbe.
servituut' *o.* servitude *f.*
ser'vomechanisme *o.* servomécanisme *m.*
ser'vomotor *m.* servomoteur *m.*
ser'vorem *v.*(*m.*) servofrein *m.*
servostaat' *m.* servostat *m.*
se'sam *m.* sésame *m.*
se'samkruid *o.* sésame *m.*
se'samolie *v.*(*m.*) huile *f.* de sésame.
se'samzaad *o.* graine *f.* de sésame.
ses'sie *v.* séance *f.*
set *m.* (*sp.*) manche *f.*, set *m.*
Sevil'la *o.* Séville *f.*; ***uit —,*** sévillan.
Sexage'sima *m.* Sexagésime *f.*
sex-appeal' *m. en o.* sex-appeal *m.*
sexe, sek'se *v.* sexe *m.*
sext *v.*(*m.*) **1** (*muz.*) sixte *f.*; **2** (*kaartsp.*) sixième *f.*
sext'akkoord, sext'accoord *o.* (*muz.*) accord *m.* de sixte.
sextant', sekstant' *m.* sextant *m.*
sex'te *v.* (*kath.*) sexte *f.*
sextet' *o.* (*muz.*) sextuor *m.*
sexu-, *zie* ***seksu-.***
sfeer *v.*(*m.*) **1** (*bol, kring*) sphère *f.*; **2** (*atmosfeer*) atmosphère *f.*; ***in hoger sferen zijn,*** être dans les nuages, être dans la lune.
sfe'risch *b.n.* sphérique.
sfinx, sfinks *m.* sphinx *m.*
sfinx'achtig, sfinks'achtig *b.n.* énigmatique.
's-Gravenbra'kel *o.* Braine-le-Comte *m.*
's-Gravenha'ge *o.* la Haye *m.*
's-Gravenvoe'ren *o.* Fouron-le-Comte *m.*
shag *m.* tabac *m.* à cigarettes.
shag'doos *v.*(*m.*) (*met roller*) blague*-moule* *f.*
shag'je *o.* cigarette *f.* roulée.
sha'ker *m.* shaker *m.*, gobelet *m.* à cocktail.
shampone'ren, *zie* ***shampooën.***
sham'poo *m.* shampooing *m.*, friction *f.*
sham'pooën I *o.* shampooing *m.*; **II** *ov.w.* se laver les cheveux.

shel'ter *o. en m.* tente *f.* à une ou deux personnes.
she'riff *m.* shérif *m.*
sher'ry *m.* (vin de) xérès *m.*
's-Hertogenbosch' *o.* Bois-le-Duc *m.*
shirt *o.* shirt *m.*
shock'behandeling *v.* traitement *m.* de choc.
shop'pingcentrum *o.* centre *m.* commerçant.
shorts *mv.* short *m.*
show *m.* show *m.*
show'film *m.* film *m.* à grand spectacle.
show'-room *m.* showroom *m.*
shrap'nel, schrap'nel *m.* shrapnel *m.*
shunt *m.* (*el.*) shunt *m.*
Si'am *o.* le Siam.
Siamees' I *m.* Siamois *m.*; **II** *b.n.* siamois.
Sibe'rië *o.* la Sibérie.
Sibe'riër *m.* Sibérien *m.*
Sibe'risch *b.n.* sibérien.
sibil'le, sibyl'le *v.* sibylle *f.*
sibillijns', sibyllijns' *b.n.* sibyllin.
siccatief', sikkatief' *o.* huile *f.* siccative.
Siciliaan' *m.* Sicilien *m.*
Siciliaans' *b.n.* sicilien.
Sici'lië *o.* la Sicile.
sid'deraal *m.* gymnote *m.*
sid'deren *on.w.* **1** (*v. angst, koude*) trembler; **2** (*v. afschuw, enz.*) frémir; frissonner.
sid'dergras *o.* (*Pl.*) amourette *f.* (tremblante).
sid'dering *v.* **1** tremblement *m.*; **2** frémissement *m.*; frisson *m.*
sid'derrog *m.* (*Dk.*) torpille *f.*
Sie'na *o.* Sienne *f.*
sier *v.*(*m.*) ***goede — maken,*** faire bonne chère.
sier- *b.n.* d'ornement, d'ornementation.
sie'raad *o.* ornement *m.*, parure *f.*
sier'boom *m.* arbre *m.* d'ornement.
sier'duif *v.*(*m.*) pigeon *m.* d'agrément.
sie'ren *ov.w.* **1** orner, parer; **2** (*v. zaal, enz.*) décorer.
sier'gewas, *zie* ***sierplant.***
sier'heester *m.* arbuste *m.* d'ornement.
sie'ring *v.* parure *f.*, ornement *m.*
sier'kunst *v.* art *m.* décoratif, — ornemental.
sier'kunstenaar *m.* décorateur *m.* d'art.
sier'letter *v.*(*m.*) lettre *f.* historiée.
sier'lijk I *b.n.* élégant, gracieux; **II** *bw.* élégamment, gracieusement.
sier'lijkheid *v.* élégance, grâce *f.*
sier'motief *o.* enjolivure *f.*
sier'palm *m.* palmier *m.* d'ornement.
sier'plant *v.*(*m.*) plante *f.* d'ornement, — d'agrément.
sier'sel *o.* ornement *m.*
siës'ta *v.*(*m.*) sieste *f.*
sifon' *m.* siphon *m.*
sigaar' *v.*(*m.*) cigare *m.*; ***eindje —,*** mégot *m.*; ***de — zijn,*** être chocolat.
siga'reaansteker *m.* **1** briquet *m.* (de poche); **2** (*in winkel*) allumoir *m.*
siga'reas *v.*(*m.*) cendre *f.* de cigares.
siga'rebandje *o.* bague *f.* (de cigare).
siga'reknijper *m.* coupe-cigares *m.*
siga'renfabriek *v.* manufacture *f.* de cigares, fabrique *f.* —. [cigarier *m.*
siga'renfabrikant *m.* fabricant *m.* de cigares,
siga'renkistje *o.* **1** boîte *f.* à cigares; **2** (*mil.: schoen*) godillot *m.* res *m.*
siga'renkoker *m.* étui *m.* à cigares, porte-ciga-
siga'renmaker *m.* cigarier *m.*
siga'renwinkel *m.* **1** magasin *m.* de cigares; **2** (*F.*) bureau *m.* de tabac.
siga'renzakje *o.* sac *m.* à cigares.

siga'repijpje o. fume-cigare(*), porte-cigare* m.
siga'restompje o. mégot m.
sigaret' v.(m.) cigarette f.
sigaret'tenkoker m. porte-cigarettes m., étui m. à cigarettes.
sigaret'tenpapier o. papier m. à cigarettes.
sigaret'tepijpje o. fume-cigarette(*), porte-cigarette* m.
signaal' o. **1** signal m.; **2** (mil.) sonnerie f. de trompette; batterie f. de tambour; — ***uitzenden,*** lancer des appels.
signaal'hoorn, -horen m. trompe f., clairon m.
signaal'licht o. feu m. de signalisation.
signaal'paal m. sémaphore m.
signaal'pistool o. brûle-amorce* m.
signaal'toestel o. appareil m. signalétique.
signaal'schijf v.(m.) disque*-signal* m.
signalement' o. signalement m.
signale'ren ov.w. signaler.
signatuur' v. signature f.
signet' o. cachet, sceau m.
sij'pelen, zij'pelen I on.w. suinter, filtrer; **II** z.n., o. suintement m.
sijs I v.(m.) (Dk.) serin (vert), tarin m.; **II** m. (fam.) gaillard, drôle m.; ***een rare —,*** un drôle de corps; ***een vrolijke —,*** un gai compagnon.
sik v.(m.) **1** (geit) chèvre f.; chevreau m.; **2** (baard) barbiche f.
sikkatief', zie ***siccatief.***
sik'kel v.(m.) **1** faucille f.; **2** (v. maan) croissant m.
sik'kelvormig b.n. **1** falciforme; **2** en forme de croissant.
sikkeneu'rig b.n. morose, maussade, grincheux.
sik'kepitje o. brin, fifrelin m.; goutte f.
Sile'zië o. la Silésie.
Sile'ziër m. Silésien m.
Sile'zisch b.n. silésien.
silhouet' v.(m.) en o. silhouette f.
silla'be, sylla'be v. syllabe f.
si'lo m. silo, engreneur m.
si'miligoud, si'milor, se'milor o. similor, [toc m.
Si'mon m. Simon m.
simonie' v. simonie f.
sim'pel b.n. **1** (eenvoudig) simple; **2** (onnozel) faible d'esprit, imbécile.
sim'pelachtig b.n. un peu simple.
sim'pelheid v. **1** simplicité f.; **2** faiblesse f. d'esprit.
Sim'son m. Samson m.
simulant' m. simulateur m.
simule'ren ov.w. simuler.
simultaan' b.n. simultané.
simultaan'séance v.(m.) jeu m. simultané.
simultaan'speler m. simultanéiste m.
si'naasappel m. orange f.
si'naasappelsap o. jus m. d'orange.
sinds, zie ***sedert.***
sinecu're, sinecuur' v.(m.) sinécure f.
Singalees' m. Singalais m.
sin'gel m. **1** (v. stoel, paard, enz.) sangle f.; **2** (v. priester) ceinture f.; **3** (v. stad) boulevard m.; (gracht) canal m. de ceinture.
sin'gelen ov.w. **1** (v. paard) sangler; **2** (v. stoel, enz.) poser des sangles à; **3** (omsingelen) cerner; entourer.
sin'gelgracht v.(m.) canal m. de ceinture.
sin'gle m. (sp.) simple m.
sinjeur' m. seigneur, monsieur; type m.
sinoloog' m. sinologue m.
sino'pel I o. sinople m.; **II** b.n. sinople.
sint m. saint m.
Sint-A'gatha-Berchem o. Berchem-Sainte-Aga- [the.
Sint-A'gatha-Rode o. Rhode-Sainte-Agathe.
Sint-Amands' (**bij Puurs**) o. Saint-Amand (lez-Puurs).
Sint-Amands'berg o. Mont-Saint-Amand.
Sint-Andries' (**bij Brugge**) o. Saint-André (lez-Bruges).
sint-an'drieskruis o. **1** croix de Saint-André f.; **2** (wap.) sautoir m.
Sint-Baafs'-Vijve o. Vyve-Saint-Bavon.
sint-ber'nardshond m. saint-bernard* m.
Sint-Bla'sius-Boe'kel o. Boucle-Saint-Blaise.
Sint-Denijs' o. Saint-Genois.
Sint-Denijs'-Boe'kel o. Boucle-Saint-Denis.
Sint-Denijs'-Wes'trem o. Saint-Denis-Westrem.
sin'tel m. **1** (v. kolen) escarbille f.; **2** (v. metaal) scorie f.
sin'telbaan v.(m.) piste f. de cendrée.
Sint-Eloois'-Vijve o. Vyve-Saint-Éloi.
Sint-Eloois'-Winkel o. Winkel-Saint-Éloi.
sinterklaas' m. Saint-Nicolas m.
sinterklaasa'vond m. veille f. de la St. Nicolas.
sinterklaas'pop v.(m.) gâteau m. de la Saint-Nicolas.
Sint-Gal'len o. Saint-Gall.
Sint-Gene'sius-Ro'de o. Rhode-Saint-Genèse.
Sint-Gil'lis (**bij Brussel**) o. Saint-Gilles (-lez-Bruxelles).
Sint-Gillis-bij-Dendermonde o. Saint-Gilles-lez-Termonde.
Sint-Gil'lis-Waas o. Saint-Gilles-Waas.
Sint-Go'riks-Ou'denhove o. Audenhove-Saint-Géry.
Sint-Hui'brechts-Hern' o. Hern-Saint-Hubert.
Sint-Hui'brechts-Lil'le o. Lille-Saint-Hubert.
Sint-Ja'cobs-Kapel'le o. Saint-Jacques-Capelle.
Sint-Jan'-in-Ere'mo o. Saint-Jean-in-Eremo.
sint-jans'brood o. (Pl.) caroube f.
sint-jans'broodboom m. caroubier m.
Sint-Jans'-Geest' o. Saint-Jean-Geest. [Jean.
Sint-Jans'-Mo'lenbeek o. Molenbeek-Saint-
Sint-Job-in-'t-Goor' o. Saint-Job-in-'t-Goor.
Sint-Joost-ten-No'de o. Saint-Josse-ten-Noode.
Sint-Jo'ris o. Saint-Georges. [Distel.
Sint-Jo'ris-ten-Dis'tel o. St.-Georges-ten-
Sint-Jo'ris-Weert' o. Weert-Saint-Georges.
Sint-Jo'ris-Win'ge o. Winghe-Saint-Georges.
sint-jut'(te)mis v., ***met —,*** à la Saint-Jamais, quand viendront les coquecigrues.
Sint-Katelij'ne-Wa'ver o. Wavre-Sainte-Catherine.
Sint-Katheri'na-Lom'beek o. Lombeek-Sainte-Catherine.
Sint-Korne'lis-Horebeke o. Horebeke-Saint-Corneille.
Sint-Kruis' o. Sainte-Croix.
Sint-Kruis'-Winkel o. Winkel-Sainte-Croix.
Sint-Kwin'tens-Len'nik o. Lennik-Saint-Quentin. [bert.
Sint-Lam'brechts-Herk' o. Herk-Saint-Lam-
Sint-Lam'brechts-Wo'luwe o. Woluwe-Saint-Lambert.
Sint-Laureins' o. Saint-Laurent.
Sint-Laureins'-Ber'chem o. Berchem-Saint Laurent.
Sint-Le'naarts o. Saint-Léonard.
Sint-Lie'vens-Es'se o. Esse-Saint-Liévin. [vin.
Sint-Lie'vens-Hou'tem o. Houtem-Saint-Lié-
Sint-Margrie'te o. Sainte-Marguerite.
Sint-Margrie'te-Hou'tem o. Houtem-Sainte-Marguerite. [rie.
Sint-Maria-Ho'rebeke o. Horebeke-Sainte-Ma-

Sint-Maria-La'tem *o.* Latem-Sainte-Marie.
Sint-Maria-Lier'de *o.* Lierde-Sainte-Marie.
Sint-Maria-Ou'denhove *o.* Audenhove-Sainte-Marie.
Sint-Martens-Bo'degem *o.* Bodegem-Saint-Martin.
Sint-Martens-La'tem *o.* Latem-Saint-Martin.
Sint-Martens-Leer'ne *o.* Leerne-Saint-Martin.
Sint-Martens-Len'nik *o.* Lennik-Saint-Martin.
Sint-Martens-Lier'de *o.* Lierde-Saint-Martin.
Sint-Martens-Voe'ren *o.* Fouron-Saint-Martin.
Sint-Michiels' *o.* Saint-Michel.
Sint-Niklaas' (Waas) *o.* Saint-Nicolas (Waas).
Sint-Pau'wels *o.* Saint-Paul.
Sint-Pie'ters-Kapel'le (bij-Edingen) *o.* Saint-Pierre-Capelle (-lez-Enghien).
Sint-Pie'ters-Kapel'le (bij-Nieuwpoort) *o.* Saint-Pierre-Capelle (-lez-Nieuport).
Sint-Pieters-Leeuw' *o.* Leeuw-Saint-Pierre.
Sint-Pie'terspenning *m.* denier *m.* de Saint-Pierre.
Sint-Pieters-Ro'de *o.* Rhode-Saint-Pierre.
Sint-Pieters-Voe'ren *o.* Fouron-Saint-Pierre.
Sint-Pieters-Wo'luwe *o.* Woluwe-Saint-Pierre.
Sint-Remi'gius-Geest *o.* Saint-Remy-Geest.
Sint-Renel'de *o.* Saintes.
Sint-Rij'kers *o.* Saint-Riquiers.
Sint-Ste'vens-Wo'luwe *o.* Woluwe-St.-Étienne.
sint-teu'nisbloem *v.(m.)*, *(Pl.)* herbe *f.* aux ânes.
Sint-Trui'den *o.* Saint-Trond *m.*
Sint-Trui'dens *b.n.* saint-Tronnaire.
Sint-Ul'riks-Kapel'le *o.* Capelle-Saint-Ulric.
sint-vi'tusdans *m.* danse *f.* de Saint-Guy.
si'nus *m.* sinus *m.*
sip *bw.*, ***— kijken,*** faire la moue, être dépité.
sire'ne I *v.* sirène *f.*; **II** *v.(m.)* sirène *f.*
sire'nenzang *m.* chant *m.* de(s) sirène(s).
si'rihpruim *v.(m.)* masticatoire *m.* de bétel.
siroc'co *m.* sirocco *m.*
siroop' *v.(m.)* sirop *m.*
si'sal *m.* sisal *m.*
sis'klank *m.* sifflante *f.*
sis'sen *on.w.* **1** *(v. slang)* siffler; **2** *(v. vet, enz.)* [crier.
sis'ser *m.* **1** siffleur *m.*; **2** *(voetzoeker)* pétard, crapaud *m.*; ***met een — aflopen,*** faire long feu, finir en queue de poisson.
Si'syfusarbeid *m.* travail *m.* de Sisyphe.
sit-down'staking *v.* grève *f.* sur le tas.
sits *o.* perse, indienne *f.*
sits'papier *o.* papier *m.* marbré, — jaspé.
Sit'ten *o.* *(Zwitserland)* Sion *m.*
situa'tie *v.* situation *f.*
situa'tiekaart *v.(m.)* tracé *m.*
situa'tieplan *o.* plan *m.* d'ensemble.
Sixtijns' *b.n.* Sixtin(e); ***de —e kapel,*** la chapelle Sixtine.
Six'tus *m.* Sixte *m.*; ***— de Vijfde,*** Sixte-Quint *m.*
sjaal *m.* châle *m.*
sjablo'ne, sjabloon', schablo'ne, schabloon *v.(m.)* moule *m.*; pochoir *m.*
sjabrak' *v.(m.) en o.* schabraque, housse *f.*
sja'cheraar *m.* **1** brocanteur *m.*; **2** *(woekeraar)* usurier; grippe-sou* *m.*
sja'cheren *on.w.* **1** brocanter; **2** prêter à intérêt, grapiller; **3** *(loven en bieden)* marchander.
sjah *m.* chah *m.*
sjako' *m.* shako *m.*
sjalot' *v.(m.)* échalotte *f.*
sjamberloek' *m.* robe *f.* de chambre.
sjees *v.(m.)* cabriolet *m.*
sjeik *m.* cheik *m.*
sje'rif *m.* chérif *m.*
sjerp *m.* écharpe *f.*
sje'zen *on.w.*, *(sl.)* échouer, être collé (*of* recalé).
sjil'pen *on.w.* **1** *(v. mus)* gazouiller, pépier; **2** *(v. krekel)* chanter, crisser.
sjir'pen *on.w.* crisser, grincer.
sjoel'bak *m.* jeu *m.* de galet(s).
sjoe'melen *on.w.* tricher.
sjo'fel *b.n.* minable, piètre, miteux.
sjo'felheid *v.* aspect *m.* minable, — piteux, piètrerie *f.*
sjok'ken *on.w.* traîner les pieds.
sjor'lijn *v.(m.)* *(sch.)* amarre *f.*
sjor'ren *ov.w.*, *(sch.)* amarrer.
sjor'ring *v.* *(sch.)* amarrage *m.*, raban *m.*
sjor'touw *o.* *(sch.)* amarre *f.*, ligne *f.* d'amarrage.
sjouw *m.* **1** *(last)* (pesant) fardeau *m.*; **2** rude *f.* corvée, travail *m.* pénible; ***aan de — gaan,*** partir en vadrouille.
sjou'wen I *ov.w.* transporter, traîner; **II** *on.w.* **1** *(hard werken)* trimer, peiner, s'échiner; **2** *(zwieren)* faire la noce.
sjou'wer *m.* **1** homme *m.* de peine, porte-faix *m.*; **2** *(aan haven)* débardeur *m.*; **3** *(zwierbol)* vadrouilleur, noceur *m.*
sjouwerij' *v.* *(fam.)* travail *m.* rude.
sjou'werman *m.* homme *m.* de peine.
skalp(-), *zie* ***scalp(-).***
skand-, *zie* ***scand-.***
skandinav-, *zie* ***scandinav-.***
skapulier', *zie* ***scapulier.***
skelet' *o.* squelette *m.*
skelet'achtig *b.n.* squelettique.
skelet'bouw *m.* structure *f.* squelettique.
skel'ter *m.* kart *m.*
skel'teren I *on.w.* faire du karting; **II** *z.n.*, *o.* karting *m.*, course *f.* de karts.
skep'ter, *zie* ***scepter.***
skepti-, *zie* ***scepti-.***
sketch *m.* sketch *m.* *(pl.: —es).*
ski *m.*, *(sp.)* ski *m.*
ski'baan *v.(m.)* piste *f.* de ski.
ski'ën *on.w.* faire du ski.
skiff *m.* skiff *m.*
skiffeur' *m.* skiffeur *m.*
ski'lift *m.* (re)monte-pente, téleski *m.*
ski'lopen *on.w.* faire du ski.
ski'loper *m.* skieur *m.*
ski'-sokje *o.* soquette *f.*
skrup-, *zie* ***scrup-.***
skunk *o.* skunks *m.*
sla, sala'de *v.(m.)* **1** salade *f.*; **2** *(Pl.)* laitue *f.*
slaaf *m.* esclave *m.*
Slaaf *m.* Slave *m.*
slaafs I *b.n.* servile, esclave; **II** *bw.* servilement, en esclave.
slaafs'heid *v.* servilité *f.*
slaag *m.* des coups *m.pl.*, une raclée, une tripotée *f.*; ***een pak —,*** une volée de coups.
slaags *bw.*, ***— raken,*** **1** en venir aux mains, — aux coups; **2** *(mil.)* engager le combat; ***— zijn,*** être aux prises, en être aux mains, se battre.
slaan I *ov.w.* **1** frapper; **2** *(bij herhaling)* battre; **3** *(v. vijand: overwinnen)* défaire, vaincre, battre; **4** *(v. brug)* jeter, construire; **5** *(v. klok: uren, enz.)* sonner; **6** *(spel: bij dammen, enz.)* prendre; **7** *(v. munt)* battre; **8** *(v. olie)* extraire, fabriquer; ***een spijker in de muur —,*** enfoncer un clou dans la muraille; ***aan stukken —,*** mettre en pièces, briser; ***iem. uit het veld —,*** déconcerter qn., décontenancer qn.; ***iem. om de oren —,*** souffleter qn., gifler qn.; ***iem. een blauw oog —,*** pocher un œil à qn.; ***een slag — naar,*** estimer

au petit bonheur, faire une conjecture; ***zijn slag* —,** faire le coup, faire une rafle; (*fam.*) faire son beurre; ***naar binnen* —, 1** avaler; **2** (*vloeibaar*) siffler; ***de arm om zijn middel* —,** lui passer un bras autour de la taille; ***de armen over elkaar* —,** croiser les bras; **II** *on.w.* **1** frapper; **2** donner des coups; **3** (*v. klok*) sonner; **4** (*v. hart*) battre, palpiter; **5** (*v. pols*) battre; **6** (*v. vogel*) chanter; (*als een kwartel*) courcailler; **7** (*v. paard*) ruer; **8** (*v. deur*) battre; claquer; ***met de tong* —,** claquer de la langue; faire claquer sa langue; ***met de vleugels* —,** battre des ailes; ***op hol* —,** prendre le mors aux dents; ***waarop slaat dat?*** à quoi cela se rapporte-t-il? ***dat slaat op mij,*** cela me regarde, cela s'adresse à moi; ***de vlammen sloegen uit het dak,*** les flammes sortaient (*of* jaillissaient) du toit; ***de schrik sloeg ons om het hart,*** nous fûmes pris de frayeur; ***op de vlucht* —,** prendre la fuite; ***naar binnen* —,** (*gen.*) rentrer; ***met de deuren* —,** faire battre les portes; **III** *w.w.* ***zich ergens doorheen* —,** se tirer d'affaire, se débrouiller; ***zich door het leven* —,** faire sa vie; ***zich voor 't hoofd* —,** se frapper le front; **IV** *z.n., o.* **1** (*v. hart*) battement *m.*; **2** (*v. klok*) son *m.*; sonnerie *f.*; **3** (*v. vogel*) chant *m.*; **4** (*v. paard*) ruade *f.*; **5** (*v. munt*) frappe *f.*

slaand *b.n.* battant; ***met —e trom,*** tambour battant; ***een —e klok,*** une horloge *f.* à sonnerie, — sonnante; ***een — horloge,*** montre *f.* à répétition.

slaap *m.* **1** sommeil *m.*; **2** (*oogvuil*) chassie *f.*; **3** (*streek van 't hoofd*) tempe *f.*; **4** (*verdoving*) léthargie *f.*, engourdissement *m.*; ***— hebben,*** avoir sommeil; ***— krijgen,*** commencer à avoir sommeil; ***in — vallen,*** s'endormir; ***in — wiegen,*** bercer; ***de — in 't been hebben,*** avoir la jambe engourdie; (*fam.*) avoir des fourmis dans la jambe; ***uit de — houden,*** empêcher de dormir.

slaap'ader *v.(m.)* veine *f.* temporale.

slaap'bank *v.(m.)* couchette *f.*

slaap'been *o.* os *m.* temporal.

slaap'coupé *m.* coupé*-lit* *m.*; compartiment *m.* à couchette.

slaap'deuntje *o.* berceuse *f.*

slaap'drank *m.* soporifique, narcotique *m.*

slaap'dronken *b.n.* ivre de sommeil, pris de sommeil, somnolent; ***nog* —,** encore tout endormi.

slaap'dronkenheid *v.* somnolence *f.*

slaap'gelegenheid *v.* logis, gîte *m.*

slaap'goed *o.* linge *m.* de nuit.

slaap'je *o.* **1** (*alg.*) petit somme *m.*; **2** (*na 't eten*) sieste, méridienne *f.*; ***—s doen,*** faire dodo.

slaap'kamer *v.(m.)* chambre *f.* (à coucher).

slaap'kameraad *m.* compagnon *m.* de lit.

slaap'koorts *v.(m.)* fièvre *f.* comateuse.

slaap'kop *m.* dormeur *m.*, —euse *f.*

slaap'liedje *o.* berceuse *f.*

slaap'lucht *v.(m.)* odeur *f.* d'alcôve.

slaap'lust *m.* envie *f.* de dormir.

slaap'middel *o.* soporifique, somnifère *m.*

slaap'muts *v.(m.)* **1** bonnet *m.* de nuit; **2** (*fig.*) endormi, dormeur *m.*

slaap'mutsje *o.* petit verre *m.*

slaap'plaats *v.(m.)* couchette *f.*, gîte *m.*

slaap'poeder, -poeier *v.(m.)* poudre *f.* soporative.

slaap'sokken *mv.* chaussons *m.pl.* de nuit.

slaap'ste(d)e *v.(m.)* **1** (*legerstede*) couchette *f.*; **2** (*huis*) asile *m.* de nuit; logement *m.*

slaap'ster *v.* dormeuse *f.*; ***de schone — in het bos,*** la Belle au bois dormant.

slaap'stoel *m.* dormeuse *f.*

slaap'verdrijvend *b.n.* antihypnotique.

slaap'vertrek *o.* chambre *f.* à coucher.

slaap'verwekkend *b.n.* somnifère, soporifique, narcotique, dormitif.

slaap'wagen *m.* wagon*-lit* *m.*

slaap'wandelaar *m.* somnambule *m.*

slaap'wandelen *o.* somnambulisme, noctambulisme *m.*

slaap'wekkend *b.n.* somnifère, soporifique.

slaap'zaal *v.(m.)* dortoir *m.*

slaap'zak *m.* sac *m.* de couchage, lit*-sac*, duvet *m.*

slaap'ziek *b.n.* comateux; léthargique.

slaap'ziekte *v.* **1** (*in Europa*) encéphalite *f.* léthargique; **2** (*in Afrika*) maladie *f.* du sommeil.

slaap'zucht *v.(m.)* coma *m.*, léthargie *f.*

slaap'zuchtig *b.n.* comateux, léthargique.

slaa'tje *o.* salade *f.*; ***ergens een — uit slaan,*** faire son profit de qc., battre monnaie de qc.

slab, slab'be *v.(m.)* bavette *f.*

sla'bak *m.* saladier *m.*

slabak'ken *on.w.* lambiner, fainéanter.

slab'be, slab *v.(m.)* bavette *f.*

slab'ben *ov.w.* laper.

slab'betje *o.* bavette *f.*, bavoir *m.*

sla'bed *o.* carré *m.* de salade.

sla'boon *v.(m.)* haricot *m.* vert.

slacht'afval *o. en m.* issues *f.pl.* de boucherie.

slacht'bank *v.(m.)* **1** boucherie *f.*; **2** (*fig.*) carnage *m.*

slacht'beest *o.* animal *m.* de boucherie.

slacht'bijl *v.(m.)* hache *f.* de boucher.

slacht'blok *o.* billot *m.*

slach'ten *ov.w.* **1** tuer, abattre; **2** égorger, assommer.

slach'ter *m.* boucher *m.*

slachterij' *v.* boucherie *f.*

slacht'gewicht *o.* poids *m.* à l'abattage.

slacht'huis *o.* **1** boucherie *f.*; **2** (*openbaar*) abattoir *m.*

slach'ting *v.* **1** abattage *m.*; **2** (*fig.*) tuerie, boucherie *f.*, carnage, massacre *m.*

slacht'maand *v.(m.)* novembre *m.*

slacht'masker *o.* masque *m.* d'abattage, — frontal.

slacht'mes *o.* couteau *m.* de boucher.

slacht'offer *o.* **1** (*alg.*) victime *f.*; **2** (*v. ramp*) sinistré *m.*

slacht'offeren *ov.w.* sacrifier, immoler.

slacht'paard *o.* cheval *m.* de boucherie.

slacht'plaats *v.(m.)* boucherie *f.*; abattoir *m.*

slacht'tijd *m.* temps *m.* d'abattage.

slacht'varken *o.* cochon *f.* de boucherie.

slacht'vee *o.* bêtes *f.pl.* de boucherie.

sla'couvert *o.* couvert *m.* à salade.

sladood' *m.*, ***lange* —,** grand flandrin, escogriffe *m.*, grande perche *f.*

slag I *m.* **1** (*alg.*) coup *m.*; **2** (*oorveeg*) gifle *f.*, soufflet *m.*; **3** (*v. hart*) battement *m.*; **4** (*v. pols*) battement *m.*, pulsation *f.*; **5** (*v. donder*) coup *m.* de tonnerre, roulement *m.*; **6** (*v. vogel*) chant *m.*, roulade(s) *f.(pl.)*; **7** (*kaartsp.*) levée *f.*; **8** (*bij zwemmen*) brassée *f.*; **9** (*mil.*) bataille *f.*; **10** (*wagen—*) ornière *f.*; **11** (*ongeluk*) coup, malheur *m.*; ***op — van zessen,*** au coup de six heures; ***zonder — of stoot,*** sans coup férir, sans brûler une amorce; ***een — van de molen weg hebben,*** avoir un coup de marteau, avoir un coup de hache, être toqué; ***met één* —,** tout d'un coup, d'un seul coup; ***aan de — gaan,*** mettre la main à la besogne, — à la pâte, se mettre au travail; ***iets met de Franse — doen,*** faire qc. à la diable, expédier qc. à la hâte; ***de — hebben van,*** s'entendre à, connaître le truc de; ***een — om de arm houden,*** se ménager une porte de sortie (*of* de derrière); ***van — zijn,*** décompter; ***vrije* —,** (*bij zwemmen*)

nage *f.* libre; **op —,** du coup; ***hij was op — dood,*** la mort fut instantanée; ***goed op — raken,*** se mettre en train; ***hij is in de — gebleven,*** il a trouvé la mort sur le champ de bataille; **II** *o.* **1** (*soort*) espèce *f.*, genre *m.*; aloi, acabit *m.*; **2** (*duiventil*) pigeonnier; colombier *m.*; **3** (*vogelknip*) trébuchet *m.*; **4** (*aan kooi; schuif*) trappe *f.*, volet *m.*; ***van allerlei —,*** de tout poil.
slag'ader *v.*(*m.*) artère *f.*; ***grote —,*** aorte *f.*
slag'aderbloed *o.* sang *m.* artériel.
slag'aderbreuk *v.*(*m.*) anévrisme *m.*
slag'aderlijk *b.n.* artériel.
slag'aderverkalking *v.* artériosclérose *f.*
slag'beitel *m.* équarrissoir *m.*
slag'boom *m.* barrière *f.*
slag'demper *m.*, (*tn.*) silencieux *m.*
slag'duif *v.*(*m.*) pigeon *m.* de volière.
sla'gen I *on.w.* **1** réussir; **2** (*v. examen*) être reçu, réussir; **3** (*in zaken*) prospérer (dans); ***erin — om,*** réussir à, arriver à, parvenir à; ***spoedig erin — om,*** avoir tôt fait de; **II** *z.n.*, *o.* réussite *f.*
sla'ger *m.* boucher *m.*
slagerij' *v.* boucherie *f.*
sla'gersjongen *m.* garçon *m.* boucher.
sla'gersknecht *m.* garçon *m.* boucher.
sla'gersmes *o.* couteau *m.* de boucher.
sla'gersvrouw *v.* bouchère *f.*
sla'gerswinkel *m.* boucherie *f.*; charcuterie *f.*
slag'geweer *o.* fusil *m.* à percussion.
slag'hamer *m.* maillet *m.*
slag'hoedje *o.* amorce *f.*, capsule *f.* fulminante.
slag'hout *o.* batte *f.*
slag'instrument *o.* (*muz.*) instrument *m.* de percussion.
slag'kooi *v.*(*m.*) trébuchet *m.*
slag'kruiser *m.* croiseur *m.* de bataille.
slag'kruit *o.* poudre *f.* fulminante.
slag'lijn *v.*(*m.*) **1** cordeau *m.* (à marquer); **2** (*sch.*) garcette *f.*
slag'linie *v.* ligne *f.* de bataille.
slag'net *o.* **1** (*vogelnet*) trébuchet, rets *m.*; **2** (*balnet*) raquette *f.*
slag'orde *v.*(*m.*) ordre *m.* de bataille.
slag'pen *v.*(*m.*) penne, rémige *f.*; ***iem. de —nen uittrekken,*** rogner les ailes à qn.
slag'regen *m.* pluie *f.* battante, averse *f.*
slag'room *m.* crème *f.* fouettée.
slag'schaduw *v.*(*m.*) ombre *f.* portée.
slag'schip *o.* cuirassé *m.*, vaisseau *m.* de ligne.
slag'tand *m.* défense *f.*
slag'uurwerk *o.* horloge *f.* à sonnerie, pendule *f.* —.
slagvaar'dig *b.n.* **1** prêt à combattre; **2** (*fig.*) prompt à la riposte, — à la repartie.
slagvaar'digheid *v.* **1** aptitude *f.* au combat; état *m.* d'aguerrissement; **2** (*fig.*) présence *f.* d'esprit, promptitude *f.* à la riposte.
slag'veer *v.*(*m.*) **1** (*v. vogel*) penne *f.*; **2** (*tn.*) déclic *m.*; **3** (*mil.: v. geweer*) ressort *m.* à boudin.
slag'veld *o.* champ *m.* de bataille.
slag'wapen *o.* arme *f.* de combat.
slag'water *o.* sillage *m.*
slag'werk *o.* **1** (*v. uurwerk*) sonnerie *f.*; **2** (*muz.*) batterie *f.*
slag'werker *m.* batteur *m.*
slag'wind *m.* coup *m.* de vent, rafale *f.*
slag'woord *o.* formule *f.* (toute faite), phrase *f.* à effet, mot*-phrase *m.*
slag'zee *v.*(*m.*) coup *m.* de mer.
slag'zij(de) *v.*(*m.*) (*sch.*) faux côté *m.*; ***— hebben*** (*of* ***maken***), donner de la bande.
slag'zin *m.* slogan *m.*
slag'zwaard *o.* espadon *m.*
slak *v.*(*m.*) **1** (*naakt*) limace *f.*; **2** (*met huisje*) colimaçon *m.*; **3** (*eetbaar*) escargot *m.*; **4** (*uit kachel*) fraisil *m.*; **5** (*metaal—*) scorie(s) *f.*(*pl.*); **6** (*v. hoogovens*) mâchefer, laitier *m.*; ***zo vlug als een — (op een teerton),*** rapide comme une tortue.
sla'ken *ov.w.* **1** (*ontbinden, losmaken*) délier, relâcher, détacher; **2** (*v. zucht, enz.*) pousser; **3** (*v. zeilen*) déferler; ***iemands boeien —,*** rompre les fers de qn.
slak'hoorn, slak'horen *m.* corne *f.*
slak'kegang *m.* marche *f.* (très) lente, un petit train somnolent; ***een — gaan,*** **1** marcher à pas de tortue; **2** (*fig.*) traîner en longueur.
slak'kehuisje *o.* **1** (*v. slak*) coquille *f.* (de limaçon); **2** (*in oor*) limaçon *m.*
slak'kenbeton *o.* béton *m.* de laitier.
slak'kenkei *m.* mâchefer *m.*
slak'kenmeel *o.* scories *f.pl.* (pulvérisées).
slak'kenzand *o.* sable *m.* de scories.
slak'kesteker *m.* (*mil.*) coupe-choux, tire-bouchon*, tournebroche *m.*
sla'kom *v.*(*m.*) saladier *m.*
slak'vormig *b.n.* en colimaçon, en spirale.
sla'lepel *m.* cuiller *f.* à salade.
sla'lom *m.* slalom *m.*
slampam'pen *on.w.* faire la noce, faire bombance.
slampam'per *m.* noceur, bambocheur *m.*
slampamperij' *v.* bombance, ripaille *f.*
slang *v.*(*m.*) **1** (*Dk.*) serpent *m.*; **2** (*v. brandweer*) tuyau *m.*; **3** (*gummi—*) caoutchouc *m.*; **4** (*v. fietspomp*) accord *m.*; **5** (*scheik.: v. distilleerkolf*) serpentin *m.*; **6** (*v. vuurwerk*) serpenteau *m.*; **7** (*fig.*) serpent *m.*
slang'achtig *b.n.* serpentin; (*Dk.*) ophidien.
slan'gebeet *m.* morsure *f.* de serpent.
slan'gegebroed, slan'gebroedsel *o.* **1** couvée *f.* de serpents; **2** (*fig.*) engeance *f.* de serpents, nid *m.* de vipères.
slan'gegif(t) *o.* venin *m.* de serpent.
slan'gehuid *v.*(*m.*) peau *f.* de serpent.
slan'gekop *m.* tête *f.* de serpent.
slan'gekruid *o.*, (*Pl.*) vipérine *f.*
slan'geloop *m.* allure *f.* serpentine.
slan'gemens *m.* homme *m.* serpent, contorsionniste *m.*
slan'genbezweerder *m.* charmeur *m.* de serpents.
slan'genboom *m.*, (*Pl.*) serpentaire *f.*
slan'geoog *o.* œil*-de-serpent *m.*
slan'gespog *o.* venin *m.* (de serpent).
slan'getje *o.* serpenteau *m.*
slan'getong *v.*(*m.*) **1** langue *f.* de serpent; **2** (*fig.*) langue *f.* de vipère.
slan'gevel *o.* peau *f.* de serpent.
slan'gewagen *m.* dévidoir *m.*
slang'hagedis *v.*(*m.*) seps *m.*
slang'vormig *b.n.* en forme de serpent.
slang'wesp *v.*(*m.*) ophion *m.*
slank *b.n.* **1** (*v. gestalte*) élancé, svelte, mince; **2** (*fijn, teer*) grêle, mince; ***de —e lijn,*** la ligne svelte, — mince.
slank'heid *v.* forme *f.* svelte, taille *f.* svelte, sveltesse *f.*
sla'olie *v.*(*m.*) huile *f.* d'olives.
slap I *b.n.* **1** (*los neerhangend*) mou, flasque; **2** (*niet gespannen*) lâche, relâché; **3** (*v. koord*) détendu; **4** (*zacht, buigzaam*) mou, souple, pliant; **5** (*zwak, niet krachtig*) faible, mou; **6** (*v. koffie, thee*) faible, léger; **7** (*v. soep, thee*) clair; **8** (*v. kost*) peu substantiel; **9** (*v. tucht, zeden*) relâché; **10** (*v. karakter, beginsel*) inconsistant, mou; ***de —pe tijd,*** la morte*-saison*; ***met —pe armen,*** les bras ballants, les bras inertes; ***—pe kost,*** nourriture *f.* peu substantielle; ***—pe thee,*** thé *m.* faible; ***—pe***

winter, hiver *m.* mou; ***zo — als een vaatdoek,*** mou comme une serviette; **II** *bw.* mollement; ***zich — lachen,*** se tordre, mourir de rire, se tenir les côtes de rire.
sla'peloos *b.n.* sans sommeil, sans dormir; ***een slapeloze nacht,*** une nuit blanche, une nuit d'insomnie; ***een — iem.,*** insomniaque *m.-f.*, insomnieux *m.*, —euse *f.*
slapeloos'heid *v.* insomnie *f.*
sla'pen *on.w. en ov.w.* **1** dormir; **2** (*de nacht doorbrengen*) coucher; ***gaan —,*** aller se coucher; ***gerust —,*** dormir sur les deux oreilles; ***vast —,*** dormir d'un profond sommeil, dormir à poings fermés; ***lang —,*** faire la grasse matinée; ***wij zullen er eens op*** (*of* ***over***) ***—,*** la nuit nous portera conseil, nous demanderons conseil à la nuit; ***ik kan er niet van —,*** je n'en dors plus, cela m'empêche de dormir; ***— als een roos*** (*of* ***als een os***)***,*** dormir sur les deux oreilles, — comme un loir; ***mijn been slaapt,*** j'ai la jambe endormie, j'ai des fourmis dans la jambe; ***bij iem. slapen,*** passer la nuit chez qn.
sla'pend *b.n.* dormant; ***een — kind,*** un enfant endormi; ***—e aandelen,*** actions immuables; ***men moet geen —e honden wakker maken,*** il ne faut pas réveiller le chat qui dort.
sla'per *m.* dormeur *m.*
sla'perdijk *m.* digue *f.* de renfort.
sla'perig *b.n.* **1** somnolent, pris de sommeil; **2** (*fig.*) engourdi, indolent, apathique; **3** (*v. weer*) lourd, accablant; **4** (*v. boek*) assoupissant; ***— zijn,*** avoir sommeil; ***ik word —,*** le sommeil me prend.
sla'perigheid *v.* **1** somnolence *f.*, envie *f.* de dormir; **2** indolence, apathie *f.*; **3** lourdeur *f.*
slaphar'tig *b.n.* pusillanime.
slaphar'tigheid *v.* pusillanimité *f.*; manque *m.* d'énergie.
slap'heid *v.* **1** mollesse *f.*; **2** relâchement *m.*; **3** souplesse *f.*; **4** (*fig.*) indolence, faiblesse, veulerie *f.*; **5** (*v. zeden*) relâchement *m.*; **6** (*v. weer*) douceur *f.*; **7** (*H.*) malaise *m.*; **8** (*gen.*) atonie *f.*
slap'jes *bw.* mollement, faiblement; ***hij is nog —,*** il est encore flou.
sla'plant *v.*(*m.*) pied *m.* de salade.
slap'peling *m.* flemmard, flémard *m.*, andouille *f.*
slap'te, *zie* ***slapheid.***
sla'ven *on.w.* peiner, trimer, s'éreinter, s'échiner.
Sla'ven *mv.* Slaves *m.pl.*
sla'venarbeid *m.* travail *m.* d'esclave.
sla'vendienst *m.* servitude *f.*
sla'vendrijver *m.* esclavagiste *m.*
sla'venhandel *m.* traite *f.* des nègres, — des noirs.
sla'venhandelaar *m.* négrier *m.*, marchand *m.* d'esclaves.
sla'venhouder *m.* maître *m.* d'esclaves.
sla'venjuk *o.* esclavage, joug *m.*
sla'venketenen *mv.* chaînes *f.pl.* de l'esclavage.
Sla'venkust *v.*(*m.*) Côte *f.* des Esclaves.
sla'venleven *o.* vie *f.* d'esclave.
sla'venmarkt *v.*(*m.*) marché *m.* aux esclaves.
sla'venoorlog *m.*, (*gesch.*) guerre *f.* servile.
sla'venschip *o.* (vaisseau) négrier *m.*
sla'venwerk *o.*, *zie* ***slavenarbeid.***
sla'venziel *v.*(*m.*) âme *f.* d'esclave.
slavernij' *v.* esclavage *m.*; servitude *f.*
Sla'viër *m.* Slave *m.*
slavin' *v.* esclave *f.*; ***handel in blanke —nen,*** traite *f.* des blanches.
Sla'visch *b.n.* slave.
slavist' *m.* slavisant *m.* (*f.:* —e).
slavistiek' *v.* étude *f.* des langues slaves.
Slavo'nië *o.* la Slavonie.
Slavo'niër *m.* Slavon *m.*
Slavo'nisch *b.n.* slavon.
sla'vork *v.*(*m.*) fourchette *f.* à salade.
slecht I *b.n.* **1** (*alg.*) mauvais; **2** (*v. persoon*) méchant, vilain; **3** (*v. zeden*) vicieux, dépravé; **4** (*v. zieke*) bas; ***—e artikelen,*** articles d'une qualité inférieure; ***hij is er — aan toe,*** il est dans une mauvaise situation; ***er — uitzien,*** avoir mauvaise mine; ***—e tijden,*** des temps difficiles (*of* durs); ***dat is niet —,*** ce n'est pas mal; ***dat is — voor de gezondheid,*** c'est nuisible à la santé; ***—e ogen hebben,*** avoir les yeux faibles; **II** *bw.* mal; ***hoe langer hoe —er,*** de mal en pis; ***dat ziet er — uit,*** cela s'annonce mal, cela ne promet rien de bon; **III** *z.n.*, ***het —e,*** le mal.
slecht'aard *m.* méchant (homme) *m.*; scélérat *m.*
slech'ten *ov.w.* **1** (*v. huis, enz.*) démolir, raser; **2** (*v. vesting*) démanteler; **3** (*effen, glad maken*) aplanir, unir; **4** (*fig.: bijleggen, v. geschil, enz.*) vider, aplanir, terminer.
slech'ter I *b.n.* plus mauvais, pire; inférieur (à); **II** *bw.* plus mal, pis.
slecht'erik, *zie* ***slechtaard.***
slechtgelei'dend *b.n.* isolant.
slechtgemanierd'heid *v.* grossièreté *f.*, manque *m.* de savoir-vivre.
slecht'heid *v.* **1** (*v. persoon*) méchanceté, vilenie *f.*; **2** (*v. zeden*) dépravation *f.*, vice *m.*; **3** (*daad*) mauvaise action, canaillerie *f.*; **4** (*v. waren, enz.*) mauvaise qualité *f.*
slechtho'rend *b.n.* dur d'oreille.
slech'tigheid, *zie* ***slechtheid.***
slech'ting *v.* démolition *f.*, rasement *m.*
slechts *bw.* ne... que, seulement; ***hij had nog — 100 fr.,*** il n'avait plus que 100 francs.
sle'de, slee *v.*(*m.*) **1** traîneau *m.*; **2** (*Zwitserland*) luge *f.*; **3** (*sch.*) ber *m.*; **4** (*Alpen*) ramasse *f.*
sle'(d)emenner *m.* **1** conducteur *m.* de traîneau **2** (*Alpen*) ramasseur *m.*
sle'den, *zie* ***sleeën.***
sle'(d)etocht *m.*, **sle'(d)evaart** *v.*(*m.*) promenade *f.* en traîneau, course *f.* —.
slee I *zie* ***slede***; **II** *b.n.* **1** (*stomp*) émoussé, obtus; **2** (*zuur*) aigre; **3** (*v. tanden*) agacé; **III** *z.n.*, *v.* (*Pl.*) prunelle *f.*, prune *f.* sauvage.
slee'doorn, -doren *m.*, (*Pl.*) prunellier *m.*
slee'ën *on.w.* se promener en traîneau, aller —.
slee'hak *v.*(*m.*) semelle *f.* compensée.
slee'menner, *zie* ***sledemenner.***
sleep *m.* **1** (*v. japon*) traîne, queue *f.*; **2** (*gevolg*) suite *f.*; **3** (*fam.: v. kinderen*) ribambelle *f.*
sleep'anker *o.* cône*-ancre* *m.*
sleep'antenne *v.*(*m.*) antenne *f.* pendante.
sleep'asperge *v.*(*m.*) asperge *f.* en branche.
sleep'berrie *v.*(*m.*) traîneau *m.*
sleep'boot *m. en v.* remorqueur *m.*
sleep'contact, -kontakt *o.*, (*el.*) frotteur *m.*
sleep'dienst *m.* (service de) remorquage *m.*
sleep'drager *m.* porte-queue *m.*
sleep'helling *v.* cale *f.*
sleep'hengel *m.* ligne *f.* traînante.
sleep'japon *m.* robe *f.* à traîne.
sleep'kabel *m.* câble *m.* de dépannage, — de remorquage.
sleep'ketting *m. en v.* toue *f.*
sleep'kontakt, *zie* ***sleepcontact.***
sleep'lijn *v.*(*m.*) (*sch.*) halin *m.*
sleep'loon *o.* **1** (frais de) camionnage *m.*; **2** (*sch.*) frais *m.pl.* de remorquage.
sleep'net *o.* **1** (*voor vis*) filet *m.* traînant, traîne *f.*; (*trawl*) chalut *m.*; **2** (*voor vogels*) traînasse *f.*
sleep'ruim *v.*(*m.*), (*Pl.*) prunelle *f.*
sleep'sabel *m.* latte *f.*; sabre *m.* traînant.

sleep'touw *o.* **1** (*v. schip*) remorque *f.*, câble *m.* de remorque; **2** (*v. ballon*) guiderope *m.*; ***op — nemen,*** prendre à la remorque, — en charge; ***zich door iem. op — laten nemen,*** se mettre à la remorque de qn., être à la remorque.
sleep'trein *m.* train *m.* de bateaux, convoi *m.*
sleep'tros *m.* remorque *f.*
sleep'vaartdienst *m.* remorquage *m.*
sleep'visserij *v.* chalutage *m.*
sleep'voeten *on.w.* traîner les pieds.
Slees'wijk *o.* le Slesvig, le Schleswig.
Slees'wijker *m.* Slesvigois *m.*
sleet *v.(m.)*, (*het verslijten*) usure *f.*
slee'tocht, *zie* ***sledetocht.*** [coup.
sleets *b.n.* qui s'use vite; ***erg — zijn,*** user beau-
sleets'heid *v.* **1** usure *f.*; **2** (*v. persoon: slordigheid*) négligence *f.*
slee'vaart, *zie* ***sledevaart.***
slem *o. en m.*, (*kaartsp.*) (s)chelem *m.*
slemp I *m.* ripaille, bombance *f.*; **II** *m.* (*drank*) lait *m.* au safran, — safrané.
slem'pen *on.w.* faire ripaille, faire bombance.
slem'per *m.* gourmand; bambocheur *m.*
slemperij' *v.* bombance *f.* [nale *f.*
slemp'partij *v.* bombance, ripaille, orgie, baccha-
slen'ter *m.* **1** (*lap, lomp*) loque *f.*, haillon *m.*; **2** (*trage gang*) allure *f.* lente; **3** (*fig.: sleur*) routine *f.*, trantran *m.*; **4** (*uitvlucht*) faux-fuyant* *m.*
slen'teraar *m.* flâneur *m.*
slen'teren *on.w.* **1** flâner, battre le pavé; **2** (*zeer langzaam gaan*) marcher d'un pas traînassant.
slen'tergang *m.* **1** flânerie *f.*; **2** démarche *f.* lente; **3** (*sleur*) routine *f.*
sle'pen I *on.w.* **1** (*langs de grond*) traîner (par terre); **2** (*sch.*) chasser (sur ses ancres); ***met de voeten —,*** traîner les pieds; **II** *ov.w.* **1** (*voorttrekken*) traîner; **2** (*v. goederen, bomen, enz.*) voiturer, camionner; **3** (*v. schip*) remorquer; **4** (*muz.: v. noten*) couler; ***iem. door de modder —,*** traîner qn. par la boue; ***met de haren erbij gesleept,*** tiré par les cheveux.
sle'pend *b.n.* **1** traînant; **2** (*v. stem, enz.*) traînard; **3** (*v. ziekte*) chronique, de langueur; **4** (*v. rijm*) féminin; **5** (*v. verhaal*) tiré en longueur; ***—e houden,*** traîner en longueur.
sle'per *m.* **1** (*voerman*) voiturier, camionneur *m.*; **2** (*sch.*) remorqueur *m.*
sle'persknecht *m.* garçon *m.* camionneur.
sle'persloon *o.* camionnage *m.*, frais *m.pl.* de voiture. [haridelle *f.*
sle'perspaard *o.* **1** cheval *m.* de voiturier; **2** (*oud*)
sle'perswagen *m.* camion *m.*, voiture *f.* de roulage.
slet *v.* catin, coureuse *f.*
sleuf *v.(m.)* **1** (*in pilaar*) cannelure *f.*; **2** (*v. plank*) rainure *f.*; **3** (*v. spaarpot, brievenbus, enz.*) fente *f.*
sleur *m.* routine *f.*; ***met de — breken,*** sortir de l'ornière.
sleu'ren I *ov.w.* traîner; **II** *on.w.* se traîner.
sleur'gebed *o.* prière *f.* machinale.
sleur'mens *m.* (homme) routinier *m.*
sleur'werk *o.* travail *m.* routinier.
sleu'tel *m.* **1** clef *f.*; **2** (*bouwk.: sluitsteen*) clef *f.* de voûte; (*in samenstellingen*) clé.
sleu'telbaard *m.* panneton *m.*, barbe *f.*
sleu'telbedrijf *o.* industrie*-clé, entreprise*-clef *f.*
sleu'telbeen *o.* clavicule *f.*
sleu'telbloem *v.(m.)* primevère *f.*
sleu'telbloemigen *mv.* primulacées *f.pl.*
sleu'telbos *m.* trousseau *m.* de clefs.
sleu'teldrager *m.* porte-clefs *m.*
sleu'telgat *o.* trou *m.* de serrure, entrée *f.*
sleu'telgatplaatje *o.* cache-entrée *m.*
sleu'telgeld *o.* pas *m.* de porte. [clef.
sleu'telindustrie *v.* industrie *f.* à cadenas, — (de)
sleu'telkastje *o.* tableau *m.* à clefs.
sleu'telmandje *o.* panier *m.* à clefs.
sleu'telpositie *v.* position*-clé *f.*; ***de —s bezetten,*** tenir les leviers de commande, occuper les postes de commande.
sleu'telring *m.* anneau *m.* de clefs, porte-clefs *m.*
sleu'telroman *m.* roman *m.* à clef.
sleu'telschacht *v.(m.)* tige *f.*
sleu'telvormig *b.n.* claviforme.
slib *o.* **1** limon *m.*, vase *f.*; **2** (*v. slijpsteen*) moulée *f.*; ***— vangen,*** **1** rentrer bredouille; **2** (*bij bezoek*) trouver visage de bois.
slib'achtig *b.n.* bourbeux, fangeux.
slib'ben *ov.w.* laver.
slib'beren *on.w.* glisser.
slib'berig *b.n.* glissant, gluant.
slib'berigheid *v.* état *m.* glissant.
slier *m.* **1** (*rij, reeks*) suite, série *f.*; **2** (*v. wagons*) rame *f.*; **3** (*v. personen*) file *f.*; **4** (*veeg*) traînée *f.*; **5** (*tik v. dronkenschap*) pointe *f.* de vin; ***een — aanhebben,*** être allumé; ***een lange —,*** une longue perche.
slier'asperge *v.(m.)* asperge *f.* en branche.
slier'baan *v.(m.)* glissoire *f.*
slie'ren I *ov.w.* **1** (*slepen, sleuren*) traîner; **2** (*ontfutselen*) chiper; **II** *on.w.* **1** (*glijden*) glisser; **2** (*slingeren*) tituber, zigzaguer.
sliert, *zie* ***slier.***
slijk *o.* **1** boue *f.*; **2** (*bezinksel*) vase *f.*; **3** (*straatvuil*) crotte *f.*; **4** (*dicht.*) fange *f.*; ***het — der aarde,*** **1** le limon de la terre; **2** (*fig.*) les richesses *f.pl.* terrestres; ***door het — sleuren,*** traîner dans la boue.
slijk'achtig *b.n.* boueux, fangeux.
slijk'bad *o.* bain *m.* de boue.
slijk'bord, slik'bord *o.* garde-boue, garde-crotte, pare-boue *m.*
slij'kerig *b.n.*, *zie* ***slijkachtig.***
slijk'grond, slik'grond *m.* fond *m.* bourbeux.
slijk'lap *m.* (*v. auto*) garde-boue *m.*, bavette *f.*
slijk'mossel *v.(m.)* moule *f.* limoneuse.
slijk'spat *v.(m.)* éclaboussure *f.*
slijm *o. en m.* **1** (*v. mens*) flegme *m.*, glaire *f.*; **2** (*v. slak, enz.*) bave *f.*; **3** (*Pl.*) mucilage *m.*; **4** (*gen.*) mucus *m.*, mucosité *f.*; **5** (*v. vis*) viscosité *f.*
slijm'achtig *b.n.* **1** glaireux; **2** baveux; **3** mucilagineux; **4** muqueux; **5** visqueux.
slijm'afdrijvend *b.n.* antimuqueux.
slijm'afscheiding *v.* secrétion *f.* muqueuse, — visqueuse.
slij'merig *b.n.*, *zie* ***slijmachtig.***
slijm'hoest *m.* toux *f.* grasse, coqueluche *f.*
slijm'klier *v.(m.)* glande *f.* muqueuse.
slijm'koorts *v.(m.)* fièvre *f.* muqueuse.
slijm'vis *m.* blennie, baveuse *f.*
slijm'vlies *o.* (membrane) muqueuse *f.*
slijp *o.* sablon *m.*, grès *m.* sablon.
slijp'apparaat *o.* (*v. mes, enz.*) affiloir *m.*
slijp'bak *m.* auge *f.*
slij'pen *ov.w.* **1** (*v. mes, enz.*) repasser, affiler; **2** (*v. beitel*) affûter; **3** (*v. potlood*) appointer, aiguiser; **4** (*polijsten*) polir; **5** (*v. diamant*) tailler; ***de straat —,*** battre le pavé.
slij'per *m.* **1** repasseur, émouleur; affileur *m.*; **2** polisseur *m.*; **3** tailleur *m.* (de diamants).
slijperij' *v.* **1** (*handeling*) repassage, affilage *m.*; **2** polissage *m.*; **3** taille *f.*; **4** taillerie *f.* (de diamants).
slij'ping *v.* **1** repassage, aiguisage, affilage *m.*; **2** polissage *m.*

slijp'molen *m.* **1** moulin *m.* à émoudre; **2** machine *f.* à polir.
slijp'plank *v.(m.)* planche *f.* à couteaux.
slijp'poeder, -poeier *o. en m.* poudre *f.* à polir.
slijp'schijf *v.(m.)* molette *f.*
slijp'sel *o.* moulée *f.*; émeri *m.*
slijp'staal *o.* fusil *m.*
slijp'steen *m.* pierre *f.* à aiguiser, meule *f.*
slijp'zand *o.* sablon, grès *m.*
slijta'ge *v.* usure *f.*
slij'ten I *ov.w.* **1** (*verslijten*) user; **2** (*in 't klein verkopen*) débiter, vendre en détail; **3** (*v. tijd, leven*) passer; **II** *on.w.* **1** s'user; **2** (*fig.*) diminuer; se passer.
slij'ter *m.* **1** (*verkoper in 't klein*) détaillant *m.*; **2** (*v. wijn, enz.*) liquoriste *m.*
slijterij' *v.* débit *m.* de boissons.
slij'ting, *zie* ***slijtage.***
slik (-), *zie* ***slijk*** (-).
slik'ken I *ov.w. en on.w.* avaler; ***dat is een harde pil om te —,*** c'est difficile à digérer; ***een belediging —,*** boire un affront, avaler des couleuvres; **II** *z.n., o.* ingestion, déglutition *f.*
slik'nat *b.n.* trempé (comme une soupe).
slim I *b.n.* **1** (*sluw, geslepen*) malin, finaud, rusé; **2** (*slecht, kwaad*) mauvais, fâcheux; **3** (*moeilijk*) difficile; **4** (*verstandig*) intelligent; ***hij is niet van de —sten,*** il n'a pas inventé la poudre, il n'est pas très malin; ***een —me vos,*** un fin matois, un rusé compère; ***iem. te — af willen zijn,*** ruser avec qn.; **II** *bw.* finement, adroitement.
slim'heid *v.* **1** finesse, ruse *f.*; **2** malignité *f.*; **3** difficulté *f.*; **4** intelligence *f.*
slim'merd *m.* malin, finaud, fin matois, rusé [compère *m.*
slim'migheid *v.*, **—je** *o.* ruse, finasserie *f.*
slin'ger *m.* **1** (*v. klok*) balancier *m.*; **2** (*nat.*) pendule *f.*; **3** (*v. pomp: zwengel*) levier, balancier *m.*; **4** (*wapen, werptuig*) fronde *f.*; lance-pierres *m.*
slin'geraap *m.* singe *m.* à queue prenante.
slin'geraar *m.* frondeur *m.*
slin'gerbeweging *v.* mouvement *m.* pendulaire.
slin'geren I *ov.w.* **1** (*werpen*) lancer, jeter; **2** (*zwaaien met*) brandir, agiter; **3** (*heen en weer*) ballotter; **4** (*om iets winden*) enrouler, entortiller; **II** *on.w.* **1** (*v. slinger, enz.*) osciller; **2** (*v. schip*) rouler; **3** (*v. rivier, enz.: kronkelen*) serpenter; **4** (*v. plant*) ramper; **5** (*v. dronkaard*) tituber; **6** (*v. voorwerpen: verstrooid liggen*) traîner; ***tussen hoop en vrees —,*** être balancé (*of* balancer) entre la crainte et l'espoir, traverser des alternatives d'espoir et de crainte; **III** *w.w.* ***zich —,*** **1** (*aan koord, enz.*) se balancer; **2** (*v. weg, rivier*) serpenter; **3** (*v. plant*) s'enrouler; **IV** *z.n., o.* **1** oscillation *f.*; **2** ballottement *m.*; **3** (*sch.*) roulis *m.*
slin'gerend *b.n.* **1** oscillant, oscillatoire; **2** serpentant.
slin'gerhoni(n)g *m.* miel *m.* d'extracteur.
slin'gering *v.* **1** oscillation *f.*; **2** (*sch.*) roulis *m.*; **3** agitation *f.*; ballottement *m.*; **4** (*v. koers*) fluctuation *f.*
slin'gerkrans *m.* guirlande *f.*
slin'gerlijn *v.(m.)* méandre *m.*
slin'gerpad *o.* sentier *m.* tortueux.
slin'gerplant *v.(m.)* plante *f.* grimpante; liane *f.*
slin'gerproef *v.(m.)* expérience *f.* du pendule.
slin'gersteen *m.* pierre *f.* de fronde.
slin'gertijd *m.* durée *f.* d'une oscillation.
slin'gertrap *m.* escalier *m.* à l'anglaise.
slin'geruurwerk *o.* horloge *f.* à pendule.
slin'gerverband *o.* bandage *m.* à écharpe.
slin'gerwijdte *v.* amplitude *f.* d'oscillation.
slin'ken *on.w.* **1** (*v. voorraad, geld: verminderen*) diminuer; **2** (*bij koken: inkrimpen*) se fondre, se réduire; **3** (*v. gezwel*) (se) désenfler, se dégonfler.
slin'king *v.* **1** diminution *f.*; **2** désenflure *f.*, dégonflement *m.*
slinks I *bw.* artificieusement, d'une façon détournée; perfidement; **II** *b.n.* **1** artificieux, oblique, détourné; **2** (*vals, verraderlijk*) perfide.
slinks'heid *v.* **1** artifice *m.*; **2** perfidie *f.*
slip *v.(m.)* **1** (*uiteinde*) bout *m.*; **2** (*pand v. kleed*) pan *m.*, basque *f.*; **3** (*v. lijkkleed*) coin, cordon *m.*; ***— vangen,*** *zie* ***slib.***
slip'gevaar *o.* danger *m.* de dérapage.
slip-o'ver *m.* pull-over* *m.*
slip'pedrager *m.* porteur *m.* des cordons du [poêle.
slip'pen *on.w.* **1** (*alg.*) glisser; **2** (*v. fiets*) déraper; **3** (*v. auto*) déraper, être déporté, faire une embardée; **4** (*v. koppeling*) patiner, brouter; ***laten —,*** laisser échapper; abandonner.
slip'per *m.*, ***een — maken,*** partir à l'anglaise, s'esquiver.
slip'pertje *o.* fugue *f.*
slip'vrij *b.n.* antidérapant.
slob'beren I *ov.w.* laper, engloutir, avaler bruyamment; **II** *on.w.*, (*knoeien*) bousiller, bâcler.
slob'broek *v.(m.)* culotte *f.* à sous-pieds.
slob'kous *v.(m.)* guêtre *f.*, sous-pied* *m.*
slob'pakje *o.* barboteuse *f.*
slod'derbroek *v.(m.)* pantalon *m.* bouffant, culotte *f.* flottante.
slod'deren *on.w.* bouffer, flotter.
slod'derig I *b.n.* malpropre; négligent; **II** *bw.* malproprement; négligemment.
slod'derigheid *v.* malpropreté; négligence *f.*
slod'derkous *v.(m.)*, **slod'dervos** *m.* bousilleur, souillon *m.*, salope *f.*
sloe'ber *m.* salopard, salaud, galopin *m.*
sloep *v.(m.)* chaloupe, embarcation *f.*; canot *m.*
sloe'pendek *o.*, (*sch.*) pont *m.* des embarcations.
sloe'penrol *v.(m.)* rôle *m.* des embarcations.
sloep'roeier *m.* rameur *m.* de chaloupe; canotier *m.*
sloe'rie *v.* souillon, salope *f.*
slof I *m.* **1** savate, pantoufle *f.*; **2** (*v. strijkstok*) talon *m.*; ***het op zijn —fen afkunnen,*** se la couler douce; faire (qc.) en pantoufles; ***uit zijn — schieten,*** **1** se déboutonner; **2** (*royaal zijn*) se fendre; **II** *b.n.* négligent, nonchalant.
slof'fen *on.w.* **1** traîner les pieds; **2** être négligent, — nonchalant.
slof'(fig)heid *v.* négligence, nonchalance *f.*
slo'gan *m.* slogan *m.*
slöjd *v.(m.)* travaux *m.pl.* manuels, habileté *f.* manuelle.
slok *m.* **1** trait, coup *m.*; gorgée *f.*; **2** (*slokop*) glouton *m.*; ***een — drinken,*** boire un coup; ***in één —,*** d'un trait, d'un coup.
slok'darm *m.* œsophage *m.*
slok'je *o.* **1** petit coup *m.*; petite gorgée *f.*; **2** (*borrel*) goutte *f.*, petit verre, apéritif *m.*
slok'ken *on.w.* avaler, engloutir.
slok'ker *m.* avaleur, glouton *m.*; ***arme —,*** pauvre diable *m.*
slok'op *m.* goulu(e), glouton(ne) *m.* (*f.*).
slons *v.* salope, souillon *f.*
slons'je *o.* lanterne *f.* sourde.
slon'zen *on.w.* être négligent, bousiller.
slon'zig *b.n.* négligent, nonchalant.
sloof I *v.(m.)*, (*voorschoot*) tablier *m.*; **II** *v.*, (*arme stakker*) pauvre diablesse, pauvre créature *f.*
sloom *b.n.* lent, mou, bêtasse; ***slome duikelaar,*** lambin(e).
sloop *v.(m.) en o.* taie *f.* (d'oreiller).

sloop'werk *o.* démolitions *f.pl.*
sloot *v.(m.)* fossé *m.*; ***van de wal in de — geraken,*** tomber de fièvre en chaud mal.
sloot'je *o.* **1** (*kl. sloot*) petit fossé *m.*; **2** (*kl. slot*) petite serrure *f.*; **— *springen,*** sauter à la perche; sauter les fossés.
sloot'water *o.* **1** eau *f.* de fossé; **2** (*fig.*) lavasse *f.*
slop *o.* **1** (*steegje*) impasse *f.*, cul*-de-sac *m.*; **2** (*schuilhoek*) cachette *f.*
slo'pen *ov.w.* **1** (*v. huis, enz.*) démolir; **2** (*v. vestingen*) raser; **3** (*v. schip*) déchirer, dépecer; **4** (*v. krachten*) épuiser; **5** (*v. gezondheid*) miner.
slo'per *m.* **1** démolisseur *m.*, entrepreneur *m.* de démolitions; **2** (*sch.*) déchireur, dépeceur *m.*
slo'ping *v.* **1** démolition *f.*; **2** dépeçage *m.*; **3** épuisement *m.*
slor'dig I *b.n.* **1** négligent, nonchalant; **2** (*v. kleding*) débraillé; **3** (*v. werk*) peu soigné, négligé; **II** *bw.* négligemment, avec négligence; nonchalamment; **— *afwerken,*** bâcler, bousiller; **— *geschreven,*** écrit à la diable; **— *verpakt,*** emballé avec peu de soin.
slor'digheid *v.* **1** négligence, nonchalance *f.*; **2** débraillé *m.*
slor'pen *on.w.*, *zie* ***slurpen.***
slot *o.* **1** serrure *f.*; **2** (*hang—*) cadenas *m.*; **3** (*v. boek, armband*) fermoir *m.*; **4** (*v. geweer*) platine *f.*; **5** (*kasteel*) château; manoir *m.*; **6** (*einde*) fin *f.*; (*v. beurs*) clôture *f.*; (*v. opera*) finale *f.*; **7** (*besluit*) conclusion *f.*; ***dubbel —,*** serrure à double tour; ***achter —,*** sous clef; ***achter — en grendel,*** sous les verrous; ***op — doen,*** fermer à clef; ***zonder — noch zin,*** sans queue ni tête; ***dat heeft — noch zin,*** cela n'a ni rime ni raison; ***— volgt,*** la fin au prochain numéro, la fin à demain; ***per — van rekening,*** au bout du compte; ***batig —,*** excédent *m.* (de recettes); ***nadelig —,*** déficit; solde *m.* en perte; — *m.* débiteur; ***ten —te,*** enfin; finalement.
slot'akkoord, -accoord *o.*, (*muz.*) accord *m.* final.
slot'balans *v.(m.)* bilan *m.* de clôture, — de fin [d'année.
slot'bepaling *v.* clause *f.* finale.
slot'dividend *o.* dividende *m.* final, complément *m.* de dividende.
slo'tenmaken *o.* serrurerie *f.*
slo'tenmaker *m.* serrurier *m.*
slotenmakerij' *v.* serrurerie *f.*
slot'gracht *v.(m.)* fossé *m.*, douve *f.*
slot'heer *m.* châtelain *m.*
slot'koers *m.*, (*H.*) cours *m.* de clôture.
slot'koor *o.*, (*muz.*) chœur *m.* final.
slot'medeklinker *m.* (consonne) finale *f.*
slot'notering *v.* cote *f.* finale.
slot'nummer *o.* **1** (*muz.*) finale *f.*; **2** (*v. vuurwerk*) bouquet *m.*
slot'opsteker *m.*, (*tn.*) rossignol *m.*
slot'plaat *v.(m.)* platine *f.* de serrure.
slot'prijs *m.* prix *m.* de clôture.
slot'rede *v.(m.)* péroraison *f.*, épilogue *m.*
slot'regel *m.* **1** dernière ligne *f.*; **2** (*v. gedicht*) dernier vers *m.*
slot'som *v.(m.)* résultat *m.* (final), conclusion *f.*
slot'steen *m.* clef *f.* de voûte.
slot'stuk *o.* **1** pièce *f.* finale; **2** (*v. vuurwerk*) bouquet *m.*
slot'tafereel *o.* tableau *m.* final, apothéose *f.*
slot'toren *m.* tour *f.* de château, donjon *m.*
slot'uitkering *v.* dividende *m.* final.
slot'voogd *m.* châtelain *m.*
slot'voogdes, slot'vrouwe *v.* châtelaine *f.*
slot'woord *o.* péroraison *f.*; épilogue *m.* [final.
slot'zang *m.* **1** strophe *f.* finale; **2** cantique *m.*
slot'zitting *v.* séance *f.* de clôture, dernière séance.
slot'zuster *v.* sœur *f.* cloîtrée.
slo'ven *on.w.* trimer, peiner.
slo'ver *m.* trimeur, peinard *m.*
Slowaak' *m.* Slovaque *m.*
Slowaaks' *b.n.* slovaque.
Slowakij'e *o.* la Slovaquie.
Sloween' *m.* Slovène *m.*
Sloweens' *b.n.* slovène.
slui'er *m.* **1** (*alg.*) voile *m.*; **2** (*rouw—*) crêpe *m.*; ***een tip van de — oplichten,*** soulever un coin du voile.
slui'ereffect, -effekt *o.* (*radio*) évanouissement *m.*, fading *m.*
slui'eren *ov.w.* voiler.
slui'erfloers *o.* crèpe *m.* pour voiles.
slui'eruil *m.*, (*Dk.*) effraie *f.*, petit chat*-huant* *m.*
sluik I *b.n.* **1** (*v. haar*) plat; raide et lisse; **2** (*afhangend*) tombant, droit; **3** (*rank, mager*) maigre, mince; ***een —e japon,*** une robe toute droite; **II** *z.n.*, *v.(m.)* contrebande *f.*; ***ter —(s),*** en cachette, furtivement, clandestinement.
slui'ken *on.w.* faire la contrebande.
slui'ker *m.* contrebandier *m.*
sluik'handel *m.* contrebande *f.*; commerce *m.* de contrebande.
sluik'handelaar *m.* contrebandier *m.*
sluik'ha'rig *b.n.* à cheveux plats.
sluik'waar *v.(m.)* contrebande *f.*
slui'meraar *m.* dormeur *m.*
slui'meren *on.w.* sommeiller, somnoler, être assoupi; ***onder de as —,*** couver sous la cendre.
slui'merend *b.n.* **1** sommeillant, assoupi; **2** (*fig.*) endormi.
slui'merig *b.n.* somnolent.
slui'mering *v.* somme, sommeil, assoupissement *m.*
slui'merkussen *o.* têtière *f.*, oreiller *m.*
slui'merrol *v.(m.)* rouleau, appui*-tête *m.*
slui'pen *on.w.* se glisser, se couler, s'introduire à la dérobée.
slui'pend I *b.n.* **1** furtif; **2** (*v. vergif*) lent; **3** (*v. ziekte*) de langueur, chronique, insidieux; **4** (*v. koorts*) larvé; **II** *bw.* furtivement, à la dérobée.
slui'per(d) *m.* sournois, hypocrite *m.*
sluip'hol *o.* abri *m.*, retraite *f.*
sluip'koorts *v.(m.)* fièvre *f.* larvée, — lente.
sluip'moord *m. en v.* assassinat *m.*
sluip'moordenaar *m.* assassin *m.*
sluip'patrouille *v.(m.)*, (*mil.*) patrouille *f.* rampante.
sluip'weg *m.* **1** chemin *m.* détourné; **2** (*fig.*) détour *m.*; ***langs —en,*** en usant de détours.
sluip'wesp *v.(m.)* ichneumon *m.*
Sluis *o.* l'Écluse *f.*
sluis *v.(m.)* écluse *f.*; ***de sluizen des hemels,*** les cataractes *f.pl.* du ciel; ***de sluizen der welsprekendheid,*** les robinets *m.pl.* de l'éloquence.
sluis'bedding *v.(m.)* radier *m.*
sluis'deur *v.(m.)* porte *f.* d'écluse.
sluis'geld *o.* taxe *f.* d'éclusage, droit *m.* —, péage [*m.*
sluis'kolk *v.(m.)* chambre *f.* (d'écluse), sas *m.*
sluis'meester *m.* éclusier *m.*
sluis'muur *m.* bajoyer *m.* (d'écluse).
sluis'poort *v.(m.)* sas *m.*
sluis'wachter *m.* éclusier, garde*-écluse(*) *m.*
sluit'beugel *m.* étrier *m.* de fermeture.
sluit'boom *m.* barrière *f.*
sluit'bout *m.* boulon *m.* de chaîne.
sluit'dop *m.* (*v. projectiel*) culot *m.*
slui'ten I *ov.w.* **1** (*dichtmaken*) fermer; **2** (*eindigen: v. brief, enz.*) finir, terminer; **3** (*v. zitting*) clôturer; (*opheffen*) lever; **4** (*v. debat*) clore; **5** (*v. rekening*)

arrêter, clôturer; **6** (*v. huwelijk*) conclure, contracter; **7** (*v. verzekering*) effectuer, contracter; **8** (*v. contract, koop*) passer, conclure; **9** (*v. vrede*) faire, conclure; ***de gelederen —,*** serrer les rangs; ***iem. in de armen —,*** embrasser qn., serrer qn. dans ses bras; ***in de boeien —,*** mettre aux fers; ***in de gevangenis —,*** emprisonner, mettre en prison; ***vergadering met gesloten deuren,*** séance à huis clos; **II** *on.w.* **1** fermer, se fermer; **2** (*v. kleed*) être ajusté; ***die redenering sluit niet,*** ce raisonnement ne tient pas, — n'est pas concluant; ***die rekening sluit niet,*** ce compte n'est pas bon, — n'est pas exact; ***met een tekort —,*** se solder par un déficit; ***de beurs sloot vast,*** la bourse était ferme en clôture; **III** *w.w.* ***zich —,*** se fermer.

slui'tend *b.n.* **1** (*v. kleren*) juste, ajusté; **2** (*om de hals*) montant; ***een —e begroting,*** un budget en équilibre; ***— maken,*** (*v. begroting, rekening*) boucler.

slui'ter *m.* **1** (*deur—*) ferme-porte* *m.*; **2** (*v. camera*) obturateur, déclencheur *m.*

sluit'hek *o.* barrière; grille *f.*

slui'ting *v.* **1** (*handeling*) fermeture *f.*; **2** (*v. zitting*) levée *f.*; clôture *f.*; **3** (*v. overeenkomst, enz.*) conclusion *f.*; passation *f.*; **4** (*slot*) fermoir *m.*

slui'tingsdag *m.* dernier jour *m.*

slui'tingsuur *o.* heure *f.* de (la) clôture (*of* fermeture).

sluit'kool *v.*(*m.*) chou *m.* pommé.

sluit'laken *o.* drap*-ceinture* *m.* pour accouchée.

sluit'mand *v.*(*m.*) panier *m.* à cadenas.

sluit'pan *v.*(*m.*) tuile *f.* flamande.

sluit'rede *v.*(*m.*) syllogisme *m.*

sluit'ring *m.* anneau *m.* obturateur.

sluit'speld *v.*(*m.*) épingle *f.* de sûreté.

sluit'spier *v.*(*m.*) muscle *m.* strié.

sluit'steen *m.* clef *f.* (de voûte).

sluit'stuk *o.*, (*mil.*) culasse *f.* (mobile).

sluit'vignet *o.* (*boekdr.*) cul*-de-lampe *m.*

sluit'zegel *m.* timbre*-vignette*, timbre*-réclame *m.*

Slui'zen *o.* **1** (*Brabant*) L'Écluse; **2** (*Limburg*) Sluse.

slun'gel *m.* flandrin, escogriffe *m.*

slun'gelen *on.w.* marcher les bras ballants.

slun'gelig *b.n.* dégingandé, déhanché.

slurf *v.*(*m.*) **1** trompe *f.* (d'éléphant); **2** (*nauwe weg*) goulet *m.*

slurf'dier *o.* animal *m.* à trompe.

slur'pen, slor'pen *on.w.* **1** (*v. ei*) humer; **2** (*v. koffie, enz.*) siroter.

sluw I *b.n.* astucieux, rusé; **II** *bw.* astucieusement, avec ruse, d'une manière rusée.

sluw'heid *v.* astuce, ruse *f.*

smaad *m.* insulte, offense *f.*, outrage *m.*; **2** (*recht*) diffamation *f.*

smaad'rede *v.*(*m.*) propos *m.pl.* injurieux, — diffamants.

smaad'schrift *o.* libelle *m.*, écrit *m.* diffamatoire.

smaad'woord *o.* injure *f.*

smaak *m.* **1** (*alg.*) goût *m.*; **2** (*v. spijs, enz.*) saveur *f.*; ***er is geen — aan,*** cela manque de goût; ***met — eten,*** manger avec appétit; ***in de — vallen,*** plaire; ***dat is een kwestie van —,*** c'est une affaire d'appréciation; ***naar de nieuwste —,*** de la dernière mode.

smaak'bedervend *b.n.* corrupteur du goût.

smaak'je *o.* petit goût *m.*

smaak'orgaan *o.* organe *m.* du goût.

smaak'vol I *b.n.* plein de goût, élégant; **II** *bw.* avec beaucoup de goût, élégamment.

smaak'zenuw *v.*(*m.*) nerf *m.* gustatif.

smaal'dicht *o.* satire *f.*

smach'ten *on.w.* languir; ***van dorst —,*** mourir de soif; ***naar iets —,*** soupirer après qc., aspirer à qc.

smach'tend I *b.n.* **1** languissant, langoureux; **2** (*v. hitte*) étouffant; **II** *bw.* languissamment, langoureusement.

sma'delijk I *b.n.* injurieux, outrageux, insultant; diffamant; **II** *bw.* injurieusement, outrageusement, d'une manière outrageante.

sma'delijkheid *v.* injure *f.*, outrage *m.*; diffamation *f.*

sma'den *ov.w.* insulter, outrager; diffamer.

sma'dend, *zie* ***smadelijk.***

smak I *m.* **1** (*val, harde plof*) chute *f.*, coup, choc *m.*; **2** (*met tong*) clappement *m.* (de la langue); **II** *m.* (*Pl.*) sumac *m.*

sma'kelijk I *b.n.* **1** savoureux, succulent; **2** (*uiterlijk*) appétissant; **II** *bw.* savoureusement; ***— eten,*** manger avec appétit; ***eet —!*** bon appétit! ***— een sigaar roken,*** savourer un cigare; ***— lachen,*** rire de bon cœur.

sma'kelijkheid *v.* bon goût *m.*, bonne saveur, succulence *f.*

sma'keloos I *b.n.* **1** sans goût, sans saveur; **2** fade, insipide; **3** (*fig.*) de mauvais goût; plat insipide; **II** *bw.* sans goût.

sma'kelooheid *v.* **1** manque *m.* de goût; **2** mauvais goût *m.*; **3** insipidité, fadeur *f.*

sma'ken I *ov.w.* **1** goûter; **2** (*fig.*) goûter; jouir de; ***het genoegen —,*** avoir le plaisir de; **II** *on.w.* avoir du goût; ***goed —,*** avoir bon goût; ***hoe smaakt dat vlees?*** comment trouvez-vous cette viande? ***het smaakt heerlijk,*** c'est délicieux; ***dat smaakt aangebrand,*** cela a un goût de brûlé; ***het heeft mij goed gesmaakt,*** j'ai mangé de bon appétit; ***dat smaakt naar meer,*** cela a un goût de revenez-y.

smak'ken I *ov.w.* (*met geweld werpen*) jeter rudement, flanquer (par terre); **II** *on.w.* **1** (*met een smak vallen*) tomber lourdement; **2** (*met de tong*) claquer de la langue; **3** (*bij het eten*) manger bruyamment.

smal I *b.n.* **1** étroit, mince; **2** (*mager*) maigre; ***een —le beurs,*** une petite bourse; ***een — gezicht,*** un visage effilé; ***op de —le kant leggen*** (*of* ***zetten***), poser de champ; ***de —le gemeente,*** les petites gens; ***— lettertype,*** caractère *m.* allongé; **II** *bw.* étroitement; à l'étroit; ***— leven,*** faire maigre chère, vivre pauvrement, — chichement.

smal'bladig *b.n.* (*Pl.*) angustifolié.

smal'deel *o.* escadre, flottille *f.*

sma'len *on.w.*, ***— op,*** déclamer contre, tourner en dérision, déprécier.

sma'lend I *b.n.* dédaigneux; **II** *bw.* en ricanant, dédaigneusement.

smal'film *m.* film *m.* (*of* pellicule *f.*) de largeur réduite.

smal'heid *v.* étroitesse, minceur *f.*

smal'kant *m.* dentelle *f.* étroite.

smal'letjes *bw.* **1** à l'étroit; **2** (*fig.*) pauvrement.

smal'spoor *o.* voie *f.* étroite.

smal'spoorbaan *v.*(*m.*) chemin *m.* de fer à voie étroite.

smalt *v.*(*m.*) émail *m.*

smal'te *v.* étroitesse *f.*

smaragd' *m. en o.* émeraude *f.*

smarag'den *b.n.* d'émeraude.

smaragd'groen *b.n.* smaragdin, vert d'émeraude.

smaragd'kleur *v.*(*m.*) couleur *f.* d'émeraude.

smart *v.*(*m.*) **1** (*pijn*) douleur, peine *f.*; **2** (*v. wond*) cuisson, douleur cuisante *f.*; **3** (*ontvelling*) excoriation *f.*; **4** (*verdriet*) chagrin *m.*, affliction *f.*; **5** (*ongeduld*) impatience *f.*

smar'tegeld *o.* indemnité *f.*, prime *f.* doloris.

smar'telijk I *b.n.* douloureux, pénible; II *bw.* douloureusement, péniblement.

smar'telijkheid *v.* douleur *f.*, caractère *m.* pénible.

smar'teloos *b.n. en bw.* sans douleur.

smar'ten I *ov.w.* affliger, chagriner, affecter, faire de la peine (à); II *on.w.* 1 faire mal, faire souffrir; 2 (*v. wond*) cuire.

smart'kreet *m.* cri *m.* de douleur.

sme'den *ov.w.* 1 forger; 2 (*fig.: v. komplot, enz.*) tramer, ourdir, forger.

sme'der *m.* forgeur *m.*

smederij' *v.* forge *f.*

smeed'baar *b.n.* forgeable, malléable.

smeed'baarheid *v.* malléabilité *f.*

smeed'hamer *m.* frappeur *m.*, marteau *m.* de forge.

smeed'ijzer *o.* 1 (*gesmeed*) fer *m.* forgé; 2 (*om te smeden*) fer *m.* malléable.

smeed'kunst *v.* art *m.* du forgeron.

smeed'werk *o.* fer *m.* forgé, — ouvragé.

smeek'bede *v.(m.)* 1 supplication *f.*; 2 (*schriftelijk*) supplique *f.*

smee'kolen *mv.* charbon *m.* de forge, houille *f.* grasse.

smeek'schrift *o.* supplique *f.*

smeek'taal *v.(m.)* langage *m.* suppliant.

smeer *o. en m.* 1 (*vet*) graisse *f.*; 2 (*talk, kaarsvet*) suif *m.*; 3 (*gen.: zalf*) onguent *m.*; 4 (*wagen—*) cambouis, vieux oing *m.*; 5 (*schoen—*) cirage *m.*; ***iem. — geven,*** graisser les côtes à qn.; ***om der wille van de — likt de kat de kandeleer,*** pour l'amour du saint on baise les reliques.

smeer'achtig *b.n.* graisseux.

smeer'bak *m.* boîte *f.* à graisse.

smeer'boel *m.* saloperie, crasse *f.*

smeer'bol *m.* croustillon *m.*

smeer'borstel *m.* brosse *f.* à graisser.

smeer'geld *o.* pot*-de-vin *m.*

smeer'groef *v.(m.)* rainure *f.* de graissage.

smeer'kaars *v.(m.)* chandelle *f.* de suif.

smeer'kaas *m.* fromage *m.* fondu.

smeer'kalk *m.* crépi *m.*

smeer'kwast *m.* guipon *m.*

smeer'lap *m.* 1 chiffon *m.* à graisser; 2 (*fig.*) salaud, goujat *m.*, crapule *f.*, cochon *m.*

smeerlapperij' *v.* saloperie, cochonnerie *f.*

smeer'middel *o.* 1 lubrifiant *m.*; 2 (*gen.*) liniment *m.*

smeer'nippel *m.* graisseur *m.*

smeer'olie *v.(m.)* huile *f.* de graissage, — lubrifiante.

smeer'poe(t)s, *zie* ***smeerlap,* 2.**

smeer'pot *m.* boîte *f.* à graisse, graisseur *m.*

smeer'sel, *zie* ***smeermiddel.***

smeer'wortel *m.* (*Pl.*) consoude *f.*

smeer'zalf *v.(m.)* onguent *m.*

sme'keling *m.* suppliant *m.*

sme'ken *ov.w.* supplier (qn. de), implorer (qc. de qn.).

sme'ker *m.* suppliant *m.*

sme'king *v.* supplication *f.*

smelt *v.(m.)* (*Dk.*) lançon *m.*; équille *f.*

smelt'baar *b.n.* fusible.

smelt'baarheid *v.* fusibilité *f.*

smel'ten I *ov.w.* 1 fondre, faire fondre; 2 (*in smeltkroes*) passer au creuset; II *on.w.* se fondre; III *z.n., o.* 1 (*tn.*) fusion *f.*; 2 (*v. sneeuw*) fonte *f.*

smel'ter *m.* fondeur *m.*

smelterij' *v.* fonderie *f.*

smelt'hitte *v.* température *f.* de fusion.

smelt'ijzer *o.*, (*v. goudsmid*) chalumeau *m.*

smel'ting *v.* fusion; fonte *f.*

smel'tingswarmte *v.* chaleur *f.* de fusion.

smelt'kroes *m.* creuset *m.*

smelt'lassen I *ov.w.* souder par fusion; II *z.n., o.* soudure *f.* par fusion.

smelt'lepel *m.* cuiller *f.* à fondre, — à souder.

smelt'oven *m.* fourneau *m.* à fonte, — de fonderie.

smelt'pan *v.(m.)* bassin *m.*

smelt'punt *o.* point *m.* de fusion.

smelt'stop *m.* bouchon *m.* fusible.

smelt'vrij *b.n.* réfractaire.

smelt'water *o.* eau *f.* de fonte.

smelt'zekering *v.*, (*el.*) coupe-circuit, (plomb) fusible *m.*

sme'ren I *ov.w.* 1 (*met vet*) graisser, enduire de graisse; 2 (*met olie*) huiler; 3 (*met boter*) beurrer; 4 (*invetten*) lubrifier; 5 (*v. schoenen*) cirer; ***iem. de handen —,*** graisser la patte à qn.; ***zijn keel —,*** s'arroser le gosier; ***hem —,*** (*pop.*) se défiler, ficher le camp; II *z.n., o.* 1 graissage *m.*; 2 lubrification *f.*

sme'rig *b.n.* 1 (*vuil, morsig*) sale, malpropre, crasseux, sordide; 2 (*vettig*) gras; 3 (*drukk.: v. afdruk*) baveux; 4 (*oneerlijk, verdacht*) véreux; 5 (*gemeen*) grivois, obscène.

sme'righeid *v.* 1 saleté, malpropreté, crasse *f.*; 2 grivoiserie, obscénité *f.*

sme'ring *v.* graissage *m.*; lubrification *f.*

sme'ris *m.*, (*pop.*) flic *m.*

smet *v.(m.)* 1 tache *f.*; 2 (*fig.*) souillure, tare *f.*; ***zonder —,*** immaculé; ***een — werpen op,*** noircir; entacher.

smet'stof *v.(m.)* virus *m.*; (*nieuw: gen.*) contage *m.*

smet'teloos *b.n.* 1 sans tache, immaculé; 2 (*v. zaak*) irréprochable.

smet'teloosheid *v.* blancheur *f.* immaculée, pureté *f.*

smet'ten I *ov.w.* tacher, salir; II *on.w.* 1 se salir; 2 (*drukk.*) maculer; 3 (*v. huid*) s'irriter.

smeu'ïg *b.n.* tendre; (*v. saus etc.*) bien lié; (*fig.*) savoureux.

smeu'len *on.w.* couver; ***het puin smeult nog,*** les ruines fument encore.

smid *m.* 1 forgeron *m.*; 2 (*slotenmaker*) serrurier *m.*; 3 (*hoef—*) maréchal *m.* ferrant.

smids'baas *m.* maître *m.* forgeron.

smids'beitel *m.* tranche *f.*

smid'se *v.(m.)* forge *f.*

smids'hamer *m.* marteau *m.* de forge.

smids'jongen *m.* apprenti *m.* forgeron.

smids'knecht *m.* garçon *m.* forgeron.

smids'kolen *mv.* charbon *m.* de forge, — gras.

smids'oven *m.* fournaise *f.* de forge.

smids'stal *m.* travail *m.*

smids'werk *o.* 1 ouvrage *m.* de forgeron; 2 (*fijn —*) ferronnerie *f.*

smids'winkel *m.* forge *f.*

smient *v.(m.)*, (*Dk.*) canard *m.* siffleur.

smij'dig *b.n.* 1 (*v. metaal*) malléable; 2 (*v. leer: lenig, buigzaam*) souple; 3 (*v. soep, enz.: gebonden*) lié; 4 (*v. woorden, enz.: zacht, vleiend*) mielleux, flatteur; 5 (*v. karakter*) souple.

smij'digheid *v.* 1 malléabilité *f.*; 2 souplesse *f.*; ductilité *f.*

smij'ten I *ov.w.* jeter, flanquer, lancer; II *on.w.* ***met geld —,*** semer l'argent, jeter l'argent par la fenêtre.

smik'kelen *on.w.*, (*fam.*) fricoter.

smoel *m.* (*pop.*) gueule *f.*; ***hou je —!*** ta gueule !

smoes'je *o.* 1 (*grap, flauwe mop*) bourde, calembredaine *f.*; 2 (*uitvlucht*) faux-fuyant* *m.*, échappatoire *f.*

smoe'zelen *ov.w.* chiffonner, salir.

smoe'zelig *b.n.* 1 chiffonné, sale; 2 (*v. linnen*) douteux; 3 (*v. boek*) défraîchi.

smoe'zen *ov.w. en on.w.* chuchoter.

smo'ken *ov.w. en on.w.* fumer.
smo'ker *m.* fumeur *m.*
smo'kerig *b.n.* enfumé.
smo'king *m.* smoking *m.*
smok'kel *m.* contrebande *f.*
smok'kelaar *m.* contrebandier; fraudeur *m.*
smokkelarij' *v.* contrebande; fraude *f.*; ***— in,*** contrebande de.
smok'kelen I *on.w.* **1** faire (de) la contrebande; **2** (*fig.: bij spel*) tricher; **II** *ov.w.* introduire en fraude, passer en contrebande.
smok'kelhandel *m.* contrebande *f.*, commerce *m.* interlope.
smok'kelhandelaar *m.* contrebandier, fraudeur [*m.*
smok'kelschip *o.* (bateau) contrebandier *m.*
smok'kelwaar *v.*(*m.*) marchandises *f.pl.* de contrebande, contrebande *f.*
smok'werk *o.* nid *m.* d'abeilles.
smook *m.* fumée *f.* épaisse.
smoor *m.*, ***de — in hebben,*** rager, être en rogne.
smoor'dronken *b.n.* ivre mort(e).
smoor'heet *b.n.* étouffant, accablant; ***het is —,*** il fait une chaleur étouffante (*of* accablante).
smoor'hitte *v.* chaleur *f.* accablante, — sénégalienne.
smoor'klep *v.*(*m.*) **1** soupape *f.* d'admission; **2** (*v. locomotief*) registre *m.* de vapeur; **3** (*v. auto*) volet *m.*
smoor'lijk *bw.*, ***— verliefd,*** éperdument (*of* follement) amoureux (de), fou (de).
smoor'pan *v.*(*m.*) daubière, braisière *f.*
smoor'spoel *v.*(*m.*), (*el.*) bobine *f.* de réaction.
smo'ren I *ov.w.* **1** étouffer; **2** (*v. vlees, enz.*) étuver, braiser, dauber; **II** *on.w.* étouffer, suffoquer.
smo'ring *v.* **1** étouffement *m.*; suffocation *f.*; **2** (*v. spijzen*) étouffée *f.*, étuvage *m.* [*m.*
smous *m.* **1** (*jood*) juif; youpin *m.*; **2** (*Dk.*) griffon
smous'hond *m.* griffon *m.*
smout *o.* **1** (*reuzel*) saindoux *m.*; **2** (*vet*) graisse *f.*; **3** (*drukk.*) *zie* ***smoutwerk.***
smout'achtig *b.n.* graisseux.
smou'ten *ov.w.* graisser.
smout'peer *v.*(*m.*) beurré *m.*
smout'werk *o.* (*drukk.*) ouvrage *m.* de ville; ***klein —,*** bilboquets *m.pl.*
smout'zetter *m.* typographe *m.* pour ouvrages de ville, compositeur *m.* de bilboquet.
smoutzetterij' *v.* atelier *m.* d'imprimerie d'ouvrages de ville.
smuk *m.* parure *f.*, atours *m.pl.*
smuk'ken *ov.w.* parer, orner.
smul *v.*(*m.*) **1** bonne chère, bombance *f.*; **2** (*lust, neiging*) envie *f.*
smul'baard, smul'broer *m.* gourmet, friand *m.*
smul'len *on.w.* faire bonne chère, faire bombance; ***van iets —,*** se régaler de qc.
smul'ler, smul'paap *m.* gourmet, fricoteur *m.*
smul'partij *v.* partie *f.* fine; banquet *m.*; (*ong.*) ripaille *f.*
Smyr'na *o.* Smyrne *f.*
Smyr'naas *b.n.* de Smyrne.
smyr'natapijt *o.* tapis *m.* d'Orient.
smyr'nawol *v.*(*m.*) laine *f.* de Smyrne.
snaak *m.* **1** (*kerel*) gaillard *m.*; **2** (*kluchtig persoon*) farceur, loustic *m.*; ***een rare —,*** un drôle de corps, un drôle de type.
snaaks I *b.n.* drôle, plaisant; malicieux; **II** *bw.* drôlement, plaisamment; malicieusement.
snaaks'heid *v.* drôlerie *f.*; malice *f.*
snaar *v.*(*m.*) (*muz.*) corde *f.*; ***losse —,*** corde à vide; ***alles op haren en snaren zetten,*** jouer le tout pour le tout.
snaar'instrument *o.* instrument *m.* à cordes.
snack'bar *m.* buffet*-express, snack(-bar) *m.*
snak *m.* parole *f.* aigre, coup *m.* de langue.
sna'kerig *b.n.* drôle, bouffon.
snakerij' *v.* farce, plaisanterie, drôlerie *f.*
snak'ken *on.w.* haleter; (*fig.*) ***— naar,*** soupirer après.
snap'achtig *b.n.* bavard, loquace.
snap'pen I *on.w.* bavarder, jaser, caqueter; ***naar iets —,*** chercher à attraper qc.; **II** *ov.w.* **1** (*vatten, grijpen*) attraper; **2** (*betrappen*) pincer, piger; **3** (*v. prooi*) happer; **4** (*begrijpen*) comprendre; ***ik snap er niets van,*** je n'y vois goutte; je n'y vois que du feu.
snap'per *m.* babillard; bavard *m.*
snaps *m.* petit verre *m.*
snap'shot *o.* instantané *m.*
sna'rensleutel *m.*, (*muz.*) accordoir *m.*
sna'renspel *o.* musique *f.* d'instruments à cordes, harmonie *f.* —.
snars *m.* brin *m.*; goutte *f.*; ***geen —,*** pas une miette, pas un clou; ***het is geen — waard,*** ça ne vaut pas une chique (de tabac); ***een — aanhebben,*** être pompette.
sna'ter *m.* bec, museau *m.*; ***hou je —!*** tais ton bec! ta gueule!
sna'teraar *m.* babillard *m.*
sna'terachtig *b.n.* bavard.
sna'tereend *v.*(*m.*) (*Dk.*) canard *m.* trembleur, ridelle, caillette *f.*
sna'teren *on.w.* **1** (*v. eend*) caneter, caqueter, faire couen-couen; **2** (*v. gans*) cacarder, jargonner; **3** (*fig.*) bavarder, caqueter.
snauw *m.* coup *m.* de bec, — de langue; ***iem. een — geven,*** brusquer qn., rabrouer qn.
snauw'achtig *b.n.* hargneux, brusque, aigre, acariâtre.
snau'wen *on.w.* brusquer, rudoyer.
snau'wer *m.* rabroueur *m.*
snau'werig, *zie* ***snauwachtig.***
sna'vel *m.* bec *m.*
sna'veldrager *m.* (*Dk.*) rhynchophore *m.*
sna'velspits *v.*(*m.*) pointe *f.* de bec.
sna'veltang *v.*(*m.*) davier *m.*
sna'velvis *m.* chétodon *m.*, museau *m.* long.
sna'velvormig *b.n.* rostriforme.
sneb(be) *v.*(*m.*) **1** bec *m.* (d'oiseau); **2** (*sch.*) éperon, guibre *m.*
sne'de, snee *v.*(*m.*) **1** (*met mes, enz.*) coup *m.* (de couteau); **2** (*insnijding*) incision; entaille, coche *f.*; **3** (*wond*) blessure *f.*; **4** (*over 't gelaat*) balafre *f.*; **5** (*bij 't scheren*) estafilade *f.*; **6** (*het snijden*) coupe *f.*; **7** (*v. brood, enz.: schijf*) tranche *f.*; **8** (*v. mes, enz.: het scherp*) fil, tranchant, taillant *m.*; **9** (*meetk.: v. kegel*) section *f.* (conique); **10** (*v. boek*) tranche *f.*; ***verguld op —,*** doré sur tranche; ***holle —,*** gouttière *f.*; ***een — in 't oor hebben,*** avoir sa pointe.
sne'dig I *b.n.* **1** (*scherp*) tranchant; **2** (*schrander, verstandig*) sagace, intelligent; **3** (*gevat*) ad rem; prompt (à la riposte); **II** *bw.* à propos; — (***kunnen***) ***antwoorden,*** avoir l'esprit de repartie, avoir l'esprit d'à-propos, être prompt à la riposte.
sne'digheid *v.* adresse, promptitude *f.*, réplique *f.* prompte, esprit *m.* d'à-propos.
snee, *zie* ***snede.***
sneer *m.* coup *m.* de langue.
sneeuw *v.*(*m.*) neige *f.*; ***de eeuwige —,*** les neiges éternelles; ***natte —,*** neige fondue; ***wegsmelten als — voor de zon,*** fondre comme neige au soleil, — comme la cire au soleil, — comme le beurre dans la poêle.

sneeuw'achtig *b.n.* neigeux.
sneeuw'baan *v.(m.)* 1 piste, glissoire *f.*; 2 (*baan door de sneeuw*) chemin *m.* à travers la neige.
sneeuw'bal *m.* 1 boule *f.* de neige, pelote *f.* —; 2 (*Pl.*) rose *f.* de Gueldre, boule*-de-neige *f.*; 3 (*gebak*) beignet *m.* soufflé.
sneeuw'balletje *o.* (*fig.*) verre *m.* de genièvre sucré.
sneeuw'bank *v.(m.)* 1 amas *m.* de neige, banc *m.* —; 2 (*wolk*) cumulus *m.*
sneeuw'berg *m.* 1 monceau *m.* de neige, tas *m.* —; 2 sommet *m.* neigeux, montagne *f.* couverte de neige.
sneeuw'bes *v.(m.)* (*Pl.*) symphorine *f.*
sneeuw'blank *b.n.* blanc comme neige; neigeux.
sneeuw'blind *b.n.* ébloui par la neige, aveuglé —.
sneeuw'blindheid *v.* éblouissement *m.* causé par la neige, cécité *f.* des neiges, berlue *f.*
sneeuw'bloem *v.(m.)* (*Pl.*) perce-neige *f.*
sneeuw'bril *m.* lunettes *f.pl.* noires, — contre la neige.
sneeuw'bui *v.(m.)* bourrasque *f.* de neige, tourmente *f.* —.
sneeu'wen *onp.w.* neiger.
sneeuw'gebergte *o.* montagnes *f.pl.* neigeuses.
sneeuw'gezicht *o.* effet *m.* de neige.
sneeuw'grens *v.(m.)* limite *f.* des neiges éternelles.
sneeuw'hoen *o.* (*Dk.*) perdrix *f.* de neige.
sneeuw'jacht *v.(m.)* tourmente *f.* de neige, rafale *f.* —, chasse-neige *m.*
sneeuw'ketting *m. en v.* chaîne *f.* antidérapante.
sneeuw'klokje *o.* perce-neige *f.*
sneeuw'klomp *m.* amas *m.* de neige, bloc *m.* —.
sneeuw'kristallen *mv.* cristaux *m.pl.* de neige.
sneeuw'landschap *o.* paysage *m.* de neige.
sneeuw'lawine *v.* avalanche *f.*
sneeuw'lucht *v.(m.)* ciel *m.* qui annonce la neige.
sneeuw'man *m.* (bon)homme *m.* de neige.
sneeuw'mees *v.(m.)* mésange *f.* de neige, mésange *f.* à longue queue.
sneeuw'mens *m.* yeti, homme *m.* des neiges.
sneeuw'mus *v.(m.)* bruant *m.* de neige.
sneeuw'opruiming *v.* enlèvement *m.* des neiges, déblayage *m.* des routes.
sneeuw'ploeg *m. en v.* chasse-neige *m.*
sneeuw'pop, *zie* ***sneeuwman.***
sneeuw'regen *m.* neige *f.* fondue.
sneeuw'ruimer *m.* chasse-neige *m.*
sneeuw'schaats *v.(m.)* ski *m.*
sneeuw'schoen *m.* raquette *f.*
sneeuw'sport *v.(m.)* sports *m.pl.* de neige.
sneeuw'storm *m.* tempête *f.* de neige, tourmente *f.* —, congères *f.pl.*, chasse-neige *m.*
sneeuw'val *m.* 1 chute *f.* de neige; 2 (*lawine*) avalanche *f.*
sneeuw'verstuivingen *mv.* congères *f.pl.*
sneeuw'vlaag *v.(m.)* bourrasque *f.* de neige, rafale *f.* —.
sneeuw'vlok *v.(m.)* flocon *m.* de neige.
sneeuw'water *o.* eau *f.* de neige (fondue), neige *f.* fondue.
sneeuw'wit, *zie* ***sneeuwblank.***
Sneeuwwit'je *o.* Blanche-neige *f.*
snel I *b.n.* 1 rapide, prompt; 2 (*v. pols*) précipité, fréquent; **II** *bw.* vite; ***hij is — van begrip,*** il a la conception vive.
snel'binder *m.* prise *f.* rapide, câble *m.* à bagages.
snel'boot *m. en v.* vedette *f.* rapide.
snel'buffet *m.* buffet*-express *m.*
snel'dicht *o.* épigramme *f.*; impromptu *m.*
snel'dienst *m.* service *m.* express.
snel'drogend *b.n.* siccatif.
snel'heid *v.* 1 vitesse, rapidité, promptitude, célérité *f.*; 2 (*in 't spreken*) volubilité *f.*; ***met volle —,*** à toute vitesse; ***hoogste —,*** vitesse *f.* de pointe.
snel'heidsbeperking *v.* limitation *f.* de vitesse.
snel'heidsmaniak *m.* chauffard *m.*
snel'heidsmaximum *o.* vitesse *f.* maxima.
snel'heidsmeter *m.* tachymètre, indicateur de vitesse, compte-tours *m.*
snel'heidsrace *m.* course *f.* de vitesse.
snel'heidsrecord, -rekord *o.* record *m.* de vitesse.
snel'heidsregelaar *m.* régulateur (*of* réducteur) [*m.* de vitesse.
snel'koker *m.* lampe *f.* à esprit de vin, réchaud *m.* (à alcool).
snel'len I *on.w.* courir, s'élancer, se précipiter; **II** *ov.w.* ***koppen —,*** couper les têtes.
snel'lopend *b.n.* tachydrome, agile, léger à la course; à grande vitesse; ***—e vogel,*** coureur *m.*
snel'loper *m.* coureur *m.*
snel'pers *v.(m.)* presse *f.* mécanique, — à moteur.
snel'schrift *o.* sténographie *f.*
snel'schrijver *m.* sténographe *m.*
snel'stromend *b.n.* rapide.
snel'tekenaar *m.* dessinateur *m.* express.
snel'tocht *m.* chasse *f.* aux têtes.
snel'trein *m.* 1 express *m.*; 2 (*sneller*) rapide *m.*; 3 (*doorgaande trein*) direct *m.*
snel'varend *b.n.* à grande vitesse.
snel'verband *o.* pansement *m.* individuel.
snel'verkeer *o.* circulation *f.* à grande vitesse; ***autoweg voor —,*** autostrade, autoroute *f.*
snel'vurend *b.n.* (*mil.*) à tir rapide.
snel'vuur *o.* (*mil.*) tir *m.* rapide.
snel'vuurkanon *o.* (*mil.*) canon *m.* à tir rapide.
snel'wandelen *o.* marche *f.* à pied.
snel'weg *m.* route *f.* à grande circulation, — à circulation rapide.
snel'weger *m.* balance *f.* rapide, — automatique.
snel'werkend *b.n.* 1 (*v. vergif*) actif, subtil; 2 (*v. geneesmiddel*) expéditif; (*krachtig*) actif.
snel'zeilend *b.n.* rapide, de haute marche; ***— schip,*** bon voilier *m.*
snep, snip *v.(m.)* bécasse *f.*
sner'pen *on.w.* 1 (*v. koude*) percer; cingler (le visage); 2 (*v. pijn, wond*) cuire, causer une douleur cuisante; 3 (*v. deur*) crier.
sner'pend *b.n.* 1 (*v. koude*) perçant; âpre; 2 (*v. pijn*) cuisant; 3 (*v. geluid*) strident.
sners, *zie* ***snars.***
snert *v.(m.)* purée *f.* aux pois; ***'t lijkt wel —,*** cela ne ressemble à rien, cela ne vaut pas le diable.
snert'kerel *m.* (*fam.*) homme (*of* type) *m.* de rien.
sneu *b.n.* fâcheux; ***wat —!*** quel mécompte! quelle désillusion! ***— kijken,*** avoir l'air penaud.
sneu'velen *on.w.* mourir, être tué (à l'ennemi), tomber (au champ de bataille).
snib(be) *v.* mégère, chipie *f.*
snib'big I *b.n.* aigre, hargneux, acariâtre; **II** *bw.* aigrement, avec aigreur.
snib'bigheid *v.* aigreur *f.*, humeur *f.* revêche.
snij'bank *v.(m.)* selle *f.*
snij'beitel *m.* tranchet *m.*
snij'bloem *v.(m.)* fleur *f.* à couper.
snij'boon *v.(m.)* haricot *m.* vert; ***een rare —,*** un drôle de paroissien.
snij'bord, *zie* ***snijplank.***
snij'brander *m.* chalumeau *m.* autogène.
snij'den I *ov.w.* 1 (*alg.*) couper; 2 (*graveren*) graver; 3 (*v. kleed*) tailler; 4 (*v. diamant*) débrutir; 5 (*v. dier*) châtrer; 6 (*fig.*) écorcher, rançonner; 7 (*v. auto*) couper, doubler à gauche, se rabattre (trop) brusquement; ***dat snijdt geen hout,*** cela ne tient pas debout; ***aan stukken —,*** 1 couper en morceaux; 2 (*verdelen*) découper, dépecer; **II** *on.w.* couper; ***dat snijdt door de ziel,*** cela perce le cœur,

c'est navrant; ***de wind sneed ons in 't gelaat,*** le vent nous cinglait le visage; ***het mes van twee kanten laten —,*** tirer d'un sac deux montures; **III** *w.w.* ***zich —,*** se couper, se faire une coupure; ***zich in de vingers —,*** **1** se couper au doigt; **2** (*fig.*) se mettre (*of* se fourrer) le doigt dans l'œil.

snij'dend *b.n.* **1** tranchant, coupant; **2** (*v. koude*) pénétrant, coupant, cinglant; **3** (*v. geluid*) aigu, strident.

snij'der *m.* **1** (*kleermaker*) tailleur *m.*; **2** (*v. diamant*) débruteur *m.*

snij'derstafel *v.*(*m.*) établi *m.* (de tailleur).

snij'ding *v.* **1** coupure *f.*; **2** (*v. lijnen*) intersection *f.*; **3** (*gen.: buikpijnen*) tranchée(s) *f.*(*pl.*), douleur *f.* tranchante; **4** (*dicht.*) césure *f.*

snijd'sel *o.* coupures, taillures *f.pl.*

snij'kamer *v.*(*m.*) salle *f.* de dissection, amphithéâtre *m.* (de dissection).

snij'kunst *v.* anatomie, chirurgie *f.*

snij'lijn *v.*(*m.*) **1** ligne *f.* d'intersection; **2** (*meetk.*) sécante *f.*

snij'machine *v.* **1** machine *f.* à découper; **2** (*v. boekbinder*) massicot *m.*

snij'mes *o.* **1** couperet, tranchet *m.*; **2** (*gen.*) bistouri *m.*

snij'pers *v.*(*m.*) presse *f.* à rogner.

snij'plank *v.*(*m.*) tailloir, tranchoir *m.*

snij'punt *o.* point *m.* d'intersection.

snij'tafel *v.*(*m.*) table *f.* de dissection.

snij'tand *m.* incisive *f.*

snij'vijl *v.*(*m.*) lime *f.* sourde.

snij'vlak *o.* plan *m.* d'intersection.

snij'werk *o.* **1** (*in hout, marmer, enz.*) sculptures *f.pl.*; **2** (*in metaal*) ciselures *f.pl.*

snij'werktuig *o.* instrument *m.* à couper.

snij'wond(**e**) *v.*(*m.*) entaille, coupure *f.*

snik I *m.* **1** sanglot *m.*; **2** (*muz.*) soupir *m.*; ***de laatste — geven,*** rendre le dernier soupir; **II** *b.n.*, ***hij is niet goed —,*** il est un peu toqué, il a le timbre fêlé.

snik'heet *b.n.* étouffant, suffocant, accablant.

snik'ken *on.w.* sangloter.

snip, snep *v.*(*m.*) bécasse *f.*; ***jonge —,*** bécasseau [*m.*

snip'pejacht *v.*(*m.*) chasse *f.* aux bécasses.

snip'per *m.* **1** rognure, retaille *f.*; **2** (**—s**), (*in koek*) cheveux *m.pl.* d'ange.

snip'peraar *m.* rogneur *m.*

snip'perachtig *b.n.* mesquin, méticuleux.

snip'perdag *m.* jour *m.* de congé.

snip'peren *ov.w.* couper en petits morceaux, [rogner.

snip'perjacht *v.*(*m.*) (*sp.*) rallye-paper *m.*

snip'perkoek *m.* pain *m.* d'épice à l'angélique.

snip'permand *v.*(*m.*) panier *m.* à papier, — aux rognures; ***naar de — verwijzen,*** mettre au rebut.

snip'peruurtjes *mv.* heures *f.pl.* de loisir, — dérobées; moments *m.pl.* perdus.

snip'perwerk *o.* futilités *f.pl.*, bricole *f.*

snip'verkouden *b.n.* enrhumé comme un loup.

snit *m. en v.* coupe *f.*; façon *f.*; ***naar de laatste —,*** d'après la dernière mode.

snob *m.* snob *m.*

snobis'tisch *b.n.* snob.

snoei'en I *ov.w.* **1** (*v. bomen*) tailler, élaguer; **2** (*v. geld*) rogner; **II** *on.w.* fricoter; **III** *z.n.*, *o.* **1** taille *f.*, élagage *m.*; **2** rognage *m.*

snoei'er *m.* **1** élagueur *m.* (d'arbres); **2** rogneur *m.* (de monnaie).

snoei'mes *o.* **1** serpette *f.*; **2** (*op stok*) ébranchoir [*m.*

snoei'schaar *v.*(*m.*) sécateur *m.*

snoei'tijd *m.* saison *f.* de la taille.

snoek *m.* brochet *m.*

snoek'baars *m.* sandre *f.*

snoek'je *o.* brocheton *m.*

snoek'sprong *m.* saut *m.* de brochet.

snoep, *zie* ***snoeperij.***

snoep'achtig *b.n.* friand, gourmand.

snoep'achtigheid *v.* gourmandise *f.*

snoep'cent(**en**) *m.* (*mv.*) menus plaisirs *m.pl.*

snoe'pen *on.w.* manger des friandises; ***van iets —,*** manger qc. en cachette, goûter à la dérobée de qc.; ***houden van —,*** aimer les friandises.

snoe'per *m.* gourmand *m.*; ***ouwe —,*** (*fam.*) vieux marcheur *m.*

snoe'perig *b.n.* **1** gourmand; **2** (*fig.: snoezig*) charmant, mignon, gentil (à croquer).

snoeperij' *v.* friandise *f.*

snoe'pertje *o.* amour, chéri, chou *m.*

snoep'goed *o.* friandises *f.pl.*, bonbons *m.pl.*

snoep'lust *m.* gourmandise, friandise *f.*

snoep'reisje *o.* (petit) voyage *m.* d'agrément, excursion, petite fugue *f.*, partie *f.* de plaisir.

snoep'winkel *m.* confiserie *f.*

snoep'zucht, *zie* ***snoeplust.***

snoer *o.* **1** (*koord*) cordon *m.*; **2** (*vissnoer*) ligne *f.*; **3** (*meet—*) cordeau *m.*; **4** (*rijg—*) lacet *m.*; **5** (*fig.*) lien *m.*; **6** (*v. paarlen, enz.*) collier *m.*

snoe'ren *ov.w.* **1** (*v. paarlen, enz.*) enfiler; **2** (*v. jachthonden: koppelen*) accoupler; ***iem. de mond —,*** fermer la bouche à qn., rabattre le caquet à qn.

snoer'schakelaar *m.* interrupteur *m.* à tirage.

snoes *m.-v.* chéri, mignon *m.*; ***een — van een kind,*** un amour d'enfant.

snoes'haan *m.* **1** drôle *m.* de corps, — de type, — de pistolet; **2** (*pocher, snoever*) blagueur, fanfaron, gascon *m.*; ***vreemde —,*** étranger, rasta *m.*

snoet *m.* **1** (*alg.*) museau, mufle *m.*; **2** (*v. varken*) groin *m.*; ***wat een —!*** quelle gueule! ***hou je —!*** ferme ton bec, ta gueule!

snoet'je *o.* (petit) museau *m.*; ***een aardig —,*** un joli minois, frimousse *f.*

snoe'ven *on.w.* blaguer, hâbler, se vanter.

snoe'ver *m.* blagueur, hâbleur, vantard, fanfaron, fier-à-bras *m.*

snoe'verig *b.n.* vantard, bravache.

snoeverij' *v.* vanterie, hâblerie, vantardise, fanfaronnade *f.*

snoe'zig *b.n.* charmant, mignon, joli (à croquer).

snood I *b.n.* **1** méchant; **2** (*v. daad*) scélérat; **3** (*v. verraad*) infâme; **4** (*v. ondankbaarheid*) noir; **II** *bw.* **1** méchamment; **2** d'une manière infâme.

snood'aard *m.* scélérat, infâme, mécréant *m.*

snood'heid *v.* méchanceté, scélératesse, infamie *f.*

snor *v.*(*m.*) **1** moustache *f.*; **2** (*v. dier*) barbe *f.*

snor'baard, *zie* ***snorrebaard.***

snor'der *m.* **1** (*rijtuig*) fiacre *m.*, voiture *f.* de place; **2** (*koetsier*) cocher *m.* de fiacre, maraudeur *m.*; **3** (*auto*) chauffeur *m.* en maraude, chauffeur*-pirate*.

snor'ken *on.w.* **1** ronfler; **2** (*fig.: pochen, snoeven*) hâbler, se vanter; ***— als een os,*** ronfler comme un soufflet de forge, ronfler comme un tuyau d'orgue.

snor'kend *b.n.* **1** ronflant; **2** (*fig.*) fanfaron.

snor'ker *m.* **1** ronfleur *m.*; **2** (*fig.*) hâbleur *m.*

snorkerij' *v.* hâblerie *f.*

snor'(**re**)**baard** *m.* **1** moustache *f.*; **2** soudard *m.*; ***ouwe —,*** vieux grognard *m.*

snor'ren *on.w.* **1** (*v. kachel*) ronfler; **2** (*v. auto*) gronder; **3** (*v. wiel*) ronfler, ronronner; **4** (*v. vlieg, enz.*) bourdonner; **5** (*v. koetsier*) marauder; **6** (*snuffelen*) fureter, fouiller.

snot I *o. en m.*, **1** mouchure *f.*; **2** (*gen.*) morve *f.*

snot'aap, snot'jongen *m.* morveux, blanc*-bec* *m.*

snot'neus *m.* 1 nez *m.* morveux; 2 (*fig.*) *zie* ***snotjongen.***
snot'tebel *v.*(*m.*) morveau *m.*
snot'teren *on.w.* 1 jeter de la morve; 2 (*schreien*) pleurnicher.
snot'terig *b.n.* morveux.
snuf *v.*(*m.*) 1 odeur *f.*, relent *m.*; 2 odorat *m.*; 3 (*v. hond*) flair *m.*; ***iets in de — hebben,*** avoir vent de qc., flairer qc.
snuf'felaar *m.* fouilleur, fureteur *m.*
snuf'felen *on.w.* 1 flairer, renifler; 2 (*fig.*) fouiller, fureter, fourgonner; ***altijd in de boeken —,*** avoir toujours le nez dans les livres.
snuf'je *o.* occasion *f.*; ***het nieuwste —,*** le dernier cri, les dernières nouveautés.
snug'ger *b.n.* vif, éveillé; malin; ***— willen zijn,*** faire le malin; ***niet —,*** niais, saugrenu.
snug'gerheid *v.* vivacité *f.* (d'esprit).
snuif *m.* tabac *m.* à priser.
snuif'doos *v.*(*m.*) tabatière *f.*
snuif'je *o.* 1 prise *f.* (de tabac); 2 (*v. zout, enz.*) pincée *f.*
snuif'neus *m.* priseur *m.*
snuif'tabak *m.* tabac *m.* à priser.
snuisterij' *v.* bibelot, brimborion *m.*; ***handelaar in —en,*** bimbelotier *m.*
snuit *m.* 1 (*alg.*) museau, mufle *m.*; 2 (*v. varken*) groin *m.*; 3 (*v. olifant*) trompe *f.*; 4 (*sch.*) proue *f.*; 5 (*fig., pop.*) gueule *f.*
snui'ten *ov.w.* moucher; ***zijn neus —,*** se moucher.
snui'ter *m.* 1 (*tn.*) mouchettes *f.pl.*; 2 (*v. kaarsen*) moucheur *m.* (de chandelles); 3 (*fig., fam.*) coco *m.*; ***een rare —,*** un drôle de paroissien, — de coco.
snuit'je *o.* minois *m.*; ***een lief —,*** un joli minois.
snuit'vormig *b.n.* en forme de trompe.
snui'ven *on.w.* 1 renifler, souffler; 2 (*v. paarden*) s'ébrouer; 3 (*tabak*) priser, prendre du tabac.
snui'ver *m.* 1 renifleur *m.*; 2 priseur *m.*
snur'ken, *zie* ***snorken.***
so'ber I *b.n.* sobre, frugal; **II** *bw.* sobrement, frugalement.
so'berheid *v.* sobriété, frugalité *f.*
sociaal' I *b.n.* social; **II** *bw.* socialement.
sociaal'-democraat', sociaal'-demokraat' *m.* socialiste, démocrate*-socialiste* *m.*
sociaal'-democratie', sociaal'-demokratie' *v.* démocratie *f.* socialiste, socialisme *m.*
sociaal'-democra'tisch, sociaal'-demokra'tisch *b.n.* socialiste.
socialisa'tie, socializa'tie *v.* socialisation *f.*
socialise'ren, socialize'ren *ov.w.* socialiser.
socialis'me *o.* socialisme *m.*
socialist' *m.* socialiste *m.*
socialis'tisch *b.n.* socialiste.
socializ-, *zie* ***socialis-.***
sociëteit' *v.* 1 cercle, club *m.*; 2 (*vereniging, genootschap*) société *f.*; ***de — van Jezus,*** la compagnie de Jésus.
soci'ety *v.*(*m.*) (beau) monde *m.*
sociologie' *v.* sociologie *f.*
sociolo'gisch I *b.n.* sociologique; **II** *bw.* sociologiquement.
socioloog' *m.* sociologue, sociologiste *m.*
So'crates *m.* Socrate *m.*
socra'tisch, sokra'tisch *b.n.* socratique.
so'da *m. en v.* soude *f.*
so'dafabriek *v.* soudière *f.*
so'dafabrikant *m.* soudier *m.*
so'dawater *o.* soda *m.*; eau *f.* de Seltz.
so'dazout *o.* sel *m.* sodique.
So'dom(a) *o.* Sodome *f.*
soe'batten *on.w. en ov.w.* supplier humblement, quémander.
Soe'dan *m.* le Soudan.
Soedanees' *m.* Soudanais *m.*
Soen'da-eilanden *mv.* îles *f.pl.* de la Sonde.
Soen'da-straat *v.*(*m.*) détroit *m.* de la Sonde.
soep *v.*(*m.*) 1 soupe *f.*; 2 (*fijne —*) potage *m.*; 3 (*fig.: uitweiding*) verbiage *m.*; prolixité *f.*; ***in de — zitten,*** être dans le pétrin; ***de — wordt nooit zo heet gegeten als ze wordt opgediend,*** on ne frappe comme on dégaine; ***niet veel —s,*** pas grand-chose.
soep'balletje *o.* boulette *f.* (de viande).
soep'beenderen *mv.* os *m.pl.* à bouillon.
soep'blokje *o.* tablette *f.* de bouillon.
soep'bord *o.* assiette *f.* creuse.
soep'briefje *o.* bon *m.* de soupe.
soe'pel *b.n.* souple; ***— maken,*** assouplir.
soe'pelheid *v.* souplesse *f.*
soep'groenten *mv.* herbes *f.pl.* potagères.
soep'jurk *v.*(*m.*) traîneuse *f.*
soep'kaartje *o.* bon *m.* de soupe.
soep'ketel *m.* marmite *f.* à soupe, pot-au-feu *m.*
soep'kom *v.*(*m.*) soupière *f.*
soep'lepel *m.* cuiller *f.* à potage.
soep'terrine *v.* soupière *f.*
soep'vlees *o.* bouilli, pot-au-feu *m.*
soes I *m.* (*dommel*) somnolence *f.*; **II** *v.*(*m.*) (*gebak*) chou *m.* (à la crème).
soe'sa, soe'za *m.* tracas, embarras, tintouin *m.*, ennuis *m.pl.*
soeverein' I *m.* souverain *m.*; **II** *b.n.* souverain.
soevereiniteit' *v.* souveraineté *f.*
soe'za, *zie* ***soesa.***
soe'zen *on.w.* somnoler, rêvasser.
soe'zer *m.* rêveur, rêvasseur *m.*
soe'zerig *b.n.* somnolent, rêveur.
soe'zerigheid *v.* somnolence, rêvasserie *f.*
sof *m.* veste *f.*, four *m.*; ***wat een —!*** la barbe; ***een — hebben,*** attraper une tape.
so'fa *m.* sofa *m.*
sofisterij' *v.* sophisme(s) *m.*(*pl.*).
sof'programma *o.* programme *m.* moche, four *m.*
so'ja *m.* soya, soja *m.*
so'jaboon *v.*(*m.*) pois *m.* chinois, (fève *f.* de) soya *m.*
so'jaolie *v.*(*m.*) huile *f.* de soja.
sok *v.*(*m.*) 1 chaussette *f.*; 2 (*tn.*) manchon *m.*; ***ouwe —,*** vieille baderne, vieille perruque *f.*; ***er de —ken inzetten,*** jouer des jambes, détaler; ***hij kan het op zijn —ken af,*** il se la coule douce; ***van de —ken praten,*** démonter, désarçonner qn.
sok'kel *m.* socle *m.*
sok'ophouder *m.* support*-chaussette*, fixe-chaussettes *m.*
sokra'tisch, *zie* ***socratisch.***
sol *v.*(*m.*) (*muz.*) sol *m.*
so'lawissel *m.* seule *f.* de change.
soldaat' *m.* soldat *m.*; ***een fles — maken,*** flûter une bouteille, coucher une bouteille sur le côté; ***— worden,*** se faire soldat.
soldaat'je *o.* 1 petit soldat *m.*; 2 (*speelgoed*) soldat *m.* de plomb; ***— spelen,*** jouer au(x) soldat(s).
solda'tenbende *v.*(*m.*) soldatesque *f.*
solda'tenbrood *o.* pain *m.* de munition.
solda'tenkind *o.* enfant *m.* de troupe.
solda'tenkleding *v.* uniforme *m.*
solda'tenleven *o.* vie *f.* militaire.
solda'tenmuts *v.*(*m.*) bonnet *m.* de police.
solda'tenraad *m.* conseil *m.* de soldats.
solda'tenschoen *m.* godillot *m.* militaire.
solda'tenstand *m.* métier *m.* de soldat, état *m.* militaire.
solda'tentaal *v.*(*m.*) langage *m.* militaire, argot *m.* des casernes, — militaire.
solda'tenvolk *o.* soldatesque *f.*

soldatesk' *b.n.* soldatesque.
soldeer' *o. en m.* soudure *f.*
soldeer'baar *b.n.* soudable.
soldeer'blok *o.* appuyoir *m.*, bloc *m.* à souder.
soldeer'bout *m.* fer *m.* à souder, soudoir *m.*
soldeer'der *m.* soudeur *m.*
soldeer'lamp *v.(m.)* lampe *f.* à souder.
soldeer'naad *m.* soudure *f.*
soldeer'pijp *v.(m.)* chalumeau *m.*
soldeer'sel *o.* soudure *f.*
soldeer'tin *o.* étain *m.* à souder.
soldeer'water *o.* eau *f.* à soudure.
soldenier' *m.* **1** mercenaire *m.*; **2** (*mil.*) soudard *m.*
solde'ren *ov.w.* souder.
solde'ring *v.* soudure *f.*
soldij' *v.* solde, paye *f.*
solemneel' *b.n.* solennel.
solemniteit' *v.* solennité *f.*
solfègië'ren *on.w.* solfier.
sol'fer, sul'fer *o. en m.* soufre *m.*
solidair' **I** *b.n.* solidaire; **II** *bw.* solidairement; ***zich — verklaren,*** se solidariser avec.
solidariteit' *v.* solidarité *f.*
soli'de I *b.n.* **1** (*stevig, duurzaam*) solide; **2** (*v. leven: geregeld, ordelijk*) rangé, sérieux; **3** (*betrouwbaar*) respectable, honorable; **4** (*H.: gegoed, in staat te betalen*) solvable; ***— geldbelegging,*** placement *m.* de tout repos; ***— effecten,*** des valeurs de tout premier ordre, — de toute sécurité; **II** *bw.* **1** solidement; **2** (*leven*) régulièrement.
soliditeit' *v.* solidité *f.*; **2** vie *f.* rangée, bonne conduite *f.*; **3** respectabilité, honorabilité *f.*; **4** solvabilité *f.*
solist'(e) *m.* (*v.*) soliste *m.-f.*
solitair' *b.n.* solitaire.
solitair'spel *o.* réussite *f.*
sol'len I *ov.w.* **1** (*op deken*) berner; **2** (*fig.*) houspiller, tirailler; **II** *on.w.*, ***met iem. —,*** duper qn.; ***met zich laten —,*** se laisser faire.
sollicitant' *m.* postulant; candidat *m.*
sollicita'tie *v.* postulation *f.*
sollicita'tiebrief *m.* lettre *f.* de postulation, — de candidature.
sollicita'tiestukken *mv.* pièces *f.pl.*, titres [*m.pl.*
sollicite'ren *on.w.* postuler; ***naar een betrekking —,*** postuler une place.
solmisa'tie *v.* solfège *m.*
so'lo *m. en o.*, (*muz.*) solo *m.*; ***— spelen,*** (*muz.*) jouer [un solo.
so'lopartij *v.* solo *m.*, partie *f.* récitante.
so'lospeler *m.* soliste *m.*
so'lostem *v.(m.)* voix *f.* en solo; ***voor —,*** pour une voix seule.
So'lothurn *o.* Soleure *f.*
so'louitvoering *v.* récital *m.*
so'lovlucht *v.(m.)* vol *m.* sans passager.
so'lozanger *m.* (chanteur) soliste *m.*
sol'sleutel *m.* clef *f.* de sol.
solu'tie *v.* dissolution, solution *f.*
solvabiliteit' *v.* solvabilité *f.*
solvent' *b.n.* (*H.*) solvable.
solven'tie *v.* solvabilité *f.*
som *v.(m.)* **1** (*v. geld*) somme *f.*; **2** (*totaal*) total *m.*, somme *f.*; **3** (*rek.: vraagstuk*) problème *m.*; ***—men maken,*** résoudre des problèmes.
Soma'liland *o.* la Somalie.
soma'tisch *b.n.* somatique.
somatologie' *v.* somatologie *f.*
som'ber *b.n.* **1** sombre; **2** (*fig.*) morne, triste, sombre; ***— maken,*** assombrir.
som'berheid *v.* **1** obscurité *f.*; **2** (*fig.*) humeur *f.* sombre; mélancolie *f.*
som'ma *v.(m.)* somme *f.*, total *m.*
somma'tie *v.* sommation *f.*; mise *f.* en demeure.
somme'ren *ov.w.* sommer; mettre en demeure.
som'mige *telw.* quelques, certains.
som'migen *zelfst.vnw.* quelques-uns, certains.
soms, somtijds', somwij'len *bw.* **1** (*nu en dan*) quelquefois, parfois, de temps à autre; **2** (*misschien, wellicht*) peut-être.
sona'te *v.(m.)* sonate *f.*
sonde'ren *ov.w.* sonder.
sonde'ring *v.* sondage *m.*
sonnet' *o.* sonnet *m.*
sonnet'tenkrans *m.* cycle *m.* de sonnets.
sonoriteit' *v.* sonorité *f.*
Sont, de —, le Sund.
soort *v.(m.) en o.* espèce, sorte *f.*; ***in zijn —,*** dans son genre; ***enig in zijn —,*** seul de son espèce; ***van allerlei —,*** de toute(s) sorte(s), de tout genre; ***— zoekt —,*** qui se ressemble s'assemble.
soor'telijk *b.n.* spécifique.
soort'gelijk *b.n.* semblable, pareil, similaire.
soort'genoot *m.* congénère *m.*
soort'naam *m.* **1** nom *m.* d'espèce; **2** (*gram.*) (nom) appellatif *m.*
soos *v.(m.)* club, cercle *m.*
sop *o.* **1** jus, bouillon *m.*; **2** (*zeep—*) lessive *f.*; ***ze zijn met één — overgoten,*** ils sont de même farine, — du même calibre; ***het — is de kool niet waard,*** le jeu ne vaut pas la chandelle; ***het ruime — kiezen,*** prendre le large.
Sophi'a *v.* Sophie *f.*
So'phocles *m.* Sophocle *m.*
sop'pen *ov.w. en on.w.* tremper; ***niet ruim —,*** faire maigre chère.
sopraan' *v.(m.)* soprano *m.*
sopraan'sleutel *m.* clef *f.* d'ut.
sopraan'solo *m. en o.* solo *m.* pour soprano.
sopraan'stem *v.(m.)* soprano *m.*, voix *f.* de soprano.
sopraan'zangeres *v.* soprano *m.*
sorbet' *m.* sorbet *m.*
sorteer'der *m.* trieur *m.*
sorteer'machine *m.* trieur *m.*, trieuse *f.*
sorte'ren *ov.w.* **1** (*uitzoeken*) classer, trier; **2** (*bijeenvoegen*) assortir; **3** (*v. brieven*) trier; **4** (*v. tabak*) époularder; ***een goed gesorteerde winkel,*** un magasin bien assorti, — bien achalandé; ***effect —,*** faire de l'effet.
sorte'ring *v.* **1** triage *m.*; **2** assortiment *m.*; **3** époulardage *m.*; ***grote —,*** grand choix *m.*
sortie' *v.*, (*toneel*) contremarque *f.*
sotternie' *v.*, (*lett.*) sotie *f.*
souffle'ren *ov.w.* souffler.
souffleur' *m.* souffleur *m.*; ***op de — spelen,*** prendre au souffleur.
souffleurs'hokje *o.* loge *f.* du souffleur.
soun'der *m.* parleur *m.*
soun'deren *ov.w. en on.w.* lire au son, prendre [au parleur.
sousbras' *m.* dessous *m.* de bras.
sous'chef *m.* souschef *m.*
souta'ne *v.(m.)* soutane *f.*
souterrain' *o.* sous-sol* *m.*
souvenir'winkel *m.* magasin *m.* (*of* boutique *f.*) de cadeaux, — de souvenirs.
sov'jet, sow'jet *m.* soviet *m.*; ***van de —s,*** soviéti[que.
sov'jetregime, sow'jetregime *o.* régime *m.* des soviets.
sov'jetrepubliek, sow'jetrepubliek *v.* république *f.* des soviets.
Sov'jet-Rusland, Sow'jet-Rusland *o.* la Russie soviétique, la Russie des Soviets.
spa, spa'de I *v.(m.)* bêche *f.*; **II** *bw.* tard.
spaak I *v.(m.)* **1** (*v. wiel*) rayon, rais *m.*; **2** (*v.*

stoel) bâton *m.*; **3** (*hefboom*) levier *m.*; ***een — in het wiel steken,*** mettre des bâtons dans les roues; **II** *bw.*, ***— lopen,*** échouer, manquer, rater.
spaak'been *o.* radius *m.*
spaak'wiel *o.* roue *f.* à rais.
spaan *v.*(*m.*) **1** (*alg.*) éclat *m.* de bois; **2** (*bij het hakken*) copeau *m.*; **3** (*dak—*) éclisse *f.*; **4** (*spatel*) spatule *f.*
spaan'der *m.* copeau *m.*, éclat *m.* de bois.
Spaans I *b.n.* espagnol; ***—e peper,*** piment *m.*; ***— leer,*** maroquin *m.*; ***— groen,*** acétate, vert-de-gris *m.*; ***— riet,*** rotin *m.*; ***—e vlieg,*** cantharide *f.*; **II** *z.n.*, ***het —,*** l'espagnol *m.*
Spaans'-Amerikaans' *b.n.* hispano-américain.
spaans'gezind *b.n.* hispanophile.
spaar'bank *v.*(*m.*) caisse *f.* d'épargne.
spaar'bankboekje *o.* livret *m.* de la caisse d'épargne.
spaar'bek *m.* grippe-sou* *m.*
spaar'brander *m.* économiseur *m.*
spaar'centen *mv.* économies *f.pl.*
spaar'der *m.* épargnant *m.*; ***de kleine —s,*** la petite épargne, les petits épargnants.
spaar'duit *m.* réserve *f.*, magot *m.*
spaar'geld *o.* argent *m.* de réserve, économies *f.pl.*
spaar'kachel *v.*(*m.*) poêle *m.* économique.
spaar'kas *v.*(*m.*) caisse *f.* d'épargne.
spaar'penning(en) *m.* (*mv.*), (petites) économies *f.pl.*, magot *m.*
spaar'pot *m.* **1** tirelire *f.*; **2** (*inhoud*) magot *m.*
spaar'verzekering *v.* assurance *f.* épargne; ***onderlinge —,*** mutuelle *f.* de capitalisation.
spaar'zaam I *b.n.* **1** (*zuinig*) économe; **2** (*overdreven*) parcimonieux; **3** (*karig*) sobre; **4** (*zelden*) rare; **II** *bw.* **1** économiquement; **2** parcimonieusement; **3** sobrement; **4** rarement; ***— omgaan met,*** ménager.
spaar'zaamheid *v.* **1** économie *f.*; **2** parcimonie *f.*
spaar'zegel *m.* timbre*-épargne, timbre*-escompte *m.*
spaat *o.* spath *m.*
spaat'achtig *b.n.* spathique.
spa'de, *zie* ***spa.***
spa'den *ov.w.* bêcher.
spalier' *o.* espalier *m.*
spalier'boom *m.* arbre *m.* en espalier.
spalk *v.*(*m.*) **1** éclisse, attelle *f.*; **2** (*dwarshout*) traversin *m.*
spal'ken *ov.w.* éclisser.
spal'king *v.* éclissement *m.*
span I *o.* **1** (*v. dieren*) attelage *m.*; paire *f.* (de chevaux, de bœufs); **2** (*v. personen*) couple *m.*; **II** *v.*(*m.*) **1** (*v. hand*) empan *m.*; **2** (*v. zaag*) châssis *m.*, monture *f.*; ***een —ne tijds,*** un court espace de temps, un laps de temps.
span'ader *v.*(*m.*) filet *m.*; ***van de — gesneden zijn,*** avoir le filet bien coupé.
span'beton *o.* béton *m.* précontraint.
span'broek *v.*(*m.*) pantalon *m.* collant.
span'doek *o. en m.* banderole *f.*
span'draad *m.* (*vl.*) tendeur *m.*
spa'nen *b.n.* de bois, de copeaux.
span'gordel *m.* ceinture *f.* de cuir.
spaniël' *m.* épagneul *m.*
Span'jaard *m.* Espagnol *m.*
Span'je *o.* l'Espagne *f.*
spanjolet' *v.*(*m.*) espagnolette *f.*; crémone *f.*
span'ketting *m. en v.* chaîne *f.* d'enrayage.
span'koord *o. en v.*(*m.*) **1** cordeau *m.*; **2** (*v. zaag*) corde *f.* de tension.
span'kracht *v.*(*m.*) **1** force *f.* d'expansion; **2** (*v. spier*) force *f.* de contraction.
span'krachtmeter *m.* **1** (*v. stoom*) manomètre *m.*; **2** (*el.*) voltmètre *m.*
span'le(d)er *o.* courroie *f.* de tension.
span'ne *v.*(*m.*), *zie* ***span II.***
span'nen I *ov.w.* **1** (*uittrekken, ook v. net, snaar*) tendre; **2** (*v. boog, veer*) bander; **3** (*v. zeil*) déployer; **4** (*v. spier*) contracter; ***de kroon —,*** l'emporter, avoir le dessus; ***gespannen aandacht,*** attention soutenue; ***in gespannen verwachting,*** dans une vive attente; ***te hoog —,*** (*v. verwachting, enz.*) exagérer; ***zich voor iets —,*** s'atteler à qc., prendre qc. en main, s'employer pour qc.; **II** *on.w.* **1** se tendre; **2** (*knellen*) serrer, gêner; ***het zal er —,*** cela va chauffer; il y aura du grabuge.
span'nend *b.n.* **1** tensif; **2** serrant; gênant; **3** (*fig.*) captivant, intéressant.
span'ner *m.* **1** (*tn.*) tendeur *m.*; **2** (*Dk.*) arpenteuse *f.*
span'ning *v.* **1** (*alg.*) tension *f.*; **2** (*v. gassen*) pression *f.*; **3** (*el.*) potentiel *m.*; (*in volts*) voltage *m.*; **4** (*v. brug*) portée, travée *f.*; **5** (*v. gewelf*) arcade *f.*; **6** (*fig.: v. geest*) tension *f.*; **7** (*ongeduld, angst*) anxiété *f.*; **8** (*verflauwing v. vriendschap*) rapports *m.pl.* tendus; ***in — houden,*** tenir en haleine; ***in — verkeren,*** être en suspens; ***op normale — houden,*** pressuriser.
span'ningmeter *m.* **1** indicateur *m.*; **2** (*el.*) voltmètre *m.*
span'ningsdeler *m.* diviseur *m.* de tension; potentiomètre *m.*
span'ningsverlies *o.* perte *f.* de charge.
span'raam *o.* châssis *m.*
span'riem *m.* tire-pied* *m.*, plate*-longe* *f.*
span'rups *v.*(*m.*) arpenteuse *f.*
span'schroef *v.*(*m.*) écrou *m.* de serrage.
span'stok *m.* tendoir *m.*
spant *o.* **1** (*v. dak*) chevron *m.*; **2** (*v. schip*) couple *m.*
spant'werk *o.* (*v. dak*) charpente *f.*
span'veer *v.*(*m.*) **1** ressort *m.* de tension; **2** (*v. revolver*) gâchette *f.*
span'wijdte *v.* travée, envergure *f.*
span'zaag *v.*(*m.*) scie *f.* montée, — à cadre.
spar *m.* **1** (*bouwk.*) chevron *m.*; **2** (*Pl.*) sapin *m.*
spar'appel *m.* pomme *f.* de sapin.
spa'ren I *ov.w.* **1** épargner, économiser, mettre de côté; **2** (*ontzien*) ménager; ***uit zijn mond —,*** prendre sur sa bouche, prendre sur son nécessaire, se refuser; **II** *on.w.* **1** épargner; **2** faire des économies.
spar'reboom *m.* sapin *m.*
spar'rehout *o.* bois *m.* de sapin.
spar'renbos *o.* sapinière *f.*
Spar'ta *o.* Sparte *f.*
Spartaan' *m.* Spartiate *m.*
Spartaans' *b.n.* spartiate.
spar'telen *on.w.* **1** (*v. kind*) se débattre, se démener; **2** (*v. vis*) frétiller.
spar'teling *v.* frétillement *m.*
spat *v.*(*m.*) **1** (*v. modder, enz.*) éclaboussure, tache *f.*; **2** (*gen.: ader—*) varice *f.*; **3** (*v. paard*) éparvin *m.*
spat'aderen *mv.* varices *f.pl.*
spat'bord *o.* garde-boue *m.*, aile *f.*
spa'tel *v.*(*m.*) **1** spatule *f.*; **2** (*drukk.*) échoppe *f.*, grattoir *m.*
spa'telvormig *b.n.* spatulé, en spatule.
spa'tie *v.* (*drukk.*) espace *f.*
spatië'ren *ov.w.* espacer.
spatië'ring *v.* espacement *m.*
spatieus' *b.n.* spacieux.
spat'lap *m.* pare-boue, (*v. auto*) bavette *f.*
spat'scherm *o.* garde-boue *m.*
spat'ten I *ov.w.* **1** éclabousser; **2** (*v. water*) faire jaillir; **II** *on.w.* **1** (*v. water, enz.*) jaillir; **2** (*v. regen*) gicler; **3** (*v. pen*) cracher, crachoter.

spat'ting *v.* jaillissement *m.*
spat'zeiltje *o.* toile *f.* cirée.
spe, ***in* —,** futur.
specerij' *v.* épice *f.*
specerij'boom *m.* arbre *m.* à épices.
Specerij'-eilanden *mv.* îles *f.pl.* à Épices.
specerij'handel *m.* **1** commerce *m.* des épices; **2** épicerie *f.*
specerij'handelaar *m.* épicier *m.*
specht *m.* pic *m.*; ***groene* —,** pivert *m.*; ***bonte* —,** grand pic *m.*, épeiche *f.*
speciaal' I *b.n.* spécial; **II** *bw.* spécialement.
specialise'ren, -ize'ren *ov.w.* spécialiser.
specialist' *m.* spécialiste *m.*
specialiteit' *v.* **1** (*vak*) spécialité *f.*; **2** (*persoon*) spécialiste *m.*
specializeren, *zie* ***specialis-.***
spe'cie *v.* **1** (*soort*) espèce *f.*; **2** (*bestanddeel*) matière *f.*; **3** (*geld*) espèces *f.pl.*, numéraire *m.*; **4** (*kalk*) mortier *m.*; **— *in kas,*** (*H.*) encaisse *f.* métallique.
spe'ciebriefje *o.* bordereau *m.*
spe'ciehandel *m.* commerce *m.* de l'argent.
spe'cievoorraad *m.* encaisse *f.* métallique.
specifica'tie, specifika'tie *v.* spécification *f.*, détail *m.*
specifice'ren I *ov.w.* spécifier; **II** *on.w.*, (*H.*) donner le détail d'un compte.
specifiek' *b.n.* spécifique.
specifikatie, *zie* ***specificatie.***
spectaculair' *b.n.* spectaculaire.
spectraal'analyse, spektraal'analyse *v.* analyse *f.* du spectre, — spectrale.
spec'trum, spek'trum *o.* spectre *m.*
speculaas', spekulaas' *o.* speculos *m.*
speculant', spekulant' *m.* spéculateur *m.*
specula'tie, spekula'tie *v.* spéculation *f.*; ***op* —,** à titre de spéculation, en spéculation.
speculatief', spekulatief' *b.n.* spéculatif, de spéculation.
specula'tiefondsen, spekula'tiefondsen *mv.* titres *m.pl.* de pure spéculation.
specule'ren, spekule'ren *on.w.* spéculer (sur); jouer à la bourse; **— *op het dalen der koersen,*** spéculer à la baisse, jouer —.
speech *m.* discours *m.*, allocution *f.*; ***een — afsteken,*** faire un discours; porter un toast.
spee'chen *on.w.* faire un discours.
speek'sel *o.* salive *f.*
speek'selachtig *b.n.* saliveux.
speek'selafscheiding *v.* sécrétion *f.* de salive.
speek'selklier *v.(m.)* glande *f.* salivaire.
speel'avond *m.* soirée *f.* de représentation.
speel'bal *m.* **1** balle *f.* à jouer, — de jeu; **2** (*fig.*) jouet *m.*
speel'bank *v.(m.)* banque *f.* (de jeu), tripot *m.*
speel'bord *o.* **1** (*dambord*) damier *m.*; **2** (*schaakbord*) échiquier *m.*
speel'club, -klub *v.(m.)* cercle *m.* (de jeu).
speel'doos *v.(m.)* boîte *f.* à musique.
speel'duivel *m.* démon *m.* du jeu.
speel'film *m.* film *m.* de fiction.
speel'genoot *m.* camarade *m.* de jeu.
speel'goed *o.* jouets, joujoux *m.pl.*
speel'goedafdeling *v.* rayon *m.* des jouets.
speel'goeddoos *v.(m.)* boîte *f.* à jouets.
speel'goedfabrikant *m.* bimbelotier *m.*
speel'goedtreintje *o.* train *m.* en miniature.
speel'goedwinkel *m.* magasin *m.* de jouets, — de joujoux.
speel'helft *v.(m.)* mi-temps *f.*
speel'hol *o.* tripot, brelan *m.*
speel'huis *o.* maison *f.* de jeu, tripot *m.*
speel'huishouder *m.* tenancier *m.* d'une maison de jeu, tripotier *m.*
speel'kaart *v.(m.)* carte *f.* à jouer.
speel'kamer *v.(m.)* chambre *f.* d'enfants.
speel'kameraad *m.* camarade *m.* de jeu, — d'enfance.
speel'klub, -club *v.(m.)* cercle *m.* (de jeu).
speel'kwartier *o.* récréation *f.*
speel'makker, *zie* ***speelkameraad.***
speel'man *m.* musicien, ménétrier (de village), violoneux *m.*; ***de — zit nog op het dak,*** tout y est couleur de rose.
speel'naam *m.* sobriquet *m.*
speel'pakje *o.* barboteuse *f.*
speel'penning *m.* jeton *m.*, fiche *f.*
speel'plaats *v.(m.)* **1** cour *f.*; lieu *m.* de récréation; **2** terrain *m.* de jeux.
speel'pop *v.(m.)* **1** poupée *f.*; **2** (*fig.*) jouet *m.*
speel'reisje *o.* voyage *m.* d'agrément, — de plaisir.
speel'ruimte *v.* **1** jeu *m.*; **2** (*bij werktuig*) chasse *f.*; **3** (*fig.*) marge, latitude *f.*
speels *b.n.* joueur, folâtre, badin.
speel'schuld *v.(m.)* dette *f.* de jeu.
speel'seizoen *o.* saison *f.* théâtrale.
speels'gewijs, -wijze *bw.* en jouant.
speels'heid *v.* humeur *f.* folâtre.
speel'ster *v.* **1** joueuse *f.*; **2** (*toneel*) actrice *f.*
speel'tafel *v.(m.)* **1** table *f.* de jeu; **2** (*fig.*) tapis *m.* vert.
speel'terrein *o.* terrain *m.* de jeux.
speel'tijd *m.* récréation *f.*
speel'toneel *o.* scène *f.*
speel'tuig *o.* instrument *m.* de musique.
speel'tuin *m.* jardin *m.* de récréation, parc *m.* de jeux.
speel'uur *o.* (heure de la) récréation *f.*
speel'veld, *zie* ***speelterrein.***
speel'vogel *m.* joueur *m.* effréné.
speel'wei(de) *v.(m.)* champ *m.* vert.
speel'wijze *v.(m.)* jeu *m.*, interprétation *f.*
speel'woede *v.(m.)* fureur *f.* du jeu.
speel'zaal *v.(m.)* salle *f.* de jeu.
speel'ziek *b.n.* adonné au jeu, passionné pour le jeu.
speel'zucht *v.(m.)* passion *f.* du jeu.
speen *v.(m.)* **1** (*v. dier*) trayon, tétin *m.*; **2** (*v. fles*) tétine *f.*; **3** (*fop—*) sucette *f.*
speen'kruid *o.* (*Pl.*) (renoncule) ficaire *f.*; ***groot* —,** scrofulaire *f.*
speen'varken *o.* cochon *m.* de lait.
speer *v.(m.)* **1** (*lans, spies*) lance, pique *f.*; **2** (*sp.*; *werpwapen*) javelot *m.*; **3** (*Pl.*) anthère *f.*
speer'drager *m.* lancier, piquier *m.*
speer'kruid *o.* (*Pl.*) valériane *f.*
speer'punt *m.* fer *m.* de lance, pointe *f.* —.
speer'vormig *b.n.* lancéolé, hasté.
speer'werpen *o.* (*sp.*) lancement *m.* du javelot.
speet *v.(m.)* **1** (*spaan*) spatule *f.*; **2** (*spitje*) brochette *f.*
spek *o.* lard *m.*; ***doorregen* —,** petit lard; (*mager*) lard maigre; ***met — schieten,*** conter des blagues; ***voor — en bonen werken,*** travailler pour le roi de Prusse.
spek'bokking *m.* gros hareng *m.* saur.
spek'hals *m.* cou *m.* gras, — de taureau.
spek'je *o.*, ***dat is geen — voor jouw bekje,*** ce n'est pas pour ton fichu nez, ce n'est pas pour vous que le four chauffe.
spek'ken *ov.w.* larder, entrelarder; ***een goed gespekte beurs,*** une bourse bien garnie.
spek'kig *b.n.* gras (à lard), fort gras.
spek'koek *m.* gâteau *m.* au lard, crêpe *f.* —.
spek'nek, *zie* ***spekhals.***
spek'pannekoek, *zie* ***spekkoek.***

spek'rug *m.* râble *m.*
spek'slager *m.* charcutier *m.*
spekslagerij' *v.* charcuterie *f.*
spek'steen *o. en m.* pierre *f.* de lard, stéatite *f.*
spekta'kel *o.* vacarme, tapage *m.*; ***— maken,*** faire du tapage, chambarder; (*in de klas*) chahuter.
spekta'kelmaker *m.* tapageur *m.*
spekta'kelstuk *o.* pièce *f.* à grand spectacle.
spektr-, *zie* ***spectr-.***
spekul-, *zie* ***specul-.***
spek'vet *o.* graisse *f.* de lard.
spek'worst *v.*(*m.*) saucisse *f.* au lard.
spel *o.* **1** (*alg.*) jeu *m.*; **2** (*partij, spelletje*) partie *f.*; **3** (*tent, op kermis*) baraque *f.*; théâtre *m.* forain, — ambulant; ***dubbel — spelen,*** faire double jeu; ***vrij — hebben,*** avoir le champ libre, avoir beau jeu; ***gelijk — maken,*** faire match nul; ***gewonnen — geven,*** donner gain de cause; ***buiten — blijven,*** être hors de cause; ***het — breken,*** troubler la fête; ***zijn leven stond op het —,*** il y allait de sa vie, sa vie était en jeu, — en péril; ***het — der verbeelding,*** l'œuvre de l'imagination; ***alles op het — zetten,*** jouer son va-tout, risquer le tout pour le tout; ***een — met iem. drijven,*** se jouer de qn.
spel'bederver, spel'breker *m.* trouble-fête, rabat-joie *m.*
speld *v.*(*m.*) épingle *f.*; ***men kon een — horen vallen,*** on aurait entendu une souris trotter, — voler une mouche; ***er is geen — tussen te krijgen,*** il ne déparle pas.
spel'dek(n)op *m.* tête *f.* d'épingle.
spel'den *ov.w.* épingler; ***iem. iets op de mouw —,*** en faire accroire à qn., mystifier qn., en donner à garder à qn.
spel'denbakje *o.* épinglier *m.*
spel'denbrief *m.* papier *m.* d'épingles.
spel'dendoosje *o.* boîte *f.* à épingles.
spel'denfabriek *v.* épinglerie *f.*
spel'dengeld *o.* épingles *f.pl.*
spel'denkoker *m.* étui *m.* à épingles.
spel'denkussen *o.* pelote *f.* (à épingles).
spel'denwerk *o.* dentelle *f.* (au fuseau).
spel'deprik *m.* coup *m.* d'épingle.
spe'lemeien *on.w.* folâtrer, batifoler, s'ébattre.
spe'len I *on.w.* jouer; ***vals —,*** **1** tricher au jeu; **2** (*muz.*) jouer faux; ***in de loterij —,*** mettre à la loterie; ***kaart —,*** jouer aux cartes; ***van het blad —,*** jouer à livre ouvert; ***viool —,*** jouer du violon; ***het stuk speelt te Brussel,*** l'action se passe à Bruxelles, la scène est à B.; ***met vuur —,*** jouer avec le feu; ***onder één hoedje —,*** s'entendre comme larrons en foire; ***om tien frank —,*** jouer dix francs; ***om geld —,*** jouer de l'argent; ***op het gehoor —,*** jouer d'oreille; ***iets klaar —,*** venir à bout de qc.; **II** *ov.w.* jouer; ***iem. een poets —,*** jouer un tour à qn.; ***bankroet —,*** faire banqueroute, faire faillite; ***wat — we?*** à quoi jouerons-nous? à quel jeu jouerons-nous? ***dat is niet te —,*** cela n'est pas jouable.
spe'lenderwijs, -wijze *bw.* en (se) jouant.
spe'ler *m.* **1** joueur *m.*; **2** (*toneel*) acteur *m.*; **3** (*muz.*) exécutant *m.*
spe'levaart *v.*(*m.*) promenade *f.* en bateau.
spe'levaren *on.w.* faire une promenade en bateau, se promener en bateau.
spel'fout *v.*(*m.*) faute *f.* d'orthographe.
spe'ling *v.* **1** jeu *m.*; **2** (*fig.*) marge, latitude *f.*; ***— der natuur,*** caprice *m.* de la nature, jeu *m.* —; ***ik heb tien minuten —,*** j'ai dix minutes de battement.
spel'kunst *v.* orthographe *f.*
spel'leider *m.* meneur *m.* du jeu, maître *m.* de [jeu.
spel'leiding *v.* (*toneel*) régie *f.*
spel'len *ov.w.* épeler, orthographier; ***hoe spelt men dat woord?*** comment écrit-on ce mot?
spel'ling *v.* orthographe; graphie *f.*; épellation *f.*
spel'lingcommissie, -kommissie *v.* commission *f.* de l'orthographe.
spel'moment *o.* moment *m.* du jeu.
spelonk' *v.*(*m.*) caverne *f.*, antre *m.*
spelonk'achtig *b.n.* caverneux.
spel'regel *m.* **1** (*v. spelling*) règle *f.* d'orthographe; **2** (*v. spel*) règle *f.* du jeu.
spelt *v.*(*m.*) épeautre *m.*
spende'ren *ov.w.* dépenser; ***veel geld aan iets —,*** mettre beaucoup d'argent à qc.; ***ik heb er 100 frank aan gespendeerd,*** j'y ai passé cent francs.
spe'nen I *ov.w.* sevrer; **2** (*v. vis*) débourber, changer d'eau; **II** *w.w.*, ***zich — van,*** se priver de, s'abstenir de.
spe'ning *v.* **1** sevrage *m.*; **2** débourbage *m.*
sper'ballon *m.* ballon *m.* de barrage.
sper'dam *m.* barrage *m.*
sper'fort *o.*, (*mil.*) fort *m.* d'arrêt.
sper'gebied *o.* territoire *m.* prohibé.
sper'ketting *m. en v.* chaîne *f.* à barrer.
sper'ma *o.* sperme *m.*
sper'ren *ov.w.* **1** (*v. benen*) écarter; **2** (*v. weg*) barrer; **3** (*v. rad*) enrayer.
sper'ring *v.* barrage *m.*, barrière *f.*
sper'tijd *m.* immobilisation *f.*; couvre-feu *m.*
sper'vuur *o.* (*mil.*) feu *m.* de barrage, tir *m.* d'arrêt.
sper'wer *m.* épervier *m.*
sper'zieboon *v.*(*m.*) haricot *m.* vert.
spet'ten *on.w.* crépiter.
speur'der *m.* limier *m.*
speu'ren *ov.w.* **1** flairer, chercher la trace de; **2** (*bespeuren*) apercevoir.
speur'hond *m.* limier *m.*
speur'zin *m.* flair, nez *m.*
spich'tig *b.n.* grêle, élancé, effilé, mince, maigre.
spich'tigheid *v.* gracilité, minceur, maigreur *f.*
spie *v.*(*m.*) **1** (*pin*) cheville, goupille *f.*; clavette *f.*; **2** (*wig*) coin *m.*; **3** (*pop.*) (*duiten*) de la galette *f.*, des picaillons *m.pl.*
spie'bout *m.*, (*tn.*) boulon *m.* à cheville.
spie'den *ov.w.* espionner; épier, guetter.
spie'ën *ov.w.* coincer.
spie'gel *m.* **1** (*alg.*) miroir *m.*; **2** (*meubel*) glace *f.*; **3** (*oppervlakte*) surface *f.*, niveau *m.*; **4** (*v. schip*) arcasse *f.*; **5** (*gen.*) spéculum *m.*
spie'gelbeeld *o.* image *f.* réfléchie.
spie'gelblank *b.n.* uni comme une glace.
spie'geldeur *v.*(*m.*) porte *f.* à glace.
spie'gelei *o.* œuf *m.* sur le plat.
spie'gelen I *on.w.* miroiter, faire glace; **II** *w.w.* ***zich —,*** **1** se mirer, se regarder dans une glace; **2** (*fig.*) prendre exemple sur; ***wie zich aan een ander spiegelt, spiegelt zich zacht,*** heureux celui que le malheur d'autrui rend sage.
spie'gelend *b.n.* miroitant.
spie'gelfabriek *v.* glacerie, miroiterie *f.*, fabrique *f.* de glaces.
spie'gelfabrikant *m.* glacier, fabricant *m.* de [glaces.
spie'gelgevecht *o.* combat *m.* simulé, simulacre *m.* de combat.
spie'gelglad *b.n.* uni (*of* poli) comme une glace.
spie'gelglas *o.* glace *f.*
spie'gelhandel *m.* miroiterie *f.*
spie'gelhars *o. en m.* colophane *f.*
spie'geling *v.* **1** (*v. water, enz.*) miroitement *m.*; **2** (*v. beeld*) réflexion *f.*

spie'gelkast *v.(m.)* armoire *f.* à glace.
spie'gellijst *v.(m.)* cadre *m.* de miroir.
spie'gelmaker, *zie* ***spiegelfabrikant.***
spie'gelmetaal *o.* étamure *f.*
spie'gelruit *v.(m.)* glace *f.*
spie'gelschrift *o.* écriture *f.* en miroir.
spie'geltafeltje *o.* toilette *f.* (à glace).
spie'gelvlak *o.* surface *f.* unie, — polie; surface *f.* d'une (*of* de la) glace.
spie'gelzaal *v.(m.)* (*in paleis v. Versailles*) Galerie *f.* des Glaces.
spie'gelzool *v.(m.)* similisemelle *f.*
spie'ken *on.w.* tricher, se tuyauter.
spiek'papiertje *o.* tuyau *m.*
spier *v.(m.)* **1** muscle *m.*; **2** (*Pl.*) brin *m.* (d'herbe); **3** (*sch.*) bout*-dehors *m.*; **4** (*Dk.: zwaluw*) grand martinet *m.*; ***zonder een — te vertrekken,*** sans sourciller.
spier'achtig *b.n.* musculeux.
spier'beweging *v.* action *f.* musculaire, mouvement *m.* —.
spier'bundel *m.* faisceau *m.* (musculaire).
Spie're *o.* Espierres.
spie'ring *m.* éperlan *m.*; ***een — uitgooien om een kabeljauw te vangen,*** donner un œuf pour avoir un bœuf; ***magere —,*** **1** gringalet *m.*; **2** perche *f.*
spier'kracht *v.(m.)* force *f.* musculaire.
spier'kramp *v.(m.)* crampe *f.* musculaire.
spier'maag *v.(m.)* gésier *m.*
spier'naakt *b.n.* nu comme un ver, nu comme [la main.
spier'pees *v.(m.)* tendon *m.*
spier'pijn *v.(m.)* courbature, myalgie *f.*
spier'reumatiek *v.* rhumatisme *m.* musculaire.
Spiers *o.* Spire *f.*
spier'samentrekking *v.* contraction *f.* musculaire.
spier'stelsel *o.* système *m.* musculaire, muscula- [ture *f.*
spier'vezel *v.(m.)* fibre *f.* musculaire.
spier'weefsel *o.* tissu *m.* musculaire.
spier'wit *b.n.* blanc comme neige.
spies, *zie* ***speer.***
spies'glans *o.* antimoine *m.* natif.
spies'vormig *b.n.* lancéolé.
spiets *v.(m.)* pique, lance *f.*
spiet'sen *ov.w.* embrocher.
spij'belaar *m.* buissonnier *m.*
spij'belen *on.w.* faire l'école buissonnière, aller en maraude.
spij'gat, *zie* ***spuigat.***
spij'ker *m.* clou *m.*; ***zo hard als een —,*** **1** bâti à chaux et à sable; **2** (*zeer arm*) pauvre comme un rat d'église; ***de — op de kop slaan,*** mettre le doigt dessus; ***—s met koppen slaan,*** frapper les grands coups, ne pas y aller de main morte; ***—s op laag water zoeken,*** chercher midi à quatorze heures, chercher la petite bête.
spij'kerbak *m.* boîte *f.* à (*of* aux) clous.
spij'kerboor *v.(m.)* perçoir, vilebrequin *m.*
spij'kerbroek *v.(m.)* blue-jeans *m.*
spij'keren *ov.w.* clouer.
spij'kerfabriek *v.* clouterie *f.*
spij'kergat *o.* trou *m.* de clou.
spij'kerhard *b.n.* dur comme un clou.
spij'kering *v.* clouage *m.*
spij'kerkist *v.(m.)* caisse *f.* à (*of* aux) clous, cloutière *f.*
spij'kermaker *m.* cloutier *m.*
spij'kerschoen *m.* soulier *m.* ferré.
spij'kerschrift *o.* écriture *f.* cunéiforme.
spij'kertje *o.* **1** petit clou *m.*; **2** (*voor tapijt*) broquette *f.*
spij'kervast *b.n.* tenant à fer et à clou.
spij'kervormig *b.n.* cunéiforme.
spijl *v.(m.)* barre *f.*, barreau *m.*
spijs *v.(m.)* **1** (*eetwaar, voedsel*) aliment *m.*, nourriture *f.*; **2** (*gerecht*) mets, plat *m.*
spijs'bal *m.* bol *m.* alimentaire.
spijs'buis *v.(m.)* œsophage *m.*
spijs'huis *o.* (*eethuis, gaarkeuken*) bouillon *m.*, gargote *f.*
spijs'kaart *v.(m.)* carte *f.*, menu *m.*
spijs'kamer *v.(m.)* dépense, office *f.*
spijs'kast *v.(m.)* garde-manger *m.*
spijs'kelder *m.* cellier *m.*
spijs'lijst, *zie* ***spijskaart.***
spijs'olie *v.(m.)* huile *f.* comestible.
spijs'uitdeling *v.* distribution *f.* d'aliments; soupe *f.* populaire.
spijs'vertering *v.* digestion *f.*; ***slechte —,*** dyspepsie *f.*
spijs'verteringskanaal *o.* voies *f.pl.* digestives.
spijs'verteringsorganen *mv.* appareil *m.* digestif, tube *m.* digestif.
spijt *v.(m.)* **1** regret *m.*; **2** (*verdriet*) dépit, chagrin *m.*; ***— hebben,*** regretter; ***tot mijn —,*** à mon regret; ***in*** (*of* ***ten***) ***— van,*** en dépit de, malgré.
spij'ten *on.w.*, ***het spijt me,*** je regrette (que ~ *Subj.*), je suis fâché (que ~ *Subj.*); ***het zal hem —,*** il s'en repentira.
spij'tig *b.n.* **1** (*verdrietig, onaangenaam*) regrettable; fâcheux; **2** aigre, dépité, plein de dépit.
spij'tigheid *v.* aigreur *f.*; dépit, chagrin *m.*
spij'z(ig)en *ov.w.* nourrir, donner à manger à.
spij'ziging *v.* alimentation *f.*
spik'kel *m.* moucheture, tache *f.*, point *m.*
spik'kelachtig *b.n.* tacheté, moucheté.
spik'kelen *ov.w.* **1** moucheter, tacheter, marqueter; **2** (*v. boek*) jasper.
spik'kelig, *zie* ***spikkelachtig.***
spik'keling *v.* **1** moucheture *f.*; **2** jaspure *f.*
spiksplinternieuw' *b.n.* tout battant neuf.
spil I *v.(m.)* **1** (*as*) pivot, axe *m.*; **2** (*v. klos*) cheville *f.*; **3** (*v. trap*) noyau *m.*; **4** (*v. spinnewiel*) fuseau *m.*; **5** (*sp.*) centre *m.*; ***om een — draaien,*** pivoter; ***de — waar alles om draait,*** la cheville ouvrière; **II** *o.* (*sch.*) cabestan, treuil *m.*
spil'boor *v.(m.)* (*tn.*) foret *m.* à noyon.
spil'lebenen *mv.* jambes *f.pl.* de (*of* en) fuseau.
spil'len, *zie* ***verspillen.***
spil'vormig *b.n.* fusiforme, fuselé.
spil'ziek *b.n.* prodigue, dépensier.
spil'zucht *v.(m.)* prodigalité *f.*, gaspillage *m.*
spin *v.(m.)* araignée *f.*; ***nijdig als een —,*** d'une humeur massacrante.
spin'achtigen *mv.* arachnides *m.pl.*
spina'zie *v.(m.)* épinards *m.pl.*
spina'ziezaad *o.* graine *f.* d'épinards.
spin'del *o.* fuseau *m.*, bobine *f.*
spinet' *o.* (*muz.*) épinette *f.*
spin'huis *o.* maison *f.* de force, prison *f.*
spin'nekop *v.(m.)* araignée *f.*
spin'nen I *ov.w.* **1** (*v. linnen*) filer; **2** (*v. hennep*) corder; **3** (*v. tabak*) torquer; ***zijde bij iets —,*** tirer profit de qc., arrondir sa pelote à qc.; **II** *on.w.* **1** filer; **2** (*v. kat*) ronronner; **3** (*v. wijn*) filer.
spin'nenjager *m.* tête *f.* de loup.
spin'ner *m.* fileur, filateur *m.*
spinnerij' *v.* **1** filature *f.*; **2** (*v. hennep*) filerie *f.*
spin'neweb *o.* toile *f.* d'araignée.
spin'newebachtig *b.n.* araigneux, aranéeux, arachnéen.
spin'newiel *o.* rouet *m.*
spin'nig *b.n.* acariâtre.

spin'nigheid *v.* humeur *f.* acerbe.
spin'nijdig *b.n.* d'une humeur massacrante, rageur.
spin'rag *o.* toile *f.* d'araignée.
spin'rok(ken) *o.* quenouille *f.*
spin'sel *o.* filure *f.*
spin'ster *v.* fileuse *f.*
spint *o.* (*Pl.*) aubier *m.*
spin'wol *v.*(*m.*) laine *f.* à filer.
spin'zij(de) *v.*(*m.*) soie *f.* à filer.
spion' *m.* espion *m.* [tion *f.*
spiona'ge *v.* **1** espionnage *m.*; **2** (*verraad*) déla-
spione'ren *on.w.* espionner.
spion'netje *o.* miroir*-espion* *m.*
spiraal' *v.*(*m.*) spirale *f.*
spiraal'band *m.* couture *f.* spirale.
spiraal'boor *v.*(*m.*) tarière *f.* à (double) spire.
spiraal'buis *v.*(*m.*) serpentin *m.*
spiraal'lijn *v.*(*m.*) spirale *f.*
spiraal'matras *v.*(*m.*) *en o.* sommier *m.* élastique.
spiraal'nevel *m.* nébuleuse *f.*
spiraal'veer *v.*(*m.*) spiral, ressort *m.* à boudin.
spiraal'vlucht *v.*(*m.*) vrille *f.*; ***daling in —,*** descente *f.* en vrille.
spiraal'vormig *b.n.* en spirale.
spire'a *m.* (*Pl.*) spirée *f.*
spiritis'me *o.* spiritisme *m.*
spiritist' *m.* spirite *m.*
spiritis'tisch *b.n.* spirite.
spiritua'liën *mv.* spiritueux *m.pl.*
spiritualiteit' *v.* spiritualité *f.*
spi'ritus *m.* esprit *m.* de vin, alcool *m.*
spi'ritusfabriek *v.* distillerie *f.*
spi'rituslamp *v.*(*m.*) lampe *f.* à alcool, — à esprit de vin.
spi'rituslichtje, spi'ritustoestel *o.* réchaud *m.* à alcool.
spit *o.* **1** broche *f.*; **2** (*gen.: in de rug*) lumbago *m.*; tour *m.* de reins; ***aan het — steken,*** embrocher.
spit'draaier *m.* tournebroche *m.*
spits I *b.n.* **1** pointu, aigu; **2** (*spits toelopend*) en pointe; **3** (*v. tong*) bien effilé; **4** (*fig.: bits, schamper*) mordant, piquant; **5** (*vernuftig, scherpzinnig*) perspicace; **II** *bw.* en pointe; **III** *z.n., v.*(*m.*) **1** (*alg.*) pointe *f.*; **2** (*v. toren*) flèche, aiguille *f.*; **3** (*v. berg*) cime *f.*; **4** (*fig.: v. leger, enz.*) tête *f.*; ***op de — drijven,*** pousser à bout, — à outrance; ***aan de — staan,*** être à la tête; **IV *het*** (*of* ***de***) ***— afbijten,*** tirer les marrons du feu.
spits'baard *m.* barbe *f.* en pointe.
spits'bek *m.* bec *m.* pointu.
Spits'bergen *o.* Spitzberg *m.*
spits'boef *m.* filou, scélérat; forçat *m.*
spits'boevenstreek *m. en v.* filouterie *f.*
spits'bogestijl *m.* style *m.* ogival, — gothique.
spits'boog *m.* (*bouwk.*) ogive *f.*
spits'booggewelf *o.* voûte *f.* en ogive. [ogive.
spits'boogvenster *o.* fenêtre *f.* ogivale, — en
spits'boogvormig *b.n.* ogival.
spits'boor *v.*(*m.*) amorçoir *m.* [*m.* —.
spits'broeder *m.* frère *m.* d'armes, compagnon
spit'sen I *ov.w.* aiguiser, affiler, appointer; ***de oren —,*** dresser les oreilles; tendre l'oreille; **II** *w.w.,* ***zich — op,*** s'attendre à, espérer (qc.), se flatter d'obtenir (qc.).
spits'heid *v.* acuité *f.*
spits'hond *m.* loulou *m.* de Poméranie.
spits'kool *v.*(*m.*) chou *m.* pointu.
spits'muis *v.*(*m.*) musaraigne *f.*
spits'neus *m.* nez *m.* pointu.
spits'roede *v.*(*m.*) baguette *f.*; ***door de —n lopen,*** passer par les baguettes.
spits'uren *mv.* **1** heures *f.pl.* d'affluence, — de (grande) presse; **2** (*v. tram, enz.*) heures *f.pl.* de pointe.
spitsvon'dig I *b.n.* **1** ingénieux, subtil; **2** (*ong.*) spécieux; **II** *bw.* **1** ingénieusement, subtilement; **2** spécieusement.
spitsvon'digheid *v.* **1** subtilité *f.*; **2** spéciosité *f.*; ***spitsvondigheden,*** des arguties *f.pl.*
spits'zuil *v.*(*m.*) obélisque *m.*
spit'ten *ov.w.* bêcher, creuser, remuer.
spit'ter *m.* bêcheur *m.*
spit'varken *o.* cochon *m.* de lait rôti à la broche.
spleen *o.* spleen *m.*; ***lijder aan —,*** splénétique *m.*
spleet *v.*(*m.*) **1** fente, crevasse *f.*; **2** (*in muur*) lézarde *f.*
spleet'hoevig *b.n.* fissipède.
spleet'oog *o.* œil *m.* bridé.
spleet'opening *v.* stomate *m.*
sple'tig *b.n.* fendillé, crevassé.
splijt'baar *b.n.* fissible.
splijt'baarheid *v.* fissilité *f.*
splij'ten I *ov.w.* **1** fendre, crevasser; **2** (*v. diamant*) cliver; **II** *on.w.* **1** se fendre; se crevasser; **2** (*v. muur*) se lézarder; **3** (*veel spleten krijgen*) se fendiller.
splij'ting *v.* **1** fissure *f.*; **2** (*diamant*) clivage *m.*; **3** (*fig.*) scission *f.*
splijt'voet *m.* pied *m.* fendu.
splijt'zwam *v.*(*m.*) bactérie *f.*, bacille *m.*
splint *o.* (*pop.*) galette *f.*, pognon *m.*, picaillons *m.pl.*
splin'ter *m.* **1** (*v. hout*) écharde *f.*, éclat *m.* de bois; **2** (*v. metaal*) écharde *f.*; **3** (*v. been*) esquille *f.*; ***een — zien in het oog van een ander, maar niet de balk in zijn eigen oog,*** voir la paille dans l'œil de son prochain, mais ne pas voir la poutre dans le sien.
splin'terbreuk *v.*(*m.*) fracture *f.* esquilleuse, — comminutive.
splin'teren I *on.w.* se fendre; voler en éclats; **II** *ov.w.* fendre; faire voler en éclats.
splin'terig *b.n.* qui se fendille; esquilleux.
splinternieuw' *b.n.* (tout) battant neuf*.
split *o.* fente *f.*
split'erwt *v.*(*m.*) pois *m.* cassé.
split'pen *v*(*m.*) coin *m.*, goupille *f.*
splits'baar *b.n.* divisible; (*v. atoom*) fissionnable.
split'sen I *ov.w.* **1** diviser; séparer; **2** (*v. klas*) dédoubler; **3** (*v. koord*) épisser; **4** (*v. voorstel, moeilijkheden, enz.*) scinder; **5** (*scheik.*) dissocier; **6** (*natuurk.*) dissoudre; **7** (*kernfys.*) fissionner, désagréger; **II** *w.w.* ***zich —,*** **1** se diviser; se séparer; **2** se scinder; **3** (*v. weg*) se bifurquer.
split'sing *v.* **1** division; séparation *f.*; **2** dédoublement *m.*; **3** épissure *f.*; **4** scission *f.*; **5** (*v. weg*) bifurcation *f.*; **6** (*scheik.*) désassimilation *f.*; **7** (*natuurk.*) dissolution *f.*; **8** (*kernfys.*) fission *f.*
split'vrucht *v.*(*m.*) fruit *m.* déhiscent.
spoed *m.* **1** hâte, promptitude, diligence *f.*; **2** (*op brief*) urgent; **3** (*v. schroef*) pas *m.*; ***— maken,*** se hâter, se dépêcher; ***met —,*** à la hâte, vite; ***met bekwame —,*** avec toute la promptitude requise; ***haastige — is zelden goed,*** plus on se hâte, moins on avance; qui trop se hâte reste en chemin.
spoed'behandeling *v.* traitement *m.* d'urgence.
spoed'bestelling *v.* **1** remise *f.* par exprès; **2** (*H.*) commande *f.* urgente.
spoed'brief *m.* lettre *f.* par exprès.
spoed'cursus, -kursus *m.* cours *m.* express.
spoed'eisend *b.n.* **1** urgent; **2** (*v. brief*) pressé; ***in —e gevallen,*** en cas d'urgence.

spoe'den I *on.w.* accourir; se précipiter; **II** *w.w.*, ***zich —,*** se dépêcher, se hâter.
spoed'geval *o.* cas *m.* d'urgence.
spoe'dig I *b.n.* prompt, rapide; **II** *bw.* vite, promptement; ***zo — mogelijk,*** le plus tôt possible; ***ten —ste,*** dans le plus bref délai, au plus vite.
spoed'kursus, -cursus *m.* cours *m.* express.
spoed'operatie *v.* (*gen.*) opération *f.* précoce, — urgente.
spoed'opname *v.*(*m.*) admission *f.* d'urgence.
spoed'order *v.*(*m.*) *en o.* ordre *m.* pressant.
spoed'stuk *o.* missive *f.* urgente, pli *m.* urgent.
spoed'telegram *o.* télégramme *m.* urgent.
spoed'zending *v.* colis-exprès *m.*
spoel *v.*(*m.*) **1** (*klosje*) bobine *f.*; **2** (*v. naaimachine*) canette *f.*; **3** (*schiet—*) navette *f.*
spoel'bak *m.* **1** (*alg.*) cuvette *m.* à rincer, rinçoir *m.*; **2** (*in koffiehuis*) bac *m.*; **3** (*fot.*) cuve *f.* à lavage.
spoel'drank *m.* gargarisme *m.*
spoe'len I *ov.w.* **1** (*v. glas, mond, enz.*) rincer; **2** (*v. wol*) dégraisser, dégorger; **3** (*v. vaatwerk*) laver; **4** (*op spoel winden*) bobiner; **II** *on.w.*, ***— langs,*** (*v. rivier*) baigner.
spoe'ler *m.* **1** laveur, rinceur *m.*; **2** (*in koffiehuis*) plongeur *m.*; **3** (*tn.*) bobineur; dévideur *m.*
spoel'hok *o.* lavoir *m.*
spoe'ling *v.* **1** (*handeling*) lavage, rinçage *m.*; **2** (*spoelwater*) lavure, rinçure *f.*; **3** (*draf*) marc *m.*, drêche *f.*; ***veel varkens maken de — dun,*** ce qui fait l'étourneau maigre, c'est la grosse bande.
spoel'inrichting *v.* chasse *f.* d'eau.
spoel'jongen *m.* laveur *m.*; plongeur *m.*
spoel'kom *v.*(*m.*) bassine *f.*
spoel'machine *v.* bobineuse *f.*
spoel'middel *o.* gargarisme *m.*
spoel'sel *o.* lavure(s) *f.*(*pl.*).
spoel'water *o.* eau *f.* de vaisselle, eaux *f.pl.* grasses, lavure(s) *f.*(*pl.*).
spoel'wijn *m.* rinçure *f.*
spoel'worm *m.* lombric, ascaride *m.*
spoet'nik *m.* spoutnik *m.*
spog *o.* crachat *m.*; salive *f.*
spo'ken *on.w.* **1** (*v. geest*) revenir; **2** (*rondwaren*) rôder, errer; **3** (*v. weer*) faire mauvais (temps); ***vroeg —,*** se lever avant les autres, être tôt sur pied; ***het spookt tussen hen,*** ils se chamaillent.
Spole'to *o.* Spolète *f.*
spon *v.*(*m.*) **1** (*stop*) bondon *m.*; **2** (*gat*) bonde *f.*
spon'boor *v.*(*m.*) bondonnière *f.*
spon'de *v.*(*m.*) **1** bord *m.* de lit; **2** (*dicht.*) couche *f.*, lit *m.*; **3** (*v. zieke*) chevet *m.*
spon'gat *o.* bonde *f.*
spon'ning *v.*(*m.*) **1** (*bouwk.*) rainure, coulisse *f.*; **2** (*v. vat*) jable *m.*; **3** (*sch.*) râblure *f.*
spon'ningschaaf *v.*(*m.*) guillaume, feuilleret *m.*
spons *v.*(*m.*) **1** éponge *f.*; **2** (*bij tekenen*) poncis *m.*; ***de — halen over,*** passer l'éponge sur.
spons'achtig *b.n.* spongieux.
spons'achtigheid *v.* spongiosité *f.*
spons'bad *o.* tub *m.*
spons'dier *o.* éponge *f.*, spongiaire *m.*
spon'sen, spon'zen *ov.w.* **1** éponger; **2** (*v. tekening*) poncer.
spon'senetje, spon'zenetje *o.* porte-éponge *m.*
spon'sezakje, spon'zezakje *o.* ponce *f.*
spons'rubber, *zie* ***schuimrubber.***
spontaan' I *b.n.* spontané, primesautier; **II** *bw.* spontanément.
spon'zen, *zie* ***sponsen.***
sponze-, *zie* ***sponse-.***
spook *o.* **1** fantôme, spectre, revenant *m.*; **2** (*hersenschim*) chimère *f.*; **3** (*fig.*) (*man*) vilain moineau *m.*; (*vrouw*) chipie *f.*
spook'achtig *b.n.* spectral, fantomal; chimérique.
spook'geesten *mv.* larves *f.pl.*
spook'geschiedenis *v.* histoire *f.* de revenants.
spook'gestalte *v.* fantôme *m.*
spook'huis *o.* maison *f.* hantée.
spook'schip *o.* vaisseau*-fantôme* *m.*
spook'uur *o.* heure *f.* des revenants.
spook'verschijning *v.* apparition *f.* (fantomale).
spook'vertelling, *zie* ***spookgeschiedenis.***
spoor I *v.*(*m.*) **1** (*v. ruiter*) éperon *m.*; **2** (*v. haan*) ergot, éperon *m.*; **3** (*Pl.: v. bloem*) éperon *m.*, corne *f.*; **4** (*zaad*) spore *f.*; (*in hulsel*) sporule *f.*; ***zijn paard de sporen geven,*** piquer des deux; ***zijn sporen verdienen,*** gagner ses éperons; faire ses preuves; **II** *o.* **1** (*v. stappen, enz.*) trace *f.*; **2** (*v. wild, enz.*) piste *f.*; **3** (*overblijfsel*) vestige *m.*, trace *f.*; **4** (*v. brand, enz.*) marque *f.*; **5** (*v. wagen*) ornière *f.*; **6** (*rails*) voie *f.*; **7** (*spoorweg*) chemin *m.* de fer; **8** (*trein*) train *m.*; ***een — volgen,*** suivre une piste; ***iets op het — zijn,*** être sur la trace de qc.; ***op 't — helpen,*** mettre sur la voie, remettre dans la bonne voie; ***iem. van het — brengen,*** dépister qn., donner le change à qn.; ***een vriend naar het — brengen,*** accompagner un ami à la gare; ***een trein op een ander — brengen,*** aiguiller un train sur une autre voie; ***franco —,*** franco chemin de fer; ***het — bijster worden,*** s'égarer, se fourvoyer; se dérouter, perdre la trace.
spoor'baan *v.*(*m.*) voie *f.* ferrée; chemin *m.* de fer.
spoor'beambte *m.* employé *m.* de chemin de fer.
spoor'boekje *o.* indicateur *m.* (des chemins de fer).
spoor'boom *m.* barrière *f.* du passage à niveau.
spoor'breedte *v.* écartement *m.*, largeur *f.* de voie.
spoor'brug *v.*(*m.*) pont *m.* de chemin de fer.
spoor'dijk *m.* remblai *m.*, talus *m.* de chemin de fer.
spoor'kaart *v.*(*m.*) carte *f.* des chemins de fer.
spoor'kaartje *o.* billet *m.* (de chemin de fer).
spoor'lijn *v.*(*m.*) ligne *f.* (de chemin de fer).
spoor'loos *bw.* sans laisser de traces.
spoor'maker *m.* éperonnier *m.*
spoor'radje *o.* molette *f.* (de l'éperon).
spoor'reis *v.*(*m.*) voyage *m.* en chemin de fer.
spoor'reiziger *m.* voyageur *m.* (en chemin de fer).
spoor'slag *m.* **1** coup *m.* d'éperon; **2** (*fig.*) encouragement, aiguillon *m.*
spoor'slags *bw.* à bride abattue.
spoor'staaf *v.*(*m.*) rail *m.*
spoor'student *m.* étudiant *m.* qui fait la navette.
spoor'trein *m.* train *m.*
spoor'verbinding *v.* **1** communication *f.* (par voie ferrée); **2** (*aansluitingspunt*) raccordement *m.*, jonction *f.*
spoor'wagen *m.* wagon *m.*
spoor'weg *m.* chemin *m.* de fer, voie *f.* ferrée.
spoor'wegaandeel *o.* action *f.* de chemin de fer.
spoor'wegaanleg *m.* construction *f.* (d'une ligne) de chemin de fer.
spoor'wegarbeider *m.* **1** (*in station*) homme *m.* d'équipe; **2** (*wegwerker*) cantonnier *m.*, ouvrier *m.* de la voie.
spoor'wegbeambte *m.* employé *m.* de chemin de fer, cheminot *m.*
spoor'wegdienst *m.* **1** service *m.* des chemins de fer; **2** (*uurregeling*) horaire *m.*
spoor'weggeschut *o.* artillerie *f.* sur rails, — de chemin de fer.

spoor'weggids *m.* indicateur *m.* (des chemins de fer). [ferrées).
spoor'wegknooppunt *o.* nœud *m.* (de voies
spoor'wegligger *m.* traverse *f.*
spoor'wegmaatschappij *v.* compagnie *f.* de(s) chemins de fer, société *f.* —.
spoor'wegman *m.* cheminot *m.*
spoor'wegnet *o.* réseau *m.* des chemins de fer, — ferroviaire. [de fer.
spoor'wegongeluk *o.* accident *m.* de chemin
spoor'wegovergang *m.* passage *m.* à niveau.
spoor'wegstaking *v.* grève *f.* des cheminots.
spoor'wegverkeer *o.* trafic *m.*, circulation *f.* (des trains).
spoor'wegwaarden *mv.* valeurs *f.pl.* ferroviaires.
spoor'wegwachter *m.* garde*-voie*, garde*-barrière* *m.*
spoor'wegwerker, *zie* ***spoorwegarbeider.***
spoor'wijdte *v.* écartement *m.*, largeur *f.* de voie.
spora'disch I *b.n.* sporadique; **II** *bw.* sporadiquement.
spo're *v.(m.)* (*Pl.*) spore *f.*
spo'ren I *ov.w.* éperonner; (*v. autowielen*) ne pas diverger; **II** *on.w.* aller en chemin de fer; ***een uur —s,*** une heure de chemin de fer.
spo'rendragend *b.n.* (*Pl.*) sporidifère.
spo'renslag *m.*, ***de —,*** la bataille *f.* des éperons (d'or).
spo'replant *v.(m.)* cryptogame *f.*
spo'ring *v.* (*v. autowielen*) pinçage (*of* pincement) *m.* (des roues).
spor'relen *on.w.* se chamailler.
sport *v.(m.)* **1** (*v. ladder*) échelon *m.*; **2** (*v. stoel*) barreau *m.*; **3** sport *m.*; ***aan — doen,*** faire du sport.
sport'artikelen *mv.* articles *m.pl.* de sport.
sport'berichten *mv.* chronique *f.* sportive.
sport'blad *o.* journal *m.* de sport.
sport'broek *v.(m.)* culotte *f.* de sport.
sport'club, -klub *v.(m.)* club *m.* sportif.
sport'costuum, *zie* ***sportkostuum.***
sport'feest *o.* réunion *f.* sportive; meeting *m.*
sport'hemd *o.* chemise *f.* de sport, maillot *m.*
sportief' *b.n.* sportif.
sport'jasje *o.* veston *m.* sportif.
sport'kar *v.(m.)* charrette *f.* anglaise.
sport'klub, *zie* ***sportclub.***
sport'kostuum, -costuum *o.* costume *m.* sportif; — de sport.
sport'kousen *mv.* bas *m.* de sport.
sport'liefhebber *m.* amateur *m.* de sport, sportsman, sportif *m.*
sport'nieuws *o.* nouvelles *f.pl.* sportives.
sport'pet *v.(m.)* casquette *f.* de cycliste.
sport'redacteur, -redakteur *m.* rédacteur *m.* sportif.
sport'rubriek *v.* rubrique *f.* sportive.
sports'man *m.* sportif, sportsman *m.* (*pl.:* ...men).
sport'terrein *o.* terrain *m.* pour sports, — sportif, stade *m.*
sport'trui *v.(m.)* chandail *m.*
sport'uitslagen *mv.* résultats *m.pl.* sportifs.
sport'vereniging *v.* société *f.* sportive.
sport'vliegtuig *o.* avion *m.* de sport.
sport'wagen *m.* voiture *f.* de sport; ***luxe —,*** voiture de grand sport.
sport'wedstrijden *mv.* compétition *f.* sportive.
spot *m.* **1** raillerie, moquerie *f.*; **2** (*bittere —*) sarcasme *m.*; **3** (*ruw*) gouaillerie *f.*; **4** (*voorwerp v. spot*) risée *f.*; ***de — drijven met,*** se moquer de.
spot'achtig I *b.n.* **1** railleur, moqueur, goguenard; **2** gouailleur; **II** *bw.* d'un ton railleur.
spot'dicht *o.* épigramme *f.*; satire *f.* en vers.
spot'geest *m.* esprit *m.* moqueur.
spot'goedkoop I *b.n.* d'un prix dérisoire, d'un bon marché fabuleux; **II** *bw.* à vil prix, à des prix sacrifiés. [(unique).
spot'koopje *o.* article *m.* sacrifié, occasion *f.*
spot'lach *m.* rire *m.* moqueur.
spot'liedje *o.* chanson *f.* satirique.
spot'lust *m.* esprit *m.* moqueur; goguenardise *f.*
spotlus'tig *b.n.* moqueur; goguenard.
spot'meeuw *v.(m.)* (*Dk.*) mouette *f.* rieuse.
spot'naam *m.* sobriquet *m.*
spot'prent *v.(m.)* caricature *f.* [prix.
spot'prijs *m.* prix *m.* dérisoire; ***voor een —,*** à vil
spot'rede *v.(m.)* discours *m.* satirique, diatribe *f.*
spot'schrift *o.* pamphlet *m.*; satire *f.*
spot'ten *on.w.* se moquer, se railler (de); tourner en dérision, — en ridicule; ***daar valt niet mee te —,*** il ne faut pas plaisanter avec ces choses-là; c'est une affaire sérieuse; ***— met de armoede,*** insulter à la misère.
spot'tend I *b.n.* moqueur, railleur; **II** *bw.* d'un air (*of* d'un ton) moqueur.
spot'ter *m.* railleur, moqueur *m.*
spotternij' *v.* raillerie, moquerie; gouaillerie *f.*
spot'vogel *m.* **1** (*Dk.*) (oiseau) moqueur, pouillot *m.*; **2** (*fig.*) railleur, moqueur; gouailleur *m.*; mauvais plaisant *m.*
spot'ziek *b.n.* railleur, moqueur.
spot'zucht, *zie* ***spotlust.***
spraak *v.(m.)* **1** (*taal*) langage *m.*; **2** (*vermogen*) parole *f.*; **3** (*wijze v. spreken*) voix, façon de parler, élocution *f.*; **4** (*tongval*) accent *m.*; dialecte *m.*
spraak'gebrek *o.* défaut *m.* d'élocution; trouble *m.* de la parole.
spraak'gebruik *o.* usage *m.* [langage.
spraak'geluid *o.* timbre *m.* (de voix); son *m.* du
spraak'kunst *v.* grammaire *f.*
spraak'kunstenaar *m.* grammairien *m.*
spraakkun'stig I *b.n.* grammatical; **II** *bw.* grammaticalement.
spraak'leer *v.(m.)* grammaire *f.*
spraak'makend *b.n.* qui crée la langue; ***de —e gemeente,*** les gens du commun, la communauté linguistique.
spraak'orgaan *o.* organe *m.* de la parole.
spraak'stoornis *v.* trouble *m.* de la parole.
spraak'vermogen *o.* (faculté de la) parole *f.*
spraak'verwarring *v.* confusion *f.* des langues.
spraak'water *o.* alcool *m.*, élixir *m.* de hussard; ***— in hebben,*** avoir un coup de vin, être allumé.
spraak'wending *v.* locution *f.*
spraak'zaam *b.n.* **1** (*vriendelijk, mededeelzaam*) causeur, communicatif; **2** (*praatziek*) loquace; ***iem. — maken,*** délier la langue à qn.
spraak'zaamheid *v.* **1** affabilité *f.*, caractère *m.* communicatif; **2** loquacité *f.*
spra'ke *v.(m.)* langage *m.*; parole *f.*; ***er is — van,*** il en est question; ***er is geen — van,*** il n'en est rien, il n'en est pas question; ***ter — brengen,*** mettre sur le tapis, mettre à l'ordre; (*v. kwestie*) soulever.
spra'keloos *b.n.* **1** muet; **2** (*fig.*) ébahi, interdit, interloqué.
spra'keloosheid *v.* **1** mutisme *m.*; **2** (*tijdelijk*) aphasie *f.*; **3** (*fig.*) stupéfaction *f.*, ahurissement *m.*
sprank *v.(m.)* **1** étincelle *f.*; **2** (*fig.: v. hoop*) lueur, parcelle *f.*; **3** (*v. geest*) étincelle, bluette *f.*
spran'kelen *on.w.* étinceler.
spreek'beurt *v.(m.)* **1** conférence *f.*; **2** (*prot.*) sermon *m.*; ***een — vervullen,*** **1** faire une conférence, donner —; **2** prêcher.

spreek'buis *v.(m.)* 1 tuyau *m.* acoustique; 2 (*fig.*) truchement, porte-parole, porte-voix *m.*
spreek'cel *v.(m.)* cabine *f.* téléphonique.
spreek'gestoelte *o.* 1 tribune *f.*; 2 (*in kerk*) chaire *f.*
spreek'hoorn, -horen *m.* 1 porte-voix *m.*; 2 (*v. dove*) cornet *m.* acoustique.
spreek'kamer *v.(m.)* 1 (*alg.*) parloir *m.*; 2 petit salon *m.*; 3 (*v. dokter*) cabinet *m.* de consultations.
spreek'koor *o.* chœur *m.* parlé, récitation *f.* chorale.
spreek'machine *v.* machine *f.* parlante.
spreek'oefening *v.* exercice *m.* d'élocution, — de diction.
spreek'onderwijs *o.* orthoépie *f.*
spreek'stem *v.(m.)* voix *f.* parlée.
spreek'taal *v.(m.)* langue *f.* parlée, langage *m.* parlé; ***de gewone —,*** le langage courant.
spreek'toestel *o.* parleur *m.*
spreek'trant *m.* manière *f.* de parler.
spreek'trompet *v.(m.)* 1 porte-voix *m.*; 2 (*fig.*) porte-parole *m.*
spreek'uur *o.* (heure de la) consultation *f.*, heure *f.* des consultations. [dicton *m.*
spreek'wijs, -wijze *v.(m.)* locution, expression *f.*;
spreek'woord *o.* proverbe *m.*
spreekwoor'delijk I *b.n.* proverbial; II *bw.* proverbialement; ***— worden,*** passer en proverbe.
spreek'woordenkenner *m.* parémiologue *m.*
spreeuw *m. en v.* 1 (*Dk.*) étourneau, sansonnet *m.*; 2 (*fig.: spotter*) railleur *m.*
sprei *v.(m.)* 1 couvre-lit* *m.*; dessus *m.* (de lit); 2 (*gestikte deken*) courtepointe *f.*
sprei'den *ov.w.* 1 étendre; 2 (*v. bed*) arranger, faire; 3 (*verspreiden*) répandre; ***ten toon —,*** étaler, déployer, exposer. [dispersion *f.*
sprei'ding *v.* étalement, échelonnement *m.*;
spreid'sprong *m.* saut *m.* au cheval d'arçon.
spreid'stand *m.* station *f.* écartée.
spre'ken I *on.w.* 1 (*alg.*) parler; 2 (*praten*) causer; 3 (*een redevoering houden*) faire un discours; faire une conférence; 4 (*v. hond*) aboyer; ***voor de vuist —,*** improviser, parler d'abondance; ***dat spreekt (van zelf),*** cela va de soi, cela va sans dire; ***de cijfers —,*** les chiffres sont éloquents; ***mijnheer is niet te —,*** monsieur n'est pas visible; — ne reçoit personne; ***de dokter is te — van 2 tot 4 uur,*** le médecin est à consulter de deux à quatre (heures); ***over zaken —,*** parler affaires; ***tot de menigte —,*** s'adresser à la foule; ***door de neus —,*** parler du nez; ***binnensmonds —,*** parler entre les dents, murmurer; ***gemakkelijk —,*** avoir la parole facile; ***duidelijk —,*** prononcer distinctivement; ***op hoge toon —,*** parler haut; ***ik zal u nog wel —!*** vous aurez de mes nouvelles! ***met elkander —,*** se parler; II *ov.w.* 1 (*v. taal*) parler; 2 (*v. woord, waarheid*) dire; ***recht —,*** rendre la justice; III *z.n., o.* 1 parole *f.*; 2 (*spraak*) parler *m.*; ***— is zilver, zwijgen is goud,*** la parole est d'argent, le silence est d'or.
spre'kend *b.n.* 1 parlant; 2 (*v. gelijkenis, voorbeeld*) frappant; 3 (*v. bewijs*) évident; 4 (*v. portret*) vivant, parlant; 5 (*v. kleur*) voyant; 6 (*v. cijfers*) éloquent; 7 (*v. film*) parlant; ***hij is — zijn vader,*** c'est bien l'enfant de son père.
spre'ker *m.* 1 (*die spreekt*) parleur *m.*; 2 (*met iem.*) interlocuteur *m.*; 3 (*redenaar*) orateur *m.*; 4 (*v. lezing*) conférencier *m.*; ***hij is een goed —,*** il parle bien, il a le don de la parole.
spren'gen *ov.w.* asperger.
spreng'kwast *m.* goupillon *m.*
spren'kel *v.(m.)* éclaboussure *f.*
spren'kelen *ov.w.* 1 (*besproeien*) arroser; 2 (*met wijwater, enz.*) asperger; 3 (*bevochtigen: v. wasgoed*) humecter; 4 (*spikkelen: v. boek*) tacheter, moucheter, jasper.
spren'keling *v.* 1 arrosage *m.*; 2 aspersion *f.*; 3 moucheture, jaspure *f.*
spreuk *v.(m.)* sentence, maxime *f.*; aphorisme *m.*; ***het boek der S—en,*** les Proverbes.
spriet *m.* 1 (*voelhoren v. insekt*) antenne *f.*; 2 (*gras—*) brin *m.* (d'herbe); 3 (*sch.: boeg—*) beaupré *m.*; 4 (*Dk.*) râle *m.* rouge, — des genêts.
spriet'je *o.* (*Pl.*) brin *m.* (d'herbe).
spriet'zeil *o.* voile *f.* à livarde.
spring'ader *v.(m.)* veine *f.* d'eau vive.
spring'bok *m.* 1 (*Dk.*) antilope *f.*; 2 (*gymn.*) cheval *m.*
spring'bom *v.(m.)* bombe *f.*
spring'bron *v.(m.)* fontaine *f.* (jaillissante), source *f.* vive, jet *m.* d'eau.
spring'bus *v.(m.)* pétard *m.*
sprin'gen I *on.w.* 1 sauter; 2 (*op—*) bondir; 3 (*v. buis, fietsband, enz.*) crever; 4 (*v. bom*) faire explosion; 5 (*v. ruit*) voler en éclats; 6 (*v. bron*) jaillir; 7 (*v. fontein*) jouer; 8 (*v. huid*) se gercer; 9 (*fig.: v. bank, enz.*) faire faillite, sauter; ***over een sloot —,*** franchir un fossé, sauter un fossé; ***uit het venster —,*** 1 sauter par la fenêtre; 2 (*zelfmoord*) se jeter par la fenêtre; ***uit zijn vel —,*** sortir de ses gonds, être hors des gonds, sortir de son caractère; ***men moet niet verder — dan zijn stok lang is,*** il faut faire le pas selon la jambe; qui trop embrasse mal étreint; ***voor iem. in de bres —,*** prendre fait et cause pour qn.; II *z.n., o.* 1 saltation *f.*; 2 bondissement *m.*; 3 crevaison *f.*; 4 explosion *f.*; 5 éclatement *m.*; 6 jaillissement *m.*; 7 jet *m.*; 8 gerçure *f.*, gercement *m.*; 9 faillite *f.*, krach *m.*
sprin'gend *b.n.* 1 (*v. water*) jaillissant; 2 (*v. huid*) gercé.
sprin'ger *m.* sauteur, voltigeur *m.*
sprin'gertje *o.* 1 (*tn.: v. piano*) sautereau *m.*; 2 (*pop.: vlo*) puce *f.*
spring'fontein *v.(m.)* fontaine *f.* jaillissante.
spring'golf *v.(m.)* ras (*of* raz) *m.* de marée; (*in riviermond*) mascaret *m.*
spring'granaat *v.(m.)* obus *m.* de rupture.
spring'hengst *m.* étalon *m.*
spring'-in-'t-veld *m.* (jeune) étourdi *m.*, tête *f.* de linotte.
spring'kartets *v.(m.)* obus *m.* brisant.
spring'kever *m.* 1 sauteur, taupin *m.*; 2 (*wet.*) élatère *m.*
spring'kogel *m.* balle *f.* à éclatement, projectile *m.* explosif.
spring'kruid *o.* (*Pl.*) balsamine *f.*
spring'lading *v.* charge *f.* explosive.
spring'levend *b.n.* plein de vie.
spring'matras *v.(m.) en o.* sommier *m.* (élastique).
spring'muis *v.(m.)* 1 (*aardmuis*) souris *f.* agraire; 2 gerboise *f.*
spring'net, *zie* ***springzeil.***
spring'oefening *v.* exercice *m.* de saut.
spring'paard *o.* 1 (*Dk.*) (cheval) sauteur *m.*; 2 (*gymn.*) cheval *m.* de bois.
spring'plank *v.(m.)* 1 tremplin *m.*; 2 (*in zwemschool*) plongeoir *m.*
spring'processie *v.* procession *f.* dansante.
spring'punt *o.* point *m.* d'éclatement.
spring'scherm *o.* parachute *m.*
spring'slot *o.* serrure *f.* à ressort.
spring'stoel *m.* siège *m.* éjectable.
spring'stof *v.(m.)* explosif *m.*
spring'stok *m.* perche *f.*

spring'tij *o.* **1** grande marée *f.*, marée de vive-eau, vive*-eau* *f.*; **2** (*in riviermond*) mascaret *m.*
spring'touw *o.* corde *f.* à sauter.
spring'veer *v.*(*m.*) ressort *m.*
spring'veermatras *v.*(*m.*) *en o.* sommier *m.* élastique.
spring'vloed *m.*, *zie* ***springtij.***
spring'vuur *o.* feu *m.* Saint-Antoine.
spring'zaad *o.* (*Pl.*) balsamine *f.*
spring'zeil *o.* toile *f.* de sauvetage.
sprink'haan *m.* sauterelle *f.*; ***magere* —,** grinsprinkhaan [galet *m.*
sprin'ter *m.* coureur *m.* de vitesse.
sprint'wedstrijd *m.* course *f.* de vitesse.
sprits *v.*(*m.*) pâtisserie *f.* croquante.
sproei'en *ov.w.* arroser.
sproei'er *m.* **1** (*persoon*) arroseur *m.*; **2** (*voor grasveld*) pulvérisateur *m.*, tourniquet *m.* d'arrosage; **3** (*v. gieter*) pomme *f.* d'arrosoir; **4** (*v. auto*) gicleur, lave-glace *m.*
sproei'ing *v.* arrosage *m.*
sproei'kraan *v.*(*m.*) robinet *m.* d'arrosage.
sproei'machine *v.* arroseuse *f.*
sproei'wagen *m.* voiture *f.* d'arrosage, tonneau [*m.* —.
sproet *v.*(*m.*) tache *f.* de rousseur.
sproe'tig *b.n.* marqué (*of* couvert, *of* semé) de taches de rousseur.
spro'ke *v.*(*m.*) fabliau, conte *m.*
sprok'kel *m.* ramille, brindille *f.*, bois *m.* mort.
sprok'kelaar *m.* ramasseur *m.* de bois mort.
sprok'kelbloem *v.*(*m.*) (*Pl.*) narcisse *f.* (jaune).
sprok'kelen *ov.w.* ramasser du bois mort.
sprok'kelhout *o.* bois *m.* mort, branches *f.pl.* sèches.
sprok'keling *v.* **1** ramassage *m.*; **2** (*fig.*) ***—en,*** miscellanées *f.pl.*
sprok'kelmaand *v.*(*m.*) février *m.*
sprong *m.* **1** saut, bond *m.*; **2** (*aanloop*) élan *m.*; **3** (*luchtsprong*) cabriole *f.*; **4** (*muz.*) intervalle *m.*; **5** (*bouwk.*) saillie *f.*; ***kromme —en maken,*** **1** faire des incartades, faire des coups de tête; **2** (*met geld*) faire des folies; ***met grote —en omhooggaan,*** monter par sauts et par bonds; ***een — in het duister,*** un plongeon dans les ténèbres, un saut dans l'inconnu; ***met één —,*** d'un bond; ***de — wagen,*** sauter le pas; ***op stel en —,*** immédiatement, sur le champ, de but en blanc.
sprong'gewricht *o.* jarret *m.*
sprook'je *o.* conte *m.* (bleu), — de fée.
sprook'jesachtig *b.n.* féerique.
sprook'jesland *o.* pays *m.* de conte de fées.
sprot *m.* esprot, sprat *m.*
spruit I *v.*(*m.*) (*Pl.*) pousse *f.*, jet *m.*; **II** *m.-v.* (*fig.*) descendant; rejeton *m.*
sprui'ten *on.w.* **1** (*Pl.*) pousser (des rejets); germer; **2** (*uitspruiten*) bourgeonner; **3** (*v. kool*) pommer; **4** (*fig.*) descendre (de), être issu (de); **5** (*voortspruiten*) résulter (de).
spruit'jes *mv.*, **spruit'kool** *v.*(*m.*) choux *m.pl.* de Bruxelles.
spruit'leiding *v.* branchement *m.*
spruw *v.*(*m.*), (*gen.*) muguet *m.*; (*pop.*) blanchet *m.*
spu'gen, *zie* ***spuwen.***
spui *o.* écluse *f.* (de chasse).
spui'dok *o.* bassin *m.* de chasse; — de retenue.
spui'en I *ov.w.* **1** (*v. water*) faire écouler, chasser; **2** (*fig.: v. koopwaar*) écouler; **3** (*v. ketel, buizen, enz.*) purger; **II** *on.w.* **1** chasser l'eau; **2** (*fig.: luchten*) aérer, renouveler l'air.
spui'gat, spij'gat *o.* **1** (*sch.*) dalot *m.*; **2** (*bouwk.: in muur*) souillard *m.*; ***dat loopt de —en uit,*** cela dépasse toutes les bornes, cela passe la plaisanterie.
spui'ing *v.* **1** écoulement *m.*, chasse *f.*; **2** aération *f.*
spui'kraan *v.*(*m.*) robinet *m.* de purge.
spuit *v.*(*m.*) **1** seringue *f.*; **2** (*brand—*) pompe *f.* à incendie; **3** (*pop.: paraplu*) pépin, riflard *m.*; **4** (*mil.: geweer*) flingot, tube *m.*, clarinette *f.*
spui'ten I *ov.w.* **1** (*v. water, enz.*) lancer; **2** (*v. geneesmiddel*) seringuer; injecter; **II** *on.w.* jaillir.
spui'tend *b.n.* jaillissant.
spui'tenhuis *o.* dépôt *m.* (*of* remise *f.*) des pompes (à incendie).
spuit'fles *v.*(*m.*) siphon *m.*
spuit'gast *m.* pompier *m.*
spuit'je *o.* seringue *f.*
spuit'pistool *o.* (*v. verf*) pistolet (*of* pulvérisateur) *m.* de peinture. [—.
spuit'slang *v.*(*m.*) boyau *m.* à incendie, tuyau *m.*
spuit'water *o.* eau *f.* gazeuse, — de seltz.
spuit'waterfles *v.*(*m.*) siphon *m.*
spul *o.* théâtre *m.* forain, baraque *f.* foraine; ***—len,*** affaires *f.pl.*, effets *m.pl.*; ***al zijn —len,*** tout son saint-frusquin, tout le fourbi; ***dat is goed —,*** c'est du véritable; ***dat is geen echt —,*** c'est du toc.
spul'lebaas, spul'leman *m.* entrepreneur *m.* de spectacles, saltimbanque *m.*
spur'rie *v.*(*m.*) spergule, espargoute *f.*
spur'rieboter *v.*(*m.*) beurre *m.* de spergule.
spurt *m.* **1** (*sp.*) démarrage, emballage *m.*; **2** (*roeien*) enlevage *m.*
spur'ten *on.w.* **1** faire un démarrage, s'emballer; **2** faire un enlevage.
sput'teren *on.w.* rouspéter, régimber; ***— tegen,*** récriminer contre, maugréer contre.
spu'tum *o.* crachats *m.pl.*
spuw'bak *m.* crachoir *m.*
spu'wen I *ov.w. en on.w.* **1** cracher; **2** (*braken*) vomir; ***bloed —,*** cracher du sang, rendre —; ***vuur en vlam —,*** jeter feu et flammes; **II** *z.n.*, *o.* **1** crachement *m.*; **2** vomissement *m.*; **3** (*v. vulkaan*) éruption *f.*
spuw'sel *o.* crachat *m.*
st! *tw.* chut!
staaf *v.*(*m.*) barre *f.*, lingot *m.*
staaf'goud *o.* or *m.* en barres, — en lingots.
staaf'ijzer *o.* fer *m.* en barres.
staaf'je *o.* barreau *m.*, tige *f.*, bâtonnet *m.*
staaf'koper *o.* cuivre *m.* en barres.
staaf'lantaarn, -lantaren *v.*(*m.*) torche *f.* électrique.
staaf'magneet *m.* aimant *m.* rectiligne.
staaf'vormig *b.n.* cylindrique, en barres.
staaf'zilver *o.* argent *m.* en barres.
staag, *zie* ***gestadig.***
staak *m.* **1** (*alg.*) perche *f.*; **2** (*paal*) poteau *m.*; **3** (*v. tent, enz.*) piquet *m.*; **4** (*v. bonen*) rame *f.*; **5** (*v. wijnstok*) échalas *m.*; **6** (*fig.*) longue perche *f.*
staak'boon *v.*(*m.*) haricot *m.* ramé.
staakt'-het-vuren *o.* cessez-le-feu *m.*
staal *o.* **1** (*metaal*) acier *m.*; **2** (*fig.*) fer, poignard *m.*; **3** (*graveerstaal*) burin *m.*; **4** (*monster*) échantillon *m.*; ***— innemen,*** prendre du fer.
staal'achtig *b.n.* aciéreux, acérain.
staal'bad *o.* bain *m.* ferrugineux.
staal'beton *o.* béton *m.* aciéré.
staal'blauw *b.n.* bleu d'acier.
staal'boek, sta'lenboek *o.* livre *m.* d'échantillons, cahier *m.* —.
staal'bouw *m.* construction *f.* en acier.
staal'bron *v.*(*m.*) source *f.* ferrugineuse.
staal'brons *o.* bronze *m.* aciéré.
staal'draad *m.* fil *m.* d'acier.
staal'draadmatras *v.*(*m.*) *en o.* sommier *m.* élastique.

staal'draadtouw *o.* câble *m.* métallique.
staal'druppels *mv.* gouttes *f.pl.* ferrugineuses.
staal'erts *o.* minérai *m.* d'acier.
staal'fabricage, -fabrikage *v.* aciération *f.*
staal'fabriek *v.* aciérie *f.*
staal'fabrikage, *zie* ***staalfabricage.***
staal'graveerkunst *v.* gravure *f.* sur acier, aciérographie *f.*
staal'gravure *v.(m.)* gravure *f.* sur acier.
staal'grijs *b.n.* gris d'acier.
staal'hard *b.n.* dur comme l'acier.
staal'harding *v.* trempe *f.* [**2** (*fig.*) mosaïque *f.*
staal'kaart *v.(m.)* **1** carte *f.* d'échantillons;
staal'kabel *m.* câble *m.* d'acier.
staal'kleurig *b.n.* couleur d'acier.
staal'meester *m.* plombeur *m.*; ***de S—s,*** (*schild. v. Rembrandt*) les Syndics des Drapiers.
staal'middel *o.* médicament *m.* ferrugineux.
staal'nijverheid *v.* industrie *f.* de l'acier, — sidérurgique.
staal'oven *m.* aciérie *f.*
staal'pil *v.(m.)* pilule *f.* chalybée.
staal'plaat *v.(m.)* **1** (*gravure*) gravure *f.* sur acier; **2** (*pantser*) plaque *f.* d'acier.
staalsmederij' *v.* aciérie *f.*
staal'tje *o.* **1** échantillon *m.*; **2** (*fig.*) spécimen *m.*
staal'vijlsel *o.* limaille *f.* d'acier.
staal'waarden *mv.* valeurs *f.pl.* métallurgiques.
staal'water *o.* eau *f.* ferrugineuse.
staal'wijn *m.* vin *m.* ferrugineux, — chalybé.
staal'wol *v.(m.)* laine *f.* d'acier.
staan *on.w.* **1** être debout, se tenir debout; **2** (*zich verheffen*) se dresser, s'élever; **3** (*zich bevinden*) se trouver, être; **4** (*passen, betamen*) convenir; ***goed —,*** (*v. hoed, enz.*) aller bien; ***borg —,*** se porter caution; ***pal —,*** être ferme; ***wat staat daar?*** qu'est-ce qu'il y a là? ***hoe — de zaken?*** comment vont les affaires? ***aan de deur —,*** être à sa porte; ***hij stond te kijken,*** il regardait; ***laten —,*** **1** (*niet wegnemen*) laisser, ne pas enlever; **2** (*v. glas, enz.: niet ledigen*) ne pas vider; **3** (*v. baard*) laisser pousser; **4** (*vergeten*) oublier; ***laat —,*** moins encore; ***ik sta er buiten,*** je n'y suis pour rien; ***de appelbomen — in bloei,*** les pommiers fleurissent, — sont en fleur; ***op zijn stuk —,*** persister dans son opinion, ne pas démordre; ***op zijn recht —,*** revendiquer son droit; ***zij — er op,*** ils insistent là-dessus; ***zoals de zaken nu —,*** au point où en sont les choses, au point où les choses sont arrivées; ***dat staat nog te bezien,*** il faudra voir cela; ***gaan —,*** se lever, se mettre debout; ***op zijn achterste benen gaan —,*** se dresser sur ses ergots; ***tegen de muur gaan —,*** s'appuyer au mur; ***op een stoel gaan —,*** monter sur une chaise; ***hij staat voor niets,*** il ne recule devant rien, rien ne le ferait reculer; ***onder iem. —,*** être sous les ordres de qn., être subordonné à qn.; ***dat huis staat op invallen,*** cette maison menace ruine; ***in betrekking — met iem.,*** être en relations avec qn.; ***op het punt — om,*** être sur le point de; ***blijf daar —,*** restez là; ***er slecht voor —,*** être en mauvaise posture; ***de oogst staat goed,*** la récolte promet; ***onder water —,*** être inondé, être submergé; ***dat zal hem duur te — komen,*** cela lui coûtera cher; ***dat komt mij op 100 frank te staan,*** cela me revient à cent francs; ***dat staat niet op het programma,*** cela n'est pas marqué sur le programme; ***iem. —,*** tenir tête à qn., se mesurer avec qn.; ***het staat u vrij om,*** vous êtes libre de.
staand *b.n.* **1** debout; **2** (*gelegen: v. huis, enz.*) sis, situé; **3** (*v. boord*) droit; **4** (*v. lamp*) à (*of* sur) pied; **5** (*v. leger*) permanent; **6** (*v. rijm*) masculin; ***—e klok,*** horloge *f.* à gaine; ***—e houden,*** **1** (*v. persoon*) arrêter; **2** (*v. bewering, enz.: volhouden, verdedigen*) maintenir, soutenir; ***zich —e houden,*** se maintenir; ***op —e voet,*** sur le champ; ***—e de vergadering,*** séance tenante; ***— leger,*** armée permanente; ***—e uitdrukking,*** phrase faite; ***—e term,*** terme de convention; ***— water,*** eau stagnante.
staan'der *m.* (poteau) montant *m.*
staan'geld *o.* **1** (*op markt, kermis*) droit *m.* de stationnement, — de place; **2** (*waarborg*) dépôt, cautionnement *m.*; **3** (*v. fles, enz.*) arrhes *f.pl.*
staan'plaats *v.(m.)* **1** (*op markt*) emplacement *m.*; **2** (*tegenst. v. zitplaats*) place *f.* debout.
staar *v.(m.)* cataracte *f.*; ***zwarte —,*** amaurose, goutte *f.* sereine; ***van de — lichten,*** abattre la cataracte, abaisser —, faire l'opération de la cataracte.
staart *m.* **1** queue *f.*; **2** (*fig.: nasleep*) suite *f.*; **3** (*v. kanon*) bouton *m.* de culasse; **4** (*v. ploeg*) manche *m.*; **5** (*v. Chinees*) natte *f.*; ***met de — tussen de benen,*** la queue basse.
staart'aap *m.* singe *m.* à queue.
staart'lantaarn, -lantaren *v.(m.)* fanal *m.* de queue.
staart'letter *v.(m.)* lettre *f.* à queue (inférieure), (—) descendante *f.*
staart'licht *o.* feu *m.* arrière.
staart'loos *b.n.* sans queue; (*wet.*) anoure.
staart'mees *v.(m.)* mésange *f.* à longue queue.
staart'noot *v.(m.)* (*muz.*) note *f.* à queue.
staart'nummer *o.* numéro *m.* à queue.
staart'riem *m.* croupière *f.*
staart'schroef *v.(m.)* culasse *f.*
staart'ster *v.(m.)* comète *f.*
staart'stuk *o.* **1** (*v. rund*) culotte *f.*; **2** (*v. kanon*) culasse *f.*; **3** (*v. viool*) queue *f.*
staart've(d)er *v.(m.)* plume *f.* de la queue, — caudale.
staart'vin *v.(m.)*, (*v. vis*) nageoire *f.* caudale.
staart'vlak *o.* plan *m.* de stabilisation, empennage *m.*
staart'wervel *m.* vertèbre *f.* caudale.
staart'wortel *m.* tronçon, couard *m.*
staat *m.* **1** (*toestand, land, enz.*) état *m.*; **2** (*omstandigheid*) condition, position *f.*; **3** (*opgave, lijst*) état, relevé *m.*; **4** (*rang*) qualité *f.*, rang *m.*, dignité *f.*; **5** (*recht*) état *m.* civil; ***verduistering van —,*** faux état civil; ***— van beleg,*** état de siège; ***— van dienst,*** état *m.* de service; ***een grote — voeren,*** mener grand train; ***in — stellen om,*** mettre à même de, mettre en état de; ***— maken op,*** compter sur; ***niet in — om,*** incapable de, hors d'état de.
staathuis'houdkunde *v.* économie *f.* politique.
staathuis'houdkundig *b.n.* économique.
staathuis'houdkundige *m.* économiste *m.*
staat'kunde *v.* politique *f.*
staatkun'dig *b.n.* politique.
staatkun'dige *m.* (homme) politique *m.*
staat'loos *b.n.* apatride, sans nationalité.
staat'loze *m.* personne *f.* sans nationalité, — déplacée.
staats'aangelegenheid *v.* affaire *f.* politique, — de l'État.
staats'almanak *m.* annuaire *m.* politique, — officiel.
staats'ambt *o.* charge *f.* publique, fonction *f.* —.
staats'ambtenaar *m.* fonctionnaire *m.* public, — d'État.
staats'archief *o.* archives *f.pl.* nationales.
staats'bank *v.(m.)* banque *f.* nationale, — de l'État.
staats'bankroet *o.* banqueroute *f.* nationale.

staats'beambte, *zie* ***staatsambtenaar.***
staats'bedrijf *o.* entreprise *f.* de l' (*of* d'État), — publique; exploitation *f.* par l'État.
staats'begroting *v.* budget *m.* de l'État.
staats'beheer *o.* **1** (*bestuur*) administration *f.* publique, — de l'État; **2** (*monopolie*) régie *f.*
staats'belang *o.* intérêt *m.* de l'État, — politique.
staats'bemoeiing *v.* intervention *f.* de l'État, ingérence *f.* —.
staats'bestuur, staats'bewind *o.* gouvernement *m.* (de l'État).
staats'betrekking *v.* fonction *f.* publique.
staats'blad *o.* bulletin *m.* des lois; (*in F. ook:*) Journal *m.* Officiel; (*B.*) Moniteur *m.*
staatsbos'beheer *o.* administration *f.* des eaux et forêts.
staats'burger *m.* citoyen *m.*
staats'burgeres *v.* citoyenne *f.*
staats'burgerlijk *b.n.* politique.
staats'burgerschap *o.* qualité *f.* de citoyen.
staats'courant *v.(m.)* Journal *m.* Officiel.
staats'dienaar *m.* fonctionnaire *m.* public.
staats'dienst *m.* service *m.* de l'État.
staats'domein *o.* domaine *m.* national.
staats'drukkerij *v.* imprimerie *f.* nationale.
staats'eigendom *o.* propriété *f.* nationale.
staats'examen, -eksamen *o.* **1** (*alg.*) examen *m.* d'État; **2** (*voor Universiteit*) baccalauréat *m.*
staats'fondsen *mv.* fonds *m.pl.* publics.
staats'geheim *o.* secret *m.* d'État.
staats'gelden *mv.* deniers *m.pl.* publics.
staatsgevaar'lijk *b.n.* dangereux pour l'État.
staats'gevangenis *v.* prison *f.* d'État.
staats'godsdienst *m.* religion *f.* d'État; — officielle.
staats'greep *m.* coup *m.* d'État.
staats'hervorming *v.* réforme *f.* politique.
staats'hoofd *o.* chef *m.* d'État.
staats'hulp *v.(m.)* subvention *f.*; secours *m.* public.
staat'sie *v.* pompe *f.*, apparat *m.*
staat'siebed *o.* lit *m.* de parade.
staat'siebezoek *o.* visite *f.* de cérémonie.
staat'siedegen *m.* épée *f.* de parade.
staat'siedracht *v.(m.)* costume *m.* (*of* robe *f.*) de gala.
staat'siekleed *o.* habit *m.* de cérémonie, — de gala, — d'apparat.
staat'siekoets *v.(m.)* carrosse *m.* (de gala).
staat'siemantel *m.* manteau *m.* de cérémonie.
staat'sietrap *m.* (*sch.*) échelle *f.* de coupée; escalier *m.* d'honneur.
staats'inkomsten *mv.* revenus *m.pl.* publics, — de l'État.
staats'inmenging *v.* intervention *f.* de l'État.
staats'inriching *v.* organisation *f.* politique; institutions *f.pl.* politiques.
staats'instelling *v.* **1** institution *f.* politique; **2** établissement *m.* de l'État.
staats'kas *v.(m.)* Trésor *m.* (public).
staats'kerk *v.(m.)* religion *f.* d'État.
staats'kosten *mv.*, ***op* —,** aux frais de l'État.
staats'lasten *mv.* charges *f.pl.* publiques.
staats'lening *v.* emprunt *m.* national, — public, — d'État.
staats'loterij *v.* loterie *f.* nationale, — de l'État.
staats'macht *v.(m.)* pouvoir *m.* politique.
staats'man *m.* homme *m.* politique.
staats'manskunst *v.* diplomatie; politique *f.*
staats'minister *m.* ministre *m.* d'État.
staats'misdaad *v.(m.)* crime *m.* politique.
staats'misdadiger *m.* condamné *m.* politique.
staats'monopolie *o.* monopole *m.* de l'État, régie *f.*
staats'munt *v.(m.)* monnaie *f.* nationale.
staats'papier *o.* fonds *m.* public, titre *m.* de rente.
staats'partij *v.* parti *m.* politique.
staats'pensioen *o.* pension *f.* d'État.
staats'raad *m.* **1** (*instelling*) conseil *m.* d'État; **2** (*persoon*) conseiller *m.* d'État.
staats'recht *o.* **1** droit *m.* public; **2** (*internationaal*) droit *m.* international.
staatsrech'telijk I *b.n.* de droit public; **II** *bw.* selon le droit public.
staats'regeling *v.* **1** (*grondwet*) constitution *f.*; **2** (*regeringsvorm*) forme *f.* de (*of* du) gouvernement.
staats'ruif *v.(m.)* assiette *f.* au beurre; ***aan de — eten,*** émarger au budget.
staats'schuld *v.(m)* dette *f.* publique.
staats'secretariaat, -sekretariaat *o.* secrétairerie *f.* d'État.
staats'secretaris, -sekretaris *m.* secrétaire *m.* d'État.
staats'socialisme *o.* socialisme *m.* d'Etat.
staats'spoorweg *m.* chemin *m.* de fer de l'État.
staats'stuk *o.* document *m.* d'État.
staats'toezicht *o.* contrôle *m.* de l'État.
staats'uitgaven *mv.* dépenses *f.pl.* publiques.
staats'verraad *o.* haute *f.* trahison.
staats'vijand *m.* ennemi *m.* public.
staats'vorm *m.* forme *f.* de (*of* du) gouvernement.
staats'wege, ***van* —,** de la part de l'État; au nom du gouvernement.
staats'wet *v.(m.)* loi *f.* organique.
staats'wetenschap(pen) *v.(mv.)* sciences *f.pl.* politiques et administratives.
staats'zaak *v.(m.)* affaire *f.* d'État.
staats'zorg *v.(m.)* assistance *f.* sociale de l'État.
stabiel' *b.n.* stable.
stabilisa'tie, stabiliza'tie *v.* stabilisation *f.*
stabilisa'tievlak, -iza'tievlak *o.* empennage *m.*
stabilise'ren, stabilize'ren *ov.w.* stabiliser.
stabiliteit' *v.* stabilité *f.*
stabiliza'tie, -izeren, *zie* ***stabilis-.***
stad *v.(m.)* **1** ville *f.*; **2** (*dicht.*; *fig.*) cité *f.*; ***ze zijn uit de* —,** ils sont en voyage; ***in de — wonen,*** demeurer à la ville; ***in de — eten,*** dîner en ville; ***een open* —,** une ville ouverte.
stad'bewoner, stads'bewoner *m.* citadin *m.*
sta'de, *te — komen,* venir à propos, venir à point.
stad'genoot, stads'genoot *m.* concitoyen *m.*
stad'houder *m.* **1** lieutenant, gouverneur *m.*; **2** (*in Holland*) stathouder *m.*
stad'houderschap *o.* **1** lieutenance *f.*; **2** stathoudérat *m.*
stadhuis' *o.* hôtel *m.* de ville; (*F.*) mairie *f.*
stadhuis'stijl *m.* style *m.* officiel, — de chancellerie. [palais.
stadhuis'woord *o.* mot *m.* pompeux, terme *m.* de
sta'dion *o.* stade *m.*
sta'dium *o.* **1** phase *f.*; **2** (*gen.*) période *f.*; ***in een — van wording,*** en état de genèse; ***in een — van voorbereiding,*** en état de préparation, à l'étude.
stads *b.n.* urbain, de la ville.
stads'bestuur *o.* autorités *f.pl.* municipales; (*B.*) — communales.
stad(s)'bewoner *m.* citadin *m.*
stads'gebied *v.* banlieu *f.*
stad(s)'genoot *m.* concitoyen *m.* [toresque.
stads'gezicht *o.* vue *f.* (d'une ville); coin *m.* pit-
stads'gracht *v.(m.)* **1** (*in stad*) canal *m.*; **2** (*vestinggracht*) fosse *f.*

stads'jeugd *v.(m.)* jeunesse *f.* de la ville, — citadine.
stads'leven *o.* vie *f.* urbaine, — de la ville.
stads'lichten *mv.* **1** (*v. auto*) veilleuses *f.pl.*, phares-code *m.pl.*; **2** feux *m.pl.* de croisement; ***met — rijden,*** rouler en code.
stads'lucht *v.(m.)* l'air *m.* (*of* l'atmosphère *f.*) pollué(e) de la ville.
stads'mensen *mv.* gens *m.pl.* de la ville.
stads'nieuws *o.* nouvelles *f.pl.* de la ville.
stads'omroeper *m.* crieur *m.* public.
stads'park *o.* parc *m.* public.
stads'poort *v.(m.)* porte *f.* de la ville.
stads'reiniging *v.* voirie *f.*
stads'reiziger *m.* placier *m.*
stads'school *v.(m.)* école *f.* communale.
stads'tarief *o.* tarif *m.* urbain.
stads'telegram *o.* **1** dépêche *f.* locale; **2** (*te Parijs*) petit bleu *m.*
stads'vervoer *o.* les transports urbains; le trafic urbain.
stads'verwarming *v.* chauffage *m.* urbain.
stads'vuil *o.* ordures *f.pl.* de la ville.
stads'waag *v.(m.)* poids *m.* public.
stads'wapen *o.* armoiries *f.pl.* de la ville.
stads'wijk *v.(m.)* quartier *m.*
stad'waarts *bw.* vers la ville.
staf *m.* **1** (*stok*) bâton *m.*; **2** (*staaf*) barre *f.*, barreau *m.*; **3** (*v. herder*) houlette *f.*; **4** (*mil., H. en industrie*) état*-major* *m.*; ***de — breken over,*** condamner.
staf'drager *m.* **1** massier *m.*; **2** (*v. bisschop*) porte-crosse *m.*; **3** (*bij rechtbank*) porte-verge *m.*
staf'felmet(h)ode *v.* méthode *f.* hambourgeoise.
staf'kaart *v.(m.)* carte *f.* d'état-major.
staf'muziek *v.* (*mil.*) musique *f.* militaire.
staf'muzikant *m.* musicien *m.* militaire.
staf'officier *m.* officier *m.* d'état-major.
staf'personeel *o.* cadre *m.*
staf'rijm *o.* allitération *f.*
stag *o.*, (*sch.*) étai *m.*; ***over — gaan,*** virer de bord.
stag'blok *o.* (*sch.*) poulie *f.* d'étai.
stag'fok *v.* (*sch.*) trinquette *f.*
stagna'tie *v.* stagnation *f.*
stagne'ren *on.w.* stagner.
stag'zeil *o.* (*sch.*) voile *f.* d'étai.
sta'-in-de-weg *m.* **1** obstacle *m.*; **2** (*fig.*) entrave [*f.*
sta'ken I *ov.w.* **1** (*v. werk*) cesser; **2** (*v. betalingen*) suspendre; **II** *on.w.* faire grève; se mettre en grève; ***de stemmen —,*** les voix sont partagées.
sta'ker *m.* gréviste *m.*
staket'(sel) *o.* palissade, estacade *f.*
sta'king *v.* **1** cessation *f.*; **2** suspension *f.*; **3** (*werk—*) grève *f.*; **4** (*v. stemmen*) partage *m.*; ***bij — van stemmen,*** à la parité des voix, à égalité de voix; ***wilde —,*** grève non organisée; ***— der uitgifte,*** arrêt de l'émission; ***— van betaling,*** suspension de payement.
sta'kingbreker *m.* briseur *m.* de grève.
sta'kingsparool *o.* ordre *m.* de grève.
sta'kingspost *m.* piquet *m.* de grève.
sta'kingsrecht *o.* droit *m.* de grève.
stak'ker(d) *m.* pauvre diable *m.*
stal *m.* **1** (*koe—*) étable *f.*; **2** (*paarden—*) écurie *f.*; **3** (*schaap—*) bergerie *f.*; **4** (*varkens—*) toit *m.* à cochons; ***de — ruiken,*** sentir l'écurie, — l'étable; ***op — zetten,*** **1** mettre à l'écurie, — à l'étable; **2** (*fig.*) mettre à la retraite, mettre au rancart; (*mil.: v. officier*) fendre l'oreille.
stal'bezem *m.* balai *m.* d'écurie.
stal'boom *m.* barre *f.*
sta'len I *b.n.* **1** d'acier; **2** (*v. pen*) métallique; **3** (*v. wil, gestel*) de fer; **4** (*v. geheugen*) fidèle, sûr; ***een — gezicht,*** une figure impassible; ***— plaat,*** tôle *f.* d'acier; **II** *ov.w.* **1** (*tot staal maken*) aciérer; **2** (*harden*) tremper; **3** (*fig.*) durcir, endurcir, retremper.
sta'lenboek, *zie* ***staalboek.***
stal'geld *o.* établage *m.*
stal'houder *m.* loueur *m.* de voitures.
stalhouderij' *v.* louage *m.* de voitures.
sta'ling *v.* **1** aciérage *m.*; **2** trempe *f.*; durcissement *m.*
stal'jongen *m.* garçon *m.* d'écurie.
stal'knecht *m.* valet *m.* d'écurie, palefrenier *m.*
stal'lantaarn, -lantaren *v.(m.)* phare *m.*
stal'len *ov.w.* **1** (*v. dieren*) mettre à l'étable; mettre à l'écurie; **2** (*v. fiets, auto*) remiser, garer.
stal'les *mv.* fauteuils *m.pl.* d'orchestre.
stal'letje *o.* **1** boutique *f.* en plein air, étalage *m.* —; **2** (*kath.: kerst—*) crèche *f.*
stal'ling *v.* **1** (*stal*) écurie; étable *f.*; **2** (*voor fietsen, auto's*) remise *f.*, garage *m.*; **3** (*het stallen*) mise *f.* à l'écurie, — à l'étable; remisage, garage *m.*
stal'meester *m.* écuyer *m.*
stal'mest *m.* fumier *m.* d'étable, engrais *m.* d'écu[rie.
stal'wacht *v.(m.)* garde *f.* d'écurie.
stam *m.* **1** (*v. boom*) tronc *m.*; **2** (*volks—*) tribu *f.*; **3** (*taalk.*) racine *f.*; (*v. werkw.*) radical *m.*; **4** (*v. familie*) souche, lignée *f.*; ***de laatste van zijn —,*** le dernier de sa race.
stam'bewustzijn *o.* conscience *f.* de la race.
stam'boek *o.* **1** (*alg.*) livre *m.* généalogique; **2** (*mil.*) registre *m.* matricule; **3** (*v. paarden*) livre *m.* des origines, stud-book *m.*
stam'boeknummer *o.* numéro *m.* matricule.
stam'boekvee *o.* (animaux) reproducteurs *m.pl.*
stam'boom *m.* arbre *m.* généalogique.
stam'café *o.* café (*of* bistrot) *m.* habituel, — coutumier.
sta'melaar *m.* bègue *m.*; bredouilleur *m.*
sta'melen *ov.w. en on.w.* bégayer, balbutier.
sta'meling *v.* bégayement, balbutiement *m.*
stam'gast *m.* habitué, pilier *m.*
stam'genoot *m.* congénère *m.*
stam'hoofd *o.* chef *m.* de (la) tribu.
stam'houder *m.* héritier *m.* du nom, descendant *m.* mâle, premier né mâle.
stam'hout *o.* futaie *f.*, bois *m.* de brin.
stam'huis *o.* **1** (*alg.*) famille, maison *f.*; **2** (*v. vorst*) maison, dynastie *f.*
stam'kapitaal *o.* capital *m.* de premier établis[sement.
stam'klinker *m.* voyelle *f.* thématique.
stam'land *o.* pays *m.* des ancêtres.
stam'men *on.w.*, ***— van,*** **1** descendre de; **2** (*fig.*) provenir de.
stam'ouders *mv.* aïeux, ancêtres *m.pl.*
stamp'beton *o.* béton *m.* aggloméré.
stam'pen I *ov.w.* **1** (*vast—*) battre, fouler; **2** (*in—*) enfoncer, presser; **3** (*fijn—*) piler, broyer, concasser; **4** (*v. erts*) bocarder; **II** *on.w.* **1** (*met voet*) frapper du pied, trépigner; **2** (*v. schip*) tanguer; **III** *z.n.*, *o.* **1** (*met voet*) trépignement *m.*; **2** (*v. schip*) tangage *m.*
stam'per *m.* **1** (*persoon*) pileur, broyeur *m.*; **2** (*werktuig*) pilon *m.*; **3** (*voor straatstenen*) dame, hie *f.*; **4** (*v. kanon*) fouloir *m.*; **5** (*voor keuken*) champignon *m.*; **6** (*Pl.*) pistil *m.*
stam'perbloem *v.(m.)* (*Pl.*) fleur *f.* femelle.
stamp'machine *v.* concasseur *m.*
stamp'molen *m.* moulin *m.* à pilons.
stamp'pot *m.* aliments *m.pl.* en ragoût, purée *f.*, hochepot *m.*, ratatouille *f.*
stamp'voeten *on.w.* trépigner, frapper du pied, piétiner le sol.

stamp'vol *b.n.* (archi)bondé, (archi)comble.
stam'register, *zie* ***stamboek.***
stam'roos *v.(m.)* rosier *m.* haute tige, — buissonnant.
stam'slot *o.* château *m.* ancestral.
stam'tafel *v.(m.)* **1** tableau *m.* généalogique; **2** (*in koffiehuis*) table *f.* des habitués.
stam'tijd *m.* (*gram.*) temps *m.* primitif.
stam'vader *m.* ancêtre, aïeul *m.*
stam'vee *o.* reproducteurs *m.pl.*
stam'verwant **I** *b.n.* congénère; — ***woord,*** paronyme *m.*; **II** *z.n., m.* congénère *m.*
stam'verwantschap *v.* communauté *f.* de race, — d'origine.
stam'vorm *m.* base *f.*
stam'wapen *o.* armoiries *f.pl.* de famille.
stam'woord *o.* radical *m.*
stand *m.* **1** (*houding*) attitude, posture *f.*; **2** (*plaatsing*) situation, position *f.*; **3** (*gesteldheid*) état *m.*, condition, situation *f.*; **4** (*v. thermometer*) hauteur *f.*; **5** (*v. barometer*) situation *f.*; **6** (*v. water*) hauteur *f.*, niveau *m.*; **7** (*rang*) rang *m.*, condition, qualité *f.*; **8** (*v. wetenschap, markt, enz.*) état *m.*; **9** (*v. rente*) taux *m.*; **10** (*op tentoonstelling*) stand *m.*; — ***houden,*** tenir bon; ***in — houden,*** maintenir, conserver; ***tot — komen,*** se faire, se réaliser; ***tot — brengen,*** accomplir, réaliser, effectuer; ***de hogere —en,*** la haute société; ***de lagere —en,*** les classes inférieures; ***boven zijn — leven,*** vivre au-dessus de ses moyens, mener un train de vie au-dessus de son rang; ***burgerlijke —,*** état civil; ***de —en van de maan,*** les phases de la lune.
stan'daard *m.* **1** (*vaandel*) étendard *m.*; bannière *f.*; **2** (*v. munt*) étalon *m.*; **3** (*maatstaf*) étalon *m.*, matrice *f.*; **4** (*voor kleren*) portemanteau *m.*; **5** (*paraplu—*) porte-parapluies *m.*; ***gouden —,*** étalon-or *m.*; ***enkele —,*** monométallisme *m.*; ***dubbele —,*** bimétallisme *m.*; ***hinkende —,*** étalon *m.* boiteux.
stan'daardartikel *o.* article en série, produit *m.* standard.
stan'daarddrager *m.* porte-étendard *m.*; porte-bannière *m.*
stan'daardgewicht *o.* étalon *m.*
stan'daardgoud *o.* or *m.* au titre.
standaardisa'tie, -iza'tie *v.* standardisation *f.*
standaardise'ren, -ize'ren *ov.w.* standardiser.
stan'daardloon *o.* salaire *m.* normal.
stan'daardmaat *v.(m.)* étalon *m.*
stan'daardmelk *v.(m.)* lait *m.* standardisé, — standard.
stan'daardmodel *o.* modèle *m.* courant.
stan'daardmunt *v.(m.)* étalon *m.*, monnaie *f.* étalon.
stan'daardtype *o.* type *m.* normal, — courant.
stan'daardwerk *o.* ouvrage *m.* de fond, — fondamental; œuvre *f.* capitale.
stand'beeld *o.* statue *f.*
stand'beeldje *o.* statuette *f.*
stand'besef *o.* conscience *f.* de son rang; (*ong.*) esprit *m.* de caste.
stand'bewustzijn *o.* conscience *f.* de son rang.
stan'der *m.* **1** *zie* ***standaard*** (**4,5**); **2** (*v. molen, enz.*) arbre *m.*
stand'houden *on.w.* **1** (*zich handhaven*) tenir ferme, tenir tête; résister; **2** (*blijven bestaan*) durer, subsister.
stand'je *o.* **1** (*ruzie*) querelle *f.*; bagarre *f.*; **2** (*berisping*) réprimande, algarade *f.*, savon *m.*; ***iem. een — maken,*** faire une scène à qn., donner un savon à qn.; ***opgewonden —,*** personne *f.* colérique.
stan'ding *v.(m.)* situation *f.* sociale; classe *f.*, standing *m.*; ***iem. van —,*** une personne distinguée; ***woning van —,*** appartement *m.* de haut standing.
stand'plaats *v.(m.)* **1** (*v. ambtenaar*) résidence *f.*; poste *m.*; **2** (*v. taxi's, rijtuigen*) station *f.*; **3** (*v. machinist*) plate*-forme* *f.*
stand'punt *o.* point *m.* de vue; ***van uit dit —,*** vu sous cet angle, à ce point de vue; ***een — innemen,*** prendre position; ***de zaken van een hoger — beschouwen,*** prendre les choses de haut.
stand'recht *o.* justice *f.* sommaire; loi *f.* martiale; cour *f.* martiale.
stands'begrip *o.* esprit *m.* de caste.
stands'verschil *o.* différence *f.* de classe (sociale).
standvas'tig **I** *b.n.* **1** (*volhardend*) constant, ferme; **2** (*duurzaam*) durable, solide; **II** *bw.* constamment, fermement.
standvas'tigheid *v.* **1** constance, fermeté *f.*; **2** solidité, durabilité *f.*
stand'vogel *m.* oiseau *m.* sédentaire.
stand'werker *m.* camelot *m.*
stang *v.(m.)* **1** (*staaf*) barre *f.*, barreau *m.*; **2** (*v. machine*) arbre *m.*; **3** (*v. fiets*) guidon *m.*; **4** (*vl.*) fuseau *m.*; **5** (*v. paard*) mors *m.*; **6** (*v. draadl. tel.*) antenne *f.*; ***iem. op — jagen,*** faire rager qn.
stang'passer *m.* compas *m.* à verge.
staniol', *zie* ***stanniool.***
stank *m.* mauvaise odeur, puanteur *f.*; — ***voor dank krijgen,*** être payé d'ingratitude.
stank'verdrijver *m.* désodorisateur *m.*
stank'werend *b.n.* désinfectant.
stanniool', staniol' *o.* papier *m.* d'étain.
stans'machine *v.* machine *f.* d'estampage.
stan'za *v.(m.)* stance; strophe *f.*
stap *m.* **1** pas *m.*; **2** (*fig.*) démarche *f.*; — ***voor —,*** **1** pas à pas; **2** (*fig.*) progressivement, graduellement; ***met grote —pen,*** à grands pas; ***een overijlde —,*** un coup de tête, une démarche inconsidérée; ***—pen doen bij,*** faire des démarches auprès de; ***wacht u voor de eerste —,*** il n'y a que le premier pas qui coûte; — ***naar voren,*** pas *m.* en avant; — ***achteruit,*** pas *m.* en arrière.
sta'pel *m.* **1** (*hoop*) pile *f.*, tas *m.*; **2** (*muz.: v. viool*) âme *f.*; **3** (*sch.: stelling*) chantier *m.*; ***op — zetten,*** **1** mettre en chantier; — sur le chantier; **2** (*fig.*) entreprendre; ***van — laten lopen,*** lancer; ***de zaak liep goed van —,*** l'affaire marchait bien; ***op —s plaatsen,*** empiler.
sta'pelartikel *o.* article *m.* de grande consommation.
sta'pelblok *o.* (*sch.*) tin *m.* (de cale).
sta'pelen *ov.w.* empiler, entasser.
sta'pelgek *b.n.* fou à lier, archifou.
sta'pelgoederen *mv.* marchandises *f.pl.* sujettes au droit d'entrepôt.
sta'pelhuis *o.* entrepôt *m.*
sta'pelmarkt *v.(m.)* centre *m.* de commerce.
sta'pelmeubel *o.* meuble *m.* par éléments.
sta'pelplaats *v.* (*m.*) entrepôt *m.*
sta'pelprodukt, -product *o.* article *m.* de grande consommation.
sta'pelrecht *o.* droit *m.* d'entrepôt, taxe *f.* —.
sta'pelvezel *v.(m.)* fibre *f.* de synthèse.
sta'pelwolk *v.(m.)* cumulus *m.*
stapelzot', *zie* ***stapelgek.***
stap'pen *on.w.* marcher, aller au pas; ***over iets heen —,*** **1** enjamber qc.; **2** (*fig.*) passer sur qc.; ***aan wal —,*** débarquer.
stap'per *m.* bon marcheur *m.*
stap'voets *bw.* au pas.
star **I** *v.(m.)* étoile *f.*; **II** *b.n.* fixe, raide; rigide; **III** fixement.
sta'ren, star'ogen *on.w.* regarder d'un œil fixe (*of* vague).
sta'rend *b.n.* les yeux fixes, les yeux dans le vague; ***—e blik,*** regard perdu.
start *m.* **1** (*sp.*) départ *m.*; **2** (*tn.*) démarrage *m.*; **3** (*vl.*) envol, décollage *m.*

start'baan *v.(m.)* piste *f.* de décollage, — d'envol.
start'blok *o.* (*vl.*) cale *f.*
start'dek *o.* pont *m.* d'envoi.
star'ten I *on.w.* **1** partir; prendre le départ; **2** démarrer; **3** (*vl.*) décoller; **II** *ov.w.* mettre en marche.
star'ter *m.* **1** juge *m.* au départ; **2** manivelle *f.*, démarreur *m.*, levier *m.* de mise en marche.
start'knop *m.* bouton *m.* démarreur.
start'pedaal *o. en m.* (*v. auto*) pédale *f.* de mise en marche.
start'schot *o.* signal *m.* du départ.
start'snelheid *v.* vitesse *f.* de décollage.
sta'tenbijbel *m.* édition *f.* officielle de la bible, version *f.* de la bible des États généraux.
sta'tenbond *m.* fédération *f.* d'États, confédération *f.*
Sta'ten-Generaal' *mv.* États généraux *m.pl.*
sta'tica, sta'tika *v.* statique *f.*
sta'tie *v.* **1** (*kath.: v. kruisweg*) station *f.*; **2** (*Z.N.*) gare *f.*; station *f.*; **3** *zie* ***staatsie.***
statief' *o.* **1** support *m.*; trépied *m.*; **2** (*v. microscoop*) monture *f.*
statief'camera *v.(m.)* appareil *m.* sur pied.
sta'tiegeld *o.* (frais *m.pl.* de) consigne *f.*
sta'tig I *b.n.* digne, majestueux, solennel, pompeux; **II** *bw.* dignement, majestueusement, solennellement, pompeusement.
sta'tigheid *v.* **1** dignité, majesté, solennité, pompe *f.*; **2** (*v. gebaar*) ampleur *f.*
sta'tika, *zie* ***statica.***
station' *o.* **1** gare *f.*; **2** (*halte*) station *f.* [à vide.
stationair' *b.n.* stationnaire; ***— lopen,*** marcher
sta'tion-car *m. en v.* familiale *f.*
stationeer'verbod *o.* défense *f.* de stationner.
statione'ren *on.w.* stationner.
stations'chef *m.* chef *m.* de gare.
stations'gebouw *o.* gare *f.*
stations'overkapping *v.* marquise , verrière *f.*
stations'plein *o.* place *f.* de la gare.
stations'restauratie *v.* buffet *m.*, buvette *f.*
stations'weg *m.* chemin *m.* de la gare.
stations'werk *o.* œuvre *f.* des gares.
sta'tisch *b.n.* statique.
statis'ticus *m.* statisticien *m.*
statistiek' *v.* statistique *f.* [tistique.
statis'tisch I *b.n.* statistique; **II** *bw.* par la sta-
sta'tus *m.* position *f.*, état *m.*
status-quo' *m. en o.* statu quo *m.*
statuut' *o.* statut, règlement, régime *m.*; ***de statuten,*** les statuts *m.pl.*
stavast', ***van —,*** résolu, ferme, fort.
sta'ven *ov.w.* appuyer, confirmer, corroborer.
sta'ving *v.* confirmation, preuve *f.*; ***tot — van,*** à l'appui de.
stay'er *m.* coureur *m.* de fond.
steari'ne *v.(m.)* stéarine *f.*
steari'nefabriek *v.* stéarinerie *f.*
steari'nekaars *v.(m.)* bougie *f.*
ste'de *v.(m.)* **1** endroit, lieu *m.*; **2** ville *f.*; ***in — van,*** au lieu de; ***te dezer —,*** en (cette) ville. [*m.*
ste'debouw *m.* architecture *f.* urbaine; urbanisme
ste'debouwkunde *v.* urbanisme *m.*
ste'dehouder *m.* **1** lieutenant *m.*; **2** (*v. Jezus-Christus*) vicaire *m.* [*m.*
ste'dehouderschap *o.* **1** lieutenance *f.*; **2** vicariat
ste'delijk *b.n.* municipal, urbain, de la ville; (*gemeentelijk*) communal.
ste'deling *m.* citadin *m.*
ste'dendwinger *m.* preneur *m.* de villes.
ste'deschoon *o.* esthétique *f.* urbaine.
steeds I *bw.* toujours, sans cesse, continuellement; ***— meer,*** de plus en plus; ***— mooier,*** de plus en plus beau; ***nog —,*** toujours *of:* encore; **II** *b.n.* urbain, de la ville.
steeg I *v.(m.)* ruelle *f.*; ***blinde —,*** impasse *f.*, cul*-de-sac *m.*; **II** *b.n.* rétif, opiniâtre.
steek *m.* **1** (*met mes, enz.*) coup *m.*; **2** (*v. insekt*) piqûre *f.*; **3** (*brei—*) maille *f.*; **4** (*naai—*) point *m.*; **5** (*hoed*) chapeau *m.* à cornes; bicorne *m.*; **6** (*v. schoen*) point *m.*; **7** (*gen.*) point *m.* douloureux; (*scheut*) élancement *m.*; **8** (*kaartsp.*) levée *f.*; **9** (*fig.*) pointe *f.*, allusion *f.* piquante, trait *m.* —; ***rechte —,*** maille *f.* à l'endroit; ***averechtse —,*** maille *f.* à l'envers; point*-arrière *m.*; ***losse —,*** maille *f.* en l'air; ***een — laten vallen,*** laisser tomber une maille; ***een — oprapen,*** reprendre une maille; ***een — onder water,*** un trait piquant, une malice fourrée; ***geen — uitvoeren,*** ne pas ficher un coup, ne pas ficher une datte; ***in de — laten,*** laisser en plan; ***ik begrijp er geen — van,*** je n'y comprends goutte; ***dat houdt geen —,*** cela ne tient pas debout, cela n'a pas le sens commun, ce raisonnement est faux; ***ik geef er geen — om,*** je m'en soucie comme de l'an quarante; ***er is geen — van waar,*** il n'y a pas un mot de vrai là-dedans.
steek'balk *m.* chevêtre *m.*
steek'beitel *m.* ébauchoir *m.*, ciseau *m.* fort.
steek'blad *o.* pas-d'âne *m.*
steek'boor *v.(m.)* amorçoir *m.*
steek'brem *m.* ajonc *m.*, fragon *m.* piquant.
steek'contact, -kontakt *o.* prise *f.* de courant.
steek'distel *m. en v.* (*Pl.*) laiteron *m.*
steek'hevel *m.* tâte-vin, siphon *m.*
steekhou'dend *b.n.* solide, valable, irréfutable, concluant.
steek'je *o.*, ***daar is een — aan los,*** il y a là qc. qui cloche, c'est suspect.
steek'kaartje *o.* fiche *f.*
steek'kontakt, *zie* ***steekcontact.***
steek'mug *v.(m.)* cousin, moustique *m.*
steek'pan *v.(m.)* bassin *m.* de lit.
steek'passer *m.* compas *m.* droit.
steek'penning *m.* **1** (*tot omkoping*) pot*-de-vin *m.*; **2** (*godspenning*) denier *m.* à Dieu.
steek'pil *v.(m.)* suppositoire *m.*
steek'priem *m.* poinçon *m.*
steek'proef *v.(m.)* sondage *m.* [romaine.
steek'salade, steek'sla *v.(m.)* (*Pl.*) laitue *f.*
steek'sleutel *m.* clef *f.* à canon.
steek'spel *o.* tournoi *m.*
steek'vlam *v.(m.)* (flamme *f.* de) chalumeau *m.*
steek'vlieg *v.(m.)* mouche *f.* piquante, taon *m.*
steek'wagen *m.* haquet *m.*
steek'wapen *o.* arme *f.* blanche, — à pointe.
steek'wond(e) *v.(m.)* **1** piqûre *f.*; **2** blessure *f.* de pointe, — pénétrante.
steel *m.* **1** (*v. mes, bezem, enz.*) manche *m.*; **2** (*v. pan*) queue *f.*; **3** (*v. pijp*) tuyau, tube *m.*; **4** (*Pl.: stengel*) tige *f.*; **5** (*v. bloem*) pédoncule *m.*; **6** (*v. vrucht*) queue *f.*; **7** (*v. kwast*) hampe *f.*; ***hij weet hoe de vork in de — zit,*** il sait le fin mot de l'affaire.
steel'pan *v.(m.)* casserole *f.* à manche.
steels *b.n.* furtif. [dérobée, en cachette.
steels'gewijs, -gewijze *bw.* furtivement, à la
steel'ziek *b.n.* kleptomane.
steel'zucht *v.(m.)* kleptomanie *f.*
steen *m.* **1** (*alg.*) pierre *f.*; **2** (*straat—*) pavé *m.*; **3** (*vloer—*) carreau *m.*, dalle *f.*; **4** (*edel—*) pierre *f.* (précieuse), pierre fine; **5** (*hagel—*) grêlon *m.*; **6** (*Pl.: v. vrucht*) noyau *m.*; **7** (*dobbel—*) dé *m.*; **8** (*graveel*) gravelle *f.*; **9** (*drukk.; corrigeersteen*) marbre *m.*; ***de eerste — leggen,*** poser la première

pierre; ***een — des aanstoots,*** une pierre d'achoppement; ***van de — snijden,*** opérer de la pierre; ***— en been klagen,*** se plaindre amèrement, se lamenter; ***de — der wijzen,*** la pierre philosophale; ***het vriest een — dik,*** il gèle à pierre fendre; ***dat is een — van mijn hart,*** je me sens soulagé d'un lourd fardeau, me voilà soulagé d'un grand poids.

steen'aarde *v.(m.)* terre *f.* à potier.
steen'achtig *b.n.* **1** pierreux; **2** *(gen.)* graveleux.
steen'arend *m.* aigle *m.* royal, — doré.
steen'bakker *m.* briquetier *m.*
steenbakkerij' *v.* briqueterie *f.*
steen'bakkersoven *m.* four *m.* à briques, — de briqueterie.
steen'beitel *m.* ciseau *m.* plat.
steen'beuk *m.* charme *m.* commun.
steen'bikker *m,* piqueur *m.* de pierres.
steen'blok *o.* bloc *m.* de pierre.
steen'bok *m.* **1** bouquetin *m.*, bouc *m.* sauvage; **2** *(sterr.)* capricorne *m.*
steen'bokskeerkring *m.* tropique *m.* du Capricorne.
steen'boor *v.(m.)* trépan *m.*
steen'breek *v.(m.)* saxifrage *f.*, casse-pierre(s) *m.*
steen'dood *b.n.* raide mort.
steen'doorn, -doren *m.* *(Pl.)* aubépine *f.*
steen'druk *m.* lithographie *f.*
steen'drukken *on.w.* lithographier.
steen'drukker *m.* lithographe *m.*
steen'drukkerij' *v.* lithographie *f.*
steen'drukpers *v.(m.)* presse *f.* lithographique.
steen'duif *v.(m.)* pigeon *m.* de roche, — sauvage.
steen'eik *m.* chêne *m.* vert, yeuse *f.*
steen'es *m.* frêne *m.* commun.
steen'geit *v.(m.)* femelle *f.* du bouquetin.
steen'glas *o.* mica *m.*
steen'goed *o.* faïence *f.*; *(grof)* grès *m.*, gresserie *f.*
steen'groef, -groeve *v.(m.)* carrière *f.*
steen'gruis *o.* **1** gravier *m.*, pierraille *f.*; **2** *(vulling)* blocage *m.*
steen'hard *b.n.* dur comme la pierre.
steen'hoop *m.* tas *m.* de pierres.
steen'houwer *m.* tailleur *m.* de pierres.
steenhouwerij' *v.* atelier *m.* du tailleur de pierres.
steen'houwershamer *m.* marteau *m.* à pointes, laie *f.*
steen'karper *m.* (carpe) carassin *m.*
Steen'kerke *o.* Steenkerque *f.*
steen'kers *v.(m.)* cresson *m.*
steen'klopper *m.* casseur *m.* de pierres.
steen'kolen(-), *zie* ***steenkool.***
steen'kool *v.(m.)* houille *f.*; charbon *m.* (de terre); ***witte —,*** houille blanche.
steen'koolbedding, steen'kolenbedding *v.(m.)* gisement *m.* de charbon, bassin *m.* houiller.
steen'koolbriketten *mv.* briquettes *f.pl.* de houille.
steen'koolgruis, steen'kolengruis *o.* menue houille *f.*
steen'koollaag, steen'kolenlaag *v.(m.)* couche *f.* de houille.
steen'koolmijn, steen'kolenmijn *v.(m.)* houillère *f.*, charbonnage *m.*
steen'koolnood, steen'kolennood *m.* crise *f.* du charbon.
steen'koud *b.n.* froid comme le marbre.
steen'kraai *v.(m.)* chocard *m.*, corbeau *m.* des Alpes.
steen'kreeft *m.* écrevisse *f.* saxatile.
steen'kruid *o.* alysse; barbarée *f.*
steen'laag *v.(m.)* couche *f.* de pierre.
steen'lijder *m.* graveleux, calculeux *m.*
steen'marter *m.* martre *m.* domestique, fouine *f.*
steen'mos *o.* mousse *f.* des rochers, lichen *m.*
steen'olie *v.(m.)* pétrole *m.*
steen'oven *m.* four *m.* à briques.
steen'pek *o.* bitume, asphalte *m.*
steen'plant *v.(m.)* plante *f.* saxatile.
steen'pokken *mv.* varicelle *f.*
steen'puist *v.(m.)* **1** furoncle *m.*; **2** *(pop.)* clou *m.*
steen'put *m.* carrière *f.*
Steen'put *o.* Estaimpuis.
steen'raaf *v.(m.)* crave, sonneur *m.*
steen'rood *b.n.* couleur de brique, rouge brique.
steen'rots *v.(m.)* rocher *m.*; roc *m.*
steen'slag *o.* cailloutis *m.*, pierraille *f.*
steen'slak *v.(m.)* triton *m.*
steen'slinger *m.* fronde *f.*, lance-pierres *m.*
steen'slingeraar *m.* frondeur *m.*
steen'snijder *m.* **1** tailleur *m.* de pierre(s), lapidaire *m.*; **2** *(gen.)* lithotomiste *m.*
steen'snijding *v.* **1** gravure *f.* sur pierre; **2** *(gen.)* lithotomie *f.*
steen'soort *v.(m.)* **1** espèce *f.* de pierre; **2** *(mijnw.)* gangue *f.*
steen'tijd *m.*, **—perk** *o.* âge *m.* de (la) pierre.
steen'tje *o.* petite pierre *f.*; petit caillou *m.*; ***zijn — bijdragen,*** donner son obole, apporter —.
steen'uil *m.* chouette, (grande) chevêche *f.*
steen'valk *m.* *en* *v.* faucon *m.* de roche.
steen'varen *v.(m.)* *(Pl.)* herbe *f.* aux vers.
steen'violier *v.(m.)* *(Pl.)* giroflée *f.*
steen'vlas *o.* *(Pl.)* amiante *m.*
steen'vorming *v.* **1** lapidification *f.*; **2** *(gen.)* lithiasie, lithiase *f.*
steen'vos *m.* renard *m.* bleu.
steen'vrucht *v.(m.)* fruit *m.* à noyau.
steen'weg *m.* chaussée *f.*
steen'wording *v.* pétrification *f.*
steen'worp *m.* **1** coup *m.* de pierre; **2** *(afstand)* jet *m.* de pierre.
steen'zaag *v.(m.)* scie *f.* à pierre.
steen'zager *m.* scieur *m.* de pierres.
steenzagerij' *v.* scierie *f.* de pierres, chantier *m.* à scier des pierres.
steen'zout *o.* sel *m.* gemme.
steen'zwaluw *v.(m.)* martinet *m.* noir.
stee'vast *bw.* regulièrement, invariablement.
steg *m.* passerelle *f.*; ***weg noch — weten,*** ne connaître ni rue ni issue; ***over heg en —,*** à travers champs.
stei'ger *m.* **1** *(sch.: voor vertrek)* embarcadère *m.*; **2** *(voor aankomst)* débarcadère *m.*; **3** *(bouwk.)* échafaudage *m.*
stei'gerbalk *m.* boulin *m.*
stei'geren *on.w.* se cabrer.
stei'gerpaal *m.* poteau *m.* d'échafaudage, écoperche *f.*
stei'gertouw *o.* chablot *m.*
stei'gerwerk *o.* échafaudage *m.*
steil I *b.n.* **1** *(v. trap)* raide; **2** *(v. helling)* rapide; **3** *(v. rots)* escarpé, abrupt; **4** *(moeilijk: v. pad, enz.)* ardu; **5** *(v. kust)* à pic, accore; **6** *(v. schrift)* droit; **II** *bw.* en pente rapide.
steil'heid *v.* **1** raideur *f.*; **2** rapidité *f.*; **3** escarpement *m.*
steil'oor *m.* **1** âne *m.*; **2** *(fig.)* personne *f.* entêtée.
steilo'rig *b.n.* entêté, opiniâtre, obstiné.
steilo'righeid *v.* entêtement *m.*, obstination *f.*
steil'schrift *o.* écriture *f.* droite.
steil'te *v.* **1** pente *f.* rapide, escarpement *m.*; **2** *(fig.)* raideur.
steil'vurend *b.n.* *(mil.)* à trajectoire droite.
stek *m.* *(Pl.)* bouture *f.*, sauvageon *m.*
ste'keblind *b.n.* complètement (*of* tout à fait) aveugle.
ste'kel *m.* *(doorn)* piquant *m.*, épine *f.*

ste'kelachtig *b.n.* 1 piquant, épineux; 2 (*fig.*) mordant, caustique.
ste'kelachtigheid *v.* 1 (*puntigheid*) piquant *m.*; 2 (*bitsheid*) aigreur, causticité *f.*
ste'kelbaars *m.* épinoche *f.*
ste'kelbes *v.(m.)* groseille *f.* à maquereau.
ste'kelbrem *m.* ajonc *m.*
ste'kelcactus, -kaktus *m.* cactus *m.* épineux.
ste'keldoorn, -doren *m.* spinelle *f.*
ste'keldraad *o. en m.* fil *m.* de fer barbelé.
ste'kelhaag *v.(m.)* haie *f.* épineuse.
ste'kelhuidig *b.n.* (*Dk.*) échinoderme.
ste'kelig, *zie* ***stekelachtig.***
ste'kelkaktus, *zie* ***stekelcactus.***
ste'kelplant *v.(m.)* plante *f.* épineuse.
ste'keltje *o.* 1 stimule *m.*; 2 (*Dk.*) épinochette *f.*
ste'kelvarken *o.* porc*-épic* *m.*
ste'kelvin *v.(m.)* nageoire *f.* dorsale à rayons épineux.
ste'kelvis *m.* poisson *m.* épineux.
ste'ken I *ov.w.* 1 (*prikken*) piquer; 2 (*vasthechten*) piquer, attacher; 3 (*v. bier, wijn*) tirer; 4 (*v. turf, enz.*) couper, lever; 5 (*in*—) enfoncer, introduire; ***zijn neus — in,*** fourrer le nez dans; ***geld in een zaak —,*** mettre (*of* placer) de l'argent dans une affaire, investir des capitaux dans une affaire; ***monsters —,*** prendre des échantillons; ***iets in de hoogte —,*** lever qc.; ***in de grond —,*** planter en terre; ***in zijn zak —,*** mettre en poche, empocher; ***dat steekt hem,*** cela l'irrite, cela le pique, il s'en pique; ***de trompet —,*** sonner la trompette; ***de hoofden bij elkaar —,*** 1 se consulter; 2 (*ong.*) comploter; **II** *on.w.* 1 piquer; 2 (*v. wond, enz.*) cuire, causer une douleur cuisante; 3 (*v. zon*) piquer, brûler; 4 (*zich bevinden*) être, se trouver; ***daar steekt wat achter,*** il y a qc. là-dessous, il y a anguille sous roche; ***daar steekt geen kwaad in,*** il n'y a pas de mal à cela; ***blijven —,*** 1 (*in rede, enz.*) rester court, demeurer court; 2 (*met auto, enz.*) rester en chemin, rester en panne; ***in de schuld —,*** être criblé de dettes; ***van wal —,*** démarrer, mettre à la voile; **III** *w.w.*, ***zich —,*** se piquer; ***zich in kosten —,*** se mettre en frais; ***zich in moeilijkheden —,*** s'attirer des ennuis; ***zich in schulden —,*** s'endetter; **IV** *z.n., o.* 1 piqûre *f.*; 2 (*door*—) percement *m.*; 3 (*v. wond*) cuisson *f.*; 4 (*v. pijn*) élancement *m.*; 5 (*v. bier, wijn*) tirage *m.*; 6 (*v. turf*) levée *f.*
ste'kend *b.n.* 1 piquant; 2 (*v. pijn*) cuisant, lancinant; 3 (*v. wapen*) à pointe; 4 brûlant.
stek'ken I *ov.w.* bouturer, reproduire par boutures; **II** *z.n., o.* bouturage *m.*, reproduction *f.* par boutures.
stek'ker *m.* (*el.*) fiche (*of* prise) *f.* (de courant).
stek'king *v.* reproduction *f.* par boutures.
stel I *o.* 1 ensemble, assemblage *m.*; 2 (*v. goederen*) assortiment *m.*; 3 (*likeur*—, *thee*—, *enz.*) service *m.*; 4 (*v. knopen, kammen, enz.*) garniture *f.*; 5 (*verzameling*) collection *f.*; 6 (*v. riemen, ringen, enz.*) jeu *m.*; 7 (*petroleum*—) réchaud *m.*; **II** *m.* ordre *m.*; ***op — zijn,*** être en ordre; ***op — en sprong,*** de but en blanc, au pied levé, sur-le-champ.
ste'len I *ov.w.* 1 voler; 2 (*ontfutselen*) dérober; 3 (*ontvreemden*) détourner; ***om te —,*** (*lief, aardig*) gentil (*of* joli) à croquer; ***iemands hart —,*** gagner le cœur de qn.; **II** *on.w.* voler; (*pop.*) faucher.
stel'hamer *m.* accordoir *m.*
stel'kunde *v.* algèbre *f.*
stelkun'dig I *b.n.* algébrique; **II** *bw.* algébriquement.
stella'ge *v.* échafaudage *m.*, charpente *f.*
stel'len I *ov.w.* 1 (*plaatsen*) placer, mettre, poser; 2 (*v. kanon: richten*) pointer, braquer; 3 (*regelen*) régler; 4 (*muz.*) accorder; 5 (*v. machine*) monter; 6 (*vaststellen: v. prijzen, enz.*) fixer; 7 (*onderstellen*) supposer, mettre; 8 (*v. voorwaarden*) poser; 9 (*opstellen*) rédiger; composer; ***iem. de wet —,*** faire la loi à qn.; ***in vrijheid —,*** mettre en liberté; ***in het licht —,*** mettre en lumière; ***in het Nederlands gesteld,*** rédigé en néerlandais; ***alles in het werk —,*** mettre tout en œuvre, remuer ciel et terre; ***iem. in 't ongelijk —,*** donner tort à qn.; ***ter hand —,*** remettre; ***een borg —,*** fournir caution; ***hij kan het goed —,*** il est à son aise; ***op prijs —,*** apprécier; ***ten toon —,*** exposer; ***hij heeft veel met zijn zoon te —,*** son fils lui donne du fil à retordre; ***hij zal het er zonder moeten —,*** il devra s'en passer; **II** *on.w.* composer; ***hij stelt goed,*** il écrit bien, il a un bon style; **III** *w.w.*, ***zich —,*** 1 se placer, se mettre; 2 (*recht*) se constituer; ***zich kandidaat —,*** poser sa candidature, se porter candidat; ***zich tot taak —,*** s'imposer la tâche de; ***zich tot een plicht —,*** se faire un devoir de; **IV** *z.n., o.* 1 pose *f.*; 2 pointage *m.*; 3 réglage *m.*; 4 accordage *m.*; 5 montage *m.*; 6 fixation *f.*; 7 (*v. geschrift*) composition *f.*; 8 (*v. brief*) rédaction *f.*
stel'lend *b.n.*, ***—e trap,*** positif *m.*
stel'ler *m.* auteur; rédacteur *m.*; ***goed —,*** bon styliste *m.*
stel'letje *o.* garniture *f.*; ***een aardig —,*** un joli couple; ***'t was me daar een —!*** quelle boutique!
stel'lig I *b.n.* 1 (*v. feit, enz.*) positif; 2 (*bepaald*) déterminé; 3 (*zeker*) certain; assuré; 4 (*v. belofte*) formel; 5 (*v. weigering*) catégorique; 6 (*v. hoop, verwachting*) ferme; ***op —e toon,*** d'un ton péremptoire; **II** *bw.* 1 positivement; 2 certes; assurément; 3 formellement; 4 catégoriquement; ***zich — voornemen om,*** se proposer fermement de; ***ik weet het —,*** j'en suis sûr.
stel'ligheid *v.* certitude *f.*; assurance *f.*; décision *f.*
stel'ling *v.* 1 (*mil.*) position *f.*; 2 (*steiger*) échafaudage *m.*; 3 (*wisk.: theorema*) théorème *m.*, proposition *f.*; 4 (*bewering*) assertion, thèse *f.*; 5 (*v. persoon: positie*) situation, position *f.*
stel'lingoorlog *m.* guerre *f.* de position.
stel'oefening *v.* exercice *m.* de rédaction.
stel'pen *ov.w.* 1 arrêter, étancher; 2 (*fig.: v. leed, enz.*) calmer, soulager, apaiser.
stel'pend *b.n.* hémostatique.
stel'ping *v.* 1 étanchement *m.*; 2 soulagement, apaisement *m.*
stel'plaats *v.(m.)* atelier *m.* de montage.
stel'regel *m.* règle *f.* de conduite, principe *m.*; maxime *f.*
stel'schroef *v.(m.)* 1 (*v. kanon*) vis *m.* de pointage; 2 (*v. kijker, enz.*) molette *f.*
stel'sel *o.* système; régime *m.*
stel'selloos *b.n. en bw.* sans système, sans méthode.
stelselloos'heid *v.* absence *f.* de système.
stelselma'tig I *b.n.* systématique, méthodique, en règle; **II** *bw.* systématiquement, méthodiquement.
stelselma'tigheid *v.* système *m.*, méthode *f.*
stelt *v.(m.)* échasse *f.*; ***op —en lopen,*** être monté sur des échasses; ***alles op —en zetten,*** mettre tout sens dessus dessous.
stelt'kluit *m.* avocette *f.*
stelt'loper *m.* (*Dk.*) échassier *m.*
stem *v.(m.)* 1 (*alg.*) voix *f.*; 2 (*muz.*) partie *f.*; 3 (*bij stemming*) vote, suffrage *m.*, voix *f.*; ***bij — zijn,*** être en voix; ***zijn — uitbrengen,*** voter, donner sa voix, émettre un vote; ***de —men opnemen,*** recueillir les voix, — les votes; ***met***

algemene —men, à l'unanimité; ***bij meerderheid van —men,*** à la majorité des voix.
stem'balk *m.* (*muz.*) barre *f.* harmonique.
stem'band *m.* corde *f.* vocale.
stem'biljet, stem'briefje *o.* bulletin *m.* de vote. [voix.
stem'buiging *v.* intonation *f.*, inflexion *f.* de
stem'bureau *o.* bureau *m.* de vote.
stem'bus *v.*(*m.*) **1** urne *f.* (électorale); **2** (*fig.*) scrutin *m.*
stem'busstrijd *m.* lutte *f.* électorale.
stem'fluitje *o.* diapason, sifflet*-diapason *m.*
stem'geluid *o.* timbre, accent *m.*
stem'gerechtigd *b.n.* ayant droit de vote; ***— zijn,*** avoir voix délibérative.
stem'gerechtigde *m.-v.* électeur *m.*
stem'hamer *m.* accordoir *m.*
stem'hebbend *b.n.* **1** (*politiek*) ayant droit de vote; **2** (*klankl.*) vocalique; sonore.
stem'hokje *o.* cabine *f.* électorale, — d'isolement.
stem'lokaal *o.* salle *f.* de vote.
stem'loos *b.n.* (*klankl.*) sourd, soufflé.
stem'men I *on.w.* **1** voter; aller aux voix; **2** (*muz.*) être d'accord, s'accorder; **3** (*zich inspelen*) s'essayer; ***over iets laten —,*** mettre qc. aux voix; **II** *ov.w.* **1** (*muz.*) accorder; **2** (*fig.*) disposer; (*met b.n.*) rendre; ***rustig —,*** calmer, apaiser; ***tot nadenken —,*** donner à réfléchir.
stem'mengegons *o.* bourdonnement (*of* brouhaha) *m.* de voix.
stem'menteller *m.* scrutateur *m.*
stem'mentelling *v.* recensement *m.* des votes; pointage *m.*
stem'mer *m.* **1** votant *m.*; **2** (*muz.*) accordeur *m.*
stem'metje *o.* petite voix *f.*
stem'mig I *b.n.* **1** (*v. persoon*) réservé; modeste; **2** (*v. kleding, versiering, enz.*) sobre; **II** *bw.* **1** avec réserve; modestement; **2** sobrement.
stem'migheid *v.* **1** réserve; modestie *f.*; **2** sobriété *f.*
stem'ming *v.* **1** (*muz.*) accord *m.*; **2** (*het stemmen*) accordage *m.*; **3** (*toonhoogte*) diapason *m.*; **4** (*uitbrengen der stem*) vote, scrutin *m.*; **5** (*fig.: gemoedsgesteldheid*) état *m.* d'esprit, — d'âme, disposition *f.* (d'esprit); **6** (*v. 't volk*) opinion *f.* publique; **7** (*sfeer*) atmosphère *f.*; **8** (*v. beurs*) tendance *f.*; ***hoofdelijke —,*** appel *m.* nominal; ***tweede —,*** second tour *m.* de scrutin; ***zich van — onthouden,*** s'abstenir; ***— door handopsteken,*** vote à mains levées; ***geheime —,*** scrutin secret; ***in — brengen,*** mettre aux voix; ***in een goede — zijn,*** être de bonne humeur.
stem'mingsbeeld *o.* atmosphère *f.*; ***een — geven,*** rendre l'atmosphère.
stem'mingslandschap *o.* paysage *m.* intime.
stem'oefening *v.* vocalise *f.*, exercice *m.* de chant. [vocal.
stem'omvang *m.* étendue *f.* de la voix, volume *m.*
stem'opnemer *m.* scrutateur *m.*
stem'opneming *v.* dépouillement *m.* du scrutin.
stem'orgaan *o.* appareil *m.* vocal.
stem'pel *m.* **1** (*zegel*) sceau, cachet *m.*; **2** (*afdruk*) timbre *m.*, estampille *f.*; **3** (*munt—*) coin *m.*; **4** (*v. goud, enz.: keur*) poinçon *m.*; **5** (*post—*) timbre *m.*; **6** (*Pl.*) stigmate *m.*; **7** (*fig.*) cachet, sceau *m.*; ***van de oude —,*** de la vieille roche; ***zijn — drukken op, 1*** (*goedkeuren*) donner son approbation à; **2** (*kenmerken*) marquer de son empreinte, frapper de sa marque.
stem'pelaar *m.* timbreur, marqueur *m.*
stem'pelband *m.* reliure *f.* de luxe.
stem'peldoos *v.*(*m.*) boîte *f.* à tampon.
stem'pelen I *ov.w.* **1** (*alg.*) timbrer; **2** (*v. postzegel*) oblitérer; **3** (*merken*) estampiller, marquer; **4** (*keur*) poinçonner; **5** (*met verstelbaar stempel*) composter; ***— tot,*** (*fig.*) caractériser comme, qualifier de; **II** *on.w.*, (*bij werkloosheid*) faire pointer sa carte de chômage.
stem'pelfabriek *v.* fabrique *f.* de timbres.
stem'pelhanger *m.* porte-timbres *m.*
stem'peling *v.* **1** timbrage *m.*; **2** oblitération *f.*; **3** marque *f.*; estampillage *m.*; **4** poinçonnage *m.*
stem'pelinkt *m.* encre *f.* à tampon, — à timbrer.
stem'pelkaart *v.*(*m.*) carte *f.* de chômage.
stem'pelkussen *o.* tampon *m.*
stem'pelmachine *v.* machine *f.* à timbrer, appareil *m.* timbreur.
stem'pelmerk *o.* poinçon *m.*
stem'pelsnijder *m.* graveur *m.* de poinçons, médailleur *m.*
stem'plicht *m. en v.* vote *m.* obligatoire.
stem'recht *o.* droit *m.* de suffrage, — de vote; ***algemeen —,*** suffrage universel.
stem'register *o.* **1** (*muz.*) registre *m.*; **2** (*stemlijst*) liste *f.* électorale.
stem'sleutel *m.* **1** accordoir *m.*, clef *f.* d'accordeur; **2** (*stemvork*) diapason *m.*
stem'spleet *v.*(*m.*) glotte *f.*
stem'val *m.* (*muz.*) cadence *f.*
stem'vee *o.* foule *f.* électorale, troupeau *m.* des électeurs.
stem'verandering *v.* mue *f.* (de la voix).
stem'verheffing *v.* élévation *f.* de la voix.
stem'vork *v.*(*m.*) diapason *m.*
stem'vorming *v.* **1** (*muz.*) pose *f.* de voix; **2** (*klankl.*) phonation *f.*
stem'wisseling *v.* mue *f.* (de la voix).
sten'cil (**afdruk** *m.*) *o. en m.* polycopie *f.*; feuille *f.* ronéotypée. [stencil.
sten'cilen *ov.w.* autocopier, polycopier, tirer au
ste'nen I *on.w.* gémir, geindre, se lamenter; **II** *b.n.* de pierre, en briques; ***—vloer,*** dallage, carrelage *m.*; ***— pijp,*** pipe *f.* en terre cuite.
steng *v.*(*m.*) **1** perche, verge *f.*; **2** (*sch.*) mât *m.* de hune.
sten'gel *m.* tige *f.*; ***zoute —,*** baguette *f.* (salée).
sten'gelblad *o.* feuille *f.* caulinaire.
sten'gelloos *b.n.* (*Pl.*) acaule.
sten'gun *m.* mitraillette *f.*
ste'nig *b.n.* **1** pierreux; **2** (*Pl.*) lapilleux.
ste'nigen *ov.w.* lapider.
ste'niging *v.* lapidation *f.*
stenograaf' *m.* sténographe *m.*
stenografe'ren *ov.w. en on.w.* sténographier.
stenogra'fisch I *b.n.* sténographique; **II** *bw.* sténographiquement; ***— opnemen,*** prendre en sténo.
stenogram' *o.* sténogramme *m.*, prise *f.* sténographique.
stenotypist'(e) *m.*(*v.*), sténodactylographe *m.-f.*; (*fam.*) sténodactylo *m.-f.*
sten'torstem *v.*(*m.*) voix *f.* de stentor.
step *m.* **1** (*autoped*) trottinette *f.*; **2** (*v. fiets*) marchepied *m.*
Ste'phanus *m.* Étienne *f.*
step-in' *m.* gaine *f.* (élastique).
step'pe *v.*(*m.*) steppe *m.-f.*
step'pemeer *o.* lac *m.* des steppes.
step'pengordel *m.* ceinture (*of* zone) *f.* de steppes.
ster *v.*(*m.*) **1** étoile *f.*; **2** (*hemellichaam; fig.*) astre *m.*; **3** (*in boek: verwijzingsteken*) astérisque *m.*; **4** (*v. paard: bles*) pelote *f.*; **5** (*fig.: v. film, enz.*) étoile, vedette *f.*; ***vallende —,*** étoile filante.

ster'anijs *m.* anis *m.* étoilé.
ster'appel *m.* pomme *f.* d'étoile.
stè're *v.(m.)* stère *m.*
stereofonie' *v.* stéréophonie *f.*
ste'reogrammofoon *m.* gramophone *m.* stéréophonique.
stereometrie' *v.* stéréométrie *f.*, géométrie *f.* dans l'espace.
ste'reoplaat *v.(m.)* disque *m.* stéréophonique.
stereoscoop', stereoskoop' *m.* stéréoscope *m.*
stereosco'pisch, stereosko'pisch I *b.n.* stéréoscopique; **II** *bw.* stéréoscopiquement.
stereotiep' *b.n.* stéréotype.
sterf'bed *o.* lit *m.* de mort.
sterf'dag *m.* jour *m.* de (la) mort.
ster'felijk, sterf'lijk *b.n.* mortel.
ster'felijkheid, sterf'lijkheid *v.* mortalité *f.*
sterf'geval *o.* (cas de) décès *m.*; ***wegens —,*** pour cause de décès.
sterf'huis *o.* maison *f.* mortuaire.
sterf'kamer *v.(m.)* chambre *f.* mortuaire.
sterflijk(-), *zie* ***sterfelijk(-).***
sterf'te *v.* mortalité *f.*
sterf'tecijfer *o.* chiffre *m.* de mortalité, nombre *m.* des décès.
sterf'tetafel *v.(m.)* table *f.* de mortalité.
sterf'uur *o.* heure *f.* de la mort, moment *m.* suprême.
ster'gewelf *o.* **1** voûte *f.* étoilée; **2** (*bouwk.*) voûte d'arêtes.
ster'hyacint *v.(m.)* scille *f.*, jacinthe *f.* des bois.
steriel' *b.n.* stérile.
sterilisa'tie, steriliza'tie *v.* stérilisation *f.*
sterilise'ren, sterilize'ren *ov.w.* stériliser.
sterk *b.n.* **1** (*alg.*) fort; **2** (*v. persoon: krachtig*) robuste, vigoureux; **3** (*stevig*) solide; fort; **4** (*v. wind*) violent; **5** (*machtig*) grand, puissant; **6** (*bekwaam: in spel, enz.*) fort, habile; **7** (*v. geheugen*) fidèle, sûr; **8** (*scherp*) piquant; **9** (*v. oplossing, alcohol, enz.*) concentré; **10** (*v. boter*) fort, rance; ***hij is niet — genoeg om,*** il n'est pas de force à; ***zo — als een paard,*** fort comme un Turc, — comme un bœuf; ***een — stuk,*** un tour de force; ***daarin ben ik niet —,*** ce n'est pas là mon fort; ***wie niet — is, moet slim zijn,*** quand on n'est pas le plus fort, il faut être le plus malin.
sterkedrank' *m.* alcool, spiritueux *m.*
ster'ken I *ov.w.* **1** (*alg.*) fortifier; **2** (*v. gezondheid, zenuwen*) raffermir; **3** (*verkwikken*) réconforter; **4** (*fig.*) remonter, restaurer; **II** *w.w.*, ***zich —,*** se réconforter.
sterk'gebouwd *b.n.* solidement bâti, robuste.
sterk'gespierd *b.n.* musculeux, musclé.
ster'king *v.* **1** renforcement *m.*; **2** (*fig.*) réconfort, appui *m.*
sterkrui'kend *b.n.* à odeur âcre; très odorant.
sterk'stroom *m.* (*el.*) courant *m.* intense.
sterk'te *v.* **1** force *f.*; **2** vigueur, robustesse *f.*; **3** solidité *f.*; **4** violence *f.*; **5** puissance *f.*; **6** (*v. oplossing*) concentration *f.*; **7** (*v. licht*) intensité *f.*; **8** (*v. dosis*) élévation *f.*; **9** (*v. leger*) effectif *m.*; **10** (*vesting*) place *f.* forte, fort *m.*; **11** (*fig.*) réconfort *m.*; **12** (*flinkheid*) fermeté, énergie *f.*
sterkwa'ter *o.* acide *m.* nitrique, eau*-forte* *f.*
ster'lingblok *o.* zone *f.* sterling.
ster'poliep *v.(m.)* astrée *f.*
ster'rebaan *v.(m.)* orbite *f.* d'une étoile.
ster'rebloem *v.(m.)* stellaire *f.*
ster'rejaar *o.* année *f.* sidérale, — astronomique.
ster'rekijker *m.* (*instrument*) télescope *m.*, lunette *f.* astronomique.
ster'rekruid *o.* stellaire *f.*
ster'renatlas *m.* atlas *m.* du ciel, — astronomique.
ster'renbeeld *o.* constellation *f.*
ster'rendak *o.* voûte *f.* étoilée, ciel *m.* étoilé.
ster'rengeflonker *o.* scintillement *m.* des étoiles.
ster'rengroep *v.(m.)* constellation *f.*
ster'renhemel *m.* ciel *m.* étoilé.
ster'renhoop *m.* nébuleuse *f.*, amas *m.* d'étoiles.
ster'renkaart *v.(m.)* carte *f.* astronomique.
ster'renkijker *m.*, (*persoon*) astrologue *m.*
sterrenkijkerij' *v.* astrologie *f.*
ster'renkunde *v.* astronomie *f.*
sterrenkun'dig *b.n.* astronomique.
sterrenkun'dige *m.* astronome *m.*
ster'renlicht *o.* lumière *f.* stellaire; ***bij —,*** à la clarté des étoiles.
ster'renloop *m.* cours *m.* des astres.
ster'rennacht *m.* nuit *f.* étoilée.
ster'renregen *m.* pluie *f.* d'étoiles.
ster'renwacht *v.(m.)* observatoire *m.*
ster'renwichelaar *m.* astrologue *m.*
sterrenwichelarij' *v.* astrologie *f.*
ster'retijd *m.* temps *m.* astronomique.
ster'retje *o.* **1** petite étoile *f.*; **2** (*in boek*) astérisque *m.*
ster'rit *m.* rallye *m.*
ster'veling *m.* mortel *m.*; ***er was geen —,*** il n'y avait âme qui vive.
ster'ven I *on.w.* **1** mourir; expirer, trépasser; **2** (*recht*) décéder; ***op — liggen,*** être à l'agonie, agoniser; être à l'extrémité; ***het woord stierf op zijn lippen,*** la parole expira sur ses lèvres; **II** *ov.w.*, ***een natuurlijke dood —,*** mourir de mort naturelle; (*fam.*) mourir de sa belle mort; **III** *z.n.*, *o.* mort *f.*; trépas, décès *m.*
ster'vend *b.n.* mourant, moribond.
ster'vende *m.-v.* moribond, mourant *m.*; ***de gebeden der —n,*** les prières des agonisants.
ster'venssnood *m.* agonie *f.*
ster'vensuur *o.* heure *f.* de la mort.
ster'vlucht *v.(m.)* (*vl.*) rallye *m.* aérien.
ster'vormig *b.n.* stellaire, en forme d'étoile.
stet(h)oscoop', -skoop' *m.* stéthoscope *m.*
steun *m.* **1** appui, soutien *m.*; **2** (*schoor, stut*) étai, étançon *m.*; **3** (*fig.*) appui *m.*; réconfort *m.*; ***— verlenen aan,*** appuyer; venir en aide à; secourir; ***— hebben aan,*** s'appuyer sur; ***zijn enige —,*** son unique appui; ***tot — van,*** à l'appui de.
steun'balk *m.* **1** racinal *m.*; **2** (*v. vloer*) lambourde *f.*
steun'bedrag *o.* allocation *f.*
steun'beer *m.* contrefort *m.*
steun'comité, -komitee *o.* comité *m.* de secours; Secours *m.* National.
steu'nen I *ov.w.* **1** soutenir; **2** (*v. verzoek, voorstel*) appuyer; **3** (*schoren*) étayer; ***met geld —,*** subventionner; **II** *on.w.*, ***— op,*** **1** reposer sur; s'appuyer sur; **2** (*fig.: vertrouwen*) compter sur; ***— tegen,*** (*met rug*) être adossé à; **III,** *zie* ***stenen* I.**
steun'fonds *o.* fonds *m.* de secours.
steun'geld *o.* subside *m.*
steun'komitee, *zie* ***steuncomité.***
steun'muur *m.* mur *m.* de soutènement, — d'appui.
steun'pilaar *m.* **1** pilier *m.*; **2** (*fig.*) soutien, appui, [pilier *m.*
steun'punt *o.* point *m.* d'appui.
steun'regeling *v.* les allocations *f.pl.* de chômage.
steun'trekker *m.* bénéficiaire *m.* d'assistance; partie *f.* prenante (à une caisse).
steun'verlening *v.* assistance *f.*, secours *m.*
steun'zool *v.(m.)* cambrure *f.* (orthopédique).
steur *m.* esturgeon *m.*
steur'haring *m.* hareng *m.* frais.

Ste'ven *m.* Étienne *m.*
ste'ven *m.* (*sch.*) **1** (*vóór*) proue, étrave *f.*; **2** (*achter*) poupe *f.*; ***de — wenden,*** virer de bord.
ste'venen *on.w.* mettre le cap (sur), cingler (vers); ***recht vooruit —,*** aller tout droit.
ste'vig I *b.n.* **1** ferme, solide; **2** (*sterk*) fort; **3** (*krachtig: v. gezondheid, arm, enz.*) robuste; **4** (*v. spijzen*) substantiel; résistant; **5** (*sch.: v. wind*) carabiné; ***hij lust een —e borrel,*** il boit sec; **II** *bw.* fermement, solidement; ***— doorstappen,*** hâter le pas, presser —; ***— op zijn benen staan,*** être ferme sur les jarrets.
ste'vigheid *v.* fermeté, solidité *f.*
ste'ward *m.* (*sch.*) **1** garçon *m.* (de cabine); **2** (premier) maître *m.* d'hôtel.
stewardess' *v.* hôtesse *f.* (d'accueil); (*lucht—*) hôtesse *f.* de l'air.
sticht *o.* **1** (*gesticht*) hospice *m.*; **2** (*klooster; abdij*) couvent, cloître, monastère *m.*; abbaye *f.*; ***het S—,*** l'évêché *m.* d'Utrecht.
stich'telijk I *b.n.* **1** (*v. lectuur, enz.*) édifiant; **2** (*v. leven*) exemplaire; **II** *bw.* d'une manière édifiante, — exemplaire.
stich'telijkheid *v.* édification *f.*; caractère *m.* édifiant.
stich'ten I *ov.w.* **1** (*alg.*) fonder; **2** (*instellen, oprichten*) instituer, établir, élever; **3** (*v. vrede, goed, kwaad*) faire; **4** (*v. wanorde*) causer; **5** (*v. tweedracht*) semer; **6** (*door gedrag, voorbeeld*) édifier; ***een fonds —,*** créer un fonds.
stich'ter *m.* fondateur *m.*
stich'ting *v.* **1** fondation; institution, création *f.*; **2** (*oprichting*) érection *f.*; **3** (*fig.*) édification *f.*
stief'broeder *m.* **1** (*alg.*) demi-frère* *m.*; **2** (*v. één vader*) frère *m.* consanguin; **3** (*v. één moeder*) frère *m.* utérin.
stief'dochter *v.* belle*-fille* *f.*
stief'kind *o.* enfant *m.* d'un autre lit.
stief'moeder *v.* **1** belle*-mère* *f.*; **2** (*ong.*) marâtre [*f.*
stief'moederlijk I *b.n.* de marâtre; injuste, cruel; **II** *bw.* en marâtre; injustement, cruellement.
stief'vader *m.* beau*-père* *m.*
stief'zoon *m.* beau*-fils *m.*
stief'zuster *v.* **1** demi-sœur* *f.*; **2** (*v. één vader*) sœur *f.* consanguine; **3** (*van één moeder*) sœur *f.* utérine.
stie'kem I *b.n.* sournois; ***zich — houden,*** se tenir coi; **II** *bw.* en cachette, en tapinois, à la dérobée, sournoisement, clandestinement.
stie'kemerd *m.* sournois, cachottier, tapinois *m.*
stier *m.* taureau *m.*; ***jonge —,*** taurillon *m.*
stie'regevecht *o.* combat *m.* de taureaux, course *f.* *f.* aux taureaux, corrida *f.*
stie'rekop *m.* tête *f.* de taureau.
stie'renvechten *o.* tauromachie *f.*, course *f.* aux taureaux.
stie'renvechter *m.* toréador, toréro *m.*
stier'kalf *o.* taurillon *m.*
stier'lijk *bw.*, ***zich — vervelen,*** s'ennuyer ferme.
Stier'marken *o.* la Styrie.
stier'mens *m.* minotaure *m.*
stift I *v.(m.)* **1** (*tn.: pin*) tige, broche, goupille *f.*; **II** *o.* couvent *m.*; abbaye *f.*
stift'tand *m.* dent *f.* à pivot.
stig'ma *o.* stigmate *m.*
stijf I *b.n.* **1** (*niet slap*) raide; **2** (*strak: v. koord, arm*) tendu; **3** (*gesteven*) empesé; **4** (*door kou*) engourdi; **5** (*v. pen*) dur; **6** (*dik: v. soep, enz.*) épais, consistant; **7** (*v. markt*) ferme; **8** (*fig.: trots, gemaakt*) guindé, compassé, cassant; ***— van de reumatiek,*** perclus de rhumatismes; ***een stijve nek,*** un torticolis; **II** *bw.* fermement, fixement; ***— aanhalen,*** tendre; ***— op zijn stuk staan,*** s'obstiner (à); persister (fermement) dans son opinion.
stijf'heid *v.* **1** (*alg.*) raideur *f.*; **2** tension *f.*; **3** (*v. ballon, enz.*) rigidité *f.*; **4** engourdissement *m.*; **5** épaisseur, consistance *f.*; **6** (*v. markt*) fermeté *f.*; **7** (*fig.*) morgue *f.*
stijf'hoofd *m.-v.* entêté *m.*, tête *f.* carrée, personne [*f.* opiniâtre.
stijfhoof'dig I *b.n.* entêté, têtu, opiniâtre, obstiné; **II** *bw.* opiniâtrément.
stijfhoof'digheid *v.* entêtement *m.*, opiniâtreté, obstination *f.*
stijf'kop, *zie* ***stijfhoofd.***
stijf'kramp *v.(m.)*, (*gen.*) tétanos *m.*
stijf'middel *o.* empois *m.*
stijf'sel *m. en o.* **1** amidon *m.*; **2** (*pap*) empois *m.*
stijf'selen *ov.w.* empeser.
stijf'selfabriek *v.* amidonnerie *f.*
stijf'selfabrikant *m.* amidonnier *m.*
stijf'selkwast *m.* brosse *f.* à empois.
stijf'selpap *v.(m.)* empois *m.*, colle *f.* de pâte.
stijf'selpot *m.* pot *m.* de colle.
stijf'te *v.* raideur *f.*
stijf'tepunt *o.* point *m.* de solidification.
stijg'beugel *m.* étrier *m.*
stijg'beugelriem *m.* porte-étrier(s).
stij'gen *on.w.* **1** (*alg.*) monter, s'élever; **2** (*H.: v. prijzen*) augmenter, hausser; **3** (*v. markt*) être en hausse; ***te paard —,*** monter à cheval; ***ten top —,*** arriver à son comble; ***verticaal —,*** monter à la verticale.
stij'ging *v.* **1** (*alg.: v. ballon, kwik, enz.*) montée ascension *f.*; **2** (*v. prijzen*) augmentation, hausse, élévation *f.*; **3** (*v. water*) crue *f.*; **4** (*v. waarde*) plus-value* *f.*; **5** (*v. markt*) hausse *f.*
stijg'kracht *v.(m.)* force *f.* ascensionnelle.
stijg'lengte *v.* distance *f.* ascensionnelle.
stijg'snelheid *t.* vitesse *f.* ascensionnelle.
stijg'vlucht *v.(m.)* vol *m.* ascensionnel.
stijl *m.* **1** (*alg.*) style *m.*; **2** (*v. deur*) jambage *m.*; **3** (*v. raam, ladder*) montant *m.*; **4** (*sp.*) forme *f.*
stijl'bloempje *o.* fleur *f.* de rhétorique.
stijl'gevoel *o.* sentiment *m.* du style.
stijl'leer *v.(m.)* stylistique, théorie du style; rhétorique *f.*
stijl'loos *b.n.* sans style.
stijl'oefening *v.* exercice *m.* de style.
stijl'vol *b.n.* d'un bon style; noble, élégant.
stij'ven I *ov.w.* **1** (*stijf maken*) raidir; **2** (*v. linnen*) empeser; **3** (*v. stof*) apprêter; **4** (*steunen*) soutenir, fortifier; **5** (*v. kas*) alimenter; **6** (*v. beurs*) garnir; **II** *on.w.* **1** (*v. wind*) fraîchir; **2** (*v. markt*) monter, s'affermir.
stij'ving *v.* **1** empesage *m.*; **2** apprêt *m.*; **3** (*fig.*) affermissement *m.*
stik'bom *v.(m.)* obus *m.* asphyxiant.
stik'donker *b.n.* tout noir; ***het is —,*** il fait noir comme dans un four.
stik'garen *o.* fil *m.* à piquer.
stik'gas *o.* gaz *m.* asphyxiant, — suffocant.
stik'heet *b.n.* suffocant.
stik'ken I *ov.w.* **1** (*met naald*) piquer; **2** (*borduren*) broder; **3** (*v. persoon*) asphyxier, étouffer; **II** *on.w.* étouffer, suffoquer; ***— van 't lachen,*** étouffer de rire, pouffer —.
stik'kend *b.n.* suffocant.
stik'machine *v.* brodeuse *f.*
stik'naad *m.* couture *f.* piquée, piqûre *f.*
stik'naald *v.(m.)* aiguille *f.* à piquer; — à broder.
stik'sel *o.* (ouvrage) piqué *m.*
stik'steek *m.* arrière-point* *m.*
stik'ster *v.* piqueuse *f.*

stik'stof *v.(m.)* azote *m.*
stik'stofgehalte *o.* teneur *f.* en azote.
stik'stofhoudend *b.n.* azoté.
stik'stofverbinding *v.* azotate *m.*
stik'vol *b.n.* comble, bondé, plein comme un œuf.
stik'werk *o.* ouvrage *m.* piqué, broderie *f.*
stik'zij (de) *v.(m.)* soie *f.* à piquer.
stil I *b.n.* **1** (*alg.*) tranquille; **2** (*rustig*) calme, paisible; **3** (*onbeweeglijk*) immobile; **4** (*zonder geluid*) silencieux; **5** (*zwijgend*) taciturne, muet; **6** (*v. straat, stad: verlaten*) désert, peu fréquenté, inanimé; **7** (*v. zee*) calme, plat; ***de S—le Zuidzee,*** le Pacifique; ***de —le week,*** la semaine sainte; ***—le armen,*** pauvres honteux; ***het werd —,*** il se fit un silence; ***met —le trom vertrekken,*** déloger à la cloche de bois, déloger sans tambour ni trompette; ***—le vennoot,*** commanditaire *m.*; **II** *bw.* **1** tranquillement; **2** calmement, paisiblement; **3** silencieusement; en silence; ***— gaan leven,*** se retirer des affaires; ***alle fabrieken liggen —,*** toutes les fabriques ont cessé le travail; ***de handel ligt —,*** il y a une stagnation dans le commerce; ***— lezen,*** lire tout bas; **III** *tw.*, ***—!*** silence! paix! chut!
stile'ren *ov.w.* **1** (*opstellen*) rédiger, composer, écrire; **2** (*tekening: in stijl brengen*) styliser.
stilet' *o.* stylet *m.*
stil'heid *v.* **1** tranquillité *f.*; **2** calme *m.*; **3** silence [*m.*
stil'houden I *ov.w.* **1** (*de beweging doen ophouden*) tenir en repos; **2** (*staande houden*) arrêter; **3** (*v. kind*) tenir tranquille; **4** (*verzwijgen: v. geheim, enz.*) taire, tenir secret; **II** *w.w.*, ***zich —,*** **1** se tenir tranquille; ne pas bouger; **2** se taire.
stilist' *m.* styliste, écrivain *m.*
stil'leggen *ov.w.* arrêter.
stil'len I *ov.w.* **1** calmer, apaiser; **2** (*v. honger*) apaiser, assouvir; **3** (*v. dorst*) étancher; **II** *on.w.* se calmer, s'apaiser.
stil'lend *b.n.* calmant.
stil'letjes *bw.* **1** tranquillement; doucement; **2** (*in 't geheim*) en cachette, en tapinois.
stilleven *o.* nature *f.* morte.
stil'liggen *on.w.* **1** ne pas bouger, rester immobile; **2** (*sch.*) être au repos; **3** (*in haven*) mouiller, faire relâche; **4** (*fig.*) chômer.
stil'ling *v.* apaisement *m.*
stil'staan *on.w.* **1** (*niet bewegen*) rester immobile, ne pas bouger; **2** (*blijven staan*) s'arrêter; **3** (*v. water*) croupir; **4** (*v. machine, fabriek*) chômer; **5** (*v. hart*) cesser de battre; ***zijn mond staat geen ogenblik stil,*** il ne déparle pas, il ne se tait pas une minute; ***bij een onderwerp —,*** s'arrêter à un sujet; ***daar staat mijn verstand bij stil,*** cela me passe.
stil'staand *b.n.* **1** stationnaire; **2** (*v. water*) stagnant, dormant; **3** (*v. motor*) en panne, calé.
stil'stand *m.* **1** (*ophouden v. beweging*) arrêt *m.*; **2** (*onderbreking*) interruption, suspension *f.*; **3** (*het staken*) cessation *f.*; **4** (*v. fabriek*) chômage *m.*; **5** (*v. motor*) panne *f.*; **6** (*in handel*) malaise *m.*; (*volledig*) marasme *m.*; **7** (*v. bloed, sappen*) stase *f.*; ***tot — komen,*** s'arrêter.
stil'te *v.* **1** silence *m.*; **2** (*rust, kalmte*) repos *m.*, tranquillité *f.*; **3** (*op zee*) accalmie *f.*; ***in —,*** **1** en silence; **2** (*in 't geheim*) en secret, en cachette; ***—!*** silence!
stil'zetten *ov.w.* arrêter.
stil'zitten *on.w.* **1** rester tranquille, ne pas bouger; **2** (*fig.*) rester les bras croisés, rester dans l'inaction; ***hij zit niet stil,*** il ne demeure pas inactif. [oisif.
stil'zittend *b.n.* **1** (*v. leven*) sédentaire; **2** (*fig.*)
stil'zwijgen I *on.w.* se taire; **II** *z.n.*, *o.* silence *m.*
stil'zwijgend I *b.n.* **1** (*zwijgend*) silencieux, taciturne; **2** (*v. voorwaarden, enz.: niet vermeld*) tacite, implicite; **II** *bw.* **1** tacitement; implicitement; **2** (*in stilte*) en silence; ***— voorbijgaan,*** passer sous silence; ***iets — aannemen,*** considérer comme sous-entendu.
stilzwij'gendheid *v.* **1** (*het zwijgen*) silence *m.*; **2** (*karakter*) taciturnité *f.*; **3** (*geheimhouding*) discrétion *f.*
sti'mulans *m.* stimulant *m.*
stink'bok *m.* bouc *m.* (puant).
stink'bom *v.(m.)* bombe *f.* puante, boule *f.* —.
stink'bunzing *m.* putois *m.*
stink'dier *o.* puant *m.*, mo(u)fette *f.*
stin'ken *on.w.* puer, sentir mauvais; ***het stinkt hier,*** cela sent mauvais ici; ***het stinkt naar rook,*** cela sent (*of* pue) la fumée.
stin'kend *b.n.* puant, fétide, infect; ***—e adem*** haleine mauvaise.
stink'poel *m.* mare *f.* puante, — infecte.
stink'sloot *v.(m.)* eau *f.* stagnante et croupissante.
stink'stok *m.* (*fam.*) infectados, crapulos *m.*
stip *v.(m.)* point *m.*
stipen'dium *o.* bourse; subvention *f.*
stip'pel *v.(m.)* **1** (*punt*) point *m.*; **2** (*kleine vlek,* tache, moucheture *f.* [cheter.
stip'pelen *ov.w.* **1** pointiller; **2** tacheter, mou-
stip'peling *v.* **1** pointillage *m.*; **2** moucheture *f.*
stip'pellijn *v.(m.)* ligne *f.* pointillée, pointillé *m.*
stip'pen *ov.w.* **1** *zie* ***stippelen***; **2** *zie* ***aanstippen***; **3** (*even indopen*) tremper.
stipt I *b.n.* **1** (*juist*) précis, exact; **2** (*streng*) rigoureux; **3** (*v. persoon*) ponctuel; ***—e uitvoering,*** prompte exécution; **II** *bw.* **1** exactement; **2** rigoureusement; **3** ponctuellement; ***— eerlijk,*** d'une probité scrupuleuse, scrupuleusement honnête, parfaitement —. [lité *f.*
stipt'heid *v.* **1** précision, exactitude *f.*; **2** ponctua-
stipule'ren *ov.w.* stipuler.
stob'be *v.(m.)* souche *f.*
stock'dividend *o.* dividende *m.* en actions.
stoei'en *on.w.* s'ébattre, folâtrer, batifoler.
stoei'er *m.* folâtreur, batifoleur *m.* [*m.*
stoeierij', stoei'partij *v.* folâtrerie *f.*, batifolage
stoei'ziek *b.n.* folâtre, aimant à batifoler.
stoel *m.* **1** chaise *f.*; **2** (*leer—*) chaire *f.*; ***de Heilige S—,*** le Saint-Siège; ***het niet onder —en of banken steken,*** ne pas faire mystère de qc., ne pas mâcher ses mots; ***iem. van zijn — afpraten,*** mettre qn. au pied du mur.
stoe'len *on.w.*, (*fig.*) prendre racine, pousser.
stoe'lendans *m.* polka *f.* des chaises. [sier *m.*
stoe'lendraaier *m.* tourneur *m.* de chaises, chai-
stoe'lengeld *o.* loyer *m.* de chaises.
stoe'lenmaker, *zie* ***stoelendraaier.***
stoe'lenmatter *m.* rempailleur *m.* de chaises, canneur *m.* —.
stoe'lenzetster *v.* chaisière *f.*
stoel'gang *m.* selle *f.*; ***— hebben,*** aller à la selle.
stoel'geld *o.* (*in kerk*) prix *m.* de location (d'une chaise).
stoel'kussen *o.* coussin, carreau *m.* (de chaise).
stoel'leuning *v.* dossier *m.*
stoel'mat *v.(m.)* natte *f.* de chaise.
stoel'vast *b.n.* sédentaire, casanier.
stoel'zitting *v.* siège *m.*
stoep *m. en v.* **1** (*bordes*) perron *m.*; **2** (*stoeppad*) trottoir *m.* [pied *m.*
stoep'je *o.* **1** (petit) perron *m.*; **2** (*opstapje*) marche-
stoer I *b.n.* robuste, solide; **II** *bw.* robustement, solidement. [vigueur *f.*
stoer'heid *v.* solidité, robustesse *f.*; carrure,

stoet I *m.* **1** cortège *m.*; **2** (*lijk—*) convoi *m.*; **3** (*fig.: pracht*) pompe, magnificence *f.*; **II** *v.* **1** miche *f.*; pain *m.* blanc; **2** (*boterham*) tartine *f.*
stoeterij' *v.* haras *m.*
stof I *v.*(*m.*) **1** (*weefsel*) étoffe *f.*; **2** (*onderwerp*) sujet *m.*, matière *f.*; **3** (*zelfstandigheid*) matière, substance *f.*; ***katoenen —fen,*** cotonnades *f.pl.*; ***wollen —fen,*** lainages *m.pl.*; ***— geven tot,*** donner lieu à, prêter à; ***kort van — zijn,*** **1** avoir la tête près du bonnet; **2** être un homme de peu de paroles; ***dat geeft — tot nadenken,*** cela invite à la réflexion, cela donne à penser; **II** *o.* poussière *f.*; ***— afnemen van de meubelen,*** épousseter les meubles; ***— opjagen,*** secouer la poussière; ***— opwerpen,*** faire de la poussière; ***tot — vergaan,*** tomber en poussière, être réduit en poussière.
stof'achtig *b.n.* poudreux.
stof'bezem *m.* époussette *f.*, houssoir *m.*
stof'bril *m.* lunettes *f.pl.* d'automobiliste.
stof'deeltje *o.* parcelle *f.* de poussière.
stof'dicht *b.n.* étanche à la poussière.
stof'doek *m.* essuie-meubles *m.*, torchon *m.* (sec), chiffon *m.* de nettoyage.
stoffa'ge *v.* **1** étoffe *f.*, tissu *m.*; **2** *zie* ***stoffering.***
stoffeer'der *m.* **1** tapissier *m.*; **2** garnisseur *m.*; **3** (*schilder v. bijwerk*) peintre *m.* d'accessoires.
stof'fel *m.* (grand) bêta, imbécile *m.*
Stof'fel *m.* Christophe *m.*
stof'felijk I *b.n.* materiel; **II** *bw.* materiellement; ***— overschot,*** dépouille *f.* mortelle.
stof'felijke *o.* matière *f.*
stof'felijkheid *v.* matérialité *f.*
stof'fen I *b.n.* d'étoffe; **II** *ov.w.* épousseter, housser; **III** *on.w.* se vanter (de), se glorifier (de).
stof'fer *m.* **1** époussette, brosse *f.*; **2** (*v. veren*) plumeau *m.*; **3** (*pocher*) hâbleur, fanfaron *m.*
stoffe'ren *ov.w.* **1** (*meubelen*) garnir, meubler; **2** (*fig.*) orner, embellir; **3** (*v. auto, enz.*) étoffer.
stoffe'ring *v.* **1** ameublement *m.*; **2** embellissement *m.*
stof'fig *b.n.* poussiéreux, poudreux.
stof'figheid *v.* état *m.* poussiéreux.
stof'goud *o.* poudre *f.* d'or.
stof'hagel *m.* grésil *m.*
stof'hagelen *on.w.* grésiller.
stof'jas *m. en v.* pare-poussière, cache-poussière *m.*, blouse *f.*
stof'je *o.* grain *m.* de poussière.
stof'kam *m.* peigne *m.* fin.
stof'mantel, *zie* ***stofjas.***
stof'meel *o.* folle farine *f.*
stof'naam *m.* (*gram.*) nom *m.* de matière.
stof'nest *o.* nid *m.* à poussière.
stof'omslag *m. en o.* jaquette, coiffe *f.*
stof'regen *m.* bruine *f.*, pluie *f.* fine.
stof'regenen *on.w.* bruiner.
stof'scherm *o.* pare-poussière *m.*
stof'sneeuw *v.*(*m.*) poussière *f.* de neige, neige *f.* très fine.
stof'vlokken *mv.* moutons *m.pl.*
stof'vrij *b.n.* **1** dépoussiéré; **2** impénétrable (*of* résiste) à la poussière; ***— maken,*** dépoussiérer.
stof'wisseling *v.* métabolisme *m.*; échanges *m.pl.* vitaux.
stof'wisselingsziekte *v.* trouble *m.* des échanges vitaux, maladie *f.* de la nutrition.
stof'wolk *v.*(*m.*) nuage *m.* de poussière; tourbillon *m.* —.
stof'zuigen *o.* nettoyage *m.* par le vide.
stof'zuiger *m.* aspire-poussière, aspirateur *m.*
stoïcijn' *m.* stoïcien *m.*
stoïcijns' I *b.n.* stoïque; **II** *bw.* stoïquement.

stok *m.* **1** (*alg.*) bâton *m.*; **2** (*wandel—*) canne *f.*; **3** (*v. bezem, enz.: steel*) manche *m.*; **4** (*v. vlag*) hampe *f.*; **5** (*voor vogels, kippen*) perchoir *m.*; **6** (*v. kaarten*) talon *m.*; **7** (*hengel—*) perche *f.*; ***het met iem. aan de — hebben,*** avoir maille à partir avec qn.; ***het met iem. aan de — krijgen,*** se prendre de querelle avec qn.
stok'boon *v.*(*m.*) haricot *m.* grimpant.
stok'brood *o.* pain *m.* long, baguette *f.*
stok'doof *b.n.* sourd comme un pot.
stok'duif *v.*(*m.*) ramier *m.*
sto'kebrand *m.* boutefeu, agitateur *m.*, fauteur *m.* de désordre(s).
sto'ken I *on.w.* **1** faire du feu, chauffer; **2** (*fig.*) intriguer, susciter des querelles, fomenter des discordes; **II** *ov.w.* **1** (*v. kolen, enz.*) brûler; **2** (*v. kachel, oven*) chauffer; **3** (*v. likeuren*) distiller; ***olie —,*** alimenter au moyen d'huile; ***hout —,*** se chauffer au bois; ***een vuurtje —,*** allumer un feu; **III** *z.n., o.* **1** chauffage *m.*; **2** (*fig.*) fomentation *f.*; **3** (*v. likeuren*) distillation *f.*
sto'ker *m.* **1** (*v. trein, enz.*) chauffeur *m.*; **2** (*distilleerder*) distillateur *m.*; **3** *zie* ***stokebrand.***
stokerij' *v.* distillerie *f.*
stok'erwt *v.*(*m.*) féverole *f.*
stok'houder *m.* (*Z.N.: deken der advocaten*) bâtonnier *m.*
stok'je *o.* **1** (*kleine stok*) petit bâton *m.*, baguette *f.*; **2** (*wandel—*) badine *f.*; ***ergens een — voor steken,*** mettre le holà à qc.; mettre fin à qc.; ***alle gekheid op een —,*** raillerie à part.
stok'kaart *v.*(*m.*) carte *f.* du talon.
stok'ken I *ov.w.* **1** (*bonen*) ramer; **2** (*anker*) enjaler; **3** (*bijen*) capter dans une ruche; **II** *on.w.* **1** s'arrêter, rester court; **2** (*v. gesprek*) tomber, tarir; ***zijn stem stokte,*** la voix lui manqua.
stok'kerig *b.n.* **1** (*v. vruchten, enz.*) ligneux, cordé, cotonneux; **2** (*fig.: stijf, boers*) raide, gauche.
stok'oud *b.n.* très vieux, extrêmement —; vieux comme Hérode, vieux comme le monde.
stok'paard(je) *o.* **1** dada *m.*, marotte *f.*; **2** (*fig*) cheval *m.* de bataille, épée *f.* de chevet; ***op zijn — rijden,*** enfourcher son dada.
stok'passer *m.* compas *m.* à verge.
stok'roos *v.*(*m.*) rose *f.* trémière, passe-rose* *f.*
stok'schermen *o.* escrime *m.* au bâton.
stok'slag *m.* coup *m.* de bâton.
stok'stijf I *b.n.* raide comme une perche, — un piquet; **II** *bw.*, ***— volhouden,*** soutenir mordicus.
stok'vis *m.* morue *f.* sèche, merluche *f.*
sto'la *v.*(*m.*) étole *f.*
stol'len *on.w.* **1** se figer; se coaguler, se cailler; **2** (*v. water*) geler, se prendre; **3** (*scheik.*) se solidifier; **4** (*fig.: v. bloed*) se glacer.
stol'ling *v.* **1** figement *m.*; coagulation *f.*, caillement *m.*; **2** prise *f.*; **3** solidification *f.*
stol'lingsgesteente *o.* roche(s) *f.* (*pl.*) magmatique(s), — éruptive(s), — volcanique(s).
stol'lingspunt *o.* point *m.* de solidification.
stol'lingswarmte *v.* chaleur *f.* de solidification.
stolp *v.*(*m.*) verre *m.*, cloche *f.*
stol'pen *ov.w.* mettre sous cloche.
stol'punt *o.* point *m.* de solidification.
stol'sel *o.* dépôt *m.*
stom I *b.n.* **1** (*sprakeloos*) muet; **2** (*dom*) bête, stupide; ***— als een vis,*** muet comme une carpe; ***geen — woord,*** pas un traître mot; ***geen — woord zeggen,*** ne pas souffler mot; **II** *bw.* stupidement; bêtement; ***— verbaasd,*** stupide d'étonnement.
stom'dronken *b.n.* ivre mort(e).
sto'men I *on.w.* **1** jeter de la vapeur; **2** (*v. lamp, enz.: walmen*) fumer, filer; **3** (*v. trein, schip*) aller

à la vapeur; ***met volle kracht* —,** aller à toute vapeur; **II** *ov.w.* **1** (*v. kleren, enz.*) nettoyer à la vapeur; **2** (*v. rijst*) cuire au bain de vapeur, cuire à la vapeur; **3** (*v. vruchten*) évaporer.
sto'mer *m.* bateau *m.* à vapeur, steamer *m.*
stomerij' *v.* nettoyage *m.* à sec.
stom'heid *v.* **1** mutisme *m.*; **2** (*domheid*) bêtise, stupidité *f.*; **3** (*gen.*) mutité *f.*, mutisme *m.*
stom'me *m.-v.* muet *m.*, muette *f.*
stommeknecht' *m.* guéridon *m.*
stom'melen *on.w.* faire un bruit sourd.
stom'meling I *v.* bruit *m.* sourd; **II** *m.*, *zie* ***stommerik.***
stom'merik *m.* imbécile, butor, (gros) bêta *m.*
stom'metje, — *spelen,* faire le muet (*of* la muette).
stommiteit' *v.* **1** stupidité, bêtise; balourdise *f.*; **2** (*in gedrag, enz.: flater*) gaffe, bévue *f.*
stomp I *b.n.* **1** (*niet scherp, bot*) émoussé; **2** (*niet puntig*) obtus, sans pointe, épointé; **3** (*v. neus*) camus, épaté; **4** (*v. voorwerp, wapen*) contondant; **5** (*afgeknot*) tronqué; **6** (*v. toren*) aplati; **7** (*fig.*) obtus, bête, hébété, borné; **II** *z.n.*, *m.* **1** (*v. boom*) souche *f.*; **2** (*v. arm, lid*) moignon *m.*; **3** (*rest*) tronçon *m.*; **4** (*v. kaars, enz.*) bout *m.*; **5** (*vuistslag*) coup *m.* de poing, bourrade, gourmade *f.*; **6** (*op het oog*) pochon *m.*
stom'pen I *ov.w.* **1** (*vuistslagen geven*) donner des coups de poing, donner des bourrades; **2** (*afstompen*) émousser; épointer; **II** *on.w.* gourmer.
stomp'heid *v.* **1** état *m.* obtus; — émoussé; **2** (*v. zintuig*) obtusion *f.*; **3** (*fig.*) bêtise *f.*, manque *m.* d'intelligence; abrutissement *m.*
stomphoe'kig *b.n.* obtusangle.
stomp'je *o.* **1** *zie* ***stomp* II**; **2** (*v. pijp*) brûle-gueule *m.*
stomp'neus *m.* **1** nez *m.* camus; **2** (*v. persoon*) camard(e) *m.*(*f.*).
stomp'voet *m.* pied *m.* bot.
stompzin'nig *b.n.* **1** (*dom*) obtus, bouché, hébété; **2** (*gen.*) idiot.
stompzin'nigheid *v.* **1** stupidité *f.*, hébétement *m.*; **2** idiotie *f.*
stom'toevallig *bw.* tout à fait par hasard.
stom'verbaasd *b.n.* ébaubi, tout étonné.
stond *m.*, **ston'de** *v.*(*m.*) moment, instant *m.*; heure *f.*; ***van —en aan,*** incontinent, dès ce moment, dès à présent.
stoof *v.*(*m.*) **1** (*voet—*) chaufferette *f.*; **2** (*warm water—*) bouillotte *f.*; **3** (*Z.N.: kachel*) poêle *m.*
stoof'appel *m.* pomme *f.* à cuire.
stoof'hitte *v.* chaleur *f.* d'étuve.
stoof'ketel *m.* marmite *f.*
stoof'pan *v.*(*m.*) casserole *f.*
stoof'peer *v.*(*m.*) poire *f.* à cuire.
stoof'sel *o.* étuvée *f.*
stook'gat *o.* aspirail *m.*, chauffe *f.*
stook'gelegenheid *v.* feu, foyer *m.*
stook'ijzer *o.* ringard *m.*
stook'olie *v.*(*m.*) mazout *m.*, huile *f.* de chauffage.
stook'oven *m.* four *m.*
stook'plaats *v.*(*m.*) **1** (*haardstede*) foyer, feu *m.*; **2** (*v. schip*) chaufferie *f.*, chambre *f.* de chauffe; **3** (*v. fabriek*) chaufferie *f.*
stool *m.* étole *f.*
stoom *m.* vapeur *f.*; ***met —,*** à la vapeur; ***met volle —,*** à toute vapeur; ***met — verwarmd,*** chauffé à la vapeur; ***onder —,*** sous pression.
stoom'afsluiter *m.* robinet *m.* d'arrêt.
stoom'bad *o.* bain *m.* de vapeur, — turc.
stoom'barkas *v.*(*m.*) chaloupe *f.* à vapeur.
stoom'boot *m. en v.* bateau *m.* à vapeur, steamer, paquebot, transatlantique *m.*
stoom'bootdienst *m.* service *m.* de bateaux à vapeur.
stoom'bootmaatschappij *v.* compagnie *f.* de navigation à vapeur.
stoom'brandspuit *v.*(*m.*) pompe *f.* à vapeur.
stoom'cursus, -kursus *m.* (*fam.*) cours *m.* express, cours *m.*(*pl.*) accéléré(s).
stoom'druk *m.* pression *f.* de la vapeur.
stoom'drukmeter *m.* manomètre *m.*
stoom'fabriek *v.* usine *f.* à vapeur.
stoom'fluit *v.*(*m.*) sifflet *m.* à vapeur; sirène *f.*
stoom'gemaal *o.* pompe *f.* à eau électrique, station (*of* usine) *f.* de pompage.
stoom'hamer *m.* marteau*-pilon* *m.*
stoom'inlaat *m.* prise *f.* de vapeur.
stoom'jacht *o.* yacht *m.* à vapeur.
stoom'ketel *m.* chaudière *f.*, générateur *m.*
stoom'klaar *b.n.* (*sch.*) appareillé; ***— maken,*** apparailler.
stoom'klep *v.*(*m.*) soupape *f.*
stoom'koker *m.* autoclave *f.*
stoom'kraan *v.*(*m.*) grue *f.* à vapeur.
stoom'kracht *v.*(*m.*) force *f.* de la vapeur; ***met —,*** à la vapeur.
stoom'kruk *v.*(*m.*) introduction *f.* de la vapeur.
stoom'kursus, *zie* ***stoomcursus.***
stoom'lier *v.*(*m.*) treuil *m.* à vapeur.
stoom'machine *v.* machine *f.* à vapeur.
stoom'molen *m.* moulin *m.* à vapeur.
stoom'pers *v.*(*m.*) presse *f.* à vapeur.
stoom'pijp *v.*(*m.*) tuyau *m.* (à vapeur).
stoom'schip *o.* (bateau *m.* à) vapeur *m.*
stoom'schuif *v.*(*m.*) tiroir *m.*
stoom'spuit *v.*(*m.*) pompe *f.* à vapeur.
stoom'tram, -trem *m.* tramway *m.* à vapeur.
stoom'trawler *m.* vapeur *m.* chalutier, chalutier *m.* à vapeur.
stoom'trein *m.* train *m.* à vapeur.
stoom'trem, *zie* ***stoomtram.***
stoom'vaart *v.*(*m.*) navigation *f.* à vapeur.
stoom'vaartlijn *v.*(*m.*) ligne *f.* de navigation, — de bateaux à vapeur.
stoom'vaartmaatschappij *v.* compagnie *f* de navigation (à vapeur).
stoom'vermogen, *zie* ***stoomkracht.***
stoom'verwarming *v.* chauffage *m.* à la vapeur.
stoom'wals *v.*(*m.*) rouleau*-compresseur* *m.*, cylindre *m.* à vapeur.
stoomwasserij' *v.* buanderie *f.* à vapeur.
stoom'werktuig *o.* machine *f.* à vapeur.
stoom'wezen *o.* locomotion *f.* à vapeur.
stoom'zuiger *m.* piston *m.*
stoop *v.*(*m.*) cannette, cruche *f.*
stoor'der *m.* perturbateur *m.*
stoor'nis *v.* **1** dérangement, désordre, trouble *m.*; **2** (*sterker*) perturbation *f.*; **3** (*v. el. licht, enz.*) interruption *f.*
stoor'zender *m.* émetteur *m.* de brouillage, — de bruitage, poste *m.* brouilleur.
stoot *m.* **1** (*alg.*) coup *m.*; **2** (*botsing*) choc, heurt *m.*; **3** (*duw*) poussée *f.*; **4** (*v. voertuig*) cahot, choc *m.*; **5** (*bij schermen*) botte *f.*, coup *m.* de pointe; **6** (*muz.*) battement *m.*; **7** (*fig.*) impulsion *f.*, branle *m.*; ***met stoten,*** par saccades *f.pl.*; ***de — aan iets geven,*** donner l'impulsion (*of* le branle) à qc., prendre l'initiative de qc.; ***een geduchte — krijgen,*** subir une rude atteinte.
stoot'balk *m.* heurtoir *m.*
stoot'blok *o.* **1** butoir *m.*; **2** (*vl.*) cale *f.*
stoot'ionisa'tie *v.* ionisation *f.* par chocs.
stoot'je *o.* poussée *f.*; ***hij kan tegen een —,*** il est solide, il n'est pas douillet; ***hij heeft een — gehad,*** la maladie lui a porté un coup.
stoot'kant *m.* bord *m.*, lisière *f.*

stoot'kracht *v.(m.)* force *f.* de frappe, puissance *f.* de frappe.
stoot'kussen *o.* tampon *m.*
stoot'plaat *v.(m.)* (*v. degen*) garde *f.*
stoot'troepen *mv.* troupes *f.pl.* de choc.
stoot'wapen *o.* arme *f.* d'estoc.
stop I *m.* **1** (*v. fles, enz.*) bouchon *m.*; **2** (*v. vat*) bonde *f.*; **3** (*el.: stekker*) fiche *f.*; **4** (*zekering*) plomb, fusible *m.*; **5** (*in weefsel*) reprise *f.*; **6** (*v. prijzen*) limitation *f.*; **II** *tw.* **—!** halte ! stop !; assez ! suffit !
stop'bord *o.* (panneau *m.*) stop *m.*
stop'contact, -kontakt *o.*, (*el.*) contact *m.* à cheville, prise *f.* de courant.
stop'fles *v.(m.)* **1** flacon *m.* bouchant à l'émeri; **2** bocal *m.* à conserves.
stop'garen *o.* fil *m.* à repriser.
stop'hars *o. en m.* futée *f.*
stop'kalk *m.* badigeon *m.*
stop'kontakt, *zie* ***stopcontact.***
stop'lap *m.* cheville *f.*
stop'licht *o.* feu *m.* d'arrêt, — rouge.
stop'lijn *v.(m.)* ligne *f.* d'arrêt.
stop'middel *o.* **1** (*kleefstof*) lut *m.*; **2** (*gen.*) obstructif, astringent *m.*
stop'naad *m.* rentraiture *f.*
stop'naald *v.(m.)* aiguille *f.* à repriser.
stop'pel *m.* **1** (*v. koren*) éteule *f.*, chaume *m.*; **2** (*v. baard*) piquant *m.*, poil *m.* raide; **3** (*v. veer*) tuyau *m.*
stop'pelakker *m.* chaume *m.*
stop'pelbaard *m.* barbe *f.* de trois jours.
stop'pelig *b.n.* hérissé.
stop'pelland, stop'pelveld *o.* champ *m.* d'éteules, chaume *m.*
stop'pen I *ov.w.* **1** (*v. opening*) boucher; **2** (*v. lek*) boucher, aveugler; **3** (*opvullen*) remplir, bourrer; **4** (*v. pijp*) bourrer, charger; **5** (*doen ophouden*) arrêter; **6** (*v. linnen*) stopper; **7** (*v. kous*) repriser; **8** (*gen.*) constiper; **9** (*v. worst*) faire; **10** (*sp.: de bal*) bloquer (le ballon); ***in een doos —,*** mettre dans une boîte; ***onder de grond —,*** enterrer; ***iem. —,*** graisser la patte à qn.; ***iem. de mond —,*** **1** remplir la bouche à qn.; **2** (*fig.*) fermer la bouche à qn.; **II** *on.w.* s'arrêter, stopper, faire arrêt; **III** *z.n., o.* **1** bouchage *m.*; **2** aveuglement *m.*; **3** bourrage, rembourrage *m.*; **4** stoppage *m.*; **5** reprise *f.*; **6** constipation *f.*; **7** arrêt *m.*
stop'pend *b.n.* (*gen.*) constipant, astringent.
stop'per *m.* stoppeur *m.*
stopperspil' *m.* (*sp.*) demi centre *m.*
stop'plaats *v.(m.)* arrêt *m.*; halte, station *f.*
stop'sein *o.* signal *m.* d'arrêt.
stop'steek *m.* piqûre *f.*, point *m.* de reprise.
stop'streep *v.(m.)* ligne *f.* d'arrêt.
stop'trein *m.* train*-omnibus *m.*
stop'verbod *v.* interdiction *f.* totale de stationnement.
stop'verf *v.(m.)* mastic *m.*
stop'watch *v.(m.) en o.* chronomètre *m.* à arrêt, montre *f.* à déclic.
stop'werk *o.* **1** (*v. kousen, enz.*) reprisage *m.*; **2** (*sch.*) étoupe *f.*
stop'wol *v.(m.)* laine *f.* à repriser.
stop'woord *o.* cheville *f.*
stop'zetten *ov.w.* **1** (*v. motor*) arrêter; **2** (*v. fabriek, enz.*) fermer, arrêter; **3** (*v. verkeer*) suspendre; **4** (*v. rem*) bloquer.
stop'zetting *v.* arrêt *m.*, fermeture *f.*
stop'zij(de) *v.(m.)* soie *f.* à repriser.
sto're *v.(m.)* persienne *f.*
sto'ren I *ov.w.* **1** déranger, troubler; gêner; **2** (*onderbreken*) interrompre; **3** (*radio enz.*) brouiller; ***de verbinding —,*** interrompre la communication; ***iem. in zijn werk —,*** distraire qn. de son travail; ***stoor ik u niet ?*** je ne vous dérange pas ? **II** *w.w.*, ***zich — aan,*** se soucier de; faire attention à; ***zich niet — aan iem.,*** ne pas écouter qn.
sto'rend *b.n.* **1** perturbateur; **2** (*fam.*) gênant, dérangeant; ***— geluid,*** (*radio*) parasite *m.*
sto'ring *v.* **1** dérangement; trouble *m.*; **2** interruption *f.*; **3** (*radio, tel.*) grésillements *m.pl.*, perturbation *f.*, parasite(s) *m.(pl.)*; friture *f.*; **4** (*in el. leiding*) panne *f.*; **5** (*tn.*) brouillage *m.*; ***een — opheffen,*** relever un dérangement.
sto'ringsdienst *m.* service *m.* des brouilles.
sto'ringsfilter *m. en o.*, (*el.*) filtre *m.* antiparasite.
sto'ringsvuur *o.* (*mil.*) tir *m.* d'interdiction.
sto'ringvrij *b.n.* sans panne; (*v. radio etc.*) antifading, déparasité.
storm *m.* **1** tempête; tourmente *f.*; **2** (*vliegende —*) ouragan *m.*; **3** (*fig.*) orage *m.*; **4** (*mil.*) assaut *m.*; ***magnetische —,*** orage *m.* (*of* perturbation *f.*) magnétique; ***het liep —,*** on assiégeait les portes; ***een — in een glas water,*** une tempête dans un verre d'eau; ***de — het hoofd bieden,*** faire tête à l'orage.
storm'aanval *m.* assaut *m.*
storm'achtig *b.n.* **1** orageux; **2** (*v. zee*) houleux, agité, démonté; haut, gros; ***— applaus,*** applaudissement à tout rompre.
storm'bal *m.* cône *m.* de tempête, cylindre *m.* à cône, boule *f.* (de gros temps).
storm'band *m.* mentonnière, jugulaire *f.*
storm'bok *m.* bélier *m.*
storm'boot *m. en v.* vedette *f.* d'assaut.
storm'bui *v.(m.)* bourrasque, rafale *f.*
stor'men *on.w.* **1** faire une tempête; **2** (*mil.*) donner l'assaut (à); ***het stormt,*** le vent souffle en tempête; ***'t zal er —,*** cela va chauffer.
stor'menderhand *bw.* d'assaut, d'emblée.
Storm-en-Drang'periode *v.* époque (*of* période) *f.* du Sturm und Drang.
storm'fok *v.(m.)* tourmentin *m.*
storm'gevaarte *o.* machine *f.* de guerre.
storm'hoed *m.* armet *m.*
storm'hoek *m.* région *f.* de tempêtes.
storm'klok *v.(m.)* tocsin *m.*
storm'ladder *v.(m.)* échelle *f.* d'escalade.
storm'lamp, storm'lantaarn, -lantaren *v.(m.)* lanterne*-tempête *f.*
storm'loop *m.* assaut *m.*, ruée *f.*
storm'lopen *on.w.* **1** donner l'assaut (à); **2** (*fig.*) assiéger les portes.
storm'pas *m.* (*mil.*) pas *m.* de charge.
storm'ram *m.* bélier *m.*
storm'schade *v.(m.)* **1** dommage *m.* causé par la tempête; **2** indemnités-tempête *f.pl.*
storm'sein *o.* signal *m.* de tempête.
storm'troepen *mv.* troupes *f.pl.* d'assaut.
storm'vlaag *v.(m.)* rafale *f.*
storm'vloed *m.* raz *m.* de marée.
storm'vogel *m.* pétrel *m.*; (*fam.*) oiseau *m.* des tempêtes.
storm'waarschuwingsdienst *m.* service *m.* météorologique des côtes.
storm'we(d)er *o.* gros temps *m.*, temps orageux.
storm'wind *m.* tempête *f.*
storm'zeil *o.* (*sch.*) taille-vent *m.*
stort *o. en m.* décharge *f.*
stort'bad *o.* douche *f.*, bain*-douche* *m.*
stort'bak *m.* tombereau *m.*
stort'bui *v.(m.)* pluie *f.* battante, averse *f.*
stor'ten I *ov.w.* **1** (*alg.*) jeter, précipiter; **2** (*v. bloed, tranen*) verser, répandre; **3** (*v. stenen, enz.: afladen*) décharger, déverser; **4** (*v. geld*) verser;

payer; **5** (*morsen*) répandre; ***geld — bij een bank,*** déposer de l'argent dans une banque; ***puin —,*** déverser du remblai; ***beton —,*** couler du béton; ***gestorte goederen,*** marchandises chargées en vrac; ***een gestorte lading,*** une cargaison en vrac; ***hete tranen —,*** pleurer à chaudes larmes; ***in 't ongeluk*** (*of* ***in 't verderf***) ***—,*** perdre; **II** *on.w.* **1** tomber, se précipiter; **2** pleuvoir à verse; **III** *w.w.* ***zich —,*** se jeter, se précipiter; ***zich in het verderf —,*** se perdre, se ruiner.

stort'goederen *mv.* marchandises *f.pl.* en vrac.

stor'ting *v.* **1** (*v. bloed, enz.*) effusion *f.*; **2** (*gen.*) épanchement *m.*; **3** (*H.: v. geld*) versement; paiement *m.*

stor'tingsbewijs *o.* récépissé *m.* de versement.

stor'tingsformulier *o.* formule *f.* de versement.

stort'kar *v.(m.)* tombereau *m.*

stort'koker *m.* tuyau *m.* de descente.

stort'plaats *v.(m.)* **1** décharge *f.* (publique); **2** (*v. molen*) déversoir *m.*

stort'regen *m.* pluie *f.* battante, averse *f.*

stort'regenen *onp.w.* pleuvoir à verse.

stort'vloed *m.* **1** torrent *m.*; **2** (*fig.*) bordée *f.*

stort'zee *v.(m.)* paquet *m.* de mer, coup *m.* de mer.

sto'ten I *ov.w.* **1** (*alg.*) pousser; **2** (*in 't voorbijgaan*) heurter; **3** (*fijnstampen*) concasser; piler, broyer; **4** (*ergeren*) choquer, scandaliser; ***het schip stiet op een rots,*** le navire a donné sur un rocher, — a touché un rocher; ***uit zijn ambt —,*** destituer; ***van de troon —,*** détrôner; ***van zich —,*** repousser; **II** *on.w.* **1** (*v. voertuig*) cahoter, faire des cahots; **2** (*v. schip*) tanguer; **3** (*v. geweer*) repousser; reculer; **4** (*fig.*) choquer; ***op elkaar —,*** **1** se heurter; **2** (*v. treinen*) se tamponner; **III** *w.w.*, ***zich —,*** se heurter; ***zich aan iets —,*** **1** se heurter à qc., se cogner contre qc.; **2** (*fig.*) se scandaliser de qc., se formaliser de qc.; **IV** *z.n., o.* **1** heurts, coups *m.pl.*; **2** (*v. voertuig*) cahots *m.pl.*, cahotement *m.*; **3** (*v. schip*) tangage *m.*; **4** concassage, broyage *m.*

sto'tend *b.n.* **1** choquant, scandaleux, révoltant; **2** (*v. woorden*) blessant, offensant; **3** (*v. stijl*) heurté, dur, abrupt.

stot'teraar *m.* bégayeur, bègue *m.*

stot'teren *on.w.* bégayer, balbutier; **II** *z.n., o.* bégaiement *m.*

stout I *b.n.* **1** (*v. kind: ondeugend, ongehoorzaam*) méchant, désobéissant; **2** (*vermetel, overmoedig*) hardi, audacieux, téméraire, intrépide; ***Karel de S—e,*** Charles le Téméraire; ***de —e schoenen aantrekken,*** prendre son courage à deux mains; **II** *bw.* hardiment, audacieusement; **III** *z.n., m. en o.*, (*bier*) stout *m.*, bière *f.* double.

stou'terd *m.* méchant *m.* (enfant).

stout'heid *v.* **1** méchanceté, désobéissance *f.*; **2** hardiesse, audace, intrépidité, témérité *f.*

stoutmoe'dig I *b.n.* hardi, intrépide, audacieux; **II** *bw.* hardiment, intrépidement, audacieusement.

stoutmoe'digheid *v.* hardiesse, audace, témérité, intrépidité *f.*

stout'weg *bw.* **1** hardiment, résolument; **2** (*brutaal*) effrontément.

stouwa'ge, stuwa'ge *v.* arrimage *m.*

stou'wen I *ov.w.* (*sch.*) arrimer; **II** *z.n., o.* arrimage *m.*

stou'wer *m.* arrimeur *m.*

stou'wing *v.* arrimage *m.*

sto'ven *ov.w.* **1** étuver, mettre à l'étuvée, endauber; **2** (*als ragout*) fricoter; **3** (*gen.*) fomenter, étuver; ***langzaam —,*** mijoter; ***iem. een kool —,*** jouer un tour à qn.

sto'ving *v.* **1** étuve, daube *f.*; **2** (*gen.*) fomentation *f.*

straal *m. en v.* **1** (*v. licht*) rayon *m.*, trait *m.* de lumière; **2** (*v. bliksem*) éclair *m.*; **3** (*v. water, kraan*) filet, jet *m.*; **4** (*v. bloed*) jet, flot *m.*; **5** (*v. cirkel*) rayon *m.*

straal'aandrijving *v.* propulsion *f.* par réaction; ***met —,*** à réaction.

straal'brekend *b.n.* réfractif, réfringent.

straal'breker *m.* brise-jet *m.*

straal'breking *v.* réfraction *f.*

straal'buiging *v.* diffraction *f.*

straal'bundel *m.* faisceau *m.* lumineux.

straal'dier *o.* radiaire, rayonné *m.*

straal'jager *m.* chasseur *m.* à réaction.

straal'kachel *v.(m.)* radiateur *m.* électrique.

straal'motor *m.* moteur *m.* à réaction.

straal'pijp *v.(m.)* lance *f.*

straal'punt *o.* point *m.* radiant.

straals'gewijs, -gewijze *bw.* en forme de rayons.

straal'tje *o.* **1** petit rayon *m.*; **2** (*v. vloeistof*) filet *m.*; **3** (*fig.: v. hoop*) lueur *f.*

straal'vliegtuig *o.* avion *m.* à réaction.

straat *v.(m.)* **1** rue *f.*; **2** (*—weg*) chaussée *f.*; route *f.* pavée; **3** (*plaveisel*) pavé *m.*; **4** (*zeestraat*) détroit *m.*; ***op —,*** dans la rue; ***op — zetten,*** mettre sur le pavé, mettre dans la rue; ***langs de — lopen,*** battre le pavé.

straat'arbeider *m.* homme *m.* de peine.

straat'arm *b.n.* pauvre comme un rat d'église, pauvre comme Job.

straat'belasting *v.* impôt *m.* sur les propriétés riveraines des rues; pavage *m.*

straat'bengel *m.* voyou *m.* [rue.

straat'betoging *v.* manifestation *f.* dans la

straat'deun *m.* chanson *f.* des rues.

straat'deur *v.(m.)* porte *f.* d'entrée, — principale.

straat'gerucht *o.* bruit(s) *m.(pl.)* de la rue.

straat'gespuis *o.* racaille *f.*; populace *f.*

straat'gevecht *o.* **1** combat *m.* dans les rues; **2** (*vechtpartij*) rixe; bagarre *f.*

straat'goot *v.(m.)* ruisseau *m.*

straat'handel *m.* commerce *m.* des rues.

straat'hoek *m.* **1** coin *m.* de rue; **2** (*kruispunt*) carrefour *m.* [maître.

straat'hond *m.* chien *m.* de ruisseau, — sans

straat'je *o.* petite rue, ruelle *f.*

straat'jeugd *v.(m.)* gamins *m.pl.* des rues.

straat'jongen *m.* gamin, polisson, voyou *m.*

straat'jongensachtig I *b.n.* polisson; **II** *bw.* en polisson.

straat'jongensstreek *v.(m.)* polissonnerie *f.*

straat'kei, straat'klinker *m.* pavé *m.*, brique *f.* de pavage.

straat'koopman *m.* **1** (*venter*) camelot *m.*; **2** (*v. groenten, enz.*) vendeur *m.* ambulant.

straat'kreet *m.* cri *m.* de la rue.

straat'lantaarn, -lantaren *v.* réverbère *m.*

straat'lied(je) *o.* chanson *f.* des rues.

straat'loper *m.* batteur *m.* de pavé.

straat'maker *m.* paveur *m.*

straat'meid *v.* coureuse *f.*, fille *f.* des rues.

straat'muzikant *m.* musicien *m.* ambulant.

straat'naambordje *o.* plaque *f.* indicatrice.

straat'orgel *o.* orgue *m.* de Barbarie.

straat'politie *v.* police *f.* des rues.

straat'reiniger *m.* balayeur *m.*

straat'reiniging *v.* service *m.* de la voirie.

straat'roof *m.* brigandage *m.*, vol *m.* à main armée.

straat'rover *m.* apache, brigand *m.*, voleur *m.* de grand chemin.

straatroverij', *zie* ***straatroof.***

straat'rumoer *o.* bruit *m.* de la rue, vacarme *m.*
Straats'burg *o.* Strasbourg *m.*
Straats'burger *m.* Strasbourgeois *m.*
straat'schender *m.* vandale *m.*
straatschenderij' *v.* vandalisme *m.*
straat'slijk *o.* crotte *f.* [flânerie *f.*
straat'slijpen I *on.w.* battre le pavé; **II** *z.n.*, *o.*
straat'slijper *m.* batteur *m.* de pavé, flâneur *m.*
straat'stamper *m.* hie, dame *f.*
straat'steen *m.* pavé *m.*
straat'taal *v.(m.)* langage *m.* de la rue, — vulgaire.
straat'veger *m.* **1** (*persoon*) balayeur *m.*; **2** (*machine*) balayeuse *f.*
straat'venter *m.* camelot *m.*
straat'verkeer *o.* circulation *f.* dans les rues.
straat'verkoop *m.* vente *f.* sur la voie publique, colportage *m.*
straat'verlichting *v.* éclairage *m.* des rues.
straat'versperring *v.* **1** barricade *f.*; **2** (*door verkeer*) encombrement, embouteillage *m.*; **3** (*door werkzaamheden*) barrage *m.*
straat'vuil *o.* immondices *f.pl.* (de la rue).
straat'weg *m.* chaussée, grande route *f.*
straat'werker *m.* paveur *m.*
straat'zanger *m.* chanteur *m.* des rues.
straat'zangster *v.* chanteuse *f.* des rues.
straf I *v.(m.)* **1** punition *f.*; **2** (*gevangenis, enz.*) peine *f.*; **3** (*— bedreiging*) sanction *f.*; **4** (*lichamelijk*) châtiment, supplice *m.*; **5** (*—werk*) pensum *m.*; ***op —fe van,*** sous peine de; ***zijn — uitzitten,*** purger sa condamnation, — sa peine; **II** *b.n.* **1** (*sterk*) fort; vif; **2** (*streng: v. maatregel, enz.*) sévère, rigoureux; **3** (*stijf*) raide.
straf'baar *b.n.* **1** (*v. persoon*) coupable, punissable; **2** (*v. handeling*) coupable; tombant sous le coup de la loi; ***een — feit,*** un fait délictueux; ***— met,*** passible de.
straf'baarheid *v.* culpabilité, pénalité *f.*
straf'baarstelling *v.* sanction, pénalisation *f.*
straf'bataljon *o.* bataillon *m.* de discipline.
straf'beding *o.* clause *f.* pénale.
straf'bepaling *v.* **1** pénalité, prescription *f.*; **2** (*v. wetboek*) paragraphe *m.*
straf'compagnie, -kompagnie *v.* compagnie *f.* de discipline.
straf'expeditie *v.* expédition *f.* punitive.
straf'feloos I *b.n.* impuni; **II** *bw.* impunément.
straf'feloosheid *v.* impunité *f.*
straf'fen *ov.w.* **1** punir; **2** (*kastijden*) châtier; ***met boete —,*** mettre à l'amende, infliger une amende à.
straf'fend *b.n.* **1** (*v. blik*) désapprobateur, de désapprobation; **2** (*v. hand*) sévère; **3** (*bijb.*) punisseur; ***—e hand,*** *ook:* main *f.* vengeresse.
straf'gevangenis *v.* maison *f.* d'arrêt, — de détention.
straf'inrichting *v.* institution *f.* pénitentiaire, — correctionnelle.
straf'kamer *v.(m.)* (*bij rechtbank*) chambre *f.* correctionnelle.
straf'kolonie *v.* colonie *f.* pénitentiaire.
straf'kompagnie, *zie* ***strafcompagnie.***
straf'lokaal *o.* local *m.* pénitentiaire.
straf'maatregel *m.* sanction *f.*
straf'middel *o.* moyen *m.* de correction, — disciplinaire. [plice *m.*
straf'oefening *v.* exécution *f.* (d'une peine), sup-
straf'oplegging *v.* punition, pénalité *f.*
straf'opschorting *v.* sursis *m.*
straf'peloton *o.* peloton *m.* de punition.
straf'plaats *v.(m.)* lieu *m.* du supplice.
straf'port *o. en m.* surtaxe *f.*
straf'portzegel *m.* timbre*-taxe* *m.*
straf'preek *v.(m.)* semonce, mercuriale *f.*
straf'punt *o.* (*sp.*) (point *m.* de) pénalisation *f.*
straf'recht *o.* droit *m.* pénal, — criminel; ***wetboek van —,*** code *m.* pénal.
straf'rechtelijk *b.n.* criminel.
straf'rechter *m.* juge *m.* criminel.
straf'register *o.* **1** casier *m.* judiciaire; **2** (*mil.*) livre *m.* de punitions.
straf'schop *m.* (*sp.*) coup *m.* de pied de réparation, coup de pénalisation, penalty *m.*
straf'schopgebied *o.* surface *f.* de réparation.
straf'taak *v.(m.)* pensum *m.* [*f.*
straf'tijd *m.* temps *m.* (d'une punition); détention
straf'vermindering *v.* commutation *f.* de peine.
straf'verordening *v.* arrêté *m.* de police.
straf'vordering *v.* instruction *f.* criminelle.
straf'vrij *b.n.* exempté (de punition).
straf'werk *o.* pensum *m.*
straf'wet *v.(m.)* loi *f.* pénale.
straf'wetboek *o.* code *m.* pénal.
straf'wetgeving *v.* législation *f.* criminelle.
straf'worp *m.* pénalité *f.*
straf'zaak *v.(m.)* affaire *f.* criminelle.
strak I *b.n.* **1** (*gespannen, stijf: v. touw, enz.*) raide, tendu; **2** (*v. gezicht*) impassible; **3** (*v. kleding*) gênant; **II** *bw.* ***— aankijken,*** regarder fixement; ***— kijken,*** avoir un air pincé; ***— voor zich uitkijken,*** regarder droit devant soi; ***— aanhalen,*** serrer.
strak'heid *v.* **1** raideur, tension *f.*; **2** impassibilité *f.*; **3** (*fig.*) gêne *f.*
strak'jes, straks *bw.* tantôt, tout à l'heure.
stra'len *on.w.* **1** (*alg.*) rayonner; **2** (*v. licht, ogen*) briller; **3** (*v. water, enz.*) jaillir; **4** (*fam.: bij examen*) échouer, être recalé.
stra'lenbundel *m.* faisceau *m.* lumineux.
stra'lend *b.n.* **1** rayonnant; **2** (*v. gelaat*) radieux.
stra'lenkrans *m.* auréole *f.*, nimbe *m.*
stra'ling *v.* **1** rayonnement *m.*; **2** (*nat.*) radiation *f.*
stra'lingswarmte *v.* rayonnement *m.* calorifique.
stram *b.n.* **1** raide; engourdi; **2** (*door jicht, enz.*) perclus; **3** (*v. slot, enz.*) rouillé.
stram'heid *v.* raideur *f.*; engourdissement *m.*
stramien' *o.* canevas *m.*
strand *o.* **1** (*alg.*) plage *f.*; **2** (*v. zand*) grève *f.*; **3** (*oever*) rivage *m.*; **4** (*kust*) côte *f.*; ***op — lopen,*** (s') échouer; ***op — zetten,*** mettre à la côte.
strand'bewoner *m.* riverain *m.*
strand'boulevard *m.* digue *f.* (de mer).
strand'dief *m.* naufrageur *m.*, pilleur *m.* d'épaves.
stranddieverij' *v.* vol *m.* d'épaves.
stran'den *on.w.*, (s') échouer, être jeté à la côte, faire côte.
strand'goed *o.* épaves *f.pl.*
strand'huisje *o.* cabanon *m.*
stran'ding *v.* échouement *m.*
strand'jasje *o.* veste *f.* de plage.
strand'jutter *m.* écumeur *m.* de plage, — de grève.
strand'kei *m.* galet *m.*
strand'loper *m.* (*Dk.*) bécasseau *m.*
strand'meer *o.* lagune *f.*
strand'pakje *o.* ensemble *m.* de plage.
strand'recht *o.* droit *m.* d'épave, — de bris.
strand'roof *m.* vol *m.* d'épaves.
strand'rover *m.* naufrageur *m.*
strand'schelp *v.(m.)* mactre *f.*
strand'schoenen *mv.* souliers *m.pl.* bains de mer.
strand'stoel *m.* **1** guérite *f.* (de plage); fauteuil*-abri* *m.*; **2** transatlantique *m.*
strand'tent *v.(m.)* tente *f.* de plage.
strand'vogel *m.* oiseau *m.* littoral.

strand'vonder *m.* préposé *m.* aux épaves.
strandvonderij' *v.* service *m.* des épaves.
strap'less *b.n.* à bretelles inexistantes.
strateeg' *m.* stratégiste *m.*
strategie' *v.* stratégie *f.*
strate'gisch I *b.n.* stratégique; **II** *bw.* stratégiquement.
stra'tenmaker *m.* paveur *m.*
stratosfeer' *v.(m.)* stratosphère *f.*
stratosfeer'ballon *m.* stratostat *m.*
stratosfeer'tocht *m.* vol *m.* stratosphérique.
stratosfeer'vliegtuig *o.* avion *m.* stratosphérique.
stre'ber *m.* ambitieux *m.*
streef'datum *m.* date *f.* envisagée.
streef'getal *o.* chiffre *m.* à atteindre.
streek I *v.(m.)* **1** (*gewest, land*—) contrée, région *f.*, pays *m.*; **2** (*lucht*—) zone *f.*, climat *m.*; **3** (*v. kompas*) rumb *m.*, aire *f.* de vent; **4** (*op viool*) coup *m.* d'archet; **5** (*strijkstok*) archet *m.*; **6** (*met pen*) trait *m.*; **7** (*met penseel*) coup *m.*; **8** (*haal*) touche, raie *f.*; ***op — komen,*** **1** (*met werk, enz.*) se mettre en train; **2** (*na ziekte*) se remettre, se rétablir; ***van —,*** **1** (*v. persoon: ontdaan*) défait, interdit; **2** (*ongesteld*) indisposé, souffrant; **3** (*v. maag*) dérangé; ***van — brengen,*** démonter, déconcerter; **II** *m. en v.* **1** coup *m.*; **2** tour, trait *m.*; **3** (*list*) ruse *f.*; ***dolle —,*** coup *m.* de tête; ***domme —,*** étourderie, sottise *f.*; ***hij heeft streken,*** c'est un sournois; ***streken uithalen,*** faire des siennes; ***een gemene —,*** un vilain tour.
streek'dichter *m.* poète *m.* de terroir.
streek'net *o.* réseau *m.* régional.
streek'plan *o.* plan *m.* de développement régional.
streek'roman *m.* roman *m.* régional.
streek'taal *v.(m.)* dialecte; patois *m.*
streep *v.(m.)* **1** (*met pen*) ligne *f.*, trait *m.*; **2** (*schrap, met potlood, enz.*) raie *f.*; **3** (*muz., onder getallen, enz.*) barre *f.*; **4** (*in stof*) raie *f.*; **5** (*mil.*) chevron, galon *m.*; **6** (*op broek*) bande *f.*; ***een — halen door,*** **1** rayer, barrer; **2** (*fig.*) passer l'éponge sur; ***een — halen door een schuld,*** annuler une dette; ***een — door de rekening,*** un mécompte; ***er loopt een — door,*** il est toqué, il lui manque un clou.
streep'je *o.* **1** (*alg.*) trait, tiret *m.*; **2** (*bij schrijfles*) bâton *m.*; **3** (*verbindings*—) trait *m.* d'union; ***hij heeft een — voor,*** on lui passe qc.
streep'jesgoed *o.* étoffe *f.* rayée.
strek'dam *m.* levée, chaussée *f.*
strek'ken I *on.w.* **1** (*zich uitstrekken*) s'étendre, aller jusqu'à; **2** (*dienen, goed zijn voor*) servir (de), tendre (à); ***tot eer —,*** faire honneur à; ***tot voorbeeld —,*** servir d'exemple; ***zolang de voorraad strekt,*** tant que durera la provision; ***—de meter,*** mètre courant; **II** *ov.w.* tendre; étendre, étirer.
strek'king *v.* **1** tendance *f.*, but *m.*; **2** (*v. arm*) extension *f.*
strek'spier *v.(m.)* (muscle) extenseur *m.*
stre'len *ov.w.* **1** caresser; **2** (*fig.*) flatter.
stre'lend *b.n.* **1** caressant, flatteur; **2** (*fig.*) flatteur.
stre'ling *v.* **1** caresse *f.*; **2** flatterie *f.*
strem'men I *ov.w.* **1** cailler; coaguler; **2** (*fig.*) arrêter, mettre obstacle à; **3** (*v. dienst, verkeer*) interrompre; **4** (*v. doortocht*) obstruer, encombrer; **II** *on.w.* se cailler; se coaguler.
strem'ming *v.* **1** caillement *m.*; coagulation *f.*; **2** (*fig.*) arrêt, empêchement *m.*; **3** interruption *f.*; **4** obstruction *f.*
strem'sel *o.* présure *f.*
streng I *v.(m.)* **1** (*v. draad, zijde*) écheveau *m.*; **2** (*v. touw*) toron *m.*; **3** (*v. paardetuig*) trait *m.*; **II** *b.n.* **1** (*alg.*) sévère; **2** (*v. straf, winter, enz.*) rigoureux; **3** (*v. leven*) austère; **4** (*fig.: onwrikbaar*) rigide; **5** (*v. koude*) âpre, rigoureux; **6** (*v. toezicht*) étroit; **7** (*v. stijl*) sobre, sévère; **III** *bw.* **1** sévèrement; **2** rigoureusement; **3** austèrement; **4** étroitement; ***— te werk gaan,*** user de rigueur; ***— optreden,*** sévir; ***— vertrouwelijk,*** strictement confidentiel.
stren'gel *m.* tresse *f.*, brin *m.*
stren'gelen I *ov.w.* tresser, natter; enlacer; **II** *w.w.* ***zich —,*** s'enlacer, s'enrouler, s'enchevêtrer.
stren'geling *v.* enlacement, enroulement; entrelacement, enchevêtrement *m.*
stren'gen I *ov.w.* **1** (*strak aanhalen*) serrer; lacer; **2** (*v. garen, enz.*) mettre en écheveaux; **II** *on.w.* (*strenger worden*) devenir plus rigoureux.
streng'heid *v.* **1** sévérité *f.*; **2** rigueur *f.*; **3** austérité *f.*; **4** rigidité *f.*; **5** âpreté, rigueur *f.*
stre'pen *ov.w.* rayer.
streptokok' *m.* streptocoque *m.*
stress *m.* strass *m.*
stre'ven I *on.w.* s'efforcer (de), tendre (à), aspirer (à); viser (à), ambitionner (qc.); ***iem. op zijde —,*** égaler qn.; ***te boven —,*** surpasser; **II** *z.n., o.* ambition *f.*, efforts *m.pl.*, aspiration *f.*
strib'belen *on.w.* se quereller, se chamailler.
strib'beling, *zie* ***strubbeling.***
striem *v.(m.)* marque, strie *f.*
strie'men *ov.w.* **1** fouetter, cravacher; **2** (*v. koude*) cingler.
strijd *m.* **1** lutte *f.*, combat *m.*; **2** (*oorlog*) guerre *f.*; **3** (*twist*) querelle *f.*; **4** (*woorden*—) débat *m.*, dispute *f.*; ***de — om het bestaan,*** la lutte pour l'existence (*of* la vie); ***— op leven en dood,*** combat à mort, — à outrance; ***in — met,*** contraire à; en contradiction avec; ***als om —,*** à l'envi.
strijd'baar *b.n.* **1** (*weerbaar*) valide; **2** (*oorlogzuchtig*) belliqueux, guerrier; **3** (*fig.*) combatif.
strijd'baarheid *v.* **1** validité *f.*; **2** humeur *f.* belliqueuse; **3** combativité *f.*, humeur *f.* combative.
strij'den *on.w.* **1** (*alg.*) combattre; **2** (*worstelen*) lutter, se battre; **3** (*twisten*) (se) disputer, contester; ***— met,*** **1** (*in strijd zijn met*) être contraire à; **2** (*aandruisen tegen*) choquer.
strij'dend *b.n.* **1** combattant; **2** (*v. kerk*) militant; ***de —e partijen,*** (*recht*) les parties adverses.
strij'densmoe(de) *b.n.* de guerre lasse.
strij'der *m.* **1** combattant *m.*; **2** (*krijgsman*) guerrier *m.*; **3** (*politiek: v. partij*) militant *m.*; **4** (*fig.: voor zaak*) lutteur *m.*
strijd'gewoel *o.* mêlée *f.*
strij'dig *b.n.* contraire (à), opposé (à).
strij'digheid *v.* contradiction *f.*
strijd'kolf *v.(m.)* massue *f.*
strijd'krachten *m.* forces *f.pl.* (militaires *of* armées).
strijd'kreet *m.* cri *m.* de guerre.
strijd'leus, -leuze *v.(m.)* mot *m.* d'ordre.
strijd'lust *m.* **1** ardeur *f.* guerrière, esprit *m.* belliqueux; **2** (*fig.*) combativité *f.*
strijdlus'tig *b.n.* belliqueux; combatif.
strijd'macht, *zie* ***strijdkrachten.***
strijd'makker *m.* frère *m.* d'armes.
strijd'middel *o.* moyen *m.* d'action (*of* de combat) arme *f.*
strijd'perk *o.* lice, arène *f.*; ***in het — treden,*** entrer en lice, descendre dans l'arène.
strijd'toneel *o.* lieu *m.* du combat.
strijdvaar'dig *b.n.* **1** prêt au combat; **2** (*weerbaar*) valide, en état de combattre; **3** (*fig.*) combatif.
strijdvaar'digheid *v.* **1** valeur *f.* combative; **2** validité *f.*

strijd'vraag *v.(m.)* question *f.* en litige, point *m.* controversé.
strijd'wagen *m.* char *m.* de combat.
strijk *m.*, **— *en zet*,** coup sur coup, à tout moment.
strijka'ge *v.* révérence *f.*; **—*s maken*,** faire des façons.
strijk'bord *o.* **1** (*v. ploeg*) versoir *m.*; **2** (*v. metselaar*) taloche *f.*
strijk'bout *m.* fer *m.* à repasser.
strijk'concert, -koncert *o.* concert *m.* pour instruments à cordes. [raser.
strij'kelings *bw.*, **— *gaan langs*,** effleurer, frôler,
strij'ken I *ov.w.* **1** (*met hand*) passer (la main sur); **2** (*glad maken*) lisser, aplanir; **3** (*v. linnengoed*) repasser; **4** (*neerhalen: v. vlag, zeil*) amener, baisser; **5** (*v. aria, wals, enz.*) jouer (sur le violon); **6** (*recht: v. vonnis*) prononcer; **7** (*v. sloep*) mettre à la mer; **II** *on.w.* **1** faire le repassage; **2** (*v. wind*) souffler; **3** (*v. vogel*) se poser, se percher; ***gaan* —,** filer, déguerpir; ***met de prijs gaan* —,** décrocher le prix; ***met het geld gaan* —,** sauver la caisse; ***op de viool* —,** jouer du violon.
strijk'geld *o.* prime *f.*
strijk'goed *o.* linge *m.* à repasser.
strijk'hout *o.* racloire *f.*
strijk'ijzer *o.* fer *m.* à repasser.
strijk'inrichting *v.* atelier *m.* de repassage, — de blanchissage.
strijk'instrument *o.* instrument *m.* à cordes, — à archet.
strijk'je *o.* (petit) orchestre *m.*; (*fam.*) musique *f.*
strijk'koncert, *zie* ***strijkconcert.***
strijk'kwartet *o.* quatuor *m.* (d'instruments) à cordes.
strijk'kwintet *o.* quintette *f.* d'archets, — d'instruments à cordes.
strijk'muziek *v.* musique *f.* pour instruments à cordes. [traîneau *m.*
strijk'net *o.* **1** (*jacht*) tirasse *f.*; **2** (*visv.: sleepnet*)
strijk'orkest *o.* orchestre *m.* d'instruments à cordes, cordes *f.pl.*
strijk'plank *v.(m.)* **1** planche *f.* à repasser; table *f.* à repasser pliante; **2** (*voor mouwen*) jeannette *f.*
strijk'ster *v.* repasseuse *f.*, blanchisseuse *f.* de fin.
strijk'stok *m.* **1** (*muz.*) archet *m.*; **2** (*strijkhout*) racloire *f.*; ***er blijft wat aan de* — *hangen*,** il y a du coulage.
strijk'tafel *v.(m.)* table *f.* à repasser.
strijk'vuur *o.* (*mil.*) feu *m.* rasant.
strik *m.* **1** (*v. das, versiersel*) nœud *m.*; **2** (*v. hoed*) cocarde *f.*; **3** (*voor wild, enz.*) piège, lacet *m.*; **4** (*val*) traquenard *m.*; ***iem. een* — *spannen*,** tendre un piège à qn.
strik'ken *ov.w.* **1** (*v. das, enz.*) faire un nœud à, nouer; **2** (*vangen*) prendre au lacet, prendre au piège. [collets.
strik'kenzetter *m.* colleteur *m.*, tendeur *m.* de
strikt I *b.n.* strict, exact, étroit; **II** *bw.* strictement, exactement, étroitement; **— *genomen*,** à la rigueur; ***het* — *nodige*,** le strict nécessaire.
strik'vraag *v.(m.)* question *f.* insidieuse, — captieuse, piège *m.*; (*fam.*) colle *f.*
strip *m.* **1** couvre-joint* *m.*; **2** *zie* ***stripverhaal.***
strip'peling *v.* tabac *m.* écôté. [écôtage *m.*
strip'pen I *ov.w.*, (*v. tabak*) écôter; **II** *z.n.*, *o.*
strip'-tease *v.(m.)* strip-tease* *m.*; ***een* — *doen*,** faire du strip-tease.
strip(verhaal *o.*) *m.* roman *m.* par images; (*in krant*) bande *f.* dessinée.
stro *o.* **1** (*alg.*) paille *f.*; **2** (*stal—*) litière *f.*; **3** (*v. dak*) chaume *m.*
stro'achtig *b.n.* pailleux.
stro'bed *o.* lit *m.* de paille.
stro'bloem *v.(m.)* grande immortelle, hélichryse *f.*
stro'bos *m.* botte *f.* de paille.
stro'dak *o.* toit *m.* de chaume.
stro'dekker *m.* couvreur *m.* en chaume.
stroef I *b.n.* **1** (*v. slot, enz.: verroest*) rude; **2** (*ruw*) raboteux; **3** (*v. gelaat*) rébarbatif; **4** (*v. stijl*) laborieux, heurté; **5** (*fig.: bits, stug*) rêche, raide; **6** (*v. ontvangst*) peu engageant.
stroef'heid *v.* **1** dureté *f.*; **2** (*v. machine*) frottement *m.*; **3** air *m.* rébarbatif; **4** caractère *m.* heurté; **5** raideur *f.*
stro'fakkel *v.(m.)* brandon *m.*
stro'fe *v.(m.)* strophe *f.*
stro'geel *b.n.* paille, jaune de paille.
stro'haksel *o.* paille *f.* hachée.
stro'halm *m.* brin *m.* de paille, fétu *m.*; ***zich aan een* — *vasthouden*,** s'accrocher à un fétu de paille.
stro'hoed *m.* chapeau *m.* de paille.
stro'huls *v.(m.)* paillon *m.* (de bouteille).
stro'hut *v.(m.)* chaumière *f.*
stro'karton *o.* carton-paille *m.*
stro'ken *on.w.*, **— *met*,** s'accorder avec, cadrer avec.
stro'kleur *v.(m.)* couleur *f.* de paille.
stro'kleurig *b.n.* paille.
stro'leger *o.* (couche de) paille *f.*
stro'man *m.* **1** homme *m.* de paille; **2** (*fig.*) prête-nom* *m.*, homme *m.* de paille.
stro'mat *v.(m.)* **1** (*alg.*) natte *f.* de paille; **2** (*voor deur*) paillasson *m.*
stro'matras *v.(m.)* *en o.* paillasse *f.*
stro'men *on.w.* **1** (*v. water*) couler; **2** (*v. bloed*) circuler; couler; **3** (*fig.*) se diriger en foule (vers).
stro'mend *b.n.* courant.
stro'ming *v.* **1** (*v. water, zee—*) courant *m.*; **2** (*v. bloed*) circulation *f.*; **3** (*fig.*) courant *m.*, tendance *f.*
strom'pelen *on.w.* clopiner, marcher clopin-clopant, marcher cahin-caha; marcher en trébuchant. [raboteux.
strom'pelig *b.n.* **1** (*v. pas*) trébuchant; **2** (*v. weg*)
strom'peling *v.* trébuchement *m.* [*m.*
stronk *m.* **1** (*v. boom*) souche *f.*; **2** (*v. kool*) trognon
stront *m.* (*pop.*) merde *f.*
stron'tium *o.* strontium *m.*
stront'je *o.* (*gen.*) orgelet *m.* [myte *f.*
stront'vlieg *v.(m.)* mouche *f.* scatophage, scato-
strooi'avond *m.* veille *f.* de la Saint-Nicolas.
strooi'biljet *o.* **1** feuille *f.* volante; **2** prospectus *m.*; **3** (*v. propaganda*) tract *m.*
strooi'en I *b.n.* de paille; **II** *ov.w.* répandre; semer, éparpiller; ***suiker* — *op iets*,** saupoudrer qc. de sucre; ***de koeien* —,** pourvoir les vaches de litière; **III** *on.w.* **1** (*voor processie, bruid, enz.*) faire la jonchée; **2** (*v. vee*) faire la litière.
strooi'er *m.* **1** joncheur *m.*; **2** saupoudroir *m.*
strooi'ing *v.* **1** jonchée *f.*; **2** éparpillement *m.*
strooi'mandje *o.* corbeille *f.* à fleurs.
strooi'meisje *o.* fille *f.* d'honneur.
strooi'sel *o.* **1** (*v. bloemen*) jonchée *f.*; **2** (*in stal*) litière *f.*
strooi'suiker *m.* sucre *m.* en poudre.
strooi'zand *o.* sable *m.* fin.
strook *v.(m.)* **1** (*alg.*) bande *f.*; **2** (*v. papier, bouwk.*) ruban *m.*; **3** (*v. postwissel*) talon *m.*; **4** (*v. wissel, cheque*) volant *m.*; **5** (*v. drukproef*) placard *m.*; **6** (*v. japon*) volant *m.*
strook'je *o.* petite bande, bandelette *f.*
stroom *m.* **1** (*grote rivier*) fleuve *m.*; **2** (*v. water; el.*) courant *m.*; **3** (*v. lava*) coulée *f.*, torrent *m.*;

4 (*v. regen, tranen*) torrent *m.*; **5** (*v. bloed, tranen*) flot *m.*; ***de grote —,*** la masse *f.*; ***een — volk,*** une multitude, une foule *f.*; ***tegen de — ingaan,*** **1** aller contre le courant; **2** (*fig.*) lutter contre le courant; ***met de — meegaan,*** suivre le courant; ***onder — staan,*** être sous tension.
stroomaf', *zie* ***stroomafwaarts.***
stroom'afbreker *m.* (*el.*) disjoncteur *m.*
stroom'afnemer *m.* (*v. tram of bus*) prise *f.* de courant par trolley et fils aériens; (*v. elektr. trein*) pantographe *m.* [circuit *m.*
stroom'afsluiter *m.* (*el.*) ferme-circuit, coupe-
stroomaf'(waarts) *bw.* en aval; ***— varen,*** descendre le courant, — la rivière.
stroom'bedding *v.*(*m.*) lit *m.* d'un fleuve.
stroom'beperker *m.* limiteur *m.*
stroom'breker *m.* **1** (*in rivier*) brise-courant *m.*; **2** (*v. brugpijler*) avant-bec* *m.*; **3** (*el.*) disjoncteur *m.*
stroom'gebied *o.* bassin *m.*
stroom'leider *m.* (*el.*) électrode *f.*
stroom'lijn *v.*(*m.*) ligne *f.* aérodynamique; ***met —,*** aérodynamique.
stroom'lijnen *ov.w.* fuseler, profiler, caréner.
stroom'loos *b.n.* inactif, mort; ***—loze uren,*** coupures *f.pl.* de courant. [mètre *m.*
stroom'meter *m.* galvanomètre *m.*; ampère-
stroom'nimf *v.* naïade *f.*
stroom'onderbreker *m.* interrupteur *m.*
stroomop'(waarts) *bw.* en amont (de); ***— varen,*** remonter le courant.
stroom'opwekker *m.* dynamo, génératrice *f.*
stroom'regelaar *m.* régulateur *m.* de courant.
stroom'schakelaar *m.* commutateur*-inverseur* *m.*
stroom'sluiter *m.* ferme-circuit *m.*
stroom'snelheid *v.* rapidité *f.* de (*of* du) courant, vitesse *f.* —.
stroom'spanning *v.* potentiel *m.*
stroom'sterkte *v.* intensité *f.* de (*of* du) courant.
stroom'stoot *m.* accroissement *m.* brusque de courant. [cuit *m.*
stroom'verbreker *m.* interrupteur, coupe-cir-
stroom'verbreking *v.* interruption *f.* du courant.
stroom'verbruik *o.* consommation *f.* de courant.
stroom'verdeler *m.* distributeur, delco *m.*
stroom'versnelling *v.* rapide *m.*
stroom'wisselaar *m.* commutateur, inverseur *m.*
stroom'wisseling *v.* commutation *f.*
stroop *v.*(*m.*) **1** sirop *m.*; **2** (*suiker—*) mélasse *f.*; ***iem. — om de mond smeren,*** encenser qn., flagorner qn.
stroop'achtig *b.n.* sirupeux.
stroop'balletje *o.* caramel *m.* au sirop.
stroop'je *o.* (*gen.*) sirop *m.*
stroop'kan *v.*(*m.*) pot *m.* à mélasse; ***met de — lopen,*** enguirlander les gens.
stroop'likker *m.* adulateur, flatteur, flagorneur *m.*
strooplikkerij' *v.* flagornerie *f.*
stroop'mond *m.* bouche *f.* emmiellée.
stroop'nest *o.* repaire *m.* de maraudeurs.
stroop'pot *m.* pot *m.* au sirop.
stroop'tocht *m.* incursion *f.* de pillards, — de maraudeurs.
stroop'wafel *v.*(*m.*) gaufrette *f.* à la mélasse.
stroo'tje *o.* brin *m.* de paille, fétu *m.*; ***— trekken,*** tirer à la courte paille.
strop *m. en v.* **1** (*touw, v. galg*) corde *f.*; **2** (*sch.*) estrope *f.*; **3** (*deugniet, bengel*) mauvais garnement, polisson *m.*; **4** (*in winkel*) rossignol *m.*; **5** (*tegenvaller*) tuile, panne *f.*; ***de — verdienen,*** mériter la corde; ***een — halen,*** remporter une veste; ***dat wordt een — voor hem,*** il va boire un bouillon; ***het is een — voor ons,*** c'est une tuile pour nous.
stro'papier *o.* papier *m.* de paille.
strop'das *v.*(*m.*) col, hausse-col* *m.*; cravate *f.*
stro'pen I *ov.w.* **1** (*alg.*) écorcher; **2** (*v. dier*) dépouiller (de sa peau); **3** (*v. wild*) braconner; **4** (*plunderen, roven*) piller, voler; **II** *on.w.* **1** braconner; **2** piller, marauder, aller en maraude.
stro'per *m.* **1** (*rover*) maraudeur *m.*, voleur *m.* de grand chemin; **2** (*wilddief*) braconnier *m.*; **3** (*vruchten, groenten*) maraudeur *m.*
stro'perig *b.n.* sirupeux.
stroperij' *v.* **1** (*roverij*) pillage, brigandage, maraudage *m.*; **2** (*wilddieverij*) braconnage *m.*; **3** (*afzetterij*) étrille, tonte *f*.
stro'pop, *zie* ***stroman.***
strop'pen *ov.w.* **1** prendre au lacet; **2** (*sch.*) estroper.
stro'snijder *m.* hache-paille, coupe-paille *m.*
strot *m. en v.* gorge *f.*, gosier *m.*; ***iem. bij de — grijpen,*** prendre qn. à la gorge.
strot'ader *v.*(*m.*) veine *f.* jugulaire.
strot'klep *v.*(*m.*) épiglotte *f.*
strot'slagader *v.*(*m.*) carotide *f.*
strot'tehoofd *o.* larynx *m.*
stro'vlechter *m.* tresseur *m.* de paille.
stro'vuur *o.* feu *m.* de paille.
stro'wis *v.*(*m.*) **1** (*alg.*) bouchon *m.* de paille, torchon *m.*; **2** (*als teken*) brandon *m.*
stro'zak *m.* paillasse *f.*
strub'beling, strib'beling *v.* **1** (*moeilijkheid, bezwaar*) difficulté *f.*; **2** (*onenigheid*) querelle(s), tracasserie(s) *f.*(*pl.*), altercation, bisbille *f.* [tion *f.*
structuur', struktuur' *v.* structure, construc-
structuur'formule, struktuur'formule *v.*(*m.*) (*scheik.*) formule *f.* (chimique) développée.
struif *v.*(*m.*), **—koek** *m.* omelette *f.*
struik *m.* **1** (*alg.*) arbrisseau *m.*; **2** (*laag*) arbuste *m.*; **3** (*—gewas, wild*) buisson *m.*, broussaille(s) *f.*(*pl.*).
struik'achtig *b.n.* **1** (*v. plant*) frutescent; **2** (*v. land*) buissonneux, broussailleux.
strui'kelblok *o.* obstacle *m.*, pierre *f.* d'achoppement.
strui'kelen *on.w.* **1** trébucher, faire un faux pas, broncher; **2** (*fig.*) commettre une faute, faire un faux pas; **3** (*bij examen*) échouer.
strui'keling *v.* **1** faux pas, trébuchement *m.*; **2** (*fig.*) faute *f.*, faux pas *m.*
struik'gewas *o.* broussailles *f.pl.*
struik'roos *v.*(*m.*) rosier *m.* nain, — greffé.
struik'rover *m.* brigand, coupe-jarret* *m.*, voleur *m.* de grand chemin. [armée.
struikroverij' *v.* brigandage *m.*, vol *m.* à main
struik'vormig *b.n.* arborescent.
struis I *m.* autruche *f.*; **II** *v.*(*m.*) céruse *f.*; **III** *b.n.* robuste, vigoureux.
struis'veer *v.*(*m.*) plume *f.* d'autruche.
struis'vogel *m.* autruche *f.*
struis'vogelpolitiek *v.* politique *f.* d'autruche, — de Gribouille.
struktu-, *zie* ***structu-.***
stru'ma *o. en m.* goitre *m.*
strychni'ne *v.*(*m.*) strychnine *f.*
strychni'nevergiftiging *v.* empoisonnement *m.* par la strychnine.
stuc'werk *o.* stuc *m.*
studeer'kamer *v.*(*m.*) cabinet *m.* de travail.
studeer'lamp *v.*(*m.*) lampe *f.* liseuse, — de bureau.
student' *m.* étudiant *m.*; ***— in de rechten,*** étudiant en droit. [étudiants.
studen'tencorps, -korps *o.* association *f.* des

studen'tengrap *v.(m.)* farce *f.* d'étudiant(s), canular *m.*
studen'tenhaver *v.(m.)* les (quatre) mendiants *m.pl.*
studen'tenkorps, *zie* ***studentencorps.***
studen'tenleven *o.* vie *f.* d'étudiant.
studen'tenrestaurant *o.* restaurant *m.* universitaire.
studen'tensociëteit *v.* cercle *m.* des étudiants, club *m.* —.
studen'tentaal *v.(m.)* argot *m.* des étudiants.
studen'tentijd *m.* années *f.pl.* d'université.
studen'tenvereniging *v.* association *f.* d'étudiants.
studen'tenwijk *v.(m.)* cité *f.* universitaire.
studentikoos' **I** *b.n.* d'étudiant, estudiantin, boul'miche; **II** *bw.* à la façon des étudiants, d'une manière estudiantine.
stude'ren *ov.w. en on.w.* **1** *(alg.)* étudier; **2** *(aan hogeschool)* faire des études universitaires; ***in de rechten —,*** faire son droit; ***voor een examen —,*** préparer un examen; ***voor priester —,*** se préparer au sacerdoce; ***op iets —,*** méditer qc.
stu'die *v.* étude *f.*; ***in — nemen,*** mettre à l'étude; ***een — maken van iets,*** étudier qc.; ***op — zijn,*** faire ses études.
stu'diebeurs *v.(m.)* bourse *f.* (d'études).
stu'dieboek *o.* livre *m.* d'étude; manuel; traité *m.*
stu'diefonds *o.* fonds *m.* d'enseignement.
stu'diegenoot *m.* compagnon *m.* d'études, copain *m.*
stu'diejaar *o.* année *f.* d'étude; ***van hetzelfde —,*** de la même promotion.
stu'diekop *m.* **1** *(tekening)* tête *f.* d'étude; **2** *(persoon)* bonne tête *f.*, fort en thème, as *m.*
stu'diekosten *mv.* frais *m.pl.* d'études.
stu'diereis *v.(m.)* voyage *m.* d'études.
stu'dietijd *m.* temps *m.* des études, durée *f.* —.
stu'dieverlof *o.* *(mil.)* sursis *m.* d'appel.
stu'dieverzekering *v.* assurance *f.* universitaire.
stu'diezaal *v.(m.)* salle *f.* d'études.
stu'dio *m.* studio *m.*
stuf *o.* gomme *f.* (à effacer).
stug *b.n.* **1** raide; rude; **2** *(fig.: v. gelaat)* rébarbatif; **3** *(v. karakter)* revêche; têtu.
stug'heid *v.* **1** raideur; dureté *f.*; **2** air *m.* rébarbatif; **3** humeur *f.* revêche; entêtement *m.*
stuif'meel *o.* **1** folle farine *f.*; **2** *(Pl.)* pollen *m.*
stuif'meelkorrel *v.(m.)* graine *f.* de pollen.
stuif'zand *o.* **1** sable *m.* fin; **2** *(drijf—)* sable *m.* mouvant.
stui'ken *ov.w.* *(v. koren, enz.)* mettre en tas.
stuip *v.(m.)* **1** spasme *m.*; **2** *(v. kinderen)* convulsion *f.*; **3** *(fig.)* lubie *f.*; caprice *m.*; ***zich een — lachen,*** se tordre, rire comme un bossu, rire à se tordre.
stuip'achtig *b.n.* convulsif.
stuip'trekkend *b.n.* convulsif.
stuip'trekking *v.* convulsion *f.*
stuit **I** *m.* *(v. bal, enz.)* bond, ricochet *m.*; **II** *v.* **1** bas *m.* de l'échine; **2** croupion *m.*
stuit'been *o.* coccyx *m.*
stui'ten **I** *ov.w.* **1** *(tegenhouden)* arrêter; **2** *(doen ophouden)* faire cesser; **3** *(beletten)* empêcher; **4** *(v. schok)* amortir; **5** *(fig.)* choquer, révolter; **II** *on.w.* **1** *(aanbotsen tegen)* donner contre; se heurter à; **2** *(v. bal, enz.)* rebondir; ***tegen de borst —,*** répugner à, choquer.
stui'tend *b.n.* révoltant, choquant.
stui'ter *m.* callot *m.*, gobille *f.*
stui'teren *on.w.* jouer aux callots.
stui'ting *v.* arrêt, empêchement *m.*
stui'ven *on.w.* s'envoler, voler en poussière; ***het stuift,*** il y a *(of* il fait) de la poussière; ***in de ogen —,*** entrer dans les yeux; ***naar buiten —,*** partir en coup de vent, quitter brusquement la maison; ***uit elkaar —,*** se disperser.
stui'ver *m.* pièce *f.* de deux sous, gros sou *m.*; ***een aardige —,*** un joli denier.
stui'vertjewisselen *o.* jeu *m.* des quatre coins.
stuk **I** *o.* **1** *(als geheel)* pièce *f.*; **2** *(v. gebroken voorwerpen; ook muz., vlees, enz.)* morceau *m.*; **3** *(brokstuk)* fragment *m.*; **4** *(in dagblad)* article *m.*; **5** *(toneel—)* pièce *f.*; **6** *(H.: effect)* titre *m.*, effet *m.* de commerce; **7** *(daad)* fait *m.*, action *f.*; **8** *(schilder—)* tableau *m.*; ***aan één —,*** d'un trait; ***een — lak,*** un bâton de cire; ***een — zeep,*** un pain de savon, une brique —; ***een — schilder,*** une espèce de peintre; ***aan —ken slaan,*** mettre en pièces, mettre en morceaux; ***een — of twintig,*** une vingtaine; ***een — of vijf,*** quatre ou cinq, cinq ou six; ***vijf —s vee,*** cinq têtes de bétail; ***een man uit één —,*** un homme intègre, un homme tout d'une pièce, un homme carré par la base; ***een stout —,*** un coup hardi, une entreprise hardie; ***in —ken vliegen,*** voler en éclats; ***op — werken,*** travailler à la pièce; ***op zijn — blijven staan, voet bij — houden,*** tenir bon, ne pas démordre; ***van zijn — brengen,*** déconcerter; ***op het — van geschiedenis,*** en matière d'histoire; ***op — van zaken,*** en fin de compte, en définitive; au fond; ***per — verkopen,*** vendre pièce par pièce; ***een — geschut,*** une pièce d'artillerie, un canon; ***een — muur,*** un pan de mur; ***in één — door,*** d'une traite, tout d'une pièce; ***een — in zijn kraag hebben,*** avoir une cuite; ***klein van —,*** de petite taille; **II** *b.n.* **1** cassé, brisé, en pièces; **2** *(gescheurd)* déchiré.
stukadoor' *m.* plafonneur, stucateur, plâtrier *m.*
stukadoors'kalk *m.* stuc *m.* [stuc.
stukadoors'werk *o.* stucage *m.*; ouvrage *m.* en
stukado'ren *on.w.* stuquer.
stuk'bijten *ov.w.* mordre, casser des dents.
stuk'breken *ov.w.* casser, briser, mettre en pièces.
stuk'gaan *on.w.* se casser, se briser.
stuk'goed(eren) *o.(mv.)* marchandises *f.pl.* en cueillette, marchandises diverses.
stuk'gooien *ov.w.* briser; briser à coups de pierre.
stuk'je *o.* petit morceau, brin *m.*, parcelle *f.*; ***van — tot beetje,*** de point en point, de fil en aiguille; ***bij —s en beetjes,*** morceau à morceau.
stuk'loon *o.* salaire *m.* à la pièce, — aux pièces.
stuk'maken *ov.w.* **1** *(breken)* casser, briser; **2** *(kapot, defect maken)* déranger.
stuk'rijder *m.* (canonnier) conducteur *m.*
stuks'commandant, -kommandant *m.* *(mil.)* commandant *m.* de pièce. [morceaux.
stuks'gewijs, -gewijze *bw.* pièce par pièce, par
stuks'kommandant, *zie* ***stukscommandant.***
stuk'slaan *ov.w.* mettre en pièces, briser; ***geld —,*** gaspiller de l'argent, jeter l'argent par la fenêtre.
stuk'smijten *ov.w.* briser (à coups de pierre).
stuk'snijden *ov.w.* couper en morceaux, dépecer.
stuk'springen *on.w.* éclater.
stuk'trappen *ov.w.* **1** briser à coups de pied; **2** *(v. schoenen)* éculer.
stuk'vallen *on.w.* tomber en pièces, se briser.
stuk'werk *o.* travail *m.* à la pièce, — à la tâche.
stuk'werker *m.* apiéceur *m.*
stulp *v.(m.)* chaumière, cabane *f.*
stum'per, *zie* ***stumperd.***
stum'per(acht)ig *b.n.* **1** pitoyable; à plaindre; **2** *(onbeholpen)* maladroit; gauche.
stum'per(acht)igheid *v.* **1** caractère *m.* pitoyable; **2** maladresse; gaucherie *f.*

stum'per(d) m. 1 (*sukkelaar, arme drommel*) pauvre diable, pauvret m.; 2 (*broddelaar*) bousilleur m., mazette f.
stumperig(-), zie ***stumperachtig(-)***.
stunt m. tour m. de force, performance; (*fam.*) vol m.; (*vl.*) acrobatie f. aérienne.
stun'telig I b.n. godiche, maladroit; **II** bw. d'une manière maladroite.
stunt'vlieger m. acrobate m. aérien, pilote m. [d'acrobatie.
stuntvliegerij' v. acrobatie f. aérienne.
stu'ren I ov.w. 1 (*zenden*) envoyer; 2 (*besturen: v. auto*) chauffer, conduire; 3 (*v. vliegt.*) piloter; 4 (*v. schip*) gouverner; ***iets in de war —***, embrouiller qc.; ***van het kastje naar de muur —***, renvoyer de Caïphe à Pilate; ***iem. met een kluitje in 't riet —***, payer qn. en monnaie de singe, ne donner que de bonnes paroles à qn.; **II** on.w. 1 conduire; 2 naviguer.
stut m. 1 étai, étançon m.; 2 (*sch.*) accore f.; 3 (*fig.*) appui, soutien m.
stut'balk m. sommier m.
stut'muur m. mur m. de soutènement.
stut'ten ov.w. 1 étayer; 2 accoter; 3 (*fig.*) appuyer.
stuur o. 1 (*v. fiets*) guidon m.; 2 (*v. auto*) volant m.; 3 (*sch.*) gouvernail m.; 4 (*—stok*) timon m., barre f.; ***aan het — zitten***, 1 (*v. auto*) être au volant; 2 (*fig.*) tenir le gouvernail, tenir les rênes; ***zich aan het — zetten***, (*v. auto*) s'installer (*of* se mettre) au volant; ***het — omgooien***, braquer; ***over — zijn***, être tout défait.
stuur'beweging v. direction f.
stuur'boord o. tribord m.
stuur'huis o. (*sch.*) timonerie f.
stuur'hut v.(m.) (*vl.*) carlingue f.
stuur'inrichting v. 1 (*v. auto*) direction f.; 2 (*vl.*) commandes f.pl.; 3 (*sch.*) appareil m. à gouverner.
stuur'ketting m. chaîne f. du gouvernail.
stuur'knuppel m., **stuur'kruk** v.(m.), (*vl.*) levier m. de commande, manche m. à balai.
stuur'loos b.n. 1 désemparé; 2 (*sch.*) à la dérive.
stuur'man m. 1 (*loods*) pilote m.; 2 (*roerganger*) timonier m.; ***eerste —***, second m.; ***tweede —***, (premier) lieutenant m.
stuur'manskunst v. pilotage m., art m. de la navigation.
stuur'plaats v.(m.), (*in vliegtuig*) siège m. du pilote.
stuur'plecht v.(m.) gaillard m. d'arrière.
stuur'rad o. 1 (*sch.*) roue f. du gouvernail; 2 (*v. auto*) volant m. (de direction).
stuur'reep m. (*sch.*) drosse f.
stuur'roer o. (*vl.*) gouvernail m. de direction.
stuurs b.n. 1 bourru, grincheux; 2 (*v. gezicht*) renfrogné.
stuurs'heid v. 1 humeur f. bourrue, caractère m. grincheux; 2 mine f. renfrognée.
stuur'stang v.(m.) 1 (*v. fiets*) guidon m.; 2 (*vl.*) levier m. de commande.
stuur'stoel m. 1 (*sch.*) arrière m.; 2 (*vl.*) siège m. du pilote, baquet m.
stuur'stroom m. courant m. de commande.
stuur'toestel o. 1 (*sch.*) appareil m. à gouverner; 2 (*vl.*) mécanisme m. de commande, commandes f.pl.
stuur'vlak o. aileron m.
stuur'wiel, zie ***stuurrad.***
stuw m. barrage, batardeau m.
stuwadoor' m. arrimeur m.
stuwa'ge, stouwa'ge v. arrimage m.
stuw'boom m. barrière f. mobile.
stuw'dam m. barrage m.
stu'wen, zie ***stouwen.***
stu'wing v. 1 impulsion f.; 2 (*sch.*) arrimage m.
stuw'kracht v.(m.) 1 force f. propulsive, — d'impulsion; 2 (*fig.*) énergie f., force f. motrice.
stuw'meer o. lac m. de barrage.
stuw'sluis v.(m.) écluse f. de retenue.
stuw'stof v.(m.) propergol m.
sub'agent m. agent m. subalterne, sous-agent* m.
sub'amendement o. sous-amendement* m.
sub'commissie, -kommissie v. sous-commission* f.
subcutaan' b.n. sous-cutané.
sub'diaken m. sous-diacre* m.
sub'diakonaat o. sous-diaconat m.
subiet' I b.n. subit; **II** bw. subitement; tout de suite.
subject', subjekt' o. sujet m.
subjectief', subjektief' I b.n. subjectif; **II** bw. subjectivement.
subjectiviteit', subjektiviteit' v. subjectivité f.
sub'kommissie, zie ***subcommissie.***
subliem' I b.n. sublime; **II** bw. d'une façon sublime.
sublimaat' o. sublimé m.
sublime'ren ov.w. sublimer.
subsidiair' I b.n. subsidiaire; **II** bw. subsidiairement.
subsi'die v. en o. subvention f.; subside m.
subsidië'ren ov.w. subventionner.
substan'tie v. substance f.
substantieel' b.n. substantiel.
substantief o. substantif m.
substitu'tie v. subrogation; substitution f.
substituut' m. substitut m.
substituut'-griffier m. commis-greffier* m.
substituut'-officier m. substitut m. du procureur.
substraat' o. substratum, substrat m.
subtiel' b.n. subtile, délicat.
subtropisch b.n. subtropical.
succes', sukses' o. succès m.; ***goed —!*** bonne chance!
succes'film, sukses'film m. film m. à succès.
succes'rol, sukses'rol v.(m.) rôle m. à succès.
succes'sie v. succession f.
successief' b.n. successif.
succes'sieoorlog m. guerre f. de (la) succession.
succes'sierecht o. droit m. de succession.
successie'velijk bw. successivement.
succes'siewet v.(m.) loi f. successorale.
succes'stuk, sukses'stuk o. pièce f. à succès.
succes'vol, sukses'vol I b.n. couronné de succès; **II** bw. avec succès.
sud'deren on.w. mitonner.
Sude'ten mv. Sudètes m.pl.
suf b.n. 1 hébété, imbécile; 2 (*v. lawaai*) étourdi; ***zich — denken***, se creuser le cerveau, se casser la tête.
suf'fen on.w. être hébété; ***zitten —***, rêvasser, dormir (*of* rêver) tout éveillé.
suf'fer(d) m. endormi, imbécile, idiot m.
suf'fig, zie ***suf.***
suffragaan' m. suffragant m.
suf'heid v. hébétement m., imbécilité f.
suggere'ren ov.w. suggérer.
sugges'tie v. suggestion f.; ***onder — brengen***, suggestionner.
suggestief' b.n. suggestif.
sui'ker m. sucre m.; ***ruwe —***, sucre brut; ***fijne —***, sucre en poudre; ***gebrande —***, caramel m.; ***bruine —***, cassonnade f.; ***basterd —***, sucre m. bâtard, cassonnade f. blanche; ***— in klontjes***, sucre en morceaux.

sui'kerachtig *b.n.* saccharin.
sui'kerahorn *m.* (*Pl.*) érable *m.* saccharin.
sui'keramandel *v.*(*m.*) dragée *f.*
sui'kerbakker *m.* confiseur *m.*
suikerbakkerij' *v.* confiserie *f.*
sui'kerbeet, -biet *v.*(*m.*) betterave *f.* à sucre, [— sucrière.
sui'kerboon *v.*(*m.*) **1** dragée *f.*, bonbon *m.*; **2** (*Pl.*) petit haricot *m.*
sui'kerbrandewijn *m.* tafia *m.*
sui'kerbrood *o.* pain *m.* de sucre.
sui'kercultuur, -kultuur *v.* culture *f.* de la canne à sucre.
sui'keren I *ov.w.* sucrer; **II** *b.n.* de sucre.
sui'kererwt *v.*(*m.*) **1** (*Pl.: dop—*) petit pois *m.*; **2** (*v. suiker*) dragée *f.*
sui'kerfabriek *v.* sucrerie *f.*
sui'kerfabrikant *m.* sucrier *m.*
sui'kergehalte *o.* teneur *f.* en sucre.
sui'kergoed *o.* sucreries *f.pl.*
sui'kerhoudend *b.n.* saccharifère.
sui'kerig *b.n.* saccharin; sucré.
sui'kerindustrie *v.* industrie *f.* sucrière.
sui'kerklontjes *mv.* sucre *m.* en morceaux.
sui'kerkorreltje *o.* grain *m.* de sucre.
sui'kerkultuur, *zie* ***suikercultuur.***
sui'kermarkt *v.*(*m.*) marché *m.* sucrier.
sui'kermeloen *m. en v.* (melon) sucrin *m.*
sui'keroogst *m.* récolte *f.* sucrière.
sui'keroom *m.* oncle *m.* d'Amérique, — à héritage. [tage.
sui'kerpeer *v.*(*m.*) poire *f.* sucrée.
sui'kerplantage *v.* plantation *f.* de (canne à) sucre, — sucrière.
sui'kerplanter *m.* planteur *m.* de canne, — sucrier. [crier.
sui'kerpot *m.* sucrier *m.*, sucrière *f.*
sui'kerproduktie, -productie *v.* production *f.* sucrière.
sui'kerpruim *v.*(*m.*) prune *f.* sucrée, — de Damas. [mas.
suikerraffinaderij' *v.* **1** (*inrichting*) raffinerie *f.* (de sucre); **2** (*handeling*) raffinage *m.* (du sucre).
suikerraffinadeur' *m.* raffineur *m.*
sui'kerriet *o.* canne *f.* à sucre.
sui'kerschaal *v.*(*m.*) bol *m.* à sucre.
sui'kerschepje *o.* pelle *f.* à sucre.
sui'kerstokje *o.* sucre *m.* d'orge.
sui'kerstrooier *m.* saupoudroir *m.*, cuiller *f.* à saupoudrer, saupoudreuse *f.*
sui'kerstroop *v.*(*m.*) mélasse *f.*; sirop *m.* de sucre.
sui'kersurrogaat *o.* succédané *m.* du sucre.
sui'kertangetje *o.* pince *f.* à sucre.
sui'kertante *v.* tante *f.* à héritage, — à espérances.
sui'kertering *v.* (*gen.*) diabète *m.*
sui'kerwaren *mv.* sucreries, confiseries *f.pl.*
sui'kerwater *o.* eau *f.* sucrée.
sui'kerwerk, *zie* ***suikerwaren.***
sui'kerwerker *m.* confiseur *m.*
sui'kerwortel *m.* (*Pl.*) chervis *m.*
sui'kerziekte *v.* diabète *m.* (sucré); ***lijder aan —,*** diabétique *m.*
sui'kerzoet *b.n.* **1** sucré; **2** (*fig.*) mielleux, tout sucre et tout miel; **3** (*v. stem*) doucereux.
sui'te *v.*(*m.*) (deux) chambres *f.pl.* en enfilade.
sui'tedeur *v.*(*m.*) porte *f.* de communication.
sui'zebollen *on.w.* être étourdi; ***doen —,*** étourdir.
sui'zen *on.w.* **1** (*alg.*) bruire, bruisser, murmurer, frémir; **2** (*v. water*) chanter; **3** (*v. oren*) tinter.
sui'zing *v.* **1** bruissement, murmure *m.*; **2** bourdonnements *m.pl.* d'oreille, tintement *m.* (d'oreilles).
suka'de *v.*(*m.*) écorce(s) *f.*(*pl.*) glacée(s), cédrat *m.* confit, écorce *f.* confite.
suka'dekoek *m.* pain *m.* d'épice au cédrat.
suk'kel, *zie* ***stumper(d)***; ***aan de — zijn,*** être maladif, être souffrant.
suk'kelaar *m.*, **—ster** *v.* **1** personne *f.* maladive; valétudinaire *m.-f.*; **2** élève arriéré(e), retardataire *m.-f.*
suk'kelachtig *b.n.* maladif, valétudinaire.
suk'keldrafje *o.* **1** petit trot *m.*; **2** (*fig.*) train-train *m.*; ***op een — gaan,*** trottiner.
suk'kelen *on.w.* **1** (*ziekelijk zijn*) être souffrant, être valétudinaire, malingrer; **2** (*gebrekkig voortgaan*) traîner les pieds, — les jambes, se traîner; **3** (*kommervol leven*) vivre pauvrement, vivoter, vivre au jour le jour; ***— met wiskunde,*** être faible en mathématiques. [tant.
suk'kelend *b.n.* souffreteux, valétudinaire, égrotant.
suk'kelgangetje *o.* train-train *m.*, train *m.* somnolent; ***een — gaan,*** traîner (en longueur).
sukses(-), *zie* ***succes***(-).
sul *m.* **1** bonne pâte *f.* d'homme; **2** niais, nigaud *m.*
sul'achtig *b.n.* **1** bonasse; **2** niais, nigaud.
sul'achtigheid *v.* niaiserie *f.*
sulfaat' *o.* sulfate *m.*
sul'fapreparaat *o.* sulfamide, sulfamonide *m.*
sul'fer, sol'fer *o. en m.* soufre *m.*
sul'ferachtig, sol'ferachtig *b.n.* sulfureux.
sul'len *on.w.* glisser.
sul'lig, *zie* ***sulachtig.***
sul'tan *m.* sultan *m.*
sultanaat' *o.* sultanat *m.*
sul'tanshoen *o.* (*Dk.*) sultane *f.*
Suma'tra *o.* Sumatra *m.*
sum'ma *v.*(*m.*) somme *f.*; ***— summarum,*** en somme, à tout prendre.
summier' I *b.n.* sommaire; **II** *bw.* sommairement.
sum'mum *o.* comble, summum, plus haut degré *m.*
su'perbenzine *v.*(*m.*) super *m.*
su'percarga, -cargo *m.* subrécargue *m.*
su'perdividend *o.* dividende *m.* extraordinaire.
su'perfijn *b.n.* surfin, de première qualité.
su'perfosfaat *o.* superphosphate *m.*
superieur' I *b.n.* supérieur; ***het —e,*** la supériorité; **II** *z.n.*, *m.* supérieur *m.*
su'perintendent *m.* surintendant *m.*
superioriteit' *v.* supériorité *f.*
superlatief' *m.* superlatif *m.*
supermarkt' *v.*(*m.*) super-marché* *m.*
superplie' *o.*, (*kath.*) surplis *m.*
superso'nisch *b.n.* supersonique.
supervi'sie *v.* contrôle *m.* définitif, supervision *f.*
supplement' *o.* supplément *m.*
supplements'hoek *m.* angle *m.* supplémentaire.
supple'ren *ov.w.* suppléer.
supple'tie *v.* complément *m.* [supplétoire.
suppletoir', suppletoor' *b.n.* supplémentaire,
suppoost' *m.* gardien *m.*; concierge *m.*
su'pra *bw.* ci-dessus, plus haut.
supranationaal' *b.n.* supernational.
Surinaams' *b.n.* du Surinam.
Surina'me *o.* le Surinam; la Guyane hollandaise.
surplus' *o.* **1** (*overschot*) surplus, excédent *m.*; **2** (*in fondsenhandel*) provision, couverture *f.*
surpri'se *v.* cadeau*-surprise* *m.*
surpri'se-party *v.* surprise-partie* *f.*, boum, surboum *m.*
surrogaat' *o.* succédané *m.*, produit *m.* de remplacement.
surséan'ce *v.*(*m.*) (*H.*) sursis *m.*
sus'pense *m.* suspense *m.*
sus'sen *ov.w.* **1** (*v. kind*) apaiser, chuter; **2** (*fig.*) assoupir, étouffer.
suzerein' *m.* suzerain *m.*
suzereiniteit' *v.* suzeraineté *f.*
swas'tika *v.*(*m.*) svastika *m.*, croix *f.* gammée.
swin'gen *on.w.* faire du swing.

sylla'be, silla'be *v.(m.)* syllabe *f.*
syl'labus *m.* syllabus *m.*
symboliek' *v.* symbolisme *m.*
symbo'lisch I *b.n.* symbolique; **II** *bw.* symboliquement.
symbolis'me *o.* symbolisme *m.*
symbolis'tisch *b.n.* symboliste.
symbool' *o.* symbole *m.*
symfonie' *v.* symphonie *f.*
symfonie'orkest *o.* orchestre *m.* symphonique.
symfo'nisch *b.n.* symphonique.
symmetrie' *v.* symétrie *f.*
symme'trisch *b.n.* symétrique.
sympat(h)ie' *v.* sympathie *f.*
sympat(h)ie'betuiging *v.* manifestation *f.* de sympathie.
sympat(h)ie'staking *v.* grève *f.* de solidarité.
sympat(h)iek' I *b.n.* sympathique; **II** *bw.* sympathiquement.
sympat(h)ise'ren, -ize'ren *on.w.* sympathiser.
sympo'sion *o.* banquet, colloque, symposium, symposion, congrès *m.*; ***S—,*** (*Plato*), le Banquet.
symptoom' *o.* symptôme *m.*
synago'ge, synagoog' *v.(m.)* synagogue *f.*
synchronise'ren, synkronise'ren, -ize'ren *ov.w.* synchroniser.
synchronis'tisch, synkronis'tisch *b.n.* synchronique.
synco'pe, synko'pe *v.(m.)* syncope *f.*
syncope'ren, synkope'ren *ov.w.* syncoper.
syndicaat', syndikaat' *o.* syndicat *m.*
synec'doche *v.(m.)* synecdoque *f.*
synkop-, *zie* ***syncop-.***
synkron-, *zie* ***synchron-.***
synodaal' *b.n.* synodal.
syno'de *v.* synode *m.*
synoniem' I *b.n.* synonyme; **II** *z.n., o.* synonyme *m.*
synop'tisch *b.n.* synoptique.
syntac'tisch, syntak'tisch *b.n.* syntaxique, syntactique.
synta'xis *v.* syntaxe *f.*
synt(h)e'se *v.* synthèse *f.*
synt(h)e'tisch I *b.n.* synthétique; ***—e rubber,*** caoutchouc *m.* synthétique; **II** *bw.* synthétiquement.
Sy'rië *o.* la Syrie.
Sy'riër *m.* Syrien *m.*
Sy'risch *b.n.* syrien; (*Oudh.*) syriaque.
systeem' *o.* système *m.*
systeem'bouw *m.* construction *f.* préfabriquée.
systema'tisch I *b.n.* systématique; **II** *bw.* systématiquement.
systematise'ren, -ize'ren *ov.w.* systématiser.

T

T *v.(m.)* t *m.*
Taag *m.* Tage *m.*
taai *b.n.* **1** (*niet mals: v. vlees, enz.*) coriace, dur; **2** (*dikvloeiend, kleverig*) visqueux, gluant, filant; **3** (*koppig, vasthoudend*) tenace, opiniâtre; **4** (*gierig*) dur à la détente; **5** (*v. plant*) vivace; **6** (*vervelend: v. boek, enz.*) indigeste, aride, ennuyeux; **7** (*v. geheugen*) fidèle, tenace; **8** (*v. geduld*) infatigable, inlassable; ***zich — houden,*** tenir bon, ne pas céder.
taai'e *m.* petit verre *m.*; ***een — ophebben,*** avoir un verre dans le nez.
taai'erd *m.* **1** dur *m.* à cuire, homme *m.* tenace; **2** (*gierigaard*) avare, ladre, grigou *m.*
taai'heid *v.* **1** coriacité, dureté *f.*; **2** viscosité *f.*; **3** tenacité, opiniâtreté *f.*; **4** vivacité *f.*; **5** avarice *f.*
taaitaai' *m. en o.* couque *f.* (de Frise).
taak *v.(m.)* tâche *f.*; ***voor zijn — berekend zijn,*** être à la hauteur de sa tâche; ***niet tegen zijn — opgewassen zijn,*** être inférieur à sa tâche.
taak'werk *o.* travail *m.* à la tâche, tâche *f.*
taal *v.(m.)* **1** langue *f.*; **2** (*spraak, wijze v. uitdrukken; fig.*) langage *m.*; ***de — des harten,*** le langage du cœur; ***de oude talen,*** les langues anciennes; ***de Franse taal goed meester zijn,*** posséder bien la langue française, savoir bien le français; ***verheven —,*** style élevé; ***— noch teken geven,*** ne pas donner signe de vie, ne pas donner de ses nouvelles; ***wel ter tale zijn,*** avoir la langue bien pendue.
taal'akte *v.(m.)* certificat *m.* d'aptitude à l'enseignement d'une langue.
taal'bederver *m.* corrupteur *m.* d'une langue.
taal'begrip *o.* concept *m.* linguistique.
taal'beweging *v.* mouvement *m.* linguistique.
taal'boek *o.* **1** (*alg.*) manuel *m.* de langue; **2** (*spraakkunst*) grammaire *f.*; ***Frans —,*** manuel *m.* de langue française.
taal'congres, -kongres *o.* congrès *m.* philologique.
taal'eigen *o.* idiome *m.*; (*geest v. d. taal*) génie *m.* de la langue.
taal'fout *v.(m.)* faute *f.* de grammaire, solécisme *m.*; ***— tegen het Frans,*** faute de français.
taal'gebied *o.* **1** (*terrein der taal*) domaine *m.* linguistique; **2** (*grondgebied*) territoire *m.* linguistique.
taal'gebruik *o.* usage *m.*
taal'geleerde *m.* **1** linguiste *m.*; **2** philologue *m.*
taal'gevoel *o.* sentiment *m.* de la langue.
taal'grens *v.(m.)* frontière *f.* linguistique.
taal'kenner, *zie* ***taalgeleerde.***
taal'kennis *v.* **1** connaissance *f.* de la langue; connaissances *f.pl.* linguistiques; **2** philologie *f.*
taal'kongres, *zie* ***taalcongres.***
taal'kunde *v.* linguistique *f.*; philologie *f.*
taalkun'dig *b.n.* **1** linguistique; philologique; **2** grammatical; ***—e ontleding,*** analyse grammaticale; ***— ontleden,*** faire l'analyse grammaticale.
taalkun'dige *m.* **1** (*kenner v. d. spraakkunst*) grammairien *m.*; **2** (*taalgeleerde*) linguiste; philologue *m.*
taal'kwestie *v.* question *f.* des langues.
taal'leraar *m.*, **taal'lerares** *v.* professeur *m.* de langue(s).
taal'met(h)ode *v.* méthode *f.* linguistique.
taal'oefening *v.* exercice *m.* de grammaire, — de langue.
taal'onderwijs *o.* enseignement *m.* d'une langue.
taal'regel *m.* règle *f.* de grammaire, — grammaticale.
taal'schat *m.* fonds *m.* de mots; trésor *m.* linguistique.
taal'stam *m.* souche *f.* (de plusieurs langues).
taal'strijd *m.* lutte *f.* des langues.
taal'studie *v.* étude *f.* des langues, linguistique *f.*
taal'tje *o.* langage *m.*; ***wat een —!*** quel charabia!
taal'verwantschap *v.* parenté *f.* des langues.
taalvitterij' *v.* purisme *m.*
taal'vorser *m.* linguiste *m.*
taal'vraagstuk *o.* question *f.* linguistique.
taal'wet *v.(m.)* **1** (*taalregel*) loi *f.* linguistique, — du langage; **2** (*wet op gebruik der talen*) loi *f.* sur l'emploi des langues.

taal'wetenschap *v.* linguistique *f.*, science *f.* des langues; philologie *f.*
taal'zifter *m.* grammatiste *m.*
taal'zuiveraar *m.* puriste *m.*
taal'zuivering *v.* purisme *m.*
taan *v.(m.)* tan *m.*; ***geel als* —**, tanné.
taan'der *m.* teinturier *m.* de voiles.
taan'kleur *v.(m.)* couleur *f.* de tan, tanné *m.*
taan'kleurig *b.n.* tanné, basané.
taart *v.(m.)* tarte *f.*; gâteau *m.*; (*room*—) flan *m.*
taar'tenbakker *m.* pâtissier *m.*
taar't(e)pan *v.(m.)* tourtière *f.*
taar't(e)schep *v.(m.)* pelle *f.* à tarte.
taar'tie *o.* **1** (*kleine taart*) tartelette *f.*; **2** (*gebakje*) (petit) gâteau *m.*
taart'pan, taar'tepan *v.(m.)* tourtière *f.*
taart'schep, taarte'schep *v.(m.)* pelle *f.* à tarte.
taats *v.(m.)* **1** (*spijker*) clou *m.* à grosse tête; **2** (*tap*) pivot *m.*
tabak' *m.* tabac *m.*; ***ergens — van hebben,*** en avoir soupé.
tabaks'as *v.(m.)* cendre *f.* de tabac.
tabaks'blaas *v.(m.)* blague *f.*
tabaks'blad *o.* feuille *f.* de tabac.
tabaks'cultuur, -cultu're, -kultuur' *v.* culture *f.* du tabac.
tabaks'doos *v.(m.)* boîte *f.* à tabac.
tabaks'fabriek *v.* manufacture *f.* de tabac.
tabaks'handel *m.* commerce *m.* de tabac.
tabaks'kerver *m.* coupeur *m.* de tabac.
tabaks'koper *m.* marchand *m.* de tabac.
tabaks'kultuur', *zie* ***tabakscultuur.***
tabaks'lucht *v.(m.)* odeur *f.* de tabac.
tabaks'onderneming *v.* plantation *f.* de tabac.
tabaks'pijp *v.(m.)* pipe *f.*
tabaks'plant *v.(m.)* tabac *m.*; ***een* —**, un pied de tabac.
tabaks'plantage *v.* plantation *f.* de tabac.
tabaks'planter *m.* planteur *m.* de tabac.
tabaks'pot *m.* pot *m.* à tabac.
tabaks'pruim *v.(m.)* chique *f.*
tabaks'regie *v.* régie *f.* du tabac.
tabaks'roker *m.* fumeur *m.*
tabaks'rol *v.(m.)* rouleau *m.* de tabac.
tabaks'rook *m.* fumée *f.* de tabac.
tabaks'sap *o.* jus *m.* du tabac.
tabaks'teelt *v.(m.)* culture *f.* du tabac.
tabaks'veld *o.* champ *m.* de tabac.
tabaks'vergunning *v.* licence *f.* pour la vente du tabac.
tabaks'walm *m.* épaisse fumée *f.* de tabac.
tabaks'winkel *m.* **1** (*alg.*) magasin *m.* de tabac; **2** (*F.*) bureau *m.* de tabac.
tabaks'winkelier *m.* débitant *m.* de tabac.
tabaks'zak *m.* **1** (*v. leer, enz.*) blague *f.*; **2** (*v. papier*) sac *m.* à tabac.
tab'baard, tab'berd *m.* **1** robe *f.*; **2** (*Z.N.*) chemise *f.* de nuit; ***mannen van de* —**, gens *m.pl.* de robe.
tabel' *v.(m.)* **1** (*chronologisch, enz.*) table *f.*; **2** (*herhalings—, statistiek, enz.*) tableau *m.*; **3** (*voor berekeningen*) barême *m.*
tabella'risch *b.n.* tabellaire, tabulaire; ***— overzicht,*** tableau synoptique.
taberna'kel *o. en m.* tabernacle *m.*; ***zijn —en opslaan,*** planter sa tente; ***wij zullen hier geen —en bouwen,*** nous n'allons pas moisir ici; ***iem. op zijn — geven,*** rosser qn., étriller qn., flanquer une tripotée à qn.
tabijn' *o.* tabis *m.*
tablet' *v.(m.) en o.* **1** tablette *f.*; **2** (*gen.*) comprimé *m.*
taboe' **I** *b.n.* tabou; **II** *z.n., o. en m.* tabou *m.*
taboeret', tabouret' *o.* tabouret *m.*

tabula ra'sa, — *maken,* faire table rase.
tabulatuur' *v.* tablature *f.*
tach'tig *telw.* quatre-vingts; ***eenen—,*** quatre-vingt-un (hier geen „*et*").
tach'tiger *m.* octogénaire *m.*
tachtigja'rig *b.n.* octogénaire; de quatre-vingts ans.
tach'tigste *telw.* quatre-vingtième.
Ta'citus *m.* Tacite *m.*
tact, takt *m.* tact *m.*
tac'ticus *m.* tacticien *m.*
tactiek', taktiek' *v.* tactique *f.*
tac'tisch, tak'tisch *b.n.* tactique.
tact'loos, takt'loos *b.n.* sans tact; ***— zijn,*** ne pas avoir de doigté, manquer de tact.
tact'vol, takt'vol **I** *b.n.* plein de tact; ***een — man,*** un homme de tact; **II** *bw.* avec tact.
taf *m. en o.* taffetas *m.*
ta'fel *v.(m.)* **1** (*meubel*) table *f.*; **2** (*tabel*) tableau *m.*; (*chronologisch, logaritmen, vermenigvuldiging*) table *f.*; ***de groene —,*** **1** (*bestuurstafel*) la table du bureau; **2** (*speeltafel*) le tapis vert; ***de — des Heren,*** la sainte Table, la Table du Seigneur; ***de — dekken,*** mettre le couvert, dresser la table; ***de — afnemen,*** ôter le couvert, desservir la table; ***van — opstaan,*** sortir de table, se lever —; ***ter — brengen,*** **1** mettre sur le tapis; **2** (*fig.*) mettre sur le tapis, mettre à l'ordre du jour; ***gescheiden van — en bed,*** séparé de corps et de biens.
ta'felachtig *b.n.* tabulaire.
ta'felappel *m.* pomme *f.* de dessert.
Ta'felbaai *v.(m.)* baie *f.* de la Table.
ta'felbel *v.(m.)* timbre *m.*, sonnette *f.* de table.
Ta'felberg *m.* mont *m.* (*of* montagne *v.*) de la Table.
ta'felbeschuit *v.(m.)* biscuit *m.* fin.
ta'felbier *o.* bière *f.* de table, petite bière.
ta'felblad *o.* **1** tablette *f.* de table, dessus *m.* de table; **2** (*inlegblad*) rallonge *f.*
ta'felblikje *o.* ramasse-miettes *m.*
ta'feldame *v.* voisine *f.* de table.
ta'feldans *m.* tables *f.pl.* tournantes.
ta'feldienaar *m.* valet *m.* de table.
ta'feldienen *o.* service *m.* de (la) table.
ta'feldrank *m.* boisson *f.* de table.
ta'felen *on.w.* dîner; être à table, rester à table; ***lang —,*** rester longtemps à table.
ta'felgast *m.* convive *m.*
ta'felgebed *o.* prière *f.* avant (*of* après) le repas; (*kath. ook:*) (*vóór het eten*) bénédicité *m.*; (*na het eten*) grâces *f.pl.*
ta'felgeld *o.* **1** frais *m.pl.* de vente (publique); **2** (*mil.*) frais *m.pl.* de table; (*marine*) traitement *m.* de table.
ta'felgenoot *m.* commensal, convive *m.*
ta'felgereedschap, ta'felgerei *o.* service *m.* de table, vaisselle *f.*
ta'felgesprek *o.* conversation *f.* de table.
ta'felgezelschap *o.* convives *m.pl.*
ta'felgoed *o.* linge *m.* de table.
ta'felheer *m.* voisin *m.* de table.
ta'felkleed *o.* tapis *m.* de table.
ta'fella(de) *v.(m.)* tiroir *m.* de table.
ta'fellaken *o.* nappe *f.*
ta'fellinnen *o.* linge *m.* de table.
ta'felloper *m.* chemin *m.* de table.
ta'felmatje *o.* sous-plat*, garde-nappe(*) *m.*, dessous *m.* de plat, porte-assiette* *m.*
ta'felmes *o.* couteau *m.* de table.
ta'felpeer *v.(m.)* poire *f.* de dessert.
ta'felpoot *m.* pied *m.* de table.
ta'felrede *v.(m.)* discours *m.* (à l'occasion d'un banquet).

ta'felring *m.* porte-assiette* *m.*
ta'felronde *v.(m.)* Table *f.* Ronde.
ta'felschel, *zie* ***tafelbel.***
ta'felschuier *m.* ramasse-miettes *m.*
ta'felschuimer *m.* pique-assiette *m.*, écumeur *m.* de tables.
tafelschuimerij' *v.* parasitisme *m.*
ta'felservies *o.* service *m.* de table.
ta'felspel *o.* jeu *m.* de société.
ta'felstoel *m.* chaise *f.* d'enfant.
ta'feltennis *o.* ping-pong *m.*, tennis *m.* de table.
ta'feltje *o.* petite table *f.*; ***aan aparte —s,*** par petites tables.
ta'felwater *o.* eau *f.* de table.
ta'felwijn *m.* vin *m.* de table, — ordinaire.
ta'felzeil *o.* toile *f.* cirée.
ta'felzilver *o.* argenterie *f.*
ta'felzout *o.* sel *m.* de table.
ta'felzuur *o.* pickles *m.pl.*
tafereel' *o.* **1** (*toneel*) scène *f.*; **2** (*schouwspel*) spectacle *m.*; **3** (*afbeelding*) tableau *m.*; **4** (*beschrijving, schildering*) description, peinture *f.*
tail'leband I *o. en m.* (*in rok*) corselet *m.*; **II** *m.* (*achter aan jas*) martingale *f.*
taille'ren *ov.w.* resserrer à la taille.
tail'lewijdte *v.* tour *m.* de taille.
tak *m.* **1** (*alg.*) branche *f.*; **2** (*vertakking*) ramification *f.*; **3** (*v. spoor, gebergte*) embranchement *m.*; **4** (*v. gewei*) andouiller *m.*; **5** (*v. luchtpijp*) bronche *f.*; ***— van dienst,*** service *m.*
ta'kel *m. en o.* (*tn.*) palan *m.*
ta'kelaar *m.* (*sch.*) gréeur *m.*
takela'ge *v.* (*sch.*) agrès *m.pl.*
ta'kelblok *o.* (*tn.*) moufle *f.* de palan.
ta'kelen *ov.w.* **1** (*schip*) gréer; **2** (*tn.*) palanquer, monter (*of* descendre) à l'aide d'un palan. [*m.*
ta'keling *v.* **1** agrès *m.pl.*; **2** (*handeling*) gréement
ta'keltouw *o.* corde *f.* de palan.
ta'kelwagen *m.* dépanneuse *f.* (d'autos).
ta'kelwerk *o.* agrès *m.pl.*
tak'je *o.* rameau *m.*
tak'kenbos *m.* **1** fagot *m.*; **2** (*mil.: v. versterkingen; v. dijken*) fascine *f.*; ***—je,*** *o.* fagotin *m.*
tak'kig *b.n.* branchu; rameux.
taks'(hond) *m.* basset *m.*
takt(-), *zie* ***tact(-).***
tal *o.* nombre *m.*; ***— van,*** nombre de; ***een — eieren,*** un cent d'œufs. [de qc.
ta'len *on.w.*, ***naar iets niet —,*** ne pas se soucier
ta'lenkenner *m.* linguiste *m.*
talent' *o.* talent *m.*
talent'vol *b.n.* doué de talents, de talent.
tal'hout *o.* billette *f.*, rondin *m.*; ***zo mager als een —,*** maigre comme une perche.
ta'lie *v.* palan *m.*
ta'ling *m.* (*Dk.*) sarcelle *f.*
ta'lisman *m.* talisman *m.*, amulette *f.*
talk *m.* **1** (*vet*) suif *m.*; **2** (*delfstof*) talc *m.*
talk'aarde *v.(m.)* terre *f.* talqueuse.
talk'achtig *b.n.* talcaire.
tal'ken *ov.w.* talquer.
talk'kaars *v.(m.)* chandelle *f.* de suif.
talk'klier *v.(m.)* glande *f.* sébacée.
talk'poeder, -poeier *o. en m.* talc *m.* en poudre.
talk'steen *m.* talc *m.*
talk'vet *o.* suif *m.*
tal'loos *b.n.* innombrable.
talm *m.-v.* traînard; (*fam.*) lambin *m.*, —e *f.*
talm'achtig *b.n.* hésitant; lambin.
tal'men *on.w.* traîner, traînasser, hésiter; (*fam.*) lambiner; ***met iets —,*** tarder à faire qc.
tal'mer, *zie* ***talm.***
talmerij' *v.* lambinerie *f.*
tal'moed, tal'mud *m.* Talmud *m.*
talmoe'disch, talmu'disch *b.n.* talmudique.
talon' *m.* talon *m.*; souche *f.*
tal'rijk I *b.n.* nombreux; **II** *bw.* en grand nombre.
tal'rijkheid *v.* grand nombre *m.*
tal'stelsel *o.* système *m.* de numération.
talu(u)d' *o.* talus *m.*
tam *b.n.* **1** (*getemd*) apprivoisé; **2** (*niet wild*) domestique; **3** (*v. plant*) cultivé, franc; **4** (*mak, gedwee*) docile, traitable, doux; **5** (*v. uitingen, enz.*) timide; banal; ***—me kastanje,*** marron *m.*; ***— maken,*** apprivoiser; ***— worden,*** s'apprivoiser; ***iem. — krijgen,*** mater qn.
tamarin'de *v.(m.)* **1** (*boom*) tamarinier *m.*; **2** (*vrucht*) tamarin *m.*
tamarin'deboom *m.* tamarinier *m.*
tamarisk' *m.* (*Pl.*) tamaris *m.*
tam'boer *m.* **1** (*persoon*) tambour *m.*; **2** (*instrument*) tambour *m.*
tamboe'ren *on.w.* tambouriner; ***op iets —,*** insister (vivement) sur qc.
tamboerijn' *m.* **1** (*instrument*) tambourin *m.*; **2** (*borduurraam*) tambour *m.*
tam'boer-majoor' *m.* tambour*-major* *m.*
ta'melijk I *b.n.* raisonnable, passable; **II** *bw.* passablement; ***— groot,*** assez grand; ***— veel boeken,*** pas mal de livres; ***— vervelend,*** plutôt ennuyeux. [douceur *f.*
tam'heid *v.* **1** domesticité *f.*; **2** (*fig.*) docilité,
tamtam' *m.* tam-tam* *m.*; ***met veel —,*** à grand tapage.
tand *m.* **1** dent *f.*; **2** (*v. vork*) fourchon *m.*; ***—en krijgen,*** **1** faire ses dents; **2** *z.n., o.* dentition *f.*; ***—en wisselen,*** refaire ses dents; ***bedorven —,*** dent cariée; ***valse —,*** fausse dent, dent artificielle; ***met de mond vol —en staan,*** ne savoir que dire, avoir avalé sa langue; ***zijn —en laten zien,*** montrer les dents; ***met lange —en eten,*** manger du bout des dents; ***van de hand in de — leven,*** vivre au jour le jour, vivre de la main à la bouche; ***iem. aan de — voelen,*** sonder qn.
tand'arts *m.* dentiste *m.*
tand'bederf *o.* carie *f.*
tand'been *o.* ivoire, dentine *f.*
tand'beitel *m.* riflard *m.*
tan'deloos *b.n.* sans dents, édenté.
tan'deloosheid *v.* manque *m.* de dents.
tan'dem *m.* tandem *m.*
tan'den I *ov.w.* **1** (*rad*) denter; **2** (*fijner; papier*) denteler; **3** (*zaag*) aiguiser; **II** *on.w.* faire ses dents.
tan'denborstel *m.* brosse *f.* à dents.
tan'dengeknars *o.* grincement *m.* des dents.
tan'denkrijgen *o.* dentition *f.* [des dents).
tan'dentrekken *o.* extraction *f.* d'une dent (*of*
tan'dentrekker *m.* **1** (*persoon*) arracheur *m.* de dents; **2** (*tang*) pélican *m.*, pince *f.* de dentiste.
tan'destoker *m.* cure-dent* *m.*
tand'formule *v.(m.)* formule *f.* dentaire.
tand'glazuur *o.* émail *m.* (des dents). [dentaire.
tand'heelkunde *v.* odontologie *f.*, chirurgie *f.*
tand'heelkundig *b.n.* odontologique.
tandheelkun'dige *m.* chirurgien*-dentiste* *m.*
tand'holte *v.* cavité *f.* (d'une dent).
tan'ding *v.* dentelure *f.*
tand'kas *v.(m.)* alvéole *f.*
tand'kroon *v.(m.)* couronne *f.* (d'une dent).
tand'kruid *o.* (*Pl.*) dentaire *f.*
tand'letter *v.(m.)* (*gram.*) (consonne) dentale *f.*
tand'meester *m.* dentiste *m.*
tand'middel *o.* **1** (*geneesmiddel*) odontalgique *m.*; **2** (*reinigings—*) dentifrice *m.*

tand'pasta *m. en o.* (pâte *f.*) dentifrice *m.*
tand'pijn *v.(m.)* mal *m.* de dents; — ***hebben,*** avoir mal aux dents.
tand'pijnstillend *b.n.* odontalgique.
tand'poeder, -poeier *o. en m.* poudre *f.* dentifrice.
tand'rad *o.* roue *f.* dentée; (*klein* —) pignon *m.*
tand'radbaan *v.(m.),* **tand'radspoorweg** *m.* chemin *m.* de fer à crémaillère, funiculaire *m.*
tand'radoverbrenging *v.* engrenage *m.*
tand'steen *o. en m.* tartre *m.*
tand'technicus *m.* mécanicien *m.* dentiste.
tand'technisch *b.n.* odontotechnique.
tand'vlees *o.* gencives *f.pl.*
tand'vleesontsteking *v.,* (*gen.*) gingivite *f.*
tand'vormig *b.n.* en forme de dents, dentiforme.
tand'vulling *v.* obturation *f.*
tand'water *o.* eau *f.* dentifrice.
tand'werk *o.* denture *f.*
tand'wiel *o.* roue *f.* dentée.
tand'wisseling *v.* seconde dentition *f.*
tand'wortel *m.* **1** racine *f.* de dent; **2** (*Pl.*) dentaire *f.*
tand'zaag *v.(m.)* estadon *m.*
tand'zeep *v.(m.)* savon *m.* dentifrice.
tand'zenuw *v.(m.)* nerf *m.* dentaire.
ta'nen I *ov.w.* **1** (*huiden, leder*) tanner, passer au tan; **2** (*de huid*) basaner; **II** *on.w.* pâlir, perdre son éclat, s'obscurcir.
tang *v.(m.)* **1** (*klein*) pince *f.*; **2** (*vuur—, haar—*) pincettes *f.pl.*; **3** (*groot*) tenailles *f.pl.*; **4** (*fig.*) mégère *f.*, serpent *m.*; ***dat slaat als een — op een varken,*** cela ne rime à rien.
Tanganji'ka *o.* le Tanganyika; ***uit —,*** tanganyikais.
tang'beweging *v.* (*mil.*) offensive *f.* en tenaille.
tan'gens *v.(m.)* tangente *f.*
tangent' *v.(m.)* sautereau, marteau *m.*
tan'getje *o.* pincette(s) *f.(pl.).*
tan'go *m.* tango *m.*
ta'nig *b.n.* **1** (*v. gelaatskleur*) hâlé, basané; **2** (*v. leder, enz.*) tanné.
ta'ning *v.* obscurcissement *m.*, éclipse *f.*
tank *m.* **1** (*sch.*) réservoir *m.*; **2** (*mil.*) char *m.* d'assaut, tank, blindé *m.*; **3** (*v. auto*) réservoir *m.* (à essence).
tank'auto *m.* camion*-citerne* *m.*
tan'ken *on.w.* se ravitailler; faire son plein d'essence.
tan'ker *m.* (*sch.*) tanker, pétrolier *m.*
tank'gracht *v.(m.)* fossé *m.* antichar.
tank'schip *o.* bateau*-réservoir*, bateau*-citerne*, pétrolier *m.*
tank'station *o.* station *f.* service, poste *m.* d'essence.
tank'versperring *v.* barrage *m.* antichar.
tank'vloot *v.(m.)* flotte *f.* de pétroliers.
tank'wagen *m.* wagon*-réservoir*, wagon*-citerne* *m.*
tanni'ne *v.(m.)* tanin *m.*
Tan'talus *m.* Tantale *m.*
tan'taluskwelling *v.* supplice *m.* de Tantale.
tan'te *v.* tante *f.*; ***een lastige —,*** une femme difficile, — peu commode.
tantiè'me *o.* tantième *m.*
tap *m.* **1** (*kraan*) robinet *m.*; **2** (*v. vat*) bondon, tampon *m.*; **3** (*v. as, v. kanon*) tourillon *m.*; **4** (*tn.: pin*) tenon *m.*
tap'boor *v.(m.)* tarière *f.*
tap'dans *m.* pas *m.* taqueté.
tap'danser *m.* danseur *m.* de claquettes.
tap'gat *o.* trou *m.* de la bonde.
tapijt' *o.* **1** tapis *m.*; **2** (*wand—*) tapisserie *f.*; ***op het — brengen,*** mettre sur le tapis.
tapijt'fabriek *v.* manufacture *f.* de tapis.
tapijt'klopper *m.* battoir *m.* à tapis.
tapijt'maker *m.* tapissier *m.*
tapijt'naald *v.(m.)* aiguille *f.* à tapisserie.
tapijt'schuier *m.* brosse *f.* à tapis.
tapijt'werk *o.* tapisserie *f.*
tapijt'werker, tapijt'wever *m.* tapissier *m.*
tapio'ca *m.* tapioca *m.*
ta'pir *m.* (*Dk.*) tapir *m.*
tap'kan *v.(m.)* broc *m.*
tap'kast *v.(m.)* buffet *m.*
tap'kraan *v.(m.)* cannelle *f.*
tap'pelen *on.w.* ruisseler.
tap'pelings *bw.* à flots, à gros bouillons.
tap'pen I *ov.w.* **1** (*wijn, enz.*; *af—*) tirer; **2** (*drank*) débiter; **3** (*moppen*) débiter, dire; ***uit een ander vaatje —,*** changer de note, — de ton; ***getapt zijn,*** être populaire, être bien vu; **II** *on.w.* débiter des boissons.
tap'per *m.* cabaretier *m.*, marchand *m.* de vin, débitant *m.* de boissons.
tapperij' *v.* cabaret *m.*, débit *m.* de boissons.
taps *b.n.* conique.
tap'sleutel *m.* clef *f.* de robinet.
tap'temelk *v.(m.)* lait *m.* écrémé.
tap'toe *m.* **1** (*avondsignaal*) couvre-feu *m.*; **2** (*optocht*) retraite *f.* (aux flambeaux); — ***blazen,*** sonner la retraite.
tapuit' *m.* (*Dk.*) traquet, cul*-blanc* *m.*
tap'vergunning *v.* licence *f.* de débit de boisson.
tarantel'la *v.(m.)* tarantelle *f.*
Taran'to *o.* Tarente *f.*
taran'tula *v.(m.)* tarentule *f.*
tar'bot *m.* turbot *m.*
tarief' *o.* tarif *m.*; ***het — vaststellen voor,*** tarifer; ***volgens —,*** tarifaire.
tarief'muur *m.* barrière *f.* douanière.
tarief'wet *v.(m.)* loi *f.* douanière, — sur les tarifs douaniers.
tarief'wetgeving *v.* législation *f.* douanière.
tarie'venoorlog *m.* guerre *f.* de(s) tarifs, — douanière.
tarlatan' *o.* tarlatane *f.*
tarn *v.(m.)* décousure *f.*
tar'nen *ov.w.* découdre.
tarok'(spel) *o.* jeu *m.* de tarots.
tarok'kaarten *mv.* tarots *m.pl.*
Tarpe'jisch *b.n.* tarpéien.
tar'ra *v.(m.)* (*H.*) tare *f.*
Tar'sus, la Tarse.
Ta(r)taar' *m.* Tartare, Tatar *m.*
Ta(r)taars' *b.n.* tartare.
Tartarij'e *o.* la Tartarie.
Tar'tarus *m.* le Tartare, les enfers *m.pl.*
tar'ten *ov.w.* **1** (*persoon*) défier, mettre au défi; **2** (*tergen*) provoquer; **3** (*gevaar, enz.*) braver, affronter.
tar'tend I *b.n.* provocant; **II** *bw.* d'une manière provocante.
tar'we *v.(m.)* froment *m.*; ***Turkse —,*** maïs *m.*, blé *m.* de Turquie.
tar'weakker *m.* champ *m.* de froment.
tar'webloem *v.(m.)* fleur *f.* de farine.
tar'webrood *o.* pain *m.* de froment.
tar'wekorrel *m.* grain *m.* de froment, — de blé.
tar'wemeel *o.* farine *f.* de froment.
tar'weoogst *m.* récolte *f.* du froment.
tar'westro *o.* paille *f.* de froment.
tas I (*stapel*) *m.* monceau, tas *m.*; **II** *v.(m.)* **1** (*alg.: reis—*) sac *m.*; **2** (*kleiner*; *geld—*) sacoche *f.*; **3** (*boeken—, v. advocaat, enz.*) serviette *f.*; **4** (*brieven—*) portefeuille *m.*; **5** (*wei—*) gibecière *f.*
tas'je *o.* sacoche *f.*
Tasma'nië *o.* la Tasmanie.
tas'sen *ov.w.* entasser, mettre en tas.

tast *m.* toucher *m.*; ***op de —,*** à tâtons.
tast'baar *b.n.* **1** palpable; **2** (*v. bewijs*) tangible; **3** (*v. duisternis*) épais, profond; **4** (*v. leugen*) palpable, évident.
tast'baarheid *v.* tangibilité *f.*
tas'ten I *ov.w.* **1** (*voelen*) toucher; **2** (*betasten*) palper, tâter; ***iem. in zijn eer —,*** toucher à l'honneur de qn., blesser l'honneur de qn.; ***iem. in zijn zwak —,*** prendre qn. par son faible; **II** *on.w.*, ***— naar,*** chercher en tâtonnant; ***in de zak —,*** mettre la main à la poche; ***in het duister —,*** tâtonner.
tas'ter *m.* (*v. insekt*) palpe *f.*
tast'orgaan *o.* organe *m.* du toucher.
tast'zin *m.* toucher *m.*
Tataar(s), *zie* ***Tartaar(s).***
ta'teren *on.w.* gazouiller, bégayer.
tatoeë'ren *ov.w.* tatouer.
tatoeë'ring *v.* tatouage *m.*
Tau'rië *o.* la Tauride.
Tau'risch *b.n.* taurique.
taxame'ter *m.* taximètre *m.*
taxateur' *m.* taxateur, estimateur *m.*
taxa'tie *v.* taxation, évaluation *f.*
taxa'tieprijs *m.* prix *m.* d'expertise.
taxa'tiewaarde *v.* valeur *f.* estimée.
taxe'ren *ov.w.* estimer, évaluer, taxer.
ta'xi *m.* taxi, auto*-taxi*, taxi*-auto* *m.*
ta'xichauffeur *m.* chauffeur *m.* de taxi; ***vrouwelijke —,*** taxi-girl* *f.*
ta'xiën *on.w.,(vl.)* faire le taxi.
ta'xus *m.* (*Pl.*) if *m.*
ta'xushout *o.* bois *m.* d'if.
tay'lorstelsel *o.* taylorisme *m.*
t.-b.-c.' *v.* tuberculose *f.*
te I *vz.* à; en; ***— paard,*** à cheval; ***— Antwerpen,*** à Anvers; ***— koop,*** à vendre; ***— koop zetten,*** mettre en vente; ***— gelegener tijd,*** en temps voulu; ***—n tijde van,*** du temps de; ***—n uwent,*** chez vous; ***— water,*** par eau; ***hij zit — schrijven,*** il écrit, il est en train d'écrire; **II** *bw.*, ***— groot,*** trop grand; ***— veel,*** trop; ***al — gemakkelijk,*** par trop facile; ***des — beter,*** tant mieux.
teak'hout *o.* (bois de) teck *m.*
team *o.* (*sp.*) équipe *f.*
team'work *o.* travail *m.* d'équipe.
tea'ter, thea'ter *o.* théâtre *m.*
teatraal', *zie* ***theatraal.***
tech'nicolor, *in —,* en technicolor.
tech'nicum *o.* école *f.* (poly)technique.
tech'nicus *m.* technicien *m.*
techniek' *v.* **1** technique *f.*; **2** (*wetenschap*) technologie *f.*; **3** (*muz.*) mécanisme *m.*
tech'nisch I *b.n.* technique; **II** *bw.* techniquement.
technolo'gisch *b.n.* technologique.
technoloog' *m.* technologue *m.*
tec'kel *m.* (*Dk.*) basset *m.*
ted'dybeer *m.* ourson *m.* de peluche.
te'der, teer I *b.n.* **1** tendre; **2** (*zwak*) faible, frêle; **3** (*v. gezondheid, enz.*) délicat; **4** (*gevoelig*) sensible; ***het —e punt,*** la corde sensible; **II** *bw.* tendrement.
te'derheid *v.* **1** tendresse *f.*; **2** faiblesse *f.*; **3** délicatesse *f.*; **4** sensibilité *f.*
tee(-), *zie* ***thee(-).***
teef *v.* chienne *f.*
tee'fabriek, -goed, -handel, -huis, *zie* ***theefabriek*** *enz.*
teek *v.(m.)* tique *f.*
tee'keteltje, -kist, -kopje, *zie* ***theeketeltje*** *enz.*
teel'aarde *v.(m.)* terreau *m.*, terre *f.* végétale.
tee'lepel, thee'lepel *m.* cuiller *f.* à café, — à thé.
teel'gewas *o.* culture *f.*
tee'lichtje, *zie* ***theelichtje.***
teel'kracht *v.(m.)* puissance *f.* productrice.
teel'land *o.* terre *f.* labourable.
tee'lood, thee'lood *o.* papier *m.* de plomb.
teelt *v.(m.)* **1** (*v. dieren*) élevage *m.*, élève *f.*; **2** (*v. planten, vruchten*) culture *f.*
teelt'keus, -keuze *v.(m.)* sélection *f.* naturelle.
teem *m.* accent *m.* traînard.
teem'achtig I *b.n.* lent, traînard; **II** *bw.* d'un ton traînard.
tee'markt, thee'markt *v.(m.)* marché *m.* du thé.
teems *m.* tamis *m.*
teem'sen *ov.w.* tamiser, passer au tamis.
tee'muts, thee'muts *v.(m.)* couvre-théière* *m.*
teen I *m.* **1** (*v. voet*) orteil *m.*, doigt *m.* du pied; **2** (*v. schoen*) bout *m.*; **3** (*v. kous*) bout *m.* (de pied); ***op de tenen lopen,*** marcher sur la pointe des pieds; ***hij is gauw op de tenen getrapt,*** il est (très) susceptible, il prend aussitôt la mouche, il a la tête près du bonnet; ***iem. op de tenen trappen,* 1** marcher sur les pieds de qn.; **2** (*fig.*) offenser qn.; **II** *v.(m.)* brin *m.* d'osier.
teen'ager *m.-v.* teenager, décagénaire *m.*
teen'bos *o.* oseraie *f.*
teen'ganger *m.* digitigrade *m.*
teen'haak *m.* (*v. fiets*) rattrape-pédale *m.*
teen'hout *o.* osier *m.*
teen'rijs *o.* brins *m.pl.* d'osier.
teen'stuk *o.* (*v. kous*) bout *m.*
teen'wilg *m.* osier *m.*, ypréau *m.*
tee'planter, tee'pot, *zie* ***theeplanter, -pot.***
teer I *m. en o.* goudron *m.*; **II** *b.n.*, *zie* ***teder.***
teer'achtig *b.n.* goudronneux.
teer'der *m.* goudronneur *m.*
teer'doek *o. en m.* toile *f.* goudronnée.
teer'geld *o.* argent *m.* de voyage.
teergevoe'lig I *b.n.* tendre, délicat, sensible; **II** *bw.* tendrement, délicatement, avec sensibilité.
teergevoe'ligheid *v.* tendresse, délicatesse, sensibilité *f.*
teerhar'tig *b.n.* tendre, délicat, sensible.
teerhar'tigheid *v.* tendresse, délicatesse, sensibilité *f.*
teer'heid *v.* tendresse, délicatesse, sensibilité *f.*
teer'ketel *m.* chaudière *f.* à goudron.
teer'koker *m.* goudronnier *m.*
teerkokerij' *v.* goudronnerie *f.*
teer'kost *m.* vivres *m.pl.*, provisions *f.pl.*
teer'kwast *m.* **1** pinceau *m.* à goudronner; **2** (*sch.*) guipon *m.*
teer'ling *m.* **1** dé *m.*; **2** (*kubus*) cube *m.*; ***de — is geworpen,*** le sort en est jeté.
teer'lingworp *m.* coup *m.* de dés.
teer'olie *v.(m.)* huile *f.* de goudron.
tee'roos, thee'roos *v.(m.)* rose*-thé* *f.*
teer'pil *v.(m.)* pilule *f.* au goudron.
teer'spijze *v.(m.)*, ***de H. T—,*** le saint viatique.
teer'stoker *m.* goudronnier *m.*
teer'ton *v.(m.)* tonneau *m.* à goudron.
teer'touw *o.* corde *f.* goudronnée.
teer'water *o.* eau *f.* goudronnée, — de goudron.
teer'zeep *v.(m.)* savon *m.* au goudron.
tee-, *zie* ***thee-.***
te'gel *m.* **1** carreau *m.*, dalle *f.*; **2** (*pan*) tuile *f.*
te'gelbakker *m.* carrelier; tuillier, céramiste *m.*
tegelbakkerij' *v.* tuilerie *f.*, industrie *f.* céramique.
tegel'demaking *v.* réalisation *f.*
tegelijk'(ertijd') *bw.* à la fois, en même temps.
te'gelmaker *m.* tuilier *m.*
te'geloven *m.* four *m.* à tuiles.
te'gelpad *o.* sentier *m.* dallé.

te'gelsteen *m.* carreau *m.*, dalle *f.*
te'gelvloer *m.* carreau *m.*, pavé *m.* de carreaux.
te'gelwerk *o.* carrelage *m.*
tegemoet'gaan *ov.w.* aller au devant de.
tegemoet'komen *ov.w.* aller à la rencontre de; ***— in,*** subvenir à; ***aan iemands wensen tegemoet komen,*** aller au devant des vœux (*of* des désirs) de qn., satisfaire aux désirs de qn.
tegemoet'koming *v.* **1** indemnisation, indemnité *f.*, dédommagement *m.*; **2** (*toegeving*) concession *f.*
tegemoet'snellen *ov.w.* s'élancer au devant de.
tegemoet'zien *ov.w.* voir arriver; escompter.
te'gen I *vz.* **1** contre; **2** (*jegens*) envers; **3** (*naar, in de richting van*) vers; sur; **4** (*tot*) à; **5** (*vergeleken bij*) auprès de; **6** (*in strijd met*) contre; contraire à; **7** (*v. prijs*) moyennant, pour; ***— kwitantie,*** contre quittance; ***tegen 4 %,*** à 4 %; ***dat is een goed middel — hoofdpijn,*** c'est un bon remède pour les maux de tête; ***ik heb er niets —,*** je veux bien, je ne m'y oppose pas; ***zich verzetten —,*** s'opposer à; ***ik kan niet — wijn,*** je ne supporte pas le vin; ***die plant kan niet — vorst,*** cette plante craint la gelée; ***— de wet,*** (*in strijd met*) contraire à la loi; ***— het verbod,*** malgré la défense; ***— wil en dank,*** bon gré, mal gré; ***— iem. klagen,*** se plaindre à qn.; ***iets — iem. hebben,*** avoir une dent contre qn., en vouloir à qn.; ***ik heb niets — hem,*** je n'ai rien contre lui; ***iets — het licht houden,*** tenir qc. contre le jour; **II** *bw.* contre; contraire; ***de wind is —,*** le vent est contraire; ***wij hebben de wind —,*** nous avons le vent debout; **III** *z.n.*, ***het —,*** le contre.
tegenaan' *bw.* (tout) contre.
te'genaanbod *o.* contreproposition *f.*
te'genaanklacht *v.*(*m.*) plainte *f.* reconventionnelle.
te'genaanval *m.* (*mil.*) contre-attaque* *f.*
te'genaanwijzing *v.* contre-indication* *f.*
te'genafdruk *m.* contre-épreuve* *f.*
te'genalarm *o.* contre-alerte * *f.*
te'genappel' *o.* contre-appel* *m.*
te'genbatterij *v.* contre-batterie* *f.*
te'genbeeld *o.* contraste *m.*
te'genbelofte *v.* promesse *f.* réciproque.
te'genbericht *o.* avis *m.* contraire.
te'genbeschikking *v.* disposition *f.* contraire.
te'genbeschuldiging *v.* contre-accusation*; récrimination *f.*
te'genbetoger *m.* contre-manifestant * *m.*
te'genbetoog *o.* réfutation *f.*
te'genbevel *o.* contrordre *m.*
te'genbeweging *v.* contre-manœuvre* *f.*
te'genbewijs *o.* preuve *f.* du contraire, réfutation *f.*
te'genbezoek *o.*, ***iem. een — brengen,*** rendre sa visite à qn.
te'genbezwaar *o.* objection *f.*
te'genbieden *ov.w.* enchérir (sur).
te'genblaffen *ov.w.* aboyer (contre).
te'genbod *o.* surenchère *f.*
te'gencandidaat, *zie* ***tegenkandidaat.***
te'gendeel *o.* contraire *m.*
te'gendienst *m.* service *m.* réciproque.
te'gendraad *m.* contre-fil*, contresens *m.*
tegendraads *bw.* à contre-fil.
te'gendruk *m.* contre-pression*, réaction *f.*
te'geneis *m.* demande *f.* reconventionnelle.
te'geneten *ov.w.*, ***zich iets —,*** se dégoûter de qc. à force d'en manger.
te'gengaan *ov.w.* **1** (*tegemoet gaan*) aller à la rencontre de; **2** (*verhinderen*) empêcher; **3** (*bestrijden*) combattre, réprimer, s'opposer à.
te'gengalm *m.* écho *m.*
te'gengeschenk *o.* cadeau *m.*
te'gengesteld I *b.n.* contraire, opposé; **II** *bw.* en sens inverse.
te'gengestelde *o.* contraire; inverse *m.*
te'gengeuren *ov.w.* embaumer l'air, envoyer ses parfums à.
te'gengewicht *o.* contrepoids *m.*
te'gengif(t) *o.* contrepoison, antidote *m.*
te'gengroet *m.* salut *m.* rendu, contre-politesse* *f.*
te'gengunst *v.* faveur *f.* réciproque.
te'genhanger *m.* **1** pendant *m.*; **2** (*fig.*) contrepartie *f.* [malheur *m.*
te'genheid *v.* contrariété, adversité *f.*, revers,
te'genhouden I *ov.w.* **1** (*beletten voort te gaan*) arrêter; **2** (*terughouden*) retenir; **3** (*beletten*) empêcher; **4** (*remmen*) enrayer; **II** *on.w.* (*lang duren*) durer.
te'genhouding *v.* **1** arrêt *m.*; **2** empêchement *m.*; **3** enrayage *m.*
te'genijlen *ov.w.* courir à la rencontre de.
te'genkandidaat, -candidaat *m.* candidat *m.* du parti opposé, concurrent *m.*
te'genkant *m.* côté *m.* opposé.
te'genkanten I *ov.w.* contrecarrer, contrarier; **II** *w.w.*, ***zich —,*** s'opposer à.
te'genkanting *v.* opposition *f.*
te'genklacht *v.*(*m.*) reconvention *f.*, plainte *f.* récriminatoire.
te'genklinken *ov.w.* retentir.
te'genkomen *ov.w.* **1** rencontrer; **2** (*elkaar kruisen*) se croiser avec.
te'genkomst *v.*(*m.*) rencontre *f.*
te'genlachen *ov.w.* sourire à.
te'genlast *m.* contrepoids *m.*
te'genlicht *o.* contre-jour *m.*
te'genlichtopname *v.*(*m.*) photo *f.* à contre-jour.
te'genligger *m.* auto *f.* (*of* bateau *m.*) allant en sens inverse.
te'genlist *m.* contre-ruse* *f.*
te'genlopen I *ov.w.* aller à la rencontre de; **II** *on.w.* ne pas réussir, échouer; ***alles loopt mij —,*** je n'ai pas de chance.
te'genmaatregel *m.* mesure *f.* de représailles.
te'genmanifestatie *v.* contre-manifestation* *f.*
te'genmerk *o.* contremarque *f.*
te'genmiddel *o.* remède, antidote *m.*
te'genmijn *v.*(*m.*), (*mil.*) contre-mine* *f.*
te'genmijnen *ov.w.* contre-miner.
te'genmorren *on.w.* murmurer, contredire.
te'gennatuurlijk I *b.n.* **1** (*onnatuurlijk*) contre nature; **2** (*in strijd met*) contraire à la nature, antinaturel; **II** *bw.* contrairement à la nature.
te'genoffensief *o.* contre-offensive* *f.*
te'genofferte *v.*(*m.*) contre-offre* *f.*
te'genomwenteling *v.* contre-révolution* *f.*
te'genonderzoek *o.* contre-enquête*, contre-expertise* *f.*
te'genontwerp *o.* contreprojet *m.*
te'genorder *v.*(*m.*) *en o.* contrordre *m.*
tegeno'ver I *vz.* **1** (*v. plaats*) vis-à-vis de, en face de; **2** (*jegens*) envers, à l'égard de; ***daar staat — dat,*** par contre, en revanche; ***— elkaar staan,*** **1** se faire face; **2** (*in strijd*) se trouver face à face; ***getuigen — elkaar stellen,*** confronter des témoins; ***— de rechter,*** devant le juge, en présence du juge; **II** *bw.* en face.
tegeno'vergelegen *b.n.* opposé.
tegeno'vergesteld *b.n.* contraire, opposé.
tegeno'vergestelde *o.* contraire *m.*
tegeno'verliggend *b.n.* opposé. [en regard.
tegeno'verstaand *b.n.* **1** opposé; **2** (*v. vertaling*)

tegeno'verstellen *ov.w.* **1** opposer; **2** (*confronteren*) confronter.
tegeno'verstelling *v.* opposition *f.*
te'genpand *o.* contre-gage* *m.*
te'genpartij *v.* **1** (*tegenstander*) adversaire *m.*; **2** (*politiek*) parti *m.* opposé; **3** (*recht*) partie *f.* adverse, adversaire *m.*; **4** (*muz.*) contrepartie *f.*
te'genpaus *m.* antipape *m.*
te'genpool *m.* opposé *m.*; autre extrémité *f.*
te'genpraten *on.w.* contredire.
te'genprater *m.* contradicteur *m.*
te'genprestatie *v.* contrepartie *f.*
te'genproef *v.*(*m.*) contre-essai* *m.*
te'genpruttelen *on.w.* murmurer, protester, rouspéter.
te'genprutteling *v.* murmures *m.pl.*, protestations *f.pl.*, rouspétance *f.*
te'genrede *v.*(*m.*) réplique *f.*
te'genrekening *v.* compte *m.* de retour.
te'genschaduwigen *mv.* antisciens *m.pl.*
te'genschok *m.* contrecoup *m.*, choc *m.* en retour.
te'genslaan *on.w.* ne pas réussir, échouer.
te'genslag *m.* **1** (*tegenspoed*) traverse *f.*; **2** (*mislukking*) échec *m.*; **3** (*teleurstelling*) mécompte, déboire *m.*
te'genspartelen *on.w.* se débattre, regimber.
te'gensparteling *v.* résistance, opposition *f.*
te'genspeler *m.* adversaire *m.*
te'genspionage *v.* contre-espionnage* *m.*
te'genspoed *m.* adversité, infortune *f.*, contretemps *m.*; **— *hebben,*** essuyer des contretemps.
te'genspraak *v.*(*m.*) **1** (*v. redenering*) contradiction *f.*; **2** (*logenstraffing: v. bericht, enz.*) démenti *m.*; ***geen — dulden,*** ne pas admettre de discussion.
te'genspreken I *ov.w.* **1** (*in redenering*) contredire; **2** (*betwisten, bestrijden*) contester; **3** (*logenstraffen*) démentir; **II** *on.w.* répliquer; **III** *w.w.*, ***zich zelf —,*** se contredire.
te'genspreker *m.* contradicteur *m.*
te'gensputteren *on.w.* rouspéter, renâcler.
te'genstaan *on.w.* répugner (à), dégoûter (qn.).
te'genstand *m.* résistance, opposition *f.*; ***— bieden aan,*** opposer de la résistance à.
te'genstander *m.* **1** (*vijand*) adversaire *m.*; **2** (*tegenstrever*) opposant *m.*; **3** (*v. mening*) antagoniste *m.*
te'genstellen *ov.w.* opposer. [adversatif.
te'genstellend *b.n.* **1** antithétique; **2** (*gram.*)
te'genstelling *v.* **1** opposition *f.*, contraste *m.*; **2** (*lett.*) antithèse *f.*; ***in — met,*** au contraire de, par opposition à; ***in — daarmee,*** par contre.
te'genstem *v.*(*m.*) **1** (*muz.*) contrepartie *f.*; **2** (*bij verkiezing*) vote *m.* contraire, voix *f.* contraire.
te'genstemmen *on.w.* voter contre.
te'genstemmer *m.* votant contre; opposant, adversaire *m.*; ***er waren 15 —s,*** il y avait 15 votes contraires; quinze membres ont voté contre.
te'genstoom *m.* contre-vapeur* *f.*; ***— geven,*** renverser la vapeur.
te'genstoot *m.* (*bij schermen*) riposte *f.*
te'genstreven *ov.w.* s'opposer à, résister à; (*hinderen, tegenwerken*) contrarier.
te'genstrever *m.* **1** (*tegenstander*) adversaire *m.*; **2** (*weerspannige*) esprit *m.* rebelle.
te'genstribbelaar(ster) *m.* (*v.*), rebelle, réfractaire *m.-f.*
te'genstribbelen *on.w.* se débattre, regimber, rechigner, rouspéter. [rouspétance *f.*
te'genstribbeling *v.* résistance, opposition;
te'genstrijd *m.* contradiction *f.*
tegenstrij'dig *b.n.* **1** (*v. verklaringen, enz.*) contradictoire; **2** (*v. belangen*) contraire; ***— zijn,*** se contredire.
tegenstrij'digheid *v.* **1** contradiction *f.*; **2** (*v. belangen*) contrariété *f.*
te'genstroom *m.* **1** (*op rivier of op zee*) contre-courant* *m.*; **2** (*in kielwater*) remous *m.*; **3** (*fig.*) courant *m.* contraire.
te'gentij *o.* (*sch.*) contre-marée* *f.*
te'gentrappen *on.w.* contre-pédaler.
te'genuitval *m.* **1** (*mil.*) contre-sortie* *f.*; **2** (*schermen*) contre-appel* *m.*
te'genvallen *on.w.* **1** (*niet aan de verwachting beantwoorden*) ne pas répondre à l'attente, tromper l'attente; **2** (*teleurstellen*) causer une déception, causer un mécompte; **3** (*mislukken*) ne pas réussir, échouer; ***het valt mij tegen,*** c'est une désillusion.
te'genvaller *m.* **1** (*teleurstelling*) déception, désillusion *f.*; **2** (*misrekening*) mécompte *m.*; **3** (*tegenslag*) contretemps *m.*; **4** (*fam.*) tuile *f.*
te'genvergif(t) *o.* contrepoison, antidote *m.*
te'genverhoor *o.* confrontation *f.* de témoins, interrogatoire *m.* contradictoire.
te'genverklaring *v.* contre-déclaration* *f.*
te'genverwijt *o.* reproche *m.* réciproque.
te'genverzekering *v.* réassurance *f.*
te'genvoeter *m.* antipode *m.*
te'genvoorstel *o.* contreproposition *f.*, contreprojet *m.*
te'genwaarde *v.* contre-valeur* *f.*, équivalent *m.*
te'genwaarderekening *v.* compte *m.* contre-valeur.
te'genweer *v.*(*m.*) défense, résistance *f.*; ***— bieden,*** se mettre sur la défensive.
te'genwerken I *ov.w.* **1** (*persoon*) contrecarrer, contrarier; **2** (*zaak*) mettre obstacle (à); **II** *on.w.*, (*scheik.*) réagir.
te'genwerking *v.* **1** opposition *f.*; **2** réaction *f.*
te'genwerpen *ov.w.* objecter, rétorquer.
te'genwerping *v.* objection *f.*
te'genwicht *o.* contrepoids *m.*; ***een — vormen tegen,*** faire contrepoids à, contre-balancer, compenser.
te'genwind *m.* vent *m.* contraire, — debout.
tegenwoor'dig I *b.n.* **1** (*aanwezig zijnde*) présent; **2** (*nu bestaande*) actuel; ***— zijn,*** faire acte de présence; ***— zijn bij,*** assister à; ***de —e tijd,*** (*gram.*) le présent; **II** *bw.* à présent, actuellement, de nos jours, à l'heure qu'il est.
tegenwoor'digheid *v.* présence *f.*; ***— van geest,*** présence d'esprit; ***in — van,*** devant, en présence de.
te'genzang *m.* **1** (*in lyrisch gedicht*) antistrophe *f.*; **2** (*in kerkzang*) répons *m.*
te'genzee *v.*(*m.*) remous, ressac *m.*
te'genzij(de) *v.*(*m.*) côté *m.* opposé; revers *m.*
te'genzin *m.* aversion *f.*, dégoût *m.*; ***— in het werk,*** répugnance au travail; ***met —,*** à contre-cœur, à regret.
tegoed' *o.* **1** (*v. rekening: saldo*) solde *m.*; **2** (*vordering*) créance *f.*; ***ik heb nog vijftig frank —,*** il me revient encore cinquante francs; ***mijn — bij de bank,*** mon avoir en compte; ***zijn — opvragen,*** liquider son avoir en compte; ***— houden,*** faire crédit de.
tehuis' *o.* **1** chez soi *m.*; **2** (*huiselijke haard*) foyer *m.*; **3** maison *f.* d'accueil; ***— voor ouden van dagen,*** hospice *m.* de vieillards; ***militair —, — voor soldaten,*** foyer *m.* du soldat, cercle *m.* militaire; ***— voor meisjes,*** home *m.* (de la jeune fille).
tehuis-, *zie* ***thuis-.***
teil *v.*(*m.*) terrine, bassine *f.*

teis'teren *ov.w.* **1** (*bestoken*) tourmenter; (*v. vijand*) harceler; **2** (*v. golven, wind*) battre; **3** (*v. rovers*) infester; **4** (*verwoesten*) ravager; **5** (*v. ziekte*) sévir.
teis'tering *v.* **1** (*gesel*) fléau *m.*; **2** (*verwoesting*) ravage *m.*; **3** (*v. golven*) assaut *m.* (des vagues).
te'ken *o.* **1** (*alg.*) signe *m.*; **2** (*kenteken: aanduiding*) indice *m.*; (*verschijnsel*) symptôme *m.*; **3** (*kenmerk*) caractère *m.*; **4** (*sein*) signal *m.*; **5** (*merk*) marque *f.*; **6** (*blijk, bewijs*) preuve *f.*, témoignage *m.*; **7** (*zinnebeeld*) emblème, symbole *m.*; ***het — tot vertrek geven,*** donner le signal du départ; ***ten — van,*** en signe de; ***ten — van rouw,*** en signe de deuil; ***geen — van leven meer geven,*** ne plus donner signe de vie; ***op het eerste —,*** au premier signal.
te'kenaap *m.* pantographe *m.*
te'kenaar *m.* dessinateur *m.*; ***technisch —,*** dessinateur industriel.
te'kenacademie, -akademie *v.* école *f.* de dessin, École des Beaux-Arts.
te'kenachtig *b.n.* pittoresque.
te'kenakademie, *zie* ***tekenacademie.***
te'kenbehoeften *mv.* articles *m.pl.* de dessin.
te'kenboek *o.* livre *m.* de dessin, album *m.* —.
te'kenbord *o.* planche *f.* à dessin.
te'kendoos *v.(m.)* boîte *f.* à dessin.
te'kenen I *ov.w.* **1** dessiner; **2** (*merken*) marquer; **3** (*ondertekenen*) signer; **4** (*intekenen*) souscrire; **5** (*fig.*) peindre; ***voor gezien —,*** viser, parapher; ***dat tekent hem,*** on le reconnaît là; voilà qui peint l'homme; ***op schaal —,*** dessiner à l'échelle; ***uit de vrije hand —,*** dessiner à main levée; ***naar de natuur —,*** dessiner d'après nature; ***met potlood —,*** dessiner au crayon; ***naar het leven —,*** prendre sur le vif; ***mooi getekend marmer,*** du marbre bien veiné; **II** *on.w.* **1** dessiner; **2** signer; ***hij heeft voor 3 jaar getekend,*** il s'est engagé pour 3 ans; ***hij heeft voor 1000 fr. getekend,*** il a souscrit pour 1000 francs; ***voor ontvangst —,*** donner un reçu pour; **III** *z.n., o.* dessin *m.*
te'kenend *b.n.* caractéristique.
te'kenfilm *m.* dessin *m.* animé, film *m.* de dessins animés.
te'kengereedschap *o.* instruments *m.pl.* à dessin.
te'kenhaak *m.* té *m.* (à dessin).
te'kening *v.* **1** dessin *m.*; **2** (*onder—*) signature *f.*; ***ter — voorleggen,*** soumettre à la signature; ***er komt — in,*** cela commence à se dessiner; ***gewassen —,*** (dessin *m.* au) lavis *m.*
te'keninkt *m.* encre *f.* à dessiner.
te'kenkoker *m.* étui *m.* à dessin.
te'kenkool *v.(m.)* fusain *m.*
te'kenkrijt *o.* craie *f.* à dessiner, crayon *m.*
te'kenkunst *v.* art *m.* du dessin, dessin *m.*
te'kenleraar *m.* professeur *m.* de dessin.
te'kenles *v.(m.)* leçon *f.* de dessin.
te'kenmeester *m.* maître (*of* professeur) *m.* de dessin.
te'kenmet(h)ode *v.* méthode *f.* de dessin.
te'kenmunt *v.(m.)* monnaie *f.* légale conventionnelle.
te'kenonderwijs *o.* enseignement *m.* du dessin.
te'kenpapier *o.* papier *m.* à dessiner.
te'kenpen *v.(m.)* porte-crayon, porte-fusain *m.*
te'kenplank *v.(m.)* planche *f.* à dessin, — à dessiner.
te'kenportefeuille *m.* carton *m.* à dessins.
te'kenpotlood *o.* crayon *m.* à (*of* de) dessin.
te'kenschool *v.(m.)* école *f.* de dessin.
te'kenschrift *o.* cahier *m.* de dessin.
te'kenspraak *v.(m.)* langage *m.* de signes; dactylologie *f.*
te'kenstift *v.(m.)* crayon *m.*
te'kentafel *v.(m.)* table *f.* à dessiner.
te'kenvoorbeeld *o.* modèle *m.* de dessin.
te'kenwerk *o.* dessin *m.*
tekort' *o.* **1** (*nadelig saldo*) déficit *m.*; **2** (*— in kas*) découvert *m.*; **3** (*gebrek*) manque *m.*; ***de rekening sluit met een —,*** le compte se solde par un déficit; ***het — aanvullen,*** combler le déficit; ***— komen,*** manquer de; avoir besoin de; ***het — aan arbeiders,*** la pénurie de main-d'œuvre.
tekort'koming *v.* **1** (*fout*) faute *f.*; **2** (*gebrek*) défaut *m.*; **3** (*zwakheid*) faiblesse *f.*
tekst *m.* **1** (*alg.*) texte *m.*; **2** (*van een akte*) contexte *m.*; **3** (*bij muziek*) paroles *f.pl.*; **4** (*v. opera*) libretto *m.*; ***— en uitleg geven,*** expliquer point par point, — dans le détail.
tekst'boekje *o.* **1** livret *m.*; **2** (*v. opera, enz.*) libretto *m.*
tekst'haakje *o.* crochet *m.*
tekstueel' I *b.n.* textuel; **II** *bw.* textuellement.
tekst'uitgave *v.(m.)* édition *f.* originale.
tekst'uitlegger *m.* **1** commentateur *m.*; **2** (*v. Bijbel*) exégète *m.*
tekst'verband *o.* contexte *m.*
tekst'verdraaier *m.* falsificateur *m.*
tekst'verdraaiing *v.* **1** (*verkeerde uitlegging*) fausse interprétation *f.*; **2** (*vervalsing*) falsification *f.*
tekst'verklaarder, *zie* ***tekstuitlegger.***
tekst'verklaring *v.* **1** commentaire *m.*, explication *f.* du texte; **2** (*v. Bijbel*) exégèse *f.*
tekst'vervalsing *v.* altération *f.* du texte, falsification *f.*
tel *m.* **1** (*telling*) numération *f.*; compte *m.*; **2** (*telgang*) amble *m.*; ***bij de —,*** au compte; ***de — kwijt zijn,*** s'embrouiller (*of* se tromper) en comptant; ***hij is niet in —,*** on fait peu de cas de lui, il ne compte pas.
telaat'komer *m.* retardataire *m.*
telast'legging *v.* accusation, inculpation, charge *f.*
te'lecamera *v.(m.)* appareil *m.* pour téléphotographie.
te'lecommunicatie, -kommunikatie *v.* télécommunication *f.*
telefone'ren *on.w.* téléphoner; ***iem. —,*** téléphoner à qn.; donner un coup de téléphone à qn.
telefonie' *v.* téléphonie *f.*
telefo'nisch I *b.n.* téléphonique; **II** *bw.* téléphoniquement; **2** (*per telefoon*) par téléphone.
telefonist'(e) *m.* (*v.*) téléphoniste *m.-f.*
telefoon' *m.* téléphone *m.*; ***aan de —,*** à l'appareil.
telefoon'automaat *m.* téléphone *m.* automatique.
telefoon'boek *o.* annuaire *m.* du téléphone.
telefoon'cel *v.(m.)* cabine *f.* téléphonique.
telefoon'centrale *v.(m.)* bureau *m.* central, central *m.* téléphonique.
telefoon'dienst *m.* service *m.* téléphonique.
telefoon'draad *m.* fil *m.* téléphonique.
telefoon'gesprek *o.* communication *f.*, conversation *f.* téléphonique.
telefoon'gids *m.* annuaire *m.* du téléphone.
telefoon'huisje *o.* station *f.* téléphonique.
telefoon'juffrouw *v.* téléphoniste *f.*
telefoon'kabel *m.* câble *m.* du téléphone.
telefoon'kantoor *o.* bureau *m.* du téléphone.
telefoon'lijn *v.(m.)* ligne *f.* téléphonique.
telefoon'net *o.* réseau *m.* téléphonique.
telefoon'nummer *o.* numéro *m.* téléphonique, — du (*of* de) téléphone.
telefoon'paal *m.* poteau *m.* téléphonique.
telefoon'schel *v.(m.)* sonnerie *f.* du téléphone.
telefoon'station *o.*, ***publiek —,*** cabine *f.* publique du téléphone.

telefoon'tje o. (fam.) coup m. de téléphone.
telefoon'toestel o. appareil m. téléphonique.
telefoon'verbinding v. communication f. téléphonique.
te'lefoto v.(m.) téléphotographie f.
telegraaf' m. télégraphe m.; ***per —,*** par fil.
telegraaf'dienst m. service m. télégraphique.
telegraaf'draad m. fil m. télégraphique.
telegraaf'kabel m. câble m. télégraphique.
telegraaf'kantoor o. bureau m. du télégraphe.
telegraaf'lijn v.(m.) ligne f. télégraphique.
telegraaf'net o. réseau m. télégraphique.
telegraaf'paal m. poteau m. télégraphique.
telegraaf'toestel o. appareil m. télégraphique.
telegrafe'ren on.w, télégraphier.
telegrafie' v. télégraphie f.; ***draadloze —,*** télégraphie f. sans fil, T. S. F. f.
telegra'fisch I b.n. télégraphique; ***—e overmaking,*** remise f. télégraphique; virement m. —; **II** bw. télégraphiquement, par télégramme.
telegrafist'(e) m. (v.) télégraphiste m.-f.
telegram' o. télégramme m., dépêche f. (télégraphique); ***een verminkt —,*** un télégramme mutilé.
telegram'adres o. adresse f. télégraphique.
telegram'besteller m. facteur*-télégraphiste* m., porteur m. de dépêches.
telegram'formulier o. formule f. de télégramme.
telegram'stijl m. style m. télégraphique.
telegram'tarief o. tarif m. télégraphique. [mes.
telegram'wisseling v. échange m. de télégram-
te'lekommunikatie, zie ***telecommunicatie.***
te'lelens v.(m.) téléobjectif m.
te'lelift m. télésiège m.
Tele'machus m. Télémaque m.
te'len ov.w. **1** (dieren) élever; **2** (planten, vruchten) cultiver; **3** (dicht) procréer, engendrer.
te'ler m. producteur; cultivateur m.
telescoop', teleskoop' m. télescope m.
telesco'pisch, telesko'pisch I b.n. télescopique; **II** bw. à l'aide du télescope.
teleur'stellen ov.w. décevoir, désappointer. [m.
teleur'stelling v. déception f., désappointement
televi'sie v. télévision, télé f.
televi'siecamera v.(m.) caméra f. de télévision.
televi'siejournaal o. journal m. télévisé.
televi'siekanaal o. canal m. de télévision.
televi'siekijker m. téléspectateur m.
televi'siemast m. pylône m. de télévision.
televi'sienet o. chaîne f. de télévision.
televi'sieprogramma o. programme m. de (la) télévision.
televi'siescherm o. écran m. de télévision, petit écran. [m. vidéo.
televi'siesignaal o. signal m. de télévision, signal
televi'sietoestel o. récepteur (of poste) m. de télévision, téléviseur m. [vision.
televi'sieuitzending v. émission f. de (la) télé-
televi'siezender m. émetteur m. de télévision.
te'lex m. télétype, téléimpimeur, téléscripteur m.
te'lexbericht o. télex m., message m. téléscripté.
telexist' m. télétypiste m.
te'lexnet o. réseau m. de télécommunication.
te'lexverkeer o. communication f. par téléscripteur.
telg m.-v. rejeton m., descendant m., —e f.
tel'gang m. amble m.
tel'ganger m. ambleur m., haquenée f.
te'ling v. **1** procréation, génération f.; **2** (v. dieren) élève f.; **3** (v. planten) culture f.
teljoor' v.(m.) (Z.N.) assiette f.
tel'kaart v.(m.) fiche f. anthropométrique.
tel'kenmale, tel'kens bw. **1** chaque fois; **2** (elk ogenblik) à chaque instant, tout le temps; ***— als,*** toutes les fois que.
tel'len I ov.w. **1** (alg.) compter: **2** (bevolking) faire le recensement de; **3** (v. stemmen) pointer; **4** (achten) estimer; ***hij wordt weinig geteld,*** on fait peu de cas de lui; ***hij ziet er uit, alsof hij geen tien kan —,*** il a l'air niais; **II** on.w. compter; ***dat telt niet,*** cela ne compte pas; ***op zijn — passen,*** se surveiller, être sur le qui-vive.
tel'ler m. **1** compteur m.; **2** (bij volkstelling) recenseur m.; **3** (v. breuk) numérateur m.
tel'ling v. **1** numération f.; **2** (volks—) recensement m.; **3** (v. stemmen) pointage m.; **4** (v. verkeer) comptage m. (officiel).
tel'lingspost m. poste m. de comptage.
tel'machine v. totalisateur m., machine f. à compter, additionneuse, calculatrice f.
teloor'gaan on.w. se perdre.
tel'paard o. ambleur m.
tel'pas m. amble m. [rateur* m.
tel'raam o. boulier*-compteur*, boulier*-numé-
tel'star m. telstar m.
tel'woord o. nom m. de nombre.
tema, zie ***thema.***
tem'baar b.n. domptable.
tem'baarheid v. nature f. domptable.
te'men on.w. traîner ses paroles, — en parlant, — la voix. [traînard.
te'merig I b.n. traînard, lent; **II** bw. d'un ton
temet' bw. **1** (soms) quelquefois; **2** (misschien) peut-être. [mater.
tem'men ov.w. **1** dompter; **2** (fig.) dompter,
tem'mer m. dompteur m.
tem'ming v. domptage m.
tem'pel m. temple m.
tem'pelbewaarder m. gardien m. du temple.
tem'peldienst m. service m. du temple, culte m. divin.
tem'pelen on.w. (fam.) aller au temple.
tempelier' m. templier m.; ***drinken als een —,*** boire comme un templier (comme un Suisse, comme une éponge).
tem'pelorde v.(m.) ordre m. des templiers.
tem'peltinne v.(m.) pinacle m.
temperament' o. tempérament m.
temperatuur' v. **1** température f.; **2** (muz.) tempérament m. [ture.
temperatuur'verschil o. écart m. de tempéra-
tem'peren ov.w. **1** (matigen) tempérer, modérer; **2** (verzachten: verdriet, enz.) adoucir; **3** (v. kleuren) mélanger, mêler; **4** (v. staal) tremper.
tem'pering v. **1** modération f.; **2** adoucissement m.; **3** mélange m.; **4** trempe f.
tem'permes o. amassette, spatule f.
tem'peroven m. **1** rafraîchissoir m.; **2** (temperen v. staal) four m. à réchauffer.
tem'po o. **1** temps m.; **2** rythme, mouvement m.; ***in 12 —'s,*** en 12 temps; ***in snel —,*** à un rythme très rapide; ***in versneld — werken,*** mettre les bouchées doubles.
tempta'tie v. **1** (kwelling) tourment m., vexation f.; **2** (verzoeking) tentation f.
tempte'ren ov.w. **1** (kwellen) tourmenter, tracasser; **2** (verleiden) tenter, séduire.
Tem'se o. Tamise f.
ten vz., ***— minste,*** au moins; ***— laatste,*** en dernier lieu; ***— eerste,*** premièrement; ***drie — honderd,*** trois pour cent; ***— einde,*** afin que (met subj.), afin de (met infin.); ***— naasten bij,*** à peu près; ***— oosten van,*** à l'est de.
tenaam'stelling v. mise f. au nom.

tendens' *v.(m.)* tendance *f.*
tendens'roman *m.* roman *m.* à thèse, — à [tendance.
tendens'stuk *o.* pièce *f.* à thèse.
tendentieus' *b.n.* tendancieux.
ten'der *m.* tender *m.*
te'nen *b.n.* d'osier, en osier.
Tenerif'fe *o.* Ténériffe *f.*
ten'gel *m.* latte, tringle *f.*
ten'ger *b.n.* **1** frêle, mince; **2** (*zwak*) délicat; **3** (*v. plant, enz.*) grêle.
ten'gerheid *v.* **1** fragilité *f.*; **2** délicatesse, faiblesse *f.*; **3** gracilité *f.*
Tenhe'melopneming *v.* (*v. Maria*) Assomption *f.*
teniet'doening *v.* annulation *f.*
teniet'gaan *on.w.* périr; se perdre.
tenlas'telegging *v.* accusation, inculpation, [charge *f.*
tenmin'ste *bw.* du moins; ***als* —,** si toutefois.
ten'nis *o.* tennis *m.*
ten'nisbaan *v.(m.)* court *m.* de tennis; ***overdekte* —,** court de tennis couvert.
ten'nisbal *m.* balle *f.* de tennis.
ten'nisclub, -klub *v.(m.)* club *m.* de tennis, tennis-club* *m.*
ten'nisnet *o.* filet *m.* de lawn-tennis.
ten'nisracket *o.* raquette *f.* de tennis.
ten'nisschoen *m.* espadrille *f.* (de tennis).
ten'nissen *on.w.* jouer au tennis.
ten'nisspeler *m.* joueur *m.* de tennis.
ten'nistoernooi, -tornooi *o.* tournoi *m.* de ten- [nis.
ten'nisveld *o.* court *m.* de tennis.
ten'niswedstrijd *m.* match *m.* de tennis; tournoi *m.* de tennis.
tenor' *m.* (*muz.*) ténor *m.*
tenor'sleutel *m.* clef *f.* d'ut.
tenor'stem *v.(m.)* voix *f.* de ténor.
tenor'zanger *m.* ténor *m.*
tent *v.(m.)* **1** (*alg.*) tente *f.*; **2** (*kermis*—) baraque *f.*; **3** (*om te kamperen*) pavillon *m.*; ***een — opslaan,*** planter une tente, monter —, dresser —; ***iem. uit zijn — lokken,*** faire sortir qn. de sa tente; ***tweepersoons—,*** tente (à) deux places; ***in de —,*** sous la tente.
tenta'men *o.* examen *m.* provisoire, — probatoire.
tent'dak *o.* **1** (*in tentvorm*) toit *m.* en pavillon; **2** (*van een tent*) toit *m.* d'une tente.
tent'dek *o.* pont*-tente* *m.*
tent'doek *o. en m.* toile *f.* à canevas.
tent'dorp *o.* **1** village *m.* de tentes; **2** (*in Afrika*) douar *m.*
ten'tenkamp *o.* campement *m.*
tente'ren *ov.w.* **1** (*ondervragen*) interroger; **2** (*tentamen afnemen*) faire subir un examen provisoire; **3** (*bekoren*) tenter.
tentoon'spreiden *ov.w.* exposer, étaler.
tentoon'spreiding *v.* étalage *m.*
tentoon'stellen *ov.w.* exposer.
tentoon'stelling *v.* exposition *f.*
tent'paal *m.* mât *m.*
tent'stok *m.* piquet *m.*
tent'wagen *m.* tapissière *f.*
tent'zeil *o.* toile *f.* de tente.
tenue' *o. en v.(m.)* tenue *f.*; ***in groot —,*** (*mil.*) en grand uniforme.
tenuit'voerbrengen *ov.w.* exécuter.
tenuit'voerlegging *v.* exécution *f.*
tenwa're, tenzij' *vw.* à moins que.
teo-, *zie* ***theo-.***
te'pel *m.* mamelon *m.*, bout *m.* du sein; (*v. dier*) trayon, tétin *m.*
ter *vz.*, ***— zijde,*** à part; ***van — zijde,*** de côté, de profil; ***— ere van,*** en l'honneur de; ***— hand stellen,*** remettre.

teraar'debestelling *v.* inhumation *f.*, enterrement *m.*
terap-, *zie* ***therap-.***
terbeschik'kingstelling *v.* mise *f.* à la disposition du gouvernement.
terde'ge *bw.* bien, joliment, de la bonne façon.
terdood'brengen *ov.w.* mettre à mort.
terdood'brenging *v.* mise *f.* à mort.
terdood'veroordeelde *m.* condamné *m.* à mort.
terdood'veroordeling *v.* sentence *f.* capitale.
terecht' *bw.* avec raison, à juste titre, à bon droit; ***— of ten onrechte,*** à tort ou à raison; ***mijn pen is —,*** j'ai retrouvé ma plume.
terecht'brengen *ov.w.* **1** (*in orde brengen*) arranger, mener à bonne fin; **2** (*op de goede weg brengen*) remettre dans la bonne voie; **3** (*brief, enz.*) remettre à son adresse; **4** (*herkennen*) remettre.
terecht'helpen *ov.w.* renseigner, mettre dans la bonne voie.
terecht'komen *on.w.* **1** (*op zijn bestemming*) arriver à destination; **2** (*wat verloren is*) se retrouver; **3** (*in orde komen*) s'arranger; ***in het water —,*** tomber dans l'eau; ***op zijn pootjes —,*** retomber sur ses pieds; ***hij zal wel —,*** il fera son chemin.
terecht'staan *on.w.* comparaître (devant le [tribunal).
terecht'stellen *ov.w.* exécuter.
terecht'stelling *v.* exécution *f.*
terecht'wijzen *ov.w.* **1** (*de weg wijzen*) indiquer son chemin (à qn.); **2** (*voorlichten*) renseigner; **3** (*vermanen*) réprimander.
terecht'wijzing *v.* **1** indication *f.*; **2** renseignement *m.*; **3** réprimande *f.*
terecht'zitting *v.* audience *f.*
te'ren I *ov.w.* (*verteren*) dépenser; **II** *on.w.* ***op kosten van anderen —,*** vivre aux dépens d'autrui; ***op zijn herinneringen —,*** s'alimenter de ses souvenirs; ***van de hoge boom —,*** manger son capital; ***— en smeren,*** faire bonne chère; **III** *ov.w.* (*met teer bestrijken*) goudronner.
ter'gen *ov.w.* **1** (*plagen*) vexer; **2** (*prikkelen*) irriter; **3** (*uitdagen*) agacer, provoquer.
ter'gend I *b.n.* vexant; irritant; agaçant; provocant; **II** *bw.* d'une manière provocante.
ter'ger *m.* provocateur *m.*
ter'ging *v.* agacement *m.*, provocation *f.*
terhand'stelling *v.* remise *f.*
Terhul'pen *o.* La Hulpe.
teria'kel, *zie* ***triakel.***
te'ring *v.* **1** (*ziekte*) phtisie; tuberculose *f.*; **2** (*verteer, uitgaven*) dépenses *f.pl.*; ***vliegende —,*** phtisie galopante; ***de — naar de nering zetten,*** tailler la robe selon le corps, régler sa dépense sur son revenu.
te'ringachtig *b.n.* phtisique, poitrinaire.
te'ringlijder(es) *m.* (*v.*) phtisique, poitrinaire *m.-f.*
terloops' *bw.* en passant.
term *m.* **1** (*tn., wet., wisk.*) terme *m.*; **2** (*woord*) mot *m.*, expression *f.*; ***in de —en vallen,*** être dans les conditions requises, remplir les conditions voulues; ***er zijn geen —en om...,*** il n'y a pas lieu de; ***in bedekte —en,*** à mots couverts.
termiek', *zie* ***thermiek.***
termiet' *m. en v.* termite *m.*
termie'tenheuvel *m.* termitière *f.*
termijn' *m.* **1** (*tijdruimte*) terme *m.*; **2** (*bepaald verloop*) délai *m.*; **3** (*vervaldag*) échéance *f.*; ***op — verkopen,*** vendre à terme; ***uiterste —,*** terme de rigueur; ***in maandelijkse —en,*** par mensualités; ***in jaarlijkse —en,*** par annuités; ***in vijf***

—en, en cinq termes; ***in —en betalen,*** payer par versements (mensuels, etc.); — par acomptes.
termijn'betaling *v.* payement *m.* par termes.
termijn'handel *m.*, **termijn'markt** *v.(m.)* marché *m.* à terme. [livraison.
termijn'zaken *mv.* affaires *f.pl.* à terme, — à
terminologie' *v.* vocabulaire *m.*
termo-, *zie* ***thermo-.***
Ternaai'en *o.* Lanaye.
ternauwernood' *bw.* à peine.
terne(d)er, *zie* ***neder.***
terneer'geslagen *b.n.* abattu, accablé.
terp *m.* butte *f.*, monticule *m.*
terpentijn' *m.* essence *f.* de térébenthine.
terpentijn'boom *m.* térébinthe *m.*
terpentijn'hars *o. en m.* térébenthine *f.*
terpentijn'olie *v.(m.)* huile *f.* de térébenthine.
terracot'ta *v.(m.) en o.* terre *f.* cuite, terra cotta *f.*; ***— beeldje,*** figurine *f.*, statuette *f.* en terre cuite.
terra'rium *o.* vivarium *m.*, verrine *f.*
terras' *o.* terrasse, plate*-forme* *f.*
terras'vormig *b.n.* en terrasse.
terraz'zovloer *m.* pavage *m.* en terrazzo.
terrein' *o.* **1** terrain *m.*; **2** *(fig.)* domaine *m.*; ***onzijdig —,*** territoire *m.* neutre; ***op bekend —,*** en pays de connaissance; ***op politiek —,*** sur le plan politique; ***— winnen,*** gagner du terrain.
terrein'plooi *v.(m.)* repli *m.* de terrain.
terrein'verkenning *v.* reconnaissance *f.* du terrain.
terrein'verschuiving *v.* glissement *m.* de terrain.
terrein'winst *v.* gain *m.* de terrain.
terreur'aanval *m.* attaque *f.* de terreur.
terriër' *m.* *(Dk.)* terrier *m.*
terri'ne *v.* soupière *f.*
territoriaal' *b.n.* territorial.
territo'rium *o.* territoire *m.* [mider.
terrorise'ren, -ize'ren *ov.w.* terroriser; inti-
terroris'tisch *b.n.* terroriste.
terrorizeren, *zie* ***terroriseren.***
tersluik(s)' *bw.* à la dérobée, furtivement.
terstond' *bw.* tout de suite, immédiatement.
ter'tia *v.* *(H.)* troisième *f.* de change.
Tertiair' *o.* Tertiaire *m.*, période *m.* tertiaire.
tertia'ris *m.-v.* *(kath.)* membre *m.* du tiers-ordre.
ter'tiawissel *m.* *(H.)* troisième *f.* de change.
terts *v.(m.)* *(muz.)* tierce *f.*; ***grote —,*** tierce majeure; ***kleine —,*** tierce mineure.
Tertullia'nus *m.* Tertullien *m.*
terug' *bw.* *(achteruit)* en arrière; ***— zijn,*** être de retour; ***heen en —,*** aller et retour; ***— aan afzender,*** retour à l'envoyeur.
terug'bekomen *ov.w.* ravoir, recouvrer, recevoir.
terug'betaalbaar *b.n.* remboursable.
terug'betalen *ov.w.* rembourser, rendre.
terug'betaling *v.* remboursement *m.*; *(v. bank)* retrait *m.* (de banque).
terug'bezorgen *ov.w.* renvoyer, rapporter.
terug'blik *m.* coup *m.* d'œil rétrospectif, — en arrière.
terug'brengen *ov.w.* **1** *(wat men draagt)* rapporter; **2** *(persoon, enz.)* ramener, reconduire; **3** *(tot rede, gehoorzaamheid, enz.)* réduire.
terug'deinzen *on.w.* **1** reculer; **2** *(wijken, toegeven)* lâcher pied.
terug'deinzing *v.* reculade *f.*
terug'denken *on.w.* se rappeler, se souvenir de.
terug'draaien *ov.w.* tourner en sens contraire.
terug'drijven *ov.w.* repousser, refouler.
terug'dringen *ov.w.* **1** repousser, refouler; **2** *(fig.)* refouler. [réduire.
terug'duwen *ov.w.* **1** repousser; **2** *(v. breuk)*
terug'eisen *ov.w.* réclamer.
terug'eising *v.* réclamation *f.*
terug'gaaf, -gave *v.(m.)* restitution, reddition *f.*
terug'gaan *on.w.* **1** *(terugkeren)* retourner, rebrousser chemin, revenir sur ses pas; **2** *(achteruit—)* reculer, rétrograder, aller en arrière; **3** *(tot verval geraken)* déchoir, tomber en décadence; ***twintig jaar —,*** se reporter à vingt ans en arrière; ***— tot de 18e eeuw,*** remonter au 18e siècle; ***naar huis —,*** rentrer.
terug'gang *m.* **1** retour *m.*; **2** rétrogradation *f.*; **3** déchéance, décadence *f.*
teruggave, *zie* ***teruggaaf.***
terug'getrokken *b.n.* **1** *(v. leven)* retiré; **2** *(v. houding)* réservé.
terug'getrokkenheid *v.* **1** retirement *m.*; **2** réserve *f.*
terug'geven I *ov.w.* **1** rendre; **2** *(gestolen, enz.)* restituer; **3** *(vrijheid, leven)* redonner; **II** *on.w.* rendre; ***van 50 fr. —,*** rendre la monnaie de 50 francs. [retomber.
terug'glijden *on.w.* **1** glisser en arrière; **2** *(fig.)*
terug'groeten *ov.w.* rendre son salut (à qn.).
terug'halen *ov.w.* **1** *(iets)* aller reprendre; **2** *(iem.)* ramener.
terug'hebben *ov.w.* ravoir; ***— van 50 fr.,*** avoir la monnaie de 50 francs.
terug'houden *ov.w.* retenir.
terughou'dend *b.n.* réservé, boutonné. [*f.*
terughou'dendheid *v.* réserve, retenue, réticence
terug'jagen *ov.w.* chasser; repousser, refouler.
terug'kaatsen *ov.w.* **1** *(bal, enz.)* renvoyer; **2** *(licht)* réfléchir; **3** *(geluid)* répercuter.
terug'kaatsing *v.* **1** renvoi *m.*; **2** réflexion *f.*; **3** répercussion *f.*
terug'keer *m.* retour *m.*, rentrée *f.*
terug'keren *on.w.* **1** *(naar spreker toe)* revenir; **2** *(naar elders)* retourner; **3** *(op zijn schreden —)* rebrousser chemin; ***naar zijn plaats —,*** regagner sa place. [se dédire.
terug'komen *on.w.* revenir; ***op zijn woorden —,***
terug'komst *v.* retour *m.*
terug'koop *m.* rachat *m.*
terug'kopen *ov.w.* racheter.
terug'krabbelen *on.w.* battre en retraite, se dédire, renâcler.
terug'krijgen *ov.w.* ravoir, recouvrer, rentrer en possession de.
terug'kunnen *on.w.* pouvoir reculer.
terug'lopen *on.w.* **1** *(terugkeren)* retourner (à pied); **2** *(achteruitgaan)* aller à reculons; **3** *(terugvloeien)* refluer; **4** *(v. koers)* fléchir, tomber.
terug'marche, *zie* ***terugmars.***
terug'marcheren *on.w.* se retirer, se replier.
terug'mars, -marche *m. en v.* retraite *f.*
terug'nemen *ov.w.* reprendre; ***zijn woord —,*** retirer sa parole, se rétracter.
terug'neming *v.* **1** reprise *f.*; **2** *(v. troepen)* retrait *m.*; **3** *(v. woorden)* rétraction *f.*
terug'plaatsen *ov.w.* **1** remettre à sa place; **2** *(ambtenaar)* réintégrer; **3** *(v. leerling)* rabaisser.
terug'reis *v.(m.)* **1** retour *m.*; **2** *(sch.)* traversée *f.* de retour.
terug'reizen *on.w.* retourner.
terug'rijden *on.w.* **1** retourner, rebrousser chemin; **2** *(te paard)* tourner bride.
terug'rit *m.* retour *m.*; ***op de —,*** en rentrant.
terug'roepen *ov.w.* **1** rappeler; **2** *(ontslaan)* révoquer.
terug'roeping *v.* **1** rappel *m.*; **2** *(ontslag)* révocation *f.*
terug'schakelen *ov.w.* reconvertir.

terug'schelden *on.w.* répondre aux injures.
terug'schieten 1 répondre au feu, riposter; **2** se retirer.
terug'schrijven *ov.w.* répondre (à).
terug'schrikken *on.w.* reculer (avec effroi).
terug'schuiven *ov.w. en on.w.* reculer.
terug'slaan I *ov.w.* **1** (*bal, enz.*) renvoyer; **2** (*persoon*) rendre ses coups (à qn.); **3** (*vijand*) repousser; **II** *on.w.* (*v. paard*) ruer.
terug'slag *m.* **1** contre-coup* *m.*, répercussion(s) *f.* (*pl.*); **2** (*tn.: v. motor*) choc *m.* en arrière.
terug'slagtoets *m.* (*v. schrijfmachine*) touche *f.* de rappel.
terug'spelen *ov.w.* (*sp.*) passer en retrait à.
terug'springen *on.w.* **1** faire un saut en arrière; **2** (*v. bal, enz.*) rebondir; **3** (*v. kogel*) ricocher.
terug'sprong *m.* **1** saut *m.* en arrière; **2** rebondissement *m.*; **3** ricochet *m.*
terug'stellen *ov.w.* (*ambtenaar*) rétrograder.
terug'stelling *v.* rétrogradation *f.*
terug'stoot *m.* **1** (*bij schermen*) riposte *f.*; **2** (*v. vuurwapen*) recul *m.*; (*ook:*) repoussement *m.*
terug'stoten *ov.w.* repousser, refouler.
terug'stotend *b.n.* repoussant, rébarbatif.
terug'stuit *m.* **1** rebondissement *m.*; **2** (*v. kogel*) ricochet *m.*; **3** (*bilj.*) bricole *f.*
terug'stuiten *on.w.* **1** rebondir; **2** ricocher.
terug'sturen *ov.w.* renvoyer.
terug'tocht *m.* retraite *f.*
terug'trappen *on.w.* rétropédaler.
terug'traprem *v.*(*m.*) frein *m.* de retour, — à contre-pédalage.
terug'tred *m.* pas *m.* en arrière.
terug'treden *on.w.* **1** reculer, se retirer; **2** (*fig.*) se rétracter.
terug'trekbal *m.* (*bilj.*) effet *m.* de recul.
terug'trekken I *ov.w.* retirer; **II** *on.w.* **1** se retirer; **2** (*mil.*) se replier; (*in aftocht*) battre en retraite; **III** *w.w.*, ***zich —,*** **1** se retirer; **2** (*bij verkiezing*) se désister; ***zich van het toneel —,*** quitter le théâtre.
terug'vallen *on.w.* retomber.
terug'verlangen I *ov.w.* redemander; **II** *on.w.*, ***— naar,*** regretter.
terug'vinden *ov.w.* retrouver.
terug'vloeien *on.w.* refluer.
terug'voeren *ov.w.* ramener.
terug'vorderen *ov.w.* redemander, réclamer.
terug'vordering *v.* réclamation *f.*
terug'vragen *ov.w.* **1** redemander; **2** (*uitnodigen*) rendre son invitation à.
terug'wandelen *on.w.* retourner à pied; revenir lentement sur ses pas.
terug'weg *m.* retour *m.*; ***op de —,*** en rentrant, en retournant, sur le chemin du retour.
terug'werken *on.w.* réagir.
terug'werkend *b.n.* rétroactif; ***met —e kracht,*** avec effet rétroactif.
terug'werking *v.* réaction *f.*
terug'werpen *ov.w.* **1** (*alg.*) rejeter; **2** (*bal, licht*) renvoyer; **3** (*geluid*) répercuter; **4** (*vijand*) repousser.
terug'wijken *on.w.* **1** reculer; **2** (*bij aftocht*) battre en retraite.
terug'wijzen *ov.w.* refuser.
terug'wijzing *v.* refus *m.*
terug'winnen *ov.w.* regagner.
terug'zeggen *ov.w.* répondre, riposter.
terug'zenden *ov.w.* renvoyer; (*v. brief ook:*) retourner.
terug'zending *v.* renvoi, retour *m.*
terug'zetten *ov.w.* **1** (*voorwerp*) remettre (à sa place); **2** (*uurwerk*) retarder.
terug'zien I *ov.w.* revoir; **II** *on.w.* regarder en arrière.
terug'zwemmen *on.w.* revenir (*of* retourner) à la nage.
terwijl' I *vw.* pendant que, tandis que, comme; ***hij denkt na — hij leest,*** il réfléchit en lisant; **II** *bw.* pendant ce temps, cependant.
terzelf'dertijd *bw.* en même temps; au même moment.
terzet' *o.* **1** (*muz.*) trio *m.*; **2** (*dicht.*) tercet *m.*
terzij'de *bw.* à part; ***— leggen,*** mettre de côté.
terzij'delating, terzij'destelling *v.* suppression *f.*; ***met — van,*** en laissant de côté.
tesaurie(-), *zie* ***thesaurie***(-).
te'sis, the'sis *v.* thèse *f.*
test I *v.*(*m.*) (*aarden vuurpot*) réchaud *m.* (de chaufferette); **II** *m.* (*proef*) test *m.*
testament' *o.* testament *m.*; ***afwezigheid van —,*** succession ab intestat.
testamentair' *b.n.* testamentaire; ***—e beschikking,*** disposition *f.* testamentaire.
testament'maker *m.* testateur *m.*
test'beeld *o.* (*TV*) mire *f.*
tes'ten *ov.w.* soumettre à un test, tester.
testimo'nium *o.* attestation *f.*, certificat *m.*
test'piloot *m.* pilote *m.* d'essai.
te'tanus *m.* tétanos *m.*
tetrarch' *m.* (*gesch.*) tétrarque *m.*
teug *m. en v.* coup, trait *m.*; ***een — drinken,*** boire un coup; ***in één — leegdrinken,*** vider d'un (seul) trait; ***met kleine —en,*** à petits coups; ***met volle —en inademen,*** respirer à pleins poumons.
teu'gel *m.* bride *f.*; ***de —s,*** les rênes *f.pl.*; ***de —s van 't bewind,*** les rênes du gouvernement; ***de — vieren,*** lâcher la bride; ***met losse —,*** à bride abattue; ***de — wenden,*** tourner bride; ***iem. de vrije — laten,*** lâcher la main à qn.
teu'gelen *ov.w.* **1** brider, serrer la bride (à); **2** (*fig.*) refréner, dompter.
teu'gelloos I *b.n.* **1** sans bride, débridé; **2** (*fig.*) effréné, sans frein; **II** *bw.* sans frein.
teugelloos'heid *v.* licence *f.* effrénée.
teu'gelreep, teu'gelriem *m.* rêne *f.*; ***lange —,*** (*v. paarden*) plate*-longe* *f.*
teug'je *o.* gorgée *f.*
Teu'nis *m.* Antoine *m.*
teu'nisbloem *v.*(*m.*) œnothère *m.*, onagre *f.*
teut *m.-v.* lambin *m.*, —e *f.*, traînard *m.*, —e *f.*
teut'achtig *b.n.* lambin, traînard.
teu'ten *on.w.* lambiner, traîner, lanterner.
teu'terig, *zie* ***teutachtig.***
teu'terigheid *v.* lambinerie, lenteur *f.*
Teutoon' *m.* Teuton *m.*
Teutoons' *b.n.* teuton(ique).
teveel' I *o.* excédent, surplus *m.*; **II** ***te veel,*** trop.
te'vens *bw.* en même temps.
tevergeefs' *bw.* en vain, vainement.
tevo'ren *bw.* d'avance, auparavant, préalablement.
tevre'den *b.n.* **1** content; **2** (*voldaan*) satisfait.
tevre'denheid *v.* **1** contentement *m.*; **2** satisfaction *f.*
tevre'denstellen *ov.w.* contenter, satisfaire.
tewa'terlaten *ov.w.* lancer.
tewa'terlating *v.* lancement *m.*
teweeg'brengen *ov.w.* **1** (*meebrengen*) amener, apporter; **2** (*veroorzaken*) produire, occasionner; **3** (*aanleiding geven tot*) provoquer, donner lieu à.
tewerk'stelling *v.* mise *f.* à l'ouvrage, — au travail; ***volledige —,*** plein emploi *m.*
textiel' *b.n.* textile.
textiel'arbeider *m.* ouvrier *m.* du textile.
textiel'fabriek *v.* usine *f.* de textile.

textiel'industrie, textiel'nijverheid *v.* industrie *f.* textile.
textiel'waren *mv.* textiles *m.pl.*
Thai'land *o.* Thaïlande *f.*
Thai'lands *b.n.* siamois, thaïlandais.
thans *bw.* actuellement, à présent, de nos jours; maintenant.
t(h)ea'ter *o.* théâtre *m.*
t(h)eatraal' I *b.n.* théâtral; **II** *bw.* théâtralement.
Thebaan' *m.* Thébain *m.*
Thebaans' *b.n.* thébain.
The'be *o.* Thèbes *f.*
thee, tee *m.* thé *m.*; ***slappe* —,** thé léger, — faible; ***sterke* —,** thé fort; ***— zetten,*** faire le (*of* du) thé; ***— drinken,*** prendre le thé; ***dat is andere* —,** (*fam.*) c'est une autre paire de manches.
t(h)ee'blad *o.* (*schenkblad*) plateau *m.* à thé; **2** feuille *f.* de thé.
t(h)ee'blaren *mv.* feuilles *f.pl.* de thé.
t(h)ee'boom *m.* arbre *m.* à thé.
t(h)ee'builtje *o.* sachet *m.* de thé.
t(h)ee'bus *v.(m.)* boîte *f.* à thé.
t(h)ee'cultuur, -kultuur *v.* culture *f.* du thé.
t(h)ee'doek *m.* linge *m.*
t(h)ee'doos *v.(m.)* boîte *f.* à thé.
t(h)ee'fabriek *v.* usine *f.* de thé.
t(h)ee'goed *o.* service *m.* (à thé).
t(h)ee'handel *m.* commerce *m.* de thé.
t(h)ee'huis *o.* maison *f.* de thé, débit *m.* —.
t(h)ee'ketel *m.* bouilloire *f.*
t(h)ee'keteltje *o.* bouillotte *f.*
t(h)ee'kist *v.(m.)* caisse *f.* à thé.
t(h)ee'kopje *o.* tasse *f.* à thé.
t(h)ee'kultuur, *zie* ***theecultuur.***
t(h)ee'lepel *m.* cuiller *f.* à café, — à thé; ***een* — (*vol*),** une cuillerée à café.
t(h)ee'lichtje *o.* petit réchaud *m.*, réchaud*-veilleuse* *m.*
t(h)ee'lood *o.* papier *m.* de plomb.
t(h)ee'markt *v.(m.)* marché *m.* du thé.
Theems *v.* Tamise *f.*
t(h)ee'muts *v.(m.)* couvre-théière* *m.*
t(h)ee'planter *m.* planteur *m.* de thé.
t(h)ee'pot *m.* théière *f.*
t(h)ee'roos *v.(m.)* rose*-thé* *f.*
t(h)ee'salon *m. en o.* salon *m.* de thé.
t(h)eeschenkerij' *v.* salon *m.* de thé.
t(h)ee'schepje *o.* pelle *f.* à thé.
t(h)ee'schoteltje *o.* soucoupe *f.*
t(h)ee'servies *o.* service *m.* (à thé).
t(h)ee'struik *m.* arbre *m.* à thé.
t(h)ee'tafel *v.(m.)* table *f.* à thé.
t(h)ee'tante *v.* vieille commère *f.*
t(h)ee'tuin *m.* jardin *m.* de plaisance.
t(h)ee'uurtje *o.* heure *f.* du thé.
t(h)ee'veiling *v.* vente *f.* de thé.
t(h)ee'visite *v.(m.)* thé *m.*; ***op — komen,*** venir prendre le thé.
t(h)ee'water *o.* eau *f.* bouillante (pour le thé); ***boven zijn — zijn,*** avoir son plumet, être dans la terrine.
t(h)ee'zakje *o.* sachet *m.* de thé.
t(h)ee'zeefje *o.* passe-thé *m.*
t(h)ee'zuur *o.* théine *f.*
t(h)e'ma I *o.* **1** (*alg.*) thème *m.*; **2** (*muz.*) thème, motif *m.*; **II** *v.(m.) en o.* thème *m.*
The'mis *v.* Thémis *f.*
Themis'tocles *m.* Thémistocle *m.*
The'obald *m.* Thibaud *m.*
The'odoor *m.* Théodore *m.*
t(h)eologant' *m.* **1** (*godgeleerde*) théologien *m.*; **2** (*student in godgeleerdheid*) étudiant *m.* en théologie.
t(h)eologie' *v.* théologie *f.*
t(h)eolo'gisch I *b.n.* théologique; **II** *bw.* théologiquement.
t(h)eoloog' *m.* théologien *m.*
t(h)eore'ma *o.* théorème *m.*, proposition *f.*
t(h)eore'ticus *m.* théoricien *m.*
t(h)eore'tisch I *b.n.* théorique; **II** *bw.* théoriquement.
t(h)eoretise'ren, -ize'ren *on.w.* théoriser.
t(h)eorie' *v.* théorie *f.*
t(h)eoso'fisch I *b.n.* théosophique; **II** *bw.* théosophiquement.
t(h)eosoof' *m.* théosophe *m.*
t(h)erapeu'tisch *b.n.* thérapeutique.
t(h)erapie' *v.* thérapeutique *f.*
There'sia *v.* Thérèse *f.*
t(h)ermiek' *v.* courant *m.* ascendant de l'air.
t(h)ermogeen' *b.n.* thermogène.
t(h)ermohar'dend *b.n.* thermodurcissable.
t(h)er'mometer *m.* thermomètre *m.*; ***— van Celsius,*** thermomètre centigrade.
t(h)ermoplas'tisch *b.n.* thermoplastique.
Thermo'pylæ, les Thermopyles *f.pl.*
t(h)er'mosfles *v.(m.)* thermos *m.*, bouteille *f.* thermique.
t(h)ermostaat' *m.* thermostat *m.*
t(h)esaurie' *v.* trésor *m.*, trésorerie *f.*
t(h)esaurier' *m.* trésorier *m.*
The'seus *m.* Thésée *m.*
t(h)e'sis *v.* thèse *f.*
Thessa'lië *o.* la Thessalie.
Thessa'liër *m.* Thessalien *m.*
Thessa'lisch *b.n.* thessalien.
Thi'bet *o.* le Thibet.
Thibetaan' *m.* Thibétain *m.*
Thibetaans' *b.n.* thibétain.
Thijs *m.* Mathieu *m.*
thomis'tisch *b.n.* thomiste.
Thra'cië *o.* la Thrace; ***van* —,** thrace.
Thra'ciër *m.* Thrace *m.*
thril'ler *m.* **1** film *m.* à suspense; **2** livre *m.* —.
thuis I *bw.* à la maison, chez soi (moi, toi, etc.); ***het schip behoort — in Antwerpen,*** le navire a pour port d'armement Anvers; ***niet — zijn,*** être sorti; ***niemand — vinden,*** trouver porte close, trouver visage de bois; ***ergens niet — zijn,*** se trouver dépaysé; ***om 6 uur zal ik weer — zijn,*** je serai rentré à six heures; ***wel —!*** bon retour! ***ergens goed in — zijn,*** être ferré sur qc., être versé dans qc.; ***van alle markten — zijn,*** s'entendre à tout, être à toutes mains; **II** *z.n., o. zie* ***tehuis.***
thuis'blijven *on.w.* rester chez soi, rester à la maison; ***hij moet* —,** il doit garder la maison.
thuis'brengen *ov.w.* **1** (*persoon*) reconduire (qn.) chez lui; **2** (*bezorgen*) porter à domicile; **3** (*fig.*) remettre.
thuis'club, -klub *v.(m.)* équipe *f.* locale.
thuis'front *o.* arrière *m.*
thuis'haven *v.(m.)* (*sch.*) port *m.* d'attache.
thuis'horen *on.w.*, ***dat boek hoort hier niet thuis,*** ce livre n'est pas à sa place ici; ***hij hoort thuis in Brabant,*** il est originaire du Brabant.
thuis'klub, *zie* ***thuisclub.***
thuis'komen *on.w.* rentrer (chez soi).
thuis'komst *v.* rentrée *f.*, retour *m.*
thuis'krijgen *ov.w.*, ***hij zal zijn trekken wel* —,** il le paiera, il recevra la monnaie de sa pièce.
thuis'reis *v.(m.)* (voyage de) retour *m.*; ***op de* —,** en rentrant, au retour.
thuis'vracht *v.(m.)* fret *m.* de retour.
thuis'werk *o.* travail *m.* à domicile.
thuis'werker *m.* ouvrier *m.* en chambre.

Thur'gau *o.* la Thurgovie.
Thu'ringen *o.* la Thuringe.
Thu'ringer *m.* Thuringien *m.*
t(h)yr'sus *m.* thyrse *m.*
tia'ra *v.(m.)* tiare *f.*
Ti'ber *m.* Tibre *m.*
Tibe'rias *o.* Tiberiade *f.*
Tibe'rius *m.* Tibère *m.*
Ti'bet *o.* le Tibet.
Tibetaans' *b.n.* tibétain.
ti'chel *m.* **1** (*baksteen*) brique *f.*; **2** (*pan*) tuile *f.*
ti'chelaar *m.* briquetier *m.*
ti'chelaarde *v.(m.)* terre *f.* à briques.
tichelbakkerij' *v.* **1** briqueterie *f.*; **2** tuilerie *f.*
Tici'no *v.* le Tessin.
tic'ket *o.* ticket, billet *m.*
tien *telw.* dix; ***het is bij —en,*** il est près de dix heures; ***het is over —en,*** il est dix heures passées; ***hij kijkt alsof hij geen — kan tellen,*** il a l'air niais.
tiend *m. en o.* (*gesch.*) dîme *f.*
tiendaags' *b.n.* de dix jours.
tien'de I (*rangtelw.*) dixième; ***de — oktober,*** le dix octobre; **II** *z.n., o.* dixième *m.*
tien'delig *b.n.* décimal.
tiend'heffer *m.* dîmeur *m.*
tiend'plichtig *b.n.* sujet à la dîme.
tiend'recht *o.* droit *m.* de (percevoir) la dîme.
tien'dubbel *b.n.* décuple, dix fois autant; ***het —e,*** le décuple.
tien'duizend *telw.* dix mille; ***—en,*** des dizaines [de milliers.
tien'duizendste *telw.* dix-millième.
tiend'vrij *b.n.* exempt de dîmes.
Tie'nen *o.* Tirlemont *m.*
Tie'nenaar *m.* Tirlemontois *m.*
tie'ner *m.-v.* teenager, décagénaire *m.*
tie'nersleeftijd *m.* l'âge *m.* ingrat.
tiengul'denstuk *o.* pièce *f.* de dix florins.
tien'hoek *m.* décagone *m.*
tien'hoekig *b.n.* décagonal.
tien'jaarlijks *b.n.* décennal.
tien'jarig *b.n.* de dix ans.
tien'kamp *m.* décathlon *m.*
tien'lettergre'pig *b.n.* décasyllabique; ***— vers,*** décasyllabe *m.*
tien'maal, dix fois.
tien'man *m.* (*gesch.*) décemvir *m.*
tien'manschap *o.* (*gesch.*) décemvirat *m.*
tien'regelig *b.n.* de dix lignes; ***— vers,*** dizain *m.*
Tiens *b.n.* tirlemontois.
tienstui'verstuk *o.* (pièce *f.* d'un) demi-florin *m.*
tien'tal *o.* dizaine *f.*
tien'tallig *b.n.* décimal; ***— stelsel,*** système *m.* [décimal.
tien'tje *o.* **1** (*10 gulden*) pièce *f.* de dix florins; **2** (*v. rozenkrans*) dizaine *f.*
tienu'rendag *m.* journée *f.* de dix heures.
tien'vlak *o.* décaèdre *m.*
tien'voud *o.* décuple *m.*
tienvoudig *b.n.* décuple; ***— weergeven,*** rendre [au décuple.
tienzijdig *b.n.* décagone.
tier *m.* **1** croissance *f.*; **2** (*fig.*) état *m.* prospère.
tiërce'ren *ov.w.* tiercer.
tiërce'ring *v.* tiercement *m.*
tier(e)lantijn'tje *o.* **1** (*Dk.*) alouette *f.* à tête noire; **2** (*fig.*) fanfreluche *f.*
tierelie'ren *on.w.* gazouiller.
tie'ren *on.w.* **1** (*schreeuwen, drukte maken*) tempêter, faire du tapage; **2** (*gedijen*) bien venir, réussir; (*v. persoon*) se plaire (à).
tie'rig *b.n.* **1** (*v. plant*) qui croît bien, vigoureux; **2** (*v. kind*) vif, gai.
tie'righeid *v.* **1** vigueur *f.*; **2** vivacité *f.*
tierlantijn'tje, *zie* ***tierelantijntje.***
Ti'gris *m.* Tigre *m.*
tij *o.* marée *f.*; ***opkomend —,*** marée *f.* montante; flux *m.*; ***afgaand —,*** marée *f.* descendante; reflux *m.*; ***het — is verlopen,*** la marée est passée; ***als het — verloopt, verzet men de bakens,*** il faut se régler sur les circonstances.
tijd *m.* **1** (*alg.*) temps *m.*; **2** (*ogenblik*) heure *f.*, moment *m.*; **3** (*tijdperk*) époque, période *f.*; **4** (*jaargetij*) saison *f.*; ***vrije —,*** loisir *m.*; ***de dure —,*** la vie chère; ***uit de —,*** suranné, passé de mode, périmé; ***zijn — afwachten,*** attendre son tour; ***lange —,*** longtemps; ***een hele — geleden,*** il y a longtemps; ***in de — van een jaar,*** en un an; ***het wordt —,*** il est presque temps; ***het werd —,*** il était plus que temps; ***het is —,*** il est l'heure; ***het is — om,*** il se fait temps que; ***het is hoog —,*** il n'est que temps de; ***dat heeft nog de —,*** cela peut attendre, cela ne presse pas; ***tijd hebben,*** avoir le temps; ***alle — hebben,*** avoir tout le temps; ***geen — hebben,*** ne pas avoir le temps; ***de tegenwoordige —,*** (*gram.*) le présent; ***toekomende —,*** futur; ***verleden —,*** passé; ***afgeleide —en,*** temps seconds; ***in de tegenwoordige —,*** par le temps qui court, au jour d'aujourd'hui; ***in vroeger —,*** au temps jadis; ***de goede oude —,*** le bon vieux temps; ***men moet met zijn — meegaan,*** il faut être de son temps, il faut marcher avec son temps; ***hij is oud vóór zijn —,*** il a vieilli avant l'âge; ***Middeneuropese —,*** heure de l'Europe centrale; ***plaatselijke —,*** temps local; ***voor de — van het jaar,*** pour la saison; ***morgen om deze —,*** demain à pareille heure; ***dat zal mijn — wel duren,*** cela durera bien autant que moi; ***als u maar — van leven hebt,*** pourvu que Dieu vous prête vie; ***nu is het —!*** voilà le moment! ***in minder dan geen —,*** en moins de rien; ***enige — daarna,*** à quelque temps de là; ***de — valt mij lang,*** le temps me semble long; ***bij — en wijle,*** en temps utile; ***na verloop van —,*** au bout d'un certain temps; ***op — komen,*** venir à l'heure, — à son heure, — à temps; ***precies op —,*** juste à l'heure, à l'heure militaire; ***over zijn —,*** en retard; ***5 minuten over — zijn,*** être en retard de 5 minutes; ***bij —en,*** de temps en temps; ***bij —s,*** à temps; ***te allen —e,*** en (*of* de) tout temps, à toute heure; ***ten —e van,*** du (*of* au) temps de; ***te zijner —, te gelegener —,*** en temps utile; ***in onze —,*** de nos jours, dans le siècle présent; ***binnen afzienbare —,*** dans un futur qui n'est pas trop éloigné; ***tegen de — dat,*** vers le temps où; ***er zal een — komen dat,*** l'heure viendra où; ***van — tot —,*** de temps en temps, de temps à autre; ***op gezette —en,*** à des époques déterminées; ***in mijn jonge —,*** au temps de ma jeunesse; ***de — korten,*** tuer le temps; ***— winnen,*** temporiser, gagner de temps; ***lieve —!*** bonté divine! ***de — zal het leren,*** qui vivra verra; ***geen zorgen vóór de —,*** à chaque jour suffit sa peine; ***de — baart rozen,*** tout vient à temps à qui sait attendre; ***— gewonnen is veel gewonnen,*** qui a temps a vie; ***— is geld,*** le temps c'est de l'argent; ***er is een — van komen en een — van gaan,*** il n'est si bonne compagnie qui ne se quitte; ***de — doet zijn werk,*** le temps fait son œuvre.
tijd'aanwijzing *v.* indication *f.* de l'heure.
tijd'affaire *v.(m.)* (*H.*) affaire *f.* à terme.
tijd'bepaling, tijds- *v.* **1** détermination *f.* de l'heure; **2** (*gram.*) complément *m.* de temps.
tijd'besparing *v.* économie *f.* de temps.
tijd'bevrachting *v.* chargement *m.* à terme; affrètement *m.* à terme.

tijd'bom *v.(m.)* bombe *f.* à retardement.
tijd'charter *o.* (*H.*) police *f.* d'affrètement à temps.
tij'delijk I *b.n.* **1** (*voorbijgaand, vergankelijk*) temporel; **2** (*voor zekere tijd, voorlopig*) temporaire, provisoire; **3** (*administratief*) intérimaire; **4** (*werelds, vergankelijk*) terrestre, passager; **II** *bw.* **1** temporellement; **2** temporairement; **3** à titre intérimaire.
tij'delijke *o.* temporel *m.*; vie *f.* terrestre; ***het — met het eeuwige verwisselen,*** passer de vie à trépas, rendre son âme à Dieu.
tij'dens *vz.* pendant, lors de.
tijd'gebrek *o.* manque *m.* de temps. [actuelles.
tijd'geest *m.* esprit *m.* du siècle; tendences *f.pl.*
tijd'genoot *m.* contemporain *m.*
tij'dig I *b.n.* prompt, opportun; **II** *bw.* à temps; ***— opstaan,*** se lever de bonne heure.
tij'ding *v.* nouvelle *f.*; ***ik heb in lang geen — van hem gehad,*** il y a longtemps que je n'ai eu de ses nouvelles.
tij'dingzaal *v.(m.)* salle *f.* des dépêches.
tijd'je *o.* laps *m.* de temps; ***voor een —,*** pour un temps.
tijd'korting *v.* passe-temps *m.*
tijd'kring *m.* période *f.*, cycle *m.*
tijd'maat *v.(m.)* (*muz.*) mesure *f.*, temps *m.*
tijd'meter *m.* chronomètre *m.*
tijd'opname *v.(m.)* **1** (*fot.*) pose *f.*, photographie *f.* posée; **2** (*sp.*) chronométrage, pointage *m.*
tijd'opnemer *m.* chronométreur *m.*
tijd'passering *v.* passe-temps *m.*
tijd'perk *o.* période, époque *f.*; âge *m.*, ère *f.*
tijd'polis *v.(m.)* police *f.* à terme.
tijd'register *o.* table *f.* chronologique.
tijd'rekening *v.* chronologie *f.*; ***christelijke —,*** ère *f.* chrétienne; ***Juliaanse —,*** calendrier julien.
tijd'rit *m.* (*sp.*) course *f.* contre la montre.
tijd'rovend *b.n.* qui prend beaucoup de temps.
tijd'ruimte, tijds— *v.* espace, laps *m.* de temps; ***binnen een — van,*** dans un délai de.
tijds'beeld *o.* image *f.* du temps.
tijds'bepaling, *zie* ***tijdbepaling.*** [temps.
tijds'bestek *o.* espace *m.* de temps, laps *m.* de
tijd'schema *o.* horaire *m.*, programme *m.* prévu.
tijd'schrift *o.* périodique *m.*, revue *f.*
tijd'schriftartikel *o.* article *m.* de revue.
tijd'schrijver *m.* analysiste *m.* du travail.
tijds'duur *m.* durée *f.* du temps; intervalle *m.*
tijd'sein *o.* signal *m.* horaire.
tijds'gewricht *o.* époque, conjoncture *f.*
tijd'sluiter *m.* (*fot.*) obturateur *m.*
tijds'omstandigheid *v.* circonstance(s) *f.(pl.)*.
tijds'orde *v.(m.)* ordre *m.* chronologique.
tijd'spiegel *m.* image *f.* du temps.
tijds'ruimte, *zie* ***tijdruimte.***
tijd'stip *o.* **1** (*tijdpunt: v. 't jaar, enz.*) époque *f.*; **2** (*ogenblik*) moment *m.*
tijd'studie *v.* analyse *f.* du travail.
tijds'verloop *o.* laps *m.* de temps, délai *m.*
tijd'tafel *v.(m.)* table *f.* chronologique.
tijd'vak, *zie* ***tijdperk.***
tijd'verdrijf *o.* passe-temps, désennui *m.*; ***uit —,*** pour passer le temps.
tijd'verlies *o.* perte *f.* de temps.
tijd'verspilling *v.* gaspillage *m.* de temps.
tijd'wijzer *m.* calendrier *m.*
tijd'winning *v.* temporisation *f.*
tijd'winst *v.* gain *m.* de temps.
tij'ger *m.* tigre *m.*
tij'gerhond *m.* chien *m.* tigré.
tijgerin' *v.* tigresse *f.*
tij'gerjacht *v.(m.)* chasse *f.* au tigre.
tij'gerjager *m.* chasseur *m.* de tigres.
tij'gerkat *v.(m.)* chat*-tigre*, chat*-pard* *m.*
tij'gerlelie *v.* lis *m.* tigré.
tij'gerpaard *o.* cheval *m.* tigré.
tij'gerslang *v.(m.)* molure *f.*
tij'gervel *o.* peau *f.* de tigre.
tij'gerwolf *m.* tigre*-loup* *m.*
tij'haven *v.(m.)* (*sch.*) port *m.* de marée.
tijk I *m.*, (*overtrek*) taie *f.*; **II** *o.*, (*stof*) coutil *m.*
tijk'wever *m.* coutier *m.* [quille *f.*
tij'loos *v.(m.)* (*Pl.*) colchique *m.*; ***gele —,*** jonquille *f.*
tijm *m.* thym *m.*; ***wilde —,*** serpolet *m.*
tik *m.* **1** (*geluid*) (petit) coup *m.* sec; **2** (*zachte klap*) tape *f.*; **3** (*op schrijfmachine*) frappe *f.*
tik'fout *v.(m.)* faute *f.* de dactylographie, erreur *f.* de frappe.
tik'je *o.* **1** petit coup *m.*; **2** tapote *f.*; ***een —,*** un tout petit peu, un rien, un soupçon.
tik'ken I *on.w.* **1** frapper; taper; **2** (*v. klok*) faire tic-tac; **3** (*op machine*) dactylographier, taper; **II** *ov.w.* **1** frapper; **2** taper, donner une tape à; **3** (*brief, enz.*) taper (à la machine); ***iem. op de vingers —,*** donner sur les doigts à qn.; ***iets op de kop —,*** mettre la main sur qc.
tik'ker *m.* (*typist*) dactylographe *m.*
tik'kertje *o.* **1** (*Dk.*) perce-bois *m.*; (*fam.*) horloge *f.* de la mort; **2** (*borrel*) petit verre *m.*
tik'tak I *o.* (*spel*) tric-trac *m.*; **II** *v.* **1** (*geluid*) tic-tac *m.*; **2** (*fam.*) tic-tac *m.*, montre *f.*
tik'takken *on.w.* faire tic-tac; **2** (*spel*) jouer au tric-trac.
til I *m.* soulèvement *m.*; ***dat is een hele —,*** c'est lourd à soulever; ***er is iets op —,*** il se prépare qc., il y a qc. dans l'air; **II** *v.(m.)* **1** (*v. duiven*) pigeonnier, colombier *m.*; (*klein*) fuie *f.*; **2** (*vogelknip*) trébuchet *m.*
til'baar *b.n.* meuble, transportable.
til'brug *v.(m.)* pont*-levis *m.*
til'bury *m.* tilbury *m.*
til'len *ov.w.* soulever.
ti'men *ov.w.* minuter.
tim'merbaas *m.* maître *m.* charpentier.
tim'meren I *ov.w.* construire, bâtir; **II** *on.w.* être charpentier; ***hij timmert niet hoog,*** ce n'est pas un aigle, il est bas de plafond; ***op iets —,*** insister sur qc.; ***wie aan de weg timmert, heeft veel bekijks,*** quand on s'expose au public, on doit s'attendre à la critique.
tim'mergereedschap *o.* outils *m.pl.* de charpentier, — de menuisier.
tim'merhout *o.* bois *m.* de construction, — de charpente.
tim'merloods *v.(m.)* chantier *m.*
tim'merman *m.* charpentier *m.*; (*fijner werk*) menuisier *m.*
tim'mermansbaas *m.* maître *m.* charpentier.
tim'mermansknecht *m.* aide *m.* charpentier, ouvrier *m.* charpentier.
tim'mermansleerling *m.* apprenti *m.* charpentier, — menuisier.
tim'mermanslijm *m.* colle *f.* forte.
tim'mermansoog *o.*, ***een — hebben,*** avoir le compas dans l'œil. [tier.
tim'mermanswinkel *m.* atelier *m.* de charpentier.
tim'mervak *o.* charpenterie *f.*
tim'merwerf *v.(m.)* chantier *m.* de construction.
tim'merwerk *o.* **1** (*alg.*) charpenterie *f.*; **2** (*v. huis, enz.*) charpente, boiserie *f.*
tim'merwinkel, *zie* ***timmermanswinkel.***
Timorees' *m.* habitant *m.* de Timor.
Timo'theus *m.* Timothée *m.*

timpaan', tympaan' *o.* tympan *m.*
tim'pen *on.w.* tinter.
timp'je *o.* **1** (*tip*) bout *m.* (pointu); **2** (*broodje*) petit pain *m.* oblong, flûte *f.*
tin *o.* étain *m.*
tin'blik *o.* étain *m.* en feuilles.
tin'blok *o.* saumon *m.* d'étain.
tinctuur', tinktuur' *v.*(*m.*) teinture *f.*
tin'erts *o.* mineraie *m.* d'étain.
tin'foelie *v.*(*m.*) tain *m.*
tin'gel *m.* tringle, latte *f.*
tin'gelen *on.w.* **1** (*klingelen*) tinter; **2** (*slecht pianospelen*) pianoter, tapoter.
tin'geling! *tw.* drelin! drelin!
tin'geltangel *m.* café*-concert* *m.*; (*fam.*) beuglant, boui*-boui* *m.*
tin'groef, -groeve *v.*(*m.*) mine *f.* d'étain.
tin'houdend *b.n.* stannifère.
tink'tuur, *zie* ***tinctuur.***
tin'lood *o.* étain *m.* en feuilles.
tin'mijn *v.*(*m.*) mine *f.* d'étain.
tin'ne *v.*(*m.*) **1** pinacle *m.*; **2** (*kanteel*) créneau(x) [*m.*(*pl.*).
tin'negieter *m.* potier *m.* d'étain; ***politieke —,*** politicien *m.* (en boutique), — de cabaret, politiqueur *m.*
tinnegieterij' *v.* fonderie *f.* d'étain; ***politieke —,*** politique *f.* d'estaminet.
tin'nen *b.n.* d'étain.
tin'soldeersel *o.* soudure *f.* d'étain.
tint *v.*(*m.*) **1** (*kleur*) teinte, couleur *f.*; **2** (*kleurschakering*) nuance *f.*; **3** (*v. gelaat*) teint *m.*
tin'tel *m.* onglée *f.*
tin'telen *on.w.* (*fonkelen*) étinceler, scintiller; ***mijn vingers —,*** j'ai l'onglée.
tin'teling *v.* **1** étincellement *m.*, scintillation *f.*; **2** onglée *f.*
tin'ten *ov.w.* teinter, colorer.
tint'je *o.* nuance *f.*
tin'waren *mv.* poterie *f.* d'étain.
tin'winning *v.* extraction *f.* de l'étain.
tip *m.* **1** (*v. tong, enz.*) bout *m.*; **2** (*v. mes, enz.*) pointe *f.*; **3** (*inlichting: beurs, sp.*) tuyau *m.*; ***een — van de sluier oplichten,*** soulever un coin du voile.
tip'je *o.* bout *m.*
tip'muts *v.*(*m.*) bonnet *m.* pointu.
tip'pel *m.* course *f.*; ***een hele —,*** une bonne [trotte.
tip'pelen *on.w.* trotter, trottiner.
tip'pen *ov.w.* **1** (*v. kaart, blad*) corner; **2** (*v. haar*) [rafraîchir.
tip'sy *b.n.* pompette.
tip'top *b.n.* excellent, de premier ordre; superchic.
tiraille'ren *on.w.* (*mil.*) tirailler.
tirailleur' *m.* tirailleur *m.*
tirailleurs'vuur *o.* tir *m.* à volonté.
tiran' *m.* tyran *m.*
tirannie' *v.* tyrannie *f.*
tiranniek' **I** *b.n.* tyrannique; **II** *bw.* tyranniquement.
tirannise'ren, -ize'ren *ov.w.* tyranniser.
ti'ras *v.*(*m.*) tirasse *f.*
tita'nisch *b.n.* titanique, titanesque, de titan.
ti'tel *m.* titre *m.*; (*boekdr.*) ***Franse —,*** faux titre.
ti'telblad *o.* page *f.* de (*of* du) titre, titre *m.*
ti'telen *ov.w.* intituler.
ti'telgevecht *o.* combat *m.* pour le titre, championnat *m.* (de boxe *etc.*).
ti'telhouder *m.* titulaire *m.*; tenant *m.* du titre.
ti'telpagina, *zie* ***titelblad.***
ti'telplaat *v.*(*m.*) frontispice *m.*
ti'telrol *v.*(*m.*) rôle *m.* principal.
ti'telvoerder *m.* titulaire *m.*
Ti'tiaan *m.* le Titien.
titra'tie *v.* titrage *m.*
titre'ren *ov.w.* titrer.
tit'tel *m.* point *m.*
titulair' *b.n.* titulaire; (*ere—*) honoraire.
titula'ris *m.* titulaire *m.*
titulatuur' *v.* titres *m.pl.*, qualités *f.pl.*, qualification *f.*
titule'ren *ov.w.* donner un titre à; ***hoe moet ik hem —?*** quel titre faut-il lui donner?
Ti'tus Li'vius *m.* Tite-Live *m.*
tjalk *m. en v.* (*sch.*) tialque *m.*
tjil'pen *on.w.* gazouiller, pépier.
tjin'gelen *on.w.* tinter, sonner.
tjok'vol *b.n.* archicomble, bondé.
TL'-buis *v.*(*m.*) tube *m.* fluorescent.
toast(-), *zie* ***toost***(-).
tob'be *v.*(*m.*) baquet, cuvier *m.*
tob'ben *on.w.* **1** (*zich afsloven*) trimer, se peiner; **2** (*v. zieke: sukkelen*) traîner, languir; **3** (*vol zorg zijn*) se tourmenter (de), se faire du chagrin, être en peine (de).
tob'ber(**d**) *m.* **1** trimeur *m.*; **2** (*fig.*) pauvre diable [*m.*
tob'berig *b.n.* tourmenté, inquiet, pessimiste.
tobberij' *v.* **1** peine *f.*; **2** tourments *m.pl.*
tob'betje *o.* cuvette *f.*
Tobi'as *m.* Tobie *m.*
toch *bw.* **1** (*gebod*) donc; ***kom —!*** venez donc! **2** (*tegenstelling: nochtans, evenwel*) pourtant, cependant, tout de même; **3** (*redegevend: immers*) puisque; ***waarom hebt u hem niet beloond, hij is — ijverig?*** pourquoi ne l'avez-vous pas récompensé, puisqu'il est appliqué? ***hij is — niet ziek?*** il n'est pas malade, au moins? ***al zoekt hij nog zo hard hij zal dat boek — niet vinden,*** il a beau chercher, il ne trouvera pas ce livre; ***wat zijn die bloemen — mooi,*** comme ces fleurs sont jolies; ***u moet hem helpen, hij is — uw vriend,*** il faut l'aider, car il est votre ami; ***vertel mij — eens,*** raconte-moi un peu; ***hij zal het — doen,*** il ne laissera pas de le faire; ***is het — waar?*** est-ce bien vrai? ***help mij —,*** aidez-moi, je vous en prie.
tocht *m.* **1** (*trek*) courant *m.* d'air; **2** (*door reet*) vent *m.* coulis; **3** (*reis*) voyage *m.*; (*uitstapje: per fiets, enz.*) excursion, promenade *f.*; (*sp.*) randonnée *f.*; (*per boot*) croisière *f.*; (*v. zeppelin, enz.*) raid *m.*; (*naar onbekend gebied: onderzoekings—*) expédition *f.*; **4** (*doortocht*) passage *m.*; ***zijn — voortzetten,*** continuer sa marche.
tocht'band *m.* bourrelet, brise-bise *m.*
tocht'deur *v.*(*m.*) porte *f.* à tambour, — matelassée; contre-porte* *f.*
toch'ten *on.w.*, ***het tocht hier,*** il y a un courant [d'air ici.
tocht'gat *o.* **1** (*huis, enz.*) nid *m.* à courants d'air; **2** (*bouwk.*) ventouse *f.*; **3** (*open plaats in 't ijs*) trou *m.* dans la glace.
tocht'genoot *m.* compagnon *m.* de voyage.
tocht'gordijn *o. en v.*(*m.*) portière *f.*
toch'tig *b.n.* plein de courants d'air, où il y a des courants d'air.
tocht'je *o.* **1** (*per fiets, enz.*) excursion, promenade *f.*; **2** (*v. wind*) souffle (d'air), zéphyr *m.*
tocht'kleed *o.* brise-bise *m.*
tocht'lat *v.*(*m.*) bourrelet *m.*
tocht'raam *o.* fenêtre *f.* double, contre-fenêtre* *f.*
tocht'scherm *o.* paravent *m.*
tocht'venster, *zie* ***tochtraam.***
tocht'vrij *b.n.* matelassé, rembourré.
tod *v.*(*m.*) guenille, loque *f.*, chiffon *m.*
tod'denkoopman *m.* chiffonnier *m.*
toe *bw.* **1** (*dicht*) fermé; **2** (*richting*) vers; ***naar een plaats — gaan,*** aller vers un endroit; ***ik ga er naar —,*** j'y vais; ***niet weten waar men aan — is,*** ne pas savoir à quoi s'en tenir; ***dat doet er***

***niet* —,** cela n'y fait rien; ***de zieke is er slecht aan* —,** le malade est bien bas; ***tot daar* —,** jusque là; ***op de koop* —,** par-dessus le marché; ***ik kom er niet aan* —,** je n'arrive pas à le faire; ***naar iem.* — *gaan*,** s'approcher de qn.; **—!** allons!

toe'bede'len *ov.w.* **1** donner en partage, allouer; **2** (*v. lot*) réserver.

toe'behoren I *on.w.* appartenir (à); **II** *z.n., o.* **1** accessoires *m.pl.*; **2** (*v. huis*) dépendances *f.pl.*

toe'bereiden *ov.w.* **1** préparer, apprêter; **2** (*v. spijzen: kruiden, aanmaken*) assaisonner.

toe'bereiding *v.* préparation *f.*, apprêt *m.*

toe'bereidselen *mv.* préparatifs *m.pl.*

toe'beurs *v.(m.)* bourse *f.* fermée; ***met* —,** sans bourse délier.

toe'bijten I *on.w.* **1** happer, saisir avec les dents; **2** (*fig.*) mordre à l'hameçon; **II** *ov.w.* lancer à la figure (de qn.), adresser d'un ton bourru.

toe'binden *ov.w.* lier, fermer.

toe'blaffen *ov.w.* **1** aboyer (à qn.); **2** (*afsnauwen*) rabrouer (qn.).

toe'blijven *on.w.* rester fermé.

toe'blinken *ov.w.* reluire.

toe'brengen *ov.w.* **1** (*slag*) donner, porter; **2** (*nederlaag*) infliger; **3** (*wond*) faire.

toe'dekken *ov.w.* **1** couvrir; **2** (*kind*) border.

toe'delen, *zie* **toebedelen.**

toe'denken *ov.w.* destiner (qc. à qn.).

toe'dichten *ov.w.* attribuer, imputer.

toe'dienen *ov.w.* administrer; ***iem. een oorvijg* —,** appliquer un soufflet à qn.

toe'diening *v.* administration *f.*

toe'doen I *ov.w.*, (*sluiten*) fermer; **II** *on.w.*, ***dat doet er niets toe*,** cela n'y fait rien; **III** *z.n., o.* **1** (*hulp, bijstand*) assistance *f.*; **2** (*medewerking*) concours *m.*, participation *f.*; ***door* — *van*,** grâce à (qn.), par le fait de (qn.); ***buiten mijn* —, 1** (*zonder medeweten*) à mon insu; **2** (*zonder schuld*) sans qu'il y ait de ma faute.

toe'draaien *ov.w.* **1** (*sluiten*) fermer; **2** ***iem. de rug* —,** tourner le dos à qn.

toe'dracht *v.(m.)* circonstances *f.pl.*

toe'dragen I *ov.w.* porter (à); ***iem. achting* —,** avoir de l'estime pour qn., estimer qn.; ***iem. een goed hart* —,** vouloir du bien à qn.; **II** *w.w.* ***zich* —,** se passer.

toe'drinken *ov.w.* porter un toast à (qn.).

toe'drukken *ov.w.* fermer.

toe'duwen *ov.w.* **1** (*sluiten*) fermer; **2** (*in de hand stoppen*) glisser dans la main, remettre en cachette; ***de deur weer* —,** repousser la porte.

toe'ëigenen I *ov.w.* attribuer; **II** *w.w.* ***zich* —,** s'appropier; (*wederrechtelijk*) usurper.

toe'ëigening *v.* appropriation *f.*

toe'fluisteren *ov.w.*, ***iem. iets* —,** glisser qc. à l'oreille de qn.

toe'gaan *on.w.* **1** (*dichtgaan*) se fermer; **2** (*gebeuren*) se passer.

toe'gang *m.* **1** (*ingang*) entrée *f.*; **2** (*tot stad, vesting*) abords *m.pl.*, approches *f.pl.*; **—** ***hebben tot*,** avoir accès à; **—** ***geven*,** donner accès; ***verboden* —,** entrée interdite, défense d'entrer; ***iem. de* — *verbieden*,** interdire l'accès à qn.; ***zich* — *verschaffen*,** s'introduire.

toe'gangsbewijs *o.*, **toe'gangskaart** *v.(m.)* billet *m.* d'entrée, carte *f.* —.

toe'gangsprijs *m.* prix *m.* (*of* droits *m.pl.*) d'entrée.

toe'gangsweg *m.* voie *f.* d'accès.

toegan'kelijk *b.n.* accessible; abordable; ***moeilijk* —,** d'un accès difficile.

toegan'kelijkheid *v.* accessibilité *f.*

toe'gedaan *b.n.* dévoué (à); ***een partij* — *zijn*,** adhérer à un parti; ***een andere mening* — *zijn*,** être d'une autre opinion.

toegeef'lijk, toege'felijk I *b.n.* indulgent; **II** *bw.* avec indulgence.

toegeef'lijkheid, toege'felijkheid *v.* indulgence *f.*

toe'genegen *b.n.* dévoué, affectionné.

toegene'genheid *v.* dévouement *m.*, affection *f.*

toe'gepast *b.n.* appliqué.

toe'gespen *ov.w.* boucler.

toe'geven I *ov.w.* **1** (*op de koop toe*) donner pardessus le marché; **2** (*toestaan*) accorder, permettre; **3** (*erkennen*) admettre, avouer; ***dat geef ik toe*,** j'en conviens, je vous l'accorde; ***ik wil wel* —, *dat*...,** je veux bien que; ***toegegeven!*** soit! je veux bien! **II** *on.w.* céder (à), se rendre aux désirs de; ***niet* —,** tenir bon, ne pas céder; ***van geen* — *willen weten*,** rester inflexible.

toege'vend I *b.n.* indulgent; **—*e bijzin*,** proposition *f.* concessive; **II** *bw.* avec indulgence.

toege'vendheid *v.* indulgence *f.*

toe'geving *v.* concession *f.*

toe'gevoegd *b.n.*, (*v. verdediger*) d'office.

toe'gift *v.(m.)* **1** (*alg.*) extra *m.*; **2** (*gewicht*) surpoids *m.*; **3** (*v. maat*) excédent *m.*; **4** (*bij slager*) réjouissance *f.*; **5** (*muz.*) extra, bis *m.*

toe'giftartikel *o.* article *m.* de prime, prime *f.*

toe'gooien *ov.w.* **1** (*gooien in de richting van*) jeter (qc. à qn.); **2** (*dichtgooien*) fermer brusquement.

toe'grendelen *ov.w.* verrouiller, fermer au verrou.

toe'grijnzen *ov.w.* grimacer, ricaner, montrer une figure grimaçante (à).

toe'grijpen *on.w.* **1** saisir, allonger la main (pour saisir); **2** (*fig.*) accepter avec empressement.

toe'haken *ov.w.* agrafer.

toe'halen *ov.w.* **1** serrer; **2** (*fig.: nauwer* —) resserrer; ***alles naar zich* —,** tirer à soi la couverture.

toe'happen *on.w.* **1** happer, mordre (à); **2** (*fig.*) mordre à l'hameçon; (*gelegenheid aangrijpen*) saisir l'occasion.

toe'hoorder *m.* auditeur *m.*; ***de* —*s*,** l'auditoire *m.*

toe'horen *on.w.* **1** écouter; **2** *zie* **toebehoren.**

toe'houden *ov.w.* **1** tenir fermé; **2** (*oren, enz.*) boucher.

toe'huis *o.* maison *f.* particulière.

toe'juichen *ov.w.* **1** (*persoon*) applaudir, acclamer; **2** (*iets*) applaudir à.

toe'juicher *m.* applaudisseur *m.*

toe'juiching *v.* applaudissement *m.*, acclamation *f.*

toe'kennen *ov.w.* **1** (*rang*) assigner; **2** (*gunst, schadeloosstelling*) accorder; **3** (*recht, enz.*) attribuer; **4** (*prijs*) décerner; **5** (*waardigheid*) conférer; **6** (*som, bijdrage*) allouer; **7** (*voorrecht*) octroyer; **8** (*verdienste, overwinning*) attribuer; **9** (*hoedanigheid*) attribuer, reconnaître; **10** (*recht*) adjuger.

toe'kenning *v.* **1** (*v. recht, enz.*) attribution *f.*; **2** (*v. prijs*) décernement *m.*; **3** (*v. som*) allocation *f.*; **4** (*v. voorrecht*) octroi *m.*; **5** (*v. hoedanigheid*) reconnaissance *f.*; **6** (*gerechtelijk*) adjudication *f.*; **7** (*v. verlof*) concession *f.*

toe'keren *ov.w.* tourner vers; ***iem. de rug* —,** tourner le dos à qn.

toe'kijken *on.w.* regarder.

toe'kijker *m.* spectateur *m.*

toe'knijpen *ov.w.* **1** (*ogen*) fermer; **2** (*keel*) serrer; ***iem. de keel* —,** étrangler qn.

toe'knikken *ov.w.* **1** faire un signe de tête à (qn.); **2** (*groeten*) saluer de la tête.

toe'knopen *ov.w.* boutonner.

toe'komen *on.w.* **1** (*rondkomen*) joindre les deux bouts; **2** (*komen tot*) parvenir (à); **3** (*toebehoren*) revenir, appartenir; ***op iem.* —,** s'avancer vers qn.;

met dat geld zal ik* —,** cet argent me suffira; ***hij komt met weinig toe, il ne lui faut pas grand-chose; ***iem. iets doen* —,** faire parvenir qc. à qn.
toe'komend *b.n.* **1** (*toekomstig*) futur, à venir; **2** (*aanstaand*) prochain; ***—e week,*** la semaine prochaine; ***de —e tijd,*** (*gram.*) le futur.
toe'komst *v.* avenir *m.*; ***van de* —,** de l'avenir, du futur.
toe'komstbeeld *o.* anticipation *f.*
toe'komstdroom *m.* **1** rêve *m.* d'avenir; **2** (*hersenschim*) utopie *f.*
toekom'stig *b.n.* futur, à venir.
toe'komstmuziek *v.* rêve *m.* d'avenir.
toe'komstplan *o.* projet *m.* d'avenir.
toe'komststaat *m.* société *f.* future, utopie *f.*
toe'krijgen *ov.w.* **1** (*er in slagen te sluiten*) parvenir à fermer; **2** (*krijgen als toegift*) recevoir par-dessus le marché, recevoir en plus; **3** (*bij maaltijd*) avoir comme dessert.
toe'kruid *o.* assaisonnement, condiment *m.*
toe'kunnen *on.w.* **1** pouvoir se fermer; **2** (*genoeg hebben*) avoir assez de.
toelaat'baar *b.n.* admissible; ***niet* —,** inadmissible.
toe'lachen *ov.w.* sourire (à qn.).
toe'lage *v.(m.)* **1** (*toeslag*) supplément *m.* de salaire; complément *m.* de solde; (*bedrag-in-eens*) gratification *f.*; **2** (*voor onderhoud*) pension *f.* alimentaire; **3** (*schadeloosstelling*) indemnité *f.*; **4** (*subsidie: aan school, enz.*) subvention *f.*
toe'lakken *ov.w.* cacheter.
toe'laten *ov.w.* **1** (*dicht laten*) laisser fermé; **2** (*toestaan*) permettre; **3** (*gedogen*) tolérer, souffrir; **4** (*toegang verlenen*) admettre, laisser entrer; **5** (*lid, kandidaat, enz.*) admettre, recevoir.
toe'lating *v.* **1** (*toestemming*) permission *f.*; **2** (*aanneming*) admission *f.*
toe'latingsexamen, -eksamen *o.* examen *m* d'admission, — d'entrée.
toe'leg *m.* **1** (*plan*) projet, dessein *m.*; **2** (*samenspanning*) complot *m.*; **3** (*aanslag*) attentat *m.*
toe'leggen I *ov.w.* **1** (*bedekken, dichtdoen*) couvrir, fermer; **2** (*toekennen*) accorder, allouer; ***er op* —,** y perdre; ***het op iemands leven* —,** attenter à la vie de qn.; ***het er op — om,*** s'efforcer de, faire exprès pour; **II** *w.w.* ***zich* — (*op*),** s'appliquer (à).
toe'lichten *ov.w.* expliquer, éclaircir.
toe'lichtend *b.n.* explicatif.
toe'lichting *v.* explication *f.*, éclaircissement *m.*; ***memorie van* —,** exposé *m.* des motifs.
toe'liggen *on.w.* **1** (*v. boek, enz.*) être fermé; **2** (*v. rivier, enz.*) être pris par la glace.
toe'lonken *ov.w.* lancer des œillades à, faire de l'œil à.
toe'loop *m.* **1** affluence *f.*; **2** (*menigte*) foule, multitude *f.*; ***veel — hebben,*** être fort couru.
toe'lopen *on.w.* **1** (*naar iem. lopen*) accourir (à); **2** (*toestromen*) affluer (vers); **3** (*uitlopen, eindigen op*) se terminer; ***spits* —,** se terminer en pointe.
toe'luisteren *on.w.* écouter.
toe'maat *v.(m.)* excédent *m.*
toe'maathooi *o.* regain *m.*
toe'maken *ov.w.* **1** (*alg.*) fermer; (*knoop*) boutonner; (*gesp*) boucler; (*fles*) boucher; (*brief, met lak*) cacheter; **2** (*klaarmaken*) assaisonner, apprêter; **3** (*bemesten*) fumer, engraisser.
toe'meten *ov.w.* **1** mesurer; **2** (*taak, werk*) assigner.
toe'metselen *ov.w.* murer, boucher; (*deur*) condamner.
toen I *bw.* alors; ***van — af,*** dès lors; **II** *vw.* lorsque, quand.
toe'naaien *ov.w.* coudre.
toe'naam *m.* **1** (*familienaam*) nom *m.* de famille; **2** (*bijnaam*) surnom *m.*; **3** (*scheldnaam*) sobriquet *m.*
toe'naderen *on.w.* **1** s'approcher; **2** (*fig.*) faire des avances.
toe'nadering *v.* **1** rapproche *f.*; **2** (*fig.*) rapprochement *m.*
toe'naderingspolitiek *v.* politique *f.* de rapprochement.
toe'nagelen *ov.w.* clouer.
toen'dra *v.(m.)* toundra *f.*
toe'neigen *on.w.* pencher vers, incliner vers.
toe'neiging *v.* penchant *m.*, inclination *f.*
toe'nemen *on.w.* **1** (*vermeerderen*) augmenter, s'accroître; **2** (*groter worden*) s'agrandir; **3** (*erger worden*) s'aggraver; ***in ouderdom* —,** vieillir, prendre de l'âge.
toe'nemend *b.n.* croissant.
toe'neming *v.* **1** accroissement *m.*, augmentation *f.*; **2** agrandissement *m.*; **3** aggravation *f.*
toen'maals *bw.* alors, en ce temps-là.
toen'malig *b.n.* d'alors.
toen'tertijd *bw.* alors.
toe'pad *o.* raccourci *m.*
toepas'selijk *b.n.* **1** (*van toepassing*) applicable; **2** (*van pas*) à propos, bien placé; **3** (*geschikt*) approprié à la circonstance.
toepas'selijkheid *v.* **1** applicabilité *f.*; **2** propriété *f.*
toe'passen *ov.w.* appliquer (à).
toe'passing *v.* application *f.*, mise *f.* en application; ***in — brengen,*** mettre en pratique; ***van — zijn op,*** être applicable à, s'appliquer à.
toe'plakken *ov.w.* fermer, coller.
toer *m.* **1** (*ronde, wandeling, ritje, kunststuk*) tour *m.*; **2** (*dienst*) tournée *f.*; **3** (*tn.: draai, wenteling*) rotation, révolution *f.*; ***het is een hele* —,** c'est toute une affaire.
toer'beurt *v.(m.)*, ***bij* —,** à tour de rôle.
toe'rechten *ov.w.* (*toebereiden*) préparer.
toe'reiken I *ov.w.* **1** (*aangeven*) passer; **2** (*uitstrekken: de hand*) tendre (la main); **II** *on.w.* (*voldoende zijn*) suffire, être suffisant.
toerei'kend *b.n.* suffisant; ***— zijn,*** suffire.
toere'kenbaar *b.n.* **1** (*v. persoon*) responsable; **2** (*v. zaak*) imputable; ***niet* —,** irresponsable de ses actions.
toere'kenbaarheid *v.* **1** responsabilité *f.*; **2** imputabilité *f.*
toe'rekenen *ov.w.* imputer (qc. à qn.).
toe'rekening *v.* imputation *f.*
toerekeningsvat'baar, *zie* ***toerekenbaar.***
toe'ren *on.w.* faire une promenade (en auto, en voiture, etc.).
toe'rental *o.* régime *m.*, rythme *m.* du moteur; ***het — verminderen,*** réduire le régime.
toe'renteller *m.* compte-tours *m.*
toe'rijgen *ov.w.* lacer.
toeris'me *o.* tourisme *m.*
toerist' *m.* touriste *m.*
toeris'tenauto *m.* voiture *f.* de tourisme.
toeris'tenbond *m.* touring club *m.*, ligue *f.* du tourisme.
toeris'tenkaart *v.(m.)* carte *f.* touriste, — touristique.
toeris'tenklasse *v.* classe *f.* touriste.
toeris'tenverkeer *o.* mouvement *m.* de tourisme.
toeris'tisch *b.n.* touristique.
toernee', *zie* ***tournee.***
to(e)rnooi' *o.* tournoi *m.*
toe'roepen *ov.w.* crier (qc. à qn.).
toer'tje *o.* petit tour *m.*
toe'rusten *ov.w.* **1** (*gereedmaken*) préparer; **2** (*uitrusten*) équiper, armer.
toe'rusting *v.* **1** préparation *f.*; **2** équipement *m.*
toer'wagen *m.* **1** voiture *f.* de tourisme; **2** autocar *m.*

toeschie'telijk *b.n.* accommodant; complaisant; ***weinig —,*** d'un abord difficile.
toeschie'telijkheid *v.* humeur *f.* accommodante; complaisance *f.*
toe'schieten *on.w.* (*toesnellen*) accourir, s'élancer.
toe'schijnen *on.w.* paraître, sembler.
toe'schouwer *m.* spectateur *m.*
toe'schreeuwen *ov.w.* crier (qc. à qn.).
toe'schrijven *ov.w.* **1** attribuer; **2** (*ong.: wijten*) imputer; **3** (*woorden, gedachten*) prêter.
toe'schroeien *ov.w.* (*gen.*) cautériser.
toe'schroeven *ov.w.* visser, fermer à vis.
toe'schuiven *ov.w.* **1** fermer; **2** (*dichttrekken*) tirer; pousser; **3** ***iem. iets —,*** passer qc. à qn.
toe'slaan I *ov.w.* **1** (*deur, enz.*) fermer bruyamment, — brusquement; **2** (*boek*) fermer (brusquement); **3** (*koop*) adjuger; **II** *on.w.* **1** se fermer brusquement; **2** (*goedkeurend*) toper; **3** (*fig.: aannemen*) accepter.
toe'slag *m.* **1** (*bij koop*) adjudication *f.*; **2** (*bijbetaling*) supplément *m.*
toe'slagbiljet *o.* billet *m.* supplémentaire, supplément *m.*
toe'slibben *on.w.* s'envaser.
toe'slibbing *v.* envasement *m.*
toe'sluiten *ov.w.* **1** fermer (à clef); **2** (*haven*) barrer.
toe'smijten *ov.w.* **1** (*dichtgooien*) fermer brusquement; **2** (*iem. iets —*) jeter (qc. à qn.).
toe'snauwen *ov.w.* rudoyer, brusquer; engueuler.
toe'snellen *on.w.* accourir.
toe'snoeren *ov.w.* lacer; ***de keel —,*** étrangler.
toe'spelden *ov.w.* fermer avec des épingles.
toe'speling *v.* allusion *f.*; ***bedekte —,*** sous-entendu* *m.*
toe'spijkeren *ov.w.* clouer.
toe'spijs *v.*(*m.*) **1** (*bijgerecht*) entremets *m.*; **2** (*spijs, die bij een andere gegeten wordt*) condiment *m.*
toe'spitsen I *ov.w.* pousser à l'extrême, intensifier; **II** *w.w.* ***zich —,*** prendre un tour aigu.
toe'spraak *v.*(*m.*) **1** allocution, harangue *f.*; **2** (*redevoering*) discours *m.*
toe'spreken *ov.w.* **1** parler à, adresser la parole à; **2** (*menigte*) haranguer.
toe'springen *on.w.* **1** accourir; **2** se fermer brusquement, — soudainement; ***op iem. —,*** s'élancer sur qn., se jeter sur qn.
toe'staan *ov.w.* accorder, permettre.
toe'stand *m.* **1** (*gesteldheid*) état *m.*, condition *f.*; **2** (*omstandigheden*) situation, position *f.*; ***in goede —,*** en bon état; en bonne condition; ***zich in een moeilijke — bevinden,*** se trouver dans une position difficile; ***de bestaande —en,*** l'ordre des choses.
toe'steken *ov.w.* passer, tendre (qc. à qn.).
toe'stel I *o.* appareil *m.*; **II** *m.* (*toebereidselen*) préparatifs *m.pl.*
toe'stellen I *ov.w.* **1** (*in gereedheid brengen*) préparer; **2** (*goed voordoen*) apprêter; **3** (*v. machine*) monter; **II** *s. o.* (*drukk.*) mise *f.* en train.
toe'steller *m.* monteur *m.*
toe'stemmen *on.w.* **1** consentir; **2** (*inwilligen: verzoek*) acquiescer (à).
toe'stemmend *b.n.* **1** approbatif, approbateur; **2** (*v. antwoord*) affirmatif; **II** *bw.* affirmativement.
toe'stemming *v.* **1** (*inwilliging*) consentement *m.*; **2** (*goedkeuring*) approbation *f.*
toe'stoppen *ov.w.* **1** (*dichtmaken*) boucher; **2** (*in 't geheim geven*) glisser (qc. à qn.); **3** (*iem. instoppen*) emmitoufler; **4** (*in bed*) border.
toe'stoten *on.w.* pousser.
toe'strikken *ov.w.* nouer.
toe'stromen *on.w.* affluer, arriver en foule.
toe'sturen *ov.w.* envoyer.
toet *m.* **1** (*gezichtje*) minois *m.*; **2** (*liefkozend*) chéri(e) *m.*(*f.*); **3** (*haar*) chignon *m.*
toe'takelen I *ov.w.* **1** (*schip*) gréer; **2** (*opdirken, opsmukken*) affubler, accoutrer; **3** (*afrossen*) rosser, rouer de coups, arranger de la belle façon; **II** *w.w.* ***zich —,*** s'affubler.
toe'takeling *v.* **1** (*sch.*) gréement *m.*; **2** accoutrement, affublement *m.*
toe'tasten *on.w.* **1** (*de handen uitsteken*) (étendre la main pour) saisir, prendre; **2** (*aan tafel*) se servir; **3** (*aanpakken*) mettre la main à la pâte.
toe'ten *on.w.* corner, sonner du cornet; ***van — noch blazen weten,*** ne savoir rien de rien.
toe'ter *m.* **1** cornet *m.*; **2** (*v. auto*) trompe *f.*, claxon *m.*; **—s,** (*Pl.: fluitekruid*) persil *m.* d'âne.
toe'teren *on.w.* corner, sonner du cornet.
toet'hoorn, -horen *m.* **1** cornet *m.*; **2** trompe *f.*, claxon *m.*
toe'timmeren *ov.w.* fermer, boucher.
toet'je *o.* **1** (*gezichtje*) minois *m.*; **2** (*haar*) chignon *m.*; **3** (*nagerecht*) entremets; dessert *m.*
toe'treden *on.w.* **1** (*naderen*) s'approcher, s'avancer vers; **2** (*tot vereniging*) s'affilier à; **3** (*tot overeenkomst, beweging, enz.*) adhérer à; **4** (*tot partij*) se rallier à; **5** (*tot komplot*) entrer dans.
toe'treding *v.* **1** affiliation *f.*; **2** adhésion *f.*; **3** entrée *f.*
toe'trekken *ov.w.* tirer; fermer.
toets *m.* **1** (*metaal*) essai *m.*, touche *f.*; **2** (*v. piano*) touche *f.*; **3** (*penseelstreek*) touche *f.*, coup *m.* de pinceau; **4** (*fig.: proef*) épreuve *f.*; ***de — doorstaan,*** soutenir l'épreuve.
toet'sen *ov.w.* **1** (*goud, enz.*) essayer; **2** (*fig.: op de proef stellen*) éprouver, mettre à l'épreuve; **3** (*vergelijken: verklaringen, enz.*) comparer, vérifier.
toet'senbord *o.* (*muz.*) clavier *m.*
toet'ser *m.* essayeur *m.*
toet'sing *v.* **1** essayage, essai *m.*; **2** (*fig.*) épreuve *f.*; **3** comparaison *f.*
toets'naald *v.*(*m.*) touchau, toucheau *m.*
toets'steen *m.* pierre *f.* de touche.
toets'wedstrijd *m.* critérium *m.*
toe'val *o.* **1** hasard *m.*; **2** (*gen.*) attaque *f.*; ***een gelukkig —,*** un accident heureux; ***bij —,*** par hasard.
toe'vallen *on.w.* **1** (*dichtvallen*) se fermer (brusquement); (*v. oogleden*) se fermer de sommeil, — de fatigue; **2** (*ten deel vallen*) tomber en partage, échoir.
toeval'lig I *b.n.* accidentel, fortuit; **II** *bw.* **1** (*bij toeval*) par hasard; **2** (*niet altijd*) accidentellement.
toevalligerwijs', -wij'ze *bw.* par hasard.
toeval'ligheid *v.* hasard *m.*
toe'ven *on.w.* **1** (*wachten*) attendre; **2** (*dralen*) tarder; hésiter; **3** (*blijven*) demeurer, séjourner.
toe'verlaat *m.* refuge, recours *m.*
toe'vertrouwen I *ov.w.* confier; **II** *w.w.* ***zich aan iem. —,*** se confier à qn., se remettre entre les mains de qn.
toe'vloed *m.* **1** (*het toevloeien*) affluence *f.*; **2** (*v. aanvragen, enz.*) afflux *m.*
toe'vloeien *on.w.* affluer.
toe'vlucht *v.*(*m.*) **1** (*wijkplaats, schuilplaats*) refuge, asile *m.*; **2** (*toeverlaat, steun*) recours *m.*, protection *f.*; ***zijn — nemen tot,*** recourir à; ***zijn — zoeken,*** se réfugier (dans).
toe'vluchtsoord *o.* refuge, asile *m.*
toe'voegen *ov.w.* **1** (*bijvoegen*) ajouter; **2** (*persoon: helper, secretaris, enz.*) adjoindre; **3** (*zeggen*) dire; (*woord*) adresser.
toe'voeging *v.* **1** (*bijvoeging: tekst, vocht, enz.*) addition *f.*; **2** (*persoon*) adjonction *f.*
toe'voegsel *o.* **1** (*bijvoegsel*) supplément *m.*; **2** (*aanhangsel*) appendice *m.*

toe'voer *m.* **1** (*v. koopwaren*) arrivage *m.*; **2** (*aanvoer, proviandering*) approvisionnement *m.*; **3** (*v. drinkwater*) amenée *f.*; **4** (*v. gas*) arrivée *f.*; **5** (*wat toegevoerd wordt of is*) provisions *f.pl.*, vivres *m.pl.*; ***— van warmte,*** apport *m.* de chaleur.
toe'voerbuis *v.(m.)* tuyau *m.* d'alimentation, canal *m.* d'amenée.
toe'voeren *ov.w.* amener; apporter.
toe'voerkanaal *o.* canal *m.* d'adduction.
toe'vouwen *ov.w.* **1** (*brief, enz.*) fermer; **2** (*servet, papier*) plier; **3** (*handen*) joindre.
toe'vriezen *on.w.* se prendre, geler.
toe'waaien I *on.w.* **1** (*dichtwaaien*) être fermé par le vent; **2** être porté par le vent; ***de bloemengeur waait ons toe,*** le vent nous apporte le parfum des fleurs; **II** *ov.w.* souffler (au visage); ***iem. koelte —,*** éventer qn.
toe'wenden *ov.w.* tourner.
toe'wenken *ov.w.* faire signe à.
toe'wensen *ov.w.* souhaiter (qc. à qn.).
toe'werpen *ov.w.* **1** (*voorwerp*) jeter, lancer; **2** (*vullen: sloot, enz.*) combler; **3** (*deur*) fermer brusquement; **4** (*groet*) envoyer.
toe'wijden *ov.w.* **1** (*v. kerk, enz.*) consacrer, vouer; **2** (*opdragen: boek, enz.*) dédier.
toe'wijding *v.* **1** (*inwijding*) consécration *f.*; **2** (*uit liefde*) dévouement *m.*; **3** (*opdracht*) dédicace *f.*
toe'wijzen *ov.w.* **1** (*prijs, subsidie*) allouer; **2** (*H. en recht*) adjuger; **3** (*verzoek*) accorder; **4** (*toekennen*) assigner.
toe'wijzing *v.* **1** (*v. koop*) adjudication *f.*; **2** allocation, attribution *f.*; ***voorlopige —,*** provision *f.*; ***extra —,*** attribution *f.* spéciale.
toe'wuiven *ov.w.* dire bonjour de la main, agiter le mouchoir (vers qn.).
toe'zegelen *ov.w.* cacheter.
toe'zeggen *ov.w.* promettre.
toe'zegging *v.* promesse *f.*
toe'zenden *ov.w.* envoyer, faire parvenir, expédier.
toe'zending *v.* envoi *m.*; ***tegen — van 20 fr.,*** contre remise de 20 fr.
toe'zicht *o.* **1** (*bewaking*) surveillance; garde *f.*; **2** (*opzicht*) inspection *f.*; **3** (*controle*) contrôle *m.*; ***onder — staan,*** être surveillé; ***— houden op,*** surveiller.
toe'zien *on.w.* **1** (*toekijken*) regarder; **2** ***— op,*** surveiller, veiller à; prendre garde de; ***—de voogd,*** subrogé tuteur.
toe'ziener *m.* surveillant; inspecteur *m.*
toe'zingen *ov.w.* chanter (à qn.). [louer.
toe'zwaaien *ov.w.*, ***lof —,*** prodiguer des louanges,
toffee' *m.* caramel *m.* dur.
to'ga *v.(m.)* **1** toge *f.*; **2** (*v. rechter*) robe *f.*
To'go *o.* le Togo.
Togolees' *b.n.* togolais.
toilet' *o.* toilette *f.*
toilet'artikelen *mv.* articles *m.pl.* de toilette.
toilet'benodigdheden *mv.* articles *m.pl.* de toilette.
toilet'doos *v.(m.)* boîte *f.* de toilette.
toilet'emmer *m.* seau *m.* de toilette.
toilet'spiegel *m.* psyché *f.*, glace *f.* de toilette.
toilet'stel *o.* garniture *f.* de toilette.
toilet'tafel *v.(m.)* (table de) toilette *f.*
toilet'zeep *v.(m.)* savon *m.* de toilette.
tokay'er(wijn) *m.* tokay, tokai *m.*
tok'kelen I *ov.w.* **1** (*harp, gitaar*) pincer (de); **2** (*snaren*) toucher; **3** (*luit*) jouer (de); **II** *on.w.* pianoter. [pincées.
tok'kelinstrument *o.* instrument *m.* à cordes
to'ko *m.* (*Indië*) boutique *f.*, magasin *m.*
to'kohouder *m.* boutiquier *m.*
tol *m.* **1** (*aan de grens*) douane *f.*; **2** (*belasting op invoer*) droit *m.* de douane; **3** (*stedelijk*) octroi *m.*; **4** (*op een weg*) péage *m.*; **5** (*schatting*) tribut *m.*; **6** (*speelgoed*) toupie *f.*; (*drijf—*) sabot *m.*
tol'beambte *m.* douanier, préposé à la douane *m.*
tol'boom *m.* barrière *f.*
tol'briefje *o.* permis, laissez-passer, passavant *m.*
Tole'do *o.* Tolède *f.*; ***van —,*** tolédan.
toleran'tie *v.* tolérance *f.* [péage.
tol'gaarder *m.* péager *m.*, percepteur *m.* du
tol'gebied *o.* région *f.* douanière.
tol'geld *o.* péage *m.*
tol'hek *o.* barrière *f.* (du péage).
tol'huis *o.* **1** bureau *m.* du péager; **2** (*aan grens*) bureau *m.* de la douane; **3** (*stedelijk*) bureau *m.* de l'octroi. [parole *m.*
tolk *m.* interprète *m.*; (*fig.*) truchement, porte-
tol'kantoor *o.* (bureau *m.* de la) douane *f.*
tolk'-gids' *m.* guide *m.* interprète.
tol'kommies *m.* douanier *m.*
tol'len *on.w.* **1** (*met tol spelen*) jouer à la toupie; **2** (*fig.: ronddraaien*) tourner (comme une toupie).
tol'lenaar *m.* **1** douanier *m.*; **2** (*Bijb.*) publicain *m.*
tol'muur *m.* barrière *f.* douanière.
tol'ontvanger *m.* receveur *m.* de la douane.
tol'pachter *m.* fermier *m.* du péage.
tol'plichtig *b.n.* soumis aux droits de douane; — à l'octroi.
tol'tarief *o.* tarif *m.* douanier.
tol'unie *v.* union *f.* douanière.
tol'verbond *o.* union *f.* douanière.
tol'vrij *b.n.* exempt de droit(s), libre, admis en franchise; ***gedachten zijn —,*** les pensées sont libres.
tol'wezen *o.* régime *m.* douanier.
tomaat' *v.(m.)* tomate *f.*
toma'tenpuree *v.* concentré *m.* de tomates.
toma'tensaus *v.(m.)* sauce *f.* aux tomates.
toma'tensoep *v.(m.)* potage *m.* aux tomates.
toma'tesap *o.* jus *m.* de tomate.
tom'be *v.(m.)* tombeau *m.*, monument *m.* funèbre.
to'meloos I *b.n.* effréné, sans frein; **II** *bw.* d'une manière effrénée.
tomeloos'heid *v.* licence *f.* effrénée.
to'men *ov.w.* **1** brider; **2** (*fig.*) refréner, dompter.
tompoes' *m.* **1** (*regenscherm*) tom-pouce *m.*; **2** (*gebak*) mille-feuille* *m.*
tompouce' *m.* (*regenscherm*) tom-pouce *m.*
ton *v.(m.)* **1** (*alg.*) tonneau *m.*; **2** (*volume*) tonne *f.*; **3** (*okshoofd, fust*) barrique *f.*; **4** (*gewicht*) tonne *f.*; **5** (*sch.: boei*) bouée *f.*; (*baken*) balise *f.*
ton'del *o.* mèche *f.*
ton'deldoos *v.(m.)* briquet *m.*
toneel' *o.* **1** (*deel v. schouwburg; deel v. bedrijf*) scène *f.*, plateau *m.*; **2** (*schouwburg*) théâtre *m.*; **3** (*fig.*) scène *f.*, théâtre *m.*; ***op het — verschijnen,*** entrer en scène; ***van het — verdwijnen,*** quitter la scène.
toneel'achtig I *b.n.* théâtral; **II** *bw.* théâtralement. [(de théâtre)
toneel'benodigdheden *mv.* accessoires *m.pl.*
toneel'club, -klub *v.(m.)* cercle *m.* dramatique.
toneel'criticus *m.* critique *m.* dramatique.
toneel'dichter *m.* poète *m.* dramatique.
toneel'effect, -effekt *o.* effet *m.* dramatique, coup *m.* de théâtre.
toneel'gezelschap *o.* troupe *f.*
toneel'held *m.* héros *m.* de théâtre.
toneel'kijker *m.* jumelles *f.pl.*, lorgnette *f.*
toneel'klub, *zie* ***toneelclub.***
toneel'knecht *m.* garçon *m.* d'accessoires, machiniste *m.*

toneel'kritiek *v.* critique *f.* dramatique.
toneel'kunst *v.* art *m.* dramatique.
toneel'kunstenaar *m.*, **toneel'kunstenares** *v.* artiste *m.-f.* dramatique.
toneel'laars *v.(m.)* cothurne *m.*
toneel'loge *v.(m.)* loge *f.* d'avant-scène.
toneelma'tig *b.n.* scénique; théâtral.
toneel'meester *m.* machiniste *m.*
toneel'opvoering *v.* représentation *f.* théâtrale.
toneel'recensent *m.* critique *m.* théâtral, — dramatique.
toneel'regisseur *m.* metteur *m.* en scène.
toneel'rekwisieten, -requisieten *mv.*, *zie* ***toneelbenodigdheden.***
toneel'rubriek *v.* chronique *f.* du théâtre.
toneel'scherm *o.* coulisse *f.*
toneel'schikking *v.* mise *f.* en scène, décors *m.pl.*
toneel'schilder *m.* (peintre) décorateur *m.*
toneel'school *v.(m.)* conservatoire *m.* de déclamation.
toneel'schrijver *m.* auteur *m.* dramatique, [dramaturge *m.*
toneel'seizoen *o.* saison *f.* théâtrale.
toneel'speelster *v.* actrice *f.*
toneel'spel *o.* **1** (*spel*) jeu *m.*; **2** (*stuk*) pièce *f.* de théâtre.
toneel'speler *m.* acteur *m.*
toneel'stuk *o.* pièce *f.* de théâtre.
toneel'verandering *v.* changement *m.* de [décors.
toneel'vertoning, toneel'voorstelling *v.* représentation *f.* théâtrale.
to'nen *ov.w.* **1** montrer, faire voir; **2** (*vertonen: kaart, enz.*) exhiber; ***— wat men kan,*** donner sa mesure.
tong *v.(m.)* **1** (*alg.*) langue *f.*; **2** (*v. slot*) pêne *m.*; **3** (*v. weegschaal*) languette, aiguille *f.*; **4** (*v. gesp*) ardillon *m.*; **5** (*v. orgelpijp*) languette *f.*; **6** (*v. klarinet*) anche *f.*; **7** (*vis*) sole *f.*; ***beslagen —,*** langue chargée; ***een dubbele — hebben,*** souffler le froid et le chaud; ***een fluwelen —,*** une langue dorée; ***het ligt mij op de —,*** je l'ai sur le bout de la langue; ***goed ter — zijn,*** avoir la langue bien pendue; ***het hart op de — hebben,*** avoir le cœur sur les lèvres; ne pas mâcher les mots; ***zijn — staat niet stil,*** la langue lui va toujours; ***de — uitsteken,*** tirer la langue; ***zijn — slaat dubbel,*** il a la langue épaisse.
tong'band *m.* filet *m.* de la langue.
tong'been *o.* (os) hyoïde *m.*
tong'blaar *v.(m.)* fièvre *f.* aphteuse.
Ton'genaar *m.* Tongrois *m.*
Ton'geren *o.* Tongres *m.*
Ton'gers *b.n.* tongrois, de Tongres.
ton'getje *o.* **1** petite langue *f.*; **2** (*v. weegschaal, enz.*) languette *f.*; **3** (*vis*) (petite) sole *f.*
ton'gewelf *o.* voûte *f.* en berceau.
ton'geworst *v.(m.)* saucisse *f.* à la langue de bœuf.
Tong'kin *o.* le Tonkin.
Tongkinees' *m.* Tonkinois *m.*
tong'letter *v.(m.)*, (*gram.*) linguale *f.*
tong'riem *m.* filet *m.* de la langue; ***goed van de — gesneden zijn,*** avoir la langue bien pendue.
tong'schar *v.(m.)* (*Dk.*) limande *f.* sole.
tong'schraper *m.* cure-langue* *m.*
tong'spatel *v.(m.)* abaisse-langue *m.*
tong'spier *v.(m.)* muscle *m.* lingual.
tong'val *m.* **1** (*uitspraak*) accent *m.*; **2** (*dialect*) patois *m.*
tong'vormig *b.n.* linguiforme.
tong'wortel *m.* racine *f.* de la langue.
tong'zenuw *v.(m.)* nerf *m.* lingual.
To'nia *v.* Antoinette *f.*
to'nica, to'nika *v.* (*muz.*) tonique *f.*
to'nicum *v.* tonique *m.*
tonijn' *m.* (*Dk.*) thon *m.*
to'nika, *zie* ***tonica.***
to'nisch *b.n.* tonique; ***— middel,*** tonique *m.*
ton'kaboom *m.* tonca *m.*
ton'kaboon *v.(m.)* tonca *m.*
tonna'ge *v.* tonnage *m.*
ton'neboei *v.(m.)* (*sch.*) bouée, balise *f.*
ton'neboeier *m.* **1** baliseur *m.*; **2** bateau *m.* baliseur.
ton'negeld *o.* droit *m.* de tonnage.
ton'nen *ov.w.* **1** (*haring*) encaquer; **2** (*wijn*) entonner.
ton'neninhoud *m.* (*sch.*) tonnage *m.*
ton'nenmaat *v.(m.)* tonnage *m.*, jauge *f.*, jaugeage *m.*
ton'nerecht *o.* droit *m.* de tonnage.
ton'nespel *o.* (jeu du) tonneau *m.*
tonsuur' *v.* tonsure *f.*
ton'vormig *b.n.* en forme de tonneau.
toog *m.* **1** toge *f.*; **2** (*v. priester*) soutane *f.*; **3** *zie* ***toonbank.***
toog'schaaf *v.(m.)* (*tn.*) rabot *m.* cintré.
tooi *m.* parure *f.*, ornement *m.*
tooi'en *ov.w.* parer, orner.
tooi'sel *o.* parure *f.*, ornement *m.*
toom *m.* **1** (*v. paard*) bride *f.*; **2** (*v. hoed*) ganse *f.*; **3** (*fig.*) frein *m.*; ***in — houden,*** maîtriser.
toon *m.* **1** ton *m.*; **2** (*klank, geluid*) son *m.*; **3** (*stem*) voix *f.*; **4** (*taalk.*) accent *m.*; **5** (*v. schilderwerk*) ton, coloris *m.*; ***de — aangeven,*** donner le ton; ***een andere — aanslaan,*** changer de ton, — de gamme; ***de — van haar stem,*** le timbre de sa voix; ***uit de — vallen,*** détonner; ***een hoge — aanslaan, een hoge — voeren,*** le prendre de haut; ***ten — spreiden,*** étaler, déployer; ***ten — stellen,*** **1** exposer; **2** (*ong.*) exhiber.
Toon *m.* Antoine, Tony *m.*
toon'aangevend *b.n.* qui donne le ton; ***—e kringen,*** la bonne société, la haute société, les milieux aristocratiques.
toon'aard *m.* (*muz.*) ton, mode *m.*, modalité *f.*; ***in alle —en,*** sur tous les tons.
toon'afstand *m.* intervalle *m.*
toon'baar *b.n.* présentable, montrable.
toon'bank *v.(m.)* **1** comptoir *m.*; **2** (*v. slager*) étal *m.*; **3** (*v. kroeg: pop.*) zinc *m.*
toon'beeld *o.* modèle, exemple *m.*
toon'brood *o.* (*Bijb.*) pain *m.* de proposition.
toon'demper *m.* (*muz.*) sourdine *f.*, étouffoir *m.*
toon'der *m.* (*H.*) porteur *m.*
toon'dichter *m.* compositeur *m.*
toon'geslacht *o.* (*muz.*) mode *m.*
toon'gevend, *zie* ***toonaangevend.***
toon'gever *m.* celui qui donne le ton.
toon'geving *v.* intonation *f.*
toon'hoogte *v.* ton, diapason *m.*
toon'kamer *v.(m.)* **1** (*uitstalkamer*) salle *f.* d'exposition; **2** (*met demonstraties*) salon *m.* de démonstration.
toon'kleur *v.(m.)* (*muz.*) timbre *m.*
toon'kunst *v.* musique *f.*
toon'kunstenaar *m.* musicien *m.*
toon'ladder *v.(m.)* gamme *f.*
toon'loos *b.n.* **1** sourd, atone; **2** (*v. lettergreep*) inaccentué; **3** (*v. stem*) éteint.
toon'loosheid *v.* atonie *f.*, manque *m.* de sonorité.
toon'menger *m.* (*bij film*) ingénieur *m.* du son.
toon'meter *m.* sonomètre *m.*
toon'peil *o.* diapason *m.*
toon'schaal *v.(m.)* gamme *f.*
toon'sleutel *m.* clef *f.*

toon'soort *v.(m.)* mode, ton *m.*
toon'stelsel *o.* notation *f.*
toon'sterkte *v.* intensité *f.* du son.
toon'teken *o.* accent *m.*
toon'tje *o.*, ***een — lager zingen,*** filer doux, le prendre sur un ton plus bas; ***iem. een — lager doen zingen,*** rabattre le caquet à qn.
toon'val *m.* cadence *f.*, chute *f.* de la voix.
toon'vast *b.n.* qui ne sort pas du ton.
toon'zaal, *zie* ***toonkamer.***
toon'zetter *m.* compositeur *m.*
toon'zetting *v.* composition *f.*
toorn *m.* **1** colère *f.*; **2** (*dicht.*) courroux *m.*; ***in — geraken,*** se fâcher, se mettre en colère.
toor'nig *b.n.* fâché, en colère, courroucé.
toorts *v.(m.)* **1** torche *f.*, flambeau *m.*; **2** (*Pl.*) molène *f.*
toorts'drager *m.* porte-flambeau(*) *m.*
toorts'licht *o.* lueur *f.* des torches, — des flambeaux.
toost, toast *m.* toast *m.*
toos'ten, toas'ten *on.w.* porter un toast (à qn.).
top *m.* **1** (*v. berg*) sommet *m.*; (*uiterste punt*) cime *f.*; **2** (*v. gebouw*) faîte *m.*; **3** (*v. gewelf*) sommet *m.*; **4** (*v. vinger*) bout *m.*; ***van — tot teen,*** de pied en cap, de la tête aux pieds; ***de vlag in — hijsen,*** hisser le pavillon; ***de hoogste —pen,*** les points culminants; ***ten — stijgen,*** arriver au comble; ***de geestdrift stijgt ten —,*** l'enthousiasme atteint son comble; **II** *tw.* tope ! soit !
topaas' *m.* topaze *f.*
top'conferentie *v.* conférence *f.* au sommet.
top'gras *o.* regain *m.*
top'hoek *m.* angle *m.* du sommet.
top'licht *o.* (*sch.*) feu *m.* à la tête d'un mât, falot *m.*
top'lijn *v.(m.)* ligne *f.* sommière.
topograaf' *m.* topographe *m.*
topogra'fisch I *b.n.* topographique; **II** *bw.* topographiquement.
toppardoen' *v.(m.)* (*sch.*) suspente *f.*
top'pen *ov.w.* **1** (*boom*) écimer, étêter; **2** (*sch.*) apiquer.
top'prestatie *v.* performance *f.* maxima, — hors classe, record *m.*
top'punt *o.* **1** sommet *m.*; **2** cime *f.*; **3** faîte *m.*; **4** point *m.* culminant; ***dat is het —!*** c'est le comble ! ***op het — van roem,*** au comble (*of* à l'apogée) de la gloire.
top'scorer *m.* premier buteur *m.*
top'snelheid *v.* vitesse *f.* maxima.
top'stander *m.* (*sch.*) cornette *f.*, guidon *m.*
top'zeil *o.* (*sch.*) boulingue *f.*
top'zwaar *b.n.* trop lourd à la tête, qui a du [balourd.
tor *v.(m.)* coléoptère, escarbot *m.*
to'ren *m.* **1** (*alg.*) tour *f.*; **2** (*kerk—, klokke—*) clocher *m.*; **3** (*kleine — op 'n hoek*) tourelle *f.*; **4** (*v. kasteel*) donjon *m.*
to'renduif *v.(m.)* ramier *m.*
to'renflat *m.* immeuble*-tour* *m.*
to'renhaan *m.* girouette *f.*
to'renhoog *b.n.* haut comme une tour.
to'renklok *v.(m.)* horloge *f.*
to'renkraai *v.(m.)* choucas *m.*
to'renkruis *o.* croix *f.* du clocher.
to'renspits *v.(m.)* flèche *f.* (du clocher).
to'rentje *o.* **1** (*v. kasteel, enz.*) tourelle *f.*; **2** (*klokke—*) clocheton *m.*
to'rentrans *m.* galerie *f.* (d'une tour).
to'renuil, *zie* ***kerkuil.***
to'renuurwerk *o.* horloge *f.*
to'renvalk *m. en v.* crécerelle *f.*, émouchet *m.*
to'renwachter *m.* guetteur *m.*
to'renzwaluw *v.(m.)* grand martinet *m.*
torn *v.(m.)* décousure *f.*
torna'do *v.(m.)* tornade *f.*
tor'nen I *ov.w.* découdre; **II** *on.w.* se découdre; ***daar valt niet aan te —,*** il n'y a rien à faire; ***aan iets willen —,*** chercher à modifier qc.
torn'mes(je) *o.* (petit) couteau *m.* à découdre.
tornooi', toernooi' *o.* tournoi *m.*
torpede'ren *ov.w.* torpiller.
torpedist' *m.* torpilleur *m.*
torpe'do *v.(m.)* torpille *f.*
torpe'doboot *m. en v.* torpilleur *m.*
torpe'dogranaat *v.(m.)* obus-torpille* *m.*
torpe'dojager *m.* contre-torpilleur* *m.*
torpe'dolanceerbuis *v.(m.)* lance-torpilles *m.*
torpe'donet *o.* filet *m.* pare-torpilles.
torpe'dovliegtuig *o.* avion *m.* torpilleur, — lance-torpilles.
tors, tor'so *m.* torse *m.*
tor'sen *ov.w.* **1** porter (avec effort), soutenir; **2** (*fig.*) être accablé par.
tor'sie *v.* torsion *f.*
tor'siebalans *v.(m.)* balance *f.* de torsion.
tor's(o) *m.* torse *m.*
tor'tel *m. en v.*, **—duif** *v.(m.)* tourterelle *f.*; ***jonge —,*** tourtereau *m.*
Toscaans' *b.n.* toscan.
Tosca'ne *o.* la Toscane.
toss *m.* tirage *m.* au sort, toss *m.*
tot *vz.* jusque, jusqu'à; ***— hier,*** jusqu'ici; ***zich wenden —,*** s'adresser à; ***— morgen!*** à demain ! ***— ziens,*** au revoir; ***bekwaam —,*** capable de; ***— voorzitter kiezen,*** élire président; ***— koning uitroepen,*** proclamer roi; ***— voorbeeld nemen,*** prendre pour modèle; ***het teken — vertrek,*** le signal du départ.
totaal' I *b.n.* total, entier; **II** *bw.* totalement, entièrement; **III** *z.n., o.* total *m.*; totalité *f.*
totaal'indruk *m.* impression *f.* d'ensemble.
totaal'opbrengst *v.* total *m.* des recettes.
totaal'som *v.(m.)* somme *f.* totale.
totalisa'tor, -iza'tor *m.* (totalisateur *m.* au) pari mutuel, toto *m.*
totalitair' *b.n.* totalitaire.
totdat' *vw.* jusqu'à ce que.
to'tebel *v.(m.)* **1** (*slordig mens*) souillon, salope *f.*; **2** (*vierkant kruisnet*) carreau *m.*, truble *f.*; ***een ouwe —,*** une vieille toupie.
to'to *m.*, *zie* ***totalisator.***
totstand'brenging, totstand'koming *v.* réalisation, exécution *f.*
tou'ringcar *m. en v.* autocar *m.*
tournee', toernee' *v.* tournée *f.*; ***op —,*** en [tournée.
touw *o.* **1** (*alg.*) corde *f.*; **2** (*bind—*) ficelle *f.*; **3** (*koord*) cordon *m.*; **4** (*scheeps—*) câble *m.*; (*touwwerk*) cordage *m.*; ***op — zetten,*** **1** organiser; **2** (*komplot, enz.*) ourdir; ***in — zijn,*** être occupé, être à l'ouvrage; ***daar is geen — aan vast te knopen,*** cela n'a ni queue ni tête; on y perd son latin.
touw'baan *v.(m.)* corderie *f.*
touw'draaien *o.* corderie *f.*
touw'draaier *m.* cordier *m.*
tou'wen *ov.w.* **1** (*leer*) corroyer; **2** (*sch.*) remorquer.
touwerij' *v.* **1** (*plaats*) corroirie *f.*; **2** (*handeling*) corroyage *m.*
touw'ladder *v.(m.)* échelle *f.* de corde.
touw'mat *v.(m.)* natte *f.* de corde.
touw'slager *m.* cordier *m.*
touw'slagerij' *v.* corderie *f.*
touw'tje *o.* ficelle *f.*; ***— springen,*** sauter à la corde; ***aan de —s trekken,*** tirer les ficelles.

touw'tjespringen *o.* jeu *m.* de la corde.
touw'trekken *o.* (*sp.*) lutte *f.* à la corde.
touw'werk *o.* cordages *m.pl.*
to'venaar, to'veraar *m.* **1** (*goochelaar, enz.*) magicien *m.*; **2** (*ong.*) sorcier *m.*; **3** (*die betovert, bekoort*) enchanteur *m.*
tovenares' *v.* **1** magicienne *f.*; **2** sorcière *f.*; **3** enchanteresse *f.*
to'veraar, *zie* ***tovenaar.***
to'verachtig *b.n.* **1** (*als door toverkunst verricht*) magique; **2** (*wondermooi*) féerique; **3** (*bekoorlijk*) enchanteur.
to'verbeeld *o.* figure *f.* magique.
to'verboek *o.* grimoire *m.*
to'vercirkel *m.* cercle *m.* magique.
to'verdrank *m.* philtre *m.*
to'veren I *on.w.* **1** être magicien, exercer la magie; **2** (*fig.*) faire des tours de passe-passe; **II** *ov.w.* faire par enchantement; faire sortir (qc.) par un coup de baguette magique.
toveres, *zie* ***tovenares.***
to'verfluit *v.*(*m.*) flûte *f.* enchantée.
to'verformule *v.*(*m.*) formule *f.* magique, — cabalistique.
to'vergeschiedenis *v.* histoire *f.* de sorciers.
to'vergodin *v.* fée *f.*
to'verheks *v.* sorcière *f.*
toverij' *v.* **1** magie *f.*; **2** sorcellerie *f.*; **3** enchantement *m.*; *zie* ***tovenaar.***
to'verkasteel *o.* château *m.* enchanté.
to'verkol *v.* sorcière *f.*
to'verkracht *v.*(*m.*) vertu *f.* magique.
to'verkring *m.* cercle *m.* magique.
to'verkruid *o.* herbe *f.* magique.
to'verkunst *v.* **1** magie *f.*; **2** (*zwarte kunst*) sorcellerie *f.* [magique.
to'verlantaarn, -lantaren *v.*(*m.*) lanterne *f.*
to'vermacht *v.*(*m.*) vertu *f.* magique.
to'vermiddel *o.* sortilège *m.*
to'verpaleis *o.* palais *m.* enchanté.
to'verring *m.* anneau *m.* magique.
to'verroede *v.*(*m.*) baguette *f.* magique.
to'verslag *m.* coup *m.* de baguette magique; ***als bij —,*** comme par enchantement.
to'verspiegel *m.* miroir *m.* magique.
to'verstaf *m.*, *zie* ***toverroede.***
to'verwereld *v.*(*m.*) monde *m.* de féerie.
to'verwoord *o.* parole *f.* magique.
to'xicum *o.* toxique *m.*
traag I *b.n.* **1** (*langzaam*) lent; **2** (*vadsig*) indolent; **3** (*lui*) paresseux; **4** (*nat.*) inerte; **5** (*v. markt*) lourd, languissant; ***trage levering,*** livraison tardive; **II** *bw.* lentement; avec paresse.
traag'heid *v.* **1** lenteur *f.*; **2** indolence *f.*; **3** paresse *f.*; **4** inertie *f.*
traan I *m. en v.* larme *f.*; ***in tranen badend,*** éploré, tout en larmes; ***in tranen uitbarsten,*** fondre en larmes; ***hete tranen schreien,*** pleurer à chaudes larmes; **II** *m.* huile *f.* de poisson.
traan'achtig *b.n.* huileux. [gène.
traan'bom *v.*(*m.*) (*mil.*) bombe *f.* à gaz lacrymo-
traan'buis *v.*(*m.*) conduit *m.* lacrymal.
traan'gas *o.* gaz *m.* lacrymogène.
traan'gasbom, *zie* ***traanbom.***
traan'gras *o.* (*Pl.*) larmille *f.*
traan'klier *v.*(*m.*) glande *f.* lacrymale.
traan'koker *m.* fondeur *m.* d'huile de baleine.
traankokerij' *v.* fonderie *f.* d'huile de baleine.
traan'ogen *on.w.* larmoyer.
traan'olie *v.*(*m.*) huile *f.* de poisson, — de baleine.
traan'oog *o.* épiphora *m.*, œil *m.* larmoyant.
traan'wegen *mv.* voies *f.pl.* lacrymales.
traan'wekkend *b.n.* lacrymogène.
trace'ren *ov.w.* tracer.
trace'ring *v.* tracé *m.*
trachiet' *o.* trachyte *m.*
trach'ten *ov.w.* tâcher (de), s'efforcer (de), chercher (à); ***naar iets —,*** aspirer à qc.
tracta-, *zie* ***trakta-.***
tracte'ren, *zie* ***trakteren.***
trac'tie, trak'tie *v.* traction *f.*
trac'tor, trak'tor *m.* tracteur *m.*
tradi'tie *v.* tradition *f.*
traditioneel' *b.n.* traditionnel.
trage'die *v.* tragédie *f.*
tra'gisch I *b.n.* tragique; **II** *bw.* tragiquement; ***iets — opnemen,*** prendre qc. au tragique.
trai'ler *m.* remorque *f.*
trai'nen *ov.w.* entraîner; ***getraind,*** en bonne forme.
trai'ner *m.* entraîneur *m.*
traine'ren I *on.w.* traîner en longueur; **II** *ov.w.* faire traîner.
trai'ning *v.* entraînement *m.*
trai'ningspak *o.* tenue *f.* d'entraînement.
traject', trajekt' *o.* trajet, parcours *m.*
traktaat', tractaat' *o.* traité *m.*, convention *f.*
traktaat'je, tractaat'je *o.* tract *m.*
trakta'tie, tracta'tie *v.* régal *m.*
traktement' *o.* **1** (*v. ambtenaar*) traitement *m.*; **2** (*v. bediende*) appointements *m.pl.*
traktements'dag *m.* **1** jour *m.* de payement; **2** (*mil.*) jour *m.* de prêt.
traktements'staat *m.* feuille *f.* d'émargement
traktements'verhoging *v.* **1** augmentation *f.* de (*of* du) traitement; **2** (*als eis of wens*) relèvement *m.* du traitement.
trakte'ren, tracte'ren *ov.w.* régaler (de).
trak'tie, trac'tie *v.* traction *f.*
trak'tor, trac'tor *m.* tracteur *m.*
tra'lie *v.* **1** (*spijl*) barreau *m.*; **2** (*afsluiting*) grille *f.*; ***achter de —s,*** sous les verrous.
tra'liebrug *v.*(*m.*) pont *m.* à barreaux.
tra'liedeur *v.*(*m.*) porte *f.* grillée, — grillagée, — à claire-voie.
tra'liehek *o.* grille *f.*
tra'liën *ov.w.* griller, grillager.
tra'lievenster *o.* fenêtre *f.* grillée.
tra'liewerk *o.* grillage *m.*
tram, trem *m.* tramway, tram *m.*
tram'baan, trem- *v.*(*m.*) **1** (*lijn*) ligne *f.* de tramway; **2** (*sporen*) voie *f.* du tramway.
tram'balkon, trem- *o.* plate*-forme* *f.*
tram'bestuurder, trem- *m.* wattman *m.*
tram'conducteur, -kondukteur, trem- *m.* receveur *m.*
tram'halte, trem- *v.*(*m.*) arrêt *m.* du tramway.
tram'huisje, trem- *o.* kiosque *m.* (du tramway).
tram'kaartje, trem- *o.* billet *m.* de tramway.
tramkondukteur, *zie* ***tramconducteur.***
tram'lijn, trem- *v.*(*m.*) ligne *f.* de tramway.
tram'men *on.w.* aller en tramway, prendre le tram.
tramp' *m.* navire *m.* vagabond.
tram'rijtuig, trem- *o.* voiture *f.* de tramway.
tram'station, trem- *o.* station *f.* du tramway.
tram'stel, trem- *o.* rame *f.* de tramway.
tram'wagen, trem- *m.* voiture *f.* de tramway.
tram'wissel, trem- *m.* point *m.* d'évitement.
trancheer'mes *o.* couteau *m.* à découper.
tranche'ren *ov.w.* découper.
tra'nen *on.w.* larmoyer; pleurer; ***zijn ogen —,*** il a les larmes aux yeux.
tra'nendal *o.* vallée *f.* de larmes. [de larmes.
tra'nenstroom, tra'nenvloed *m.* torrent *m.*
tra'nig *b.n.* huileux, qui sent l'huile.

trans *m.* **1** (*v. toren*) galerie *f.*; **2** (*v. gebouw*) faîte *m.*; **3** (*fig.*) voûte *f.* du ciel, — étoilée.
transac'tie, transak'tie *v.* transaction *f.*; ***een — afwikkelen,*** mener une affaire à bonne fin.
transatlan'tisch *b.n.* transatlantique.
transcript', transkript' *o.* transcription, expédition *f.*
transept' *o.* transept *m.*
transfer' *m. en o.* transfert *m.*
transfereer'baar *b.n.* transférable.
transforma'tor *m.* transformateur *m.*
transforma'torhuisje *o.* poste *m.* de transformation; station *f.* transformatrice.
transforme'ren *ov.w.* transformer.
transfu'sie *v.* transfusion *f.*
transis'tor *m.* transistor *m.*
transitief' *b.n.* transitif.
transi'to *o.* (*H.*) transit *m.*
transi'togoederen *mv.* marchandises *f.pl.* en transit.
transi'tohandel *m.* commerce *m.* de transit.
transi'tohandelaar *m.* transitaire *m.*
transi'tohaven *v.*(*m.*) port *m.* à transit.
transi'torechten *mv.* droits *m.pl.* de transit.
transi'toverkeer *o.* trafic *m.* transitaire.
transi'towaren *mv.* marchandises *f.pl.* de transit.
Transjorda'nië *o.* la Transjordanie.
Transkauka'sië *o.* la Transcaucasie.
transkript', *zie* ***transcript.***
translate'ren *ov.w.* traduire.
translateur' *m.* traducteur *m.*; ***beëedigd —,*** traducteur *m.* juré.
transparant' **I** *b.n.* transparent; **II** *z.n., o.* transparent *m.*
transpire'ren *on.w.* transpirer.
transplanta'tie *v.* transplantation; (*v. weefsel*) hétéroplastie *f.*
transpone'ren *ov.w.* (*muz.*) transposer.
transport' *o.* **1** (*alg.*) transport *m.*; **2** (*met karren*) charriage *m.*; **3** (*in boekhouding*) report *m.*
transport'arbeider *m.* ouvrier *m.* des transports.
transport'band *m.* (*tn.*) transporteur *m.*, chemin *m.* roulant.
transport'driewieler *m.* triporteur *m.*
transporte'ren *ov.w.* **1** transporter; **2** charrier; **3** reporter; *zie* ***transport.***
transport'fiets *m. en v.* vélo*-porteur* *m.*, bicyclette *f.* porteuse.
transport'kabel *m.* transporteur *m.* aérien, — par câbles.
transport'kosten *mv.* frais *m.pl.* de transport.
transport'onderneming *v.* maison *f.* de transport.
transport'schip *o.* vaisseau *m.* de transport.
transport'verzekering *v.* assurance *f.* contre les risques de transport.
transport'vliegtuig *o.* avion *m.* de transport, avion*-porteur*, avion*-cargo* *m.*
transport'wagen *m.* voiture *f.* de transport; fourgon *m.*
transport'wezen *o.* moyens *m.pl.* de transport.
Transsibe'risch *b.n.* transsibérien; ***de —e spoorweg,*** le transsibérien.
Transvaal' *o.* le Transvaal.
Transvaals' *b.n.* transvaalien.
Transva'ler *m.* Transvaalien *m.*
trant *m.* manière *f.*, genre *m.*; ***naar de oude —,*** (dans le) style ancien; de la vieille roche.
trap I *m.* **1** (*schop*) coup *m.* de pied; **2** (*trede*) marche *f.*; **3** (*graad*) degré *m.*; **4** (*v. raket*) étage *m.*; ***de —pen van vergelijking,*** les degrés de comparaison; ***stellende —,*** positif *m.*; ***vergelijkende —,*** comparatif *m.*; ***overtreffende —,*** superlatif *m.*; **4** escalier *m.*; **5** (*trapladder*) échelle *f.* double; **6** (*trapportaal*) palier *m.*; ***drie —pen hoog,*** au troisième étage; ***op de —,*** dans l'escalier.
trap'as *v.*(*m.*) (axe) pédalier *m.*
trap'deur *v.*(*m.*) porte *f.* de l'escalier.
trape'ze *v.*(*m.*) trapèze *m.*
trape'zewerker *m.* trapéziste *m.*
trape'zium *o.* trapèze *m.*
trap'gans *v.*(*m.*) outarde *f.*
trap'gevel *m.* pignon *m.* à redans.
trap'je *o.* **1** petit escalier *m.*; **2** montée *f.*
trap'ladder *v.*(*m.*) échelle *f.* double.
trap'leuning *v.* rampe *f.*
trap'loper *m.* chemin *m.* d'escalier.
trap'machine *v.* machine *f.* à pédale.
trap'pehuis *o.* cage *f.* de l'escalier.
trap'pelen *on.w.* **1** trépigner; **2** (*v. paard*) piaffer; **3** (*van opwinding, enz.*) frapper du pied.
trap'peling *v.* trépignement *m.*
trap'pelzak *m.* gigoteuse *f.*
trap'pen I *ov.w.* **1** frapper du pied; **2** (*klei, turf*) pétrir, fouler; **3** (*schoppen*) donner un coup de pied; ***het orgel —,*** souffler l'orgue; **II** *on.w.* **1** frapper du pied; **2** donner des coups de pied; **3** (*fietsen*) pédaler; — ***op,*** marcher sur.
trap'per *m.* **1** (*v. fiets*) pédale *f.*; **2** (*pelsjager*) trappeur *m.*
trappist' *m.* trappiste *m.*
trappis'tenbier *o.* bière *f.* des trappistes.
trap'portaal *o.* palier *m.*
trap'psalm *m.* psaume *m.* graduel.
trap'roe(de) *v.*(*m.*) tringle *f.* (d'escalier).
traps'gewijs, -gewijze I *b.n.* graduel; **II** *bw.* graduellement, par degrés; — ***plaatsen,*** échelonner.
trap'tre(d)e *v.*(*m.*) marche *f.*, degré *m.*
trap'vormig *b.n.* en escalier.
tras *o.* **1** (*specie*) ciment *m.*; **2** (*tufsteen*) trass *m.*
tras'molen *m.* moulin *m.* à trass.
tras'raam *o.* chape *f.*
trassaat' *m.* (*H.*) tiré *m.*
trassant' *m.* (*H.*) tireur *m.*
trasse'ren *ov.w.* (*H.*) tirer, faire traite sur.
tras'specie *v.* ciment *m.*
trau'ma *v.*(*m.*) **1** lésion *f.*; **2** état *m.* traumatique, traumatisme *m.*
trauma'tisch *b.n.* traumatique.
traval'je *v.*(*m.*) travail *m.*
trawant' *m.* satellite *m.*
traw'ler *m.* (*sch.*) chalutier *m.*
traw'lernet *o.* chalut *m.*, traille *f.*
trawlervisserij' *v.* pêche *f.* au chalut.
trech'ter *m.* entonnoir *m.*
trech'tervormig *b.n.* en entonnoir, en forme d'entonnoir.
tred *m.* **1** (*stap*) pas *m.*; **2** (*gang*) démarche, allure *f.*; ***gelijke — houden met,*** **1** marcher du même pas que; **2** (*fig.*) marcher de pair avec.
tre'de, tree *v.*(*m.*) **1** (*stap*) pas *m.*; **2** (*v. ladder*) échelon *m.*; **3** (*v. trap*) marche *f.*, degré *m.*; **4** (*v. rijtuig*) marchepied *m.*; **5** (*in de klas*) estrade *f.*
tre'den I *on.w.* marcher (sur), poser le pied (sur); ***nader —,*** s'avancer, s'approcher (de); ***buiten de oevers —,*** (*v. rivier*) sortir de son lit; ***in bijzonderheden —,*** entrer dans les détails; ***in dienst —,*** entrer en fonction; ***in het huwelijk —,*** se marier; ***in werking —,*** entrer en vigueur; **II** *ov.w.* (*klei*) pétrir; ***met voeten —,*** fouler aux pieds.
tred'molen *m.* manège *m.*; ***in de — lopen,*** tourner la meule.
tree, *zie* ***trede.***

treeft *v.(m.)* trépied *m.*
treek *m.* ruse *f.*
tree'plank *v.(m.)* marchepied *m.*
Trees *v.* Thérèse *f.*
tref *m.* **1** chance, bonne fortune *f.*; **2** (*toeval*) hasard *m.*; ***wat een —!*** quel hasard! comme cela se trouve!
tref'felijk I *b.n.* excellent; **II** *bw.* excellemment.
tref'felijkheid *v.* excellence *f.*
tref'fen I *ov.w.* **1** (*raken*) toucher, frapper, atteindre; **2** (*vinden, ontmoeten*) trouver, rencontrer; **3** (*ontroeren*) toucher, émouvoir, attendrir; **4** (*v. maatregel*) prendre; **5** (*v. vergelijk*) faire; ***iem. thuis —,*** trouver qn. chez soi; ***u hebt het getroffen,*** vous êtes bien tombé, vous avez (eu) de la chance; ***het slecht —,*** tomber mal, n'avoir pas de chance; ***de juiste toon —,*** **1** (*muz.*) rencontrer la note juste; **2** (*fig.*) être dans la note; ***u treft geen blaam,*** vous n'y êtes pour rien; **II** *z.n., o.* **1** (*ontmoeting*) rencontre *f.*; **2** (*schermutseling*) engagement *m.*; **3** (*gevecht*) combat *m.*; **4** (*veldslag*) bataille *f.*
tref'fend *b.n.* **1** (*v. gelijkenis, enz.*) frappant; **2** (*aandoenlijk*) touchant, émouvant; **3** (*aangrijpend*) saisissant.
tref'fer *m.* touche *f.*, coup *m.* qui porte, atteinte *f.*; (*v. kogel*) impact *m.*, point *m.* d'impact.
tref'kans *v.(m.)* chance *f.* de tir.
tref'oefening *v.(muz.)* exercice *m.* d'intonation.
tref'punt *o.* **1** (*doel*) but *m.*; **2** (*getroffen punt*) point *m.* d'impact.
tref'woord *o.* (*in woordenboek*) mot*-souche* *m.*
trefze'kerheid *v.* justesse *f.* du tir, précision *f.* du tir, sûreté *f.* d'œil.
treil *m.* **1** (*jaaglijn*) corde *f.* de halage, cordelle *f.*; **2** (*sch.: touwen*) cordages *m.pl.*; ***zeil en —,*** agrès et cordages.
trei'len *ov.w.* haler, remorquer.
trei'ler *m.* chalutier, remorqueur *m.*
treil'pad *o.* chemin *m.* de halage.
trein *m.* train *m.*; ***doorgaande —,*** train direct; ***met de —,*** par le train; en chemin de fer; ***naar de — brengen,*** conduire à la gare; ***iem. van de — halen,*** aller trouver qn. à la gare.
trein'beambte *m.* agent *m.* du train.
trein'chef *m.* chef *m.* de train.
trein'conducteur, -kondukteur *m.* chef*-conducteur* *m.*, chef *m.* de train.
trein'dienst *m.* service *m.* des trains, horaire *m.*
trei'nenloop *m.* circulation *f.* des trains, service *m.* des trains.
trein'kondukteur, *zie* ***treinconducteur.***
trein'ongeluk *o.* accident *m.* de chemin de fer.
trein'personeel *o.* personnel *m.* du train.
trein'reis *v.(m.)* voyage *m.* en chemin de fer.
trein'soldaat *m.* (*mil.*) soldat *m.* du train; (*fam.*) tringlot *m.*
trein'stel *o.* rame *f.* (de voitures).
trein'veer *o.* bac *m.* porte-train.
trein'verbindingen *mv.* communications *f.pl.* ferroviaires.
trein'verkeer *o.* trafic *m.* ferroviaire.
trein'vertraging *v.* retard *m.* de train.
trei'teraar *m.* tourmenteur *m.*
trei'teren *ov.w.* tourmenter, agacer, provoquer.
trek *m.* **1** (*alg.: v. pen, penseel; gelaat, karakter, enz.*) trait *m.*; **2** (*aan sigaar*) bouffée *f.*; **3** (*v. schoorsteen, kachel*) tirage *m.*; **4** (*tocht*) courant *m.* d'air; **5** (*bij kaartspel*) levée, main *f.*; **6** (*v. geweerloop*) rayure *f.*; **7** (*lust*) envie (de); **8** (*eetlust*) appétit *m.*; **9** (*landverhuizing, uittocht*) migration *f.*, exode *m.*; **10** (*v. vogels*) migration *f.*, passage *m.*; **11** (*streek*) tour *m.*; ***een loze —,*** un mauvais tour; ***hij zal zijn —ken thuiskrijgen,*** il recevra la monnaie de sa pièce; ***in — zijn,*** être en vogue; ***er is geen — in de kachel,*** le poêle ne tire pas; ***een — aan zijn pijp doen,*** tirer sur sa pipe; ***in grote —ken,*** à grands traits.
trek'bal *m.* (*bilj.*) rétro, (effet de) recul *m.*
trek'band *m.* tirette *f.*
trek'bank *v.(m.)* filière *f.*
trek'dag *m.* jour *m.* de tirage.
trek'dier *o.* bête *f.* de trait.
trek'draad *m.* (*sch.*) hauban *m.*
trek'gat *o.* **1** (*v. oven, haard, enz.*) aspirail *m.*; **2** (*luchtkoker*) appel *m.* d'air.
trek'geld *o.* prime *f.*
trek'goed *o.* légumes *m.pl.* de forcerie, fruits [*m.pl.* —.
trek'gordijn *o.* store *m.*
trek'haak *m.* tire-fond *m.*
trek'hond *m.* chien *m.* de trait.
trek'ijzer *o.* filière *f.*
trek'kamp *o.* camping *m.* itinérant.
trek'kas *v.* serre *f.* chaude.
trek'kebekken *on.w.* **1** se becqueter; **2** (*fig.*) se bécoter.
trek'kebenen *on.w.* traîner la jambe.
trek'ken I *ov.w.* **1** (*alg.*) tirer; **2** (*voorttrekken*) traîner; **3** (*uittrekken*) arracher; **4** (*aandacht, volk, enz.*) attirer; **5** (*wortel—*) extraire; **6** (*thee, enz.*) faire infuser; **7** (*grens, lijn*) tracer; **8** (*prijs*) gagner; **9** (*bilj.*) donner un effet de recul; **10** (*geld*) recevoir, toucher; ***gezichten —,*** faire des grimaces; ***zijn hoed in de ogen —,*** enfoncer son chapeau dans la tête; ***in twijfel —,*** mettre en doute; ***iem. een kies —,*** (*fig.*) écorcher qn.; ***monsters —,*** (*H.*) prélever des échantillons; **II** *on.w.* **1** (*alg.*) tirer; **2** (*v. thee, enz.*) s'infuser; **3** (*v. hout: krom—*) se déjeter; **4** (*bilj.*) donner un effet de recul; **5** (*v. vogels*) émigrer; **6** (*H.: wissel*) tirer (sur), faire traite (sur); ***aan een touw —,*** tirer sur une corde; ***aan zijn pijp —,*** tirer sur sa pipe; ***aan de bel —,*** tirer la sonnette, sonner; ***naar buiten —,*** aller à la campagne; ***door het land —,*** traverser le pays; (*rond—*) parcourir le pays; ***het trekt hier,*** il y a un courant d'air ici; **III** *z.n., o.* **1** tirage *m.*; **2** arrachage *m.*; **3** extraction *f.*; **4** infusion *f.*; **5** traçage *m.*; **6** migration *f.*; **7** effet *m.* de recul; **8** (*v. wissel*) émission *f.*; *zie* **I** *en* **II.**
trek'kend *b.n.* ambulant, nomade.
trek'ker *m.* **1** (*alg., ook v. wissel*) tireur *m.*; **2** (*v. laars*) tirant *m.*; **3** (*v. geweer*) détente *f.*; **4** (*el.*) appel *m.*; **5** campeur *m.*
trek'king *v.* **1** (*v. loterij*) tirage *m.*; **2** (*stuip—*) convulsion *f.*; **3** (*samen—*) contraction *f.*
trek'kingsdag *m.* **1** (*v. loterij*) jour *m.* de tirage; **2** (*v. wissels*) jour *m.* d'échéance.
trek'kingslijst *v.(m.)* liste *f.* du tirage.
trek'koord *o. en v.(m.)* **1** (*v. gordijn*) cordon *m.* (de tirage); **2** (*v. beurs*) tirant *m.*
trek'kracht *v.(m.)* force *f.* de traction.
trek'lade *v.(m.)* tiroir *m.*
trek'lijster *v.(m.)* (*Dk.*) grive *f.* migratrice.
trek'lust *m.* goût *m.* des voyages.
trek'net *o.* **1** (*v. visvangst*) seine *f.*; **2** (*v. vogelvangst*) tirasse *f.*
trek'os *m.* bœuf *m.* de labour.
trek'paard *o.* cheval *m.* de trait.
trek'pad *o.* chemin *m.* de halage.
trek'pen *v.(m.)* tire-ligne* *m.*
trek'pijp *v.(m.)* ventouse *f.*
trek'plaat *v.(m.)* filière *f.*
trek'pleister *v.(m.)* vésicatoire *m.*
trek'pot *m.* **1** (*alg.*) infusoir *m.*; **2** (*theepot*) théière *f.*

trek'schakelaar *m.* interrupteur *m.* à tirage.
trek'schroef *v.(m.)* (*vl.*) hélice *f.* tractive.
trek'schuit *v.(m.)* coche *m.* d'eau; ***met de — komen,*** arriver en retard.
trek'sel *o.* infusion *f.*
trek'sle(d)e *v.(m.)* traîneau *m.*
trek'sluiting *v.* fermeture *f.* glissière, — éclair.
trek'spanning *v.* tension *f.* de traction.
trek'spier *v.* constricteur *m.*
trek'stang *v.(m.)* tirant *m.*, bras *m.* de rappel.
trek'tafel *v.(m.)* table *f.* à rallonges.
trek'tang *v.(m.)* pincettes *f.pl.*
trek'tijd *m.* époque *f.* de la migration.
trek'tocht *m.* randonnée, équipée *f.*
trek'vaart *v.(m.)* canal *m.*
trek'vee *o.* bêtes *f.pl.* de trait.
trek'vermogen *o.* force (*of* puissance) *f.* de traction.
trek'vogel *m.* oiseau *m.* migrateur, — de passage.
trek'weg *m.* chemin *m.* de halage.
trek'zaag *v.(m.)* (*tn.*) passe-partout *m.*, scie *f.* à découper.
trek'zeel *o.* bricole *f.*, harnais *m.*
trem(-), *zie* ***tram(-).***
tre'mel *m.* trémie *f.*
trem'halte, -huisje, -kaartje, -kondukteur, -lijn, *zie* ***tramhalte*** *enz.*
trem'men *ov.w.* arrimer, arranger; ***kolen —,*** amonceler du charbon; ***vrij aan boord en getremd,*** livré à bord et tassé.
trem'mer *m.* (*sch.*) soutier *m.*
trem'rijtuig, -station, *zie* ***tramrijtuig*** *enz.*
tremulant' *m.* (*muz.*) **1** (*triltoon*) trémolo *m.*; **2** (*orgelregister*) tremblant *m.*
tremule'ren *on.w.* **1** faire un trémolo; **2** trembler.
trem'wagen, -wissel, *zie* ***tramwagen*** *enz.*
trens *v.(m.)* **1** (*lisje*) cordonnet *m.*; **2** (*v. knoopsgat*) bride *f.*; **3** (*v. paard*) bridon, filet *m.*; **4** (*vlecht*) tresse *f.*
trens'ijzer *o.* tressoir *m.*
Tren'te *v.* Trente; ***van —,*** trentin.
tren'zen *ov.w.* **1** tresser; **2** (*sch.*) congréer.
trepane'ren *ov.w.* trépaner.
trepane'ring *v.* trépanation *f.*
tres *v.(m.)* **1** (*over de borst*) brandebourg *m.*; **2** (*vlecht*) tresse *f.*
treur'berk *m.* bouleau *m.* pleureur.
treur'boom *m.* arbre *m.* pleureur.
treur'cipres, -cypres *m.* cyprès *m.* pleureur.
treur'dicht *o.* élégie *f.*
treur'dichter *m.* poète *m.* élégiaque.
treu'ren *on.w.* **1** (*verdriet hebben*) avoir du chagrin, être triste, être affligé; **2** (*kwijnen*) languir.
treur'es *m.* frêne *m.* pleureur.
treur'gewaad *o.* habit *m.* de deuil.
treu'rig I *b.n.* **1** (*droevig, bedroefd*) triste, affligé; **2** (*bedroevend*) triste, attristant, affligeant; **3** (*erbarmelijk*) déplorable; **4** (*droefgeestig*) morne; **II** *bw.* **1** tristement; **2** déplorablement.
treu'righeid *v.* tristesse, affliction *f.*
treur'lied *o.* **1** chant *m.* funèbre; **2** (*klaaglied*) complainte *f.*
treur'marche, *zie* ***treurmars.***
treur'mare *v.(m.)* triste nouvelle *f.*, nouvelle affligeante.
treur'mars, -marche *m. en v.* marche *f.* funèbre.
treur'muziek *v.* **1** (*begrafenismuziek*) musique *f.* funèbre; **2** (*treurig stemmende —*) musique *f.* mélancolique.
treur'roos *v.(m.)* rosier *m.* pleureur.
treur'spel *o.* tragédie *f.*
treur'speldichter *m.* (poète) tragique *m.*
treur'speler *m.*, **treur'speelster** *v.* tragédien *m.*, tragédienne *f.*
treur'tijd *m.* (*rouwtijd*) temps *m.* de deuil.
treur'toneel *o.* scène *f.* tragique.
treur'wilg *m.* saule *m.* pleureur.
treur'zang *m.* chant *m.* funèbre, élégie *f.*
treu'zel(aar) *m.*, **—ster** *v.* lambin *m.*, —e *f.*, traînard *m.*, —e *f.*
treu'zelachtig *b.n.* lambin, traînard.
treu'zelen *on.w.* lambiner, traîner, lanterner.
treu'zelwerk *o.* ouvrage *m.* de patience.
tria'kel, teria'kel *v.(m.)* thériaque *f.*
trian'gel *m.* (*muz.*) triangle *m.*
tri'as *o.* trias *m.*
tribunaal' *o.* cour *f.* de justice, tribunal *m.*
tribu'ne *v.(m.)* tribune, estrade *f.*, podium *m.*
tribuun' *m.* (*gesch.*) tribun *m.*
trichi'ne *v.(m.)* trichine *f.*
tri'cot 1 *o.* (*stof*) tricot *m.*; **2** *m. en o.*, (*v. kunstenmaker, enz.*) maillot *m.*
tricota'gefabriek *v.* manufacture *f.* de bonneterie.
tri'duüm *o.* triduum *m.*
Trien *v.* Catherine *f.*
Trier *o.* Trèves *f.*; ***van —,*** de Trèves.
Triëst' *o.* Trieste *f.*; ***van —,*** triestin.
tries'tig *b.n.* mélancolique, sombre, lugubre.
trifo'lium *o.* (*Pl.*) trèfle *m.*
trigonometrie' *v.* trigonométrie *f.*
trijp *o.* velours *m.* d'Utrecht, moquette *f.*
trik'trak *o.* trictrac *m.*
trik'trakbord *o.* tric-trac, tablier *m.*
trik'trakken *on.w.* jouer au trictrac.
trik'trakspel *o.* trictrac *m.*
tril *m.*, ***op de — gaan,*** courir la prétentaine.
tril'beton *o.* béton *m.* pervibré.
tril'diertje *o.* vibrion *m.*
tril'gras *o.* amourette *f.*
tril'haartje *o.* cil *m.* vibratile.
triljoen' *o.* quintillion *m.*
tril'len I *on.w.* **1** (*v. snaar, enz.*) vibrer; **2** (*hevig beven*) trembler, trembloter, frissonner; **3** (*v. koude*) grelotter; **II** *z.n., o.* **1** (*muz.*) vibration *f.*; **2** tremblement, frisson *m.*
tril'ler *m.* **1** trille, trémolo *m.*; **2** (*taalk.*) roulée *f.*
tril'ling *v.* **1** vibration *f.*; **2** tremblement, frisson *m.*; **3** (*v. de lucht*) verbération *f.*; **4** (*v. de grond*) trépidation *f.*
tril'lingsgetal *o.* nombre *m.* d'oscillations.
tril'lingvrij *b.n.* à l'abri de vibrations.
tril'naald *v.(m.)* aigrette *f.*
tril'plaat *v.(m.)* (*el.*) plaque *f.* vibrante.
tril'populier *m.* tremble *m.*
tril'rog *m.* torpille *f.*
tril'vrij *b.n.* à l'abri de vibrations.
tril'wormpje *o.* vibrion *m.*
trimes'ter *o.* trimestre *m.*
trim'men *ov.w.* toiletter.
Tri'nidad *o.* (île de) la Trinité *f.*
triomf' *m.* triomphe *m.*
triomfan'telijk I *b.n.* triomphant, triomphal; **II** *bw.* triomphalement, en triomphe.
triomfa'tor *m.* triomphateur *m.*
triomf'boog *m.* arc *m.* de triomphe.
triomfe'ren *on.w.* triompher.
triomf'lied *o.* chant *m.* de triomphe.
triomf'tocht *m.* marche *f.* triomphale; (*intocht*) entrée *f.* triomphale.
triomf'wagen *m.* char *m.* de triomphe.
triomf'zuil *v.(m.)* colonne *f.* triomphale.
triool' *v.(m.)* (*muz.*) triolet *m.*
trip *m.* (*uitstapje*) excursion *f.*
tri'pel *o.* tripoli *m.*

triple'ren *ov.w.* tripler.
tri'plex *o. en m.* bois *m.* triplex, contre-plaqué* *m.*
triplicaat', triplikaat' *o.* troisième copie *f.*, triplicata *m.*
tri'plo, ***in* —,** en triple expédition.
Tri'polis *o.* **1** (*land*) la Tripolitaine; **2** (*stad*) Tripoli *f.*
trip'pelen *on.w.* trottiner, marcher (*of* aller) à petits pas.
trip'pelpasjes *mv.* petits pas *m.pl.* (rapides).
triptiek' *o.* triptyque *m.*
Tri'ton *m.* Triton *m.*
trits *v.*(*m.*) trio *m.*
troche'us, trochee' *m.* trochée *m.*
troe'bel *b.n.* trouble; ***in* — *water vissen,*** pêcher en eau trouble; **— *maken,*** troubler; **— *worden,*** se troubler.
troe'belen *mv.* troubles *m.pl.*
troe'belheid *v.* état *m.* trouble.
troef *v.*(*m.*) atout *m.*; **— *bekennen,*** fournir atout; ***zijn laatste — uitspelen,*** jouer son va-tout; ***daar is armoe —,*** c'est la plus noire misère; on y danse devant le buffet; **— *krijgen,*** (*slaag*) être battu, être rossé.
troefaas' *m. of o.* as *m.* d'atout.
troef'kaart *v.*(*m.*) atout *m.*
troep *m.* **1** troupe *f.*; **2** (*ong.*) bande *f.*; **3** (*v. vogels*) vol *m.*; **4** (*v. jachthonden*) meute *f.*; **5** (*kudde*) troupeau *m.*; ***de* —,** (*mil.*) la troupe; ***bij de* —,** au régiment. [troupes.
troe'penbeweging *v.* (*mil.*) mouvement *m.* de
troe'penmacht *v.*(*m.*) forces *f.pl.* militaires.
troe'penverband *o.* (*mil.*) contact *m.*
troe'penvervoer *o.* transport *m.* de troupes.
troep'je *o.* **1** petite troupe *f.*; **2** petite bande *f.*
troep'leider *m.* (*mil.*) chef *m.* de troupe.
troeps'gewijs, -gewijze *bw.* en troupes; par bandes.
troe'tel *m.* **1** (*kwastje*) houppe, houpette *f.*; **2** (*v. epaulet*) torsade *f.*; ***epaulet met —s,*** épaulette *f.* à graine d'épinard.
troe'telaar *m.* flatteur *m.*
troe'telen *ov.w.* dorloter, choyer.
troe'telkind *o.* enfant *m.* gâté, — favori.
troe'telnaam *m.* petit nom *m.* d'amitié.
troe'ven *ov.w.* **1** (*in kaartspel*) couper, prendre avec un atout; **2** (*op zijn plaats zetten*) river son clou à qn., réduire (qn.) au silence; **3** (*afrossen*) rosser, battre.
trofee' *v.* trophée *m.*
trof'fel *m.* truelle *f.*
trog *m.* **1** (*v. bakker*) pétrin *m.*; **2** (*voeder—*) auge *f.*
Trojaan' *m.* Troyen *m.*
Trojaans' *b.n.* troyen; ***het —e paard,*** le cheval de Troie; ***het —e paard binnenhalen,*** introduire le loup dans la bergerie.
Tro'ie *o.* Troie *f.*
trol'leybus *m. en v.* trolleybus, trolley *m.*
trom *v.*(*m.*) tambour *m.*; ***grote —, Turkse —,*** grosse caisse *f.*; ***de — roeren,*** battre la grosse caisse; ***met slaande —,*** tambour(s) battant(s); ***met stille — vertrekken,*** partir à la cloche de bois, déloger sans tambour ni trompette.
trombo'ne *v.*(*m.*) trombone *m.*
trombonist' *m.* tromboniste, trombone *m.*
trombo'se *v.* thrombose *f.*
trom'geroffel *o.* roulement *m.* de tambour.
trom'mel *v.*(*m.*) **1** (*trom*) tambour *m.*; **2** (*blikken doos*) boîte *f.* (en fer blanc); **3** (*in horloge*) barillet *m.*
trom'melaar *m.* **1** (*op trom*) tambour *m.*; **2** (*op tafel, ruit, enz.*) tambourineur *m.*
trom'melduif *v.*(*m.*) (*Dk.*) pigeon *m.* tambour.
trom'melen *on.w.* **1** (*op trom*) battre du tambour; **2** (*op tafel, enz.*) tambouriner; **3** (*op piano*) pianoter. [tambour *m.*
trom'melholte *v.* caisse *f.* du tympan, tympan,
trom'melrem *v.*(*m.*) frein *m.* à tambour.
trom'melslag *m.* **1** roulement *m.* de tambour; **2** (*mil.: roffel*) ban *m.*; ***bij* —,** au son du tambour.
trom'melslager *m.* tambour *m.*
trom'melstok *m.* baguette *f.* de tambour.
trom'melvel *o.* peau *f.* de tambour.
trom'melvlies *o.* tympan *m.*
trom'melvuur *o.* feu *m.* roulant, tir *m.* de destruction. [rond.
trom'melzeef *v.*(*m.*) tamis *m.* à tambour, —
trom'melzucht *v.*(*m.*) météorisation *f.*; météorisme *m.* [bouche *f.*
tromp *v.*(*m.*) **1** trompe *f.*; **2** (*v. geweer, kanon*)
trompet' *v.*(*m.*) **1** (*muz.*) trompette *f.*; **2** (*spreekhoorn*) porte-voix *m.*
trompet'blazer *m.* trompette *m.*
trompet'geschal *o.* son *m.* des trompettes.
trompet'register *o.* (*muz.*) (jeu *m.* de) trompette *f.*
trompet'signaal *o.* sonnerie *f.* (de clairon *of* de trompette).
trompet'ten I *on.w.* **1** sonner de la trompette; **2** (*v. olifant*) barrir; **II** *ov.w.* trompeter.
trompet'ter *m.* trompette *m.*
trompettist' *m.* trompettiste *m.*
trompet'vogel *m.* trompette *m.*
tro'nen I *on.w.* (*heersen*) régner, être sur le trône; **II** *ov.w.* **1** (*verlokken*) attirer, allécher; **2** (*verleiden*) séduire.
tro'nie *v.* figure *f.*, visage *m.*; (*pop.*) trogne *f.*
tronk *m.* souche *f.* (d'arbre).
troon *m.* trône *m.*
troon'hemel *m.* dais, baldaquin *m.*
troon'opvolger *m.* héritier *m.* du trône, successeur *m.* —.
troon'opvolging *v.* succession *f.* au trône.
troon'rede *v.*(*m.*) discours *m.* du trône.
troons'afstand *m.* abdication *f.* (du trône).
troons'bestijging *v.* avènement *m.* (au trône).
troon'zaal *v.*(*m.*) salle *f.* du trône.
troop *m.* trope *m.*
troost *m.* consolation *f.*; ***schrale —!*** faible consolation !
troost'brief *m.* lettre *f.* de condoléances.
troos'telijk *b.n.* consolant.
troos'teloos *b.n.* inconsolable, désolé.
troos'teloosheid *v.* désolation *f.*, désespoir *m.*
troos'ten *ov.w.* consoler. [solateur.
troos'tend *b.n.* **1** consolant; **2** (*v. woorden*) con-
troos'ter *m.* consolateur *m.*
troost'prijs *m.* prix *m.* de consolation.
troost'rijk, *zie* ***troostend.*** [lante.
troost'woord *o.* consolation *f.*, parole *f.* conso-
tropee' *v.* trophée *m.* [tropiques.
tro'pen *mv.* tropiques *m.pl.*; ***in de* —,** sous les
tro'penhelm *m.* casque *m.* tropical, — colonial.
tro'penkolder *m.* fièvre *f.* (*of* délire *m.*) des tropiques, névropathie *f.* coloniale.
tro'penuitrusting *v.* équipement *m.* tropical.
tro'pisch *b.n.* **1** tropical; **2** (*v. stijl: figuurlijk*) métaphorique.
tros *m.* **1** (*druiven, bloemen, enz.*) grappe *f.*; **2** (*peren, enz.*) trochet *m.*; **3** (*bananen, dadels*) régime *m.*; **4** (*Pl.*) racème *m.*; **5** (*touw, lijn*) aussière *f.*; **6** (*kabel, meertouw*) câblot *m.*, amarre *f.*, aussière *f.*; **7** (*leger—*) train *m.*; ***de —sen losgooien,*** démarrer.
tros'bloem *v.*(*m.*) fleur *f.* en grappe.

tros'gierst *v.(m.)* (*Pl.*) millet *m.* des oiseaux.
tros'haver *v.(m.)* (*Pl.*) avoine *f.* de Hongrie.
tros'je *o.* grapillon *m.*
tros'vormig *b.n.* **1** en forme de grappe, en grappe; **2** (*Pl.*) racémiforme.
tros'wagen *m.* (*mil.*) chariot *m.* de bagages, fourgon *m.*
trots I *m.* **1** (*hoogmoed*) orgueil *m.*; **2** (*fierheid*) fierté *f.*; **3** (*aanmatiging*) arrogance *f.*; **4** (*laatdunkendheid*) morgue *f.*; **II** *b.n.* **1** orgueilleux; **2** fier; **3** arrogant; **III** *bw.* orgueilleusement; fièrement; avec arrogance; avec morgue; ***— maken,*** enorgueillir; **IV** *vz.* malgré, en dépit de.
trot'saard *m.* orgueilleux *m.*
trotse'ren *ov.w.* **1** (*uitdagen*) défier; **2** (*niet terugdeinzen voor*) affronter, braver.
trotse'ring *v.* défi *m.*; bravade *f.*
trots'heid, *zie* ***trots.***
trottoir' *o.* trottoir *m.*
trottoir'band *m.* bordure *f.* de (*of* du) trottoir.
trouw I *b.n.* **1** (*getrouw*) fidèle; **2** (*oprecht*) loyal; **3** (*juist*) exact; **4** (*v. bezoeker, enz.: geregeld*) assidu; **II** *bw.* fidèlement, loyalement; exactement; assidûment; **III** *z.n., v.(m.)* **1** fidélité *f.*; **2** loyauté *f.*; **3** exactitude *f.*; **4** assiduité *f.*; **5** (*huwelijk*) mariage *m.*; ***te goeder —,*** de bonne foi; ***te kwader —,*** de mauvaise foi.
trouw'akte *v.(m.)* acte *m.* de mariage, certificat *m.* de mariage.
trouw'belofte *v.* promesse *f.* de mariage.
trouw'boekje *o.* livret *m.* de mariage.
trouw'breuk *v.(m.)* **1** (*verbreking v. belofte*) violation *f.* de la foi jurée, manquement *m.* de foi, perfidie *f.*; **2** (*echtbreuk*) infidélité *f.*, adultère *m.*
trouw'dag *m.* **1** (*dag v. het huwelijk*) jour *m.* des noces; **2** (*verjaardag*) anniversaire *m.* de son mariage; ***tot een — komen,*** venir à se marier.
trou'weloos I *b.n.* **1** (*ontrouw*) infidèle; **2** (*oneerlijk*) déloyal; **3** (*vals*) perfide; **4** (*verraderlijk*) traître; **II** *bw.* infidèlement; déloyalement; perfidement; traîtreusement.
trouweloos'heid *v.* **1** infidélité *f.*; **2** déloyauté *f.*; **3** perfidie *f.*; **4** trahison *f.*
trou'wen I *on.w.* se marier; ***beneden zijn stand —,*** se mésallier; **II** *ov.w.* **1** (*in de echt verenigen*) marier; **2** (*ten huwelijk nemen*) épouser, se marier avec; **III** *z.n., o.* mariage *m.*
trou'wens *bw.* d'ailleurs.
trouw'formulier *o.* formule *f.* de mariage.
trouw'gewaad *o.* **1** (*v. bruidegom*) habit *m.* de noces; **2** (*v. bruid*) robe *f.* de mariée.
trouwhar'tig I *b.n.* **1** (*oprecht*) loyal; **2** (*eerlijk, openhartig*) franc, ouvert; **II** *bw.* loyalement; franchement, ouvertement.
trouwhar'tigheid *v.* **1** loyauté *f.*; **2** franchise, sincérité *f.*
trouw'heid *v.* fidélité *f.*; loyauté *f.*
trouw'japon *m.* robe *f.* de mariée.
trouw'kamer *v.(m.)* salle *f.* des mariages.
trouw'kleed *o.* habit *m.* de noces, toilette *f.* de mariée.
trouwlus'tig *b.n.* désireux de se marier.
trouw'mis *v.(m.)* messe *f.* de mariage.
trouw'pak *o.* habit *m.* de noces.
trouw'partij *v.* noce *f.*
trouw'plannen *mv.* projets *m.pl.* matrimoniaux.
trouw'plechtigheid *v.* cérémonie *f.* nuptiale, — du mariage.
trouw'ring *m.* alliance *f.*, anneau *m.* nuptial.
trouw'zaal *v.(m.)* salle *f.* des mariages.
truc, truuk *m.* truc *m.*
truc'film, truuk'film *m.* film *m.* à trucage (*of* truquage).
truc'foto, truuk'foto *v.(m.)* photo *f.* truquée.
truck *m.* truc, truck *m.*
truf'fel *v.(m.)* truffe *f.*
truf'felen *ov.w.* truffer.
truffelkwekerij' *v.* trufficulture *f.*
truf'felsaus *v.(m.)* sauce *f.* aux truffes.
truf'felzoeker *m.* truffier *m.*
truffe'ren *ov.w.* truffer.
trui *v.(m.)* chandail, pull-over, sweater *m.*; maillot *m.* (de sport); ***de gele —,*** le maillot jaune.
Trui(da) *v.* Trude, Gertrude *f.*
Trui'den, ***Sint-—,*** *o.* Saint-Trond *m.*
Trui'denaar, Sint-Truidenaar *m.* Saint-Tronaire *m.*
Trui'elingen *o.* Trognée *f.*
trust *m.*, (*H.*) trust *m.*
trust'kantoor *o.* société *f.* fiduciaire.
trust'vorming *v.* formation *f.* d'un trust (*of* de trusts).
truuk, truc *m.* truc *m.*
truuk-, *zie* ***truc-.***
Truus, *zie* ***Truida.***
truweel' *o.* truelle *f.*
tsaar *m.* tsar *m.*
tsa'revitsj *m.* tsarévitch *m.*
tsari'na *v.* tsarine *f.*
tseetsee'vlieg *v.(m.)* mouche *f.* tsé-tsé.
Tsjaad' *v.* Tchad *m.*; ***uit —,*** tchadien.
Tsjech *m.* Tchèque *m.*
Tsje'chisch *b.n.* tchèque.
Tsjechoslowaak' *m.* Tchécoslovaque *m.*
Tsjechoslowaaks' *b.n.* tchécoslovaque.
Tsjechoslowakij'e *o.* la Tchécoslovaquie.
Tsjerkas'sië *o.* la Circassie.
tsjir'pen *on.w.* striduler.
tu'ba *m.* (*muz.*) tuba *m.*
tu'be *v.(m.)* tube *m.*
Tu'beke *o.* Tubize.
tuberculeus', tuberkuleus' *b.n.* tuberculeux.
tuberculo'se, tuberkulo'se *v.* tuberculose *f.*
tuber'kel *m.* tubercule *m.*
tuber'kelbacil *m.* bacille *m.* de tuberculose.
tuber'kelziekte *v.* tuberculose *f.*
tuberkuleus', tuberculeus' *b.n.* tuberculeux.
tuberkulo'se, tuberculo'se *v.* tuberculose *f.*
Tu'bingen *o.* Tubingue *f.*
tucht *v.(m.)* discipline *f.*
tuch'teling *m.* détenu *m.*
tuch'teloos I *b.n.* **1** indiscipliné; **2** (*ongeregeld*) déréglé; **II** *bw.* sans discipline.
tuch'teloosheid *v.* **1** manque *m.* de discipline; **2** dérèglement *m.*
tucht'huis *o.* maison *f.* de force.
tucht'huisboef *m.* forçat *m.*
tucht'huisstraf *v.(m.)* réclusion *f.*
tuch'tigen *ov.w.* châtier, corriger.
tuch'tiging *v.* châtiment *m.*, correction *f.*
tucht'meester *m.* **1** censeur *m.*; **2** (*in gevangenis*) geôlier *m.*
tucht'middel *o.* moyen *m.* disciplinaire, — de correction.
tucht'recht *o.* droit *m.* disciplinaire.
tucht'roede *v.(m.)* verge(s) *f.(pl.)*, fouet *m.*
tucht'school *v.(m.)* (*F.*) maison *f.* de correction; (*B.*) école *f.* de bienfaisance.
tuf *o.* tuf *m.*
tuf'fen *on.w.* aller (*of* rouler) en auto, — en bagnole.
tuf'steen *o. en m.* tuf *m.*
tui *v.(m.)* câble *m.* d'affourche.
tui'anker *o.* ancre *f.* d'affourche.
tuig *o.* **1** (*gereedschap*) outils, instruments *m.pl.*; **2** (*v. paard*) harnais *m.*; **3** (*sch.*) gréement *m.*; **4** (*janhagel*) canaille, racaille *f.*; **5** (*slechte waar*) camelote *f.*

tuiga'ge *v.* (*sch.*) agrès *m.pl.*, gréement *m.*
tui'gen *ov.w.* **1** (*paard*) harnacher; **2** (*schip*) équiper.
tuig'huis *o.* arsenal *m.*
tuig'maker *m.* bourrelier *m.*
tuig'meester *m.* (*mil.*) maître *m.* d'artillerie.
tuil *m.* **1** (*ruiker*) bouquet *m.*; **2** (*Pl.*) corymbe *m.*
tui'mel *m.* culbute *f.*
tui'melaar *m.* **1** (*persoon*) culbuteur *m.*; **2** (*duif*) culbutant *m.*; **3** (*vis*) marsouin *m.*; **4** (*v. geweer*) noix *f.*
tui'melen *on.w.* **1** (*buitelen*) culbuter, faire la culbute; **2** (*afrollen*) tomber, dégringoler.
tui'meling *v.* **1** culbute *f.*; **2** dégringolade *f.*
tui'melkar *v.*(*m.*) tombereau *m.*
tui'melraam *o.* fenêtre *f.* à bascule, — à tabatière.
tuin *m.* **1** jardin *m.*; **2** (*omheining, hof*) enclos *m.*; ***iem. om de — leiden,*** tromper qn., donner le change à qn.
tuin'aarde *v.*(*m.*) terreau *m.*, terre *f.* végétale.
tuin'ameublement *o.* garniture *f.* de jardin.
tuin'arbeid *m.* jardinage *m.*
tuin'architect, -architekt *m.* jardiniste *m.*
tuin'baas *m.* jardinier *m.*
tuin'bank *v.*(*m.*) banc *m.* de jardin, — rustique.
tuin'bed *o.* **1** plate*-bande*, planche *f.*; **2** (*bloem—*) parterre *m.*
tuin'boon *v.*(*m.*) fève *f.* de marais.
tuin'bouw *m.* horticulture *f.*, jardinage *m.*
tuin'bouwcursus, -kursus *m.* cours *m.* d'horticulture.
tuinbouwkun'dige *m.* horticulteur *m.*
tuin'bouwkursus, *zie* ***tuinbouwcursus.***
tuin'bouwmaatschappij *v.* société *f.* d'horticulture.
tuin'bouwschool *v.*(*m.*) école *f.* d'horticulture.
tuin'der *m.* maraîcher *m.*
tuin'deur *v.*(*m.*) porte *f.* du jardin.
tuin'dorp *o.* cité-*jardin* *f.*
tui'nen *on.w.* jardiner, travailler au jardin.
tuin'fluiter *m.* (*Dk.*) fauvette *f.* des jardins.
tuin'gereedschap *o.* ustensiles *m.pl.* de jardinage, outils *m.pl.* —.
tuin'gewas *o.* herbe(s) *f.*(*pl.*) potagère(s).
tuin'gras *o.* poa *m.*
tuin'grond *m.* terreau *m.*; terre *f.* végétale.
tuin'hek *o.* grille *f.* (du jardin).
tuin'hoed *m.* chapeau *m.* de jardin.
tuin'huis *o.* **1** pavillon *m.* (de jardin); **2** (*prieel*) tonnelle *f.*
tuinier' *m.* jardinier *m.*
tuinie'ren *on.w.* jardiner, travailler au jardin.
tuin'kamer *v.*(*m.*) chambre *f.* qui donne sur le jardin.
tuin'kers *v.*(*m.*) (*Pl.*) cresson *m.* des jardins.
tuin'kervel *m.* cerfeuil *m.*
tuin'klaver *v.*(*m.*) mélilot *m.* bleu.
tuin'klokje *o.* campanelle *f.*
tuin'knecht *m.* garçon *m.* jardinier.
tuin'koninkje *o.* roitelet *m.*
tuin'ladder *v.*(*m.*) échelle *f.* double.
tuin'man *m.* jardinier *m.*
tuin'mansknecht, *zie* ***tuinknecht.***
tuin'mes *o.* serpette *f.*
tuin'meubel *o.* meuble *m.* de jardin.
tuin'muur *m.* clôture *f.*, mur *m.* de clôture.
tuin'papaver *v.*(*m.*) (*Pl.*) œillette *f.*
tuin'parasol *m.* parasol *m.* à mât inclinable.
tuin'prieel *o.* berceau *m.*, tonnelle *f.*
tuin'roos *v.*(*m.*) rose *f.* à cent feuilles.
tuin'schaar *v.*(*m.*) ciseaux *m.pl.* de jardinier, — à haies, sécateur *m.*
tuin'slak *v.*(*m.*) escargot, limaçon *m.*
tuin'slang *v.*(*m.*) tuyau *m.* d'arrosage.
tuin'slaper *m.* (*Dk.*) liron *m.*
tuin'sproeier *m.* arroseuse *f.* à jet tournant.
tuin'stad *v.*(*m.*) cité*-jardin* *f.*
tuin'stoel *m.* chaise *f.* de jardin, siège *m.* rustique.
tuin'tafel *v.*(*m.*) table *f.* de jardin.
tuin'tje *o.* jardinet *m.*
tuin'werk *o.* jardinage *m.*
tuin'zaad *o.* graines *f.pl.* potagères.
tui'sen *ov.w.* troquer.
tui'ser *m.* troqueur *m.*
tuit *v.*(*m.*) **1** (*v. kan*) tuyau, bec *m.*; **2** (*haarvlecht*) mèche *f.*; **3** (*v. muts*) corne *f.*; ***tranen met —en schreien,*** être tout en larmes, pleurer comme une fontaine.
tui'telen *on.w.* chanceler, vaciller.
tui'telig *b.n.* chancelant, vacillant.
tui'ten *on.w.* tinter.
tuit'kan *v.*(*m.*) pot *m.* à tuyau.
tuit'lamp *v.*(*m.*) lampe *f.* à bec.
tuk I *m.* **1** (*list*) ruse *f.*; **2** (*soort, ras*) race *f.*; ***een —je doen,*** faire un (petit) somme, faire un bout de sieste; **II** *b.n.*, ***— op,*** avide de; âpre à; ***— op roem,*** avide de gloire; ***— op winst,*** âpre au gain.
tul *v.*(*m.*) biberon *m.*
tul'band *m.* **1** (*hoofddeksel*) turban *m.*; **2** (*gebak*) savarin *m.*
tul'bandvorm *m.* moule *m.* à brioche.
tu'le *v.*(*m.*) tulle *m.*
tulp *v.*(*m.*) tulipe *f.*
tul'pebol *m.* bulbe *f.* *et m.*, oignon *m.* de tulipe.
tul'peboom *m.* tulipier *m.*
tul'penbed *o.* planche *f.* de tulipes.
tul'penhandel *m.* commerce *m.* de tulipes.
tum'bler *m.* verre, gobelet *m.*
tu'mor *m.* tumeur *f.*
tumult' *o.* tumulte *m.*
Tune'siër *m.* Tunisien *m.*
Tune'sisch *b.n.* tunisien.
tu'nica, tu'nika *v.* tunique *f.*
tuniek' *v.* tunique *f.*
tu'nika, tu'nica *v.* tunique.
Tu'nis *o.* **1** (*land*) la Tunisie; **2** (*stad*) Tunis *f.*
tun'nel *m.* **1** tunnel *m.*; **2** (*in station*) passage *m.* souterrain.
tun'nelbrug *v.*(*m.*) pont *m.* tubulaire.
turbi'ne *v.* turbine *f.*
turbi'nestomer *m.* (*sch.*) vapeur *m.* à turbine.
tureluur' *m.* **1** (*refrein*) refrain *m.*, ritournelle *f.*; **2** (*gril*) caprice *m.*; **3** (*Dk.*) gambette *f.*, turlut *m.*
tureluurs' *b.n.* fou, enragé; ***het is om — te worden,*** c'est à devenir fou, c'est crispant.
tu'ren *on.w.* regarder fixement, fixer; ***in de verte —,*** regarder au loin, — d'un œil vague.
turf *m.* tourbe *f.*; ***een —,*** une motte de tourbe; ***harde —,*** tourbe limoneuse, — draguée; ***zachte —,*** tourbe fibreuse; ***lange —,*** tourbe herbacée.
turf'aarde *v.*(*m.*) tourbe *f.*
turf'achtig *b.n.* tourbeux.
turf'boer *m.* tourbier *m.*
turf'briket *v.*(*m.*) briquette *f.* de tourbe.
turf'graver *m.* tireur, tourbier *m.*
turfgraverij' *v.* tourbière *f.*
turf'grond *m.* terrain *m.* tourbeux.
turf'kist *v.*(*m.*) caisse *f.* (aux tourbes).
turf'mand *v.*(*m.*) panier *m.* aux tourbes.
turf'molm *m.* *en o.* poussière *f.* de tourbes.
turf'schip *o.* bateau *m.* à tourbes.
turf'steker *m.* tourbier *m.*
turf'strooisel *o.* tourbe *f.* litière, litière *f.* de tourbe.

turf'trapper *m.* 1 tourbier *m.*; 2 (*fig.*) godillot *m.*, godasse *f.*
turf'vuur *o.* feu *m.* de tourbes.
Turijn' *o.* Turin *m.*; ***van —,*** turinois.
Turk *m.* Turc *m.*; ***aan de —en overgeleverd zijn,*** être traité de Turc à Maure.
Tur'kestan *o.* le Turkestan.
Turkij'e *o.* la Turquie.
turkoois' *m.* turquoise *f.*
Turks *b.n.* turc (*vr.:* turque); ***— leder,*** (cuir) marocain *m.*
tur'nen *on.w.* faire de la gymnastique.
tur'ner *m.* gymnaste *m.*
turn'gebouw *o.* gymnase *m.*
turn'lokaal *o.* salle *f.* de gymnastique.
tus'sen *vz.* entre; parmi; ***— de regels door lezen,*** lire entre les lignes; ***— licht en donker,*** entre chien et loup; ***er — uit trekken,*** se sauver, détaler; ***er — nemen,*** mettre dedans.
tus'senbedrijf *o.* entracte *m.*
tussenbei'de *bw.* 1 (*nu en dan*) de temps en temps, parfois; 2 (*tamelijk*) passablement; ***— komen,*** intervenir; ***als er niets — komt,*** s'il ne survient rien; ***er is iets — gekomen,*** il est survenu un obstacle.
tus'sendek *o.* (*sch.*) entrepont *m.*
tussendeks' *bw.* (*sch.*) dans l'entrepont.
tussendeks'passagier *m.* passager *m.* d'entrepont.
tus'sendeur *v.*(*m.*) porte *f.* de communication.
tussendijks' *bw.* entre les digues.
tussendoor' *bw.* à travers; entre les deux.
tus'sengebied *o.* enclave *f.*
tus'sengelegen *b.n.* entre les deux, intermédiaire.
tus'sengerecht *o.* 1 (*voor het dessert*) entremets *m.*; 2 (*na de soep*) relevé *m.*
tus'sengetal *o.* nombre *m.* intermédiaire.
tus'senhandel *m.* 1 commerce *m.* de demi-gros, — de détail; circuit *m.* commercial, demi-gros *m.*; 2 (*doorvoerhandel*) commerce *m.* de transit.
tus'senhandelaar *m.* demi-grossiste*, intermédiaire *m.*
tus'senhaven *v.*(*m.*) port *m.* intermédiaire.
tus'senheg *v.*(*m.*) haie *f.* mitoyenne.
tussenin' *bw.* entre les deux, au milieu.
tus'senklank *m.* son *m.* intermédiaire.
tus'senkleur *v.*(*m.*) demi-teinte* *f.*
tus'senkomen *on.w.* intervenir.
tus'senkomend *b.n.* intervenant, incident.
tus'senkomst *v.* 1 intervention *f.*; 2 (*bemiddeling*) entremise *f.*, intermédiaire *m.*
tus'senlaag *v.*(*m.*) couche *f.* intermédiaire.
tus'senlanding *v.* escale *f.*
tus'senlassen *ov.w.* intercaler, interpoler.
tus'senliggend *b.n.* intermédiaire.
tus'senlijn *v.*(*m.*) 1 (*tussenregel*) ligne *f.* intermédiaire, entre-ligne* *m.*; interligne *m.*; 2 (*drukk.*) interligne *f.*
tus'senmaat *v.*(*m.*) mesure *f.* intermédiaire.
tus'senmuur *m.* 1 (*binnenmuur*) mur *m.* de refend; 2 (*gemeenschappelijke —*) mur *m.* mitoyen.
tus'senpersoon *m.* intermédiaire *m.-f.*
tus'senpoos *v.*(*m.*) 1 intervalle *m.*; 2 (*rust*) pause *f.*; ***zonder —,*** sans interruption; ***bij tussenpozen,*** par intervalles.
tus'senpozend *b.n.* intermittent.
tus'senpost *m.* (*mil.*) sentinelle *f.* de communication.
tus'senras *o.* variété *f.*
tus'senrede *v.*(*m.*) parenthèse *f.*
tus'senreeks *v.*(*m.*) série *f.* intermédiaire.
tus'senregel *m.* interligne, entre-ligne* *m.*
tus'senregering *v.* interrègne *m.*
tus'senruimte *v.* 1 (*alg.*) espace *m.*; 2 (*tussenpoos*) intervalle *m.*; 3 (*in geschrift*) blanc *m.*; 4 (*tussen regels*) interligne *m.*; 5 (*tussen woorden*) espacement *m.*; 6 (*letterafstand*) écartement *m.*; 7 (*v. zuilen*) entrecolonnement *m.*; ***met zes dagen —,*** à six jours d'intervalle, — de distance.
tus'senschot *o.* cloison *f.*
tus'senspel *o.* 1 (*muz.*) interlude *m.*; 2 (*toneel*) intermède *m.*
tus'senstation *o.* station *f.* intermédiaire.
tus'senstellen *ov.w.* interposer.
tus'senstelling *v.* interposition *f.*
tus'sentijd *m.* intervalle *m.*; ***in die —,*** en attendant, sur ces entrefaites.
tussentijds I *bw.* 1 (*inmiddels*) entretemps; 2 (*op ongewone tijd*) en dehors du temps ordinaire; II *b.n.*, ***—e verkiezing,*** élection partielle.
tussenuit' *bw.* d'entre (les deux), parmi (les objets); ***er — trekken,*** se sauver, décamper.
tus'senvak *o.* case *f.* intermédiaire.
tus'senverdieping *v.* entresol *m.*
tus'senvoegen *ov.w.* 1 intercaler; 2 (*door tussenvoeging vervalsen*) interpoler.
tus'senvoeging *v.* 1 intercalation *f.*; 2 interpolation *f.*
tus'senvoegsel, *zie* ***tussenvoeging.***
tus'senvonnis *o.* arrêt *m.* interlocutoire.
tus'senvoorstel *o.* proposition *f.* incidente.
tus'senvorm *m.* forme *f.* intermédiaire.
tus'senwerpsel *o.* (*gram.*) interjection *f.*
tus'senzang *m.* chant *m.* intermédiaire.
tus'senzetsel *o.* entre-deux *m.*
tus'senzin *m.* (*gram.*) proposition *f.* incidente, — intercalée.
tutoye'ren *ov.w.* tutoyer.
twaalf *telw.* douze; ***— ambachten en dertien ongelukken,*** trente-six métiers, quarante malheurs; ***— uur,*** (*'s middags*) midi *m.*; (*'s nachts*) minuit *m.*; ***half —,*** onze heures et demie.
twaalf'de *telw.* douzième; ***de — november,*** le douze novembre; ***ten —,*** douzièmement.
twaalf'hoek *m.* dodécagone *m.*
twaalf'jarig *b.n.* de douze ans; ***het — Bestand,*** (*gesch.*) la Trève de douze ans.
twaalf'tal *o.* douzaine *f.*
twaalf'tallig *b.n.* duodécimal.
twaalf'toons *b.n.* dodécaphone.
twaalfuur'tje *o.* collation *f.* de midi, déjeuner *m.*
twaalf'vingerig, ***—e darm*** *m.* duodénum *m.*
twaalf'vlak *o.* dodécaèdre *m.*
twaalf'voudig *b.n.* dodécuple, douze fois autant.
twaalf'zijdig *b.n.* dodécagone.
twee *telw.* deux; ***half —,*** une heure et demie; ***bij —ën,*** près de deux heures; ***— aan —,*** deux à deux; ***een van —ën,*** de deux choses l'une; ***om de — dagen,*** tous les deux jours.
twee'armig *b.n.* à deux bras, à deux branches.
twee'benig *b.n.* bipède.
twee'bladig *b.n.* (*Pl.*) 1 bifolié; 2 (*bloembladen*) dipétale.
tweed *o.* cheviote *f.* écossaise.
twee'daags *b.n.* de deux jours.
twee'de *telw.* second; deuxième; ***Leopold de —,*** Léopold deux; ***de — december,*** le deux décembre; ***ten —,*** deuxièmement; ***uit de — hand,*** de seconde main; (*v. boek, enz.*) d'occasion; ***de — verdieping,*** le second (étage).
tweedehands *b.n.* d'occasion.
tweedejaars *b.n.* de deuxième année.
twee'dekker *m.* (*vl.*) biplan *m.*
twee'delig *b.n.* binaire, bipartite.
twee'draads *b.n.* à deux fils.

twee'dracht *v.(m.)* discorde, désunion, dissension *f.*
tweedrach'tig *b.n.* divisé, désuni.
tweeërhande, tweeërlei *b.n.* de deux sortes, — espèces.
tweefa'sig *b.n.* biphasé.
twee'gevecht *o.* duel *m.*, combat *m.* singulier.
twee'handig *b.n.* **1** à deux mains; **2** *(Dk.)* bimane.
twee'hoekig *b.n.* à deux angles.
twee'hoevig *b.n.* bisulque; — ***dier,*** bisulque *m.*
twee'honderd *telw.* deux cents; — ***zes,*** deux cent six.
twee'honderdste *telw.* deux-centième.
twee'hoofdig *b.n.* à deux têtes, bicéphale; — ***bestuur,*** dyarchie *f.*
twee'hoornig *b.n.* à deux cornes, bicorne.
twee'huizig *b.n.* *(Pl.)* dioïque.
twee'jaarlijks *b.n.* bisannuel, qui revient tous les deux ans.
twee'jarig *b.n.* **1** *(2 jaar oud)* de deux ans; **2** *(dat 2 j. duurt)* biennal; **3** *(Pl.)* bisannuel.
twee'klank *m.* *(gram.)* diphtongue *f.*
twee'kleppig *b.n.* *(Dk.)* bivalve.
twee'kleurig *b.n.* de deux couleurs, bicolore.
tweekoloms' *b.n.* sur deux colonnes
twee'kwartsmaat *v.(m.)* *(muz.)* deux-quatre *m.*
tweeledig *b.n.* **1** double; **2** *(met 2 betekenissen)* à double sens, ambigu; —***e grootheid,*** binôme *m.*
tweelettergre'pig *b.n.* dissyllabique; — ***woord,*** dissyllabique, dissyllabe *m.*
twee'ling *m.* jumeau *m.*, jumelle *f.*; ***de T—en,*** *(sterr.)* les Gémeaux *m.pl.*
twee'lingbroe(de)rs *mv.* frères *m.pl.* jumeaux.
twee'lingzusters *mv.* sœurs *f.pl.* jumelles.
tweelip'pig *b.n.* bilabié.
tweelob'big *b.n.* dilobé, dicotylédone.
twee'loopsgeweer *o.* fusil *m.* à deux coups.
twee'luik *o.* diptique *m.*
tweemaandelijks *b.n.* bimestriel.
twee'manschap *o.* duumvirat *m.*
twee'master *m.* *(sch.)* deux-mâts *m.*
twee'motorig *b.n.* *(vl.)* bimoteur.
twee'ogig *b.n.* à deux yeux.
twee'persoons *b.n.* à deux personnes, à deux places; *(v. kamer)* à deux lits.
twee'persoonsledikant *o.* lit *m.* à deux places.
twee'potig *b.n.* bipède.
twee'regelig *b.n.* à deux lignes; — ***vers,*** distique [*m.*
tweern, *zie* ***twijn.***
twee'schaduwigen *mv.* amphisciens *m.pl.*
twee'schalig *b.n.* bivalve.
tweeslachtig *b.n.* **1** *(Dk.)* amphibie; **2** *(persoon; Pl.)* hermaphrodite; **3** *(Pl.)* bissexué; — ***dier,*** amphibie *m.*
tweeslach'tigheid *v.* **1** hermaphroditisme *m.*; **2** *(fig.)* ambiguité *f.*
twee'snijdend *b.n.* à deux tranchants.
twee'soortig *b.n.* de deux espèces.
twee'spalt *v.(m.)* discorde, désunion *f.*, désaccord [*m.*
twee'span *o.* **1** attelage *m.* à deux; **2** couple *m.* de chevaux; **3** *(fig.)* couple *m.*
twee'spraak *v.(m.)* dialogue *m.*
twee'sprong *m.* **1** *(splitsing van wegen)* bifurcation *f.*; **2** *(kruispunt v. wegen)* carrefour *m.*
twee'stemmig *b.n.* à deux voix; — ***lied,*** duo *m.*
twee'strijd *m.* **1** *(tweegevecht)* duel *m.*; **2** *(fig.: met zich zelf)* combat *m.* intérieur; **3** *(besluiteloosheid)* irrésolution *f.*; ***in — zijn,*** hésiter.
twee'takkig *b.n.* bifurqué.
twee'taktmotor *m.* moteur *m.* à deux temps.
twee'tal *o.* **1** paire *f.*; **2** *(samenhorend)* couple *m.*
tweetalig *b.n.* bilingue.
tweeta'ligheid *v.* bilinguisme *m.*
twee'tandig *b.n.* endenté, à deux dents.
twee'term *m.* binôme *m.*
twee'tongig *b.n.* *(fig.)* faux, dissimulé.
twee'vlakshoek *m.* angle *m.* dièdre.
twee'vleugelig *b.n.* **1** *(v. insekt)* diptère; **2** *(v. gebouw)* à deux ailes; — ***insekt,*** diptère *m.*
twee'voetig *b.n.* bipède, à deux pieds.
twee'voud *o.* **1** double *m.*; **2** nombre *m.* pair.
twee'voudig *b.n.* double.
twee'waardig *b.n.* bivalent.
twee'wegskraan *v.(m.)* robinet *m.* à deux voies.
twee'werf *bw.* deux fois.
twee'wieler *m.* bicyclette *f.*
twee'wielig *b.n.* à deux roues.
twee'wijverij *v.* bigamie *f.*
twee'zaadlob'big *b.n.* dicotylédone.
twee'zang *m.* duo *m.*
tweezijdig *b.n.* **1** à deux faces; **2** *(wederzijds)* bilatéral; **3** *(v. druk- of typewerk)* de deux côtés; — ***contract,*** contrat bilatéral.
twee'zits *b.n.* à deux places.
twij'fel *m.* doute *m.*; ***in — trekken,*** révoquer en doute, mettre —; — ***koesteren,*** avoir des doutes sur; ***zonder —,*** sans aucun doute, indubitablement; ***dat is buiten alle —,*** cela ne souffre aucun doute, cela ne fait pas l'ombre d'un doute.
twij'felaar *m.* **1** *(die twijfelt)* douteur *m.*; **2** *(twijfelzuchtige)* sceptique *m.*; **3** *(ongelovige)* incrédule *m.*; **4** *(fig.: bed)* lit *m.* bâtard, — de grandeur moyenne.
twij'felachtig *b.n.* douteux, incertain.
twij'felachtigheid *v.* incertitude *f.*, nature *f.* douteuse.
twij'felbaar *b.n.* douteux.
twij'felen *on.w.* douter (de).
twij'felend *b.n.* **1** douteux; **2** *(geest)* sceptique.
twij'feling *v.* **1** doute *m.*; **2** *(aarzeling)* hésitation *f.*
twijfelmoe'dig *b.n.* irrésolu, indécis.
twijfelmoe'digheid *v.* irrésolution, indécision *f.*
twij'felzucht *v.(m.)* scepticisme *m.*, esprit *m.* de doute.
twijfelzuch'tig *b.n.* sceptique.
twijg *v.(m.)* **1** *(loot)* rejeton, scion *m.*; **2** *(tak)* branche *f.*, rameau *m.*; **3** *(bind—)* osier *m.*
twijg'je *o.* brindille *f.*
twijn *m.* **1** *(garen)* fil *m.* retors; **2** *(zijde)* soie *f.* retorse.
twijn'der *m.* retordeur *m.*
twijnderij' *v.* **1** *(plaats)* retorderie *f.*; **2** *(handeling)* retordage *m.*
twij'nen *ov.w.* **1** *(garen)* retordre; **2** *(zijde)* mou- [liner.
twin'kelen *on.w.* scintiller.
twin'tig *telw.* vingt.
twin'tiger *m.* jeune homme *m.* de vingt ans.
twin'tigste *telw.* vingtième; ***de — januari,*** le vingt janvier.
twin'tigtal *o.* vingtaine *f.*
twin'tigtallig *b.n.* vicésimal.
twin'tigvlak *o.* icosaèdre *m.*
twin'tigvoud *o.* vingtuple *m.*
twist *m.* **1** dispute, querelle *f.*; **2** *(geschil, onenigheid)* démêlé, différend *m.*; **3** *(ruzie, krakeel)* rixe *f.*; **4** *(betwisting)* contestation *f.*; — ***krijgen,*** se prendre de querelle; — ***zaaien,*** semer la discorde; ***de — uitvechten,*** vider le débat, — la querelle; ***de binnenlandse —en,*** les querelles intestines.
twist'appel *m.* pomme *f.* de discorde.
twis'ten *on.w.* se disputer, se quereller; ***onder elkaar —,*** s'entre-quereller.
twis'ter *m.* querelleur *m.*
twist'geding *o.* litige *m.*; affaire *f.* contentieuse.
twist'geschrijf *o.* **1** *(pennestrijd)* polémique *f.*;

2 (*theologisch of wetenschappelijk*) controverse *f.*
twist'gesprek *o.* dispute *f.*
twist'maker *m.* querelleur *m.*
twist'punt *o.* point *m.* en litige.
twist'rede *v.(m.)* **1** discussion, dispute *f.*; **2** controverse *f.*
twist'redenaar *m.* controversiste *m.*
twist'schrift *o.* ouvrage *m.* (de) polémique.
twist'stoker *m.* boutefeu *m.*, brandon *m.* de discorde.
twist'vraag *v.(m.)* point *m.* litigieux; — controversé.
twist'vuur *o.* feu *m.* de la discorde.
twist'ziek *b.n.* querelleur.
twist'zoeker *m.* querelleur, brouillon *m.*
twist'zucht *v.(m.)* humeur *f.* querelleuse, — batailleuse, esprit *m.* querelleur.
twist'zuchtig *b.n.* querelleur, hargneux.
two'-seater *m.* voiture *f.* à deux places.
tyfeus' *b.n.* typhoïde, typhique.
tyfoon' *m.* typhon *m.*
ty'fus *m.* fièvre *f.* typhoïde; (*vlek*—) typhus *m.*
ty'fusbacil *m.* bacille *m.* typhique, — du typhus.
ty'fusepidemie *v.* épidémie *f.* typhique, — de fièvre typhoïde.
ty'fuskoorts *v.(m.)* fièvre *f.* typhoïde.
ty'fuslijder *m.* typhique *m.*
ty'fusserum *o.* sérum *m.* antityphique.
tympaan', timpaan' *o.* tympan *m.*
type *o.* **1** type *m.*; **2** (*fig.*) prototype *m.*; ***een vreemd*** (*of* ***raar***) ***—,*** un drôle de type.
ty'pen *ov.w. en on.w.* dactylographier, écrire à la machine, taper.
type'ren *ov.w.* caractériser.
type'rend *b.n.* caractéristique.
ty'pisch *b.n.* **1** (*kenmerkend*) typique, caractéristique; **2** (*eigenaardig*) drôle, comique.
typist' *m.*, **—e** *v.* dactylo(graphe) *m.-f.*
typograaf' *m.* typographe *m.*
typogra'fisch I *b.n.* typographique; **II** *bw.* typographiquement.
Tyrol' *o.* le Tyrol.
Tyro'ler *m.* Tyrolien *m.*
Tyrools' *b.n.* tyrolien.
Tyrrheens' *b.n.* Tyrrhénien.
tyr'sus, thyr'sus *m.* thyrse *m.*
Ty'rus *o.* Tyr *f.*

U

u I *v.(m.)* u *m.*; **II** *vnw.* vous; tu, toi; te; ***als ik — was,*** si j'étais de vous, si j'étais que de vous, si j'étais à votre place.
ü'bermensch *m.* surhomme *m.*
ui *m.* **1** oignon *m.*; **2** (*fig.*) bon mot *m.*, farce, plaisanterie *f.*; ***—en tappen,*** débiter des plaisanteries.
ui'elucht *v.(m.)* relent *m.* d'oignon mijoté.
ui'enbed *o.* oignonnière *f.*
ui'ensaus *v.(m.)* sauce *f.* à l'oignon.
ui'ensmaak *m.* goût *m.* d'oignon.
ui'ensoep *v.(m.)* soupe *f.* à l'oignon.
ui'er *m.* pis *m.*, tétine *f.*
ui'ig *b.n.* drôle, comique.
uil *m.* **1** hibou *m.*; (*steenuil*) chouette *f.*; **2** (*vlinder*) noctuelle *f.*; **3** (*fig.*) bêta, butor *m.*; ***—en naar Athene dragen,*** porter de l'eau à la mer; ***elk meent zijn — een valk te zijn,*** chacun croit que ses œufs ont deux boulettes, l'aigle d'une maison n'est qu'un sot dans une autre.
uil'achtig *b.n.* bête (comme chou), stupide.
ui'lebril *m.* lunettes *f.pl.* américaines.
ui'lespiegel *m.* espiègle, bouffon *m.*
ui'levlucht *v.(m.)* brune *f.*, crépuscule *m.* (du soir); ***in de —,*** entre chien et loup.
uils'kuiken *o.* nigaud, niais *m.*, bête *f.*, bêta, jean-foutre *m.*
uil'tje *o.* **1** petit hibou *m.*; **2** noctuelle *f.*; ***een — knappen,*** piquer une romance, piquer un chien, faire un petit somme.
uit I *vz.* **1** (*plaats: oorsprong*) de, hors de; **2** (*middel*) par; ***één — (de) duizend,*** un sur mille; ***— een glas drinken,*** boire dans un verre; ***zo maar — de fles drinken,*** boire à même la bouteille; ***— het venster kijken,*** regarder par la fenêtre; ***— het hoofd leren,*** apprendre par cœur; ***— principe,*** par principe; ***— het bed springen,*** sauter à bas du lit; ***— de mode,*** démodé, passé de mode; ***— het oog,*** hors de vue; ***— het oog verliezen,*** perdre de vue; ***— het oog, — het hart,*** loin des yeux, loin du cœur; ***— de hand verkopen,*** vendre de gré à gré; ***ik weet het uit de krant,*** je l'ai lu dans le journal; ***— het Frans vertalen,*** traduire du français; ***ze zijn — de stad,*** **1** (*'t zijn stedelingen*) ce sont des citadins; **2** (*op reis*) ils sont en voyage; **3** (*naar buiten*) ils sont à la campagne; **II** *bw.* **1** (*weggegaan*) sorti; **2** (*v. vuur, kachel, enz.*) éteint; **3** (*geëindigd*) fini; **4** (*v. boek, enz.: verschenen*) paru; **5** (*uitgeleend in bibliotheek*) en circulation; ***'t is — met hem,*** c'en est fait de lui; ***ik kan er niet over —,*** je n'en reviens pas; ***en daarmee —,*** un point, c'est tout!; ***jaar in jaar —,*** d'année en année; ***er op — zijn om,*** chercher à, tendre à, viser à; ***— en thuis,*** aller et retour; ***er —!*** hors d'ici!
uit'ademen *ov.w.* **1** (*v. adem*) expirer; **2** (*fig.: uitwasemen*) exhaler.
uit'ademing *v.* **1** expiration *f.*; **2** exhalaison *f.*
uit'baggeren *ov.w.* draguer, débourber, curer.
uit'baggering *v.* dragage *m.*
uit'balance'ren *on.w.* équilibrer, doser, balancer.
uit'bannen *ov.w.* **1** bannir, expulser; **2** (*duivel*) exorciser.
uit'banning *v.* expulsion *f.*
uit'barsten *on.w.* **1** éclater; **2** (*v. vulkaan*) faire éruption; ***in tranen —,*** fondre en larmes.
uit'barsting *v.* **1** (*v. vreugde, enz.*) éclat *m.*; **2** (*v. verontwaardiging, haat, enz.*) explosion *f.*; **3** (*v. vulkaan*) éruption *f.*
uit'bazuinen *ov.w.* publier à son de trompe, — sur les toits, crier sur les toits.
uit'beelden *ov.w.* représenter, dépeindre.
uit'beelding *v.* représentation, peinture *f.*
uit'beitelen *ov.w.* ciseler.
uit'benen *ov.w.* désosser.
uit'besteden *ov.w.* **1** (*persoon*) mettre en pension; **2** (*werk*) sous-traiter, céder.
uit'besteding *v.* **1** mise *f.* en pension; **2** soustraité* [*m.*
uit'betalen *ov.w.* payer.
uit'betaling *v.* paiement *m.*
uit'bijten I *ov.w.* ronger, corroder; enlever avec un corrosif; **II** *on.w.* se ronger, se corroder.
uit'blazen I *ov.w.* **1** (*kaars, lamp*) souffler, éteindre; **2** (*ei, enz.: ledigen*) souffler; **3** (*rook*) lancer; **4** (*stoom*) laisser échapper, faire —; ***de laatste***

***adem* —,** rendre le dernier soupir; **II** *on.w.* respirer, reprendre haleine.
uit'blijven *on.w.* **1** (*niet komen*) ne pas venir; **2** (*wegblijven*) rester absent; tarder à venir; **3** (*weggelaten zijn*) être omis; ***dat zal niet* —,** cela ne manquera pas (d'arriver); ***dat kon niet* —,** cela ne pouvait manquer, cela devait arriver.
uit'blinken *on.w.* **1** briller; **2** (*fig.*) exceller.
uit'blinker *m.* as *m.*
uit'bloeden *on.w.* saigner, perdre tout son sang.
uit'bloeien *on.w.* se faner.
uit'blussen *ov.w.* éteindre.
uit'blussing *v.* extinction *f.*
uit'boeten *ov.w.* expier.
uit'boren *ov.w.* évider; aléser.
uit'boring *v.* évidage; alésage *m.*
uit'borstelen *ov.w.* brosser à fond.
uit'botten *on.w.* bourgeonner, boutonner.
uit'botting *v.* bourgeonnement *m.*
uit'bouw *m.* **1** (*bijgebouw*) annexe, aile *f.*; **2** (*uitstek*) saillie *f.*; **3** (*aan gevel*) avant-corps* *m.*, véranda *f.*
uit'bouwen *ov.w.* **1** agrandir, ajouter une aile; **2** bâtir en saillie.
uit'bouwing *v.* agrandissement *m.*, extension *f.*
uit'braak *v.*(*m.*) evasion *f.*
uit'braaksel *o.* vomissement *m.*
uit'braden *ov.w.* **1** (*boter, vet*) faire fondre; **2** (*vlees*) rôtir (à fond).
uit'braken *ov.w.* **1** vomir; **2** (*fig.*) cracher.
uit'braking *v.* vomissement *m.*
uit'branden I *ov.w.* **1** (*alg.*) nettoyer par le feu; **2** (*wond*) cautériser; **3** (*kanon, enz.*) flamber; **II** *on.w.* **1** se consumer (par le feu); **2** s'éteindre; **3** (*door 't vuur vernield*) être ravagé (*of* dévasté) par le feu; ***het huis was geheel uitgebrand,*** la maison n'était plus qu'une ruine.
uit'brander *m.* (verte) réprimande, semonce *f.*, savon *m.*; ***iem. een* — *geven,*** réprimander qn., faire chanter qn.
uit'breiden I *ov.w.* **1** (*alg.*) étendre; **2** (*vergroten*) agrandir; **3** (*zaken, fabriek, enz.*) donner de l'extension *f.*; **4** (*vleugels*) déployer; **5** (*verhaal, enz.*) amplifier; **II** *w.w.* ***zich* —,** s'étendre; s'agrandir; prendre de l'extension.
uit'breiding *v.* extension *f.*; agrandissement *m.*; expansion *f.*; développement *m.*; ***voor* — *vatbaar,*** extensible.
uit'breidingsplan *o.* plan *m.* d'extension.
uit'breken I *ov.w.* **1** (*muur*) démolir; **2** (*steen*) desceller; **II** *on.w.* **1** (*ontsnappen*) s'évader, s'échapper; **2** (*brand, oorlog, ziekte*) éclater; ***er eens* —,** prendre un congé; ***er een uurtje* —,** se dérober une heure à ses occupations; ***het zweet breekt hem uit,*** il sue à grosses gouttes; **III** *z.n.*, ***het* —,** **1** (*ontsnapping*) évasion *f.*, échappement *m.*; **2** (*v. brand, oorlog*) explosion *f.*, déclenchement *m.*; **3** (*v. ziekte*) éruption *f.*
uit'brengen *ov.w.* **1** (*naar buiten brengen*) conduire dehors; **2** (*geheim*) divulguer, mettre au jour; **3** (*mening*) exprimer; **4** (*klank*) émettre; **5** (*woorden*) proférer, prononcer; ***een boot* —,** piloter un navire hors du port; ***zijn stem* —,** voter; donner sa voix (à); ***verslag* —,** faire un rapport, rendre compte; ***een toost* — *op iem.,*** porter un toast à qn.
uit'broeden *ov.w.* **1** couver, faire éclore; **2** (*fig.: plan*) méditer, couver; (*komplot*) tramer; (*gedachte*) mûrir.
uit'broeding *v.* **1** incubation *f.*; **2** (*fig.*) méditation *f.*
uit'brullen *ov.w.* vomir, vociférer; ***het* — *van...,*** hurler de, rugir de.
uit'buigen *ov.w.* plier en dehors.
uit'builen *ov.w.* bluter, tamiser.
uit'buiten *ov.w.* exploiter.
uit'buiter *m.* exploiteur *m.*
uit'buiting *v.* exploitation *f.*
uit'bulderen *ov.w.* lancer, crier (d'une voix formidable).
uitbun'dig I *b.n.* **1** (*vreugde*) exubérant; **2** (*lof*) excessif; **3** (*toejuichingen*) bruyant; **II** *bw.* avec exubérance; excessivement; bruyamment; — ***prijzen,*** élever jusqu'aux nues.
uitbun'digheid *v.* exubérance *f.*; excès *m.*
uit'club, -klub *v.*(*m.*) club *m.* visiteur, équipe *f.* qui visite.
uit'dagen *ov.w.* défier, provoquer; ***tot een tweegevecht* —,** appeler en duel, provoquer —.
uit'dagend I *b.n.* provocant, militant; **II** *bw.* d'une manière provocante.
uit'dager *m.* provocateur *m.*
uit'daging *v.* défi *m.*, provocation *f.*; ***een* — *aannemen,*** relever un défi.
uit'dampen I *ov.w.* évaporer; **II** *on.w.* s'évaporer.
uit'delen *ov.w.* **1** distribuer; **2** (*bevelen*) donner; **3** (*gunsten, weldaden*) dispenser.
uit'deler *m.* **1** distributeur *m.*; **2** dispensateur *m.*
uit'delgen *ov.w.* **1** (*uitroeien*) exterminer, extirper; **2** (*fig.: schuld*) éteindre, amortir.
uit'delging *v.* **1** extermination, extirpation *f.*; **2** amortissement *m.*, extinction *f.*
uit'deling *v.* **1** distribution *f.*; **2** dispensation *f.*; **3** (*in faillissement*) dividende *m.*
uit'delingslijst *v.*(*m.*) (mandement *m.* de) collocation *f.*; état *m.* de répartition des dividendes.
uit'delven *ov.w.* déterrer.
uit'delving *v.* déterrement *m.*
uit'denken *ov.w.* inventer, imaginer, concevoir.
uit'denking *v.* invention *f.*
uit'deuken *ov.w.* débosseler.
uit'dienen *on.w.* faire son temps; ***zijn tijd* —,** faire son temps; ***dat heeft uitgediend,*** cela a fait son temps.
uit'diepen *ov.w.* creuser, approfondir.
uit'dijen *on.w.* se gonfler, s'enfler, s'amplifier.
uit'doen *ov.w.* **1** (*kleren*) ôter, enlever; **2** (*woord*) rayer, biffer; **3** (*vlek*) effacer, essuyer; **4** (*lamp*) éteindre; (*uitblazen*) souffler; ***het huis* —,** (*uitbesteden*) mettre en pension.
uit'dorsen *ov.w.* battre (le blé).
uit'dossen *ov.w.* **1** parer; **2** (*opdirken*) attifer, affubler.
uit'dossing *v.* parure *f.*
uit'doven I *ov.w.* éteindre, étouffer; **II** *on.w.* s'éteindre.
uit'doving *v.* extinction *f.*
uit'draaien I *ov.w.* (*lamp, licht*) éteindre; **II** *on.w.*, — ***op,*** aboutir à, se solder par; ***op niets* —** n'aboutir à rien.
uit'dragen *ov.w.* **1** porter dehors; **2** (*fig.*) divulguer
uit'drager *m.* fripier, brocanteur *m.*
uitdragerij' *v.* friperie *f.*
uit'dragerswinkel *m.* friperie *f.*, boutique *f.* de fripier.
uit'drijven *ov.w.* **1** (*verjagen*) chasser, expulser; **2** (*gen.*) évacuer, expulser; **3** (*duivel*) exorciser; **4** (*tn.: drukk.*) espacer; **5** (*goud, zilver*) ciseler.
uit'drijving *v.* **1** expulsion *f.*; **2** évacuation *f.*
uit'drinken *ov.w.* boire, vider; ***zijn glas* —,** finir son verre, achever —.
uit'drogen I *ov.w.* **1** (*afdrogen*) essuyer, frotter; **2** (*bron, enz.*) dessécher, tarir; **3** (*v. gezicht*) se ratatiner; **II** *on.w.* se dessécher, se tarir, s'assécher.
uit'droging *v.* dessèchement *m.*, dessiccation *f.*
uit'druipen *on.w.* s'égoutter.
uitdruk'kelijk I *b.n.* exprès, formel, explicite; **II** *bw.* expressément, formellement, explicitement.

uit'drukken *ov.w.* **1** (*sap v. vrucht, enz.*) exprimer; **2** (*spons, citroen*) presser; **3** (*fig.*) exprimer; ***op zijn zachtst uitgedrukt,*** pour ne pas dire davantage.
uit'drukking *v.* (*spreekwijze*) expression, locution *f.*; ***vol —,*** plein d'expression, expressif.
uit'duiden *ov.w.* décrire, expliquer; indiquer.
uit'dunnen *ov.w.* éclaircir.
uit'dunning *v.* éclaircissement *m.*
uit'duwen *ov.w.* faire sortir, pousser dehors.
uiteen' **I** *b.n.* séparé; **II** *bw.* séparément.
uiteen'barsten *on.w.* éclater.
uiteen'doen *ov.w.* séparer, écarter.
uiteen'drijven *ov.w.* disperser; dissiper.
uiteen'gaan *on.w.* **1** (*v. personen*) se séparer, se disperser; **2** (*v. planken, enz.*) se disjoindre, s'écarter; **3** (*v. Kamer*) s'ajourner.
uiteen'houden *ov.w.* **1** (*v. elkaar gescheiden*) tenir à part; **2** (*fig.: onderscheiden*) distinguer, ne pas confondre.
uiteen'jagen *ov.w.* disperser, dissiper.
uiteen'lopen *on.w.* **1** (*v. lijnen*) diverger; **2** (*v. meningen, enz.*) différer, être divisé.
uiteen'lopend *b.n.* **1** divergent; **2** (*fig.*) différent, disparate.
uiteen'nemen *ov.w.* démonter.
uiteen'slaan *ov.w.* (*mil.*) défaire, mettre en déroute, disperser.
uiteen'spatten *on.w.* **1** éclater, voler en éclats; **2** (*fig.*) se disperser.
uiteen'spreiden *ov.w.* déployer.
uiteen'springen *on.w.* éclater, sauter.
uiteen'stuiven *on.w.* se disperser, s'éparpiller.
uiteen'vallen *on.w.* **1** tomber en morceaux; **2** (*fig.*) se disloquer, se désagréger.
uiteen'vliegen *on.w.* **1** voler en éclats; **2** *zie* ***uiteenstuiven.***
uiteen'zetten *ov.w.* exposer, expliquer.
uiteen'zetting *v.* exposé *m.*, explication *f.*
uit'einde *o.* **1** bout *m.*, extrémité *f.*; **2** (*v. leven*) fin *f.*, terme *m.*, mort *f.*; ***een zalig — wensen,*** souhaiter une bonne fin d'année.
uitein'delijk **I** *b.n.* final; **II** *bw.* en fin de compte.
ui'ten **I** *ov.w.* **1** (*gedachte*) exprimer; **2** (*oordeel*) émettre; **3** (*woorden*) proférer, formuler, prononcer; **II** *w.w.*, ***zich —,*** s'exprimer; ***zich — tegen iem.,*** s'ouvrir à qn.; ***hij uit zich nooit,*** il est très réservé, il n'est guère expansif.
uitentreuren *bw.* à n'en pas finir, sans cesse, sempiternellement.
uiteraard' *bw.* **1** de sa nature, essentiellement; **2** forcément.
ui'terlijk **I** *b.n.* extérieur; externe; **II** *bw.* **1** (*aan buitenkant*) extérieurement, à l'extérieur; **2** (*lichamelijk*) au physique; **3** (*schijnbaar*) en apparence; **4** (*op zijn laatst*) au plus tard; **5** (*hoogstens*) tout au plus; **III** *z.n., o.* **1** extérieur, dehors, aspect *m.*; (*v. persoon ook:*) mine *f.*; **2** (*schijn*) apparence *f.*; ***naar het — oordelen,*** juger sur l'apparence.
ui'terlijkheid *v.* apparence *f.* (extérieure).
uiterma'te *bw.* extrêmement, excessivement, au plus haut point.
ui'terst **I** *b.n.* **1** extrême; **2** dernier, suprême; ***zijn —e best doen,*** faire tout son possible; ***—e prijs,*** (*H.*) dernier prix; ***van 't —e gewicht,*** de la plus haute importance; ***in 't —e geval,*** au pis aller; ***—e wil,*** dernière volonté *f.*, testament *m.*; **II** *bw.* extrêmement, excessivement.
ui'terste *o.* **1** (*uiteinde*) extrémité *f.*; bout *m.*; **2** (*overmaat, overdrijving*) extrémité *f.*, excès *m.*; ***op zijn — liggen,*** être à l'extrémité; ***de vier —n,*** les fins *f.pl.* dernières (de l'homme); ***tot het — drijven,*** pousser à bout; ***van 't ene — in 't andere vallen,*** passer d'un extrême à l'autre; ***de —n raken elkaar,*** les extrêmes se touchent.
ui'terwaard *v.(m.)* laisse *f.*
uit'eten *ov.w.* finir, vider.
uit'flappen *ov.w.* lâcher, dire sans réfléchir.
uit'fluiten *ov.w.* siffler, huer.
uit'frezen *ov.w.* fraiser.
uit'gaaf, uit'gave *v.(m.)* **1** dépense *f.*; **2** (*v. boek, enz.*) édition *f.*; **3** (*handeling*) publication *f.*; **4** (*oplaag*) tirage *m.*
uit'gaan **I** *on.w.* **1** (*buitenshuis*) sortir; **2** (*schouwburgen, enz. bezoeken*) aller dans le monde, faire des visites; **3** (*v. vuur, enz.*) s'éteindre; **4** (*v. vlek, enz.*) disparaître, s'effacer; **5** (*eindigen*) ***— op,*** se terminer par, finir par; ***het plan ging van ons uit,*** nous avons formé ce projet; ***op nieuws —,*** aller aux nouvelles; ***op roof —,*** aller marauder; ***van een beginsel —,*** partir d'un principe; ***wij gaan niet veel uit,*** nous ne sortons pas souvent; nous ne voyons pas beaucoup de monde; **II** *z.n., o.* sortie *f.*
uit'gaand *b.n.* sortant; ***—e rechten,*** droits *m.pl.* de sortie; ***—e goederen,*** marchandises d'exportation; ***—e brieven,*** lettres *f.pl.* d'envoi.
uit'gaander *m.* fêtard *m.*
uit'gaansdag *m.* jour *m.* de sortie, — de congé.
uit'gaanskas *v.(m.)* masse *f.*
uit'gaansverbod *o.* couvre-feu *m.*
uit'galmen *ov.w.* chanter, faire retentir.
uit'gang *m.* **1** (*v. huis, enz.*) sortie, issue *f.*; **2** (*v. woord*) (*v. vervoeging*) terminaison *f.*; (*v. verbuiging*) désinence *f.*; **3** (*fig.*) fin, mort *f.*
uit'gangspunt *o.* point *m.* de départ.
uit'gave, *zie* ***uitgaaf.***
uit'gebalanceerd *b.n.* équilibré, balancé.
uit'gebracht *b.n.* (*v. stemmen*) exprimé, émis.
uit'gebreid **I** *b.n.* **1** (*groot, ruim*) étendu, vaste; **2** (*v. werk*) détaillé; ***—e volmacht,*** pleins pouvoirs; **II** *bw.* d'une manière détaillée.
uit'gebreidheid *v.* **1** étendue *f.*; **2** (*omslachtigheid*) prolixité *f.*
uit'gediend *b.n.* usé, qui a fait son temps, périmé.
uit'gehongerd *b.n.* affamé.
uit'gekookt *b.n.* **1** (*vlees*) bouilli; **2** (*fig.*) roublard.
uit'gekozen *b.n.* de choix.
uit'gelaten *b.n.* pétulant, turbulent; extravagant; ***— van vreugde,*** transporté de joie.
uit'gelatenheid *v.* pétulance, turbulence; extravagance *f.*; joie *f.* excessive.
uit'geleefd *b.n.* caduc, décrépit.
uit'geleide *o.*, ***iem. — doen,*** reconduire qn., accompagner qn.
uit'gelezen *b.n.* **1** (*v. publiek, enz.*) d'élite; **2** (*v. zaken*) de choix, exquis.
uit'gelopen *b.n.* **1** (*v. schoen*) éculé; **2** (*Pl.*) bourgeonné.
uit'gemaakt *b.n.* **1** (*zeker, vast*) certain, décidé; **2** (*erkend, bewezen*) avéré; ***een —e zaak,*** un fait avéré.
uit'gemergeld *b.n.* épuisé, énervé.
uit'genomen *b.n.* excepté, à l'exception de.
uit'gepraat *b.n.* au bout de son latin, — de son rouleau.
uit'geput *b.n.* épuisé.
uit'gerafeld *b.n.* effiloché.
uit'geslapen *b.n.*, (*fig.*) éveillé; roublard.
uit'gesloten, ***dat is —,*** c'est impossible.
uit'gesproken **I** *b.n.* nettement défini; **II** *bw.* indiscutablement.
uit'gestorven *b.n.* **1** désert, morne; **2** (*planten of diersoorten*) éteint, fossile.
uit'gestreken *b.n.* **1** repassé; **2** (*fig.*) (*effen, kalm*)

calme, impassible; (*schijnheilig*) hypocrite; ***met een — gezicht,*** (*ook:*) sans sourciller.
uit'gestrekt *b.n.* étendu, vaste.
uitgestrekt'heid *v.* étendue *f.*
uit'gestudeerd *b.n.* qui a fini ses études.
uit'geven I *ov.w.* **1** (*geld*) dépenser; **2** (*aandelen, bankbiljetten*) émettre; **3** (*uitdelen*) distribuer; **4** (*boek, enz.*) publier; (*als uitgever*) éditer; ***zonder iets uit te geven,*** sans bourse délier; **II** *w.w.*, ***zich — voor,*** se faire passer pour, se donner pour.
uit'gever *m.* éditeur *m.*
uitgeverij' *v.* **1** édition *f.*; **2** (*uitgeverszaak*) maison *f.* d'éditions.
uit'geversfirma *v.*(*m.*) maison *f.* d'éditions.
uit'geversmaatschappij *v.* société *f.* d'éditions.
uit'geverszaak *v.*(*m.*) maison *f.* d'éditions.
uit'gewekene *m.* émigré *m.*; (*politiek —, ook:*) réfugié *m.*
uit'gewerkt *b.n.* détaillé, circonstancié.
uit'gewezene *m.* expulsé *m.*
uit'gewoond *b.n.* délabré.
uit'gezocht *b.n.* de choix, exquis.
uit'gezonderd *b.n. en vz.* excepté, à l'exception de.
uit'gieren *ov.w.* manifester (*of* exprimer) par des cris (joyeux); ***het —,*** rire à gorge déployée, éclater de rire.
uit'gieten *ov.w.* **1** (*vloeistof*) répandre, verser; **2** (*vat*) vider.
uit'gifte *v.* **1** (*v. lening, aandelen, enz.*) émission *f.*; **2** (*v. goederen*) distribution *f.*; **3** (*v. kaartjes*) délivrance *f.*
uit'giftekoers *m.* cours *m.* d'émission.
uit'gillen, *zie* ***uitgieren.***
uit'glijden *on.w.* **1** glisser; **2** (*v. ladder*) se dérober sous qn.; **3** (*v. fiets, enz.*) déraper; ***mijn voet gleed uit,*** le pied me manqua.
uit'gooien *ov.w.* **1** jeter dehors; **2** (*leeggooien*) vider; **3** (*kleren*) se dépouiller vite; ***het raam —,*** jeter par la fenêtre.
uit'graven *ov.w.* **1** (*sloot, enz.*) creuser; **2** (*opgraven*) déterrer; **3** (*uithollen*) excaver.
uit'groeien *on.w.* croître, se développer.
uit'groeisel *o.* excroissance *f.*
uit'haal *m.* tirade *f.*
uit'haaltafel *v.*(*m.*) table *f.* à rallonges.
uit'halen I *ov.w.* **1** (*uittrekken*) arracher; **2** (*haak- of breiwerk*) défaire; **3** (*tafel*) allonger; **4** (*vis*) vider; **5** (*pijp*) nettoyer, curer; **6** (*vogels, eieren*) dénicher; **7** (*besparen*) économiser, épargner; **8** (*muz.*) ***een noot —,*** prolonger un son, filer —; ***grappen —,*** faire des farces; ***dat zal niets —,*** cela ne servira à rien; ***de kosten er —,*** couvrir ses frais, rentrer dans ses frais; ***wat heeft hij nu weer uitgehaald?*** quel mauvais coup a-t-il fait encore? **II** *on.w.* **1** (*uitwijken*) se ranger, se garer; **2** (*goed opdissen*) se mettre en frais, mettre les petits plats dans les grands. [aigle, phénix *m.*
uit'haler *m.* **1** cure-pipe* *m.*; **2** (*hoogvlieger*)
uit'hangbord *o.* **1** enseigne *f.*; **2** (*fig.: uiterlijk, voorkomen*) dehors *m.*
uit'hangen I *ov.w.* **1** pendre dehors, mettre —; **2** (*vlag*) arborer; **3** (*linnengoed*) étendre; **4** (*fig.*) faire; ***de slimme*** (***vrome, enz.***) ***—,*** faire le malin (le dévot, etc.); ***de grote heer —,*** trancher du grand seigneur; **II** *on.w.* **1** pendre dehors; **2** (*zich bevinden*) percher; ***het hangt me de keel uit,*** j'en ai par-dessus la tête.
uit'hebben *ov.w.* **1** (*glas, bord, enz.*) avoir vidé; **2** (*boek*) avoir fini (de lire), avoir lu. [que.
uitheems' *b.n.* étranger; (*uit verre gewesten*) exoti-
uit'helpen *ov.w.* sauver, délivrer; tirer d'affaire.
uit'hoek *m.* **1** (*kaap*) langue *f.* de terre; **2** (*afgelegen plaats*) lieu *m.* écarté, trou *m.* (de province); (*v. stad*) quartier *m.* éloigné.
uit'hollen *ov.w.* **1** (*grond*) creuser, caver, miner; **2** (*hol maken*) évider; ***het huis —,*** sortir de la maison en courant.
uit'holling *v.* **1** (*handeling*) creusement; évidage *m.*; **2** (*holte*) creux *m.*, excavation *f.*; **3** (*fig.*) affaiblissement systématique; ***— overdwars,*** dos *m.* d'âne.
uit'hongeren *ov.w.* **1** affamer; **2** (*mil.*) réduire par la famine.
uit'horen *ov.w.* **1** (*uitvragen*) sonder, surprendre les secrets (de qn.); **2** (*behendig —*) tirer les vers du nez (à qn.); **3** (*beschuldigde*) cuisiner.
uit'houden *ov.w.* **1** (*uitgestrekt houden*) tenir étendu, — écarté; **2** (*fig.: verdragen*) endurer, supporter, souffrir; ***ik kan het niet meer —,*** **1** (*v. pijn, enz.*) je ne peux plus l'endurer (*of* tenir le coup); **2** (*kan niet wachten*) je n'y tiens plus; ***'t is niet meer uit te houden,*** c'est à n'y plus tenir; ***hij zal het er niet lang —,*** il n'y fera pas long feu; ***hij kan het lang —,*** il a de l'endurance.
uit'houder *m.* **1** (*sch.*) (corde de) retenue *f.*; **2** (*bouwk.*) arc*-boutant* *m.*
uit'houdingsvermogen *o.* endurance *f.*
uit'houwen *ov.w.* **1** (*stenen, enz.*) creuser, tailler; **2** (*in marmer, enz.*) sculpter, graver; **3** (*takken: snoeien*) élaguer.
uit'hozen *ov.w.* écoper. [de pleurer.
uit'huilen *on.w.* **1** pleurer tout son soûl; **2** cesser
uithui'zig *b.n.* absent; ***— zijn,*** être souvent absent, aimer à sortir, ne jamais être chez soi.
uithui'zigheid *v.* habitude *f.* de sortir, absences *f.pl.* fréquentes.
uit'huwelijken, uit'huwen *ov.w.* marier.
ui'ting *v.* **1** (*uitdrukking, openbaring*) expression, manifestation *f.*; **2** (*gevoelen, mening*) opinion, déclaration *f.*; ***— geven aan,*** manifester; ***tot — komen,*** se manifester.
uit'jagen *ov.w.* chasser.
uit'je *o.* **1** petit oignon *m.*; **2** partie *f.* de plaisir.
uit'jouwen *ov.w.* huer, conspuer, bafouer.
uit'kammen *ov.w.* peigner, démêler.
uit'kappen *ov.w.* (*v. boom*) élaguer.
uit'kauwen *ov.w.* mâcher.
uit'kavelen *ov.w.* allotir.
uit'keren *ov.w.* **1** (*bedrag*) payer; **2** (*dividend*) distribuer; **3** (*jaargeld*) servir.
uit'kering *v.* **1** paiement *m.*; **2** distribution *f.*; **3** allocation *f.*, pension *f.* alimentaire; **4** (*in faillissement*) dividende *m.*; **5** (*maandelijkse —*) mensualité *f.*; **6** (*jaarlijkse —*) annuité *f.*
uit'kermen, ***het —,*** pousser des cris de douleur.
uit'kerven *ov.w.* entailler.
uit'ketteren *ov.w.* engueuler.
uit'kiezen *ov.w.* choisir.
uit'kijk *m.* **1** (*uitzicht*) vue *f.*; **2** (*plaats*) poste *m.* d'observation; **3** (*sch.: uitkijker*) vigie *f.*, homme *m.* de veille; ***op de — staan,*** **1** être aux aguets, faire le guet; **2** (*sch.*) être en vigie.
uit'kijken I *on.w.* **1** regarder autour de soi, faire attention; **2** (*mil.*) faire le guet; **3** (*sch.*) être en vigie; ***— naar,*** chercher (des yeux), guetter; **II** *ov.w.*, ***zijn ogen —,*** écarquiller les yeux.
uit'kijkpost *m.* **1** poste *m.* d'observation; **2** (*in de loopgraven*) poste *m.* de surveillance.
uit'kijktoren *m.* **1** belvédère *m.*; **2** (*mil.*) tourelle *f.* d'observation; tour *f.* de guet; mirador *m.*; **3** (*sch.*) tour*-vigie* *f.* [douaner.
uit'klaren *ov.w.* (*H.*) déclarer à la sortie, dé-
uit'klaring *v.* (*H.*) sortie *f.*, déclaration *f.* à la sortie; dédouanement *m.*

uit'klaringsbiljet *o.* déclaration *f.* à la sortie, dédouanement *m.*
uit'klaringskosten *mv.* droits *m.pl.* de sortie.
uit'kleden I *ov.w.* **1** déshabiller; dévêtir; **2** (*fig.*) dépouiller, ruiner, mettre sur le pavé; **II** *w.w.*, ***zich* —,** se déshabiller, se dévêtir.
uit'kleding *v.* déshabillement *m.*; dépouillement *m.*
uit'klimmen *on.w.* sortir par escalade, — en escaladant.
uit'kloppen *ov.w.* **1** (*tapijt, enz.*) battre; **2** (*pijp*) [vider.
uit'klub, *zie* ***uitclub.***
uit'knijpen I *ov.w.* (*citroen*) presser, pressurer; **II** *on.w.* **1** (*ongemerkt heengaan*) filer, décamper; **2** (*sterven*) déloger, lâcher la rampe, casser sa pipe.
uit'knippen *ov.w.* découper.
uit'knipsel *o.* coupure, découpure *f.*
uit'koken *ov.w.* **1** faire bouillir; **2** (*reinigen*) nettoyer (en faisant bouillir); **3** (*v. zijde*) décruer, décruser.
uit'komen I *on.w.* **1** (*ergens uit*) sortir; **2** (*bekend worden*) s'ébruiter, être divulgué; **3** (*ontdekt worden*) se découvrir; **4** (*het licht zien*) paraître; **5** (*uit ei*) éclore, sortir de l'œuf; **6** (*uit de grond*) sortir de terre, paraître, pousser; **7** (*bloem*) éclore, s'épanouir; **8** (*knop*) pousser, bourgeonner; **9** (*tanden*) percer; **10** (*voorspelling*) se réaliser; **11** (*nummer in loterij*) sortir; **12** (*juist zijn*) être exact, — juste; **13** (*gen.: zich vertonen*) paraître; **14** (*in kaartspel*) jouer le premier; ***— op,*** donner sur; ouvrir sur; ***— in,*** déboucher sur; (***scherp***) ***— tegen,*** se dessiner (*of* se détacher) nettement sur; ***de deling komt uit,*** la division se fait sans reste; ***wat komt er uit?*** quel est le résultat? ***dat komt goed uit,*** cela tombe bien; ***dat komt mij goed uit,*** cela m'arrange; ***dat komt goedkoper uit,*** cela revient moins cher; ***bedrogen —,*** trouver un mécompte; ***doen —,*** faire ressortir, souligner; mettre en relief; ***— voor iets,*** avouer qc., ne pas se cacher de qc.; ***voor zijn mening —,*** défendre ses opinions; ***wie moet —?*** (*in kaartspel*) à qui la main, qui doit jouer le premier, à qui à jouer? **II** *z.n., o.* sortie; éclosion *f.*, épanouissement *m.*; parution *f.*; (*v. tand*) éruption *f.*; ***het — der tanden,*** (*ook:*) la dentition.
uit'komst *v.* **1** (*afloop, uitslag*) fin, issue *f.*, résultat *m.*; **2** (*v. rekenk. vraagstuk*) solution *f.*; **3** (*v. optelling*) somme *f.*; **4** (*v. aftrekking*) reste *m.*; **5** (*v. vermenigvuldiging*) produit *m.*; **6** (*v. deling*) quotient *m.*; **7** (*redding*) issue *f.*, salut *m.*; ***geen — meer weten,*** ne plus savoir où donner de la tête, ne savoir à quel saint se vouer.
uit'kooksel *o.* décoction *f.*
uit'koop *m.* rachat *m.*
uit'kopen *ov.w.* racheter.
uit'kraaien *ov.w.* annoncer à grands cris, publier partout; ***het —,*** pousser des cris de joie.
uit'krabben *ov.w.* **1** (*uitrukken*) arracher; **2** (*doorhalen*) raturer, gratter.
uit'kramen *ov.w.* **1** (*in kraam uitstallen*) étaler; **2** (*fig.*) (*vertellen, opdissen*) débiter; (*pronken met*) faire montre de.
uit'krijgen *ov.w.* **1** (*kleren*) parvenir à ôter, réussir —; **2** (*boek*) finir, achever; **3** (*glas, bord*) (arriver à) vider.
uit'kruipen *ov.w.* sortir (en rampant).
uit'kunnen *on.w.* pouvoir sortir.
uit'laat *m.* échappement *m.*
uit'laatgas *o.* gaz *m.* d'échappement.
uit'laatklep *v.(m.)* soupape *f.* d'échappement.
uit'laatpijp *v.(m.)* tuyau *m.* d'échappement.
uit'lachen I *ov.w.* se moquer de, se rire de, rire au nez de; **II** *on.w.* finir de rire.
uit'laden *ov.w.* **1** décharger; **2** (*troepen*) débarquer.
uit'lading *v.* **1** déchargement *m.*; **2** débarquement *m.*
uitlan'dig *b.n.* à l'étranger.
uit'laten I *ov.w.* **1** (*doen uitgaan*) faire sortir; **2** (*toestaan*) laisser sortir; **3** (*reizigers*) déposer; **4** (*bezoeker*) reconduire; **5** (*stoom*) lâcher; **6** (*weglaten: woord, enz.*) omettre, supprimer; **7** (*kleren: niet meer aantrekken*) ne plus mettre; **8** (*kachel, enz.*) ne pas rallumer, laisser éteint; **II** *w.w.*, ***zich — over,*** parler de, dire son opinion (*of* sa pensée) sur, se prononcer sur.
uit'lating *v.* **1** (*weglating*) omission, suppression *f.*; **2** (*gram.*) ellipse *f.*; **3** (*gezegde*) affirmation, déclaration *f.*
uit'latingsteken *o.* apostrophe *f.*
uit'leenbibliot(h)eek, uit'leenboekerij *v.* bibliothèque *f.* de prêt.
uit'leg *m.* **1** (*verklaring*) explication *f.*; **2** (*uitbreiding*) extension *f.*, agrandissement *m.*
uitleg'baar *b.n.* explicable.
uit'leggen *ov.w.* **1** (*verklaren*) expliquer; (*toelichten*) éclaircir; (*droom, wet, enz.*) interpréter; **2** (*uitbreiden*) agrandir; **3** (*uiteenleggen*) étaler, déployer; **4** (*linnen*) étendre; **5** (*als bijdrage afzonderen*) réserver.
uit'legger *m.* explicateur; interprète *m.*
uit'legging *v.* **1** explication *f.*; éclaircissement *m.*; interprétation *f.*; **2** agrandissement *m.*; **3** (*v. Bijb.*) exégèse *f.*; ***die woorden zijn voor tweeërlei — vatbaar,*** ces mots prêtent à équivoque; ce sont des mots à double entente.
uit'legkunde *v.* exégèse *f.*
uit'leiden *ov.w.* reconduire.
uit'lekken *on.w.* **1** égoutter; **2** (*fig.*) transpirer, s'ébruiter.
uit'lenen *ov.w.* prêter.
uit'lener *m.* prêteur *m.*
uit'lening *v.* prêt *m.*
uit'leven, *zich —,* *w.w.* jeter sa gourme.
uit'leveren *ov.w.* **1** (*afleveren*) remettre, délivrer; **2** (*recht*) extrader.
uit'levering *v.* **1** remise *f.*; **2** extradition *f.*
uit'leveringsverdrag *o.* cartel *m.* d'échange.
uit'lezen *ov.w.* **1** (*ten einde lezen*) finir, achever de lire; **2** (*uitzoeken*) choisir, trier.
uit'lichten *ov.w.* enlever, détacher.
uit'likken *ov.w.* lécher.
uit'logen *ov.w.* lessiver.
uit'lokken *ov.w.* **1** (*naar buiten lokken*) attirer dehors, inviter à sortir; **2** (*verleiden, aansporen tot*) inviter, engager (à); **3** (*veroorzaken*) (*bekentenis*) provoquer; (*conflict*) susciter, provoquer.
uit'loodsen *ov.w.* (*sch.*) piloter hors du (*of* d'un) port.
uit'loop *m.* **1** (*monding*) embouchure *f.*; **2** (*afvoerbuis*) (tuyau d')écoulement *m.*, issue *f.*; **3** (*tennis*) recul *m.*
uit'lopen I *on.w.* **1** (*naar buiten lopen*) sortir; **2** (*uitmonden*) se jeter (dans); **3** (*v. schip*) partir, sortir du port, prendre le large; **4** (*uitbotten*), (*knop, boom*) boutonner, bourgeonner; (*plant*) pointer; (*aardappelen*) germer; **5** (*wegvloeien*) s'écouler; **6** (*drukk.*) chasser; **7** (*fig.*) ***— op,*** aboutir à; ***in een punt —,*** se terminer en pointe, finir —; **II** *ov.w.* (*schoenen*) éculer.
uit'loper *m.* **1** (*die gaarne elders gaat*) batteur *m.* de pavé; **2** (*v. gebergte*) contrefort *m.*; **3** (*Pl.*) pousse *f.*, jet *m.*
uit'loten *ov.w.* **1** (*loterij*) tirer; **2** (*lot, nummer*) sortir; **3** (*lening*) amortir par voie de tirage.
uit'loting *v.* tirage *m.*

uit'loven *ov.w.* **1** (*prijs*) proposer, offrir; **2** (*beloning*) promettre.
uit'loving *v.* **1** proposition, offre *f.*; **2** promesse *f.*
uit'lozen *on.w.* se décharger.
uit'lozing *v.* déchargement *m.*
uit'luchten *ov.w.* aérer.
uit'luiden *ov.w.* annoncer la fin de.
uit'maken *ov.w.* **1** (*vlek*) effacer, enlever, faire disparaître; **2** (*een einde maken aan*) vider, trancher, terminer; **3** (*beslissen*) décider, déterminer, trancher; **4** (*vormen*) constituer; composer; **5** (*uitschelden; noemen*) injurier; traiter de, qualifier de; **6** (*betekenen*) signifier; ***een uitgemaakt feit,*** un fait avéré; ***wat maakt dat uit?*** qu'est-ce que cela fait? ***dat maakt niets uit,*** cela ne fait rien.
uit'malen *ov.w.* assécher, épuiser, vider.
uit'maling *v.* assèchement *m.*
uit'melken *ov.w.* **1** tirer tout le lait de; **2** (*fig.*) épuiser.
uit'mergelen *ov.w.* épuiser, appauvrir.
uit'mesten *ov.w.* nettoyer à fond.
uit'meten *ov.w.* **1** mesurer; **2** (*bij de maat of in 't klein verkopen*) vendre à la mesure, — en détail; **3** (*fig.*) ***breed —,*** exagérer; s'étendre longuement sur.
uitmiddelpun'tig *b.n.* excentrique.
uitmiddelpun'tigheid *v.* excentricité *f.*
uit'moeten *on.w.* **1** devoir sortir; **2** (*v. kachel, enz.*) devoir s'éteindre; ***moet de lamp uit?*** faut-il éteindre la lampe?
uit'mogen *on.w.* **1** pouvoir sortir; **2** pouvoir s'éteindre; ***mag de lamp uit?*** peut-on éteindre la lampe?
uit'monden *on.w.* se jeter, se décharger (dans).
uit'monding *v.* embouchure *f.*
uit'monsteren *ov.w.* **1** (*mil.*) réformer; **2** (*fig.*) parer, affubler.
uit'moorden *ov.w.* massacrer tous les habitants (de).
uit'munten *on.w.* exceller, se distinguer; ***— boven allen,*** exceller entre tous.
uitmun'tend I *b.n.* excellent; éminent; **II** *bw.* excellemment; éminemment.
uitmun'tendheid *v.* excellence *f.*; éminence *f.*
uitneem'baar *b.n.* détachable.
uit'nemen *ov.w.* **1** ôter, enlever; **2** (*uitzonderen*) excepter.
uitne'mend *b.n.* excellent.
uitne'mendheid *v.* excellence *f.*; ***bij —,*** par excellence.
uit'noden, uit'nodigen *ov.w.* inviter (à).
uit'nodiging *v.* invitation *f.*
uit'oefenen *ov.w.* **1** (*ambt, recht, enz.*) exercer; **2** (*geneeskunde*) pratiquer; ***toezicht — op,*** surveiller, contrôler.
uit'oefening *v.* **1** exercice *m.*; **2** pratique *f.*
uit'pakken I *ov.w.* **1** déballer; **2** (*koffer*) défaire; **II** *on.w.* déballer; défaire sa malle; (*fig.*) déballer, vider son sac.
uit'pakker *m.* déballeur *m.*
uit'pellen *ov.w.* éplucher; (*uit peul*) écosser.
uit'persen *ov.w.* **1** (*vrucht*) presser, pressurer; **2** (*sap*) exprimer.
uit'persing *v.* pressurage *m.*
uit'peuteren *ov.w.* vider, nettoyer, défaire de.
uit'pikken *ov.w.* **1** (*oog*) crever; **2** (*uitkiezen*) choisir, saisir (au hasard).
uit'pluizen *ov.w.* éplucher.
uit'pluizer *m.* éplucheur *m.*
uit'pluizing *v.* épluchage *m.*
uit'plukken *ov.w.* éplucher, enlever.
uit'plunderen *ov.w.* **1** (*reiziger*) dévaliser, détrousser; **2** (*stad*) piller, saccager, mettre à sac.
uit'pompen *ov.w.* pomper, épuiser, vider.
uit'praten *on.w.* parler (jusqu'au bout); finir (de parler); ***laat hem —,*** laissez-le achever; ***daarover raakt hij niet uitgepraat,*** il ne tarit pas sur ce sujet.
uit'proesten *on.w.*, ***het —,*** pouffer (de rire).
uit'puilen *on.w.* se gonfler, sortir; faire saillie; ***—de ogen,*** des yeux à fleur de tête.
uit'puiling *v.* gonflement *m.*
uit'putten *ov.w.* épuiser; ***zich — in verontschuldigingen,*** se confondre en excuses.
uit'putting *v.* épuisement *m.*, exténuation *f.*
uit'puttingsoorlog *m.* guerre *f.* d'usure.
uit'rafelen I *ov.w.* effiler, effilocher, effranger; **II** *on.w.* s'effiler, s'effilocher, se franger.
uit'rafeling *v.* effilage, effilochage *m.*
uit'raken *on.w.* prendre fin, finir.
uit'rangeren *on.w.* **1** mettre sur une voie morte; **2** (*fig.*) écarter définitivement.
uit'razen *on.w.* **1** (*v. storm*) se calmer, s'apaiser; **2** (*in woede*) donner libre cours à sa fureur; **3** (*fig.*) jeter sa gourme.
uit'redden *w.w.*, ***zich er —,*** se tirer d'affaire.
uit'regenen I *on.w.* finir de pleuvoir; **II** *ov.w.* être éteint par la pluie, être effacé —.
uit'reiken *ov.w.* **1** (*prijzen, enz.*) distribuer; **2** (*afleveren*) délivrer; **3** (*toekennen*) accorder.
uit'reiking *v.* **1** distribution *f.*; **2** délivrance *f.*
uit'reis *v.(m.)* voyage *m.* d'aller; ***op de —,*** à l'aller; ***op de — zijn,*** faire son voyage d'aller.
uit'reisvisum *o.* visa *m.* à la sortie.
uitrek'baar *b.n.* élastique.
uit'rekenen *ov.w.* calculer.
uit'rekening *v.* calcul *m.*
uit'rekken I *ov.w.* étendre, étirer, allonger; **II** *w.w.*, ***zich —,*** s'étirer.
uit'rekking *v.* extension *f.*, allongement *m.*
uit'richten *ov.w.* faire; effectuer, exécuter; ***dat zal niets —,*** cela ne servira à rien.
uit'rijden *on.w.* sortir (en auto, en voiture, à cheval).
uit'rit *m.* sortie *f.*
uit'roeien *ov.w.* extirper, exterminer.
uit'roeiing *v.* extirpation, extermination *f.*
uit'roep *m.* exclamation *f.*, cri *m.*
uit'roepen *ov.w.* **1** s'écrier; **2** (*venten*) crier; **3** (*buiten doen komen*) appeler dehors; **4** ***— tot,*** proclamer.
uit'roeping *v.* **1** exclamation *f.*; **2** proclamation *f.*
uit'roep(ings)teken *o.* point *m.* d'exclamation.
uit'roken *ov.w.* **1** (*sigaar, pijp*) achever, finir (de fumer); **2** enfumer, fumiger.
uit'rollen I *ov.w.* **1** (*lap stof*) dérouler; **2** (*loper*) faire sortir en roulant; **3** (*deeg*) étendre au rouleau; **II** *on.w.* cesser de rouler, s'arrêter.
uit'ronden *ov.w.* échancrer.
uit'rukken I *ov.w.* **1** (*tand, enz.*) arracher; **2** (*plant*) arracher, déraciner; **II** *on.w.*, (*mil.*) se mettre en marche, sortir (du camp).
uit'rusten I *on.w.* se reposer; **II** *ov.w.* **1** (*soldaten*) armer; **2** équiper; **3** (*fig.*) doter de.
uit'rusting *v.* **1** équipement, harnachement, fourniment *m.*; **2** (*v. schip*) armement *m.*; **3** (*uitzet*) trousseau *m.*
uit'rustingsstukken *mv.* objets *m.pl.* d'équipement, effets *m.pl.* —.
uit'schakelaar *m.* (*el.*) interrupteur, disjoncteur *m.*
uit'schakelen *ov.w.* **1** (*el.*) débrancher, mettre hors de circuit; **2** (*tn.*) débrayer; **3** (*fig.*) éliminer.
uitschakeling *v.* **1** mise *f.* hors de circuit; **2** (*fig.*) élimination *f.*

uit'schateren *on.w.*, ***het* —,** éclater de rire.
uit'scheiden I *ov.w.* excréter; **II** *on.w.* (*eindigen*) cesser, finir.
uit'scheidend *b.n.* excréteur.
uit'scheiding *v.* excrétion *f.*
uit'schelden *ov.w.* injurier, invectiver; ***— voor,*** traiter de.
uit'schenken *ov.w.* **1** verser; **2** (*leegschenken*) vider. [écoper.
uit'scheppen *ov.w.* **1** vider, épuiser; **2** (*boot*)
uit'scheuren I *ov.w.* arracher, enlever, détacher; **II** *on.w.* se déchirer.
uit'schieten I *ov.w.* **1** (*door schieten wegnemen*) enlever, emporter (d'un coup de fusil, de canon, etc.); **2** (*snel uittrekken*) ôter vivement; **3** (*Pl.: loten* —) pousser; **4** (*sch.*) (*kabel*) filer; (*ballast*) décharger; ***iem. een oog* —,** crever un œil à qn.; **II** *on.w.* **1** (*uitglijden*) glisser; **2** (*Pl.*) pousser, bourgeonner; **3** (*v. wind*) sauter.
uit'schiften *ov.w.* mettre à part. [de.
uit'schilderen *ov.w.* peindre, faire le portrait
uit'schoppen *ov.w.* **1** chasser à coups de pied; **2** enlever (*of* ôter) d'un coup de pied.
uit'schot *o.* **1** (*bocht*) rebut *m.*; **2** (*janhagel*) racaille, lie *f.* (du peuple); **3** (*voorschot*) avance *f.*, débours *m.pl.*
uit'schraapsel *o.* raclure(s) *f.*(*pl.*).
uit'schrapen *ov.w.* racler, gratter.
uit'schrappen *ov.w.* rayer, raturer, biffer.
uit'schreeuwen *ov.w.* crier; ***het — van pijn,*** pousser des cris de douleur.
uit'schreien *on.w.*, *zie* ***uithuilen.***
uit'schrijven *ov.w.* **1** (*na- of afschrijven*) copier, transcrire; **2** (*bijeenroepen*) convoquer; **3** (*opleggen: belasting*) imposer, lever; établir; **4** (*prijsvraag*) proposer, mettre au concours; **5** (*rekening*) dresser; **6** (*lening*) annoncer, émettre, lancer.
uit'schrijver *m.* copiste *m.*
uit'schrijving *v.* **1** copie, transcription *f.*; **2** convocation *f.*; **3** levée *f.*; établissement *m.*; **4** mise *f.* au concours.
uit'schudden *ov.w.* **1** (*leegschudden*) secouer; vider (en secouant); **2** (*beroven*) dévaliser, détrousser, dépouiller.
uit'schudding *v.* **1** déchargement *m.*; **2** dépouillement *m.*
uit'schuieren *ov.w.* brosser.
uitschuif'baar *b.n.* coulissant, à coulisses, télescopique.
uit'schuifblad *o.* rallonge *f.*
uit'schuiftafel *v.*(*m.*) table *f.* à rallonges.
uit'schuiven *ov.w.* **1** (*lade*) ouvrir, tirer; **2** (*tafel*) allonger; **3** (*verrekijker*) ouvrir; **4** (*naar buiten schuiven*) pousser dehors.
uit'schuld *v.*(*m.*) (*H.*) dette *f.* passive.
uit'schulpen *ov.w.* festonner.
uit'schuren *ov.w.* **1** récurer; **2** creuser (par le frottement).
uit'slaan I *ov.w.* **1** (*tapijten, enz.*) battre, secouer; **2** (*verdrijven*) chasser; **3** (*vleugels*) déployer; **4** (*armen*) étendre; **5** (*tand*) briser; **6** (*oog*) crever; **7** (*bal*) servir; **8** (*uiten*) dire, débiter; **9** (*metaal*) aplatir; **10** (*linnengoed, enz.*) déplier; **II** *on.w.* **1** (*vochtig worden*) suinter, suer; **2** (*met salpeter bedekt*) s'effleurir; **3** (*v. kaas, brood, enz.*) se moisir; **4** (*bij balspel*) servir; **5** (*v. ziekte, koorts, enz.*) faire éruption; **6** (*v. vlammen*) sortir, éclater; (*bij balspel*) mettre (la balle) dehors.
uit'slaand *b.n.* **1** (*v. kaart, enz.*) dépliant; **2** (*v. brand*) violent.
uit'slag *m.* **1** (*op muren*) moisissure, efflorescence *f.*; **2** (*v. huid*) éruption *f.*, exanthème *m.*; **3** (*afloop*) résultat *m.*, issue *f.*; ***stille* —,** (*H.*) bon poids *m.*
uit'slapen I *on.w.* dormir (tout) son soûl; dormir la grasse matinée; **II** *ov.w.*, ***zijn roes* —,** cuver son vin.
uit'slepen *ov.w.* traîner dehors.
uit'sliepen *ov.w.* faire ratisse à.
uit'sloven, *zich* —, *w.w.* se donner du mal, se mettre en quatre (pour).
uit'sluiten *ov.w.* **1** (*buiten sluiten*) fermer la porte à qn., mettre à la porte; **2** (*weren*) exclure; **3** (*uitzonderen*) excepter; **4** (*werklieden*) lock-outer; **5** (*bij wedstrijd*) disqualifier.
uitslui'tend I *b.n.* exclusif; **II** *bw.* exclusivement.
uit'sluiting *v.* **1** exclusion *f.*; **2** exception *f.*; **3** (*van werklieden*) lock-out *m.*; ***met — van,*** à l'exclusion de.
uit'sluitsel *o.* **1** (*beslissend antwoord*) réponse *f.* définitive, — décisive; **2** (*verklaring*) explication *f.*
uit'slurpen *ov.w.* **1** (*ei, enz.*) gober, humer; **2** (*met teugjes*) siroter.
uit'smelten *ov.w.* **1** fondre; **2** (*metaal*) affiner.
uit'smeren *ov.w.* étendre.
uit'smijten *ov.w.* jeter dehors; ***de deur* —,** jeter à la porte, flanquer —.
uit'smijter *m.* **1** expulseur, polonais *m.*; **2** petit pain au jambon et aux œufs.
uit'snellen *on.w.* s'élancer au dehors, sortir en coup de vent.
uit'snijden I *ov.w.* **1** couper, trancher; **2** (*gen.*) extirper; **3** (*takken*) élaguer; **4** (*in hout*) sculpter; **5** (*in steen, metaal*) graver, ciseler; **6** (*boogsgewijze* —) échancrer; **II** *on.w.* décamper, filer.
uit'snijding *v.* **1** (*alg.*) découpure *f.*; **2** (*gen.*) extirpation *f.*; **3** (*v. takken*) élagage *m.*; **4** sculpture; gravure, ciselure *f.*; **5** échancrure *f.*; (*om de hals*) encolure *f.*
uit'spannen I *ov.w.* **1** (*uitstrekken*) tendre, étendre; **2** (*paard, enz.*) dételer; **II** *w.w.*, ***zich* —,** se délasser, se distraire, se récréer.
uit'spanning *v.* **1** (*herberg*) auberge *f.*; **2** (*pleisterplaats*) relais *m.*; **3** (*het uitspannen*) dételage *m.*; **4** (*vermaak*) délassement *m.*, distraction, récréation *f.*
uit'spansel *o.* firmament *m.*
uit'sparen *ov.w.* économiser, épargner.
uit'sparing *v.* économie, épargne *f.*
uit'spatten *on.w.* **1** jaillir; **2** (*fig.*) faire des excès.
uit'spatting *v.* **1** jaillissement *m.*; **2** (*fig.*) excès *m.*, extravagance *f.*
uit'spelen I *ov.w.* **1** (*kaart*) jouer; **2** (*spel*) finir; **3** (*fig.*) ***iets tegen iem.* —,** opposer qc. à qn.; **II** *on.w.* **1** finir (le jeu), finir de jouer; **2** avoir la main.
uit'spinnen *ov.w.* **1** tirer, étendre; **2** (*fig.*) étendre, amplifier; (*ong.*) ***te lang* —,** délayer.
uit'spitten *ov.w.* bêcher.
uit'spoelen *ov.w.* **1** (*wassen*) rincer, laver; **2** (*uithollen*) creuser, miner.
uit'spraak *v.*(*m.*) **1** (*wijze v. spreken*) prononciation *f.*; **2** (*tongval*) accent *m.*; **3** (*vonnis*) (*v. rechter*) sentence *f.*; (*v. gerechtshof*) arrêt *m.*; (*v. jury*) verdict *m.*; (*handeling*) prononcé *m.*; **4** (*oordeel*) jugement *m.*; **5** (*beslissing*) décision *f.*; ***een duidelijke* —,** une articulation nette.
uit'spreiden *ov.w.* **1** (*tafelkleed, enz.*) étendre; **2** (*benen*) écarter, écarquiller; **3** (*vleugels*) déployer.
uit'spreken I *ov.w.* **1** (*letter, woord, enz.*) prononcer; **2** (*duidelijk* —) articuler; **3** (*mening*) émettre, exprimer; **4** (*vonnis*) rendre, prononcer; **II** *on.w.*, (*ten einde zeggen*) achever, finir (de parler); ***laat mij* —,** laissez-moi finir, — achever; **III** *w.w.*, ***zich* —,** se prononcer.

uit'springen *on.w.* **1** saillir, faire saillie; **2** (*v. trottoir*) empiéter sur.
uit'sprong *m.* saillie *f.*
uit'spruiten *on.w.* **1** (*ontkiemen*) germer; **2** (*knop*) bourgeonner; **3** (*v. loten*) pousser. [**3** pousse *f.*
uit'spruitsel *o.* **1** germe *m.*; **2** bourgeon *m.*;
uit'spuiten I *ov.w.* **1** (*v. waterstraal*) lancer; **2** (*v. wond, enz.*) seringuer; **II** *on.w.* gicler.
uit'spuwen *ov.w.* cracher; (*uitbraken*) vomir.
uit'staan I *ov.w.*, (*verdragen, lijden*) endurer, supporter, souffrir; ***niets hebben uit te staan met,*** (*persoon*) n'avoir rien à démêler avec; (*zaak*) n'avoir rien à voir avec; **II** *on.w.*, (*v. geld*) être placé à intérêt; ***— tegen 4 percent,*** être placé à 4 pour cent.
uit'staand *b.n.* (*uitgezet*) dilaté; ***—e schuld,*** dette *f.* exigible, créance *f.*; ***—e rekeningen,*** comptes impayés; ***—e vorderingen,*** dettes actives.
uit'stalkast *v.(m.)* vitrine, montre *f.*
uit'stallen *ov.w.* étaler.
uit'stalling *v.* étalage *m.*
uit'stalraam *o.* devanture, montre *f.*
uit'stamelen *ov.w.* bégayer; balbutier.
uit'stapje *o.* (petite) excursion *f.*
uit'stappen *on.w.* **1** descendre (de voiture); **2** (*aan wal*) débarquer, mettre pied à terre; ***bij het —,*** à la descente.
uitste'dig *b.n.* absent, en voyage.
uitste'digheid *v.* absence *f.*
uit'steeksel *o.* **1** saillie *f.*; **2** (*been—*) apophyse *f.*
uit'stek *o.* saillie *f.*; ***bij —,*** éminemment, par excellence.
uit'steken I *ov.w.* **1** (*bieten, aardappelen, enz.*) arracher, enlever; **2** (*oog*) crever; **3** (*graveren*) graver; **4** (*uitstrekken*) (*hand, arm*) étendre; (*been*) allonger, avancer; **5** (*vlag*) arborer, sortir; ***geen hand — om,*** ne pas remuer le doigt pour; ***iem. de ogen —,*** (*fig.*) faire crever qn. d'envie; ***de tong — tegen iem.,*** tirer la langue à qn.; **II** *on.w.* **1** saillir, faire saillie; **2** ***— buiten,*** déborder; **3** ***— boven,*** dépasser; (*fig.*) surpasser; l'emporter sur.
uit'stekend *b.n.* saillant.
uitste'kend I *b.n.* excellent, éminent; **II** *bw.* à merveille, excellemment.
uitste'kendheid *v.* excellence *f.*
uit'stel *o.* **1** délai, retard *m.*; **2** (*daad*) ajournement *m.*; **3** (*respijt: kort —*) répit *m.*; **4** (*H.*) (*wissel*) prorogation *f.*; ***— van betaling,*** sursis, aternoiement *m.*; ***— is geen afstel,*** ce qui est différé n'est pas perdu; ***van — komt afstel,*** partie remise, partie manquée; ***dat kan geen — lijden,*** cela ne peut souffrir aucun retard.
uit'stellen *ov.w.* **1** différer, ajourner, remettre; **2** (*recht*) surseoir à, proroger; **3** (*H. Sacrament*) exposer; ***uitgestelde aandelen,*** actions différées; ***uitgestelde jaarrente,*** rente différée.
uit'stelling *v.* (*H. Sacrament*) exposition *f.*
uit'sterven *on.w.* s'éteindre.
uit'sterving *v.* extinction *f.*
uit'stijging *on.w.* descendre (de voiture, du train).
uit'stippelen *ov.w.* **1** pourvoir de points conducteurs; **2** (*fig.*) tracer d'avance, jalonner.
uit'stoffen *ov.w.* épousseter, dépoussiérer.
uit'stomen *ov.w.* nettoyer à sec, laver (*of* dégraisser) à la vapeur; (*sch.*) ***de haven —,*** sortir du port, quitter le port.
uit'stoming *v.* nettoyage *m.* à sec.
uit'storten I *ov.w.* **1** (*leegstorten*) répandre, décharger, verser; **2** (*hart*) épancher; **3** (*smart*) exhaler; **II** *on.w.* **1** se déverser sur, se répandre sur; **2** (*gen.*) s'extravaser.
uit'storting *v.* **1** (*v. hart*) effusion *f.*, épanchement *m.*; **2** (*gen.*) épanchement *m.*; ***— van bloed,*** hémorrhagie *f.*; ***de — van de H. Geest,*** l'inspiration du Saint-Esprit.
uit'stoten *ov.w.* **1** pousser dehors, expulser; **2** (*ruit, enz.*) briser, casser; **3** (*kreet*) pousser.
uit'stoting *v.* expulsion *f.*
uit'stralen *ov.w. en on.w.* rayonner.
uit'straling *v.* rayonnement *m.*, radiation *f.*
uit'stralingspunt *o.* centre *m.* de radiation.
uit'stralingsvermogen *o.* pouvoir *m.* rayonnant.
uit'stralingswarmte *v.* chaleur *f.* radiante.
uit'strekken I *ov.w.* étendre, allonger; **II** *w.w.*, ***zich —,*** s'étendre.
uit'strekking *v.* extension *f.*
uit'stromen *on.w.* **1** (*v. vloeistof*) s'écouler, se répandre; **2** (*v. rivier*) se jeter, se décharger dans; **3** (*v. bloed*) jaillir; **4** (*v. warmte*) émaner.
uit'stroming *v.* écoulement; jaillissement *m.*, émanation *f.*; (*v. stoom*) évacuation *f.*
uit'strooien *ov.w.* **1** semer, éparpiller, répandre; **2** (*fig.*) répandre.
uit'strooisel *o.* faux *m.* bruit.
uit'studeren *on.w.* terminer ses études.
uit'sturen *ov.w.* envoyer, dépêcher; ***de haven —,*** piloter hors du port; ***de klas —,*** renvoyer.
uit'tanden *ov.w.* denteler.
uit'tarten *ov.w.* provoquer, défier.
uit'tarting *v.* provocation *f.*, défi *m.* [décrire.
uit'tekenen *ov.w.* **1** dessiner; **2** (*fig.*) peindre,
uit'tellen *ov.w.* compter.
uit'teren I *ov.w.* consumer, exténuer; **II** *on.w.* se consumer, dépérir.
uit'tering *v.* consomption *f.*, dépérissement *m.*
uit'tocht *m.* **1** (*afreis*) départ *m.*; **2** (*trek*) exode *m.*
uit'tornen *ov.w.* découdre.
uit'trappen *ov.w.* **1** (*door trappen doven*) éteindre du pied; **2** (*verjagen*) chasser à coups de pied; **3** (*sp.*) envoyer (le ballon) dehors.
uit'treden *on.w.* **1** sortir (de); **2** (*fig.*) se retirer, donner sa démission; ***de —de vennoot,*** l'associé sortant.
uit'treding *v.* **1** sortie *f.*; **2** démission *f.*; retraite *f.*
uit'trekken *ov.w.* **1** (*alg.*) arracher; **2** (*tand*) extraire, arracher; **3** (*kleren*) ôter; **4** (*tafel*) allonger; **5** (*lade*) ouvrir; (*fig.*) ***een bedrag — voor,*** affecter une somme à, destiner —.
uit'trekking *v.* arrachement *m.*, extraction *f.*
uit'treksel *o.* (*beknopt overzicht*) résumé, extrait *m.*
uit'trektafel *v.(m.)* table *f.* à rallonges.
uit'vaagsel *o.* **1** balayures, ordures *f.pl.*; **2** (*gemeen volk*) lie *f.* (du peuple); rebut *m.*
uit'vaardigen *ov.w.* **1** (*wet*) promulguer; **2** (*bevel*) donner, lancer; **3** (*aanhoudingsbevel*) décerner, lancer.
uit'vaardiging *v.* promulgation *f.*
uit'vaart *v.(m.)* **1** sortie *f.*, départ *m.*; **2** (*begrafenis*) funérailles, obsèques *f.pl.*
uit'val *m.* **1** (*mil.*) sortie *f.*; **2** (*schermen*) attaque, botte, passe *f.*; **3** (*fig.*) sortie *f.*; (*verontwaardigd*) diatribe *f.*; ***een — doen,*** **1** (*bij schermen*) pousser une botte (du fleuret); **2** (*mil.*) faire une sortie.
uit'vallen *on.w.* **1** (*mil.*) faire une sortie; **2** (*achterblijven: op tocht, enz.*) rester en arrière; **3** (*v. haar, enz.*) tomber; **4** (*v. bloemen*) s'effeuiller; **5** (*schermen*) se fendre; **6** (*fig.*) s'emporter, éclater (contre qn.); ***goed —,*** réussir, bien tourner; ***slecht —,*** mal réussir, mal tourner; ***zijn tanden vallen uit,*** il perd ses dents; ***het —,*** la chute; la perte.
uit'valler *m.* **1** (*mil.: bij mars*) traînard *m.*; **2** (*bij wedstrijd*) concurrent *m.* qui abandonne.

uit'valshoek *m.* angle *m.* de réflexion.
uit'valsweg *m.* grande voie *f.* d'évasion, autoroute *f.* de dégagement.
uit'varen *on.w.* **1** (*schip*) partir, sortir (de), quitter (le port); **2** (*fig.*) fulminer (contre), invectiver (contre), se déchaîner (contre), déblatérer (contre).
uit'vechten *ov.w.* **1** décider par les armes; **2** (*fig.*) (*geschil*) vider.
uit'vegen *ov.w.* **1** (*reinigen*) balayer, nettoyer, essuyer; **2** (*uitwissen*) effacer; ***zijn ogen —,*** se frotter les yeux.
uit'venten *ov.w.* débiter; colporter.
uit'verkiezen *ov.w.* choisir, élire.
uit'verkiezing *v.* **1** (*keus*) sélection *f.*; **2** (*voorbeschikking*) prédestination *f.*
uit'verkocht *b.n.* (*v. boek*) épuisé; ***de zaal is —,*** toutes les places sont prises.
uit'verkoop *m.* (*H.*) **1** (*wegens opheffing*) liquidation *f.*; **2** (*seizoen, enz.*) mise *f.* en vente; vente *f.* au rabais.
uit'verkoopprijs *m.* prix *m.* réduit; — d'occasion.
uit'verkopen *ov.w.* **1** liquider; **2** vendre au rabais; **3** (*uitgave*) épuiser.
uit'verkoren I *b.n.* élu; **II** *z.n.*, **—e** *m.-v.* élu *m.*, [—e *f.*
uit'vertellen *ov.w.* achever de raconter, raconter jusqu'au bout.
uit'vieren I *ov.w.*, (*touw*) filer; **II** *on.w.* prendre du repos, se soigner.
uit'vijlen *ov.w.* limer; creuser à la lime.
uit'vinden *ov.w.* **1** inventer; **2** (*opsporen*) trouver, découvrir.
uit'vinder *m.* inventeur *m.*
uit'vinding *v.* invention *f.*
uit'vindsel *o.* invention, fable *f.*
uit'vissen *ov.w.* (*fig.*) découvrir, tirer au clair.
uit'vlakken *ov.w.* effacer; ***dat moet je niet —,*** il ne faut pas prendre cela à la légère, ce n'est pas de la petite bière.
uit'vliegen *on.w.* s'envoler; quitter le nid; ***de deur —,*** s'élancer, se précipiter dehors.
uit'vloeien *on.w.* **1** s'écouler; **2** (*fig.*) émaner (de).
uit'vloeiing *v.* **1** écoulement *m.*; **2** émanation *f.*
uit'vloeisel *o.* **1** émanation *f.*; **2** (*fig.*) conséquence *f.*, résultat *m.*
uit'vlucht *v.*(*m.*) **1** sortie *f.*; **2** (*verzinsel*) prétexte, faux-fuyant* *m.*; **3** (*toevlucht*) retraite, ressource *f.*
uit'voer *m.* **1** (*handeling*) exportation *f.*; **2** (*goederen*) exportations *f.pl.*; ***ten — brengen,*** mettre à exécution; ***ten — leggen,*** (*recht*) exécuter.
uit'voerartikel *o.* article *m.* d'exportation.
uitvoer'baar *b.n.* exécutable, réalisable, praticable, possible.
uitvoer'baarheid *v.* possibilité *f.*
uit'voerconsent, -konsent *o.* licence *f.* d'exportation.
uit'voercontingent, -kontingent *o.* contingent *m.* d'exportation.
uit'voerder *m.* **1** exportateur *m.*; **2** exécuteur *m.*
uit'voeren *ov.w.* **1** (*naar buitenland*) exporter; **2** (*volbrengen*) exécuter, mettre à exécution; **3** (*doen*) faire; **4** (*toneelstuk*) représenter; ***een contract —,*** mettre un contrat à éxécution; ***wat voert hij toch uit?*** qu'est-ce qu'il fabrique?
uit'voerend *b.n.* exécutif; ***de —e macht,*** l'exécutif *m.*
uit'voerhandel *m.* commerce *m.* d'exportation.
uit'voerhaven *v.*(*m.*) port *m.* exportateur.
uitvoe'rig I *b.n.* (*omstandig*) détaillé, circonstancié; (*breedvoerig*) ample; **II** *bw.* d'une manière détaillée; tout au long, amplement.
uitvoe'righeid *v.* détails *m.pl.*; (*gerektheid*) étendue *f.*
uit'voering *v.* **1** (*het ten uitvoer brengen*) exécution *f.*; **2** (*toneel*) représentation *f.*; **3** (*muz.*) exécution; audition *f.*
uit'voeringsbesluit *v.* arrêté *m.* d'exécution.
uitvoerkonsent, *zie* ***uitvoerconsent.***
uitvoerkontingent, *zie* ***uitvoercontingent.***
uit'voermarkt *v.*(*m.*) marché *m.* d'exportation.
uit'voerpremie *v.* prime *f.* d'exportation.
uit'voerprodukt, -product *o.* produit *m.* d'exportation.
uit'voerrecht *o.* droits *m.pl.* de sortie.
uit'voerstatistiek *v.* statistique *f.* des exportations.
uit'voerverbod *o.* interdiction *f.* d'exportation.
uit'voervergunning *v.* licence *f.* d'exportation, permis *m.* —.
uit'vorsen *ov.w.* découvrir, scruter, sonder.
uit'vorsend *b.n.* scrutateur.
uit'vorsing *v.* découverte, recherche *f.*
uitvouw'baar *b.n.* en dépliant.
uit'vouwen *ov.w.* déplier.
uit'vragen *ov.w.* interroger, questionner; (*uithoren*) tenir sur la sellette; ***uitgevraagd worden,*** être invité (à).
uit'vreten *ov.w.* **1** (*v. dieren*) manger; vider; **2** (*wegvreten*) ronger; **3** (*uitbijten*) corroder.
uit'waaien *on.w.* **1** être éteint par le vent; **2** (*in de wind wapperen*) flotter au vent; ***het venster —,*** s'envoler par la fenêtre.
uit'was *m. en o.* excroissance, protubérance *f.*
uit'wasemen I *ov.w.* exhaler; **II** *on.w.* (*verdampen*) s'évaporer.
uit'waseming *v.* **1** exhalaison *f.*; évaporation *f.*; **2** (*v. ongezonde damp*) miasme *m.*
uit'wassen I *ov.w.* laver; **II** *on.w.* croître, se développer.
uit'wateren *on.w.* se décharger; se jeter, déboucher (dans).
uit'watering *v.* décharge; embouchure *f.*
uit'wateringskanaal *o.* canal *m.* de déversement.
uit'wateringssluis *v.*(*m.*) écluse *f.* de décharge.
uit'weg *m.* **1** issue, sortie *f.*; **2** (*fig.*) expédient *m.*; ***geen — (meer) weten,*** être dans une impasse, ne plus savoir à quel saint se vouer.
uit'wegen *ov.w.* débiter au poids.
uit'weiden *ov.w.* faire des digressions, s'écarter de son sujet; ***— over,*** s'étendre sur.
uit'weiding *v.* digression *f.*
uitwendig I *b.n.* extérieur; externe; ***— gebruik,*** usage externe; ***—e oorzaken,*** causes extrinsèques; **II** *bw.* extérieurement, à l'extérieur.
uitwen'digheid *v.* extériorité *f.*; dehors *m.*; apparence *f.*
uit'werken I *ov.w.* **1** (*onderwerp*) développer; **2** (*plan*) élaborer; **3** (*vraagstuk*) résoudre; **4** (*stenogram*) traduire, développer en clair; **5** (*hout*) sculpter; **6** (*metaal*) ciseler; **7** (*tot stand brengen*) effectuer, opérer; (*fig.*) ***niet veel —,*** ne pas avoir beaucoup d'effet; **II** *on.w.* **1** (*uitgisten*) cesser de fermenter; **2** (*v. geneesmiddel*) cesser d'opérer.
uit'werking *v.* **1** développement *m.*; **2** élaboration *f.*; **3** solution *f.*; **4** développement *m.* en clair; **5** sculpture *f.*; **6** ciselure *f.*; **7** effet, résultat *m.*
uit'werksel *o.* effet *m.*
uit'werpen *ov.w.* **1** (*net, anker, enz.*) jeter; **2** (*lid*) exclure; **3** (*v. vulkaan*) vomir, cracher; **4** (*eten*) rejeter, rendre; **5** (*duivelen*) exorciser; **6** (*parachute, kabel*) larguer, éjecter.
uit'werping *v.* **1** jet *m.*; **2** exclusion *f.*; **3** vomissement *m.*; **4** rejet *m.*; **5** exorcisation *f.*
uit'werpselen *mv.* excréments *m.pl.*

uit'wieden *ov.w.* sarcler, arracher.
uit'wijkeling *m.* émigré *m.*
uit'wijken *on.w.* **1** (*opzij gaan*) se ranger, faire place; **2** (*met auto*) se garer; **3** (*v. muur: uit het lood*) déverser; se gauchir; **4** (*naar buitenland*) émigrer, s'expatrier; ***rechts*** (***links***) ***—,*** obliquer à droite (à gauche); ***voor iem. —,*** se ranger devant qn.
uit'wijkhaven *v.*(*m.*) port *m.* de garage.
uit'wijking *v.* **1** évitement *m.*; **2** garage *m.*; **3** émigration, expatriation *f.*
uit'wijzen *ov.w.* **1** (*'t verblijf ontzeggen*) chasser, expulser; mettre à la porte; **2** (*tonen*) montrer, prouver; **3** (*beslissen*) décider; ***de tijd zal het —,*** qui vivra verra.
uit'wijzing *v.* expulsion *f.*
uit'winnen *ov.w.* **1** gagner, épargner, économiser; **2** (*recht*) évincer.
uit'winning *v.* (*recht*) éviction *f.*
uit'wippen **I** *on.w.* sortir un instant; **II** *ov.w.*, ***het venster —,*** jeter par la fenêtre.
uitwis'baar *b.n.* effaçable.
uit'wisselen *ov.w.* échanger; (*v. gevangenen*) faire l'échange de.
uit'wisseling *v.* échange *m.*
uit'wisselingsverdrag *v.* cartel *m.* d'échange.
uit'wissen *ov.w.* **1** effacer; **2** (*v. opschrift*) oblitérer; **3** (*mil.: kanon*) écouvillonner; **4** (*schuld, herinnering*) éteindre.
uit'wissing *v.* effacement *m.*; oblitération *f.*
uit'woeden *on.w.* s'apaiser, se calmer.
uit'wonen *ov.w.* rendre inhabitable.
uit'wonend *b.n.* externe.
uit'wrijfborstel *m.* polissoire *f.*
uit'wrijven *ov.w.* **1** (*uitvegen*) effacer; **2** (*door wrijven reinigen*) nettoyer (à force de frotter); **3** (*wrijvend verbreiden*) étendre en frottant; **4** (*na het boenen of wassen*) polir; ***zich de ogen —,*** se frotter les yeux.
uit'wringen *ov.w.* **1** (*doek, linnen*) tordre; **2** (*vocht*) exprimer.
uit'zaaien *ov.w.* semer.
uit'zagen *ov.w.* découper avec la scie.
uit'zakken *on.w.* **1** s'affaisser; **2** (*gen.*) descendre, sortir.
uit'zeilen *on.w.* mettre à la voile, partir.
uit'zenden *ov.w.* **1** envoyer; **2** (*troepen*) expédier; **3** (*schip*) détacher; **4** (*stralen, radio, enz.*) émettre.
uit'zending *v.* **1** envoi *m.*; **2** expédition *f.*; **3** détachement *m.*; **4** émission *f.*
uit'zet *m. en o.* **1** trousseau *m.*; **2** (*v. klein kind*) layette *f.*
uitzet'baar *b.n.* dilatable, expansible.
uitzet'baarheid *v.* dilatabilité, expansibilité *f.*
uit'zetten **I** *ov.w.* **1** (*buiten zetten*) mettre dehors; **2** (*sch.*) (*sloep*) mettre à la mer; (*troepen, enz.*) débarquer, mettre à terre; **3** (*mil.: schildwachten*) placer; **4** (*geld*) placer (à intérêt); **5** (*doen zwellen*) étendre, enfler; **6** (*door warmte*) dilater; ***de deur —,*** mettre à la porte; **II** *on.w.* se dilater, se gonfler, s'étendre.
uit'zetting *v.* **1** expulsion *f.*; **2** mise *f.* à la mer; **3** débarquement *m.*; **4** placement *m.*; **5** extension *f.*; **6** dilatation *f.*; **7** gonflement *m.*; **8** (*gas*) expansion *f.*
uit'zettingscoëfficiënt, -koëfficiënt *m.* coefficient *m.* de dilatation.
uit'zettingsvermogen *o.* dilatabilité *f.*
uit'zicht *o.* **1** vue *f.*; **2** (*vooruitzicht*) perspective *f.*; **3** (*uiterlijk*) mine *f.*; ***— hebben op,*** donner sur; ***in — stellen,*** promettre, faire espérer.
uit'zichttoren *m.* belvédère*-pavillon* *m.*
uit'zieken *on.w.* être en convalescence.
uit'zien *on.w.* **1** (*naar buiten zien*) regarder dehors; **2** (*door 't raam*) regarder par; **3** (*uitzicht hebben op*) donner sur; avoir vue sur, **4** (*— naar, zoeken naar*) chercher, être en quête de; ***er goed*** (***gezond***) ***—,*** avoir bonne mine; ***er jong —,*** paraître jeune; ***hij ziet er jonger uit dan hij is,*** il ne paraît pas son âge; ***het ziet er lelijk met hem uit,*** il est dans de vilains draps; ***het ziet er naar uit, dat...,*** tout porte à croire que.
uit'ziften *ov.w.* **1** cribler, tamiser; **2** (*fig.*) éplucher, trier.
uit'zijgen *ov.w.* filtrer.
uit'zingen *ov.w.* chanter jusqu'au bout; ***het*** (***liedje***) ***—,*** tenir jusqu'au bout; ***hij kan het een jaar —,*** il a de quoi vivre pendant un an.
uitzin'nig **I** *b.n.* **1** (*v. geestdrift*) frénétique; **2** (*v. kreten*) éperdu; **3** (*dwaas*) insensé, absurde; **II** *bw.* frénétiquement; éperdument; d'une manière insensée.
uitzin'nigheid *v.* frénésie *f.*; folie, démence *f.*
uit'zitten *ov.w.*, ***zijn tijd —,*** faire son temps, purger sa condamnation.
uit'zoeken *ov.w.* **1** (*uitkiezen*) choisir, faire un choix; **2** (*sorteren*) trier.
uit'zonderen *ov.w.* excepter; exclure.
uit'zondering *v.* exception *f.*; ***bij —,*** exceptionnellement; ***bij wijze van —,*** à titre d'exception; ***met — van,*** à l'exception de, excepté.
uit'zonderingsgeval *o.* cas *m.* d'exception.
uit'zonderingstarief *o.* tarif *m.* de préférence.
uit'zonderingstoestand *m.* état *m.* d'exception.
uit'zonderingswet *v.*(*m.*) loi *f.* d'exception.
uitzon'derlijk *b.n.* exceptionnel.
uit'zuigen *ov.w.* **1** sucer; **2** (*fig.*) gruger, exploiter; (*bevolking*) pressurer.
uit'zuiger *m.* **1** suceur *m.*; **2** exploiteur, exacteur, vampire *m.*
uit'zuiging *v.* **1** succion *f.*; **2** exploitation *f.*
uit'zuinigen *ov.w.* épargner, économiser.
uit'zuiniging *v.* épargne, économie *f.*
uit'zwavelen **I** *ov.w.* soufrer; **II** *z.n.* ***het —,*** le soufrage.
uit'zwermen *on.w.* essaimer.
uit'zweten **I** *ov.w.* suer; **II** *on.w.* suinter.
Uk'kel *o.* Uccle *f.*
uk'kepuk *m.* bambin, mioche *m.*
ulaan' *m.* uhlan, hulan *m.*
u'level *v.*(*m.*) caramel *m.*, berlingot *m.*
ul'ster *m.* ulster *m.*
ultima'tum *o.* ultimatum *m.*
ul'timo, ***— september,*** (*H.*) fin septembre.
ul'tra *m.* ultra *m.*
ultramarijn' *o.* (bleu d') outremer *m.*
ultramontaan' *m.* ultramontain *m.*
ultramontaans' *b.n.* ultramontain.
ultraviolet' *b.n.* ultraviolet.
Ulys'ses *m.* Ulysse *m.*
Um'brië *o.* l'Ombrie *f.*
Um'briër *m.* Ombrien *m.*
um'laut *m.* inflexion *f.*; ***met —,*** infléchi.
unaniem' **I** *b.n.* unanime; **II** *bw.* unanimement.
unfair' *b.n.* déloyal.
u'nicum *p.* exemplaire *m.* unique; chose *f.* unique en son genre.
u'nie *v.* union *f.*
uniek' **I** *b.n.* unique; **II** *bw.* d'une manière unique.
uniform' *o. en v.*(*m.*) uniforme *m.*
uniforme'ren *ov.w.* uniformiser.
uniform'jas *m. en v.* (*mil.*) tunique *f.*
uniform'pet *v.*(*m.*) casquette *f.* d'uniforme.
uniso'no *bw.* à l'unisson.
unita'riër *m.* unitarien, unitaire *m.*

unita'risch *b.n.* unitaire.
universeel' **I** *b.n.* universel; **II** *bw.* universellement.
universiteit' *v.* université *f.*
universiteits'bibliot(h)eek *v.* bibliothèque *f.* de l'université.
universiteits'stad *v.(m.)* ville *f.* universitaire.
U'no-soldaat *m.* casque *m.* bleu.
un'ster *v.(m.)* peson *m.*, (balance) romaine *f.*
Up'sala *o.* Upsal *m.*
up to da'te *bw.* à la page.
uraan' *o.*, **ura'nium** *o.* uranium *m.*
ura'niumerts *o.* minerai *m.* d'uranium.
Urba'nus *m.* Urbain *m.*
urgent' *b.n.* urgent.
urgen'tie *v.* urgence *f.*
urgen'tieprogram *o.* programme *m.* d'urgence.
urgen'tieverklaring *v.* déclaration *f.* d'urgence.
uri'ne *v.(m.)* urine *f.*
urine'ren *on.w.* uriner.
uri'newegen *mv.* voies *f.pl.* urinaires.
Urk *o.* l'(ancienne) île d'Urken.
ur'men *on.w.* se lamenter (sur).
ur'n(e) *v.(m.)* urne *f.*
Ur'sula *v.* Ursule *f.*
ursuli'ne *v.* ursuline *f.*
Uruguay' *o.* l'Uruguay *m.*; ***van —,*** uruguayen.
usan'tie *v.* **1** usage *m.*; **2** (*H.*) usance *f.*
u'so *o.* (*H.*) usance *f.*
u'sotarra *v.(m.)* tare *f.* d'usage.
u'sowissel *m.* traite *f.* usuelle.
ut *v.(m.)* (*muz.*) ut, do *m.*
utiliteit' *v.* utilité *f.*
utiliteits'beginsel *o.* principe *m.* utilitaire.
utiliteits'overweging *v.* considération *f.* d'ordre utilitaire.
utopie' *v.* utopie *f.*
uto'pisch *b.n.* utopique.
utopist' *m.* utopiste *m.*
uur *o.* heure *f.*; ***een — gaans,*** une lieue, une heure de marche; ***een half —,*** une demi-heure, une demie heure; ***anderhalf —,*** une heure et demie; ***om het —,*** toutes les heures; ***per —,*** à l'heure; ***uren lang,*** des heures entières; ***te elfder ure,*** au dernier moment; ***te kwader ure,*** dans un moment mal choisi.
uur'cirkel *m.* cercle *m.* horaire.
uur'glas *o.* sablier *m.* (d'une heure).
uur'loon *o.* salaire *m.* horaire.
uur'plaat *v.(m.)* cadran *m.*
uur'werk *o.* **1** (*horloge*) horloge *f.*; **2** (*raderwerk*) mécanisme, mouvement *m.*
uur'werkmaker *m.* horloger *m.*
uur'wijzer *m.* aiguille *f.* des heures, petite aiguille.
u'-vormig *b.n.* en u.
uw *bez. vnw.* ton, ta; votre; ***de —e, het —e,*** le tien, la tienne; le vôtre, la vôtre; ***de —en,*** les vôtres.
u'went, te(n) —, 1 chez vous (toi); **2** (*H.*) sur votre place.
u'wentwege, om u'wentwil(le) pour vous, à cause de vous, pour l'amour de vous.
u'werzijds *bw.* de votre part.

V

V *v.(m.)* v *m.*
vaag **I** *b.n.* vague, confus, indécis; **II** *bw.* vaguement, confusément, indécisément.
vaag'heid *v.* vague *m.*
vaak **I** *m.* sommeil *m.*, envie *f.* de dormir; **II** *bw.* souvent, maintes fois.
vaal *b.n.* **1** (*vaalrood*) fauve; **2** (*v. gelaat*) livide, terne; **3** (*v. kleur*) passé.
vaal'bleek *b.n.* blafard, livide
vaal'bruin *b.n.* brun terne.
vaal'grijs *b.n.* gris terne.
vaal'heid *v.* couleur *f.* terne, lividité *f.*
vaal'rood *b.n.* fauve.
vaalt *v.(m.)* tas *m.* de fumier.
vaam, va'dem *m.* **1** brasse, toise *f.*; **2** (*v. hout*) corde *f.*
vaan *v.(m.)* **1** (*vaandel*) drapeau, étendard *m.*; **2** (*wimpel*) oriflamme; banderole *f.*; ***de — des oproers planten,*** lever l'étendard de la révolte.
vaan'del *o.* **1** (*alg.*) drapeau *m.*; **2** (*v. cavalerie*) étendard *m.*; **3** (*standaard, veldteken*) enseigne *f.*; **4** (*v. vereniging, processie, enz.*) bannière *f.*; ***met vliegende —s,*** enseignes déployées.
vaan'deldrager *m.* **1** porte-drapeau (*) *m.*; **2** porte-étendard (*) *m.*; **3** porte-bannière (*) *m.*
vaan'delstok *m.* hampe *f.*
vaan'delwacht *v.* garde *f.* du drapeau.
vaan'drig *m.* **1** (*mil.*) enseigne *m.*; **2** (*sch.*) enseigne *m.* de vaisseau.
vaan'tje *o.* **1** fanion *m.*; **2** (*mar.*) girouette *f.*
vaar'dig *b.n.* **1** (*behendig, bedreven*) adroit, habile; **2** (*vlug*) agile, prompt; **3** (*gereed, bereid*) prêt; **4** (*v. hand*) preste.
vaar'digheid *v.* **1** adresse, habileté *f.*; **2** promptitude *f.*
vaar'digheidsproef *v.(m.)* test *m.* de performance.
vaar'geul *v.(m.)* chenal *m.*, passe *f.*
vaar'plan *o.* liste *f.* des départs.
vaars *v.* génisse *f.*
vaart *v.(m.)* **1** (*beweging*) marche, course *f.*; **2** (*kanaal*) canal *m.*; **3** (*scheep—*) navigation *f.*; **4** (*snelheid*) marche, allure, vitesse *f.*; **5** (*aanloop*) élan *m.*; ***kapitein bij de grote —,*** capitaine *m.* au long cours; ***een schip in de — brengen,*** mettre un navire en ligne; ***in zijn — stuiten,*** arrêter dans sa marche, enrayer; ***— achter iets zetten,*** faire marcher qc. plus vite, activer une affaire; ***in volle —,*** à toute vitesse, à fond de train; ***dat schip heeft een — van 18 knopen,*** ce bateau file 18 nœuds; ***van de — afwijken,*** faire fausse route; ***kleine —,*** cabotage *m.*; ***wilde —,*** navigation *f.* irrégulière.
vaar'tuig *o.* navire, bâtiment *m.*
vaart'vermindering *v.* décélération, réduction *f.* de vitesse.
vaar'water *o.* **1** eau *f.* navigable; **2** (*vaargeul*) chenal *m.*, passe *f.*; ***iem. in het — zitten,*** marcher sur les brisées de qn.; traverser les desseins de qn.; ***uit het — geraken,*** s'écarter de son sujet.
vaar'weg *m.* voie *f.* navigable.
vaarwel' **I** *tw.* adieu; **II** *z.n., o.* adieu *m.*
vaarwel'zeggen *ov.w.* **1** dire adieu à, faire ses adieux à, prendre congé de; **2** (*fig.*) abandonner, quitter.
vaas *v.(m.)* vase *m.*
vaat, *de — doen,* faire la vaisselle, laver —.
vaat'bundel *m.* fibre *f.* vasculaire.
vaat'doek *m.* torchon *m.*, lavette *f.*; ***zo slap als een —,*** faible comme un roseau; mou comme une serviette.
vaat'hout *o.* douvain *m*

vaat'je *o.* **1** baril *m.*; **2** (*voor droge waren*) boucaut *m.*; ***een — zuur bier,*** une vieille fille, une vieille lanterne; ***uit een ander — tappen,*** changer de note.
vaat'kwast, va'tenkwast *m.* lavette *f.*
vaat'stelsel *o.* système *m.* vasculaire.
vaat'vernauwend *b.n.* (*gen.*) vaso-constricteur*.
vaat'verwijdend *b.n.* (*gen.*) vaso-dilatateur*.
vaat'water *o.* eau *f.* de vaisselle, lavure, rincure, lavasse *f.*
vaat'weefsel *o.* tissu *m.* vasculaire.
vaat'werk *o.* **1** (*allerlei vaten*) boissellerie; futaille *f.*; **2** (*schotels en borden*) vaisselle *f.*
vacant', vakant' *b.n.* vacant; ***een —e plaats,*** une vacance.
vacan'tie(-), *zie* ***vakantie(-).***
vaca'tie, vaka'tie *v.* vacation *f.* [*f.pl.*
vaca'tiegelden, vaka'tiegelden *mv.* vacations
vacatu're, vacatuur', vakatu're, vakatuur' *v.* vacance *f.*, place *f.* vacante.
vacci'ne *v.*(*m.*) **1** (*koepokstof*) vaccin *m.*; **2** (*inenting*) vaccination *f.*
vacci'nebewijs *o.* certificat *m.* de vaccination.
vaccine'ren *ov.w. en on.w.* vacciner.
vace'ren *on.w.* vaquer, être vacant.
vacht *v.*(*m.*) toison *f.*
va'cuüm *o.* vide *m.*
va'cuümglas *o.* vase *m.* à vide sec de Crookes.
va'cuümlamp *v.*(*m.*) lampe *f.* à vide.
va'cuümpomp *v.*(*m.*) pompe *f.* à vide.
va'cuümrem *v.*(*m.*) frein *m.* à vide.
va'dem, vaam *m.* **1** (*v. armen*) envergure *f.*; **2** (*maat*) brasse; toise *f.*; **3** (*v. hout*) corde *f.*
va'demen *ov.w.* **1** toiser; **2** (*v. hout*) corder.
va'der *m.* **1** père *m.*; **2** (*v. gesticht*) directeur *m.*; **3** (*fig.: v. voorstel, enz.*) auteur *m.*; ***onze —en,*** nos pères, nos ancêtres; ***van — op zoon,*** de père en fils; ***de heilige —,*** le saint-père; ***de hemelse V—,*** le Père éternel.
va'derdag *m.* fête *f.* des pères.
va'derhart *o.* cœur *m.* paternel, — de père.
va'derhuis *o.* maison *f.* paternelle.
va'derland *o.* patrie *f.*; ***het — verlaten,*** s'expatrier, quitter la patrie; ***naar het — terugzenden,*** rapatrier.
va'derlander *m.* patriote *m.*
va'derlandloze *m.* sans-patrie, apatride *m.*; personne *f.* déplacée; heimatlos *m.*
va'derlands *b.n.* patriotique; national.
va'derlandsliefde *v.* patriotisme *m.*, amour *m.* de la patrie; ***overdreven —,*** chauvinisme *m.*
va'derland(s)lievend I *b.n.* patriotique; **II** *bw.* patriotiquement.
va'derlief *m.* petit père, mon cher papa *m.*
va'derliefde *v.* amour *m.* paternel.
va'derlijk I *b.n.* paternel; **II** *bw.* paternellement, en père.
va'derloos *b.n.* sans père.
va'dermoord *m. en v.* parricide *m.*
va'dermoorder *m.* parricide *m.*
vaderons' *o.* (*B.*) pater *m.*
va'derplicht *m. en v.* devoir *m.* de père.
va'derschap *o.* paternité *f.*
va'derstad *v.*(*m.*) ville *f.* natale.
va'dertje *o.* (mon) petit père *m.*
va'dervreugde *v.* joies *f.pl.* paternelles, — de la paternité.
va'derzegen *m.* bénédiction *f.* paternelle.
va'derzorg *v.*(*m.*) soins *m.pl.* paternels.
vad'sig I *b.n.* indolent; **II** *bw.* indolemment.
vad'sigheid *v.* indolence.
va'gebond *m.* vagabond, chemineau *m.*
va'gen *ov.w.* effacer.
va'gevuur *o.* purgatoire *m.*
vak *o.* **1** (*afdeling*) case *f.*, compartiment *m.*; **2** (*v. zoldering*) caisson *m.*; **3** (*v. muur*) pan *m.*; **4** (*v. deur, enz.*) panneau *m.*; **5** (*tussen balken*) travée *f.*; **6** (*drukk.*) cassetin *m.*; **7** (*beroep*) profession *f.*, métier *m.*; **8** (*v. wetenschap*) branche *f.*; ***een man van 't —,*** un homme du métier.
vakant', *zie* ***vacant.***
vakan'tie, vacan'tie *v.* **1** vacances *f.pl.*; **2** (*recht*) vacations *f.pl.*; ***een dag —,*** un jour de congé; ***met — gaan,*** aller en vacances, partir —; ***— hebben,*** être en vacances; ***betaalde —,*** congés *m. pl.* payés.
vakan'tieadres, vacan'tieadres *o.* adresse *f.* de vacances.
vakan'tiecursus, vakan'tiekursus, vacan'tiecursus *m.* cours *m.pl.* de vacances.
vakan'tiedag, vacan'tiedag *m.* jour *m.* de congé.
vakan'tieganger, vacan'tieganger *m.* vacancier *m.* [de vacances.
vakan'tiekaart, vacan'tiekaart *v.*(*m.*) billet *m.*
vakan'tiekamer, vacan'tiekamer *v.*(*m.*), (*v. rechtbank*) chambre *f.* des vacations.
vakan'tiekolonie, vacan'tiekolonie *v.* colonie *f.* de vacances.
vakan'tiekursus, *zie* ***vakantiecursus.***
vakan'tiereis, vacan'tiereis *v.*(*m.*) voyage *m.* de congé.
vakan'tiespreiding, vacan'tiespreiding *v.* étalement *m.* des vacances.
vakan'tietoeslag, vacan'tietoeslag *m.* prime *f.* de vacances.
vakan'tieuittocht *m.* exode *m.* des vacances.
vakan'tiewerk, vacan'tiewerk *o.* devoir(s) *m.*(*pl.*) de vacances.
vak'arbeider *m.* ouvrier *m.* qualifié.
vakat-, *zie* ***vacat.***
vak'bekwaam *m.* qualifié. [nel.
vak'belang *o.* intérêt *m.* de métier, — profession-
vak'beweging *v.* syndicalisme *m.*, mouvement *m.* syndicaliste.
vak'blad *o.* journal *m.* professionnel.
vak'bond *m.* fédération *f.* (professionnelle), organisation *f.* syndicale, syndicat *m.*; ***aangeslotene bij een —,*** fédéré, syndiqué *m.*
vak'centrale *v.*(*m.*) centrale *f.* syndicaliste.
vak'diploma *o.* diplôme *m.* professionnel.
va'kerig *b.n.* somnolent, pris de sommeil.
vak'geleerde *m.* spécialiste *m.*
vak'genoot *m.* confrère *m.*
vak'groep *v.*(*m.*) groupement *m.* corporatif, — professionnel. [le(s).
vak'kennis *v.* connaissance(s) *f.*(*pl.*) professionnel-
vak'kringen *mv.* milieu(x) *m.*(*pl.*) professionnel(s).
vakkun'dig *b.n.* professionnel, expert.
vak'leraar *m.* professeur *m.* spécial.
vak'lit(t)eratuur *v.* littérature *f.* professionnelle.
vak'man *m.* homme *m.* du métier; professionnel *m.*
vak'onderwijs *o.* enseignement *m.* professionnel.
vak'opleiding *v.* éducation (instruction *of* formation) *f.* professionnelle.
vak'organisatie, -izatie *v.* organisation *f.* syndicale, syndicalisme *m.*
vak'pers *v.*(*m.*) presse *f.* professionnelle.
vak'school *v.*(*m.*) école *f.* professionnelle.
vak'studie *v.* étude(s) *f.*(*pl.*) spéciale(s).
vak'term *m.* terme *m.* technique, — du métier.
vak'tijdschrift *o.* revue *f.* spéciale.
vak'vereniging *v.* syndicat *m.* (professionnel), organisation *f.* professionnelle.

vak'verenigingswezen *o.* syndicalisme *m.*
vak'werk *o.* caissons *m.pl.*
vak'woord *o.* terme *m.* technique.
vak'zoldering *v.* plafond *m.* à caissons.
val I *m.* **1** (*v. persoon, enz.*) chute *f.*; **2** (*v. water*) baisse, décrue *f.*; **3** (*fig.*) perte, chute, ruine *f.*; effondrement *m.*; ***het ministerie ten — brengen,*** renverser le ministère; ***in vrije —,*** en chute libre; **II** *v.(m.)* **1** (*voor muizen, enz.*) souricière *f.*; ratière *f.*; piège *m.*; **2** (*v. schoorsteen, enz.*) tour *m.*; ***in de — lopen,*** donner dans le piège, donner (*of* tomber) dans le panneau.
val'bijl *v.(m.)* guillotine *f.*, coupe-tête *m.*
val'blok *o.* bélier *m.*
val'brug *v.(m.)* pont*-levis *m.*
val'deur *v.(m.)* **1** (*alg.*) trappe *f.*; **2** (*v. sluis*) [vanne *f.*
Valen'cia *o.* Valence *f.*; ***uit —,*** valencien.
valen'tie *v.* valence *f.*
valen'tie-elektron *o.* électron *m.* positif, positon *m.*
Va'lentijn *m.* Valentin *m.*
valeriaan' *v.(m.)* valériane *f.*
Vale'rius *m.* Valère *m.*
val'gordijn *o.* store *m.*
val'hek *o.* herse *f.*
val'helm *m.* casque *m.* protecteur, serre-tête *f.*
val'hoogte *v.* hauteur *f.* de chute.
valide'ren *ov.w.* valider.
valies' *o.* valise *f.*
valies'je *o.* petite valise, mallette *f.*
valk *m. en v.* faucon *m.*
val'kejacht *v.(m.)* chasse *f.* au faucon, fauconne- [rie *f.*
Val'kenburg *o.* Fauquemont *m.*
valkenier' *m.* fauconnier *m.*
val'keogen *mv.*, (*fig.*) yeux *m.pl.* de lynx.
val'klep *v.(m.)* soupape *f.* à clapet.
val'kruid *o.*, (*Pl.*) arnica, arnique *f.*
val'kuil *m.* fosse, trappe *f.*
vallei' *v.(m.)* vallée *f.*; ***kleine —,*** vallon *m.*
val'len I *on.w.* **1** (*alg.*) tomber; **2** (*v. prijs, water, enz.: dalen*) baisser, tomber; **3** (*op slagveld*) tomber, périr, mourir, être tué; ***over iets —,*** **1** trébucher sur qc.; **2** (*fig.*) se scandaliser de qc.; ***iem. om de hals —,*** sauter au cou de qn.; ***zijn naam valt mij niet te binnen,*** son nom ne me vient pas à l'esprit; ***de tijd viel mij lang,*** le temps me durait, le temps me semblait long; ***men moet het nemen zoals 't valt,*** il faut prendre le temps comme il vient; ***dat valt moeilijk te zeggen,*** c'est difficile à dire; ***het viel hem hard, die maatregelen te moeten nemen,*** il lui en coûtait de devoir prendre ces mesures; ***er viel een schot,*** on entendit un coup de fusil, un coup de fusil se fit entendre; ***er zijn duizenden doden gevallen,*** il y a eu des milliers de tués; ***in 't oog —,*** sauter aux yeux; ***in slaap —,*** s'endormir; ***iem. lastig —,*** importuner qn.; ***iem. in de rede —,*** interrompre qn.; ***dat valt in ieders bereik,*** c'est à la portée de tout le monde; ***uit elkaar —,*** se désagréger; **II** *z.n.*, ***het —,*** **1** (*v. avond*) la tombée; **2** chute *f.*; **3** (*v. bladeren*) le tomber; **4** (*v. water*) baisse, décrue *f.*; ***bij het — van de avond,*** à la tombée de la nuit, à la nuit tombante, au déclin du jour.
val'lend *b.n.* **1** tombant; **2** (*v. ster*) filant; **3** (*v. water*) descendant; ***—e ziekte,*** épilepsie.
val'licht *o.* abat-jour *m.*
val'ling *v.* **1** (*val*) chute *f.*; **2** (*helling*) pente, inclinaison *f.*; talus *m.*; **3** (*sch.*) quête *f.*; **4** (*Z.N.: verkoudheid*) rhume *m.*
val'luik *o.* trappe *f.*
val'net *o.* trébuchet *m.*
val'poort *v.(m.)* **1** herse *f.*; **2** (*sch.*) mantelet *m.*
val'reep *m.* échelle *f.*; ***een glaasje op de —,*** le coup de l'étrier.
vals I *b.n.* **1** faux; **2** (*geveinsd*) feint, simulé; **3** (*v. haar*) postiche; **4** (*v. smaak, redenering*) mauvais; ***—e naam,*** nom supposé; ***een —e eed afleggen,*** prêter un faux serment; ***— licht,*** faux jour *m.*; ***—e speler,*** tricheur *m.*; **II** *bw.* faussement; ***— zingen,*** chanter faux; ***— spelen,*** tricher; ***— klinken,*** détonner.
vals'aard *m.* hypocrite; traître, imposteur *m.*
val'scherm *o.* parachute *m.*
val'schermspringer *m.* parachutiste *m.*
val'selijk *bw.* faussement.
vals(e)mun'ter *m.* faux-monnayeur* *m.*
vals'heid *v.* fausseté, perfidie *f.*; ***— in geschrifte,*** faux *m.* en écritures.
valsmun'ter, *zie* ***valsemunter.***
val'strik *m.* piège *m.*
val'tijd *m.* durée *f.* de la chute.
valu'ta *v.(m.)* **1** (*waarde*) valeur *f.*; **2** (*koers, wisselwaarde*) change *m.*; **3** devises *m.pl.*; ***land met lage —,*** pays à change déprecié, — avili.
valu'tacrisis, -krisis *v.* crise *f.* de change.
valu'tamarkt *v.(m.)* marché *m.* des changes.
vampier' *m.* vampire *m.*
van I *vz.* **1** (*bezit*) de, à; **2** (*richting; afkomst*) de; **3** (*oorzaak*) de, par suite de, à cause de; **4** (*begin*) de, dès, depuis; ***dat boek is van mij,*** **1** ce livre est à moi; **2** (*is door mij geschreven*) ce livre est de moi; ***een vriend — mij,*** un de mes amis; ***hij kwam — zijn vriend,*** il venait de chez son ami; ***een boek — de tafel nemen,*** prendre un livre sur la table; ***hij is — Brussel,*** il est originaire de Bruxelles; ***— toen af,*** dès lors; ***— die dag af,*** depuis ce jour-là; ***— avond,*** ce soir; ***— nu af,*** désormais, dès maintenant; ***— ijzer,*** de fer, en fer; ***dat was heel lief — u,*** c'était très gentil à vous; ***groet hem — mij,*** saluez-le de ma part; ***hij zegt — neen,*** il dit que non; ***niet slapen — 't lawaai,*** ne pas dormir à cause du bruit; ***iem. — gezicht kennen,*** connaître qn. de vue; ***stikken — 't lachen,*** étouffer à force de rire; ***— boven,*** **1** (*richting*) d'en haut; **2** (*plaats*) en haut; **II** *z.n.*, *m.* nom *m.* de famille.
vanaf' *vz.* à partir de.
vana'vond *bw.* ce soir.
vandaag' *bw.* aujourd'hui; ***— of morgen,*** un de ces jours.
vandaal' *m.* vandale *m.*
vandaan' *bw.* ***daar —,*** de là; ***waar komt u —,*** d'où venez-vous? ***blijf daar —,*** n'y allez pas; ***waar haalt u dat —,*** où allez-vous chercher tout cela? — toute cette histoire?
vandaar' *bw.* de là; ***— dat,*** de là que, c'est pour- [quoi.
vandalis'me *o.* vandalisme *m.*
vaneen' *bw.* en deux.
vaneen'rijten, vaneen'scheuren *ov.w.* dé- [chirer.
vang *v.(m.)* **1** (*tn.*) frein, arrêt *m.*; **2** (*v. rund*) culotte *f.*
vang'arm *m.* tentacule *m.*
vang'draad *m.* **1** fil *m.* de protection; **2** (*el.*) antenne *f.* réceptrice.
van'gen *ov.w.* **1** prendre, saisir, attraper, capturer; **2** (*fig.*) attraper, duper; mettre dedans; ***zich laten —,*** donner dans le piège; se laisser prendre.
van'ger *m.* preneur, attrapeur *m.*
vang'lijn *v.(m.)* amarre *f.*
vang'mast *m.* antenne *f.*
vang'net *o.* **1** lacier *m.*, lacière *f.*; **2** filet *m.* de pro- [tection.
vang'rail, -reel *v.(m.)* (*bermbeveiliging*) barrière (*of* glissière) *f.* de sécurité.
vang'snoer *o.* fourragère *f.*

vangst *v.* **1** prise, capture *f.*; **2** (*vis—*) pêche *f.*; ***een goede* —,** (*fig.*) une bonne capture.
vanhier' *bw.* **1** d'ici; **2** (*fig.*) c'est pourquoi.
vanil'le *v.* vanille *f.*
vanil'leboom *m.* vanillier *m.*
vanil'le-ijs *o.* glace *f.* à la vanille. [de vanille.
vanil'lepoeder, -poeier *o. en m.* poudre *f.*
vanil'lestokje *o.* gousse *f.* de vanille.
vanmid'dag *b.w.* cet après-midi.
vanmor'gen *b.w.* ce matin.
vannacht' *bw.* cette nuit.
vanouds' *bw.* **1** depuis longtemps, depuis de longues années; **2** (*v. firma*) anciennement.
vanwaar' *bw.* d'où.
vanwe'ge *vz.* **1** (*wegens*) à cause de, en raison de; **2** (*uit naam van*) de la part de.
vanzelf' *bw.* de soi, tout seul; ***dat spreekt* —,** cela va sans dire, cela va de soi. [ment.
vanzelfspre'kend *bw.* de toute évidence; forcé-
vanzelfspre'kendheid *v.* évidence *f.*
va'ren I *on.w.* naviguer; (*voortgaan*) voguer; ***wij — naar Amerika,*** nous allons en Amérique; ***naar het oosten —,*** cingler vers l'est; ***in een bootje —,*** se promener en bateau; ***onder Nederlandse vlag —,*** battre pavillon néerlandais; ***ten hemel —,*** monter au ciel; ***hoe vaart u ?*** comment allez-vous ? comment vous portez-vous ? ***laten —,*** abandonner; **II** *z.n., o.* navigation *f.*; **III** *v.(m.)* (*Pl.*) fougère *f.*
va'renkruid *o.* fougère. [matelot *m.*
va'rensgezel *m.* marin *m.*, homme *m.* de mer,
varian't(e) *v.(m.)* variante *f.*
varia'tie *v.* **1** (*verscheidenheid*) variété *f.*; **2** (*wijziging, afwisseling*) variation *f.*
varië'ren *ov.w. en on.w.* varier.
variété *o.* music-hall* *m.*
variëteit' *v.* variété *f.*
variété'programma *o.* programme *m.* varié.
var'ken *o.* **1** porc; cochon *m.*; **2** (*handstoffer*) brosse *f.* (à main); **3** (*sch.*) goret *m.*; ***wild —,*** porc *m.* sauvage; ***ik zal dat — wel wassen,*** j'en fais mon affaire; je m'en charge; ***vieze —s worden niet vet,*** chat ganté n'a jamais pris de souris; ***veel —s maken de spoeling dun,*** trop de bouches font chère maigre.
var'kensbak *m.* auge *f.* de cochon.
var'kensblaas *v.(m.)* vessie *f.* de porc.
var'kensborstel *m.* soie *f.* (de porc).
var'kensdraf *m.* lavure(s) *f.(pl.)*.
var'kensfokker *m.* éleveur *m.* de porcs.
varkensfokkerij' *v.* **1** (*het fokken*) élevage *m.* des porcs; **2** (*plaats*) porcherie *f.*
var'kensgebraad *o.* rôti *m.* de porc.
var'kenshaar *o.* poil *m.* de cochon, soies *f.pl.*
var'kenshoeder *m.* porcher *m.*
var'kenshok *o.* toit *m.* à porcs, porcherie *f.*
var'kenskarbonade *v.* côtelette *f.* de porc.
var'kenskop *m.* tête *f.* de cochon.
var'kenskot, *zie* ***varkenshok.***
var'kenslapjes *mv.* tranches *f.pl.* de porc.
var'kensle(d)er *o.* cuir *m.* de cochon.
var'kenslever *v.(m.)* foie *m.* de porc.
var'kensmarkt *v.(m.)* marché *m.* aux cochons.
var'kenspootje *o.* pied *m.* de porc, — de cochon.
var'kensreuzel *m.* saindoux *m.*
var'kensrib *v.(m.)* côte *f.* de porc.
var'kensslachterij *v.* charcuterie *f.*
var'kensslager *m.* charcutier *m.*
var'kenssnoet, var'kenssnuit *m.* groin *m.*
var'kensstaart *m.* queue *f.* de cochon.
var'kensstal *m.* **1** porcherie *f.*, toit *m.* à porcs; **2** (*fig.*) taudis *m.*
var'kenstrog *m.* auge *f.* de cochon.
var'kensvet *o.* graisse *f.* de porc.
var'kensvlees *o.* (du) porc *m.*
var'kentje *o.* **1** petit cochon *m.*, cochon de lait; **2** (*spaarpot*) tirelire *f.*
vaseli'ne *v.(m.)* vaseline *f.*
vasomoto'risch *b.n.* vaso-moteur*.
vast I *b.n.* **1** (*alg.*) ferme; **2** (*niet vloeibaar*) solide; **3** (*niet los*) solide, dur, consistant; **4** (*v. prijs; ster; woonplaats, enz.*) fixe; **5** (*v. weefsel, gebreid goed*) serré; **6** (*dicht*) dense; compact; **7** (*onroerend*) immeuble; **8** (*zeker*) sûr, certain; **9** (*v. slaap*) profond; **10** (*v. wil*) tenace; **11** (*voor vast benoemd*) titulaire; ***— bezoeker,*** habitué *m.*; ***—e brug,*** pont *m.* dormant; ***— werk,*** travail *m.* régulier, engagement *m.* ferme; ***de —e wal,*** la terre ferme, le plancher des vaches; ***een — besluit,*** une résolution inébranlable, — ferme; ***— offreren,*** offrir ferme; ***—e leverancier,*** fournisseur *m.* attitré; ***zonder —e woonplaats,*** sans domicile reconnu, — légal; ***zich — praten,*** s'enferrer; ***iem. — zetten,*** coller qn.; **II** *bw.* **1** fermement; **2** solidement; **3** fixement; **4** sûrement, certainement; **5** profondément; **6** (*intussen*) en attendant, toujours; ***begin maar —,*** commencez toujours; ***daar zit veel aan —,*** ce n'est pas une petite affaire; ***— op de weg liggen,*** bien tenir la route.
vast'bakken *on.w.* (s')attacher.
vastbera'den I *b.n.* ferme, résolu; **II** *bw.* fermement, résolument.
vastbera'denheid *v.* fermeté, résolution *f.*
vast'binden *ov.w.* lier, attacher, nouer; fixer.
vast'draaien *ov.w.* **1** serrer, visser; **2** (*v. rem*) bloquer.
vasteland' *o.* continent *m.*
vastelands-' *b.n.* continental.
vas'ten I *on.w.* **1** (*niet eten*) jeûner; **2** (*vlees derven*) faire maigre; **3** (*de vasten onderhouden*) observer le carême; **II** *z.n., o.* jeûne *m.*; **III** *z.n., m.* carême *m.*
vastena'vond *m.* mardi *m.* gras; carnaval *m.*
vastena'vondgek *m.* carême*-prenant* *m.*
vas'tenbrief *m.* mandement *m.* de carême.
vas'tendag *m.* **1** jour *m.* de jeûne; **2** (*onthoudingsdag*) jour *m.* maigre, — d'abstinence.
vas'tenprediker *m.* prédicateur *m.* de carême.
vas'tenpreek *v.(m.)* sermon *m.* de carême.
vas'tentijd *m.* carême *m.*
vas'tenwet *v.(m.)* mandement *m.* de carême.
vast'geroest *b.n.* enrouillé.
vast'gespen *ov.w.* boucler.
vast'grijpen *ov.w.* saisir; empoigner.
vast'groeien *on.w.* **1** (*v. planten*) s'attacher; **2** (*v. organen*) adhérer. [agrafer.
vast'haken *ov.w.* **1** accrocher; **2** (*v. kleed, enz.*)
vast'hechten *ov.w.* attacher, fixer.
vast'heid *v.* **1** fermeté *f.* **2** solidité *f.* **3** consistance *f.*; **4** fixité *f.*; **5** densité, compacité *f.*; **6** sûreté *f.*; **7** profondeur *f.*; **8** ténacité *f.*, *zie* ***vast.***
vast'houden I *ov.w.* **1** (*in hand houden*) tenir; **2** (*opdat het niet valle*) retenir; **3** (*als gevangene*) détenir, retenir prisonnier; **4** (*bewaren*) garder, conserver; **II** *on.w.* **1** tenir; **2** ***— aan,*** s'attacher à; (*v. mening*) persister dans; **III** *w.w.,* ***zich — aan,*** s'accrocher à.
vasthou'dend *b.n.* **1** (*volhardend*) tenace, persévérant; **2** (*gierig, inhalig*) avare, dur à la détente.
vasthou'dendheid *v.* **1** ténacité, persévérance, opiniâtreté *f.*; **2** avarice *f.*
vas'tigheid *v.* **1** (*vastheid*) fermeté *f.*; **2** (*zekerheid*) sûreté, assurance *f.*
vast'ketenen *ov.w.* enchaîner.

vast'klampen I *ov.w.*, (*tn.*) fixer avec des crampons; **II** *w.w.*, ***zich — aan,*** se cramponner à.
vast'klemmen I *ov.w.* serrer; **II** *w.w.*, ***zich — aan,*** se cramponner à.
vast'kleven *on.w.* (se) coller, adhérer.
vast'klinken *ov.w.* (*tn.*) river.
vast'knopen *ov.w.* **1** (*met knopen*) boutonner; **2** (*met touw*) nouer; **3** (*fig.*) lier; rattacher.
vast'leggen *ov.w.* **1** (*aan touw, ketting: v. hond, enz.*) attacher, mettre à l'attache; **2** (*v. schip*) ancrer, mouiller; **3** (*v. bootje: meren*) amarrer; **4** (*fig.: v. kapitaal*) investir, engager; **5** (*op papier*) consigner, fixer.
vast'liggen *on.w.* **1** être attaché, être à l'attache; **2** être mouillé; **3** être amarré; **4** être investi, être engagé, être placé.
vast'lijmen *ov.w.* coller.
vast'lopen *on.w.* **1** (*sch.*) s'échouer; **2** (*v. machine*) se gripper; **3** (*fig.*) ne pas aboutir; ***het verkeer is vastgelopen,*** il y a un embouteillage; ***de besprekingen zijn vastgelopen,*** les négociations sont arrivées au point mort. [*bootje*) amarrer.
vast'maken *ov.w.* **1** attacher, lier; nouer; **2** (*v.*
vast'meren *ov.w.* amarrer.
vast'naaien *ov.w.* coudre (ensemble).
vast'nagelen *ov.w.* clouer.
vast'pakken *ov.w.*, *zie* ***vastgrijpen.***
vast'plakken *ov.w.* coller.
vast'praten I *ov.w.* faire taire, mettre au pied du mur; **II** *w.w.*, ***zich —,*** s'enferrer.
vast'prikken *ov.w.* piquer, épingler.
vast'raken *on.w.* **1** s'accrocher; **2** (*sch.: stranden*) échouer; **3** (*fig.*) demeurer court.
vastrecht'tarief *o.* tarif *m.* avec base forfaitaire.
vast'rijgen *ov.w.* lacer.
vast'roesten *on.w.* **1** se rouiller; **2** (*fig.*) s'encroûter; prendre racine.
vast'schroeven *ov.w.* visser.
vast'sjorren *ov.w.* amarrer, arrimer.
vast'spelden *ov.w.* épingler.
vast'spijkeren *ov.w.* clouer.
vast'staan *on.w.* être d'aplomb, être ferme sur ses pieds; ***dat staat vast,*** c'est un fait avéré, cela est certain; ***het staat bij mij vast dat,*** je suis certain que.
vast'stampen *ov.w.* **1** (*v. grond*) tasser; **2** (*v. stenen*) damer.
vast'steken *ov.w.* attacher (avec des épingles).
vast'stellen *ov.w.* **1** (*v. plan, enz.*) arrêter; **2** (*bepalen: v. tijd, prijs, enz.*) fixer; **3** (*besluiten*) décider; **4** (*als voorwaarde: bedingen*) stipuler; **5** (*v. bedrag, aandeel*) déterminer.
vast'stelling *v.* **1** arrestation *f.*; **2** fixation *f.*; **3** décision *f.*; **4** détermination *f.*
vast'trappen *ov.w.* fouler, tasser en foulant.
vast'vriezen *on.w.* être pris dans la glace.
vast'zetten I *ov.w.* **1** affermir, mettre d'aplomb; **2** (*v. meubel*) caler; **3** (*v. rem*) serrer, bloquer; **4** (*v. bril*) ajuster; **5** (*geld*) placer; immobiliser; **6** (*in het nauw brengen*) mettre au pied du mur, coller; **7** (*gevangenzetten*) mettre en prison; **8** (*spel*) boucher, fermer; (*dammen*) bloquer; **II** *w.w.*, ***zich —,*** **1** se fixer; **2** s'attacher (à); **3** (*fig.*) se couper.
vast'zitten *on.w.* **1** être fixe, être solidement fixé; **2** (*v. schip*) être échoué, être ensablé, être à la côte; **3** (*in gevangenis*) être en prison; **4** (*fig.*) être mis au pied du mur; être dans une impasse; **5** (*tussen 2 voorwerpen*) être coincé; ***aan iets —,*** ne pouvoir se dédire de qc.; être engagé (*of* lié) par qc.
vat I *o.* **1** (*alg.*) vase, récipient *m.*; **2** (*ton*) tonneau *m.*; **3** (*wijn—*) fût *m.*, futaille *f.*; **4** (*okshoofd*) barrique *f.*; **5** (*klein —, 15 tot 55 l*) baril *m.*; **6** (*bloed—*) vaisseau *m.* (sanguin); ***bier op het —,*** bière en fût; ***de gewijde —en,*** les vases sacrés; ***de —en wassen,*** laver la vaisselle; ***holle —en klinken het meest*** (*of* ***het hardst***), ce sont les tonneaux vides qui chantent le mieux; ***wat in 't — is, verzuurt niet,*** ce qui est différé n'est pas perdu; **II** *m.* **1** prise *f.*; **2** (*handvat*) poignée *f.*; ***— hebben op iem.,*** avoir prise sur qn., avoir barre(s) sur qn.
vat'baar *b.n.*, ***— voor,*** **1** (*v. verbetering, enz.*) susceptible de; **2** (*toegankelijk voor*) accessible à; **3** (*v. koude, enz.*) sensible à; ***— voor indrukken,*** impressionnable.
vat'baarheid *v.* **1** susceptibilité (de) *f.*; **2** sensibilité (à) *f.*; ***— voor indrukken,*** impressionnabilité *f.*; ***— voor ziekte,*** réceptivité *f.*
va'ten *ov.w.* mettre en tonneaux.
va'tenkwast, vaat'kwast *m.* lavette *f.* [*m.*
va'tenwasser *m.* laveur *m.* de la vaisselle; plongeur
Vaticaan' *o.* Vatican *m.*
Vaticaans' *b.n.* du Vatican; ***—e bibliotheek,*** Bibliothèque Vaticane.
Vaticaan'stad *v.* Cité *f.* du Vatican.
vat'ten I *ov.w.* **1** (*alg.*) prendre, saisir; **2** (*aanhouden*) arrêter; **3** (*v. edelstenen: inzetten*) enchâsser, sertir; **4** (*fig.: begrijpen*) comprendre, concevoir; **5** (*v. verkoudheid*) attraper; ***vuur —,*** **1** prendre feu; **2** (*fig.*) s'enflammer; **II** *on.w.* **1** (*v. plant*) prendre racine; **2** (*v. anker*) mordre; **3** (*v. inkt, enz.*) prendre.
vat'ting *v.* monture, sertissure *f.*
vazal' *m.* vassal *m.*
vazal'staat *m.* état *m.* feudataire, — vassal.
vech'ten *on.w.* se battre; ***— om een plaats,*** se battre pour avoir une place; se disputer une place.
vech'ter *m.* batailleur, querelleur *m.*
vechterij' *v.* combat *m.*, bataille, batterie *f.*
vech'tersbaas *m.* batailleur *m.*
vecht'jas *m.* traîneur *m.* de sabre, sabreur *m.*
vecht'lust *m.* humeur *f.* combative, — batailleuse, combativité *f.*
vechtlus'tig *b.n.* combatif, batailleur.
vecht'partij *v.* rixe, bagarre *f.*
vecht'wagen *m.* (*mil.*) char *m.* d'assaut.
vedel *v.*(*m.*) violon *m.*
ve'delaar *m.* joueur *m.* de violon, violoniste *m.*
ve'delen *on.w.* jouer du violon.
ve'der, veer *v.*(*m.*) **1** (*v. vogel*) plume *f.*; **2** (*v. pijl*) barbe *f.*
ve'derbed *o.* lit *m.* de plume.
ve'derbont *o.* fourrure *f.* de plumes.
ve'derbos *m.* **1** (*aan helm*) panache *m.*; **2** (*v. soldaat*) plumet *m.*; **3** (*v. reiger; hoed*) aigrette *f.*
ve'dergewicht *o.* (*sp.*) poids-plume *m.*
ve'derhoed *m.* chapeau *m.* à plumes.
ve'derloos *b.n.* sans plumes.
ve'derwolk *v.*(*m.*) cirrus *m.*
vee *o.* **1** bétail *m.*, bestiaux *m.pl.*; **2** (*fig.*) canaille, racaille *f.*
vee'arts *m.* vétérinaire *m.*
veeartsenij' *v.* médecine *f.* vétérinaire.
veeartsenij'kunde *v.* art *m.* vétérinaire.
veeartsenijkun'dig *b.n.* vétérinaire.
veeartsenij'school *v.*(*m.*) école *f.* vétérinaire.
vee'drijver *m.* toucheur *m.* (de bestiaux); bouvier *m.* [*m.*
vee'fokker *m.* éleveur *m.*; (*vetweider*) nourrisseur
veefokkerij' *v.* élevage *m.*; nourrissage *m.*
veeg I *m. en v.* **1** (*alg.*) coup *m.* de balai, — de brosse, — de torchon; **2** (*oorveeg*) soufflet *m.*, gifle *f.*; **3** (*snede*) balafre *f.*; **4** (*fig.*) coup *m.* de langue, — de bec, bourrade *f.*; **II** *b.n en bw.* **1** (*de dood nabij*) près de mourir, moribond, à l'agonie; **2** (*fig.*)

près de sa perte; ***dat is een — teken,*** c'est mauvais signe.
veeg'machine *v.* balayeuse *f.*
veeg'sel *o.* balayures *f.pl.*
vee'handel *m.* commerce *m.* des bestiaux.
vee'handelaar *m.* marchand *m.* de bétail.
vee'hoeder *m.* bouvier; vacher *m.*
vee'houder *m.* éleveur *m.*; nourrisseur *m.*
vee'keuring *v.* examen *m.* du bétail.
vee'koek *m.* tourteau, maton *m.*
veel I *telw.* beaucoup de; nombre de; plusieurs; ***te —,*** trop; ***— te —,*** beaucoup trop; ***even —,*** autant; ***heel —,*** bien (du); ***de vele boeken,*** les nombreux livres; ***— volk,*** beaucoup de monde; ***hij heeft — van zijn vader,*** il ressemble fort à son père; ***het scheelt —,*** il s'en faut de beaucoup; **II** *bw.* beaucoup; ***hij komt — bij zijn oom,*** il vient souvent chez son oncle; ***hij komt niet — bij ons,*** il vient rarement chez nous; **III** *z.n., mv.,* ***velen,*** beaucoup, bien des gens.
veel'al *bw.* souvent, bien des fois; le plus souvent.
veelarmig *b.n.* à plusieurs bras.
veelbelovend *b.n.* qui promet (beaucoup), prometteur, d'un grand avenir.
veelbetekenend I *b.n.* significatif; **II** *bw.* d'une manière significative.
veelbewogen *b.n.* accidenté, agité, mouvementé.
veelbloemig *b.n.* (*Pl.*) multiflore, polyanthe.
veelcellig *b.n.* pluricellulaire.
veel'dekker *m.* (*vl.*) polyplan, multiplan *m.*
veel'eer *bw.* plutôt.
veelei'send *b.n.* exigeant, difficile.
veelfasig *b.n.* polyphasé.
veel'geliefd *b.n.* chéri, aimé de tous; populaire.
veel'gesmaad *b.n.* honni, conspué.
veelgo'dendom *o.,* **veelgoderij'** *v.* polythéisme *m.*
veel'heid *v.* **1** multiplicité, pluralité *f.*; **2** (*menigte*) multitude, grande quantité *f.*
veel'hoek *m.* polygone *m.*
veel'hoekig *b.n.* polygone, polygonal.
veelhoofdig *b.n.* **1** à plusieurs têtes, polycéphale; **2** (*v. regering*) polyarchique; ***—e regering,*** polyarchie *f.*
veeljarig *b.n.* de plusieurs années.
veelkleurig *b.n.* **1** multicolore, polychrome; **2** (*bont*) bigarré, bariolé.
veelkleurigheid *v.* **1** polychromie *f.*; **2** bigarrure [*f.*
veelletttergre'pig *b.n.* polysyllabique.
veel'maals *bw.* souvent, fréquemment.
veelmannerij' *v.* polyandrie *f.*
veel'meer, *zie* ***veeleer.***
veelomstreden *b.n.* fort controversé.
veelomvat'tend *b.n.* **1** (*uitgebreid, ruim*) vaste; **2** (*ingewikkeld*) complexe.
veel'prater *m.* péroreur *m.*
veel'schrijver *m.* **1** polygraphe *m.*; **2** (*ong.*) écriveur, évrivassier, écrivailleur *m.*
veelslachtig *b.n.* multiple; disparate; varié.
veelsnarig *b.n.* à plusieurs cordes.
veelsoortig *b.n.* multiple; divers, de plusieurs espèces.
veelstemmig *b.n.* à plusieurs voix.
veels'zins *bw.* à bien des égards.
veeltalig *b.n.* polyglotte.
veel'term *m.* polynôme *m.*
veeltijds *bw.* souvent.
veeltongig *b.n.* **1** à plusieurs langues; **2** (*v. faam*) aux cent bouches.
veelvermogend *b.n.* puissant, influent.
veel'vlak *o.* polyèdre *m.*
veel'vlakkig *b.n.* polyèdre.
veel'voet *m.* myriapode *m.*
veelvormig *b.n.* multiforme, polymorphe.
veelvor'migheid *v.* polymorphie *f.*
veel'voud *o.* multiple *m.*; ***het kleinste gemene —,*** le plus petit commun multiple.
veelvoudig *b.n.* multiple; fréquent.
veel'vraat *m.* glouton, goulu, avale-tout *m.*
veelvul'dig I *b.n.* multiple, nombreux; **II** *wb.* souvent, fréquemment.
veelvul'digheid *v.* multiplicité, fréquence *f.*
veelwijverij' *v.* polygamie *f.*
veelwij'vig *b.n.* **1** polygame; **2** (*Pl.*) polygyne.
veelzeg'gend *b.n.* éloquent, significatif; suggestif.
veelzijdig I *b.n.* **1** (*meetk.*) polygone; **2** (*fig.*) multiple; universel; ***—e kennis,*** connaissances variées *f.pl.*; ***—e ontwikkeling,*** culture universelle; **II** *bw.* multiplement; universellement.
veelzij'digheid *v.* universalité *f.*; variété *f.* de connaissances.
veem *o.* **1** (*H.: opslagplaats*) magasins *m.pl.* généraux; entrepôt *m.*; **2** société *f.* de transports; **3** (*gesch.: veemgericht*) sainte Vehme *f.*
vee'markt *v.(m.)* marché *m.* au bétail.
veem'gericht *o.* sainte Vehme *f.*
veem'pakhuis *o.* magasin *m.* général.
veen *o.* **1** (*stof*) tourbe *f.*; **2** (*veenderij*) tourbière *f.*
veen'aarde *v.(m.)* terre *f.* tourbeuse.
veen'achtig *b.n.* tourbeux.
veen'arbeider *m.* tourbier *m.*
veen'baas *m.* tourbier *m.*, propriétaire *m.* d'une tourbière.
veen'boer *m.* tourbier *m.*
veen'brand *m.* brûlement (*of* brûlis) *m.* (d'une [tourbière).
veen'der, *zie* ***veenbaas.***
veenderij' *v.* **1** (*land*) tourbière *f.*; **2** (*bedrijf*) tourbage *m.*
veen'graver *m.* puiseur, tourbier *m.*
veen'grond *m.* terrain *m.* tourbeux, tourbière *f.*
veen'kolonie *v.* village *m.* dans les tourbières.
veen'land *o.* marais *m.* tourbeux.
veen'mol *m.* taupe*-grillon* *m.*, courtilière *f.*
veen'streek *v.(m.)* région *f.* des tourbières.
veen'werker *m.* tourbier *m.*
vee'pest *v.(m.)* peste *f.* bovine.
veer I *v.(m.)* **1** (*v. vogel*) plume *f.*; **2** (*v. uurwerk, rijtuig, enz.*) ressort *m.*; **3** (*v. bril*) branche, tige *f.*; ***in de veren liggen,*** être dans son plumard; ***iem. achter de veren zitten,*** mettre l'épée dans les reins à qn.; ***veel veren laten,*** être plumé de la belle façon; **II** *o.* bac *m.*; passage *m.*
veer'blad *o.* lame *f.*
veer'boot *m. en v.* **1** bac *m.*; **2** (*groot*) ferry-boat **m.*
veer'geld *o.* passage *m.*
veer'huis *o.* maison *f.* du passeur.
veer'kracht *v.(m.)* **1** élasticité *f.*; tonus *m.*, tonicité *f.*; **2** (*fig.*) énergie *f.*, ressort, tonus *m.*
veerkrach'tig *b.n.* **1** élastique; **2** (*fig.*) résistant.
veer'man *m.* passeur *m.*; batelier *m.*
veer'pont *v.(m.)* bac *m.*
veer'pontbrug *v.(m.)* pont *m.* transbordeur.
veer'schip *o.* coche *m.* d'eau.
veer'schipper *m.* batelier *m.*
veer'schuit *v.(m.)* bac *m.*, bateau *m.* de passage.
veer'slot *o.* serrure *f.* à ressort.
veer'tien *telw.* quatorze; ***— dagen,*** quinze jours, une quinzaine; ***om de — dagen,*** toutes les quinzaines, tous les quinze jours; ***over — dagen,*** d'aujourd'hui en quinze.
veer'tiendaags *b.n.* bimensuel.
veer'tiende *b.n.* quatorzième; ***de — september,*** le quatorze septembre.

veer'tig *telw.* quarante.
veer'tigdaags *b.n.* de quarante jours; ***de —e vasten,*** le carême.
veer'tiger *m.* quadragénaire *m.*
veer'tigjarig *b.n.* quadragénaire, de quarante [ans.
veer'tigste *b.n.* quarantième.
veer'tigtal *o.* quarantaine *f.*
veertigu'rengebed *o.* (*kath.*) prière *f.* des 40 heures.
vee'stal *m.* étable *f.*
vee'stapel *m.* cheptel *m.*; nombre *m.* de têtes de bestiaux.
vee'sterfte *v.* mortalité *f.* du bétail.
vee'teelt *v.*(*m.*) élevage *m.*; nourrissage *m.*
vee'verzekering *v.* assurance *f.* contre la mortalité du bétail.
vee'voe(de)r *o.* fourrage *m.*
vee'voederkoek *m.* tourteau *m.* (de fourrage).
vee'wagen *m.* **1** wagon *m.* à bestiaux; **2** (*auto*) bétaillère *f.*
vee'ziekte *v.* épizootie *f.*
ve'gen *ov.w.* **1** balayer; **2** (*v. schoorsteen*) ramoner; **3** (*afvegen*) essuyer.
ve'ger *m.* **1** (*persoon*) balayeur *m.*; **2** (*schoorsteen—*) ramoneur *m.*; **3** (*voorwerp*) balai *m.*; balayette *f.*
vegeta'riër *m.* végétarien *m.*
vegeta'risch *b.n.* végétarien.
vegetaris'me *o.* végétarisme *m.*
vegetatief' *b.n.* végétatif; ***het —ieve leven,*** la vie végétative.
vehi'kel *o.* véhicule *m.*
veil I *o.* (*Pl.*) lierre *m.*; **II** *b.n.* **1** (*te koop*) à vendre; **2** (*omkoopbaar*) vénal; ***zijn leven — hebben,*** être prêt à sacrifier sa vie.
veil'dag *m.* jour *m.* de vente.
vei'len *ov.w.* vendre publiquement.
vei'ler *m.* vendeur public; commissaire*-priseur* *m.*
veil'heid *v.* vénalité *f.*
vei'lig I *b.n.* sûr, en sûreté; ***op een —e plaats brengen,*** mettre en lieu sûr; ***het spoor is —,*** la voie est libre; ***een —e belegging,*** un placement de toute sécurité; **II** *bw.* **1** sûrement; **2** sans crainte, en confiance.
vei'ligheid *v.* sûreté; sécurité *f.*; ***openbare —,*** sécurité *f.* publique.
vei'ligheidsclausule *v.*(*m.*) clause *f.* de sauvegarde.
vei'ligheidsdienst *m.* service *m.* de la Sûreté.
vei'ligheidsfluit *v.*(*m.*) sifflet *m.* automatique.
vei'ligheidsgordel *m.* ceinture *f.* de sécurité.
vei'ligheidsgrendel *m.* verrou *m.* de sûreté.
vei'ligheidshalve *bw.* pour plus de sûreté.
vei'ligheidsinrichting *v.* dispositif *m.* de sûreté, appareil *m.* —.
vei'ligheidsklep *v.*(*m.*) soupape *f.* de sûreté.
vei'ligheidslamp *v.*(*m.*) lampe *f.* de sûreté.
vei'ligheidslucifer *m.* allumette *f.* (suédoise), — de sûreté.
vei'ligheidsmaatregel *m.* mesure *f.* de sûreté.
vei'ligheidspal *m.* verrou *m.* de sûreté.
Vei'ligheidsraad *m.* Conseil *m.* de Sécurité (de l'O.N.U.).
vei'ligheidsrem *v.*(*m.*) frein *m.* de sûreté.
vei'ligheidsscheermes *o.* rasoir *m.* de sûreté.
vei'ligheidssein *o.* signal *m.* de fin d'alerte; — ouvert.
vei'ligheidsslot *o.* serrure *f.* de sécurité.
vei'ligheidsspeld *v.*(*m.*) épingle *f.* de sûreté, — anglaise, — de nourrice.
vei'ligheidsstop *m.* (*el.*) bouchon *m.* fusible, plomb *m.* —.
vei'ligheidsvoorschriften *mv.* prescriptions *f.pl.* de sûreté.
vei'ling *v.* vente *f.* publique, — aux enchères; ***in publieke — brengen,*** mettre à l'encan, mettre aux enchères; ***gerechtelijke —,*** vente par autorité de justice.
vei'linglokaal *o.* salle *f.* des ventes.
vei'lingmeester *m.* commissaire*-priseur* *m.*
vei'lingprijs *m.* prix *m.* de vente.
vei'lingvereniging *v.* coopérative *f.* de producteurs.
vein'zaard *m.* hypocrite *m.*, homme *m.* dissimulé.
vein'zen I *on.w.* **1** feindre; **2** dissimuler, cacher ses sentiments; **II** *ov.w.* **1** feindre (de); **2** simuler; faire semblant de.
vein'zer *m.* hypocrite *m.*, homme *m.* dissimulé.
veinzerij' *v.* hypocrisie, feinte; dissimulation *f.*
vel *o.* **1** (*alg.*) peau *f.*; **2** (*opperhuid*) épiderme *m.*; **3** (*v. paard, kat*) robe *f.*; **4** (*papier*) feuille *f.*; ***een oud —,*** (*pop.*) une vieille mégère *f.*; ***afgedrukt —,*** (*drukk.*) bonne feuille *f.*; ***in een ongezond — steken,*** être malsain; ***iem. het — over de oren halen,*** écorcher qn.; ***een los —letje,*** une feuille détachée, une feuille volante.
veld *o.* **1** (*alg.*) champ *m.*; **2** (*weide*) prairie *f.*, pré *m.*; **3** (*vlakte*) plaine *f.*; **4** (*v. dambord*) case *f.*; **5** (*mil.*) champ *m.* de bataille; ***in 't vrije —,*** en rase campagne; ***te —e,*** en campagne; ***een leeuw op gouden —,*** un lion en champ doré; ***het — ruimen,*** battre en retraite; abandonner le terrain; ***— winnen,*** gagner du terrain; ***uit het — geslagen,*** interdit, perplexe; ***te — staande koren,*** blés sur pied.
veld'altaar *o.* autel *m.* portatif.
veld'anemoon *v.*(*m.*) anémone *f.* des prés.
veld'apot(h)eek *v.*(*m.*) (*mil.*) pharmacie *f.* de campagne.
veld'arbeid *m.* travail *m.* des champs.
veld'arbeider *m.* ouvrier *m.* agricole.
veld'artillerie *v.* artillerie *f.* de campagne.
veld'batterij *v.* batterie *f.* montée.
veld'bed *o.* lit *m.* de camp, pliant *m.*
veld'bloem *v.*(*m.*) fleur *f.* des champs.
veld'dienst *m.* (*mil.*) service *m.* en campagne.
veld'duif *v.*(*m.*) biset *m.*
veld'fles *v.*(*m.*) bidon *m.*, gourde *f.*
veld'fluit *v.*(*m.*) chalumeau *m.*
veld'geschut *o.* artillerie *f.* de campagne.
veld'gewas *o.* produits *m.pl.* agricoles.
veld'heer *m.* général *m.*
veld'heerskunst *v.* stratégie *f.*
veld'heersstaf *m.* bâton *m.* de commandant.
veld'hoen *o.* perdrix *f.*
veld'hospitaal *o.* ambulance *f.*, hôpital *m.* de campagne.
veld'hut *v.*(*m.*) baraque *f.*
veld'kaars *v.*(*m.*) (*Pl.*) silène *m.*
veld'kers *v.*(*m.*) (*Pl.*) cardamine *f.*; cresson *m.* des prés.
veld'ketel *m.* (*mil.*) gamelle *f.*
veld'keuken *v.*(*m.*) (*mil.*) cuisine *f.* de campagne, — roulante.
veld'kijker *m.* (*mil.*) jumelle(s) *f.*(*pl.*) de campagne.
veld'klaver *v.*(*m.*) (*Pl.*) trèfle *m.* des prés.
veld'kleding *v.* (*mil.*) tenue *f.* de campagne.
veld'konijn *o.* lapin *m.* sauvage, — de garenne.
veld'krekel *m.* grillon *m.* champêtre.
veld'lazaret *o.* lazaret *m.* de campagne.
veld'leger *o.* armée *f.* de campagne.
veld'lelie *v.*(*m.*) lis *m.* des champs, — martagon.
veld'loop *m.* (*sp.*) course *f.* à pied.
veld'maarschalk *m.* **1** (*in F.*) maréchal *m.* (de France); **2** (*in Duitsland*) feld-maréchal* *m.*

veld'maarschalksstaf m. bâton m. de maréchal.
veld'muis v.(m.) souris f. des champs; ***grote —,*** mulot m.
veld'mus v.(m.) moineau m. des champs.
veld'muts v.(m.) calot m.
veld'muziek v. musique f. militaire.
veld'post v.(m.) poste f. militaire.
veld'prediker m. aumônier m. (militaire).
veld'ranonkel v.(m.) bouton m. d'or.
veld'rat v.(m.) rat m. des champs, campagnol m.
veld'roos v.(m.) églantine f., rose f. sauvage.
veld'salade, -sla v.(m.) mâche, doucette, bourcette f.
veld'slag m. bataille f.
veld'slak v.(m.) limace f.
veld'snip v.(m.) bécasse f.
veld'spaat o. feldspath m.
veld'spin v.(m.) faucheur, faucheux m.
veld'stuk o. pièce f. de campagne.
veld'telegraaf m. télégraphe m. de campagne.
veld'tent v.(m.) tente*-abri* f.
veld'tenue o. en v.(m.) tenue f. de campagne.
veld'tocht m. campagne f.
veld'trein m. train m. (d'une armée).
veld'troepen mv. troupes f.pl. de campagne, armée f. de campagne.
veld'tros m. train m. (d'une armée).
veld'uitrusting v. équipement m. de campagne.
veld'vruchten mv. fruits m.pl. des champs, produits m.pl. agricoles.
veld'wacht v.(m.) **1** grand-garde* f.; **2** gendarmerie f.
veld'wachter m. garde m. champêtre.
veld'weg m. chemin m. rural.
veld'zuring v.(m.) oseille f.
ve'len ov.w. supporter, souffrir, endurer.
ve'lerhande, ve'lerlei b.n. toutes sortes de, divers, plusieurs.
velg, vel'ling v.(m.) jante f.
vel'gen ov.w. mettre une jante à.
velg'rem v.(m.) frein m. sur jante.
velijn'(papier) o. (papier) velin m.
vel'len ov.w. **1** (v. boom, enz.) abattre; **2** (v. bajonet) croiser; **3** (v. vonnis) prononcer; **4** (v. oordeel) se former; ***een oordeel — over,*** juger de.
vel'letje o. **1** (vliesje) pellicule f.; **2** (v. melk) peau f.; **3** (papier) feuille f.; ***los —,*** feuille f. détachée.
vel'lig b.n. membraneux.
vel'ling, velg v.(m.) jante f.
ve'lum o. **1** voile m.; **2** (v. ciborie) pavillon m.
ven o. fagne f.
Vendee'ër m. Vendéen m.
ven'del o. **1** compagnie f.; **2** (v. ruiters) escadron m.; **3** (vaandel) enseigne f.
ven'delzwaaien o. déploiement m. des enseignes, jeu m. du drapeau.
vendu' m. en o. vente f. publique.
vendu'gelden mv. frais m.pl. de vente.
vendu'huis o. hôtel m. des ventes.
vendu'meester m. commissaire*-priseur* m.
vendu'tie v. vente f. publique.
ve'nen on.w. exploiter une tourbière.
vene'risch b.n. vénérien.
Venetiaans' b.n. vénitien.
Vene'tië o. **1** (stad) Venise f.; **2** (provincie) Vénétie f.
Venezue'la o. le Venezuela; ***uit —,*** vénézuélien, vénézolan.
ve'nig b.n. tourbeux.
venijn' o. venin m.; poison m.
venij'nig b.n. **1** (v. dier) vénimeux; **2** (v. plant) vénéneux; **3** (fig.) haineux, envenimé, acariâtre.
venij'nigheid v. aigreur, vénimosité, perfidie f.
ven'kel v.(m.) (Pl.) fenouil m.
ven'kelolie v.(m.) huile f. de fenouil.
ven'kelwater o. eau f. de fenouil.
ven'kelzaad o. graine f. de fenouil.
ven'noot m. associé m.; ***beherend —,*** associé m. responsable, — gérant, — actif; ***stille —,*** associé m. commanditaire, commanditaire m.; ***de oudste (of jongste) vennoot,*** le plus âgé (of le plus jeune) des associés.
vennootschap v. société f.; ***commanditaire —,*** société f. en commandite; ***een — aangaan,*** s'associer avec; ***— onder firma,*** société en nom collectif, société sous seing privé; ***— met beperkte aansprakelijkheid,*** société à responsabilité limitée; ***in de — opnemen,*** s'adjoindre comme associé; ***de — ontbinden,*** dissoudre la société.
ven'ster o. fenêtre f.; (kruisraam) croisée f.
ven'sterbank v.(m.) appui m. de fenêtre; accoudoir m.; banquette f.
ven'sterblind o. **1** volet m.; **2** (buiten—) contrevent m.
ven'sterboog o. ogive f.
ven'sterbreedte v. baie f.
ven'sterdiepte v. embrasure f.
ven'sterenvelop(pe) v.(m.) enveloppe f. à (panneau) transparent.
ven'sterglas o. **1** (voor vensters) verre m. à vitres; **2** (van venster) carreau m., vitre f.
ven'stergordijn o. rideau m. (de fenêtre); store m.
ven'sterkozijn o. châssis m. dormant, dormant m. de fenêtre.
ven'sterkruis o. croisée f., châssis m.
ven'sterluik o. **1** volet m.; **2** (buiten) contrevent m.
ven'sternis v.(m.) embrasure f.
ven'sterraam o. châssis m. de fenêtre.
ven'sterroede v.(m.) croisillon m.
ven'sterruit v.(m.) carreau m., vitre f.
vent m. homme; type, gaillard m.; ***een rare —,*** un drôle de corps; ***een slimme —,*** un rusé compagnon, un rusé compère; ***een goeie —,*** un bon diable, un bon garçon; (fam.) un bon zig(ue) m.; ***een — van niks,*** une moule.
ven'ten ov.w. vendre, colporter.
ven'ter m. colporteur, camelot m.; marchand m. ambulant, vendeur m. —.
ventiel' o. soupape, valve f.
ventiel'slang v.(m.) tube m. pour valve.
ventila'tie v. ventilation, aération f., aérage m.
ventila'tor m. ventilateur m.
ventile'ren ov.w. ventiler, aérer.
vent'je o. bambin, moutard, (petit) bonhomme m.; ***—!*** mon ami!
Ve'nus v. Vénus f.
ve'nushaar o. (Pl.) cheveux m.pl. de Vénus, adiante m., capillaire m.
ve'nusspiegel m. (Pl.) spéculaire m., mirette f.
ver I b.n. **1** (afgelegen) lointain, éloigné; **2** (v. reis, afstand, enz.) long; **3** (zeer wijd: v. uitzicht, enz.) étendu; ***het —re Oosten,*** l'Extrême-Orient m.; ***dat is niet —,*** ce n'est pas loin; **II** bw. loin; ***dat is — van gemakkelijk,*** c'est loin d'être facile; ***— in het woud,*** bien avant dans la forêt; ***— in de nacht,*** fort (bien) avant dans la nuit; ***dat is — gezocht,*** c'est tiré par les cheveux; ***zo — zijn we nog niet,*** nous n'en sommes pas encore là; ***hij is — in de zestig,*** il a soixante ans bien sonnés; ***hij zal het — brengen,*** il ira loin, il fera son chemin; ***daar zult u niet — mee komen,*** cela ne vous avancera guère; ***op —re na niet,*** ne... pas à beaucoup près, tant s'en faut; ***tot hoe —?*** jusqu'où? ***— overtreffen,*** surpasser de beaucoup; ***zo — het oog reikt,*** à perte de vue; ***het is — met hem gekomen,*** il est tombé bien bas.

veraan'genamen *ov.w.* rendre plus agréable, ajouter du charme à.
veraanschou'welijken *ov.w.* rendre sensible.
veraccijn'zen, veraksijn'zen *ov.w.* **1** (*accijns opleggen*) imposer; **2** (*de accijns betalen*) payer les droits (de, sur), dédouaner.
verach'telijk I *b.n.* **1** (*te verachten, laag*) méprisable, bas, vil; **2** (*verachtend: v. blik, enz.*) méprisant, dédaigneux; **II** *bw.* **1** méprisablement; **2** avec mépris, dédaigneusement.
verach'telijkheid *v.* abjection *f.*
verach'ten *ov.w.* mépriser, dédaigner.
verach'tend *b.n.* méprisant, dédaigneux.
verach'ting *v.* mépris, dédain *m.*
verachtvou'digen *ov.w.* octupler. [haleine.
vera'demen *on.w.* respirer, souffler, reprendre
vera'deming *v.* **1** (*verpozing*) répit, relâche *m.*; **2** (*verlichting, vertroosting*) soulagement *m.*
veraf' *bw.* (très) loin, au loin.
veraf'gelegen *b.n.* éloigné, lointain; (très) écarté.
veraf'goden *ov.w.* idolâtrer.
veraf'goding *v.* idolâtrie *f.*
veraf'schuwen *ov.w.* détester, abhorrer, avoir en horreur, avoir horreur de.
veraksijn'zen, *zie* ***veraccijnzen.***
veralgeme'nen *ov.w.* généraliser.
veralgeme'ning *v.* généralisation *f.*
veramerikaan'sen *ov.w.* américaniser.
veran'da *v.(m.)* véranda *f.*
veran'deren I *ov.w.* **1** (*alg.*) changer; **2** (*wijzigen*) modifier; **3** (*vervormen, omvormen*) transformer, convertir; **4** (*recht: v. straf*) commuer; **5** (*ten kwade, slecht maken*) altérer; **II** *on.w.* **1** changer, se changer; **2** se modifier; **3** se transformer, se convertir; **4** s'altérer; **5** (*v. wind*) tourner; ***ten goede —,*** changer favorablement; prendre une bonne tournure; ***van gedachte(n) —,*** changer d'opinion.
veran'dering *v.* **1** changement *m.*, variation *f.*; **2** modification *f.*; **3** transformation, conversion *f.*; **4** commutation *f.*; ***alle — is geen verbetering,*** le mieux est souvent l'ennemi du bien; on perd souvent au change; ***— van spijs doet eten,*** changement de corbillon fait trouver le pain bon.
veran'derlijk *b.n.* **1** variable; changeant; **2** (*onstandvastig*) inconstant, instable; **3** (*v. feestdag*) mobile.
veran'derlijkheid *v.* **1** variabilité *f.*; **2** inconstance, instabilité *f.*
veran'keren *ov.w.* (*bouwk.*) ancrer.
verant'woord *b.n.* justifié.
verantwoor'delijk *b.n.* **1** (*alg.*) responsable; **2** (*voor geld: rekenplichtig*) comptable; ***— stellen voor,*** rendre responsable de.
verantwoor'delijkheid *v.* **1** responsabilité *f.*; **2** comptabilité *f.*; ***de — op zich nemen,*** assumer la responsabilité; ***elke — afwijzen,*** décliner toute responsabilité.
verantwoor'delijkheidsgevoel *o.* sentiment *m.* de responsabilité.
verant'woorden I *ov.w.* **1** répondre de; rendre compte de; **2** (*rechtvaardigen*) justifier; ***een bedrag —,*** rendre compte d'un montant; ***het hard te — hebben,*** être en mauvaise posture; **II** *w.w.*, ***zich —,*** se justifier.
verant'woording *v.* **1** responsabilité *f.*; **2** justification *f.*; ***iem. ter — roepen,*** demander compte à qn.; ***ik neem het op mijn —,*** j'en réponds, j'en assume la responsabilité.
verar'men I *ov.w.* appauvrir; **II** *on.w.* s'appauvrir.
verar'ming *v.* appauvrissement *m.*
veras'sen *ov.w.* incinérer, crémer.
veras'sing *v.* incinération, crémation *f.*
verbaasd' I *b.n.* **1** étonné, surpris, stupéfait; **2** (*stom —*) ébahi, ahuri; **II** *bw.* avec étonnement, avec surprise, avec stupéfaction.
verbaasd'heid *v.* étonnement *m.*, surprise, stupéfaction *f.*; **2** ébahissement *m.*, ahurissement.
verbalise'ren, -ize'ren *ov.w.* dresser procès-verbal (à qn.).
verband' *o.* **1** (*overeenstemming, samenhang*) rapport *m.*, connexion *f.*; **2** (*v. de tekst*) contexte *m.*; **3** (*verbintenis*) engagement *m.*; **4** (*waarborg*) garantie *f.*; **5** (*v. gedachten*) enchaînement *m.*, liaison *f.*; **6** (*gen.*) bandage, pansement *m.*; **7** (*v. hout, metselwerk*) assemblage *m.*, liaison *f.*; ***hypothecair —,*** obligation *f.* hypothécaire; ***oorzakelijk —,*** rapport *m.* de cause à effet; ***in — brengen met,*** rattacher à; ***— houden met,*** se rattacher à, se rapporter à; ***in nauw — staan met,*** être étroitement (*of* intimement) lié à; ***in dit —,*** dans cet ordre d'idées; ***uit het — gerukt,*** disloqué; ***uit zijn — rukken,*** **1** dénaturer le sens de; **2** (*v. citaat*) tronquer; ***zonder —,*** (*v. stijl, enz.*) décousu.
verband'artikel *o.* article *m.* de pansement.
verband'gaas *o.* gaze *f.* de pansement.
verband'kist *v.(m.)* **1** boîte *f.* de secours; caisse *f.* de pansement; **2** (*mil.*) cantine *f.* médicale.
verband'kistje *o.* boîtier *m.*
verband'leer *v.(m.)* théorie *m.* du pansement.
verband'linnen *o.* linge *m.* de pansement, toile *f.* médicamenteuse, sparadrap *m.*
verband'middelen *mv.* objets *m.pl.* de pansement, articles *m.pl.* —.
verband'papier *o.* taffetas *m.* gommé.
verband'plaats *v.(m.)* poste *m.* de secours.
verband'stof *v.(m.)* **1** sparadrap *m.*; **2** articles *m.pl.* de pansement.
verband'tasje *o.* trousse *f.* de poche.
verband'wagen *m.* voiture *f.* sanitaire.
verband'watten *mv.* coton *m.* hydrophile, ouate *f.* de pansement.
verban'nen *ov.w.* **1** (*alg.*) bannir; **2** (*door regering*) exiler; **3** (*naar kolonie*) déporter; **4** (*vogelvrij verklaren*) proscrire.
verban'ning *v.* **1** bannissement *m.*; **2** exil *m.*; **3** déportation *f.*; **4** proscription *f.*
verban'ningsoord *o.* terre *f.* d'exil.
verbas'teren *on.w.* s'abâtardir, dégénérer; ***doen —,*** abâtardir.
verbas'tering *v.* abâtardissement *m.*; dégénération *f.*
verba'zen I *ov.w.* étonner, surprendre; **II** *w.w.* ***zich —,*** s'étonner (de).
verba'zend I *b.n.* **1** étonnant, surprenant; **2** (*kras, buitengewoon*) épatant, prodigieux; **3** (*geweldig*) énorme; **4** (*v. succes*) fou; **II** *bw.*, ***— veel,*** énormément; ***— mooi,*** magnifique.
verba'zing *v.* **1** étonnement *m.*, surprise, stupéfaction *f.*; **2** (*stomme —*) ébahissement, ahurissement *m.*
verbazingwek'kend *b.n.* étonnant, surprenant.
verbed'den *ov.w.* (*v. zieke*) changer de lit.
verbeel'den I *ov.w.* représenter, figurer; **II** *w.w.*, ***zich —,*** se figurer, s'imaginer, se représenter; ***verbeeld u!*** figurez-vous! imaginez un peu! pensez donc!
verbeel'ding *v.* **1** (*voorstelling*) imagination *f.*; **2** (*inbeelding, verwaandheid*) présomption, infatuation *f.*; ***veel — hebben,*** avoir une trop haute opinion de soi-même; ***dat is louter —,*** ce ne sont que des chimères. [taisie *f.*
verbeel'dingskracht *v.(m.)* imagination, fan-

verbei'den *ov.w.* attendre.
verbei'ding *v.* attente *f.*
verbe'na *v.(m.)* (*Pl.*) verveine *f.*
verbe'nen *on.w.* s'ossifier.
verbe'ning *v.* ossification *f.*
verber'gen *ov.w.* **1** (*alg.*) cacher; **2** (*geheim houden, verhelen*) dissimuler, déguiser; **3** (*bedekken, onzichtbaar maken*) couvrir, masquer; **4** (*v. gestolen goed: helen*) recéler.
verbe'ten *b.n.* **1** aigri; **2** (*v. woede*) contenu; **3** (*v. traan*) rentré, dévoré.
verbe'teraar *m.* **1** (*hervormer*) réformateur *m.*; **2** (*drukk.*) correcteur *m.*
verbe'terblad *o.* (*drukk.*) onglet, carton *m.*
verbe'teren I *ov.w.* **1** (*beter maken*) améliorer; **2** (*v. werk, fouten*) corriger; **3** (*v. grond*) amender; **4** (*v. machine, methode, enz.*) perfectionner; **5** (*sp.: v. record*) battre; **6** (*v. tijd*) abaisser; **II** *on.w.* s'améliorer; **III** *w.w.*, ***zich —***, s'améliorer; se corriger.
verbe'terhuis *o.* maison *f.* de correction (*of* de redressement), maison d'éducation.
verbe'tering *v.* **1** amélioration *f.*; **2** correction *f.*; **3** amendement *m.*; **4** perfectionnement *m.*
verbe'teringsgesticht, *zie* ***verbeterhuis.***
verbeur'baar *b.n.* confiscable.
verbeurd'verklaren *ov.w.* confisquer, saisir.
verbeurd'verklaring *v.* confiscation *f.*
verbeu'ren *ov.w.* **1** (*verzetten*) déplacer; **2** (*verliezen*) perdre; **3** (*v. boete*) encourir; **4** (*verwedden*) parier; ***daar is niet veel aan verbeurd,*** le mal n'est pas grand; ***pand —***, jouer aux gages.
verbeur'te *v.* perte *f.*; ***onder — van,*** sous peine de.
verbeu'zelen *ov.w.* gaspiller, perdre.
verbid'den *ov.w.* attendrir, toucher, fléchir; ***zich niet laten —***, être inexorable, se montrer —.
verbie'den *ov.w.* **1** (*alg.*) défendre, interdire; **2** (*door wet, enz.*) prohiber; ***iem. zijn huis —***, interdire l'accès de sa maison à qn.
verbie'dend *b.n.* prohibitif.
verbijs'terd *b.n.* troublé, consterné, déconcerté, affolé, perplexe.
verbijs'teren *ov.w.* **1** déconcerter; affoler; **2** (*v. geest*) égarer, troubler.
verbijs'terend *b.n.* **1** déconcertant; **2** troublant.
verbijs'tering *v.* **1** déconcertement *m.*, consternation *f.*, affolement *m.*, perplexité *f.*; **2** égarement, trouble *m.*
verbij'ten I *ov.w.* **1** (*inhouden: v. woede, lach*) contenir, réprimer; **2** (*v. pijn, enz.*) dévorer, avaler; **II** *w.w.*, ***zich —***, **1** (*v. woede*) se ronger les poings; **2** (*v. ongeduld*) ronger son frein; **3** (*zich inhouden*) se mordre les lèvres.
verbin'den I *ov.w.* **1** (*samenvoegen*) joindre, réunir, lier; **2** (*v. tel., spoorweg, enz.*) raccorder; **3** (*gen.: zwachtelen*) panser, bander; **4** (*v. begrippen*) associer; ***de hieraan verbonden kosten,*** les frais inhérents; ***telefonisch — met,*** donner la communication (à), relier; ***in het huwelijk —***, marier; **II** *w.w.*, ***zich —***, **1** (*scheik.*) se combiner; **2** (*door belofte*) se lier; **3** ***zich — tot,*** s'engager à, s'obliger à.
verbin'dend *b.n.* **1** (*verplichtend*) obligatoire; **2** (*taalk.*) copulatif.
verbin'ding *v.* **1** jonction, réunion *f.*; **2** raccordement *m.*; **3** pansement, bandage *m.*; **4** association *f.*; **5** (*el.*) connection *f.*; **6** (*bouwk.*) assemblage *m.*; **7** (*gram.*) liaison *f.*; **8** (*scheik.*) combinaison *f.*; **9** (*H.: verplichting*) engagement *m.*, obligation *f.*; **10** (*Z.N.: met tram*) correspondance *f.*; ***zich met iem. in — stellen,*** se mettre en rapport avec qn.; ***de — is verbroken,*** la communication est coupée; ***in — staan met,*** communiquer avec; ***Rotterdam (Antwerpen) heeft goede —en,*** Rotterdam (Anvers) a d'excellentes communications.
verbin'dingsdienst *m.* (*mil.*) service *m.* de correspondance.
verbin'dingskanaal *o.* canal *m.* de jonction.
verbin'dingslijn *v.(m.)* voie *f.* de raccordement, ligne *f.* —.
verbin'dingsloopgraaf *v.(m.)* boyau *m.*
verbin'dingsmanschappen *mv.* (*mil.*) hommes *m.pl.* de liaison.
verbin'dingsmuur *m.* mur *m.* de raccord.
verbin'dingsofficier *m.* officier *m.* de liaison.
verbin'dingsspoorweg *m.* voie *f.* de raccordement, ligne *f.* —.
verbin'dingsstuk *o.* raccord *m.*
verbin'dingsteken *o.* **1** trait *m.* d'union; **2** (*muz.*) chapeau *m.*
verbin'dingstroepen *mv.* troupes *m.pl.* de liaison; ***korps —***, transmissions *f.pl.*
verbin'dingsweg *m.* voie *f.* de raccordement, — de communication.
verbin'dingswoord *o.* terme *m.* de liaison.
verbin'tenis *v.* **1** union, alliance *f.*; **2** (*verplichting*) obligation *f.*, engagement *m.*; **3** (*contract*) contrat *m.*; ***een — aangaan,*** contracter un engagement.
verbit'terd *b.n.* **1** aigri; **2** (*vertoornd, woedend*) irrité, exaspéré; **3** (*v. strijd*) acharné.
verbit'teren *ov.w.* **1** rendre amer; **2** (*fig.*) aigrir, enfieller; **3** (*vertoornen*) irriter, exaspérer.
verbit'tering *v.* **1** aigreur, amertume *f.*; **2** irritation, exaspération *f.*; **3** (*v. strijd*) acharnement *m.*
verble'ken *on.w.* **1** (*v. persoon*) pâlir, blêmir; **2** (*v. kleur*) passer, se décolorer.
verble'king *v.* **1** pâleur *f.*; **2** décoloration *f.*
verblijd' *b.n.* content, réjoui, enchanté.
verblij'den I *ov.w.* réjouir, enchanter, rendre heureux; **II** *w.w.*, ***zich —***, se réjouir (de).
verblij'dend *b.n.* réjouissant, heureux.
verblij'ding *v.* joie, allégresse, réjouissance *f.*
verblijf' *o.* **1** (*oponthoud*) séjour *m.*; **2** (*verblijfplaats*) résidence *f.*; **3** (*woning*) demeure *f.*; ***— houden,*** séjourner.
verblijf'kosten *mv.* frais *m.pl.* de séjour; ***vergoeding voor —***, indemnité de logement.
verblijf'pas *m.* permis *m.* de séjour.
verblijf'plaats *v.(m.)* résidence *f.*; demeure *f.*
verblijfs'vergoeding *v.* indemnité *f.* de logement.
verblijfs'vergunning *v.* permis *m.* de séjour.
verblij'ven *on.w.* **1** séjourner; **2** résider; **3** demeurer; ***ik verblijf met de meeste hoogachting,*** veuillez agréer (*of* agréez), M., l'assurance de mes sentiments les plus distingués.
verblik'ken *on.w.* changer de couleur; ***zonder te —***, sans sourciller.
verblind' *b.n.* aveuglé.
verblin'den *ov.w.* **1** aveugler; **2** (*fig.*) éblouir; aveugler.
verblind'heid *v.* aveuglement *m.*
verblin'ding *v.* **1** aveuglement *m.*; **2** éblouissement *m.*; ***— door tegenligger,*** éblouissement par voiture arrivant en sens inverse.
verbloe'den *on.w.* perdre son sang; mourir (par suite) d'une hémorragie.
verbloe'ding *v.* perte *f.* de sang, hémorragie *f.*
verbloemd' *b.n.* **1** (*bedekt, verholen*) déguisé; **2** (*fig., beeldsprakig*) figuré, allégorique; métaphorique; ***—e uitdrukking,*** euphémisme *m.*
verbloe'men *ov.w.* **1** (*v. gedachte*) déguiser; **2** (*bewimpelen, vergoelijken*) voiler, colorer; **3** (*v. waarheid*) farder.

verbloe'ming *v.* **1** déguisement *m.*; **2** (*vergoelijking*) excuse *f.*
verbluf'fen *ov.w.* déconcerter, décontenancer; épater, ahurir.
verbluf'fend *b.n.* déconcertant, épatant, ahurissant.
verbluft' *b.n.* épaté, ahuri, stupéfait.
verbluft'heid *v.* ahurissement, ébahissement *m.*
verbod' *o.* **1** défense; interdiction *f.*; **2** prohibition *f.*; *zie* ***verbieden.***
verbo'den *b.n.* défendu; interdit; ***— te roken,*** défense de fumer; ***— toegang,*** entrée interdite.
verbods'bepaling *v.* clause *f.* prohibitive, prohibition *f.*
verbo'gen *b.n.* tordu, faussé.
verbol'gen *b.n.* courroucé, en colère, irrité.
verbol'genheid *v.* **1** courroux *m.*, irritation *f.*; **2** (*v. storm*) tourmente *f.*; **3** (*v. golven*) impétuosité *f.*
verbond' *o.* **1** (*alg.*) union, alliance *f.*; **2** (*v. partijen, enz.*) coalition *f.*; **3** (*verdrag*) pacte *m.*; **4** (*v. deelstaten, bonden enz.*) confédération *f.*; ***het Oude V—,*** l'Ancien Testament; ***het — der Edelen,*** (*gesch.*) le Compromis des Nobles; ***een — sluiten,*** conclure une alliance, se liguer, se coaliser.
verbon'den *b.n.* **1** allié; **2** coalisé; **3** confédéré; **4** (*gehouden, verplicht*) obligé, astreint (à); **5** (*v. voordelen, enz.*) attaché.
verbon'denheid *v.* **1** (*samenhang*) liaison *f.*; **2** (*verplichting*) obligation *f.*
verbonds'ark *v.*(*m.*) arche *f.* d'alliance, — sainte.
verbor'gen *b.n.* **1** caché; **2** (*v. deur, trap*) dérobé; **3** (*geheim*) secret; **4** (*geheimzinnig*) mystérieux; **5** (*v. macht, invloed*) occulte; **6** (*v. gebrek, oorzaak*) latent.
verbor'genheid *v.* **1** mystère *m.*; **2** secret *m.*; **3** obscurité *f.*
verbouw' *m.* culture *f.*
verbou'wen *ov.w.* **1** (*kweken*) cultiver; **2** (*anders bouwen*) reconstruire, rebâtir.
verbou'wer *m.* cultivateur, planteur *m.*
verbouwereerd' *b.n.* ahuri, décontenancé.
verbouwereerd'heid *v.* ahurissement *m.*, confusion *f.*
verbouwere'ren *ov.w.* déconcerter, ahurir.
verbou'wing *v.* **1** reconstruction *f.*; **2** (*v. winkel, enz.*) transformation *f.*; agrandissement *m.*
verbrand' *b.n.* **1** (*alg.*) brûlé; **2** (*v. huid: door zon*) hâlé, basané.
verbrand'baar *b.n.* combustible.
verbran'den I *ov.w.* **1** brûler; **2** (*geheel —*) consumer; réduire en cendres; **3** (*verassen*) incinérer; **4** (*v. huid*) hâler, basaner; **5** (*v. gelaatskleur*) bronzer; **II** *on.w.* **1** brûler; **2** se consumer (par le feu); **3** se hâler; se bronzer.
verbran'ding *v.* **1** (*alg.*) combustion *f.*; destruction *f.* par le feu; **2** (*v. lijk*) incinération, crémation *f.*; **3** (*als doodstraf*) supplice *m.* du feu.
verbran'dingsmiddel *o.* comburant *m.*
verbran'dingsmotor *m.* moteur *m.* à combustion.
verbran'dingsoven *m.* **1** incinérateur *m.*; **2** (*voor lijken*) crématoire *m.*, four *m.* crématoire.
verbran'dingsproces *o.* marche *f.* de la combustion.
verbran'dingsprodukt, -product *o.* produit *m.* de combustion.
verbras'sen *ov.w.* dissiper, gaspiller.
verbras'sing *v.* dissipation, dilapidation *f.*
verbre'den *ov.w.* élargir.
verbre'ding *v.* élargissement *m.*
verbrei'den *ov.w.* **1** (*v. leer, gedachten*) répandre, propager; **2** (*v. nieuws, gerucht*) divulguer, publier.
verbrei'der *m.* **1** propagateur *m.*; **2** divulgateur *m.*
verbrei'ding *v.* **1** propagation, diffusion *f.*; **2** divulgation, publication *f.*
verbre'ken *ov.w.* **1** rompre; briser; **2** (*v. contract*) résilier; **3** (*v. vonnis*) casser; **4** (*v. el. stroom*) interrompre.
verbre'ker *m.* **1** violateur *m.*; **2** (*el.*) interrupteur *m.*
verbre'king *v.* **1** rupture *f.*; **2** (*v. zegel; omheining*) bris *m.*; **3** (*v. contract*) résiliation *f.*; **4** (*v. vonnis*) cassation *f.*
verbre'kingshof *o.* cour *f.* de cassation.
verbrij'zelen *ov.w.* **1** briser, fracasser, broyer; **2** (*fijnstampen*) concasser.
verbrij'zeling *v.* **1** bris, écrasement, broyage *m.*; **2** concassage *m.*
verbrod'delen *ov.w.* gâcher, gâter, bousiller.
verbrod'deling *v.* gâchage, bousillage *m.*
verbroe'deren I *ov.w.* unir; **II** *w.w.*, ***zich — (met),*** fraterniser (avec).
verbroe'dering *v.* fraternisation *f.*
verbrok'kelen *ov.w.* morceler, émietter; démembrer.
verbrok'keling *v.* morcèllement, émiettement *m.*
verbruid' I *b.n.* méchant, vilain; **II** *bw.*, ***het is — koud,*** il fait diablement froid; **III** *tw.*, ***—!*** diable! diantre!
verbrui'en *ov.w.* gâter, faire manquer, faire échouer; ***het bij iem. —,*** mécontenter qn., perdre les bonnes grâces de qn.
verbruik' *o.* consommation *f.*
verbrui'ken *ov.w.* **1** (*gebruiken*) consommer; **2** (*opgebruiken*) consumer.
verbrui'ker *m.* consommateur *m.*
verbruiks'artikel *o.* article *m.* de consommation, — de première nécessité.
verbruiks'belasting *v.* impôt *m.* sur les articles de consommation, taxe *f.* de consommation.
verbruiks'coöperatie, -koöperatie, *zie* ***verbruiksvereniging*** *v.*
verbruiks'goederen *mv.* biens *m.pl.* de consommation.
verbruiks'koöperatie, *zie* ***verbruiksvereniging.***
verbruiks'meter *m.* compteur *m.*
verbruiks'vereniging *v.* (société, association) coopérative *f.* de consommation.
verbuig'baar *b.n.* déclinable.
verbui'gen *ov.w.* **1** (*v. staaf, enz.*) plier; **2** (*v. sleutel*) fausser; **3** (*gram.*) décliner.
verbui'ging *v.* **1** faussure *f.*; **2** (*gram.*) déclinaison *f.*
verbui'gingsuitgang *m.* désinence *f.*; terminaison *f.*
verbui'gingsvorm *m.* forme *f.* déclinée.
verbur'gerlijken I *ov.w.* embourgeoiser; **II** *on.w.* s'embourgeoiser.
verchro'men *ov.w.* chromer.
verdacht' *b.n.* **1** suspect; **2** (*onzeker, twijfelachtig*) douteux, équivoque; **3** (*v. zaak*) véreux; **4** (*v. huis*) louche; ***er — uitzien,*** avoir l'air suspect; ***— zijn op,*** s'attendre à; ***— worden van,*** être soupçonné de.
verdach'te *m.-v.* **1** personne *f.* suspectée; **2** (*beschuldigde*) inculpé, —e; prévenu *m.*; —e *f.*
verdach'tenbank *v.*(*m.*) banc *m.* des prévenus.
verdacht'making *v.* insinuation *f.*
verda'gen *ov.w.* **1** ajourner; **2** (*v. Kamers*) proroger, ajourner.
verda'ging *v.* ajournement *m.*; prorogation *f.*
verdam'pen I *ov.w.* faire évaporer; **II** *on.w.* s'évaporer.
verdam'per *m.* (*tn.*) évaporateur *m.*
verdam'ping *v.* évaporation *f.*
verdam'pingswarmte *v.* chaleur *f.* de vaporisation.
verde'digbaar *b.n.* **1** défendable; **2** (*fig.*) soutenable, défendable.
verde'digen *ov.w.* **1** défendre; **2** (*v. stelling*) soutenir.

verde'digend *b.n.* **1** défensif; **2** (*v. geschrift, vooral godsdienstig*) apologétique.
verde'diger *m.* **1** défenseur *m.*; **2** (*v. stelling*) soutenant *m.*; **3** (*v. geloof*) apologiste *m.*
verde'diging *v.* **1** défense *f.*; **2** soutenance *f.*; **3** apologie *f.*; **4** (*recht: voor rechtbank*) plaidoyer *m.*
verde'digingsbelasting *v.* impôt *m.* pour la défense nationale.
verde'digingsgordel *m.* ceinture *f.* de défense.
verde'digingslinie *v.* ligne *f.* de défense.
verde'digingsmiddel *o.* moyen *m.* de défense.
verde'digingsoorlog *m.* guerre *f.* défensive.
verde'digingsstelsel *o.* système *m.* de défense.
verde'digingswapen *o.* arme *f.* défensive.
verde'digingswerken *mv.* **1** travaux *m.pl.* de défense; **2** (*vestingen*) fortifications *f.pl.*
verdeeld' *b.n.* **1** divisé, désuni; **2** (*v. meningen*) partagé, divisé; **3** (*v. beurs*) sans tendance définie.
verdeeld'heid *v.* division, désunion, discorde *f.*
verdeemoe'digen *ov.w.* humilier.
verdeemoe'diging *v.* humiliation *f.*
verdek' *o.* (*sch.*) pont *m.*
verdekt' *b.n.* **1** (*sch.*) ponté; **2** à l'abri; ***zich — opstellen,*** se mettre en embuscade.
verde'len *ov.w.* **1** (*in delen scheiden*) diviser; **2** (*uitdelen*) partager, distribuer; **3** (*v. belasting*) répartir; **4** (*v. geesten, gezin, enz.*) diviser, désunir; **5** (*v. betalingen*) échelonner; ***— in,*** diviser en; ***— onder,*** partager entre.
verde'ler *m.* distributeur *m.*
verdel'gen *ov.w.* détruire, exterminer, extirper.
verdel'ger *m.* exterminateur *m.*
verdel'ging *v.* destruction, extermination *f.*
verdel'gingsoorlog *m.* guerre *f.* d'extermination.
verde'ling *v.* **1** (*in delen*) division *f.*; **2** (*uitdeling*) partage *m.*, distribution *f.*; **3** (*v. belasting*) répartition *f.*; **4** (*v. betalingen*) échelonnement *m.*; ***personele en functionele —,*** répartition *f.* individuelle et en masse.
verden'ken *ov.w.* soupçonner; suspecter.
verden'king *v.* **1** (*alg.*) soupçon *m.*; **2** (*argwaan*) suspicion *f.*
ver'der I *b.n.* **1** (*verder af*) plus éloigné; **2** (*langer*) plus long; **3** (*nader, later*) ultérieur; ***—e inlichtingen,*** de plus amples renseignements; **II** *bw.* **1** (*v. afstand*) plus loin; **2** (*daarna*) ensuite, après; **3** (*daarenboven, bovendien*) de plus, en outre; ***— gaan,*** aller plus loin; ***— gaan met lezen, — lezen,*** continuer sa lecture, continuer de lire; ***niet — kunnen,*** (*v. auto, enz.*) rester en panne; ***ik zal er — voor zorgen,*** je me charge du reste; ***— niets,*** rien de plus; ***en zo —,*** et ainsi de suite; ***daar kom ik niet — mee,*** cela ne m'avance guère; ***zij drongen niet — aan,*** ils n'insistèrent pas davantage.
verderf' *o.* **1** (*alg.*) perte, ruine *f.*; **2** (*verdoemenis*) perdition, damnation *f.*; ***in het — storten,*** perdre, ruiner; ***in zijn — lopen,*** courir à sa perte, se perdre.
verder'felijk *b.n.* **1** (*schadelijk*) pernicieux; **2** (*noodlottig*) funeste, fatal.
verder'felijkheid *v.* influence *f.* pernicieuse, — funeste, caractère *m.* funeste.
verder'fenis *v.* perdition *f.*
verder'ven *ov.w.* **1** (*vernietigen*) détruire, ruiner, perdre; **2** (*bederven*) pervertir, corrompre, dépraver.
verder'ver *m.* corrupteur *m.*
verder'ving *v.* perversion, corruption, dépravation *f.*
verdicht' *b.n.* **1** (*v. verhaal, enz.*) fictif; **2** (*v. naam*) supposé, d'emprunt.
verdich'ten *ov.w.* **1** (*v. verhaal*) inventer; **2** (*samenpersen: v. gassen, enz.*) condenser.
verdich'ting *v.* **1** invention, imagination *f.*; **2** condensation *f.*
verdich'tingstoestel *o.* condensateur *m.*
verdicht'sel *o.* invention, imagination *f.*; fiction, fable *f.*
verdie'nen *ov.w.* **1** (*v. geld*) gagner; **2** (*aanspraak hebben op, waard zijn*) mériter; être digne de; ***aanbeveling —,*** être recommandable; ***straf —,*** mériter d'être puni; ***heb ik dat aan u verdiend?*** est-ce là ma récompense?
verdien'ste *v.* **1** (*loon*) salaire *m.*; **2** (*winst*) bénéfice, gain *m.*; **3** (*waardigheid, talent*) mérite *m.*; ***naar —n belonen,*** récompenser selon ses mérites.
verdien'stelijk I *b.n.* **1** (*v. persoon*) de mérite; **2** (*v. leerling*) méritant; **3** (*v. daad*) méritoire; ***zich — maken,*** se rendre utile; ***zich — maken jegens het vaderland,*** bien mériter de la patrie; **II** *bw.* d'une façon digne d'éloges; méritoirement.
verdie'pen I *ov.w.* creuser, approfondir; **II** *w.w.*, ***zich — in,*** se plonger dans, s'abîmer dans, pénétrer dans; ***zich in gissingen —,*** se perdre en conjectures.
verdie'ping *v.* **1** approfondissement, creusage *m.*; **2** (*v. huis*) étage *m.*; ***op de eerste —,*** au premier; ***laag van —,*** bas de plafond; ***een huis van één —,*** une maison sans étage.
verdier'lijken *ov.w.* abrutir.
verdier'lijking *v.* abrutissement *m.*
verdiet'sen *ov.w.* (*diets maken*) hollandiser.
verdik'keme *bw.* sapristi.
verdik'ken I *ov.w.* **1** grossir; **2** (*v. siroop, enz.*) épaissir; **3** (*v. vloeistof*) concentrer; **4** (*v. dampen*) condenser; **II** *on.w.* **1** s'épaissir; **2** se concentrer.
verdik'king *v.* **1** épaissement *m.*; **2** concentration *f.*; **3** condensation *f.*; **4** (*opzwelling*) enflure *f.*; **5** (*gezwel*) tumeur *f.*
verdisconte'ren, verdiskonte'ren *ov.w.* (*H.*) négocier, faire escompter; ***verdisconteerde wissel,*** traite à l'escompte.
verdob'belen *ov.w.* perdre au jeu.
verdoe'ken *ov.w.* rentoiler.
verdoe'king *v.* rentoilage *m.*
verdoemd' I *b.n.* damné, maudit; **II** *bw.* diablement, rudement.
verdoem'de *m.* damné, réprouvé *m.*
verdoe'melijk *b.n.* condamnable; damnable.
verdoe'men *ov.w.* damner, réprouver; maudire.
verdoe'menis *v.* damnation *f.*
verdoe'ming *v.* damnation, réprobation *f.*
verdoen' I *ov.w.* dissiper, gaspiller; **II** *w.w.*, ***zich —,*** se suicider.
verdoe'zelen I *ov.w.* estomper; **II** *on.w.* s'estomper.
verdof'fen I *ov.w.* **1** (*v. kleur*) ternir; **2** (*v. klank*) assourdir; **II** *on.w.* **1** se ternir; **2** s'assourdir.
verdo'len *on.w.* s'égarer.
verdom'boekje, ***in het — staan,*** être la bête noire.
verdom'men, 1 *zie* ***verdoemen***; **2** *zie* ***vertikken.***
verdonkerema'nen *ov.w.* soustraire, détourner, subtiliser; (*fam.*) chiper, escamoter.
verdon'keren *ov.w.* obscurcir, assombrir.
verdoofd' *b.n.* **1** (*v. kleur*) terni; **2** (*v. klank*) assourdi; **3** (*fig.*) engourdi.
verdoold' *b.n.* égaré.
verdord' *b.n.* **1** sec, desséché; **2** (*v. bloem*) fané; **3** (*v. blad*) mort.
verdord'heid *v.* sécheresse *f.*
verdor'ren *on.w.* **1** se dessécher; **2** se faner.
verdor'ring *v.* dessèchement *m.*
verdor'ven *b.n.* dépravé, corrompu, pervers.
verdor'venheid *v.* dépravation, corruption, perversité *f.*
verdo'ven I *ov.w.* **1** (*doof maken*) assourdir, étourdir; **2** (*iemands stem: overstemmen*) dominer; **3** (*v. geluid*) amortir, étouffer; **4** (*door kou*) engourdir; **5** (*gen.*) anesthésier; chloroformer, narcotiser;

6 (*fig.*) assoupir, engourdir; II *on.w.* 1 s'assourdir; 2 s'amortir; 3 s'engourdir; 4 (*v. kleur*) se ternir, pâlir; 5 (*v. licht, vuur*) s'éteindre.
verdo'vend *b.n.* 1 (*v. geluid*) assourdissant; 2 (*gen.*) anesthésique.
verdo'ving *v.* 1 assourdissement, étourdissement *m.*; 2 amortissement *m.*; 3 engourdissement *m.*; 4 (*gen.*) anesthésie *f.*; 5 assoupissement *m.*
verdo'vingsmiddel *o.* 1 narcotique, anesthésique *m.*; 2 (*morfine, enz.*) stupéfiant *m.*
verdraag'lijk *b.n.* supportable; tolérable.
verdraag'zaam I *b.n.* 1 (*op gebied v. godsdienst, enz.*) tolérant; 2 (*inschikkelijk*) accomodant; traitable, facile; 3 (*geduldig, lijdzaam*) endurant; II *bw.* avec tolérance.
verdraag'zaamheid *v.* tolérance *f.*
verdraaid' I *b.n.* 1 tordu; 2 (*v. oog*) révulsé; II *tw.*, **—!** fichtre! mâtin!
verdraai'en *ov.w.* 1 (*alg.*) tourner; 2 (*v. slot, enz.*) brouiller, fausser, forcer; 3 (*v. tekst*) torturer; 4 (*v. wet*) éluder; 5 (*v. waarheid*) altérer; 6 (*v. schrift*) déguiser; 7 (*betekenis v. zin*) pervertir; 8 (*v. ogen*) rouler; ***ik verdraai het!*** je m'en fiche!
verdraai'ing *v.* 1 torsion *f.*; 2 (*v. slot*) faussure *f.*; 3 (*v. ogen*) roulement *m.*; 4 (*fig.: v. waarheid*) altération *f.*, travestissement *m.*; 5 (*v. zin, enz.*) fausse interprétation *f.*
verdrag' *o.* 1 (*overeenkomst*) contrat; accord *m.*; 2 (*tussen landen*) traité *m.*, convention *f.*, pacte *m.*; 3 (*met duivel*) pacte *m.*; ***een — sluiten,*** conclure un traité; ***een — opzeggen,*** dénoncer un traité.
verdra'gen I *ov.w.* 1 (*dulden*) supporter; tolérer; 2 (*v. pijn, enz.*) endurer; 3 (*overdragen*) transporter; déplacer; ***hij kan geen bier —,*** il supporte mal la bière; II *w.w.*, ***zich met elkaar —,*** vivre en bonne intelligence.
ver'dragend *b.n.* à longue portée.
verdrag'haven *v.(m.)* port *m.* à traité, — ouvert.
verdriedub'belen *ov.w.* tripler.
verdriedub'beling *v.* triplement *m.*
verdriet' *o.* 1 chagrin *m.*, peine, affliction *f.*; 2 (*minder sterk*) ennui, dépit *m.*; ***iem. — aandoen,*** attrister qn., affliger qn.
verdrie'telijk *b.n.* 1 (*verdrietig*) triste, affligé; 2 (*hinderlijk, onaangenaam*) ennuyeux, fâcheux, désagréable.
verdrie'telijkheid *v.* chagrin *m.*; ennui *m.*
verdrie'tig *b.n.* triste, affligé, chagrin, maussade; ***— worden,*** s'affliger.
verdrievou'digen *ov.w.* tripler.
verdrij'ven *ov.w.* 1 (*wegjagen*) chasser; 2 (*uitstoten*) expulser; 3 (*uit stelling*) déloger; 4 (*v. mist, wolk, enz.*) dissiper; 5 (*v. tijd*) tuer, passer; 6 (*wisk.: v. onbekende*) éliminer; 7 (*v. koorts*) dissiper, faire passer.
verdrij'ving *v.* 1 expulsion *f.*; 2 délogement *m.*; 3 dissipation *f.*; 4 élimination *f.*
verdrin'gen I *ov.w.* 1 (*wegstoten*) pousser, bousculer; 2 (*in ambt: onderkruipen*) supplanter; évincer; 3 (*psych.*) refouler; II *w.w.*, ***elkaar —,*** se pousser, se bousculer.
verdrin'ging *v.* 1 bousculade *f.*; 2 (*fig.*) supplantation *f.*; évincement *m.*; 3 (*psych.*) refoulement.
verdrin'ken I *ov.w.* 1 (*v. persoon, dier*) noyer; 2 (*v. land*) inonder, submerger; 3 (*v. geld*) dépenser à boire; II *on.w.* se noyer; III *w.w.*, ***zich —,*** se jeter à l'eau. [par submersion.
verdrin'king *v.* noyade *f.*; ***dood door —,*** mort
verdro'gen *on.w.* 1 (*alg.*) se dessécher; 2 (*v. bron, enz.*) se tarir. [*m.*
verdro'ging *v.* 1 dessèchement *m.*; 2 tarissement
verdro'men *ov.w.* passer en rêveries.
verdruk'ken *ov.w.* opprimer.
verdruk'ker *m.* oppresseur *m.*
verdruk'king *v.* 1 oppression *f.*; 2 (*slavernij*) servitude *f.*
verdub'belen *ov.w.* 1 doubler; 2 (*v. pogingen, ijver*) redoubler; ***zijn ijver —,*** redoubler de zèle; ***met verdubbelde ijver,*** avec un redoublement de zèle.
verdub'beling *v.* 1 doublement *m.*; 2 redoublement *m.*; 3 (*gram.*) réduplication *f.*; 4 (*wisk.*) duplication *f.*; 5 (*spel: v. inzet*) paroli *m.*
verdui'delijken *ov.w.* éclaircir, rendre clair, expliquer, élucider.
verdui'delijking *v.* éclaircissement *m.*, explication, élucidation *f.*
verdui'ken *ov.w.* cacher.
verduis'teraar *m.* fraudeur *m.*
verduis'teren I *ov.w.* 1 obscurcir, assombrir; 2 (*v. verstand*) offusquer, obnubiler; 3 (*sterr.; roem*) éclipser; 4 (*v. geld*) détourner, soustraire; 5 (*v. licht: tegen luchtaanvallen*) occulter; II *on.w.* 1 s'obscurcir, s'assombrir; 2 (*v. gelaat*) se rembrunir; 3 s'éclipser; perdre son éclat.
verduis'tering *v.* 1 obscurcissement *m.*; 2 obnubilation *f.*; 3 éclipse *f.*; 4 détournement *m.*; soustraction *f.*; 5 (*v. staatsgelden*) péculat *m.*; 6 (*tegen luchtaanvallen*) occultation *f.*, black-out *m.*
verduis'teringsoefeningen *mv.* exercices *f.pl.* d'occultation, — de défense passive.
verduit'sen *ov.w.* 1 (*Duits maken*) germaniser; 2 (*in het Duits vertalen*) traduire en allemand.
verdui'veld I *b.n.* maudit, sacré; II *bw.* diablement, diantrement; III *tw.*, **—!** diable! parbleu!
verduizendvou'digen *ov.w.* 1 multiplier par mille; 2 (*fig.*) multiplier à l'infini, faire pulluler.
verdun'nen I *ov.w.* 1 (*v. plank*) amincir, amenuiser; 2 (*v. wijn*) délayer, éclaircir, étendre (d'eau); 3 (*v. saus*) allonger, délayer; 4 (*v. oplossing, dosis*) diluer; 5 (*v. gassen*) raréfier; 6 (*v. planten*) éclaircir; II *on.w.* s'amincir.
verdun'ning *v.* 1 amincissement *m.*; 2 délayage *m.*; 3 dilution *f.*; 4 raréfaction *f.*; 5 éclaircissage *m.*
verdu'ren *ov.w.* supporter, endurer, souffrir.
verduur'zaamd *b.n.* conservé; ***—e levensmiddelen,*** conserves *f.pl.* (alimentaires); ***—e melk,*** lait condensé.
verduur'zamen *ov.w.* conserver.
verduur'zaming *v.* conservation *f.*
verdu'wen *ov.w.* 1 (*wegduwen*) repousser, déplacer; 2 (*verteren*) digérer; 3 (*fig.*) avaler, digérer.
verdu'wing *v.* digestion *f.*
verdwaald' *b.n.* égaré.
verdwaasd' *b.n.* affolé, insensé, égaré.
verdwaasd'heid *v.* folie *f.*, égarement *m.*
verdwa'len *on.w.* s'égarer, se perdre; ***verdwaalde kogel,*** balle perdue.
verdwa'zen *ov.w.* affoler, égarer (l'esprit).
verdwa'zing *v.* égarement *m.*
verdwij'nen *on.w.* 1 disparaître; 2 (*v. licht*) s'éclipser; 3 (*gen.: v. gezwel, enz.*) se résorber.
verdwij'ning *v.* disparition *f.*
vere'delen *ov.w.* 1 (*v. geest*) ennoblir; 2 (*v. ras*) améliorer; 3 (*zuiveren; volkomener maken*) épurer; perfectionner.
vere'deling *v.* 1 ennoblissement *m.*; 2 amélioration *f.*; 3 épuration *f.*; perfectionnement *m.*
vereelt' *b.n.* calleux.
vereel'ten I *on.w.* 1 devenir calleux; 2 (*fig.*) s'endurcir; II *ov.w.* 1 rendre calleux; 2 (*fig.*) endurcir.
vereelt'heid *v.* callosité *f.*

vereel'ting *v.* 1 formation *f.* de callosité; 2 (*fig.*) endurcissement *m.* [réduire.

vereenvou'digen *ov.w.* 1 (*alg.*) simplifier; 2 (*rek.*)

vereenvou'diger *m.* 1 simplificateur *m.*; 2 (*v. spelling*) réformiste *m.*

vereenvou'diging *v.* simplification *f.*

vereen'zaming *v.* esseulement *m.*

vereenzel'vigen *ov.w.* identifier (avec), assimiler (à); ***zich — met,*** s'identifier avec.

vereenzel'viging *v.* identification *f.*

vereer'der *m.* admirateur; adorateur *m.*

vereeu'wigen *ov.w.* 1 (*doen voortduren*) perpétuer; éterniser; 2 (*onsterfelijk maken*) immortaliser.

vereeu'wiging *v.* 1 perpétuation *f.*; 2 immortalisation *f.*

veref'fenen *ov.w.* 1 (*v. rekening*) régler; 2 (*v. schuld*) payer, acquitter, régler; 3 (*overschot v. rekening, schuld*) solder; 4 (*v. geschil*) vider, arranger, terminer; 5 (*v. erfenis*) liquider.

veref'fening *v.* 1 règlement *m.*; 2 paiement, acquittement *m.*; 3 solde *m.*; 4 arrangement *m.*; 5 liquidation *f.*; ***ter — van,*** en règlement de; en balance de.

verei'sen *ov.w.* exiger, requérir, nécessiter; comporter; ***de vereiste hoedanigheden,*** les qualités requises.

vereis'te *o. en v.* exigence, condition requise, qualité *f.* nécessaire; ***een eerste —,*** une condition indispensable.

ve'ren I *on.w.* 1 faire ressort, être élastique; 2 (*v. biljartband*) repousser; **II** *b.n.* de plumes.

ve'renbed *o.* lit *m.* de plumes.

ve'rend *b.n.* élastique; ***goed —,*** bien suspendu; ***— stuur,*** guidon *m.* amortissant.

vere'nen *ov.w.* unir.

veren'gelsen *ov.w.* angliciser.

veren'gen *ov.w.* rétrécir, resserrer.

vere'nigbaar *b.n.* compatible.

vere'nigbaarheid *v.* compatibilité *f.*

Vere'nigde Na'ties *mv.* Nations *f.pl.* Unies.

Vere'nigde-Sta'ten *mv.* États-Unis *m.pl.*

Vere'nigd Koninkrijk *o.* Royaume *m.* Uni.

vere'nigen I *ov.w.* 1 (*alg.*) réunir, unir; 2 (*v. gedachten*) associer; 3 (*overeenbrengen*) concilier, accorder; 4 (*v. ambten*) cumuler; 5 (*v. voordelen, enz.*) combiner; ***in zich —,*** réunir; ***niet te — met,*** incompatible avec; **II** *w.w.*, ***zich —,*** 1 (*alg.*) se réunir, s'assembler; 2 (*v. rivieren*) confluer; ***zich — met,*** 1 s'associer à; 2 (*met mening*) se ranger à, se rallier à; ***zich in één punt —,*** se concentrer; ***zich met iemands zienswijze —,*** se ranger à l'avis de qn., entrer dans les vues de qn.; ***wij kunnen ons daarmede niet —,*** nous ne sommes pas du même avis.

vere'niging *v.* 1 réunion *f.*; 2 (*verbond*) union *f.*; 3 (*samenvoeging*) jonction, combinaison *f.*; 4 (*v. partijen*) fusion *f.*; 5 (*v. ambten*) cumul *m.*; 6 (*v. belangen*) conciliation *f.*; 7 (*genootschap*) société, association *f.*; ***— voor vreemdelingenverkeer,*** syndicat *m.* d'initiative; ***te zamen en in —,*** ensemble et de concert.

vere'nigingsjaar *o.* année *f.* sociétaire.

vere'nigingslokaal *o.* salle *f.* de réunion.

vere'nigingspunt *o.* 1 point *m.* de réunion; — de jonction; 2 rendez-vous *m.*

vere'ren *ov.w.* 1 honorer; 2 adorer; 3 (*schenken*) faire présent (de qc. à qn.).

vere'rend *b.n.* 1 flatteur; 2 (*eervol*) honorifique.

verer'geren I *ov.w.* aggraver; **II** *on.w.* s'aggraver, empirer.

verer'gering *v.* aggravation *f.*

vere'ring *v.* 1 vénération *f.*; 2 (*goddelijke —*) adoration *f.*, culte *m.*; 3 (*eerbied*) respect *m.*; 4 (*geschenk*) don, hommage *m.*

veret'teren *on.w.* puruler.

veret'tering *v.* purulence *f.*

verf *v.(m.)* 1 (*alg.*) couleur *f.*; 2 (*schilderwerk, verflaag*) peinture *f.*; 3 (*voor stoffen*) teinture *f.*

verf'bad *o.* bain *m.* de teinture.

verf'bord *o.* palette *f.*

verf'borstel *m.* brosse *f.*

verf'doos *v.(m.)* boîte *f.* de couleurs.

verf'fabriek *v.* fabrique *f.* de couleurs.

verf'hout *o.* bois *m.* de teinture.

verfijnd' *b.n.* raffiné.

verfij'nen *ov.w.* raffiner.

verfij'ning *v.* raffinement *m.* [l'écran.

verfil'men *ov.w.* 1 filmer; 2 (*v. roman*) adapter à

verfil'ming *v.* filmage *m.*; (*v. roman*) adaptation *f.* cinématographique.

verf'je *o.* couche *f.* de couleur, — de peinture.

verf'kuip *v.(m.)* cuve *f.* de teinturier.

verf'kwast *m.* brosse *f.*

verf'laag *v.(m.)* couche *f.* de peinture.

verflau'wen *on.w.* 1 s'affaiblir; 2 (*v. ijver*) tomber, se refroidir; 3 (*v. belangstelling*) se relâcher, languir; 4 (*v. beweging*) se ralentir; 5 (*v. koers*) mollir.

verflau'wing *v.* 1 affaiblissement *m.*; 2 refroidissement *m.*; 3 ralentissement *m.*

verflen'sen *on.w.* se flétrir, se faner.

verf'molen *m.* moulin *m.* broyeur.

verfoei'en *ov.w.* détester, abhorrer, exécrer.

verfoei'ing *v.* détestation, abomination, exécration *f.*

verfoei'lijk I *b.n.* détestable, exécrable; **II** *bw.* détestablement, exécrablement.

verfoei'lijkheid *v.* abomination, horreur *f.*

verfoe'liën *ov.w.* étamer.

verfoe'liesel *o.* tain *m.*

verfom'faaien *ov.w.* chiffonner, froisser, friper.

verf'poeder, -poeier *o. en m.* couleur *f.* en poudre.

verf'pot *m.* pot *m.* à couleur.

verfraai'en *ov.w.* embellir, enjoliver.

verfraai'ing *v.* embellissement *m.*

verfran'sen *ov.w.* franciser.

verfran'sing *v.* francisation *f.*

verfris'sen *ov.w.* 1 rafraîchir; 2 (*v. lucht*) renouveler; 3 (*fig.*) ranimer.

verfris'send *b.n.* rafraîchissant.

verfris'sing *v.* rafraîchissement *m.*

verfrom'melen *ov.w.*, zie ***verfomfaaien.***

verf'spuit *v.(m.)* pistolet *m.*, projecteur*-pulvérisateur*, aérographe *m.*

verf'stof *v.(m.)* matière *f.* colorante, colorant *m.*

verf'waren *mv.* couleurs *f.pl.*; matières *f.* colorantes.

vergaan' *on.w.* 1 périr; 2 (*op zee*) faire naufrage, périr; 3 (*verteren, verstikken*) se consumer, s'user; 4 (*verrotten*) (se) pourrir; 5 (*voorbijgaan*) passer, se passer, s'écouler; 6 (*aflopen*) finir, se terminer; 7 (*bewegen*) bouger; ***de lust is me —,*** j'en ai perdu l'envie; ***van dorst —,*** mourir de soif; ***horen en zien vergaat,*** on est étourdi par le bruit; ***onkruid vergaat niet,*** mauvaise herbe croît toujours.

vergaar'bak *m.* 1 réservoir; bassin *m.*; 2 (*v. regenwater*) citerne *f.*

vergaar'der *m.* collectionneur *m.*

verga'deren I *ov.w.* 1 (r)assembler; 2 (*v. rijkdom, schatten*) amasser; **II** *on.w.* se réunir.

verga'dering *v.* 1 (*alg.*) réunion; assemblée *f.*; 2 (*zitting*) séance *f.*; ***staande de —,*** séance tenante; ***een — sluiten,*** lever une séance, — une assemblée.

verga'derplaats *v.(m.)* lieu *m.* de réunion.

verga'derzaal *v.(m.)* salle *f.* de réunion; — des séances. [empoisonner.
vergal'len *ov.w.* **1** (*v. vreugde*) gâter; **2** (*v. leven*)
vergaloppe'ren *w.w.*, ***zich* —,** faire une gaffe, gaffer, se couper.
vergaloppe'ring *v.* gaffe *v.*
vergan'kelijk *b.n.* **1** (*v. goederen, enz.*) périssable; **2** (*v. geluk*) fragile, fugitif; **3** (*voorbijgaand*) passager, transitoire.
vergan'kelijkheid *v.* fragilité, instabilité *f.*
verga'pen *w.w.*, ***zich* — *aan*,** s'émerveiller de, se laisser éblouir par, s'amouracher de.
verga'ren *ov.w.* **1** amasser, accumuler; **2** (*drukk.*) assembler.
verga'ring *v.* **1** accumulation *f.*; **2** assemblage *m.*
vergas'sen *ov.w.* **1** gazéifier; **2** gazer, asphyxier.
vergas'ser *m.* carburateur *m.*
vergas'sing *v.* **1** carburation, gazéification *f.*; **2** gazage *m.*
vergas'ten I *ov.w.* régaler; **II** *w.w.*, ***zich* — *aan*,** se régaler de, se repaître de; ***iem.* — *op iets*,** régaler qn. de qc.
vergeef'lijk, verge'felijk *b.n.* **1** pardonnable; rémissible; **2** (*vergevingsgezind*) clément.
vergeefs' I *bw.* vainement, inutilement, en vain; **II** *b.n.* vain, inutile.
vergees'telijken *ov.w.* spiritualiser.
vergeet'achtig *b.n.* oublieux.
vergeet'achtigheid *v.* manque *m.* de mémoire, défaut *m.* —.
vergeet'al *m.* personne *f* oublieuse.
vergeet'boek *o.*, ***in 't* — *raken*,** tomber dans l'oubli.
vergeet'-mij-niet *v.(m.)* (*Pl.*) myosotis, ne-m'oubliez-pas *m.*
verge'felijk, *zie* ***vergeeflijk.***
vergel'den *ov.w.* **1** rendre; **2** (*v. dienst*) reconnaître; **3** (*betalen*) payer; **4** (*belonen, vergoeden*) récompenser, rémunérer; ***kwaad met goed* —,** rendre le bien pour le mal.
vergel'der *m.* rémunérateur *m.*
vergel'ding *v.* **1** (*beloning*) récompense, rémunération *f.*; **2** (*straf*) punition *f.*
vergel'dingsaanval *m.* attaque *f.* de représailles.
vergeldingsmaatregel *m.* **1** mesure *f.* de représailles; **2** (*recht*) (mesure de) rétorsion *f.*
vergel'dingspolitiek *v.* politique *f.* de représailles.
verge'len *on.w.* jaunir.
vergelijk' *o.* arrangement, accord; accommodement, compromis *m.*; ***een* — *treffen*,** faire un arrangement, trouver un compromis.
vergelijk'baar *b.n.* comparable.
vergelij'ken *ov.w.* **1** comparer; **2** (*v. tekst*) conférer; **3** (*H.: door naast elkaar te leggen*) confronter; ***vergeleken met*,** comparé à, en comparaison de.
vergelij'kend *b.n.* (*v. studie, enz.*) comparé; — ***examen*,** concours *m.*; **—*e trap*,** comparatif *m.*
vergelijkenderwijs', -wijze *bw.* comparativement, par comparaison.
vergelij'king *v.* **1** comparaison *f.*; **2** (*v. punten van overeenkomst en verschil*) parallèle *m.*; **3** (*wisk.*) équation *f.*; ***in* — *met*,** en comparaison de; ***de* — *doorstaan*,** soutenir la comparaison, — le parallèle; — ***van de eerste graad*,** équation *f.* linéaire, — du premier degré; — ***met één onbekende*,** équation à une inconnue; ***de trappen van* —,** les degrés *m.pl.* de signification, — de comparaison.
vergelij'kingstabel *v.(m.)* tableau *m.* comparatif.
vergemak'kelijken *ov.w.* faciliter.
ver'gen *ov.w.* demander, exiger.
vergenoegd' *b.n.* content, satisfait, joyeux.
vergenoegd'heid *v.* contentement, enjouement *m.*
vergenoe'gen I *ov.w.* contenter, satisfaire; **II** *w.w.*, ***zich* — *met*,** se contenter de.
verge'telheid *v.* oubli *m.*; ***aan de* — *ontrukken*,** tirer de l'oubli.
verge'ten I *ov.w.* **1** oublier; **2** (*verleren*) désapprendre; **3** (*v. plicht*) négliger; — ***worden*,** s'oublier, être oublié; **II** *w.w.*, ***zich* —,** s'oublier; **III** *z.n.*, *o.* oubli *m.*
verge'ven *ov.w.* **1** (*vergiffenis schenken*) pardonner; **2** (*v. zonden*) remettre; **3** (*v. ambt*) conférer; **4** (*bij kaartspel*) mal donner; **5** (*vergiftigen*) empoisonner; ***iets* — *en vergeten*,** passer l'éponge sur qc.
verge'vensgezind *b.n.* clément.
verge'vensgezindheid *v.* clémence, indulgence *f.*
verge'ving *v.* **1** pardon *m.*; **2** (*v. zonden*) rémission *f.*; **3** (*v. ambt*) collation *f.*; **4** (*vergiftiging*) empoisonnement *m.* [fin *f.* de saison.
ver'gevor'derd *b.n.* (fort) avancé; — ***seizoen*,**
vergewis'sen I *ov.w.* assurer; **II** *w.w.*, ***zich* — *van*,** s'assurer de.
vergezel'len *ov.w.* accompagner.
ver'gezicht *o.* **1** perspective *f.*; **2** (*tussen twee dingen*) échappée *f.*
vergezocht' *b.n.* recherché, tiré par les cheveux.
vergiet' *o. en v.(m.)* passoire *f.*
vergie'ten *ov.w.* **1** (*v. vloeistof*) répandre; **2** (*v. bloed, tranen*) verser, répandre; **3** (*te veel gieten op*) verser trop d'eau sur; noyer.
vergie'ting *v.* effusion *f.*
vergiet'test *v.(m.)* passoire *f.*
vergif', *zie* ***vergift.***
vergif'fenis *v.* pardon *m.*
vergif'(t) *o.* **1** poison *m.*; **2** (*dierlijk*) venin *m.*; **3** (*gen.*) virus *m.*; **4** (*scheik.*) toxique *m.*
vergif'tig *b.n.* **1** (*v. dier*) venimeux; **2** (*v. plant*) vénéneux; **3** (*v. stof*) toxique; **4** (*v. dampen, gassen*) délétère; **5** (*fig.: v. woord*) envenimé; **6** (*v. tong*) de vipère.
vergif'tigen *ov.w.* **1** empoisonner; **2** (*gen.*) intoxiquer; **3** (*fig.*) envenimer, empoisonner.
vergif'tiger *m.* empoisonneur *m.* [*f.*
vergif'tiging *v.* empoisonnement *m.*, intoxication
vergif'tigingsverschijnselen *mv.* indices *m.pl.* d'empoisonnement, — d'intoxication.
vergift'kastje *o.* armoire *f.* aux poisons.
Vergi'lius *m.* Virgile *m.*
vergis'sen *w.w.*, ***zich* —,** se tromper, se méprendre, s'abuser (***in*,** sur); ***als ik mij niet vergis*,** sauf erreur.
vergis'sing *v.* **1** méprise, erreur *f.*; **2** (*fam.: verwisseling*) quiproquo *m.*; ***bij* —,** par méprise, par mégarde, par erreur.
verglaas'baar *b.n.* vitrescible, vitrifiable.
verglaas'sel *o.* vernis, émail *m.*
vergla'zen I *ov.w.* **1** (*in glas veranderen*) vitrifier; **2** (*vernis opleggen*) vernir, vernisser; **3** (*glazuur opleggen*) émailler; **II** *on.w.* se vitrifier.
vergla'zing *v.* **1** vitrification *f.*; **2** vernissage *m.*; **3** émaillage *m.*
vergod'delijken *ov.w.* diviniser.
vergo'den *ov.w.* **1** déifier; **2** (*fig.*) adorer, idolâtrer.
vergo'der *m.* adorateur *m.*
vergo'ding *v.* **1** déification *f.*; **2** (*fig.*) adoration, idolâtrie *f.*
vergoe'den *ov.w.* **1** (*schadeloos stellen*) dédommager, indemniser; **2** (*v. verlies*) réparer, compenser; **3** (*v. rente*) bonifier; **4** (*v. kosten*) rembourser, payer; **5** (*v. fout*) réparer, racheter; ***ledige emballage wordt vergoed*,** les emballages seront décomptés.
vergoe'ding *v.* **1** dédommagement *m.*; indemnité

f.; 2 réparation, compensation *f.*; 3 bonification *f.*; 4 remboursement *m.*; 5 réparation *f.*; ***tegen — van,*** moyennant.
vergoe'lijken *ov.w.* excuser; colorer, pallier.
vergoe'lijking *v.* excuse *f.*; prétexte *m.*
vergooi'en I *ov.w.* 1 (*v. geld*) gaspiller; jeter par les fenêtres; 2 (*v. toekomst*) gâcher; 3 (*v. naam*) galvauder, faire bon marché de; **II** *w.w.*, ***zich —,*** s'avilir.
vergramd' *b.n.* irrité, courroucé.
vergramd'heid *v.* irritation *f.*, courroux *m.*, colère *f.*
vergram'men *ov.w.* irriter, courroucer.
vergrijp' *o.* 1 faute, méprise *f.*; 2 (*recht*) débit, attentat *m.*; ***gering —,*** peccadille *f.*; ***— tegen de zeden,*** attentat aux mœurs.
vergrij'pen I *ov.w.* prendre autrement; **II** *w.w.*, ***zich — aan,*** 1 attenter à, violer; 2 (*v. wet*) enfreindre; ***zich aan een anders goed —,*** porter la main sur le bien d'autrui, s'approprier le bien d'autrui.
vergrij'zen *on.w.* blanchir.
vergroei'en *on.w.* 1 (*v. wond*) se cicatriser, s'effacer; 2 (*verkeerd groeien: v. ledematen, boom, enz.*) se déformer, dévier; ***— met,*** se souder à.
vergroei'ing *v.* 1 cicatrisation *f.*; 2 déformation, déviation *f.*; 3 soudure *f.*; 4 (*Pl.*) concrescence *f.*
vergroot'glas *o.* loupe *f.*
vergro'ten *ov.w.* 1 (*groter maken*) agrandir; 2 (*uitbreiden: v. kennis, enz.*) étendre; 3 (*vermeerderen: v. kapitaal, enz.*) augmenter; 4 (*met vergrootglas, bril*) grossir; 5 (*fig.*) exagérer.
vergro'tend *b.n.* (*v. glas*) grossissant; ***—e trap,*** comparatif *m.* de supériorité.
vergro'ting *v.* 1 agrandissement *m.*; 2 extension *f.*; 3 augmentation *f.*; 4 grossissement *m.*; 5 exagération *f.*
vergro'tingsapparaat *o.* amplificateur, agrandisseur *m.*
vergro'tingsplan *o.* plan *m.* d'agrandissement.
vergro'tingsuitgang *m.* désinence *f.* augmentative.
vergro'tingswoord *o.* augmentatif *m.*
vergrui'zen I *ov.w.* 1 broyer, écraser, concasser; 2 (*fijn*) égruger; **II** *on.w.* s'effriter.
vergrui'zing *v.* 1 broyage, concassage *m.*; 2 égrugeage *m.*
vergui'zen *ov.w.* flétrir, bafouer, vilipender.
vergui'zing *v.* flétrissure *f.*, insultes *f.pl.*, outrages *m.pl.*
verguld' *b.n.* 1 doré; ***— zilver,*** vermeil *m.*; ***—e armoede,*** misère dorée, misère en habit noir; ***— op snee,*** doré sur tranche; 2 ***— met,*** enchanté de.
vergul'den *ov.w.* dorer.
vergul'der *m.* doreur *m.*
vergul'ding *v.* dorure *f.*
verguld'mes *o.* avivoir *m.*
verguld'penseel *o.* doroir *m.*
verguld'pers *v.*(*m.*) presse *f.* de doreur.
verguld'sel *o.* dorure *f.*; ***het — verliezen,*** se dédorer.
vergun'nen *ov.w.* 1 permettre, accorder (qc. à qn.), autoriser (qn. à); 2 (*v. recht*) concéder.
vergun'ning *v.* 1 permission, autorisation *f.*; 2 concession *f.*; 3 (*voor sterke drank*) licence *f.*; 4 (*herberg, kroeg*) débit, cabaret *m.*
vergun'ninghouder *m.* débitant *m.* patenté.
vergun'ningsrecht *o.* licence *f.*, droit *m.* de licence.
verhaal' *o.* 1 récit *m.*; 2 (*vertelsel*) conte *m.*; 3 (*schadeloosstelling*) dédommagement *m.*, réparation *f.*; 4 (*recht*) recours *m.*; ***weer op — komen,*** se remettre, se remonter; ***zijn — nemen op,*** se récupérer sur; ***er is geen — op hem,*** on n'a aucun recours contre lui; ***zonder —,*** sans recours.
verhaal'baar *b.n.* récupérable, recouvrable.
verhaal'tje *o.* conte *m.*, historiette *f.*
verhaal'trant *m.* style *m.* narratif, — de narration.
verhaas'ten *ov.w.* hâter; accélérer, précipiter.
verhaas'ting *v.* accélération, précipitation *f.*
verha'gelen *on.w.* être grêlé, être dévasté par la grêle.
verha'len *ov.w.* 1 (*vertellen*) raconter; 2 (*zich schadeloos stellen*) se dédommager (**op,** sur), se rattraper (**op,** sur); 3 (*v. kosten, enz.*) récupérer; 4 (*v. schip*) déhaler, touer.
verha'lend *b.n.* narratif.
verha'ler *m.* narrateur *m.*
verhan'delbaar *b.n.* négociable; 2 (*bij bank: disconteerbaar*) bancable.
verhan'delbaarheid *v.* négociabilité *f.*
verhan'delen *ov.w.* 1 négocier, vendre; 2 (*bespreken, behandelen*) discuter, traiter; 3 (*v. voordracht*) disserter sur, faire une conférence sur.
verhan'deling *v.* 1 (*H.*) négociation *f.*; 2 (*letterk.*) dissertation *f.*, essai *m.*; 3 (*voordracht*) conférence *f.*
verhan'gen I *ov.w.* 1 (*elders hangen*) déplacer, (sus)pendre ailleurs; 2 (*anders hangen*) (sus)pendre autrement; **II** *w.w.*, ***zich —,*** se pendre.
verhard' *b.n.* 1 endurci; 2 (*versteend*) pétrifié; 3 (*gen.*) induré; 4 (*fig.*) obstiné; endurci.
verhar'den I *ov.w.* 1 durcir; 2 (*v. staal*) tremper; 3 (*v. weg*) empierrer; 4 (*fig.*) endurcir; **II** *on.w.* durcir, s'endurcir.
verhard'heid *v.* 1 dureté *f.*; 2 (*fig.: hardnekkigheid, verstoktheid*) obstination, opiniâtreté *f.*
verhar'ding *v.* 1 (*handeling*) durcissement *m.*; 2 (*gen.*) induration *f.*; 3 (*fig.*) endurcissement *m.*; 4 (*tn., drukk.*) aciérage *m.*
verhar'dingsmateriaal *o.* cailloutis *m.*
verha'ren *on.w.* changer de poil, perdre son poil, muer.
verha'ring *v.* mue *f.*
verhas'pelen *ov.w.* 1 gâter, défigurer, massacrer; 2 (*v. lett. werk*) tripatouiller.
verhas'peling *v.* 1 (*v. handwerk*) sabotage *m.*; 2 (*v. lett. werk*) tripatouillage *m.*
verheer'lijken *ov.w.* 1 (*v. God*) glorifier; 2 (*roemen*) exalter.
verheer'lijking *v.* 1 glorification *f.*; 2 exaltation *f.*; 3 (*v. Jezus*) transfiguration *f.*
verhef'fen I *ov.w.* 1 (*opheffen*) relever; 2 (*v. stem; rek.*) élever; 3 (*v. ogen*) lever; 4 (*roemen, prijzen*) exalter; ***in de adelstand —,*** anoblir; ***boven alle lof verheven,*** au-dessus de tout éloge; ***hemelhoog —,*** élever jusqu'aux nues; **II** *w.w.*, ***zich —,*** 1 (*oprijzen, opstaan*) s'élever; 2 (*sterker worden; v. koorts*) augmenter, redoubler; 3 (*v. wind*) s'élever, augmenter; ***zich — op,*** se glorifier de, se vanter de.
verhef'fend *b.n.* édifiant.
verhef'fing *v.* 1 relèvement *m.*; 2 élévation *f.*; 3 exaltation *f.*; 4 (*v. koorts*) augmentation *f.*, redoublement *m.*; 5 (*v. wind*) augmentation *f.*, renforcement *m.*; ***met — van stem,*** en élevant la voix.
verhei'melijken *ov.w.* cacher, dissimuler, tenir secret.
verhel'deren I *ov.w.* 1 éclaircir; 2 (*v. kwestie*) élucider, éclaircir, clarifier; 3 (*v. geest*) éclairer; **II** *on.w.* 1 s'éclaircir; 2 (*v. gelaat*) se rasséréner.
verhel'dering *v.* éclaircissement *m.*
verhe'len *ov.w.* cacher, dissimuler; celer.
verhe'ling *v.* dissimulation *f.*
verhel'pen *ov.w.* 1 remédier à, porter remède à; 2 (*verbeteren herstellen*) corriger, changer.

verhe'melte *o.* **1** (*v. mond*) palais *m.*; **2** (*overdekking: v. troon, enz.*) ciel, dais *m.*
verhe'melteklank *m.*, **verhe'melteletter** *v.*(*m.*) palatale *f.*
verheugd' *b.n.* **1** (*tevreden*) content, charmé; **2** (*vrolijk*) joyeux.
verheu'gen I *ov.w.* réjouir; **II** *w.w.* ***zich* —**, se réjouir; ***zich in een goede gezondheid* —**, jouir d'une bonne santé.
verheu'genis *v.* joie, réjouissance, gaîté *f.*
verhe'ven *b.n.* **1** élevé; **2** (*fig.*) élevé, noble, sublime; **3** (*v. proza*) soutenu; **— *beeldwerk,*** relief *m.*; ***half — beeldwerk,*** bas-relief* *m.*
verhe'venheid *v.* **1** (*hoogte*) hauteur, élévation, éminence *f.*; **2** (*podium*) estrade *f.*; **3** (*fig.*) grandeur, élévation, sublimité *f.*
verhin'deren *ov.w.* empêcher; prévenir, mettre obstacle à; ***verhinderd zijn,*** être empêché.
verhin'dering *v.* empêchement, obstacle *m.*
verhit' *b.n.* échauffé.
verhit'ten I *ov.w.* **1** (*heet maken*) chauffer; **2** (*fig.: opwekken, prikkelen*) échauffer; **II** *w.w.*, ***zich* —**, s'échauffer.
verhit'tend *b.n.* échauffant, irritant.
verhit'ting *v.* **1** chauffage *m.*; **2** échauffement *m.*
verhoe'den *ov.w.* prévenir, empêcher; ***de Hemel*** (*of* ***God***) ***verhoede het,*** nous en préserve le Ciel, Dieu nous en préserve.
verho'gen *ov.w.* **1** (*v. muur, prijs, enz.*) hausser, élever; **2** (*v. rekening, prijs*) augmenter, majorer; **3** (*v. schoonheid, luister*) ajouter à; **4** (*v. moed*) relever; **5** (*op school*) promouvoir; **6** (*doen uitkomen*) faire ressortir, relever.
verho'ging *v.* **1** (*alg.*) rehaussement *m.*; **2** augmentation, majoration *f.*; **3** relèvement *m.*; **4** promotion *f.*; **5** (*v. temperatuur*) élévation *f.*; **6** (*muz.*) augmentation *f.*; **— *hebben,*** (*v. zieke*) prendre de la température, faire —.
verho'len *b.n.* caché, secret; latent.
verhol'landsen *ov.w.* hollandiser.
verhonderdvou'digen *ov.w.* centupler.
verhon'geren *on.w.* mourir de faim, périr de faim; ***laten* —**, affamer, faire mourir de faim.
verhon'gering *v.* famine, inanition *f.*
verhoor' *o.* **1** (*alg.*) interrogatoire *m.*; **2** (*v. getuige*) audition *f.*; ***in 't — nemen,*** interroger.
verho'ren *ov.w.* **1** (*v. verzoek, gebed*) exaucer, écouter; **2** (*ondervragen*) interroger, entendre.
verhou'den *w.w.*, ***zich — tot,*** se rapporter à, être à.
verhou'ding *v.* **1** rapport *m.*; **2** (*evenredigheid*) proportion *f.*; **3** (*ong.*) liaison *f.*; ***naar* —**, en proportion, relativement; ***naar — van,*** en raison de, en proportion de, proportionnellement à; ***in — tot,*** en comparaison de, en rapport avec.
verhou'dingsgetal *o.* nombre *m.* proportionnel; chiffre *m.* relatif.
verhou'dingspasser *m.* compas *m.* de proportion.
verhovaar'digen *w.w.*, ***zich* —**, s'enorgueillir.
verhovaar'diging *v.* orgueil *m.*, outrecuidance *f.*
verhuis'biljet *o.* déclaration *f.* de domicile.
verhuis'boel *m.* **1** (*huisraad, inboedel*) mobilier *m.* à déménager, affaires *f.pl.*; **2** (*drukte, rommel*) tracas *m.* du déménagement, remue-ménage *m.*
verhuis'drukte, *zie* ***verhuisboel,* 2.**
verhuis'kosten *mv.* frais *m.pl.* de déménagement.
verhuis'wagen *m.* voiture *f.* de déménagement.
verhui'zen *on.w.* **1** déménager; **2** (*naar buitenland*) émigrer; **— *naar Brussel,*** aller s'établir à Bruxelles; **— *kost bedstro,*** trois déménagements valent un incendie.
verhui'zer *m.* déménageur *m.*
verhui'zing *v.* déménagement *m.*; ***kennisgeving van* —**, avis *m.* de changement d'adresse.
verhu'ren I *ov.w.* **1** (*v. huis, enz.*) louer, donner à louage; **2** (*v. land, hoeve*) affermer; **3** (*v. schip*) fréter; **II** *w.w.*, ***zich* —**, s'engager, se mettre en condition.
verhu'ring *v.* **1** location *f.*; louage *m.*; **2** affermage *m.*; **3** frètement *m.*; **4** (*als dienstbode, enz.*) placement *m.*
verhuur'der *m.* **1** loueur *m.*; **2** (*eigenaar*) propriétaire *m.*; **3** (*sch.*) fréteur *m.*
verhuur'kantoor *o.* **1** (*voor huizen, enz.*) agence *f.* de location; **2** (*voor dienstboden*) bureau *m.* de placement.
verhypot(h)eke'ren *ov.w.* hypothéquer.
verij'delen *ov.w.* **1** (*v. plannen, enz.*) déjouer, faire échouer; **2** (*v. pogingen*) neutraliser; **3** (*v. hoop: teleurstellen*) décevoir.
verij'deling *v.* renversement *m.*; effondrement *m.*
ve'ring *v.* suspension *f.*; ***vrije* —**, suspension *f.* indépendante; ***goed van — zijn,*** être bien suspendu.
verjaard' *b.n.* **1** (*verbeurd, ongeldig*) périmé; **2** (*recht: door lang gebruik rechtens geworden*) acquis par prescription; ***de coupons zijn* —**, les coupons sont périmés.
verjaar'dag *m.* anniversaire *m.*
verjaar'(s)geschenk *o.* cadeau *m.* de fête.
verjaar'(s)partij *v.* fête *f.* pour célébrer un anniversaire.
verja'gen *ov.w.* chasser, expulser.
verja'ging *v.* expulsion *f.*, mise *f.* en fuite.
verja'ren *on.w.* **1** célébrer son anniversaire; **2** (*recht*) se prescrire; périmer; ***de zaak is verjaard,*** il y a prescription.
verja'ring *v.* **1** anniversaire *m.*; **2** (*recht*) prescription *f.*
verja'ringsrecht *o.* droit *m.* de prescription.
verja'ringstermijn *m.* période *f.* de prescription.
verjon'gen *ov.w.* en *on.w.* rajeunir.
verjon'ging *v.* rajeunissement *m.*
verjon'gingsbron *v.*(*m.*) fontaine *f.* de Jouvence.
verjon'gingskuur *v.*(*m.*) cure *f.* de rajeunissement, — de jouvence.
verjon'gingsmiddel *o.* moyen *m.* de rajeunir.
verkal'ken *on.w.* **1** (se) calciner; **2** (*gen.*) se calcifier, se scléroser.
verkal'king *v.* **1** calcination *f.*; **2** (*fig.*) sclérose, calcification *f.*; **— *van de bloedvaten,*** artériosclérose *f.*
verkan'keren *on.w.* **1** être rongé par un cancer; **2** (*fig.*) se gangrener.
verkan'kering *v.* **1** cancer *m.*; **2** gangrène *f.*
verkapt' *b.n.* déguisé.
verka'velen *ov.w.* lotir, allotir, diviser en lots, parceller.
verka'veling *v.* lotissement, allotement, parcellement *m.*
verka'zen *on.w.* se caséifier.
verkeer' *o.* **1** (*omgang*) fréquentation *f.*, commerce *m.*; **2** (*op straat*) circulation *f.*, mouvement *m.*; (*drukte*) animation *f.*; **3** (*handels—*) commerce, trafic, mouvement *m.* (commercial); ***doorgaand* —, 1** sens recommandé; **2** transport direct; **— *in één richting,*** le sens unique; ***internationaal* —**, service *m.* international; ***middel van* —**, moyen *m.* de communication.
verkeer'bord *o.* (jeu de) trictrac *m.*
verkeerd' I *b.n.* **1** (*omgekeerd*) renversé; **2** (*niet goed*) mauvais; **3** (*onjuist, vals*) incorrect, faux; **4** (*v. gewoonte*) vicieux; mauvais; ***de —e kant,*** l'envers; ***aan het —e kantoor komen,*** s'adresser mal, se tromper d'adresse; ***dat is de —e sleutel,*** ce n'est pas la bonne clef, je me suis trompé de clef;

II *bw.* mal; de travers; ***iets — opnemen,*** prendre qc. en mauvaise part, prendre qc. par le mauvais côté; ***— uitleggen,*** mal interpréter; ***— varen,*** naviguer à rebours; ***— verstaan,*** entendre de travers; ***zijn handen staan —,*** il est très maladroit; ***— uitkomen,*** tourner mal.
verkeer'delijk *bw.* à tort.
verkeerd'heid *v.* **1** tort *m.*; **2** (*gebrek*) défaut, vice *m.*; **3** (*v. karakter*) travers *m.*; **4** (*misbruik*) abus *m.*
verkeers'ader *v.*(*m.*) artère *f.* de la circulation.
verkeers'agent *m.* agent *m.* de la circulation, (*met verkeerspaal*) pivot *m.*
verkeers'bepalingen *mv.* code *m.* de la route.
verkeers'bord *o.* panneau *m.* de signalisation.
verkeers'fout *v.*(*m.*) infraction *f.* au code de la route.
verkeers'heuvel *m.* refuge *m.*
verkeers'licht *o.* feu *m.* de signalisation; signal *m.* lumineux; ***het — wordt groen,*** le feu passe au vert.
verkeers'middel *o.* moyen *m.* de communication.
verkeers'ongeval *o.* **1** accident *m.* de la circulation; **2** (*met auto*) accident *m.* de la route.
verkeers'opstopping *v.* embouteillage *m.*
verkeers'paal *m.* borne *f.* lumineuse.
verkeers'politie *v.* police *f.* de la route.
verkeers'probleem *o.* problème *m.* de la circulation.
verkeers'regeling *v.* règlement *m.* du trafic.
verkeers'regels *mv.* code *m.* de la route.
verkeers'sein *o.* signal *m.*; ***de —en,*** la signalisation routière, les signaux.
verkeers'specialist *m.* spécialiste *m.* de la circulation.
verkeers'streep *v.*(*m.*) ligne *f.* médiane, bande *f.* axiale.
verkeers'stremming *v.* obstruction *f.* de la circulation.
verkeers'techniek *v.* règlement *m.* de la circulation.
verkeers'toren *m.* (*op straat*) mirador *m.*; (*op vliegveld*) tour *f.* de contrôle.
verkeers'vlieger *m.* aviateur *m.* civil.
verkeers'vliegtuig *o.* avion *m.* de transport, — civil.
verkeers'weg *m.* voie *f.* de communication; ***grote —,*** grande artère *f.*
verkeers'wezen *o.* communications *f.pl.*, moyens *m.pl.* de transport.
verken'nen *ov.w.* **1** reconnaître, faire la reconnaissance de; **2** (*v. weg*) éclairer.
verken'ner *m.* éclaireur; scout *m.*
verkennerij' *v.* scoutisme *m.*, mouvement *m.* scout.
verken'ning *v.* reconnaissance; exploration *f.*; ***op — uitgaan,*** reconnaître le terrain, faire une reconnaissance, opérer —.
verken'ningsdienst *m.* service *m.* de reconnaissance(s).
verken'ningsleger *o.* corps *m.* d'observation.
verken'ningstocht *m.* reconnaissance *f.*
verken'ningsvliegtuig *o.* avion *m.* de reconnaissance.
verken'ningsvlucht *v.*(*m.*) (vol *m.* de) reconnaissance *f.*
verke'ren *on.w.* **1** (*veranderen*) varier, changer (de face); **2** (*verblijf houden*) demeurer; vivre; **3** (*zich bevinden*) se trouver, être; ***in de mening —,*** être d'avis; ***met iem. —,*** (*omgaan met*) fréquenter qn., avoir commerce avec qn.; ***met een meisje —,*** faire la cour à une jeune fille; ***'t kan —,*** la chance peut tourner; ***waar men mee verkeert, wordt men mee geëerd,*** dis-moi qui tu hantes, je te dirai qui tu es.
verke'ring *v.* (*omgang*) commerce *m.*, fréquentation *f.*; ***— hebben met,*** courtiser, faire la cour à.
verker'ven *ov.w.* gâter, abîmer; ***het bij iem. —,*** perdre les bonnes grâces de qn.
verket'teren *ov.w.* traiter d'hérétique.
verket'tering *v.* anathème *m.*, accusation *f.* d'hérésie.
verkies'baar *b.n.* éligible.
verkies'baarheid *v.* éligibilité *f.*
verkies'(e)lijk *b.n.* préférable (à).
verkie'zen I *ov.w.* **1** (*kiezen*) choisir; **2** (*liever hebben*) préférer, aimer mieux; **3** (*willen, wensen, verlangen*) vouloir, entendre; **4** (*door keuze*) élire; **II** *on.w.*, ***zoals u verkiest,*** comme il vous plaira, à votre aise.
verkie'zing *v.* **1** (*keus*) choix *m.*; **2** (*voorkeur*) préférence *f.*; **3** (*door keuze*) élection *f.*; ***naar —,*** au choix; à volonté, à discrétion; ***uit eigen —,*** de sa propre volonté.
verkie'zingsagent *m.* agent *m.* électoral.
verkie'zingscampagne *v.*(*m.*) campagne *f.* électorale.
verkie'zingsdag *m.* jour *m.* d'élection.
verkie'zingsleus *v.*(*m.*) mot *m.* d'ordre, devise *f.* électorale.
verkie'zingsprogram *o.* programme *m.* électoral, plate*-forme* *f.* électorale.
verkie'zingsstrijd *m.* lutte *f.* électorale.
verkie'zingstijd *m.* période *f.* électorale.
verkij'ken I *ov.w.*, ***zijn tijd —,*** badauder, faire le badaud; ***zijn kans —,*** laisser passer l'occasion, laisser passer le moment favorable; **II** *w.w.*, ***zich —,*** mal voir, se tromper.
verkik'kerd *b.n.* pincé; ***— op,*** toqué de, épris de.
verklaar'baar *b.n.* explicable; (*begrijpelijk*) compréhensible.
verklaard' *b.n.* déclaré, juré.
verklaar'der *m.* **1** explicateur *m.*; **2** (*v. tekst*) commentateur *m.*
verklan'ken *ov.w.* mettre en musique.
verklap'pen I *ov.w.* **1** (*vertellen*) rapporter; **2** (*v. geheim*) divulguer; **3** (*v. persoon: verraden*) dénoncer; **II** *w.w.*, ***zich —,*** se trahir, se couper.
verkla'ren *ov.w.* **1** (*uitspreken*) déclarer; **2** (*bevestigen*) affirmer; **3** (*uitleggen*) expliquer; **4** (*ophelderen, toelichten*) éclaircir, élucider; interpréter; **5** (*v. tekst*) commenter; ***onder ede —,*** déclarer sous serment; ***zich nader —,*** s'expliquer.
verkla'rend *b.n.* explicatif.
verkla'ring *v.* **1** déclaration *f.*; **2** affirmation *f.*; **3** explication *f.*; **4** éclaircissement *m.*, élucidation *f.*; interprétation *f.*; **5** commentaire *m.*; **6** (*v. getuige*) déposition *f.*; **7** (*v. kaart, enz.*) légende *f.*; **8** (*getuigschrift*) certificat *m.*
verkle'den I *ov.w.* **1** habiller, changer d'habits; **2** (*vermommen*) déguiser; travestir; **II** *w.w.*, ***zich —,*** **1** changer d'habits, s'habiller; **2** se déguiser; se travestir.
verkle'ding *v.* **1** changement *m.* (d'habits, *of* de vêtements); **2** déguisement; travestissement *m.*
verkleefd' *b.n.* attaché (à).
verkleefd'heid *v.* attachement, dévouement *m.*
verklein'baar *b.n.* réductible.
verklei'nen *ov.w.* **1** rapetisser; **2** (*v. tekening, breuk*) réduire; **3** (*vereenvoudigen: v. breuk*) simplifier; **4** (*fig.: v. verdiensten*) amoindrir; **5** (*verminderen: v. fout, schuld*) atténuer.
verklei'nend *b.n.* (*gram.*) diminutif.
verklein'glas *o.* verre *m.* amoindrissant.
verklei'ning *v.* **1** rapetissement *m.*; **2** réduction *f.*; **3** simplification *f.*; **4** amoindrissement *m.*; **5** atténuation *f.*; *zie* ***verkleinen.***
verklei'ningspasser *m.* compas *m.* de réduction.
verklei'ningsuitgang *m.* suffixe *m.* diminutif.

verklein'woord *o.* diminutif *m.*
verkleumd' *b.n.* transi, engourdi.
verkleumd'heid *v.* engourdissement *m.*
verkleu'men I *ov.w.* engourdir, transir; **II** *on.w.* être transi; se morfondre.
verkleu'ming *v.* engourdissement *m.*
verkleurd' *b.n.* décoloré.
verkleu'ren *on.w.* **1** (*v. kleur veranderen*) changer de couleur, pâlir; **2** (*ontkleuren, de kleur verliezen*) se déteindre, se décolorer.
verkleu'ring *v.* décoloration *f.*
verklik'ken *ov.w.* rapporter; dénoncer.
verklik'ker *m.* **1** (*v. persoon*) rapporteur; délateur *m.*; **2** (*tn.*) avertisseur *m.*; **3** (*sch.*) penon *m.*; **4** (*el., tel.*) détecteur *m.*; ***stille* —,** mouchard *m.*
verklik'king *v.* délation, dénonciation *f.*
verkneu'kelen, verkneu'teren, *zich* —, *w.w.* se frotter les mains.
verknie'zen, *zich* —, *w.w.* se ronger le cœur, se consumer de chagrin.
verknip'pen *ov.w.* **1** découper, couper en morceaux; **2** gâter en coupant, couper mal, abîmer.
verknocht' *b.n.* attaché (à).
verknocht'heid *v.* attachement, dévouement *m.*
verknoei'en *ov.w.* **1** (*bederven*) gâter, gâcher, abîmer; **2** (*onnuttig besteden: v. tijd, geld*) gaspiller, dissiper.
verknoei'ing *v.* **1** gâchis *m.*; **2** gaspillage *m.*
verknut'selen *ov.w.* (*v. tijd*) passer à bricoler.
verkoe'len I *ov.w.* **1** rafraîchir; **2** (*fig.: v. geestdrift, enz.*) refroidir; **II** *on.w.* **1** se rafraîchir; **2** se refroidir. [rant.
verkoe'lend *b.n.* **1** rafraîchissant; **2** (*wet.*) réfrigé-
verkoe'ling *v.* **1** rafraîchissement *m.*; **2** (*fig.*) refroidissement *m.*; **3** (*wet.*) réfrigération *f.*
verkoe'lingsmiddel *o.* réfrigérant *m.*
verko'ken I *ov.w.* réduire; évaporer; **II** *on.w.* **1** s'ébouillir, s'évaporer; **2** (*v. saus, enz.*) se réduire.
verko'king *v.* ébullition, évaporation *f.*
verko'len I *ov.w.* carboniser; **II** *on.w.* se carboniser, se charbonner.
verko'ling *v.* carbonisation *f.*
verkom'meren *on.w.* dépérir, s'étioler.
verkon'den, verkon'digen *ov.w.* **1** (*bekendmaken*) annoncer; **2** (*prediken*) prêcher; **3** (*leren, verspreiden*) enseigner, propager; **4** (*v. mening*) énoncer, formuler; ***van de daken* —,** crier sur les toits.
verkon'diger *m.* **1** (*v. nieuws*) porteur *m.*; **2** prédicateur *m.*; **3** propagateur *m.*
verkon'diging *v.* **1** annonce *f.*; **2** prédication *f.*; **3** propagation *f.*
verkoop', ver'koop *m.* **1** vente *f.*; **2** (*in 't klein, v. dranken, enz.*) débit *m.*; **— *uit de hand,*** vente de gré à gré; **— *bij inschrijving,*** vente par soumission; **— *bij opbod,*** vente aux enchères; **— *bij afslag,*** vente au rabais; ***ten — aanbieden,*** offrir en vente; **— *op rescontre,*** vente avec réponse de primes. [débit.
verkoop'baar *b.n.* vendable; (*goed* —) de bon
verkoop'baarheid *v.* débit *m.* facile.
verkoopboek *o.* livre *m.* des sorties.
verkoopbriefje *o.* bulletin *m.* de vente.
verkoopdag *m.* jour *m.* de vente.
verkoophuis *o.* **1** bazar, grand magasin *m.*; **2** (*v. openbare veilingen*) maison *f.* de vente, salle *f.* des ventes.
ver'koopleider *m.* chef *m.* de vente.
verkooplokaal *o.* salle *f.* des ventes.
verkoopmonster *o.* échantillon *m.* de référence.
verkoopnota *v.(m.)* compte *m.* de vente.
verkoopprijs *m.* prix *m.* de vente.
verkooprekening *v.* compte *m.* de vente.
verkoop'ster *v.* vendeuse *f.* [vente.
ver'koopsvoorwaarden *mv.* conditions *f.pl.* de
ver'koopwaarde *v.* valeur *f.* marchande.
verko'pen *ov.w.* **1** vendre; **2** (*in 't klein*) débiter; **3** (*fig.: v. grappen, leugens*) débiter; ***bij het getal* —,** vendre au nombre; ***onderhands* —,** vendre à l'amiable, vendre de gré à gré; ***aan het stuk* —,** vendre à la pièce; ***stomende* —,** vendre en cours de route; ***onzin* —,** déraisonner, parler sans raison ni sens.
verko'per *m.* vendeur *m.*
verko'peren *ov.w.* cuivrer, doubler de cuivre.
verko'pering *v.* cuivrage *m.*
verko'ping *v.* vente *f.* (publique).
verkort' *o.* raccourci *m.*
verkor'ten *ov.w.* **1** (*v. tekst, verhaal, enz.*) abréger; réduire; **2** (*v. kledingstuk, enz.*) raccourcir; **3** (*besnoeien*) écourter; **4** (*samenvatten*) résumer; **5** (*verdrijven: v. tijd*) faire passer; **6** (*benadelen*) faire tort (à); ***iemands rechten* —,** faire tort aux droits de qn.
verkor'tend *b.n.* abréviatif.
verkor'ting *v.* **1** abréviation *f.*; **2** raccourcissement *m.*; **3** (*samenvatting*) abrégé, résumé *m.*; **4** (*nadeel*) préjudice *m.*; **5** (*recht*) lésion *f.*
verkor'tingsteken *o.* signe *m.* abréviatif.
verkou'den *b.n.* enrhumé; ***neus*—,** enchifrené; **— *worden,*** s'enrhumer.
verkoud'heid *v.* rhume *m.*; (*in het hoofd*) coryza *m.*; ***een — opdoen,*** attraper un rhume.
verkrach'ten *ov.w.* violer, violenter.
verkrach'ter *m.* violateur *m.*
verkrach'ting *v.* **1** viol *m.*; **2** (*v. wet*) violation *f.*
verkreu'k(el)en *ov.w.* froisser, chiffonner.
verkreu'keling *v.* froissement, chiffonnage *m.*
verkreu'ken, *zie* ***verkreukelen.***
verkrijg'baar *b.n.*, **— *bij,*** en vente chez; **— *stellen,*** mettre en vente; ***niet meer* —,** épuisé.
verkrij'gen *ov.w.* **1** (*bekomen*) obtenir; **2** (*verwerven, door pogingen*) acquérir; **3** (*recht*) impétrer; ***ik kon het niet van mij — om,*** je ne pouvais me résoudre à; ***hier te* —,** en vente ici.
verkrij'ger *m.* **1** acquéreur *m.*; **2** impétrant *m.*
verkrom'men *ov.w.* courber.
verkrom'ming *v.* **1** courbure *f.*; **2** (*gen.: v. ruggegraat*) déviation *f.*
verkrop'pen *ov.w.* **1** avaler, dévorer; **2** (*fig.*) avaler, dévorer, digérer; endurer; **3** (*v. woede*) contenir.
verkrui'melen *ov.w.* émietter.
verkrui'meling *v.* émiettement *m.*
verkwan'selen *ov.w.* **1** (*ruilen*) troquer; **2** (*verspillen*) gaspiller; galvauder.
verkwij'nen *on.w.* languir, dépérir.
verkwij'ning *v.* langueur *f.*, dépérissement *m.*
verkwik'kelijk *b.n.* réconfortant.
verkwik'ken *ov.w.* **1** (*verfrissen*) rafraîchir; **2** (*opwekken*) réconforter, ranimer. [tant.
verkwik'kend *b.n.* **1** rafraîchissant; **2** réconfor-
verkwik'king *v.* **1** rafraîchissement *m.*; **2** réconfort *m.*; **3** (*troost*) soulagement *m.*
verkwis'ten *ov.w.* gaspiller, dissiper, prodiguer, dépenser follement. [prodigalement.
verkwis'tend I *b.n.* prodigue, dépensier; **II** *bw.*
verkwis'ter *m.* gaspilleur, dissipateur, prodigue *m.*
verkwis'ting *v.* gaspillage *m.*, dissipation, prodigalité *f.*
verlaat' *o.* (*v. sluis*) vanne *f.*
verla'den *ov.w.* **1** (*overladen*) transborder; **2** (*sch.: inladen*) charger.
verla'ding *v.* chargement *m.*

verla'gen I *ov.w.* 1 (*lager maken*) abaisser; 2 (*v. prijs*) diminuer, réduire, baisser; 3 (*v. belasting, nota*) diminuer; 4 (*in rang*) dégrader; 5 (*v. munt*) déprécier; II *w.w.*, ***zich —***, s'avilir; ***zich — tot***, descendre jusqu'à.
verla'ging *v.* 1 abaissement *m.*; 2 diminution, réduction *f.*; baisse *f.*; 3 dégradation *f.*; 4 dépréciation *f.*; 5 avilissement *m.*
verlak' *o.* vernis *m.*; (*voor meubels*) laque *f.*
verlak'ken *ov.w.* 1 vernir; 2 (*v. meubels*) laquer; 3 (*fig.*) duper, engluer.
verlak'ker *m.* 1 vernisseur *m.*; 2 laqueur *m.*; 3 (*fig.*) dupeur *m.*
verlak'king *v.* 1 vernissage *m.*; 2 laquage *m.*; 3 (*fig.*) duperie *f.*
verlak'werk *o.* laques *m.pl.*
verlamd' *b.n.* perclus; paralysé, paralytique.
verlamd'heid *v.* paralysie *f.*
verlam'men I *ov.w.* 1 paralyser, rendre perclus; 2 (*fig.*) paralyser, énerver; II *on.w.* devenir paralytique, — perclus.
verlam'ming *v.* paralysie *f.*
verlan'gen I *ov.w.* 1 (*wensen, begeren*) désirer; 2 (*vorderen*) réclamer; exiger; II *on.w.* désirer; ***— naar***, désirer, souhaiter, aspirer à, soupirer après; ***ik verlang er naar hen weer te zien***, il me tarde de les revoir; III *z.n., o.* 1 désir, souhait *m.*; 2 demande, exigence *f.*; ***op —***, sur demande.
verlan'gend *b.n.* désireux (de).
verlang'lijst *v.(m.)* désiderata *m.pl.*, liste *f.* de vœux, — des objets qu'on désire.
verlap'pen *ov.w.* rapiécer, raccommoder.
verla'ten I *ov.w.* 1 quitter; 2 (*in de steek laten*) abandonner; 3 (*onverzorgd achterlaten*) délaisser; 4 (*overgieten: wijn, enz.*) transvaser; ***de markt was —***, le marché était délaissé; II *w.w.*, ***zich —***, s'attarder; ***zich — op***, se fier à, s'en rapporter à, faire fond sur; III *z.n., o.* 1 départ *m.*; 2 abandon *m.*; 3 (*v. post*) désertion *f.*; ***bij het — van de kerk***, au sortir de l'église; IV *b.n.* 1 (*ledig*) abandonné, délaissé; 2 (*eenzaam*) isolé, solitaire; 3 (*v. straat*) désert; 4 (*onbewoond: v. eiland, enz.*) inhabité.
verla'tenheid *v.* 1 abandon, délaissement *m.*; 2 (*v. wijk, enz.*) solitude *f.*; 3 (*afzondering*) isolement *m.*
verle'den I *b.n.* passé, dernier; ***— tijd***, (*gram.*) passé *m.*; ***onvoltooid — tijd***, imparfait *m.*; ***voltooid — tijd***, plus-que-parfait; passé *m.* antérieur; ***— week***, la semaine dernière, — passée; ***— zaterdag***, samedi passé; II *bw.* dernièrement, l'autre jour; III *z.n., o.* passé *m.*
verle'gen I *b.n.* 1 (*bedremmeld, onthutst*) embarrassé, gêné; 2 (*beschaamd*) timide, confus; 3 (*v. koopwaar: bedorven door liggen*) défraîchi, moisi, passé; ***— maken***, embarrasser; ***— worden***, se troubler, se déconcerter; ***ik ben om een woordenboek —***, j'ai besoin d'un dictionnaire; ***hij is nooit om een antwoord —***, il n'est jamais pris de court, il a réponse à tout; ***— zijn met***, ne savoir que faire de; II *bw.* d'un air embarrassé.
verle'genheid *v.* 1 embarras *m.*; 2 confusion *f.*; timidité *f.*; ***uit de — helpen***, tirer d'embarras.
verleg'gen *ov.w.* 1 (*elders leggen*) déplacer; 2 (*zoek maken*) égarer.
verleg'ging *v.* déplacement *m.*
verlei'delijk I *b.n.* 1 (*v. uiterlijk*) séduisant; 2 (*v. woord, enz.*) séducteur; II *bw.* d'une façon séduisante.
verlei'delijkheid *v.* séduction *f.*, attrait, charme [*m.*
verlei'den *ov.w.* 1 séduire; 2 (*bederven*) corrompre; ***kan het u niet —?*** cela ne vous tente pas?
verlei'der *m.* séducteur *m.*
verlei'ding *v.* séduction *f.*; ***aan de — weerstaan***, résister à la tentation.
verlek'keren *ov.w.* affriander, affrioler; ***verlekkerd op***, friand de; fou de.
verle'nen *ov.w.* 1 (*v. gunst, enz.*) accorder; 2 (*v. titel, enz.*) conférer; 3 (*v. hulp*) prêter; 4 (*v. krediet*) consentir; 5 (*v. toegang*) donner.
verleng'baar *b.n.* renouvelable; pouvant être prolongé.
verleng'de *o.* (*v. lijn, straat, enz.*) prolongement [*m.*
verlen'gen *ov.w.* 1 (*v. kleding*) allonger, rallonger; 2 (*v. weg, leven, verlof, enz.*) prolonger; 3 (*v. wissel, vergunning*) proroger; 4 (*v. abonnement, wissel*) renouveler.
verlen'ging *v.* 1 allongement *m.*; 2 prolongation *f.*; 3 prorogation *f.*; 4 renouvellement *m.*
verlen'gingsteken *o.* (*muz.*) point *m.*
verleng'snoer *o.* (câble *m.* de) rallonge *f.*
verleng'stekker *m.* prolongateur *m.*
verleng'stuk *o.* 1 (*v. tafel, enz.*) rallonge *f.*; 2 (*aanhangsel*) appendice *m.*
verle'ning *v.* (*v. gunst*) accord *m.*; (*v. recht*) concession *f.*, octroi *m.*
verlep'pen *on.w.* se flétrir, se faner.
verlept' *b.n.* 1 fané; 2 (*v. japon, enz.*) défraîchi.
verle'ren *ov.w.* désapprendre, oublier.
verlet' *o.* 1 (*verhindering, beletsel*) empêchement, obstacle *m.*; 2 (*uitstel*) délai, retard *m.*; 3 (*tijdverlies*) perte *f.* de temps; ***veel — hebben***, perdre beaucoup de temps.
verlet'ten *ov.w.* (*v. tijd*) perdre.
verleu'teren *ov.w.* (*v. tijd*) perdre en bavardages, perdre à faire des riens.
verle'vendigen *ov.w.* 1 vivifier; ranimer; 2 (*opwekken: v. herinnering, enz.*) raviver.
verle'vendiging *v.* 1 vivification *f.*; ranimation *f.*; 2 ravivement *m.*; 3 (*v. zaken*) reprise *f.*
verlich'ten *ov.w.* 1 (*van licht voorzien*) éclairer; 2 (*feestelijk*) illuminer; 3 (*v. last: minder zwaar maken*) alléger; 4 (*v. schip*) délester; 5 (*v. taak, werk: vergemakkelijken*) faciliter; 6 (*fig.: opbeuren*) soulager.
verlich'ting *v.* 1 éclairage *m.*; 2 illumination *f.*; 3 allègement *m.*; 4 délestage *m.*; 5 soulagement *m.*; ***een zucht van —***, un soupir de soulagement.
verliefd' *b.n.* amoureux, épris (de); ***— worden***, tomber amoureux; ***— kijken naar***, faire les yeux doux à.
verlief'de *m.-v.* amoureux *m.*, —euse *f.*
verliefd'heid *v.* amour *m.*; amourette *f.*
verlies' *o.* 1 perte *f.*; 2 (*v. warmte, kracht*) déperdition *f.*; ***— goed maken***, réparer une perte; ***met — verkopen***, vendre à perte; ***een — lijden***, essuyer une perte, subir —; ***met — spelen***, perdre au jeu.
verlies'saldo *o.* solde *m.* déficitaire.
verlie'ven *on.w.* tomber amoureux.
verlie'zen *ov.w.* perdre.
verlie'zer *m.* perdant *m.*
verlij'den I *ov.w.*, (*v. akte*) passer; II *z.n., o.* passation *f.*
verlof' *o.* 1 (*toestemming, vergunning*) permission, autorisation *f.*, consentement *m.*; 2 (*vakantie, vrijaf*) congé *m.*; 3 (*mil.: om uit te gaan*) permission *f.*; ***met — gaan***, aller en congé; ***met groot — zijn***, (*mil.*) être libéré; ***met uw —!*** permettez!
verlof'brief *m.* lettre *f.* de congé.
verlof'dag *m.* jour *m.* de congé.
verlof'ganger *m.* (*mil.*) permissionnaire *m.*; soldat *m.* en congé.
verlof'pas *m.* congé *m.*

verlofs'officier *m.* (*F.*) officier *m.* de complément; (*B.*) officier *m.* de réserve.
verlof'(s)traktement *o.* traitement *m.* de congé, solde *f.* —.
verlof'tijd *m.* congé *m.*
verlof'traktement, *zie* ***verlofstraktement.***
verlok'kelijk *b.n.* attrayant, séduisant.
verlok'ken *ov.w.* attirer, séduire.
verlok'ker *m.* séducteur *m.*
verlok'king *v.* séduction *f.*, charme *m.*, tentation *f.*
verloo'chenaar *m.* renégat *m.*
verloo'chenen *ov.w.* **1** renier, désavouer; **2** (*v. gerucht, bericht*) démentir; **3** (*v. politiek*) répudier.
verloo'chening *v.* **1** reniement *m.*; **2** démenti *m.*; **3** répudiation *f.*
verloof'de *m.-v.* fiancé *m.*, —e *f.*, futur *m.*, —e *f.*
verloop' *o.* **1** (*v. ziekte, tijd*) cours *m.*; **2** (*v. zaak*) marche *f.*, cours *m.*; **3** (*v. getij*) refoulement *m.*; **4** (*v. nering: achteruitgang*) décadence *f.*; ***na — van drie weken,*** au bout de trois semaines; ***snel —,*** (*v. ziekte*) acuité *f.*; ***het verder —,*** la suite; ***een kalm — hebben,*** être calme; se dérouler dans le calme.
verlo'pen I *on.w.* **1** (*v. tijd*) s'écouler, passer; **2** (*v. termijn*) expirer; **3** (*v. getij*) refouler; **4** (*v. handeling*) marcher, suivre son cours; **5** (*afnemen, verminderen*) baisser, diminuer; ***de zaak verloopt,*** l'affaire est en baisse; ***snel —d,*** (*v. ziekte*) aigu; **II** *b.n.* **1** (*v. tijd*) passé; **2** (*v. termijn*) expiré; **3** (*v. biljet*) périmé; **4** (*v. rente*) échu; **5** (*v. wijn*) passé; ***— advocaat,*** avocat sous l'orme; ***— kerel,*** noceur, débauché, mauvais sujet *m.*
verlo'ren *b.n.* perdu; ***— gaan,*** se perdre, s'égarer; ***— raken,*** se perdre, s'égarer; ***de — zoon,*** l'enfant *m.* prodigue.
verlos'kunde *v.* obstétrique *f.*
verloskun'dig *b.n.* obstétrical.
verloskun'dige *m.-v.* accoucheur *m.*, —euse *f.*
verlos'sen *ov.w.* **1** (*bevrijden*) délivrer; **2** (*redden: door Christus*) sauver; **3** (*gen.*) accoucher.
verlos'ser *m.* **1** libérateur *m.*; **2** (*Christus*) Rédempteur, Sauveur *m.*
verlos'sing *v.* **1** délivrance *f.*; **2** (*godsdienst*) rédemption *f.*; **3** (*gen.*) accouchement *m.*, délivrance *f.*
verlos'singswerk *o.* œuvre *f.* de la rédemption.
verlo'ten *ov.w.* mettre en loterie.
verlo'ting *v.* **1** mise *f.* en loterie; **2** (*trekking*) tirage *m.*
verlo'ven I *ov.w.* fiancer; **II** *w.w.*, ***zich —,*** se fiancer.
verlo'ving *v.* fiançailles *f.pl.*
verlo'vingskaart *v.*(*m.*) faire part *m.* de fiançailles.
verlo'vingsring *m.* bague *f.* de fiançailles, anneau *m.* —.
verluch'ten *ov.w.* **1** (*v. kamer, enz.*) aérer; **2** (*v. boek*) illustrer; **3** (*v. handschrift*) enluminer.
verluch'ter *m.* illustrateur *m.*
verluch'tigen *ov.w.* **1** distraire, égayer; **2** (*v. kamer, enz.*) donner plus de jour à, égayer.
verluch'tiging *v.* **1** distraction *f.*; **2** égaiement *m.*
verluch'ting *v.* **1** aération *f.*; **2** illustration *f.*; **3** enluminure *f.*
verluch'tingskunst *v.* art *m.* de l'enluminure.
verlui'den *on.w.* transpirer; ***naar verluidt,*** à ce qu'on dit.
verlui'eren *ov.w.*, ***zijn tijd —,*** passer (*of* perdre) son temps à ne rien faire, paresser, fainéanter.
verlus'tigen I *ov.w.* amuser, égayer, réjouir; **II** *w.w.*, ***zich — in,*** se réjouir de, se complaire à, s'enchanter de.
verlus'tiging *v.* amusement *m.*, réjouissance *f.*
vermaag'schappen I *ov.w.* allier, apparenter; **II** *w.w.*, ***zich —,*** s'allier, s'apparenter.
vermaag'schapping *v.* alliance *f.*, apparentage *m.*, parenté *f.*
vermaak' *o.* plaisir, amusement, divertissement *m.*; ***— scheppen in,*** se plaire à, trouver du plaisir à.
vermaan' *o.* exhortation *f.*
vermaard' *b.n.* renommé, fameux, célèbre.
vermaard'heid *v.* renom *m.*, renommée, célébrité, notoriété *f.*
verma'geren I *on.w.* maigrir; **II** *ov.w.* **1** amaigrir; **2** (*v. gelaat*) creuser; **3** (*v. grond*) épuiser.
verma'gering *v.* **1** amaigrissement *m.*; **2** (*v. grond*) épuisement *m.*
verma'geringskuur *v.*(*m.*) régime *m.* amaigrissant.
verma'kelijk *b.n.* amusant, comique; divertissant.
verma'kelijkheid *v.* amusement, plaisir, divertissement *m.*
verma'kelijkheidsbelasting *v.* impôt *m.* sur les spectacles.
verma'ken I *ov.w.* **1** (*anders maken*) refaire, changer; **2** (*herstellen*) réparer, raccommoder; **3** (*bij testament, nalaten*) léguer, laisser par testament; **4** (*ontspanning verschaffen*) amuser, divertir.
verma'king *v.* **1** réfection *f.*; **2** réparation *f.*; **3** legs *m.*
vermaledijd' *b.n.* maudit.
vermaledij'(d)en *ov.w.* maudire.
verma'len *ov.w.* **1** (*v. graan, enz.*) moudre; **2** (*v. erts, enz.*) broyer; **3** (*v. eten*) triturer, broyer.
verma'ling *v.* **1** mouture *f.*; **2** broyage *m.*; **3** trituration *f.*
verma'nen *ov.w.* **1** exhorter; **2** (*streng*) admonester.
verma'ning *v.* **1** exhortation, remontrance *f.*; **2** admonestation *f.*; **3** (*berisping*) réprimande *f.*
verman'nen I *ov.w.* vaincre, maîtriser; **II** *w.w.*, ***zich —,*** maîtriser son émotion, prendre courage, se ressaisir.
vermeend' *b.n.* supposé, prétendu, soi-disant.
vermeer'deren I *ov.w.* **1** (*groter maken*) augmenter; **2** (*doen toenemen*) ajouter à, augmenter; **3** (*v. salaris*) relever; **II** *on.w.* augmenter, s'accroître; se multiplier.
vermeer'dering *v.* **1** augmentation *f.*; **2** accroissement *m.*; **3** relèvement *m.*
vermees'teren *ov.w.* s'emparer de, conquérir, se rendre maître de.
vermees'tering *v.* conquête, prise *f.*
vermei'en, ***zich —,*** *w.w.* s'ébattre; ***zich — in,*** se plaire à, s'amuser à, prendre plaisir à.
vermel'den *ov.w.* **1** mentionner, faire mention de; **2** (*v. naam, enz.: noemen*) citer; ***eervol —,*** (*mil.*) citer à l'ordre du jour.
vermeldenswaard'(ig) *b.n.* digne de mention.
vermel'ding *v.* **1** mention *f.*; **2** citation *f.*; ***eervolle —,*** mention *f.* honorable; (*mil.*) citation *f.* à l'ordre du jour.
vermeng'baar *b.n.* miscible.
vermen'gen I *ov.w.* **1** (*alg.*) mêler, mélanger; **2** (*v. metalen*) allier; **3** (*met water*) couper; **4** (*v. wijn: vervalsen*) frelater; **5** (*roeren*) mixtionner; **II** *w.w.*, ***zich —,*** **1** se mêler; **2** (*ineenlopen*) se confondre.
vermen'ging *v.* **1** mélange *m.*; **2** alliage *m.*; **3** coupage *m.*; **4** frelatement *m.*; **5** mixtion *f.*; **6** confusion *f.*
vermenigvul'digbaar *b.n.* multipliable.
vermenigvul'digen *ov.w.* multiplier.
vermenigvul'diger *m.* multiplicateur *m.*
vermenigvul'diging *v.* multiplication *f.*
vermenigvul'digtal *o.* multiplicande *m.*
verme'tel I *b.n.* téméraire, audacieux; **II** *bw.* témérairement, audacieusement.

verme'telheid *v.* témérité, audace *f.*
verme'ten, *zich* —, *w.w.* avoir l'audace de, oser, s'enhardir à.
vermicel'li *m.* vermicelle *m.*
vermicel'lisoep *v.(m.)* potage *m.* au vermicelle.
vermij'den *ov.w.* éviter, fuir.
vermij'ding *v.* 1 (*v. voertuigen*) évitement *m.*; 2 (*v. schip*) évitage *m.*; ***ter — van,*** pour éviter.
vermiljoen' *o.* vermillon *m.*
vermiljoen'kleurig *b.n.* d'un rouge vermillon.
vermin'derbaar *b.n.* réductible.
vermin'deren I *ov.w.* 1 (*alg.*) diminuer; 2 (*v. prijzen*) baisser, diminuer; 3 (*v. straf*) réduire; 4 (*v. geld*) affaiblir, déprécier; 5 (*v. fout, verantwoordelijkheid*) atténuer; II *on.w.* 1 diminuer; 2 (*v. prijzen, ziekte*) baisser; 3 (*v. aantal, waterstand*) décroître; ***in waarde —,*** déprécier.
vermin'dering *v.* 1 diminution *f.*; 2 baisse *f.*; 3 réduction *f.*, 4 dépréciation *f.*; 5 atténuation *f.*; 6 (*v. aantal*) décroissement *m.*; 7 (*v. water*) décrue *f.*; 8 (*v. belasting*) détaxe *f.*
vermin'ken *ov.w.* 1 mutiler, estropier; 2 (*fig.*) tronquer, défigurer, écorcher.
vermin'king *v.* 1 mutilation *f.*; 2 défiguration *f.*
vermink'te *m.* mutilé, estropié *m.*
vermis'sen *ov.w.* ne pas (re)trouver.
vermist' *b.n.* 1 (*v. voorwerp*) perdu; 2 (*mil.*) disparu; ***als — vermelden,*** porter manquant.
vermits' *vw.* puisque, vu que, attendu que.
vermoe'delijk I *b.n.* 1 probable; 2 (*v. erfgenaam, opvolger*) présomptif; II *bw.* probablement.
vermoe'den I *ov.w.* 1 présumer, supposer; 2 soupçonner, se douter de; 3 (*verwachten*) s'attendre; II *z.n., o.* 1 présomption, supposition *f.*; 2 soupçon *m.*; ***op —s afgaan,*** se laisser guider par des soupçons.
vermoeid' *b.n.* fatigué, las; ***dodelijk —,*** harassé.
vermoeid'heid *v.* fatigue, lassitude *f.*
vermoei'en I *ov.w.* fatiguer, lasser; II *w.w.* ***zich —,*** se fatiguer.
vermoei'end *b.n.* fatigant.
vermoei'enis *v.* fatigue, lassitude *f.*
vermo'gen I *ov.w.* pouvoir, être capable de; ***niets —,*** être impuissant; II *z.n., o.* 1 (*macht*) puissance *f.*; 2 (*het kunnen*) pouvoir *m.*; 3 (*ziels—*) faculté *f.*, talent *m.*; 4 (*middelen*) moyens *m.pl.*; 5 (*rijkdom, fortuin*) fortune, richesse *f.*, biens *m.pl.*; ***naar ons beste —,*** de notre mieux; ***zoveel in ons — is,*** dans la mesure du possible; ***nationaal —,*** patrimoine *m.* national.
vermo'gend *b.n.* 1 puissant; 2 fortuné, riche, opulent.
vermo'gensaanwas *m.* augmentation *f.* du capital.
vermo'gensbelasting *v.* impôt *m.* sur le capital.
vermolmd' *b.n.* vermoulu.
vermol'men *on.w.* se vermouler.
vermol'ming *v.* vermoulure *f.*
vermomd' *b.n.* déguisé, masqué.
vermom'men *ov.w.* 1 (*verkleden*) déguiser, travestir; 2 (*maskeren*) masquer; 3 (*fig.*) masquer, camoufler; II *w.w.*, ***zich —,*** se masquer; se travestir.
vermom'ming *v.* 1 déguisement, travestissement *m.*; 2 mascarade *f.*
vermoor'den *ov.w.* 1 tuer; 2 (*met voorbedachtheid*) assassiner; 3 (*v. velen*) massacrer; 4 (*fig.: muz., enz.*) massacrer.
vermoor'ding *v.* 1 meurtre *m.*; 2 assassinat *m.*; 3 massacre *m.*
vermor'sen *ov.w.* 1 gaspiller, gâcher, gâter; 2 (*v. papier*) barbouiller.
vermor'sing *v.* 1 gaspillage *m.*; 2 barbouillage *m.*
vermor'zelen *ov.w.* écraser, broyer.
vermor'zeling *v.* écrasement, broyage *m.*
vermuf'fen *on.w.* moisir.
vermun'ten *ov.w.* 1 (*v. staven*) monnayer; 2 (*v. geld*) refrapper.
vermur'wen *ov.w.* 1 (r)amollir; 2 (*fig.*) attendrir, fléchir.
vermur'wing *v.* 1 ramollissement *m.*; 2 attendrissement *m.*
vernach'ten *ov.w.* passer la nuit.
verna'gelen *ov.w.* 1 (*mil.: v. kanon*) enclouer; 2 (*v. deur*) clouer, condamner; 3 (*v. paard*) piquer, enclouer.
verna'geling *v.* 1 enclouage *m.*; 2 condamnation *f.*; 3 (*v. paard*) enclouure *f.*
vernau'wen I *ov.w.* rétrécir; II *on.w.* se rétrécir.
vernau'wing *v.* rétrécissement *m.*
verne'deren *ov.w.* humilier, abaisser.
verne'derend *b.n.* 1 humiliant; 2 (*grievend*) mortifiant; 3 (*onterend*) avilissant.
verne'dering *v.* humiliation *f.*, abaissement *m.*
verne'derlandsen *ov.w.* néerlandiser.
verneem'baar *b.n.* perceptible.
verne'men I *ov.w.* 1 (*waarnemen*) apercevoir; 2 (*horen zeggen*) apprendre; ***naar wij —,*** à ce que nous apprenons; II *on.w.*, ***— naar,*** s'informer de.
verniel'al *m.* brise-tout *m.*
verniel'baar *b.n.* destructible.
vernie'len *ov.w.* détruire, briser; dévaster.
vernie'lend *b.n.* destructeur, destructif; dévastateur.
vernie'ler *m.* destructeur *m.*; dévastateur *m.*
vernie'ling *v.* destruction *f.*; dévastation *f.*
vernie'lingsoorlog *m.* guerre *f.* d'extermination.
vernie'lingswerk *o.* œuvre *f.* de destruction, — destructrice.
verniel'ziek *b.n.* (*v. kind*) destructeur.
verniel'zucht *v.(m.)* vandalisme *m.*, destructivité *f.*
vernie'tigbaar *b.n.* annulable, annihilable.
vernie'tigen *ov.w.* 1 (*vernielen*) détruire; 2 (*te niet doen*) anéantir, annihiler; 3 (*ongeldig verklaren*) annuler, déclarer nul; 4 (*v. vonnis*) casser; 5 (*uitroeien*) exterminer; 6 (*v. hoop*) détruire, faire crouler.
vernie'tigend *b.n.* 1 destructeur, destructif; 2 (*recht*) annulatif; 3 (*v. bewijs*) accablant; 4 (*v. blik*) foudroyant; 5 (*v. oordeel*) impitoyable; 6 exterminateur.
vernie'tiger *m.* destructeur *m.*
vernie'tiging *v.* 1 destruction *f.*; 2 anéantissement *m.*, annihilation *f.*; 3 annulation *f.*; 4 cassation *f.*; 5 extermination *f.*; 6 (*intrekking*) révocation *f.*
vernieu'wen *ov.w.* 1 renouveler; 2 (*v. kunst of techniek*) rénover; ***met vernieuwde krachten,*** avec de nouvelles forces.
vernieu'wer *m.* rénovateur *m.*
vernieu'wing *v.* 1 renouvellement *m.*; 2 rénovation *f.*
vernik'kelen *ov.w.* nickeler.
vernik'keling *v.* nickelage *m.*
vernis' *o. en m.* vernis *m.*
vernis'je *o.* 1 couche *f.* de vernis; 2 (*fig.*) teinture *f.*
vernis'sen *ov.w.* 1 vernir; 2 (*glazuren*) vernisser.
vernis'ser *m.* vernisseur *m.*
vernis'sing *v.* vernissage *m.*
vernoe'men *ov.w.* donner le nom de; nommer.
vernuft' *o.* 1 esprit *m.*, ingéniosité *f.*; 2 (*persoon*) génie *m.*
vernuf'tig I *b.n.* ingénieux, inventif, sagace; II *bw.* ingénieusement.
Vero'na *o.* Vérone *f.*; ***uit —,*** véronais.
veronaan'genamen *ov.w.* rendre désagréable.
veronacht'zamen *ov.w.* négliger.
veronacht'zaming *v.* négligence *f.*

veronderstel'len *ov.w.* supposer.
veronderstel'ling *v.* supposition *f.*; ***in de — dat,*** supposant que. [à.
veron'gelijken *ov.w.* faire tort à, porter préjudice
veron'gelijking *v.* tort, préjudice *m.*
veron'gelukken *on.w.* **1** périr, se perdre; **2** (*sch.*) faire naufrage, périr; **3** (*fig.: v. plan, enz.*) échouer, rater.
veron'gelukt *b.n.* accidenté.
veron'gelukte *m.-v.* accidenté(e) *m.*(*f.*).
Vero'nica *v.* Véronique *f.*
verontrei'nigen *ov.w.* salir, souiller.
verontrei'niging *v.* salissement *m.*, souillure *f.*
verontrus'ten I *ov.w.* inquiéter, alarmer; **II** *w.w.*, ***zich —,*** s'inquiéter, s'alarmer.
verontrus'tend *b.n.* alarmant.
verontrus'ting *v.* inquiétude *f.*
verontschul'digen I *ov.w.* **1** excuser; **2** (*vrijpleiten*) justifier; **II** *w.w.*, ***zich —,*** s'excuser.
verontschul'diging *v.* **1** excuse *f.*; **2** justification *f.*
verontwaar'digd *b.n.* indigné.
verontwaar'digen I *ov.w.* indigner; **II** *w.w.*, ***zich — over,*** s'indigner de.
verontwaar'diging *v.* indignation *f.*
veroor'deelde *m.-v.* condamné *m.*, —e *f.*
veroor'delen *ov.w.* **1** condamner; **2** (*fig.: afkeuren*) réprouver.
veroor'deling *v.* condamnation *f.*
veroor'loven *ov.w.* permettre.
veroor'loving *v.* permission *f.*
veroor'zaken *ov.w.* **1** (*teweegbrengen*) causer, produire; **2** (*aanleiding geven tot*) donner lieu à, occasionner.
veroor'zaking *v.* causation *f.*
verootmoe'digen *ov.w.* humilier.
verootmoe'diging *v.* humiliation *f.*
veror'beren *ov.w.* consommer; (*fam.*) expédier.
veror'bering *v.* consommation *f.*
veror'denen *ov.w.* ordonner, prescrire, statuer.
veror'dening *v.* ordonnance *f.*, décrét, arrêté *m.*
verou'derd *b.n.* **1** (*oud geworden*) vieilli; **2** (*niet meer gebruikt, niet meer bestaand*) hors d'usage, tombé en désuétude, périmé; **3** (*ouderwets*) passé de mode, suranné, démodé; (*fam.*) vieux jeu; **4** (*v. kwaal*) invétéré, enraciné; **5** (*v. gebouw*) vétuste, ancien; ***— woord,*** mot archaïque, archaïsme *m.*
verou'deren *on.w.* vieillir.
verou'dering *v.* vieillissement *m.*
vero'veraar *m.* conquérant *m.*
vero'veren *ov.w.* **1** conquérir; **2** (*v. stelling*) enlever; **3** (*v. stad*) prendre. [**3** prise *f.*
vero'vering *v.* **1** conquête *f.*; **2** enlèvement *m.*;
vero'veringsoorlog *m.* guerre *f.* de conquête.
verpach'ten *ov.w.* donner à bail, — à ferme, affermer.
verpach'ter *m.* bailleur *m.*
verpach'ting *v.* bail, affermage *m.*
verpak'ken *ov.w.* **1** (*inpakken*) emballer; **2** (*anders pakken*) remballer, changer l'emballage de.
verpak'ker *m.* emballeur *m.*
verpak'king *v.* emballage *m.*
verpan'den *ov.w.* **1** engager, mettre en gage; **2** (*v. huis*) hypothéquer.
verpan'ding *v.* **1** engagement *m.*; **2** hypothèque *f.*
verpat'sen *ov.w.* **1** (*doorbrengen*) gaspiller; **2** (*versjacheren*) bazarder, laver, lessiver.
verpersoon'lijken *ov.w.* personnifier.
verpersoon'lijking *v.* personnification *f.*
verpes'ten *ov.w.* empester, infecter, empoisonner.
verpes'tend *b.n.* pestilentiel, infect, empesté.
verpes'ting *v.* pestilence, infection *f.*
verplaats'baar *b.n.* **1** mobile; **2** (*draagbaar*) portatif.
verplaat'sen I *ov.w.* **1** (*alg.*) déplacer; **2** (*v. winkel, kantoor*) transférer; **3** (*v. boom*) transplanter; **4** (*v. woorden*) transposer; **5** (*v. ambtenaar*) déplacer; (*verwisselen*) permuter.
verplaat'sing *v.* **1** déplacement *m.*; **2** transfert *m.*; **3** transplantation *f.*; **4** transposition *f.*; **5** permutation *f.*; *zie* ***verplaatsen.***
verplan'ten *ov.w.* transplanter.
verplan'ting *v.* transplantation *f.*
verpleeg'de *m.* **1** (*in hospitaal*) hospitalisé *m.*; **2** (*in tehuis*) pensionnaire *m.*
verpleeg'ster *v.* infirmière, garde*-malade* *f.*
verple'gen *ov.w.* **1** (*v. zieke*) soigner; **2** (*v. armen*) assister.
verple'ger *m.* infirmier, garde-*malade* *m.*
verple'ging *v.* **1** soins *m.pl.* (médicaux); **2** assistance *f.*
verple'gingsartikelen *mv.* articles *m.pl.* de pansement, — d'infirmerie.
verple'gingsdienst *m.* (*mil.*) intendance *f.*
verple'gingskosten *mv.* frais *m.pl.* d'hospitalisation, — d'entretien.
verple'gingstrein *m.* (*mil.*) train *m.* de l'intendance, — sanitaire.
verplet'teren *ov.w.* **1** écraser, broyer; **2** (*fig.*) foudroyer, terrasser.
verplet'tering *v.* écrasement, broyage *m.*
verplicht' *b.n.* **1** obligé (de, à), tenu (à); **2** (*v. onderwijs, enz.*) obligatoire; ***iem. veel — zijn,*** avoir bien de l'obligation à qn.; ***—e afschrijving,*** prélèvements statutaires; ***zich — zien,*** être obligé.
verplich'ten I *ov.w.* obliger; ***iem. aan zich —,*** obliger qn.; **II** *w.w.*, ***zich — tot,*** s'obliger à, s'engager à.
verplich'tend *b.n.* **1** (*v. onderwijs, vak*) obligatoire; **2** (*gedienstig*) obligeant.
verplich'ting *v.* obligation *f.*; engagement *m.*; ***aan zijn —en voldoen,*** faire honneur à ses obligations; ***zijn —en nakomen,*** faire face à ses engagements; ***zonder —,*** sans engagement.
verpop'pen, *zich —,* *w.w.* se chrysalider.
verpo'ten *ov.w.* transplanter.
verpot'ten *ov.w.* rempoter.
verpot'ting *v.* rempotage *m.*
verpo'zen I *ov.w.* relayer; **II** *w.w.*, ***zich —,*** se reposer, respirer, se délasser.
verpo'zing *v.* repos, relâche, délassement *m.*, trêve *f.*; ***zonder enige —,*** sans trêve ni relâche.
verpra'ten I *ov.w.*, (*v. tijd*) perdre en bavardant, — en causant; **II** *w.w.*, ***zich —,*** en dire trop long, se trahir.
verprut'sen *ov.w.* gâcher, gaspiller.
verpul'veren *on.w.* se pulvériser.
verraad' *o.* trahison *f.*
verra'den I *ov.w.* **1** trahir; **2** (*fig.*) déceler, révéler; **II** *w.w.*, ***zich —,*** se trahir.
verra'der *m.* traître *m.*
verraderij' *v.* trahison *f.*
verra'derlijk I *b.n.* **1** traître; **2** (*vals*) perfide; **II** *bw.* traîtreusement, en traître.
verram'sjen *ov.w.* solder.
verras'sen *ov.w.* **1** surprendre; **2** (*betrappen*) prendre au dépourvu, prendre sur le fait.
verras'send *b.n.* surprenant.
verras'sing *v.* surprise *f.*
ver're *bw.*, *zie* ***ver.***
ver'regaand I *b.n.* extrême, extravagant, inouï; **II** *bw.* extrêmement.
verre'gend *b.n.* pourri; ***een —e zomer,*** un été pourri.

verre'genen *on.w.* être abîmé (*of* gâté) par la pluie.

verrei'zen *ov.w.* dépenser à voyager, dépenser en voyages.

verre'kenen I *ov.w.* **1** (*vereffenen, afbetalen*) régler, solder; **2** (*in rekening brengen*) porter en compte; **II** *w.w.*, ***zich* —,** se tromper, faire une erreur de calcul.

verre'kening *v.* **1** règlement *m.*, liquidation *f.*; **2** mise *f.* en ligne de compte; **3** erreur *f.* (de calcul); ***ter — van,*** en règlement de; en couverture de.

verre'kenkantoor *o.* caisse *f.* de compensation, comptoir *m.* —.

verre'kenpakket *o.* colis *m.* en remboursement.

ver'rekijker *m.* **1** (*toneelkijker*) lorgnette *f.*, jumelle(s) *f.*(*pl.*); **2** (*op zee*) lunette, longue*-vue* *f.*; **3** (*astronomische* —) télescope *m.*

verrek'ken I *ov.w.* déboîter, disloquer; **II** *on.w.* crever; **III** *w.w.*, ***zich* —,** se donner une entorse; ***verrek!*** zut!

verrek'king *v.* entorse, luxation *f.*

ver'reweg *bw.* de beaucoup, bien.

verrich'ten *ov.w.* effectuer, exécuter, faire.

verrich'ting *v.* **1** (*v. werk*) exécution *f.*; **2** (*volvoering*) accomplissement *m.*; **3** (*mil.*; *bank*—) opération *f.*; **4** (*handeling*) action *f.*; **5** (*levens*—, *functie*) fonction *f.*

verrij'den I *on.w.* faire place; ***verreden worden,*** se courir; **II** *ov.w.* dépenser en voitures; (*een prijs*) courir.

verrij'ken *ov.w.* enrichir.

verrij'king *v.* enrichissement *m.*

verrij'zen *on.w.* **1** (*oprijzen*) se lever, se dresser; **2** (*v. de dood*) ressusciter.

verrij'zenis *v.* résurrection *f.*

verroe'ren I *ov.w.* remuer, bouger; **II** *w.w.*, ***zich* —,** bouger.

verroest' *b.n.* rouillé.

verroes'ten *on.w.* se rouiller, s'oxyder.

verroes'ting *v.* rouille, oxydation *f.*

verro'ken *ov.w.* dépenser en tabac (*of* en cigares, en cigarettes).

verron'selen *ov.w.* **1** (*verkwanselen*) troquer; **2** (*mil.*) enrôler par ruse.

verrot' *b.n.* pourri.

verrot'heid *v.* pourriture *f.*

verrot'ten *on.w.* (se) pourrir, se putrifier.

verrot'ting *v.* pourriture *f.*

verrot'tingsproces *o.* putréfaction *f.*; corruption *f.*

verrui'len *ov.w.* **1** (*ruilen*) échanger, troquer; **2** (*omwisselen*) changer.

verrui'ling *v.* **1** échange, troc *m.*; **2** changement *m.*

verrui'men *ov.w.* **1** élargir, étendre, dilater; **2** (*fig.: v. hart*) soulager; **3** (*v. blik*) élargir.

verrui'ming *v.* **1** élargissement *m.*, dilatation *f.*; **2** soulagement *m.*; **3** élargissement *m.*; *zie* ***verruimen.***

verruk'kelijk I *b.n.* ravissant, charmant; **II** *bw.* d'une façon ravissante.

verruk'kelijkheid *v.*, beauté *f.*, ravissante, charme *m.*

verruk'ken *ov.w.* ravir, charmer, enchanter.

verruk'king *v.* **1** ravissement, enchantement *m.*; **2** (*vervoering*) extase *f.*; ***in* —,** ravi; en extase; ***in — brengen,*** ravir; enthousiasmer.

verru'wing *v.* abrutissement *m.*

vers I *o.* **1** (*dichtregel*) vers *m.*; **2** (*strofe v. gedicht*) strophe *f.*; **3** (*v. lied*) couplet *m.*; **4** (*Bijb.*) verset *m.*; **5** (*gedicht*) poésie *f.*; **II** *b.n.* **1** frais; **2** (*nieuw*) nouveau; **3** (*v. linnen*) propre; **4** (*pas gebeurd*; *v. wond, enz.*) récent; **III** *bw.* **1** fraîchement; **2** nouvellement; **3** récemment.

versaagd' *b.n.* **1** (*bevreesd*) intimidé, craintif; **2** (*onthutst*) troublé; découragé.

versaagd'heid *v.* **1** timidité, crainte *f.*; **2** trouble, découragement *m.*

versa'gen *on.w.* se troubler, se décourager, perdre courage.

vers'bouw *m.* versification *f.*

verschaald' *b.n.* éventé.

verschaf'fen *ov.w.* procurer, fournir; ***zich recht* —,** se faire justice; ***zich toegang* —,** s'introduire.

verscha'len *on.w.* (*v. bier, wijn*) s'éventer.

verscha'ling *v.* évent *m.*

verschal'ken *ov.w.* **1** duper, tromper; mystifier; **2** (*v. glas, fles*) siffler, vider.

verschal'king *v.* duperie, tromperie *f.*; mystification *f.*

verschan'sen I *ov.w.* (*mil.*) retrancher, fortifier; **II** *w.w.*, ***zich* —,** se retrancher.

verschan'sing *v.* **1** (*mil.*) retranchement *m.*, fortification *f.*; **2** (*sch.*) bastingage *m.*

verschei'den I *on.w.* décéder, trépasser; **II** *z.n.*, *o.* décès, trépas *m.*; **III** *b.n.* plusieurs, divers. [*f.*

verschei'denheid *v.* **1** diversité *f.*; **2** (*nat.*) variété

versche'pen *ov.w.* **1** (*met schepen vervoeren*) transporter (par eau); **2** (*overladen*) transborder.

versche'ping *v.* **1** transport *m.* (par eau); **2** transbordement *m.*

verscher'pen *ov.w.* **1** aiguiser; **2** (*v. wet*) aggraver; **3** (*v. bepalingen, enz.*) rendre plus sévère; ***het toezicht* —,** rendre la surveillance plus étroite.

verscher'ping *v.* **1** aiguisage *m.*; **2** (*v. wet, strijd, enz.*) aggravation *f.*; **3** (*gen.*) exacerbation *f.*; **4** (*v. geest*) exercice *m.*

verscheu'ren *ov.w.* **1** (*alg.*) déchirer; **2** (*v. prooi, verslinden*) dévorer; **3** (*uiteenscheuren*) lacérer; **4** (*fig.: v. oren*) écorcher.

verscheu'rend *b.n.* **1** déchirant; **2** (*v. pijn*) déchirant; aigu; ***— dier,*** bête *f.* féroce, carnassier *m.*

verscheu'ring *v.* déchirement *m.*; lacération *f.*

verschiet' *o.* **1** lointain *m.*; **2** (*kunst*) perspective *f.*; **3** (*fig.*) avenir *m.*; ***in 't* —,** en perspective.

verschie'ten I *ov.w.* **1** (*v. kruit, enz.*) épuiser; **2** (*v. koren*) remuer; **3** (*voorschieten*) avancer, prêter; **4** (*v. kaarten*) battre, mêler; ***zijn laatste kruit* —,** brûler ses dernières cartouches; **II** *on.w.* **1** (*snel v. plaats veranderen*) se déplacer brusquement; **2** (*v. ster*) filer; **3** (*v. kleur*) passer, ternir, se décolorer, se déteindre; **4** (*v. persoon*) pâlir; **5** (*ontstellen*) se troubler; sursauter (de peur).

verschijn'dag *m.* (*H.*) jour *m.* d'échéance.

verschij'nen *on.w.* **1** (*alg.*) paraître; **2** (*plotseling*) apparaître; **3** (*recht*) comparaître; **4** (*v. wissel, enz.: vervallen*) échoir; **5** (*v. dag*) arriver, paraître; ***niet* —,** (*recht*) faire défaut; ***pas verschenen,*** vient de paraître; ***bij* —,** à l'apparition.

verschij'ning *v.* **1** (*alg.*) apparition *f.*; **2** (*v. boek*) parution *f.*; **3** (*recht*) comparution *f.*; **4** (*het vervallen*) échéance *f.*

verschijn'sel *o.* **1** (*alg.*) phénomène *m.*; **2** (*gen.*) symptôme *m.*

verschik'ken I *ov.w.* **1** (*verplaatsen*) déplacer; **2** (*anders plaatsen*) arranger autrement; **3** (*uitstellen*) ajourner, remettre; **II** *on.w.* se ranger.

verschik'king *v.* **1** déplacement *m.*; **2** nouvel arrangement *m.*; **3** ajournement *m.*, remise *f.*

verschil' *o.* **1** (*alg.*) différence *f.*; **2** (*v. mening, inzicht*) divergence *f.*; **3** (*onderscheid*) distinction *f.*; **4** (*geschil, twist*) différend *m.*, querelle *f.*; **5** (*H.: bij te passen*) appoint *m.*; ***het — delen,*** couper la poire en deux; ***— van leeftijd,*** écart *m.* d'âge; ***er is een hemelsbreed — tussen hen,*** ils diffèrent du blanc au noir.

verschil'feren *on.w.* s'écailler.
verschil'len *on.w.* **1** (*afwijken van*) différer, être différent; **2** (*afwisselen*) varier.
verschil'lend *b.n.* **1** (*anders*) différent; dissemblable; **2** (*onderscheiden*) distinct.
verschil'lende *telw.* plusieurs. [litige.
verschil'punt *o.* point *m.* contentieux, — en
verschim'melen *on.w.* se moisir.
verschim'meling *v.* moisissure *f.*
verscho'len *b.n.* caché.
verscho'nen I *ov.w.* **1** (*schoner maken*) embellir; **2** (*v. kind: schoon linnen aandoen*) changer; **3** (*verontschuldigen*) excuser; **4** (*sparen*) ménager, épargner; ***het bed —,*** changer les draps du lit; **II** *w.w.*, ***zich —,*** **1** se changer; **2** s'excuser.
verscho'ning *v.* **1** changement *m.* (de linge); **2** (*schoon linnengoed*) linge *m.* propre, — blanc; **3** excuse *f.*, pardon *m.*; ***om — vragen,*** demander pardon, faire ses excuses (à qn.).
verscho'ningsrecht *o.* dispense *f.* de l'obligation de témoigner en justice.
verschoon'baar *b.n.* excusable.
verschop'peling *m.* **1** souffre-douleur; paria *m.*; **2** (*lelijk, misvormd*) disgracié *m.* de la nature.
verschop'pen *ov.w.* **1** (*wegschoppen*) repousser du pied; **2** (*fig.*) rejeter.
verschop'ping *v.* mépris *m.*
verschot' *o.* **1** (*H.: keus*) assortiment *m.*; **2** (*voorschot*) avance *f.*; débours *m.*; **3** (*v. kleren*) fournitures *f.pl.*
verscho'ten *b.n.* décoloré.
verschraald' *b.n.* émacié, amaigri.
verschrij'ven I *ov.w.* (*schrijvende gebruiken*) consommer (en écrivant); **II** *w.w.*, ***zich —,*** se tromper (en écrivant); faire une faute en écrivant.
verschrij'ving *v.* lapsus *m.* (calami).
verschrik'kelijk I *b.n.* terrible, effroyable, effrayant, épouvantable; (*afgrijselijk*) affreux; **II** *bw.* terriblement, effroyablement, épouvantablement; affreusement; ***— lelijk,*** laid à faire peur.
verschrik'kelijkheid *v.* horreur, énormité *f.*
verschrik'ken I *ov.w.* effrayer, épouvanter; **II** *on.w.* s'effrayer, s'épouvanter.
verschrik'king *v.* **1** (*schrik, ontsteltenis*) terreur, épouvante *f.*, effroi *m.*; **2** (*dat schrik aanjaagt*) horreur *f.*, objet d'épouvante; ***de —en van de oorlog,*** les horreurs de la guerre.
verschroeid' *b.n.* calciné, brûlé; ***tactiek van de —e aarde,*** tactique *f.* de la terre brûlée.
verschroei'en *ov.w.* **1** (*v. vuur*) roussir; **2** (*v. zon*) brûler; **3** (*tint*) hâler, tanner; **4** (*doen verdorren*) dessécher, brûler. [sèchement *m.*
verschroei'ing *v.* **1** brûlure *f.*; **2** hâle *m.*; **3** des-
verschrom'peld *b.n.* **1** (*alg.*) racorni; **2** (*v. gelaat*) ratatiné; **3** (*onvolgroeid*) rabougri.
verschrom'pelen I *ov.w.* **1** racornir; **2** (*v. perkament, enz.*) recroqueviller; **II** *on.w.* **1** se racornir; **2** se ratatiner; **3** se recroqueviller.
verschrom'peling *v.* racornissement *m.*
verschuif'baar *b.n.* mobile.
verschui'len I *ov.w.* cacher; **II** *w.w.*, ***zich —,*** **1** se cacher, se blottir, se dissimuler; **2** (*fig.*) ***zich achter iets —,*** se retrancher derrière qc.
verschui'ven I *ov.w.* **1** (*verplaatsen*) déplacer; **2** (*vooruit*) avancer, approcher; **3** (*achteruit*) reculer; **4** (*uitstellen*) remettre, ajourner, différer; **II** *on.w.* se déplacer.
verschui'ving *v.* **1** déplacement *m.*; **2** ajournement, renvoi *m.*; **3** (*aard—*) glissement *m.*
verschul'digd *b.n.* **1** (*v. geld, eerbied*) dû; **2** (*verplicht*) obligé (de), tenu (de); **3** (*te danken hebben*) redevable; ***het —e,*** ce qui est dû.

vers'heid *v.* fraîcheur, nouveauté *f.*
versier'der *m.* décorateur *m.*
versie'ren *ov.w.* embellir; orner, parer, décorer.
versie'ring *v.* **1** (*handeling*) embellissement *m.*; **2** (*versiersel*) ornement *m.*, parure *f.*
versie'ringskunst *v.* **1** art *m.* décoratif; **2** (*muz.*) art *m.* des fioritures.
versier'sel *o.* **1** ornement *m.*, parure *f.*; **2** (*muz.*) fioritures *f.pl.*
versifica'tie, versifika'tie *v.* versification *f.*
versja'cheren *ov.w.* vendre, bazarder, faire argent de.
versjou'wen *ov.w.* déplacer (avec effort, avec peine).
verslaafd' *b.n.* adonné (à).
verslaafd'heid *v.* passion *f.* (pour, de), goût *m.* immodéré (de).
verslaan' I *ov.w.* **1** (*neerslaan*) terrasser, abattre; **2** (*overwinnen*) battre, défaire; **3** (*v. dorst: lessen*) étancher; **4** (*verslag uitbrengen van*) faire un compte rendu de; **II** *on.w.* **1** (*afkoelen*) refroidir; **2** (*verschalen*) s'éventer.
verslag' *o.* **1** rapport; compte rendu *m.*; **2** (*v. dagblad*) reportage *m.*; ***— doen van,*** rendre compte de.
versla'gen *b.n.* **1** (*overwonnen*) battu, vaincu; **2** (*terneergeslagen, onthutst*) abattu; consterné, interdit.
versla'gene *m.-v.* mort *m.*, —e *f.*, victime *f.*
versla'genheid *v.* abattement *m.*; consternation *f.*
verslag'gever *m.* **1** (*v. dagblad*) reporter, chroniqueur *m.*; **2** (*v. Kamer, congres, enz.*) rapporteur *m.*
verslag'jaar *o.* année *f.* du rapport.
versla'pen I *ov.w.* (*v. tijd*) passer à dormir; **II** *w.w.*, ***zich —,*** dormir trop longtemps.
verslap'pen I *ov.w.* **1** (*v. touw*) détendre; **2** (*fig.: v. inspanning, tucht, enz.*) relâcher; **3** (*v. wilskracht*) émousser; **4** (*verzwakken*) débiliter; **5** (*uitputten*) énerver; **II** *on.w.* **1** se détendre; **2** se relâcher; **3** s'émousser; **4** (*v. pols*) s'affaiblir.
verslap'ping *v.* **1** détente *f.*; **2** relâchement *m.*; **3** énervement *m.*; **4** affaiblissement *m.*; **5** (*in handel*) malaise *m.*
versla'ven, ***zich —,*** *w.w.* s'adonner (à), se passionner (pour), devenir l'esclave de.
versla'ving *v.* (*fig.*) passion *f.*
verslech't(er)en *on.w.* empirer, s'aggraver.
verslech'ting *v.* aggravation *f.*
verslen'sen *on.w.* se faner.
versle'pen *ov.w.* traîner ailleurs.
versle'ten *b.n.* **1** usé; vieux, usagé; **2** (*v. persoon*) décrépit, usé.
verslib'ben *on.w.* s'envaser.
verslib'bing *v.* envasement *m.*
verslij'ten I *ov.w.* **1** user; **2** (*v. tijd*) passer (à); **3** ***iem. — voor,*** prendre qn. pour; **II** *on.w.* s'user; **III** *z.n.*, *o.* usure *f.*
verslik'ken, ***zich —,*** *w.w.* avaler de travers.
verslik'king *v.* accès *m.* de suffocation.
verslin'den *ov.w.* **1** avaler; **2** (*v. prooi; fig.*) dévorer; **3** (*v. zee, enz.*) engloutir.
verslin'der *m.* dévoreur *m.*
verslin'ding *v.* engloutissement *m.*
verslin'gerd *b.n.* adonné (à).
verslin'geren I *ov.w.* laisser traîner; **II** *w.w.*, ***zich — aan,*** s'encanailler avec.
verslon'zen *ov.w.* **1** (*verwaarlozen*) négliger; **2** (*bederven*) abîmer, gâter.
vers'maat *v.(m.)* rythme, mètre *m.*
versmach'ten *on.w.* mourir; languir.
versmach'ting *v.* langueur *f.*, dépérissement *m.*
versma'den *ov.w.* **1** (*minachten*) dédaigner, faire

fi de; **2** (*verwerpen*) repousser, rejeter; ***niet te —,*** appréciable.

versma'ding *v.* dédain; mépris *m.*

versmal'len I *ov.w.* rétrécir; **II** *on.w.* se rétrécir.

versmel'ten I *ov.w.* **1** (*v. metalen*) allier; **2** (*v. munt, enz.*) refondre; **3** (*fig.: v. partijen, enz.*) fusionner; **4** (*muz., schild.*) fondre; **II** *on.w.* **1** se fondre; **2** (*fig.*) se réduire à.

versmel'ting *v.* **1** fusion *f.*; **2** fusionnement *m.*; **3** (*fig.*) diminution *f.*

versmo'ren *ov.w.* étouffer.

versna'pering *v.* friandise *f.*; morceau *m.* délicat.

versnel'len *ov.w.* **1** (*v. beweging*) accélérer; **2** (*mil.: v. pas*) doubler.

versnel'ler *m.* accélérateur *m.*

versnel'ling *v.* **1** accélération *f.*; **2** (*v. fiets*) multiplication, vitesse *f.*; **3** (*v. auto*) vitesse *f.*; **4** (*toestel*) changement *m.* de vitesse; ***een fiets met drie —en,*** une bicyclette à trois vitesses; ***in de eerste — rijden,*** rouler en première (vitesse); ***in de derde —,*** en prise directe.

versnel'lingsbak *m.* boîte *f.* de vitesse.

versnel'lingshandel, -hendel *o. en m.* levier *m.* de changement de vitesse.

versnel'lingsnaaf *v.(m.)* (moyeu du) changement *m.* de vitesse.

versnij'den *ov.w.* **1** (*aan stukken snijden, v. brood, enz.*) découper; **2** (*verkeerd snijden*) couper mal; **3** (*v. wijn*) couper.

versnij'ding *v.* **1** découpage *m.*; **2** mauvaise coupe *f.*; **3** coupage *m.*

versnip'peren *ov.w.* **1** couper en petits morceaux; **2** (*fig.*) éparpiller, disperser.

versnip'pering *v.* **1** découpage *m.*; **2** éparpillement *m.*, dispersion *f.*; **3** (*v. kracht*) morcellement *m.*; **4** (*v. grond*) démembrement *m.*

versnoe'pen *ov.w.* dépenser en friandises.

verso'beren *ov.w.* modérer les dépenses.

verso'bering *v.* économie *f.*

versom'beren I *ov.w.* assombrir; **II** *on.w.* s'assombrir.

verspe'len *ov.w.* **1** perdre au jeu; **2** (*fig.*) perdre.

verspe'ling *v.* perte *f.*

versper'ren *ov.w.* **1** barricader; barrer; **2** (*v. doortocht*) obstruer; **3** (*v. haven*) bacler; **4** (*v. straat: door voertuigen*) embouteiller.

versper'ring *v.* **1** barricade *f.*; **2** obstruction *f.*; **3** bâclage *m.*; **4** embouteillage *m.*; **5** (*v. politie*) cordon, barrage *m.*

versper'ringsballon *m.* ballon *m.* de barrage.

versper'ringsvuur *o.* (*mil.*) tir *m.* de barrage.

verspie'den *ov.w.* **1** (*mil.*) reconnaître; **2** (*ong.*) épier, espionner.

verspie'der *m.* **1** espion *m.*; **2** (*mil.*) éclaireur *m.*

verspie'ding *v.* **1** espionnage *m.*; **2** (*mil.*) reconnaissance *f.*

verspie'dingsdienst *m.* service *m.* d'espionnage.

verspil'len *ov.w.* **1** (*v. geld*) dissiper, gaspiller; **2** (*v. tijd*) perdre.

verspil'ling *v.* dissipation *f.*, gaspillage *m.*

versplin'teren I *ov.w.* fracturer; faire voler en éclats; **II** *on.w.* voler en éclats.

versplin'tering *v.* **1** fractionnement *m.*; **2** (*gen.*) fracture *f.* esquilleuse.

verspreid' *b.n.* **1** épars; **2** (*mil.: v. slagorde*) dispersé; **3** (*v. bevolking*) non-aggloméré.

versprei'den I *ov.w.* **1** (*alg.*) répandre; **2** (*hier en daar —*) éparpiller, disséminer; **3** (*doen uiteengaan*) disperser; **4** (*bekend maken*) divulguer; **5** (*v. leer, enz.: verbreiden*) propager; **6** (*per radio*) diffuser; **II** *w.w.* ***zich —,*** **1** se répandre; **2** (*mil.*) se disperser en tirailleurs; **3** se disséminer; **4** se propager.

versprei'der *m.* propagateur *m.*

versprei'ding *v.* **1** éparpillement *m.*; dissémination *f.*; **2** dispersion *f.*; **3** divulgation *f.*; **4** propagation *f.*; **5** (*verdeling: v. warmte; strooibiljetten, enz.*) diffusion *f.*

verspre'ken, *zich —,* *w.w.* **1** se tromper, en dire trop; **2** faire un lapsus; ***ik heb mij versproken,*** la langue m'a fourché.

verspre'king *v.* lapsus *m.* (linguae).

versprin'gen *on.w.* **1** se déplacer; **2** (*v. getij*) changer; avancer; retarder; **3** (*v. veer, enz.*) se déclancher.

ver'springen *o.* (*sp.*) saut *m.* en longueur.

vers'regel *m.* vers *m.*

vers'snede *v.(m.)* césure *f.*

verstaald' *b.n.* **1** aciéré; **2** (*fig.: gehard*) trempé; **3** (*ongevoelig*) endurci; **4** (*onbeschaamd*) insolent; **5** (*v. voorhoofd*) impassible.

verstaan' I *ov.w.* **1** (*begrijpen*) comprendre; **2** (*horen*) entendre; **3** (*v. vak, enz.: kennen*) connaître, savoir; ***te — geven,*** donner à entendre insinuer; ***wat verstaat men daaronder ?*** qu'entend-on par là ? ***wel te —,*** bien entendu; **II** *w.w.*, ***zich met iem. —,*** s'entendre avec qn.; s'accorder avec qn.

verstaan'baar *b.n.* **1** (*hoorbaar*) distinct; **2** (*begrijpelijk*) compréhensible, intelligible; **3** (*v. taal: duidelijk*) clair; ***zich — maken,*** se faire entendre.

verstaan'baarheid *v.* **1** intelligibilité *f.*; **2** clarté *f.*

verstaan'der *m.* entendeur *m.*; ***een goed — heeft maar een half woord nodig,*** à bon entendeur demi-mot suffit.

versta'len I *ov.w.* **1** aciérer; **2** (*fig.*) endurcir; **II** *on.w.* s'endurcir.

versta'ling *v.* **1** aciération *f.*, aciérage *m.*; **2** (*fig.*) endurcissement *m.*

verstand' *o.* **1** (*geest*) esprit *m.*; **2** (*inzicht*) intelligence *f.*; **3** (*rede*) raison *f.*; **4** (*kennis, wetenschap*) connaissance *f.*; **5** (*oordeel*) sens, jugemen *m.*; ***gezond —,*** du bon sens; ***het — verliezen,*** perdre la raison; ***hij heeft er geen — van,*** il ne s'y connaît pas; ***dat gaat boven mijn —,*** cela me passe, c'est au-dessus de ma portée; ***daar staat mijn — bij stil,*** je m'y perds; ***hij is niet recht bij zijn —,*** il ne jouit pas de toutes ses facultés; ***iem. iets aan het — brengen,*** faire comprendre qc. à qn.; ***tot goed — van,*** pour bien comprendre, pour la bonne intelligence de; ***met dien —e,*** à condition que, sous cette réserve que; ***hij heeft geen — van zaken,*** il ne se connaît pas en affaires il n'entend rien aux affaires.

verstan'delijk I *b.n.* intellectuel; **II** *bw.* intellectuellement.

verstan'delijkheid *v.* intellectualité *f.*

verstand'houding *v.* intelligence, entente *f.* ***in goede —,*** en bonne intelligence; ***in — staan met,*** **1** être d'intelligence avec; **2** (*ong.*) être de connivence avec.

verstan'dig I *b.n.* **1** (*met verstand begaafd*) intelligent; **2** (*met gezond verstand*) sensé; **3** (*redelijk*) raisonnable; **4** (*goed bedacht*) prudent, sage; **II** *bw.* **1** intelligemment, avec intelligence; **2** sensément; **3** raisonnablement; **4** prudemment.

verstands'kies *v.(m.)* dent *f.* de sagesse.

verstands'mens *m.* intellectuel *m.*

verstands'ontwikkeling *v.* culture *f.* intellectuelle.

verstands'verbijstering *v.* aliénation *f.* mentale, égarement *m.* de l'esprit.

verstard' *b.n.* figé.

verstar'ren *on.w.* se figer.

versteend' *b.n.* **1** pétrifié; **2** (*fig.*) de pierre, endurci.
verstek' *o.* défaut *m.*, contumace *f.*; ***— laten gaan,*** faire défaut; ***bij — veroordelen,*** condamner par contumace, — par défaut.
verste'keling *m.* passager *m.* clandestin.
verste'ken *ov.w.* **1** (*v. speld, enz.*) déplacer; **2** (*verbergen*) cacher.
verstek'zaag *v.(m.)* scie *f.* à onglet.
verstel'baar *b.n.* **1** (*tn.*) réglable, amovible, multipose; **2** (*v. passer*) changeant; **3** (*op alles passend*) universel.
versteld' *b.n.*, (*onthutst*) interdit, confondu; ***iem. — doen staan,*** confondre qn.
versteld'heid *v.* perplexité *f.*, ébahissement *m.*
verstel'goed *o.* linge *m.* à raccommoder, effets *m.pl.* —.
verstel'len *ov.w.* **1** (*v. kleren, enz.*) raccommoder, rapiécer; **2** (*regelen*) régler; **3** (*verplaatsen*) déplacer.
verstel'ler *m.* raccommodeur *m.*
verstel'ling *v.* **1** raccommodage *m.*, réparation *f.*; **2** réglage *m.*; **3** déplacement *m.*
verstel'naaister *v.* couturière *f.* qui fait les raccommodages.
verstel'werk *o.* raccommodages *m.pl.*
verste'nen I *ov.w.* pétrifier; **II** *on.w.* se pétrifier.
verste'ning *v.* **1** pétrification *f.*; **2** (*v. dier*) zoolithe *m.*; **3** (*voorwerp*) fossile *m.*
versterf' *o.* **1** (*overlijden*) mort *f.*, décès *m.*; **2** (*sterfte*) mortalité *f.*; **3** (*nalatenschap*) succession *f.*; **4** (*gen.*) atrophie *f.*; ***bij —,*** en cas de décès; ***bij — overgaan,*** passer par voie de succession.
verster'fenis *v.* succession *f.*; dévolution *f.* par décès.
versterf'recht *o.* droit *m.* de succession.
verster'ken *ov.w.* **1** (*alg.*) fortifier; **2** (*v. aantal*) renforcer; (*v. geluid*) amplifier; (*v. kleur*) intensifier; (*v. mengsel*) concentrer; **3** (*v. muur; fig.: macht*) consolider; **4** (*v. mening*) confirmer (dans); ***de inwendige mens —,*** se restaurer.
verster'kend *b.n.* **1** fortifiant; **2** (*gen.*) tonique; ***— middel,*** fortifiant *m.*; tonique *m.*
verster'ker *m.* (*v. radio*) amplificateur *m.*
verster'king *v.* **1** (*alg.*) renforcement *m.*; **2** (*mil.*) renfort *m.*; **3** consolidation *f.*; **4** confirmation *f.*; **5** restauration *f.*; **6** (*gen.*) corroboration *f.*; **7** (*radio*) amplification *f.*
verster'kingstroepen *mv.* troupes *f.pl.* de renfort.
verster'kingswerken *mv.* fortifications *f.pl.*
verster'ven I *on.w.* **1** (*afsterven*) mourir; **2** (*gen.*) s'atrophier; **3** (*recht*) échoir par décès, échoir par succession; ***het vlees laten —,*** mortifier la viande; **II** *w.w.*, ***zich —,*** se mortifier.
verster'ving *v.* **1** *zie* ***versterf***; **2** (*kath.*) mortification *f.*
verste'vigen *ov.w.* raffermir, consolider.
verstijfd' *b.n.* **1** raide; **2** (*v. kou*) engourdi, transi; **3** (*verlamd*) perclus, figé; **4** (*v. vingers, hand*) gourd.
verstijfd'heid *v.* **1** raideur *f.*; **2** engourdissement *m.*
verstij'ven I *ov.w.* **1** raidir; **2** engourdir; **II** *on.w.* se raidir; s'engourdir, se figer.
verstij'ving *v.* **1** raidissement *m.*; **2** engourdissement *m.*; **3** (*vl.*) fuselage *m.*
verstik'ken I *ov.w.* **1** (*alg.*) étouffer, suffoquer; **2** (*door gas*) asphyxier; **II** *on.w.* **1** étouffer, suffoquer; **2** s'asphyxier.
verstik'kend *b.n.* **1** étouffant, suffocant; **2** asphyxiant.
verstik'king *v.* **1** étouffement *m.*, suffocation *f.*; **2** asphyxie *f.*
verstik'kingsdood *m. en v.* mort *f.* par asphyxie.
verstof'felijking *v.* matérialisation *f.*
versto'ken I *ov.w.* brûler, consommer; **II** *b.n.* ***— van,*** privé de, dépourvu de.
verstokt' *b.n.* endurci, incorrigible, entêté.
verstokt'heid *v.* endurcissement *m.*
versto'len I *b.n.* dérobé, caché; **II** *bw.* en cachette.
verstomd' *b.n.* stupéfait, ébahi, interloqué; ***— staan,*** demeurer stupéfait, être —.
verstom'men *on.w.* **1** rester muet; se taire; **2** (*van verbazing*) rester interdit; **3** (*v. geluid*) cesser.
verstom'ming *v.* stupéfaction *f.*
verstom'pen I *ov.w.* **1** émousser; **2** (*fig.*) abrutir, abêtir; **II** *on.w.* **1** s'émousser; **2** s'abrutir, s'abêtir.
verstom'ping *v.* **1** émoussement *m.*; **2** abrutissement, abêtissement *m.*
verstoord' *b.n.* irrité, fâché; ***— zijn op iem.,*** en vouloir à qn.; s'irriter contre qn.
verstoor'der *m.* perturbateur *m.*; trouble-fête *m.*
verstoord'heid *v.* irritation *f.*
verstop'pen *ov.w.* **1** (*wegstoppen, verbergen*) cacher; **2** (*opstoppen*) boucher, obstruer; **3** (*gen.*) constiper; **4** (*v. verkeer*) embouteiller.
verstop'pend *b.n.* (*gen.*) constipant, obstructif.
verstop'pertje *o.* cache-cache *m.*; ***— spelen,*** jouer à cache-cache.
verstop'ping *v.* **1** obstruction *f.*; **2** (*gen.*) constipation *f.*; **3** (*v. verkeer*) embouteillage *m.*
verstopt' *b.n.* **1** (*verborgen*) caché; **2** bouché, obstrué; **3** constipé; **4** (*in hoofd*) enrhumé; ***— raken,*** s'engorger.
verstopt'heid *v.* **1** constipation *f.*; **2** (*in hoofd*) rhume *m.* (de cerveau).
versto'ren *ov.w.* **1** (*hinderen*) troubler, perturber; **2** (*boos maken*) irriter, fâcher.
versto'rend *b.n.* perturbateur.
versto'ring *v.* trouble *m.*, perturbation *f.*
versto'teling *m.* souffre-douleur, paria *m.*
versto'ten *ov.w.* **1** (*wegstoten*) repousser; **2** (*v. kind*) déshériter; **3** (*v. vrouw*) répudier; **4** (*fig.: v. raadgevingen, enz.*) rejeter.
versto'ting *v.* répudiation *f.*
verstou'ten I *ov.w.* enhardir; **II** *w.w.*, ***zich —,*** s'enhardir (à), se hasarder (à).
verstrak'ken *on.w.* se raidir.
verstrek'ken *ov.w.* **1** procurer, fournir; **2** (*v. hulp, voeding*) distribuer; ***hulp —,*** prêter secours (à).
ver'strekkend *b.n.* **1** vaste; **2** d'une grande portée, lourd de conséquences.
verstrek'king *v.* **1** fourniture *f.*; **2** distribution *f.*
verstren'gelen *ov.w.* entrelacer, enchevêtrer.
verstrij'ken *on.w.* **1** (*verlopen*) s'écouler; **2** (*v. termijn: vervallen*) expirer; ***na het — van,*** après l'expiration de.
verstrij'king *v.* expiration *f.*
verstrik'ken I *ov.w.* **1** (*vangen*) prendre au piège, attraper; **2** (*fig.*) duper; entortiller; **II** *w.w.*, ***zich —,*** s'embarrasser, s'empêtrer.
verstrooid' I *b.n.* **1** distrait; **2** (*overal verspreid*) éparpillé; **II** *bw.* distraitement.
verstrooid'heid *v.* distraction *f.*
verstrooi'en *ov.w.* **1** (*verspreiden*) répandre, éparpiller, disséminer; **2** (*uiteenjagen*) disperser; **3** (*v. geest*) distraire; **4** (*v. aandacht*) détourner.
verstrooi'ing *v.* **1** éparpillement *m.*; **2** dispersion *f.*; **3** distraction *f.*
verstui'ken *ov.w.* démettre, donner une entorse à; ***zijn voet —,*** se fouler le pied.
verstui'king *v.* entorse, foulure *f.*
verstui'ven *on.w.* **1** s'envoler (en poussière); **2** se vaporiser; **3** (*fig.*) se disperser, s'éparpiller.
verstui'ver *m.* pulvérisateur; vaporisateur *m.*

verstui'ving *v.* 1 pulvérisation *f.*; vaporisation *f.*; 2 éparpillement *m.*; 3 (*v. duinen*) déplacement *m.*
versuf'fen I *ov.w.* hébéter, abrutir; **II** *on.w.* s'hébéter, s'abrutir.
versuf'fing *v.* étourdissement; abrutissement *m.*
versuft' *b.n.* étourdi, hébété.
versuft'heid *v.* hébétement *m.*
vers'voet *m.* pied *m.*
vertaal'baar *b.n.* traduisible.
vertaal'boek *o.* recueil *m.* de versions.
vertaal'oefening *v.* exercice *m.* de traduction.
vertaal'recht *o.* droit *m.* de traduction.
vertaal'werk *o.* traduction *f.*
vertak'ken, ***zich* —,** *w.w.* s'embrancher, se ramifier.
vertak'king *v.* embranchement *m.*, ramification *f.*
verta'len *ov.w.* traduire.
verta'ler *m.* traducteur *m.*
verta'ling *v.* traduction *f.*
ver'te *v.* lointain *m.*; ***in de* —,** au loin, au lointain; ***uit de* —,** de loin; ***in de verste — niet,*** pas le moins du monde.
verte'deren I *ov.w.* attendrir, émouvoir; **II** *on.w.* s'attendrir, s'émouvoir.
verte'dering *v.* attendrissement *m.*
verteer'baar *b.n.* digestible; ***licht* —,** facile à digérer, digestif, digeste, facilement assimilable.
vertegenwoor'digen *ov.w.* représenter.
vertegenwoor'digend *b.n.* représentatif.
vertegenwoor'diger *m.* représentant *m.*
vertegenwoor'diging *v.* représentation *f.*
vertel'len I *ov.w.* 1 (*verhalen*) raconter, conter; 2 (*zeggen, mededelen*) dire, apprendre; ***hij vertelt altijd hetzelfde,*** il ne sait qu'une note; **II** *w.w.*, ***zich* —,** se tromper (en comptant), se mécompter.
vertel'ler *m.* conteur, narrateur *m.*
vertel'ling *v.* 1 (*alg.*) récit *m.*; 2 (*lett.*) narration *f.*; 3 (*gesch.*) histoire *f.*
vertel'sel(tje) *o.* 1 (*verhaal*) conte *m.*; historiette *f.*; 2 (*praatje*) racontar, on-dit *m.*
vertel'selboek *o.* livre *m.* de contes.
verte'ren *ov.w.* 1 (*uitgeven*) dépenser; 3 (*verbruiken*) consommer; 3 (*v. voedsel*) digérer; 4 (*vernielen, verwoesten, enz.*) consumer; 5 (*v. metaal: wegvreten*) corroder; 6 (*v. haat, afgunst*) ronger; 7 (*v. hartstocht*) dévorer, brûler; ***moeilijk te* —,** peu digestif, de digestion difficile.
verte'ring *v.* 1 dépense *f.*; 2 consommation *f.*; 3 digestion *f.*; 4 consomption *f.*; 5 corrosion *f.*; 6 (*gelag*) écot *m.*; 7 (*verkwisting*) dissipation *f.*
ver'tesprong *m.* (*sp.*) saut *m.* en longueur.
verticaal', vertikaal' I *b.n.* vertical; **II** *bw.* verticalement; **— *opstijgen,*** s'élever à la verticale; **III** *z.n., v.(m.)* verticale *f.*
vertienvou'digen *ov.w.* décupler.
vertier' *o.* 1 (*drukte*) animation *f.*, mouvement *m.*; 2 (*H.: verkoop, afzet*) débit *m.*
vertikaal', *zie* ***verticaal.***
vertik'ken *ov.w.* refuser net, s'obstiner à ne pas; ***ik vertik het,*** je n'en ferai rien, je m'en fiche.
vertil'len I *ov.w.* déplacer; **II** *w.w.*, ***zich* —,** se donner un effort, se donner un tour de reins.
vertil'ling *v.* 1 déplacement *m.*; 2 effort *m.*, tour *m.* de reins.
vertim'meren *ov.w.* transformer.
vertin'nen *ov.w.* étamer.
vertin'ner *m.* étameur *m.*
vertin'ning *v.* étamage *m.*
vertin'sel *o.* étamure *f.*
vertoe'ven *on.w.* séjourner, demeurer.
vertol'ken *ov.w.* 1 (*v. tekst, enz.*) traduire; 2 (*fig.*) interpréter.
vertol'ker *m.* 1 traducteur *m.*; 2 interprète *m.*
vertol'king *v.* 1 traduction *f.*; 2 interprétation *f.*
verto'nen I *ov.w.* 1 (*tonen*) montrer; 2 (*toneel: opvoeren*) représenter, jouer; 3 (*recht: overleggen, v. stukken, enz.*) produire; 4 (*tentoonstellen*) exposer; 5 (*v. wissel*) présenter; 6 (*v. film*) projeter; **II** *w.w.*, ***zich* —,** 1 se montrer; se présenter; 2 (*v. ziekte*) se déclarer.
verto'ner *m.* (*v. wissel*) porteur *m.*
verto'ning *v.* 1 (*opvoering*) représentation *f.*; 2 production *f.*; 3 exposition *f.*; 4 présentation *f.*; 5 (*film*) projection *f.*
vertoog' *o.* 1 (*betoog, uiteenzetting*) démonstration *f.*, exposé *m.*; 2 remontrance *f.*
vertoog'schrift *o.* remontrance *f.*
vertoon' *o.* 1 (*het laten zien*) présentation, exhibition *f.*; 2 (*v. stukken, enz.*) production *f.*; 3 (*uiterlijk —, drukte*) ostentation *f.*; 4 (*tentoonspreiding*) étalage *m.*; ***op — betaalbaar,*** payable à vue, payable au porteur; ***op — van zijn identiteitsbewijs,*** sur présentation de sa carte d'identité.
vertoon'baar *b.n.* présentable.
vertoon'dag *m.* 1 (*H.: v. wissel*) échéance *f.*, jour *m.* de présentation; 2 (*toneel*) jour *m.* de représentation.
vertoor'nen *ov.w.* irriter, fâcher.
vertra'gen *ov.w.* 1 (*langzamer doen gaan*) ralentir; 2 (*uitstellen*) retarder; ***vertraagde aflevering,*** livraison *f.* tardive; ***vertraagde film,*** film au ralenti.
vertra'ging *v.* 1 ralentissement *m.*; 2 retard *m.*; ***met een half uur* —,** avec un retard d'une demi-heure.
vertrap'pen *ov.w.* 1 fouler aux pieds, écraser, marcher sur; 2 (*fig*) humilier, opprimer.
vertre'den I *ov.w.* fouler aux pieds; ***zijn voet* —,** se fouler le pied; **II** *w.w.*, ***zich* —,** 1 se dégourdir (les jambes); 2 (*fig.*) se récréer.
vertre'ding *v.* 1 petit tour *m.*; 2 récréation *f.*
vertrek' *o.* 1 (*afreis*) départ *m.*; 2 (*v. woning*) pièce, chambre *f.*
vertrek'ken I *on.w.* partir, s'en aller; **II** *ov.w.* 1 tirer, déplacer (en tirant); 2 (*v. mond*) tordre; ***zijn gezicht* —,** faire la grimace; ***geen spier* —,** ne pas sourciller.
vertrek'kend *b.n.* en partance.
vertrek'schot *o.* coup *m.* de canon de partance.
vertrek'sein *o.* signal *m.* du départ.
vertrek'uur *o.* heure *f.* du départ.
vertroe'belen *ov.w.* troubler, embrouiller.
vertroe'telen *ov.w.* choyer, dorloter, gâter.
vertroos'ten *ov.w.* consoler.
vertroos'ter *m.* consolateur *m.*
vertroos'ting *v.* consolation *f.*
vertrouw'baar *b.n.* digne de foi, — de confiance.
vertrouw'baarheid *v.* sûreté *f.*
vertrouwd' *b.n.* 1 (*v. vriend, enz.*) intime, sûr; 2 (*goed bekend: v. omgeving, enz.*) familier; ***— zijn met,*** être familiarisé avec; se connaître en, connaître; ***zich — maken met,*** se familiariser avec.
vertrouw'de *m.-v.* confident *m.*, —e *f.*
vertrouwd'heid *v.* intimité, familiarité *f.*
vertrou'welijk I *b.n.* 1 intime; familier; 2 (*geheim*) confidentiel; **II** *bw.* 1 intimement, familièrement; 2 confidentiellement; ***iem. iets — mededelen,*** communiquer qc. à qn. à titre confidentiel, mettre qn. dans la confidence.
vertrou'welijkheid *v.* 1 intimité, familiarité *f.*; 2 caractère *m.* confidentiel.
vertrou'weling *m.* confident *m.*
vertrou'wen I *ov.w.* 1 (*v. persoon*) se fier à, avoir confiance en, faire confiance à; 2 (*v. geheim,*

enz.: toevertrouwen) confier; ***ik vertrouw dat...,*** j'ose croire (espérer) que...; ***te — zijn,*** être digne de foi; **II** *on.w.*, **— *op,*** se fier à; **III** *z.n.*, *o.* confiance *f.*; ***iem. in 't — nemen,*** mettre qn. dans la confidence; ***goed van — zijn,*** avoir beaucoup de confiance; ***het volste — genieten,*** jouir d'une confiance absolue; **— *schenken,*** faire confiance à.
vertrou'wenskwestie *v.* question *f.* de confiance.
vertrou'wensman *m.* homme *m.* de confiance.
vertui'en *ov.w.* (*sch.*) affourcher.
vertwij'feld *b.n.* désespéré, angoissé.
vertwij'felen *on.w.* désespérer.
vertwij'feling *v.* désespoir *m.*, angoisse *f.*
vervaard' *b.n.* effrayé; intimidé; ***hij is voor geen kleintje —,*** il n'a pas froid aux yeux.
vervaard'heid *v.* frayeur; timidité *f.*
vervaar'digen *ov.w.* **1** faire, fabriquer; **2** (*v. kleding*) confectionner.
vervaar'diger *m.* **1** fabricant *m.*; **2** (*samensteller*) auteur *m.*
vervaar'diging *v.* **1** fabrication *f.*; **2** confection *f.*; **3** composition *f.*; **4** (*v. film*) réalisation *f.*
vervaar'lijk I *b.n.* formidable; effrayant, redoutable; **II** *bw.* formidablement; d'une manière effrayante.
verva'gen *on.w.* devenir vague, s'estomper.
verva'ging *v.* estompement *m.*
verval' *o.* **1** (*achteruitgang, ontaarding*) décadence *f.*, délabrement *m.*; **2** (*v. zeden*) corruption, dépravation *f.*; **3** (*v. rivier*) différence *f.* de niveau, pente *f.*; **4** (*toevallige winst, fooien*) casuel *m.*, profits *m.pl.* occasionnels; **— *van krachten*** déperdition *f.* de forces, épuisement *m.*; ***in — geraken,*** tomber en décadence, décliner.
verval'dag *m.* échéance *f.*
verval'len I *on.w.* **1** (*achteruitgaan*) tomber en décadence, décliner; **2** (*v. gebouw*) se délabrer, menacer ruine; **3** (*H.: v. wissel, enz.*) échoir; **4** (*v. termijn*) expirer; **5** (*afgeschaft worden*) être aboli, être supprimé; **6** (*v. krachten*) diminuer, s'épuiser; **7** (*recht: v. eis*) périmer; ***in boete —,*** encourir une amende; ***in armoede —,*** tomber dans la misère, être réduit à la pauvreté; **II** *b.n.* **1** (*v. gebouw*) délabré, caduc, en ruine; **2** (*v. persoon*) épuisé, décrépit, caduc; **3** échu; **4** expiré; **5** aboli, supprimé; **6** (*v. roem, troon, enz.*) déchu.
verval'lenverklaring *v.* dépossession *f.*
verval'sen *ov.w.* **1** (*alg*) falsifier, truquer; **2** (*v. handtekening, bankbiljetten, enz.*) contrefaire; **3** (*v. waren*) frelater, sophistiquer; **4** (*v. tekst*) altérer, corrompre; **5** (*v. kunstwerk*) truquer; **6** (*v. documenten*) fausser.
verval'ser *m.* **1** falsificateur *m.*; **2** contrefacteur *m.*; **3** faussaire *m.*
verval'sing *v.* **1** falsification *f.*; **2** contrefaçon *f.*; **3** (*v. geschrift*) faux *m.* (en écritures); **4** frelatage *m.*; **5** altération, corruption *f.*; **6** truquage, maquignonnage *m.*; **7** (*in handel*) fraude *f.*
verval'tijd, *zie* ***vervaldag.***
vervang'baar *b.n.* remplaçable.
vervan'gen *ov.w.* **1** remplacer; **2** (*in de plaats stellen*) substituer; ***elkaar —,*** se relayer.
vervan'ger *m.* remplaçant *m.*
vervan'ging *v.* **1** remplacement *m.*; **2** substitution *f.*
vervan'gingsprodukt, -product *o.* succédané *m.*, produit *m.* de remplacement.
vervan'gingswaarde *v.* valeur *f.* de remplacement.
vervat'ten *ov.w.* comprendre, contenir; ***in deze woorden vervat,*** conçu en ces termes.
verve'len I *ov.w.* **1** ennuyer; **2** (*fam.*) embêter; **3** (*lastig*) agacer; **4** (*dodelijk —*) assommer; **II** *w.w.*, ***zich —,*** **1** s'ennuyer; **2** s'embêter.
verve'lend *b.n.* **1** ennuyeux, fastidieux; **2** embêtant; **3** agaçant; **4** assommant.
verve'ling *v.* **1** ennui *m.*; **2** embêtement *m.*
vervel'len *on.w.* **1** (*alg.*) changer de peau; **2** (*na ziekte*) se peler; **3** (*v. slang*) muer.
vervel'ling *v.* renouvellement *m.* de la peau; (*v. slang*) mue *f.*
ver'veloos *b.n.* sans couleur.
ver'ven *ov.w.* **1** peindre; **2** (*v. stoffen, haar*) teindre; ***geverfd!*** prenez garde à la peinture! peinture fraîche!
verve'nen *ov.w.* extraire de la tourbe de.
verve'ning *v.* exploitation *f.* de la tourbe; tourbière *f.*
ver'ver *m.* **1** peintre *m.* (en bâtiments); **2** (*v. stoffen*) teinturier *m.* [turerie *f.*
ververij' *v.* **1** peinture *f.* (en bâtiments); **2** tein-
verver'sen *ov.w.* **1** (*v. lucht, water*) renouveler; **2** (*v. lucht; fig.*) rafraîchir; **3** (*v. olie*) vidanger, faire la vidange de.
verver'sing *v.* **1** renouvellement *m.*; **2** rafraîchissement *m.*
verver'singskanaal *o.* canal *m.* de décharge.
vervet'ten *on.w.* se transformer en graisse.
vervet'ting *v.* dégénérescence graisseuse, stéatose, adiposité *f.*
verviervou'digen *ov.w.* quadrupler.
vervlaam'sen *ov.w.* flamandiser.
vervlaam'sing *v.* flamandisation *f.*
vervlak'ken *on.w.* s'affaiblir, s'effacer; s'estomper.
vervlak'king *v.* nivellement *m.*
vervlie'gen *on.w* **1** (*vervluchtigen*) se volatiliser; **2** (*verdampen*) s'évaporer; **3** (*heenvlieden: v. tijd*) s'envoler, fuir.
vervloei'en *on.w.* **1** être déliquescent; **2** (*fig.*) se dissiper, s'effacer.
vervloei'ing *v.* **1** déliquescence *f.*; **2** effacement *m.*
vervloe'ken *ov.w.* maudire.
vervloe'king *v.* malédiction *f.*
vervloekt' *b.n.* **1** maudit; **2** (*fig.*) abominable; **—*!*** diantre! diable! malédiction!
vervlo'gen *b.n.* **1** (*v. tijd*) passé; **2** (*v. hoop*) déçu.
vervluch'tigen I *ov.w.* volatiliser; **II** *on.w.* se volatiliser, s'évaporer.
vervluch'tiging *v.* volatilisation, évaporisation *f.*
vervoe'gen I *ov.w.* (*gram.*) conjuguer; **II** *w.w.*, ***zich — bij,*** s'adresser à.
vervoe'ging *v.* conjugaison *f.*
vervoer' *o.* transport *m.*; **— *te land,*** transport par terre; **— *ter zee,*** transport par mer.
vervoer'baar *b.n.* transportable.
vervoer'bewijs *o.* titre *m.* de transport.
vervoer'der *m.* transporteur *m.*
vervoe'ren *ov.w.* **1** transporter; **2** exalter; ***zich laten — tot,*** se laisser aller à; ***de geestdrift die hem vervoerde,*** l'élan (*of* l'enthousiasme) qui le soulevait.
vervoe'ring *v.* transport, ravissement *m.*; extase, exaltation *f.*; ***in — treden,*** entrer en transe.
vervoer'middel *o.* moyen *m.* de transport; ***openbare —en,*** transports *m.pl.* en commun.
vervolg' *o.* suite *f.*; (*voortzetting*) continuation *f.*; ***in 't —,*** dans la suite; à l'avenir; ***ten —e op,*** pour faire suite à; ***in — op ons schrijven,*** faisant suite à notre lettre.
vervolg'baar *b.n.* actionnable, poursuivable.
vervolg'deel *o.* tome *m.* suivant; supplément *m.*
vervol'gen *ov.w.* **1** (*voortzetten*) poursuivre, continuer; **2** (*recht*) poursuivre (en justice); **3** (*politiek,*

om geloof) persécuter; **4** (*nazitten*; *v. wild, enz.*) traquer; poursuivre.
vervol'gens *bw.* ensuite, puis.
vervol'ger *m.* persécuteur *m.*
vervol'ging *v.* **1** continuation *f.*; **2** poursuite *f.*; **3** persécution *f.*; ***een — instellen tegen iem.***, ouvrir des poursuites contre qn.
vervol'gingskosten *mv.* frais *m.pl.* de justice.
vervol'gingswaanzin *m.* délire *m.* de la persécution.
vervolg'klas(se) *v.* classe *f.* complémentaire.
vervolg'onderwijs *o.* enseignement *m.* complémentaire.
vervolg'stuk *o.* supplément *m.*
vervolg'verhaal *o.* récit *m.* en épisodes.
vervolg'werk *o.* ouvrage *m.* périodique.
vervolma'ken *ov.w.* perfectionner.
vervolma'king *v.* perfectionnement *m.*
vervor'men *ov.w.* **1** transformer; **2** (*ong.*) déformer.
vervor'ming *v.* **1** transformation *f.*; **2** déformation *f.*
vervrach'ten *ov.w.* fréter.
vervrach'ter *m.* fréteur *m.*
vervrach'ting *v.* frètement, affrètement *m.*
vervreemd'baar *b.n.* aliénable.
vervreemd'baarheid *v.* aliénabilité *f.*
vervreem'den I *ov.w.* aliéner; **II** *on.w.* devenir étranger; ***ergens vervreemd zijn***, être dépaysé quelque part.
vervreem'ding *v.* aliénation *f.*
vervroe'gen *ov.w.* **1** avancer; **2** (*v. betaling*) anticiper; ***de aflossing —***, rembourser par anticipation; ***de dagtekening —***, antidater.
vervroe'ging *v.* anticipation *f.*
vervuild' *b.n.* encrassé, crasseux.
vervui'len I *on.w.* s'encrasser; **II** *ov.w.* **1** encrasser; **2** (*v. water, enz.*) polluer.
vervui'ling *v.* **1** encrassement *m.*; **2** (*v. water, enz.*) pollution *f.*
vervul'len *ov.w.* **1** (*v. plicht, rol, enz.*) remplir; **2** (*v. wens*) réaliser; **3** (*volbrengen*) accomplir, exécuter; ***een belofte —***, tenir une promesse; ***een betrekking —***, occuper une place.
vervul'ling *v.* **1** accomplissement *m.*; **2** réalisation *f.*; **3** exécution *f.*; ***in — gaan***, se réaliser.
verwaaid' *b.n.* **1** dispersé par le vent; **2** (*v. haar*) ébouriffé; **3** (*v. uiterlijk*) échevelé.
verwaai'en *on.w.* être dispersé par le vent.
verwaand' I *b.n.* prétentieux, arrogant, suffisant; **II** *bw.* prétentieusement, avec suffisance.
verwaand'heid *v.* présomption, arrogance *f.*
verwaar'digen I *ov.w.* honorer; **II** *w.w.*, ***zich —***, daigner.
verwaar'lozen *ov.w.* négliger.
verwaar'lozing *v.* négligence *f.*
verwach'ten *ov.w.* **1** attendre; **2** (*rekenen op*) s'attendre à, compter sur; **3** (*verhopen*) espérer; ***veel doen — van***, laisser bien augurer de.
verwach'ting *v.* **1** attente *f.*; **2** espérance *f.*; **3** (*vooruitzicht*) prévision *f.*; **4** (*afwachting: v. 't beloofde, enz.*) expectative *f.*; ***in blijde — zijn***, être dans une position intéressante; ***boven —***, au-delà de nos prévisions.
verwant' I *b.n.* **1** apparenté (à), parent (de); **2** (*door huwelijk*) allié; **3** (*fig.*) analogue, semblable; **4** (*v. vak*) annexe; **II** *z.n., m.*, **—e**, *v.* parent *m.*, —e *f.*
verwant'schap *v.* **1** parenté *f.*; **2** alliance *f.*; **3** analogie *f.*; **4** (*v. geest; kunst, enz.*) affinité *f.*
verward' I *b.n.* **1** confus, embrouillé; **2** (*v. haren*) en désordre; **3** (*verlegen*) troublé, embarrassé; **4** (*dooreengemengd; overhoop*) emmêlé, pêle-mêle; ***— raken in***, (*fig.*) s'empêtrer dans; **II** *bw.* confusément.
verward'heid *v.* **1** confusion *f.*, embrouillement *m.*; **2** désordre *m.*; **3** trouble, embarras *m.*; **4** emmêlement *m.*
verwar'men I *ov.w.* **1** chauffer; **2** (*inwendig: verhitten*) échauffer; **3** (*door beweging, enz.*) réchauffer; **II** *w.w.*, ***zich —***, se chauffer.
verwar'ming *v.* **1** chauffage *m.*; **2** échauffement *m.*; ***centrale —***, chauffage *m.* central.
verwar'mingsbuis *v.*(*m.*) tuyau *m.* de chauffage.
verwar'mingscapaciteit, -kapaciteit *v.* puissance *f.* de chauffe.
verwar'mingsoppervlak *o.* surface *f.* de chauffe.
verwar'mingstoestel *o.* **1** appareil *m.* de chauffage; **2** (*v. centrale verwarming*) radiateur *m.*
verwar'ren I *ov.w.* **1** (*v. draad, enz.*) mêler; **2** (*dooreenmengen*) emmêler, enchevêtrer; **3** (*v. twee dingen*) confondre; **4** (*v. geest*) troubler; **5** (*verlegen maken*) troubler, embarrasser; **II** *w.w.*, ***zich —***, **1** s'accrocher (à); s'empêtrer (dans); **2** (*fig.*) se troubler, s'embarrasser; **3** (*in redenering*) s'empêtrer (dans).
verwar'ring, *zie* ***verwardheid.***
verwa'ten *b.n.* arrogant, présomptueux.
verwa'tenheid *v.* arrogance, présomption *f.*
verwa'terd *b.n.* **1** délavé; **2** (*fig.*) délayé; **3** (*v. stijl*) diffus, prolixe; **4** (*H.*) dilué.
verwa'teren *ov.w.* **1** tremper, noyer; **2** délayer; **3** diluer.
verwa'tering *v.* **1** délavage *m.*; **2** délayage *m.*; **3** diluation *f.*
verwed'den *ov.w.* parier; ***ik zou er mijn hoofd onder —***, j'en donnerais ma tête à couper, j'en mettrais ma main (*of* mon doigt) au feu.
verweer' *o.* défense *f.*
verweerd' *b.n.* **1** effrité, effleuri; **2** (*v. spiegel*) terni, verdissant; **3** (*v. gelaat*) hâlé; **4** (*v. stem: schor*) enroué.
verweer'der *m.* défendeur *m.*
verweer'middel *o.* moyen *m.* de défense.
verweer'schrift *o.* **1** défense *f.*; **2** (*apologie*) apologie *f.*
verweesd' *b.n.* devenu (*of* resté) orphelin.
verwe'kelijken I *ov.w.* amollir, énerver; **II** *on.w.* s'amollir, s'énerver.
verwe'kelijking *v.* amollissement *m.*
verwek'ken *ov.w.* **1** engendrer, procréer; **2** (*fig.*) provoquer, susciter; produire, causer.
verwek'ker *m.* **1** procréateur *m.*; **2** (*fig.: v. onlusten, enz.*) fauteur *m.*; **3** (*v. ziekte*) générateur, agent *m.*
verwek'king *v.* **1** procréation *f.*; **2** provocation *f.*; **3** engendrement *m.*
verwelf'(sel) *o.* voûte *f.*
verwel'ken *on.w.* **1** se faner, se flétrir; **2** (*v. persoon, bij ziekte*) s'étioler.
verwel'king *v.* **1** flétrissure *f.*; **2** étiolement *m.*
verwel'komen *ov.w.* souhaiter la bienvenue à, accueillir.
verwel'koming *v.* bienvenue *f.*, bon accueil *m.*
verwel'ven *ov.w.* voûter.
verwen'nen I *ov.w.* **1** (*bederven*) gâter; **2** (*vertroetelen*) dorloter; **II** *w.w.*, ***zich —***, se dorloter, se délicater.
verwen'ning *v.* gâterie *f.*
verwen'sen *ov.w.* maudire.
verwen'sing *v.* malédiction, imprécation *f.*
verwe'reldlijken *ov.w.* séculariser, laïciser.
verwe'ren I *ov.w.* défendre; **II** *w.w.*, ***zich —***, se défendre, résister (à), se débattre (contre); **III** *on.w.* **1** s'effriter; **2** (*v. ruit, spiegel*) ternir; **3** (*v. gelaat*) se hâler.

verwe'ring *v.* **I** (*verdediging*) défense, résistance *f.*; **II** (*aantasting door weer*) **1** effritement *m.*; **2** hâle *m.*

verwer'kelijken *ov.w.* réaliser.

verwer'kelijking *v.* réalisation *f.*

verwer'ken *ov.w.* **1** (*v. grondstoffen*) travailler; **2** (*v. erts, biet, enz.*) traiter; **3** (*v. stof*) monter; **4** (*fig.: v. indrukken*) digérer; **5** (*v. kennis*) s'assimiler; digérer; ***in de prijs* —,** intégrer dans le prix.

verwer'king *v.* **1** (*v. grondstoffen materiaal*) mise *f.* en œuvre, ouvraison *f.*; **2** traitement *m.*; **3** assimilation *f.*

verwer'pelijk *b.n.* **1** (*laakbaar*) condamnable, blâmable; **2** (*onhoudbaar: v. stelling, voorstel*) inadmissible; **3** (*wraakbaar: v. getuige*) récusable.

verwer'pen *ov.w.* **1** (*afkeuren*) condamner, désapprouver; **2** (*v. voorstel*) rejeter, repousser; **3** (*wraken*) récuser; **4** (*verstoten*) répudier.

verwer'ping *v.* **1** condamnation, désapprobation *f.*; **2** rejet *m.*; **3** récusation *f.*

verwer'ven *ov.w.* **1** acquérir; **2** (*ineens*) obtenir; ***genade* —,** obtenir sa grâce.

verwer'ving *v.* **1** acquisition *f.*; **2** obtention *f.*

verwe'zen I *b.n.* hagard, égaré; **II** *on.w.* devenir orphelin.

verwe'zenlijken *ov.w.* réaliser.

verwe'zenlijking *v.* réalisation, actualisation *f.*

verwij'den *ov.w.* **1** élargir; **2** (*gen.*) dilater; **3** (*v. gat*) évaser.

verwij'derd *b.n.* éloigné; distant (de).

verwij'deren I *ov.w.* **1** éloigner; **2** (*v. hinderpaal, last*) écarter; **3** (*v. vlekken*) enlever; **4** (*v. leerling*) renvoyer; **II** *w.w.*, ***zich* —, 1** s'éloigner; **2** (*voor korte tijd*) s'absenter.

verwij'dering *v.* **1** éloignement *m.*; **2** écartement *m.*; **3** enlèvement *m.*; **4** renvoi *m.*

verwij'ding *v.* **1** élargissement *m.*; **2** dilatation *f.*; **3** évasement *m.*; *zie* ***verwijden.*** [lette.

verwijfd' *b.n.* efféminé; ***een* — *ventje,*** une femme-

verwijfd'heid *v.* effémination, mollesse *f.*

verwijl' *o.* délai, retard *m.*; ***zonder* —,** sans délai, sans retard.

verwij'len I *on.w.*, (*verblijven, verpozen*) s'arrêter, séjourner; **— *bij,*** s'appesantir sur, s'attarder auprès de; **II** *ov.w.*, (*uitstellen, verschuiven*) remettre, ajourner, différer.

verwijt' *o.* reproche *m.*; ***ons treft geen* —,** ce n'est pas de notre faute.

verwij'ten *ov.w.* reprocher. [reproche.

verwij'tend I *b.n.* de reproche; **II** *bw.* d'un air de

verwij'ting *v.* reproche *m.*

verwij'ven *on.w.* s'efféminer.

verwij'zen *ov.w.* **1** (*naar elders wijzen*) renvoyer; **2** (*naar rechter, enz.*) déférer (à); **3** (*verbannen*) exiler, reléguer, bannir; **4** (*veroordelen*) condamner.

verwij'zing *v.* **1** (*in boek, enz.*) renvoi *m.*; **2** (*naar ander rechtscollege*) évocation *f.*; **3** exil *m.*, relégation *f.*, bannissement *m.*; **4** condamnation *f.*, arrêt *m.*; ***onder* — *naar,*** en se référant à.

verwij'zingsteken *o.* renvoi *m.*, signe *m.* de renvoi, appel *m.* de note.

verwik'kelen *ov.w.* **1** (*verwarren*) embrouiller; **2** (*v: toestand*) compliquer; ***in een zaak* —,** impliquer dans une affaire.

verwik'keling *v.* **1** embrouillement *m.*; **2** complication *f.*; **3** implication *f.*; **4** (*toneel: v. drama*) péripétie *f.*; (*het geheel*) intrigue *f.*

verwik'ken *ov.w.* ébranler.

verwil'derd *b.n.* **1** (*v. tuin*) inculte, en désordre; **2** (*losbandig, tuchteloos*) indiscipliné; **3** (*v. blik*) égaré, hagard; **4** (*v. gelaat*) hagard, effaré.

verwil'deren *on.w.* **1** (*v. land*) rester inculte; **2** (*v. persoon*) retourner à la sauvagerie, s'abrutir, se dépraver; **3** (*v. dieren*) devenir sauvage, retourner à l'état sauvage; ***laten* —,** (*v. grond*) laisser inculte.

verwil'dering *v.* **1** abrutissement *m.*; **2** (*v. dieren*) retour *m.* à l'état sauvage.

verwis'selbaar *b.n.* **1** permutable; **2** (*v. deel*) interchangeable.

verwis'selbaarheid *v.* permutabilité *f.*

verwis'selen *ov.w.* **1** (*ruilen*) échanger; **2** (*veranderen: v. plaats, kleren*) changer; **3** (*v. zaken, woorden*) confondre; ***het tijdelijke met het eeuwige* —,** rendre son âme à Dieu, trépasser.

verwis'selend *b.n.* (*wisk.*) alterne.

verwis'seling *v.* **1** échange *m.*; **2** changement *m.*; **3** confusion *f.*; **4** (*van standplaats*) permutation *f.*

verwis'selstuk *o.* pièce *f.* de rechange.

verwit'tigen *ov.w.* avertir, prévenir, informer.

verwit'tiging *v.* avertissement, avis *m.*, information *f.*

verwoed' I *b.n.* **1** (*v. blik, enz.*) furieux; **2** (*razend*) enragé; **3** (*v. strijd, concurrentie*) acharné; **II** *bw.* **1** furieusement; **2** avec rage; **3** avec acharnement. [ment *m.*

verwoed'heid *v.* **1** fureur *f.*; **2** rage *f.*; **3** acharne-

verwoes'ten *ov.w.* **1** détruire, dévaster, ravager; **2** (*v. geluk, gezondheid*) ruiner.

verwoes'tend *b.n.* destructeur, dévastateur.

verwoes'ting *v.* **1** destruction, dévastation *f.*, ravage *m.*; **2** ruine *f.*

verwon'den *ov.w.* blesser.

verwon'derd I *b.n.* étonné, surpris, stupéfait; **II** *bw.* avec étonnement, d'un air surpris.

verwon'deren I *ov.w.* étonner, surprendre; ***het verwondert mij,*** je m'étonne; **II** *w.w.*, ***zich — over,*** s'étonner de, être surpris de.

verwon'dering *v.* étonnement *m.*, surprise, stupéfaction *f.*

verwon'derlijk I *b.n.* étonnant, surprenant; **II** *bw.* étonnamment, merveilleusement.

verwon'ding *v.* blessure *f.*

verwo'nen *ov.w.* payer (un loyer de).

verwor'den *on.w.* **1** (*anders worden, veranderen*) se transformer; **2** (*bederven*) se gâter, se corrompre; **3** (*vergaan*) dépérir.

verwor'ding *v.* **1** transformation *f.*; **2** corruption *f.*; **3** dépérissement *m.*; **4** (*v. kunst, enz.*) déliquescence *f.*

verwor'gen *ov.w.* étrangler.

verwor'ging *v.* étranglement *m.*, strangulation *f.*

verwor'peling *m.* réprouvé, maudit *m.*

verwor'pen *b.n.* **1** réprouvé; **2** (*laag, verachtelijk*) vil, abject.

verwrik'ken *ov.w.* ébranler, remuer; ***zijn arm* —,** se disloquer le bras, se fouler le bras; ***zijn voet* —,** se faire une entorse.

verwrik'king *v.* foulure, entorse *f.*

verwrin'gen *ov.w.* tordre.

verwrin'ging *v.* torsion *f.*

verzach'ten *ov.w.* **1** (*zachter maken*) adoucir, amollir; **2** (*v. leed*) soulager; **3** (*gen.*) lénifier; **4** (*v. woorden, enz.: matigen*) mitiger; **5** (*v. fout, enz.*) atténuer; **6** (*recht: v. straf*) commuer.

verzach'tend *b.n.* **1** adoucissant; **2** (*gen.*) lénitif, émollient; **3** (*voor pijn*) anodin, palliatif; **4** (*recht*) atténuant.

verzach'ting *v.* **1** adoucissement *m.*; **2** soulagement *m.*; **3** mitigation *f.*; **4** atténuation *f.*; **5** commutation *f.* [lient *m.*

verzach'tingsmiddel *o.* (*gen.*) lénitif, émol-

verza'digbaar *b.n.* **1** (*v. mens, dier*) qu'on peut rassasier; **2** (*scheik.*) saturable.

verza'digd *b.n.* 1 (*v. voedsel*) rassasié (de); 2 (*scheik.*) saturé (de); 3 (*fig.*) saturé, rassasié.
verza'digen *ov.w.* 1 rassasier; 2 (*geheel* —) assouvir; 3 (*scheik.*) saturer; ***niet te* —,** insatiable.
verza'diging *v.* 1 rassasiement *m.*; 2 assouvissement *m.*; 3 saturation *f.*
verza'digingstoestand *m.* point *m.* de saturation.
verza'ken I *ov.w.* 1 (*v. plicht*) manquer à; 2 (*v. geloof: afzweren*) abjurer, renier; 3 (*niet meer willen kennen*) abandonner, renier; **II** *on.w.*, (*in kaartsp.*) renoncer, faire une renonce.
verza'ker *m.* renégat, infidèle *m.*
verza'king *v.* 1 abjuration *f.*, reniement *m.*; 2 abandon *m.*; 3 (*kaartsp.*) renonce *f.*
verzak'ken *on.w.* 1 s'affaisser; 2 (*v. organen*) descendre.
verzak'king *v.* 1 affaissement *m.*; 2 descente *f.*
verza'melaar *m.* collectionneur *m.*
verza'melen I *ov.w.* 1 (*v. postzegels, munten, enz.*) collectionner, faire une collection de; 2 (*v. bewijzen, krachten, enz.*) recueillir; 3 (*v. geld, schatten*) amasser; 4 (*v. personen*) rassembler; 5 (*v. vrienden*) réunir; **— *blazen,*** 1 (*mil.*) sonner l'assemblée, sonner le rassemblement; 2 (*fig.*) battre le rappel; **II** *w.w.*, ***zich* —,** s'assembler, se rassembler.
verza'meling *v.* 1 (*v. postzegels, enz.*) collection *f.*; 2 (*v. gedichten, wetten, enz.*) recueil *m.*; 3 (*v. personen*) rassemblement *m.*
verza'melmap *v.*(*m.*) classeur *m.*
verza'melnaam *m.* (*gram.*) collectif *m.*
verza'melplaats *v.*(*m.*) lieu *m.* de rassemblement, — de réunion.
verza'melstaat *m.* état *m.* récapitulatif, liste *f.* collective, tableau *m.* collectif, — d'ensemble.
verza'melteken *o.* signe *m.* de ralliement.
verza'meltitel *m.* titre *m.* de collection, titre général.
verza'melwerk *o.* compilation *f.*, œuvre *f.* collective, recueil *m.*
verza'melwoord *o.* collectif *m.*
verzan'den *on.w.* s'ensabler.
verzan'ding *v.* ensablement *m.*
verze'gelen *ov.w.* 1 (*v. brief*) cacheter; 2 (*recht*) sceller, apposer les scellés (à).
verze'geling *v.* 1 cachetage *m.*; 2 apposition *f.* des scellés, mise *f.* sous scellés.
verzei'len *on.w.* partir, mettre à la voile; ***ik weet niet waar hij verzeild is,*** je ne sais ce qu'il est devenu.
verze'keraar *m.* assureur *m.*
verze'kerd *b.n.* 1 (*zeker*) sûr, certain; 2 (*bij verzekering*) assuré; ***in verzekerde bewaring nemen,*** s'assurer de; arrêter; ***te laag* —,** assuré au-dessous de la valeur.
verze'kerde *m.-v.* assuré *m.*, —e *f.*
verze'keren I *ov.w.* 1 assurer; 2 (*verklaren*) assurer, affirmer; ***zijn leven* —,** s'assurer sur la vie; ***succes* —,** garantir le succès; **II** *w.w.*, ***zich* —,** s'assurer; ***zich — van,*** s'assurer de.
verze'kering *v.* 1 assurance *f.*; 2 (*bewering*) affirmation, assertion, assurance *f.*; ***ik geef u de* —,** je vous assure, je vous donne l'assurance; ***sociale* —,** sécurité *f.* sociale; **— *tegen derden,*** assurance *f.* de responsabilité (civile); ***all-risks* —,** assurance *f.* tous risques.
verze'keringsaanvraag, -aanvrage *v.*(*m.*) proposition *f.* d'assurance.
verze'keringsagent *m.* agent *m.* d'assurances, courtier *m.* —
verze'keringsclausule *v.*(*m.*) clause *f.* d'assurance.
verze'keringscontract, -kontrakt *o.* contrat *m.* d'assurance.
verze'keringsmaatschappij *v.* compagnie *f.* d'assurances, société *f.* —.
verze'keringsplichtig *b.n.* assujetti à la loi sur les assurances.
verze'keringspolis *v.*(*m.*) police *f.* d'assurance.
verze'keringspremie *v.* prime *f.* d'assurance.
ver'zenbundel *m.* recueil *m.* de poésies.
verzend'boekhandel *m.* librairie *f.* d'expédition.
verzen'den *ov.w.* envoyer, expédier.
verzen'der *m.* envoyeur, expéditeur *m.*
verzend'huis *o.* maison *f.* d'expédition.
verzen'ding *v.* envoi *m.*, expédition *f.*; acheminement *m.*
verzen'dingskosten *mv.* frais *m.pl.* d'expédition.
verzen'dingswijze *v.*(*m.*) mode *m.* d'envoi.
verzend'rol *v.*(*m.*) carton*-tube* *m.*
verzen'gen *ov.w.* brûler, roussir.
verzen'gend *b.n.* torride.
ver'zenmaker *m.* 1 versificateur *m.*; 2 (*ong.*) rimailleur *m.*
verzet' *o.* 1 (*verpozing*) distraction *f.*, délassement *m.*; 2 (*tegenstand*) opposition, résistance *f.*; 3 (*opstand*) rébellion, révolte *f.*; 4 (*recht*) opposition *f.*; **— *aantekenen,*** mettre opposition (à); ***lijdelijk* —,** résistance passive; ***in — komen tegen,*** s'opposer à; protester contre.
verzet'je *o.* récréation *f.*, délassement *m.*; ***een — nemen,*** se distraire; se donner du bon temps.
verzets'man *m.* résistant *m.*
verzet'ten I *ov.w.* 1 (*verplaatsen*) déplacer; 2 (*v. pion: damspel, enz.*) jouer, avancer; 3 (*verdrijven, uit het hoofd zetten*) chasser, dissiper; bannir; ***de zinnen* —,** distraire l'esprit; ***geen voet* —,** ne pas bouger; **II** *w.w.*, ***zich* —,** 1 (*ontspanning nemen*) se distraire, se récréer; 2 (*tegenstand bieden*) résister; se révolter, se rebeller; ***zich — tegen,*** s'opposer à.
verzien' *ov.w.*, ***het op iem. — hebben,*** en vouloir à qn.
ver'ziend *b.n.* presbyte.
ver'ziend'heid *v.* presbytie *f.*
verzil'ten *on.w.* se saliniser.
verzil'veraar *m.* argenteur *m.*
verzil'veren *ov.w.* 1 (*tn.*) argenter; 2 (*H.: v. bezit, effecten, enz.*) réaliser, convertir en espèces, vendre.
verzil'vering *v.* 1 argenture *f.*; 2 (*H.*) réalisation *f.*, conversion *f.* en espèces, vente *f.*
verzin'ken I *on.w.* 1 (*in modder, enz.*) s'enfoncer; 2 (*v.schip*) couler bas, couler à fond; ***in gedachten verzonken,*** plongé dans ses réflexions, absorbé dans ses pensées; **II** *ov.w.* 1 (*v. spijker, schroef*) noyer; 2 (*tn.: met een zinklaag bedekken*) zinguer, couvrir de zinc, galvaniser.
verzin'king *v.* 1 submersion *f.*; 2 zingage *m.*, galvanisation *f.*
verzin'nebeelden *ov.w.* symboliser.
verzin'nelijken *ov.w.* rendre sensible, représenter sous une forme sensible.
verzin'nen *ov.w.* 1 imaginer, inventer; 2 (*ong.*) forger, fabriquer.
verzin'sel *o.* 1 invention, fiction *f.*; 2 (*ong.*) fable, bourde *f.*
verzoek' *o.* 1 demande, prière *f.*; 2 (*schriftelijk*) requête *f.*; **— *om gratie,*** recours *m.* en grâce; ***op — van,*** à la prière de, sur les instances de; ***op zijn* —,** sur la prière; ***aan een — voldoen,*** accéder à une demande, acquiescer —, donner suite —; ***tonen op* —,** présenter à la réquisition.
verzoe'ken *ov.w.* 1 prier (qn. de), demander (qc. à qn.); 2 (*uitnodigen*) inviter, prier (qn. à); 3 (*in verzoeking brengen*) tenter; ***verzoeke,*** prière de, on est prié de.
verzoe'ker *m.* 1 pétitionnaire *m.*; 2 (*sollicitant*)

postulant *m.*; **3** (*verleider*) tentateur *m.*; **4** (*recht*) requérant *m.*
verzoe'king *v.* tentation *f.*; ***in — brengen,*** tenter, induire en tentation.
verzoek'schrift *o.* requête; pétition *f.*
verzoen'baar *b.n.* réconciliable.
verzoen'dag *m.*, ***grote —,*** jour *m.* du (Grand) Pardon, fête *f.* de l'Expiation.
verzoe'nen I *ov.w.* réconcilier; **II** *w.w.*, ***zich —,*** se réconcilier; ***zich met een gedachte —,*** se résigner à une idée, se faire —.
verzoe'nend *b.n.* conciliant, conciliateur.
verzoe'ner *m.* conciliateur *m.*
verzoe'ning *v.* réconciliation *f.*
verzoe'ningsdood *m. en v.* mort *f.* expiatoire.
verzoe'ningsgezind *b.n.* prêt à se réconcilier, prêt à pardonner. [liation.
verzoe'ningsgezindheid *v.* esprit *m.* de conci-
verzoe'ningsoffer *o.* sacrifice *m.* expiatoire.
verzoe'ningspolitiek *v.* politique *f.* de conciliation.
verzoe'ten *ov.w.* **1** édulcorer, dulcifier; **2** (*fig.*) adoucir, soulager; **3** (*v. leven*) embellir.
verzoe'ting *v.* **1** édulcoration *f.*; **2** (*fig.*) adoucissement, soulagement *m.*; **3** douceur *f.*, agrément *m.*
verzo'len *ov.w.* ressemeler.
verzorgd' *b.n.* soigné, recherché.
verzor'gen *ov.w.* **1** (*v. zieke, werk, enz.*) soigner; **2** (*v. kinderen, enz.*) prendre soin de; **3** (*v. boek, enz.*) présenter; ***zij is verzorgd,*** elle est à l'abri du besoin.
verzor'ger *m.* **1** protecteur, pourvoyeur *m.*; **2** (*sp.*) soigneur *m.*
verzor'ging *v.* **1** (*v. zieke, enz.*) soins *m.pl.* (donnés à); **2** (*met het nodige*) approvisionnement *m.*, alimentation *f.*; **3** (*v. boek, film, enz.*) présentation *f.*
verzor'gingsflat *m.* immeuble *m.* collectif pour vieillards, hospice *m.* de repos.
verzot' *b.n.*, ***— op,*** fou de, friand de.
verzot'heid *v.* passion *f.* (de), amour *m.* (de).
verzuch'ten *ov.w.* soupirer, gémir.
verzuch'ting *v.* soupir, gémissement *m.*; lamentation *f.*
verzui'ling *v.* compartimentage *m.* (au point de vue politique, etc.).
verzuim' *o.* **1** (*verwaarlozing*) négligence *f.*; omission *f.*; **2** (*tijdverlies*) perte *f.* de temps; **3** (*recht*) défaut *m.*; **4** (*uitstel*) délai, retard *m.*; ***een — herstellen,*** réparer un oubli; ***een ernstig —,*** une faute grave; ***in — stellen,*** mettre en demeure.
verzui'men *ov.w.* **1** (*verwaarlozen*) négliger; **2** (*nalaten*) omettre; **3** (*vergeten*) oublier; **4** (*v. tijd*) perdre; **5** (*v. gelegenheid*) manquer, laisser échapper.
verzui'pen I *ov.w.* **1** noyer; **2** (*v. geld*) boire, dépenser à boire; **II** *on.w.* se noyer; **III** *w.w.*, ***zich —,*** aller se noyer.
verzu'ren I *ov.w.* **1** aigrir; **2** (*scheik.*) acidifier; **3** (*fig.: v. leven*) empoisonner, aigrir; **4** (*v. genoegen*) gâter; **II** *on.w.* **1** s'aigrir; **2** (*scheik.*) s'acidifier; **3** (*v. melk*) tourner (à l'aigre); ***wat in 't vat is verzuurt niet,*** ce qui est différé n'est pas perdu.
verzu'ring *v.* **1** aigrissement *m.*; **2** acidification *f.*
verzuurd' *b.n.* aigri, tourné (à l'aigre).
verzwak'ken I *ov.w.* **1** affaiblir; **2** (*v. lichaam, ziekte*) débiliter; **3** (*ontzenuwen*) énerver; **4** (*v. uitwerking*) amortir, atténuer; **II** *on.w.* **1** s'affaiblir; **2** se débiliter; **3** s'atténuer.
verzwak'king *v.* **1** affaiblissement *m.*; **2** débilitation *f.*; **3** énervation *f.*; **4** atténuation *f.*
verzwa'ren I *ov.w.* **1** appesantir, alourdir; **2** (*v. muur, dijk, enz.*) renforcer; **3** (*fig.*) aggraver; **II** *on.w.* **1** s'alourdir; **2** (*fig.*) s'aggraver; ***—de omstandigheden,*** circonstances *f.pl.* aggravantes.
verzwa'ring *v.* **1** alourdissement *m.*; **2** renforcement *m.*; **3** aggravation *f.*
verzwel'gen *ov.w.* **1** avaler, engloutir; **2** (*v. goot*) absorber.
verzwel'ging *v.* engloutissement *m.*
verzwe'ren *on.w.* s'ulcérer.
verzwe'ring *v.* ulcération *f.*
verzwij'gen *ov.w.* **1** (*niet zeggen*) taire; **2** (*verborgen houden*) cacher.
verzwij'ging *v.* silence *m.*, réticence *f.*
verzwik'ken *ov.w.* fouler, luxer; ***zijn voet —,*** se fouler le pied, se donner une entorse.
verzwik'king *v.* foulure, luxation, entorse *f.*
ves'per *v.*(*m.*) vêpres *f.pl.*; ***de Siciliaanse —,*** les Vêpres siciliennes.
vesperaal' *o.* vespéral *m.*
vest I *o.* gilet *m.*; ***kogelvrij —,*** gilet pare-balles; **II** *v.*(*m.*) (*mil.*) rempart *m.*
Vestaal'se maagd *v.* vestale *f.*
vestiai're *m.* vestiaire *m.*
vestibu'le *m.* vestibule *m.*
ves'tigen I *ov.w.* **1** (*v. firma, enz.*) établir; **2** (*v. blik, aandacht, woonplaats*) fixer; ***zijn hoop — op,*** mettre son espoir en; ***iemands aandacht — op,*** attirer l'attention de qn. sur; **II** *w.w.*, ***zich —,*** s'établir; se fixer.
ves'tiging *v.* **1** établissement *m.*; **2** (*v. zaak*) fondation *f.*
ves'tigingsvergunning *v.* autorisation *f.* d'établissement.
ves'ting *v.* forteresse *f.*, place *f.* forte; ***vliegende —,*** forteresse volante.
ves'tingartillerie *v.* artillerie *f.* de place, — de siège.
ves'tingbouw *m.* fortification *f.*
ves'tingoorlog *m.* guerre *f.* de forteresse.
ves'tingstraf *v.*(*m.*) détention *f.* dans une forteresse, relégation *f.* dans une enceinte fortifiée.
ves'tingwerken *mv.* fortifications *f.pl.*
vest'zakje *o.* gousset *m.*
vest'zakkruiser *m.* croiseur *m.* de poche.
vest'zakslagschip *o.* cuirassé *m.* de poche.
Vesu'vius *m.* Vésuve *m.*
vet I *b.n.* **1** gras; **2** (*v. grond*) gras, fertile; **3** (*gen.*) adipeux; **4** (*v. baantje*) lucratif; **5** (*gedrukt*) en gros caractères, en caractères gras; ***— maken,*** engraisser; ***— worden,*** s'engraisser; ***— worden bij,*** engraisser à; ***zo — als modder,*** gras à lard; ***daar ben ik — mee,*** cela me fait une belle jambe; **II** *z.n.*, *o.* **1** graisse *f.*; **2** (*v. vlees*) gras *m.*; ***het — is van de ketel,*** l'affaire est écrémée, la crème en est ôtée; ***iem. zijn — geven,*** dire à qn. son fait; ***hij heeft zijn — gekregen,*** il a son compte.
vet'achtig *b.n.* graisseux.
vet'bolletje *o.* globule *m.* de graisse.
ve'te *v.*(*m.*) rancune, hostilité, inimitié *f.*
ve'ter *m.* lacet *m.*
veteraan' *m.* vétéran *m.*
ve'terband *o. en m.* ruban *m.* plat; — tressé.
ve'terbeslag *o.* ferret, bout *m.* ferré.
ve'teren *ov.w.* **1** lacer; **2** (*fig.: bekijven*) réprimander.
ve'tergat *o.* œillet *m.*
vet'gans *v.*(*m.*) pingouin *m.*
vet'gehalte *o.* teneur *f.* en matières grasses, graisse *f.*
vet'gezwel *o.* lipome *m.*
vet'glaasje *o.* lampion *m.*
vet'heid *v.* **1** graisse *f.*; **2** (*v. 't lichaam*) obésité *f.*; **3** (*v. grond*) fertilité *f.*

vet'houdend *b.n.* adipeux.
vet'kaars *v.(m.)* chandelle *f.*
vet'klier *v.(m.)* glande *f.* sébacée.
vet'kolen *mv.* charbon *m.* gras.
vet'laag *v.(m.)* **1** couche *f.* de graisse; **2** pannicule *m.* adipeux.
vet'le(d)er *o.* cuir *m.* gras.
vet'mesten *ov.w.* **1** (*v. vee*) engraisser; **2** (*v. vogel*) empâter.
vet'mesting *v.* engraissement; (*v. gevogelte*) empâtement *m.*
ve'to *o.* veto *m.*; ***zijn — uitspreken over,*** mettre son veto à; ***opschortend —,*** veto suspensif.
vet'oogjes *mv.* étoiles *f.pl.* de graisse.
vet'papier *o.* papier *m.* sulfurisé.
vet'plant *v.(m.)* plante *f.* grasse.
vet'pot *m.* pot *m.* à graisse; ***het is er —,*** on y fait bonne chère.
vet'potje *o.* lampion *m.*
vet'puistje *o.* tanne *f.*
vet'stof *v.(m.)* matière *f.* grasse.
vet'tig *b.n.* graisseux, gras.
vet'tigheid *v.* graisse *f.*
vet'vlek *v.(m.)* tache *f.* de graisse, — graisseuse.
vet'vorming *v.* formation *f.* de graisse, adiposité *f.*
vet'vrij *b.n.* (*v. papier*) paraffiné.
vet'weefsel *o.* tissu *m.* adipeux.
vet'weiden *ov.w.* engraisser.
vet'weider *m.* nourrisseur, éleveur *m.*
vet'zak *m.* gros patapouf *m.*
vet'zucht *v.(m.)* adipose *f.*
veu'len *o.* **1** poulain *m.*; **2** (*merrie—*) pouliche *f.*
Veu'len *o.* Fologne *f.*
Veur'ne *o.* Furnes *f.*
ve'zel *v.(m.)* **1** fibre *f.*; filament *m.*; **2** (*in vlees*) filandre *f.*
ve'zelachtig *b.n.* **1** fibreux; filamenteux; **2** filandreux.
ve'zelen *on.w.* s'effiler.
ve'zelig *b.n.*, *zie* ***vezelachtig.***
ve'zelplant *v.(m.)* plante *f.* fibreuse, — textile.
ve'zelstof *v.(m.)* **1** fibrine *f.*; **2** cellulose *f.*
ve'zeltje *o.* fibrille *f.*
vi'a *vz.* par, via.
viaduct', viadukt' *m. en o.* viaduc *m.*
via'ticum *o.* (*kath.*) viatique *m.*
vibre'ren *on.w.* **1** vibrer; **2** faire vibrer sa voix.
vicariaat', vikariaat' *o.* vicariat *m.*
vica'ris, vika'ris *m.* vicaire *m.*
vi'ce-admiraal *m.* vice-amiral* *m.*
Victo'ria *v.* Victoire *f.*
victo'rie, vikto'rie *v.* victoire *f.*; ***— kraaien,*** chanter victoire.
victua'liën, viktua'liën *mv.* vivres *m.pl.*, provisions *f.pl.* de bouche.
vi'deobuis *v.(m.)* tube *m.* cathodique.
vi'deofrequentie, -frekwentie *v.* vidéofréquence *f.*
vier *telw.* quatre; ***bij —en,*** près de quatre heures; ***we zijn met z'n —en,*** nous sommes quatre; ***onder — ogen,*** entre quatre yeux, en tête à tête.
vier'baansweg *m.* route *f.* à quatre voies.
vier'bladig *b.n.* à quatre feuilles, quadrifolié.
vier'daags *b.n.* de quatre jours.
vier'de I *telw.* quatrième; ***de — september,*** le quatre septembre; ***Hendrik de IV—,*** Henri quatre; ***ten —,*** quatrièmement; **II** *z.n., m.* (*kaartsp.*) quatrième *f.*; **III** *z.n., o.* (*vierde deel*) quart *m.*
vierdehalf' *telw.* trois et demi.
vier'delig *b.n.* **1** (*Pl.*) quadriparti; quadridenté; **2** (*muz.*) à quatre temps.
vier'derlei *b.n.* de quatre sortes.
vier'draads *b.n.* à quatre brins.
vier'dubbel *b.n.* quadruple.
vie'ren *ov.w.* **1** (*v. verjaardag, enz.*) fêter; **2** (*plechtig herdenken*) célébrer; **3** (*v. zondag*) observer; **4** (*v. feestdag: door niet te arbeiden*) chômer; **5** (*sch.: v. touw*) filer; **6** (*v. schoot*) larguer.
vie'rendeel *o.* quart *m.*
vie'rendelen *ov.w.* **1** (*in vieren verdelen*) diviser en quarts; **2** (*gesch.: straf; wap.*) écarteler.
vie'rendeling *v.* écartèlement *m.*
vier'gestreept *b.n.* (*muz.*) quatre fois barré.
vier'handig *b.n.* **1** (*muz.*) à quatre mains; **2** (*Dk.*) quadrumane.
vier'hoek *m.* quadrilatère *m.*
vier'hoekig *b.n.* quadrangulaire.
vier'honderd *telw.* quatre cent(s).
vie'ring *v.* célébration *f.*
vierja'renplan *o.* plan *m.* quatriennal.
vier'jarig *b.n.* de quatre ans; quatriennal.
vier'kaart *v.(m.)* (*kaartsp.*) quatrième *f.*
vier'kant I *o.* **1** carré *m.*; **2** (*drukk.*) cadrat *m.*; ***in 't — verheffen,*** faire le carré de, élever au carré; **II** *b.n.* carré; **III** *bw.* carrément; ***iem. — uitlachen,*** rire au nez de qn.
vierkantig *b.n.* carré.
vier'kantje *o.* **1** petit carré *m.*; **2** (*v. stof*) carreau *m.*; **3** (*v. dambord*) case *f.*; **4** (*drukk.*) cadratin *m.*
vier'kantsvergelijking *v.* équation *f.* quadratique.
vier'kantswortel *m.* racine *f.* carrée.
vier'kantsworteltrekking *v.* extraction *f.* de la racine carrée.
vierkleu'rendruk *m.* quadrichromie *f.*, impression *f.* en quatre couleurs.
vier'kleurig *b.n.* à quatre couleurs.
vier'kwartsmaat *v.(m.)* (*muz.*) mesure *f.* à quatre temps.
vierlettergre'pig *b.n.* quadrisyllabique.
vier'ling *m.* (un des) quatre jumeaux *m.*, (une des) quatre jumelles *f.*, quadruplés *m.pl.*
vier'master *m.* quatre-mâts *m.*
vier'motorig *b.n.* quadrimoteur.
vierpotig *b.n.* à quatre pieds; quadrupède.
vier'regelig *b.n.* de quatre lignes; ***— vers,*** quatrain *m.*
vier'schaar *v.(m.)* tribunal *m.*, cour *f.* de justice.
vier'span *o.* attelage *m.* de quatre (chevaux).
vier'sprong *m.* carrefour *m.*
vierstemmig *b.n.* à quatre voix; ***— stuk,*** (*lied*) quatuor *m.*
vier'taktmotor *m.* moteur *m.* à quatre temps.
vier'tal *o.* quatuor *m.*; ***een — dagen,*** (environ) quatre jours.
vier'talig *b.n.* en quatre langues.
vier'vlak *o.* tétraèdre *m.*
vier'vlakkig *b.n.* tétraèdre.
vier'vleugelig *b.n.* tétraptère.
vier'voeter *m.* quadrupède *m.*
vier'voetig *b.n.* quadrupède.
vier'vorst *m.* (*gesch.*) tétrarque *m.*
vier'vorstendom *o.* (*gesch.*) tétrarchie *f.*
vier'voud *o.* quadruple *m.*
vier'voudig *b.n.* quadruple.
vier'wielig *b.n.* à quatre roues.
Vierwoud'stedenmeer *o.* Lac *m.* des Quatre Cantons.
vier'zijdig *b.n.* quadrilatère, quadrilatéral.
vies I *b.n.* **1** (*vuil*) sale, malpropre; **2** (*walgelijk*) dégoûtant; **3** (*kieskeurig*) délicat, difficile, dégoûté; **4** (*gemeen*) obscène; **II** *bw.* **1** salement, malproprement; **2** délicatement; **3** d'une façon obscène.
vies'heid *v.* **1** saleté, malpropreté *f.*; **2** délicatesse *f.*; **3** obscénité *f.*
vies'neus *m.* dégoûté *m.*

Vietnamees' *m.* Vietnamien *m.*
vie'zerik *m.* salaud, saligaud *m.*
vie'zigheid *v.* saleté, malpropreté *f.*
vige'ren *on.w.* être en vigueur.
vige'rend *b.n.* en vigueur.
vigilan'te *v.(m.)* fiacre *m.*
vigi'lie *v.* vigile *f.*
vignet' *o.* vignette *f.*, fleuron *m.*
vij'and *m.* **1** ennemi *m.*; **2** (*tegenstander*) adversaire [*m.*
vijan'delijk *b.n.* **1** ennemi; **2** (*v. houding, enz.*) hostile.
vijan'delijkheid *v.* hostilité *f.*
vijan'dig I *b.n.* hostile (à), ennemi; **II** *bw.* hostilement, en ennemi.
vijan'digheid *v.* inimitié, hostilité *f.*
vijandin' *v.* ennemie *f.*
vij'andschap *v.* inimitié, hostilité *f.*
vijf *telw.* cinq; ***het is over vijven,*** il est cinq heures passées; ***ze zijn met hun vijven,*** ils sont cinq; ***een van de — is op de loop bij hem,*** il est un peu toqué.
vijf'armig *b.n.* à cinq bras.
vijf'daags *b.n.* de cinq jours.
vijf'de *telw.* cinquième; ***Hendrik de V—,*** Henri cinq; ***Karel de V—,*** Charles-Quint; ***Sixtus de V—,*** Sixte-Quint; ***ten —,*** cinquièmement.
vijf'dubbel *b.n.* quintuple.
vijffrank'stuk *o.* pièce *f.* de cinq francs.
vijf'hoek *m.* pentagone *m.*
vijfhoe'kig *b.n.* pentagonal.
vijf'honderd *telw.* cinq cent(s).
vijf'jaarlijks *b.n.* quinquennal.
vijfja'renplan *o.* plan *m.* quinquennal.
vijf'jarig *b.n.* **1** (*5 jaren oud*) de cinq ans; **2** (*om de 5 jaar, 5 jaar durende*) quinquennal; ***— tijdvak,*** *o.* quinquennat, lustre *m.*
vijf'kaart *v.(m.)* quinte *f.*
vijf'kamp *m.* pentathlon *m.*
vijf'lettergre'pig *b.n.* pentasyllabe.
vijf'ling *m.* cinq jumeaux *m.pl.*, quintuplés *m.pl.*
vijf'snarig *b.n.* pentacorde.
vijf'stemmig *b.n.* à cinq parties.
vijf'tien *telw.* quinze.
vijf'tiende *telw.* quinzième; ***de — oktober,*** le quinze octobre.
vijf'tienjarig *b.n.* de quinze ans.
vijf'tig *telw.* cinquante.
vijf'tiger *m.* quinquagénaire *m.*; ***een goede — zijn,*** avoir passé la cinquantaine.
vijf'tigjarig *b.n.* de cinquante ans; semi-séculaire; ***— bestaan, — jubileum,*** cinquantenaire *m.*
vijf'tigjarige *m.-v.* quinquagénaire *m.-f.*
vijf'tigste *telw.* cinquantième.
vijf'tigtal *o.* cinquantaine *f.*
vijfvin'gerkruid *o.* (*Pl.*) quintefeuille *f.*
vijf'vlak *o.* pentaèdre *m.*
vijf'voetig *b.n.*, ***— vers,*** pentamètre *m.*
vijf'voud *o.* quintuple *m.*
vijf'voudig *b.n.* quintuple.
vijg I *v.(m.)* **1** (*vrucht*) figue *f.*; **2** (*fig.: v. persoon*) chiffe *f.*; **II** *m.* (*boom*) figuier *m.*; ***—en na Pasen,*** de la moutarde après le dîner.
vij'geblad *o.* **1** feuille *f.* de figuier; **2** (*v. beeld*) feuille *f.* de vigne.
vij'geboom *m.* figuier *m.*
vij'genmat *v.(m.)* cabas *m.*
vijl *v.(m.)* lime *f.*; ***driekante —,*** tiers-point*, trois- [quarts *m.*
vij'len *ov.w.* limer; ***glad —,*** polir.
vij'ling *v.* limage *m.*
vijl'sel *o.* limaille *f.*
vij'ver *m.* **1** étang *m.*; **2** (*vis—*) vivier *m.*
vij'vertje *o.* petit étang, bassin *m.*
vij'vervis *m.* alevin *m.*
vij'zel I *m.* mortier *m.*; **II** *v.(m.)*, (*vijzelschroef*) vérin, cric *m.* à vis.
vij'zelen *ov.w.* élever avec un vérin.
vij'zelstamper *m.* pilon *m.*
vikari-, *zie* ***vicari-.***
vikt-, *zie* ***vict-.***
vil'der *m.* **1** (*alg.*) écorcheur *m.*; **2** (*v. paarden, runderen*) équarrisseur *m.*
vil'la *v.(m.)* villa *f.*
vil'lapark *o.* parc *m.* à villas.
vil'lawijk *v.(m.)* quartier *m.* de(s) villas.
vil'len *ov.w.* **1** (*alg.*) écorcher; **2** (*v. paarden, runderen*) équarrir; **3** (*fig.*) écorcher.
vilt *o.* feutre *m.*
vilt'achtig *b.n.* feutré.
vil'ten I *b.n.* de feutre; **II** *ov.w.* feutrer.
vilt'hoed *m.* feutre *m.*
vilt'maker, vilt'werker *m.* feutrier *m.*
vilt'papier *o.* papier *m.* feutre.
Vil'voorde *o.* Vilvorde *f.*
vim *v.(m.)* **1** (*stapel*) tas *m.*, pile *f.*; **2** 104 bottes [*f.pl.*
vin *v.(m.)* **1** (*v. vis*) nageoire *f.*; **2** (*puist, zweertje*) bouton *m.*, pustule *f.*; ***geen — verroeren,*** ne remuer ni pied ni patte.
Vin'ci, *Leonardo da —,* Léonard de Vinci.
vin'den *ov.w.* **1** trouver; **2** (*oordelen, menen*) trouver, estimer, croire; ***het kunnen — met,*** s'arranger avec; faire bon ménage avec; ***ik zal hem wel —,*** il me le payera; ***daar is hij niet voor te —,*** il ne s'y prête pas; ***ik vind het best,*** je veux bien; ***ik ben er voor te —,*** je (le) veux bien.
vin'der *m.* **1** (celui) qui trouve *m.*; trouveur *m.*; **2** (*uitvinder*) inventeur *m.*; **3** (*lett.*) trouvère *m.*
vin'ding *v.* invention *f.*; découverte *f.*
vin'dingrijk *b.n.* inventif, ingénieux.
vin'dingrijkheid *v.* esprit *m.* inventif, ingéniosité *f.*
vind'plaats *v.(m.)* **1** (*v. dier*) habitat *m.*; **2** (*v. erts*) [gîte *m.*
vin'ger *m.* doigt *m.*; ***iets door de —s zien,*** fermer les yeux sur qc.; ***iem. op de —s kijken,*** contrôler qn., surveiller qn. (de près); ***lange —s hebben,*** avoir les doigts crochus; ***iem. om de — winden,*** faire de qn. ce qu'on veut, mener qn. par le bout du nez; ***iem. op de —s tikken,*** donner sur les doigts à qn.; ***zich in de —s snijden,*** se brûler les doigts; ***de — op de wond leggen,*** toucher le vif de la plaie.
vin'gerafdruk *m.* empreinte *f.* digitale.
vin'gerbeentje *o.* phalange *f.*
vin'gerbreed *b.n.* large comme le doigt.
vin'gerdoekje *o.* serviette *f.* à thé.
vin'gergewricht *o.* articulation *f.* du doigt.
vin'gerhoed *m.* dé *m.* (à coudre).
vin'gerhoedskruid *o.* (*Pl.*) digitale *f.*
vin'gerkom *v.(m.)* rince-doigts *m.*
vin'gerkruid *o.* (*Pl.*) digitaire *f.*
vin'gerlid *o.* phalange *f.*
vin'gerling *m.* doigtier *m.*
vin'geroefening *v.*, (*muz.*) exercice *m.* de doigté.
vin'gerspraak *v.(m.)* dactylologie *f.*
vin'gertop *m.* bout *m.* du doigt.
vin'gervlug *b.n.* agile des doigts.
vin'gervlugheid *v.* **1** dextérité *f.*; **2** (*muz.*) vélocité *f.* des doigts.
vin'gervorming *b.n.* digital, digitiforme.
vin'gerwijzing *v.* indication *f.*, indice *m.*
vin'gerzetting *v.* (*muz.*) doigté *m.*
vink *m. en v.* pinson *m.*; ***blinde —,*** (*vlees*) paupiette *f.*
vin'ken *on.w.* prendre des pinsons.

vin'kentouw, ***op het — zitten,*** être aux aguets.
vin'ker *m.* oiseleur *m.*
vin'keslag *o. en m.* trébuchet *m.*
vin'nig I *b.n.* **1** (*v. koude*) âpre, perçant; **2** (*v. woorden*) violent; **3** (*v. antwoord*) aigre, vif; **4** (*v. weerstand*) acharné; **5** (*v. slag*) violent, sec; **II** *bw.* **1** âprement; **2** violemment; **3** aigrement; **4** avec acharnement.
vin'nigheid *v.* **1** âpreté *f.*; **2** violence *f.*; **3** âcreté *f.*; **4** acharnement *m.*; *zie* ***vinnig.***
violet' *b.n.* violet.
violet'achtig *b.n.* violâtre.
violet'blauw *b.n.* violâtre.
violet'kleurig *b.n.* violet.
violier' *v.(m.)* (*Pl.*) violier, giroflier *m.*
violier'bloem *v.(m.)* giroflée *f.*
violist' *m.* violoniste *m.*
violoncel' *v.(m.)* violoncelle *m.*
violoncellist' *m.* violoncelliste *m.*
viool' *v.(m.)* **1** (*muz.*) violon *m.*; **2** (*Pl.*) violette *f.*; ***eerste —,*** premier violon; ***tweede —,*** second violon; ***de eerste — spelen,*** faire la pluie et le beau temps, jouer un rôle important.
viool'bas *v.(m.)* contrabasse *f.*
viool'begeleiding *v.* accompagnement *m.* de [violon.
viool'bouwer *m.* luthier *m.*
viool'concert, -koncert *o.* concerto *m.* pour vio- [lon.
viool'hars *o. en m.* colophane *f.*, arcanson *m.*, poix *f.* sèche.
viool'kam *m.* chevalet *m.*
viool'kist *v.(m.)* boîte *f.* de violon.
viool'koncert, *zie* ***vioolconcert.***
viool'leraar *m.* professeur *m.* de violon.
viool'les *v.(m.)* leçon *f.* de violon.
viool'maker *m.* luthier *m.*
viool'muziek *v.* musique *f.* de (*of* pour) violon.
viool'schroef *v.(m.)* cheville *f.* (de violon).
viool'sleutel *m.* clef *f.* de sol.
viool'snaar *v.(m.)* corde *f.* de violon.
viool'sonate *v.* sonate *f.* pour violon.
viool'spel *o.* jeu *m.* de violon.
viool'speler *m.* violoniste *m.*
viool'tje *o.* **1** (*Pl.*) violette *f.*; **2** (*kleine viool*) petit violon *m.*; ***driekleurig —,*** pensée *f.*
Virgi'lius *m.* Virgile *m.*
virgi'niasigaret *v.(m.)* cigarette *f.* au tabac blond, — à tabac blond.
virtuoos' *m.* virtuose *m.*
virtuositeit' *v.* virtuosité *f.*
vi'rus *o.* virus *m.*
vi'rusziekte *v.* maladie *f.* virulente.
vis *m.* poisson *m.*; ***vlees noch —,*** ni chair ni poisson; ***hij is zo gezond als een —,*** il se porte comme un charme; ***boter bij de —,*** point d'argent, point de Suisse; ***als een — op 't droge,*** comme un poisson hors de l'eau; ***— moet zwemmen,*** poisson sans boisson est poison.
vis'aas *o.* amorce *f.*
vis'achtig *b.n.* qui sent le poisson; ***ik ben niet —,*** je n'aime pas le poisson.
vis'afslag *m.* poissonnerie *f.*
vis'afval *m.* déchets *m.pl.* de poissons.
vis'akte *v.(m.)* permis *m.* de pêche.
vis'arend *m.* (*Dk.*) orfraie *f.*
vis'bank *v.(m.)* étal *m.* de poissonnier.
vis'bestek *o.* couvert *m.* à poisson.
vis'boer *m.* poissonnier *m.*
viscositeit' *v.* viscosité *f.*
vis'couvert *o.* couvert *m.* à poisson.
vis'dag *m.* (*vasten- of onthoudingsdag*) jour *m.* [maigre.
vise'ren, vize'ren *ov.w.* viser.
vis'fuik *v.(m.)* nasse *f.*
vis'gerecht *o.* plat *m.* de poisson.
vis'graat *v.(m.)* arête *f.*
vis'haak *m.* hameçon *m.*
vis'hal(le) *v.(m.)* halle *f.* au poisson.
vis'handel *m.* **1** commerce *m.* de poisson; **2** (*winkel*) magasin *m.* de marchand de poisson.
vis'handelaar *m.* marchand *m.* de poisson.
vi'sie *v.* **1** vision *f.*; **2** (*inzage*) examen *m.*, inspection *f.*; ***ter —,*** à l'examen.
visioen', vizioen' *o.* vision *f.*
visionair' *m.* visionnaire *m.*
visita'tie *v.* **1** (*v. douane*) visite *f.*; **2** (*door politie*) perquisition *f.*; ***O. L. Vrouw V—,*** la Visitation de la Vierge; ***zuster der —,*** visitandine *f.*
visita'tor *m.* visiteur *m.*
visi'te *v.(m.)* visite *f.*
visi'tekaartje *o.* carte *f.* de visite.
visite'ren *ov.w.* **1** (*bezoeken*) visiter; **2** (*nauwkeurig onderzoeken*) fouiller.
vis'je *o.* **1** petit poisson *m.*; **2** (*spel*) jeton *m.*, fiche *f.*
vis'kaar *v.(m.)* banneton *m.*
vis'kar *v.(m.)* chasse-marée *m.*
viskeus' *b.n.* visqueux.
vis'kom *v.(m.)* bocal *m.*
vis'korf *m.* manne *f.* à poisson.
vis'kuit *v.(m.)* frai *m.*, œufs *m.pl.* de poisson.
vis'kweker *m.* pisciculteur *m.*
vis'lijm *m.* colle *f.* de poisson.
vis'lijn *v.(m.)* ligne *f.* de pêcheur.
vis'mand *v.(m.)* manne *f.* à poisson.
vis'markt *v.(m.)* marché *m.* au poisson.
vis'meel *o.* farine *f.* de poisson.
vis'nat *o.* court*-bouillon* *m.*
vis'net *o.* filet *m.* à pêcher.
vis'otter *m.* loutre *f.*
vis'recht *o.* droit *m.* de pêche.
vis'rijk *b.n.* poissonneux.
vis'saus *v.(m.)* sauce *f.* à poisson.
vis'schep *m.* truelle *f.* à poisson.
vis'schotel *m. en v.* **1** (*schotel voor vis*) plat *m.* à (servir le) poisson; **2** (*gerecht*) plat *m.* de poisson.
vis'sebloed *o.* sang *m.* de poisson; ***— hebben,*** être apathique.
vis'sen *on.w.* pêcher; ***achter het net —,*** arriver trop tard; manquer son coup; ***naar een geheim —,*** chercher à savoir (*of* à surprendre) un secret; ***naar een complimentje —,*** mendier un compliment.
vis'ser *m.* pêcheur *m.*
visserij' *v.* pêche *f.*
visserij'dienst *m.* service *m.* des pêches.
visserij'opzichter *m.* garde*-pêche *m.*
vis'sersboot *m. en v.* bateau *m.* de pêche, — (de) pêcheur.
vis'sersdorp *o.* village *m.* de pêcheurs.
vis'sershaven *v.(m.)* port *m.* de pêche.
vis'sersring *m.* (*v. paus*) anneau *m.* du pêcheur.
vis'sersschuit *v.(m.)* barque *f.* de pêcheur, chasse-marée *m.*
vis'sersvloot *v.(m.)* flotte *f.* de pêche.
vis'sersvrouw *v.* femme *f.* de pêcheur.
vis'smaak *m.* goût *m.* de poisson.
vis'snoer *o.* ligne *f.*
vis'soep *v.(m.)* potage *m.* au poisson.
vis'spaan *v.(m.)* truelle *f.* à poisson.
vis'stand *m.* situation *f.* piscicole.
vis'teelt *v.(m.)* pisciculture *f.*
vis'tijd *m.* saison *f.* de la pêche.
vis'traan *m.* huile *f.* de baleine, — de foie de morue.
vis'tuig *o.* engins *m.pl.* de pêche.
vi'sum *o.* visa *m.*

vis'vangst *v.* pêche *f.*
vis'vijver *m.* vivier *m.*
vis'vrouw *v.* poissonnière *f.*
vis'water *o.* pêcherie *f.*
vis'wijf *o.* poissarde *f.* [poissard.
vis'wijventaal *v.(m.)* langage *m.* des halles, —
vis'winkel *m.* boutique *m.* de poissonnier.
vit'achtig *b.n.* chicaneur, pointilleux.
vitami'ne *v.(m.)* vitamine *f.*; ***rijk aan* —,** vitaminé.
vitami'nearm *b.n.* pauvre en vitamines.
vitami'nedruppels *mv.* vitamines *f.pl.* en gouttes.
vitaminise'ren *ov.w.* vitaminiser.
vitra'ge *v.(m.) en o.* rideau *m.* de vitrage.
vitriool' *o. en m.* vitriol *m.*
vitriool'achtig *b.n.* vitriolique.
vitriool'zout *o.* sulfate *m.*
vit'ten *on.w.* chicaner; (*fam.*) chercher la petite bête; **— *op*,** trouver à redire à.
vit'ter *m.* chicaneur, vétilleur, ergoteur *m.*
vit'terig *b.n.* chicaneur.
vitterij' *v.* chicane *f.*
vi'tusdans *m.* danse *f.* de Saint Guy.
vit'zucht *v.(m.)* esprit *m.* de chicane.
vivisec'tie, vivisek'tie *v.* vivisection *f.*
vize'ren, vise'ren *ov.w.* viser.
vizier' I *o.* **1** (*v. helm*) visière *f.*; **2** (*v. geweer*) mire *f.*; ***met open* —,** à visage découvert, ouvertement; **II** *m.* vizir *m.*
vizier'hoek *m.* angle *m.* de mire.
vizier'keep *v.(m.)* cran *m.* de mire.
vizier'klep *v.(m.)* hausse *f.*
vizier'kijker *m.* lunette *f.* de hausse.
vizier'korrel *m.* guidon *m.* (de fusil).
vizier'lijn *v.(m.)* ligne *f.* de mire.
vizioen', visioen' *o.* vision *f.*
vla, vla'de *v.(m.)* crème *f.*
vlaag *v.(m.)* **1** bourrasque, rafale *f.*; **2** (*fig.: v. koorts, enz.*) accès *m.*; ***bij vlagen*,** par bouffées, par à-coups, par intervalles.
Vlaams I *b.n.* flamand; **II** *z.n., o.* flamand *m.*
vlaams'gezind *b.n.* flamingant, proflamand.
vlaams'gezinde *m.* flamingant *m.*
Vlaan'deren *o.* la Flandre.
vla'(de) *v.(m.)* crème *f.*
vlag *v.(m.)* **1** (*alg.*) drapeau *m.*; **2** (*v. schip*) pavillon *m.*; **3** (*v. taximeter, enz., als embleem*) fanion *m.*; ***de — uitsteken*,** arborer le drapeau; ***de — hijsen*,** hisser le pavillon; ***de — strijken*,** amener le pavillon; (*fig.*) baisser pavillon, abdiquer (devant); ***de — dekt de lading*,** le pavillon couvre la marchandise; ***met —gen versieren*,** pavoiser; ***onder Belgische — varen*,** naviguer sous pavillon belge; ***de Belgische — voeren*,** battre pavillon belge.
vlag'gekapitein *m.* capitaine *m.* de pavillon.
vlag'gelijn *v.(m.)* drisse *f.* (de pavillon).
vlag'gen *on.w.* arborer le drapeau, pavoiser.
vlag'gendoek *o. en m.* étamine *f.*
vlag'genparade *v.* **1** salut *m.* au drapeau; **2** cérémonie *f.* des couleurs.
vlag'geschip *o.* vaisseau*-amiral* *m.*
vlag'gestok *m.* hampe *f.*
vlag'officier *m.* officier *m.* supérieur de marine.
vlag'signaal *o.* signal *m.* vexillaire.
vlag'vertoon *o.* manifestation *f.* du pavillon, déploiement *m.* —.
vlak I *b.n.* **1** (*effen, glad*) uni, égal; lisse; **2** (*plat*) plat; **3** (*meetk.*) plan; ***in het —ke veld*,** en rase campagne; **II** *bw.* droit, juste; **— *bij*,** tout près; **— *voor u*,** juste devant vous; **— *tegenover ons*,** juste en face de chez nous; **III** *z.n., o.* **1** (*oppervlakte*) surface *f.*; **2** (*platte effenheid: v. hand, degen, enz.*) plat *m.*; **3** (*meetk.*) surface *f.* plane; **IV** *zie* ***vlek*** **I**; ***hellend* —,** plan *m.* incliné; ***op een hellend* —,** sur une pente dangereuse.
vlak'baangeschut *o.* bouches *f.pl.* à feu à trajectoire tendue. [lithographique, — offset.
vlak'druk *m.* impression *f.* à plat, impression *f.*
vlak'gom *m. of o.* gomme *f.* à effacer.
vlak'heid *v.* surface *f.* unie, planitude *f.*
vlak'ken *ov.w.* aplanir, aplatir, dégauchir; **2** *zie* ***vlekken.***
vlak'te *v.* **1** (*v. land*) plaine *f.*; **2** (*v. water*) nappe *f.*; **3** (*platte kant*) plat *m.*; ***zich op de — houden*,** rester dans le vague.
vlak'te-inhoud *m.* aire, superficie *f.*
vlak'temaat *v.(m.)* mesure *f.* de superficie.
vlak'temeting *v.* planimétrie *f.*
vlak'uit *bw.* carrément, nettement.
vlam *v.(m.)* flamme *f.*; **— *vatten*,** prendre feu, s'enflammer; ***in —men opgaan*,** être consumé par le feu.
Vla'ming *m.* Flamand *m.*
vlam'men I *on.w.* **1** flamber, jeter des flammes; **2** (*fig.*) flamboyer; **II** *ov.w.* (*v. aardewerk, enz.*) flammer.
vlam'mend *b.n.* flamboyant, fulgurant.
vlam'menwerper *m.* lance-flammes *m.*
vlam'menzee *v.(m.)* brasier *m.*
vlam'metje *o.* **1** petite flamme, flammèche *f.*; **2** (*fam.*) allumette *f.*
vlam'pijp *v.(m.)* tube *m.* de flamme, conduit *m.* —.
vlam'punt *o.* point *m.* d'inflammation.
vlam'vormig *b.n.* flammé.
vlas *o.* **1** (*plant*) lin *m.*; **2** (*bereid*) filasse *f.* (de lin).
vlas'achtig *b.n.* linacé, lineux; **— *haar*,** cheveux *m.pl.* filasse.
vlas'akker *m.* linière *v.*
vlas'baard *m.* **1** duvet *m.*, poils *m.pl.* follets; **2** (*fig.*) blanc*-bec* *m.*
vlas'bek *m.* (*Pl.*) linaire *f.*
vlas'blond *b.n.* filasse.
vlas'bouw *m.* culture *f.* du lin.
vlas'braak *v.(m.)* (*tn.*) broie, macque, maque *f.*
vlas'haar *o.* cheveux *m.pl.* de filasse.
vlas'handel *m.* commerce *m.* de lin.
vlas'handelaar *m.* marchand *m.* de lin.
vlas'hekel *m.* affinoir *m.*
vlas'kop *m.* blondin *m.*
vlas'land *o.* linière *f.*
vlas'linnen *o.* toile *f.* de lin.
vlas'markt *v.(m.)* marché *m.* au lin.
vlas'sen I *b.n.* de lin; **II** *on.w.,* **— *op*,** guetter, convoiter, être avide de.
vlas'spinner *m.* filateur *m.*
vlasspinnerij' *v.* filature *f.* de lin.
vlas'teelt *v.(m.)* culture *f.* du lin.
vlas'veld *o.* linière *f.*
vlas'vezel *v.(m.)* brin *m.* de lin.
vlas'vink *m. en v.* verdier *m.*
vlas'zaad *o.* linette *f.*
vlecht *v.(m.)* tresse, natte *f.*
vlech'ten *ov.w.* **1** tresser, natter; **2** (*fig.*) glisser (à), mêler (à), introduire (dans).
vlech'ter *m.* tresseur *m.*
vlecht'mat *v.(m.)* natte *f.* tressée.
vlecht'werk *o.* **1** tressage(s) *m.(pl.)*; **2** (*bouwk.*) entrelacs *m.pl.*; **3** (*mil.*) clayonnage *m.*
vleer'muis *v.(m.)* chauve*-souris *f.*
vleer'muisbrander *m.* (bec à) papillon, bec*-papillon* *m.*
vlees *o.* **1** (*v. lichaam, vrucht, enz.*) chair *f.*; **2** (*om te eten*) viande *f.*; ***bevroren* —,** viande congelée, — frigorifiée; ***gebraden* —,** rôti *m.*; ***gekookt* —,** bouilli *m.*; ***in 't — snijden*,** couper dans le vif;

de weg van alle — gaan, payer le tribut à la nature; ***het gaat hem naar den vleze,*** la fortune lui sourit, il a le vent en poupe.
vlees'afval *o. en m.* abats *m.pl.*
vlees'balletje *o.* boulette *f.* de viande.
vlees'bank *v.(m.)* étal *m.* (de boucher).
vlees'boom *m.* (*gen.*) sarcome *m.*
vlees'dag *m.* jour *m.* gras.
vlees'etend *b.n.* carnivore; ***— dier,*** carnivore *m.*
vlees'extract, -extrakt *o.* extract *m.* de viande.
vlees'gerecht *o.* plat *m.* de viande.
vlees'haak *m.* croc, pendoir *m.*
vlees'hal(le) *v.(m.)* halle *f.* aux viandes, boucherie [*f.*
vlees'houwer *m.* boucher *m.*
vleeshouwerij' *v.* boucherie *f.*
vlees'ketel *m.* marmite *f.*
vlees'keuring *v.* inspection *f.* des animaux de boucherie.
vlees'kleur *v.(m.)* couleur *f.* de chair; (*op schilderij*) carnation *f.*
vlees'kleurig *b.n.* couleur de chair.
vlees'kuip *v.(m.)* saloir *m.*
vlees'loos *b.n.* maigre, sans viande.
vlees'machine *v.* hache-viande *m.*
vlees'made *v.(m.)* asticot *m.*
vlees'markt *v.(m.)* halle *f.* aux viandes.
vlees'mes *o.* coutelas, découpoir *m.*
vlees'molen *m.* hache-viande *m.*
vlees'nat *o.* bouillon *m.*
vlees'pan *v.(m.)* casserole *f.*
vlees'pastei *v.(m.)* pâté *m.* de viande.
vlees'pin *v.(m.)* brochette *f.*
vlees'pot *m.* marmite *f.*; ***naar de —ten van Egypte terugverlangen,*** regretter les oignons d'Égypte.
vlees'sap *o.* suc *m.* de viande.
vlees'schotel *m. en v.* plat *m.* de viande.
vlees'soep *v.(m.)* soupe *f.* grasse.
vlees'spijzen *mv.* aliments *m.pl.* carnés; viande *f.*
vlees'vlieg *v.(m.)* mouche *f.* à viande.
vlees'voeding *v.* alimentation *f.* carnée.
vlees'vork *v.(m.)* grande fourchette *f.* de cuisine.
vlees'waren *mv.* viandes *f.pl.*; ***bereide —,*** charcuterie *f.*
vlees'wond(e) *v.(m.)* plaie *f.* saignante.
vlees'wording *v.* incarnation *f.*
vlees'worst *v.(m.)* saucisson *m.*
vleet *v.(m.)* **1** (*Dk.*) raie *f.* cendrée; **2** (*sch.*) agrès *m.pl.*, mâture *f.*; **3** tas *m.*, quantité *f.*; ***bij de —,*** en abondance, à foison, en tas.
vle'gel *m.* **1** (*dorsvlegel*) fléau *m.*; **2** (*fig.: lomperd*) lourdaud, rustre; goujat *m.*
vle'gelachtig I *b.n.* rustre, grossier, brutal; **II** *bw.* grossièrement, brutalement.
vle'gelachtigheid *v.* grossièreté, rusticité, impertinence *f.*
vle'geljaren *mv.* âge *m.* ingrat.
vle'gelstok *m.* manche *m.* (du fléau).
vlei'en I *ov.w.* **1** flatter; **2** (*ong.: kruiperig —*) aduler; **II** *w.w.*, ***zich — met,*** se flatter de.
vlei'end I *b.n.* flatteur; **II** *bw.* flatteusement.
vlei'er *m.* **1** flatteur *m.*; **2** adulateur *m.*
vleierij' *v.* **1** flatterie *f.*; **2** adulation *f.*
vlei'taal *v.(m.)* flatterie(s) *f.(pl.)*, louanges *f.pl.*
vlek I *v.(m.)* **1** tache; souillure *f.*; **2** (*v. inkt*) tache *f.*, pâté *m.*; **II** *o.* bourg *m.*
vlek'keloos *b.n.* **1** sans tache, pur, immaculé; **2** (*fig.*) irréprochable.
vlek'keloosheid *v.* pureté *f.*, blancheur *f.* immaculée.
vlek'ken I *ov.w.* tacher, salir; maculer; **II** *on.w.* se salir, se tacher.
vlek'kenstift *v.(m.)* crayon *m.* à dégraisser.
vlek'kenwater *o.* eau *f.* à dégraisser, — de Javel.
vlek'kenzeep *v.(m.)* savon *m.* à dégraisser.
vlek'tyfus *m.* fièvre *f.* typhoïde, typhus *m.* (exanthématique).
vlek'vrij *b.n.* résiste aux taches, résistant (*of* insensible) aux taches.
vlerk *v.(m.)* **1** aile *f.*; **2** (*fig.: arm, hand*) bras *m.*, main, patte *f.*
vle'selijk I *b.n.* charnel; **II** *bw.* charnellement.
vle'selijkheid *v.* inclination *f.* charnelle.
vlet *v.(m.)* chaland *m.*, flette *f.*
vlet'ter *m.* patron *m.* d'une flette.
vleug *v.(m.)* **1** (*vlam, flikkering*) flamme, lueur, étincelle *f.*; **2** (*richting v. het haar*) direction *f.* du poil; ***tegen de —,*** à rebrousse-poil, à contre-poil.
vleu'gel *m.* **1** (*v. vogel, enz.*) aile *f.*; **2** (*v. deur*) battant *m.*; **3** (*piano*) piano *m.* à queue; **4** (*v. stoommachine*) volant *m.*; ***de —s uitslaan,*** ouvrir l'aile.
vleu'geladjudant *m.* aide*-de-camp *m.*
vleu'geldeur *v.(m.)* porte *f.* à deux battants.
vleu'gellam *b.n.* **1** qui ne bat que d'une aile, ne battant que d'une aile; **2** (*fig.*) frappé d'impuissance; ***— maken,*** paralyser; démonter.
vleu'gelloos *b.n.* sans ailes, aptère.
vleu'gelman *m.* **1** jalonneur *m.*; **2** (*sp.*) ailier *m.*
vleu'gelmoer *v.(m.)* (*tn.*) écrou *m.* à ailettes.
vleu'gelpiano *v.(m.)* piano *m.* à queue.
vleu'gelschild *o.* élytre *m.*
vleu'gelschroef *v.(m.)* vis *f.* à ailettes.
vleu'gelslag *m.* coup *m.* d'aile.
vleu'gelspeler *m.* (*sp.*) ailier *m.*
vleu'gelwijdte *v.* envergure *f.*
vleug'je *o.* lueur, étincelle *f.*
vle'zig *b.n.* **1** charnu, bien en chair; **2** (*v. vrucht*) pulpeux.
vlie'den I *on.w.* fuir; s'enfuir; **II** *ov.w.* **1** (*vermijden*) éviter; **2** (*ontvluchten*) fuir.
vlieg *v.(m.)* mouche *f.*; ***iem. een — afvangen,*** couper l'herbe sous le pied à qn.; ***niets afslaan dan —en,*** prendre de toutes mains; ***twee —en in één klap slaan,*** faire d'une pierre deux coups, faire coup double.
vlieg'basis *v.* base *f.* aéronavale.
vlieg'bereik *o.* rayon *m.* d'action.
vlieg'boot *m. en v.* hydravion *m.*
vlieg'brevet *o.* brevet *m.* d'aviateur, — de pilote.
vlieg'dag *m.* jour *m.* de vol.
vlieg'dek *o.* plate*-forme* *f.* d'envol.
vlieg'dekschip *o.* porte-avions *m.*
vlieg'demonstratie *v.* meeting *m.* d'aviation.
vlieg'dienst *m.* service *m.* aérien.
vlie'geklap *m.* tue-mouche *m.*
vlie'gemepper *m.* chasse-mouches *m.*
vlie'gen I *on.w.* **1** voler; **2** (*fig.*) voler, courir; **3** (*v. tijd*) fuir, voler; ***iem. om de hals —,*** se jeter (*of* sauter) au cou de qn.; ***in brand —,*** prendre feu; ***in de lucht —,*** sauter; ***hij is gevlogen,*** il a disparu; **II** *z.n., o.* **1** (*v. vogel*) vol *m.*; **2** (*met vliegtuig*) aviation *f.*
vlie'gend *b.n.* volant; ***—e tering,*** phtisie *f.* galopante; ***in —e haast,*** en toute hâte, en grande hâte, au galop; ***— blaadje,*** feuille *f.* volante; ***met —e vaandels,*** bannières déployées, enseignes —; ***—e brigades,*** brigades *f.pl.* volantes.
vlie'gengaas *o.* toile *f.* métallique; filet *m.* contre les mouches.
vliegenier' *m.* aviateur *m.*
vlie'genkast *v.(m.)* garde-manger *m.*
vlie'genpapier *o.* papier *m.* tue-mouches, — collant.
vlie'genplaag *v.(m.)* fléau *m.* des mouches.

vlie'gensvlug *bw.* 1 en un clin d'œil; 2 en courant; 3 (*te paard, enz.*) ventre à terre, à fond de train.
vlie'genvanger *m.* 1 attrape-mouches *m.*; 2 (*Dk.*) gobe-mouches *m.*
vlie'genvogeltje *o.* colibri *m.*
vlie'genzwam *v.(m.)* (*Pl.*) fausse oronge *f.*, tue-mouches *m.*
vlie'ger *m.* 1 (*vliegenier*) aviateur *m.*; 2 (*speelgoed*) cerf*-volant* *m.*; 3 (*sch.*) contre-voile* *f.* d'étai; ***die — gaat niet op,*** cela ne prend pas.
vlie'geraanval *m.* raid *m.* aérien; attaque *f.* aérienne.
vliegerij' *v.* aviation *f.*
vlie'gerkorps *o.* corps *m.* d'aviateurs.
vlie'gertouw *o.* corde *f.* de cerf-volant.
vlie'gevuil *o.* chiures *f.pl.* de mouches.
vlieg'gewicht *o.* (*sp.*) poids *m.* mouche.
vlieg'haven *v.(m.)* port *m.* aérien, aéroport *m.*
vlieg'je *o.* petite mouche *f.*, moucheron *m.*
vlieg'kamp *o.* champ *m.* d'aviation, aéro-parc* *m.*
vlieg'kunst *v.* aviation *f.*
vlieg'machine *v.* aéroplane, avion *m.*
vlieg'ongeluk *o.* accident *m.* de l'air, — d'aviation.
vlieg'park *o.* aéro-parc* *m.*
vlieg'route *v.(m.)* route *f.* aérienne.
vlieg'school *v.(m.)* école *f.* d'aviation, aérodrome *m.*
vlieg'sport *v.(m.)* aviation *f.*
vlieg'ster *v.* aviatrice *f.*
vlieg'techniek *v.* aviatechnique *f.*
vlieg'terrein *o.* champ *m.* d'aviation, aérodrome *m.*
vlieg'tocht *m.* randonnée *f.*
vlieg'tuig *o.* aéroplane, avion *m.*
vlieg'tuigbasis *v.* base *f.* aéronavale.
vlieg'tuigbestuurder *m.* pilote *m.*
vlieg'tuigbouwer *m.* constructeur *m.* d'avions.
vlieg'tuigeskader *o.* escadrille *f.*
vlieg'tuighal *v.(m.)* hangar *m.*
vlieg'tuigindustrie *v.* industrie *f.* aéronautique.
vlieg'tuigje *o.* aviette, avionnette *f.*
vlieg'tuigloods *v.(m.)* hangar *m.* (pour avions).
vlieg'tuigmoederschip *o.* navire *m.* porte-avions.
vlieg'tuigromp *m.* fuselage *m.*
vlieg'tuigverkeer *o.* trafic *m.* par voie d'avions.
vlieg'uur *v.* heure *f.* de vol.
vlieg'veld *o.* champ *m.* d'aviation, aérodrome *m.*
vlieg'vergunning *v.* licence *f.* de vol.
vliegwaar'dig *v.* navigable.
vliegwaar'digheid *v.* navigabilité *f.*
vlieg'wedstrijd *m.* concours *m.* de l'air.
vlieg'week *v.(m.)* semaine *f.* d'aviation.
vlieg'werk *o.* machine *f.* de théâtre; changement *m.* à vue; ***met kunst en —,*** à force d'habileté.
vlieg'wezen *o.* aviation *f.*
vlieg'wiel *o.*, (*tn.*) volant *m.*
vlier' *m.* sureau *m.*
vlier'bes *v.(m.)* baie *f.* de sureau.
vlier'bloem *v.(m.)*, **vlier'bloesem** *m.* fleur *f.* de sureau.
vlier'boom *m.* sureau *m.*
vlie'ring *v.(m.)* soupente *f.*
vlie'ringkamertje *o.* galetas *m.*, mansarde *f.*
vlier'pit *v.(m.)* moelle *f.* de sureau.
vlier'sap *o.* jus *m.* de sureau.
vlier'siroop, -stroop *v.(m.)* rob *m.* de sureau, sirop *m.* —.
vlier'struik *m.* sureau *m.*
vlier't(h)ee *m.* infusion *f.* de fleurs de sureau.
vlies *o.* 1 (*vacht*) toison *f.*; 2 (*velletje, huidje*) pellicule, membrane *f.*; 3 (*op melk*) peau *f.*; ***het Gulden V—,*** la Toison d'or.
vlies'achtig *b.n.* membraneux.
vlies'je *o.* pellicule, membrane *f.*
vliet *m.* cours *m.* d'eau.
vlie'ten *on.w.* couler, ruisseler.
vlie'tend *b.n.* courant.
vlie'zig *b.n.* pelliculaire, membraneux.
vlij'en I *ov.w.* 1 (*v. hout, turf, enz.*) ranger; entasser; 2 (*fig.: behagen, te pas komen*) convenir; **II** *w.w.*, ***zich — tegen,*** se blottir contre; ***zich — in,*** s'étendre dans.
vlijm *v.(m.)* 1 lancette *f.*; 2 (*v. veearts*) flamme *f.*
vlij'men *ov.w.* 1 ouvrir avec une lancette, percer —; 2 (*fig.*) déchirer.
vlij'mend *b.n.* 1 aigu, perçant, tranchant; 2 (*fig.*) lancinant, aigu; 3 (*v. verdriet*) cruel, navrant.
vlijm'scherp *b.n.* tranchant.
vlijt *v.(m.)* 1 zèle *m.*; 2 (*v. leerling*) application *f.*; 3 (*voortdurend*) assiduité, persévérance *f.*
vlij'tig *b.n.* 1 zélé; 2 appliqué; 3 assidu.
vlin'der *m.* papillon *m.*
vlin'derachtig *b.n.* 1 (*Dk.*) papilionacé; 2 (*fig.*) volage, versatile, inconstant, papillonnant.
vlin'derbloemigen *mv.* (*Pl.*) papilionacées *f.pl.*
vlin'dernet(je) *o.* filet *m.* à papillons.
vlin'derslag *m.* (*sp.*) brasse *f.* papillon.
Vlis'singen *o.* Flessingue *f.*
vlo *v.(m.)* puce *f.*
vloed *m.* 1 (*tij*) marée *f.* montante, flux *m.*; 2 (*v. stroom*) courant *m.*; 3 (*overstroming*) inondation *f.*; 4 (*gen.*) écoulement *m.*; 5 (*fig.: v. tranen, enz.*) torrent *m.*; ***witte —,*** flueurs *f.pl.* blanches, leucorrhée *f.*; ***uitbarsten in een — van,*** se répandre en.
vloed'anker *o.* ancre *f.* de flot.
vloed'golf *v.(m.)* raz *m.* de marée.
vloed'haven *v.(m.)* port *m.* de marée.
vloei *o.* buvard *m.*
vloei'baar *b.n.* 1 liquide; 2 (*v. gassen*) fluide; ***— maken,*** 1 liquéfier, fondre; 2 fluidifier.
vloei'baarheid *v.* 1 liquidité *f.*; 2 fluidité *f.*
vloei'baarmaking *v.*, **vloei'baarwording** *v.* liquéfaction *f.*
vloei'blok *o.* buvard*-tampon* *m.*
vloei'boek *o.* buvard *m.*
vloei'drukker *m.* tampon*-buvard* *m.*
vloei'en *on.w.* 1 (*vlieten: v. water, enz.*) couler; 2 (*v. papier*) boire; 3 (*v. inkt*) s'étendre.
vloei'end I *b.n.* 1 liquide; 2 fluide; 3 (*v. metaal*) en fusion; 4 (*v. stijl*) coulant; **II** *bw.* couramment; ***— spreken,*** parler d'abondance, avoir le débit facile; ***— Frans spreken,*** parler couramment (le) français.
vloei'ing *v.* écoulement *m.*
vloei'papier *o.* (papier) buvard *m.*
vloei'spaat *o.* spath *m.* fluor, — fusible.
vloei'stof *v.(m.)* liquide *m.*
vloek *m.* 1 (*verwensing*) malédiction *f.*; 2 (*vloekwoord*) juron, blasphème *m.*; 3 (*fig.: ongeluk, noodlot*) malheur *m.*, fatalité *f.*; ***in een — en een zucht,*** en un tour de main, à la six-quatre-deux, en cinq sec.
vloek'beest *o.* sac *m.* à jurons.
vloe'ken I *on.w.* jurer, blasphémer; ***— als een ketter,*** jurer comme un charretier; **II** *ov.w.* (*vervloeken*) maudire.
vloe'ker *m.* blasphémateur *m.*
vloekwaar'dig *b.n.* damnable, exécrable, maudit.
vloek'woord *o.* juron, jurement *m.*
vloer *m.* 1 (*v. hout*) plancher *m.*; 2 (*v. steen*) carreau, pavé *m.*; 3 (*ingelegd*) parquet *m.*; 4 (*bodem, grond*) sol *m.*; ***alles over de — halen,*** déranger tout, remuer tout.
vloer'balk *m.* solive *f.*

vloer'bedekking *v.* revêtement *m.* de plancher, — du sol.
vloer'brood *o.* pain *m.* cuit au four.
vloe'ren *ov.w.* **1** planchéier; **2** carreler, paver, daller; **3** (*sp.: boksen*) plaquer, descendre.
vloer'kleed *o.* tapis *m.*
vloer'lamp *v.(m.)* lampe*-colonne *f.*, lampe *f.* de parquet.
vloer'mat *v.(m.)* paillasson *m.*, natte *f.*
vloer'steen, vloer'tegel *m.* carreau *m.*, dalle *f.*
vloer'zeil *o.* linoleum *m.*, toile *f.* cirée.
Vloes'berg *o.* Flobecq *f.*
vlok *v.(m.)* **1** (*v. sneeuw*) flocon *m.*; **2** (*v. haar, enz.*) touffe *f.*; **3** (*v. stof*) mouton *m.*
vlok'achtig *b.n.* floconneux.
vlok'ken *on.w.* floconner.
vlok'kenzeep *v.(m.)* savon *m.* en paillettes.
vlok'kig *b.n.* floconneux.
vlok'wol *v.(m.)* bourre *f.* de laine, — lanice.
vlok'zij(de) *v.(m.)* bourre *f.* de soie.
vlon'der *m.* passerelle, planche *f.*
vlooi'ebeet *m.* piqûre *f.* de puce, morsure *f.* —.
vlooi'en *ov.w.* épucer.
vlooi'enkruid *o.* (*Pl.*) herbe *f.* aux puces.
vlooi'enmarkt *v.(m.)* marché *m.* aux puces, les Puces.
vlooi'ennest *o.* nid *m.* à puces, — à vermine.
vlooi'ent(h)eater *o.* salon *m.* des puces savantes.
vlooi'epik *m.* piqûre *f.* de puce.
vloot *v.(m.)* flotte *f.*
vloot'aalmoezenier *m.* aumônier *m.* de la flotte.
vloot'basis *v.* base *f.* navale.
vloot'bouw *m.* constructions *f.pl.* navales.
vloot'je *o.* **1** (*kleine vloot*) flottille *f.*; **2** (*boter—*) beurrier *m.*
vloot'predikant *m.* aumônier *m.* de la flotte.
vloot'program *o.* programme *m.* naval.
vloot'schouw *m.* revue *f.* navale.
vloot'voogd *m.* amiral *m.*, chef *m.* d'escadre.
vloot'wet *v.(m.)* loi *f.* sur les constructions navales.
vlos'zij(de) *v.(m.)* soie *f.* floche.
vlot I *b.n.* **1** (*sch.: drijvend*) flottant, à flot; **2** (*v. stijl*) coulant, aisé; **3** (*v. verhaal*) preste; **4** (*v. gesprek*) alerte, facile; ***weer — maken,*** remettre à flot, renflouer; ***een — verloop hebben,*** marcher vite, aller bon train; **II** *bw.* **1** (*spreken*) facilement, aisément; **2** (*v. taal*) couramment; **III** *z.n., o.* **1** radeau *m.*; **2** (*hout—*) train *m.* de bois.
vlot'baar *b.n.* flottable.
vlot'bok *m.* grue *f.* flottante.
vlot'brug *v.(m.)* pont *m.* flottant, — de radeaux.
vlot'heid *v.* allant *m.*
vlot'hout *o.* bois *m.* flotté.
vlot'schipper *m.* conducteur *m.* d'un train de [bois.
vlot'ten I *ov.w.* (*v. hout*) flotter; **II** *on.w.* **1** flotter; **2** (*fig.*) marcher, avancer, aller bien; ***het wil niet —,*** cela ne marche pas.
vlot'tend *b.n.* (*v. schuld, bevolking*) flottant; ***—e middelen,*** moyens liquides.
vlot'ter *m.* **1** (*alg.*) flotteur *m.*; **2** (*dobber*) flotte *f.*
vlucht *v.(m.)* **1** (*het vliegen*) vol *m.*; **2** (*troep*) volée *f.*, vol *m.*; **3** (*vleugelwijdte*) envergure *f.*; **4** (*bouwk.: v. deur*) jouée *f.*; **5** (*het vluchten*) fuite *f.*; **6** (*het wegvliegen*) envolée *f.*; **7** (*fig.*) envolée *f.*, essor *m.*; ***een hoge — nemen,*** prendre un grand essor; ***in de —,*** au vol, à la volée; ***op de — gaan,*** prendre la fuite, fuir; ***non-stop—,*** (*vl.*) vol *m.* de durée.
vluch'teling *m.* **1** fugitif *m.*; **2** (*ong.*) fuyard *m.*; **3** (*om politieke, godsd. reden*) réfugié *m.*
vluch'telingenkamp *o.* camp *m.* de réfugiés.
vluch'ten I *on.w.* **1** fuir, s'enfuir; se sauver; **2** (*uitwijken*) se réfugier; **II** *ov.w.* fuir.
vlucht'haven *v.(m.)* port *m.* de refuge, rade*-abri* *f.*
vlucht'heuvel *m.* refuge *m.*
vluch'tig I *b.n.* **1** (*v. indruk*) passager; **2** (*v. blik, tekening, enz.*) rapide; **3** (*oppervlakkig*) superficiel; **4** (*scheik.*) volatil; **II** *bw.* **1** rapidement, à la hâte; **2** d'une façon passagère; **3** superficiellement.
vluch'tigheid *v.* **1** caractère *m.* passager; **2** rapidité *f.*; **3** superficialité *f.*; **4** volatilité *f.*
vlucht'kelder *m.* refuge *m.* souterrain.
vlucht'oord *o.* refuge, asile *m.*
vlug I *b.n.* **1** agile, alerte, prompt, leste; **2** (*fig.*) éveillé, vif; **3** (*vaardig*) habile, adroit; ***— ter been,*** ingambe; **II** *bw.* **1** agilement, alertement, promptement, lestement; **2** vivement; **3** habilement, adroitement.
vlug'heid *v.* **1** agilité, promptitude *f.*; **2** intelligence, vivacité *f.*; **3** dextérité *f.*
vlug'schrift *o.* brochure *f.*
vlug'zout *o.* sel *m.* volatil.
vocaal', vokaal' I *b.n.* vocal; **II** *z.n., v.(m.)* [voyelle *f.*
vo'catief, vo'katief *m.* vocatif *m.*
vocht *o.* **1** (*vloeistof*) liquide *m.*; **2** (*in lichaam*) humeur *f.*; **3** (*vochtigheid*) humidité *f.*; ***voor — te vrijwaren,*** craint l'humidité.
vocht'aantrekkend *b.n.* hydrophile.
voch'ten *ov.w.* **1** (*alg.*) humecter, mouiller; **2** (*v. papier*) moitir; **3** (*v. tabak*) gommer; **4** (*gen.: v. wond*) bassiner.
voch'tig *b.n.* **1** humide, mouillé; **2** (*klam*) moite; ***— maken,*** humecter, mouiller; ***— worden,*** s'humecter.
voch'tigheid *v.* humidité *f.*
voch'tigheidsmeter *m.* hygromètre *m.*
vocht'maat *v.(m.)* mesure *f.* à liquides.
vocht'meter *m.* hygromètre *m.*
vocht'vlek *v.(m.)* mouillure *f.*
vocht'vrij *b.n.* hydrofuge.
vocht'weger *m.* pèse-liqueur*; alcoomètre *m.*
vocht'werend *b.n.* hydrofuge.
vod *o. en v.(m.)*, **vod'de** *v.(m.)* **1** chiffon *m.*; **2** (*v. gescheurde kleren*) loque *f.*, haillon *m.*; ***iem. achter de —den zitten,*** talonner qn., surveiller qn. de près; ***een —je papier,*** un chiffon de papier.
vod'degoed *o.* camelote *f.*, rebut *m.*
vod'denbak *m.* boîte *f.* aux chiffons.
vod'denkoper *m.* chiffonnier *m.*
vod'denmand *v.(m.)* panier *m.* aux chiffons.
vod'denmarkt *v.(m.)* friperie *f.*
vod'denraper *m.* chiffonnier *m.*
vod'dewerk *o.* bousillage, fatras *m.*
vod'dig *b.n.* **1** en haillons, en lambeaux; **2** (*v. waren*) de rebut; **3** (*fig.: vuil, slordig*) sale, déguenillé.
voe'den I *ov.w.* **1** nourrir; **2** (*v. vuur, machine, kas*) alimenter; **3** (*v. klein kind*) allaiter; **II** *on.w.* nourrir, être nourrissant; **III** *w.w.*, ***zich — (met),*** se nourrir (de).
voe'dend *b.n.* nourrissant, nutritif.
voe'der *o.* **1** (*alg.*) nourriture; pâture *f.*; **2** (*v. vee*) fourrage *m.*; **3** (*v. vogels, enz.*) mangeaille *f.*
voe'derbakje *o.* mangeoire *f.*
voe'derbeet, -biet *v.(m.)* betterave *f.* fourragère.
voe'deren *ov.w.* donner à manger (à).
voe'dergewas *o.* plante *f.* fourragère.
voe'dering *v.* pâture *f.*; affouragement *m.*
voe'derkrib *v.(m.)* mangeoire *f.*
voe'dertrog *m.* auge *f.*
voe'derzak *m.* musette*-mangeoire* *f.*
voe'ding *v.* **1** (*voedsel*) nourriture *f.*; **2** (*tn.*) alimentation *f.*; **3** (*het voeden*) nutrition *f.*; alimentation *f.*; **4** (*el.*) entretien *m.*
voe'dingsbestanddeel *o.* principe *m.* nutritif.

voe'dingsbodem *m.* 1 bouillon *m.* de culture, fond *m.* —; 2 (*fig.*) terrain *m.* tout préparé.
voe'dingsbuis *v.*(*m.*) tuyau *m.* alimentaire.
voe'dingsdraad *m.* (*el.*) câble *m.* d'alimentation.
voe'dingsgewassen *mv.* plantes *f.pl.* fourragères, — alimentaires.
voe'dingskanaal *o.* canal *m.* d'amenée.
voe'dingskraan *v.*(*m.*) robinet *m.* d'alimentation, — alimentaire.
voe'dingsleer *v.*(*m.*) diététique *f.*, théorie *f.* de la nutrition.
voe'dingsmiddel *o.* substance *f.* alimentaire.
voe'dingsproces *o.* assimilation *f.*
voe'dingsprodukt *o.* produit *m.* alimentaire.
voe'dingssap *o.* suc *m.* nourricier; sève *f.*
voe'dingsstof *v.*(*m.*) substance *f.* alimentaire.
voe'dingsstoornis *v.* trouble *m.* de la nutrition.
voe'dingsvraagstuk *o.* problème *m.* alimentaire.
voe'dingswaarde *v.* valeur (*of* vertu) *f.* nutritive.
voed'sel *o.* 1 nourriture *f.*; aliment *m.*; 2 (*v. vogels, wilde dieren*) pâture *f.*
voed'selpakket *o.* colis *m.* alimentaire.
voed'selvoorziening *v.* ravitaillement *m.*
voed'ster *v.* nourrice *f.*, mère *f.* nourricière.
voed'sterkind *o.* nourrisson *m.*
voed'stervader *m.* (père) nourricier *m.*
voed'zaam *b.n.* nourrissant, nutritif; substantiel.
voed'zaamheid *v.* valeur *f.* nutritive, nutritivité *f.*
voeg *v.*(*m.*) 1 joint *m.*, jointure *f.*; 2 (*v. schip: naad*) couture *f.*; ***in dier —e dat,*** de telle façon que.
voe'gen I *ov.w.* 1 (*metselwerk*) jointoyer, jointer; 2 (*verbinden: v. delen*) joindre, assembler; 3 ***— bij,*** joindre à; II *on.w.*, (*passen, betamen*) convenir, être convenable; III *w.w.*, ***zich — naar,*** se conformer à; s'accommoder à; ***zich — bij,*** se joindre à, rejoindre.
voe'ger *m.* jointoyeur *m.*
voeg'ijzer *o.* fiche *f.*
voe'ging *v.* jointoiement *m.*
voeg'kalk *m.* couvre-joint* *m.*
voeg'lijk I *b.n.* convenable; II *bw.* convenablement.
voeg'lijkheid *v.* convenance *f.*
voeg'woord *o.* conjonction *f.*
voeg'zaam(heid), *zie* ***voeglijk(heid).***
voel'baar *b.n.* 1 sensible; 2 (*tastbaar*) palpable.
voel'baarheid *v.* perceptibilité *f.*
voe'len I *ov.w.* 1 (*gevoelen*) sentir; 2 (*v. vreugde, haat, enz.*) ressentir; 3 (*v. medelijden, enz.*) éprouver; 4 (*tasten*) toucher, tâter, palper; ***iem. de pols —,*** tâter le pouls à qn.; ***ik voel er weinig voor,*** cela ne me dit pas grand-chose, cela ne me dit guère; II *on.w.*, ***— naar iets,*** chercher qc. à tâtons; ***in zijn zakken —,*** fouiller dans ses poches; III *w.w.*, ***zich —,*** 1 se sentir; 2 (*fig.*) avoir une haute opinion de soi-même.
voel'hoorn, -horen *m.* tentacule *m.*; ***zijn —s uitsteken,*** sonder le terrain.
voe'ling *v.* contact *m.*; ***— houden met iem.,*** se concerter avec qn.; rester en contact avec qn.
voel'spriet *m.* tentacule *m.*, antenne *f.*
voer *o.* 1 *zie* ***voeder***; 2 (*wagenvracht: v. hooi*) charretée *f.*; (*v. hout*) voie *f.*
voer'der *m.* conducteur *m.*
voe'ren *ov.w.* 1 (*vervoeren*) transporter; 2 (*leiden*) conduire, mener; 3 (*met voering*) doubler; 4 (*bont*) fourrer; 5 (*v. naam, titel*) porter; 6 (*voederen*) nourrir, donner à manger (à); ***het woord —,*** parler; ***het bevel —,*** commander; ***de pen —,*** tenir la plume; ***oorlog —,*** faire la guerre.
voe'ring *v.* doublure *f.*
voe'ringkatoen *o. en m.* toile *f.* de coton forte, coton *m.* pour doublure(s).
voe'ringstof *v.*(*m.*) étoffe *f.* pour doublure.
voer'loon *o.* (frais *m.*(*pl.*) de) roulage, — camionnage *m.*
voer'man *m.* charretier, voiturier, roulier *m.*
voer'taal *v.*(*m.*) langue *f.* véhiculaire, véhicule *m.*
voer'tuig *o.* véhicule *m.*
voer'wezen *o.* moyens *m.pl.* de transport.
voet *m.* 1 pied *m.*; 2 (*v. standbeeld*) piédestal *m.*; 3 (*v. zuil*) base *f.*; ***te —,*** à pied; ***op de — volgen,*** suivre de près; ***zich uit de —en maken,*** déguerpir, filer; ***op grote — leven,*** mener grand train; ***op goede — met iem. staan,*** être en bons termes avec qn.; ***geen — buiten de deur zetten,*** ne pas mettre le nez dehors; ***op de — volgen,*** suivre de près, serrer —; ***op vrije —en stellen,*** mettre en liberté, relâcher; ***op staande —,*** sur-le-champ, au pied levé; d'urgence; ***met —en treden,*** fouler aux pieds; ***iem. onder de — lopen,*** renverser qn.; ***iem. te — vallen,*** se jeter (*of* tomber) aux pieds de qn.; ***op gelijke —,*** sur le même pied, sur un pied d'égalité; ***— bij stuk houden,*** tenir bon, tenir pied à boule; ***aan de — van de bladzijde,*** au bas de la page; ***— aan wal zetten,*** mettre pied à terre; ***op de — van 4 ten honderd,*** au taux de 4 pour cent; ***op gespannen — met iem. staan,*** avoir des rapports tendus avec qn.; ***geen — verzetten,*** ne pas bouger d'une semelle, ne pas remuer les pieds; ***met handen en —en gebonden,*** pieds et poings liés; ***iem. iets voor de —en werpen,*** reprocher qc. à qn.; ***iem. de — dwars zetten,*** contrarier qn., contrecarrer qn.
voet'angel *m.* chausse-trape* *f.*; ***hier liggen —s en klemmen,*** il y a des pièges (à loup); ***bezaaid met — s en klemmen,*** semé d'embûches.
voet'bad *o.* bain *m.* de pied(s).
voet'bal *m.* football *m.*; ballon *m.*
voet'balclub, -klub *v.*(*m.*) club *m.* de footballeurs.
voet'balelftal *o.* équipe *f.*, onze *m.*
voet'balklub, *zie* ***voetbalclub.***
voet'ballen *on.w.* jouer au football.
voet'balpool *m.* pool *m.* de football, toto *m.*
voet'balschoenen *mv.* bottines *f.pl.* de football.
voet'balspel *o.* football *m.*
voet'balspeler *m.* footballeur *m.*, joueur *m.* de football.
voet'baluitslagen *mv.* résultats *m.pl.* de championnat (de football).
voet'balveld *o.* terrain *m.* de football.
voet'balwedstrijd *m.* match *m.* de football.
voet'bankje, voeten'bankje *o.* 1 (petit) tabouret *m.*; 2 (*v. schoenpoetser*) sellette *f.*
voet'boog *m.* arbalète *f.*
voet'boogschutter *m.* arbalétrier *m.*
voet'breed *o.* largeur *f.* du pied; ***geen — wijken,*** ne pas reculer (*of* céder) d'une semelle.
voet'brug *v.*(*m.*) passerelle *f.*
voet'(en)bankje, *zie* ***voetbankje.***
voet'(en)eind(e) *o.* pied *m.* du lit.
voet'(en)kussen *o.* carreau *m.*; coussin *m.* (pour les pieds).
voet'(en)schrapper *m.* décrottoir *m.*
voe't(en)zak *m.* chancelière *f.*
voet'ganger *m.* piéton *m.*
voet'gangersoversteekplaats *v.*(*m.*) passage *m.* clouté.
voet'gewricht *o.* articulation *f.* du pied.
voet'je *o.* petit pied *m.*; ***— voor —,*** pas à pas, pied à pied; ***een wit — hebben bij iem.,*** être dans les bonnes grâces de qn., être bien en cour auprès de qn.

voet'jicht *v.(m.)* podagre *f.*, goutte *f.* (aux pieds).
voet'klavier *o.* (*muz.*) pédale *f.*, pédalier *m.*
voet'kleed *o.* couvre-pieds, plaid *m.*
voet'knecht *m.* (*mil.*) fantassin *m.*
voet'kus *m.* (*kath.*) baisepieds *m.*; baisement *m.* du pied.
voet'kussen, *zie* ***voetenkussen.***
voet'licht *o.* rampe *f.*; ***voor 't — komen,*** **1** voir les feux de la rampe; **2** (*fig.*) débuter; ***een stuk voor 't — brengen,*** monter une pièce de théâtre.
voet'mat *v.(m.)* paillasson *m.*
voet'noot *v.(m.)* renvoi *m.*, note *f.* au bas de la page, note courante.
voet'pad *o.* **1** (*in tuin, enz.*) sentier *m.*; **2** (*op straat*) trottoir *m.*
voet'pomp *v.(m.)* pompe *f.* avec pied.
voet'punt *o.* **1** (*v. loodlijn*) pied *m.*; **2** (*sterr.*) nadir *m.*
voet'reis *v.(m.)* voyage *m.* à pied.
voet'reiziger *m.* voyageur *m.* à pied.
voet'rem *v.(m.)* frein *m.* à pédale.
voet'riem *m.* sous-pied* *m.*
voet'schrapper, *zie* ***voetenschrapper.***
voet'spoor *o.* trace *f.*; vestige *m.*; ***iemands — volgen,*** marcher sur les traces de qn.
voet'stap *m.* **1** pas *m.*; **2** (*fig.*) trace *f.*
voet'steun *m.* repose-pied* *m.*
voet'stoots *bw.* **1** immédiatement; **2** (*H.*) à forfait; en bloc; ***— aannemen,*** accepter d'emblée; ***— verkopen,*** vendre en bloc.
voet'stuk *o.* piédestal, socle *m.*
voet'val *m.* prosternation, génuflexion *f.*; ***een — doen voor,*** se jeter aux pieds de, se prosterner devant.
voet'veeg *m. en v.* essuie-pieds *m.*; ***iemands — zijn,*** ramper devant qn., être l'esclave de qn.
voet'volk *o.* (*mil.*) infanterie *f.*
voet'vrij *b.n.* (*v. rok*) trotteur.
voet'wassing *v.* lavement *m.* des pieds.
voet'wortel *m.* tarse *m.*
voet'zak, *zie* ***voetenzak.***
voet'zoeker *m.* pétard *m.*
voet'zool *m.* **1** plante *f.* du pied; **2** sandale *f.*
vo'gel *m.* oiseau *m.*; ***een slimme —,*** un fin matois, un rusé compère; ***één — in de hand is beter dan tien in de lucht,*** un tiens vaut mieux que deux tu l'auras; ***men kent de — aan zijn veren,*** on connaît l'arbre à ses fruits; le plumage fait l'oiseau.
vo'gelaar *m.* oiseleur *m.*
vo'gelbakje *o.* auget *m.*
vo'gelen *on.w.* oiseler.
vo'gelfluitje *o.* pipeau, appeau *m.*
vo'gelgekweel *o.* chant *m.* des oiseaux, ramage *m.*
vo'gelhandelaar *m.* oiselier *m.*
vo'gelkenner *m.* ornithologiste, ornithologue *m.*
vo'gelkers *v.(m.)* **1** merise *f.*; **2** merisier *m.*
vo'gelknip *v.(m.)* trébuchet *m.*
vo'gelkooi *v.(m.)* cage *f.*
vo'gelkoopman *m.* oiselier *m.*
vo'gelkunde *v.* ornithologie *f.*
vo'gelkundige, *zie* ***vogelkenner.***
vo'gelkweker *m.* aviculteur *m.*
vo'gellijm *m.* **1** glu *f.*; **2** (*Pl.*) gui *m.*
vo'gelmarkt *v.(m.)* marché *m.* aux oiseaux.
vo'gelnest *o.* nid *m.* d'oiseau.
vo'gelnet *o.* filet *m.* d'oiseleur.
vo'gelperspectief, -perspektief *o.* perspective *f.* à vol d'oiseau.
vo'gelschieten *o.* tir *m.* à l'oiseau.
vo'gelslag *o. en m.* trébuchet *m.*
vo'gelteelt *v.(m.)* aviculture *f.*
vo'geltje *o.* petit oiseau, oiselet *m.*; ***ieder — zingt zoals het gebekt is,*** chacun parle à sa manière.
vo'geltjeszaad *o.* graine *f.* d'oiseau, millet *m.*; ***zwart —,*** colza *m.*, semence *f.* de colza.
vo'geltrek *m.* migration *f.* des oiseaux.
vo'gelvanger *m.* oiseleur *m.*
vo'gelverschrikker *m.* épouvantail *m.*
vo'gelvlucht *v.(m.)*, ***in —,*** à vol d'oiseau.
vo'gelvrij *b.n.* hors la loi, proscrit; ***— verklaren,*** mettre hors la loi, proscrire.
vo'gelvrijverklaarde *m.* proscrit *m.*
vo'gelvrijverklaring *v.* proscription *f.*
vo'gelwichelaar *m.* augure, auspice *m.*
vo'gelzaad *o.* millet; chènevis *m.*
Voge'zen *mv.* Vosges *f.pl.*; ***uit de —,*** vosgien.
voi'le *m.* voilette *f.*
vokaal', *zie* ***vocaal.***
vo'katief, vo'catief *m.* vocatif *m.*
vol *b.n.* **1** (*niet leeg*) plein; **2** (*gevuld*) rempli; **3** (*v. tram, bus, enz.*) au complet; **4** (*v. maat, zaal*) comble; **5** (*v. melk*) entier; **6** (*v. wang*) rond; ***een — jaar,*** toute une année; ***hij is —le 75 jaar,*** il a 75 ans bien sonnés; ***— moeilijkheden,*** hérissé de difficultés; ***—le neef,*** cousin germain; ***het seizoen is in —le gang,*** la saison bat son plein ***uit —le borst zingen,*** chanter à gorge déployée; ***hij draagt een —le baard,*** il porte toute sa barbe; ***iem. voor — aanzien,*** prendre qn. au sérieux traiter qn. comme une grande personne; ***— gieten,*** remplir; ***het getal — maken,*** compléter le nombre; ***iedereen is er — van,*** tout le monde en parle; ***bij zijn —le verstand zijn,*** avoir toute sa raison; ***—le melk,*** lait entier; ***—le aflaat,*** (*kath.*) indulgence plénière.
vol'belast *b.n.* en pleine charge.
vol'bloed I *b.n.* pur sang; **II** *z.n.*, *m.* pur-sang *m.*
volbloe'dig *b.n.* sanguin.
vol'boeken *ov.w.* faire son plein de voyageurs.
vol'bouwen *ov.w.* bâtir complètement.
volbren'gen *ov.w.* **1** (*v. werk: uitvoeren*) exécuter; **2** (*v. plicht*) remplir; **3** (*v. taak*) s'acquitter de; **4** (*voleindigen*) consommer; ***het is volbracht,*** tout est consommé.
volbren'ging *v.* **1** exécution *f.*; **2** accomplissement *m.*; **3** consommation *f.*
voldaan' *b.n.* **1** (*tevreden*) content, satisfait; **2** (*betaald*) payé, acquitté; **3** (*onder rekening*) pour acquit; ***voor — tekenen,*** acquitter.
voldaan'heid *v.* contentement *m.*, satisfaction *f.*
vol'doen *ov.w.* remplir.
voldoen' I *ov.w.* **1** (*tevreden stellen*) contenter, satisfaire; **2** (*betalen*) payer, acquitter; **3** (*voor voldaan tekenen*) acquitter; **II** *on.w.* **1** (*voldoende zijn*) suffire; **2** (*voldoening schenken*) satisfaire; donner satisfaction; ***aan een bevel —,*** obtempérer à un ordre; ***aan de verwachting —,*** répondre à l'attente; ***aan een verzoek —,*** accorder une demande, donner suite à une demande; ***aan zijn verplichtingen —,*** faire face à ses obligations; ***een rekening —,*** régler un compte.
voldoend'(e) I *b.n.* **1** suffisant; **2** satisfaisant; **3** (*op school*) passable; ***dat is meer dan —,*** c'est plus qu'il ne faut; **II** *bw.* **1** suffisamment; **2** d'une manière satisfaisante.
voldoe'ning *v.* **1** contentement *m.*, satisfaction *f.*; **2** paiement, acquittement *m.*; **3** (*voor zonden*) expiation; ***ter — van,*** en règlement de.
voldon'gen *b.n.* avéré, démontré; ***— feit,*** fait accompli.
voldra'gen I *ov.w.* porter jusqu'au terme; **II** *b.n.* **1** né à terme; **2** (*fig.: v. werk*) mûri.
volein'd(ig)en *ov.w.* achever, terminer, accomplir.
volein'ding *v.* achèvement, accomplissement *m.*

volfourne'ren *ov.w.* libérer entièrement.
volgaar'ne *bw.* avec plaisir, bien volontiers.
volg'auto *m.* voiture *f.* de suite, — d'escorte, (voiture) suiveuse *f.*
volg'briefje *o.* laissez-passer *m.*
volg'cijfer *o.* numéro *m.* d'ordre.
vol'geling *m.* **1** (*leerling*) disciple *m.*; **2** (*aanhanger*) partisan *m.*
vol'gen I *ov.w.* **1** suivre; **2** (*v. voorbeeld*) imiter; **3** (*zich regelen naar: mode, enz.*) se conformer à; ***zijn eigen hoofd —,*** en faire à sa tête; **II** *on.w.* suivre; ***als volgt,*** comme suit, en ces termes; ***— op,*** succéder à; ***op elkaar —,*** se succéder, se suivre; ***hij liet er op — dat,*** il ajouta que; ***hieruit volgt,*** il en résulte, il (s'en)suit de là; ***wie volgt?*** à qui le tour? le suivant!
vol'gend *b.n.* **1** (*in verleden of toekomst*) suivant; **2** (*na heden, na thans*) prochain; ***de —e dag,*** le lendemain; ***de —e keer,*** la prochaine fois.
vol'gende I *o.* ce qui suit; **II** *m.-v.* suivant *m.*, —e *f.*
vol'genderwijs, -wijze *b.w.* comme suit, de la façon suivante.
vol'gens *vz.* suivant, selon, d'après.
vol'gepropt *b.n.* bourré, encombré (de).
vol'gestort *b.n.* **1** (*v. kapitaal*) entièrement versé; **2** (*v. aandeel*) entièrement libéré.
volg'nummer *o.* numéro *m.* d'ordre.
vol'gooien *ov.w.* remplir, combler.
volg'orde *v.(m.)* ordre *m.*, succession *f.*; ***in —,*** à la suite. [(voiture) suiveuse *f.*
volg'rijtuig *o.* voiture *f.* de suite, — d'escorte,
volgroeid' *b.n.* **1** (*v. vrucht*) mûr; **2** (*v. plant*) de pleine venue; **3** (*v. insekt*) parfait.
volg'trein *m.* train *m.* supplémentaire, — bis.
volg'wagen *m.* (*v. tram*) baladeuse *f.* [ment.
volg'zaam I *b.n.* docile, obéissant; **II** *bw.* docile-
volg'zaamheid *v.* docilité, obéissance *f.*
volhan'dig *b.n.* surchargé (d'affaires), très affairé.
volhar'den *on.w.* persévérer, persister.
volhar'dend *b.n.* persévérant, persistant, tenace.
volhar'ding *v.* persévérance *f.*
volhar'dingsvermogen *o.* inertie *f.*
vol'heid *v.* **1** plénitude *f.*; **2** (*v. wangen*) rondeur, ampleur *f.*
vol'houden I *ov.w.* **1** (*v. bewering*) maintenir; **2** (*v. poging*) soutenir; **3** (*v. onschuld*) protester de; **4** (*v. rol*) rester dans; ***iets hardnekkig —,*** s'opiniâtrer à qc.; **II** *on.w.* persévérer, persister; ***tot het uiterste —,*** tenir jusqu'au bout.
volij'verig I *b.n.* plein de zèle, diligent; **II** *bw.* avec (beaucoup de) zèle, diligemment, assidûment.
volk *o.* **1** (*natie*) peuple *m.*, nation *f.*; **2** (*menigte, mensen*) monde *m.*, foule *f.*, gens *m.pl.*; **3** (*arbeiders*) ouvriers *m.pl.*; ***het gemene —,*** le bas peuple, la populace, la plèbe; ***onder eigen —,*** en famille.
vol'kenbeschrijving *v.* ethnographie *f.*
vol'kenbond *m.* Société *f.* des Nations.
vol'kenkunde *v.* ethnologie *f.*
vol'kenrecht *o.* droit *m.* des gens, — international.
vol'kenrechtelijk *b.n.* de droit international.
volk'je *o.* petit peuple, petit monde *m.*; ***het jonge —,*** la jeunesse, le petit monde; ***een raar —,*** de drôles de gens.
volko'men I *b.n.* **1** (*geheel, volledig*) entier, complet; **2** (*volmaakt*) parfait; **II** *bw.* **1** entièrement, complètement; **2** parfaitement.
volko'menheid *v.* perfection *f.*
volk'rijk *b.n.* populeux, (très) peuplé. [tional.
volks—, 1 populaire, public; **2** du peuple; **3** na-
volks'aard *m.* **1** (*eigenaardigheid v. volk*) caractère *m.* national; **2** (*landaard, nationaliteit*) nationalité *f.*
volks'bad *o.* bain *m.* populaire, — public.
volks'belang *o.* intérêt *m.* public.
volks'beschaving *v.* culture *f.* nationale; — populaire.
volks'bestaan *o.* existence *f.* nationale.
volks'beweging *v.* mouvement *m.* populaire.
volks'bibliot(h)eek *v.* bibliothèque *f.* populaire.
volks'bijeenkomst *v.* meeting *m.*; réunion *f.* populaire.
volks'buurt *v.(m.)* quartier *m.* populeux.
volks'commissariaat, -kommissariaat *o.* commissariat *m.* du peuple.
volks'commissaris, -kommissaris *m.* commissaire *m.* du peuple.
volks'concert, -koncert *o.* concert *m.* populaire.
volks'dans *m.* danse *f.* régionale, — folklorique.
volks'dansen *on.w.* exécuter une danse régionale.
volks'democratie, -demokratie *v.* démocratie *f.* populaire.
volks'dichter *m.* **1** poète *m.* national; **2** chansonnier *m.* populaire, poète *m.* —.
volks'dracht *v.(m.)* costume *m.* national.
volks'drank *m.* boisson *f.* nationale.
volks'feest *o.* fête *f.* populaire. [nationale.
volks'gebruik *o.* usage *m.* populaire; coutume *f.*
volks'geloof *o.* croyance *f.* populaire.
volks'gezondheid *v.* salubrité *f.* publique, hygiène *f.* —.
volks'gunst *v.* popularité *f.*, faveur *f.* publique.
volks'heid *v.* racisme *m.* [laire.
volks'hogeschool *v.(m.)* école *f.* supérieure popu-
volks'huis *o.* maison *f.* du peuple.
volks'huishoudkunde *v.* économie *f.* sociale.
volks'huisvesting *v.* logement *m.* du peuple.
volks'inkomen *o.* revenu *m.* national.
volks'instelling *v.* **1** institution *f.* nationale; **2** institution *f.* sociale.
volks'karakter *o.* caractère *m.* national, — racial, — du peuple.
volks'klas(se) *v.* classe *f.* du peuple; ***een man uit de —,*** un homme du peuple.
volkskommiss-, *zie* ***volkscommiss-.***
volks'koncert, -concert *o.* concert *m.* populaire.
volks'kunde *v.* folklore *m.*
volks'leger *o.* armée *f.* nationale; milice *f.* [*m.*
volks'leider *m.* meneur *m.* du peuple, démagogue
volks'lied *o.* **1** (*officieel*) hymne *m.* national; **2** (*liedje*) chanson *f.* populaire.
volks'meisje *o.* fille *f.* du peuple.
volks'menigte *v.* foule, multitude *f.*
volks'menner *m.* démagogue *m.*, meneur *m.* du peuple.
volks'mond *m.*, ***de —,*** le parler populaire; ***zoals de — zegt, zoals het in de — heet,*** comme dit le peuple.
volks'onderwijs *o.* instruction *f.* publique.
volks'ontwikkeling *v.* instruction *f.* populaire.
volks'oploop *m.* rassemblement *m.*
volks'oproer *o.* émeute, sédition *f.*
volks'overlevering *v.* légende *f.*
volks'partij *v.* parti *m.* populiste.
volks'planting *v.* colonie *f.*
volks'redenaar *m.* orateur *m.* populaire, tribun *m.*
volks'regering *v.* démocratie *f.*
volks'republiek *v.* république *f.* populaire.
volks'school *v.(m.)* école *f.* primaire, — publique.
volks'soevereiniteit *v.* souveraineté *f.* du peuple.
volks'spraak *v.(m.)* langage *m.* populaire.
volks'stam *m.* tribu; peuplade *f.*
volks'stem *v.(m.)* voix *f.* du peuple.
volks'stemming *v.* plébiscite, referendum *m.*

volks'taal *v.(m.)* **1** (*v. het land*) langue *f.* nationale; **2** (*v. het lagere volk*) langue *f.* vulgaire; langage *m.* populaire.
volks'telling *v.* recensement *m.*
volks'tuintje *o.* jardin *m.* ouvrier.
volks'uitdrukking *v.* terme *m.* populaire.
volks'uitgave *v.(m.)* édition *f.* populaire.
volks'universiteit *v.* université *f.* populaire.
volks'vergadering *v.* assemblée *f.* nationale.
volks'verhuizing *v.* migration *f.*
volks'vermaak *o.* amusement *m.* populaire, divertissement *m.* —.
volks'vertegenwoordiger *m.* représentant *m.* du peuple, député *m.*
volks'vertegenwoordiging *v.* représentation *f.* [nationale.
volks'vijand *m.* ennemi *m.* du peuple.
volks'vlijt *v.(m.)* industrie *f.* nationale.
volks'voeding *v.* alimentation *f.* du peuple.
volks'voorstelling *v.* représentation *f.* populaire.
volks'vriend *m.* ami *m.* du peuple.
volks'welvaart *v.(m.)* prospérité *f.* populaire.
volks'wil *m.* volonté *f.* du peuple.
volks'woede *v.(m.)* fureur *f.* populaire, — de la populace.
volks'zaak *v.(m.)* magasin *m.* populaire.
volks'zang *m.* chant *m.* populaire.
volle'dig I *b.n.* **1** complet; **2** (*algeheel*) intégral; **II** *bw.* **1** complètement; **2** intégralement.
volle'digheid *v.* **1** état *m.* complet; **2** intégrité *f.*
volle'digheidshalve *bw.* pour être complet.
volleerd' *b.n.* **1** (*ervaren, bedreven*) versé, perfectionné; **2** (*doorkneed*) consommé; **3** (*doortrapt*) fieffé.
vollemaans'gezicht *o.* visage *m.* de pleine lune.
vol'leyballen *on.w.* jouer au volley-ball.
vol'lopen *on.w.* se remplir.
volmaakt' I *b.n.* **1** parfait; **2** (*ong.*) accompli, achevé, consommé; **II** *bw.* parfaitement.
volmaakt'heid *v.* perfection *f.*
vol'macht *v.(m.)* **1** pleins pouvoirs *m.pl.*; **2** (*H.*) procuration *f.*; ***blanco* —, 1** blanc seing *m.*; **2** (*fig.*) carte *f.* blanche; ***onbeperkte* —,** pouvoirs illimités.
vol'machtbrief *m.* procuration *f.*, mandat *m.*
vol'machtgever *m.* mandant *m.*
vol'machthebber *m.* mandataire *m.*, fondé *m.* de pouvoir.
vol'machtigen *ov.w.* autoriser, donner plein(s) pouvoir(s) à.
vol'maken *ov.w.* remplir.
volma'ken *ov.w.* **1** perfectionner; **2** (*voltooien*) achever.
volma'king *v.* **1** perfectionnement *m.*; **2** achèvement *m.*
volmon'dig I *b.n.* franc; **II** *bw.* franchement, sans réserve.
volontair' *m.* volontaire, stagiaire (non-payé) *m.*
volop' *bw.* en abondance; à souhait, à discrétion; (*eten*) copieusement.
vol'proppen *ov.w.* bourrer, rembourrer; gaver.
vol'schenken, vol'scheppen, vol'schrijven *ov.w.* remplir.
volsla'gen I *b.n.* complet; achevé; — ***gek,*** triple sot; **II** *bw.* complètement.
volstaan' *on.w.* suffire.
vol'stoppen I *ov.w.* bourrer (de); **II** *w.w.*, ***zich* —,** se bourrer, se gaver.
vol'storten *ov.w.* **1** (*v. gracht, enz.*) remplir; **2** (*H.: v. aandeel*) libérer; **3** (*v. kapitaal*) verser entièrement.
vol'storting *v.* **1** remplissage *m.*; **2** libération *f.* intégrale; **3** versement *m.* intégral.
volstrekt' I *b.n.* absolu; **II** *bw.* absolument; — ***niet,*** nullement, point du tout.
vol'stromen *on.w.* se remplir.
volt *m.* (*el.*) volt *m.*
volta'ge *v. en o.* voltage *m.*
voltal'lig *b.n.* complet; — ***zijn,*** être au (grand) complet; — ***maken,*** compléter.
vol'tameter *m.* voltamètre *m.*
vol'te I *v.* **1** (*volheid*) plénitude *f.*; **2** (*gedrang, menigte*) presse, foule *f.*; **II** *v.(m.)* **1** (*zwenking*) volte *f.*; **2** (*kaartsp.*) tour *m.* de cartes; ***de* — *slaan,*** faire sauter la coupe.
volte'kenen *ov.w.* couvrir; souscrire entièrement.
voltige'ren *on.w.* voltiger.
voltooi'en *ov.w.* achever, terminer; ***voltooid tegenwoordige tijd,*** passé *m.* indéfini; ***voltooid verleden tijd,*** plus-que-parfait *m.*
voltooi'ing *v.* achèvement *m.*
vol'treffer *m.* **1** coup *m.* de plein fouet; **2** (*mil.*) coup *m.* direct.
voltrek'ken *ov.w.* **1** exécuter, accomplir; **2** (*v. huwelijk*) consacrer; **3** (*v. plechtigheid*) célébrer; **4** (*v. vonnis*) exécuter.
voltrek'king *v.* **1** exécution *f.*, accomplissement *m.*; **2** consécration *f.*; **3** célébration *f.*
voluit' *bw.* en toutes lettres.
volu'me *o.* volume *m.*
volu'meregelaar *m.* contrôle *m.* de volume.
vol'vet *b.n.* gras, double crème; —***te kaas,*** fromage *m.* double crème.
volvoer'der *m.* exécuteur *m.*
volvoe'ren *ov.w.* **1** exécuter, effectuer; **2** (*v. misdaad*) perpétrer.
volvoe'ring *v.* **1** exécution *f.*; **2** perpétration *f.*
volwaar'dig *b.n.* valide, sans déficience physique.
volwas'sen *b.n.* **1** adulte; **2** (*v. zoon, dochter*) grand.
volwas'sene *m.-v.* adulte *m.-f.*, grande personne *f.*; ***school voor* —*n,*** cours *m.* de répétition.
volwich'tig *b.n.* **1** (*v. munt*) trébuchant; **2** (*v. koopwaar*) de poids; **3** (*fig.: v. reden*) sérieux, valable.
vol'zin *m.* proposition, phrase *f.*
von'deling *m.* enfant *m.* trouvé; ***te* — *leggen,*** exposer.
von'delingenhuis *o.* hospice *m.* des enfants trouvés.
von'der *m.* passerelle, planche *f.*
vondst *v.* trouvaille *f.*
vonk *v.(m.)* étincelle *f.*
von'kelen *on.w.* étinceler.
von'keling *v.* étincellement *m.*
von'ken *on.w.* **1** étinceler; **2** (*el.*) cracher des étincelles.
von'kenbrug *v.(m.)* pont *m.* d'étincelles.
von'kenscherm *o.*, **von'kenvanger** *m.* pare-étincelles *m.*
vonk'je *o.* étincelle *f.*
vonk'ontlading *v.* décharge *f.* électrique.
vonk'vrij *b.n.* sans étincelles, de sûreté.
von'nis *o.* jugement, arrêt *m.*, sentence *f.*
von'nissen *ov.w.* juger, condamner, prononcer un arrêt sur.
vont *v.(m.)* (*doop*—) fonts *m.pl.* baptismaux.
vont'water *o.* eau *f.* baptismale.
voogd *m.* tuteur *m.*
voogdes' *v.* tutrice *f.*
voogdij' *v.* tutelle *f.*
voogdij'kind *o.* enfant *m.* assisté.
voogdij'raad *m.* conseil *m.* de tutelle.
voogdij'schap *o.* tutelle *f.*
voor I *vz.* **1** (*v. tijd*) avant; **2** (*v. plaats*) devant; **3** (*bestemming, doel, ruil, enz.*) pour; ***vóór drie***

weken, il y a trois semaines; — ***altijd,*** pour toujours, à jamais; — ***het venster zitten,*** être assis à la fenêtre; ***een — een,*** un à un; ***bladzijde — bladzijde,*** page par page; ***de dag — hun huwelijk,*** la veille de leur mariage; ***dat ligt — de hand,*** c'est tout naturel; — ***ernst opnemen,*** prendre au sérieux; — ***de notaris,*** par-devant notaire; **II** *bw.*, ***mijn horloge is —,*** ma montre avance; — ***wonen,*** demeurer sur le devant; ***de een —, de andere na,*** l'un après l'autre; ***de auto is —,*** l'auto est avancée; ***ik ben er niet —,*** je suis contre; ***iem. — zijn,*** devancer qn.; — ***en na,*** tout le temps; **III** *z.n., o.*, ***het — en tegen,*** le pour et le contre; **IV, vo're** *v.(m.)* **1** sillon *m.*; **2** (*fig. in voorhoofd*) ride *f.*

vooraan' *bw.* **1** en tête, devant; **2** (*in boek*) au commencement.

voor'aandrijving *v.* traction *f.* avant.

vooraan'staand *b.n.* en vue, de marque, éminent.

voor'aanzicht *o.* vue *f.* de face.

vooraf' *bw.* d'avance; d'abord, avant tout.

vooraf'beelding *v.* préfiguration *f.*

vooraf'betaling *v.* paiement *m.* fait d'avance, paiement *m.* anticipé.

vooraf'gaan *ov.w. en on.w.* précéder.

vooraf'gaand *b.n.* **1** précédent, antérieur (à); **2** (*v. besprekingen, enz.*) préalable, préliminaire.

vooral' *bw.* surtout, avant tout.

vooraleer' *vw.* avant que.

vooralsnog' *bw.* jusqu'à présent.

voor'arbeid *m.* travail *m.* préparatoire.

voor'arm *m.* avant-bras *m.*

voor'arrest *o.* détention *f.* préventive.

voor'as *v.(m.)* essieu *m.* avant.

voor'avond *m.* veille *f.*

voor'baat *v.*, ***bij —,*** d'avance; ***bij — mijn dank,*** merci d'avance, mes remercîments anticipés.

voor'balkon *o.* **1** (*v. tram*) plate*-forme* *f.* de devant, — d'avant; **2** (*v. huis*) balcon *m.* de devant.

voor'band *m.* pneu *m.* d'avant.

voor'bank *v.(m.)* (*v. auto*) siège *m.* avant.

voorba'rig I *b.n.* prématuré; **II** *bw.* prématurément.

voorba'righeid *v.* précipitation *f.*, hâte *f.* inconsidérée.

voor'bedacht *b.n.* prémédité; ***met —en rade,*** avec préméditation, de propos délibéré.

voor'bedachtelijk *bw.* de propos délibéré, intentionnellement.

voor'bedachtheid *v.* préméditation *f.*

voor'bede *v.(m.)* intercession, intervention *f.*

voor'beding *o.* condition *f.* préalable, stipulation *f.* —; ***onder — dat,*** à condition que.

voor'bedingen *ov.w.* conditionner, stipuler.

voor'beeld *o.* **1** exemple *m.*; **2** (*tekening; fig.*) modèle *m.*; ***een — nemen aan,*** prendre exemple sur; ***bij —,*** par exemple; ***zelf het — geven,*** prêcher d'exemple.

voorbeel'deloos *b.n.* sans pareil, sans exemple.

voorbeel'dig I *b.n.* exemplaire; **II** *bw.* d'une façon exemplaire, à merveille.

voor'behandeling *v.* traitement *m.* préalable.

voor'behoedend *b.n.* **1** préventif, préservatif; **2** (*gen.*) prophylactique.

voor'behoedmiddel *o.* **1** préservatif *m.*, moyen *m.* préventif; **2** (*gen.*) prophylactique *m.*

voor'behoud *o.* réserve; restriction, réticence *f.*; ***geestelijk —,*** restriction mentale; ***met — van onze rechten,*** sous réserve de nos droits; ***onder gewoon —,*** avec les réserves d'usage.

voor'behouden *ov.w.* réserver.

voor'bereiden *ov.w.* préparer.

voor'bereidend *b.n.* préparatoire.

voor'bereiding *v.* préparation *f.*

voor'bereidselen *mv.* préparatifs *m.pl.*

voor'bericht *o.* avant-propos *m.*, préface *f.*

voor'beschikken *ov.w.* prédestiner.

voor'beschikking *v.* prédestination *f.*

voor'bestemmen *ov.w.* prédestiner.

voor'bestemming *v.* prédestination *f.*

voor'bidden *on.w.* précéder (les fidèles) dans la prière.

voor'biecht *v.(m.)* prière *f.* avant la confession.

voorbij' I *vz.* **1** devant; **2** (*verder dan*) au delà de, plus loin que; — ***de school gaan,*** passer devant l'école; — ***de school wonen,*** demeurer plus loin que l'école; **II** *bw.* passé.

voorbij'gaan I *ov.w.* **1** (*v. persoon, huis, enz.*) passer devant; **2** (*inhalen*) devancer, dépasser; **3** (*overslaan*) omettre, négliger; **4** (*niet spreken over*) passer sous silence; ***met stilzwijgen —,*** passer sous silence; **II** *on.w.* passer; **III** *z.n., o.*, ***in 't —,*** en passant.

voorbij'gaand *b.n.* passager, transitoire.

voorbij'ganger *m.* passant *m.*

voorbij'komen *ov. en on.w.* passer.

voorbij'laten *ov.w.* laisser passer.

voorbij'lopen I *ov.w.* devancer, dépasser; **II** *on.w.* passer; ***elkaar —,*** se croiser.

voorbij'praten *ov.w.*, ***zijn mond —,*** en dire trop.

voorbij'rijden I *on.w.* passer en voiture (en auto, etc.); **II** *ov.w.*, (*v. persoon, wagen, enz.*) dépasser; (*een auto*) doubler; ***elkaar —,*** se doubler, se dépasser.

voorbij'schieten, ***zijn doel —,*** rater son but.

voorbij'snellen I *ov.w.* devancer en courant; **II** *on.w.*, (*v. tijd, enz.*) passer vite, s'écouler rapidement.

voorbij'streven *ov.w.* dépasser, devancer, laisser derrière soi; (*fig.*) dépasser, transcender.

voorbij'stuiven *on.w.* passer en coup de vent, passer en tempête.

voorbij'trekken *on.w.* **1** passer; **2** (*mil.*) défiler.

voorbij'vliegen, *zie* ***voorbijsnellen.***

voorbij'zien *ov.w.* **1** (*niet bemerken*) ne pas voir, ne pas remarquer; **2** (*verwaarlozen*) négliger, laisser passer.

voor'binden *ov.w.* **1** (*v. servet, enz.*) nouer (autour du cou); **2** (*v. schort*) mettre.

voor'bode *m.* **1** avant-coureur* *m.*; **2** (*fig.*) présage *m.*; **3** (*gen.*) prodrome *m.*

voor'bout *m.* épaule *f.*

voor'brengen *ov.w.* **1** faire avancer; **2** (*fig.*) mettre en avant, alléguer.

voor'calculatie, -kalkulatie *v.* calcul *m.* provisoire.

voor'cijferen *ov.w.* montrer (chiffres en main), montrer en calculant.

voor'dansen *on.w.* ouvrir le bal, mener la danse.

voor'danser *m.* premier danseur *m.*

voordat' *vw.* avant que.

voor'deel *o.* **1** (*winst*) bénéfice *m.*; **2** (*profijt, nut*) avantage, profit *m.*; utilité *f.*; ***in uw —,*** à votre avantage; en votre faveur; ***zijn — doen met,*** tirer profit de, profiter de; — ***trekken uit,*** bénéficier de, avoir avantage à; ***ten voordele van,*** en faveur de, au bénéfice de.

voor'deeltje *o.* (petit) bénéfice, revenant-bon *m.*, (bonne) aubaine *f.*

voor'dek *o.* avant-pont* *m.*

voorde'lig *b.n.* **1** (*winstgevend*) avantageux, profitable; (*zeer*) — lucratif; **2** (*goedkoop*) économique; **3** (*gunstig*) favorable; **4** (*v. belegging*) rémunérateur; ***er — uitzien,*** rayonner de santé.

voor'deur *v.(m.)* porte *f.* de la rue, — d'entrée.

voorde'zen *bw.* autrefois, jadis.

voor'dichten *ov.w.* faire accroire.
voordien' *bw.* auparavant.
voor'doen I *ov.w.* **1** (*voorbinden*) mettre; **2** (*vertonen, uitstallen*) présenter, étaler, exposer; **3** (*tonen*) montrer; **II** *w.w.*, ***zich —,*** **1** s'offrir, se présenter, se donner; **2** (*v. kwestie*) se poser; ***zich — als,*** se faire passer pour.
voor'dracht *v.(m.)* **1** (*het voordragen*) déclamation *f.*; **2** (*wijze v. voordragen*) élocution, diction *f.*; **3** (*v. muziek*) interprétation, exécution *f.*; **4** (*lezing*) conférence *f.*; **5** (*v. kandidaten*) proposition, présentation *f.*; liste *f.* de présentations.
voor'drachtavond *m.* récital *m.*
voor'drachtkunst *v.* art *m.* de dire; diction *f.*
voor'drachtkunstenaar *m.* déclamateur *m.*
voor'dragen *ov.w.* **1** (*v. gedicht, enz.*) déclamer, dire; **2** (*muz.*) exécuter, interpréter; chanter; **4** (*v. kandidaat*) proposer, présenter (à la nomination).
voor'drager *m.* déclamateur *m.*
vooreerst' *bw.* **1** d'abord, premièrement; **2** (*voorlopig, vooralsnog*) provisoirement, pour le moment.
voor'gaan I *ov.w.* précéder; marcher devant; **II** *on.w.* **1** passer avant, passer devant; **2** (*voorrang hebben*) avoir la priorité; **3** (*v. uurwerk*) avancer; **4** (*goed voorbeeld geven*) donner l'exemple, prêcher d'exemple; **5** (*prot.: v. dominee*) conduire; ***dames gaan voor,*** honneur aux dames; ***gaat u voor,*** après vous; passez devant, je vous prie; ***goed — doet goed volgen,*** quiconque prêche d'exemple prêche au cœur; bon exemple vaut une leçon.
voor'gaand *b.n.* **1** (*vroeger*) précédent, antérieur; **2** (*laatst verlopen*) passé, dernier.
voor'galerij *v.* véranda *f.* de devant.
voor'ganger *m.* **1** (*in ambt*) prédécesseur, devancier *m.*; **2** (*prot.: in kerk*) pasteur, prédicateur *m.*; **3** (*leider*) chef, guide *m.*; **4** (*fig.: baanbreker*) initiateur *m.*
voor'gebed *o.* (*voor 't eten*) prière *f.* avant le repas, bénédicité *m.*
voor'gebergte *o.* promontoire *m.*
voor'geborchte *o.* limbes *m.pl.*
voor'gebouw *o.* avant-corps *m.*
voor'geleiden *ov.w.* amener.
voor'geleiding *v.*, ***bevel tot —,*** mandat *m.* d'amener.
voor'(ge)meld, voor'(ge)noemd *b.n.* susdit, susmentionné, précité.
voor'genomen *b.n.* projeté.
voor'gerecht *o.* hors-d'œuvre *m.*; entrée *f.*
voor'geschiedenis *v.* **1** préhistoire *f.*; **2** (*v. oorlog, enz.*) origines *f.pl.*
voor'geslacht *o.* ancêtres *m.pl.*
voor'gevel *m.* façade *f.*
voor'geven *ov.w.* **1** (*bij spel*) rendre; **2** (*beweren, voorwenden*) prétendre, prétexter; ***naar hij voorgeeft,*** d'après ses dires.
voor'gevoel *o.* pressentiment *m.*; ***een — hebben,*** pressentir.
voor'gevoelen *ov.w.* pressentir.
voor'gewend *b.n.* feint.
voor'gift *v.(m.)* avantage *m.*; avance *f.*
voor'gisteren *bw.* avant hier.
voorgoed' *bw.* pour de bon, définitivement.
voor'goochelen *ov.w.* faire illusion à.
voor'grond *m.* premier plan, devant *m.*; ***op de — plaatsen,*** mettre en relief, — en évidence, faire ressortir; ***zich op de — plaatsen,*** se mettre en avant, se détacher, se faire remarquer, se mettre en vedette; ***op de — treden,*** monter au premier plan.
voor'hamer *m.* marteau *m.* (à frapper devant), masse *f.* à forger.
voor'hand *v.(m.)* **1** (*v. hand*) carpe *m.*; **2** (*v. paard*) avant-main* *f.*; **3** (*kaartsp.*) main, avant-main *f.*; **4** (*fig.*) préférence, priorité, primauté *f.*; ***aan de — zitten,*** avoir la main; ***op —,*** à titre d'avance.
voorhan'den *b.n.* disponible, en magasin; ***— zijn,*** y avoir; ***niet meer —,*** épuisé.
voor'hang *m.* **1** rideau *m.*, tapisserie *f.*; **2** (*Bijb.: v. tempel*) voile *m.*
voor'hangen *ov.w.* **1** (*v. gordijn*) poser; **2** (*fig.: v. persoon*) présenter, proposer.
voor'hangsel *o.* (*v. tempel*) voile *m.*
voor'haven *v.(m.)* avant-port* *m.*
voor'hebben *ov.w.* **1** (*v. schort, enz.*) porter; **2** (*bedoelen, van plan zijn*) projeter, méditer, avoir en vue; **3** (*vooruit hebben*) avoir une avance, avoir un avantage; **4** avoir affaire à, s'adresser à; ***het goed met iem. —,*** vouloir du bien à qn.; ***u hebt de verkeerde voor,*** vous me prenez pour un autre.
voorheen' *bw.* **1** autrefois, jadis; par le passé; **2** (*H.*) ci-devant, ancienne maison.
voor'historie *v.* préhistoire *f.*
voor'historisch *b.n.* préhistorique.
voor'hoede *v.(m.)* **1** avant-garde* *f.*; **2** (*sp.*) ligne *f.* d'avants.
voor'hof *o.* **1** (*v. kerk, tempel*) parvis *m.*; **2** (*v. kasteel, enz.*) avant-cour*, cour *f.* d'entrée; **3** (*v. oor*) vestibule *m.*
voor'hoofd *o.* front *m.*
voor'hoofdsbeen *o.* os *m.* frontal.
voor'hoofdsdoek *m.* fronteau *m.*
voor'hoofdsverband *o.* fronteau *m.*
voor'hoofdsversiersel *o.* ferronnière *f.*
voor'houden *ov.w.* **1** présenter (qc. à qn.); **2** (*v. schort, enz.*) garder; **3** (*fig.*) représenter, reprocher.
voor'huid *v.(m.)* prépuce *m.*
voor'huis *o.* vestibule *m.*
voorin' *bw.* **1** (*v. boek*) au commencement de; **2** (*in auto, enz.*) devant; **3** (*in huis*) à l'entrée de.
voorin'genomen *b.n.* prévenu (*voor:* en faveur de; *tegen:* contre). [pris.
voorin'genomenheid *v.* prévention *f.*, parti *m.*
voorin'nemen *ov.w.* prévenir.
voor'jaar *o.* printemps *m.*
voor'jaarsbloem *v.(m.)* fleur *f.* printanière.
voor'jaarsopruiming *v.* mise *f.* en vente de soldes du printemps.
voor'jaarswe(d)er *o.* temps *m.* printanier.
voor'kalkulatie, *zie* ***voorcalculatie.***
voor'kamer *v.(m.)* **1** chambre (donnant) sur la rue *f.*; **2** salon *m.*; **3** (*wachtkamer*) antichambre *f.*
voor'kant *m.* devant *m.*, côté *m.* de devant.
voor'kauwen *ov.w.* mâcher.
voor'kennis *v.* connaissance *f.*; prescience *f.*; ***zonder mijn —,*** à mon insu.
voor'keur *v.(m.)* préférence; ***bij —,*** de préférence; ***de — geven aan,*** préférer, donner la préférence à.
voor'keurprijs *m.* (*H.*) prix *m.* de faveur.
voor'keurrecht *o.* **1** (*v. effecten*) droit *m.* de préférence; **2** (*v. goederen*) droit *m.* d'option; **3** (*v. crediteuren*) droit *m.* de priorité.
voor'keurspelling *v.* orthographe *f.* de préférence, — préférentielle.
voor'keurstem *v.(m.)* voix *f.* de préférence.
voor'keurtarief *o.* tarif *m.* de faveur.
voor'komen I *ov.w. en on.w.* **1** (*naar voren komen*) entrer dans le vestibule (dans le salon, etc.); **2** (*gebeuren*) arriver, se passer, se produire; **3** (*recht*) comparaître (en justice); (*v. zaak*) être présenté; **4** (*schijnen*) sembler, paraître; **5** (*aangetroffen worden*) se trouver, se rencontrer; **6** (*op lijst, in boek, enz.*) figurer; **7** (*vooruitkomen*) devancer, dépasser; ***het rijtuig laten —,*** faire avancer la voi-

ture; ***de auto zal om drie uur* —,** l'auto viendra nous prendre à trois heures; **II** *z.n., o.* **1** (*uiterlijk*) extérieur, aspect, air *m.*; **2** (*schijn*) apparence *f.*; **3** (*H.: v. wissel*) présentation *f.*; ***bij* — *honoreren*,** honorer à présentation; ***een gunstig* —,** (*v. zaak*) un aspect favorable; ***een deftig* —,** un air de distinction.
voorko'men *ov.w.* prévenir, empêcher.
voor'komend *b.n.* éventuel; ***bij* — *geval*,** le cas échéant, éventuellement, si l'occasion se présente.
voorko'mend *b.n.* prévenant, obligeant, complaisant, attentionné.
voorko'mendheid *v.* prévenance, obligeance *f.*
voorko'ming *v.* prévention *f.*, empêchement *m.*; ***ter* — *van*,** afin d'éviter, pour prévenir, pour empêcher.
voor'koop *m.* préachat *m.*; ***recht van* —,** droit *m.* de préemption, — d'option.
voor'krijgen *ov.w.* recevoir une avance de; ***het kind krijgt een schort voor*,** on met un tablier à l'enfant. [pénultième.
voor'laatst *b.n.* **1** avant-dernier*; **2** (*gram.*)
voor'lader *m.* **1** fusil *m.* à baguette; **2** (*voorlaadkanon*) canon *m.* se chargeant par la bouche.
voor'land *o.* **1** (*buitenpolder*) laisse *f.*; **2** (*grensland*) pays *m.* frontière; **3** (*lot. bestemming*) sort *m.*, destination *f.* (future); ***dat is uw* —,** voilà le sort qui vous attend.
voor'laten *ov.w.* **1** (*laten voorgaan*) laisser passer; **2** (*in de voorkamer laten*) faire entrer au salon.
voor'le(d)er *o.* cuir *m.* de devant.
voor'leggen *ov.w.* **1** (*v. voorstel, enz. ter beoordeling*) présenter, soumettre; **2** (*v. vraag*) poser; **3** (*leggen voor*) mettre devant.
voor'legging *v.* présentation *f.*
voor'leiden (*v. politie of gerecht*) amener. [trine *f.*
voor'letter *v.*(*m.*) **1** initiale *f.*; **2** (*in boek*) let-
voor'lezen *ov.w.* lire, faire la lecture de.
voor'lezer *m.* lecteur *m.* [férence *f.*
voor'lezing *v.* **1** lecture *f.*; **2** (*voordracht*) con-
voor'lichten *ov.w.* éclairer.
voor'lichting *v.* **1** éclaircissements, avis *m.pl.*; **2** orientation *f.* [tions.
voor'lichtingsdienst *m.* service *m.* d'informa-
voor'liefde *v.* prédilection, préférence *f.*
voor'liegen *ov.w.* mentir (à qn.); ***iem. iets* —,** faire accroire qc. à qn., conter des mensonges à qn.
voor'lijk *b.n.* précoce.
voor'lopen *on.w.* **1** (*v. persoon*) marcher devant; **2** (*v. uurwerk*) avancer.
voor'loper *m.* **1** avant-coureur*, précurseur *m.*; **2** (*schaaf*) varlope *f.*
voorlo'pig I *b.n.* **1** (*tijdelijk*) provisoire; **2** (*voorafgaande*) préliminaire; **3** (*v. hechtenis*) préventif; **4** (*v. krediet*) de prévision; **— *aandeel*,** récépissé *m.*; **II** *bw.* provisoirement, pour le moment, jusqu'à nouvel ordre.
voorma'lig *b.n.* ancien, ex-, ci-devant.
voor'man *m.* **1** (*in rij*; *mil.*) chef *m.* de file; **2** (*onderbaas*) chef d'équipe, contremaître *m.*; **3** (*op wissel*) cédant *m.*
voor'mars *v.*(*m.*) hune *f.* de misaine.
voor'mast *m.* mât *m.* de misaine.
voormeld', voor'gemeld *b.n.* précité, susdit, susmentionné.
voor'meten *ov.w.* mesurer devant qn.
voormid'dag *m.* **1** matin *m.*; **2** (*duur*) matinée *f.*
voor'muur *m.* mur *m.* de façade.
voorn, vo'ren *m.* gardon *m.*
voor'naam *m.* prénom; petit nom *m.*
voornaam' *b.n.* **1** (*aanzienlijk*) grand, de marque, distingué; **2** (*belangrijk, gewichtig*) important, d'importance, considérable; ***er* — *uitzien*,** avoir grand air, avoir l'air distingué; ***de voorname modehuizen*,** la haute couture.
voornaam'heid *v.* distinction *f.*, grand air *m.*, qualité *f.*
voornaamst' I *b.n.* principal; **II** *z.n., o.*, ***het* —*e*,** le principal, l'essentiel *m.*
voor'naamwoord *o.* pronom *m.*
voor'nacht *m.* première moitié *f.* de la nuit.
voorna'melijk *bw.* principalement, particulièrement.
voor'nemen I *z.n., o.* projet *m.*, intention *f.*, dessein *m.*; **—*s zijn*,** avoir l'intention de, se proposer de; **II** *w.w.*, ***zich* —,** se proposer de, former le dessein de.
voornoemd', voor'genoemd *b.n.* précité, susdit, susmentionné.
voor'oefening *v.* exercice *m.* préparatoire.
vooron'der *o.* tille *f.*
voor'onderstelling *v.* (pré)supposition *f.*
voor'onderzoek *o.* épreuve *f.* préparatoire.
voor'ontsteking *v.* avance *f.* à l'allumage.
voor'ontwerp *o.* avant-projet* *m.*
voor'oordeel *o.* préjugé *m.*
vooroorlogs *b.n.* d'avant-guerre.
voorop' *b.n.* **1** en avant, en tête; **2** (*fig.: in de eerste plaats*) en premier lieu.
voorop'gaan *on.w.* **1** marcher à la tête; **2** (*fig.*) précéder, venir en premier lieu.
voorop'gezet *b.n.* préconçu.
voor'opleiding *v.* préapprentissage *m.*
voorop'stellen *ov.w.* poser d'abord, — en principe, supposer.
voorop'stelling *v.* position *f.* en principe.
voorop'zetten *ov.w.* **1** mettre en avant; **2** (*fig.*) *zie* ***vooropstellen***; ***vooropgezette mening*,** opinion préconçue.
voor'ouderlijk *b.n.* ancestral.
voor'ouders *mv.* ancêtres *m.pl.*
vooro'ver *bw.* en avant.
vooro'verbuigen *on.w.* pencher, incliner en avant.
vooro'verhellen *on.w.* pencher en avant.
vooro'verliggen *on.w.* être couché sur la figure.
voor'overlijden *o.* prédécès *m.*
vooro'verlopen *on.w.* marcher le corps courbé.
vooro'verslaan *on.w.* capoter, chavirer.
vooro'vervallen *on.w.* tomber en avant, — sur la figure.
voor'pagina *v.*(*m.*) première page *f.*; ***op de* —,** en première page.
voor'pand *o.* pan *m.* de devant.
voor'plaat *v.*(*m.*) **1** tablier, rideau *m.*; **2** plaque *f.* de devant.
voor'plaats *v.*(*m.*) avant-cour* *f.*
voor'plat *o.* (*v. boek*) plat *m.* antérieur, — supérieur, — devant, — recto.
voor'plecht *v.*(*m.*) (*sch.*) gaillard *m.* (d')avant.
voor'plein *o.* esplanade *f.*, parvis *m.*; cour *f.* d'honneur.
voor'poot *m.* patte *f.* de devant.
voor'portaal *o.* **1** (*v. huis*) vestibule *m.*; **2** (*v. kerk*) porche *m.*
voor'post *m.* avant-poste* *m.*, sentinelle *f.* avancée; grand-garde* *f.*
voor'postenboot *m. en v.* monitor *m.*
voor'postengevecht *o.* combat *m.* d'avant-garde. [postes.
voor'postenlinie *v.* (*mil.*) ligne *f.* des avant-
voor'proef *v.*(*m.*) **1** essai *m.*; **2** (*fig.*) avant-goût* *m.*
voor'pui *v.*(*m.*) perron *m.*
voor'raad *m.* **1** (*alg.*) provision *f.*; **2** (*H.: in winkel, magazijn*) stock *m.*; **3** (*opgelegde* —) réserves *f.pl.*;

in — houden, réserver; ***uit — leveren,*** fournir du disponible; ***— inslaan,*** faire ses provisions; ***een — vormen van,*** stocker; ***zolang de — strekt,*** jusqu'à liquidation du stock.
voor'raadkamer *v.(m.)* garde-manger *m.*, chambre *f.* aux provisions.
voor'raadkelder *m.* cave *f.*, cellier *m.*
voor'raadschip *o.* bateau *m.* ravitailleur.
voor'raadschuur *v.(m.)* grenier *m.*
voor'raadvorming *v.* stockage *m.*
voor'raadzolder *m.* grenier *m.*
voor'raam *o.* fenêtre *f.* de devant.
voor'rad, *zie* ***voorwiel.*** [—, épuisé.
voorra'dig *b.n.* en magasin, en stock; ***niet meer***
voor'rang *m.* **1** (*eerste, hoogste rang*) priorité, primauté *f.*; **2** (*voorkeur*) préférence *f.*; ***de — hebben,*** avoir la préséance, passer avant; ***— hebben,*** avoir droit de priorité; ***— geven,*** donner la priorité, céder le passage.
voor'rangsweg *m.* route *f.* à priorité.
voor'recht *o.* **1** privilège *m.*; **2** (*v. de kroon, enz.*) prérogative *f.*; ***onder — van boedelbeschrijving,*** sous bénéfice d'inventaire. [propos *m.*
voor'rede *v.(m.)* **1** préface *f.*; **2** (*kort*) avant-
voor'rekenen *ov.w.* **1** (*opsommen*) énumérer; **2** (*uiteenzetten*) exposer.
voor'rijden *on.w.* aller devant, marcher en tête.
voor'ruit *v.(m.)* (*v. auto*) pare-brise *m.*, glace*-avant *f.*
voor'schieten *ov.w.* avancer, débourser.
voor'schijn *bw.*, ***te — komen,*** se montrer, paraître; ***te — brengen,*** produire, mettre au jour.
voor'schip *o.* avant *m.*
voor'schoen *m.* empeigne *f.*
voor'schoot *m. en o.* tablier *m.*
voor'schot *o.* avance *f.*, déboursé(s) *m.(pl.)*; ***renteloos —,*** prêt *m.* gratuit; ***— verlenen op,*** faire des avances de fonds sur; ***een — geven op,*** donner une avance sur.
voor'schotbank *v.(m.)* banque *f.* d'avances.
voor'schrift *o.* **1** précepte *m.*; **2** (*bevel*) ordre *m.*, instruction *f.*; **3** (*gen.: recept*) ordonnance *f.*; ***op — van de dokter,*** par ordre du médecin.
voor'schrijven *ov.w.* **1** (*bevelen*) prescrire, ordonner; **2** (*v. wet*) dicter; **3** (*gen.*) ordonner, ordonnancer; **4** (*v. woord, enz.*) écrire (en exemple); ***in de voorgeschreven vorm,*** sous la forme prescrite.
voors'hands *bw.* pour le moment, provisoirement.
voor'slaan I *ov.w.* **1** (*voor iets slaan*) mettre devant, clouer —; **2** (*fig.*) proposer; **II** *on.w.* **1** (*sp.*) servir; **2** (*v. smid*) dauber.
voor'slag *m.* **1** (*sp.*) premier coup, service *m.*; **2** (*muz.*) agrément *m.*, appoggiature *f.*; **3** (*klik*) avant-quart* *m.*; **4** (*fig.: voorstel*) proposition *f.*
voor'smaak *m.* avant-goût* *m.*
voor'snijden *ov.w.* découper.
voor'snijder *m.* découpeur *m.*
voor'snijmes *o.* couteau *m.* à découper.
voor'sorteren *on.w.* (*v. verkeer*) prendre la voie tourne-à-gauche (*of* tourne-à-droite), serrer à gauche (*of* à droite), prendre vers la gauche (*of* la droite).
voor'span *o.* attelage *m.*
voor'spannen *ov.w.* **1** (*v. paarden*) atteler; **2** (*fig.*) charger (qn. de); ***zich ergens —,*** s'atteler à qc., s'employer pour qc.
voor'spel *o.* **1** (*toneel*) prologue *m.*; **2** (*muz.*) prélude *m.*; **3** (*v. orgelconcert*) introït *m.*; **4** (*fig.*) prélude *m.*
voor'spelden *ov.w.* attacher devant.
voor'spelen I *ov.w.* jouer (à, devant); **II** *on.w.* préluder; (*sp.*) jouer à l'avant.
voor'speler *m.* **1** premier joueur *m.*; **2** (*sp.*) avant *m.*
voor'spellen *ov.w.* épeler à (qn.).
voorspel'len *ov.w.* **1** prédire; pronostiquer; **2** (*profeteren*) prophétiser; ***dat voorspelt niets goeds,*** cela ne présage (*of* n'annonce) rien de bon, cela n'est pas de bon augure.
voorspel'ling *v.* **1** prédiction *f.*; pronostic *m.*; **2** prophétie *f.*
voor'spiegelen I *ov.w.*, ***iem. iets —,*** faire miroiter qc. aux yeux de qn.; **II** *w.w.*, ***zich —,*** se leurrer de, se faire illusion de.
voor'spiegeling *v.* illusion, chimère *f.*, leurre *m.*
voor'spijs *v.(m.)* entrée *f.*
voor'spoed *m.* **1** prospérité *f.*; **2** (*geluk*) succès *m.*; ***in voor- en tegenspoed,*** dans la bonne et dans la mauvaise fortune.
voorspoe'dig *b.n.* prospère; ***— zijn,*** prospérer; avoir du succès.
voor'spraak I *v.(m.)* **1** intercession *f.*; **2** (*verdediging*) défense *f.*; **II** *m.-v.* intercesseur *m.*; défenseur *m.*
voor'spreken *ov.w.* parler en faveur de, prendre le parti de.
voor'spreker *m.* défenseur, avocat *m.*
voor'sprong *m.* avance *f.*; ***een — hebben boven,*** avoir un avantage sur.
voor'staan I *ov.w.* **1** (*v. beginsel, belangen*) défendre; **2** (*v. persoon*) soutenir; ***er slecht —,*** aller mal; **II** *on.w.* **1** être présent à l'esprit; ***er staat mij iets van voor,*** j'ai un vague souvenir de ...; **2** (*sp.*) mener; ***met 3-1 —,*** mener de 3 à 1; **III** *w.w.*, ***zich laten — op,*** se vanter de, se glorifier de, se piquer de.
voor'stad *v.(m.)* faubourg *m.*
voor'stander *m.* **1** partisan *m.*; **2** (*voorvechter*) protagoniste *m.*
voor'ste I *b.n.* antérieur; de devant; ***de — vinger,*** l'index *m.*; **II** *z.n.*, *m.-v.* premier *m.*, —ière *f.*; **III** *o.* devant *m.*, partie *f.* antérieure.
voor'steek *m.* **1** (*v. naaiwerk*) point *m.* devant; **2** (*v. borduurwerk*) trace *f.*
voor'stel *o.* **1** (*wisk.*) problème *m.*; **2** (*gram.*) proposition, phrase *f.*; **3** (*voorslag*) proposition *f.*; **4** (*v. wagen*) avant-train* *m.*
voor'stellen I *ov.w.* **1** (*v. persoon*) présenter; **2** (*weergeven*) représenter; **3** (*verbeelden*) figurer; **4** (*een voorstel doen*) proposer; **5** (*v. oplossing*) offrir; **II** *w.w.*, ***zich —,*** **1** (*aan iem.*) se présenter; **2** (*zich verbeelden*) se figurer, s'imaginer; **3** (*zich herinneren*) se rappeler; se représenter; **4** (*van plan zijn*) se proposer de.
voor'stelling *v.* **1** (*aan iem.*) présentation *f.*; **2** (*toneel*) représentation *f.*; **3** (*bioscoop*) séance *f.*; **4** (*afbeelding*) figuration, représentation *f.*; **5** (*denkbeeld*) idée *f.*; ***een verkeerde —,*** une idée erronée; ***doorlopende —,*** séance permanente; ***grafische —,*** graphique *m.*
voor'stellingsvermogen *o.* (force d')imagination *f.*
voor'stemmen *on.w.* voter pour.
voor'stemmer *m.* votant *m.* „pour".
voor'steng *v.(m.)* (*sch.*) mât *m.* de hune.
voor'steven *m.* (*sch.*) étrave, proue *f.*
voor'stoot *m.* **1** premier coup *m.*; **2** (*bilj.*) acquit *m.*
voor'studie *v.* étude(s) *f.(pl.)* préparatoire(s).
voor'stuk *o.* **1** devant *m.*; **2** (*v. schoen, enz.*) partie *f.* antérieure.
voort *bw.* **1** (*vertrokken*) parti; **2** (*verdwenen*) perdu; ***—!*** **1** en avant! **2** va-t'en!; ***zegt het —,*** qu'on se le dise.
voort'aan *bw.* désormais, dorénavant, à l'avenir.

voor'tand *m.* dent *f.* de devant, incisive *f.*

voort'bestaan *on.w.* subsister, continuer d'exister.

voort'bewegen I *ov.w.* **1** (*v. last, enz.*) déplacer; **2** (*v. voertuig*) faire avancer; **II** *w.w.*, ***zich —***, **1** se déplacer, avancer, marcher; **2** (*moeilijk*) se traîner.

voort'beweging *v.* **1** déplacement, mouvement *m.*; **2** propulsion, traction *f.* [teur.

voort'bewegingsorgaan *o.* organe *m.* locomo-

voort'brengen *ov.w.* **1** (*v. vruchten, enz.*) produire; **2** (*teweeg brengen: v. moeilijkheden, enz.*) faire naître, causer; **3** (*telen*) engendrer, créer.

voort'brengend *b.n.* productif.

voort'brenger *m.* producteur *m.*; générateur *m.*

voort'brenging *v.* production *f.*

voort'brengingsvermogen *o.* force *f.* productive, productivité *f.*

voort'brengsel *o.* **1** (*v. bodem*) produit *m.*; **2** (*v. geest, enz.*) production *f.*

voort'drijven *ov.w.* **1** pousser en avant; **2** (*wegdrijven*) chasser (devant soi); expulser; **3** (*tn.: v. machine*) propulser; **4** (*aanzetten, aansporen*) exciter, aiguillonner.

voort'duren *on.w.* continuer, durer, persister.

voortdurend I *b.n.* continuel, constant; permanent; ***—e aandacht,*** attention *f.* soutenue; **II** *bw.* continuellement, constamment, sans cesse.

voort'during *v.* continuation, persistance *f.*; ***bij —,*** continuellement.

voort'duwen *ov.w.* **1** pousser (devant soi); **2** (*v. kruiwagen*) charrier.

voor'teken *o.* **1** (*v. gebeurtenis*) signe *m.* précurseur, — avant-coureur; **2** (*gen.*) symptôme *m.*; **3** (*in wichelarij*) présage, augure *m.*; ***onder gelukkige —en,*** sous d'heureux auspices.

voor'tekening *v.* armature *f.*, signes *m.pl.* constitutifs. [planade *f.*

voor'terrein *o.* **1** (*mil.*) avant-terrain* *m.*; **2** es-

voort'gaan *on.w.* **1** (*vooruitkomen*) avancer; **2** (*verder gaan*) continuer son chemin; **3** (*vervolgen, voortgezet worden*) continuer, se poursuivre; **4** (*doorgaan, plaats hebben*) avoir lieu.

voort'gang *m.* **1** (*vooruitgang; vordering*) avancement, progrès *m.*; **2** (*voortzetting*) continuation *f.*; ***— hebben,*** avoir lieu, se faire; ***— maken,*** avancer, progresser, faire des progrès.

voort'glijden *on.w.* glisser.

voort'helpen *ov.w.* **1** (*bij werk*) aider, donner un coup d'épaule à; **2** (*ondersteunen*) secourir.

voort'hollen *on.w.* continuer à courir, courir toujours.

voor'tijd *m.* temps *m.pl.* préhistoriques.

voortij'dig *b.n.* prématuré.

voort'jagen *ov.w.* chasser (devant soi).

voort'komen *on.w.* (*vooruitkomen*) avancer; ***— uit,*** provenir de, résulter de; naître de.

voort'kruien *ov.w.* **1** brouetter; **2** (*fig.*) pousser, pistonner.

voort'kruipen *on.w.* s'avancer à quatre pattes, — à plat ventre, avancer en rampant.

voort'kunnen *on.w.* pouvoir avancer.

voort'leven *on.w.* continuer à vivre; ***in de herinnering —,*** se perpétuer.

voort'lopen *on.w.* **1** (*verder lopen*) continuer sa route; **2** (*sneller lopen*) marcher plus vite.

voort'maken I *on.w.* se dépêcher; **II** *w.w.*, ***zich —,*** déguerpir, filer.

voort'planten I *ov.w.* **1** (*v. mening, geloof, enz.*) propager; **2** (*v. geslacht, enz.*) perpétuer; **3** (*vermeerderen*) multiplier, reproduire; **II** *w.w.*, ***zich —,*** **1** se propager; **2** se perpétuer; **3** se multiplier, se reproduire.

voort'planter *m.* propagateur *m.*

voort'planting *v.* **1** propagation *f.*; **2** perpétuation *f.*; **3** multiplication, reproduction *f.*

voort'plantingssnelheid *v.* vitesse *f.* de propagation. [production.

voort'plantingsvermogen *o.* faculté *f.* de re-

voor'trap *m.* **1** perron; **2** (*sp.*) envoi *m.*

voor'treden *on.w.* avancer; se présenter.

voort'redeneren *on.w.* poursuivre son raisonnement; ***—d,*** de fil en aiguille.

voortref'felijk I *b.n.* excellent; **II** *bw.* excellemment, à merveille.

voortref'felijkheid *v.* excellence, supériorité *f.*

voor'trein *m.* train *m.* supplémentaire, — bis, — à départ avancé. [tinuer —.

voort'reizen *on.w.* poursuivre son voyage, con-

voor'trekken I *ov.w.* préférer; favoriser; ***hij wordt voorgetrokken,*** il est le favori; **II** *z.n.*, ***het —,*** favoritisme *m.*

voor'trekker *m.* pionnier *m.*; (*padv.*) routier *m.*

voort'rollen *on.w.* rouler.

voort'rukken *on.w.* marcher en avant.

voorts *bw.* en outre, de plus, ensuite; ***en zo —,*** et cætera; et ainsi de suite.

voort'schoppen *ov.w.* pousser du pied.

voort'schrijden *on.w.* avancer à grands pas.

voort'schuiven *ov.w.* pousser, faire glisser.

voort'slepen *ov.w.* traîner; entraîner.

voort'snellen *on.w.* courir, voler.

voort'spoeden, ***zich —,*** presser le pas, se dépêcher d'arriver.

voort'spruiten *on.w.*, ***— uit,*** **1** (*afstammen*) descendre de, sortir de; **2** (*fig.: voortkomen*) résulter de.

voort'stappen *on.w.* **1** avancer (à grands pas); **2** continuer sa route.

voort'studeren *on.w.* continuer ses études.

voort'stuiven *on.w.* aller comme le vent.

voort'stuwen *ov.w.* pousser en avant, propulser.

voort'stuwing *v.* propulsion *f.*

voort'sukkelen *on.w.* avancer péniblement, se traîner.

voort'telen *ov.w.* se multiplier.

voort'trekken *ov.w.* traîner; entraîner.

voor'tuin *m.* jardinet *m.* devant.

voortva'rend I *b.n.* énergique, prompt; **II** *bw.* énergiquement, promptement.

voortva'rendheid *v.* énergie, promptitude *f.*

voort'vloeien *on.w.*, ***— uit,*** découler de, résulter de.

voortvluch'tig *b.n.* en fuite, fugitif.

voortvluch'tige *m.-v.* fugitif *m.*, —ive *f.*

voort'woekeren *on.w.* se répandre, se propager sourdement, proliférer.

voort'zeggen *ov.w.* dire à d'autres, répéter, communiquer; ***zegt het voort!*** qu'on se le dise!

voort'zetten *ov.w.* continuer, poursuivre.

voort'zetter *m.* continuateur *m.*

voort'zetting *v.* continuation, suite *f.*

vooruit' *bw.* **1** (*v. plaats*) en avant; **2** (*v. tijd*) d'avance; ***iem. — zijn,*** devancer qn.; ***— dan maar!*** allons-y!

vooruit'bestellen *ov.w.* commander à l'avance.

vooruit'betalen *ov.w. en on.w.* payer d'avance.

vooruit'betaling *v.* payement *m.* anticipé.

vooruit'drijven *ov.w.* pousser devant soi.

vooruit'gaan *on.w.* **1** aller en avant, partir en avant; **2** (*vorderen*) avancer, faire des progrès; **3** (*v. zieke*) aller mieux; ***zij gaan er niet op vooruit,*** ils n'y gagnent pas.

vooruit'gang *m.* avancement *m.*; progrès *m.*

vooruit'geschoven *b.n.* (*mil.*) avancé.

vooruit'helpen, *zie* ***voorthelpen.***
vooruit'komen *on.w.* **1** avancer; **2** (*fig.*) faire des progrès; ***in de wereld —,*** faire son chemin.
vooruit'lopen I *on.w.* **1** partir en avant; **2** (*vóór de anderen*) marcher à la tête; ***— op,*** anticiper sur; **II** *ov.w.* devancer, dépasser.
vooruit'rijden *on.w.* **1** prendre les devants; **2** (*in rijtuig, trein*) avoir une place de fond; aller dans le sens de la marche (*of* du train).
vooruit'springen *on.w.* **1** sauter en avant, s'élancer —; **2** (*bouwk.*) saillir, faire saillie.
vooruit'springend *b.n.* en saillie.
vooruit'steken I *ov.w.* **1** (*v. hoofd*) avancer; **2** (*v. arm*) allonger; **II** *on.w.* faire saillie.
vooruit'stekend *b.n.* saillant.
vooruitstre'vend *b.n.* avancé, progressiste.
vooruitstre'vendheid *v.* esprit *m.* progressiste; (*v. politiek*) politique *f.* progressiste.
vooruit'werpen *ov.w.* projeter.
vooruit'zenden *ov.w.* envoyer en avant.
vooruit'zetten *ov.w.* avancer.
vooruit'zicht *o.* perspective *f.*; ***in het — van,*** en prévision de; à la perspective de; ***in het — hebben,*** avoir en expectative, — en perspective.
vooruit'zien *ov.w.* prévoir.
vooruit'ziend *b.n.* prévoyant.
voor'vader *m.* ancêtre *m.*
voorva'derlijk *b.n.* **1** ancestral; **2** (*v. zeden, enz.*) patriarcal.
voor'val *o.* incident; événement *m.*
voor'vallen *on.w.* arriver, se passer.
voor'vechter *m.* défenseur, champion *m.*
voor'verkoop *m.* vente *f.* anticipée.
voor'verwarming *v.* chauffage *m.* préalable, préchauffage *m.*
voor'vinger *m.* index *m.*
voor'voegsel *o.* (*gram.*) préfixe *m.*
voorwaar' *bw.* en vérité, certes.
voor'waarde *v.* condition *f.*; ***op — dat,*** à condition que (*met Subj.*), à condition de (*met Infin.*).
voorwaar'delijk I *b.n.* **1** conditionnel; **2** (*v. veroordeling*) avec sursis; ***—e benoeming,*** nomination provisoire; **II** *bw.* **1** conditionnellement; **2** (*v. straf*) avec sursis.
voor'waarts I *bw.* en avant; **II** *b.n.* progressif; ***—e beweging,*** mouvement en avant.
voor'wacht *v.*(*m.*) garde *f.* avancée.
voor'wand *m.* paroi *m.* de devant.
voor'wedstrijd *m.* **1** match *m.* préliminaire; lever *m.* de rideau; **2** épreuves *f.pl.* éliminatoires.
voor'wenden *ov.w.* **1** (*voorgeven*) prétexter, alléguer; **2** (*veinzen*) feindre; faire semblant de.
voor'wending *v.* feinte, simulation *f.*
voor'wendsel *o.* prétexte, faux-fuyant* *m.*; ***als — gebruiken,*** prétexter.
voor'wereld *v.*(*m.*) monde *m.* préhistorique.
voorwe'reldlijk *b.n.* préhistorique.
voor'werk *o.* **1** (*mil.*) ouvrage *m.* avancé; **2** (*v. boek*) feuillets *m.pl.* préliminaires, pages *f.pl.* liminaires; **3** (*v. horloge*) cadrature *f.*
voor'werker *m.* (*bij turnen*) moniteur *m.*; (*techn.*) metteur *m.* au point.
voor'werp *o.* **1** objet *m.*; **2** (*gram.*) complément, régime *m.*; ***lijdend —,*** complément direct; ***meewerkend —,*** complément indirect.
voor'werpen *ov.w.* **1** (*werpen voor*) jeter (à); **2** (*fig.: tegenwerpen*) objecter.
voor'werpsnaam *m.* (*gram.*) nom *m.* de chose.
voor'werpszin *m.* (*gram.*) phrase *f.* objective.
voor'weten, ***buiten mijn —,*** à mon insu.
voor'wiel *o.* roue *f.* de devant, — avant.
voor'wielaandrijving *v.* traction *f.* avant.
voor'woord *o.* préface *f.*, avant-propos *m.*
voor'zaat *m.* ancêtre *m.*
voor'zanger *m.* chantre *m.*
voor'zeggen *ov.w.* **1** (*influisteren*) souffler; **2** (*dicteren*) dicter.
voorzeg'gen *ov.w.* prédire.
voorzeg'gend *b.n.* prophétique.
voorzeg'ging *v.* prédiction, prophétie *f.*
voorze'ker *bw.* certainement, certes.
voor'zet *m.* **1** (*bij schaken, dammen*) trait *m.*; **2** (*bij domino*) pose *f.*; **3** (*voetb.*) coup *m.*
voor'zetsel *o.* (*gram.*) préposition *f.*
voor'zetten *ov.w.* **1** (*v. voet, klok*) avancer; **2** (*v. spijzen*) servir; ***zijn beste beentje —,*** se montrer à son avantage.
voorzich'tig I *b.n.* **1** prudent; **2** (*bedachtzaam*) circonspect; **II** *bw.* prudemment; avec circonspection.
voorzich'tigheid *v.* **1** prudence *f.*; **2** circonspection *f.*; ***— is de moeder van de porseleinkast,*** prudence est mère de sûreté. [précaution.
voorzich'tigheidshalve *bw.* par prudence, par
voorzien' I *ov.w.* **1** prévoir; **2 *— van,*** pourvoir de, munir de; **3** (*v. voorraad*) approvisionner, ravitailler; ***het op iem. — hebben,*** en vouloir à qn.; ***van de H. Sacramenten —,*** muni des sacrements de l'Église; ***van merken —,*** marquer; **II** *on.w.*, ***— in,*** **1** pourvoir à; **2** (*v. behoeften*) subvenir à; **3** (*v. gebrek*) remédier à; ***in zijn eigen behoeften —,*** se suffire; ***in een behoefte —,*** combler une lacune.
voorziend' *b.n.* prévoyant.
voorzie'nigheid *v.* Providence *f.*
voorzie'ning *v.* **1** approvisionnement *m.*; **2** (*recht*) pourvoi *m.*
voor'zij(de) *v.*(*m.*) **1** (*alg.*) devant *m.*; **2** (*v. huis*) façade; devanture *f.*; **3** (*v. blad*) recto *m.*; **4** (*v. munt*) face *f.*; ***aan de —,*** sur le devant; au recto.
voor'zingen *ov.w.* chanter.
voor'zitten *on.w.* **1** présider; **2** (*bij spel*) avoir la main.
voor'zitter *m.* président *m.*
voor'zitterschap *o.* présidence *f.*
voor'zittershamer *m.* sonnette *f.* du président; maillet *m.* du président.
voor'zittersstoel *m.* fauteuil *m.* présidentiel.
voor'zitting *v.* siège *m.* avant.
voor'zomer *m.* début *m.* de l'été, commencement *m.* —.
voor'zorg *v.*(*m.*) précaution *f.*; ***sociale —,*** prévoyance *f.* sociale.
voor'zorgskas *v.* caisse *f.* de prévoyance.
voor'zorgsmaatregel *m.* (mesure de) précaution *f.*
voorzover' *vw.* autant que.
voos *b.n.* **1** (*taai, sponsachtig*) spongieux; **2** (*v. vrucht*) cotonneux; **3** (*fig.*) véreux; pourri.
voos'heid *v.* **1** spongiosité *f.*; **2** état *m.* cotonneux; **3** situation *f.* véreuse, corruption *f.*
vor'deren I *ov.w.* **1** demander, exiger, réclamer; **2** (*mil.*) requérir, réquisitionner; **II** *on.w.* avancer, faire des progrès.
vor'dering *v.* **1** (*vraag*) demande *f.*; **2** (*eis*) exigence, réclamation *f.*; **3** (*schuld* —) créance *f.*; **4** (*mil.*) réquisition *f.*; **5** avancement, progrès *m.*; ***uitstaande —en,*** créances à recouvrer.
vore, *zie* ***voor* IV.**
vo'ren I *bw.*, ***van te —,*** d'avance, auparavant; ***van — bezien,*** regarder de face; ***van — af aan beginnen,*** recommencer; ***als —,*** comme ci-dessus; ***de dag te —,*** la veille; **II, voorn** *m.*, (*Dk.*) gardon *m.*

vo'renstaand *b.n.* précédent.
vo'rig *b.n.* **1** (*onmiddellijk voorafgaand*) passé, dernier; **2** (*aan ander voorafgaand*) précédent; **3** (*vroeger*) ancien; ***de —e dag,*** la veille; ***de —e avond,*** la veille au soir; ***de —e keer,*** l'autre fois, la fois passée.
vork *v.(m.)* **1** fourchette *f.*; **2** (*hooi—; v. rijwiel*) fourche *f.*; **3** (*drietand*) trident *m.*; ***ik weet hoe de — in de steel zit,*** je suis au courant (de l'affaire), je sais ce qu'il en est.
vork'vol *v.* **1** fourchetée *f.*; **2** (*v. hooi*) fourchée *f.*
vork'vormig *b.n.* fourchu, en forme de fourche.
vorm *m.* **1** (*alg.*) forme *f.*; **2** (*fatsoen, maaksel*) façon *f.*; **3** (*giet—*) moule *m.*; ***bedrijvende —,*** voix *f.* active; ***in de —,*** dûment; ***in de — van,*** sous (la) forme de; ***vaste — geven aan,*** donner corps à; ***nette —en,*** de bonnes manières.
vorm'aarde *v.(m.)* argile *f.* plastique, terre *f.* à potier.
vor'melijk I *b.n.* cérémonieux; **II** *bw.* cérémonieusement.
vor'melijkheid *v.* formalisme *m.*
vor'meling *m.* (*kath.*) confirmant *m.*
vor'm(e)loos *b.n.* sans forme, informe.
vor'men I *ov.w.* **1** (*alg.*) former; **2** (*v. klei, enz.: fig.*) modeler, façonner; **3** (*gieten*) mouler; **4** (*kath.: het vormsel toedienen*) confirmer; **5** (*uitmaken*) constituer, former.
vor'mend *b.n.* **1** (*voortbrengend*) créateur; **2** (*opvoedend*) éducatif; **3** (*samenstellend*) constituant.
vor'mer *m.* **1** (*alg.*) formateur *m.*; **2** (*tn.: gieter*) mouleur *m.*; **3** (*beschaver, opvoeder*) éducateur *m.*
vorm'gebrek *o.* vice *m.* de forme.
vorm'geving *v.* in : ***industriële —,*** esthétique *f.* industrielle.
vor'ming *v.* **1** formation *f.*; **2** façon *f.*, façonnage *m.*; **3** moulage *m.*; **4** confirmation *f.*; **5** éducation *f.*
vorm'klei *v.(m.)* argile *f.* plastique, — figuline.
vorm'leer *v.(m.)* **1** (*meetk.*) géométrie *f.* élémentaire; **2** (*taalk.*) morphologie *f.*
vorm'loos, vorme'loos *b.n.* informe, sans forme.
vorm'opmaker *m.* metteur *m.* en pages, imposeur *m.*
vorm'raam *o.* forme *f.*, châssis *m.*
vorm'sel *o.* confirmation *f.*
vorm'vast *b.n.* indéformable.
vorm'zand *o.* sable *m.* à mouler.
vors *m.* grenouille *f.*
vor'sen *on.w.* faire des recherches; ***— naar,*** rechercher.
Vor'sen *o.* Fresin.
vor'send *b.n.* (*v. blik*) scrutateur.
vorst I *m.* **1** monarque, souverain, prince *m.*; **2** gelée *f.*; **II** *v.(m.)* (*v. dak*) faîte *m.*, arète *f.*
Vorst *o.* Forest (lez-Bruxelles).
vor'stelijk I *b.n.* princier, de prince; **II** *bw.* princièrement, comme un prince.
vor'stendom *o.* principauté *f.*
vor'stengeslacht *o.* dynastie *f.*
vor'stenhuis *o.* dynastie *f.*
vor'stenland *o.*, (*Indonesië*) principauté *f.* indépendante.
vor'stenmoord *m. en v.* régicide *m.*
vor'stenmoordenaar *m.* régicide *m.*
vorstin' *v.* princesse, souveraine *f.*
vorst'pan *v.(m.)* faîtière *f.*
vorst'verlet *o.* chômage *m.* pour cause de gelée.
vorst'vrij *b.n.* à l'abri de la gelée.
vorst'weermiddel *o.* solution *f.* antigel, antigel *m.*
vort! *tw.* ouste ! hors d'ici !
vos *m.* **1** renard *m.*; **2** (*paard*) alezan *m.*; ***kleine —,*** renardeau *m.*; ***een slimme —,*** un rusé compère, un fin matois; ***men moet —sen met —sen vangen,*** à renard renard et demi; à malin malin et demi.
vos'merrie *v.* jument *f.* alezane.
vos'paard *o.* alezan *m.*
vos'schol *o.* renardière *f.*
vos'sejacht *v.(m.)* chasse *f.* au renard.
vos'sejager *m.* renardier *m.*
vos'seklem *v.* chausse-trape* *f.*
vos'sen *on.w.* piocher, bûcher.
vos'sestaart *m.* **1** queue *f.* de renard; **2** (*Pl.*) vulpin *m.*
votief'mis *v.(m.)* messe *f.* votive.
vo'tum *o.* vote *m.*
vouw *v.(m.)* **1** (*in kleed, enz.*) pli *m.*; **2** (*in boek*) corne *f.*; ***valse —,*** faux pli *m.*, poche *f.*
vouw'baar *b.n.* pliable.
vouw'been *o.* coupe-papier *m.*, couteau *m.* à papier; plioir *m.*
vouw'blaadje *o.* feuille *f.* volante.
vouw'blad *o.* dépliant *m.*
vouw'boot *m. en v.* canot *m.* démontable.
vouw'deur *v.(m.)* porte *f.* brisée.
vou'wen *ov.w.* **1** plier; **2** (*v. handen*) joindre.
vou'wer *m.* plieur *m.*
vouw'machine *v.* plieuse *f.*
vouw'mes *o.* couteau *m.* pliant, jambette *f.*
vouw'schaartje *o.* ciseaux *m.pl.* pliants.
vouw'scherm *o.* écran *m.* à vantaux.
vouw'stoel *m.* pliant *m.*
vouw'tafel *v.(m.)* table *f.* pliante.
vouw'wagentje *o.* voiture *f.* pliante.
vox huma'na *v.* (*muz.*) voix *f.* humaine.
vraag *v.(m.)* **1** question *f.*; **2** (*verzoek*) demande *f.*; **3** (*gram.*) interrogation *f.*; ***— en aanbod,*** l'offre et la demande; ***er is veel — naar dat artikel,*** cet article est fort demandé; ***het is nog de — of,*** reste à savoir si.
vraag'achtig *b.n.* curieux; interrogateur.
vraag'al *m.* questionneur *m.*
vraag'baak *v.(m.)* **1** (*v. persoon*) oracle *m.*; **2** (*v. boek*) source *f.* d'informations, vademecum *m.*
vraag'curve *v.(m.)* courbe *f.* de la demande.
vraag'gesprek *o.* interview *f.*
vraag'prijs *m.* prix *m.* demandé.
vraag'punt *o.* question *f.*, point *m.* controversé.
vraag'stuk *o.* problème *m.*
vraag'teken *o.* point *m.* d'interrogation.
vraat *m.* glouton *m.*
vraat'zucht *v.(m.)* gloutonnerie, voracité *f.*
vraatzuch'tig *b.n.* glouton, goulu.
vracht *v.(m.)* **1** (*alg.*) charge *f.*; **2** (*v. schip*) cargaison *f.*, chargement *m.*; **3** (*last*) fardeau *m.*; **4** (*vrachtprijs, vervoerloon*) transport *m.*, prix *m.* de transport; **5** (*sch.*) fret *m.*; **6** (*v. passagier*) passage *m.*; **7** (*fig.: menigte, hoop*) quantité, masse *f.*; ***halve — betalen,*** payer demi-place.
vracht'auto *m.* auto*-camion* *m.*, camion *m.* automobile.
vracht'boot *m. en v.* cargo *m.*, bateau *m.* de transport.
vracht'brief *m.* **1** (*H.*) lettre *f.* de voiture; **2** (*sch.*) connaissement *m.*
vracht'contract, -kontrakt *o.* nolisement *m.*
vracht'geld, *zie* ***vracht,* 4.**
vracht'goed *o.* marchandise(s) *f.(pl.)* en petite vitesse; ***als — verzenden,*** envoyer par petite vitesse.
vracht'je *o.* **1** petit fardeau *m.*; **2** (*v. koetsier*) voyageur *m.*
vracht'kontrakt, *zie* ***vrachtcontract.***
vracht'lijst *v.(m.)* bordereau *m.* de chargement.
vracht'nota *v.(m.)* note *f.* d'expédition.
vracht'prijs *m.* prix *m.* de transport.
vracht'rijder *m.* **1** voiturier, roulier *m.*; **2** (*bode*) commissionnaire *m.*
vracht'ruimte *v.* tonnage *m.*
vracht'schip, *zie* ***vrachtboot.***

vracht'vaarder *m.* **1** patron *m.* (de cargo), — d'un bâtiment de transport; **2** *zie* ***vrachtboot.***
vracht'vaart *v.(m.)* transport *m.* par eau.
vracht'vliegtuig *o.* avion*-cargo* *m.*
vracht'vrij I *b.n.* franco de port, franco; **II** *bw.* franco; port payé.
vracht'wagen *m.* camion *m.*, voiture *f.* de roulage; (*zwaar*) poids *m.* lourd.
vracht'zoeker *m.* navire *m.* irrégulier.
vra'gen I *ov.w.* **1** demander; **2** (*ondervragen*) interroger; **3** (*verzoeken*) prier; **4** (*uitnodigen*) inviter; ***ten huwelijk —,*** demander en mariage; **II** *on.w.* demander; ***naar iem. —,*** **1** (*om te spreken*) demander qn., demander à parler à qn.; **2** (*inlichtingen inwinnen*) demander des nouvelles de qn., s'informer de qn.; ***door — wordt men wijs,*** qui langue a, à Rome va.
vra'genboek *o.* **1** questionnaire *m.*; **2** (*prot.*) catéchisme *m.*
vra'genbus *v.(m.)* (*v. dagblad*) boîte *f.* aux lettres, courrier *m.*
vra'genderwijs, -wijze *bw.* **1** par questions; **2** (*gram.*) interrogativement.
vra'genlijst *v.(m.)* questionnaire *m.*
vra'ger *m.* **1** demandeur, questionneur *m.*; **2** interrogateur *m.*
vrank I *b.n.* franc; **II** *bw.* franchement.
vre'de, vree *m. en v.* paix *f.*; ***met — laten,*** laisser en paix, laisser tranquille; ***— hebben met,*** consentir à, acquiescer; ***daar neem ik geen — mee,*** cela ne me satisfait nullement; ***de — van Munster,*** le traité de Westphalie.
vre'debreuk *v.(m.)* rupture *f.* de la paix.
vre'degerecht *o.* justice *f.* de paix.
vre'dekus, vre'deskus *m.* baiser *m.* de paix.
vredelie'vend I *b.n.* pacifique; **II** *bw.* pacifiquement.
vredelie'vendheid *v.* humeur *f.* pacifique.
vre'derechter *m.* juge *m.* de paix.
vre'desaanbod *o.* offre *f.* de paix.
vre'desbeweging *v.* mouvement *m.* pour la [paix.
vre'desconferentie, -konferentie *v.* conférence *f.* de la paix.
vre'descongres, -kongres *o.* congrès *m.* de la paix.
vre'desengel *m.* ange *m.* de la paix.
vre'deskonferentie, *zie* ***vredesconferentie.***
vre'deskongres, *zie* ***vredescongres.***
vre'de(s)kus *m.* baiser *m.* de paix.
vre'desnaam *m.*, ***in —!*** soit!
vre'desoffensief *o.* offensive *f.* de paix.
vre'desonderhandelingen *mv.* négociations *f.pl.* de la paix.
vre'despaleis *o.* palais *m.* de la paix.
vre'despijp *v.(m.)* calumet *m.* de la paix.
vre'desprijs *m.* prix *m.* Nobel.
vre'dessterkte *v.* (*mil.*) effectifs *m.pl.* en temps de [paix.
vre'destichter *m.* pacificateur *m.*
vre'destijd *m.* temps *m.* de paix; ***1919-1939,*** l'entre-deux-guerres *m.*
vre'desverdrag *o.* traité *m.* de paix.
vre'desvoorwaarden *mv.* conditions *f.pl.* de paix; ***voorlopige —,*** préliminaires *m.pl.* de paix.
vre'deverstoorder *m.* perturbateur *m.* de la paix.
vre'devorst *m.* **1** pacificateur *m.*; **2** Messie *m.*
vre'dig I *b.n.* paisible; **II** *bw.* paisiblement.
vree, *zie* ***vrede.***
vreed'zaam I *b.n.* **1** (*vredelievend*) pacifique; **2** (*kalm, rustig*) paisible; **II** *bw.* **1** pacifiquement; **2** paisiblement.
vreed'zaamheid *v.* **1** humeur *f.* pacifique; **2** caractère *m.* paisible.
vreemd I *b.n.* **1** (*uitheems*) étranger; **2** (*buiten Europa*) exotique; **3** (*zonderling*) étrange, singulier, bizarre; ***onder een —e naam,*** sous un nom d'emprunt; ***iets — vinden,*** s'étonner de qc.; ***—e zonde,*** (*kath.*) péché *m.* d'autrui; **II** *bw.* étrangement, singulièrement, bizarrement; ***— opkijken,*** être étonné, ouvrir de grands yeux.
vreem'de *m.-v.* étranger *m.*, —ère *f.*; ***in den —,*** à l'étranger.
vreem'deling *m.*, **—e** *v.* étranger *m.*, —ère *f.*
vreem'delingenboek *o.* livre *m.* des voyageurs, — des étrangers.
vreem'delingenbureau *o.* bureau *m.* de renseignements.
vreem'delingenhaat *m.* xénophobie *f.*
vreem'delingenlegioen *o.* légion *f.* étrangère.
vreem'delingenverkeer *o.* mouvement *m.* des touristes, tourisme *m.*; ***vereniging tot bevordering van het —,*** syndicat *m.* d'initiative.
vreem'denlegioen *o.* légion *f.* étrangère.
vreemd'heid *v.* étrangeté, singularité *f.*
vreemdslach'tig, vreemdsoor'tig *b.n.* **1** (*ongelijksoortig*) hétérogène; **2** (*zonderling*) bizarre.
vreemdsoor'tigheid *v.* **1** hétérogénéité *f.*; **2** bizarrerie *f.*
vrees, vre'ze *v.(m.)* crainte, peur *f.*; ***iem. — aanjagen,*** faire peur à qn.; intimider qn.; ***uit — voor,*** de crainte de, par peur de; ***zonder — of blaam,*** sans peur et sans reproche.
vrees'aanjaging *v.* intimidation *f.*
vreesach'tig I *b.n.* craintif, peureux; **II** *bw.* craintivement, peureusement.
vreesach'tigheid *v.* **1** crainte *f.*; **2** (*schuwheid*) timidité *f.*
vrees'lijk, *zie* ***vreselijk.***
vrek *m.* avare, ladre, grigou, fesse-mathieu* *m.*
vrek'achtig, vrek'kig *b.n.* avare, avaricieux, ladre.
vrek'kigheid *v.* avarice, ladrerie *f.*
vre'selijk, vrees'lijk I *b.n.* **1** terrible; **2** (*angstwekkend*) effrayant, épouvantable; **3** (*afgrijselijk: v. moord, enz.*) horrible; **II** *bw.* **1** terriblement; **2** épouvantablement; **3** horriblement; **4** (*zeer*) extrêmement, fort.
vre'ten *ov.w. en on.w.* manger; dévorer, avaler.
vre'ter *m.* glouton *m.*
vreug'd(e) *v.* **1** joie, allégresse *f.*; **2** (*vreugdebetoon*) réjouissance *f.*; ***hoe meer zielen hoe meer —,*** plus on est de fous, plus on rit.
vreug'debetoon *o.* réjouissance *f.*, démonstrations *f.pl.* de joie.
vreug'dedag *m.* jour *m.* d'allégresse.
vreug'dekreet *m.* cri *m.* de joie.
vreug'deloos *b.n.* sans joie, triste.
vreug'demaal *o.* festin, banquet *m.*
vreug'deschoten *mv.* salve *f.* (d'allégresse).
vreug'devol *b.n.* plein de joie, joyeux, gai.
vreug'devuur *o.* feu *m.* de joie.
vre'ze, *zie* ***vrees.***
vre'zen *ov.w. en on.w.* craindre; redouter, appré-[hender.
vriend *m.* **1** ami *m.*; **2** (*handels—*) correspondant *m.*; **3** (*beminde*) bien-aimé*, bon ami *m.*; **4** (*liefhebber*) amateur *m.*; ***een — van me,*** un de mes amis; ***ze zijn kwade —en,*** ils sont brouillés; ***iem. te — houden,*** cultiver l'amitié de qn.; ***even goede —en!*** sans rancune!
vrien'delijk I *b.n.* **1** aimable, affable; **2** (*voorkomend, gedienstig*) bienveillant, complaisant, obligeant; **3** (*v. uitzicht, huis, enz.*) riant; **4** (*zacht, innemend*) doux, gentil; **5** (*vriendschappelijk*) amical; **6** (*v. weer*) agréable, serain; ***wees zo — de deur te sluiten,*** ayez la bonté de fermer la porte; **II** *bw.*

1 aimablement, affablement; **2** obligeamment; **3** gentiment; **4** amicalement; ***iem. — ontvangen,*** faire bon accueil à qn.; ***— bedankt!*** merci bien! mille fois merci!
vrien'delijkheid *v.* **1** amabilité, affabilité *f.*; **2** bienveillance, complaisance, obligeance *f.*; **3** gentillesse, douceur *f.*
vrien'dendienst *m.* service *m.* d'ami.
vrien'dengroet *m.* salut *m.* amical.
vrien'denkring *m.* cercle *m.* d'amis.
vriendin' *v.* **1** amie *f.*; **2** (*geliefde*) bonne amie *f*
vriend'schap *v.* amitié *f.*; ***— sluiten met iem.,*** se lier d'amitié avec qn. [ment.
vriendschap'pelijk I *b.n.* amical; **II** *bw.* amicale-
vriend'schapsband *m.* lien *m.* d'amitié.
vriend'schapsbetrekkingen *mv.* relations *f.pl.* amicales.
vriend'schapsbetuiging *v.* témoignage *m.* d'amitié.
vries'installatie *v.* installation *f.* de réfrigération; réfrigérant *m.*
vries'kamer *v.(m.)* chambre *f.* frigorifique.
vries'punt *o.* **1** point *m.* de congélation; **2** (*op thermometer*) zéro *m.*
vries'we(d)er *o.* temps *m.* de gelée.
vrie'zen *onp.w.* geler; ***het vriest dat het kraakt,*** il gèle à pierre fendre; ***stuk —,*** se fendre par la gelée.
vrij I *b.n.* **1** (*zonder belemmering*) libre; **2** (*los*) dégagé; **3** (*openhartig*) franc; **4** (*kosteloos*) gratuit; **5** (*familiaar*) familier, sans façon; ***— aan huis,*** franco à domicile; ***—e toegang,*** entrée libre; ***—e goederen,*** (*H.*) marchandises en vrac; ***— van rechten,*** net de tous droits; ***— van gebreken,*** sans défauts; ***de —e beroepen,*** les professions libérales; ***de —e wil,*** le libre arbitre; ***in mijn —e tijd,*** dans mes loisirs; ***een —e dag,*** un jour de congé; ***—e schop,*** (*sp.*) coup *m.* franc; ***in de —e lucht,*** au grand air; ***—e val,*** chute *f.* dans le vide; ***— van belasting,*** exempt d'impôts; ***wij zijn zo — om...,*** nous prenons la liberté de; ***het staat u — om,*** il vous est loisible de; ***uit —e beweging,*** de son plein gré; spontanément; **II** *bw.* **1** librement; **2** (*H.*) en franchise; **3** (*tamelijk*) assez; ***— veel,*** assez de, pas mal de.
vrijaf' *o.* congé *m.*; ***— hebben,*** avoir congé; ***— geven,*** donner campos, — congé.
vrija'ge *v.* amours *m.pl.*
vrij'biljet *o.* **1** (*v. schouwburg, enz.*) billet *m.* de faveur; **2** (*v. spoorw.*) permis *m.* de circulation, (billet de) libre parcours *m.*; **3** (*geleibrief*) laissez-passer *m.*
vrij'blijven *on.w.* **1** rester libre; **2** (*v. dienst, enz.*) être exempt; **3** (*ongehuwd*) rester célibataire.
vrij'blijvend *b.n.* (*H.*) sans engagement.
vrij'brief *m.* **1** permis *m.*; **2** (*fig.*) privilège *m.*
vrij'buiter *m.* **1** pirate, corsaire *m.*; **2** condottiere *m.*; (*gesch.*) flibustier *m.*
vrijbuiterij' *v.* **1** piraterie *f.*; **2** flibusterie *f.*
vrij'dag *m.* vendredi *m.*; ***Goede —,*** vendredi saint. [vendredi.
vrij'dags I *bw.* le vendredi; **II** *b.n.* de (*of* du)
vrij'denker *m.* libre*-penseur* *m.*, esprit *m.* fort.
vrijdenkerij' *v.* libre-pensée *f.*
vrij'dom *m.* franchise, exemption *f.*
vrij'elijk *bw.* librement.
vrij'en *ov.w.* en *on.w.* faire la cour à, courtiser.
vrij'er *m.* amoureux *m.*; futur *m.*; ***oude —,*** vieux garçon, célibataire *m.*
vrijerij' *v.* amours *m.pl.*
vrijetijds'besteding *v.* emploi *m.* (*of* utilisation *f.*) des loisirs; civilisation *f.* des loisirs.
vrij'gelatene *m.-v.* affranchi *m.*, —e *f.*
vrij'geleide *o.* laissez-passer, sauf-conduit* *m.*
vrij'gesteld *b.n.* (*v. examen*) dispensé, (*v. dienstplicht*) exempt.
vrij'geven *ov.w.* relâcher, laisser libre.
vrijge'vig I *b.n.* libéral, généreux; **II** *bw.* libéralement, généreusement.
vrijge'vigheid *v.* libéralité, générosité *f.*
vrij'gevochten *b.n.* libéré.
vrijgezel' *m.* célibataire, garçon *m.*
vrij'handel *m.* libre-échange *m.*
vrij'handelaar *m.* libre-échangiste* *m.* [*m.*
vrij'handelstelsel *o.* (système *m.* de) libre-échange
vrij'handelszone *v.(m.)* zone *f.* de libre-échange.
vrij'haven *v.(m.)* port *m.* franc.
vrij'heer *m.* (*gesch.*) baron *m.*
vrij'heerlijkheid *v.* (*gesch.*) baronnie *f.*
vrij'heid *v.* **1** liberté *f.*; **2** (*openhartigheid, vrijmoedigheid*) franchise *f.*; **3** (*te grote —*) licence *f.*, sans-gêne *m.*; ***dichterlijke —,*** licence poétique; ***in — stellen,*** libérer, relâcher.
vrijheidlie'vend *b.n.* qui aime la liberté.
vrij'heidsberoving *v.* séquestration *f.*
vrij'heidsboom *m.* arbre *m.* de la liberté.
vrij'heidsoorlog *m.* guerre *f.* d'indépendance.
vrij'heidsstraf *v.(m.)* peine *f.* d'emprisonnement.
vrij'heidszin *m.* esprit *m.* d'indépendance.
vrij'houden *ov.w.* **1** (*de kosten betalen*) défrayer, payer les frais de; **2** (*v. ingang*) tenir dégagé; **3** (*behoeden voor*) préserver (de), garantir (de).
vrij'kaart, *zie* ***vrijbiljet.***
vrij'komen *on.w.* (*v. gevangene*) être mis en liberté, être élargi; ***met de schrik —,*** en être quitte pour la peur.
vrij'koop *m.* rachat *m.*
vrij'kopen *ov.w.* racheter.
vrij'koping *v.* rachat *m.*
vrij'korps *o.* corps *m.* franc.
vrij'laten *ov.w.* **1** (*v. gevangene*) mettre en liberté, élargir, relâcher; **2** (*vrijheid geven tot*) laisser libre, donner plein pouvoir à; **3** ***— van,*** exempter de, dispenser de; ***iem. de handen —,*** donner carte blanche à qn. [*m.*; **2** exemption, dispense *f.*
vrij'lating *v.* **1** mise *f.* en liberté, élargissement
vrij'loop *m.* point *m.* mort; ***in de —zetten,*** mettre au point mort, débrayer.
vrij'lot *o.* billet *m.* gratuit.
vrij'loten *on.w.* tirer un bon numéro.
vrij'maken I *ov.w.* **1** (*v. land, volk, enz.*) affranchir; **2** (*v. doortocht, enz.*) dégager; **3** (*gelijke rechten geven aan*) émanciper; **4** (*v. effecten, enz.*) libérer; **II** *w.w.*, ***zich —,*** se libérer.
vrij'making *v.* **1** affranchissement *m.*; **2** dégagement *m.*; **3** émancipation *f.*; **4** libération *f.*
vrijmet'selaar *m.* franc*-maçon* *m.*
vrijmet'selaarsloge *v.(m.)* loge *f.* maçonnique.
vrijmetselarij' *v.* franc-maçonnerie *f.*
vrijmoe'dig I *b.n.* franc; hardi; **II** *bw.* franchement; hardiment.
vrijmoe'digheid *v.* franchise *f.*; hardiesse *f.*
vrij'plaats *v.(m.)* asile, refuge *m.*; (*mil.*) place *f.* de sûreté.
vrij'pleiten *ov.w.* disculper.
vrijpos'tig *b.n.* hardi, impertinent; trop familier.
vrijpos'tigheid *v.* hardiesse, impertinence; trop grande familiarité *f.*
vrij'spelen *ov.w.* (*sp.*) dégager (le ballon).
vrij'spraak *v.(m.)* acquittement *m.*
vrij'spreken *ov.w.* acquitter.
vrij'staan *on.w.* être permis; ***het staat u vrij...,*** vous êtes libre de, libre à vous de.
vrij'staand *b.n.* indépendant, isolé.

vrij'staat *m.* état *m.* libre.
vrij'stad *v.*(*m.*) ville *f.* libre.
vrij'stellen *ov.w.* dispenser, exempter (de), exonérer (de).
vrij'stelling *v.* **1** (*v. formaliteiten, enz.*) dispense *f.*; **2** (*v. dienst*) exemption *f.*; **3** (*v. rechten*) exonération *f.*; ***tijdelijke —,*** (*mil.*) ajournement *m.* (d'appel).
vrij'ster *v.* bonne amie *f.*; ***oude —,*** vieille fille *f.*; ***een oude — worden,*** coiffer Sainte-Catherine.
vrijuit' *bw.* franchement, librement, sans détour.
vrij'vallen *on.w.* devenir vacant.
vrij'vechten *ov.w.* affranchir.
vrij'waren *ov.w.* **1** (*waarborgen tegen*) garantir (de); **2** (*behoeden voor*) préserver (de, contre).
vrij'waring *v.* garantie *f.*; préservation *f.*; ***— voor bederf,*** imputrescibilité *f.*
vrijwel' *bw.* à peu près.
vrij'wiel *o.* roue *f.* libre.
vrijwil'lig I *b.n.* volontaire; **II** *bw.* volontairement; ***—e bijdrage,*** don gratuit; ***— afstand doen van,*** renoncer à qc. de son propre mouvement; ***— dienstnemen,*** se porter (*of* s'engager) volontaire.
vrijwil'liger *m.* volontaire *m.*
vrijwil'ligerschap *o.* volontariat *m.*
vrijwil'ligerskorps *o.* corps *m.* de volontaires.
vrijzin'nig *b.n.* libéral.
vrijzin'nigheid *v.* libéralisme *m.*
vroed *b.n.*, (*veroud.*) sage; ***de —e vaderen,*** les édiles *m.pl.*
vroed'kunde *v.* obstétrique *f.*
vroed'meester *m.* accoucheur *m.*
vroed'schap *v.* municipalité, magistrature *f.*
vroed'vrouw *v.* sage*-femme*, accoucheuse *f.*
vroeg I *b.n.* **1** (*'s morgens*) matinal; **2** (*v. vruchten*) hâtif, précoce; **3** (*vroegtijdig: v. dood*) prématuré; **4** (*v. jaargetijde*) précoce; ***—e groenten,*** primeurs *f.pl.*; ***in de —e ochtend,*** de grand matin, au point du jour; **II** *bw.* **1** tôt, de bonne heure; **2** (*rijpen, enz.*) hâtivement; **3** prématurément; ***— opstaan,*** **1** se lever matin; être matinal; **2** (*gewoonte*) être matineux; ***— of laat,*** tôt ou tard, un jour ou l'autre.
vroeg'beurs *v.*(*m.*) séance *f.* du matin.
vroeg'beurt *v.*(*m.*) service *m.* du matin.
vroeg'dienst *m.* **1** (*vroegbeurt*) service *m.* du matin; **2** (*in kerk*) office *m.* du matin.
vroe'ger I *b.n.* ancien; ex-; ***een —e uitgave,*** une édition antérieure; ***op een —e datum,*** à une date antérieure; ***zijn vroegere gewoonten,*** ses anciennes habitudes; **II** *bw.* **1** plus tôt, de meilleure heure; **2** (*eertijds*) autrefois, jadis; ***even goed als —,*** après comme devant.
vroeg'kerk *v.*(*m.*) (*prot.*) service *m.* du matin.
vroeg'mis *v.*(*m.*) (*kath.*) **1** première messe *f.*; **2** (*met Kerstmis*) messe *f.* de l'aube.
vroegrijp' *b.n.* précoce.
vroegrijp'heid *v.* précocité *f.*
vroegst *b.n.*, ***de —e,*** le premier; ***de —e tijden,*** les temps les plus reculés; ***op zijn —,*** au plus tôt.
vroeg'te *v.* matinée *f.*; ***in de —,*** de grand matin.
vroegtij'dig, *zie* ***vroeg.***
vroegtij'digheid *v.* précocité *f.*
vroeg'tram *m.* tramway *m.* ouvrier, service *m.* ouvrier.
vro'lijk I *b.n.* **1** gai, joyeux; **2** (*v. kamer, enz.: licht, gezellig*) riant, gai; **3** (*v. straat: druk, levendig*) fréquenté, animé; ***zich — maken over iets,*** s'amuser de qc.; ***een —e snaak,*** un gai compagnon; **II** *bw.* gaîment, joyeusement.
vro'lijkheid *v.* **1** gaîté, humeur, joyeuse, joie *f.*; **2** air *m.* riant; **3** animation *f.*

vroom I *b.n.* **1** pieux; dévot; **2** (*v. werk*) pie; de charité; **3** (*v. boek*) de piété; ***een vrome ziel,*** une bonne âme; ***een vrome wens,*** une illusion, une chimère, un vain désir; **II** *bw.* pieusement, dévotement.
vroom'heid *v.* piété; dévotion *f.*
vrouw *v.* **1** femme *f.*; **2** (*echtgenote*) femme *f.*; (*deftiger*) épouse *f.*; **3** (*in kaartsp.*) dame *f.*; **4** (*voor eigennaam*) madame *f.*; ***de — des huizes,*** la maîtresse de la maison; ***ja, —,*** oui, mon amie; ***Onze-Lieve-V—,*** Notre-Dame.
vrouw'achtig *b.n.* **1** féminin; **2** (*ong.: verwijfd*) efféminé.
vrou'welijk *b.n.* **1** féminin; **2** (*v. dier, bloem*) femelle; ***—e handwerken,*** ouvrages *m.pl.* de femme(s); ***— beroep,*** carrière *f.* féminine.
vrou'welijkheid *v.* **1** caractère *m.* féminin; **2** feminité *f.*; **3** (*gram.*) genre *m.* féminin.
vrou'wenarbeid *m.* travail *m.* de femmes, — féminin.
vrou'wenarts *m.* gynécologue *m.*
vrou'wenbeweging *v.* mouvement *m.* féministe, féminisme *m.*
vrou'wendokter, *zie* ***vrouwenarts.***
vrou'wengek *m.* homme *m.* à femmes.
vrou'wenhaar *o.* **1** cheveux *m.pl.* de femme; **2** (*Pl.*) chevelure *f.* de Vénus.
vrou'wenhand *v.*(*m.*) **1** main *f.* de femme; **2** écriture *f.* de femme.
vrou'wenhater *m.* misogyne *m.*, ennemi *m.* des femmes.
vrou'wenjager *m.* coureur *m.* de femmes.
vrou'wenkiesrecht *o.* suffrage *m.* des femmes, vote *m.* —, suffrage *m.* féminin.
vrou'wenkleding *v.* vêtements *m.pl.* de femme.
vrou'wenklooster *o.* couvent *m.* de femmes, — de religieuses.
vrou'wenlist *v.*(*m.*) ruse *f.* de femme.
vrou'wennaam *m.* nom *m.* de femme.
vrou'wenrok *m.* **1** jupe *f.*; **2** (*onderrok*) jupon *m.*
vrou'wenrol *v.*(*m.*) rôle *m.* féminin, — de femme.
vrou'wenroof *m.* rapt *m.* de femmes (*of* d'une femme), enlèvement *m.* —.
vrou'wenrubriek *v.* rubrique *f.* féminine.
vrou'wenstem *v.*(*m.*) voix *f.* de femme.
vrou'wenvertrek *o.* (*oudheid*) gynécée *m.*
vrouwlief' *v.* ma chère (femme), mon amie *f.*
vrouw'mens, vrouws'persoon *o.* **1** femme *f.*; **2** (*ong.*) fille *f.*
vrouw'volk *o.* les femmes *f.pl.*; les jupes *f.pl.*
vrucht *v.*(*m.*) fruit *m.*; ***— dragen,*** porter des fruits, fructifier; ***zonder —,*** sans résultat, en vain; ***eerste —en,*** **1** primeurs *f.pl.*; **2** (*fig.: v. geest*) prémices *f.pl.*
vrucht'afdrijvend *b.n.* abortif.
vrucht'afdrijving *v.* avortement *m.*
vrucht'baar *b.n.* **1** (*v. grond*) fertile; **2** (*v. regen, weer: groeizaam; fig.*) fécond; **3** (*lonend*) productif; **4** (*v. volk*) prolifique; ***— maken,*** **1** fertiliser; **2** féconder.
vrucht'baarheid *v.* **1** fertilité *f.*; **2** fécondité *f.*; **3** productivité *f.*
vrucht'baarmaking *v.* **1** fertilisation *f.*; **2** fécondation *f.*
vrucht'beginsel *o.* ovaire *m.*
vrucht'bodem *m.* réceptacle *m.*
vrucht'boom *m.* arbre *m.* fruitier.
vrucht'dragend *b.n.* **1** fructifère; **2** (*fig.*) fructueux.
vruch'teloos I *b.n.* infructueux, inutile, vain; **II** *bw.* inutilement, en vain, vainement.
vruch'teloosheid *v.* infructuosité, inutilité *f.*
vruch'temesje *o.* couteau *m.* à fruits, pèle-fruits *m.*

vruch'tenbowl *m.* bowl *m.* de fruits.
vruch'tengelei *m. en v.* gelée *f.* de fruits; confiture *f.*
vruch'tenijs *o.* glace *f.* aux fruits.
vruchten'mand *v.(m.)* panier *m.* à fruits.
vruch'tenschaal *v.(m.)* coupe *f.* à fruits.
vruch'tensalade, -sla *v.(m.)* macédoine *f.* de fruits.
vruch'tentaart *v.(m.)* tarte *f.* aux fruits.
vruch'tenwijn *m.* vin *m.* de fruits.
vruch'tepers *v.(m.)* presse-fruits *m.*
vruch'tesap *o.* jus *m.* de fruits.
vruch'tesuiker *v.* glucose *f.*, sucre *m.* de fruits.
vrucht'gebruik *o.* usufruit *m.*, jouissance *f.*
vrucht'gebruiker *m.* usufruitier *m.*
vrucht'kiem *v.(m.)* germe *m.*
vrucht'knop *m.* bouton *m.* à fruit.
vrucht'steel *m.* pédoncule *m.*; (*fam.*) queue *f.*
vrucht'vlees *o.* pulpe *f.*; chair *f.*
vrucht'vormig *b.n.* en forme de fruit, fructiforme.
vrucht'wisseling *v.* rotation *f.* des cultures.
vrucht'zetting *v.* fructification, nouure *f.*
vuig I *b.n.* **1** vil, abject; **2** (*v. laster, enz.*) odieux; **II** *bw.* **1** vilement; **2** odieusement.
vuig'heid *v.* vilenie, abjection *f.*
vuil I *b.n.* **1** (*onrein*) sale, malpropre; **2** (*v. ei*) couvé, pourri; **3** (*v. straat, enz.*) crotté; **4** (*bedorven*) corrompu; **5** (*v. lucht*) mauvais; **6** (*v. maag*) dérangé, embarrassé; **7** (*fig.: v. woorden, enz.*) obscène, grivois; **8** (*v. boek*) immonde; **9** (*v. zaak*) véreux; ***—e taal,*** obscénités *f.pl.*, discours *m.pl.* obscènes; ***een — connossement,*** un connaissement avec réserves; **II** *z.n., o.* **1** (*alg.*) saleté *f.*; **2** (*huis—*) ordures *f.pl.*; **3** (*vuilnis*) immondices *f.pl.*; **4** (*straat—*) crotte *f.*
vuil'afvoer *m.* évacuation *f.* des ordures ménagères.
vuil'bek *m.* bec salé, cochon, salaud *m.*
vuil'boom *m.* (*Pl.*) bourdaine, bourgène *f.*
vuil'heid *v.* **1** saleté, malpropreté *f.*; **2** obscénité *f.*
vui'ligheid, *zie* ***vuil, II.***
vui'lik *m.* salaud, saligaud *m.*
vuil'maken *ov.w.* salir.
vuil'nis *v. en o.* ordures; immondices *f.pl.*
vuil'nisbak *m.* boîte *f.* aux ordures, poubelle *f.*
vuil'nisbelt *m. en v.* heurt *m.* public, monceau *m.* d'ordures, voirie *f.*
vuil'nisblik *o.* pelle *f.* à poussière, — aux balayures.
vuil'nisemmer *m.* seau *m.* à ordures.
vuil'niskar *v.(m.)* tombereau *m.* (à ordures).
vuil'nisman *m.* boueur, boueux *m.*
vuil'nisvat *o.* ordurier *m.*, poubelle *f.*
vuil'niswagen, *zie* ***vuilniskar.***
vuil'poes *v.(m.)* salaud *m.*, salope *f.*, souillon *m.-f.*
vuil'tje *o.* grain *m.* de poussière; ***er is geen — aan de lucht,*** il n'y a rien qui menace.
vuil'verbranding *v.* incinération *f.* des ordures ménagères.
vuil'verbrandingsoven *m.* dépotoir *m.*, four *m.* incinérateur.
vuilwa'teremmer *m.* seau *m.* de toilette.
vuist *v.(m.)* poing *m.*; ***een — maken,*** fermer le poing; ***met gebalde —,*** à poing fermé; ***met de — dreigen,*** montrer le poing; ***recht voor de —,*** sans ambages; ***voor de — spreken,*** improviser, parler sans préparation; ***voor de — vertalen,*** traduire à livre ouvert.
vuist'gevecht *o.* pugilat *m.*
vuist'je *o.* petit poing *m.*; ***in zijn — lachen,*** rire dans sa barbe; ***uit het — eten,*** manger sur le pouce.
vuist'recht *o.* droit *m.* du plus fort.
vuist'slag *m.* coup*-de-poing *m.*
vuist'steen *m.* coup*-de-poing *m.*
vuist'vechter *m.* pugiliste *m.*
vulcanise'ren, -ize'ren, vulkanize'ren *ov.w.* vulcaniser.
vulgair' I *b.n.* vulgair; **II** *bw.* vulgairement.
Vulga'ta *v.(m.)* Vulgate *f.*
vul'gus, *het —,* le vulgaire; la foule.
vul'haard *m.* poêle *m.* à feu continu.
vulkaan' *m.* volcan *m.*
vul'kachel *v.(m.)* poêle *m.* à feu continu, calorifère *m.*
vulka'nisch *b.n.* volcanique.
vulkanizeren, *zie* ***vulcaniseren.***
vul'len I *ov.w.* **1** (*alg.*) remplir; **2** (*opvullen*) bourrer; **3** (*v. zetel*) rembourrer; **4** (*v. vogel, enz.*) farcir; **5** (*v. kies*) plomber, obturer; **6** (*v. ballon*) gonfler; ***een goed gevulde beurs,*** une bourse bien garnie.
vul'ling *v.* **1** remplissage *m.*; **2** bourrage, rembourrage *m.*; **3** farcissure *f.*; **4** plombage *m.*, obturation *f.*; **5** gonflement *m.*; **6** (*v. ball-point*) (re)charge, cartouche *f.*
vul'pen *v.(m.)*, **—houder** *m.* porte-plume *m.* à réservoir, stylo *m.*
vul'peninkt *m.* encre *f.* à stylo, — stylographique.
vul'potlood *o.* porte-mine *m.*
vul'sel *o.* **1** (*alg.*) remplissage *m.*; **2** (*v. stoel, enz.*) bourre *f.*; **3** (*v. vogel, enz.*) farce *f.*; **4** (*v. kies*) plombage *m.*
vul'steen *m.* remplage *m.*
vuns, vun'zig *b.n.* qui sent le relent, sentant le moisi.
vuns'heid, vun'zigheid *v.* relent, moisi *m.*, odeur *f.* de moisi.
vu'rehout *o.* bois *m.* de sapin.
vu'ren I *on.w.* faire feu, tirer; **II** *b.n.* de (*of* en) bois de sapin.
vu'rig I *b.n.* **1** ardent; **2** (*v. gebed*) fervent; **3** (*v. blik, wond; fig.*) enflammé; **4** (*v. koren*) niellé; **5** (*v. paard*) ardent, fougueux; **II** *bw.* **1** ardemment; **2** avec ferveur; **3** fougueusement.
vu'righeid *v.* **1** ardeur *f.*; **2** ferveur *f.*; **3** (*v. blik*) flamme *f.*, feu *m.*; **4** (*v. koren*) nielle, rouille *f.*
vuur *o.* **1** (*alg.*) feu *m.*; **2** (*v. koorts*) chaleur *f.*; **3** (*in koren*) nielle *f.*; **4** (*vuurtoren*) fanal *m.*; **5** (*muz.*) brio *m.*; **6** (*fig.*) feu *m.*, ardeur, fougue, passion *f.*; ***Bengaals —,*** feu de Bengale; ***zo rood als —,*** rouge comme une pivoine; ***hij werd zo rood als —,*** le feu lui monta au visage; ***— en licht,*** le chauffage et l'éclairage; ***in — zetten,*** enflammer; ***onder — nemen,*** ouvrir le feu sur; ***tussen twee vuren,*** entre deux feux, entre le marteau et l'enclume.
vuur'baak *v.(m.)* fanal, phare *m.*
vuur'berg *m.* volcan *m.*
vuur'bol *m.* globe *m.* de feu, bolide *m.*
vuur'cement *o. en m.* ciment *m.* réfractaire.
vuur'dekking *v.* (*mil.*) couvert *m.* à l'abri du feu.
vuur'dood *m. en v.* supplice *m.* du feu.
vuur'doop *m.* baptême *m.* du feu.
vuur'eter *m.* mangeur *m.* de feu, ignivore *m.*
vuur'gloed *m.* chaleur *f.* du feu, brasier *m.*
vuur'haard *m.* foyer *m.*
vuur'ijzer *o.* chenet *m.*
vuur'kogel *m.* boulet *m.* rouge.
vuur'kolk *v.(m.)* brasier *m.*, fournaise *f.*
vuur'kolom *v.(m.)* colonne *f.* de feu.
vuur'kracht *v.(m.)* puissance *f.* de feu.
vuur'lak *o. en m.* vernis *m.* à l'asphalte.
Vuur'land *o.* Terre *f.* de Feu.
Vuur'lander *m.* Fuégien *m.*
vuur'leiding *v.* conduite *f.* du feu.
vuur'lijn *v.(m.)* ligne *f.* de feu.
vuur'maker *m.* allume-feu *m.*

vuur'mond *m.* bouche *f.* à feu.
vuur'oven *m.* fournaise *f.*
vuur'peloton *o.* peloton *m.* de feu.
vuur'pijl *m.* fusée *f.* (éclairante).
vuur'plaat *v.(m.)* **1** tôle *f.* à feu; **2** plaque *f.* de cheminée; **3** (*v. locomotief*) paroi *f.*
vuur'poel *m.* **1** fournaise *f.*; **2** (*hel*) gouffre *m.* de l'enfer.
vuur'proef *v.(m.)* **1** (*gesch.*) épreuve *f.* du feu; **2** expérience *f.* pyrique; ***de — doorstaan,*** (*fig.*) passer au creuset, soutenir une rude épreuve.
vuur'rad *o.* roue *f.* de feu.
vuur'regeling *v.* réglage *m.* du tir.
vuur'regen *m.* pluie *f.* de feu.
vuur'rood *b.n.* **1** couleur de feu, rouge ardent; **2** (*v. gelaat*) tout rouge, allumé.
vuur'scherm *o.* **1** (*los*) écran *m.*; **2** (*traliewerk*) garde-feu(*) *m.*
vuur'schip *o.* **1** (*lichtschip*) bateau*-phare*, bateau*-feu* *m.*; **2** (*brander*) brûlot *m.*
vuur'schop *v.(m.)* pelle *f.* à feu.
vuur'sein *o.* signal *m.* lumineux.
vuur'slag *o.* briquet *m.*
vuur'snelheid *v.* rapidité *f.* du tir.
vuur'spuwend *b.n.* ignivome; ***—e berg,*** volcan *m.*
vuur'steen *m.* silex *m.*, pierre *f.* à fusil.
vuur'steentje *o.* (*v. aansteker*) pierre *f.* à briquet.
vuur'stoof *v.(m.)* chaufferette *f.*
vuur'straal *m. en v.* jet *m.* de feu.
vuur'stroom *m.* torrent *m.* de feu.
vuur'tang *v.(m.)* pincettes *f.pl.*
vuur'tje *o.* petit feu *m.*; ***als een lopend —,*** comme une traînée de poudre.
vuur'toren *m.* phare *m.*
vuur'torenwachter *m.* gardien *m.* de phare.
vuur'vast *b.n.* **1** à l'épreuve du feu, allant au feu; **2** (*v. baksteen*) réfractaire; (*v. schotel*) en pyrex.
vuur'vastheid *v.* force *f.* réfractaire.
vuur'vlieg *v.(m.)* mouche *f.* à feu.
vuur'vreter *m.* mangeur *m.* de feu, ignivore *m.*
vuur'wals *v.(m.)* barrage *m.* roulant.
vuur'wapen *o.* arme *f.* à feu.
vuur'werk *o.* feu *m.* d'artifice.
vuur'werkfabriek *v.* atelier *m.* pyrotechnique.
vuur'werkmaker *m.* artificier *m.*
vuur'zee *v.(m.)* nappe *f.* de feu, fournaise *f.*, embrasement *m.*
vuur'zuil *v.(m.)* colonne *f.* de feu.

W

W *v.(m.)* w (double v) *m.*
waad'baar *b.n.* guéable; ***waadbare plaats,*** gué [*m.*
Waadt'land *o.* (pays de) Vaud *m.*
Waadt'lander *m.* Vaudois *m.*
Waadt'lands *b.n.* vaudois.
waad'vogel *m.* échassier *m.*
waag **I** *v.(m.)* **1** (*toestel*) balance *f.*; **2** (*gebouw*) poids *m.* public; **II** *m.*, (*waagstuk*) ***het is een hele —,*** c'est fort risqué.
waag'geld *o.* (droit de) pesage *m.*
waag'hals *m.* audacieux, téméraire, casse-cou *m.*
waaghalzerij' *v.* audace, témérité *f.*
waag'meester *m.* peseur *m.* (public), directeur *m.* du poids public.
waag'schaal *v.(m.)* plateau *m.* de (la) balance; ***in de — stellen,*** (*fig.*) risquer, hasarder.
waag'spel *o.* jeu *m.* de hasard.
waag'stand *m.* équilibre *m.*
waag'stuk *o.* coup *m.* d'audace, entreprise *f.* hasardeuse.
waai'en *on.w.* **1** (*v. wind*) faire du vent, venter; **2** (*door wind bewogen*) flotter au vent, être agité par le vent; ***het waait,*** il fait du vent, il vente; ***het waait hard,*** il fait beaucoup de vent; ***de wind waait uit het noorden,*** le vent souffle du nord; ***met alle winden —,*** tourner à tous les vents; ***laat maar —,*** laissez aller! ***laat hem —,*** ne vous occupez plus de lui.
waai'er *m.* **1** éventail *m.*; **2** (*luchtververser*) ventilateur *m.*
waai'erboom *m.* arbre *m.* en éventail.
waai'erbrander *m.* (bec) papillon *m.*
waai'erpalm *m.* latanier *m.*, palmier *m.* en éventail.
waai'erplant *v.(m.)* flabellaire *f.*
waai'ervormig *b.n.* en éventail, flabelliforme.
waai'zand *o.* sables *m.pl.* mouvants.
waak, wa'ke *v.(m.)* **1** veille *f.*; **2** (*sch.*) quart *m.*
waak'hond *m.* chien *m.* de garde.
waak'plaats *v.(m.)* poste *m.*
waaks *b.n.* vigilant; ***—e hond,*** chien *m.* de bonne garde, chien vigilant.
waaks'heid *v.* vigilance *f.*
waak'ster *v.* garde*-malade*, gardienne *f.*
waak'zaam *b.n.* vigilant.
waak'zaamheid *v.* vigilance *f.*
Waal **I** *m.* Wallon *m.*; **II** *v.*, (*rivier*) Wahal, Waal *m.*
waal *v.(m.)* **1** (*waterkolk*) tournant *m.*; **2** (*in haven*) bassin *m.*
Waals *b.n.* wallon.
waan *m.* illusion *f.*; ***in de — verkeren (dat),*** s'imaginer (que); ***iem. in de — brengen (dat),*** faire croire à qn. (que); ***uit de — helpen,*** détromper.
waan'geloof *o.* superstition *f.*
waan'voorstelling *v.* hallucination *f.*
waan'wijs *b.n.* prétentieux, présomptueux, suffisant.
waan'wijsheid *v.* prétention, présomption, suffisance *f.*
waan'zin *m.* aliénation (mentale), folie, démence *f.*
waanzin'nig *b.n.* aliéné, fou, dément; ***— worden,*** tomber en démence.
waanzin'nige *m.* fou, dément *m.*
waanzin'nigheid, *zie* ***waanzin.***
waar **I** *v.(m.)* **1** (*alg.: koopwaar*) marchandise *f.*; **2** (*artikel*) article *m.*; **3** (*eet—*) denrée *f.*; ***slechte —,*** camelote, pacotille *f.*; ***— voor zijn geld krijgen,*** en avoir pour son argent; ***alle — is naar zijn geld,*** à chaque chose son prix; ***goede — prijst zichzelf,*** à bon vin point d'enseigne; **II** *b.n.* **1** vrai; **2** (*echt, waarachtig*) véritable; **3** (*oprecht*) sincère; ***niet —?*** n'est-ce pas? pas vrai? ***wel is —,*** il est vrai (que); ***'t is — ook,*** au fait, à propos, j'y pense; ***— maken,*** prouver; **III** *bw.* où; ***— heen?*** où? ***— vandaan?*** d'où?
waaraan' **1** (*vragend*) à quoi? **2** (*betr.*) auquel, à laquelle, etc.; **3** (*met onbep. antecedent*) à quoi.
waarach'ter **1** derrière quoi; **2** derrière lequel (laquelle, etc.).
waarach'tig **I** *b.n.* **1** (*waar, wezenlijk*) vrai; **2** (*echt*) véritable; **3** (*waarheidslievend*) véridique; **II** *bw.* vraiment; véritablement; véridiquement; **III** *tw.* ***—!*** vraiment!
waarach'tigheid *v.* vérité *f.*; véracité *f.*; véridicité *f.*

waarbene'den *bw.* **1** au-dessous de quoi; **2** au-dessous duquel, — de laquelle, etc.
waarbij' 1 près de quoi; **2** près duquel, etc.; ***de wet —,*** la loi en vertu de laquelle, — aux termes de laquelle.
waar'borg *m.* **1** (*garantie*) garantie *f.*; **2** (*borgtocht*) caution *f.*; **3** (*onderpand*) gage *m.*; **4** (*persoon*) garant, répondant *m.*; **5** (*essaai: v. goud en zilver*) essai *m.*
waar'borgen *ov.w.* garantir, répondre de.
waar'borgfonds *o.* fonds *m.* de garantie.
waar'borging *v.* **1** garantie *f.*; **2** (*borgstelling*) cautionnement *m.* [surances.
waar'borgmaatschappij *v.* compagnie *f.* d'as-
waar'borgmerk *o.* **1** (*v. fabriek*) marque *f.* de fabrique; **2** (*v. goud en zilver*) poinçon *m.* (de garantie).
waar'borgsom *v.*(*m.*) cautionnement *m.*
waar'borgstempel *o. en m.* poinçon *m.*
waarbo'ven *bw.* **1** au-dessus de quoi; **2** au-dessus duquel, etc.
waard I *m.* aubergiste, cabaretier, hôte, hôtelier *m.*; ***buiten de — rekenen,*** compter sans son hôte; ***zoals de — is, vertrouwt hij zijn gasten,*** on mesure les autres à son aune; **II** *v.*(*m.*), (*laag land aan rivier*) terre *f.* endiguée, polder *m.*; **III** *b.n.* **1** (*waardig*) digne; **2** (*dierbaar*) cher; ***— zijn,*** **1** (*zekere waarde hebben*) valoir; **2** (*verdienen, waardig zijn*) mériter, être digne de; ***dat is geen cent —,*** cela ne vaut pas un sou; ***mijn —e,*** mon bon monsieur, mon cher; ***mijn —e vriend,*** mon cher ami.
waar'de *v.* **1** (*alg.*) valeur *f.*; **2** (*prijs*) prix *m.*; **3** (*fig.: zedelijke —*) mérite, prix *m.*; ***dragende —en,*** valeurs contributives; ***in — houden,*** tenir en honneur; ***veel — hechten aan,*** attacher beaucoup de prix à, faire grand cas de; ***van gelijke —,*** équivalent; ***— genoten,*** (*H.*) valeur reçue; ***— in rekening,*** (*H.*) valeur en compte; ***gangbare —,*** valeur coursable; ***innerlijke —,*** valeur intrinsèque; ***aangegeven —,*** valeur déclarée; ***in — verminderen,*** (se) déprécier; ***van nul en gener —,*** **1** d'aucune valeur; **2** (*recht*) nul et non avenu; ***beneden de — verkopen,*** vendre à vil prix; ***ter — van,*** à la valeur de; (*ten bedrage van*) du montant de.
waar'debepaling *v.* détermination *f.* de la valeur; (*schatting*) taxation *f.*
waar'debon *m.* bon*-matières *m.*
waardeer'baar *b.n.* appréciable, estimable.
waardeer'der *m.* taxateur *m.*
waar'deleer *v.*(*m.*) théorie *f.* de la valeur.
waar'deloos *b.n.* sans valeur.
waar'deloosheid *v.* **1** absence *f.* de valeur; **2** (*fig.: ijdelheid, nietigheid*) inanité *f.*; (*onbeduidendheid*) futilité *f.*
waar'demeter *m.* **1** mesure *f.* de la valeur, étalon *m.*; **2** (*maatstaf*) critère *m.*
waarde'ren *ov.w.* **1** (*op prijs stellen*) apprécier; estimer; **2** (*schatten*) priser; ***iem. ten zeerste —,*** tenir qn. en haute estime.
waarde'ring *v.* appréciation *f.*; estimation *f.*; taxation *f.*
waar'deschaal *v.*(*m.*) hiérarchie (*of* échelle) *f.* des valeurs.
waar'devast *b.n.* de valeur stable.
waar'devermeerdering *v.* plus-value*; hausse *f.*
waar'devermindering *v.* moins-value*; baisse; dépréciation *f.*
waar'devol *b.n.* précieux, de grande valeur.
waar'dezending *v.* colis-valeur* *m.*
waar'dig I *b.n.* digne; **II** *bw.* dignement.
waar'digheid *v.* dignité *f.*
waar'digheidsbekleder *m.* dignitaire *m.*
waardij', *zie* ***waarde.***
waardin' *v.* hôtesse, aubergiste *f.*
waardoor' *bw.* **1** (*middel*) par quoi? par quel moyen? **2** (*oorzaak*) à cause de quoi? comment? ***— gebeurde dat?*** comment cela est-il arrivé? **3** (*plaats*) par où? (*doorheen*) à travers quoi; **4** (*betrekkelijk*) par lequel, etc., par où.
waarheen' *bw.* **1** où; **2** (*langs waar*) par où; **3** (*langs welke kant*) de quel côté; ***— u ook gaat,*** où que vous alliez; ***— men ook kijke,*** de quelque côté qu'on regarde.
waar'heid *v.* vérité *f.*; ***om de — te zeggen,*** à vrai dire, à dire vrai; ***iem. flink de — zeggen,*** dire à qn. ses (quatre) vérités; ***een — als een koe,*** une vérité de monsieur de la Palisse; ***de — wil niet altijd gezegd wezen,*** toute vérité n'est pas bonne à dire.
waar'heidlievend *b.n.* **1** (*waar, waarachtig*) vrai, véridique; **2** (*v. persoon: oprecht*) sincère.
waar'heidsliefde *v.* amour *m.* de la vérité, véracité *f.*
waar'heidsserum *o.* sérum *m.* de vérité.
waar'heidszin *m.* sens *m.* de la vérité, amour *m.* —.
waarin' 1 (*vragend*) où, en (*of* dans) quoi?; **2** (*betr.*) où, en quoi, dans lequel, etc.; ***de tijd — wij leven,*** le temps où nous vivons.
waarlangs' *bw.* par où.
waar'lijk *bw.* vraiment, réellement.
waar'loos *b.n.* de rechange.
waar'maken *ov.w.* **1** (*bewijzen*) prouver; **2** (*belofte*) accomplir; **3** (*bedreiging*) exécuter.
waar'making *v.* **1** preuve *f.*; **2** accomplissement *m.*; **3** exécution *f.*
waarme'(d)e 1 avec quoi; **2** avec lequel, etc.
waar'merk *o.* **1** (*als waarborg, v. fabriek, enz.*) marque *f.*; **2** (*v. echtheid, op dokument, enz.*) sceau, cachet *m.*; **3** (*handtekening*) paraphe *m.*; **4** (*keur: v. goud en zilver*) poinçon *m.*
waar'merken *ov.w.* **1** marquer (*ook met stempel*); **2** parapher; **3** poinçonner; **4** (*legaliseren: voor echt verklaren*) légaliser; ***een cheque —,*** contresigner un chèque.
waarna' *bw.* après quoi.
waarnaar' *bw.* **1** sur quoi; **2** sur lequel, etc.; ***— kijkt u?*** que regardez-vous? ***het model — hij werkt,*** le modèle d'après lequel il travaille.
waarnaast' *bw.* **1** à côté de quoi; **2** à côté duquel, etc.
waarneem'baar *b.n.* **1** (*met het oog*) perceptible; **2** (*voelbaar, enz.*) sensible.
waarneem'baarheid *v.* perceptibilité *f.*
waar'nemen *ov.w.* **1** (*bemerken*) apercevoir, voir; **2** (*met zorg —, gadeslaan*) observer; **3** (*plicht; betrachten*) remplir, faire; **4** (*ambt: vervullen*) exercer, remplir; (*tijdelijk —*) faire l'intérim de; **5** (*gelegenheid: benutten, gebruiken*) profiter de, saisir.
waar'nemend *b.n.* **1** (*plaatsvervangend*) suppléant; **2** (*tijdelijk*) intérimaire; **3** (*die dienst doet als*) faisant fonction de; ***— burgemeester,*** faisant fonction de bourgmestre; ***— voorzitter,*** président *m.* en exercice.
waar'nemer *m.* observateur *m.*
waar'neming *v.* **1** perception *f.*; **2** observation *f.*; **3** (*v. plicht*) accomplissement *m.*; **4** (*v. ambt*) exercice *m.*; **5** (*geboden van God, enz.*) observance *f.*; **6** (*beheer*) administration *f.*; ***met de — belast,*** chargé de l'intérim.
waar'nemingspost *m.* (*mil.*) poste *m.* d'observation.

waar'nemingsvermogen *o.* faculté *f.* d'observation.
waar'nemingsvliegtuig *o.* avion *m.* de commandement.
waarne'vens *bw.* à côté duquel, etc.
waarom' *bw.* pourquoi; ***de redenen —,*** les raisons pourquoi.
waaromheen' *bw.* autour de quoi; autour duquel, etc.
waaromtrent' *bw.* **1** (*waar*) où; **2** (*omtrent wat*) près de quel endroit, vers quel endroit; **3** (*betreffende welke of wat*) à quel sujet, à quel propos; à propos de quoi, desquels, etc.
waaron'der *bw.* **1** sous quoi; **2** sous lequel; **3** (*fig.: waartussen*) parmi lesquels.
waarop' *bw.* **1** sur quoi; **2** sur lequel; ***de vraag — u moet antwoorden,*** la question à laquelle vous devez répondre.
waaro'ver *bw.* **1** (*vragend*) de quoi, sur quoi; **2** (*betr.*) dont, duquel, sur lequel, etc.; (*na onbep. antecedent*) de quoi.
waarschijn'lijk I *b.n.* probable, vraisemblable; **II** *bw.* probablement, vraisemblablement.
waarschijn'lijkheid *v.* probabilité, vraisemblance *f.*
waarschijn'lijkheidsleer *v.*(*m.*) théorie *f.* des probabilités.
waarschijn'lijkheidsrekening *v.* calcul *m.* des probabilités.
waar'schuwen *ov.w.* **1** avertir; **2** (*verwittigen, inlichten*) prévenir; **3** (*brandweer*) alerter; ***iem. voor iets —,*** mettre qn. en garde contre qc.
waar'schuwer *m.* avertisseur *m.*
waar'schuwing *v.* **1** (*alg.*) avertissement *m.*; **2** (*tegen iets of iem.*) mise *f.* en garde; **3** (*v. belasting*) sommation *f.*
waar'schuwingsbord *o.* poteau *m.* avertisseur.
waar'schuwingscommando, -kommando *o.* commandement *m.* préparatoire.
waar'schuwingssignaal *o.* signal *m.* de route.
waar'schuwingsstaking *v.* grève *f.* d'avertissement.
waarte'gen *bw.* **1** contre quoi; **2** contre lequel, etc.
waartoe' *bw.* **1** (*tot wat*) à quoi, de quoi; **2** (*waarom*) pourquoi; **3** auquel, etc.; ***— is hij bekwaam?*** de quoi est-il capable?
waartus'sen *bw.* entre lesquels, parmi —.
waaruit' *bw.* **1** d'où, de quoi; **2** dont, duquel.
waarvan' *bw.* **1** d'où, de quoi; **2** dont, duquel.
waarvandaan' *bw.* d'où.
waarvoor' *bw.* **1** pourquoi; **2** pour lequel; **3** dont; ***— vreest hij?*** que craint-il?
waar'zeggen *ov.w. en on.w.* dire la bonne aventure.
waar'zegger *m.* **1** diseur *m.* de bonne aventure; **2** (*ziener*) devin *m.*
waarzeggerij' *v.* **1** art *m.* de dire la bonne aventure; **2** divination *f.*; **3** (*met kaarten*) cartomancie *f.*; **4** (*uit de hand*) chiromancie *f.*
waar'zegster *v.* **1** diseuse *f.* de bonne aventure; **2** (*met kaarten*) tireuse *f.* de cartes, cartomancienne *f.*; **3** (*uit de hand*) chiromancienne *f.*
waas *o.* **1** (*over het land*) (légère) vapeur *f.*; **2** (*op druiven, perziken, enz.*) fleur *f.*, velouté *m.*; **3** (*fig.*) voile *m.*; ***een — van geheimzinnigheid,*** un air mystérieux.
Waasmont' *o.* Wamont.
Waas'ten *o.* Warneton *m.*
wacht I *v.*(*m.*) **1** (*alg.*) garde *f.*; **2** (*schildwacht*) faction *m.*; **3** (*sch.*) quart *m.*; **4** (*wachthuis*) corps *m.* de garde, poste *m.*; ***de — hebben,*** **1** (*mil.*) être de garde; **2** (*sch.*) être de quart; ***de — betrekken,*** monter la garde; ***iets in de — slepen,*** (*fam.*) mettre main basse sur qc., s'emparer de qc.; **II** *m.*, (*persoon*) **1** gardien, garde *m.*; **2** (*mil.*) faction, sentinelle *f.*; **3** (*sch.*) homme *m.* de quart.
wacht'dienst *m.* (*mil.*) garde *f.*
wach'tel *m.* (*Dk.*) caille *f.*
wach'ten I *on.w.* attendre; ***op een gelegenheid —,*** attendre une occasion; ***op zijn geld —,*** attendre après son argent; ***op zich laten —,*** se faire désirer; ***hij laat lang op zich —,*** il tarde à venir; ***wacht even!*** (attendez) un instant; **II** *ov.w.* attendre; ***dat staat hem te —,*** c'est ce qui l'attend; (*fam.*) cela lui pend au nez; **III** *w.w.*, ***zich — iets te doen,*** se garder de faire qc.; ***wacht u voor namaak,*** méfiez-vous des contrefaçons.
wach'ter *m.* **1** gardien, garde *m.*; **2** (*nachtwaker*) veilleur *m.*; **3** (*sterr.*) satellite *m.*
wacht'geld *o.* traitement *m.* d'attente; (*vooral v. hogere ambtenaren*) traitement *m.* de disponibilité; ***op — stellen,*** mettre en disponibilité; (*mil.*) — en demi-solde.
wacht'gelder *m.* fonctionnaire *m.* au traitement de disponibilité.
wacht'glas *o.* (*sch.*) sablier *m.*
wacht'hebbend *b.n.* **1** (*mil.*) de garde; **2** (*sch.*) de quart.
wacht'hond *m.* chien *m.* de garde.
wacht'huisje *o.* **1** (*mil.*) guérite *f.*, corps *m.* de garde; **2** (*v. tram*) abri *m.*
wacht'kamer *v.*(*m.*) **1** (*v. station, enz.*) salle *f.* d'attente; **2** (*v. dokter, enz.*) antichambre *f.*, salon *m.* d'attente.
wacht'lijst *v.*(*m.*) liste *f.* d'attente.
wacht'meester *m.* maréchal *m.* des logis.
wacht'parade *v.* (*mil.*) parade *f.*
wacht'post *m.* poste *m.*
wacht'schip *o.* stationnaire *m.*, bâtiment *m.* de garde.
wacht'toren *m.* échauguette *f.*, mirador *m.*, tour *f* de guet.
wacht'verbod *o.* défense *f.* de stationner, — de s'arrêter; ***gedeeltelijk —,*** stationnement *m.* réglementé.
wacht'vuur *o.* (*mil.*) feu *m.* de bivouac.
wacht'woord *o.* **1** mot *m.* d'ordre, — de passe; **2** (*fig.*) consigne *f.*
wad *o.* gué, bas-fond* *m.*
wa'de *v.*(*m.*) **1** (*knieholte*) jarret *m.*; **2** (*lijk—*) linceul *m.*
wa'den *on.w.* passer à gué; ***door het slijk —,*** patauger dans la boue.
waf! *tw.* hou! ouah!
wa'fel *v.*(*m.*) **1** gaufre *f.*; **2** (*klap*) gifle *f.*; **3** (*pop.: mond*) boîte, gueule *f.*
wa'felbakker *m.* marchand *m.* de gaufres.
wa'felbeslag *o.* pâte *f.* à gaufres.
wa'felijzer *o.* gaufrier *m.*
wa'felkraam *v.*(*m.*) *en o.* baraque *f.* de gaufres.
wa'gen I *ov.w.* **1** risquer, hasarder, aventurer; **2** (*durven*) oser; ***het erop —,*** risquer le coup, tenter l'aventure; ***zijn leven —,*** (*ook:*) exposer sa vie; ***die niet waagt die niet wint,*** qui ne risque rien n'a rien; ***zij zijn aan elkaar gewaagd,*** ils se valent; **II** *w.w.*, ***zich —,*** s'aventurer, se risquer; **III** *z.n.*, *m.* **1** (*alg.: voertuig*) voiture *f.*; **2** (*zware —, op 4 wielen*) chariot *m.*; **3** (*lichtere, op 4 wielen*) charrette *f.*; **4** (*spoor—*) wagon *m.* voiture *f.*; **5** (*auto*) auto, voiture *f.*; **6** (*uit oudheid*) char *m.*; **7** (*v. schrijfmachine*) chariot *m.*; ***de Grote W—,*** (*sterr.*) le Chariot, la Grande Ourse; ***krakende —s lopen het langst,*** pot fêlé dure longtemps; ***voorste —,*** (*v. tram*) (voiture *f.*) motrice *f.*
wa'genas *v.*(*m.*) essieu *m.*
wa'genbank *v.*(*m.*) banquette *f.*
wa'genbestuurder *m.* **1** (*alg.*) conducteur *m.*; **2** (*v. tram*) wattman *m.*; **3** (*v. autobus*) machiniste, chauffeur *m.*
wa'genboom *m.* flèche *f.*
wa'gendissel *m.* timon *m.*

wa'genhok *o.* remise *f.*
wa'genhuif *v.(m.)* bâche *f.*
wa'genhuis *o.* remise *f.*
wa'genkap *v.(m.)* capote, bâche *f.*
wa'genladder *v.(m.)* ridelle *f.*
wa'genlading *v.* **1** (*v. kar*) charretée *f.*; **2** (*v. spoorweg*) charge *f.*
wa'genloods *v.(m.)* remise *f.* (à voitures).
wa'genmaker *m.* **1** charron *m.*; **2** (*die rijtuigen of koetswerk v. auto's maakt*) carrossier *m.*
wagenmakerij' *v.* **1** charronnerie *f.*; **2** carrosserie *f.*
wa'genmeester *m.* **1** (*bij spoorwegen*) chef *m.* d'équipe; **2** (*mil.*) vaguemestre *m.*
wa'genmenner *m.* **1** voiturier, charretier *m.*; **2** (*oudheid*) automédon *m.*
wa'genpaard *o.* cheval *m.* de trait.
wa'genpark *o.* **1** (*mil.*) parc *m.* d'artillerie; **2** (*v. spoorwegen*) parc *m.* du matériel roulant.
wa'genrad *o.* roue *f.* de voiture.
wa'genschot *o.* bois *m.* de charronnage.
wa'genschuur *v.(m.)* remise *f.*, hangar *m.*
wa'gensmeer *o. en m.* graisse *f.* de voitures; (*verdikt* —) cambouis *m.*
wa'genspoor *o.* ornière *f.*
wa'genstel *o.* train *m.* de voiture.
wa'gentje *o.* **1** (*alg.*) petite voiture *f.*; **2** (*op rails*) wagonnet *m.*
wa'genveer *o.* bac *m.* transbordeur.
wa'genvol *m.*, **wa'genvracht** *v.* charretée *f.*
wa'genwijd *bw.*, ***— open,*** grand ouvert.
wa'genzeil *o.* bâche *f.*
wa'genziek *b.n.* qui a le mal de voiture; — le mal de chemin de fer.
wa'genziekte *v.* mal *m.* de voiture.
wagerij' *v.* audace *f.*, coup *m.* d'audace.
wag'gelen I *on.w.* **1** (*wankelen*) chanceler; **2** (*als dronkaard*) tituber; **3** (*knikken v. de benen*) flageoler; **4** (*losstaan, loszitten; fig.*) branler; **II** *z.n., o.* **1** chancellement *m.*; **2** titubation *f.*; **3** branlement *m.*
wagon' *m.* wagon *m.*
wagon'lading *v.* wagon *m.*, wagonnée *f.*
wa'jangpop *v.(m.)* marionnette *f.* du théâtre d'ombres, — javanaise.
wak I *z.n., o.* soupirail *m.*, trou *m.* dans la glace; **II** *b.n.* humide, moite.
wa'ke, *zie* ***waak.***
wa'ken I *on.w.* veiller; ***bij een zieke —,*** veiller un malade; ***— voor,*** veiller à; **II** *z.n., o.* veille *f.*
wa'ker *m.* **1** (*bij zieke, enz.*) garde *m.*; **2** (*nacht—*) veilleur *m.*; **3** (*bewaker*) surveillant *m.*; **4** (*sch.: vlaggetje*) flamme *f.* de nuit.
wak'ker I *b.n.* **1** (*niet slapend*) éveillé; **2** (*fig.: bij de hand*) éveillé, dégourdi; (*vlug*) vif, alerte; ***— maken,*** réveiller; ***— worden,*** s'éveiller; se réveiller; ***men moet geen slapende honden — maken,*** il ne faut pas réveiller le chat qui dort; **II** *bw.* vivement, énergiquement.
wak'kerheid *v.* **1** (*waakzaamheid*) vigilance *f.*; **2** (*vlugheid, veerkracht*) vivacité, énergie *f.*
wal *m.* **1** (*omwalling*) rempart *m.*; **2** (*kade*) quai *m.*; **3** (*oever: v. rivier*) bord *m.*, rive *f.*; **4** (*v. de zee*) côte *f.*, rivage *m.*; ***de vaste —,*** la terre ferme; ***de beste stuurlui staan aan —,*** la critique est aisée, et l'art est difficile; il y en a toujours qui jugent du rivage; ***aan — gaan,*** débarquer; ***van — steken,*** **1** mettre à la voile, démarrer; **2** (*fig.*) se lancer; commencer; ***aan lager — zijn,*** être sur le sable; ***aan lager — geraken,*** se ruiner; ***—len onder de ogen hebben,*** avoir les yeux cernés, avoir des poches sous les yeux; ***het raakt kant noch —,*** cela n'a ni rime ni raison; ***van de — in de sloot geraken,*** tomber de fièvre en chaud mal.
Wa'lach *m.* Valaque *m.*
Walachij'e *o.* la Valachie.
Walachij'er *m.* Valaque *m.*
Walachijs' *b.n.* valaque.
wal'baas *m.* surveillant *m.* d'embarquement.
wald'hoorn, -horen *m.* cor *m.* (de chasse), trompe *f.*
wa'len *on.w.* **1** (*v. kompas*) tourner, vaciller, être affolé; **2** (*fig.: wankelen*) chanceler; (*weifelen*) hésiter.
wa'lendistel *m. en v.* (*Pl.*) panicaut *m.* des champs.
Wa'lenland *o.* la Wallonie, pays *m.* wallon.
Wa'les *o.* pays *m.* de Galles.
walg *m.* dégoût *m.*, aversion *f.*; ***een — hebben van iets,*** avoir qc. en aversion, avoir un dégoût de qc.; ***een — krijgen van,*** se dégoûter de.
walg(e)lijk, *zie* ***walgingwekkend.***
wal'gen *on.w.* avoir un dégoût (de); ***ik walg er van,*** cela me donne des nausées, cela me dégoûte.
wal'ging *v.* dégoût *m.*, nausées *f.pl.*, haut-le-cœur *m.*
wal'gingwekkend, walg(e)lijk I *b.n.* dégoûtant, nauséabond; **II** *bw.* d'une manière (*of* façon) dégoûtante.
wal'graver *m.* terrassier *m.*
Walhal'la *o.* Walhalla *f.*
Walin' *v.* Wallonne *f.*
wal'kant, wal'lekant *m.* bord *m.* du quai.
wal'kapitein *m.* capitaine *m.* d'armement.
wal'ken *ov.w.* fouler.
walku'ren *mv.* Valkyries *f.pl.*
wal(le)kant *m.* bord *m.* du quai.
Wal'lis *o.* le Valais; ***uit —,*** valaisien.
walm *m.* fumée *f.* épaisse.
wal'men *on.w.* fumer.
wal'mend *b.n.* fumeux.
wal'mig *b.n.* enfumé.
wal'ming *v.* exhalaison *f.* de vapeur, — de fumée.
wal'noot *v.(m.)* noix *f.*
wal'noteboom *m.* noyer *m.*
wal'rus *m.* morse *m.*, cheval *m.* marin.
wals I *m. en v.*, (*dans*) valse *f.*; **II** *v.(m.)* **1** (*pletrol*) cylindre *m.*; **2** (*wegwals*) rouleau *m.* compresseur, — dameur.
wal'schot *o.* blanc *m.* de baleine.
wal'sen I *on.w.* valser, danser une valse; **II** *ov.w.* **1** cylindrer, laminer; **2** rouler.
wal'ser *m.*, **—es** *v.* valseur *m.*, —euse *f.*
walserij' *v.* laminerie *f.*
Wals'houtem *o.* Hautain-l'Évêque.
wals'machine *v.* laminoir *m.*
wals'staal *o.* acier *m.* laminé.
wals'tempo *o.* mouvement *m.* de valse.
wal'stro *o.* (*Pl.*) caille-lait *m.*
wals'werk *o.* laminerie *f.*
Wal'ter *m.* Gautier *m.*
wal'vis *m.* baleine *f.*
wal'visachtigen *mv.* cétacés *m.pl.*
wal'visbaard *m.* fanon *m.* (de baleine).
wal'vistraan *m.* huile *f.* de baleine.
wal'visvaarder *m.* baleinier *m.*
wal'visvangst *v.* pêche *f.* de la baleine.
wam'buis *o.* pourpoint *m.*; ***iem. op zijn — geven,*** donner sur le casaquin à qn.
wam'men *ov.w.* (*v. vis*) éventrer, vider.
wan I *v.(m.)* van *m.*; **II** *o.* (*sch.*) voie *f.* d'eau.
wan'bedrijf *o.* méfait *m.*
wan'begrip *o.* fausse notion *f.*, idée *f.* fausse.
wan'beheer *o.* **1** mauvaise administration *f.*; **2** (*v. financiën*) mauvaise gestion *f.*
wan'bestuur *o.* mauvaise administration *f.*

wan'betaler *m.* 1 (*slechte betaler*) mauvais payeur *m.*; 2 (*niet betaler*) non-payant* *m.*
wan'betaling *v.* non-paiement *m.*
wan'bof *m.* déveine, guigne *f.*
wan'boffen *on.w.* avoir de la guigne, — de la déveine, n'avoir pas de chance.
wan'boffer *m.* guignard, déveinard *m.*
wand *m.* paroi *f.*; (*muur*) mur *m.*; ***houten —,*** cloison *f.*
wan'daad *v.*(*m.*) méfait *m.*
wand'almanak *m.* calendrier *m.*
wand'bank *v.*(*m.*) banquette *f.* [lambrissage *m.*
wand'bekleding *v.* boiserie *f.*, lambris *m.pl.*,
wan'del *m.* promenade *f.*; ***op de — zijn,*** être en promenade, se promener.
wan'delaar *m.* promeneur *m.*
wan'delbrug *v.*(*m.*) passerelle *f.* [nade* *m.*
wan'delconcert, -koncert *o.* concert*-prome-
wan'delcostuum, *zie* ***wandelkostuum.***
wan'deldek *o.* (*sch.*) pont*-promenade*, pont*-promenoir* *m.*
wan'deldreef *v.*(*m.*) allée *f.*
wan'delen *on.w.* 1 se promener, faire une promenade; 2 (*gaan*) aller à pied; ***naar B.—,*** se rendre (*of* aller) à pied à B.
wan'delend *b.n.* ambulant, itinérant; ***de —e Jood,*** le Juif errant; ***—e nier,*** rein *m.* mobile; (*Dk.*) ***— blad,*** phyllie *f.*; (*Dk.*) ***—e tak,*** phasme *m.*
wan'delgang *m.* couloir *m.*
wan'delhoofd *o.* jetée*-promenade* *f.*
wan'deling *v.* 1 promenade *f.*; 2 (*sp.*) marche *f.*; ***in de — geheten,*** nommé communément.
wan'delkaart *v.*(*m.*) carte *f.* routière.
wan'delkoncert, *zie* ***wandelconcert.***
wan'delkostuum, -costuum *o.* habit *m.* de ville, toilette *f.* —.
wan'delpad *o.* sentier *m.*, chemin *m.* réservé aux piétons.
wan'delpark *o.* parc *m.*, jardin *m.* publique.
wan'delpier *m.* jetée*-promenade* *f.*
wan'delplaats *v.*(*m.*) 1 promenade *f.*; 2 (*overdekt*) promenoir *m.*
wan'delrit *m.* promenade *f.* (à cheval, en voiture).
wan'delschoenen *mv.* souliers *m.pl.* de ville.
wan'delsport *v.*(*m.*) marche *f.* (à pied), footing *m.*; ***de — beoefenen,*** faire du footing.
wan'delstok *m.* canne *f.*
wan'deltocht *m.* excursion *f.* à pied.
wan'deltoilet *o.* toilette *f.* de ville.
wan'delwagentje *o.* poussette *f.*
wan'delweg *m.* promenade *f.*, chemin *m.* réservé aux piétons.
wand'gedierte *o.* vermine *f.*, punaises *f.pl.*
wand'kaart *v.*(*m.*) carte *f.* murale.
wand'kalender *m.* calendrier *m.*
wand'klok *v.*(*m.*) horloge, pendule *f.*
wand'luis *v.*(*m.*) punaise *f.*
wand'meubel *o.* meuble *m.* de panneau, — mural.
wand'plaat *v.*(*m.*) tableau *m.* mural.
wand'rek *o.* espalier *m.*
wand'schildering *v.* peinture *f.* murale, fresque *f.*
wand'tapijt *o.* tapisserie *f.*
wand'versiering *v.* décoration *f.* murale.
wa'nen *ov.w.* croire, s'imaginer; ***gewaand,*** prétendu, soi-disant.
wang *v.*(*m.*) joue *f.*; ***een dikke —,*** une fluxion; ***—en,*** (*sch.*) jumelles *f.pl.*
wang'been *o.* os *m.* malaire, zygoma *m.*
wan'gebruik *o.* abus *m.*, mauvais usage *m.*
wan'gedrag *o.* mauvaise conduite *f.*, inconduite *f.*
wan'gedrocht *o.* monstre *m.*
wan'geloof *o.* superstition *f.*
wan'geluid *o.* dissonance *f.*
wan'gen *ov.w.* (*sch.: v. mast*) jumeler.
wang'klier *v.*(*m.*) glande *f.* génale.
wang'kuiltje *o.* fossette *f.*
wang'spier *v.*(*m.*) muscle *m.* zygomatique.
wan'gunst *v.* envie, jalousie *f.*
wangun'stig *b.n.* envieux.
wang'zak *m.* abajoue *f.*
wan'hoop *v.*(*m.*) désespoir *m.*; ***tot — brengen,*** mettre au désespoir, réduire —, exaspérer.
wan'hoopsdaad *v.*(*m.*) acte *m.* de désespoir.
wan'hoopskreet *m.* cri *m.* de désespoir.
wan'hopen *on.w.* désespérer (de).
wanho'pend, wanho'pig *b.n.* 1 désespéré; 2 (*radeloos*) éperdu; ***— maken,*** désespérer; mettre au désespoir; ***— worden,*** se désespérer.
wan'kant *m.* (*v. hout*) dévers *m.*, flache *f.*
wan'kel *b.n.* 1 (*wankelend*) chancelant; 2 (*v. stoel, enz.*) branlant; 3 (*onvast*) labile; 4 (*fig.*) inconstant, instable.
wan'kelbaar *b.n.* chancelant; inconstant, instable; (*v. persoon*) irrésolu, indécis; ***— evenwicht,*** équilibre instable.
wan'kelbaarheid *v.* 1 inconstance, instabilité *f.*; 2 irrésolution *f.*
wan'kelen *on.w.* 1 chanceler; 2 branler; 3 (*fig.*) hésiter; ***aan het — brengen,*** ébranler; ***de markt was —d,*** le marché hésitait, — oscillait.
wan'keling *v.* 1 chancellement *m.*; 2 (*fig.*) hésitation *f.*
wankelmoe'dig *b.n.* inconstant, indécis.
wankelmoe'digheid *v.* inconstance, indécision *f.*
wan'klank *m.* dissonance *f.*; note *f.* discordante.
wanklin'kend, wanlui'dend *b.n.* dissonant; discordant.
wanlui'dendheid *v.* dissonance *f.*
wan'lust *m.* désir *m.* déréglé.
wan'molen *m.* tarare *m.*, vanneuse *f.*
wanneer' I *bw.* quand; II *vw.* 1 (*v. tijd*) quand, lorsque; 2 (*v. voorwaarde: indien*) si.
wan'nen *ov.w. en on.w.* vanner.
wan'ner *m.* vanneur *m.*
wan'ning *v.* vannage *m.*
wan'orde *v.*(*m.*) 1 désordre *m.*; 2 (*verwarring*) confusion *f.*; ***in — brengen,*** déranger, mettre en désordre.
wanor'delijk *b.n. en bw.* en désordre.
wanor'delijkheid *v.* désordre, dérèglement *m.*
wanscha'pen *b.n.* difforme, contrefait.
wanscha'penheid *v.* difformité, monstruosité *f.*
wan'schepsel *o.* monstre *m.*
wan'smaak *m.* mauvais goût *m.*
wansma'kelijk *b.n.* 1 de mauvais goût; 2 (*walglijk*) dégoûtant.
wanstal'tig *b.n.* difforme, contrefait.
wanstal'tigheid *v.* difformité, laideur *f.*
want I *vw.* car; II *z.n.*, *o.* 1 (*sch.*) agrès *m.pl.*; manœuvres *f.pl.*; 2 (*vis—*) filets *m.pl.*; ***lopend —,*** manœuvres courantes; ***staand —,*** manœuvres dormantes; ***hij weet van —en,*** il s'y connaît; c'est un vieux routier; il sait le numéro; III *v.*(*m.*), (*handschoen*) mitaine *f.*
wan'taal *v.*(*m.*) langage *m.* barbare.
wan'toestand *m.* mauvaise situation *f.*, état *m.* de choses vicieux.
wan'trouwen I *ov.w.* 1 (*gewoonte*) se méfier (de); 2 (*in bepaalde gevallen*) se défier (de); II *z.n.*, *o.* méfiance *f.*; défiance *f.*
wantrou'wig *b.n.* méfiant; défiant.
wants *v.*(*m.*) (*Dk.*) punaise *f.*
want'schaar *v.*(*m.*) (*sch.*) forces *f.pl.*
wan'verhouding *v.* disproportion *f.*

wanvoeg'lijk I *b.n.* indécent, malséant; II *bw.* indécemment.
wanvoeg'lijkheid *v.* indécence *f.*
wa'pen *o.* 1 arme *f.*; 2 (*familieteken*) armes, armoiries *f.pl.*; 3 (*blazoen*) blason *m.*; ***te —!*** aux armes! ***onder de —en roepen,*** appeler sous les drapeaux, — sous les armes; ***de technische —s,*** les armes savantes; ***geleide —s,*** missiles *m.pl.*; ***hoog in zijn — zijn,*** être haut à la main.
wa'penbalk *m.* 1 (*loodrecht*) pal *m.*; 2 (*horizontaal*) fasce *f.*; 3 (*schuin*) bande, barre *f.*
wa'penbeeld *o.* emblème, symbole *m.*
wa'penbijl *v.(m.)* hache *f.* d'armes.
wa'penboek *o.* armorial *m.*
wa'penbord *o.* écusson *m.*
wa'penbroeder *m.* frère *m.* d'armes.
wa'penchef *m.* (*mil.*) chef *m.* du service.
wa'pendrager *m.* écuyer *m.*
wa'penen *ov.w.* 1 armer; 2 (*leger: uitrusten*) équiper; 3 (*fig.*) ***— tegen,*** prémunir contre.
wa'penfabriek *v.* fabrique *f.* d'armes.
wa'penfeit *o.* fait *m.* d'armes, exploit *m.*
wa'pengekletter *o.* cliquetis *m.* d'(*of* des) armes.
wa'pengeluk *o.* fortune *f.* des armes.
wa'pengeweld *o.* force *f.* des armes, — militaire.
wa'penhandel *m.* 1 (*het hanteren*) maniement *m.* des armes; 2 (*oefeningen*) exercices *m.pl.* militaires; 3 (*H.*) trafic *m.* des armes.
wa'penheraut *m.* (*gesch.*) héraut *m.* d'armes.
wa'penhuis *o.* arsenal *m.*
wa'pening *v.* 1 armement *m.*; 2 (*v. leger*) équipement *m.*; ***algemene —,*** levée *f.* en masse.
wa'penkamer *v.(m.)* (*mil.*) salle *f.* d'armes.
wa'penkenner *m.* armoriste, héraldiste *m.*
wa'penkoning *m.* héraut *m.* d'armes.
wa'penkreet *m.* cri *m.* de guerre.
wa'penkunde *v.* héraldique *f.*, (science *f.* du) blason *m.*
wapenkun'dig *b.n.* héraldique.
wapenkun'dige *m.* héraldiste, armoriste *m.*
wa'penmagazijn *o.* (*mil.*) arsenal *m.*
wa'penmaker *m.* armurier *m.*
wapenmakerij' *v.* manufacture *f.* d'armes.
wa'penmakker *m.* frère *m.* d'armes.
wa'penoefening, *zie* ***wapenhandel*** (1,2.).
wa'penopslagplaats *v.(m.)* dépôt *m.* d'armes.
wa'penplaats *v.(m.)* place *f.* d'armes.
wa'penrek *o.* 1 râtelier *m.*; 2 (*als wandversiering*) panoplie *f.*
wa'penriem *m.* ceinturon *m.*
wa'penroem *m.* gloire *f.* des armes.
wa'penrok *m.* 1 (*mil.*) tunique *f.*; 2 (*gesch.*) cotte *f.* d'armes.
wa'penrusting *v.* armure *f.*
wa'penschild *o.* 1 écu, blason *m.*; 2 (*klein*) écusson *m.*
wa'penschilder *m.* armoriste *m.*, peintre *m.* d'armoiries.
wa'penschorsing *v.* suspension *f.* des hostilités.
wa'penschouwing *v.* revue *f.*
wapensmederij' *v.* armurerie *f.*
wa'pensmid *m.* armurier *m.*
wa'penspreuk *v.(m.)* devise *f.*
wa'penstilstand *m.* armistice *m.*
wa'penstok *m.* bâton *m.* d'agent de police, matraque *f.*
wa'pentrofee *v.* panoplie *f.*
wa'pentuig *o.* armes *f.pl.*, instruments *m.pl.* de guerre.
wa'penveld *o.* champ *m.* de l'écu, région *f.* —.
wa'penwinkel *m.* armurerie *f.*
wa'penzaal *v.(m.)* salle *f.* d'armes.
wap'per *m.* bascule *f.* d'un pont-levis.
wap'peren *on.w.* 1 (*v. vlag*) flotter au vent; 2 (*v. zeil*) fasier.
war *v.* désordre *m.*; ***in de —,*** 1 en désordre; 2 (*v. garen, enz.*) embrouillé; 3 (*v. hoofd*) détraqué; 4 (*v. haar*) décoiffé, emmêlé; 5 (*overhoop*) dérangé; 6 (*H.*) désemparé; 7 (*v. dienst*) désorganisé; ***in de — brengen,*** 1 embrouiller; 2 (*dienst*) désorganiser; 3 (*horloge, machine*) détraquer; ***in de — raken,*** s'embrouiller; se désorganiser; ***uit de — halen,*** débrouiller, démêler.
waran'de *v.(m.)* parc *m.*
warat'je! *tw.* par ma foi!
war'boel *m.* pêle-mêle, fouillis, chaos *m.*
warem'pel *tw.* (par) ma foi, vraiment.
wa'renhuis *o.* bazar; grand magasin *m.*
wa'renkennis *v.* étude *f.* des marchandises, connaissance *f.* des marchandises, merciologie *f.*
war'garen *o.* 1 fil *m.* brouillé; 2 (*fig.*) méli-mélo *m.*
war'geest *m.*, **war'hoofd** *o. en m.-v.* cerveau *m.* embrouillé, tête *f. f.* à l'envers, brise-raison *m.*
war'klomp *m.* chaos *m.*
war'kruid *o.* (*Pl.*) cuscute *f.*
warm I *b.n.* 1 chaud; 2 (*fig.: hartelijk*) chaleureux, cordial; 3 (*driftig*) vif, ardent; ***het is —,*** il fait chaud; ***het — hebben,*** avoir chaud; ***ik krijg het —,*** je commence à avoir chaud; ***— maken,*** chauffer; ***zich — maken voor iets,*** s'intéresser vivement à qc., s'emballer pour qc.; II *bw.* 1 chaudement; 2 chaleureusement; ***— opdissen,*** servir chaud.
warmbloe'dig *b.n.* 1 à sang chaud; 2 (*fig.*) ardent, vif.
war'men I *ov.w.* 1 chauffer; 2 (*bed*) bassiner; II *w.w.*, ***zich —,*** se chauffer.
war'ming *v.* chauffage *m.*
warm'lopen I *on.w.* 1 (*tn.: v. as, enz.*) chauffer; 2 (*fig.*) s'échauffer, s'emballer; II *z.n., o.* échauffement *m.*
war'moes *o.* herbes *f.pl.* potagères.
war'moestuin *m.* jardin *m.* potager.
warmoezenier' *m.* maraîcher *m.*
warmoezerij' *v.* culture *f.* maraîchère.
warm'pan *v.(m.)* bassinoire *f.*
warm'pjes *bw.* chaudement; ***er — inzitten,*** avoir du foin dans les bottes, avoir les pieds chauds.
warm'te *v.* 1 chaleur *f.*; 2 (*vurigheid, gloed*) chaleur, ardeur *f.*; 3 (*hartstochtelijkheid*) passion *f.*; ***— en koude,*** le chaud et le froid; ***met —,*** chaleureusement, avec chaleur; ***soortelijke —,*** calorique *m.* spécifique.
warm'tebron *v.(m.)* source *f.* de chaleur.
warm'tecapaciteit, -kapaciteit *v.* capacité *f.* calorifique, chaleur *f.* spécifique.
warm'teëenheid *v.* calorie *f.*
warm'tefront *o.* front *m.* de chaleur.
warm'tegeleidend *b.n.* calorifique, diathermane.
warm'tegeleider *m.* conducteur *m.* de la chaleur.
warm'tegeleiding *v.* conductibilité *f.* (thermique).
warm'tegevend *b.n.* calorifique, thermogène.
warm'tegolf *v.(m.)* vague *f.* de chaleur.
warm'tegraad *m.* 1 degré *m.* de chaleur; 2 (*temperatuur*) température *f.*
warm'te-isolerend *b.n.* calorifuge.
warm'te-isolering *v.* calorifugeage *f.*
warm'tekapaciteit, *zie* ***warmtecapaciteit.***
warm'teleer *v.(m.)* théorie *f.* de la chaleur, thermologie *f.*
warm'teleider, *zie* ***warmtegeleider.***
warm'temeter *m.* 1 thermomètre *m.*; 2 calorimètre *m.*

warm'temeting *v.* calorimétrie *f.* [leur.
warm'teontwikkeling *v.* production *f.* de cha-
warm'testraal *m. en v.* rayon *m.* de chaleur.
warm'teuitstraling *v.* radiation *f.* thermique.
warm'teverbruik *v.* consommation *f.* en calories.
warm'teverlies *o.* déperdition *f.* de chaleur.
warm'teverwekkend *b.n.* calorifique.
warm'tewerend *b.n.* calorifuge.
warmwa'terinstallatie *v.* chauffe-eau *m.*; ***elektrische* —,** chauffe-eau électrique (à chauffage instantané *ou* à accumulation). [chaude.
warmwa'terkraan *v.(m.)* robinet *m.* à eau
warmwa'terstoof *v.(m.)* bouillotte *f.*
war'nest, war'net *o.* labyrinthe *m.*
war'relen *on.w.* tourbillonner, tournoyer.
war'reling *v.* tourbillonnement *m.*
war'relwind *m.* tourbillon *m.*
war'rig *b.n.* **1** (*nukkig, koppig*) revêche, têtu; **2** (*v. hout*) noueux.
wars *b.n.* ennemi (de); adversaire (de), réfractaire à; ***— zijn van,*** repousser, être ennemi de, avoir en aversion.
War'schau *o.* Varsovie *f.*; ***uit —,*** varsovien.
war'taal *v.(m.)* galimatias, radotage *m.*; ***— spreken,*** radoter, déparler.
war'tel *m.* émerillon *m.*
war'telblok *o.* poulie *f.* à émerillon.
war'winkel *m.* chaos, imbroglio *m.*
was I *m. en o.* cire *f.*; **II** *m.* **1** (*het wassen*) blanchissage *m.*; **2** (*grote* —) lessive *f.*; **3** (*kleine* —) savonnage *m.*; **4** (*linnengoed*) linge *m.*; ***fijne —,*** linge *m.* fin; ***in de — doen (geven),*** donner à blanchir; **5** (*groei*) croissance *f.*; **6** (*v. water*) crue *f.*
was'achtig *b.n.* cireux, de cire.
was'afdruk *m.* empreinte *f.* sur cire.
was'appel *m.* pomme *f.* de cire.
was'baar *b.n.* lavable.
was'baas *m.* **1** blanchisseur *m.*; **2** (*mil.*) laveur *m.*
was'bank *v.(m.)* **1** (*voor linnen*) banc *m.* à laver; **2** (*voor wol*) dégraissoir *m.*
was'bak *m.* cuvette *f.*, baquet *m.*
was'beer *m.* (*Dk.*) raton *m.* laveur.
was'bekken *o.* cuvette *f.*
was'boetseerder *m.* modeleur *m.* en cire.
was'boetseerkunst *v.* céroplastique *f.*, art *m.* de modeler en cire.
was'boom *m.* (*Pl.*) cirier *m.*
was'bord *o.* planche *f.* à savonner.
was'dag *m.* jour *m.* de lessive.
was'doek I *m.* torchon *m.*, lavette *f.*; **II** (*stofnaam*) *o. en m.* toile *f.* cirée.
was'dom *m.* **1** croissance *f.*; **2** (*Pl.*) végétation *f.*
was'draad *m.* fil *m.* ciré.
was'echt *b.n.* lavable, supportant la lessive, lessivable, bon teint, grand teint.
wa'sem *m.* vapeur, buée *f.*
wa'semen *on.w.* **1** dégager de la vapeur, fumer; **2** (*v. brood*) buer.
wa'seming *v.* évaporation *f.*
was'fakkel *v.(m.)* flambeau *m.* de cire.
was'geel *b.n.* jaune comme cire, cireux.
was'geld *o.* blanchissage *m.*
was'gelegenheid *v.* lavabo *m.*
was'goed *o.* linge *m.* [savonnette *f.*
was'handje *o.* gant*-éponge*, gant *m.* de toilette,
was'hok, *o.* buanderie *f.*, lavoir *m.*
was'huid *v.(m.)* cire *f.*
was'huis *o.* buanderie *f.*, lavoir *m.*
was'inrichting *v.* **1** buanderie *f.*; **2** (*bedrijf*) blanchisserie *f.* [cierge *m.*
was'kaars *v.(m.)* **1** (*alg.*) bougie *f.*; **2** (*kerk*—)
was'kaarsenfabriek *v.* fabrique *f.* de bougies.
was'kaarsenmaker *m.* fabricant *m.* de bougies, cirier *m.*
was'ketel *m.* chaudière *f.* à lessive.
was'klemmer, -knijper *m.* pince *f.* à linge.
was'kom *v.(m.)* cuvette *f.*
was'kuip *v.(m.)* cuvier *m.*
was'lijst *v.(m.)* liste *f.* du linge.
was'loon *o.* blanchissage *m.*
was'lucifer *m.* allumette*-bougie* *f.*, allumette *f.* de cire.
was'machine *v.* lessiveuse *f.*, machine *f.* à laver.
was'mand *v.(m.)* panier *m.* à linge.
was'meid *v.* lessiveuse *f.*
was'middel *o.* **1** détersif *m.*; **2** (*v. haar*) lotion *f*
was'plaats *v.(m.)* **1** toilette *f.*; **2** (*washuis*) lavoir *m.*; **3** (*in slagerij*) échaudoir *m.*
was'poeder, -poeier *o. en m.* poudre *f.* à laver.
was'sen I *ov.w.* **1** laver; **2** (*v. linnen*) laver, blanchir, lessiver; **3** (*v. goud*) apurer; **4** (*v. wol*) dessuinter; **5** (*kaarten*) mêler, battre; ***ik was mijn handen in onschuld,*** je m'en lave les mains; **II** *on.w.* lessiver, faire la lessive; **III** *z.n., o.* **1** lavage *m.*; **2** (*v. gezicht ook:*) débarbouillage *m.*; **3** blanchissage *m.*; lessivage *m.*; **4** (*v. goud*) apurement *m.*; **5** (*v. tekening*) lavis *m.*; **6** (*v. voeten*) lavement *m.*; **IV** *on.w.* **1** (*v. planten*) pousser, croître; **2** (*v. kinderen, dieren*) grandir; **3** (*v. water*) croître, monter; **V** *ov.w.* (*met was bestrijken*) cirer; **VI** *b.n.*, (*van was*) de cire.
wassenbeel'denspel *o.* cabinet *m.* de figures de cire, salon *m.* —.
was'send *b.n.* croissant; ***bij —e maan,*** pendant le premier quartier.
was'ser *m.* **1** laveur *m.*; **2** (*wasbaas*) blanchisseur *m.*; **3** (*in restaurant*) plongeur *m.*
wasserij' *v.* blanchisserie *f.*
was'singen *mv.* (*rituele*) ablutions *f.pl.*
was'stel *o.* garniture *f.* de toilette.
was'tafel *v.(m.)* (table de) toilette *f.*; ***vaste —*** lavabo *m.*
was'tobbe *v.(m.)* baquet *m.*
was'vrouw *v.* blanchisseuse *f.*
was'water *o.* **1** (*om zich te wassen*) eau *f.* pour se laver, — pour la toilette; **2** (*v. de afwas*) eau *f* de vaisselle, lavure *f.*
was'zak *m.* sac *m.* à linge.
was'zeep *v.(m.)* savon *m.* mou.
wat I *vr. vnw.* que? qu'est-ce qui? qu'est-ce que? quoi? ***— voor een boek is dat?*** quel livre est-ce? ***— voor weer is het?*** quel temps fait-il? ***— is er mooier?*** quoi de plus beau? ***— zou dat?*** et après? et puis après? ***— te doen?*** que faire? ***— is er?*** qu'y a-t-il? qu'est-ce qu'il y a? ***— komt u doen?*** qui vous amène? ***—! hebt u dat gedaan?*** comment, c'est vous qui l'avez fait? ***— een boeken!*** **1** (*hoeveelheid*) que de livres! **2** (*hoedanigheid*) quels livres! ***— hebben wij gelachen!*** ce que nous avons ri! ***— is zijn vader?*** quel est l'état de son père? qu'est-ce qu'il fait, son père? ***och —!*** allons donc! **II** *betr. vnw.* ce qui, ce que; que; quoi; ***— hij gezegd heeft,*** ce qu'il a dit; ***alles — hij gezegd heeft,*** tout ce qu'il a dit; ***— beter is...,*** qui mieux est; ***— erger is...,*** qui pis est; ***er moge gebeuren — wil,*** advienne que pourra; ***— u ook doet,*** quoi que vous fassiez; ***— ook de oorzaak moge zijn,*** quelle que soit la cause; ***— voor boeken u ook gelezen hebt,*** quelques livres que vous avez lus; **III** *onb. vnw.* **1** (*iets*) quelque chose; **2** (*een weinig*) un peu; ***— ook,*** quoi que, quoi que ce soit; ***dat is — anders,*** c'est autre chose; ***'t is — moois!*** c'est du propre! ***heel — boeken,*** bien des livres,

pas mal de livres; ***voor — hoort —,*** rien pour rien; toute peine mérite salaire; **IV** *onb. telw.* **1** (*een weinig*) un peu (de); **2** (*enige*) quelques; ***— inkt,*** un peu d'encre; ***— pennen,*** quelques plumes; **V** *bw.* **1** (*een weinig, enigszins*) un peu; **2** (*zeer*) très, fort, extrêmement, etc.; **3** (*wijze, graad: hoe, hoezeer*) comme, que; **4** (*waarom*) pourquoi; ***dat is heel — beter,*** c'est beaucoup mieux, c'est bien mieux; ***'t is wel — laat,*** c'est quelque peu tard; ***— is het warm!*** comme il fait chaud! ***— is hij lief!*** qu'il est gentil! **VI** *tw.* comment! pas possible!

wat'achtig *b.n.* ouateux.

wa'ter *o.* **1** eau *f.*; **2** (*gen.: waterzucht*) hydropisie *f.*; **3** (*v. stoffen*) moire *f.*; ***stilstaand —,*** eau stagnante; ***stromend —,*** eau courante; ***hoog —,*** marée haute; ***laag —,*** marée basse; ***zoet —,*** eau douce; ***zout —,*** eau salée; ***sterk —,*** eau forte, acide *m.* nitrique; ***zwaar —,*** eau lourde; ***onder — staan,*** être inondé; ***onder — zetten,*** inonder; ***onder — zwemmen,*** nager entre deux eaux; ***spijkers op laag water zoeken,*** chercher la petite bête; chercher midi à quatorze heures; ***weer boven — komen,*** revenir sur l'eau; ***in 't — vallen,*** **1** tomber à l'eau; **2** (*fig.*) tomber dans l'eau, tomber dans le seau; ***te — laten,*** lancer, mettre à l'eau; ***— en bloed zweten,*** suer sang et eau; ***van het zuiverste —,*** (*v. edelsteen*) de la plus belle eau; ***over 't —,*** de l'autre côté de l'eau; ***het hoofd boven — houden,*** tenir ferme; ***— in zijn wijn doen,*** mettre de l'eau dans son vin; ***op — en brood zetten,*** mettre au pain et à l'eau; ***als — en vuur,*** comme l'eau et le feu; ***— naar de zee dragen,*** porter de l'eau à la rivière (*of* à la mer); ***— trekken,*** (*v. schoenen*) prendre l'eau; ***het — loopt mij langs de rug,*** je suis tout en nage; ***hij laat Gods — over Gods akker lopen,*** il ne se soucie de rien; ***in zulke —s vangt men zulke vissen,*** qui couche avec les chiens se lève avec les puces; ***stille —s hebben diepe gronden,*** il n'est pire eau que l'eau qui dort.

wa'teraantrekkend *b.n.* hydrophile.

wa'teraanvoer *m.* adduction *f.* de l'eau (*of* d'eau).

wa'terachtig *b.n.* **1** aqueux; **2** (*gen.*) séreux; **3** (*fig.*) fade, insipide.

wa'terachtigheid *v.* **1** aquosité *f.*; **2** sérosité *f.*; **3** fadeur, insipidité *f.*

wa'terader *v.(m.)* **1** (*in grond*) veine *f.* d'eau; **2** (*in lichaam*) vaisseau *m.* lymphatique.

wa'terafdrijvend *b.n.* diurétique.

wa'teraftapping *v.* **1** prise *f.* d'eau; **2** (*gen.*) ponction *f.* [*f.*

wa'terafvoer *m.* écoulement *m.* des eaux, décharge

wa'terandoorn, -andoren *m.* (*Pl.*) marrube *m.* aquatique.

wa'terbaars *m.* perche *f.* au naturel.

wa'terbad *o.* bain*-marie *m.*

wa'terbak *m.* **1** réservoir *m.*; **2** (*v. regenwater*) citerne *f.*; **3** (*waterplaats*) urinoir *m.*

wa'terballast *m.* ballast *m.* d'eau.

wa'terballet *o.* ballet *m.* nautique.

wa'terbekken *o.* bassin *m.* (d'eau).

wa'terbel *v.(m.)* bulle *f.* d'eau.

wa'terbeschrijving *v.* hydrographie *f.*

wa'terbeweegkracht *v.(m.)* force *f.* hydraulique.

wa'terbewoner *m.* habitant *m.* de l'eau, animal *m.* aquatique. [ampoule *f.*

wa'terblaas *v.(m.)* **1** (*urine*) vessie *f.*; **2** (*blaar*)

wa'terblaasje *o.* vésicule *f.*

wa'terblauw *b.n.* couleur bleu de mer.

wa'terbloem *v.(m.)* fleur *f.* aquatique.

wa'terboterbloem *v.(m.)* (*Pl.*) souci *m.* des marais.

wa'terbouw *m.* construction *f.* hydraulique.

wa'terbouwkunde *v.* hydraulique *f.*, architecture *f.* hydraulique.

waterbouwkun'dig *b.n.* hydraulique.

waterbouwkun'dige *m.* ingénieur *m.* hydrographe, hydraulicien *m.* [**2** hernie *f.* aqueuse.

wa'terbreuk *v.(m.)* **1** (*v. 't scrotum*) hydrocèle *f.*;

wa'terbron *v.(m.)* source; fontaine *f.*

wa'terbrood *o.* pain *m.* cuit à l'eau.

wa'terbuis *v.(m.)* conduit *m.* d'eau. [corps.

wa'terchinees *m.* (drôle de) type *m.*, drôle *m.* de

wa'terchocola(de) *m.* chocolat *m.* à l'eau.

wa'tercloset, -kloset *o.* water-closet* *m.*

wa'terdamp *m.* vapeur *f.* d'eau.

wa'terdicht *b.n.* **1** (*v. stof, enz.*) imperméable; **2** (*sch.*) étanche. [chéité *f.*

wa'terdichtheid *v.* **1** imperméabilité *f.*; **2** étan-

wa'terdier *o.* animal *m.* aquatique.

wa'terdistel *m. en v.* quenouille *f.*

wa'terdokter *m.* hydropathe *m.*

wa'terdrager *m.* porteur *m.* d'eau.

wa'terdrinker *m.* buveur *m.* d'eau.

wa'terdroppel, *zie* ***waterdruppel.***

wa'terdruk *m.* pression *f.* hydraulique.

wa'terdrukmachine *v.* machine *f.* hydraulique.

wa'terdruppel, -droppel *m.* goutte *f.* d'eau.

wa'tereend *v.(m.)* **1** canard *m.* sauvage; **2** (*duikeend*) plongeon *m.*

wa'teremmer *m.* seau *m.*

wa'teren I *ov.w.* **1** (*besproeien*) arroser; **2** (*drenken*) abreuver, mener à l'abreuvoir; **3** (*v. stoffen*) moirer, onder; **II** *on.w.* **1** uriner; **2** (*v. ogen*) pleurer; ***zijn ogen —,*** il a des larmes aux yeux.

wa'ter-en-vuur'baas *m.* marchand *m.* d'eau chaude. [chaude.

wa'ter-en-vuur'nering *v.* commerce *m.* d'eau

wa'ter-en-vuur'vrouw *v.* marchande *f.* d'eau chaude.

wa'terfauna *v.(m.)* faune *f.* aquatique.

wa'terfeest *o.* fête *f.* vénitienne, — sur l'eau.

wa'terfilter *m. en o.* filtre *m.* à eau, fontaine *f.* filtrante.

wa'terfles *v.(m.)* carafe *f.*

wa'tergal *v.(m.)* bile *f.* claire.

wa'tergang *m.* gouttière *f.*

wa'tergas *o.* gaz *m.* d'eau.

wa'tergebrek *o.* manque *m.* d'eau.

wa'tergeest *m.* ondin *m.*, —e *f.*

wa'tergehalte *o.* teneur *f.* en eau.

wa'tergeneeskunde *v.*, **wa'tergeneeswijze** *v.(m.)* hydrothérapie *f.*

wa'tergeus *m.* (*gesch.*) gueux *m.* de mer.

wa'tergevogelte *o.* oiseaux *m.pl.* aquatiques.

wa'tergezwel *o.* œdème *m.*

wa'tergieter *m.* arrosoir *m.*

wa'terglas *o.* **1** (*drinkglas*) verre *m.* à eau; **2** (*gen.*) urinal *m.*; **3** (*scheik.*) verre *m.* soluble, silicate *m.* de potasse.

wa'tergod *m.* divinité *f.* aquatique; triton *m.*

wa'tergodin *v.* néréide, naïade *f.*

wa'tergolf *v.(m.)* mise *f.* en plis.

wa'tergoot *v.(m.)* **1** gouttière *f.*; **2** (*op straat*) ruisseau *m.*; **3** (*riool*) égout *m.*

wa'tergroeve *v.(m.)* rigole *f.*

wa'terhagedis *v.(m.)* lézard *m.* aquatique.

wa'terhoen *o.* poule *f.* d'eau, colin *m.*

wa'terhond *m.* barbet, caniche *m.*

wa'terhonig *m.* hydromel *m.*

wa'terhoofd *o.* hydrocéphale *m.*

wa'terhoogte *v.* hauteur *f.* de l'eau.

wa'terhoos *v.(m.)* trombe *f.* (d'eau).
wa'terhoudend *b.n.* **1** qui contient de l'eau, aqueux; **2** (*scheik.*) hydraté.
wa'terig *b.n.* **1** aqueux; **2** (*gen.*) séreux; **3** (*fig.*) fade, insipide; **4** (*v. stijl*) délayé.
wa'tering *v.* **1** (*besproeiing*) arrosage *m.*; **2** (*v. stoffen*) moire *f.*
wa'terjuffer *v.(m.)* libellule, demoiselle *f.*
wa'terkaars *v.(m.)* (*Pl.*) chandelle *f.* d'eau.
wa'terkalk *m.* lait *m.* de chaux.
wa'terkan *v.(m.)* pot *m.* à eau; aiguière *f.*
wa'terkant *m.* bord *m.* de l'eau.
wa'terkaraf *v.(m.)* carafe *f.*
wa'terkering *v.* levée, digue *f.*
wa'terkers *v.(m.)* (*Pl.*) cresson *m.* d'eau.
wa'terketel *m.* **1** (*groot*) chaudière *f.*; **2** (*thee—*) bouilloire *f.*
wa'terkever *m.* hydrophile *m.*
wa'terkleurig *b.n.* couleur d'eau, glauque.
wa'terklok *v.(m.)* clepsydre *m.*
wa'terkloset, -closet *o.* water-closet * *m.*
wa'terkoeling *v.* refroidissement *m.* à eau.
wa'terkom *v.(m.)* bassin *m.*, cuvette *f.*
wa'terkoud *b.n.*, ***het is —,*** il fait froid et humide.
wa'terkraan *v.(m.)* robinet *m.* (à eau).
wa'terkracht *v.(m.)* force *f.* hydraulique.
wa'terkrachtmachine *v.* moteur *m.* hydraulique.
wa'terkruik *v.(m.)* cruche *f.* à eau.
wa'terkuip *v.(m.)* cuvier, baquet *m.*
wa'terkunde *v.* hydrologie *f.*
waterkun'dige *m.* hydrologiste *m.*
wa'terkussen *o.* coussin *m.* rempli d'eau.
wa'terkuur *v.(m.)* **1** cure *f.* d'eau; **2** (*voor watergeneeswijze*) cure *f.* hydrothérapique.
wa'terlaars *v.(m.)* botte *f.* imperméable, — de marin.
wa'terland *o.* pays *m.* marécageux.
wa'terlanders *mv.* larmes *f.pl.*
wa'terleiding *v.* **1** conduite *f.* d'eau; **2** (*in huis*) distribution *f.* d'eau; **3** (*v. maatschappij: dienst*) service *m.* des eaux.
wa'terlelie *v.(m.)* nénuphar *m.*
wa'terlijn *v.(m.)* **1** (*sch.*) (ligne de) flottaison *f.*; **2** (*v. ketel*) niveau *m.* d'eau.
wa'terlinie *v.* (*mil.*) ligne *f.* de défense par l'inondation, ligne d'eau.
wa'terlis *m. en o.* (*Pl.*) iris *m.* aquatique, glaïeul *m.*
wa'terloop *m.* cours *m.* d'eau.
wa'terloos *b.n.* sans eau.
wa'terlozing *v.* **1** écoulement *m.*, décharge *f.* (des eaux); **2** urination *f.*, élimination *f.* de l'urine.
Wa'termaal-Bos'voorde *o.* Watermael-Boitsfort.
Wa'terman *m.* (*sterr.*) Verseau *m.*
wa'termassa *v.(m.)* masse *f.* d'eau.
wa'termeetkunde *v.* hydrométrie *f.*
wa'termeloen *m. en v.* melon *m.* d'eau, pastèque *f.*
wa'termerk *o.* filigrane *m.*
wa'termeter *m.* **1** (*v. waterleiding*) compteur *m.*; **2** (*v. reservoir*) hydromètre *m.*
wa'termijn *v.(m.)* (*mil.*) mine *f.* flottante.
wa'termolen *m.* **1** moulin *m.* à eau; **2** (*v. polder*) moulin *m.* d'épuisement, épuise *f.*
wa'termuur *v.(m.)* (*Pl.*) mouron *m.* d'eau.
wa'ternimf *v.* naïade *f.*
wa'ternood *m.* disette *f.* d'eau.
wa'ternoot *v.(m.)* châtaigne *f.* d'eau.
wa'teroog *o.* hydrophtalmie *f.*
wa'terpad *v.(m.)* crapaud *m.* aquatique.
wa'terpartij *v.* **1** pièce *f.* d'eau; **2** *zie* ***waterfeest.***
wa'terpas I *b.n.* horizontal, de niveau; **II** *z.n.*, *o.* niveau *m.* d'eau.
wa'terpasmeter *m.* niveleur *m.*
wa'terpassen *on.w.* niveler.
wa'terpasser *m.* niveleur *m.*
wa'terpassing *v.* nivellement *m.*
wa'terpeil *o.* échelle *f.* d'eau.
wa'terpeilstok *m.* jauge *f.*
wa'terpers *v.(m.)* presse *f.* hydraulique.
wa'terpest *v.(m.)* (*Pl.*) peste *f.* des eaux.
wa'terpijp *v.(m.)* conduit *m.* d'eau.
wa'terplaats *v.(m.)* **1** urinoir *m.*; **2** (*sch.*) aiguade [*f.*
wa'terplant *v.(m.)* plante *f.* aquatique.
wa'terplas *m.* **1** flaque, mare *f.*; **2** (*v. de zee*) nappe *f.* d'eau.
wa'terpokken *mv.* varicelle *f.*
wa'terpolitie *v.* police *f.* du port, — fluviale.
wa'terpolo *o.* water-polo *m.*
wa'terpoort *v.(m.)* **1** poterne *f.*; **2** (*sch.*) sabord *m.* de dégagement.
wa'terpot *m.* vase *m.* de nuit; pot *m.* de chambre.
wa'terproef I *z.n.*, *v.(m.)* (*gesch.*) épreuve *f.* de l'eau; **II** *z.n.*, *o.* waterproof *m.*; **III** *b.n.* imperméable, résiste (*of* résistant) à l'eau.
wa'terput *m.* puits *m.*; (*v. regenwater*) citerne *f.*
wa'terrad *o.* roue *f.* hydraulique.
wa'terranonkel *v.(m.)* (*Pl.*) grenouillette *f.*, renoncule *f.* d'eau, — des marais.
wa'terrat *v.(m.)* rat *m.* d'eau.
wa'terrijk *b.n.* riche en eau.
wa'terruim *o.* (*sch.*) caisse *f.* à l'eau.
wa'tersalamander *m.* triton *m.*
wa'terschade *v.(m.)* dégâts *m.pl.* causés par l'eau.
wa'terschap *o.* district *m.* de l'administration [des eaux.
wa'terscheerling *v.(m.)* (*Pl.*) cicutaire *f.*
wa'terscheiding *v.* ligne *f.* de partage des eaux.
wa'terschip *o.* bateau*-citerne* *m.*
wa'terschout *m.* commissaire *m.* du port, — maritime.
wa'terschroef *v.(m.)* vis *f.* d'Archimède.
wa'terschuw *b.n.* hydrophobe.
wa'terschuwheid *v.* hydrophobie *f.*
wa'terski *m.* ski *m.* nautique.
wa'terslang 1 *v.(m.)* serpent *m.* aquatique; **2** tuyau *m.* à eau.
wa'tersnip *v.(m.)* bécassine *f.*
wa'tersnood *m.* inondation *f.*
wa'terspiegel *m.* **1** (*oppervlakte v. water*) surface *f.* de l'eau; **2** (*peil, zeespiegel*) niveau *m.* d'eau, — de la mer.
wa'terspin *v.(m.)* araignée *f.* d'eau.
wa'terspoeling *v.* (*in W. C.*) chasse *f.* d'eau.
wa'terspoor *o.* sillage *m.*
wa'tersport *v.(m.)* sport *m.* nautique.
wa'terspreeuw *m.* cincle *m.* plongeur.
wa'terspuit *v.(m.)* **1** seringue *f.*; **2** (*brand—*) pompe *f.* à incendie.
wa'terspuwer *m.* gargouille *f.*
wa'terstaat *m.* département *m.* des eaux; ponts et chaussées *m.pl.*
wa'terstand *m.* **1** hauteur *f.* de l'eau; **2** (*peil*) niveau *m.* de l'eau; ***normale —,*** étiage *m.*; ***hoge —,*** grande crue.
wa'terstof *v.(m.)* hydrogène *m.*; ***zware —,*** deutérium *m.*; ***dubbelzware —,*** tritium *m.*
wa'terstofbom *v.(m.)* bombe *f.* à hydrogène; bombe *f.* H.
wa'terstofgas *o.* gaz *m.* hydrogène.
wa'terstofperoxyde *o.* eau *f.* oxygénée.
wa'terstoof *v.(m.)* bouillotte *f.*, chauffe-pieds *m.*, chaufferette *f.*
wa'terstraal *m. en v.* jet *m.* d'eau.
wa'terstraaltje *o.* filet *m.* d'eau.

wa'tertanden *on.w.*, ***dat doet mij —***, cela me fait venir l'eau à la bouche.
wa'tertaxi *m.* canot *m.* automobile.
wa'tertocht *m.* excursion *f.* en bateau, promenade *f.* —.
wa'tertoevoer *m.* adduction *f.* d'eau.
wa'terton *v.(m.)* tonneau *m.* à eau.
wa'tertor *v.(m.)* hydrophile *m.*
wa'tertoren *m.* château *m.* d'eau.
wa'teruurwerk *o.* clepsydre *f.*
wa'terval *m.* chute *f.* d'eau, cascade *f.*; ***grote —***, cataracte *m.*
wa'tervang *m.* prise *f.* d'eau.
wa'tervat *o.* tonneau *m.* à eau.
wa'terverf *v.(m.)* détrempe, aquarelle *f.*
wa'terverfschilder *m.* aquarelliste *m.*
wa'terverftekening *v.* aquarelle *f.*
wa'terverplaatsing *v.* déplacement *m.* (d'eau).
wa'tervlak *o.* **1** (*oppervlakte*) surface *f.* de l'eau; **2** (*uitgestrektheid*) nappe *f.* d'eau.
wa'tervliegtuig *o.* hydravion *m.*
wa'tervlier *m.* (*Pl.*) viorne *f.*
wa'tervloed *m.* **1** inondation *f.*; **2** (*stortvloed, zondvloed*) déluge *m.*
wa'tervogel *m.* oiseau *m.* aquatique.
wa'tervoorraad *m.* provision *f.* d'eau.
wa'tervoorziening *v.* alimentation *f.* en eau potable.
wa'tervrees *v.(m.)* hydrophobie *f.*
wa'tervrij *b.n.* **1** (*vrij v. overstroming*) à l'abri de l'eau; **2** (*scheik.*) anhydre.
wa'terwaag *v.(m.)* balance *f.* hydrostatique.
wa'terwagen *m.* voiture *f.* d'arrosage, arroseuse *f.*
wa'terweegkunde *v.* hydrostatique *f.*
wa'terweg *m.* **1** (*vervoer per kanaal, rivier, enz.*) voie *f.* par eau, — fluviale, — navigable; **2** (*kanaal*) canal *m.*
wa'terwel *v.(m.)* source *f.* d'eau.
wa'terwerk *o.* **1** (*bouwwerk in het water*) construction *f.* hydraulique, — dans l'eau; **2** (*kunstfontein, — waterval, enz.*) fontaine *f.*, jet *m.* d'eau; (*heel mooi*) eaux *f.pl.*; ***de —en van Versailles***, les eaux de Versailles.
wa'terwijding *v.* bénédiction *f.* de l'eau.
wa'terwild *o.* gibier *m.* aquatique.
wa'terwilg *m.* osier *m.* blanc.
wa'terwinplaats *v.(m.)* prise *f.* d'eau.
wa'terzak *m.* **1** (*voor drinkwater*) sac *m.* à eau, outre *f.*; **2** (*v. pijp*) réservoir *m.*
wa'terzo, -zooi *v.(m.)* poisson *m.* bouilli.
wa'terzonnetje *o.* soleil *m.* pâle, — d'eau.
wa'terzooi, *zie* ***waterzo.***
wa'terzucht *v.(m.)* hydropisie *f.*
wa'terzuchtig *b.n.* hydropique.
wa'terzuivering *v.* épuration *f.* des eaux.
wat'je *o.* pelote *f.* d'ouate.
wat'jekouw *m.* (*pop.*) torgniole, torgnole, gifle *f.*
watt *m.* watt *m.*
wat'ten I *mv.* ouate *f.*; **II** *b.n.* d'ouate.
watte'ren *ov.w.* ouater.
watte'ring *v.* ouatage *m.*
wau'welaar *m.* bavard *m.*
wauwelarij' *v.* bavardage *m.*
wau'welen *on.w.* bavarder.
Wa'ver *o.* Wavre.
wa'zig *b.n.* vaporeux.
w.c. *m.* toilette *f.*, cabinet *m.*
w.c.-papier *o.* papier *m.* hygiénique.
we *pers. vnw.* nous.
web *o.*, **—be** *v.(m.)* **1** (*weefsel*) tissu *m.*; **2** (*v. spin*) toile *f.* (d'araignée).
weck *m.* **1** conserves *f.pl.*; **2** (*het wecken*) conservation *f.*
weck'en *ov.w.* conserver (par stérilisation).
weck'glas *o.* bocal *m.* à conserves.
wed *o.* **1** (*drenkplaats*) abreuvoir *m.*; **2** (*waadbare plaats*) gué *m.*
wed'de *v.(m.)* traitement *m.*
wed'den I *on.w. en ov.w.* parier, gager; **II** *on.w.*, (*op wedrennen*) jouer (aux courses); ***— om 50 frank***, parier cinquante francs; ***op een paard —***, jouer un cheval.
wed'denschap *v.* pari *m.*, gageure *f.*; ***een — aangaan***, faire un pari, parier; ***een — houden***, tenir une gageure.
wed'der *m.* parieur, gageur *m.*
we'de *v.(m.)* (*Pl.*) guède *f.*
we'der, weer I *o.* temps *m.*; ***het is mooi —***, il fait beau (temps); ***zwaar —***, gros temps; ***door weer en wind***, par tous les temps; ***aan weer en wind blootgesteld***, exposé aux intempéries; *voo samenstellingen zie* ***weer-***; **II** *bw.* de (*of* à) nouveau, encore; ***nooit —***, ne... plus jamais; ***over en —***, réciproquement.
wederaan'knoping *v.* renouement *m.*
wederaf'staan *ov.w.* rétrocéder.
we'derafstand *m.* rétrocession *f.*
we'derantwoord *o.* réplique *f.*
wederant'woorden *on.w.* répliquer.
we'derbekomen *ov.w.* recouvrer.
we'derdienst *m.* service *m.* réciproque; ***gaarne tot — bereid***, prêt (*of* tout disposé) à vous rendre la pareille.
we'derdoop *m.* rebaptisation *f.*
we'derdopen *ov.w.* rebaptiser.
we'derdoper *m.* anabaptiste *m.*
we'dereis *m.* (*recht*) demande *f.* reconventionnelle.
we'derga(de) *v.(m.)* pareil(le) *m.(f.)*.
we(d)ergave, weer'gaaf *v.(m.)* rendu *m.*
we'dergeboorte *v.* **1** régénération *f.*; **2** (*hernieuwing*) renaissance *f.*
we'(d)ergeven *ov.w.* rendre; restituer.
we'dergroet *m.* **1** salut *m.* qu'on rend; **2** (*sch.*) contre-salut* *m.*
we'derhelft *v.(m.)* **1** autre moitié *f.*; **2** (*fig.*) épouse *f.*
we'derhoor *o.*, ***het hoor en — toepassen***, entendre les deux parties, — les deux cloches.
we'derik *m.* lysimaque, lysimachie *f.*
wederin'koop *m.* rachat *m.*; ***verkoop met recht van —***, (*recht*) vente à réméré.
wederin'storting *v.* rechute *f.*
wederin'voering *v.* rétablissement *m.*
we'(d)erkeren *on.w.* **1** (*naar spreker toe*) revenir; **2** (*van spreker af*) retourner; **3** (*zich herhalen*) se répéter.
wederke'rend *b.n.* revenant; ***— werkwoord***, verbe pronominal; ***— voornaamwoord***, pronom réfléchi.
wederke'rig I *b.n.* réciproque, mutuel; **II** *bw.* réciproquement, mutuellement.
wederke'righeid *v.* réciprocité *f.*
we'(d)erkomen *on.w.* revenir.
we'derkomst *v.* retour *m.*
we'derliefde *v.* amour *m.* mutuel; ***iem. — bewijzen***, aimer qn. en retour.
we(d)erom' *bw.* **1** (*opnieuw*) de nouveau; **2** (*terug*) de retour.
wederop'bloei *m.* **1** (*v. zaken*) reprise *f.*; **2** (*v kunst*) renouveau *m.*
wederop'bouw *m.* reconstruction *f.*
wederop'bouwen *ov.w.* reconstruire.
wederop'laaiing *v.* regain *m.*
wederop'leving *v.* **1** reviviscence *f.*; **2** (*fig.*) réveil *m.*, renaissance *f.*; **3** (*H.*) reprise *f.* d'activité.

wederop'richten *ov.w.* **1** relever, rétablir; **2** (*opbouwen*) reconstruire.
wederop'richting *v.* réédification *f.*
wederop'standing *v.* résurrection *f.*
wederop'vatten *ov.w.* reprendre.
wederop'vatting *v.* reprise *f.*
wederop'zeggen *ov.w.*, ***tot —s,*** jusqu'à nouvel ordre, jusqu'à ordre contraire.
we'derpartij *v.* **1** parti *m.* opposé; **2** (*recht*) partie *f.* adverse.
wederrech'telijk I *b.n.* illicite, illégal, contraire à la loi; ***—e toeëigening,*** usurpation *f.*; **II** *bw.* illégalement, au mépris de la loi.
wederrech'telijkheid *v.* illégalité *f.*
we(d)ervaren I *on.w.* arriver, survenir; ***recht laten —,*** rendre justice (à); **II** *z.n., o.* expérience *f.*, aventures *f.pl.*; ***ik zal u mijn — vertellen,*** je vous raconterai ce qui m'est arrivé.
we'dervergelden *ov.w.* rendre la pareille (à qn.).
we'dervergelding *v.* **1** (*weerwraak*) revanche *f.*; **2** (*voor zonde*) expiation *f.*; **3** (*beloning*) récompense *f.*
we'derverkiesbaar *b.n.* rééligible.
we'derverkoper *m.* revendeur *m.*
we'derverschijnen *on.w.* **1** reparaître; **2** (*v. spook*) réapparaître.
we'derverschijning *v.* réapparition *f.*
we'(d)ervinden *ov.w.* retrouver.
we'(d)ervraag *v.(m.)* question *f.* en retour.
wederwaar'dig *b.n.* adverse, contraire.
wederwaar'digheid *v.* **1** (*onaangenaamheid, tegenspoed*) contrariété, tribulation *f.*; **2** (*wisselvalligheid*) vicissitude *f.*; **3** (*wedervaren*) aventure *f.*; ***zijn wederwaardigheden vertellen,*** raconter ses aventures.
we'(d)erwoord *o.* réplique *f.*
we'(d)erwraak *v.(m.)* revanche; vengeance *f.*
we'(d)erzien I *ov.w.* revoir; **II** *z.n., o.* revoir *m.*; ***tot —s,*** au revoir, au plaisir de vous revoir.
we'derzijds I *b.n.* **1** (*wederkerig*) mutuel, réciproque; **2** (*van ieder afzonderlijk*) respectif; ***met — goedvinden,*** de concert; **II** *bw.* mutuellement, réciproquement.
wed'ijver *m.* émulation, rivalité *f.*
wed'ijveren *on.w.* rivaliser.
wed'loop *m.* course *f.*
wed'lopen *on.w.* lutter de vitesse.
wed'loper *m.* coureur *m.*
wed'ren *m.* course *f.*; ***— met hindernissen,*** course *f.* à obstacles, steeple-chase* *m.*; ***— op de vlakke baan,*** course(s) *f.(pl.)* plate(s).
wed'strijd *m.* **1** (*prijskamp*) concours *m.*; **2** (*wedijver*) émulation *f.*; **3** (*mededinging*) rivalité, concurrence *f.*
we'duwe *v.* **1** veuve *f.*; **2** (*v. adel*) douairière *f.*
we'duwen- en we'zenfonds *o.* caisse *f.* de retraite pour les veuves et orphelins.
we'duwen- en we'zenpensioen *o.* pension *f.* de réversion, — de survivant, — d'ayants cause.
we'duwenfonds *o.*, **we'duwenkas** *v.(m.)* caisse *f.* de secours pour les veuves.
we'duwgeld *o.*, **we'duwgift** *v.(m.)* douaire *m.*
we'duwlijk *b.n.* de veuve, vidual; ***—e staat,*** veuvage *m.*, état *m.* de veuve.
we'duwnaar *m.* veuf *m.*
we'duwschap *o.*, **we'duwstaat** *m.* veuvage *m.*
we'duwvrouw *v.* veuve *f.*
wee I *o. en v.(m.)* **1** (*onheil*) malheur *m.*; **2** (*smart, verdriet*) mal *m.*, douleur *f.*; ***— u!*** malheur à vous! ***o —!*** (*schertsend*) oh là là! **II** *b.n.* fade; ***— zijn,*** avoir mal au cœur.
weed'as *v.(m.)* védasse *f.*
wee'dom *m.* mal *m.*, douleur *f.*
weef'baar *b.n.* textile.
weef'baarheid *v.* textilité *f.* [tisser.
weef'getouw *o.* métier *m.* de tisserand, — à
weef'goederen *mv.* tissus *m.pl.*
weef'kunst *v.* art *m.* de tisser, tissage *m.*
weef'lijn *v.(m.)* (*sch.*) enfléchure *f.*
weef'school *v.(m.)* école *f.* textile.
weef'sel *o.* tissu *m.*
weef'selleer *v.(m.)* histologie *f.*
weef'selvorming *v.* histogénie *f.*
weef'spoel *v.(m.)* navette *f.*
weef'stoel, *zie* ***weefgetouw.***
weeg'baar *b.n.* pondérable.
weeg'baarheid *v.* pondérabilité *f.*
weeg'bree *v.(m.)* (*Pl.*) plantain *m.*
weeg'briefje *o.* billet *m.* de pesage.
weeg'brug *v.(m.)* bascule *f.*, pont *m.* à bascule.
weeg'glas *o.* aréomètre *m.*
weeg'haak *m.* balance *f.* romaine.
weeg'kunde *v.* statique *f.*
weeg'luis *v.(m.)* punaise *f.*
weeg'plaats *v.(m.)* pesage *m.*
weeg'schaal *v.(m.)* **1** (*balans*) balance *f.*; **2** (*schaal*) plateau *m.* (de balance).
weeg'toestel *o.* balance *f.* automatique, bascule *f.* —.
week I *v.(m.)* **1** semaine *f.*; ***over een —,*** d'aujourd'hui en huit; ***de — hebben,*** être de semaine; ***de Goede W—,*** la Semaine Sainte; **2** (*het weken*) trempage *m.*, mise *f.* en trempe; macération *f.*; ***in de — staan*** (*of* ***liggen***), tremper; ***de was in de — zetten,*** couler la lessive; **II** *b.n.* **1** mou; **2** (*v. brood*) tendre; **3** (*v. ijzer*) doux; **4** (*v. vlees*) flasque; **5** (*v. gestel*) délicat; **6** (*fig.*) mou; ***— maken,*** **1** rendre mou, ramollir; **2** (*fig.*) attendrir.
week'abonnement *o.* abonnement *m.* à la semaine.
week'achtig *b.n.* **1** mollet; **2** (*v. gestel*) délicat.
week'bericht *o.* bulletin *m.* hebdomadaire.
week'beurt *v.(m.)*, ***de — hebben,*** être de semaine.
week'blad *o.* (journal) hebdomadaire *m.*, feuille *f.* hebdomadaire.
week'boekje *o.* livret *m.* de semaine.
week'dag *m.* jour *m.* de semaine.
week'dienst *m.* service *m.* de semaine.
week'dier *o.* mollusque *m.*
week'eind(e), week'end *o.* fin *f.* de semaine, week-end* *m.*
week'endhuisje *o.* pavillon *m.* de fin de semaine, — de week-end, — de banlieue, bungalow *m.*
week'geld *o.* semaine *f.*
weekhar'tig *b.n.* **1** (*teergevoelig*) sensible, tendre; **2** (*medelijdend*) compatissant.
weekhar'tigheid *v.* sensibilité, tendresse *f.*
week'heid *v.* **1** mollesse *f.*; **2** (*fig.*) délicatesse *f.*; **3** (*ong.*) mollesse *f.*
week'huur *v.(m.)* loyer *m.* de semaine.
week'kaart *v.(m.)* carte *f.* hebdomadaire.
week'kalender *m.* semainier *m.*
week'kuip *v.(m.)* cuve *f.* à tremper.
wee'klacht *v.(m.)* lamentation, plainte *f.*, gémissement *m.*
wee'klagen *on.w.* se lamenter, se plaindre.
week'loon *o.* semaine *f.*
week'markt *v.(m.)* marché *m.* hebdomadaire.
week'overzicht *o.* revue *f.* hebdomadaire, situation *f.* hebdomadaire, chronique *f.* de la semaine.
week'staat *m.* bilan *m.* hebdomadaire.
weel'de *v.(m.)* **1** luxe *m.*; **2** (*pracht*) somptuosité *f.*; **3** (*v. plantengroei*) luxuriance *f.*; ***in — baden*** (*of* ***leven***), nager (*of* vivre) dans l'opulence; ***'t zijn***

sterke benen die de — kunnen dragen, la bonne fortune fait tourner les têtes les plus solides.
weel'deartikel *o.* article *m.* de luxe.
weel'debelasting *v.* taxe *f.* de luxe, — sur les produits de luxe, — sur le luxe.
weel'derig I *b.n.* **1** luxueux; **2** somptueux; **3** luxuriant; **II** *bw.* **1** luxueusement; **2** somptueusement.
weel'derigheid *v.* **1** luxe *m.*; **2** somptuosité *f.*
wee'moed *m.* mélancolie *f.*
weemoe'dig I *b.n.* mélancolique; **II** *bw.* mélancoliquement.
weemoe'digheid *v.* mélancolie *f.*
Weens *b.n.* viennois.
Ween'se *v.* Viennoise *f.*
weer I, *zie* ***weder* I, II; II** *v.(m.)* **1** (*verdediging*) défense *f.*; **2** (*wering, wal*) rempart *m.*; ***zich te — stellen,*** se défendre; ***altijd in de — zijn,*** être très occupé, avoir toujours un pied en l'air; ***vroeg in de — zijn,*** être sur pied de grand matin, être debout de bonne heure.
weer'baar *b.n.* **1** (*strijdbaar*) valide, capable de porter les armes; **2** (*in staat tegenstand te bieden*) en état de se défendre; **3** (*v. vesting*) tenable.
weer'baarheid *v.* **1** validité *f.*; **2** état *m.* de défense.
weer'baarheidsbond *m.*, **weer'baarheidsvereniging** *v.* société *f.* de préparation militaire, ligue *f.* pour la défense.
weer'ballon *m.* ballon*-sonde* *m.*
weerbar'stig *b.n.* **1** (*hardnekkig, koppig*) opiniâtre, récalcitrant; **2** (*tegenstrevend*) rebelle.
weerbar'stigheid *v.* opiniâtreté *f.*, caractère *m.* récalcitrant. [*f.*
weer'bericht *o.* bulletin *m.* météorologique, météo
weer'druk *m.* **1** (*tegenkant v. bedrukt vel*) verso *m.* d'une feuille, côté *m.* de seconde (*of* de deux); **2** (*het drukken ervan*) retiration *f.*
weer'ga *v.(m.)* pareil(le) *m.(f.)*; ***loop naar de —!*** va-t-en au diable! va te promener!
weer'gaaf, *zie* ***weergave.***
weer'gaas *b.n.* sacré, maudit; ***die weergase jongen,*** ce diable de garçon; ***'t is — mooi,*** c'est rudement joli. [*m.*
weer'galm *m.* écho *m.*, résonance *f.*, résonnement
weergal'men *on.w.* résonner, retentir.
weer'galoos I *b.n.* sans pareil, inégalable, incomparable; **II** *bw.* incomparablement.
weer'gave, -gaaf, we'dergave *v.(m.)* rendu *m.*
weer'geven, we'dergeven *ov.w.* rendre, restituer.
weer'glans *m.* **1** reflet *m.*; **2** (*fig.*) éclat *m.*
weer'glas *o.* baromètre *m.*
weer'haak *m.* **1** (*v. pijl*) barbe *f.*; **2** (*v. vishaak*) barbillon *m.*
weer'haan *m.* **1** girouette *f.*; **2** (*fig.*) girouette, toupie *f.*
weerhou'den *ov.w.* **1** (*terughouden*) retenir, arrêter; **2** (*beletten*) empêcher (de).
weer'huisje *o.* hygroscope *m.*
weer'kaart *v.(m.)* carte *f.* météorologique.
weerkaat'sen *ov.w.* **1** (*licht*) réfléchir; **2** (*geluid*) répercuter.
weerkaat'sing *v.* **1** réflexion *f.*; **2** répercussion *f.*
weer'keren, *zie* ***wederkeren.***
weer'klank *m.* écho, résonnement, retentissement *m.*; ***— vinden,*** être favorablement accueilli.
weerklin'ken *on.w.* retentir, résonner.
weer'komen, we'derkomen *on.w.* revenir.
weer'kunde *v.* météorologie *f.*
weerkun'dig *b.n.* météorologique.
weerkun'dige *m.* météorologue, météorologiste *m.*
weerleg'baar *b.n.* réfutable.
weerleg'gen *ov.w.* réfuter.
weerleg'ging *v.* réfutation *f.*
weer'licht I *o. en m.* éclairs *m.pl.* (de chaleur); **II** *m.*, *zie* ***weerga.***
weer'lichten *on.w.* faire des éclairs.
weer'lichts *b.n.*, *zie* ***weergaas.***
weer'loos *b.n.* sans défense.
weer'loosheid *v.* impuissance, faiblesse *f.*
weer'macht *v.(m.)* force *f.* armée.
weer'middelen *mv.* moyens *m.pl.* de défense.
weerom, *zie* ***wederom.***
weerom'stuit *m.* contrecoup *m.*; ***van de —,*** par contrecoup. [coup *m.*
weer'pijn *v.(m.)* douleur *f.* sympathique; contre-
weer'plicht *m. en v.* obligation *f.* de servir; ***algemene —,*** service *m.* obligatoire.
weerplich'tig *b.n.* obligé de servir.
weerplich'tigheid *v.* obligation *f.* de servir.
weer'profeet *m.* pronostiqueur *m.* du temps.
weer'schijn *m.* **1** (*schijnsel*) reflet *m.*; **2** (*terugkaatsing*) réflexion *f.*; **3** (*glans, weerglans*) lustre, chatoiement *m.*; ***met een —,*** chatoyant.
weerschij'nen *on.w.* **1** se refléter, être reflété; **2** (*v. zijde, enz.*) chatoyer. [que.
weer'schip *o.* bateau *m.* du service météorologi-
weers'gesteldheid *v.* **1** état *m.* de l'atmosphère, conditions *f.pl.* atmosphériques; **2** (*temperatuur*) température *f.*; **3** (*weder*) temps *m.* (qu'il fait).
weers'kanten *bw.*, ***aan*** (*of* ***van***) ***—,*** des deux côtés, de part et d'autre.
weer'slag *m.* contrecoup *m.*, répercussion *f.*
weers'omstandigheden *mv.* conditions *f.pl.* atmosphériques.
weerspan'neling *m.* réfractaire; rebelle *m.*
weerspan'nig *b.n.* récalcitrant, réfractaire.
weerspan'nigheid *v.* rébellion *f.*
weerspie'gelen *ov.w.* refléter.
weerspie'geling *v.* reflet *m.*
weerspre'ken *ov.w.* **1** (*tegenspreken*) contredire; **2** (*weerleggen*) réfuter. [*f.*
weerspre'king *v.* **1** contradiction *f.*; **2** réfutation
Weerst *o.* Warsage.
weerstaan' *ov.w.* résister (à); ***de verleiding niet kunnen —,*** succomber à la tentation.
weer'stand *m.* résistance *f.*; ***— bieden,*** résister (à), tenir tête (à).
weer'standskas *v.(m.)* caisse *f.* de grève.
weer'standsvermogen *o.* (force de) résistance, endurance *f.*
weers'toestand, *zie* ***weersgesteldheid.***
weerstre'ven *ov.w.* **1** (*zich verzetten tegen*) s'opposer (à); **2** (*weerstand bieden*) résister (à); **3** (*tegenwerken*) contrarier.
weerstre'ver *m.* opposant, adversaire *m.*
weerstre'ving *v.* opposition *f.* [temps.
weers'verandering *v.* changement *m.* de (*of* du)
weers'verwachting *v.* prévisions *f.pl.* du temps.
weerszij(den), *zie* ***weerskanten.***
weer'tij *o.* reflux *m.*
weerva'ren, *zie* ***wedervaren.***
weer'verlet *o.* indemnité *f.* pour chômage dû aux intempéries, indemnité de chômage intempérie.
weer'vinden, we'dervinden *ov.w.* retrouver.
weer'voorspeller *m.* pronostiqueur *m.* du temps.
weer'voorspelling *v.* **1** prédiction *f.* du temps, prévision *f.* —; **2** (*weerbericht*) bulletin *m.* météorologique.
weer'vraag, *zie* ***wedervraag.***
weer'wil *m.* répugnance *f.*; ***in — van,*** en dépit de, malgré.
weer'wolf *m.* loup*-garou* *m.*

weer'woord, -wraak, *zie* ***wederwoord*** *enz.*
weer'zien, *zie* ***wederzien.***
weer'zin *m.* **1** répugnance *f.*; **2** aversion *f.*; **3** (*walging*) dégoût *m.* [dégoûtant.
weerzinwek'kend *b.n.* répugnant, écœurant,
wees *m.-v.* orphelin *m.*, —e *f.*
weesgegroet' *o.* avé *m.* (Maria).
wees'huis *o.* orphelinat *m.*
wees'jongen *m.* orphelin *m.*
wees'kamer *v.*(*m.*) chambre *f.* des tutelles.
wees'kind *o.* orphelin *m.*
wees'meisje *o.* orpheline *f.*
wees'moeder *v.* directrice *f.* d'un orphelinat.
wees'vader *m.* directeur *m.* d'un orphelinat.
weet *v.*(*m.*) connaissance *f.*; ***het is maar een —,*** il faut connaître le truc, il suffit de connaître le truc; ***iets aan de — komen,*** apprendre qc.
weet'al *m.* savantasse *m.*, pédant *m.*
weetgie'rig *b.n.* studieux, curieux.
weetgie'righeid *v.* désir *m.* de savoir; amour *m.* de l'étude.
weet'graag *b.n.* studieux, curieux.
weet'je *o.*, ***hij weet zijn — wel,*** il connaît bien son affaire.
weet'lust *m.* **1** amour *m.* de l'étude, besoin *m.* de savoir; **2** curiosité *f.* (d'esprit).
weet'niet *m.* ignorant *m.*
weeuw'tje *o.* jeune veuve *f.*
weg I *m.* **1** (*alg.*) chemin *m.*; **2** (*berijdbaar*) route *f.*; **3** (*rijweg*) chaussée *f.*; **4** (*afstand*) distance *f.*; **5** (*het voorbijgaan*) passage *m.*; **6** (*afstand, af te leggen weg*) trajet *m.*; **7** (*scheik., enz.*) voie *f.*; **8** (*fig.*) voie *f.*, moyen *m.*; ***de openbare —,*** la voie publique; ***een kortere —,*** un raccourci; ***aan de —,*** au bord de la route; ***langs de —,*** le long du chemin; ***op — gaan,*** se mettre en route; ***onder — zijn,*** être en route; ***onder —,*** **1** chemin faisant, en route; **2** (*sch.*) en cours de route; ***zijn eigen — gaan,*** agir à sa guise, aller son train; ***zijns weegs gaan,*** passer son chemin, continuer —; ***uit de — gaan (voor),*** se ranger (devant), laisser passer (qn.); ***zich een — banen door de menigte,*** se frayer un passage (*of* un chemin) à travers la foule; ***de — vragen,*** demander son chemin; ***hij zal zijn — wel vinden,*** il fera son chemin; ***slinkse —en,*** des voies détournées; ***in de — staan,*** barrer le chemin; être encombrant; faire obstacle à; ***iem. in de — lopen,*** être toujours dans les jambes de qn.; ***iem. iets in de — leggen,*** contrarier qn., susciter des difficultés à qn.; ***er is iets in de — gekomen,*** il s'est présenté un obstacle; ***dat ligt niet op mijn —,*** cela ne rentre pas dans mes attributions; ***de moeilijkheden uit de — ruimen,*** aplanir les difficultés; ***een misverstand uit de — ruimen,*** dissiper un malentendu; ***hij weet met zijn geld geen —,*** il ne sait que faire de son argent; ***van de goede — afraken,*** faire fausse route; ***op zijn —,*** sur son passage; ***alle —en leiden naar Rome,*** tout chemin mène à Rome; ***wie aan de — timmert, heeft veel bekijks,*** qui édifie en grande place fait maison trop haute ou trop basse; **II** *bw.* **1** (*vertrokken; ook fig.*) parti; **2** (*verloren*) perdu, égaré; ***ver —,*** très loin d'ici; ***—!*** sortez ! hors d'ici ! ***— met de republiek,*** à bas la république; ***— daarmee!*** enlevez-moi ça ! ***— met deze gedachten,*** bannissons ces pensées; ***ik moet —,*** je dois partir, il faut que je m'en aille; ***helemaal — zijn,*** **1** être inconscient; **2** être tout à fait hors de soi-même.
weg'bedekking *v.* revêtement *m.* de la route.
weg'bereider *m.* **1** (*voorloper*) précurseur *m.*; **2** (*baanbreker*) pionnier *m.*
weg'bergen *ov.w.* serrer, enfermer.
weg'blazen *ov.w.* enlever en soufflant, emporter —, souffler (en l'air).
weg'blijven *on.w.* ne pas venir, rester absent; ***uit de school —,*** manquer la classe; ***lang —,*** tarder à venir, — à revenir.
weg'branden *ov.w.* **1** extirper par le feu; **2** (*gen.*) cautériser.
weg'breken *ov.w.* démolir.
weg'brengen *ov.w.* **1** (*wat men draagt*) emporter; **2** (*wat men niet draagt*) emmener; **3** (*vergezellen*) accompagner, reconduire.
weg'cijferen I *ov.w.* **1** nier; **2** (*al pratende doen verdwijnen*) détruire (par des arguments); **II** *w.w.*, ***zich —,*** se renoncer. [de chaussée, — routier.
weg'dek *o.* pavage, empierrement *m.*; revêtement *m.*
weg'denken *ov.w.* faire abstraction de.
weg'doen *ov.w.* **1** (*wegsluiten*) serrer, mettre sous clef; **2** (*niet meer bewaren*) ne pas garder; **3** (*opruimen, van de hand doen*) se défaire de, vendre; **4** (*wegnemen*) enlever, ôter.
weg'doezelen I *ov.w.* estomper; **II** *on.w.* s'estomper.
weg'dragen *ov.w.* **1** emporter; **2** (*fig.*) obtenir, remporter; ***de goedkeuring —,*** avoir l'approbation (de).
weg'drijven I *ov.w.* **1** (*verjagen*) expulser; **2** (*v. wolken*) chasser; **II** *on.w.* **1** (*v. mist, onweer*) se dissiper; **2** (*op 't water*) aller à la dérive; être emporté par le courant.
weg'dringen *ov.w.* **1** bousculer, écarter; **2** (*fig.; verdringen*) supplanter.
weg'duiken *on.w.* **1** (*in 't water*) plonger; **2** (*in zetel, enz.*) s'enfoncer; **3** (*zich verbergen*) se cacher.
weg'duwen *ov.w.* repousser, bousculer.
we'ge, ***van —,*** de la part de; à cause de.
we'gedoorn, -doren *m.* (*Pl.*) nerprun *m.*
we'gen I *ov.w.* peser; ***op de hand —,*** soupeser; **II** *on.w.* peser; ***zwaar —,*** peser lourd.
we'genaanleg *m.* construction *f.* de routes.
we'genbelasting *v.* impôt *m.* sur la circulation.
we'genbouw *m.* construction *f.* de(s) chaussées.
we'genbouwmachine *v.* bétonnière *f.* épandeuse à coffrage glissant, finisseur *m.* de route.
we'genfonds *o.* fonds *m.* routier.
we'genkaart *v.*(*m.*) carte *f.* routière.
we'gennet *o.* réseau *m.* routier, voirie *f.*
we'genplan *o.* programme *m.* routier.
we'genpolitie *v.* police *f.* routière, motards *m.pl.*
we'gens *vz.* pour, à cause de, par suite de.
we'genverkeersreglement *o.* code *m.* de la route.
we'genverkeerswet *v.*(*m.*) code *m.* de la route.
we'genwacht *v.*(*m.*) prévoyance *f.* routière; service *m.* de secours routier, (*in België*) touring-secours *m.*
we'ger *m.* **1** peseur *m.*; **2** (*sch.*) vaigre *f.*
we'geren *ov.w.* (*sch.*) vaigrer.
we'gering *v.* (*sch.*) vaigrage *m.*
weg'fladderen *on.w.* s'envoler.
weg'gaan *on.w.* s'en aller, partir.
weg'gappen *ov.w.* chiper.
weg'gebruiker *m.* usager *m.* de la route.
weg'gedeelte *o.* portion *f.* de route.
weg'geld *o.* péage *m.*
weg'geven *ov.w.* **1** donner; **2** (*afstaan*) céder.
weg'gevoerde *m.* (*Z.N.*) déporté *m.*
weg'goochelen *ov.w.* escamoter.
weg'gooien I *ov.w.* jeter; mettre au rebut; **II** *w.w.*, ***zich —,*** se galvauder.
weg'graven *ov.w.* déblayer, enlever (en creusant).
weg'graving *v.* déblaiement *m.*
weg'hakken *ov.w.* abattre, couper.

weg'halen *ov.w.* **1** (*iets*) enlever, emporter; **2** (*iem.*) emmener.
weg'hebben *ov.w.* **1** (*gelijken op*) ressembler (à); **2** (*v. ziekte*) avoir attrapé; ***hij heeft veel van zijn vader weg,*** il ressemble beaucoup à son père; ***de kneep —,*** connaître le truc.
weg'hollen *on.w.* partir comme un trait.
we'ging *v.* pesage *m.*
weg'jagen *ov.w.* **1** chasser; **2** (*bediende*) renvoyer, congédier. [de la route.
weg'kampioenschap *o.* (*sp.*) championnat *m.*
weg'kapen *ov.w.* chiper; ***iem. iets voor de neus —,*** enlever qc. au nez de qn.
weg'knippen *ov.w.* **1** enlever; **2** (*met vingers*) enlever d'une chiquenaude.
weg'komen *on.w.* **1** s'échapper, s'esquiver; **2** (*v. voorwerp*) se perdre; ***maak dat u wegkomt,*** **1** (*om te vertrekken*) dépêchez-vous de partir; **2** (*om te vluchten*) sauvez-vous ! **3** (*ga heen !*) filez !
weg'krijgen *ov.w.* parvenir à déplacer; parvenir à faire partir. [tordre.
weg'krimpen *on.w.* **1** se rétrécir; **2** (*fig.*) se
weg'kruipen *on.w.* **1** s'éloigner en rampant; **2** (*zich verbergen*) se cacher, se blottir.
weg'kruising *o.* croisement *m.* (de routes).
weg'kunnen *on.w.* pouvoir partir.
weg'kwijnen *on.w.* languir, dépérir.
weg'kwijning *v.* langueur *f.*, dépérissement *m.*
weg'laten *ov.w.* **1** (*overslaan: bijzonderheid, enz.*) omettre; **2** (*woord*) supprimer; **3** (*bij het lezen*) sauter; **4** (*gram.: letter*) élider.
weg'lating *v.* **1** omission *f.*; **2** suppression *f.*; **3** élision *f.*
weg'latingsteken *o.* apostrophe *f.*
weg'leggen *ov.w.* **1** (*op zij leggen*) mettre de côté; **2** (*opbergen*) serrer; **3** (*bestemmen*) réserver.
weg'leiden *ov.w.* emmener, reconduire.
weg'ligging *v.* tenue *f.* de route.
weg'lopen I *on.w.* **1** (*er van door gaan*) s'enfuir, se sauver; **2** (*v. soldaat*) déserter; **3** (*v. vloeistof*) s'écouler; (*fig.*) ***met iem. —,*** être entiché de qn.; s'engouer de qn.; ***dat loopt niet weg,*** cela ne presse pas; **II** *z.n., o.* **1** fuite *f.*; **2** désertion *f.*; **3** coulure *f.*
weg'loper *m.* **1** fugitif *m.*; **2** (*soldaat*) déserteur *m.*
weg'maaien *ov.w.* faucher, couper; ***iem. het gras voor de voeten —,*** couper l'herbe sous le pied à qn.
weg'maken I *ov.w.* **1** (*zoekmaken*) égarer; **2** (*vlek*) enlever; **3** (*doen verdwijnen*) faire disparaître; **4** (*gen.: in slaap maken*) endormir; (*met chloroform*) chloroformer; **II** *w.w.*, ***zich —,*** déguerpir, s'esquiver, se sauver, plier bagage.
weg'malen *ov.w.*, ***het water uit een polder —,*** épuiser un polder.
weg'maling *v.* épuisement *m.*
weg'markering *v.* marquage *m.* de la route, — du chemin; bandes *f.pl.* axiales, — médianes.
weg'moffelen *ov.w.* escamoter; (*v. kaart*) filer.
weg'nemen *ov.w.* **1** (*alg.*) enlever; **2** (*meenemen*) emporter; **3** (*zich toeëigenen, stelen*) prendre, dérober; **4** (*misverstand*) dissiper; **5** (*moeilijkheden*) aplanir; ***dat neemt niet weg dat,*** cela n'empêche pas que.
weg'neming *v.* enlèvement *m.*
weg'omlegging *v.* déviation *f.*
weg'pakken I *ov.w.* **1** (*wegnemen*) enlever, prendre; **2** (*bemachtigen*) s'emparer de; **II** *w.w.*, ***zich —,*** déguerpir, s'esquiver, détaler.
weg'pikken *ov.w.* chiper.
weg'pinken *ov.w.* (*v. traan*) essuyer furtivement.
weg'promoveren *ov.w.* promouvoir pour éloigner.
weg'raken *on.w.* s'égarer, se perdre.
weg'redeneren *ov.w.* détruire par des raisonnements; ***dat kan men niet —,*** c'est plus fort que tous les arguments.
weg'renner *m.* coureur *m.* (sur route). [etc.).
weg'rijden *on.w.* partir (à bicyclette, en auto,
weg'roepen *ov.w.* **1** (*naar buiten*) appeler dehors; **2** (*komen halen*) venir chercher.
weg'roesten *on.w.* être consumé par la rouille.
weg'rollen *ov.w. en on.w.* rouler.
weg'rotten *on.w.* pourrir, tomber en pourriture.
weg'roven *ov.w.* dérober, enlever.
weg'ruimen *ov.w.* **1** enlever, déblayer; **2** (*v. moeilijkheden*) aplanir, écarter.
weg'ruiming *v.* **1** enlèvement, déblaiement *m.*; **2** aplanissement *m.*
weg'rukken *ov.w.* arracher.
weg'schenken *ov.w.* donner, faire cadeau de.
weg'scheren I *ov.w.* enlever au (*of* avec le) rasoir; **II** *w.w.*, ***zich —,*** décamper, filer, se sauver.
weg'scheuren *ov.w.* déchirer, arracher.
weg'schoppen *ov.w.* repousser (du pied).
weg'schuilen *on.w.* se blottir, se cacher.
weg'schuiven *ov.w.* écarter, pousser (de côté).
weg'slaan *ov.w.* chasser, repousser.
weg'slepen *ov.w.* entraîner.
weg'slepend *b.n.* entraînant; captivant.
weg'slingeren *ov.w.* jeter loin de soi, (re)jeter violemment.
weg'sluipen *on.w.* s'en aller furtivement, s'éclipser, déguerpir. [clef.
weg'sluiten *ov.w.* serrer, enfermer, mettre sous
weg'smelten *on.w.* fondre, se fondre; ***in tranen —,*** fondre en larmes.
weg'smijten *ov.w.* jeter; rejeter.
weg'snellen *on.w.* partir à la hâte, — précipitamment.
weg'snijden *ov.w.* **1** couper, retrancher; **2** (*gen.*) amputer; (*likdoorn*) extirper.
weg'snoeien *ov.w.* élaguer, émonder.
weg'snoeiing *v.* élagage *m.*
weg'splitsing *v.* bifurcarion *f.*
weg'spoelen I *ov.w.* **1** enlever; **2** (*zorgen*) noyer; **II** *on.w.* être emporté par le courant (de l'eau); être enlevé par l'eau.
weg'springen *on.w.* **1** s'éloigner en bondissant; **2** (*v. steen, enz.*) se détacher brusquement.
weg'steken *ov.w.* **1** (*wegnemen, losmaken*) enlever, détacher; **2** (*verbergen*) cacher; **3** (*in de zak*) mettre en poche.
weg'sterven *on.w.* **1** languir, dépérir, (se) mourir; **2** (*v. geluid*) s'éteindre, se perdre au loin.
weg'stervend *b.n.* expirant, mourant.
weg'stevenen *on.w.* mettre à la voile, prendre le large.
weg'stoppen *ov.w.* **1** (*verbergen*) cacher; **2** (*stoppen in*) fourrer dans.
weg'stoten *ov.w.* repousser.
weg'strijken *ov.w.* **1** ôter, éloigner; **2** (*plooi*) lisser, faire disparaître; **3** (*haar*) écarter; **4** (*geld*) ramasser, empocher.
weg'stuiven *on.w.* **1** être emporté par le vent; **2** (*fig.*) partir en coup de vent.
weg'sturen *ov.w.* **1** (*iem.*) renvoyer; **2** (*bediende*) congédier, renvoyer; **3** (*verzenden*) expédier; **4** (*v. sportterrein*) expulser.
weg'teren *on.w.* languir, se consumer.
weg'toveren *ov.w.* **1** (*wegmoffelen*) escamoter; **2** (*fig.*) faire disparaître par enchantement.
weg'trappen *ov.w.* **1** repousser (du pied); **2** (*wegjagen*) chasser à coups de pied.
weg'trekken I *ov.w.* (re)tirer, éloigner; **II** *on.w.* **1** (*v. wolken, onweer, pijn*) se dissiper; **2** (*v. per-*

sonen) se retirer, s'éloigner; (*zich op weg begeven*) se mettre en marche.
weg'vagen *ov.w.* effacer.
weg'vak *o.* section *f.* de la route.
weg'vallen *on.w.* **1** tomber; **2** (*vervallen*) être supprimé; **3** (*v. wetsartikel, enz.*) être aboli; ***tegen elkaar* —,** se compenser.
weg'varen *on.w.* partir (en bateau).
weg'vegen *ov.w.* **1** balayer, enlever; **2** (*tranen*) essuyer; **3** (*uitvegen*) effacer.
weg'verkeer *o.* trafic *m.* routier.
weg'verlegging *v.* déviation *f.*
weg'versmalling *v.* chaussée *f.* rétrécie.
weg'versperring *v.* barrage, encombrement *m.*
weg'vervoer *o.* transport *m.* par la route.
weg'vliegen *on.w.* **1** s'envoler; **2** (*fig.: v. persoon*) partir comme un trait; **3** (*H.: v. koopwaar*) se vendre comme du beurre.
weg'vloeien *on.w.* s'écouler.
weg'vloeiing *v.* découlement *m.*
weg'vluchten *on.w.* s'enfuir.
weg'voeren *ov.w.* **1** (*iets*) emporter; **2** (*iem.*) emmener; **3** (*in oorlogstijd*) déporter.
weg'voering *v.* **1** enlèvement *m.*; **2** déportation *f.*
weg'vreten *ov.w.* **1** (*roest, enz.*) ronger; **2** (*uitbijten*) corroder.
weg'waaien *on.w.* s'envoler, être emporté par [le vent.
weg'wachter *m.* garde*-voie(*), garde*-ligne(*) *m.*
weg'wassen *ov.w.* enlever.
weg'wedstrijd *m.* (*sp.*) course *f.* sur route.
weg'werken *ov.w.* **1** enlever; déplacer; **2** (*wisk.: factor*) éliminer; **3** (*hinderpaal*) lever; **4** (*fig.: concurrent, enz.*) éliminer, évincer.
weg'werker *m.* **1** cantonnier *m.*; **2** (*v. spoorw.*) ouvrier *m.* de la voie.
weg'werpen, *zie* ***weggooien.***
weg'wijs *b.n.* **1** qui sait le chemin; **2** (*fig.: op de hoogte*) au courant, au fait; ***— worden,*** commencer à être au courant; ***iem. — maken,*** mettre qn. au courant, orienter qn.
weg'wijzer *m.* **1** (*langs de weg*) poteau *m.* indicateur; **2** (*gids*) guide *m.*
weg'wissen *ov.w.* essuyer, effacer.
weg'zakken *on.w.* **1** (*inzakken*) s'affaisser, céder; **2** (*v. water, enz.: verdwijnen*) disparaître peu à peu; ***— in,*** s'enfoncer dans; ***in de modder —,*** s'embourber.
weg'zenden *ov.w.* **1** (*ontslaan*) renvoyer, congédier; **2** (*verzenden*) envoyer, expédier.
weg'zending *v.* **1** renvoi *m.*; **2** expédition *f.*
weg'zetten *ov.w.* **1** (*ter zijde zetten*) mettre de côté; **2** (*op zijn plaats zetten*) ranger, serrer.
weg'zinken *on.w.* **1** (*in water, enz.*) s'enfoncer; **2** (*verdwijnen: zon, enz.*) disparaître.
weg'zwemmen *on.w.* s'éloigner à la nage.
wei *v.(m.)* **1** (*v. melk*) petit*-lait* *m.*; **2** (*v. bloed*) sérum *m.*; **3,** *zie* ***weide.***
wei'achtig *b.n.* séreux.
wei'achtigheid *v.* sérosité *f.*
wei'bloem, *zie* ***weidebloem.***
wei'boter *v.(m.)* beurre *m.* de petit-lait.
Weich'sel *v.* Vistule *f.*
wei'(de) *v.(m.)* **1** prairie *f.*; pré *m.*; pâturage *m.*; **2** (*voedsel*) pâture *f.*; ***in de — lopen,*** être en pâture; ***in de — sturen,*** mettre en pâture.
wei'(de)bloem *v.(m.)* fleur *f.* des prés.
wei'(de)gras *o.* herbe *f.* des prés, herbage *m.*
wei'(de)grond *m.* pâtis *m.*
wei'den I *on.w.* paître; ***zijn ogen laten —,*** promener ses regards (*of* ses yeux) sur; **II** *ov.w.* faire paître, mener paître.
wei'derecht *o.* droit *m.* de pacage.
weids I *b.n.* pompeux, somptueux; **II** *bw.* pompeusement, somptueusement.
weids'heid *v.* pompe, magnificence *f.*
wei'felaar *m.* homme *m.* irrésolu, hésitant *m.*
wei'felachtig *b.n.* irrésolu, hésitant.
wei'felachtigheid *v.* irrésolution *f.*
wei'felen *on.w.* hésiter.
wei'feling *v.* hésitation *f.*; ***een weifelende markt,*** un marché hésitant.
weifelmoe'dig *b.n.* irrésolu, hésitant.
wei'gerachtig *b.n.* négatif.
wei'geren I *ov.w.* refuser; ***een weigerend antwoord,*** un refus; ***een aanbod —,*** décliner une offre; ***een geweigerde wissel,*** une traite *f.* en souffrance; un effet *m.* protesté; **II** *on.w.* **1** (*v. geweer, motor*) rater; **2** (*v. persoon*) refuser.
wei'gering *v.* **1** refus *m.*; **2** (*ontzegging*) déni *m.*; **3** (*v. geweer, enz.*) raté *m.*
wei'gras, wei'grond, *zie* ***weidegras, -grond.***
wei'kaas *m.* fromage *m.* de petit-lait.
wei'land *o.* pâturage, herbage, pré *m.*
wei'nig *telw. en bw.* peu; ***in —e dagen,*** en quelques jours; ***dat gebeurt —,*** cela arrive rarement; ***een van de —e mensen die hem gesproken hebben,*** une des rares personnes qui lui ont parlé; ***veel te —,*** beaucoup trop peu; ***het is zo —,*** c'est si peu de chose; ***hoe — ook,*** tant soit peu; ***— of niet,*** peu ou point; ***—en,*** peu, peu de gens; ***het —e,*** le peu.
wei'nigje *o.* petit, peutantinet *m.*
Weis'senburg *o.* (*in Elzas*) Wissembourg *m.*
weit *v.(m.)* froment *m.*
wei'tas *v.(m.)* gibecière, carnassière *f.*
wei'tebrood *o.* pain *m.* de froment.
wei'vlies *o.* membrane *f.* séreuse.
wek'dienst *m.* service *m.* de réveil.
we'kelijk *b.n.* **1** (*krachteloos*) mou; **2** (*gevoelig voor kou, enz.*) douillet; **3** (*v. gestel*) délicat; **4** (*verwijfd*) efféminé.
we'kelijkheid *v.* **1** mollesse *f.*; **2** délicatesse *f.*
we'kelijks I *bw.* **1** (*elke week*) chaque semaine, toutes les semaines; **2** (*per week*) par semaine; **II** *b.n.* hebdomadaire, de chaque semaine.
we'ken I *ov.w.* tremper, faire tremper; **II** *on.w.* tremper.
wek'ken *ov.w.* **1** (*wakker maken*) éveiller, réveiller, susciter; **2** (*veroorzaken*) provoquer; **3** (*inboezemen*) inspirer; ***de ontevredenheid —,*** provoquer le mécontentement; ***vertrouwen —,*** inspirer confiance.
wek'ker *m.* **1** (*persoon*) réveilleur *m.*; **2** (*in klooster*) excitateur *m.*; **3** (*klok*) réveil, réveille-matin *m.*; **4** (*tn.*) avertisseur *m.*
wek'stem *v.(m.)* (*fig.*) voix *f.*, appel *m.*
wek'toon *m.* (*tel.*) tonalité *f.*
wel I *v.(m.)* source *f.*; **II** *b.n.* **1** (*goed*) bien; **2** (*gezond*) ***hij is niet —,*** il n'est pas bien, il est indisposé; **III** *bw.* bien; ***— thuis!*** bon retour! ***— te rusten!*** bonne nuit! dormez bien; ***als ik het — heb,*** si je ne me trompe; ***het is nu —(letjes) geweest,*** en voilà assez; ***hij zal — niet komen,*** je ne pense pas qu'il vienne; ***u zult — vermoeid zijn,*** vous devez être fatigué, vous êtes fatigué sans doute; ***ik mag hem —,*** je l'aime bien! ***hij vaart er — bij,*** il s'en trouve bien; ***— bekome 't u,*** grand bien vous fasse; ***— neen!*** mais non! ***toch —!*** que si! ***— zeker!*** si fait! ***—?*** (*vragend*) n'est-ce pas? ***—, —!*** (*uitroep*) tiens, tiens! ***bent u — eens in Brussel geweest?*** avez-vous jamais été à Bruxelles?
welaan'! *tw.* allons! eh bien!
wel'bedacht *b.n.* bien trouvé, bien avisé.
wel'begrepen *b.n.* bien entendu, bien compris.
wel'behaaglijk *b.n.* béat, doux.

wel'behagen *o.* satisfaction *f.*, bien-être *m.*; euphorie *f.*; ***in wie ik mijn — heb,*** (*Bijb.*) en qui j'ai mis toutes mes complaisances.
wel'bekend *b.n.* bien connu, notoire.
welbekend'heid *v.* notoriété *f.*
wel'beklant *b.n.* bien achalandé.
wel'bemind *b.n.* bien-aimé.
wel'beraamd *b.n.* bien concerté.
wel'bereid *b.n.* bien préparé; ***het is tafeltje —,*** nous sommes à bouche que veux-tu, on nous traite à bouche que veux-tu.
wel'beschouwd *bw.* au fond, à vrai dire.
wel'bespraakt *b.n.* disert, bien-disant.
welbespraakt'heid *v.* verve, faconde *f.*, facilité *f.* de parole, bien-dire *m.*
wel'besteed *b.n.* (bien) rempli.
wel'bewust *b.n.* conscient.
wel'daad *v.*(*m.*) **1** bienfait *m.*; **2** (*goede daad*) bonne action, bonne œuvre *f.*
welda'dig *b.n.* **1** (*liefdadig*) charitable; **2** (*v. regen, enz.*) bienfaisant; **3** (*v. invloed*) salutaire.
welda'digheid *v.* bienfaisance, charité *f.*
welda'digheidsfeest *o.* fête *f.* de bienfaisance.
welda'digheidsinrichting *v.* établissement *m.* de bienfaisance.
weldenkend *b.n.* bien pensant.
wel'doen *on.w.* faire du bien; faire la charité; ***doe wel en zie niet om,*** fais ce que dois, advienne que pourra.
wel'doener *m.* bienfaiteur *m.*
wel'doordacht *b.n.* bien préparé, bien mûri.
wel'dra *bw.* **1** (*spoedig*) bientôt; **2** (*binnenkort*) prochainement, sous peu; ***hij zal — vertrekken,*** il ne tardera pas à partir.
wele'del, —geboren heer, Monsieur.
weleer' *bw.* autrefois, jadis.
wel'eerwaard *b.n.* révérend.
wel'eerwaarde *m.* révérend (père) *m.*
welf'boog *m.* arc *m.* de voûte.
welf'sel *o.* voûte *f.*
wel'geaard *b.n.* d'un bon naturel.
wel'geboren *b.n.* noble.
wel'gebouwd *b.n.* (*goed v. gestalte*) bien fait, bien conformé. [bonne mine.
wel'gedaan *b.n.* gros et gras; ***er — uitzien,*** avoir
welgedaan'heid *v.* embonpoint *m.*
wel'gelegen *b.n.* bien situé.
wel'gelijkend *b.n.* ressemblant.
wel'gelukken *o.* succès *m.*, réussite *f.*
wel'gelukzalig *b.n.* bienheureux.
welgelukza'ligheid *v.* béatitude *f.*
wel'gemaakt *b.n.* bien fait (de sa personne), bien pris (de taille).
wel'gemanierd *b.n.* poli, bien élevé.
welgemanierd'heid *v.* politesse *f.*, bonnes manières *f.pl.*
wel'gemeend *b.n.* sincère, bien intentionné.
wel'gemoed *b.n.* **1** (*vrolijk*) joyeux; **2** (*in goede luim*) de bonne humeur.
wel'gemutst *b.n.* de bonne humeur.
wel'geordend *b.n.* bien ordonné; ***een —e staat,*** un état bien organisé.
wel'geschapen *b.n.* bien conformé.
wel'geslaagd *b.n.* réussi.
wel'gesteld *b.n.* aisé.
welgesteld'heid *v.* aisance *f.*
wel'gevallen *o.* **1** (*voldoening*) satisfaction *f.*; **2** (*welbehagen*) complaisance *f.*; **3** (*genoegen*) plaisir *m.*; ***naar —,*** à volonté; ***naar uw —,*** comme il vous plaira; **II** *on.w.*, ***zich laten —,*** agréer, trouver bon, se prêter à; ***ik heb het mij laten —,*** je me suis laissé faire.
welgeval'lig I *b.n.* agréable; **II** *bw.* **1** (*gunstig*) favorablement; **2** (*met welbehagen*) avec complaisance.
welgeval'ligheid *v.* complaisance *f.*
wel'gevormd *b.n.* bien conformé, bien fait.
welgezind' *b.n.* bien pensant, bien intentionné.
welhaast *bw.* bientôt, sous peu.
we'lig I *b.n.* **1** (*v. plantengroei*) luxuriant; **2** (*v. gras*) dru; **3** (*vruchtbaar: v. grond*) fertile; **4** (*v. weide*) gras; ***— vlees,*** excroissance de chair; **II** *bw.* avec vigueur; ***— groeien,*** (*v. gras*) pousser dru.
we'ligheid *v.* **1** abondance *f.*; **2** luxuriance *f.*; **3** (grande) fertilité *f.*
wel'ingelicht *b.n.* bien informé.
weliswaar' *bw.* il est vrai.
welk I *vr. vnw.* quel, quelle, quels; ***— boek?*** quel livre? ***— van die boeken?*** lequel de ces livres? ***— ook,*** quel que, quelque... que; **II** *betr. vnw.* qui, que; ***de boeken —e ik gelezen heb,*** les livres que j'ai lus.
wel'klinkend *b.n.* mélodieux.
wel'kom I *b.n.* **1** bienvenu; **2** (*aangenaam*) agréable; ***— zijn,*** être le bienvenu (la bienvenue, les bienvenus); ***— heten,*** souhaiter la bienvenue; **II** *z.n.*, *o.* bienvenue *f.*
wel'komst *v.* bienvenue *f.*
wel'komstgroet *m.* souhait *m.* de bienvenue.
wel'komstlied *o.* chant *m.* de bienvenue.
wel'len I *on.w.* jaillir; **II** *ov.w.* **1** (*metaal*) braser, corroyer; **2** (*vruchten, enz.*) faire mitonner; **3** (*vlees*) étourdir.
wel'letjes *bw.* bien; ***zo is 't —,*** cela suffit, c'est assez.
welle'vend I *b.n.* poli; **II** *bw.* poliment.
welle'vendheid *v.* politesse *f.*, savoir-vivre *m.*
wellicht' *bw.* peut-être.
wellui'dend I *b.n.* harmonieux, mélodieux; **II** *bw.* harmonieusement, mélodieusement.
wellui'dendheid *v.* **1** (*muz., enz.*) harmonie *f.*; **2** (*gram.*) euphonie *f.*
wellui'dendheidshal've *bw.* par euphonie.
wel'lust *m.* volupté *f.*, délices *f.pl.*
wellus'tig *b.n.* voluptueux, lascif, libidineux.
welmenend *b.n.* sincère, bien intentionné.
wel'naad *m.* soudure *f.*
wel'nemen *o.* permission *f.*, consentement *m.*; ***met uw —,*** **1** avec votre permission; **2** (*iron.*) ne vous déplaise.
welnu' *bw.* eh bien! voyons!
welop'gevoed *b.n.* bien élevé.
wel'overwogen *b.n.* bien pesé.
welp *m. en o.* **1** (*v. leeuw*) lionceau *m.*; **2** (*v. beer*) ourson *m.*; **3** (*v. andere dieren*) petit *m.*; **4** (*padv.*) louveteau *m.*
wel'penleider *m.* louvetier *m.*
wel'pomp *v.*(*m.*) pompe *f.* (d'eau de source).
wel'put *m.* puits *m.* (d'eau vive).
welrie'kend *b.n.* odorant, odoriférant.
welrie'kendheid *v.* bonne odeur *f.*
wel'slagen *o.* succès *m.*, réussite *f.*
welspre'kend I *b.n.* éloquent; **II** *bw.* éloquemment.
welspre'kendheid *v.* éloquence *f.*
wel'staan *on.w.* **1** (*goedstaan: v. kleren, enz.*) aller bien; **2** (*passen*) convenir, être convenable.
wel'staanshal've *bw.* par convenance.
wel'stand *m.* **1** (*gezondheid*) bonne santé *f.*; **2** (*voorspoed, welgesteldheid*) prospérité, aisance *f.*, bien-être *m.*; ***in blakende —,*** respirant la santé, brillant de santé.
wel'ste *bw.*, ***van je —,*** de la belle façon; ***een kabaal van je —,*** un chahut en règle.

wel'tergewicht *o.* (*sp.*) poids *m.* mi-moyen.
wel'tevreden *b.n.* bien content, satisfait.
wel'vaart *v.*(*m.*) prospérité, aisance *f.*, bien-être *m.*
wel'varen I *on.w.* **1** (*gezond zijn*) se porter bien, être en bonne santé; **2** (*voorspoedig zijn*) prospérer; **II** *z.n.*, *o.* **1** bonne santé *f.*; **2** prospérité *f.*
welva'rend *b.n.* **1** en bonne santé; **2** prospère.
wel'ven *ov.w.* **1** (*boogvormig maken*) arquer; **2** (*met een gewelf bedekken*) voûter.
wel'verdiend *b.n.* bien mérité; (*rechtvaardig*) juste.
wel'versneden *b.n.* bien taillé; ***een — pen,*** une bonne plume.
wel'ving *v.* **1** (*v. boog, gewelf*) voussure *f.*; **2** (*v. cirkelboog*) courbure *f.*; **3** (*v. muur*) bombement *m.*; **4** (*v. de borst*) galbe *m.*; **5** (*gewelf*) voûte *f.*
welvoeg'lijk *b.n.* **1** (*passend*) convenable; **2** (*betamelijk*) bienséant; **3** (*kies*) décent.
welvoeg'lijkheid *v.* **1** convenance *f.*; **2** bienséance *f.*; **3** décence *f.*
wel'voorzien *b.n.* bien pourvu, bien garni.
wel'water *o.* eau *f.* de source, — vive.
welwil'lend I *b.n.* bienveillant; obligeant; ***met de —e medewerking van,*** avec le gracieux concours de; **II** *bw.* avec bienveillance.
welwil'lendheid *v.* bienveillance *f.*
wel'zand *o.* sable *m.* mouvant.
wel'zijn *o.* **1** (*welvaart, voorspoed*) bien-être *m.*; **2** (*gezondheid*) santé *f.*; **3** (*heil*) salut *m.*; ***het algemeen —,*** le salut public; ***maatschappelijk —,*** sécurité *f.* sociale.
we'melen *on.w.* fourmiller, grouiller.
we'meling *v.* fourmillement, grouillement *m.*
Wen'ceslaus *m.* Venceslas *m.*
wen'den I *ov.w.* tourner; ***het schip —,*** virer de bord; ***het over een andere boeg —,*** **1** virer de bord; **2** (*fig.*) changer son fusil d'épaule; **3** (*in gesprek*) faire diversion; **II** *on.w.* virer de bord; **III** *w.w.*, ***zich —,*** se tourner; ***zich tot iem. —,*** s'adresser à qn.
wen'ding *v.* **1** (*v. weg*) tournant *m.*; **2** (*v. hand, enz.*) tour *m.*; **3** (*zwenking*) virement *m.*; **4** (*fig., v. zin*) tournure *f.*; ***het gesprek een andere — geven,*** détourner la conversation.
we'nen I *on.w.* pleurer; verser des larmes; **II** *ov.w.*, ***hete tranen —,*** pleurer à chaudes larmes.
We'nen *o.* Vienne *f.*
We'ner I *m.* Viennois *m.*; **II** *b.n.* viennois; ***— stoelen,*** chaises en bois courbé.
wenk *m.* **1** (*met hand, hoofd*) signe *m.*; **2** (*met ogen*) clin *m.* d'œil; **3** (*fig.: waarschuwing*) avertissement, avis *m.*; ***iem. een — geven,*** **1** faire signe à qn.; **2** donner un avertissement à qn., avertir qn.; ***op zijn —en bediend worden,*** être servi au doigt et à l'œil.
wenk'brauw *v.*(*m.*) sourcil *m.*
wenk'brauwboog *m.* arcade *f.* sourcilière.
wen'ken *ov.w. en on.w.* faire signe à (qn.).
wen'nen I *ov.w.* habituer; **II** *on.w.* s'habituer (à), s'accoutumer (à).
wens *m.* **1** (*verlangen*) désir *m.*; **2** (*wat men begeert*) souhait *m.*; **3** (*heil—, geluk—*) vœu *m.*; ***een — koesteren,*** caresser un désir; ***naar —,*** à souhait; ***mijn beste —en!*** mes meilleurs vœux! ***iemands —en vervullen,*** remplir les souhaits de qn.
wens'droom *m.* rêve *m.* de consolation.
wen'selijk *b.n.* désirable, souhaitable; ***het is — dat,*** il serait à souhaiter que.
wen'selijkheid *v.* **1** (*geschiktheid*) opportunité *f.*; **2** (*nut*) utilité *f.*
wen'sen *ov.w.* **1** désirer; **2** souhaiter; ***iem. goede morgen*** (***goede dag***) ***—,*** dire bonjour à qn., souhaiter le bonjour à qn.; ***geluk —,*** féliciter; ***ik wens niets liever,*** je ne demande pas mieux; ***te — overlaten,*** laisser à désirer; ***het ware te — dat,*** il serait à désirer que.
wen'telen I *ov.w.* rouler, tourner; **II** *on.w.* tourner; **III** *w.w.*, ***zich —,*** se rouler, tourner; ***zich in het slijk —,*** se vautrer dans la fange.
wen'teling *v.* **1** tour *m.*; **2** (*om as*) rotation, révolution *f.*
wen'telspil *v.*(*m.*) noyau *m.* (d'escalier).
wen'telsproeier *m.* arroseur *m.* à turbine.
wen'telteefje *o.* pain *m.* perdu.
wen'teltrap *m.* escalier *m.* en colimaçon, — tournant.
wer'da *tw.* qui vive?
we'reld *v.*(*m.*) **1** monde *m.*; **2** (*heelal*) univers *m.*; ***de hele —,*** le monde entier; ***de grote —,*** le beau monde, la haute société; ***de andere —,*** l'au-delà; ***de omgekeerde —,*** le monde renversé; ***de Nieuwe —,*** le Nouveau Monde; ***de Oude —,*** le Vieux Monde; ***de reis om de —,*** le tour du monde; ***de wijde — ingaan,*** quitter son pays; ***ter — brengen,*** mettre au monde; ***iem. naar de andere — helpen,*** envoyer qn. dans un monde meilleur; ***zo gaat het in de —,*** ainsi va le monde, voilà le monde; ***zich door de — helpen, door de — komen,*** faire son chemin dans le monde; ***uit de — helpen,*** liquider, en finir avec; ***zijn — kennen,*** savoir son monde.
we'reldas *v.*(*m.*) axe *m.* du monde.
we'reldbeheerser *m.* maître *m.* du monde.
we'reldbehoefte *v.* besoin *m.* mondial (en ...).
we'reldberoemd *b.n.* universellement connu, célèbre dans le monde entier.
wereldberoemd'heid *v.* célébrité *f.* mondiale.
we'reldbeschouwing *v.* philosophie *f.*, idées *f.pl.* sur le monde.
we'reldbeschrijving *v.* cosmographie *f.*
we'reldbol *m.* globe *m.*
we'reldbrand *m.* conflagration *f.* mondiale.
we'reldburger *m.* cosmopolite *m.*; ***een nieuwe —,*** un nouveau-né*.
we'reldburgerschap *o.* cosmopolitisme *m.*
we'reldcongres, -kongres *o.* congrès *m.* mondial.
we'reldconjunctuur, -konjunktuur *v.* conjoncture *f.* mondiale.
we'reldcrisis, -krisis *v.* crise *f.* mondiale.
we'relddeel *o.* partie *f.* du monde.
we'reldgebeurtenis *v.* événement *m.* mondial, — d'importance mondiale.
we'reldgeestelijke, *zie* ***wereldheer.***
we'reldgeschiedenis *v.* histoire *f.* universelle.
we'reldhandel *m.* commerce *m.* universel.
we'reldheer *m.* prêtre *m.* séculier.
we'reldheerschappij *v.* empire *m.* du monde.
we'reldkaart *v.*(*m.*) mappemonde *f.*
we'reldkampioen *m.* champion *m.* du monde.
we'reldkampioenschap *o.* championnat *m.* du monde.
we'reldkennis *v.* usage *m.* du monde, — de la vie, savoir-vivre *m.*
we'reldkongres, *zie* ***wereldcongres.***
we'reldkonjunktuur, *zie* ***wereldconjunctuur.***
we'reldkrisis, *zie* ***wereldcrisis.***
wereldkun'dig *b.n.* notoire, de notoriété publique, connu de tout le monde; ***— maken,*** publier sur les toits, divulguer; ***— worden,*** s'ébruiter.
we'reldlijk *b.n.* **1** (*v. gezag, priesters*) séculier; **2** (*v. geschiedenis, muziek*) profane; **3** (*tijdelijk: macht v. de paus*) temporel.

we'reldlijke *m.* laïque, laïc *m.*
we'reldling(e) *m.(v.)* mondain *m.*, (—e *f.*).
we'reldlit(t)eratuur *v.* littérature *f.* universelle.
we'reldmacht *v.(m.)* puissance *f.* mondiale.
we'reldmarkt *v.(m.)* marché *m.* mondial.
we'reldnieuws *o.* actualités *f.pl.*
we'reldoorlog *m.* guerre *f.* mondiale.
we'reldorde *v.(m.)* ordre *m.* mondial.
we'reldpolitiek *v.* politique *f.* mondiale.
we'reldpostverbond *o.* union *f.* postale universelle.
we'reldproduktie, -productie *v.* production *f.* [mondiale.
We'reldraad van Kerken *m.* Conseil *m.* mondial des églises.
we'reldrecord, -rekord *o.* record *m.* mondial.
we'reldreis *v.(m.)* tour *m.* du monde.
we'reldreiziger *m.* globe-trotter* *m.*
we'reldrekord, *zie* ***wereldrecord.***
we'reldrevolutie *v.* révolution *f.* mondiale.
we'reldrijk *o.* empire *m.* mondial.
we'reldrond *o.* monde *m.*, terre *f.*
we'reldruim *o.* espace *m.*
we'relds *b.n.* **1** (*v. de wereld: genoegens, enz.*) mondain, du monde; **2** (*v. de aarde*) terrestre; **3** (*wereldlijk: v. priesters*) séculier; **4** (*v. boek, muziek, enz.*) profane; ***de —e goederen,*** les biens de la terre.
we'reldschokkend *b.n.*, ***—e gebeurtenis,*** événement d'une portée mondiale.
we'reldsgezind *b.n.* mondain, frivole.
we'reldstad *v.(m.)* ville *f.* cosmopolite, métropole *f.*
we'reldstreek *v.(m.)* zone, région *f.*
we'reldtaal *v.(m.)* langue *f.* universelle.
we'reldtentoonstelling *v.* exposition *f.* universelle.
we'reldtoneel *o.* scène *f.* du monde.
we'reldverbruik *o.* consommation *f.* mondiale.
we'reldverkeer *o.* **1** (*onderlinge verhoudingen*) relations *f.pl.* internationales; **2** (*handel*) trafic *m.* mondial.
we'reldvermaardheid *v.* réputation *f.* universelle.
we'reldveroveraar *m.* conquérant *m.* du mon- [de.
we'reldvlucht *v.(m.)* raid *m.* autour du monde.
we'reldvraag *v.(m.)* demande *f.* mondiale.
we'reldvrede *m. en v.* paix *f.* universelle.
we'reldwijsheid *v.* sagesse, philosophie *f.*
we'reldwijze *m.* sage, philosophe *m.*
we'reldwonder *o.* merveille *f.* du monde.
we'reldzee *v.(m.)* océan *m.*
we'ren I *ov.w.* **1** (*vijand, enz.*) repousser, chasser; **2** (*tegenweer bieden*) se défendre contre; **3** (*beletten*) empêcher; **4** (*afwenden*) détourner; **II** *w.w.*, ***zich —,*** **1** (*zich verdedigen*) se défendre; **2** (*zijn best doen*) faire son possible, s'efforcer.
werf *v.(m.)* chantier *m.* (de construction); ***van de — lopen,*** être lancé; ***van de — laten lopen,*** lancer.
werf'brief *m.* enrôlement *m.*
werf'bureau *o.* (*mil.*) bureau *m.* de recrutement.
werf'depot *o. en m.* dépôt *m.* de recrutement.
werf'geld *o.* prime *f.* (d'engagement).
werf'lijst *v.(m.)* feuille *f.* d'enrôlement.
werf'officier *m.* officier *m.* recruteur.
we'ring *v.* **1** défense *f.*; **2** (*bij schermen*) parade *f.*; ***tot — van bedelarij,*** pour combattre la mendicité.
werk I *o.* **1** (*alg.*) travail *m.*; **2** (*zwaar —*) labeur *m.*; **3** (*bezigheid*) besogne *f.*; **4** (*huis—*) devoirs *m.pl.*; **5** (*verrichting*) opération *f.*; **6** (*onderneming*) entreprise *f.*; **7** (*v. uurwerk*) mouvement *m.*; ***aan het — gaan,*** se mettre à l'ouvrage, — au travail; ***aangenomen —,*** ouvrage à forfait; ***openbare —en,*** travaux publics; ***schriftelijk —,*** travaux écrits; ***iem. te — stellen,*** employer qn.; ***het — staken,*** **1** (*eindigen*) cesser le travail; **2** (*in staking gaan*) se mettre en grève, faire grève; ***een goed — doen,*** faire une bonne œuvre; ***een — van barmhartigheid,*** une œuvre de charité; ***alles in het — stellen,*** mettre tout en œuvre; ***de —en van Bourget,*** les œuvres de Bourget; ***het ruwe —,*** la grosse besogne; ***veel — afdoen,*** abattre beaucoup de besogne; ***het is mooi —,*** c'est de la belle besogne; ***dat geeft —,*** cela vous donne de la besogne; ***dat is 't — van een ogenblik,*** c'est l'affaire d'un instant; ***dat is 't — van een zot,*** c'est le fait d'un fou; ***dat is onbegonnen —,*** c'est la mer à boire; ***met goedheid te — gaan,*** user de bonté; ***eerlijk te — gaan,*** agir honnêtement; ***anders te — gaan,*** s'y prendre autrement; ***geen half — verrichten,*** ne pas faire les choses à demi; ***lang — hebben om,*** mettre beaucoup de temps à; ***veel — van iets maken,*** mettre beaucoup de soin à faire qc.; ***ik zal er dadelijk — van maken,*** je vais m'en occuper tout de suite; ***hoe gaat dat in zijn — ?*** comment cela se fait-il ? ***aan 't — kent men de meester,*** à l'œuvre on connaît l'artisan; **II** *o.*, (*afval v. vlas, enz.*) étoupe *f.*
werk'baas *m.* **1** maître, patron *m.*; **2** (*meesterknecht*) contremaître *m.*, chef *m.* d'atelier.
werk'bank *v.(m.)* établi *m.*
werk'beest *o.* bête *f.* de somme, — de labeur.
werk'bij *v.(m.)* abeille *f.* ouvrière.
werk'broek *v.(m.)* pantalon *m.* de fatigue.
werk'comité, -komitee *o.* comité *m.* exécutif.
werkda'dig *b.n.* **1** (*werkzaam*) actif; **2** (*v. middel, genade*) efficace.
werkda'digheid *v.* **1** activité *f.*; **2** efficacité *f.*
werk'dag *m.* **1** (*geen rustdag*) jour *m.* ouvrable; **2** (*arbeidsduur*) jour *m.* de travail; ***de achturige —,*** la journée de huit heures.
werk'dier, *zie* ***werkbeest.***
werk'doos *v.(m.)* boîte *f.* à ouvrage.
werk'drift *v.(m.)* ardeur *f.* au travail.
wer'kelijk I *b.n.* **1** (*echt*) véritable; **2** (*wezenlijk*) réel; **3** (*stellig*) positif; **4** (*v. dienst, schuld*) actif; **II** *bw.* **1** réellement; **2** positivement; **3** (*inderdaad*) en effet, effectivement.
wer'kelijkheid *v.* réalité *f.*
werkelijkheidszin *m.* sens *m.* du réel, réalisme *m.*
wer'k(e)loos *b.n.* **1** (*ledig*) oisif, inactif; **2** (*v. middel: niet doeltreffend*) inefficace, sans effet; **3** (*zonder werk*) sans travail.
wer'k(e)loosheid *v.* **1** oisiveté *f.*; inaction, inactivité *f.*, manque *m.* d'activité; **2** inefficacité *f.*; **3** chômage *m.*
werk(e)loos'heidsuitkering *v.* indemnité *f.* de chômage, allocation *f.* —.
werk(e)loos'heidsverzekering *v.* assurance *f.* contre le chômage forcé.
werk'(e)loze *m.-v.* sans-travail *m.-f.*, chômeur *m.*
werk'(e)lozenfonds *o.* caisse *f.* de chômage.
werk'(e)lozensteun *m.* allocation *f.* de chômage.
wer'ken I *on.w.* **1** (*alg.*) travailler; **2** (*v. werktuig, orgaan, stelsel*) fonctionner, marcher; **3** (*uitwerking hebben*) produire de l'effet; **4** (*gisten*) fermenter; **5** (*v. planten*) bourgeonner, pousser; **6** (*v. hout*) travailler, jouer; **7** (*v. vulkaan*) être en activité; ***hard —,*** travailler dur; (*fam.*) trimer, piocher; ***zich dood —,*** s'exténuer au travail; ***op de zenuwen —,*** agir sur les nerfs, travailler les nerfs; ***op de verbeelding —,*** opérer sur l'imagination; ***er wordt aan gewerkt,*** on s'en occupe; ***dat geneesmiddel werkt langzaam,*** ce remède agit lentement; ***— voor een examen,*** préparer un examen; ***hij houdt niet van —,*** il n'aime pas

le travail; ***dat werkt nadelig op de gezondheid,*** c'est mauvais pour la santé; ***dat werkt misbruiken in de hand,*** cela encourage les abus; ***uit — gaan,*** faire des ménages; **II** *ov.w.*, ***naar binnen —,*** avaler, croquer.
wer'kend *b.n.* **1** travaillant; **2** (*v. lid*) actif; **3** (*v. geneesmiddel*) agissant; **4** (*v. genade*) efficace; **5** (*v. oorzaak*) efficient; ***de —e stand,*** la classe ouvrière; ***— vennoot,*** associé actif; ***de —e vrouw,*** la femme qui travaille.
wer'ker *m.* **1** travailleur *m.*; **2** (*werkman*) ouvrier *m.*; ***maatschappelijk —,*** assistant *m.* social.
werk'ezel *m.* piocheur, bûcheur *m.*; bourreau *m.* de travail.
werk'gelegenheid *v.* emploi *m.*; ***volledige —,*** [plein emploi *m.*
werk'gemeenschap *v.* équipe *f.* de travail.
werk'gever *m.* patron, employeur *m.*
werk'geversvereniging *v.* syndicat *m.* patronal, association *f.* patronale.
werk'hout *o.* bois *m.* de construction, — d'œuvre.
werk'huis *o.* **1** (*v. werkman*) atelier; ouvroir *m.*; **2** (*v. werkvrouw*) maison *f.* (où l'on travaille à la journée); **3** (*verbeterhuis*) maison *f.* de correction; (*voor landlopers*) dépôt *m.* de mendicité.
werk'hypot(h)ese *v.* hypothèse *f.* de travail.
wer'king *v.* **1** (*alg.*) action *f.*; **2** (*uitwerking*) effet, résultat *m.*; **3** (*v. werktuig, enz.*) fonctionnement *m.*; ***in — stellen,*** **1** (*toestel*) faire fonctionner, mettre en service, — en route; **2** (*wet*) mettre en vigueur; ***buiten — stellen,*** **1** (*toestel*) arrêter; **2** (*wet*) suspendre; ***in — treden,*** entrer en vigueur; ***in — zijn,*** fonctionner; ***in volle —,*** en pleine activité, en fonction.
werk'inrichting *v.* dépôt *m.* de mendicité.
werk'je *o.* **1** petit ouvrage, petit travail *m.*; **2** (*boekje*) opuscule *m.*
werk'kamer *v.*(*m.*) cabinet *m.* de travail.
werk'kamp *o.* camp *m.* de travail.
werk'kapitaal *o.* (*H.*) fonds *m.* de roulement.
werk'kleren *mv.* vêtements *m.pl.* de travail.
werk'komitee, *zie* ***werkcomité.***
werk'kracht *v.*(*m.*) **1** (*v. persoon*) capacité *f.* de travail; **2** puissance *f.* de travail; ***—en,*** ouvriers *m.pl.*, main*-d'œuvre *f.*; ***gebrek aan —en,*** manque de main-d'œuvre.
werk'kring *m.* **1** (*bezigheden*) occupations *f.pl.*; **2** (*ambt*) emploi *m.*, occupations *f.pl.*; **3** (*arbeidsveld*) sphère *f.* d'activité.
werk'liedenbond *m.* association *f.* ouvrière, [syndicat *m.* ouvrier.
werk'liedenpensioen *o.* retraite *f.* ouvrière.
werk'liedenvereniging *v.* association *f.* ouvrière, syndicat *m.* ouvrier.
werk'loon *o.* salaire *m.*, main*-d'œuvre *f.*
werkloos(-), *zie* ***werkeloos(-).***
werkloze(-), *zie* ***werkeloze(-).***
werk'lust *m.* amour *m.* du travail.
werk'man *m.* **1** (*arbeider*) ouvrier *m.*; **2** (*ambachtsman*) artisan *m.*; ***los —,*** journalier *m.*; homme *m.* surnuméraire.
werk'mandje *o.* **1** corbeille *f.* à ouvrage; **2** (*op voet*) travailleuse *f.*
werk'mansbond, *zie* ***werkliedenbond.***
werk'mansvrouw *v.* femme *f.* d'ouvrier.
werk'manswoning *v.* habitation *f.* ouvrière.
werk'meester *m.* chef *m.* d'atelier, maître*-ouvrier* *m.*
werk'meid *v.* bonne, servante *f.*
werk'mier *v.*(*m.*) fourmi *f.* ouvrière.
werk'nemer *m.* employé, salarié *m.*
werk'paard *o.* cheval *m.* de labour.
werk'pak *o.* habits *m.* de fatigue.
werk'plaats *v.*(*m.*) **1** atelier *m.*; **2** (*laboratorium*) laboratoire *m.*
werk'plan *o.* plan *m.* de travail.
werk'program(ma) *o.* programme *m.* d'action.
werk'rechtersraad *m.* conseil *m.* de prud'hommes.
werk'rooster *m. en o.* emploi *m.* du temps.
werk'staker *m.* gréviste *m.*
werk'staking *v.* grève *f.*
werk'ster *v.* **1** (*vrouw die werkt*) travailleuse *f.*; **2** (*arbeidster*) ouvrière *f.*; **3** (*werkvrouw*) femme *f.* de ménage, — de journée; ***maatschappelijk —,*** assistante *f.* sociale.
werk'student *m.* étudiant *m.* qui a des occupations rémunérées (à côté de ses études).
werk'stuk *o.* **1** (*v. nijverheid*) ouvrage, travail *m.*; **2** (*meetk.*) construction *f.*
werk'tafel *v.*(*m.*) **1** table *f.* de travail; **2** (*v. ambachtsman*) établi *m.*
werk'tafeltje *o.* table *f.* à ouvrage.
werk'tekening *v.* dessin *m.* d'atelier, — d'exécution; dessin *m.* définitif, — mis au net.
werk'tijd *m.* **1** temps *m.* du travail; **2** (*duur*) durée *f.* du travail, horaire *m.* de travail.
werk'tuig *o.* **1** outil, instrument *m.*; machine *f.*; **2** (*orgaan*) organe *m.*; **3** (*fig.*) instrument *m.*
werk'tuigkunde *v.* mécanique *f.*
werktuigkun'dig *b.n.* mécanique.
werktuigkun'dige *m.* mécanicien *m.*
werktuig'lijk **I** *b.n.* **1** machinal; **2** (*automatisch*) automatique; **II** *bw.* machinalement; automatiquement.
werk'uur *o.* heure *f.* de travail.
werk'vergunning *v.* permis *m.* de travail.
werk'vermogen *o.* capacité *f.* de travail.
werk'verruiming *v.* création *f.* de ressources de travail.
werk'verschaffing *v.* assistance *f.* par le travail.
werk'volk *o.* **1** (*werklieden*) ouvriers *m.pl.*; **2** (*v. fabriek, enz.*) personnel *m.*
werk'voorbereiding *v.* planification *f.* du travail.
werk'vrouw *v.* femme *f.* de ménage, — de journée.
werk'week *v.*(*m.*) semaine *f.* (de travail).
werk'wijze *v.*(*m.*) méthode *f.* (de travail).
werkwil'lige *m.* non-gréviste* *m.*, briseur *m.* de grève; (*pop.*) jaune *m.*
werk'winkel *m.* atelier *m.*
werk'woord *o.* verbe *m.*
werk'woordelijk **I** *b.n.* verbal; **II** *bw.* verbalement.
werk'zaam *b.n.* **1** (*naarstig, ijverig*) laborieux, actif; **2** (*v. middel, genade*) efficace; ***hij is — bij het ministerie,*** il est employé (*of* attaché) au ministère.
werk'zaamheid *v.* **1** activité *f.*; **2** efficacité *f.*; ***werkzaamheden,*** **1** (*werk*) travaux *m.pl.*; **2** (*bezigheden*) occupations *f.pl.*
werk'zuster *v.* sœur *f.* converse.
werp'anker *o.* (*sch.*) ancre *f.* de toue.
wer'pen *ov.w.* **1** jeter; lancer; **2** (*v. stralen*) darder; ***de schuld — op,*** rejeter la faute sur; ***schaduw — op,*** projeter de l'ombre sur; ***lading —,*** jeter une cargaison à la mer; ***jongen —,*** mettre bas.
wer'per *m.* lanceur *m.*
werp'granaat *v.*(*m.*) grenade *f.* à main.
werp'hengel *m.* ***met de — vissen,*** **I** *on.w.* pêcher au lancer; **II** *z.n., o.* pêche *f.* au lancer.
werp'koord *o. en v.*(*m.*) lasso *m.*
werp'kracht *v.*(*m.*) force *f.* de projection.
werp'lood *o.* sonde *f.*, plomb *m.*
werp'net *o.* épervier *m.*
werp'pijl, werp'schicht *m.* dard *m.*
werp'schijf *v.*(*m.*) disque *m.*
werp'spel *o.* jeu *m.* de massacre.
werp'spie(t)s *v.*(*m.*) javelot *m.*, sagaie, zagaie *f.*
werp'strik *m.* lasso *m.*

werp'tol *m.* toupie *f.*
werp'tros *m.* touée *f.*
werp'tuig *o.* arme *f.* de jet, projectile *m.*
werst *v.* verste *f.*
wer'vel *m.* **1** (*wervelbeen*) vertèbre *f.*; **2** (*sluitmiddel*) tourniquet *m.*
wer'velader *v.(m.)* veine *f.* vertébrale.
wer'velbeen *o.* vertèbre *f.*
wer'veldier *o.* (animal) vertébré *m.*
wer'velen I *on.w.* tournoyer, tourbillonner; **II** *ov.w.* fermer au tourniquet.
wer'velkolom *v.(m.)* colonne *f.* vertébrale.
wer'velpoel *m.* tournant *m.*
wer'velstorm *m.* tourbillon, cyclone *m.*
wer'veluitsteeksel *o.* apophyse *f.* vertébrale.
wer'velwind *m.* tourbillon, cyclone *m.*
wer'ven *ov.w.* **1** (*leden, enz.*) recruter; **2** (*werklieden*) embaucher; **3** (*soldaten*) recruter, enrôler, engager; **4** (*ronselen*) racoler.
wer'ver *m.* **1** (*v. werklieden*) embaucheur *m.*; **2** (*mil.*) enrôleur, (officier) recruteur *m.*; **3** (*ong.: ronselaar*) racoleur *m.*
wer'ving *v.* **1** recrutement, enrôlement *m.*; **2** embauchage *m.*; **3** racolage *m.*
wer'waarts *bw.* où; de quel côté.
weshal've *vw.* c'est pourquoi; à cause de quoi, ce qui fait que.
wesp *v.(m.)* guêpe *f.*
wes'peangel *m.* aiguillon *m.* de guêpe.
wes'pendief *m.* (*Dk.*) bondrée *f.*
wes'pennest *o.* guêpier *m.*; ***zich in een — steken,*** s'empêtrer dans un guêpier.
wes'pesteek *m.* piqûre *f.* de guêpe.
wes'petaille *v.(m.)* taille *f.* de guêpe.
west I *o.* ouest *m.*; **II** *v.(m.)*, ***de W—,*** les Indes occidentales *f.pl.*; **III** *b.n.*, ***de wind is —,*** le vent est à l'ouest.
West-A'frika *o.* l'Afrique *f.* occidentale.
West'duits *b.n.* de l'Allemagne de l'Ouest, — occidentale.
West-Duits'land *v.* l'Allemagne *f.* de l'Ouest, — occidentale.
wes'telijk I *b.n.* occidental, d'ouest; **II** *bw.* vers l'ouest.
wes'ten *o.* ouest, occident, couchant *m.*; ***ten — van,*** à l'ouest de; ***het verre —,*** le Far-West; ***buiten —,*** **1** (*buiten kennis*) sans connaissance; **2** (*dronken*) ivre mort.
wes'tenwind *m.* vent *m.* d'ouest.
wes'terhoek *m.* région *f.* occidentale.
wes'terkim(me) *v.(m.)* couchant *m.*, horizon *m.* occidental.
wes'terlengte *v.* longitude *f.* ouest.
wes'terling *m.* Occidental *m.*
wes'ters *b.n.* occidental, d'occident; ***de W—e Kerk,*** l'Église d'Occident; ***het W— Romeinse Rijk,*** l'Empire d'Occident.
West-Euro'pa *o.* l'Europe *f.* occidentale.
Westeuropees' *b.n.* de l'Europe occidentale.
Westfaals' *b.n.* westphalien.
Westfa'len *o.* la Westphalie.
West-Fries'land *o.* la Frise occidentale.
Westgo'ten *mv.* Visigoths *m.pl.*
Westgo'tisch *b.n.* visigothique.
West-In'dië *o.* Indes *f.pl.* occidentales.
Westin'disch *b.n.* des Indes occidentales.
west'kant *m.* côté *m.* ouest, — de l'ouest.
west'kust *v.(m.)* côte *f.* occidentale.
west'moesson *m.* mousson *f.* sudouest.
west'punt *o.* ouest *m.* vrai, occident *m.* —.
Westvlaams' I *b.n.* de la Flandre occidentale; **II** *z.n., o.*, ***het —,*** le westflamand.
Westvlaan'deren *o.* la Flandre occidentale.
west'waarts *bw.* vers l'ouest.
wes'wege, *zie* ***weshalve.***
wet *v.(m.)* loi *f.*; ***iem. de — stellen,*** faire la loi à qn.; ***de — in acht nemen,*** observer la loi; ***de — van Archimedes,*** le principe d'Archimède; ***zijn wil is —,*** sa volonté fait loi.
wet'boek *o.* code *m.*; ***burgerlijk —,*** code civil; ***— van strafrecht,*** code pénal; ***— van strafvordering,*** code d'instruction criminelle; ***— van koophandel,*** code de commerce.
wet'breker *m.* violateur *m.* de la loi.
wet'breuk *v.(m.)* infraction *f.* à la loi.
we'ten I *ov.w.* savoir; ***iets laten —,*** faire savoir qc.; ***ik weet er alles van,*** j'en sais quelque chose; ***ik weet het niet,*** je ne le sais pas, je l'ignore; ***dat moet hij maar —,*** c'est son affaire; ***van wie weet u dat?*** de qui tenez-vous cela? ***ik weet ervan,*** j'en ai connaissance; ***ik weet het zeker,*** j'en suis sûr; ***ik wil het wel —,*** je ne m'en cache pas; ***ik weet het uit goede bron,*** je le tiens de bonne source; ***hij weet er niets van,*** (*dat deert hem niet*) cela ne l'incommode pas; ***hij wil er niets van —,*** il ne vaut pas en entendre parler; ***te — komen,*** apprendre, découvrir; ***iem. dank —,*** savoir gré à qn.; ***er niets meer op —,*** être au bout de son latin; ***wat niet weet, niet deert,*** ce qu'on ignore ne fait pas de mal; il fait bon vivre et ne rien savoir; **II** *z.n., o.* savoir *m.*; ***bij mijn —,*** à ma connaissance; ***buiten mijn —,*** à mon insu; ***naar mijn —,*** que je sache; ***naar mijn beste —,*** en conscience; le mieux possible; ***tegen beter — in spreken,*** parler contre sa propre conviction; ***tegen beter — in loochenen,*** nier contre toute évidence; ***met ons —,*** avec notre aveu, de notre plein gré.
we'tens *bw.*, ***willens en —,*** sciemment, de propos délibéré.
we'tenschap *v.* **1** science *f.*; **2** (*kennis*) connaissance *f.*; **3** (*kunde*) savoir *m.*; ***van iets — krijgen,*** apprendre qc.
wetenschap'pelijk I *b.n.* scientifique; **II** *bw.* scientifiquement.
wetenschap'pelijkheid *v.* caractère *m.* scientifique.
wetenswaar'dig *b.n.* intéressant, curieux.
wetenswaar'digheid *v.* chose *f.* intéressante, — curieuse, détail *m.* intéressant.
we'tering *v.* canal *m.*, cours *m.* d'eau.
wet'geleerde *m.* jurisconsulte, légiste *m.*; ***de —n,*** (*Bijb.*) les docteurs de la loi.
wet'geleerdheid *v.* jurisprudence *f.*
wet'gevend *b.n.* législatif.
wet'gever *m.* législateur *m.*
wet'geving *v.* législation *f.*
wet'houder *m.* **1** (*in F.*) adjoint *m.* (du maire); **2** (*elders*) échevin *m.*; ***Burgemeester en —s,*** (*in F.*) le maire et ses adjoints; (*elders*) le bourgmestre et les échevins.
wet'houderschap *o.* **1** (*F.*) charge *f.* d'adjoint, dignité *f.* —; **2** échevinat *m.*
wetma'tig *b.n.* légal, conforme à la loi.
wet'plank *v.(m.)* planche *f.* à repasser.
wet'priem *m.* fusil *m.*
wets'artikel *o.* article *m.* de la loi.
wets'bepaling *v.* disposition *f.* de la loi, prescription *f.* —.
wet'schender *m.* violateur *m.* de la loi.
wet'schennis *v.* violation *f.* de la loi.
wets'herziening *v.* révision *f.* de la loi.
wets'interpretatie *v.* interprétation *f.* de la loi.
wets'ontduiking *v.* évasion *f.* de la loi.
wets'ontwerp *o.* projet *m.* de loi.
wets'overtreder *m.* délinquant *m.*
wets'overtreding *v.* infraction *f.* à la loi, contravention *f.*

wet'staal *o.* fusil *m.*
wets'taal *v.(m.)* langage *m.* juridique; langue *f.* technique de la loi.
wet'steen *m.* pierre *f.* à aiguiser.
wets'uitlegging *v.* interprétation *f.* de la loi.
wets'voorstel *o.* projet *m.* de loi.
wet'telijk I *b.n.* légal; **II** *bw.* légalement; ***— aansprakelijk,*** civilement responsable; ***de —e duur,*** la durée fixée par la loi; ***een —e maatregel,*** une mesure législative; ***het — erfdeel,*** la légitime réserve.
wet'telijkheid *v.* légalité *f.*
wet'teloos *b.n.* anarchique.
wet'teloosheid *v.* anarchie *f.*
wet'ten *ov.w.* aiguiser, affiler, repasser.
wet'tenverzameling *v.* recueil *m.* de lois.
wet'tig I *b.n.* **1** (*wat de wet betreft*) légal; **2** (*volgens de wet*) légitime; **3** (*geldig, van kracht*) valide; ***de —e eigenaar,*** le propriétaire légitime; ***—e middelen,*** des moyens légaux; ***— huwelijk,*** mariage légitime; ***— maken,*** légaliser, valider; **II** *bw.* légalement; légitimement.
wet'tigen *ov.w.* légaliser; légitimer; ***door het gebruik gewettigd,*** consacré par l'usage, autorisé —.
wet'tigheid *v.* **1** légalité *f.*; **2** légitimité *f.*; **3** validité *f.*
wet'tiging *v.* **1** légalisation *f.*; **2** légitimation *f.*; **3** validation *f.*
wet'tisch *b.n.* légal, selon la loi.
we'ven *ov.w. en on.w.* tisser.
we'ver *m.* **1** tisserand *m.*; **2** (*v. fabriek*) tisseur *m.*
weverij' *v.* tissage *m.*
we'versboom *m.* (*tn.*) ensouple *f.*
we'verskam *m.* peigne *m.*
we'versklos *m. en v.* bobine *f.*
we'versknoop *m.* nœud *m.* de tisserand.
we'versspoel *v.(m.)* navette *f.*
we'vervogel *m.* (*Dk.*) tisserin *m.*
we'zel *v.(m.)* belette *f.*
we'zen I *on.w.* être; ***we zijn — kijken,*** nous sommes allés voir; **II** *z.n., o.* **1** (*het bestaan*) existence *f.*; **2** (*schepsel*) être *m.*, créature *f.*; **3** (*aard, natuur*) caractère *m.*, nature *f.*; **4** (*het wezenlijke, innerlijke*) essentiel *m.*, essence *f.*, fond *m.*; **5** (*gelaat*) air *m.*, mine *f.*; ***er was geen levend —,*** il n'y avait âme qui vive; ***het Opperste W—,*** l'Être Suprême.
we'zenfonds *o.* caisse *f.* de secours pour les orphelins.
we'zenheid *v.* entité, individualité *f.*
we'zenlijk I *b.n.* **1** essentiel; **2** (*werkelijk*) réel; **II** *bw.* **1** essentiellement; **2** réellement.
we'zenlijkheid *v.* réalité *f.*
we'zenloos I *b.n.* **1** (*v. persoon*) apathique; **2** (*v. zaken*) irréel; **3** (*v. blik*) égaré, hagard; **II** *bw.* sans expression; ***— aanstaren,*** regarder avec des yeux égarés, — d'un œil hagard.
we'zenloosheid *v.* **1** apathie *f.*; **2** air *m.* égaré.
we'zenstrek *m.* trait *m.*
We'zet *o.* Visé *m.*
whis'ky *m.* whisky, scotch *m.*
whiskyso'da *v.(m.)* soda-whisky *m.*
whist *o.* whist *m.*
whis'ten *on.w.* jouer au whist.
whis'ter *m.* whisteur *m.*, joueur *m.* de whist.
whist'spel *o.* jeu *m.* de whist.
wi'chelaar *m.* devin; augure *m.*
wichelarij' *v.* divination, prophétie *f.*
wi'chelen *on.w.* deviner, prophétiser.
wi'chelroede *v.(m.)* baguette *f.* divinatoire, pendule *m.* radiesthésique.
wi'chelroedeloper *m.* sorcier, sourcier, baguettissant *m.*
wicht *o.* **1** (*gewicht*) poids *m.*; **2** (*klein kind*) bébé *m.*
wich'tig *b.n.* **1** (*zwaar*) de poids; **2** (*fig.: belangrijk*) important.
wich'tigheid *v.* **1** poids *m.* juste; **2** importance *f.*
wicht'je *o.* **1** (*gram*) gramme *m.*; **2** bébé *m.*
wicht'nota *v.(m.)* note *f.* de poids.
wic'ket *o.* (*sp.*) guichet *m.*
Wi'dooie *o.* Widoye *m.*
wie I *vr. vnw.* qui, qui est-ce qui, qui est-ce que; lequel, laquelle; **II** *betr. vnw.* qui, que; celui qui; **III** *onb. vnw.* qui que ce soit, quiconque.
wie'belen *on.w.* vaciller, branler.
wie'den I *ov.w. en on.w.* sarcler, arracher les mauvaises herbes; **II** *z.n., o.* sarclage *m.*
wie'der *m.* sarcleur *m.*
wied'ijzer, wied'mes *o.* sarcloir *m.*
wied'ster *v.* sarcleuse *f.*
wieg *v.(m.)* berceau *m.*; ***in de — smoren,*** étouffer dans l'œuf; ***hij is niet in de — gesmoord,*** on ne l'a pas étouffé au berceau, il n'est pas mort en nourrice, il n'a pas été fauché dans sa fleur; ***in de — gelegd voor,*** né pour; prédestiné à.
wie'gedruk *m.* incunable *m.*
wie'gekap *v.(m.)* capote *f.* de berceau.
wie'gekleed *o.* couverture *f.* de berceau, garniture *f.* —.
wie'gelen I *ov.w.* bercer, balancer; **II** *on.w.* se balancer, osciller.
wie'gelied *o.* berceuse *f.*
wie'geling *v.* balancement, bercement *m.*; oscillation *f.*
wie'gelstoel *m.* fauteuil *m.* à bascule, chaise *f.* —.
wie'gen *ov.w. en on.w.* bercer; ***in slaap —,*** endormir en berçant.
wieg'je *o.* petit berceau *m.*, bercelonnette, barcelonnette *f.*
wiek *v.(m.)* **1** (*v. vogel, molen*) aile *f.*; **2** (*v. lamp, enz.*) mèche *f.*; ***hij is in zijn — geschoten,*** il a du plomb dans l'aile; ***op eigen —en drijven,*** voler de ses propres ailes.
wiek'geklap *o.* battement *m.* d'ailes.
wiel *o.* **1** roue *f.*; **2** (*tn.*) touret *m.*; ***iem. in de —en rijden,*** contrecarrer qn.
wiel'as *v.(m.)* essieu *m.*
wiel'band *m.* bandage *m.*; cercle *m.* de roue.
wiel'belasting *v.* charge *f.* de la roue.
wiel'boor *v.(m.)* alésoir *m.*, tarière *f.*
wiel'dop *m.* enjoliveur *m.*
wiel'draaier *m.* **1** (*alg.*) tourneur *m.*; **2** (*bij touwslager*) chef *m.* de roue.
wie'len *on.w.* tourner, tournoyer.
wie'lerbaan *v.(m.)* vélodrome *m.*, piste *f.*
wie'lerbond *m.* union *f.* cycliste.
wie'leren *on.w.* pédaler, faire de la bicyclette.
wie'lersport *v.(m.)* cyclisme *m.*
wie'lertocht *m.* excursion *f.* à bicyclette.
wie'lerwedstrijd *m.* course *f.* vélocipédique.
wie'lewaal *m.* (*Dk.*) loriot *m.*
wie'ling *v.* remous, tournant, tourbillon *m.*; ***de W—en,*** les Wielingen.
wiel'renner *m.* coureur *m.* cycliste.
wiel'rijden *on.w.* monter à bicyclette, pédaler, faire de la bicyclette.
wiel'rijder *m.* cycliste *m.-f.*
wiel'rijdersbond *m.* union *f.* vélocipédique.
wiel'rijderscompagnie, -kompagnie *v.* (*mil.*) compagnie *f.* de cyclistes.
wiel'spaak *v.(m.)* rayon *m.*
wiel'tje *o.* **1** petite roue *f.*; **2** (*tn.*) touret *m.*
wie'melen *on.w.* s'agiter.
wier *o.* algue *f.*, varech *m.*
wie'rig *b.n.* vif, dispos.
wie'righeid *v.* vivacité *f.*
wie'roken *on.w.* encenser.

wie'roker *m.* thuriféraire *m.*
wie'rook *m.* encens *m.*; ***iem. — toezwaaien,*** encenser qn.
wie'rookboom *m.* arbre *m.* thurifère.
wie'rookbrander *m.* brûle-encens *m.*
wie'rookdrager *m.* thuriféraire *m.*
wie'rookgeur *m.* odeur *f.* d'encens.
wie'rookkorrel *m.* grain *m.* d'encens.
wie'rookschaal *v.(m.)* **1** (*wierookbrander*) cassolette *f.*; **2** (*in de kerk*) navette *f.*
wie'rookvat *o.* encensoir *m.*
wig, wigge *v.(m.)* coin *m.*
wig'drijver *m.* chasse-coin *m.*
wig'(ge) *v.(m.)* coin *m.*
wig'gebeen *o.* os *m.* cunéiforme.
wig'gelen *on.w.* branler.
wig'sluiting *v.* (*mil.*) fermeture *f.* à coin.
wig'verbinding *v.* (*tn.*) coinçage *m.*
wig'vormig *b.n.* cunéiforme.
wig'wam *m.* wigwam *m.*
wij *pers. vnw.* nous; ***— Vlamingen,*** nous autres Flamands.
wij'bisschop *m.* évêque *m.* consacrant.
wijd I *b.n.* **1** (*v. opening, enz.*) large; **2** (*v. mantel*) ample; **3** (*v. uitgestrektheid*) vaste; ***—er maken,*** élargir; ***—er worden,*** s'élargir; ***— uitlopen,*** s'évaser; **II** *bw.* **1** largement; **2** amplement; **3** (*ver*) loin; ***— open,*** grand ouvert; ***— openen,*** ouvrir tout grand; ***de ogen — opendoen,*** ouvrir de grands yeux; écarquiller les yeux; ***— en zijd,*** partout, en tous lieux.
wijd'beens *bw.* les jambes écartées.
wijd'beroemd *b.n.* renommé, illustre.
wij'den I *ov.w.* **1** (*water, rozenkrans, enz.*) bénir; **2** (*kerk*) consacrer; **3** (*bisschop, koning*) sacrer; ***tot priester —,*** ordonner prêtre; ***een artikel — aan,*** consacrer un article à; **II** *w.w.*, ***zich — aan,*** se vouer à, se dévouer à, consacrer sa vie à.
wij'ders *bw.* pour le reste; en outre.
wijdgeo'pend *b.n.* **1** béant; **2** (*v. ogen*) écarquillé.
wij'ding *v.* **1** bénédiction *f.*; **2** (*v. kerk*) consécration; dédicace *f.*; **3** sacre *m.*; **4** (*v. klok*) baptême *m.*; **5** (*v. priester*) ordination *f.*; **6** (*fig.*) sanctification *f.*
wijdlo'pig I *b.n.* **1** (*v. uiteenzetting, verslag*) détaillé; **2** (*v. verhaal*) circonstancié; **3** (*ong.: vervelend*) prolixe; **II** *bw.* en détail, avec force de détails; (*ong.*) d'une manière prolixe, prolixement.
wijdlo'pigheid *v.* **1** luxe *m.* de détails; **2** prolixité *f.*
wijd'te *v.* **1** (*breedte*) largeur *f.*; **2** (*v. kleed*) ampleur *f.*; **3** (*ruimte*) espace *m.*; **4** (*verte*) distance *f.*; **5** (*doorsnee: v. buis, enz.*) diamètre *m.*; **6** (*v. rails*) écartement *m.*; ***de — van de hals,*** le tour du cou.
wijdvermaard' *b.n.* célèbre, fameux.
wijf *o.* femme *f.*; ***oud —,*** **1** vieille (femme) *f.*; **2** (*fig.*) vieille femme, femmelette *f.*; ***kwaad —,*** mégère *f.*
wijf'je *o.* **1** petite femme *f.*; **2** (*v. dier*) femelle *f.*
wijf'jeseend *v.(m.)* cane *f.*
wijf'jeskameel *m.* chamelle *f.*
wijf'jesvaren *v.(m.)* (*Pl.*) fougère *f.* femelle.
wijf'jesvos *m.* renarde *f.*
wijk *v.(m.)* **1** (*v. stad*) quartier *m.*; section *f.*; **2** (*toevlucht*) retraite *f.*, refuge *m.*; **3** (*vlucht*) fuite *f.*; ***de — nemen naar Amerika,*** se réfugier en Amérique.
wijk'bioscoop, -bioskoop *m.* cinéma *m.* de quartier.
wijk'dokter *m.* médecin *m.* de quartier.
wij'ken *on.w.* **1** (*zwichten, niet standhouden*) céder, fléchir, reculer; **2** (*uit de weg gaan*) se ranger; **3** (*vluchten*) fuir, se réfugier; ***voor iem. —,*** céder le pas à qn.; ***geen duimbreed —,*** ne pas reculer d'une semelle; ***het gevaar is geweken,*** le danger est écarté.
wijk'gebouw *o.* dispensaire *m.*
wijk'geneesheer, *zie* ***wijkdokter.***
wijk'meester *m.* inspecteur *m.* du quartier.
wijk'plaats *v.(m.)* **1** (*bij binnenscheepvaart*) gare *f.*; **2** (*fig.*) abri, refuge, asile *m.*, retraite *f.*
wijk'verpleegster *v.* garde*-malade* *f.* (attachée au dispensaire).
wijk'verpleging *v.* assistance *f.* médicale gratuite.
wij'kwast *m.* goupillon, aspersoir *m.*
wijk'zuster *v.* infirmière *f.* visiteuse, garde*-malade* *f.*
wijl *vw.* puisque.
wijl'(e) *v.(m.)* espace *m.* de temps, laps *m.* —, moment *m.*; ***bij —en,*** par moments, parfois; de temps en temps.
wij'len *b.n.* feu; ***— de koningin,*** feu la reine, la feue reine.
wijn *m.* vin *m.*; ***jonge —,*** vin nouveau; ***oude —,*** vin reposé; ***klare — schenken,*** dire nettement sa pensée; ***goede — behoeft geen krans,*** à bon vin point d'enseigne; ***als de — is in de man, is de wijsheid in de kan,*** quand le vin entre, le secret sort.
wijn'accijns, -aksijns *m.* impôt *m.* sur le vin.
wijn'achtig *b.n.* **1** vineux; **2** qui sent le vin.
wijn'aksijns, *zie* ***wijnaccijns.***
wijn'appel *m.* pomme *f.* vineuse.
wijn'azijn *m.* vinaigre *m.* de vin.
wijn'bak *m.* pressoir *m.*
wijn'beker *m.* gobelet *m.* à vin.
wijn'belasting *v.* impôt *m.* sur le vin.
wijn'bereiding *v.* vinification *f.*
wijn'berg *m.* vignoble; coteau *m.*
wijn'bouw *m.* viticulture *f.*
wijn'bouwend *b.n.* vinicole, viticole.
wijn'bouwer *m.* **1** vigneron *m.*; **2** (*in 't groot*) viticulteur *m.*
wijn'droesem *m.* lie *f.* de vin.
wijn'druif *v.(m.)* raisin *m.*
wijn'fles *v.(m.)* bouteille *f.* à vin.
wijn'gaard *m.* **1** (*wijnstok*) vigne *f.*; **2** (*tuin, enz.*) vignoble *m.*; ***wilde —,*** vigne *f.* vierge.
wijn'gaardblad *o.* feuille *f.* de vigne.
wijngaardenier' *m.* vigneron *m.*
wijn'gaardkever *m.* coupe-bourgeon* *m.*
wijn'gaardluis *v.(m.)* phylloxéra *m.*
wijn'gaardrank *v.(m.)* sarment *m.* de vigne.
wijn'gaardrups *v.(m.)* chenille *f.* de la vigne.
wijn'gaardslak *v.(m.)* limaçon *m.* des vignes.
wijn'gaardstaak *m.* échalas *m.*
wijn'gaardstek *m.* provin *m.*, marcotte *f.*
wijn'gaardstok *m.* pied *m.* de vigne, cep *m.*
wijn'geest *m.* esprit *m.* de vin, alcool *m.*
wijn'glas *o.* verre *m.* à vin.
wijn'grog, -grok *m.* grog *m.* de vin.
wijn'handel *m.* commerce *m.* de vins.
wijn'handelaar *m.* négociant *m.* en vins, marchand *m.* de vins.
wijn'heffe *v.(m.)* lie *f.* de vin.
wijn'heuvel *m.* coteau *m.*
wijn'huis *o.* débit *m.* de vin.
wijn'huishouder *m.* marchand *m.* de vin; (*fam.*) mastroquet *m.*
wijn'jaar *o.* année *f.* vinicole; (*gewas*) cru *m.*
wijn'kaart *v.(m.)* carte *f.* des vins.
wijn'kan *v.(m.)* pot *m.* à vin, broc *m.*
wijn'kelder *m.* **1** cave *f.* à vin; **2** (*voorraad*) cellier *m.*
wijn'kenner *m.* connaisseur *m.* en vins.
wijn'kleur *v.(m.)* couleur *f.* de vin.

wijn'kleurig *b.n.* couleur de vin.
wijn'koper *m.* négociant *m.* en vins.
wijn'kruik *v.(m.)* cruche *f.* à vin, broc *m.*
wijn'kuip *v.(m.)* cuve *f.* à vin; — de vendange.
wijn'land *o.* **1** (*streek*) pays *m.* vinicole; **2** (*wijnberg*) vignoble *m.*, vigne *f.*
wijn'lezen *o.* vendange *f.*
wijn'lezer *m.* vendangeur *m.*
wijn'lucht *v.(m.)* odeur *f.* de vin.
wijn'maand *v.(m.)* octobre *m.*
wijn'merk *o.* **1** marque *f.* de vin; **2** (*gewas*) cru *m.*
wijn'meter *m.* **1** œnomètre *m.*; **2** (*persoon*) jaugeur *m.*
wijn'moer *v.(m.)* lie *f.* de vin.
wijn'most *m.* moût *m.*
wijn'offer *o.* libation *f.*
wijn'oogst *m.* **1** (*handeling, tijd*) vendange *f.*; **2** (*opbrengst*) récolte *f.* (des vins).
wijn'pakhuis *o.* entrepôt *m.* de vin(s).
wijn'palm *m.* (*Pl.*) latanier *m.* rouge.
wijn'peer *v.(m.)* franc*-réal* *m.* d'été.
wijn'peilen *on.w.* jauger.
wijn'peiler *m.* jaugeur *m.*
wijn'peiling *v.* jaugeage *m.*
wijn'pers *v.(m.)* pressoir *m.*
wijn'perser *m.* pressureur *m.*
wijn'perzik *v.(m.)* pêche *f.* vineuse.
wijn'pokken *mv.* (*Z.N.*) varioloïde *f.*, varicelles *f.pl.*
wijn'pomp *v.(m.)* tâte-vin *m.*
wijn'proef *v.(m.)* dégustation *f.* de vin.
wijn'proever *m.* connaisseur *m.* en vins, gourmet *m.*
wijn'pruim *v.(m.)* prune *f.* vineuse.
wijn'rank *v.(m.)* pampre *m.*
wijn'reiziger *m.* placier *m.* en vins.
wijn'rood *b.n.* vineux, couleur de vin.
wijn'saus *v.(m.)* sauce *f.* au vin.
wijn'steen *m.* tartre *m.*
wijn'steenachtig *b.n.* tartreux.
wijn'steenzuur *o.* acide *m.* tartrique.
wijn'stok *m.* **1** vigne *f.*; **2** (*één plant*) pied *m.* de vigne, cep *m.*
wijn'streek *v.(m.)* région *f.* vinicole.
wijn'tapper *m.* marchand *m.* de vin.
wijn'teelt *v.(m.)* viticulture *f.*
wijn'ton *v.(m.)* tonneau *m.* à vin, baril *m.*
wijn'tros *m.* grappe *f.* de raisin.
wijn'vat *o.* tonneau *m.* à vin, fût *m.*
wijn'vervalser *m.* frelateur *m.* de vin.
wijn'vervalsing *v.* frelatage *m.* de vin.
wijn'vlek *v.(m.)* **1** tache *f.* de vin; **2** (*gen.*) tache *f.* de framboise.
wijn'zak *m.* outre *f.*, sac *m.* à vin.
wijs I *b.n.* sage; ***hij is niet goed —,*** il est un peu toqué, il n'a pas toute sa raison, il a le cerveau dérangé; ***— kunnen worden uit,*** se reconnaître dans; ***ik word er niet — uit,*** je n'y comprends rien; ***ik ben nog even —,*** je n'en suis pas plus avancé; ***ik zal wel wijzer wezen,*** je m'en garderai bien; **II** *z.n., v.(m.)* **1** (*manier*) manière, façon *f.*; **2** (*zangwijs, melodie*) air *m.*, mélodie *f.*; **3** (*gram.*) mode *m.*; ***aantonende —,*** indicatif *m.*; ***aanvoegende —,*** subjonctif *m.*; ***van de — raken,*** perdre le fil de ses idées, s'embrouiller; ***iem. van de — brengen,*** embrouiller qn.; ***van de — raken,*** **1** sortir du ton; **2** (*fig.*) perdre contenance, perdre la tramontane; ***'s lands —, 's lands eer,*** autant de pays, autant de coutumes.
wijs'begeerte *v.* philosophie *f.*
wij'selijk *bw.* sagement, prudemment.
wijs'geer *m.* philosophe *m.*
wijsge'rig I *b.n.* philosophique; **II** *bw.* philosophiquement.
wijs'heid *v.* sagesse *f.*; ***hij heeft de — in pacht,*** il a la science infuse, il se croit la sagesse même.
wijs'heidskies *v.(m.)* dent *f.* de sagesse.
wijs'maken *ov.w.*, ***iem. iets —,*** en faire accroire à qn.; ***maak dat anderen wijs!*** à d'autres! ***hij heeft u maar wat wijsgemaakt,*** il vous en a conté; ***zichzelf iets —,*** se suggérer qc.
wijs'neus *m.* pédant *m.*, —e *f.*
wijsneu'zig *b.n.* pédant.
wijsneu'zigheid *v.* pédanterie *f.*, pédantisme *m.*
wijs'vinger *m.* index *m.*
wij'ten *ov.w.* imputer, reprocher; ***dat hebt u aan hem te —,*** c'est à lui que vous devez cela; ***dat is aan het slechte weer te —,*** il faut attribuer cela au mauvais temps.
wij'ting *m.* (*Dk.*) merlan *m.*
wij'water *o.* eau *f.* bénite.
wij'waterbakje *o.* bénitier *m.*
wij'waterkwast *m.* goupillon, aspersoir *m.*
wij'watervat *o.* bénitier *m.*
wij'ze I *v.(m.)* *zie ook* ***wijs***; ***— van doen,*** procédé *m.*, manière *f.*; ***bij — van wapen,*** en guise d'arme; ***bij — van proef,*** à titre d'essai; ***bij — van scherts,*** par plaisanterie; ***bij — van spreken,*** par manière de dire; **II** *m.* sage *m.*; ***de W—n uit het Oosten,*** les Rois Mages *m.pl.*; ***de steen der —n,*** la pierre philosophale.
wij'zen I *ov.w.* montrer, indiquer; ***iem. de deur —,*** mettre qn. à la porte; ***van de hand —,*** refuser, rejeter; ***een aanbieding*** (*of* ***uitnodiging***) ***van de hand —,*** décliner une offre (*of* une invitation); ***wij moeten u er op — dat,*** nous devons vous faire observer que; ***vonnis —,*** prononcer une sentence, rendre un arrêt; **II** *on.w.*, ***de naald wijst naar het noorden,*** l'aiguille indique le nord; ***alles wijst er op dat,*** tout porte à croire que.
wij'zer *m.* **1** (*v. horloge, enz.*) aiguille *f.*; **2** (*v. zonnewijzer*) style *m.*; **3** (*wisk.*) caractéristique *f.*; **4** (*in boek*) signet *m.*
wij'zerbarometer *m.* baromètre *m.* à cadran
wij'zerbord *o.*, **wij'zerplaat** *v.(m.)* cadran *m.*
wij'zertelegraaf *m.* télégraphe *m.* à cadran.
wij'zigen *ov.w.* modifier.
wij'ziging *v.* modification *f.*, changement *m.*
wij'zing *v.* arrêt *m.*, sentence *f.* judiciaire.
wik'ke *v.(m.)*, (*Pl.*) vesce *f.*
wik'kelen I *ov.w.* **1** envelopper, enrouler; **2** (*fig.* engager; **II** *w.w.*, ***zich — in,*** **1** s'envelopper dans; **2** (*fig.*) s'engager dans.
wik'keling *v.* enroulement *m.*
wik'ken I *ov.w.* **1** (*wegen*) peser; **2** (*met de hand tillen*) soupeser; ***zijn woorden —,*** mesurer ses paroles; **II** *on.w.*, ***— en wegen,*** peser mûrement balancer le pour et le contre, bien réfléchir; ***de mens wikt en God beschikt,*** l'homme propose et Dieu dispose.
wil *m.* volonté *f.*; ***vrije —,*** libre arbitre *m.*; ***onvrije*** (***niet vrije***) ***—,*** serf arbitre; ***tegen mijn —,*** contre mon gré; ***uit vrije —,*** de bon gré volontairement; ***tegen — en dank,*** bon gré mal gré, à son corps défendant; ***om Gods —,*** pour l'amour de Dieu; ***om u ter —le te zijn,*** pour vous être agréable; ***ter — le van,*** dans l'intérêt de, pour l'amour de; ***zijn eigen — volgen,*** en faire à sa tête; ***zijn goede — tonen,*** faire acte de bonne volonté; ***uiterste —,*** dernière volonté *f.*, testament *m.*
wild I *b.n.* **1** (*alg.*) sauvage; **2** (*schuw*) farouche **3** (*v. paard: schichtig*) ombrageux; **4** (*v. ogen*) hagard; **5** (*bloeddorstig*) féroce; **6** (*v. vlucht*) désordonné; **7** (*vurig, onstuimig*) fougueux; **8** (*v. plant*) agreste; ***een —e jongen,*** un garçon turbulent; ***in het —e schieten,*** tirer au hasard; tirer dans

le tas; ***in 't — redeneren,*** raisonner à tort et à travers; ***in 't — groeien,*** croître à l'état spontané; ***in 't — groeiend,*** (*v. plant*) agreste; ***—e vaart,*** navigation *f.* irrégulière; **II** *bw.* sauvagement; **III** *z.n., o.* gibier *m.*; ***rood —,*** bêtes *f.pl.* fauves; ***grof —,*** gros gibier; ***klein —,*** menu gibier.
wild'baan *v.(m.)* garenne *f.*
wild'braad *o.* **1** gibier *m.*; **2** (*groot wild*) venaison *f.*
wild'dief *m.* braconnier *m.*
wilddieverij' *v.* braconnage *m.*
wil'de *m.-v.* sauvage *m.*
wil'debras *m.-v.* étourdi, braque *m.*
wil'deling *m.* sauvageon *m.*
wil'deman *m.* ogre *m.*
wil'dernis *v.* désert *m.*, lieu *m.* sauvage.
wild'heid *v.* **1** état *m.* sauvage, caractère *m.* sauvage; **2** (*v. kind, enz.*) sauvagerie *f.*; **3** aspect *m.* agreste.
wild'smaak *m.* goût *m.* sauvagin, — de venaison.
wild'stam *m.* sauvageon *m.*
wild'stand *m.* cheptel *m.* gibier.
wild'stropen *o.* braconnage *m.*
wild'stroper *m.* braconnier *m.*
wild'vang *m.* **1** gibier *m.* pris au piège; **2** (*fig.*) [étourdi *m.*
wild'vreemd *b.n.* complètement étranger, tout à fait inconnu.
wild-west'film *m.* western *m.*, film *m.* de cowboys, — de Far West.
wild'zang *m.* **1** (*v. vogels*) ramage *m.*; **2** (*fig.: persoon*) étourdi *m.*, tête *f.* folle.
wilg *m.* saule *m.*
wil'gebast *m.* écorce *f.* de saule.
wil'geblad *o.* feuille *f.* de saule.
wil'geboom *m.* saule *m.*
wil'gehout *o.* bois *m.* de saule.
wil'gen *b.n.* d'osier.
wil'genbos *o.* saulaie, saussaie *f.*
wil'genlaan *v.(m.)* allée *f.* de saules.
wil'gerijs *o.* osier *m.*
wil'getak *m.* branche *f.* de saule.
Wil'helm *m.* Guillaume *m.*
Wilhelmi'na *v.* Wilhelmine *f.*
Wilhel'mus **1** *m.* Guillaume *m.*; **2,** ***het —,*** le Wilhelmus.
wil'lekeur *v.(m.)* **1** (*vrije wil, vrije verkiezing*) volonté *f.*, gré, libre choix *m.*; **2** (*eigenzinnigheid*) bon plaisir, arbitraire *m.*; **3** (*grilligheid*) caprice *m.*; ***naar —,*** **1** (*naar believen*) à volonté, à discrétion; **2** (*eigenmachtig*) arbitrairement.
willekeu'rig **I** *b.n.* **1** (*eigenmachtig*) arbitraire; **2** (*om het even welk*) quelconque; ***een — boek,*** un livre quelconque; **II** *bw.* arbitrairement.
willekeu'righeid *v.* **1** arbitraire *m.*; **2** caprice *m.*
Wil'lem *m.* Guillaume *m.*
wil'len *ov.w. en on.w.* vouloir; ***liever —,*** aimer mieux, préférer; ***hij wilde juist vertrekken,*** il allait partir; ***— wij vertrekken?*** partons-nous? ***ik wil het niet hebben,*** **1** (*aanvaard het niet*) je n'en veux pas; **2** (*verbied het*) je ne le veux pas; ***dat wil er bij mij niet in,*** je n'admets pas cela; ***wil ik dat doen?*** voulez-vous que je le fasse? ***hij heeft het niet — doen,*** il s'est refusé à le faire; ***wat wil dat woord zeggen?*** que signifie ce mot? ***hij wil er niet aan,*** il ne mord pas; ***zoals u wilt,*** comme vous voudrez, comme il vous plaira, à votre aise.
wil'lens *bw.* à dessein, exprès; ***— en wetens,*** sciemment, de propos délibéré; ***— of onwillens,*** bon gré, mal gré.
wil'lig *b.n.* **1** (*gewillig, gehoorzaam*) de bonne volonté, docile; **2** (*H.: v. markt*) ferme; **3** (*v. verkoop*) volontaire.
wil'ligheid *v.* **1** bonne volonté, docilité *f.*; **2** (*v. markt*) fermeté, bonne tendance *f.*; **3** (*v. artikel*) bon débit *m.*
wil'loos *b.n.* apathique, inerte, sans volonté.
wil'loosheid *v.* apathie, inertie *f.*, manque *m.* de volonté.
wils'beschikking *v.* volonté *f.*; ***uiterste —,*** dernières volontés *f.pl.*, testament *m.*
wils'kracht *v.(m.)* énergie, (force *f.* de) volonté *f.*
wils'krachtig *b.n.* volontaire.
wils'uiting *v.* **1** acte *m.* de volonté; **2** (*wijsb.*) volition *f.*
wils'zwakte *v.* manque *m.* de volonté.
wim'pel *m.* flamme, banderole *v.*
wim'pelstok *m.* digon *m.*
wim'per *v.(m.)* cil *m.*
wind *m.* vent *m.*; ***de — tegen hebben,*** avoir vent debout; ***de — van voren krijgen,*** être rabroué, recevoir un savon; ***de — mee hebben,*** avoir vent arrière; ***het ging voor de —,*** cela marchait à souhait; ***van de — leven,*** vivre de l'air du temps; ***een raadgeving in de — slaan,*** négliger un avis, faire fi d'un avis; ***met alle —en meedraaien,*** tourner à tout vent, faire la girouette; ***— maken,*** (*fig.*) se donner des airs; ***wie — zaait, zal storm oogsten,*** qui sème le vent, récolte la tempête; ***in de — gaan,*** (*beurs*) spéculer à la baisse.
wind'as *o.* **1** (*alg.*) guindas *m.*; **2** (*liggende*) treuil *m.*; **3** (*staande*) vindas, cabestan *m.*
wind'bloem *v.(m.)* anémone *f.*
wind'boom *m.* levier *m.*
wind'bord *o.* abat-vent *m.*
wind'breker *m.* **1** coupe-vent *m.*; **2** (*v. auto*) pare-brise *m.*
wind'bui *v.(m.)* rafale *f.*
wind'buil *v.(m.)* poseur, fanfaron *m.*
wind'buks *v.(m.)* fusil *m.* à vent, carabine *f.* à air comprimé.
wind'droog *b.n.* séché au vent.
wind'druk *m.* pression *f.* du vent.
win'de *v.(m.)* **1** (*Pl.*) liseron *m.*; **2** (*windas*) vindas; treuil *m.*; **3** (*dommekracht*) cric *m.*
wind'ei *o.* œuf *m.* hardé; ***dat zal hem geen —eren leggen,*** cela lui rapportera un joli denier, cela lui fera un joli profit.
win'del *m.* couche, lange *f.*
win'den *ov.w.* **1** (*alg.*) rouler, enrouler; **2** (*op klos*) bobiner; **3** (*op kluwen*) pelotonner; **4** (*v. klos*) dévider; **5** (*windas*) guinder; ***een doekje om zijn vinger —,*** s'envelopper le doigt d'un linge.
win'derig *b.n.* **1** venteux; **2** (*v. voedsel*) flatueux; **3** (*v. stijl: gezwollen*) boursouflé, bouffi; ***het is —,*** il fait du vent; ***een — heertje,*** un fat.
win'derigheid *v.* **1** vent *m.*; **2** flatuosité *f.*; **3** boursouflure *f.*; **4** fatuité *f.*
wind'gat *o.* **1** ventouse *f.*; **2** (*muz.*) lumière *f.*
wind'haan *m.* girouette *f.*
wind'handel *m.* (*H.*) agiotage *m.*
wind'handelaar *m.* (*H.*) agioteur *m.*
wind'harp *v.(m.)* harpe *f.* éolienne.
wind'hoek *m.* **1** (*van waaruit de wind waait*) côté *m.* d'où vient le vent; **2** (*waar het winderig is*) nid *m.* à courants d'air, endroit *m.* où il vente fort.
wind'hond *m.* lévrier *m.*
wind'hoos *v.(m.)* tourbillon, cyclone *m.*, tornade *f.*
win'ding *v.* **1** tour, détour, enroulement *m.*; **2** (*in hersenen, ingewanden*) circonvolution *f.*; **3** (*bouwk.*) volute *f.*
wind'jak *o.* blouson *m.*
wind'je *o.* vent *m.* léger, souffle *m.* (d'air), brise

f.; ***er is geen — aan de lucht,*** il n'y a pas un souffle d'air.
wind'kanaal *o.* porte-vent *m.*
wind'kant *m.* côté *m.* du vent.
wind'kast *v.*(*m.*) laie *f.*
wind'klep *v.*(*m.*) soupape *f.*
wind'kracht *v.*(*m.*) force *f.* du vent.
wind'kussen *o.* coussin *m.* pneumatique.
wind'la(de) *v.*(*m.*) (*muz.*) porte-vent *m.*
wind'maand *v.*(*m.*) ventôse *m.*
wind'maker *m.* fanfaron *m.*
wind'meter *m.* anémomètre *m.*
wind'molen *m.* moulin *m.* à vent.
wind'pijp *v.*(*m.*) évent, porte-vent *m.*
wind'pokken *mv.* varicelles *f.pl.*, varioloïde *f.*
wind'richting *v.* direction *f.* du vent.
wind'roer *o.* fusil *m.* à vent.
wind'roos *v.*(*m.*) (*sch.*) rose *f.* des vents.
wind'scherm *o.* **1** (*in kamer*) paravent *m.*; **2** (*v. planten*) brise-vent *m.*; **3** (*v. auto*) coupe-vent, pare-brise *m.*
wind'sel *o.* **1** (*gen.: zwachtel*) bandage *m.*; **2** (*luier*) lange *m.*; **3** (*v. mummie*) bandelette *f.*
wind'snelheid *v.* vitesse *f.* du vent.
wind'spaak *v.*(*m.*) levier *m.*
wind'spil *o.* (*sch.*) cabestan *m.*
wind'sterkte *v.* force *f.* du vent.
wind'stil *b.n.* calme; ***'t is — (op zee),*** il fait un calme plat.
wind'stilte *v.* **1** calme *m.* plat; **2** (*na storm*) [accalmie *f.*
wind'stoel *m.* guérite *f.*
wind'stoot *m.* **1** coup *m.* de vent; **2** (*rukwind, windvlaag*) rafale, bourrasque *f.*
wind'streek *v.*(*m.*) aire *f.* de vent, rumb *m.*
wind'vaan *v.*(*m.*) girouette *f.*
wind'vang *m.* **1** ventilateur *m.*; **2** (*v. schip*) [voilure *f.*
wind'vanger *m.* manche *f.* à vent.
wind'vlaag *v.*(*m.*) rafale, bourrasque *f.*
wind'vrij *b.n.* à l'abri du vent.
wind'waarts *bw.* du côté du vent.
wind'wijzer *m.* **1** girouette *f.*; **2** (*sch.*) flouette *f.*, penon *m.*; **3** (*wet.*) anémoscope *m.*
wind'zak *m.* (*muz.*) cornemuse *f.*
wind'zij(de) *v.*(*m.*) côté *m.* du vent.
win'gerd *m.* vigne *f.*, vignoble *m.*; ***wilde —,*** vigne *f.* vierge.
win'gewest *o.* **1** pays *m.* conquis; **2** (*v. de Romeinen*) province *f.*
win'kel *m.* **1** magasin *m.*, boutique *f.*; **2** (*werkplaats*) atelier *m.*; **3** (*v. oog*) orbite *f.*; ***een — houden,*** tenir boutique; ***een rijdende —,*** boutique ambulante, camion*-bazar* *m.*
win'kelbediende *m.-v.* commis *m.*, demoiselle *f.* de magasin, employé *m.*, —e *f.*, vendeur *m.*, —euse *f.*
win'kelbedrijf *o.* commerce *m.* en magasins.
win'kelcentrum *o.* centre *m.* commerçant.
win'keldochter *v.* **1** demoiselle *f.* de magasin; **2** (*H.: fig.*) rossignol, garde-boutique, garde-magasin *m.*
win'kelen *on.w.* courir les magasins; faire des emplettes, — du shopping, — des courses.
win'kelgalerij *v.* passage *m.*, galeries *f.pl.*
win'kelgoed *o.* marchandises *f.pl.* en magasin.
win'kelhaak *m.* **1** (*gereedschap*) équerre *f.*; **2** (*scheur*) accroc *m.*
win'kelhouder *m.* boutiquier *m.*
win'kelhuis *o.* magasin *m.*
win'kelhuur *v.*(*m.*) loyer *m.* d'un (*of* du) magasin.
winkelier' *m.* boutiquier *m.*
win'keljuffrouw *v.* demoiselle *f.* de magasin, vendeuse *f.*
win'kelkamer *v.*(*m.*) arrière-boutique* *f.*
win'kelkast *v.*(*m.*) vitrine, devanture *f.*
win'kelknecht *m.* **1** garçon *m.* de magasin; **2** (*H.: fam.*) rossignol, garde-boutique *m.*
win'kella(de) *v.*(*m.*) tiroir*-caisse* *m.*
win'kelmerk *o.* marque *f.*
win'kelnering *v.* commerce *m.* (de détail).
win'kelopstand *m.* fonds *m.* de boutique.
win'kelprijs *m.* prix *m.* de vente, — de détail.
win'kelpui *v.*(*m.*) devanture *f.*
win'kelraam *o.* devanture *f.*
win'kelruit *v.*(*m.*) devanture *f.*, glace *f.* de magasin, vitrine *f.* —.
win'kelsluiting *v.* clôture (*of* fermeture) *f.* des magasins.
win'kelstand *m.* quartier *m.* boutiquier, — commerçant.
win'kelstraat *v.*(*m.*) rue *f.* commerçante (*of* marchande).
win'keltje *o.* boutique *f.*
win'keluren *mv.* heures *f.pl.* d'ouverture.
win'kelvereniging *v.* **1** magasins *m.pl.* réunis; **2** société *f.* coopérative de consommation.
win'kelvoorraad *m.* stock *m.* en magasin.
win'kelwaar *v.*(*m.*) marchandises *f.pl.* en magasin.
win'kelweek *v.*(*m.*) semaine *f.* réclame, — commerciale.
win'kelwijk *v.*(*m.*) quartier *m.* commerçant.
win'kelzaak *v.*(*m.*) magasin *m.*
winket' *o.* guichet *m.*
win'naar *m.* gagnant *m.*
win'nen *ov.w.* **1** gagner; **2** (*erts, enz.*) extraire, tirer (de); ***het van iem. —,*** l'emporter sur qn.; ***iem. voor zijn zaak —,*** rallier qn. à sa cause; ***op punten —,*** (*sp.*) gagner aux points; ***wij moeten hem voor ons plan —,*** nous devons le conquérir à notre projet; ***— bij nadere kennismaking,*** gagner à être connu; ***aan de —de hand zijn,*** gagner, avoir de la veine; ***zo gewonnen, zo geronnen,*** ce qui vient de la flûte s'en va par le tambour.
win'ner *m.* **1** gagnant *m.*; **2** (*overwinnaar*) vainqueur *m.*
win'ning *v.* **1** (*v. gewassen*) culture *f.*; **2** (*v. erts, enz.*) extraction *f.*
winst *v.* **1** (*in handel, enz.*) bénéfice *m.*; **2** (*toevallig, vooral bij spel*) gain *m.*; **3** (*voordeel*) profit *m.*; ***— maken,*** réaliser un bénéfice, — des bénéfices; ***— opleveren,*** rapporter; ***in de — delen,*** participer au bénéfice.
winst'aandeel *o.* **1** part *f.* de bénéfice; **2** (*H.*) [dividende *m.*
winst'bejag *o.* amour *m.* du lucre, avidité *f.* du gain; ***uit —,*** par goût du lucre.
winst'berekening *v.* calcul *m.* de bénéfice.
winst'bewijs *o.* (*H.*) action *f.* de jouissance.
winst'cijfer *o.* montant *m.* du bénéfice.
winst'delend *b.n.* participant aux bénéfices.
winst'deling *v.* jouissance *f.*
winst'derving *v.* privation *f.* de bénéfice, perte *f.*
winst'-en-verliesrekening *v.* (*H.*) compte *m.* de profits et pertes.
winstgevend *b.n.* lucratif, productif, rémunérateur.
winst'marge *v.*(*m.*) (*H.*) marge *f.* de bénéfices.
winst'neming *v.* prise *f.* de bénéfice, réalisation *f.*
winst'saldo *o.* (*H.*) solde *m.* bénéficiaire.
winst'uitkering *v.* distribution *f.* de bénéfice, — de dividende.
winst'verdeling *v.* répartition *f.* du bénéfice.
win'ter *m.* **1** hiver *m.*; **2** (*aandoening v. handen, enz.*) engelures *f.pl.*; ***des —s, in de —,*** en hiver.
win'terachtig *b.n.* d'hiver; comme en hiver.
win'teravond *m.* soirée *f.* d'hiver.
win'terbedding *v.* lit *m.* d'hiver.
win'terbewerking *v.* hivernage *m.*

win'terbloem *v.(m.)* fleur *f.* hivernale.
win'terdag *m.* jour *m.* d'hiver, journée *f.* —.
win'terdienst *m.* service *m.* d'hiver, régime *m.* —.
win'tereend *v.(m.)* canard *m.* d'Islande.
win'teren *on.w.* faire froid; ***het wintert,*** l'hiver se fait sentir; ***het zal gaan —,*** l'hiver s'annonce.
win'tergast *m.* **1** (*v. dier*) hiverneur *m.*; **2** (*v. persoon: in badplaats, enz.*) hivernant *m.*
win'tergenoegens *mv.* plaisirs *m.pl.* de l'hiver.
win'tergerst *v.(m.)* escourgeon *m.*
win'tergezicht *o.* paysage *m.* d'hiver.
win'tergoed *o.* habits *m.pl.* d'hiver.
win'tergraan *o.* blé *m.* d'hiver.
win'tergroen *o.* (*Pl.*) pyrole *f.*
win'terhaar *o.* poil *m.* d'hiver.
win'terhanden *mv.* engelures *f.pl.* aux mains.
win'terhaver *v.(m.)* avoine *f.* d'hiver.
win'terhielen *mv.* engelures *f.pl.* aux talons.
win'terjas *m. en v.* pardessus *m.* d'hiver.
win'terkoninkje *o.* roitelet *m.*
win'terkoren *o.* blé *m.* d'hiver.
win'terkost *m.* nourriture *f.* d'hiver, mets *m.* —.
win'terkraai *v.(m.)* (*Dk.*) corneille *f.* mantelée.
win'terkwartier *o.* (*mil.*) quartier *m.* d'hiver.
win'terlandschap *o.* paysage *m.* d'hiver.
win'terling *v.(m.)* (*Pl.*) ciguë *f.*
win'termaand *v.(m.)* décembre *m.*
win'termantel *m.* manteau *m.* d'hiver.
win'termorgen *m.* matinée *f.* d'hiver.
win'ternacht *m.* nuit *f.* d'hiver.
win'terooft *o.* fruits *m.pl.* d'hiver.
win'terpeer *v.(m.)* poire *f.* d'hiver.
win'terpeil *o.* niveau *m.* d'hiver.
win'terrogge *v.(m.)* seigle *m.* d'hiver.
win'ters *b.n.* **1** (*v. de winter*) d'hiver, hivernal; **2** (*als in de winter*) comme en hiver.
win'terseizoen *o.* saison *f.* d'hiver.
win'terslaap *m.* sommeil *m.* hibernal, hibernation *f.*
win'terslaper *m.* animal *m.* hibernant.
win'tersport *v.(m.)* sport(s) *m.(pl.)* d'hiver.
win'tersportcentrum *o.* centre *m.* de sports d'hiver.
win'tersportstation *o.* station *f.* de sports d'hiver.
win'terstalling *v.* (*v. vee*) hivernage *m.*
win'tertarwe *v.(m.)* froment *m.* d'hiver.
win'tertemperatuur *v.* température *f.* hibernale.
win'tertenen *mv.* engelures *f.pl.* aux orteils.
win'tertijd *m.* **1** (*jaargetijde*) saison *f.* d'hiver; **2** (*uur*) heure *f.* d'hiver.
win'tertuin *m.* jardin *m.* d'hiver.
win'terverblijf *o.* séjour *m.* d'hiver.
win'tervermaak *o.* plaisir(s) *m.(pl.)* de l'hiver.
win'tervoeten *mv.* engelures *f.pl.* aux pieds.
win'tervoorraad *m.* provision *f.* pour l'hiver.
win'terwe(d)er *o.* temps *m.* d'hiver.
win'terzonnestilstand *m.* solstice *m.* d'hiver.
win'zucht *v.(m.)* amour *m.* du gain, cupidité *f.*
winzuch'tig *b.n.* âpre au gain, cupide.
wip I *m.* **1** (*het wippen*) bascule *f.*; **2** (*ogenblik*) moment, instant, clin d'œil *m.*; ***in een —,*** **1** d'un bond; **2** (*fig.*) en un clin d'œil; **II** *v.(m.)* **1** (*balans v. ophaalbrug*) bascule *f.*; **2** (*wipplank*) planche *f.* à bascule, balançoire *f.*; **3** (*schok, v. rijtuig, enz.*) cahot *m.*; ***op de — zitten,*** **1** (*op schopstoel zitten*) branler dans le manche, être sur le point d'être balancé; **2** tenir la balance.
wip'brug *v.(m.)* pont *m.* à bascule, pont*-levis *m.*
wip'kar *v.(m.)* tombereau *m.*
wip'klep *v.(m.)* soupape *f.* à bascule.
wip'neus *m.* nez *m.* retroussé.
wip'pen I *on.w.* **1** se balancer, faire la bascule; **2** (*op wipplank spelen*) jouer à la bascule; **3** (*fig.*) aller lestement; ***over de straat —,*** traverser rapidement la rue; ***met zijn stoel —,*** se balancer sur sa chaise; **II** *ov.w.* **1** (*op wipplank*) balancer; **2** (*brug, enz.*) faire basculer; **3** (*fig.: ambtenaar, enz.*) faire sauter, balancer.
wip'plank *v.(m.)* planche *f.* à bascule, branloire, balançoire *f.*
wip'staart *m.* (*Dk.*) hochequeue *m.*, bergeronnette *f.*
wip'stoel *m.* chaise *f.* à bascule.
wir'war *m.* entrelacs *m.* de routes.
wis I *b.n.* certain, sûr; **II** *bw.* certainement, sûrement; ***— en zeker,*** sans aucun doute; **III** *z.n., v.(m.)* **1** (*v. stro*) bouchon *m.*; **2** (*teen*) brin *m.* d'osier; **3** (*vaatdoek*) torchon *m.*
wis'heid *v.* certitude *f.*
wis'kunde *v.* mathématiques *f.pl.*; ***de faculteit der wis- en natuurkunde,*** la faculté des sciences.
wis'kundeles *v.(m.)* leçon *f.* de mathématiques.
wiskun'dig I *b.n.* mathématique; **II** *bw.* mathématiquement.
wiskun'dige *m.-v.* mathématicien *m.*, —ne *f.*
wispeltu'rig I *b.n.* capricieux, inconstant; **II** *bw.* capricieusement.
wispeltu'righeid *v.* inconstance *f.*
wis'se *v.(m.)* stère *m.*
wis'sel I *m.* **1** (*wisselbrief*) lettre *f.* de change, traite *f.*; **2** (*koers*) change *m.*; ***korte —,*** traite à courte échéance; ***prima*** (***eerste***) ***—,*** première de change; ***secunda*** (***tweede***) ***—,*** seconde de change; ***buitenlandse —,*** traite sur l'étranger; ***binnenlandse —,*** traite sur l'intérieur; ***een — honoreren,*** faire bon accueil à une traite; ***een — op de eeuwigheid,*** une assignation sur les brouillards de la Seine; ***betalen met een — op de eeuwigheid,*** renvoyer aux calendes grecques; ***een — trekken op iem.,*** tirer sur qn., faire traite sur qn.; **II** *m. en o.* (*v. spoorweg*) aiguille *f.*; ***de — verzetten,*** changer l'aiguille.
wis'selaar *m.* changeur *m.*
wis'seladvies *o.* avis *m.* de traite.
wis'selagent *m.* agent *m.* de change, courtier *m.*
wis'selarbitrage *v.* arbitrage *m.* des changes.
wis'selbaar *b.n.* **1** changeable, échangeable; **2** (*v. effecten*) négociable; **3** (*fig.*) variable.
wis'selbaarheid *v.* (*fig.*) inconstance, variabilité *f.*
wis'selbank *v.(m.)* **1** banque *f.* d'escompte; **2** (*v. wisselagent*) bureau *m.* de change.
wis'selbeker *m.* (*sp.*) challenge *m.*, coupe *f.* de challenge.
wis'selbord *o.* (*el.*) commutateur *m.*
wis'selborgtocht *m.* aval *m.*
wis'selbouw *m.* culture *f.* alterne, assolement *m.* (biennal, triennal); alternance *f.* de cultures.
wis'selbrief *m.* lettre *f.* de change, traite *f.*
wis'selcourtage *v.* courtage *m.* de change.
wis'seldisconto *o.* escompte *m.* des effets.
wis'selen I *ov.w.* **1** (*plaats, geld*) changer; **2** (*brieven, woorden, enz.*) échanger; ***een gulden —,*** donner la monnaie d'un florin; **II** *on.w.* **1** (*alg.*) changer; **2** (*v. trein*) changer de voie; ***van gedachten —,*** échanger des vues; ***van tanden —,*** refaire ses dents, changer —; ***dat wisselt ieder jaar,*** cela varie chaque année; **III** *z.n.*, ***het —,*** **1** le change; **2** (*v. tanden*) la seconde dentition.
wis'selformulier *o.* formule *f.* de lettre de change.
wis'selgarantie *v.* caution *f.*
wis'selgeld *o.* monnaie *f.*
wis'selhandel *m.* commerce *m.* de change; ***— drijven,*** faire le change.

wis'selhandelaar *m.* banquier *m.*
wis'selhuisje *o.* poste *m.* d'aiguillage.
wis'seling *v.* **1** (*v. goederen: ruil*) échange, troc *m.*; **2** (*v. geld*) change *m.*; **3** (*fig.*) changement *m.*, variation *f.*; **4** (*v. stem*) mue *f.*
wis'selkantoor *o.* bureau *m.* de change.
wis'selkoers *m.* change *m.*, cours *m.* du change.
wis'selkoorts *v.*(*m.*), (*gen.*) fièvre *f.* intermittente.
wis'selloon *o.* courtage *m.*
wis'selloper *m.* garçon *m.* de recette(s).
wis'selmakelaar *m.* courtier *m.*, agent *m.* de change.
wis'selmarkt *v.*(*m.*) marché *m.* de change.
wis'selnemer *m.* **1** preneur *m.* d'un effet; **2** bénéficiaire *m.*
wis'selnotering *v.* cote *f.*
wis'selpaard *o.* cheval *m.* de relais.
wis'selpari *o.* pair *m.* du change.
wis'selpariteit *v.* parité *f.* du change.
wis'selplaats *v.*(*m.*) **1** (*v. paarden*) relais *m.*; **2** (*v. schepen*) gare *f.* d'eau; **3** (*v. treinen*) voie *f.* de garage, — d'évitement.
wis'selploeg *v.*(*m.*) équipe *f.* alternante, — par roulement.
wis'selportefeuille *m.* portefeuille *m.* d'effets.
wis'selprijs *m.* (*sp.*) prix *m.* de challenge.
wis'selprotest *o.* protêt *m.*
wis'selprovisie *v.* commission *f.*, courtage *m.*
wis'selrecht *o.* droit *m.* de change.
wis'selrekening *v.* arbitrage *m.*
wis'selrijmen *mv.* rimes *f.pl.* croisées.
wisselruiterij' *v.* émission *f.* de billets de complaisance.
wis'selschuld *v.*(*m.*) billets *m.pl.* à découvert.
wis'selsignaal *o.* signal *m.* de branchement.
wis'selspoor *o.* **1** voie *f.* de garage, — d'évitement; **2** (*punt v. splitsing*) bifurcation *f.* [*m.*
wis'selstand *m.* position *f.* des aiguilles, aiguillage
wis'selstroom *m.* (*el.*) courant *m.* alternatif.
wis'selstroomdynamo *m.* alternateur *m.*
wis'selstuk *o.* pièce *f.* de rechange.
wis'seltand *m.* dent *f.* de lait.
wisselval'lig *b.n.* changeant, aléatoire, inconstant.
wisselval'ligheid *v.* inconstance *f.*; ***de — van de politiek,*** les vicissitudes de la politique.
wis'selvervalsing *v.* falsification *f.* d'une lettre de change.
wis'selwachter *m.* aiguilleur *m.*
wis'selwachtershuis *o.* cabine *f.* d'aiguilleur.
wis'selwerking *v.* action *f.* réciproque, interaction *f.*
wis'selwet *v.*(*m.*) loi *f.* sur le change.
wis'selzegel *o.* timbre *m.* proportionnel.
wis'sen *ov.w.* **1** essuyer; **2** (*v. kanon*) écouvillonner.
wis'ser *m.* **1** torchon *m.*; **2** (*mil.*) écouvillon *m.*
wis'sewasje *o.* bagatelle, foutaise *f.*, rien *m.*
wit I *b.n.* blanc; ***— maken,*** blanchir; ***— worden,*** blanchir, devenir blanc; ***magazijn van —te goederen,*** magasin de blanc; ***Witte Donderdag,*** Jeudi-Saint; **II** *z.n.*, *o.* **1** blanc *m.*; **2** (*doel*) but *m.*; ***in 't —,*** habillé de blanc; ***zwart op — hebben,*** avoir par écrit; ***naar het — schieten,*** tirer à la cible.
wit'achtig *b.n.* blanchâtre.
wit'bestoven *b.n.* enfariné, poudré à blanc.
wit'bloemig *b.n.* à fleurs blanches.
wit'boek *o.* livre *m.* blanc.
wit'bont *b.n.* blanc tacheté, pie.
wit'boom *m.* érable *m.* champêtre.
wit'gedast *b.n.* cravaté de blanc.
wit'geld *o.* monnaie *f.* blanche.
wit'gepleisterd *b.n.* blanchi (à la chaux).
wit'gepoederd *b.n.* poudré à blanc.
wit'gloeiend *b.n.* chauffé à blanc; ***— maken,*** chauffer à blanc.
wit'goud *o.* platine *m.*
witha'rig *b.n.* **1** (*v. persoon*) à cheveux blancs; **2** (*v. dier*) à poils blancs.
wit'heer *m.* (père) Prémontré *m.*
wit'heid *v.* blancheur *f.*
wit'hout *o.* bois *m.* blanc.
wit'je, *zie* ***koolwitje.***
wit'kalk *m.* chaux *f.* à blanchir.
wit'kiel *m.* commissionnaire, porteur *m.*
wit'kop *m.* tête *f.* blanche.
wit'koper *o.* argent *m.* anglais, — blanc.
witkop'pig *b.n.* à tête blanche.
wit'kuif *v.*(*m.*) (*Dk.*) poule *f.* à crête blanche.
wit'kwast *m.* brosse *f.* à blanchir.
wit'lo(o)f *o.* endive, chicorée *f.*
wit'metaal *o.* métal *m.* blanc.
Witrus' *m.* Biélorusse *m.*
Wit-Rus'land *o.* Russie Blanche, Biélorussie.
wit'schimmel *m.* pommelé *m.* blanc.
wit'sel *o.* chaux *f.* à blanchir.
wit'staart *m.* **1** (*vogel*) cul*-blanc* *m.*; **2** (*paard*) cheval *m.* à queue blanche.
wit'tebrood *o.* pain *m.* blanc.
wit'tebroodskind *o.* enfant *m.* gâté (de la fortune).
wit'tebroodsweken *mv.* lune *f.* de miel.
wit'tekool *v.*(*m.*) chou *m.* blanc.
wit'teling *m.* albinos *m.*
wit'ten I *ov.w.* blanchir à la chaux; **II** *z.n.*, ***het —,*** le blanchiment.
wit'ter *m.* plâtrier, badigeonneur *m.*
wit'vis *m.* poisson *m.* blanc.
wit'voet *m.* (cheval) balzan *m.*
wit'werker *m.* menuisier *m.*
wod'ka, vod'ka *m.* vodka *f.*
woe'de *v.*(*m.*) colère, fureur, rage *f.*; ***schuimbekken van —,*** écumer de rage; ***zijn — koelen,*** assouvir sa rage.
woe'den *on.w.* **1** (*v. persoon*) être furieux, être en fureur; **2** (*v. storm, enz.*) faire rage, se déchaîner, sévir; **3** (*v. ziekte, enz.*) sévir.
woe'dend I *b.n.* furieux, enragé; ***— worden,*** entrer en fureur, enrager; ***— maken,*** faire enrager; **II** *bw.* furieusement.
woe'ker *m.* usure *f.*; ***— drijven,*** prêter à usure.
woe'keraar *m.* usurier, fesse-mathieu*, tire-sou* *m.*
woe'kerachtig I *b.n.* usuraire; **II** *bw.* usurairement.
woe'kerdier *o.* parasite *m.*
woe'keren *on.w.* **1** prêter à usure, faire l'usure; **2** (*snel toenemen*) se multiplier rapidement, pulluler; **3** (*nuttig besteden: talent, enz.*) ***— met,*** faire valoir, mettre à profit.
woe'kergeld *o.* argent *m.* usuraire.
woe'kerhandel *m.* commerce *m.* usuraire.
woe'kering *v.* végétation(s) *f.*(*pl.*).
woe'kerplant *v.*(*m.*) plante *f.* parasite.
woe'kerprijs *m.* prix *m.* usuraire. [—.
woe'kerrente *v.*(*m.*) taux *m.* usuraire, intérêt *m.*
woe'kerwet *v.*(*m.*) loi *f.* sur l'usure.
woe'kerwinst *v.* profit *m.* usuraire.
woe'len I *on.w.* **1** (*onrustig zijn*) s'agiter, remuer; **2** (*zich weren, zich verzetten*) se débattre; **3** (*wroeten*) fouiller; ***in zijn bed —,*** se tourner et se retourner; **II** *ov.w.*, ***de wortels uit de grond —,*** déterrer les racines; ***gaten in de grond —,*** creuser des trous, creuser la terre; ***zich bloot —,*** se déborder.
woe'ler *m.* **1** (*v. kind*) enfant *m.* remuant, — turbulent; **2** (*woelgeest*) esprit *m.* remuant.
woel'geest *m.* esprit *m.* remuant, agitateur *m.*

woe'lig *b.n.* **1** agité, remuant; **2** (*v. straat*) animé; **3** (*v. zee, menigte*) houleux.
woe'ligheid *v.* **1** agitation *f.*; **2** animation *f.*
woe'ling *v.* agitation *f.*; ***—en,*** troubles *m.pl.*
Woe'lingen *o.* Ollignies.
woel'water *m.-v.* enfant *m.* turbulent, — remuant.
woel'ziek *b.n.* **1** (*ongedurig*) remuant, turbulent; **2** (*oproerig*) séditieux.
woel'zucht *v.(m.)* **1** turbulence *f.*; **2** esprit *m.* séditieux.
woens'dag *m.* mercredi *m.*
woens'dags I *bw.* le mercredi; **II** *b.n.* du mercredi.
woerd *m.* (*Dk.*) canard *m.* (mâle).
woer'haan *m.* coq *m.* de bruyère.
woer'hen *v.* poule *f.* de bruyère.
woest *b.n.* **1** (*onbebouwd*) inculte, sauvage; **2** (*onbewoond, verlaten*) désert; **3** (*wild*) sauvage, farouche; **4** (*v. persoon, stier*) furieux; **5** (*v. zee*) démonté, impétueux.
woest'aard, woes'teling *m.* énergumène *m.*, brute *f.*, forcené *m.*
woestenij' *v.* désert *m.*
woest'heid *v.* **1** état *m.* inculte, — sauvage; **2** sauvagerie, férocité *f.*; **3** (*ruwheid*) brutalité *f.*
woestijn' *v.(m.)* désert *m.*
woestijn'achtig *b.n.* désertique.
woestijn'bewoner *m.* habitant *m.* du désert.
woestijn'wind *m.* vent *m.* de sable, — du désert.
woestijn'zand *o.* sable *m.* du désert.
wol *v.(m.)* **1** laine *f.*; **2** (*Pl.*) coton, duvet *m.*; ***door de — geverfd,*** roué; ***onder de — kruipen,*** se mettre dans les toiles, aller se coucher; ***vette —,*** laine *f.* en suint.
wol'achtig *b.n.* laineux.
wol'baal *v.(m.)* balle *f.* de laine.
wol'bereiding *v.* préparation *f.* de la laine, industrie *f.* lainière.
wol'distel *m. en v.* (*Pl.*) chardon *m.* à foulon.
wol'dragend *b.n.* lanifère.
wolf *m.* **1** loup *m.*; **2** (*in tand*) carie *f.*; **3** (*ijzerklomp*) loupe *f.*; ***jonge —,*** louveteau *m.*; ***eten als een —,*** manger comme un ogre; ***honger hebben als een —,*** avoir une faim de loup.
wol'fabricage, -fabrikage *v.* lainerie *f.*
wol'fabriek *v.* lainerie *f.*
wol'fabrikage, *zie* ***wolfabricage.***
wol'fabrikant *m.* ainier *m.*
wol'fra(a)m *o.* tungstène *m.*
wol'fra(a)mstaal *o.* acier *m.* au tungstène.
wolfs'angel *m.* piège *m.* à loup.
wolfs'hond *m.* chien*-loup* *m.*
wolfs'honger *m.* faim *f.* canine.
wolfs'jong *o.* louveteau *m.*
wolfs'kers *v.(m.)* (*Pl.*) belladone *f.*
wolfs'klauw *m. en v.* **1** griffe *f.* de loup; **2** (*Pl.*) lycopode *m.*
wolfs'klem, wol'veklem *v.(m.)* piège *m.* à loup, chausse-trape* *f.*
wolfs'kruid *o.* (*Pl.*) aconit *m.*
wolfs'kuil, wolve'kuil *m.* trou *m.* de loup.
wolfs'leger *o.* repaire *m.* de loup.
wolfs'melk *v.(m.)* (*Pl.*) euphorbe *f.*
wolfs'muil, wol'vemuil *m.* gueule *f.* de loup.
wolfs'poot *m.* (*Pl.*) lycopode *m.*
wolfs'tand *m.* (*Pl.*) dent *f.* de loup.
wolfs'vel, wol'vevel *o.* peau *f.* de loup.
wolfs'wortel *m.* (*Pl.*) aconit *m.*
Wol'ga *v.* Wolga, Volga *f.*
wol'gras, wol'legras *o.* (*Pl.*) linaigrette *f.*
wol'handel *m.* commerce *m.* des laines; lainerie *f.*
wol'handelaar *m.* lainier *m.*, marchand *m.* de laines.
wol'industrie *v.* industrie *f.* lainière.
wolk *v.(m.)* **1** nuage *m.*; **2** (*dikke —*) nuée *f.*; **3** (*hoog; dicht.*) nue *f.*; **4** (*v. tabaksrook*) bouffée *f.*; ***in de —en zijn,*** être ravi, être aux anges, être aux nues; ***er uitzien als een —,*** se porter comme un charme; ***tot de —en verheffen,*** élever jusqu'aux nues.
wol'kaard(e) *v.(m.)* carde *f.*
wol'kaarden *o.* cardage *m.*
wol'kaarder *m.* laineur *m.*
wolk'achtig *b.n.* nuageux.
wol'kam *m.* peigne *m.* de cardeur.
wol'kammer *m.* peigneur *m.* de laine.
wolkammerij' *v.* peignage *m.*
wolk'breuk *v.(m.)* trombe *f.* d'eau, pluie *f.* torrentielle.
wol'keloos *b.n.* sans nuages.
wol'kenbank *v.(m.)* banc *m.* de nuages, — panne *f.*
wol'kenbasis *v.* plafond *m.* de nuages.
wol'kendek *o.* tapis *m.* de nuages.
wol'kenhemel *m.* ciel *m.* nuageux.
wol'kenjacht *v.(m.)* chevauchée *f.* de nuages.
wol'kenkrabber *m.* gratte-ciel, building *m.*
wolk'gevaarte *o.* amoncellement *m.* de nuages.
wol'kig *b.n.* nuageux.
wolk'je *o.* **1** petit nuage *m.*; **2** (*gen.*) nubécule *f.*; ***een — melk,*** un nuage de lait.
wol'koper *m.* lainier *m.*
wol'(le)gras *o.* (*Pl.*) linaigrette *f.*
wol'len *b.n.* de laine; ***— stoffen,*** lainages *m.pl.*, étoffes *f.pl.* de laine; ***gebreide — goederen,*** bonneterie *f.*
wol'lig *b.n.* **1** laineux; **2** (*vlokkig*) cotonneux; **3** (*v. huid, vruchten*) duveteux; **4** (*gekruld*) moutonné.
wol'ligheid *v.* **1** (*v. stof*) laineux *m.*; **2** (*dons*) duvet *m.*
wol'markt *v.(m.)* marché *m.* des laines.
wol'nijverheid *v.* industrie *f.* lainière.
wol'schaar *v.(m.)* forces *f.pl.*
wol'spinner *m.* fileur *m.* de laine.
wolspinnerij' *v.* filature *f.* de laine.
wolve-, *zie* ***wolfs-.***
wol'vee *o.* bêtes *f.pl.* à laine.
wol'vejacht *v.(m.)* chasse *f.* au loup.
wol'vejager *m.* chasseur *m.* de loups, louvetier *m.*
wol'ven *ov.w.* (*tn.*) louveter.
wol'verver *m.* teinturier *m.* en laine.
wolververij' *v.* teinturerie *f.* de laine.
wol'vet *o.* suint *m.* (de laine).
wolvin' *v.* louve *f.*
wol'vlok *v.(m.)* flocon *m.* de laine.
wol'werker *m.* lainier *m.*
wol'wever *m.* tisserand *m.* en laine.
wol'zak *m.* balle *f.* de laine, sac *m.* —.
won'd(e) I *v.(m.)* **1** blessure *f.*; **2** (*diepe —*) plaie *f.*; ***een open —,*** une blessure saignante; ***de —en van Christus,*** les plaies de Notre-Seigneur; ***zachte heelmeesters maken stinkende —en,*** aux grands maux les grands remèdes; **II** *b.n.* blessé; ***de —e plek,*** **1** la blessure; **2** (*fig.*) l'endroit *m.* sensible.
wond'arts *m.* chirurgien *m.*
wond'baar, *zie* ***kwetsbaar.***
wond'behandeling *v.* pansement *m.*
won'den *ov.w.* blesser.
won'der *o.* **1** (*bovennatuurlijk*) miracle *m.*; **2** (*buitengewoon*) prodige *m.*; **3** (*schitterend*) merveille *f.*; ***dat is geen —,*** ce n'est pas étonnant; ***een — van geleerdheid,*** un puits de science, un prodige de savoir.
won'derbaar(lijk) I *b.n.* merveilleux, prodigieux, miraculeux; **II** *bw.* merveilleusement, par miracle, miraculeusement.
won'derbalsem *m.* baume *m.* merveilleux.
won'derbeeld *o.* image *f.* miraculeuse.

won'derboom *m.* (*Pl.*) ricin *m.* (commun).
won'derdaad *v.*(*m.*) fait *m.* miraculeux, miracle [*m.*
wonderda'dig I *b.n.* miraculeux; **II** *bw.* miraculeusement.
won'derdier *o.* phénomène *m.*
won'derdoend *b.n.* miraculeux.
won'derdoener *m.* thaumaturge *m.*
won'derdokter *m.* guérisseur, rebouteux, charlatan *m.*
won'dergoed I *b.n.* merveilleux; **II** *bw.* merveilleusement.
won'dergroot *b.n.* prodigieux, énorme.
won'derkind *o.* (enfant) prodige *m.*
won'derkracht *v.*(*m.*) vertu *f.* miraculeuse.
won'derkruid *o.* herbe *f.* de la Saint Jean.
won'derkuur *v.*(*m.*) cure *f.* miraculeuse.
won'derlamp *v.*(*m.*) lampe *f.* merveilleuse.
won'derlijk *b.n.* **1** (*wonderbaar*) merveilleux; **2** (*vreemd, zonderling*) étrange, singulier, bizarre.
won'derlijkheid *v.* **1** caractère *m.* merveilleux; **2** étrangeté, singularité, bizarrerie *f.*
won'dermacht *v.*(*m.*) pouvoir *m.* miraculeux.
won'dermens *m.* homme *m.* merveilleux, homme*-phénomène* *m.*
won'dermiddel *o.* moyen *m.* merveilleux, remède *m.* merveilleux (*of* miracle), drogue *f.* miracle.
won'dermooi I *b.n.* merveilleux, ravissant; **II** *bw.* merveilleusement, à merveille, d'une manière ravissante.
won'derolie *v.*(*m.*) huile *f.* de ricin.
won'derpaleis *o.* palais *m.* enchanté.
won'derschoon *b.n.* beau comme le jour, d'une beauté ravissante, ravissant, beau à ravir.
won'derspreuk *v.*(*m.*) paradoxe *m.*
won'derspreu'kig I *b.n.* paradoxal; **II** *bw.* paradoxalement.
won'dersterk *b.n.* d'une force prodigieuse.
won'derteken *o.* miracle *m.*
won'derverhaal *o.* récit *m.* merveilleux, conte *m.* fantastique.
won'dervol *b.n.* prodigieux, miraculeux.
won'derwel *bw.* à merveille, merveilleusement.
won'derwerk *o.* miracle *m.*
wond'heelkunde *v.* chirurgie *f.*
wond'heler *m.* chirurgien *m.*
wond'koorts *v.*(*m.*) fièvre *f.* traumatique.
wond'kruid *o.* (*Pl.*) (plante) vulnéraire *f.*
wond'naad *m.* suture *f.*
wond'poeder, -poeier *o. en m.* poudre *f.* vulnéraire.
wond'roos *v.*(*m.*) (*gen.*) érysipèle *m.*
wond'teken *o.* stigmate *m.*
wond'zalf *v.*(*m.*) onguent *m.* vulnéraire.
wo'nen *on.w.* demeurer, habiter; (*verblijf houden*; *fig.*) résider; ***eng* —,** être étroitement logé; ***op kamers* —,** demeurer en garni; ***in de stad* —,** demeurer à la ville; ***in een mooi huis* —,** habiter une belle maison.
wo'ning *v.* **1** habitation, demeure, maison *f.*; **2** (*deel v. huis*) appartement *m.*; **3** (*kleiner*) logement *m.*; **4** (*recht*) domicile *m.*
woningbouwkun'dige *m.-v.* architecte *m.-f.*
wo'ningbureau *o.* agence *f.* de location, — immobilière.
wo'ninggids *m.* indicateur *m.*, liste *f.* des maisons à louer.
wo'ninginrichting *v.* installation *f.*
wo'ninginspecteur, -inspekteur *m.* inspecteur *m.* de l'habitation.
wo'ningkunst *v.* art *m.* d'intérieur.
wo'ningnood *m.* crise *f.* de logement.
wo'ningruil *m.* échange *m.* d'appartements.
wo'ningtekort *v.* pénurie *f.* de logement.
wo'ningtoezicht *o.* surveillance *f.* des habitations.
wo'ningvraagstuk *o.* question *f.* du logement problème *m.* —.
wo'ningwet *v.*(*m.*) loi *f.* sur l'habitation.
wo'ningzoekenden *mv.* personnes *f.pl.* en quête d'un logement.
woonach'tig *b.n.* domicilié (à), demeurant (à).
woon'ark *v.*(*m.*) péniche *f.*
woon'gelegenheid *v.* habitat *m.*
woon'huis *o.* maison *f.*, hôtel *m.* particulier.
woon'kamer *v.*(*m.*) salle *f.* à manger; salon *m.*
woon'kazerne *v.*(*m.*) maison*-caserne* *f.*
woon'kelder *m.* sous-sol* *m.* habité.
woon'plaats *v.*(*m.*) **1** demeure, résidence *f.*; **2** (*officieel*) domicile *m.*; **3** (*v. dier*) habitat *m.*
woon'schip *o.* bateau*-maison* *m.*, habitation *f.* flottante, péniche *f.* (d'habitation).
woon'ste(d)e *v.*(*m.*) demeure *f.*
woon'vertrek *o.* salle *f.* à manger; salon *m.*
woon'wagen *m.* roulotte *f.*
woon'wagenbewoner *m.* roulottier *m.*
woon'wijk *v.*(*m.*) quartier *m.* d'habitation.
woord *o.* **1** (*op zichzelf*) mot *m.*; **2** (*gesproken in verband met andere woorden*) parole *f.*; **3** (*bewoording*) terme *m.*; **4** (*belofte*) parole, promesse *f.*; ***in een paar* —*en*,** en quelques mots; ***iem. op zijn — geloven*,** croire qn. sur parole; ***over een — vallen*,** se formaliser d'une parole; ***zijn — breken*,** manquer à sa parole; ***—en krijgen*,** se prendre de querelle; ***hij is altijd aan het —*,** il ne déparle pas; ***een — van dank*,** un remerciement; ***een gevleugeld —*,** un mot ailé; ***een — voor iem. doen*,** dire un mot en faveur de qn.; ***u haalt me de —en uit de mond*,** j'allais le dire; ***met andere —en*,** en d'autres termes; ***een hoog — voeren*,** avoir le verbe haut; ***het W— is vlees geworden*,** (*Bijb.*) le Verbe s'est fait Chair; ***het — Gods*,** la parole de Dieu; ***een man van zijn —*,** un homme de parole; ***zijn — houden*,** tenir parole; ***zijn — intrekken*,** se rétracter; ***daar is geen — voor te vinden*,** cela n'a pas de nom; ***geen — zeggen*,** ne souffler mot; ***iem. te — staan*,** écouter qn.; répondre à qn.; ***grote —en gebruiken*,** faire de grandes phrases; ***iem. de —en in de mond geven*,** faire la langue à qn.; ***—en wekken, voorbeelden trekken*,** l'exemple est plus puissant que la parole.
woord'accent, -aksent *o.* accent *m.* tonique, — syllabique.
woord'afbreking *v.* division *f.* de mot.
woord'afleiding *v.* étymologie *f.*
woord'afstand *m.* espacement *m.*
woord'aksent, *zie* ***woordaccent.***
woord'beschrijving *v.* lexicographie *f.*
woord'breker *m.*, **woord'breekster** *v.* parjure *m.-f.*, qui manque à sa parole.
woord'breuk *v.*(*m.*) manque *m.* de parole.
woord'buiging *v.* flexion *f.*
woor'delijk I *b.n.* littéral, textuel; (*woord voor woord*) mot à mot; **II** *bw.* littéralement, textuellement; ***— opnemen*,** prendre au pied de la lettre.
woor'denboek *o.* dictionnaire *m.*
woor'denboekschrijver *m.* lexicographe *m.*
woor'denkennis *v.* connaissance *f.* de(s) mots.
woor'd(en)keus *v.*(*m.*) choix *m.* de mots.
woor'denkraam *v.*(*m.*) verbiage *m.*
woor'denlijst *v.*(*m.*) vocabulaire *m.*
woor'denpraal *v.*(*m.*) déclamation; emphase *f.*
woor'denraadsel *o.* charade *f.*, logogriphe *m.*
woor'denrijk *b.n.* **1** verbeux; **2** (*v. taal*) riche.

woor'denrijkheid *v.* **1** (*ong.*) verbosité *f.*; **2** (*v. taal*) richesse *f.*
woor'denschat *m.* **1** (*v. woordenboek*) lexique *m.*; **2** (*woordenlijst*) vocabulaire *m.*
woor'denspel *o.* jeu *m.* de mots.
woor'denstrijd, woor'dentwist *m.* **1** (*redetwist*) discussion, dispute *f.*; **2** (*woordenvitterij*) dispute *f.* de mots, logomachie *f.*
woor'denstroom *m.* flux *m.* de paroles.
woor'dentwist *m.* polémique, discussion *f.*
woor'denvloed *m.* flot *m.* de paroles, flux *m.* —.
woor'denwisseling *v.* discussion, dispute *f.*
woor'denzifter *m.* **1** (*die kleingeestige aanmerkingen maakt*) chicaneur *m.*; **2** (*taalzuiveraar*) puriste *m.*
woordenzifterij' *v.* **1** chicanerie *f.*; **2** purisme *m.*
woord'figuur *v.*(*m.*) *en o.* figure *f.*, trope *m.*
woord'gebruik *o.* usage *m.*
woord'geheugen *o.* mémoire *f.* verbale.
woord'je *o.* petit mot *m.*; ***ik heb er hem een — over gezegd,*** je lui en ai touché un mot; ***een — als 't u belieft!*** deux mots, s'il vous plaît! ***daar is geen — Frans bij,*** c'est clair et net.
woord'keus, *zie **woordenkeus.***
woord'kunst *v.* art *m.* d'écrire.
woord'kunstenaar *m.* artiste *m.* du verbe.
woord'omzetting *v.* inversion *f.*
woord'ontleding *v.* analyse *f.* grammaticale.
woord'raadsel *o.* charade *f.*, logogriphe *m.*
woord'register *o.* index *m.* alphabétique.
woord'schikking *v.* **1** (*gram.*) construction *f.*; **2** (*leer van de —*) syntaxe *f.*
woord'slot *o.* serrure *f.* à secret.
woord'soort *v.*(*m.*) partie *f.* du discours.
woord'speling *v.* jeu *m.* de mots, calembour *m.*
woord'uitlating *v.* ellipse *f.*
woord'verdraaiing *v.* défiguration *f.* de la vérité.
woord'verklaring *v.* explication *f.* de mots.
woord'voeging, *zie **woordschikking.***
woord'voerder *m.* porte-parole *m.*
woord'vorming *v.* formation *f.* des mots.
woord'vorser *m.* étymologiste, linguiste *m.*
wor'den *on.w.* **1** devenir; **2** (*bij beroepskeuze*) se faire; **3** (*als hulpwerkw.*) être; ***groot —,*** grandir; ***oud —,*** vieillir; ***rijk —,*** s'enrichir; ***erger —,*** empirer; ***het wordt koud,*** il commence à faire froid; ***het wordt laat,*** il se fait tard; ***kwaad —,*** se mettre en colère; ***ziek —,*** tomber malade; ***kapitein —,*** passer capitaine; ***spreekwoordelijk —,*** passer en proverbe; ***blind —,*** perdre la vue; ***wat is er van hem geworden?*** qu'est-il devenu? ***er wordt gebeld,*** on sonne; ***het wordt morgen een week,*** demain il y aura une semaine (*of* huit jours); ***hij zal gestraft worden,*** il sera puni; ***dat woord wordt zo niet geschreven,*** ce mot ne s'écrit pas ainsi; ***hij is gisteren 20 jaar geworden,*** hier il a eu 20 ans.
wor'dend *b.n.* naissant, en voie de formation.
wor'ding *v.* **1** (*ontstaan*) naissance *f.*; **2** (*v. beweging, boek, enz.*) genèse *f.*; **3** (*ontwikkeling*) développement *m.*, évolution *f.*; **4** (*wijsb.*) devenir *m.*; ***in — zijn,*** être en voie de formation; être en devenir, — en gestation.
wor'dingsgeschiedenis *v.* genèse *f.*, historique [*m.*
wor'dingsproces *o.* procès *m.* génésiaque, développement *m.*, évolution *f.*
wor'gen, wur'gen *ov.w.* étrangler.
worg'engel *m.* ange *m.* exterminateur.
wor'ger, wur'ger *m.* étrangleur *m.*
wor'ging, wur'ging *v.* **1** étranglement *m.*; **2** (*als doodstraf*) strangulation *f.*
worg'paal, wurg'paal *m.* garrotte *f.*
work *m.* grenouille *f.*
wor'ken *on.w.* coasser.
worm, wurm *m.* **1** (*Dk.*) ver *m.*; **2** (*tn.*) vis *f.* sans fin; **3** (*fig.*) pauvre enfant *m.*; ***die arme —en!*** ces pauvres mioches!
worm'achtig *b.n.* vermiforme, vermiculaire.
wor'menzoeker *m.* vérotier *m.*
worm'gat *o.* piqûre *f.* de ver, trou *m.* de ver.
wor'mig *b.n.* vermoulu.
worm'koekje *o.* pastille *f.* vermifuge.
worm'kruid *o.* (*Pl.*) santonine *f.*, semen-contra *m.*
worm'meel *o.* vermoulure *f.*
worm'middel *o.* vermifuge *m.*
wormp'je *o.* vermisseau *m.*
worm'poeder, -poeier *o. en m.* poudre *f.* vermifuge. [vermoulu.
wormste'kig *b.n.* **1** (*v. vrucht*) véreux; **2** (*v. hout*)
wormste'kigheid *v.* **1** piqûre *f.* de vers; **2** vermoulure *f.*
worm'verdrijvend *b.n.* vermifuge.
worm'vormig *b.n.* vermiculaire.
worm'zaad *o.* semen-contra, vermifuge *m.*
worm'ziekte *v.* anémie *f.* vermineuse.
worp *m.* **1** (*met steen, enz.*) jet *m.*; **2** (*v. dobbelsteen, kegels*) coup *m.*; **3** (*v. dieren*) portée *f.*
worps'gewijs, -gewijze *bw.* par jets.
worp'vuur *o.* (*mil.*) feu *m.* courbé.
worst *v.*(*m.*) **1** (*dun*) saucisse *f.*; **2** (*dik*) saucisson *m.*; **3** (*varkens—*) andouille *f.*; **4** (*bloed—*) boudin *m.*
wor'stebroodje *o.* petit pain *m.* à la saucisse, pain fourré de saucisse.
wor'stelaar *m.* lutteur, athlète *m.*
wor'stelen *on.w.* lutter.
wor'steling *v.* lutte *f.*
wor'stelkunst *v.* **1** lutte *f.*, art *m.* de la lutte; **2** (*oudh.*) athlétique *f.*
wor'stelperk *o.* arène, lice *f.*
wor'stelschool *v.*(*m.*) palestre *f.*
wor'stelspelen *mv.* jeux *m.pl.* gymniques.
wor'stelstrijd *m.* lutte *f.*
wor'stelwedstrijd *m.* tournoi *m.* de lutte.
wor'stepen *v.*(*m.*) brochette *f.*
worst'je *o.* andouillette *f.*
worst'velletje *o.* peau *f.* d'andouille.
worst'vergiftiging *v.* (*gen.*) botulisme *m.*
worst'vlees *o.* charcuterie *f.*
wor'tel *m.* **1** (*v. plant, fig.*) racine *f.*; **2** (*peen*) carotte *f.*; **3** (*gram.*) radical *m.*; **4** (*v. hand*) carpe *m.*; **5** (*v. voet*) tarse *m.*; ***met — en tak uitroeien,*** extirper complètement, — jusqu'à la racine; ***— schieten,*** prendre racine, jeter des racines; (*fig.*) s'enraciner, s'implanter.
wor'telakker *m.* champ *m.* de carottes.
wor'telboom *m.* (*Pl.*) rhizophore *m.*
wor'telen *on.w.* **1** prendre racine; **2** (*fig.*) être enraciné.
wor'telexponent *m.* indice *m.* du radical.
wor'telgetal *o.* racine *f.* (d'un nombre).
wor'telgrootheid *v.* radical *m.*
wor'telhaar *o.* radicelle *f.*
wor'telhout *o.* bois *m.* de racine.
wor'telkiem *v.*(*m.*) (*Pl.*) radicule *f.*
wor'telklinker *m.* (*gram.*) voyelle *f.* radicale.
wor'telknol *m.* (*Pl.*) racine *f.* tubéreuse.
wor'telletter *v.*(*m.*) (*gram.*) lettre *f.* radicale.
wor'telloof *o.* verdure *f.* de carottes.
wor'telmes *o.* coupe-racines *m.*
wor'telscheut *m.* surgeon, drageon *m.*
wor'telschieting *v.* radication *f.*
wor'telstok *m.* rhizome *m.*
wor'teltafel *v.*(*m.*) table *f.* des racines.

wor'teltang *v.(m.)* (*v. tandarts*) tire-racine*, pied*-de-biche, davier *m.*
wor'telteken *o.* (signe) radical *m.*
wor'teltrekken *o.*, **wor'teltrekking** *v.* extraction *f.* de la racine.
wor'telvezel *v.(m.)* radicelle *f.*
wor'telvorm *m.* radical *m.*
wor'telwoord *o.* racine *f.*
woud *o.* forêt *f.*
woud'achtig *b.n.* forestier.
woud'beuk *m.* hêtre *m.* rouge.
woud'bewoner *m.* habitant *m.* des forêts.
woud'bloem *v.(m.)* fleur *f.* sylvestre.
woud'boom *m.* arbre *m.* forestier.
woud'duif *v.(m.)* ramier *m.*
woud'es *m.* frêne *m.* commun.
woud'ezel *m.* onagre *m.*
woud'god *m.* faune, sylvain *m.*
woud'godin *v.* dryade *f.*
woud'hoen *o.* tétras *m.*
woud'landschap *o.* paysage *m.* sylvestre.
woud'loper *m.* coureur *m.* des bois.
woud'mier *v.(m.)* fourmi *f.* rouge.
woud'nimf *v.* dryade *f.*
woud'raaf *v.(m.)* sonneur *m.*
woud'reus *m.* géant *m.* des forêts.
woud'uil *m.* hulotte *f.*
would-be' *b.n.* qui voudrait passer pour, prétendu; soi-disant.
Wou'ter *m.* Gautier *m.*
Wou'teringen *o.* Otrange *m.*
wou'terman *m.* **1** tasseau *m.*; **2** (*sch.*) taquet *m.*
Wou'tersbrakel *o.* Wauthier-Braine *m.*
wouw I *m.* (*Dk.*) milan *m.*; **II** *v.(m.)* (*Pl.*) réséda *m.* des teinturiers; (*pop.*) gaude *f.*
wraak, wra'ke *v.(m.)* **1** vengeance *f.*; **2** (*vergelding*) représailles *f.pl.*; ***— nemen over iets,*** tirer vengeance de qc.; ***om — roepen,*** crier vengeance.
wraak'baar *b.n.* récusable.
wraak'engel *m.* ange *m.* vengeur.
wraak'gedachte *v.* pensée *f.* de vengeance.
wraakgie'rig *b.n.* vindicatif.
wraakgie'righeid *v.* soif *f.* de vengeance.
wraak'godin *v.* déesse *f.* vengeresse, Furie *f.*
wraak'lust *m.* désir *m.* de vengeance.
wraak'neming *v.* vengeance *f.*
wraak'oefening *v.* vengeance *f.*
wraak'zucht *v.(m.)* soif *f.* de vengeance.
wraakzuch'tig *b.n.* vindicatif, avide de vengeance.
wrak I *b.n.* **1** (*beschadigd*) endommagé; **2** (*v. meubel*) délabré; **3** (*v. schip*) désemparé; **4** (*v. waren*) de rebut; **II** *z.n.*, *o.* épave *f.*, débris *m.pl.*
wra'ke, *zie* ***wraak.***
wra'ken I *ov.w.* **1** (*rechter, getuige*) récuser; **2** (*gedrag*) blâmer, condamner, décrier; **II** *on.w.* **1** (*sch.*) aller à la dérive; **2** (*v. kompas*) dévier, vaciller.
wra'ker *m.* récusant *m.*
wrak'goederen *mv.* **1** (*sch.*) épaves *f.pl.*; **2** marchandises *f.pl.* de rebut.
wrak'heid *v.* (état de) délabrement, mauvais état *m.*
wrak'hout *o.* épave *f.*
wra'king *v.* **1** (*recht*) récusation *f.*; **2** (*v. kompas*) déviation *f.*
wrak'stuk *o.* épave *f.*
wrak'ton *v.(m.)* (*sch.*) bouée *f.* près d'une épave.
wrang I *b.n.* **1** âpre, âcre, acerbe; **2** (*v. wijn*) rêche, revêche; **3** (*v. vrucht*) revêche; **4** (*fig.*) amer; **II** *z.n.*, *v.(m.)* (*sch.*) varangue *f.*
wrang'heid *v.* âpreté, âcreté, acerbité *f.*; amertume *f.*
wrang'wortel *m.* (*Pl.*) pulmonaire *f.*
wrat *v.(m.)* verrue *f.*
wrat'achtig *b.n.* verruqueux.
wrat'tenkruid *o.* (*Pl.*) herbe *f.* aux verrues.
wrat'tig *b.n.* plein de verrues.
wreed I *b.n.* cruel, féroce; **II** *bw.* cruellement, férocement.
wreed'aard *m.* cruel, barbare *m.*
wreedaar'dig, *zie* ***wreed.***
wreedaar'digheid, wreed'heid *v.* cruauté, férocité *f.*
wreef *v.(m.)* cou*-de-pied *m.*
wreek'ster *v.* vengeresse *f.*
wre'ken I *ov.w.* venger; **II** *w.w.*, ***zich —,*** se venger (de qc. sur qn.).
wre'kend *b.n.* vengeur.
wre'ker *m.* vengeur *m.*
wre'vel *m.* dépit *m.*, aigreur, rancœur *f.*
wre'velig *b.n.* dépité, aigre, morose.
wre'veligheid *v.* dépit *m.*
wrie'melen *on.w.* **1** (*door elkaar woelen*) grouiller, fourmiller; **2** (*jeuken*) chatouiller.
wrie'meling *v.* **1** grouillement, fourmillement *m.*; **2** chatouillement *m.*
wrijf'baar *b.n.* friable.
wrijf'borstel *m.* frottoir *m.*, brosse *f.*
wrijf'doek *m.* frottoir *m.*
wrijf'dokter *m.* masseur *m.*
wrijf'goed *o.* cirage, tripoli *m.*
wrijf'hout *o.* **1** (*tn.*) astic *m.*; **2** (*sch.*) défense *f.*
wrijf'kussen *o.* **1** (*v. schoenen, enz.*) frottoir *m.*; **2** (*el.*) coussinet *m.*
wrijf'lap *m.* frottoir *m.*
wrijf'paal *m.* **1** (*in weide*) pieu *m.* à frotter; **2** (*fig.*) souffre-douleur, plastron *m.*
wrijf'plaat *v.(m.)* plaque *f.* de friction.
wrijf'steen *m.* **1** pierre *f.* à broyer; **2** (*v. schilder*) marbre *m.*; **3** (*drukk.*) molette *f.*
wrijf'tafel *v.(m.)* table *f.* à égruger.
wrijf'was *m.* en *o.* encaustique *f.*
wrij'ven *ov.w.* **1** (*alg.*) frotter; **2** (*v. lichaamsdeel*) frictionner; **3** (*fijn —*) broyer; pulvériser; **4** (*v. poeder*) égruger; **5** (*meubelen: met was*) passer à l'encaustique, encaustiquer; ***zich in de handen —,*** se frotter les mains.
wrij'ver *m.* **1** frotteur *m.*; **2** (*toestel*) frottoir *m.*; **3** (*fijn —*) broyeur *m.*
wrij'ving *v.* **1** frottement *m.*; **2** frictionnement *m.*, friction *f.*; **3** broyage *m.*; pulvérisation *f.*; **4** (*fig.*) frottement *m.*
wrij'vingscoëfficiënt, -koëfficiënt *m.* coefficient *m.* de friction.
wrij'vingselektriciteit, -electriciteit *v.* électricité *f.* par frottement.
wrij'vingsgeluid *o.* fricative, spirante *f.*
wrij'vingshoek *m.* angle *m.* de frottement.
wrij'vingskoëfficiënt, *zie* ***wrijvingscoëfficiënt.***
wrij'vingspunt *o.* point *m.* de friction.
wrij'vingsvlak *o.* surface *f.* de frottement.
wrik'ken *ov.w.* **1** (*bewegen*) branler, faire vaciller; **2** (*sch.*) godiller.
wrik'kend *b.n.* démanché.
wrik'riem *m.* godille *f.*
wrin'gen I *ov.w.* **1** (*alg.*) tordre; **2** (*kaas*) presser; **3** (*knellen*) serrer, blesser; ***die schoen wringt,*** ce soulier me blesse; ***ieder weet 't best waar de schoen hem wringt,*** chacun sait où le bât le blesse; ***uit de handen —,*** arracher des mains.
wrin'ger *m.* tordeur *m.*; (*v. wasmachine*) essoreuse *f.*
wrin'ging *v.* torsion *f.*
wring'machine *v.* essoreuse *f.*
wring'stok *m.* tordoir *m.*
wroe'gen *ov.w.* tourmenter, bourreler; ***zijn geweten wroegt hem,*** sa conscience le tourmente.

wroe'ging *v.* remords *m.*
wroe'ten *on.w.* **1** creuser le sol, fouiller —; **2** (*fig.*) peiner, trimer.
wrok *m.* rancune *f.*, ressentiment *m.*; ***een — tegen iem. koesteren,*** avoir une dente contre qn.
wrok'ken *on.w.* garder rancune (à), bouder (contre); ***blijven —,*** couver sa rancune.
wrok'kig *b.n.* rancunier.
wrong *m.* **1** (*v. wol*) torche *f.*; **2** (*v. haar*) torsade *f.*, tortillon *m.*; **3** (*v. oosterlingen*) turban *m.*; **4** (*v. doek*) tortillon *m.*; **5** (*wap.*) tortil *m.*
wron'gel *v.*(*m.*) caillebotte *f.*
wron'gelen I *ov.w.* cailler; **II** *on.w.* se cailler.
wuft I *b.n.* **1** volage, évaporé, léger, étourdi; **2** (*wispelturig*) inconstant; **II** *bw.* d'une manière (*of* façon) volage, — évaporée, légèrement.
wuft'heid *v.* légèreté, évaporation *f.*, caractère *m.* volage.
wui'ven *on.w.* saluer de la main, agiter en l'air (un mouchoir, etc.).
wulf'sel *o.* voûte *f.*
wulk *v.*(*m.*) buccin *m.*
wulp *m.* (*vogel*) courlis *m.*, bécasse *f.* de mer.
wulps I *b.n.* lascif, voluptueux; **II** *bw.* lascivement, voluptueusement.
wulps'heid *v.* lascivité *f.*
wur'gen, wor'gen *ov.w.* étrangler.
wur'ger, wor'ger *m.* étrangleur *m.*
wur'ging, *zie* ***worging.***
wurg'las *v.*(*m.*) (*tn.*) joint *m.* par torsade, ligature *f.* —.
wurg'paal, worg'paal *m.* garrotte *f.*
wurm, *zie* ***worm.***
wur'men *on.w.* **1** se tordre comme un ver; **2** (*fig.*) turbiner, trimer; (se) peiner.
Wur'temberg *o.* le Wurtemberg.
Wur'temberger *m.* Wurtembourgeois *m.*
Wur'tembergs *b.n.* wurtembourgeois.
Würzburg *o.* Wurtzbourg.
Würzburger *b.n.* wurtzbourgeois.
wyandot'te *v.*(*m.*) wyandotte *f.*

X

X *v.*(*m.*) x *m.*; ***de stad —,*** la ville d'X.
Xantip'pe *v.* Xantippe *f.*
x'-as *v.*(*m.*) abscisse *f.*, axe *m.* x.
Xave'rius *m.* Xavier *m.*
x'-benen *mv.* jambes *f.pl.* cagneuses.
xe'non *o.* xénon *m.*
Xe'nophon *m.* Xenophon *m.*
Xe'res *m.* Xérès (du xérès, du vin de Xérès) *m.*
Xer'xes *m.* Xerxès *m.*
x'-stralen *mv.* rayons *m.pl.* X.
xylofoon' *m.* xylophone *m.*

Y

Y *v.*(*m.*) y (i grec) *m.*
yak *m.* yack *m.*
yams'wortel *m.* igname *f.*
y'-as *v.*(*m.*) ordonnée *f.*, axe *m.* y.
yo'ga *v.* yoga *m.*
yo'ghurt, jo'ghurt *m.* yaourt, yahourt *m.*
yp'silon *v.*(*m.*) y (i grec) *m.*, upsilon *m.*

Z

Z *v.*(*m.*) z *m.*
zaad *o.* **1** (*alles*) semence *f.*; **2** (*afzonderlijk*) graine *f.*; **3** (*'t gezaaide*) semailles *f.pl.*; **4** (*dierl.*) sperme *m.*; **5** (*geslacht; nakomelingschap*) race; postérité *f.*; ***in het — schieten,*** monter en graine; ***het — der tweedracht,*** la semence de discorde; ***op zwart — zitten,*** être dans la purée, être à sec, loger le diable dans sa bourse.
zaad'bakje *o.* auget *m.*
zaad'bed *o.* semis *m.*
zaad'bolletje *o.* globule *m.* séminal.
zaad'bolster *m.* capsule *f.*
zaad'cel *v.*(*m.*) cellule *f.* séminale.
zaad'doos *v.*(*m.*) épisperme *m.*, capsule *f.*
zaad'dragend *b.n.* (*Pl.*) séminifère, à graines.
zaad'etend *b.n.* granivore.
zaad'handel *m.* commerce *m.* de graines, grèneterie *f.*
zaad'handelaar *m.* grènetier *m.*
zaad'huid *v.*(*m.*) (*Pl.*) tégument *m.*, peau *f.* de la graine.
zaad'huisje, zaad'hulsel *o.* (*Pl.*) enveloppe *f.* séminale, capsule *f.*
zaad'je *o.* graine *f.*
zaad'kern *v.*(*m.*) embryon *m.*
zaad'kiem *v.*(*m.*) germe *m.*
zaad'korrel *m.* **1** grain *m.*; **2** (*zaadje*) graine *f.*
zaad'lob *v.*(*m.*) (*Pl.*) cotylédon *m.*
zaad'loos *b.n.* **1** sans graine; **2** asperme.
zaad'olie *v.*(*m.*) huile *f.* de semence.
zaad'oogst *m.* récolte *f.* des graines.
zaad'pluis *o.* (*Pl.*) pappe *f.*
zaad'rok *m.* (*Pl.*) tunique *f.*
zaad'stof *o.* (*Pl.*) pollen *m.*
zaad'vlies *o.* épisperme *m.*
zaad'vloed *m.* spermatorrhée *f.*
zaad'winkel *m.* grèneterie *f.*
zaad'zak *m.* sac *m.* à semence, semoir *m.*
zaag *v.*(*m.*) scie *f.*
zaag'bek *m.* (*Dk.*) harle *m.* commun.
zaag'blad *o.* **1** lame *f.* de scie; **2** (*Pl.*) sarrette, serrette *f.*
zaag'bok *m.* chevalet *m.* (de scieur), tréteaux *m.pl.*
zaag'hout *o.* bois *m.* de sciage.
zaag'loon *o.* sciage *m.*, prix *m.* du sciage.
zaag'machine *v.* scie *f.* mécanique.
zaag'meel *o.* sciure *f.*
zaag'molen *m.* scierie *f.*
zaag'sel *o.* sciure *f.*

zaag'sne(d)e *v.(m.)* trait *m.* de scie.
zaag'tand *m.* dent *f.* de scie.
zaag'vijl *v.(m.)* lime *f.* à scie.
zaag'vis *m.* (*Dk.*) scie *f.*, poisson*-scie* *m.*
zaagvor'mig *b.n.* **1** en scie, en forme de scie; **2** (*getand*) en scie, dentelé.
zaag'wesp *v.(m.)* mouche *f.* à scie.
zaag'zetter *m.* trusquin, tourne-à-gauche *m.*
zaai'baar *b.n.* propre à être semé.
zaai'bed *o.* semis *m.*
zaai'bloem *v.(m.)* fleur *f.* annuelle.
zaai'en *ov.w.* semer; ***wat men zaait, zal men oogsten,*** comme tu sèmeras, tu moissonneras; ***dun gezaaid,*** clairsemé.
zaai'er *m.* semeur *m.*
zaai'goed *o.* blés *m.pl.*, grains *m.pl.* de semence.
zaai'ing *v.* **1** (*landb.*) semailles *f.pl.*, ensemencement *m.*; **2** (*tuinb.*) semis *m.*
zaai'koren *o.* blé *m.* de semence, semaille *f.*
zaai'land *o.* champ *m.* ensemencé, semis *m.*
zaai'ling *m.* semis *m.*
zaai'maand *v.(m.)* mois *m.* des semailles.
zaai'machine *v.* semoir *m.*, semeuse *f.*
zaai'plant *v.(m.)* plante *f.* annuelle.
zaai'sel *o.* semailles *f.pl.*
zaai'tijd *m.* semailles *f.pl.*
zaai'zaad *o.* graine *f.* à semer.
zaai'zak *m.* semoir *m.*
zaak *v.(m.)* **1** (*voorwerp*) chose *f.*; **2** (*aangelegenheid, handel, enz.*) affaire *f.*; **3** (*bedrijf, winkel, handelshuis*) maison *f.* (de commerce); magasin *m.*, fonds *m.* (de commerce); **4** (*recht*) cause *f.*, procès *m.*, affaire *f.*; ***ter zake dienende feiten,*** des faits adéquats; ***ter zake komen,*** **1** venir au fait; **2** entrer en matière; ***ter zake van,*** en matière de; ***de stand van zaken,*** l'état des choses; ***de goede —,*** la bonne cause; ***het ministerie van Binnenlandse Zaken,*** le ministère de l'Intérieur; ***het ministerie van Buitenlandse Zaken,*** le ministère des Affaires Étrangères; ***dat is mijn —,*** c'est mon affaire; ***dat is mijn — niet,*** cela ne me regarde pas, ce n'est pas mon affaire; ***gemene — maken met,*** faire cause commune avec; ***in zaken van godsdienst,*** en matière de religion; ***van de — afdwalen,*** s'écarter du sujet; ***met kennis van zaken,*** en connaissance de cause; ***dat is de hele —,*** voilà tout, c'est toute l'affaire; ***een — beginnen,*** fonder un commerce, — une maison de commerce; ***bij een — betrokken zijn,*** être mêlé à une affaire; ***tot de — komen,*** (en) venir au fait; ***het is niet veel —s,*** ce n'est pas grand-chose; ***zijn — overdoen,*** céder son fonds de commerce; ***zijn — winnen,*** gagner sa cause; obtenir gain de cause; ***ter zake!*** au fait! ***dat doet niets ter zake,*** cela ne fait rien à l'affaire; ***het is —...,*** il s'agit de, il est important; ***de — is, dat,*** le fait est que; ***zaken zijn zaken,*** les affaires sont les affaires.
zaak'bezorger *m.* agent *m.* d'affaires.
zaak'geheugen *o.* mémoire *f.* des faits.
zaak'gelastigde *m.-v.* chargé *m.* d'affaires, plénipotentiaire *m.*
zaak'je *o.* (petite) affaire *f.*; ***er is een — te maken,*** il y a un bon marché à faire; ***het — opknappen,*** arranger l'affaire; ***zijn —s kennen,*** posséder la matière; ***het hele —,*** tout le bazar.
zaak'kennis *v.* connaissance *f.* spéciale; compétence *f.*; ***met —,*** en connaissance de cause.
zaakkun'dig *b.n.* expert, au courant.
zaakkun'dige *m.* expert, connaisseur, spécialiste [*m.*
zaak'papieren *mv.* papier *m.* d'affaires.
zaak'register *o.* table *f.* des matières, index *m.* alphabétique.
zaak'rijk *b.n.* nourri de faits.
zaak'rijkheid *v.* richesse *f.* de (*of* en) faits.
zaak'verslag *o.* procès-verbal* *m.*
zaak'waarnemer *m.* **1** agent *m.* d'affaires; **2** (*praktizijn*) praticien *m.*
zaal *v.(m.)* salle *f.*
zaal'bediende *m.* garçon *m.* de salle.
zaal'dienst *m.* service *m.* de salle; ***— hebben,*** être de salle.
zaal'huur *v.(m.)* location *f.* (d'une *of* de la salle).
zaal'patiënt *m.* malade *m.* de salle commune.
zaal'wachter *m.* gardien *m.* de salle.
zaal'zuster *v.* infirmière *f.* de salle.
zaan *v.(m.)* lait *m.* caillé.
Zaandam' *o.* Saardam, Zaandam *m.*
zab'belen, sab'belen *on.w.* suçoter.
zab'beraar *m.* baveur *m.*
zab'berdoek *m.* bavette *f.*
zab'beren, sab'beren *on.w.* baver.
Zachari'as *m.* Zacharie *m.*
zacht I *b.n.* **1** (*bij 't aanvoelen*) doux, tendre; **2** (*week*) mou, tendre; **3** (*v. ei*) mollet; **4** (*v. leer*) souple; **5** (*v. kussen, deken: mollig*) moelleux; **6** (*v. kleur*) tendre; **7** (*v. slaap*) paisible; **8** (*niet luid*) discret; ***met —e stem,*** à voix basse; **9** (*v. straf*) léger; **10** (*v. warmte*) tempéré; ***een —e overgang,*** une transition insensible; ***een — (genees)-middel,*** un remède bénin; ***—e wenk,*** avis discret, signe —; ***—e wind,*** vent faible, — doux; **II** *bw.* **1** doucement, avec douceur; **2** mollement; ***— aanvoelen,*** être doux au toucher; ***— behandelen,*** traiter avec douceur, ménager; ***—er spreken,*** parler plus bas, baisser la voix; ***de radio —er zetten,*** baisser le poste; ***op zijn —st genomen,*** en prenant les choses au mieux; ***op zijn —st gezegd,*** pour ne pas dire plus, pour me servir de l'expression la moins forte.
zachtaar'dig I *b.n.* **1** doux; **2** (*v. ziekte*) bénin; **II** *bw.* avec douceur.
zachtaar'digheid *v.* **1** douceur *f.*; **2** bénignité *f.*
zacht'gekookt *b.n.* mollet.
zacht'heid *v.* **1** douceur *f.*; **2** mollesse *f.*; **3** souplesse *f.*
zacht'jes *bw.* doucement; sans bruit; ***— aan, dan breekt het lijntje niet,*** qui veut aller loin, ménage sa monture.
zachtmoe'dig I *b.n.* doux, clément, débonnaire; **II** *bw.* avec douceur, avec mansuétude.
zachtmoe'digheid *v.* douceur, clémence *f.*; mansuétude *f.*
zacht'werkend *b.n.* bénin.
zachtzin'nig, *zie* ***zachtmoedig.***
za'del *m. of o.* **1** selle *f.*; **2** (*pak—*) bât *m.*; **3** (*v. viool*) sillet *m.*; ***in de — helpen,*** mettre à cheval; ***uit de — lichten,*** désarçonner; ***weer in de — zetten,*** remettre en selle; ***zonder — rijden,*** monter à poil; ***vast in de — zitten,*** être bien en selle.
za'delboog *m.* arçon *m.*
za'deldak *o.* toit *m.* en dos d'âne, couvre-selle* *m.*
za'deldek *o.* couverture *f.* (*of* dessus) de selle, chabraque *f.*
za'delen *ov.w.* **1** (*paard*) seller; **2** (*ezel*) bâter.
za'delkleed *o.* tapis *m.* de selle.
za'delknop *m.* pommeau *m.*
za'delkussen *o.* **1** (*los*) panneau *m.*; **2** (*deel v. zadel*) coussin *m.* de cuir.
za'delleer *o.* cuir *m.* pour selles.
za'delmaker *m.* sellier, bourrelier *m.*
zadelmakerij' *v.* sellerie *f.*
za'delpaard *o.* cheval *m.* de selle.
za'delpen *v.(m.)* (*v. fiets*) tige *f.* de selle.

za'delpistool *o.* pistolet *m.* d'arçon.
za'delriem *m.* sangle *f.*
za'delrug *m.* dos *m.* ensellé; ***paard met een —,*** cheval ensellé.
za'deltas *v.(m.)* sacoche *f.*
za'deltuig *o.* sellerie *f.*, harnachement *m.*
za'delvast *b.n.* **1** ferme sur ses étriers, — sur les arçons; **2** (*fig.*) ferré (sur), au courant (de).
za'delvormig *b.n.* en forme de selle.
za'gen *ov.w. en on.w.* scier; ***op een viool —,*** racler le violon, scier le boyau; ***gezaagd hout,*** bois de sciage.
za'ger *m.* **1** scieur *m.*; **2** (*fig.*) racleur *m.* (de violon).
zagerij' *v.* scierie *f.*
zak *m.* **1** (*alg.*) sac *m.*; **2** (*in kledingstuk*) poche *f.*; **3** (*in vest*) gousset *m.*; **4** (*v. biljart*) blouse *f.*; **5** (*steeg*) impasse *f.*, cul*-de-sac *m.*; **6** (*gen.*) bourse *f.*; ***met pak en —,*** avec armes et bagages; ***met pak en — vertrekken,*** plier bagage; ***in zijn — steken,*** empocher, mettre en poche; ***dat kan hij in zijn — steken,*** c'est une pierre dans son jardin; ***de — krijgen,*** être mis à pied; être congédié; ***uit eigen — betalen,*** payer de ses propres deniers; ***iem. de — geven,*** donner son paquet à qn.; ***in — en as zitten,*** (*fig.*) être désolé, être au désespoir.
zak'agenda *v.(m.)* carnet *m.* [da *m.*
zak'almanak *m.* almanach *m.* de poche, agen-
zak'apot(h)eek *v.* pharmacie *f.* de poche.
zak'boekje *o.* **1** carnet, calepin, agenda *m.*; **2** (*mil.*) livret *m.*
zak'doek *m.* mouchoir *m.*
za'kelijk *b.n.* **1** (*zich tot de zaak bepalend*) objectif; **2** (*feitelijk, wezenlijk*) essentiel; **3** (*bondig*) concis, précis; **4** (*vecht*) réel; **5** (*v. argument*) topique.
za'kelijkheid *v.* **1** objectivité *f.*; **2** concision *f.*; **3** essentiel *m.*
za'kenadres *o.* adresse *f.* commerciale.
za'kenbrief *m.* lettre *f.* d'affaires.
za'kenkabinet *o.* cabinet *m.* d'affaires.
za'kenman *m.* homme *m.* d'affaires.
za'kenreis *v.(m.)* voyage *m.* d'affaires.
za'kenvriend *m.* correspondant *m.*
za'kenwereld *v.(m.)* milieux *m.pl.* commerciaux.
za'kenwijk *v.(m.)* quartier *m.* commerçant.
zak'formaat *o.* format *m.* de poche.
zak'geld *o.* **1** argent *m.* de poche, menus plaisirs *m.pl.*; **2** (*weekgeld*) semaine *f.*; **3** (*mil.*) centimes *m.pl.* de poche.
zak'horloge *o.* montre *f.*
zak'je *o.* **1** (*v. papier, enz.*) petit sac, sachet *m.*; **2** (*in kleren*) petite poche, pochette *f.*; **3** (*vest—*) gousset *m.*
zak'kammetje *o.* peigne *m.* de poche.
zak'ken I *on.w.* **1** (*rivier; stem; prijs*) baisser; **2** (*water*) descendre, tomber; **3** (*koorts*) tomber; **4** (*bij examen*) échouer, être refusé; **5** (*in elkaar —*) s'affaisser; ***in de modder —,*** s'enfoncer dans la boue; ***de moed laten —,*** perdre courage; ***het gordijn laten —,*** baisser le store; **II** *ov.w.* **1** (*in zakken doen*) ensacher; **2** (*in de zak steken*) empocher.
zak'kendrager *m.* portefaix *m.*
zak'kengoed *o.* toile *f.* à sac.
zak'kenlinnen *o.* grosse toile *f.* [*m.*
zak'kenroller *m.* voleur *m.* à la tire, pickpocket
zakkenrollerij' *v.* vol *m.* à la tire. [poche.
zak'lantaarn, -lantaren *v.(m.)* lampe *f.* de
zak'lopen *o.* course *f.* en sacs.
zak'mes *o.* couteau *m.* de poche, canif *m.*
zak'pistool *o.* pistolet *m.* de poche.
zak'potlood *o.* porte-mine *m.*
zak'spiegeltje *o.* miroir *m.* de poche.
zak'uitgave *v.(m.)* édition *f.* de poche.
zak'uurwerk *o.* montre *f.*
zak'vol *m.* **1** sachée *f.*; **2** pochée *f.*
zak'vormig *b.n.* en forme de sac.
zak'woordenboek *o.* dictionnaire *m.* de poche.
zalf *v.(m.)* onguent *m.*
zalf'achtig *b.n.* onctueux.
zalf'achtigheid *v.* onctuosité *f.*
zalf'doos *v.(m.)* boîte *f.* à onguent.
zalf'je *o.* onguent *m.*
zalf'olie *v.(m.)* saintes huiles *f.pl.*
zalf'pleister *v.(m.)* emplâtre *m.*
zalf'pot *m.* pot *m.* à onguent.
za'lig *b.n.* **1** (*hoogst gelukkig*) très heureux, fort —! **2** (*heerlijk*) délicieux; **3** (*gelukzalig*) bienheureux; ***een — einde,*** une bonne mort; ***— worden,*** être sauvé; ***— spreken,*** béatifier.
za'lige *m.-v.* bienheureux *m.*, —euse *f.*
za'liger *b.n.* feu, défunt; ***— gedachtenis,*** d'heureuse mémoire.
za'ligheid *v.* **1** (*groot geluk*) félicité *f.*; **2** (*genot*) délice *m.*, délices *f.pl.*; **3** (*hemelse —*) béatitude *f.*; ***de eeuwige —,*** le salut éternel.
za'liging *v.* sanctification *f.*
za'ligmaken *ov.w.* sauver.
za'ligmakend *b.n.* sanctifiant; béatifique; qui assure le salut.
Za'ligmaker *m.* Sauveur, Rédempteur *m.*
za'ligmaking *v.* rédemption *f.*; salut *m.*
za'ligspreking *v.* béatification *f.*; ***de acht Z—en,*** les (huit) Béatitudes *f.pl.*
za'ligverklaring *v.* béatification *f.*
zalm *m.* saumon *m.*; ***jonge —,*** saumoneau *m.*; ***het neusje van de —,*** le dessus du panier; la crème de la crème.
zalm'achtig *b.n.* saumoné.
zalm'forel *v.(m.)* truite *f.* saumonée.
zalm'kleur *v.(m.)* couleur *f.* de saumon.
zalm'kleurig *b.n.* saumon.
zalm'vangst *v.* pêche *f.* du saumon.
zalm'visserij *v.* pêche *f.* du saumon.
zal'ven *ov.w.* oindre; ***tot koning —,*** sacrer roi.
zal'vend I *b.n.* onctueux, plein d'onction; **II** *bw.* onctueusement; ***— spreken,*** parler avec onction.
zal'ving *v.* **1** onction *f.*; **2** (*ceremonie*) sacre *m.*
Zambe'zi *m.* Zambèze *m.*
za'men, *te —,* ensemble.
zand *o.* sable *m.*; ***fijn —,*** sablon *m.*; ***— in de ogen strooien,*** jeter de la poudre aux yeux (à qn.); ***in het — bijten,*** mordre la poussière; ***— erover!*** n'en parlons plus!
zand'aardappel *m.* pomme *f.* de terre des sables.
zand'achtig *b.n.* sablonneux.
zand'bad *o.* bain *m.* de sable.
zand'bak *m.* sablier *m.*
zand'bank *v.(m.)* banc *m.* de sable, haut*-fond* *m.*
zand'blad *o.* (*v. tabak*) feuille *f.* de bas.
zand'bodem *m.* fond *m.* sablonneux.
zand'boer *m.* marchand *m.* de sable.
zand'duin *o.* dune *f.* de sable mouvant.
zan'den *ov.w.* sabler.
zan'derig *b.n.* sableux, sablonneux.
zanderij' *v.*, **zand'groef, -groeve** *v.(m.)* sablière *f.*
zand'grond *m.* terrain *m.* sablonneux.
zand'haas *m.* **1** lièvre *m.* des dunes; **2** (*mil.*) pousse-cailloux, biffin *m.*
zand'heuvel *m.* colline *f.* (de sable).
zand'hoop *m.* monceau *m.* de sable, tas *m.* —.
zand'hoos *v.(m.)* tourbillon *m.* de sable.
zan'dig *b.n.* sablonneux; sableux.
zand'kar *v.(m.)* tombereau *m.* à sable.
zand'koekje *o.* sablé *m.*

zand'koker *m.* sablier *m.*
zand'korrel *m.* grain *m.* de sable.
zand'kuil *m.* sablonnière *f.*
zand'laag *v.(m.)* lit *m.* de sable, couche *f.* de sable.
zand'loper *m.* sablier *m.*
zand'man *m.* sablonnier *m.*; ***het —netje,*** le marchand de sable.
zand'pad *o.* sentier *m.* de sable.
zand'plaat *v.(m.)* **1** (*in zee*) banc *m.* de sable; **2** (*in rivier*) ensablement *m.*, barre *f.*
zand'ruiter *m.* cavalier *m.* désarçonné.
zand'schuit *v.(m.)* bateau *m.* à (*of* de) sable.
zand'spuiter *m.* sableuse *f.*
zand'steen *o. en m.* grès *m.*
zand'storm *m.* tempête *f.* de sable.
zand'straal *m. en v.* jet *m.* de sable.
zand'streek *v.(m.)* pays *m.* sablonneux, région *f.* sablonneuse.
zand'strooier *m.* sablière *f.*
zand'stuiving *v.* sables *m.pl.* mouvants.
zand'taart *v.(m.)* gâteau *m.* sec, (gâteau) sablé *m.*
zand'trein *m.* train *m.* de ballast.
zand'verstuiving *v.* sables *m.pl.* mouvants.
zand'vlakte *v.* plaine *f.* sablonneuse.
zand'vlo *v.(m.)* puce *f.* pénétrante, chique *f.*
zand'wagen *m.* **1** (*kar*) tombereau *m.* à sable; **2** (*spoorw.*) wagon *m.* de ballast.
zand'weg *m.* chemin *m.* sablonneux, — de sable.
zand'woestijn *v.(m.)* désert *m.* de sable.
zand'zak *m.* sac *m.* de sable.
zand'zuiger *m.* drague *f.* suceuse.
zang *m.* chant *m.*
Zang'berg *m.* Parnasse *m.*
zang'bodem *m.* (*muz.*) table *f.* (d'harmonie).
zang'boek *o.* livre *m.* de chant.
zang'cursus, -kursus *m.* cours *m.* de chant.
zan'ger *m.* **1** chanteur *m.*; **2** (*kerk—*) chantre *m.*
zangeres' *v.* **1** chanteuse *f.*; **2** (*bekende — opera, enz.*) cantatrice *f.*
zan'gerig *b.n.* chantant; (*welluidend*) mélodieux.
zan'gersfeest *o.* concours *m.* de chant, festival *m.*
zang'gezelschap *o.* orphéon *m.*, société *f.* de chant.
zang'god *m.* Apollon *m.*
zang'godin *v.* Muse *f.*
zang'koor *o.* **1** chœur *m.*; **2** (*vereniging*) société *f.* chorale, orphéon *m.*; **3** (*parochiaal —*) maîtrise *f.*
zang'kunst *v.* art *m.* du chant.
zang'kursus, *zie* ***zangcursus.***
zang'leraar *m.* professeur *m.* de chant.
zang'les *v.(m.)* leçon *m.* de chant.
zang'lijster *v.(m.)* grive *f.*
zang'meester *m.* maître *m.* de chant, professeur *m.* —.
zang'met(h)ode *v.* méthode *f.* de chant.
zang'muziek *v.* musique *f.* vocale.
zang'noot *v.(m.)* note *f.* de musique.
zang'nummer *o.* numéro *m.* de chant, morceau *m.* chanté.
zang'oefening *v.* **1** exercice *m.* de chant; **2** (*op één klinker*) vocalise *f.*
zang'onderwijs *o.* enseignement *m.* du chant.
zang'school *v.(m.)* école *f.* de chant.
zang'spel *o.* opéra *m.*
zang'stem *v.(m.)* **1** (*zangpartij*) partie *f.* de chant; **2** (*stem geschikt voor zang*) voix *f.* musicale.
zang'stuk *o.* morceau *m.* de chant.
zang'uitvoering *v.* concert *m.* vocal.
zang'vereniging *v.* société *f.* de chant, chorale *f.*, orphéon *m.*
zang'vogel *m.* (oiseau) chanteur *m.*
zang'wedstrijd *m.* concours *m.* de chant.
zang'wijs, -wijze *v.(m.)* **1** mélodie *f.*; **2** manière *f.* de chanter.
za'nik *m.-v.* scie *f.*, rabâcheur *m.*
za'niken *on.w.* rabâcher.
zat *b.n.* **1** (*verzadigd*) rassasié; **2** (*dronken*) soûl; ***het leven —,*** las de vivre; ***ik ben het —,*** j'en ai plein le dos.
za'terdag *m.* samedi *m.*
zaterdaga'vondbioscoopje, -bioskoopje *m.* ciné *m.* du samedi soir.
za'terdags I *bw.* le samedi; **II** *b.n.* du samedi.
zat'heid *v.* **1** (*verzadigdheid*) satiété *f.*; **2** (*dronkenschap*) ivresse *f.*
za'vel *m. en o.* gravier *m.*
za'velgrond *m.* sol *m.* graveleux.
za'velig *b.n.* graveleux.
ze *pers. vnw.* elle; ils; la, les, leur; ***— zeggen,*** on dit.
Zebede'us *m.* Zébédée *m.*
ze'boe *m.* zébu *m.*
ze'bra *m.* zèbre *m.*
ze'brapad *o.* passage *m.* pour piétons, — protégé; (*Ned.*) passage *m.* zébré.
ze'de *v.(m.)* coutume *f.*, usage *m.*; ***—n,*** mœurs *f.pl.*; ***—n en gewoonten,*** mœurs et coutumes *f.pl.*
ze'delijk I *b.n.* moral; **II** *bw.* moralement.
ze'delijkheid *v.* moralité *f.*
ze'deloos *b.n.* **1** immoral, sans mœurs; **2** (*v. leven*) déréglé.
ze'deloosheid *v.* immoralité *f.*
ze'denbederf *o* dépravation *f.* des mœurs, corruption (des mœurs), démoralisation *f.*
ze'denbedervend *b.n.* corrupteur, démoralisateur.
ze'denkunde *v.* morale *f.*; éthique *f.*
zedenkun'dig *b.n.* moral.
zedenkun'dige *m.* moraliste *m.*
ze'denkwetsend *b.n.* contraire aux bonnes mœurs, immoral.
ze'denleer *v.(m.)* morale *f.*
ze'denles *v.(m.)* **1** leçon *f.* de morale; **2** (*v. fabel, enz.*) morale *f.*
ze'denmeester *m.* censeur *m.*
ze'denmisdrijf *o.* attentat *m.* contre les mœurs.
ze'denpolitie *v.* police *f.* des mœurs, — spéciale.
ze'denprediker *m.* moraliseur, sermonneur *m*
ze'denpreek *v.(m.)* **1** sermon *m.*; **2** (*fig.*) homélie *f.*
ze'denspreuk *v.(m.)* sentence, maxime *f.* (de morale).
ze'denwet *v.(m.)* loi *f.* morale.
ze'dig I *b.n.* **1** modeste; **2** (*v. houding*) réservé; **3** (*v. kleding*) décent; **4** (*eerbaar*) pudique; **II** *bw.* modestement, avec réserve; décemment; avec pudeur.
ze'digheid *v.* **1** modestie *f.*; **2** réserve *f.*; **3** décence *f.*; **4** pudeur *f.*
zee *v.(m.)* **1** mer *f.*; **2** (*zware golf*) coup *m.* de mer, lame, vague *f.*; ***een — van licht,*** un océan de lumière; ***een — van tranen,*** un torrent de larmes; ***een — van groen,*** des flots de verdure; ***een — van vuur,*** une nappe de feu; ***in open —,*** en pleine mer; ***in — steken,*** prendre la mer, prendre le large; ***volle —,*** haute mer *f.*, large *m.*; ***— kiezen,*** prendre le large; ***aan —,*** au bord de la mer; ***over —,*** par mer, par la voie de mer; (*fig.*) ***recht door — gaan,*** y aller rondement.
zee'aal *m.* (*Dk.*) congre *m.*
Zee'-Alpen *mv.* Alpes *f.pl.* Maritimes.
zee'anemoon *v.(m.)* anémone *f.* de mer, actinie *f.*
zee'appel *m.* oursin *m.*
zee'arend *m.* aigle *m.* de mer, pygargue *m.*
zee'arm *m.* bras *m.* de mer.
zee'assurantie *v.* assurance *f.* maritime.
zee'atlas *m.* atlas *m.* maritime, — nautique.
zee'baars *m.* bar *m.*, perche *f.* de mer.
zee'bad *o.* **1** bain *m.* de mer; **2** (*badplaats*) station *f.* balnéaire, bain *m.* de mer; plage *f.*

zee'badplaats *v.(m.)* bain *m.* de mer, station *f.* balnéaire.
zee'banket *o.* hareng *m.*
zee'beer *m.* **1** ours *m.* marin; **2** *(tn.)* môle *m.*
zee'benen *mv.*, ***— hebben,*** avoir le pied marin.
zee'bericht *o.* nouvelle *f.* maritime.
zee'beving *v.* tremblement *m.* de mer.
zee'bodem *m.* fond *m.* de la mer.
zee'boezem *m.* golfe *m.*
zee'bonk *m.* loup *m.* de mer.
zee'brand *m.* éclairs *m.pl.* de chaleur.
zee'brasem *m.* brême *f.* (de mer).
zee'breker *m.* jetée *f.*
zee'brief *m.* *(H.)* lettre *f.* de mer.
zee'cadet, -kadet *m.* aspirant *m.* de marine.
zee'connossement, -cognossement *o.* connaissement *m.* de chargement maritime.
zee'dienst *m.* marine *f.*
zee'dier *o.* animal *m.* marin.
zee'dijk *m.* digue *f.* de mer.
zee'drift *v.(m.)* épaves, herpes *f.pl.*
zee'duivel *m.* *(Dk.)* baudroie *f.*, diable *m.* de mer.
zee'ëgel *m.* oursin *m.*
zee'ëngte *v.* détroit *m.*
zeef *v.(m.)* **1** *(v. koren, grint, enz.)* crible *m.*; **2** *(haar—)* tamis *m.*
zeef'doek *o. en m.* étamine *f.*
zeef'druk *m.* sérigraphie, impression *f.* à tamis (*of* à trame de soie).
zeef'je *o.* passoire *f.*
zeef'kring *m.* *(T. S. F.)* (bobine de) self *f.*
zee'flora *v.(m.)* flore *f.* maritime.
zee'forel *v.(m.)* truite *f.* saumonée.
zeeg *v.(m.)* *(sch.)* tonture *f.*
zee'gat *o.* passe *f.*, chenal *m.*
zee'gedrocht *o.* monstre *m.* marin.
zee'gevaar *o.* risques *m.pl.* de mer, — maritimes.
zee'gevecht *o.* combat *m.* naval.
zee'gezicht *o.* **1** vue *f.* sur la mer; **2** *(schilderij)* marine *f.*
zee'gier *m.* frégate *f.*
zee'god *m.* dieu *m.* marin; ***de —,*** Neptune *m.*
zee'godin *v.* déesse *f.* marine; ***de —,*** Amphitrite *f.*
zee'golf *v.(m.)* **1** *(baar)* vague *f.*; **2** *(open baai)* golfe *m.*
zee'gras *o.* algue *f.*, varech *m.*
zee'groen *b.n.* vert de mer, glauque.
zee'haan *m.* trigle *m.*
zee'handel *m.* commerce *m.* maritime.
zee'haven *v.(m.)* port *m.* de mer, — maritime.
zee'heerschappij *v.* empire *m.* de la mer, prépondérance *f.* sur mer.
zee'held *m.* grand homme de mer, grand marin; grand amiral *m.*
zee'hond *m.* phoque *m.*
zee'hoofd *o.* môle *m.*, jetée *f.*
zee'kaart *v.(m.)* carte *f.* marine.
zee'kabel *m.* câble *m.* sous-marin.
zee'kadet, *zie* ***zeecadet.***
zee'kalf *o.* veau *m.* marin.
zee'kanaal *o.* canal *m.* maritime.
zee'kant *m.* bord *m.* de la mer.
zee'kantoor *o.* douanes *f.pl.* dans un port de mer.
zee'kapitein *m.* capitaine *m.* de vaisseau; — au long cours.
zee'kasteel *o.* château *m.* de mer, — flottant.
zee'klei *v.(m.)* alluvion *f.* marine.
zee'klimaat *o.* climat *m.* maritime.
zee'koe *v.(m.)* vache *f.* marine.
zee'kompas *o.* compas *m.* de mer.
zee'krab *v.(m.)* crabe *m.*
zee'kreeft *m. en v.* homard *m.*
zee'kust *v.(m.)* côte *f.*, bord *m.* de la mer.
zee'kwal *v.(m.)* méduse *f.*
zeel *o.* sangle *f.*
Zee'land *o.* la Zélande.
zee'leeuw *m.* lion *m.* marin, otarie *f.*
zee'leven *o.* vie *f.* sur mer.
zee'lieden *mv.* gens *m.pl.* de mer, marins *m.pl.*
zee'loods *m.* pilote *m.*
zeelt *v.(m.)* tanche *f.*
zee'lucht *v.(m.)* air *m.* de la mer.
zeem *o.* *(zeemleder)* peau *f.* de chamois.
zee'macht *v.(m.)* forces *f.pl.* navales, marine *f.*
zee'man *m.* homme *m.* de mer, marin *m.*
zee'manschap *o.* *(zeevaartkunde)* navigation *f.*, connaissances *f.pl.* nautiques.
zee'manshuis *o.* asile *m.* des marins, hospice *m.*
zee'mansknoop *m.* nœud *m.* marin.
zee'manskunst, *zie* ***zeemanschap.***
zee'meermin *v.* sirène *f.*
zee'meeuw *v.(m.)* mouette *f.*; ***grote —,*** goéland *m.*
zee'mijl *v.(m.)* lieue *f.* marine.
zee'militie *v.* inscription *f.* maritime.
zeem'lap *m.* peau *f.* de chamois.
zeem'le(d)er *o.* peau *f.* de chamois.
zee'mogendheid *v.* puissance *f.* maritime.
zee'monster *o.* monstre *m.* marin.
zeem'touwen *ov.w.* chamoiser, mégir, mégisser.
zeem'touwer *m.* chamoiseur *m.*
zeemtouwerij' *v.* chamoiserie *f.*
zeen *v.(m.)* nerf, tendon *m.*
zee'naald *v.(m.)* *(Dk.)* syngnathe *m.*
zee'natie *v.* nation *f.* maritime.
zee'nimf *v.* néréide *f.*
zee'officier *m.* officier *m.* de marine.
zee'oorlog *m.* guerre *f.* navale.
zee'oppervlak *o.* surface *f.* de la mer.
zeep *v.(m.)* savon *m.*; ***groene (zachte) —,*** savon noir, — mou; ***een stuk —,*** un pain de savon; ***hij is om —,*** **1** il est allé au pays des taupes; **2** *(Z.N.)* il est ruiné, il est fichu.
zee'paard(je) *o.* cheval *m.* marin, hippocampe *m.*
zeep'achtig *b.n.* savonneux.
zee'paling *m.* congre *m.*
zee'pas *m.* *(H.)* lettre *f.* de mer.
zeep'bak *m.* bac *m.* à savon.
zeep'bakje *o.* porte-savon *m.*
zeep'bel *v.(m.)* bulle *f.* de savon.
zeep'boom *m.* savonnier *m.*
zeep'doos *v.(m.)* savonnette *f.*
zeep'fabriek *v.* savonnerie *f.*
zeep'fabrikant *m.* savonnier *m.*, fabricant *m.* de savon.
zee'pijnboom *m.* pin *m.* maritime.
zeep'kist *v.(m.)* caisse *f.* à savon.
zeep'kwast *m.* blaireau *m.*
zee'plant *v.(m.)* plante *f.* marine.
zee'polis *v.(m.)* police *f.* maritime.
zeep'oplossing *v.* solution *f.* de savon.
zee'post *v.(m.)* malle*-poste *f.*; ***per —,*** par voie de mer, — maritime.
zeep'poeder, -poeier *o. en m.* poudre *f.* de savon.
zeep'sop, —wa'ter *o.* eau *f.* de savon.
zeep'tuimelaar *m.* distributeur *m.* de savon à bascule, verseur *m.* de savon liquide.
zeep'vlokken *mv.* savon *m.* en flocons.
zeep'zieden *o.* fabrication *f.* de savon.
zeep'zieder *m.* savonnier *m.*
zeepziederij' *v.* savonnerie *f.*
zeer I *o.* mal *m.*, douleur *f.*; ***iem. in zijn — tasten,*** toucher qn. à l'endroit sensible; **II** *b.n.* douloureux, qui fait mal; ***een zere vinger,*** un doigt malade; ***— doen,*** faire mal; **III** *bw.* très, fort, bien; ***al te —,*** trop.

zee'raad *m.* conseil *m.* de marine.
zee'ramp *v.(m.)* sinistre *m.* maritime.
zee'recht *o.* droit *m.* maritime.
zee'reis *v.(m.)* **1** voyage *m.* sur mer; **2** (*overtocht*) traversée *f.*
zee'risico *o. en m.* risques *m.pl.* de mer.
zee'rob *m.* loup *m.* de mer.
zee'roof *m.* piraterie *f.*
zee'rot *m.* **1** rat *m.* de mer; **2** (*fig.*) loup *m.* de [mer.
zee'rover *m.* pirate, corsaire *m.*
zeeroverij' *v.* piraterie *f.*
zeerst *bw.*, ***ten —e,*** au plus haut point, au plus haut degré, infiniment.
zee'schade *v.(m.)* avarie *f.*
zee'scheepvaart *v.(m.)* navigation *f.* sur mer.
zee'schelp *v.(m.)* coquillage *m.* (marin).
zee'schilder *m.* peintre *m.* de marines.
zee'schildpad *v.(m.)* tortue *f.* de mer.
zee'schip *o.* navire *m.*, vaisseau *m.* de mer.
zee'schuim *o.* écume *f.* de mer.
zee'schuimen *on.w.* écumer les mers, pirater.
zee'schuimer *m.* pirate *m.*
zeeschuimerij' *v.* piraterie *f.*
zee'slag *m.* bataille *f.* navale.
zee'slang *v.(m.)* serpent *m.* de mer.
zee'sleepboot *m. en v.* remorqueur *m.* de mer.
zee'sluis *v.(m.)* écluse *f.* de mer.
zee'smaak *m.* goût *m.* marin, — saumâtre.
zee'soldaat *m.* soldat *m.* de marine.
zee'spiegel *m.* niveau *m.* de la mer.
zee'spin *v.(m.)* araignée *f.* de mer.
zee'stad *v.(m.)* ville *f.* maritime.
zee'ster *v.(m.)* astérie *m.*, étoile *f.* de mer.
zee'storm *m.* tempête *f.*
zee'straat *v.(m.)* détroit *m.*
zee'strand *o.* plage *f.*, rivage *m.*
zee'stroming *v.* courant *m.*
zee'stuk *o.* marine *f.*
zee'term *m.* terme *m.* de marine.
zee'tijding(en) *v.(mv.)* nouvelles *f.pl.* maritimes.
zee'tje, ***een — overkrijgen,*** embarquer un coup de mer.
zee'tocht *m.* **1** voyage *m.* par mer; **2** (*mil.*) expédition *f.* maritime.
zee'ton *v.(m.)* tonne, bouée *f.*
zee'transport *o.* transport *m.* par mer.
Zeeuw *m.* Zélandais *m.*
Zeeuws *b.n.* zélandais.
Zeeuws-Vlaan'deren *o.* la Flandre zélandaise.
zee'vaarder *m.* navigateur *m.*
zeevaar'dig *b.n.* navigable.
zee'vaart *v.(m.)* navigation *f.* (maritime).
zee'vaartkunde *v.* science *f.* nautique, art *m.* de la navigation.
zeevaartkun'dig *b.n.* nautique.
zee'vaartschool *v.(m.)* école *f.* navale.
zee'varend *b.n.* navigateur; ***een — volk,*** un peuple de marins (*of* de navigateurs), une nation maritime.
zee'varken *o.* marsouin *m.*
zee'verkenner *m.* scout *m.* marin.
zee'verzekering *v.* assurance *f.* maritime.
zee'vesting *v.* place *f.* maritime.
zee'vis *m.* poisson *m.* de mer; (*als stofnaam*) marée [*f.*
zee'vishandel *m.* commerce *m.* de la marée.
zeevisserij' *v.* pêche *f.* maritime.
zee'vogel *m.* oiseau *m.* de mer.
zee'volk *o.* gens *m.pl.* de mer, marins *m.pl.*
zee'vracht *v.(m.)* fret *m.*
zeewaar'dig *b.n.* navigable, en état de naviga- [bilité.
zeewaar'digheid *v.* qualités *f.pl.* nautiques.
zee'waarts *bw.* vers la mer.
zee'water *o.* eau *f.* de mer.
zee'weg *m.* voie *f.* de mer, route *f.* maritime.
zee'wering *v.* digue *f.* contre la mer, — de mer.
zee'wet *v.(m.)* loi *f.* maritime.
zee'wetboek *o.* code *m.* maritime.
zee'wezen *o.* marine *f.*
zee'wier *o.* algue *f.* marine.
zee'wind *m.* vent *m.* du large, — de mer.
zee'wolf *m.* loup *m.* de mer.
zee'zand *o.* sable *m.* de la mer.
zee'ziek *b.n.* souffrant (*of* malade) du mal de mer; ***— zijn,*** avoir le mal de mer.
zee'ziekte *v.* mal *m.* de mer.
zee'zout *o.* sel *m.* marin, — de marais.
zee'zwaluw *v.(m.)* hirondelle *f.* de mer.
ze'fier *m.* zéphir *m.*
ze'ge *v.(m.)* victoire *f.*, triomphe *m.*
ze'geboog *m.* arc *m.* de triomphe.
ze'gekar *v.(m.)* char *m.* de triomphe.
ze'gekrans *m.* couronne *f.* triomphale.
ze'gekreet *m.* cri *m.* de victoire.
ze'gel I *m.* (*post—, belasting—*) timbre *m.*; **II** *o.* **1** (*alg.*) cachet *m.*; **2** (*op gezegeld papier*) timbre *m.*; **3** (*ambts—*) sceau *m.*; **4** (*recht*) scellé *m.*; ***op —,*** sur papier timbré; ***vrij van —,*** exempt du timbre; ***verzoekschrift op —,*** requête sur papier timbré; ***zijn — hechten aan,*** **1** (*eig.*) apposer son sceau sur; **2** (*fig.*) souscrire à, approuver; ***aan — onderwerpen,*** soumis au droit de timbre; ***onder het — der geheimhouding,*** sous le sceau du secret.
ze'gelafdruk *m.* empreinte *f.* de sceau, sceau *m.*
ze'gelbelasting *v.* impôt *m.* du timbre.
ze'gelbewaarder *m.* garde *m.* des sceaux, garde*-scellés *m.*
ze'gelen *ov.w.* **1** cacheter; **2** sceller; **3** timbrer.
ze'gelied *o.* chant *m.* de tiomphe, hymne *m.* —, — triomphal.
ze'geling *v.* sigillation *f.*; timbrage *m.*
ze'gelkantoor *o.* bureau *m.* du timbre.
ze'gelkosten *mv.* droits *m.pl.* de timbre.
ze'gelkunde *v.* sigillographie *f.*
ze'gellak *o. en m.* cire *f.* à cacheter.
ze'gellood *o.* plomb *m.*
ze'gelmerk *o.* sceau *m.*, empreinte *f.* de sceau.
ze'gelrecht *o.* droit *m.* de timbre.
ze'gelring *m.* bague *f.* à cachet, (bague à la) chevalière *f.*
ze'gelwet *v.(m.)* loi *f.* sur le timbre.
ze'gen I *v.(m.)* (*visnet*) seine *f.*; **II** *m.* **1** bénédiction *f.*; **2** (*heil*) salut *m.*; **3** (*voorspoed*) prospérité *f.*; ***dat brengt — aan,*** cela porte bonheur.
ze'genen *ov.w.* bénir, donner la bénédiction à; ***God zegene u,*** Dieu vous bénisse; ***met aardse goederen gezegend,*** comblé de biens terrestres.
ze'gening *v.* **1** bénédiction *f.*; **2** (*weldaad*) bienfait *m.*
ze'genrijk *b.n.* **1** (*voorspoedig, gelukkig*) prospère, heureux; **2** (*heilzaam*) bienfaisant.
ze'genwens *m.* vœu *m.* (de bonheur), félicitation *f.*
ze'gepalm *m.* palme *f.* (de la victoire).
ze'gepraal *v.(m.)* triomphe *m.*, victoire *f.*
ze'gepralen *on.w.* remporter la victoire; triompher (de).
ze'gepralend *b.n.* victorieux; triomphal.
ze'gerijk *b.n.* victorieux.
ze'geteken *o.* trophée *m.*
ze'getocht *m.* marche *f.* triomphale, — victorieuse.
ze'gevieren *on.w.* triompher; vaincre.
ze'gevierend, *zie* ***zegepralend.***
ze'gewagen *m.* char *m.* de triomphe.
ze'gezang *m.* chant *m.* de la victoire.

zeg'ge, soit.
zeg'gen I *ov.w.* dire; ***te veel* —,** aller trop loin; ***onder ons gezegd,*** soit dit entre nous; ***wat ik — wil,*** à propos; ***iem. dank* —,** remercier qn.; ***ik weet het van horen* —,** je le sais par ouï-dire; ***dat wil wat* —!** c'est quelque chose! ***iets te — hebben op,*** trouver qc. à redire à; ***dat laat ik mij niet* —!** je proteste! ***hij heeft niets te* —,** il n'a rien à dire, il manque d'autorité; ***wat de mensen* —,** les on-dit, les potins *m.pl.*; ***ze* —,** on dit; ***dat moet gezegd worden,*** il faut bien l'avouer; ***dat zegt genoeg,*** cela vous en dit assez; ***dat zegt men niet,*** cela ne se dit pas; ***dat is te* —,** c'est-à-dire; ***dat is gauw gezegd,*** c'est facile à dire; ***eerlijk gezegd,*** à vrai dire; ***daar is alles voor te* —,** il y a tout à dire en faveur de cela; ***laten we het maar* —,** disons le mot; ***niets* —,** ne dire mot; ne souffler mot; ***dat kan ik u niet* —,** je ne saurais vous le dire; ***zou u dat van hem* —?** croiriez-vous cela de lui? ***dat hoeft u mij niet te* —,** à qui le dites-vous? ***de waarheid* —,** dire vrai; ***hem — waar het op staat,*** lui dire son fait; ***als ik wat te — had,*** si j'avais quelque autorité; ***zegt het voort,*** qu'on se le dise; ***wat hebt u daarop te* —? 1** (*te antwoorden*) qu'est-ce que vous avez à répondre à cela? **2** (*aan te merken*) qu'y trouvez-vous à redire?; ***wat zal ik ervan* —?** que voulez-vous (que j'en dise)? ***daar zegt u zo iets!*** c'est une idée! ***het zich geen tweemaal laten* —,** ne pas se le faire répéter; ***zich niet laten* —,** ne pas entendre raison; ***laat je dat gezegd zijn,*** tenez-vous le pour dit; ***wat u zegt!*** tiens, tiens! ***zegge 200 fr.,*** soit 200 frs.; ***er ook iets in te — hebben,*** avoir voix au chapitre; ***zo gezegd, zo gedaan,*** ainsi dit, ainsi fait; aussitôt dit, aussitôt fait; ***zeg eens!*** dites (donc)! à propos! écoute(z) un peu! ***zeg dat wel,*** tu peux le dire; ***'t is toch wat te* —!** c'est énorme; quel embêtement; ***zeg dat nog eens!*** répète un peu!; ***daarmee is alles gezegd,*** c'est tout dire; ***dat wilde ik juist* —,** c'est ce que j'allais dire; **II** *z.n.*, ***het* —,** le dire, les dires *m.pl.*; ***volgens zijn* —,** à ce qu'il dit; à l'entendre; ***naar het — van,*** au dire de; ***u hebt het maar voor 't* —,** vous n'avez qu'à dire; vous n'avez qu'à donner vos ordres.
zeg'genschap *v. en o.* autorité *f.*, pouvoir *m.*
zeg'ger *m.* diseur *m.*
zeg'ging *v.* **1** diction, élocution *f.*; **2** phrase, expression, parole *f.* [éloquence *f.*
zeg'gingskracht *v.(m.)* force *f.* d'expression;
zegs'man *m.* auteur; informateur *m.*; ***wie is uw* —?** de qui tenez-vous cela?
zegs'wijs, -wijze *v.(m.)* **1** (*uitdrukking*) expression, locution *f.*; **2** (*spreekwijze*) dicton *m.*
zeil *o.* **1** (*sch.*) voile *f.*; **2** (*dekzeil*) toile *f.*; (*voor waren*) banne *f.*; **3** (*huif*) bâche *f.*; **4** (*v. vloer, tafel*) toile *f.* cirée; **5** (*v. winkelraam*) tente *f.*; ***onder — gaan,*** **1** mettre à la voile; **2** (*fig.*) s'endormir; ***alle —en bijzetten,*** mettre toutes voiles dehors; ***een oog in 't — houden,*** veiller au grain, ouvrir l'œil; ***met volle —en,*** toutes voiles dehors, à pleines voiles.
zeila'ge *v.* **1** (*al de zeilen*) voilure *f.*; **2** (*vaart v. schip*) marche, vitesse *f.*
zeil'baar *b.n.* **1** (*v. schip*) bon voilier, propre à faire voile; **2** (*v. weer*) favorable. [*f.* —.
zeil'boot *m. en v.* bateau *m.* à voiles, embarcation
zeil'doek *o. en m.* **1** toile *f.* à voiles; **2** toile *f.* cirée.
zei'len I *on.w.* **1** (*v. schip*) faire voile, naviguer; (*koers zetten*) cingler; **2** (*v. dronkaard*) zigzaguer; ***zeilende goederen,*** marchandises flottantes; **II** *ov.w.*, ***een schip in de grond* —,** couler (à fond) un navire, dépasser un navire sous le vent.
zei'lend *b.n.* (*H.*) en cours de route; ***— verkopen,*** vendre sous voiles, vendre à flot. [*m.*
zei'ler *m.* **1** (*schip*) voilier *m.*; **2** (*persoon*) batelier
zeil'jacht *o.* yacht *m.* à voiles.
zeil'klaar *b.n.* en partance; ***— maken,*** appareiller.
zeil'koers *m.* route *f.*
zeil'maker *m.* voilier *m.*
zeilmakerij' *v.* voilerie *f.*; fabrique *f.* de voiles.
zeil'pet *v.(m.)* casquette *f.* de yachting.
zeil'ree, *zie* ***zeilklaar.***
zeil'schip *o.* voilier *m.*, bateau *m.* à voiles.
zeil'sport *v.(m.)* sport *m.* nautique, yachting *m.*
zeil'steen *m.* aimant *m.*
zeil'tocht *m.* promenade *f.* en bateau à voiles, excursion *f.* —.
zeil'tuig *o.* voilure *f.*
zeil'vaart *v.(m.)* navigation *f.* à voiles. [club* *m.*
zeil'vereniging *v.* cercle *m.* nautique, yachting-
zeil'vliegtuig *o.* planeur *m.*
zeil'vlucht *v.(m.)* vol *m.* à voile.
zeil'wedstrijd *m.* régates *f.pl.*
zeil'werk *o.* voilure *f.*
zeis *v.(m.)* faux *f.*
zeis'vormig *b.n.* falciforme.
ze'ker I *b.n.* **1** (*ontwijfelbaar*) certain, sûr; **2** (*stellig*) assuré, positif; **3** (*veilig*) sûr, en sûreté; **4** (*onbepaald*) certain; ***een —e Legrand,*** un nommé Legrand; ***een — bewijs,*** une preuve certaine, — indéniable; ***op —e dag,*** un beau jour; ***van —e leeftijd,*** d'un certain âge; ***een — nieuws,*** **1** (*onbepaald*) une certaine nouvelle; **2** (*dat zeker is*) une nouvelle certaine; ***— iemand,*** quelqu'un (que je sais); ***in —e zin,*** en quelque sorte; sous certain rapport; ***ik had een — voorgevoel,*** j'avais une espèce de pressentiment; ***het —e voor het onzekere nemen,*** prendre le plus sûr; **II** *bw.* **1** (*stellig*) certainement, sûrement; **2** (*waarschijnlijk*) sans doute; **3** (*in uitroep*) certes, pour sûr, certainement; ***— spreken,*** parler d'un ton assuré, — avec assurance; ***ik zal — komen,*** je viendrai sans manquer; ***dat is — moeilijk?*** cela doit être difficile? ***wel* —!** mais oui! mais si!
ze'kerheid *v.* **1** certitude *f.*; **2** (*veiligheid*) sûreté, sécurité *f.*; **3** (*waarborg*) garantie *f.*; **4** (*H.: onderpand, borgtocht*) garantie, caution *f.*; **5** (*v. toon, enz.*) assurance *f.*, aplomb *m.*; ***zakelijke* —,** garantie subsidiaire; ***voor alle* —,** pour plus de sûreté; ***met — zeggen,*** affirmer.
ze'kerheidsfonds *o.* fonds *m.* de garantie.
ze'kerheidshalve *bw.* pour plus de sûreté.
ze'kerheidsmaatregel *m.* mesure *f.* de sûreté.
ze'kerheidsslot *o.* serrure *f.* de sûreté.
ze'kerheidstelling *v.* garantie *f.*
ze'kering *v.*, (*el.*) coupe-circuit, fusible, plomb *m.*
zel'den *bw.* rarement, peu; ***niet* —,** (assez) souvent; ***— of nooit,*** autant dire jamais, rarement.
zeld'zaam I *b.n.* **1** (*niet veel voorkomend*) rare; **2** (*vreemd, buitengewoon*) singulier, étrange, curieux, extraordinaire; ***een — verschijnsel,*** un singulier phénomène; **II** *bw.* **1** rarement; **2** singulièrement, étrangement; ***— mooi,*** d'une rare beauté.
zeld'zaamheid *v.* **1** rareté *f.*; **2** singularité, étrangeté *f.*; **3** (*voorwerp*) curiosité *f.*
zelf *vnw.* même; ***jij* —,** toi-même, vous- —; ***mijn broer* —,** mon frère lui-même; ***dat gaat van* —,** cela va (*of* marche) tout seul; ***dat spreekt van* —,** cela va sans dire, cela va de soi; ***uit zich* —,** (*uit eigen beweging*) spontanément; ***hij is de goedheid* —,** il est la bonté même, — en personne; ***van zich — vallen,*** s'évanouir.

zelf'achting *v.* respect *m.* de soi.
zelf'bediening *v.* libre*-service* *m.*
zelf'bedieningswinkel *m.* magasin *m.* à libre-service, super-marché*, superbazar *m.*, magasin *m.* self-service.
zelf'bedrog *o.*, **zelf'begoocheling** *v.* illusion *f.*
zelf'bedwang, *zie* ***zelfbeheersing.***
zelf'behaaglijk *b.n.* complaisant, suffisant.
zelf'behagen *o.* complaisance, suffisance *f.*
zelf'beheersing *v.* maîtrise *f.* de soi, empire *m.* sur soi-même.
zelf'behoud *o.* conservation *f.* (de soi-même); ***de zucht tot —***, l'instinct de la conservation.
zelf'beklag *o.* apitoiement *m.* sur soi-même.
zelf'beperking *v.* modération *f.* qu'on s'impose.
zelf'beschikking *v.* autonomie *f.*
zelf'beschikkingsrecht *o.* droit *m.* (des peuples) de disposer d'eux-mêmes, le droit d'autodétermination *f.*
zelf'beschouwing *v.* introspection *f.*
zelf'beschuldiging *v.* accusation *f.* de soi-même.
zelf'bestuivend *b.n.* (*Pl.*) homogame.
zelf'bestuiving *v.* (*Pl.*) homogamie *f.*
zelf'besturend *b.n.* autonome.
zelf'bestuur *o.* autonomie, autogestion *f.*
zelf'bewegend *b.n.* automatique; automobile.
zelf'bewoning *v.* habitation *f.* pour usage personnel.
zelf'bewust *b.n.* conscient (de soi-même, de sa dignité, de sa force, etc.).
zelf'bewustheid *v.* **1** conscience *f.* (de sa dignité, etc.); **2** (*zelfvertrouwen*) assurance *f.*, aplomb *m.*
zelf'binder *m.* cravate *f.* à nouer.
zelf'de *b.n.* même; ***dat is het —***, c'est la même chose; ***van het —!*** je vous en souhaite autant!
zelf'financiering *v.* autofinancement *m.*
zelfgenoeg'zaam I *b.n.* suffisant; **II** *bw.* d'un air suffisant, avec suffisance.
zelfgenoeg'zaamheid *v.* suffisance, satisfaction de soi, présomption *f.*
zelf'gevoel *o.* sentiment *m.* de sa dignité.
zelf'inductie, -induktie *v.* (*el.*) self-induction *f.*
zelf'inductiespoel, -induktiespoel *v.*(*m.*). (*T. S. F.*) (bobine de) self *f.*
zelfin'genomen *b.n.* présomptueux.
zelfin'genomenheid *v.* présomption *f.*
zelf'kant *m.* **1** lisière *f.*; **2** (*fig.*) marge *f.*; ***aan de — der samenleving,*** en marge de la société.
zelf'kastijding *v.* mortification *f.* (de la chair).
zelf'kennis *v.* connaissance *f.* de soi-même.
zelf'kritiek *v.* autocritique *f.*
zelf'lichtend *b.n.* fluorescent.
zelf'moord *m. en v.* suicide *m.*; ***— plegen,*** se suicider.
zelf'moordenaar *m.* suicide *m.*; (*het lijk*) suicidé [*m.*
zelf'onderricht *o.* autodidaxie *f.*
zelf'ontbranding *v.* inflammation *f.* spontanée; (*knal*) déflagration *f.* spontanée.
zelf'ontploffing *v.* explosion *f.* spontanée.
zelf'ontsteker *m.* briquet *m.*
zelf'ontsteking *v.* auto-allumage* *m.*
zelf'opoffering *v.* dévouement *m.*, abnégation *f.*, sacrifice *m.* de soi-même.
zelf'overschatting *v.* infatuation *f.*
zelf'overwinning *v.* victoire *f.* sur soi-même.
zelf'portret *o.* portrait *m.* de l'artiste (peint par lui-même), autoportrait *m.*
zelf'registrerend *b.n.* enregistreur, auto-enregistreur.
zelf'regulerend *b.n.* autorégulateur.
zelf'respect, -respekt *o.* respect *m.* de soi-même.
zelf'rijzend *b.n.* fermentant; ***— bakmeel,*** poudre [*f.* de levain.
zelfs *bw.* même; ***— als,*** même si, lors même si, lors même que.
zelf'smering *v.* graissage *m.* automatique, servo-[graissage* *m.*
zelfstan'dig I *b.n.* indépendant; ***— naamwoord,*** substantif *m.*; ***— handelen,*** agir par soi-même; ***de kleine —en,*** les petits métiers; ***—e werkkracht,*** travailleur *m.* autonome, ...pouvant travailler de sa propre initiative; **II** *bw.* ***— gebruikt,*** employé substantivement; ***— denkend,*** pensant par soi-même.
zelfstan'digheid *v.* **1** (*onafhankelijkheid*) indépendance, autonomie *f.*; **2** (*stof*) substance *f.*
zelf'starter *m.* (*tn.*) démarreur *m.* automatique.
zelf'strijd *m.* lutte *f.* intérieure.
zelf'strikker *m.* cravate *f.* à nouer.
zelf'studie *v.* autodidaxie *f.*
zelf'tucht *v.*(*m.*) autodiscipline *f.*
zelf'verblinding *v.* aveuglement *m.*
zelf'verbranding *v.* combustion *f.* spontanée.
zelf'verdediging *v.* défense *f.* personnelle, autodéfense *f.*; ***wettige —***, légitime défense.
zelf'vergoding *v.* adoration *f.* de soi-même, culte *m.* du moi.
zelf'verheffing *v.* vanité *f.*, orgueil *m.*, présomp-[tion *f.*
zelf'verloochening *v.* abnégation *f.*
zelf'verminking *v.* mutilation *f.* volontaire.
zelf'vertrouwen *o.* confiance *f.* en soi(-même); assurance *f.*, aplomb *m.*
zelf'verwijt *o.* regrets *m.pl.*, reproches *m.pl.* qu'on [se fait.
zelf'verzekerd *b.n.* imperturbable.
zelfverze'kerdheid *v.* assurance *f.* de soi-même.
zelf'voldaan *b.n.* suffisant, satisfait de soi-même.
zelf'voldaanheid *v.* suffisance *f.*
zelf'voldoening *v.* satisfaction *f.* de soi-même, — personnelle.
zelf'voorziening *v.* autarchie *f.*
zelf'vulling *v.* autoremplissage *m.*, remplissage *m.* automatique.
zelf'werkend *b.n.* automatique.
zelf'werkzaamheid *v.* **1** automatisme *m.*; **2** effort *m.* personnel, activité *f.* personnelle.
zelf'zucht *v.*(*m.*) égoïsme *m.*
zelfzuch'tig I *b.n.* égoïste; **II** *bw.* égoïstement.
zeloot' *m.* zélateur *m.*
ze'melen I *mv.* son *m.*; **II** *on.w.* (*zaniken*) ra-[bâcher.
ze'melig *b.n.* **1** plein de son; **2** (*v. toon*) traînard.
ze'melknoper *m.* chicaneur *m.*
ze'men *ov.w.* **1** (*huiden*) chamoiser; **2** (*ruiten, enz.*) essuyer, frotter avec une peau de chamois; **II** *b.n.* de chamois.
zend'antenne *v.*(*m.*) antenne *f.* émettrice.
zend'bode *m.* messager *m.*
zend'brief *m.* **1** missive *f.*; **2** (*Bijb.*) épître *f.*
zen'deling *m.* missionnaire *m.*
zen'den *ov.w.* envoyer; (*verzenden*) expédier; ***om iem.*** (***iets***) ***—***, envoyer chercher qn. (qc.).
zen'der *m.* **1** (*afzender*) expéditeur *m.*; **2** (*zendstation*) poste *m.* d'émission, émetteur, poste *m.* émetteur.
zen'ding *v.* **1** (*het zenden*) envoi *m.*, expédition *f.*; **2** (*gezondene*) envoi *m.*; **3** (*opdracht*) mission *f.*; **4** (*afvaardiging, gezantschap*) légation, ambassade *f.*; **5** (*de missie*) mission *f.*
zen'dingsgenootschap *o.* société *f.* des mis-[sions.
zen'dingspost *m.* mission *f.*
zen'dingswerk *o.* œuvre *f.* missionnaire, — des [missions.
zend'mast *m.* aérien *m.*
zend'station *o.* poste *m.* d'émission.
zend'sterkte *v.* fréquence *f.*
zend'tijd *m.* temps *m.* d'émission.
zend'toestel *o.* poste *m.* émetteur.
zend'vergunning *v.* permis *m.* d'émission, licence [*f.* —.

zen'gen *ov.w.* **1** (*kleding, enz.*) roussir; **2** (*gevogelte, enz.*) flamber; griller.
zen'ging *v.* **1** roussissure *f.*; **2** flambage *m.*
ze'nig *b.n.* tendineux.
ze'nit *o.* zénith *m.*
Zen'ne *v.* Senne *f.*
ze'nuw *v.(m.)* nerf *m.*; ***het op de —en krijgen,*** avoir une crise de nerfs.
ze'nuwaandoening *v.* affection *f.* nerveuse.
ze'nuwaanval *m.* crise *f.* de nerfs.
ze'nuwachtig *b.n.* nerveux; ***dat maakt me —,*** cela me donne sur les nerfs.
ze'nuwachtigheid *v.* nervosité *f.*
ze'nuwarts *m.* neurologiste *m.*
ze'nuwberoerte *v.* apoplexie *f.* nerveuse. [nerfs.
ze'nuw(en)oorlog *m.* guerre *f.* froide, — des
ze'nuwgestel *o.* système *m.* nerveux.
ze'nuwhoest *m.* toux *f.* nerveuse.
ze'nuwinrichting *v.* maison *f.* de santé.
ze'nuwknoop *m.* ganglion *m.*
ze'nuwkoorts *v.(m.)* flèvre *f.* nerveuse.
ze'nuwkwaal *v.(m.)* névrose *f.*, affection *f.* nerveuse.
ze'nuwleer *v.(m.)* neurologie *f.* [veuse.
ze'nuwlijden *o.* névropathie *f.*, maladie *f.* ner-
ze'nuwlijder *m.* névropathe, névrosé *m.*
ze'nuwlijdersgesticht *o.* maison *f.* de santé.
ze'nuwmiddel *o.* **1** (*versterkend*) tonique *m.*; **2** (*kalmerend*) antinerveux *m.*
ze'nuwontsteking *v.* névrite *f.*
ze'nuwoorlog, *zie* ***zenuwenoorlog.***
ze'nuwoverspanning *v.* nervosisme *m.*
ze'nuwpatiënt *m.* névropathe *m.*
ze'nuwpees *v.(m.)* paquet *m.* de nerfs. [que.
ze'nuwpijn *v.(m.)* névralgie *f.*, douleur *f.* névralgi-
ze'nuwschok *m.* choc *m.* nerveux.
ze'nuwslopend *b.n.* énervant.
ze'nuwspanning *v.* tension *f.* nerveuse.
ze'nuwstelsel *o.* système *m.* nerveux.
ze'nuwsterkend *b.n.* nervin; **— *middel,*** tonique, sédatif *m.*
ze'nuwstillend *b.n.* antinévralgique.
ze'nuwtoeval *m. en o.* attaque *f.* de nerfs.
ze'nuwtrekking *v.* tic *m.* nerveux; contraction *f.* nerveuse. [nerveux, neurasthénique.
ze'nuwziek *b.n.* névropathe, malade des nerfs,
ze'nuwziekte *v.* maladie *f.* nerveuse, névrose, neurasthénie *f.*
ze'nuwzwak *b.n.* neurasthénique.
ze'nuwzwakte *v.* neurasthénie *f.*
ze'pen *ov.w.* savonner.
zep'pelin *m.* zeppelin *m.*
zerk *v.(m.)* **1** (*op graf*) pierre *f.* tombale; **2** (*als deksteen*) grande dalle *f.*
zes *telw.* six; ***het is bij —sen,*** il est près de six heures; ***het is over —sen,*** il est six heures passées; ***we zijn met ons (z'n) —sen,*** nous sommes six.
zes'bladig *b.n.* à six feuilles.
zescilin'dermotor, zescylin'dermotor *m.* moteur *m.* à six cilindres.
zesdaag'se *v.(m.)*, ***de —,*** la course de six jours.
zes'de *telw.* sixième; ***de — maart,*** le six mars; ***een —,*** un sixième; ***ten —,*** sixièmement.
zesdehalf' *telw.* cinq et demi.
zes'dubbel *b.n.* sextuple.
zes'hoek *m.* hexagone *m.*
zes'hoekig *b.n.* hexagone.
zes'honderd *telw.* six cents.
zes'honderdste *telw.* six centième.
zes'jarig *b.n.* de six ans.
zes'kant *m.* hexaèdre, cube *m.*
zes'kantig *b.n.* cubique.
zes'maal *bw.* six fois.
zes'maandelijks *b.n.* semestriel.
zesmoto'rig *b.n.* hexamoteur. [sizain *m.*
zes'regelig *b.n.* de six lignes; **— *vers,*** sixain,
zes'tal *o.* demi-douzaine *f.*
zes'tien *telw.* seize. [mars.
zes'tiende *telw.* seizième; ***de — maart,*** le seize
zes'tienjarig *b.n.* de seize ans.
zes'tig *telw.* soixante; ***hij is bij de —,*** il frise la soixantaine; ***hij is in de —,*** il a dépassé la soixantaine, il est dans sa soixantaine.
zes'tiger *m.* sexagénaire *m.*
zes'tigjarig *b.n.* sexagénaire.
zes'tigtal *o.* soixantaine *f.*
zes'vlak *o.* hexaèdre *m.*; ***regelmatig —,*** cube *m.*
zes'vlakkig *b.n.* à six faces, hexaèdre.
zes'voetig *b.n.* à six pieds, hexapode; **— *vers,*** hexamètre *m.*
zes'voud *o.* sextuple *m.*
zes'voudig *b.n.* sextuple.
zes'wekendienst *m.* messe *f.* de quarantaine.
zes'zijdig *b.n.* hexaèdre.
zet *m.* **1** (*alg.*; *schaken*) coup *m.*; **2** (*dominospel*) pose *f.*; **3** (*stoot*) poussée *f.*; **4** (*sprong*) bond, saut *m.*; ***domme —,*** gaffe *f.*; ***fijne —,*** trait *m.* piquant; ***geestige —,*** saillie *f.*, trait *m.* d'esprit; ***slimme —,*** fin coup *m.*; ***een meesterlijke —,*** un coup de maître; ***een — doen,*** faire un coup; ***in één —,*** d'un (seul) bond.
zet'baas *m.* gérant *m.*
zet'bok *m.* (*drukk.*) rang *m.*
zet'breedte *v.* (*drukk.*) justification *f.*
ze'tel *m.* **1** siège *m.*; **2** (*armstoel*) fauteuil *m.*; **3** (*verblijf*) résidence *f.*
ze'telen *on.w.* siéger. [coquille *f.*
zet'fout *v.(m.)* erreur *f.* typographique, faute *f.* —,
zet'haak *m.* composteur *m.* [la composition.
zet'instructie, -instruktie *v.* indication *f.* pour
zet'je *o.* poussée *f.*, petit*-coup* *m.*
zet'kastelein *m.* gérant *m.* (de café).
zet'lijn *v.(m.)* **1** (*tn.*) réglette *f.*, filet *m.*; **2** (*bij 't vissen*) ligne *f.* de fond.
zet'loon *o.* frais *m.pl.* de composition.
zet'machine *v.* machine *f.* à composer; *men onderscheidt:* (*regelzetmachines*) les machines à lignes-blocs (linotype(s) *f.(pl.)*) et (*monotypes*) les machines à lignes en caractères séparés mobiles (monotype(s) *f.(pl.)*).
zet'meel *o.* amidon *m.*, fécule *f.*
zet'meelachtig *b.n.* amylacé.
zet'pil *v.(m.)* suppositoire *m.*
zet'regel *m.* ligne *f.* composée.
zet'sel *o.* **1** (*drukkerij*) composition *f.*; **2** (*v. thee, enz.*) infusion *f.*; **3** (*droesem*) dépôt, marc, sédiment *m.*
zet'spiegel *m.* (*drukk.*) champ *m.* de texte.
zet'stuk *o.* (*toneel*) praticable *m.*
zet'ten I *ov.w.* **1** (*alg.*) mettre; poser; **2** (*op z'n plaats*) placer; **3** (*doen zitten*) asseoir; **4** (*koffie, thee*) faire; **5** (*op drukkerij*) composer; **6** (*gen.*) remboîter, remettre; (*v. breuk*) réduire; **7** (*v. edelgesteenten*) enchâsser, monter; sertir; ***aan land —,*** mettre à terre; ***aan de mond —,*** porter à la bouche; ***in de krant —,*** faire insérer, placer une annonce; ***in een lijst —,*** encadrer; ***op interest —,*** placer à intérêt; ***op straat —,*** mettre à la porte; (*fig.*) mettre sur le pavé; ***uit zijn woning (het land, enz.) —,*** expulser; ***een ernstig gezicht —,*** prendre un air sérieux; ***in de zon —,*** exposer au soleil; ***uit de zon —,*** retirer du soleil; ***het op een lopen —,*** se mettre à courir; ***op schrift —,*** coucher par écrit; ***onder water —,*** inonder; ***zijn hand-***

tekening* —,** apposer sa signature; ***op muziek* —,** mettre en musique; ***in elkaar* —, 1** monter; **2** (*feest, enz.*) arranger; ***zij kunnen elkaar niet* —,** ils ne peuvent se souffrir; **— *tegen, appuyer contre; ***iem. op zijn plaats* —,** remettre qn. à sa place; **II** *w.w.*, ***zich* —, 1** s'asseoir; **2** (*v. vogel*) se poser; **3** (*v. vruchten*) se nouer; ***zich over iets heen* —,** se consoler de qc., ne plus penser à qc.; ***zich iets uit het hoofd* —,** s'ôter qc. de l'esprit; **III** *z.n.*, ***het* —, 1** (*drukk.*) la composition; **2** (*v. juwelen*) le sertissage.

zet'ter *m.* **1** (*drukk.*) compositeur *m.*; **2** (*v. juwelen*) [sertisseur *m.*

zetterij' *v.* atelier *m.* de composition.

zet'ting *v.* **1** (*muz.*) arrangement; **2** (*v. juwelen*) sertissage *m.*; sertissure *f.*

zet'werk *o.* composition *f.*

zeug *v.* **1** truie, coche *f.*; **2** (*insekt*) cloporte *m.*

zeu'len *ov.w.* traîner.

zeun'tje *o.* (*sch.*) petit mousse *m.*

zeur *v.*(*m.*) **1** (*vod*) chiffon *m.*, loque *f.*; **2** (*kleinigheid*) bagatelle *f.*

zeur'der *m.* rabâcheur *m.*

zeu'ren *on.w.* rabâcher, rabattre les oreilles à qn.

zeu'rig *b.n.* rabâcheur, ennuyeux; (*v. toon*) traînard.

zeur'kous *v.*(*m.*) rabâcheuse *f.*

zeur'piet, *zie* ***zeurder.***

ze'ven I *ov.w.* tamiser, cribler; **II** *telw.* sept.

Ze'venbergen *o.* la Transylvanie.

ze'vende *telw.* septième.

zevendehalf' *telw.* six et demi.

ze'venderlei *b.n.* de sept sortes, de sept espèces.

Ze'vengebergte *o.* les Sept-Montagnes *f.pl.*

ze'vengesternte *o.* Pléiade *f.*

ze'venhoek *m.* heptagone *m.*

ze'venhoekig *b.n.* heptagone, heptagonal.

ze'venjarig *b.n.* de sept ans.

ze'venklapper *m.* pétard *m.*

zevenmaands' *b.n.* de sept mois.

ze'venmaker *m.* tamisier *m.*

zevenmijls'laarzen *mv.* bottes *f.pl.* de sept [lieues.

ze'venslaper *m.* (*Dk.*) loir *m.*

ze'vental *o.* sept.

ze'ventien *telw.* dix-sept.

ze'ventiende *telw.* **1** dix-septième; **2** dix-sept.

ze'ventig *telw.* soixante-dix; ***eenen*—,** soixante et onze.

ze'ventiger *m.* septuagénaire *m.*

ze'ventigjarig *b.n.* de soixante-dix ans, septuagénaire; ***een* —*e,*** un septuagénaire.

ze'venvlak *o.* heptaèdre *m.*

ze'venvoud *o.* septuple *m.*

ze'venvoudig *b.n.* septuple.

ze'ver *m.* bave *f.*

ze'veren *on.w.* baver.

zich *vnw.* se, soi; ***hij is aan* — *zelf overgelaten,*** il est abandonné à lui-même; ***hij*** (*of* ***zij***) ***had geen geld bij* —,** il (*of* elle) n'avait pas d'argent sur lui (*of* elle); ***bij* — *zelf zeggen,*** se dire; ***uit* — *zelf,*** spontanément, par lui-même; ***op* — *zelf,*** en soi.

zicht I *v.*(*m.*) (*zeis*) faucille, sape *f.*; **II** *o.* **1** vue *f.*; **2** (*uitzicht*) visibilité *f.*; ***acht dagen na* —,** (*H.*) à huit jours de vue; ***op* —,** (*H.*) à vue; ***op* — *vragen*** (*of* ***zenden***), (*H.*) demander (*of* envoyer) à condition; ***gebrek aan* —,** manque *m.* de visibilité.

zicht'baar I *b.n.* **1** visible; **2** (*waarneembaar*) perceptible, visible; **3** (*blijkbaar*) évident, manifeste; **II** *bw.* **1** visiblement; **2** (*zienderogen*) à vue d'œil.

zicht'baarheid *v.* visibilité *f.*

zich'ten *ov.w.* couper avec (*of* à) la faucille.

zicht'koers *m.* change *m.* à vue.

zicht'papier *o.* traites *f.pl.* à vue.

zicht'wissel *m.* (*H.*) effet *m.* à vue.

zicht'zending *v.* (*H.*) envoi *m.* à condition; (*v. boeken, enz.*) envoi à vue (*of* à l'examen).

zichzelf', *zie* ***zich.***

ziedaar' *bw.* voilà.

zie'den I *ov.w.* **1** faire bouillir; **2** (*suiker*) raffiner; **3** (*zeep*) faire, fabriquer; **II** *on.w.* bouillir.

zie'der *m.* bouilleur *m.*; chaudière *f.*

ziehier' *bw.* voici.

ziek *b.n.* malade; **— *worden,*** tomber malade; **— *liggen,*** être malade, être alité.

ziek'bed *o.* lit *m.* de malade; (*ziekte*) maladie *f.*; ***aan 't* — *gekluisterd,*** cloué sur son lit de souffrance (*of* de douleur); ***op 't* — *liggen,*** être malade.

zie'ke *m.-v.* malade *m.-f.*

zie'kelijk *b.n.* **1** maladif; **2** (*gen. en fig.*) morbide.

zie'kelijkheid *v.* état *m.* maladif, mauvaise santé *f.*

zie'ken *on.w.* être malade, languir.

zie'kenauto *m.* auto*-ambulance*, ambulance *f.*

zie'kenbewaarder *m.* **1** (*alg.*) garde*-malade* *m.*; **2** (*in ziekenhuis*) infirmier *m.*

zie'kenbezoek *o.* visite *f.* des malades.

zie'kenboeg *m.* poste *m.* des malades.

zie'kendrager *m.* (*mil.*) brancardier *m.*

zie'kenfonds *o.* caisse *f.* de secours en cas de maladie, mutualité *f.*

zie'kenhuis *o.* hôpital *m.*; ***in het* — *opnemen,*** [hospitaliser.

zie'kenhuiswezen *o.* organisation *f.* hospitalière, système *m.* hospitalier.

zie'kenkamer *v.*(*m.*) chambre *f.* de malade.

zie'kenkas, *zie* ***ziekenfonds.***

zie'kenoppasser, *zie* ***ziekenverpleger.***

zie'kenrapport *o.* (*mil.*) visite *f.* sanitaire.

zie'kenstoel *m.* chaise *f.* longue.

zie'kentrein *m.* train*-hôpital, train *m.* sanitaire.

zie'kenverpleegster *v.* infirmière *f.*

zie'kenverpleger *m.* infirmier, garde*-malade* [*m.*

zie'kenverpleging *v.* **1** (*handeling*) soins *m.pl.* donnés aux malades; **2** (*plaats*) maison *f.* de santé, infirmerie *f.*, hôpital *m.*

zie'kenwagen *m.* (voiture *f.* d')ambulance *f.*

zie'kenzaal *v.*(*m.*) **1** infirmerie *f.*; **2** (*in ziekenhuis*) salle *f.* d'hôpital.

zie'kenzuster *v.* (sœur) infirmière *f.*

ziek'te *v.* maladie *f.*; ***een* — *onder de leden hebben,*** couver une maladie; ***besmettelijke* —,** maladie contagieuse; ***vallende* —,** épilepsie *f.*

ziek'tebacil *m.* microbe *m.* pathogène.

ziek'tebeeld *o.* syndrome *m.*

ziek'tegeval *o.* cas *m.* de maladie.

ziek'tekiem *v.*(*m.*) germe *m.* morbide, — de maladie.

ziek'tenkunde *v.* pathologie *f.*

ziek'tenleer *v.*(*m.*) pathologie *f.*

ziek'teproces *o.* cours *m.* de la maladie.

ziek'testof *v.*(*m.*) agent *m.* pathogène.

ziek'teteken *o.* symptôme *m.*

ziek'tetoestand *m.* état *m.* morbide.

ziek'teverlof *o.* congé *m.* de maladie; (*voor herstel*) — de convalescence.

ziek'teverloop *o.* cours *m.* de la maladie, marche [*f.* —.

ziek'teverschijnsel *o.* symptôme *m.*

ziek'teverwekkend *b.n.* pathogène.

ziek'teverwekker *m.* agent *m.* pathogène.

ziek'teverzekering *v.* assurance *f.* contre la maladie, assurance *f.* maladie.

ziel *v.*(*m.*) **1** âme *f.*; **2** (*v. fles*) cul *m.*; ***een goede* —,** une bonne âme, un bonhomme, une bonne femme; ***arme* — *!*** pauvre homme ! pauvre femme ! ***door de* — *snijden,*** fendre le cœur; ***er was geen***

levende —, il n'y avait âme qui vive; ***met zijn — onder zijn arm lopen,*** marcher au hasard, n'avoir rien à faire, ne savoir que faire; ***ter —e gaan,*** rendre l'âme; ***een gezonde — in een gezond lichaam,*** un esprit sain dans un corps sain; ***hoe meer —en, hoe meer vreugd,*** plus on est de fous plus on rit.

zie'leadel *m.* grandeur *f.* d'âme, noblesse *f.* d'âme, — de cœur, — de caractère.

zie'legrootheid *v.* grandeur *f.* d'âme, magnanimité *f.*

zie'leheil *o.* salut *m.* de l'âme.

zie'leleed *o.* affliction *f.*, souffrance *f.* morale.

zie'leleven *o.* vie *f.* intérieure, — morale.

zie'lelijden *o.* souffrance *f.* morale.

ziel'(e)mis *v.(m.)* messe *f.* de requiem.

zie'lenherder *m.* pasteur *m.* des âmes.

zie'lental *o.* nombre *m.* d'habitants, — d'âmes.

zie'lenzorg, *zie **zielzorg.***

zie'lerust, ziels'rust *v.(m.)* **1** (*v. levende*) paix *f.* intérieure, quiétude *f.*; **2** (*v. overledene*) repos *m.* de l'âme.

zie'lesmart *v.(m.)* peine *f.* morale, douleur *f.* de l'âme.

zie'lestrijd *m.* lutte *f.* intérieure.

zie'letroost *m.* consolation *f.* spirituelle.

zie'levrede *m.* paix *f.* de l'âme.

zie'lig *b.n.* pitoyable, triste.

ziel'kunde *v.* psychologie *f.*

zielkun'dig *b.n.* psychologique.

zielkun'dige *m.* psychologue *m.*

ziel'loos *b.n.* sans vie, inanimé.

ziel'mis, zie'lemis *v.(m.)* messe *f.* de requiem.

ziel'roerend *b.n.* pathétique, attendrissant, touchant.

ziels'aandoening *v.* émotion *f.*

ziels'angst *m.* angoisse *f.*, transes *f.pl.* mortelles.

ziels'bedroefd *b.n.* navré, profondément affligé.

ziels'blij(de) *b.n.* ravi (de joie).

ziels'graag *bw.* de toute son âme.

ziels'kracht *v.(m.)* force *f.* d'âme, énergie *f.*

ziels'lief *b.n.*, ***— hebben,*** aimer de tout son cœur, — de toute son âme.

ziels'rust, *zie **zielerust.***

ziels'toestand *m.* état *m.* d'âme.

ziels'veel *bw.* de tout son (mon, etc.) cœur, de toute son âme; ***— van iem. houden,*** aimer qn. de tout son cœur, adorer qn.

ziels'verhuizing *v.* métempsycose *f.*, transmigration *f.* des âmes.

ziels'verlangen *o.* désir *m.* ardent.

ziels'vermogen *o.* faculté *f.* de l'âme.

ziels'verrukking, ziels'vervoering *v.* extase *f.*

ziels'vriend(in) *m.(v.)* ami(e) *m.(f.)* intime.

ziels'ziek *b.n.* psychopathique.

ziels'ziekte *v.* psychose *f.*, maladie *f.* de l'âme.

ziels'zorg, *zie **zielzorg.***

ziel'togen *on.w.* agoniser, être à l'agonie.

ziel'togend *b.n.* moribond, mourant.

ziel'togende *m.* moribond, agonisant *m.*

ziel'verheffend *b.n.* sublime.

ziel'verzorger *m.* directeur *m.* de conscience, confesseur *m.*; qui a charge d'âmes *m.*

ziel'zorg, ziel'enzorg, ziels'zorg *v.(m.)* charge *f.* d'âmes.

zien I *ov.w.* **1** (*alg.*) voir; **2** (*bemerken*) apercevoir; **3** (*onderscheiden*) distinguer; ***geen steek —, geen hand voor de ogen —,*** ne (*ou* n'y) voir goutte; ***laten —,*** montrer, faire voir; ***naar iets —,*** regarder qc.; ***om zich heen —,*** regarder autour de soi; ***ik zou graag — dat u dat deed,*** j'aimerais que vous fassiez cela; ***u moet — op tijd te komen,*** il faut tâcher de venir à temps; ***iem. gaarne —,*** aimer qn.; ***iem. niet kunnen —,*** ne pouvoir sentir qn.; ***op zijn horloge —,*** regarder à sa montre, regarder l'heure; ***hij ziet niet nauw,*** il n'est pas regardant; ***hij ziet niet op de prijs,*** il ne regarde pas au prix; ***zo te —,*** à le voir; ***die kamer ziet op de tuin,*** cette chambre donne sur le jardin; **II** *on.w.* voir; ***goed —,*** avoir de bons yeux, avoir la vue bonne; ***dubbel —,*** voir double; ***bleek —,*** être pâle; ***zie blz. 50,*** voir page 50; ***dat ziet niet op mij,*** cela ne s'adresse pas à moi; ***ik zal nog eens —,*** je réfléchirai; ***de afgunst ziet hem de ogen uit,*** l'envie se lit sur son visage; ***hij ziet er gelukkig uit,*** il a l'air heureux; ***u ziet beter dan ik,*** vous avez meilleure vue que moi; ***naar ik zie,*** à ce que je vois; ***zie eens!*** regardez! ***kunt u nog —?*** vous voyez encore assez clair? ***hij ziet niet verder dan zijn neus lang is,*** il ne voit pas plus loin que le bout de son nez; **III** *z.n.*, *o.* vue *f.*; ***het — kost u niets,*** on ne paye pas pour voir; ***bij het — van,*** à la vue de; ***tot —s,*** au revoir.

zien'derogen *bw.* à vue d'œil.

zie'ner *m.* **1** voyant, visionnaire *m.*; **2** (*profeet*) prophète *m.*

zie'nersblik *m.*, **zie'nersoog** *o.* œil *m.* prophétique.

zien'lijk *b.n.* visible.

ziens'wijs, -wijze *v.(m.)* manière *f.* de voir, façon *f.* —; (*mening*) opinion *f.*; ***van — veranderen,*** changer d'opinion.

zier *v.(m.)* **1** (*Dk.*) ciron *m.*; **2** (*fig.*) un peu, un rien; ***geen —,*** rien du tout, pas une miette, pas ombre de; ***ik geef er geen — om,*** je m'en moque comme de l'an quarante, — comme d'une guigne.

ziezo' *tw.* çà y est, c'est cela, voilà.

zift *v.(m.)* tamis, crible *m.*

zif'ten *ov.w.* **1** tamiser, cribler; **2** (*fig.*) passer au crible, éplucher, critiquer.

zif'ter *m.* **1** cribleur *m.*; **2** (*fig.*) chicaneur *m.*

zifterij' *v.* **1** criblage *m.*; **2** chicane(rie) *f.*

zigeu'ner *m.* Bohémien, tzigane *m.*

zigeu'nermeisje *o.* (jeune) Bohémienne *f.*

zig'zag *m.* zigzag *m.*

zig'zagsgewijs, -gewijze *bw.* en zigzag; ***— gaan,*** aller en zigzag, zigzaguer.

zij I *pers. vnw.* elle; ils, eux; elles; **II** *z.n.*, *v.* **1** (*v. persoon*) fille *f.*; **2** (*v. dier*) femelle *f.*; **III** *zie **zijde.***

zij'aanval *m.* attaque *f.* de flanc.

zij'aanzicht *o.* profil *m.*; vue *f.* de côté.

zij'achtig, zij'deachtig *b.n.* soyeux.

zij'altaar *o. en m.* autel *m.* latéral.

zij'beuk *m. en v.* nef *f.* latérale, bas-côté* *m.*

zij'(de) I *v.(m.)* **1** (*kant*) côté *m.*; **2** (*zijvlak*) face *f.*; **3** (*spek*) flèche *f.*; **4** (*flank*) flanc *m.*; ***goede —,*** (*v. stof*) endroit *m.*; ***verkeerde —,*** envers *m.*; ***de zwakke —,*** le côté faible; ***ter ener —, ter anderer —,*** d'une part, d'autre part; ***ter — leggen,*** mettre de côté; ***ter — staan,*** assister, seconder; ***van welingelichte — vernemen,*** apprendre de source autorisée; ***aan deze —,*** de ce côté(-ci); ***aan deze — van,*** en deçà de; ***aan gene — van,*** au delà de; ***van vaders zijde,*** du côté du père, consanguin, paternel; ***op — gaan,*** se ranger; s'écarter; faire place; ***— aan —,*** côte à côte; ***ter —,*** à part; ***van ter — aanzien,*** regarder de travers; **II** soie *f.*; ***—n stoffen,*** soieries *f.pl.*; ***— bij iets spinnen,*** tirer profit de qc.

zij'deaap *m.* ouistiti *m.*

zij'(de)achtig *b.n.* soyeux.

zij'defabriek *v.* soierie *f.*

zij'dehandel *m.* commerce *m.* de soieries.

zij'dehandelaar *m.* marchand *m.* de soieries.

zij'(de)lings I *bw.* de côté; indirectement; d'une façon détournée; **II** *b.n.* **1** de côté, latéral; **2** (*niet*

rechtstreeks) indirect; **3** (*v. middel, verwijt*) détourné; **4** (*v. bloedverwantschap*) collatéral.
zij'den *b.n.* de soie; — ***stoffen,*** soieries *f.pl.*
zij'depapier *o.* papier *m.* de soie.
zij'derups *v.(m.)* ver *m.* à soie.
zijdespinnerij' *v.* filature *f.* de soie.
zij'deteelt *v.(m.)* sériciculture *f.*
zij'detwijnder *m.* retordeur, moulinier, moulineur [*m.*
zij'detwijnderij' *v.* moulinage *m.*
zij'deur *v.(m.)* porte *f.* latérale.
zij'dewerk *o.* soierie *f.*
zij'dewever *m.* tisserand *m.* en soie.
zijdeweverij' *v.* manufacture *f.* de soie.
zij'deworm *m.* ver *m.* à soie.
zij'galerij *v.* galerie *f.* latérale.
zij'gang *m.* **1** (*in gebouw*) couloir *m.* latéral; **2** (*in mijn*) galerie *f.* latérale.
zij'gebouw *o.* aile, dépendance *f.*
zij'gen *ov.w.* filtrer, couler.
zij'gevel *m.* façade *f.* de côté.
zij'ig *b.n.* soyeux.
zij'ingang *m.* entrée *f.* latérale.
zij'kamer *v.(m.)* **1** chambre *f.* latérale, — **d'à côté**; **2** (*wachtkamer*) antichambre *f.*
zij'kanaal *o.* canal *m.* latéral, — d'embranchement.
zij'kant *m.* côté *m.*
zij'laan *v.(m.)* **1** (*evenwijdig*) contre-allée* *f.*; **2** (*dwars*—) allée *f.* de traverse, — transversale.
zij'leuning *v.* accotoir, bras *m.* [côté.
zij'licht *o.* **1** jour *m.* de côté; **2** (*sch.*) feu *m.* de
zij'lijn *v.(m.)* **1** (*v. spoorw.*) embranchement *m.*; **2** (*zijlinie*) ligne *f.* collatérale, branche *f.* —.
zij'lings, *zie* ***zijdelings.***
zij'muur *m.* mur *m.* latéral.
zijn I *on.w.* être; ***daar — ze,*** les voilà; ***dat kan —,*** cela se peut; ***er is iemand,*** il y a qn.; ***er — kinderen,*** il y a des enfants; ***er — er vijf,*** il y en a cinq; ***hij is naar Brussel,*** il est allé à Bruxelles; ***hij is vijftig,*** il a cinquante ans; ***dat is zo,*** c'est ainsi, c'est vrai; ***het zij zo!*** soit! ***hoe is 't met hem?*** comment va-t-il? ***twee maal twee is vier,*** deux fois deux font quatre; ***morgen is het twee jaar,*** demain il y aura deux ans; ***het is of,*** il paraît que, il me semble que; ***hij is niet meer,*** il n'est plus, il est décédé; ***het is vandaag de tiende,*** nous sommes (*of* c'est) aujourd'hui le dix; ***het is koud,*** il fait froid; **II** *z.n.,* ***het —,*** l'être *m.*; **II** *bez. vnw.* son, sa, ses; ***het —e, de —e,*** le sien, la sienne, les siens; ***de —en,*** les siens; ***aan ieder het —e geven,*** donner à chacun ce qui lui revient; ***hij heeft pijn aan zijn been,*** il a mal à la jambe; ***— been breken,*** se casser la jambe.
zij'nent, ***te —,*** *bw.* chez lui.
zij'nentwege *bw.* de sa part. [de lui.
zij'nentwille *bw.,* ***om —,*** pour lui, pour l'amour
zij'nerzijds *bw.* de son côté.
zij'opening *v.* ouverture *f.* latérale.
zij'pad *o.* sentier *m.* de traverse, traverse *f.*
zij'pelen, sij'pelen *on.w.* suinter.
zij'raam *o.* fenêtre *f.* latérale.
zij'rivier *v.(m.)* affluent *m.*
zij'schip *o.* nef *f.* latérale.
zij'spanwagen *m.* side-car* *m.*
zij'spoor *o.* voie *f.* de garage, — d'évitement.
zij'sprong *m.* saut *m.* de côté, écart *m.*
zij'straat *v.(m.)* **1** (*aan één zijde*) rue *f.* latérale; **2** (*aan beide zijden*) rue *f.* de traverse.
zij'stuk *o.* **1** pièce *f.* latérale; **2** (*v. rund*) flanchet *m.*; **3** (*v. schaap*) carré *m.*
zij'tak *m.* **1** (*v. boom*) branche, ramification *f.*; **2** (*v. familie*) branche *f.* collatérale; **3** (*v. spoor*) embranchement *m.*; **4** (*v. rivier*) bras, affluent *m.*
zij'venster *o.* fenêtre *f.* latérale.
zij'vlak *o.* face *f.* latérale.
zij'vleugel *m.* aile *f.* latérale.
zij'waarts I *bw.* de côté; **II** *b.n.* de côté, latéral.
zij'wand *m.* paroi *f.* latérale.
zij'weg *m.* **1** chemin *m.* de traverse; **2** (*omweg*) détour *m.*, chemin *m.* détourné; **3** (*fig.*) chemin *m.* de traverse, détour *m.*, voie *f.* indirecte.
zilt'(ig) *b.n.* salé, salin, saumâtre.
zilt'heid *v.* goût *m.* saumâtre, — salin, salure *f.*
zil'ver *o.* **1** argent *m.*; **2** (*zilverwerk*) argenterie *f.*; ***verguld —,*** vermeil *m.* [argenté.
zil'verachtig *b.n.* **1** (*v. klank*) argentin; **2** (*v. glans*)
zil'verblad *o.* **1** argent *m.* en feuilles; **2** (*Pl.*) euphorbe *f.* des jardins.
zil'verblank *b.n.* argenté, d'un blanc argenté.
zil'verbon *m.* bon *m.* de monnaie.
zil'verdraad *o. en m.* fil *m.* d'argent.
zil'veren *b.n.* **1** d'argent; **2** (*v. klank*) argentin; **3** (*fig.*) argenté.
zil'vererts *o.* minerai *m.* d'argent.
zil'verfazant *m.* faisan *m.* argenté.
zil'vergehalte *o.* titre *m.*
zil'vergeld *o.* argent *m.*; monnaie *f.* d'argent.
zil'vergoed *o.* argenterie *f.*
zil'verhoudend *b.n.* argentifère.
zil'verkast *v.(m.)* argentier *m.*
zil'verklank *m.* son *m.* argentin.
zilverkleu'rig *b.n.* argenté.
zil'verling *m.* denier *m.*
zil'vermeeuw *v.(m.)* mouette *f.* argenté.
zil'vermijn *v.(m.)* mine *f.* d'argent.
zil'vermunt *v.(m.)* monnaie *f.* blanche.
zil'verpapier *o.* papier *m.* d'argent, — d'étain.
zil'verpopulier *m.* peuplier *m.* blanc.
zil'verreiger *m* (*groot*) héron *m.* huppé; (*klein*) aigrette *f.* [*f.* argentée.
zil'verschoon *v.(m.)* (*Pl.*) argentine *f.*, potentille
zil'versmid *m.* orfèvre *m.*
zil'versmidswinkel *m.* orfèvrerie *f.*
zil'verspar *m.* sapin *m.* blanc, épicéa *m.*
zil'verstuk *o.* pièce *f.* d'argent.
zil'vervis *m.* (*Dk.*) argentine *f.*, cyprin *m.* argenté.
zil'vervloot *v.(m.)* galions *m.pl.* d'Espagne.
zil'vervos *m.* renard *m.* argenté.
zil'verwerk *o.* argenterie *f.*
zil'verwilg *m.* saule *m.* blanc.
zil'verwinkel *m.* magasin *m.* d'argenterie; — d'orfèvrerie (*goud en —*).
zil'verwit *b.n.* argenté.
zin *m.* **1** (*alg.*) sens *m.*; **2** (*betekenis*) signification *f.*, sens *m.*; (*v. woord ook:*) acception *f.*; **3** (*strekking*) tendance *f.*; **4** (*draagwijdte*) portée *f.*; **5** (*bedoeling*) intention *f.*; **6** (*wil*) gré *m.*, volonté *f.*; **7** (*lust*) envie *f.*; **8** (*mening, zienswijze*) avis *m.*, opinion *f.*; **9** (*gram.*) phrase, proposition *f.*; ***zoveel hoofden, zoveel —nen,*** autant de têtes, autant d'avis; ***zijn eigen — doen,*** en faire à sa tête, suivre son idée; ***iemands — doen,*** faire les volontés de qn.; ***— krijgen in,*** prendre goût à; ***van zijn —nen beroofd zijn,*** être privé de sa raison; ***niet goed bij zijn —nen zijn,*** avoir la tête qui chavire; ***zijn — krijgen,*** obtenir ce qu'on veut; (*in zaak*) obtenir (*of* avoir) gain de cause; ***het iem. naar de — maken,*** contenter qn.; ***het iedereen naar de — maken,*** plaire à tout le monde; ***men kan het niet iedereen naar de — maken,*** on ne peut contenter tout le monde et son père; ***het ergens naar zijn — hebben,*** se plaire quelque part; ***heb je er — in?*** cela vous dit qc.? en as-tu envie? ***ik heb er wel — in,*** je veux bien; ***als u er — in hebt,*** si le

cœur vous en dit; ***tegen zijn* —,** contre son gré; ***in die* —,** dans ce sens; ***in eigenlijke* —,** au sens propre; ***in figuurlijke* —,** au sens figuré; ***in de ruimste — des woords,*** dans toute la force du terme; ***in zekere* —,** en quelque sorte, en un sens; ***dat heeft geen* —,** cela n'a pas de raison d'être; ***iets in verkeerde — opvatten,*** prendre qc. de travers; ***van —s zijn,*** avoir en vue de, se proposer de; ***zijn —nen bij elkaar houden,*** rester maître de soi; ***zijn —nen gezet hebben op,*** désirer ardemment, vouloir à tout prix; ***zijn —nen verzetten,*** se distraire.

zin'deel, zins'deel *o.* partie *f.* de la phrase.
zin'delijk I *b.n.* propre; **II** *bw.* proprement.
zin'delijkheid *v.* propreté *f.*
zin'gen I *ov.w.en on.w.* chanter; ***zacht* —,** chanter bas; ***heel zacht* —,** fredonner; ***in slaap* —,** endormir en chantant; **II** *z.n.*, ***het* —,** le chant; ***bij het* —,** en chantant.
zin'genot *o.* plaisir *m.* des sens, volupté *f.*
zink *o.* zinc *m.*; ***elektrolytisch* —,** zinc électrolytique.
zink'bekleding *v.* doublage *m.* en zinc.
zink'boor *v.(m.)* (*tn.*) fraise *f.*
zin'ken I *b.n.* de zinc; **II** *on.w.* **1** (*in water, slijk, enz.*) s'enfoncer; **2** (*schip*) couler (bas), sombrer; ***loodrecht* —,** couler à pic; ***in elkaar* —,** s'affaisser; ***de moed laten* —,** perdre courage; (*fig.*) ***hij is diep gezonken,*** il est tombé bien bas.
zink'erts *o.* minerai *m.* de zinc.
zink'houdend *b.n.* zincifère.
zin'king *v.* fluxion *f.*, catarrhe *m.*
zin'king(s)koorts *v.(m.)* fièvre *f.* catarrhale.
zink'lood *o.* sonde *f.*
zink'mijn *v.(m.)* mine *f.* de zinc.
zink'net *o.* carrelet *m.*
zink'plaat *v.(m.)* plaque *f.* de zinc.
zink'put *m.* puisard *m.*
zink'stuk *o.* caisson *m.*
zink'werker *m.* zingueur *m.*
zink'wit *o.* blanc *m.* de zinc.
zink'zalf *v.(m.)* onguent *m.* au blanc de zinc.
zinle'dig *b.n.* vide de sens; (*dwaas*) inepte; (*onbeduidend*) insignifiant.
zinle'digheid *v.* ineptie *f.*
zinlijk(-), *zie* ***zinnelijk(-).***
zin'loos *b.n.* inepte, vide de sens.
zin'loosheid *v.* ineptie *f.*
zin'nebeeld *o.* emblème, symbole *m.*
zinnebeel'dig *b.n.* emblématique, symbolique.
zin'(ne)lijk I *b.n.* **1** (*door de zinnen gebeurende*) sensible, tombant sous les sens, physique; **2** (*van de zinnen, de zinnen strelend*) des sens, sensuel; **II** *bw.* **1** sensiblement, par les sens; **2** sensuellement.
zin'(ne)lijkheid *v.* sensualité *f.*
zin'neloos *b.n.* insensé, fou.
zin'neloosheid *v.* folie, démence *f.*; (*fig. ook:*) égarement *m.*
zin'nen (*op*) *on.w.* méditer (sur), réfléchir (à, sur); ***— op een plan,*** méditer un projet.
zin'nig *b.n.* sensé.
Zin'nik *o.* Soignies.
zin'rijk *b.n.* **1** (*rijk van zin*) plein de sens; **2** (*doordacht; vernuftig*) profond; ingénieux.
zin'rijkheid *v.* profondeur, portée *f.*
zins'accent, -aksent *o.* accent *m.* phraséologique.
zins'bedrog *o.*, **zins'begoocheling** *v.* illusion, hallucination *f.*
zins'bouw *m.* construction *f.* de la phrase.
zin(s)'deel *o.* partie *f.* de la phrase.
zin'snede *v.(m.)* phrase *f.*
zins'ontleding *v.* analyse *f.* (logique).
zin'spelen (*op*) *on.w.* faire allusion (à).
zin'speling *v.* allusion *f.*
zin'spreuk *v.(m.)* **1** (*kernspreuk*) maxime, sentence *f.*, aphorisme *m.*; **2** (*leus: op wapen*) devise *f.*
zin'spreukig *b.n.* sentencieux.
zin'storend *b.n.* qui altère le sens de la phrase (*of* du texte).
zins'verband *o.* **1** (*met omgevende tekst*) contexte *m.*; **2** (*zinsbouw*) construction; syntaxe *f.*; ***nevenschikkend* —,** syntaxe de coordination; ***onderschikkend* —,** syntaxe de subordination.
zins'verbijstering *v.* folie, aliénation *f.*, aberration *f.* mentale.
zins'verdoving *v.* torpeur, léthargie *f.*
zins'vervoering *v.* extase *f.*, ravissement *m.*
zins'wending *v.* tournure *f.*
zin'teken *o.* signe *m.* de ponctuation.
zin'tuig *o.* sens *m.*, organe *m.* (des sens).
zintuig'lijk *b.n.* sensoriel.
zin'verwant *b.n.* synonyme; ***— woord,*** synonyme *m.*
zin'verwantschap *v.* synonymie *f.*
Zi'on *o.* Sion *f.*
zionis'me *o.* sionisme *m.*
zionist' *m.* Sioniste *m.*
zionis'tisch *b.n.* sioniste.
zit *m.* séance *f.*; ***een hele* —, 1** une longue séance; **2** (*v. reis*) tout un voyage; ***geen — hebben,*** ne pas tenir en place; ***hij heeft geen — in 't lijf,*** c'est un cul de plomb, il a la bougeotte; ***neem een* —,** asseyez-vous.
zit'bad *o.* bain *m.* de siège.
zit'bank *v.(m.)* **1** banc *m.*; **2** (*zonder leuning of vast aan muur, enz.*) banquette *f.*
zit'bankje *o.* tabouret *m.*
zit'dag *m.* jour *m.* de séance, — d'audience.
zit'hoek *m.* coin *m.* intime.
zit'je *o.* **1** coin *m.*; **2** (*op fiets*) porte-bébé *m.*; ***een gezellig* —,** un coin intime; cosy-corner, cosy *m.*
zit'kamer *v.(m.)* salon *m.*; (*huiskamer*) salle *f.* à manger.
zit'plaats *v.(m.)* place, place *f.* assise.
zitslaap'kamer *v.(m.)* studio *m.*
zit'stang *v.(m.)* perchoir *m.*
zit'ten *on.w.* **1** (*alg.*) être assis; **2** (*v. vogel, enz.*) être posé, se trouver; **3** (*op tak*) percher; **4** (*v. kleren*) aller; **5** (*zitting houden*) siéger; ***te paard* —,** être à cheval; ***u zit te veel,*** vous êtes trop sédentaire; ***veel thuis* —,** être casanier; ***aan tafel* —,** être à table; ***die zit,*** touché; ***hoe zit dat?*** comment cela se fait-il? ***dat zit zo,*** voici la chose; ***dat zit nog,*** c'est à voir, c'est une question; ***hij zit te lezen,*** il lit; ***hij zit te schrijven,*** il écrit; ***gaan* —,** s'asseoir; ***stil* —,** ne pas bouger, rester tranquille; ***we — hier goed,*** nous sommes bien ici; ***die jas zit u goed,*** cette redingote vous va bien; ***die jas zit te nauw,*** cet habit est trop juste; ***hij zit ermee,*** il ne sait qu'en faire, il est bien ennuyé; ***er goed bij* —,** avoir son pain cuit; ***blijven* —, 1** (*niet opstaan*) rester assis; **2** (*op school*) doubler sa classe; **3** (*op bal*) faire tapisserie; **4** (*ongehuwd*) coiffer sainte Catherine, rester sur le carreau; ***waar zit hij toch?*** où peut-il être? ***het zit er niet aan,*** les fonds sont bas, je suis (à) court d'argent; ***elkaar in het haar* —,** se prendre aux cheveux; ***iem. op de hielen* —,** talonner qn., poursuivre qn.; ***in het bestuur* —,** être membre du bureau; ***er zit iets achter,*** il y a qc. là-dessous; ***waar zit dat in?*** à quoi cela tient-il? ***daar zit niets anders op,*** il n'y a rien à faire; ***hij is met die goederen blijven* —,** ces marchandises lui sont restées pour compte; ***zij is met drie kinderen blijven* —,** elle est restée avec trois enfants sur les bras; ***hij heeft haar laten* —,** il l'a abandonnée;

de sleutel op de deur laten* —,** laisser la clef sur la porte; ***hij moet twee jaar* —,** il doit faire deux ans de prison; ***hij zit in Brussel, il est à Bruxelles; ***in schulden* —,** être endetté; ***dat zit niet in hem,*** ce n'est pas dans son caractère (*of* sa nature); ***het zit in de familie,*** c'est dans la famille; ***er zit niet veel bij,*** ce n'est pas un aigle, il n'a rien dans son sac; ***hij zit in de vierde,*** il est en quatrième; ***op de hurken* —,** être accroupi; ***stemmen bij — en opstaan,*** voter par assis et levé; ***los* —,** ne pas tenir; ***mooi* —,** (*v. hond*) faire le beau.
zit'tend *b.n.* **1** assis; **2** (*v. leven, werk*) sédentaire.
Zit'tert-Lum'men *o.* Zetrud-Lumay.
zit'tijd *m.* séance *f.*
zit'ting *v.* **1** séance *f.*; **2** (*v. rechtbank*) audience *f.*; **3** (*zittingstijd*) session *f.*; **4** (*v. stoel*) siège *m.*; ***— houden,*** tenir séance, siéger; ***— hebben in het bestuur,*** être du bureau, faire partie du bureau; ***gedurende de* —,** séance tenante; ***stoel met rieten* —,** chaise cannée.
zit'tingsduur *m.* durée *f.* de la séance.
zit'tingsjaar *o.* session *f.*
zit'vlak *o.* derrière, séant *m.* [place.
zit'vlees *o.*, ***hij heeft geen* —,** il ne tient pas en
zlo'ty *v.* zloty *m.*
zo I *bw.* **1** (*zodanig*) ainsi, comme cela; **2** (*op die manier*) de cette manière, ainsi, comme cela; **3** (*in die mate*) si, tant, tellement; à ce point, à tel point; **4** (*even*) aussi, si; **5** (*dadelijk*) tout de suite, à l'instant, aussitôt; ***— klein,*** petit comme cela; ***— klein als hij,*** aussi petit que lui; ***niet — klein als hij,*** pas (aus)si petit que lui; ***— dom is hij,*** tant il est bête; ***hoe — ?*** comment (cela) ? ***net* —,** exactement de la même manière; ***al is hij nog — slim,*** si rusé qu'il puisse être, tout rusé qu'il soit; ***— gezegd, — gedaan,*** aussitôt dit, aussitôt fait; ***hij is — thuisgekomen,*** il vient de rentrer; ***het zij zo !*** soit ! ***— goed als niets,*** si peu que rien; ***— iemand,*** un tel (*of* pareil) homme; ***— iets,*** une telle chose; ***— iets moois,*** qc. de si beau; ***— maar,*** pour rien, comme ça; ***al is het nog — weinig,*** si peu que ce soit; ***om — te zeggen,*** pour ainsi dire; ***het is maar —, —,*** c'est couci-couça; c'est comme ci, comme ça; ***— maar uit de fles drinken,*** boire à même la bouteille; ***ik heb —'n honger,*** j'ai si faim; ***—, — !*** tiens, tiens ! ***— is het niet,*** il n'en est pas ainsi; **II** *vw.* **1** (*indien*) si; **2** (*even*) comme; ***— ja,*** si oui, dans l'affirmative; ***— niet,*** sinon; ***— nodig,*** au besoin; **III** *z.n.*, *v.*(*m.*) quantité *f.*; foule *f.*; ***een — vis,*** une friture; ***de hele* —,** tout le bazar; toute la bande.
zoals' *vw.* comme, ainsi que.
zoda'nig I *aanw. vnw.* tel, pareil; **II** *bw.* tellement; ***— dat,*** de telle façon que.
zodat' *vw.* de sorte que, si bien que.
zo'de *v.*(*m.*) motte *f.* de gazon, plaque *f.* —, gazon *m.*; ***dat zet geen —n aan de dijk,*** cela ne rapporte rien, cela ne fait pas bouillir la marmite.
zo'denbank *v.*(*m.*) banc *m.* de gazon.
zo'densnijder *m.* coupe-gazon, tranche-gazon *m.*
zodiak' *m.* zodiaque *m.*
zodoen'de *bw.* ainsi, de cette manière.
zodra' I *vw.* aussitôt que, dès que; **II** *bw.* aussitôt que; ***— mogelijk,*** aussitôt que possible; ***niet — was hij vertrokken, of...,*** il ne fut pas plus tôt parti que.
zoeaaf', zouaaf' *m.* zouave *m.*
zoek *bw.*, ***— brengen,*** perdre; ***— maken,*** perdre; égarer; ***— raken,*** se perdre, s'égarer; ***— zijn,*** être perdu, — égaré; ***de dief is nog* —,** le voleur court encore; ***op — naar,*** en quête de, à la recherche de.
zoek'brengen *ov.w.* perdre.
zoe'ken I *ov.w.* **1** (*alg.*) chercher; **2** (*doorzoeken*) fouiller, visiter; ***dat had ik achter hem niet gezocht,*** je ne l'aurais pas pensé de lui; ***hij zoekt overal wat achter,*** il cherche malice à tout; ***iem.* —, 1** chercher qn.; **2** (*fig.*) chercher des poux à qn., chercher querelle à qn.; **II** *on.w.*, ***naar iem.* (*iets*) —,** chercher qn. (qc.); **III** *z.n.*, ***het* —,** la recherche.
zoe'kend *b.n.* chercheur. [*m.*
zoe'ker *m.* **1** (*persoon*) chercheur *m.*; **2** (*fot.*) viseur
zoek'licht *o.* projecteur *m.* [blant.
zoel *b.n.* **1** (*lauw*) tiède; **2** (*drukkend*) lourd, acca-
zoel'heid *v.* tiédeur *f.*
Zoe'loe *m.* Zoulou *m.*
Zoe'loeland *o.* le Zoulouland.
zoe'men *on.w.* bourdonner.
zoe'mer *m.* vibreur, trembleur *m.*
zoem'(er)toon *m.* bourdonnement *m.*, tonalité *f.*
zoen *m.* **1** baiser *m.*; **2** (*verzoening*) réconciliation *f.*; ***een — geven,*** donner un baiser, embrasser.
zoen'dood *m. en v.* mort *f.* expiatoire.
zoe'nen *ov.w.* embrasser, donner un baiser; ***elkaar* —,** s'embrasser.
zoe'nerig *b.n.* bichon.
zoen'offer *o.* sacrifice *m.* expiatoire.
zoet I *b.n.* **1** (*alg.*) doux; **2** (*v. spijs, drank*) sucré; **3** (*volgzaam*) sage, gentil; ***— maken,* 1** sucrer; **2** (*gen.*) édulcorer, dulcifier; ***— smaken,*** avoir un goût sucré; ***de kinderen — houden,*** amuser les enfants; ***—e broodjes bakken,*** filer doux; **II** *bw.* **1** doucement; **2** sagement; **III** *z.n.*, *o.* douceur *f.*
zoet'achtig *b.n.* douceâtre, doucereux.
zoe'tekauw *m.-v.* qui aime les sucreries.
zoetekoek' *m.* pain *m.* d'épice.
zoe'telijk *b.n.* doucereux.
zoe'temelk *v.*(*m.*) lait *m.* frais; ***—se kaas,*** fromage à la crème, — gras.
zoe'ten *ov.w.* **1** (*spijs, enz.*) sucrer; **2** (*gen.*) édulcorer, dulcifier; **3** (*glad schaven*) adoucir.
zoet'heid *v.* **1** douceur *f.*; **2** (*zoete smaak*) goût *m.* sucré; **3** (*v. kind*) sagesse *f.*
zoet'hout *o.* réglisse *f.*, bois *m.* de réglisse.
zoe'tig *b.n.* douceâtre, doucereux. [*f.pl.*
zoe'tigheid *v.* **1** douceur *f.*; **2** (*snoepgoed*) sucreries
zoet'jes *bw.* doucement.
zoet'klinkend, zoet'luidend *b.n.* mélodieux, harmonieux.
zoet'middel *o.* édulcorant *m.*
zoetsap'pig I *b.n.* **1** douceâtre; **2** (*fig.*) doucereux, mielleux; **II** *bw.* doucereusement.
zoetsap'pigheid *v.* caractère *m.* doucereux.
zoet'stof *v.*(*m.*) édulcorant *m.*
zoet'vijl *v.*(*m.*) (*tn.*) lime *f.* douce.
zoet'vloeiend *b.n.* mélodieux, harmonieux. [*f.*
zoet'vloeiendheid *v.* mélodie, harmonie, suavité
zoetwa'ter *o.* eau *f.* douce. [douce.
zoetwa'terkreeft *m. en v.* écrevisse *f.* d'eau
zoetwa'tervis *m.* poisson *m.* d'eau douce.
zoet'zuur *b.n.* aigre-doux.
zoë'ven *bw.* tout à l'heure, tantôt, à l'instant; ***hij is — vertrokken,*** il vient de partir.
zog *o.* **1** lait *m.* (maternel); **2** (*v. schip*) sillage *m.*; ***in iemands — varen,*** se mettre à la remorque de qn., nager dans les eaux de qn.
zo'gen *ov.w.* allaiter.
zogenaamd' *b.n.* prétendu, soi-disant.
zogezegd' *bw.* autant dire, pour ainsi dire.
zogoed', — *als,* autant dire, comme; aussi bien que; ***— als dood,*** mort ou peu s'en faut.
zog'water *o.* sillage *m.*

zolang' (**als**) *vw.* aussi longtemps que, tant que.
zol'der *m.* **1** (*v. huis*) grenier *m.*; **2** (*zoldering*) plafond *m.*
zol'derbalk *m.* comble *m.*
zol'derdeur *v.*(*m.*) porte *f.* du grenier.
zol'deren *ov.w.* **1** (*op zolder brengen*) mettre en grenier; **2** (*plafonneren*) plafonner.
zol'dergat *o.* trappe *f.*
zol'dering *v.* plafond *m.*
zol'derkamer *v.*(*m.*) mansarde *f.*
zol'derlicht *o.* lucarne *f.*
zol'derluik *o.* trappe *f.* (de grenier).
zol'derraam *o.* lucarne *f.* [*m.* —.
zol'derschuit *v.*(*m.*) bateau *m.* ponté, chaland
zol'dertrap *m.* escalier *m.* du grenier.
zol'derverdieping *v.* étage *m.* des combles.
zo'men *ov.w.* ourler.
zo'mer *m.* été *m.*; ***des —s,*** en été; ***van de —,*** l'été prochain (*of* passé).
zo'merachtig *b.n.* d'été, estival.
zo'meravond *m.* soir *m.* d'été, soirée *f.* —.
zo'merbloem *v.*(*m.*) fleur *f.* estivale.
zo'merdag *m.* jour *m.* d'été, journée *f.* —.
zo'merdienst *m.* service *m.* d'été.
zo'merdraden *mv.* fils *m.pl.* de la Vierge.
zo'meren *onp.w.*, ***het zomert,*** l'été commence.
zo'mergast *m.* estivant *m.*
zo'mergoed *o.* vêtements *m.pl.* d'été.
zo'merhitte *v.* chaleur(s) *f.*(*pl.*) d'été.
zo'merhuis(je) *o.* **1** maison *f.* de campagne, chalet *m.* d'été; **2** (*in tuin*) tonnelle *f.*, pavillon *m.*
zo'merkoren *o.* blé *m.* de printemps. [d'été.
zo'mermaand *v.*(*m.*) juin *m.*; ***de —en,*** les mois
zo'mermorgen *m.* matinée *f.* d'été.
zo'mernacht *m.* nuit *f.* d'été.
zo'merpak *o.* costume *m.* d'été.
zo'merpeil *o.* niveau *m.* d'été, étiage *m.*
zo'mers *b.n.* d'été, estival.
zo'merseizoen *o.* saison *f.* d'été.
zo'mersproeten *mv.* taches *f.pl.* de rousseur.
zo'mertijd *m.* **1** (*zomer*) été *m.*; **2** (*uur*) heure *f.* d'été.
zo'mervakantie, -vacantie *v.* vacances *f.pl.* d'été, grandes vacances.
zo'merverblijf *o.* **1** résidence *f.* d'été, séjour *m.* d'été; **2** (*landhuis*) maison *f.* de campagne; **3** (*plaats*) station *f.* estivale.
zo'merwe(d)er *o.* temps *m.* d'été.
zo'merzonnestand *m.* solstice *m.* d'été.
zomin' *bw.*, ***— als,*** pas plus que.
zon *v.*(*m.*) soleil *m.*; ***de — schijnt,*** il fait du soleil; ***hij kan niet zien dat de — in 't water schijnt,*** c'est le chien du jardinier.
zon'daar *m.* pécheur *m.*
zon'daarsbankje *o.* sellette *f.*
zon'dag *m.* dimanche *m.*; ***des —s,*** le dimanche; ***op zon- en feestdagen,*** les dimanches et jours fériés.
zondaga'vond *m.* dimanche soir *m.*
zondagmor'gen *m.* dimanche matin *m.*
zondagnacht' *m.* dimanche *m.* dans la nuit.
zon'dags *b.n.* du dimanche; ***op zijn — gekleed,*** endimanché.
zon'dagsblad *o.* journal *m.* du dimanche, numéro *m.* du dimanche.
zon'dagsdienst *m.* service *m.* du dimanche.
zon'dagsgezicht *o.* mine *f.* épanouie. [manche.
zon'dagsheiliging *v.* sanctification *f.* du di-
zon'dagskind *o.* favori *m.* de la fortune; ***een — zijn,*** être né coiffé.
zon'dagskleren *mv.* habits *m.pl.* du dimanche; ***in —,*** endimanché.
zon'dagsletter *v.*(*m.*) (lettre) dominicale *f.*
zon'dagsmis *v.*(*m.*) messe *f.* du dimanche.
zon'dagspreek *v.*(*m.*) prône *m.* [chauffard *m.*
zon'dagsrijder *m.* chauffeur *m.* du dimanche,
zon'dagsrust *v.*(*m.*) repos *m.* dominical.
zon'dagsschool *v.*(*m.*) école *f.* du dimanche.
zon'dagssluiting *v.* fermeture *f.* des magasins le dimanche.
zon'dagswet *v.*(*m.*) loi *f.* sur le repos dominical.
zondares' *v.* pécheresse *f.*
zon'de *v.*(*m.*) péché *m.*; ***dagelijkse —,*** péché véniel; ***dood—,*** péché mortel; ***— tegen de H. Geest,*** péché contre l'esprit; ***vreemde —,*** péché d'autrui; ***lichte —,*** peccadille *f.*; ***'t is —*** (***jammer***), c'est dommage.
zon'debewustzijn *o.* conscience *f.* d'avoir péché; conscience *f.* du péché.
zon'debok *m.* bouc *m.* émissaire; (*fig. ook:*) souffre-douleur *m.*, tête *f.* de Turc.
zon'deloos *b.n.* sans péché, exempt de péché, impeccable. [bilité *f.*
zon'deloosheid *v.* absence *f.* de péché, impecca-
zon'denregister *o.* liste *f.* des péchés; ***iemands — opmaken,*** dresser l'acte d'accusation de qn.
zon'der *vz.* sans; ***— iets,*** sans rien; ***— hoed op,*** en cheveux; ***— meer,*** tout court.
zon'derling I *b.n.* singulier, étrange; bizarre; **II** *z.n.*, *m.* original *m.*
zon'derlingheid *v.* singularité, étrangeté; bizarrerie; originalité *f.*
zon'deval *m.* chute *f.* du premier homme, péché *m.* originel, chute *f.* par le péché.
zon'dig *b.n.* **1** enclin au péché; **2** (*schuldig*) coupable; ***de —e mens,*** l'homme déchu; ***een — mens,*** un pécheur; ***een — leven leiden,*** vivre dans le péché.
zon'digen *on.w.* pécher.
zond'vloed *m.* déluge *m.*
zo'ne *v.*(*m.*) zone *f.*
zon'eclips, -eklips *v.*(*m.*) éclipse *f.* de soleil.
zon'hoed, zon'nehoed *m.* panama *m.*
zon'kant *m.* côté *m.* exposé au soleil.
zon'licht, zon'nelicht *o.* lumière *f.* du soleil, — solaire.
zon'nebaan *v.*(*m.*) orbite *f.* du soleil, écliptique *f.*
zon'nebad *o.* bain *m.* de soleil.
zon'nebaden *on.w.* prendre un bain de soleil.
zon'neblind I *o.* persienne *f.*; **II** *b.n.* ébloui par le soleil.
zon'nebloem *v.*(*m.*) tournesol, soleil *m.*
zon'nebloemzaad *o.* graine *f.* de tournesol.
zon'nebrand *m.* hâle *m.*
zon'nebrandolie *v.*(*m.*) huile *f.* solaire, crème *f.* —, ambre *m.* —.
zon'nebril *m.* lunettes *f.pl.* fumées, — de soleil, — solaires, — noires.
zon'necirkel *m.* **1** zodiaque *m.*; **2** (*tijdperk*) cycle *m.* solaire.
zon'nedak *o.* **1** marquise *f.*; **2** (*sch.*) tendelet *m.*
zon'nedauw *m.* (*Pl.*) rossolis *m.*
zon'nedek *o.* (*sch.*) tendelet *m.*
zon'neglans *m.* éclat *m.* du soleil.
zon'negloed *m.* ardeur *f.* du soleil.
zon'negod *m.* dieu *m.* du soleil, Phébus *m.*
zon'nehelm *m.* casque *m.* colonial.
zon'nehitte *v.* ardeur *f.* du soleil.
zon'(ne)hoed *m.* panama *m.*
zon'nejaar *o.* année *f.* solaire.
zon'neklaar *b.n.* clair comme le jour, évident.
zon'neklep *v.*(*m.*) pare-soleil, garde-vue *m.*
zon'nekoning *m.* Roi-Soleil *m.*
zon'nekruid *o.* (*Pl.*) hélianthème *m.*

zon'(ne)licht *o.* lumière *f.* du soleil, — solaire.
zon'nen *ov.w.* exposer au soleil; ***zich —,*** se chauffer au soleil.
zon'nescherm *o.* **1** (*voor raam*) marquise *f.*; **2** parasol *m.*; **3** (*voor dames*) ombrelle *f.*
zon'neschijf *v.(m.)* disque *m.* du soleil.
zon'neschijn *m.* (lumière *f.* du) soleil *m.*
zon'nespectrum, -spektrum *o.* spectre *m.* solaire.
zon'nestand *m.* **1** (*stilstand*) solstice *m.*; **2** (*hoogte van de zon*) position *f.* du soleil, hauteur *f.* —.
zon'nesteek *m.* coup *m.* de soleil, insolation *f.*
zon'nestelsel *o.* système *m.* solaire.
zon'nestilstand *m.* solstice *m.*
zon'nestraal *m. en v.* rayon *m.* de soleil.
zon'nestraling *v.* insolation *f.*
zon'netent *v.(m.)* **1** tente *f.*; **2** tendelet *m.*; **3** (*in tuin*) parasol *m.*
zon'netje *o.* soleil *m.*; ***het — in huis,*** notre rayon de soleil; ***iem. in 't — zetten,*** se moquer de qn., se payer la tête de qn.
zon'nevlek *v.(m.)* tache *f.* solaire.
zon'newagen *m.* char *m.* du soleil, — de Phébus.
zon'newarmte *v.* chaleur *f.* solaire.
zon'newijzer *m.* cadran *m.* solaire.
zon'nig *b.n.* **1** ensoleillé, exposé au soleil; **2** (*fig.*) radieux.
zons'hoogte *v.* hauteur *f.* du soleil.
zons'ondergang *m.* coucher *m.* du soleil.
zons'opgang *m.* lever *m.* du soleil.
zons'verduistering *v.* éclipse *f.* de soleil.
zoog'dier *o.* mammifère *m.*
zooi *v.(m.)* quantité *f.*
zool *v.(m.)* **1** (*v. voet*) plante *f.* (du pied); **2** (*v. schoen*) semelle *f.*
zool'beslag *o.* protège-semelles *m.*
zool'ganger *m.* (*Dk.*) plantigrade *m.*
zool'le(d)er *o.* cuir *m.* à semelles.
zoölogie' *v.* zoologie *f.*
zoölo'gisch *b.n.* zoologique.
zoöloog' *m.* zoologiste *m.*
zoom *m.* **1** (*v. stof, kleed*) ourlet *m.*; bord *m.*; **2** (*v. bos*) lisière *f.*; **3** (*rand*) bord *m.*; **4** (*bouwk.*) orle *m.*; ***losse —,*** faux-ourlet* *m.*
zoom'lint *o.* cordonnet, liséré *m.*
zoon *m.* fils *m.*; ***de verloren —,*** l'enfant prodigue; ***van vader op —,*** de père en fils.
zoop'je *o.* goutte *f.*, petit verre *m.*
zoor *b.n.* **1** (*ruw*) rude; **2** (*droog, dor*) sec, desséché, aride; **3** (*scherp, hard*) âpre, dur.
zoor'heid *v.* **1** rudesse *f.*; **2** dessèchement *m.*, aridité *f.*; **3** âpreté *f.*
zoot'je *o.* quantité *f.*; ***wat 'n —!*** quelle bande!
zorg *v.(m.)* **1** (*kommer, ongerustheid*) souci *m.*, inquiétude *f.*; **2** (*zorgvuldigheid, aandacht*) sollicitude *f.*; **3** (*verzorging*) soin(s) *m.(pl.)*; ***— dragen voor,*** avoir soin de, prendre —; ***in —en zitten,*** être dans le besoin; ***zonder —,*** sans souci, insouciant; ***daar maak ik me geen — over,*** cela ne me préoccupe pas du tout; ***'t zal mij een — zijn,*** c'est le cadet de mes soucis.
zorg'barend *b.n.* alarmant, inquiétant.
zorg'dragend *b.n.* soigneux.
zorg'(e)lijk *b.n.* inquiétant, critique.
zor'geloos I *b.n.* **1** (*zonder zorg*) sans souci, insouciant; **2** (*achteloos*) négligent, nonchalant;. **II** *bw.* négligemment, avec négligence, nonchalamment; avec insouciance.
zor'geloosheid *v.* **1** insouciance *f.*; **2** négligence, nonchalance *f.*
zor'gen (*voor*) *on.w.* avoir soin (de), prendre soin (de); ***daar zal ik voor —,*** je m'en charge; ***voor zich zelf kunnen —,*** se suffire à soi-même; ***wie dan leeft, (die) dan zorgt,*** après nous le déluge.
zorg'lijk, zor'gelijk *b.n.* inquiétant, critique.
zorg'lijkheid *v.* état *m.* inquiétant, — critique.
zorg'stoel *m.* fauteuil *m.*
zorgvul'dig *b.n.* **1** soigneux; **2** (*nauwgezet*) consciencieux; **3** (*v. opvoeding*) soigné.
zorgvul'digheid *v.* soin *m.*
zorgwek'kend *b.n.* alarmant, inquiétant.
zorg'zaam, *zie* ***zorgvuldig.***
zot I *b.n.* **1** sot, extravagant; **2** (*ongerijmd*) absurde; **3** (*krankzinnig*) fou; **II** *bw.* sottement; absurdement; follement; **III** *z.n., m.* **1** (*dwaas*) sot *m.*; **2** (*gek*) fou *m.*; **3** (*stompzinnige*) imbécile, idiot *m.*; **4** (*nar*) bouffon *m.*; **5** (*in kaartsp.*) valet *m.*; ***hij speelt voor —,*** il fait le bouffon; ***voor de — houden,*** se moquer de.
zot'heid *v.* sottise; folie; extravagance; bouffonnerie *f.*
zots'kap *v.(m.)* **1** bonnet *m.* de fou, marotte *f.*; **2** sot *m.*, —te *f.*
zot'tenklap, zot'tenpraat *m.* sottises, balivernes *f.pl.*, radotage *m.*
zotternij' *v.* sottise, niaiserie *f.*
zottin' *v.* sotte, folle *f.*
zouaaf', zoeaaf' *m.* zouave *m.*
zout I *o.* sel *m.*; ***Engels —,*** sel d'Epsom; ***in 't — leggen,*** saler; **II** *b.n.* salé; (*v. smaak ook:*) salin.
zout'achtig *b.n.* salin.
zout'arm *b.n.* (*v. dieet*) déchloruré modéré.
zout'bad *o.* bain *m.* salé.
zout'bak *m.* saunière *f.*
zout'belasting *v.* **1** impôt *m.* sur le sel; **2** (*gesch.*) gabelle *f.*
zout'blok *o.* bloc *m.* de sel.
zout'bron *v.(m.)* source *f.* saline.
zou'teloos *b.n.* **1** sans sel; (*v. dieet*) déchloruré; **2** (*fig.*) insipide.
zou'teloosheid *v.* insipidité *f.*
zou'ten I *ov.w.* saler; **II** *z.n.,* ***het —,*** le salage.
zou'ter *m.* saleur *m.*
zouterij' *v.* usine *f.* de salaisons.
zoutevis *m.* morue *f.* salée.
zout'fabrikant *m.* salinier *m.*
zout'geest *m.* esprit *m.* de sel.
zout'gehalte *o.* salinité *f.*, teneur *f.* en sel.
zout'heid *v.* salure, salinité *f.*
zout'houdend *b.n.* **1** (*bron, enz.*) salin; **2** (*tn.*) salifère.
zout'keet *v.(m.)* saline, saunerie *f.*
zout'korrel *m.* grain *m.* de sel.
Zoutleeuw' *o.* Léau.
zout'loos *b.n.* (*v. dieet*) sans sel, déchloruré.
zout'meer *o.* **1** lac *m.* salant; **2** (*het grote —*) lac *m.* salé.
zout'mijn *v.(m.)* mine *f.* de sel, saline *f.*
zout'moeras *o.* marais *m.* salant.
zout'monopolie *o.* monopole *m.* du sel.
zout'oplossing *v.* solution *f.* salée.
zout'pacht *v.(m.)* **1** ferme *f.* du sel; **2** (*gesch.*) gabelle *f.*
zout'pakhuis *o.* magasin *m.* à sel.
zout'pan *v.(m.)* saline *f.*, (marais) salant *m.*
zout'pilaar *m.* (*Bijb.*) statue *f.* de sel.
zout'pot *m.* pot *m.* au sel.
zoutraffinaderij' *v.* raffinerie *f.* de sel.
zout'stel *o.* salière *f.*
zout'strooier *m.* saupoudroir *m.*
zout'te *v.* salinité *f.*; degré *m.* de salaison; ***goed van —,*** salé à point.
zout'tuin *m.*, *zie* ***zoutpan.***

zout'vaatje, zout'vat *o.* salière *f.*
zoutvlees *o.* bœuf *m.* salé, viande *f.* salée.
zout'vorming *v.* salification *f.*
zoutwa'ter *o.* eau *f.* salée.
zout'winning *v.* saunage *m.*, saunaison, saliculture *f.*
zout'zak *m.* **1** sac *m.* à sel; **2** (*fig.*) bûche *f.*; ***ineenzakken als een —,*** s'effondrer comme une masse; ***als een — neerkomen,*** tomber comme un paquet.
zout'zee *v.(m.)* Mer *f.* Morte.
zout'zieder *m.* saunier *m.*
zoutziederij' *v.* saunerie *f.*
zout'zuur I *o.* acide *m.* chlorhydrique; **II** *b.n.*, ***zoutzure kalk,*** chlorure *m.* de chaux.
zoveel' I *onb. telw.* autant, tant; ***— als u,*** autant que vous; ***niet — als u,*** pas tant (*of* autant) que vous; ***vier maal —,*** quatre fois autant; ***— is zeker dat,*** tant il y a que, toujours est-il que; **II** *bw.*, ***— mogelijk,*** autant que possible; ***— te meer daar,*** d'autant plus que; ***ik heb — te doen,*** j'ai tant à faire, j'ai tellement de choses à faire.
zoveel'ste *b.n.* tantième; ***de — van de maand,*** le quantième du mois; ***voór de — maal,*** pour la millième fois, une fois encore.
zover'(re) *bw.* jusque-là; ***eer het — is,*** d'ici là; ***voor — ik weet,*** (pour autant) que je sache; ***— zijn we nog niet,*** nous n'en sommes pas encore là; ***voor — het mogelijk is,*** dans la limite du possible.
zowaar' *bw.* vraiment, par ma foi.
zowat' *bw.* à peu près, quasi; ***— duizend frank,*** quelque mille francs.
zowel' *bw.* aussi bien (que).
zozeer' *bw.* tellement; ***het is niet — om,*** ce n'est pas tant pour; ***en wel — dat,*** à tel point que.
zucht I *m.* soupir *m.*; ***een — slaken,*** pousser un soupir; **II** *v.(m.)* **1** (*begeerte, verlangen*) désir *m.*; **2** (*neiging*) penchant, instinct *m.*; **3** (*overdreven —*) manie *f.*
zuch'ten *on.w.* **1** soupirer; **2** (*kermend*) gémir; ***— onder het juk,*** gémir sous le joug.
zucht'je *o.* soupir *m.*, souffle *m.* (de vent).
zuid I *o. en v.* sud *m.*; **II** *b.n.* sud; **III** *bw.* au sud, au midi.
Zuid-A'frika *o.* l'Afrique *f.* du Sud.
Zuidafrikaans' *b.n.* sud-africain.
Zuid-Ame'rika *o.* l'Amérique *f.* du Sud.
Zuidamerikaans' *b.n.* sud-américain.
Zuid-Bra'bant *o.* le Brabant méridional.
zuid'einde *o.* côté *m.* sud.
zui'delijk I *b.n.* du sud, du midi, méridional; ***het — halfrond,*** l'hémisphère austral; ***de —e IJszee,*** l'Océan (glacial) antarctique, Océan *m.* austral; **II** *bw.* au sud.
zui'den *o.* sud, midi *m.*; ***op het — liggen,*** être exposé au midi; ***het — van Frankrijk,*** le Midi (de la France).
zui'denwind *m.* vent *m.* du sud.
zui'derbreedte *v.* latitude *f.* sud.
zui'derkeerkring *m.* tropique *m.* du Capricorne.
zui'derkruis *o.* Croix *f.* du Sud.
zui'derlicht *o.* aurore *f.* australe.
Zuid-Hol'land *o.* la Hollande méridionale.
Zuidhol'lands *b.n.* de la Hollande méridionale.
Zuid-Ita'lië *o.* le Mezzogiorno *m.*, l'Italie du Sud.
zuid'kant *m.* côté *m.* sud.
zuid'kust *v.(m.)* côte *f.* méridionale.
Zuid-Lim'burg *o.* le Limbourg du Sud.
Zuid-Ne'derland *o.* la Flandre.
Zuidne'derlander *m.* Flamand *m.*
Zuidne'derlands I *b.n.* flamand; **II** *z.n.*, ***het —,*** le flamand.
zuidoost', zuidoos'telijk *b.n.* sud-est.
zuidoos'ten *o.* sud-est *m.*
zuidoos'tenwind *m.* vent *m.* du sud-est.
zuid'pool *v.(m.)* pôle *m.* sud, — antarctique.
zuid'poolcirkel *m.* cercle *m.* (polaire) antarctique.
Zuid'poolland(en) *o.* (*mv.*) Terres *f.pl.* antarctiques.
Zuid-Rhode'sië *o.* la Rhodésie du Sud.
zuid'vruchten *mv.* fruits *m.pl.* du Midi.
zuid'waarts *bw.* vers le sud.
zuidwest', zuidwes'telijk *b.n.* sud-ouest.
zuidwes'ten *o.* sud-ouest *m.*
zuidwes'tenwind *m.* vent *m.* du sud-ouest.
zuidwes'ter *m.* suroît *m.*
Zuid'zee *v.(m.)*, ***de Stille —,*** le Pacifique.
zuid'zij(de) *v.(m.)* côté *m.* sud.
zuig'buis *v.(m.)* tuyau *m.* d'aspiration.
zui'geling *m.* nourrisson *m.*
zui'gelingenkliniek *v.* consultation *f.* de nourrissons.
zui'gelingensterfte *v.* mortalité *f.* infantile.
zui'gelingenzorg *v.(m.)* puériculture *f.*
zui'gen I *ov.w.* **1** (*alg.*) sucer; **2** (*borst*) téter; **3** (*door buisje, enz.*) aspirer; **4** (*inzuigen, opslorpen*) absorber; boire; ***iets uit zijn duim —,*** inventer qc.; **II** *on.w.* sucer; téter.
zui'ger *m.* **1** (*persoon*) suceur *m.*; **2** (*tn.*) piston *m.*
zui'gerklep *v.(m.)* soupape *f.* d'aspiration.
zui'gerring *m.* segment *m.*
zui'gerslag *m.* coup *m.* de piston.
zui'gerstang *v.(m.)* (*tn.*) tige *f.* de (*of* du) piston.
zuig'fles *v.(m.)* biberon *m.*
zuig'gas *o.* gaz *m.* d'air.
zuig'gat *o.* aspirail *m.*
zui'ging *v.* aspiration, succion *f.*
zuig'klep *v.(m.)* soupape *f.* d'aspiration.
zuig'kracht *v.(m.)* force *f.* aspiratrice.
zuig'leer *o.* tire-pavé *m.*
zuig'napje *o.* pelote *f.* adhésive.
zuigpers'pomp *v.(m.)* pompe *f.* élévatoire.
zuig'pijp *v.(m.)* tuyau *m.* d'aspiration.
zuig'pomp *v.(m.)* pompe *f.* aspirante.
zuig'snavel, zuig'spriet *m.* suçoir *m.*
zuig'vis *m.* rémora *m.*
zuil *v.(m.)* **1** (*bouwk.*) colonne *f.*; **2** (*v. kerk, enz.*) pilier *m.*; **3** (*v. brug; el.*) pile *f.*; **4** (*meetk.*) prisme *m.*
zui'lengalerij *v.* péristyle *m.*
zui'lengang *m.*, **zui'lenrij** *v.(m.)* colonnade *f.*; ***overdekte —,*** portique *m.*
zui'nig I *b.n.* **1** (*spaarzaam*) économe; **2** (*karig*) parcimonieux; **3** (*niet meer gebruikend dan nodig is*) économique; **4** (*v. maaltijd*) frugal; **5** (*op de penning, gierig*) regardant; ***— zijn met iets,*** ménager qc., être économe de qc.; **II** *bw.* d'une façon économe; parcimonieusement; économiquement; ***— omgaan met,*** ménager; ***— leven,*** vivre avec économie; ***— kijken,*** avoir un air pincé, allonger le nez.
zui'nigheid *v.* **1** économie *f.*; **2** parcimonie *f.*; ***dat is — die de wijsheid bedriegt,*** c'est de l'économie à rebours, — mal entendue.
zui'nigheidsbrander *m.* économiseur *m.*
zui'pen I *on.w.* boire (avec excès); se soûler; **II** *ov.w.* boire.
zui'per, zuip'lap *m.* buveur, soiffard, soûlard *m.*
zuip'partij *v.* beuverie, soûlerie, orgie *f.*
zui'vel *m. of o.* produits *m.pl.* de laiterie; laitage *m.*
zui'velbereiding *v.* industrie *f.* laitière, fabrication *f.* des produits de laiterie.
zui'velboer *m.* laitier *m.*

zui'velbond *m.* union *f.* laitière. [laitier.
zui'velconsulent, -konsulent *m.* conseiller *m.*
zui'velfabriek *v.* laiterie *f.* mécanique, fabrique *f.* de produits de laiterie.
zui'velkonsulent, *zie* ***zuivelconsulent.***
zui'velnijverheid *v.* industrie *f.* laitière.
zui'velprodukt, -product *o.* produit *m.* de laiterie, produits *m.pl.* laitiers.
zui'ver I *b.n.* **1** (*alg.*) pur; **2** (*helder*) clair; **3** (*rein*) chaste, pur; **4** (*zindelijk*) propre; **5** (*muz.*) juste; **6** (*netto*) net; **7** (*v. uitspraak*) correct; ***— goud,*** or fin; **II** *bw.* purement; ***— spreken,*** parler correctement; ***— en alleen,*** purement et simplement, uniquement.
zui'veraar *m.* **1** purificateur *m.*; **2** (*v. ongedierte*) destructeur *m.* (de vermine); **3** (*v. taal*) puriste *m.*
zui'veren *ov.w.* **1** (*smaak, zeden, taal; olie*) épurer; **2** (*lucht, water, metaal*) purifier; **3** (*wonde*) laver; **4** (*tekst, boek*) expurger; **5** (*suiker, land, van misdadigers, enz.*) purger; ***zich — van,*** (*blaam, enz.*) se laver de.
zui'verend *b.n.* épuratif; purifiant, purificateur.
zui'verheid *v.* **1** (*v. stijl, zeden*) pureté *f.*; **2** (*zindelijkheid*) propreté *f.*; **3** (*v. zang*) justesse *f.*; **4** (*v. breuk*) netteté *f.*; **5** (*reinheid*) chasteté *f.*
zui'vering *v.* épuration *f.*; purification *f.*; épurement *m.*; purgation *f.*; lavage *m.*; *zie* ***zuiveren.***
zui'veringsactie, -aktie *v.* œuvre *f.* d'épuration, opération *f.* de nettoyage.
zui'veringseed *m.* serment *m.* de purgation.
zui'veringsmiddel *o.* dépuratif *m.* [*m.* purgatif.
zui'veringszout *o.* bicarbonate *m.* de soude, sel
zulk I *vnw.* tel, pareil; ***— een leven,*** une telle (*of* pareille) vie; **II** *bw.* si; ***het is — mooi weer,*** il fait si beau; ***— een groot huis,*** une si grande maison.
zulks *vnw.* cela, une telle chose.
zul'len *on.w.* **1** ***ik zal vertrekken,*** je partirai; ***ik zou vertrekken,*** je partirais; ***wat zou dat?*** Eh bien? après? **2** (*nabije toekomst*) aller; ***hij zal dadelijk vertrekken,*** il va partir; ***hij zou juist vertrekken,*** il allait partir; **3** (*bevel*) devoir; ***u zult die brief schrijven,*** vous devez écrire cette lettre, vous écrirez cette lettre; **4** (*vastgesteld of veronderstelling*) ***hij zou donderdag komen,*** il devait venir jeudi; ***hij zal*** (***zeker***) ***ziek zijn,*** il doit être malade; **5** ***zal ik het eens vragen?*** voulez-vous que je le demande?
Zul'lik *o.* Bassilly.
zult *m.* fromage *m.* de cochon.
zul'ten *ov.w.* mariner, saler.
zult'spek *o.* lard *m.* salé.
zult'vlees *o.* viande *f.* salée, salaisons *f.pl.*
zund'gat *o.* lumière *f.* (de canon).
zu'ren I *ov.w.* vinaigrer, aigrir; **II** *on.w.* s'aigrir.
zu'rig *b.n.* aigre, acide.
zu'righeid *v.* acidité *f.*
zu'ring *v.* (*Pl.*) oseille *f.*; ***wilde —,*** surelle, surette *f.*
zu'ringzout *o.* sel *m.* d'oseille.
zur'kel *m. en v.* oxalide *f.*
zus I *bw.* ainsi, de cette manière; ***nu eens —, dan eens zo,*** tantôt (comme) ceci, tantôt (comme) cela; **II** *z.n., v.,* **—je** *o.* petite sœur, (bonne) sœurette *f.*
zus'ter *v.* **1** sœur *f.*; **2** (*kloosterlinge*) (bonne) sœur, religieuse *f.*; (*bij aanspraak*) ma sœur; (*verpleegster*) sœur de charité; garde*-malade*, infirmière *f.*
zus'terhuis *o.* maison *f.* de religieuses.
zus'terliefde *v.* affection *f.* d'une sœur, amour *m.* de sœur. [en sœurs, comme une sœur.
zus'terlijk I *b.n.* d'une sœur, fraternel; **II** *bw.*
zus'termaatschappij *v.* (*H.*) société *f.* sœur.
zus'ternatie *f.* nation *f.* sœur.
zus'terschip *o.* bateau *m.* sœur.
zus'terschool *v.*(*m.*) école *f.* des sœurs.
zuur I *b.n.* **1** (*v. vrucht*) acide; **2** (*v. bier, wijn*) aigre; **3** (*v. saus*) vinaigré; **4** (*v. leven*) pénible, dur; **5** (*v. persoon, gelaat*) maussade, renfrogné, grincheux; ***—worden,*** (*v. melk*) tourner (à l'aigre); (*v. wijn*) se piquer; ***iem. het leven — maken,*** rendre la vie (*of* l'existence) dure à qn.; **II** *bw.* avec peine, péniblement; ***— verdiend geld,*** de l'argent durement gagné; ***dat zal hem — opbreken,*** il lui en cuira; **III** *z.n., o.* **1** (*scheik.*) acide *m.*; **2** (*azijn*) vinaigre *m.*; **3** (*ingemaakt*) condiments *m.pl.* au vinaigre; **4** (*v. maag*) aigreurs *f.pl.*, renvois *m.pl.* acides; ***augurken in 't —,*** cornichons au vinaigre.
zuur'achtig *b.n.* acidulé, suret, aigrelet.
zuur'bes *v.*(*m.*) épine*-vinette* *f.*
zuur'deeg *o.,* **zuur'desem** *m.* levain *m.*
zuur'gehalte *o.* acidité *f.*
zuur'gehaltegraad *m.* acidité *f.*, concentration *f.* en ions H (hydrogène) positifs.
zuur'heid *v.* aigreur; acidité *f.*
zuur'kijker *m.* grincheux *m.*
zuur'kool *v.*(*m.*) choucroute *f.*
zuur'pruim, *zie* ***zuurkijker.***
zuur'stof *v.*(*m.*) oxygène *m.*
zuur'stofapparaat *o.* appareil *m.* d'oxygène.
zuur'stofcilinder, -cylinder *m.* tube *m.* d'oxygène.
zuur'stofmasker *o.* masque *m.* d'oxygène.
zuur'stoftent *v.* (*m.*) tente *f.* à oxygène.
zuur'stofverbinding *v.* oxyde *m.*
zuur'stok *m.* sucre *m.* d'orge.
zuur'tje *o.* bonbon *m.* acidulé.
zuur'zoet *b.n.* aigre*-doux*.
Zwaab *m.* Souabe *m.*
zwaai *m.* **1** tour *m.*; **2** (*v. auto, enz.*) virement *m.*; **3** (*sch.*) évitée *f.*, évitage *m.*
zwaai'en I *ov.w.* **1** (*hoed, zakdoek, enz.*) agiter; **2** (*stok, enz.*) brandir; **3** (*scepter*) tenir; ***de scepter —,*** *ook:* régner; **II** *on.w.* **1** (*v. persoon*) tituber, zigzaguer; **2** (*door de wind*) être agité; **3** (*v. muur*) déverser, pencher; **4** (*sch.*) éviter.
zwaai'ing *v.* (*sch.*) évitée *f.*, évitage *m.*
zwaan *m. en v.* cygne *m.*
zwaar I *b.n.* **1** lourd, pesant; **2** (*v. werk*) difficile, rude; **3** (*v. sigaar, bier, papier, stof*) fort; **4** (*ernstig*) grave; **5** (*v. straf*) sévère; **6** (*v. weer, wolken*) gros; **7** (*v. tijden*) dur, rude, difficile; **8** (*v. taak*) ardu; **9** (*v. spijs*) lourd; **10** (*v. stem*) grave; ***— geschut,*** grosse artillerie *f.*; artillerie lourde; ***een zware droom,*** un mauvais rêve; ***— in het hoofd zijn,*** avoir la tête lourde; ***ik heb er een — hoofd in,*** je n'en augure rien de bon, je prévois des difficultés; ***— maken,*** alourdir, appesantir; ***hoe — weegt u?*** combien pesez-vous? quel est votre poids? ***— worden,*** **1** (*v. voorwerp*) s'alourdir; **2** (*v. persoon*) prendre de l'embonpoint; ***— vallen,*** être difficile, en coûter; ***— op de hand zijn,*** **1** (*v. persoon*) être pesant, être difficile (à vivre); **2** (*v. paard*) être pesant à la main, être dur à monter; **II** *bw.* lourdement, pesamment; ***— ziek,*** gravement malade; ***— gewond,*** grièvement blessé; ***— gestraft,*** sévèrement puni; ***— verkouden zijn,*** avoir un gros rhume, être très enrhumé; ***— dromen,*** faire un mauvais rêve; ***— ademhalen,*** respirer péniblement.
zwaard *o.* **1** épée *f.*; **2** (*dicht.*) glaive *m.*; **3** (*sch.*) semelle *f.*; ***honger is een scherp —,*** ventre affamé n'a point d'oreilles.
zwaard'bloem *v.*(*m.*) glaïeul *m.*

zwaard'drager *m.* porte-glaive *m.*
zwaard'leen *o.* (*gesch.*) fief *m.* masculin.
zwaard'lelie *v.*(*m.*) (*Pl.*) glaïeul *m.*
zwaard'slag *m.* coup *m.* d'épée.
zwaard'vechter *m.* gladiateur *m.*
zwaard'veger *m.* fourbisseur *m.* [son*-épée *m.*
zwaard'vis *m.* espadon *m.*, épée *f.* de mer, pois-
zwaard'vormig *b.n.* ensiforme. [carrure.
zwaar'gebouwd *b.n.* fortement bâti, de forte
zwaar'gewicht *o.* (*sp.*) poids *m.* lourd.
zwaar'gewond *b.n.* grièvement blessé.
zwaarlij'vig *b.n.* corpulent, replet, obèse.
zwaarlij'vigheid *v.* corpulence, obésité *f.*
zwaarmoe'dig *b.n.* mélancolique, sombre.
zwaarmoe'digheid *v.* mélancolie *f.*
zwaar'te *v.* **1** (*alg.*) pesanteur *f.*; **2** (*gewicht*) poids *m.*; **3** (*nat.*; *fig.*: *ernst*) gravité *f.*; **4** (*drukkend gevoel*) lourdeur *f.*
zwaar'tekracht *v.*(*m.*) gravitation *f.*, force *f.* de gravité; ***de wetten der —,*** les lois de la pesanteur.
zwaar'telijn *v.*(*m.*) médiane *f.*
zwaar'tepunt *o.* centre *m.* de gravité.
zwaar'teverlies *o.* absence *f.* de pesanteur.
zwaartil'lend *b.n.* pessimiste, difficultueux; qui broie du noir; ***— zijn,*** broyer du noir.
zwaartil'lendheid *v.* pessimisme *m.*
zwaarwich'tig *b.n.* important, de (*of* d'un) grand poids.
zwaarwich'tigheid *v.* importance *f.*
zwab'ber *m.* **1** balai *m.* en coton câblé, serpillière *f.*; **2** (*scheeps*—) faubert *m.*, vadrouille *f.*; **3** (*fig.*) vadrouille *f.*; noceur *m.*; ***aan de — zijn,*** vadrouiller.
zwab'beren I *ov.w.* fauberter; **II** *on.w.* (*fig.*) vadrouiller.
Zwa'ben *o.* la Souabe.
Zwa'bisch *b.n.* souabe.
zwach'tel *m.* bandage *m.* [ter.
zwach'telen *ov.w.* **1** bander; **2** (*v. kind*) emmaillo-
zwad *o.*, **zwa'de** *v.*(*m.*) andain *m.*, javelle *f.*
zwad'der *m.* venin *m.*
zwa'de, *zie* ***zwad.***
zwa'ger *m.* beau*-frère* *m.*
zwagerin' *v.* belle*-sœur* *f.*
zwa'gerschap *o. en v.* relations *f.pl.* de beau-frère.
zwak I *b.n.* **1** faible; **2** (*v. kind*) débile, chétif; **3** (*tenger*) frêle; **4** (*v. gezondheid*) délicat; **5** (*machteloos*) impuissant; ***een —ke tegenstand,*** une résistance molle; ***een — ogenblik,*** un moment de faiblesse; ***een —ke markt,*** un marché faible; ***— maken,*** affaiblir; ***— worden,*** s'affaiblir; ***—ke zijde,*** côté faible, endroit vulnérable; **II** *z.n.*, *o.* faible *m.*; ***een — hebben voor,*** avoir un faible pour; ***—ke debiteuren,*** débiteurs peu solvables; ***— staan,*** être dans une situation précaire.
zwak'heid *v.* faiblesse *f.*; débilité *f.*; impuissance *f.*; mollesse *f.*
zwak'hoofd *m.-v.* esprit *m.* faible, cerveau *m.* —.
zwakhoof'dig *b.n.* faible d'esprit, borné, imbécile.
zwakhoof'digheid *v.* faiblesse *f.* d'esprit, imbécilité *f.* [ment.
zwak'jes I *b.n.* faible; **II** *bw.* faiblement; molle-
zwak'kelijk *b.n.* délicat (de santé), maladif, souffreteux.
zwak'keling *m.* personne *f.* sans énergie.
zwak'stroom *m.* (*el.*) courant *m.* faible.
zwak'te, *zie* ***zwakheid.***
zwakzin'nig *b.n.* imbécile, arriéré. [tale.
zwakzin'nigheid *v.* imbécilité *f.*, débilité *f.* men-
zwal'ken *on.w.* courir le monde; errer à l'aventure; ***op zee —,*** courir les mers.
zwal'pen *on.w.* clapoter.
zwa'luw *v.*(*m.*) hirondelle *f.*; ***jonge —,*** hirondeau *m.*; ***één — maakt nog geen zomer,*** une hirondelle ne fait pas le printemps.
zwa'luw(e)nest *o.* **1** nid *m.* d'hirondelle; **2** (*sch.*) demi-tourelle* *f.*
zwa'luwstaart *m.* **1** queue *f.* d'hirondelle; **2** (*tn.*) queue*-d'aronde *f.*; **3** (*gas*) papillon *m.*; **4** (*jas*) queue *f.* de morue, — de pie.
zwam I *v.*(*m.*) (*paddestoel*) champignon *m.*; **II** *o.* (*stof*) amadou *m.*
zwam'achtig *b.n.* spongieux.
zwam'men *on.w.* rabâcher.
zwam'mig *b.n.* couvert d'agarics.
zwam'neus *m.* radoteur *m.*
zwa'nebek *m.* **1** (*Dk.*) bec *m.* de cygne; **2** (*tn.*) bec*-de-cygne *m.*
zwa'nedons *o.* duvet *m.* de cygne.
zwa'nehals *m.* cou *m.* de cygne; (*verkeer*) goulet *m.*
zwa'nezang *m.* chant *m.* de cygne.
zwang *m.*, ***in — brengen,*** mettre en faveur; ***in — zijn,*** être en vogue, être à la mode; ***in — komen,*** prendre faveur; ***wanneer is dit gebruik in — gekomen?*** quand cet usage s'est-il établi?
zwan'ger *b.n.* enceinte, grosse; ***— gaan van iets,*** méditer qc., être gros de qc.
zwan'gerschap *v.* grossesse *f.*
zwa'righeid *v.* **1** (*moeilijkheid*) difficulté *f.*; **2** (*bezwaar*) inconvénient *m.*; **3** (*beletsel*) obstacle *m.*; **4** (*bedenking*) objection *f.*; ***zwarigheden maken,*** faire des difficultés; faire des objections.
zwart I *b.n.* **1** noir; **2** (*wap.*) sable; **3** (*v. brilleglas*) fumé; ***de —e markt,*** le marché noir; ***— maken,*** noircir; ***alles — inzien,*** voir tout en noir, broyer du noir; ***— zien van honger,*** avoir les joues creuses, être affamé; **II** *z.n.*, *o.* noir *m.*; ***in 't — gekleed,*** vêtu de noir; ***het — op wit hebben,*** l'avoir par écrit.
zwart'achtig *b.n.* noirâtre.
zwart'bont *b.n.* **1** blanc tacheté de noir; **2** (*v. koe of paard*) pie.
zwart'bruin *b.n.* **1** brun noirâtre; **2** (*v. paard*) bai foncé. [gresse *f.*
zwar'te *m.-v.* noiraud *m.*, —e *f.*, nègre *m.*, né-
zwart'(e)handelaar *m.* trafiquant, mercanti *m.*
zwartekunst' *v.* **1** (*toverij*) magie *f.* noire; **2** (*etskunst*) manière *f.* noire.
zwar'ten *ov.w.* noircir. [Fouettard.
zwartepiet' *m.* **1** valet *m.* de pique; **2** le Père
zwartepie'ten *on.w.* jouer au valet de pique, jouer à la dupe.
zwartgal'lig *b.n.* chagrin, atrabilaire, mélancolique. [colie *f.*
zwartgal'ligheid *v.* humeur *f.* chagrine, mélan-
zwart'geel *b.n.* jaune foncé, olivâtre.
zwart'gerokt *b.n.* en habit noir.
zwart'gestreept *b.n.* rayé de noir.
zwart'gevlekt *b.n.* tacheté de noir.
zwart'handelaar, *zie* ***zwartehandelaar.***
zwartha'rig *b.n.* **1** (*v. persoon*) aux cheveux noirs; **2** (*v. dier*) au poil noir.
zwart'heid *v.* noirceur *f.*
zwart'je *o.* moricaud *m.*
zwart'kop *m.* **1** noiraud *m.*; **2** (*Dk.*) tête *f.* noire; fauvette *f.* à tête noire. [nonnette *f.*
zwart'kopmees *v.*(*m.*) mésange *f.* à tête noire,
zwart'krijt *o.* crayon *m.* noir.
zwart'making *v.* calomnie *f.*, dénigrement *m.*
zwart'ogig *b.n.* aux yeux noirs.
zwart'rok *m.* robe *f.* noire.
zwart'sel *o.* noir *m.* de fumée.
zwart'vos *m.* alezan *m.* moreau.
zwa'telen *on.w.* bruire.
zwa'vel *m.* soufre *m.*

zwa'velachtig *b.n.* sulfureux.
zwa'velbad *o.* **1** bain *m.* sulfureux; **2** (*bron*) eau(x) *f.*(*pl.*) sulfureuse(s); source *f.* sulfureuse.
zwa'velbloem *v.*(*m.*) fleur *f.* de soufre.
zwa'velbron *v.*(*m.*) eau(x) *f.*(*pl.*) sulfureuse(s); source *f.* sulfureuse.
zwa'veldamp *m.* vapeur *f.* de soufre.
zwa'velen I *ov.w.* soufrer, ensoufrer; **II** *z.n.*, ***het* —,** le soufrage.
zwa'velerts *o.* soufre *m.* brut.
zwa'velgeel *b.n.* jaune de soufre, soufré.
zwa'velgroef, -groeve *v.*(*m.*) soufrière *f.*
zwa'velhoudend *b.n.* sulfureux.
zwa'velig *b.n.* sulfureux.
zwa'veligzuur *o.* acide *m.* sulfureux.
zwa'velijzer *o.* sulfure *m.* de fer.
zwa'velkalk *m.* sulfure *m.* de chaux.
zwa'velkleurig *b.n.* soufré.
zwa'velkoolstof *v.*(*m.*) sulfure *m.* de carbone.
zwa'velkoolzuur *o.* acide *m.* sulfocarbonique.
zwa'vellucht *v.*(*m.*) odeur *f.* de soufre.
zwa'velstok *m.* allumette *f.* (soufrée).
zwa'velverbinding *v.* composé *m.* sulfuré.
zwa'velwaterstof *v.*(*m.*) hydrogène *m.* sulfuré, acide *m.* sulfhydrique.
zwa'velzalf *v.*(*m.*) onguent *m.* de soufre.
zwa'velzuur I *o.* acide *m.* sulfurique; **II** *b.n.* sulfurique.
Zwe'den *o.* la Suède.
Zweed *m.* Suédois *m.*
Zweeds *b.n.* suédois.
zweef'baan *v.*(*m.*) téléférique *m.*
zweef'brug *v.*(*m.*) pont *m.* transbordeur.
zweef'duik *m.* saut *m.* de l'ange.
zweef'molen *m.* pas *m.* de géant.
zweef'rek *o.* trapèze *m.*
zweef'spoorweg *m.* funiculaire *m.* aérien.
zweef'vermogen *o.* (*vl.*) stabilité *f.*
zweef'vliegen I *on.w.* voler à voile; **II** *z.n.*, ***het* —,** vol *m.* à voile.
zweef'vliegtuig *o.* planeur *m.*
zweef'vlucht *v.*(*m.*) vol *m.* plané.
zweef'vogel *m.* planeur, voilier *m.*
zweem *m.* ombre *f.*, soupçon *m.*; ***geen — van bewijs,*** aucune preuve; ***geen — van twijfel,*** pas l'ombre d'un doute.
zweep *v.*(*m.*) **1** (*alg.*) fouet *m.*; **2** (*rij—*) cravache *f.*; **3** (*dresseer—*) chambrière *f.*; ***het paard met de — geven,*** donner le fouet à un cheval; ***de — erover leggen,*** fouetter (le cheval).
zweep'diertje *o.* flagellé *m.*
zweep'koord *o. en v.*(*m.*) corde *f.* à fouet.
zweep'slag *m.* coup *m.* de fouet.
zweep'tol *m.* sabot *m.*
zweep'touw *o.* **1** corde *f.* de fouet; **2** (*uiteinde*) mèche *f.*
zweer *v.*(*m.*) ulcère *m.*; ***—tje*** *o.* pustule *f.*
zweet *o.* **1** sueur; transpiration *f.*; **2** (*jacht*) sang *m.*; ***nat van het —,*** en nage, tout en sueur; ***zich in 't — werken,*** se mettre en sueur; ***het koude — brak hem uit,*** il avait des sueurs froides.
zweet'bad *o.* bain *m.* de vapeur, étuve *f.*
zweet'doek *m.* suaire *m.*
zweet'drank *m.* potion *f.* sudorifique.
zweet'druppel *m.* goutte *f.* de sueur.
zweet'klier *v.*(*m.*) glande *f.* sudoripare.
zweet'koorts *v.*(*m.*) suette *f.*
zweet'kuur *v.*(*m.*) cure *f.* par la sudation.
zweet'middel *o.* sudorifique *m.*
zweet'voeten *mv.*, ***— hebben,*** transpirer des pieds, avoir les pieds suants.
zweet'vos *m.* alezan *m.* brûlé.
zwei *v.*(*m.*) (*tn.*) fausse équerre *f.*
zwelg *m.* trait, coup *m.*; gorgée *f.*
zwel'gen *on.w.* **1** avaler (goulûment); **2** (*brassen*) faire bombance.
zwel'ger *m.* **1** glouton *m.*; **2** viveur *m.*
zwelgerij', zwelg'partij *v.* orgie, ripaille *f.*
zwel'kast *v.*(*m.*) (*muz.*) boîte *f.* d'expression.
zwel'len *on.w.* **1** (s')enfler, se gonfler; **2** (*v. rivier*) grossir; **3** (*gen.*) se tuméfier.
zwel'ling *v.* **1** enflement, gonflement *m.*; enflure *f.*; **2** tuméfaction *f.*
zwem'bad *o.* bassin *m.* de natation, établissement [*m.* de bains, piscine *f.*
zwem'blaas *v.*(*m.*) **1** (*v. vis*) vessie *f.* natatoire; **2** (*v. zwemmer*) vessie *f.*
zwem'broekje *o.* caleçon *m.* de bain.
zwem'club, -klub *v.*(*m.*) cercle *m.* de natation.
zwem'costuum, -kostuum *o.* costume *m.* de bain.
zwe'men *on.w.*, ***— naar,*** **1** (*lijken op: kleur, enz.*) tirer sur; **2** (*grenzen aan*) approcher de, friser.
zwem'gordel *m.* ceinture *f.* de natation.
zwem'inrichting, *zie* ***zwembad.***
zwem'klub, *zie* ***zwemclub.***
zwem'kostuum, -costuum *o.* costume *m.* de [bain.
zwem'kunst *v.* natation *f.*
zwem'kurk *v.*(*m.*) lanquerre *f.*
zwem'les *v.*(*m.*) leçon *f.* de natation.
zwem'meester *m.* professeur *m.* de natation, maître *m.* baigneur.
zwem'men I *on.w.* nager; ***over een rivier —,*** traverser une rivière à la nage; ***al —de,*** à la nage; ***op de rug —,*** faire la planche, nager sur le dos; ***onder water —,*** nager entre deux eaux; ***op de zij —,*** nager à la marinière; ***in tranen —,*** fondre en larmes; ***in zijn bloed —,*** baigner dans son sang; **II** *z.n.*, ***het* —,** la natation.
zwem'mer *m.* nageur, baigneur *m.*
zwem'merig *b.n.* (*v. ogen*) humide, noyé, larmoy[ant.
zwem'pak *o.* costume *m.* de bain, maillot *m.* —.
zwem'poot *m.* pied *m.* palmé; ***met zwempoten,*** palmipède.
zwem'school *v.*(*m.*) école *f.* de natation.
zwem'slag *m.* brasse *f.*, coup *m.*
zwem'sport *v.*(*m.*) natation *f.*
zwem'ster *v.* nageuse *f.*
zwem'vereniging *v.* cercle *m.* de natation.
zwem'vest *o.* gilet *m.* de sûreté; — de sauvetage; scaphandre *m.*
zwem'vin *v.*(*m.*) nageoire *f.*
zwem'vlies *o.* membrane *f.* natatoire; (*v. mens*) palme *f.* (propulsive).
zwem'voet, *zie* ***zwempoot.***
zwem'voeter *m.* palmipède *m.*
zwem'vogel *m.* oiseau *m.* aquatique, (oiseau) palmipède *m.*
zwem'wedstrijd *m.* concours *m.* de natation.
zwen'del *m.* escroquerie, flouerie *f.*
zwen'delaar *m.* escroc, floueur *m.*, chevalier *m.* d'industrie.
zwendelarij', *zie* ***zwendel.***
zwen'delen *on.w.* faire l'escroc, flouer le public, [duper —.
zwen'delhandel *m.* escroquerie, flouerie *f.*
zwen'delmaatschappij *v.* compagnie *f.* frauduleuse, — de filous.
zwen'gel *m.* **1** (*arm v. pomp*) bras, levier, balancier *m.*; **2** (*wiek v. molen*) aile *f.*; **3** (*kruk*) manivelle *f.*
zwen'gelhout *o.* palonnier *m.*
zwenk *m.* virement *m.*; ***in een —,*** en un clin d'œil.
zwen'ken I *on.w.* **1** virer, tourner; faire volte-face; **2** (*mil.*) exécuter une conversion; **II** *ov.w.* faire tourner.

zwen'king *v.* **1** virement *m.*; volte-face *f.*; **2** conversion *f.*; **3** (*fig.*) revirement *m.*
zwe'pen *ov.w.* fouetter.
zwe'ren I *ov.w.* jurer, affirmer sous (*of* par) serment; ***bij hoog en bij laag —,*** jurer ses grands dieux; **II** *on.w.* **1** jurer, prêter serment; **2** (*etteren*) suppurer.
zwerf'blok *o.* bloc *m.* erratique.
zwerf'tocht *m.* course *f.* à l'aventure; (*reizen en trekken*) pérégrination *f.*
zwerf'vogel *m.* oiseau *m.* erratique, — nomade.
zwe'ring *v.* **1** jurement *m.*, (prestation *f.* d'un) serment *m.*; **2** (*ettering*) suppuration *f.*
zwerk *o.* **1** firmament, ciel *m.*; **2** nuages *m.pl.*
zwerm *m.* **1** (*bijen*) essaim *m.*; **2** (*vogels*) vol *m.*, volée *f.*; **3** (*sprinkhanen, enz.*) nuée *f.*
zwer'men *on.w.* **1** (*bijen*) essaimer; **2** (*fig.*) ***— om,*** voltiger, s'empresser (autour de).
zwer'mer *m.* **1** (*landloper*) vagabond *m.*; **2** (*vuurwerk*) serpenteau, pétard *m.*
zwerm'pot *m.* pot *m.* à feu.
zwer'veling(e) *m.*(*v.*) vagabond *m.*, **—e** *f.*
zwer'ven *on.w.* **1** (*ronddwalen*) errer; **2** (*rondsluipen*) rôder; **3** (*ronddolen; als landloper*) vagabonder; **4** (*reizen en trekken*) pérégriner.
zwer'vend *b.n.* errant, nomade; vagabond.
zwer'ver *m.* **1** rôdeur *m.*; **2** vagabond *m.*
zwe'ten I *on.w.* **1** suer, transpirer; **2** (*v. muur*) suinter; **II** *ov.w.* suer.
zwe'terig *b.n.* moite, suant.
zwe'ting *v.* **1** sueur, transpiration *f.*; **2** (*gen.*) sudation *f.*; **3** (*v. muur*) suintement *m.*
zwet'sen *on.w.* **1** (*wauwelen*) bavarder, jaser; **2** (*pochen*) blaguer, se vanter, gasconner.
zwet'ser *m.* blagueur, hâbleur, fanfaron, gascon *m.*
zwetserij' *v.* blague, hâblerie, vanterie, gasconnade *f.*
zwe'ven *on.w.* **1** planer; **2** (*golven*) flotter; **3** (*drijvend, zacht bewegen*) se balancer; ***tussen leven en dood —,*** être entre la vie et la mort; ***het zweeft mij nog voor de geest,*** cela m'est encore présent à l'esprit; ***het woord zweeft mij op de lippen,*** j'ai le mot sur le bout de la langue.
zwe'vend *b.n.* **1** flottant; **2** suspendu (en l'air); **3** (*recht: geschil*) pendant.
zwe'ving *v.* **1** vol *m.* plané; **2** (*elektr.: muz.*) [battement *m.*
zwe'zerik *m.* ris *m.* (de veau).
zwich'ten *on.w.* **1** (*onderdoen*) céder; ***voor iem. —,*** le céder à qn.; **2** (*wijken*) fléchir, lâcher pied; **3** (*sch.*) trélinguer, replier (les voiles); ***voor de overmacht —,*** céder devant le nombre; ***voor iemands argumenten —,*** se rendre aux arguments de qn., s'incliner devant les arguments de qn.
zwie'pen *on.w.* être agité, se balancer (au vent), [fouetter.
zwie'ping *v.* **1** balancement *m.*; **2** (*sch.*) fouet *m.*, garde *f.*
zwier *m.* **1** (*draai*) virement *m.*; **2** (*tooi, opschik*) parure *f.*; **3** (*mode*) mode *f.*; **4** (*bevalligheid, gratie*) élégance, grâce *f.*; ***de — volgen,*** suivre la mode; ***aan de — gaan*** (*of* ***zijn***), faire la noce.
zwier'bol *m.* noceur, bambocheur *m.*
zwier'bollen *on.w.* faire la noce, nocer.
zwie'ren *on.w.* **1** (*draaien*) tourner; **2** (*v. dronken man*) zigzaguer, tituber; **3** (*boemelen*) faire la noce, vadrouiller.
zwie'rig I *b.n.* **1** (*v. kleding*) pimpant, fringant, chic, élégant; **2** (*v. persoon, gang*) élégant; **3** (*v. stijl*) fleuri, orné; **4** (*v. gebaar*) théâtral; **II** *bw.* élégamment, avec chic.
zwie'righeid *v.* élégance, parure *f.*, chic *m.*
zwij'gen I *on.w.* se taire, garder le silence; ***tot — brengen,*** **1** (*doen zwijgen*) faire taire; **2** (*stilte gebieden*) imposer silence; **3** (*kanon, enz.*) réduire au silence; ***laat ons hierover —,*** n'en parlons plus; ***die zwijgt, stemt toe,*** qui ne dit mot consent; **II** *ov.w.* **1** (*verzwijgen*) taire; **2** (*verbergen*) cacher, dissimuler; **III** *z.n.*, *o.* silence *m.*
zwij'gend I *b.n.* silencieux; **2** (*van nature*) taciturne; **3** (*v. rol*) muet; **II** *bw.* en silence.
zwij'ger *m.* **1** silencieux *m.*; **2** (*v. karakter*) taciturne *m.*; ***Willem de Z—,*** Guillaume le Taciturne.
zwijg'plicht *m. en v.* secret *m.* professionnel.
zwijg'recht *o.* droit *m.* au silence.
zwijg'zaam *b.n.* taciturne.
zwijg'zaamheid *v.* mutisme *m.*
zwijm *v.* défaillance, syncope *f.*, évanouissement *m.*; ***in — vallen,*** tomber en défaillance, s'évanouir; ***in — liggen,*** être évanoui.
zwij'mel *m.* **1** (*duizeling*) vertige *m.*; **2** (*fig.: roes*) ivresse *f.*
zwij'meldronken *b.n.* enivré, pâmé.
zwij'melen *on.w.* **1** avoir des vertiges; **2** s'évanouir, se pâmer.
zwijn *o.* cochon, porc, pourceau *m.*; ***wild —,*** sanglier *m.*
zwijn'achtig *b.n.* cochon, crapuleux.
zwij'neboel *m.* saleté, cochonnerie *f.* [*m.*
zwijn'egel *m.* **1** (*Dk.*) hérisson *m.*; **2** (*fig.*) cochon
zwij'nejacht *v.*(*m.*) chasse *f.* au sanglier.
zwij'nen *on.w.* vivre dans la crapule.
zwij'nenhoeder *m.* porcher *m.*
zwijnerij' *v.* cochonnerie *f.*
zwij'nestal *m.* porcherie *f.*
zwijnsle(d)er *o.* peau *f.* de truie.
zwijn'tje *o.* **1** cochon *m.* de lait; **2** (*pop.: fiets*) bicyclette *f.*
zwijn'tjesjager *m.* voleur *m.* de bicyclettes.
zwik *m.* **1** (*verstuiking*) entorse, foulure *f.*; **2** (*pin*) fausset *m.*
zwik'boor *v.*(*m.*) tarière *f.*
zwik'gat *o.* trou *m.* de (*of* du) fausset.
zwik'hout *o.* sassoire *f.*
zwik'je *o.* fausset *m.*; ***het hele —,*** tout le fourbi.
zwik'ken *on.w.* **1** (*de lendenen breken*) se rompre les reins, se déhancher; **2** (*zich verstuiken*) se donner une entorse.
zwik'king *v.* **1** éreintement, déhanchement *m.*; **2** entorse *f.*
zwilk *o.* **1** coutil *m.*; **2** toile *f.* cirée.
zwin *o.* anse, crique *f.*
zwin'gel *m.* écang *m.*
zwin'gelaar *m.* écangueur *m.*
zwin'gelen *ov.w.* écanguer.
zwingliaan' *m.* Zwinglien *m.*
zwingliaans' *b.n.* zwinglien.
zwir'relen *on.w.* tournoyer.
Zwit'ser *m.* Suisse *m.*
Zwit'serland *o.* la Suisse.
Zwit'sers I *b.n.* suisse; **II** *z.n.*, **—e,** *v.* Suissesse *f.*
zwoe'gen I *on.w.* **1** (*hijgen*) haleter; **2** (*hard werken*) peiner, trimer, travailler dur; **II** *z.n.*, *o.* (rude) labeur *m.*
zwoe'ger *m.* trimeur, piocheur *m.*
zwoel *b.n.* lourd, accablant, étouffant.
zwoel'heid *v.* chaleur *f.* accablante, — étouffante, temps *m.* lourd.
zwoerd, zwoord *o.* couenne *f.*
zwoerd'achtig *b.n.* couenneux.
zwoord, zwoerd *o.* couenne *f.*

ABRÉVIATIONS ET SYMBOLES NÉERLANDAIS USUELS

A

A 1 aankomst, *arrivée* ; 2 *(phys.)* ampère, *ampère* ; 3 *(chim.)* argon, *argon* ; 4 *(lettre de change)* geaccepteerd, *accepté*.
Å *(phys.)* ångstroem, *angstroem* (0,000.000.1 mm).
a 1 are, *are* (100 m^2) ; 2 annum (jaar), *an*.
A.B. *voir* A.B.N.
a.b. 1 als boven, *comme ci-dessus* ; 2 aan boord, *à bord*.
abl. *(gramm.)* ablatief, *ablatif*.
A.B.N. Algemeen beschaafd Nederlands, *le néerlandais correct*.
a.b.s.s. aan boord van een stoomschip, *à bord d'un steamer*.
A.C. anno Christi (in het jaar des Heren), *l'an de grâce*.
a.c. anno currente (in het lopende jaar), *de l'année en cours*.
Ac *(chim.)* actinium, *actinium*.
acc. 1 *(gramm.)* accusatief, *accusatif* ; 2 *(lettre de change)* accepi, *acceptation*.
A.D. anno Domini (in het jaar des Heren), *l'an de Notre-Seigneur*.
ad int. ad interim (tijdelijk, voorlopig), *par intérim, intérimaire*.
a.d.z. als daar zijn, *tels que*.
afb. afbeelding, *reproduction*.
afd. afdeling, *département*.
afl. aflevering, *livraison, fascicule*.
Ag *(chim.)* zilver, *argent*.
Agg. *(Bible, cath.)* Aggeus, *Aggée*.
Ah *(phys.)* ampère-uur, *ampèreheure*.
a.h.d. ad hoc delegatus (hiertoe aangewezen), *chargé de la chose*.
a.h.w. als het ware, *pour ainsi dire*.
a.i. ad interim (tussentijds), waarnemend, *par intérim, intérimaire*.
Al *(chim.)* aluminium, *aluminium*.
al. alinea (nieuwe regel), *alinéa*.
Am *(chim.)* americium, *américium*.
a.m. 1 ante meridiem (vóór de middag), *ante méridiem* ; 2 *(lettre)* amica manu (door vriendenhand bezorgd), *renseigné par ami(e)*.
amp. ampère, *ampère*.
A°, a° anno (in het jaar), *l'an*.
A.P. Amsterdams peil, *étiage (zéro) d'Amsterdam*.
Apoc. *(Bible)* Openbaring, *Apocalypse de saint Jean*.
apr. april, *avril*.
Ar *(chim.)* argon, *argon*.
arr. arrondissement, *arrondissement*.
art. artikel, *article, clause*.
As *(chim.)* arsenicum, *arsénic*.
a.s. aanstaande, *prochain, futur*.
asp. aspirant, *aspirant*.
At *(chim.)* astatinium, *astatinium*.
at *(phys.)* 1 kgf/cm^2
atm. *(phys.)* atmosfeer, *atmosphère*.
Au *(chim.)* goud, *or*.
a.u.b. alstublieft, *s'il vous plaît*.
aug. augustus, *août*.
a.w. aangehaald werk, *op. cit.*

B

B 1 *(phys.)* bel, *bel* ; 2 *(chim.)* borium, *bore*.
b *(phys.)* bar, *bar, hectopièze*.
Ba *(chim.)* barium, *baryum*.
Bar. baron, *baron*.
Bares(se) barones, *baronne*.
b.b.h.(h.) *(annonces)* bezigheden buitenshuis hebbend, *travaillant au dehors*.
b.d. buiten dienst, *qui n'est plus en service*.
Be *(chim.)* beryllium, *béryllium*.
B. en W. Burgemeester en Wethouders, *le maire et ses adjoints*.
b.g.g. bij geen gehoor, *en cas de manque de réceptivité*.
b.h. bustehouder, *soutien-gorge*.
Bi *(chim.)* bismut, *bismuth*.
b.i. bouwkundig ingenieur, *ingénieur civil*.
bijl. bijlage, *supplément, annexe*.
bijv. bijvoorbeeld, *par exemple*.
bijz. bijzonder, *particulier* ; *(enseignement) libre*.
Bk *(chim.)* berkelium, *berkélium*.
bl., blz. bladzijde, *page*.
Br 1 *(comm.)* bruto, *brut*; 2 *(chim.)* broom, *brome*; 3 *(geogr.)* breedte, *latitude*; 4 broeder, *frère*.
Bro bruto, *brut*.
B.R.T. bruto registerton, *tonne registre brute*.
b.v. bijvoorbeeld, *par exemple*.
B.W. Burgerlijk Wetboek, *code civil*.
b.z.a. *(annonces)* biedt zich aan, *se présente, cherche un emploi*.

C

C 1 *(chiffre romain)* honderd, *cent* ; 2 *(chim.)* koolstof, *carbone* ; 3 *(phys.)* coulomb, *coulomb* ; 4 *(comm.)* courant, *courant* ; 5 *(comm.)* conto, *compte*.
°C graden Celsius, *degré Celsius*.
c. 1 cent, *cent*; 2 centiem, *centime*.
Ca *(chim.)* calcium, *calcium*.
ca centiare, *centiare* (m^2).
ca. circa (ongeveer), *environ*.
c.a. cum annexis (met het bijbehorende), *avec les annexes, avec les accessoires*.
cal *(phys.)* (gram)calorie, *calorie, microthermie*.
cand. (iur., *etc.*) candidatus (iuris, *etc.*), (kandidaat rechten, *enz.*), *candidat (en droit, etc.)*.
Cant. *(Bible)* Hooglied, *Cantique des Cantiques*.
c.a.o. collectieve arbeidsovereenkomst, *convention collective du travail*.

Cb *(chim.)* columbium, *columbium.*
Cd *(chim.)* cadmium, *cadmium.*
cd *(phys.)* candela, *candela, bougie nouvelle.*
Ce *(chim.)* cerium, *cérium.*
Cels. Celsius, *Celsius.*
cert. certificaat, *certificat.*
Cf *(chim.)* californium, *californium.*
cf.,cfr. confer(atur), (men vergelijke), *reportez-vous à..., comparez.*
c.i. civiel-ingenieur, *ingénieur civil.*
Cie compagnie, *compagnie.*
c.i.f. cost, insurance, freight (kosten, verzekering, vracht), *caf.*
civ. civiel, *civil.*
Cl *(chim.)* chloor, *chlore.*
cl centiliter, *centilitre.*
c.l. citato loco (ter aangehaalde plaatse), *à l'endroit cité.*
Cm *(chim.)* curium, *curium.*
cm centimeter, *centimètre.*
cm² vierkante centimeter, *centimètre carré.*
cm³ kubieke centimeter, *centimètre cube.*
cm/sec centimeter per seconde, *centimètre par seconde.*
Co *(chim.)* kobalt, *cobalt.*
Co. compagnon, *associé.*
c.o.d. cash on delivery (betaling bij levering), *contre remboursement.*
coll. collatis (gecollationeerd, na vergelijking), *collationné.*
Comp. compagnie, *compagnie.*
conf. *voir* cf.
coöp. coöperatie, *société coopérative.*
cos *(math.)* cosinus, *cosinus.*
cosec *(math.)* cosecans, *cosécante.*
cotg *(math.)* cotangens, *cotangente.*
c.q. casu quo (in welk geval), *le cas échéant.*
Cr *(chim.)* chroom, *chrome.*
cred. *(comm.)* credit, *avoir, crédit.*
cresc. crescendo, *crescendo.*
crt. courant, *courant.*
Cs *(chim.)* caesium, *césium, caesium.*
C.S. centraal station, *gare centrale.*
c.s. cum suis (met de zijnen), *et consorts.*
C.ss.R. redemptorist, *rédemptoriste.*
Ct. courant, *courant.*
ct. cent, *cent(s).*
Cu *(chim.)* koper, *cuivre.*
C.V. **1** coöperatieve vereniging, *société coopérative;* **2** commanditaire vennootschap, *société en commandité.*

D

D **1** *(chiffre romain)* 500 ; **2** *(chim.)* zware waterstof, *deutérium (isotope lourd de l'hydrogène)* ; **3** *(phys.)* dioptrie, *dioptrie* (δ) ; **4** *(télégramme)* dringend, *urgent.*
d dag, *jour.*
dam decameter, *décamètre* (10 m).
dat. *(gramm.)* datief, *datif.*
d.a.v. daaraanvolgend, *d'après, faisant suite à cela.*
dB *(phys.)* decibel, *décibel.*
d.d. **1** de dato (daterend), *en date de ;* **2** dienstdoende, *faisant fonction.*
DDT insektendodend middel (dichlorodiphenyltrichloroaethaan), *poudre insecticide (dichlorodiphenyltrichloraéthane).*
deb. debet, *doit, débit.*
dec. december, *décembre.*
decl. *(gramm.)* declinatie, *déclinaison.*
Dep., Dept. departement, *département.*
derg. dergelijke, *pareil(le).*
d.e.t. daarentegen, *par contre, au contraire.*
Deut. *(Bibl.)* Deuteronomium, *le Deutéronome.*
dg decigram, *décigramme.*
dgl. dergelijke, *pareil(le).*
d.i. dat is, dit is, *c.-à-d., à savoir, i.e.*
diam. diameter, *diamètre.*
dien. dienaar, *voir* dw. dr.
dir. **1** directeur, *directeur;* **2** dirigent, *chef d'orchestre.*
disc. *(comm.)* disconto, *escompte.*
distr. district, *district.*
div. **1** diverse, *divers, plusieurs;* **2** dividend, *dividende.*
dl deciliter, *décilitre.*
dm decimeter, *décimètre.*
dm² vierkante decimeter, *décimètre carré.*
dm³ kubieke decimeter, *décimètre cube.*
dn *(phys.)* dyne, *dyne.*
do. dito, *dito, de même.*
dr. **1** doctor, *docteur (ès-lettres, etc.)* ; **2** dienaar, *voir* dw.dr.
dra. doctoranda, *candidate-docteur.*
drs. doctorandus, *candidat-docteur.*
Ds. dominee, *pasteur.*
D.V. deo volente, (zo God wil), *si Dieu le veut.*
dw.dr. (uw) dienstwillige, dienaar, *votre bien dévoué; agréez, Monsieur, l'assurance, etc.*
d.w.z. dat wil zeggen, *c.-à-d.*
Dy *(chim.)* dysprosium, *dysprosium.*
dyn dyne, *dyne.*
d/z. ... dagen zicht, *... jours de vue.*
dz dozijn, *douzaine.*

E

E *(chim.)* einsteinium, *einsteinium.*
e^1_0 positron (positief geladen elektron), *électron positif.*
e.a. en andere(n), *entre autres.*
Eccl., Eccle. *(Bible)* Ecclesiastes, Prediker, *l'Ecclésiaste.*
Eccli. *(Bible)* Ecclesiasticus, boek van Jezus Sirach, *l'Ecclésiastique, Ben Sirach.*
ed. **1** uitgave, *édition ;* **2** edidit (verzorgd en bewerkt door), *rédigé par, rédacteur.*
e.d. en dergelijke(n), *et d'autres du même genre.*
E.E.G. Europese Economische Gemeenschap, *Marché Commun.*
Eerw. Eerwaarde, *révérend.*
Ef. *(Bibl.)* Brief aan de Efesiërs, *Épître aux Éphésiens.*
E.H.B.O. Eerste hulp bij ongelukken, *premiers secours, secourisme.*
e.i. elektrotechnisch ingenieur, *ingénieur en électronique.*

eig. eigenlijk, *propre.*
e.k. 1 eerstkomend, *prochain ;* 2 eerste kwartier, *premier quartier (de la lune).*
Em. 1 Eminentie, *Éminence ;* 2 emeritus, *en retraite, émérite.*
emer. emeritus, *en retraite, émérite.*
enk. *(gramm.)* enkelvoud, *singulier.*
enz. enzovoort, *etcétéra.*
Er *(chim.)* erbium, *erbium.*
Esdr. *(Bible, cathol.)* Esdras, *Esdras.*
etc. et cetera (enzovoort), *etcétéra.*
e.t.q. e tutti quanti, met allen samen, *tous ensemble, tous ceux impliqués.*
Eu *(chim.)* europium, *europium.*
e.v. eerstvolgende, *prochain, suivant.*
Ex. *(Bible)* Exodus, Uittocht, *l'Exode.*
ex. exemplaar, *exemplaire.*
Exc. Excellentie, *Excellence.*
excl. exclusief, *exclusif, pourboire non compris.*
Exod. *(Bible)* Exodus, Uittocht, *l'Exode.*
Ez. *(Bible)* 1 *(prot.)* Ezra, *Esdras ;* 2 *(cath.)* Ezechiël, *Ézéchiel.*
Ezech. *(Bible)* Ezechiël, *Ézéchiel.*

F

F 1 frank; 2 *(phys.)* farad, *farad ;* 3 *(chim.)* fluor, *fluor.*
°F graden Fahrenheit, *degré Fahrenheit.*
f 1 florijn(en), gulden, *florin(s) ;* 2 *(mus.)* forte ; 3 *(gramm.)* femininum (vrouwelijk), *féminin.*
fa. firma, *maison, firme.*
Fac. faculteit, *faculté.*
Fahr. Fahrenheit, *Fahrenheit.*
fasc. fascikel, *fascicule.*
Fe *(chim.)* ijzer, *fer.*
febr. februari, *février.*
ff., fff. *(mus.)* fortissimo.
fg *(phys.)* frigorie, *frigorie.*
fg. fungerend, *faisant fonction (de).*
fig. figuurlijk, *figuratif.*
Fil. *(Bible)* brief aan de Filippenzen, *Épître aux Philippiens.*
fl. florijn(en), gulden, *florin(s).*
Fm *(chim.)* fermium, *fermium.*
f° folio, *folio.*
f.o.b. free on board (franco boot), *franco-bord.*
fol. folio, *folio.*
fol.r° folio recto (op de voorzijde/blad), *au recto du folio.*
fol.v° folio verso (op de keerzijde/blad), *au verso du folio.*
Fr *(chim.)* francium, *francium.*
Fr., fr. 1 franco, *port payé, franco ;* 2 frank, *franc ;* 3 frater (broeder), *frère.*

G

G giga-, *giga-*, indiquant la multiplication d'une unité par un milliard (x10^9).
g gram, *gramme.*
g. *(bourse)* gedaan, *pratiqué, fait.*
Ga *(chim.)* gallium, *gallium.*
Gal. *(Bible)* Brief aan de Galaten, *Épître aux Galates.*
g.a.w.v. gunstig antwoord wordt verwacht, *nous escomptons une réponse favorable.*
g.b. *(bourse)* gedaan en bieden, (*B.* : kopers verminderd), *acheteurs réduits.*
Gd *(chim.)* gadolinium, *gadolinium.*
Ge *(chim.)* germanium, *germanium.*
geb. 1 geboren, *né(e) ;* 2 gebonden, *relié.*
Gebr. de Gebroeders..., *Les frères...*
Ged.St. Gedeputeerde Staten, *la députation permanente.*
Gen. *(Bible)* Genesis, *la Genèse.*
gen. *(gramm.)* genitief, *génitif.*
get. getekend, *signé.*
Gez. de Gezusters..., *Les sœurs...*
gf *(phys.)* gramkracht, *gramme-poids, gramme-force.*
g.g.d. *(math.)* grootste gemene deler, *le plus grand commun diviseur.*
g.l. *(bourse)* gedaan en laten (*B.* : verkopers verminderd), *vendeurs réduits.*
gld. gulden, *florin(s).*
gr. gram, *gramme.*
Gron. Groningen, *Groningue.*
Gs *(phys.)* gauss, *gauss.*
g.v. goed voor, *bon pour.*
gym(n.) 1 gymnasium, *lycée (athénée) humanités anciennes ;* 2 gymnastiek, *gymnastique.*

H

H 1 *(phys.)* henry, *henry ;* 2 *(chim.)* waterstof, *hydrogène.*
H. heilig(e), *saint(e).*
h uur, *heure.*
ha hectare, *hectare* (10.000 m^2).
Hab. *(Bible)* Habakuk, *Habaquq.*
Hagg. *(Bible) (prot.)* Haggai, *Aggée.*
Hand. *(Bible)* Handelingen (der Apostelen), *les Actes des Apôtres.*
h.b.s. hogereburgerschool, *lycée, (athénée) humanités modernes.*
h.c. honoris causa (eershalve), *à titre honorifique.*
Hd. Hoogduits, *(haut) allemand.*
He *(chim.)* helium, *hélium.*
Hebr. *(Bible)* Brief aan de Hebreeën, *Épître aux Hébreux.*
Herv. Hervormd, *réformé.*
Hf *(chim.)* hafnium, *hafnium.*
Hg *(chim.)* kwik(zilver), *mercure.*
hg hectogram, *hectogramme.*
Hgd. Hoogduits, *(haut) allemand.*
H.H. 1 Hare Hoogheid, *Son Altesse ;* 2 de heilige *mv. saint(e)s ;* 3 heren, *messieurs.*
H.H.K.K.H.H. 1 Hunne (*of* Hare) Koninklijke Hoogheden, *Leurs Altesses Royales ;* 2 Hunne (*of* Hare) Keizerlijke Hoogheden, *Leurs Altesses Impériales.*
H.H.K.K.M.M. 1 Hunne (*of* Hare) Koninklijke Majesteiten, *Leurs Majestés Royales ;* 2 Hunne (*of* Hare) Keizerlijke Majesteiten, *Leurs Majestés Impériales.*
H.H.M.M. Hunne (*of* Hare) Majesteiten, *Leurs Majestés.*
h.i. haars (*of* huns) inziens, *à leur avis.*

H.K.H. Hare koninklijke Hoogheid, *Son Altesse Royale.*
H.K.K.H. Hare keizerlijke en koninklijke Hoogheid, *Son Altesse Impériale et Royale.*
H.K.M. Hare koninklijke Majesteit, *Sa Majesté Royale.*
hl hectoliter, *hectolitre.*
H.M. Hare Majesteit, *Sa Majesté.*
hm hectometer, *hectomètre.*
Ho *(chim.)* holmium, *holmium.*
H.O. Hoger Onderwijs, *enseignement supérieur.*
Hooggel. Hooggeleerde, *très savant, docte.*
Hos. *(Bible) (prot.)* Hosea, *Osée.*
H.P., hp. paardekracht, *cheval-vapeur.*
Hr., hr. Heer, *monsieur.*
H.S. Heilige Schrift, *l'Écriture sainte.*
HS., Hs., hs. handschrift, *manuscrit.*
hss. handschriften, *manuscrits.*
H.W. hoog water, vloed, *marée haute.*
Hz *(phys.)* hertz, *hertz.*

I

I **1** *(chiffre romain)* 1 ; **2** *(chim.)* jodium, *iode.*
i *(math.)* $\sqrt{-1}$.
ib. ibidem (op dezelfde plaats), *au même endroit.*
i.b.d. in buitengewone dienst, *en service extraordinaire.*
ibid. *voir* ib.
i.c. in casu (in dit geval), *en ce cas, pour le cas où.*
id. idem (hetzelfde), *idem, le même.*
i.e. id est (dat is), *c'est-à-dire.*
i.e.w. in één woord, *en un mot.*
I.H.S. Jezus, *Jésus.*
Il *(chim.)* illinium, *illinium.*
imp. *(gramm.)* imperatief (gebiedende wijs), *impératif.*
imperf. *(gramm.)* imperfectum (onvoltooide tijd), *imparfait.*
impr. imprimatur, **1** *imprimatur,* **2** *bon à tirer.*
In *(chim.)* indium, *indium.*
incl. inclusief, *y compris, pourboire compris.*
ind. *(gramm.)* indicatief (aantonende wijs), *indicatif.*
inf. **1** *(gramm.)* infinitief (onbepaalde wijs), *infinitif* ; **2** *(mil.)* infanterie, *infanterie.*
ing. ingenieur zonder diploma TH ; *ingénieur sans diplôme universitaire.*
int., intr. interest, *intérêt.*
inz. inzonderheid, *en particulier.*
i.p.v., i.pl.v. in plaats van, *au lieu de.*
I.Q. intelligentiequotiënt, *quotient intellectuel.*
Ir *(chim.)* iridium, *iridium.*
ir., Ir. ingenieur (van T.H. of landbouwhogeschool), *ingénieur universitaire.*
Is. *(Bible) (cath.)* Isaias, *Isaïe.*
Isr. Israëlitisch, *israélien.*
i.v. in voce (op dat woord), *à ces mots.*
i.v.m. in verband met, *en rapport avec, en raison de.*

J

J **1** *(phys.)* joule, *joule* ; **2** *(chim.)* jodium, *iode.*
Jac., Jak. *(Bible)* Jacobus, *saint-Jacques.*
jan. januari, *janvier.*
J.C. Jezus Christus, *Jésus-Christ.*
Jer. *(Bible)* Jeremia(s), *Jérémie.*
Jes. *(Bible) (prot.)* Jesaja, *Isaïe.*
jg. jaargang, *année.*
Jhr. jonkheer, *écuyer (titre).*
Jkvr. jonkvrouw, *demoiselle (titre).*
jl. jongstleden, *dernier.*
Jo, Joh. *(Bible)* Johannes, *Jean l'Évangéliste.*
Jos. *(Bible) (cath.)* Josue, *Josué.*
Joz. *(Bible) (prot.)* Jozua, *Josué.*
Jr. junior, *jeune, fils, cadet.*
Jud. *(Bible)* **1** Judas, *Judas* ; **2** *(Vulgate)* Rechters, Richteren, *le livre des Juges.*

K

K *(chim.)* kalium, *potassium.*
k **1** kilo-, *kilo-, indiquant une valeur mille fois supérieure* ($x10^3$) ; **2** *(phys.)* kaars, *bougie.*
kapt. *(mil.)* kapitein, *capitaine.*
kar. karaat, *carat.*
K.B. **1** koninklijk besluit, *décret royal* ; **2** koninklijke bibliotheek, *bibliothèque royale (à la Haye).*
kcal kilocalorie, *kilocalorie, millithermie.*
kg kilogram, *kilogramme.*
kgf kilogramkracht, *kilogramme-poids, kilogramme-force.*
kgm kilogrammeter, *kilogrammètre.*
K.G.V. *(math.)* kleinste gemene veelvoud, *plus petit commun multiple.*
kHz kilohertz, *kilohertz.*
kl. klas(se), *classe.*
km kilometer, *kilomètre.*
km² vierkante kilometer, *kilomètre carré.*
K.M. **1** Koninklijke Majesteit, *Majesté Royale* ; **2** Keizerlijke Majesteit, *Majesté Impériale.*
koh. kohier, *rôle (des contributions).*
Kol. *(Bible)* Brief aan de Kolossenzen, *Épître aux Colossiens.*
kol. *(mil.)* kolonel, *colonel.*
Kon. **1** koninklijk, *royal* ; **2** *(Bible)* Koningen, *Les Livres des Rois.*
Kor. *(Bible)* Brief aan de Korinthiërs, *Épître aux Corinthiens.*
Kr *(chim.)* krypton, *krypton.*
Kron. *(Bible)* Kronieken, *les livres des Chroniques.*
kt karaat, *carat.*
kub. kubieke, *cube.*
kV kilovolt, *kilovolt.*
kVA kilovolt-ampère, *kilovoltampère.*
K.v.K. Kamer van Koophandel, *Chambre de Commerce.*
kW kilowatt, *kilowatt.*
kWh kilowattuur, *kilowattheure.*
k.z., k/z. *(lettre de change)* kortzicht, *à courte échéance.*

L

L 1 *(chiffre romain)* 50 ; 2 sterling, *livre sterling* ; 3 *(geogr.)* lengte, *longitude* ; 4 *(botanique)* Linnaeus, *Linné.*
l liter, *litre.*
l. links, *à gauche.*
La *(chim.)* lanthanium, lanthaan, *lanthanium.*
Lam. *(Bible)* klaagliederen van Jeremia(s), *les Lamentations.*
Lat. Latijn(s), *latin.*
L.B. 1 loco-burgemeester, *bourgmestre suppléant* ; 2 lector benevole (welwillende lezer), *lecteur bénévole.*
Lb, lb libra (pond), *livre* (sterling).
l.c. loco citato (op de aangehaalde plaats), *à l'endroit cité.*
Lev. Levit. *(Bible)* Leviticus, *le Lévitique.*
L.H.S. Landbouwhogeschool, *école des hautes études agronomiques.*
Li *(chim.)* lithium, *lithium.*
l.i. landbouwkundig ingenieur, *ingénieur agronome.*
lic. licentiaat, *licencié.*
l.k. laatste kwartier, *dernier quartier (de la lune).*
ll. laatstleden, *dernier.*
lm *(phys.)* lumen, *lumen nouveau (lu).*
L.O. 1 lager onderwijs, *enseignement primaire* ; 2 lichamelijke oefeningen, *culture physique.*
log. *(math.)* logaritme, *logarithme.*
log.log. *(math.)* de logaritme van de logaritme van, *le logarithme du logarithme de.*
L.S. lectori salutem (de lezer heil), *salutations au lecteur (en tête de lettre).*
Lt. *(mil.)* luitenant, *lieutenant.*
Lu *(chim.)* lutecium, *lutécium.*
Luc., Luk. *(Bible)* Lucas, Lukas, *l'Évangile selon saint Luc.*
Luit. *(mil.)* luitenant, *lieutenant.*
Luth. Luthers, *luthérien.*
L.W. laagwater, eb, *marée basse.*
LX *(télégramme)* gelukstelegram, *dépêche de félicitations.*
lx *(phys.)* lux, *lux nouveau.*
l.z., l/z *(lettre de change)* langzicht, *à longue échéance.*

M

M 1 *(chiffre romain)* 1000 ; 2 mega-, *méga-, indiquant la multiplication d'une unité par un million* ($x10^6$).
M. mijnheer, *monsieur.*
m 1 meter, *mètre* ; 2 milli-, *milli-, indiquant le millième d'une unité* ($x10^{-3}$).
m. 1 minuut, *minute* ; 2 *(gramm.)* mannelijk, *masculin.*
m² vierkante meter, *mètre carré.*
m³ kubieke meter, *mètre cube.*
Ma *(chim.)* masurium, *masurium.*
mA milliampère, *milliampère.*
Macch. *(Bible) (cath.)* Macchabeeën, *livres des Macchabées.*
maj. *(mil.)* majoor, *major.*
Makk. *(Bible) (cath.)* Makkabeeën, *livres des Macchabées.*
Mal. *(Bible) (prot.)* Malechi, *(cath.)* Malachias, *Malachie.*
Marc. *(Bible)* Marcus, *Marc.*
Matth. *(Bible)* Mattheus, *Mathieu.*
m.a.w. met andere woorden, *en d'autres termes.*
mb *(phys.)* millibar, *millibar, décipièze.*
m.b.t. met betrekking tot, *relativement à, concernant.*
Mc. *voir* Marc.
m.d. 1 met dank, *pour remercier* ; 2 met deelneming, *avec condoléance.*
Me *(chim.)* mendelevium, *mendelevium.*
M.E. middeleeuwen, *moyen âge.*
med.cand. candidaat in de medicijnen, *candidat en médecine.*
med.stud. student in de medicijnen, *étudiant en médecine.*
Mej., mej. mejuffrouw, *mademoiselle.*
M.E.T. Middeneuropese tijd, *heure de l'Europe centrale.*
Mevr., mevr. Mevrouw, *Madame.*
m.-f. *(mus.)* mezzo-forte.
Mg *(chim.)* magnesium, *magnésium.*
mg milligram, *milligramme.*
m.g. 1 met groet, *mes salutations* ; 2 met gelukwensen, *avec félicitations.*
Mgr. Monseigneur, *Monseigneur.*
m.h.d. 1 met hartelijke dank, *remerciements sincères* ; 2 met hartelijke deelneming, *sincères condoléances.*
m.h.g. 1 met hartelijke groet, *mes sincères (meilleures) salutations* ; 2 met hartelijke gelukwensen, *sincères félicitations.*
m.h.r. met hartelijk rouwbeklag, *sincères condoléances.*
mHz. megahertz, *mégahertz.*
m.i. mijns inziens, *à mon avis.*
Mich. *(Bible) (prot.)* Micha, *(cath.)* Micheas, *Michée.*
Mij. maatschappij, *société.*
Mik. *(Bible) (cath.)* Micheas, *Michée.*
mil. militair, *militaire.*
Min. 1 minister, *ministre* ; 2 ministerie, *ministère.*
min minuut, *minute.*
m.i.v. met ingang van, *à partir de.*
Mk. *voir* Marc.
ml milliliter, *millilitre.*
mm millimeter, *millimètre.*
mm² vierkante millimeter, *millimètre carré.*
mm³ kubieke millimeter, *millimètre cube.*
m.m. mutatis mutandis (met de nodige veranderingen), *en changeant ce qui doit être changé.*
M.M.H.H. Mijne Heren, *messieurs.*
m.m.v. met medewerking van, *avec la collaboration de.*
Mn *(chim.)* mangaan, *manganèse.*
m.n. met name, *notamment, à savoir.*
Mo *(chim.)* molybdeen, *molybdène.*
M.O. Middelbaar onderwijs, *enseignement secondaire, enseignement moyen.*
M.P. 1 militaire politie, *police militaire* ; 2 mijlpaal, *borne kilométrique* ; *jalon.*
Mr. 1 Meester (in de rechten), *docteur en droit* ; 2 *(B.:)* mijnheer, monsieur.

M.R. middelbare rivierstand, *niveau moyen de l'eau des rivières.*
m.r. met rouwbeklag, *avec condoléances.*
mrt. maart, *mars.*
MS., ms. 1 manuscript, *manuscrit ;* 2 motorschip, *navire à moteur.*
MSS., mss. manuscripten, *manuscrits.*
Mt. *voir* Matth.
mV millivolt, *millivolt.*
mv. *(gramm.)* meervoud, *pluriel.*
M.v.A. Memorie van Antwoord, *réponses aux questions parlementaires.*
M.v.T. Memorie van Toelichting, *exposé des motifs.*
Mw. Mevrouw, *Madame.*
Mx *(phys.)* maxwell, *maxwell.*
mμ millimicro- (= nano-), *millimicro- (= nano-) ; indiquant le milliardième d'une unité* ($x10^{-9}$).
MΩ *(phys.)* megohm, *mégohm.*
μ mikro-, *micro-, indiquant le millionième d'une unité* ($x10^{-6}$).
μA mikroampère, *microampère.*
μb mikrobar, *microbar, barye.*
μF mikrofarad, *microfarad.*
μg mikrogram, *microgramme.*
μm mikrometer, mikron, *micron.*
μμ mikromikro- (= piko-), *micromicro- (= pico-) indiquant le mille milliardième d'une unité* ($x10^{-12}$).

N

N 1 *(chim.)* stikstof, *azote ;* 2 *(phys.)* newton, *newton ;* 3 noord, *nord.*
n nano-, *nano-, indiquant le milliardième d'une unité* ($x10^{-9}$).
n. *(gramm.)* neutrum (onzijdig), *neutre.*
n^1_0 *(phys.)* neutron, *neutron.*
Na *(chim.)* natrium, *sodium.*
Nah. *(Bible)* Nahum, *Nahum.*
NATO North Atlantic Treaty Organization (= NAVO), *O.T.A.N.*
n.a.v. naar aanleiding van, *suite à, en réponse à.*
NAVO Noordatlantische Verdragsorganisatie (= NATO), *Organisation du Traité de l'Atlantique Nord (O.T.A.N.).*
N.B. 1 nota bene (let wel), *remarquez bien;* 2 *(géogr.)* Noorderbreedte, *latitude nord.*
Nb *(chim.)* niobium, *niobium.*
N.Br. *(géogr.)* Noorderbreedte, *latitude nord.*
N.-Br. Noord-Brabant, *Brabant-Septentrional.*
n.Chr. na Christus, *apr. J.-C.*
Nd *(chim.)* neodymium, *néodymium.*
Ndd. Nederduits, *bas-allemand.*
Ndl. Nederlands, *néerlandais.*
Ne *(chim.)* neon, *néon.*
Ned. Nederlands, *néerlandais.*
Ned.-Herv. Nederlands-Hervormd, *réformé hollandais.*
Neh. *(Bible)* Nehemia(s), *Néhémie, deuxième livre d'Esdras.*
nF *(phys.)* nanofarad, *nanofarad.*
N.-H. 1 Noord-Holland, *Hollande-Septentrionale ;* 2 *voir* Ned. Herv.
Ni *(chim.)* nikkel, *nickel.*
nl. namelijk, *à savoir, c'est-à-dire.*
N.M. nieuwe maan, *nouvelle lune.*
n.m. namiddag, *de l'après-midi.*
N.M.B.S. Nationale Maatschappij der Belgische Spoorwegen, *Société nationale de chemins de fer belges (S.N.C.B.).*
n.m.m. naar mijn mening, *à mon sens.*
N.N. nomen nescio (een ongenoemde), *anonyme.*
N.N.O., n.n.o. noordnoordoost(en), *nord-nord-est.*
N.N.W., n.n.w. noordnoordwest(en), *nord-nord-ouest.*
No. numero (nummer), *numéro.*
no. *(comm.)* netto, *net.*
N.O., n.o. noordoost(en), *nord-est.*
nom. 1 nominaal, *nominal ;* 2 *(gramm.)* nominatief, *nominatif.*
n.o.m. naar onze mening, *à notre sens.*
nov. november, *novembre.*
Np *(chim.)* neptunium, *neptunium.*
N.P. niet parkeren, *stationnement interdit.*
Nr. nummer, *numéro.*
n.r. 1 nieuwe regel, *alinéa ;* 2 *(comm.)* nieuwe rekening, *compte nouveau.*
N.S. 1 Nederlandse Spoorwegen, *Chemins de fer néerlandais ;* 2 *(chronol.)* Nieuwe Stijl, *style nouveau.*
N.T. *(Bible)* Nieuwe Testament, *Nouveau Testament.*
Nt *(chim.)* niton, radon, *niton, radon.*
Nto *(comm.)* netto, *net.*
n.u.g. *(comm.)* netto uitgeleverd gewicht, *poids net débarqué.*
Num. *(Bible)* Numeri, *les Nombres.*
N.V. naamloze vennootschap, *société anonyme.*
N.W., n.w. noordwest(en), *nord-ouest.*

O

O *(chim.)* zuurstof, *oxygène.*
O., o. oost(en), *est.*
o. *(gramm.)* onzijdig, *neutre.*
o.a. onder andere(n), *entre autres (choses).*
obl. obligatie, *obligation.*
o.c. opere citato (in het aangehaalde werk), *dans l'œuvre citée.*
O.C.C. geschoeide karmeliet, *carmélite portant chaussures.*
O.C.D. ongeschoeide karmeliet, *carmélite ne portant pas chaussures.*
O.Cist. cisterciënzer, *cistercien, frère de l'ordre de Cîteaux.*
O.C.S.O. trappist, *trappiste.*
Oe *(phys.)* oersted, *oersted.*
O.F.M. minderbroeder, *frère mineur,* franciscaan, *franciscain.*
O.F.M.Cap. kapucijn, *capucin.*
o.g.v. *(effets)* onder gebruikelijk voorbehoud, *sous les réserves d'usage.*
o.i. ons inziens, *à notre avis.*
O.K. in orde, *bon!*
O.K. en W. Onderwijs, Kunsten en Wetenschappen, *enseignement, arts et sciences.*
okt. oktober, *octobre.*
O.L. *(géogr.)* oosterlengte, *longitude est.*
O.-L.-V. Onze-Lieve-Vrouw, *La Sainte Vierge, Notre-Dame.*
o.l.v. onder leiding van, *sous la direction de.*
O.M. openbaar ministerie, *ministère public.*
o.m. onder meer, *entre autres (choses).*
O.M.Cap. kapucijn, *capucin.*
ong. ongeveer, *à peu près, environ.*
onz. *(gramm.)* onzijdig, *neutre.*

% percent (ten honderd), *pour-cent.*
‰ per duizend, *pour-mille.*
o.o.v. onvoorziene omstandigheden voorbehouden, *sauf imprévu.*
O.P. dominicaan, *dominicain.*
Op. opus, *œuvre.*
op.cit. *voir* o.c.
Openb. *(Bible)* Openbaring, *L'Apocalypse.*
O.Praem. norbertijn, witheer, *(père) prémontré.*
Os *(chim.)* osmium, *osmium.*
Os. *(Bible) (cath.)* Osee, *Osée.*
O.S. *(chronol.)* oude stijl, *style ancien.*
O.S.A. augustijn, *augustin.*
O.S.B. benedictijn, *bénédictin.*
O.S.C(r). kruisheer, *(père) croisier.*
O.T. *(Bible)* Oude Testament, *Ancien Testament.*
Ov. Overijsel, *Overijssel.*
Ω *(phys.)* ohm, *ohm.*

P

P 1 *(chim.)* fosfor, *phosphore ;* 2 pater, *père ;* 3 parkeren, *stationner ;* 4 *(lettre de change)* protest, *protêt ;* 5 *(bourse)* papier, *papier.*
p 1 *(phys.)* proton, *proton ;* 2 *(phys.)* druk, spanning, *pression ;* 3 piko-, *pico-, indiquant le mille milliardième d'une unité* ($x10^{-12}$).
p. 1 pagina (bladzijde), *page ;* 2 *(mus.)* piano, *piano.*
Pa *(chim.)* protoactinium, *protoactinium.*
p.a. per adres, *chez..., aux bons soins de...*
pag. pagina (bladzijde), *page.*
par. paragraaf, *paragraphe.*
pass. *(gramm.)* passivum (lijdende vorm), *passif.*
Pb *(chim.)* lood, *plomb.*
P.B.O. publiekrechtelijke bedrijfsorganisatie, *organisation professionnelle de droit public.*
p.c. tot rouwbeklag, *en fait de condoléances.*
pct. percent, *pour-cent.*
Pd *(chim.)* palladium, *palladium.*
p.d. per dag, *par jour.*
perf. *(gramm.)* perfectum, voltooide tijd, *parfait.*
Petr. *(Bible)* Brief van Petrus, *Épître de saint Pierre.*
pF pikofarad, *picofarad.*
p.f. als gelukwens, *en fait de félicitations.*
p.f.v. om een bezoek af te leggen, *pour rendre une visite.*
P.G. protestantse godsdienst, *de religion protestante.*
Philem. *(Bible)* brief aan Philemon, *Épître à Philémon.*
p.j. per jaar, *par an.*
pk *(phys.)* paardekracht, *cheval-vapeur.*
pkh paardekrachtuur, *cheval-vapeur-heure.*
pl. *(gramm.)* pluralis (meervoud), *pluriel.*
Pm *(chim.)* promethium, *prométhium.*
p.m. 1 plus minus (min of meer), *environ ;* 2 pro memorie (ter herinnering), *pour mémoire ;* 3 pro mille (per duizend), *pour-mille ;* 4 post meridiem (na de middag), *de l'après-midi.*
Po *(chim.)* polonium, *polonium.*
p° primo 1 ten eerste, *premièrement ;* 2 op de eerste dag van de maand, *le premier jour du mois.*
p.o. 1 *(comm.)* per order, *par ordre ;* 2 per omgaande, *par retour du courrier.*
p.p. 1 *(comm.)* per procuratie, bij volmacht, *par procuration* (p. pon) ; 2 *(mus.)* piu piano (zachter).
p.p.c. ten afscheid, *pour prendre congé.*
p.p.p. *(mus.)* pianissimo *(*zeer zacht*).*
p.p.p.d. per persoon per dag, *par tête et par jour.*
P.R. *poste restante.*
Pr *(chim.)* praseodymium, *praséodymium.*
Pr. priester, *prêtre.*
p.r. om te bedanken, *pour remercier.*
praes. *(gramm.)* praesens (tegenwoordige tijd), *temps présent.*
praet. *(gramm.)* praeteritum (verleden tijd), *prétérit.*
Pred. *(Bible)* Prediker, *Ecclésiaste.*
pref. *(comm.)* preferent, *privilégié.*
prk. postrekening, *compte de chèques postaux.*
Proc. procureur, *procureur.*
prof. professor, *professeur d'université.*
prol. *(comm.)* prolongatie, *report, prorogation du marché.*
prot. protestant, *protestant.*
Prov. *(Bible)* Spreuken, *les Proverbes.*
prov. provincie, *province.*
P.S. postscriptum (naschrift), *post-scriptum.*
Ps. psalm, *psaume.*
pseud. pseudoniem, *pseudonyme.*
p.st. pond sterling, *livre sterling.*
Pt *(chim.)* platina, *platine.*
P.T.T. Posterijen, Telegrafie, Telefonie, *Postes, télégraphes et téléphones.*
Pu *(chim.)* plutonium, *plutonium.*
P.V.B.A. *(B.)* personenvennootschap met beperkte aansprakelijkheid, *société de personnes à responsabilité limitée (S.P.R.L.).*
π *(math.)* verhoudingsgetal tussen omtrek en middellijn van een cirkel, *signe représentant le rapport de la circonférence au diamètre* (± 3,1416).

Q

q quintaal, *quintal (métrique)* (100 kg).
q.e. quod est (dat is, wat betekent), *c'est-à-dire.*
q.e.d. *(math.)* quod erat demonstrandum (hetgeen bewezen moest worden), *ce qu'il fallait démontrer (c.q.f.d.).*
q.q. qualitate qua (in de hoedanigheid van, ambtshalve), *en sa qualité de.*

R

R Réaumur, *degrés Réaumur.*
r. 1 rechts, *à droite ;* 2 recto (op de rechterkant van het blad), *au recto du folio.*

Ra *(chim.)* radium, *radium.*
rab. *(comm.)* rabat, *rabais, remise.*
rad. *(math.)* radiaal, *radian.*
Rb *(chim.)* rubidium, *rubidium.*
rbt. *voir* rab.
Rd *(chim.)* radon, *radon.*
Re *(chim.)* rhenium, *rhénium.*
rec. recensent (beoordelaar), *critique, juge.*
red. **1** redacteur, *rédacteur ;* **2** redactie, *rédaction.*
ref. **1** referent (verslaggever), *rapporteur ;* **2** referte, *renvoi, en me référant à.*
Reg. *(Bible)* Liber Regium (Koningen), *les Livres des Rois.*
reg. **1** regel, *ligne ;* **2** *(mil.)* regiment, *régiment.*
resp. respectievelijk, *respectivement.*
Rh *(chim.)* rhodium, *rhodium.*
R.I.P. requiescat in pace (hij (*of* zij) ruste in vrede), *qu'il (*ou *elle) repose en paix.*
R.-K., r.-k. rooms-katholiek, *catholique (romain).*
r°, r°f° recto (folio), *au recto du folio.*
Rom. *(Bible)* Brief aan de Romeinen, *Épître aux Romains.*
Ru *(chim.)* ruthenium, *ruthénium.*

S

S **1** stère, *stère* (m^3) ; **2** *(chim.)* zwavel, *soufre.*
S. Sint (heilige), *Saint.*
s *(phys.)* secunde, *seconde.*
s.a. sine anno (zonder jaartal), *sans date.*
salv. tit. salvis titulis (behoudens de titel), *sans mention de titres.*
Sam. *(Bible)* Samuel, *Samuel.*
Sb *(chim.)* stibium, antimoon, *antimoine.*
sc. scilicet (namelijk), *à savoir, c'est-à-dire.*
Sc *(chim.)* selenium, *sélénium.*
sec. **1** seconde, *seconde ;* **2** *(math.)* secans, *sécante.*
secr. secretaris, *secrétaire.*
Sen. senior, *aîné, père.*
sept. september, *septembre.*
S.E.R. Sociaal-Economische Raad, *Conseil Social-économique.*
Serg. *(mil.)* sergeant, *sergent.*
S.G., s.g. *(phys.)* soortelijk gewicht, *poids spécifique.*
Si *(chim.)* silicium, *silicium.*
sign. signatum erat (was getekend), *signé.*
sin. *(math.)* sinus, *sinus.*
sing. *(gramm.)* singularis (enkelvoud), *singulier.*
S.J. jezuïet, *jésuite.*
s.l.e.a. sine loco et anno (zonder plaatsopgave en jaartal), *sans lieu et sans date.*
Sm *(chim.)* samarium, *samarium.*
Sn *(chim.)* tin, *étain.*
soc. **1** sociaal, *social(e) ;* **2** socialistisch, *socialiste.*
Sofon. *(Bible) (cath.)* Sofonias, *Sophonie*
sqq. sequentes (volgende *mv.*), *et les pages suivantes.*
Sr *(chim.)* strontium, *strontium.*
Sr. senior, *aîné, père.*
SS., ss. stoomschip, *steamer.*
s.s.t.t. salvis titulis (behoudens de titels), *sans mention de titres.*
s.t. salvo titulo (met weglating van de titel), *sans mention du titre.*
St. sint, heilige, *saint(e).*
Stbl. staatsblad, *Moniteur.*
Stct. staatscourant, *Journal Officiel.*
subs. subsidiair, *subsidiairement.*
subst. *(gramm.)* substantief (zelfstandig naamwoord), *substantif, nom.*
s.v. sub voce (zie onder het woord), *sous le mot.*
s.v.p. alstublieft, *s'il vous plaît.*
syn. synoniem, *synonyme.*

T

T téra-, *tera-, indiquant la multiplication d'une unité par mille milliards* ($x10^{12}$).
t **1** ton, *tonne ;* **2** tarra, *tare.*
Ta *(chim.)* tantalium, *tantale.*
t.a.p. ter aangehaalde plaatse, *à l'endroit cité.*
t.à.t. geheel de uwe, *tout à toi.*
t.à.v. geheel de uwe, *tout à vous.*
t.a.v. **1** ten aanzien van, *en vue de, par rapport à ;* **2** ter attentie van, *aux bons soins de, à l'attention de.*
Tb *(chim.)* terbium, *terbium.*
T.B. *(télégramme)* telefoonbestelling, *à transmettre par téléphone.*
t.b., t.b.c. tuberculose, *tuberculose.*
Tc *(chim.)* technetium, *technétium.*
T.C. *(télégr.)* collationering (betaald), vergeleken telegram, *télégramme avec collationnement.*
Te *(chim.)* tellurium, *tellure.*
techn. technisch, *technique.*
tel. telefoon, *téléphone.*
tel.-adr. telegramadres, *adresse télégraphique.*
t.e.m. tot en met, *jusqu'au... inclus.*
tf tonkracht, *tonne-poids, tonne-force.*
tg *(math.)* tangens, *tangente.*
t.g.t. te gelegener tijd, *en temps utile.*
t.g.v. ter gelegenheid van, *à l'occasion de.*
Th *(chim.)* thorium, *thorium.*
T.H. Technische Hogeschool, *école technique supérieure.*
Thess. *(Bible)* Brief aan de Thessalonicenzen, *Épître aux Thessaloniciens.*
Thren. *(Bible)* klaagliederen van Jeremia(s), *les Lamentations.*
Ti *(chim.)* titaan, *titane.*
Tim. *(Bible)* Brief aan Timotheus, *Épître à Timothée.*
Tit. *(Bible)* Brief aan Titus, *Épître à Tite.*
tit. titulair, *titulaire.*
Tl *(chim.)* thallium, *thallium.*
TL, TL-buis buislamp, *tube fluorescent.*
t.l. ten laatste, *pour finir, en dernier lieu.*
Tm *(chim.)* thulium, *thulium.*
t.m., t/m tot en met, *jusqu'au... inclus.*
t.n.v. ten name van, *au nom de.*
Tob. *(Bible)* Tobias, Tobie.
tom. tomus (deel) *tome.*
t.o.v. **1** ten opzichte van, *à l'égard de, envers ;* **2** ten overstaan van, *pardevant, en présence de.*

t.t. totus tuus (geheel de uwe), *tout à vous.*
t.u. te uwent, *chez vous.*
TV televisie, *télévision.*
t.v. te voren, *d'avance.*
t.w. te weten, *c'est-à-dire.*
t.z. ter zee, *par mer, sur mer.*
t.z.p. te zelfder plaatse, *au même endroit.*
t.z.t. te zijner tijd, *en temps utile.*

U

U *(chim.)* uraan, uranium, *uranium.*
U.B. universiteitsbibliotheek, *bibliothèque universitaire.*
u.i. ut infra (zoals beneden), *comme ci-dessous.*
ult. ultimo (op de laatste dag van de maand), *dernier jour du mois.*
UNESCO United Nations Educational, Scientific and Cultural Organisation, *Organisation des Nations Unies pour l'éducation, la science et la culture.*
U.N.O. Verenigde Naties, *Organisation des Nations Unies (O.N.U.).*
u.r. ut retro (zoals aan ommezijde), *comme au verso.*
u.s. ut supra (zoals boven), *comme ci-dessus.*
U.S.,U.S.A. Verenigde Staten (v. Amerika), *États-Unis (d'Amérique).*
U.S.S.R. Sowjet-Rusland, Unie van Socialistische Sowjetrepublieken, *Union des Républiques Socialistes Soviétiques (U.R.S.S.).*

V

V 1 *(chiffre romain)* 5 ; 2 *(phys.)* volt, *volt ;* 3 *(chim.)* vanadium, *vanadium.*
v. 1 van, *de ;* 2 *(gramm.)* vrouwelijk, *féminin ;* 3 vide (zie), *voir.*
val. valuta, *valeur, devises.*
vb. voorbeeld, *exemple.*
v.b. van boven, *du haut, d'en haut.*
vbb. voorbeelden, *exemples.*
VC *(phys.)* voltcoulomb, *voltcoulomb.*
v.c. 1 vi coactus (door geweld gedwongen), *contraint par la force ;* 2 *(comm.)* vostro conto (uw rekening), *votre compte.*
v.Chr. vóór Christus' geboorte, *avant Jésus-Christ.*
v.d. van de, *du, de la.*
Ver. Vereniging, *Association.*
Ver. St. Verenigde Staten, *États-Unis.*
vergl. men vergelijke, *confer, reportez-vous à... pour comparer.*
vert. 1 vertaler, *traducteur ;* 2 vertaling, *traduction.*
Vg *(chim.)* virginium, *virginium.*
v.g.a.v. verzoeke gunstig antwoord voor..., *escompte réponse favorable avant...*
v.g.g.v. *(annonces)* van goede getuigschriften voorzien ; *muni de bons certificats, — de bonnes références.*
v.g.h. van goeden huize, *de bonne famille, de bonne naissance.*
vgl. *voir* vergl.
v.h. 1 van het, *du, de la ;* 2 voorheen, *ancienne maison, anciennement.*
vid. videatur (men zie), *voir.*
v.l.b. *(com.)* vrij langs boord, *franco le long du navire.*
vlg. 1 volgens, *selon, d'après ;* 2 volgend(e), *suivant(s).*
vlgg. en volgende bladzijden, *et les pages suivantes.*
v.l.n.r. van links naar rechts, *de gauche à droite.*
V.M. volle maan, *pleine lune.*
v.m. voormiddag, *du matin.*
V.N. Verenigde Naties, *Nations-Unies.*
vnl. voornamelijk, *surtout, principalement.*
v° verso (op keerzijde), *au verso.*
v.o. van onderen, *d'en bas.*
voc. voce (op het (genoemde) woord) *sur le mot (ou l'article) en question.*
v°f° verso folio (op keerzijde/blad), *au verso du folio.*
vol. volumen (deel van boekwerk), *tome.*
voorm. voormalig, *ancien(nement), ex-.*
vr. vrouwelijk, *féminin.*
Vs., vs. *(Bible)* vers, *verset.*
V.S. Verenigde Staten, *États-Unis.*
v.sl. *(bourse)* vorig slot, *cours de clôture précédente.*
V.U. Vrije Universiteit, *Université libre.*
v.v. 1 vice versa (heen en terug), *vice versa ;* 2 en volgende, *et les pages suivantes.*
V.V V. Vereniging voor vreemdelingenverkeer, *syndicat d'initiative.*
Vz. voorzitter, *président.*
v.z.g.f. van zeer goeden huize, *de très bonne famille.*
v.z.w. vereniging zonder winstoogmerken, *association sans but lucratif.*

W

W 1 west(en), *ouest ;* 2 *(chim.)* wolfraam, *tungstène ;* 3 *(phys.)* watt, *watt.*
w west(en), *ouest.*
W.A. wettelijke aansprakelijkheid ; *responsabilité civile.*
Wb *(phys.)* weber, *weber.*
w.c. watercloset, *watercloset, toilette.*
wd. waarnemend, *faisant fonction de.*
wdb. woordenboek, *dictionnaire.*
wed. weduwe, *veuve.*
Weled. weledele, *Monsieur (sur adresse).*
Weledelgeb. weledelgeboren, *Monsieur (sur adresse).*
Weledelgestr. weledelgestreng, *Monsieur (sur adresse).*
weleerw. weleerwaarde, *révérend.*
wetb. wetboek, *code.*
w.g. was getekend, *signé.*
w.g.a.v. wordt gunstig antwoord verwacht, *réponse favorable est attendue.*
Wh wattuur, *wattheure.*
w.i. werktuigkundig ingenieur, *ingénieur mécanicien.*
W.L. *(géogr.)* westerlengte, *longitude ouest.*
wnd. *voir* wd.
W.P. winterpeil, *niveau d'hiver.*
W.v.B.R(v). wetboek van burgerlijke rechtsvordering, *code de procédure civile.*

W.v.K. wetboek van koophandel, *code de commerce.*
W.v.S(tr). wetboek van Strafrecht, *code pénal.*

X

X 1 *(chiffre romain)* 10; 2 *(chim.)* xenon, *xénon.*
x.d. *(comm.)* ex-dividend, *ex-dividende.*
Xe *(chim.)* xenon, *xénon.*
X° in Christus, *dans le Christ.*

Y

Y *(chim.)* yttrium, *yttrium.*
Yb *(chim.)* ytterbium, *ytterbium.*

Z

Z.,z. zuid(en), *sud.*
z.a. zie aldaar, *voir à cet endroit.*
Zach. *(Bible)* Zacharia(s), *Zacharie.*
Zak. *(Bible)* Zakarias, *Zacharie.*
Z.B. *(géogr.)* zuiderbreedte, *latitude sud.*
z.b.b.h.h. *(annonces)* zijn bezigheden buitenshuis hebbende, *travaillant au dehors.*
Z.D. Zijne Doorluchtigheid, *Son Altesse, Sa Grandeur.*
Z.D.H. Zijne Doorluchtige Hoogwaardigheid, *Son Éminence, Sa Grandeur.*
Z.E. Zijne Edelheid, *Son Excellence.*
Zef. *(Bible) (prot.)* Zefanja, *Sophonie.*
Z.Em. Zijne Eminentie, *Son Éminence.*
Z.Exc. Zijne Excellentie, *Son Excellence.*
z.g. 1 zogenaamd, *appelé, soi-disant ;* 2 zaliger gedachtenis, *feu, d'heureuse mémoire.*
z.g.a.n. *(annonces)* zo goed als nieuw, *à l'état neuf.*
Z.H. 1 Zijne Hoogheid, *Son Altesse ;* 2 Zijne Heiligheid, *Sa Sainteté.*
Z.H.E(xc). Zijne Hoogwaardige Excellentie, *Son Excellence.*
z.h.s. zonder hoofdelijke stemming, *vote qui n'est pas nominal.*
z.i. zijns inziens, *à son avis.*
z.j. zonder jaartal, *sans date.*
z.k. zonder kinderen, *sans enfants.*
Z.K.H. 1 Zijne Koninklijke Hoogheid, *Son Altesse Royale ;* 2 Zijne Keizerlijke Hoogheid, *Son Altesse Impériale.*
Z.K.M. 1 Zijne Koninklijke Majesteit, *Sa Majesté Royale ;* 2 Zijne Keizerlijke Majesteit, *Sa Majesté Impériale.*
Z.M. Zijne Majesteit, *Sa Majesté.*
Zn *(chim.)* zink, *zinc.*
Zn. zoon, *fils.*
Z.O., z.o. zuidoost, *sud-est.*
Z.O.A.V.O. Zuidoostaziatische Verdragsorganisatie, *Organisation du Traité de l'Asie du sud-est (O.T.A.S.E.).*
z.o.z. zie ommezijde, *tournez, s'il-vous-plaît (t.s.v.p.).*
Z.P. zomerpeil, *niveau d'été.*
Zr *(chim.)* zirkonium, *zirconium.*
Zr., zr. zuster, *sœur.*
Z.W., z.w. zuidwest, *sud-ouest.*
z.z.g.g. *(annonces)* zag zich gaarne geplaatst, *cherche emploi.*
Z.Z.O., z.z.o. zuidzuidoost, *sud-sud-est.*
Z.Z.W., z.z.w. zuidzuidwest, *sud-sud-ouest.*

SIGNES

.	de punt, *le point.*
,	de komma, *la virgule.*
;	de kommapunt, *le point-virgule.*
?	het vraagteken, *le point d'interrogation.*
!	het uitroepteken, *le point d'exclamation.*
:	de dubbele punt, *les deux points.*
...	het beletselteken, *les points de suspension.*
„ ”	de aanhalingstekens, *les guillemets.*
( )	haakjes, *les parenthèses.*
[ ]	vierkante haakjes, *les crochets.*
—	het gedachtestreepje, *le tiret.*
+	en, plus, *plus.*
—	min, *moins.*
×	maal, *multiplié par.*
:	gedeeld door, *divisé par.*
=	is, *égal.*
>	groter dan, *plus grand que.*
<	kleiner dan, *plus petit que.*
≠	niet gelijk aan, *différent de.*
∞	oneindig, *infini.*
$\sqrt{}$	(vierkants)wortel van, *racine (carrée) de.*
$\sqrt[n]{}$	n-de wortel uit, *racine nième de.*
&	en, *et.*
$	dollar, *Dollar.*
£	pond sterling, *Livre sterling.*
§	paragraaf, *paragraphe.*

QUELQUES DIFFICULTÉS ORTHOGRAPHIQUES ET GRAMMATICALES DE LA LANGUE NÉERLANDAISE

DIVISION EN SYLLABES

La division des mots en syllabes se fait en règle générale d'après les groupes phoniques. Il y a lieu cependant de tenir compte des règles suivantes :

1. Dans les mots composés on sépare les éléments du mot composé :

   Ex. *pere - boom, voor - al, heel - al.*

2. Dans les dérivés on sépare les préfixes ou suffixes de la racine du mot :

   Ex. *ont - erven, her - vormen, wan - orde, ver - bannen.*
   bloem - pje, naai - ster, groot - ste, wijs - te, dik - te.

   Remarque : Lorsque le suffixe commence par une voyelle cette règle **n'est pas** appliquée sauf avec les suffixes *-aard, -aardig* et *-achtig.*

   Ex. *tijge - rin, le - raar, hel - per,*
   geel - achtig, reus - achtig, laf - aard, wreed - aardig.
   On excepte : *do - laard* (cf. do - len), *grijn - zaard* (cf. grijn - zen), ***vein - zaard*** (cf. vein - zen).

3. Une consonne ou *ch* entre deux voyelles s'ajoute à la syllabe suivante :

   Ex. *boe - ken, le - dig, la - chen, ka - chel.*

   Remarques :

   1. On ne coupe jamais devant ou après un *x.*
   2. *y* s'ajoute à la syllabe précédente.

      Ex. *roy - aal, relay - eren.*

4. Deux consonnes entre deux voyelles sont séparées :

   Ex. *red - den, han - gen, mees - ter.*

   Remarques :

   Ng et *gn* sont considérés comme deux consonnes.

   Ex. *konin - gin, konin - gen, mag - nifiek.*

   Par contre *ch* et *qu* (= *k* ou *kw*) sont considérés comme une seule consonne.

   Ex. *cho - quant, re - quiem.*

5. Lorsqu'il y a plus de deux consonnes entre deux voyelles, on ajoutera à la syllabe suivante autant de consonnes que l'on peut en avoir au début d'un mot néerlandais :

   Ex. *bor - stel, ven - ster, ang - stig, koort - sig, amb - ten, mand - je.*

6. Pour les mots d'origine étrangère et les noms propres la division en syllabes se fait d'après la prononciation :

   Ex. *E - gyp - te, pa - troon, bi - os - coop.*

7. Les diphtongues *aai, oei* et *ooi* ne sont jamais scindées :

   Ex. *koei - en, rooi - en, naai - en,*

   Les diphtongues *auw, ouw, eeuw, ieuw* se scindent après le *u :*

   Ex. *nau - we, sjou - wen, eeu - wen, nieu - we.*

8. Les diminutifs de substantifs terminés par une voyelle se divisent de la manière suivante :

Paatje, *pa - tje;* sleetje, *slee - tje;* logeetje, *logée - tje* ou *logé - tje;* autootje, *auto - tje;* parapluutje, *paraplu - tje.*

SONS LONGS ET SONS BREFS

1. Dans une *syllabe ouverte* (c.-à-d. se terminant par une voyelle), un son long se représente à l'aide d'une voyelle simple :

Ex. *ko - men, a - vond.*

Remarques :

1. Devant *ch* la voyelle est courte :

Ex. *lachen, pochen, kuchen.*

2. Devant *ch* le *o* est doublé :

Ex. *goochelen, goochem, loochenen.*

Dans une *syllabe fermée* le signe simple indique le phonème court, le signe doublé note le phonème long.

Remarque : Devant *w* le phonème long d'*uu* se note par le signe simple.

Ex. *ruw, waarschuwen.*

On écrira, par conséquent : *hij deed, zij deden; het kind is aangekleed, een aangeklede pop; het land van Overmaas, de Overmase landen; hij heeft het dier gedood, het gedode dier; Chinees eten, een Chinese vrouw; ik stuur, zij sturen.*

2. Pour éviter la confusion avec le e muet, à la fin d'un mot le e est doublé. Ce **ee** est maintenu dans les composés et les dérivés de ces mots.

Ex. On écrira donc *zee* et aussi *zeeschip, onderzeeër, zeetje, zeeëgel.*
De même : *meegaan, weemoed, tweede, Pyreneeën.*

Remarque : Sont aussi considérés comme composés de mots en ee les composés dont le premier composant, se terminant par ee, n'existe pas ou plus comme mot isolé.

Ex. *deemoed, eega, leewater, meekrap, sleedoorn.*

3. Aux **noms géographiques néerlandais** les règles ne sont pas applicables. Ils conservent leurs anciennes formes.

Ex. *Heerenveen, Hoogezand.*

Dans les mots dérivés de noms géographiques néerlandais, la voyelle de la syllabe finale obéit à la règle générale, à moins que ce dérivé ne soit un élément d'un nom géographique.

Ex. *Straatweg naar Gees = Gese straatweg, straatweg naar Sneek = Sneker straatweg.*
Cependant: *Sneeker Meer* (nom géographique).

Remarques :

1. Les noms de rues, de places publiques, d'avenues, etc. ne sont pas considérés comme des noms géographiques.

2. Les noms géographiques en dehors des Pays-Bas et de la Belgique suivent les règles générales.

Ex. *Wenen, Rode Zee.*

4. Dans les **diminutifs** d'un mot se terminant par une voyelle, la syllabe est considérée comme fermée et, par conséquent, la voyelle est doublée.

Ex. *pa, paatje; sla, slaatje; auto, autootje; paraplu, parapluutje.*

5. Au **pluriel**, les mots se terminant par **a** prennent avant le s une apostrophe ou bien ils doublent le a.

Ex. *eega's* ou *eegaas, vla's* ou *vlaas, ra's* ou *raas.*

Les noms propres ne doublent pas le a.

Ex. *Maria's, Johanna's.*

Les noms **étrangers** se terminant par **a, i, o, u, y** prennent une apostrophe devant le s au pluriel.

Ex. *alibi's, piano's, menu's, baby's.*

Ceux se terminant par *é* ou par un groupe de voyelles prononcées comme un son unique, prennent *s* sans apostrophe.

Ex. *cafés, bureaus, jockeys,*
mais : *dahlia's.*

I, IE

Dans les syllabes ouvertes de même que dans les syllabes fermées le i long ou mi-long (pur) s'écrit ie.

Ex. *Piet, niezen, gieren, stier, pieren.*
Ce n'est pas le cas dans le suffixe **-isch** et devant un e muet ou une diphtongue

Ex. *logisch, neuriën, krioelen, miauwen.*

Au pluriel le ie sera maintenu, quand il a l'accent tonique. Dans ce cas, le e suivant prend le tréma. Au cas où la syllabe précédente est accentuée, le ie s'écrit comme **i.**

Ex. *knieën, symfonieën, met zijn drieën.*
Cependant : *furiën, oliën.*

EI, IJ

Il n'y a que des règles très insuffisantes pour l'emploi de ei ou ij.

On emploie ij :

1. dans tous les verbes forts qui changent la voyelle du radical.

   Ex. *bijten, krijten, lijden, mijden.*

2. dans les suffixes **-ij, -erij, -nij.**

3. Dans les mots étrangers qui s'écrivent dans la langue originelle avec un **i.**

   Ex. *bijbel* (*biblia*), *lijn* (*linea*), *fijn* (*fin*), *mijl* (*mile*), *prijs* (*prix*), *vijg* (*figue*), *wijn* (*vin*).

On emploie ei :

1. Dans les suffixes **-heid, -lei, -teit.**

2. Dans nombre de mots étrangers qui s'écrivent en latin ou en français avec a, ae, ai, ée.

   Ex. *feil* (*faillir*), *feit* (*fait*), *fontein* (*fontaine*), *karwei* (*corvée*), *keizer* (*caesar*), *paleis* (*palais*).

CONSONNES

1. On distingue en néerlandais les consonnes sonores b, d, g, v, z et les consonnes sourdes p, t, k, f, s, ch (**'t kofschip**).
Dans les mots déclinables on écrit à la fin d'un mot la consonne prononcée dans la forme déclinée, dérivée ou composée.

   Ex. *rib* (et pas *rip*) à cause du pluriel *ribben; daad* (et pas *daat*) à cause du pluriel *daden; waard* (et pas *waart*) à cause de *waarde, waardig; zand* (et pas *zant*) à cause de *zanderig;* etc.

C'est pour la même raison que le participe passé des verbes sans changement de la voyelle du radical et dont le radical se termine par une diphtongue ou une consonne sonore prend un **d.**

Ex. *gedraaid*, à cause de *gedraaide* ; *getobd*, à cause de *tobde* ; *gevraagd*, à cause de *gevraagde*.

Dans les autres cas, le participe passé prend un **t**.

Ex. *gedacht, gehoopt, gevist.*

Remarque : A la fin d'un mot ou d'une syllabe, les consonnes **v** et **z** se changent en **f** et **s**.

Ex. *lieve, lief; vrezen, vreesde; grijze, grijsaard.*

Celui dont le néerlandais est la langue maternelle orthographie donc *gedraai***d** et *gevis***t** parce qu'à l'imparfait il dira *draaide* et *viste*.
Celui dont le néerlandais n'est pas la langue maternelle retiendra que lorsque le radical du verbe se termine par une consonne sonore, l'imparfait se forme en *-de* tandis qu'après une consonne sourde on emploie *-te*. (Les consonnes sourdes sont celles qui commencent les mots de la phrase : *F*rançois *K*arraud *p*rend *s*on *t*hé *ch*aud.

2. Quant aux **mots étrangers**, en nombre de cas deux ou plusieurs modes d'orthographe sont admis. On est prié de consulter la première partie de ce dictionnaire, où toutes les formes doubles ont été indiquées. Dans la deuxième partie du dictionnaire nous n'avons repris que les formes de l'orthographe préférentielle officielle.

3. **Le redoublement de la consonne** s'emploie pour éviter que la syllabe précédente ne reste ouverte, c'est-à-dire pour indiquer que la voyelle précédente est une voyelle courte.

Ex. *kat, katten* (et pas *katen*) ; *bed, bedden; lip, lippen; tol, tolletje; mik, mikken.*

Au cas d'une voyelle *atone* précédente, la consonne ne se redouble pas, excepté dans les mots en -is. Le *ch* ne se redouble jamais.

Ex. *Dokkumer, dreumesen, leeuweriken, monniken, perziken.*
Cependant : *secretarissen, vonnissen.*

4. Le **sch** ne s'emploie qu'au commencement d'un mot et alors il se prononce, dans la terminaison en **-isch**, où il se prononce *s*, et dans les noms géographiques néerlandais (ex. *'s Hertogenbosch*).

Remarques :

1. Dans les mots dérivés de noms géographiques néerlandais le **sch** ne s'écrit que si le mot dérivé est lui-même un nom géographique.

   Ex. *Leidse kaas, Tiense suiker, Brugse kant.*
   Cependant : *Hoogeveensche Vaart, Hollandsch Diep, Zeeuwsch-Vlaanderen.*

2. Seuls les noms en -bosch maintiennent le sch dans des formes déclinées.

   Ex. *Oudenbossche kwekers, Bossche koek.*

3. Les noms de rues, de places, d'avenues, etc., ne sont pas considérés comme des noms géographiques ; ils suivent la règle générale.

   Ex. *Naamse Vest, Grote Markt, Amsterdamse straatweg.*

LETTRES DE LIAISON

1. Le son intermédiaire **e(n)** s'écrit **e**, excepté quand le premier terme du mot éveille nécessairement l'idée du pluriel.

Ex. *ganzepen, notedop, osselong, paardestaart, speldeknop.*
Cependant : *aalbessenjenever, bijenkorf, boekenkast, dievenbende, woordenboek.*

2. On écrit aussi **en** dans les composés dont le premier terme est un nom de personne sauf lorsqu'il désigne une femme.

Ex. *heldendaad, herenhoed, vorstenkroon, weduwenpensioen, ziekentroost.*
Cependant : *koninginnedag, Prinsessegracht.*

3. **s** s'écrit entre les parties d'un mot composé quand le premier élément du mot

composé se termine par une consonne sourde et que le second commence par une consonne sonore devenue sourde dans le composé.

Ex. *bankierszaak, koningszoon, veldheersgenie.*

On emploie aussi **s** lorsque le deuxième élément commence par une sifflante sourde ou une sifflante rendue sourde par la consonne sourde qui précède et que le premier élément est surtout ou toujours employé dans les composés en **s**.

Ex. *stationsstraat, stationschef, stadsschool, beroepsziekte.*

LE TRÉMA

Le tréma s'emploie pour éviter une équivoque, donc pour indiquer que deux ou plusieurs voyelles se succédant dans un mot appartiennent à une syllabe différente. Le tréma se place alors sur la voyelle initiale de la syllabe suivante.

Ex. *beëdigen, geëerd, kippeëi, naäpen, zoëven, officiële* mais *officieel.*

MAJUSCULES

On écrit avec une majuscule :

1. Le premier mot d'une phrase.

Ex. *De trein vertrekt.*

Quand la phrase commence par un mot élidé, c'est le deuxième mot qui prend la majuscule.

Ex. *'s Morgens. 't Zal wel gaan.*

2. Les noms de la Divinité et les pronoms qui s'y rapportent, ainsi que les noms de fêtes religieuses.

Ex. *God, de Almachtige, de Heer, Uw Rijk kome, de Voorzienigheid, Aswoensdag, Pinksteren.*

3. Les noms propres et leurs dérivés.

Ex. *Frans, Albert, Karel de Stoute, Lodewijk de Veertiende, Gentenaar, een Engels woordenboek.*

Remarque : Les noms propres qui sont devenus noms communs, s'écrivent avec une minuscule.

Ex. *cognac, bourgogne, adamsappel, javasuiker, kerstkrans.*

4. La plupart des titres, aussi dans les adresses.

Ex. *Zijne Hoogheid, Zijne Excellentie, de Koning en zijn Ministers, Aan de Weledele Heer J. de Wit.*

5. Certaines abréviations usuelles.

Ex. *A.B.N., N.N., P.S.*

Remarque : Les noms des points cardinaux, des jours de la semaine, des mois et des saisons s'écrivent avec une minuscule.

Ex. *het noorden, het westen, zondag, dinsdag, mei, augustus, de lente.*

Dans les noms géographiques et les noms de fêtes religieuses ils gardent évidemment la majuscule.

Ex. *Noord-Brabant, Goede Vrijdag.*

LA FORMATION DU PLURIEL

En néerlandais on a trois terminaisons pour le pluriel : **-en** (ou **-n**), **-s**, **-eren.**

Ex. *bomen, eiken, landen, vinken, benden, gemeenten;*
moeders, meesters, tafels, vensters, zadels, kemels;
kinderen, lammeren, liederen, eieren, goederen.

Remarques :

1. Certains mots ont **deux terminaisons** pour le pluriel, dont la forme en -s s'emploie dans la langue familière et en nombre de cas la forme en -en plutôt dans le style élevé.
   Ex. *appels, appelen; lelies, leliën; vleugels, vleugelen; leraars, leraren.*

2. Les substantifs en **-heid** changent **heid** en **heden.**
   Ex. *mogelijkheid, mogelijkheden; vrijheid, vrijheden; waarheid, waarheden.*

3. Les substantifs se terminant par **-man** changent **man** en **lieden ou lui,** quand ils désignent un emploi, une profession ou une dignité.
   Ex. *ambachtsman, ambachtslieden* ou *ambachtslui; koopman, kooplieden* ou *kooplui; staatsman, staatslieden; timmerman, timmerlieden* ou *timmerlui.*
   Cependant on dira : *brandweermannen, sneeuwmannen, Noormannen.*
   et aussi : *Engelsman, Engelsen* et *Fransman, Fransen.*

4. Les **noms de mesures, poids, monnaies** restent invariables au pluriel quand ils sont précédés d'un nombre déterminé et que la quantité est présentée comme un tout.
   Ex. *drie liter melk, vijf pond boter, acht meter laken, twee paar schoenen, dat kost tien frank, geef maar twee gulden, vier dozijn potloden, acht kilometer, twee uur gaans.*

Cependant, avec un nombre non déterminé ou qui n'est pas présenté comme un tout, on emploie la forme du pluriel.
   Ex. *enige liters melk, enkele ponden boter, een aantal kilometers, een tiental meters stof, drie dozijnen potloden* (= trois paquets d'une douzaine chacun).

5. Pour le pluriel des mots terminant en **-ie** voir plus haut.

L'ARTICLE

En néerlandais il arrive que l'on emploie l'article alors qu'en français on l'omet et vice versa. On est prié de consulter l'énumération dans les annexes de la deuxième partie, paragraphe **lidwoord.**
En néerlandais on n'emploie pas l'**article partitif.**

Ex. il boit du vin, *hij drinkt wijn;* beaucoup de garçons, *veel jongens;* bien de l'argent, *veel geld;* peu de jours, *een paar dagen;* de grandes villes, *grote steden.*

Remarque : il ne boit pas d'eau, *hij drinkt geen water.*

GENRE ET TERMINAISONS DE FLEXION

En néerlandais l'emploi de formes de flexion différentes pour le masculin et le féminin est devenu très rare. La différence de genre ne se fait plus guère sentir que dans les pronoms possessifs : **haar** pour les mots féminins, **zijn** pour les mots masculins et neutres.
Nombre de noms du genre féminin en néerlandais du sud (pas seulement en Flandre mais aussi dans les provinces du Brabant-Septentrional et du Limbourg des Pays-Bas) s'emploient comme des mots masculins dans les Pays-Bas du nord. Dans ce dictionnaire le genre de ces mots a été indiquée comme v.(m.).

Remarques :

1. **haar, hun, hen, ze**

   a. Au pluriel l'**adjectif possessif hun** s'emploie dans tous les cas ; **haar** ne s'emploie que pour les noms de personnes de sexe féminin.

      Ex. *de meisjes deden hun kousen uit; de kinderen deden hun jas aan.*

   L'emploi de **haar** pour les noms masculins et neutres est incorrect.

   b. comme **pronom personnel, hun** et **haar** ne s'emploient que pour des per-

sonnes. Après une préposition ou comme complément direct on préfère l'emploi de **hen,** au datif sans préposition **hun.**
Quand on ne veut pas accentuer, on préfère l'emploi de **ze** à l'emploi de **hun** ou **hen.**

Ex. *Voor hen die vielen. Hun moet je niets vertellen. Je kunt niet op ze rekenen. Je moet ze niets geven.*

c. Pour les noms de choses ou d'animaux on emploie **ze.**

Ex. *Ik heb ze gisteren gekocht. Ik heb ze gevoederd.*

2. **les terminaisons -e, -en, -er, -n**

a. les vieilles terminaisons **-e** et **-en** de l'article **een,** de **geen** et des adjectifs possessifs **mijn, uw, zijn, hun** et **haar** peuvent être supprimées, excepté dans les formules consacrées, comme

Ex. *Hare Majesteit, te zijnen huize.*

Remarque : **Ons** prend la terminaison **e** devant un masculin, un féminin ou un pluriel.

Ex. *Onze kinderen.*

b. L'emploi de la terminaison casuelle facultative **-n** est autorisé pour des articles, pronoms, adjectifs ou des mots analogues se rapportant à un **substantif masculin singulier.** La terminaison peut toujours être supprimée, sauf dans les formes consacrées.

Ex. *Ken je die jongen die ik daarjuist een boek gaf? De lamme wees de blinde de weg.*
Cependant : *in koelen bloede, met voorbedachten rade, van goeden huize, om uwentwille.*

c. **Au pluriel** les terminaisons du génitif **der, dezer, dier, ener, mijner, uwer, zijner, harer, hunner** ne sont pas incorrectes. **Au singulier** l'emploi doit se limiter aux mots féminins. Ces formes sont cependant à proscrire sauf aux cas où il n'y a pas d'autre manière d'éviter une accumulation de prépositions.

d. **Wier** et **welker** s'emploient lorsque l'antécédent est un nom de personne féminin ou pluriel; **wiens** s'emploie avec un nom masculin singulier.

DEGRÉS DE COMPARAISON

On distingue trois degrés de comparaison : le positif, le comparatif et le superlatif. Le positif est la forme simple de l'adjectif. Pour former le **comparatif** on ajoute **er** au positif. Pour former le **superlatif** on ajoute **st** au positif.

Ex. *lang, langer, langst; groot, groter, grootst; breed, breder, breedst.*

Remarques :

1. Les adjectifs se terminant par **-r** ainsi que **na** prennent **-der** au comparatif.

Ex. *ver, verder; zwaar, zwaarder; dor, dorder; na, nader.*

2. Les adjectifs se terminant par **-s** prennent **-te** au superlatif.

Ex. *dwaas, dwaaste; fris, friste; wijs, wijste.*

3. Le superlatif des adjectifs qui se terminent par **-st, -ts** ou **-isch,** est exprimé par **meest.**

Ex. *meest fantastisch, meest poëtisch, het meest gepaste ogenblik, het meest juiste antwoord, de meest trotse houding.*

LES VERBES

On distingue :

1. Les verbes **transitifs :** ce sont les verbes qui ont ou qui peuvent avoir un complément direct.

Ex. *Iets brengen, krijgen, maken, nemen, vragen, zoeken. Iemand helpen, roepen, uitnodigen, vergezellen, vleien.*

2. Les verbes **intransitifs** : ce sont ceux qui ne peuvent avoir de complément direct.
   Ex. *barsten, lachen, lopen, rijden, vliegen, wachten.*

3. Les verbes pronominaux **réfléchis** : sont des verbes qui s'emploient avec deux pronoms personnels de la même personne. La même personne fait et subit l'action exprimée par le verbe.

   Ex. *zich haasten, zich schamen, zich vergissen, zich kleden, zich scheren, zich wassen.*

4. Les verbes **impersonnels** : qui ne s'emploient qu'à la 3e personne du singulier, avec le pronom indéfini **het**, comme sujet.

   Ex. *het vriest, het dooit, het regent, het sneeuwt.*

5. Les verbes **auxiliaires** : qui servent à conjuguer les autres verbes.

   Ex. *hebben, zijn, worden, zullen,* etc.

Remarques :

1. En néerlandais l'emploi du **futur** est moins fréquent qu'en français.

   Ex. Tu verras qu'il ne le fera point, *je zult zien dat hij het niet doet.*

2. En néerlandais on remplacera des constructions de gérondif ou de participe par des propositions subordonnées. Voir les annexes de la deuxième partie.

EMPLOI DES AUXILIAIRES

1. On conjugue avec **hebben** :

   a. Les verbes **transitifs, pronominaux** et **impersonnels.**

   Ex. *Hij heeft zijn pen genomen. Ik heb een boek gelezen. Zij hebben zich gewassen. Wij hebben ons vergist. Het heeft geregend.*

   b. Les verbes **intransitifs qui** expriment une **action ou un état.**

   Ex. *Hij heeft de hele dag gewerkt. De zieke heeft rustig geslapen. Wij hebben niet gerust.*

   On excepte : **zijn** et **blijven.** Ex. *Hij is ziek geweest. Zij zijn gebleven.*

2. On conjugue avec **zijn** :

   a. Les verbes **intransitifs qui** marquent **le passage d'un état dans un autre.**

   Ex. *De bloemen zijn verwelkt. Door de lange droogte is alles verdord. Hij is gestorven.*

   Remarque :

   Un grand nombre de verbes peuvent s'employer **transitivement ou intransitivement.** Dans le premier cas ils se conjuguent avec **hebben,** dans le second cas avec **zijn.**

   Ex. *Die rustkuur heeft hem genezen. Hij is genezen.*

   b. Les verbes de mouvement lorsque le but du mouvement est exprimé.

   Ex. *Hij heeft veel gereisd. Hij is naar België gereisd.*

   c. Un certain nombre de verbes comme : **zijn, worden, komen, gaan, gebeuren, schijnen, blijken, lijken, slagen, zakken, lukken, mislukken, volgen** (dans le sens de **succéder à**) etc...

   Ex. *Op vrede is oorlog gevolgd.*

Remarque : Certains verbes changent de sens selon qu'ils sont employés avec **hebben** ou **zijn.**

Ex. *Ik heb mijn boek vergeten* (négligence). *Ik ben het nummer vergeten* (Cela m'est sorti de la mémoire).

LA VIRGULE

En général, l'emploi de la virgule se restreint aux places où en parlant on entend ou sent un repos.
Les 6 cas suivants exigent la virgule :

1. Entre les termes d'une énumération et entre les parties de discours de même nature, qui se succèdent sans conjonction.

   Ex. *Een lange, magere, nijdige vent. De kinderen lachten, zongen, dansten, juichten en sprongen.*

   Remarque : Quand on emploie des conjonctions, l'usage de la virgule donne un accent spécial.

2. Devant et après des appositions et des circonstanciels prédicatifs ou modaux qui figurent entre les parties du prédicat.

   Ex. *Attila, de Gesel Gods, stierf tijdens zijn laatste bruidsnacht. Op deze bijdrage kan, na erkenning van de juistheid der aangevoerde bezwaren, in bepaalde gevallen korting worden verleend.*

3. Devant et après le nom d'une personne adressée.

   Ex. *Luister eens, Henk, dat mag je nooit meer doen, jongen.*

4. Entre la proposition principale et la subordonnée lorsque celle-ci précède. Lorsque la subordonnée s'intercale dans la principale, elle sera précédée et suivie d'une virgule.

   Ex. *Wie zijn billen verbrandt, moet op de blaren zitten. Je moet, als je gegeten hebt, even bij me komen.*

5. Devant et après une proposition subordonnée explicative, c'est-à-dire quand la proposition contient une communication qu'on peut supprimer sans altérer le sens de la phrase.

   Ex. *De voorzitter, die reeds vaak onenigheid met zijn medebestuursleden had gehad, heeft zijn ontslag ingediend.*

6. Entre des propositions coordonnées sans conjonctions.

   Ex. *Spreken is zilver, zwijgen is goud.*

VERBES IRRÉGULIERS NÉERLANDAIS

Onbep. wijs *Infinitif*	*verleden tijd* *imparf. de l'ind.*	*volt. deelw.* *part. passé*
bakken	bakte	gebakken
bannen	bande	gebannen
barsten	barstte	gebarsten
bederven	bedierf, bedierven	bedorven
bedragen	bedroeg	bedragen
bedriegen	bedroog, bedrogen	bedrogen
bedrijven	bedreef, bedreven	bedreven
beginnen	begon, begonnen	begonnen
begrijpen	begreep, begrepen	begrepen
bergen	borg	geborgen
bevelen	beval	bevolen
bezoeken	bezocht	bezocht
bidden	bad	gebeden
bieden	bood, boden	geboden
bijten	beet, beten	gebeten
binden	bond	gebonden
blazen	blies, bliezen	geblazen
blijken	bleek, bleken	gebleken
blijven	bleef, bleven	gebleven
braden	braadde	gebraden
breken	brak	gebroken
brengen	bracht	gebracht
buigen	boog, bogen	gebogen
delven	dolf, dolven *en* delfde	gedolven
denken	dacht	gedacht
dingen	dong	gedongen
doen	deed, deden	gedaan
dragen	droeg	gedragen
drijven	dreef, dreven	gedreven
dringen	drong	gedrongen
drinken	dronk	gedronken
druipen	droop, dropen	gedropen
duiken	dook, doken	gedoken
dunken	docht	gedocht
dwingen	dwong	gedwongen
eten	at	gegeten
fluiten	floot, floten	gefloten
gaan	ging	gegaan
gelden	gold	gegolden
genezen	genas, genazen	genezen
genieten	genoot, genoten	genoten
geven	gaf, gaven	gegeven
gieten	goot, goten	gegoten
glijden	gleed, gleden	gegleden
graven	groef, groeven	gegraven
grijpen	greep, grepen	gegrepen
hangen	hing	gehangen
hebben (hij heeft)	had, hadden	gehad
heffen	hief, hieven	geheven
helpen	hielp	geholpen
heten	heette	geheten
houden	hield	gehouden
houwen	hieuw	gehouwen
jagen	jaagde *of* joeg	gejaagd
kerven	korf, korven *en* kerfde	gekorven *en* gekerfd
kiezen	koos, kozen	gekozen
kijken	keek, keken	gekeken
kijven	keef, keven	gekeven
klimmen	klom, klommen	geklommen
klinken	klonk	geklonken
kluiven	kloof, kloven	gekloven
knijpen	kneep, knepen	geknepen
komen	kwam	gekomen

Onbep. wijs *Infinitif*	*verleden tijd* *imparf. de l'ind.*	*volt. deelw.* *part. passé*
kopen	kocht	gekocht
krijgen	kreeg, kregen	gekregen
krijten	kreet, kreten	gekreten
krimpen	kromp	gekrompen
kruipen	kroop, kropen	gekropen
kunnen (ik kan)	kon, konden	gekund
kwijten	kweet, kweten	gekweten
lachen	lachte	gelachen
laden	laadde	geladen
laten	liet	gelaten
lezen	las, lazen	gelezen
liegen	loog, logen	gelogen
liggen	lag	gelegen
lijden	leed, leden	geleden
lijken	leek, leken	geleken
lopen	liep	gelopen
luiken	look	geloken
malen	maalde	gemalen
melken	molk *en* melkte	gemolken
meten	mat	gemeten
mijden	meed, meden	gemeden
moeten	moest	gemoeten
mogen (ik mag)	mocht	gemogen *of* gemoogd, gemocht
nemen	nam	genomen
nijgen	neeg, negen	genegen
nijpen	neep, nepen	genepen
plegen	placht	—
pluizen (*éplucher*)	ploos, plozen	geplozen
(*pelucher*)	pluisde	gepluisd
prijzen (*louer*)	prees, geprezen	geprezen
(*étiqueter*)	prijsde	geprijsd
raden	raadde *of* ried	geraden
rieken	rook, roken	geroken
rijden	reed, reden	gereden
rijgen	reeg, regen	geregen
rijten	reet, reten	gereten
rijzen	rees, rezen	gerezen
roepen	riep	geroepen
ruiken	rook, roken	geroken
scheiden	scheidde	gescheiden
schelden	schold	gescholden
schenden	schond	geschonden
schenken	schonk	geschonken
scheppen (*créer*)	schiep	geschapen
(*puiser*)	schepte	geschept
scheren	schoor, schoren	geschoren
(*frôler*)	scheerde	gescheerd
schieten	schoot, schoten	geschoten
schijnen	scheen, schenen	geschenen
schrijden	schreed, schreden	geschreden
schrijven	schreef, schreven	geschreven
schrikken (*s'effrayer*)	schrok, schrokken	geschrokken
(*tremper, frapper*)	schrikte	geschrikt
schuilen	school, scholen *en* schuilde	gescholen *en* geschuild
schuiven	schoof, schoven	geschoven
slaan	sloeg	geslagen

Onbep. wijs *Infinitif*	*verleden tijd* *imparf. de l'ind.*	*volt. deelw.* *part. passé*
slapen	sliep	geslapen
slijpen	sleep, slepen	geslepen
slijten	sleet, sleten	gesleten
slinken	slonk	geslonken
sluipen	sloop, slopen	geslopen
sluiten	sloot, sloten	gesloten
smelten	smolt	gesmolten
smijten	smeet, smeten	gesmeten
snijden	sneed, sneden	gesneden
snuiten	snoot, snoten	gesnoten
snuiven	snoof, snoven	gesnoven
spannen	spande	gespannen
spijten	(het) speet	gespeten
spinnen	spon, sponnen	gesponnen
splijten	spleet, spleten	gespleten
spreken	sprak	gesproken
springen	sprong	gesprongen
spruiten	sproot, sproten	gesproten
staan	stond	gestaan
steken	stak	gestoken
stelen	stal	gestolen
sterven	stierf, stierven	gestorven
stijgen	steeg, stegen	gestegen
stijven		
(*apprêter*)	steef, steven	gesteven
(*affermir*)	stijfde	gestijfd
stinken	stonk	gestonken
stoten	stootte *en* stiet	gestoten
strijden	streed, streden	gestreden
strijken	streek, streken	gestreken
stuiven	stoof, stoven	gestoven
treden	trad	getreden
treffen	trof, troffen	getroffen
trekken	trok, trokken	getrokken
vallen	viel	gevallen
vangen	ving	gevangen
varen	voer	gevaren
vechten	vocht	gevochten
verdrieten	(het) verdroot	verdroten
vergeten	vergat	vergeten
verliezen	verloor, verloren	verloren
vinden	vond	gevonden
vlechten	vlocht	gevlochten
vlieden	vlood, vloden	gevloden
vliegen	vloog, vlogen	gevlogen
vouwen	vouwde	gevouwen

Onbep. wijs *Infinitif*	*verleden tijd* *imparf. de l'ind.*	*volt. deelw.* *part. passé*
vragen	vroeg *en* vraagde	gevraagd
vreten	vrat	gevreten
vriezen	vroor, vroren	gevroren
wassen		
(*laver*)	waste *en* wies	gewassen
(*croître*)	wies	gewassen
(*cirer*)	waste	gewast
wegen	woog, wogen	gewogen
werpen	wierp	geworpen
werven	wierf, wierven	geworven
weten	wist	geweten
weven	weefde	geweven
wezen	was, waren	geweest
wijken	week, weken	geweken
wijten	weet, weten	geweten
wijzen	wees, wezen	gewezen
winden	wond	gewonden
winnen	won, wonnen	gewonnen
worden	werd	geworden
wreken	wreekte	gewroken
wrijven	wreef, wreven	gewreven
wringen	wrong	gewrongen
zeggen	zei *en* zegde	gezegd
zenden	zond	gezonden
zieden	ziedde	gezoden
zien	zag	gezien
zijgen	zeeg, zegen	gezegen
zijn (ik ben, hij is)	was, waren	geweest
zingen	zong	gezongen
zitten	zat	gezeten
zoeken	zocht	gezocht
zuigen	zoog, zogen	gezogen
zullen (ik zal)	zou, zouden	—
zwelgen	zwolg	gezwolgen
zwellen	zwol, zwollen	gezwollen
zwemmen	zwom, zwommen	gezwommen
zweren		
(*jurer*)	zwoer	gezworen
(*suppurer*)	zwoor, zworen, en zweerde	gezworen
zwerven	zwierf, zwierven	gezworven
zwijgen	zweeg, zwegen	gezwegen

APERÇU DE L'ORIGINE ET DE L'ÉVOLUTION DE LA LANGUE NÉERLANDAISE

1. ORIGINE ET ÉVOLUTION DU NÉERLANDAIS

Le néerlandais est une langue d'origine indo-européenne. En d'autres termes, le néerlandais, comme d'ailleurs la plupart des autres langues européennes, est issu d'une langue hypothétique appelée indo-européen ou indo-germanique. Il est évident qu'il existe des liens de parenté plus étroits entre le néerlandais et l'allemand qu'entre le néerlandais et le russe ou le norvégien. Les différentes langues indo-européennes se subdivisent en plusieurs groupes linguistiques, à savoir celui des langues germaniques, des langues romanes, des langues balto-slaves, des langues aryennes, etc...

Comment expliquer les similitudes, analogies et différences que présentent les membres d'une même famille linguistique ?

Imaginons ici un arbre généalogique qui porte à sa crête l'indo-européen. Les diverses branches de cet arbre ont connu chacune une évolution particulière, d'autant plus que l'absence de contacts intimes entre les groupes linguistiques ainsi créés, a fait naître des dissemblances toujours plus marquées préparant le terrain à des langues nouvelles dans les divers pays de l'Europe, comme ailleurs.

Les langues qui nous intéressent plus particulièrement dans cet ensemble sont l'*ancien germanique* et les différentes formes du *latin* qui ont fini par développer une structure spéciale tout en s'interpénétrant et en se combattant. Ces deux langues qui se confondent en différents lieux pour former ce qu'on a appelé longtemps la *lingua mixta*, présentent un aspect changeant et varié dans lequel ce sont tantôt les éléments latins, tantôt les éléments empruntés à l'ancien germanique qui ont le dessus. Vers l'an 400, un recul définitif du latin se dessine dans nos pays germaniques sous l'influence de plus en plus nette exercée par les langues originaires du nord : le frison, le saxon et le francique, appelé aussi franconien; ces trois dialectes s'imposent dorénavant dans le sens Nord-Sud sans qu'il soit question pour autant d'un succès définitif. Néanmoins le bas-francique ou bas-franconien occidental, dont le néerlandais sortira plus tard, conquerra son droit de cité et régnera sous la forme d'un mélange de bas-francique (franconien), de vieux saxon et de frison; ce dialecte a été appelé à la vie par de nombreuses peuplades résidant à l'ouest de l'Elbe et aux frontières nord et nord-est des Pays-Bas actuels et s'est maintenu jusqu'à nos jours dans les dialectes qui embrassent une grande partie des provinces actuelles de Groningue, de Drente, d'Overijsel et de la Gueldre orientale. Les Frisons sauvegardent les intérêts de leur langue frisonne, qui maintient ses droits intégralement. Le bas-francique oriental et occidental parlé dans les autres parties des Pays-Bas se maintiendra facilement grâce au fait que les provinces qui cultivent cette langue — nous pensons particulièrement au Limbourg, au Brabant, à la Zélande, aux Flandres et à la Hollande — s'ouvrent à elle tout en se fermant à l'ancien français : francien, picard et wallon qui se développent dans les pays limitrophes.

Pendant le millénaire qui s'étend entre l'an 500 et la fin du Moyen Age, les langues d'origine bas-francique se feront concurrence. Si c'est la langue flamande qui occupe la première place pendant la dernière partie du Moyen Age, grâce à la situation économique florissante des Flandres, le 16e siècle et les siècles suivants verront la prédominance de la langue hollandaise sous le coup d'autres influences : découvertes géographiques, Renaissance, Réforme, conquête de l'indépendance. Après une hégémonie du sud qui a duré deux siècles, c'est donc le nord (les deux Hollandes) qui donnera dorénavant le ton.

Cependant, au cours du 19e siècle, il a fallu, dans les Flandres, le soutien d'un mouvement linguistique et politique, appelé « Mouvement Flamand », pour que la voie fût aplanie vers une langue unifiée, appelée « Algemeen Beschaafd Nederlands » (A.B.N.), fruit d'une communauté culturelle formée par la Belgique et les Pays-Bas.

2. OÙ PARLE-T-ON LE NÉERLANDAIS ?

Le néerlandais est la langue parlée au nord d'une ligne allant de Dunkerque à Eupen en passant par Hazebrouck, le sud de Courtrai, Bruxelles et Tongres : région qui correspond aux Pays-Bas actuels et au nord de la Belgique. Il en résulte que la dénomination « flamand » et « hollandais » est employée ordinairement d'une façon erronée à la place de « néerlandais » (Algemeen Beschaafd Nederlands) valable pour tous les Pays-Bas et la moitié de la Belgique.

Avec cela il faut remarquer que jusqu'à ces derniers temps on parlait encore le néerlandais dans certaines enclaves des État-Unis et aux Indes occidentales.

La langue de l'Afrique du Sud, l'« Afrikaans », est une langue sœur du néerlandais; elle y est devenue langue officielle au même titre que l'anglais. Elle s'est élevée au rang de langue culturelle et possède sa propre littérature, mais reste assez différente de l'« Algemeen Beschaafd Nederlands ».

3. ORTHOGRAPHE DU NÉERLANDAIS

Jusqu'au 18e siècle, il n'y avait pas de règles orthographiques bien établies. Il faut en effet attendre 1804 pour assister à une première tentative d'uniformisation de l'orthographe. Ce fut le professeur Siegenbeeck qui fut chargé officiellement de cette mission par le ministre de l'Instruction publique de l'époque.

En 1863 cependant, les philologues De Vries et Te Winkel élaborent de nouvelles règles orthographiques et en 1891 Kollewijn en propose une première simplification. Mais ce n'est qu'en 1934 qu'un arrêté royal ratifie divers amendements au système De Vries et Te Winkel. L'orthographe Marchant fut enseignée dans les écoles des Pays-Bas depuis 1934 mais ne devint officielle dans le nord comme dans le sud qu'en 1947.

En 1954 une commission d'état hollando-belge a été chargée par les gouvernements hollandais et belge d'étudier le problème. Le produit de ce travail est consigné dans le « Woordenlijst van de Nederlandse taal ». Ces travaux exécutés en commun, ne peuvent que favoriser le rapprochement culturel entre le Nord et le Sud.

BELGIË-BELGIQUE
VERKLARING
Rijksgrens
Provinciegrens
Grens bestuurlijk arrondissement
Taalgrens
Nederlands taalgebied
Frans taalgebied
Duits taalgebied
Tweetalig gebied (Frans-Nederlands)
Nederlands taalgebied met beschermde Franstalige minderheid
Frans taalgebied met beschermde Nederlandstalige minderheid
Frans taalgebied met beschermde Duitstalige minderheid
Duits taalgebied met beschermde Franstalige minderheid
LÉGENDE
Limite d'État
Limite de province
Limite d'arrondissement administratif
Frontière linguistique
Région de langue néerlandaise
Région de langue française
Région de langue allemande
Région bilingue (français-néerlandais)
Région de langue néerlandaise avec minorité de langue française protégée
Région de langue française avec minorité de langue néerlandaise protégée
Région de langue française avec minorité de langue allemande protégée
Région de langue allemande avec minorité de langue française protégée
0
25
50 km.
MER DU NORD
NOORDZEE
NEDERLAND
DEUTSCHLAND
FRANCE
LUXEMBURG
WEST-VLAANDEREN
OOST-VLAANDEREN
ANTWERPEN
LIMBURG
BRABANT
HAINAUT
NAMUR
LIÈGE
LUXEMBOURG
BRUGGE
OOSTENDE
Nieuwpoort
VEURNE
DIKSMUIDE
Torhout
TIELT
ROESELARE
Izegem
Poperinge
IEPER
Menen
Wervik
Warneton
KORTRIJK
MOUSCRON
Roubaix
Lille
Lys
Ijzer
Leie
EEKLO
GENT
Deinze
OUDENAARDE
Ronse
Geraardsbergen
Ninove
AALST
DENDERMONDE
Dender
Schelde
Lokeren
ST.-NIKLAAS
ANTWERPEN
Rupel
Lier
Nete
MECHELEN
TURNHOUT
Dijle
Aarschot
Diest
Demer
LEUVEN
Tienen
HASSELT
St.-Truiden
TONGEREN
MAASEIK
Maastricht
Maas
Roermond
Eindhoven
Helmond
Mönchengladbach
Aachen
Düren
Gemünd
Prüm
BRUSSEL
BRUXELLES
Halle
Wavre
Enghien
Lessines
ATH
Chièvres
Leuze
TOURNAI
Antoing
Péruwelz
MONS
St.-Ghislain
Rœulx
SOIGNIES
Braine-le-Comte
NIVELLES
Gembloux
Gosselies
CHARLEROI
Fontaine l'Évêque
Binche
THUIN
Chatelet
Fosse
NAMUR
Andenne
Maubeuge
Sambre
Beaumont
PHILIPPEVILLE
DINANT
Givet
Chimay
Fumay
Rocroi
Vervins
WAREMME
LIÈGE
Visé
Meuse
HUY
Herve
VERVIERS
Limbourg
Eupen
Spa
Malmédy
Stavelot
St.-Vith
Durbuy
Ourthe
MARCHE
Laroche
Houffalize
St. Hubert
BASTOGNE
NEUFCHÂTEAU
Bouillon
Chiny
ARLON
VIRTON
Clervaux
Sauer
Vianden
DIEKIRCH
Echternach
Mosel
LUXEMBURG
N
O
Z
W

1000
7128.H.949
BANQUE NATIONALE
DE BELGIQUE
MILLE
178162949

100

BANQUE NATIONALE
DE BELGIQUE
10177.A.451
CENT
FRANCS
26.03.58

500
NATIONALE BANK VAN BELGIE
VIJFHONDERD FRANK

DE NEDERLANDSCHE BANK
AMSTERDAM 15 JULI 1956
DUIZEND GULD
SECRETARIS
DE NEDERLANDSCHE BANK
100
HONDERD GULDEN
SECRETARIS
PRESIDENT

CENT
NOUVEAUX FRANCS
U.34
100 NF
86844
BANQUE DE FRANCE

BANQUE DE FRANCE
50 NF
K.16
36870
Cinquante Nouveaux Francs

UITSPRAAK

emtoon valt in het Frans altijd op de laatste lettergreep van het woord, behalve eer deze toonloos is, dat wil zeggen wanneer ze een toonloze e bevat; in dat heeft de voorlaatste lettergreep de klemtoon. Bv. *respect***er**, *respec***ta***ble*.
ettergrepige woorden richten zich veelal naar het volgende of voorgaande woord. krijgt dus bv. : *tu* **vois**, *vous croy***ez** en : *vois*-**tu** ? *croyez*-**vous** ? of ingeval van toonloze laatste „lettergreep" : **suis**-*je? parti***rai**-*je?*

ns wordt echter niet gesproken in losse woorden, doch in met elkaar verbonden **ordgroepen.** Deze verbonden woordgroepen vormen samen een zin, waarin de mtoon verschuift naar het eind. De **zinsmelodie** stijgt tot de laatste uitgesproken tergreep, die langer wordt aangehouden.
verbinding tussen de fonetisch afgeronde woordgroepen wordt gevormd doordat ndmedeklinkers die bij het losse woord niet worden uitgesproken bij de beginklinker an een volgend woord worden getrokken.
bv. c'est-à-dire [sètadi:r). Les amoureux sont seuls au monde [lèsamurö sõ sœlsomõ·d]. Vous devez avoir grand appétit [vu devésavwa:r grãdapéti].
s en **t** worden altijd verbonden.
n wordt meestal verbonden : bv. on a dit [õnadi], rien à faire [ryẽnafè:r].
p, **b** en **g** worden zelden verbonden.
Voor een h aspirée wordt nooit verbonden.
Men hoede zich echter voor overdrijving. De tendens tot verbinding wordt in het hedendaagse Frans steeds minder.

Voor het aangeven van de uitspraak werd gebruik gemaakt van de onderstaande **uitspraaktekens.** Een punt achter een klinkerteken betekent dat deze halflang is. Lange klinkertekens zijn aangegeven door een dubbele punt.

[a]	als	a	in bal, canal, chat
[a:]	als	a	in brave, tard
(ɑ]	als	a	in classe, bas
[ɑ:]	als	a	in câble, grâce
[ã]	als	an	in banc, dans
[ã:]	als	an	in cancre, danse
[è]	als	e, ai	in lait, mettre
[è:]	als	e, ai	in caisse, vers
[é]	als	e, ai	in thé, donné, **j'ai**
[e]	als	e	in me, que
[ẽ]	als	in, ain	in vin, pain
[ẽ:]	als	in, ein	in mince, ceindre
[i]	als	i	in bile, vite
[i:]	als	i	in dire, crise
[ò]	als	o	in bonne, note
[ò:]	als	o	in fort, mort
[o]	als	o, eau	in dos, beau
[o:]	als	ô, o	in rôle, trône, zone
[õ]	als	on	in mon, bon
[õ:]	als	on	in conte, donc
[ö]	als	eu	in peu, bleu
[ö:]	als	eu	in meule, feutre
[œ]	als	eu, œu	in peuple, bœuf
[œ:]	als	eu	in peur, beurre
[œ̃]	als	un	in brun, aucun
[œ̃:]	als	um, un	in humble, lundi
[u]	als	ou	in nous, coup
[u:]	als	ou	in cour
[ü]	als	u	in russe, cru
[ü:]	als	u	in mur, dur
[ui]	als	oui	in Louis, enfouir
[w]	als	ou	in douane, souhait
[wa]	als	oi	in loi, doigt
[ẅ]	als	u	in bruit, duel
[y]	als	i, ill, y	in miel, taille, payer
[j]	als	j, g, ge	in jour, genie, orage
[g]	als	g	in gauche, grand
[ʃ]	als	ch	in chant, chou
[z]	als	s, x	in poison, deuxième
[s]	als	ss, c, s	in poisson, souci
[ñ]	als	gn	in agneau, règne

FRANS-NEDERLANDS
FRANÇAIS-NÉERLANDAIS

A

a [a] *m.* a *v.(m.)*; ***ne savoir ni — ni b,*** geen a voor een b kennen; ***A.R.*** (*Altesse Royale*) Koninklijke Hoogheid; ***A.I.*** (*Altesse Impériale*), Keizerlijke Hoogheid.

à [a] *prép.* **1** (*plaats*) ***— Anvers,*** te Antwerpen; ***— l'église,*** in de kerk; ***— la même page,*** op dezelfde bladzijde; ***fonctionnaire au ministère,*** ambtenaar bij het ministerie; ***s'adresser — qn.,*** zich tot iem. wenden; ***dire qc. — qn.,*** iets aan iem. zeggen; ***— quelques pas d'ici,*** enige passen van hier; ***d'Anvers — Bruxelles,*** van Antwerpen tot Brussel; ***être assis — la fenêtre,*** bij het raam zitten; ***tué — Verdun,*** gesneuveld bij Verdun; ***il s'est battu — l'Yser,*** hij heeft gestreden aan de IJzer; **2** (*tijd*) ***— 3 heures,*** om 3 uur; ***— minuit,*** te middernacht; ***de 6 — 7 heures,*** van 6 tot 7 uur; ***— la Pentecôte,*** met Pinksteren; ***— demain,*** tot morgen; ***au 19e siècle,*** in de 19e eeuw; ***— l'occasion de,*** bij gelegenheid van; ***— son âge,*** op zijn leeftijd; ***— jamais,*** voor altijd; **3** (*middel*) ***— la plume,*** met de pen; ***— la nage,*** (al) zwemmende; ***traverser — la nage,*** overzwemmen; ***— crédit,*** op krediet; ***au comptant,*** contant; ***peinture — l'huile,*** olieverfschilderij *o. en v.*; ***pêcher — la ligne,*** hengelen; **4** (*doel*) ***tendre —,*** streven naar; ***n'aboutir — rien,*** op niets uitlopen; ***tenir — qc.,*** op iets staan; ***avoir — faire,*** te doen hebben; ***— la mémoire de,*** ter nagedachtenis van; ***cuiller — potage,*** soeplepel *m.*; **5** (*manier*) ***— l'anglaise,*** op zijn Engels; ***— bras ouverts,*** met open armen; ***— cœur ouvert,*** openhartig; **6** (*bezit*) ***ce livre est — moi,*** dat boek is van mij; ***le fils — François,*** de zoon van Frans; ***il a une maison — lui,*** hij heeft een eigen huis; ***c'est sa faute — lui,*** 't is zijn eigen schuld; **7** (*vóór infinitief*) ***maison — louer,*** huis te huur; ***apprendre — dessiner,*** leren tekenen; ***difficile — résoudre,*** moeilijk op te lossen; ***il est disposé — vous aider,*** hij is bereid om u te helpen; **8** (*in bijw. bepalingen*) ***au plus vite,*** zo vlug mogelijk; ***— grands cris,*** met veel geschreeuw; **9** (*elliptisch*) ***au feu!*** brand! ***au secours!*** help! ***au voleur!*** houdt de dief!

abaca [abaka] *m.* **1** manillaboom *m.*; **2** manillahennep *m*

abaisse [abè:s] *f.* **1** pasteibodem *m.*; **2** (*v. taart, enz.*) onderkorst *v.(m.)*

abaisse-langue [abè'slã:g] *m.* **1** tonghouder *m.*; **2** tongspatel *v.(m.)*.

abaissement [abè'smã] *m.* **1** verlaging *v.*; **2** (het) neerlaten, (het) laten zakken *o.*; **3** vermindering, daling *v.*; **4** (*gen.*) uitzakking *v.*; **5** (*fig.*) vernedering, kleinering, verootmoediging *v.*; **6** verval *o.*, ontaarding *v.*; ***l'— de la cataracte,*** het lichten van de staar; ***— de l'horizon,*** kimduiking *v.*

abaisser [abè'sé] **I** *v.t.* **1** verlagen; **2** neerlaten, laten zakken; **3** (*wisk.*: *v. vergelijking*) tot een lagere graad herleiden; **4** (*v. cijfer*) bijhalen; **5** (*meetk.*: *v. loodlijn*) neerlaten; **6** (*muz.*) lager stemmen; **7** (*fig.*) vernederen, kleineren, verootmoedigen; **8** (*v. prijzen*) afslaan, verminderen; **9** (*v. zeilen*) strijken; ***— la cataracte,*** (*gen.*) de staar lichten; **II** *v.pr.* ***s'—*** **1** lager worden, zakken; **2** (*v. wind*) gaan liggen; **3** (*v. prijzen, temperatuur*) dalen; **4** (*fig.*) verminderen; **5** zich vernederen; **6** zich verlagen (tot).

abaisseur [abè'sœ:r] *adj.* neertrekkend; ***muscle —,*** neertrekkende spier *v.(m.)*.

abajoue [abaju] *f.* **1** (*v. dier*) wangzak *m.*; **2** (*v. mens*) hangwang *v.(m.)*.

abaliénation [abalyéna'syõ] *f.* (*recht*) vervreemding *v.*, (het) verkopen *o.* [verkopen.

abaliéner [abalyéné] *v.t.* (*recht*) vervreemden,

abalourdir [abalurdi:r] *v.t.* verstompen.

abalourdissement [abalurdismã] *m.* verstomping *v.*

abandon [abã'dõ] *m.* **1** (het) afstand doen (van) *o.*; **2** (*recht*) akte *v.(m.)* van overdracht; **3** veronachtzaming, verwaarlozing; tevondelinglegging *v.*; **4** eenzaamheid, verlatenheid *v.*; **5** ongedwongenheid; vrijmoedigheid *v.*; **6** overgave *v.(m.)*, volkomen vertrouwen *o.*; **7** (*v. wedstrijd enz.*) (het) opgeven *o.*; ***faire — de,*** afstand doen van; ***laisser à l'—,*** geheel verwaarlozen; onverzorgd laten.

abandonné [abã'dònè] *adj.* verlaten; (*v. houding*) los, ongedwongen.

abandonnement [abãdònmã] *m.* **1** (het) afstand doen *o.*; **2** verwaarlozing *v.*; (het) in de steek laten *o.*; **3** losbandigheid *v.*

abandonner [abã'dòné] **I** *v.t.* **1** (*v. recht*) afstand doen van; **2** (*v. strijd, zieke*) opgeven; **3** (*v. plan, enz.*) laten varen; **4** verlaten, in de steek laten; te vondeling leggen; **5** (*v. tuin, grond*) verwaarlozen, slecht onderhouden; **6** (*v. krachten, moed*) begeven; **7** (*v. werk, enz.*) neerleggen; **8** (*v. teugel*) vieren; **9** (*v. voordeel*) prijsgeven; ***— ses prétentions,*** van zijn eis afzien; **II** *v.i.* het opgeven; **III** *v.pr.* ***s'— à,*** **1** zich overgeven (aan); **2** zich verlaten (op); **3** de moed verliezen, het opgeven.

abaque [abak] *m.* **1** (*bouwk.*) dekstuk *o.* op een kapiteel; **2** (*op school*) telraam *o.*

abasourdir [abasurdi:r] *v.t.* **1** verdoven; **2** verbijsteren, van streek brengen.

abasourdissement [abasurdismã] *m.* verbijstering *v.*

abat [aba] *m.* **1** (het) slachten *o.*; **2** neerslag *m.*; ***pluie d'—,*** regenbui *v.(m.)*, stortregen *m.*

abatage [abata:j], *zie* ***abattage.***

abâtardi [aba'tardi] *adj.* verbasterd, ontaard.

abâtardir [aba'tardi:r] **I** *v.t.* doen verbasteren, doen ontaarden; **II** *v.pr.* ***s'—,*** verbasteren, ontaarden.

abâtardissement [aba'tardismã] *m.* verbastering, ontaarding *v.*

abat-foin [abafwẽ] *m.* hooigat *o.*

abatis [abati] *m.* **1** (het) vellen, (het) omhakken *o.*; **2** gevelde bomen *mv.*; **3** hoop *m.* puin; afbraak *v.(m.)*; **4** (eetbare) afval *o. en m.* (*v. vogels, vee*); **5** (*mil.*) verhakking *v.*

abat-jour [abaju:r] *m.* **1** lampekap *v.(m.)*; **2** vallicht *o.*; **3** (*boven winkelraam*) zonnescherm *o.*; **4** oogscherm *o.*

abats [abat] *m.pl.* (*in slagerij*) lever, nier, poten enz.

abat-son(s) [abasõ] *m.* (*in toren*) klankbord, galmbord *o.*

abattage [abata:j] *m.* **1** (*v. bomen*) (het) vellen, (het) omhakken *o.*; **2** (*v. dieren*) (het) slachten, (het) afmaken *o.*; ***avoir de l'—,*** flink van postuur zijn; ***— instantané,*** noodslachting *v.*

abattant [abatã] *m.*, (*v. tafel, enz.*) klap, klep *v.(m.)*.

abattement [abatmã] *m.* **1** afmatting, uitputting *v.*; **2** mismoedigheid, neerslachtigheid *v.*; **3** lusteloosheid *v.*

abatteur [abatœ:r] *m.* **1** die velt; **2** (*fig.*) ***— (de quilles)*** snoever *m.*; ***— d'arbres,*** houthakker *m.*; ***— de besogne,*** werkezel *m.*

abattis [abati] *m.* **1** (*v. gevogelte*) nek, poten, vlerk enz.; **2** kunstmatige hindernis *v.* [*v.*(*m.*).
abattoir [abatwa:r] *m.* slachthuis *o.*, slachtplaats
abattre* [abatr] **I** *v.t.* **1** neerslaan; **2** omhakken, vellen; **3** (*v. tak*) afslaan; **4** neerschieten; **5** (*v. vliegtuig*) neerhalen; **6** (*v. dier*) doden, slachten, afmaken; **7** (*v. gordijn*) neerlaten; **8** (*v. tegenstander*) verslaan; **9** (*v. afstand*) afleggen; **10** (*v. kaarten*) op tafel leggen; (*fig.*) — ***son jeu,*** kleur bekennen; — ***de la besogne,*** veel werk afdoen; ***à bride abattue,*** met losse teugel; ***petite pluie abat grand vent,*** een zacht woord stilt de toorn; **II** *v.pr.*, ***s'—,*** **1** neervallen, ineenstorten; **2** (*v. paard*) neerstorten; **3** (*v. vogel*) neerstrijken; **4** (*v. wind*) gaan liggen; ***l'orage s'abat sur la ville,*** het onweer ontlast zich boven de stad.
abat-vent [abavã] *m.* **1** windscherm *o.*; **2** (*boven deur of venster*) afdak *o.*; **3** schoorsteenkap *v.*(*m.*).
abat-voix [abavwa] *m.*, (*v. preekstoel*) klankbord *o.*
abbatial [abasyal] *adj.* tot de abt (*of* abdis, *of* abdij) behorend.
abbaye [abéi] *f.* abdij *v.*; ***pour un moine l'— ne chôme pas,*** niemand is onmisbaar.
abbé [abé] *m.* **1** abt *m.*; **2** geestelijke, priester *m.*; ***Monsieur l'—,*** Eerwaarde Heer, eerwaarde.
abbesse [abès] *f.* abdis *v.*
abc [abésé] *m.* **1** alfabet *o.*; **2** eerste beginselen *mv.*
abcéder [apsédé] *v.i.* zweren, etteren.
abcès [apsè] *m.* zweer *v.*(*m.*), ettergezwel, abces *o.*
abdication [abdika·syõ] *f.* **1** (*v. ambt, waardigheid*) afstand *m.*; **2** troonsafstand *m.*; **3** (*fig.*) (zelf)-verloochening *v.*
abdiquer [abdiké] **I** *v.t.* **1** afstand doen van; **2** (*v. mening, enz.*) prijsgeven; **3** (*v. ambt, enz.*) neerleggen; **II** *v.i.* **1** afstand doen van de troon; **2** zijn standpunt laten varen.
abdomen [abdòmèn] *m.* **1** onderbuik *m.*; **2** (*v. insekt*) achterlijf *o.*
abdominal [abdòminal] *adj.* onderbuik(s)—; ***douleurs —es,*** pijn in de onderbuik, buikpijn *v.*(*m.*).
abducteur [abdüktœ:r] *adj.* afvoerend; ***muscle —,*** afvoerspier *v.*(*m.*).
abduction [abdüksyõ] *f.* afvoering *v.*
abécédaire [abésédè:r] **I** *adj.* **1** alfabetisch; **2** elementair; **3** onbenullig; **II** *s., m.* **1** abc-boek *o.*; **2** eerste beginselen *mv.*
abecquer [abèké] *v.t.*, (*v. vogeltje*) voeren.
abeille [abè:y] *f.* bij, honigbij *v.*(*m.*); — ***ouvrière,*** werkbij.
aberrant [abèrã] *adj.* verkeerd, berustend op een [dwaling.
aberration [abèra·syõ] *f.* **1** afdwaling van het licht, aberratie *v.*; **2** (*fig.*) afwijking, afdwaling; geestesafdwaling *v.*
aberrer [abèré] *v.i.* afdwalen.
abêtir [abè·ti:r] **I** *v.t.* dom maken, verstompen; **II** *v.i. et v.pr.*, ***s'—,*** dom worden, verstompen.
abêtissement [abè·tismã] *m.* verstomping *v.* (van de geest).
abhorrer [abòré] *v.t.* verfoeien, verafschuwen, een afschuw hebben van.
abîme [abi:m] *m.* **1** afgrond *m.*; peilloze diepte *v.*; **2** (*fig.*) poel, jammerpoel *m.*; ***un — de science,*** een wonder van geleerdheid, een buitengewoon knap man.
abîmer [abi·mé] **I** *v.t.* **1** in een afgrond werpen; **2** (*fig.*) te gronde richten; **3** bederven, beschadigen; **4** (*pop.*) afkammen; ***abîmé dans ses pensées,*** verdiept in zijn gedachten; ***il est abîmé de dettes,*** hij zit tot over de oren in de schuld; **II** *v.pr.*, ***s'—,*** **1** zich in de afgrond storten; **2** zich verdiepen in; **3** bederven, beschadigd worden.
ab intestat [abẽ·tèsta] *adv.* zonder testament; bij versterf.
abject [abjèkt] *adj.* laag, verachtelijk, gemeen.
abjection [abjèksyõ] *f.* laagheid, verachtelijkheid, gemeenheid *v.*
abjuration [abjüra·syõ] *f.* afzwering, verzaking *v.*
abjuratoire [abjüratwa:r] *adj.* afzwerings—.
abjurer [abjüré] *v.t.* afzweren, verzaken.
ablatif [ablatif] *m.* zesde naamval, ablatief *m.*
ablation [abla·syõ] *f.* **1** (*gen.*) (het) wegnemen *o.* (van ziel, lichaamsdeel); **2** (*v. gletsjer*) afsmelting *v.*
able [a·bl] *m.* alvertje *o.* witvis *m.*
ablégat [abléga] *m.* ablegaat *m.*, bijzondere gezant *m.* van de paus.
ableret [ablerè] *m.* kruisnet *o.*, totebel *v.*(*m.*).
ablette [ablèt] *f.* alvertje *o.*
ablution [ablüsyõ] *f.* afwassing *v.*
abnégation [abnéga·syõ] *f.* zelfverloochening *v.*
aboi [abwa] *m.* geblaf *o.*; ***cerf aux —s,*** afgejaagd hert *o.*; ***être aux —s,*** ten einde raad zijn, wanhopig zijn.
aboiement, aboîment (s) [abwamã] *m.* geblaf *o.*
abois [abwa] *m.pl.* wanhopige situatie *v.*
abolir [abòli:r] *v.t.* **1** afschaffen; opheffen; **2** (*v. vonnis, verdrag*) vernietigen; **3** (*v. straf*) kwijtschelden; — ***une dette,*** een schuld kwijtschelden.
abolition [abòlisyõ] *f.* **1** afschaffing; opheffing *v.*; **2** vernietiging *v.*; **3** kwijtschelding *v.*
abolitionniste [abòlisyònist] *m.* voorstander *m.* van de afschaffing van de slavernij (*of* de doodstraf, beschermende rechten, enz.).
abominable(ment) [abòmina(:)bl(emã)] *adj.*, (*adv.*) afschuwelijk, afgrijselijk, verfoeilijk.
abomination [abòmina·syõ] *f.* afschuw, gruwel *m.*
abominer [abòminé] *v.t.* verfoeien, verafschuwen, gruwen van.
abondamment [abõndamã] *adv.* overvloedig.
abondance [abõndã:s] *f.* **1** overvloed *m.*; **2** rijkdom *m.*; **3** wijn *m.* met veel water; ***parler d'—,*** voor de vuist spreken; ***de l'— du cœur la bouche parle,*** waar het hart van vol is, loopt de mond van over; ***l'— de biens ne nuit pas,*** beter te veel dan te weinig; ***la corne d'—,*** de hoorn des overvloeds.
abondant [abõndã] *adj.* **1** overvloedig; **2** (*v. oogst*) rijk, overvloedig; **3** (*fig.: v. stijl*) beeldrijk; — ***en,*** rijk aan.
abonder [abõndé] *v.i.* **1** in overvloed aanwezig zijn; **2** overvloeien (van); — ***dans le sens de qn.,*** het geheel met iem. eens zijn; ***ce pays abonde en minerai,*** in dit land is er erts in overvloed.
abonné [abòné] *m.* intekenaar *m.*; abonné *m.*
abonnement [abònmã] *m.* intekening *v.*, abonnement *o.*; ***par —,*** op afbetaling.
abonner [abòné] **I** *v.t.* abonneren (op); **II** *v.pr.*, ***s'—*** (*à*), zich abonneren (op), intekenen (op).
abonnir [abòni:r] **I** *v.t.* verbeteren, beter maken; **II** *v.i. et v.pr.*, ***s'—,*** verbeteren, beter worden.
abord [abò:r] *m.* **1** landing *v.*; **2** landingsplaats *v.*(*m.*); **3** toegang; oprit *m.*; **4** nadering *v.*; **5** ontvangst *v.*, onthaal *o.*; **6** voorkomen *o.*; ***les —s,*** de omgeving; ***aux —s,*** in de omtrek; ***d'—,*** in de eerste plaats; ***d'un — facile,*** tegemoetkomend, minzaam; ***il a l'— difficile,*** hij is niet te genaken; ***tout d'—,*** vooreerst; ***au premier —, de prime —,*** van 't eerste ogenblik af, al dadelijk.
abordable [abòrda·bl] *adj.* **1** toegankelijk; **2** genaakbaar; **3** (*v. prijs*) niet al te hoog, schappelijk.
abordage [abòrda:j] *m.* **1** aanvaring *v.*; **2** entering *v.*
aborder [abòrdé] **I** *v.i.* landen, aankomen; **II** *v.t.* **1** (*v. persoon*) aanspreken, aanklampen, afgaan

op; 2 aanvaren; 3 enteren· 4 (*v. oever*) bereiken; 5 (*v. vijand*) naderen; 6 (*fig.*) aanvatten, beginnen met; — ***un sujet,*** een onderwerp beginnen te bespreken; **III** *v.pr.*, ***s'—,*** 1 elkaar aanspreken; 2 tegen elkaar stoten; 3 handgemeen worden.
abordeur [abòrdœ:r] *adj.* aanvarend; enterend.
aborigène [abòrijè:n] **I** *adj.* inheems; **II** *s., m.pl.*, ***—s,*** inboorlingen *mv.*
abornement [abòrnemã] *m.* 1 afbakening, afpaling *v.*, (het) afpalen *o.*; 2 ruilverkaveling *v.*
aborner [abòrné] *v.t.* afbakenen, afpalen.
abortif [abòrtif] *adj.* 1 vruchtafdrijvend; 2 onvoldragen. [buizen).
abouchement [abuʃmã] *m.* verbinding *v.* (v. twee
aboucher [abuʃé] *v.t.* 1 (*v. buizen*) verbinden; 2 (*v. personen*) in gesprek brengen; ***s'— (avec)*** in relatie treden (met). [op!
abouler [abulé] *v.t.*, (*pop.*) afdokken; ***aboule!*** geef
aboulie [abuli] *f.* willoosheid *v.*
about [abu] *m.*, (*tn.*) pen *v.*(*m.*).
abouter [abuté] *v.t.*, (*tn.*) aan elkaar hechten, samenvoegen, verbinden.
aboutir [abuti:r] (*à*) *v.i.* 1 uitlopen (op); uitkomen (op); 2 (*v. zweer, gezwel*) rijp worden; 3 (*fig.*) uitdraaien (op); 4 slagen, een gunstig gevolg hebben.
aboutissant [abutisã] **I** *adj.* uitlopend op; grenzend aan, aanpalend, belendend; **II** *s., m.pl.*, ***les tenants et —s,*** de aangrenzende erven; de belendende percelen; ***les tenants et —s d'une affaire,*** het fijne van een zaak.
aboutissement [abutismã] *m.* 1 (*v. gezwel*) (het) rijp worden, (het) doorbreken *o.*; 2 uitkomst *v.*, resultaat *o.*
aboyer [abwayé] *v.i.* 1 blaffen; 2 (*fig.*) naschreeuwen; — ***à la lune,*** vergeefse pogingen aanwenden.
aboyeur [abwayœ:r] *m.* 1 blaffer *m.*; 2 (*fig.*) schreeuwer *m.*; 3 (*mil.*: *arg.*) kanon *o.* van 75.
abracadabra [abrakadabra] *m.* toverwoord *o.*, toverformule *v.*(*m.*), hocus-pocus *m. en o.*
abracadabrant [abrakadabrã] *adj.* onbegrijpelijk, verbijsterend. [schurend.
abrasif [abrazif] **I** *m.* schuurmiddel *o.*; **II** *adj.*
abrasion [abrasyõ] *f.* afschuring *v.*
abrégé [abré·jé] *m.* 1 uittreksel *o.*; 2 kort begrip *o.*, samenvatting *v.*; 3 verkleinde reproduktie *v.*; ***en —,*** in 't kort.
abrègement [abrè·jmã] *m.* verkorting *v.*
abréger [abréjé] *v.t.* verkorten, afkorten. in 't kort samenvatten; ***le travail abrège les heures,*** werken kort de tijd.
abreuvage [abrœ·va:j], **abreuvement** [abrœ·vmã] *m.* (het) drenken *o.*
abreuver [abrœ·vé] **I** *v.t.* 1 drenken, te drinken geven; 2 bevochtigen, bevloeien; 3 (*fig.*) overstelpen (met); **II** *v.pr.*, ***s'—,*** drinken, zijn dorst lessen; ***s'— de larmes,*** in tranen baden.
abreuvoir [abrœ·vwa:r] *m.* drinkplaats *v.*(*m.*), wed *o.*
abréviateur [abrévyatœ:r] *m.* 1 verkorter, samenvatter *m.*; 2 (*in pauselijke kanselarij*) abbreviator *m.*
abréviatif [abrévyatif] *adj.* verkortend; ***signe —,*** verkortingsteken *o.* [ting *v.*
abréviation [abrévyɑ·syõ] *f.* verkorting, afkor-
abri [abri] *m.* 1 schuilplaats *v.*(*m.*); 2 afdak *o.*; 3 toevlucht *v.*(*m.*); 4 (*mil.*) schuilpost, onderstand *m.*; ***à l'— de,*** beschut tegen, beschermd tegen; ***mettre à l'—,*** beveiligen, onder dak brengen; ***sans —,*** dakloos.
abricot [abriko] *m.* abrikoos *v.*(*m.*).
abricotier [abrikòtyé] *m.* abrikozeboom *m.*
abriter [abrité] **I** *v.t.* 1 beschutten; beveiligen; 2 onder dak brengen; **II** *v.pr.*, ***s'—,*** 1 schuilen (tegen); 2 zich verschuilen.
abrivent [abrivã] *m.* 1 windscherm *o.*; 2 (*boven de planten*) dekmat *v.*(*m.*); 3 (*mil.*) schilderhuis *o.*
abrogation [abrògɑ·syõ] *f.* 1 (*v. wet, bevel, enz.*) intrekking *v.*; 2 (*v. gebruik*) afschaffing *v.*
abroger [abròjé] *v.t.* intrekken; afschaffen.
abrouti [abruti] *adj.* afgevreten.
abrupt [abrüpt] *adj.* 1 (*v. rots, oever*) steil; 2 (*v. taal, stijl*) stoterig, stroef; onsamenhangend.
abruptement [abrüptemã] *adv.* plotseling, onverwachts.
abruti [abrüti] **I** *adj.* verstompt, suf, idioot; **II** *s., m.* stommerik, idioot *m.*
abrutir [abrüti:r] **I** *v.t.* verstompen, verdierlijken; **II** *v.pr.*, ***s'—,*** verstompen, verdierlijken, suf worden. [pend.
abrutissant [abrütisã] *adj.* geestdodend, verstom-
abrutissement [abrütismã] *m.* 1 verstomping, verdierlijking; 2 sufheid, stompzinnigheid *v.*
abscisse [apsis] *f.* abscis *v.*(*m.*), horizontale as van coördinatenstelsel.
abscons [apskõ] *adj.* onbegrijpelijk, duister.
absence [apsã:s] *f.* 1 afwezigheid *v.*; 2 gebrek, gemis *o.*; — ***d'esprit,*** verstrooidheid, onoplettendheid *v.*
absent [apsã] **I** *adj.* 1 afwezig; 2 (*fig.*) verstrooid, afgetrokken; **II** *s., m.* afwezige *m.*; ***les —s ont tort,*** de afwezigen moeten het ontgelden.
absentéisme [apsã·téism] *m.* 1 (school)verzuim, absenteïsme *o.*; 2 geringe opkomst *v.*
absenter, s'— [sapsã·té] *v.pr.* 1 afwezig zijn; 2 zich (even) verwijderen; 3 uitgaan.
abside [apsi·d] *f.* apsis *v.*
absidiole [apsi·dyòl] *f.* kapelnis *v.*(*m.*) in apsis.
absinthe [apsẽ:t] *f.* 1 (*Pl.*) alsem *m.*; 2 (*likeur*) absint *o. en m.*; 3 (*fig.*) bitterheid *v.*
absolu [apsòlü] **I** *adj.* 1 onbeperkt, volstrekt; 2 gebiedend, beslist; 3 onafhankelijk; oppermachtig; 4 (*gram.*) alleenstaand; 5 (*v. regel*) vast; 6 (*v. alcohol*) zuiver; **II** *s., m.* (het) volstrekte, (het) absolute *o.*
absolument [apsòlümã] *adv.* 1 volstrekt, onbeperkt; 2 volkomen, geheel en al; 3 (*gram.*) zonder bepaling; — ***parlant,*** in het algemeen gesproken.
absolution [apsòlüsyõ] *f.* 1 (*recht*) vergiffenis, kwijtschelding *v.*; 2 (*kath.*) absolutie *v.*
absolutisme [apsòlütizm] *m.* onbeperkte macht *v.*(*m.*), (onbeperkte) alleenheerschappij *v.*
absolutiste [apsòlütist] *m.* voorstander *m.* van het absolutisme.
absolutoire [apsòlütwa:r] *adj.* kwijtscheldend.
absorbant [apsòrbã] **I** *adj.* 1 (*v. stof*) opslorpend; 2 (*v. werk*) tijdrovend, inspannend; **II** *s., m.* opslorpende stof *v.*(*m.*).
absorbation [apsòrbɑ·syõ], **absorbement** [apsòrbemã] *m.* (het) verdiept zijn in *o.*
absorber [apsòrbé] **I** *v.t.* 1 opslorpen, in zich opnemen (*ook*: eten, drinken, verorberen, verzwelgen, verbruiken); 2 (*fig.*) in beslag nemen; 3 verslinden; opslokken; **II** *v.pr.*, ***s'— (dans),*** 1 opgezogen worden, opgeslorpt worden; 2 verloren gaan; verdwijnen; 3 (*v. werk, studie*) zich verdiepen (in), opgaan (in).
absorption [apsòrpsyõ] *f.* 1 opslorping *v.*; 2 (*v. voedingsstoffen, enz.*) opname *v.*(*m.*), (het) opnemen *o.*; 3 (het) opgaan in, (het) zich verdiepen in *o.*
absoudre* [apsu:dr] *v.t.* 1 vrijspreken; 2 (*v. schuld*) ontslaan; 3 (*v. zonde*) vergeven, kwijtschelden.
absoute [apsut] *f.*, (*kath.*) laatste gebeden om de lijkbaar, na de uitvaartmis.

abstème [apstè:m] **I** *adj.* onthoudend; **II** *s., m.-f.* geheelonthouder *m.* (—ster *v.*).
abstenir*, s'— [sapsteni:r] (*de*) *v.pr.* **1** zich onthouden (van); **2** zich afzijdig houden, onzijdig blijven; **3** buiten stemming blijven.
abstention [apstã'syõ] *f.* **1** onthouding *v.*; **2** blanco stem *v.(m.)*.
abstentionniste [apstã'syònist] *m.* **1** voorstander *m.* van onthouding; **2** kiezer *m.* die, uit beginsel, blanco stemt.
abstergent [apstèrjã] *m.* reinigend middel *o.* (*voor wonden*).
absterger [apstèrjé] *v.t.*, (*gen.*: *v. wonde*) reinigen, uitwassen.
abstersif [apstèrsif] *adj.* zuiverend.
abstersion [apstèrsyõ] *f.* reiniging *v.*, (het) uitwassen, (het) zuiveren *o.*
abstinence [apstinã:s] *f.* **1** onthouding *v.* (*van eten of drinken*), dieet *o.*; **2** matigheid *v.*; ***jour d'—,*** onthoudingsdag *m.*
abstinent [apstinã] **I** *adj.* onthoudend; matig; **II** *s., m.* geheelonthouder *m.*
abstracteur [apstraktœ:r] *m.*, ***— de quintessence,*** haarklover, muggezifter *m.*
abstraction [apstraksyõ] *f.* **1** (het) abstraheren *o.*; **2** abstract begrip *o.*, afgetrokken —; ***— faite de,*** afgezien van; ***—s,*** *f.pl.* **1** verstrooidheid *v.*; **2** theoretische beschouwingen *mv.*
abstractivement [apstrakti'vmã] *adv.* in het afgetrokkene; op zich zelf beschouwd.
abstractivité [apstraktivité] *f.* abstractievermogen *o.*
abstraire*[apstrè:r] **I** *v.t.* abstraheren, in gedachten afzonderen; **II** *v.pr.*, ***s'—,*** **1** zich verdiepen, zich afzonderen; **2** verstrooid zijn.
abstrait [apstrè] *adj.* **1** abstract, afgetrokken; **2** in gedachten verdiept; verstrooid; **3** (*v. redenering, enz.*) diepzinnig, moeilijk te begrijpen; **4** (*v. getal*) onbenoemd; ***nombre—,*** onbenoemd getal; ***sciences —es,*** exacte wetenschappen *mv.*
abstraitement [apstrètmã] *adv.* in het afgetrokkene.
abstrus [apstrü] *adj.* diepzinnig, ingewikkeld, moeilijk te begrijpen; duister.
absurde(ment) [apsürd(emã)] **I** *adj.* (*adv.*) ongerijmd, bespottelijk, dwaas; **II** *s., m.* (het) ongerijmde *o.*; ***démontrer par l'—,*** bewijzen uit het ongerijmde.
absurdité [apsürdité] *f.* ongerijmdheid *v.*
abus [abü] *m.* **1** misbruik *o.*; **2** vergissing *v.*; ***par —,*** verkeerd, abusievelijk.
abuser [abü'zé] **I** *v.i.* misbruiken, misbruik maken (van); ***si je n'abuse pas de vos instants,*** als ik u niet ophoud; **II** *v.t.* misleiden, bedriegen; **III** *v.pr.*, ***s'—,*** zich vergissen; zich hersenschimmen maken.
abuseur [abüzœ:r] *m.* bedrieger, misleider *m.*
abusif [abüzif]*adj.*, **abusivement** [abüzi:vmã] *adv.* **1** verkeerd; **2** wederrechtelijk.
abuter [abüté] *v.i.*, (*sp.*) opgooien. [zee—.
abyssal [abisal] *adj.* **1** onpeilbaar diep; **2** diep-
abysse [abis] *m.* onderzeese diepte *v.*
Abyssin(ien) [abisẽ, abisinyẽ] **I** *m.* Abessiniër *m.*; **II** *adj.*, ***a—,*** Abessinisch, Abessijns.
Abyssinie [abisini] *f.* Abessinië *o.*
acabit [akabi] *m.* soort *v.(m.) en o.*, slag, allooi *o.*; ***ils sont de même —,*** zij zijn met één sop overgoten.
acacia [akasya] *m.*, (*Pl.*) acacia *m.*
académicien [akadémisyẽ] *m.* **1** academielid, lid *o.* van een geleerd genootschap; **2** (*oudh.*) leerling *m.* van Plato.
académie [akadémi] *f.* academie *v.*, geleerd genootschap *o.*, letterkundig —; ***— de danse,*** dansschool *v.(m.)*; ***— d'escrime,*** schermschool *v.(m.)*; ***l'A— française,*** de Franse Academie; ***l'— nationale de musique,*** de Grote Opera (te Parijs); ***officier d'—,*** gedecoreerde voor verdiensten op onderwijsgebied.
académique [akadémik] *adj.* **1** academisch; **2** (*fig.*: *v. stijl*) deftig, gekunsteld, stijf; ***l'année —,*** (*Z. N.*) het academisch jaar.
académiste [akadémist] *m.* leerling (*ook*: eigenaar) *m.* van een scherm- of dansschool.
acagnarder [akañardé] **I** *v.t.* vadsig maken, verslappen; **II** *v.pr.*, ***s'—,*** vadsig worden.
acajou [akaju] *m.* **1** mahonieboom *m.*; **2** mahoniehout *o.* [*v.(m.)*.
acalèphe [akalèf] *m.* neteldier *o.*, (soort) zeekwal
acanthe [akã:t] *f.* **1** (*Pl.*) acanthus *m.*, bereklauw *m. en v.*; **2** (*bouwk.*) acanthusblad *o.*
a capella [akapèla] *adv.* zonder begeleiding; ***chœur —,*** a-capella-koor *o.*
acare [aka:r] *m.* mijt *v.(m.)*; schurftmijt *v.(m.)*.
acariâtre [akaryɑ:tr] *adj.* twistziek, snibbig, kregel, bits, vinnig.
acariâtreté [akaryɑ'treté] *f.* snibbigheid *v.*, kibbelzucht *v.(m.)*.
acariose [akaryo:z] *f.*, (*gen.*) schurft *v.(m.) en o.*
acarpe [akarp] *adj.*, (*Pl.*) zonder vruchten.
acatène [akatèn] *adj.* zonder ketting.
accablant [akɑ'blã] *adj.* **1** drukkend; **2** (*fig.*) overstelpend; verpletterend; ***témoignage —,*** bezwarende getuigenis.
accablement [akɑ'blemã] *m.* **1** overladenheid *v.*; **2** (*fig.*) neerslachtigheid *v.*; **3** (*v. zieke*) uitputting *v.*
accabler [akɑ'blé, akablé] *v.t.* **1** overladen, overstelpen (met); **2** neerdrukken; ontmoedigen; **3** overmannen, overweldigen; **4** uitputten; ***accablé de dettes,*** tot over de oren in de schuld; ***accablé de fatigue,*** doodmoe.
accalmie [akalmi] *f.* **1** korte windstilte *v.*; **2** (*fig.*) kalmte *v.*, rust *v.(m.)*; **3** (*v. pijn, woede*) (het) bedaren *o.*; **4** (*in zaken*) slappe tijd *m.*
accaparement [akapa'rmã] *m.* **1** (het) opkopen, (het) hamsteren *o.*; **2** (het) in beslag nemen *o.*
accaparer [akapa'ré] *v.t.* **1** opkopen; hamsteren; **2** (*fig.*) in beslag nemen; **3** (*fam.*) inpalmen, zich indringen bij. [*m.*
accapareur [akaparœ:r] *m.* opkoper; hamsteraar
accéder [aksédé] (*à*) *v.i.* **1** toegang hebben (tot); **2** (*v. verzoek*) inwilligen, ingaan (op); **3** toetreden (tot).
accélérateur [aksélératœ:r] **I** *adj.* **1** versnellend; **2** bespoedigend; **II** *s., m.* **1** (*v. auto*) gaspedaal *o. en m.*; **2** versneller *m.*
accélération [aksélérɑ'syõ] *f.* **1** versnelling; **2** bespoediging *v.*
accélérer [akséléré] **I** *v.t.* **1** versnellen; **2** bespoedigen, verhaasten; **II** *v.i.*, (*v. auto*) optrekken; **III** *v.pr.*, ***s'—,*** sneller worden.
accent [aksã] *m.* **1** klemtoon, nadruk *m.*; **2** toonteken, accent *o.*; **3** tongval *m.*; uitspraak *v.(m.)*; **4** stembuiging *v.*; ***aux —s de la musique,*** op de tonen van de muziek; ***ne pas avoir d'—,*** zuiver spreken; ***d'un — plaintif,*** op klagende toon.
accentuation [aksã'twɑ'syõ] *f.* **1** (het) leggen *o.* van de klemtoon; **2** (het) plaatsen *o.* van de toontekens; **3** (*muz.*) versterking *v.*; **4** (*fig.*) toename *v.(m.)*; verscherping *v.*
accentuer [aksã'twé] **I** *v.t.* **1** nadruk leggen op, met klem uitspreken, de klemtoon leggen op; **2** het toonteken plaatsen op; **3** doen uitkomen, versterken, accentueren; **4** (*v. mening, enz.*) kracht

bijzetten aan; ***des traits accentués,*** scherpe trekken; ***virage accentué,*** scherpe bocht *v.(m.)*; **II** *v.pr.*, **s'—, 1** duidelijk worden; **2** sterker worden, toenemen; **3** (*v. conflict*) scherper worden.
acceptabilité [aksèptabilité] *f.* aannemelijkheid *v.*
acceptable [aksèpta·bl] *adj.* aannemelijk.
acceptation [aksèpta·syõ] *f.* **1** aanneming *v.*; **2** aanvaarding *v.*; **3** goedkeuring, inwilliging *v.*; **4** gelatenheid, berusting *v.*; **5** (*H.*: *v. wissel*) acceptatie *v.*; accept *o.*; ***— en blanc, — à découvert,*** blanco accept; ***munir de son —,*** van accept voorzien.
accepter [aksèpté] *v.t.* **1** aannemen; **2** aanvaarden; **3** goedkeuren, inwilligen; **4** berusten in, zich schikken in; **5** (*v. wissel*) accepteren.
accepteur [aksèptœ:r] *m.*, (*v. wissel*) acceptant *m.*
acception [aksèpsyõ] *f.* **1** (*v. woord, enz.*) betekenis *v.*; **2** (*recht*) aanzien *o.*; ***sans — de personne,*** zonder aanzien des persoons.
accès [aksè] *m.* **1** toegang *m.*; **2** (*v. ziekte, koorts*) aanval *m.*; **3** (*v. vreugde, toorn, enz.*) bui, vlaag *v.(m.)*; ***il est d'un — difficile,*** hij is vrijwel ongenaakbaar.
accessibilité [aksèsibilité] *f.* **1** toegankelijkheid *v.*; **2** genaakbaarheid *v.*
accessible [aksèsi·bl] (*à*) *adj.* **1** toegankelijk (voor); **2** genaakbaar; **3** bereikbaar; **4** (*fig.*) vatbaar, gevoelig (voor).
accession [aksèsyõ] *f.* **1** (*tot verdrag, enz.*) toetreding *v.*; **2** (*v. gebied, enz.*) toevoeging *v.*; **3** (*recht*) aanwas *m.*; ***— au trône,*** troonsbestijging *v.*
accessit [aksèsit] *m.* accessiet *o. en m.*, eervolle vermelding *v.*
accessoire [aksèswa:r] **I** *adj.* bijkomstig; ondergeschikt; **II** *s., m.* **1** bijzaak *v.(m.)*, bijkomstige *o.*; **2** (*v. schilderij*) bijwerk *o.*; **3** (*v. loon*) bijslag *m.*; **—s,** (*v. fiets, auto, enz.*) onderdelen *mv.*; ***—s de théâtre,*** toneelbenodigdheden *mv.*, toneelrekwisieten *mv.*
accessoirement [aksèswa·rmã] *adv.* bijkomstig.
accident [aksidã] *m.* **1** ongeluk, ongeval *o.*; **2** toeval *o.*; **3** (*v. bodem*) oneffenheid *v.*; **4** (*muz.*) toevallig teken *o.*; **5** (*wijsb.*) toevallige vorm *m.*; toevallige gedaante *v.*; ***— de lumière,*** (*v. schilderij*) lichtspeling *v.*, lichteffect *o.*; ***—s de terrain,*** oneffenheden van de bodem, terreinplooien; ***par —,* 1** bij ongeluk; **2** toevallig, bij toeval.
accidenté [aksidã·té] **I** *adj.* **1** oneffen, ongelijk; **2** heuvelachtig; **3** (*fig.*) vol wisselvalligheid; **4** (*v. leven*) veelbewogen, avontuurlijk; **5** verongelukt; **II** *s.,m.* slachtoffer *o.* van een ongeluk.
accidentel(lement) [aksidã·tèl(mã)] *adj.*, (*adv.*) toevallig; ***ligne —le*** (*muz.*) hulplijn *v.(m.)*; ***mort —,*** dood door een ongeluk.
accidenter [aksidã·té] *v.t.* **1** afwisseling brengen in; **2** door een ongeval treffen.
accise [aksi:z] *f.* accijns *m.*
acclamateur [aklamatœ:r] *m.* toejuicher *m.*
acclamation [aklama·syõ] *f.* toejuiching *v.*; ***par —,*** zonder hoofdelijke stemming, bij acclamatie.
acclamer [aklamé] *v.t.* toejuichen.
acclimatation [aklimata·syõ] *f.* (het) gewennen *o.* aan een ander klimaat; ***jardin d'—,*** dieren- en plantentuin *m.*
acclimatement [aklimatmã] *m.* het gewend zijn aan een klimaat.
acclimater [aklima·té] *v.t.* (*et v.pr.*, **s'—**) **1** aan een ander klimaat gewennen; **2** (*fig.*) gewennen, inburgeren.
accointance [akwẽ·tã:s] *f.* omgang *m.*, verkeer *o.*
accointer, s'— [sakwẽ·té] (*avec*) *v.pr.* vertrouwelijk omgaan (met), zich inlaten (met).
accolade [akòla·d] *f.* **1** omhelzing *v.*: **2** accolade *v.*, verbindingshaak *m.*; ***donner l'—,*** tot ridder slaan.
accolader [akòladé] *v.t.* **1** omhelzen; **2** door een accolade (*of* accolades) verbinden.
accolage [akòla:j] *m.*, (*tuinb.*) (het) opbinden *o.* (*v.* takken, enz.).
accolement [akòlmã] *m.* **1** samenvoeging *v.*; **2** omhelzing *v.*
accoler [akòlé] *v.t.* **1** omhelzen; **2** samenvoegen, verbinden; **3** (*v. takken*) opbinden.
accolure [akòlü:r] *f.* bindsel *o.*
accommodable [akòmòda·bl] *adj.* te schikken, bij te leggen.
accommodage [akòmòda:j] *m.* toebereiding *v.*
accommodant [akòmòdã] *adj.* toegevend, inschikkelijk.
accommodateur [akòmòdatœ:r] *adj.* accommoderend.
accommodation [akòmòda·syõ] *f.* **1** (*v. lokaal*) inrichting *v.*; **2** schikking, regeling, verzoening *v.*; **3** aanpassing *v.*; **4** (*v. ooglens*) accommodatie *v.*
accommodement [akòmòdmã] *m.* schikking *v.* vergelijk *o.*
accommoder [akòmòdé] **I** *v.t.* **1** (*v. lokaal*) inrichten, in orde brengen; **2** (*v. spijzen*) toebereiden; **3** (*v. zaak*) bijleggen, schikken; **4** passen, gelegen komen, te pas komen; **5** op zijn gemak zetten; ***— un différend,*** een geschil bijleggen; ***— à toutes les sauces,*** duchtig over de hekel halen; **II** *v.pr.*, **s'—, 1** een vergelijk treffen; **2** zich kleden, zich toetakelen; ***s'— à,*** zich schikken naar; ***s'— avec,*** passen bij, in overeenstemming zijn met; ***s'— de,*** zich behelpen met; ***il s'accommode de peu,*** hij is met weinig tevreden; ***il s'accommode de tout,*** hij neemt alles voor lief.
accompagnateur [akõ·pañatœ:r] *m.*, (*muz.*) begeleider *m.*
accompagnement [akõ·pañmã] *m.* **1** begeleiding *v.*; **2** toebehoren *o.*
accompagner [akõ·pañé] *v.t.* **1** vergezellen; **2** (*muz.*) begeleiden; **3** goed komen bij, staan bij.
accompli [akõ·pli] *adj.* **1** volmaakt, volleerd; **2** (*v. wens*) vervuld; **3** (*v. methode, enz.*) uitstekend onberispelijk; ***fait —,*** voldongen feit *o.*; ***20 ans —s,*** volle 20 jaar, meer dan 20 jaar.
accomplir [akõ·pli:r] **I** *v.t.* **1** (*v. plicht*) vervullen, volbrengen; **2** (*v. bevel, belofte, enz.*) nakomen; **3** (*v. afstand*) afleggen; **4** (*v. reis, enz.*) volbrengen **5** (*v. wonder*) verrichten; ***— de grandes choses,*** grote dingen tot stand brengen (*of* verwezenlijken).
accomplissement [akõ·plismã] *m.* **1** vervulling, volbrenging *v.*; **2** nakoming *v.*; **3** verwezenlijking *v.*; **4** (*v. werk*) voltooiing *v.*
accord [akò:r] *m.* **1** overeenstemming, eensgezindheid *v.*; **2** overeenkomst, schikking *v.*, akkoord *o.*; **3** (*gram.*) overeenkomst *v.*; **4** (*muz.*) samenklank *m.*, akkoord *o.*; **5** (het) stemmen *o.*; ***être d'—,*** het eens zijn; ***tomber d'—,*** het eens worden; ***d'un commun—,*** eenparig, eenstemmig; ***mettre d'—,* 1** tot overeenstemming brengen; **2** (*muz.*) gelijk stemmen; ***d'—!*** goed! afgesproken!
accordable [akòrda·bl] *adj.* **1** overeen te brengen; **2** toe te staan.
accordage [akòrda:j] *m.*, (*muz.*) (het) stemmen *o.*
accordailles [akòrda·y] *f.pl.* verloving *v.*
accordant [akòrdã] *adj.* **1** harmonisch, samenklinkend; **2** bij elkaar passend.
accordé(e) [akòrdé] *m.-f.* verloofde *m.-v.*
accordement [akòrdemã], *zie* ***accordage.***
accordéon [akòrdéõ] *m.* **1** harmonika *v.*; **2** (*drukk.*) zigzagvouw *v.(m.)*, bep. vouwwijze, waardoor een drukwerkje kan uitwaaieren.
accordéoniste [akòrdéònist] *m.* harmonikaspeler *m.*

accorder [akòrdé] **I** *v.t.* **1** (*v. tegenstanders, partijen*) tot overeenstemming brengen; **2** (*gram.*) doen overeenkomen, doen overeenstemmen; **3** (*muz.*: *v. piano*) stemmen; **4** (*v. klokken*) gelijkzetten; **5** (*v. uitstel, enz.*) toestaan, verlenen; **6** (*v. verzoek*) inwilligen; **7** erkennen, beamen, toegeven; ***— de l'attention à qc.***, aandacht schenken aan iets; **II** *v.pr.*, ***s'—***, **1** overeenstemmen; **2** in goede verstandhouding leven; **3** bij elkaar passen.
accordeur [akòrdœ:r] *m.*, (*muz.*) (piano-, orgel-) stemmer *m.*
accordoir [akòrdwa:r] *m.*, (*muz.*) stemhamer *m.*
accore [akò:r] **I** *m.* **1** (*v. schip in aanbouw*) schoor, stut *m.*; **2** rand *m.* (v. bank of klip); **II** *adj.*, ***côte —***, steile kust *v.*(*m.*).
accorer [akò'ré] *v.t.* stutten.
accort [akòr] *adj.* innemend, aardig, beleefd.
accortise [akòrti:z] *f.* innemendheid.
accostable [akòsta'bl] *adj.* **1** genaakbaar, toegankelijk; **2** vriendelijk.
accostage [akòsta:j] *m.* het aanklampen; het langszij komen *o.*
accoster [akòsté] *v.t.* **1** (*v. persoon*) toetreden op, aanspreken; **2** (*sch.*) aanleggen bij; **3** langszij komen.
accot [ako] *m.* **1** (*tn.*) steun, stut *m.*; **2** (*tuinb.*) rand *m.* van mest.
accotement [akòtmã] *m.* **1** (*langs weg*) berm *m.*; **2** (*v. spoorlijn*) banket *o.*; ***— pour cyclistes***, fietspad *o.*
accoter [akòté] **I** *v.t.* **1** steunen; **2** (*v. muur*) stutten; **II** *v.i.*, (*v. schip*) overhellen; **III** *v.pr.*, ***s'—*** (*à*), leunen (tegen).
accotoir [akòtwa:r] *m.* **1** armleuning, zijleuning *v.*; **2** schoor, stut *m.*
accouardir [akwardi:r] **I** *v.t.* laf maken; **II** *v.pr.*, ***s'—***, laf worden.
accouchée [akuʃé] *f.* kraamvrouw *v.*
accouchement [akuʃmã] *m.* bevalling, verlossing [*v.*
accoucher [akuʃé] *v.i.* **1** bevallen; **2** (*fig.*) met moeite voortbrengen.
accoucheur [akuʃœ:r] *m.* verloskundige *m.*
accoucheuse [akuʃö:z] *f.* vroedvrouw *v.*
accoudement [akudmã] *m.* het leunen op de ellebogen.
accouder, s'— [sakudé] *v.pr.* (met de ellebogen) leunen (op).
accoudoir [akudwa:r] *m.* **1** armleuning *v.*; **2** borstwering, balustrade *v.*
accouple [akupl] *f.* koppelriem *m.* (v. jachthonden).
accouplement [akuplemã] *m.* **1** koppeling, samenkoppeling *v.*; **2** paring *v.*
accoupler [akuplé] **I** *v.t.* **1** koppelen, samenkoppelen; **2** verenigen, samenvoegen; **3** (*el.*) schakelen; **II** *v.pr.*, ***s'—***, paren.
accourcir [akursi:r] **I** *v.t.* verkorten, inkorten, bekorten; **II** *v.pr.*, ***s'—***, korter worden; inkrimpen.
accourcissement [akursismã] *m.* (het) bekorten *o.*; (het) korter worden *o.*
accourir* [akuri:r] *v.i.* toelopen, toesnellen, toestromen; ***— comme les poules au grain,*** als de kippen er bij zijn.
accoutrement [akutremã] *m.* gekke (*of* bespottelijke) kleding *v.*, vreemde opschik *m.*
accoutrer [akutré] **I** *v.t.* vreemd (*of* bespottelijk) kleden; toetakelen; **II** *v.pr.*, ***s'—***, zich gek kleden, zich toetakelen.
accoutumance [akutümã:s] *f.* gewoonte *v.*, aanwensel *o.*
accoutumé [akutümé] *adj.* gewoon; ***à l'—e***, gewoonlijk.
accoutumer [akutümé] **I** *v.t.* gewennen; gewoon maken; ***je n'y suis pas accoutumé,*** ik ben er niet aan gewoon; **II** *v.pr.*, ***s'— à,*** zich gewennen aan, gewoon worden.
accouver [akuvé] **I** *v.t.* voorzien van broedeieren, broedeieren leggen in; **II** *v.pr.*, ***s'—***, gaan broeden.
accréditer [akrédité] **I** *v.t.* **1** aanbevelen, aanzien doen krijgen, in aanzien brengen; **2** (*H.*) krediet verschaffen; **3** (*v. gezant*) afvaardigen, van geloofsbrieven voorzien, volmachtigen; **4** ingang doen vinden; **II** *v.pr.*, ***s'—***, **1** aanzien verkrijgen; **2** krediet verkrijgen; **3** ingang vinden; geloof vinden.
accréditeur [akréditœ:r] *m.* borg *m.*
accréditif [akréditif] *m.* accreditief *o.*
accroc [akro, akrò] *m.* **1** winkelhaak *m.*, scheur *v.*(*m.*); **2** moeilijkheid *v.*, hinderpaal *m.*, kink *v.*(*m.*) in de kabel; **3** smet, vlek *v.*(*m.*); ***faire un — à,*** een smet werpen op.
accrochage [akròʃa:j] *m.* **1** (het) aanhaken *o.*; **2** (*v. schilderij, enz.*) (het) ophangen *o.*; **3** aanrijding *v.*; **4** (*v. mijn*) vulling *v.*; **5** (*fig.*) wrijving *v.*
accroche-cœur [akròʃkœ:r] *m.* gekruld lokje *o.* op de slaap.
accrochement [akròʃmã] *m.* **1** aanrijding *v.*; **2** (*fig.*) hindernis *v.*
accroche-plat [akròʃpla] *m.* bordehanger *m.*
accrocher [akròʃé] **I** *v.t.* **1** aanhaken; **2** (*v. schilderij, enz.*) ophangen; **3** (*sch.*) enteren; **4** (*v. telefoonhoorn*) aan de haak hangen; **5** (*v. voertuig enz.*) aanrijden; **6** (*v. persoon*) aanklampen; **7** (*v. betrekking*) krijgen, bemachtigen; **8** (*v. man, vrouw*) aan de haak slaan; **9** (*v. radio*) opvangen; **II** *v.pr.*, ***s'—***, **1** blijven haken, blijven vastzitten; **2** zich vasthouden, zich vastgrijpen; **3** (*fig.*) zich vastklampen.
accroire [akrwa:r] *v.t.*, ***en faire — à qn.***, iem. wat wijsmaken, iem. iets op de mouw spelden; ***s'en faire —***, zich wat inbeelden.
accroissement [akrwa'smã] *m.* **1** aangroei *m.*; **2** toename *v.*(*m.*); **3** uitbreiding *v.*; ***prendre de l'—***, toenemen.
accroît [akrwa] *m.* aanwas *m.*
accroître* [akrwa:tr, akrwatr] **I** *v.t.* **1** doen aangroeien; **2** doen toenemen; **II** *v.i. et v.pr.*, ***s'—***, **1** aangroeien; **2** toenemen; **3** zich uitbreiden.
accroupi [akrupi] *adj.* gehurkt.
accroupir, s'— [sakrupi:r] *v.pr.* **1** neerhurken, op de hurken gaan zitten; **2** (*v. dier*) gaan liggen.
accroupissement [akrupismã] *m.* **1** (*v. mens*) (het) neerhurken *o.*, gehurkte houding *v.*; **2** (*v. dier*) (het) neerzitten *o.*
accru [akrü] *m.*, (*Pl.*: *v. wortel*) uitloper *m.*
accrue [akrü] *f.*, (*v. land, bos*) aanwas *m.*
accu [akü] *m.*, (*el.*) accumulator, accu *m.*
accueil [akœ'y] *m.* onthaal *o.*, ontvangst *v.*; bejegening *v.*; ***faire bon — à,*** **1** goed ontvangen; **2** (*v. verzoek*) inwilligen; **3** (*H.*: *v. wissel*) honoreren; ***centre d'—***, opvangcentrum *o.*
accueillant [akœyã] *adj.* **1** (*v. persoon*) vriendelijk; **2** (*v. huis*) gastvrij.
accueillir* [akœyi:r] *v.t.* **1** onthalen, ontvangen; **2** (*met applaus, gefluit, enz.*) begroeten; **3** (*v. verzoek*) inwilligen.
accul [akül] *m.* slop *o.*, doodlopende straat *v.*(*m.*).
acculer [akülé] **I** *v.t.* **1** drukken (tegen), drijven (in); **2** (*fig.*) in het nauw drijven; **II** *v.pr.*, ***s'—***, **1** met de rug steunen tegen, zich in de rug dekken; **2** in het nauw raken; **3** zich vastpraten; **4** (*v. schip*) achteroverhellen.
accumulateur [akümülatœ:r] *m.* **1** ophoper *m.* (v. geld, enz.); **2** (*el.*) accumulator *m.*
accumulation [akümüla'syõ] *f.* opeenhoping *v.*
accumuler [akümülé] **I** *v.t.* **1** opeenhopen, opeenstapelen; **2** bijeenschrapen; **II** *v.pr.*, ***s'—*** **1** zich

ophopen, zich opstapelen; 2 (*v. onweer*) samentrekken; 3 (*v. moeilijkheden, enz.*) zich opstapelen, steeds talrijker worden.
accusable [aküza'bl] *adj.* aanklaagbaar, te beschuldigen.
accusateur [aküzatœ:r] I *m.*, (**accusatrice** *f.*) aanklager *m.* (aanklaagster *v.*); II *adj.* beschuldigend.
accusatif [aküsatif] *m.* vierde naamval, accusatief *m.*
accusation [aküza'syõ] *f.* aanklacht *v.(m.)*, beschuldiging *v.*; ***chef d'—***, punt *o.* van aanklacht; ***mettre en —***, in staat van beschuldiging stellen.
accusatoire [aküzatwa:r] *adj.* beschuldigend, bezwarend.
accusé [aküzé] *m.* beklaagde, beschuldigde *m.*; ***— de réception***, bericht *o.* van ontvangst.
accuser [aküzé] I *v.t.* 1 beschuldigen, aanklagen; 2 (*v. zonden*) biechten; 3 (*v. leeftijd*) opgeven; 4 (*v. kennis, onwetendheid, enz.*) blijk geven van, wijzen op; 5 (*v. weegschaal, thermometer, enz.*) aanwijzen; 6 (*v. lijnen, enz.*) doen uitkomen; ***— réception***, de goede ontvangst berichten; II *v.pr.*, ***s'—***, 1 zich beschuldigen, bekennen; 2 duidelijker worden, beter uitkomen.
acéphale [aséfal] *adj.* hoofdeloos, koploos.
acérage [aséra:j] *m.* het verstalen *o.*
acérain [asé'rẽ] *adj.* staalachtig.
acerbe [asèrb] *adj.* 1 wrang; 2 (*fig.*) bitter, scherp.
acerbité [asèrbité] *f.* 1 wrangheid *v.*; 2 bitterheid, scherpheid *v.*
acéré [asé'ré] *adj.* 1 scherp, puntig, snijdend; 2 (*fig.*) bijtend, bits, scherp.
acérer [asé'ré] *v.t.* 1 verstalen, met staal beslaan; 2 scherpen, wetten; 3 (*fig.*) vlijmend maken, kwetsend maken.
acescence [asèsã:s] *f.* (begin *o.* van) verzuring *v.*
acescent [asèsã] *adj.* zuur wordend.
acétate [asétat] *m.* azijnzuurzout *o.*
acéteux [asétö] *adj.* azijnachtig.
acétification [asétifika'syõ] *f.* azijnvorming *v.*
acétifier [asétifyé] *v.t.* tot azijn maken, in azijn(zuur) veranderen.
acétique [asétik] *adj.* azijn—; ***acide —***, azijnzuur *o.*
acétocellulose [asétòsèlülo:z] *f.* bepaald soort plastic *o.*
acétone [asétòn] *f.* aceton *o. en m.*, azijngeest *m.*
acétylène [asétylèn] *m.* acetyleen *o.*
achalandage [aʃalã'da'j] *m.* beklanting, klandizie *v.*
achalandé [aʃalã'dé] *adj.* beklant; ***bien —***, (*in winkel, ook:*) goed voorzien (van waren).
achalander [aʃalã'dé] I *v.t.* beklanten, klanten bezorgen; II *v.pr.*, ***s'—***, zich klanten verwerven; beklant worden.
acharné [aʃarné] *adj.* 1 hardnekkig, verwoed; 2 (*v. werk*) volhardend; 3 verbitterd.
acharnement [aʃarnemã] *m.* 1 hardnekkigheid *v.*; 2 (grote) volharding *v.*; 3 verbittering *v.*
acharner [aʃarné] I *v.t.* aanhitsen, ophitsen; II *v.pr.*, ***s'—***, 1 (*— à*), zich hardnekkig toeleggen op; hardnekkig volhouden om; 2 (***— sur, contre***) met woede aanvallen, hardnekkig vervolgen.
achat [aʃa] *m.* 1 aankoop; inkoop *m.*; 2 (het) gekochte *o.*; ***faire des —s***, inkopen doen; ***prix d'—***, koopprijs, inkoopsprijs *m.*; koopsom *v.(m.)*; ***compte d'—***, inkooprekening *v.*; ***bordereau d'—***, inkoopopgave *v.(m.)*; ***ordre d'—***, kooporder *v.(m.) en o.*
ache [aʃ] *f.*, (*Pl.*) eppe *v.(m.)*, wilde selderie *m.*
acheminement [aʃminmã] *m.* 1 nadering *v.*; 2 (*fig.*) voortgang, weg *m.* (tot); 3 verzending *v.*
acheminer [aʃminé] I *v.t.* 1 doen vooruitgaan; 2 verzenden; II *v.pr.*, ***s'—***, 1 zich op weg begeven; 2 op weg zijn (naar); 3 (*fig.*) vorderen.
Achéron [akérõ] 1 Acheron *m.* (rivier van de onderwereld); 2 onderwereld *v.(m.)*.
achetable [aʃta'bl] *adj.* koopbaar.
acheter* [aʃté] *v.t.* 1 kopen, inkopen; 2 omkopen; 3 (*v. winkel*) overnemen; ***— chez***, betrekken van.
acheteur [aʃtœ:r] *m.* koper, afnemer *m.*
achevage [aʃva:j] *m.* afwerking *v.*
achevé [aʃvé] *adv.* 1 afgewerkt, voltooid; 2 volmaakt, onberispelijk; 3 (*v. gek*) volslagen; ***— d'imprimer***, colofon *o. en m.*
achèvement [aʃè'vmã] *m.* 1 voltooiing, afwerking *v.*; 2 volmaaktheid *v.*
achever [aʃvé] I *v.t.* 1 afwerken, afmaken, voltooien, volbrengen; 2 (*v. bier, wijn*) uitdrinken; 3 (*v. glas*) leegdrinken; 4 (*v. bord*) leegeten, uiteten; 5 (*v. pijp*) uitroken; 6 (*v. sigaar*) oproken; 7 (*v. kleren*) afdragen, verslijten; 8 (*v. dier*) afmaken; 9 (*fig.*) te gronde richten, ruïneren; II *v.pr.*, ***s'—***, eindigen, ten einde lopen.
Achille [aʃil] *m.* Achilles *m.*
achillée [aʃilé] *f.*, (*Pl.*) duizendblad *o.*
achoppement [aʃòpmã] *m.* 1 aanstoot *m.*, ergernis *v.*; 2 struikelblok *o.*; ***pierre d'—***, steen *m.* des aanstoots.
achopper [aʃòpé] *v.i.* (*et v.pr.*, ***s'—***), struikelen.
achromatique [akròmatik] *adj.* achromatisch, licht doorlatend zonder kleurbreking.
achromatiser [akròmatizé] *v.t.* kleurloos maken.
achromatisme [akròmatism] *m.* achromatisme *o.*, eigenschap van achromatische lenzen.
achromatopsie [akròmatòpsi] *f.* kleurenblindheid *v.*
achrome [akro:m] *adj.*, (*tn.*) kleurloos.
achromie [akro'mi] *f.*, (*tn.*) kleurloosheid *v.*
aciculaire [asikülè:r] *adj.* naaldvormig, spits toelopend.
acide [asi'd] I *adj.* zuur; II *s., m.* zuur *o.*
acidification [asidifika'syõ] *f.* verzuring *v.*
acidifier [asidifyé] I *v.t.* zuur maken; II *v.pr.*, ***s'—***, zuur worden.
acidité [asidité] *f.* zuurheid *v.*; scherpheid *v.*
acidule [asidül], **acidulé** [asidülé] *adj.* zuurachtig, rins; ***bonbon —***, zuurtje *o.*
aciduler [asidülé] *v.t.* zuurachtig maken, rins maken.
acier [asyé] *m.* staal *o.*; ***— fondu***, gietstaal; ***— de forge***, welstaal; ***— trempé***, gehard staal; ***— naturel***, Duits staal; ***d'—***, stalen; (*fig.*) ongevoelig.
aciérage [asyéra:j] *m.*, **aciération** [asyéra'syõ] *f.* verstaling, verharding *v.*
aciérer [asyé'ré] *v.t.* verstalen, tot staal maken.
aciéreux [asyérö] *adj.* staalachtig.
aciérie [asyéri] *f.* staalfabriek *v.*
aciérographie [asyérògrafi] *f.* staalgraveerkunst *v.*
acmé [akmé] *m.*, (*gen.*) hoogtepunt *o.* (*v. ziekte*).
acné [akné] *f.* (huid)uitslag *m.*, rood puistje *o.* (in gelaat).
acolyte [akòlit] *m.* 1 (*kath.*) acoliet *m.* (die de 4e van de kleinere wijdingen ontvangen heeft); 2 misdienaar *m.*; 3 aanhanger, volgeling *m.*
acompte [akõ:t] *m.* 1 som *v.(m.)* op afbetaling; 2 (***— de dividende***) interim-dividend *o.*; ***paiement par —s***, op afbetaling.
aconit [akònit] *m.*, (*Pl.*) monnikskap *v.(m.)*.
aconitine [akònitin] *f.* gif *o.* uit monnikskapwortel.
acoquiner [akòkiné] I *ov.w.* verwennen; II *v.pr.*, ***s'— à***, verslaafd raken aan, zich afgeven met.
acore [akòr] *m.*, (*Pl.*) kalmoes *m.*
Açores [asò:r] *f.pl.* Azoren *mv.*
açorien [asòryẽ] *adj.* van de Azoren.
à-côté* [ako'té] *m.* bijkomstigheid *v.*
acotylédone [akòtilédòn] I *adj.*, (*Pl.*) bedekt bloeiend; II *s., f.* sporeplant, cryptogaam, bedektbloeiende plant *v.(m.)*.

acoumètre [akumè·tr] *m.* gehoormeter *m.*
à-coup* [aku] *m.* stoot, schok, ruk *m.*; ***par —s,*** met horten en stoten.
acousticien [akustisyẽ] *m.* geluidstechnicus *m.*
acoustique [akustik] **I** *adj.* akoestisch, tot de geluidsleer behorend; ***nerf —,*** gehoorzenuw *v.(m.)*; ***cornet —,*** gehoorapparaat *o.*; ***tuyau —,*** spreekbuis *v.(m.)*; **II** *s., f.* **1** geluidsleer *v.(m.)*; **2** (*v. lokaal*) akoestiek, geluidsvoortplanting *v.*
acquéreur [akérœ:r] *m.* koper *m.*, koopster *v.*; ***se rendre — de,*** aankopen, door aankoop eigenaar worden van.
acquérir* [akéri:r] **I** *v.t.* **1** verkrijgen, verwerven; **2** kopen; ***— des amis,*** zich vrienden maken; ***c'est un point acquis,*** dat is uitgemaakt, dat staat vast; ***être acquis à une idée,*** voor een denkbeeld gewonnen zijn; ***bien mal acquis ne profite pas,*** onrechtvaardig (verkregen) goed gedijt niet; **II** *v.pr.*, ***s'— qc.,*** **1** zich iets aanschaffen; **2** iets verwerven. [*o.*
acquêt [akè] *m.* verkregen goed, (het) verworvene
acquiescement [akyèsmã] *m.* **1** toestemming, inwilliging *v.*; **2** berusting *v.*
acquiescer [akyèsé] (*à*) *v.i.* **1** toestemmen (in), inwilligen; **2** berusten (in). [kennis *v.*
acquis [aki] **I** *adj.* verkregen; **II** *s., m.* verkregen
acquisition [akizisyõ] *f.* **1** verwerving *v.*; **2** aanwinst *v.*; **3** aankoop *m.*
acquit [aki] *m.* **1** betaling, vereffening *v.*; **2** kwitantie, kwijting v.; **3** (*bilj.*) eerste stoot *m.*; ***— de transit,*** uitslagbiljet voor doorvoer; ***par manière d'—,*** om er van af te zijn; ***pour —,*** voldaan; ***par — de conscience,*** uit plichtsgevoel; ***jouer à l'—,*** spelen wie alles zal betalen; ***sentence d'—,*** vrijspraak *v.(m.)*.
acquit*-à-caution [aki·tako·syõ] *m.* (*H.*) uitslagbriefje, uitslagbiljet *o.*
acquittable [akita·bl] *adj.* te voldoen, betaalbaar.
acquittement [akitmã] *m.* **1** kwijting, betaling *v.*; **2** vrijspraak *v.(m.)*.
acquitter [akité] **I** *v.t.* **1** betalen, kwijten, voldoen; **2** voor voldaan tekenen; **3** vrijspreken; ***marchandises acquittées,*** goederen waarvoor inkomende rechten betaald zijn; ***— d'une dette,*** van een schuld ontslaan; **II** *v.pr.*, ***s'— (de),*** zich kwijten (van), voldoen (aan).
acre [a·kr] *f.* oude vlaktemaat, acre *v.(m.)*.
âcre [ɑ:kr] *adj.* **1** (*v. smaak*) wrang, bitter; **2** (*v. geur*) sterk, prikkelend; **3** (*v. rook*) (ver)stikkend; **4** (*v. klank*) scherp; **5** (*fig.*) kwetsend, stekelig; **6** (*v. karakter, enz.*) vinnig, kregel.
Acren, ***Les Deux —,*** [lèdö·zakr] Twee Akren *o.*
âcreté [ɑ:kreté] *f.* **1** wrangheid, bitterheid *v.*; **2** (*v. bloed*) scherpte *v.*; **3** (*fig.*) bitsheid *v.*
acridiens [akridyẽ] *m.pl.* rechtvleugelige insektengroep, met o.a. krekel.
acrimonie [akrimòni] *f.* **1** wrangheid, bitterheid *v.*; **2** (*v. bloed*) scherpte *v.*; **3** (*fig.*) bitsheid, vinnigheid *v.*
acrimonieux [akrimònyö], *adj.* **—eusement** [akrimònyö·zmã] *adv.* **1** wrang, bitter; **2** scherp; **3** (*fig.*) bits, hekelend, vinnig.
acrobate [akròbat] *m.-f.* acrobaat, kunstenmaker, koorddanser *m.*, —danseres *v.*
acrobatie [akròbasi] *f.* kunstenmakerij *v.*; (het) koorddansen *o.*; ***— aérienne,*** stuntvliegerij *v.*
acrobatique [akròbatik] *adj.* acrobatisch.
acrocéphale [akroséfa·l] *adj.* puntschedelig.
acroléine [akroléin] *f.* acroleïne *o.* (bep. verstikkende vluchtige vloeistof).
acromégalie [akromégali] *f.* ziekelijke afwijking *v.* van hoofd en extremiteiten.
acropole [akropòl] *f.* acropolis *v.*
acrostiche [akrostiʃ] *m.* acrostichon, naamvers, naamdicht *o.*
acte [akt] *m.* **1** daad *v.(m.)*; handeling *v.*; **2** (*v. toneel*) bedrijf *o.*; **3** geschrift *o.*, oorkonde, akte *v.(m.)*; ***— de foi,*** akte van geloof; ***dont —,*** waarvan akte; waarvan ik akte neem; ***dresser un —,*** een akte opmaken; ***faire — de foi,*** zijn geloof belijden; ***faire — d'autorité,*** krachtig optreden, zijn gezag laten gelden; ***faire — de présence,*** zich even vertonen; aanwezig zijn; ***faire — de commerce,*** optreden als handelaar; ***faire — de soumission,*** zich onderwerpen; ***— sous seing privé,*** onderhandse akte; ***les A—s des Apôtres,*** de Handelingen der Apostelen. [van.
acter [akté] *v.i.* **1** akte geven van; **2** akte nemen
acteur [aktœ:r] *m.*, **actrice** [aktris] *f.* **1** toneelspeler *m.*, —speelster *v.*; **2** handelende persoon, bewerker *m.*
actif [aktif] **I** *adj.* **1** werkend, handelend; **2** bedrijvig, levendig; **3** werkzaam, ijverig; **4** (*v. geneesmiddel, enz.*) krachtig, snelwerkend; **5** (*v. vergif*) hevig, snelwerkend; **6** (*v. dienst*) werkelijk; **7** (*v. kennis*) paraat; **8** (*gram.: v. werkw.*) bedrijvend gebruikt; ***voix active,*** bedrijvende vorm *m.*; ***dettes actives,*** vorderingen, uitstaande schulden *mv.*; **II** *s., m.* **1** tegoed *o.*; **2** bezit, actief *o.*; ***avoir qc. à son —,*** iets op zijn geweten hebben.
actinie [aktini] *f.* zeeanemoon *v.(m.)*.
actiniforme [aktinifòrm] *adj.* straalvormig.
actinique [aktinik] *adj.* (*v. stralen*) chemisch.
actinisme [aktinizm] *m.* (scheikundige) werking *v.* van het licht.
actinomètre [aktinòmè·tr] *m.* actinometer *m.*, meetapparaat *o.* voor bestralingsintensiteit.
actinométrie [aktinòmétri] *f.* het meten *o.* van de bestralingsintensiteit.
action [aksyõ] *f.* **1** daad *v.(m.)*; handeling *v.*; **2** werking, uitwerking *v.*; **3** (*mil.*) gevecht *o.*; **4** actie, beweging *v.*; **5** (*H.*) aandeel *o.*; **6** invloed *m.*; **7** (*nat.*) kracht *v.(m.)*; **8** (*recht*) vervolging, actie, rechtsvordering *v.*; ***— au porteur,*** aandeel aan toonder; ***— de jouissance,*** winstaandeel; ***— libérée,*** volgestort aandeel; ***— privilégiée,*** preferent aandeel; ***société par —s,*** maatschappij op aandelen; ***souscrire des —s,*** op aandelen intekenen; ***introduire une — en justice,*** een aanklacht indienen, een rechtsvordering instellen; ***—(s) de grâces,*** dankgebed *o.*, dankzegging *v.*; ***parler avec —,*** spreken met vuur; ***mettre en —,*** **1** in beweging brengen; **2** in praktijk brengen; ***— héroïque,*** heldenfeit *o.*, heldendaad *v.(m.)*; ***l'— du temps,*** de tand des tijds; ***tomber sous l'— de la loi,*** strafbaar zijn; ***les —s vitales,*** de levensverrichtingen.
actionnaire [aksyònè:r] *m.* aandeelhouder *m.*
actionner [aksyòné] *v.t.* **1** (*tn.*) drijven, in beweging brengen; **2** aanzetten; **3** in rechten aanspreken; ***— qn. en dommages-intérêts,*** een eis tot schadevergoeding tegen iem. instellen.
activation [aktivɑ·syõ] *f.* (*scheik. enz.*) verhoogde werking *v.* [ijverig.
activement [aktivmã] *adv.* **1** druk; **2** werkzaam,
activer [akti·vé] *v.t.* **1** aanzetten; **2** in beweging brengen; **3** bespoedigen, verhaasten; **4** (*v. beweging*) versnellen.
activisme [aktivizm] *m.* activisme *o.*, streven *o.* van de activisten.
activiste [aktivist] **I** *m.* activist, Vlaming *m.* die met behulp van de Duitse bezetting (1914-1918) de Vlaamse eisen wilde verwezenlijken; **II** *adj.* activistisch.

activité [aktivité] *f.* **1** werking *v.*; **2** werkzaamheid, bedrijvigheid *v.*; **3** werkelijke dienst *m.*; **4** (*v. vergif*) snelle werking *v.*; ***volcan en —,*** vulkaan *m.* in werking; ***en pleine —,*** in volle gang; ***sphère d'—,*** werkkring *m.*
actrice [aktris] *f.* actrice, toneelspeelster *v.*
actuaire [aktẅè:r] *m.* wiskundig adviseur *m.*
actualisation [aktẅaliza'syõ] *f.* verwezenlijking *v.*
actualiser [aktẅali'zé] *v.t.* **1** actueel maken, aan de orde van de dag stellen; **2** vernieuwen.
actualité [aktẅalité] *f.* **1** werkelijkheid *v.*, tegenwoordige (bestaande) toestand *m.*; **2** gebeurtenis *v.* (*of* vraagstuk *o.*) van de dag; **3** nieuwigheid; nieuwe uitvinding *v.*; ***les —s,*** de jongste gebeurtenissen, de gebeurtenissen van de dag.
actuel [aktẅèl] *adj.* **1** tegenwoordig, huidig; **2** aan de orde van de dag, actueel; **3** (*v. geval*) onderhavig; **4** (*v. vraagstuk*) brandend, actueel; ***péché —,*** dadelijke zonde *v.*(*m.*); ***à l'heure —le,*** thans, tegenwoordig.
actuellement [aktẅèlmã] *adv.* tegenwoordig, thans, heden.
acuité [akẅité] *f.* **1** scherpheid, puntigheid *v.*; **2** (*v. gezicht, gehoor*) scherpte *v.*; **3** (*v. pijn*) hevigheid *v.*; **4** (*v. klank*) hoogte *v.*; **5** (*gen.: v. ziekte*) acute toestand *m.*, acuut karakter *o.* [voorzien.
aculé [akülé] *adj.* angeldragend, van een angel
acuponcture, -puncture [aküpõktü:r] *f.*, (*gen.*) naaldeprik *m.*
acutangle [akütã:gl], **acutangulaire** [akütã'gülè:r] *adj.* scherphoekig.
adage [ada:j] *m.* spreuk, spreekwoordelijke zegswijze, spreekwijze *v.*(*m.*).
adagio [adajyo] **I** *m.*, (*muz.*) adagio *o.*; **II** *adv.* matig, langzaam.
Adam [adã] *m.* Adam *m.*
adamantin [adamã'tẽ] *adj.* diamantachtig, diamanthard. [(bij).
adaptable [adapta'bl] *adj.* aanpasbaar, passend
adaptation [adapta'syõ] *f.* **1** aanpassing *v.*; **2** bewerking, vrije vertaling *v.*; ***pouvoir d'—,*** aanpassingsvermogen *o.*
adapter [adapté] **I** *v.t.* **1** aanbrengen, bevestigen; **2** aanpassen (aan), doen overeenkomen (met); **3** vrij bewerken, vrij vertalen; **4** regelen (naar); ***— à l'écran,*** verfilmen; **II** *v.pr.*, ***s'—*** (*à*), **1** passen (bij); **2** toepasselijk zijn (op); **3** zich schikken (naar).
addition [adisyõ] *f.* **1** bijvoeging, toevoeging *v.*; **2** optelling *v.*; **3** (*in hotel, restaurant*) rekening *v.*, nota *v.*(*m.*); **4** kanttekening *v.*; ***faire l'— de,*** optellen.
additionnable [adisyòna'bl] *adj.* aan te vullen; toe te voegen.
additionnel [adisyònèl] *adj.* **1** bijgevoegd; **2** (*v. artikel, bepaling*) aanvullend; ***centimes —s,*** opcenten *mv.*; ***lignes —les,*** (*muz.*) hulplijnen *mv.*; ***articles —s,*** overgangsbepalingen.
additionner [adisyòné] *v.t.* **1** optellen; **2** (*v. water*) toevoegen; aanlengen.
additionneuse [adisyònö'z] *f.* telmachine *v.*
adducteur [adüktœ:r] **I** *adj.* samentrekkend; ***muscle —,*** samentrekkende spier *v.*(*m.*); ***tuyau —,*** aanvoerbuis *v.*(*m.*); **II** *s.*, *m.*, *zie* ***muscle —.***
adduction [adüksyõ] *f.* **1** (*v. spier*) samentrekking *v.*; **2** (*v. water*) aanvoer *m.*; ***— d'eau,*** waterleiding *v.*
Adélaïde [adélai:d] *f.* Adelheid *v.*
Adèle [adèl] *f.* Alida *v.*
adénite [adénit] *f.* klierontsteking *v.*
adénoïde [adénòi'd] *adj.* klierachtig; ***végétations —s,*** te groot worden van de amandelen.
adénome [adénõ] *m.* ongevaarlijk kliergezwel *o.*
adent [adã] *m.*, (*tn.*) zwaluwstaart *m.*
adepte [adèpt] *m.* **1** ingewijde *m.*; **2** aanhanger, volgeling *m.*
adéquat [adékwa] (*à*) *adj.* **1** overeenstemmend (met); **2** beantwoordend (aan); **3** in verhouding (tot).
adhérence [adérã:s] *f.* **1** (het) aankleven, (het) plakken *o.*; **2** (*gen.*) vergroeiing *v.*; **3** (*fig.*) gehechtheid, verkleefdheid *v.*
adhérent [adérã] **I** *adj.* **1** aanklevend, vastklevend; **2** vastgegroeid, samengegroeid; ***membre —,*** gewoon lid *o.*; **II** *s.*, *m.* aanhanger; aangeslotene *m.*, lid *o.*
adhérer [adéré] (*à*) *v.i.* **1** aankleven, aanhangen; **2** kleven, plakken; **3** vastzitten aan, vergroeid zijn met; **4** (*fig.*) instemmen (met), bijvallen; toegedaan zijn.
adhésif [adézif] *adj.* **1** klevend, aanklevend; hechtend; **2** toestemmend, bijvallend; ***bande adhésive,*** kleefstrook *v.*(*m.*); ***emplâtre —,*** hechtpleister *v.*(*m.*); ***timbre —,*** plakzegel *m.*; ***formule adhésive,*** toetredingsformule *v.*(*m.*).
adhésion [adézyõ] *f.* **1** aankleving, aanhechting *v.*; **2** vergroeiing *v.*; **3** instemming; toestemming, goedkeuring *v.*; **4** toetreding; aansluiting *v.*
ad hoc [adòk] *adv.* daarvoor bestemd.
adiabatique [adyabatik] *adj.* warmte-isolerend.
adiante [adyã:t] *m.*, (*Pl.*) venushaar *o.*
adieu [adyö] **I** *ij.* vaarwel; **II** *s.*, *m.* afscheid *o.*; afscheidsgroet *m.*; ***sans —!*** tot weerziens! ***faire ses —x à,*** afscheid nemen van; ***dire — à,*** **1** afscheid nemen van; **2** (*fig.*) afzien van, laten varen.
Adige [adi:j] *m.* Etsch *v.*
adipeux [adipö] *adj.* vetachtig.
adipose [adipo:z] *f.*, (*gen.*) vetzucht *v.*(*m.*).
adiposité [adipozité] *f.* vervetting *v.*
adjacent [adjasã] *adj.* **1** aangrenzend, belendend; **2** (*meetk.: v. hoek*) aanliggend.
adjectif [adjèktif] **I** *adj.* bijvoeglijk; **II** *s.*, *m.* bijvoeglijk naamwoord *o.*; ***— verbal,*** verleden deelwoord als bijv. naamw. gebruikt.
adjectivement [adjèkti'vmã] *adv.* bijvoeglijk.
adjoindre* [adjwè:dr] *v.t.* bijvoegen, toevoegen.
adjoint [adjwè] **I** *adj.* hulp—, adjunct—; ***professeur —,*** buitengewoon hoogleraar *m.*; ***secrétaire —,*** tweede secretaris *m.*; **II** *s.*, *m.* **1** helper, adjunct *m.*; **2** wethouder; (*B.*) schepene *m.*
adjonction [adjõ'ksyõ] *f.* toevoeging *v.*
adjudant [adjüdã] *m.*, (*mil.*) adjudant *m.*
adjudicataire [adjüdikatè:r] *m.* **1** persoon aan wie een aanbesteding wordt gegund; **2** (*op veiling*) koper *m.* [*m.*
adjudicateur [adjüdikatœ:r] *m.* veilingmeester
adjudication [adjüdika'syõ] *f.* **1** (*op veiling*) toewijzing *v.*; **2** (*bij aanbesteding*) gunning *v.*; **3** aanbesteding *v.*; ***— judiciaire,*** gerechtelijke verkoop *m.*
adjuger [adjügé] **I** *v.t.* **1** toewijzen, toekennen; **2** gunnen; **II** *v.pr.*, ***s'—,*** zich toeëigenen, beslag leggen op.
adjuration [adjüra'syõ] *f.* **1** bezwering *v.*; **2** smeking *v.*, smeekbede *v.*(*m.*).
adjurer [adjü'ré] *v.t.* **1** bezweren; **2** smeken.
adjuteur [adjütœ:r] *m.* adjutor, helper *m.*
adjuvant [adjüvã] **I** *adj.* ondersteunend; **II** *s.*, *m.* bijmiddel *o.*; steun *m.*
adjuvat [adjüva] *m.*, (*gen.*) assistentschap *o.*
admettre* [admètr] *v.t.* **1** *tot school, examen*) toelaten; **2** (*v. verzoek*) goedkeuren, inwilligen; **3** dulden, gedogen; **4** (*v. waarheid*) erkennen, aannemen; ***je n'admets pas cela,*** **1** dat sta ik niet toe; **2** dat wil er bij mij niet in.

administrateur [administratœ:r] *m.*, **administratrice** [administratris] *f.* beheerder *m.*, beheerster *v.*; bestuurder *m.*, bestuurster *v.*
administratif [administratif] *adj.* administratief, beherend, van 't beheer (*of* bestuur).
administration [administra'syõ] *f.* **1** beheer, bestuur *o.*, administratie *v.*; **2** (*v. sacrament, geneesmiddel*) toediening *v.*; ***— de la justice,*** rechtsbedeling *v.*; ***conseil d'—,*** beheerraad *m.*, raad *m.* van beheer; ***l'— des derniers Sacrements,*** de toediening van de laatste H. Sacramenten, bediening, berechting *v.*
administrativement [administrati'vmã] *adv.* langs administratieve weg.
administré [administré] *m.* onderhorige *m.*
administrer [administré] *v.t.* **1** beheren, besturen; **2** toedienen; ***— la justice,*** recht spreken, recht doen; ***— un malade,*** een zieke bedienen, berechten.
admirable(ment) [admira'bl(emã)] *adj.* (*adv.*) bewonderenswaardig; ***— bien,*** wonderwel, wondergoed.
admirateur [admiratœ:r] *m.*, **admiratrice** [admiratris] *f.* bewonderaar *m.*, —ster *v.*
admiratif [admiratif] *adj.* bewonderend; ***point —,*** uitroepteken *o.*
admiration [admira'syõ] *f.* bewondering *v.*
admirer [admiré] *v.t.* bewonderen; zich verbazen over.
admis [admi] **I** *adj.* **1** toegelaten; **2** aangenomen; erkend; **II** *s., m.* geslaagde *m.*
admissibilité [admisibilité] *f.* **1** aannemelijkheid *v.*; **2** (*recht*) ontvankelijkheid *v.*; **3** toelaatbaarheid *v.*
admissible [admisi'bl] *adj.* **1** aannemelijk; **2** ontvankelijk; **3** toelaatbaar.
admission [admisyõ] *f.* **1** aanneming *v.*; **2** toelating *v.*; **3** (*in ziekenhuis, enz.*) opneming *v.*, opname *v.*(*m.*).
admixtion [admikstyõ] *f.* vermenging, bijmenging, toevoeging *v.*
admonestation [admònèsta'syõ] *f.* strenge vermaning (*of* berisping) *v.*
admonester [admònèsté] *v.t.* streng vermanen (*of* berispen).
admoniteur [admònitœ:r] *m.* vermaner, waarschuwer *m.*
admonitif [admònitif] *adj.* vermanend, berispend.
admonition [admònisyõ] *f.* vermaning, berisping *v.*
adné [adné] *adj.* samengegroeid.
adolescence [adòlèsã:s] *f.* jongelingschap *v.*, jongelingsjaren *mv.*, jeugd *v.*(*m.*).
adolescent(e) [adòlèsã(:t)] *m.*(*f.*) jongeling *m.* (jonge dochter *v.*, jong meisje *o.*).
Adolphe [adòlf] *m.* Adolf, Dolf *m.*
adonis [adòni's] *m.* adonis *m.*
adoniser [adòni'zé] *v.t.* mooi maken.
adonner, s'— [sadòné] (*à*) *v.pr.* **1** (*v. werk, studie enz.*) zich wijden (aan), geheel opgaan (in); **2** (*v. drank, enz.*) zich overgeven (aan,) verslaafd raken (aan); ***adonné à,*** verslaafd aan.
adoptable [adòpta'bl] *adj.* aannemelijk; ***école —,*** (*B.*) aanneembare school *v.*(*m.*).
adoptant [adòptã] *m.* persoon *m.* die een kind aanneemt.
adopter [adòpté] *v.t.* **1** (*v. kind*) aannemen; **2** (*v. wet, notulen*) goedkeuren; **3** (*v. stelsel, woord*) invoeren; **4** (*v. loopbaan*) kiezen, volgen; **5** (*v. vrije school: B.*) aannemen.
adoptif [adòptif] *adj.* pleeg—; ***enfant —,*** pleegkind, aangenomen kind *o.*; ***père —,*** pleegvader *m.*
adoption [adòpsyõ] *f.* **1** (*v. kind*) (het) aannemen *o.*; **2** (*v. wet, voorstel*) aanneming, goedkeuring *v.*; **3** invoering *v.*; ***pays d'—,*** tweede vaderland *o.*
adorable [adòra'bl] *adj.* **1** aanbiddelijk; **2** verrukkelijk.
adorateur [adòratœ:r] *m.*, **adoratrice** [adòratris] *f.* **1** aanbidder *m.*, aanbidster *v.*; **2** vereerder, bewonderaar(ster) *m.*(*v.*).
adoration [adòra'syõ] *f.* **1** aanbidding *v.*; **2** diepe eerbied *m.* (*of* verering *v.*); **3** vurige liefde *v.*
adorer [adòré] *v.t.* **1** aanbidden; **2** diep vereren; **3** erg veel houden van; dol zijn op.
ados [ado] *m.* **1** op het zuiden liggende glooiing *v.*; **2** aardrug *m.* langs ploegvoor.
adossement [ado'smã] *m.* (het) leunen (staan, liggen) *o.* tegen.
adosser [ado'sé] **I** *v.t.* **1** doen steunen, leunen; **2** (*v. huis, enz.*) aanbouwen (tegen); ***adossé à une rivière,*** (*mil.*) in de rug door een rivier gedekt; **II** *v.pr.*, ***s'— à,*** leunen tegen.
adoubement [adubemã] *m.* **1** ridderslag *m.*; **2** het kalfaten *o.*
adouber [adubé] *v.t.* **1** tot ridder slaan; **2** kalfaten.
adoucir [adusi:r] **I** *v.t.* **1** verzachten; **2** (*v. spijzen, dranken*) verzoeten; **3** (*v. spiegel, metaal*) afslijpen; **4** (*fig.: v. mens*) beschaafd maken; **5** (*v. licht*) temperen; **6** (*v. smart*) lenigen; **7** (*v. eisen*) matigen; **8** (*v. fout, misstap*) verontschuldigen; **II** *v.pr.*, ***s'—,*** **1** zachter worden; **2** bedaren.
adoucissage [adusisa:j] *m.* het polijsten.
adoucissant [adusisã] **I** *adj.* verzachtend; **II** *s., m.* verzachtend middel *o.*
adoucissement [adusismã] *m.* **1** verzachting *v.*; **2** matiging *v.*; **3** leniging *v.*
adoucisseur [adusisœ:r] *m.*, (*tn.*) polijster *m.*
adragant [adragã] *m.* dragantgom *m. of o.*
adrénaline [adrénalin] *f.* adrenaline *v.*(*m.*).
adresse [adrès] *f.* **1** handigheid, vaardigheid *v.*; **2** slimheid, schranderheid *v.*; **3** beleid, overleg *o.*; **4** adres *o.*; ***tour d'—,*** **1** slimme streek *m. en v.*, sluwe zet *m.*; **2** goocheltoer *m.*; ***se tromper d'—,*** aan het verkeerde adres zijn.
adresser [adrèsé] **I** *v.t.* **1** zenden, sturen (aan); **2** verwijzen (naar); ***— la parole à qn.,*** het woord tot iem. richten, iem. toespreken; **II** *v.pr.*, ***s'— à,*** **1** zich wenden tot; **2** het woord richten (tot), toespreken; ***cette remarque s'adresse à vous,*** die aanmerking is voor u bedoeld. [ne *v.*
adressographe [adrèsògraf] *m.* adresseermachi-
adret [adrè] *m.* op het zuiden liggende berghelling *v.*
Adriatique [adriatik] *f.* (*et adj.*), (***mer —***) Adriatische zee *v.*(*m.*).
Adrien [adriẽ] *m.* Adriaan, Arie *m.*
Adrienne [adrièn] *f.* Adriana, Jaantje *v.*
adroit(ement) [adrwa(tmã)] *adj.* (*adv.*) **1** handig; **2** bedreven; **3** behendig, slim.
adscrit [adskri] *adj.* erbij geschreven.
adulateur [adülatœ:r] **I** *m.*, **adulatrice** [adülatris] *f.* vleier *m.*, —ster *v.*, flikflooier *m.*; **II** *adj.* vleiend, kruiperig.
adulation [adüla'syõ] *f.* vleierij, flikflooierij, kruiperij *v.*
adulatoire [adülatwa:r] *adj.* vleiend, kruiperig.
aduler [adülé] *v.t.* vleien, flikflooien.
adulte [adült] **I** *adj.* volwassen; ***âge —,*** manlijke leeftijd *m.*; **II** *s., m.-f.* volwassene *m.-v.*; ***cours d'—s,*** herhalingsonderwijs *o.*
adultérateur [adültératœ:r] *m.* vervalser *m.*
adultération [adültéra'syõ] *f.* vervalsing *v.*
adultère [adültè:r] **I** *adj.* overspelig; **II** *s.* **1** *m.* overspel *o.*, echtbreuk *v.*(*m.*); **2** *m.-f.* echtbreker *m.*, echtbreekster *v.*
adultérer [adültéré] *v.t.* vervalsen.

adultérin(e) [adültérẽ, —térin] *adj.* (*s., m.-v.*) uit overspel geboren (kind *o.*).
aduste [adüst] *adj.* getaand, gebruind.
adustion [adüstyõ] *f.* (*v. wond*) dichtschroeien *o.*
advenir [adveni:r] *v.i.* gebeuren; ***advienne que pourra,*** wat er ook moge gebeuren.
adventice [advã'tis] *adj.* **1** toevallig; **2** van buiten afkomstig; ***plante —,*** in 't wild groeiende plant *v.(m.)*; ***maladie —,*** toevallig ontstane ziekte *v.*
adventif [advã'tif] *adj.*, ***racines —es,*** bijwortels; ***biens —s,*** na huwelijk door vrouw verkregen goederen.
adverbe [advèrb] *m.* bijwoord *o.*
adverbial(ement) [advèrbyal(mã)] *adj.* (*adv.*) bijwoordelijk. [partij *v.*
adversaire [advèrsè:r] *m.* tegenstander *m.*, tegen-
adversatif [advèrsatif] *adj.* tegenstellend.
adverse [advèrs] *adj.* tegengesteld, tegenovergesteld; ***fortune —,*** tegenspoed *m.*; ***partie —,*** tegenpartij *v.*; ***qualités —s,*** tegenovergestelde eigenschappen.
adversité [advèrsité] *f.* **1** tegenspoed *m.*; **2** onheil *o.*, ramp *v.(m.)*. [ting *v.*
adynamie [adinami] *f.* krachteloosheid, uitput-
adynamique [adinamik] *adj.* krachteloos.
aérage [aéra:j] *m.*, **aération** [aéra'syõ] *f.* **1** luchtverversing, ventilatie *v.*; **2** (het) luchten *o.*
aéré [aéré] *adj.* gelucht; ***bien —,*** luchtig.
aérer [aéré] *v.t.* luchten, ventileren.
aérien [aéryẽ] *adj.* **1** luchtig; **2** lucht—; ***couche —ne,*** luchtlaag *v.(m.)*; ***navigation —ne,*** luchtvaart *v.(m.)*; ***poste —ne,*** luchtpost *v.(m.)*; ***traction —ne,*** (*v. tram*) bovengrondse tractie *v.*; ***transports —s,*** luchtvervoer *o.*; ***combat —,*** luchtgevecht *o.*; ***forces —nes,*** luchtmacht *v.(m.)*; ***flotte —ne,*** luchtvloot *v.(m.)*.
aérifère [aérifè:r] *adj.* luchtaanvoerend; ***trou —,*** luchtgaatje *o.*; ***vaisseaux —s,*** (*Dk., Pl.*) luchtvaten *mv.*
aérification [aérifika'syõ] *f.* gasvorming *v.*
aérifier [aérifyé] *v.t.* gasvormig maken.
aériforme [aérifòrm] *adj.* gasvormig; luchtvormig.
aériser [aéri'zé] *v.t.* gasvormig maken.
aérium [aéryòm] *m.* luchtkuursanatorium *o.*
aérobie [aéròbi] *adj.* zuurstof nodig hebbend.
aérobus [aéròbüs] *m.* vliegtuig *o.* op een vaste luchtlijn.
aéro-club* [aéròklüb] *m.* opleidingscentrum *o.* voor burgerluchtvaart. [rein *o.*
aérodrome [aéròdro:m] *m.* vliegveld, vliegter-
aérodynamique [aéròdinamik] **I** *f.* luchtscheepvaart *v.(m.)*; **II** *adj.* gestroomlijnd, in stroomlijn gebouwd.
aérogare [aéròga:r] *f.* luchthaven *v.(m.)*.
aérogramme [aérògram] *m.* luchtpostblad *o.*
aérographe [aérògra:f] *m.* verfspuit *v.(m.)*.
aérolithe [aéròlit] *m.* meteoorsteen *m.*
aérologie [aéròloji] *f.* leer *v.(m.)* van de dampkringsverschijnselen.
aéromètre [aéròmè'tr] *m.* dichtheidsmeter *m.*
aéromodélisme [aéròmòdèlizm] *m.* vliegtuigmodelbouw *m.*
aéromoteur [aéròmòtœ:r] *m.*, (*tn.*) luchtmotor *m.*
aéronaute [aéròno:t] *m.* **1** luchtschipper *m.*; **2** luchtreiziger *m.*
aéronautique [aéròno'tik] *f.* **1** luchtvaart *v.(m.)*; **2** luchtscheepsbouwkunst *v.* [vaart.
aéronaval [aéronaval] *adj.* van de luchtscheep-
aéronef [aéronèf] *m. et f.* luchtschip *o.*
aérophobe [aéròfòb] *adj.* luchtschuw.
aérophobie [aéròfòbi] *f.* hoogtevrees *v.(m.)*.
aéroplane [aéròplan] *m.* vliegtuig *o.*
aéroport [aéròpò:r] *m.* luchthaven *v.(m.)*.
aéroporté [aéròpòrté] *adj.*, ***troupes —es,*** luchtlandingstroepen *mv.*
aéropostal [aéròpostal] *adj.* met betrekking op luchtpost.
aérosol [aéròsòl] *m.* kunstmatige nevel *m.*
aérostat [aéròsta] *m.* luchtballon *m.*
aérostatier [aéròstatyé] *m.*, *voir* ***aérostier.***
aérostation [aéròsta'syõ] *f.* **1** luchtscheepvaart *v.(m.)*; **2** luchtscheepsbouwkunst *v.*
aérostatique [aéròstatik] **I** *adj.* van de luchtscheepvaart; ***station —,*** luchtvaartstation; **II** *s., f.* **1** aërostatica, leer *v.(m.)* van het evenwicht der gassen; **2** luchtscheepvaart *v.(m.)*.
aérostier [aéròstyé] *m.* **1** bestuurder *m.* van een luchtballon; **2** soldaat *m.* van de luchtmacht.
aérotechnique [aéròtèknik] *f.* techniek *v.* van de luchtscheepvaart, luchtvaarttechniek *v.*
aérothérapie [aéròtérapi] *f.* luchtgeneeswijze *v.(m.)*.
affabilité [afabilité] *f.* vriendelijkheid, minzaamheid, voorkomendheid *v.*
affable(ment) [afa'bl(emã)] *adj.* (*adv.*) vriendelijk, minzaam.
affabulateur [afabülatœ:r] *m.* zwetser *m.*
affabulation [afabüla'syõ] *f.* **1** (*v. fabel*) zedenles *v.(m.)*; **2** (*v. verhaal, roman*) draad *m.*
affadir [afadi:r] **I** *v.t.* **1** flauw maken, smakeloos maken; **2** (*fig.*) doen walgen, misselijk maken; **3** (*v. stijl*) krachteloos maken, ontzenuwen; **II** *v.pr.*, ***s'—,*** **1** verflauwen; **2** (*v. stijl*) verwateren.
affadissement [afadismã] *m.* **1** (het) flauw maken *o.*; **2** flauwheid, smakeloosheid *v.*; **3** verflauwing *v.*; **4** krachteloosheid, ontzenuwing *v.*
affaiblir [afè'bli:r] *v.t.* (*et v.pr.*, ***s'—***), verzwakken.
affaiblissant [afè'blisã] *adj.* verzwakkend.
affaiblissement [afè'blismã] *m.* verzwakking *v.*
affaire [afè:r] *f.* **1** zaak *v.(m.)*; **2** kwestie, aangelegenheid *v.*; **3** handelszaak *v.(m.)*; firma *v.(m.)*; **4** rechtszaak *v.(m.)*, proces *o.*; **5** bezigheden *mv.*; belangen *mv.*; ***— à terme,*** affaire op levering, tijdaffaire; ***se retirer des —s,*** zijn zaken aan de kant doen; ***ce n'est pas une petite —,*** het is geen kleinigheid; ***se tirer d'—,*** zich uit de slag trekken; zich er door slaan; ***avoir —,*** bezet zijn; ***avoir — à,*** te doen hebben met; ***point d'— !*** geen kwestie van! ik heb er niets mee te maken! ***il est hors d'—,*** hij is buiten gevaar; ***son — est mauvaise,*** hij staat er slecht voor; zijn vonnis is geveld; ***j'en fais mon —,*** ik neem het op mij; ***faire une — de tout,*** in alles moeilijkheden zien, zwaartillend zijn; ***chargé d'—s,*** zaakgelastigde *m.*; ***ministre des —s Étrangères,*** minister van Buitenlandse Zaken; ***homme d'—s,*** zakenman *m.*; ***agent d'—s,*** zaakwaarnemer *m.*; ***je lui ferai son —,*** ik zal met hem afrekenen; ***une bonne —,*** een meevaller *m.*, een buitenkansje *o.*; ***cela fait mon —,*** dat is wat ik zoek; dat is een kolfje naar mijn hand; ***il a bien fait ses —s,*** hij heeft zijn schaapjes op het droge. [handig.
affairé [afè'ré] *adj.* druk, bedrijvig; ***très —,*** vol-
affairement [afè'rmã] *m.* drukte *v.*
affairer, s'— [safè'ré] *v.pr.* druk in de weer zijn.
affaissement [afè'smã] *m.* **1** verzakking, inzakking *v.*; **2** verzwakking *v.*, verval *o.*; **3** neerslachtigheid *v.*; ***— moral,*** inzinking *v.*
affaisser [afè'sé] **I** *v.t.* **1** neerdrukken; **2** verzwakken; **II** *v.pr.*, ***s'—*** **1** ineenzakken, ineenstorten; **2** neerzijgen, neervallen; **3** (*fig.*) zwak worden, zijn krachten verliezen; **4** gebukt gaan, gekromd gaan. [zinking *v.*
affalement [afalmã] *m.* het neerzinken *o.*, in-

affaler [afalé] I *v.t.*, (*sch.*) neerhalen, neertrekken (v. het want); II *v.pr.*, ***s'—***, 1 zich laten afglijden, zich neerlaten (langs een touw); 2 (*fig.*) zich laten vallen, neerzinken.
affamé [afamé] *adj.* hongerig; ***— de,*** begerig naar, belust op.
affamement [afamã] *m.* uithongering *v.*; verhongeren *o.*
affamer [afamé] *v.t.* uithongeren.
affameur [afamœ:r] *m.* uitzuiger *m.*
affectation [afèkta'syõ] *f.* 1 bestemming *v.*; 2 gemaaktheid gezochtheid *v.*; ***— de vertu,*** vertoon *o.* van deugdzaamheid; ***— hypothécaire,*** verband *o.* van hypotheek.
affecté [afèkté] *adj.* 1 gemaakt, gezocht, gekunsteld; 2 aangedaan; ***tristesse —e,*** voorgewende droefheid.
affecter [afèkté] I *v.t.* 1 bestemmen, aanwijzen (voor); 2 voorwenden, veinzen, doen alsof; 3 een voorliefde hebben voor; met voorliefde gebruiken; 4 (*v. vorm*) aannemen; 5 beïnvloeden, werken op; aandoen, treffen; ***— d'une hypothèque,*** met een hypotheek belasten; II *v.pr.*, ***s'—,*** aangedaan worden, getroffen worden.
affectibilité [afèktibilité] *f.* lichtgeroerdheid *v.*
affectif [afèktif] *adj.* 1 gemoeds—; 2 gevoels—; 3 (fijn)gevoelig; ***faculté affective,*** gevoelsvermogen *o.*
affection [afèksyõ] *f.* 1 aandoening *v.*; 2 voorliefde *v.*; 3 genegenheid, gehechtheid, liefde *v.*; 4 aandoening *v.*, kwaal *v.*(*m.*); ***prendre en —,*** genegenheid opvatten voor; ***— de l'estomac,*** maagkwaal *v.*(*m.*).
affectionné [afèksyòné] *adj.* toegenegen; bemind.
affectionner [afèksyòné] I *v.t.* houden van, genegen zijn; II *v.pr.*, ***s'— à,*** liefde opvatten voor, zijn hart zetten op.
affectueux [afèktwö] *adj.*, **affectueusement** [afèktwö'zmã] *adv.* hartelijk, vriendelijk, toegenegen.
affectuosité [afèktwo'zité] *f.* hartelijkheid, vriendelijkheid, toegenegenheid, aanhankelijkheid *v.*
affenage [afena:j] *m.* voedering *v.*
affener [afené] *v.t.* voederen.
afférent [aférã] (*à*) *adj.* 1 (*recht: v. deel, erfenis*) toekomend (aan); 2 betrekking hebbend (op); behorend (bij); 3 (*gen.*) aanvoerend.
affermage [afèrma:j] *m.* 1 verpachting *v.*; 2 (het) pachten *o.*
affermataire [afèrmatè:r] *m.* pachter *m.*
affermateur [afèrmatœ:r] *m.* verpachter *m.*
affermer [afèrmé] *v.t.* 1 verpachten; 2 pachten.
affermir [afèrmi:r] *v.t.* 1 stevig maken; hard maken; 2 vastmaken, vastzetten; 3 bevestigen, versterken, sterken.
affermissement [afèrmismã]*m.* 1 (het) stevig maken *o.*; 2 bevestiging, versterking *v.*
afféte [aféte] *adj.* gemaakt, gezocht, gekunsteld.
afféterie [afétri] *f.* gemaaktheid, gezochtheid, gekunsteldheid *v.*
affichage [afiʃa:j] *m.* 1 (het) aanplakken *o.*; 2 (het) openlijk te koop lopen met, ten toon spreiden van (gevoelens, enz.).
affiche [afiʃ] *f.* 1 aanplakbiljet *o.*; 2 kenmerk *o.*
afficher [afiʃé] I *v.t.* 1 aanplakken; 2 aankondigen, publiek maken; 3 rondbazuinen, te koop lopen met; 4 veinzen, voorwenden; II *v.pr.*, ***s'—,*** 1 zich overal vertonen; 2 in 't oog lopen; 3 niets ontzien.
affichette [afiʃèt] *f.* klein plakbriefje, raambiljet *o.*
afficheur [afiʃœ:r] *m.* aanplakker *m.*
affichiste [afiʃist] *m.* reclametekenaar *m.*
affidé [afidé] I *adj.* vertrouwd, trouw, verknocht; II *s.*, *m.* 1 vertrouweling, ingewijde *m.*; 2 geheim agent, spion *m.*; 3 (*ong.*) handlanger, trawant *m.*
affilage [afila:j] *m.* (het) slijpen *o.*
affilée, d'—, [dafilé] 1 achter elkaar (geplaatst); 2 aan één stuk door, achtereenvolgens.
affiler [afilé] *v.t.* 1 slijpen, scherpen; 2 (tot een draad) trekken; ***elle a la langue bien affilée,*** zij is niet op haar mondje gevallen, zij is goed van de tongriem gesneden.
affileur [afilœ:r] *m.* slijper *m.*
affiliation [afilya'syõ] *f.* 1 toetreding,aansluiting *v.*; 2 opneming *v.* (als lid).
affilié [afilyé] *m.* aangeslotene *m.*, lid *o.*
affilier [afilyé] I *v.t.* opnemen (in genootschap, enz.); II *v.pr.*, ***s'— à,*** lid worden van, zich aansluiten bij.
affiloir [afilwa:r] *m.* 1 slijpsteen *m.*; 2 (*v. slager*) slijpstaal *o.*; 3 (*v. kapper*) aanzetriem *m.*; 4 messenslijper *m.*
affinage [afina:j] *m.* 1 aanpunting *v.*, (het) aanpunten *o.*; 2 zuivering *v.*; 3 (het) hekelen *o.*; 4 verfijning *v.*
affiné [afiné] *adj.* gezuiverd; verfijnd.
affiner [afiné] *v.t.* 1 (*v. spijkers, spelden*) aanpunten; 2 (*v. metalen*) zuiveren; 3 (*v. ijzer*) frissen; 4 (*v. hennep*) hekelen; 5 (*fig.*) verfijnen, beschaven.
affinerie [afinri] *f.* 1 draadtrekkerij *v.*; 2 ijzersmelterij *v.*
affinité [afinité] *f.* 1 verwantschap *v.*; 2 overeenkomst, gelijkvormigheid *v.*; 3 (*nat.*) affiniteit *v.*
affinoir [afinwa:r] *m.* vlashekel, hennephekel *m.*
affiquet [afikè] *m.* 1 breikoker *m.*; 2 haarnaald *v.*(*m.*); ***—s*** *pl.* vrouwelijke versierseltjes *mv.*
affirmatif [afirmatif] *adj.*, **affirmativement** [afirmati'vmã] *adv.* 1 bevestigend; toestemmend; 2 beslist, met overtuiging.
affirmation [afirma'syõ] *f.* 1 bevestiging, verzekering *v.*; 2 belofte *v.*
affirmative [afirmati:v] *f.* 1 (het) bevestigen *o.*; 2 bevestigende zin *m.*; ***dans l'—,*** zo ja; ***répondre par l'—,*** ja zeggen, bevestigend antwoorden; ***il tient pour l'affirmative,*** hij zegt van ja.
affirmer [afirmé] I *v.t.* 1 bevestigen; 2 verklaren, verzekeren; 2 (*v. rechten*) doen gelden; II *v.pr.*, ***s'—,*** 1 zich doen gelden; 2 blijken, uitkomen.
af(f)istoler [afistòlé] *v.t.* (*pop.*) opdirken.
affixe [afiks] I *adj.* bijgevoegd; II *s.*, *m.* voor- of achtervoegsel *o.*
affleurage [aflœra:j] *m.* 1 bloem *v.*(*m.*) van meel; 2 (*v. papierpap*) verdunning *v.*
affleurement [aflœrmã] *m.* 1 (het) effen maken *o.*; 2 (het) aan de oppervlakte komen *o.*
affleurer [aflœré] I *v.t.* 1 effen maken, gelijk maken; 2 *zie* ***effleurer***; II *v.i.* 1 gelijk (effen, waterpas) zijn; 2 (*fig.: v. mijnader*) zichtbaar worden, aan de dag komen.
afflictif [afliktif] *adj.*, (*recht*) ***peine afflictive,*** lijfstraf *v.*(*m.*).
affliction [afliksyõ] *f.* 1 diepe smart *v.*(*m.*), droefheid, droefenis *v.*; 2 ramp *v.*
affligeant [aflijã] *adj.* bedroevend.
affliger [aflijé] *v.tr.* 1 treffen, slaan; 2 teisteren; 3 kwellen, diep bedroeven; ***être affligé de,*** aangetast zijn door.
afflouage [aflua:j] *m.*, (*sch.*) (het) vlot maken *o.*
afflouer [aflué] *v.t.* vlot maken.
affluence [aflüã:s] *f.* 1 toeloop, toevloed *m.*; 2 overvloed *m.*
affluent [aflüã] *m.* bijrivier, zijrivier *v.*(*m.*).
affluer [aflüé] *v.i.* 1 toevloeien, toestromen; 2 (*v. rivier*) uitwateren, zich ontlasten; 3 in overvloed voorhanden zijn; ***le sang afflue à la tête,*** het bloed stijgt naar het hoofd.

afflux [aflü] *m.* **1** toevloed *m.*; **2** (*v. bloed*) aandrang *m.*

affolé [afòlé] *adj.* radeloos; dol; ***la boussole est —e,*** het kompas is dol.

affolement [afòlmã] *m.* **1** radeloosheid *v.*; **2** schrik *m.*; **3** dolle opwinding *v.*

affoler [afòlé] **I** *v.t.* radeloos maken; dol maken; **II** *v.pr.*, ***s'—,*** **1** radeloos worden; **2** dol worden (op); **3** het hoofd kwijt raken.

affouage [afua:j] *m.* kaprecht *o.* in publiek bos.

affouillement [afu'ymã] *m.* ondermijning (door water), losspoeling *v.*

affouiller [afu'yé] *v.t.* ondermijnen; afbrokkelen.

affouragement [afu'rajmã] *m.* voedering *v.*, (het) voederen *o.*

affourager [afu'rajé] *v.t.*, (*v. vee*) voederen.

affourche [afurʃ] *f.*, ***ancre d'—,*** vertuianker *o.*

affourcher [afurʃé] **I** *v.t.*, (*sch.*) vertuien, met twee ankers vastleggen; **2** schrijlings plaatsen; **II** *v.pr.*, ***s'—,*** schrijlings gaan zitten.

affranchi [afrã'ʃi] **I** *adj.* **1** (*oudh.*: *v. slaaf*) vrij, vrijgelaten; **2** (*v. brief, enz.*) gefrankeerd; **3** (*v. pomp*) lens; **II** *s., m.* vrijgelatene *m.*

affranchir [afrã'ʃi:r] *v.t.* **1** bevrijden, vrijlaten; **2** (*v. belasting*) ontheffen, ontslaan; **3** (*v. brief*) frankeren; **4** verlossen (van).

affranchissement [afrã'ʃismã] *m.* **1** vrijmaking, bevrijding *v.*; **2** ontheffing, vrijstelling *v.*; **3** frankering *v.*; ***— mécanique,*** mechanische frankering *v.*

affranchisseur [afrã'ʃisœ:r] *m.* bevrijder *m.*

affres [afre] *f.pl.*, ***les — de la mort,*** de doodsangst *m.*

affrètement [afrètmã] *m.* (het) bevrachten *o.*; ***— en cueillette,*** bevrachting *v.* met stukgoederen.

affréter [afrété] *v.t.* bevrachten, charteren.

affréteur [afrétœ:r] *m.* scheepsbevrachter *m.*

affreux [afrö] *adj.*, **affreusement** [afrö:zmã] *adv.* verschrikkelijk, afschuwelijk.

affriander [afriã'dé] *v.t.* **1** verlekkeren; **2** aanlokken; verleiden.

affricher [afriʃé] *v.t.* braak laten liggen.

affriolant [afriòlã] *adj.* aanlokkelijk.

affrioler [afriòlé] *voir* ***affriander.***

affront [afrõ] *m.* belediging *v.*, smaad *m.*

affrontement [afrõ'tmã] *m.* **1** (*tn.*) (het) gelijk leggen, (het) gelijk stellen *o.*; **2** trotsering *v.*, (het) trotseren *o.*

affronter [afrõ'té] *v.t.* **1** trotseren; **2** (*tn.*) op gelijke hoogte plaatsen.

affronterie [afrõteri] *f.* (het) trotseren *o.*

affruiter [afrwité] **I** *v.i.* vrucht dragen; **II** *v.t.* beplanten met vruchtbomen; **III** *v.pr.*, ***s'—,*** vrucht geven.

affublement [afübləmã] *m.* dwaze kleding *v.*, belachelijke opschik *m.*

affubler [afüblé] *v.t.* gek kleden, toetakelen.

affût [afü] *m.* **1** (*v. jager*) loerplaats *v.*(*m.*); schuilhoek *m.*; **2** (*mil. v. kanon*) affuit *v.*(*m.*), onderstel *o.*; ***être à l'—,*** op de loer staan.

affûtage [afüta:j] *m.* **1** (het) slijpen *o.* (v. gereedschappen); **2** stel *o.* gereedschappen; **3** (het) plaatsen *o.* op een affuit.

affûter [afüté] **I** *v.t.* **1** (*v. gereedschap*) slijpen; **2** (*v. kanon*) op de affuit plaatsen; **II** *v.pr.*, ***s'—,*** op de loer gaan staan.

affûteur [afütœ:r] *m.* **1** gereedschapslijper *m.*; **2** op de loer liggende jager *m.*

affûtiaux [afütyo] *m.pl.* snuisterijen *mv.*; (*fam.*) spullen *mv.*

Afghan [afgã] **I** *m.* Afghaan *m.*; **II** *adj.*, ***a—,*** Afghaans.

afin [afẽ], ***— de*** *conj.* ten einde, om; ***— que,*** opdat.

afistoler [afistòlé] *v.t.*, (*pop.*) opdirken.

à fortiori [afòrsyòri] *adv.* met te meer reden.

Africain [afrikẽ] **I** *m.* Afrikaan *m.*; **II** *adj.*, ***a—,*** Afrikaans.

Afrique [afrik] *f.* Afrika *o.*; ***— du Sud,*** Zuid-Afrika.

afro-asiatique [afròazyatik] *adj.* Afroaziatisch.

agaçant [agasã] *adj.* **1** hinderlijk; **2** lastig, vervelend; **3** prikkelend; **4** tergend, uitdagend.

agace, agasse [agas] *f.*, (*pop.*) ekster *v.*(*m.*).

agacement [agasmã] *m.* **1** prikkeling *v.*; **2** ongeduld *o.*, verveling *v.*; **3** (*v. tanden*) sleeheid *v.*

agacer [agasé] *v.t.* **1** hinderen; **2** lastig vallen; **3** prikkelen; **4** tergen, uitdagen; **5** (*v. tanden*) slee maken.

agacerie [agasri] *f.* plagerij, koketterie *v.*

agaillardir [agayardi:r] *v.t.* opvrolijken.

agame [agam] *adj.*, (*Pl.*) geslachtloos.

agami [agami] *m.*, (*Dk.*) trompetvogel *m.*

agape [agap] *f.* **1** liefdemaaltijd *m.* van de eerste christenen; **2** vriendenmaal *o.*

Agar [aga:r] *f.* Hagar *v.*

agar-agar [agaraga:r] *m.* uit zeewier gewonnen gelatine *v.*(*m.*).

agaric [agarik] *m.* boomzwam *v.*(*m.*), paddestoel *m.*

agasse, *voir* ***agace.***

agate [agat] *f.* **1** agaat *o.*; **2** agaatsteen *m.*; **3** polijststeen *m.*

Agathe [agat] *f.* Agatha *v.*

agave [aga:v] *f.*, **agavé** [agavé] *m.*, (*Pl.*) agave aloë *v.*(*m.*).

age [a'j] *m.* ploegboom *m.*

âge [a:j, ɑ:j] *m.* **1** leeftijd *v.*(*m.*); ouderdom *m.*; **2** tijdperk *o.*; **3** eeuw *v.*(*m.*); ***l'— ingrat,*** de vlegeljaren, tienersleeftijd; ***quel — a-t-il?*** hoe oud is hij? ***le bel —,*** de jeugd *v.*(*m.*); ***le premier —,*** de kindsheid *v.*; ***entre deux —s,*** van middelbare leeftijd; ***à la fleur de l'—,*** in de bloei van het leven; ***en bas —,*** jong, op jeugdige leeftijd; ***être en — de,*** oud genoeg zijn om; ***— de la pierre,*** steentijdperk *o.*; ***l'— d'or,*** de gouden eeuw *v.*(*m.*); ***le moyen-—,*** de middeleeuwen *mv.*; ***d'— en —,*** van geslacht tot geslacht.

âgé [a:jé, ɑ:jé] *adj.* oud; bejaard; ***— de 20 ans,*** 20 jaar oud; ***il a l'air —,*** hij ziet er oud (*of* bejaard) uit; ***un homme —,*** een oud (*of* bejaard) man.

agence [ajã:s] *f.* **1** agentschap *o.*; **2** agentuur *v.*; **3** kantoor *o.*; ***— d'information,*** persbureau *o.*; ***— de placement,*** plaatsingskantoor *o.*; ***— de renseignements,*** informatiebureau, informatiekantoor; ***— immobilière,*** woningbureau *o.*; ***— de location,*** verhuurkantoor; ***— de voyages,*** reisbureau.

agencement [ajã'smã] *m.* **1** inrichting *v.*; **2** (*toneel*) schikking *v.*; **3** rangschikking, groepering *v.*

agencer [ajã'sé] *v.t.* **1** inrichten; **2** schikken; **3** rangschikken, groeperen.

agenda [ajẽ'da] *m.* zakboekje, aantekenboekje *o.*, agenda *v.*(*m.*).

agenouiller, s'— [sajnuyé] *v.pr.* knielen.

agenouilloir [ajnuywa:r] *m.* knielbankje *o.*

agent [ajã] *m.* **1** agent, vertegenwoordiger *m.*; **2** beambte *m.*; **3** werkende kracht, oorzaak *v.*(*m.*); ***— de change,*** makelaar *m.* in effecten; (*Z.N.*) wisselagent *m.*; ***— d'affaires,*** zaakgelastigde *m.*; ***— en douane,*** grensexpediteur *m.*; ***— de l'État*** staatsbeambte; ***— de la circulation,*** verkeersagent *m.*

agglomérat [aglòméra] *m.* agglomeraat *o.*

agglomération [aglòméra'syõ] *f.* **1** opeenhoping *v.*; **2** stad en voorsteden; bebouwde kom *v.*(*m.*); ***— industrielle,*** nijverheidscentrum *o.*

aggloméré [aglòméré] *m.* (kolengruis)briket *v.*(*m.*).

agglomérer [aglòméré] *v.t.* opeenhopen.
agglutinant [aglütinã], **agglutinatif** [aglütinatif] **I** *adj.* klevend, hechtend; ***emplâtre* —,** hechtpleister *v.(m.)*; **II** *s., m.* hechtmiddel *o.*
agglutination [aglütinaˑsyõ] *f.* **1** (het) samenkleven *o.*; **2** (*v. wond*) (het) hechten *o.*
agglutiner [aglütiné] *v.t.* **1** samenkleven; **2** (*v. wond*) hechten.
aggravant [agravã] *adj.* verzwarend.
aggravation [agravaˑsyõ] *f.* **1** verzwaring *v.*; **2** verergering *v.*
aggraver [agravé] **I** *v.t.* **1** verzwaren; **2** verergeren; **II** *v.pr.*, ***s'*—,** verergeren.
agile(ment) [ajil(mã)] *adj.* (*adv.*) vlug, lenig.
agilité [ajilité] *f.* vlugheid, lenigheid *v.*
agio [ajyo] *m.*, (*H.*) agio, opgeld *o.*
agiotage [ajyòta:j] *m.*, (*H.*) oneerlijke speculatie *v.*, windhandel *m.*
agioter [ajyòté] *v.i.*, (*H.*) speculeren (in effecten).
agioteur [ajyòtœ:r] *m.*, (*H.*) beursspeculant *m.*
agir [aji:r] **I** *v.i.* **1** handelen; **2** (handelend) optreden, ingrijpen; **3** inwerken; **4** werken, uitwerking hebben; **— *contre qn.,*** iem. in rechten vervolgen; ***en — à sa tête,*** zijn eigen zin doorzetten; ***sa manière d'*—,** zijn handelwijze; **II** *v.pr.*, ***s'— de,*** er op aankomen, de kwestie zijn; ***il ne s'agit pas de cela,*** daar gaat het niet om; ***il s'agit de savoir s'il est au courant,*** het is de vraag of hij op de hoogte is; ***il s'agit de son honneur,*** zijn eer staat op het spel.
agissant [ajisã] *adj.* **1** bedrijvig, werkzaam; **2** handelend; **3** (*v. vulkaan*) werkend.
agissements [ajismã] *m.pl.* **1** doen en laten *o.*; **2** gedoe *o.*
agitateur [ajitatœ:r] *m.* **1** roerstaaf *v.(m.)*; **2** opruier, volksmenner, agitator *m.*
agitation [ajitaˑsyõ] *f.* **1** (hevige) beweging, beroering *v.*; **2** (*v. zee*) onstuimigheid *v.*; **3** (*fig.*) onrust *v.(m.)*, gejaagdheid *v.*; **4** woeling, gisting *v.*; **5** (*v. stad, enz.*) (woelige) drukte *v.*
agité [ajité] *adj.* **1** bewogen; **2** (*v. zee*) onstuimig, woelig; **3** (*v. geest, enz.*) gejaagd, onrustig; **4** (*v. leven, enz.*) veelbewogen, stormachtig.
agiter [ajité] **I** *v.t.* **1** heen en weer bewegen; hevig bewegen; **2** (*v. fles*) schudden; **3** wuiven met; **4** zwaaien met (armen, enz.); **5** ophitsen, aanstoken; **6** verontrusten, zenuwachtig maken; **7** (*v. hartstochten, geesten*) opzwepen; **8** (*v. kwestie*) ter tafel brengen, ter sprake brengen; bespreken, behandelen; **— *la queue,*** (*v. hond*) kwispelstaarten; **II** *v.pr.*, ***s'*—, 1** heen en weer gaan; **2** woelig worden, onstuimig worden; **3** zich verontrusten, zich ongerust maken; **4** zich druk maken; **5** (*v. zieke*) woelen.
agnation [agnaˑsyõ] *f.* bloedverwantschap *v.* van [vaderszijde.
agneau [año] *m.* **1** lam *o.*; **2** lamsvlees *o.*; ***l'A— pascal,*** het Paaslam; ***l'A— mystique,*** het goddelijk Lam, het vlekkeloos Lam.
agnel [añèl] *m.* middeleeuwse gouden munt *v.(m.)*.
agneler* [añ(e)lé] *v.i.* lammeren werpen.
agnelet [añ(e)lè] *m.* lammetje *o.* [*v.(m.)*.
agneline [añ(e)lin] *f.* (*et adj.*), (***laine* —**), lamswol
agnelle [añèl] *f.* ooilam *o.*
Agnès [añè:s] *f.* Agnes, Agneta *v.*
agnosticisme [agnòstisizm] *m.* agnosticisme *o.*
Agnus Dei [agnüs déi] *m.* **1** (*gebed*) Agnus Dei *o.*; **2** (*beeld*) Agnus Dei, Lam Gods *o.*
agonie [agòni] *f.* doodsstrijd *m.*; ***être à l'*—,** op sterven liggen, zieltogen.
agonir [agòni:r] (***de***) *v.t.* overladen (met).
agonisant [agònizã] **I** *adj.* stervend, zieltogend; **II** *s., m.* stervende *m.*
agoniser [agònizé] *v.i.* op sterven liggen, zieltogen.
agoraphobie [agòrafòbi] *f.* ruimtevrees *v.(m.)*.
agrafage [agrafa:j] *m.* (het) vasthaken *o.*
agrafe [agraf] *f.* **1** (*v. kleren*) haak *m.*; **2** (*v. mantel, enz.*) gesp *m. en v.*; **3** (*in muur*) anker *o.*; **4** (*v. champagnefles*) sluitbeugel *m.*; **5** paperclip *v.(m)*.
agrafer [agrafé] *v.t.* **1** dichthaken; vasthaken; **2** (*pop.*) inrekenen.
agraire [agrè:r] *adj.* de landbouw (*of* de landerijen, de akkers) betreffend; ***loi* —,** (*gesch.*) akkerwet *v.(m.)*.
agrandir [agrãˑdi:r] **I** *v.t.* **1** vergroten; **2** vermeerderen; uitbreiden; **3** overdrijven; overschatten; **4** (*fig.*: *v. ziel*) veredelen; **II** *v.pr.*, ***s'*—, 1** groter worden; **2** zich verheffen; aanzienlijk worden.
agrandissement [agrãˑdismã] *m.* **1** vergroting *v.*; **2** uitbreiding *v.*; **3** overdrijving; overschatting *v.*; **4** verheffing *v.*
agrandisseur [agrãˑdisœ:r] *m.* **1** vergroter *m.*; **2** (*fot.*) vergrotingskoker *m.*
agrarien [agraryẽ] *m.* **1** voorstander *m.* van de landbouwwetgeving; agrariër *m.*; **2** hereboer, landheer *m.*
agréable(ment) [agréaˑbl(emã)] *adj.* (*adv.*) **1** aangenaam, prettig; **2** vriendelijk; **3** (*v. uiterlijk*) knap, innemend; ***avoir pour* —,** goedvinden; ***— à Dieu,*** Gode welgevallig.
agréé [agréé] *m.* **1** verdediger *m.* (bij handelsrechtbank); **2** (*B.*) aangestelde *m.* (lager beambte).
agréer [agréé] **I** *v.t.* **1** aanvaarden, aannemen; **2** toestaan, veroorloven, goedkeuren; **3** (*v. schip*) takelen, optuigen; **II** *v.i.* aanstaan, bevallen, behagen.
agrégat [agréga] *m.* opeenhoping *v.*, klomp *m.*
agrégation [agrégaˑsyõ] *f.* **1** opeenhoping *v.*; **2** (*v. lid*) toetreding, opneming *v.*; **3** examen voor (*of*: titel van) ***agrégé.***
agrégé [agréˑjé] *m.* **1** volledig bevoegde voor M.O. of H.O.; **2** (*B.*) aggregaat-leraar *m.*
agréger [agréˑjé] *v.t.* **1** opeenhopen; samenvoegen; **2** (*als lid*) opnemen; **3** als agrégé toelaten, de graad van agrégé toekennen.
agrément [agrémã] *m.* **1** genoegen, vermaak *o.*; **2** toestemming, goedkeuring *v.*; **3** bevalligheid, lieflijkheid *v.*; **4 —s,** versierselen *mv.*; ***jardin d'*—,** bloementuin, lusthof *m.*; ***voyage d'*—,** plezierreis *v.(m.)*; ***plante d'*—,** sierplant *v.(m.)*; ***arts d'*—,** kunst als tijdverdrijf; kunsten die men uit liefhebberij beoefent.
agrémenter [agrémãˑté] *v.t.* versieren, opluisteren.
agrès [agrè] *m.pl.* **1** (*sch.*) takelwerk, scheepswant *o.*; **2** (gymnastiek)toestellen *mv.*
agresseur [agrèsœ:r] *m.* aanrander, aanvaller *m.*
agressif [agrèsif] *adj.* **1** aanvallend; **2** hatelijk, bits; **3** uitdagend, uittartend.
agression [agrèsyõ] *f.* aanval *m.*, aanranding *v.*
agressivité [agrèsivité] **1** strijdlust *m.*; **2** hatelijkheid *v.*
agreste [agrèst] *adj.* **1** (*v. plaats, levenswijze, enz.*) landelijk; **2** (*v. persoon*) ruw, onbeschaafd; **3** (*v. plant*) in 't wild groeiend.
agricole [agrikòl] *adj.* landbouw—, landbouwend; ***industrie* —,** landbouwbedrijf *o.*; ***ouvrier* —,** landarbeider *m.*; ***ingénieur* —,** landbouwkundig ingenieur *m.*; ***peuple* —,** landbouwend volk *o.*
agriculteur [agrikültœ:r] *m.* landbouwer *m.*
agriculture [agrikültü:r] *f.* **1** landbouw *m.*; **2** landbouwkunde *v.*
agriffer [agrifé] **I** *v.t.* met de klauwen grijpen; pakken; **II** *v.pr.*, ***s'*—,** zich vastklemmen.
Agrigente [agrijã] *f.* **1** (*oudh.*) Agrigentum *o.*; **2** (*thans*) Girgenti *o.*

agrion [agriõ] *m.* waterjuffer *v.(m.)*.
agripper [agripé] **I** *v.t.* gretig aanvatten; vastgrijpen; **II** *v.pr.*, ***s'—***, **1** zich vastklampen; **2** elkaar vastgrijpen.
agronome [agrònòm] *m.* landbouwkundige *m.*
agronomie [agrònòmi] *f.* landbouwkunde *v.*
agronomique [agrònòmik] *adj.* landbouwkundig; ***station —***, landbouwproefstation *o.*
agroupement [agrupmã] *m.* massa *v.(m.)*, opeenhoping *v.*
agrouper [agrupé] **I** *v.t.* groeperen; **II** *v.pr.*, ***s'—***, te hoop lopen.
agrumes [agrüm] *f.pl.* citrusvruchten *mv.*
aguerri [agèri] *adj.* **1** geoefend, gehard; **2** strijdvaardig.
aguerrir [agèri:r] *v.t.* **1** oefenen, harden; **2** voor de krijgsdienst geschikt maken.
aguerrissement [agèrismã] *m.* **1** harding, scholing *v.*; **2** krijgshaftigheid *v.*
aguets [agè] *m.pl.* hinderlaag *v.*; ***être aux —***, op de loer liggen.
aguicher [agiʃé] *v.t.* aanlokken.
ah! [a·] *ij.* ha! o! och! ach! zo! ***— bah!*** och! kom! niet mogelijk! ***— mais!*** neen maar! ***— non!*** neen hoor!
ahaner [a(h)ané] *v.i.* zuchten, hijgen; steunen.
aheurtement [a(h)œrt(e)mã] *m.* stijfhoofdigheid, koppigheid *v.*
aheurter, s'— [sa(h)œrté] *v.pr.* **1** tegen elkaar ingaan; **2** mislukken, te pletter slaan.
ahuri [a(h)üri] *adj.* verbluft, verbijsterd.
ahurir [a(h)üri:r] *v.t.* overbluffen, verbijsteren.
ahurissement [a(h)ürismã] *m.* verbluftheid, verbijstering *v.*
aï [ai] *m.*, (*Dk.*) luiaard *m.*
aide [è:d] **I** *f.* hulp *v.(m.)*, bijstand *m.*; ***à l'— de***, met behulp van; ***à l'—!*** help! **II** *m.* helper *m.*; ***— de camp***, (*mil.*) adjudant *m.*; ***— de cuisine***, koksjongen *m.*
aide*-chimiste* [è·dʃimist] *m.-f.* analist *m.*, —e *v.*
aide*-maçon* [è·dmasõ] *m.* opperman *m.*
aide*-major* [è·dmajò:r] *m.* 2e officier *m.* van gezondheid.
aide-mémoire [è·dmémwa:r] *m.* **1** memorandum *o.*; **2** opschrijfboekje *o.*; **3** beknopte handleiding *v.*
aider [è·dé] **I** *v.t.* helpen, bijstaan; **II** *v.i.* helpen, bevorderen, in de hand werken.
aïe! [ay] *ij.* ach! au! ai! owee!
aïeul [ayœl] *m.* grootvader *m.*
aïeule [ayœl] *f.* grootmoeder *v.*
aïeux [ayö] *m.pl.* voorouders *mv.*
aigle [è·gl] **I** *m.* **1** arend, adelaar *m.*; **2** (*fig.*) hoogvlieger, scherpzinnig mens *m.*; **3** bep. papierformaat (50 × 80 cm); ***crier comme un —***, moord en brand schreeuwen; ***— doré***, steenarend *m.*; **II** *f.* **1** wijfjesarend *m.*; **2** adelaar *m.* (vaandel).
aiglefin [èglefẽ], *voir* ***aigrefin***.
aiglon [èglõ] *m.* jonge adelaar *m.*, arendsjong *o.*
aigre [è:gr] **I** *adj.* **1** zuur, wrang, scherp; **2** (*v. geluid*) doordringend, snerpend; **3** (*v. wind*) guur, scherp; **4** (*v. koude*) vinnig; **5** (*v. woorden*) bits; **6** (*v. ijzer*) bros; **II** *s.*, *m.* zure smaak *m.*; ***tourner à l'—***, verzuren; zuur worden.
aigre*-doux* [è·gredu] *adj.* zuurzoet.
aigrefin [ègrefẽ] *m.* **1** (*Dk.*) schelvis *m.*; **2** oplichter, gauwdief *m.*
aigrelet [ègrelè] *adj.* zuurachtig, rins.
aigrement [ègremã] *adv.*, (*fig.*) scherp, bits.
aigret [è·grè], *voir* ***aigrelet***.
aigrette [è·grèt] *f.* **1** (*Dk.*) zilverreiger *m.*; **2** (*v. vogel*) kuif *v.(m.)*; **3** pluim *v.(m.)* (van stijve veren).
aigretté [è·grèté] *adj.* gepluimd; met kuif.
aigreur [è·grœ:r] *f.* **1** zuurheid, wrangheid *v.*; **2** zure oprisping *v.*, (het) zuur *o.*; **3** guurheid *v.*; **4** bitsheid, bitterheid *v.*; **5** (*v. metaal*) brosheid *v.*
aigrin [è·grẽ] *m.* jonge appelboom *m.*
aigrir [è·gri:r] **I** *v.t.* **1** zuur maken, verzuren; **2** (*fig.*) verbitteren, vertoornen; **3** (*v. zaken*) verscherpen; **II** *v.i.* zuur worden.
aigrissement [è·grismã] *m.* (het) verzuren *o.*; verbittering *v.*
aigu [ègü] *adj.* **1** scherp, puntig, spits; **2** (*v. geluid*) schel, doordringend; **3** (*v. pijn*) hevig, fel; **4** (*v. ziekte*) snel verlopend, acuut; ***accent —***, scherp toonteken *o.*
aiguade [éga·d] *f.* watervoorraad *m.* (voor schepen).
aiguail [éga:y] *m.* dauw *m.*
aiguayer [égèyé] *v.t.* **1** (*v. was*) spoelen; **2** (*v. dieren*) naar het wed brengen.
aigue*-marine* [ègmarin] *f.* zeegroene smaragd *m.*
aiguière [égyè:r] *f.* waterkan, lampetkan *v.(m.)*.
aiguiérée [égyéré] *f.* een lampetkan vol.
aiguillade [égŵiya·d] *f.* prikkel *m.* (voor ossen).
aiguillage [égŵiya:j] *m.* **1** (het) verzetten *o.* van de wissels; **2** wisselstand *m.*
aiguillat [égŵiya] *m.*, (*Dk.*) doornhaai *m.*
aiguille [égŵi·y] *f.* **1** naald *v.(m.)*; **2** kompasnaald *v.(m.)*; **3** (*v. klok*) wijzer *m.*; **4** (*v. spoorw.*) wissel *m. en o.*; **5** (*v. balans*) tong *v.(m.)*; **6** (toren)spits *v.(m.)*; **7** grafnaald; gedenknaald *v.(m.)*, obelisk *m.*; **8** (*mil.*) bajonet *v.(m.)*; **9** spitse bergtop *m.*; ***— à repriser***, stopnaald *v.(m.)*; ***— à tricoter***, breipen, breinaald *v.(m.)*; ***— à passer***, rijgnaald; ***— d'emballage***, paknaald; ***travail à l'—***, naaiwerk *o.*; ***enfiler une —***, een draad door een naald steken; ***de fil en —***, van stukje tot beetje; ***disputer sur la pointe d'une —***, om een nietigheid twisten.
aiguillé [égŵiyé] *adj.* naaldvormig.
aiguillée [égŵiyé] *f.* naaidraad *m.*
aiguiller [égŵiyé] *v.t.* **1** (*v. trein*) op een ander spoor brengen; **2** (*fig.*) leiden, oriënteren.
aiguillerie [égŵiyri] *f.* naaldenfabriek *v.*
aiguilletage [égŵiyta:j] *m.* (het) vastrijgen *o.*
aiguilleter* [égŵiyté] *v.t.* **1** met nestels beslaan; **2** toerijgen.
aiguillette [égŵiyèt] *f.* **1** nestel, veter *m.*; **2** (lange) reep *m.* vlees.
aiguilleur [égŵiyœ:r] *m.* wisselwachter *m.*
aiguillier [égŵilyé] *m.* **1** naaldenkoker *m.*; **2** naaldenmaker *m.*
aiguillon [égŵiyõ] *m.* **1** prikstok, drijfstok *m.* (voor vee); **2** (*v. insekt*) angel *m.*; **3** (*v. plant, egel*) stekel *m.*; **4** (*fig.*) prikkel *m.*, aansporing *v.*
aiguillonnement [égŵiyònmã] *m.* (het) prikkelen, aanzetten *o.*
aiguillonner [égŵiyòné] *v.t.* **1** met de prikkel voortdrijven; **2** (*fig.*) aansporen, aanzetten.
aiguisage [égŵiza:j], **aiguisement** [égŵizmã] *m.* (het) slijpen, (het) wetten, (het) aanzetten *o.*
aiguiser [égŵi·zé] *v.t.* **1** slijpen, wetten, aanzetten; **2** (*fig.: v. eetlust*) opwekken, scherpen; **3** verlevendigen; ***pierre à —***, slijpsteen *m.*
aiguiserie [égŵizri] *f.* slijperij *v.*
aiguiseur [égŵizœ:r] *m.* slijper *m.*
aiguisoir [égŵizwa:r] *m.* aanzetstaal *o.*
ail [a:y] *m.* (*pl.* : ***aulx***, *of* ***ails***) knoflook *o. en m.*
ailante [èlã:t] *m.* Japanse lak *o. en m.*
aile [è·l] *f.* vleugel *m.*, vlerk, wiek *v.(m.)*; (*v. auto*) spatbord *m.*; ***battre des —s***, klapwieken; ***battre de l'—***, in verlegenheid zijn; ***il ne bat plus que d'une —***, hij is vleugellam; ***avoir du plomb dans l'—***, er slecht aan toe zijn; ***vouloir voler***

sans avoir des —s, iets boven zijn krachten ondernemen; ***rogner les —s à qn.,*** iem. kortwieken; ***tourner l'— au vent,*** de molen naar de wind zetten; ***à tire d'—,*** met de meeste spoed.
ailé [èlé] *adj.* gevleugeld.
aileron [èlrõ] *m.* **1** vleugeltje *o.*; **2** vleugelspits *v.(m.)*; **3** (*v. vis*) vin *v.(m.)*; **4** schepbord *o.*; **5** (*v. luchtschip*) zijvleugel *m.*; evenwichtsklep, vleugelklep *v.(m.)*.
ailette [èlèt] *f.* **1** vleugeltje *o.*; **2** (*v. projectiel*) nok *v.(m.)*; **3** (*v. kleed*) belegstuk *o.*; **4** schroefblad *o.*; ***torpille à —s,*** (*mil.*) vistorpedo *v.(m.)*.
ailier [èlyé] *m.*, (*sp.*) vleugelman, hoekspeler *m.*
aillade [aya:d] *f.* knoflooksaus *v.(m.)*.
ailleurs [ayœ:r] *adv.* elders; ***d'—,*** trouwens, overigens; ***être —,*** er niet bij zijn.
ailloli [ayoli] *m.* fijngestampte knoflook met [olijfolie.
aimable(ment) [è'ma'bl(emã)] *adj.* (*adv.*) beminnelijk; vriendelijk; innemend.
aimant [è'mã, é'mã] **I** *adj.* liefhebbend; **II** *s.*, *m.* magneet *m.*
aimantation [è'mãta'syõ] *f.* (het) magnetisch [maken.
aimanter [èmã'té] *v.t.* magnetisch maken; ***aiguille aimantée,*** kompasnaald *v.(m.)*.
aimer [è'mé] **I** *v.t.* **1** beminnen, liefhebben; **2** houden van; de voorkeur geven aan; ***— mieux,*** liever hebben; liever doen; **II** *v.i.*, ***— (à) faire qc.,*** iets gaarne doen; ***j'aime à croire que,*** ik zou denken dat, ik mag onderstellen dat.
aine [è:n] *f.* lies *v.(m.)*.
aîné [é'né, è'né] **I** *adj.* oudere, oudste; **II** *s.*, *m.* oudere, oudste *m.*; eerstgeborene *m.*; ***il est mon — de trois ans,*** hij is drie jaar ouder dan ik.
aînesse [ènès] *f.*, ***droit d'—,*** eerstgeboorterecht *o.*
ainsi [ẽ'si] **I** *adv.* **1** aldus, zo, op die wijze; **2** dus, derhalve; ***pour — dire,*** om zo te zeggen; ***— soit-il,*** het zij zo; amen; ***s'il en est —,*** als de zaken zo staan; **II** ***— que,*** *conj.* evenals, zoals.
air [è:r] *m.* **1** lucht *v.(m.)*; **2** luchtruim *o.*; **3** klimaat *o.*; **4** frisheid *v.*; **5** uiterlijk, voorkomen; gezicht *o.*; **6** houding *v.*, manier *v.(m.)* van doen; **7** wijs *v.(m.)*, deuntje, lied(je) *o.*; **8** vliegwezen, luchtverkeer *o.*; ***ministre de l'—,*** minister van Luchtvaart; ***par la voie des —s,*** per vliegtuig; ***courant d'—,*** tocht *m.*; ***coup d'—,*** plotselinge verkoudheid *v.*; ***en plein —, au grand —,*** in de open lucht; ***changer d'—,*** elders gaan wonen; ***prendre l'—,*** een luchtje scheppen; ***vivre de l'— du temps,*** van de wind leven; ***contes en l'—,*** verzinsels; ***soupçons en l'—,*** losse vermoedens; ***tirer en l'—,*** (*fig.*) vergeefse moeite doen; ***parler en l'—,*** in het honderd praten; ***se donner de l'—,*** zich uit de voeten maken; ***se donner des —s,*** voornaam doen, een trotse houding aannemen; ***avoir bon —,*** er goed uitzien; ***il a l'— gai,*** hij ziet er vrolijk uit; ***un — de famille,*** een familietrek *m.*; ***avoir l'—,*** schijnen, lijken; er uitzien; ***sans en avoir l'—,*** ongemerkt; ***un — à boire,*** een drinklied; ***c'est l'— qui fait la chanson,*** het komt op de toon aan; het komt veel op de manier aan, waarop men iets zegt.
airain [èrẽ] *m.* **1** brons, geelkoper *o.*; **2** (*dicht.*) kanon *o.*; **3** (toren)klok *v.(m.)*; ***l'âge d'—,*** de koperen eeuw; ***cœur d'—,*** hart van steen, meedogenloos hart; ***front d'—,*** stalen voorhoofd *o.*; ***avoir un front d'—,*** blikken noch blozen; ***discipline d'—,*** ijzeren tucht *v.(m.)*; ***la loi d'— des salaires,*** ijzeren loonwet *v.(m.)*.
aire [è:r] *f.* **1** dorsvloer *m.*, deel *v.(m.)*; **2** (*v. roofvogel*) nest *o.*; **3** (*meetk.*) vlakke inhoud *m.*; **4** gebied *o.*; ***— du vent,*** windstreek *v.(m.)*; ***— d'atterrissage,*** landingsterrein *o.*
airelle [èrèl] *f.* **1** bosbes *v.(m.)*; **2** bosbessestruik *m.*
airer [è'ré] *v.i.*, (*v. roofvogel*) nestelen.
ais [é] *m.* plank *v.(m.)*.
aisance [è'zã:s] *f.* **1** ongedwongenheid *v.*, losheid *v.* van beweging; **2** welstand *m.*, welgesteldheid *v.*; **3** (*v. delen v. machine*) speelruimte *v.*; ***parler avec —,*** met gemak spreken; ***cabinet d'—,*** bestekamer; ***être dans l'—,*** welgesteld zijn, er warmpjes bijzitten.
aise [è:z] **I** *f.* **1** gemak *o.*; **2** welbehagen *o.*; vreugde, blijdschap *v.*; ***être à l'—, être à son —,*** op zijn gemak zijn; ***en prendre à son — avec,*** zich weinig storen aan; zich geen moeite geven voor; ***il en parle à son —,*** hij heeft goed praten; ***aimer ses —s,*** van een gemakkelijk leventje houden; ***à votre —!*** zoals je wilt; **II** *adj.* blij, verheugd; ***être bien —,*** blij zijn, zich verheugen.
aisé(ment) [è'zé(mã)] *adj.* (*adv.*) **1** gemakkelijk; **2** los, ongedwongen; **3** (*v. stijl*) vlot; **4** welgesteld.
aisselle [èsèl] *f.* oksel *m.*; ***blague sous les —s,*** alle gekheid op een stokje. [persbijl *v.(m.)*.
aissette [èsèt] *f.* **1** (leidekkers)hamer *m.*; **2** kui-
aîtres, *voir* ***êtres.***
Aix-la-Chapelle [èkslaʃapèl] *f.* Aken *o.*
ajointer [ajwẽ'té] *v.t.* samenvoegen, aaneenvoegen.
ajonc [ajõ] *m.*, (*Pl.*) stekelbrem *m.*
ajour [aju:r] *m.* opening *v.*
ajouré [ajuré] *adj.* **1** met openingen, opengewerkt; **2** verlicht (door openingen).
ajourer [ajuré] *v.t.* openwerken, ajouren.
ajournement [ajurnemã] *m.* **1** uitstel *o.*, verdaging *v.*; **2** (*recht*) dagvaarding *v.* [dagvaarden.
ajourner [ajurné] *v.t.* **1** uitstellen, verdagen; **2**
ajoutage [ajuta:j] *m.* verlengstuk, aanzetsel *o.*
ajouté [ajuté] *m.*, (*op kopij, drukproef, enz.*) toevoegsel *o.*, aanvulling *v.*
ajouter [ajuté] *v.t.* **1** bijvoegen, toevoegen; **2** vergroten, vermeerderen; **3** aanvullen; ***— foi à,*** geloof hechten aan; ***il en ajoute,*** hij overdrijft.
ajustable [ajüsta:bl] *adj.* verstelbaar.
ajustage [ajüsta:j] *m.* **1** (*v. weegschaal*) (het) zuiver stellen *o.*; **2** (*v. munten*) (het) op 't juiste gewicht brengen *o.*; **3** (*v. machine*) (het) in elkaar zetten, (het) juist opstellen, (het) monteren *o.*
ajustement [ajüstemã] *m.* **1** (het) in elkaar zetten, (het) ineenzetten *o.*; **2** inrichting, opstelling *v.*; **3** (*v. salarissen*) aanpassing *v.*; **4** schikking *v.*, vergelijk *o.*; **5** kleding *v.*, opschik *m.*
ajuster [ajüsté] **I** *v.t.* **1** samenvoegen, schikken; **2** (*v. balans*) zuiver stellen; **3** (*v. instrument*) zuiver stemmen; **4** (*v. munt*) op 't juiste gewicht brengen, afwegen; **5** (*v. kleding*) passend maken, doen sluiten; **6** (*v. geweer*) aanleggen; **7** (*v. kanon*) richten; **8** (*v. paard*) africhten; **9** (*v. geschil, twist*) bijleggen; **10** (*v. schuld*) verrekenen; **11** (*v. hoed*) recht zetten; **II** *v.pr.*, ***s'—,*** **1** passen; **2** bij elkaar passen; **3** zich gereed maken, zijn toilet maken.
ajusteur [ajüstœ:r] *m.* bankwerker, monteur *m.*
ajustoir [ajüstwa:r] *m.* muntweegschaaltje *o.*
ajutage [ajüta:j], **ajutoir** [ajütwa:r] *m.* **1** mondstuk *o.*; **2** verbindingsstuk *o.*
akène [akèn] *f.*, (*Pl.*) dopvrucht *v.(m.)*.
alacrité [alakrité] *f.* vrolijkheid, opgewektheid *v.*
alaire [alè:r] *adj.* de vleugel(s) betreffend.
alaise, alèse [alè:z] *f.* (*v. zieke*) steeklaken *v.*
alambic [alã'bi(k)] *m.* distilleerkolf *v.(m.)*; distilleertoestel *o.*; ***passer à l'—,*** **1** overhalen; **2** (*fig.*) haarfijn uitpluizen, nauwkeurig onderzoeken.
alambiquer [alã'biké] *v.t.* **1** overhalen, distilleren; **2** (*fig.*) fijn uitspinnen, spitsvondig uitrafelen; ***style alambiqué,*** gekunstelde stijl *m.*; ***sans —,*** recht op het doel af.

alangui [alã'gi] *adj.* kwijnend, smachtend.
alanguir [alã'gi:r] **I** *v.t.* doen kwijnen, doen smachten; **II** *v.pr.*, **s'—**, **1** wegkwijnen; **2** verslappen.
alanguissement [alã'gismã] *m.* **1** neerslachtigheid *v.*; **2** slapte *v.*
alarguer [alargé] *v.i.*, (*sch.*) zee kiezen, het ruime sop kiezen. [rend.
alarmant [alarmã] *adj.* verontrustend, onrustba-
alarme [alarm] *f.* **1** alarm, noodsein *o.*; **2** (plotselinge) ontsteltenis *v.*, schrik *m.*; **3** hevige ongerustheid *v.*; ***jeter l'— dans,*** verontrusten.
alarmer [alarmé] **I** *v.t.* **1** verontrusten, doen ontstellen, verschrikken; **2** (*v. politie, enz.*) waarschuwen; **3** (*fig.*) kwetsen, aanstoot geven aan; **II** *v.pr.*, **s'—**, zich verontrusten, zich ongerust maken. [onruststoker *m.*
alarmiste [alarmist] *m.* alarmblazer; onrustzaaier,
alaterne [alatèrn] *m.*, (*Pl.*) wegedoorn *m.*
Albanais [albanè] **I** *m.* Albanees *m.*; **II** *adj.*, **a—**, Albanees.
Albanie [albani] *f.* Albanië *o.*
albâtre [albɑ:tr] *m.* albast *o.*
albatros [albatrò's] *m.*, (*Dk.*) albatros *m.*
Albe [alb] *m.*, (***duc d'—***) Alva *m.*
alberge [albèrj] *f.* hartperzik *v.*(*m.*).
Albert [albè:r] *m.* Albertus, Albrecht *m.*
Albertine [albèrtin] *f.* Albertina *v.*
Albigeois [albi'jwa] *m.pl.* Albigenzen *mv.*
albinisme [albinizm] *m.* kleurloosheid *v.* (v. huid, haar enz.).
albinos [albinò's] *m.* albino *m.*, (*Z.N.*) witteling *m.*
Albion [albyõ] *m.* Albion, Engeland *o.*
Alboche [albòʃ] *m.-v.* Mof *m.*, Moffin *v.*
albugine [albüjin] *f.*, (*gen.*) witte oogvlek *v.*(*m.*).
albuginé [albüjiné] *adj.* witachtig.
albugo [albügo] *m.* (*gen.*) witte vlek *v.*(*m.*) op nagel of hoornvlies.
album [albòm] *m.* **1** album *o.*; **2** schetsboek *o.*; ***— à colorier,*** kleurboek *o.*; ***— commémoratif,*** gedenkboek *o.*; ***— pour découpures,*** plakboek *o.*
albumen [albümèn] *m.* eiwit *o.*
albumine [albümin] *f.* eiwitstof *v.*(*m.*).
albumineux [albüminö] *adj.* eiwit bevattend, eiwithoudend.
albuminoïde [albüminòi'd] *adj.* eiwitachtig; eiwithoudend.
albuminurie [albüminüri] *f.* nierziekte *v.* (waarbij de urine eiwit bevat).
alcade [alka'd] *m.* alcalde, burgemeester of rechter *m.* in Spanje. [*o.*
alcalescence [alkalèsã:s] *f.* (het) alkalisch worden
alcali [alkali] *m.* alkali, loogzout *o.*; ***— volatil,*** ammoniak *m.* [zout *o.*
alcalin [alkalẽ] *adj.* alkalisch, basisch; ***sel —,*** loog-
alcali(ni)ser [alkali(ni)zé] *v.t.* alkalisch maken.
alcalinité [alkalinité] *f.* het alkalisch zijn *o.*
alcaloïde [alkalòi'd] *m.* alkaloïde *o.*
alcarazas [alkaraza] *m.* Spaanse (poreuze) waterkan *v.*(*m.*).
alcée [alsé] *f.*, (*Pl.*) stokroos *v.*(*m.*).
alchémille [alʃémi:y] *f.*, (*Pl.*) leeuweklauw *m. en v.*
alchimie [alʃimi] *f.* alchimie *v.*
alchimique [alʃimik] *f.* alchimistisch.
alchimiste [alʃimist] *m.* alchimist *m.*
Alcibiade [alsibya'd] *m.* Alcibiades *m.*
alcool [alkòl] *m.* alcohol, wijngeest *m.*; ***— à brûler,*** (brand)spiritus *m.*; ***lampe à —,*** spirituslamp *v.*(*m.*); ***— camphré,*** kamferspiritus *m.*
alcoolique [alkòlik] **I** *adj.* **1** alcohol bevattend, alcoholisch; **2** drankzuchtig; ***boisson —,*** sterke drank *m.*; **II** *s.*, *m.* drankzuchtige, alcoholist *m.*
alcoolisation [alkòlizɑ'syõ] *f.* **1** alcoholvorming *v.*; **2** vergiftiging *v.* door alcohol.
alcooliser [alkòlizé] *v.t.* met alcohol vermengen, alcoholisch maken.
alcoolisme [alkòlizm] *m.* alcoholisme *o.*, drankzucht *v.*(*m.*).
alcoomètre [alkòmè'tr] *m.* alcoholgehaltemeter *m.*
Alcoran [alkòrã] *m.* koran *m.*
alcôve [alko:v] *f.* alkoof *v.*(*m.*).
alcyon [alsyõ] *m.* **1** ijsvogel *m.*; **2** zeezwaluw *v.*(*m.*).
aléa [aléa] *m.* risico *o. en m.*, onzekerheid; wisselvalligheid *v.*
aléatoire [aléatwa:r] *adj.* onzeker, wisselvallig; ***contrat —,*** (*recht*) aleatoir contract.
alémanique [alémanik], ***la Suisse —,*** Duits Zwitserland *o.*
alène [alèn] *f.* els *v.*(*m.*), priem *m.*
aléné [aléné] *adj.* priemvormig. [*v.*(*m.*).
alénois [alénwa] *adj.*, ***cresson —,*** (*Pl.*) tuinkers
alentour [alã'tu:r] *adv.* rondom; in de omtrek; ***d'—,*** uit de omtrek, uit de naaste omgeving.
alentours [alã'tu:r] *m.pl.* **1** omstreken *mv.*; **2** omgeving *f.*; ***aux — de 1850,*** omstreeks 1850.
Aléoutiennes [aléutyèn] *f.pl.* Aleoeten *mv.*
Alep [alèp] *m.* Aleppo *o.*
alérion [alèryõ] *m.* **1** (*wap.*) kleine adelaar, geknotte adelaar *m.*; **2** licht vliegtuig, zweefvliegtuig *o.*
alerte [alèrt] **I** *ij.* op! te wapen! pas op! **II** *s.*, *f.* alarm, onverwacht onraad *o.*; ***fausse —,*** loos alarm; **III** *adj.* vlug, wakker.
alerter [alèrté] *v.t.* **1** alarm maken bij; **2** (*v. politie, brandweer*) waarschuwen.
alésage [aléza:j] *m.*, (*v. opening*) uitboring *v.*
alèse, *voir* ***alaise.*** [werken.
aléser [alézé] *v.t.* **1** uitboren; **2** (*v. geldstuk*) bij-
alésoir [alézwa:r] *m.* poleerboor *v.*(*m.*).
alester [alèsté], **alestir** [alèsti:r] *v.t.* ballast verminderen.
alésure [alézü:r] *f.* metaalboorsel *o.*
alevin [alvẽ] *m.* pootvis *m.*
alevinage [alvina:j] *m.* **1** (het) vis poten *o.*; **2** katvis *m.*
aleviner [alviné] **I** *v.t.*, (*v. vijver*) bepoten, van pootvis voorzien; **II** *v.i.*, (*Dk.*) kuit schieten.
alevinier [alvinyé] *m.* pootvijver *m.*
Alexandre [alèksã:dr] *m.* Alexander *m.*
Alexandrie [alèksã'dri] *f.* **1** (*in Egypte*) Alexandrië *o.*; **2** (*in Italië*) Alessandria *o.*
alexandrin [alèksã'drẽ] **I** *adj.* Alexandrijns, van de Alexandrijnse school; ***vers —,*** alexandrijn *m.*; **II** *s.*, *m.* alexandrijn *m.*
alezan [alzã] **I** *m.* vos *m.* (paard); ***— brûlé,*** zweetvos *m.*; ***— doré,*** goudvos *m.*; **II** *adj.* voskleurig.
alèze, alèse [alè:z] *f.* onderlaken *o.* (*onder een zieke*); verlengplank *v.*(*m.*).
alfa [alfa] *m.*, (*Pl.*) alfagras, espartogras *o.*
alfange [alfã:j] *f.* kromzwaard *o.*
alfénide [alféni'd] *m.* nieuwzilver *o.*
algarade [algara'd] *f.* standje *o.*, ruwe uitval *m.*
algèbre [aljè'br] *f.* stelkunde *v.*, algebra *v.*(*m.*).
algébrique [aljébrik] *adj.* algebraïsch, stelkundig.
algébriste [aljébrist] *m.* stelkundige *m.*
Alger [aljé] *m.* Algiers *o.*
Algérie [aljé'ri] *f.* Algerië, Algerije *o.*
Algérien [aljéryẽ] **I** *m.* Algerijn *m.*; **II** *adj.*, **a—**, Algerijns.
algérois [aljérwa] *adj.* van (de stad) Algiers.
algide [alji'd] *f.* (*et adj.*), (***fièvre —***), koude koorts *v.*(*m.*).
alguazil [algwazil] *m.* alguacil, Spaanse politieagent *m.*

algue [alg] *f.* wier *o.*; **— *marine,*** zeegras *o.*, zeewier *o.*
alias [alyas] *m.* andere naam *m.*
alibi [alibi] *m.* alibi *o.*
alibile [alibil] *adj.* voedzaam.
alibilité [alibilité] *f.* voedingskracht *v.(m.).*
aliboron [alibòrõ] *m.* ezel; stommerd *m.*
alidade [alida'd] *f.* vizierliniaal *v.(m.) en o.*
aliénabilité [alyénabilité] *f.* vervreemdbaarheid *v.*
aliénable [alyénabl] *adj.* vervreemdbaar.
aliénation [alyéna'syõ] *f.* **1** (*recht*) vervreemding *v.*, overdracht *v.(m.)*; **2** verwijdering *v.*, afkeer *m.*; **— *mentale,*** krankzinnigheid, verstandsverbijstering *v.*
aliéné [alyéné] *m.* krankzinnige *m.*
aliéner [alyéné] **I** *v.t.* **1** (*recht*) vervreemden, overdragen; **2** verwijderen, van zich vervreemden; **3** (*v. vrijheid*) kwijtraken, inboeten; ***— qc. à qn.,*** iem. iets doen verliezen; **II** *v.pr.*, ***s'—,*** **1** vervreemd worden; **2** van zich vervreemden; **3** afkerig worden van; ***s'— les esprits,*** de mensen tegen zich innemen.
aliéniste [alyénist] *m.* psychiater *m.*
alifère [alifè:r] (*v. insekt*) gevleugeld.
aliforme [alifò'rm] *adj.* vleugelvormig.
alignement [aliñmã] *m.* **1** op één lijn plaatsing *v.*; **2** (*v. straat*) rooilijn *v.(m.)*; **3** (*mil.*) (het) richten *o.*; **4** gelid *o.*; **5** (*drukk.*) het in lijn brengen; ***à droite —!*** rechts, richten!
aligner [aliñé] **I** *v.t.* **1** op een rij plaatsen; **2** (*v. straat*) de rooilijn trekken (*of* vaststellen); **3** (*mil.*) richten; **4** (*v. geldstukken*) neertellen; **II** *v.pr.*, ***s'—,*** **1** op één lijn worden geplaatst; **2** in het gelid gaan staan; zich richten; ***alignez-vous!*** richt u!
aliment [alimã] *m.* voedsel *o.*, spijs *v.(m.)*; ***—s,*** (*recht*) verzorgingskosten *mv.*, levensonderhoud *o.*
alimentaire [alimã'tè:r] *adj.* voedend; voedings—; ***régime —,*** dieet *o.*; ***canal —,*** spijsverteringskanaal *o.*; ***denrées —s,*** eetwaren; ***pension —,*** (*recht*) jaargeld *o.* voor levensonderhoud.
alimentateur [alimã'tatœ:r] *adj.* voedend.
alimentation [alimã'ta'syõ] *f.* **1** voeding *v.*; **2** onderhoud *o.*; **3** (*v. gas, water, enz.*) voorziening *v.*
alimenter [alimã'té] *v.t.* **1** voeden; **2** onderhouden; **3** (*v. kas*) stijven; **4** (*v. haard, enz.*) vullen; **5** (*fig.*) aanwakkeren, voedsel geven aan.
alimenteux [alimã'tö] *adj.* voedzaam.
alinéa [alinéa] *m.* **1** alinea *v.*; **2** nieuwe regel *m.*; **3** (*drukk.*) inspringende regel *m.* [Landes.
alios [alio] *m.* bruine zandsteen *o. en m.* in de
aliquante [alikã:t] *adj.*, ***partie —,*** (*wisk.*) niet evenmatig (onevenmatig, niet precies opgaand) deel.
aliquote [alikòt] *adj.* **1** (*wisk.*) evenmatig, opgaand; **2** (*muz.*) ***son —,*** boventoon, natuurtoon *m.*
alise [ali:z] *f.* elsbes *v.(m.).*
alisier [ali'zyé] *m.* elsbesseboom *m.*
alité [alité] *adj.* bedlegerig.
alitement [alitmã] *m.* bedlegerigheid *v.*
aliter [alité] **I** *v.t.* bedlegerig maken; **II** *v.pr.*, ***s'—,*** (*v. zieke*) naar bed gaan, bedlegerig worden.
alizari [alizari] *m.* meekrapwortel *m.*
alizé [alizé] *adj.*, ***vents —s,*** passaatwinden *mv.*
alkékenge [alkékã:j] *m.*, (*Pl.*) jodenkers *v.(m.).*
allache [alaʃ] *m.* groot soort sardine *v.(m.).*
allaitement [alètmã] *m.* (het) zogen *o.*
allaiter [alèté] *v.t.* zogen.
allant [alã] **I** *adj.* bedrijvig; **II** *s., m.* bedrijvigheid *v.*; ***—s,*** *m.pl.*, ***les —s et venants,*** de gaande en komende man.
alléchant [aléʃã] *adj.* **1** aanlokkelijk; verleidelijk; **2** (*v. gerecht*) smakelijk uitziend.
allèchement [alèʃmã] *m.* verlokking; verleiding *v.*
allécher [aléʃé] *v.t.* verlokken, verleiden.
allée [alé] *f.* **1** (het) gaan *o.*; **2** gang *m.*; **3** laan, (wandel)dreef *v.(m.)*; ***— cavalière,*** rijpad *o.*; ***les —s et venues,*** **1** het heen en weer lopen; **2** (*fig.*) de stappen *mv.* [ring *v.*
allégation [aléga'syõ] *f.* **1** aanvoering *v.*; **2** bewe-
allège [alè:j] *f.* **1** (*sch.*) lichter *m.*; **2** scheepskameel *m.*; **3** uitspringende vensterbank *v.(m.)*; **4** tender *m.*; **5** (*v. trein*) postwagen *m.*
allégeage [aléja:j] *m.*, (*sch.*) (het) lichter maken *o.*
allégement [alé'jmã] *m.* **1** verlichting *v.*; **2** leniging *v.*, troost *m.*; **3** (*v. schip*) (het) lichten *o.*
alléger [alé'jé] **I** *v.t.* **1** verlichten; **2** lenigen, verzachten; **3** (*v. schip*) lichten; **II** *v.pr.*, ***s'—,*** lichter worden.
allégir [alé'ji:r] *v.t.* dunner maken.
allégorie [alégòri] *f.* allegorie, zinnebeeldige voorstelling *v.*
allégorique(ment) [alégòrik(mã)] *adj.* (*adv.*) allegorisch, zinnebeeldig. [allegorisch —.
allégoriser [alégòrizé] *v.t.* zinnebeeldig voorstellen,
allégoriste [alégòrist] *m.* **1** die veel allegorieën gebruikt; **2** die een tekst in allegorische zin verklaart.
allègre(ment) [alè(:)gr(emã)] *adj.* (*adv.*) **1** monter, opgeruimd, opgewekt; **2** vlug (ter been).
allégresse [alègrès, alégrès] *f.* blijdschap, vreugde, vrolijkheid *v.* [allegretto.
allegretto [alégrèto] *adv.*, (*muz.*) enigszins vrolijk,
allegro [alégro] *adv.*, (*muz.*) levendig, allegro.
alléguer [alégé] *v.t.* **1** aanvoeren; **2** beweren.
alléluia [alélüya] *m.* **1** (*kath.*) alleluia *o.*; **2** (*prot.*) halleluja *o.*
Allemagne [almañ] *f.* Duitsland *o.*; ***l'— occidentale,*** West-Duitsland.
Allemand [almã] **I** *m.* **1** Duitser *m.*; **2** ***a—,*** Duitse taal *v.(m.)*, Duits *o.*; **II** *adj.*, ***a—,*** Duits.
aller* [alé] **I** *v.i.* **1** gaan, lopen; **2** (*v. weg*) leiden; **3** passen, (goed) staan; **4** aanstaan; ***— à pied,*** te voet gaan, wandelen; ***— en voiture, — en auto,*** rijden; ***— au pas,*** (*v. paard*) stappen; ***— au trot,*** draven; ***— au galop,*** galopperen; ***— voir qn.,*** iem. bezoeken; ***— loin,*** het ver brengen (in de wereld); ***se laisser —,*** de moed verliezen; ***se laisser — à,*** zich laten meeslepen, zich laten vinden voor; ***nous allons partir,*** wij vertrekken dadelijk; ***je vais lui écrire,*** ik zal hem dadelijk schrijven; ***il allait sortir,*** hij wilde juist weggaan; ***ce chemin va s'élargissant,*** die weg wordt steeds breder; ***— et venir,*** heen en weer lopen; ***— au devant d'un désir,*** een wens voorkomen; ***au long — petit fardeau pèse,*** op de duur worden kleine pakjes zwaar; ***ne pas y — par quatre chemins,*** er geen doekjes om winden; recht op zijn doel afgaan; ***ne pas y — de main morte,*** flink aanpakken, hard toeslaan; ***il y va de sa vie,*** zijn leven staat op het spel; ***allez-y,*** ga uw gang; ***cela va sans dire,*** dat spreekt van zelf; ***va-t'en voir s'ils viennent,*** jawel, morgen brengen; ***allons!*** komaan! vooruit! ***allons donc!*** och kom! loop heen! ***ce chapeau vous va bien,*** die hoed staat u goed; ***la clef ne va pas à la serrure,*** de sleutel past niet op het slot; ***au pis —,*** in 't ergste geval; ***s'en —,*** **1** heengaan, weggaan; **2** (*v. melk*) overkoken; **3** sterven; **4** (*v. onweer*) overgaan; **II** *s., m.* **1** (het) gaan *o.*; **2** heenreis *v.(m.)*; **3** heenreisbiljet *o.*; ***billet d'— et retour,*** retourbiljet *o.*
alleu [alö] *m.* erfleen *o.*; ***franc —,*** vrij leen *o.*
alliable [alya'bl] *adj.* verenigbaar.
alliacé [alyasé] *adj.* knoflookachtig.

alliage [alya:j] *m.* **1** metaalmengsel *o.*, legering *v.*; **2** menging, vermenging *v.*; **3** (*fig.*) mengsel *o.*

alliance [alyã:s] *f.* **1** verbond *o.*; bondgenootschap *o.*; **2** verbintenis *v.*; **3** huwelijk *o.*; **4** trouwring *m.*; **5** (*fig.*) vermenging, vereniging *v.*; ***l'Arche d'—,*** de Ark des Verbonds; ***la Triple —,*** het Drievoudig Verbond.

alliciant [al(l)isyã] *adj.* verleidelijk.

allié [alyé] **I** *adj.* **1** verbonden; **2** verwant; **II** *s., m.* **1** bondgenoot *m.*; **2** verwant *m.*

allier [alyé] **I** *v.t.* **1** verbinden; **2** (*v. metalen*) vermengen, legeren; **3** (*fig.: v. eigenschappen, enz.*) paren; **II** *v.pr.*, ***s'—,*** **1** zich verbinden; **2** zich vermaagschappen; **3** (*v. kleuren, enz.*) bij elkaar passen, samengaan.

alligator [aligatò:r] *m.*, (*Dk.*) kaaiman, alligator *m.*

allitération [alitéra·syõ] *f.*, (*dicht.*) stafrijm *o.*, alliteratie *v.*

allô [alo] *ij.* hallo.

allobroge [al(l)òbrò:j] *m.* pummel *m.*

allocataire [alòkatè:r] *m.* steuntrekker *m.*

allocation [alòka·syõ] *f.* **1** (*v. bedrag*) toewijzing, toekenning *v.*; **2** toelage *v.(m.)*, uitkering *v.*; **3** (*v. post op begroting*) goedkeuring *v.*; ***— de chômage,*** (werklozen)steun *m.*; ***— familiale,*** gezinstoeslag, kinderbijslag *m.*

allocution [alòküsyõ] *f.* **1** toespraak *v.(m.)*; **2** (*v. paus in Consistorie*) allocutie *v.*

allodial [alòdyal] *adj.* allodiaal, niet-leenroerig.

allogamie [alògami] *f.* (*Pl.*) kruisbestuiving *v.*

allogène [alògè:n] *adj.* (*v. ras*) vreemd.

allonge [alõ:j] *f.* **1** verlengstuk *o.*; **2** (*v. tafel*) inlegblad *o.*; **3** vleeshaak *m.*; **4** (*aan wissel*) papierstrook *v.(m.)* (voor endossementen).

allongement [alõ·jmã] *m.* verlenging *v.*; ***chercher des —s,*** op de lange baan schuiven.

allonger [alõ·jé] **I** *v.t.* **1** verlengen; **2** (*v. saus, soep, enz.*) aanlengen; **3** (*v. arm*) uitstrekken; **4** (*v. gesprek, enz.*) rekken; **5** (*v. slag*) toebrengen; **6** (*v. geld*) afdokken; ***— le pas,*** zijn stappen verhaasten, sneller voortstappen; ***caractère allongé,*** smal lettertype *o.*; **II** *v.pr.*, ***s'—,*** **1** langer worden; **2** lengen; **3** rekken; **4** zich uitstrekken; **5** (*fam.*) languit vallen.

allopathe [alòpat] *m.* allopaat *m.*

allopathie [alòpati] *f.* allopathie *v.* (behandeling van ziekten door middelen die de ziekte rechtstreeks bestrijden).

allopathique [alòpatik] *adj.* allopathisch.

allotir [alòti:r] *v.t.* verkavelen.

allouable [alua·bl] *adj.* toekenbaar.

allouer [alué] *v.t.* **1** toekennen, toewijzen; **2** (*v. begrotingsartikel*) goedkeuren.

alluchon [alüĵõ] *m.*, (*tn.*) tand *m.* (v. tandrad).

allumage [alüma:j] *m.* **1** (het) aansteken *o.*; **2** (*v. motor*) ontsteking *v.*; ***bois m. d'—,*** aanmaakhout *o.*

allume-feu [alümfö] *m.* vuurmaker *m.*

allumer [alümé] **I** *v.t.* **1** aansteken; **2** (*v. sigaar, enz.*) opsteken; **3** (*v. hout, enz.*) in brand steken; **4** (*v. vuur*) aanmaken, aanleggen; **5** (*v. pomp*) aanzetten; **6** (*v. twist, enz.*) verwekken, aanstoken; **7** (*v. verbeelding*) prikkelen; **8** (*v. ogen*) doen fonkelen; **9** (*v. gemoederen*) ophitsen; ***être allumé,*** dronken zijn; ***un cierge allumé,*** een brandende kaars *v.(m.)*; ***un visage allumé,*** **1** een vuurrood gelaat *o.*; **2** een door wijn verhit gelaat; **II** *v.pr.*, ***s'—,*** **1** ontbranden, ontvlammen, vuur vatten; **2** ontstoken worden; **3** beginnen te fonkelen; **4** zich bedrinken.

allumette [alümèt] *f.* **1** lucifer *m.*; **2** (*vroeger*) zwavelstok *m.*

allumette*-bougie* [alümètbuji] *f.* waslucifer [*m.*

allumettier [alümètyé] *m.* lucifersfabrikant *m.*

allumeur [alümœ:r] *m.* **1** lantaarnopsteker *m.*; **2** gasaansteker *m.*; **3** (*fam.*) opjager; lokvogel *m.*

allumoir [alümwa:r] *m.* **1** sigareaansteker *m.*, vlammetje *o.*; **2** gasaansteker *m.*

allure [alü:r] *f.* **1** gang, tred, stap, loop *m.*; **2** gedrag *o.*, handelwijze *v.(m.)*; manier *v.(m.)* van doen, optreden *o.*; **3** (*v. auto*) snelheid *v.*, gang *m.*; **4** (*v. schip*) vaart *v.(m.)*; richting *v.*; ***à petite —,*** langzaam; ***à toute —,*** in volle vaart; ***de belle —,*** flink gebouwd; ***avoir des —s,*** streken hebben.

allusion [alü·zyõ] *f.* toespeling, zinspeling *v.*; ***faire — à,*** zinspelen op.

alluvial [alüvyal], **alluvien** [alüvyẽ] *adj.* aangeslibd, aangespoeld.

alluvion [alüvyõ] *f.* aanslibbing *v.*, alluvium *o.*; ***terrain d'—,*** alluviale grond *m.*

alluvionnement [alüvyònmã] *m.* slibvorming *v.*

almanach [almana] *m.* almanak *m.*; ***— royal,*** Staatsalmanak; ***faiseur d'—s,*** weerprofeet *m.*; profeet die brood eet. [*v.*

almée [almé] *f.* Oosterse danseres (*of:* zangeres)

aloès [alòè·s] *m.*, (*Pl.*) aloë *v.(m.)*.

aloi [alwa] *m.* **1** (*v. goud, zilver*) gehalte, allooi *o.*; **2** (*fig.*) slag *o.*, hoedanigheid *v.*, soort *v.(m.) en o.*; ***de bas —,*** gemeen, van geringe afkomst; ***plaisanterie de mauvais —,*** ongepaste scherts *v.(m.)*.

alopécie [alòpési] *f.* haaruitval *m.*

alors [alò:r] *adv.* **1** toen, dan; **2** dus; ***jusqu'—,*** tot die tijd, tot dat tijdstip; ***— comme —,*** wie dan leeft, die dan zorgt; ***— que,*** *conj.* terwijl, wanneer.

alose [alo:z] *f.*, (*Dk.*) elft *m.*

alosier [alo·zyé] *m.* elftnet *o.*

Alost [alòst] *m.* Aalst *o.*

Alostois [alòstwa] **I** *m.* Aalstenaar *m.*; **II** *adj.*, ***a —,*** Aalsters, uit Aalst.

alouate [aluat] *m.* brulaap *m.*

alouette [aluèt] *f.* leeuwerik *m.*; ***— huppée,*** kuifleeuwerik *m.*; ***pied d'—,*** (*Pl.*) ridderspoor *v.(m.)*; ***au chant de l'—,*** heel vroeg, bij het aanbreken van de dag, bij het ochtendkrieken; ***attendre les —s toutes rôties,*** wachten tot de duiven u gebraden in de mond vliegen.

alourdir [alurdi:r] **I** *v.t.* **1** verzwaren; **2** (*v. gang, stijl*) log maken; **3** (*v. geest, enz.*) verstompen; **4** (*v. stijl, schilderij*) overladen; **II** *v.pr.*, ***s'—,*** zwaar worden; log worden.

alourdissement [alurdismã] *m.* **1** (het) zwaar worden *o.*; **2** (het) zware, (het) logge *o.*

aloyage [alwaya:j] *m.* gehaltebepaling *v.*

aloyau [alwayo] *m.* harst *m.*, lendestuk *o.*

alpaca [alpaka], **alpaga** [alpaga] *m.* **1** (*Dk.*) alpaca, kameelgeit *v.*; **2** alpaca *o.*, stof *v.(m.)* van alpacawol.

alpage [alpa:j] *m.* alpenweide *v.(m.)*.

Alpes, *les —* [lèzalp] *f.pl.* de Alpen *mv.*; ***— maritimes,*** Zee-Alpen.

alpestre [alpèstr] *adj.* alpen—; ***site —,*** alpenlandschap *o.*; ***plantes —s,*** alpenplanten *mv.*; ***région —,*** woudgordel *m.* (op berghelling, tot 1800 m boven de zeespiegel).

alpha [alfa] *m.* **1** alfa *v.(m.)* (eerste letter van 't Griekse alfabet); **2** (*fig.*) begin *o.*; ***l'— et l'oméga,*** het begin en het einde.

alphabet [alfabè] *m.* **1** alfabet *o.*; **2** (*fig.*) eerste beginselen *mv.*; **3** klapper *m.* [alfabetisch.

alphabétique(ment) [alfabétik(mã)] *adj.* (*adv.*)

alphabétisation [alfabétisa·syõ] *f.* het alfabetiseren *o.*

Alphonse [alfõ:s] *m.* Alfons, Alphonsus *m.*

alpicole [alpikòl] *adj.* in de Alpen groeiend.

alpin [alpẽ] *adj.* van de (hoge) Alpen, alpen-; ***région —e,*** Alpengordel *m.* (boven de woudgrens van 1800 m); **II** *s., m.* soldaat van de bergregimenten, alpenjager *m.*
alpinisme [alpinizm] *m.* bergsport *v.(m.).*
alpiniste [alpinist] *m.* bergbeklimmer; alpinist, alpenbeklimmer *m.*
alpique [alpik] *adj.* de Alpen betreffend.
alpiste [alpist] *m., (Pl.)* kanariezaad *o.*
Alsace [alzas] *f.* Elzas *m.*
Alsacien [alzasyẽ] **I** *m.* Elzasser *m.*; **II** ***a—,*** Elzassisch, van (*of* uit) de Elzas.
altérabilité [altérabilité] *f.* veranderlijkheid *v.*
altérable [altérabl] *adj.* **1** veranderlijk; **2** onderhevig aan bederf (*ook*: aan oxydatie of verkleuring).
altérant [altérã] *adj.* dorstverwekkend.
altérateur [altératœ:r] *m.* vervalser *m.*
altération [altéra'syõ] *f.* **1** verandering *v.*; **2** verandering ten kwade, ontaarding *v.*; **3** verbleking *v.*; **4** bederf *o.*; **5** oxydatie *v.*: **6** (*v. stem*) verzwakking *v.*; **7** (*v. tekst, enz.*) verdraaiing, vervalsing *v.*; **8** ontroering, ontsteltenis *v.*; **9** (*muz.*) kruis of mol. [wisseling *v.*
altercation [altèrka'syõ] *f.* twist *m.*, woorden-
altérer [altéré] **I** *v.t.* **1** veranderen, wijzigen; **2** veranderen ten kwade, doen ontaarden; **3** bederven; **4** (*v. kleur*) doen verbleken; **5** (*v. ijzer*) oxyderen; **6** verzwakken; **7** (*v. tekst, enz.*) verdraaien, vervalsen; **8** (*muz.*: *v. noot*) verhogen; verlagen; **9** dorstig maken; **10** ontroeren, ontstellen; ***altéré de sang,*** bloeddorstig; **II** *v.pr.,* ***s'—,*** **1** veranderen; **2** ontaarden; **3** bederven; **4** verschieten; **5** verzwakken, minder worden; **6** dorst krijgen; **7** ontstellen.
alternance [altèrnã:s] *f.* afwisseling *v.*; ***— des cultures,*** wisselbouw *m.*
alternant [altèrnã] *adj.* afwisselend; ***cultures —es,*** wisselbouw *m.*
alternat [altèrna] *m.* afwisseling *v.*, (het) wisselen *o.* [mo *m.*
alternateur [altèrnatœ:r] *m.* wisselstroom-dyna-
alternatif [altèrnatif] *adj.* afwisselend, beurtelings; ***courant —,*** wisselstroom *m.*
alternation [altèrna'syõ] *f.* alternatie *v.*
alternative [altèrnati:v] *f.* **1** afwisseling *v.*; **2** keus *v.(m.)* (tussen twee dingen); dilemma *o.*; tweestrijd *m.* [om beurten.
alternativement [altèrnati'vmã] *adv.* beurtelings,
alterne [altèrn] *adj.* **1** (*meetk.*) verwisselend; **2** (*Pl.*) afwisselend, afwisselend geplaatst; ***culture —,*** wisselbouw *m.*
alterner [altèrné] **I** *v.i.* afwisselen; om beurten de dienst waarnemen; **II** *v.t.* (doen) afwisselen.
Altesse [altès] *f.* Hoogheid *v.*; ***— sérénissime,*** Doorluchtigheid, Doorluchtige Hoogheid *v.*
althée [alté] *f., (Pl.)* heemst *v.(m.).*
altier [altyé] *adj.,* **altièrement** [altyè:rmã] *adv.* trots, hoogmoedig.
altimètre [altimè'tr] *m.* hoogtemeter *m.*
altimétrie [altimétri] *f.* hoogtemeting *v.*
altiste [altist] *m.-f.* altviolist(e) *m.(v.).*
altitude [altitü'd] *f.* hoogte *v.* (boven zeespiegel).
alto [alto] *m.* **1** altstem *v.(m.)*; **2** altviool *v.(m.)*; **3** alttrompet *v.(m.).*
altruisme [altrüizm] *m.* altruïsme *o.*, onbaatzuchtigheid, mensenliefde *v.*
altruiste [altrüist] **I** *m.* altruïst, mensenvriend *m.*; **II** *adj.* altruïstisch, menslievend.
alude [alü'd], **alute** *f.* bezaanleer *o.*
aluminaire [alüminè:r] *adj.* aluinhoudend.
alumine [alümin] *f.* aluinaarde *v.(m.)*; ***silicate d'—,*** porseleinaarde *v.(m.).*
aluminerie [alüminri] *f.* **1** aluinfabriek *v.*; **2** aluminiumfabriek *v.*
alumineux [alüminö] *adj.* aluinaarde bevattend.
aluminium [alüminyòm] *m.* aluminium *o.*
alumnat [alòmna] *m.* noviciaat *o.*
alun [alœ̃] *m.* aluin *m.*; ***pierre d'—,*** aluinsteen *m.*
alunage [alüna:j] *m.* (het) aluinen *o.*
alunation [alüna'syõ] *f.* aluinvorming *v.*
aluner [alüné] *v.t.* aluinen, in aluinoplossing dopen of koken.
alunière [alünyè:r] *f.* aluingroeve *v.(m.).*
alunifère [alünifè:r] *adj.* aluinhoudend.
alunite [alünit] *f.* aluinsteen *m.*, aluniet *o.*
alute, *voir* ***alude.***
alvéolaire [alvéòlè:r] *adj.* **1** tot de bijecel behorend; **2** tot de tandkas behorend. [*v.(m.).*
alvéole [alvéòl] *m.* **1** bijecel *v.(m.)*; **2** tandkas
alvin [alvẽ] *adj.* de onderbuik betreffend.
amabilité [amabilité] *f.* beminnelijkheid, vriendelijkheid *v.*
amadou [amadu] *m.* zwam *v.(m.)*, tonderstof *v.(m.).*
amadouement [amaduemã] *m.* paaien *o.*, vleierij *v.*
amadouer [amadué] *v.t.* vleien; paaien.
amadoueur [amaduœ:r] *m.* **1** zwambereider *m.*; **2** vleier *m.*
amadouvier [amaduvyé] *m.* eikezwam *v.(m.).*
amaigrir [amè'gri:r] **I** *v.t.* **1** doen vermageren; **2** (*v. grond*) uitputten; **II** *v.i. et v.pr.,* ***s'—,*** mager worden, vermageren.
amaigrissant [amè'grisã] *m.* ontvettingsmiddel *o.*
amaigrissement [amè'grismã] *m.* vermagering *v.*
amalgamation [amalgama'syõ] *f.* **1** (het) amalgameren *o.*, verbinding *v.* (van metaal) met kwik; **2** (*fig.*: *v. maatschappijen, enz.*) versmelting *v.*
amalgame [amalgam] *m.* **1** amalgaam *o.*, kwiklegering *v.*; **2** (*fig.*) mengelmoes *o. en v.(m.).*
amalgamer [amalgamé] *v.t.* **1** (*v. metaal*) met kwik verbinden; **2** (*fig.*) samensmelten; **3** dooreenmengen, dooreenhaspelen.
Aman [amã] *m.* Haman *m.* [geven.
aman [amã] *m.,* ***demander l'—,*** zich gewonnen
amande [amã:d] *f.* **1** amandel *v.(m.)*; **2** kern *v.(m.)* (van vruchtsteen).
amandé [amã'dé] *m.* amandelmelk *v.(m.).*
amandier [amã'dyé] *m.* amandelboom *m.*
amanite [amanit] *f.* vliegenzwam *v.(m.).*
amant [amã] *m.* minnaar, geliefde *m.*
amarante [amarã:t] **I** *f., (Pl.)* amarant *v.(m.)*; **II** *adj.* amarantkleurig, donkerrood, fluweelachtigrood.
amarinage [amarina:j] *m., (sch.)* **1** (het) opnieuw bemannen *o.*; **2** (het) zeewaardig maken *o.*
amariner [amariné] *v.t.* **1** (*v. schip*) opnieuw bemannen; **2** zeewaardig maken; **3** (*v. bemanning*) aan de zee wennen; ***matelôt amariné,*** bevaren matroos *m.*
amarrage [amara:j] *m.* **1** (het) vastleggen, (het) meren *o.*; **2** ankerplaats, ligplaats *v.(m.).*
amarre [ama:r] *f.* meertouw, sjortouw *o.*
amarrer [ama'ré] *v.t.* vastleggen, (vast)meren.
amaryllis [amarili's] *f., (Pl.)* amaryllis *v.(m.).*
amas [ama] *m.* hoop, stapel *m.*; opeenhoping *v.*
amassement [amasmã] *m.* opstapeling *v.*
amasser [ama'sé, amasé] **I** *v.t.* ophopen, opstapelen, opeenstapelen; verzamelen; **II** *v.i.* geld verzamelen, potten; **III** *v.pr.,* ***s'—,*** zich ophopen; zich opstapelen.
amassette [ama'sèt, amasèt] *f.* tempermes *o.*
amasseur [amasœ:r] *m.* oppotter *m.*
amateur [amatœ:r] *m.* **1** liefhebber *m.*; **2** dilettant

m.; — ***d'art,*** kunstminnaar, kunstliefhebber *m.*
amateurisme [amatœ'rizm] *m.* **1** dilettantisme *o.*; **2** beunhazerij *v.*
amatir [amati:r] *v.t.*, (*v. metalen*) mat maken.
amaurose [amoro:z] *f.*, (*gen.*) zwarte staar *v.*(*m.*).
amazone [amazòn] *f.* **1** amazone *v.*; **2** damesrijkleed *o.*
ambages [ã'ba:j] *f.pl.* omhaal *m.* van woorden; ***sans* —,** onverbloemd, ronduit.
ambassade [ã'basa'd] *f.* **1** gezantschap *o.*; **2** gezantschapsgebouw *o.*; **3** gezantschapspost *m.*; **4** (*fam.*) boodschap, zending *v.*
ambassadeur [ã'basadœ:r] *m.* **1** gezant *m.*; **2** boodschapper *m.*
ambassadrice [ã'basadris] *f.* **1** vrouw *v.* van een gezant; **2** gezante *v.*; **3** boodschapster *v.*
ambiance [ã'byã:s] *f.* omgeving *v.*
ambiant [ã'byã] *adj.* omgevend, omringend; ***influence* —*e*,** invloed *m.* van de omgeving.
ambidextre [ã'bidèkstr] *adj.* even vaardig met beide handen.
ambigu, —ë [ã'bigü] *adj.* **1** dubbelzinnig; **2** (*v. karakter, enz.*) halfslachtig; **II** *s., m.* **1** tussenvorm *m.*; **2** tragi-komisch toneelstuk *o.*; **3** koud avondmaal *o.*
ambigüité [ã'bigwité] *f.* dubbelzinnigheid *v.*
ambitieux [ã'bisyö] *adj.*, **ambitieusement** [ã'bisyö'zmã] *adv.* **1** eerzuchtig; heerszuchtig; **2** (*v. stijl, enz.*) hoogdravend, gezwollen.
ambition [ã'bisyõ] *f.* **1** eerzucht *v.*(*m.*); heerszucht *v.*(*m.*); **2** streven *o.*, ijver *m.*
ambitionner [ã'bisyòné] *v.t.* streven naar, najagen, vurig verlangen naar.
amble [ã:bl] *m.*, (*v. paard*) telgang, pasgang *m.*
ambleur [ã'blœ:r] *m.* telganger *m.*
Amblève [ã'blè'v] Amel *o.*
amblyopie [ã'bliòpi] *f.*, (*gen.*) gezichtsverzwakking, gezichtszwakte *v.*
Amboine [ã'bwan] *f.* Ambon *o.*; ***d'*—,** Ambonees.
ambon [ã'bõ] *m.*, (*kath.*) ambon *m.* (kleine kansel, in steen).
ambre [ã:br] *m.* amber *m.*; — ***gris,*** grijze amber; — ***jaune,*** barnsteen *o.*; — ***solaire,*** zonnebrandolie *v.*(*m.*).
ambré [ã'bré] *adj.* **1** barnsteenkleurig; **2** naar amber riekend; ***parfum* —,** ambergeur *m.*
ambrer [ã'bré] *v.t.* met amber doortrekken, een ambergeur geven aan.
Ambroise [ã'brwa:z] *m.* Ambrosius *m.*
ambroisie [ã'brwazi] *f.* ambrozijn *o.*, godenspijs *v.*(*m.*).
ambrosien [ã'bròsyẽ] *adj.* Ambrosiaans.
ambulance [ã'bülã:s] *f.* **1** veldhospitaal *o.*; **2** ziekenwagen *m.*
ambulancier [ã'bülã'syé] *m.*, **ambulancière** [ã'bülã'syè:r] *f.* verpleger *m.*, verpleegster *v.*
ambulant [ã'bülã] *adj.* **1** rondreizend, rondtrekkend; **2** zwervend, omzwervend; ***marchand* —,** marskramer, straatventer *m.*; ***bibliothèque* —*e*,** leesbibliotheek *v.*
ambulatoire [ã'bülatwa:r] *adj.* veranderlijk; verplaatsbaar; rondreizend; ***manie* —,** zwerfzucht *v.*(*m.*).
âme [ɑ:m] *f.* **1** ziel *v.*(*m.*); **2** geest *m.*; **3** (*v. trap*) spil *v.*(*m.*); **4** (*v. viool*) stapel *m.*; **5** (*v. kanon*) ziel *v.*(*m.*); ***rendre l'*—,** de geest geven, de laatste adem uitblazen; ***grandeur d'*—,** grootmoedigheid *v.*; ***il n'y avait* — *qui vive*,** er was geen levende ziel; ***ouvrir son* —,** zijn hart uitstorten; ***sans* —,** gevoelloos.
Amélie [améli] *f.* Amalia *v.*
améliorable [amélyòrabl] *adj.* vatbaar voor verbetering.
améliorant [amélyòrã], **améliorateur** [amélyòratœ:r] *adj.* verbeterend.
amélioration [amélyòrɑ'syõ] *f.* verbetering *v.*
améliorer [amélyòré] **I** *v.t.* **1** verbeteren; **2** veredelen; **3** (*v. grond*) vruchtbaar maken; **II** *v.pr.*, ***s'*—,** beter worden.
amen [amèn] *ij.* amen, het zij zo; ***dire* — *à tout*,** op alles ja en amen zeggen.
amenage [amena:j] *m.* goederenvervoer *o.*; ***frais d'*—,** transportkosten *mv.*
aménagement [aménajmã] *m.* inrichting *v.*
aménager [aménajé] *v.t.* inrichten.
amendable [amã'da'bl] *adj.* verbeterbaar, voor verbetering vatbaar.
amende [amã:d] *f.* boete *v.*(*m.*); (***prière d'***) — ***honorable,*** gebed *o.* tot eerherstel; ***faire* — *honorable*,** **1** openlijk zijn schuld belijden; **2** (*fig.*) vergiffenis vragen; ***être mis à l'*—,** beboet worden.
amendement [amã'dmã] *m.* **1** (*v. grond*) verbetering *v.*; **2** (*v. wetsontwerp*) amendement *o.*, wijziging *v.*
amender [amã'dé] **I** *v.t.* **1** verbeteren; **2** (*v. wetsontwerp*) amenderen, wijzigen; **3** (*v. oordeel*) wijzigen; **II** *v.pr.*, ***s'*—,** zich beteren.
amène [amè'n] *adj.* vriendelijk, innemend, liefelijk.
amenée [amné] *f.* **1** (*v. water, enz.*) toevoer *m.*; **2** waterleiding *v.*; **3** (*v. vlag*) (het) strijken *o.*
amener [amné] *v.t.* **1** aanbrengen, meebrengen; **2** aanvoeren, toevoeren; **3** veroorzaken, met zich brengen, teweegbrengen; **4** (*v. nummer*) trekken; **5** (*v. vis*) ophalen; **6** (*v. zeil, vlag*) strijken; ***mandat d'*—,** bevel *o.* tot aanhouding en voorleiding; — ***la conversation sur,*** het gesprek brengen op; — ***à son opinion,*** tot zijn mening overhalen; — ***pavillon,*** zich overgeven.
aménité [aménité] *f.* **1** (*v. persoon*) vriendelijkheid, lieftalligheid, innemendheid *v.*; **2** (*v. zaken*) zachtheid, liefelijkheid *v.*
amenuiser [amnwizé] *v.t.* **1** dunner maken; **2** afschaven.
amer [amè:r] **I** *adj.* **1** bitter; **2** (*fig.*) bitter, scherp, smartelijk; ***l'onde amère,*** het zilte nat; — ***à la bouche, doux au cœur,*** bitter in de mond maakt het hart gezond; **II** *m.* **1** gal *v.*(*m.*); **2** bitter *o. en m.*
amèrement [amè'rmã] *adv.* bitter.
américain [amérikẽ] **I** *adj.* Amerikaans; ***avoir l'œil* —,** een fijne neus hebben, een goede kijk op zaken hebben; **II** *s., m.*, ***A*—,** **1** Amerikaan *m.*; **2** (*fig.*) kwartjesvinder *m.*
américaniser [amérikanizé] *v.t.* Amerikaans maken.
américanisme [amérikanizm] *m.* **1** studie *v* van al wat betrekking heeft op Amerika; **2** eigenaardige uitdrukking of woord van Amerikanen.
Amérique [amérik] *f.* Amerika *o.*
amerrir [améri:r] *v.i.*, (*v. vliegtuig*) op zee dalen, neerstrijken.
amerrissage [amérisa:j] *m.*, (*v. vliegtuig*) daling *v.* op zee.
amertume [amèrtüm] *f.* **1** bitterheid *v.*; bittere smaak *m.*; **2** (*fig.*) bitterheid; verbittering *v.*; **3** hartzeer, zielsverdriet *o.*; **4** (*in woorden*) gal *v.*(*m.*).
améthyste [amétist] *f.* amethist *o. en m.*
amétropie [amétròpi] *f.* gezichtsafwijking *v.*
ameublement [amœblemã] *m.* **1** meubelen *mv.*, ameublement *o.*; **2** stoffering, meubilering *v.*
ameublir [amœbli:r] *v.t.* **1** (*v. grond*) losser maken, omspitten; **2** (*recht*) in roerende goederen veranderen.
ameublissement [amœblismã] *m.* **1** (het) losser maken, (het) omwerken, (het) omspitten *o.*; **2** verandering *v.* in roerend goed.

ameutement [amö'tmã] *m.* **1** (*v. jachthonden*) koppeling *v.*, (het) samenkoppelen *o.*; **2** (*fig.*) (het) ophitsen, (het) opruien *o.*, opruiing *v.*
ameuter [amö'té] **I** *v.t.* **1** koppelen; **2** ophitsen, opruien, doen samenscholen; **II** *v.pr.*, **s'—,** samenscholen, samenrotten.
ami [ami] **I** *m.*, **amie** *f.* **1** vriend *m.*, vriendin *v.*; **2** minnaar *m.*, minnares *v.*; **3** (*v. kunst, enz.*) liefhebber *m.*; **4** voorstander, aanhanger *m.*; ***— de collège,*** schoolmakker *m.*; ***— de cœur,*** boezemvriend *m.*; ***chambre d'—s,*** logeerkamer *v.*(*m.*); ***mon bon —,*** vriendje, kereltje *o.*; **II** *adj.* **1** bevriend; **2** vriendschappelijk; **3** vriendelijk; **4** (*v. wind*) gunstig.
amiable(ment) [amyabl(mã)] *adj.* (*adv.*) vriendelijk; vriendschappelijk; ***à l'—,*** in der minne; ***vente à l—,*** onderhandse verkoop *m.*
amiante [amyã:t] *m.* (wit) asbest, steenvlas *o.*
amibe [amib] *f.* amoebe *v.*(*m.*).
amical(ement) [amikal(mã)] *adj.* (*adv.*) vriendschappelijk.
amicale [amika:l] *f.* vereniging *v.* (van oud-leerlingen, onderwijzers, enz.).
amict [ami] *m.* amict *m.*, humeraal *v.*, schouderdoek *m.*
amidon [amidõ] *m.* **1** stijfsel *m. en o.*; **2** zetmeel *o.*
amidonnage [amidòna:j] *m.* (het) stijven *o.*
amidonner [amidòné] *v.t.* stijven.
amidonnerie [amidònri] *f.* stijfselfabriek *v.*
amidonnier [amidònyé] *m.* stijfselfabrikant *m.*
Amiénois [amyénwa] *m.* inwoner *m.* van Amiens.
Amilcar [amilka:r] *m.* Hamilcar *m.*
amincir [amẽ'si:r] **I** *v.t.* **1** dunner maken; **2** afschaven; **II** ***s'—,*** dunner worden; spits toelopen.
amincissement [amẽ'sismã] *m.* **1** verdunning *v.*; **2** (het) dunner maken *o.*
aminé [aminé] *adj.*, ***acides —s,*** aminozuren *mv.*
aminoplaste [aminòplast] *m.* kunsthars *o. en m.*
amiral [amiral] **I** *m.* **1** admiraal, vlootvoogd *m.*; **2** admiraalsschip *o.*; **II** *adj.* admiraals—; ***vaisseau —,*** admiraalsschip *o.*
amiralat [amirala] *m.* admiraalschap *o.*, admiraalsrang *m.*
amirauté [amiroté] *f.* admiraliteit *v.*
amission [amisyõ] *f.* verlies *o.*
amitié [amityé] *f.* **1** vriendschap *v.*; **2** genegenheid *v.*; **3** goede verstandhouding *v.*; ***faites-moi l'—,*** doe mij het genoegen; ***prendre en —,*** vriendschap opvatten voor; ***mes —s chez vous,*** de complimenten thuis.
ammodyte [amòdit] *m.* smelt *v.*(*m.*).
ammoniac, ammoniaque [amònyak] *adj.* ammoniak—; ***sel —,*** ammoniakzout *o.*, salmiak *m.*
ammoniacal [amònyakal] *adj.* ammoniakhoudend.
ammoniaque [amònyak] *f.* ammoniak *m.*
ammophile [amòfil] *f.* sluipwesp *v.*(*m.*).
amnésie [amnézi] *f.* verlies *o.* van het geheugen.
amnésique [amnézik] **I** *adj.* lijdend aan geheugenverlies; **II** *m.-v.* lijder(es) *m.-v.* aan geheugenverlies.
amnistie [amnisti] *f.*, (*recht*) amnestie, kwijtschelding *v.* van straf.
amnistié [amnistyé] *m.* begenadigde *m.*
amnistier [amnistyé] *v.t.* amnestie verlenen aan.
amocher [amòʃé] *v.t.*, (*pop.*) toetakelen.
amodiataire [amòdyatè:r] *m.* pachter *m.* (v. land).
amodiateur [amòdyatœ:r] *m.* verpachter *m.*
amodiation [amòdya'syõ] *f.* verpachting *v.*
amodier [amòdyé] *v.t.* verpachten.
amoindrir [amwẽ'dri:r] **I** *v.t.* verminderen, verkleinen; **II** *v.pr.*, **s'—,** verminderen, afnemen.
amoindrissement [amwẽ'drismã] *m.* vermindering *v.*
amollir [amòli:r] *v.t.* **1** zacht maken, week maken; **2** verzachten; **3** verzwakken, ontzenuwen.
amollissant [amòlisã] *adj.* **1** verzachtend; **2** verslappend.
amollissement [amòlismã] *m.* **1** (het) week worden, (het) zacht worden *o.*; **2** weekheid, zachtheid *v.*; **3** verslapping, verzwakking *v.*
amonceler* [amõ'slé] *v.t.* opeenhopen, opeenstapelen, opstapelen.
amoncellement [amõ'sèlmã] *m.* ophoping, opeenstapeling *v.*
amont [amõ] *m.* stroomopwaarts gelegen plaats *v.*(*m.*); ***en —,*** stroomopwaarts; ***en — de,*** gelegen boven; ***le pays d'—,*** het hoger gelegen land; ***vent d'—,*** landwind *m.* (aan zee).
amoral [amòral] *adj.* amoreel, zonder zedelijkheidsgevoel, die geen zedelijke wetten erkent.
amorçage [amòrsa:j] *m.* (het) aanlokken *o.*
amorce [amòrs] *f.* **1** aas, lokaas *o.*; **2** (*fig.*) lokmiddel *o.*, verlokking, verleiding *v.*; **3** (*v. vuurwapen*) slaghoedje *o.*; pankruit *o.*; **4** (*speelgoed*) klapper *m.*; **5** lont *v.*(*m.*); **6** begin, uitgangspunt *o.*; ***sans brûler une —,*** zonder een schot te lossen; ***se laisser prendre à l'—,*** voor de verleiding bezwijken.
amorcer [amòrsé] *v.t.* **1** van lokaas voorzien; **2** lokken, aanlokken, verleiden; **3** van een slaghoedje (*of* van pankruit) voorzien; **4** (*v. besprekingen*) aanvangen; aanknopen; **5** (*v. straat*) gedeeltelijk (*of* het begin) aanleggen; **6** aan de gang brengen; **7** (*v. zaak*) voorbereiden; ***— une pompe,*** een pomp bewateren.
amorçoir [amòrswa:r] *m.* spitsboor *v.*(*m.*).
amorphe [amòrf] *adj.* vormloos, niet gekristalliseerd.
amorphie [amòrfi] *f.* vormloosheid *v.*
amorti [amòrti] *adj.* verzwakt.
amortir [amòrti:r] **I** *v.t.* **1** (*v. schuld*) aflossen, delgen; **2** (*v. kapitaal*) afschrijven; **3** (*v. licht, kleur*) temperen; **4** (*v. geluid*) dempen; **5** (*v. snelheid*) matigen, verminderen; **6** (*v. val*) breken; **7** (*v. kalk*) blussen; **8** (*v. vlees*) murw koken; **9** (*fig.: v. smart, enz.*) stillen; **10** (*v. hartstocht*) uitblussen, uitdoven; **II** *v.pr.*, **s'—, 1** verflauwen, bedaren; **2** gedempt worden; **3** (*v. lijfrente*) vervallen.
amortissable [amòrtisabl] *adj.* aflosbaar.
amortissement [amòrtismã] *m.* **1** aflossing, delging *v.*; **2** afschrijving *v.*; **3** tempering *v.*; **4** demping *v.*; **5** matiging, vermindering, *v.*; **6** (*v. schok*) (het) breken *o.*; **7** blussing *v.*; **8** verdoving *v.*; **9** (*v. wil*) verzwakking *v.*; **10** (*bouwk.*) sluitstuk *o.*
amortisseur [amòrtisœ:r] *m.* schokbreker *m.*
Amougies [amu'ji] Amengijs *o.*
amour [amu:r] *m.* **1** liefde *v.*; **2** lieveling *m.*, geliefde *m.-v.*; **3** schatje, snoesje *o.*; ***pour l'— de Dieu,*** belangeloos, voor niets, om de liefde Gods; ***pour l'— de vous,*** om uwentwil; ***— de la gloire,*** roemzucht *v.*(*m.*); ***— de la patrie,*** vaderlandsliefde *v.*; ***avec —,*** **1** ijverig; **2** gevoelvol; ***A—,*** **1** liefdegod, Amor *m.*; **2** Amoer (rivier) *v.*
amouracher [amuraʃé] **I** *v.t.* verliefd maken, het hoofd op hol brengen; **II** *v.pr.*, ***s'— (de),*** verliefd worden (op).
amourette [amurèt] *f.* minnarij, voorbijgaande liefde *v.*; ***— des prés,*** trilgras *o.*; ***—s,*** merg *o.* (v. schaap, kalf).
amoureusement [amurö'zmã] *adv.* **1** liefdevol, teder; **2** (*kunst*) met zekere voorliefde.
amoureux [amurö] **I** *adj.* **1** verliefd; **2** gesteld (op), verzot (op); ingenomen (met); **3** liefdevol,

teder; 4 (*v. penseel*) mollig; **— *fou,*** smoorlijk verliefd; ***regard* —,** liefdevolle blik *m.*; **— *de vérité,*** waarheidslievend; **II** *s., m.* **1** minnaar, vrijer *m.*; **2** geliefde *m.*; **3** (*fig.*) liefhebber, beminnaar *m.*

amour*-propre* [amurpròpr] *m.* eigenliefde *v.*

amovibilité [amòvibilité] *f.,* (*v. ambtenaar*) afzetbaarheid *v.*

amovible [amòvi'bl] *adj.* afzetbaar; ***subvention* —,** toelage *v.(m.)* die kan worden ingetrokken.

ampérage [ã'péra:j] *m.* stroomsterkte *v.*

ampère [ã'pè:r] *m.* ampère *m.*

ampèremètre [ã'pè'rmè'tr] *m.* stroomsterktemeter *m.*

amphibie [ã'fibi] **I** *adj.* amfibisch, tweeslachtig; **II** *s., m.* amfibie *m.,* tweeslachtig dier *o.*

amphibiens [ã'fibyẽ] *m.pl.,* (*Dk.*) kikvorsachtigen *mv.*

amphibologie [ã'fibòlòji] *f.* dubbelzinnigheid *v.*

amphibologique [ã'fibòlòjik] *adj.* dubbelzinnig.

amphigouri [ã'figuri] *m.* **1** raadselachtige taal, wartaal *v.(m.)*; **2** gezochtheid *v.*

amphigourique [ã'figurik] *adj.* raadselachtig, verward.

amphiptère [ã'fiptè:r] *m.,* (*wap.*) gevleugelde draak *m.*

amphithéâtre [ã'fitéɑ:tr] *m.* **1** amfitheater *o.*; **2** collegezaal *v.(m.)*; ***en* —,** amfitheatersgewijs.

amphitryon [ã'fitriõ] *m.* gastheer *m.*

amphore [ã'fò:r] *f.* vaas (met twee oren), amfora *v.(m.).*

ample [ã:pl] *adj.* **1** wijd, ruim, breed; **2** (*v. oogst, enz.*) overvloedig, rijk; **3** (*v. onderzoek*) zorgvuldig; **4** (*v. verhaal*) omstandig; ***un plus* — *informé,*** (*recht*) een nader onderzoek.

amplement [ã:plemã] *adv.* ruimschoots; uitvoerig, breedvoerig.

ampleur [ã'plœ:r] *f.* **1** wijdte; breedte *v.*; **2** omvang *m.*; breedvoerigheid *v.*; **3** overvloed *m.*; ***prendre de l'*—,** toenemen, zich uitbreiden.

ampli [ã:pli] *m.* geluidversterker *m.*

ampliatif [ã'pliatif] *adj.* aanvullend.

ampliation [ã'pliɑ'syõ] *f.* **1** verwijding, verbreding *v.*; **2** (*v. de borstkas*) uitzetting *v.*; **3** (*v. akte*) afschrift, duplicaat *o.*; ***pour* —,** voor gelijkluidend afschrift.

amplifiant [ã'plifyã] *adj.* vergrotend.

amplificateur [ã'plifikatœ:r] *m.* **1** geluidsversterker; **2** vergrotingsapparaat *o.*; **3** woordenkramer, zwetser *m.*

amplification [ã'plifikɑ'syõ] *f.* **1** (*met kijker, enz.*) vergroting *v.*; **2** uitbreiding *v.*; **3** (*v. tekst*) uitvoerige behandeling, uiteenzetting *v.*; **4** (*op school*) opstel *o.*; **5** (*ong.*) woordenkramerij *v.,* omhaal *m.* van woorden.

amplifier [ã'plifyé] *v.t.* **1** vergroten; **2** uitbreiden; **3** uitvoerig behandelen, verklaren; **4** (*v. onderwerp*) ontwikkelen; **5** uitweiden over; overdrijven.

amplitude [ã'plitü'd] *f.* **1** omvang *m.,* wijdte *v.*; **2** (*nat.*) slingerwijdte, amplitudo *v.*

ampoule [ã'pul] *f.* **1** bol (wijdbuikig) flesje *o.*; **2** (*v. el. licht*) peer *v.(m.)*; **3** blaar *v.(m.),* blaasje *o.*; **4** (*gen.*) ampul *v.(m.).*

ampoulé [ã'pulé] *adj.,* (*v. stijl*) hoogdravend, gezwollen.

amputation [ã'pütɑ'syõ] *f.* **1** (*v. lichaamsdeel*) afzetting *v.,* (het) afzetten *o.*; **2** (*fig.*: *v. tekst*) verminking *v.*

amputé [ã'püté] *m.* verminkte *m.*

amputer [ã'püté] *v.t.* afzetten.

amuïr [amwi:r] *v.i.,* (*gram.*) wegvallen.

amulette [amülèt] *f.* amulet *v.(m.).*

amunitionner [amünisyòné] *v.t.* van ammunitie (*of* van krijgsbehoeften) voorzien.

amure [amü:r] *f.,* (*v. zeil*) hals *m.*

amusant [amü'zã] *adj.* vermakelijk, prettig.

amusement [amü'zmã] *m.* **1** tijdverdrijf *o.*; **2** afleiding *v.*; **3** vermaak *o.*; **4** oponthoud, tijdverlies *o.*

amuser [amü'zé] **I** *v.t.* **1** vermaken; **2** afleiden, afleiding geven aan; **3** bezighouden, ophouden; **— *par des promesses,*** met beloften paaien; **II** *v.pr.,* ***s'*— (*à*),** **1** zijn tijd verliezen (met), zijn tijd verbeuzelen (met); **2** zich vermaken (met), behagen scheppen (in); ***s'— de,*** **1** (*v. persoon*) spotten met, voor de gek houden; **2** (*v. zaak*) schik hebben in, pret hebben in.

amusette [amü'zèt] *f.* **1** spelletje *o.*; **2** tijdverdrijf *o.*

amuseur [amü'zœ:r] *m.* **1** die anderen vermaakt *m.*; **2** zwetser *m.*

amygdale [amigdal] *f.,* (*gen.*) amandel *v.(m.).*

amygdalite [amigdalit] *f.,* (*gen.*) amandelontsteking *v.*

amylacé [amilasé] *adj.* stijfselachtig, zetmeelachtig.

amyle [amil] *m.* zetmeel *o.*

an [ã] *m.* jaar *o.*; ***les* —*s,*** de ouderdom *m.*; ***le jour de l'*—,** nieuwjaarsdag *m.*; ***l'— de grâce*** het jaar Onzes Heren; ***bon* — *mal* —,** gemiddeld ('s jaars), door elkaar; ***je m'en moque comme de l'— quarante,*** daar maal ik wat om, ik geef er geen zier om.

ana [ana] *m.* anekdotenverzameling *v.*

anabaptisme [anabatizm] *m.* leer *v.(m.)* van de wederdopers.

anabaptiste [anabatist] *m.* wederdoper *m.*

Anabase [anaba:z] *f.* Anabasis *v.*

anachorète [anakòrè:t] *m.* kluizenaar *m.*

anachronique [anakrònik] *adj.* anachronistisch

anachronisme [anakrònizm] *m.* **1** anachronisme *o.,* verwarring *v.* in de tijdrekening; **2** ouderwetse uitdrukking *v.*

anacréontique [anakréõ'tik] *adj.* licht, bevallig

anaérobie [anaéròbi] *adj.,* (*Pl.*) zonder lucht levend.

anaglyphe [anaglif], **anaglypte** [anaglipt] *m.* stereoscopische foto of projectie in twee complementaire kleuren.

anagramme [anagram] *f.* anagram, wisselwoord *o.,* letterkeer *m.*

anal [anal] *adj.* anaal, de anus betreffend.

analectes [analèkt] *m.pl.* bloemlezing *v.*

analepsie [analèpsi] *f.* herstel *o.* van krachten.

analeptique [analèptik] **I** *adj.* versterkend; **II** *s., m.* versterkend middel *o.*

analg(és)ie [analj(éz)i] *f.,* (*gen.*) ongevoeligheid *v.*

analg(és)ique [analj(èz)ik] *adj.* ongevoelig (voor pijn).

analogie [analòji] *f.* overeenkomst *v.*

analogique [analòjik] *adj.* analogisch; op overeenkomst gegrond.

analogiquement [analòjikmã] *adv.* volgens de wetten van de overeenkomst.

analogue [analò'g] *adj.* overeenkomstig, gelijkvormig, soortgelijk.

analphabète [analfabèt] *m.* analfabeet *m.*

analysable [anali'za'bl] *adj.* ontleedbaar.

analyse [anali:z] *f.* **1** ontleding; ontbinding *v.*; **2** zinsontleding *v.*; **3** kort overzicht, uittreksel *o.*; ***par voie d'*—,** langs analytische weg; ***en dernière* —,** ten slotte.

analyser [anali'zé] *v.t.* **1** ontleden; ontbinden; **2** een uittreksel maken van.

analyseur [analizœ:r] *m.* ontleder *m.*; dubbelbrekend prisma *o.*

analyste [analist] *m.* **1** wiskundig analyticus *m.*; **2** scheikundige *m.* van de praktijk.

analytique [analitik] *adj.* ontledend, analytisch; ***compte rendu* —,** beknopt verslag *o.* (v. de

Kamerzittingen); ***table* —,** verklarende inhoudsopgave *v.(m.)*.
ananas [anana] *m.* ananas *m. en v.*
anapeste [anapèst] *m.* anapest, versvoet *m.* van twee korte en één lange lettergreep.
anaphore [anafò:r] *f.* nadrukkelijke herhaling *v.*
anaphylaxie [anafilaksi] *f.* anafilaxie *v.*, toeneming *v.* van vatbaarheid voor besmetting.
anarchie [anarʃi] *f.* **1** regeringloosheid *v.*; **2** (*fig.*) bandeloosheid, tuchteloosheid *v.*; wanorde *v.(m.)*.
anarchique(ment) [anarʃik(mã)] *adj.* (*adv.*) **1** regeringloos, wetteloos; anarchistisch; **2** bandeloos, tuchteloos; wanordelijk. [anarchisten.
anarchisme [anarʃizm] *m.* leer *v.(m.)* van de
anarchiste [anarʃist] **I** *m.* anarchist, voorstander *m.* van regeringloosheid; **II** *adj.* anarchistisch.
Anastase [anasta:z] *m.* Anastasius *m.*
anastatique [anastati'k] *adj.*, (*drukk.*) ***impression* —,** anastatische druk *m.*
anastigmate [anastigmat], **anastigmatique** [anastigmatik] *adj.* anastigmatisch.
anastomose [anastòmo:z] *f.*, (*gen.*) **1** het in elkaar uitmonden van bloedvaten; **2** het samenkomen van twee zenuwen.
anastrophe [anastròf] *f.* woordomzetting *v.*
anathématiser [anatématizé] *v.t.* **1** in de (kerkelijke) ban doen; **2** (*fig.*) veroordelen.
anathème [anatè:m] **I** *m.* **1** banvloek; kerkban *m.*; **2** (*fig.*) veroordeling *v.*, vloek *m.*; ***lancer l'— contre,*** de banvloek uitspreken tegen; **II** *adj.* **1** kerkelijk veroordeeld; **2** gevloekt.
anatidés [anatidé] *m.pl.* zwemvogels *m.*
anatomie [anatòmi] *f.* **1** ontleedkunde, anatomie *v.*; **2** (*fig.*) ontlading *v.*, nauwkeurig onderzoek *o.*
anatomique(ment) [anatòmik(mã)] *adj.*, (*adv.*) ontleedkundig, anatomisch.
anatomiser [anatòmizé] *v.t.* ontleden.
anatomiste [anatòmist] *m.* ontleedkundige *m.*
anatoxine [anatòksin] *f.* tegengif *o.*
ancestral [ã'sèstral] *adj.* voorouderlijk, van de voorouders.
ancêtre [ã'sè:tr] *m.* voorvader, voorzaat *m.*; ***—s,*** voorouders *mv.*
anche [ã:ʃ] *f.* **1** (*v. muziekinstrument*) tong *v.(m.)*; **2** mondstuk *o.*
anchois [ã'ʃwa] *m.* ansjovis *m.*
ancien [ã'ʃyẽ] **I** *adj.* **1** oud; **2** vroeger, gewezen, voormalig; ex—; ***l'— Testament,*** het Oude Testament; ***l'— empereur,*** de gewezen keizer, de exkeizer *m.*; ***—ne maison Laurent,*** voorheen (*of* vroeger) Laurent; **II** *s., m.* **1** oude *m.*; **2** grijsaard *m.*; **3** ouderling *m.*; ***les —s,*** **1** de Ouden, de oude volken; **2** de oude klassieke schrijvers.
anciennement [ã'ʃyènmã] *adv.* oudtijds, eertijds.
ancienneté [ã'ʃyènté] *f.* **1** oudheid *v.*; **2** ouderwetsheid *v.*; **3** anciënniteit *v.*, voorrang *m.* naar dienstjaren; ***avancement par* (*rang d'*) —,** bevordering naar het aantal dienstjaren.
ancillaire [ã'silè:r] *adj.* van (*of* met) dienstboden.
ancolie [ã'kòli] *f.*, (*Pl.*) akelei *v.(m.)*.
Ancône [ã'ko:n] *f.* Ancona *o.*
ancrage [ã'kra:j] *m.* **1** (het) ankeren *o.*; **2** ankerplaats *v.(m.)*.
ancre [ã'kr] *f.* anker *o.*; ***jeter l'—,*** **1** het anker laten vallen, het anker uitwerpen; **2** (*fig.*) zich vestigen; ***être à l'—,*** voor anker liggen; ***maîtresse —,*** plechtanker *o.*
ancrer [ã'kré] **I** *v.t.* **1** ankeren, met een anker vastmaken; **2** (*fig.*) vastmaken, bevestigen; ***ancré dans,*** vastgeroest in; diep geworteld in; **II** *v.i.* ankeren; **III** *v.pr.*, ***s'—,*** **1** voor anker gaan; **2** (*fig.*) diepe wortels schieten; **3** zich vastklampen aan.
ancrure [ã'krü:r] *f.*, (*tn.*) muuranker *o.*
andain [ã'dẽ] *m.* zwade *v.(m.)*.
Andalou [ã'dalu] **I** *m.* Andalusiër *m.*; **II** *adj.*, ***a—,*** Andalusisch.
andante [ã'dã:t], **andanté** [ã'dã'té] **I** *adv.*, (*muz.*) matig, langzaam, andante; **II** *s., m.*, (*muz.*) andante *o.*
andorran [ã'dòrã] *adj.* van Andorra.
andouille [ã'du'y] *f.* **1** worst *v.(m.)*; **2** sukkel, stommerik *m.*; ***— de tabac,*** rol *v.(m.)* tabak.
andouiller [ã'duyé] *m.* zijtak *m.* van gewei.
andouillette [ã'duyèt] *f.* saucijsje; kalfsworstje *o.*
André [ã'dré] *m.* Andries, Andreas *m.*
Andrinople [ã'drinòpl] *m.* **1** Adrianopel *o.*; **2** ***a—,*** rood katoen *o.* [*mv.*
androcée [ã'dròsé] *m.*, (*Pl.*) manlijke bloemorganen
androgyne [ã'dròjin] *adj.*, (*Pl.*) tweeslachtig.
âne [ɑ'n] *m.* **1** ezel *m.*; **2** domoor, stommerik *m.*; ***— rayé,*** zebra *m.*; ***le pont aux —s,*** de ezelsbrug *v.(m.)*; ***brider l'— par la queue,*** het paard achter de wagen spannen; ***c'est l'— du moulin,*** **1** hij is de zondebok; **2** hij moet het meeste werk verrichten; ***méchant comme un — rouge,*** zeer boosaardig; ***être comme l'— de Buridan,*** niet weten hoe te beslissen, weifelen; ***dos d'—,*** uitholling *v.* overdwars.
anéantir [anéã'ti:r] **I** *v.t.* **1** vernietigen; uitroeien; **2** (*fig.*) hevig doen ontstellen, verpletteren; **3** uitputten; **II** *v.pr.*, ***s'—,*** **1** teniet gaan; vergaan; **2** vernietigd worden; **3** ***s'— devant,*** zich vernederen, zich in het stof buigen voor.
anéantissement [anéã'tismã] *m.* **1** vernietiging *v.*, verdelging *v.*; **2** neerslachtigheid *v.*; **3** (*v. krachten*) verval *o.*; **4** diepe verootmoediging *v.*
anecdote [anègdòt] *f.* anekdote *v.(m.)*.
anecdotier [anègdòtyé] *m.* verteller of verzamelaar *m.* van anekdoten.
anecdotique [anègdòtik] *adj.* anekdotisch.
ânée [ɑ'né] *f.* ezelsvracht *v.(m.)*.
anémie [anémi] *f.* bloedarmoede *v.(m.)*.
anémier [anémyé] *v.t.* bloedarm maken, verzwakken, verslappen.
anémique [anémik] *adj.* bloedarm, aan bloedarmoede lijdend.
anémomètre [anémòmè'tr] *m.* windmeter *m.*
anémone [anémòn] *f.* anemoon *v.(m.)*.
anémoscope [anémòskòp] *m.* windwijzer *m.*
ânerie [ɑ'nri] *f.* ezelachtigheid *v.*; domheid, stommiteit *v.*
anéroïde [anéròi'd] *adj.*, ***baromètre —,*** metaalbarometer *m.*
ânesse [ɑ'nès] *f.* ezelin *v.* [*v.*
anesthésie [anèstézi] *f.* gevoelloosheid, verdoving
anesthésier [anèstézyé] *v.t.* gevoelloos maken, verdoven.
anesthésique [anèstézik] **I** *adj.* verdovend, pijnstillend; **II** *s., m.* pijnstillend middel *v.*
anesthésist [anèstézist] *m.* narcotiseur *m.*
aneth [anèt] *m.*, (*Pl.*) dille *v.(m.)*.
anévrisme [anévrizm] *m.* slagadergezwel *o.*; ***rupture d'—,*** slagaderbreuk *v.(m.)*.
anfractueux [ã'fraktẅö] *adj.* kronkelend, bochtig.
anfractuosité [ã'fraktẅozité] *f.* **1** oneffenheid *v.*; **2** kronkeling *v.*
ange [ã:j] *m.* engel *m.*; ***— gardien,*** engelbewaarder, beschermengel *m.*; ***le Pain des —s,*** (*kath.*) de Spijs *v.(m.)* van de engelen, de H. Hostie *v.*; ***être aux —s,*** in de zevende hemel zijn, dolblij zijn, overgelukkig zijn; ***comme un —,*** zeer mooi, volmaakt.
angélique(ment) [ã'jélik(mã)] **I** *adj.* (*adv.*) engelachtig; **II** *s., f.*, (*Pl.*) engelwortel *m.*, engelkruid *o.*

angelot [ã'jlo] *m.* **1** (*Dk.*) zeeëngel *m.*; **2** Normandisch kaasje *o.* [*v.*(*m.*).
angélus [ã'jélüs] *m.* **1** angelus *o.*; **2** angelusklok
angevin [ã'jvẽ] *adj.* **1** uit Angers; **2** uit Anjou.
angine [ã'jin] *f.* keelontsteking *v.*, angina *v.*(*m.*); **— *couenneuse,*** difteritis *v.*; **— *de poitrine,*** angina pectoris, hartvang *m.*
angiospermes [ã'jiospèrm] *f.pl.* (*Pl.*) bedektzadige planten, angiospermen *mv.*
anglais [ã'glè] **I** *adj.* Engels; ***à l'—e,*** op zijn Engels; ***filer à l'—e,*** stil uitknijpen, weggaan zonder iets te zeggen; ***reliure —e,*** linnen band *m.*; **II** *s., m.* **1** (het) Engels *o.*; **2** ***A—,*** Engelsman *m.*; ***A—e,*** Engelse *v.*
angle [ã'gl] *m.* hoek *m.*; **— *d'attaque,*** hoek van inval, invalshoek; (*vl.*) vlieghoek; **— *rentrant,*** inspringende hoek; **— *saillant,*** uitspringende hoek.
Angleterre [ã'gletè:r] *f.* Engeland *o.*
anglican [ã'glikã] *adj.* anglicaans. [*v.*(*m.*).
anglicanisme [ã'glikanizm] *m.* anglicaanse leer
angliciser [ã'glisizé] *v.t.* verengelsen.
anglomane [ã'glòma:n] *m.* overdreven bewonderaar *m.* van al wat Engels is.
anglomanie [ã.glòmani] *f.* dwaze (overdreven) voorliefde *v.* voor al wat Engels is.
anglophile [ã'glòfil] **I** *adj.* Engelsgezind; **II** *s., m.* Engelsgezinde *m.*
anglophilie [ã'glòfili] *f.* Engelsgezindheid *v.*
anglophobe [ã'glòfò'b] *adj.* anti-Engels, vijandig tegenover Engeland.
anglophobie [ã'glòfòbi] *f.* anti-Engelsgezindheid *v.*, afkeer *m.* van al wat Engels is.
anglo-saxon* [ã'glòsaksõ] **I** *adj.* Angelsaksisch; **II** ***A—o-Saxons,*** *s., m.pl.*, Angelsaksen *mv.*
angoisse [ã'gwas] *f.* **1** angst *m.*; **2** (*gen.*) benauwdheid, hartbeklemming *v.*; ***poire d'—,*** **1** wrange peer *v.*(*m.*); **2** (*fig.*) mondprop *v.*(*m.*); ***avaler des poires d'—,*** bittere pillen moeten slikken.
angoissé [ã'gwasé] *adj.* **1** beangst; **2** benauwd, beklemd. [beklemmen.
angoisser [ã'gwasé] *v.t.* beangstigen; benauwen,
angon [ã'gõ] *m.* (werp)spies *v.*(*m.*).
angora [ã'gòra] *m.* angorakat *v.*(*m.*); ***chèvre —,*** angorageit *v.*
angstroem [ã'strö'm] *m.* angström *v.*, lengteëenheid van een tienmiljoenste millimeter.
anguiforme [ã'gifòrm] *adj.* aalvormig.
anguille [ã'gi'y] *f.* **1** aal; paling *m.*; **2** (*in laken*) valse plooi *v.*(*m.*); **— *électrique,*** sidderaal *m.*; ***il y a — sous roche,*** er schuilt een adder onder 't gras; ***écorcher l'— par la queue,*** aan het verkeerde eind beginnen; de paarden achter de wagen spannen.
anguillère [ã'giyè:r] *f.* palingvijver *m.*
anguillule [ã'giyül] *f.* aaldiertje *o.*
angulaire [ã'gülè:r] *adj.* hoekig; ***pierre —,*** hoeksteen *m.*; ***dent —,*** hoektand *m.*
angulé [ã'gülé], **anguleux** [ã'gülö] *adj.* **1** hoekig; **2** (*fig.*) vinnig, bits, lastig.
anhélation [anéla'syõ] *f.* kortademigheid *v.*
anhéler [anélé] *v.i.* kortademig zijn.
anhéleux [anélö] *adj.* kortademig.
anhydre [ani:dr] *adj.* watervrij.
anhydride [anidri'd] *m.* watervrij zuur *o.*
anicroche [anikròʃ] *f.* hindernis *v.*, hinderpaal *m.*, belemmering *v.*; ***il est survenu une —,*** er is een kink in de kabel gekomen.
ânier [a'nyé] *m.* ezeldrijver *m.*
anil [anil] *m.*, (*Pl.*) indigoplant *v.*(*m.*).
aniline [anilin] *f.* aniline *v.*(*m.*).
animadversion [animadvèrsyõ] *f.* **1** strenge berisping *v.*; **2** algemene afkeuring *v.*
animal [animal] **I** *m.* **1** dier, beest *o.*; **2** (*fig.*) lomperd, stommerik *m.*; **II** *adj.* dierlijk; ***règne —,*** dierenrijk *o.*; ***noir —,*** beenzwart *o.*
animalcule [animalkül] *m.* zeer klein diertje *o.*
animalier [animalyé] *m.* dierenschilder *m.*
animaliser [animali'zé] *v.t.* **1** voedsel opnemen (en omzetten) in dierlijk weefsel; **2** verlagen tot dierlijke staat.
animalité [animalité] *f.* **1** dierlijkheid *v.*; **2** dierlijke natuur *v.*
animateur [animatœ:r] *m.* stuwkracht *v.*(*m.*), gangmaker *m.*
animation [anima'syõ] *f.* levendigheid *v.*; **2** bezieling *v.*; **3** (*op straat*) drukte *v.*
animé [animé] *adj.* **1** levendig; **2** bezield; **3** druk.
animer [animé] **I** *v.t.* **1** verlevendigen; **2** bezielen; **3** aansporen, aanvuren; **4** opwekken, prikkelen; **— *contre,*** opstoken tegen, opzetten tegen; ***dessin animé,*** tekenfilm *m.*; ***rue animée,*** drukke straat *v.*(*m.*); **II** *v.pr.*, ***s'—,*** **1** levend worden; **2** levendig worden; **3** driftig worden, vuur vatten, zich opwinden.
animique [animik] *adj.* ziels—.
animosité [animo'zité] *f.* **1** vijandigheid *v.*; **2** verbittering *v.*, wrok *m.*
anion [anyõ] *m.* anion, negatief geladen ion *o.*
anis [a'ni] *m.*, (*Pl.*) anijs *m.*, anijsplant *v.*(*m.*); ***dragées d'—,*** muisjes *mv.*
aniser [ani'zé] *v.t.* smaak van anijs geven.
anisette [ani'zèt] *f.* anijslikeur *v.*(*m.*).
ankylose [ã'kilo:z] *f.* gewrichtsstijfheid *v.*
ankyloser [ã'kilo'zé] *v.t.* verstijven.
annal [anal] *adj.* één jaar geldig, één jaar durend.
annales [anal] *f.pl.* jaarboeken *mv.*; geschiedboeken *mv.*
annaliste [analist] *m.* kroniekschrijver *m.*
Anne [an] *f.* Anna *v.*
anneau [ano] *m.* **1** ring *m.*; **2** schakel *m.*; **3** (*v. sleutel*) oog *o.*; **4** (*v. haar*) krul *v.*(*m.*); ***l'— du pêcheur,*** de zegelring *m.* (van de paus).
année [ané] *f.* **1** jaar *o.*; **2** jaargang *m.*; **— *civile,*** kalenderjaar; **— *liturgique,*** kerkelijk jaar; **— *scolaire,*** schooljaar; **— *bissextile,*** schrikkeljaar.
annelé [anlé] **I** *adj.* **1** geringd; **2** gekruld, krullend; **II** *s., m.* geleed dier *o.*
anneler [anlé] *v.t.* krullen, doen krullen.
annelet [anlè] *m.* ringetje *o.*
annélides [anéli'd] *m.pl.* ringwormen *mv.*
Annette [anèt] *f.* Annet, Antje *v.*
annexe [anèks] *f.* **1** onderdeel *o.*; **2** (*v. huis*) bijgebouw *o.*; **3** (*v. grond*) aanhorigheid *v.*; **4** (*v. boek, orgaan*) aanhangsel *o.*; **5** (*v. brief*) bijlage *v.*(*m.*).
annexer [anèksé] *v.t.* **1** bijvoegen, toevoegen; **2** (*v. land*) inlijven.
annexion [anèksyõ] *f.* **1** bijvoeging *v.*; **2** inlijving, annexatie *v.*
Annibal [anibal] *m.* Hannibal *m.*
annihilable [ani(h)ila'bl] *adj.* vernietigbaar.
annihilation [ani(h)ila'syõ] *f.* vernietiging *v.*
annihiler [ani(h)ilé] *v.t.* vernietigen, teniet doen.
anniversaire [anivèrsè:r] **I** *m.* **1** verjaardag *m.*; **2** gedenkdag *m.*; **II** *adj.* ***fête —,*** jaarfeest *o.*; ***jour —,*** verjaardag *m.*; ***service —,*** (*kath.*) jaargetijde *o.*
annonce [anõ:s] *f.* aankondiging; advertentie *v.*
annoncer [anõ'sé] **I** *v.t.* **1** aankondigen; berichten; **2** (*v. Evangelie, waarheid*) verkondigen; **3** (*v. huwelijk, enz.*) afkondigen, bekend maken; **4** (*v. bezoeker*) aandienen, aanmelden; **5** (*v. weer*) voorspellen; **6** (*v. bedoeling, enz.*) verraden, te kennen geven; **II** *v.pr.*, ***s'—,*** **1** zich aanmelden; **2** aan-

gekondigd worden; **3** zich laten aanzien, beloven te zijn; ***cela s'annonce bien,*** dat laat zich goed aanzien; ***le temps s'annonce bien,*** het weer belooft goed te worden.
annonceur [anõ'sœ:r] *m.* **1** aankondiger *m.*; **2** adverteerder *m.*; **3** omroeper *m.*
Annonciation [anõ'syɑ'syõ] *f.* Maria-Boodschap, O. L. Vrouw-Boodschap *v.*
annoncier [anõ'syé] *m.* **1** advertentie-colporteur *m.*; **2** (*drukk.*) advertentiezetter *m.*
annotateur [anòtatœ:r] *m.* (iem.) die verklarende aantekeningen bij een werk maakt.
annotatif [anòtatif] *adj.* verklarend.
annotation [anòtɑ'syõ] *f.* aantekening *v.*, verklarende noot *v.*(*m.*).
annoter [anòté] *v.t.* van (verklarende) aantekeningen voorzien.
annuaire [anẅè:r] *m.* **1** jaarboek(je) *o.*; **2** kalender *m.*; **3** ranglijst *v.*(*m.*); **— *du téléphone,*** telefoonboek *o.*; **— *du commerce,*** adresboek *o.* (voor de handel); **— *officiel,*** staatsalmanak *m.*
annuel(lement) [anẅèl(mã)] *adj.* (*adv.*) jaarlijks; ***plante —le,*** éénjarige plant *v.*(*m.*).
annuité [anẅité] *f.* **1** jaarlijkse aflossing *v.*; **2** jaarpremie, annuïteit *v.*
annulable [anüla'bl] *adj.* vernietigbaar.
annulaire [anülè:r] **I** *adj.* ringvormig; **II** *s.*, *m.* ringvinger *m.*
annulation [anülɑ'syõ] *f.* vernietiging; nietigverklaring *v.*
annuler [anülé] *v.t.* **1** teniet doen, vernietigen; **2** (*v. besluit, enz.*) nietig verklaren; **3** (*v. bestelling*) afzeggen; **4** (*v. aanvraag*) intrekken; **5** (*v. maatregel*) opheffen.
anoblir [anòbli:r] *v.t.* adelen, in de adelstand verheffen.
anoblissement [anòblismã] *m.* het adelen *o.*, verheffing *v.* tot de adelstand; ***lettres d'—,*** brieven *mv.* van adeldom.
anode [anòd] *m.* anode *v.*
anodin [anòdẽ] **I** *adj.* **1** (*gen.*) pijnstillend, verzachtend; **2** (*fig.*) onschadelijk, onschuldig, goedaardig; **3** tam, mak; **II** *s.*, *m.* pijnstillend middel *o.*
anomal [anòmal] *adj.* afwijkend, onregelmatig.
anomalie [anòmali] *f.* afwijking, onregelmatigheid *v.*
ânon [ɑ'nõ] *m.* ezelsveulen *o.*
ânonnement [ɑ'nònmã] *m.* (het) hakkelen, (het) stotteren *o.*
ânonner [ɑ'nòné] **I** *v.i.* hakkelen, stotteren; **II** *v.t.* opdreunen.
ânonneur [ɑ'nònœ:r] *m.* hakkelaar *m.*
anonymat [anònima] *m.* anonimiteit *v.*
anonyme [anònim] **I** *adj.* **1** (*v. brief*) ongetekend; **2** (*v. vennootschap*) naamloos; **3** (*v. weldoener*) onbekend; **4** (*v. boek*) zonder naam van schrijver; **5** (*v. leed, ellende*) verborgen; **II** *s.*, *m.* onbekende *m.*; ongenoemde schrijver *m.*
anophèle [anofèl] *m.* malariamug *v.*(*m.*).
anorak [anòrak] *m.* waterdicht sportyack met capuchon.
anordir [anòrdi:r] *v.i.*, (*v. wind*) naar noorden lopen.
anormal [anòrmal] *adj.* afwijkend, onregelmatig, abnormaal.
anosmie [anòsmi] *f.* vermindering (*of* verlies) van reukvermogen.
anoure [anu:r] *adj.* (*Dk.*) zonder staart.
anse [ã:s] *f.* **1** hengsel, handvat *o.*; **2** (*v. kopje*) oor *o.*; **3** bocht, kreek *v.*(*m.*); baai *v.*(*m.*); inham *m.*; ***faire danser l'— du panier,*** met dubbel krijt schrijven; ***faire le pot à deux —s,*** de handen in de zijden zetten.
anser [ãsé] *m.* wilde gans *v.*(*m.*).
anspect [ã'spèk] *m.* handspaak *v.*(*m.*).
antagonisme [ã'tagònizm] *m.* **1** vijandschap *v.*; **2** wedijver *m.*; **3** tegenstrijdigheid *v.*; **4** (*v. spieren*) tegengestelde werking *v.*
antagoniste [ã'tagònist] *m.* **1** tegenstander *m.*; **2** tegenwerkende spier *v.*(*m.*).
antalgique [ã'taljik] *adj.* verdovend, pijnstillend.
antan [ã'tã] *adv.*, ***d'—,*** van weleer; ***où sont les neiges d'— ?*** waar is die goede oude tijd (gebleven) ? dat is lang voorbij !
antarctique [ã'tar(k)tik] *adj.* zuidelijk, van de zuidpool; ***pôle —,*** zuidpool *v.*(*m.*); ***cercle —,*** zuidpoolcirkel *m.*
antécédemment [ã'tésédamã] *adv.* vooraf, van te voren.
antécédent [ã'tésédã] **I** *adj.* voorafgaand; **II** *s.*, *m.* **1** (*gram.*) antecedent *o.*; **2** voorgaande term *m.* van een evenredigheid; **3** vroeger geval *o.*; **III** ***—s,*** *m.pl.* verleden *o.*, vroegere daden *mv.*
antéchrist [ã'tékrist] *m.* antikrist *m.*
antédiluvien [ã'tédilüvyẽ] *adj.* **1** van voor de zondvloed; **2** (*fig.*) verouderd, uit de oude doos, ouderwets.
antéhistorique [ã'téistòrik] *adj.* vóórhistorisch.
antenne [ã'tèn] *f.* **1** (*Dk.*) voelhoren *m.*; **2** (*sch.*) spriet *m.*; **3** (*draadloze tel.*) vangstang *v.*(*m.*); luchtnet *o.*
antépénultième [ã'tépénültyèm] **I** *adj.* op twee na de laatste; **II** *s.*, *f.* op twee na de laatste lettergreep *v.*(*m.*).
antérieur [ã'téryœ:r] *adj.* voorafgaand, vroeger; ***façade —e,*** voorgevel *m.*; ***partie —e,*** voorste gedeelte *o.*; ***passé —,*** voltooid verleden tijd.
antérieurement [ã'téryœrmã] *adv.* vroeger, eerder.
antériorité [ã'téryòrité] *f.* **1** oudere datum *m.*, het vroeger zijn *o.*; **2** voorrang *m.*
anthémis [ã'témis] *m.*,(*Pl.*) Roomse kamille *v.*(*m.*).
anthère [ã'tè:r] *f.*(*Pl.*) helmknop *m.* (v. meeldraad).
anthologie [ã'tòlòji] *f.* bloemlezing *v.*
anthonome [ã'tònòm] *m.* fruitboomvernielend insekt *o.*
anthracite [ã'trasit] *m.* antraciet *m. en o.*
anthracnose [ã'trakno:z] *f.* wijnstokziekte *v.*
anthrax [ã'traks] *m.* steenpuist, negenoog *v.*(*m.*).
anthropoïde [ã'tròpòi'd] **I** *adj.* op de mens gelijkend, mensachtig; **II** *s.*, *m.* mensaap *m.*
anthropologie [ã'tròpòlòji] *f.* menskunde *v.*, natuurlijke historie *v.* van de mens.
anthropologique [ã'tròpòlòjik] *adj.* antropologisch.
anthropologiste [ã'tròpòlòjist], **anthropologue** [ã'tròpòlò:g] *m.* antropoloog *m.*
anthropomorphe [ã'tròpòmòrf] *adj.* antropomorf, mensvormig.
anthropomorphisme [ã'tròpòmòrfizm] *m.* antropomorfisme *o.* (het vnl. aan goden toeschrijven van menselijke eigenschappen).
anthropophage [ã'tròpòfa:j] **I** *adj.* mensenetend; **II** *s.*, *m.* menseneter *m.*
anthropophagie [ã'tròpòfaji] *f.* (het) menseneten *o.*, menseneterij *v.*
anthropopitèque [ã'tròpòpitèk] *m.* (fossiele) aapmens *m.*
antiaérien [ã'tiaéryẽ] *adj.*, ***artillerie —ne,*** afweergeschut *v.* (tegen vliegtuigen); ***défense —ne,*** verdediging *v.* tegen luchtaanvallen, luchtafweer *m.*
antialcoolique [ã'tialkòlik] *adj.* van de drankbestrijding, geheelonthouders—; ***lutte —,*** drankbestrijding *v.*
antialcoolisme [ã'tialkòlizm] *m.* drankbestrijding *v.*
antibiotique [ã'tibiotik] **I** *adj.* antibiotisch; **II** *s.*, *m.*, ***les —s,*** antibiotica *mv.*
antibrouillard [ã'tibruya:r] *adj.* ***phare —,*** mistlamp *v.*(*m.*).

anticancéreux [ã'tikãsérö] *adj.* kankerbestrijdend; ***lutte —euse,*** kankerbestrijding *v.*
antichambre [ã'tiʃã:br] *f.* voorkamer, wachtkamer *v.(m.)*; ***faire —,*** zitten wachten (tot men ontvangen wordt); ***propos d'—,*** dienstbodenpraatjes *mv.*
antichar [ã'tiʃa'r] *adj.* antitank-; ***fossé —,*** tankgracht *v.(m.).*
antichrétien [ã'tikrétyẽ] *adj.* antichristelijk, tegen(strijdig met) het christendom.
anticipatif [ã'tisipatif] *adj.* vervroegd.
anticipation [ã'tisipa'syõ] *f.* **1** vervroeging *v.*; **2** (het) vooruitlopen *o.* op; **3** betaling *v.* vóór de gestelde termijn; **4** (*muz.*) (het) te vroeg aanslaan *o.*; ***par —,*** bij voorbaat, vooruit; ***payement par —,*** vooruitbetaling *v.*
anticiper [ã'tisipé] **I** *v.t.* **1** vooruitlopen op; **2** vervroegen; ***mes remerciements anticipés,*** bij voorbaat mijn dank; **II** *v.i.*, ***— sur,*** **1** vooruitlopen op; **2** (*v. rechten*) inbreuk maken op; ***— sur ses revenus,*** zijn inkomen verteren voor men het ontvangen heeft.
anticlérical [ã'tiklérikal] *adj.* antiklerikaal.
anticlinal [ã'tiklinal] *adj.* (*geol.*) zadelvormig.
anticomanie [ã'tikomani]) *f.* manie *v.* voor antiek.
anticonformisme [ã'tikõ'fòrmizm] *m.* non-conformisme *o.*
anticonstitutionnel [ã'tikõ'stitüsyònèl] *adj.* ongrondwettig.
anticorps [ã'tikò:r] *m.*, (*gen.*) antistof *v.(m.).*
anticyclone [ã'tisiklo:n] *m.* hogeluchtdrukgebied *o.*
antidate [ã'tidat] *f.* vervroegde dagtekening *v.*
antidater [ã'tidaté] *v.t.* de dagtekening vervroegen van, antidateren.
antidérapant [ã'tidérapã] *adj.* niet-slippend.
antidétonant [ã'tidétonã] **I** *adj.* knaldempend; **II** *s., m.* **1** knaldemper *m.*; **2** klopwerend middel *o.*
antidote [ã'tidòt] *m.* tegengif *o.*
antienne [ã'tyèn] *f.* keervers *o.*; antifoon *v.(m.)*; ***il chante toujours la même —,*** hij zingt altijd hetzelfde liedje.
antifading [ã'tifédẽ] *adj.* antifading.
antifébrile [ã'tifébril] **I** *adj.* koortsverdrijvend; **II** *s., m.* koortsverdrijvend middel *o.*
antifriction [ã'tifriksyõ] *m.* wrijving tegengaande legering *v.* voor machinelagers.
antigel [ã'tijèl] *m.* antivriesmiddel *o.*
antigène [ã'tijè'n] *m.* antistofvorming in organisme bewerkende stof *v.(m.).*
antigivre [ã'tiji'vr] *m.* antiijsmiddel *o.*
antihalo [ã'ti(h)alo] *adj.* ***film —,*** tegenlichtfilm *m.*
antihumain [ã'tiümẽ] *adj.* tegen de mensheid gericht.
antijuif [ã'tijẘif] *adj.* antijoods.
antilégal [ã'tilégal] *adj.* onwettig.
antillais [ã'ti'yè] *adj.* Antilliaans.
Antilles [ã'ti:y] *f.pl.* Antillen *mv.*
antilogie [ã'tilòji] *f.* tegenstrijdigheid *v.*
antilogique [ã'tilòjik] *adj.* onlogisch.
antilope [ã'tilòp] *f.* antilope *v.(m.).*
antimigraineux [ã'timigrènö] *adj.* hoofdpijnstillend.
antimilitarisme [ã'timilitarizm] *m.* tegenstand *m.* tegen het militarisme, — tegen uitbreiding van 't leger.
antimilitariste [ã'timilitarist] **I** *adj.* antimilitaristisch; **II** *s., m.* antimilitarist *m.*
antimoine [ã'timwan] *m.* antimonium, spiesglans *o.*
antimonié [ã'timònyé] *adj.* antimoonhoudend.
antimuqueux [ã'timükö] *adj.* slijmafdrijvend.
antimusical [ã'timüzikal] *adj.* onmuzikaal.

antinational [ã'tinasyònal] *adj.* onvaderlands, strijdig met de belangen van het land.
antinaturel [ã'tinatürèl] *adj.* tegennatuurlijk; ***alliance —le,*** monsterverbond *o.*
antinévralgique [ã'tinévraljik] *adj.* kalmerend, zenuwstillend.
antinomie [ã'tinòmi] *f.* tegenstrijdigheid *v.*
antinomique [ã'tinòmik] *adj.* tegenstrijdig.
Antioche [ã'tyòʃ] *f.* Antiochië *o.*
antipape [ã'tipap] *m.* tegenpaus *m.*
antiparasiter [ã'tiparazité] *v.t.* storingvrij maken.
antipathie [ã'tipati] *f.* afkeer *m.*, antipathie *v.*
antipathique [ã'tipatik] *adj.* afkeerwekkend, onsympathiek.
antipatriotique [ã'tipatriòtik] *adj.* onvaderlandslievend.
antiphilosophique [ã'tiflòzòfik] *adj.* onwijsgerig.
antiphonaire [ã'tifònè:r] *m.* antifonarium, antifonenboek *o.*
antiphrase [ã'tifra:z] *f.* betekenisomkering *v.* v. woord.
antipode [ã'tipò'd] *m.* **1** tegenvoeter *m.*; **2** tegenovergestelde *o.*; **3** geheel verschillend karakter *o.*
antipolitique [ã'tipòlitik] *adj.* onpolitiek.
antipuant [ã'tipẘã] *m.*, (*mil.: pop.*) gasmasker *o.*
antiputride [ã'tipütri'd] *adj.* rottingwerend.
antipyrine [ã'tipirin] *f.* antipyrine *v.(m.)*, koortswerend middel *o.*
antiquaille [ã'tika:y] *f.* oude rommel *m.*
antiquaire [ã'tikè:r] *m.* **1** oudheidkundige, antiquaar *m.*; **2** handelaar *m.* in oudheden.
antique [ã'tik] **I** *adj.* **1** oud; **2** ouderwets; **3** van de Ouden, tot de Oudheid behorend; **4** zeer oud, overoud; **II** *s., m.* de kunst *v.* van de Ouden; ***d'après l'—,*** naar voorbeelden uit de Oudheid, naar antiek model.
antiquité [ã'tikité] *f.* **1** Oudheid *v.*; **2** voorwerp *o.* uit de Oudheid; ***de toute —,*** van oudsher, sedert onheuglijke tijden.
antirabique [ã'tirabik] *m.* middel *o.* tegen hondsdolheid.
antiréglementaire [ã'tiréglemãtè:r] *adj.* onreglementair.
antireligieux [ã'tirelijyö] *adj.* antigodsdienstig, tegen de godsdienst.
antirépublicain [ã'tirépüblikẽ] *adj.* tegen de republiek.
antirévolutionnaire [ã'tirévòlüsyònè:r] *adj.* antirevolutionair, anti-omwentelingsgezind.
antisémite [ã'tisémit] *m.* jodenhater, antisemiet *m.*
antisémitique [ã'tisémitik] *adj.* antisemitisch.
antisémitisme [ã'tisémitizm] *m.* jodenhaat *m.*
antiseptique [ã'tisèptik] **I** *adj.* bederfwerend; **II** *s., m.* bederfwerend middel *o.*
antiseptiser [ã'tisèpti'zé] *v.t.* antiseptisch maken.
antisocial [ã'tisòsyal] *adj.* onmaatschappelijk.
anti-sous-marin [ã'tisumarẽ] *adj.* antiduikboot-.
antispasmodique [ã'tispasmòdik] **I** *adj.* krampstillend; **II** *s., m.* krampstillend middel *o.*
antisportif [ã'tispòrtif] *adj.* onsportief.
antistrophe [ã'tistròf] *f.* antistrofe *v.(m.)*; tegenzang *m.*
antithermique [ã'titèrmik] *adj.* koortsdrukkend.
antithèse [ã'titè:z] *f.* tegenstelling *v.*
antithétique [ã'titétik] *adj.* tegenstellend.
antivenimeux [ã'tivenimö] *m.* antislangegifmiddel *o.*
antivirus [ã'tivirü:s] *m.* bep. soort vaccin *o.*
antivol [ã'tivòl] **I** *adj.* diefstalverhinderend; **II** *s., m.* fietsslot *o.*
Antoine [ã'twan] *m.* Antonius, Antoon *m.*
antonomase [ã'tònòma:z] *f.* antonomasia *v.*, stijlfiguur *v.(m.)* met eigennaam i.p.v. soortnaam, en omgekeerd.
antonyme [ã'tònim] *m.* tegenovergestelde *o.*, woord *o.* met tegenovergestelde betekenis.

antre [ã:tr] *m.* hol *o.*, grot, spelonk *v.(m.)*.
anuiter, s'— [sanẅité] *v.pr.* door de duisternis (*of* de nacht) overvallen worden.
anus [anüs] *m.* aars *m.*
Anvers [ã'vè:r, ã'vèrs] *m.* Antwerpen *o.*
Anversois [ã'vèrswa] **I** *m.* Antwerpenaar *m.*; **II** *adj.* **a—,** Antwerps.
anxiété [ã'ksyété] *f.* **1** angst *m.*; bezorgdheid *v.*; **2** (*gen.*) beklemming *v.*
anxieux [ã'ksyö] *adj.* **1** angstig, beangst; bezorgd, ongerust; **2** (*gen.*) toegeknepen.
aorte [aòrt] *f.* aorta, grote slagader *v.(m.)*.
aortite [aòrtit] *f.* slagaderontsteking *v.*
Aoste [òst] *v.* Aosta *o.*
août [u] *m.* augustus *m.*, oogstmaand *v.(m.)*.
aoûter [uté] **I** *v.i.* rijpen, rijp worden; **II** *v.t.* oogsten.
aoûteron [utrõ] *m.* maaier, oogster *m.*; (*Z.N.*) pikker *m.*
apache [apaʃ] *m.* straatboef *m.*
apaisement [apè'zmã] *m.* **1** bevrediging *v.*; **2** (het) bedaren, (het) stillen *o.*; **3** rust *v.(m.)*, stilte *v.*
apaiser [apè'zé] **I** *v.t.* **1** bevredigen, tevredenstellen; **2** (*v. honger*) stillen; **3** (*v. dorst*) lessen; **4** (*v. storm*) doen bedaren; **5** (*v. toorn*) sussen; **II** *v.pr.*, **s'—, 1** bedaren; **2** (*v. wind, storm*) gaan liggen; **3** zich tevreden stellen.
apanage [apana:j] *m.* **1** toelage *v.(m.)* (aan prinsen); **2** (*fig.*) erfdeel, bezit *o.*; **3** voorrecht *o.*
aparté [aparté] **I** *adv.* ter zijde; **II** *s., m.* **1** (*op toneel*) wat terzijde gezegd wordt *o.*; **2** geheim gesprek *o.*, gesprek onder vier ogen.
apathie [apati] *f.* **1** lusteloosheid, onverschilligheid *v.*; **2** (*H.*: *v. beurs*) lusteloze stemming *v.*
apathique [apatik] *adj.* lusteloos, onverschillig; ***être —,*** apatisch zijn; visseblоed hebben.
apatite [apatit] *f.* calciumfosfaat *o.*
apatride [apatri'd] **I** *adj.* staatloos; **II** *s., m.* ontheemde *m.-v.*
Apennins [apènẽ] *m.pl.* Apennijnen *mv.*
apepsie [apèpsi] *f.* slechte spijsvertering *v.*
aperceptible [apèrsèpti'bl] *adj.* waarneembaar.
aperception [apèrsèpsyõ] *f.* bewuste waarneming *v.*
apercevable [apèrseva'bl] *adj.* bemerkbaar.
apercevoir [apèrsevwa:r] **I** *v.t.* **1** bemerken, waarnemen; zien; **2** (*fig.*) begrijpen, vatten; **II** *v.pr.*, ***s'— de,*** merken, gewaarworden; ***s'— de son erreur,*** zijn vergissing inzien.
aperçu [apèrsü] *m.* kort overzicht *o.*
apéritif [apéritif] **I** *adj.* de eetlust opwekkend; **II** *s., m.* bittertje *o.*, borrel *m.*
apéro [apéro] *m.*, (*fam.*) bittertje, borreltje *o.*
apertement [apèrtemã] *adv.* openlijk, duidelijk, klaarblijkelijk.
apesanteur [apezãtœ:r] *f.* gewichtloosheid *v.*
apétale [apétal] *adj.*, (*Pl.*) zonder bloemblaadjes.
a-peu-près [apö'prè] *m.* benadering *v.*
apeuré [apœré] *adj.* bang.
aphasie [afazi] *f.* bep. spraakstoornis, afasie *v.*
aphone [afon] *adj.* hees, zonder stem. [stem.
aphonie [afòni] *f.* heesheid *v.*, verlies *o.* van de
aphorisme [afòrizm] *m.* kernspreuk *v.(m.)*, kort pittig gezegde *o.*
aphoristique [afòristik] *adj.* kernachtig.
aphrodisiaque [afròdizyak] *m.* liefdesdrank *m.*
aphte [aft] *m.* mondzweertje *o.*; **—s,** spruw *v.(m.)*.
aphteux [aftö] *adj.*, ***fièvre aphteuse,*** mond- en klauwzeer *o.*
aphylle [afil] *adj.*, (*Pl.*) bladerloos.
api [a'pi] *m.* bep. rood appeltje *o.* [bijenteelt.
apicole [apikòl] *adj.* betrekking hebbend op
apiculteur [apikültœ:r] *m.* bijenhouder, imker *m.*
apiculture [apikültü:r] *f.* bijenteelt *v.(m.)*.
apiéceuse [apyésö:z] *f.* stukwerkster *v.*
apitoiement [apitwaymã] *m.* meewarigheid *v.*
apitoyer [apitwayé] **I** *v.t.* medelijden opwekken (*of* inboezemen); **II** ***s'— sur,*** medelijden krijgen met, zich ontfermen over.
aplanir [aplani:r] **I** *v.t.* **1** effenen, gelijk maken; **2** (*v. weg*) banen; **3** (*v. moeilijkheden*) uit de weg ruimen; **4** (*v. geschil*) beslechten; **II** *v.pr.*, **s'—, 1** vlak worden; **2** (*fig.*: *v. moeilijkheden, enz.*) verdwijnen, wegvallen.
aplanissement [aplanismã] *m.* **1** (het) effenen *o.*, gelijkmaking *v.*; **2** (het) uit de weg ruimen *o.*
aplat [apla] *m.* vlakke tint *v.(m.)*.
aplatir [aplati:r] **I** *v.t.* **1** plat maken, pletten; **2** (*v. vijand*) verpletteren; **3** (*fig.*) vernederen; **II** *v.pr.*, **s'—, 1** plat worden; **2** (*fig.*) kruipen.
aplatissement [aplatismã] *m.* **1** afplatting *v.*; **2** verplettering *v.*; **3** kruiperij, lage vleierij *v.*
aplatisseur [aplatisœ:r] *m.* pletmolen *m.*, pletmachine *v.*
aplatissoire [aplatiswa:r] *f.* pletrol *v.(m.)*.
aplomb [aplõ] *m.* **1** loodrechte stand *m.*; **2** (*fig.*) vastberadenheid *v.*; **3** brutaliteit *v.*; durf *m.*; **d'—,** loodrecht; ***manquer d'—,*** geen zelfvertrouwen hebben, aarzelend (*of* weifelend) optreden.
Apocalypse [apòkalips] *f.* Openbaring *v.*; ***style d'—,*** duistere stijl *m.*, — taal *v.(m.)*; ***cheval de l'—,*** oude (*of* magere) knol *m.*
apocalyptique [apòkaliptik] *adj.* **1** apocalyptisch, uit de Openbaring; **2** (*fig.*: *v. taal, enz.*) duister, onbegrijpelijk, geheimzinnig.
apocope [apòkòp] *f.* apocope *v.(m.)*, letterweglating *v.* aan woordeinde.
apocryphe [apòkrif] *adj.* **1** apocrief, niet door de Kerk erkend; **2** (*fig.*) verdacht, onbetrouwbaar, ongeloofwaardig; **3** onecht.
apode [apò'd] *adj.* zonder poten; (bij vis) zonder buikvin.
apodictique [apòdiktik] *adj.* volkomen zeker, zeer beslist; (*wijsb.*) apodictisch.
apogée [apòjé] *f.* **1** (*sterr.*) apogeum *o.*; **2** (*fig.*) toppunt, hoogtepunt *o.*
Apollon [apòlõ] *m.* Apollo *m.*
apologétique [apòlòjétik] **I** *adj.* verdedigend, rechtvaardigend; **II** *s., f.* (wetenschap van de) geloofsverdediging, apologetiek *v.*
apologie [apòlòji] *f.* **1** verweerschrift *o.*; **2** verdediging, rechtvaardiging *v.* (inz. van het christendom).
apologique [apòlòjik] *adj.* verdedigend.
apologiste [apòlòjist] *m.* verdediger (van het geloof), apologeet *m.*
apologue [apòlò'g] *m.* fabel *v.(m.)*, gelijkenis *v.*
aponévrose [apònévro:z] *f.* spierschede *v.(m.)*.
apophonie [apòfoni] *f.* verandering *v.* van de stamklinker (*D.*: Ablaut).
apophyse [apòfi:z] beenuitsteeksel *o.* (voor spieraanhechting).
apophtegme [apòftègm] *m.* kernspreuk *v.(m.)*, kernachtig gezegde *o.*
apoplectique [apòplèktik] **I** *adj.* wat betrekking heeft op de beroerte; **II** *s., m.-f.* iem. die aanleg heeft voor een beroerte.
apoplexie [apòplèksi] *f.* beroerte *v.*
apostasie [apòsta'zi] *f.* afvalligheid, geloofsverzaking *v.*
apostasier [apòsta'zyé] *v.i.* afvallig worden, zijn geloof verzaken.
apostat [apòsta] *m.* afvallige, apostaat *m.*
apostème [apòstè:m], **apostume** [apòstüm] *m.* ettergezwel *o.*
aposter [apòsté] *v.t.* **1** op post zetten, op de loer zetten; **2** (*v. valse getuigen*) voorbrengen.
a posteriori [apòstéryòri] *adv.* achteraf.

apostille [apòsti:y] *f.* **1** kanttekening *v.*; noot *v.(m.)*; **2** *(op verzoekschrift)* aanbeveling *v.*
apostiller [apòstiyé] *v.t.* **1** kanttekeningen maken bij; **2** *(v. verzoekschrift)* van een aanbeveling voorzien.
apostolat [apòstòla] *m.* apostelschap, apostolaat *o.*
apostolique [apòstòlik] *adj.* **1** apostolisch; **2** pauselijk; ***bénédiction —,*** pauselijke zegen *m.*
apostoliquement [apòstòlikmã] *adv.* apostolisch, op de wijze van de apostelen.
apostrophe [apòstròf] *f.* **1** aanspraak *v.(m.)*; **2** afkappingsteken *o.*; **3** scherpe vermaning, berisping *v.*
apostropher [apòstròfé] *v.t.* **1** aanspreken, toespreken; **2** uitvallen tegen.
apostume, *voir* ***apostème.***
apothème [apòtè:m] *m.*, *(meetk.)* apothema *o.*
apothéose [apòtéo:z] *f.* **1** vergoding *v.*, verheffing *v.* tot God; **2** verheerlijking, overdreven hulde *v.*; **3** *(toneel)* apotheose *v.*, schitterend slottoneel *o.*
apothicaire [apòtikè:r] *m.* pillendraaier *m.*; ***compte d'—,*** te hoge *(of* gepeperde) rekening.
apôtre [apo:tr] *m.* **1** apostel *m.*; **2** *(fig.)* verdediger *m.*; ***le Symbole des —s,*** de twaalf artikelen des geloofs; ***faire le bon —,*** zich mooi voordoen, de vrome uithangen.
apparaître* [aparè:tr] *v.i.* **1** verschijnen; opeens zichtbaar worden; **2** blijken.
apparat [apara] *m.* praal, pracht *v.(m.)*, luister *m.*; ***dîner d'—,*** galamaaltijd *m.*; ***discours d'—,*** feestrede *v.(m.)*; ***costume d'—,*** staatsiekleed; vol ornaat *o.*
apparaux [aparo] *m.pl.*, *(sch.)* tuigage *v.*
appareil [aparèy] *m.* **1** toestel, apparaat *o.*; **2** *(gen.)* verband *o.*; **3** toebereidselen *mv.*, aanstalten *mv.*; ***— à gouverner,*** stuurinrichting *v.*; ***l'— digestif,*** de spijsverteringsorganen *mv.*; ***mettre le premier —,*** een noodverband aanleggen; ***appeler qn. à l'—,*** iem. aan de telefoon laten komen; ***— d'induction,*** inductieklos *m.* *en v.* [maken *o.*; **2** installatie *v.*
appareillage [aparèya:j] *m.* **1** *(sch.)* (het) zeilklaar
appareillement [aparèymã] *m.* (het) samenvoegen, (het) bijeenbrengen *o.*
appareiller [aparèyé] **I** *v.t.* **1** *(sch.)* zeilklaar maken; **2** samenvoegen, koppelen; **3** *(bouwk.: v. stenen)* gereedmaken; **4** *(v. schilderij, vaas, enz.)* een pendant zoeken bij; **5** *(v. servies)* aanvullen; **II** *v.i.*, *(sch.)* onder zeil gaan; **III** *v.pr.*, ***s'—,*** bij elkaar passen.
appareilleur [aparèyœ:r] *m.* **1** *(v. metselaar)* meesterknecht *m.*; **2** stoffeerder; opmaker *m.*; ***— à gaz,*** gasaanlegger, gasfitter *m.*
apparemment [aparamã] *adv.* blijkbaar.
apparence [aparã:s] *f.* **1** schijn *m.*, voorkomen *o.*; **2** uiterlijke schijn *m.*; **3** vermoeden *o.*, waarschijnlijkheid *v.*; ***avoir belle —,*** er mooi uitzien; ***juger sur l'—,*** naar het uiterlijk *(of* naar de eerste indruk) oordelen; ***garder les —s,*** de schijn bewaren; ***sauver les —s,*** de schijn redden.
apparent [aparã] *adj.* **1** schijnbaar; **2** goed zichtbaar, in het oog lopend; ***mort —e,*** schijndood *m.* *en v.*
apparentage [aparã'ta:j] *m.* verwantschap *v.*
apparenté [aparã'té] *(à) adj.* verwant (aan, met).
apparentement [aparã'tmã] *m.* *(bij verkiezing)* samenvoeging *v.* (van kandidatenlijsten).
apparenter [aparã'té] **I** *v.t.* **1** vermaagschappen; **2** *(v. verkiezingslijsten)* samenvoegen; **II** *v.pr.*, ***s'—*** *(à)*, verwant worden (met).
appariement, apparîment [aparimã] *m.* **1** samenvoeging *v.*; **2** paring *v.*
apparier [aparyé] *v.t.* samenvoegen; tot paren verenigen.
appariteur [aparitœ:r] *m.* pedel *m.*; bode *m.*
apparition [aparisyõ] *f.* **1** verschijning *v.*; **2** geestverschijning *v.*, spook *o.*; **3** *(v. boek)* (het) verschijnen *o.*; ***à l'—,*** bij verschijnen *(v. boek)*.
apparoir* [aparwa:r] *v.i.*, ***il appert,*** *(recht)* het blijkt.
appartement [apartemã] *m.* appartement *o.*, woning *v.* (deel van huis); ***immeuble à —s,*** flatgebouw *o.*; ***plante d'—,*** kamerplant *v.(m.)*.
appartenance(s) [apartenã:s] *f.(pl.)* aanhorigheid *v.*, bijgebouw *o.*
appartenir* [aparteni:r] **I** *v.i.* **1** toebehoren; **2** eigen zijn aan; **3** behoren tot, deel uitmaken van; **II** *v.imp.* passen, betamen; **III** *v.pr.*, ***s'—,*** vrij, onafhankelijk zijn.
appas [apa] *m.pl.* aantrekkelijkheid *v.*
appât [apa] *m.* **1** aas, lokaas, lokmiddel *o.*; **2** aantrekkelijkheid, bekoorlijkheid *v.* [ken.
appâter [apa'té] *v.t.* **1** voeren; vetmesten; **2** lok-
appauvrir [apo'vri:r] **I** *v.t.* **1** verarmen, arm maken; **2** *(v. gestel)* verzwakken; **3** *(v. grond)* uitmergelen, uitputten; **II** *v.pr.*, ***s'—,*** arm worden, verarmen.
appauvrissement [apo'vrismã] *m.* **1** verarming *v.*; **2** verzwakking *v.*; **3** uitmergeling *v.*
appeau [apo] *m.* lokfluitje *o.*; **2** lokvogel *m.*
appel [apèl] *m.* **1** roep *m.*; **2** oproep *m.*, uitnodiging *v.*; **3** *(mil.)* oproeping *v.*; **4** appel *o.*, naamafroeping *v.*; **5** *(recht)* hoger beroep *o.*; **6** verwijzingsteken *o.*; ***interjeter —,*** in hoger beroep gaan; ***sans —,*** in hoogste instantie; onvoorwaardelijk; onherroepelijk; ***faire un — de fonds,*** een bijstorting vragen; ***— d'air,*** luchtkoker *m.*; ***— de note,*** nootcijfer *o.*, verwijzing *v.*; ***numéro d'—,*** telefoonnummer *o.*; ***faire — à,*** een beroep doen op.
appelant [aplã] *m.* **1** appelant *m.* die in hoger beroep gaat; **2** lokvogel *m.*
appeler* [aplé] **I** *v.t.* **1** roepen; **2** *(recht: v. zaak)* oproepen; **3** noemen; **4** *(v. dokter, enz.)* ontbieden; ***— qn. à une fonction,*** iem. tot een ambt benoemen; ***— l'attention sur,*** de aandacht vestigen op; ***— un chat un chat,*** het kind bij de naam noemen; ***il n'y a rien qui m'appelle,*** ik heb niets te verletten; **II** *v.i.*, *(v. hond)* aanslaan; ***en — à,*** zich beroepen, een beroep doen op; ***en — de,*** **1** in hoger beroep gaan; **2** protesteren tegen, protest aantekenen tegen; **III** *v.pr.*, ***s'—,*** heten; ***voilà qui s'appelle chanter,*** dat noem ik nog eens zingen.
appellation [apèla'syõ] *f.* naam *m.*, benaming *v.*; ***titre d'—,*** aanspreektitel *m.*
appendice [apê'dis] *m.* **1** aanhangsel *o.*; **2** bijvoegsel *o.*; **3** blindedarm *m.* [appendicitis *v.*
appendicite [apê'disit] *f.* blindedarmontsteking,
appendre [apã:dr] *v.t.* ophangen.
appentis [apã'ti] *m.* afdak *o.*, loods *v.(m.)*.
appesantir [apezã'ti:r] **I** *v.t.* **1** zwaar maken, verzwaren; **2** *(fig.)* log maken; **II** *v.pr.*, ***s'—,*** **1** zwaar worden; **2** *(v. oogleden)* toevallen, zwaar worden; ***s'— sur un sujet,*** te lang uitweiden over een onderwerp.
appesantissement [apezã'tismã] *m.* **1** verzwaring *v.*; **2** *(fig.)* loomheid *v.*; **3** druk *m.*
appétence [apétã's] *f.* begeerte, neiging *v.*
appéter [apété] *v.t.* begeren.
appétissant [apétisã] *adj.* **1** smakelijk uitziend, lekker; **2** *(fig.)* aanlokkelijk, aantrekkelijk.
appétit [apéti] *m.* **1** eetlust *m.*; **2** neiging, begeerte *v.*; ***bon —!*** eet smakelijk! ***manger à son —,*** eten zoveel men lust; ***avec —,*** met smaak; ***il n'est chère que d'—,*** honger is de beste saus.

appétitif [apétitif] *adj.* begeerlijk.
Appienne [apyèn] *adj.*, ***Voie —,*** Via Appia *v.*
applaudir [aplo·di:r] **I** *v.t.* toejuichen; **II** *v.i.* in de handen klappen; **— *à*,** ingenomen zijn met, goedkeuren; **III** *v.pr.*, ***s'— de,*** blij zijn (om), zich gelukkig achten.
applaudissement [aplo·dismã] *m.* **1** handgeklap *o.*, toejuiching *v.*; **2** (*fig.*) bijval *m.*
applaudisseur [aplo·disœ:r] *m.* toejuicher *m.*
applicabilité [aplikabilité] *f.* toepasselijkheid *v.*
applicable [aplika·bl] *adj.* toepasselijk, van toepassing (op).
application [aplika·syõ] *f.* **1** toepassing *v.*, gebruik *o.*; **2** (het) aanbrengen; (het) opleggen *o.*; **3** (*v. verband*) (het) leggen *o.*; **4** oplegsel *o.* (van kant); **5** ijver *m.*, vlijt *v.*(*m.*); ***point d'—,*** aangrijpingspunt *o.*
applique [aplik] *f.* **1** oplegsel *o.*; **2** wandkandelaar, wandluster, wandarm *m.*
appliqué [apliké] *adj.* **1** toegepast; **2** ijverig, vlijtig.
appliquer [apliké] **I** *v.t.* **1** aanbrengen; opleggen; **2** (*v. verband*) leggen; **3** (*v. postzegel*) opplakken; **4** (*v. stempel, enz.*) opdrukken; **5** (*v. regel, methode, enz.*) toepassen; **— *la question à qn.*,** iem. op de pijnbank leggen; **II** *v.pr.*, ***s'—,*** zijn best doen, vlijtig werken; ***s'— à,* 1** zich toeleggen op; **2** toepasselijk zijn op.
appogiature [apòjyatü:r] *f.*, (*muz.*) voorslag *m.*
appoint [apwẽ] *m.* **1** (*H.*) saldo, verschil, tekort *o.*; **2** toeslag *m.*; **3** (*v. benzine*) bijvulling *v.*; **4** (*fig.*) steun *m.*; ***monnaie d'—,*** pasmunt *v.*(*m.*); ***faire l'—,* 1** met gepast geld betalen; **2** bijpassen; ***salaire d'—,*** bijverdienste *v.*
appointage [apwẽ·ta:j] *m.* **1** aanpunting *v.*, (het) aanpunten *o.*; **2** (het) toespitsen *o.*
appointements [apwẽ·tmã] *m.pl.* bezoldiging *v.*, jaarwedde *v.*(*m.*), salaris *o.*
appointer [apwẽ·té] *v.t.* **1** bezoldigen; **2** (*tn.*) [aanpunten.
appontement [apõ·tmã] *m.* **1** steiger, aanlegsteiger *m.*; **2** vlotbrug *v.*(*m.*).
apponter [apõ·té] *v.i.* landen (op vliegdekschip).
apport [apò:r] *m.* **1** aanvoer *m.*; **2** (*H.*: *v. vennoot*) inbreng *m.*; **3** aanslibbing *v.*
apporter [apòrté] *v.t.* **1** brengen, meebrengen; aanbrengen; **2** (*v. geld, waarde*) inbrengen; **3** (*v. bewijzen*) aanvoeren; **4** (*v. zorg*) besteden; **— *remède à*,** verhelpen; **— *des difficultés à*,** bemoeilijken.
apposer [apo·zé] *v.t.* **1** (*v. biljet, enz.*) aanplakken; **2** (*v. zegel, enz.*) plakken op; **3** (*v. handtekening*) zetten; **4** (*v. gedenkteken*) plaatsen, aanbrengen; **— *les scellés à (sur)*,** gerechtelijk verzegelen; **— *sa signature à*,** ondertekenen.
appositif [apo·zitif] *adj.*, (*gram.*) als bijstelling.
apposition [apo·zisyõ] *f.* **1** (het) aanplakken *o.*; **2** (het) plaatsen *o.*; **3** verzegeling *v.*; **4** (*v. handen*) (het) opleggen *o.*; **5** (*gram.*) bijstelling *v.*; **— *de signature*,** ondertekening *v.*
appréciable [aprésya·bl] *adj.* **1** schatbaar; waardeerbaar; **2** waarneembaar; **3** noemenswaard, aanmerkelijk, aanzienlijk.
appréciateur [aprésyatœ:r] *m.* schatter *m.*
appréciatif [aprésyatif] *adj.* **1** waarderend; **2** naar schatting.
appréciation [aprésya·syõ] *f.* **1** schatting *v.*; **2** waardering *v.*; **3** (*v. boek, enz.*) beoordeling, kritiek *v.*
apprécier [aprésyé] *v.t.* **1** schatten, taxeren; **2** waarderen; **3** beoordelen; **4** op prijs stellen, waarde hechten aan; **— *qn.*,** een hoge dunk van iem. hebben; **— *à sa juste valeur*,** naar waarde schatten.
appréhender [apréã·dé] *v.t.* **1** duchten, vrezen; **2 — (*au corps*)**, in hechtenis nemen.
appréhensible [ãpréã·si·bl] *adj.* begrijpelijk.
appréhensif [apréã·sif] *adj.* bevreesd, vreesachtig, beschroomd.
appréhension [apréã·syõ] *f.* **1** vrees *v.*(*m.*), schrik *m.*; **2** beduchtheid *v.*, schroom *m.*; bezorgdheid *v.*; **3** gevangenneming *v.*
apprendre* [aprã:dr] *v.t.* **1** leren; **2** onderwijzen; **3** horen, vernemen; **4** melden, berichten; **— *à vivre à qn.*,** iem. mores leren; ***apprenez que,*** weet dat; ***bien appris,*** welopgevoed; ***mal appris,*** onopgevoed, onbeschoft.
apprenti(e) [aprã·ti] *m.* (*f.*) leerjongen *m.* (leermeisje *o.*).
apprentissage [aprã·tisa:j] *m.* leertijd *m.*, leerjaren *mv.*; ***être en —,*** in de leer zijn; ***mettre en —,*** in de leer doen; ***faire l'— de qc.*,** iets aanleren.
apprêt [aprè] *m.* **1** bereiding, toebereiding *v.*; **2** (*v. stoffen*) (het) opmaken; (het) persen *o.*; **3** (*v. papier*) (het) glanzen *o.*; **4** gompap *v.*(*m.*), stijfsel *m.* en *o.*, lijm *m.* (voor stoffen); **5** grondverf *v.*(*m.*); **6** (*fig.*) gemaaktheid, gekunsteldheid *v.*; **7 —s,** *m.pl.* toebereidselen *mv.*; ***sans —,* 1** ongedwongen; **2** ongekunsteld, eenvoudig. [teren *o.*
apprêtage [aprè·ta:j] *m.* appretuur *v.*, het appre-
apprêté [aprè·té] *adj.* **1** toebereid, klaargemaakt; **2** opgemaakt; **3** (*fig.*: *v. stijl*) gekunsteld, gemaakt, gezocht; **4** voorgewend.
apprêter [aprè·té] **I** *v.t.* **1** toebereiden, klaarmaken; **2** (*v. stof*) opmaken; **3** plamuren; **4** (*v. doek*) in de grondverf zetten; **II** *v.pr.* ***s'—,* 1** zich gereed maken; zich voorbereiden, zich toerusten; **2** op het punt staan.
apprêteur [aprè·tœ:r] *m.* **1** toebereider *m.*; **2** opmaker *m.* [(het) tam maken *o.*
apprivoisement [aprivwazmã] *m.* (het) temmen,
apprivoisé [aprivwazé] *adj.* tam, mak.
apprivoiser [aprivwazé] **I** *v.t.* **1** (*v. dier*) tam maken, temmen; **2** (*v. mens*) handelbaar maken; **II** *v.pr.*, ***s'—,* 1** tam worden; **2** handelbaar worden; ***s' — avec le danger,*** gewennen aan het gevaar, met het gevaar vertrouwd geraken.
approbateur [apròbatœ:r] **I** *adj.* goedkeurend; **II** *s.*, *m.* goedkeurder *m.*
approbatif [apròbatif] *adj.* goedkeurend.
approbation [apròba·syõ] *f.* **1** goedkeuring, toestemming *v.*; **2** (*voor drukken*) vergunning *v.*; **3** bijval *m.*
approchable [apròʃa·bl] *adj.* genaakbaar.
approchant [apròʃã] **I** *adj.* nabijkomend; veel gelijkend op; **II** *adv.* ongeveer, ten naaste bij.
approche [apròʃ] *f.* **1** nadering *v.*; **2** nabijheid *v.*; ***à l'— de la nuit,*** bij het vallen van de avond; ***lunette d'—,*** verrekijker *m.*; ***travaux d'—s,*** belegeringswerken *mv.*; ***lignes d'—,*** loopgraven *mv.*
approcher [apròʃé] **I** *v.t.* **1** nader brengen, dichterbij brengen; **2** (*v. stoel, enz.*) bijschuiven; **3** (*v. persoon*) toegang hebben bij, omgaan met; **II** *v.i.* **1** naderen, dichterbij komen; **2** gelijken op; **III** *v.pr.*, ***s'— (de)*,** naderen; ***il s'approche de la quarantaine,*** hij loopt naar de veertig.
approfondir [apròfõ·di:r] *v.t.* **1** dieper maken, uitdiepen; **2** (*fig.*) grondig bestuderen; **3** onderzoeken, uitvorsen.
approfondissement [apròfõ·dismã] *m.* **1** uitdieping *v.*, (het) uitdiepen, (het) dieper maken *o.*; **2** grondige studie *v.*; **3** grondig onderzoek *o.*, navorsing *v.*
appropriation [apròpria·syõ] *f.* **1** toeëigening *v.*; **2** (*v. lokaal, enz.*) inrichting *v.*, (het) geschikt maken *o.*; **3** aanpassing *v.*

approprier [apròprié] **I** *v.t.* **1** in orde brengen, (behoorlijk) inrichten; **2** schikken (naar); gepast maken (voor); **3** (*v. hoed*) opmaken; **II** *v.pr.*, ***s'—***, zich toeëigenen; ***s'— à,*** zich schikken naar.
approuver [apruvé] *v.t.* goedkeuren, zijn instemming betuigen met; toestemmen in; ***— de la tête,*** goedkeurend knikken.
approvisionnement [apròvizyònmã] *m.* **1** proviandering *v.*; **2** voorraad *m.*; ***— en blé,*** graanvoorziening *v.*
approvisionner [apròvizyòné] **I** *v.t.* provianderen, van voorraad voorzien; **II** *v.pr.*, ***s'— (de),*** zich voorzien van, voorraad opdoen (*of* inslaan).
approximatif [apròksimatif] *adj.* **1** benaderend; **2** (*v. schatting*) ruw; **3** vermoedelijk bedragend.
approximation [apròksima'syõ] *f.* benadering; ruwe schatting, raming *v.*
approximativement [apròksimativmã] *adv.* bij benadering, ongeveer.
appui [apẁi] *m.* **1** steun, stut, schoor *m.*; **2** (*v. trap*) leuning *v.*; **3** (*v. terras*) balustrade *v.*; **4** (*fig.*) steun *m.*, hulp *v.*(*m.*), bijstand *m.*; **5** beschermer *m.*; **6** (*gram.*) nadruk *m.*; ***pièces à l'—,*** bewijsstukken *mv.*; ***à l'— de,*** tot staving van; ***point d'—,*** steunpunt *o.*; ***à hauteur d'—,*** op borsthoogte. [v.
appui*(e)-bras [apẁibra] *m.* leuning, balustrade
appui*(e)-livres [apẁili'vr] *m.* boekensteun *m.*
appui*(e)-main [apẁimẽ] *m.* schildersstok, paletstok *m.*
appui*(e)-tête [apẁitè:t] *m.* **1** (*fot.*) hoofdsteun *m.*; **2** sluimerrol *v.*(*m.*).
appuyer [apẁyé] **I** *v.t.* **1** steunen, stutten, schoren; **2** (*fig.*) ondersteunen, beschermen; **3** bevestigen, staven, adstrueren; ***— une échelle au mur,*** een ladder tegen de muur plaatsen; ***— une maison à*** (*of* ***contre***), een huis aanbouwen tegen; **II** *v.i.*, ***— sur,* 1** drukken op; **2** (*fig.*) de nadruk leggen op; ***— à droite,*** rechts aanhouden; ***— des deux,* 1** beide sporen aandrukken; **2** snel wegrijden; **III** *v.pr.*, ***s'— (à, contre, sur)*** leunen (tegen, op); steunen (op); ***s'— sur,* 1** berusten op; **2** zich beroepen op.
âpre(ment) [ɑ:pr(emã)] *adj.*, (*adv.*) **1** ruw, hobbelig; **2** (*v. vrucht; fig.*) wrang, bitter; **3** (*v. koude, wind*) guur, bijtend, snerpend; **4** (*v. toon, enz.*) scherp; **5** (*v. deugd*) streng, stug; ***— au gain,*** geldgierig, geldzuchtig, hebzuchtig; ***— à la curée,* 1** (*v. hond*) vraatzuchtig; **2** (*v. persoon*) geldzuchtig; eerzuchtig.
après [aprè] **I** *prép.* na; achter; ***— cela,*** daarna; ***— quoi,*** waarna; ***— coup,*** naderhand, achteraf; ***d'—,*** volgens, naar; ***peint d'— nature,*** naar het leven geschilderd; ***— tout,*** alles wel beschouwd; ***— vous,*** ga uw gang, ga voor, na u; ***courir — qn.,*** iem. nalopen; ***soupirer — qc.,*** haken naar iets; **II** *adv.* daarna, vervolgens; ***l'année d'—,*** het jaar daarop; ***— que,*** nadat.
après-demain [aprèdmẽ] *adv.* overmorgen.
après-dîner* [aprèdiné] *m.* tijd *m.* na 't eten; namiddag *m.* [tijd na de oorlog.
après-guerre* [aprègè:r] *m.* na-oorlogse tijd *m.*,
après-midi [aprèmidi] *m. et f.* namiddag *m.*
après-souper* [aprèsupé] *m.* tijd *m.* na 't avondeten.
âpreté [ɑ'preté] *f.* **1** ruwheid *v.*; **2** wrangheid *v.*; **3** guurheid *v.*; **4** scherpte *v.*; **5** strengheid, stugheid *v.*; **6** gretigheid, inhaligheid *v.*; **7** vinnigheid *v.* [a priori.
a priori [apriòri] *adv.* vooraf, vooruit, te voren,
à-propos [apròpo] *m.* **1** het juiste ogenblik *o.*; **2** gevatheid, snedigheid *v.*; ***esprit d'—,*** tegenwoordigheid *v.* van geest.
apside [apsi'd] *f.* apsis *v.* [voegd.
apte [apt] *adj.* **1** geschikt, in staat; **2** (*recht*) be-
aptère [aptè:r] *adj.*, (*Dk.*) vleugelloos.
aptéryx [aptériks] *m.* kiwi *m.*
aptitude [aptitü'd] *f.* **1** geschiktheid, bekwaamheid *v.*, aanleg *m.*; **2** (*recht*) bevoegdheid *v.*
apurement [apü'rmã] *m.* (het) nazien *o.* van een rekening.
apurer [apü'ré] *v.t.* (*v. rekening*) nazien en voor juist erkennen.
apyre [api:r] *adj.* vuurvast, onbrandbaar.
aquafortiste [akwafòrtist] *m.* etser *m.*
aquaplane [akwaplan] *m.*, (*sp.*) **1** surfriding; **2** daarbij gebruikte plank *v.*(*m.*). [rel *v.*(*m.*).
aquarelle [akwarèl] *f.* waterverftekening *v.*, aqua-
aquarelliste [akwarèlist] *m.* waterverftekenaar, aquarelschilder *m.*
aquarium [akwaryòm] *m.* aquarium *o.*
aquatile [akwatil] *adj.*, (*Pl.*) in water ontstaan en groeiend.
aquatinte [akwatẽ] *f.* aquatint *v.*(*m.*).
aquatique [akwatik] *adj.* **1** in het water levend; **2** moerassig; ***plante —,*** waterplant *v.*(*m.*).
aqueduc [akdük] *m.* gemetselde waterleiding *v.*; aquaduct *o.*
aqueux [akö] *adj.* waterig; waterachtig.
aquicole [akẁikòl] in het water levend.
aquifère [akẁifè:r] *adj.* waterhoudend; ***niveau —,*** flesjeswaterpas, waterniveau *o.*
aquilin [akilẽ] arends—; ***nez —,*** arendsneus, haviksneus *m.*
aquilon [akilõ] **1** noordenwind; koude wind *m.*; **2** (het) noorden *o.*
aquosité [akozité] *f.* waterachtigheid *v.*
ara [ara] *m.* Zuidamerikaanse papegaai *m.*
arabe [ara'b] **I** *adj.* Arabisch; **II** *s.*, *m.-f.*, **A—,** Arabier *m.*, Arabische *v.*; ***a—,*** (*fig.*) **1** woekeraar *m.*; **2** Arabisch paard *o.*
arabesques [arabèsk] *f.pl.* arabesken *mv.*
Arabie [arabi] *f.* Arabië *o.*
arabique [arabik] *adj.* Arabisch.
arable [ara'bl] *adj.* beploegbaar, bebouwbaar; ***terre —,*** bouwland *o.*
arachide [araʃi'd] *f.* aardnoot, olienoot *v.*(*m.*).
arachnéen [araknéẽ] *adj.* **1** aan spinnen eigen; **2** ragfijn.
arachnide(s) [arakni'd] *m.*(*pl.*) spinachtige(n) *m.*(*mv.*). [vliezen.
arachnoïde [araknòi'd] *f.* een der drie hersen-
arack [arak] *m.* rijstbrandewijn *m.*, arak *m.*
araignée [arèñé] *f.* spin *v.*(*m.*); ***toile d'—,*** spinneweb *o.*; ***il a une — dans le plafond,*** hij is niet goed wijs, er loopt bij hem een streep door.
araire [arè:r] *m.* lichte ploeg *m. en v.*
aramon [aramõ] *m.* bep. Zuidfranse wijnstok *m.*
araser [ara'zé] *v.t.*, (*tn.*) op dezelfde hoogte brengen, gelijkmaken.
aratoire [aratwa:r] *adj.* landbouw—, de landbouw betreffend; ***instrument —,*** landbouwwerktuig *o.*
araucarie [arokari] *m.*, (*Pl.*) araucaria (tropische naaldboom) *v.*(*m.*).
arbalète [arbalèt] *f.* handboog, kruisboog *m.*
arbalétrier [arbalétri(y)é] *m.* **1** boogschutter *m.*; **2** dakspant *o.*
arbitrage [arbitra:j] *m.* **1** scheidsrechterlijke uitspraak *v.*(*m.*); **2** (*H.*) arbitrage-(zaken) *v.*(*mv.*).
arbitragiste [arbitrajist] *m.* arbitrant *m.*
arbitraire(ment) [arbitrè:r(mã)] **I** *adj.* (*adv.*) willekeurig, eigendunkelijk; **II** *s.*, *m.* willekeur *v.*(*m.*).
arbitral(ement) [arbitral(mã)] *adj.* (*adv.*) scheidsrechterlijk; ***tribunal —,*** scheidsgerecht *o.*

arbitration [arbitra'syõ] *f.* raming, schatting *v.* (door scheidslieden).
arbitre [arbitr] *m.* **1** scheidsrechter *m.*; **2** heerser, heer en meester *m.*; ***libre* —,** vrije wil *m.*
arbitrer [arbitré] **I** *v.t.* **1** als scheidsrechter beslissen in (*of* over), uitspraak doen in; **2** schatten; **3** (*sp.*: *bij wedstrijd*) leiden; **II** *v.i.* tot arbitrage overgaan.
arborer [arbòré] *v.t.* **1** (*v. vlag*) hijsen, planten; **2** (*v. mast*) opzetten, planten; **3** zichtbaar dragen; **4** ten toon spreiden; **— *les couleurs,*** **1** de vlag hijsen; **2** (*fig.*) kleur bekennen.
arborescent [arbòrèsã] *adj.* boomachtig.
arboriculteur [arbòrikültœ:r] *m.* boomkweker *m.*
arboriculture [arbòrikültü:r] *f.* (het) boomkweken *o.*, boomkwekerij *v.*
arborisation [arbòriza'syõ] *f.* **1** ijsbloemen *mv.*; **2** (*v. een kristal*) vertakkingen *mv.*
arborisé [arbòrizé] *adj.* boomvormig vertakt.
arboriste [arbòrist] *m.* boomkweker *m.*
arbouse [arbu:z] *f.* haagappel *m.*
arbousier [arbuzyé] *m.* haagappelboom *m.*
arbre [arbr] *m.* **1** boom *m.*; **2** mast *m.*; **3** (*v. weegschaal*) balk *m.*; **4** spil, as *v.*(*m.*), stander *m.*; ***l'— de la Croix,*** het Kruishout; ***— coudé, — à manivelle,*** krukas *v.*(*m.*); ***— de charrue,*** dissel *m.*; ***— généalogique,*** geslachtsboom; ***— de couche,*** liggende hoofdas; ***couper l'— pour avoir le fruit,*** de kip met de gouden eieren slachten.
arbrisseau [arbriso] *m.* boompje *o.*, heester *m.*
arbuste [arbüst] *m.* struik *m.*, heester *m.*
arc [ark] *m.* boog *m.*; ***— de triomphe,*** triomfboog *m.*; erepoort *v.*(*m.*); ***en —,*** boogvormig; ***lampe à —,*** booglamp *v.*(*m.*); ***avoir plus d'une corde à son —,*** meer pijlen op zijn boog hebben.
arcade [arka'd] *f.* **1** boogvormige opening *v.*; boogvormige doorgang *m.*; **2** gewelf *o.*; **3** (*v. bril*) brug *v.*(*m.*), boog *m.*; ***— de verdure,*** bladergewelf *o.*; ***— sourcilière,*** wenkbrauwboog *m.*
arcane [arkan] *m.* **1** geheim *o.*; **2** geheim middel *o.*
arcanson [arkã'sõ] *m.* vioolhars *o. en m.*
arcature [arkatü:r] *f.* bogenrij *v.*(*m.*), rij *v.*(*m.*) bogen.
arc*-boutant* [arbutã] *m.* **1** (*bouwk.*) steunboog *m.*; **2** (*fig.*) hoeksteen, steunpilaar *m.*
arc-bouter [arbuté] **I** *v.t.* steunen, schragen; **II** *v.pr.*, ***s'—,*** zich schrap zetten.
arc*-doubleau* [ardublo] *m.* pijlerboog *m.*
arceau [arso] *m.*, (*bouwk.*) boog *m.*
arc*-en-ciel [arkã'syèl] *m.* regenboog *m.*
archaïque [arkaik] *adj.* verouderd, ouderwets.
archaïsme [arkaizm] *m.* verouderde uitdrukking *v.*
archal [arʃal] *m.*, ***fil d'—,*** koperdraad *o. en m.*
archange [arkã:ʒ] *m.* aartsengel *m.* [gel.
archangélique [arkã:ʒélik] *adj.* van een aartsen-
arche [arʃ] *f.* **1** (*v. brug, enz.*) boog *m.*; **2** ark *v.*(*m.*); ***l'— d'alliance, l'— sainte,*** de Arke des verbonds; ***c'est l'— sainte,*** 't is een heilig huisje.
Archennes [arʃèn] Eerken *o.*
archéologie [arkéòlòʒi] *f.* oudheidkunde *v.*
archéologique [arkéòlòʒik] *adj.* oudheidkundig, archeologisch.
archéologue [arkéòlò'g] *m.* oudheidkenner *m.*
archer [arʃé] *m.* boogschutter *m.*
archet [arʃè] *m.* **1** (*muz.*) strijkstok *m.*; **2** (*v. el. tram*) beugel, contactbeugel *m.*; **3** drilboor *v.*(*m.*); ***coup d'—,*** (*muz.*) streek *v.*(*m.*).
archétype [arkétip] *m.* grondvorm *m.*
archevêché [arʃevè'ʃé] *m.* **1** aartsbisdom *o.*; **2** aartsbisschoppelijk paleis *o.*
archevêque [arʃevè:k] *m.* aartsbisschop *m.*
archibête [arʃibè:t] *adj.* aartsdom.
archichancelier [arʃiʃã'slyé] *m.* grootkanselier *m.*
archicomble [arʃikõ'bl] *adj.* stampvol.
archiconfrérie [arʃikõ'fréri] *f.*, (*kath.*) aartsbroederschap *v.* [schap *o.*
archidiaconat [arʃidyakòna] *m.* aartsdiaken-
archidiacre [arʃidyakr] *m.* aartsdiaken *m.*
archiduc [arʃidük] *m.* aartshertog *m.*
archiducal [arʃidükal] *adj.* aartshertogelijk.
archiduché [arʃidüʃé] *m.* aartshertogdom *o.*
archiduchesse [arʃidüʃès] *f.* aartshertogin *v.*
archiépiscopal [arkiépiskòpal] *adj.* aartsbisschoppelijk.
archiépiscopat [arkiépiskòpa] *m.* aartsbisschoppelijke waardigheid *v.*
archifou [arʃifu] **I** *adj.* stapelgek; **II** *s.*, *m.* aartsgek *m.* [*m.*
archimandrite [arʃimã'drit] *m.* archimandriet
Archimède [arʃimè:d] *m.* Archimedes *m.*
archimillionnaire [arʃimilyònè:r] *adj.* multimiljonair, schatrijk. [*m.*
archipel [arʃipèl] *m.* eilandengroep *v.*(*m.*), archipel
archiprêtre [arʃiprè:tr] *m.* aartspriester *m.*
architecte [arʃitèkt] *m.* bouwkundige *m.*; bouwmeester *m.*
architectonique [arʃitèktònik] **I** *adj.* bouwkundig, architectonisch; **II** *s.*, *f.* bouwkunde *v.*
architectural [arʃitèktüral] *adj.* bouwkunstig.
architecture [arʃitèktü:r] *f.* **1** bouwkunst *v.*; **2** bouwtrant *m.*; bouwstijl *m.*; ***— navale,*** scheepsbouwkunde *v.*; ***— hydraulique,*** waterbouwkunde *v.* [balk *m.*
architrave [arʃitra:v] *f.* architraaf *v.*(*m.*), bind-
archives [arʃi:v] *f.pl.* archief *o.*
archiviste [arʃivist] *m.* archivaris *m.*
archivolte [arʃivòlt] *f.*, (*bouwk.*) boogversiering *v.* (in raam of deur).
arçon [arsõ] *m.* zadelboog *m.*; ***être ferme sur les —s,*** **1** vast in de zadel zitten; **2** zich niet van zijn stuk laten brengen; ***se remettre dans ses —s,*** (*fig.*) er weer bovenop komen.
arctique [arktik] *adj.* noordpool—, noordelijk; ***mer —, Océan Glacial —,*** Noordelijke IJszee.
ardélion [ardélyõ] *m.* bemoeial *m.*
ardemment [ardamã] *adv.* **1** vurig, hartstochtelijk; **2** ijverig.
Ardennes [ardèn] *f.pl.* Ardennen *mv.*
ardent [ardã] *adj.* **1** brandend, gloeiend; **2** (*fig.*) vurig, hartstochtelijk; **3** hevig; **4** ijverig; ***verre —,*** brandglas *o.*; ***soif —e,*** hevige (brandende) dorst *m.*; ***blond —,*** rosblond, rosachtig blond; ***chapelle —e,*** rouwkapel *v.*(*m.*); ***— à l'ouvrage,*** blakend van ijver.
ardeur [ardœ:r] *f.* **1** hitte *v.*, gloed *m.*; **2** (*fig.*) vuur *o.*, hartstocht *m.*; **3** geestdrift *v.*(*m.*); **4** (*v. dorst*) hevigheid *v.*
ardillon [ardiyõ] *m.* tong *v.*(*m.*) (v. gesp).
ardoise [ardwa:z] *f.* **1** lei *v.*(*m.*); **2** leisteen *o. en m.*; **3** lopende rekening *v.*, krediet *o.*; ***carrière d'—,*** leigroeve *v.*(*m.*); ***d'—,*** leien; ***crayon d'—,*** griffel *v.*(*m.*).
ardoisé [ardwa'zé] *adj.* leikleurig.
ardoiser [ardwa'zé] *v.t.* **1** met lei dekken; **2** een grijze kleur geven aan, in leikleur schilderen.
ardoisier [ardwa'zyé] *m.* **1** werkman *m.* in een leigroeve; **2** bezitter *m.* van een leigroeve; **3** leisteenhandelaar *m.*
ardoisière [ardwa'zyè:r] *f.* leigroeve *v.*(*m.*).
ardu [ardü] *adj.* **1** steil; **2** (*fig.*: *v. kwestie, enz.*) lastig, moeilijk op te lossen; **3** (*v. arbeid*) zwaar.
are [a:r] *m.* are *v.*(*m.*).
arénacé [arénasé] *adj.* zandachtig.
arène [arè:n] *f.* **1** (*in circus*) arena *v.*(*m.*); **2** strijd-

perk, worstelperk *o.*; **3** (*dicht.*) zand *o.*; ***— maritime,*** zeezand *o.*; ***descendre dans l'—,*** in het krijt treden, in het strijdperk treden.
aréneux [arénö] *adj.* zandig.
aréole [aréòl] *f.* kring *m.*
aréomètre [aréòmè·tr] *m.* vochtmeter, areometer [*m.*
aréométrie [aréòmétri] *f.* dichtheidsbepaling *v.* (bepaling van het soortelijk gewicht) van vloeistoffen.
aréopage [aréòpa:j] *m.* **1** areopagus *m.* (hoogste rechtbank te Athene); **2** (*fig.*) vierschaar *v.*(*m.*).
arête [arè:t] *f.* **1** visgraat *v.*(*m.*); **2** bergrug, bergkam *m.*; **3** (*Pl.*: *v. aar*) baard *m.*; **4** kant, scherpe rand *m.*; **5** (*meetk.*) ribbe *v.*(*m.*); **6** (*paardeziekte*) mok *v.*(*m.*); **7** (*v. gewelf*) graat *v.*(*m.*).
arêteux [arè·tö] *adj.* **1** vol graten; **2** (*fig.*) netelig.
arêtier [arè·tyé] *m.* hoekkeper *m.*, hoekspar *m.*
arêtière [arè·tyè:r] *f.* nokpan *v.*(*m.*).
argent [arjã] *m.* **1** zilver *o.*; **2** geld *o.*; ***vif —,*** kwikzilver *o.*; ***— blanc,*** **1** zilvergeld *o.*; **2** nieuwzilver *o.*; ***— comptant,*** gereed geld; ***en avoir pour son —,*** waar voor zijn geld krijgen, meer krijgen dan waarop men recht heeft; ***prendre qc. pour — comptant,*** iets voor goede munt (*of* voor waar) aannemen; ***point d'—, point de Suisse,*** niets voor niets.
argentage [arjã·ta:j] *m.* verzilvering *v.*
argental [arjã·tal] *adj.* zilverhoudend.
argentan [arjã·tã] *m.* namaakzilver *o.*
argenté [arjã·té] *adj.* **1** verzilverd; **2** zilverkleurig, zilverwit; ***renard —,*** zilvervos *m.*
argenter [arjã·té] *v.t.* **1** verzilveren; **2** een zilveren glans geven aan.
argenterie [arjã·tri] *f.* **1** zilverwerk *o.*; **2** tafelzilver *o.*
argenteur [arjã·tœ:r] *m.* verzilveraar *m.*
argenteux [arjã·tö] *adj.* (*pop.*) rijk.
argentier [arjã·tyé] *m.* **1** zilverkast *v.*(*m.*); **2** geldman, bankier *m.*
argentifère [arjã·tifè:r] *adj.* zilverhoudend.
argentin [arjã·tẽ] **I** *adj.* **1** zilverachtig; **2** zilverwit; ***son —,*** heldere klank, zilverklank *m.*; **3** Argentijns; **II** *s.*, *m.* **A—,** Argentijn *m.*
argentine [arjã·tin] *f.* **1** zilvervis *m.*; **2** **A—,** Argentinië *o.*
argenture [arjã·tü:r] *f.* **1** verzilvering *v.*; **2** bladzilver *o.*
argile [arjil] *f.* klei *v.*(*m.*), leem *o. en m.*; ***d'—,*** lemen; ***— réfractaire,*** vuurvaste klei *v.*(*m.*).
argileux [arjilö] *adj.* kleiachtig; ***sol —,*** kleigrond *m.*
argilière [arjilіè:r] *f.* kleigroeve *v.*(*m.*).
argine [arjin] *f.* klaverenvrouw *v.*
argot [argo] *m.* **1** dieventaal *v.*(*m.*), bargoens *o.*; **2** taal van een bepaalde groep, groeptaal *v.*(*m.*); vaktaal *v.*(*m.*).
argotique [argòtik] *adj.* betrekking hebbend op ***argot.***
argousin [arguzẽ] *m.* **1** opzichter *m.* (van galeiboeven); **2** (*pop.*) smeris, klabak *m.*
Argovie [argòvi] *f.* Aargau *m.*
argue [arg] *f.*, (*tn.*) trekbank *v.*(*m.*).
arguer I [argé] *v.t.*, (*v. goud, zilver*) tot draad trekken; **II** [argüé] **1** afleiden, besluiten; **2** tegenwerpen, bestrijden; ***— de,*** zich beroepen op; ***— de faux,*** (*recht*) voor vals (*of* onecht) verklaren.
argument [argümã] *m.* **1** bewijsgrond *m.*, argument *o.*; **2** (*v. redevoering, enz.*) hoofdinhoud, beknopte inhoud *m.*; kort overzicht *o.*
argumentateur [argümãtatœ:r] *m.* liefhebber *m.* van redetwisten, betweter *m.*
argumentation [argümãta·syõ] *f.* bewijsvoering *v.*, betoog *o.*
argumenter [argümã·té] **I** *v.i.* betogen, een betoog houden; ***— de,*** besluiten uit; ***— contre qn.,*** met iem. redetwisten; **II** *v.t.* weerleggen.
Argus [argüs] **1** Argus *m.*; **2** ***a—,*** opmerker; waakzaam mens *m.*; **3** spion *m.*; ***yeux d'—,*** argusogen.
argutie [argüsi] *f.* spitsvondigheid *v.*
argutieux [argüsyö] *adj.* spitsvondig.
argyronète [arjiròné·t] *f.* bep. waterspin *v.*(*m.*).
argyrose [arjiro:z] *m.* zilversulfide *o.*
aria [arya] *f.* **I** (*muz.*) aria *v.*(*m.*); **II** *m.* (*pop.*) herrie *v.*(*m.*), bonje *v.*
Ariane [aryan] *f.* Ariadne *v.*
aride [ari:d] *adj.* **1** dor, droog; **2** onvruchtbaar; **3** (*fig.*) ongevoelig, gevoelloos; **4** saai, dor.
aridité [aridité] *f.* **1** dorheid, droogheid *v.*; **2** onvruchtbaarheid *v.*; **3** ongevoeligheid *v.*; **4** saaiheid *v.*
arien [aryẽ] **I** *adj.* Ariaans; **II** *s.*, *m.* **A—,** Ariaan *m.*
ariette [aryèt] *f.* kleine aria *v.*(*m.*); liedje *o.*
aristarque [aristark] *m.* streng maar rechtvaardig criticus *m.*
aristocrate [aristòkrat] *m.* aristrocraat *m.*
aristocratie [aristòkrasi] *f.* aristocratie *v.*, eerste standen *mv.*
aristocratique [aristòkratik] *adj.* aristocratisch, deftig.
aristoloche [aristòlòʃ] *f.*, (*Pl.*) pijpbloem *v.*(*m.*).
Aristote [aristòt] *m.* Aristoteles *m.*
arithméticien [aritmétisyẽ] *m.* rekenkundige *m.*
arithmétique [aritmétik] **I** *f.* rekenkunde *v.*; **II** *adj.* rekenkundig; ***progression —,*** rekenkundige reeks *v.*(*m.*).
arithmographe [aritmògraf] *m.*, **arithmomètre** [aritmòmè·tr] *m.* rekenmachine *v.*
arlequin [arlékẽ] *m.* **1** harlekijn, hansworst *m.*; **2** (*fig.*) lappendeken *v.*(*m.*); ***habit d'—,*** harlekijnspak *o.*; ***— politique,*** politieke weerhaan *m.*
arlequinade [arlékina·d] *f.* **1** hansworsterij *v.*; **2** dwaze streek *m. en v.*, grap *v.*(*m.*); grove klucht *v.*(*m.*).
arlésien [arlésyẽ] *adj.* uit Arles.
Arlon [arlõ] Aarlen *o.*
armade [armad] *f.* armada *v.*(*m.*).
armagnac [armañak] *m.* soort cognac *m.*
Armand [armã] *m.* Herman, Manus *m.*
armateur [armatœ:r] *m.* reder *m.*
armature [armatü:r] *f.* **1** (ijzeren) geraamte *o.*; **2** (*v. magneet*) anker *o.*; **3** (*muz.*) tekens, voortekens *mv.*; **4** (*fig.*) opzet, grondslag *m.*
arme [arm] *f.* **1** wapen *o.*; **2** geweer *o.*; **3** wapenrusting *v.*; ***— à feu,*** vuurwapen; ***— blanche,*** blank wapen; ***l'— au bras,*** het geweer aan de schouder; ***présentez —s!*** presenteert 't geweer! ***porter les —s,*** dienen; ***portez —s!*** op de schouder... geweer! 't geweer in de arm! ***reposez —s!*** 't geweer in rust! ***faire des —s,*** schermen; ***avec —s et bagages,*** met pak en zak; ***maître d'—s,*** schermmeester *m.*; ***rendre les —s,*** **1** zich overgeven; **2** (*fig.*) zwichten; ***faire — de tout,*** alle middelen aanwenden, geen enkel middel versmaden; ***passer par les —s,*** fusilleren.
armé [armé] *adj.* **1** gewapend; **2** beslagen; ***à main —e,*** gewapenderhand; ***— de toutes pièces,*** **1** in volle wapenrusting; **2** (*fig.*) volledig uitgerust; ***béton —,*** gewapend beton *o.*; ***ciment —,*** ijzercement *o.*
armée [armé] *f.* **1** leger *o.*; **2** (*fig.*) grote menigte *v.*; ***— de terre,*** landmacht *v.*(*m.*); ***— de mer,*** zeemacht *v.*(*m.*); ***— permanente,*** staand leger; ***les —s de terre et de mer,*** land- en zeemacht, leger en vloot; ***— de campagne,*** veldleger *o.*
armeline [armelin] *f.* hermelijnbont *o.*
armement [armemã] *m.* **1** bewapening *v.*; **2** (*v.*

schip) uitrusting *v.*; **3** (*v. land*) krijgstoerusting *v.*; ***compagnie d'—***, rederij *v.*
Arménie [arméni] *f.* Armenië *o.*
arménien [arményẽ] **I** *adj.* Armenisch; **II** *s.*, *m.* **A—**, Armeniër *m.*
armer [armé] **I** *v.t.* **1** wapenen; bewapenen; **2** (*v. schip*) uitrusten; **3** (*v. kanon*) laden; **4** (*v. geweer*) in gereedheid brengen; **5** (*fig.*) ophitsen, in 't harnas jagen; **6** gehard maken; **7** (*muz.*) van tekens voorzien; ***— chevalier***, tot ridder slaan; **II** *v.pr.*, ***s'—***, zich wapenen; ***s'— de patience***, geduld oefenen.
armet [armè] *m.* stormhoed, stormhelm *m.*
armillaire [armilè:r, armiyè:r] *adj.*, ***sphère —***, planetarium *o.*
arminien [arminyẽ] **I** *adj.* Arminiaans; **II** *s.*, *m.*, **A—**, Arminiaan *m.*
armistice [armistis] *m.* wapenstilstand *m.*
armoire [armwa:r] *f.* kast *v.*(*m.*); ***— à glace***, spiegelkast *v.*(*m.*).
armoiries [armwa'ri] *f.pl.* **1** wapen *o.*; **2** wapenschild *o.*
armoise [armwa:z] *f.* (*Pl.*) sint-janskruid.
armorial [armòryal] **I** *adj.* wapenkundig; **II** *s.*, *m.* wapenboek *o.*
armoricain [armòrikẽ] *adj.* uit Bretagne.
armorier [armòryé] *v.t.* met wapens versieren, een wapen schilderen op.
armoriste [armòrist] *m.* **1** wapenkundige *m.*; **2** wapenschilder *m.*
armure [armü:r] *f.* **1** wapenrusting *v.*; **2** pantser; harnas *o.*; **3** (*v. magneet*) anker *o.*; **4** beslag *o.*
armurerie [armüreri] *f.* **1** wapenfabriek; wapensmederij *v.*; **2** wapenwinkel *m.*
armurier [armüryé] *m.* **1** wapenfabrikant; wapensmid *m.*; **2** wapenhandelaar *m.*
Arnaud [arno] *m.* Arnold, Arnout *m.*
arnica [arnika], **arnique** [arnik] *f.*, (*Pl.*) valkruid *o.*
aromate [aròmat] *m.* welriekende kruiderij *v.*
aromatique [aròmatik] *adj.* welriekend, geurig, aromatisch.
aromatiser [aròmati'zé] *v.t.* geurig maken, welriekend maken.
arôme [aro:m] *m.* aroma *o.*, geur *m.*
aronde [arõ:d] *f.*, (*veroud.*) zwaluw; ***en queue d'—***, zwaluwstaartvormig.
arpège [arpè:j] *m.*, (*muz.*) arpeggio *o.*
arpéger [arpè'jé, arpé'jé] *v.i.*, (*muz.*) arpegeren.
arpent [arpã] *m.* morgen *m. en o.* (*landmaat*).
arpentage [arpã'ta:j] *m.* landmeting *v.*
arpenter [arpã'té] *v.t.* **1** (*v. land*) opmeten; **2** met grote passen doorlopen; ***— la chambre***, in de kamer heen en weer stappen.
arpenteur [arpã'tœ:r] *m.* landmeter *m.*
arpenteuse [arpã'tö:z] *f.*, (*Dk.*) spanrups *v.*(*m.*).
arqué [arké] *adj.* gebogen, gewelfd; krom; ***nez —***, kromme neus *m.*
arquebuse [arkebü:z] *f.* haakbus *v.*(*m.*); ***jeu de l'—***, schijfschieten *o.*
arquebusier [arkebü'zyé] *m.* geweermaker *m.*
arquer [arké] **I** *v.t.* ombuigen, krommen; welven; **II** *v.i. et v.pr.*, ***s'—***, kromtrekken.
arrachage [araʃa:j] *m.* **1** (het) wieden *o.*; **2** (het) rooien *o.*
arrache-bouchon [araʃbuʃõ] *m.* flesopener *m.*
arrachement [araʃmã] *m.* **1** (het) uittrekken, (het) uitrukken *o.*; **2** (*v. tand*) (het) trekken *o.*
arrache-pied [araʃpyé] *adv.*, ***d'—***, onafgebroken, zonder ophouden, aan één stuk door.
arracher [araʃé] **I** *v.t.* **1** uittrekken, losrukken; **2** trekken; **3** wieden; **4** (*v. aardappelen, enz.*) rooien; **5** afscheuren; **6** onttrekken; **7** (*v. geld*) loskrijgen, afpersen; **8** (*v. bekentenis*) afdwingen, afpersen; **9** (*v. tranen*) ontlokken; ***on ne peut lui — un mot***, men kan geen woord uit hem krijgen; ***— à l'oubli***, aan de vergetelheid onttrekken; **II** *v.pr.*, ***s'— à***, zich onttrekken aan; zich losrukken van; ***s'— qc.***, vechten om iets.
arracheur [araʃœ:r] *m.*, ***— de dents***, (*ong.*) tandentrekker, kiezentrekker *m.*; ***mentir comme un — de dents***, liegen als een almanak, liegen alsof het gedrukt stond, liegen dat men zwart ziet.
arracheuse [araʃö:z] *f.* rooimachine *v.*
arrachoir [araʃwa:r] *m.* plantenschop *v.*(*m.*).
arraisonnement [arè'zònmã] *m.* **1** het praaien *o.*; **2** scheepspapierenonderzoek *o.*
arraisonner [arè'zòné] *v.t.* **1** praaien; **2** onderzoeken van scheepspapieren en gezondheidstoestand.
arrangeant [arã'jã] *adj.* inschikkelijk, meegaand, geschikt.
arrangement [arã'jmã] *m.* **1** schikking, regeling *v.*; **2** juiste plaatsing *v.*; **3** (*muz.*) bewerking, zetting *v.*; **4** (*fig.*) (minnelijke) schikking *v.*, vergelijk *o.*
arranger [arã'jé] **I** *v.t.* **1** rangschikken, regelen; **2** juist plaatsen; **3** (*muz.*) bewerken, omzetten; **4** (*v. geschil*) bijleggen, (in der minne) schikken; **5** (*v. kleren, enz.*) in orde brengen; **6** toetakelen, mishandelen; ***histoire arrangée***, **1** afgedane zaak *v.*(*m.*); **2** afgesproken werk *o.*; ***cela m'arrange***, dat lijkt me, dat past me, dat schikt me; **II** *v.pr.*, ***s'—***, **1** zich schikken; **2** maatregelen nemen, schikkingen treffen; **3** geregeld worden; bijgelegd worden; **4** het eens worden, een vergelijk treffen; ***s'— de***, tevreden zijn met, zich tevreden stellen met; ***s'— pour***, zorgen dat, het zo aanleggen dat; ***cela s'arrangera***, dat komt terecht; ***cela s'arrange très bien***, dat treft goed, dat komt goed uit.
Arras [aras] *m.* Atrecht *o.*
arrentement [arã'tmã] *m.* **1** verpachting *v.*; **2** (het) pachten *o.*
arrenter [arã'té] *v.t.* **1** verpachten; **2** pachten.
arrérager [aréra'jé] *v.i.*, (*v. rente*) oplopen.
arrérages [aréra:j] *m.pl.* **1** verschenen (*of* achterstallige) rente *v.*(*m.*); **2** achterstallige schuld *v.*(*m.*)
arrestation [arèsta'syõ] *f.* inhechtenisneming *v.*
arrêt [arè] *m.* **1** stilstand *m.*; **2** oponthoud *o.*; **3** halte, tramhalte *v.*(*m.*); **4** (*v. geweer*) rust *v.*(*m.*); **5** beslaglegging *v.*; **6** gevangenneming, inhechtenisneming *v.*; **7** vonnis *o.*, uitspraak *v.*(*m.*); **8** (*v. knoopsgat*) trens *v.*(*m.*); ***maison d'—***, huis *o.* van bewaring; ***mettre aux —s***, arrest geven; opsluiten; ***faire — sur***, beslag leggen op; ***temps d'—***, rusttijd *m.*, rustpunt *o.*
arrêté [arè'té] *m.* besluit *o.*; verordening *v.*; ***— de compte***, afrekening *v.*
arrêter [arè'té] **I** *v.t.* **1** tegenhouden; **2** doen stilstaan; **3** stuiten; **4** aanhouden, in hechtenis nemen; **5** beslag leggen op; **6** vaststellen, besluiten, bepalen; **7** (*v. rekening*) afsluiten; **8** (*v. plaats*) bespreken; **9** (*v. plan*) vaststellen; **10** huren, bestellen; **11** in de rede vallen; **12** (*v. aandacht*) trekken; **13** (*v. bloedstorting*) stelpen; **II** *v.pr.*, ***s'—***, **1** blijven staan, stilhouden; **2** ophouden; ***s'— court***, blijven steken, zijn rede afbreken; ***s'— à***, zich storen aan.
arrhes [a:r] *f.pl.* **1** godspenning *m.*, handgeld *o.*; **2** waarborgsom *v.*(*m.*); **3** voorschot *o.*; **4** staangeld *o.*
arriération [aryéra'syõ] *f.* achterlijkheid *v.*
arrière [aryè:r] **I** *adv.* achter, achteruit, terug; ***avoir vent —***, de wind mee hebben, de wind in de rug hebben; ***— !*** weg van hier ! ***en —***, achteruit,

achterwaarts, rugwaarts; (*fig.*) ten achter; ***à l'—***, van achteren; **II** *s.*, *m.* **1** achterschip *o.*; achtersteven *m.*; **2** achterste gedeelte *o.*; **3** (*sp.*) achterspeler, achterwaarts *m.*; **4** achterland *o.*; **5** (*mil.*) achterste linie *v.*; **6** (*v. gebouw*) achterzijde *v.(m.)*.
arriéré [aryé'ré] **I** *adj.* **1** achterstallig; **2** achterlijk, zwakzinnig; **II** *s.*, *m.* **1** achterstand *m.*; **2** achterstallige schuld *v.(m.)*; **3** achterblijver *m.*
arrière-ban* [aryè'rbã] *m.* **1** oproeping *v.* van de achterleenmannen, — van de vazallen; **2** landstorm *m.*; **3** (*fig.*) de laatste groep *v.(m.)*.
arrière-bouche* [aryèrbuʃ] *f.* achterste deel *o.* van de mond, neus-keelholte *v.* [*v.(m.)*.
arrière-boutique* [aryèrbutik] *f.* winkelkamer
arrière-bras [aryèrbra] *m.* bovenarm *m.*
arrière-corps [aryèrkò:r] *m.* achtergebouw *o.*, achtervleugel *m.*, achterhuis *o.*
arrière-cour* [aryèrku:r] *f.* achterplaats *v.(m.)*.
arrière-douleurs [aryèrdulœ:r] *f.pl.* naweeën *mv.*
arrière-fief* [aryèrfyèf] *m.* achterleen *o.*
arrière-fleur* [aryèrflœ:r] *f.* nabloei *m.*
arrière-front [aryèrfrõ] *m.* troepen *mv.* in rust.
arrière-garde* [aryèrgard] *f.* achterhoede *v.(m.)*.
arrière-goût* [aryèrgu] *m.* nasmaak *m.*
arrière-grand-mère* [aryèrgrã'mè:r] *f.* overgrootmoeder *v.*
arrière-grand-père* [aryèrgrã'pè:r] *m.* overgrootvader *m.*
arrière-main* [aryèrmẽ] **I** *f.* rug *m.* van de hand; **II** *m.* achterdeel *o.* (van een paard).
arrière-neveu* [ayèrnevö] *m.* achterneef *m.*; ***—x,*** nakomelingen *mv.*
arrière-nièce* [aryèrnyès] *f.* achternicht *v.*
arrière-pensée* [aryèrpã'sé] *f.* bijgedachte, bijbedoeling *v.*
arrière-petite*-fille* [aryèrpetitfi:y] *f.* achterkleindochter *v.*
arrière-petit*-fils* [aryèrpetifis] *m.* achterkleinzoon *m.*
arrière-petits-enfants [aryèrpetizãfã] *m.pl.* achterkleinkinderen *mv.*
arrière-pièce* [aryèrpyès] *f.* achterkamer *v.(m.)*.
arrière-plan* [aryèrplã] *m.* achtergrond *m.*
arrière-point* [aryèrpwẽ] *m.* stiksteek *m.*
arrière-port* [aryèrpò:r] *m.* binnenhaven *v.(m.)*.
arriérer [aryé'ré] **I** *v.t.* vertragen; uitstellen; **II** *v.pr.*, ***s'—***, **1** achterblijven; **2** ten achter komen.
arrière-saison* [aryèrsè'zõ] *f.* **1** nazomer *m.*; **2** najaar *o.*; **3** (*fig.*) herfst *m.* (van 't leven).
arrière-train* [aryèrtrẽ] *m.* **1** (*v. dier*) achterdeel *o.*; **2** (*v. wagen, enz.*) achterstel *o.* [*m.*
arrière-vassal* [aryèrvasal] *m.* achterleenman
arrimage [arima:j] *m.*, (*sch.*) (het) stuwen *o.*
arrimer [arimé] *v.t.* stuwen, vastsjorren.
arrimeur [arimœ:r] *m.* stuwer, stuwadoor *m.*
arriser [ari'zé] *v.t.* **1** (*v. zeil*) reven; **2** (*v. sloep*) vastsjorren.
arrivage [ariva:j] *m.* **1** (*v. schepen*) aankomst *v.*; **2** (*v. goederen*) aanvoer *m.*
arrivée [arivé] *f.* aankomst *v.*; ***gare d'—,*** station *o.* van bestemming.
arriver [arivé] *v.i.* **1** aankomen; **2** naderen; **3** gebeuren, voorvallen; overkomen; **4** slagen, het ver brengen; ***— au but, — à ses fins,*** zijn doel bereiken; ***— au pouvoir,*** aan het bewind raken; ***— sur,*** afkomen op; ***— à bon port,*** behouden aankomen; ***il croit que c'est arrivé,*** **1** hij neemt dat voor goede munt aan; **2** hij doet erg gewichtig, hij is met zichzelf ingenomen.
arrivisme [arivizm] *m.* streven *o.* om vooruit te komen; baantjesjagerij *v.*
arriviste [arivist] *m.* baantjesjager *m.*
arrogamment [arògamã] *adv.* aanmatigend.
arrogance [arògã:s] *f.* aanmatiging *v.*
arrogant [arògã] *adj.* aanmatigend.
arroger, s'— [saròjé] *v.pr.*, zich aanmatigen.
arrondir [arõ'di:r] **1** *v.t.* **1** rond maken, afronden; **2** (*v. gebied, bezit*) uitbreiden; **3** (*v. fortuin*) vermeerderen; **4** (*v. kaap*) omvaren, omzeilen; **II** *v.pr.*, ***s'—,*** **1** een ronde vorm aannemen; **2** (*v. wangen, enz.*) dikker worden; **3** (*v. fortuin*) aangroeien; **4** zijn gebied (bezittingen, enz.) vergroten.
arrondissement [arõ'dismã] *m.* **1** afronding *v.*; **2** arrondissement *o.*
arrosage [aro'za:j] *m.* besproeiing, begieting *v.*
arrosement [aro'zmã] *m.* **1** besproeiing *v.*; **2** (*v. land*) bevloeiing *v.*
arroser [aro'zé] *v.t.* **1** besproeien, begieten; **2** (*v. weide, land*) bevloeien; **3** (*v. rivier*) stromen door; **4** (*v. wasgoed*) besprenkelen; **5** (*v. gebraad*) bedruipen; **6** (*v. schuldeiser*) paaien (met geringe afbetaling); ***se laisser —,*** geld aannemen, zich laten omkopen.
arroseuse [aro'zö:z] *f.* **1** sproeiwagen *m.*; **2** sproeier *m.*; ***— à jet tournant,*** tuinsproeier *m.*
arrosoir [aro'zwa:r] *m.* gieter *m.*
arsenal [arsenal] *m.* tuighuis, arsenaal *o.*; ***— de construction,*** constructiewerkplaats *v.(m.)*; ***— maritime,*** marinewerf *v.(m.)*.
arséniate [arsényat] *m.* arseniaat, arseenzuur zout *o.*
arsenic [arsenik] *m.* arsenicum, rattenkruit *o.*
arsenical [arsenikal] *adj.* arsenicumhoudend.
arsénique [arsénik] *adj.*, ***acide —,*** arseenzuur *o.*
arsouille [arsuy] *m.* schooier, schoft *m.*
arsouiller [arsuyé] *v.i.* zich schofterig gedragen.
art [a:r] *m.* **1** kunst *v.*; **2** vaardigheid, bedrevenheid, handigheid *v.*; **3** gekunsteldheid, gemaaktheid *v.*; ***—s mécaniques,*** handwerken, ambachten *mv.*; ***— industriel,*** kunstnijverheid *v.*; ***—s libéraux,*** vrije kunsten; ***—s du feu,*** ceramiek *v.*; ***— oratoire,*** welsprekendheid *v.*; ***objet d'—,*** kunstvoorwerp *o.*; ***un homme de l'—,*** een man van 't vak, een deskundige; ***le grand —,*** de alchimie *v.*; ***le septième —,*** de filmkunst *v.*
Artaban [artabã] *m.* Artaban *m.*; ***fier comme —,*** trots (*of* fier) als een pauw.
artère [artè:r] *f.* **1** slagader *v.(m.)*; **2** (*v. verkeer*) hoofdader *v.(m.)*.
artériel [artéryèl] *adj.* slagaderlijk.
artériole [artéryòl] *f.* slagadertje *o.*, kleine slagader *v.(m.)*. [king *v.*
artériosclérose [artéryoskléro:z] *f.* aderverkal-
artérite [artérit] *f.* slagaderontsteking *v.*
artésien [artézyẽ] *adj.* uit Artois; ***puits —,*** Artesische put *m.*
arthrite [artrit] *f.* gewrichtsontsteking *v.*
arthritique [artritik] **I** *adj.* de gewrichten betreffend, gewrichts—; ***douleur —,*** gewrichtspijn *v.(m.)*; **II** *s.*, *m.-f.* lijder(es) *m.(v.)* aan gewrichtsontsteking.
arthropodes [artròpò'd] *m.pl.* geleedpotigen *mv.*
artichaut [artiʃo] *m.*, (*Pl.*) artisjok *v.(m.)*; ***avoir un cœur d'—,*** zijn hart onder velen verdelen.
article [artikl] *m.* **1** lid *o.*, geleding *v.*; **2** gewricht *o.*; **3** (*H.*: *v. dagblad*) artikel *o.*; **4** (*v. rekening*) post *m.*; **5** (*gram.*) lidwoord *o.*; **6** onderwerp *o.*, stof *v.(m.)*; **7** aangelegenheid *v.*; ***—s de Paris,*** galanterieën *mv.*; ***à l'— de la mort,*** op het sterfbed; ***— de fond, — de tête,*** hoofdartikel; ***faire l'—,*** zijn waar aanprijzen; ***— de foi,*** geloofsartikel.
articulaire [artikülè:r] *adj.* gewrichts—.
articulation [artiküla'syõ] *f.* **1** gewricht *o.*;

2 (*v. plant*) geleding *v.*; 3 (duidelijke) uitspraak *v.*(*m.*); 4 (*recht*) uiteenzetting *v.*; — ***parfaite,*** kogelgewricht *o.*; — ***imparfaite,*** scharniergewricht *o.*
articulé [artiküle] **I** *adj.* 1 geleed; 2 beweegbaar; 3 duidelijk uitgesproken; ***fauteuil* —,** doktersstoel *m.*; **II** *s.*, *m.*, **—*s***, *pl.* gelede dieren *mv.*
articuler [artiküle] *v.t.* 1 door gewrichten verbinden; 2 (duidelijk) uitspreken; 3 (*v. beschuldiging*) uiteenzetten.
artifice [artifis] *m.* 1 kunstgreep *m.*, kunstmiddeltje *o.*; 2 list *v.*(*m.*); streek *m. en v.*; 3 bedriegerij *v.*; ***sans* —, *dénué d'*—,** onverbloemd, onomwonden; ***plein d'*—,** arglistig; ***feu d'*—,** vuurwerk *o.*
artificiel(lement) [artifisyèl(mã)] *adj.* (*adv.*) kunstmatig; kunst—; ***fleur* —*le*,** kunstbloem *v.*(*m.*).
artificier [artifisyé] *m.* vuurwerkmaker *m.*
artificieux [artifisyö] *adj.*, **artificieusement** [artifisyö'zmã] *adv.* listig, doortrapt, sluw.
artillerie [artiyri] *f.* 1 artillerie *v.*; 2 geschut *o.*; ***pièce d'*—,** vuurmond *m.*; — ***de campagne,*** veldgeschut *o.*, veldartillerie *v.*; — ***de siège,*** zwaar geschut, belegeringsgeschut *o.*; — ***antiaérienne,*** luchtafweergeschut *o.*; — ***montée,* — *à cheval,*** rijdende artillerie.
artilleur [artiyœ:r] *m.* artillerist *m.*
artimon [artimõ] *m.*, (*sch.*) bezaan *v.*(*m.*).
artisan [artizã] *m.* ambachtsman, handwerksman, vakman *m.*; — ***de discordes,*** opruier *m.*; ***être l'— de son propre malheur,*** zijn eigen ongeluk bewerken.
artisanal [artizanal] *adj.* van de werkman.
artisanat [artizana] *m.* 1 het werkman zijn; 2 de gezamenlijke werklieden.
artison [artizõ] *m.* mot *v.*(*m.*).
artisonné [artizòné] *adj.* door de mot beschadigd (*of* verteerd).
artiste [artist] *m.* kunstenaar *m.*; — ***dramatique,*** toneelspeler *m.*; — ***lyrique,*** operazanger *m.*; — ***peintre,*** kunstschilder *m.* [vol.
artistement [artistemã] *adv.* 1 kunstig; 2 smaak-
artistique(ment) [artistik(mã)] *adj.* (*adv.*) kunstvol; smaakvol.
arum [aròm] *m.*, (*Pl.*) aronskelk *m.*
arvicole [arvikòl] *adj.* op akker of veld levend.
aryen [aryẽ] **I** *adj.* Arisch; **II** *s.*, *m.*, **A—,** Ariër *m.*
as [a's, ɑ:s] *m.* 1 (*kaart, domino*) aas *m. of o.*; 2 kraan, knappe kop, „kei'' *m.*; 3 kranig vlieger, vliegheld *m.*; — ***de l'écran,*** filmheld *m.*
asbeste [azbèst] *m.* asbest *o.*
ascaride [askari'd] *m.* spoelworm *m.*
ascendance [asã'dã:s] *f.* 1 opgaande linie *v.*, voorgeslacht *o.*; 2 (*v. planeet*) het opgaan *o.* (*of* klimmen) boven de horizon.
ascendant [asã'dã't] **I** *adj.* 1 opstijgend; opklimmend; 2 toenemend; ***progression* —*e*,** opklimmende reeks *v.*(*m.*); **II** *s.*, *m.* 1 (*v. planeet*) klimmende beweging *v.*; 2 gesternte *o.*; 3 invloed *m.*, gezag, overwicht *o.*; 4 familielid *o.* in opgaande linie; ***prendre de l'— sur,*** (een overwegende) invloed krijgen op.
ascenseur [asã'sœ:r] *m.* lift *m.*
ascension [asã'syõ] *f.* 1 stijging *v.*; 2 (*v. berg*) bestijging *v.*; 3 (*v. ballon*) opstijging *v.*; — ***droite,*** (*sterr.*) rechte klimming *v.*; ***l'A*—,** Ons Heer Hemelvaart *v.*(*m.*); Hemelvaartsdag *m.*
ascensionnel [asã'syònèl] *adj.* opwaarts, stijgend; ***force* —*le*,** stijgkracht *v.*(*m.*).
ascensionniste [asã'syònist] *m.* bergbeklimmer *m.*
ascète [asèt] *m.* asceet *m.*
ascétique [asétik] *adj.* ascetisch.
ascétisme [asétizm] *m.* ascetisme *o.*, ascese *v.*
asdic [asdik] *m.* onderzees opsporingsapparaat *o.*
asepsie [asèpsi] *f.*, (*gen.*) 1 kiemvrijheid *v.*; 2 bestrijding *v.* van besmetting; aseptische behandeling *v.*
aseptique [asèptik] *adj.* aseptisch, kiemvrij, vrij van ziektekiemen. [*o.*
aseptisation [asèptizɑ'syõ] *f.* het kiemvrij maken
aseptiser [asèpti'zé] *v.t.* kiemvrij maken, ontsmetten. [slachtloos.
asexué [asèkswé], **asexuel** [asèkswèl] *adj.* ge-
asiatique [azyatik] **I** *adj.* Aziatisch; **II** *s.*, *m.-f.* Aziaat *m.*; Aziatische *v.*
Asie [azi] *f.* Azië *o.*; — ***Mineure,*** Klein-Azië *o.*
asile [azil] *m.* 1 schuilplaats *v.*(*m.*); 2 toevluchtsoord *o.*, wijkplaats *v.*(*m.*); 3 (*gesch.*) vrijplaats *v.*(*m.*); 4 verblijf *o.*, woning *v.*; — ***de nuit,*** nachtverblijf *o.*; — ***d'aliénés,*** krankzinnigengesticht *o.*; ***salle d'*—,** kinderbewaarplaats *v.*(*m.*); ***sans* —,** dakloos.
asparagus [asparagü:s] *m.* asparagus *v.*(*m.*) (sierplant met zeer fijn blad).
aspect [aspè] *m.* 1 aanblik *m.*, gezicht *o.*; 2 uiterlijk, voorkomen *o.*; 3 gezichtspunt *o.*; ***examiner sous tous ses —s,*** van alle kanten beschouwen; — ***favorable,*** gunstig voorteken *o.*; ***se présenter sous un — défavorable,*** zich ongunstig laten aanzien.
asperge [aspèrj] *f.* 1 asperge *v.*(*m.*); 2 (*fig.*) slungel *m.*; — ***en branche,*** sliertasperge *v.*(*m.*).
asperger [aspèrjé] *v.t.* besprenkelen.
aspergès [aspèrjè:s] *m.* 1 besprenkeling *v.* (met wijwater); 2 wijwaterkwast *m.*; 3 (*zang*) asperges *o.*
aspérité [aspérité] *f.* 1 ruwheid, hobbeligheid *v.*; 2 scherpe kant *m.*; 3 (*fig.*) stugheid, stuursheid *v.*
asperme [aspèrm] *adj.*, (*Pl.*) zaadloos.
aspersion [aspèrsyõ] *f.* besprenkeling *v.* (met wijwater).
aspersoir [aspèrswa:r] *m.* wijwaterkwast *m.*
asphaltage [asfalta:j] *m.* asfaltering *v.*
asphalte [asfalt] *m.* asfalt *o.*
asphalter [asfalté] *v.t.* asfalteren.
Asphaltite, *lac* — [lakasfaltit], Dode zee *v.*(*m.*).
asphodèle [asfodèl] *m.*, (*Pl.*) affodil *v.*(*m.*).
asphyxiant [asfiksyã] *adj.* verstikkend; ***gaz* —,** gifgas *o.*
asphyxie [asfiksi] *f.* verstikking *v.*
asphyxié [asfiksyé] *m.* verstikte, bewusteloze *m.*
asphyxier [asfiksyé] **I** *v.t.* doen stikken; **II** *v.pr.* ***s'*—,** zelfmoord plegen door verstikking.
aspic [aspik] *m.* 1 (*Dk.*) adder *v.*(*m.*); 2 (*Pl.*) spijk *v.*(*m.*); ***langue d'*—,** venijnige tong, lastertong *v.*(*m.*).
aspidistra [aspidistra] *m.* aspidistra *v.*(*m.*) (kamerplant met brede, lange, vaak witgestreepte bladeren).
aspirail [aspiray] *m.* trekgat *o.*
aspirant [aspirã] **I** *adj.* ***pompe* —*e*,** zuigpomp *v.*(*m.*); **II** *s.*, *m.* 1 aanzoeker *m.*; 2 kandidaat; examinandus *m.*; 3 (*in klooster*) aspirant *m.*; — ***de marine,*** adelborst *m.*
aspirateur [aspiratœ:r] **I** *adj.* opzuigend; ***force aspiratrice,*** zuigkracht *v.*(*m.*); **II** *s.*, *m.* 1 zuigtoestel *o.*; 2 (— ***de poussière***) stofzuiger *m.*
aspiration [aspirɑ'syõ] *f.* 1 inademing *v.*; 2 (*v. pomp*) zuiging *v.*; 3 (*v. klank*) aanblazing *v.*; 4 (*v. plant; tn.*) opzuiging *v.*; 5 (*fig.*) streven *o.*; drang *m.*, verlangen *o.*
aspiratoir [aspiratwa:r] *adj.* opzuigend, inzuigend.
aspirer [aspiré] **I** *v.t.* 1 inademen; 2 (*v. geur, enz.*) opsnuiven; 3 (*v. water*) opzuigen; 4 (*v. klank*)

aanblazen; ***h aspirée,*** aangeblazen h; **II** *v.i.*, ***— à,*** **1** haken naar; **2** streven naar; **3** dingen naar.
assagir [asaji:r] **I** *v.t.* verstandig(er) maken; **II** *v.i. et v.pr.*, ***s'—,*** verstandiger worden.
assagissement [asajismã] *m.* (het) wijzer worden *o.*
assaillant [asayã] *m.* aanvaller; aanrander *m.*
assaillir* [asayi:r] *v.t.* **1** (*mil.*) aanvallen; **2** (*op straat, enz.*) aanranden; **3** (*v. onweer*) overvallen; ***— de questions,*** met vragen bestormen.
assainir [asèni:r] *v.t.* **1** gezond maken; **2** (*v. wond*) reinigen, ontsmetten; **3** (*v. toestand*) doen opklaren.
assainissement [asènismã] *m.* (het) gezond maken *o.*; **2** (het) reinigen, ontsmetten *o.*
assaisonnement [asèzònmã] *m.* **1** (het) kruiden *o.*; **2** kruiderij *v.*, toekruid *o.*
assaisonner [asèzòné] *v.t.* **1** kruiden; **2** (*v. sla, enz.*) aanmaken, toebereiden.
assassin [asasẽ] **I** *m.* moordenaar *m.*; ***crier à l'—,*** moord roepen; **II** *adj.* **1** moordend; **2** (*v. blik*) schalks; **3** (*v. tong*) boos.
assassinant [asasinã] *adj.* vervelend.
assassinat [asasina] *m.* (sluip)moord *m. en v.*
assassiner [asasiné] *v.t.* **1** vermoorden; **2** (*fig.*) mishandelen; **3** dodelijk vervelen.
assaut [aso] *m.* **1** bestorming *v.*; **2** stormloop, aanval *m.*; **3** (***— d'armes***) schermoefening *v.*; schermpartij *v.*; ***d'—,*** stormenderhand; ***monter à l'— de,*** bestormen, stormlopen (op); ***faire — d'éloquence,*** wedijveren in welsprekendheid.
assèchement [asèʃmã] *m.* drooglegging *v.*; droogmaking *v.*
assécher [aséʃé] **I** *v.t.* droogleggen; droogmaken; **II** *v.i.* droogvallen.
assemblage [asã'bla:j] *m.* **1** verzameling *v.*; **2** samenvoeging, bijeenvoeging *v.*; **3** (*v. delen*) voeging, verbinding *v.*; **4** (*tn.*) las *v.*(*m.*).
assemblée [assã'blé] *f.* **1** vergadering; bijeenkomst *v.*; **2** (de) aanwezigen, (de) gasten *mv.*; ***sonner l'—,*** verzamelen blazen.
assembler [asã'blé] **I** *v.t.* **1** verzamelen, bijeenbrengen; **2** samenvoegen, verbinden; **3** (*v. vellen v. boek*) innaaien; **4** (*v. vat*) opzetten; **5** (*tn.*) lassen; **II** *v.pr.*, ***s'—,*** vergaderen, bijeenkomen; ***qui se ressemble s'assemble,*** soort zoekt soort.
assembleur [asã'blœ:r] *m.* (*boekb.*) vergaarder *m.*
assener [aséné] *v.t.*, (*v. slag*) toebrengen.
assentiment [asã'timã] *m.* toestemming *v.*
asseoir* [aswa:r] **I** *v.t.* **1** neerzetten; **2** plaatsen; **3** (*v. grondvesten*) leggen; **4** (*v. kamp*) opslaan; **5** (*v. oordeel*) gronden; **6** (*v. bewind, macht*) vestigen; **II** *v.pr.*, ***s'—,*** **1** gaan zitten; **2** vaste voet krijgen; ***je m'asseois dessus,*** ik lap het aan mijn laars, ik geef er geen zier om.
assermenté [asèrmã'té] *adj.* beëdigd.
assermenter [asèrmã'té] *v.t.* beëdigen. [v.
assertion [asèrsyõ] *f.* **1** bewering *v.*; **2** bevestiging
asservir [asèrvi:r] **I** *v.t.* **1** onderwerpen; **2** (*v. driften, hartstochten*) beteugelen, bedwingen; **3** (*v. harten*) veroveren, voor zich winnen; **II** *v.pr.*, ***s'— (à),*** **1** zich onderwerpen (aan); **2** verslaafd worden (aan).
asservissement [asèrvismã] *m.* **1** onderwerping *v.*; **2** slavernij *v.*; **3** verslaafdheid *v.*
assesseur [asèsœ:r] *m.* bijzitter, assessor *m.*
assette [asèt] *f.* leidekkershamer *m.*
assez [asé] *adv.* **1** genoeg; **2** nogal, tamelijk, vrij; ***c'est — étrange,*** dat is heel erg vreemd; ***—!*** schei uit!
assidu [asidü] *adj.*, **assidûment** [asidümã] *adv.* **1** vlijtig, ijverig; **2** nauwgezet, stipt; **3** onafgebroken, gestadig; **4** (*v. bezoeker, enz.*) trouw; ***être — auprès de qn.,*** iem. steeds nalopen, veel aandacht schenken aan iem.
assiduité [asidwité] *f.* **1** vlijt *v.*(*m.*), ijver *m.*; **2** nauwgezetheid, stiptheid *v.*; **3** getrouwheid *v.*; **4** hofmakerij *v.*; ***avec —,*** **1** trouw; **2** naarstig.
assiégé [asyé'jé] *m.* belegerde *m.*
assiégeant [asyé'jã] **I** *adj.* belegerend; **II** *s., m.* belegeraar *m.*
assiéger [asyé'jé] *v.t.* **1** belegeren; **2** voortdurend lastig vallen, geen rust laten; **3** (*v. deur*) plat lopen, bestormen.
assiette [asyèt] *f.* **1** bord *o.*; **2** evenwicht *o.*, vastheid *v.*; **3** (*v. belasting, vermogen*) grondslag *m.*; **4** (*v. huis, enz.*) ligging *v.*; **5** stemming *v.*, gemoedstoestand *m.*; ***esprit qui manque d'—,*** onrustige (*of* wispelturige) geest; ***se tenir dans la même —,*** in dezelfde houding blijven; ***ne pas être dans son —,*** niet op dreef zijn, niet in zijn gewone doen zijn; zich niet prettig gevoelen; ***il a l'— au beurre*** **1** hij heeft veel in de melk te brokken; **2** hij is met zijn neus in de boter gevallen.
assiettée [asyèté] *f.* een bord *o.* vol. [baar.
assignable [asiña'bl] *adj.* bepaalbaar, aanwijs-
assignat [asiña] *m.* assignaat *o.*
assignation [asiña'syõ] *f.* **1** aanwijzing tot betaling, assignatie *v.*; **2** dagvaarding *v.*
assigner [àsiñé] *v.t.* **1** aanwijzen; **2** toekennen, toewijzen; **3** (*recht*) dagvaarden.
assimilable [asimila'bl] *adj* **1** gelijk te stellen (*à*, met); **2** te verwerken (in); **3** voor voeding geschikt; ***facilement —,*** licht verteerbaar.
assimilation [asimila'syõ] *f.* **1** gelijkstelling *v.*; **2** (*v. klanken*) gelijkmaking *v.*; **3** verwerking *v.*; **4** (*v. gedachten*) opneming *v.*; ***facilité d'—,*** aanpassingsvermogen *o.*
assimiler [asimilé] (*à*) **I** *v.t.* **1** gelijkstellen (met); **2** gelijkmaken (met); **3** (*v. voedsel*) opnemen, verwerken; **4** (*v. gedachten*) in zich opnemen; **II** *v.pr.*, ***s'— (qc.),*** **1** (*v spijzen*) opnemen; **2** (*v. gedachten*) in zich opnemen, zich eigen maken; ***s'— à,*** **1** zich gelijkstellen met; **2** gelijk worden aan.
assis [asi] *adj.* **1** zittend; gezeten; **2** gevestigd; **3** (*fig.*) vaststaand, stevig; ***place —e,*** zitplaats *v.*(*m.*); ***voter par — et levé,*** stemmen door (*of* bij) zitten en opstaan.
assise [asi:z] *f.* **1** laag, steenlaag *v.*(*m.*); **2** ***—s,*** zitting *v.* (v. gerechtshof); ***Cour d'—s,*** (*B.*) assisenhof *o.*, rechtbank *v.*(*m.*) van gezworenen.
assistance [asistã:s] *f.* **1** hulp *v.*(*m.*), bijstand *m.*; ondersteuning *v.*; **2** (de) aanwezigen *mv.*, (het) publiek *o.*; **3** (*recht*) aanwezigheid *v.*; ***— publique,*** openbaar armbestuur *o.*, burgerlijk —; (*B.*) openbare onderstand *m.*
assistant [asistã] **I** *adj.* **1** helpend; **2** aanwezig; ***évêque —,*** (*bij wijding*) hulpbisschop *m.*; ***sœur —e,*** (*in klooster*) zuster *v.* assistente; **II** *s., m.* assistent, helper *m.*; ***—s,*** aanwezigen, omstanders *mv.*; ***— sociale,*** sociale werker.
assisté [asisté] **I** *adj.* bedeeld; ***enfants —s,*** voogdijkinderen; **II** *s., m.* bedeelde *m.*
assister [asisté] **I** *v.t.* bijstaan, helpen; ondersteunen; **II** *v.i.*, ***— à,*** bijwonen, aanwezig zijn bij.
associable [asòsya'bl] *adj.* verenigbaar.
association [asòsya'syõ] *f.* **1** vereniging *v.*, genootschap *o.*; maatschappij *v.*; **2** verbinding, samenvoeging *v.*; **3** (*v. dynamo's*) koppeling *v.*; **4** (*v. begrippen*) associatie *v.*; ***— commerciale,*** vennootschap *v.*
associé [asòsyé] *m.* **1** deelgenoot, vennoot, compagnon *m.*; **2** bondgenoot *m.*; **3** (***membre —***) buitengewoon lid *o.*; ***— commanditaire,*** com-

manditaire vennoot; — ***gérant,*** beherend vennoot.
associer [asòsyé] (*à*) **I** *v.t.* **1** tot deelgenoot nemen, tot vennoot nemen; **2** doen delen (in); **3** (*v. kleuren, enz.*) verbinden; **II** *v.pr.*, ***s'— à,*** **1** (*v. onderneming, enz.*) deelnemen aan; **2** (*v. beweging*) zich aansluiten bij; ***s'— avec qn.,*** met iem. een vennootschap aangaan.
assoiffé [aswafé] (*de*) *adj.* **1** zeer dorstig; **2** (*fig.*) dol (op), verzot (op).
assolement [asòlmã] *m.* wisselbouw *m.*
assoler [asòlé] *v.t.* wisselbouw toepassen op.
assombrir [asõ'bri:r] **I** *v.t.* **1** donker maken, verduisteren; **2** (*fig.*) somber maken, versomberen; verbitteren; **II** *v.pr.*, ***s'—,*** duister worden, somber worden; betrekken.
assombrissement [asõ'brismã] *m.* **1** verduistering *v.*; **2** verbittering *v.*
assommant [asòmã] *adj.* **1** afmattend, zeer vermoeiend; **2** (*fig.*) gruwelijk vervelend.
assommer [asòmé] *v.t.* **1** afmaken, doodslaan; **2** (*v. koe*) dollen; **3** afrossen; **4** gruwelijk vervelen; **5** voortdurend lastig vallen.
assommoir [asòmwa:r] *m.* **1** knuppel, ploertendoder *m.*; **2** (*pop.*) kroeg *v.*(*m.*); ***coup d'—,*** onverwachte slag *m.*
Assomption [asõ'psyõ] *f.* Ten-hemel-opneming *v.* van Maria, Maria-Hemelvaart *v.*(*m.*).
assonance [asònã:s] *f.* assonantie *v.*, halfrijm, klinkerrijm *o.* [dend.
assonant [asònã] *adj.* half rijmend, bijna gelijkluiassorti [asòrti] *adj.* **1** passend, bijkomend; **2** goed gesorteerd, ruim voorzien; **3** (*v. huwelijk*) goed, passend.
assortiment [asòrtimã] *m.* **1** schikking *v.*; **2** passende overeenstemming *v.*; **3** sortering *v.*; **4** keuze *v.*(*m.*); voorraad *m.*; ***un — d'échantillons,*** een keuze stalen.
assortir [asòrti:r] **I** *v.t.* **1** schikken; **2** bijeenvoegen; **3** uitzoeken, sorteren; **4** van (de vereiste) waren voorzien; **II** *v.pr.*, ***s'—,*** bij elkaar passen.
assortissant [asòrtisã] *adj.* passend, bijbehorend.
assoupir [asupi:r] **I** *v.t.* **1** doen insluimeren; **2** (*v. zinnen*) verdoven; **3** (*v. smart, toorn*) (doen) bedaren; **4** (*v. twist*) sussen; **II** *v.pr.*, ***s'—,*** **1** insluimeren; slaperig worden; **2** verflauwen; **3** bedaren.
assoupissement [asupismã] *m.* **1** slaperigheid; sluimering *v.*; **2** loomheid, onverschilligheid *v.*; **3** verdoving *v.*; **4** bedaring *v.*, (het) bedaren *o.*
assouplir [asupli:r] **I** *v.t.* **1** lenig (*of* buigzaam) maken; **2** (*fig.*) handelbaar maken, gedwee maken; **II** *v.pr.*, ***s'—,*** lenig (*of* buigzaam) worden.
assouplissement [asuplismã] *m.* **1** lenigmaking *v.*; **2** handelbaarmaking *v.*; **3** (*v. tucht*) verzachting *v.*
assourdir [asurdi:r] *v.t.* **1** verdoven; **2** (*v. geluid, enz.*) dempen; **3** (*v. metaal*) dof maken.
assourdissant [asurdisã] *adj.* verdovend; oorverdovend.
assourdissement [asurdismã] *m.* verdoving *v.*
assouvir [asuvi:r] *v.t.* **1** verzadigen; **2** (*v. nieuwsgierigheid, enz.*) bevredigen; **3** (*v. honger*) stillen; **4** (*v. woede*) koelen; **5** (*v. hartstochten, wraaklust*) botvieren.
assouvissement [asuvismã] *m.* **1** verzadiging *v.*; **2** bevrediging *v.*; **3** (het) stillen *o.*; **4** (het) koelen *o.*; **5** (het) botvieren *o.*
Assuérus [asüérü's] *m.* Ahasverus *m.*
assujettir, assujétir [asü'jèti:r] *v.t.* **1** onderwerpen; **2** beheersen; **3** (*v. voorwerp, meubel*) vastzetten; — ***qn. à ses idées,*** iem. zijn denkbeelden opdringen.
assujettissant, assujétissant [asü'jètisã] *adj.* **1** gebonden; **2** slaafs; **3** vernederend.
assujettissement, assujétissement [asü'jètismã] *m.* **1** onderwerping *v.*; **2** (*v. wil*) beheersing *v.*; **3** gebondenheid *v.*; **4** dienstbaarheid *v.*; **5** slavernij; verslaving *v.*
assumer [asümé] *v.t.* op zich nemen.
assurance [asürã:s] *v.* **1** zekerheid *v.*; **2** vastberadenheid *v.*; **3** vrijmoedigheid *v.*, zelfvertrouwen *o.*; **4** waarborg *m.*, onderpand *o.*; **5** verzekering *v.*; — ***contre l'incendie,*** brandverzekering; — ***sur la vie,*** levensverzekering; — ***contre le mauvais temps,*** regenverzekering; — ***dotale,*** uitzetverzekering; — ***collective,*** (verzekering op) beurspolis *v.*(*m.*); ***contracter une —,*** een verzekering afsluiten.
assuré [asüré] **I** *adj.* **1** zeker; **2** vastberaden; vrijmoedig; **3** (*v. tred*) vast; **4** verzekerd; ***mal —,*** onvast, onzeker, wankelend, weifelend; **II** *s.*, *m.* verzekerde *m.* [twijfeld.
assurément [asürémã] *adv.* zeker, vast; ongeassurer [asüré] **I** *v.t.* **1** verzekeren; **2** bevestigen, vastmaken; **3** vastzetten; **4** (*v. moed*) verhogen; **5** (*v. persoon*) geruststellen; vastberaden maken; **II** *v.pr.*, ***s'—,*** **1** zich verzekeren; **2** zich vermannen; ***s'— de qc.,*** zich van iets vergewissen, zich overtuigen van iets; ***s'— de la personne de qn.,*** iem. gevangen nemen. [*m.*
assureur [asürœ:r] *m.* assuradeur, verzekeraar
assyrien [asi'ryẽ] **I** *adj.* Assyrisch; **II** *s.*, *m.* ***A—,*** Assyriër *m.*
aster [astè:r] *m.*, (*Pl.*) aster *v.*(*m.*).
astérie [astéri] *f.* zeester *v.*(*m.*).
astérisme [astérizm] *m.* sterrenbeeld *o.*
astérisque [astérisk] *m.* sterretje *o.*
astéroïde [astéròi'd] *m.* **1** kleine planeet *v.*(*m.*); **2** meteoorsteen *m.*; **3** vallende ster *v.*(*m.*).
asthénie [asténi] *f.*, (*gen.*) zwakheid *v.*
asthénique [asténik] *adj.* krachteloos.
asthmatique [asmatik] **I** *adj.* aamborstig, kortademig, astmatisch; **II** *s.*, *m.* astmalijder *m.*
asthme [azm] *m.* aamborstigheid *v.*, astma *o.*
astic [astik] *m.* likhout *o.* [(als aas).
asticot [astiko] *m.* vleesmade *v.*(*m.*), worm *m.*
asticoter [astikòté] *v.t.*, (*fam.*) plagen, kwellen.
astigmate [astigmat] *adj.* lijdend aan bep. oogafwijking. [king *v.*
astigmatisme [astigmatizm] *m.* bep. oogafwijastiquage [astika:j] *m.* het oppoetsen *o.*
astiquer [astiké] *v.t.* (op)poetsen; ***bien astiqué,*** piekfijn gekleed, op zijn paasbest.
astracan, *voir* ***astrakan.*** [stijlband *m.*
astragale [astragal] *m.* **1** kootbeen *o.*; **2** (*bouwk.*)
astrakan, astracan [astrakã] *m.* zwart krulbont, astrakan *o.*
astral [astral] *adj.* van de sterren, sterren—; ***le monde —,*** de sterrenwereld *v.*(*m.*); ***lampe —e,*** astraallamp *v.*(*m.*).
astre [astr] *m.* **1** ster *v.*(*m.*); **2** hemellichaam *o.*; ***l'— du jour,*** de dagvorstin *v.*, de zon *v.*(*m.*); ***l'— de la nuit,*** de maan *v.*(*m.*).
astreindre* [astrẽ:dr] *v.t.* dwingen, noodzaken, nopen; **II** *v.pr.*, ***s'— à,*** zich verplichten om; zich opleggen.
astringent [astrẽ'jã] **I** *adj.* samentrekkend; **II** *s.*, *m.* samentrekkend middel *o.*
astrologie [astròlòji] *f.* sterrenwichelarij *v.*
astrologique [astròlòjik] *adj.* astrologisch.
astrologue [astròlò'g] *m.* sterrenwichelaar *m.*
astronautique [astrònotik] *f.* ruimtevaart *v.*(*m.*).
astronef [astrònèf] *m.* ruimteschip *o.*
astronome [astrònòm] *m.* sterrenkundige *m.*

astronomie [astrònòmi] *f.* sterrenkunde *v.*
astronomique [astrònòmik] *adj.* sterrenkundig.
astrophysique [astròfizik] *f.* astrofysica *v.*
astuce [astüs] *f.* arglistigheid, sluwheid *v.*
astucieux [astüsyö] *adj.*, **astucieusement** [astüsiö·zmã] *adv.* arglistig, sluw.
Asturies [astüri] *f.pl.* Asturië *o.*
asymétrie [asimétri] *f.* ongelijkvormigheid *v.*
asymétrique [asimétrik] *adj.* ongelijk (in vorm), niet symmetrisch.
asystolie [azistòli] *f.* hartzwakte *v.*
ataraxie [ataraksi] *f.* volkomen gemoedsrust *v.(m.).*
atavique [atavik] *adj.* atavistisch.
atavisme [atavizm] *m.* atavisme *o.*, overerving *v.* (van eigenschappen van de voorouders).
ataxie [ataksi] *f.* ataxie *v.* (onzekerheid *of* onmacht in bewegingen).
ataxique [ataksik] **I** *adj.* atactisch, lijdend aan ataxie; **II** *s., m.* lijder aan ataxie.
Atchin [atʃẽ] *m.* Atjeh *o.*
atèle [atèl] *m.* slingeraap *m.*
atelier [atelyé] *m.* **1** werkplaats *v.(m.)*; **2** personeel *o.*; ***chef d'—***, werkmeester *m.*
atermoiement, atermoîment [atèrmwaymã] *m.* **1** uitstel *o.* (van betaling); **2** uitvlucht *v.(m.).*
atermoyer [atèrmwayé] **I** *v.t.* uitstellen; **II** *v.i.* uitvluchten zoeken.
Ath [a·t] Aat *o.*
athée [até] **I** *m.* godloochenaar, atheïst *m.*; **II** *adj.* godloochenend, atheïstisch.
athéisme [atéizm] *m.* godloochening *v.*, atheïsme *o.*
athénée [aténé] *m.* atheneum *o.*
Athènes [atè:n] *f.* Athene *o.*
athénien [aténуẽ] **I** *adj.* Atheens; **II** *s., m.* Athener [*m.*
athlète [atlèt] *m.* atleet *m.*; worstelaar, kampvechter *m.*
athlétique [atlétik] **I** *adj.* atletisch, sterk gebouwd; **II** *s., f.* worstelkunst, atletiek *v.*
athlétisme [atlétizm] *m.* krachtsport *v.(m.)*, atletiek *v.*
atlante [atlã·t] *m.* atlant *m.* (als zuil dienend [mannenbeeld).
Atlantique [atlã·tik] *m.* (*of adj.*, ***océan —***) Atlantische Oceaan *m.*
atlas [atla·s] *m.* **1** atlas *m.*; **2** halswervel, atlas *m.*
atmosphère [atmòsfè:r] *f.* **1** dampkring *m.*; **2** dampkringsdrukking *v.*, luchtdruk *m.*; **3** stemming *v.*
atmosphérique [atmòsférik] *adj.* tot de dampkring behorend; ***pression —***, luchtdruk *m.*
atoll, attoll [atòl] *m.* atol *o.*
atome [ato:m] *m.* atoom *o.*
atomique [atòmik] *adj.* atoom-; ***théorie —***, atoomtheorie *v.*; ***poids —***, atoomgewicht *o.*; ***bombe —***, atoombom *v.(m.).*
atomiser [atòmi·zé] *v.t.* in uiterst fijne deeltjes verdelen.
atomiseur [atòmizœ:r] *m.* verstuiver, sproeier [*m.*, spuit *v.(m.).*
atomisme [atòmizm] *m.* atoomtheorie *v.*
atomist [atòmist] *m.* atoomgeleerde *m.*
atone [ato:n, atòn] *adj.* **1** (*v. ogen, enz.*) dof, levenloos; **2** (*v. klinker*) toonloos, onbeklemtoond; **3** (*v. persoon*) slap, futloos.
atonie [atòni] *f.* **1** dofheid *v.*; **2** slapheid *v.*; **3** (*v. spier, weefsel*) verslapping *v.*
atonique [atònik] *adj.* slap, krachteloos.
atours [atu:r] *m.pl.* (vrouwen)opschik *m.*
atout [atu] *m.* **1** troef *v.(m.)*; **2** (*pop.*) opstopper *m.*
atrabilaire [atrabilè:r] *adj.* zwartgallig.
atrabile [atrabil] *f.* zwartgalligheid *v.*
âtre [ɑ:tr] *m.* haard *m.*
atroce(ment) [atròs(mã)] *adj.* (*adv.*) **1** gruwelijk, ijselijk; **2** wreed; **3** (*v. weer*) zeer slecht, guur.
atrocité [atròsité] *f.* **1** gruwelijkheid, ijselijkheid *v.*; **2** wreedheid *v.*; **3** guurheid *v.*; **4** gruweldaad *v.(m.).*
atrophie [atròfi] *f.* (het) uitteren *o.*, verschrompeling, wegkwijning *v.*
atrophier [atròfyé] **I** *v.t.* doen wegkwijnen; doen verschrompelen; **II** *v.pr.*, ***s'—***, uitteren, wegteren; verdorren.
atropine [atropin] *f.* atropine *v.* (zwaar vergif uit wolfskers).
attabler [atablé] **I** *v.t.* aan tafel zetten; **II** *v.pr.*, ***s'—***, aan tafel gaan zitten.
attachant [ataʃã] *adj.* **1** aantrekkelijk; **2** (*v. lectuur*) boeiend.
attache [ataʃ] *f.* **1** band; riem *m.*; **2** (*v. diamant*) haak *m.*; **3** (*v.armband*) slot *o.*; **4** (*v. hond*) ketting *m. en v.*; **5** (*v. spier, enz.*) aanhechtingsplaats *v.(m.)*; **6** (*fig.*) band *m.*, gehechtheid *v.*; **7** goedkeuring *v.*; **8** paperclip *v.(m.)*; ***chien d'—***, kettinghond *m.*; ***mettre à l'—***, vastleggen; ***être toujours à l'—***, het zeer druk hebben.
attaché [ataʃé] *m.*, ***— d'ambassade***, gezantschapsattaché *m.*
attachement [ataʃmã] *m.* **1** gehechtheid, verknochtheid, genegenheid *v.*; **2** ijver *m.*, vlijt *v.(m.)*; **3** (voorlopig) bestek *o.*, kostenberekening *v.*
attacher [ataʃé] **I** *v.t.* **1** vastmaken (*ook*: vastspelden, vastnaaien, vastspijkeren); **2** (*v. hond*) vastleggen; **3** (*v. paard*) vastbinden; **4** (*v. waarde, betekenis*) hechten; **5** (*v. blik*) vestigen; **6** (*v. geest*) boeien, in beslag nemen; ***— le grelot***, de kat de bel aanbinden; **II** *v.i.* **1** aanbranden; aanzetten; **2** (*v. boek, enz.*) boeien, spannend zijn; **III** *v.pr.*, ***s'— à***, **1** zich vasthechten aan; **2** zich hechten aan; **3** zich toeleggen op; **4** zich beijveren om; ***s'— qn.***, iem. in zijn dienst nemen; iem. aan zich verbinden; ***s'— aux pas de qn.***, iem. volgen als zijn schaduw.
attaquable [atakɑ·bl] *adj.* **1** aantastbaar; **2** (*fig.*) [aanvechtbaar.
attaquant [atakã] *m.* aanvaller *m.*
attaque [atak] *f.* **1** aanval *m.*; **2** aanranding *v.*; **3** (*bij schermen*) uitval *m.*; **4** (*muz.*) (het) inzetten *o.*; ***— de nerfs***, zenuwtoeval *m. en o.*; ***— d'apoplexie***, beroerte *v.*; ***— aérienne***, luchtaanval *m.*; ***— de nuit***, nachtelijke aanval; ***être d'—***, van aanpakken weten; voor geen kleintje vervaard zijn.
attaquer [ataké] **I** *v.t.* **1** aanvallen; **2** aanranden; **3** aantasten; **4** (*v. brand, ziekte, vonnis*) bestrijden; **5** (*v. zeden*) kwetsen; **6** (*v. muziekstuk*) inzetten; **7** (*v. zuur, enz.*) inbijten; ***— qn. en justice***, iem. een proces aandoen; **II** *v.pr.*, ***s'—***, elkander aanvallen; ***s'— à***, **1** aanvallen; bestrijden; **2** aanranden; **3** zich meten met; zich wagen aan; **4** het gemunt hebben op.
attarder [atardé] **I** *v.t.* vertragen, verlaten; **II** *v.pr.*, ***s'—***, zich te lang ophouden; te laat uitblijven; ***s'— à***, **1** stilstaan bij; **2** zijn tijd verbeuzelen met.
atteindre* [atẽ:dr] **I** *v.t.* **1** bereiken; **2** (*op straat*) inhalen; **3** (*v. slag, enz.*) treffen, raken; **4** (*v. ziekte*) aantasten; **5** (*fig.*) evenaren; ***— un livre sur l'armoire***, een boek van de kast nemen (*of* pakken); ***atteint et convaincu***, aangeklaagd en schuldig verklaard; **II** *v.i.*, ***— à***, **1** (met moeite) bereiken; **2** geraken tot; **3** reiken tot.
atteinte [atẽ:t] *f.* **1** aanraking *v.*; **2** stoot, slag, steek *m.*; letsel *o.*; **3** (*v. ziekte*) aanval *m.*; **4** (*v. koude*) guurheid, gestrengheid *v.*; **5** belediging, aanranding *v.*; **6** (*recht*) inbreuk *v.(m.)*; ***porter — à***, afbreuk doen aan, schaden; ***porter — à l'honneur de qn.***, iemands eer aanranden; ***hors d'—***, buiten bereik; buiten gevaar.

attelage [atla:ʒ] *m.* **1** span *o.*; **2** (het) aanspannen *o.*; **3** koppeling *v.*; ***barre d'—***, koppelstang *v.(m.)*; ***— à la Daumont***, vierspan *o.* met voorrijders.
atteler* [atlé] **I** *v.t.* **1** inspannen; **2** bespannen; **3** (*v. wagon*) koppelen; **II** *v.pr.*, ***s'— à***, zich spannen voor.
attelle [atèl] *f.* **1** haamhoorn *m.*, haamblok *o.*; **2** spalk *v.(m.)*; ***poser une — à***, spalken.
attenant [atnã] **I** *adj.* belendend, aangrenzend; **II** *prép.* grenzend aan, naast.
attendant, en — [ã'natã'dã] *adv.* intussen, onderwijl, in afwachting; ***en — que***, (*conj.*) totdat.
attendre [atã:dr] **I** *v.t.* **1** verwachten; wachten op; **2** tegemoetzien; ***c'est là où je l'attends***, daar wil ik hem juist hebben; nu zal ik hem wel te pakken krijgen; ***tout vient à point à qui sait —***, alles komt terecht; ***voilà le sort qui vous attend***, dat is het lot dat u te wachten staat; **II** *v.i.* wachten; ***sans plus —***, onverwijld; **III** *v.pr.*, ***s'— à***, verwachten, rekenen op; ***je m'y attendais***, dat dacht ik wel.
attendrir [atã'dri:r] **I** *v.t.* **1** (*v. spijzen, enz.*) mals maken, zacht maken; **2** (*fig.*) vertederen, vermurwen; **II** *v.pr.*, ***s'—***, **1** mals worden; **2** (*fig.*) vertederd worden, aangedaan worden, ontroeren.
attendrissant [atã'drisã] *adj.* hartroerend, aandoenlijk, treffend.
attendrissement [atã'drismã] *m.* vertedering, aandoening *v.*
attendu [atã'dü] **I** *prép.* wegens, gezien, uit hoofde van; **II** *conj.*, ***— que***, daar, aangezien; **III** *s.*, *m.* overweging *v.*
attentat [atã'ta] *m.* **1** aanslag *m.*; **2** misdrijf *o.*; **3** (*recht*) inbreuk *v.(m.)*.
attentatoire [atã'tatwa:r] *adj.* inbreuk makend op, schendend.
attente [atã:t] *f.* **1** verwachting; afwachting *v.*; **2** (het) wachten *o.*; **3** wachtteken *o.*; ***contre toute —***, onverhoopt, onverwacht; ***salle d'—***, wachtkamer *v.(m.)*; ***tromper l'—***, de verwachting teleurstellen, tegenvallen.
attenter [atã'té] (*à*) *v.i.* een aanslag doen (op), zich vergrijpen (aan); ***— à ses jours***, zelfmoord plegen, de hand aan zich zelf slaan; ***— aux jours*** (*of* ***à la vie***) ***de qn.***, iem. naar het leven staan.
attentif [atã'tif] *adj.* oplettend, aandachtig; opmerkzaam; ***rendre — à***, opmerkzaam maken op; ***prêter une oreille attentive***, aandachtig luisteren.
attention [atã'syõ] *f.* oplettendheid, aandacht *v.(m.)*; opmerkzaamheid *v.*; ***faire —***, opletten; ***avoir des —s pour qn.***, zeer voorkomend zijn voor iem.
attentionné [atã'syòné] *adj.* voorkomend.
attentisme [atã'tizm] *m.* politiek van afwachten.
attentiste [atã'tist] *m.* opportunist *m.*
attentivement [atã'ti'vmã] *adv.*, *voir* ***attentif.***
atténuant [aténẅã] *adj.* verzachtend.
atténuation [aténẅa'syõ] *f.* **1** verzachting *v.*; **2** (*v. straf*) vermindering *v.*; **3** verzwakking *v.*
atténuer [aténẅé] *v.t.* **1** verzachten; **2** verminderen; **3** verzwakken; verdunnen; ***or atténué***, gebrand goud *o.*
atterrage [atèra:ʒ] *m.* **1** (*sch.*) nadering *v.* (*of* nabijheid *v.*) van land; **2** landverkenning, kustverkenning *v.*; **3** landingsplaats *v.(m.)*.
atterrer [atèré] **I** *v.t.* terneerslaan; ontmoedigen; diep bedroeven; **II** *v.i.*, (*sch.*) land verkennen, de kust verkennen.
atterrir [atèri:r] *v.i.* landen, aan land gaan.
atterrissage [atèrisa:ʒ] *m.* **1** landing *v.*; **2** landingsplaats *v.(m.)*; ***train d'—***, landingsgestel *o.*; ***— forcé***, noodlanding *v.*
atterrissement [atèrismã] *m.* **1** aanslibbing *v.*; **2** (*vl.*; *boot*) landing *v.*; **3** (*v. ballon*) nederdaling *v.*
atterrisseur [atèrisœ:r] *m.*, (*vl.*) landingstoestel *o.*
attestation [atèsta'syõ] *f.* getuigschrift, attest *o.*; ***— de bonne vie et mœurs***, bewijs *o.* van goed gedrag.
attester [atèsté] *v.t.* **1** getuigen; bevestigen, staven; **2** verklaren; **3** tot getuige nemen.
atticisme [atisizm] *m.* fijne smaak *m.*; zuiverheid *v.* van taal, sierlijke stijl *m.*
attiédir [atyédi:r] **I** *v.t.* **1** lauw maken; **2** (*v. lucht*) zoel maken; **3** (*wat warm is*) afkoelen; **4** (*wat koud is*) opwarmen; **5** (*fig.*) doen verflauwen; doen bekoelen; **II** *v.pr.*, ***s'—***, **1** lauw worden; **2** zoel worden; **3** verflauwen; verkoelen.
attiédissement [atyédismã] *m.* **1** lauwheid *v.*; **2** zoelheid *v.*; **3** verflauwing; verkoeling *v.*
attifement [atifmã] *m.* opschik *m.*
attifer [atifé] *v.t.* opschikken, opdirken.
attiger [atiʒé] *v.t.*, (*pop.*) **1** kwetsen; **2** overdrijven.
Attique [atik] **I** *f.* Attica *o.*; **II** *m.*, ***a—***, (*bouwk.*) bovendeel *o.* van een gevel, halve verdieping *v.* onder het dak; **III** *adj.* attisch.
attirail [atira'y] *m.* **1** gereedschap *o.*; **2** toebehoren *o.*; **3** (*ong.*) nasleep *m.*; ***— de cuisine***, keukengerief, keukengerei *o.*; ***— de guerre***, oorlogstuig *o.*, krijgstoerusting *v.*
attirance [atirã:s] *f.* aantrekkelijkheid *v.*
attirant [atirã] *adj.* aantrekkelijk, bekoorlijk.
attirer [atiré] **I** *v.t.* **1** aantrekken; **2** (*fig.*: *v. publiek, enz.*) aanlokken; **3** (*v. aandacht*) trekken; vestigen; **4** (*v. blik*) tot zich trekken; ***un malheur en attire un autre***, een ongeluk komt zelden alleen; **II** *v.pr.*, ***s'—***, zich op de hals halen; ***s'— des ennuis***, zich onaangenaamheden op de hals halen.
attiser [ati'zé] *v.t.* **1** opstoken, oppoken; **2** (*fig.*) aanwakkeren, aanblazen, aanstoken.
attiseur [ati'zœ:r] *m.*, ***— de discorde***, twiststoker, ruziestoker *m.*
attisoir [ati'zwa:r], **attisonnoir** [ati'zònwa:r] *m.* pook *m. en v.*
attitré [atitré] *adj.* **1** (*v. leverancier*) vast, gewoon; **2** (officieel) aangesteld; ***représentant —***, officieel vertegenwoordiger.
attitude [atitü'd] *f.* **1** houding *v.*; **2** optreden; [gedrag *o.*
atoll, *voir* ***atoll.***
attouchement [atuʃmã] *m.* aanraking, betasting *v.*; ***point d'—***, (*meetk.*) raakpunt *o.*
attractif [atraktif] **I** *adj.* aantrekkend; ***force attractive***, aantrekkingskracht *v.(m.)*; **II** *s.*, *m.* trekmiddel *o.*
attraction [atraksyõ] *f.* **1** aantrekking *v.*; aantrekkingskracht *v.(m.)*; **2** glansnummer *o.*; glanspunt *o.*
attrait [atrè] *m.* **1** aantrekkelijkheid, bekoorlijkheid *v.*; **2** neiging *v.*, zin *m.*; ***se sentir de l'— pour***, zich aangetrokken voelen tot.
attrape [atrap] *f.* **1** strik, valstrik *m.*; **2** fopperij *v.*
attrape-lourdaud* [atraplurdo] *m.* boerenbedrog *o.*
attrape-mouches [atrapmuʃ] *m.* vliegenvanger *m.*
attrape-niais [atrapnyè], **attrape-nigaud*** [atrapnigo] *m.* boerenbedrog *o.*
attraper [atrapé] **I** *v.t.* **1** vangen; **2** grijpen; bemachtigen; **3** (*v. ziekte*) oplopen, opdoen; **4** (*v. kou*) vatten; **5** (*v. trein, enz.*) halen; **6** beetnemen, foppen; **7** verrassen, betrappen; **8** (*v. gelijkenis; op schilderij, enz.*) treffen; **9** (*v. slagen*) krijgen; **10** (*door list*) wegkapen; **11** (*v. doel*) bereiken; ***se laisser —***, er in lopen; ***il est bien attrapé***, hij vist achter 't net, hij staat op zijn neus te kij-

ken; ***attrape!*** pak aan! steek dat in uw zak! **II** *v.pr.*, ***s'—***, elkaar beetnemen (*of* bedriegen); ***s'— à***, **1** blijven haken aan; **2** zich stoten aan.
attrapeur [atrapœ:r] *m.* bedrieger *m.*
attrapoire [atrapwa:r] *f.* valstrik *m.*
attrayant [atrèyã] *adj.* aantrekkelijk, aanlokkelijk.
attribuable [atribẘa'bl] *adj.* toe te schrijven.
attribuer [atribẘé] **I** *v.t.* **1** toekennen; toewijzen; **2** toeschrijven; **II** *v.pr.*, ***s'—***, **1** zich toeëigenen; **2** zich aanmatigen.
attribut [atribü] *m.* **1** eigenschap *v.*; **2** zinnebeeld, kenmerk *o.*; **3** voorrecht *o.*; **4** (*gram.*) bijvoeglijke bepaling *v.*
attributif [atribütif] *adj.* **1** toekennend; **2** (*gram.*) attributief.
attribution [atribüsyõ] *f.* **1** toekenning *v.*; **2** toewijzing *v.*; **3** bevoegdheid *v.*; ***cela ne rentre pas dans ses —s***, daartoe is hij niet bevoegd, dat is zijn werk niet.
attributivement [atribüti'vmã] *adv.* attributief.
attristant [atristã] *adj.* bedroevend, treurig.
attrister [atristé] **I** *v.t.* bedroeven; **II** *v.pr.*, ***s'—***, zich bedroeven.
attrition [atrisyõ] *f.* **1** schram *v.*(*m.*); **2** (*godsd.*) onvolmaakt berouw, leedwezen *o.*
attroupement [atrupmã] *m.* samenscholing *v.*, oploop *m.*
attrouper [atrupé] **I** *v.t.* doen samenscholen; **II** *v.pr.*, ***s'—***, samenscholen, te hoop lopen.
au, *pl.*: **aux** [o] samentrekking van: ***à le, à les.***
aubade [o'ba'd] *f.* aubade; morgenbegroeting *v.*
aubaine [o'bè'n] *f.* buitenkansje *o.*
aube [o'b] *f.* **1** dageraad *m.*, morgenkrieken *o.*; **2** (*kath.*) koorhemd *o.*, albe *v.*(*m.*); **3** (*v. rad*) schoep *v.*(*m.*).
aubépine [o'bépin] *f.* meidoorn, hagedoorn *m.*
aubère [o'bè:r] *adj.*, (*v. paard*) lichtbruin, vaal.
auberge [o'bèrj] *f.* herberg *v.*(*m.*); klein hotel *o.*
aubergine [o'bèrjin] *f.*, (*Pl.*) eierplant *v.*(*m.*), eierdop *m.*
aubergiste [o'bèrjist] *m.* herbergier, waard *m.*
auberon [o'brõ] *m.* slotkram *v.*(*m.*).
aubette [o'bèt] *f.* wachthuisje *o.*
aubier [o'byé] *m.* **1** (*v. hout*) spint *o.*; **2** (*Pl.*) watervlierboom *m.*
aubour [o'bu:r] *m.*, (*Pl.*) **1** goudenregen *m.*; **2** sneeuwbal *m.*
auburn [obœrn] *adj.* roodbruin.
aucun [o'kœ̃] *pron. ind.* **1** (*met* ***ne***) geen; niemand; **2** (*zonder* ***ne***) enig; iemand.
aucunement [o'künmã] *adv.* **1** (*met* ***ne***) geenszins; **2** (*zonder* ***ne***) enigerwijze, enigermate.
audace [o'das] *f.* **1** stoutmoedigheid, onverschrokkenheid *v.*; **2** vermetelheid, roekeloosheid *v.*; **3** brutaliteit *v.*, durf *m.*
audacieux [o'dasyö] *adj.*, **audacieusement** [o'dasyö'zmã] *adv.* **1** stoutmoedig, onvervaard, onverschrokken; **2** vermetel; **3** brutaal; **4** (*fig.*) gewaagd; **5** (*v. stijl*) krachtig.
au-dedans [o'd(e)dã] *adv.* van binnen.
au-dehors [o'de(h)ò:r] *adv.* van buiten.
au-delà [o'd(e)la] **I** *prép.* **1** aan gene zijde; **2** verder, voorbij; **3** boven, meer dan; **II** *s.*, *m.* (het) leven *o.* hiernamaals.
Audenhove-Sainte-Marie Sint-Maria-Oudenhove *o.*
Audenhove-Saint-Géry Sint-Goriks-Oudenhove [*o.*
au-dessous [o'd(e)su] *adv.* eronder.
au-dessus [o'd(e)sü] *adv.* erboven.
au-devant de [o'd(e)vã'de] *prép.* tegemoet.
audible [o'di:bl] *adj.* hoorbaar.
audience [o'dyã:s] *f.* **1** audiëntie *v.*, gehoor *o.*, gehoorverlening *v.*; **2** terechtzitting *v.*; **3** toehoorders *mv.*; ***salle d'—***, gerechtszaal *v.*(*m.*); ***donner — à***, het oor lenen aan.
audiencier [o'dyã'syé] *m.*, ***huissier —***, gerechtsbode *m.*
auditeur [o'ditœ:r] *m.* **1** toehoorder *m.*; **2** (*v. rechtbank*) bijzitter, auditeur *m.*; ***— militaire***, krijgsauditeur *m.*
auditif [o'ditif] *adj.* gehoor—; ***nerf —***, gehoorzenuw *v.*(*m.*).
audition [o'disyõ] *f.* **1** (het) horen *o.*; **2** verhoor *o.*; **3** (*v. muz.*) uitvoering *v.*
auditionner [o'disyòné] *v.t.* door (*of* tijdens) een auditie beoordelen.
auditoire [o'ditwa:r] *m.* **1** gehoorzaal *v.*(*m.*), auditorium *o.*; **2** gerechtszaal *v.*(*m.*); **3** gehoor *o.*, toehoorders *mv.*; ***grand —***, aula *v.*(*m.*).
auge [o:j] *f.* **1** (*voor dieren*) trog *m.*; **2** kalkbak *m.*; **3** (*v. scheprad*) bak *m.*
augée [o'jé] *f.* 'n trog *m.* vol; 'n bak *m.* vol.
auget [o'jè] *m.* **1** bakje *o.*; **2** (*v. vogel*) etensbakje *o.*; **3** (*v. moddermolen*) emmer *m.*
augmentable [o'gmã'ta'bl] *adj.* vermeerderbaar.
augmentatif [o'gmã'tatif] **I** *adj.* vermeerderend; versterkend; ***désinence augmentative***, vergrotingsuitgang *m.*; **II** *s.*, *m.* vergrotingswoord *o.*
augmentation [o'gmã'ta'syõ] *f.* **1** vermeerdering *v.*; **2** versterking *v.*; **3** (*v. lonen*) opslag *m.*, verhoging *v.*; **4** aanwas *m.*
augmenter [o'gmã'té] **I** *v.t.* **1** vermeerderen; **2** versterken; **3** (*v. loon*) opslaan, verhogen; **4** (*muz.*) verhogen; **5** (*v. welstand, enz.*) bevorderen; **II** *v.i.* **1** vermeerderen, toenemen; **2** aanwassen; **3** (*v. prijs*) opslaan.
augsbourgeois [o'gsburjwa] *adj.* Augsburgs.
augural [o'gü'ral] *adj.*, ***bâton —***, wichelroede *v.*(*m.*).
augure [o'gü:r] *m.* **1** wichelaar *m.*; **2** (*fig.*) voorspelling *v.*, voorteken *o.*; ***de bon —***, veelbelovend; ***de mauvais —***, onheilspellend; bedenkelijk, bedroevend.
augurer [o'güré] *v.t.* voorspellen; voorzien; ***laisse bien — de***, veel doen verwachten van.
Auguste [o'güst] *m.* Augustus, August.
auguste [o'güst] *adj.* **1** verheven; heerlijk; **2** doorluchtig.
Augustin [o'güstẽ] *m.* **1** Augustinus *m.*; **2** ***a—***, augustijn *m.*
Augustine [o'güstin] *f.* **1** Augustina *v.*; **2** augustines *v.*
aujourd'hui [o'jurdẘi] *adv.* **1** vandaag, heden; **2** tegenwoordig, in onze tijd; ***d'—***, hedendaags; ***d'— en huit***, vandaag over acht dagen.
Aulide [o'li'd] *f.* Aulis *o.*
aulique [o'lik] *adj.*, ***conseil —***, hofraad *m.*; ***conseiller —***, hofraad *m.*; ***cour —***, rijkskamergerecht *o.*
aulnaie, *voir* ***aunaie.***
aulne, aune [o:n] *m.* elzeboom *m.*
aulx een der meervoudsvormen van ***ail.***
aumône [o'mo:n, o'mòn] *f.* aalmoes *v.*(*m.*); ***demander l'—***, bedelen; ***faire l'—***, aalmoezen geven.
aumônerie [o'mo'nri, o'mònri] *f.* aalmoezenierschap *o.*
aumônier [o'mo'nyé, o'mònyé] *m.* aalmoezenier *m.*; ***— militaire***, legeraalmoezenier *m.*; (*prot.*) veldprediker *m.*, (*B.*) krijgsaalmoezenier *m.*
aumônière [o'mo'nyè:r, o'mònyè:r] *f.* beurs *v.*(*m.*), tasje *o.*
aumusse, aumuce [o'müs] *f.*, (*v. kanunnik*) koorpels *m.*
aunage [o'na:j] *m.* **1** ellemaat *v.*(*m.*); **2** (het) meten *o.* met de el.
aunaie, aulnaie [o'nè] *f.* elzenbos(je) *o.*
aune [o:n] **I** *m.* els, elzeboom *m.*; **II** *f.* el *v.*(*m.*); ***au bout de l'— faut le drap***, aan alles komt een eind; ***je sais ce qu'en vaut l'—***, ik weet wat het waard is, ik weet er alles van; ***mesurer les***

autres à son **—**, de anderen naar zich zelf beoordelen; *tout le long de l'—*, volop, naar hartelust.
auner [o'né] *v.t.* met de el meten.
auparavant [o'paravã] *adv.* vooraf, te voren, eerst; *l'année d'—*, het jaar daarvoor.
auprès [o'prè] *adv.* dichtbij; *— de, prép.* **1** bij, dicht bij; **2** vergeleken met, in vergelijking van.
auquel samentrekking van: *à lequel.*
auréole [òréòl] *f.* stralenkrans *m.*, aureool *v.(m.).*
auréoler [òréòlé] *v.t.* met een stralenkrans omgeven.
auriculaire [òrikülè:r] *adj.* van het oor; *confession —*, oorbiecht *v.(m.)*; *témoin —*, oorgetuige *m.*; *(doigt) — m.* pink *m.*
auricule [òrikül] *f.* **1** oorschelp *v.(m.)*; **2** oorlel *v.(m.)*; **3** *(Pl.)* bereoor *o.*
auriculé [òrikülé] *adj.* geoord, met een oor.
auriculiste [òrikülist] *m.* oorarts, oorheelkundige, oorspecialist *m.*
aurifère [òrifè:r] *adj.* goudhoudend; *valeur —*, goudwaarde *v.*
aurification [òrifika'syõ] *f.*, *(v. kies)* goudvulling *v.*
aurifier [òrifyé] *v.t.* met goud vullen.
auriste [òrist] *m.* oorarts *m.*
aurochs [òròks] *m.*, *(Dk.)* oeros *m.*
aurone [òròn] *f.*, *(Pl.)* citroenkruid *o.*
auroral [òròral] *adj.* van de dageraad.
aurore [òrò:r] *f.* **1** dageraad; ochtendstond *m.*; **2** oosten *o.*; **3** *(fig.)* opkomst *v.*, begin *o.*; *— boréale*, noorderlicht *o.*
auscultation [o'skülta'syõ] *f.* auscultatie *v.*, onderzoek *o.* door het gehoor.
ausculter [o'skülté] *v.t.* ausculteren, onderzoeken.
auspice [o'spis] *m.* **1** *(oudh.)* vogelwichelaar *m.*; **2** *(fig.)* voorteken *o.*, voorspelling *v.*; *sous les —s de*, onder begunstiging van; onder de (hoge) bescherming van.
aussi [o'si] *adv.* ook; *(in 't begin van zin)* dan ook; *— ... que*, even... als, zo... als; *— peu que*, evenmin als; *— bien*, **1** dan ook, trouwens; **2** desondanks, toch.
aussière, haussière [o'syè:r] *f.* *(Scheepv.)* tros *m.*
aussitôt [o'sito] *adv.* dadelijk, aanstonds; *— dit, — fait*, zo gezegd, zo gedaan; *— que*, **1** zodra; **2** tegelijk met.
auster [o'stè:r] *m.*, *(dicht.)* zuidenwind *m.*
austère(ment) [o'stè:r(mã)] *adj.* *(adv.)* **1** *(v. levenswijze)* streng, sober; **2** *(v. plicht)* hard; **3** ernstig, ingetogen; **4** teruggetrokken; **5** *(kunst)* sober, eenvoudig.
austérité [o'stérité] *f.* **1** strengheid, soberheid *v.*; **2** hardheid *v.*; **3** ernst *m.*, ingetogenheid *v.*; *—s*, kastijdingen *mv.*, boetedoening *v.*
austral [o'stral] *adj.* zuidelijk; zuid—; *pôle —*, zuidpool *v.(m.)*; *les terres —es*, de zuidpoolstreken *mv.*, de zuidpoollanden *mv.*
Australasie [o'stralazi] *f.* Oceanië *o.*
Australie [o'strali] *f.* Australië *o.*
Australien [o'stralyẽ] **I** *m.* Australiër *m.*; **II** *adj.* *a—*, Australisch.
Austrasie [o'strazi] *f.* Austrasië *o.*
austro- [o'stro] *adj.* Oostenrijks—.
autan [o'tã] *m.*, *(dicht.)* zuidwestenwind, storm *m.*
autant [o'tã] *adv.* evenveel, zoveel; evenzeer; *— en emporte le vent*, dat zijn woorden in de wind; dat is vergeefse moeite; *j'aime — partir*, ik ga net zo lief weg; *en faire —*, hetzelfde doen; *c'est — de gagné*, dat hebben we alvast (gewonnen); *— de têtes, — d'avis*, zoveel hoofden, zoveel zinnen; *tout —*, evenveel; *d'—*, naar evenredigheid, in gelijke mate; *d'— mieux*, des te beter; *d'— plus*, te meer; *d'— moins*, te minder; *d'— que*, *(conj.)* aangezien, vooral daar, te meer daar; *pour —*, in zoverre.
autarcie [o'tarsi] *f.* staat *m.* die in eigen (economische) behoeften voorziet; zelfvoorziening *v.*
autel [o'tèl] *m.* **1** altaar *o.*; **2** *(oudh.)* offertafel *v.(m.)*; **3** *(fig.)* godsdienst *m.*; *maître-—*, hoofdaltaar *o.*
auteur [o'tœ:r] *m.* **1** schepper, voortbrenger, maker *m.*; **2** bewerker, stichter *m.*; **3** dader, bedrijver *m.*; **4** schrijver *m.*, schrijfster *v.*; **5** zegsman *m.*; *— dramatique*, toneelschrijver *m.*; *droits d'—*, auteursrecht *o.*; *les —s de nos jours*, onze ouders.
authenticité [o'tã'tisité] *f.* **1** echtheid, oorspronkelijkheid *v.*; **2** waarachtigheid, geloofwaardigheid *v.*
authentifier [o'tã'tifyé] *v.t.* als echt erkennen.
authentique(ment) [o'tã'tik(mã)] *adj.* *(adv.)* **1** echt, oorspronkelijk; **2** waarachtig, geloofwaardig.
authentiquer [[o'tã'tiké] *v.t.* waarmerken.
auto [oto] *f.* auto *m.*; *— tamponneuse*, botsautootje *o.*
auto-allumage* [o'tòalüma:j] *m.* zelfontsteking *v.*
autobiographie [o'tòbiògrafi] *f.* eigen levensbeschrijving, autobiografie *v.*
autobus [o'tòbüs] *m.* autobus, bus *m. en v.*
autocamion [o'tòkamyõ] *m.* vrachtauto *m.*
autocanon [o'tòkanõ] *m.* pantserauto *m.* met kanon. [auto *m.*
autocar [o'tò'ka:r] *m.* toerauto(bus), toeristen-
autochenille [o'tòʃ(e)niy] *f.* rupsauto *m.*
autochrome [o'tòkro:m] *adj.* de juiste (natuurlijke) kleuren weergevend.
autochtone [o'tòktòn] **I** *adj.* oorspronkelijk; **II** *s.*, *m.* oorspronkelijk bewoner, inboorling *m.*
autoclave [o'tòkla:v] *adj.* zelfsluitend.
autocopie [o'tòkòpi] *f.* gehectografeerde afdruk *m.*
autocopier [o'tòkòpyé] *v.t.* hectograferen.
autocopiste [o'tòkòpist] *m.* hectograaf *m.*
autocrate [o'tòkrat] *m.* **1** autocraat, alleenheerser *m.*; **2** *(fig.)* despoot *m.*
autocratie [o'tòkrasi] *f.* **1** alleenheerschappij, autocratie *v.*; **2** *(fig.)* despotisme *o.*
autocratique(ment) [o'tòkratik(mã)] *adj.* *(adv.)* autocratisch; despotisch.
autocritique [o'tòkritik] *f.* zelfkritiek *v.*
autocuiseur [o'tòkẅisœ:r] *m.* snelkookpan *v.(m.).*
autodafé [o'tòdafé] *m.* *(pl.: —s)*, *(gesch.)* ketterverbranding *v.*
autodétermination [o'tòdétèrmina'syõ] *f.* zelfbeschikkingsrecht *o.*
autodidacte [o'tòdidakt] *m.* autodidact *m.*, die zichzelf (zonder meester) geleerd heeft.
autodrome [o'tòdro:m] *m.* autorenbaan *v.(m.).*
auto-école* [o'tòékol] *f.* autorijschool *v.(m.)*; *moniteur d'—*, auto-instructeur *m.* [v.
auto-excitation [o'tòèksita'syõ] *f.* zelfopwekking
autofécondation [o'tòfékõ'da'syõ] *f.* zelfbestuiving *v.* [ring, zelffinanciering *v.*
autofinancement [o'tòfinã'smã] *m.* autofinancie-
auto-garage* [o'tògara:j] *m.* garage *v.*
autogène [o'tòjèn] *adj.* autogeen.
autogestion [o'tòjèstyõ] *f.* zelfbestuur *o.*
autogire [o'tòji'r] *m.*, *(vl.)* autogiro *m.*
autographe [o'tògraf] **I** *adj.* eigenhandig geschreven; **II** *s.*, *m.* eigenhandig geschreven stuk *o.*; handtekening *v.*
autographie [o'tògrafi] *f.* (het) afdrukken *o.* (steendruk *m.*) van een handschrift.
autographier [o'tògrafyé] *v.t.* vermenigvuldigen (van een handschrift door steendruk).
autographique [o'tògrafik] *adj.* *papier —*, overdrukpapier *o.* [besturing.
autoguidé [o'tògi'dé] *adj.* met automatische

automate [o·tòmat] *m.* automaat *m.*
automation [o·tòma·syõ] *f.* automatisering *v.*
automatique(ment) [o·tòmatik(mã)] *adj.* (*adv.*) automatisch; werktuiglijk; ***fermeture —,*** ritssluiting *v.*
automatiser [o·tòmatizé] *v.t.* automatisch maken.
automatisme [o·tòmatizm] *m.* werktuiglijkheid *v.*
automédon [o·tòmédõ] *m.* voerman *m.*
automitrailleuse [o·tòmitrayö:z] *f.* pantserauto *m.* met machinegeweren (en kanon).
automnal [o·tòmnal] *adj.* herfstachtig, herfst—.
automne [o·tòn] *m.* herfst *m.*, najaar *o.*
automobile [o·tòmòbil] **I** *adj.* zelfbewegend; ***canot —,*** motorboot *m. en v.*; **II** *s., f.* (*et m.*) motorwagen, automobiel *m.*; ***— cuirassée,*** pantserauto *m.*
automobilisme [o·tòmòbilizm] *m.* automobielsport *v.*(*m.*), automobilisme *o.*
automobiliste [o·tòmòbilist] *m.* autobestuurder, automobilist *m.*
automoteur [o·tòmòtœ:r], **automotrice** [o·tòmòtris] **I** *adj.* zelfbewegend; **II** ***automotrice,*** *s., f.* motorwagen *m.*; dieselwagen *m.*
autonome [o·tònòm] *adj.* zelfbesturend.
autonomie [o·tònòmi] *f.* zelfbestuur *o.*
autonomiste [o·tònòmist] *m.* voorstander *m.* van zelfbestuur.
autoplastie [o·tòplasti] *f.* chirurgische overplanting *v.* van eigen weefsels.
autopompe [o·tòpõ·p] *f.* motorbrandspuit *v.*(*m.*).
autoportrait [o·tòpòrtrè] *m.* zelfportret *o.*
autopropulsé [o·tòpropülsé] *adj.* met eigen voortbewegingsmiddelen.
autopropulseur [o·tòpropülsœ:r] *adj.* zelfvoortbewegend.
autopropulsion [o·tòpropülsyõ] *f.* vermogen *o.* zich op eigen kracht voort te bewegen.
autopsie [o·tòpsi] *f.* lijkschouwing *v.*
autopsier [o·tòpsyé] *v.t.* schouwen.
autorail [o·tòra:y] *m.* dieseltram *m.*; dieseltrein *m.*
autorégulateur [o·tòrégülatœ:r] *adj.* zelfregelend.
autorisable [o·tòrisa·bl] *adj.* toelaatbaar.
autorisation [o·tòriza·syõ] *f.* **1** toestemming *v.*; **2** machtiging *v.*; ***— à construire,*** bouwvergunning *v.*
autorisé [o·tòrizé] *adj.* bevoegd; gerechtigd; ***de source —e,*** uit betrouwbare (*of* welingelichte) bron.
autoriser [o·tòrizé] *v.t.* **1** toelaten, toestaan; **2** machtigen; **3** billijken, wettigen; ***s'— de,*** zich beroepen op.
autoritaire [o·tòritè:r] *adj.* **1** van de overheid; **2** heerszuchtig; bazig; **3** (*v. optreden*) eigenmachtig; **4** (*v. staat*) autoritair.
autoritarisme [o·tòritarizm] *m.* eigenmachtigheid *v.*
autorité [o·tòrité] *f.* **1** gezag *o.*; macht *v.*(*m.*); **2** overheid *v.*, overheidspersonen *mv.*; **3** geloofwaardigheid *v.*; **4** uitspraak *v.*(*m.*), getuigenis *o. en v.*; ***de sa propre —,*** eigenmachtig; ***de quelle — ?*** met welk recht? ***faire —,*** gezaghebbend zijn, gezag hebben; ***vente par — de justice,*** gerechtelijke verkoop.
autoroute [o·tòrut] *f.* autosnelweg *m.*
autoskiff [o·tòskif] *m.* vliegende Hollander *m.*
auto-stop [o·tòstòp] *m.* lift *m.*; ***faire de l'—,*** liften.
autostoppeur [o·tòstòpœ:r] *m.* lifter *m.*
autostrade [o·tòstra·d] *f.* grote autoweg *m.*, autosnelweg *m.*
autosuggestion [o·tòsügjè:styõ] *f.* autosuggestie *v.*
autour [o·tu:r] **I** *adv.* rondom, er om heen; ***tout —,*** van alle kanten; **II** ***— de,*** *prép.* **1** om, rondom, bij; **2** naar aanleiding van, in verband met; ***tourner — du pot,*** er omheen draaien; **III** *s., m.* havik *m.*
autre [o:t(r)] *pron. et adj.* **1** ander, anders; **2** verschillend; **3** nieuw; ***— chose,*** iets anders; ***comme dit l'—,*** zoals men wel eens zegt; ***l'— jour,*** onlangs; ***— part,*** elders; ***d'— part,*** anderzijds, daarenboven; ***l'— jeudi,*** verleden donderdag; ***de temps à —,*** van tijd tot tijd; ***un — Racine,*** een tweede Racine; ***vous —s Français,*** gij Fransen; ***à d'— !*** maak dat de ganzen wijs; ***en voici bien d'une —,*** nu komt nog heel wat ergers; ***l'un l'—,*** elkander; ***l'un dans l'—,*** door elkaar gerekend; ***il n'en fait pas d'—s,*** zo doet hij nu altijd.
autrefois [o·trefwa] *adv.* eertijds, vroeger.
autrement [o·trmã] *adv.* anders; ***— dit,*** met andere woorden; ***c'est — difficile,*** dat is heel wat moeilijker.
Autriche [o·triʃ] *f.* Oostenrijk *o.*
autrichien [o·triʃyẽ] **I** *adj.* Oostenrijks; **II** *s., m.* ***A—,*** Oostenrijker *m.*
autruche [o·trüʃ] *f.* **1** struisvogel *m.*; **2** struisveer *v.*(*m.*); **3** (*fig.*) lomperd *m.*
autrui [o·trẅi] *pron. ind.* een ander; anderen; ***mal d'— n'est que songe,*** van een andermans zeer hinkt men niet.
auvent [o·vã] *m.* **1** luifel *v.*(*m.*); afdak *o.*; **2** (*v. helm*) vizier *o.*
auvergnat [o·vèrña] *m.* **1** bewoner *m.* van Auvergne; **2** (*fig.*) stommerik, domoor *m.*; **3** handelaar *m.* in brandstoffen.
aux [o] = ***à les.***
auxiliaire [o·ksiliyè:r] **I** *adj.* hulp—; ***troupes —s,*** hulptroepen *mv.*; ***verbe —,*** hulpwerkwoord *o.*; **II** *s., m.* **1** helper, bondgenoot *m.*; **2** hulpwerkwoord *o.*
auxiliateur [o·ksilyatœ:r] **I** *adj.* helpend; **II** *s., m.* helper *m.*
avachir [avaʃi:r] **I** *v.t.* **1** slap maken; **2** verslonzen; **II** *v.pr.,* ***s'—,*** **1** slap worden, uitzakken; **2** (*fig.*) log worden, lui worden; **3** (*v. schoenen*) platgetrapt (*of* platgelopen) worden; **4** slonzig worden.
avachissement [avaʃismã] *m.* **1** verslapping *v.*; **2** lamlendigheid *v.*
aval [aval] **I** *m.* (*pl.*: ***—s***) **1** (*H.*) aval *o.*, borgtekening *v.*; **2** benedenloop *m.* van een rivier; ***donneur d'—,*** avalgever *m.*; ***traite signée pour —,*** voor aval getekende wissel *m.*; **II** *adv.,* ***en —,*** stroomafwaarts; ***en — de,*** beneden; ***vent d'—,*** zeewind *m.*
avalanche [avalã:ʃ] *f.* **1** lawine, sneeuwstorting *v.*; **2** (*fig.*) stroom, vloed *m.*
avalé [avalé] *adj.* **1** (*v. schouders, enz.*) afhangend; **2** (*v. wangen*) ingevallen.
avaler [avalé] *v.t.* **1** inslikken, verzwelgen; **2** opeten; verslinden; **3** uitdrinken; **4** (*fig.*) verkroppen; **5** (*v. belediging*) slikken; **6** (*v. boek*) verslinden; ***— sa langue,*** niets zeggen, zwijgen; ***— le morceau,*** door de zure appel heenbijten; ***— de travers,*** zich verslikken; ***faire — qc. à qn.,*** **1** iem. iets op de mouw spelden; **2** iem. een pil laten slikken; ***faire — une bourde à qn.,*** iem. iets op de mouw spelden.
avale-tout [avaltu] *m.* **1** veelvraat *m.*; **2** doordraaier *m.*
avaleur [avalœ:r] *m.* slokop, veelvraat *m.*; ***— de gens,*** pocher, snoever *m.*
avaliser [avalizé] *v.t.* voor borg tekenen.
avaloire [avalwa:r] *f.* **1** (*v. paardetuig*) broek *v.*(*m.*); **2** wijd keelgat *o.*
avance [avã:s] *f.* **1** (*bouwk.*) uitstek *o.*; **2** voorsprong *m.*; **3** voorschot *o.*; handgeld *o.*; **4** eerste stap *m.*; ***d'—,*** van te voren, vooruit, bij voorbaat; ***en —,*** voor, te vroeg; ***faire des —s,*** **1** een voorschot betalen; **2** (*fig.*) de eerste stap doen.

avancé [avã:sé] *adj.* **1** gevorderd; **2** (*v. uur, seizoen*) vergevorderd; **3** (*v. partij, denkbeelden*) vooruitstrevend; **4** (*v. post, schildwacht*) vooruitgeschoven; **5** (*v. eetwaren: vlees, enz.*) enigszins bedorven; ***la voiture est —e,*** het rijtuig is voor.
avancement [avã·smã] *m.* **1** vooruitgang *m.*; **2** (*v. werk, enz.*) voortgang *m.*; **3** bevordering *v.*; **4** voorschot *o.*; — ***d'hoirie,*** voorschot *o.* op erfenis; ***obtenir de l'—,*** bevorderd worden.
avancer [avã·sé] **I** *v.t.* **1** vooruitbrengen; **2** vooruitschuiven; **3** (*v. arm, enz.*) uitstrekken; **4** (*v. stoel, enz.*) bijschuiven; **5** (*v. klok*) voorzetten, vooruitzetten; **6** bespoedigen, vervroegen; **7** (*v. geld*) voorschieten; **8** beweren; **9** (*v. tijdstip, dood, enz.*) verhaasten; ***cela ne vous avancera pas,*** dat zal u niet baten; **II** *v.i.* **1** voortgaan; **2** vorderen, vooruitkomen; **3** vooruitsteken; **4** (*v. uurwerk*) voorlopen; **III** *v.pr.*, ***s'—,*** **1** naderen; naar voren komen; **2** (*v. kaap, enz.*) vooruitsteken; **3** vooruitkomen; **4** (*met beweringen, enz.*) ver gaan, zich blootgeven.
avanie [avani] *f.* **1** hoon *m.*, moedwillige belediging *v.*; **2** knevelarij *v.*
avant [avã] **I** *prép.* voor; — ***un an,*** binnen een jaar; — ***tout,*** voor alles; vooreerst; **II** *adv.* **1** vóór, te voren, eerst; **2** diep, diep in, ver; — ***peu,*** binnenkort; ***bien — dans la nuit,*** laat in de nacht; ***pénétrer plus —,*** verder doordringen; ***en —,*** vooruit, voorwaarts; ***mettre qc. en —,*** voor de dag komen met iets; iets vooropstellen, beweren; ***se mettre en —,*** zich op de voorgrond plaatsen; zich opdringen; — ***que,*** *conj.* (+ Subj.) voor, voordat; ***aller de l'—,*** flink aanpakken; voortmaken; **III** *s., m.* **1** (*v. schip*) voorsteven *m.*; **2** (*sp.*) voorhoedespeler *m.*; **3** (*in oorlog*) front *o.*; ***roues —,*** voorwielen *mv.*
avantage [avãta:j] *m.* **1** voordeel *o.*; **2** voorrecht *o.*; **3** overhand *v.*(*m.*), meerderheid *v.*; **4** (*sp.*) voorgift *v.*(*m.*); ***tirer — de,*** partij trekken van; ***il y aurait — à,*** het zou geraden zijn om; ***parler avec — de,*** hoog opgeven van.
avantager [avãtajé] *v.t.* **1** bevoordelen, bevoorrechten; **2** begunstigen; **3** goed staan.
avantageux [avãta·jö] *adj.*, **avantageusement** [avãta·jö·zmã] *adv.* **1** voordelig; **2** gunstig; **3** (*v. betrekking, enz.*) winstgevend; **4** (*v. voorkomen*) innemend; knap.
avant-bec* [avãbèk] *m.*, (*v. brugpijler*) stroombreker *m.*
avant-bouche* [avãbuʃ] *f.* voorste deel *o.* van de mond.
avant-bras [avãbra] *m.* voorarm *m.*
avant-centre* [avãsã:tr] *m.*, (*sp.*) middenvoor *m.*
avant-corps [avãkò:r] *m.*, (*bouwk.*) uitbouw *m.*
avant-cour* [avãku:r] *f.* voorplein *o.*, voorplaats *v.*(*m.*).
avant-coureur* [avãkurœ:r] **I** *m.* **1** voorloper *m.*; **2** (*fig.*) voorbode *m.*; **II** *adj.*, ***signe —,*** voorteken *o.*
avant-dernier* [avãdèrnyé] *adj.* voorlaatst.
avant-garde* [avãgard] *f.* voorhoede *v.*(*m.*).
avant-goût* [avãgu] *m.* voorsmaak *m.*, voorproef *v.*(*m.*).
avant-guerre [avãgè:r] *m.* tijd *m.* vóór de oorlog.
avant-hier [avã(t)yè:r] *adv.* eergisteren.
avant-main* [avãmẽ] **I** *m.*, (*v. paard, kaartsp.*) voorhand *v.*(*m.*); **II** *f.* palm *m.* van de hand.
avant-pont* [avãpõ] *m.* voordek *o.*
avant-port* [avãpò:r] *m.* voorhaven *v.*(*m.*).
avant-postes [avãpòst] *m.pl.*, (*mil.*) voorposten *mv.*
avant-projet* [avãpròjè] *m.* voorontwerp *o.*
avant-propos [avãpròpo] *m.* voorbericht *o.*, inleiding *v.*
avant-quart* [avãka:r] *m.*, (*v. uurwerk*) voorslag [*m.*, klik *m.*
avant-scène* [avãsè:n] *f.* voorgrond *m.* van het toneel.
avant-toit* [avãtwa] *m.* afdak *o.*
avant-train* [avã·trẽ] *m.* **1** (*v. wagen*) voorstel *o.*; **2** (*v. paard*) voorste gedeelte *o.*
avant-veille* [avãvè:y] *f.* twee dagen te voren, de tweede dag te voren.
avare [ava:r] **I** *adj.* gierig, vrekkig; — ***de,*** zuinig met; **II** *s., m.* gierigaard, vrek *m.*
avarice [avaris] *f.* gierigheid, vrekkigheid *v.*
avaricieux [avarisyö] *adj.* gierig, vrekkig.
avarie [ava·ri] *f.* **1** (*sch.*) averij *v.*, (zee)schade *v.*(*m.*); **2** beschadiging *v.*
avarier [ava·ryé] *v.t.* beschadigen.
avatar [avata:r] *m.* **1** gedaanteverwisseling *v.*, verandering *v.* van partij; **2** verschijningsvorm *m.*
à vau-l'eau [avo·lo] *adv.* stroomafwaarts; ***aller —,*** mislukken, in duigen vallen.
avé (Maria) [avé(marya)] *m.* (*pl.*: ***des —***) weesgegroet *o.*
avec [avèk] **I** *prép.* **1** met; **2** bij; benevens; ***rimer —,*** rijmen op; — ***le temps,*** mettertijd; — ***cela,*** **1** daarenboven, daarbij; **2** met dat al; ***d'—,*** van; — ***ça!*** **1** och kom! **2** men kan nooit weten; **II** *adv.* er mede; er bij.
aveline [avlin] *f.* grote hazelnoot *v.*(*m.*).
avelinier [avlinyé] *m.* grote-hazelnoteboom *m.*
aven [avèn] *m.* put *m.* in kalkachtig terrein.
avenant [avnã] **I** *adj.* innemend, bevallig; ***à l'—,*** naar evenredigheid, naar verhouding; **II** *s., m.* **1** (*v. polis*) aanhangsel *o.*; **2** (*v. contract*) wijzigingsclausule *v.*(*m.*); **3** tijdelijke polis *v.*(*m.*).
avènement [avènmã] *m.* **1** troonsbestijging *v.*; **2** (ambts)aanvaarding *v.*; **3** (*fig.*) opkomst *v.*; ***l'— du Messie,*** de komst *v.*(*m.*) van de Messias.
avenir [avni:r] *m.* toekomst *v.*; ***à l'—,*** voortaan, in 't vervolg; ***position d'—,*** levenspositie *v.*; ***jeune homme d'—,*** veelbelovend jongmens *o.*
avent [avã] *m.*, (*kath.*) advent *m.*
aventure [avã·tü:r] *f.* **1** avontuur *o.*; **2** waagstuk *o.*; (gewaagde) onderneming *v.*; **3** wedervaren *o.*, wederwaardigheid *v.*; ***—s,*** lotgevallen; ***à l'—,*** op goed geluk; ***tenter l'—,*** de kans wagen; ***mal d'—,*** fijt *v.*(*m.*) *en o.*; ***par —,*** bij toeval; ***dire la bonne —,*** de toekomst voorspellen, waarzeggen; ***diseuse de bonne —,*** waarzegster *v.*; ***contrat à la grosse*** (—), bodemerijbrief op het schip.
aventurer [avã·türé] **I** *v.t.* wagen; **II** *v.pr.*, ***s'—,*** zich wagen.
aventureux [avã·türö] *adj.*, **aventureusement** [avã·türö·zmã] *adv.* avontuurlijk, gewaagd.
aventurier [avã·türyé] *m.* gelukzoeker, avonturier *m.*
aventurine [avã·türin] *f.* goudsteen *m.*
avenu [avnü] *adj.*, ***comme non —,*** als niet gebeurd, als niet gedaan; ***nul et non —,*** van nul en gener waarde.
avenue [avnü] *f.* **1** laan, dreef *v.*(*m.*); **2** toegangsweg *m.*
avérer [avé·ré] **I** *v.t.* bewijzen; **II** *v.pr.*, ***s'—,*** bewaarheid worden, blijken; ***un fait avéré,*** een erkend (*of* bewezen) feit.
avers [avè:r] *m.*, (*v. penning, medaille*) beeldzijde [*v.*(*m.*).
averse [avèrs] *f.* **1** stortregen *m.*, regenbui *v.*(*m.*), plasregen *m.*; **2** (*fig.*) stroom *m.*
aversion [avèrsyõ] *f.* afkeer, weerzin *m.*; ***prendre en —,*** een afkeer krijgen van.
averti [avèrti] *adj.* ervaren, op de hoogte, oordeelkundig.
avertir [avèrti:r] *v.t.* **1** waarschuwen; **2** verwittigen; aankondigen; ***tenez-vous pour averti,*** wees gewaarschuwd; ***un homme averti en vaut deux,*** een gewaarschuwd man telt voor twee.

avertissement [avèrtismã] *m.* **1** waarschuwing *v.*; **2** verwittiging *v.*; bericht *o.*; **3** (*v. boek*) voorbericht *o.*
avertisseur [avèrtisœ:r] *m.* **1** waarschuwer, aankondiger *m.*; **2** seintoestel; alarmtoestel *o.*; verklikker *m.*; ***— d'incendie,*** brandschel *v.(m.)*; ***appareil —,*** hoorn, toeter *m.*
aveu [avö] *m.* **1** bekentenis *v.*; **2** toestemming *v.*; ***de l'— de,*** zoals erkend wordt door; ***homme sans —,*** landloper; gemene kerel; onbetrouwbaar persoon *m.*
aveuglant [avœ'glã] *adj.* verblindend; oogverblindend.
aveugle [avœ'gl] **I** *adj.* **1** blind; **2** verblind; **II** *s., m.-f.* blinde *m.-v.*; ***à l'—, en —,*** blindelings, in de blinde; ***un — sans bâton,*** een schip zonder roer.
aveuglement [avœglemã] *m.*, (*fig.*) verblinding *o.*
aveuglément [avœglémã] *adv.* blindelings.
aveugle*-né* [avœ'glené] *adj.* (*et s., m.*) blindgeboren(e) *m.*
aveugler [avœ'glé] *v.t.* **1** blind maken; verblinden; **2** (*v. lek*) stoppen.
aveuglette, *à l'—* [alavœglèt] *adv.* blindelings.
aveulir [avœ'li:r] **I** *v.t.* krachteloos maken, verslappen; **II** *v.pr.*, ***s'—,*** krachteloos worden, verslappen.
aveulissement [avœ'lismã] *m.* lamlendigheid *v.*
aviateur [avyatœ:r] *m.* vlieger, vliegenier *m.*
aviation [avya'syõ] *f.* **1** vliegwezen *o.*; **2** vliegsport *v.(m.)*.
aviculteur [avikültœ:r] *m.* vogelkweker *m.*
aviculture [avikültü:r] *f.* vogelfokkerij *v.*, het kweken *o.* van vogels.
avide [avi'd] (*de*) *adj.* begerig (naar), gretig (naar); ***— d'argent,*** hebzuchtig, inhalig; ***— d'honneurs,*** eergierig; ***— de sang,*** bloeddorstig.
avidement [avidmã] *adv.* gretig, met graagte.
avidité [avidité]) *f.* **1** begerigheid, gretigheid *v.*; **2** hebzucht *v.(m.)*, inhaligheid *v.*
aviette [avyèt] *f.* **1** vliegfiets *m. en v.*; **2** klein vliegtuig, baby-vliegtuig *o.*
avilir [avili:r] **I** *v.t.* **1** verlagen, onteren; vernederen; **2** in prijs (*of* waarde) doen dalen; **II** *v.pr.* ***s'—,*** **1** zich verlagen; zich onteren; **2** in prijs dalen, goedkoop worden. [nederend.
avilissant [avilisã] *adj.* verlagend, onterend; ver-
avilissement [avilismã] *m.* **1** verlaging, ontering *v.*; vernedering *v.*; **2** zeer sterke daling *v.*
aviné [aviné] *adj.* **1** beschonken; aangeschoten; **2** (*v. stem*) door drank verhit, dronkemans—.
aviner [aviné] *v.t.* met wijn doortrekken.
avion [avyõ] *m.* vliegtuig *o.*; ***— de bombardement,*** bommenwerper *m.*; ***— de combat,*** gevechtsvliegtuig; ***— de chasse,*** jachtvliegtuig, jager; ***— de reconnaissance,*** verkenningsvliegtuig; ***— lance-torpille,*** torpedovliegtuig; ***— à réaction,*** vliegtuig met straalmotor; ***— à grand rayon d'action,*** vliegtuig met grote actieradius; lange-afstandbommenwerper.
avion*-cargo* [avyõkargò] *m.* vrachtvliegtuig *o.*
avion*-école* [avyõékòl] *m.* lestoestel *o.*
avion*-fusée [avyõfü'zé] raketvliegtuig *o.*
avionnette [avyònèt] *f.* sportvliegtuig, reisvliegtuig; baby-vliegtuig *o.*
aviron [avirõ] *m.* **1** roeiriem *m.*, roeispaan *v.(m.)*; **2** roeisport *v.(m.)*.
avis [avi] *m.* **1** oordeel *o.*, mening *v.*; **2** raad *m.*, raadgeving *v.*; **3** bekendmaking; waarschuwing *v.*; ***sauf — contraire,*** zonder tegenbericht; ***m'est — que,*** mij dunkt dat; ***autant de têtes, autant d'—,*** zoveel hoofden, zoveel zinnen.
avisé [avi'zé] *adj.* voorzichtig, bedachtzaam; verstandig.
aviser [avi'zé] **I** *v.t.* **1** in 't oog krijgen; **2** bedenken, uitdenken; **3** raden; waarschuwen; ***— qn. de qc.,*** iem. iets berichten, iem. van iets in kennis stellen; **II** *v.i.* raad schaffen; ***— à,*** bedacht zijn op; **III** *v.pr.*, ***s'— de,*** **1** bedenken, verzinnen; **2** denken aan; **3** in 't hoofd krijgen; zich verstouten (om); ***on ne s'avise jamais de tout,*** er komen altijd nog verrassingen; ***s'— à,*** bedenken, bedacht zijn op.
aviso [avi'zo] *m.*, (*sch.*) adviesjacht *o.*
avitaminose [avitamino:z] *f.* totaal der ongemakken door vitaminegebrek.
aviver [avi'vé] *v.t.* **1** verlevendigen; **2** verhelderen; **3** (*v. kleur*) ophalen; **4** (*v. goud, enz.*) polijsten; glanzen; **5** (*v. vuur*) opstoken, aanwakkeren; **6** (*v. twist*) aanwakkeren, aanstoken; **7** (*v. geest*) scherpen. [rij *v.*
avocasserie [avòkasri] *f.* advocaterij, haarklove-
avocassier [avòkasyé] *m.* slecht advocaat *m.*
avocat [avòka] *m.* **1** advocaat, pleitbezorger *m.*; **2** (*fig.*) voorspraak *v.(m.)*, verdediger *m.*; ***— général,*** advocaat-generaal *m.*; ***l'— du diable,*** (*kath.*) de advocaat van de duivel (bij heiligverklaring); ***se faire l'— de qn.,*** iem. verdedigen.
avocette [avòsèt] *f.*, (*Dk.*) kluit *m.*
avoine [avwan] *f.* haver *v.(m.)*; ***folle —,*** wilde haver; ***gruau d'—,*** havermout *m.*
avoir [avwa:r] **I** *v.t.* **1** hebben, bezitten; **2** bekomen, krijgen; **3** (*v. kleren*) aanhebben; **4** (*fig.*) beetnemen; **5** (*v. kreet*) slaken; ***— chaud,*** warm zijn, het warm hebben; ***— peur,*** bang zijn; ***— pour agréable,*** goedvinden; ***qu'avez-vous?*** wat scheelt u? ***il a 35 ans,*** hij is 35 jaar oud; ***— beaucoup de lecture,*** zeer belezen zijn; ***vous avez beau dire,*** u hebt mooi praten; ***il a de son père,*** hij lijkt op zijn vader; ***vous en aurez,*** je zult er van lusten; ***en — à qn.,*** het op iem. gemunt hebben; ***en — pour longtemps,*** lang werk hebben; **II** *v.imp.*, ***il y a,*** **1** er is, er zijn; **2** het is geleden; ***il y a 80 km d'ici à Bruxelles,*** B. ligt 80 km hiervandaan; ***il y a un Dieu,*** God bestaat; ***tant il y a que,*** zoveel is zeker, dat; ***il n'y a pas de mal,*** het komt er niet op aan, 't is niet erg; ***il y eut,*** er ontstond; **III** *s., m.* **1** bezit, vermogen *o.*; **2** (*H.*) tegoed, credit *o.*; ***doit et —,*** debet en credit.
avoisinant [avwazinã] *adj.* aangrenzend, naburig.
avoisiner [avwaziné] *v.t.* grenzen aan; ***être bien avoisiné,*** goede buren hebben.
avorté [avòrté] *adj.* **1** onvoldragen; **2** (*v. onderneming, poging, enz.*) mislukt.
avortement [avòrtmã] *m.* **1** ontijdige bevalling *v.*; **2** mislukking *v.*; ***—provoqué,*** vruchtafdrijving.
avorter [avòrté] *v.i.* **1** ontijdig bevallen; **2** mislukken, op niets uitlopen.
avorton [avòrtõ] *m.* **1** onvoldragen vrucht *v.(m.)*; **2** schrale plant *v.(m.)*; **3** misbaksel, gedrocht *o.*; **4** knoeiwerk *o.* [komen, oorbaar.
avouable [avua'bl] *adj.* waarvoor men kan uit-
avoué [avué] *m.* procureur *m.*
avouer [avué] **I** *v.t.* **1** bekennen, erkennen; **2** goedkeuren; ***— un écrit,*** een geschrift als het zijne erkennen, — voor zijn rekening nemen; **II** *v.pr.*, ***s'—,*** **1** zich verklaren, bekennen te zijn; **2** aan de dag treden; **3** erkend worden; ***s'— vaincu,*** zich gewonnen geven.
avril [avri(l)] *m.* april *m.*, grasmaand *v.(m.)*; ***poisson d'—,*** aprilgrap *v.(m)*.
avulsion [avülsyõ] *f.* het uitrukken *o.*
avunculaire [avõ'külè:r] *adj.* van een oom, van een tante.

axe [aks] *m.* as, spil *v.(m.)*.
axial [aksyal], **axuel** [akswèl] *adj.* volgens een as verlopend; betrekking hebbend op een as.
axillaire [aksilè:r] *adj.* van de oksels.
axiome [aksyo:m] *m.* axioma *o.*, grondwaarheid *v.*;
axis [aksis] *m.* draaier, tweede halswervel *m.*
axonge [aksõ:j] *f.* reuzel *m.*
axuel, *voir* ***axial.***
ayant* cause [èyãko:z] *m.* rechtverkrijgende *m.*
ayant* droit [èyãdrwa] *m.* rechthebbende *m.*
azalée [azalé] *f.* azalea *v.(m.)*.
azerole [azròl] *f.* mispelpeer *v.(m.)*.
azimut [azimüt] *m.* azimut *o.*
azotate [azòtat] *m.* nitraat *o.*
azote [azòt] *m.* stikstof *v.(m.)*.
azoté [azòté] *adj.* stikstofhoudend.
azoteux [azòtö] *adj.*, ***acide —,*** salpeterigzuur *o.*
azotique [azòtik] *adj.*, ***acide —,*** salpeterzuur *o.*
Aztèque [astèk] *m.* Azteek *m.*
azur [azü:r] *m.* **1** azuur, lazuur *o.*; **2** hemelsblauw *o.*; ***côte d'—,*** Riviera *v.(m.)*.
azuré [azüré] *adj.* hemelsblauw, azuren; ***un ciel —,*** een blauwe hemel *m.*; ***la voûte —e,*** het uitspansel *o.*
azurer [azüré] *v.t.* **1** hemelsblauw kleuren; **2** (*v. linnen*) blauwen.
azurite [azürit] *f.* **1** koperlazuur *o.*; **2** bergblauw *o.*
azyme [azim] **I** *adj.* ongezuurd, ongedesemd; **II** *s., m.* ongezuurd brood *o.*; ***fête des —s,*** joods paasfeest *o.*

B

b [bé] *m.* b *v.(m.)*; ***prouver par a plus —,*** duidelijk bewijzen; ***être marqué au —,*** getekend zijn, mank zijn (***boiteux***), gebocheld zijn (***bossu***), éénogig zijn (***borgne***).
baba [baba] **I** *m.* (***— au rhum***) rumtaartje *o.*; **II** *adj.*, ***j'en suis resté —,*** (*pop.*) ik stond er paf van.
Babel [babèl] *f.* Babel *o.*; ***tour de —,*** **1** toren *m.* van Babel; **2** (*fig.*) Babylonische spraakverwarring *v.*; Poolse landdag, wanordelijke boel *m.*
babélique [babélik] *adj.* Babelachtig; ***confusion —,*** Babylonische verwarring *v.*
Babette [babèt] *f.* Betje *v.*
babeurre [babœ:r] *m.* karnemelk *v.(m.)*.
babiche [babiʃ] *f.*, **babichon** [babiʃõ] *m.* schoothondje *o.*
babil [babi(l)] *m.* gebabbel, gesnap *o.*
babillage [babiya:j] *m.* gebabbel *o.*
babillard [babiya:r] **I** *adj.* babbelachtig, praatziek; **II** *s., m.* babbelaar *m.*
babillarde [babiyard] *f.* **1** babbelaarster *v.*; **2** (*pop.*) (lange) brief *m.*
babillement [babiymã] *m.* gebabbel *o.*
babiller [babiyé] *v.i.* babbelen.
babine [babin], **babouine** *f.*, (*v. dier*) hanglip *v.(m.)*; ***se lécher les —s,*** zich de baard likken.
babiole [babyòl] *f.* **1** snuisterij *v.*; **2** kleinigheid, nietigheid *v.*
bâbord [babò:r] *m.*, (*sch.*) bakboord *o.*
babouche [babuʃ] *f.* muiltje, (Oosters) slofje *o.*
babouin [babwẽ] *m.* **1** (*Dk.*) baviaan *m.*; **2** (*fig.*: *v. kind*) aap, deugniet *m.*
babouine [babwin], *voir* ***babine.***
Babylone [babilòn] *f.* Babylon *o.*
Babylonie [babilòni] *f.* Babylonië *o.*
Babylonien [babilònyẽ] **I** *m.* Babyloniër *m.*; **II** *adj.* ***b—,*** Babylonisch.
bac [bak] *m.* **1** pont, veerpont *v.(m.)*; **2** bak *m.*, kuip *v.(m.)*; **3** (*voor dieren*) trog *m.*
baccalauréat [bakalòréa] *m.*, (*B.*) baccalaureaat *o.*; (*Ned.*) eindexamen *o.* gymnasium (of h.b.s.), staatsexamen, toelatingsexamen tot de hogeschool.
baccara(t) [bakara] *m.*, (*kaartsp.*) baccarat *o.*
baccarat [bakara] *m.* kristal *o.* van Baccarat. [*o.*
bacchanal [bakanal] *m.* hels getier, heidens lawaai
bacchanale [bakanal] *f.* **1** zwelgpartij, slemppartij *v.*; **2** woeste dans *m.*; ***les —s,*** *f.pl.*, (*oudh.*) de Bacchusfeesten *mv.*, de bacchanaliën *mv.*
bacchante [bakã:t] *f.* priesteres van Bacchus, bacchante *v.*
baccifère [baksifè:r] *adj.* besdragend.
bacciforme [baksifòrm] *adj.* besvormig.
bâche [ba:ʃ] *f.* **1** dekzeil *o.*; **2** (*op kar*) huif *v.(m.)*; **3** (*tuinb.*) broeibak *m.*; **4** (*visvangst*) zaknet *o.*, fuik *v.(m.)*; ***— traînante,*** sleepnet *o.*
bachelier [baʃelyé] *m.* baccalaureus *m.*
bâcher [ba:ʃé] *v.t.* **1** van een dekzeil voorzien; **2** (*v. kar*) van een huif voorzien.
bachique [baʃik] *adj.* aan Bacchus gewijd; ***culte —,*** Bacchusdienst *m.*; ***chanson —,*** drinklied *o.*
bachot [baʃo] *m.* **1** veerschuit *v.(m.)*; **2** (*fam.*) eindexamen *o.* (***baccalauréat***).
bachotage [baʃòta:j] *m.* drillen *o.* voor examen.
bachoteur [baʃòtœ:r] *m.* veerman, schipper *m.*
bacillaire [basilè:r] *adj.* veroorzaakt door bacillen.
bacille [basil] *m.* **1** bacil *m.*; **2** (*gen.*) bacterie *v.*
bacillifère [basilifè:r] *adj.* bacillendragend.
bacilliforme [basilifòrm] *adj.* staafvormig.
bâclage [ba·kla:j] *m.* **1** afsluiting *v.*; **2** (*v. waterloop*) versperring *v.*; **3** (*v. werk*) het afroffelen *o.*
bâcle [ba·kl] *f.* sluitboom *m.*
bâcler [ba·klé] *v.t.* **1** (*v. haven, waterloop*) versperren; **2** (*v. boot*) vastmeren; **3** (*v. poort, enz.*) met een boom sluiten; **4** (*v. werk*) afroffelen, haastig afdoen; ***la rivière est bâclée,*** de rivier is toegevroren. [kladschrijver *m.*
bâcleur [ba·klœ:r] *m.* afroffelaar *m.*; ***— de copie,***
bacon [békõ] *m.* mager spek *o.*
bactéricide [baktérisi·d] *adj.* bacteriedodend.
bactérie [baktéri] *f.* bacterie *v.*; splijtzwam *v.(m.)*.
bactérien [baktéryẽ] *adj.* betrekking hebbend op bacteriën.
bactériologie [baktéryòlòji] *f.* bacteriologie *v.*, leer *v.(m.)* van de bacteriën.
bactériologique [baktéryòlòjik] *adj.* bacteriologisch. [*m.*
bactériologiste [baktéryòlògist] *m.* bacterioloog
bactériothérapie [baktéryòtérapi] *f.* ziektebestrijding *v.* met bacillen.
badaud [bado] **I** *m.* **1** lanterfanter, straatslijper *m.*; **2** gaper *m.*; **II** *adj.* kijkgraag.
badauder [badodé] *v.i.* **1** lanterfanten; **2** gapen.
badauderie [badodri] *f.* **1** (het) lanterfanten *o.*; **2** gegaap *o.*; kinderachtige nieuwsgierigheid *v.*
Bade [ba·d] *f.* Baden *o.*
baderne [badèrn] *f.* **1** (*sch.*) serving *v.*; **2** (*fam.*) ouwe sok *v.(m.)*.
badiane [badyan] *f.*, (*Pl.*) steranijs *m.*
badigeon [badijõ] *m.* **1** muurgeel *o.*, gele (*of* grijze) muurverf *v.(m.)*; **2** (*voor beeldhouwwerk*) stopkalk *m.*; **3** (*pop.*) blanketsel *o.*

badigeonnage [badijòna:j] *m.* **1** (het) geel (*of grijs*) verven *o.* (van een muur); **2** (het) aanvullen *o.* met stopkalk; **3** (het) aanstippen *o.*
badigeonner [badijòné] *v.t.* **1** met muurgeel bestrijken; **2** stoppen (met kalk); **3** (*gen.*: *v. keel*) aanstippen, bestrijken; **4** (*pop.*) blanketten.
badigeonneur [badijònœ:r] *m.* **1** verver *m.*; **2** stukadoor *m.*; **3** (*fig.*) kladschilder *m.*
badin [badẽ] **I** *adj.* schertsend, schalks; **II** *s.*, *m.* grappenmaker *m.*
badinage [badina:j] *m.* **1** scherts, grap *v.*(*m.*); **2** beuzeling *v.*; **3** (*fig.*) kinderspel *o.*
badine [badin] *f.* dun wandelstokje *o.*
badiner [badiné] **I** *v.i.* **1** schertsen, gekscheren; **2** beuzelen; **3** (*v. lint, enz.*) fladderen; **II** *v.t.* de spot drijven met.
badinerie [badinri] *f.* **1** scherts, grap *v.*(*m.*); **2** beuzeling *v.*; **3** (*fig.*) kinderspel *o.*
badois [badwa] **I** *adj.* Badens; **II** *s.*, *m.* ***B—,*** Badenser *m.*
Baerle-Duc [ba'rl(e)dük] Baarle-Hertog *o.*
bafouer [bafué] *v.t.* uitjouwen, bespotten.
bafouillage [bafuya:j] *m.* **1** (het) hakkelen, gehakkel *o.*; **2** geklets *o.*
bafouiller [bafuyé] *v.i.* **1** hakkelen; **2** kletsen.
bâfre [ba:fr], **bâfrée** [ba'fré] *f.*, (*pop.*) smulpartij *v.*
bâfrer [ba'fré] *v.i.* schransen, gulzig eten, zich volstoppen.
bâfrerie [ba'freri] *f.* gulzigheid *v.*
bâfreur [ba'frœ:r] *m.* schranser, veelvraat, slokop [*m.*
bagage [baga:j] *m.* **1** reisgoed *o.*, bagage *v.*; **2** pak *o.*; **3** legertros *m.*; ***faire enregistrer les —s,*** het reisgoed aangeven; ***partir avec armes et —s,*** met pak en zak vertrekken; ***plier —,*** **1** zijn matten oprollen, zijn biezen pakken; **2** (*pop.*) sterven.
bagarre [baga:r] *f.* **1** opstootje *o.*; **2** herrie *v.*(*m.*), [gedrang *o.*
bagasse [bagas] **I** *f.* uitgeperst suikerriet *o.*; **II** *ij.* blikslagers!
bagatelle [bagatèl] *f.* **1** kleinigheid, nietigheid *v.*; wissewasje *o.*; **2** snuisterij *v.*; ***s'amuser aux —s de la porte,*** zijn tijd verspillen met bijzaken.
bagnard [baña:r] *m.* galeiboef *m.*
bagne [bañ] *m.* bagno *o.*
bagnole [bañòl] *f.* **1** karretje *o.*; **2** krot *o.*
bagotier [bagòtyé] *m.*, (*te Parijs*) kruier *m.*
bagout [bagu] *m.* **1** radheid *v.* van tong; **2** geklets *o.*; ***il a du —,*** hij heeft een radde tong, hij kan goed kletsen.
baguage [baga:j] *m.* inkerving *v.* rondom boomstam.
bague [ba'g, ba:g] *f.* **1** ring *m.*; **2** (*v. sigaar*) bandje *o.*; ***jeu de —s,*** het ringrijden, het ringsteken; ***comme une — à un chat,*** als een vuist op een oog; ***— à cachet,*** zegelring.
baguenaude [bagno:d] *f.* **1** linzeboon *v.*(*m.*); **2** beuzelarij *v.*
baguenauder [bagno'dé] *v.i.* beuzelen.
baguenauderie [bagno'dri] *f.* beuzelarij *v.*
baguenaudier [bagno'dyé] *m.* **1** blazenstruik *m.*; **2** beuzelaar *m.*
baguer [bagé] *v.t.* **1** (*v. voering, enz.*) vastrijgen, met grote steken vastnaaien; **2** (*v. duiven*) ringen; **3** (*v. sigaren*) banderolleren; **4** (*v. boom*) ringvormig insnijden.
baguette [bagèt] *f.* **1** stokje *o.*; **2** dirigeerstok *m.*; **3** (*om behangselpapier*) lijstje *o.*; ***— de fusil,*** laadstok *m.*; ***— magique,*** toverstok *m.*; ***—s de tambour,*** trommelstokken *mv.*; ***— divinatoire,*** wichelroede *v.*(*m.*); ***— de charbon,*** (*el.*) koolstaaf *v.*(*m.*); ***mener à la —,*** drillen, op zijn wenken doen gehoorzamen; ***— de laboratoire,*** glazen roerstaafje *o.*; ***passer par les —s,*** spitsroeden lopen.
baguettisant [bagètisã] *m.* wichelroedeloper *m.*
baguier [bagyé] *m.* ringendoosje, ringenkistje *o.*
bah! [ba] *ij.* och kom!
bahut [ba(h)ü] *m.* **1** koffer *m.*, grote kist *v.*(*m.*) (voor kleren, enz.); **2** oud buffet *o.*, antieke buffetkast *v.*(*m.*); **3** (*tn.*) (gebogen) muurkap *v.*(*m.*); **4** (*pop.*: *v. scholieren*) hok *o.*, school *v.*(*m.*).
bahuter [ba(h)üté] *v.i.* herrie schoppen.
bai(e) [bè] *adj.* roodbruin (v. paarden).
baie [bè] *f.* **1** baai *v.*(*m.*); **2** deuropening; vensteropening *v.*; **3** (*Pl.*) bes, bezie *v.*(*m.*).
baignade [bèña'd] *f.* het baden *o.*
baigner [bèñé] **I** *v.t.* **1** baden, doen baden, in 't water dompelen; **2** bevochtigen; **3** (*v. rivier, enz.*) stromen langs, bespoelen; ***baigné de sueur*** nat van zweet; ***avoir le visage baigné de larmes,*** baden in tranen; **II** *v.i.* gedompeld zijn in, weken; **III** *v.pr.*, ***se —*** baden, zich baden, een bad nemen.
baigneur [bèñœ:r] *m.*, **baigneuse** [bèñö:z] *f.* **1** bader *m.*; baadster *v.*; **2** badgast *m.*; **3** zwemmer *m.*; **4** badknecht *m.*; badvrouw *v.*; **5** celluloid pop *v.*(*m.*).
baigneuse [bèñö:z] *f.* badmantel *m.*
baignoire [bèñwa:r] *f.* **1** badkuip *v.*(*m.*); **2** (*in schouwburg*) gelijkvloerse loge *v.*(*m.*).
bail [ba'y] *m.* (*pl.*: ***baux***), **1** huur, pacht *v.*(*m.*); **2** huurcontract *o.*, huurceel, pachtceel *v.*(*m.*) *en o.*; ***— à cheptel,*** huur van vee; ***— à ferme,*** pachtcontract; ***prendre une maison à —,*** een huis huren; ***cession de —,*** huuroverdracht *v.*(*m.*); ***— emphytéotique,*** erfpacht *v.*(*m.*).
baille [ba'y] *f.* balie *v.* (tobbe). [gapen *o.*
bâillement [ba'ymã] *m.* **1** geeuw *m.*; **2** (het)
bâiller [ba'yé] *v.i.* **1** geeuwen, gapen; **2** openstaan, niet sluiten; **3** zich vervelen.
bailler [bayé] *v.t.* in: ***— des fonds,*** financieren; ***vous me la baillez bien,*** maak dat de kat wijs! wat zeg je me daar nou?
bâilleur [ba'yœ:r] *m.* geeuwer, gaper *m.*
bailleur [ba'yœ:r] *m.* verhuurder; verpachter *m.*; ***— de fonds,*** geldschieter *m.*
bailli [bayi] *m.* baljuw, drost *m.*
bailliage [baya:j] *m.* baljuwschap *o.*
bailliager [bayajé] *adj.* van de baljuw.
bâilloir [ba'ywa:r] *m.* vervelende plaats *v.*(*m.*).
bâillon [ba'yõ] *m.* **1** mondprop *v.*(*m.*); **2** muilband *m.*; **3** doek *m.* voor de mond; ***mettre un — d'or à qn.,*** iem. met geld de mond stoppen.
bâillonnement [ba'yònmã] *m.* (het) knevelen *o.*
bâillonner [ba'yòné] *v.t.* **1** knevelen; een prop in de mond stoppen; **2** muilbanden; **3** (*v. deur, poort*) met een boom afsluiten; **4** (*fig.*) de mond snoeren, het zwijgen opleggen aan.
bain [bẽ] *m.* **1** bad *o.*; **2** (het) baden *o.*; **3** badinrichting *v.*; **4** badkuip *v.*(*m.*); **5** badplaats *v.*(*m.*); ***— de siège,*** zitbad *o.*; ***— de pieds,*** **1** voetbad *o.*; **2** (*fig.*) kop koffie, die overloopt; ***— révélateur,*** (*fot.*) ontwikkelbad *o.*; ***garçon de —s,*** badknecht *m.*; ***c'est un — qui chauffe,*** daar komt een schip met zure appelen; het gaat sauzen, we krijgen regen.
bain*-marie [bẽmari] *m.* (heet)waterbad *o.*
baïonnette [bayònèt] *f.* bajonet *v.*(*m.*); ***charge à la —,*** bajonetaanval *m.*
Baïrout [bayru:t] *m.* Beiroet *o.*
baisemain [bè'zmẽ] *m.* handkus *m.*
baisement [bè'zmã] *m.*, ***— des pieds,*** (*bij de paus*) voetkus *m.*; (*op Witte Donderdag*) voetwassing *v.* met voetkus.

baiser [bè'zé] **I** *v.t.* **1** kussen, zoenen; **2** trekkebekken; **3** (*v. wind*) strelen; — ***la terre,*** vallen; **II** *s., m.* **1** kus, zoen *m.*; **2** streling *v.*; ***envoyer un — à qn.,*** iem. een kushandje geven.
baiseur [bè'zœ:r] *m.* kussebek *m.*
baisoter [bè'zòté] *v.t.* herhaaldelijk kussen, afzoenen.
baisse [bè:s] *f.* **1** (*v. prijzen, enz.*) daling, vermindering *v.*; **2** (*v. water*) (het) vallen *o.*; ***jouer à la —,*** speculeren op het dalen der effecten.
baissé [bè'sé] *adj.* **1** neergelaten; **2** gebogen; ***tête —e,*** **1** blindelings; **2** onverschrokken.
baissement [bè'smã] *m.,* — ***de tête,*** knik *m.*
baisser [bè'sé] **I** *v.t.* **1** verlagen; **2** neerlaten, laten zakken, naar beneden schuiven (drukken, enz.); **3** (*v. ogen*) neerslaan; **4** (*v. hoofd*) buigen; — ***pavillon,*** de vlag strijken; — ***la voix,*** zachter spreken; — ***le nez,*** vóór zich kijken; — ***les prix,*** de prijzen verlagen; — ***le ton,*** een toontje lager zingen; — ***les oreilles,*** (*v. hond*) de oren laten hangen; **II** *v.i.* **1** dalen, zakken; **2** (*v. gezicht, enz.*) verzwakken; **3** (*v. prijzen*) afslaan, dalen; ***le jour baisse,*** de avond valt; ***le vent baisse,*** de wind gaat liggen; ***le malade baisse,*** de zieke gaat achteruit, wordt minder; ***la rivière commence à —,*** de rivier begint te vallen; (*fig.*) ***ses actions baissent,*** zijn invloed neemt af; **III** *v.pr.,* ***se —,*** zich bukken.
baissier [bè'syé] *m.,* (*H.*) speculant à la baisse (op de daling van de effecten), contramineur *m.*
baissière [bè'syè:r] *f.* grondsop *o.* (v. wijn in vat).
baisure [bè'zü:r] *f.* kruimzijde *v.(m.)* (v. brood).
bajoue [baju] *f.* **1** (*v. dier*) wangzak *m.*; wangstuk *o.*; **2** (*v. mens*) hangwang *v.(m.)*.
bajoyer [bajwayé] *m.* sluismuur; oevermuur *m.*
bakélite [bakélit] *f.* bakeliet *o.*
bal [bal] *m.* (*pl.*: ***bals***)bal *o.*, danspartij *v.*; — ***champêtre,*** bal in de open lucht; — ***musette,*** volksbal; — ***public,*** danshuis *o.*; — ***masqué,*** gemaskerd bal; — ***travesti,*** gekostumeerd bal.
balade [bala'd] *f.,* (*pop.*) wandeling *v.*
balader, se — [sebaladé] *v.pr.* wandelen, slenteren, rondkuieren.
baladeuse [baladö:z] *f.* **1** (*v. tram*) bijwagen, aanhangwagen *m.*; **2** (*v. venter*) handkar *v.(m.)*, wagentje *o.*
baladin [baladẽ] *m.* **1** hansworst *m.*; **2** (*oud*) balletdanser *m.*
baladinage [baladina:j] *m.* clownerie *v.*
baladiner [baladiné] *v.i.* potsen maken.
balafre [balafr] *f.* **1** snede *v.(m.)*, houw *m.* (in gezicht); **2** litteken *o.* daarvan.
balafré [balafré] *adj.* met een litteken in het gezicht.
balafrer [balafré] *v.t.* (iem.) een houw toebrengen.
balai [balè] *m.* **1** bezem *m.*; **2** borstel *m.*; ***donner un coup de — à,*** aanvegen; ***faire — neuf,*** veel ijver tonen (in 't begin); ***prendre le —,*** met de allerlaatste trein (*of* tram) naar huis gaan; ***il n'est rien tel que — neuf,*** nieuwe bezems vegen schoon.
balais [balè] *adj.* (*v. robijn*) lichtrood.
balance [balã:s] *f.* **1** weegschaal, balans *v.(m.)*; **2** weifeling, onzekerheid *v.*; **3** (*politiek, staatkundig*) evenwicht *o.*; **4** (*H.*) balans *v.(m.)*; saldo *o.*; ***en —,*** besluiteloos; ***entrer en —,*** in aanmerking komen; ***cette affaire est en —,*** die zaak is nog onbeslist; ***emporter la —,*** de doorslag geven; ***mettre en —,*** met elkaar vergelijken, het vóór en tegen onderzoeken (van); ***tenir la — égale,*** onpartijdig blijven (*of* zijn); — ***approximative,*** (*H.*) ruwe balans; — ***de vérification,*** (*H.*) proefbalans; — ***des pouvoirs,*** evenwicht van de machten (in de Staat); — ***du commerce,*** handelsbalans, verschil tussen uit- en invoer; — ***des comptes,*** betalingsbalans.
balancelle [balã'sèl] *f.* Midd.-zeesloep *v.(m.)* met een mast.
balancement [balã'smã] *m.* **1** schommeling *v.*; **2** slingering *v.*; **3** wiegeling *v.*; **4** (*fig.*) weifeling, aarzeling *v.*; **5** evenwicht *o.*
balancer [balã'sé] **I** *v.t.* **1** schommelen, heen en weer bewegen; **2** in evenwicht houden; **3** opwegen tegen; **4** (*v. rekening*) afsluiten, doen sluiten; **5** (*pop.*) aan de dijk zetten; **II** *v.i.* **1** schommelen, slingeren; **2** wankelen; **3** (*fig.*) aarzelen, weifelen; **4** (*v. overwinning, enz.*) twijfelachtig zijn; ***sans —,*** recht op het doel; **III** *v.pr.,* ***se —,*** **1** schommelen, slingeren; **2** waggelen; **3** tegen elkaar opwegen.
balancier [balã'syé] *m.* **1** (*v. klok*) slinger *m.*; **2** (*v. uurwerk, wekker*) onrust *v.(m.)*; **3** (*v. machine*) balans *v.(m.)*; **4** (*v. pomp*) zwengel *m.*; **5** (*v. kompas*) beugel *m.*; **6** (*v. koorddanser*) balanceerstok *m.*; **7** balansmaker *m.*
balancines [balã'sin] *f.pl.* (*arg.*) bretels *mv.*
balançoire [balã'swa:r] *f.* **1** wipplank *v.(m.)*; **2** schommel *m. en v.*; **3** schommelstoel *m.*; **4** (*pop.*) kletspraatje *o.*; — ***russe,*** tobogan *m.*
balandre [balã:dr] *f.,* (*sch.*) bijlander *m.*
balauste [balo'st] *f.,* (*Pl.*) wilde granaatappel *m.*
balayage [balèya:j] *m.* (het) vegen *o.*
balayer [balèyé] *v.t.* **1** vegen, schoonvegen, wegvegen, samenvegen; **2** (*v. vijand, enz.*) verdrijven, verjagen; **3** (*fig.*) zuiveren; **4** aan de dijk zetten.
balayette [balèyèt] *f.* stoffer *m.* [veger *m.*
balayeur [balèyœ:r] *m.* **1** straatveger *m.*; **2** baan-
balayeuse [balèyö:z] *f.* **1** straatveegster *v.*; **2** veegmachine *v.*
balayures [balèyü:r] *f.pl.* **1** veegsel *o.*, vuilnis *v. en o.*; **2** (*fig.*) uitvaagsel *o.*; ***les — de la mer,*** het strandvuil *o.*; ***il y a des — à chaque porte,*** bemoei u met uw eigen zaken. [*m.*
balbutie [balbüsi] *f.* **1** gestotter *o.*; **2** kinderpraat
balbutiement [balbüsimã] *m.* (het) stamelen *o.*
balbutier [balbüsyé] **I** *v.i.* stamelen, stotteren; **II** *v.t.* stamelen, uitstotteren, (moeilijk, stamelend) uitbrengen.
balbutieur [balbüsyœ:r] *m.* stotteraar *m.*
balbuzard [balbüza:r] *m.,* (*Dk.*) visarend *m.*
balcon [balkõ] *m.* **1** balkon *o.*; **2** galerij *v.*
baldaquin [baldakẽ] *m.* **1** baldakijn *o.*; **2** troonhemel *m.*; **3** (*v. ledikant*) hemel *m.*
Bâle [ba:l] *f.* Bazel *o.*
baleine [balè'n] *f.* **1** walvis *m.*; **2** balein *v.(m.)*, ***de —,*** baleinen.
baleiné [balè'né] *adj.* van baleinen voorzien.
baleineau [balè'no] *m.* jonge walvis *m.*
baleinier [balè'nyé] *m.* walvisvaarder *m.*
baleinière [balè'nyè:r] *f.* **1** (smalle) walvissloep *v.*; **2** (*v. grote schepen*) sloep *v.(m.)*.
baleinoptère [balè'nòptè:r] *m.* vinvis *m.*
balèvre [balè:vr] *f.* **1** onderlip *v.(m.)*; **2** dikke lippen *mv.*; **3** (*bouwk.*) uitstekende steen *m.*; **4** (*v. voorwerp van gips of gietijzer*) voegnaad *m.*
balisage [bali'za:j] *m.* betonning *v.*, (het) zetten *o.* van bakens.
balise [bali:z] *f.* baken *o.*, boei *v.(m.)*.
baliser [bali'zé] *v.t.* bakens plaatsen in, betonnen.
baliseur [bali'zœ:r] *m.* bakenmeester *m.*
balisier [bali'zyé] *m.,* (*Pl.*) Indisch bloemriet *o.*
baliste [balist] *f.* **1** (*gesch.*) blijde, ballista *v.* (werptuig); **2** (*Dk.*) hoornvis *m.*

balistique [balistik] *f.*, (*mil.*) ballistiek *v.*
balivage [baliva:j] *m.* (het) merken *o.* van bomen (die niet mogen omgehakt worden).
baliveau [balivo] *m.* **1** jonge boom *m.* die niet mag omgehakt worden; **2** steigerpaal *m.*
baliverne(s) [balivèrn] *f.*(*pl.*) kletspraat, beuzelpraat, zottepraat *m.*
baliverner [balivèrné] *v.i.* kletspraat vertellen, praatjes maken.
balkanique [balkanik] *adj.* van de Balkan.
Balkan(s) [balkã] *m.*(*pl.*) Balkan *m.*
ballade [bala'd] *f.* ballade *v.*
ballant [balã] *adj.* los neerhangend, slingerend.
ballast [balast] *m.* ballast *m.*; ***train de* —,** zandtrein *m.*
ballastage [balasta:j] *m.* (het) ballasten *o.*
ballaster [balasté] *v.t.* ballasten.
balle [bal] *f.* **1** bal; kaatsbal *m.*; **2** (geweer)kogel *m.*; **3** baal *v.*(*m.*); **4** kaf *o.*; **5** (*pop.*) hoofd *o.*; ***prendre la — au bond,*** **1** de bal opvangen; **2** de gelegenheid waarnemen; ***renvoyer la* —,** de bal terugkaatsen; ***à vous la* —,** 't is uw beurt; ***se renvoyer la* —,** elkaar de schuld geven; ***marchandises de* —,** marskramerswaren *mv.*, bocht *o. en m.*; ***de* —,** minderwaardig; ***tirer à* —,** met scherp schieten; **—*morte*,** matte kogel; **—*perdue*,** afgedwaalde kogel.
ballerine [balérin] *f.* balletdanseres *v.*
ballet [balè] *m.* ballet *o.*
ballon [balõ] *m.* **1** bal, ballon *m.*; **2** ballon, luchtballon *m.*; **3** ronde bergtop *m.*; **4** bierglas *o.* (met voet); **5** luchtbol *m.*; **— *captif*,** kabelballon; versperringsballon; **— *d'essai*,** proefballon; **— *de marée*,** getijbal; ***lâcher*** (*of* ***lancer***) ***un — d'essai*,** een proefballon oplaten, een balletje opgooien.
ballonné [balòné] *adj.* opgezwollen, opgezet.
ballonnement [balònmã] *m.* opzetting *v.*, (het) opzwellen *o.* (v. buik).
ballonner [balòné] **I** *v.t.* doen opzwellen; **II** *v.pr.*, ***se* —,** opzwellen, opzetten.
ballonnet [balònè] *m.* ballonnetje *o.*
ballonnier [balònyé] *m.* ballenmaker; ballenverkoper *m.*
ballon*-sonde* [balõsõ:d] *m.* (*luchtv.*) onderzoekingsballon *m.*
ballot [balo] *m.* **1** kleine baal *v.*(*m.*); **2** (*v. stoffen, wol, enz.*) pak *o.*; **3** (*fig.*: *pop.*) lomperd *m.*, uilskuiken *o.*
ballottade [balòta'd] *f.*, (*v. paard*) luchtsprong *m.*
ballottage [balòta:j] *m.* herstemming *v.*; ***être en* —,** in herstemming komen.
ballotte [balòt] *f.* balletje *o.*
ballottement [balòtmã] *m.* schommeling, slingering *v.*
ballotter [balòté] **I** *v.t.* **1** schudden, heen en weer slingeren; **2** in herstemming brengen; **— *qn.*,** iem. voor de gek houden; **II** *v.i.* heen en weer slingeren.
ballottin [balòtẽ] *m.* baaltje *o.*
ballottine [balòtin] *f.* rollade *v.*
balnéaire [balnéè:r] *adj.* bad—; ***station* —,** badplaats *v.*(*m.*); ***saison* —,** badseizoen *o.*
balnéothérapie [balnéòtérapi] *f.* geneeswijze *v.*(*m.*) door baden.
bâlois [ba'lwa] **I** *adj.* uit Bazel; **II** *s., m.* ***B*—,** inwoner *m.* van Bazel.
balourd [balu:r] **I** *m.* domoor, lomperd *m.*; **II** *adj.* dom, lomp.
balourdise [balu'rdi:z] *f.* lompheid *v.*, lompe (*of* domme) streek *m. en v.*
balsa [balza] *m.* balsahout *o.*
balsacien [balzasyẽ] *adj.* doen denkend aan Balzac.
balsamier [balzamyé] *m.*, (*Pl.*) balsemboom *m.*
balsamine [balzamin] *f.*, (*Pl.*) balsamine *v.*(*m.*), springzaad *o.*
balsamique [balzamik] *adj.* **1** balsemachtig; **2** welriekend, geurig.
Balte [balt] *m.* Balt *m.*
Baltique [baltik] *f.*, (*of*: ***mer* —**), Oostzee *v.*(*m.*).
baluchon [balüʃõ] *m.*, (*pop.*) pakje *o.*
balustrade [balüstra'd] *f.* balustrade, leuning *v.*, hekwerk *o.*
balustre [balüstr] *m.* zuiltje *o.*, pijler *m.* (v. leuning, v. hek).
balustrer [balüstré] *v.t.* van een leuning voorzien.
balzan [balzã] *m.* paard *o.* met witte vlekken boven de hoeven.
balzane [balzan] *f.* witte vlek *v.*(*m.*) boven de hoef van een paard.
bambin [bã'bẽ] *m.* kleuter *m.*
bambochade [bã'bòʃa'd] *f.* **1** schilderij *o.* met landelijke toneeltjes (boerenkermis, enz.); **2** pretmakerij *v.*, fuif *v.*(*m.*).
bamboche [bã'bòʃ] *f.* **1** fuif *v.*(*m.*); **2** grote ledenpop *v.*(*m.*).
bambocher [bã'bòʃé] *v.i.* fuiven, op zwier gaan, [pierewaaien.
bambocheur [bã'bòʃœ:r] *m.* fuiver, pierewaaier *m.*
bambou [bã'bu] *m.* **1** (*Pl.*) bamboe *o. en m.*, bamboeriet *o.*; **2** rotting *m.*
bamboula [bã'bula] **I** *f.* negerdans *m.*; **II** *m.* rinkelbom *v.*(*m.*).
ban [bã] *m.* **1** ban *m.*; **2** (*gesch.*: *v. leenheer*) heirban *m.*; **3** (*v. huwelijk*) afkondiging *v.*, geboden *mv.*; (*mil.*) ***battre un* —,** de trom roeren; ***mettre au* —,** in de ban doen; ***au — de l'opinion*,** door eenieder veracht, aan de publieke verachting prijsgegeven; ***convoquer le — et l'arrière- —*,** **1** alle strijdbare mannen oproepen; **2** (*fig.*) alles bijeentrommelen; ***rompre son* —,** een door de rechter aangewezen verblijfplaats verlaten; ***rupture de* —,** het verlaten van een aangewezen verblijfplaats.
banal [banal] **I** *adj.*, (*pl.*: ***banals***) **1** alledaags, doodgewoon; **2** afgezaagd; **3** plat; **II** (*pl.*: ***banaux***) (*gesch.*) **1** verplichtend voor ieder; **2** gemeenschappelijk, beschikbaar voor ieder; ***four* —,** gemeenschappelijke oven *m.*
banalement [banalmã] *adv.* alledaags, banaal.
banaliser [banali'zé] *v.t.* alledaags maken.
banalité [banalité] *f.* **1** alledaagsheid *v.*; **2** afgezaagd gezegde *o.*, gemeenplaats *v.*(*m.*).
banane [banan] *f.* banaan *v.*(*m.*).
bananeraie [bananré] *f.* bananenplantage *v.*
bananier [bananyé] *m.* banaanboom *m.*
banban [bãbã] *adj.* (*pop.*) mank.
banc [bã] *m.* **1** bank *v.*(*m.*); **2** (*v. vissen*) school *v.*(*m.*); **3** (*v. gesteente, enz.*) laag *v.*(*m.*); **— *à tirer*,** trekbank; **— *de harengs*,** school haringen; **— *d'argile*,** laag klei; **— *de glace*,** drijfijs *o.*; **— *de sable*,** zandplaat *v.*(*m.*); **— *d'œuvre*,** kerkmeestersbank.
bancable, banquable [bã'ka'bl] *adj.*, (*H.*) verhandelbaar.
bancaire [bã'kè:r] *adj.* bank—.
bancal [bã'kal] **I** *adj.* o-benig; **II** *s., m.* **1** krombenige, iem. met o-benen *m.*; **2** kromme sabel *m.*
bancelle [bã'sèl] *f.* lange, smalle bank *v.*(*m.*) (zonder leuning).
banco [bã'ko] *adj.*, (*H.*) banco; ***faire* —,** (*spel*) alleen tegen de bank spelen; de hele bank houden.
bancroche [bã'kròʃ] *adj.* krombenig.
bandage [bã'da:j] *m.* **1** (*gen.*) verband *o.*; **2** (het) verbinden *o.*; **3** (*v. boog*) (het) spannen *o.*; **4** band *m.* (breukband; fietsband); **5** (**— *de toile***), zwach-

tel *m.*; — ***de campagne,*** noodverband; — ***pneumatique,*** luchtband *m.*
bandagiste [bã'dajist] *m.* breukbandmaker *m.*
bande [bã:d] *f.* **1** strook *v.(m.)*, reep *m.*; **2** kruisband *m.*; **3** biljartband *m.*; **4** (*wap.*) schuinbalk *m.*; **5** bende *v.(m.)*; **6** (*fam.*) kliek *v.(m.)*; — ***noire,*** sjacheraars *mv.*; — ***molletière,*** beenwindsel *o.*; — ***dessinée,*** strip *m.*; — ***sonore,*** geluidsband *m.*; ***donner de la —,*** (*sch.*) slagzijde hebben; ***faire — à part,*** zich afzonderen, een afzonderlijk clubje vormen; ***mettre à la —,*** (*v. schip*) op één zijde liggen; ***sous —,*** onder kruisband.
bandeau [bã'do] *m.* **1** blinddoek *m.*; **2** hoofdband *m.*; **3** gladde haarstrook *v.(m.)*; — ***royal,*** diadeem *m. en o.*; ***faire tomber le —,*** de blinddoek afrukken.
bandelette [bã'dlèt] *f.* **1** strookje, reepje *o.*; **2** bandje, lintje *o.*; **3** zwachteltje *o.*
bander [bã'dé] **I** *v.t.* **1** (*gen.*) verbinden; **2** blinddoeken; **3** (*v. boog*) spannen; **4** (*bouwk.*: *v. gewelf*) afsluiten, de sluitsteen plaatsen in; **5** (*fig.*: *v. wil, geest*) inspannen; **II** *v.i.*, (*v. biljartbal*) de band raken.
bandereau [bã'dro] *m.* trompetsnoer *o.*, trompetkoord *o. en v.(m.)*, bandelier *m.*
banderille [bã'dri'y] *f.* banderilla *v.(m.)*.
banderillero [bã'dri'yéro] *m.* stierenvechter *m.* die de banderilla's in de stier steekt.
banderole [bã'dròl] *f.* **1** wimpel *m.*; **2** (*v. lans*) vaantje *o.*; **3** geweerriem, draagband (v. geweer) *m.*; **4** banderol *v.(m.)*.
bandière [bã'dyè:r] *f.* (*oud*) scheepsvlag, banier *v.(m.)*; ***front de —,*** front *o.* van leger in slagorde.
bandit [bã'di] *m.* bandiet, rover *m.*
banditisme [bã'ditizm] *m.* roverij *v.*; ***acte de —,*** aanranding, geweldpleging *v.*
bandoir [bã'dwa:r] *m.*, (*tn.*) spanveer *v.(m.)*, spanstok *m.*, spanrad *o.* [*m.*
bandoulier [bã'dulyé] *m.* (*in Pyren.*) smokkelaar
bandoulière [bã'dulyè:r] *f.* bandelier, schouderriem, draagband *m.*; ***en —,*** dwars (*of* schuin) over de rug.
banian [banyã] *m.* **1** (*Pl.*) Indische vijgeboom *m.*; **2** hindoe-koopman *m.*
banjo [bã'jo] *m.* banjo *m.*
bank-note* [bã'knòt] *f.* (Engels) bankbiljet *o.*
banlieue [bã'lyö] *f.* omgeving *v.* van een grote stad, buitenwijken *mv.*; ***chemin de fer de —,*** ceintuurbaan *v.(m.)*.
banlieusard [bã'lyöza'r] *m.* forens *v.(m.)*, bewoner *m.* van de omgeving van een grote stad (vooral v. Parijs).
banne [ban] *f.* **1** grote (vierkante) mand *v.(m.)*; **2** kolenkar, stortkar *v.(m.)*; **3** (*op wagon*; *om waren te bedekken*) zeil, zeildoek *o.*
banneau [bano] *m.* kleine mand *v.(m.)*.
banner [bané] *v.t.* met een zeil bedekken.
banneret [banrè] *m.*, (*gesch.*) baanderheer *m.*
banneton [bantõ] *m.* **1** viskaar *v.(m.)*; **2** mandje *o.* (om brood in te doen rijzen).
bannette [banèt] *f.* mandje *o.*, kleine ben *v.(m.)*.
banni [bani] **I** *adj.* verbannen; **II** *s.*, *m.* balling *m.*
bannière [banyè:r] *f.* vaan *v.(m.)*, vaandel *o.*, banier *v.(m.)*.
bannir [bani:r] *v.t.* **1** verbannen; **2** (*vrees, enz.*) afleggen; **3** (*gedachte*) van zich afzetten.
bannissement [banismã] *m.* **1** verbanning *v.*; **2** ballingschap *v.*
bannisseur [banisœ:r] *m.* verbanner *m.*
banquable, *voir* ***bancable.***
banque [bã:k] *f.* **1** (*H.*) bank *v.(m.)*; **2** speelbank *v.(m.)*; **3** kermistent *v.(m.)*, kermistroep *m.*; — ***agricole,*** landbouwbank; — ***d'avances,*** voorschotbank; — ***d'émission,*** circulatiebank; — ***d'escompte,*** discontobank; — ***de dépôt et de virement,*** depositobank; ***maison de —,*** bankinstelling *v.*; ***jour de —,*** betaaldag *m.*; ***valeurs en —,*** incourante fondsen; niet officieel genoteerde fondsen *mv.*; ***faire la —,*** als kunstenmaker (*of* kermisgast) optreden.
banqueroute [bã'krut] *f.* bankroet *o.*, bankbreuk *v.(m.)*; ***faire —,*** bankroet gaan; — ***frauduleuse,*** bedrieglijk bankroet; — ***publique,*** staatsbankroet.
banqueroutier [bã'krutyé] *m.* bankroetier *m.*
banquet [bã'kè] *m.* feestmaal, banket *o.*
banqueter* [bã'kté] *v.i.* fuiven, feestvieren, smullen. [banket.
banqueteur [bã'ktœ:r] *m.* deelnemer *m.* aan
banquette [bã'kèt] *f.* **1** bank *v.(m.)* (zonder leuning, vast aan muur; in trein, enz.); **2** voetpad *o.* (langs water, op brug); **3** (*mil.*) banket *o.*, ophoging *v.* achter wal; ***jouer devant les —s,*** voor een lege zaal spelen.
banquier [bã'kyé] *m.* **1** bankier *m.*; **2** (*spel*) bankhouder *m.*; **3** kabeljauwvisser *m.* [bank *v.(m.)*.
banquise [bã'ki:z] *f.*, (*in poolzee*) pakijs *o.*, ijs-
baobab [baòbab] *m.*, (*Pl.*) apebroodboom *m.*
baptême [batè:m] *m.* **1** doopsel *o.*; **2** (*v. klok, schip, enz.*) doop *m.*; — ***du sang,*** doopsel *o.* des bloeds, marteldood *m. en v.*; — ***du feu,*** vuurdoop; — ***de l'air,*** luchtdoop; ***nom de —,*** doopnaam, voornaam *m.* [met water aanlengen.
baptiser [bati'zé] *v.t.* **1** dopen; **2** (*v. melk, wijn*)
baptismal [batizmal] *adj.* doop—; ***fonts baptismaux,*** doopvont *v.(m.)*.
baptistaire [batistè:r] **I** *adj.* doop—; ***registre —,*** doopregister *o.*; **II** *s.*, *m.* doopakte *v.(m.)*, doopceel *v.(m.) en o.*
Baptiste [batist] *m.* **1** Baptist *m.*; **2** doopsgezinde *m.*; ***saint Jean —,*** Johannes *m.* de Doper.
baptistère [batistè:r] *m.* doopkapel *v.(m.)*.
baquet [bakè] *m.* bakje; tobbetje *o.*
baqueter* [bakté] *v.t.* uitscheppen; **2** uithozen.
bar [ba:r] *m.* **1** (*Dk.*) zeebaars *m.*; **2** bar *m. en v.*, kroeg *v.(m.)*.
baragouin [baragwẽ] *m.* koeterwaals *o.*, brabbeltaal *v.(m.)*. [gebrabbel *o.*
baragouinage [baragwina:j] *m.* (het) brabbelen,
baragouiner [baragwiné] **I** *v.t.* (*v. taal*) radbraken; **II** *v.i.* brabbeltaal spreken.
baragouineur [baragwinœ:r] *m.* brabbelaar *m.*
baraque [barak] *f.* **1** barak *v.(m.)*; **2** veldtent *v.(m.)*; **3** loods *v.(m.)*, hok *o.*; **4** (*v. huis*) krot *o.*; — ***foraine,*** kermiskraam *v.(m.) en o.*
baraquement [barakmã] *m.* **1** kamp van tenten, barakkenkamp *o.*; **2** (het) opslaan *o.* van tenten; **3** (het) onderbrengen *o.* in barakken.
baraquer [baraké] **I** *v.t.* in barakken onderbrengen; **II** *v.i.* in barakken legeren.
baraterie [baratri] *f.* (*sch.*) bedrog *o.*, kwade trouw *v.(m.)* (bij scheepsassurantie).
barattage [barata:j] *m.* (het) karnen *o.*
baratte [barat] *f.* karn, karnton *v.(m.)*.
baratter [baraté] *v.t.* karnen.
bara(t)tin [baratẽ] *m.* gezwam *o.*
barat(t)on [baratõ] *m.* karnstok *m.*
barbacane [barbakan] *f.* schietgat *o.*
Barbade, la — [labarba'd] *f.* Barbados *o.*
barbant [barbã] *adj.* (*pop.*) stomvervelend.
barbare [barba:r] **I** *adj.* **1** barbaars; **2** ruw, onbeschaafd; **3** wreed, woest; **II** *s.*, *m.* **1** barbaar *m.*; **2** wreedaard, woesteling, onmens *m.*
barbarée [barbaré] *f.*, (*Pl.*) barbarakruid *o.*
barbarement [barbarmã] *adv.* barbaars.

barbaresque [barbarèsk] **I** *adj.* Barbarijs; **II** *s., m.* Berber *m.*
barbarie [barbari] *f.* **1** barbaarsheid *v.*; **2** ruwheid, onbeschaafdheid *v.*; ***B—,*** Barbarije *o.*; ***orgue de —,*** draaiorgel *o.*
barbarisme [barbarizm] *m.* barbarisme *o.*, (grove) [taalfout *v.(m.)*.
barbe [barb] *f.* **1** baard *m.*; **2** (*v. geit*) sik *v.(m.)*; **3** (*v. kat*) snor *v.(m.)*; **4** (*v. haan*) lel *v.(m.)*; **5** (*op spijzen*) schimmel *m.*; **6** (*v. masker*) franje *v.(m.)*; **7** (*v. papier of metaal*) ruige rand *m.*; ***se faire la —,*** zich scheren; ***porter toute sa —,*** een volle baard dragen; ***rire dans sa —,*** in zijn vuist lachen; ***vieille —,*** ouwe sok; ouwe kletskous *v.(m.)*; ***chiper qc. à la — de qn.,*** iets voor iemands neus wegkapen.
Barbe [barb] *f.* Barbara *v.*
barbeau [barbo] *m.* **1** (*Dk.*) barbeel *m.*; **2** (*Pl.*) [korenbloem *v.(m.)*.
barbe*-de-capucin [barbdekapüsẽ] *f.* tuincichorei *m. en v.*, cichoreisla *v.(m.)*.
barbelé [barbelé] *adj.* van weerhaken voorzien; ***fil de fer —,*** prikkeldraad *o. en m.*
barber [barbé] *v.t.*, (*pop.*) vervelen.
barberot [barbero] *m.*, (*pop.*) baardschrapper *m.*
Barberousse [barberus] *m.* Barbarossa *m.*
barbet [barbè] *m.* poedel *m.*
barbette [barbèt] *f.* **1** (*v. non*) bef *v.(m.)*; **2** (*mil.*) kanonbank *v.(m.)*; ***batterie à —,*** overbankbatterij *v.*; ***coucher à la —,*** op de grond slapen.
barbeyer [barbèyé] *v.i.*, (*sch.*: *v. zeil*) killen.
barbiche [barbiʃ] *f.* sik *v.(m.)*.
barbichon [barbiʃõ] *m.* jonge poedel *m.*
barbier [barbyé] *m.* barbier *m.*
barbifier [barbifyé] *v.t.* (*pop.*) scheren.
barbillon [barbiyõ] *m.* **1** (*Dk.*) kleine barbeel *m.*; **2** (*v. pijl, vishaak, enz.*) weerhaak *m.*; **3** (*v. vis*) baardvezel *v.(m.)*; **4** (*v. haan*) lel *v.(m.)*.
barbon [barbõ] *m.*, (*fam.*) oude man, grijsaard *m.*
barbotage [barbòta:j] *m.* **1** geplas, geploeter *o.*; **2** gehaspel *o.*; **3** wartaal *v.(m.)*; **4** geknoei *o.*
barbote [barbòt] *f.* puitaal *m.*
barbotement [barbòtmã], *voir* ***barbotage.***
barboter [barbòté] **I** *v.i.* **1** plassen, ploeteren; **2** haspelen; **3** wartaal spreken; **4** knoeien; **5** (*pop.*) gappen, zakkenrollen; **II** *v.t.* prevelen.
barboteur [barbòtœ:r] *m.* **1** plasser *m.*; **2** tamme eend *v.(m.)*.
barboteuse [barbòtö:z] *f.* kruippakje *o.*
barbotière [barbòtyè:r] *f.* eendenpoel *m.*
barbotin [barbòtẽ] *m.* kettingschijf *v.(m.)*.
barbotine [barbòtin] *f.* wormkruid *o.*
barbouillage [barbuya:j] *m.* **1** geklad *o.*; **2** kladwerk *o.*; **3** gekrabbel *o.*; **4** wartaal *v.(m.)*.
barbouiller [barbuyé] **I** *v.t.* **1** bekladden, bemorsen, vuil maken; **2** vermorsen, verknoeien; **3** (*v. artikel, enz.*) aaneenflansen; **4** (*pop.*) van streek brengen; **II** *v.i.* **1** krabbelen (*v. geschrift*); **2** brabbelen; **3** kladschilderen; **4** knoeien; **III** *v.pr.*, ***se —,*** **1** zich bemorsen; **2** (*v. lucht*) betrekken; ***se — de grec,*** zijn hoofd volproppen met Grieks.
barbouilleur [barbuyœ:r] *m.* **1** kladschilder, kladder *m.*; **2** brabbelaar *m.*; **3** prulschrijver *m.*
barbouillon [barbuyõ] *m.* knoeier *m.*
barbu [barbü] *adj.* baardig, gebaard.
barbue [barbü] *f.*, (*Dk.*) griet *m.*
barcarolle [barkaròl] *f.* gondellied *o.*
barcasse [barkɑ:s] *f.* (grote) schuit, barkas *v.(m.)*.
barcelonais [barselònè] *adj.* uit Barcelona.
Barcelone [barselòn] *f.* Barcelona *o.*
barcelonnette [barselònèt] *f.* tenen wiegje *o.*
bard [ba:r] *m.* berrie, draagberrie *v.(m.)*.
barda [barda] *m.* (*pop.*) uitrusting *v.* van soldaat.
bardage [barda:j] *m.* vervoer *o.* per berrie.
bardane [bardan] *f.*, (*Pl.*) klis *v.(m.)*; kliskruid *o.*
barde [bard] **I** *m.* bard, dichter-zanger *m.*; **II** *f.* **1** lang rijzadel *o.*; **2** reep *m.* spek (om gebraad); **3** paardeharnas *o.*
bardeau [bardo] *m.* **1** dakspaan; gevelspaan *v.(m.)*; **2** *voir* ***bardot.***
barder [bardé] **I** *v.t.* **1** op een berrie laden; **2** op een berrie vervoeren; **3** (*v. paard*) harnassen; **4** met spek beleggen (*of* omwikkelen); **II** *v.i.*, (*fig.*) ***ça va —,*** (*fam.*) het zal er warm toegaan, het zal er stuiven, het zal er spannen.
bardeur [bardœ:r] *m.* berriedrager *m.*
bardit [bardi(t)] *m.* **1** bardenzang *m.*; **2** krijgszang *m.* (van de Germanen en van de oude Galliërs).
bardot, bardeau [bardo] *m.* **1** (kleine) muilezel *m.*; **2** lastdier *o.*; **3** (*fig.*) mikpunt *o.*, zondebok *m.*
barège [barè:j] *m.* ongekeperde wollen stof *v.(m.)*.
barème [barè:m] *m.* **1** tabel *v.(m.)* met (uitgewerkte) berekeningen; **2** tarief *o.*; **3** schaal *v.(m.)*, maatstaf *m.*
baréter [barété] *voir* ***barrir.***
barge [barj] *f.* **1** platboomd vaartuig *o.*; **2** (vierkante) hooimijt *v.(m.)*; **3** (*Dk.*) griet, grutto *m.*
barguignage [bargiña:j] *m.* aarzeling *v.*, getalm *o.*, weifeling *v.*
barguigner [bargiñé] *v.i.* aarzelen, talmen, wei- [felen.
barguigneur [bargiñœ:r] *m.* weifelaar *m.*
baricaut [bariko] *m.* klein vaatje, tonnetje *o.*
barigoule [barigul] *f.* bereidingswijze *v.(m.)* van artisjokken met olijfolie en gehakt.
baril [bari] *m.* vaatje, tonnetje *o.*
barillage [bariya:j] *m.* het op fust brengen *o.*
barillet [bariyè] *m.* **1** klein vaatje *o.*; **2** trommelholte *v.* (v. het oor); **3** (*v. horlogeveer*) trommel *v.(m.)*; **4** (*v. revolver*) cilinder *m.*, magazijn *o.*
barilleur [bariyœ:r] *m.* kuiper *m.*
bariolage [baryòla:j] *m.* **1** kakelbonte kleuren *mv.*; **2** (*fig.*) bonte mengeling *v.*, mengelmoes *o. en v.(m.)*.
bariolé [baryòlé] *adj.* **1** bont; **2** smakeloos, kakel- [bont.
barioler [baryòlé] *v.t.* bont kleuren, kakelbont beschilderen, smakeloos maken.
barlong [barlõ] *adj.* onregelmatig vierkant (*of* [langwerpig).
barman [barman] *m.* barman *m.*
Barnabé [barnabé] *m.* Barnabas *m.*
barnabite [barnabit] *m.* barnabiet *m.*
barnache [barnaʃ], **barnacle** [barnakl] *f.*, (*Dk.*) rotgans *v.(m.)*.
barographe [barògraf] *m.* hoogtemeter *m.* van vliegtuigen.
baromètre [baròmè'tre] *m.* barometer *m.*, weer- [glas *o.*
barométrie [baròmétri] *f.* luchtdrukmeting *v.*
barométrique [baròmétrik] *adj.* barometrisch; ***hauteur —,*** barometerstand *m.*
baron [ba'rõ] *m.* baron, vrijheer *m.*
baronnage [baròna:j] *m.* baronaat *o.*
baronne [ba'ròn] *f.* barones *v.*
baronnet [barònè] *m.* baronet *m.* (*Engels edelman*).
baronnie [baròni] *f.* baronie *v.*
baroque [baròk] *adj.* **1** zonderling; **2** dwaas, gek; **3** bespottelijk; ***style —,*** (*bouwk.*) barokstijl *m.*
baroscope [baròskòp] *m.* baroscoop *m.*
baroud [barut] *m.* (*arg.*) gevecht *o.*
barouder [barudé] *v.i.* (*arg.*) vechten.
baroudeur [barudœ:r] *m.* (*arg.*) vechtersbaas *m.*
barouf(le) [baruf(l)] *m.* (*arg.*) herrie *v.(m.)*, lawaai *o.*
barque [bark] *f.* boot *m. en v.*; ***— à voiles,*** zeilboot; ***bien conduire sa —,*** zijn zaken goed beheren.
barquerolle [barkeròl], **barquette** [barkèt] *f.* bootje, roeibootje *o.*

barrage [ba'ra:j] *m.* **1** afsluiting, versperring *v.*; **2** tol *m.*, tolhek *o.*; **3** (*in rivier*) afdamming *v.*, stuwdam *m.*; ***établir un — dans une rue,*** een straat (met politie) afzetten.
barre [ba:r, ba:r] *f.* **1** staaf, stang *v.(m.)*; **2** (*als afsluiting*) boom, balk *m.*; **3** roerpen *v.(m.)*; **4** streep *v.(m.)*, doorhaling *v.*; **5** balie *v.*, rechtbank *v.(m.)*; **6** (*v. viool*) brug *v.(m.)*; ***—s parallèles,*** (*gymn.*) brug *v.(m.)*; ***— fixe,*** (*gymn.*) rekstok *m.*; ***— de mesure,*** maatstreep *v.(m.)*; ***— d'appui,*** leuning *v.* (v. venster); ***— d'attelage,*** koppelstang *v.(m.)*; ***— de fermeture,*** sluitboom *m.*; ***— de fraction,*** breukstreep *v.(m.)*; ***— d'espacement,*** Duitse komma *v.(m.)* *of o.*; ***jouer aux —s,*** overlopertje spelen; ***avoir — sur qn.,*** vat op iem. hebben; ***toucher —(s),*** in veiligheid zijn; ***je ne fais que toucher —,*** ik kom maar even aanwippen.
barreau [ba'ro, ba'ro] *m.* **1** stang *v.(m.)*, tralie *v.*; **2** (*v. stoel*) sport *v.(m.)*; **3** balie *v.*; **4** advocatenorde *v.(m.)*; **5** rechtbank *v.(m.)*; ***sous les —x,*** achter de tralies.
barrême, *voir* ***barème.***
barrer [ba'ré, ba'ré] *v.t.* **1** afsluiten, versperren; **2** (*v. straat*) afzetten; **3** (*v. rivier*) afdammen; **4** (*v. ader*) afbinden; **5** doorhalen, doorschrappen; **6** (*v. cheque*) een kruis zetten op; ***— le chemin à qn.,*** iem. de weg versperren; iem. dwarsbomen.
barrette [barèt] *f.* **1** baret *v.(m.)*; **2** kardinaalshoed *m.*; **3** stift *v.(m.)*, staafje *o.*
barreur [barœ:r] *m.* stuurman *m.*
barricade [barika'd] *f.* barricade, straatversperring *v.*
barricader [barikadé] **I** *v.t.* versperren; **II** *v.pr.*, ***se —,*** **1** zich achter een barricade opstellen (*of* verschansen); **2** zich in zijn kamer opsluiten.
barrière [baryè:r] *f.* **1** (*alg.*) afsluiting *v.*; **2** hek *o.*; **3** (*v. overweg, enz.*) slagboom *m.*; **4** tolhek *o.*, tolboom *m.*; **5** (*v. stad*) poort *v.(m.)*; **6** (*fig.*) hinderpaal *m.*; **7** (*tussen landen, enz.*) scheidsmuur *m.*; ***forcer la —,*** zich een doortocht banen; ***mettre des —s à,*** paal en perk stellen aan.
barriquaut, *voir* ***baricaut.***
barrique [barik] *f.* okshoofd, fust *o.*
barrir [bari:r] *v.i.*, (*v. olifant*) trompetten.
barrissement [barismã] *m.*, (*v. olifant*) getrompet [*o.*
barrit [bari] *m.* getrompet *o.*
barroir [barwa:r] *m.* zwikboor *v.(m.)*.
barset [barsè] *m.* zeebaars *m.*
bartavelle [bartavèl] *f.* rode (*of* rosse) patrijs *m.* [*en v.*
Barthélemy [bartèlmi] *m.* Bartholomeus *m.*; ***la Saint —,*** de Bartholomeusnacht *m.*, de Bloedbruiloft *v.(m.)*.
barymétrie [barimétri] *f.* zwaartemeting *v.*
barysphère [barisfè:r] *f.* barysfeer *v.(m.)*.
baryte [barit] *f.* bariumoxyde *o.*
barytine [baritin] *f.* zwaarspaat *o.*
baryton [baritõ] *m.*, (*muz.*) bariton *m.*
baryum [baryòm] *m.* barium *o.*
bas [ba] **I** *adj.* (*f.*: ***basse*** [ba:s]) **1** laag; **2** (*v. stem*) zacht; **3** (*fig.*) gemeen, laag, verachtelijk; ***la Chambre —se,*** het Lagerhuis; ***les — côtés,*** (*bouwk.*) de zijbeuken; ***— étage,*** benedenverdieping *v.*; ***salle —se,*** benedenzaal *v.(m.)*; ***en — âge,*** zeer jong; ***marée —se,*** eb *v.(m.)*; ***— peuple,*** mindere volk; ***de —se extraction, de —se naissance,*** van geringe afkomst; ***en ce — monde,*** hier op aarde, op dit ondermaanse; ***au — mot,*** op zijn minst; ***à — prix,*** goedkoop, tegen een spotprijs; ***à voix —se,*** met zachte stem, fluisterend; ***avoir la vue —se,*** **1** bijziend zijn; **2** kortzichtig zijn; ***revenir l'oreille —se,*** met hangende pootjes terugkomen; ***faire main —se sur qc.,*** zich van iets meester maken; iets in beslag nemen; ***le — Rhin,*** de Nederrijn; ***les Pays-B—,*** Nederland; **II** *adv.* **1** laag; **2** zacht; **3** onder, beneden; ***là-—,*** daarginder; ***chapeau —,*** hoed af, met de hoed af; ***à — les armes!*** de wapens neer! ***couler —,*** in de grond boren; zinken; ***jeter —,*** tegen de grond gooien; ***saluer bien —,*** diep groeten; ***voir plus —,*** zie hieronder; zie verder; ***à — le ministre!*** weg met de minister! ***sauter à — de son lit,*** uit zijn bed springen; **III** *s.*, *m.* **1** (het) onderste *o.*; (het) onderste gedeelte *o.*; **2** kous *v.(m.)*; **3** (het) gemene *o.*; ***— de casse,*** (*drukk.*) onderkast *v.(m.)*; ***avec des hauts et des —,*** nu eens beter, dan weer slechter; ***au — de,*** onderaan.
basal [ba'zal] *adj.* betrekking hebbend op de (*of* een) basis.
basalte [ba'zalt] *m.* basalt *o.*
basaltique [ba'zaltik] *adj.* basalt—, basaltisch.
basane [ba'zan] *f.* schapeleer, bezaanleer *o.*
basané [ba'zané] *adj.* door de zon verbrand, gebruind, getaand.
basaner [ba'zané] *v.t.* bruinen, tanen.
bas-bleu* [bablö] *m.* blauwkous *v.*
bas-côté* [ba'ko'té] *m.* zijbeuk *m. en v.*
basculaire [basküiè:r] *adj.* schommelend.
bascule [basküi] *f.* **1** balans; brugbalans *v.(m.)*; **2** wip *v.(m.)* (*kinderspel*); ***cheval à —,*** hobbelpaard *o.*; ***chaise à —,*** schommelstoel *m.*; ***faire la —,*** wippen.
basculer [baskülé] *v.i.* **1** wippen; **2** omslaan, omkantelen. [kantelen.
bas-dessus [batsü] *m.* mezzosopraan *v.(m.)*.
base [ba:z] *f.* **1** grond, grondslag *m.*; **2** (*v. zuil, enz.*) voet *m.*, voetstuk *o.*; **3** (*meetk.*) grondlijn *v.(m.)*, basis *v.*; liggende zijde *v.(m.)*; **4** (*rek.*) grondgetal *o.*; **5** fundament *o.*; **6** hoofdbestanddeel *o.*; **7** (*v. overeenkomst, enz.*) grondslag *m.*; **8** grondtoon *m.*; **9** (*scheik.*) basis, base *v.*; ***— navale,*** vlootbasis *v.*; ***— du change,*** (*H.*) vaste waarde (wisselreductie); ***ce raisonnement pèche par la —,*** die redenering berust op valse gronden; ***à — de,*** —houdend.
base-ball [bè:zbal] *m.* honkbal *o.*
Bas-Empire [ba'zãpi:r] *m.* Oostromeinse rijk *o.*
baser [ba'zé] **I** *v.t.* **1** gronden; **2** (*v. berekening*) doen steunen (op); **II** *v.pr.*, ***se — sur,*** **1** steunen op, berusten op; **2** uitgaan van.
bas-fond* [bafò] *m.* **1** (*v. grond*) inzinking *v*; **2** (*in water*) ondiepte *v.*; (*fig.*) ***les —s,*** de onderste lagen *mv.* (van de bevolking).
basicité [ba'zisité] *f.* (*scheik.*) eigenschap *v.* om basisch te werken.
Basile [bazil] *m.* Basilius *m.*
basilic [bazilik] *m.* **1** (*Pl.*) bazielkruid *o.*; **2** (*Dk.*) koningshagedis *v.(m.)*; **3** (*myth.*) basiliscus *m.*
basilique [bazilik] *f.* **1** (*kath.*) basiliek *v.*; **2** (*oudh.*) gerechtszaal *v.(m.)*.
basin [bazẽ] *m.* **1** bombazijn *o.*; **2** streepjesgoed *o.*
basique [ba'zik] *adj.*, (*v. zout, enz.*) basisch.
basket-ball [baskètbal] *m.* basketbal, korfbal *o.*
basketteur [baskètœ:r] *m.* basketbalspeler *m.*
basoche [bazòʃ] *f.*, (*fam.*) de gerechtelijke ambtenaren (notarissen, deurwaarders, procureurs).
basochien [bazòʃyẽ] *m.*, (*fam.*) student *m.* in de rechten.
basquais [baskè] **I** *adj.* Baskisch; **II** *s.*, *m.* ***B—,*** Bask *m.* [Bask *m.*
basque [bask] **I** *adj.* Baskisch; **II** *s.*, *m.*, ***B—,*** Bask *m.*; **III** *s.*, *f.*, (*v. jas*) pand *m. en o.*, slip *v.(m.)*.
basquet [baskè] *m.* open fruitkist *v.(m.)*.
bas-relief* [ba'r(e)lyèf] *m.* half verheven beeldwerk *o.*
basse I [ba:s] *f.* **1** (*muz.*) basstem *v.(m.)*; **2** baszanger *m.*; **3** bassnaar *v.(m.)*; **4** lage toets *m.*; **5** bas,

violoncel *v.(m.)*; tuba *m.*; 6 (*sch.*) ondiepte *v.*, bank, blinde klip *v.(m.)*; II [ba:s] *adj.*, *voir* ***bas.***
basse*-contre [ba'skõ:tr] *f.* lage bas, diepe basstem *v.(m.)*. [2 erf *o.*
basse*-cour* [ba'sku:r] *f.* 1 hoenderhof *m.*;
basse*-fosse* [ba'sfo:s] *f.* onderaardse kerker *m.*
bassement [ba'smã] *adv.* laag, gemeen.
Bassenge [ba'sã'j] Bitsingen *o.*
bassesse [ba'sès] *f.* 1 laagheid, gemeenheid *v.*; 2 lage (*of* geringe) afkomst *v.*; ***faire des —s,*** kruipen.
basset [ba'sè] *m.* dashond, taks *m.*; ***cor de —,*** althoorn *m.*, altklarinet *v.(m.)*, bassethoorn *m.*
basse*-taille* [ba'sta'y] *f.*, (*muz.*) mannenstem *v.(m.)* tussen bariton en bas.
bassette [ba'sèt] *f.* bassetspel *o.*
Bassilly [ba'siyi] Zullik *o.*
bassin [basẽ] *m.* 1 (*alg.*) bekken *o.*; 2 (*v. vijver, meer, enz.*) kom *v.(m.)*; 3 (*v. balans, voor collecte*) schaal *v.(m.)*; 4 (*voor schepen*) dok *o.*; 5 havenkom *v.(m.)*; 6 (*v. delfstoffen*) bedding *v.*; ***— d'un fleuve,*** stroomgebied *o.*; ***— houiller,*** kolenbekken *o.*; ***— de radoub,*** droogdok *o.*; ***— flottant,*** drijvend dok; ***— de chasse,*** ververSingskanaal *o.*; ***— de natation,*** zwembad *o.*; ***— de lit,*** steekpan *v.(m.)*.
bassinage [basina:j] *m.* besproeiing *v.*
bassine [basin] *f.* metalen pan *v.(m.)*.
bassiner [basiné] *v.t.* 1 (*v. bed*) verwarmen (met beddepan); 2 (*v. wonde*) betten; 3 (*v. planten, enz.*) besproeien, besprenkelen; 4 (*pop.*) vervelen.
bassinet [basinè] *m.* 1 bekkentje *o.*; 2 helm, stormhoed *m.*; 3 boterbloem *v.(m.)*; 4 (*v. oud geweer*) pan, kruitpan *v.(m.)*.
bassinoire [basinwa:r] *f.* 1 beddepan *v.(m.)*; 2 (*fig.*) zeurkous *v.(m.)*; 3 (*pop.*: *v. horloge*) knol *m.*
bassiste [ba'sist] *m.* bassist, basspeler, violoncelspeler *m.*
basson [ba'sõ] *m.* 1 fagot *m.*; 2 fagotspeler *m.*
bassoniste [ba'sònist] *m.* fagottist *m.*
baste [bast] I *ij.* 1 basta! genoeg! uit! 2 wat zou dat? II *s.*, *m.*, (*in omberspel*) basta *m.*
bastide [basti'd] *f.* 1 landhuisje, klein landgoed *o.*; 2 blokhuis *o.*
Bastille [basti'y] *f.* 1 burcht *m. en v.*, versterkt kasteel *o.*; 2 staatsgevangenis *v.* te Parijs tot 1789.
bastillé [bastiyé] *adj.* gekanteeld.
bastingage [bastẽ'ga:j] *m.*, (*v. schip*) verschansing *v.*, reling *v.(m.)*.
bastingue [bastẽ:g] *f.*, (*sch.*) schansdek *o.*
bastinguer [bastẽ'gé] I *v.t.* van een schansdek voorzien; II *v.pr.*, ***se —,*** zich verschansen.
bastion [bastyõ] *m.*, (*mil.*) bolwerk, bastion *o.*
bastionner [bastyòné] *v.t.* van bastions voorzien.
Bastogne [bastòñ] Bastenaken *o.*
bastonnade [bastòna'd] *f.* 1 stokslagen *mv.* (*Oosterse straf*); 2 (*fig.*) pak *o.* slaag, afrossing *v.*
bastringue [bastrẽ:g] *m.* (*pop.*) 1 kroegje *o.*; 2 danshuis *o.* [lijf *o.*
bas-ventre* [ba'vã:tr] *m.* onderbuik *m.*, onder-
Bas-Warneton [ba'varntõ] Neerwaasten *o.*
bât [ba] *m. of o.* zadel, pakzadel *m.*; ***savoir où le — le blesse,*** weten waar de schoen wringt.
bataclan [bataklã] *m.*, (*pop.*) rommel *m.*, santenkraam *v.(m.) en o.*
bataille [bata'y] *f.* 1 slag, veldslag *m.*; 2 gevecht *o.*, vechtpartij *v.*; ***champ de —,*** slagveld *o.*; ***en —,*** in slagorde; ***— navale,*** zeeslag; ***— de fleurs,*** bloemencorso *m. en o.*; ***— rangée,*** geregelde veldslag.
batailler [bata'yé] *v.i.* 1 vechten; 2 twisten; 3 (*fig.*: *tegen stroom, enz.*) worstelen.
batailleur [bata'yœ:r] I *adj.* strijdlustig; twistziek; II *s.*, *m.* vechtersbaas, twistzoeker *m.*
bataillon [bata'yõ] *m.* 1 (*mil.*) bataljon *o.*; 2 (*fig.*) (hele) troep *m.*; ***en —s serrés,*** in gesloten gelederen.
bâtard [ba'ta:r] I *adj.* onecht, bastaard—; 2 (*fig.*) halfslachtig; ***porte —e,*** grote deur; ***sucre —,*** basterdsuiker *m.*; II *s.*, *m.* bastaard *m.*
bâtarde [ba'tard] *f.* halflopend schrift *o.*
batardeau [ba'tardo] *m.* waterkering *v.*, dam *m.*
bâtardière [ba'tardyè:r] *f.* boomkwekerij *v.*
bâtardise [ba'tardi:z] *f.* bastaardij *v.*
batave [bata:v] I *adj.* Bataafs; II *s.*, *m.*, ***B—,*** Batavier *m.*
batavia [batavya] *f.* soort sla *v.(m.)*.
batavique [bata'vik] *adj.*, ***larme —,*** glastraan *m. en v.*
batavisme [bata'vizm] *m.* Nederlandse spreekwijze *v.(m.)*.
bâté [ba'té] *adj.* gezadeld; ***âne —,*** aartsezel, aartsdommerik *m.*
bateau [bato] *m.* 1 boot *m. en v.*, vaartuig *o.*; 2 (*v. rijtuig*) bak *m.*; ***— à vapeur,*** stoomboot *m. en v.*; ***— lesteur,*** ballastschuit *v.(m.)*; ***— de sauvetage,*** reddingboot; ***— ponté,*** zolderschuit; ***— plat,*** platboomde schuit; ***monter un — à qn.,*** iem. beetnemen, iem. iets op de mouw spelden, een loopje met iem. nemen.
bateau*-citerne* [batositèrn] *m.* tankschip *o.*
bateau*-drague* [batodra'g] *m.* baggerschuit *v.(m.)*.
bateau*-école* [batoékòl] *m.* opleidingsschip *o.*
bateau*-maison* [batomè'zõ] *m.* woonschip *o.*
bateau*-mouche* [batomuʃ] *m.* kleine passagiersboot *m. en v.* (op rivier).
bateau*-phare* [batofa:r] *m.* lichtschip *o.*
bateau*-pilote* [batopilòt] *m.* loodsboot *m. en v.*
bateau*-poste [batopòst] *m.* mailboot *m. en v.*
batée [baté] *f.* bak *m.* om goud te wassen.
batelage [batla:j] *m.* 1 (het) lossen en laden (me lichters); 2 goochelaarsbedrijf *o.*, goochelaarskunst *v.*
batelée [batlé] *f.* schuitslading *v.*
bateler [batlé] I *v.t.* in lichters (*of* in schuiten) vervoeren; II *v.i.* goochelen.
batelet [batlè] *m.* bootje, schuitje *o.*
bateleur [batlœ:r] *m.* goochelaar *m.*
batelier [batlyé] *m.* schipper; veerman *m.*
batellerie [batèlri] *f.* binnenscheepvaart *v.(m.)*.
bâter [ba'té] *v.t.*, (*v. lastdier*) zadelen.
bat-flanc [baflã] *m.* (*in stal*) zwevend schot *o.* tussen twee paarden.
bath [bat] *adj.*, (*pop.*) mooi, fijn.
bathymétrie [batimétri] *v.* dieptemeting *v.*
bathyscaphe [batiskaf] *m.* diepzeeduiktoestel *o.*
bathysphère [batisfè:r] *f.* diepzeegebied *o.*
bâti [ba'ti] *m.* 1 houten geraamte *o.*; 2 aaneengeregen kledingstuk *o.*; 3 rijgdraad *m.*; 4 (*fig.*) opzet *m.*; ***comme te voilà —!*** wat zie je er gek uit
bâtière [ba'tyè:r] *f.* zadeldak *o.*
batifolage [batifòla:j] *m.* gestoei *o.*
batifoler [batifòlé] *v.t.* stoeien.
batifoleur [batifòlœ:r] *m.* stoeier *m.*
batik [batik] *m.* batik *m.*
batiker [batiké] *v.i. et v.t.* batikken.
bâtiment [ba'timã] *m.* 1 gebouw *o.*; 2 schip *o.*; 3 bouwvak, bouwbedrijf *o.*
bâtir [ba'ti:r] *v.t.* 1 bouwen; 2 in elkaar zetten; 3 ineenrijgen; ***un homme bien bâti,*** een flink gebouwd man; ***bâti à chaux et à sable,*** 1 stevig gebouwd; 2 (*fig.*) stevig, van ijzer en staal.
bâtisse [ba'tis] *f.* 1 metselwerk *o.* (van gebouw); 2 groot (en lomp) gebouw *o.*

bâtisseur [ba'tisœ:r] *m.* **1** bouwlustig (*of* bouwziek) mens *m.*; **2** (*fig.*) ontwerper *m.*
batiste [batist] *f.* batist *o.*
bâton [batõ] *m.* **1** stok *m.*; **2** (*v. maarschalk, enz.*) staf *m.*; **3** (*v. chocolade*) reep *m.*; **4** (*v. lak, drop*) pijp *v.(m.)*; **5** (*v. krijt, enz.*) stuk *o.*; **6** (*v. stoel*) sport *v.(m.)*; **7** streepje *o.*; *— **à gant,*** handschoenenrekker *m.*; ***à —s rompus,*** te hooi en te gras; ***— de vieillesse,*** steun in de oude dag; ***mener qn. le — haut,*** iem. streng behandelen; ***mettre*** (*of* ***jeter***) ***des —s dans les roues,*** een spaak in 't wiel steken.
bâtonnat [batòna] *m.* dekenschap *o.*
bâtonner [batòné] *v.t.* **1** stokslagen geven; **2** doorhalen, (door)schrappen; **3** liniëren.
bâtonnet [batònè] *m.* **1** stokje *o.*; **2** staafje *o.*; **3** liniaaltje *o.*; **4** pinker *m.*
bâtonnier [batònyé] *m.* deken *m* (van de orde van advocaten).
bâtonniste [batònist] *m.*, (*sp.*) batonnist, stokvechter *m.*
batraciens [batrasyẽ] *m.pl.* kikvorsachtigen *mv.*
battage [bata:j] *m.* **1** (het) dorsen *o.*; **2** (het) kloppen, (het) slaan *o.*; **3** (het) karnen *o.*; **4** (het) helen *o.*; **5** (*fig.*) gezwets *o.*, bluf *m.*
battant [batã] **I** *adj.* slaande; ***tambour —,*** met slaande trom; ***mener qn. tambour —,*** iem. op de hielen zitten; ***pluie —e,*** slagregen *m.*; ***porte —e,*** klapdeur *v.(m.)*; **II** *adv.* ***tout — neuf,*** gloednieuw, splinternieuw, fonkelnieuw; **III** *s., m.* **1** (*v. deur*) vleugel *m.*; **2** (*v. klok*) klepel *m.*; **3** (*tn.: v. molen*) klapper *m.*; **4** (*v. vlag, wimpel*) wapperend gedeelte *o.*; **5** (*v. slot*) klink *v.(m.)*; **6** (*v. tafel*) klap *m.*; ***ouvrir à deux —s,*** wagenwijd openzetten.
batte [bat] *f.* **1** klopper *m.*; **2** kuipershamer *m.*; **3** ***— à beurre,*** karnstok *m.*; ***— de terrassier,*** aardplakker *m.*; **4** (*bij cricketspel*) bat, slaghout *o.*
battement [batmã] *m.* **1** (het) slaan *o.*; **2** (*v. hart, slagader*) (het) kloppen *o.*; **3** gestamp, gebeuk *o.*; **4** (*nat.: muz.*) zweving *v.*; **5** (*muz.*) triller *m.*; ***— d'ailes,*** geklapwiek, (het) klapwieken *o.*; ***— de tambour,*** geroffel *o.*; ***— des mains,*** handgeklap *o.*; ***un — de porte,*** het klappen van een deur; ***avoir des —s de cœur,*** hartkloppingen hebben.
batterie [batri] *f.* **1** (*mil.*; *el.*) batterij *v.*; **2** vechtpartij, kloppartij *v.*; **3** trommelslag, roffel *m.*; **4** (*v. orkest*) slagwerk *o.*, slaginstrumenten *mv.*; ***— de cuisine,*** (metalen) keukengerei, keukengereedschap *o.*; ***mettre en —,*** (*mil.*) opstellen; ***changer ses —s,*** (*fig.*) van tactiek veranderen; andere maatregelen nemen.
batteur [batœ:r] *m.* **1** vechtersbaas *m.*; **2** (*bij jacht*) drijver *m.*; **3** (*muz.*) slagwerker *m.*; ***— en grange,*** dorser *m.*; ***— de pavé,*** baliekluiver, straatslijper *m.*
batteuse [batö:z] *f.* dorsmachine *v.*
battoir [batwa:r] *m.* **1** (*v. wasvrouw*) klopper *m.*; **2** (*bij kaatsspel*) palet *o.*, kaatsplankje *o.*; **3** cricketbat *o.*; **4** (*pop.*) grote hand *v.(m.)*.
battologie [batòlòji] *f.* vervelende herhaling *v.* (van woorden).
battre* [batr] **I** *v.t.* **1** slaan; **2** kloppen; **3** (*v. vijand*) verslaan; **4** (*v. kaarten*) schudden, doorschudden; **5** (*v. koren*) dorsen; **6** (*v. tapijt*) kloppen, uitkloppen; **7** (*v. gips*) stampen; **8** (*v. boter*) karnen; **9** (*v. ei*) klutsen; **10** (*v. aarde*) aanstampen; **11** (*v. paal*) heien; ***les battus payent l'amende,*** de zwakke moet het gelag betalen; ***— la retraite,*** de aftocht blazen; ***— le fer,*** **1** het ijzer smeden; **2** schermen; ***— la grosse caisse,*** de grote trom roeren; ***— la semelle,*** **1** trappelen (om warm te worden); **2** stampvoeten; ***— une couture,*** een naad uitpersen; ***— en brèche,*** **1** (*mil.*) een bres schieten in; **2** (*fig.*) afbreken, weerleggen; ***— l'air, — l'eau,*** vergeefse moeite doen; ***— un record,*** een record slaan, — verbeteren; ***— pavillon anglais,*** de Engelse vlag voeren; ***— la campagne,*** **1** (*mil.*) op verkenning uitgaan; het land doorkruisen, doorzoeken; **2** (*fig.*) raaskallen, ijlen; ***les vagues battent la côte,*** de golven beuken tegen de kust; ***— monnaie de qc.,*** uit iets munt slaan; **II** *v.i.* **1** slaan; **2** (*v. hart, enz.*) kloppen; **3** (*v. regen, hagel*) kletteren (tegen); **4** (*v. deur*) klapperen; **5** (*v. water*) klotsen; ***— des ailes,*** klapwieken; ***il ne bat plus que d'une aile,*** hij is er slecht aan toe, het is weldra gedaan met hem; ***cet oiseau ne bat que d'une aile,*** die vogel is vleugellam, — fladdert hulpeloos rond; ***— des flancs,*** snel ademen, hijgen; ***— des mains,*** in de handen klappen; ***— son plein,*** in volle gang zijn; **III** *v.pr.*, ***se —,*** **1** vechten; **2** elkaar slaan; ***se — en duel,*** duelleren; ***se — les flancs,*** zich aftobben, zich uitsloven; ***je m'en bats l'œil,*** ik geef er geen zier om, ik trek mij er niets van aan, ik lap het aan mijn laars.
battu [batü] *adj.* **1** geslagen; **2** (*v. grond*) aangestampt; **3** (*v. weg*) gebaand; ***lait —,*** karnemelk *v.(m.)*; ***suivre le chemin —, suivre les sentiers —s,*** de oude sleur volgen; ***avoir les yeux —s,*** blauwe kringen om de ogen hebben.
battue [batü] *f.* drijfjacht, klopjacht *v.(m.)*.
batture [batü:r] *f.* **1** verguldsel *o.*; **2** lijm *m.* voor verguldsel *m.*; **3** ondiepte *v.*
bau [bo] *m.*, (*sch.*) dekbalk *m.*
bauche [bo:ʃ] *f.* grove mortel *m.* (van leem en stro).
baudet [bo'dè] *m.* **1** ezel *m.*; **2** sufferd *m.*
Baudouin [bo'dwẽ] *m.* Boudewijn *m.*
baudrier [bo'dryé] *m.* **1** bandelier *m.*; **2** sabelriem *m.*
baudroie [bo'drwa] *f.*, (*Dk.*) zeeduivel *m.*
baudruche [bo'drüʃ] *f.* goudvlies *o.*
bauge [bo:j] *f.* **1** (*v. wild zwijn*) leger *o.*; **2** (*v. eekhoorn*) nest *o.*; **3** (*fig.*) vuil hok *o.*; **4** grove mortel *m.*
baume [bo'm] *m.* **1** balsem *m.*; **2** (*fig.*) troost *m.*
baumier [bo'myé] *m.* balsemboom *m.*
bauque [bo:k] *f.* zeegras *o.*
bauxite [boksit] *f.* bauxiet *o.*
bavard [bava:r] **I** *adj.* babbelachtig, praatziek; **II** *s., m.* babbelaar *m.*
bavardage [bavarda:j] *m.* gebabbel, geklets, kletspraatje *o.*
bavarder [bavardé] *v.i.* babbelen, kletsen.
bavarois [bavarwa] **I** *adj.* Beiers; **II** *s., m.*, ***B—,*** Beier *m.*
bavaroise [bavarwa:z] *f.* koude toespijs *v.(m.)* met chocolade, rum enz.
bave [ba:v] *f.* **1** kwijl *v.(m.) en o.*, zever *m.*; **2** (*v. slak, enz.*) slijm *o. en m.*
baver [ba'vé] *v.i.* **1** kwijlen, zeveren; **2** (*dicht.: v. zee*) schuimen; **3** (*fig.*) ***— sur qn.,*** iem. bekladden.
bavette [ba'vèt] *f.* **1** slabbetje *o.*; **2** befje *o.*; **3** (*v. vlees*) dunne klapstuk *o.*; ***tailler une —,*** een praatje maken.
baveur [ba'vœ:r] *m.* kwijler *m.*
baveuse [ba'vö:z] *f.*, (*Dk.*) slijmvis *m.*
baveux [ba'vö] *adj.* **1** kwijlend; **2** (*v. omelet*) halfgaar; **3** (*drukk.*) smerig; ***un trait —,*** een onzuivere streep.
Bavière [bavyè:r] *f.* Beieren *o.*
bavocher [bavòʃé] *v.t.* onzuiver afdrukken (*of* tekenen).
bavochure [bavòʃü:r] *f.* onzuivere afdruk *m.* (*of* tekening *v.*).
bavoir [bavwa:r] *m.* slabbetje, befje, kwijldoekje *o.*

bavolet [bavòlè] *m.* boerinnenmuts *v.(m.)*.
bavure [bavü:r] *f.*, (*op gegoten voorwerpen*) vormnaad, gietnaad *m.*, braam *v.(m.)*.
bayadère [bayadè:r] *f.* bajadere, Indische danseres *v.*
bayer [bèyé] *v.i.* gapen, met open mond staan kijken; — ***aux corneilles***, staan te gapen.
bayeur [bèyœ:r] *m.* gaper, lanterfanter *m.*
bazar [baza:r] *m.* **1** warenhuis *o.*, bazaar *m.*; **2** (*in 't Oosten*) markt *v.(m.)*; **3** (*fig.*: *pop.*) rommel *m.*; ***tout le —***, de hele rommel, de hele santenkraam *v.(m.) en o.*
bazarder [bazardé] *v.t.*, (*pop.*) verkwanselen.
bazooka [bazu˙ka] *m.* bep. antitankwapen *o.*
béant [béã] *adj.* gapend, wijd open.
béarnais [béarnè] **I** *adj.* uit Béarn; **II** *s.*, *m.*, ***le B—***, (*gesch.*) Hendrik IV.
béat [béa] *adj.* **1** gelukzalig; **2** (*ong.*) voldaan; **3** schijnvroom, schijnheilig; ***une expression —e***, een uitdrukking van voldaanheid.
béatification [béatifikɑ˙syõ] *f.* zaligverklaring *v.*
béatifier [béatifyé] *v.t.* zaligverklaren.
béatifique [béatifik] *adj.* zaligmakend; ***la Vision —***, het zaligmakend Aanschouwen (in de hemel).
béatitude [béatitü˙d] *f.* **1** gelukzaligheid *v.*; **2** (*fig.*) volmaakt geluk *o.*; ***les huit B—s***, de acht zaligheden.
Béatrice [béatris] *f.* Beatrix *v.*
beau [bo] (*vóór klinker*: **bel**; *fém.*: ***belle*** [bèl]) **I** *adj.* **1** mooi, schoon; **2** knap; **3** keurig; **4** flink, groot; ***avoir — jeu***, vrij spel hebben; (*kaartsp.*) goede kaarten hebben; ***— comme le jour***, wonderschoon; ***le — monde***, de grote wereld; ***un — jour***, op zekere dag; ***il y a — temps***, 't is een hele tijd geleden; ***au — milieu de la rue***, zo maar midden in de straat; ***au — milieu de l'été***, in het hartje van de zomer; ***le bel âge***, de jeugd, de mooie jaren; ***un bel âge***, een hoge (*of* gevorderde) leeftijd; ***une belle mer***, een kalme zee; ***en faire de belles***, mooie streken uithalen; ***il en verra de belles***, hij zal nog heel wat beleven; ***j'en ai vu de belles***, ik heb wat beleefd; ***il l'a échappé belle***, hij is op het kantje af ontsnapt, hij is de dans ontsprongen; ***mourir de sa belle mort***, een natuurlijke dood sterven; ***mordre à belles dents dans qc.***, gretig in iets bijten; ***arranger*** (*of* ***rosser***) ***de la belle façon***, duchtig toetakelen (*of* afranselen); ***coucher à la belle étoile***, onder de blote hemel slapen; ***de plus belle***, opnieuw, nog harder; ***une belle peur***, een danige schrik; ***vous avez — parler***, u hebt goed praten; ***nous avions — chercher...***, hoe wij ook zochten...; ***pour les —x yeux de qn.***, alleen om iem. plezier te doen; **II** *s.*, *m.* **1** (het) mooie, (het) schone *o.*; **2** fat, modegek *m.*; ***un vieux —***, een oude gek; ***faire le —***, **1** pronken (als een pauw); **2** (*v. hond*) opzitten, mooi zitten; ***le temps se met au —***, het wordt mooi weer; ***belle***, *f.* **1** schone *v.*; **2** beslissende partij *v.*; **3** beminde *v.*; ***la Belle au bois dormant***, de Schone Slaapster.
beauceron [bo˙srõ] *adj.* uit Beauce.
beaucoup [boku] *adv.* veel; ***de —***, verre, verreweg; ***à — près***, op verre na; ***il s'en faut de —***, het scheelt veel.
beau*-fils [bo˙fis] *m.* **1** stiefzoon *m.*; **2** schoonzoon *m.*
beau*-frère* [bo˙frè:r] *m.* schoonbroeder, zwager *m.*
beau*-père* [bo˙pè:r] *m.* **1** schoonvader *m.*; **2** stiefvader *m.*
beaupré [bo˙pré] *m.*, (*sch.* boegspriet *m.*
beauté [bo˙té] *f.* schoonheid, mooiheid *v.*; (het) mooie *o.*; ***de toute —***, allermooist.
Beauvechain [bo˙vʃẽ] Bevekom *o.*
beaux-arts [bo˙za:r] *m.pl.* schone kunsten *mv.*
beaux-parents [bo˙parã] *m.pl.* schoonouders *mv.*
bébé [bé˙bé] *m.* **1** zuigeling, baby *m.*, kindje *o.*; **2** pop *v.(m.)*.
bébête [bébè:t] *adj.*, (*pop.*) onnozel, flauw, kinderachtig.
bec [bèk] *m.* **1** (*v. vogel*) snavel *m.*; **2** (*v. pen*) bek *m.*, punt *m.*; **3** (*v. lamp*) pit *v.(m.)*, brander *m.*; **4** (*v. kan, theepot*) tuit *v.(m.)*; **5** (*v. instrument*) mondstuk *o.*; **6** (*v. brugpijler, enz.*) uitstek, uitsteeksel *o.*, punt *m.*; **7** (*pop.*) mond *m.*; bekje *o.*; ***— de gaz***, **1** gaspit *v.(m.)*; **2** straatlantaarn *v.(m.)*; ***avoir — et ongles***, haar op de tanden hebben; ***avoir bon —***, niet op zijn mondje gevallen zijn; ***avoir le — gelé***, met de mond vol tanden staan; ***c'est un fin —***, het is een lekkerbek; ***clore le — à qn.***, iem. de mond snoeren; ***cela lui passera devant le —***, dat zal zijn neus voorbijgaan; ***montrer à qn. son — jaune***, iem. laten zien hoe onnozel hij is, — hoe onwetend hij is.
bécane [békan] *f.*, (*pop.*) karretje *o.*, fiets *m. en v.*
bécarre [béka:r] *m.*, (*muz.*) herstellingsteken *o.*
bécasse [békas] *f.* **1** (*Dk.*) snip *v.(m.)*; **2** (*fig.*: *v. vrouw*) uilskuiken *o.*
bécasseau [békaso] *m.* **1** jonge snip *v.(m.)*; **2** strandloper *m.*
bécassine [békasin] *f.* rietsnip, watersnip *v.(m.)*
bec*-croisé* [bèkkrwɑ˙zé] *m.*, (*Dk.*) kruisbek *m.*
bec*-d'âne [bèdɑ:n] *m.* aanslagbeitel, schietbeitel *m.*
bec*-de-cane [bègdekan] *m.* **1** kogeltang *v.(m.)*; **2** deurknop *m.*; kruk *v.(m.)* van loopslot.
bec*-de-corbin [bègdekòrbẽ] *m.* ravebek *m.* (*werktuig*).
bec*-de-lièvre [bègdelyè:vr] *m.* hazelip *v.(m.)*.
bec*-en-ciseaux [bèkãsizo] *m.*, (*Dk.*) schaarbek *m.*
becfigue [bèkfi˙g] *m.*, (*Dk.*) vijgeneter *m.*
bec*-fin* [bèkfẽ] *m.* mus *v.(m.)*.
bêchage [bè˙ʃa:j] *m.* (het) spitten *o.*
béchamel(le) [béʃamèl] *f.* witte melksaus *v.(m.)*.
bêche [bè:ʃ] *f.* spade, schop *v.(m.)*.
bêcher [bè˙ʃé] *v.t.* omspitten.
bêcheur [bè˙ʃœ:r] *m.* **1** spitter *m.*; **2** (*pop.*) kwaadspreker *m.*
béchique [béʃik] **I** *adj.* hoeststillend; **II** *s.*, *m.* hoestmiddel *o.*
bec*-jaune*, *voir* ***béjaune***.
bécot [béko] *m.*, (*pop.*) kusje, zoentje *o.*
bécoter [békòté] *v.t.*, (*pop.*) zoenen, een kusje geven (aan).
be(c)quée [bèké] *f.* 'n snavel *m.* vol; ***donner la — à***, voeren, voederen.
becquet [bèkè, békè] *m.* **1** (*v. schoen*) neusje *o.*; **2** (*pop.*) zalm *m.*
be(c)queter* [bèkté] **I** *v.t.* **1** pikken, oppikken; **2** (*pop.*) bikken; **II** *v.pr.*, ***se —***, **1** elkaar pikken; **2** trekkebekken.
bedaine [bedè˙n] *f.* buikje *o.*, dikke buik *m.*
bédane *m.* *voir* ***bec-d'âne***.
bedeau [bedo] *m.* koster *m.*
bedol(l)e [bedòl] *f.* (*arg.*) domoor *m.-v.*
bedon [bedõ] *m.* **1** dikke buik *m.*; **2** dikzak *m.*
bedonner [bedòné] *v.i.* een buikje hebben, — krijgen.
Bédouin [bédwẽ] *m.* bedoeïen *m.*
bée [bé] *adj.*, ***bouche —***, met open mond.
béer [béé], *voir* ***bayer***.
beffroi [bèfrwa] *m.* **1** belfort *o.*, klokketoren *m.*; **2** alarmklok, grote klok *v.(m.)*; **3** klokkestoel *m.*; ***sonner le —***, de alarmklok luiden.
bégaiement, bégayement [bégèymã] *m.* (het) stotteren; (het) stamelen *o.*
bégayer [bégèyé] **I** *v.i.* stotteren; stamelen; **II** *v.t.* stotteren, stotterend uitbrengen.

bégonia [bégònya] *m.*, (*Pl.*) begonia *v.*(*m.*).
bégu [bégü] *adj.*, (*v. paard*) aftands.
bègue [bè'g] **I** *adj.* stotterend; **II** *s.*, *m.* stotteraar, stamelaar *m.*
bégueter [bégété] *v.i.* mekkeren.
bégueule [bégœl] **I** *adj.* (overdreven) preuts, nuffig; **II** *s.*, *f.* nufje *o.*
bégueulerie [bégœlri] *f.* preutsheid, nuffigheid *v.*
béguin [bégě] *m.* **1** begijnenmuts *v.*(*m.*); **2** kindermuts *v.*(*m.*); **3** (*pop.*) liefde, voorliefde *v.*; ***laver le — à qn.***, iem. de mantel uitvegen.
béguinage [bégina:j] *m.* begijnhof *o.*
béguine [bégin] *f.* **1** begijn *v.*; **2** (*fig.*) kwezel, femelaarster *v.*
beige [bè:j] *adj.* beige, grijsbruin; ***laine —***, ongeverfde wol.
beigne [bè:ñ] *f.*, (*pop.*) opstopper *m.*
beignet [bèñè] *m.* beignet *m.*; poffertje *o.*
béjaune [béjo:n] *m.* **1** jonge vogel, nestvogel *m.*; **2** melkmuil *m.*
bel, *voir* ***beau.***
bêlement [bè'lmã] *m.* geblaat *o.*
bélemnite [bélèmnit] *f.* belemniet, dondersteen [*m.*
bêler [bè'lé] *v.i.* blaten.
bel*-esprit* [bèlèspri] *m.* **1** geletterde *m.*; **2** (*ong.*) salonletterkundige *m.*
belette [b(e)lèt] *f.* wezel *v.*(*m.*).
belge [bèlj] **I** *adj.* Belgisch; **II** *s.*, *m.*, ***B—***, Belg *m.*
belgicisme [bèljisizm] *m.* Belgische zegswijze *v.*(*m.*), belgicisme *o.*
Belgique [bèljik] *f.* België *o.*
Belgrade [bèlgra'd] *f.* Belgrado *o.*
bélier [bé'lyé] *m.* **1** (*Dk.*) ram *m.*; **2** (*mil.*: *oud*) stormram *m.*, rammei *v.*(*m.*); **3** (*tn.*) heiblok *o.*
bélière [bélyè:r] *f.* **1** (*v. belhamel*) bel *v.*(*m.*), belletje *o.*; **2** (*v. klok*) ring, klepelring *m.*
belinogramme [bélinogram] *m.* telegrafisch overgebrachte foto *v.*(*m.*).
bélître [bélitr] *m.* prul, prullevent, man van niets [*m.*
belladone [bèladòn] *f.*, (*Pl.*) nachtschade, belladonna *v.*(*m.*).
bellâtre [bèla:tr] **I** *adj.* popperig mooi; **II** *s.*, *m.* pronker, fat, behaagziek man *m.*
belle, *voir* ***beau.***
belle*-de-jour [bèldeju:r] *f.*, (*Pl.*) (driekleurige) winde *v.*(*m.*). [*v.*(*m.*).
belle*-de-nuit [bèldenwi] *f.*, (*Pl.*) nachtschone
belle*-fille* [bèlfi'y] *f.* **1** stiefdochter *v.*; **2** schoondochter *v.*
belle*-fleur* [bèlflœ:r] *f.* bellefleur *m.* (*appel*).
bellement [bèlmã] *adv.* **1** zachtjes, zacht wat!; **2** netjes, aardig.
belle*-mère* [bèlmè:r] *f.* **1** schoonmoeder *v.*; **2** stiefmoeder *v.* [kunde *v.*
belles-lettres [bèllètr] *f.pl.* letteren *mv.*, letter-
belle*-sœur* [bèlsœ:r] *f.* schoonzuster *v.*
belliciste [bèlisist] *m.* voorstander *m.* van oorlog.
belligérance [bèlijérã:s] *f.* staat *m.* van oorlog.
belligérant [bèlijérã] **I** *adj.* oorlogvoerend; **II** *s.*, *m.* oorlogvoerende *m.*
belliqueux [bèlikö] *adj.* **1** oorlogszuchtig, krijgshaftig; **2** (*fig.*) strijdlustig.
bellot [bèlo] **I** *adj.* (*f.*: ***bellotte*** [bèlòt]) snoezig; **II** *s.*, *m.* snoesje, schatje *o.*
bellotte, *voir* ***bellot.***
belluaire [bèlwè:r] *m.* **1** dierentemmer *m.*; **2** (*oudh.*) dierenbevechter *m.*
belote [b(e)lòt] *f.* (het) kruisjassen *o.*; ***jouer à la —***, kruisjassen.
béluga [bélüga] *m.* poolzeedolfijn *m.*
belvédère [bèlvédè:r] *m.* **1** mooi uitzicht *o.*; **2** koepel; toren *m.* (met mooi uitzicht).
Belzébuth [bèlzébüt] *m.* Beëlzebub *m.*
bémol [bémòl] *m.*, (*muz.*) mol *v.*(*m.*).
bémoliser [bémòlizé] *v.t.*, (*muz.*) van een molteken voorzien, een halve toon verlagen.
bénarde [bénard] *f.*, (*adj.*: ***serrure —e***) (*tn.*) dubbel slot, slot *o.* dat aan beide zijden open kan.
bénédicité [bénédisité] *m.* gebed *o.* vóór de maaltijd.
bénédictin [bénédiktě] *m.* benedictijn, benedictijner monnik *m.*; ***travail de —***, monnikenwerk *o.*; ***—e***, (*likeur*) benedictine *v.*(*m.*).
bénédiction [bénédiksyõ] *f.* **1** zegen *m.*; **2** (*v huwelijk*) inzegening *v.*; **3** (*v. klok*) wijding *v.*; ***donner la — nuptiale***, het huwelijk inzegenen; (*fig.*) ***quelle —!*** wat een geluk.
bénéfice [bénéfis] *m.* **1** winst *v.*; **2** voordeel *o.*; **3** voorrecht *o.*; **4** (*gesch.*) prebende *v.*(*m.*); ***—s de guerre***, oorlogswinst *v.*; ***solde en —***, batig saldo *o.*; ***au — de***, ten bate van, ten voordele van; ***accepter sous — d'inventaire***, aanvaarden onder voorrecht van boedelbeschrijving; ***admettre qc. sous — d'inventaire***, iets geloven onder voorbehoud; ***représentation à —***, benefietvoorstelling *v.*, benefiet *o.*
bénéficiaire [bénéfisyè:r] **I** *m.* **1** erfgenaam *m.* onder voorrecht van boedelbeschrijving; **2** begunstigde, bevoorrechte *m.*; **3** beneficiant *m.* (van een benefiet); **4** (*H.*: *v. wissel*) nemer *m.*; **II** *adj.* winstgevend, winst—.
bénéficial [bénéfisyal] *adj.* prebende—; ***revenus bénéficiaux***, (*gesch.*) prebende-inkomsten *mv.*, inkomsten van een kerkelijk ambt.
bénéficier [bénéfisyé] **I** *m.*, (*gesch.*) **1** beneficiarius *m.*; **2** provenier *m.*; **II — (*de*)** *v.i.* **1** voordeel trekken (uit), profiteren (van); **2** (*v. voordeel, enz.*) genieten.
bénéfique [bénéfik] *adj.* weldadig.
Benelux [bénélüks] *m.* Benelux *v.*
benêt [benè] **I** *adj.* onnozel, dom; **II** *s.*, *m.* uilskuiken *o.*, domoor *m.*
Bénévent [bénévã] Benevento *o.* [**2** vrijwillig.
bénévole [bénévòl] *adj.* **1** goedgunstig, welwillend;
bénévolement [bénévòlmã] *adv.* **1** met genoegen, volgaarne; **2** goedwillig.
Bengale [bě'gal] *m.* Bengalen *o.*; ***feux de —***, Bengaals vuur *o.* [Bengali *m.*
bengali [bě'gali] **I** *adj.* Bengaals; **II** *s.*, *m.*, ***B—***,
bénigne, *voir* ***bénin.***
bénignement [béniñmã] *adv.* goedaardig.
bénignité [béniñité] *f.* goedaardigheid *v.*
bénin [béně] *adj.* (*f.*: ***bénigne*** [béniñ]) **1** goedaardig, zachtaardig; **2** (*v. geneesmiddel*) zacht, zachtwerkend; **3** weldadig; ***une opération —***, een ongevaarlijke operatie *v.*
bénir [bé'ni:r] *v.t.* **I** (part. passé: béni) **1** zegenen; **2** inzegenen; **II** (part. passé: bénit); **1** wijden; **2** inwijden.
bénisseur [bé'nisœ:r] *m.* mooiprater *m.*
bénit [bé'ni] *adj.* gewijd; ***eau —e***, wijwater *o.*
bénitier [bé'nityé] *m.* wijwatervat *o.*
Benjamin [bě'jamě] *m.* **1** Benjamin *m.*; **2** troetelkind *o.*, lieveling *m.*
benjoin [bě'jwě] *m.* benzoë *v.*(*m.*), benzoëhars *o. en m.*; ***teinture de —***, benzoëtinctuur *v.*(*m.*).
benne [bèn] *f.* **1** mand *v.*(*m.*); **2** (grote) kolenmand *v.*(*m.*); **3** bak (voor mijnwerkers) *m.*
Benoît [benwa] *m.* Benedictus *m.*
benoît [benwa] *adj.* zoetsappig, schijnheilig.
benoîte [benwat] *f.*, (*Pl.*) nagelkruid *o.*
benzine [bě'zin] *f.* benzine *v.*(*m.*).
benzoïque [bě'zòik] *adj.*, ***acide —***, benzoëzuur *o.*
benzol [bě'zòl] *m.* benzol *o. en m.*

béotien [béosyẽ] **I** *adj.* **1** Beotisch; **2** (*fig.*) bot, ongeletterd; **II** *s., m.* **1** *B—*, Beotiër *m.*; **2** b—, (*fig.*) botterik *m.*
béotisme [béòtizm] *m.* stompzinnigheid *v.*
bequée, bequeter, *voir* ***becquée, becqueter.***
béquillard [békiya:r] *m.* man *m.* op krukken.
béquille [béki'y] *f.* **1** kruk *v.*(*m.*); **2** deurknop *m.*; **3** korte hark *v.*(*m.*); **4** (*v. schip*) stut *m.*
béquiller [békiyé] **I** *v.i.* op krukken gaan; **II** *v.t.*, (*v. schip*) stutten.
béquillon [békiyõ] *m.* krukstok *m.*
ber [bèr] *m.*, (*sch.*) slede *v.*(*m.*) (voor schip dat van stapel loopt).
berbère [bèrbè'r] **I** *adj.* Berber—; **II** *s., m.* Berbertaal *v.*(*m.*).
berbéris [bèrbéri] *m.*, (*Pl.*) berberis *v.*(*m.*).
bercail [bèrka'y] *m.* schaapskooi *v.*(*m.*); ***rentrer au —,*** **1** terugkeren in de schoot van de Kerk; **2** terug naar huis komen; ***ramener au —,*** weer op de goede weg brengen.
berce [bèrs] *f.*, (*Pl.*) bereklauw *m. en v.*
berceau [bèrso] *m.* **1** wieg *v.*(*m.*); **2** bakermat, kweekplaats *v.*(*m.*); **3** (*in tuin*) prieel *o.*; ***dès le —,*** van kindsbeen af, sedert de kinderjaren.
bercelonnette [bèrselònèt] *f.* wiegje *o.*
bercement [bèrsemã] *m.* gewieg; geschommel *o.*
bercer [bèrsé] **I** *v.t.* **1** wiegen; schommelen; **2** in slaap wiegen; **3** paaien; **II** *v.pr.*, ***se —,*** wiegelen; ***se — de,*** zich vleien met.
berceuse [bèrsö:z] *f.* **1** wiegelied(je) *o.*; **2** schommelstoel *m.*
Berchem-Sainte-Agathe Sint-Agatha-Berchem *o.*
Berchem-Saint-Laurent Sint-Laureins-Berchem *o.*
béret [bérè] *m.* baret; (platte) muts *v.*(*m.*).
bergamasque [bèrgamask] *adj.* uit Bergamo.
Bergame [bèrgam] *f.* Bergamo *o.*
bergamote [bèrgamòt] *f.* **1** bergamotpeer *v.*(*m.*); **2** bergamotcitroen *m. en v.*; ***essence de —,*** bergamotolie *v.*(*m.*).
bergamotier [bèrgamòtyé] *m.* bergamotboom *m.*
berge [bèrj] *f.* **1** waterkant, oever *m.*; **2** berm *m.*
berger [bèrjé] *m.* herder *m.*; ***l'étoile du —,*** de avondster, Venus *v.*(*m.*).
bergère [bèrjè:r] *f.* **1** herderin *v.*; **2** (opgevulde) leuningstoel *m.*; **3** (*Dk.*) kwikstaart *m.*
bergerette [bèrjerèt] *f.* **1** herderinnetje *o.*; **2** (*Dk.*) kwikstaartje *o.*; **3** herderszang *m.*
bergerie [bèrjeri] *f.* **1** schaapskooi *v.*(*m.*); **2** herdersgedicht *o.*, herderszang *m.*
bergeronnette [bèrjerònèt] *f.*, (*Dk.*) kwikstaartje *o.*
Bergilers [bèrjilè:r] Belliek *o.*
béribéri [béribéri] *m.* beriberi *v.*(*m.*).
berle [bèrl] *f.*, (*Pl.*) watereppe *v.*(*m.*).
Berlin [bèrlẽ] *m.* Berlijn *o.*
berline [bèrlin] *f.* **1** (*oud*) reiskoets *v.*(*m.*); **2** (*in mijn*) kolenwagentje *o.*
berlingot [bèrlẽgo] *m.* **1** coupé *m.*; **2** (*v. rijtuig*) rammelkast *v.*(*m.*); **3** ulevel *v.*(*m.*).
berlinois [bèrlinwa] **I** *adj.* Berlijns; **II** *s., m., B—,* Berlijner *m.*
béril, *voir* ***béryl.***
berloque, *voir* ***breloque.***
berlue [bèrlü] *f.*, (*gen.*) schemering *v.* (voor de ogen); ***avoir la —,*** **1** niet goed zien; **2** verkeerd oordelen, de zaak verkeerd inzien; **3** niet goed wijs zijn.
berme [bèrm] *f.* berm *m.*
Bermudes, *les —* [lèbèrmü'd] *f.pl.*, Bermuda-eilanden *mv.*
bernache [bèrnaʃ], **bernacle** [bèrnakl] *f.* **1** eendemossel *v.*(*m.*); **2** rotgans *v.*(*m.*).
Bernard [bèrna:r] *m.* Bernardus; Barend *m.*; ***Saint-—,*** St.-Bernard (berg, hond).
bernardin [bèrnardẽ] *m.* bernardijn *m.* (*monnik*).
bernardine [bèrnardin] *f.* bernardijne *v.* (*kloosterzuster*).
bernard-l'ermite [bèrna:rlèrmit] *m.*, (*Dk.*) kluizenaarskreeft *m. en v.*, eremietkrab *v.*(*m.*).
Berne [bèrn] *f.* Bern *o.*
berne [bèrn] *f.* **1** jonasdeken *v.*(*m.*); **2** (het) jonassen *o.*; **3** (*fig.*) spotternij, bespotting *v.*; ***mettre le pavillon en —,*** de vlag halfstok hijsen.
bernement [bèrnemã] *m.* **1** (het) jonassen *o.*; **2** (het) bespotten *o.*, spotternij *v.*
berner [bèrné] *v.t.* **1** jonassen (in een deken opgooien); **2** bespotten; **3** beetnemen, foppen.
berneur [bèrnœ:r] *m.* fopper *m.*
bernique [bèrnik] *ij.* mis! morgen brengen!
bernois [bèrnwa] **I** *adj.* Berner; **II** *s., m., B—,* Berner *m.*
berquinade [bèrkina'd] *f.* flauw verhaaltje *o.*
berrichon [bèriʃõ] **I** *adj.* uit Berry; **II** *s., m.,* **B—,** bewoner *m.* van Berry.
bersaglier [bèrsalyé] *m.* bersagliere, Italiaanse infanterist *m.*
Berthe [bèrt] *f.* Bertha *v.*; ***b—,*** **1** kanten kraag *m.*; **2** melkbus *v.*(*m.*).
bertillonnage [bèrtiyòna:j] *m.* antropometrische identificatiemethode *v.*
Bertrand [bèrtrã] *m.* Bertram *m.*
béryl, béril [beril] *m.* berilsteen *m.*
besace [b(e)zas] *f.* **1** bedelzak *m.*; **2** (*fig.*) bedelstaf *m.*
besacier [b(e)zasyé] *m.* bedelaar *m.*
besaigre [bezè:gr] *adj.*, (*v. wijn*) zurig.
besaiguë [bezègü] *f.* **1** (*v. timmerman*) steekbijl *v.*(*m.*); **2** glazenmakershamer *m.*
besant [bezã] *m.* **1** oude Byzantijnse goudmunt *v.*(*m.*); **2** ronde schijf op een wapen; **3** (*bouwk.*) vooruitspringende geornementeerde schijf op gevel.
besas [bezas], **beset** [bezè] *m.* (*in dobbelspel*) dubbel aas *m. of o.*
besicles [bezikl] *f.pl.* ouderwetse bril *m.*, fok *v.*(*m.*).
bésigue [bézi'g] *m.* bezique *o.* (*kaartspel*).
besogne [b(e)zòñ] *f.* werk *o.*, bezigheid *v.*; ***la grosse —,*** het ruwe werk; ***abattre de la —,*** veel (werk) afdoen; ***aller vite en —,*** voortvarend zijn; ***c'est de la belle —,*** **1** dat is mooi afgewerkt, dat is een knap stuk werk; **2** (*iron.*) dat is wat moois!
besogner [b(e)zòñé] *v.i.* ploeteren.
besogneux [b(e)zòñö] *adj.* behoeftig.
besoin [b(e)zwẽ] *m.* **1** behoefte *v.*; **2** gebrek *o.*, nood *m.*, behoeftigheid *v.*; ***avoir — de,*** nodig hebben; ***être dans le —,*** behoeftig zijn, gebrek lijden; ***adresse au —,*** (*H.*: *op wissel*) noodadres *o.*; ***pour le — de la cause,*** **1** omdat het in zijn kraam te pas komt; **2** om iem. te redden; ***au —,*** desnoods.
bessemer [bèsmè:r] *m.* bessemerpeer *v.*(*m.*) (voor staalbereiding).
bestiaire [bèstyè:r] *m.* **1** (*gesch.*) dierenbevechter *m.*; **2** (*in middeleeuwse lett.*) dierenboek *o.*
bestial(ement) [bèstyal(mã)] *adj.* (*adv.*) beestachtig.
bestialité [bèstyalité] *f.* beestachtigheid *v.*
bestiaux [bèstyo] *m.pl.* vee *o.*
bestiole [bèstyòl] *f.* beestje, diertje *o.*
best-seller* [bèstsélœ:r] *m.* bestseller *m.*
bêta [bè:ta] *m.* domkop, uil *m.*, uilskuiken *o.*
bétail [béta'y] *m.* vee *o.*; ***gros —,*** groot vee; ***menu —,*** klein vee *o.*
bêtatron [bè:tatrõ] *m.* bêtatron *o.*, apparaat om snelheid van elektronen te verhogen.
bête [bè:t] **I** *f.* **1** beest, dier *o.*; **2** (*fig.*) domkop, uil *m.*; ***—s fauves,*** **1** rood wild *o.*; **2** wilde dieren

mv.; **—s à corne,** hoornvee *o.*; **—s à laine,** wolvee *o.*; **— de somme,** lastdier; **— de trait,** trekdier; **— à bon Dieu,** onze-lieve-heersbeestje *o.*; **une bonne —,** een goeie sukkel *m.*; **faire la —, 1** zich van de domme houden; **2** dwaasheden uithalen; **c'est ma — noire,** ik kan dat (*of* hem) niet luchten of zien; **chercher la petite —,** vitten, spijkers op laag water zoeken; **II** *adj.* **1** dom; **2** dwaas, onnozel; **3** (*v. boek, enz.*) flauw, vervelend; **4** suf; **avoir l'air —,** er dom uitzien; **— à manger du foin, — comme ses pieds, — comme chou,** aartsdom, zo dom als het achtereind van een varken.

bétel [bétèl] *m.*, (*Pl.*) betel *v.*(*m.*).

bêtement [bè'tmã] *adv.* **1** dom; **2** werktuigelijk; **il l'a cru —,** hij is dwaas genoeg geweest om het te geloven.

Bethléem [bètléèm] *f.* Bethlehem *o.*

bêtifier [bè'tifyé] **I** *v.t.* afstompen; **II** *v.i.* flauw doen.

bêtise [bè'ti:z] *f.* **1** domheid *v.*; **2** dwaasheid, stommiteit *v.*; **3** flauwe praat, onzin *m.*; **4** kleinigheid, beuzelarij *v.*; **faire des —s,** domme streken uithalen; **perdre son temps à des —s,** zijn tijd verspillen met beuzelarijen.

béton [bétõ] *m.* beton *o.*; **— armé,** gewapend beton, ijzerbeton *o.*

bétonnage [bétòna:j] *m.* betonwerk *o.*

bétonner [bétòné] *v.t.* betonneren.

bétonnière [bétònyè:r] *f.* betonmolen *m.*

bette [bèt] *f.*, (*Pl.*) snijbiet *v.*(*m.*).

betterave [bètra:v] *f.* beetwortel *m.*; **— à sucre,** suikerbiet *v.*(*m.*); **— fourragère,** voederbiet *v.*(*m.*); **— rouge,** kroot *v.*(*m.*).

betteravier [bètravyé] **I** *m.* **1** beetwortelteler; **2** beetwortelarbeider; **II** *adj.* beetwortel —.

Bettincourt [bètènku'r] Bettenhoven *o.*

beuglant [bœ'glã] *m.*, (*pop.*) tingeltangel *m.*

beuglement [bœ'glemã] *m.* **1** geloei, gebulk *o.*; **2** (*fig.*) gebrul *o.*

beugler [bœ'glé] *v.i.* **1** loeien, bulken; **2** schreeuwen, brullen.

beurre [bœ:r] *m.* **1** boter *v.*(*m.*); **2** (*fig.*: *pop.*) geld *o.*; **— frais,** ongezouten boter; **lait de —,** karnemelk *v.*(*m.*); **battre le —,** karnen; **— noir,** bruin gebraden boter; **— de coco,** kokosvet *o.*; **c'est l'assiette au —,** het is vetpot; **un œil au — noir,** een blauw oog; **cela se vend comme du beurre,** dat vliegt weg; **mettre du — dans les épinards,** er bovenop komen; **cela va mettre du — dans ses épinards,** daar zal hij een buitenkansje aan hebben; **promettre plus de — que de pain,** meer beloven dan men geven kan; **faire son —,** grof geld verdienen; zijn slag slaan; **avoir du —,** er goed bij zitten.

beurré [bœ'ré] *m.*, (*Pl.*) boterpeer *v.*(*m.*).

beurrée [bœ'ré] *f.* boterham *m. en v.*

beurrer [bœ'ré] *v.t.* met boter besmeren, boteren.

beurrerie [bœ'reri] *f.* boterfabriek *v.*

beurrier [bœ'ryé] **I** *m.* **1** boterboer *m.*; **2** botervlootje *o.*; **II** *adj.* boter—.

beuverie [bœ'vri] *f.* drinkgelag *o.*, zuippartij *v.*

bévue [bévü] *f.* flater, misslag *m.*, vergissing *v.*, blunder *m.*

bey [bè] *m.*, (*in Turkije*) bey, landvoogd *m.*

beylical [bélikal] *adj.* van *of* voor een bey.

bi- [bi] *préf.* tweemaal, dubbel.

biais [byè] **I** *adj.* schuin, schuinlopend, scheef; **II** *s.*, *m.* **1** schuinte, scheefheid *v.*; **2** (*v. stof, enz.*) schuine strook *v.*(*m.*); **3** uitweg *m.*; **4** uitvlucht *v.*(*m.*); **5** slinks middel *o.*, kunstgreep *m.*; **de** (*of* **en**) **—, 1** schuin, scheef; **2** van ter zijde; **3** langs een omweg; **couper de —,** schuin knippen; **aborder une question de —,** een kwestie langs een omweg aanpakken.

biaisement [byè'zmã] *m.* **1** (het) schuin lopen *o.*; **2** (*fig.*) geschipper *o.*, draaierij *v.*

biaiser [byè'zé] *v.i.* **1** schuin lopen; **2** (*fig.*) schipperen, draaien, niet recht door zee gaan.

bibelot [biblo] *m.* snuisterij *v.*

bibelotage [biblòta:j] *m.* **1** (het) verzamelen *o.* van snuisterijen; **2** geknutsel *o.*

bibeloter [biblòté] *v.i.* **1** snuisterijen verzamelen; **2** knutselen.

bibeloteur [biblòtœ:r], **bibelotier** [biblòtyé] *m.* handelaar *m.* in snuisterijen.

biberon [bibrõ] *m.* **1** zuigfles *v.*(*m.*); **2** dronkaard, drinkebroer *m.*

bibi [bibi] *m.*, (*pop.*) ik, mij; snoes, lieveling *m.*

bible [bi'bl] *f.* bijbel *m.*

bibliobus [bibliòbüs] *m.* rijdende bibliotheek *v.*

bibliographe [bibliògraf] *m.* bibliograaf, boekenkenner *m.*

bibliographie [bibliògrafi] *f.* **1** beschrijving van boeken, bibliografie *v.*; **2** opgave (*of* lijst) *v.*(*m.*) van geschriften over een bepaald onderwerp.

bibliographique [bibliògrafik] *adj.* bibliografisch; **référence —,** literatuurverwijzing *v.*

bibliomane [bibliòman] *m.* overdreven boekenliefhebber, bibliomaan *m.*

bibliomanie [bibliòmani] *f.* hartstocht *m.* (overdreven liefhebberij *v.*) voor boeken, bibliomanie *v.*

bibliophile [bibliòfil] *m.* boekenliefhebber *m.*

bibliothécaire [bibliòtékè:r] *m.* bibliothecaris *m.*

bibliothéconomie [bibliotékònòmi] *f.* bibliotheekwetenschap *v.*

bibliothèque [bibliotèk] *f.* **1** bibliotheek, boekerij *v.*; **2** boekenkast *v.*(*m.*); **3** boekenrekje *o.*; **— tournante,** draaibare boekenstander *m.*; **— circulante,** leesinrichting *v.*, leesgezelschap *o.*; **— de consultation,** handbibliotheek.

biblique [biblik] *adj.* bijbels.

bicamér(al)isme [bikamér(al)izm] *m.* tweekamerstelsel *o.* bij volksvertegenwoordiging.

bicarbonate [bikarbònat] *m.* dubbel koolzuurzout *o.*; **— de soude,** zuiveringszout *o.*

bicarré [bika'ré] *adj.*, (*wisk.*) in de vierde macht; **équation —e,** vierdemachtsvergelijking *v.*

bicéphale [biséfal] *adj.* tweehoofdig, tweekoppig.

biceps [bisèps] *m.* tweehoofdige armspier *v.*(*m.*), biceps *m.*; **avoir du —,** gespierd zijn, zeer sterk zijn.

biche [biʃ] *f.* **1** hinde *v.*; **2** lieveling, schat *m.*

bicher [biʃé] *v.i.*, (*pop.*) **ça me biche,** dat bevalt me, daar houd ik van.

bichette [biʃèt] *f.* **1** jonge hinde *v.*; **2** schatje *o.*; lieveling *m.*

bichof [biʃòf] *m.* bisschopwijn *m.*

bichon [biʃõ] *m.*, **—ne** [biʃòn] *f.* **1** (*Dk.*) leeuwhondje *o.*; **2** snoesje, schatje *o.*

bichonner [biʃòné] *v.t.* **1** (*v. haren*) krullen, doen krullen; **2** (*v. kind, enz.*) optooien, opsieren.

bickford [bikfò:r] *m.* lont *v.*(*m.*).

bicolore [bikòlo:r] *adj.* tweekleurig.

biconcave [bikõ'ka:v] *adj.* aan beide zijden hol geslepen, dubbel holrond.

biconvexe [bikõ'vèks] *adj.* dubbel bolrond.

bicoque [bikòk] *f.* **1** hut *v.*(*m.*); **2** (*ong.*: *v. huis*) hok, nest *o.*

bicorne [bikòrn] **I** *adj.* **1** tweehoornig; **2** tweepuntig, met twee punten; **II** *s.*, *m.* steek *m.*

bicot [biko] *m.*, (*pop.*) geitje *o.*; (*scheldnaam*) Arabier *m.*

bicycle [bisikl] *m.* (ouderwetse) tweewieler *m.*

bicyclette [bisiklèt] *f.* rijwiel *o.*, fiets *m. en v.*; **faire de la —,** fietsen; **— porteuse,** bestelfiets *m. en v.*

bicycliste [bisiklist] *m.-f.* wielrijder *m.*, **—ster** *v.*; fietser *m.*

bidasse [bidas] *m.* (*pop.*) rekruut *m.*

bident [bidã] *m.* gaffel *v.(m.)*.

bidenté [bidã'té] *adj.* tweetandig.

bidet [bidè] *m.* **1** hit *m.*, klein paard *o.*; **2** wasbekken, zitbad *o.*

bidoche [bidòʃ] *m.* paard *o.* (v. draaimolen).

bidon [bidõ] *m.* **1** (*mil.*) veldfles *v.(m.)*; **2** blikken bus *v.(m.)*; ***— à lait,*** melkbus *v.(m.)*; ***— à pétrole,*** oliekan *v.(m.)*.

bief [byèf] *m.* **1** waterloop *m.* (van molen); **2** kanaalvak (*of* kanaalpand) *o.* tussen twee sluizen.

bielle [byèl] *f.* drijfstang *v.(m.)* (v. stoommachine).

Biélorusse [byélorüs] **I** *m.* Witrus *m.*; **II** *adj.* (*b*)**—,** Witrussisch.

Biélorussie [byélorüsi] *f.* Wit-Rusland *o.*

bien [byẽ] **I** *adv.* **1** goed; **2** wel; **3** zeer, veel; zeer veel; **4** mooi (knap, behoorlijk, netjes); ***je ne me sens pas —,*** ik voel me niet lekker; ***je veux —!*** graag! ***vous voilà —!*** dat komt er van! ***je suis — ici,*** ik zit hier goed; ***c'est — fait!*** mooi zo! ***tant — que mal,*** zo goed en zo kwaad als 't gaat; ***vous avez — raison,*** je hebt groot gelijk; ***un monsieur très —,*** **1** een welgesteld man; **2** een fatsoenlijk man; ***— faire et laisser dire,*** doe wel en zie niet om; ***tout est — qui finit —,*** eind goed, al goed; ***— que,*** *conj.* hoewel, ofschoon; ***si — que,*** zodat; ***aussi — que,*** evengoed als; **II** *s., m.* **1** goed *o.*; **2** (het) goede *o.*; **3** weldaad *v.(m.)*; **4** heil, geluk *o.*; **5** bezitting *v.*, vermogen *o.*; **—s,** goederen *mv.*; ***— public,*** algemeen welzijn; ***—s oisifs,*** improduktief bezit; ***des —s meubles,*** roerende goederen; ***mener à —,*** tot een goed einde brengen; ***en tout — tout honneur,*** in alle eer en deugd; ***faire le —,*** weldoen; ***un homme de —,*** een rechtschapen man; ***périr corps et —s,*** met man en muis vergaan; ***prendre en —,*** goed opnemen; ***— mal acquis ne profite pas,*** onrechtvaardig verkregen goed gedijt niet; ***—s de production, —s indirects,*** produktiemiddelen; ***—s de consommation, —s directs,*** consumptiegoederen.

bien-aimé [byẽnè'mé] **I** *adj.* geliefd, bemind; **II** *s., m.* geliefde, beminde *m.*

bien-dire [byẽ'di:r] *m.* welbespraaktheid; welsprekendheid *v.*

bien-disant [byẽ'dizã] *adj.* welbespraakt; welsprekend.

bien-être [byẽnè:tr] *m.* **1** welzijn *o.*; **2** welstand *m.*, welvaart *v.(m.)*; **3** (gevoel van) welbehagen *o.*

bienfaisance [byẽf(e)zã:s] *f.* weldadigheid, liefdadigheid *v.*; ***— publique,*** armenzorg *v.(m.)*.

bienfaisant [byẽf(e)zã] *adj.* **1** weldadig, heilzaam; **2** liefdadig.

bienfait [byẽfè] *m.* weldaad *v.(m.)*; ***un — n'est jamais perdu,*** wie goed doet, goed ontmoet.

bienfaiteur [byẽfètœ:r] *m.*, **bienfaitrice** [byẽfètris] *f.* weldoener *m.*, —ster *v.*

bien-fondé [byẽfõ'dé] *m.* gegrondheid, billijkheid *v.*

bien*-fonds [byẽfõ] *m.* onroerend goed *o.*

bienheureux [byẽnœrö] **I** *adj.* gelukzalig; **II** *s., m.* gelukzalige *m.*

bien-jugé [byẽjüjé] *m.*, (*recht*) juistheid *v.* (van vonnis).

biennal [byènal] *adj.* **1** tweejarig; **2** tweejaarlijks.

bienséance [byẽ'séã:s] *f.* welvoeglijkheid *v.*, fatsoen *o.*

bienséant [byẽ'séã] *adj.* welvoeglijk, betamelijk.

bientôt [byẽ'to] *adv.* weldra; ***à —,*** tot straks, tot ziens.

bien-trouvé [byẽ'truvé] *m.* akkoordbevinding *v.*

bienveillance [byẽvèyã:s] *f.* welwillendheid, vriendelijkheid *v.*

bienveillant [byẽvèyã] *adj.* welwillend, vriendelijk.

bienvenir [byẽv(e)ni:r] *v.i.*, ***se faire — de,*** zich bemind maken bij, de gunst winnen van.

bienvenu [byẽv(e)nü] *adj.* welkom; ***être le —,*** welkom zijn.

bienvenue [byẽv(e)nü] *f.* welkom *o.*, welkomstgroet *m.*; ***souhaiter la — à qn.,*** iem. welkom heten.

bière [byè:r] *f.* **1** bier *o.*; **2** doodkist *v.(m.)*; ***— forte,*** belegen bier; ***ce n'est pas de la petite —,*** dat is geen kleinigheid; ***mettre en —,*** kisten.

Bierghes [byèrg] Bierk *o.*

Biévène [byévẽ] Bever *o.*

biez [byè], *voir* ***bief.***

biffage [bifa:j] *m.* (het) doorstrepen *o.*

biffer [bifé] *v.t.* **1** doorhalen, schrappen; **2** (*v. vonnis*) vernietigen.

biffin [bifẽ] *m.* **1** voddenraper *m.*; **2** infanterist *m.*

bifide [bifi'd] *adj.* gevorkt.

bifocal [bifokal] *adj.* (*v. lens*) met dubbel brandpunt.

bifolié [bifòlyé] *adj.* tweebladig.

bifteck [biftèk] *m.* biefstuk *m.*

bifurcation [bifürka'syõ] *f.* **1** vork, gaffel *v.(m.)*; **2** splitsing *v.*, punt *o.* van splitsing; tweesprong *m.*

bifurqué [bifürké] *adj.* gaffelvormig, gevorkt; tweetakkig.

bifurquer [bifürké] *v.i.*, ***se —,*** *v.pr.* zich (gaffelvormig) splitsen.

bigame [bigam] **I** *adj.* dubbel gehuwd; **II** *s., m.* bigamist, dubbel gehuwde *m.*

bigamie [bigami] *f.* dubbele echt *m.*, bigamie *v.*

bigarade [bigara'd] *f.* bittere oranjeappel *m.*

bigarré [bigaré] *adj.* **1** bont, veelkleurig; kakelbont; **2** (*fig.*) gemengd.

bigarreau [bigaro] *m.*, (*Pl.*) bonte (Spaanse) kers *v.(m.)*.

bigarrer [bigaré] *v.t.* bont verven, grillig kleuren.

bigarrure [bigarü:r] *f.* **1** bontheid *v.*, mengeling *v.* van kleuren; **2** bonte verscheidenheid *v.*, grillig mengelmoes *o. en v.(m.)*.

bigle [bi'gl] **I** *adj.* scheel; **II** *s., m.* schele *m.*

bigler [bi'glé] *v.i.* (*pop.*) scheel zien.

bigophone [bigofòn] *m.* schertsmuziekinstrument *o.*

bigorne [bigòrn] *f.* tweepuntig aanbeeld *o.*; ***— d'orfèvre,*** speerhaak *m.*

bigorneau [bigòrno] *m.* **1** tweepuntig aanbeeldje *o.*; **2** kegelschelp *v.(m.)*.

bigot [bigo] **I** *adj.* kwezelachtig, femelend; **II** *s., m.* kwezelaar, femelaar *m.*

bigote [bigòt] *f.* kwezel *v.*

bigotelle [bigòtèl] *f.* knevelbinder *m.*

bigoterie [bigòtri] *f.*, **bigotisme** [bigòtizm] *m.* kwezelarij, overdreven vroomheid *v.*

bigoudi [bigudi] *m.* friseerijzertje *o.*, krulpen *v.(m.)*.

bigre [bi:gr] *ij.* verduiveld! sapperloot!

bigrement [bi'gremã] *adv.* verduiveld.

bigrille [bigriy] *f.* radiolamp *v.(m.)* met dubbelrooster.

bigue [bi'g] *f.*, (*sch.*) boksbeen *o.*

bihebdomadaire [bi(h)èbdòmadè:r] *adj.* tweemaal per week.

bihoreau [biòro] *m.*, (*Dk.*) kwak, nachtreiger *m.*

bijou [bi'ju] *m.* (*pl.*: **—x**) **1** juweel, kleinood *o.*; **2** (*fig.*) schat *m.*, snoesje *o.*

bijouterie [bijutri] *f.* handel *m.* in juwelen.

bijoutier [bijutyé] *m.* juwelier *m.*

bijugué [bijügé] *adj.* dubbel gepaard.

bikini [bikini] *m.* tweedelig damesbadpak *o.*

bilabial [bilabyal] *adj.* bilabiaal, met twee lippen uitgesproken.

bilabié [bilabyé] *adj.*, (*Pl.*) tweelippig.

bilan [bilã] *m.* **1** (*H.*) balans *v.(m.)*; **2** (*fig.*) overzicht *o.*; ***déposer son —,*** zich failliet verklaren; ***dresser son —,*** zijn balans opmaken.

bilatéral [bilatéral] *adj.* **1** tweezijdig; **2** wederzijds (bindend).

bilboquet [bilbòkè] *m.* 1 (*spel*) balvangertje *o.*; 2 duikelaartje *o.*; 3 cynisch zakenman *m.*; 4 (*drukk.*) handels- en familiedrukwerk *o.*
bile [bil] *f.* 1 gal *v.(m.)*; 2 (*fig.*) gramschap *v.*, toorn *m.*; ***se faire de la —,*** zich iets aantrekken, zich ongerust maken; ***épancher sa —,*** zijn gal uitstorten, zijn toorn luchten.
biler, *se —* [sebilé] *v.pr.* tobben.
biliaire [bilyè:r] *adj.* gal—, de gal betreffend.
bilieux [bilyö] *adj.* 1 galachtig; 2 (*v. karakter*) lichtgeraakt, opvliegend, toornig; 3 gal—; ***fièvre bilieuse,*** galkoorts *v.(m.)*.
bilingue [bilẽ:g] *adj.* tweetalig.
bilinguisme [bilẽ·gizm] *m.* tweetaligheid *v.*
billard [biya:r] *m.* 1 biljart *o.*; 2 biljartzaal *v.(m.)*.
billarder [biyardé] *v.i.* de bal doorstoten.
bille [bi·y] *f.* 1 knikker *m.*; 2 biljartbal *m.*; 3 kogeltje *o.*; 4 rolstok *m.*, deegrol *v.(m.)*; 5 (*fig.*) kaalkop *m.*; ***roulement à —,*** (*tn.*) kogellager *o.*; ***une — de bois,*** een houten blok *o.*; ***jouer aux —s,*** knikkeren.
billet [biyè] *m.* 1 briefje *o.*; 2 plaatsbewijs, kaartje, biljet *o.*; ***— de chemin de fer,*** spoorkaartje *o.*; ***— circulaire,*** rondreisbiljet *o.*; ***— de quai,*** perronkaartje *o.*; ***— de faire part,*** kennisgeving *v.*; ***— doux,*** minnebriefje *o.*; ***— de faveur,*** vrijbiljet *o.*; ***— de logement,*** (*mil.*) inkwartieringsbiljet *o.*; ***— blanc,*** (*in loterij*) niet *m.*; ***— de banque,*** bankbiljet *o.*; ***— à ordre,*** (*H.*) promesse *v.*; ***je vous en donne mon —,*** dat kan ik u verzekeren.
billeter [biyté] *v.t.* 1 etiketten plakken op; 2 (*v. soldaten*) inkwartieren.
billette [biyèt] *f.* 1 stuk brandhout, brandhout *o.* in blokjes; 2 tolbriefje *o.*
billevesée [bilvezé] *f.* 1 beuzelarij *v.*; 2 kletspraatje *o.*
billion [bilyõ] *m.* miljard *o.*, duizend miljoen.
billon [biyõ] *m.* 1 pasmunt *v.(m.)*; 2 vurenhouten balk *m.*; 3 (*bij het ploegen*) opgeworpen aardrug *m.*
billonnage [biyòna:j] *m.* 1 (*v. wijnstok*) (het) snoeien *o.*; 2 (*v. akker*) (het) beploegen *o.* in ruggen.
billonner [biyòné] *v.t.* 1 (*v. wijnstok*) snoeien; 2 beploegen in ruggen.
billot [biyo] *m.* 1 blok, hakblok *o.*; 2 (*voor onthoofding*) halsblok *o.*; ***j'en mettrais ma tête sur le —,*** ik verwed er mijn hoofd onder.
bilobé [bilòbé] *adj.* tweelobbig.
biloquer [biloké] *v.t.* diepploegen.
bimane [biman] *adj.* tweehandig.
bimbelot [bẽ·blo] *m.* 1 (stuk) speelgoed *o.*; 2 snuisterij *v.*
bimbeloterie [bẽ·blòtri] *f.* 1 speelgoedfabriek *v.*, —winkel *m.*; 2 handel *m.* in snuisterijen.
bimbelotier [bẽ·blòtyé] *m.* 1 speelgoedfabrikant *m.*; 2 handelaar *m.* in snuisterijen.
bimensuel [bimã·swèl] *adj.* halfmaandelijks.
bimestriel [bimèstri(y)èl] *adj.* tweemaandelijks.
bimétallique [bimétalik] *adj.*, ***le système —,*** het stelsel van de dubbele muntstandaard.
bimétalliste [bimétalist] *m.* voorstander *m.* van de dubbele muntstandaard.
bimoteur [bimòtœ:r] *adj.*, ***appareil —,*** (*vl.*) tweemotorig toestel *o.*
binage [bina:j] *m.* 1 tweede bewerking *v.* van de grond; 2 (*kath.*) (het) bineren *o.*
binaire [binè:r] *adj.* 1 (*wisk.*) tweetalig; 2 (*scheik.*) tweevoudig; ***composé —,*** tweevoudige verbinding *v.*
binard, binart [bina:r] *m.* blokwagen *m.*
biner [biné] I *v.t.*, (*v. grond*) omhakken, voor de tweede maal omwerken; II *v.i.*, (*kath.*) bineren, twee missen op één dag lezen.
binette [binèt] *f.* 1 (*tuinb.*) hak *v.(m.)*; 2 (*pop.*) tronie *v.*, bakkes *o.*
bineuse [binöz] *f.* hakmachine *v.*
biniou [binyu] *m.* Bretonse doedelzak *m.*
binocle [binòkl] *m.* lorgnet *v.(m.)* en *o.*
binoculaire [binòkülè:r] *adj.* voor twee ogen.
binoir [binwa:r] *m.* lichte ploeg *m.* en *v.*
binôme [bino:m] *m.*, (*stelk.*) tweeterm *m.*, tweetermige grootheid *v.*
binot [bino] *m.* lichte ploeg *m.* en *v.*
biochimie [biòʃimi] *f.* biochemie *v.*
biographe [biògraf] *m.* levensbeschrijver, biograaf *m.*
biographie [biògrafi] *f.* levensbeschrijving *v*
biographique [biògrafik] *adj.* biografisch.
biologie [biòlòji] *f.* levensleer *v.(m.)*, biologie *v.*
biologique [biòlòjik] *adj.* biologisch.
biologiste [biòlòjist], **biologue** [biòlò·g] *m.* bioloog *m.*
bion [byõ] *m.* loot *v.(m.)*.
biopsie [biòpsi] *f.* lichting *v.* van levend weefsel voor histologisch onderzoek.
biosphère [biòsfè:r] *f.* planten- en dierenwereld *v.(m.)*.
bioxyde [biòksi·d] *m.* bioxyde *o.*
biparti(te) [biparti(t)] *adj.* tweedelig.
bipède [bipè·d] I *adj.* tweevoetig; II *s.*, *m.* tweevoetig dier *o.*
bipenne [bipèn] *adj.* tweevleugelig.
biplace [biplas] I *adj.* tweepersoons, met twee plaatsen; II *s.*, *m.* 1 tweepersoonsauto *m.*; 2 tweepersoonstoestel *o.*
biplan [biplã] *m.*, (*vl.*) tweedekker *m.*
bipolaire [bipolè:r] *adj.* tweepolig.
bipoutre [bipu·tr] *adj.*, ***avion —,*** vliegtuig met twee richtingroeren aan de staart.
bique [bik] *f.* geit *v.(m.)*.
biquet [bikè] *m.* bokje *o.*
biquette [bikèt] *f.* geitje *o.*
biqueter [bikté] *v.i.*, (*v. geit*) werpen.
biquotidien [bikòtidyẽ] *adj.* tweemaal per dag verschijnend.
biréacteur [biréaktœ:r] *adj.* met twee reactors.
birbe [birb] *m.* (*arg.*) ouwe paai *m.*
birème [birèm] *f.*, (*oudh.*) galei *v.(m.)* met een dubbele rij roeiers.
biribi [biribi] *m.* 1 soort dobbelspel *o.*; 2 strafbataljon *o.* (in Afrika).
birman [birmã] I *adj.* Birmaans; II *s.*, *m.*, ***B—,*** Birmaan *m.*
Birmanie [birmani] *f.* Birma *o.*
bis I [bis] *adv.* nog eens, tweemaal; II [bi] *adj.* bruin, donkerbruin; ***pain —,*** bruin brood *o.*
bisaïeul *m.*, **—e** [bizaγœl] *f.* overgrootvader *m.*; overgrootmoeder *v.*
bisaiguë *voir* ***besaiguë.***
bisaille [biza·y] *f.* meel *o.* (voor bruin brood).
bisannuel [bizanẅèl] *adj.* tweejarig; tweejaarlijks.
bisbille [bizbi·y] *f.* gehaspel, gekibbel, gekrakeel *o.*
biscaïen [biskayẽ] *adj.* uit Biscaye.
biscornu [biskòrnü] *adj.* 1 (*v. vorm*) wonderlijk, wanstaltig; 2 (*v. denkbeeld*) vreemd, zonderling.
biscotin [biskòtẽ] *m.* (hard) beschuitje *o.*
biscotte [biskòt] *f.* beschuit *v.(m.)*.
biscuit [biskẅi] *m.* 1 beschuit *v.(m.)*; 2 biscuit *o.* of *m.* (koekje); 3 onverglaasd aardewerk *o.*; ***— de mer,*** scheepsbeschuit *v.(m.)*.
biscuité [biskẅité] *adj.* dubbel gebakken, beschuit—; ***pain —,*** beschuitbrood *o.*
biscuiterie [biskẅitri] *f.* beschuitfabriek *v.*
bise [bi:z] *f.* 1 noordenwind, koude wind *m.*; 2 (*fig.*) winter *m.*
biseau [bizo] *m.* 1 (*v. glas*) schuine kant *m.*; 2 schuin geslepen rand *m.*; 3 (*v. brood*) weke zijde *v.(m.)*; 4 (*tn.*) steekbeitel *m.*; ***en —,*** met

schuine rand; ***tailler en —,*** schuin afslijpen; afschuinen.
biseauter [bizo'té] *v.t.* **1** afschuinen; schuin afslijpen; **2** (*v. kaarten*) schuin afknippen (om vals te spelen).
biser [bi'zé] **I** *v.t.*, (*v. stof*) oververven; **II** *v.i.*, (*v. graan*) grauw worden, bederven.
biset [bi'zè] *m.* steenduif, rotsduif *v.*(*m.*).
bisette [bi'zèt] *f.* **1** grijze garenkant *m.*; **2** wilde eend *v.*(*m.*).
bismuth [bismüt] *m.* bismut *o.*
bisoc, *voir* ***bissoc.***
bison [bizõ] *m.* bizon, Amerikaanse buffel *m.*
bisonne [bizòn] *f.* grijze stof *v.*(*m.*) (linnen *o.*) voor voering.
bisontin [bizõ'tẽ] **I** *adj.* van Besançon; **II** *s.*, *m.*, ***B—,*** inwoner *m.* van Besançon.
bisquant [biskã] *adj.*, (*pop.*) vervelend, beroerd.
bisque [bisk] *f.* **1** kreeftesoep; **2** (*pop.*) slecht humeur *o.*
bisquer [biské] *v.i.* het smoor in hebben.
bissac [bisak] *m.* knapzak, reiszak *m.*
bissecter [bisèkté] *v.t.* middendoor delen.
bissecteur [bisèktœ:r] *adj.* in twee gelijke delen verdelend.
bissection [bisèksyõ] *f.* verdeling *v.* in twee gelijke delen.
bissectrice [bisèktris] *f.*, (*meetk.*) bissectrice *v.*(*m.*), lijn *v.*(*m.*) die een hoek middendoor deelt.
bisser [bi'sé] *v.t.* **1** bisseren, herhalen; **2** doen herhalen, terugroepen; ***— un acteur,*** een speler terugroepen.
bissexe [bisèks] *adj.* tweeslachtig.
bissextil [bisèkstil] *adj.*, ***année —e,*** schrikkeljaar *o.*
bissexué [bisèkswé] *adj.*, (*Pl.*) tweeslachtig.
bis(s)oc [bisòk] *m.* dubbele ploeg *m. en v.*
bistorte [bistòrt] *f.*, (*Pl.*) adderwortel *m.*
bistouri [bisturi] *m.*, (*gen.*) operatiemes, scalpel *o.*; ***mettre le — à*** (*of* ***dans***), (*fig.*) het mes zetten in.
bistourner [bisturné] *v.t.* verdraaien, verwringen.
bistre [bistr] *m.* **1** roetzwart; **2** zwartbruin.
bistré [bistré] *adj.* sterk gebruind.
bistrer [bistré] *v.t.* roetzwart (*of* zwartbruin) maken.
bistrot [bistro] *m.*, (*pop.*) **1** kroeghouder *m.*; **2** kroeg *v.*(*m.*).
bisulque [bisülk], **bisulce** [bisüls] *adj.*, (*v. dier*) tweehoevig.
bitord [bitò:r] *m.*, (*sch.*) schiemansgaren *o.*
bitte [bit] *f.*, (*sch.*) beting *v.*(*m.*).
bitter [bitè:r] *m.*, (*drank*) bitter *o. en m.*
bitumage [bitüma:j] *m.* asfaltering *v.*
bitume [bitüm] *m.* **1** asfalt *o.*; aardpek *o. en m.*; **2** (*fig.*) (de) straat *v.*(*m.*).
bitumer [bitümé] *v.t.* asfalteren; ***carton bitumé,*** asfaltpapier *o.*
bitumier [bitümyé] *m.* asfaltwerker *m.*
bituminer *v.t.*, *voir* ***bitumer.***
bitumineux [bitüminö] *adj.* **1** asfaltachtig; **2** asfalthoudend.
biture [bitür] *f.* (*pop.*) dronkenschap *v.*
bivac [bivak], **bivouac** [bivuak] *m.* bivak *o.* (nachtleger in de open lucht).
bivalve [bivalv] **I** *adj.* tweekleppig; **II** *s.*, *m.* tweekleppige schelp *v.*(*m.*).
bivaquer [bivaké], **bivouaquer** [bivuaké] *v.i.* bivakkeren, in de open lucht kamperen.
bizarre(ment) [biza:r(mã)] *adj.* (*adv.*), **1** zonderling, vreemd; **2** (*v. vorm*) grillig, wonderlijk.
bizarrerie [biza'reri] *f.* **1** zonderlingheid, vreemdheid *v.*; **2** grilligheid *v.*; ***les —s du sort,*** de grillen van het lot.
bizut(h) [bizüt] *m.* lagereklasser, nieuweling(in [M.O.) *m.*
blackboulage [blakbula:j] *m.* (het) deballoteren; (het) afwijzen *o.*
blackbouler [blakbulé] *v.t.* **1** deballoteren, niet kiezen, afwijzen; ***être blackboulé,*** (*bij examen*) zakken.
black-out [bla(k)ut] *m.* (*mil.*) verduistering *v.*
black-rot [blakro] *m.* bep. wijnstokziekte *v.*
blafard [blafa:r] *adj.* vaal, vaalbleek.
blague [bla'g] *f.* **1** grap, mop *v.*(*m.*); **2** bluf *m.*, snoeverij *v.*; **3** tabakszak *m.*; **4** fopperij *v.*; aanstellerij *v.*; ***— à part!*** alle gekheid op een stokje! ***sans —,*** werkelijk, zonder gekheid.
blague*-moule* [bla'gmul] *f.* shagdoos *v.*(*m.*) met roller.
blaguer [blagé] **I** *v.i.* **1** moppen vertellen, grappen verkopen; **2** bluffen, snoeven; **II** *v.t.*, ***— qn.,*** iem. voor de gek houden.
blagueur [blagœ:r] *m.* **1** grappenmaker *m.*; **2** bluffer, pocher, opsnijder *m.*
blair [blè:r] *m.*, (*pop.*) neus, kokkerd *m.*
blaireau [blè'ro] *m.* **1** (*Dk.*) das *m.*; **2** scheerkwastje *o.*; **3** penseel *o.* (van dassenhaar).
blairer [blèré] *v.i.* (*pop.*) ruiken, snuffelen.
Blaise [blè:z] *m.* Blasius *m.*
blâmable [bla'ma'bl] *adj.* laakbaar, afkeurenswaardig.
blâme [bla:m] *m.* **1** afkeuring, blaam *v.*(*m.*); **2** berisping *v.*
blâmer [bla'mé] *v.t.* **1** laken, afkeuren; **2** berispen.
blanc [blã] (*f.*: ***blanche*** [blã:ʃ]) **I** *adj.* **1** wit, blank; **2** bleek; verkleurd; **3** (*v. papier, enz.*) onbeschreven, onbedrukt; **4** schoon, zuiver; **5** rein, zonder smet; onschuldig; **6** kleurloos, flauw; ***argent —,*** zilvergeld *o.*; ***cheveux —s,*** grijs haar *o.*; ***gelée blanche,*** rijp *m.*; ***il a gelé à —,*** het heeft gerijpt; ***espace —,*** opengelaten vak *o.*; ***vers —s,*** rijmloze verzen; ***nuit blanche,*** slapeloze nacht *m.*; ***viande blanche,*** kalfsvlees, kippevlees *o.*; ***bulletin —,*** blanco stembiljet *o.*; ***voix blanche,*** heldere (maar klankloze) stem *v.*(*m.*); ***faire des yeux —s,*** de ogen ten hemel heffen; ***donner carte blanche à qn.,*** iem. de vrije hand laten, iem. volmacht geven; ***c'est — bonnet et bonnet —,*** dat is net zo lang als het breed is; **II** *s.*, *m.* **1** (het) blanke *o.*; **2** (het) wit *o.* (*kleur, kleren, enz.*); ***chauffer à —,*** witgloeiend maken; ***— de chaux,*** kalkwater *o.*; ***— de plomb,*** loodwit *o.*; ***— de zinc,*** zinkwit *o.*; ***maison de —,*** linnenwinkel *m.*; ***— de l'œil,*** oogwit *o.*; ***regarder qn. dans le — des yeux,*** iem. strak aankijken; ***rougir jusqu'au — des yeux,*** rood worden tot achter zijn oren; ***de but en —,*** op de man af, zonder omwegen; ***laisser en —,*** open laten; ***signer en —,*** in blanco tekenen; ***saigner qn. à —,*** (*fig.*) iem. het vel over de oren halen; ***tirer à —,*** met los kruit schieten; ***— de couture,*** (*drukk.*) rugwit; ***— de tête,*** (*drukk.*) kopwit *o.*
blanc*-bec* [blã'bèk] *m.* melkmuil *m.*
blanc*-cul* [blã'kü] *m.* bloedvink *m. en v.*
blanchâtre [blã'ʃa:tr] *adj.* witachtig.
blanche [blã:ʃ] **I** *voir* ***blanc***; **II** *s.*, *f.* **1** blanke vrouw *v.*; **2** (*muz.*) halve noot *v.*(*m.*); ***B—-Neige,*** Sneeuwwitje.
blanchet [blã'ʃè] *m.* **1** wit molton *o.*; **2** filtreerdoek *o.*; **3** (*drukk.*) legger *m.*
blanchette [blã'ʃèt] *f.*, (*Pl.*) veldsla *v.*(*m.*).
blancheur [blã'ʃœ:r] *f.* **1** witheid *v.*; **2** (*v. huid, enz*) blankheid *v.*; **3** (*v. linnen*) helderheid *v.*; **4** (*fig.*) onschuld *v.*(*m.*).
blanchiment [blã'ʃimã] *m.* **1** (*v. muur, enz.*) (het) witten *o.*; **2** (*tn.*: *v. wol, stro, enz.*) (het) bleken *o.*
blanchir [blã'ʃi:r] **I** *v.t.* **1** wit maken, witten; **2** bleken; **3** (*v. linnengoed*) wassen; **4** (*v. groenten*) afkoken; **5** (*tn.*: *v. plank, enz.*) glad schaven;

6 (*v. lood*) vertinnen; 7 (*fig.*) van schuld vrijpleiten, verontschuldigen; ***donner à* —,** in de was doen; ***être nourri, logé et blanchi,*** kost, inwoning en bewassing hebben; **II** *v.i.* 1 wit worden; 2 grijs worden; **III** *v.pr.*, ***se* —,** 1 zich vrijpleiten, zich schoonwassen; 2 (*v. linnen*) laten wassen.

blanchissage [blã'ʃisa:j] *m.* 1 (het) wit maken *o.*; 2 (het) wassen *o.*; 3 (de) was *m.*; 4 wasloon *o.*; 5 (*v. suiker*) (het) raffineren *o.*

blanchisserie [blã'ʃisri] *f.* 1 wasserij, wasinrichting *v.*; 2 blekerij *v.*

blanchisseur [blã'ʃisœ:r] *m.*, **blanchisseuse** [blã'ʃisö:z] *f.* 1 wasbaas *m.*; wasvrouw *v.*; 2 bleker *m.*; bleekster *v.*; ***blanchisseuse de fin,*** fijne wasvrouw; ***porter le deuil de sa blanchisseuse,*** vuil linnen dragen.

blanc*-manger* [blã'mã'jé] *m.* gelei *m. en v.* (van room, enz.).

blanc-poudré [blã'pudré] *adj.* witgepoeierd.

blanc*-seing* [blã'sẽ'] *m.* blancovolmacht *v.*(*m.*).

blandice [blã'dis] *f.* vleierij *v.*

blanquette [blã'kèt] *f.* 1 suikerpeer *v.*(*m.*); 2 kalfsragoût; kipperagoût *m.* (met witte saus); 3 soort witte wijn *m.* [van alles.

blasé [blɑ'zé] *adj.* geblaseerd, die genoeg heeft

blaser [blɑ'zé] *v.t.* 1 blaseren, beu maken; 2 (*v. zinnen*) verstompen; 3 (*v. maag*) bederven.

blason [blɑ'zõ] *m.* 1 wapen, wapenschild, blazoen *o.*; 2 wapenkunde, heraldiek *v.*

blasonner [blɑ'zòné] *v.t.* 1 (wapens) schilderen; 2 (wapens) beschrijven.

blasphémateur [blasfématœ:r] *m.*, **blasphématrice** [blasfématris] *f.* godslasteraar *m.*, —ster *v.* [lijk.

blasphématoire [blasfématwa:r] *adj.* godslaster-

blasphème [blasfè:m] *m.* 1 godslastering *v.*, vloek *m.*; 2 lastertaal *v.*(*m.*), hoon *m.*

blasphémer [blasfémé] **I** *v.i.* God lasteren, godslasteringen uitspreken, vloeken; **II** *v.t.* lasteren, belasteren, honen.

blatérer [blatéré] *v.i.* schreeuwen van kameel.

blatier [blatyé] *m.* korenhandelaar *m.*

blatte [blat] *f.* kakkerlak *m.*; bakkerstor *v.*(*m.*).

blazer [blézœr] *m.* blazer *m.*

blé [blé] *m.* 1 koren, graan *o.*; 2 korenakker *m.*, korenveld *o.*; **— *noir,* — *sarrasin,*** boekweit *v.*(*m.*); **— *de Turquie,*** maïs *m.*, Turkse tarwe *v.*(*m.*); ***manger son — en herbe,*** zijn erwtjes in het groen eten, zijn inkomsten vooruit verteren.

bled [blèd] *m.* binnenland *o.* (van de woestijn).

blême [blè:m] *adj.* doodsbleek.

blêmir, blémir [blè'mi:r] *v.i.* doodsbleek worden, verbleken. [den *o.*

blémissement [blè'mismã] *m.* (het) bleek wor-

blende [blẽ:d] *f.* zinkblende *v.*

blennie [blèni] *f.*, (*Dk.*) slijmvis *m.*

blépharite [bléfarit] *f.*, (*gen.*) ontsteking *v.* van de oogleden.

blèse [blè:z] *adj.* die lispelt, lispelend; ***être* —,** lispelen.

blèsement [blè'zmã] *m.* (het) lispelen *o.*

bléser [blézé] *v.i.* lispelen.

blésité [blé'zité] *f.* (het) lispelen *o.*

blessant [blèsã] *adj.* kwetsend, krenkend.

blessé [blèsé] **I** *adj.* gewond, gekwetst; **II** *s.*, *m.* gewonde, gekwetste *m.*

blesser [blèsé] *v.t.* 1 wonden, kwetsen; 2 pijn doen, zeer doen; 3 (*v. schoen*) knellen; 4 (*v. oor, oog*) pijnlijk aandoen; 5 (*fig.*) kwetsen, krenken; ***chacun sait où le bât le blesse,*** ieder weet, waar hem de schoen wringt.

blessure [blèsü:r] *f.* 1 wond *v.*(*m.*), verwonding, kwetsuur *v.*; 2 (*fig.*) krenking, belediging *v.*

blet [blè], **blette** [blèt] *adj.* beurs, overrijp.

blettir [blèti:r] *v.i.* beurs worden.

blettissement [blètismã] *m.* (het) beurs worden *o.*

bleu [blö] **I** *adj.* 1 blauw; 2 verbluft, beduusd; ***colère —e,*** hevige woede *v.*(*m.*); ***peur —e,*** hevige schrik *m.*; ***conte—,*** (tover) sprookje *o.*; ***cordon-—,*** bekwame keukenmeid *v.*; ***bas* —,** blauwkous *v.*; ***vin* —,** minderwaardige wijn *m.*; **II** *s.*, *m.* 1 blauw *o.*, blauwe kleur *v.*(*m.*); 2 blauwe plek *v.*(*m.*); 3 (*mil.*) rekruut *m.*; 4 (*v. student*) groen *m.*; **— *foncé,*** donkerblauw; **— *d'outremer,*** ultramarijn *o.*; ***passer au* —,** 1 (*v. linnengoed*) door het blauwsel halen; 2 (*fig.*) spoorloos doen verdwijnen; ***je n'y vois que du* —,** ik kan er niet wijs uit worden.

bleuâtre [blöɑ:tr] *adj.* blauwachtig.

bleuet [blöè] *m.* 1 (*Pl.*) korenbloem *v.*(*m.*); 2 (*Dk.*) ijsvogel *m.* [worden.

bleuir [blöi:r] **I** *v.t.* blauw maken; **II** *v.i.* blauw

bleuissage [blöisa:j] *m.* (het) blauw maken *o.*

bleuissement [blöismã] *m.* (het) blauw worden *o.*

bleu*-manteau* [blömã'to] *m.*, (*Dk.*) mantelmeeuw *v.*(*m.*). [zwart.

bleuté [blöté] *adj.* blauwachtig; ***noir* —,** blauw-

blin [blẽ] *m.*, (*sch.*) ram *m.* [ring *v.*

blindage [blẽ'da:j] *m.*, (*mil.*) blindering; pantse-

blinder [blẽ'dé] *v.t.* 1 blinderen; pantseren; 2 bomvrij maken; ***salle blindée,*** kluis *v.*(*m.*).

blindes [blẽ:d] *f.pl.* 1 blindering *v.*; 2 (*v. schip*) pantser *o.*

blizzard [bliza:r] *m.* sneeuwstorm *m.*

bloc [blòk] *m.* 1 blok *o.*, klomp *m.*; 2 verbond *o.* van partijen (tot het vormen van een meerderheid); 3 politiekamer, provoost *v.*(*m.*), bak *m.*; ***un — de maisons,*** een complex huizen; ***en* —,** allen (*of* alles) tegelijk; ***vendre en* —,** in massa (*of* bij de hoop) verkopen.

blocage [blòka:j] *m.*, **blocaille** [blòkɑ'y] *f.* steengruis *o.* als vulling, vulsteen *o. en m.*

bloc*-film [blòkfilm] *m.* filmpak *o.*

blockhaus [blòko:s] *m.* 1 (*mil.*) blokhuis *o.*; 2 (*sch.*) commandotoren *m.* [blok *o.*

bloc(k)*-notes [blòknòt] *m.* blocnote *m.*, schrijf-

block*-système* [blòksistè:m] *m.* (*spoorw.*) bloksysteem *o.*

blocus [blòkü:s] *m.* 1 (*v. vesting*) insluiting *v.*; 2 (*van de zeezijde*) blokkade *v.*; ***le — continental,*** (*gesch.*) het continentaal stelsel.

blond [blõ] **I** *adj.* blond; ***bière —e,*** licht bier *o.*; ***cassonade —e,*** bastaardsuiker *m.*; **— *ardent,*** hoogblond; **— *cendré,*** asblond; **— *de filasse,*** vlasblond; ***épis —s,*** gouden aren; **II** *s.*, *m.*, **—*e f.*** blonde *m.*, blondine *v.*

blondasse [blõ'das] *adj.* matblond.

blonde [blõ:d] *f.* 1 licht bier *o.*; 2 zijden kant *m.*

blondeur [blõ'dœ:r] *f.* blondheid *v.*

blondin [blõ'dẽ] **I** *adj.* blond; **II** *s.*, *m.* blonde *m.*

blondine [blõ'din] *f.* blond meisje *o.*, blondine *v.*

blondinet [blõ'dinè] *adj.* lichtblond.

blondir [blõ'di:r] *v.i.* blond worden.

bloquer [blòké] *v.t.* 1 (*v. stad, vesting*) insluiten, blokkeren; 2 (*v. biljartbal*) stoppen; 3 (*v. wiel, rem*) vastzetten; 4 (*deel v. spoorlijn*) afsluiten; 5 (*v. machine*) stop zetten; 6 (*fig.*) verlammen; 7 (*v. muur*) met mortel vullen; 8 (*H.*) in portefeuille houden; ***être bloqué par la neige,*** ingesneeuwd zijn; ***le navire est bloqué par les glaces,*** het schip is vastgevroren.

bloquette [blòkèt] *f.* kuiltje *o.*; ***jouer à la* —,** kuiltje knikkeren. [duiken.

blottir, *se* — [seblòti:r] *v.pr.* neerhurken, ineen-

blouse [blu:z] *f.* **1** (*v. boer, werkman*) kiel *m.*; **2** (*v. dame*) blouse *v.*; **3** (*bilj.*) zak *m.*
blouser [blu'zé] **I** *v.t.*, (*bilj.*) stoppen; **— *qn.***, iem. beetnemen, iem. bedotten; **II** *v.pr.*, ***se —***, **1** (*bilj.*) verlopen; **2** zich vergissen.
blouson [blu'zõ] *m.* windjak *o.*
bluet [blwè], **bleuet** *m.* korenbloem *v.*(*m.*).
bluette [blwèt] *f.* **1** geestig trekje *o.*; **2** geestig geschriftje; luimig toneelstukje *o.*
bluff [blœf] *m.* bluf *m.*, opsnijderij *v.*
bluffer [blœfé] **I** *v.i.* bluffen; **II** *v.t.* overbluffen.
bluffeur [blœfœ:r] *m.* bluffer *m.*
blutage [blüta:j] *m.* (het) builen *o.*
bluteau [blüto] *m.* meelbuil *m.*
bluter [blüté] *v.t.*, (*v. meel*) builen.
blutoir [blütwa:r] *m.* meelbuil *m.*
boa [bòa] *m.* boa *m.*
bobard [bòba:r] *m.*, (*pop.*) praatje, verzinsel *o.*
bobèche [bòbèʃ] **I** *f.* **1** hoedje *o.* (van een kandelaar); **2** glazen schaaltje *o.* (op kandelaar); **II** *m.* onnozele bloed, potsenmaker *m.*
bobinage [bòbina:j] *m.* **1** het op een klos winden; **2** ankerwikkeling *v.*
bobine [bòbin] *f.* **1** (*v. garen, zijde*) klos *m. en v.*; **2** (*van wever*) spoel *v.*(*m.*); **3** (*el.*) inductieklos *m. en v.*; **4** (*voor fototoestel*) filmrol *v.*(*m.*); **5** (*pop.*) kop *m.*
bobiner [bòbiné] *v.t.* op een klos winden.
bobinette [bòbinèt] *f.* deurklink *v.*(*m.*).
bobineur [bòbinœ:r] *m.* spoelder *m.*
bobineuse [bòbinö:z] *f.* **1** spoelster *v.*; **2** (*tn.*) spoelmachine *v.*
bobinoir [bòbinwa:r] *m.* spinnewiel *o.*
bobo [bobo] *m.*, (*in kindertaal*) zeer *o.*, pijn *v.*(*m.*).
bobsleigh [bòbslé] *m.* bobslee *v.*(*m.*).
bocage [bòka:j] *m.* bosje *o.*
bocager [bòkajé] *adj.* **1** in de bossen wonend; **2** met bosjes (beplant).
bocal [bòkal] *m.* **1** wijde, glazen fles *v.*(*m.*); **2** bokaal *m.*; **3** (*voor goudvissen*) kom *v.*(*m.*).
bocard [bòka:r] *m.* stampmolen *m.* (voor erts).
Boche [bò'ʃ] *m.* mof *m.*; ***b—*** *adj.* mofs.
Bochie [bò'ʃi] *f.* Moffrika *o.*
bochiman [bòʃimã] *m.* Bosjesman *m.*
bock [bòk] *m.* **1** glas *o.* bier; **2** bierglas *o.*
Bodegem-Saint-Martin Sint-Martens-Bodegem.
Boers [bu:r] *m.pl.* Boeren *mv.* (*Z. Afrika*).
boette [bòèt], **boitte** *f.* aas *o.* (om te vissen).
bœuf [bœf] **I** *m.* **1** os *m.*; **2** rund *o.*; **3** ossevlees; rundvlees *o.*; **4** (*fig.*) plompe kerel *m.*; **5** werkezel *m.*; ***— de mer,*** zeekoe *v.*(*m.*); ***— salé,*** pekelvlees *o.*; ***— gras,*** paasos *m.*; ***mettre la charrue devant les —s,*** het paard achter de wagen spannen; ***donner un œuf pour avoir un —,*** een spiering uitgooien om een kabeljauw te vangen; **II** *adj.* kolossaal, reuzen—; ***un succès —,*** een reuzensucces.
bog(g)ie [bò'gi] *m.* tweeassig onderstel *o.* van treinwagen.
bogue [bò'g] *f.* bolster *m.* (van kastanje).
Bohême [bòè:m] *f.* Bohemen *o.*; ***b—*** *f.* arme kunstenaars of studenten.
Bohème [bòè:m] **I** *m.-f.* Bohemer *m.*, Boheemse *v.*; ***b—,*** *m.-f.* **1** zigeuner *m.*, —in *v.*; **2** arm kunstenaar (student) *m.*; ***vie de —,*** ongeregeld leven *o.*; ***maison de —,*** huishouden van Jan Steen; **II** *adj.* ongeregeld.
Bohémien [bòémyẽ] **I** *m.*, **—ne** *f.* Bohemer *m.*, Boheemse *v.*; ***b—,*** zigeuner, zwerver *m.*; **II** *adj.* ***b—,*** Boheems.
boire* [bwa:r] **I** *v.t.* **1** drinken; **2** leegdrinken; **3** (*fig.*: *v. belediging*) slikken; **4** (*v. geld*) er door brengen; verdrinken; **5** (*v. inkt, enz.*) opzuigen; ***ce papier boit (l'encre),*** dit papier vloeit; ***— à petits coups,*** slurpen; ***— à sa soif,*** zoveel drinken als men lust; ***c'est la mer à —,*** het is onbegonnen werk; ***ce n'est pas la mer à —,*** zo lastig is het niet; ***— dans un verre,*** uit een glas drinken; ***— sec,*** stevig drinken; ***— comme une éponge, — comme un tonneau, — comme un Polonais,*** drinken als een tempelier; ***des propos après —,*** dronkemanspraat *m.*; ***qui a bu boira,*** gewoonte is een tweede natuur; ***— le calice jusqu'à la lie,*** de lijdenskelk tot op de bodem ledigen; ***il y a à — et à manger,*** daar is van alles wat; het heeft zijn voor en tegen; ***on ne saurait faire — un âne qui n'a pas soif,*** met onwillige honden is het kwaad hazen vangen; ***— les paroles de qn.,*** aan iemands lippen hangen; **II** *s.*, *m.* (het) drinken *o.*; ***en perdre le — et le manger,*** er de eetlust door verliezen.
bois [bwa, bwɑ] *m.* **1** bos *o.*; **2** hout *o.*; **3** (*v. lans*) schacht *v.*(*m.*); **4** (*v. hert*) gewei *o.*; **5** houtsnede *v.*(*m.*); ***menu —,*** rijshout *o.*; ***— de réglisse,*** zoethout *o.*; ***— de lit,*** ledikant *o.*; ***— de chauffage,*** brandhout *o.*; ***— de construction,*** timmerhout *o.*; ***train de —,*** houtvlot *o.*; ***un homme de —,*** een houten Klaas; ***faire visage de —,*** een zuur gezicht zetten; ***trouver visage de —,*** voor een gesloten deur komen; ***entre le — et l'écorce il ne faut pas mettre le doigt,*** steek uw hand niet in een wespennest; meng u niet in familiezaken; ***déménager*** (*of* ***déloger***) ***à la cloche de —,*** met de noorderzon vertrekken.
boisage [bwa'za:j] *m.* **1** beschotwerk *o.*; **2** beschothout *o.*; **3** mijnhout *o.*
Bois-de-Lessines [bwa'dlèsin] Lessenbos *o.*
boisé [bwa'zé] *adj.* **1** bosrijk; **2** met houtgewas beplant.
boisement [bwa'zmã] *m.* bebossing *v.*; houtaanplant *m.*
boiser [bwa'zé] *v.t.* **1** bebossen; met hout beplanten; **2** betimmeren; met houtwerk beschieten; **3** stutten.
boiserie [bwa'zri] *f.* houten beschot *o.*, lambrizering, betimmering *v.*
boiseur [bwa'zœ:r] *m.* (*in mijn*) stutmaker, timmerman *m.*
Bois-le-Duc [bwaldük] *m.* 's-Hertogenbosch *o.*
boisseau [bwaso] *m.* schepel *o. en m.* (*oude maat*); ***il ne faut pas mettre la lumière sous le —,*** men moet het licht niet onder de korenmaat zetten.
boisselée [bwaslé] *f.* 'n schepel *o. en m.* vol.
boissellerie [bwasèlri] *f.* **1** houten vaatwerk *o.*; **2** handel *m.* in houten vaatwerk.
boisson [bwasõ] *f.* drank *m.*; ***adonné à la —,*** aan de drank (verslaafd); ***pris de —,*** beschonken, dronken.
boîte [bwat] *f.* **1** doos *v.*(*m.*); **2** bus *v.*(*m.*); **3** (*v. sigaren, enz.*) kistje *o.*; **4** (*v. klok*) kast *v.*(*m.*); **5** (*pop.*) hok *o.*, kast *v.*(*m.*); ***— à conserves,*** conservenblik(je) *o.*; ***— de compas,*** passerdoos *v.*(*m.*); ***— à*** (*of* ***de***) ***couleurs,*** verfdoos *v.*(*m.*); ***— de vitesses,*** (*v. auto*) versnellingsbak *m.*; ***— aux lettres,*** brievenbus *v.*(*m.*); ***— à ordures,*** vuilnisbak *m.*; ***— d'artifice,*** donderbus *v.*(*m.*); ***— crânienne,*** hersenpan *v.*(*m.*); ***— de nuit,*** nachtkroeg *v.*(*m.*); ***— de secours,*** **1** verbandkist *v.*(*m.*); **2** (*v. drenkelingen, enz.*) hulpkist *v.*(*m.*); ***— à herboriser,*** botaniseertrommel *v.*(*m.*); ***dans les petites —s, les bons onguents,*** klein maar dapper.
boitement [bwatmã] *m.* (het) mank gaan, (het) hinken *o.*
boiter [bwaté] *v.i.* mank gaan, hinken.
boiterie [bwatri] *f.* het kreupel (*of* mank) zijn.
boiteux [bwatö] **I** *adj.* **1** mank, kreupel; **2** (*fig.*)

gebrekkig; **3** (*v. stoel, tafel, enz.*) waggelend; **4** (*v. vers*) hinkend; ***une phrase boiteuse,*** een slecht gebouwde zin; ***cette comparaison est boiteuse,*** die vergelijking gaat mank; **II** *s., m.* kreupele *m.*; ***il ne faut pas clocher devant les —,*** men moet niet met gebrekkige lieden spotten.

boîtier [bwatyé] *m.* **1** (*v. dokter*) instrumentkistje *o.*; **2** (*v. horloge*) binnenkast *v.(m.)*; **3** buslichter *m.*

boitiller [bwatiyé] *v.i.* licht mank gaan.

boitte [bwat], **boette** *f.* (vis)aas *o.*

boit-tout [bwatu] *m.* **1** drinkeboer *m.*; **2** (*v. glas*) tuimelaar *m.*

bol [bòl] *m.* **1** kom; vingerkom *v.(m.)*; **2** (*gen.*) grote pil *v.(m.)*; ***— alimentaire,*** spijsbal *m.*

bolchevik [bòlʃevik] *m.* bolsjewiek *m.*

bolchevisme [bòlʃevism] *m.* bolsjewisme *o.*

bolcheviste [bòlʃevist] *m.* bolsjewiek *m.*

bolduc [bòldük] *m.* gekleurd dun inpaktouw *o.*

bolée [bòlé] *f.* een kom *v.(m.)* vol.

boléro [bòléro] *m.* bolero *m.*

bolet [bòlè] *m.*, (*Pl.*) soort paddestoel *m.*

bolide [bòli'd] *m.* luchtsteen, meteoorsteen *m.*; ***passer en —,*** in razende vaart voorbijvliegen.

bolivar [bòliva:r] *m.* bolivar, hoed *m.* met brede rand.

Bolivie [bòlivi] *f.* Bolivia *o.*

bolivien [bòlivyẽ] **I** *adj.* Boliviaans; **II** *s., m., **B—,*** Boliviaan *m.*

bollandiste [bòlã'dist] *m.* Bollandist *m.*

bolognais [bòlòñè] *adj.* Bolognees, uit Bologna.

Bologne [bòlòñ] *f.* Bologna *o.*

bombage [bõ'ba:j] *m.* (het) welven, (het) bol maken *o.*

bombance [bõ'bã:s] *f.* smulpartij *v.*, fuif *v.(m.)*; ***faire —,*** smullen, fuiven.

bombarde [bõ'bard] *f.* donderbus *v.(m.)*.

bombardement [bõ'bardemã] *m.* bombardement *o.*, beschieting *v.*

bombarder [bõ'bardé] *v.t.* **1** bombarderen, beschieten; **2** (*fig.*) overstelpen (met); ***on l'a bombardé président,*** men heeft hem (buiten alle verwachting) tot voorzitter benoemd (*of* gekozen).

bombardier [bõ'bardyé] *m.* bommenwerper *m.*, bombardementsvliegtuig *o.*; ***— en piqué,*** duikbommenwerper *m.*

bombardon [bõ'bardõ] *m.*, (*muz.*) bombardon *m.*

bombasin [bõ'bazẽ] *m.* bombazijn *o.*

Bombaye [bõbèy] Bolbeek *o.*

bombe [bõ:b] *f.* **1** bom *v.(m.)*; **2** bolle fles *v.(m.)*; ***— incendiaire,*** brandbom, brandgranaat *v.(m.)*; ***— explosive,*** springbom; ***— atomique,*** atoombom; ***— sousmarine,*** dieptebom; ***— à retardement,*** tijdbom *v.(m.)*; blindganger *m.*; ***— lumineuse,*** lichtkogel *m.*; ***— de signaux,*** (*sch.*) signaalbal *m.*; ***faire la —,*** fuiven; ***arriver comme une —,*** als een bom uit de lucht komen vallen.

bombé [bõ'bé] *adj.* bol, gewelfd; ***verre —,*** **1** stolp *v.(m.)*; **2** bolle lens *v.(m.)*.

bombement [bõ'bmã] *m.* ronding, welving *v.*

bomber [bõ'bé] **I** *v.t.* ronden, bol maken; ***— le thorax,*** de borst vooruitsteken; **II** *v.i.* **1** bol zijn, bol staan; **2** (*v. hout, enz.*) kromtrekken.

bombyce [bõ'bis], **bombyx** [bõ biks] *m.* zijdeworm *m.*, zijderups *v.(m.)*.

bôme [bo:m] *m.* giek *m.* (van een zeil).

bomerie [bòmri] *f.* bodemerij *v.*

bon [bõ] **I** *adj.* **1** goed; **2** goedhartig; **3** gunstig; **4** hartelijk, welwillend; **5** gaaf, deugdelijk; **6** lekker; **7** aanzienlijk, flink; **8** juist, rechtvaardig; **9** braaf; **10** eenvoudig; ***— comme le pain,*** door en door goed; ***un — morceau,*** een fijn brokje; ***de — cœur,*** graag, van ganser harte; ***à — droit,*** terecht; ***le — Dieu,*** Onze Lieve Heer; ***à — marché, à — compte,*** goedkoop; ***avoir l'air —,*** er goedig uitzien; ***avoir —ne mine,*** er goed uitzien; ***une —ne tête,*** een knappe kop; ***une —ne heure,*** ruim een uur; ***la —ne moitié,*** meer dan de helft; ***un — mot,*** een geestige zet; ***de — matin, de —ne heure,*** ('s morgens) vroeg; ***— nombre de,*** heel wat; ***souhaiter une —ne année,*** een zalig (*of* gelukkig) nieuwjaar wensen; ***arriver — premier,*** met glans winnen (als eerste aankomen); ***avoir — ton,*** goede manieren hebben; ***être — à,*** geschikt zijn om; ***à quoi — ?*** waartoe dient het? ***comme — vous semble,*** zoals u wilt; ***il m'en est arrivé une —ne,*** nu heb ik iets geks aan de hand gehad; ***à — vin point d'enseigne,*** goede wijn behoeft geen krans; ***il a — pied, — œil,*** hij is nog flink; ***à — chat — rat,*** leer om leer; **II** *adv.* goed; ***sentir —,*** lekker ruiken; ***tenir —,*** voet bij stuk houden; ***trouver —,*** goedvinden; ***pour de —,*** voor goed; ***il fait — ici,*** 't is hier lekker; ***il ne fait pas — là,*** 't is daar niet pluis; daar is 't gevaarlijk; **III** *s., m.* **1** (het) goede *o.*; **2** de goede (mens) *m.*; **3** bewijs *o.*, bon *m.*; ***— de commande,*** bestelbon *m.*, bestelbriefje *o.*; ***mon —,*** mijn waarde, mijn beste; ***— du Trésor,*** schatkistbiljet *o.*; ***— de poste,*** postbewijs *o.*; ***— à tirer,*** (*op drukproef*) toestemming om af te drukken.

bonace [bònas] *f.*, (*sch.*) windstilte *v.*

bonapartisme [bònapartizm] *m.* gehechtheid *v.* aan de Bonapartes.

bonasse [bònas] *adj.* goedig, sullig.

bonbon [bõbõ] *m.* suikergoed *o.*, lekkernij *v.*, iets lekkers *o.*; ***— acidulé,*** zuurtje *o.*

bonbonne [bõbòn] *f.* grote fles *v.(m.)* (in mand).

bonbonnière [bõbònyè:r] *f.* **1** bonbondoosje *o.*; **2** (*fig.*) gezellig (snoezig) huisje *o.*

bon*-cadeau* [bõ'kado] *m.* geschenkbon *m.*

bon*-chrétien* [bõ'krétyẽ] *m.*, (*Pl.*) Christuspeer *v.(m.)*.

bond [bõ] *m.* sprong *m.*; ***d'un —,*** ineens; ***du premier —,*** dadelijk, onmiddellijk; ***faire un —,*** opspringen; ***faire faux — à qn.,*** zijn beloften niet houden, iem. in de steek laten; ***prendre la balle au —,*** de gelegenheid aangrijpen.

bonde [bõ:d] *f.* **1** (*v. ton*) spon, bom *v.(m.)*; **2** (*v. goot*) deksel *o.*; **3** (*v. vijver*) duiker *m.*; duikerklep *v.(m.)*; ***lâcher la —,*** het spongat openzetten; (iets) de vrije loop laten.

bondé [bõ'dé] *adj.* stampvol, propvol.

bonder [bõ'dé] *v.t.* volstoppen; vol laden.

bondieusard [bõ'dyöza:r] *m.*, (*pop.*) femelaar, kwezel *m.*

bondieuserie [bõ'dyözri] *f.* **1** kwezelarij; **2 —s,** (zoetelijke) vrome beeldjes en plaatjes.

bondir [bõ'di:r] *v.i.* **1** opspringen; **2** huppelen; **3** terugspringen, terugstuiten; ***faire — le cœur,*** doen walgen, walging wekken.

bondissement [bõ'dismã] *m.* **1** (het) opspringen *o.*; **2** (het) huppelen *o.*

bondon [bõ'dõ] *m.* **1** bom, spon *v.(m.)*; **2** klein rond kaasje *o.*

bondonner [bõ'dòné] *v.t.* met een spon sluiten.

bondonnière [bõ'dònyè:r] *f.* sponboor *v.(m.)*.

bon*-henri* [bònã'ri] *m.*, (*Pl.*) veldspinazie *v.(m.)*.

bonheur [bònœ:r] *m.* geluk *o.*; ***au petit —,*** op goed geluk; ***le — éternel,*** de eeuwige zaligheid *v.*; ***jouer de —,*** geluk hebben, fortuinlijk zijn; ***— du jour,*** glazen kast *v.(m.)*, spiegelkastje *o.*

bonhomie [bònòmi] *f.* **1** goedaardigheid, goedigheid, goedhartigheid *v.*; **2** onnozelheid *v.*

bonhomme [bònòm] **I** *m.*, (*pl.*: ***bonshommes***) **1** goedhals, Joris Goedbloed *m.*; **2** mannetje *o.*, man *m.*; **3** (*v. tekening*) poppetje *o.*; ***vieux —,*** oud mannetje *o.*; ***petit —,*** jongetje, ventje *o.*; ***— de neige,*** sneeuwpop *v.(m.)*; ***aller son petit — de chemin,*** kalmpjes voortdoen, kalm zijn eigen weg volgen; ***faire son petit — de chemin,*** het aardig ver brengen, langzamerhand zijn doel bereiken; ***entrer dans la peau du —,*** zich geheel indenken in zijn rol; **II** *adj.* goedig, goedhartig.

boni [bòni] *m.* **1** batig saldo *o.*; **2** winst *v.*, voordeel *o.*

boniche [bòniʃ] *f.* (*pop.*) (dienst)meisje *o.*

Boniface [bònifas] *m.* Bonifacius *m.*; ***b—,*** **I** *adj.* lichtgelovig; **II** *s., m.* onnozele hals *m.*

bonification [bònifika'syõ] *f.* **1** (*v. grond*) verbetering *v.*, vermeerdering *v.* van opbrengst; **2** (*v. winst of interest*) uitkering *v.*; ***— des intérêts,*** rentevergoeding *v.*

bonifier [bònifyé] **I** *v.t.* **1** (*v. grond*) verbeteren; vruchtbaarder maken; **2** uitkeren, vergoeden; **3** een toeslag geven bij; **II** *v.pr.*, ***se —,*** beter worden.

boniment [bònimã] *m.* toespraak *v.(m.)* (*v. kwakzalver, op kermis, enz.*); ***faire son —,*** zijn waar aanprijzen.

bonisseur [bònisœ:r] *m.* marktschreeuwer *m.*

bonjour [bõju:r] *m.* goedendag; goedemorgen; ***dire —,*** groeten; ***simple comme —,*** doodeenvoudig.

bonne [bòn] *f.* dienstbode *v.*; ***— (d'enfants),*** kindermeid *v.*; ***— à tout faire,*** meid-alleen *v.*

bonneau [bòno] *m.* ankerboei *v.(m.)*. [*v.(m.)*.

bonne*-dame* [bòndam] *f.*, (*Pl.*) tuinmelde

bonne*-maman* [bònmamã] *f.* grootma, oma *v.*

bonnement [bònmã] *adv.* gewoon, eenvoudig, rondweg; ***tout —,*** heel gewoon, doodeenvoudig, gewoonweg.

bonnet [bònè] *m.* **1** muts *v.(m.)*; **2** (*v. herkauwend dier*) netmaag, muts *v.(m.)*; ***— de nuit,*** slaapmuts *v.(m.)*; ***— de fou,*** zotskap *v.(m.)*; ***— de police,*** politiemuts *v.(m.)*; ***— à poil,*** beremuts *v.(m.)*; ***— grec,*** kalotje *o.*; ***gros —,*** hoge ome, grote hans *m.*; ***opiner du —,*** op alles ja knikken, een jabroer zijn; ***avoir mis son — de travers,*** slecht gemutst zijn, de bokkepruik op hebben; ***avoir la tête près du —,*** kort aangebonden zijn; ***deux têtes dans un —,*** twee handen op één buik; ***c'est — blanc et blanc —,*** het is lood om oud ijzer; ***jeter son — par-dessus les moulins,*** **1** dwaze streken uithalen; **2** zich niet aan de mensen storen; ***prendre qc. sous son —,*** iets uit zijn duim zuigen.

bonneterie [bòntri] *f.* handel in gebreide goederen, manufacturenwinkel *m.* [*m.*

bonneteur [bòntœ:r] *m.* oplichter, boerenbedrieger

bonnetier [bòntyé] *m.* handelaar in wollen goederen, manufacturier *m.*

bonnette [bònèt] *f.* **1** lijzeil *o.*; **2** kindermutsje *o.*; **3** (*fot.*) voorzetlens *v.(m.)*.

bon*-papa* [bõ'papa] *m.* grootpa, opa *m.*

bonsoir [bõ'swa:r] *m.* goedenavond; ***— la compagnie,*** goeienavond samen; ***—!*** (*iron.*) dat nooit! kun je begrijpen! ***donner le —,*** goedenavond zeggen.

bonté [bõ'té] *f.* **1** goedheid, goedhartigheid *v.*; **2** welwillendheid, gedienstigheid *v.*; **3** deugdelijkheid, goede hoedanigheid *v.*; **4** rechtmatigheid *v.*; ***ayez la — (de),*** wees zo goed (te); ***— divine! — du ciel!*** hemelse goedheid! goeie genade!

bonze [bõ:z] *m.* **1** bonze, monnik (priester) *m.* van Boeddha; **2** (*fig.*) hoge ome *m.*

bonzerie [bõ'zri] *f.* boeddhistisch klooster *o.*

bookmaker [bukmékœ:r] *m.*, (*bij wedrennen*) bookmaker *m.*

boom [bu'm] *m.* boom *m.* (sterke koers- of prijsstijging).

boomerang [bumrã] *m.* boemerang *m.*

Booz [bòòz] *m.* Boas *m.*

boqueteau [bòkto] *m.* bosje *o.*

borain [bòrẽ] **I** *adj.* uit de Borinage; **II** *s., m.*, ***B—,*** bewoner *m.* van de Borinage.

borate [bòrat] *m.* boorzuurzout *o.*

borax [bòraks] *m.* borax *m.* [de ingewanden).

borborygme [bòrbòrigm] *m.* rommeling *v.* (in

bord [bò:r] *m.* **1** (*v. hoed, afgrond, enz.*) rand *m.*; **2** (*v. schip*) boord *o.* en *m.*; **3** schip *o.*; **4** (*v. rivier*) oever *m.*; **5** (*v. bos*) zoom *m.*; ***livre de —,*** scheepsjournaal *o.*; ***franco à —,*** franco boord; ***jeter pardessus —,*** over boord gooien; ***un — coupant,*** een scherpe kant; ***à pleins —s,*** overvloedig, volop; ***ils sont du même —,*** het is één pot nat.

bordage [bòrda:j] *m.* **1** (*v. schip*) buitenhuid *v.(m.)*; **2** (*v. kleed, enz.*) (het) omboorden *o.*

bordé [bòrdé] *m.* boordsel *o.*

bordée [bòrdé] *f.* **1** (*v. geschut*) (volle) laag *v.(m.)*, losbranding *v.*; **2** gang *m.* (bij 't laveren); ***essuyer une —,*** de volle laag krijgen; ***une — d'injures,*** een vloed van scheldwoorden; ***lâcher une —,*** de volle laag geven.

bordelais [bòrdelè] **I** *adj.* uit Bordeaux; **II** *s., m.*, ***B—,*** bewoner *m.* van Bordeaux.

border [bòrdé] *v.t.* **1** omboorden; **2** afzetten (met); omgeven (met); **3** staan (liggen, *of* lopen) langs; **4** (*op schip*) boordplanken aanbrengen; **5** (*v. zeil*) aanhalen; **6** (*v. kind in bed*) toedekken, instoppen; ***— la haie,*** (*v. troepen*) een haag vormen; ***— la côte,*** langs de kust varen.

bordereau [bòrdero] *m.* **1** borderel *o.*; **2** (*v. betalingen*) staat *m.*; **3** (*v. prijzen, enz.*) opgave *v.(m.)*.

bordier [bòrdyé] **I** *adj.* aan de weg (*of* rand) liggend; **II** *s., m.* pachter *m.*

bordure [bòrdü:r] *f.* **1** rand *m.*; **2** boord *m.*, omboording *v.*, zoom *m.*; **3** (*v. trottoir*) band *m.*; **4** (*v. schilderij, enz.*) lijst *v.(m.)*, omlijsting *v.*; ***en — de,*** langs.

bore [bò:r] *m.* borium *o.*

boréal [bòréal] *adj.* (*pl.*: **boréals**) noordelijk; ***aurore —e,*** noorderlicht *o.*

borgne [bòrñ] **I** *adj.* éénogig; ***ancre —,*** éénarmig anker *o.*; ***compte —,*** onjuiste rekening *v.*; ***fenêtre —,*** venster *o.* zonder uitzicht; ***changer son cheval — contre un aveugle,*** van de wal in de sloot geraken, van de regen in de drup komen; **II** *s., m.*, ***borgnesse*** *f.* eenogige *m.-f.*; ***dans le royaume des aveugles les —s sont rois,*** in het land van de blinden is éénoog koning.

borin [borẽ] *m.* (Belgisch) mijnwerker *m.*

borinage [borina:j] *m.* **1** de gezamenlijke Waalse en Noordfranse steenkolenmijnen; **2** de gezamenlijke mijnwerkers van een mijn.

borique [bòrik] *adj.*, ***acide —,*** boorzuur *o.*

boriqué [bòriké] *adj.*, ***eau —e,*** boorwater *o.*

bornage [bòrna:j] *m.* afbakening, afpaling *v.*

borne [bòrn] *f.* **1** grenspaal *m.*; grenssteen *m.*; **2** grens *v.(m.)*; **3** meerpaal *m.*; ***— kilométrique,*** mijlsteen, mijlpaal *m.*; ***sans —s,*** grenzeloos; ***mettre des —s à,*** paal en perk stellen aan; ***cela passe les —s,*** dat loopt de spuigaten uit, dat gaat te ver; ***il est planté là comme une —,*** hij staat daar als een paal. [**3** bekrompen.

borné [bòrné] *adj.* **1** begrensd; **2** (*fig.*) beperkt;

bornéen [bòrnéẽ] *adj.* Borneoos; van, uit Borneo.

borne*-fontaine* [bòrnfõ'tè'n] *f.* straatfontein *v.(m.)*.

borner [bòrné] **I** *v.t.* **1** begrenzen; **2** afpalen (met grenspalen); **3** beperken; **II** *v.pr.*, ***se — (à),*** **1** zich

bepalen (tot); 2 zich vergenoegen (met); ***bornez-vous là,*** laat het daarbij.
bornoyer [bòrnwayé] *v.t.* met één oog zien langs.
bort [bò:r] *m.* boort *o.* (*diamantafval*).
bos(chi)man [bòʃimã] *m.* Bosjesman *m.*
Bosnie [bòsni] *f.* Bosnië *o.*
bosnien [bòsnyẽ], **bosniaque** [bòsnyak] **I** *adj.* Bosnisch; **II** *s., m.,* ***B—,*** Bosniër *m.*
Bosphore [bòsfò:r] *m.* Bosporus *m.*
bosquet [bòskè] *m.* bosje *o.*
bossage [bòsa:j] *m.* **1** stenen uitstek *o.*; **2** boogronding *v.*
bosse [bòs] *f.* **1** bochel *m.*; **2** buil *v.(m.)*; **3** knobbel *m.,* uitwas *m. en o.*; **4** (*v. dier*) bult *m.*; **5** (*v. terrein, muur*) oneffenheid *v.*; **6** pleistermodel, gipsafgietsel *o.*; **7** (*fig.*) aanleg *m.,* talent *o.*; ***rouler sa —,*** overal rondreizen, reizen en trekken; ***faire —,*** uitpuilen; ***avoir la — des mathématiques,*** een natuurlijke aanleg hebben voor wiskunde; ***se flanquer une — de rire,*** zich een bult lachen; ***en —,*** en relief.
bosselage [bòsla:j] *m.* reliefwerk, drijfwerk *o.*
bosselé [bòslé] *adj.* **1** gedeukt, vol deuken; **2** hobbelig; **3** (*v. metaal*) gedreven.
bosseler* [bòslé] *v.t.* **1** deuken; **2** hobbelig maken; **3** (*v. metaal*) drijven, met drijfwerk versieren.
bosselure [bòslü:r] *f.* **1** deuk *v.(m.)*; **2** drijfwerk *o.*; **3** (*v. blad*) bolheid *v.*
bossoir [bòswa:r] *m.,* (*sch.*) **1** kraanbalk, ankerbalk *m.*; **2** davit *m.*
bossu [bòsü] **I** *adj.* gebocheld; **II** *s., m.* bultenaar, gebochelde *m.*; ***rire comme un —,*** zich een bochel lachen.
bossué [bòswé] *adj.* **1** gedeukt, vol deuken; **2** hobbelig.
bossuer [bòswé] *v.t.* **1** deuken; **2** hobbelig maken.
boston [bòstõ] *m.* boston *o.*
bostonner [bòstòné] *v.i.* **1** boston spelen; **2** boston dansen.
bostryche [bòstriʃ] *m.,* (*Dk.*) schorskever *m.*
bot [bo] *adj.* misvormd; ***pied —,*** horrelvoet *m.*; ***main —e,*** misvormde hand *v.(m.)*.
botanique [bòtanik] **I** *adj.* plantkundig, botanisch; ***jardin —,*** plantentuin, hortus *m.*; **II** *s., f.* plantkunde, botanie *v.*
botaniser [bòtanizé] *v.i.* kruiden zoeken, botaniseren.
botaniste [bòtanist] *m.* plantkundige, botanicus *m.*
botte [bòt] *f.* **1** bos, bundel *m.*; **2** pak *o.*; **3** (hoge) laars *v.(m.)*; **4** degenstoot *m.*; ***— à revers, — à l'anglaise,*** kaplaars *v.(m.)*; ***— à l'écuyère,*** rijlaars *v.(m.)*; ***en —s,*** in rijkostuum; gelaarsd en gespoord; ***avoir du foin dans les —s,*** er warmpjes inzitten; ***lécher les —s de qn.,*** voor iem. kruipen; ***porter une — à qn.,*** iem. een hak zetten; ***c'est le moment de graisser ses —s,*** het is tijd om zich voor de reis gereed te maken.
bottelage [bòtla:j] *m.* (het) binden tot bossen, (het) opbossen *o.*
botteler* [bòtlé] *v.t.* in bossen binden, opbossen.
botteleur [bòtlœ:r] *m.* schovenbinder *m.*
botter [bòté] **I** *v.t.* **1** (iemands) laarzen aantrekken; **2** laarzen leveren (aan), laarzen maken (voor), van laarzen voorzien; ***ça me botte,*** (*fam.*) dat staat me aan; dat past me net; **II** *v.pr.,* ***se —,*** zijn laarzen aantrekken.
bottier [bòtyé] *m.* laarzenmaker *m.*
bottillon [bòtiyõ] *m.* bosje *o.*
bottin [bòtẽ] *m.* adresboek *o.*; ***— du téléphone,*** telefoongids *m.*
bottine [bòtin] *f.* rijglaars *v.(m.)*.
botulique [bòtülik] *adj.,* ***poison —,*** worstvergif *o.*
botulisme [bòtülizm] *m.* worstvergiftiging *v.*
bouc [buk] *m.* bok *m.*; ***— émissaire,*** zondebok *m.*
boucage [buka:j] *m.,* (*Pl.*) pimpernel *v.(m.)*.
boucan [bukã] *m.* **1** herrie *v.(m.)*, lawaai, spektakel, geraas, getier *o.*; **2** (*bij de Indianen*) gerookt vlees *o.*
boucaner [bukané] **I** *v.t.,* (*bij de Indianen*) vlees roken; **II** *v.i.* op wilde buffels jagen.
boucanier [bukanyé] *m.* **1** buffeljager *m.*; **2** vrijbuiter *m.*
boucassin [bukasẽ] *m.* grove katoenen stof *v.(m.)* (*voor voering*).
boucaut [buko] *m.* vat *o.,* ton *v.(m.)* (*voor droge stoffen*).
bouchage [buʃa:j] *m.* **1** (het) stoppen, (het) dichtstoppen *o.*; **2** (het) kurken *o.*
boucharde [buʃard] *f.* **1** steenhouwershamer *m.*; **2** rol *v.(m.)* met punten.
bouche [buʃ] *f.* **1** mond *m.*; **2** (*v. dier*) bek *m.*; **3** opening, monding *v.*; ***— à feu,*** vuurmond *m.*; ***— d'incendie,*** brandkraan *v.(m.)*; ***— de chaleur,*** verwarmingsrooster *m. en o.*; ***fine —,*** lekkerbek, fijnproever *m.*; ***Saint Jean — d'or,*** **1** welsprekend man *m.*; **2** flapuit *m.*; ***faire la petite —,*** zich kieskeurig tonen; ***à — que veux-tu?*** naar hartelust; ***avoir le cœur sur la —,*** het hart op de tong hebben, oprecht zijn; ***— close!*** mondje dicht! ***rester — close,*** met de mond vol tanden staan; ***faire venir l'eau à la —,*** doen watertanden; ***il est sur sa —,*** het is een lekkerbek, hij houdt van lekker eten; ***aller de — en —,*** zich als een lopend vuurtje verspreiden; ***faire la — en cœur,*** gemaakt lief doen; ***de l'abondance du cœur la — parle,*** waar 't hart van vol is loopt de mond van over.
bouché [buʃé] *adj.* **1** dichtgestopt; **2** (*fig.*) stompzinnig; **3** (*v. weer*) heiig, dampig; ***— à l'émeri,*** hermetisch gesloten.
bouche-bouteille* [buʃbutèy] *m.* kurkmachine *v.*
bouche*-de-lièvre [buʃdelyè:vr] *f.,* (*Pl.*) eierzwam *v.(m.)*.
bouchée [buʃé] *f.* **1** 'n mond *m.* vol; **2** hapje *o.*; **3** pasteitje *o.*; ***— aux crevettes,*** garnalenpasteitje; ***— à la reine,*** vleespasteitje; ***mettre les —s doubles,*** **1** schrokken; **2** (*fig.*) vaart er achter zetten.
bouchement [buʃmã] *m.* (het) dichten, (het) stoppen *o.* (*v. muur*).
boucher [buʃé] **I** *m.* **1** slager *m.*; **2** (*fig.*) beul *m.*; **II** *v.t.* **1** stoppen, dichtstoppen; **2** (*v. fles, enz.*) kurken; **3** (*v. doorgang*) belemmeren, versperren; **4** (*v. gezicht, daglicht*) benemen; **5** (*v. venster*) dichtmetselen; **6** (*v. buis*) verstoppen; **7** (*v. naad*) breeuwen; ***se — le nez,*** zijn neus dichthouden; ***se — les oreilles,*** zijn oren toestoppen; niets willen horen.
bouchère [buʃè:r] *f.* slagersvrouw *v.*
boucherie [buʃri] *f.* **1** slagerij *v.,* slagerswinkel *m.*; **2** slachting *v.,* slachtbank *v.(m.)*; bloedbad *o.*
bouche-trou* [buʃtru] *m.* noodhulp *v.(m.)*.
bouchoir [buʃwa:r] *m.* (ijzeren) ovendeur *v.(m.)*.
bouchon [buʃõ] *m.* **1** stop *m.*; **2** kurk *v.(m.)*; **3** (*v. papier*) prop *v.(m.)*; **4** (*v. hengel*) dobber *m.*; **5** (*als uithangbord v. herberg*) tak, krans *m.*; **6** (*v. wasgoed, enz.*) pak *o*; **7** (*tn.*) plug *v.(m.)*; ***— de paille,*** strowis *v.(m.)*.
bouchonnement [buʃònmã] *m.,* (*v. paarden*) (het) afwrijven *o.* met een strowis.
bouchonner [buʃòné] *v.t.* **1** met een strowis afwrijven; **2** (*v. wasgoed, enz.*) een pak maken van, in een bundel samenpakken; **3** liefkozen.
bouchonnerie [buʃònri] *f.* kurkenfabriek *v.*
bouchonnier [buʃònyé] *m.* **1** kurksnijder *m.*; **2** handelaar *m.* in kurken.

bouchot [bufo] *m.* mosselpark *o.*
boucle [bukl] *f.* **1** gesp *m. en v.*; **2** ring *m.*; **3** (*v. haar*) krul, lok *v.*(*m.*); **4** lus *v.*(*m.*); **5** bocht *v.*(*m.*), kronkeling *v.*; ***—s d'oreilles,*** oorbellen, oorringen *mv.*
bouclé [buklé] *adj.* **1** gekruld; **2** gegespt; **3** geringd; **4** geknipt, achter slot; ***souliers —s,*** schoenen met gespen.
boucler [buklé] **I** *v.t.* **1** toegespen; **2** krullen, doen krullen; **3** (*v. varken, enz.*) van een ring voorzien, ringelen; **4** (*fig.*: *v. begroting*) sluitend maken; **5** (*v. boeken, rekening*) afsluiten; **6** (*v. schaatsen*) aanbinden; **7** (*v. haven*) afsluiten; **8** (*mil.*; *v. huis, wijk*) afsluiten; ***— qn.,*** iem. achter slot en grendel zetten; ***— ses malles,*** zijn koffers pakken; ***il peut — sa valise,*** hij kan zijn matten oprollen; **II** *v.i.* **1** (*v. haar*) krullen; **2** (*tn.*: *v. muur*) uitstaan; **III** *v.pr.*, ***se —,*** **1** zijn gordel toegespen; **2** (*v. haar*) krullen.
Boucle-Saint-Blaise Sint-Blasius-Boekel *o.*
Boucle-Saint-Denis Sint-Denijs-Boekel *o.*
bouclette [buklèt] *f.* **1** krulletje, lokje *o.*; **2** ringetje *o.*
bouclier [bukli(y)é] *m.* **1** schild *o.*; **2** (*fig.*) bescherming *v.*; ***levée de —s,*** algemeen verzet *o.*
bouddhique [budik] *adj.* boeddhistisch.
bouddhisme [budizm] *m.* boeddhisme *o.*
bouddhiste [budist] *m.* boeddhist *m.*
bouder [budé] **I** *v.i.*, (***à, contre***) **1** pruilen, mokken; **2** (*bij dominospel*) passen; ***ne pas —,*** zich niet onbetuigd laten; ***il ne boude pas à la besogne,*** hij is niet bang voor het werk; **II** *v.t.*, ***— qn.,*** pruilen tegen iem., boos zijn op iem.
bouderie [budri] *f.* pruilerij *v.*, gemok *o.*
boudeur [budœ:r] **I** *m.* pruiler, mokker *m.*; **II** *adj.* pruilerig, mokkend.
boudin [budẽ] *m.* **1** bloedworst *v.*(*m.*), beuling *m.*; **2** (*fig.*) tabaksrol *v.*(*m.*); **3** (*v. wiel*) radkrans *m.*; ***ressort à —,*** spiraalveer *v.*(*m.*); ***s'en aller en eau de —,*** met een sisser aflopen, in 't water vallen.
boudiné [budiné] *m.* fat *m.*
boudiner [budiné] *v.t.*, (*tn.*: *v. garen*) draaien; (*fig.*) ***boudiné,*** gespannen (in zijn kleren).
boudinière [budinyè:r] *f.* worsthoren, worsttrechter *m.*
boudoir [budwa:r] *m.* boudoir, damessalonnetje *o.*
boue [bu] *f.* **1** slijk *o.*, modder *m.*; **2** (*v. inktpot, enz.*) bezinksel *o.*; ***—s minérales,*** modderbaden *mv.*; ***traîner dans la —,*** door het slijk sleuren; ***tirer de la —,*** uit het stof verheffen.
bouée [bué] *f.* boei *v.*(*m.*), baken *o.*; ***— de sauvetage,*** reddingboei *v.*(*m.*); zwemgordel *m.*
boueur [buœ:r] *m.* vuilnisman *m.*
boueux [buö] *adj.* **1** modderig, slijkerig; **2** (*v. inkt, dranken*) drabbig; **3** (*v. schrift, enz.*) morsig, slordig.
bouffant [bufã] **I** *adj.* opbollend, poffend; ***manche —e,*** pofmouw *v.*(*m.*); **II** *s., m.* pof *v.*(*m.*).
bouffante [bufã:t] *f.* **1** hoepelrok *m.*; **2** hoepeltje *o.*
bouffarde [bufard] *f.* (grote) pijp *v.*(*m.*).
bouffarder [bufardé] *v.i.* dampen.
bouffe [buf] **I** *adj.* kluchtig, koddig, komisch; **II** *s., m.* komiek *m.* (in de opera).
bouffée [bufé] *f.* **1** uitademing *v.*; **2** (*v. rook, enz.*) wolk *v.*(*m.*); (*v. pijp ook*:) trekje *o.*; ***— de chaleur,*** **1** warmtegolf *v.*(*m.*); **2** opstijging *v.* (van warmte) naar het hoofd; ***— de vent,*** windvlaag *v.*(*m.*).
bouffer [bufé] *v.i.* **1** bol staan, opbollen; **2** (*pop.*) schransen; **3** zwellen.
bouffette [bufèt] *f.* kwastje *o.*
bouffi [bufi] *adj.* **1** opgeblazen; **2** bol, opgezet; **3** (*v. stijl, enz.*) gezwollen; ***il est — d'orgueil,*** hij barst van hoogmoed.
bouffir [bufi:r] **I** *v.t.* **1** opblazen; **2** doen opzwellen; **II** *v.i.* opzwellen.
bouffissure [bufisü:r] *f.* **1** opgeblazenheid *v.*; **2** (*v. stijl*) gezwollenheid *v.*
bouffon [bufõ] **I** *m.* **1** potsenmaker, kluchtspeler *m.*; **2** nar, zot *m.*; **II** *adj.* komiek, boertig, kluchtig, potsierlijk.
bouffonner [bufòné] *v.i.* dwaas doen, plat grappig zijn.
bouffonnerie [bufònri] *f.* klucht, grap *v.*(*m.*), zotte streek *m. en v.*
bouge [bu:j] *m.* **1** rommelkamer *v.*(*m.*); **2** hok, krot *o.*; **3** (*v. vat*) buik *m.*
bougeoir [bujwa:r] *m.* (hand)blaker *m.*
bougeotte [bujòt] *f.*, (*fam.*) **1** reiskoorts *v.*(*m.*); **2** verhuiskoorts *v.*(*m.*); ***avoir la —,*** geen rust hebben.
bouger [bujé] **I** *v.i.* **1** bewegen, zich verroeren; **2** (*fig.*) in beweging komen; een teken van leven geven; **II** *v.t.* verplaatsen.
bougie [buji] *f.* **1** kaars *v.*(*m.*); **2** (*el., gen.*) bougie *v.*; ***— électrique,*** *f.* **1** koolspits *v.*(*m.*); **2** (*v. motor*) ontstekingskaars *v.*(*m.*); **3** (*gen.*) sonde *v.*(*m.*).
bougier [bujyé] *v.t.* met was bestrijken.
bougnat [buña] *m.* (*pop.*) kolenboer *m.*
bougon [bugõ] **I** *m.* knorrepot, brombeer *m.*; **II** *adj.* knorrig.
bougonner [bug(ò)né] **I** *v.i.* mopperen, grommen, knorren; **II** *v.t.* beknorren.
bougran [bugrã] *m.* grof voeringlinnen *o.*
bougre [bu:gr] **I** *m.* kerel; schoft, rekel *m.*; ***un bon —,*** een beste kerel; **II** *ij.* verduiveld!
bougrement [bugremã] *adv.* drommels; ontzettend; ***— difficile,*** vreselijk moeilijk.
bougresse [bugrès] *f.* drommelse meid *v.*
boui*-boui* [buibui] *m.* tingeltangel *m.*
bouif [buif] *m.* (*pop.*) schoenlapper *m.*
bouillabaisse [buyabè:s] *f.* **1** soort vissoep *v.*(*m.*); **2** (*fam.*) ratjetoe *m. en o.*
bouillant [buyã] *adj.* **1** kokend, ziedend; **2** opbruisend, opvliegend.
bouille [bu:y] *f.* **1** (*v. visser*) plonsstok *m.*; **2** druivenkorf *m.*
bouiller [buyé] *v.i.*, (*v. visser*) plonzen.
bouillerie [buyri] *f.* brandewijnstokerij *v.*
bouilleur [buyœ:r] *m.* **1** brandewijnstoker *m.*; **2** (*tn.*: *v. stoommachine*) kookbuis *v.*(*m.*).
bouilli [buyi] *m.* soepvlees, gekookt (rund)vlees *o.*
bouillie [buyi] *f.* **1** pap *v.*(*m.*); **2** brij *m.*; ***s'en aller en —,*** tot moes worden; ***faire de la — pour les chats,*** nutteloos werk verrichten.
bouillir* [buyi:r] *v.i.* **1** koken, zieden; **2** gisten; ***— de colère,*** zieden van toorn; ***faire — de l'eau,*** water koken; ***cela fait — la marmite,*** daarvan moet de schoorsteen roken; ***si la mer bouillait, tous les poissons seraient cuits,*** als de lucht invalt, zijn al de mussen dood.
bouilloire [buywa:r] *f.* waterketel, theeketel *m.*
bouillon [buyõ] *m.* **1** vleesnat *o.*, bouillon *m*; **2** (*op water*) bobbel *m.*, luchtbel *v.*(*m.*); **3** (*in glas*) luchtblaasje *o.*; **4** (*op kleren, enz.*) dof *m.*, pof *v.*(*m.*); **5** goedkoop eethuis *o.*; ***bouillir à gros —s,*** hard koken; ***couler à gros —s,*** gutsen, met gulpen uitstromen; ***boire un —,*** **1** (*bij 't zwemmen*) water binnen krijgen; **2** een klap krijgen, een (geld)verlies lijden; ***— d'onze heures,*** giftdrank *m.*; ***—s,*** onverkochte boeken, kranten en tijdschriften.
bouillon*-blanc* [buyõ·blã] *m.*, (*Pl.*) wolkruid *o.*, koningskaars *v.*(*m.*).
bouillonnant [buyònã] *adj.* **1** opborrelend, opbruisend; **2** (*v. toorn*) ziedend.
bouillonnement [buyònmã] *m.* opborreling *v.*
bouillonner [buyòné] **I** *v.i.* **1** opborrelen, opbrui-

sen; 2 gulpen; 3 zieden; II *v.t.*, (*v. kleren*) opdoffen.
bouillotte [buyòt] *f.* 1 keteltje *o.*; 2 warmwaterstoof *v.(m.)*; 3 soort kaartspel *o.*
bouillotter [buyòté] *v.i.* zachtjes koken. [*m. en o.*
boujaron [bujarõ] *m.* 1 oorlam *o.*; 2 boezeroen
boulaie [bulè] *f.* berkenbos *o.*
boulange [bulã:j] *f.* 1 bakkersbedrijf *o.*; 2 (het) bakken *o.*; ***bois de* —**, bakkershout *o.*
boulanger [bulã'jé] I *m.* 1 bakker *m.*; 2 (*pop.*) duivel *m.*; ***garçon* —**, bakkersknecht *m.*
boulangère [bulã'jè:r] *f.* bakkersvrouw *v.*
boulangerie [bulã'jri] *f.* 1 bakkerij *v.*; 2 bakkerswinkel *m.*; 2 bakkersbedrijf *o.*
boulant [bulã] *m.*, (*Dk.*) kropduif *v.(m.)*; II *adj.* ***sables —s***, drijfzand *o.*
boule [bul] *f.* 1 bol; bal *m.*; 2 (*pop.*) kop, knikker *m.*; ***— de neige***, sneeuwbal *m.*; ***faire la — de neige***, steeds aangroeien; ***— déformante***, tuinspiegel *m.*; ***— de son***, gezicht vol sproeten; ***— d'eau chaude***, waterstoot *v.(m.)*; ***perdre la —***, het hoofd verliezen, de kluts kwijt geraken; ***jeu de —s***, kolfspel *o.*; ***tenir pied à —***, voet bij stuk houden; ***la — noire lui tombe toujours***, hij is een ongeluksvogel.
bouleau [bulo] *m.* berk *m.*
boule*-de-neige [buldenè:j] *f.* (*Pl.*) sneeuwbal *m.*
bouledogue [buldòg] *m.* bulhond, buldog *m.*
boule*-panorama* [bulpanòrama] *f.* tuinspiegel *m.*
bouler [bulé] I *v.i.* 1 (*v. duif*) de krop opzetten; 2 (*v. brood*) rijzen; (*fig.*) ***envoyer —***, afschepen; II *v.t.* over de grond rollen.
boulet [bulè] *m.* 1 kanonskogel *m.*; 2 (*v. paard*) koot *v.(m.)*; ***des —s***, bruinkool *v.(m.)*; ***traîner un —***, 1 een blok aan 't been hebben; 2 op zware lasten zitten; ***tirer sur qn. à — rouge***, iem. hevig aanvallen, flink de waarheid zeggen.
boulette [bulèt] *f.* 1 (*v. vlees, brood*) balletje *o.*; 2 (*v. papier*) propje *o.*; 3 (*fig.*) flater, domme streek *m. en v.*
bouleux [bulö] I *m.* 1 werkpaard *o.*; 2 (*fig.*) werkezel *m.*; II *adj.* onvermoeibaar. [*m.*
boulevard [bulva:r] *m.* 1 bolwerk *o.*; 2 boulevard
boulevarder [bulvardé] *v.i.* langs de boulevards slenteren.
boulevardier [bulvardyé] I *adj.* van de (Parijse) boulevards; II *s.*, *m.* vast bezoeker *m.* (van de cafés, theaters, enz.) van de boulevards.
bouleversement [bulvèrsemã] *m.* 1 omkering *v.*; 2 omverwerping *v.*; 3 verwoesting *v.*; 4 ommekeer *m.*; ingrijpende verandering *v.*; 5 verwarring, beroering *v.*
bouleverser [bulvèrsé] *v.t.* 1 omkeren; 2 omverwerpen; 3 verwoesten; 4 ingrijpende veranderingen aanbrengen in; 5 in verwarring brengen; ***cela va le —***, dat zal hem erg aangrijpen.
boulier [bulyé] *m.* 1 visnet *o.*; 2 — (***compteur***), telraam *o.*
boulimie [bulimi] *f.* geeuwhonger *m.* [honger.
boulimique [bulimik] *m.* lijder *m.* aan geeuw-
boulin [bulẽ] *m.* 1 duivengat *o.*, duivenpot *m.*; 2 (*in muur*) steigergat *o.*; 3 dwarsbalk *m.* (van steiger). [loeven, scherp bij de wind zeilen.
bouline [bulin] *f.* boeilijn *v.(m.)*; ***naviguer à la —***,
bouliner [buliné] I *v.i.* loeven; II *v.t.*, (*v. zeil*) bij de wind zetten.
boulingrin [bulẽ'grẽ] *m.* grasperk *o.* (in een tuin).
boulingue [bulẽ:g] *f.* topzeil *o.*
bouliste [bulist] *m.* kolfspelspeler *m.*
Boul'Miche [bulmiʃ] I *m.* Boulevard St. Michel (*in Parijs*); II *adj.* (*argot*) studentikoos.
bouloir [bulwa:r] *m.* kalkkloet, roerstok *m.*
boulon [bulõ] *m.* klinkbout *m.*
boulonnais [bulònè] *adj.* uit Boulogne.
boulonner [bulòné] *v.t.* met bouten bevestigen, vastklinken.
boulonnerie [bulònri] *f.* klinkboutenfabriek *v.*
boulot [bulo] I *adj.* dik en vet; II *s.*, *m.* dikkerd *m.*, dikkerdje *o.*
boulotter [bulòté] I *v.i.* 1 eten, smullen, schransen; 2 een kalm gangetje gaan; II *v.t.* 1 opsmullen; 2 (*v. geld*) opmaken; 3 (*v. werk*) afdoen.
boum* [bum] I *ij.* bom !; II *s.*, *m.* surprise-party *v.*
boumerang [bumrã] *m.* boemerang *m.*
bouquet [bukè] *m.* 1 ruiker, tuil *m.*; 2 (*v. wijn*) bouquet *o. en m.*, fijne geur *m.*; 3 het neusje *o.* van de zalm; 4 (*v. groenten, enz.*) bosje *o.*; 5 (*v. vuurpijlen*) bundel *m.*; 6 (*v. vuurwerk*) slotstuk *o.*; ***un — d'arbres***, een groepje bomen; ***c'est le —***, dat spant de kroon, dat mankeerde er nog maar aan; ***réserver pour le —***, voor 't laatst bewaren.
bouquetier [buktyé] *m.* bloemvaas *v.(m.)*.
bouquetière [buktyè:r] *f.* bloemenmeisje *o.*
bouquetin [buktẽ] *m.* steenbok *m.*
bouquin [bukẽ] *m.* 1 oud boek *o.*; 2 oude bok *m.*; 3 (*v. haas, konijn*) rammelaar *m.*; 4 (*v. pijp, hoorn*) mondstuk *o.*
bouquine [bukin] *f.* bokkebaardje *o.*
bouquiner [bukiné] *v.i.* 1 in oude boeken snuffelen; 2 de boekenstalletjes doorzoeken.
bouquinerie [bukinri] *f.* 1 handel *m.* in oude boeken, antiquariaat *o.*; 2 oude boekenrommel *m.*
bouquineur [bukinœ:r] *m.* snuffelaar *m.* in oude boeken. [boeken.
bouquiniste [bukinist] *m.* handelaar *m.* in oude
bourbe [burb] *f.* 1 modder *m.*, slijk *o.*; 2 (*in inkt*) bezinksel *o.*
bourbeux [burbö] *adj.* modderig, slijkerig.
bourbier [burbyé] *m.* 1 modderpoel *m.*; 2 (*fig.*) wespennest *o.*
bourbillon [burbiyõ] *m.* kop *m.* van een etterbuil.
bourbonien [burb(ò)nyẽ] *adj.* Bourbons.
bourbonisme [burbònizm] *m.* partij *v.* van de Bourbons.
bourcette [bursèt] *f.* veldsla *v.(m.)*.
bourdaine [burdè'n] *f.*, **bourgène** (*Pl.*) vuilboom, zwarte els *m.* [dersteek *m.*
bourdalou [burdalu] *m.* 1 hoedband *m.*; 2 on-
bourde [burd] *f.* 1 uitvlucht *v.(m.)*, verzinsel *o.*; 2 mop *v.(m.)*; ***faire avaler des —s à qn.***, iem. iets wijsmaken.
bourder [burdé] *v.i.* opsnijden.
bourdillon [burdiyõ] *m.* duighout *o.*
bourdon [burdõ] *m.* 1 pelgrimsstaf *m.*; 2 (*muz.*) brombas *v.(m.)*; brompijp *v.(m.)*; 3 g-snaar *v.(m.)* (van viool); 4 (*Dk.*) hommel *v.(m.)*; 5 (*drukk.*) uitlating *v.*; ***faux —***, dar *m.*
bourdonnement [burdònmã] *m.* gegons, gebrom *o.*; ***—s d'oreilles***, oorsuizingen *mv.*
bourdonner [burdòné] *v.t. et v.i.* 1 gonzen, brommen; 2 mompelen; 3 neuriën.
bourg [bu:r] *m.* vlek, groot dorp *o.*
bourgade [burga'd] *f.* klein vlek, dorpje *o.*
bourgène, *voir* ***bourdaine.***
bourgeois [burjwa] I *m.*, **—e** *f.* 1 burger *m.*, —es *v.*; 2 (*fam.*) patroon, baas *m.*; 3 hospes *m.*; hospita *v.*; ***petit —***, burgerman *m.*; ***en —***, in burger(kleding); II *adj.* 1 burgerlijk; 2 gewoon, alledaags; ***cuisine —e***, burgerpot *m.*; ***classe —e***, burgerstand *m.*; ***milice —e***, burgerwacht *v.(m.)*.
bourgeoisement [burjwa'zmã] *adv.* burgerlijk, eenvoudig, op burgerlijke wijze.
bourgeoisie [burjwa'zi] *f.* burgerij *v.*, burger-

stand *m.*; ***droit de —,*** burgerrecht *o.*; ***haute —,*** deftige burgerstand *m.*
bourgeon [burjõ] *m.* **1** (*aan tak*) knop *m.*; **2** (*in gezicht*) puist *v.*(*m.*).
bourgeonné [burjòné] *adj.* puistig, vol puisten.
bourgeonnement [burjònmã] *m.* (het) uitbotten *o.*
bourgeonner [burjòné] *v.i.* **1** uitbotten, knoppen krijgen; **2** puisten krijgen.
bourgeonnier [burjònyé] *m.* bloedvink *m. en v.*
bourgeron [burjerõ] *m.* boezeroen *m. en o.*, kiel *m.*
Bourg-Léopold [bu:rléòpòl] Leopoldsburg *o.*
bourgmestre [burgmèstr] *m.* burgemeester *m.*
Bourgogne [burgòñ] *f.* Bourgondië *o.*; ***b—,*** *m.* bourgognewijn *m.*
Bourguignon [burgiñõ] **I** *m.* Bourgondiër *m.*; **II** *adj.*, ***b—,*** Bourgondisch.
bourguignotte [burgiñòt] *f.* infanteriehelm *m.*
bourlinguer [burlẽ·gé] *v.i.* **1** tegen stroom en wind varen; **2** (*fig.*) tegenspoed hebben, het zwaar te verantwoorden hebben.
bournous [burnus] *m.* boernoes, Arabische kapmantel *m.*
bourrache [buraʃ] *f.* **1** vismand *v.*(*m.*); **2** (*Pl.*) bernagie *v.*(*m.*).
bourrade [bura·d] *f.* **1** stoot, stomp, opstopper *m.*; **2** uitbrander, bitse uitval *m.*
bourrage [bura:j] *m.* **1** (het) opvullen *o.*; **2** (het) volstoppen *o.*; **3** vulsel *o.*; ***— de crâne,*** volstopperij *v.* met geleerdheid.
bourras [bura] *m.* grof linnen *o.*
bourrasque [burask] *f.* **1** rukwind *m.*, windvlaag *v.*(*m.*); **2** (*fig.*: *v. woede*) vlaag *v.*(*m.*); **3** (*v. koorts*) aanval *m.*; ***— de neige,*** sneeuwstorm *m.*
bourre [bu:r] *f.* **1** vulsel *o.*; **2** (*v. geweer*) prop *v.*(*m.*); **3** (*Pl.*) dons *o.*; ***— de soie,*** floretzijde *v.*(*m.*); ***— de laine,*** wolafval *o. en m.*
bourreau [buro] *m.* **1** beul, scherprechter *m.*; **2** (*fig.*) wreedaard *m.*; ***— d'argent,*** verkwister, doorbrenger *m.*
bourrée [buré] *f.* **1** rijsbos *m.*; **2** takkenbos *m.*; **3** opstopper *m.*
bourrèlement [burèlemã] *m.* **1** hevige pijn *v.*(*m.*); **2** diepe smart *v.*(*m.*).
bourreler* [burlé] *v.t.* kwellen, pijnigen, folteren.
bourrelet [burlè] *m.* **1** tochtkussen *o.*; tochtlat *v.*(*m.*); **2** (*voor kind*) valhoed *m.*; **3** stootkussen *o.*; **4** opzwelling *v.*
bourrelier [bur(è)lyé] *m.* zadelmaker *m.*
bourrellerie [burèlri] *f.* zadelmakerij *v.*
bourrer [buré] (*de*) *v.t.* **1** opvullen (met); volstoppen (met); **2** volproppen (met); **3** (*v. pijp*) stoppen; **4** stompen, stoten; **5** (*fig.*) ruw bejegenen; **6** (*v. mijn*) laden; ***— de coups,*** afrossen, een pak slaag geven; ***— le crâne à qn.,*** iemands kop op hol brengen.
bourrette [burèt] *f.* ruwe zijde *v.*(*m.*).
bourriche [buriʃ] *f.* **1** leefnet *o.*; **2** mand *v.*(*m.*) (voor vis, wild, enz.).
bourrichon [buriʃõ] *m.*, (*pop.*) kop *m.*; ***se monter le —,*** **1** zich opwinden; **2** zich heel wat inbeelden.
bourricot [buriko] *m.* ezeltje *o.*
bourrin [burẽ] *m.* (*pop. voor paard*) knol *m.*
bourrique [burik] *f.* **1** ezelin *f.*; **2** knol *m.*; **3** domoor, stommerik *m.*; (***faire***) ***tourner qn. en —,*** iem. overdonderen, het land opjagen.
bourriquet [burikè] *m.* jonge ezel *m.*, ezeltje *o.*
bourroir [burwa:r] *m.* stamper *m.*
bourru [burü] **I** *adj.* **1** ruw, oneffen; **2** bars, stuurs, knorrig; ***vin —,*** most, ongegiste wijn *m.*; **II** *s.*, *m.* bullebak *m.*
bourse [burs] *f.* **1** beurs *v.*(*m.*); **2** zakje *o.*; ***— de commerce,*** handelsbeurs, warenbeurs; ***— des fonds publics,*** effectenbeurs; ***— de travail,*** arbeidsbeurs; ***— des valeurs,*** (*radio*) beursberichten; ***chômage de la —,*** beursvakantie *v.*; ***opérations de —,*** beurszaken *mv.*; ***coupeur de —s,*** zakkenroller *m.*; ***faire — commune,*** uit één beurs teren; ***payer sans — délier,*** met gesloten beurzen betalen; ***loger le diable dans sa —,*** geen cent op zak hebben; op zwart zaad zitten.
boursette [bursèt] *f.* veldsla *v.*(*m.*).
boursicaut, boursicot [bursiko] *m.* **1** beursje *o.*; **2** spaarpotje *o.*, spaarcentjes *mv.*
boursicoter [bursikòté] *v.i.* gokken, in 't klein speculeren.
boursicotier [bursikòtyé] *m.* gokker, beursspeculant *m.*, speculant *m.* in 't klein.
boursier [bursyé] *m.* **1** beursman, beursbezoeker *m.*; **2** student *m.* die uit een beurs studeert.
boursiller [bursiyé] *v.i.* potten.
boursouflage [bursufla:j] *m.* gezwollenheid *v.* (van stijl).
boursouflé [bursuflé] *adj.* gezwollen.
boursoufler [bursuflé] **I** *v.t.* doen (op)zwellen, opblazen; **II** *v.pr.*, ***se —,*** zwellen, zich uitzetten.
boursouflure [bursuflü:r] *f.* **1** opzwelling *v.*; **2** gezwollenheid *v.*
bousculade [busküla·d] *f.* **1** gedrang, geduw *o.*; **2** ruwe bejegening *v.*
bousculer [buskülé] *v.t.* **1** verdringen, op zij duwen; **2** omverwerpen; **3** aanlopen tegen; **4** schokken, ontstellen; **5** ruw bejegenen.
bouse [bu:z] *f.* koemest *m.*
bousier [bu·zyé] *m.* mestkever *m.*
bousillage [bu·ziya:j] *m.* **1** mengsel *o.* van leem en stro; **2** (*fig.*) knoeiwerk *o.*
bousiller [buziyé] **I** *v.i.* **1** met leemkalk en stro bouwen; **2** knoeien; **II** *v.t.* verknoeien.
bousilleur [buziyœ:r] *m.* knoeier *m.*
bousin [buzẽ] *m.* **1** bomijs *o.*; **2** lawaai, leven *o.*
bousingot [buzẽ·go] *m.* **1** matrozenhoed *m.*; **2** oproerier, volksmenner *m.*
boussole [busòl] *f.* **1** kompas *o.*; **2** (*fig.*) gids, leidsman *m.*; ***perdre la —,*** de kluts kwijt raken.
boustifaille [bustifa:y] *f.* **1** smulpartij *v.*; **2** eten *o.*
boustifailler [bustifa yé] *v.i.*, (*fam.*) eten, schransen, vreten.
bout [bu] *m.* **1** eind, uiteinde *o.*; **2** (*v. vinger*) top *m.*; **3** (*v. tong, stok*) punt *m.*; **4** (*v. pijp*) mondstuk *o.*; **5** (*v. neus*) tipje, puntje *o.*; **6** (*v. schoen*) neus *m.*; **7** (*v. kaars, sigaar, enz.*) eindje, stompje *o.*; **8** (*v. schip*) voorsteven *m.*; **9** (*v. tijdruimte*) verloop *o.*; ***le haut —,*** het boveneinde; ***tenir le haut —,*** een ereplaats innemen; ***le bas —,*** het benedeneinde; ***d'un — à l'autre,*** van 't begin tot het einde, van a tot z; ***à tout — de champ,*** elk ogenblik; ***joindre les deux —s,*** rondkomen; ***il tient le bon —,*** hij heeft het bij het rechte eind; ***faire un — de toilette,*** zich wat opknappen; ***savoir sur le bout du doigt,*** op zijn duimpje kennen; ***pousser à —,*** tot het uiterste drijven; ***brûler la chandelle par les deux —s,*** **1** zijn geld op dwaze wijze verkwisten; **2** zijn gezondheid verwoesten; ***on ne sait par quel — le prendre,*** men kan met hem niet overweg, men weet niet hoe men hem moet aanpakken; ***rester au — de la plume,*** in de pen blijven; ***rire du — des lèvres,*** flauwtjes lachen, lachen als een boer die kiespijn heeft; ***être au — de son latin,*** ten einde raad zijn; ***avoir de l'esprit au — des doigts,*** zeer handig zijn; ***avoir un mot sur le — de la langue,*** een woord op de lippen hebben; ***manger du — des dents,*** met lange tanden eten; ***au — du***

compte, per slot van rekening; ***tirer à — portant,*** van vlak bij schieten; ***être à —,*** **1** doodop zijn; **2** ten einde raad zijn; ***être à — de ressources,*** geen raad meer weten; ***je suis à — de patience,*** mijn geduld loopt ten einde; ***faire un — de chemin,*** een klein eindje afleggen; ***un — d'homme,*** een klein kereltje; een nietig ventje; ***un — de causette,*** een praatje; ***au — de l'aune faut le drap,*** aan alles komt een eind; ***au — de quelques jours,*** na enige dagen; ***aller jusqu'au —,*** tot het uiterste doorzetten; ***faire toucher qc. du — du doigt,*** iets volkomen duidelijk maken; ***parler du — des lèvres,*** **1** prevelen; **2** op onverschillige toon spreken; ***venir à — de,*** **1** (*v. moeilijkheid*) te boven komen, overwinnen; **2** (*v. plan*) verwezenlijken; **3** (*v. tegenstand*) breken; **4** (*v. onderneming*) slagen in; ***venir à — de qn.,*** iem. de baas worden, iem. klein krijgen; ***au — du fossé la culbute,*** het einde zal de last dragen.

boutade [buta'd] *f.* **1** geestige uitval *m.*, grap *v.*(*m.*); **2** nuk, gril *v.*(*m.*); ***par —s,*** nu en dan.

bout*-dehors [budeò:r] *m.*, (*sch.*) spier *v.*(*m.*).

boute [but] *f.* **1** tabaksvat *o.*; **2** lederen zak *m.*

boute-charge [butʃarj] *m.*, (*mil.*) signaal *o.* voor opzadelen.

boutée [buté] *f.* schoormuur *m.*

boute-en-train [butãtrẽ] *m.* jolig persoon (die de vrolijkheid aanbrengt), lollige vent, grappenmaker *m.* [stokebrand *m.*

boutefeu [butfö] *m.* raddraaier, oproermaker,

bouteille [butè'y] *f.* fles *v.*(*m.*); ***— isolante,*** thermosfles; ***— de Leyde,*** (*el.*) Leidse fles; ***avoir de la —,*** (*v. wijn*) belegen zijn; ***mettre en —s,*** bottelen; ***c'est la — à l'encre,*** **1** 't is er pikdonker; **2** (*fig.*) het is zo helder als koffiedik.

bouteiller [butèyé] *m.* schenker *m.*

bouteillerie [butèyri] *f.* **1** flessenrek *o.*; flessenbergplaats *v.*(*m.*); **2** flessenfabriek *v.*; **3** flessenhandel *m.*

bouteillon [butèyõ] *m.* (*mil.*) veldketel *m.*

boute-lof* [butlòf] *m.*, (*sch.*) botteloef *m.*

bouter [buté] **I** *v.t.* **1** (*v. wild*) opjagen; **2** (*v. leer*) schrapen; **3** (*v. spelden*) opsteken; **II** *v.i.* (*v. wijn*) drabbig worden; ***— dehors,*** er uitsmijten; ***— au large,*** uitvaren.

bouterolle [butròl] *f.* **1** (*op degenschede*) beslag *o.*; **2** (*in sleutelbaard*) kerf *v.*(*m.*). [zadelen.

boute-selle [butsèl] *m.*, (*mil.*) signaal *o.* voor op-

boutique [butik] *f.* **1** winkel *m.*; **2** kraam *v.*(*m.*) *en o.*; **3** werkplaats *v.*(*m.*); **4** (*v. kramer*) mars *v.*(*m.*); **5** viskaar *v.*(*m.*); **6** (*fig.*) rommel *m.*; ***toute la —,*** de hele rommel; ***tenir —,*** een (handels)zaak hebben; ***fermer —,*** zijn zaken aan kant doen, stil gaan leven. [mer *m.*

boutiquier [butikyé] *m.* **1** winkelier *m.*; **2** kra-

boutisse [butis] *f.*, (*tn.*) strekse steen *m.*

boutoir [butwa:r] *m.* **1** (*v. hoefsmid*) veegmes *o.*; **2** (*v. looier*) schraapmes, schaafijzer *o.*; **3** snuit *m.* (*v. wild zwijn*); ***coup de —,*** vinnige uitval, steek *m.*

bouton [butõ] *m.* **1** knop *m.*; **2** (*aan kleren, enz.*) knoop *m.*; **3** (*in aangezicht*) puist *v.*(*m.*); ***— d'appel,*** drukknopje *o.*; ***— de petite vérole,*** pok *v.*(*m.*); ***serrer le — à qn.,*** iem. het mes op de keel zetten.

bouton*-commutateur [butõkòmütatœ:r] *m.* (*el.*) omschakelaar *m.*

bouton*-contact* [butõkõ'takt] *m.* contactknop *m.* [*v.*(*m.*).

bouton*-d'argent [butõdargã] *m.* (*Pl.*) ranonkel

bouton*-d'or [butõdò:r] *m.*, (*Pl.*) boterbloem *v.*(*m.*).

boutonné [butòné] *adj.* **1** toegeknoopt; **2** vol knoppen; **3** puistig, vol puisten; **4** (*fig.*) achterhoudend, terughoudend; ***il est toujours —,*** er is niets uit hem te krijgen, hij is zo dicht als een pot.

boutonner [butòné] **I** *v.t.* **1** toeknopen, dichtknopen; **2** van een knop voorzien; **3** (*bij 't schermen*) raken; **II** *v.i.* **1** knoppen krijgen, uitbotten; **2** puisten krijgen; **III** *v.pr.*, ***se —,*** **1** zijn goed dichtknopen, zijn knopen vastmaken; **2** (*fig.*) erg terughoudend zijn, potdicht zijn.

boutonnerie [butònri] *f.* knopenmakerij *v.*; knopenhandel *m.*

boutonneux [butònö] *adj.* vol puisten.

boutonnier [butònyé] *m.* knopenmaker; knopenverkoper *m.*

boutonnière [butònyè:r] *f.* **1** knoopsgat *o.*; **2** (*fam.*) insnijding *v.*, jaap *m.* [*o.*

bouton*-pression [butõprèsyõ] *m.* drukknoopje

bouts-rimés [burimé] *m.pl.* opgegeven eindrijmen *mv.*; ***bout-rimé*** *m.* gedichtje *o.* met opgegeven eindrijmen.

bouturage [butüra'j] *m.*, (*tuinb.*) (het) stekken *o.*, stekplanting *v.*

bouture [butü:r] *f.* stek *m.*, loot *v.*(*m.*).

bouturer [butü'ré] **I** *v.t.* stekken; **II** *v.i.* stekken schieten.

bouvard [buva:r] *m.* jonge stier *m.*

bouveau [buvo] *m.* jonge os *m.*

bouverie [buvri] *f.* ossenstal *m.*

bouvet [buvè] *m.* ploegschaaf *v.*(*m.*).

bouvier [buvyé] *m.* **1** ossenhoeder, ossendrijver, koeherder *m.*; **2** (*Dk.*) kwikstaart *m.*

bouvillon [buviyõ] *m.* jonge os *m.*

bouvreuil [buvrœ'y] *m.* bloedvink, goudvink *m. en v.*

bovidés [bòvidé] *m.* runderachtigen *mv.*

bovin [bòvẽ] *adj.* runder—.

box [bòks] *m.* (*pl.*: ***boxes***), box *m.* (afgeschoten ruimte voor één paard of auto, enz.).

box-calf* [bòkskalf] *m.* boxcalf *o.* (fijn kalfsleer).

boxe [bòks] *f.* (het) boksen *o.*

boxer [bòksé] **I** *v.i.* boksen; **II** *v.t.*, ***— qn.,*** iem. vuistslagen geven, iem. met de vuist bewerken.

boxeur [bòksœ:r] *m.* bokser *m.*

boy [bò:y] *m.* inheemse bediende *m.*; piccolo *m.*

boyard [bòya:r] *m.* bojaar, Slavisch landheer *m.*

boyau [bwayo] *m.* **1** darm *m.*; **2** waterslang *v.*(*m.*); **3** (*v. tennisracket*) snaar *v.*(*m.*); **4** (*mil.*) mijngang *m.*; loopgraaf *v.*(*m.*); ***— de communication,*** verbindingsloopgraaf; ***corde à —,*** darmsnaar *v.*(*m.*); ***aimer qn. comme ses petits —x,*** iem. liefhebben als zijn oogappel.

boyauderie [bwayodri] *f.* **1** darmwasserij *v.*; **2** darmbereiding *v.*; **3** darmsnarenfabriek *v.*

boyaudier [bwayodyé] *m.* darmsnarenmaker *m.*

boyautage [bwayota:j] *m.* (*tennis*) besnaring *v.*

boycottage [bòykòta:j] *m.* boycot *m.*, uitsluiting *v.*

boycotter [bòykòté] *v.t.* boycotten, uitsluiten.

boy-scout* [bòyskut] *m.* padvinder *m.*

brabançon [brabã'sõ] **I** *adj.* Brabants; **II** *s.*, *m.* ***B—,*** Brabander *m.*; ***la —ne,*** de Brabançonne *v.*

Brabant [brabã] *m.* Brabant *o.*

bracelet [braslè] *m.* **1** armband *m.*; **2** (*om pilaar, enz. als versiersel*) ring *m.* [horloge *o.*

bracelet*-montre* [braslèmõ:tr] *m.* armband-

brachial [brakyal] *adj.* arm—, van de arm; ***muscle —,*** armspier *v.*(*m.*).

brachycéphale [brakiséfal] *adj.* kortschedelig.

braconnage [brakòna:j] *m.* wildstroperij *v.*

braconner [brakòné] *v.i.* (wild) stropen.

braconnier [brakònyé] *m.* wildstroper *m.*

bractée [brakté] *f.*, (*Pl.*) schutblad *o.*
bractéifère [braktéifè:r] *adj.* schutbladdragend.
brader [bradé] *v.t.*, (*pop.*) uitverkopen, van de hand doen (v. oude rommel).
braderie [bradri] *f.* uitverkoop *m.* tegen spotprijs (vooral v. oude rommel).
bradype [bradip] *m.*, (*Dk.*) luiaard *m.*
bradypepsie [bradipèpsi] *f.* trage spijsvertering *v.*
Brages [bra:j] Beert *o.*
braguette [bragèt] *f.* gulp *v.*(*m.*) (*v. broek*).
brahmane [braman] *m.* brahmaan *m.*
brahmanique [bramanik] *adj.* brahmaans.
brahmanisme [bramanizm] *m.* brahmaanse godsdienst *m.*, leer *v.*(*m.*) van de brahmanen.
brai [brè] *m.* **1** hars *o. en m.*; **2** teer *m. en o.*, pek *o. en m.*
braies [brè] *f.pl.*, (*oud*) broek *v.*(*m.*); ***s'en tirer les — nettes,*** er zonder kleerscheuren afkomen.
braillard [bra'ya:r] **I** *m.* schreeuwer, schreeuwlelijk *m.*; **II** *adj.* schreeuwend, schreeuwerig.
braille [bra'y] *f.* brailleschrift *o.*
braillement [bra'ymã] *m.* geschreeuw *o.*
brailler [bra'yé] *v.i.* schreeuwen, brullen, bulken.
brailleur [bra'yœ:r] *m.* schreeuwer *m.*
braiment [brè(y)mã] *m.*, (*v. ezel*) gebalk *o.*
Braine-l'Alleud [brè'nlalö] Eigenbrakel *o.*
Braine-le-Château [brè'nlʃa'to] Kasteelbrakel *o.*
Braine-le-Comte [brè'nlkõ't] 's-Gravenbrakel *o.*
braire* [brè:r] *v.i.* balken.
braise [brè:z] *f.* **1** gloeiende kolen *mv.*; **2** houtskool *v.*(*m.*), dove kolen *mv.*; **3** (*pop.*) geld *o.*; ***être sur la —,*** op hete kolen zitten; ***il a de la —,*** hij heeft spie.
braiser [brè'zé] *v.t.* smoren, stoven (op kolenvuur).
braisette [brè'zèt] *f.* houtskool *v.*(*m.*), dove kolen *mv.*
braisier [brè'zyé] *m.* houtskoolbak *m.*
braisière [brè'zyè:r] *f.* **1** doofpot *m.*; **2** stoofpan *v.*(*m.*) (met vuurdeksel).
braisiller [brè'ziyé] *v.i.* lichten, flikkeren.
brame [bram] *m.* brahmaan *m.*
bramement [brammã] *m.* het schreeuwen (v. hert).
bramer [bramé] *v.i.* schreeuwen (v. hert).
bramine [bramin] *m.* brahmaan *m.*
bran [brã] *m.* **1** (*pop.*) poep *m.*; **2 — *de scie,*** zaagmeel *o.*
brancard [brã'ka:r] *m.* **1** draagbaar *v.*(*m.*); **2** lamoen *o.*; **— *roulant,*** raderbrancard *m.*
brancardage [brã'karda:j] *m.* het vervoeren per brancard.
brancardier [brã'kardyé] *m.* **1** ziekendrager *m.*; **2** lamoenpaard *o.*
branchage [brãʃa:j] *m.* **1** de takken *mv.* (v. een boom); **2** (*v. hert*) gewei *o.*
branche [brã'ʃ] *f.* **1** tak *m.*; **2** vertakking *v.*; **3** (*v. mijn*) ader *v.*(*m.*); **4** (*v. rivier, lichtkroon*) arm *m.*; **5** (*v. onderwijs*) vak *o.*; **6** (*v. passer, stemvork*) been *o.*; **7** (*v. schaar*) blad *o.*; **8** (*v. handelshuis*) afdeling *v.*; **9** (*v. bril*) veer *v.*(*m.*); **10** (*v. loopgraaf*) sectie *v.*; ***être comme l'oiseau sur la —,*** geen eigen thuis hebben; een onzekere positie hebben; ***sauter de — en —,*** van de hak op de tak springen; ***vieille —,*** (*fam.*) oude vriend.
branchement [brãʃmã] *m.* **1** (*v. buizen*) vertakking, aftakking *v.*; **2** (*v. spoor*) kruiswissel *m. en o.*; **3** (het) aanleggen *o.* van een afgetakte leiding (v. water, gas).
brancher [brãʃé] **I** *v.t.* **1** een vertakking (*of* aftakking) maken aan; **2** (*el.*) aansluiten, inschakelen; **3** (*tel.*) omschakelen; **II** *v.i.* op een tak (gaan) zitten.
branchette [brãʃèt] *f.* takje *o.*
branche*-ursine* [brãʃürsin] *f.*, (*Pl.*) bereklauw [*m. en v.*
branchial [brã'ʃyal] *adj.* van de kieuwen; ***cavité —e,*** kieuwholte *v.*; ***arc —,*** kieuwboog *m.*
branchié [brã'ʃyé] *adj.* van kieuwen voorzien.
branchies [brã'ʃi] *f.pl.* kieuwen *mv.*
branchiopodes [brã'ʃyòpò:d] *m.pl.* kieuwpotigen [*mv.*
branchu [brã'ʃü] *adj.* vol takken.
brandade [brã'da'd] *f.* Provençaals kabeljauwgerecht *o.*
brande [brã:d] *f.*, (*Pl.*) heide *v.*(*m.*).
brandebourg [brã'dbu:r] *m.* tres *v.*(*m.*); ***B—,*** *m.* Brandenburg *o.*
brandevin [brã'dvẽ] *m.*, (*oud*) brandewijn *m.*
brandillement [brã'diymã] *m.* schommeling *v.*, geschommel *o.*, (het) slingeren *o.*
brandiller [brã'diyé] **I** *v.t. et v.i.* schommelen, heen en weer slingeren; **II** *v.pr.*, ***se —,*** schommelen.
brandilloire [brã'diywa:r] *f.* schommel *m. en v.*
brandir [brã'di:r] *v.t.* **1** (*v. degen, enz.*) zwaaien; **2** (*v. werpspies*) drillen; **— *le poing,*** met de vuist dreigen.
brandon [brã'dõ] *m.* **1** strofakkel *v.*(*m.*); **2** brandend stuk hout *o.*, brandende spaander *m.*; **— *de* (*la*) *discorde,*** **1** (*v. zaak*) twistappel *m.*; **2** (*v. persoon*) twiststoker *m.*
branlant [brã'lã] *adj.* **1** waggelend; **2** knikkebollend, schuddend; **3** losstaand, loszittend.
branle [brã:l] *m.* **1** waggeling *v.*; **2** slingering, beweging *v.*; **3** (*fig.*) eerste stoot *m.*; **4** hangmat *v.*(*m.*); ***mettre en —,*** **1** in beweging zetten, aan de gang maken; **2** de eerste stoot geven tot; ***être en —,*** aan de gang zijn; ***mettre tout en —,*** alles op haren en snaren zetten.
branle-bas [brã'lba] *m.* **1** voorbereiding *v.* tot een zeegevecht; **2** toebereidselen *mv.*; **3** drukte, opschudding *v.*
branlement [brã'lmã] *m.* waggeling, schommeling *v.*; **— *de tête,*** (het) hoofdschudden, geknikkebol *o.*
branle-queue [brã'lkö] *m.*, (*Dk.*) kwikstaartje *o.*
branler [brã'lé] **I** *v.t.* schudden, heen en weer bewegen; **— *la tête,*** het hoofd schudden, knikkebollen; **II** *v.i.* **1** waggelen, schommelen, wankelen; **2** losstaan, loszitten; **— *dans le manche,*** op de schopstoel zitten; ***personne ne branle,*** niemand verroert.
branloire [brã'lwa:r] *f.* wipplank *v.*(*m.*).
braquage [braka:j] *m.* **1** (*v. auto*) het snel draaien; **2** (*v. geschut*) richten *o.*
braque [brak] **I** *m.* **1** brak *m.* (*jachthond*); **2** wildzang, onbezonnen mens *m.*; **II** *adj.* onbesuisd, onbezonnen. [*o.*
braquemart [brakma:r] *m.* kort en breed zwaard
braquement [brakmã] *m.*, (*mil.: v. geschut*) (het) richten *o.*
braquer [braké] *v.t.* **1** (*v. geschut*) richten; **2** (*v. auto*) snel draaien, het stuur omgooien; **3** (*v. oog*) vestigen; ***avoir les yeux braqués sur qn.,*** iem. strak aankijken.
braquet [brakè] *m.* tandradverhouding *v.* (*op fiets*).
bras [bra] *m.* **1** arm *m.*; **2** arbeider *m.*, werkkracht *v.*(*m.*); **3** (*v. stoel*) armleuning *v.*; **4** (*v. jas, enz.*) mouw *v.*(*m.*); **5** (*v. draagbaar, zaag*) handvatsel *o.*; **6** (*v. rijtuig*) lamoen *o.*; **7** (*v. kreeft*) schaar *v.*(*m.*); **8** (*sch.: v. ra*) bras *m.*; **9** (*v. plant*) rank *v.*(*m.*); ***en — de chemise,*** in hemdsmouwen; **— *dessus, — dessous,*** arm in arm; ***le — séculier,*** (*gesch.*) de wereldlijke macht *v.*(*m.*); ***saisir à — le corps,*** omvatten, omknellen; ***avoir le — long,*** veel invloed hebben; ***les — m'en tombent,*** ik sta er versteld van; ***vivre de ses —,*** van handenarbeid leven; ***se mettre sur les —,*** zich op de hals

halen; ***avoir sur les —***, te zorgen hebben voor; opgescheept zitten met; ***avoir les — rompus***, doodmoe zijn; ***à — raccourcis, à tour de —***, uit alle macht; ***faire les*** (*of* ***de***) ***grands —***, heftig gesticuleren; ***manquer de —***, handen(arbeiders) te kort komen; ***charrette à —***, handkar *v.*(*m.*); ***— de mer***, zeeëngte *v.*; ***— porte-saphir***, groeftaster *m.*

brasage [bra'za:j], **brasement** [bra'zmã] *m.* (het) solderen *o.*

braser [bra'zé] *v.t.* solderen.

brasero [bra'zéro] *m.* vuurpot *m.*

brasier [bra'zyé] *m.* **1** kolengloed *m.*, kolenvuur *o.*; **2** vuurpoel *m.*, vuurzee *v.*(*m.*); **3** vuurpot *m.*

brasillement [bra'ziymã] *m.* (het) lichten *o.* van de zee.

brasiller [bra'ziyé] **I** *v.i.*, (*v. de zee*) lichten; **II** *v.t.* roosteren.

brassage [brasa:j] *m.* **1** (het) (bier)brouwen *o.*; **2** (het) omroeren *o.*; **3** (het) brassen *o.*

brassard [brasa:r] *m.* **1** band *m.* om de arm; **2** (*v. wapenrusting*) armstuk *o.*

brasse [bras] *f.* **1** (*sch.*) vadem *m.*; **2** (*bij 't zwemmen*) slag *m.*; ***nager à la —***, buikzwemmen met de Spaanse slag.

brassée [brasé] *f.* **1** 'n arm *m.* vol, vracht *v.*(*m.*); **2** (*bij 't zwemmen*) slag *m.*

brassement [brasmã] *m.* **1** (het) brouwen *o.*; **2** (*fig.*) (het) dooreenmengen *o.*

brasser [brasé] *v.t.* **1** (*v. bier*) brouwen; **2** (*v. metaal*) omroeren, dooreenmengen; **3** (*sch.*) brassen; **4** (*v. matras*) schudden, opschudden; **5** (*v. verraad*) smeden; **6** (*v. zaken*) afdoen, bekonkelen; ***— l'eau***, in het water plonzen (bij het vissen); ***il se brasse qc.***, er wordt iets bekokstoofd.

brasserie [brasri] *f.* **1** brouwerij *v.*; **2** bierhuis *o.*

brasseur [brasœ:r] *m.* (bier)brouwer *m.*; ***— d'affaires***, speculant (in 't groot), man die veel en grote zaken onderneemt; verdacht zakenman *m.*

brassiage [brasya:j] *m.* vademing *v.*

brassière [brasyè:r] *f.* **1** kinderlijfje *o.*, — borstrok *m.*; **2** (*v. rugzak, enz.*) draagriem *m.*

brassin [brasẽ] *m.* **1** brouwkuip *v.*(*m.*), brouwketel *m.*; **2** brouwsel *o.*

brassoir [braswa:r] *m.* roerstok *m.*

brasure [bra'zü:r] *f.* soldeernaad *m.*

bravache [bravaʃ] *m.* snoever, grootspreker *m.*

bravade [brava'd] *f.* **1** snoeverij *v.*, grootspraak *v.*(*m.*); **2** uitdaging, uittarting *v.*; **3** overmoed *m.*

brave [bra:v] **I** *adj.* **1** dapper, moedig; **2** braaf, rechtschapen; ***homme —***, dapper man; ***— homme***, braaf man; ***mon — homme***, mijn goeie man; **II** *s.*, *m.* dappere, dapper man *m.*; ***faux —***, opsnijder, pocher *m.*; held *m.* op sokken.

bravement [bra'vmã] *adv.* dapper, flink.

braver [bra'vé] *v.t.* **1** tarten, trotseren; **2** uitdagen.

bravo! [bravo] **I** *ij.* bravo! goed zo! **II** *s.*, *m.* toejuiching *v.*; ***des —s***, applaus *o.*; **III** *m.* (*pl.*: ***bravi***), betaald moordenaar *m.*

bravoure [bravu:r] *f.* dapperheid *v.*; ***air de —***, (*muz.*) bravouraria *v.*(*m.*).

brayer [brèyé] **I** *m.* **1** vaandeldragersriem *m.*; **2** breukband *m.*; **II** *v.t.*, (*sch.*) teren.

brayette [brèyèt] *f.* gulp *v.*(*m.*) (*v. broek*).

break [brèk] *m.*, (*rijtuig*) brik *v.*(*m.*).

brebis [brebi] *f.* **1** schaap *o.*; **2** ooi *v.*; ***la — galeuse***, het schurftig schaap; ***à — tondue Dieu mesure le vent***, God geeft kracht naar kruis; ***qui se fait —, le loup le mange***, al te goed is buurmans gek.

brèche [brèʃ] *f.* **1** bres *v.*(*m.*); **2** (*in haag, muur*) gat *o.*, opening *v.*; **3** schaarde *v.*(*m.*); **4** (*fig.*) inbreuk, afbreuk *v.*(*m.*); ***faire une — à***, duchtig aanspreken, een bres schieten in; ***être toujours sur la —***, steeds in de weer zijn, altijd in touw zijn.

brèche-dent* [brèʃdã] *adj.* een of meer snijtanden missend.

bréchet [bréʃè] *m.*, (*v. vogel*) borstbeen *o.*

bredi-breda [bredi'breda] *adv.* hals over kop, te haastig, overhaast.

brédissure [brédisü:r] *f.*, (*gen.*) mondklem *v.*(*m.*).

bredouillage [breduya:j] *m.* gebrabbel *o.*

bredouille [bredu'y] **I** *f.*, (*in triktrakspel*) dubbele partij *v.*; **II** *adj.* platzak; ***revenir —***, platzak thuiskomen.

bredouillement [breduymã] *m.* gebrabbel *o.*

bredouiller [breduyé] **I** *v.i.* brabbelen, onverstaanbaar spreken; **II** *v.t.* stamelen, moeilijk uitbrengen.

bredouilleur [breduyœ:r] *m.* brabbelaar, stotteraar *m.*

bref [brèf] **I** *m.* **1** breve *v.*(*m.*), pauselijke brief *m.*; **2** kalender *m.* van de rubrieken (voor geestelijken); **II** *adj.* kort (van duur), beknopt; ***d'un ton —***, kortaf; ***une brève***, **1** een korte lettergreep *v.*(*m.*); **2** een korte noot *v.*(*m.*); **III** *adv.* **1** kortom, in één woord; **2** kortaf, bars.

bréhaigne [bréhèñ] *adj.* vaar, gelt.

brelan [brelã] *m.* **1** bep. kaartspel *o.* (met drie kaarten); **2** speelhuis *o.*

brelandier [brelã'dyé] *m.* speler, dobbelaar *m.*

brelauder [brelo'dé] *v.i.* beuzelen.

breloque [brelòk] *f.* **1** snuisterij *v.*; **2** klein sieraad, hangertje *o.* (aan horlogeketting); ***battre la —***, raaskallen; ***sonner la —***, (*mil.*) inrukken blazen.

brème [brè:m] *f.*, (*Dk.*) brasem *m.*

Brême [brè:m] *f.* Bremen *o.*

brémois [bré'mwa] *adj.* Bremer.

brenn [brèn] *m.* (*Gallisch*) aanvoerder *m.*

Brésil [brézil] *m.* Brazilië *o.*; ***b—***, *m.* braziliehout, pernambukhout *o.*

Brésilien [brézilyẽ] **I** *m.* Braziliaan *m.*; **II** *adj.*, ***b—***, Braziliaans.

brésiller [bréziyé] **I** *v.t.* rood verven, met pernambukhout verven; **II** *v.i.* barsten krijgen; verbrokkelen.

bressan [brèsã] *adj.* uit La Bresse.

bressant [brèsã] *f.* haardracht „en brosse".

Bretagne [bretãn] *f.* Bretanje *o.*; ***la Grande —***, Groot-Brittannië *o.*; ***parent à la mode de —***, zogenaamd bloedverwant *m.*

brétailler [brétayé] *v.i.* om elke kleinigheid van leer trekken.

brétailleur [brétayœ:r] *m.* vechtersbaas *m.*

bretauder [breto'dé] *v.t.* (*v. dier*) couperen (van staart, oren).

bretèche [bretè:ʃ] *f.* **1** (*bouwk.*) tinne *v.*(*m.*); **2** (*v. raadhuis*) balkon *o.*, erker *m.*

bretelle [bretèl] *f.* **1** bretel *v.*(*m.*); **2** (*v. kruiwagen*) draagriem *m.*; ***— de fusil***, geweerriem *m.*

breton [bretõ] **I** *adj.* Bretons; **II** *s.*, *m.*, ***B—***, Bretanjer *m.*

bretonnant [bretònã] *adj.* **1** uit Basse Bretagne; **2** Bretons sprekend.

brette [brèt] *f.* lange degen *m.*, rapier *o.*

bretteler* [brètlé], **bretter** [brèté] *v.t.* **1** tanden; **2** (*muur*) afbikken; **3** (*v. zilversmeedwerk*) arceren.

bretteur [brètœ:r] *m.* vechtersbaas, voorvechter *m.*

bretture [brètü:r] *f.* tand *m.*; inkerving *v.*

bretzel [brètsèl] *f.* hartige krakeling *m.*

breuil [brœ'y] *m.*, (*bij jacht*) afgesloten kreupelbos *o.*, omheind bosje *o.* voor wild.

breuvage [brœ'va:j] *m.* **1** drank *m.*; **2** brouwsel *o.*

brève [brè:v] *f.* 1 (*muz.*) korte (noot) *v.*(*m.*); 2 (*taalk.*) korte klinker *m.*
brevet [brevè] *m.* 1 akte *v.*(*m.*), diploma *o.*; 2 vergunningsbrief *m.*; ***— d'invention,*** patent, octrooi *o.*; ***— supérieur,*** hoofdakte; ***— de capacité,*** onderwijzersakte; ***donner un — de menteur à qn.,*** iem. voor leugenaar uitschelden; ***donner à qn. un — d'impunité,*** iem. ongestraft zijn gang laten gaan, straffeloosheid waarborgen.
brevetable [brevta'bl] *adj.* waarop men patent kan nemen.
breveté [brevté] *adj.* 1 gediplomeerd; 2 gepatenteerd.
breveter* [brevté] *v.t.* 1 diplomeren; 2 patenteren.
bréviaire [brévyè:r] *m.* brevier *o.*
brévité [brévité] *f.* kortheid *v.*
briard [briya:r] I *adj.* uit La Brie; II *s., m.* herdershond *m.*
bribe [bri'b] *f.* brokstuk *o.*; ***—s,*** *f.pl.* kliekjes *mv.* (*v. eten*); ***des —s de français,*** een mondjevol Frans; ***des —s de conversation,*** brokstukken van een gesprek.
bric [brik] *m.*, ***de — et de broc,*** te hooi en te gras.
bric-à-brac [brikabrak] *m.* oude rommel *m.*; ***marchand de —,*** uitdrager *m.*
brick [brik] *m.*, (*sch.*) brik *v.*(*m.*).
bricolage [brikola:j] *m.* knutselen, geknutsel *o.*
bricole [brikòl] *f.* 1 (*v. paard*) borstriem *m.*; 2 (*v. sjouwer*) draagriem *m.*; 3 (*v. kaatsbal*) terugsprong *m.*; 4 (*v. kogel*) afstuit *m.*; 5 knutselwerk *o.*; 6 (*voor wild*) net *o.*, strik *m.*; 7 (*fig.*) bedrog *o.*, slinkse streek *m. en v.*; ***jouer la —,*** (*bilj.*) op de losse band spelen; ***coup de —,*** stoot over de losse band; ***user de —s,*** omwegen gebruiken.
bricoler [brikòlé] *v.i.* 1 knutselen; 2 (*bilj.*) over de losse band spelen; 3 slinkse streken uithalen, met draaierijen omgaan; 4 (*v. bal*) terugstuiten.
bricoleur [brikòlœ:r] *m.* knutselaar *m.*
bricolier [brikòlyé] *m.* bijpaard *o.*
bride [bri'd] *f.* 1 toom, teugel *m.*; 2 (*v. hoed, muts*) keelband *m.*; 3 (*v. knoopsgat*) trens, lus *v.*(*m.*); ***à — abattue, à toute —,*** 1 met losse teugel; 2 (*fig.*) blindelings, in 't wilde weg; ***mettre la — sur le cou, lâcher la —,*** de vrije teugel laten; ***tenir qn. en —,*** iem. in toom houden; ***à cheval donné on ne regarde pas la —,*** een gegeven paard ziet men niet in de bek.
brider [bri'dé] *v.t.* 1 teugelen, optomen; 2 (*v. kledingstuk*) knellen, aanhalen; 3 (*fig.*) breidelen, in toom houden; beteugelen; ***oie bridée, oison bridé,*** (*fig.*) uilskuiken *o.*; ***yeux bridés,*** spleetogen; ***— son cheval*** (*of* ***l'âne***) ***par la queue,*** het paard achter de wagen spannen, de ossen achter de ploeg spannen.
bridge [bridj] *m.* 1 bridge *o.*; 2 (*tand.*) prothese *v.*, brug *v.*(*m.*).
bridger [bridjé] *v.i.* bridgen.
bridgeur [bridjœ:r] *m.* bridgespeler *m.*
bridon [bridõ] *m.* trens *v.*(*m.*), lichte toom *m.*
brie [bri] *m.* briekaas *m.*
brief [brièf] *adj.*, *voir* ***bref.***
brièvement [briè'vmã] *adv.* kort, beknopt.
brièveté [briè'vté] *f.* 1 korte duur *m.*, kortstondigheid *v.*; 2 kortheid, beknoptheid *v.*
brigade [briga'd] *f.* 1 (*mil.*) brigade *v.*; 2 (*v. politie, gendarmen*) afdeling *v.*, troep *m.*; 3 (*v. werklieden*) ploeg *v.*(*m.*).
brigadier [brigadyé] *m.* 1 (*bij cavalerie of politie*) brigadier *m.*; 2 generaal-majoor *m.*; 3 (*v. werklieden*) ploegbaas; meesterknecht *m.*
brigand [brigã] *m.* 1 struikrover *m.*; 2 schurk, boef *m.*; ***petit —!*** kleine bengel!
brigandage [brigã'da:j] *m.* 1 roverij *v.*; 2 knevelarij *v.*
brigandeau [brigã'do] *m.* boefje *o.*
brigander [brigã'dé] *v.i.* roven, plunderen.
brigantin [brigã'tẽ] *m.*, (*sch.*) brigantijn *v.*(*m.*).
brigantine [brigã'tin] *f.* 1 (*sch.*) brigantijn *v.*(*m.*); 2 bezaanzeil *o.*
Brigitte [brijit] *f.* Brigitta *v.*
brignole [briñòl] *f.* gedroogde pruim *v.*(*m.*).
brigue [bri'g] *f.* 1 kuiperij *v.*; 2 partij *v.*, kliek *v.*(*m.*), aanhang *m.*
briguer [bri'gé] I *v.t.* dingen naar, najagen; II *v.i.* kuipen, intrigeren.
brigueur [bri'gœ:r] *m.*, ***— d'emplois,*** baantjesjager *m.*
brillamment [briyamã] *adv.* schitterend.
brillant [briyã] I *adj.* 1 schitterend, blinkend; 2 geestig; 3 uitmuntend, veelbelovend; 4 (*v. kleur*) helder; 5 (*v. toekomst, enz.*) prachtig; ***— de santé,*** in blakende welstand; II *s., m.* 1 glans *m.*, schittering *v.*; 2 geest *m.*, vernuft *o.*; 3 (*diamant*) briljant *m.*; 4 glansvernis *o. en m.*; ***faux —,*** valse schittering *v.*; vals vernuft *o.*; klatergoud *o.*; ***il a du —,*** hij is geestig; ***— métallique,*** (*v. insekten*) metaalglans *m.*
brillanté [briyã'té] *adj.* 1 geslepen; 2 (*fig.*) opgesmukt.
brillanter [briyã'té] *v.t.* 1 tot briljant slijpen; 2 (*v. stijl*) opsmukken.
brillanteur [briyã'tœ:r] *m.* briljantslijper *m.*
brillantine [briyã'tin] *f.* 1 brillantine *v.*(*m.*); 2 poetspoeder *o. en m.*; 3 glimmende voering *v.*
briller [briyé] *v.i.* 1 schitteren, blinken, glanzen; 2 uitmunten, uitblinken; 3 prijken, pralen.
brilloter [briyòté] *v.i.* flikkeren.
brimade [brima'd] *f.* 1 (*alg.*) plagerij *v.*; 2 (*v. studenten, soldaten*) ontgroening *v.*
brimbale [brẽ'bal] *f.* pompzwengel *m.*
brimbaler [brẽ'balé] I *v.t.* 1 heen en weer bewegen; 2 (*v. klok*) hard luiden; II *v.i.* bengelen, slingeren.
brimborion [brẽ'bòryõ] *m.* snuisterij *v.*
brimer [brimé] *v.t.* 1 plagen; 2 ontgroenen.
brimeur [brimœ:r] *m.* 1 plaaggeest; 2 ontgroener *m.*
brin [brẽ] *m.* 1 (*v. gras, enz.*) halmpje, sprietje *o.*; 2 stukje, beetje *o.*; 3 loot *v.*(*m.*); spruit *m.-v.*; 4 (*v. garen, touw*) draadje, vezeltje *o.*; ***beau — d'homme,*** knappe man *m.*; ***faire un — de toilette,*** zich wat opknappen.
brinde [brẽ:d] *f.* toost *m.*; ***être dans les —s,*** te veel op hebben, boven zijn theewater zijn.
Brindes [brẽ:d] *m.* Brindisi *o.*
brindille [brẽ'di'y] *f.* rijsje, takje, vruchttwijgje *o.*
bringue [brẽ:g] *f.* 1 knol *m.*; 2 (*pop.*) lange slier, lange staak *m.*
bringuebaler [brẽ:gbalé] *voir* ***brimbaler.***
brio [brio] *m.* levendigheid *v.*, vuur *o.*, gloed *m.*
brioche [briòʃ] *f.* 1 (*gebak*) tulband *m.*; 2 fijn broodje *o.*; 3 onhandigheid *v.*, flater *m.*, domme streek *m. en v.*
brion [briõ] *m.* 1 slemphout *o.*; 2 *voir* ***bryon.***
brique [brik] I *f.* 1 baksteen *m.*; 2 klinker *m.*; ***— de savon,*** stuk zeep; ***—s réfractaires,*** vuurvaste steen; II *adj.*, ***couleur*** (***de***) ***—,*** steenrood.
briquet [brikè] *m.* 1 vuurslag *o.*; 2 sigareaansteker *m.*; 3 (*mil.*) infanteriesabel *m.*; ***battre le —,*** 1 vuur slaan; 2 met de enkels tegen elkaar slaan.
briquetage [brikta:j] *m.* 1 metselwerk *o.* van bakstenen; 2 nabootsing *v.* daarvan.
briqueté [brikté] *adj.* 1 als baksteen geschilderd; 2 baksteenkleurig.
briqueter* [brikté] *v.t.* 1 als baksteen beschilderen; 2 met klinkers bestraten.
briqueterie [brikteri] *f.* steenbakkerij *v.*

briquetier [briktyé] *m.* steenbakker *m.*
briquette [brikèt] *f.* briket *v.(m.).*
bris [bri] *m.* **1** (het) breken *o.*; **2** (het) verbreken *o.*; **3** wrakhout *o.*; ***droit de —,*** strandrecht *o.*; ***assurance contre le — des glaces,*** glasverzekering *v.*
brisant [bri'zã] **I** *m.* **1** blinde klip *v.(m.)*; **2** branding *v.* (in zee); **3** golfbreker *m.*; **II** *adj.*, (*mil.*: *v. lading*) brisant, hevig ontploffend.
briscard [briska:r] *m.* (*mil.*) oudgediende, veteraan *m.*
brise [bri:z] *f.* bries *v.(m.)*, koeltje *o.*; ***— carabinée,*** stevige bries *v.(m.).*
brisé [brizé] *adj.* **1** gebroken; **2** (*v. luik, passer, enz.*) toeslaand; ***ligne —e,*** (*meetk.*) gebroken lijn *v.(m.)*; ***porte —e,*** dubbele deur, vouwdeur *v.(m.)*; ***— de fatigue,*** op van vermoeidheid.
brise-bise [bri'zbi:z] *m.* **1** raamgordijntje, ondergordijntje *o.*; **2** tochtkleed *o.*, tochtband *m.*
brisées [brizé] *f.pl.*, (*jacht*) afgebroken takken *mv.* (om 't wild terug te vinden); ***aller sur les — de qn.,*** iem. in het vaarwater zitten.
brise-glace [bri'zglas] *m.* ijsbreker *m.*
brise-jet [bri'zjè] *m.* (*in kraan*) straalbreker *m.*
brise-lames [bri'zlam] *m.* golfbreker *m.*
brise-lunettes [bri'zlünèt] *m.*, (*Pl.*) ogentroost *m.*
brisement [bri'zmã] *m.* **1** (het) breken *o.*; **2** (*fig.*) leed *o.*, smart *v.(m.)*; ***— de cœur,*** hartzeer *o.*; ***— des flots,*** branding *v.*, golfslag *m.*
brise-mottes [bri'zmòt] *m.*, (*landb.*) kluitenbreker *m.*
brise-pierre [bri'zpyè:r] *m.*, (*Dk.*) steenbreker *m.*
briser [bri'zé] **I** *v.t.* **1** breken; **2** verbrijzelen; **3** stukslaan; **4** (*v. banden, zegels*) verbreken; **5** (*v. juk*) afwerpen; **6** (*v. plant*) knakken; **7** (*v. onderhoud*) afbreken; **8** (*v. vlas, hennep*) braken; **9** (*v. verwachtingen*) de bodem inslaan; **10** (*v. trots*) fnuiken; ***— les os à qn.,*** iem. een pak slaag geven, iem. afranselen; ***avoir les membres brisés,*** geradbraakt zijn (van vermoeienis); ***cela me brise le tympan,*** dat maakt me doof; ***brisons là!*** genoeg daarvan! **II** *v.pr.*, ***se —,*** **1** breken; **2** verbrijzeld worden; **3** aan gruizelementen vallen; ***je me la brise,*** (*pop.*) ik smeer 'm; ***se — sur*** (*of* ***contre***), **1** (*v. auto, enz.*) te pletter lopen tegen; **2** (*fig.*) schipbreuk lijden op.
brise-raison [brizrè'zõ] *m.* onredelijk persoon *m.*, warhoofd *o.*
brise-tout [bri'ztu] *m.* vernielal, robbedoes *m.*
briseur [bri'zœ:r] *m.* breker, vernieler *m.*; ***— d'images,*** beeldenstormer *m.*
brise-vent [bri'zvã] *m.* windscherm *o.*
brisoir [bri'zwa:r] *m.* vlasbraak, hennepbraak [*v.(m.).*]
brisquard, *voir* ***briscard.***
brisque [brisk] *f.* **1** (*mil.*) mouwstreep *v.(m.)*; **2** soort kaartspel *o.*
bristol [bristòl] *m.* bristolpapier *o.* (voor visite- [kaartjes).
brisure [bri'zü:r] *f.* **1** breuk *v.(m.)*; barst *m. en v.*; **2** vouw *v.(m.)*; **3** (*v. luik*) beweegbare verbinding *v.*; ***porte à —s,*** vouwdeur *v.(m.)*; ***un volet à trois —s,*** een luik uit drie stukken.
britannique [britanik] *adj.* Brits.
brize [bri:z] *f.*, (*Pl.*) trilgras *o.*
broc [bro] *m.* **1** wijnkan *v.(m.)*; **2** grote (lampet)-kan *v.(m.)*; ***de bric et de —,*** [bròk] te hooi en te gras; ***de —*** [bròk] ***en bouche,*** zonder uitstel.
brocantage [bròkã'ta:j] *m.* **1** handel *m.* in oudheden, — in rariteiten; **2** (het) sjacheren *o.*
brocante [bròkã:t] *f.* **1** knutselwerk *o.*; **2** rariteitenhandel *m.*
brocanter [bròkã'té] *v.t. et v.i.* sjacheren; handelen in rariteiten.
brocanteur [bròkã'tœ:r] *m.* **1** sjacheraar; handelaar in rariteiten *m.*; **2** uitdrager *m.*
brocard [bròka:r] *m.* **1** schimpscheut *m.*; **2** hert *o.* van één jaar.
brocarder [bròkardé] *v.t.* beschimpen, bespotten, [spotten met.
brocardeur [bròkardœ:r] *m.* spotter *m.*
brocart [bròka:r] *m.* brokaat, goudbrokaat *o.*
brochage [bròʃa:j] *m.*, (*v. boek*) (het) innaaien *o.*
broche [bròʃ] *f.* **1** braadspit *o.*; **2** doekspeld, broche *v.(m.)*; **3** (*v. schoenmaker, enz.*) els *v.(m.)*, priem *m.*; **4** paknaald *v.(m.)*; **5** (*v. vat*) zwikje *o.*; **6** ***—*** (***à tricoter***), breinaald *v.(m.)*; ***faire un tour de —,*** zich even warmen.
brochée [bròʃé] *f.* aan 't spit gestoken vlees *o.*
brocher [bròʃé] *v.t.* **1** (met gouddraad of zijde) stikken; **2** (*v. boek*) innaaien; **3** (*v. werk*) afroffelen, afknoeien, in elkaar flansen; **4** (*v. spijkers*) inslaan; ***brochant sur le tout,*** (*fig.*) op de koop toe.
brochet [bròʃè] *m.*, (*Dk.*) snoek *m.*
brocheton [bròʃtõ] *m.* snoekje *o.*
brochette [bròʃèt] *f.* **1** klein braadspit, speetje *o.*; **2** pinnetje *o.*; **3** gouden speldje *o.* (voor het dragen van ridderorde); ***élever à la —,*** vertroetelen.
brocheur [bròʃœ:r] *m.* **1** innaaier *m.*; **2** (*v. stoffen*) stikker *m.*
brochoir [bròʃwa:r] *m.* hoefhamer *m.*
brochure [bròʃü:r] *f.* **1** brochure *v.(m.)*, klein vlugschrift *o.*; **2** (*v. boek*) (het) innaaien *o.*
brochurier [bròʃüryé] *m.* brochureschrijver *m.*
brocoli [bròkòli] *m.* Italiaanse bloemkool *v.(m.).*
brodequin [bròdkẽ] *m.* **1** rijglaars *v.(m.)*; **2** (*eertijds*) toneellaars *v.(m.)*; ***chausser le —,*** toneelspeler worden.
broder [bròdé] **I** *v.t.* **1** borduren; **2** (*v. verhaal, enz.*) opsieren, opsmukken; ***— au crochet,*** haken; **II** *v.i.* **1** borduren; **2** fantaseren, doorslaan; ***— sur un thème,*** een onderwerp uitspinnen.
broderie [bròdri] *f.* **1** borduurwerk, borduursel *o.*; **2** (*fig.*: *v. verhaal, enz.*) opsmuk *m.*
brodeur [bròdœ:r] *m.*, **brodeuse** [bròdö:z] *f.* borduurder *m.*, —ster *v.*
broie [brwa] *f.* vlasbraak, hennepbraak *v.(m.).*
broiement, broîment [brwaymã] *m.* (het) verbrijzelen *o.*; (het) fijnwrijven *o.*
bromate [bròmat] *m.* bromaat *o.*
brome [bro:m] *m.* bromium *o.*
bromique [bròmik] *adj.*, ***acide —,*** broomzuur *o.*
bromure [bròmü:r] *m.* bromide *o.*
bronche [brõ:ʃ] *f.* luchtpijptak *m.*
broncher [brõ'ʃé] *v.i.* **1** struikelen; **2** (*fig.*) mistasten, een fout begaan, dwalen; **3** zich verroeren; ***sans —,*** zonder blikken of blozen; ***il n'ose pas —,*** hij durft geen vin verroeren; ***il n'y a si bon cheval qui ne bronche,*** het beste paard struikelt wel eens.
bronchial [brõ'ʃyal], **bronchique** [brõ'ʃik] *adj.* luchtpijptak—, de luchtpijptak betreffend.
bronchiole [brõ'ʃiòl] *f.* eindvertakking *v.* van de luchtpijpen.
bronchite [brõ'ʃit] *f.* bronchitis, ontsteking *v.* van de luchtpijptakken.
bronzage [brõ'za:j] *m.* (het) bronzen *o.*
bronze [brõ:z] *m.* **1** brons *o.*; **2** bronzen beeld *o.*; **3** bronskleur *v.(m.)*; ***un cœur de —,*** een hart van steen; ***coulé en —,*** **1** uit brons gegoten; **2** (*fig.*) onverganekelijk.
bronzé [brõ'zé] *adj.* gebronsd, bronskleurig.
bronzer [brõ'zé] **I** *v.t.* bronzen; **II** *v.pr.*, ***se —,*** **1** gebronsd worden, een bronskleur aannemen; **2** (*fig.*) verharden, ongevoelig worden.
bronzerie [brõ'zri] *f.* bronskunst *v.*
bronzeur [brõ'zœr], **bronzier** [brõ'zyé] *m.* bronsgieter, bronswerker *m.*

broquart [bròka:r] *m.* eenjarige reebok *m.*
broquette [bròkèt] *f.* spijkertje met platte kop, tapijtspijkertje *o.*
brossage [bròsa:j] *m.* (het) borstelen *o.*
brosse [bròs] *f.* **1** borstel, schuier *m.*; **2** penseel *o.*; verfkwast *m.*; ***— à cheveux,*** haarborstel; ***— à habits,*** kleerborstel; ***donner un coup de —,*** even afborstelen; ***cheveux en —,*** rechtopstaand haar.
brossée [bròsé] *f.* **1** streek *v.(m.)* (met borstel of penseel); **2** (*fig.*) pak *o.* slaag, aframmeling *v.*
brosser [bròsé] **I** *v.t.* **1** borstelen, afborstelen, schuieren; **2** schilderen, vlug afwerken; **II** *v.pr.*, ***se — le ventre,*** niets te eten krijgen; achter 't net vissen; ***il peut se —,*** hij mag er naar fluiten.
brosserie [bròsri] *f.* **1** borstelmakerij *v.*; **2** borstelhandel *m.*
brosseur [bròsœ:r] *m.*, (*mil.*: *in F.*) oppasser *m.* (van officier).
brossier [bròsyé] *m.* **1** borstelmaker *m.*; **2** borstelhandelaar, borstelverkoper *m.*
brou [bru] *m.* **1** bolster *m.*; **2** beits *m. en o.*; ***passer au —,*** beitsen.
brouet [bruè] *m.* **1** (dunne) soep *v.(m.)*; **2** slecht bereide spijs *v.(m.)*.
brouettage [bruèta:j] *m.* vervoer *o.* met kruiwagens.
brouette [bruèt] *f.* kruiwagen *m.*
brouettée [bruèté] *f.* 'n kruiwagen *m.* vol.
brouetter [bruèté] *v.t.* kruien.
brouetteur [bruètœ:r], **brouettier** [bruètyé] *m.* **1** kruier *m.*, man *m.* met kruiwagen; **2** kruiwagenmaker *m.*
brouhaha [bru(h)a(h)a] *m.* rumoer, lawaai *o.*
brouillage [bruya:j] *m.* onverstaanbaarmaking *v.* (in radio); ***émetteur de —,*** stoorzender *m.*
brouillamini [bruyamini] *m.* warboel *m.*, verwarring *v.*
brouillard [bruya:r] **I** *m.* **1** mist, nevel *m.*; **2** kladboek *o.*; ***il fait du —,*** het mist, het is mistig; **II** *adj.*, ***papier —,*** vloeipapier *o.*
brouillasse [bruyas] *f.* natte mist, motregen *m.*
brouille [bru'y] *f.* onenigheid *v.*; ***être en —,*** overhoop liggen.
brouillé [bruyé] *adj.* **1** verward; **2** in onmin levend; **3** (*v. lucht*) betrokken; **4** (*v. ruit*) beslagen; **5** (*v. ogen*) beneveld; **6** (*v. gelaatskleur*) vaal; ***œufs —s,*** roereieren; ***— de sommeil,*** slaperig; ***il a le timbre —,*** hij is van Lotje getikt.
brouillement [bruymã] *m.* verwarring *v.*
brouiller [bruyé] **I** *v.t.* **1** verwarren; **2** dooreenmengen, omroeren; **3** (*v. eieren*) klutsen; **4** (*v. slot*) verdraaien; **5** (*v. papier*) verknoeien; **6** (*v. personen*) in onmin brengen, tweedracht zaaien tussen; ***— les cartes,*** **1** de kaarten schudden; **2** (*fig.*) de boel in de war sturen, verwarring stichten; ***vous me brouillez,*** je brengt me in de war; **II** *v.pr.*, ***se —,*** **1** in de war geraken, in de war lopen; **2** beneveld worden; **3** betrekken; **4** beslaan; **5** een ongunstige wending nemen.
brouillerie [bruyeri] *v.* onenigheid, ruzie *v.*
brouilleur [bruyœr] *m.* onruststoker *m.*
brouillon [bruyõ] **I** *m.* **1** klad *o.*; **2** twiststoker, spelbreker *m.*; ***cahier de —s,*** kladschrift *o.*; **II** *adj.*, ***esprit —,*** warhoofd *o. en m.-v.*
brouillonner [bruyòné] *v.t.* in klad schrijven.
brouir [brui:r] *v.t.* verzengen, doen verschrompelen (v. planten).
brouissure [bruisü:r] *f.* het verdord (*of* verschrompeld) zijn.
broussailles [brusa'y] *f.pl.* struikgewas, kreupelhout *o.*; ***barbe en —,*** verwilderde baard.
broussailleux [brusa'yö] *adj.* **1** vol struikgewas; **2** (*v. haar, enz.*) verwilderd; **3** (*v. wenkbrauwen*) borstelig.
broussard [brusa:r] *m.* iem. die lang in de rimboe verbleven heeft.
brousse [brus] *f.* wildernis *v.*, rimboe *v.(m.)*.
broussin [brusẽ] *m.*, (*v. boom*) uitwas *m. en o.*, knoest *m.*
brout [bru] *m.*, (*Pl.*) loot *v.(m.)*, uitspruitsel *o.*
brouter [bruté] *v.t.* grazen, afgrazen.
broutilles [bruti'y] *f.pl.* **1** rijshout, sprokkelhout *o.*; **2** (*fig.*) kleinigheden, nesterijen *mv.*
browning [brownẽ] *m.* browning *m.*
broyage [brwaya:j] *m.* (het) verbrijzelen, (het) fijnstampen *o.*
broyer [brwayé] *v.t.* **1** verbrijzelen, vermorzelen; fijnstampen, fijnwrijven; **2** (*v. vlas, hennep*) braken; ***— du noir,*** in een sombere stemming zijn, zwaarmoedig zijn, sombere gedachten koesteren.
broyeur [brwayœ:r] *m.* **1** verfwrijver *m.*; **2** (hennepvlas)braker *m.*; **3** stampmolen *m.*; ***— de noir,*** kniesoor *m.-v.*
broyeuse [brwayö:z] *f.* braakmachine *v.*
bru [brü] *f.* schoondochter *v.*
bruant [brüã] *m.* geelgors *v.(m.)*, geelvink *m. en v.*
brucelles [brüsèl] *f.pl.* (horlogemakers)pincet *o. en m.*
Bruges [brü:j] *f.* Brugge *o.*
brugeois [brüjwa] **I** *adj.* Brugs; **II** *s., m.*, ***B—,*** Bruggeling *m.*
brugnon [brüñõ] *m.* bloedperzik *v.(m.)*.
bruine [brẅin] *f.* motregen *m.*
bruiner [brẅiné] *v.imp.* motregenen.
bruire* [brẅi:r] *v.i.* **1** (*v. zee*) ruisen, bruisen; **2** (*v. bladeren*) ritselen; **3** (*v. wind*) suizen; **4** (*v. insekt*) gonzen.
bruissement [brẅismã] *m.* **1** geruis *o.*; **2** geritsel *o.*; **3** gesuis *o.*; **4** gegons *o.*
bruit [brẅi] *m.* **1** geluid *o.*; **2** leven, lawaai *o.*; **3** geruis *o.*; **4** geritsel *o.*; **5** (*v. wind*) gesuis, geruis *o.*; **6** (*v. kanon*) gebulder *o.*; **7** (*v. donder*) gerommel *o.*; **8** (*v. trompet*) geschal *o.*; **9** (*v. klokken*) gelui *o.*; **10** (*v. trom*) geroffel *o.*; **11** (*v. vuur*) geknetter *o.*; **12** gerucht *o.*, mare *v.(m.)*; **13** ophef *m.*, opschudding *v.*; **14** herrie *v.(m.)*, drukte *v.*; ***loin du — de la rue,*** verre van het straatgewoel; ***— sourd,*** dof geluid, gemompel, gestommel *o.*; ***— parasite,*** bijgeluid *o.*; ***cette affaire fera du —,*** die zaak zal opschudding verwekken; ***à petit —,*** in alle stilte; ***bien du — pour une omelette,*** veel drukte om niets; ***beaucoup de — pour rien, beaucoup de —, peu de besogne,*** veel geschreeuw en weinig wol; ***il n'est — que de cela,*** men spreekt over niets anders; ieder heeft daarover de mond vol.
bruitage [brẅita:j] *m.* (*radio*) geluidsdecor *o.*, geluidsnabootsing *v.*
bruiteur [brẅitœ:r] *m.* **1** (*radio*) geluidsregisseur; geluidennabootser *m.*; **2** (*tel.*) verklikker *m.*
brûlage [brüla:j] *m.* **1** (*v. planten*) (het) verbranden *o.*; **2** (*v. verf*) (het) afbranden *o.*
brûlant [brülã] *adj.* **1** brandend; **2** gloeiend; **3** (*v. ijver, enz.*) vurig; ***une question —e,*** een gewichtig vraagstuk, een veelbesproken kwestie; ***marcher sur un terrain —,*** zich op glad ijs wagen.
brûlé [brü'lé] **I** *adj.* **1** verbrand; **2** aangebrand; ***cerveau —,*** heethoofd *m.-v.*; ***vin —,*** warme wijn, bisschop *m.*; ***il est —,*** hij heeft geen krediet meer; men heeft hem in de gaten; **II** *s., m.* **1** brandsmaak *m.*; **2** brandlucht *v.(m.)*; ***sentir le —,***

1 aangebrand ruiken; **2** naar de mutsaard ruiken; **3** mislopen.
brûle-amorce* [brü'lamòrs] *m.* signaalpistool *o.*
brûle-bout* [brü'lbu] *m.* profijtertje *o.*
brûle-gueule [brü'lgœl] *m.* neuswarmertje *o.*, korte pijp *v.(m.)*.
brûlement [brü'lmã] *m.* (het) verbranden *o.*
brûle-parfum [brü'lparfœ̃] *m.* wierookvaas *v.(m.)*. [de man af.
brûle-pourpoint [brü'lpurpwẽ], *à* — *adv.* op
brûler [brü'lé] **I** *v.t.* **1** branden; **2** verbranden; **3** verschroeien, verzengen; **4** (*v. kolen, enz.*) stoken; **5** (*v. huis, schuur*) afbranden; **6** (*v. brood, enz.*) laten aanbranden; — ***la cervelle à qn.***, iem. voor de kop schieten; — ***ses dernières cartouches,*** zijn laatste kruit verschieten; ***sans — une amorce,*** zonder een schot te lossen, zonder slag of stoot; — ***le pavé,*** over de straat vliegen; hard rijden; — ***de l'encens devant qn.***, iem. bewieroken, iem. bijzonder vleien; — ***une gare,*** (*v. trein*) een station voorbijrijden; — ***la chandelle par les deux bouts,*** er maar op los leven; — ***ses vaisseaux,*** zijn schepen verbranden, zich de terugweg afsnijden; ***se — à la chandelle,*** tegen de lamp lopen; **II** *v.i.*, **1** branden; **2** in brand staan; **3** gloeien; **4** aanbranden; **5** (*bij spel*) warm zijn, zich branden; ***le torchon brûle,*** het is hommeles, er is ruzie; ***les pieds lui brûlent,*** hij staat op hete kolen.
brûlerie [brü'lri] *v.* branderij, (jenever)stokerij *v.*
brûle-tout [brü'ltu] *m.* profijtertje *o.*
brûleur [brü'lœ:r] *m.* **1** brander, jeneverstoker *m.*; **2** gasbrander *m.*; **3** brandstichter *m.*
brûlis [brüli] *m.* afgebrand (bos)terrein *o.*
brûloir [brü'lwa:r] *m.* koffiebrander *m.*
brûlot [brü'lo] *m.* **1** (*sch.*) brander *m.*, brandschip *o.*; **2** (*fig.*) twiststoker, stokebrand *m.*
brûlure [brü'lü:r] *f.* brandwond *v.(m.)*.
brumaille [brüma:y] *v.* lichte mist *m.*
brumaire [brümè:r] *m.* nevelmaand *v.(m.)*; (2e maand van Fr. republ. kalender).
brumal [brümal] *adj.* winters.
brumasse [brümas] *f.* lichte mist, nevel *m.*
brume [brüm] *f.* mist *m.* (*vooral op zee*).
brumer [brümé] *v.imp.* misten.
brumeux [brümö] *adj.* mistig, nevelachtig.
brun [brœ̃] **I** *adj.* **1** bruin; **2** (*v. bier*) donker; **3** donker, somber; **II** *s.*, *m.* **1** bruin *o.*, bruine kleur *v.(m.)*; **2** bruinharig persoon *m.*
brunâtre [brüna:tr] *adj.* bruinachtig.
brune [brün] *f.* avondschemer *m.*; ***à la —,*** tegen de avond.
brunet [brünè] *m.* bruinharige jongen *m.*
brunette [brünèt] *f.* brunette *v.*; bruinharig meisje *o.*
bruni [brüni] *m.* gepolijst oppervlak *o.*
brunir [brüni:r] **I** *v.t.* **1** bruin maken; **2** donker maken; **3** (*v. metaal*) bruineren, polijsten; **II** *v.i.* **1** bruin worden; **2** donker worden.
brunissage [brünisa:j] *m.* bruinering, polijsting *v.*
brunisseur [brünisœ:r] *m.* bruineerder *m.*
brunissoir [brüniswa:r] *m.* bruineerstaal *o.*; bruineersteen *m.*
brunissure [brünisü:r] *f.* **1** (het) bruineren *o.*; **2** bruineerglans *m.*
Brunsvick [brœ̃'zwik] *m.* Brunswijk *o.*
brusque(ment) [brüsk(emã)] *adj.* (*adv.*) **1** plotseling, onverhoeds; **2** driftig, kort aangebonden; ruw; **3** (*v. kromming*) scherp.
brusquer [brüské] *v.t.* **1** ruw bejegenen, bits toespreken, toesnauwen; **2** overhaasten, vervroegen; geweld aandoen: — ***son départ,*** plotseling vertrekken; — ***la situation,*** de knoop doorhakken.
brusquerie [brüskeri] *f.* ruwheid, bitsheid, barsheid *v.*
brut [brüt] *adj.* **1** ruw, onbewerkt; **2** (*H.*) bruto; **3** onbeschaafd.
brutal(ement) [brütal(mã)] **I** *adj.* (*adv.*) **1** ruw, woest, lomp; **2** dierlijk, beestachtig; **3** onbeschoft; ***une mort —e,*** een plotselinge dood; **II** *s.*, *m.* woesteling, onbeschoft mens, lomperd *m.*
brutaliser [brütalizé] *v.t.* ruw bejegenen, mishandelen.
brutalité [brütalité] *f.* **1** woestheid, onbeschoftheid, lompheid *v.*; **2** ruwe bejegening *v.*
brute [brüt] *f.* **1** redeloos dier, redeloos schepsel *o.*; **2** (*fig.*) woesteling, onmens *m.*, beest *o.*
Bruxelles [brüsèl] *m.* Brussel *o.*
bruxellois [brüsèlwa] **I** *adj.* Brussels; **II** *s.*, *m.*, ***B—,*** Brusselaar *m.*
bruyant [brüyã] *adj.*, **bruyamment** [brüyamã] *adv.* **1** luidruchtig; **2** woelig, rumoerig.
bruyère [brüyè:r] *f.* **1** heidekruid *o.*, erica *v.(m.)*; **2** heide *v.(m.)*.
bryon, brion [briõ] *m.* korstmos *o.*
bryone [briòn] *f.*, (*Pl.*) heggerank *v.(m.)*.
buanderie [bwã'dri] *f.* washuis, washok *o.*
buandière [bwã'dyè:r] *f.* wasvrouw *v.*
bubale [bübal] *m.*, (*Dk.*) Kaaps hert *o.*
bubon [bübõ] *m.* pestbuil *v.(m.)*.
bubonique [bübònik] *adj.*, ***peste —,*** builenpest *v.(m.)*.
Bucarest [bukarè] Boekarest *o.*
buccal [bükal] *adj.* mond—. [*v.(m.)*.
buccin [büksẽ] *m.* **1** kinkhoorn *m.*; **2** hoornslak
buccinateur [büksinatœ:r] *m.* **1** wangspier *v.(m.)*; **2** kinkhoornblazer *m.*
bûche [bü'ʃ] *f.* **1** blok *o.* hout; **2** (*fig.*) domkop, stommerik *m.*
bûcher [bü'ʃé] **I** *v.t.* **1** behakken; **2** blokken (voor); **3** (*pop.*) afrossen; **II** *v.i.* blokken; **III** *s.*, *m.* **1** houtzolder *m.*; **2** houtstapel *m.*; brandstapel *m.*
bûcheron [bü'ʃrõ] *m.* houthakker *m.*
bûchette [bü'ʃèt] *f.* blokje *o.*, spaander *m.*
bûcheur [bü'ʃœ:r] *m.* blokker *m.*
bucolique [bükòlik] *adj.* herderlijk; ***poème —,*** herdersdicht *o.*
Bucovine [bükòvin] *f.* Boekowina *v.* [*o.*
bucrâne [bükra:n] *m.* (*bouwk.*) ossekop-ornament
budget [büdjè] *m.* begroting *v.*, budget *o.*
budgétaire [büdjétè:r] *adj.* begrotings—, het budget betreffend; ***l'équilibre —,*** het evenwicht van de begroting, het budgetair evenwicht.
budgéter [büdjété] *v.t.* op de begroting zetten.
budgétivore [büdjétivò:r] *m.* iem. die van de staatsruif eet.
buée [bwé] *f.* damp, wasem *m.*; ***couvert de —,*** beslagen.
buer [bwé] *v.i.* wasemen.
buffet [büfè] *m.* buffet *o.*; — ***de cuisine,*** keukenkast *v.(m.)*; — ***d'orgue,*** orgelkast *v.(m.)*.
buffetier [büftyé] *m.* buffethouder *m.*
buffetière [büftyè:r] *f.* buffethoudster *v.*
buffle [büfl] *m.* **1** buffel *m.*; **2** buffelleer *o.*; **3** lomperd *m.*
buffleterie [büflétri] *f.* (*mil.*) lederen uitrustingstukken *mv.* [buffel *m.*
buffletin [büfletẽ], **bufflon** [büflõ] *m.* jonge
bufflonne [büflòn] *f.* buffelkoe *v.*
bugle [bü'gl] *m.* bugel *m.* (*koperen blaasinstrument*).
buglosse [bü'glòs] *f.*, (*Pl.*) ossetong *v.(m.)*.
bugrane [bügran] *f.*, (*Pl.*) prangwortel *m.*
building [bildiñ] *m.* imposant modern gebouw *o.*
buire [bwi:r] *f.* antieke metalen kan *v.(m.)*.

buis [bẅi] *m.* 1 buksboom *m.*, palmboompje *o.*; 2 palmhout *o.*; 3 palmtakje *o.*; 4 likhout *o.*
buissaie [bẅisè], **buissière** [bẅisyè:r] *f.* palmbosje *o.*
buisson [bẅisõ] *m.* 1 struik *m.*; 2 struikgewas; kreupelbosje *o.*; ***le — ardent,*** (*Bijb.*) het brandende braambos; ***battre les —s,*** het wild opjagen; ***se sauver à travers les —s,*** uitvluchten zoeken; ***trouver*** (*of* ***faire***) ***— creux,*** bot vangen.
buissonner [bẅisòné] *v.i.* 1 als struikgewas groeien; 2 in het struikgewas schuilen; 3 (*fig.*) afwijken.
buissonneux [bẅisònö] *adj.* vol struikgewas, vol kreupelhout.
buissonnier [bẅisònyé] I *adj.* in kreupelbos levend; ***lapin —,*** konijn dat zich in 't kreupelhout ophoudt; ***faire l'école buissonnière,*** spijbelen; II *s.*, *m.* dwergboom, struikachtige boom *m.*
bulbe [bülb] 1 *f.* (*et m.*) bloembol *m.*; 2 *m.* ronde opzwelling *v.*; ***— dentaire,*** tandkiem *v.*(*m.*); ***— de l'œil,*** oogbol *m.*
bulbeux [bülbö] *adj.* bolvormig; knobbelig; ***plantes bulbeuses,*** bolgewassen *mv.*
bulbiculteur [bülbikültœ:r] *m.* bloembollenkweker *m.*
bulbiculture [bülbikültür] *f.* bloembollenteelt [*v.*(*m.*).
bulbifère [bülbifè:r] *adj.* bollendragend.
bulbiforme [bülbifòrm] *adj.* bolvormig.
bulbille [bülbiy] *f.*, (*Pl.*) bolletje *o.*
bulgare [bülga:r] I *adj.* Bulgaars; II *s.*, *m.*, ***B—,*** [Bulgaar *m.*
Bulgarie [bülgari] *f.* Bulgarije *o.*
Bullange [bülã·j] Bullingen *o.*
bulldozer [büldòzœ:r] *m.* bulldozer *m.*
bulle [bül] *f.* 1 (*v. paus*) bul *v.*(*m.*); 2 luchtbel *v.*(*m.*); 3 (*op huid*) blaar *v.*(*m.*); 4 (*op oorkonde*) zegel *o.*; ***— de savon,*** zeepbel *v.*(*m.*).
bulletin [bültẽ] *m.* 1 briefje, bewijsbriefje *o.*; 2 bericht, verslag, rapport *o.*; 3 (*v. beurs, enz.*) overzicht *o.*; ***— de commande,*** (*H.*) bestelbriefje; ***— de souscription,*** inschrijvingsbiljet; ***— de vote,*** stembrief(je); ***— militaire,*** legerbericht; ***— météorologique,*** weerbericht.
bulleux [bülö] *adj.* vol bellen; vol blaren.
buna [buna] *m.* synthetische rubber *m.* ***en o.***
bungalow [büngalo] *m.* bungalow *m.*
buraliste [büralist] *m.-f.* 1 houder (houdster) van een bureel *m.-v.*; 2 ontvanger van de entreegelden; loketbeambte *m.*
bure [bü:r] *f.* 1 grove wollen stof *v.*(*m.*); 2 (monniks)pij *v.*(*m.*); 3 mijnschacht *v.*(*m.*).
bureau [büro] *m.* 1 kantoor, bureel *o.*; 2 schrijftafel *v.*(*m.*); 3 loket *o.*, kas *v.*(*m.*); 4 dagelijks bestuur *o.*; 5 (*v. de Kamer*) afdeling *v.*; ***— à volet,*** cilinderbureau *o.*; ***— de location,*** (*v. schouwburg*) kas *v.*(*m.*), bureel *o.*; ***— de placement,*** verhuurkantoor; ***— de change,*** wisselkantoor; ***— d'expédition,*** bestelkantoor; ***— de tabac,*** (*F.*) tabakswinkel *m.*; ***garçon de —,*** kantoorloper *m.*; ***payer à — ouvert,*** onmiddellijk uitbetalen.
bureaucrate [bürokrat] *m.* bureaucraat *m.*; (*ong.*) bureelrat *v.*(*m.*), pennelikker *m.*
bureaucratie [bürokrasi] *f.* bureaucratie, ambtenarij *v.*, ambtenarengedoe *o.*
bureaucratique [bürokratik] *adj.* bureaucratisch.
burette [bürèt] *f.* 1 flesje *o.* (voor olie of azijn); 2 oliespuit *v.*(*m.*); 3 (*kath.*) ampul *v.*(*m.*); 4 (*scheik.*) maatglas *o.*
burgrave [bürgra:v] *m.* burggraaf *m.*
burgraviat [bürgravya] *m.* burggraafschap *o.*
burin [bürẽ] *m.* graveernaald, graveerstift *v.*(*m.*).
buriner [büriné] *v.t.* 1 graveren, etsen; 2 (*fig.*) zwoegen.
burineur [bürinœ:r] *m.* graveur *m.*
burlesque(ment) [bürlèsk(emã)] *adj.* (*adv.*) koddig, boertig, kluchtig, potsierlijk.
burnous [bürnus *m.* boernoes *m.*
buron [bürõ] *m.* herdershut *v.*(*m.*) in Auvergne.
buronnier [büronyé] *m.* kaasmaker *m.* in Auvergne.
bursaire [bürsè:r] *adj.* beursvormig, buidelvormig.
Burundi [burundi] *m.* Boeroendi *o.*
busard [büza:r] *m.*, (*Dk.*) buizerd; wouw *m.*
busc [büsk] *m.* 1 balein *v.*(*m.*); 2 (*v. sluis*) drempel *m.*
buse [bü:z] *f.* 1 (*Dk.*) buizerd *m.*; 2 domkop *m.*, uilskuiken *o.*; 3 schacht *m.*; 4 buis *v.*(*m.*), kanaaltje *o.*
business [biznès] *m.* zaken *mv.*; (*pop.*) werk *o.*
busqué [büské] *adj.* gekromd; ***nez —,*** haviksneus *m.*
busquer [büské] *v.t.* 1 van baleinen voorzien; 2 krommen.
buste [büst] *m.* 1 borstbeeld *o.*; 2 bovenlijf *o.*
but [bü(t)] *m.* 1 doel, oogmerk, doelwit *o.*; 2 doelpunt *o.*; 3 (*fig.*) mikpunt *o.*; ***de — en blanc,*** onverwachts, op de man af; ***sans — lucratif,*** zonder winstgevend doel, zonder winstbejag.
butane [büta:n] *m.* buta(an)gas *o.*
buté [büté] *adj.* koppig, eigenwijs.
bu(t)tée [büté] *f.* steunmuur *m.*, bruggehoofd *o.*
buter [büté] (***contre***) I *v.i.* stoten, steunen (tegen), struikelen (over); II *v.t.* 1 (*v. muur, enz.*) schoren, steunen; 2 (*v. persoon*) onhandelbaar maken; 3 tegenwerken; III *v.pr.*, ***se — (à*** *of* ***contre),*** 1 steunen (tegen); 2 stuiten (op); 3 (*fig.*) koppig vasthouden aan.
buteur [bütœ:r] *m.* (*sp.*) scorer, doelpuntenmaker; ***premier —,*** topscorer *m.*
butin [bütẽ] *m.* 1 buit *m.*; 2 winst *v.*, voordeel *o.*
butiner [bütiné] I *v.i.* buit inzamelen; II *v.t.* 1 buit maken, verzamelen; 2 (*v. honig*) inzamelen.
butineur [bütinœ:r] *m.* inzamelaar *m.*
butoir [bütwa:r] *m.* stootblok *o.*
butome [bütò:m] *m.* (*Pl.*) zwanebloem *v.*(*m.*).
butor [bütò:r] *m.* 1 (*Dk.*) roerdomp *m.*; 2 domoor, lomperd *m.*
butorde [bütòrd] *f.* domme gans *v.*(*m.*).
butorderie [bütòrderi] *f.* stommiteit *v.*
buttage [büta:j] *m.* aanaarding *v.*
butte [bü·t] *f.* 1 heuveltje *o.*; aardhoop *m.*; 2 (*mil.*) kogelvanger *m.*; ***être en — à,*** het mikpunt zijn van.
buttée, *voir* ***butée.***
butter [büté] I *v.t.* aanaarden; II *v.i.*, (*v. paard*) [struikelen.
buttoir [bütwa:r] *m.* aanaardploeg *m.* ***en v.***
butyreux [bütirö] *adj.* boterachtig.
butyrine [bütirin] *f.* botervet *o.*
butyrique [bütirik] *adj.*, ***acide —,*** boterzuur *o.*
butyromètre [bütiromè·tr] *m.* instrument *o.* voor vetgehaltebepaling.
buvable [büva·bl] *adj.* drinkbaar.
buvard [büva:r] I *m.* 1 vloeipapier *o.*; 2 vloeiboek *o.*; II *adj.* ***papier —,*** vloeipapier *o.*
buvard*-tampon* [büvartã·põ] *m.* vloeidrukker [*m.*
buverie [büvri] *v.* drinkgelag *o.*, zuippartij *v.*
buvetier [büftyé] *m.* kastelein, waard *m.*
buvette [büvèt] *f.* koffiekamer *v.*(*m.*), buffet *o.*; drinkhal *v.*(*m.*).
buveur [büvœ:r] *m.* drinker, drinkebroer *m.*
buvoter [büvòté] *v.t.* leppen, slurpen.
bysse [bis], **byssus** [bisüs] *m.* (*v. schelpdieren*) byssusdraad *m.*; byssusklier *v.*(*m.*).
Byzance [bizã:s] *f.* Byzantium *o.*
byzantin [bizã·tẽ] I *adj.* Byzantijns; II *s.*, *m.*, ***B—,*** Byzantijn *m.*
byzantinisme [bizã·tinizm] *m.* 1 ogendienst *m.*; [2 muggezifterij *v.*

C

C [sé] *m.* c *v.(m.)*; **c.-à-d.,** *c'est-à-dire,* dat wil zeggen.
ça [sa] *pr.dém., (fam. voor: cela)* dat.
çà [sa] **I** *adv.,* **— *et là,*** hier en daar; **II** *ij.* wel! toe! komaan! ***ah —!*** zeg eens! neen maar! ***or —!*** luister eens hier! zeg eens!
cab [ka·b] *m.* cab *v. (rijtuig).*
cabale [kabal] *f.* **1** *(bij de joden)* kabbala *v.(m.)*; **2** kabbalistiek, geheime wetenschap *v.*; **3** samenspanning *v.,* gekonkel *o.*; **4** kliek *v.(m.)*; ***faire une —,*** samenspannen.
cabaler [kabalé] *v.i.* samenspannen, konkelen, [kuipen.
cabaleur [kabalœ:r] *m.* intrigant *m.*
cabaliste [kabalist] *m.* kabbalist *m.*
cabalistique [kabalistik] *adj.* **1** kabbalistisch; **2** *(fig.)* geheimzinnig; ***formule —,*** bezweringsformule *v.(m.).*
caballero [kabayéro] *m.* Spaans edelman *m.*
caban [kabã] *m.* **1** matrozenregenjas; oliejas *m. en v.*; **2** schoudermantel *m.,* cape *v.(m.).*
cabane [kaban] *f.* hut, stulp *v.(m.).*
cabaner [kabané] *v.i.* in een hut wonen.
cabanier [kabanyé] *m.* hutbewoner *m.*
cabanon [kabanõ] *m.* **1** cel *v.(m.)* (v. gevangene of krankzinnige); **2** hutje, strandhuisje *o.*
cabaret [kabarè] *m.* **1** kroeg; herberg *v.(m.)*; **2** presenteerblad *o.*; theeblad *o.*; koffieblad *o.*; **3** theeservies; koffieservies; likeurstel, likeurservies *o.*; **4** *(Pl.)* mansoor *v.(m.) en o.*; ***pilier de —,*** drinkebroer, herbergklant *m.*
cabaretier [kabartyé] *m.* herbergier *m.*; kroeghouder *m.*
cabas [kaba] *m.* **1** tas *v.(m.) (voor boodschappen)*; **2** mand *v.(m.),* korf *m.*; **3** *(voor vijgen)* mat *v.(m.).*
cabernet [kabèrnè] *m.* wijnstok *m.* in de Gironde.
cabestan [kabèstã] *m.* kaapstander *m.*
cabillaud [kabiyo] *m.* kabeljauw *m.*
cabine [kabin] *f.* **1** *(sch.)* kajuit, hut *v.(m.)*; **2** kleedkamertje *o.*; **3** badkoetsje *o.*; badhokje *o.*; **4** *(v. vliegtuig)* passagiersruimte *v.*; ***— de projection,*** *(v. bioscoop)* projectiecabine *v.*; ***— téléphonique,*** spreekcel *v.(m.).*
cabinet [kabinè] *m.* kabinet *o. (in alle bet.:* spreekkamer, kantoor, studeerkamer, regering, enz.); ***— d'aisances,*** privaat *o.*; ***— de consultations,*** spreekkamer *v.(m.)*; ***— de débarras,*** rommelkamer; ***— de toilette,*** kleedkamer, toiletkamer; ***— de travail,*** studeerkamer; ***— de bains,*** badkamer; ***— d'orgue,*** orgelkast *v.(m.)*; ***— de lecture,*** leesbibliotheek *v.*; ***— des estampes,*** prentenkabinet *o.*; ***homme (savant) de —,*** kamergeleerde *m.*; ***chef de —,*** kabinetschef *m.*; ***le chef du —,*** de minister-president *m.*; ***question de —,*** kwestie van vertrouwen; ***— de verdure,*** prieel *o.*
câblage [ka·bla:j] *m.* kabelleiding *v.*
câble [ka:bl] *m.* **1** kabel *m.*; **2** ankertouw *o.,* ankerkabel *m.*; **3** kabellengte *v.*; **4** gordijnkoord *o. en v.(m.)*; **5** *(fam.)* kabeltelegram *o.*; ***— de remorque,*** sleeptouw *o.*; ***— à bagages,*** snelbinder *m.*; ***filer du —,*** **1** kabel vieren; **2** *(fig.)* dralen, treuzelen, tijd winnen.
câblé [ka·blé] **I** *adj., (bouwk.)* kabelvormig; **II** *s., m.* behangerskoord *o. en v.(m.).*
câbleau [ka·blo] *m.* klein kabeltouw *o.,* tros *m.*
câbler [ka·blé] *v.t.* **1** (tot een kabel) vlechten; **2** overseinen, kabelen.
câblier [ka·blyé] *m., (sch.)* kabelschip *o.,* kabellegger *m.*
câblogramme [ka·blògram] *m.* kabeltelegram *o.*
câblot, *voir* ***câbleau.***
cabochard [kabòʃa:r] *m.* stijfkop *m.*
caboche [kabòʃ] *f.* **1** knikker, kop *m.*; **2** meubelsierspijker *m.*
cabochon [kabòʃõ] *m.* **1** gepolijste, niet geslepen steen *m.*; **2** bewerkte meubelspijker *m.*
cabosse [kabòs] *f.* **1** buil *v.(m.)*; **2** cacaoboon *v.(m.).*
cabosser [kabòsé] *v.t.* deuken.
cabot [kabo] *m.* **1** *(pop.)* hond *m.*; **2** korporaal *m.*; **3** *voir* ***cabotin.***
cabotage [kabòta:j] *m.* kustvaart *v.(m.)*; ***maître au —,*** kapitein op de kleine vaart.
caboter [kabòté] *v.i.* langs de kust varen.
caboteur [kabòtœ:r] *m.* kustvaarder *m.*; kustvaartuig *o.*
cabotier [kabòtyé] *m.* kustvaarder *m.*
cabotin [kabòtẽ] *m.* **1** rondreizend toneelspeler *m.*; **2** *(ong.)* komediant *m.*
cabotinage [kabòtina:j] *m.* **1** komediantenleven *o.*; **2** minderwaardig toneelspel *o.*; **3** *(fig.)* aanstellerij *v.*
cabotiner [kabòtiné] *v.i.* **1** komedie spelen; **2** zich aanstellen.
caboulot [kabulo] *m.* tweederangs café *o.*
cabrer, se — [s(e)kabré] *v.pr.* **1** steigeren; **2** *(fig.)* opstuiven; **3** zich verzetten, in opstand komen.
cabri [kabri] *m.* geitje, bokje *o.*
cabriole [kabriòl] *f.* bokkesprong *m.*
cabrioler [kabriòlé] *v.i.* bokkesprongen maken.
cabriolet [kabriòlè] *m.* **1** sjees *v.(m.)*; **2** handboei *v.(m.).*
cabus [kabü] **I** *m., (Pl.)* kabuis *v.(m.)*; **II** *adj.,* ***chou —,*** kabuiskool, sluitkool *v.(m.).*
caca [kaka] *m. (kindertaal)* baba *m.*; ***faire —,*** ba doen.
cacade [kaka·d] *f.* **1** *(pop.)* stoelgang *m.*; **2** pleefiguur *o.*
cacahouette, cacahuète [kakauèt] *f.* apenootje, olienootje *o.*
cacao [kakao] *m.* **1** cacaoboon *v.(m.)*; **2** cacao *m.*
cacaoté [kakaòté] *adj.* bereid met cacao.
cacaoterie [kakaòtri] *f.* cacaofabriek *v.*
cacaotier [kakaòtyé], **cacaoyer** [kakaòyé] *m.* cacaoboom *m.*
cacaotière [kakaòtyè:r], **cacaoyère** [kakaòyè:r] *f.* cacaoplantage *v.*
cacarder [kakardé] *v.i., (v. gans)* gaggelen, snateren.
cacatoès [kakatwa] *m., (Dk.)* kaketoe *m.*
cacatois [kakatwa] *m.* **1** *(Dk.)* kaketoe *m.*; **2** *(sch.)* bovenbramsteng *v.(m.)*; bovenbramzeil *o.*
cachalot [kaʃalo] *m.* potvis *m.*
cache [kaʃ] *f.* **1** schuilhoek *m.*; **2** bergplaats *v.(m.)*; **3** *(fot.)* masker, afdekstuk *o.*; ***trouver la —,*** het geheim ontdekken.
cache-cache [kaʃkaʃ] *m.,* ***jouer à —,*** verstoppertje spelen.
cache-col [kaʃkòl] *m.* boordbeschermer *m.*
cache-corset [kaʃkòrsè] *m.* korsetlijfje *o.*
cachectique [kaʃèktik] *adj.* kwaadsappig.
cachemire [kaʃmi:r] *m.* **1** *(stof)* kasjmier *o.*; **2** kasjmiersjaal *m.,* omslagdoek *m.*
cache-misère [kaʃmizè:r] *m.* wijde mantel *m.*; wijde overjas *m. en v.*
cache-nez [kaʃné] *m.* wollen halsdas, bouffante *v.(m.).*
cache-nuque [kaʃnük] *m., (v. helm)* achterlap, neklap *m.*
cache-oreille [kaʃòrèy] *m.* oorklep *v.(m.).*
cache-pot [kaʃpo] *m.* (papieren) omhulsel *o.* van bloempot.
cache-poussière [kaʃpusyè:r] *m.* stofjas *m. en v.*; stofmantel *m.*

cacher [kaʃé] **I** *v.t.* **1** verbergen; **2** wegstoppen; **3** (*v. waarheid*) verhelen, verzwijgen; **4** (*v. bericht, enz.*) geheim houden; **— *son jeu,*** zich niet in de kaart laten kijken; **— *la lumière à qn.,*** iem. het licht benemen; **— *sa vie,*** een teruggetrokken leven leiden, ver van 't gewoel van de wereld leven; ***un écueil caché,*** een blinde klip *v.(m.)*; **II** *v.pr.*, ***se —,*** zich verbergen; ***se — de qn.,*** **1** iem. ontwijken; **2** zijn plannen (*of* gevoelens) voor iem. geheim houden; ***se — de qc.,*** iets niet willen weten; ***il ne s'en cache pas,*** hij komt er rondweg voor uit, hij steekt het niet onder stoelen of banken.
cache-radiateur [kaʃradyatœ·r] *m.* radiatorhoes *v.(m.)*.
cache-serrure [kaʃsè·rü:r] *f.* slotplaatje *o.*
cachet [kaʃè] *m.* **1** zegel *o.*; **2** stempel *m.*; **3** (*fig.*) kenmerk, karakter *o.*; **4** ouweltje *o.*; **— *volant,*** sluitzegel *m.*; ***avoir du —,*** fijn (smaakvol) zijn.
cachetage [kaʃta:j] *m.* het verzegelen *o.*
cache-tampon [kaʃtã·põ] *m.*, (*spel*) zakdoekje leggen.
cacheter* [kaʃté] *v.t.* verzegelen, toelakken; ***cire à —,*** zegellak *o. en m.*; ***pain à —,*** ouwel *m.*
cachette [kaʃèt] *f.* **1** schuilhoekje *o.*; **2** geheime bergplaats *v.(m.)*; ***en —,*** heimelijk, in 't geheim, ter sluiks.
cachexie [kaʃèksi] *f.* (*gen.*) verval *o.* (van krachten).
cachot [kaʃo] *m.* **1** kerker *m.*; gevangeniscel *v.(m.)*; **2** streng arrest *o.*
cachotterie [kaʃòtri] *f.* geheimzinnigheid, geheimdoenerij *v.*
cachottier [kaʃòtyé] **I** *adj.* geheimzinnig, stiekem; **II** *s., m.* stiekemerd *m.*
cachou [kaʃu] *m.* **1** cachou *v.*; **2** kauwgom *m. of o.*; **3** kakikleur *v.(m.)*.
cacochyme [kakòʃim] *adj.* **1** afgeleefd; **2** (*fig.*) grillig.
cacographie [kakògrafi] *f.* **1** gebrekkige spelling *v.*; **2** foutieve tekst *m.* ter verbetering.
cacolet [kakòlè] *m.* mandzetels *mv.* aan weerskanten van muilezel.
cacologie [kakòlòji] *f.* verkeerde zegswijze, foutieve uitdrukking *v.*
cacophonie [kakòfòni] *f.* wanklank *m.*, wangeluid *o.*
cactacées [kaktasé], **cactées** [kakté] *f.pl.*, (*Pl.*) cactusachtigen *mv.*
cactier [kaktyé], **cactus** [kaktü·s] *m.*, (*Pl.*) cactus *m.*
cacumen [kakümẽ] *m.* hard gehemelte *o.*
cadastral [kadastral] *adj.* kadastraal.
cadastre [kadastr] *m.* kadaster *o.*
cadastrer [kadastré] *v.t.* kadastreren, kadastraal inschrijven.
cadavéreux [kadavérö] *adj.* lijkkleurig; lijkachtig.
cadavérique [kadavérik] *adj.* lijk—.
cadavre [kada:vr] *m.* **1** lijk *o.*; **2** kreng *o.*
cadeau [kado] *m.* geschenk *o.*, gift *v.(m.)*; ***faire — de qc. à qn.,*** iem. iets schenken.
cadeau*-surprise* [kado·sürpri:z] *m.* surprise *v.*
cadenas [kadna] *m.* hangslot *o.*; ***— à combinaisons,*** letterslot *o.*
cadenasser [kadnasé] *v.t.* met een hangslot sluiten.
cadence [kadã:s] *f.* **1** maat *v.(m.)*; **2** ritme *o.*; **3** toonval *m.*; **4** cadans *v.(m.)*; **5** (*voetb.*) tempo *o.*; ***en —,*** op de maat.
cadencer [kadã·sé] *v.t.* maat brengen in; ***mouvements cadencés,*** ritmische bewegingen *mv.*; ***pas cadencé,*** regelmatige pas *m.*
cadenette [kadnèt] *f.* haarvlecht *v.(m.)*.
cadet [kadè] **I** *m.* **1** jongere broer *m.*; **2** jongste kind *o.*; ***il est mon — de deux ans,*** hij is twee jaar jonger dan ik; ***c'est le — de mes soucis,*** dat zal mij een zorg zijn; **II** *adj.* jonger; jongst.
cadette [kadèt] *f.* vloersteen *m.*
cadi [kadi] *m.* kadi *m.*
cadmium [kadmyòm] *m.* cadmium *o.*
cadogan [kadogã] *m.* haarstrik *m.*, haarlint *o.*
cadrage [kadra:j] *m.* filmmontage, fotomontage *v.*
cadran [kadrã] *m.* **1** wijzerplaat *v.(m.)*; **2** nummerschijf *v.(m.)*; **— *solaire,*** zonnewijzer *m.*; ***faire le tour du —,*** het wijzertje rond slapen; **— *de boussole,*** kompasroos *v.(m.)*.
cadrat [kadra] *m.*, (*drukk.*) kwadraat, holwit *o.*
cadratin [kadratẽ] *m.*, (*drukk.*) vierkant *o.*
cadrature [kadratü:r] *f.* wijzerwerk *o.*
cadre [ka:dr] *m.* **1** (*v. schilderij, enz.*) lijst *v.(m.)*, raam *o.*; **2** (*v. fiets*) frame, raam *o.*; **3** (*om bladzijde*) rand *m.*; **4** (*mil.*) kader *o.*; **5** (*radio*) raamantenne *v.(m.)*; **6** (*fig.*) omgeving, omlijsting *v.*; **7** (*v. werk*) opzet *m.*, plan *o.*; ***hors —,*** overtollig.
cadrer [ka·dré] *v.i.* **1** passen (***avec,*** bij); **2** overeenkomen (***avec,*** met).
caduc [kadük] *adj.* (*f.*: ***caduque*** [kadük]) **1** vervallen, krachteloos; **2** bouwvallig; **3** (*recht*) ongeldig, nietig; ***dent caduque,*** wisseltand, melktand *m.*; ***mal caduque,*** vallende ziekte *v.*
caducée [kadüse] *f.* Mercuriusstaf, esculaap, slangestaf *m.*
caducité [kadüsité] *f.* **1** krachteloosheid, afgeleefdheid *v.*; **2** bouwvalligheid *v.*; **3** ongeldigheid, nietigheid *v.*
caduque, *voir* ***caduc.***
cæcum [sékòm] *m.* blindedarm *m.*
caf (c. a. f. — ***coût, assurance, fret***), cif.
cafard [kafa:r] *m.* **1** schijnheilige, huichelaar *m.*; **2** klikspaan *m.*; **3** (*Dk.*) kakkerlak *m.*; **4** loomheid *v.*; tropenkolder *m.*
cafarder [kafardé] *v.i.* **1** de schijnheilige uithangen; **2** klikken.
cafarderie [kafard(e)ri], **cafardise** [kafardi:z] *f.* **1** schijnheiligheid, huichelarij *v.*; **2** klikkerij *v.*
café [kafé] *m.* **1** koffie *m.*; **2** koffiehuis *o.*; **— *vert,*** ongebrande koffie; **— *noir,*** koffie zonder melk; **— *au lait,*** koffie met melk.
café*-concert* [kafékõ·sè:r] *m.* café-chantant, cabaret *o.*, tingeltangel *m.*
caféier [kaféyé] *m.* koffieboom *m.*
caféière [kaféyè:r] *f.* koffieplantage *v.*
caféine [kaféin] *m.* cafeïne *v.(m.)*.
caf(e)tan [kaftã] *m.* kaftan *m.*
cafetier [kaftyé] *m.* koffiehuishouder *m.*
cafetière [kaftyè:r] *f.* koffiekan *v.(m.)*, koffiepot *m.*
caffut [kafü] *m.* granaatscherf *v.(m.)*.
cafier [kafyé] *m.*, *voir* ***caféier.***
cafouiller [kafuyé] *v.i.*, (*v. motor*) onregelmatig lopen.
cafre [kafr] **I** *adj.* Kaffers; **II** *s., m.*, ***C—,*** Kaffer *m.*
caftan [kaftã] *m.*, *voir* ***cafetan.***
cage [ka:j] *f.* **1** hok *o.*; **2** (*voor vogel*) kooi *v.(m.)*; **3** viskaar *v.(m.)*; visnet *o.*; **4** tralieraam *o.*; **— *d'ascenseur,*** liftkoker *m.*; **— *d'escalier,*** trappehuis *o.*; **— *thoracique,*** borstkas *v.(m.)*; **— *de mine,*** ophijsbak *m.*; ***en —,*** gevangen, achter de tralies.
cageot [ka·jo] *m.* kooitje *o.*; (vruchten)mandje *o.*
cagette [ka·jèt] *f.* kooitje *o.*
cagibi [kajibi] *m.* (*pop.*) honk *o.*
cagna [kaña] *f.*, (*mil.*) schuilplaats *v.(m.)*, onderstand *m.*
cagnard [kaña:r] **I** *adj.* lui, vadsig; **II** *s., m.* luilak *m.*
cagnarder [kañardé] *v.i.* luieren.
cagnardise [kañardi:z] *f.* luiheid, vadsigheid *v.*
cagne [kañ] *f.* **1** straathond *m.*; **2** (*schooltaal*) leerling *m.* voorber. klas van Normaalschool.
cagneux [kañö] *adj.* met x-benen, krombenig.

cagnotte [kañòt] *f.* **1** (*bij spel*) pot *m.*; **2** spaarpot *m.*; ***manger la —,*** de pot verteren.
cagot [kago] **I** *adj.* schijnheilig, kwezelachtig; **II** *s., m.* schijnheilige, kwezelaar *m.*
cagoterie [kagòtri] *f.* kwezelarij *v.*
cagoule [kagul] *f.* **1** monniksmantel *m.*; **2** boetelingenkap *v.(m.)*; **3** (*mil.*) gasmasker *o.*
cague [ka·g] *f.*, (*sch.*) kaag *v.(m.)*.
cahier [kayé] *m.* **1** schrijfboek, schrift *o.*; **2** katern *v.(m.)* *en o.* papier: **3** vel *o.* druks; ***— des charges,*** **1** bestek *o.*; **2** (*B.*) lastkohier *o.*; ***— de musique,*** muziekboek *o.*
cahin-caha [ka(h)ẽ·ka(h)a] *adv.* zo zo, met horten en stoten; ***aller —,*** voortsukkelen.
cahot [kao] *m.* **1** (*v. rijtuig*) schok, stoot *m.*; **2** (*fig.*) moeilijkheid *v.*, tegenspoed *m.* [*m.* gehots *o.*
cahotage [ka(h)òta:j], **cahotement** [ka(h)òtmã]
cahoter [ka(h)òté] *v.t.* **1** schokken, hotsen; **2** (*fig.*) heen en weer slingeren; ***chemin cahotant,*** hobbelige weg *m.*; ***une vie cahotée,*** een veelbewogen leven *o.*
cahoteux [ka(h)òtö] *adj.* hobbelig.
cahute [kaüt] *f.* hut, stulp *v.(m.)*.
caïd [kaid] *m.* kaïd *m.*
caïeu [kayö] *m.* klister *m.*
caillage [kaya:j] *m.* stremming *v.*
caillasse [kayas] *f.* steenslag *o.*
caille [ka·y] *f.* kwartel *m.* [**2** witte kaas *m.*
caillé [ka·yé] *m.* **1** stremsel *o.*, geronnen melk *v.(m.)*;
caillebotis [kaybòti] *m.* **1** rooster *m. en o.* (op luik); **2** (*mil.: in loopgraaf*) vloer *m.* (van vlechtwerk).
caillebotte [kaybòt] *f.* kaaswrongel *v.(m.)*.
caillebotter [kaybòté] *v.t.* laten stremmen.
caille-lait [kaylè] *m.*, (*Pl.*) walstro *o.*
caillement [kaymã] *m.* **1** (*v. melk*) stremming *v.*; **2** (*v. bloed*) stolling *v.*
cailler [ka·yé] **I** *v.t.* **1** (*v. melk*) stremmen; **2** (*v. bloed*) doen stollen; **II** *v.pr.*, ***se —,*** **1** stremmen; **2** stollen.
cailletage [kayta:j] *m.* gekakel, gesnap *o.*
cailleteau [kayto] *m.* jonge kwartel *m.*
cailleter [kayté] *v.i.* babbelen, snappen.
caillette [kayèt] *f.* **1** (*v. herkauwer*) lebmaag *v.(m.)*; **2** (*Dk.*) stormvogel *m.*; **3** kaasstremsel *o.*; **4** babbelkous *v.(m.)*.
caillot [ka·yo] *m.* klonter *m.*
caillou [ka·yu] *m.* (*pl.*: ***—x***) **1** kei *m.*; **2** kiezelsteen *m.*; **3** (*fam.*) kale knikker *m.*
cailloutage [kayuta:j] *m.* begrinding *v.*
caillouter [kayuté] *v.t.* begrinden.
caillouteur [kayutœ:r] *m.* grindwerker *m.*
caillouteux [kayutö] *adj.* vol keien.
cailloutis [kayuti] *m.* **1** grind *o.*; **2** grindweg *m.*
caïman [kaymã] *m.* kaaiman *m.*
Caïn [kaẽ] *m.* Kaïn *m.*
Caïphe [kaif] *m.* Kaïphas, Kajafas *m.*; ***envoyer de — à Pilate,*** van Pontius naar Pilatus zenden.
caïque [kaik] *m.* kaik *m.*, lichte (roei)boot *m. en v.*
Caire, *le* — [lekè:r] *m.* Kaïro *o.*
cairn [kèrn] *m.* **1** Keltische grafheuvel *m.*; **2** steenhoop *m.* als wegmarkering in woestijn.
caisse [kè:s] *f.* **1** kist *v.(m.)*; **2** kas *v.(m.)*; **3** (*v. piano, orgel, enz*) kast *v.(m.)*; **4** (bloem)bak *m.*; ***— d'épargne,*** spaarbank *v.(m.)*; ***grosse —,*** Turkse trom *v.(m.)*; ***battre la grosse —,*** de grote trom roeren, veel ophef maken; ***garçon de —,*** kwitantieloper, wisselloper *m.*; ***— de retraite,*** pensioenfonds *o.*; ***faire sa —,*** zijn kas opmaken.
caisse*-contrôle [kè:skõ·tro:l] *f.* kasregister *o.*
caisserie [kèsri] *f.* kistenmakerij *v.*
caissette [kèsèt] *f.* kistje *o.*
caissier [kèsyé] *m.* **1** kashouder, kassier *m.*; **2** penningmeester *m.*
caisson [kèsõ] *m.* **1** (*mil.*) munitiewagen *m.*; **2** (*v. zoldering*) vak *o.*; **3** (*v. rijtuig*) kist *v.(m.)*; **4** zinkstuk *o.*; ***se faire sauter le —,*** (*fam.*) zich voor de kop schieten.
cajeput [kajput] *m.* kajapoetolie *v.(m.)*.
cajoler [kajòlé] *v.t.* **1** liefkozen, strelen; **2** (*ong.*) vleien, flikflooien.
cajolerie [kajòlri] *f.* **1** liefkozing *v.*; **2** flikflooierij, vleierij *v.*
cal [kal] *m.* (*pl.*: ***cals***) **1** eelt *o.*, eeltknobbel *m.*; **2** (*Pl.*) knobbel *m.*
calabrais [kalabrè] **I** *adj.* Calabrisch; **II** *s., m.*, ***C—,*** Calabriër *m.*
Calabre [kala:br] *f.* Calabrië *o.*; ***c—*** *m.* dropje *o.*
calage [kala:j] *m.* (het) stutten, (het) vastzetten *o.*; ***vis de —,*** stelschroef *v.(m.)*.
calaison [kalè·zõ] *f.* diepgang *m.*
calambac [kalã·bak] *m.* aloëhout *o.*
calamine [kalamin] *f.* (*v. motor*) koolaanslag *m.* in cilinder.
Calamine [kalamin], **La —,** Kelmis *o.*
calamistrer [kalamistré] *v.t.* friseren, golven.
calamite [kalamit] *f.* witte mergel *m.*
calamité [kalamité] *f.* ramp *v.(m.)*, onheil *o.*
calamiteux [kalamitö] *adj.* rampspoedig, ellendig.
calandrage [kalã·dra:j] *m.* **1** (het) mangelen *o.*; **2** (*v. papier*) (het) satineren *o.*
calandre [kalã·dr] *f.* **1** mangel *m.*; **2** satineerpers *v.(m.)*; **3** (*Dk.*) korenworm *m.*; **4** (*v. auto*) radiatormantel *m.*
calandrer [kalã·dré] *v.t.* **1** mangelen; **2** satineren.
calandreur [kalã·drœ:r] *m.* **1** mangelaar *m.*; **2** glansmachine *v.*
calanque [kalãk] *f.* kreek, baai *v.(m.)*.
calcaire [kalkè:r] **I** *adj.* kalkachtig; ***terrain —,*** kalkgrond *m.*; **II** *s., m.* kalksteen *o. en m.*
calcanéum [kalkanéòm] *m.* hielbeen *o.*
calcédoine [kalsédwan] *f.* chalcedon *m.* (halfedelsteen).
calcifère [kalsifè:r] *adj.* kalkhoudend.
calcification [kalsifika·syõ] *f.* verkalking *v.*
calcin [kalsẽ] *m.* **1** ketelsteen *o. en m.*; **2** glasgruis *o.*
calcination [kalsina·syõ] *f.* **1** verkalking *v.*; **2** (*fig.*) verkoling *v.*; **3** (*tn.*) gloeiing *v.*
calciner [kalsiné] *v.t.* **1** verkalken; **2** verkolen; **3** aan de gloeihitte blootstellen.
calcium [kalsyòm] *m.* calcium *o.*
calcul [kalkül] *m.* **1** berekening *v.*; **2** rekenkunde *v.*; **3** (*gen.*) steen *m.*; ***— rénal,*** niersteen *m.*; ***faux —,*** misrekening *v.*; ***erreur de —,*** rekenfout *v.(m.)*; ***— mental,*** hoofdrekenen *o.*
calculable [kalküla·bl] *adj.* berekenbaar.
calculateur [kalkülatœ:r] **I** *m.* rekenaar *m.*; **II** *adj.* berekenend.
calculatrice [kalkülatris] *f.* telmachine *v.*
calculer [kalkülé] **I** *v.t.* **1** berekenen; **2** uitrekenen; **3** (*fig.*) overwegen, overleggen; **II** *v.i.* rekenen; ***machine à —,*** rekenmachine *v.*
cale [kal] *f.* **1** (*v. schip*) ruim *o.*; **2** scheepshelling *v.*; **3** (*v. locomotief*) remblok *o.*; **4** (*v. vliegtuig*) stelwig *v.(m.)*; **5** (*aan hengelsnoer*) lood *o.*; ***— sèche,*** droogdok *o.*; ***— flottante,*** drijfdok *o.*; ***donner la —,*** kielhalen.
calé [kalé] *adj.* **1** knap; **2** (*v. motor*) afgeslagen; ***il est — en mathématiques,*** hij is beslagen in wiskunde, hij is een kei in wiskunde.
calebasse [kalba:s] *f.* **1** kalebas *v.(m.)*; **2** (*pop.*) knikker, kop *m.*

calebassier [kalbɑ'syé] *m.* kalebasboom *m.*
calèche [kalèʃ] *f.* calèche *v.*
caleçon [kalsõ] *m.* onderbroek *v.(m.)*; **— *de bain,*** zwembroek *v.(m.)*.
Calédonie [kalédoni] *f.* Caledonië *o.*
caléfacteur [kaléfaktœ:r] *m.* verwarmingstoestel *o.*; hooikist *v.(m.)*.
caléfaction [kaléfaksyõ] *f.* **1** verwarming *v.*; **2** verhitting *v.*
calembour [kalã'bu:r] *m.* woordspeling *v.*
calembredaine [kalã'br(e)dèn] *f.* flauw praatje *o.*
calendaire [kalã'dè:r] *m.* dodenregister *o.*
calendes [kalã:d] *f.pl.*, (*bij de Romeinen*) eerste dag *m.* van de maand; ***renvoyer aux — grecques,*** op de lange baan schuiven.
calendrier [kalã'drié] *m.* kalender *m.*; tijdrekening *v.*; **— *à effeuiller,*** scheurkalender *m.*
calepin [kalpẽ] *m.* aantekenboekje *o.*
caler [kalé] **I** *v.t.* **1** vastzetten; **2** (*sch.*: *v. ra, net*) neerlaten; **3** (*v. zeil*) strijken; **II** *v.i.* **1** (*v. schip*) diep liggen; **2** (*v. motor*) weigeren, afslaan; **3** (*v. schroef*) vastraken; **III** *v.pr.*, ***se* —, 1** zich vastzetten; vastgezet worden; **2** een gezeten burger worden.
caleter [kalté] *voir* ***calter.***
calfat [kalfa] *m.*, (*sch.*) breeuwer *m.*
calfatage [kalfata:ʒ] *m.* (het) kalfateren *o.*
calfater [kalfaté] *v.t.* kalfateren, breeuwen.
calfeutrage [kalfö'tra:ʒ], **calfeutrement** [kalfötremã] *m.* dichtstoppen *o.* (van reten).
calfeutrer [kalfö'tré] **I** *v.t.*, (*v. reten, enz.*) dichtstoppen; **II** *v.pr.*, ***se* —,** zich opsluiten.
caliborgne [kalibòrñ] *adj.* (*pop.*) eenogig.
calibre [kali'br] *m.* **1** kaliber *o.*; **2** (*fig.*) soort, slag, gehalte, allooi *o.*
calibrer [kalibré] *v.t.* **1** het kaliber bepalen van; **2** (*drukk.*) de omvang berekenen naar het aantal letters.
calice [kalis] *m.* **1** kelk *m.*; **2** (*Pl.*) bloemkelk *m.*; ***boire le — jusqu'à la lie,*** de lijdensbeker tot op de bodem ledigen.
caliciforme [kalisifòrm] *adj.* kelkvormig.
calicot [kaliko] *m.* **1** katoen *o. en m.*; **2** spandoek *o. en m.*
calicule [kaliküll] *f.*, (*Pl.*) bijkelk *m.*
califat [kalifa] *m.* kalifaat *o.*
calife [kalif] *m.* kalief *m.*
Californie [kalifòrni] *f.* Californië *o.*
californien [kalifòrnyẽ] **I** *adj.* Californisch; **II** *s.*, *m.*, **C—,** Californiër *m.*
califourchon, *à* — [akalifurʃõ] *adv.* schrijlings.
câlin [kɑ'lẽ] **I** *adj.* vleiend, aanhalerig; **II** *s.*, *m.* vleier *m.*
câliner [kɑ'liné] *v.t.* vleien, aanhalen, liefkozen.
câlinerie [kɑ'linri] *f.* liefkozing *v.*
calisson [kalisõ] *m.* amandeltaartje *o.*
calleux [kalö] *adj.* eeltig, vereelt.
calligraphe [kaligraf] *m.* schoonschrijver, kalligraaf *m.*
calligraphie [kaligrafi] *f.* (het) schoonschrijven *o.*
calligraphique [kaligrafik] *adj.* kalligrafisch.
callosité [kalo'zité] *f.* **1** vereelting *v.*, eeltplek *v.(m.)*; **2** gevoelloosheid, ongevoeligheid *v.*
callot [kalo] *m.* grote knikker, stuiter *m.*
calmant [kalmã] **I** *adj.* **1** bedarend; pijnstillend; **2** troostend; **II** *s.*, *m.* **1** pijnstillend middel *o.*; **2** (*fig.*) troost *m.*
calmar [kalma:r] *m.* inktvis *m.*
calme [kalm] **I** *m.* **1** kalmte *v.*; **2** (wind)stilte *v.*; **3** (*fig.*) gerustheid; vreedzaamheid *v.*; **4** (*H.*: *in zaken*) slapte *v.*; **— *de l'esprit,*** gemoedsrust *v.(m.)*; **II** *adj.* **1** kalm; **2** stil; **3** gerust; vreedzaam.
calmement [kalmemã] *adv.* kalm; bedaard.
calmer [kalmé] **I** *v.t.* **1** kalmeren; **2** geruststellen; **3** (*v. pijn*) stillen; **II** *v.pr.*, ***se* —, 1** kalmeren; bedaren; **2** zich geruststellen.
calomel [kalòmèl] *m.*, (*gen.*) kalomel *o.*
calomniateur [kalòmnyatœ:r] **I** *m.* lasteraar, kwaadspreker *m.*; **II** *adj.* lasterend, lasterlijk.
calomnie [kalòmni] *f.* laster *m.*, lastertaal *v.(m.)*.
calomnier [kalòmnyé] **I** *v.t.* belasteren; **II** *v.i.* lasteren.
calomnieux [kalòmnyö] *adj.*, **calomnieusement** [kalòmnyö'zmã] *adv.* lasterlijk.
calorie [kalòri] *f.* calorie, warmteëenheid *v.*
calorifère [kalòrifè:r] **I** *adj.* warmtegeleidend; **II** *s.*, *m.* **1** verwarmingstoestel *o.*; **2** vulkachel *v.(m.)*.
calorifique [kalòrifik] *adj.* verwarmend, warmtegevend.
calorifuge [kalòrifü:ʒ] *adj.* warmtewerend, warmte-isolerend.
calorifugeage [kalòrifüʒa:ʒ] *f.* warmte-isolering *v.*
calorimètre [kalòrimè'tr] *m.* warmtemeter *m.*
calorique [kalòrik] *m.* warmte *v.*
calot [kalo] *m.* **1** politiemuts *v.(m.)*; **2** (*pop.*) oog *o.*
calotin [kalòtẽ] *m.* paap, zwartrok *m.*; (*Z.N.*) kadodder *m.*
calotte [kalòt] *f.* **1** muts *v.(m.)*; kalotje *o.*; **2** kardinaalsmuts *v.(m.)*; **3** (*v. molen, enz.*) kap *v.(m.)*; **4** oorveeg *v.(m.)*; **— *sphérique,*** bolsegment *o.*; **— *grecque,*** fez *m.*
calotter [kalòté] *v.t.* een oorveeg geven aan, om de oren slaan.
calottin, *voir* ***calotin.***
calque [kalk] *m.* **1** overgetrokken tekening *v.*; **2** (*fig.*) slaafse navolging *v.*; ***papier* —,** doorschijnend papier.
calquer [kalké] *v.t.* **1** natrekken, natekenen, overtrekken; **2** (*fig.*) slaafs navolgen; ***papier à* —** calqueerpapier *o.*
calquoir [kalkwa:r] *m.* calqueerstift *v.(m.)*.
calter [kalté] *v.i.* ervandoor gaan, 'm smeren.
calumet [kalümè] *m.* Indiaanse pijp *v.(m.)*.
calvados [kalvado:s] *m.* ciderbrandewijn *m.*
Calvaire [kalvè:r] *m.* **1** Calvarieberg *m.*, Golgotha *m. en o.*; **2** (*fig.*) lijdensweg *m.*
calville [kalvil] *m. ou f.* kalvijnappel *m.*
Calvin [kalvẽ] *m.* Calvijn *m.*
calvinisme [kalvinizm] *m.* calvinisme *o.*
calviniste [kalvinist] *m.* calvinist *m.*
calvitie [kalvisi] *f.* kaalhoofdigheid *v.*
camaïeu [kamayö] *m.* **1** tweekleurige camee *v.*; **2** eenkleurige schildering *v.*
camail [kama'y] *m.* **1** (*v. kanunnik, bisschop*) schoudermantel *m.*; **2** (*gesch.*) maliën hals- en hoofdbedekking *v.*; **3** bijenkap, iemkerskap *v.(m.)*.
camarade [kamara'd] *m.-f.* kameraad, makker *m.*; **— *de classe,*** klasgenoot *m.*; **— *de malheur,*** deelgenoot *m.* in 't ongeluk.
camaraderie [kamaradri] *f.* kameraadschap *v.*
camard [kama:r] **I** *adj.* platneuzig; ***nez* —,** platneus *m.*; **II** *s. m.* platneus *m.*; ***la —e,*** magere Hein, de dood.
camarilla [kamariya] *f.* hofkliek *v.(m.)*.
cambial [kãbyal] *adj.* de wisselhandel betreffend.
cambiste [kãbist] *m.* wisselhandelaar *m.*
cambium [kã'byòm] *m.* (*Pl.*) cambium, teeltweefsel *o.*
Cambodge [kã'bòdʒ] *m.* Kambodzja *o.*
cambodgien [kã'bòdjẽ] *adj.* Kambodzjaans; van, uit Kambodzja.
cambouis [kã'bui] *m.* verdikte (en vuile) smeerolie *v.(m.)*.
Cambrai [kã'brè] *m.* **I** Kamerijk *o.*; **II c—, 1** kamerdoek *o.*; **2** valse kant *m.*

cambrer [kã'bré] **I** *v.t.* welven; krommen; **II** *v.pr.*, ***se* —,** een hoge borst opzetten.
cambrésien [kã'brésyẽ] *adj.* Kamerijks.
cambriolage [kã'briòla:j] *m.* inbraak *v.(m.).*
cambrioler [kã'briòlé] *v.t.* inbreken bij (*of* in).
cambrioleur [kã'briòlœ:r] *m.* inbreker *m.*
cambrousard [kãbruza:r] *m.* buitenman, boerenkaffer *m.*
cambrouse [kãbru'z] *f.* platteland *o.*
cambrure [kã'brü:r] *f.* welving; kromming *v.*
cambuse [kã'bü:z] *f.* **1** (*sch.*) kombuis *v.(m.)*; **2** (*fig.*: *pop.*) kroeg, herberg *v.(m.)*; **3** hok; huis *o.*
cambusier [kã'büzyé] *m.* bottelier *m.*
came [kam] *f.* (*v. kamrad*) kam *m.*
camée [kamé] *f.* camee *v.*
caméléon [kaméléõ] **I** *m.* **1** (*Dk.*) kameleon *o. en m.*; **2** (*fig.*) weerhaan *m.*; **II** *adj.* veranderlijk, ongestadig.
camélia [kamélya] *m.*, (*Pl.*) camelia *v.(m.).*
camelot [kamlo] *m.* **1** (*stof*) kamelot *o.*; **2** straatventer *m.*; **— *du roy,*** koningsgezinde, royalist *m.*
camelote [kamlòt] *f.* **1** bocht *o. en m.*, slechte waar *v.(m.)*; **2** prulwerk *o.* [venten.
cameloter [kamlòté] *v.t.* **1** slecht afwerken; **2**
camembert [kamã'bè:r] *m.* camembert *m.*
caméra [kaméra] *f.* camera *v.(m.)*, fototoestel *o.*
camérier [kaméryé] *m.* kamerheer *m.* (van de paus). [*f.* kamenier *v.*
caméiste [kamérist], **camérière** [kaméryè:r]
camerlingue [kamèrlẽ:g] *m.*, ***cardinal* —,** kardinaal-kamerling *m.*
Cameroun [kamérun] *m.* Kameroen *o.*
camerounais [kamérunè] *adj.* Kameroens.
Camille [kami:y] *m.-f.* **1** Camillus, Kamiel *m.*; **2** Camilla *v.*
camion [kamyõ] *m.* **1** vrachtwagen *m.*; **2** slederswagen *m.*; **3** verfpot *m.*; **4** speldje *o.*
camion*-bazar* [kamyõ'baza:r] *m.* rijdende winkel *m.* [*m.*
camion*-citerne* [kamyõ'sitèrn] *m.* tankwagen
camionnage [kamyòna:j] *m.* **1** vervoer *o.* (per vrachtwagen); **2** (*spoorw.*) besteldienst *m.*; **3** vracht *v.(m.)*, sleeploon *o.*
camionner [kamyòné] *v.t.* slepen, vervoeren per vrachtauto *m.*
camionnette [kamyònèt] *f.* kleine (gesloten) vrachtauto, bestelauto *m.* [*m.*
camionneur [kamyònœ:r] *m.* vrachtrijder, sleper
camisole [kamizòl] *f.* **1** borstrok *m.*; **2** jakje *o.*; **— *de force,*** dwangbuis *o.*
camomille [kamòmi:y] *f.*, (*Pl.*) kamille *v.(m.).*
camouflage [kamufla:j] *m.* vermomming; verdekte opstelling *v.*
camoufler [kamuflé] *v.t.* vermommen; verdekt opstellen. [ring *v.*
camouflet [kamuflè] *m.* hoon, smaad *m.*, vernede-
camp [kã] *m.* **1** legerplaats *v.(m.)*; kamp *o.*; **2** (*in kamp*) leger *o.*; **3** kampplaats *v.(m.)*; **— *retranché,*** vesting, stelling *v.*; **— *de concentration,*** concentratiekamp *o.*; ***lit de* —,** veldbed *o.*; ***aide de* —,** vleugeladjudant *m.*; ***ficher le* —,** de plaat poetsen; (*pop.*) hem smeren; ***fichez-moi le* —,** maak dat je weg komt! ***lever le* —,** ervandoor gaan; ***passer dans l'autre* —,** overlopen naar de tegenpartij.
campagnard [kã'paña:r] **I** *m.* buitenman, landman, landbewoner *m.*; **II** *adj.* landelijk, boers.
campagne [kã'pañ] *f.* **1** veld, land *o.*; **2** buiten *m.*, platteland *o.*; **3** buitenplaats *v.(m.)*, landgoed *o.*; **4** veldtocht *m.*; **5** (*in fabriek*) werktijd, arbeidsduur *m.*; ***à la* —,** buiten; ***en rase* —,** in het vlakke veld; **— *électorale,*** verkiezingsstrijd *m.*, verkiezingscampagne *v.(m.)*; ***maison de* —,** landhuis *o.*; ***pièce de* —,** (*mil.*) veldstuk *o.*; ***curé de* —,** dorpspastoor *m.*; ***armée de* —,** veldleger *o.*; ***armée en* —,** leger te velde; ***mettre qn. en* —,** iem. in de arm nemen, iem. ergens voorspannen.
campagnol [kã'pañòl] *m.* veldrat *v.(m.).*
campanelle [kã'panèl] *f.*, (*Pl.*) winde *v.(m.)*, lenteklokje *o.*
campanil(l)e [kã'panil] *f.* torentje *o.*
campanulacée(s) [kã'panülasé] *f.(pl.)* klokjesachtige(n) *v.(mv.).*
campanule [kã'panül] *f.*, (*Pl.*) klokje *o.*
campanulé [kã'panülé] *adj.* klokvormig.
campêche [kã'pèʃ] *m.* (***bois de* —**) campêchehout *o.*
campement [kã'pmã] *m.* **1** (het) legeren, (het) kamperen *o.*; **2** kamp *o.*
camper [kã'pé] **I** *v.i.* **1** legeren; **2** kamperen; **3** (*fig.*) tijdelijk verblijven; **II** *v.t.* **1** doen legeren; **2** (*fig.*: *v. persoon, enz.*) levendig voorstellen; **— *là qn.,*** iem. in de steek laten; ***être bien campé sur ses jambes,*** vast op zijn benen staan; **III** *v.pr.*, ***se* —, 1** op zijn gemak gaan zitten; **2** (*schermen*) zich in postuur stellen.
campeur [kã'pœr] *m.* trekker *m.*; kampeerder *m.*
camphre [kã'fr] *m.* kamfer *m.*
camphré [kã'fré] *adj.* kamferhoudend; ***alcool* —,** kamferspiritus *m.*
camphrée [kã'fré] *f.*, (*Pl.*) kamferkruid *o.*
camphrer [kã'fré] *v.t.* kamferen.
camphrier [kã'fri(y)é] *m.* kamferboom *m.*
Campine [kã'pin] *f.*, ***la* —,** de Kempen *v.*
camping [kã'pẽ] *m.* kamperen *o.*; ***faire du* —,** kamperen; **— *homologué,*** kampeercentrum *o.*
campinois [kã'pinwa] **I** *adj.* Kempisch, Kempens; **II** *s.*, *m.* ***C*—,** Kempenaar *m.*
campos [kã'po] *m.* vrijaf, vakantie; ***donner* —,** vrij geven.
camus [kamü] **I** *adj.* **1** platneuzig, stompneuzig; **2** (*fig.*, *fam.*) verlegen; ***rester tout* —,** uit het lood geslagen zijn; **II** *s.*, *m.* platneus *m.*
Canada [kanada] *m.* Canada *o.*
canadien [kanadyẽ] **I** *adj.* Canadees; **II** *s.*, *m.*, ***C*—,** Canadees *m.*
canaille [kanɑ:y] *f.* **1** schurk, schooier, ploert *m.*; **2** janhagel, gepeupel *o.*
canaillerie [kanɑyri] *f.* gemene streek, ploertenstreek *m. en v.*
canal [kanal] *m.* **1** goot, pijp, buis *v.(m.)*; **2** kanaal *o.*; vaart *v.(m.)*; **3** (*in stad*) gracht *v.(m.)*; **4** (*fig.*) middel *o.*, bemiddeling *v.*; **— *auditif,*** gehoorbuis *v.(m.)*; **— *d'aérage,*** luchtkoker *m.*; **— *de dérivation,*** afwateringskanaal *o.*; **— *sanguin,*** bloedvat *o.*; **— *digestif,*** spijsverteringskanaal *o.*
canalisation [kanalizɑ'syõ] *f.* **1** kanalisering, kanalisatie *v.*; (het) bevaarbaarmaken *o.*; **2** kanalencomplex *o.*; **3** leiding, pijpleiding *v.*; **4** (*v. stad*) buizennet *o.*
canaliser [kanalizé] *v.t.* **1** kanaliseren, bevaarbaar maken; **2** van kanalen voorzien; **3** (*fig.*) (vaste) richting geven aan; **4** (in goede banen) leiden.
canapé [kanapé] *m.* rustbank *v.(m.)*, canapé *m.*
canard [kana:r] *m.* **1** eend *v.(m.)*; **2** vals bericht, verzinsel *o.*; **3** (*in mijn*) luchtkoker *m.*; **4** (*muz.*) valse noot *v.(m.)*; ***bateau* —,** schip dat voorover helt; **— *mâle,*** woerd *m.*; ***trempé comme un* —,** zo nat als een kat.
canardeau [kanardo] *m.* eendje *o.*
canarder [kanardé] **I** *v.t.* van uit een verdekte plaats beschieten; **II** *v.i.* **1** vals zingen; **2** (*v. schip*) voorover hellen.
canardier [kanardyé] *m.* (*pop.*) krantezetter *m.*

canardière [kanardyè:r] *f.* **1** eendenkom; eendenkooi *v.(m.)*; **2** eendenroer *o.*
canari [kanari] *m.* kanarievogel *m.*
canarien [kanaryẽ] *adj.* Kanarisch, van de Kanarische eilanden. [*mv.*
Canaries [kanari] (*îles*) *f.pl.* Kanarische eilanden
canasson [kanasõ] *m.* knol *m.* (*paard*).
cancan [kã'kã] *m.* **1** kletspraat, achterklap *m.*, praatjes *mv.*; **2** wilde dans *m.*
cancaner [kã'kané] *v.i.* **1** (*v. eend*) kwaken; **2** kletsen, kwaadspreken; **3** de cancan dansen.
cancanier [kã'kanyé] **I** *m.* kwaadspreker *m.*; **II** *adj.* kwaadsprekend.
cancer [kã'sè:r] *m.* **1** kanker *m.*; **2** kankergezwel *o.*; **3** (*sterr.*) kreeft *m. en v.*; ***le tropique du —,*** de kreeftskeerkring *m.* [kankerlijder *m.*
cancéreux [kãsérö] **I** *adj.* kankerachtig; **II** *s., m.*
cancre [kã:kr] *m.* **1** zeekrab *v.(m.)*; **2** gierigaard, vrek *m.*; **3** arme drommel *m.*; **4** (*op school*) sukkel *m.*, uilskuiken *o.*
cancrelat [kã'krela] *m.* kakkerlak *m.*
candela [kã'dla] *f.* candela *m.*, maateenheid *v.* voor lichtintensiteit.
candélabre [kã'déla:br] *m.* kroonkandelaar *m.*
candeur [kã'dœ:r] *f.* **1** reinheid, onschuld *v.(m.)*; **2** argeloosheid, onnozelheid *v.*
candi [kã'di] *adj.*, ***sucre —,*** kandijsuiker *m.*
candidat [kã'dida] *m.* **1** kandidaat *m.*; **2** (*bij examen*) examinandus *m.*; **3** (*voor betrekking*) gegadigde *m.*
candidature [kã'didatü:r] *f.* kandidatuur *v.*
candide(ment) [kã'did(mã)] *adj.* (*adv.*) argeloos, onbevangen, onschuldig.
Candie [kã'di] *f.* Kandia, Kreta *o.*
candir [kã'di:r] *v.i. et v.pr.*, ***se —,*** (*v. suiker*) kristalliseren.
cane [kan] *f.* eend, wijfjeseend *v.(m.)*; ***marcher comme une —,*** waggelen.
canepetière [kanpetyè:r] *f.* dwergtrapgans *v.(m.)*.
canéphore [kanéfò:r] *f.* (*bij Grieken*) offergavendraagster *v.* [len.
caner [kané] *v.i.* bang worden, achteruitkrabbe-
caneter [kaneté] *v.i.* **1** waggelen; **2** snateren.
caneton [kantõ] *m.* eendje *o.*
canette [kanèt] *f.* **1** (vrouw.) eendje *o.*; **2** bierflesje *o.*; **3** weversspoel *v.(m.)*.
canevas [kanva] *m.* **1** (*stof*) canvas *o.*; **2** stramien *o.*, fijn borduurgaas *o.*; **3** (*fig.*) schets *v.(m.)*, ontwerp *o.*
cangue [kã:g] *f.* schandbord *o.*
caniche [kaniʃ] *m.-f.* poedel *m.* [ken *o.*
canichon [kaniʃõ] *m.* **1** poedeltje *o.*; **2** eendekui-
caniculaire [kanikülè:r] *adj.* van de hondsdagen; ***jours —s,*** hondsdagen *mv.*
canicule [kaniküll] *f.* **1** hondsdagen *mv.*; **2** (*sterr.*) hondsster *v.(m.)*.
canidés [kanidé] *m.pl.* hondachtigen *mv.*
canif [kanif] *m.* pennemes, zakmes *o.*
canin [kanẽ] *adj.* honde—; ***race —e,*** honderas *o.*; ***faim —e,*** geeuwhonger, rammelende honger *m.*; ***dent —e,*** hoektand *m.*
caniveau [kanivo] *m.* **1** goot, geul *v.(m.)*; **2** kabelsleuf *v.(m.)*; **3** ondergrondse geleiding *v.*
cannage [kana:j] *m.* (het) matten *o.* (v. stoelen).
cannaie [kanè] *f.* rietveld *o.*
canne [kan] *f.* **1** riet *o.*; **2** stok, wandelstok *m.*; **3** (*v. glasblazer*) blaaspijp *v.(m.)*; ***— à sucre,*** suikerriet *o.*; ***— à pêche,*** hengelstok *m.*, hengelroede *v.(m.)*; ***— à épée,*** degenstok *m.*
canné [kané] *adj.*, (*v. stoel*) rieten.
canneler [kanlé] *v.t.* uithollen, groeven; ***étoffe cannelée,*** ribbetjesgoed *o.*
cannelier [kanlyé] *m.* kaneelboom *m.*
cannelle [kanèl] *f.* **1** kaneel *m. en o.*; ***— en bâtons,*** pijpkaneel; **2** (houten) tapkraan *v.(m.)*.
cannelure [kanlü:r] *f.* **1** (*in zuil*) groef *v.(m.)*; **2** (*v. stof*) rib *v.(m.)*.
canner [kané] *v.t.* matten.
cannette [kanèt] *f.* **1** tapkraan *v.(m.)*; **2** weversspoel *v.(m.)*; **3** bierfles *v.(m.)*.
canneur [kanœ:r] *m.* stoelenmatter *m.*
cannibale [kanibal] *m.* kannibaal, menseneter *m.*
cannibalisme [kanibalizm] *m.* **1** (het) menseneten *o.*; **2** (*fig.*) onmenselijkheid *v.*
canoë [kanoé] *m.* kano *m.*
canoéiste [kanoéist] *m.* kanovaarder *m.*
canon [kanõ] **I** *m.* **1** kanon *o.*; **2** stuk *o.* geschut; **3** (*v. vuurwapen*) loop *m.*; **4** (*v. sleutel*) pijp *v.(m.)*; **5** (*kath.*) canon *m.*; ***les —s d'autel,*** de canonborden *mv.*; **6** (*muz.*) doorlopende fuga *v.(m.)*, kettingzang *m.*; ***— anti-char,*** antitankkanon; ***— à tir rapide,*** snelvuurkanon; ***— rayé,*** getrokken loop; **II** *adj.*, ***droit —,*** kerkelijk recht, canoniek recht *o.*
canonial [kanònyal] *adj.* **1** volgens de kerkelijke canon; **2** de kanunniken betreffend; ***office —,*** kanunnikenofficie *o.*
canonicat [kanònika] *m.* kanunnikschap *o.*
canonique(ment) [kanònik(mã)] *adj.* (*adv.* canoniek, overeenkomstig de kerkregelen; ***âge —*** 40 jaar.
canonisation [kanònizα'syõ] *f.* heiligverklaring *v.*
canoniser [kanònizé] *v.t.* heilig verklaren.
canoniste [kanònist] *m.* canonist *m.*, kenner *m.* van het kerkelijk recht.
canonnade [kanòna'd] *f.* **1** kanonvuur, kanongebulder *o.*; **2** beschieting *v.*
canonner [kanòné] *v.t.* beschieten.
canonnier [kanònyé] *m.* kanonnier, artillerist *m.*
canonnière [kanònyè:r] *f.* **1** kanonneerboot *m. en v.*; **2** klakkebus *v.(m.)*, proppeschieter *m.*
canot [kano] *m.* **1** kano *m.*; **2** roeiboot *m. en v.*; ***— automobile,*** motorbootje *o.*; ***— de sauvetage,*** reddingsloep *v.(m.)*, reddingboot *m. en v.*
canotage [kanòta:j] *m.* (het) roeien *o.*; roeisport *v.(m.)*; ***faire du —,*** roeien.
canoter [kanòté] *v.i.* roeien. [*m.*
canotier [kanòtyé] *m.* **1** roeier *m.*; **2** matelot(hoed)
cantal [kã'tal] *m.* kaassoort *v.(m.)* uit Auvergne.
cantaloup [kã'talu] *m.* kanteloep *v.(m.)*, wrat meloen *m. en v.*
cantate [kã'tat] *f.* cantate *v.(m.)*.
cantatrice [kã'tatris] *f.* (beroemde) zangeres *v.*
cantharide [kã'tari'd] *f.* Spaanse vlieg *v.(m.)*.
cantilène [kã'tilè'n] *f.* **1** zangerige melodie *v.*, cantilene *v.(m.)*; **2** eentonig gezang *o.*
cantine [kã'tin] *f.* **1** kantine *v.*; koffiekamer *v.(m.)*; **2** likeurkist *v.(m.)*; ***— d'officier,*** officierskoffer *m.*; ***— médicale,*** verbandkist *v.(m.)*.
cantinier [kã'tinyé] *m.* kantinehouder *m.*
cantinière [kã'tinyè:r] *m.* marketentster *v.*
cantique [kã'tik] *m.* lofzang *m.*; gewijde zang *m.*; ***le C— des —s,*** het Hooglied *o.*
canton [kã'tõ] *m.* **1** kanton *o.*; **2** (*wap.*) kwartier *o.*; ***lac des Quatre C—s,*** Vierwoudstedenmeer *o.*
cantonade [kã'tòna'd] *f.* coulisse *v.*, ruimte *v.* achter de schermen; ***parler à la —,*** terzijde spreken (tot iem. achter de schermen). [ton.
cantonal [kã'tònal] *adj.* kantonnaal, van een kan-
cantonnement [kã'tònmã] *m.* **1** inkwartiering *v.*; **2** (*mil.*) kantonnement, kwartier *o.*; **3** afgesloten ruimte *v.*, weiland *o.* voor ziek vee; **4** kampong *m.*
cantonner [kã'tòné] **I** *v.t.* **1** kantonneren, inkwartieren; **2** (*v. ziek vee*) afzonderen; **3** aan de hoeken

versieren; **II** *v.pr.*, ***se* —, 1** zich verschansen; **2** zich beperken (tot); **3** (***— en soi-même***) zich afzonderen.
cantonnier [kã'tònyé] *m.* wegwerker *m.*
canular [kanülar] *m.* studentengrap *v.(m.)*.
canule [kanül] *f.* **1** buisje, pijpje *o.*; **2** houten kraan *v.(m.)*; **3** (*fig.*) vervelende vent, (*Z.N.*) zageman *m.*
canut [kanü] *m.* zijdewerker *m.* uit Lyon.
canyon, cañon [kèñen] *m.* cañon *m.*
caoutchouc [kautʃu] *m.* **1** rubber *m.* *en o.*, gomelastiek *o.*; **2** (gummi)overschoen *m.*; **3** regenjas *m. en v.*; **4** wielband *m.*; **5** (***— pneumatique***) luchtband *m.*; ***éponge en* —,** gummispons *v.(m.)*.
caoutchouter [kautʃuté] *v.t.* met rubber bekleden.
caoutchouteux [kautʃutö] *adj.* rubberachtig.
caoutchoutier [kautʃutyé] **I** *m.* rubberboom *m.*; **II** *adj.* ***industrie caoutchoutière,*** rubbernijverheid *v.*
cap [kap] *m.* **1** hoofd *o.*; **2** (*v. schip*) boeg; steven *m.*; **3** kaap *v.(m.)*; voorgebergte *o.*; ***de pied en* —,** van top tot teen; ***mettre le — sur,*** de koers richten naar; ***doubler un* —,** een kaap omzeilen; ***le C—,*** **1** Kaapstad *v.*; **2** de Kaapkolonie *v.*; ***les îles du C— Vert,*** de Kaapverdische eilanden.
capable [kapa'bl] (*de*) *adj.* **1** bekwaam (tot, voor), geschikt (voor), in staat (tot, om); **2** bevoegd (tot); ***d'un ton* —,** op verwaande toon.
capacitaire [kapasitè:r] *m.* houder *m.* van diploma capacité en droit.
capacité [kapasité] *f.* **1** inhoud *m.*; **2** bekwaamheid, geschiktheid *v.*; **3** bevoegdheid *v.*; ***mesure de* —,** inhoudsmaat *v.(m.)*; ***brevet de* —,** akte *v.(m.)* Lager Onderwijs; (*B.*) onderwijzersdiploma *o.*; ***— en droit,*** universitair diploma na 2 jaar rechtenstudie.
caparaçon [kaparasõ] *m.* paardedek, dekkleed *o.*
caparaçonner [kaparasòné] *v.t.* een dekkleed opleggen.
cape [kap] *f.* **1** kapmantel *m.*; **2** kap *v.(m.)*; **3** (*v. sigaar*) dekblad *o.*; ***mettre à la* —,** (*v. schip*) bijleggen; ***rire sous* —,** in zijn vuistje lachen; ***il n'a que la — et l'épée,*** hij is arm, maar van goede afkomst.
capeline [kaplin] *f.* **1** kapje *o.* (*hoofddeksel*); **2** (*gen.*) hoofdverband *o.*
Capelle-au-Bois [kapèlobwa] Kapelle-op-den-Bos *o.*
Capelle-Saint-Ulric [kapèlsẽ'tülrik] Sint-Ulriks-Kapelle *o.*
capendu [kapã'dü] *m.* aagtappel *m.*
Capétiens [kapésyẽ] *m.pl.*, (*gesch.*) Capetingers [*mv.*
capharnaüm [kafarnaòm] *m.* rommel *m.*, rommelkamer *v.(m.)*.
capillaire [kapilè:r] *adj.* **1** haarfijn; **2** haar—; ***vaisseaux —s,*** haarvaten *mv.*; ***attraction* —,** capillariteit *v.*
capillarité [kapilarité] *f.* **1** haarfijnheid *v.*; **2** capillariteit *v.*
capilotade [kapilota'd] *f.* soort ragoût *m.*; ***mettre en* —,** fijnhakken.
capiston [kapistõ] *m.*, (*fam.*) kapitein *m.*
capitaine [kapitèn] *m.* **1** kapitein *m.*; **2** veldheer *m.*; **3** hoofdman *m.*; ***— au long cours,*** kapitein op de grote vaart; ***— de cavalerie,*** ritmeester *m.*; ***— de vaisseau,*** kapitein-ter-zee; ***— en second,*** eerste officier; ***— de port,*** havenmeester *m.*
capital [kapital] **I** *adj.* voornaamste, hoofd—; ***péché* —,** hoofdzonde *v.(m.)*; ***peine —e,*** doodstraf *v.(m.)*; ***lettre —e,*** hoofdletter *v.(m.)*; ***point* —,** hoofdzaak *v.(m.)*; **II** *s.*, *m.* **1** kapitaal *o.*; **2** hoofdsom *v.(m.)*; **3** hoofdzaak *v.(m.)*, (het) voornaamste *o.*; ***— commercial,*** bedrijfskapitaal; ***— engagé,*** vast kapitaal; ***premier* —,** grondkapitaal; ***— circulant,*** omlopend (*of* vlottend) kapitaal; ***— fixe,*** vast kapitaal.
capital*-actions [kapitalaksyõ] *m.* aandelenkapitaal *o.*
capitale [kapital] *f.* **1** hoofdstad *v.(m.)*; **2** hoofdletter *v.(m.)*; ***petites —s,*** (*drukk.*) kleinkapitalen.
capitalisation [kapitaliza'syõ] *f.* kapitaalvorming *v.*
capitaliser [kapitalizé] **I** *v.t.* kapitaliseren; **II** *v.i.* kapitaal vormen, sparen.
capitalisme [kapitalizm] *m.* kapitalisme *o.*
capitaliste [kapitalist] *m.* kapitalist *m.*
capitan [kapitã] *m.* zwetser, pochhans *m.*
capitation [kapita'syõ] *f.*, (*v. belasting*) hoofdgeld [*o.*
capiteux [kapitö] *adj.* **1** (*v. drank*) koppig; **2** (*v. persoon*) pittig.
Capitole [kapitòl] *m.* Kapitool *o.*
capiton [kapitõ] *m.* vlokzijde *v.(m.)*.
capitonner [kapitòné] *v.t.*, (*v. zitting, enz.*) opvullen, watteren.
capitoul [kapitul] *m.* naam van voormalige magistraat te Toulouse.
capitulaire [kapitülè:r] **I** *adj.* kapittel—; ***assemblée* —,** kapittelvergadering *v.*; ***salle* —,** kapittelzaal *v.(m.)*; **II** *s.*, *m.pl.*, **—s,** (*gesch.*) capitulariën *mv.*
capitulation [kapitüla'syõ] *f.* **1** overgave *v.(m.)*, capitulatie *v.*; **2** verdrag *o.* van overgave.
capitule [kapitül] *m.* **1** (*Pl.*) hoofdje *o.*; **2** (*kath.*) slotkapittel *o.*
capituler [kapitülé] *v.i.* **1** (*mil.*) zich overgeven, capituleren; **2** onderhandelen over de overgave; ***— avec sa conscience,*** zijn geweten in slaap sussen.
capoc [kapòk] *m.* kapok *m.*
capon [kapõ] *m.* **1** bangerd *m.*; **2** klikspaan *v.(m.)*; **3** (*sch.*) kattakel *m. en o.* [(anker).
caponner [kapòné] *v.t.* **1** vleien; **2** (*zeev.*) katten
capoquier [kapòkyé] *m.* kapokboom *m.*
caporal [kapòral] *m.* **1** korporaal *m.*; **2** (*op Corsica*) hoofd *o.* van een voorname familie; ***du* —,** baai *m.* (*tabak*); ***le petit* —,** Napoleon I.
caporaliser [kapòrali'zé] *v.t.* drillen.
capot [kapo] *m.* **1** kapmantel *m.*; **2** (*op motor, enz.*) kap *v.(m.)*; ***être* —,** (*kaartsp.*) geen slag halen; ***faire un* —,** alle slagen halen; ***faire qn.* —,** (*kaartsp.*) iem. beest maken; ***faire* —,** (*sch.*) omslaan, kapseizen.
capotage [kapota:j] *m.* het omslaan, kantelen *o.*
capote [kapòt] *f.* **1** lange kapmantel *m.*; **2** (*mil.*) kapotjas *m. en v.*; **3** kapothoed *m.*; **4** (*v. rijtuig, auto, enz.*) kap *v.(m.)*.
capoter [kapòté] *v.i.* **1** (*sch.*) omslaan, kapseizen; **2** (*v. auto, vliegtuig*) over de kop gaan.
Capoue [kapu] *f.* Capua *o.*
Cappadoce [kapados] *f.* Cappadocië *o.*
câpre [ka'pr] *f.* kappertje *o,*
capricant [kaprikã] *adj.* hortend.
caprice [kapris] *m.* **1** gril, kuur, nuk, luim *v.(m.)*; **2** plotselinge bevlieging *v.*; **3** voorbijgaande liefde *v.*; **4** (*muz.*) luimig muziekstuk *o.*, luchtige bewerking *v.* (van een thema); ***— de la lumière,*** lichtspeling *v.*
capricieux [kaprisyö] *adj.*, **capricieusement** [kaprisyö'zmã] *adv.* **1** grillig, luimig; **2** eigenzinnig; **3** veranderlijk.
Capricorne [kaprikòrn] *m.*, (*sterr.*) steenbok *m.*
câprier [ka'pryé] *m.* (*Pl.*) kapperstruik *m.*
caprin [kaprẽ] *adj.* geite—; ***race —e,*** geiteras *o.*
capsulage [kapsüla:j] *m.* het capsuleren *o.*

capsulaire [kapsülè:r] *adj.*, (*Pl.*) zaaddoosvormig; ***fruit* —,** doosvrucht *v.*(*m.*).
capsule [kapsül] *f.* **1** doosvrucht *v.*(*m.*); **2** (*v. vuurwapen*) slaghoedje *o.*; **3** (*v. fles*) capsule *v.*(*m.*); **4** gewrichtsband *m.*; **5** (*v. vulpen*) dop *m.*
capsuler [kapsülé] *v.t.* van een capsule voorzien.
captage [kapta:j] *m.* **1** (*v. bron; radiostation*) (het) opvangen *o.*; **2** (*v. stroom*) (het) afleiden *o.*
captateur [kaptatœ:r] *m.* zich door list bevoordelend iemand *m.*
captation [kapta˙syõ] *f.* **1** kunstgreep *m.*, list *v.*(*m.*) om voordeel te verkrijgen; **2** (*v. bron*) opvanging *v.*
capter [kapté] *v.t.* **1** (*v. erfenis*) door list verkrijgen; **2** (*v. bron, enz.*) opvangen.
captieux [kapsyö] *adj.*, **captieusement** [kapsyö˙zmã] *adv.* listig, bedrieglijk; ***question captieuse*,** strikvraag *v.*(*m.*).
captif [kaptif] **I** *adj.* **1** gevangen, krijgsgevangen; **2** geboeid, geketend; ***ballon* —,** kabelballon *m.*; **II** *s., m.* (krijgs)gevangene *m.*
captivant [kapti˙vã] *adj.* boeiend.
captiver [kapti˙vé] *v.t.* **1** boeien; **2** winnen, inpalmen.
captivité [kaptivité] *f.* **1** gevangenschap *v.*; **2** [slavernij *v.*
capture [kaptü:r] *f.* **1** gevangenneming *v.*; **2** vangst *v.*, buit *m.*; **3** beslaglegging *v.*; **4** (*v. schip*) prijsmaking *v.*; ***droit de* —,** prijsrecht *o.*
capturer [kaptü˙ré] *v.t.* **1** gevangen nemen; **2** (*v. schip*) buit maken, prijs maken; **3** in beslag nemen; **4** (*v. smokkelwaar*) aanhalen.
capuce [kapüs] *m.* monnikskap *v.*(*m.*).
capuche [kapüʃ] *f.* kap *v.*(*m.*) (*v. mantel*).
capuchon [kapüʃõ] *m.* kap *v.*(*m.*).
capuchonné [kapüʃòné] *adj.*, (*Pl.*) kapvormig.
capuchonner [kapüʃòné] *v.t.* met een kap bedekken.
capucin [kapüsẽ] *m.* **1** kapucijn *m.*; **2** (*Dk.*: *duif*) raadsheer *m.*; ***tomber comme des* —*s* (*de cartes*),** over elkaar tuimelen.
capucine [kapüsin] *f.* **1** kapucines *v.*; **2** (*Pl.*) Oostindische kers *v.*(*m.*); **3** (*v. geweer*) ring, bovenband *m.*
Cap-Vert [kapvè:r], ***îles du* —,** *f.pl.* Kaap-Verdische eilanden *mv.*
caquage [kaka:j] *m.* (het) haringkaken *o.*
caque [kak] *f.* **1** harington *v.*(*m.*); **2** kruitton *v.*(*m.*); kruitvaatje *o.*; ***comme des harengs en* —,** als haringen in een ton; ***la — sent toujours le hareng*,** zijn afkomst verloochent men niet.
caquer [kaké] *v.t.* **1** (*v. haring*) kaken; **2** (*v. kruit enz.*) in tonnen pakken.
caquet [kakè] *m.* **1** gekakel *o.*; **2** gebabbel, gesnap *o.*; ***avoir du* —,** veel praats hebben; ***rabattre le — à qn.*,** iem. de mond snoeren.
caquetage [kakta:j] *m.* **1** gekakel *o.*; **2** gebabbel *o.*
caqueter* [kakté] *v.i.* **1** kakelen; **2** (*fig.*) kletsen.
caqueur [kakœ:r] *m.* haringkaker *m.*
car [ka:r] **I** *conj.* want; ***avoir des si et des* —,** zwarigheden maken; **II** *s., m.* touringcar *m. en v.*
carabe [karab] *m.*, (*Dk.*) loopkever *m.*; ***— doré*,** goudkever *m.*
carabin [karabẽ] *m.* (*pop.*) medisch student *m.*
carabine [karabin] *f.* karabijn, buks *v.*(*m.*).
carabiné [karabiné] *adj.* buitengewoon, hevig, ontzettend.
carabinier [karabinyé] *m.* karabinier *m.*
Carabosse [karabòs] *f.*, ***la fée* —,** de boze fee.
caraco [karako] *m.* jakje *o.*
caracole [karakòl] *f.*, (*v. paard*) zwenking *v.*; ***escalier en* —,** wenteltrap *m.*
caracoler [karakòlé] *v.i.* zwenken, draaien.
caractère [karaktè:r] *m.* **1** karakter *o.*; **2** aard *m.*, kenmerk *o.*; **3** letter *v.*(*m.*); letterteken *o.*; **4** volmacht *v.*(*m.*); ***sans* —,** karakterloos; ***parler sans* —,** onbevoegd spreken; ***manquer de* —,** karakterloos zijn; ***montrer du* —,** vastberaden zijn.
caractériel [karaktéryèl] **I** *adj.* het karakter betreffend; **II** *s., m.* moeilijk kind *o.*
caractérisation [karaktériza˙syõ] *f.* kenschetsing *v.* [merken.
caractériser [karaktérizé] *v.t.* kenschetsen, ken-
caractéristique [karaktéristik] **I** *adj.* kenmerkend, eigenaardig, karakteristiek; **II** *s., f.* **1** kenteken; kenmerk *o.*; **2** (*v. logaritme*) wijzer *m.*
caracul [karakül] *m.* **1** Middenaziatisch schaap *o.*; **2** vacht *v.*(*m.*) daarvan.
carafe [karaf] *f.* karaf *v.*(*m.*); ***— frappée*,** karaf afgekoeld water (ijswater); ***tenir en* —,** eindeloos laten wachten.
carafon [karafõ] *m.* **1** karafje *o.*, kleine karaf *v.*(*m.*); **2** (*v. wijn*) kalkoentje *o.*; **3** koelvat *o.*
Caraïbes, *îles* — [ilkaraib] *f.pl.* Kleine Antillen *mv.*; ***mer des* —,** Caraïbische zee.
carambolage [karã˙bòla:j] *m.* **1** (*bilj.*) carambole *m.*; **2** kettingbotsing *v.*
carambole [karã˙bòl] *f.*, (*bilj.*) de rode bal *m.*
caramboler [karã˙bòlé] *v.i.* **1** (*bilj.*) een carambole maken; **2** (*fig.*) twee vliegen in één klap slaan. [*v.*
carambouillage [karã˙buya:j] *f.* flessentrekkerij
carambouilleur [karã˙buyœ:r] *m.* flessentrekker *m.* [ulevel *v.*(*m.*).
caramel [karamèl] *m.* **1** gebrande suiker *m.*; **2**
carapace [karapas] *f.*, (*v. dier*) schild *o.*, schaal *v.*(*m.*). [porselein *o.*
caraque [karak] *adj.*, ***porcelaine* —,** kraak-
carassin [karasẽ] *m.* (*Dk.*) steenkarper *m.*
carat [kara] *m.* karaat *o.*; ***or à 24 —s*,** zuiver goud; ***sot à 24 —s*,** volslagen gek.
caravane [karavan] *f.* **1** karavaan *v.*(*m.*); **2** (*fig.*) troep *m.*, reisgezelschap *o.*
caravanier [karavanyé] *m.* **1** lastdierdrijver, kameeldrijver *m.*; **2** karavaanreiziger *m.*
caravansérail [karavã˙séra˙y] *m.* karavaanherberg *v.*(*m.*).
caravelle [karavèl] *f.* karveel *v.*(*m.*) *en o.* [pier).
carbon [karbõ] *m.* doorslag *m.* (d.m.v. carbonpa-
carbonaro [karbònaro] *m.*, (*pl.*: —*i*) carbonaro *m.*
carbonate [karbònat] *m.* koolzuurzout *o.*
carbone [karbòn] *m.* koolstof *v.*(*m.*); ***papier* —,** carbonpapier *o.*
carboné [karbòné] *adj.* koolstofhoudend.
carbonifère [karbònifè:r] *adj.* koolhoudend.
carbonique [karbònik] *adj.*, ***acide* —,** koolzuur *o.*
carbonisation [karbòniza˙syõ] *f.* verkoling *v.*
carboniser [karbònizé] **I** *v.t.* (doen) verkolen; **II** *v.pr.*, ***se* —,** verkolen.
carbonnade [karbòna˙d] *f.* karbonade *v.*
carbonyle [karbònil] *m.* carbolineum *o.*
carburant [karbürã] *m.* brandstof *v.*(*m.*), stookmiddel *o.*; olie *v.*(*m.*); ***— à fusée*,** stuwstof *v.*(*m.*).
carburateur [karbüratœ:r] *m.* **1** vergasser *m.*; **2** (*v. auto*) carburator *m.*
carburation [karbüra˙syõ] *f.* carburatie *f.*, toevoeging *v.* van koolstof.
carbure [karbü:r] *m.* carbid *o.*
carburer [karbüré] *v.t.* vergassen, met koolstof verbinden.
carcailler [karkayé] *v.i.* (*v. kwartel*) slaan.
carcan [karkã] *m.* **1** (*gesch.*) halsbeugel *m.*; **2** knol *m.*, oud paard *o.*
carcasse [karkas] *f.* **1** geraamte, karkas *o.*; **2** (*v. schip*) romp *m.* [lamp).
carcel [karsèl] *m.* carcellamp *v.*(*m.*) (oude olie-

carcinomateux [karsinòmatö] *adj.* kankerachtig.
carcinome [karsinòm] *m.*, (*gen.*) kanker *m.*
cardage [karda:j] *m.*, (*v. wol, enz.*) (het) kaarden *o.*
cardamine [kardamin] *f.*, (*Pl.*) veldkers *v.*(*m.*); **— *des prés,*** pinksterbloem *v.*(*m.*).
cardan [kardã] *m.* (*v. auto*) cardan *m.*
carde [kard] *f.* **1** kardoensteel *m.*; **2** kop *m.* van de kardoendistel; **3** kaarde *v.*(*m.*).
carder [kardé] *v.t.*, (*v. wol, enz.*) kaarden.
cardère [kardè:r] *f.* kaardedistel *m. en v.*
carderie [kardri] *f.* kaarderij *v.*
cardeur [kardœ:r] *m.* wolkaarder *m.*
cardia [kardya] *m.* maagmond *m.*
cardialgie [kardyalji] *f.* pijn *v.*(*m.*) in maagstreek.
cardiaque [kardyak] **I** *adj.* hart—; ***affection —,*** hartkwaal *v.*(*m.*); **II** *s., m.* **1** hartlijder *m.*; **2** hartversterkend middel *o.*
cardinal [kardinal] **I** *adj.* voornaamst, hoofd—; ***nombre —,*** hoofdtelwoord *o.*; ***les points cardinaux,*** de hoofdwindstreken; ***les vertus —es,*** de kardinale deugden; **II** *s., m.* **1** kardinaal *m.*; **2** (*Dk.*) kardinaalvogel *m.*
cardinalat [kardinala] *m.* kardinaalschap *o.*
cardinalice [kardinalis] *adj.* kardinaals—; ***pourpre —,*** kardinaalspurper *o.*
cardiogramme [kardiogram] *m.* cardiogram *o.*, hartslagcurve *v.*(*m.*).
cardiographe [kardiograf] *m.* cardiograaf, hartslagregistrator *m.*
cardiologue [kardiolò:g] *m.* specialist *m.* voor hartziekten.
cardiopathe [kardiopat] *m.* hartlijder *m.*
cardiotomie [kardiotòmi] *f.* hartoperatie *v.*
cardite [kardit] *f.*, (*gen.*) hartontsteking *v.*
cardon [kardõ] *m.*, (*Pl.*) kardoen *m.*
carême [karè:m] *m.* vasten; vastentijd *m.*; ***mandement de —,*** vastenbrief *m.*; ***figure de —,*** mager, bleek gezicht; ***arriver comme marée en —,*** juist van pas komen.
carême*-prenant* [karè'mprenã] *m.* **1** vastenavond *m.*; **2** vastenavondgek *m.*
carénage [karéna:j] *m.* **1** scheepshelling *v.*; **2** kieling *v.*; ***bassin de —,*** droogdok *o.*
carence [karã:s] *f.* **1** afwezigheid (*of* waardeloosheid) *v.* van roerende goederen; **2** onmacht *v.*(*m.*) (om te betalen); **3** ingebrekestelling *v.*; ***être en —,*** onbevoegd zijn; ***maladie de —,*** (*gen.*) avitaminose *v.* [lijn.
carène [karè:n] *f.* scheepsromp *m.* onder de water-
caréner [karéné] *v.t.* **1** (*v. schip*) kielen, op de helling zetten; **2** stroomlijnen.
caressant [karèsã] *adj.* **1** liefkozend, strelend; **2** vleiend; **3** aanhalig.
caresse [karès] *f.* liefkozing, streling *v.*
caresser [karèsé] *v.t.* **1** liefkozen, strelen; **2** vleien; **3** (*v. kat, hond*) aanhalen, aaien; **4** (*v. baard*) strijken over (langs); **5** (*v. hoop*) voeden; **6** (*v. plan*) koesteren; **7** (*v. werk*) verzorgen, met veel zorg uitvoeren; **— *les épaules à qn.,*** iem. afranselen.
caret [karè] *m.* **1** (*Dk.*) karetschildpad *v.*(*m.*); **2** haspel *m.*; ***fil de —,*** kabelgaren *o.*
carex [karèks] *m.* rietgras *o.* [*en v.*
cargaison [kargè'zõ] *f.* lading *v.*
cargo(-boat*) [kargo(-bo:t)] *m.* vrachtboot *m.*
cargue [karg] *f.* (*sch.*) geitouw *o.*
carguer [kargé] *v.t.* (*v. zeilen*) geien, gorden.
cari [kari] *m.* kerrie *m.*
cariatide, caryatide [karyati'd] *f.* vrouwenbeeld *o.* (als schoorzuil).
caribou [karibu] *m.* rendier *o.* (uit Canada).
caricatural [karikatüral] *adj.* karikatuurachtig.
caricature [karikatü:r] *f.* **1** karikatuur *v.*, spotbeeld *o.*, spotprent *v.*(*m.*); **2** onhandige navolging *v.*
caricaturer [karikatü'ré] *v.t.* bespottelijk afbeelden (*of* voorstellen); tot een karikatuur maken.
caricaturiste [karikatü'rist] *m.* karikatuurtekenaar, spotprententekenaar *m.*
carie [kari] *f.*, **— *des os,*** (*gen.*) beeneter *m.*, beencariës *v.*(*m.*); **— *dentaire,*** tandbederf *o.*, wolf *m.* in de tanden; **— *des arbres,*** vervuring *v.*; ***— des céréales,*** brand *m.* in 't koren.
carier [karyé] **I** *v.t.* aansteken; wegvreten; ***dent cariée,*** slechte tand *m.*, aangestoken tand; **II** *v.pr.*, ***se —,*** **1** bederven; **2** (*v. koren*) brandig worden.
carieux [karyö] *adj.* aangestoken.
carillon [kariyõ] *m.* **1** klokkenspel *o.*, beiaard *m.*; **2** (*fam.*) gerinkel, geraas *o.*; ***boîte à —,*** speeldoos, muziekdoos *v.*(*m.*); ***sonner en —,*** vrolijk spelen.
carillonner [kariyòné] *v.i.* **1** het klokkenspel bespelen; **2** luiden; **3** veel leven maken; spektakel maken; ***fête carillonnée,*** hoogdag *m.*
carillonneur [kariyònœ:r] *m.* klokkenspeler, beiaardier *m.*
Carinthie [karẽ'ti] *f.* Karinthië *o.*
carlin [karlẽ] *m.* mopshond *m.*
carlingue [karlẽ'g] *f.* **1** (*sch.*) tegenkiel *v.*(*m.*); **2** (*vl.*) stuurhut *v.*(*m.*); stuurkuip *v.*(*m.*) (cockpit); **3** (*fam.*) kist *v.*(*m.*).
carlovingien [karlòvẽ'jyẽ] **I** *adj.* Karolingisch; **II** *s., m.* **C—,** Karolinger *m.*
carmagnole [karmañò'l] *f.*, (*gesch.*) **1** vrijheidslied *o.*; **2** vrijheidsdans *m.*; **3** wambuis *o.* (van de jakobijnen).
carme [karm] *m.* karmeliet *m.*; **— *déchaussé,*** ongeschoeide karmeliet.
Carmel [karmèl] *m.*, (***le Mont —***) de berg Karmel *m.*; ***entrer au —,*** karmeliet (*of* karmelietes) worden.
carmélite [karmélit] *f.* karmelietes *v.*
carmin [karmẽ] **I** *adj.* karmijnrood; **II** *s., m.* karmijn *o.*
carminatif [karminatif] *adj.* (*gen.*) windenverdrijvend.
carminé [karminé] *adj.* karmijnrood, karmijnkleurig.
carnage [karna:j] *m.* slachting *v.*, bloedbad *o.*; (*fig.*) slachtbank *v.*(*m.*); ***scène de —,*** moordtoneel *o.*; ***avide de —,*** bloeddorstig.
carnassier [karnasyé] **I** *adj.* **1** vleesetend; **2** bloeddorstig, woest; ***dent carnassière,*** scheurkies *v.*(*m.*); **II** *s., m.* **1** vleesetend dier *o.*; **2** (*v. insekt*) vleeseter *m.*; **3** roofzuchtig mens *m.*
carnassière [karnasyè:r] *f.* **1** weitas *v.*(*m.*); **2** scheurkies *v.*(*m.*).
carnation [karnɑ'syõ] *f.* vleeskleur *v.*(*m.*).
carnaval [karnaval] *m.* (*pl.*: **—s**) vastenavond *m.*, carnaval *o.*
carnavalesque [karnavalèsk] *adj.* vastenavond—.
carne [karn] *f.* kreng *o.*
carné [karné] *adj.* vleeskleurig; ***alimentation —e,*** vleesvoeding *v.*
carnet [karnè] *m.* aantekenboekje, zakboekje *o.*; **— *à souches,*** bonboekje, blok *o.*; **— *kilométrique,*** kilometerboekje *o.*; **— *de chèques,*** checkboek(je) *o.*; **— *de visite,*** visiteboekje *o.*; **— *d'échantillons,*** staalboek, monsterboek *o.*
carnier [karnyé] *m.* weitas *v.*(*m.*).
carnifier, *se —* [sekarnifyé] *v.pr.* vervlezen.
carnivore [karnivò:r] **I** *adj.* vleesetend; **II** *s., m.* vleesetend dier *o.*
carogne [karòñ] *f.* kreng *o.*
Caroline [karòlin] *f.* Carolina *v.*

Carolingien [karòlẽ'jyẽ] *voir* ***carlovingien.***
caroncule [karõ'kül] *f.* vleesuitwas *m. en o.*
carotide[karòti'd] *f.* ***artère —,*** halsslagader *v.(m.).*
carottage [karòta:j] *m.*, (*pop.*) afzetterij *v.*
carotte [karòt] *f.* **1** wortel *m.*, peen *v.(m.)*; **2** (tabaks)karot *v.(m.)*; **3** afzetterij *v.*; ***cheveux —,*** peenhaar *o.*; ***tirer une —,*** lijntrekken; ***tirer une — à qn.,*** iem. iets aftroggelen.
carotter [karòté] **I** *v.t.* beetnemen; **II** *v.i.* lijntrekken.
carotteur [karòtœ:r], **carottier** [karòtyé] *m.* **1** aftroggelaar *m.*; **2** lijntrekker *m.*
caroube [karu'b], **carouge** [karu'j] *f.*, (*Pl.*) sintjansbrood *o.*
carpe [karp] **I** *m.* handwortel *m.*; **II** *f.* karper *m.*; ***des yeux de —,*** schelvisogen; ***muet comme une —,*** stom als een vis; ***bâiller comme une —,*** naar lucht snakken als een vis op 't droge.
carpeau [karpo] *m.* karpertje *o.*
carpelle [karpèl] *f.*, (*Pl.*) vruchtblad *o.*
carpette [karpèt] *f.* karpet *o.*
carpien [karpyẽ] *adj.* van de handwortel.
carpier [karpyé] *m.* karpervijver *m.*
carpillon [karpiyõ] *m.* karpertje *o.*
carpocapse [karpokaps] *m.* vlinder *m.* die appelworm voortbrengt.
carpologie [karpòlòji] *v.* carpologie *v.*, vruchtenleer *v.(m.).*
carquois [karkwa] *m.* pijlkoker *m.*
carrare [kara:r] *m.* Carrarisch marmer *o.*
carre [ka:r] *f.* **1** (*v. plank, enz.*) hoek, rand *m.*; **2** (*v. schoen*) neus *m.*; **3** (*v. jas*) schouderstuk *o.*
carré [ka'ré] **I** *adj.* vierkant; ***racine —e,*** vierkantswortel *m.*; ***nombre —,*** kwadraatgetal *o.*; ***tête —e,*** **1** heldere kop *m.*; **2** stijfkop *m.*; ***réponse —e,*** beslist antwoord *o.*; ***mots —s,*** vierkantraadsel *o.*; ***un homme — par la base,*** een man uit één stuk; **II** *s., m.* **1** vierkant *o.*; **2** kwadraat *o.*; **3** tuinbed *o.*; **4** (*mil.*) carré *o. en m.*; **5** bep. papierformaat (45×56 cm); ***— d'essai,*** proefveld *o.*; ***— de lard,*** dobbelsteentje spek; ***— de mouton,*** ribbestuk *o.* (*v. schaap*); ***élever au —,*** in 't kwadraat verheffen; ***habiter le même —,*** dezelfde verdieping bewonen; ***— long,*** rechthoek *m.*
carreau [karo] *m.* **1** vierkant *o.*; **2** ruit *v.(m.)*; **3** vloertegel, vloersteen *m.*; wandtegel *m.*; **4** stenen vloer *m.*; **5** speldenkussen *o.*; **6** (***— de dentellière***) kantkussen *o.*; ***— de fenêtre,*** vensterruit *v.(m.)*; ***— de tailleur,*** persijzer *o.*; ***étoffe à —x,*** geruite stof *v.(m.)*; ***valet de —,*** **1** (*kaartsp.*) ruitenboer *m.*; **2** (*fig.*) lomperd *m.*; ***mettre le cœur sur le —,*** overgeven, braken; ***rester sur le —,*** op de plaats dood blijven; ***se garder à —,*** een achterdeurtje openhouden.
carrée [ka'ré] *f.* **1** vierkant zeil *o.*; **2** (*muz.*) hele noot *v.(m.).*
carrefour [karfu:r] *m.* kruispunt *o.*, viersprong *m.*; ***publier par les —s,*** uitbazuinen; ***langage des —s,*** straattaal *v.(m.).*
carrelage [karla:j] *m.* **1** bevloering *v.*; **2** tegelvloer *m.*
carreler [karlé] *v.t.* **1** bevloeren (met tegels); **2** (*v. schoen*) lappen.
carrelet [karlè] *m.* **1** (*Dk.*) schol *m.*; **2** totebel *v.(m.)*, kruisnet *o.*; **3** vogelnet *o.*; **4** vierkante vijl *v.(m.)*; **5** vierkante liniaal *v.(m.) en o.*
carreleur [karlœ:r] *m.* vloerlegger *m.*
carrelure [karlü:r] *f.* verzoling *v.*
carrément [karémã] *adv.* vierkant, zonder omwegen, ronduit.
carrer [karé] **I** *v.t.* **1** vierkant maken; **2** in 't kwadraat brengen, tot de tweede macht verheffen; **3** in een carré opstellen; **II** *v.pr.*, ***se —,*** **1** een hoge borst opzetten; **2** op zijn gemak gaan zitten.
carrick [karik] *m.* koetsiersjas *m. en v.*
carrier [karyé] *m.* **1** steenhouwer *m.*, arbeider *m.* in een steengroeve; **2** eigenaar *m.* van een steengroeve.
carrière [karyè:r] *f.* **1** steengroeve *v.(m.)*; **2** renbaan *v.(m.)*, strijdperk *o.*; **3** loopbaan *v.(m.)*, beroep *o.*; **4** levensloop *m.*; ***donner — à,*** **1** de vrije teugel laten aan; **2** (*fig.*) de teugel vieren, de vrije loop laten aan; ***embrasser une —,*** een beroep kiezen; ***officier de —,*** beroepsofficier *m.*; ***faire —,*** snel vooruit komen.
carriole [karyòl] *f.* licht rijtuigje *o.*
carrossable [karòsa'bl] *adj.* berijdbaar; ***route —,*** rijweg *m.*
carrosse [karòs] *m.* koets, staatsiekoets *v.(m.)*; ***rouler —,*** paard en rijtuig houden.
carrosserie [karòsri] *f.* **1** wagenmakerij *v.*; **2** (*v. auto*) koetswerk *o.*
carrossier [karòsyé] *m.* **1** rijtuigmaker *m.*; carosseriemaker *m.*; **2** koetspaard *o.*
carrousel [karuzèl] *m.* **1** (het) ringrijden, (het) ringsteken *o.*; **2** draaimolen *m.*
carroyage [karwaya:j] *m.* verdeling *v.* van kaart of tekening in gelijke ruiten.
carrure [karü:r] *f.* schouderbreedte *v.*
carry [kari] *m.* kerrie *m.*
cartable [karta'bl] *m.* **1** tekenboek *o.*; **2** schooltas *v.(m.).*
carte [kart] *f.* **1** kaart *v.(m.)*; **2** spijskaart, wijnkaart *v.(m.)*; ***— à jouer,*** speelkaart; ***— fausse,*** valse kaart; ***fausse —,*** slechte kaart; ***— géographique,*** landkaart; ***— postale,*** briefkaart; ***jouer aux —s,*** kaartspelen; ***brouiller les —s,*** de kaarten schudden; (*fig.*) de boel in de war brengen; ***jouer —s sur table,*** met open kaart spelen; ***voir le dessous des —s,*** in de kaart kijken; (*fig.*) achter de schermen zien; ***donner — blanche à qn.,*** iem. de vrije hand laten; ***— muette,*** blinde kaart; ***jouer sur la mauvaise —,*** op 't verkeerde paard wedden; ***jouer sa dernière —,*** een laatste poging aanwenden; ***avoir perdu la —,*** de kluts kwijt zijn; ***dresser la — de,*** in kaart brengen; ***payer la —,*** het gelag betalen.
carte*-adresse* [kartadrès] *f.* adreskaart *v.(m.).*
cartel [kartèl] *m.* **1** uitwisselingsverdrag *o.*; **2** wandklok *v.(m.)*; **3** horlogekast *v.(m.)*; **4** overeenkomst *v.* tussen producenten en/of verkopers om concurrentie uit te schakelen; **5** overeenkomst *v.* tussen politieke partijen.
carte*-lettre* [kartlètr] *f.* postblad *o.*
carter [kartè:r] *m.*, (*v. fiets*) kettingkast *v.(m.).*
cartésien [kartézyẽ] **I** *adj.* Cartesiaans, van Cartesius (— Descartes); **II** *s., m.* cartesiaan, aanhanger van Cartesius (— Descartes) *m.*
carte*-vue* [kartevü] *f.* prentbriefkaart *v.(m.).*
Carthage [karta:j] *f.* Carthago *o.*
carthaginois [kartajinwa] **I** *adj.* Carthaags; **II** *s., m.* **C—,** Carthager *m.*
cartier [kartyé] *m.* **1** kaartenmaker *m.*; **2** rug *m.* van de kaart; **3** kaartpapier *o.*
cartilage [kartila:j] *m.* kraakbeen *o.*
cartilagineux [kartila'jinö] *adj.* kraakbeenachtig.
cartographe [kartògraf] *m.* kaarttekenaar *m.*
cartographie [kartògrafi] *f.* (het) kaarttekenen *o.*
cartographier [kartògra'fyé] *v.t.* in kaart brengen.
cartomancie [kartòmã'si] *f.* (het) kaartleggen *o*, waarzeggerij *v.*
cartomancien(ne) [kartòmã'syẽ, —syèn] *m.* (*f.*) kaartlegger *m.*, (—ster *v.*).
carton [kartõ] *m.* **1** karton, bordpapier *o.*; **2** lottokaart *v.(m.)*; **3** (*drukk.*) verbeterblad *o.*; **4** ruwe

schets v.(m.); 5 bijkaartje o.; — *à chapeaux,* hoededoos v.(m.); — *à dessin,* tekenportefeuille m.; — *d'écolier,* schooltas v.(m.); *homme de —,* stroman, figurant m.; — *ondulé,* golfkarton; *rester dans les —s,* blijven liggen; in de doofpot geraken. [band m.
carton*-classeur* [kartõ'klasœ:r] m. losse
cartonnage [kartòna:j] m. 1 kartonnering v., (het) kartonneren o.; 2 kartonnen band m.
cartonner [kartòné] v.t. kartonneren, in kartonnen band naaien.
cartonnerie [kartònri] f. kartonfabriek v.
cartonnier [kartònyé] m. 1 kartonmaker m.; 2 kartonverkoper m.; 3 kast v.(m.) met bordpapieren laden.
carton-paille [kartõ'pa'y] m. strokarton o.
carton-pâte [kartõ'pa:t] m. papier-mâché o.
carton*-tube* [kartõ:tüb] m. verzendrol v.(m.).
cartothèque [kartòtèk] f. cartotheek, kaartenkast v.(m.).
cartouche [kartu'ʃ] I f. 1 (v. *geweer, enz.*) patroon v.(m.); 2 kartets v.(m.); — *à balle,* scherpe patroon; — *à blanc,* losse patroon; II m. 1 met loofwerk versierde lijst v.(m.); 2 sigarettenbusje o.
cartoucherie [kartuʃri] f. patroonfabriek v.
cartouchier [kartuʃyé] m., **cartouchière** [kartuʃyè:r] f. patroontas v.(m.).
cartulaire [kartülè:r] m. cartularium m., oorkondenboek o.
carus [karüs] m. slaapziekte v.
caryatide, *voir* ***cariatide.***
caryocinèse [kariosinè's], **caryokinèse** [kariokinè's] f. indirecte celdeling v.
caryopse [kariòps] m. graanvrucht v.(m.).
cas [ka, ka] m. 1 geval o.; 2 voorval o.; 3 feit o., zaak v.(m.); 4 naamval m.; — *fortuit,* toeval o.; — *de conscience,* gewetensvraag, gewetenszaak v.(m.); — *réservé,* (*kath.*) voorbehouden zonde v.(m.); *le — échéant,* bij voorkomende gelegenheid, als 't geval zich voordoet; *un — de divorce,* een reden tot echtscheiding; — *pendable,* halsmisdaad v.(m.); *faire grand — de,* veel waarde hechten aan, op prijs stellen; *c'est le — ou jamais,* nu of nooit; *en tout —,* in elk geval; *c'est le — d'agir,* er moet (nu) gehandeld worden; *agir selon le —,* naar omstandigheden handelen; *il est dans un mauvais —,* hij is er beroerd aan toe; hij zit in een lelijk parket; *faire peu de — de,* weinig geven om, geen acht slaan op, geen aandacht schenken aan; *mettre qn. dans le — de,* iem. noodzaken om, iem. voor de noodzakelijkheid plaatsen om; — *de guerre,* casus belli; *faire son —,* (*pop.*) zijn behoefte doen.
casanier [kazanyé] adj. huiselijk, hokvast; *vie casanière,* huiszittend leven.
casaque [kazak] f. 1 mantel m.; 2 livreijas m. *en* v.; 3 jockeybuis o.; *tourner —,* 1 vluchten; 2 van partij veranderen.
casaquin [kazakẽ] m. vrouwenjak, vrouwenlijfje o.; *tomber sur le — à qn.,* iem. op zijn baadje geven.
casbah [kasba] f. kasba(h), citadel of paleis van Arabisch vorst; Arab. wijk in Algiers.
cascade [kaska'd] f. 1 waterval m.; 2 sprong, plotselinge overgang m.; *des —s d'éclats de rire,* aanhoudende lachbuien.
cascatelle [kaskatèl] f. kleine waterval m.
case [ka:z] f. 1 negerhut v.(m.); 2 afdeling v., vakje, hokje o.; 3 (*v. register*) vak o.; 4 (*v. schoolbank*) kastje o.; 5 (*v. dambord, schaakbord*) ruit v.(m.), veld o.
caséeux [kazéö] *adj.* kaasachtig.
caséiforme [kazéifòrm] adj. kaasvormig.
caséine [kazéin] f. kaasstof v.(m.).
casemate [kazmat] f., (*mil.*) kazemat v.(m.) bomvrij gewelf o. [zien.
casemater [kazmaté] v.t. van kazematten voor-
caser [ka'zé] I v.t. 1 in zijn vak plaatsen, opbergen; 2 onder dak brengen, een betrekking bezorgen aan; 3 uithuwelijken; *il est casé,* hij is geborgen; II v.pr., *se —,* 1 een betrekking vinden; 2 zich neerzetten.
caserne [kazèrn] f. kazerne v.(m.).
casernement [kazèrnemã] m. kazernering v.
caserner [kazèrné] I v.t. kazerneren, in kazernes huisvesten; II v.i. in een kazerne liggen.
caséum [kazéòm] m. kaasstof v.(m.).
cash [kaʃ] adv. contant.
casier [ka'zyé] m. 1 (*v. meubel*) vak o.; 2 loketkast; muziekkast v.(m.); — *à monnaie,* geldbakje o.; — *judiciaire,* strafregister o.
casilleux [kaziyö] adj. bros. [laken)
casimir [kazimi:r] m. kasjmier o. (fijn, licht
casino [kazino] m. casino, kurhaus o.
casoar [kazòa:r] m., (*Dk.*) casuaris m.
Caspienne, *mer —* [mè:rkaspyèn] f. Kaspische zee v.(m.).
casque [kask] m. helm m.; — *à pointe,* pinhelm m.; — *colonial,* helmhoed, tropenhelm; — *récepteur,* — *d'écoute,* koptelefoon m.; *avoir son —,* aangeschoten zijn.
casqué [kaské] adj. gehelmd.
casquer [kaské] v.i., (*pop.*) afdokken.
casquette [kaskèt] f. pet v.(m.); *il est un peu —,* hij is aangeschoten.
casquettier [kaskètyé] m. pettenmaker m.
cassable [ka'sa'bl] adj. 1 breekbaar; 2 (*fig.*) vernietigbaar.
cassage [ka'sa:j] m. 1 (het) breken o.; 2 (*v. stenen*) (het) kloppen o.
cassant [ka'sã] adj. 1 broos, breekbaar; 2 (*v. peer*) knappend; 3 (*fig.: v. toon*) bits, scherp; 4 (*v. plooi*) hoekig, stijf.
cassation [ka'sa'syõ] f., (*v. vonnis*) vernietiging, verbreking v.; *se pourvoir en —,* in cassatie gaan; *Cour de —,* (*N.*) Hof van cassatie o., Hoge Raad m.; (*B.*) verbrekingshof o. [meel o.
cassave [kasa:v] f. 1 maniokbrood o.; 2 maniok-
casse [ka:s] f. 1 (het) breken o.; 2 breuk v.(m.); 3 breekschade v.(m.); 4 (*Pl.*) cassia v.; 5 (*drukk.*) letterkast v.(m.); 6 (*fig.*) ontslag o.; *bas de —,* onderkast; *haut de —,* bovenkast; *payer la —,* 1 betalen wat men breekt; 2 (*fig.*) het gelag betalen.
cassé [ka'sé] adj. 1 gebroken; 2 (*v. persoon*) afgeleefd; 3 (*v. stem*) zwak, vermoeid; 4 (*v. boord*) omgeslagen; *pois —,* spliterwt v.(m.); *les jambes —es,* met knikkende knieën; *voix —e,* vermoeide stem v.(m.), zwakke stem.
casse-cou [ka'sku] m. 1 gevaarlijke plaats v.(m.) (*trap, enz.*); 2 (*fig.*) waaghals m.; 3 (*bij blindemanspel*) opgepast! *crier — à qn.,* iem. voor 't gevaar waarschuwen.
casse-croûte [ka'skrut] m. 1 schafttijd m., schaftuur o.; 2 schaftlokaal o.; 3 hap eten. [m.
casse-gouttes [ka'sgut] m., (*om fles*) druppelring
cassement [ka'smã] m. (het) breken o.; — *de tête,* 1 hoofdbreken o., kopzorg v.(m.); 2 oorverdovend lawaai o.
casse-mottes [ka'smòt] m. kluitenbreker m.
casse-noisette(s) [ka'snwazèt] m. notekraker m.
casse-noix [ka'snwa] m. notekraker m.
casse-pierre(s) [ka'spyè:r] m. 1 bikhamer m.; 2 steenbreker m.; 3 (*Pl.*) steenbreek v.(m.).

casser [ka'sé] I *v.t.* 1 breken; doorbreken; 2 stukslaan; 3 (*v. ruit*) inslaan; 4 (*v. noot*) kraken; 5 (*v. vonnis*) vernietigen; — ***une croûte,*** een stukje eten; ***ce vin casse la tête,*** die wijn is koppig; — ***les os à qn.,*** iem. afranselen; ***cela casse tout,*** dat slaat alles, daar gaat niets boven; — ***les vitres,*** niets ontzien, er met vuile voeten doorgaan; ***qui casse les verres les paie,*** potje breken, potje betalen; wie zijn billen brandt, moet op de blaren zitten; — ***la tête à qn.,*** 1 iem. de hersens inslaan; 2 (*fig.*) iem. veel zorg veroorzaken; 3 iem. de oren doof schreeuwen; II *v.i.* breken; ***tout casse,*** alles is tijdelijk, alles is vergankelijk; III *v.pr.*, ***se —,*** breken, stuk gaan; ***se — la tête à,*** zich afsloven om, zich het hoofd breken met; ***se — le nez à la porte de qn.,*** iem. niet thuis vinden; ***se — les reins,*** 1 zijn nek breken; 2 (*fig.*) ten onder gaan; ***se la —,*** ervandoor gaan.
casserole [kasròl] *f.* 1 stoofpan; braadpan *v.(m.)*; 2 (*pop.*) verklikker *m.*
casserolée [kasròlé] *f.* 'n pan *v.(m.)* vol.
casse-tête [ka'stè:t] *m.* 1 knots *m.*; 2 ploertendoder *m.*; 3 kopzorg *v.(m.)*; 4 vermoeiend lawaai *o.*; — ***chinois,*** 1 legkaart *v.(m.)*; 2 (*fig.*) puzzel *m.*
cassette [kasèt] *f.* kistje, doosje *o.*
casseur [ka'sœ:r] *m.* breker *m.*; — ***de pierres,*** steenklopper *m.*; — ***d'assiettes,*** lawaaimaker *m.*
cassier [ka'syé] *m.* 1 (*Pl.*) cassiaboom *m.*; 2 (*drukk.*) bok *m.*
cassis I [kasi's] *m.* 1 zwarte aalbes *v.(m.)*; 2 zwarte aalbesseboom *m.*; 3 bessen *mv.* op brandewijn, bessenjenever *m.*; II [ka'si] uitholling *v.* overdwars.
cassitérite [kasitérit] *f.* tinsteen *o.* (tinperoxide).
cassolette [kasòlèt] *f.* reukvat *o.*
cassonade [kasòna'd] *f.* bruine suiker *m.*; — ***blanche,*** basterdsuiker *m.* [witte bonen.
cassoulet [kasulè] *m.* ragoût *m.* van gans met
cassure [kasü:r] *f.* 1 breuk *v.(m.)*; 2 (*in stof*) vouw, plooi *v.(m.)*; 3 (*in ijs*) scheur *v.(m.)*.
castagnettes [kastañèt] *f.pl.* duimkleppers, castagnetten *mv.*
caste [kast] *f.* kaste *v.(m.)*.
castillan [kastiyã] I *adj.* Castiliaans; II *s., m.,* ***C—,*** Castiliaan *m.*
Castille [kasti'y] *f.* Castilië *o.*
castine [kastin] *f.* vloeispaat *o.*
castor [kastò:r] *m.* 1 (*Dk.*) bever *m.*; 2 kastoor, beverhaar *o.*; 3 kastoor, kastoren hoed *m.*; ***huile de —,*** ricinusolie *v.(m.)*.
castrer [kastré] *v.t.* kastreren.
casualité [kazwalité] *f.* toevalligheid *v.*
casuel [ka'zwèl] I *adj.* toevallig, onzeker, wisselvallig; ***désinence —le,*** naamvalsuitgang *m.*; II *s., m.* verval, buitenkansje *o.*; toevallige inkomsten *mv.*
casuellement [ka'zwèlmã] *adv.* toevallig.
casuiste [ka'zwist] *m.* 1 casuïst *m.*; 2 haarklover, muggezifter *m.*
casuistique [ka'zwistik] *f.* 1 casuïstiek *v.*; 2 haarkloverij, muggezifterij *v.*
catachrèse [katakrè:z] *f.* overdrachtelijk gebruik *o.* van woorden (à cheval sur un âne).
cataclysme [kataklizm] *m.* 1 grote overstroming *v.*, zondvloed *m.*; 2 (*fig.*) algehele omkering *v.*; 3 natuurlijke ramp *v.(m.)*.
catacombes [katakõ:b] *f.pl.* catacomben *mv.*
catadioptre [katadiòptr] *m.* reflector *m.*
catafalque [katafalk] *m.* katafalk *v.(m.)*.
cataire [katè:r] *f.*, (*Pl.*) kattenkruid *o.*
catalan [katalã] I *adj.* Catalonisch; II *s., m.,* ***C—,*** Cataloniër *m.*
catalepsie [katalèpsi] *f.*, (*gen.*) catalepsie, verstijving *v.*, zinvang *v.(m.)* (*soort beroerte*).
cataleptique [katalèptik] *adj.* (*gen.*) cataleptisch.
catalyse [katali:z] *f.* katalyse *v.*
catalyseur [katalizœ:r] *m.* katalysator *m.*
catalytique [katalitik] *adj.* katalytisch.
Catalogne [katalòñ] *f.* Catalonië *o.*
catalogue [katalò'g] *m.* catalogus *m.*
cataloguer [katalògé] *v.t.* catalogiseren, een catalogus (*of* naamlijst) maken van.
cataphote [katafòt] *m.* reflector *m.*
cataplasme [kataplazm] *m.* 1 (*gen.*) pap *v.(m.)*, omslag *m. en o.*; 2 (*fig.*) troost *m.*, pleister *v.(m.)* op de wond.
catapulte [katapült] *f.* katapult *m.*, werptuig *o.*
catapulter [katapülté] *v.t.* (*v. vliegtuig*) starten met katapult.
cataracte [katarakt] *f.* 1 (grote) waterval *m.*; 2 (*gen.*) grauwe staar *v.(m.)*; ***abaisser la —, faire l'opération de la —,*** de staar lichten; ***les —s du ciel,*** de sluizen van de hemel.
catarrhe [kata:r] *m.* catarre *v.(m.)*, slijmvliesontsteking *v.*; zware verkoudheid *v.*
catarrheux [kata'rö] *adj.* aan catarre lijdend.
catastrophe [katastròf] *f.* 1 ramp *v.(m.)*, groot ongeluk *o.*; 2 noodlottige ontknoping *v.*
catastrophique [katastròfik] *adj.* catastrofaal.
catch [katʃ] *m.* soort worstelen *o.* waarbij bijna alle grepen geoorloofd zijn.
catéchèse [katéʃè'z] *f.* catechese *v.*, onderricht *o.* in de godsdienstleer (door vragen en antwoorden).
catéchète [katéʃèt] *m.* godsdienstleraar, catecheet *m.*
catéchisation [katéʃiza'syõ] *f.* 1 (*kath.*) godsdienstonderwijs *o.*; 2 (*prot.*) catechisatie *v.*
catéchiser [katéʃi'zé] *v.t.* 1 godsdienstonderwijs geven aan, catechiseren; 2 (*fig.*) de les lezen, vermanen, kapittelen.
catéchisme [katéʃizm] *m.* 1 (*kath.*) catechismus *m.*; 2 godsdienstonderwijs *o.*, lering *v.*; 3 (*prot.*) catechisatie *v.*; ***il sait son —,*** hij is goed op de hoogte; hij weet waar Abraham de mosterd haalt.
catéchiste [katéʃist] *m.* 1 (*kath.*) catecheet *m.*; 2 (*prot.*) catechiseermeester, godsdienstleraar *m.*
catéchumène [katékümèn] *m.* catechisant *m.*, godsdienstleerling *m.*
catégorie [katégòri] *f.* 1 (*wijsb.*) categorie *v.*, denkvorm *m.*; 2 soort *v.(m.) en o.*, klasse, afdeling *v.*
catégorique(ment) [katégòrik(mã)] *adj.* (*adv.*) 1 categorisch; 2 stellig, beslist; 3 onvoorwaardelijk.
caténaire [katénè:r] *adj.* (*v. el. kabel*) aan een spandraad hangend.
caterpillar [katèrpila:r] *m.* rupsband *m.*
catgut [katgüt] *m.* (*chir.*) hechtdraad *o. en m.*
cathartique [katartik] I *adj.* purgerend; II *s., m.* purgeermiddel *o.*
cathédrale [katédral] *f.* kathedraal *v.(m.)*.
Catherine [katrin] *f.* Katharina *v.*; Kaat, Trijn *v.*
cathétomètre [katétòmè'tr] *m.* hoogteverschilmeter *m.* [pool *v.(m.)*.
cathode [katò'd] *f.*, (*el.*) kathode *v.*, negatieve
cathodique [katodik] *adj.* katode—, ***rayons —s,*** katodestralen.
catholicisme [katòlisizm] *m.* katholicisme *o.*, katholieke godsdienst *m.*
catholicité [katòlisité] *f.* 1 katholiciteit *v.*; 2 rechtgelovigheid *v.*, zuivere leer *v.(m.)*; 3 katholieke wereld *v.(m.)*.
catholique [katòlik] I *adj.* 1 katholiek; 2 algemeen; 3 (*fig.*) zuiver op de graat, in de haak;

***Sa Majesté* —,** de koning van Spanje; **II** *s., m.* katholiek *m.*
cati [kati] *m.,* (*v. stoffen*) glans, persglans *m.*
catilinaire [katilinè:r] *f.* heftige satire *v.(m.)*; uitval *m.*
catimini, *en* — [ã'katimini] *adv.* heimelijk.
catin [katẽ] *f.* lichtekooi *v.*
cation [katyõ] *m.* positief ion *o.*
catir [kati:r] *v.t.* **1** (*v. stof*) persen, glanzen; **2** (*tn.*) vergulden.
catissage [katisa:j] *m.,* (*v. stoffen*) glanzing *v.,* (het) glanzen *o.*
catisseur [katisœ:r] *m.* (laken)glanzer *m.*
catogan [katogã] *m.* haarstrik *m.,* haarlint *o.*
Caton [katõ] *m.* Cato *m.*
Caucase [kòka:z] *m.* Kaukasus *m.*
Caucasie [kòka'zi] *f.* Kaukasië *o.*
caucasien [kòkazyẽ] **I** *adj.* Kaukasisch; **II** *s., m.,* **C—,** Kaukasiër *m.*
cauchemar [koʃma:r] *m.* nachtmerrie *v.(m.).*
caudal [kodal] *adj.* staart—; ***nageoire* —e,** staartvin *v.(m.).*
caudataire [kodatè:r] *m.* sleepdrager *m.* (v. prelaat).
causal [ko'zal] *adj.* **1** oorzakelijk, causaal; **2** (*gram.*) redengevend.
causalité [kozalité] *f.* oorzakelijkheid *v.*
causant [kozã] *adj.* spraakzaam.
causatif [kozatif] *adj.* oorzaak aanduidend, redengevend.
cause [ko:z] *f.* **1** oorzaak *v.(m.)*; **2** aanleiding *v.*; reden *v.(m.)*; **3** zaak *v.(m.)*, partij *v.*; **4** rechtszaak *v.(m.)*, rechtsgeding *o.*; **5** rechtsgrond *m.*; ***à — de,*** ter oorzake van, wegens, ter wille van; ***et pour —,*** en terecht, en niet zonder reden; ***il n'est pas en —,*** hij is daarbij niet betrokken; ***cela est hors de —,*** dat is buiten kijf; ***parler en connaissance de —,*** met kennis van zaken spreken; ***en tout état de —,*** wat er ook van weze, hoe het ook zij; ***plaider la — de qn.,*** voor iem. in de bres springen; ***la — publique,*** het algemeen belang; ***— célèbre,*** sensatieproces *o.*; ***on l'a mis hors de —,*** hij werd van rechtsvervolging ontslagen; ***obtenir gain de —,*** het pleit winnen; zijn zin krijgen; ***faire — commune,*** gemene zaak maken; ***prendre fait et — pour,*** het opnemen voor; ***— première,*** grondoorzaak; ***— finale,*** doeloorzaak, einddoel; ***— occasionnelle,*** aanleidende oorzaak, onmiddellijke aanleiding; ***à — que,*** omdat.
causer [ko'zé] **I** *v.t.* **1** veroorzaken, aanleiding geven tot; **2** (*v. verdriet, enz.*) aandoen, berokkenen; **3** spreken over; **II** *v.i.* **1** praten, keuvelen; **2** onderhandelen; ***il veut nous faire —,*** hij wil ons uithoren; ***— de la pluie et du beau temps,*** over koetjes en kalfjes praten; ***— musique,*** over muziek praten.
causerie [ko'zri] *f.* **1** gepraat, gebabbel *o.*; **2** gekeuvel *o.*; **3** (eenvoudige) voordracht *v.(m.).*
causette [ko'zèt] *f.* praatje *o.*; ***faire un bout de —,*** een praatje maken.
causeur [ko'zœ:r] **I** *m.* prater *m.*; **II** *adj.* spraakzaam.
causse [ko:s] *m.* kalkachtig plateau *o.*
causticité [ko'stisité] *f.* **1** (*v. zuur, enz.*) bijtende kracht *v.(m.)*; **2** (*fig.*) bijtende spot *m.*
caustique [ko'stik] **I** *adj.* **1** bijtend, invretend; **2** (*fig.*) bits, scherp; **II** *s., m.* bijtmiddel *o.*
cauteleux [ko'tlö] *adj.* sluw, geslepen.
cautère [kòtè:r] *m.* **1** bijtmiddel, brandmiddel *o.*; **2** (*gen.*) schroeiijzer *o.*; ***c'est un — sur une jambe de bois,*** het is boter aan de galg gesmeerd.
cautérisation [kòtériza'syõ] *f.* uitbranding, toeschroeiing *v.*
cautériser [kòtéri'zé] *v.t.* uitbranden; toeschroeien.
caution [ko'syõ] *f.* **1** borgtocht *m.,* borgstelling *v.*; **2** borg *m.*; ***se porter — pour,*** borg blijven voor, instaan voor; ***sujet à —,*** niet te vertrouwen, aan twijfel onderhevig; ***donner —,*** borg zijn, borg spreken voor.
cautionnement [ko'syònmã] *m.* **1** borgstelling *v.*; **2** borgsom, waarborgsom *v.(m.)*, borgtocht *m.*
cautionner [ko'syòné] *v.t.* **1** borg blijven voor; **2** (*fig.*) instaan voor.
cavalcade [kavalka'd] *f.* optocht *m.* te paard; troep *m.* ruiters.
cavale [kaval] *f.,* (*dicht.*) merrie *v.*
cavaler [kavalé] **I** *v.i.* er vandoor gaan; **II** *v.t.* vervelen; **III** *v.pr.* er vandoor gaan.
cavalerie [kavalri] *f.* **1** ruiterij *v.*; **2** wisselruiterij *v.*; ***grosse —,*** zware ruiterij; ***— légère,*** lichte ruiterij.
cavalier [kavalyé] **I** *m.* **1** ruiter *m.*; **2** (*mil.*) cavalerist *m.*; **3** (*in schaakspel*) paard *o.*; **4** heer, edelman *m.*; **5** (*mil., vestingwerk*) heuveltje *o.*; **6** aardhoop *m.*; **7** bep. papierformaat (46×62 cm); **8** cavalier, begeleider van een dame, danser *m.*; **9** man *m.* van de wereld; ***faire — seul,*** met niemand omgaan; ***un — accompli,*** een echte mijnheer; **II** *adj.* **1** los, ongedwongen; **2** vrijpostig, ongegeneerd; **3** voor ruiters; ***route cavalière,*** ruiterweg *m.*
cavalière [kavalyè:r] *f.* **1** paardrijdster *v.*; **2** danspartner *v.*
cavatine [kavatin] *f.,* (*muz.*) cavatine *v.,* korte aria *v.(m.)* zonder herhaling.
cave [ka:v] **I** *f.* **1** kelder *m.*; **2** wijnkelder *m.*; **3** likeurstel *o.*; **4** (*bij spel*) inzet, inleg *m.*; ***avoir cinq années de —,*** vijf jaar in 't vat zijn; ***aller de la — au grenier,*** van de hak op de tak springen; **II** *adj.* **1** hol; **2** (*v. wangen*) ingevallen, hol; **3** (*v. ogen*) diepliggend.
caveau [ka'vo] *m.* **1** kleine kelder *m.*; **2** grafkelder *m.*; **3** (brand)kluis *v.(m.).*
caveçon [kavsõ, kafsõ] *m.,* (*v. paard*) neuspranger *m.*
cavée [ka'vé] *f.* holle weg *m.*
caver [ka'vé] **I** *v.t.* **1** uithollen, ondergraven; **2** (*fig.*) uithollen; ***— le corps,*** het lichaam voorover buigen; **II** *v.i.* **1** graven; **2** (*bij spel*) inzetten; **III** *v.pr.,* ***se* —,** hol worden, invallen.
cavernaire [kavèrnè:r] *adj.* in holen levend.
caverne [kavèrn] *f.* **1** hol *o.,* spelonk *v.(m.)*; **2** (*fig.*) rovershol *o.*; **3** (*v. long*) holte *v.*
caverneux [kavèrnö] *adj.* **1** vol holen; **2** (*v. lichaam*) sponzig; ***voix caverneuse,*** holle stem, grafstem *v.(m.).*
caviar [kavya:r] *m.* kaviaar *m.*
caviarder [kavyardé] *v.t.* (door zwarte vlek) onleesbaar maken.
cavité [kavité] *f.* holte *v.*
cawcher, kas(c)her [kaʃè'r] *adj.* koosjer.
ce (c') **I** [se] *pr.dém.subst.* het; dit, dat; ***sur —,*** daarop; ***— qui, — que,*** hetgeen, wat; ***— dit-on,*** zegt men; ***si — n'est,*** tenzij; ***— faisant,*** zodoende; ***et —,*** en wel; ***c'est-à-dire,*** dat wil zeggen; ***— n'est pas que,*** niet dat; **II** (**cet, cette, ces** [sèt, sèt, sè]) *pr.dém.adj.* deze, die; dit, dat; ***ce matin,*** heden ochtend, vanmorgen; ***ce soir,*** vanavond; ***un de ces jours,*** dezer dagen; ***cette question!*** wat een vraag!
céans [séã] *adv.* hier, in dit huis; ***le maître de —,*** de heer des huizes.
ceci [sesi] *pr.dém.* dit.
Cécile [sésil] *f.* Cecilia *v.*
cécité [sésité] *f.* blindheid *v.*
cédant [sédã] **I** *adj.,* (*recht*) afstanddoend; **II** *s., m.* **1** die afstand doet *m.*; **2** endossant *m.*
céder [sédé] **I** *v.t.* **1** afstaan, afstand doen van;

2 (*v. zaak, enz.*) overdoen; ***le — à qn.***, voor iem. onderdoen; ***— le pas à qn.***, 1 iem. laten voorgaan; 2 het veld ruimen voor iem.; II *v.i.* 1 toegeven; 2 zwichten, wijken; 3 (*v. muur*) bezwijken; 4 (*v. beurskoers*) zakken.
cédille [sédi·y] *f.* cedille *v.(m.)* (teken onder de c (ç)
cédraie [sédrè] *f.* met ceders beplante plaats *v.(m.)*.
cédrat [sédra] *m.* muskuscitroen *m. en v.*; ***— confit,*** sukade *v.(m.)*.
cèdre [sè:dr] *m.* 1 ceder *m.*; 2 cederhout *o.*
cédulaire [sédülè·r] *adj.* volgens opgave.
cédule [sédül] *f.* 1 schuldbekentenis *v.*; 2 (*H.*) ceel *v.(m.) en o.*, opslagbewijs *o.*; 3 briefje *o.*; 4 (*recht*) bevelschrift *o.*
cégétiste [séjétist] *m.-f.* lid *o.* van de C(onfédération) G(énérale de) T(ravail).
ceindre* [sẽ:dr] *v.t.* 1 omgorden; omgeven met; 2 omkransen; ***— la couronne,*** de kroon opzetten, de kroon aanvaarden.
ceinture [sẽ·tü:r] *f.* 1 gordel *m.*; 2 (*v. broek, enz.*) band *m.*; 3 (*v. priester*) singel *m.*; 4 omheining *v.*; 5 (*v. lijf*) middel *o.*; 6 (*mil.*) pantsergordel *m.*; ***chemin de fer de —,*** ceintuurbaan *v.(m.)*; ***mur de —,*** ringmuur *m.*
ceinturer [sẽ·türé] *v.t.* 1 omgorden; 2 (*sp.*) om het middel vatten.
ceinturier [sẽ·türyé] *m.* gordelmaker *m.*
ceinturon [sẽ·türõ] *m.*, (*mil.*) koppel *m. en v.*, degenriem *m.*
cela [s(e)la] (**ça** [sa]) *pr.dém.* dat; ***c'est —,*** goed zo! juist! zie zo! ***comme —,*** zo; ***comment —?*** hoe zo? hoe dat? ***pour —,*** daarom; ***pourquoi —?*** waarom? ***il y a trois ans de —,*** dat is drie jaar geleden; ***n'est-ce que —?*** is 't anders niet? is dat alles?
céladon [séladõ] *m.*, (*fam.*) smachtend aanbidder *m.*
Célèbes [sélèb] *m.* Celebes *o.*
célébrant [sélébrã] *m.*, (*kath.*) celebrant *m.*
célébration [sélébra·syõ] *f.* 1 viering *v.*; 2 (*v. mis*) (het) opdragen *o.*; 3 (*v. huwelijk*) inzegening *v.*
célèbre [sélè·br] *adj.* beroemd, vermaard; ***trop —,*** berucht.
célébrer [sélébré] *v.t.* 1 vieren; 2 (*v. mis*) opdragen; 3 (*v. huwelijk*) inzegenen; 4 (*fig.*) roemen, bezingen.
célébrité [sélébrité] *f.* beroemdheid, vermaardheid *v.*
celer* [selé] *v.t.* 1 verhelen, verbergen; 2 (*v. waarheid, enz.*) verzwijgen.
céleri [sèlri] *m.* selderie *m.*
céleri*-rave* [sèlrira·v] *m.* knolselderie *m.*
célérité [sélérité] *f.* snelheid *v.*, haast *v.(m.)*, spoed *m.*
céleste [sélèst] I *adj.* hemels; hemel—; ***corps —,*** hemellichaam *o.*; ***bleu —,*** hemelsblauw; ***voix —,*** engelenstem *v.(m.)*; ***la voûte —,*** het uitspansel; ***le C— Empire,*** het Hemelse Rijk, China *o.*; II *s., m.* zoon van het Hemelse Rijk, Chinees *m.*
célibat [séliba] *m.* ongehuwde staat *m.*, celibaat *o.*
célibataire [sélibatè:r] I *adj.* ongehuwd; II *s., m.* vrijgezel, ongehuwde *m.*
celle *pr.dém.*, *voir* ***celui.***
cellérier [sèléryé] *m.*, **cellérière** [sèléryè:r] *f.* keldermeester *m.*, —es *v.*; ***père cellérier*** pater *m.* econoom; ***sœur cellérière,*** zuster *v.* econoom.
cellier [sèlyé] *m.* 1 wijnkelder *m.*; 2 provisiekamer, provisiekast *v.(m.)*.
cellite [sèlit] *m.-f.* cellebroeder *m.*, cellezuster *v.*
cellophane [sèlofan] *f.* cellofaan *o.*
cellulaire [sèlülè:r] *adj.* 1 celvormig, uit cellen bestaande; 2 (*v. gevangenis*) cellulair; ***tissu —,*** celweefsel *o.*; ***voiture —,*** gevangenwagen *m.*
cellular [sèlüla:r] *m.* los weefsel *o.*
cellule [sèlül] *f.* cel *v.(m.)*.
celluleux [sèlülö] *adj.* celvormig, met cellen.
celluloïd(e) [sèlülòi·d] *m.* celluloid *o.*
cellulose [sèlülo:z] *f.* celstof *v.(m.)*; ***— nitrique,*** schietkatoen *o. en m.*
cellulosique [sèlülozik] *adj.* houtstofachtig.
célosie [sélòsi] *f.*, (*Pl.*) hanekam *m.*
celte [sèlt] I *adj.* Keltisch; II *s., m.*, ***C—,*** Kelt *m.*
celtique [sèltik] I *adj.* Keltisch; II *s., m.* Keltische taal *v.(m.)*.
celui [selwi] (**celle; ceux, celles** [sèl, sö, sèl]) *pr.dém.* degene; die, wie; ***—-ci,*** deze, dit; ***—-là,*** gene, dat.
cément [sémã] *m.* cement *o. en m.*
cémentation [sémã·ta·syõ] *f.* cementering *v.*
cémenter [sémã·té] *v.t.* cementeren.
cénacle [sénakl] *m.* 1 avondmaalszaal *v.(m.)*, cenakel *o.*; 2 kring *m.*, vereniging *v.*, bent *v.(m.)*.
cendre [sã:dr] *f.* 1 as *v.(m.)*; 2 stoffelijk overschot *o.*; ***mettre en —s,*** in de as leggen; ***mercredi des C—s,*** Aswoensdag *m.*
cendré [sã·dré] *adj.* askleurig, asgrauw; ***blond —,*** asblond.
cendrée [sã·dré] *f.* 1 loodas *v.(m.)*; 2 mussenhagel *m.*; ***piste de —,*** sintelbaan *v.(m.)*.
cendrer [sã·dré] *v.t.* 1 asgrauw maken; 2 met as vermengen.
cendreux [sã·drö] *adj.* vol as, met as bedekt.
cendrier [sã·dri(y)é] *m.* 1 (*v. kachel*) asbak *m.*; 2 asbakje *o.*
Cendrillon [sã·driyõ] *f.* assepoester *v.*
Cène [sè:n] *f.* Laatste Avondmaal *o.*
cenelle [senèl] *f.* bes *v.(m.)* (van hulst of hagedoorn).
cénobite [sénòbit] *m.* cenobiet, monnik *m.*
cénobitique [sénòbitik] *adj.*, ***vie —,*** kloosterleven *o.*
cenobitisme [sénòbitizm] *m.* kloosterleven *o.*
cénotaphe [sénòtaf] *m.* (ledig) praalgraf *o.*
cens [sã:s] *m.* cijns *m.*
censé [sã·sé] *adj.* geacht, gerekend, gehouden; ***nul n'est — ignorer la loi,*** ieder wordt geacht de wet te kennen.
censément [sã·sémã] *adv.*, (*fam.*) om zo te zeggen.
censeur [sã·sœ:r] *m.* 1 (*gesch.: v. boeken*) censor *m.*; 2 zedenmeester *m.*; 3 (*in school*) surveillant *m.*; 4 (*v. vennootschap*) gedelegeerd commissaris *m.*
censitaire [sã·sitè:r] I *adj.* cijnsplichtig; II *s., m.* 1 (*gesch.*) cijnsplichtige *m.*; 2 belastingkiezer *m.*
censorial [sã·sòryal] *adj.* censuur—, van de censuur.
censurable [sã·süra·bl] *adj.* laakbaar.
censure [sã·sü:r] *f.* 1 censuur *v.*; 2 censorschap *o.*; 3 (*fig.*) berisping; afkeuring *v.*
censurer [sã·süré] *v.t.* 1 censureren; 2 ongunstig beoordelen; afkeuren; 3 berispen, laken; ***— qn.,*** (*kath.*) de censuur over iem. uitspreken, iem. onder censuur stellen.
cent [sã] I *n.card.* honderd; ***trois pour —,*** drie percent; ***faire les — pas,*** op en neer drentelen; ***je vous le donne en —,*** je raadt het nooit; ik zet het je in tienen; ***en un mot comme en —,*** kortom, om kort te gaan; II *s., m.* 1 honderdtal *o.*; 2 cent *m.*; ***gagner des mille et des —s,*** hopen geld verdienen, geld verdienen als water.
centaine [sã·tè·n] *f.* 1 honderdtal *o.*; 2 honderdjarige leeftijd *m.*; ***par —s,*** bij honderden; ***il arrivera à la —,*** hij zal wel honderd jaar worden.
centaure [sã·tò:r] *m.* paardmens, centaur *m.*
centaurée [sã·tò·ré] *f.*, (*Pl.*) duizendguldenkruid *o.*
centenaire [sã·tnè:r] I *adj.* honderdjarig; II *s., m.* 1 honderdjarige *m.*; 2 eeuwfeest *o.*
centenier [sã·tenyé] *m.* honderdman *m.*
centennal [sã·tènal] *adj.* eeuw—.

centésimal [sã'tézimal] *adj.* honderddelig.
centiare [sã'tya:r] *m.* centiare *v.(m.).*
centième [sã'tyèm] **I** *adj.* honderdste; **II** *s., m.* honderdste deel *o.*
centigrade [sã'tigra'd] **I** *adj.* in honderd graden verdeeld; ***thermomètre* —,** thermometer van Celsius; **II** *s., m.* graad *m.* Celsius.
centigramme [sã'tigram] *m.* centigram *o.*
centilitre [sã'tilitr] *m.* centiliter *m.*
centime [sã'tim] *m.* centiem, centime *m.*; **—*s additionnels*,** (*B.*) opcentiemen; (*N.*) opcenten.
centimètre [sã'timè'tr] *m.* centimeter *m.*
centon [sã'tõ] *m.* uit aanhalingen bestaand gedicht *o.*
centrage [sã'tra:j] *m.* middelpuntbepaling *v.*
central [sã'tral] **I** *adj.* centraal; ***bureau* —,** hoofdkantoor *o.*; ***point* —,** middelpunt *o.*; ***maison* —*e*,** strafgevangenis *v.*; **II** *s. m.* (*tel.*) centrale *v.(m.).*
centrale [sã'tral] *f.*, **— *électrique*,** elektrische centrale *v.(m.)*; **— *atomique*,** atoomcentrale *v.(m.).*
centralisateur [sã'tralizatœ:r] *adj.* centraliserend.
centralisation [sã'traliza'syõ] *f.* centralisatie *v.*
centraliser [sã'tralizé] *v.t.* centraliseren, in één punt verenigen.
centre [sã:tr] *m.* **1** middelpunt *o.*; **2** (*v. leger, Kamer, enz.*) centrum *o.*; **3** hoofdzetel *m.*; **4** (*sp.*) middenspeler *m.*; **— *de gravité*,** zwaartepunt *o.*; ***être dans son* —,** in zijn element zijn.
centrer [sã'tré] *v.t.* as of middelpunt van iets bepalen; (*sp.*) naar het midden spelen.
centrifuge [sã'trifüj] *adj.* middelpuntvliedend, centrifugaal.
centrifugeur [sã'trifüjœr] *m.* centrifugaalpomp *v.(m.).*
centrifugeuse [sã'trifüjö:z] *f.* centrifuge *v.(m.).*
centripète [sã'tripèt] *adj.* middelpuntzoekend, centripetaal.
centrosome [sã'tròzo:m] *m.* centrosoom *o.* (optredend bij celdeling).
centumvir [sã'tòmvi:r] *m.*, (*gesch.*) honderdman [*m.*
centumvirat [sã'tòmvira] *m.* centumviraat *o.*
centuple [sã'tüpl] **I** *adj.* honderdvoudig; **II** *s., m.* honderdvoud *o.*
centupler [sã'tüplé] *v.t.* verhonderdvoudigen.
centurie [sã'türi] *f.*, (*gesch.*) centuria *v.*
centurion [sã'türyõ] *m.*, (*gesch.*) centurio *m.*
cénure, cœnure [sénü:r] *m.* draaiworm *m.* (in schapehersens).
cep [sè(p)] *m.* **1** wijnstok *m.*; **2** ploeghout *o.*
cépage [sépa:j] *m.* wijnstokplantsoen *o.*
cèpe [sèp] *m.* bep. eetbare paddestoel *m.*
cépée [sépé] *f.* uitlopers *mv.* (v. boomstam).
cependant [s(e)pã'dã] *adv.* **1** echter, evenwel, toch; **2** intussen.
céphalalgie [séfalalji] *f.* hoofdpijn *v.(m.).*
céphalique [séfalik] *adj.*, ***remède* —,** middel *o.* tegen hoofdpijn; ***artère* —,** halsslagader *v.(m.).*
céphalopode [séfalòpòd] *m.* koppotig weekdier *o.*
céphalo-rachidien [séfalòrashidyẽ] *adj.* hersen-ruggegraats—.
céphalothorax [séfalòtòraks] *m.* kopborststuk *o.*
ceps [sèp] *m.*, *voir* ***cèpe.***
céracé [sérasé] *adj.* wasachtig.
céramique [séramik] **I** *f.* **1** pottenbakkerskunst *v.*; **2** aardewerk, plateelwerk *o.*; **II** *adj.*, ***art* —,** pottenbakkerskunst *v.*
céramiste [séramist] *m.* pottenbakker *m.*
cérat [séra] *m.* wondzalf *v.(m.).*
Cerbère [sèrbè:r] *m.* Cerberus *m.*
cerceau [sèrso] *m.* hoepel *m.*; ***jouer au* —,** hoepelen.
cerclage [sèrkla:j] *m.* (het) leggen *o.* van hoepels.
cercle [sèrkl] *m.* **1** kring *m.*; **2** (*meetk.*) cirkel *m.*; **3** gebied *o.*; **4** club *v.(m.)*, sociëteit *v.*; **5** (*v. vat*) hoepel, band *m.*; **— *littéraire*,** letterkundige kring; **— *vicieux*,** redenering *v.* in een kringetje; ***vin en* —*s*,** wijn op fust; **— *de suspension*,** (*vl.*) hangring *m.*; ***tourner en* —,** ronddraaien; **— *répétiteur*,** hoekmeter *m.*
cercler [sèrklé] *v.t.* hoepels leggen om, van hoepels voorzien.
cerclier [sèrklié] *m.* hoepelmaker.
cercopithèque [sèrkòpitèk] *m.* meerkat *v.(m.)*, langstaartaap *m.*
cercueil [sèrkœ:y] *m.* doodkist *v.(m.).*
céréale [séréal] *f.* graangewas *o.*
cérébelleux [sérébèlö] *adj.* van de kleine hersens.
cérébral [sérébral] **I** *adj.* hersen—; ***fièvre* —,** hersenvliesontsteking *v.*; **II** *s., m.* iem. die hersenwerk verricht, intellectueel *m.*
cérébro-spinal [sérébròspinal] *adj.* hersen-ruggemergs—; ***méningite* —,** nekkramp *v.(m.).*
cérémonial [sérémònyal] *m.* **1** ceremonieel *o.*; **2** plichtplegingen *mv.*
cérémonie [sérémòni] *f.* **1** plechtigheid, ceremonie *v.*; **2** plichtpleging *v.*; ***habit de* —,** staatsierok *m.*, staatsiekleed *o.*; ***visite de* —,** beleefdheidsbezoek, officieel bezoek *o.*; ***maître des* —*s*,** ceremoniemeester *m.*; ***sans* —,** zonder omslag, zonder complimenten.
cérémonieux [sérémònyö] *adj.*, **cérémonieusement** [sérémònyö'zmã] *adv.* vormelijk, gemaakt, overdreven beleefd.
cerf [sè:r, sèrf] *m.*, (*Dk.*) hert *o.*
cerfeuil [sèrfœy] *m.* kervel *m.*
cerf*-volant* [sèrvòlã] *m.* **1** (*speelgoed*) vlieger *m.*; **2** (*Dk.*: *insekt*) vliegend hert *o.*; **3** (*H.*: *fam.*) ruiter *m.*
cerisaie [s(e)ri'zè] *f.* kerseboomgaard *m.*
cerise [s(e)ri:z] *f.* kers *v.(m.)*; ***ruban* —,** kersrood lint *o.*
cerisette [s(e)ri'zèt] *f.*, (*Pl.*) gedroogde kers *v.(m.).*
cerisier [s(e)ri'zyé] *m.* **1** kerseboom *m.*; **2** kersehout *o.*
cerne [sèrn] *m.* **1** (*om ogen, wond, maan*) kring *m.*; **2** (*v. boom*) jaarring *m.*
cerneau [sèrno] *m.* nog groene walnootkern *v.(m.).*
cerner [sèrné] *v.t.* **1** (*mil.*) omsingelen, insluiten; **2** omringen; **3** (*v. noot*) ontbolsteren; **4** (*fig.*) in 't nauw drijven; ***avoir les yeux cernés*,** blauwe kringen om de ogen hebben.
céroplastique [séròplastik] *f.* wasboetseerkunst *v.*
certain [sèrtẽ] **I** *adj.* **1** zeker, vast, ontwijfelbaar; **2** bepaald, vastgesteld; ***il est* — *que*,** het staat vast dat; **—*es gens*,** sommige mensen; **—*e presse*,** zekere pers; **II** *s., m.* (het) zekere *o.*; **—*s*,** sommigen.
certainement [sèrtè'nmã] *adv.* zeker, ongetwijfeld.
certes [sèrt] *adv.* zeker; voorwaar.
certificat [sèrtifika] *m.* **1** getuigschrift *o.*; bewijs *o.*; **2** (*v. waren*) cedel, ceel *v.(m.) en o.*; **— *d'aptitude*,** hulpakte *v.(m.)*; **— *d'origine*,** bewijs van oorsprong, — van herkomst; **— *de bonne vie et mœurs*,** bewijs van goed zedelijk gedrag; **— *de dépôt*,** bewijs van afgifte; **— *de jaugeage*,** meetbrief *m.*; **— *provisoire*,** recepis *o. en v.(m.).*
certificateur [sèrtifikatœ:r] *m.* die een getuigschrift afgeeft *m.*
certification [sèrtifika'syõ] *f.* schriftelijke verklaring, waarmerking *v.*
certifier [sèrtifyé] *v.t.* **1** verklaren; **2** verzekeren.
certitude [sèrtitü'd] *f.* zekerheid *v.*
céruléen [sérüléẽ] *adj.* blauwachtig.
cérumen [sérümèn] *m.* oorsmeer *o. en m.*
céruse [sérü'z] *f.* loodwit *o.*
céruserie [sérü'zeri] *f.* loodwitfabriek *v.*

cérusite [sérü'zit] *f.* natuurlijk loodwit *o.*
cervaison [sèrvè'zõ] *f.*, *(jacht)* hertentijd *m.*
cerveau [sèrvo] *m.* **1** hersenen *mv.*; **2** *(dicht.)* brein *o.*; **3** geest *m.*, verstand *o.*; ***rhume de —,*** neusverkoudheid *v.*; ***— brûlé,*** heethoofd *m.-v.*; ***— creux,*** dromer *m.*; ***il a le — fêlé,*** hij is van Lotje getikt, hij heeft een slag van de molen te pakken.
cervelas [sèrvela] *m.* cervelaatworst *v.(m.).*
cervelet [sèrvelè] *m.* kleine hersenen *mv.*
cervelle [sèrvèl] *f.* **1** hersenen *mv.*; **2** brein *o.*; **3** verstand *o.*; ***une bonne —,*** een goede kop *m.*; ***une — de lièvre,*** een vergeetachtig mens; ***brûler la — à qn.,*** iem. voor de kop schieten; ***se brûler la —,*** zich een kogel door het hoofd jagen.
cervical [sèrvikal] *adj.* hals—, nek—; ***vertèbres —es,*** halswervels *mv.*
cervidés [sèrvidé] *m.pl.* hertachtigen *mv.*
cervin [sèrvẽ] *adj.* hertachtig.
Cervin *m.*, ***mont —,*** [mõ'sèrvẽ] Matterhorn *m.*
cervoise [sèrvwa:z] *f.* bier *o.* van de Galliërs.
ces *pron.dém.*, *voir* ***ce.***
César [séza:r] *m.* Cesar *m.*; ***il faut rendre à — ce qui est à —,*** geef de keizer wat des keizers is.
Césarée [séza'ré] *f.* Cesarea *o.*
césarien [séza'ryẽ] *adj.* keizerlijk; ***opération —ne,*** *(gen.)* keizersnede *v.(m.).*
cessation [sèsa'syõ] *f.* **1** (het) ophouden *o.*; **2** *(v. betaling, vijandelijkheden)* staking *v.*; **3** *(v. zaak)* opheffing *v.*; **4** *(v. werking)* stopzetting *v.*; ***vente pour — de commerce,*** uitverkoop wegens opheffing.
cesse [sès] *f.* rust *v.(m.)*; ***n'avoir de — que,*** niet ophouden voordat; ***sans —,*** onophoudelijk, voortdurend.
cesser [sèsé] **I** *v.i.* ophouden, een einde nemen; **II** *v.t.* ophouden met, staken; ***faire —,*** een einde maken aan; stopzetten.
cessibilité [sèsibilité] *f.* vervreemdbaarheid *v.*
cessible [sèsi'bl] *adj.* vervreemdbaar.
cession [sèsyõ] *f.* **1** afstand *m.*; **2** overdracht *v.(m.)*; ***faire — de,*** overdragen.
cessionnaire [sèsyònè:r] *m.* persoon aan wie iets afgestaan wordt; rechtverkrijgende *m.*
ceste [sèst] *m.* vechthandschoen *m. en v.* (met ijzer).
césure [sézü:r] *f.* cesuur *v.*, verssnede *v.(m.).*
cet *pron. dém.*, *voir* ***ce.***
cétacé [sétasé] **I** *adj.* walvisachtig; **II** *s.*, *m.* walvisachtig dier *o.*
cétoine [sétwan] *f.* cetonia (kever) *m.*; ***— dorée,*** goudkever *m.*
cette *pron.dém.*, *voir* ***ce.***
ceux *pron.dém.*, *voir* ***celui.***
Cévenol [sévnòl] *m.* bewoner *m.* van de Cevennen.
Ceylan [sèlã] *m.* Ceylon *o.*
chabler [ʃa'blé] *v.t.* **1** *(v. last)* ophijsen; **2** *(v. boot)* voorttrekken; **3** *(v. noten)* afslaan.
chablis [ʃa'bli] *m.* **1** vermaarde witte bourgogne; **2** omgewaaid geboomte *o.*
chabot [ʃa'bo] *m.*, *(Dk.)* pos *v.(m.).*
chabraque [ʃabrak] *f.* sjabrak *v.(m.) en o.*, paardedek *o.*
chacal [ʃakal] *m.*, *(pl.*: **—s)** jakhals *m.*
chacun [ʃakœ̃] *pron.ind.* ieder; iedereen; ***à — le sien,*** ieder 't zijne; ***un —,*** een iegelijk, iedereen.
chadouf [ʃaduf] *m.* waterputtoestel *o.* in Tunis en Egypte.
chafouin [ʃafwẽ] **I** *adj.* **1** mager, schraal, miezerig; **2** sluw; stiekem; **II** *s.*, *m.* **1** mager mens *m.*; **2** sluwerd, geniepigerd *m.*
chagrin [ʃagrẽ] **I** *m.* **1** verdriet, leed *o.*, smart *v.(m.)*; **2** spijt *v.(m.)*, wrevel *m.*; **3** segrijnleder *o.*; **II** *adj.* **1** verdrietig, droefgeestig; **2** wrevelig.
chagriner [ʃagriné] **I** *v.t.* **1** verdriet aandoen, bedroeven; **2** tot segrijnleder bewerken; korrelen; ***papier chagriné,*** gekorreld papier *o.*; **II** *v.pr.*, ***se —,*** zich bedroeven.
chagrinier [ʃagrinyé] *m.* segrijnwerker *m.*
chah [ʃa] *m.* sjah *m.*
chahut [ʃa(h)ü] *m.*, *(pop.)* lawaai, spektakel *o.*, herrie *v.(m.).*
chahuter [ʃa(h)üté] *v.i.* kabaal maken, herrie maken.
chahuteur [ʃa(h)ütœ:r] *m.* lawaaimaker, herriemaker *m.*
chai [ʃè] *m.* wijnkelder *m.*
chaînage [ʃè'na:j] *m.* landmeting *v.*
chaîne [ʃè:n] *f.* **1** ketting *m. en v.*; **2** keten, boei *v.(m.)*; **3** reeks, rij *v.(m.)*; **4** *(v. weefsel)* schering *v.*; **5** aaneenschakeling *v.*; **6** televisienet *o.*; ***— d'arpenteur,*** meetketting; ***— de montagnes,*** bergketen *v.(m.)*; ***— d'attelage,*** koppelketting *m.*; ***faire la —,*** elkaar iets doorgeven; ***mettre un chien à la —,*** een hond vastleggen; ***charger de —s,*** in de boeien slaan.
chaînette [ʃènèt] *f.* **1** kettinkje *o.*; **2** *(wisk.)* kettinglijn *v.(m.)*; **3** *(haakwerk)* losse steek *m.*
chaînier [ʃè'nyé], **chaîniste** [ʃè'nist] *m.* kettingmaker *m.*
chaînon [ʃè'nõ] *m.* **1** schakel *m. en v.*; **2** *(v. gebergte)* bijketen *v.(m.).*
chair [ʃè:r] *f.* vlees *o.*; ***être bien en —,*** goed in zijn vlees zitten; ***en — et en os,*** in levenden lijve; ***avoir la — de poule,*** kippevel krijgen; ***il n'est ni — ni poisson,*** hij is vis noch vlees; men weet niet wat men aan hem heeft; ***mettre en —,*** mesten; ***la — est plus proche que la chemise,*** het hemd is nader dan de rok.
chaire [ʃè:r] *f.* **1** kansel, preekstoel *m.*; **2** leerstoel, katheder *m.*; **3** *(v.redenaar)* spreekgestoelte *o.*; ***éloquence de la —,*** kanselwelsprekendheid *v.*
chaise [ʃè:z] *f.* stoel *m.*; ***— longue,*** rustbank *v.(m.)*; ***— pliante,*** vouwstoel; klapstoel *m.*; ***— percée,*** nachtstoel.
chaise*-lit* [ʃè'zli] *f.* ligstoel *m.*
chaisier [ʃèzyé] *m.* **1** stoelenmaker *m.*; **2** *(in kerk, enz.)* stoelenzetter *m.*
chaland [ʃalã] *m.* **1** klant *m.*; **2** platte schuit *v.(m.)*, aak *m. en v.*
chalaze [kala:z] *f.* **1** hanetree *v.(m.)*; **2** ontsteking *v.* aan rand van ooglid; *(pop.)* strontje *o.*
chalcographe [kalkògraf] *m.* graveur, plaatsnijder *m.*
chalcographie [kalkògrafi] *f.* **1** graveer—, plaatsnijkunst *v.*; **2** prentenkabinet *o.*
chaldaïque [kaldaik] *adj.* Chaldeeuws.
Chaldée [kaldé] *f.* Chaldea *o.*
châle [ʃa:l] *m.* omslagdoek *m.*; sjaal *m.*
chalet [ʃalè] *m.* **1** Zwitsers landhuis *o.*; **2** kleine villa *v.(m.)*; ***— de nécessité,*** openbaar privaat *o.*
chaleur [ʃalœ:r] *f.* **1** warmte; hitte *v.*; **2** *(fig.)* vuur *o.*, ijver *m.*, hevigheid *v.*; ***la — du combat,*** het vuur van de strijd; ***défendre avec —,*** warm verdedigen; ***en —,*** loops; bronstig; krols; tochtig.
chaleureux [ʃalœrö] *adj.*, **chaleureusement** [ʃalœrö'zmã] *adv.* warm, vurig, hartelijk.
châlit [ʃa'li] *m.* ledikant *o.*
challenge [ʃalã:j] *m.* **1** wisselprijs *m.*; **2** wisselprijswedstrijd *m.*
challenger [ʃalã'jé] **I** *m.* uitdager *m.* van een wisselprijshouder; **II** *v.i.* wisselprijshouder uitdagen.
chalon [ʃalõ] *m.* sleepnet *o.*
chaloupe [ʃalu:p] *f.* sloep *v.(m.)*; ***— canonnière,*** kanonneerboot *m. en v.*

chalumeau [ʃalümo] *m.* **1** strohalm *m.*, rietje *o.*; **2** herdersfluit, schalmei *v.(m.)*; **3** lijmroede *v.(m.)*, lijmstokje *o.*; **4** *(tn.)* steekvlam *v.(m.)*.
chalut [ʃalü] *m.* sleepnet, trawlnet *o.*
chalutier [ʃalütyé] *m.* trawler, treiler *m.*
chamade [ʃama'd] *f.* tromsignaal *o.*, als teken dat men zich wil overgeven; ***battre la —, 1*** zich overgeven; **2** *(fig.)* bakzeil halen, toegeven; **3** *(v. ader)* hevig kloppen.
chamailler, se — [seʃamayé] *v.vr.* kibbelen, twisten; bekvechten, bakkeleien.
chamaillerie [ʃamayri] *f.*, **chamaillis** [ʃamayi] *m.* gekibbel *o.*, ruzie *v.*
chamarrer [ʃamaré] *v.t.* opschikken, opdirken.
chamarrure [ʃamarü:r] *f.* smakeloze opschik *m.*
chambard [ʃã'ba:r] *m.* *(pop.)* lawaai *o.*; beroering *v.*
chambardement [ʃã'bardemã] *m.* **1** omverwerping; beroering *v.*; **2** leven, lawaai *o.*
chambarder [ʃã'bardé] *v.t.* omverwerpen, vernielen.
chambellan [ʃã'bèlã] *m.* kamerheer *m.*
chambertin [ʃã'bèrtẽ] *m.* vermaarde rode bourgogne.
chambouler [ʃãbulé] *v.t.* overhoop halen.
chambranle [ʃã'brã'l] *m.*, *(v. deur, venster)* lijst *v.(m.)*, kozijn *o.*
chambre [ʃã'br] *f.* kamer *v.(m.)*; ***— d'amis,*** logeerkamer *v.(m.)*; ***— à air,*** *(v. fiets)* binnenband *m.*; ***— de commerce,*** Kamer van koophandel; ***— des députés,*** Tweede Kamer; *(B.)* Kamer van Volksvertegenwoordigers; ***— haute,*** Hogerhuis *o.*; ***— basse, — des communes,*** Lagerhuis *o.*; ***— du conseil,*** raadkamer; ***— noire, — obscure,*** *(fot.)* donkere kamer; ***femme de —, 1*** kamenier *v.*; **2** *(in hotel)* kamermeisje *o.*; ***valet de —,*** kamerdienaar *m.*
chambrée [ʃã'bré] *f.* **1** *(mil.)* rustkamer *v.(m.)*, chambree *v.*; **2** *(in schouwburg)* toeschouwers *mv.*
chambrelan [ʃã'brelã] *m.* thuiswerker *m.*
chambrer [ʃã'bré] **I** *v.t.* **1** in een kamer opsluiten, kameren; **2** uithollen; **3** *(v. wijn)* op temperatuur brengen; **II** *v.i.* samen in een kamer wonen.
chambrette [ʃã'brèt] *f.* kamertje *o.*
chambrière [ʃambryè:r] *f.* **1** dresseerzweep *v.(m.)*; **2** gaffelsteun *m.*
chameau [ʃamo] *m.* **1** *(Dk.)* kameel *m.*; **2** lammeling *m.*, kreng *o.*
chamelier [ʃamlyé] *m.* kameeldrijver *m.*
chamelle [ʃamèl] *f.* kameelkoe *v.*
chamelon [ʃamlõ] *m.* kameeltje *o.*
chamérops [kamérops] *m.* dwergpalm *m.*
chamois [ʃamwa] **I** *m.* **1** *(Dk.)* gems *v.(m.)*; **2** gemsleer, zeemleer *o.*; ***peau de —, 1*** zeemleer *o.*; **2** zeemlap *m.*; **II** *adj.* chamois, lichtgeel, zandkleurig.
chamoiser [ʃamwazé] *v.t.* zeemtouwen, tot zeemleer bereiden.
chamoiserie [ʃamwazri] *f.* zeemtouwerij *v.*
champ [ʃã] *m.* **1** veld *o.*; **2** akker *m.*; land *o.*; ***— de courses,*** renbaan *v.(m.)*; ***— de repos,*** kerkhof *o.*; ***— d'aviation,*** vliegterrein *o.*; ***la vie des —s,*** het landleven; ***— de bataille,*** slagveld; ***— d'expériences, 1*** *(landb.)* proefveld *o.*; **2** *(fig.)* proefterrein *o.*; ***— de texte,*** *(drukk.)* zetspiegel *m.*; ***avoir le — libre,*** vrij zijn; ***sur le —,*** dadelijk; ***être à bout de —,*** geen raad meer weten; ***prendre la clef des —s,*** het hazepad kiezen; ***à tout bout de —,*** elk ogenblik, telkens; ***prendre du —,*** een aanloop nemen.
Champagne [ʃã'pañ] **I** *f.* Champagne *v.*; **II** *m.*, ***c—,*** champagne(wijn) *m.*
champagniser [ʃãpañi'zé] *v.t.* mousserend maken.
champart [ʃãpa:r] *m.* tiende *o.* van koren.
champenois [ʃã'penwa] **I** *adj.* uit Champagne; **II** *s.*, *m.*, ***C—,*** bewoner *m.* van Champagne.
champêtre [ʃã'pè:tr] *adj.* landelijk; ***garde —,*** veldwachter *m.*; ***bal —,*** openluchtbal *o.*; ***vie —,*** landleven *o.*
champignon [ʃã'piñõ] *m.* **1** paddestoel *m.*; **2** zwam *v.(m.)*; **3** wild vlees *o.*, vleesuitwas *m. en o.*; **4** gaspedaal *o. en m.*
champignonnière [ʃã'piñònyè:r] *f.* paddestoelenbed *o.*; paddestoelkwekerij *v.*
champion [ʃã'pyõ] *m.* **1** *(sp.)* kampioen *m.*; **2** *(gesch.)* kampvechter *m.*; **3** *(fig.)* voorvechter *m.*
championnat [ʃã'pyòna] *m.* kampioenschap *o.*
Chanaan [kanaã] *m.* Kanaän *o.*
chananéen [kananéẽ] **I** *adj.* kananietisch; **II** *s.*, *m.*, ***C—,*** Kananiet *m.*
chançard [ʃã'sa:r] *m.* geluksvogel, boffer *m.*
chance [ʃã:s] *f.* **1** kans *v.(m.)*; **2** geluk *o.*; bof *m.*; ***courir sa —,*** een kansje wagen; ***il a de la —,*** hij heeft geluk; het loopt hem mee; ***tenter la —,*** het wagen, een kansje wagen; ***bonne —!*** veel succes! ***une heureuse —,*** een buitenkansje.
chancelant [ʃã'slã] *adj.* **1** waggelend; wankelend; **2** besluiteloos, weifelend; **3** *(v. gezondheid)* wankel, wankelbaar.
chanceler* [ʃã'slé] *v.i.* **1** waggelen; wankelen; **2** besluiteloos zijn, weifelen, aarzelen.
chancelier [ʃã'selyé] *m.* kanselier *m.*; ***— de l'Empire,*** Rijkskanselier; ***grand —,*** grootkanselier.
chancelière [ʃã'selyè:r] *f.* **1** vrouw *v.* van kanselier; **2** voetenzak *m.*
chancellement [ʃã'sèlmã] *m.* **1** wankeling; waggeling *v.*; **2** *(fig.)* weifeling *v.*
chancellerie [ʃã'sèlri] *f.* kanselarij *v.*
chanceux [ʃã'sö] *adj.* **1** wisselvallig, onzeker; **2** fortuinlijk.
chancir [ʃã'si:r] *v.i.* beschimmelen.
chancissure [ʃã'sisü:r] *f.* schimmel *m.*
chancre [ʃã:kr] *m.* **1** kanker *m.*; **2** *(Pl.)* brand *m.*
chancreux [ʃã'krö] *adj.* kankerachtig.
chandail [ʃã'da'y] *m.* **1** trui, sporttrui *v.(m.)*; **2** jumper *m.*
Chandeleur [ʃã'dlœ:r] *f.* Maria-Lichtmis *m.*
chandelier [ʃã'delyé] *m.* **1** kandelaar *m.*; **2** kaarsenmaker *m.*; ***mettre sa lumière sur le —,*** zijn licht laten schijnen; ***être sur le —,*** een hoge plaats bekleden.
chandelle [ʃã'dèl] *f.* **1** kaars, vetkaars *v.(m.)*; **2** *(bij bouwen)* stut, stander *m.*; ***à la —,*** bij kaarslicht; bij kunstlicht; ***— de glace,*** ijskegel *m.*; ***brûler la — par les deux bouts,*** zijn goed verkwisten; ***économie de bouts de —,*** misplaatste zuinigheid; ***il vous doit une belle —,*** hij mag u wel dankbaar zijn; ***j'ai vu trente-six —s,*** het vuur sprong uit mijn ogen; ***le jeu ne vaut pas la —,*** het sop is de kool niet waard.
chandellerie [ʃã'dèlri] *f.* kaarsenfabriek *v.*
chanfrein [ʃã'frẽ] *m.* **1** schuine kant *m.*; **2** *(v. harnas)* voorhoofdsplaat *v.(m.)*; **3** vederbos *m.*
chanfreiner [ʃã'frèné] *v.t.*, *(v. hout; steen, enz.)* schuin afkanten, schuin slijpen.
change [ʃã:j] *m.* **1** ruiling *v.*, ruil *m.*; **2** wisselhandel *m.*; **3** wisselkoers *m.*; ***bureau de —,*** wisselkantoor *o.*; ***agent de —,*** makelaar in effecten; wisselagent *m.*; ***lettre de —,*** wissel *m.*; ***première de —,*** prima wissel; ***seule de —,*** solawissel; ***prendre le —, 1*** het spoor bijster worden; **2** zich laten beetnemen; ***rentes à — garanti,*** staatsfondsen met goudclausule; ***donner le — à qn.,*** iem. op een dwaalspoor brengen.
changeable [ʃã'ja'bl] *adj.* veranderbaar.

changeant [ʃã'jã] *adj.* **1** veranderlijk, wisselend; **2** ongestadig, wispelturig; ***étoffe —e,*** stof met weerschijn.
changement [ʃã'jmã] *m.* **1** verandering *v.*; **2** afwisseling *v.*; **3** (*v. tij*) kentering *v.*; **— *à vue,*** **1** plotselinge omkeer *m.*; **2** (*toneel*) verandering bij open doek; **— *de vitesse,*** (*v. fiets, auto*) versnelling *v.*; ***sans —,*** ongewijzigd, onveranderd; **— *de corbillon fait trouver le pain bon,*** verandering van spijs doet eten.
changer [ʃã'jé] **I** *v.t.* **1** veranderen, wijzigen; **2** verwisselen, omwisselen; **3** ruilen; **4** (*v. kind*) verschonen; **5** (*v. geldstuk*) wisselen; ***nous avons changé tout cela,*** tegenwoordig gaat dat heel anders; **— *la barre,*** het roer omleggen; **— *son cheval borgne contre un aveugle,*** van de regen in de drop komen; **II** *v.i.* **1** veranderen; **2** (*v. weer*) veranderen, omslaan; **3** geld wisselen; **— *de train,* — *de voiture,*** overstappen; **— *de linge,*** schoon goed aantrekken; **— *de vêtements,*** zich omkleden, andere kleren aantrekken; **— *de couleur,*** verkleuren; van kleur verschieten; **— *d'avis,*** zich bedenken; **III** *v.pr.*, ***se —,*** **1** schoon goed aantrekken; **2** zich omkleden, andere kleren aantrekken.
changeur [ʃã'jœ:r] *m.* geldwisselaar, wisselagent *m.*; **— *de disques,*** (grammofoon)platenwisselaar *m.*
chanoine [ʃanwan] *m.* kanunnik *m.*
chanoinesse [ʃanwanès] *f.* **1** (*kath.*) kanunnikes *v.*; **2** (*gesch.*) stiftsdame *v.*
chanson [ʃã'sõ] *f.* lied *o.*; ***—s,*** praatjes *mv.*; **— *de geste,*** Oud-Frans heldendicht *o.*; **— *à boire,*** drinklied *o.*; **— *de nourrice,*** bakerrijmpje *o.*; ***l'air ne fait pas la —,*** schijn bedriegt; ***—s que tout cela,*** allemaal nonsens!
chansonner [ʃã'sòné] *v.t.* een spotliedje maken op.
chansonnette [ʃã'sònèt] *f.* liedje, deuntje *o.*
chansonnier [ʃã'sònyé] *m.* **1** zanger *m.* of dichter *m.* van chansons; **2** liederenboek *o.*
chant [ʃã] *m.* **1** (het) zingen *o.*, zang *m.*; gezang *o.*; **2** lied *o.*; **3** (*v. steen, enz.*) smalle zijde *v.*(*m.*); **— *du cygne,*** zwanezang *m.*; **— *du coq,*** hanegekraai *o.*; ***plain-—,*** Gregoriaanse zang; ***poser de —,*** (*v. steen, enz.*) op de smalle kant plaatsen.
chantage [ʃã'ta:j] *m.* afdreiging, geldafpersing *v.*
chantant [ʃã'tã] *adj.* **1** zingend; **2** zangerig; **3** (*v. toon*) dreunerig.
chanteau [ʃã'to] *m.* **1** homp *v.*(*m.*) brood; **2** lap *m.* (stof).
chantepleure [ʃã't(e)plœ:r] *f.* **1** wijntrechter *m.*; **2** druivenpers, wijnkuip *v.*(*m.*); **3** tuingieter *m.*
chanter [ʃã'té] *v.t. et v.i.* **1** zingen; **2** (*v. haan*) kraaien; **3** (*v. krekel*) sjirpen; **4** (*v. bron*) ruisen; **5** (*v. deur*) piepen; **6** (*v. gas*) suizen; **7** bezingen; **— *en parlant,*** dreunerig (of lijmerig) spreken; ***je lui ferai — une autre gamme,*** ik zal hem anders leren spreken; ***si cela vous chante,*** als je daar zin in hebt; ***il chante victoire,*** zijn haan kraait koning, hij kraait victorie; ***faire — qn.,*** iem. geld afpersen; iem. laten afdokken; **— *les louanges de qn.,*** iemands lof verkondigen; ***que vient-il nous — ?*** wat vertelt hij daar?
chanterelle [ʃã'trèl] *f.* **1** lokvogel *m.*; **2** (*muz.*) kwintsnaar, e-snaar *v.*(*m.*); **3** (*Pl.*) hanekam *m.*
chanteur [ʃã'tœ:r] **I** *m.* **1** zanger *m.*; **2** geldafperser *m.*; **3** zangvogel *m.*; ***Maîtres C—s,*** Meistersinger; **II** *adj.*, ***oiseau —,*** zangvogel *m.*
chantier [ʃã'tyé] *m.* **1** steunblok, stutblok *o.*; **2** (*in wijnkelder*) stelling *v.*; **3** (*v. schip*) stapel *m.*; **4** (scheeps)timmerwerf *v.*(*m.*); **5** werkplaats *v.*(*m.*), werk *o.*; **— *naval,*** scheepswerf *v.*(*m.*); ***mettre sur le —,*** op stapel zetten; ***avoir sur le —,*** bezig zijn aan, onder handen hebben.
chantonner [ʃã'tòné] *v.t. et v.i.* neuriën.
chantoung [ʃãtuñ] *m.* shantoeng *o. en m.*
chantourner [ʃã'turné] *v.t.*, (*v. hout, metaal*) uithollen, uitwerken.
chantre [ʃã'tr] *m.* **1** zanger, kerkzanger *m.*; **2** (*prot.*) voorzanger *m.*
chanvre [ʃã'vr] *m.* hennep *m.*
chanvrier [ʃã'vryé] *m.* hennepbouwer *m.*
chaos [kao] *m.* **1** chaos, baaierd *m.*; **2** (*fig.*) warboel *m.*
chaotique [kaòtik] *adj.* **1** chaotisch; **2** (*fig.*) verward, wanordelijk, ongeordend.
chapardage [ʃaparda:j] *m.* kleine diefstal *m.*
chaparder [ʃapardé] *v.t.* stropen, stelen.
chape [ʃap] *f.* **1** (*kath.*) koorkap *v.*(*m.*); **2** (*v. distilleerkolf*) helm *m.*; **3** (*v. blok*) beslag *o.*
chapeau [ʃapo] *m.* **1** hoed *m.*; **2** kardinaalshoed *m.*; **3** (*v. paddestoel*) hoedje *o.*; **4** schoorsteenkap *v.*(*m.*); **5** (*v. pers*) dwarshout *o.*; **6** (*v. pastei*) korst *v.*(*m.*); **7** (*muz.*) boogje *o.*; **— *chinois,*** (*muz.*) schellenboom *m.*; **— *à trois cornes,*** steek *m.*; ***porter la main au —,*** even groeten; ***parler — bas,*** onderdanig spreken.
chapeau*-casque* [ʃapokask] *m.* helmhoed *m.*
chapeauter [ʃapo'té] *v.t.* (*fam.*) met een hoed bedekken. [van ander).
chapechute [ʃapʃüt] *v.* buitenkansje *o.* (ten koste
chapelain [ʃap(e)lẽ] *m.* **1** (*gesch.*) kapelaan *m.*; **2** (*v. vorst*) aalmoezenier *m.*
chapeler* [ʃaplé] *v.t.* raspen.
chapelet [ʃaplè] *m.* **1** (*kath.*) rozenhoedje *o.*; **2** rij, reeks *v.*(*m.*); **3** rist *v.*(*m.*); **4** (*v. baggermolen*) jakobsladder *v.*(*m.*); ***défiler son —,*** zijn hart uitstorten.
chapelier [ʃapelyé] *m.* **1** hoedenmaker *m.*; **2** hoedenverkoper *m.*
chapelière [ʃapelyè:r] *f.* hoedekoffer *o.*
chapelle [ʃapèl] *f.* kapel *v.*(*m.*); **— *ardente,*** rouwkapel; ***maître de —,*** kapelmeester *m.*
chapellenie [ʃapèlni] *f.*, (*gesch.*) kapelaansprebende *v.*(*m.*).
chapellerie [ʃapèlri] *f.* **1** hoedenfabriek *v.*; **2** hoedenwinkel *m.*
chapelure [ʃaplü:r] *f.* **1** geraspte korst *v.*(*m.*); **2** paneermeel *o.*
chaperon [ʃaprõ] *m.* **1** kapje *o.*; **2** geleider *m.*, geleidster *v.*; **3** (*v. muur*) dekplaat, kap *v.*(*m.*); ***les —s blancs,*** (*gesch.*) de witte kaproenen *mv.*; ***le petit C— rouge,*** Roodkapje.
chaperonner [ʃapròné] *v.t.* **1** (*v. muur*) dekken (met een kap); **2** begeleiden.
chapier [ʃapyé] *m.* kast *v.*(*m.*) voor koormantels.
chapiteau [ʃapito] *m.* **1** (*bouwk.*) kapiteel *o.*; **2** (*v. kast*) kap *v.*(*m.*).
chapitre [ʃapitr] *m.* **1** hoofdstuk *o.*; **2** kapittel *o.*; **3** onderwerp *o.* (van gesprek); ***il n'a pas voix au —,*** hij heeft niets in de melk te brokken.
chapitrer [ʃapitré] *v.t.* berispen, kapittelen.
chapon [ʃapõ] *m.* **1** kapoen *m.*; **2** met knoflook bestreken broodkorst *v.*(*m.*); **3** (**— *de vigne***), wijngaardloot *v.*(*m.*).
chaponneau [ʃapòno] *m.* kapoentje *m.*
chapska [ʃapska] *m.* ruiterhoofddeksel *o.* onder Napoleon III.
chaque [ʃak] *pron.ind.* ieder, elk.
char [ʃa:r] *m.* **1** zegewagen *m.*; **2** kar *v.*(*m.*), wagen *m.*; **3** (*in optocht*) praalwagen *m.*; **— *funèbre,*** lijkkoets *v.*(*m.*); **— *à bancs,*** janplezier *m.*; **— *d'assaut,* — *de combat,*** tank *m.*, gevechtswagen *m.*; **— *blindé,*** pantserwagen *m.*

charabia [ʃarabya] *m.* koeterwaals *o.*
charade [ʃara'd] *f.* lettergreepraadsel *o.*
charançon [ʃarã'sõ] *m.*, (*Dk.*) korenworm *m.*
charançonné [ʃarã'sòné] *adj.* aangetast door korenworm.
charbon [ʃarbõ] *m.* **1** kool, steenkool *v.(m.)*; **2** (*Pl.*: *in koren*) brand *m.*; **3** miltvuur *o.*; ***— de bois,*** houtskool; ***en —,*** verkoold; ***— de soute,*** bunkerkolen; ***faire du —,*** bunkeren; ***— animal,*** beenzwart *o.*
charbonnage [ʃarbòna:ʒ] *m.* **1** kolenmijnontginning *v.*; **2** kolenmijn *v.(m.)*.
charbonnée [ʃarbòné] *f.* **1** geroosterd vlees *o.*; **2** houtskoolschets *v.(m.)*; **3** kolenlaag *v.(m.)*.
charbonner [ʃarbòné] **I** *v.t.* **1** doen (*of* laten) verkolen; **2** met houtskool tekenen; **II** *v.i. et v.pr.*, ***se —,*** verkolen.
charbonnerie [ʃarbònri] *f.* kolenmagazijn *o.*
charbonneux [ʃarbònö] *adj.* **1** koolachtig; **2** miltvuurachtig; ***fièvre charbonneuse,*** miltvuurkoorts *v.(m.)*.
charbonnier [ʃarbònyé] *m.* **1** steenkolenhandelaar *m.*; **2** kolenbrander *m.*; **3** kolenschip *o.*; **4** kolenhok *o.*; ***— est maître chez lui,*** ieder is baas in zijn eigen huis.
charbonnière [ʃarbònyè:r] *f.* **1** kolenoven *m.*; **2** (*Dk.*) koolmees *v.(m.)*.
charcuter [ʃarküté] *v.t.* **1** onhandig stuksnijden; **2** onhandig opereren.
charcuterie [ʃarkütri] *f.* **1** spekslagerij *v.*; **2** bereide vleeswaren, spekslagerswaren *mv.*
charcutier [ʃarkütyé] *m.* spekslager *m.*
chardon [ʃardõ] *m.* distel *m. en v.*; ***— roulant,*** kruisdistel; ***—s,*** ijzeren punten op een muur; ***aimable comme un —,*** erg onvriendelijk, zo vriendelijk als de deur van 't rasphuis.
chardonneret [ʃardònrè] *m.* distelvink *m. en v.*, putter *m.*
chardonnet [ʃardònè] *m.* deurstijl *m.*
charentaise [ʃarã'tè:z] *f.* pantoffel *v.(m.)* met leren zool.
charge [ʃarʒ] *f.* **1** last *m.*; **2** (*v. wagon, schip*) vracht *v.(m.)*, lading *v.*; **3** (*v. haard*) vulling *v.*; **4** (*v. balk, vloer, enz.*) belasting *v.*; **5** opdracht, taak *v.(m.)*; **6** verplichting *v.*, last *m.*; **7** ambt *o.*, waardigheid *v.*; **8** (*mil.*) krachtige aanval, stormaanval *m.*; **9** karikatuur *f.*; ***— complète,*** wagenlading; ***— incomplète,*** gedeeltelijke lading; ***navire de —,*** vrachtschip; ***ligne de —,*** waterlijn; ***avoir — d'âmes,*** voor anderen moeten zorgen; ***prendre à sa —,*** voor zijn rekening nemen; ***entrer en —,*** een ambt aanvaarden; ***femme de —,*** huishoudster; ***il est à la — de ses parents,*** zijn ouders moeten hem onderhouden; ***prêter à la —,*** aanleiding geven tot spot; ***revenir à la —,*** een nieuwe poging doen; ***à — de revanche,*** op voorwaarde van wederkerigheid; ***témoin à —,*** bezwarend getuige; ***faire la — de qn.,*** een karikatuur van iem. maken.
chargé [ʃarʒé] **I** *adj.* **1** geladen; **2** beladen; **3** overladen; **4** (*v. lucht*) betrokken; **5** (*v. tong*) beslagen; **6** (*v. ogen*) vermoeid; ***lettre —e,*** aangetekende brief (met aangegeven waarde); ***— de dettes,*** met schulden bezwaard; ***un programme —,*** een goed gevuld programma; ***couleur —e,*** te dik opgelegde kleur; **II** *s.*, *m.*, ***— d'affaires,*** zaakgelastigde *m.*; ***— de cours,*** (*N.*) buitengewoon hoogleraar; (*B.*) docent *m.*; ***— de procuration,*** procuratiehouder *m.*
chargement [ʃarʒemã] *m.* **1** (het) laden *o.*; **2** lading; scheepslading *v.*; **3** vracht *v.(m.)*; **4** (*v. koetsier*) vrachtje *o.*; **5** (*v. brief*) aantekening *v.*; **6** (*v. haard*) vulling *v.*; ***port de —,*** laadhaven *v.(m.)*.
charger [ʃarʒé] **I** *v.t.* **1** (*v. schip*) laden, bevrachten; **2** (*v. wapen, accumulator, schip*) laden; **3** (*v. wagen, enz.*) beladen; **4** (*v. brief*) laten aantekenen; **5** (*v. kachel*) vullen; **6** (*v. pijp*) stoppen; **7** (*v. maag, geweten*) bezwaren; **8** (*v. rekening*) opvoeren; **9** (*v. goederen*) opladen, inladen; **10** (*v. weg*) beharden, begrinden; **11** (*v. zegel*) bedrukken; **12** (*v. redevoering, beschrijving, enz.*) overladen; ***— qn. d'un travail,*** iem. met een werk belasten; ***— de coups,*** afranselen, afrossen; ***— d'injures,*** met scheldwoorden overstelpen; ***— d'un crime,*** van een misdaad beschuldigen; ***— de chaînes,*** in boeien slaan; **II** *v.pr.*, ***se —,*** **1** (*v. weer*) betrekken; **2** (*v. tong*) beslaan; **3** troebel worden; ***se — de,*** zich belasten met, op zich nemen.
chargeur [ʃarʒœ:r] *m.* **1** scheepsbevrachter, cargadoor *m.*; **2** (*mil.*) patroonhouder *m.*; **3** (*v. kanon*) lader *m.*; **4** sjouwer, dokwerker *m.*
chariot [ʃaryo] *m.* **1** wagen *m.*; **2** (*voor kind*) loopwagen *m.*; **3** (*v. machine*) slede *v.(m.)*; **4** (*v. telegraaftoestel*) loper *m.*; ***— à bascule,*** kipkar *v.(m.)*; ***le grand C—,*** (*sterr.*) de grote Beer; ***le petit C—,*** de kleine Beer.
charitable(ment) [ʃarita'bl(emã)] *adj.* (*adv.*) **1** liefdadig; weldadig, mild; **2** welwillend, vriendelijk.
charité [ʃarité] *f.* **1** liefdadigheid; weldadigheid *v.*; **2** naastenliefde *v.*; **3** barmhartigheid *v.*, mededogen *o.*; ***bureau de —,*** bedeling *v.*; ***vente de —,*** fancy fair *m.*, liefdadigheidsbazaar *m.*; ***demander la —,*** een aalmoes vragen; ***faire la —,*** aalmoezen geven, weldoen; ***sœur de —,*** **1** (*kath.*) liefdezuster *v.*; **2** (*prot.*) pleegzuster, diakones *v.*; ***— bien ordonnée commence par soi-même,*** het hemd is nader dan de rok.
charivari [ʃarivari] *m.* **1** ketelmuziek *v.*; **2** lawaai, geschreeuw, verward geraas *o.*; **3** standje *o.*
charlatan [ʃarlatã] *m.* **1** kwakzalver *m.*; **2** marktschreeuwer *m.*; **3** (*fig.*) snoever, pocher *m.*
charlataner [ʃarlatané] *v.t.* bedriegen.
charlatanerie [ʃarlatanri] *f.* **1** kwakzalverij *v.*; **2** snoeverij, opsnijderij *v.*
charlatanisme [ʃarlatanizm] *m.* kwakzalverij *v.*
Charlemagne [ʃarlemañ] *m.* Karel de Grote *m.*; ***faire c—,*** ophouden met spel na winst, zonder kans op revanche te geven.
Charles [ʃarl] *m.* Karel *m.*; ***— Quint,*** Keizer Karel, Karel de Vijfde; ***— cinq,*** Karel de Vijfde (koning van Frankrijk).
Charlot [ʃarlo] *m.* **1** Kareltje *m.*; **2** (*pop.*) de [beul *m.*
Charlotte [ʃarlòt] *f.* Charlotte, Lot *v.*
charmant [ʃarmã] *adj.* **1** bekoorlijk, lief; **2** innemend; **3** alleraardigst.
charme [ʃarm] *m.* **1** bekoring *v.*; **2** betovering *v.*; **3** tovermiddel *o.*, talisman *m.*; **4** (*Pl.*) haagbeuk *m.*; ***—s,*** bekoorlijkheid, schoonheid *v.*; ***se porter comme un —,*** zo gezond zijn als een vis.
charmer [ʃarmé] *v.t.* **1** betoveren; **2** (*v. slangen*) bezweren; **3** (*fig.*) bekoren, verrukken; **4** (*v. verveling*) verdrijven; ***— ses loisirs,*** de tijd korten; ***— les loisirs de qn.,*** iem. aangenaam bezighouden.
charmeur [ʃarmœ:r] **I** *m.* **1** tovenaar *m.*; **2** bekoorder *m.*; ***— de serpents,*** slangenbezweerder *m.*; **II** *adj.* **1** betoverend; **2** bekoorlijk.
charmille [ʃarmi'y] *f.* prieel *o.*
charnel(lement) [ʃarnèl(mã)] *adj.* (*adv.*) vleselijk; zinnelijk.
charneux [ʃarnö] *adj.* vlezig.
charnier [ʃarnyé] *m.* **1** vleeskuip *v.(m.)*; **2** knekelhuis *o.*; **3** massagraf *o.*

charnière [ʃarnyè:r] *f.* **1** scharnier *o.*; **2** (*v. mossel*) slotband *m.*
charnu [ʃarnü] *adj.* vlezig.
charogne [ʃaròñ] *f.* kreng *o.*
charpentage [ʃarpã'ta:j] *m.* **1** timmerwerk *o.*; **2** betimmering *v.*
charpente [ʃarpã:t] *f.* **1** timmerwerk; getimmerte *o.*; **2** (*v. metaal*) geraamte *o.*; **3** (*fig.*: *v. boek, enz.*) opzet, bouw *m.*; ***bois de —,*** timmerhout *o.*
charpenter [ʃarpã'té] *v.t.* **1** timmeren; **2** (*hout*) ruw bewerken; **3** (*fig.*) in elkaar zetten; bouwen.
charpenterie [ʃarpã'tri] *f.* **1** timmermansvak *o.*; **2** timmermanswerkplaats, timmerwerf *v.*(*m.*).
charpentier [ʃarpã'tyé] *m.* timmerman *m.*
charpie [ʃarpi] *f.* pluksel *o.*
charrerie [ʃar(e)ri] *f.* (*mil.*) het tankwapen *o.*
charretée [ʃarté] *f.* karrevracht *v.*(*m.*), voer *o.*
charretier [ʃartyé] *m.* voerman *m.*; ***jurer comme un —,*** vloeken als een ketter; ***il n'y a si bon — qui ne verse,*** het beste paard struikelt wel eens.
charretière [ʃartyè:r] *adj.*, ***porte —,*** karrepoort *v.*(*m.*).
charrette [ʃarèt] *f.* (tweewielige) kar *v.*(*m.*); ***— à bras,*** handkar *v.*(*m.*); ***— anglaise,*** ponywagen *m.*
charriage [ʃarya:j] *m.* **1** vervoer *o.* (per kar); **2** (*v. water*) (het) kruien *o.*
charrier [ʃaryé] *v.t.* **1** (met een kar) vervoeren; **2** meevoeren, wegspoelen; **3** (*v. rivier*) kruien.
charroi [ʃarwa] *m.* **1** vervoer *o.* (per as); **2** vracht *v.*(*m.*).
charron [ʃarõ] *m.* wagenmaker *m.*
charronnage [ʃaròna:j] *m.* **1** wagenmakerswerk *o.*; **2** wagenmakersvak *o.*
charronnerie [ʃarònri] *f.* wagenmakerij *v.*
charroyer [ʃarwayé] *v.t.* per as vervoeren.
charroyeur [ʃarwayœ:r] *m.* voerman *m.*
charrue [ʃarü] *f.* ploeg *m. en v.*; ***tirer la —,*** zwoegen, het zwaar hebben; ***mettre la — devant les bœufs,*** het paard achter de wagen spannen.
charte [ʃart] *f.* **1** charter *o.*, oorkonde *v.*(*m.*); handvest *o.*; **2** grondwet *v.*(*m.*); ***la Grande C—,*** (*gesch.*) de Magna Charta *v.*; ***École des —s,*** befaamde Franse school voor handschriftenstudie.
charte*-partie* [ʃartparti] *f.* chertepartij *v.*, scheepsvrachtbrief *m.*
chartiste [ʃartist] *m.* **1** (oud-)leerling van de Ecole des chartes; **2** (*gesch.*) aanhanger van het (Engelse) chartisme.
chartographe [ʃartògraf] *m.* oorkondenkenner *m.*
chartre [ʃartr] *f.* (*gesch.*) kerker *m.*
chartreuse [ʃartrö:z] *f.* **1** kartuizerin, kartuizernon *v.*; **2** kartuizerklooster *o.*; **3** chartreuse *v.*(*m.*) (*soort likeur*); **4** (*fig.*) eenzaam landhuisje *o.*
chartreux [ʃartrö] **I** *m.* kartuizer(monnik) *m.*; **II** *adj.* blauwgrijs.
chartrier [ʃartri(y)é] *m.* **1** oorkondenverzameling *v.*; **2** oorkondenzaal *v.*(*m.*).
Charybde [karibd] *m.* Charybdis *m.*; ***tomber de — en Scylla,*** van de regen in de drop komen.
chas [ʃa] *m.* oog *o.* (van een naald).
chasse [ʃas] *f.* **1** jacht *v.*(*m.*); **2** jachtstoet *m.*, jachtgezelschap *o.*; **3** jachtterrein *o.*; **4** jachtbuit *m.*, geschoten wild *o.*; **5** (*v. werktuig*) speelruimte *v.*; **6** (*sp.*) (het) uitlopen *o.*; ***— à courre,*** jacht met honden, lange jacht; ***— gardée,*** eigen jacht; ***permis de —,*** jachtakte *v.*(*m.*); ***— d'eau,*** spoelinrichting *v.*; ***bassin de —,*** ververingskanaal *o.*; ***faire la — à,*** **1** achtervolgen; **2** najagen, jacht maken op; ***prendre —,*** de vlucht nemen; ***qui va à la —, perd sa place,*** opgestaan is plaats vergaan.
châsse [ʃɑ:s] *f.* **1** relikwiekast *v.*(*m.*); **2** (*v. bril, enz.*) montuur *o. en v.*; **3** (*v. weegschaal*) beugel *m.*
chassé [ʃɑ'sé] *m.* chassé, bep. danspas *m.*
chasse-clou(s) [ʃasklu] *m.*, (*tn.*) drevel *m.*
chassé*-croisé* [ʃasékrwa'zé] *m.* **1** kruising *v.*; **2** (*v. rijtuigen, enz.*) (het) heen- en weerrijden *o.*; **3** grote overplaatsing *v.*; **4** snelle opeenvolging *v.*; ***un — de bons mots,*** een kruisvuur van geestige zetten.
chasselas [ʃaslɑ] *m.* tafeldruif *v.*(*m.*).
chasse-marée [ʃasmaré] *m.* **1** viskar *v.*(*m.*); **2** vissersschuit *v.*(*m.*), logger *m.*
chasse-mouches [ʃasmuʃ] *m.* **1** vliegemepper *m.*; **2** (*voor paard*) vliegennet *o.*
chasse-neige [ʃasnè:j] *m.* **1** sneeuwstorm *m.*; **2** (*aan locomotief*) sneeuwploeg *m. en v.*
chasse-pierres [ʃaspyè:r] *m.* baanruimer, baanschuiver *m.*
chasse-pointe [ʃaspwẽ:t] *m.*, (*tn.*) doorslag, drevel *m.*
chassepot [ʃaspo] *m.* (*gesch.*) Frans achterlaadgeweer *o.*
chasser [ʃasé] **I** *v.t.* **1** jagen (op), jacht maken op; **2** wegjagen, verjagen; **3** (*v. spijker*) uitdrijven; **4** (*v. water*) laten doorspoelen, laten doorstromen; **5** (*v. bal*) wegslaan; **6** (*drukk.*) interliniëren; **7** (*drukk.*) uitlopen (van de gedrukte tekst); ***— le mauvais air,*** spuien, de lucht verversen; **II** *v.i.* **1** jagen, op de jacht gaan; **2** (*drukk.*) uitlopen; ***le vent chasse du nord,*** de wind blaast uit het noorden; ***— sur les terres d'autrui,*** onder een anders duiven schieten; ***bon chien chasse de race,*** de appel valt niet ver van de boom.
chasseresse [ʃasrès] *f.*, (*dicht.*) jageres *v.*
chasse-rivet* [ʃasrivè] *m.* drevel *m.*
chasse-roue(s) [ʃasru] *m.* wegpaaltje *o.* om verkeer vlak langs muur te beletten.
chasseur [ʃasœ:r] **I** *m.* **1** jager *m.*; **2** piccolo, groom *m.*; ***— alpin,*** alpenjager *m.*; ***— de nuit,*** (*vl.*) nachtjager *m.*; **II** *adj.* jagend; ***navire —,*** jager *m.*
chassie [ʃɑ'si] *f.* dracht *v.*(*m.*) (van de ogen).
chassieux [ʃɑ'syö] *adj.* leepogig.
châssis [ʃɑ'si] *m.* **1** raam *o.*, omlijsting *v.*; **2** (*drukk.*) vormraam *o.*; **3** (*v. auto, enz.*) raamwerk, chassis *o.*; **4** (*voor fiets*) krat *o.*; ***— à tabatière,*** zoldervenster *o.*
châssis-presse* [ʃɑ'siprès] *m.*, (*fot.*) drukraam *o.*
chassoir [ʃaswa:r] *m.* drevel *m.*, drijfhout *o.*
chaste(**ment**) [ʃast(emã)] *adj.* (*adv.*) kuis, rein.
chasteté [ʃasteté] *f.* kuisheid, reinheid *v.*
chasuble [ʃazü'bl] *f.* kazuifel *m.*
chasublerie [ʃazübleri] *f.* fabriek *v.* van kerkgewaden.
chat [ʃa] *m.* kat *v.*(*m.*); ***— sauvage,*** boskat; ***à bon — bon rat,*** er is altijd baas boven baas; ***jouer au —,*** krijgertje spelen; ***ne réveillez pas le — qui dort,*** men moet geen slapende honden wakker maken; ***j'ai d'autres —s à fouetter,*** ik heb wel wat anders te doen; ***appeler un — un —,*** het kind bij zijn naam noemen; ***— échaudé craint l'eau froide,*** een ezel stoot zich geen tweemaal aan dezelfde steen; ***il n'y a pas un —,*** er is geen levende ziel; ***quand le — n'y est pas, les souris dansent,*** als de kat van honk is, dansen de muizen op tafel.
châtaigne [ʃɑ'tèñ] *f.* kastanje *v.*(*m.*); ***— du Brésil,*** paranoot *v.*(*m.*).
châtaigneraie [ʃɑ'tèñrè] *f.* kastanjebos *o.*, kastanjeboomgaard *m.*
châtaignier [ʃɑ'tèñé] *m.* kastanjeboom *m.*
châtain [ʃɑ'tẽ] *adj.* kastanjebruin.
chat*-cervier* [ʃatsèrvyé] *m.*, (*Dk.*) lynx, los *m.*
château [ʃɑ'to] *m.* kasteel, slot *o.*; ***— fort,*** burcht *m. en v.*, vesting *v.*; ***— d'eau,*** watertoren *m.*; ***—x en Espagne,*** luchtkastelen *mv.*

châteaubriant [ʃɑ'tobri(y)ã] *m.* geroosterde ossehaas *m.* (met gebakken aardappelen).
châtelain [ʃɑ'tlẽ] *m.* kasteelheer; slotvoogd, burchtheer *m.*
châtelaine [ʃɑ'tlè:n] *f.* **1** burchtvrouw, slotvoogdes *v.*; **2** ketting *m. en v.* (*voor sleutels, horloge, enz.*).
châtelet [ʃɑ'tlè] *m.* kasteeltje *o.*
châtellenie [ʃa'tèlni] *f.* domein *o.*, of rechtsgebied *o.* van een slotvoogd.
chat*-huant* [ʃaüã] *m.*, (*Dk.*) katuil *m.*
châtier [ʃɑ'tyé] *v.t.* **1** kastijden, tuchtigen, bestraffen; **2** (*v. stijl*) kuisen; ***qui aime bien, châtie bien,*** die zijn kinderen liefheeft, spaart de roede niet.
chatière [ʃatyè:r] *f.* **1** (*in staldeur*) kattegat *o.*; **2** katteval *v.*(*m.*); **3** luchtgat *o.*; **4** achterdeurtje *o.*
châtiment [ʃɑ'timã] *m.* kastijding, tuchtiging *v.*, straf *v.*(*m.*).
chatoiement, chatoîment [ʃatwaymã] *m.* glinstering *v.*, weerschijn *m.*
chaton [ʃatõ] *m.* **1** (*Dk.*) katje *o.*; (*Pl.*) katje *o.*; **3** (*in ring*) kas *v.*(*m.*) (voor edelsteen). [kassen.
chatonner [ʃatòné] *v.t.* (*v. edelsteen*) zetten,
chatouillement [ʃatuymã] *m.* **1** kitteling *v.*; gekrieuwel *o.*; **2** streling *v.*
chatouiller [ʃatuyé] *v.t.* **1** kittelen; **2** strelen.
chatouilleux [ʃatuyö] *adj.* **1** kittelachtig; **2** kittelorig, lichtgeraakt, prikkelbaar; **3** (*v. vraag*) netelig, teer.
chatouillis [ʃatuyi] *m.* gekriebel *o.*
chatoyant [ʃatwayã] *adj.* met weerschijn.
chatoyer [ʃatwayé] *v.i.* weerschijn hebben, glinsteren. [*v.*(*m.*).
chat*-pard* [ʃapa:r] *m.* panterkat, tijgerkat
châtrer [ʃɑ'tré] *v.t.* lubben, snijden.
chatte [ʃat] *f.* wijfjeskat *v.*(*m.*).
chattemite [ʃatmit] *f.*, ***faire la —,*** poeslief zijn.
chatterie [ʃatri] *f.* **1** lekkernij *v.*, snoepgoed *o.*; **2** poeslievigheid *v.*; **3** liefkozing *v.*
chatterton [ʃatèrtõ] *m.* isolatieband *o.*
chat*-tigre* [ʃati:gr] *m.* tijgerkat *v.*(*m.*).
chaud [ʃo] **I** *adj.* **1** warm; **2** heet; **3** (*fig.*) ijverig, vurig, hartstochtelijk; **4** oplopend, driftig; ***tête —e,*** heethoofd *m.-v.*, driftkop *m.*; ***cela ne me fait ni — ni froid,*** dat is mij om 't even, dat is mij totaal onverschillig; ***tomber de fièvre en — mal,*** van de regen in de drop komen; ***une nouvelle toute —e,*** een kersvers nieuwtje; ***la bataille a été —e,*** het is er warmpjes toegegaan; ***—e alarme,*** hevige ontsteltenis; **II** *adv.* warm; ***servir —,*** warm opdienen; **III** *s., m.* warmte, hitte *v.*; ***il fait —,*** het is warm; ***avoir —,*** het warm hebben; ***souffler le — et le froid,*** twee gezichten hebben, uit twee monden spreken, de huik naar de wind hangen. [hitte *v.*
chaude [ʃo'd] *f.* **1** vuurtje *o.*; **2** gloeiing *v.*; **3** gloei-
chaudeau [ʃo'do] *m.* kandeel *v.*(*m.*).
chaudement [ʃo'dmã] *adv.* warm.
chaud*-froid* [ʃofrwa] *m.* koude wildschotel *m.*
chaudière [ʃo'dyè:r] *f.* kookketel *m.*; ***— à vapeur,*** stoomketel *m.*
chaudron [ʃo'drõ] *m.* **1** ketel *m.*; **2** (*v. piano*) rammelkast *v.*(*m.*).
chaudronnée [ʃo'dròné] *f.* 'n ketel *m.* vol.
chaudronnerie [ʃo'dròn ri] *f.* **1** koperslagerij *v.*; **2** koperslagerswerk *o.* [ketelmaker *m.*
chaudronnier [ʃo'drònyé] *m.* koperslager *m.*;
chauffage [ʃo'fa:j] *m.* verwarming *v.*; (het) stoken *o.*; ***— et éclairage,*** vuur en licht; ***bois de —,*** brandhout *o.* [stuurder *m.*
chauffard [ʃofa'r] *m.* gevaarlijke wilde autobe-
chauffe [ʃo:f] *f.* verwarming, verhitting *v.*; ***chambre de —,*** machinekamer *v.*(*m.*); ***surface de —,*** verwarmingsoppervlak *o.*
chauffe-assiettes [ʃo'fasyèt] *m.* bordenwarmer *m.*
chauffe-bain* [ʃo'fbẽ] *m.* geiser *m.* (van bad).
chauffe-eau [ʃo'fo] *m.* boiler *m.*, warmwaterreservoir *o.*
chauffe-lit* [ʃo'fli] *m.* beddewarmer *m.*
chauffe-pieds [ʃo'fpyé] *m.* (water)stoof *v.*(*m.*).
chauffe-plat* [ʃo'fpla] *m.* bordenwarmer *m.*
chauffer [ʃo'fé] **I** *v.t.* **1** verwarmen; **2** (*v. oven, enz.*) stoken; **3** (*v. leerling*) opstomen, klaarstomen; ***— les enchères,*** opjagen; ***— une affaire,*** een zaak flink aanpakken; ***— à blanc,*** witgloeiend maken; **II** *v.i.* **1** warm worden; **2** warmte geven; **3** (*v. as*) warm lopen; **4** onder stoom liggen; **5** een auto besturen; een auto hebben; ***le four chauffe pour vous,*** er staat u wat te wachten; ***faire —,*** verwarmen; onder stoom brengen; **III** *v.pr.*, ***se —,*** zich warmen; ***se — au soleil,*** zich in de zon koesteren.
chaufferette [ʃo'frèt] *f.* stoof *v.*(*m.*).
chaufferie [ʃo'fri] *f.* stookplaats *v.*(*m.*).
chauffeur [ʃo'fœ:r] *m.* **1** stoker *m.*; **2** (*v. auto*) chauffeur *m.*
chauffeuse [ʃo'fö:z] *f.* **1** lage haardstoel *m.*; **2** autobestuurster *v.*
chauffoir [ʃo'fwa:r] *m.* **1** verwarmd lokaal *o.*; **2** warme doek *m.*
chaufour [ʃo'fu:r] *m.* kalkoven *m.*
chaufournier [ʃo'furnyé] *m.* kalkbrander *m.*
chaulage [ʃo'la:j] *m.* (het) kalken *o.*
chauler [ʃo'lé] *v.t.* kalken (van grond of bomen).
chaumage [ʃo'ma:j] *m.* het verwijderen *o.* van stoppels.
chaume [ʃo:m] *m.* **1** stoppel *m.*; **2** dakstro, riet *o.*
chaumer [ʃo'mé] *v.i. et v.t.* het verwijderen van stoppels.
chaumière [ʃo'myè:r] *f.* hut *v.*(*m.*).
chaumine [ʃo'min] *f.* hutje *o.*
chaumis [ʃo'mi] *m.* stoppelveld *o.*
chausse [ʃo:s] *f.* **1** schouderlap *m.* (op hoogleraarstoga); **2** filtreerzak *m.*; ***—s,*** (*gesch.*) kousenbroek; ***être après les —s de qn.,*** iem. op de hielen zitten; ***tirer ses —s,*** zich uit de voeten maken, zijn biezen pakken.
chaussée [ʃo'sé] *f.* **1** straatweg *m.*; **2** kade *v.*(*m.*); ***— en béton,*** betonweg *m.*; ***les ponts et —s,*** de Waterstaat.
chausse-pied* [ʃo'spyé] *m.* **1** schoenlepel *m.*; **2** (*fig.*) hulpmiddel *o.*
chausser [ʃo'sé] **I** *v.t.* **1** (*v. schoenen, kousen*) aantrekken; **2** (*v. kind, enz.*) schoenen aandoen; **3** schoenen leveren aan, schoenen maken voor; **4** (*v. bril*) opzetten; **5** (*v. planten*) aanaarden; ***ce soulier vous chausse bien,*** die schoen zit u goed; ***cela me chausse,*** dat lijkt me, dat staat mij aan; **II** *v.pr.*, ***se —,*** zijn schoenen aandoen; ***où vous chaussez-vous?*** waar koopt u uw schoenen?
chausse-trape* [ʃo'strap] *f.* voetangel *m.*; wolfsklem *v.*(*m.*).
chaussette [ʃo'sèt] *f.* sok *v.*(*m.*).
chausseur [ʃosœ:r] *m.* maatschoenmaker *m.*
chausson [ʃo'sõ] *m.* **1** slof *m.*; **2** schermschoen *m.*; gymnastiekschoen *m.*; **3** vilten (inleg)zool *v.*(*m.*); ***— aux pommes,*** appelflap *v.*(*m.*), appelbol *m.*
chaussure [ʃo'sü:r] *f.* schoeisel *o.*; ***trouver — à son pied,*** zijn gading vinden.
chaut [ʃo] (*van* chaloir), ***peu m'en —,*** het kan me weinig schelen. [kaalkop *m.*
chauve [ʃo:v] **I** *adj.* kaal aalhoofdig; **II** *s., m.*

chauve*-souris [ʃo'vsuri] *f.* vleermuis *v.(m.)*.
chauvin [ʃovɛ̃] **I** *adj.* chauvinistisch; **II** *s., m.* chauvinist *m.*
chauvinisme [ʃo'vinizm] *m.* overdreven vader- [landsliefde *v.*
chauviniste [ʃo'vinist] **I** *m.* belachelijk patriot, chauvinist *m.*; **II** *adj.* chauvinistisch.
chauvir [ʃo'vi:r] *v.i.* (*v. paard enz.*) de oren spitsen.
chaux [ʃo] *f.* kalk *m.*; ***— vive,*** ongebluste kalk; ***— éteinte,*** gebluste kalk; ***passer à la —,*** witten; ***blanc de —,*** witkalk.
chavirement [ʃavi'rmã] *m.* het omslaan (v. schip).
chavirer [ʃavi'ré] *v.i.* **1** (*v. schip*) omslaan, kapseizen; **2** (*fig.*) mislukken, schipbreuk lijden.
chéchia [ʃéʃya] *f.* (rode) zoeavenmuts *v.(m.)*.
cheddite [ʃèdit] *f.* cheddiet *v.*, bep. springstof.
chef [ʃèf] *m.* **1** hoofd *o.*; **2** (*v. leger*) aanvoerder *m.*; **3** (*v. partij, enz.*) leider *m.*; ***— de bureau,*** afdelingschef *m.*; ***— de corps,*** korpscommandant *m.*; ***— de division,*** **1** divisie-generaal *m.*; **2** referendaris *m.*; ***— de bataillon, — d'escadron,*** majoor *m.*; ***— d'état-major,*** stafoverste *m.*; ***général en —,*** opperbevelhebber *m.*; ***— d'équipe,*** ploegbaas *m.*; ***— de file,*** **1** vleugelman *m.*; **2** voorman *m.*; **3** raddraaier *m.*; ***— de rayon,*** hoofd van een afdeling; ***— d'orchestre,*** orkestmeester, dirigent *m.*; ***— de train,*** hoofdconducteur *m.*; ***— de tribu,*** opperhoofd van een stam, stamhoofd *o.*; ***—-mécanicien,*** eerste machinist *m.*; ***de son —,*** eigenmachtig; ***du — de,*** uit hoofde van; van de zijde van; ***faire qc. de son —,*** iets op eigen gezag doen; ***le principal — d'accusation,*** het hoofdpunt van de beschuldiging.
chef*-d'œuvre [ʃèdœ:vr] *m.* **1** proefstuk *o.*; **2** meesterstuk *o.*
chef*-lieu* [ʃèflyö] *m.* hoofdplaats *v.(m.)*.
cheftaine [ʃèftè'n] *f.* leidster *v.* (van padvindsters).
chégros [ʃégro] *m.* pikdraad *m.*
cheik, scheik [ʃèk] *m.* sjeik *m.*
chéiroptères [kéyròptè:r] *voir* ***chiroptères.***
chelem [ʃlèm] *m.* (*whist, bridge*) slem *o. en m.*; ***être —,*** geen slag halen, geen kaart krijgen.
chélidoine [kélidwan] *f.*, (*Pl.*) stinkende gouwe *v.(m.)*.
chéloniens [kélònyɛ̃] *m.pl.* schildpadachtigen *mv.*
chemin [ʃ(e)mɛ̃] *m.* **1** weg *m.*; **2** pad *o.*; **3** (*in gang*) loper *m.*; ***— de table,*** tafelloper *m.*; ***— faisant,*** onderweg; ***— roulant,*** transportband *m.*; ***— de fer,*** spoorweg *m.*; ***chemin de fer vicinal,*** lokaalspoorweg, buurtspoorweg; ***chemin de fer à crémaillère,*** tandradspoorweg; ***chemin de fer de ceinture,*** ringbaan *v.(m.)*; ***chemin de fer funiculaire,*** kabelspoorweg; ***— de halage,*** jaagpad *o.*; ***rester en —,*** blijven steken; ***le C— de la Croix,*** de kruisweg *m.*; ***en —,*** onderweg; ***voleur de grands —s,*** straatrover *m.*; ***faire son —,*** vooruitkomen, het ver brengen; ***aller le droit —,*** recht door zee gaan; ***suivre le — des écoliers,*** een omweg maken; onderweg zijn tijd verliezen; ***il n'y va pas par quatre —s,*** hij gaat recht op zijn doel af; ***revenir sur son —,*** op zijn schreden terugkeren; ***suivre son —,*** zijns weegs gaan.
chemineau [ʃ(e)mino] *m.* **1** wegwerker *m.*; **2** landloper *m.*
cheminée [ʃ(e)miné] *f.* **1** schoorsteen *m.*; **2** schoorsteenmantel *m.*; **3** haard *m.*; **4** lampeglas *o.*; **5** (*v. orgelpijp*) bovenopening *v.*; ***sous le manteau de la —,*** in 't geheim, in vertrouwen.
cheminement [ʃ(e)minmã] *m.* het voortgaan *o.*
cheminer [ʃ(e)miné] *v.i.* **1** voortgaan; (voort)wandelen; **2** (*v. zaak*) voortgang hebben
cheminot [ʃ(e)mino] *m.* spoorwegbeambte, spoorwegarbeider *m.*; wegwerker *m.*
chemise [ʃ(e)mi:z] *f.* **1** hemd *o.*; **2** (*v. boek, enz.*) omslag *m. en o.*; **3** (*v. fles*) huls *v.(m.)*; **4** (*v. kabel, enz.*) isoleerlaag *v.(m.)*; **5** (*v. kogel, machine*) mantel *m.*; **6** documentenmap *v.(m.)*; ***— de mailles,*** pantserhemd *o.*; ***mettre qn. en —,*** iem. tot op het hemd uitkleden; ***pommes de terre en —,*** met de schil gekookte aardappelen.
chemiser [ʃ(e)mi'zé] *v.t.* (*techn.*) bemantelen.
chemiserie [ʃ(e)mi'zri] *f.* hemdenwinkel *m.*; hemdenfabriek *v.*
chemisette [ʃ(e)mi'zèt] *f.* halfhemd(je) *o.*
chemisier [ʃ(e)mi'zyé] *m.* hemdenmaker *m.*
chênaie [ʃè'nè] *f.* **1** eikenbos(je) *o.*; **2** eikenlaan *v.(m.)*.
chenal [ʃ(e)nal] *m.* **1** (*in haven, enz.*) vaargeul *v.(m.)*; **2** (*v. rivier*) stroombed *o.*, geul *v.(m.)*; **3** waterloop *m.*; **4** dakgoot *v.(m.)*.
chenapan [ʃ(e)napã] *m.* deugniet, spitsboef *m.*
chêne [ʃè:n] *m.* **1** eik *m.*; **2** eikehout *o.*; ***en —,*** eiken; ***pomme de —,*** galappel *m.*
chêneau [ʃè'no] *m.* jonge eik *m.*
chéneau [ʃéno] *m.* dakgoot *v.(m.)*.
chêne*-liège* [ʃè'nlyè:j] *m.* kurkeik *m.*
chenet [ʃ(e)nè] *m.* haardijzer *o.*
chènevière [ʃènvyè:r] *f.* hennepakker *m.*
chènevis [ʃènvi] *m.* hennepzaad, vogelzaad *o.*
chènevotte [ʃènvòt] *f.* hennepscheef *v.(m.)*.
chenil [ʃ(e)ni] *m.* hondehok *o.*
chenille [ʃ(e)ni'y] *f.* **1** (*Dk.*) rups *v.(m.)*; **2** (*v. auto, tank, enz.*) rupsband *m.*; **3** rupswiel *o.*; ***automobile à —s,*** rupsauto *m.*
chenillère [ʃ(e)niyè:r] *f.* rupsennest *o.*
chenillette [ʃ(e)niyèt] *f.* kleine gevechtswagen *m.* op rupsbanden. [*v.(m.)*.
chenillon [ʃ(e)niyɔ̃] *m.* mormel *o.*, smeerpoes
chénopode [kénòpò'd] *m.*, (*Pl.*) ganzevoet *m.*
chenu [ʃ(e)nü] *adj.* **1** grijs (van ouderdom); **2** (*v. boom*) ontbladerd; **3** (*v. bergtop*) besneeuwd; **4** voortreffelijk, uitstekend.
cheptel [ʃè(p)tèl] *m.* **1** veepacht *v.(m.)*; **2** veestapel *m.*
chèque [ʃèk] *m.* cheque *m.*; ***— barré,*** crossedcheck; ***— postal,*** postcheque; ***— de virement,*** (post)girobiljet *o.*; ***carnet de —s,*** chequeboekje *o.*; ***le service des —s et virements,*** de postcheque- en girodienst.
chéquier [ʃékyé] *m.* chequeboek *o.*
cher [ʃè:r] **I** *adj.* **1** duur, kostbaar; **2** lief, dierbaar; ***son vœu le plus —,*** zijn vurigste wens; **II** *adv.* duur; ***coûter —,*** duur kosten; ***cela ne vaut pas —,*** 't is niet veel bijzonders, 't is niet veel waard; ***il me le payera —,*** het zal hem duur te staan komen; **III** *s., m.,* ***mon —,*** mijn waarde, mijn beste.
cherché [ʃèrʃé] *adj.* gezocht, niet natuurlijk.
chercher [ʃèrʃé] *v.t.* **1** zoeken; **2** opzoeken; **3** halen, afhalen; ***— à,*** pogen, trachten; ***— la petite bête,*** vitten; ***— midi à quatorze heures,*** spijkers op laag water zoeken; ***en cherchant on trouve,*** wie zoekt, die vindt.
chercheur [ʃèrʃœ:r] *m.* zoeker; onderzoeker *m.*
chère [ʃè:r] *f.* **1** kost *m.*; **2** onthaal *o.*; ***faire bonne —,*** goede sier maken; ***faire bonne — à qn.,*** iem. goed onthalen; ***il n'est — que d'appétit,*** honger is de beste saus.
chèrement [ʃè'rmã] *adv.* **1** teder, teer; **2** duur.
chéri [ʃé'ri] **I** *adj.* geliefd, dierbaar; **II** *s., m.* liefste, lieveling *m.*
chérif [ʃérif] *m.* **1** Arabische edelman; **2** sheriff *m.*
chérir [ʃé'ri:r] *v.t.* **1** liefhebben, beminnen; **2** (*v. gedachtenis*) in ere houden.
chérissable [ʃérisa'bl] *adj.* beminnenswaardig.

cherry [ʃèri] *m.* sherry *m.*
cherté [ʃè'rté] *f.* duurte *v.*
chérubin [ʃérübẽ] *m.* **1** cherubijn *m.*; **2** engelenkopje *o.*
chester [ʃèstè'r] *m.* Chesterkaas *m.*
chétif [ʃétif] *adj.* **1** nietig; **2** tenger, schraal; **3** armoedig, ellendig; **4** zwak.
chétivement [ʃéti'vmã] *adv.* **1** zwak; **2** schraal; **3** armoedig.
chevaine, *voir* ***chevesne.***
cheval [ʃeval, ʃfal] *m.* **1** paard *o.*; ros *o.*; **2** (*gymn.*) bok *m.*; **3** paardekracht *v.*(*m.*); ***— à bascule,*** hobbelpaard; ***— blanc,*** schimmel *m.*; ***— entier,*** hengst *m.*; ***— de bataille,*** **1** strijdros *o.*; **2** (*fig.*) stokpaardje *o.*; ***— de selle,*** rijpaard; ***— de trait,*** trekpaard; ***— de labour,*** ploegpaard; ***jouer au — fondu,*** bok-sta-vast spelen; ***monter à —,*** **1** te paard stijgen; **2** paardrijden; ***cet homme est un — au travail,*** die man is een werkezel; ***être à — sur une branche,*** schrijlings zitten op een tak; ***être à — sur une rivière,*** (*v. stad*) op beide oevers van een rivier gebouwd zijn; ***être à — sur la discipline,*** streng vasthouden aan de tucht; ***à — donné on ne regarde pas la bride,*** men moet een gegeven paard niet in de bek zien; ***monter sur ses grands chevaux,*** op zijn achterste poten gaan staan; ***troquer son — borgne contre un aveugle,*** van de regen in de drop komen; ***les chevaux courent les bénéfices et les ânes les attrapent,*** de paarden die de haver verdienen krijgen ze niet; ***il n'est si bon — qui ne bronche,*** het beste paard struikelt wel eens.
chevaler [ʃevalé, ʃfalé] *v.t.* schoren, stutten.
chevaleresque [ʃevalrèsk, ʃfalrèsk] *adj.* ridderlijk.
chevalerie [ʃevalri, ʃfalri] *f.* **1** ridderschap *v.*; **2** ridderwezen *o.*; ***ordre de —,*** ridderorde *v.*(*m.*); ***roman de —,*** ridderroman *m.*
chevalet [ʃevalè, ʃfalè] *m.* **1** schraag *v.*(*m.*); **2** schildersezel *m.*; **3** (*v. viool*) kam *m.*; **4** werkbank *v.*(*m.*); **5** messenlegger *m.*; **6** geweerrek *o.*
chevalier [ʃevalyé, ʃfalyé] *m.* **1** ridder *m.*; **2** (*schaaksp.*) paard *o.*; ***— de Malte,*** Maltezer (ridder); ***— du Temple,*** Tempelier *m.*; ***armer —,*** tot ridder slaan; ***— d'industrie,*** flessentrekker, oplichter *m.*; ***— de l'arc,*** boogschutter *m.*
chevalière [ʃevalyè:r, ʃfalyè:r] *f.* zegelring *m.*
chevalin(e) [ʃevalin, ʃfalin] *adj.* paarden—; ***race —e,*** paarderas *o.*; ***boucherie —e,*** paardenslagerij *v.*
cheval-vapeur [ʃevalvapœ:r, ʃfalvapœ:r] *m.*, (*pl.*: ***chevaux-—***) paardekracht *v.*(*m.*).
chevau-léger* [ʃ(e)vo'lé'jé] *m.* (*gesch.*) ruiterlijfwacht *m.* van het koninklijk huis.
chevauchée [ʃevo'ʃé, ʃfo'ʃé] *f.* rit *m.*
chevaucher [ʃevo'ʃé, ʃfo'ʃé] **I** *v.i.* **1** paardrijden; **2** schrijlings zitten; **3** over elkaar groeien; **4** (*v. dakpannen*) over elkaar liggen; **5** (*drukk.*) dansen (*v. regels*).
chevêche [ʃevè:ʃ] *f.* steenuil *m.*
chevelu [ʃevlü] **I** *adj.* **1** behaard; **2** langharig; **II** *s.*, *m.* haarwortels *mv.*, wortelvezel *v.*(*m.*).
chevelure [ʃevlü:r] *f.* **1** haar, hoofdhaar *o.*; **2** haardos *m.*; **3** (*v. komeet*) staart *m.*; **4** (*v. plant*) loof *o.*
chevesne [ʃ(e)vèn] *m.* grootkop *m.* (veel voorkomende riviervis).
chevet [ʃevè, ʃfè] *m.* **1** hoofdeind *o.*; **2** hoofdpeluw *v.*(*m.*); **3** (*bouwk.*: *v. koor*) kap *v.*(*m.*); ***livre de —,*** lievelingsboek *o.*; ***lampe de —,*** bedlampje.
chevêtre [ʃevè:tr, ʃfè:tr] *m.* holster *m.*
cheveu [ʃevö, ʃfö] *m.* haar *o.*; ***—x crépus,*** kroeshaar *o.*; ***—x blancs,*** grijs haar; ***—x gris,*** grijzend haar; ***en —x,*** blootshoofds, zonder hoed op; ***il y a un —,*** er is een moeilijkheid, er is een kink in de kabel; ***tiré par les —x,*** met de haren er bij gesleept; ***cela va comme des —x sur la soupe,*** dat slaat als een tang op een varken; ***couper un — en quatre,*** haarkloven.
chevillard [ʃ(e)viya:r] *m.* grossier-vleesverkoper *m.*
cheville [ʃevi'y, ʃfi'y] *f.* **1** pin *v.*(*m.*); **2** (*muz.*) schroef *v.*(*m.*); bout *m.*; **3** scharnierstift *v.*(*m.*); **4** (*v. voet*) enkel *m.*; **5** (*in gedicht*) stopwoord *o.*; ***— ouvrière,*** **1** wagenbout *m.*; **2** spil *v.*(*m.*) waarom alles draait; **3** affuithaak *m.*; ***autant de trous, autant de —s,*** hij weet overal raad op, hij weet aan alles een mouw te passen; ***ne pas aller à la — de qn.,*** niet in iemands schaduw kunnen staan.
cheviller [ʃeviyé, ʃfiyé] *v.t.* **1** vastpinnen; **2** stevig verbinden.
chevillette [ʃ(e)viyèt] *f.* pinnetje.
cheviote [ʃevyòt] *f.* cheviot *o. en m.*
chèvre [ʃè:vr] *f.* **1** geit *v.*; **2** bok *m.*, kraan *v.*(*m.*); **3** dubbele ladder *v.*(*m.*); **4** (*sterr.*) Capella *v.*; ***pied de —,*** koevoet *m.*; ***prendre la —,*** opstuiven; ***ménager la — et le chou,*** schipperen; ***où la — est attachée, il faut qu'elle broute,*** men moet roeien met de riemen die men heeft.
chevreau [ʃevro] *m.* **1** geitje *o.*; **2** geiteleer *o.*
chèvrefeuille [ʃèvrefœ'y] *m.*, (*Pl.*) kamperfoelie *v.*(*m.*), geiteblad *o.*
chevrette [ʃevrèt] *f.* **1** geitje *o.*; **2** reegeit *v.*; **3** drievoet *m.* [bokleder *o.*
chevreuil [ʃevrœ'y] *m.* **1** (*Dk.*) reebok *m.*; **2** ree-
chevrier [ʃevri(y)é] *m.* geitenhoeder *m.*
chevrillard [ʃevriya:r] *m.* jonge reebok *m.*, reekalf *o.*
chevron [ʃevrõ] *m.* **1** dakspar *m.*; **2** (*wap.*) keper *m.*; **3** mijnader *v.*(*m.*); **4** (*mil.*) mouwstreep *v.*(*m.*); ***— de front,*** (*B.*) frontstreep *v.*(*m.*).
chevronné [ʃevròné] *adj.* **1** gekeperd; **2** met mouwstrepen; **3** (*fig.*) die zijn sporen verdiend heeft.
chevronner [ʃevròné] *v.t.* **1** met sparren beleggen; **2** van mouwstrepen voorzien.
chevrotain [ʃevròtẽ] *m.* muskusdier *o.*
chevrotement [ʃevròtmã] *m.* (*v. stem*) het trillen *o.*
chevroter [ʃevròté] *v.i.*, (*v. stem*) beven, trillen.
chevrotin [ʃevròtẽ] *m.* **1** geiteleer *o.*; **2** reekalf *o.*
chevrotine [ʃevròtin] *f.*, (*jacht*) (grove) hagel *m.*
chewing-gum [ʃuwẽgòm] *m.* kauwgom *m. of o.*
chez [ʃé] *prép.* **1** bij, ten huize van; **2** in de werken van; ***il est — lui,*** hij is thuis; ***aller — soi,*** naar huis gaan; ***je viens de — lui,*** ik kom bij hem vandaan; ***il n'a pas de — soi,*** hij heeft geen thuis; ***un petit — soi vaut mieux qu'un grand — les autres,*** eigen haard is goud waard.
chialer [ʃialé] *v.i.* (*pop.*) janken, grienen.
chianti [kiãti] *m.* Italiaanse rode wijn *m.*
chiasme [kiasm] *m.* chiasma *o.*
chiasse [ʃyas] *f.* metaalschuim *o.*
chibouque [ʃibuk] *f.* Turkse pijp *v.*(*m.*).
chic [ʃik] **I** *m.* **1** zwier *m.*, losheid *v.*; **2** handigheid, vaardigheid *v.*; ***il a du —,*** hij ziet er keurig uit; **II** *adj.* **1** keurig, fijn, elegant; **2** zwierig.
chicane [ʃikan] *f.* **1** advocatenstreek *m. en v.*; **2** vitterij, haarkloverij, spitsvondigheid *v.*
chicaner [ʃikané] **I** *v.t.* **1** bevitten; **2** met kleinigheden plagen; **3** het (iem.) lastig maken; **4** (*v. terrein*) voet voor voet betwisten; **II** *v.i.* **1** vitten, haarkloven; **2** pingelen.
chicanerie [ʃikanri] *f.* **1** advocaterij *v.*; **2** haarkloverij *v.*; **3** gepingel *o.*
chicaneur [ʃikanœ:r] *m.* **1** pleitzieke *m.*; **2** vitter, haarklover *m.* [bedilziek.
chicanier [ʃikanyé] *adj.* **1** pleitziek; **2** vitterig,

chiche [ʃiʃ] *adj.* **1** karig; **2** (*v. maal, enz.*) sober; **3** (*v. oogst*) schraal; **4** (*v. persoon*) schriel, vrekkig; ***pois* —,** grauwe erwt *v.(m.).* [schriel.
chichement [ʃiʃmã] *adv.* karig; sober; schraal;
chicherie [ʃiʃri] *f.* krenterigheid *v.*
chichi [ʃiʃi] *m.* **1** valse krul *v.(m.)*; **2** drukte *v.*, omslag *m.*; **3** bedriegerij *v.*
chicorée [ʃikoré] *f.* cichorei *m. en v.*; ***— endive,*** andijvie *v.(m.)*; ***— frisée,*** krulandijvie *v.(m.)*; ***— de Bruxelles,*** Brussels lof, witlof *o.*
chicot [ʃiko] *m.* tronk; stomp *m.*
chicoter [ʃikòté] *v.i.* kibbelen.
chicotin [ʃikòtẽ] *m.* aloësap *o.*
chien [ʃyẽ] **I** *m.* **1** hond *m.*; **2** hondevlees *o.*; **3** haan *m.* (van geweer); **4** (*drukk.*) uitgevallen letter *v.(m.)*; **5** mijnwagentje *o.*; ***— d'arrêt,*** staande hond; ***— d'attache,*** kettinghond; ***faire le — couchant,*** kruipen, laag vleien; ***cheveux à la —, coiffure à la —,*** ponyhaar *o.*; ***entre — et loup,*** tussen licht en donker, in 't schemeruur; ***être reçu comme un — dans un jeu de quilles,*** ontvangen worden als een aap in de porseleinkast; ***— qui aboie ne mord pas,*** blaffende honden bijten niet; ***leurs —s ne chassent pas ensemble,*** zij kunnen elkaar niet verdragen; ***c'est saint Roch et son —,*** die twee zijn onafscheidelijk; ***je lui garde un — de ma —ne,*** ik heb nog een appeltje met hem te schillen; hij krijgt zijn beurt nog wel; ***qui veut noyer son — l'accuse de la rage,*** wie een hond wil slaan, vindt licht een stok; ***bon — chasse de race,*** het muist al wat van katten komt; de appel valt niet ver van de boom; ***piquer un —,*** een uiltje knappen; ***un — de métier,*** een ellendig vak; **II** *adj.* **1** hardvochtig, honds; **2** schriel, gierig, vrekkig.
chiendent [ʃyẽ·dã] *m.*, (*Pl.*) hondsgras *o.*; ***voilà le —,*** (*fig.*) daar zit de knoop. [die daar!
chienlit [ʃiãli] *m.* carnavalszot; ***à la —!*** kijk
chien*-loup* [ʃyẽlu] *m.* wolfshond *m.*
chienne [ʃyèn] *f.* teef *v.*
chiennerie [ʃyẽ·nri] vuile streek *m. en v.*
chiffe [ʃif] *f.* **1** vod *o. en v.(m.)*; lomp *v.(m.)*; **2** (*fig.*) zwakkeling *m.*
chiffon [ʃifõ] *m.* **1** vod *o. en v.(m.)*; lomp *v.(m.)*; **2** wrijflap *m.*; ***— de papier,*** vodje papier *o.*; ***—s,*** strikjes en lintjes.
chiffonnage [ʃifòna:j] *m.* het kreuken *o.*
chiffonné [ʃifòné] *adj.* gekreukt, verfrommeld.
chiffonner [ʃifòné] **I** *v.t.* **1** kreuken, verfrommelen; **2** (*fig.*) hinderen, krenken; **II** *v.i.* **1** voddenrapen; **2** zich bezighouden met opschik; over de mode praten.
chiffonnier [ʃifònyé] *m.* **1** voddenraper *m.*; **2** ladenkast *v.(m.)*; **3** prullenmand *v.(m.).*
chiffrable [ʃifra·bl] *adj.* berekenbaar.
chiffrage [ʃifra:j] *m.* **1** becijfering *v.*; **2** (het) nummeren *o.*
chiffre [ʃifr] *m.* **1** cijfer *o.*; **2** bedrag; totaal *o.*; **3** geheimschrift *o.*; **4** monogram, naamcijfer *o.*; ***— d'affaires,*** (*H.*) omzet *m.*; ***— indice,*** indexcijfer *o.*
chiffrer [ʃifré] **I** *v.t.* **1** becijferen; **2** nummeren; **3** in cijferschrift omzetten; ***télégramme chiffré,*** cijfertelegram *o.*; **II** *v.i.* cijferen; rekenen; **III** *v.pr.*, ***se — à,*** bedragen; ***cela se chiffre par des millions,*** dat loopt in de miljoenen.
chiffre*-taxe* [ʃifretaks] *m.* portzegel *m.*
chiffreur [ʃifrœ:r] *m.* **1** cijferaar *m.*; **2** codespecialist *m.*
chignole [ʃiñòl] *f.* handboor, elektrische boor *v.(m.).*
chignon [ʃiñõ] *m.* haarwrong *m.*, opgebonden haarvlecht *v.(m.)*; ***se crêper le —,*** bakkeleien.

Chili [ʃili] *m.* Chili *o.* [Chileen *m.*
chilien [ʃilyẽ] **I** *adj.* Chileens; **II** *s.*, *m.*, ***C—,***
chimère [ʃimè:r] *f.* **1** hersenschim *v.(m.)*; **2** draak *m.* [beeld.
chimérique [ʃimérik] *adj.* hersenschimmig, inge-
chimie [ʃimi] *f.* scheikunde, chemie *v.*
chimique(ment) [ʃimik(mã)] *adj.* (*adv.*) scheikundig, chemisch; ***produits —s,*** chemicaliën *mv.*; ***crayon —,*** inktpotlood *o.*
chimiste [ʃimist] *m.* scheikundige, chemicus *m.*
chimpanzé [ʃẽ·pã·zé] *m.*, (*Dk.*) chimpansee *m.*
chinage [ʃina:j] *m.* chineren, bont (of gebloemd) weven *o.*
chinchilla [ʃẽʃila] *m.* **1** (*Dk.*) chinchilla *v.(m.)*; **2** bont *o.* van de chinchilla.
Chine [ʃin] **I** *f.* China *o.*; **II** *m.*, ***c—,*** **1** Chinees porselein *o.*; **2** Chinees papier *o.*; ***— appliqué,*** op bristolkarton geplakte afdruk op Chinees papier; ***— volant,*** niet-opgeplakte afdruk op Chinees papier.
chiné [ʃiné] *adj.* bont, gebloemd.
chiner [ʃiné] **I** *v.t.* **1** bont weven; **2** (*pop.*) afkammen, hekelen; **II** *v.i.* (*arg.*) **1** sjacheren; **2** werken.
chineur [ʃinœ:r] *m.* **1** iem. die bont weeft; **2** kwaadspreker *m.*; **3** sjacheraar, venter *m.*
chinois [ʃinwa] **I** *adj.* Chinees; **II** *s.*, *m.*, ***C—,*** Chinees *m.*; ***c'est du —,*** het is onbegrijpelijk.
chinoiserie [ʃinwazri] *f.* **1** Chinees voorwerp *o.*, Chinese snuisterij *v.*; **2** kleingeestig gedoe *o.*, dwaze formaliteit *v.*
chiot [ʃio] *m.* jonge (jacht)hond *m.*
chiourme [ʃyurm] *f.* troep *m.* galeiboeven.
chiper [ʃipé] *v.i.* kapen, gappen, stelen; (*pop.*) ***être chipé de,*** verkikkerd zijn op.
chipeur [ʃipœ:r] *m.* gapper *m.*
chipie [ʃipi] *f.* feeks, xantippe *v.*
chipolata [ʃipòlata] *m. et f.* **1** Italiaanse uienragoût *m.*; **2** plokworstje *o.*
chipotage [ʃipòta:j] *m.* **1** getreuzel *o.*; **2** gekieskauw, (het) kieskauwen *o.*; **3** gepingel *o.*; **4** gekibbel *o.*
chipoter [ʃipòté] *v.i.* **1** treuzelen; **2** (*bij 't eten*) kieskauwen; **3** pingelen, afdingen; **4** kibbelen.
chipoterie [ʃipòtri] *f.* vitterij *v.*
chipoteur [ʃipòtœ:r] *m.* pingelaar *m.*
chipotier [ʃipòtyé] *m.* **1** treuzelaar *m.*; **2** kieskauwer *m.*; **3** pingelaar *m.*; **4** kibbelaar *m.*
chips [ʃips] *m.pl.* dunne ronde gebakken aardappelschijfjes *mv.*
chique [ʃik] *f.* **1** tabakspruim *v.(m.)*; **2** (*Dk.*) zandvlo *v.(m.)*; ***cela ne vaut pas une —,*** dat is geen snars waard; ***couper la — à qn.,*** iem. in de rede vallen; ***poser sa —,*** zijn mond houden.
chiqué [ʃiké] *m.*, ***c'est du —,*** het is niet gemeend, het is geveinsd.
chiquenaude [ʃikno·d] *f.* **1** knip *m.* (met de vingers); **2** (*fig.*) knip *m.* voor de neus. [eten.
chiquer [ʃiké] *v.t.* **1** (*tabak*) pruimen; **2** (*pop.*)
chiqueter [ʃikté] *v.t.* **1** aan stukjes snijden, in stukjes verdelen; **2** (*v. wol*) kaarden.
chiqueur [ʃikœ:r] *m.* (tabaks)pruimer *m.*
chirologie [kiròlòji] *f.* vingerspraak *v.(m.).*
chiromancie [kiròmã·si] *f.* handwaarzeggerij *v.*
chiromancien [kiròmã·syẽ] *m.* waarzegger *m.* (uit de lijnen van de hand).
chiroptères [kiròptè:r] *m.pl.* chiroptera, handvleugeligen *mv.* [gisch.
chirurgical [ʃirürjikal] *adj.* heelkundig, chirur-
chirurgie [ʃirürji] *f.* heelkunde, chirurgie *v.*; ***salle de —,*** operatiezaal *v.(m.).* [chirurg *m.*
chirurgien [ʃirürjyẽ] *m.* heelmeester, heelkundige,
chistera [tʃistera] *f.* langwerpig en smal gebogen

vlechtwerk *o.* dat bij Baskisch kaatsspel aan de pols wordt bevestigd. [insekten.
chitine [kitin] *f.* chitine, pantserstof *v.(m.)* van
chiure [ʃiü:r] *f.* vliegendrek *m.*
chlamyde [klami'd] *f.* Oud-griekse mantel *m.*
chleu(h) [ʃlö] *m.* **1** Berber *m.*; **2** mof *m.* (Duitser).
chloral [klòral] *m.*, (*gen.*) chloraal *o.*
chlorate [klòrat] *m.* chloorzuurzout *o.*; ***— de potasse,*** chloorkali.
chlore [klò:r] *m.* chloor *m. en o.*
chloré [klòré] *adj.* chloorhoudend.
chlorelle [klòrèl] *f.* groene alge *v.(m.)*.
chlorhydrate [klòridrat] *m.* chloride *o.* (zoutzuurzout). [zuur *o.*
chlorhydrique [klòridrik] *adj.*, ***acide —,*** zout-
chlorique [klòrik] *adj.*, ***acide —,*** chloorzuur *o.*
chloroforme [klòròfòrm] *m.* chloroform *m.*
chloroform(is)er [klòròfòrm(iz)é] *v.t.* onder chloroform brengen, chloroformeren.
chlorophylle [klòròfil] *f.*, (*Pl.*) bladgroen *o.*
chlorose [klòro:z] *f.* bleekzucht *v.(m.)*.
chlorotique [klòròtik] *adj.* bleekzuchtig.
chlorure [klòrü:r] *m.* chloorverbinding *v.*, chloride *o.*; ***— de potasse,*** chloorkalium *o.*; ***— de sodium,*** keukenzout *o.*
choc [ʃòk] *m.* **1** schok, stoot *m.*; **2** botsing *v.*; **3** (*v. legers*) (het) samentreffen *o.*, botsing *v.*; **4** (*v. glazen*) (het) klinken *o.*; **5** (*gen.*) shock *m.*; ***— en retour,*** terugslag *m.*; ***troupes de —,*** stoottroepen *mv.*
chocolat [ʃòkòla] **I** *m.* chocolade *m.*; ***— à croquer,*** eetchocolade; ***— au lait,*** melkchocolade; **II** *adj.* chocoladekleurig.
chocolaterie [ʃòkòlatri] *f.* chocoladefabriek *v.*
chocolatier [ʃòkòla'tyé] *m.* chocoladefabrikant *m.*
chocolatière [ʃòkòlatyè:r] *f.* chocoladeketel *m.*, chocoladekan *v.(m.)*.
chœur [kœ:r] *m.* koor *o.*; ***enfant de —,*** koorknaap *m.*; ***en —,*** *adv.* in koor, unaniem.
choir* [ʃwa:r] *v.i.* vallen.
choisi [ʃwa'zi] *adj.* uitgelezen, uitgezocht.
choisir [ʃwa'zi:r] *v.t.* kiezen, uitkiezen, uitzoeken.
choix [ʃwa] *m.* **1** keus *v.(m.)*; **2** keur *v.(m.)*; ***au —,*** naar keuze; ***marchandises de —,*** uitgelezen waren; ***le — d'une carrière,*** het kiezen van een loopbaan, beroepskeuze; ***avoir l'embarras du —,*** te veel keus hebben.
cholédoque [kòlédòk] *adj.*, ***canal —,*** galbuis *v.(m.)*.
choléra [kòléra] *m.* **1** cholera *v.(m.)*; **2** kreng *o.*
cholérine [kòlérin] *f.* buikloop *m.*, cholerine *v.*
cholérique [kòlérik] **I** *adj.* choleraächtig; **II** *s.*, *m.* choleralijder *m.*
cholestérine [kòlèstérin] *f.*, **cholestérol** [kòlèstéròl] *m.* vetstof *v.(m.)* uit galstenen.
chômable [ʃo:ma'bl] *adj.*, ***fêtes —s,*** algemeen erkende feestdagen.
chômage [ʃo'ma:ʒ] *m.* **1** rusttijd *m.*; **2** werkeloosheid *v.*; ***jour de —,*** rustdag *m.*; ***secours de —,*** werklozensteun *m.*
chômer [ʃo:mé] **I** *v.t.* vieren; ***— le dimanche,*** 's zondags rustdag houden; **II** *v.i.* **1** niet werken; **2** (*v. nijverheid, enz.*) stilstaan, stilliggen; **3** (*v. geld*) renteloos liggen.
chômeur [ʃo:mœ:r] *m.* werkloze *m.*
chope [ʃòp] *f.* **1** bierglas *o.*; **2** glas *o.* bier.
choper [ʃòpé] *v.t.*, (*pop.*) gappen. [diefstal *m.*
chopin [ʃòpẽ] *m.* (*arg.*) **1** meevallertje *o.*; **2** kleine
chopine [ʃòpin] *f.* pint *v.(m.)*.
chopiner [ʃòpiné] *v.i.*, (*pop.*) pimpelen.
chopper [ʃòpé] *v.i.* **1** (*oud*) struikelen; **2** (*arg.*) (*v. meisje*) misstap doen.
choquant [ʃòkã] *adj.* stuitend, aanstotelijk.
choquer [ʃòké] **I** *v.t.* **1** stoten tegen; **2** (*v. glazen*) aanstoten; **3** (*fig.*) aanstoot geven aan, ergeren, kwetsen; **4** hinderen, mishagen; ***— les verres,*** klinken; **II** *v.pr.*, ***se —,*** **1** tegen elkaar stoten; **2** samentreffen; ***se — de,*** aanstoot nemen aan.
choral [kòral] **I** *adj.* koor—, koraal—; ***société —e,*** zangvereniging *v.*; **II** *s.*, *m.* (*pl.*: ***—s***) koraal, koraalgezang *o.* [kinderkoor *o.*
chorale [kòral] *f.* zangvereniging *v.*; ***— enfantine,***
chorée [kòré] *f.* sint-vitusdans *m.*
chorégraphe [kòrégraf] *m.* ballettenschrijver *m.*
chorégraphie [kòrégrafi] *f.* **1** balletkunst *v.*; **2** danskunst *v.* [kunst *v.*
chorégraphique [kòrégrafik] *adj.*, ***art —,*** dans-
chorion [kòryõ] *m.* eivlies *o.*
choriste [kòrist] *m.* **1** koorzanger *m.*; **2** (*in schouwburg*) korist *m.*
chorographie [kòrògrafi] *f.* landbeschrijving *v.*
choroïde [kòròid] *f.* (*v. oog*) adervlies *o.*
chorus [kòrü's] *m.* refrein, koor *o.*; ***faire —,*** **1** in koor herhalen; **2** instemmen.
chose [ʃo:z] **I** *f.* ding *o.*; zaak *v.(m.)*; voorwerp *o.*; ***la même —,*** hetzelfde; ***la — jugée,*** het gewijsde; ***la — publique,*** de Staat, het algemeen belang; ***aller au fond des —s,*** de zaak op de keper beschouwen; ***c'est autre —,*** dat is wat anders; ***leçon de —s,*** aanschouwelijk onderwijs; ***faire sa — de qn.,*** met iem. doen wat men wil; ***quelque —,*** iets; ***quelque — de précieux,*** iets kostbaars; ***cela m'a fait quelque —,*** dat heeft mij getroffen; ***il y a quelque — comme six mois,*** ongeveer een half jaar geleden; ***devenir quelque —,*** het tot zekere hoogte brengen; ***quelque — que,*** wat ook; ***parler de —s et d'autres,*** over koetjes en kalfjes praten; ***de deux —s l'une,*** één van beide; ***peu de —,*** weinig, niet veel, een kleinigheid; ***ce n'est pas grand-—,*** 't is niet veel bijzonders; ***un pas grand-—,*** een vent van niks; ***bien des —s (de ma part) à,*** veel groeten (*of* de complimenten) aan; ***appeler les —s par leur nom,*** het kind bij zijn naam noemen; ***— promise, — due,*** belofte maakt schuld; ***monsieur —,*** mijnheer Dinges; ***le petit —,*** de kleine Dinges; **II** *adj.*, ***être tout —,*** zich raar gevoelen; helemaal van streek zijn.
chosette [ʃo'zèt] *f.* dingetje *o.*
chott [ʃòt] *m.* zoutmeer *o.* (in N.-Afr.).
chou [ʃu] *m.* (*pl.*: ***choux***) **1** kool *v.(m.)*; **2** soes *v.(m.)*; ***— cabus,*** sluitkool, kabuiskool, kropkool; ***— frisé,*** boerenkool; ***—x de Bruxelles,*** spruitjes *mv.*, spruitkool *v.(m.)*; ***— à la crème,*** roomsoes *v.(m.)*; ***— de ruban,*** rozet *v.(m.)*; lintje *o.*; ***aller planter ses —x,*** buiten gaan wonen, stil gaan leven; ***bête comme un —,*** zo dom als een os; ***être dans les —x,*** naar de haaien zijn.
chouan [ʃuã] *m.* koningsgezind opstandeling *m.* in de Vendée tijdens de Franse revolutie.
chouannerie [ʃuanri] *f.*, (*gesch.*) opstand *m.* van de chouans (in de Vendée).
choucas [ʃuka] *m.*, (*Dk.*) kauw *v.(m.)*.
chouchou [ʃuʃu] *m.* lieveling *m.*
chouchouter [ʃuʃuté] *v.t.* vertroetelen.
choucroute [ʃukrut] *f.* zuurkool *v.(m.)*.
chouette [ʃuèt] **I** *f.*, (*Dk.*) steenuil *m.*; ***— des clochers, —-effraie,*** kerkuil *m.*; **II** *adj.* **1** leuk, prettig; **2** prachtig.
chou*-fleur* [ʃuflœ:r] *m.* bloemkool *v.(m.)*.
chou*-navet* [ʃunavè] *m.* raapkool *v.(m.)*.
chou*-rave* [ʃura:v] *m.* koolraap *v.(m.)*.
chouriner [ʃuriné] *v.t.* (*arg.*) doodsteken.
chourineur [ʃurinœ:r] *m.* (*arg.*) iem. die dodelijke steek geeft.

choyer [ʃwayé] *v.t.* koesteren, vertroetelen.
Chrême [krè:m] *m.*, ***le saint* —,** (*kath.*) het Chrisma, de Heilige Olie.
chrémeau [krémo] *m.*, (*kath.*) doopdoekje *o.*
chrestomathie [krèstòmati] *f.* bloemlezing *v.*
chrétien [kré˙tyẽ] **I** *adj.* christelijk; ***parler* —,** verstaanbare taal spreken; **II** *s.*, *m.* **1** christen *m.*; **2 C—,** (*naam*) Christiaan *m.*
chrétiennement [kré˙tyènmã] *adv.* christelijk.
chrétienté [kré˙tyẽ˙té] *f.* christenheid *v.*
Christ [krist] *m.*, ***le* —,** Christus *m.*; ***un c*—,** een kruisbeeld *o.*
christe*-marine* [kristemarin] *f.* volksnaam voor verscheidene planten aan de Middellandsezeekust.
Christian [kristyã] *m.* Christiaan *m.*
christianiser [kristyani˙zé] *v.t.* tot het christendom bekeren, kerstenen.
christianisme [kristyanizm] *m.* christendom *o.*
Christine [kristin] *f.* Christina *v.*
Christophe [kristòf] *m.* Christoffel *m.*
chromage [kròma:j] *m.* het verchromen *o.*
chromate [kròmat] *m.* chromaat, chroomzuurzout *o.*
chromatique [kròmatik] **I** *adj.* **1** chromatisch, kleuren—; **2** (*muz.*) met halve tonen opklimmend; ***gamme* —,** chromatische toonladder *v.*(*m.*); ***construction* —,** kleurengamma *v.*(*m.*) *en o.*; **II** *s.*, *f.* koloriet *o.*, kleurenleer *v.*(*m.*).
chromatisme [kròmatizm] *m.* kleurschifting *v.*
chrome [kròm] *m.* chromium, chroom *o.*
chromé [kròmé] *adj.* chroom—.
chromique [kròmik] *adj.*, ***acide* —,** chroomzuur *o.*
chromo [kròmo] *m.* (*et f.*) gekleurde plaat *v.*(*m.*).
chromolithographie [kròmòlitògrafi] *f.* kleurensteendruk *m.*
chromophotographie [kròmòfotògrafi] *f.* kleurenfotografie *v.*
chromosome [kròmòzom] *m.* chromosoom *m.*
chromotypie [kròmòtipi], *voir* ***chromotypographie.***
chromotypographie [kròmòtipògrafi] *f.* kleurendruk *m.*
chronicité [krònisité] *f.* (*gen.*) slepend (*of:* chronisch) karakter *o.* (van kwaal).
chronique [krònik] **I** *f.* **1** kroniek *v.*; jaarboek *o.*; **2** dagelijks overzicht *o.*; **— *de la bourse,*** beursoverzicht *o.*; **— *scandaleuse,*** lasterpraatjes *mv.*, schandaalkroniek *v.*; **II** *adj.* chronisch, slepend, langdurig.
chroniqueur [krònikœ:r] *m.* **1** kroniekschrijver *m.*; **2** overzichtschrijver, verslaggever *m.*
chronogramme [krònògram] *m.* chronogram, jaartalvers *o.*
chronographe [krònògraf] *m.* tijdregistratieapparaat *o.*
chronologie [krònòlòji] *f.* **1** tijdrekenkunde *v*; **2** chronologische volgorde *v.*(*m.*).
chronologique(ment) [krònòlòjik(mã)] *adj.* (*adv.*) chronologisch, tijdrekenkundig.
chronologiste [krònòlòjist] *m.* tijdrekenkundige *m.*
chronomètre [krònòmè˙tr] *m.* chronometer, tijdmeter *m.*
chronométrer [krònòmétré] *v.t.* (de tijd) opnemen van.
chronométreur [krònòmétrœ:r] *m.* tijdopnemer *m.*
chronométrie [krònòmétri] *f.* tijdmeting *v.*
chrysalide [krizali˙d] *f.*, (*Dk.*) pop *v.*(*m.*).
chrysalider, se — [sekrizalidé] *v.pr.* (zich) verpoppen.
chrysanthème [krizã˙tè:m] *m.*, (*Pl.*) chrysant, chrysanthemum *v.*(*m.*).
chrysocale [krizòkal] *m.* goudimitatie *v.*
chrysolithe [krizòlit] *f.* goudsteen *m.*
chrysoprase [krizòpras] *f.* chrysopras, bleekgroene agaat *m.*
chuchotement [ʃüʃòtmã] *m.* gefluister *o.*
chuchoter [ʃüʃòté] *v.t. et v.i.* fluisteren.
chuchoterie [ʃüʃòtri] *f.* gefluister *o.*
chuchoteur [ʃüʃòtœ:r] *m.* fluisteraar *m.*
chuintant [ʃwẽ˙tã] *adj.* slepend, sissend (als de Franse *ch* en *j*).
chuinter [ʃwẽ˙té] *v.i.* **1** uitspreken met een sissend geluid; **2** (*v. uil*) blazen, schreeuwen.
chut! [ʃ(ü)t] *ij.* sst! stil!
chute [ʃüt] *f.* **1** val *m.*, (het) vallen *o.*; **2** (*v. haar, enz.*) (het) uitvallen *o.*; **3** (*v. bladeren, enz.*) (het) afvallen *o.*; **4** (*gen.*: *v. orgaan*) (het) uitzakken *o.*; **5** (*v. munt, rente*) daling *v.*; **6** (*fig.*) ondergang *m.*; **7** muzikale satz, eindval *m.*; **— *d'eau,*** waterval *m.*; ***les —s du Niagara,*** de watervallen van de Niagara; ***faire une — de cheval,*** van zijn paard vallen; ***la — de l'eau,*** het verval.
chuter [ʃüté] **I** *v.t.* uitfluiten; **II** *v.i.*, (*pop.*) vallen.
chyle [ʃil] *m.* chijl *v.*(*m.*).
chylifère [ʃilifè:r] *adj.* chijlaanvoerend; ***vaisseaux —s,*** chijlvaten *mv.*
chylification [ʃilifika˙syõ] *f.* chijlvorming *v.*
chyme [ʃim] *m.* chijm, spijsbrij *m.* in de maag.
Chypre [ʃipr] *f.* Cyprus *o.*
ci [si] *adv.* hier; ***celui-—,*** deze; ***ce livre-—,*** dit boek; ***par —, par là,*** hier en daar; ***—-joint,*** hierbij; ***—-dessus,*** hierboven (vermeld); ***—-dessous,*** hieronder (vermeld); ***—-après,*** hierna; volgend; ***—-contre,*** hiernaast (vermeld); ***—-devant,*** voorheen; ***—-gît,*** hier ligt begraven; ***comme —, comme ça,*** zo zo; ***— deux cents francs,*** (*H.*) zegge tweehonderd frank.
cibige [sibij] *f.* (*arg.*) sigaret, saffie *v.*(*m.*).
cible [si˙bl] *f.* **1** schietschijf *v.*(*m.*); **2** (*fig.*) mikpunt *o.*; ***tir à la —,*** schijfschieten *o.*
ciboire [sibwa:r] *m.*, (*kath.*) ciborie *v.*
ciboule [sibul] *f.*, (*Pl.*) bieslook *o.*
ciboulot [sibulo] *m.* (*pop.*) hoofd *o.*; kop *m.*
cicatrice [sikatris] *f.* litteken *o.*
cicatriciel [sikatrisyèl] *adj.* betrekking hebbend op een litteken.
cicatrisation [sikatriza˙syõ] *f.* (het) dichtgaan *o.* (van wond), vorming *v.* van een litteken.
cicatriser [sikatri˙zé] **I** *v.t.* **1** (*v. wond*) helen, doen dichtgaan; **2** (*v. gelaat*) schenden; **II** *v.pr.*, ***se* —,** dichtgaan, helen.
cicéro [siséro] *m.*, (*drukk.*) mediaan, cicero *v.*(*m.*).
Cicéron [sisérõ] *m.* Cicero *m.*
cicérone [siséro:n] *m.* wegwijzer, gids *m.*
cicéronien [sisérònyẽ] *adj.* ciceroniaans.
cicindèle [sisẽ˙dèl] *f.* zandkever *m.*
ci-contre [sikõ:tr] *adv.* hiertegenover; ***croquis —,*** hiernaast afgebeelde schets.
ci-dessous [sid(e)su] *adv.* (*in boek*) hierbeneden.
ci-dessus [sid(e)sü] *adv.* (*in boek*) hierboven.
cidre [si˙dr] *m.* appelwijn *m.*
cidrerie [sidreri] *f.* ciderfabriek *v.*
ciel [syèl] *m.* **1** hemel *m.*; **2** lucht *v.*(*m.*); **3** uitspansel *o.*; **4** klimaat *o.*; **5** (*v. steengroeve*) gewelf *o.*; **6** draaghemel *m.*, baldakijn *o. en m.*; ***à — ouvert,*** in de open lucht; ***le feu du —,*** de bliksem *m.*; ***tomber du —,*** (*fig.*) uit de lucht komen vallen.
cierge [syèrj] *m.* waskaars *v.*(*m.*); ***droit comme un —,*** kaarsrecht; ***je lui dois un beau —,*** ik heb alle reden om hem dankbaar te zijn; ***— du Pérou,*** (*Pl.*) fakkeldistel *m. en v.*
cifran [sifrã] *m.* strijkplank *v.*(*m.*).
cigale [sigal] *f.* cicade *v.*, krekel *m.*

cigare [sigɑ:r] *m.* sigaar *v.(m.)*.
cigarette [sigarèt] *f.* sigaret *v.(m.)*; — ***à filtre,*** filtersigaret; — ***au tabac blond (à t. b.),*** virginiasigaret.
cigarier [sigaryé] *m.* sigarenmaker *m.*
cigogne [sigòñ] *f.* **1** (*Dk.*) ooievaar *m.*; **2** (*tn.*) krukhefboom *m.*
cigogneau [sigòño] *m.* jonge ooievaar *m.*
ciguë [sigü] *f.*, (*Pl.*) scheerling *v.(m.)*; ***petite* —,** dolle kervel *m.*; ***boire la* —,** de giftbeker drinken.
ci-inclus* [si ẽ'klü] *adj.* ingesloten, hierbij.
ci-joint* [sijwẽ] *adj.* hierbij, bijgevoegd.
cil [sil] *m.* **1** ooghaar *o.*, wimper *m.*; **2** (*Pl.*) randhaar(tje) *o.*; — ***vibratile,*** trilhaartje *o.*
cilice [silis] *m.* haren boetekleed *o.*
cilié [silyé] *adj.* van haartjes voorzien.
cillement [siymã] *m.* het knipogen *o.*
ciller [siyé] *v.i.* knipperen met de ogen.
cimaise, cymaise [simè:z] *f.* **1** keellijst *v.(m.)* (aan kroonlijst); **2** wandlijst *v.(m.)* op schouderhoogte.
Cimbres [sẽ:br] *m.pl.* Kimbren *mv.*
cime [sim] *f.* **1** top *m.*; kruin *v.(m.)*; **2** (*fig.*) toppunt *o.* [*m.*
ciment [simã] *m.* **1** cement *o. en m.*; **2** (*fig.*) band
cimenter [simã'té] *v.t.* **1** cementeren, met cement verbinden; **2** (*fig.*) bevestigen, bezegelen.
cimenterie [simã'tri] *f.* cementfabriek *v.*
cimentier [simã'tyé] *m.* cementwerker *m.*
cimeterre [simtè:r] *m.* (Turks) kromzwaard *o.*
cimetière [simtyè:r] *m.* kerkhof *o.*, begraafplaats *v.(m.)*.
cimier [simyé] *m.* **1** (*mil.*) helmkam *m.*; **2** (*wap.*) helmteken *o.*; **3** lendenstuk *o.*
cinabre [sina'br] *m.* bergrood, vermiljoen *o.*
cincenelle [sẽ'snèl] *f.*, (*sch.*) jaaglijn *v.(m.)*, jaagtouw *o.*
ciné [siné] *m.*, (*fam.*) bios *m.*
cinéaste [sinéast] *m.* filmontwerper; filmspelleider; filmopnemer *m.*
ciné-club* [sinéklüb] *m.* filmliga *v.(m.)*.
cinédrame [sinédrɑ:m] *m.* filmdrama *o.*
cinéma [sinéma] *m.* bioscoop *m.*; ***faire du* —,** bij de film gaan; — ***d'actualités,*** cineac *m.*
cinémascope [sinémaskop] *m.* filmprojectie *v.* op breed doek indruk van diepte gevend.
cinémathèque [sinématèk] *f.* filmarchief *o.*
cinématique [sinématik] *f.* bewegingsleer *v.(m.)*.
cinématographe [sinématògraf] *m.* **1** bioscoop *m.*; **2** filmprojectieapparaat *o.*
cinématographier [sinématògrafyé] *v.i.* filmen.
cinématographique [sinématògrafik] *adj.* cinematografisch, filmisch.
cinéphile [sinéfil] *m.-f.* filmfan *m.-v.*
ciné-publicité* [sinépüblisité] *f.* bioscoopreclame *v.(m.)*.
cinéraire [sinérè:r] **I** *adj.*, ***urne* —,** asurn, lijkbus *v.(m.)*; ***four* —,** lijkverbrandingsoven *m.*; **II** *s.*, *f.*, (*Pl.*) asplant *v.(m.)*, askruid *o.*
cinérama [sinérama] *m.* filmprojectie *v.* met verscheidene camera's, indruk gevend van aanwezigheid in de ruimte.
cinération [sinérɑ'syõ] *f.* verbranding *v.* (tot as).
ciné-roman* [sinéròmã] *m.* filmroman *m.*
cinétique [sinétik] *adj.* kinetisch.
cingalais [sẽ'galè] **I** *adj.* Singalees; **II** *s.*, *m.*, ***C*—,** Singalees, bewoner *m.* van Ceylon.
cinglage [sẽ'gla:j] *m.* (*sch.*) dagreis *v.(m.)*.
cinglant [sẽ'glã] *adj.* striemend.
cingler [sẽ'glé] **I** *v.t.* **1** geselen, striemen; **2** (*tn.: v. ijzer*) sprangen; **3** (*v. wind, enz. in gelaat*) snijden; **4** op striemende toon zeggen; — ***l'air,*** door de lucht zwiepen; **II** *v.i.* koers houden, koers zetten.
cinglon [sẽ'glõ] *m.* striemende slag *m.*
cinq [sẽ:k, sẽ] *n.card.* **1** vijf; **2** vijfde.
cinquantaine [sẽ'kã:tè:n] *f.* **1** vijftigtal *o.*; **2** gouden bruiloft *v.(m.)*; **3** vijftigjarige leeftijd *m.*
cinquante [sẽ'kã:t] *n.card.* vijftig.
cinquantenaire [sẽ'kã'tnè:r] *m.* **1** halve-eeuwfeest *o.*; **2** gouden bruiloft *v.(m.)*; **3** vijftigjarige *m.*; **4** vijftigste gedenkdag *m.* (van overlijden); ***le parc du C*—,** (*te Brussel*) Jubelpark *o.*
cinquantième [sẽ'kã'tyèm] **I** *n.ord.* vijftigste; **II** *s.*, *m.* **1** vijftigste (deel) *o.*; **2** 50e regiment *o.*; **III** *s.*, *f.* 50e voorstelling *v.*
cinquième [sẽ'kyèm] **I** *n.ord.* vijfde; **II** *s.*, *m.* **1** vijfde (deel) *o.*; **2** vijfde verdieping *v.*; **III** *s.*, *f.* vijfde klasse *v.*
cinquièmement [sẽ'kyèm(m)ã] *adv.* ten vijfde.
cintrage [sẽ'tra:j] *m.* het krombuigen *o.*
cintre [sẽ:tr] *m.* **1** (*bouwk.*) boog *m.*; **2** (*in schouwburg*) hoogste galerij, bovengalerij *v.*; **3** gewelf *o.* boven het toneel; **4** ronde kleerhanger *m.*; ***plein* —,** rondboog.
cintré [sẽ:tré] *adj.* boogvormig.
cintrer [sẽ:tré] *v.t.* **1** (*bouwk.*) welven; **2** krommen.
cipaye [sipay] *m.* Indische soldaat *m.*
cipolin [sipòlẽ] *m.* bep. marmersoort *v.(m.) en o.*
cippe [sip] *m.* **1** afgeknotte zuil *v.(m.)*; **2** staande grafsteen *m.*
cirage [sira:j] *m.* **1** schoensmeer *o. en m.*; **2** wrijfwas *m. en o.*; **3** (*v. schoenen*) (het) poetsen *o.*; **4** (*v. vloer, enz.*) (het) boenen *o.*; **5** oliejas *m. en v.*
circée [sirsé] *f.*, (*Pl.*) heksenkruid *o.*
circompolaire [sirkõ'pòlè:r] *adj.* om de pool gelegen.
circoncire* [sirkõ'si:r] *v.t.* besnijden.
circoncis [sirkõ'si] **I** *adj.* besneden; **II** *s.*, *m.* besnedene *m.*
circoncision [sirkõ'sizyõ] *f.* besnijdenis *v.*; ***la C*—,** Ons Heren Besnijdenis.
circonférence [sirkõ'férã:s] *f.* omtrek, cirkelomtrek *m.*
circonflexe [sirkõ'flèks] *adj.* omgebogen; ***accent* —,** (*op letter*) kapje *o.*
circonlocution [sirkõ'lòküsyõ] *f.* omschrijving *v.*
circonscription [sirkõ'skripsyõ] *f.* **1** omschrijving, omgrenzing, beperking *v.*; **2** district *o.*; **3** (*v. gebied*) afdeling *v.*; **4** (het) omschrijven *o.* (van een cirkel om een veelhoek); — ***électorale,*** kiesdistrict *o.*
circonscrire* [sirkõ'skri:r] *v.t.* **1** omschrijven; omgrenzen; **2** lokaliseren; **3** beperken. [zaam.
circonspect [sirkõ'spè] *adj.* omzichtig, behoed-
circonspection [sirkõ'spèksyõ] *f.* omzichtigheid, behoedzaamheid *v.*
circonstance [sirkõ'stã:s] *f.* omstandigheid *v.*, ***pour la* —,** voor die gelegenheid; ***discours de* —,** gelegenheidsrede *v.(m.)*.
circonstancié [sirkõ'stã'syé] *adj.* omstandig.
circonstanciel [sirkõ'stã'syèl] *adj.* de omstandigheden aanduidend; ***complément* —,** bijwoordelijke bepaling. [verhalen.
circonstancier [sirkõ'stã'syé] *v.t.* omstandig
circonvallation [sirkõ'valɑ'syõ] *f.*, (*mil.*) omwalling, omschansing *v.* [leiden.
circonvenir* [sirkõ'vni:r] *v.t.* misleiden, om de tuin
circonvention [sirkõ'vã'syõ] *f.* misleiding *v.*
circonvoisin [sirkõ'vwazẽ] *adj.* omliggend.
circonvolution [sirkõ'vòlüsyõ] *f.* winding; kronkeling *v.*
circuit [sirkwi] *m.* **1** (*v. stad, enz.*) omtrek *m.*; **2** kringloop *m.*; **3** (*el.*) omloop *m.*; **4** (*tel.*) kring *m.*, verbinding *v.*; **5** rondrit *m.*, rondvaart *v.(m.)*;

6 (*sp.*) ronde *v.(m.)*; 7 omhaal *m.* van woorden; ***court* —,** kortsluiting *v.*; ***mettre dans le* —,** (*el.*) inschakelen; ***en* — *fermé*,** (*vl.*) in gesloten baan.
circulaire [sirkülè:r] **I** *adj.* cirkelvormig, rond; ***voyage* —,** rondreis *v.(m.)*; ***billet* —,** rondreisbiljet *o.*; ***raisonnement* —,** redenering in een kringetje; **II** *s., f.* **1** rondschrijven *o.*, omzendbrief *m.*; **2** dienstbrief *m.*
circulairement [sirkülè·rmã] *adv.* in het rond, kringsgewijs.
circulation [sirkülɑ·syõ] *f.* **1** (*v. geld, bloed, enz.*) omloop *m.*; **2** verkeer *o.*; **3** (*v. lucht*) (het) doorstromen *o.*; **4** (*v. boek*) verspreiding *v.*; ***banque de* —,** circulatiebank *v.(m.)*; ***mettre en* —,** in omloop brengen; ***retirer de la* —,** buiten omloop stellen; ***vitesse de* —,** omloopsnelheid *v.*
circulatoire [sirkülatwa:r] *adj.* de bloedsomloop betreffend; ***appareil* —,** organen van de bloedsomloop.
circuler [sirkülé] *v.i.* **1** omlopen; **2** (*v. geld, enz.*) in omloop zijn; **3** dóórlopen; dóórrijden; **4** (*v. lucht*) dóórstromen; **5** (*v. geruchten*) de ronde doen; ***circulez!*** dóórlopen!
circumduction [sirkõdüksyõ] *f.* **1** draaiing *v.* om as of middelpunt; **2** wegomlegging *v.*
circumnavigation [sirkõnavigɑ·syõ] *f.* omvaring [*v.*
circumpolaire [sirkõpolèr] *adj.* om de pool.
cire [si:r] *f.* **1** was *m. en o.*; **2** (*in kerk*) waslicht *o.*; **3** (*v. vogel*) washuid *v.(m.)*; **4** oorsmeer *o. en m.*; **5** (*v. ogen*) dracht *v.(m.)*; **— *à cacheter*,** (zegel)lak *o. en m.*; **— *à modeler*,** boetseerwas; **— *à frotter*,** boenwas; ***comme de* —,** precies, nauwkeurig.
ciré [siré] *m.* oliejas *m. en v.*
cirer [siré] *v.t.* **1** met was bestrijken (*of* inwrijven); **2** (*v. vloer, enz.*) boenen; **3** (*v. schoenen*) poetsen; **— *les bottes à qn.*,** voor iem. kruipen; ***toile cirée*,** wasdoek *o. en m.*
cireur [sirœ:r] *m.* schoenpoetser *m.*
cireux [sirö] *adj.* wasachtig.
cirier [siryé] *m.* **1** kaarsenmaker; kaarsenfabrikant *m.*; **2** (*Pl.*) wasboom *m.*; ***abeille cirière*,** wasbij *v.(m.)*.
cirière [siryè:r] *f.* wasbij *v.(m.)*.
ciron [si·rõ] *m.* papierluis *v.(m.)*.
cirque [sirk] *m.* **1** renbaan *v.(m.)*, renperk *o.*; **2** circus *o.*; **3** (*aardr.*) keteldal *o.*, dalkom *v.(m.)*.
cirr(h)e [si:r] *m.* **1** (*Pl.*: *v. wijngaard, enz.*) rank *v.(m.)*, hechtrankje *o.*; **2** (*v. vis*) baarddraad *m.*; **3** baardloze veder *v.(m.)*.
cirrhose [si·ro·z] *f.* leververharding *v.*
cirrus [si·rü·s] *m.* vederwolk *v.(m.)*.
cirure [sirü:r] *f.* wrijfwas *m.*
cis— *praef.* aan deze kant.
cisaille [sizɑ:y] *f.* metaalafval *o. en m.*
cisailles [sizɑ:y] *f.pl.* metaalschaar *v.(m.)*; snoeischaar *v.(m.)*.
cisalpin [sizalpẽ] *adj.* cisalpijns, aan deze zijde van de Alpen (gezien van uit Rome).
ciseau [sizo] *m.* beitel *m.*; **—*x*,** schaar *v.(m.)*; ***une paire de* —*x*,** een schaar.
cisèlement [sizèlmã] *m.* (*v. druiven*) het krenten *o.*
ciseler* [sizlé] *v.t.* **1** (*v. goud, zilver*) drijven, uitsteken; **2** (*v. leer*) snijden; **3** (*fig.*) veel zorg besteden aan.
ciselet [sizlè] *m.* drijfbeiteltje *o.*
ciseleur [sizlœ:r] *m.* metaalopwerker, graveur *m.*
cisellement, *voir* ***cisèlement.***
ciselure [sizlü:r] *f.* **1** drijfwerk *o.*; **2** graveerkunst *v.*; **3** leersnijkunst *v.*
cisjuran [sisjürã] *adj.* aan deze zijde van de Jura (van uit Frankrijk).
cisoir [sizwa:r] *m.* goudsmidsschaar *v.(m.)*.
cisoires [sizwa:r] *f.pl.* plaatijzerschaar *v.(m.)*.
cispadan [sispadã] *adj.* aan deze zijde van de Po (van uit Rome).
cisrhénan [sisrénã] *adj.* aan deze zijde van de Rijn (van uit Frankrijk).
ciste [sist] **I** *f.* (*bij de Grieken*) korf *m.*; **II** *m.* bep. wilde roos *v.(m.)*.
cistercien [sistèrsyẽ] *m.* cisterciënzer *m.*
cistude [sistü·d] *f.* zoetwaterschildpad *v.(m.)*.
citadelle [sitadèl] *f.* **1** citadel *v.(m.)*; **2** (*fig.*) bolwerk *o.*
citadin [sitadẽ] *m.* stedeling, stadsbewoner *m.*
citation [sitɑ·syõ] *f.* **1** dagvaarding *v.*; **2** citaat *o.*, aanhaling *v.*; **— *à l'ordre du jour*,** (*mil.*) eervolle vermelding *v.*
cité [sité] *f.* stad *v.(m.)*; ***la* — *sainte*,** de heilige stad *v.(m.)*, Jeruzalem; ***la* — *céleste*,** de hemel, het rijk der hemelen; ***la* — *du Vatican*,** Vaticaanstad; ***la* — *future*,** de toekomststaat; ***droit de* —,** burgerrecht *o.*; **— *universitaire*,** studentenwijk *v.(m.)*. [*v.(m.)*.
cité*-jardin* [sitéjardẽ] *f.* tuindorp *o.*, tuinstad
citer [sité] *v.t.* **1** dagvaarden; **2** aanhalen, citeren; **— *à l'ordre du jour*,** (*mil.*) bij dagorder vermelden; **— *son auteur*,** zijn zegsman noemen, man en paard noemen.
citérieur [sitéryœ:r] *adj.* aan deze zijde.
citerne [sitèrn] *f.* **1** regenbak, regenput *m.*; **2** waterbak *m.*; **3** (**— *à pétrole***) petroleumtank *m.*
citerneau [sitèrno] *m.* filterbak *m.* voor regenbak.
cithare [sita:r] *f.* citer *v.(m.)*.
cithariste [sita·rist] *m.* citerspeler *m.*
citoyen [sitwayẽ] *m.*, **—ne** [sitwayèn] *f.* burger *m.*, —es *v.*
citoyenneté [sitwayènté] *f.* ingezetenschap *o.*; **— *d'honneur*,** ereburgerschap *o.*
citrate [sitrat] *m.* citraat, citroenzuurzout *o.*
citrin [sitrẽ] *adj.* citroengeel.
citrique [sitrik] *adj.*, ***acide* —,** citroenzuur *o.*
citron [sitrõ] **I** *m.* citroen *m. en v.*; **— *nature*,** kwast *m.*; **II** *adj.* citroengeel.
citronnade [sitròna·d] *f.* citroenlimonade *v.(m.)*, kwast *m.*
citronnelle [sitrònèl] *f.* **1** (*Pl.*) citroenkruid *o.*; **2** brandewijn *m.* met citroen, citroentje *o.*
citronner [sitròné] *v.t.* met citroensap bereiden.
citronnier [sitrònyé] *m.* citroenboom *m.*
citrouille [sitru·y] *f.*, (*Pl.*) pompoen *m.*
civelle [sivèl] *f.* glasaal *m.* [peper *m.*
civet [sivè] *m.* (wild)ragoût *m.*; **— *de lièvre*,** haze-
civette [sivèt] *f.* **1** (*Dk.*) civetkat *v.(m.)*; **2** (*Pl.*) klein bieslook *o.*
civière [sivyè:r] *f.* draagbaar, berrie *v.(m.)*.
civil [sivil] **I** *adj.* **1** burgerlijk; **2** burger—; **3** beleefd, beschaafd; ***état* —,** burgerlijke stand *m.*; ***droits* —*s*,** burgerrechten *mv.*; ***année* —*e*,** kalenderjaar *o.*; ***ingénieur* —,** civiel ingenieur *m.*; ***mort* —*e*,** verlies van burgerrechten; ***personnalité* —*e*,** rechtspersoonlijkheid *v.*; **II** *s., m.* burger *m.*; ***en* —,** in burgerkleren.
civilement [sivilmã] *adv.* **1** burgerlijk; **2** beleefd; **3** privaatrechtelijk.
civilisateur [sivilizatœ:r] **I** *adj.* beschavend; **II** *s., m.* beschaver *m.*
civilisation [sivilizɑ·syõ] *f.* beschaving *v.*
civiliser [sivilizé] **I** *v.t.* beschaven; **II** *v.pr.*, ***se* —,** beschaafder worden.
civilité [sivilité] *f.* beleefdheid, wellevendheid *v.*; **—*s*,** complimenten *mv.*; plichtplegingen *mv.*
civique [sivik] *adj.* burgerlijk; ***garde* —,** burgerwacht *v.(m.)*; ***vertus* —*s*,** burgerdeugden *mv.*

civisme [sivizm] *m.* burgerdeugd *v.(m.)*, burgerzin *m.*
clabaud [klabo] *m.* blaffer *m.*
clabaudage [klabo·da:j] *m.* **1** geblaf *o.*; **2** geschreeuw *o.*; **3** kwaadsprekerij *v.*
clabauder [klabo·dé] *v.i.* **1** blaffen; **2** schreeuwen; **3** kwaadspreken.
clafouti [klafuti] *m.* gebak *o.* uit Limoges (taart met kersen).
claie [klè] *f.* **1** tenen horde *v.(m.)*; **2** latwerk *o.*; vlechtwerk *o.*; **3** grove zeef *v.(m.)*; ***traîner sur la —,*** door het slijk trekken.
clair [klè:r] **I** *adj.* **1** klaar, helder; **2** (*v. kleur*) licht, fris; **3** (*v. soep, stroop, enz.*) dun; **4** (*v. weefsel*) los; **5** (*fig.*) duidelijk, bevattelijk; ***profit tout —,*** zuivere winst; ***le plus — de son revenu,*** het grootste deel van zijn inkomen; ***argent —,*** gereed geld; ***— comme le jour,*** zonneklaar; **II** *adv.* helder, duidelijk; ***semer —,*** dun zaaien; ***voir —,*** **1** goed kunnen zien; **2** (*fig.*) inzicht hebben (in iets); volkomen begrijpen; **III** *s., m.* schijnsel, licht *o.*; ***— de lune,*** maneschijn *m.*; ***il fait —,*** het is dag; ***les —s d'un tableau,*** de lichte partijen in een schilderij; ***tirer au —,*** **1** (*v. vloeistof*) klaren; **2** (*fig.*) ophelderen, in 't reine brengen; ***sabre au —*** met getrokken sabel.
clairce [klè:rs] *f.* suikerstroop *v.(m.)*.
Claire [klè:r] *f.* Clara, Klaartje *v.*
clairement [klè·rmã] *adv.* klaar, helder, duidelijk.
clairet [klè·rè] **I** *adj.*, (*v. wijn*) lichtrood, bleekrood; **II** *s., m.* lichtrode wijn *m.*
clairette [klè·rèt] *f.* lichte wijn *m.*
Clairette [klè·rèt] *f.* Klaartje *v.*
claire*-voie* [klè·rwa] *f.* latwerk, traliewerk *o.*, afsluiting *v.* met tussenruimte; ***à —,*** **1** met openingen, opengewerkt; **2** (*bij gravures, enz.*) zonder randlijn.
clairière [klè·ryè:r] *f.* **1** open plek *v.(m.)* in een bos; **2** dunne plaats *v.(m.)* in een weefsel.
clair*-obscur* [klè·ròpskü:r] *m.* lichteffect *o.*, afwisseling *v.* van licht en donker.
clairon [klè·rõ] *m.* **1** klaroen *v.(m.)*; **2** klaroenblazer *m.*; **3** (*v. orgel*) kornetregister *o.*
claironnant [klè·rònã] *adj.* luid, schetterend, doordringend.
claironner [klè·ròné] **I** *v.i.* **1** de klaroen blazen; **2** (*v. stem, enz.*) schetteren; **II** *v.t.* uitbazuinen, rondbazuinen.
clairsemé [klè·rsemé] *adj.* **1** dun gezaaid; **2** schaars.
clairure [klè·rü:r] *f.* dunne plek *v.(m.)* (in een stof).
clairvoyance [klè·rvwayã:s] *f.* **1** scherpzinnigheid *v.*, doorzicht *o.*; **2** helderziendheid *v.*
clairvoyant [klè·rvwayã] *adj.* **1** scherpzinnig; **2** helderziend.
clamer [klamé] *v.t.* (uit)schreeuwen.
clameur [klamœ:r] *f.* kreet *m.*, geschreeuw *o.*; ***la — publique,*** de stem des volks.
clamp [klã] *m.* klamp *m. en v.*
clampin [klãpẽ] *m.* (*fam.*) treuzelaar *m.*
clan [klã] *m.* **1** (*in Schotland*) geslacht *o.*; **2** (*fig.*) kliek *v.(m.)*.
clandestin [klã·dèstẽ] *adj.* geheim, verboden; ***commerce —,*** sluikhandel *m.*; ***passager —,*** verstekeling, blinde passagier *m.*
clandestinement [klã·dèstinmã] *adv.* tersluiks, heimelijk, in stilte.
clandestinité [klã·dèstinité] *f.* verborgenheid *v.*
clapet [klapè] *m.*, (*v. pomp, enz.*) klep *v.(m.)*.
clapier [klapyé] *m.* **1** konijnehok *o.*; **2** konijnehol *o.*; ***lapin de —,*** tam konijn.
clapir [klapi:r] **I** *v.i.*, (*v. konijn*) piepen; **II** *v.pr.*, ***se —,*** zich verbergen.
clapotage [klapòta:j], **clapotement** [klapòtmã] *m.* geklots; gekabbel *o.*
clapoter [klapòté] *v.i.* klotsen; kabbelen.
clapoteux [klapòtö] *adj.* klotsend; kabbelend.
clapotis [klapòti] *m.* geklots *o.*
clappement [klapmã] *m.* gesmak *o.* (met de tong).
clapper [klapé] *v.i.* klappen, smakken (met de tong).
claquant [klakã] *adj.* **1** klapperend; **2** (*fam.*) vermoeiend.
claque [klak] **I** *f.* **1** klap *m.* (met de hand); **2** (*in schouwburg*) claqueurs *mv.*; ***j'en ai ma —,*** ik ben het beu, ik heb er genoeg van; **II** *m.* **1** klaphoed, vouwhoed *m.*; **2** klapper *m.*, klappapiertje *o.*
claquedent [klagdã] *m.* arme drommel, bedelaar *m.*
claquefaim [klakfẽ] *m.* hongerlijder *m.*
claquement [klakmã] *m.* **1** (*met handen, zweep*) geklap *o.*; **2** (*v. tanden*) geklapper *o.*
claquemurer [klakmü·ré] *v.t.* opsluiten.
claquer [klaké] **I** *v.i.* klappen; ***— des mains,*** in de handen klappen; ***— des dents,*** klappertanden; **II** *v.t.* **1** een klap geven aan; **2** toejuichen met handgeklap; **3** doen klappen; ***— la porte,*** de deur dichtsmijten.
claquet [klakè] *m.*, (*v. molen*) onrust *v.(m.)*, klapper *m.*
claqueter [klakté] *v.i.* **1** klepperen; **2** kakelen.
claquette [klakèt] *f.* klepper, ratel *m.*
claqueur [klakœ:r] *m.* gehuurd toejuicher, claqueur *m.*
clarification [klarifika·syõ] *f.*, (*v. vloeistoffen*) klaring *v.*
clarifier [klarifyé] **I** *v.t.* klaren, helder maken; **II** *v.pr.*, ***se —,*** helder worden.
clarine [klarin] *f.*, (*v. vee*) halsbel *v.(m.)*.
clarinette [klarinèt] *f.* **1** klarinet *v.(m.)*; **2** klarinetspeler *m.*
clarinettiste [klarinètist] *m.* klarinetspeler *m.*
clarisse [klaris] *f.* claris *v.*
clarté [klarté] *f.* **1** klaarheid, helderheid *v.*; **2** duidelijkheid *v.*; **3** licht, schijnsel *o.*
classe [klas] *f.* **1** klas(se) *v.*; **2** stand, rang *m.*; **3** (*mil.*) lichting *v.*; **4** les *v.(m.)*; **5** schooltijd *m.*; ***livre de —,*** schoolboek *o.*; ***rentrée des —s,*** hervatting van de lessen; ***être de la —,*** (*mil.*) 't laatste jaar dienen.
classement [kla·smã] *m.* **1** indeling, rangschikking *v.*; **2** (*recht*) (het) deponeren *o.*
classer [kla·sé] *v.t.* **1** indelen, rangschikken; **2** (*v. zaak, matroos*) inschrijven; **3** (*v. brieven*) opbergen.
classeur [kla·sœ:r] *m.* (verzamel)map *v.(m.)*; ordner *m.*; ***— avec pince,*** klemband *m.*
classicisme [kla·sisizm] *m.* classicisme *o.*
classification [kla·sifika·syõ] *f.*, *voir* ***classement.***
classifier [kla·sifyé] *v.t.* indelen in klassen.
classique [kla·sik] **I** *adj.* **1** klassiek; **2** traditioneel, erkend; **3** uitstekend, voortreffelijk; ***livre —,*** schoolboek *o.*; **II** *s. m.* **1** klassiek werk *o.*; **2** klassiek schrijver *m.*
Claude [klo·d] *m.-f.* Claudius *m.*; Claudia *v.*
claude [klo·d] *m.* domoor *m.*
claudicant [klo·dikã] *adj.* kreupel, hinkend.
claudication [klo·dika·syõ] (het) hinken *o.*, kreupelheid *v.*
clause [klo:z] *f.* bepaling, clausule *v.*
claustral [klo·stral] *adj.* kloosterlijk, klooster—.
claustration [klo·stra·syõ] *f.* opsluiting *v.*
claustrer, *voir* ***cloîtrer.***
clavaire [klavè:r] *f.* koraalzwam *v.(m.)* (eetbaar).
claveau [klavo] *m.* gewelfsteen *m.*
clavecin [klavsẽ] *m.*, (*muz.*) klavier *o.*, klavecimbel *m. en o.*

clavelée [klavlé] *f.* schapepokken *mv.*
claveter [klaveté] *v.t.* vastnagelen.
clavette [klavèt] *f.*, (*tn.*) pin, spie *v.(m.)*.
clavicule [klavikül] *f.* sleutelbeen *o.*
clavier [klavyé] *m.* **1** klavier, toetsenbord *o.*; **2** (*v. stem, instrument*) omvang *m.*
claviste [klavist] *m.* monotypezetter *m.*
claxon [klaksõ] *m.* claxon *m.*
claxonner [klaksòné] *v.i.* toeteren.
clayère [klèyè:r] *f.* oesterput *m.*, oesterpark *o.*
clayon [klèyõ] *m.* kaashorde *v.(m.)*.
clayonnage [klèyòna:j] *m.* rijswerk *o.*
clayonner [klèyòné] *v.t.* van rijswerk voorzien.
clef, clé [klé] *f.* sleutel *m.*; ***fermer à —,*** afsluiten; ***sous —,*** achter slot; ***— anglaise,*** schroefsleutel; ***— à douille,*** dopsleutel; ***fausse —,*** valse sleutel, loper; ***— fausse,*** verkeerde sleutel; ***mettre la — sous la porte,*** met de noorderzon vertrekken; ***prendre la — des champs,*** het hazepad kiezen.
clématite [klématit] *f.*, (*Pl.*) clematis *v.(m.)*.
clémence [klémã˙s] *f.* goedertierenheid, zachtmoedigheid, genadigheid *v.*
clément [klémã] *adj.* goedertieren, zachtmoedig, genadig.
clenche [klã˙ʃ] *f.* klink *v.(m.)*.
clepsydre [klèpsi˙dr] *f.* wateruurwerk *o.*
cleptomanie [klèptòmani] *f.* steelzucht *v.(m.)*, kleptomanie *v.*
clerc [klè:r] *m.* **1** klerk *m.*; **2** (*vroeger*) geestelijke *m.*; ***maître —,*** eerste klerk; ***petit —,*** loopjongen *m.*; ***pas de —,*** stommiteit *v.*
clergé [klèrjé] *m.* geestelijkheid *v.*
clergeon [klè˙rjõ] *m.* koorknaap *m.*
clérical [klérikal] **I** *adj.* **1** geestelijk; **2** (*ong.*) klerikaal; **II** *s., m.* klerikaal *m.*
Clèves [klè:v] *f.* Kleef *o.*
clic-clac [klikklak] *m.* gekletter *o.*
clichage [kliʃa:j] *m.* **1** gietafdruk *m.*, matrijs *v.(m.)*; **2** (*fot.*) negatief *o.*; **3** afdruk *m.*; **4** (*fig.*) versleten gemeenplaats *v.(m.)*.
cliché [kliʃé] *m.* **1** cliché *o.*; **2** (*fig.*) gemeenplaats *v.(m.)*; ***— (au) trait,*** lijncliché *o.*
clicher [kliʃé] *v.t.* een cliché maken van.
clicherie [kliʃri] *f.* clichéfabriek *v.*
clicheur [kliʃœ:r] *m.* clicheerder *m.*
client [kliã] *m.* **1** (*v. winkel, enz.*) klant *m.*; **2** (*v. advocaat, dokter*) cliënt *m.*; **3** (*in duel*) lastgever *m.*
clientèle [kliã˙tè˙l] *f.* **1** klanten *mv.*, klandizie *v.*; **2** cliënten *mv.*
clignement [kliñmã] *m.* knipoogje *o.*, (het) knipogen *o.*
cligner [kliñé] *v.i.* knippen; ***— des yeux,*** knipogen; ***— de l'œil,*** een knipoogje geven.
clignotant [kliñòtã] *m.* **1** knipperlicht *o.*; **2** richtingwijzer *m.*
clignotement [kliñòtmã] *m.* (het) knipperen *o.* (met de ogen).
clignoter [kliñòté] *v.i.* met de ogen knipperen.
clignoteur [kliñòtœ:r] *m.* **1** knipperlamp *v.(m.)*; **2** richtingaanwijzer *m.*
climat [klima] *m.* **1** klimaat *o.*; **2** luchtstreek *v.(m.)*.
climatérique [klimatérik] *adj.* (*van tijdsperiode*) kritiek; ***années —s,*** overgangsjaren *mv.*
climatique [klimatik] *adj.* het klimaat betreffend; ***station —,*** herstellingsoord *o.*
climatisation [klimatiza˙syõ] *f.* air-conditioning, klimaatregeling *v.*
climatiser [klimati˙zé] *v.t.* lucht zuiver en fris houden.
climatologie [klimatòlòji] *f.* klimaatkunde *v.*
climatologique [klimatòlòjik] *adj.* klimaatkundig.
clin [klẽ] *m.*, ***— d'œil*** [klẽ˙dœy] knipoogje *o.*; ***en un — d'œil,*** in een oogwenk, in een ommezien.
Clinge [klẽñ], ***La —,*** De Klinge.
clinicien [klinisyẽ] *m.* (*gen.*) klinist *m.*
clinique [klinik] **I** *f.* kliniek *v.*; **II** *adj.* klinisch.
clinquant [klẽ˙kã] *m.* klatergoud *o.*
clip [klip] *m.* broche *v.(m.)* (met klemsluiting).
clipper [klipœr] *m.* transatlantisch vliegtuig *o.*
clique [klik] *f.* kliek *v.(m.)*.
cliquet [klikè] *m.*, (*tn.*) pal *m.*; ***serrure à —,*** knipslot *o.*
cliqueter* [klikté] *v.i.* **1** (*v. wapens*) kletteren; **2** (*v. glas*) rinkelen.
cliquetis [klikti] *m.* **1** gekletter *o.*; **2** gerinkel *o.*
cliquette [klikèt] *f.* klepper *m.*, klaphoutje *o.*
clisse [klis] *f.* **1** (*om fles*) mat *v.(m.)*, matwerk *o.*; **2** (*gen.*) spalk *v.(m.)*.
clisser [klisé] *v.t.* **1** (*v. fles*) met matwerk omvlechten; **2** (*gen.*) spalken.
clivage [kliva:j] *m.* (*v. diamant*) het kloven; (*v. kristal*) schilfering *v.*
cliver [klivé] *v.t.*, (*v. diamant*) kloven.
cloaque [klòak] *m.* **1** rioolput; vuilnisput *m.*; **2** (*fig.*) poel, modderpoel *m.*
clochard [klòʃa:r] *m.* **1** manke *m.*; **2** dakloze, zwerver.
cloche [klòʃ] *f.* **1** klok *v.(m.)*; **2** bel *v.(m.)*; **3** blaar *v.(m.)*; **4** stolp *v.(m.)*; **5** bep. papierformaat *o.* (29×39 cm); ***au son des —s,*** onder klokgelui; ***— à plongeur,*** duikerklok; ***déménager à la — de bois,*** met de stille trom vertrekken; ***qui n'entend qu'une — n'entend qu'un son,*** men moet beide partijen horen.
clochement [klòʃmã] *m.* (het) hinken *o.*
cloche-pied, à — [aklòʃpyé] *loc. adv.* hinkend, op één been.
clocher [klòʃé] **I** *v.i.* hinken, mank gaan; ***il y a quelque chose qui cloche,*** er hapert iets; **II** *s. m.* toren, klokketoren *m.*; ***il n'a jamais quitté son —,*** hij is nooit buiten zijn dorp geweest; ***politique de —,*** dorpspolitiek *v.*; ***esprit de —,*** kleinsteedsheid, kleinsteedse bekrompenheid.
clocheton [klòʃtõ] *m.* torentje *o.*, kleine klokketoren *m.*
clochette [klòʃèt] *f.* klokje *o.*; bel *v.(m.)*; ***— d'hiver,*** (*Pl.*) sneeuwklokje *o.*
cloison [klwa˙zõ] *f.* **1** beschot, tussenschot *o.*; **2** (*v. vrucht*) vlies *o.*; ***— étanche,*** (*sch.*) waterdicht schot.
cloisonnage [klwa˙zòna:j] *m.* beschotwerk *o.*
cloisonner [klwa˙zòné] *v.t.* beschieten, afschutten.
cloître [klwa:tr] *m.* **1** klooster *o.*; **2** kloostergang *m.*
cloîtrer [klwa˙tré] **I** *v.t.* opsluiten; **II** *v.pr.*, ***se —,*** **1** in een klooster gaan; **2** (*fig.*) zich opsluiten, zich van de wereld afzonderen.
clopin-clopant [klòpẽ˙klòpã] *adv.* hinkend.
clopiner [klòpiné] *v.i.* hinken.
cloporte [klòpòrt] *f.* **1** (*Dk.*) keldermot, pissebed *v.(m.)*, zeug *v.*; **2** (*pop.*) portier *m.*
cloque [klòk] *f.* **1** blaar *v.(m.)*; **2** (*Pl.*) bladkrinkel *m.*
clore* [klò:r] *v.t.* **1** sluiten, afsluiten; **2** omheinen.
clos [klo] **I** *adj.* gesloten; ***à huis —,*** met gesloten deuren; ***trouver porte —e,*** niemand thuis vinden, voor een gesloten deur komen; ***rester bouche —e,*** met de mond vol tanden staan; ***une vie —e,*** een eenzaam leven; ***bouche —!*** mondje dicht! ***Pâques —es,*** Beloken Pasen; **II** *s., m.* **1** erf, omheind stuk land *o.*; **2** wijngaard *m.*
closerie [klo˙zri] *f.* kleine hofstede *v.(m.)*.
clôture [klo˙tür] *f.* **1** omheining, afsluiting *v.*; **2** tuinmuur; ringmuur *m.*; **3** (*in klooster*) clausuur

v.; 4 (*v. rekening*) (het) afsluiten *o.*; 5 (*v. zittijd*) sluiting *v.*; ***cours de —***, slotkoers *m.*; ***— électrique***, schrikdraad *o. en m.*
clôturer [klo'tü'ré] *v.t.* 1 omheinen; 2 (*v. zitting, enz.*) sluiten; 3 (*v. rekening, boeken*) afsluiten.
clou [klu] *m.* 1 spijker, nagel *m.*; 2 (*v. tentoonstelling, enz.*) aantrekkelijkheid, attractie *v.*; 3 (*fam.*) lommerd *m.*; 4 (*mil.*) politiekamer *v.(m.)*; ***— à river***, klinknagel; ***— à crochet***, duim *m.*; ***— à épingle***, draadnagel; ***— de girofle***, (*Pl.*) kruidnagel *m.*; ***river son — à qn.***, iem. de mond snoeren.
clouage [klua:j], **clouement** [klumã] *m.* (het) vastspijkeren *o.*
clouer [klué] *v.t.* 1 vastspijkeren; vastnagelen; 2 (*fig.*) verlammen, (aan de grond) nagelen; 3 vastzetten; de mond snoeren.
clouet [kluè] *m.* kuipersbeitel *m.*
clouter [kluté] *v.t.* met spijkers beslaan.
clouterie [klutri] *f.* 1 spijkerfabriek, nagelfabriek *v.*; 2 spijkerhandel *m.*
cloutière [klutyè:r] *f.* spijkerbak *m.*
clovisse [klòvis] *f.* Provençaalse mossel *v.(m.)*.
clown [klun] *m.* hansworst, potsenmaker, clown *m.*
clownerie [klunri] *f.* hansworsterij, potsenmakerij *v.*
clownesque [klunèsk] *adj.* clownachtig.
cloyère [klwayè:r] *f.* 1 oestermand *v.(m.)*; 2 25 dozijn.
club [klüb, klœb] *m.* 1 sociëteit *v.*; club *v.(m.)*; 2 golfstok *m.*
clubiste [klübist] *m.* clublid *o.*
cluse [klü:z] *f.* rotskloof *v.(m.)*.
clystère [klistè:r] *m.* lavement *o.*
cnémide [knémi'd] *f.* (*bij de Grieken*) scheenplaat *v.(m.)*; beenstuk *o.*
coaccusé [koaküzé] *m.* medebeschuldigde *m.*
coach [ko:ʃ] *m.* gesloten auto met 2 deuren en 4 ramen.
coacquéreur [koakérœ:r] *m.* medekoper *m.*
coactif [koaktif] *adj.* dwingend.
coaction [koaksyõ] *f.* dwang *m.*
coadjuteur [koadjütœ:r] *m.* coadjutor *m.*
coagulable [koagüla'bl] *adj.* strembaar.
coagulation [koagüla'syõ] *f.* 1 (*v. melk, enz.*) stremming *v.*; 2 (*v. bloed*) stolling *v.*
coaguler [koagülé] I *v.t.* 1 doen stremmen; 2 doen stollen; II *v.pr.*, ***se —***, stremmen; stollen.
coagulum [koagülòm] *m.* 1 stremsel *o.*; 2 gestremde massa *v.(m.)*.
coalisé [koali'zé] I *adj.* verbonden; II *s.*, *m.* verbondene, bondgenoot *m.*
coaliser, *se —* [s(e)koali'zé] *v.pr.* zich verenigen, een verbond vormen; samenspannen.
coalition [koalisyõ] *f.* bondgenootschap *o.*; samenspanning *v.*; ***la — des gauches***, de coalitie *v.* van de linkse partijen; ***marché de —***, trust *m.*; ***délit de —***, samenspanning tot prijsopdrijving.
coaltar [kò(a)lta:r] *m.* koolteer *m. en o.*
coassement [koasmã] *m.* gekwaak *o.*
coasser [koasé] *v.i.* kwaken.
coassocié [koasòsyé] *m.* vennoot, mede-deelhebber *m.*
coassuré [koasü'ré] *m.* medeverzekerde *m.*
coauteur [koo'tœ:r] *m.*, (*letterk.*) medewerker *m.*; (*recht*) medeplichtige *m.*
cobalt [kòbalt] *m.* kobalt *o.*
cobaltifère [kòbaltifè:r] *adj.* kobalthoudend.
cobaye [kòbay] *m.*, (*Dk.*) Guinees biggetje *o.*
cobelligérant [kobèlijérã] I *m.* medeoorlogvoerder; II *adj.* medeoorlogvoerend.
Coblence [kòblã:s] *f.* Coblenz *o.*
cobra [kòbra] *m.* brilslang *v.(m.)*.
coca [kòka] I *m.* cocastruik (Peru); II *f.* tonicum *o.* uit cocabladeren.
cocagne [kòkañ] *f.*, ***pays de —***, luilekkerland *o.*; ***mât de —***, klimmast *m.*
cocaïne [kòkain] *f.* cocaïne *v.(m.)*.
cocaïnomane [kòkainòman] *m.-f.* cocaïnist(e) [*m.(v.)*].
cocarde [kòkard] *f.* kokarde *v.(m.)*; strik *m.*
cocardier [kòkardyé] *m.* iemand die uniformziek is, dol op insignes e. dgl.
cocasse [kòkas] *adj.* bespottelijk, belachelijk, potsierlijk.
cocasserie [kòkasri] *f.* zotheid *v.*
coccinelle [kòksinèl] *f.*, (*Dk.*) lieveheersbeestje *o.*
coccygien [kòksijyẽ] *adj.* op het stuitbeen betrekking hebbend.
coccyx [kòksis] *m.* stuitbeen *o.*
coche [kòʃ] I *m.* postwagen *m.*, postkoets, diligence *v.(m.)*; ***— d'eau***, trekschuit *v.(m.)*; II *f.* 1 zeug *v.*; 2 inkerving, insnede *v.*
cochelet [kòʃlè] *m.* 1 jong haantje *o.*; 2 (*Champagne*) feestmaal *o.* bij druivenoogst.
cochenille [kòʃni'y] *f.* schildluis *v.(m.)*.
cocher [kòʃé] *m.* 1 koetsier, voerman *m.*; 2 (*sterr.*) wagenman, voerman *m.*
cochère [kòʃè:r] I *f.* vrouwelijke koetsier *m.*; II *adj.* ***porte —***, koetspoort *v.(m.)*.
cochet [kòʃè] *m.* jonge haan *m.*
cochevis [kòʃvi] *m.* kuifleeuwerik *m.*
cochoir [kòʃwa:r] *m.* kerfmes *o.*
cochon [kòʃõ] I *m.* 1 varken, zwijn *o.*; 2 varkensvlees *o.*; ***— de lait***, speenvarken; ***— de mer***, bruinvis *m.*; II *adj.* zwijnerig, gemeen.
cochonnaille [kòʃòna:y] *f.* (*pop.*) vleeswaren *mv.*
cochonne [kòʃòn] *f.*, (*fig.*) slons *v.*
cochonnée [kòʃòné] *f.* dracht *v.(m.)* biggen.
cochonner [kòʃòné] *v.t.* verknoeien.
cochonnerie [kòʃònri] *f.* 1 zwijnerij *v.*, vuile boel *m.*; 2 vuile praat *m.*; 3 gemene streek *m. en v.*
cochonnet [kòʃònè] *m.* varkentje *o.*, big *v.(m.)*.
cocker [kòkèr] *m.* cocker, kleine langharige jachthond *m.*
cockpit [kòkpit] *m.* 1 (*sch.*) plaats *v.(m.)* voor roerganger; 2 (*vl.*) cockpit *m.* [*v.*
cocktail [kòktèl] *m.* 1 cocktail *m.*; 2 cocktailparty
coco [koko] *m.* 1 kokosnoot, klappernoot *v.(m.)*; 2 zoethoutwater *o.*; 3 (*in kindertaal*) ei *o.*; schoen *m.*; 4 (*pop.*) heerschap *o.*, vent *m.*; ***un fameux —***, een rare klant *m.*
cocon [kòkõ] *m.*, (*v. zijdeworm*) tonnetje *o.*, cocon *m.*
coconner [kòkòné] *v.i.* zich inspinnen.
cocorico! [kòkòriko] *ij.* kukeleku!
cocose [koko'z] *f.* kokosboter, planteboter *v.(m.)*.
cocotier [kòkòtyé] *m.* kokospalm *m.*
cocot(t)e [kòkòt] *f.* 1 ijzeren pan *v.(m.)*; 2 kippetje; zwaantje *o.*; 3 lichtekooi *v.*; 4 (*pop.*) mond- en klauwzeer *o.*
coction [kòksyõ] *f.* 1 (het) koken *o.*; 2 spijsvertering *v.*; 3 (*v. etter*) rijping, rijpwording *v.*
coda [kòda] *f.*, (*muz.*) coda *v.(m.)*, slotstuk *o.*
code [kò'd] *m.* 1 wetboek *o.*; 2 receptenboek *o.*; 3 cijfersleutel *m.*; ***— civil***, burgerlijk wetboek; ***— de commerce***, wetboek van koophandel; ***— pénal***, strafwetboek; ***— d'instruction criminelle***, wetboek van strafvordering; ***— (télégraphique)***, telegraafcode.
codébiteur [kodébitœ:r] *m.* medeschuldenaar *m.*
codéine [kodéin] *f.* codeïne *v.*
codemandeur [kodmã'dœ:r] *m.* mede-eiser *m.*
codétenu [kodétnü] *m.* medegevangene *m.*
codex [kòdèks] *m.* receptenboek *o.*, farmacopee *v.*
codicille [kòdisil] *m.* aanhangsel bij een testament, codicil *o.*
codification [kòdifika'syõ] *f.* vereniging van wetten tot een wetboek, codificatie *v.*

codifier [kòdifyé] *v.t.*, (*v. wetten*) tot een wetboek verenigen, codificeren.
codique [kòdik] *adj.*, ***mot —,*** codewoord *o.*
codirecteur [kodirèktœ:r] *m.* medebestuurder *m.*
coéducation [koédükɑ˙syõ] *f.* coëducatie, gemeenschappelijke opvoeding *v.*
coefficient [koéfisyã] *m.* coëfficient *m.*
cœlacanthe [sélakant] *m.* celacant *m.* (uitgestorven gewaande grote vis).
cœlentérés [sélã˙téré] *m.pl.* holtedieren *mv.*
cœliaque [sœliak] *adj.* op de ingewanden betrekking hebbend.
cœnure, *voir* ***cénure.***
coéquation [koékwɑ˙syõ] *f.* het omslaan *o.* van [belasting.
coéquipier [koékipyé] *m.* ploeggenoot *m.*
coercibilité [koèrsibilité] *f.* samendrukbaarheid *v.*
coercible [koèrsi˙bl] *adj.* samendrukbaar.
coercitif [koèrsitif] *adj.* dwingend; ***mesures coercitives,*** dwangmaatregelen; ***force coercitive,*** magnetische weerstand *m.*
coercition [koèrsisyõ] *f.* dwang *m.*
cœur [kœ:r] *m.* **1** hart *o.*; **2** (*kaartsp.*) harten *v.*(*m.*); **3** (*v. stad, winter, enz.*) hartje, middelste deel *o.*; **4** (*v. boom*) kern *v.*(*m.*); ***avoir le — gros,*** zijn gemoed vol hebben; ***ami de —,*** boezemvriend; ***cela me fait mal au —,*** dat stuit me tegen de borst; ***avoir le — sur la main,*** het hart op de tong hebben; ***à — ouvert,*** openhartig, ronduit; ***à contre—,*** met tegenzin; ***avoir le — haut,*** grootmoedig zijn; ***apprendre par —,*** van buiten leren; ***s'en donner à — joie,*** zijn hart aan iets ophalen; ***il n'a pas le — au travail,*** hij werkt zonder lust; ***si le — vous en dit,*** als je er lust in hebt; ***je veux en avoir le — net,*** ik wil weten waar het op staat, ik wil er haring of kuit van hebben; ***avoir qc. à —,*** op iets staan, op iets gesteld zijn; ***avoir sur le —,*** **1** niet kunnen verteren; **2** niet kunnen verkroppen; ***ne pas porter qn. dans son —,*** niet veel met iem. op hebben; ***loin des yeux, loin du —,*** uit het oog, uit het hart; ***le Sacré-C—,*** het Heilig Hart; ***avoir du —,*** moed hebben; ***montrer du —,*** zich dapper gedragen; ***cela lui mettra du — au ventre,*** dat zal hem een hart onder de riem steken; ***avoir mal au —,*** misselijk zijn; ***pénétrer au — du sujet,*** tot de kern van het onderwerp doordringen.
coexistence [koègzistã:s] *f.* gelijktijdig bestaan *o.*
coexister [koègzisté] *v.i.* gelijktijdig bestaan.
coffin [kofẽ] *m.* slijpsteenschede *v.*(*m.*) v. maaiers.
coffrage [kòfra:j] *m.*, (*v. mijn, enz.*) bekisting *v.*
coffre [kòfr] *m.* **1** kist *v.*(*m.*); koffer *m.*; **2** geldkist *v.*(*m.*); **3** (*v. piano*) kast *v.*(*m.*); **4** (*v. naaimachine*) kap *v.*(*m.*); **5** (*v. schip*) romp *m.*; **6** (*Dk.*) koffervis *m.*; ***les —s de l'État,*** de Schatkist *v.*(*m.*).
coffre*-fort* [kòfrfò:r] *m.* brandkast *v.*(*m.*
coffrer [kòfré] *v.t.* (iem.) in de doos stoppen.
coffret [kòfrè] *m.* kistje, koffertje *o.*
cogitation [kòjitɑ˙syõ] *f.* overdenking *v.*
cognac [kòñak] *m.* cognac *m.*
cognasse [kòñas] *f.* wilde kweepeer *v.*(*m.*).
cognassier [kòñasyé] *m.* kweepereboom *m.*
cogne [kòñ] *m.* (*arg.*) klabak, smeris *m.*
cognée [kòñé] *f.* (grote) bijl, houthakkersbijl *v.*(*m.*); ***mettre la — à l'arbre,*** aan 't werk gaan, de hand aan de ploeg slaan; ***jeter le manche après la —,*** de boel er bij neergooien; het wanhopig opgeven.
cogner [kòñé] **I** *v.t.* slaan, inslaan; ***— dans la tête,*** inprenten, inpompen; **II** *v.i.* **1** kloppen; **2** stoten; ***— à la porte,*** aan de deur kloppen; **III** *v.pr.*, ***se —,*** **1** zich stoten; **2** elkaar afrossen; ***se — la tête contre le mur,*** met het hoofd tegen de muur lopen.
cognition [kògnisyõ] *f.* kenvermogen *o.*
cohabitation [koabitɑ˙syõ] *f.* samenwoning, inwoning *v.*
cohabiter [koabité] *v.i.* samenwonen.
cohérence [koérã:s] *f.* samenhang *m.*, verband *o.*
cohérent [koérã] *adj.* samenhangend.
cohéreur [kohérœ:r] *m.* ontvanger *m.* bij draadloze telegrafie.
cohériter [koérité] *v.i.* medeërven.
cohéritier [koéritye] *m.* medeërfgenaam *m.*
cohésif [kohézif] *adj.* samenvoegend, cohesief.
cohésion [koézyõ] *f.* cohesie *v.*, samenhang *m.*
cohorte [kòòrt] *f.* **1** cohorte *v.*(*m.*); **2** krijgsbende, legerschaar *v.*(*m.*).
cohue [kòü] *f.* **1** woelige menigte *v.*; **2** gedrang *o.*; **3** mensenmassa *v.*(*m.*).
coi [kwa] *adj.* (*f.*: ***coite*** [kwat]) stil; ***se tenir —,*** [zich koest houden.
coiffe [kwaf] *f.* **1** (vrouwen)muts *v.*(*m.*); kap *v.*(*m.*); **2** (*v. helm*) overtrek *m.*; **3** (*v. hoed*) voering *v.*; **4** (*Pl.*) zaadvlies *o.*; **5** (*v. kind*) helm *m.*; **6** (*v. slachtvee*) darmscheel *o.*; **7** (*v. boek*) stofomslag *m. en o.*
coiffer [kwafé] **I** *v.t.* **1** het hoofd bedekken (met); opzetten; **2** kappen, het haar opmaken (van); **3** (*v. fles*) van een capsule voorzien; ***ce chapeau vous coiffe bien,*** die hoed staat u goed; ***— Sainte Catherine,*** oude vrijster blijven; ***il est né coiffé,*** hij is met de helm geboren; hij is een gelukskind; **II** *v.pr.*, ***se —,*** **1** zich het hoofd bedekken; zijn hoed opzetten; **2** zich kappen; ***se — de,*** verzot zijn op, ingenomen zijn met.
coiffeur [kwafœ:r] *m.* kapper *m.*
coiffeuse [kwafö:z] *f.* kapster *v.*
coiffure [kwafü:r] *f.* **1** hoofddeksel *o.*; **2** kapsel *o.*
coin [kwẽ, kwã] *m.* **1** hoek *m.*; hoekje *o.*; **2** (*v. provincie enz.*) uithoek *m.*; **3** (*v. zakdoek*) punt *m.*; **4** (*v. dam- of schaakbord*) hoekvak *o.*; **5** muntstempel *m.*; **6** (*op goud, enz.*) merk *o.*, stempel *m.*; **7** splitpen *v.*(*m.*); ***un — du feu,*** **1** een gemakkelijke stoel; **2** een huisjasje; ***dans tous les —s et recoins,*** in alle hoeken en gaatjes; ***un — de terre,*** een lapje grond; ***marqué au bon —,*** degelijk, getuigend van goede smaak; ***regarder du — de l'œil,*** tersluiks aanzien, van ter zijde aankijken; ***connaître dans les —s,*** door en door kennen; ***en —,*** wigvormig; ***couper en —,*** schuin snijden; ***jouer aux quatre —s,*** (*spel*) stuivertje wisselen; ***au — d'un bois,*** op een eenzame plek.
coincement [kwẽsemã] *m.* het klem zitten *o.*
coincer [kwẽ˙sé, kwã˙sé] *v.t.* **1** met wiggen vastzetten, spieën; **2** (*fig.*) in 't nauw drijven.
coïncidence [kòẽ˙sidã:s, kwẽ˙sidã:s] *f.* **1** (het) samenvallen *o.*; **2** (het) samentreffen *o.*; samenloop *m.* (van omstandigheden).
coïncident [kòẽ˙sidã, kwẽ˙sidã] *adj.* samenvallend; samentreffend; gelijktijdig.
coïncider [kòẽ˙sidé, kwẽ˙sidé] *v.t.* samenvallen; samentreffen; gelijktijdig plaatshebben.
coin-coin [kwẽkwẽ] *m.* kwak-kwak ! *o.*
coïnculpé [koẽ˙külpé] *m.* medebeschuldigde *m.*
coing [kwẽ, kwã] *m.*, (*Pl.*) kweepeer *v.*(*m.*).
coïnteressé [koẽ˙térèsé] *m.* medebelanghebbende *m.*
Coire [kwa:r] *f.* Chur *o.*
coït [kòit] *m.* coïtus *m.*
coite, *voir* ***coi.***
cojouissance [kojuisã:s] *f.* medegebruik *o.*
coke [kòk] *m.* cokes *v.*(*m.*).
cokéfaction [kokéfaksyõ] *f.* cokesfabricage *v.*
cokerie [kokeri] *f.* cokesfabriek *v.*
col [kòl] *m.* **1** hals *m.*; **2** (*v. jas*) kraag *m.*; **3** boord *o. en m.*; **4** bergpas *m.*; ***faux —,*** losse boord; ***—***

droit, staande boord; — ***cassé,*** omgeslagen boord; — ***rabattu,*** liggende boord.
cola, *voir* ***kola.***
Colas [kòla] *m.* **1** Klaas *m.*; **2** (*fig.*) ***c—,*** domoor, suffer *m.* [sel *o.*
colature [kòlatü:r] *f.* **1** doorzijging *v.*; **2** doorzijg-
colback [kòlbak] *m.* kolbak *m.*, beremuts *v.*(*m.*).
colchique [kòlʃik] *m.*, (*Pl.*) herfsttijloos *v.*(*m.*).
colcotar [kòlkòta:r] *m.* (als schuurmiddel gebruikt) rood ijzeroxyde *o.*
cold-cream [kòlkrim] *m.* cold-cream *v.*(*m.*).
colégataire [kolégatè:r] *m.* medeërfgenaam *m.*
coléoptère [kòléòptè:r] **I** *adj.* schildvleugelig; **II** *s.*, *m.* schildvleugelig insekt *o.*
colère [kòlè:r] *f.* toorn *m.*, woede *v.*(*m.*); ***se mettre en —,*** kwaad worden, driftig worden; — ***bleue,*** hevige woede.
colérique [kòlérik] *adj.* opvliegend, cholerisch.
colibacille [kòlibasil] *m.* colibacil *m.*
colibacillose [kòlibasilo·z] *f.* door colibacil veroorzaakte ingewandsaandoening *v.*
colibri [kòlibri] *m.*, (*Dk.*) kolibrie *m.*, vliegenvogeltje *o.* [**2** vogelkoek *m.*
colifichet [kòlifiʃè] *m.* **1** kleinigheid, snuisterij *v.*;
colimaçon [kòlimɑsõ] *m.* huisjesslak *v.*(*m.*); ***en —,*** spiraalvormig; ***escalier en —,*** wenteltrap *m.*
colin [kolẽ] *m.* waterhoentje *o.* [*o.*
colin-maillard [kòlẽmaya:r] *m.* blindemannetje
colique [kòlik] *f.* buikpijn *v.*(*m.*), koliek *o. en v.*; ***avoir la —,*** in de penarie zitten, in de piepzak zitten.
colis [kòli] *m.* collo, stuk *o.* vrachtgoed; — ***postal,*** postpakket *o.*
Colisée [kòlizé] *m.* Colosseum *o.*
colite [kolit] *f.* karteldarmontsteking *v.*
collaborateur [kò(l)labòratœ:r] *m.* medewerker *m.*
collaboration [kò(l)labòrɑ·syõ] *f.* medewerking *v.*
collaborer [kò(l)labòré] *v.i.* medewerken.
collage [kòla:j] *m.* **1** (het) lijmen, (het) plakken *o.*; **2** (*v. wijn*) (het) klaren *o.*
collant [kòlã] *adj.* **1** klevend; **2** (*v. kleren*) nauwsluitend; **3** (*fig.*) vervelend; opdringerig.
collapsus [kòlapsüs] *m.* plotselinge lichamelijke ineenstorting *v.*, collaps *m.*
collatéral [kò(l)latéral] *adj.* zijdelings, zijwaarts; ***nef —e,*** zijbeuk *m. en v.*; ***ligne —e,*** zijlinie *v.*
collatéraux [kò(l)latéro] *m.pl.* bloedverwanten *mv.*
collation [kò(l)lɑ·syõ] *f.* **1** (*v. ambt*) begeving *v.*, (het) begeven *o.*; **2** lichte maaltijd *m.*; **3** vergelijking *v.* (van afschrift met origineel).
collationner [kò(l)lɑ·syòné] **I** *v.t.*, (*v. teksten*) vergelijken; **II** *v.i.* een lichte maaltijd gebruiken.
colle [kòl] *f.* **1** lijm *m.*; **2** leugentje *o.*; **3** (*bij examen*) strikvraag *v.*(*m.*); **4** (het) zakken *o.*; — ***forte,*** schrijnwerkerslijm; — ***de pâte,*** stijfsel *m. en o.*; — ***de poisson,*** vislijm.
collecte [kòlèkt] *f.* **1** geldinzameling *v.*, collecte *v.*(*m.*); **2** (*kath.*) collecte *v.*(*m.*), oratie *v.* voor het epistel.
collecteur [kòlèktœ:r] *m.* **1** collectant, inzamelaar *m.*; **2** (*v. dynamo*) collector *m.*; ***égout —,*** hoofdriool *o. en v.*(*m.*).
collectif [kòlèktif] **I** *adj.* gezamenlijk, gemeenschappelijk; ***sens —,*** (*gram.*) collectieve betekenis *v.*; ***billet —,*** gezelschapskaart *v.*(*m.*); **II** *s.*, *m.* verzamelwoord *o.*
collection [kòlèksyõ] *f.* verzameling, collectie *v.*
collectionner [kòlèksyòné] *v.t.* verzamelen.
collectionneur [kòlèksyònœ:r] *m.* verzamelaar *m.*
collectivement [kòlèktivmã] *adv.* gezamenlijk.
collectivisme [kòlèktivizm] *m.* collectivisme *o.* (economisch stelsel, dat alle produktiemiddelen tot staatseigendom wil maken).
collectiviste [kòlèktivist] *m.* aanhanger (*of* voorstander) van het collectivisme, collectivist *m.*
collectivité [kòlèktivité] *f.* **1** gemeenschap *v.*; **2** gemeenschappelijk bezit *o.*
collège [kòlè:j] *m.* **1** gymnasium *o.*; h.b.s. *v.*; (*B.*) college *o.*; **2** vergadering *v.*, (bestuurlijk) lichaam *o.*; ***ami de —,*** schoolvriend *m.*; — ***électoral,*** kiezerskorps *o.*; ***le Sacré C—,*** het college van kardinalen.
collégial [kòléjyal] *adj.* **1** schools; **2** ***église —e,*** (*kath.*) collegiale kerk *v.*(*m.*).
collégien [kòléjyẽ] *m.* gymnasiast *m.*; (*B.*) leerling *m.* van een college.
collègue [kòlè·g] *m.* collega, ambtgenoot *m.*
coller [kòlé] **I** *v.t.* **1** plakken; **2** aanplakken; opplakken; vastplakken; **3** lijmen; **4** (*v. wijn*) klaren; — ***qn. au mur,*** iem. tegen de muur zetten; — ***un élève,*** **1** een leerling doen nablijven; **2** moeilijke vragen stellen aan een leerling; ***être collé,*** (*bij examen*) gezakt zijn; — ***une gifle à qn.,*** iem. een draai om de oren geven; **II** *v.i.* **1** kleven; **2** nauw sluiten, spannen; ***ça colle!*** **1** afgesproken! **2** 't is aan tussen hen; ***ça ne colle plus,*** 't is weer uit; het gaat niet door; **III** *v.pr.*, ***se —,*** **1** zich hechten; **2** zich vasthouden aan; ***se — au mur,*** tegen de muur gaan staan, zich tegen de muur aandrukken.
collerette [kòlrèt] *f.* geplooide kraag; kanten kraag *m.*
collet [kòlè] *m.* **1** kraag *m.*; **2** (*v. tand, anker*) hals *m.*; **3** (*v. fles*) rand *m.*; **4** (*v. rund*) halsstuk *o.*; **5** (*voor wild*) strik *m.*; ***prendre au —,*** bij de kraag pakken.
colletage [kòlta:j] *m.* vechtpartij *v.*
colleter* [kòlté] **I** *v.t.* **1** bij de kraag pakken; **2** (*v. wild*) strikken; **II** *v.i.* strikken spannen.
colleteur [kòltœ:r] *m.* strikkenzetter *m.*
colleur [kòlœ:r] *m.* **1** aanplakker *m.*; **2** behanger *m.*; **3** (*fam.*) leugenzak; opsnijder *m.*
collier [kòlyé] *m.* **1** halssnoer *o.*; halsketting *m. en v.*; **2** ordeketen *v.*(*m.*); **3** halsband *m.*; **4** ringbaard *m.*; **5** (*v. paard*) haam, gareel *o.*; **6** (*bouwk.*: *v. zuil*) stijlband *m.*, lijst *v.*(*m.*); ***reprendre le —,*** het juk weer opnemen, het werk hervatten; ***à plein —,*** uit alle macht.
colliger [kòli·jé] *v.t.* bijeenlezen, vergaren. [*m.*
collignon [kòliñõ] *m.* (*denigrerend*) aapjeskoetsier
collimateur [kòlimatœ:r] *m.* richttoestel *o.*
colline [kòlin] *f.* heuvel *m.*
collision [kòlizyõ] *f.* **1** (*v. voertuigen*) botsing *v.*; **2** (*v. schepen*) aanvaring *v.*; **3** (*fig.*: *v. belangen*) strijd *m.*; ***entrer en —,*** in botsing komen.
collocation [kòlòkɑ·syõ] *f.* **1** (*bij faillissement*) rangregeling *v.* (van schuldeisers); **2** staat *m.* van de schuldeisers; ***mandement de —,*** uitdelingslijst *v.*(*m.*).
collodion [kòlòdyõ] *m.* collodium *o.*
colloïdal [kòlòidal] *adj.* geleiachtig, colloïdaal.
colloïde [kòlòi:d] **I** *m.* colloïde *v.*(*m.*) *en o.*; **II** *adj.* colloïdaal. [gesprek *o.*
colloque [kòlòk] *m.* samenspraak *v.*(*m.*), geleerd
colloquer [kòlòké] *v.t.*, **1** (*v. schuldeisers*) rangschikken; **2** — ***qc. à qn.,*** iem. iets aansmeren. [*v.*
collusion [kò(l)lüzyõ] *f.* geheime verstandhouding
collusoire [kò(l)lüzwa:r] *adj.*, ***arrangement —,*** heimelijke afspraak *v.*(*m.*).
collutoire [kò(l)lütwa:r] *m.* mondspoeling *v.*
collyre [kòli:r] *m.* (*gen.*) oogmiddel *o.*; — ***mou,*** oogzalf *v.*(*m.*).
colmatage [kòlmata:j] *m.* **1** demping, inpoldering *v.*; **2** (*mil.*) afgrendeling *v.*

colmater [kòlmaté] *v.t.* **1** dempen, inpolderen; **2** (*mil.*) afgrendelen, dichten van bres.
colocataire [kolòkatè:r] *m.* medehuurder *m.*
Cologne [kòlòñ] *f.* Keulen *o.*
Colomb [kòlõ] *m.* Columbus *m.*
colombage [kòlõ˙ba:j] *m.* paalwand *m.* voor [beschotwerk.
colombe [kòlõ:b] *f.*, (*dicht.*) duif *v.*(*m.*).
colombelle [kòlõ˙bèl] *f.* **1** duifje *o.*; **2** filet *m. en o.* tussen tweekolomstekst.
Colombie [kòlõ˙bi] *f.* Columbia *o.*
colombien [kòlõ˙byẽ] *adj.* Columbiaans.
colombier [kòlõ˙byé] *m.* **1** duivenhok *o.*, duiventil *v.*(*m.*); **2** (*mil.*) postduivenstation *o.*; **3** bep. papierformaat *o.*; — ***journal,*** 60×80 cm; — ***affiche,*** 62×85 cm; — ***édition,*** 63×90 cm.
colombin [kòlõ˙bẽ] *adj.* violet-rood.
colombine [kòlõ˙bin] *f.* **1** duivemest *m.*; **2** (*Pl.*) akelei *v.*(*m.*).
colombophilie [kòlõ˙bòfili] *f.* duivenliefhebberij *v.*, duivensport *v.*(*m.*).
colon [kòlõ] *m.* **1** kolonist; planter *m.*; **2** pachter [*m.*
côlon [kò˙lõ] *m.* karteldarm *m.*
colonais [kòlònè] *adj.* Keuls.
colonel [kòlònèl] *m.* kolonel *m.*
colonelle [kòlònèl] *f.* kolonelsvrouw *v.*
colonial [kòlònyal] *adj.* koloniaal.
colonie [kòlòni] *f.* kolonie *v.*; — ***pénitentiaire,*** strafkolonie.
colonisateur [kòlònizatœ:r] **I** *adj.* koloniserend; **II** *s.*, *m.* kolonisator *m.*, stichter *m.* van een kolonie.
colonisation [kòlòniza˙syõ] *f.* kolonisatie *v.*
coloniser [kòlònizé] *v.t.* koloniseren.
colonnade [kòlòna˙d] *f.* zuilenrij *v.*(*m.*).
colonne [kòlòn] *f.* **1** zuil *v.*(*m.*); **2** pilaar *m.*; pijler *m.*; **3** (*v. tafel*) poot *m.*; **4** (*v. bed*) stijl *m.*; **5** (*v. cijfers, krant, enz.*) kolom *v.*(*m.*); **6** (*mil.*) colonne *v.*(*m.*); **7** (*fig.*) steunpilaar *m.*; — ***milliaire,*** mijlpaal *m.*; — ***mobile,*** vliegende colonne; — ***vertébrale,*** wervelkolom, ruggegraat *v.*(*m.*); ***monter une —,*** (*fam.*) een boom opzetten; ***sur deux —s,*** tweekoloms.
colonne*-affiche* [kòlònafiʃ] *f.* aanplakzuil *v.*(*m.*).
colonnette [kòlònèt] *f.* zuiltje *o.*
colophane [kòlòfan] *f.* hars, vioolhars *o. en m.*
colophon [kòlòfõ] *m.* colofon *o. en m.*
coloquinte [kòlòkẽ:t] *f.* **1** (*Pl.*) kolokwint *m.*; **2** (*pop.*) knikker *m.* (hoofd).
colorado [kòlòrado] *m.* coloradokever *m.*
colorant [kòlòrã] **I** *adj.* kleurend, kleur—; **II** *s.*, *m.* kleurstof *v.*(*m.*).
coloration [kòlòra˙syõ] *f.* **1** kleuring *v.*, (het) kleuren *o.*; **2** kleur *v.*(*m.*).
coloré [kòlòré] *adj.* **1** gekleurd; **2** kleurrijk; **3** (*v. wijn*) donker; ***avoir le teint —,*** een gezonde kleur hebben.
colorer [kòlòré] **I** *v.t.* **1** kleuren; **2** doen kleuren, doen blozen; **3** (*fig.*) bewimpelen, verbloemen; rooskleurig voorstellen; **II** *v.pr.*, ***se —,*** **1** zich kleuren; **2** een kleur krijgen. [kleuren *o.*
coloriage [kòlòrya:j] *m.*, (*v. tekening, enz.*) (het)
colorier [kòlòryé] *v.t.* kleuren.
colorieur [kòlòryœ:r] *m.*, (*tn.*) kleurrol *v.*(*m.*).
coloris [kòlòri] *m.* **1** koloriet *o.*, kleurenpracht *v.*(*m.*), kleurenrijkdom *m.*; **2** (*v. stijl*) kleurrijkheid *v.*
coloriste [kòlòrist] *m.* kolorist *m.*
colossal [kòlòsal] *adj.* kolossaal, reusachtig.
colosse [kòlòs] *m.* reus, kolossus *m.*
colportage [kòlpòrta:j] *m.* **1** marskramerij *v.*; (het) rondventen *o.*; **2** (*v. nieuwtje, enz.*) (het) rondstrooien, (het) rondbazuinen *o.*
colporter [kòlpòrté] *v.t.* **1** rondventen; **2** rondstrooien.
colporteur [kòlpòrtœ:r] *m.* **1** marskramer; straatkoopman *m.*; **2** (*v. nieuwtjes, praatjes*) rondstrooier, verspreider *m.*
colt [kòl] *m.* automatisch pistool *o.*
coltin [kòltẽ] *m.* leren sjouwershoed *m.*
coltinage [kòltina:j] *m.* sjouwersberoep *o.*
coltiner [kòltiné] *v.t.* sjouwen, versjouwen.
coltineur [kòltinœ:r] *m.* sjouwer *m.*
columbarium [kòlõbaryòm] *m.* bewaarruimte *v.* voor grafurnen.
colza [kòlza] *m.* koolzaad *o.*; ***huile de —,*** raapolie *v.*(*m.*).
coma [kòma] *m.* coma *o.*, slaapzucht *v.*(*m.*), dodelijke bewusteloosheid *v.*
comateux [kòmatö] *adj.* slaapzuchtig; ***état —,*** staat van verdoving.
combat [kõ˙ba] *m.* gevecht *o.*, strijd *m.*; — ***singulier,*** tweegevecht *o.*; — ***aérien,*** luchtgevecht; — ***naval,*** zeegevecht; ***bâtiment de —,*** slagschip *o.*; — ***de générosité,*** wedijver *m.* in edelmoedigheid.
combatif [kõ˙bativ] *adj.* strijdlustig.
combativité [kõ˙bativité] *f.* strijdlust *m.*
combattant [kõ˙batã] *m.* **1** strijder *m.*; **2** kemphaan *m.*; ***ancien —,*** oud-strijder.
combattre* [kõ˙batr] **I** *v.t.* bevechten, bestrijden; **II** *v.i.* vechten, strijden.
combe [kõ:b] *f.* (*op hoogvlakte*) klein dal *o.*
combien [kõ˙byẽ] *adv.* **1** hoeveel; **2** hoezeer, hoe; —, ***ce livre?*** hoeveel kost dat boek? — ***cela va-t-il durer?*** hoelang zal dat duren?
combinable [kõ˙bina˙bl] *adj.* verenigbaar; ***billet —,*** rondreisbiljet *o.*
combinaison [kõ˙binè˙zõ] *f.* **1** verbinding; vereniging *v.*; **2** (*fig.*) berekening *v.*; plan, opzet *o.*; **3** hemdbroek *v.*(*m.*); **4** (*scheik.*) verbinding *v.*; **5** vliegersoverall *m.*; ***serrure à —,*** letterslot *o.*
combine [kõ˙bin] *f.*, (*fam.*) plan *o.*
combiner [kõ˙biné] *v.t.* **1** verbinden; verenigen; **2** (*v. plan, enz.*) beramen, overwegen.
comble [kõ:bl] **I** *m.* **1** (*v. gebouw*) kap *v.*(*m.*); **2** (*v. inhoudsmaat*) kop *m.*, toegift *v.*(*m.*); **3** (*fig.*) toppunt *o.*; ***les —s,*** de hanebalken; ***mettre le — à,*** ten top doen stijgen; de maat vol meten; ***pour — de malheur,*** tot overmaat van ramp; ***de fond en —,*** geheel en al; ***c'est un —!*** dat is het toppunt! dat doet de deur dicht! **II** *adj.* overvol, propvol; ***la mesure est —,*** de maat is vol, de maat loopt over.
comblement [kõ˙blemã] *m.* demping *v.*, (het) vullen *o.*
combler [kõ˙blé] *v.t.* **1** (*v. put, enz.*) dempen; **2** (*v. maat*) vol meten; **3** (*v. leemte*) aanvullen; **4** (*v. wens*) vervullen, geheel bevredigen; **5** (*v. tekort*) dekken; **6** (*v. accumulator*) laden; — ***de,*** overladen met, overstelpen met.
comburant [kõ˙bürã] **I** *adj.* brand onderhoudend; **II** *s.*, *m.* brand onderhoudende stof *v.*(*m.*).
combustibilité [kõ˙büstibilité] *f.* brandbaarheid *v.*
combustible [kõ˙büsti˙bl] **I** *adj.* brandbaar; **II** *s.*, *m.* brandstof *v.*(*m.*).
combustion [kõ˙büstyõ] *f.* **1** verbranding *v.*; **2** (*fig.*) opschudding *v.*; — ***spontanée,*** zelfontbranding *v.*; — ***lente,*** smeuling *v.*
Côme [ko:m] *f.* Como *o.*
comédie [kòmédi] *f.* **1** blijspel *o.*; **2** schouwburg *m.*; **3** (*fig.*) komedie *v.*; ***donner la —,*** zich belachelijk aanstellen; ***jouer la —,*** komedie spelen, veinzen; ***c'est le secret de la —,*** dat is een publiek geheim.
comédien [kòmédyẽ] *m.* **1** toneelspeler *m.*; **2** (*fig.*) komediant *m.*

comédon [kòmédõ] *m.* meeëter *m.* (huidparasiet).
comestible [kòmèsti·bl] **I** *adj.* eetbaar; **II —s,** *m.pl.* (fijne) eetwaren; delicatessen *mv.*
comètaire [kòmétè:r] *adj.* wat de kometen betreft.
comète [kòmèt] *f.* **1** komeet, staartster *v.(m.)*; **2** staartvuurpijl *m.*; **3** (*v. boek*) kapitaalbandje *o.*
comice [kòmis] *m.*, (*gesch.*) volksvergadering *v.*; ***— agricole,* 1** landbouwersvereniging *v.*; **2** landbouwfeest *o.*; **3** landbouwkundig congres *o.*
Comines [kòmin] Komen *o.*
comique [kòmik] **I** *adj.* komisch, grappig, koddig; ***auteur —,*** blijspelschrijver; **II** *s., m.* **1** (het) komische *o.*; **2** blijspelschrijver *m.*; **3** (*speler*) komiek *m.*
comiquement [kòmikmã] *adv.* komisch, koddig.
comité [kòmité] *m.* **1** commissie *v.*; **2** bestuur *o.*; **3** afdeling *v.*; ***— électoral,*** kiesvereniging *v.*; ***— directeur,*** hoofdbestuur; ***en petit —,*** in kleine kring.
comma [kòma] *m.* **1** (*muz.*) komma *v.(m.) of o.*; **2** dubbele punt *v.(m.) en o.*
command [kòmã] *m.*, (*H.*) lastgever *m.*
commandant [kòmã·dã] **I** *m.* **1** bevelhebber *m.*; **2** majoor *m.*; **3** (*marine*) hoofd *o.* van de stelling; ***— de place,*** plaatselijk commandant; ***le — du navire,*** de kapitein van het schip.
commande [kòmã:d] *f.* **1** bestelling *v.*; **2** opdracht *v.(m.)*, lastgeving *v.*; **3** (*v. machine*) drijfwerk *o.*, krachtoverbrenging *v.*; **4** stuur *o.*; ***de —,* 1** besteld; **2** (*v. vastendag*) geboden; ***larmes de —,*** krokodilletranen; ***— unique,*** (*radio*) afstemknop *m.*; ***chaîne de —,*** drijfketting *m. en v.*
commandement [kòmã·dmã] *m.* **1** bevel *o.*; **2** bevelhebberschap *o.*; **3** gezag *o.*, macht *v.(m.)*; **4** bevelschrift *o.*, dagvaarding *v.*; ***— en chef,*** opperbevel *o.*; ***— militaire,*** commando *o.*; ***les dix —s de Dieu,*** de tien geboden Gods.
commander [kòmã·dé] **I** *v.t.* **1** bevelen; **2** voorschrijven, gelasten; **3** (*v. eerbied, bewondering*) afdwingen; **4** bevel voeren over, aanvoeren; **5** (*dal, enz.*) bestrijken, beheersen; **6** (*v. goederen*) bestellen; **7** in beweging brengen, drijven; **II** *v.i.*, ***— à,*** **1** bevelen; bevel voeren over; **2** (*v. hartstochten*) beheersen, bedwingen; **III** *v.pr.*, ***se —,*** **1** zich bedwingen; **2** (*v. kamers*) in elkaar lopen; **3** (*v. machines*) met elkaar in verbinding staan; **4** op commando komen.
commandeur [kòmã·dœ:r] *m.* **1** (*in ridderorde*) commandeur *m.*; **2** (*Dk.*) purperlijster *v.(m.)*.
commanditaire [kòmã·ditè:r] *m.*, (*H.*) stille vennoot, geldschieter *m.*
commandite [kòmã·dit] *f.*, ***société en —,*** commanditaire vennootschap *v.*
commanditer [kòmã·dité] *v.t.* als stille vennoot steunen, geld steken in.
commando [kòmã·do] *m.* (kleine) stoottroep *m.*
comme [kòm] **I** *conj.* **1** (*vergelijking*) als, zoals, evenals; **2** (*tijd*) toen, juist toen, terwijl; **3** (*oorzaak*) daar, omdat; ***— il faut,*** zoals het behoort; fatsoenlijk; ***faites — il vous plaira,*** handel naar goeddunken; ***tout — chez nous,*** juist zoals bij ons; ***citer — témoin,*** als getuige dagvaarden; ***— si,*** alsof; ***— qui dirait,*** om zo te zeggen; ***— il est malade, il ne viendra pas,*** daar hij ziek is, zal hij niet komen; ***— il allait partir,*** juist toen hij zou vertrekken; **II** *adv.* wat, hoe, hoezeer; ***c'est tout —,*** 't komt op hetzelfde neer; ***— il fait froid!*** wat is het koud! ***la chose est — faite,*** 't is zo goed als gedaan; ***vous savez — il était heureux,*** u weet hoe gelukkig hij was; ***— ci, — ça,*** zo zo, tamelijk.
commémoratif [kòmémòratif] *adj.* herinnerings—, gedenk—; ***plaque commémorative,*** gedenkplaat *v.(m.)*.
commémoration [kòmémòra·syõ] *f.* herdenking *v.*; ***en — de,*** ter herinnering aan.
commémorer [kòmémòré] *v.t.* herdenken.
commençant [kòmã·sã] *m.* beginner, eerstbeginnende *m.*
commencement [kòmã·smã] *m.* begin *o.*, aanvang *m.*; **—s,** beginselen; ***il y a — à tout,*** één keer moet de eerste zijn, alle begin is moeilijk.
commencer [kòmã·sé] **I** *v.t.* **1** beginnen, aanvangen; **2** (*v. brood*) aansnijden; **3** (*v. ziekte*) de eerste verschijnselen vertonen van; ***— par lire,*** beginnen met lezen; ***— à lire,*** beginnen te lezen; **II** *v.i.* beginnen, aanvangen.
commendataire [kòmã·datè:r] **I** *m.* iemand die de inkomsten geniet van een prebende; **II** *adj.* proveniers—.
commende [kòmã:d] *f.* prebende *v.(m.)*, inkomen uit kerkelijk goed of ambt.
commensal [kòmã·sal] *m.* tafelgenoot, disgenoot *m.*
commensurable [kòmã·süra·bl] *adj.* (onderling) meetbaar.
comment [kòmã] **I** *adv.* hoe? **—!** hoe! wat! ***— cela?*** hoe (dat) zo? ***— (dites-vous)?*** wat zegt u? ***voici —,*** ziehier op welke wijze; **II** *s., m.*, ***le — et le pourquoi,*** het hoe en het waarom.
commentaire [kòmã·tè:r] *m.* **1** commentaar *m. of o.*; **2** verklarende aantekening *v.*; **3** aanmerking; opmerking *v.*; **—s,** praatjes *mv.*; ***prêter aux —s,*** aanleiding geven tot praatjes, besproken worden; ***pas de —s,*** en verder geen woord meer; ***sans —s!*** commentaar overbodig!
commentateur [kòmã·tatœ:r] *m.* verklaarder, commentator *m.*
commenter [kòmã·té] *v.t.* **1** verklaren; van aantekeningen voorzien; **2** (spottende) aanmerkingen maken over; commentaar leveren op.
commérage [kòméra:j] *m.* **1** geklets *o.*, oudewijvenpraatjes *mv.*; **2** laster, achterklap *m.*
commerçant [kòmèrsã] **I** *adj.* handeldrijvend; handels—; ***ville —e,*** handelsstad *v.(m.)*; **II** *s., m.* koopman, handelaar *m.*
commerce [kòmèrs] *m.* **1** handel, koophandel *m.*; **2** (*fig.*) omgang *m.*, verkeer *o.*; ***— d'échange,*** ruilhandel; ***— d'exportation,*** uitvoerhandel; ***— d'importation,*** invoerhandel; ***— intermédiaire, — de demi-gros,*** tussenhandel; ***— de gros,*** groothandel; ***— de détail,*** kleinhandel; ***chambre de —,*** kamer van koophandel; ***faire le —,*** handel drijven; ***d'un — agréable,*** aangenaam in de omgang.
commercer [kòmèrsé] *v.i.* **1** handel drijven; **2** (*fig.*) omgaan met.
commercial [kòmèrsyal] *adj.* handels—, commercieel; ***semaine —e,*** winkelweek *v.(m.)*.
commercialement [kòmèrsyalmã] *adv.* commercieel; naar handelsgebruik.
commercialiser [kòmèrsyalizé] *v.t.* **1** (*v. artikel*) in de handel brengen; **2** (*v. handelspapier*) geldswaardig maken; **3** op commerciële voet inrichten.
commère [kòmè:r] *f.* **1** babbelkous, kletskous *v.(m.)*; **2** (*fam.*) vrouwtje, moedertje *o.*; **3** meter, peettante *v.*
commérer [kòmé·ré] *v.i.* babbelen, kletsen.
commettant [kòmètã] *m.* lastgever, committent *m.*
commettre* [kòmètr] **I** *v.t.* **1** begaan, bedrijven; **2** samendraaien, (tot touw) ineendraaien; **3** (*v. goede naam, enz.*) blootstellen, in de waagschaal stellen, op het spel zetten; ***— qc. à qn.,*** iem. iets toevertrouwen; iets aan iem. opdragen; **II** *v.pr.*,

se —, **1** bedreven worden; **2** zich inlaten (met).
comminatoire [kòminatwa:r] *adj.*, (*recht*) dreigend; ***lettre* —**, dreigbrief *m.*
commis [kòmi] *m.* **1** winkelbediende *m.*; **2** kantoorbediende *m.*; **3** klerk *m.*; — ***d'ordre,*** (*B.*) ordeklerk *m.*; — ***voyageur,*** handelsreiziger *m.*; — ***livreur,* — *coureur,*** loopjongen *m.*
commisération [kòmizéra'syõ] *f.* medelijden *o.*, deernis *v.*
commissaire [kòmisè:r] *m.* **1** commissaris *m.*; **2** ceremoniemeester *m.*; — ***de la marine,*** officier van administratie, betaalmeester *m.*
commissaire*-priseur* [kòmisè:rpri'zœ:r] *m.* vendumeester *m.*
commissariat [kòmisarya] *m.* commissariaat *o.*
commission [kòmisyõ] *f.* **1** opdracht *v.*(*m.*), lastgeving *v.*; **2** provisie *v.*, commissieloon *o.*; **3** commissiehandel *m.*; **4** commissiegoederen *mv.*; **5** commissie *v.* (groep van personen); **6** boodschap *v.*; — ***départementale,*** (*N.*) Gedeputeerde Staten; (*B.*) Bestendige Deputatie; — ***de réforme,*** (*mil.*) keuringsraad *m.*; ***faire la* —,** commissiehandel drijven.
commissionnaire [kòmisyònè:r] *m.* **1** commissionair, makelaar *m.*; **2** pakjesdrager, witkiel, kruier *m.*; — ***de transports,*** expediteur *m.*; — ***en douane,*** inklaarder *m.*
commissionner [kòmisyòné] *v.t.* **1** opdracht geven aan; **2** in commissie laten kopen; in commissie bestellen.
commissure [kòmisü:r] *f.* naad *m.*, samenvoeging *v.*; — ***des lèvres,*** mondhoek *m.*
commodat [kòmòda] *m.* bruikleen *o.*
commode [kòmò'd] **I** *adj.* **1** gemakkelijk; **2** (*v. huis, enz.*) gerieflijk; **3** (*v. persoon*) inschikkelijk, toegeeflijk; **II** *s.*, *f.* latafel *v.*(*m.*).
commodément [kòmòdémã] *adv.* gemakkelijk.
commodité [kòmòdité] *f.* **1** gemak *o.*, gerieflijkheid *v.*; **2** gunstige gelegenheid *v.*
commotion [kò(m)mòsyõ] *f.* **1** schok *m.*; **2** (*fig.*) hevige aandoening *v.*; — ***cérébrale,*** hersenschudding *v.*; — ***aérienne,*** luchtverplaatsing *v.*; — ***sismique,*** aardschok *m.*
commuable [kòmẅa'bl] *adj.*, (*v. straf*) die verzacht kan worden. [zachten.
commuer [kòmẅé] *v.t.*, (*v. straf*) veranderen, ver-
commun [kòmœ̃] **I** *adj.* **1** gemeenschappelijk, gemeen; **2** algemeen; **3** alledaags, gewoon; **4** gemeen, laag; **5** middelmatig; ***biens* —*s*,** goederen in gemeenschap; ***nom* —,** gemeen naamwoord; ***faire cause* —*e*,** gemene zaak maken; ***d'un* — *accord,*** eenstemmig; in gemeen overleg; ***le sens* —,** het gezond verstand; ***cela n'a pas le sens* —,** dat is onzin; ***des gens* —*s*,** geringe mensen; **II** *s.*, *m.* **1** (het) volk *o.*, (de) massa *v.*(*m.*), (de) grote hoop *m.*; **2** gemeenschap *v.*; ***les gens du* —,** het gemene volk; ***le* — *des mortels,*** de gewone stervelingen; ***le* — *des saints,*** (*kath.*: *in mis*) het gemeenschappelijke van de heiligen; ***sortir du* —,** boven anderen uitsteken; ***les* —*s*,** de bijgebouwen.
communal [kòmünal] *adj.* gemeentelijk; gemeente—; ***électeur* —,** kiezer *m.* voor de gemeenteraad.
communard [kòmüna:r] *m.* aanhanger *m.* van de Commune (te Parijs in 1871).
communauté [kòmüno'té] *f.* **1** (*v. belangen, enz.*) gemeenschappelijkheid, overeenstemming *v.*; **2** (*v. goederen, enz.*) gemeenschap *v.*; **3** (*kath.*) communiteit, kloostergemeente *v.*; ***sous le régime de la* —,** (*recht*) in gemeenschap van goederen; — ***de travail,*** werkgemeenschap.
commune [kòmün] *f.* gemeente *v.*; ***la Chambre des* —*s*,** het Lagerhuis (in Engeland); ***la C*—,** (*gesch.*) de Commune (te Parijs in 1871).
communément [kòmünémã] *adv.* gewoonlijk, doorgaans; ***nommé* —,** in de wandeling.
communiant [kòmünyã] *m.* **1** (*kath.*) communicant *m.*; **2** (*prot.*) avondmaalganger *m.*
communicable [kòmünika'bl] *adj.* **1** mededeelbaar; **2** overdraagbaar.
communicant [kòmünikã] *adj.* met elkaar in verbinding staande, communicerend; ***porte* —*e*,** tussendeur *v.*(*m.*).
communicateur [kòmünikatœ:r] **I** *adj.* verbindings—, geleidings—; **II** *s.*, *m.* verbindingstoestel *o.*
communicatif [kòmünikatif] *adj.* **1** (*v. persoon*) spraakzaam, mededeelzaam; **2** (*v. lach, gevoelen, enz.*) aanstekelijk; ***encre communicative,*** kopieerinkt.
communication [kòmünika'syõ] *f.* **1** mededeling *v.*; **2** bekendmaking *v.*; **3** (*v. stukken*) inzage *v.*(*m.*); **4** (*v. kracht, beweging*) overbrenging *v.*; **5** (*v. trein, boot, enz.*) verbinding *v.*; **6** (*tel.*) aansluiting *v.*; ***prendre* — *de*,** kennis nemen van; ***porte de* —,** verbindingsdeur, tussendeur *v.*(*m.*); ***moyens de* —,** middelen van verkeer; ***voie de* —,** verbindingsweg *m.*; ***obtenir la* —,** (*tel.*) aansluiting krijgen.
communier [kòmünyé] **I** *v.i.* **1** (*kath.*) communiceren, de H. Communie ontvangen; **2** (*prot.*) aan het Avondmaal deelnemen; **3** (*fig.*) zich één voelen; **II** *v.t.* **1** (*kath.*) (iem.) de H. Communie uitreiken; **2** (*prot.*) het Avondmaal toedienen.
communion [kòmünyõ] *f.* **1** (*kath.*) communie *v.*; **2** (*prot.*) Avondmaal *o.*; **3** (*fig.*) overeenstemming, gelijke gezindheid *v.*; ***la* — *des saints,*** de gemeenschap van de heiligen; ***être en* — *d'idées,*** eensgezind zijn; geestesverwantschap hebben.
communiqué [kòmüniké] *m.* **1** (*aan dagblad, enz.*) officiële mededeling, ambtelijke inlichting *v.*; **2** (*mil.*) legerbericht *o.*
communiquer [kòmüniké] **I** *v.t.* **1** mededelen; **2** (*v. stukken*) ter inzage geven; **3** (*v. ziekte, enz.*) overbrengen; **II** *v.i.* **1** in verbinding staan; **2** beraadslagen, van gedachten wisselen; — ***par écrit,* — *par lettres,*** briefwisseling houden; **III** *v.pr.*, ***se* — 1** (*v. nieuws, enz.*) elkaar mededelen; **2** (*v. ziekte*) aanstekelijk zijn; **3** in gemeenschap staan.
communisme [kòmünizm] *m.* communisme *o.*
communiste [kòmünist] **I** *m.* communist *m.*; **II** *adj.* communistisch.
commutable [kòmüta'bl] *adj.* omschakelbaar.
commutateur [kòmütatœ:r] *m.* **1** schakelaar *m.*; **2** stroomwisselaar *m.*
commutatif [kòmütatif] *adj.* ruiling betreffend.
commutation [kòmüta'syõ] *f.* **1** (*v. straf*) verandering, verzachting *v.*; **2** stroomwisseling *v.*
commuter [kòmüté] *v.t.* omschakelen.
compacité [kõ'pasité] *f.* dichtheid *v.*
compact [kõ'pakt] *adj.* **1** dicht, vast; **2** (*v. druk*) kompres, niet gespatieerd.
compagne [kõ'pañ] *f.* **1** gezellin *v.*; **2** echtgenote *v.*; — ***de classe,*** schoolvriendin *v.*
compagnie [kõ'pañi] *f.* **1** gezelschap *o.*; **2** maatschappij *v.*; **3** genootschap *o.*; **4** (*mil.*) compagnie, afdeling *v.*; **5** (*v. dieren*) troep *m.*; **6** (*v. vogels*) vlucht *v.*(*m.*); ***la C*— *de Jésus,*** de jezuïetenorde *v.*(*m.*); ***dame de* —,** gezelschapsjuffrouw; ***fausser* — *à qn.*,** iem. in de steek laten; ***il n'est si bonne* — *qu'on ne quitte,*** er is een tijd van komen en een tijd van gaan; ***voyager de* —,** gezamenlijk reizen.
compagnon [kõ'pañõ] *m.* **1** makker, kameraad *m.*; **2** gezel, handwerksgezel *m.*; — ***d'armes,*** wapenbroeder, strijdmakker *m.*; — ***de voyage,*** reisgezel,

reisgenoot *m.*; ***un gai* —,** een vrolijke snaak *m.*; ***un hardi* —,** een flinke vent.
compagnonnage [kõ'pañòna:j] *m.* gezellenvereniging *v.*
comparable [kõ'para'bl] (*à*) *adj.* te vergelijken (met).
comparaison [kõ'parèzõ] *f.* vergelijking *v.*; ***en — de,*** in vergelijking met; ***par* —,** vergelijkenderwijs; ***sans* —,** zonder vergelijking; onvergelijkelijk; ***degrés de* —,** trappen van vergelijking, trappen van betekenis; ***— n'est pas raison,*** een vergelijking bewijst nog niets.
comparaître* [kõ'parè:tr] *v.i.* **1** (voor de rechtbank) verschijnen; **2** compareren (voor notaris).
comparant [kõ'parã] *m.* comparant *m.*
comparatif [kõ'paratif] **I** *adj.* vergelijkend; **II** *s., m.* vergelijkende trap *m.*
comparativement [kõ'parati'vmã] *adv.* vergelijkenderwijze; ***— à,*** in vergelijking met.
comparé [kõ'paré] *adj.* vergeleken; vergelijkend; ***grammaire —e,*** vergelijkende spraakkunst *v.*
comparer [kõ'paré] *v.t.* vergelijken.
comparoir [kõ'parwa:r] *v.i.*, (*recht*) verschijnen.
comparse [kõ'pars] *m.-f.* **1** (*op toneel*) figurant *m.*, —e *v.*; **2** handlanger *m.*, —ster *v.*
compartiment [kõ'partimã] *m.* **1** afdeling *v.*, vak *o.*; **2** (spoorweg)coupé *m.*; **3** (*beurs*) hoek *m.*; afdeling *v.*; ***— de coffre-fort,*** safeloket *o.*
compartimentage [kõ'partimãta:j] *m.* verzuiling *v.* [v.
comparution kõ'parüsyõ] *f.*, (*recht*) verschijning
compas [kõ'pa, kõ'pɑ] *m.* **1** passer *m.*; **2** scheepskompas *o.*; ***par — et par mesure, par règle et par* —,** met de uiterste nauwkeurigheid; ***avoir le — dans l'œil,*** een timmermansoog hebben.
compassé [kõ'pɑ'sé] *adj.* afgemeten, stijf.
compasser [kõ'pɑ'sé] *v.t.* **1** afmeten; **2** (*sch.*) het bestek uitzetten.
compassion [kõ'pɑ'syõ] *f.* medelijden *o.*
compatibilité [kõ'pɑtibilité] *f.* verenigbaarheid *v.*
compatible [kõ'pɑti'bl] *adj.* verenigbaar.
compatir [kõ'pɑti:r] (*à*) *v.i.* medelijden hebben (met).
compatissant [kõ'pɑtisã] *adj.* medelijdend.
compatriote [kõ'patriòt] *m.-f.* landgenoot *m.*, —genote *v.*
compendieux [kõ'pã'dyö] *adj.*, **compendieusement** [kõ'pã'dyö'zmã] *adv.* beknopt.
compendium [kõ'pẽ'dyòm] *m.* kort begrip *o.*
compensable [kõ'pã'za'bl] *adj.* vereffenbaar, vergoedbaar.
compensateur [kõ'pã'satœ:r] **I** *adj.* vereffenend, vergoedend; ***pendule* —,** compensatieslinger *m.*; **II** *s., m.*, (*tn.*) compensator *m.*
compensation [kõ'pã'sɑ'syõ] *f.* **1** vergoeding; schadeloosstelling *v.*; **2** schuldvergelijking *v.*; **3** vereffening *v.*; ***caisse de* —,** compensatiekas *v.(m.)*; ***chambre de* —,** clearing *v.(m.)*, afrekeningsinstelling *v.*; ***cours de* —,** rescontre *v.(m.)*, vereffening *v.*; ***banque de* —,** girobank *v.(m.)*; ***cela fait* —,** dat weegt tegen elkaar op.
compenser [kõ'pã'sé] **I** *v.t.* **1** vergoeden; **2** vereffenen; **3** opwegen tegen; **II** *v.pr.*, ***se* —,** tegen elkaar opwegen.
compérage [kõ'péra:j] *m.* verstandhouding *v.* van medeplichtigheid.
compère [kõ'pè:r] *m.* **1** peter, peetoom *m.*; **2** handlanger *m.*; **3** kerel, vent *m.*; ***un rusé* —,** een slimme vent, een listige kerel.
compère*-loriot* [kõ'pè'rlòryo] *m.*, (*pop.*) wielewaal *m.*
compétence [kõ'pétã:s] *f.* **1** bevoegdheid, deskundigheid *v.*; **2** persoon *m.* van erkende bevoegdheid.
compétent [kõ'pétã] *adj.* bevoegd; ***part —e,*** toekomend deel, rechtmatig deel *o.*; ***âge* —,** vereiste leeftijd *m.*
compéter [kõ'pété] *v.i.* **1** behoren tot de bevoegdheid van (rechtbank); **2** (*v. deel*) rechtmatig toekomen.
compétiteur [kõ'pétitœ:r] *m.* mededinger *m.*
compétition [kõ'pétisyõ] *f.* mededinging *v.*
compilateur [kõ'pilatœ:r] *m.* verzamelaar; compilator *m.*
compilation [kõ'pilɑ'syõ] *f.* verzameling *v.*; verzamelwerk *o.*
compilatoir [kõ'pilatwa:r] *adj.* samenvattend.
compiler [kõ'pilé] *v.t.* verzamelen, compileren; (*ong.*) samenflansen.
complainte [kõ'plẽ:t] *f.* **1** klacht *v.(m.)*; **2** klaaglied *o.*, klaagzang *m.*
complaire* [kõ'plè:r] (*à*) **I** *v.i.* **1** behagen aan; **2** terwille zijn; **II** *v.pr.*, ***se — à,*** behagen scheppen in, zeer ingenomen zijn met.
complaisance [kõ'plèzã:s] *f.* **1** gedienstigheid, inschikkelijkheid *v.*; **2** welgevallen, welbehagen *o.*; **3** welwillendheid; toegeeflijkheid *v.*; ***avec* —,** welgevallig, met welgevallen; ***basse* —,** ogendienst *m.*
complaisant [kõ'plèzã] *adj.* **1** gedienstig, inschikkelijk; **2** welgevallig; **3** (*v. maag*) die alles verdraagt.
complément [kõ'plémã] *m.* **1** (*v. bedrag, enz.*) aanvulling *v.*; **2** (*meetk.*: *v. hoek*) complement *o.*, aanvulling *v.*; **3** toevoeging *v.*; **4** (*gram.*) bepaling *v.*; ***— direct,*** lijdend voorwerp; ***— indirect,*** meewerkend voorwerp, oorzakelijk voorwerp; ***— circonstanciel,*** bijwoordelijke bepaling.
complémentaire [kõ'plémã'tè:r] *adj.* aanvullend, aanvullings—; ***angle* —,** (*meetk.*) complementshoek *m.*; ***cours* —,** herhalingscursus *m.*
complet [kõ'plè] *adj.* (*f.*: ***complète*** [kõ'plèt]) **1** volledig, voltallig; **2** (*v. nederlaag, onbekwaamheid, enz.*) volkomen, volslagen; **3** (*v. tram, autobus*) vol, geheel bezet; ***au grand* —,** geheel voltallig, geheel vol; ***ce serait* —!** dat zou er nog aan mankeren! dat ontbreekt er nog aan!
complète, *voir* ***complet.*** [komen.
complètement [kõ'plètmã] *adv.* geheel en al, vol-
complétement [kõ'plétmã] *m.* aanvulling *v.*, (het) voltallig maken *o.* [ken.
compléter [kõ'plété] *v.t.* aanvullen, voltallig ma-
complétif [kõ'plétif] *adj.*, (*gram.*) bepalend, als bepaling dienend.
complexe [kõ'plèks] **I** *adj.* **1** samengesteld, ingewikkeld; veelomvattend; **2** (*wisk.*: *v. getal*) complex; **II** *s., m.* complex *o.*
complexion [kõ'plèksyõ] *f.* gestel *o.*
complexité [kõ'plèksité] *f.* samengesteldheid; ingewikkeldheid *v.*
complication [kõ'plikɑ'syõ] *f.* **1** ingewikkeldheid *v.*; **2** omslachtigheid *v.*; **3** (*v. intrige, politiek, enz.*) verwikkeling *v.*; **4** (*gen.*) complicatie *v.*
complice [kõ'plis] (*de*) **I** *adj.* medeplichtig (aan); **II** *s., m.* medeplichtige *m.*
complicité [kõ'plisité] *f.* medeplichtigheid *v.*
complies [kõ'pli] *f.pl.*, (*kath.*) completen *mv.*
compliment [kõ'plimã] *m.* **1** plichtpleging *v.*, compliment *o.*; **2** gelukwens *m.*; **3** begroeting *v.*, toespraak *v.(m.)*; **4** groet *m.*; ***—s de condoléance,*** rouwbeklag *o.*; ***présenter des —s de condoléance à qn.,*** iem. condoleren.
complimenter [kõ'plimãté] *v.t.* **1** gelukwensen, feliciteren; **2** begroeten; **3** lof toezwaaien.

complimenteur [kõ'plimã'tœ:r] **I** *adj.* complimenteus; **II** *s., m.* complimentenmaker *m.*
compliqué [kõ'pliké] *adj.* samengesteld, ingewikkeld, omslachtig.
compliquer [kõ'pliké] **I** *v.t.* ingewikkeld maken; ***— sa vie,*** het zich lastig maken; **II** *v.pr.*, ***se —,*** **1** ingewikkeld worden; **2** (*v. ziekte*) verergeren.
complot [kõ'plo, kõ'plò] *m.* komplot *o.*, samenspanning *v.*
comploter [kõ'plòté] **I** *v.i.* samenspannen, een komplot smeden; **II** *v.t.* beramen.
comploteur [kõ'plòtœ:r] *m.* samenspanner *m.*
componction [kõ'pò'ksyõ] *f.* berouw *o.*, boetvaardigheid *v.*
comporte [kõ'pòrt] *f.* houten kuip *v.(m.)* voor vervoer van druiven.
comportement [kõ'pòrtemã] *m.* gedragslijn *v.(m.)*, gedragspatroon *o.*
comporter [kõ'pòrté] **I** *v.t.* **1** medebrengen; **2** vereisen; noodzakelijk maken; **II** *v.pr.*, ***se —,*** **1** zich gedragen; **2** (*v. auto, enz.*) voldoen, aan de verwachting beantwoorden; ***le navire se comporte bien,*** het schip bouwt goed zee.
composacées [kõ'pozasé] *f.pl.* samengesteldbloemigen *mv.*
composant [kõ'po'zã] **I** *adj.* samenstellend; **II** *s., m.* samenstellend deel *o.*
composé [kõ'po'zé] (***de***) **I** *adj.* **1** samengesteld (uit); **2** (*fig.*) gemaakt deftig; **3** (*drukk.*) aanéén; ***visage —,*** gelegenheidsgezicht *o.*; **II** *s., m.* **1** samenstelling *v.*; **2** samengesteld woord *o.*; **3** samengesteld lichaam *o.*, verbinding *v.*
composée [kõ'po'zé] *f.*, (*Pl.*) samengesteldbloemige (plant) *v.(m.)*.
composer [kõ'po'zé] **I** *v.t.* **1** samenstellen, vormen; **2** (*drukk.*) zetten; **3** (*v. boek, enz.*) schrijven, samenstellen; **4** (*muz.*) componeren; **5** (*v. gelaat*) in de plooi zetten; ***— son attitude,*** een houding aannemen; ***machine à —,*** zetmachine *v.*; **II** *v.i.* **1** (*muz.*) componeren; **2** (*op school*) proefwerk maken; een opstel maken; **3** een vergelijk treffen; **III** *v.pr.*, ***se —,*** een houding aannemen, zich weten te beheersen; ***se — de,*** bestaan uit, samengesteld zijn uit; ***se — sur,*** zich regelen naar.
composeuse [kõ'po'zö:z] *v.* (*drukk.*) zetmachine *v.*
composite [kõ'pozit] *adj.* gemengd (uit ongelijksoortige onderdelen); (*arch.*) gemengd ionisch en corintisch.
compositeur [kõ'pozitœ:r] *m.* **1** (*muz.*) componist *m.*; **2** (*drukk.*) (letter)zetter *m.*
composition [kõ'pozisyõ] *f.* **1** samenstelling *v.*; **2** menging, verbinding *v.*; **3** (*muz.*) (het) componeren *o.*; **4** compositie *v.*, muziekstuk *o.*; **5** opstel, proefwerk *o.*; **6** (*drukk.*) zetsel *o.*; **7** (het) zetten *o.*; ***de bonne —,*** meegaand; ***de difficile —,*** onhandelbaar, lastig; ***entrer en —,*** onderhandelen.
compost [kõ'pòst] *m.* compost *o. en m.*, gemengde mest *m.*
composter [kõ'pòsté] *v.t.* **1** bemesten (met compost); **2** afstempelen.
composteur [kõ'pòstœ:r] *m.* **1** zethaak *m.*; **2** (datum- *of* nummer)stempel *m.*
compote [kõ'pòt] *f.* vruchtenmoes *o.*; gestoofde vruchten *mv.*; ***en —,*** **1** veel te gaar; **2** bont en blauw geslagen.
compotier [kõ'pòtyé] *m.* compoteschaal *v.(m.)*.
compréhensible [kõ'préã'si'bl] *adj.* begrijpelijk.
compréhensif [kõ'préã'sif] *adj.* veelomvattend.
compréhension [kõ'préã'syõ] *f.* **1** begrip *o.*; **2** bevattingsvermogen *o.*; ***avoir la — lente,*** langzaam van begrip zijn.
comprendre* [kõ'prã'dr] **I** *v.t.* **1** begrijpen, vatten; **2** verstaan; **3** bevatten, behelzen; **4** omvatten; bestaan uit; ***je n'y comprends rien,*** ik snap er niets van; ***se faire —,*** zich verstaanbaar maken; **II** *v.pr.*, ***se —,*** **1** elkaar begrijpen; **2** begrepen worden; ***cela se comprend,*** dat is te begrijpen, dat spreekt vanzelf.
compresse [kõ'près] *f.* kompres *o.*
compresseur [kõ'prèsœ:r] **I** *m.* samendrukker *m.*; **II** *adj.*, ***rouleau —,*** wals, wegwals *v.(m.)*.
compressibilité [kõ'prèsibilité] *f.* samendrukbaarheid *v.*
compressible [kõ'prèsi'bl] *adj.* samendrukbaar.
compressif [kõ'prèsif] *adj.* samendrukkend.
compression [kõ'prèsyõ] *f.* **1** samendrukking *v.*; **2** onderdrukking, beteugeling *v.*
comprimé [kõ'primé] **I** *adj.* samengedrukt, samengeperst; ***pompe à air —,*** luchtdrukpomp *v.(m.)*; **II** *s., m.* tablet *v.(m.) en o.*, pastille *v.(m.)*.
comprimer [kõ'primé] *v.t.* **1** samendrukken, samenpersen; **2** onderdrukken, beteugelen; bedwingen.
compris [kõ'pri] *adj.* begrepen; ***y —,*** met inbegrip van, meegerekend; ***non —,*** niet inbegrepen, uitgesloten; ***tout —,*** alles en alles.
compromettant [kõ'pròmètã] *adj.* compromitterend.
compromettre* [kõ'pròmètr] **I** *v.t.* **1** compromitteren, in opspraak brengen; **2** (*v. toekomst, enz.*) in gevaar brengen; **II** *v.pr.*, ***se —,*** zich blootgeven, zijn naam (*of* eer) op 't spel zetten.
compromis [kõ'pròmi] *m.* schikking *v.*, compromis, vergelijk *o.*
compromission [kõ'pròmisyõ] *f.* afwijking *v.* van beginselen, geschipper *o.*
comptabilité [kõ'tabilité] *f.* **1** rekenplichtigheid *v.*; **2** boekhouding *v.*, (het) boekhouden *o.*; ***chef de —,*** hoofdboekhouder *m.*; ***— en partie double,*** dubbel boekhouden; ***— en partie simple,*** enkel boekhouden.
comptable [kõ'ta'bl] **I** *adj.* rekenplichtig; ***— de,*** verantwoordelijk voor; ***machine —,*** telmachine *v.*; **II** *s., m.* boekhouder; accountant *m.*
comptage [kõ'ta:j] *m.* het tellen *o.*, (verkeers)telling *v.*; ***poste de —,*** tellingspost *m.*
comptant [kõ'tã] **I** *adj.*, ***argent —,*** gereed geld *o.*, contanten *mv.*; ***prendre pour argent —,*** voor goede munt aannemen; **II** *s., m.* gereed geld *o.*, contanten *mv.*; ***acheter au —,*** contant kopen.
compte [kõ:t] *m.* **1** rekening *v.*; **2** berekening *v.*; **3** rekenschap *v.*; **4** (*fig.*) opsomming *v.*; ***à bon —,*** goedkoop; ***avoir son —,*** hebben wat men wenst, zijn deel hebben; ***il a eu son —,*** hij heeft er van langs gehad; ***chacun son —,*** ieder het zijne; ***— d'achat,*** inkooprekening; ***tout — fait,*** alles wel beschouwd; alles bij elkaar genomen; ***entrer en ligne de —,*** in aanmerking komen; ***de — à demi,*** voor gemeenschappelijke rekening; ***porter en —,*** boeken, inschrijven; ***demander — de,*** rekenschap vragen van; ***régler son — à qn.,*** met iem. afrekenen; ***tenir — de qc.,*** met iets rekening houden; ***pour mon —,*** wat mij betreft, naar mijn mening; ***au bout du —, en fin de —,*** per slot van rekening; ***tenir les —s,*** de boeken bijhouden; ***cela ne fait pas mon —,*** dat is niet wat ik zoek; ***donner son — à,*** (*v. bediende*) uitbetalen en wegzenden; (*fig.*) behandelen zoals iem. het verdient; ***prendre à son —,*** op zijn verantwoording nemen; ***la Cour des C—s,*** de Rekenkamer; ***à ce —-là,*** als men 't zo beschouwt; ***son — est réglé,*** **1** hij heeft zijn verdiende loon, hij heeft wat hem toekomt; **2** hij heeft afgedaan; ***— rendu,***

verslag, overzicht *o.*; ***pour — rendu,*** ter recensie; **— (*de*) *chèques postaux,*** postgirorekening *v.*; ***laisser pour —,*** de ontvangst weigeren van; laten zitten met; ***erreur n'est pas —,*** een vergissing is nooit uitgesloten; ***rendre ses —s,*** rekening en verantwoording afleggen; ***— courant,*** rekening-courant; ***le — y est,*** het klopt; ***nous sommes loin de —,*** **1** wij hebben ons verrekend; **2** (*fig.*) wij kunnen het niet eens worden.
compte-capitaux [kõ:tkapito] *m.* kapitaalrekening *v.*
compte-fils [kõ'tfil] *m.* dradenteller *m.*
compte-gouttes [kõ'dgut] *m.* **1** druppelteller *m.*; **2** (*flacon —*) druppelflesje *o.*
compte-pas [kõ'tpɑ] *m.* schredenteller *m.*
compter [kõ'té] **I** *v.t.* **1** rekenen; **2** berekenen; **3** tellen, optellen; **4** aanrekenen; ***il compte partir demain,*** hij is voornemens morgen te vertrekken; ***à pas comptés,*** met afgemeten tred; **II** *v.i.* **1** rekenen; **2** afrekenen; **3** meetellen, in aanmerking komen; van gewicht zijn; ***à — de ce jour,*** van heden af; van die dag af; ***donner sans —,*** royaal zijn; ***dépenser sans —,*** niet op geld zien, zijn geld wegsmijten; ***— sur,*** rekenen op; staat maken op; **III** *v.pr.*, ***se —,*** te tellen zijn.
compte-tours [kõ'tetu'r] *m.*, (*tn.*) toerenteller *m.*
compteur [kõ'tœ:r] *m.* **1** (*persoon*) teller *m.*; **2** (*v. gas, water, enz.*) meter *m.*; ***— à paiement préalable,*** muntmeter (gas of elektrisch licht).
comptine [kõ'tin] *f.* aftelrijm *o.*
comptoir [kõ'twa:r] *m.* **1** toonbank *v.*(*m.*); **2** handelshuis *o.*; **3** factorij *v.*; **4** (*op liefdadigheidsfeest*) tentje *o.*; ***— agricole,*** boerenleenbank *v.*(*m.*); ***— de vente,*** kartel *o.*, trust *m.*; ***demoiselle de —,*** winkeljuffrouw *v.*
compulser [kõ'pülsé] *v.t.* nazien; naslaan.
compulseur [kõ'pülsœ:r] *m.* aandrijver *m.*
compulsif [kõ'pülsif] *adj.* dwingend.
compulsion [kõ'pülsyõ] *f.* **1** dwang *m.*; **2** (het) naslaan *o.*
compulsoire [kõ'pülswa:r] *m.* recht *o.* om een dossier in te zien.
comput [kõ'püt] *m.* berekening *v.* van de veranderlijke feestdagen.
comtal [kõ'tal] *adj.* grafelijk.
comtat [kõ'ta] *m.* graafschap *o.*
comte [kõ:t] *m.* graaf *m.*
comté [kõ'té] *m.* graafschap *o.*
comtesse [kõ'tès] *f.* gravin *v.*
comtois [kõ'twa] *adj.* uit Franche-Comté.
concasser [kõ'kɑ'sé] *v.t.* breken, fijnstampen.
concasseur [kõ'kɑ'sœ:r] *m.* breekmachine *v.* (voor stenen, steenkolen, enz.).
concave [kõ'ka:v] *adj.* holrond, hol.
concavité [kõ'ka:vité] *f.* holheid, holte *v.*
concéder [kõ'sédé] *v.t.* **1** (*v. twistpunt*) toegeven; **2** toestaan; **3** (*v. voordeel, enz.*) verlenen.
concentration [kõ'sã'trɑ'syõ] *f.* **1** samentrekking, concentratie *v.*; **2** (*v. karakter*) geslotenheid *v.*; ***camp de —,*** concentratiekamp *o.*
concentré [kõ'sã'tré] *adj.* **1** samengetrokken, geconcentreerd; **2** (*fig.*: *v. smart, enz.*) ingehouden, opgekropt; **3** (*v. pols*) zwak; **4** (*v. persoon*) gesloten, in zichzelf gekeerd.
concentrer [kõ'sã'tré] **I** *v.t.* **1** samentrekken, concentreren; **2** beperken, bepalen; **3** (*v. woede, enz.*) opkroppen; ***— son attention sur,*** zijn aandacht bepalen bij; **II** *v.pr.*, ***se —,*** **1** verenigd worden; samengetrokken worden; **2** (*fig.*) zijn gedachten verzamelen; ***se — en soi-même,*** in zichzelf gekeerd zijn.
concentrique(ment) [kõ'sã'trik(mã)] *adj.*(*adv.*) [concentrisch.
concept [kõ'sèpt] *m.* begrip *o.* [lijk.
conceptible [kõ'sèpti'bl] *adj.* denkbaar, begrijpe-
conception [kõ'sèpsyõ] *f.* **1** opvatting, voorstelling *v.*; **2** begrip, denkbeeld *o.*; **3** (*v. boek, gedicht*) vinding, schepping *v.*; **4** bevruchting *v.*; ***l'Immaculée C—,*** de Onbevlekte Ontvangenis.
concernant [kõ'sèrnã] *prép.* aangaande, betreffende.
concerner [kõ'sèrné] *v.t.* aangaan, betreffen.
concert [kõ'sè:r] *m.* **1** concert *o.*, muziekuitvoering *v.*; **2** eensgezindheid, overeenstemming *v.*; ***de —,*** in gemeen overleg; ***ensemble et de —,*** te zamen en in vereniging; ***— spirituel,*** uitvoering van gewijde muziek.
concertant [kõ'sèrtã] **I** *adj.* concerterend; concert—; **II** *s.*, *m.* concertspeler *m.*; concertzanger *m.*
concerter [kõ'sèrté] **I** *v.t.* **1** (onderling) overleggen, afspreken; **2** (*v. plan*) ineenzetten; ***air concerté,*** gemaakt (*of* gekunsteld) gelaat; ***homme concerté,*** stijf (*of* gedwongen) man; **II** *v.i.* samenspelen; een concert uitvoeren; **III** *v.pr.*, ***se —,*** overleg plegen.
concerto [kõ'sèrto] *m.*, (*muz.*) concerto *o.*
concessif [kõ'sèsif] *adj.* toegevend.
concession [kõ'sèsyõ] *f.* **1** toegeving *v.*; **2** vergunning, concessie *v.*; **3** inwilliging *v.*; ***— à perpétuité,*** eigen graf *o.*
concessionnaire [kõ'sèsyònè:r] *m.* concessionaris, concessiehouder; dealer *m.* [*m.*
concessive [kõ'sèsiv] *f.*, (*gram.*) toegevende bijzin
concetti [kõ'tʃèti] *m.pl.* gezochte vernuftigheid *v.*
concevable [kõ's(e)va'bl] *adj.* begrijpelijk, denkbaar.
concevoir [kõ's(e)vwa:r] **I** *v.t.* **1** bevrucht worden, ontvangen; **2** bedenken, uitdenken, uitvinden; **3** (*v. verdenking, haat*) opvatten; **4** inzien, beseffen, begrijpen; ***la Sainte Vierge a été conçue sans tache,*** de Heilige Maagd is onbevlekt ontvangen; ***conçu en ces termes,*** in deze bewoordingen vervat; ***ainsi conçu,*** van deze inhoud; **II** *v.i.* **1** ontvangen; **2** begrijpen; ***la Sainte Vierge a conçu du Saint-Esprit,*** de Heilige Maagd heeft ontvangen van de H. Geest; **III** *v.pr.*, ***cela se conçoit facilement,*** dat is gemakkelijk te begrijpen.
conchoïde [kõ'kòi'd] **I** *adj.* schelpachtig, schelpvormig; **II** *s.*, *f.*, (*meetk.*) schulplijn *v.*(*m.*).
conchyliologie [kõ'kilyòlòji] *f.* schelpenkunde *v.*
concierge [kõ'syèrj] *m.-f.* portier *m.*, —ster *v.*; huisbewaarder *m.*, —ster *v.*
conciergerie [kõ'syèrjeri] *f.* **1** portiersvak *o.*; **2** portierswoning *v.* [ring *v.*
concile [kõ'sil] *m.*, (*kath.*) concilie *o.*, kerkvergade-
conciliable [kõ'silya'bl] *adj.* verenigbaar.
conciliabule [kõ'silyabül] *m.* **1** geheime bespreking *v.*; **2** (*kath.*) onwettige (*of* ketterse) kerkvergadering *v.*
conciliant [kõ'silyã] *adj.* **1** (*v. woorden, enz.*) verzoenend; **2** (*v. karakter*) zachtmoedig; verdraagzaam.
conciliateur [kõ'silyatœ:r] **I** *adj.* bemiddelend, verzoenend; **II** *s.*, *m.* bemiddelaar *m.*
conciliation [kõ'silyɑ'syõ] *f.* **1** bemiddeling; verzoening *v.*; **2** (*v. strijdige belangen, enz.*) (het) overeenbrengen *o.* [verzoenend.
conciliatoire [kõ'silyatwa:r] *adj.* bemiddelend,
concilier [kõ'silyé] **I** *v.t.* **1** verzoenen; **2** (*v. twist*) bijleggen; **3** (*v. gemoederen*) bevredigen; **4** (*v. belangen, enz.*) (met elkaar) overeenbrengen; **5** (*v. gunst, sympathie*) verwerven; **II** *v.pr.*, ***se —,*** **1** zich verzoenen, het eens worden; **2** (*v. achting, gunst, enz.*) verwerven.
concis [kõ'si] *adj.* bondig, beknopt.

concision [kõ'sizyõ] *f.* bondigheid, beknoptheid *v.*
concitoyen [kõ'sitwayẽ] *m.*, **—ne** [kõ'sitwayèn] medeburger *m.*, —es *v.*
conclave [kõ'kla:v] *m.*, (*kath.*) conclaaf *o.*
concluant [kõ'klüã] *adj.* afdoend.
conclure* [kõ'klü:r] **I** *v.t.* **1** besluiten, afleiden (*de*, uit); **2** (*v. verbond, overeenkomst*) sluiten; **3** (*v. huwelijk*) aangaan; **4** (*v. verzekering*) afsluiten; **5** (*v. toespraak*) eindigen, besluiten; **II** *v.i.* **1** (*recht: v. straf*) eisen; **2** (*advocaat, rechter*) conclusie nemen; ***pour —,*** om er een eind aan te maken.
conclusion [kõ'klü'zyõ] *f.* **1** besluit *o.*, gevolgtrekking *v.*; **2** (*v. huwelijk*) voltrekking *v.*, (het) sluiten *o.*; **3** (*v. verdrag*) sluiting *v.*; **4** (*recht*) conclusie *v.*, eis *m.*
concombre [kõ'kõ:br] *m.* komkommer *v.*(*m.*).
concomitance [kõ'kòmitã:s] *f.* het samengaan *o.*
concomitant [kõ'kòmitã] *adj.* samengaand, bijkomstig; ***sons —s,*** (*muz.*) bijtonen.
concordance [kõ'kòrdã:s] *f.* overeenstemming *v.*
concordant [kõ'kòrdã] *adj.* overeenstemmend.
concordat [kõ'kòrda] *m.* **1** (*kath.*) concordaat *o.*; **2** (*H.*: *bij faillissement*) akkoord *o.*
concordataire [kõ'kòrdatè:r] *adj.*, ***failli —,*** gefailleerde, die een akkoord met zijn schuldeisers heeft aangegaan; ***obligation —,*** door een akkoord ontstane schuldbekentenis.
concorde [kõ'kòrd] *f.* eendracht *v.*(*m.*), eensgezindheid *v.*
concorder [kõ'kòrdé] *v.i.* overeenstemmen, stroken (met).
concourir* [kõ'kuri:r] *v.i.* **1** samenlopen; **2** samenkomen, samentreffen; **3** wedijveren, aan een wedstrijd deelnemen; **4** ***— à,*** meewerken, bijdragen tot.
concours [kõ'ku:r] *m.* **1** samenloop *m.*; **2** samenkomst *v.*; **3** (*v. mensen*) toeloop, toevloed *m.*; **4** medewerking *v.*; **5** hulp *v.*(*m.*), steun *m.*; **6** mededinging *v.*; **7** wedstrijd *m.*; prijskamp *m.*; **8** vergelijkend examen *o.*; ***— hippique,*** paardententoonstelling en —wedstrijd; ***hors —,*** buiten mededinging; ***— agricole, — régional,*** landbouwtentoonstelling *v.*
concrescence [kõ'krèsã:s] *f.* vergroeiing *v.*
concret [kõ'krè] *adj.* (*f.*: ***concrète*** [kõ'krèt]) **1** concreet, werkelijk bestaand; **2** vast, gestold; ***nombre —,*** benoemd getal *o.*
concrète, *voir* ***concret.***
concréter [kõ'krété] *v.t.* vast maken, doen stollen.
concrétion [kõ'krésyõ] *f.* verharding, stolling *v.*; ***— biliaire,*** galsteen *m.*
concrétionner, se — [sekõ'krésyòné] *v.pr.* vast worden.
concrétiser [kõ'kréti'zé] *v.t.* vaste vorm geven aan.
concubinage [kõ'kübina:j] *m.* concubinaat *o.*
concubine [kõ'kübin] *f.* bijzit *v.*
concupiscence [kõ'küpisã:s] *f.* zinnelijke begeerte *v.*
concupiscent [kõ'küpisã] *adj.* vol begeerte, begerig (naar zingenot).
concurremment [kõ'küramã] (***avec***) *adv.* tegelijk (met).
concurrence [kõ'kürã:s] *f.* mededinging *v.*, wedijver *m.*; ***jusqu'à — de,*** tot een bedrag van; ***faire — à,*** concurreren met; ***prix défiant toute —,*** sterk concurrerende prijzen.
concurrencer [kõ'kürã'sé] *v.t.* concurrentie aandoen, concurreren met.
concurrent [kõ'kürã] **I** *adj.* **1** samenwerkend; **2** (*H.*) concurrerend; **II** *s.*, *m.* concurrent, mededinger *m.*
concussion [kõ'küsyõ] *f.* afpersing, knevelarij *v.*
concussionnaire [kõ'küsyònè:r] *m.* afperser, knoeier *m.*
condamnable [kõ'dana'bl] *adj.* **1** strafbaar; **2** afkeurenswaardig.
condamnation [kõ'dana'syõ] *f.* **1** veroordeling *v.*, vonnis *o.*; **2** straf *v.*(*m.*); ***passer —,*** zijn schuld erkennen, ongelijk erkennen.
condamnatoir [kõ'danatwa:r] *adj.* veroordelend.
condamné [kõ'dané] *m.* veroordeelde *m.*
condamner [kõ'dané] *v.t.* **1** veroordelen; **2** strafbaar stellen; **3** (*v. leer*) verwerpen, afkeuren; **4** (*v. zieke*) opgeven; **5** (*v. deur, venster*) dichtmaken, dichtmetselen; ***— sa porte,*** geen bezoekers toelaten, niet thuis geven.
condensable [kõ'dã'sa'bl] *adj.* verdichtbaar.
condensateur [kõ'dã'satœ:r] *m.* **1** condensator *m.*; **2** (*vl.*) luchtverdichter *m.*
condensation [kõ'dã'sa'syõ] *f.* **1** (*v. gas, damp*) verdichting *v.*; **2** (*v. leerstof enz.*) samenvatting *v.*
condenser [kõ'dã'sé] *v.t.* **1** verdichten, condenseren; **2** samenvatten; **3** verduurzamen.
condenseur [kõ'dã'sœ:r] *m.* **1** stoomkoeler *m.*; **2** condensator *m.*
condescendance [kõ'dèsã'dã:s] *f.* **1** toegevendheid *v.*; **2** neerbuigende vriendelijkheid, minzaamheid *v.*
condescendant [kõ'dèsã'dã] *adj.* **1** toegevend, inschikkelijk; **2** nederbuigend; minzaam.
condescendre [kõ'dèsã:dr] (***à***) *v.i.* **1** (*v. wens, enz.*) inwilligen; **2** toegevend zijn voor.
condiment [kõ'dimã] *m.* toekruid *o.*, specerij *v.*
condisciple [kõ'disipl] *m.* medeleerling *m.*
condition [kõ'disyõ] *f.* **1** voorwaarde *v.*; **2** toestand *m.*, gesteldheid *v.*; **3** staat *m.*, hoedanigheid *v.*; **4** stand *m.*, afkomst *v.*; **5** dienst *m.*, betrekking *v.*; ***satisfaire aux —s requises,*** aan de eisen voldoen; ***baptiser sous —,*** voorwaardelijk dopen; ***dans ces —s,*** in die omstandigheden; ***faire ses —s,*** zijn eisen stellen; ***être en —,*** **1** zich flink voelen; **2** (*sp.*) goed getraind zijn; ***à — que,*** op voorwaarde dat, mits; ***envoyer à —,*** op zicht zenden.
conditionné [kõ'disyòné] *adj.* **1** bedongen; **2** voorwaardelijk; ***bien —,*** in goede staat, degelijk; ***mal —,*** in slechte staat, minderwaardig.
conditionnel [kõ'disyònèl] **I** *adj.* voorwaardelijk; **II** *s.*, *m.* voorwaardelijke wijs *v.*(*m.*); verleden toekomende tijd *m.*
conditionnement [kõ'disyònmã] *m.* **1** conditionering *v.*; **2** verpakking *v.*
conditionner [kõ'disyòné] *v.t.* **1** bedingen, als voorwaarde stellen; **2** (*v. zijde, wol*) drogen; **3** (*v. meubel, enz.*) behoorlijk afwerken.
condoléance [kõ'dòléã:s] *f.* rouwbeklag *o.*; ***présenter ses —s à qn.,*** iem. condoleren.
condor [kõ'dò:r] *m.*, (*Dk.*) condor *m.*
conducteur [kõ'düktœ:r] **I** *adj.* geleidend; ***fil —,*** geleidraad *m.*; **II** *s.*, *m.* **1** leidsman, geleider *m.*; **2** (*v. werk*) leider *m.*; **3** (*v. wagen*) voerman *m.*; **4** (*v. warmte, elektriciteit*) geleider *m.*; ***— des ponts et chaussées,*** (*N.*) opzichter bij de waterstaat; (*B.*) opzichter van bruggen en wegen; ***— de travaux,*** opzichter, werkbaas *m.*; ***— de navires,*** cargadoor *m.*
conductibilité [kõ'düktibilité] *f.* geleidingsvermogen *o.*
conductible [kõ'dükti'bl] *adj.* geleidend.
conduction [kõ'düksyõ] *f.* geleiding *v.*
conduire* [kõ'dwi:r] **I** *v.t.* **1** leiden, geleiden; **2** vergezellen; **3** (*paard*) mennen; **4** (*auto*) besturen; chaufferen; **5** (*orkest*) dirigeren; **6** (*leger*) aanvoeren, 't bevel voeren over; ***— un enfant à l'école,*** een kind naar school brengen; ***— qn. à sa perte,*** iem. in het verderf storten; ***— à la perfection,*** voltooien, volmaken; ***bien — sa barque,*** zijn zaken goed beheren; **II** *v.i.* leiden, voeren; **III** *v.pr.*, ***se —,*** zich gedragen.

conduit [kõ'dwi] *m.* buis; pijp *v.(m.)*; kanaal *o.*; **— *auditif,*** gehoorbuis *v.(m.)*.
conduite [kõ'dwit] *f.* **1** gedrag *o.*; **2** begeleiding *v.*; **3** (*v. buizen*) leiding *v.*; **4** aanvoering *v.*; **5** leiding *v.*, beleid *o.*; **6** (het) sturen *o.*; **— *intérieure,*** ingesloten stuurinrichting; auto met zelfstarter; ***faire la — à qn.,*** iem. uitgeleide doen, iem. wegbrengen; ***faire un pas de — à qn.,*** iem. een eind wegbrengen.
condyle [kõ'dil] *m.* gewrichtsknobbel *m.*
cône [ko:n] *m.* **1** kegel *m.*; **2** kegelvrucht *v.(m.)*; **3** denneappel, pijnappel *m.*; **— *de tempête,*** stormbal *m.*, stormsein *o.*; **— *tronqué,*** afgeknotte kegel.
confection [kõ'fèksyõ] *f.* **1** vervaardiging *v.*; **2** (het) maken *o.*; **3** (*v. lijst*) (het) opmaken *o.*; ***maison de —,*** confectiemagazijn *o.*
confectionner [kõ'fèksyòné] *v.t.* vervaardigen, maken.
confectionneur [kõ'fèksyònœ:r] *m.* vervaardiger [*m.*
confédéral [kõ'fédéral], **confédératif** [kõ'fédératif] *adj.* op de bond (*of* het bondgenootschap) betrekking hebbend.
confédération [kõ'fédéra'syõ] *f.* bondgenootschap *o.*; bond *m.*; ***la C— helvétique,*** het Zwitsers eedgenootschap.
confédéré [kõ'fédéré] **I** *adj.* verbonden; **II** *s., m.* bondgenoot *m.*
confédérer [kõ'fédéré] *v.t.*, (*v. staten*) tot een bond verenigen.
conférence [kõ'férã:s] *f.* **1** bespreking, beraadslaging *v.*; **2** conferentie *v.*; **3** lezing *v.*, voordracht *v.(m.)*; ***faire une —,*** een lezing houden; ***maître de —s,*** lector, privaat-docent *m.*
conférencier [kõ'férã'syé] *m.* spreker *m.* (die voordrachten houdt).
conférer [kõ'féré] **I** *v.t.* **1** toekennen, verlenen; **2** (*teksten*) vergelijken; **3** (*doopsel*) toedienen; **II** *v.i.* beraadslagen, overleggen.
conferve [kõ'fèrv] *f.* zoetwaterwier *o.*
confesse [kõ'fès] *f.*, ***aller à —,*** te biecht gaan.
confesser [kõ'fèsé] **I** *v.t.* **1** (*zonden*) biechten; **2** (*fout, dwaling*) erkennen, bekennen; **3** de biecht afnemen; **4** (*geloof*) belijden; **5** (*fig.*) uithoren; **II** *v.pr.*, ***se —,*** biechten; te biecht gaan; ***se — au renard,*** bij de duivel te biecht gaan.
confesseur [kõ'fèsœ:r] *m.* **1** biechtvader *m.*; **2** (geloofs)belijder *m.*
confession [kõ'fèsyõ] *f.* **1** biecht *v.(m.)*; **2** bekentenis *v.*; **— *de foi,*** geloofsbelijdenis *v.*
confessionnal [kõ'fèsyònal] *m.* biechtstoel *m.*
confessionnel [kõ'fèsyònèl] *adj.* belijdenis—; ***enseignement —,*** confessioneel onderwijs *o.*
confetti [kõ'fèti] *m. pl.* confetti *m.*
confiance [kõ'fyã:s] *f.* **1** vertrouwen *o.*; **2** vrijmoedigheid *v.*; **— *en soi,*** zelfvertrouwen *o.*; ***homme de —,*** vertrouwd man, man van vertrouwen; ***parler avec —,*** vrijmoedig spreken; ***trahir la — de qn.,*** iemands vertrouwen beschamen; ***en —,*** vertrouwelijk; ***y aller de —,*** niets kwaads vermoeden.
confiant [kõ'fyã] *adj.* **1** vertrouwend, vol vertrouwen; **2** (***trop —***) goedgelovig.
confidemment [kõ'fidamã] *adv.* in vertrouwen.
confidence [kõ'fidã:s] *f.* vertrouwelijke mededeling *v.*; ***mettre qn. dans la —,*** iem. in het vertrouwen nemen; ***faire des —s à qn.,*** iem. zijn geheimen vertellen; ***en —,*** vertrouwelijk.
confident [kõ'fidã] *m.* vertrouweling *m.*
confidentiel(lement) [kõ'fidã'syèl(mã)] *adj.* (*adv.*) vertrouwelijk.
confier [kõ'fyé] **I** *v.t.* **1** toevertrouwen; **2** in vertrouwen meedelen; **II** *v.pr.*, ***se — à,*** vertrouwen stellen in, zich verlaten op.
configuration [kõ'figüra'syõ] *f.* uiterlijke gedaante *v.*, vorm, bouw *m.*
configurer [kõ'figüré] *v.t.* een vorm geven aan.
confinement [kõ'finmã] *m.* opsluiting *v.*
confiner [kõ'finé] **I** *v.i.* grenzen (*à*, aan); **II** *v.t.* opsluiten; **III** *v.pr.*, ***se — (dans),*** **1** zich terugtrekken, zich afzonderen; **2** (*fig.*) zich bepalen (tot).
confins [kõ'fẽ] *m.pl.* grenzen *mv.*; ***aux — de la terre,*** aan 't uiteinde van de wereld.
confire* [kõ'fi:r] *v.t.* inleggen, konfijten; **— *au sel,*** inzouten.
confirmand [kõ'firmã] *m.* (*R.K.*) vormeling *m.*
confirmatif [kõ'firmatif] *adj.* bevestigend; bekrachtigend.
confirmation [kõ'firma'syõ] *f.* **1** (*v. nieuws, enz.*) bevestiging *v.*; **2** (*v. vonnis*) bekrachtiging *v.*; **3** (*kath.*) vormsel *o.*
confirmatoir [kõ'firmatwa:r] *adj.* bekrachtigend.
confirmer [kõ'firmé] **I** *v.t.* **1** (*v. nieuws*) bevestigen; **2** (*v. vonnis*) bekrachtigen; **3** (*kath.*) vormen; **II** *v.pr.*, ***se —,*** bevestigd worden.
confiscation [kõ'fiska'syõ] *f.* verbeurdverklaring [*v.*
confiserie [kõ'fizri] *f.* **1** suikerbakkerij *v.*; **2** suikergoed *o.*
confiseur [kõ'fizœ:r] *m.* suikerbakker *m.*
confisquer [kõ'fiské] *v.t.* **1** verbeurd verklaren; **2** (*op school*) afnemen; **3** beslag leggen op.
confit [kõ'fi] *adj.* **1** gekonfijt; **2** (*fig.*: *v. toon, gelaat*) vroom, zalvend.
confiteor [kõ'fité'òr] *m.* confiteor *o.*, zondenbelijdenis *v.* [denis *v.*
confiture [kõfitü:r] *f.* vruchtengelei, jam *m. en v.*
confiturerie [kõfitü:reri] *f.* jamfabriek *v.*
confiturier [kõfitü'ryé] *m.* **1** jamfabrikant *m.*; **2** jampot *m.*
conflagration [kõ'flagra'syõ] *f.* **1** grote brand *m.*; **2** (*fig.*) algemene beroering *v.*; ***une — mondiale,*** een wereldbrand.
conflit [kõ'fli] *m.* **1** botsing *v.*; **2** strijd, twist *m.*; conflict *o.*
confluent [kõ'flüã] **I** *adj.* samenkomend, samenvloeiend; **II** *s., m.* samenloop *m.*, samenvloeiing *v.*
confluer [kõ'flüé] *v.i.* samenvloeien, ineenvloeien.
confondre [kõ'fõ'dr] **I** *v.t.* **1** vermengen; **2** (*v. stemmen, enz.*) doen samensmelten; **3** (*v. feiten, namen, enz.*) verwarren, verwisselen; **4** beschamen, verlegen maken; **5** (*v. plan*) verijdelen; ***cela me confond,*** daar sta ik versteld van; **II** *v.pr.*, ***se —*** **1** vermengd worden, zich vermengen; **2** ineenlopen; **3** in de war raken; ***se — en excuses,*** zich uitputten in verontschuldigingen.
conformation [kõ'fòrma'syõ] *f.* inrichting *v.*, bouw *m.*; ***défaut de —,*** lichaamsgebrek *o.*
conforme [kõ'fòrm] *adj.* **1** gelijkvormig; **2** overeenkomstig; **3** (*v. afschrift*) gelijkluidend; ***pour copie —,*** voor eensluidend afschrift; ***être — à,*** overeenkomen met.
conformément [kõ'fòrmémã] *adv.* overeenkomstig. [stig.
conformer [kõ'fòrmé] **I** *v.t.* **1** vormen; **2** gelijkvormig maken; **— *à,*** schikken naar, inrichten naar, in overeenstemming brengen met; **II** *v.pr.*, ***se — à,*** zich schikken naar, zich richten naar.
conformiste [kõ'fòrmist] *m.* conformist *m.*
conformité [kõ'fòrmité] *f.* **1** gelijkvormigheid *v.*; overeenstemming, overeenkomst *v.*; **2** gelijkluidendheid *v.*; ***en — de,*** overeenkomstig.
confort [kõ'fò:r] *m.* gemak *o.*, gerieflijkheid *v.*
confortable [kõ'fòrta'bl] **I** *adj.* **1** gemakkelijk, geriefelijk; **2** (*v. kamer*) gezellig; **3** (*v. burger*) gezeten; **II** *s., m.* **1** gerieflijkheid *v.*; **2** gemakkelijke stoel *m.*

confortant [kõ'fòrtã] **I** *adj.* versterkend; **II** *s., m.* versterkend middel *o.*
confraternel(lement) [kõ'fratèrnèl(mã)] *adj. (adv.)* broederlijk, collegiaal.
confraternité [kõ'fratèrnité] *f.* collegialiteit *v.*
confrère [kõ'frè:r] *m.* **1** collega, ambtgenoot *m.*; **2** (*in klooster*) confrater, medebroeder *m.*; **3** kunstbroeder *m.*
confrérie [kõ'fréri] *f.*, (*kath.*) broederschap *v.*
confrontation [kõ'frõ'tɑ:syõ] *f.* **1** confrontatie *v.*, (het) gelijktijdig verhoren *o.*; **2** (*v. teksten*) vergelijking *v.*
confronter [kõ'frõ'té] *v.t.* **1** (*v. getuigen, beschuldigden*) confronteren, gelijktijdig verhoren; **2** (*v. teksten*) vergelijken.
confus [kõ'fü] *adj.* **1** verward; **2** (*v. geluid, enz.*) vaag, onduidelijk; **3** (*v. beeld*) onscherp, onduidelijk; **4** verlegen, beschaamd.
confusément [kõ'fü'zémã] *adv.* **1** verward; **2** vaag, onduidelijk; **3** verlegen, beschaamd.
confusion [kõ'fü'zyõ] *f.* **1** verwarring *v.*; **2** onduidelijkheid *v.*; **3** ontsteltenis *v.*; **4** verlegenheid, beschaamdheid *v.*; ***la — des langues,*** de spraakverwarring *v.*; ***— mentale,*** zinsverbijstering *v.*
congé [kõ'jé] *m.* **1** verlof *o.*; **2** ontslag *o.*; **3** vrijaf *o.*; **4** (*sch.*) zeebrief *m.*; **5** (*v. huur*) opzegging *v.*; ***prendre —,*** afscheid nemen; ***donner son — à qn.,*** **1** iem. ontslaan; iem. wegzenden; **2** iem. de huur opzeggen.
congédiement [kõ'jédi'mã] *m.* **1** wegzending *v.*; **2** afdanking *v.*; **3** huuropzegging *v.*
congédier [kõ'jédyé] *v.t.* **1** wegzenden; **2** afdanken, ontslaan; **3** (*v. bezoeker, enz.*) afschepen; **4** (*v. gezant*) een afscheidsaudiëntie verlenen aan.
congelable [kõ'jla'bl] *adj.* bevriesbaar, strembaar.
congélateur [kõ'jélatœ:r] *m.* ijsmachine *v.*
congélation [kõ'jélɑ'syõ] *f.* bevriezing *v.*
congeler [kõ'jlé] **I** *v.t.* **1** doen bevriezen; **2** (*v. stroop, enz.*) doen stollen; **3** (*v. kapitaal*) bevriezen; ***viande congelée,*** bevroren vlees; **II** ***v.pr., se —,*** **1** bevriezen; **2** stollen.
congénère [kõ'jénè:r] **I** *adj.* **1** gelijksoortig; **2** verwant, stamverwant; **II** *s., m.* **1** soortgenoot, stamverwant *m.*; **2** stamverwant woord *o.*
congénital [kõ'jénital] *adj.* aangeboren.
congère [kõjè'r] *f.* opgewaaide sneeuwhoop *m.*
congestion [kõ'jèstyõ] *f.* bloedaandrang *m.*, congestie *v.*
congestionné [kõ'jèstyòné] *adj.* **1** (*v. gelaat*) vuurrood, opgezet; **2** (*v. straat*) verstopt.
congestionner [kõ'jèstyòné] **I** *v.t.* congestie veroorzaken; **II** ***v.pr., se —,*** bloedaandrang krijgen.
conglomérat [kõ'glòméra] *m.* conglomeraat *o.*
conglomérer [kõ'glòméré] *v.t.* samenhopen.
conglutination [kõ'glütinɑ'syõ] *f.* **1** aaneenlijming; **2** verdikking *v.*
conglutiner [kõ'glütiné] *v.t.* **1** aaneenlijmen; **2** dik maken, verdikken.
Congo [kõ'go] *m.* Kongo *m.*
congolais [kõ'gòlè] **I** *adj.* Kongolees; **II** *s., m., **C—,*** Kongolees *m.*
congratulation [kõ'gratülɑ'syõ] *f.* gelukwens *m.*
congratuler [kõ'gratülé] *v.t.* **1** gelukwensen; **2** begroeten.
congre [kõ:gr] *m.* zeepaling *m.*
congréganiste [kõ'gréganist] **I** *m.* lid *o.* van een congregatie; congreganist *m.*; **II** *adj., **école —,*** broederschool; zusterschool *v.(m.).*
congrégation [kõ'grégɑ'syõ] *f.* congregatie *v.*; ***la — des fidèles,*** (*kath.*) de gemeenschap der gelovigen.
congrès [kõ'grè] *m.* congres *o.*
congressiste [kõ'grèsist] *m.* congreslid *o.*
congru [kõ'grü] *adj.* voldoend, toereikend; ***expression —e,*** juiste uitdrukking *v.*
congruence [kõ'grüã:s] *f.* congruentie *v.*
congruent [kõ'grüã] *adj.* gelijk en gelijkvormig.
congruité [kõ'grüité] *f.* behoorlijkheid, geschiktheid *v.*
conicité [ko'nisité] *f.* kegelvorm *m.*
conifère [kònifè:r] **I** *m.* naaldboom *m.*; **II** *adj. **arbre —,*** naaldboom *m.*
conique [kònik] *adj.* kegelvormig; ***section —,*** kegelsnede *v.(m.).*
conjectural [kõ'jèktüral] *adj.* hypothetisch, verondersteld, op vermoedens berustend.
conjecture [kõ'jèktü:r] *f.* gissing *v.*
conjecturer [kõ'jèktüré] **I** *v.t.* gissen, vermoeden; **II** *v.i.* gissingen maken.
conjoindre [kõ'jwẽ:dr] *v.t.* samenvoegen, verbinden.
conjoint [kõ'jwẽ] **I** *adj.* **1** verbonden; **2** (*v. bezit*) onverdeeld; ***règle —e,*** kettingregel *m.*; ***pronom —,*** met het werkwoord verbonden voornaamwoord; **II** *s., m.* echtgenoot *m.*
conjointement [kõ'jwẽ'tmã] *adv.* samen, gelijktijdig.
conjoncteur [kõ'jõ'ktœ:r] *m.*, (*el.*) schakelaar *m.*
conjonctif [kõ'jõ'ktif] *adj.* **1** verbindend, koppelend; **2** (*gram.*) voegwoordelijk; ***membrane conjonctive,*** bindvlies *o.*
conjonction [kõ'jõ'ksyõ] *f.* **1** (*gram.*) voegwoord *o.*; **2** (*sterr.*) samenstand *m.*, conjunctie *v.*; **3** vereniging, gemeenschap *v.*
conjonctive [kõ'jõ'kti:v] *f.* bindvlies *o.*
conjonctivite [kõ'jõ'ktivit] *f.* bindvliesontsteking *v.*
conjoncture [kõ'jõ'ktü:r] *f.* **1** samenloop *m.* van omstandigheden; **2** (*economisch*) conjunctuur *v.*
conjugable [kõ'jüga'bl] *adv.* vervoegbaar.
conjugaison [kõ'jügè'zõ] *f.* vervoeging *v.*
conjugal [kõ'jügal] *adj.* echtelijk; huwelijks—; ***lien —,*** huwelijksband *m.*
conjugué [kõ'jügé] *adj.* **1** (*gram.*) vervoegd; **2** gekoppeld.
conjuguer [kõ'jügé] *v.t.* **1** samenvoegen, paren; **2** (*gram.*) vervoegen.
conjungo [kõ'jõ'go] *m.* (*pop.*) huwelijk *o.*
conjurateur [kõ'jüratœ:r] *m.* samenzweerder *m.*
conjuration [kõ'jürɑ'syõ] *f.* samenzwering *v.*
conjuré [kõ'jüré] *m.* samenzweerder *m.*
conjurer [kõ'jüré] **I** *v.t.* **1** bezweren, dringend verzoeken; **2** (*v. gevaar*) afwenden; **3** (*v. geesten*) bannen, bezweren; **II** *v.i.* samenzweren.
connaissable [kònè'sa'bl] *adj.* kenbaar.
connaissance [kònè'sã:s] *f.* **1** kennis, wetenschap *v.*; **2** (*wijsb.*) kenvermogen *o.*; **3** kennis, bekende *m.-v.*; ***à ma —,*** naar mijn weten, zover ik weet; ***avoir — de,*** kennis dragen van; ***faire la — de qn.,*** kennis maken met iem.; ***perdre —,*** bewusteloos worden; ***reprendre —,*** weer bijkomen, weer bij kennis komen; ***en — de cause,*** met kennis van zaken; ***l'âge de —,*** de jaren van onderscheid; ***une figure de —,*** een bekend gezicht.
connaissement [kònè'smã] *m.* cognossement *o.*, (zee)vrachtbrief *m.*; ***— direct,*** doorcognossement; ***— à ordre,*** order-cognossement.
connaisseur [kònè'sœ:r] *m.* kenner *m.*; ***œil de —,*** kennersblik *m.*
connaître* [kònè:tr] **I** *v.t.* **1** kennen; **2** weten, inzien; **3** erkennen; **4** onderscheiden; ***il la connaît dans les coins,*** hij is goed op de hoogte, hij kent het klappen van de zweep; ***— son monde,*** zijn volkje kennen; ***je ne lui connaissais pas ces talents,*** ik wist niet dat hij die talenten bezat; ***je ne le connais ni d'Ève ni d'Adam,*** ik ken hem

helemaal niet; *il n'y connaît rien,* hij heeft er geen verstand van; *se faire —,* zich bekend maken; **II** *v.i.*, **— de,** (*recht*) kennis nemen van, berechten; **III** *v.pr.*, *se —,* **1** elkaar kennen; zichzelf kennen; **2** *se — à,* verstand hebben van; *il ne se connaissait plus de colère,* hij was buiten zich zelf van woede.
connecter [kònèkté] *v.t.* (*techn.*) verbinden.
connectif [kònèktif] *adj.* verbindend.
conner [kòné] *v.t.* (*arg.*) doden.
connerie [kòneri] *f.* (*arg.*) vuile streek *v.*(*m.*).
connétable [kònéta·bl] *m.* **1** (*gesch.*) oppermaarschalk *m.*; **2** opperstalmeester *m.*
connexe [kònèks] *adj.* samenhangend, verbonden.
connexion [kònèksyõ] *f.* samenhang *m.*, verband *o.*
connexité [kònèksité] *f.* nauw verband *o.*, nauwe samenhang *m.*
connivence [kõnivã:s] *f.* verstandhouding; medeplichtigheid *v.*; *agir de — avec,* heulen met.
connu [kònü] **I** *adj.* bekend; **II** *s., m.* (het) bekende *o.*
conoïde [kònòï·d] **I** *adj.* kegelvormig; **II** *s., m.*, (*meetk.*) kegelvormige figuur *v.*(*m.*) *en o.*
conque [kõ:k] *f.* **1** spiraalvormige schelp *v.*(*m.*); **2** oorschelp *v.*(*m.*).
conquérant [kõ·kérã] *m.* veroveraar *m.*
conquérir* [kõ·kéri:r] *v.t.* veroveren.
conquête [kõ·kè:t] *f.* **1** verovering *v.*; **2** (het) veroverde *o.*, buit *m.*; *faire la — de,* veroveren.
conquistador [kõ·kistadò:r] *m.* conquistador *m.*
Conrad [kõ·rad] *m.* Koenraad, Koen *m.*
consacrant [kõ·sakrã] *m.* **1** (*kath.*) wijbisschop *m.*; **2** (*v. de mis*) celebrant *m.*
consacré [kõ·sakré] *adj.* gewijd; *terme —,* geijkte [term *m.*
consacrer [kõ·sakré] *v.t.* **1** wijden; **2** (*v. kerk*) inzegenen; **3** (*fig.*) besteden, bestemmen; **4** wettigen, bekrachtigen; *— à,* toewijden aan.
consanguin [kõ·sã·gẽ] *adj.* van één vader; *frère —,* halfbroeder *m.*
consanguinité [kõ·sã·ginité] *f.* bloedverwant[schap *v.* van vaderszijde.
consciemment [kõ·syamã] *adv.* bewust.
conscience [kõ·syã:s] *f.* **1** geweten *o.*; **2** bewustheid *v.*, bewustzijn *o.*; **3** nauwgezetheid *v.*; *cas de —,* gewetenszaak *v.*(*m.*); *sans —,* gewetenloos; *par —, par acquit de —,* uit plichtsgevoel; *en toute —, la main sur la —,* met de hand op het hart; *ouvrier en —,* uurloonwerker *m.*; *compositeur en —,* smoutzetter *m.*; *avoir — de,* beseffen; *avoir — de sa force,* zijn kracht kennen; *fort de sa —,* in 't bewustzijn zijn plicht te hebben gedaan; *liberté de —,* gewetensvrijheid, geloofsvrijheid; *objecteur de —,* gewetensbezwaarde, dienstweigeraar *m.*
consciencieux [kõ·syã·syõ] *adj.*, **consciencieusement** [kõ·syã·syö·zmã] *adv.* nauwgezet, plichtmatig.
conscient [kõ·syã] (*de*) *adj.* bewust (van); *— de soi-même,* zelfbewust.
conscription [kõ·skripsyõ] *f.* loting *v.*; *échapper [à la —,* vrijloten.
conscrit [kõ·skri] **I** *m.* **1** loteling, rekruut *m.*; **2** (*fig.*) nieuweling *m.*; **II** *adj.*, *les pères —s,* (*gesch.*) de beschreven vaderen, de senatoren.
consécrateur [kõ·sékratœ:r] *m.* wijbisschop *m.*
consécration [kõ·sékra·syõ] *f.* **1** wijding *v.*; **2** (*v. kerk*) wijding, inzegening *v.*; **3** (*deel van de Mis*) consecratie *v.*; **4** (*prot.*: *v. dominee*) bevestiging *v.*; **5** (*fig.*) bekrachtiging *v.*
consécutif [kõ·sékütif] *adj.* achtereenvolgend; *proposition consécutive,* gevolgaanduidende bijzin; *— à,* die een gevolg is van, die ontstaan is door.
consécution [kõ·séküsyõ] *f.* opeenvolging *v.*

consécutivement [kõ·séküti·vmã] *adv.* achtereenvolgens, na elkander.
conseil [kõ·sè·y] *m.* **1** raad *m.*, raadgeving *v.*; **2** raadgever *m.*; **3** raadsman; advocaat *m.*; **4** (*v. gemeente, enz.*) raad *m.*; **5** raadsvergadering, raadszitting *v.*; *— d'État,* Raad van State; *— de Sécurité,* Veiligheidsraad *m.*; *— de guerre,* krijgsraad; *— de prud'homme,* scheidsraad, arbeidsraad; *— de fabrique,* kerkeraad; *président du —,* eerste minister, voorzitter van de ministerraad; *— municipal* (*F.*), *— communal* (*B.*), gemeenteraad; *— d'administration,* raad van beheer, raad van commissarissen; *avocat —,* rechtskundig adviseur; *— judiciaire,* curator *m.*; *— de revision,* keuringsraad; *— des troubles,* (*gesch.*) Raad van Beroerten, bloedraad; *tenir —,* beraadslagen; *prendre — de qn.,* bij iem. te rade gaan, iem. raadplegen.
conseiller [kõ·sèyé] **I** *v.t.* **1** raad geven; **2** raden, aanraden; *— qc. à qn.,* iem. iets aanraden; **II** *s., m.* **1** raadgever *m.*; **2** raadslid *o.*; **3** raadsheer *m.*; *— d'État,* staatsraad; *— de légation,* gezantschapsraad; *— municipal,* gemeenteraadslid *o.*
conseilleur [kõ·sèyœ:r] *m.* raadgever *m.*; *les —s ne sont pas les payeurs,* de beste stuurlui staan aan wal; alle raders zijn geen daders.
consentant [kõ·sã·tã] *adj.* toestemmend.
consentement [kõ·sã·tmã] *m.* toestemming, inwilliging *v.*; *du — de,* met instemming van.
consentir* [kõ·sã·ti:r] **I** *v.i.* toestemmen (*à*, in), zijn toestemming geven (tot); *qui ne dit mot consent,* wie zwijgt stemt toe; **II** *v.t.* toestaan; goedkeuren.
conséquemment [kõ·sékamã] *adv.* **1** consequent; **2** bijgevolg, dientengevolge.
conséquence [kõ·sékã:s] *f.* **1** gevolg, uitvloeisel *o.*; **2** gevolgtrekking *v.*; **3** gewicht *o.*, belangrijkheid *v.*; *sans —,* onbelangrijk, onbeduidend; *en —,* bijgevolg; *en — de,* ingevolge; *tirer à —,* van belang zijn.
conséquent [kõ·sékã] **I** *adj.* consequent, zich zelf gelijkblijvend; *points —s,* volgpunten; **II** *s., m.* **1** (*wisk.*) tweede term *m.* van een evenredigheid; **2** tweede term *m.* van een sluitrede; *par —,* bijgevolg, derhalve.
conservant [kõ·sèrvã] *m.* bederfwerend middel *o.*
conservateur [kõ·sèrvatœ:r] **I** *m.* **1** bewaarder *m.*; **2** (*v. museum*) conservator *m.*; **3** bibliothecaris *m.*; **4** (*politiek*) behoudsman, conservatief *m.*; *— des eaux et forêts,* opperhoutvester *m.*; *— des hypothèques,* hypotheekbewaarder *m.*; **II** *adj.* behoudend, conservatief.
conservation [kõ·sèrva·syõ] *f.* **1** bewaring *v.*; **2** handhaving, instandhouding *v.*; **3** (*v. leven*) behoud *o.*; *instinct de —,* zucht tot zelfbehoud; *dans un état de — parfaite,* uitstekend bewaard.
conservatisme [kõ·sèrvatizm] *m.* conservatisme *o.*; partij *v.* van de conservatieven.
conservatoire [kõ·sèrvatwa:r] **I** *m.* conservatorium *o.*; **II** *adj.*, (*recht*) beschermend, vrijwarend.
conserve [kõ·sèrv] *f.* (meestal *mv.*) **1** verduurzaamde levensmiddelen *mv.*, ingemaakte groenten (vruchten, enz.) *mv.*; **2** konvooischip *o.*, geleider *m.*; **3** (*drukk.*) staand zetsel *o.*; *—s,* schutbril *m.*; *de —,* ingelegd; *aller de —,* meegaan, samen gaan; (*sch.*) samen varen, in gezelschap varen.
conserver [kõ·sèrvé] **I** *v.t.* **1** bewaren; **2** behouden; **3** (*v. kleren*) aanhouden; **4** (*v. hoed*) ophouden; **5** (*v. eetwaren*) opleggen, verduurzamen; *il est bien conservé,* hij is nog flink (voor zijn leeftijd); **II** *v.pr.*, *se —,* **1** goed blijven; **2** verduurzaamd worden; **3** zich in acht nemen.

considérable(ment) [kõ'sidéra'bl(emã)] *adj.* (*adv.*) 1 aanzienlijk; 2 invloedrijk; 3 (*v. zaak*) gewichtig, van belang.
considérant [kõ'sidérã] *m.* overweging *v.*
considération [kõ'sidéra'syõ] *f.* 1 beschouwing *v.*; 2 overweging *v.*; 3 reden *v.*(*m.*), beweeggrond *m.*; 4 achting *v.*, eerbied *m.*; 5 inschikkelijkheid, toegevendheid *v.*; ***prendre en —,*** in aanmerking nemen; ***en — de,*** ter wille van, met het oog op; ***sans —,*** zonder overleg, ondoordacht.
considérément [kõ'sidérémã] *adj.* omzichtig, bedachtzaam.
considérer [kõ'sidéré] *v.t.* 1 beschouwen; 2 bekijken; 3 overwegen, overdenken; 4 letten op; in aanmerking nemen; 5 achten, waarderen, hoogschatten; ***tout bien considéré,*** alles wel beschouwd; ***considérant que,*** overwegend dat.
consignataire [kõ'siñatè:r] *m.* geconsigneerde *m.*
consignateur [kõ'siñatœ:r] *m.* consignant *m.*
consignation [kõ'siña'syõ] *f.* 1 consignatie *v.*; 2 bewaargeving *v.*
consigne [kõ'siñ] *f.* 1 order *v.*(*m.*) *en o.*, instructie *v.*; 2 wachtwoord *o.*; 3 (*mil.*) kwartierarrest *o.*; 4 dienstdoende wacht *m.*; 5 bewaarplaats *v.*(*m.*) voor handbagage; ***déposer à la —,*** in bewaring geven; ***forcer la —,*** ondanks het verbod binnenkomen, met geweld binnengaan.
consigner [kõ'siñé] *v.t.* 1 in bewaring geven; (*v. geld ook:*) deponeren; 2 (*v. waren*) in commissie geven; 3 inschrijven; vermelden; optekenen; 4 kwartierarrest geven; 5 huisarrest geven; ***— sa porte,*** voor niemand thuis zijn, niemand bij zich toelaten.
consistance [kõ'sistã:s] *f.* 1 dichtheid, vastheid *v.*; 2 (*fig.*) bestendigheid, standvastigheid, duurzaamheid *v.*; 3 (*recht*) omvang *m.*; ***prendre de la —,*** 1 (*v. geruchten, enz.*) geloofwaardiger worden; 2 (*v. zaak*) op een hechte grondslag komen, zich gunstig ontwikkelen; 3 (*v. persoon*) in aanzien toenemen; ***sans —,*** (*v. nieuws, enz.*) ongegrond, uit de lucht gegrepen; (*v. karakter*) onstandvastig, besluiteloos.
consistant [kõ'sistã] *adj.* 1 vast, stevig; weinig vloeibaar; hard; 2 (*fig.*) bestendig, standvastig.
consister [kõ'sisté] *v.i.* bestaan (***à, en,*** in, uit).
consistoire [kõ'sistwa:r] *m.* 1 (*kath.*) consistorie *o.*, vergadering *v.* van kardinalen (te Rome); 2 (*prot.*) kerkeraad *m.*; 3 (*prot.*) kerkeraadskamer, consistoriekamer *v.*(*m.*).
consistorial [kõ'sistòryal] *adj.* consistoriaal.
consolable [kõ'sòla'bl] *adj.* troostbaar.
consolant [kõ'sòlã] *adj.* troostend, troostrijk.
consolateur [kõ'sòlatœ:r] I *m.* trooster *m.*; II *adj.* troostend, troostrijk. [*v.*
consolation [kõ'sòla'syõ] *f.* troost *m.*, vertroosting
console [kõ'sòl] *f.* 1 (*bouwk.*) console *v.*(*m.*), draagsteen *m.*; 2 wandtafeltje, muurtafeltje *o.*
consoler [kõ'sòlé] I *v.t.* 1 troosten, vertroosten; 2 (*v. smart*) lenigen; II *v.pr.*, ***se — (de),*** zich troosten (over).
consolidation [kõ'sòlida'syõ] *f.* 1 versterking; bevestiging *v.*; 2 (*v. gebouw*) (het) stutten *o.*; 3 (*v. wond*) heling, sluiting *v.*; 4 (*v. gebroken lid*) spalking *v.*; 5 (*v. schuld*) consolidatie *v.*
consolider [kõ'sòlidé] *v.t.* 1 versterken, bevestigen; 2 stutten; 3 helen, hechten; 4 spalken; 5 consolideren.
consommable [kõsòmabl] *adj.* voor gebruik geschikt.
consommateur [kõ'sòmatœ:r] *m.* 1 verbruiker, consument *m.*; 2 (*in café*) klant, bezoeker *m.*
consommation [kõ'sòma'syõ] *f.* 1 voltooiing, voleinding, vervulling *v.*; 2 verbruik *o.*; 3 (*in café, enz.*) vertering, consumptie *v.*; ***impôt sur la*** (*of* ***les objets de***) ***—,*** verbruiksbelasting *v.*; ***prendre une —,*** iets gebruiken; ***article de grande —,*** stapelartikel *o.*; ***salon de —,*** melksalon *m. en o.*
consommé [kõ'sòmé] I *adj.* 1 uitstekend, volmaakt; 2 bedreven, bekwaam; volleerd; 3 doortrapt; II *s.*, *m.* (krachtige) bouillon *m.*, vleesnat *o.*
consommer [kõ'sòmé] *v.t.* 1 vervullen, voltooien, voleindigen; 2 verbruiken; 3 gebruiken; verteren; 4 (*recht*) uitoefenen; ***tout est consommé,*** het is volbracht. [uittering *v.*
consomption [kõ'sõ'psyõ] *f.* 1 vertering *v.*; 2
consonance [kõ'sònã:s] *f.* 1 (*taalk.*) gelijkluidendheid *v.*; 2 (*muz.*) overeenkomst *v.* in klank, overeenstemming *v.* van twee klanken.
consonant [kõ'sònã] I *adj.* 1 (*taalk.*) gelijkluidend; 2 (*muz.*) samenstemmend; II *s.*, *m.* 1 gelijkluidendheid *v.* van klank; 2 (*muz.*) samenklank *m.*
consonne [kõ'sòn] *f.* medeklinker *m.*
consonner [kõ'sòné] *v.i.* samenklinken.
consort [kõ'sò:r] *m.*, ***prince —,*** prins-gemaal *m.*; ***—s,*** deelgenoten, medebelanghebbenden *mv.*; consorten *mv.*; ***et —s,*** en Co, cum suis.
consortium [kõ'sòrsyòm] *m.* groep *v.*(*m.*), vereniging, combinatie *v.*
consoude [kõ'sud] *f.* smeerwortel *m.*
conspirant [kõ'spirã] *adj.* samenwerkend.
conspirateur [kõ'spiratœ:r] *m.* samenzweerder *m.*
conspiration [kõ'spira'syõ] *f.* samenzwering *v.*; ***la — du silence,*** het doodzwijgen.
conspirer [kõ'spiré] I *v.i.* samenzweren, samenspannen; II *v.t.* beramen.
conspuer [kõ'spẅé] *v.t.* honen, uitjouwen, beschimpen. [gestadig.
constamment [kõ'stamã] *adv.* voortdurend,
constance [kõ'stã:s] *f.* 1 standvastigheid *v.*; 2 bestendigheid *v.*; 3 volharding *v.*
Constance [kõ'stã's] *f.* 1 (*stad*) Constanz *o.*; 2 (*naam*) Constance *v.*; ***le lac de —,*** het Bodenmeer.
constant [kõ'stã] *adj.* 1 standvastig; 2 bestendig; 3 ontwijfelbaar, zeker; 4 onveranderlijk, onverzettelijk.
Constant [kõ'stã] *m.* Constant *m.*
constantan [kõstãtã] *m.* legering *v.* van koper en nikkel. [grootheid *v.*
constante [kõ'stã:t] *f.*, (*wisk.*) onveranderlijke
Constantin [kõ'stã'tẽ] *m.* Constantijn *m.* [*o.*
Constantinople [kõ'stã'tinòpl] *f.* Konstantinopel
constantinopolitain [kõ'stã'tinòplitẽ] I *adj.* uit Konstantinopel; II *s.*, *m.*, ***C—,*** bewoner van Konstantinopel *m.*
constat [kõ'sta] *m.* constatering *v.*
constatable [kõ'stata'bl] *adj.* vast te stellen.
constatation [kõ'stata'syõ] *f.* vaststelling; bevinding *v.*
constater [kõ'staté] *v.t.* vaststellen.
constellation [kõ'stèl(l)a'syõ] *f.* 1 sterrenbeeld *o.*; 2 (*v. partijen, enz.*) groepering *v.*
constellé [kõ'stèl(l)é] *adj.* (met sterren) bezaaid; ***ciel —,*** sterrenhemel *m.*
consternation [kõ'stèrna'syõ] *f.* verslagenheid, ontsteltenis *v.* [ontroeren.
consterner [kõ'stèrné] *v.t.* ontstellen, hevig doen
constipant [kõstipã] *m.* (*gen.*) stopmiddel *o.*
constipation [kõ'stipa'syõ] *f.* hardlijvigheid, verstopping *v.*
constipé [kõ'stipé] *adj.* hardlijvig, verstopt.
constiper [kõ'stipé] *v.t.*, (*gen.*) verstoppen.
constituant [kõ'stitẅã] I *adj.* 1 samenstellend; 2 grondwetgevend; ***les parties —es,*** de (grond)-bestanddelen; II *s.*, *m.* volmachtgever *m.*

constituer [kõ'stitwé] I *v.t.* 1 samenstellen, uitmaken; 2 stichten, oprichten, instellen; 3 aanstellen; benoemen; *— une rente à qn.*, iem. een jaargeld toekennen; *— en frais*, op kosten jagen; *les corps constitués*, de staatslichamen; II *v.pr.*, *se — juge*, zich opwerpen als rechter; *se — prisonnier*, zich gevangen geven; *se — partie civile*, zich burgerlijke partij stellen.
constitutif [kõ'stitütif] *adj.* 1 samenstellend; 2 wettig, rechtgevend; *élément —*, bestanddeel *o.*; *capital —*, oprichtingskapitaal, grondkapitaal *o.*
constitution [kõ'stitüsyõ] *f.* 1 samenstelling *v.*; 2 stichting, oprichting, instelling *v.*; 3 aanstelling; benoeming *v.*; 4 gestel *o.*, lichaamsgesteldheid *v.*; 5 staatsregeling *v.*; 6 grondwet *v.(m.)*; 7 (*v. jaargeld*) toekenning *v.*
constitutionnalité [kõ'stitüsyònalité] *f.* grondwettigheid *v.*
constitutionnel [kõ'stitüsyònèl] *adj.* 1 uit het gestel voortkomend; 2 grondwettig.
constitutionnellement [kõ'stitüsyònèlmã] *adv.* grondwettig.
constricteur [kõ'striktœ:r] *adj.* 1 vernauwend; 2 samentrekkend; *muscle —*, sluitspier *v.(m.)*; *boa —*, boa constrictor *m.*
constriction [kõ'striksyõ] *f.* samentrekking *v.*
constringent [kõ'strẽ'jã] *adj.* samentrekkend.
constructeur [kõ'strüktœ:r] *m.* 1 (*v. huis, enz.*) bouwer *m.*; 2 (*v. toestel*) vervaardiger *m.*; 3 (*v. auto's, enz.*) fabrikant *m.*
constructif [kõ'strüktif] *adj.* 1 opbouwend; 2 (*v. geest*) scheppend.
construction [kõ'strüksyõ] *f.* 1 bouw *m.*; (het) bouwen *o.*; 2 (*v. spoorweg*) aanleg *m.*; 3 gebouw *o.*; 4 bouwkunst *v.*; 5 (*fig.*) samenstelling *v.*; 6 (*meetk.*) constructie *v.*; *— d'une phrase*, zinsbouw *m.*, woordschikking, zinswending *v.*; *boîte de —*, bouwdoos *v.(m.)*; *bois de —*, timmerhout *o.*; *chantier de —*, scheepstimmerwerf *v.(m.)*; *— en hauteur*, etagebouw, hoogbouw *m.*
construire* [kõ'strwi:r] *v.t.* 1 bouwen; opbouwen; 2 (*v. weg, spoorweg*) aanleggen; 3 (*v. zin*) samenstellen; 4 (*meetk.*) construeren; 5 (*v. kaart*) tekenen.
consubstantialité [kõ'süpstã'syalité] *f.*, (*kath.*) medezelfstandigheid *v.*
consubstantiation [kõ'süpstã'sya'syõ] *f.*, (*prot.*) medeaanwezigheid *v.* [ŝén.
consubstantiel [kõ'süpstã'syèl] *adj.* in wezen
consul [kõ'sül] *m.* consul *m.*
consulaire [kõ'sülè:r] *adj.* consulair. [o.
consulat [kõ'süla]*m.* 1 consulschap *o.*; 2 consulaat
consultant [kõ'sültã] I *adj.* 1 (*v. geneesheer*) consulterend; 2 (*v. advocaat*) raadgevend, adviserend; II *s., m.* 1 raadvrager *m.*; 2 raadgever *m.*
consultatif [kõ'sültatif] *adj.* raadgevend; *avoir voix consultative*, adviserende stem hebben; *à titre —*, om raad te geven.
consultation [kõ'sülta'syõ] *f.* 1 raadpleging *v.*; consult *o.*; 2 raadgeving *v.*, advies *o.*; 3 (*v. dokter*) spreekuur *o.*; *appeler en —*, in consult roepen; *— électorale*, beroep op de kiezers.
consulter [kõ'sülté] I *v.t.* 1 raadplegen; 2 (*v. boek, schrijver*) naslaan; *— ses intérêts*, met zijn belangen rekening houden; *— son oreiller*, zich op iets beslapen.
consumable [kõ'süma'bl] *adj.* verteerbaar; verbruikbaar.
consumer [kõ'sümé] I *v.t.* 1 verteren; 2 (*v. geld*) opmaken, verkwisten; II *v.pr.*, *se —*, verteren, wegkwijnen.
contact [kõ'takt] *m.* 1 aanraking *v.*; 2 verbinding *v.*; 3 contact *o.*; 4 (*v. cirkels*) raakpunt *o.*; *entrer en — avec*, voeling krijgen met; *— à cheville*, (*el.*) stopcontact *o.*
contacter [kõ'takté] *v.t.* contact krijgen met.
contacteur [kõ'taktœ:r] *m.* contactsluiter *m.*
contadin [kõ'tadẽ] *m.* plattelandsbewoner *m.*
contage [kõta:j] *m.* smetstof *v.(m.)*.
contagieux [kõ'tajyö] *adj.* besmettelijk, aanstekelijk.
contagion [kõ'tajyõ] *f.* 1 besmetting *v.*; 2 aanstekelijkheid *v.*
contagionner [kõ'tajyòné] *v.t.*, (*gen.*) aansteken.
contagiosité [kõ'tajyòzité] *f.* besmettelijkheid *v.*
contamination [kõ'tamina'syõ] *f.* 1 bezoedeling *v.*; 2 besmetting *v.* [smetten.
contaminer [kõ'taminé] *v.t.* 1 bezoedelen; 2 be-
conte [kõ:t] *m.* 1 vertelsel *o.*, vertelling *v.*; 2 praatje *o.*; *— bleu*, *— de fée(s)*, sprookje *o.*; *—s de bonne(s) femme(s)*, bakerspraatjes, kletspraatjes *mv.*; *—s en l'air*, praatjes voor de vaak; *— à dormir debout*, onmogelijk verhaal.
contemplateur [kõ'tã'platœ:r] *m.* beschouwer *m.*
contemplatif [kõ'tã'platif] *adj.* beschouwend, bespiegelend; *ordre —*, (*kath.*) beschouwende (*of* contemplatieve) kloosterorde *v.(m.)*.
contemplation [kõ'tã'pla'syõ] *f.* 1 beschouwing, bespiegeling *v.*; 2 stille bewondering *v.*
contempler [kõ'tã'plé] *v.t.* 1 (aandachtig) beschouwen; 2 in stilte bewonderen.
contemporain [kõ'tã'pòrẽ] I *adj.* 1 van dezelfde tijd; 2 hedendaags, van onze tijd; *histoire —e*, nieuwste geschiedenis; II *s., m.* tijdgenoot *m.*
contempteur [kõ'tã'ptœ:r] *m.* verachter, versmader *m.*
contenance [kõ'tnã:s] *f.* 1 inhoud *m.*; 2 oppervlakte *v.*; 3 houding *v.*; *perdre —*, van streek raken, verlegen worden; *faire perdre —*, van zijn stuk brengen; *faire bonne —*, zich goed houden; *par —, pour se donner une —*, om zich een houding te geven.
contenant [kõ'tnã] I *adj.* inhoudend; II *s., m.* het inhoudende voorwerp, het voorwerp dat bevat.
contendant [kõ'tã'dã] *m.* mededinger *m.*
contenir* [kõ'tni:r] I *v.t.* 1 inhouden; 2 bevatten, behelzen; 3 tegenhouden; 4 weerhouden; 5 bedwingen; II *v.pr.*, *se —*, zich inhouden; zich bedwingen.
content [kõ'tã] I *adj.* tevreden; vergenoegd; voldaan; blij; *être — de sa petite personne*, erg met zich zelf ingenomen zijn; II *s., m.*, *manger son —*, zijn genoegen eten; *j'en ai mon —*, ik heb er genoeg van.
contentement [kõ'tã'tmã] *m.* tevredenheid; voldoening, voldaanheid; blijheid *v.*; *— passe richesse*, tevredenheid gaat boven rijkdom.
contenter [kõ'tã'té] I *v.t.* tevredenstellen; bevredigen; voldoen; II *v.pr.*, *se — (de)*, zich tevreden stellen (met), zich vergenoegen (met).
contentieux [kõ'tã'syö] I *adj.* 1 betwistbaar; 2 twistziek; II *s., m.* geschillen *mv.*, betwistbare zaken *mv.* [ning *v.*
contention [kõ'tã'syõ] *f.*, (*v. geest*) hevige inspan-
contenu [kõ'tnü] I *adj.* 1 (*v. woede, enz.*) ingehouden; 2 (*v. smart, verdriet*) opgekropt; 3 (*v. karakter*) gesloten; II *s., m.* inhoud *m.*
conter [kõ'té] *v.t.* vertellen, verhalen; *en — à qn.*, iem. wat wijsmaken.
contestable [kõ'tèsta'bl] *adj.* betwistbaar.
contestant [kõ'tèstã] *adj.*, *les parties —es*, de procederende partijen.
contestation [kõ'tèsta'syõ] *f.* 1 betwisting *v.*; 2 geschil *o.*; *sans —*, zonder tegenspraak.

conteste *f.*, ***sans —,*** [sã'kõ'tèst] ontegenzeglijk, buiten kijf.
contester [kõ'tèsté] **I** *v.t.* **1** betwisten; **2** ontkennen, loochenen; **II** *v.i.*, ***— de,*** twisten over.
conteur [kõ'tœ:r] *m.* verteller *m.*
contexte [kõ'tèkst] *m.* **1** (*in tekst*) verband *o.*, samenhang *m.*; **2** (*recht*) tekst *m.* (van een akte).
contexture [kõ'tèkstü:r] *f.* **1** samenhang, bouw *m.*; **2** weefsel *o.*
contigu, —ë [kõ'tigü] (*à*) *adj.* aangrenzend, belendend; ***angle —,*** nevenhoek, aanliggende hoek *m.*
contiguïté [kõ'tigẃité] *f.* belending *v.*
continence [kõ'tinã:s] *f.* onthouding; ingetogenheid *v.*
continent [kõ'tinã] **I** *adj.* **1** kuis; ingetogen; **2** (*gen.*: *v. koorts, enz.*) voortdurend, aanhoudend; **II** *s.*, *m.* vasteland *o.*
continental [kõ'tinã'tal] *adj.* continentaal, tot het vasteland behorend; ***climat —,*** landklimaat *o.*; ***blocus —,*** (*gesch.*) continentaal stelsel *o.*
contingence [kõ'tẽ'jã:s] *f.* gebeurlijkheid, toevalligheid, toevallige omstandigheid *v.*; ***angle de —,*** (*meetk.*) raakhoek *m.*
contingent [kõ'tẽ'jã] **I** *adj.* gebeurlijk, toevallig; **II** *s.*, *m.* **1** aandeel *o.*; **2** contingent *o.*
contingentement [kõ'tẽ'jã'tmã] *m.* contingentering *v.*
contingenter [kõ'tẽ'jã'té] *v.t.* contingenteren.
continu [kõ'tinü] *adj.* **1** aanhoudend, onafgebroken; **2** (*v. verhaal*) doorlopend; ***fraction —e,*** kettingbreuk *v.*(*m.*); ***proportion —e,*** gedurige evenredigheid *v.*; ***basse —e,*** (*muz.*) generale bas *v.*(*m.*); ***courant —,*** gelijkstroom *m.*
continuateur [kõ'tinẃa'tœ:r] *m.* voortzetter *m.*
continuation [kõ'tinẃa'syõ] *f.* **1** voortzetting *v.*; **2** (*v. contract, enz.*) verlenging *v.*
continuel(lement) [kõ'tinẃèl(mã)] *adj.* (*adv.*) aanhoudend, onafgebroken, voortdurend.
continuer [kõ'tinẃé] **I** *v.t.* **1** voortzetten; **2** vervolgen, voortgaan met; **3** (*v. weg, enz.*) doortrekken; **4** (*v. contract*) verlengen, hernieuwen; ***— dans sa fonction,*** herbenoemen, in zijn ambt handhaven; **II** *v.i.* **1** voortduren; **2** doorgaan (met), voortgaan (met); **3** (*v. regen*) aanhouden.
continuité [kõ'tinẃité] *f.* **1** aaneenschakeling *v.*; **2** (*v. handeling*) samenhang *m.*; eenheid *v.*; **3** voortduring *v.*; ***solution de —,*** gaping, opening, tussenruimte *v.*
continûment [kõ'tinümã] *adv.* voortdurend, gedurig.
contondant [kõ'tõ'dã] *adj.*, (*v. wapen*) stomp.
contorsion [kõ'tòrsyõ] *f.* **1** verdraaiing, verwringing *v.*; **2** zenuwtrekking *v.*; **3** (*v. gelaat*) (het) vertrekken *o.*
contorsionner [kõ'tòrsyòné] *v.t.* in allerlei bochten wringen.
contorsionniste [kõ'tòrsyònist] *m.* slangemens *m.*
contour [kõ'tu:r] *m.* omtrek *m.*; ***— de poitrine,*** borstwijdte *v.*
contournement [kõ'turnemã] *m.*, ***ligne de —,*** zijspoor *o.*; ***route de —,*** zijweg *m.*
contourner [kõ'turné] *v.t.* **1** afronden; **2** (*v. hout*) kromtrekken, ombuigen; **3** (*v. vijand*) omtrekken; **4** (*v. huis, berg, enz.*) lopen om; **5** (*v. moeilijkheid*) omzeilen; ***style contourné,*** gewrongen stijl *m.*
contractant [kõ'traktã] **I** *adj.* contracterend; **II** *s.*, *m.* contractant.
contracté [kõ'trakté] *adj.* samengetrokken.
contracter [kõ'trakté] **I** *v.t.* **1** (*v. klanken, spieren*) samentrekken; **2** (*v. lichamen*) doen inkrimpen; **3** (*v. huwelijk, lening*) aangaan; **4** (*v. contract, verzekering*) sluiten; **5** (*v. gewoonte*) aannemen; **6** (*v. ziekte*) opdoen, oplopen; **7** (*v. verplichting*) op zich nemen; ***— des dettes,*** schulden maken, zich in schulden steken; **II** *v.pr.*, ***se —,*** **1** zich samentrekken; **2** inkrimpen; **3** samengetrokken worden.
contractif [kõ'traktif] *adj.* samentrekkend.
contractile [kõ'traktil] *adj.* samentrekbaar.
contractilité [kõ'traktilité] *f.* samentrekbaarheid *v.*
contraction [kõ'traksyõ] *f.* **1** samentrekking *v.*; **2** inkrimping *v.*
contractuel [kõ'traktẃèl] *adj.* bij overeenkomst geregeld, contractueel.
contracture [kõ'traktü:r] *f.* spierkramp *v.*(*m.*); —verstijving *v.*
contradicteur [kõ'tradiktœ:r] *m.* tegenspreker *m.*
contradiction [kõ'tradiksyõ] *f.* **1** tegenspraak *v.*(*m.*); **2** tegenstrijdigheid, onverenigbaarheid *v.*
contradictoire [kõ'tradiktwa:r] *adj.* tegenstrijdig; ***débat —,*** debat met tegenspraak; ***jugement —,*** contradictoir vonnis *o.*, vonnis na verhoor van de partijen.
contradictoirement [kõ'tradiktwa'rmã] *adv.* **1** tegenstrijdig; **2** (*recht*) na partijen gehoord te hebben.
contraignable [kõ'trèña'bl] *adj.* onderworpen aan rechtsdwang.
contraindre* [kõ'trẽ:dr] **I** *v.t.* **1** dwingen, nood zaken; **2** bedwingen; **3** (*v. toorn*) inhouden; ***— par corps,*** gijzelen; **II** *v.pr.*, ***se —,*** zich bedwingen; zich inhouden; zich geweld aandoen.
contraint [kõ'trẽ] *adj.* **1** gemaakt, onnatuurlijk; **2** (*v. houding*) gedwongen; ***basse —e,*** (*muz.*) obligate bas *v.*(*m.*).
contrainte [kõ'trẽ:t] *f.* **1** dwang *m.*; **2** gedwongenheid *v.*; **3** dwangbevel *o.*; rechtsdwang *m.*; ***— par corps,*** lijfsdwang *m.*, gijzeling *v.*; ***sans —,*** vrijuit, ongedwongen.
contraire [kõ'trè:r] (*à*) **I** *adj.* **1** tegengesteld; **2** strijdig (met); **3** nadelig (voor), schadelijk (voor); ***vent —,*** tegenwind *m.*; **II** *s.*, *m.* tegendeel, tegengestelde *o.*; ***au —,*** integendeel; ***au — de,*** in tegenstelling met; ***bien au —,*** verre van daar.
contrairement [kõ'trè'rmã] (*à*) *adv.* in strijd (met).
contralto [kõ'tralto], **contralte** [kõ'tralt] *m.*, (*muz.*) alt(stem) *v.*(*m.*).
contrariant [kõ'traryã] *adj.* **1** dwars, tegenstrevend; **2** onaangenaam, vervelend; ***homme —,*** dwarsdrijver *m.*
contrarier [kõ'traryé] *v.t.* **1** tegenwerken, dwarsbomen; **2** hinderen; ***cela me contrarie,*** dat vind ik vervelend; ***un amour contrarié,*** een ongelukkige liefde; ***d'un ton contrarié,*** op misnoegde toon.
contrariété [kõ'traryété] *f.* **1** tegenstelling, tegenstrijdigheid *v.*; **2** tegenkanting, tegenwerking *v.*; **3** teleurstelling *v.*; **4** moeilijkheid *v.*, tegenspoed *m.*
contraste [kõ'trast] *m.* tegenstelling *v.*, contrast *o.*
contraster [kõ'trasté] (*avec*) *v.i.* afsteken (bij), een tegenstelling vormen (met), contrasteren (met).
contrat [kõ'tra] *m.* overeenkomst, verbintenis *v.*, contract *o.*; ***— de*** (*of* ***à la***) ***grosse,*** bodemerijbrief *m.*; ***— sous seing privé,*** onderhands contract; ***passer un —,*** een overeenkomst sluiten.
contravention [kõ'travã'syõ] *f.* **1** overtreding *v.*; **2** bekeuring *v.*; ***dresser une — à qn.,*** iem. bekeuren.
contravis [kõ'travi] *m.* tegenadvies *o.*
contre [kõ:tr] **I** *prép.* tegen; ***tout —,*** **1** vlak bij; **2** (*v. deur*) aanstaand; ***une attaque — qn.,*** een aanval op iem.; **II** *adv.* er tegen; ***voter —,*** tegenstemmen; ***par —,*** daarentegen; ***agir — son cœur,*** zijn hart geweld aandoen; **III** *s.*, *m.* **1** (het) tegen

o.; 2 (*bilj.*) klots *m.*; 3 (*sp.*) weerstoot *m.*; 4 (*bij schermen*) kringafwering *v.*
contre-accusation* [kõ'traküsa'syõ] *f.* tegenbeschuldiging *v.*
contre-alizé* [kõ'tralizé] *m.* tegenpassaatwind, [antipassaat *m.*
contre-allée* [kõ'tralé] *f.* bijlaan, zijlaan *v.*(*m.*) (evenwijdig met hoofdlaan).
contre-amendement* [kõ'tramã:dmã] *m.* tegenamendement *o.*
contre-amiral* [kõ'tramiral] *m.* schout-bij-nacht [*m.*
contre-appel* [kõ'trapèl] *m.* tegenappel *o.*, tegenuitval *m.*
contre-archet, à — [akõ'trarʃè] *adv.*, (*muz.*) [in tegenstreek.
contre-assurance* [kõ'trasürã:s] *f.* herverzekering, dekkingsverzekering *v.*
contre-attaque* [kõ'tratak] *f.*, (*mil.*) tegenaan- [val *m.*
contre-balancer [kõ'trebalã'sé] **I** *v.t.* opwegen tegen; **II** *v.pr.*, *se* **—**, tegen elkaar opwegen; elkaar in evenwicht houden.
contrebande [kõ'trebã:d] *f.* **1** smokkelarij *v.*; **2** smokkelwaren *mv.*; ***introduire en —***, binnensmokkelen; ***commerce de —***, sluikhandel *m.*; ***de —***, gesmokkeld, verboden; ***— de guerre***, oorlogscontrabande *v.*(*m.*).
contrebandier [kõ'trebã'dyé] *m.* smokkelaar *m.*
contrebas, en — [ã'kõ'treba] *adv.* lager gelegen.
contrebasse [kõ'treba:s] *f.*, (*muz.*) contrabas *v.*(*m.*).
contrebassiste [kõ'treba'sist] *m.*, (*muz.*) contra- [bassist *m.*
contre-basson* [kõ'treba'sõ] *m.* contrafagot *m.*
contre-batterie* [kõ'trebatri] *f.* **1** (*mil.*) tegenbatterij *v.*; **2** (*fig.*) tegenmaatregel *m.*
contre-battre [kõ'trebatr] *v.t.* **1** (*mil.*: *v. vijandelijke batterij*) beschieten, bestoken om tot zwijgen te brengen; **2** (*fig.*) met succes concurreren tegen.
contrebiais, en — [ã'kõ'trebyè] *adv.* in tegengestelde richting, tegen de draad in.
contre-boutant* [kõ'trebutã] *m.*, (*bouwk.*) stut, steun *m.*
contre-bouter [kõ'trebuté] *v.t.* stutten, steunen.
contre-brasser [kõ'trebrassé] *v.t.*, (*sch.*) tegenbrassen.
contrecarrer [kõ'treka'ré] **I** *v.t.* dwarsbomen, tegenwerken; **II** *v.pr.*, *se* **—**, elkaar tegenwerken.
contre-chant* [kõ'treʃã] *m.* tegenzang *m.*
contre-châssis [kõ'treʃa'si] *m.* dubbel raam *o.*
contrecœur [kõ'trekœ:r] *m.* staande haardplaat *v.*(*m.*); ***à —***, met tegenzin, tegen wil en dank.
contrecoup [kõ'treku] *m.* **1** weeromstuit *m.*; **2** terugslag *m.*
contre-courant* [kõ'trekurã] *m.* tegenstroom *m.*
contredanse [kõ'tredã:s] *f.* contredans *m.*
contre-dater [kõ'tredaté] *v.t.* van een andere datum voorzien.
contre-déclaration* [kõ'tredéklara'syõ] *f.* tegenverklaring *v.*
contredire* [kõ'tredi:r] **I** *v.t.* **1** tegenspreken; **2** in tegenspraak zijn met; **II** *v.i.*, **— *à***, tegenspreken.
contredit [kõ'tredi] *m.* **1** verweerschrift *o.*; **2** tegenspraak *v.*(*m.*); ***sans —***, ontegenzeglijk.
contrée [kõ'tré] *f.* landstreek *v.*(*m.*), gewest *o.*
contre-écrou* [kõ'trékru] *m.* contramoer *v.*(*m.*).
contre-enquête* [kõ'trã'kè:t] *f.* tegenonderzoek *o.*
contre-épreuve* [kõ'tréprœ:v] *f.* **1** (*drukk.*) tegenafdruk *m.*; **2** (*bij stemming, enz.*) tegenproef *v.*(*m.*), verificatie *v.*
contre-espionnage* [kõ'trèspyòna:ʒ] *m.* tegenspionnage, contraspionage *v.*
contre-essai* [kõ'ntrèsè] *m.* tegenproef *v.*(*m.*).
contre-expertise* [kõ'trèkspèrti:z] *f.* tegenonderzoek *o.*
contrefaçon [kõ'trefasõ] *f.* **1** namaak *m.*; **2** namaaksel *o.*; **3** (*v. boek*) nadruk *m.*; ***méfiez-vous des —s***, wacht u voor namaak.
contrefacteur [kõ'trefaktœ:r] *m.* namaker *m.*; nadrukker *m.*
contrefaction [kõ'trefaksyõ] *f.*, (*v. munten, enz.*) vervalsing *v.*, bedrieglijke namaak *m.*
contrefaire* [kõ'trefè:r] *v.t.* **1** nabootsen; **2** (*ong.*) naäpen; **3** (*v. stem*) veranderen, verdraaien; **4** (*v. droefheid, enz.*) veinzen; **5** wederrechtelijk nadrukken.
contrefaiseur [kõ'trefèzœ:r] *m.* nabootser, naäper [*m.*
contrefait [kõ'trefè] *adj.* **1** nagemaakt; **2** misvormd, mismaakt.
contre-fenêtre* [kõ'tref(e)nè:tr] *f.* dubbel raam, tochtraam *o.*
contre-feu* [kõ'trefö] *m.* **1** haardplaat *v.*(*m.*); **2** (*bij bosbrand*) tegenvuur *o.*
contre-fiche* [kõ'trefiʃ] *f.* schoor, beer *m.*
contre-fil, à — [akõ'trefil] *adv.* **1** tegen de draad; **2** in tegengestelde richting.
contrefort [kõ'trefò:r] *m.* **1** (*bouwk.*) schoormuur *m.*; **2** (*v. bergen*) uitloper *m.*; **3** (*v. schoen*) hielstuk *o.*
contre-hachure* [kõ'tre(h)aʃü:r] *f.* kruisarcering *v.*
contre-haut, en — [ã'kõ'tre(h)o] *adv.* hoger [gelegen.
contre-huis [kõ'trehẅi] *m.* onderdeur *v.*(*m.*).
contre-indication* [kõ'trẽ'dika'syõ] *f.* tegenaanwijzing *v.*
contre-jour [kõ'treju:r] *m.* tegenlicht *o.*; ***à —***, van het licht af, met de rug naar 't licht.
contre-latte* [kõ'trelat] *f.* dwarslat *v.*(*m.*).
contremaître [kõ'tremè:tr] *m.* meesterknecht, opzichter *m.*
contremandement [kõ'tremã'dmã] *m.* afbestelling *v.*, tegenorder *v.*(*m.*) *en o.*
contremander [kõ'tremã'dé] *v.t.* **1** afbestellen, afzeggen; **2** tegenbevel geven tot.
contre-manifestation* [kõ'tremanifèsta'syõ] *f.*, tegenmanifestatie *v.*
contre-manœuvre* [kõ'tremanœ:vr] *f.* tegen- [beweging *v.*
contremarche [kõ'tremarʃ] *f.* **1** tegenmars *m. en v.*; **2** opstaand plankje *o.* tussen traptreden.
contremarque [kõ'tremark] *f.* **1** tweede merk *o.*; **2** contramerk *o.*
contremarquer [kõ'tremarké] *v.t.* van een tweede merk voorzien.
contre-mesure, à —, [akõ'trem(e)zü:r] *adv.* (*muz.*) tegen de maat in.
contre-mine* [kõ'tremin] *f.* **1** (*mil.*) tegenmijn *v.*(*m.*); **2** (*fig.*) tegenlist *m.*; tegenmaatregel *m.*
contre-miner [kõ'treminé] *v.t.* **1** (*mil.*) door tegenmijnen verdedigen; **2** door een tegenlist verijdelen.
contre-mont, à — [akõ'tremõ] *adv.* **1** bergopwaarts; **2** stroomopwaarts.
contre-mur* [kõ'tremü:r] *m.* steunmuur; schoor- [muur *m.*
contre-offensive* [kõ'tròfãsiv] *f.* tegenoffensief *o.*
contre-offre* [kõ'tròfr] *f.* tegenofferte *v.*
contrepartie [kõ'treparti] *f.* **1** tegendeel *o.*; **2** (*H.*) contraboek *o.*; **3** tegenprestatie *v.*
contre-passer [kõ'trepa'sé] *v.t.*, (*H.*) tegenboeken.
contre-pédalage [kõ'trepédala:ʒ] *m.* (het) terugtrappen *o.*; ***frein à —***, terugtraprem *v.*(*m.*).
contre-pédaler [kõ'trepédalé] *v.i.* terugtrappen.
contre-peser [kõ'trepezé] *v.t.* opwegen tegen.
contre-pied* [kõ'trepyé] *m.* tegendeel, tegengestelde *o.*
contre-placage* [kõ'treplaka:ʒ] *m.* het tweezijdig met fineerhout bewerken *o.*
contre-plaqué* [kõ'treplaké] *m.* triplex *o. en m.*; meubelplaat *v.*(*m.*).

contre-plaquer [kõ˙treplaké] *v.t.* met fineer bewerken.

contrepoids [kõ˙trepwa] *m.* tegenwicht *o.*

contre-poil [kõ˙trepwal] *m.* tegenvleug *v.(m.)*; ***à* —,** tegen de vleug, tegen de draad.

contrepoint [kõ˙trepwẽ] *m.*, (*muz.*) contrapunt *o.*

contre-pointer [kõ˙trepwẽ˙té] *v.t.* **1** (*mil.*) geschut richten (tegen ander geschut); **2** (*v. rok, enz.*) aan beide zijden bestikken.

contrepoison [kõ˙trepwa˙zõ] *m.* tegengif *o.*

contre-porte* [kõ˙trepòrt] *f.* tochtdeur *v.(m.)*.

contre-pression* [kõ˙treprèsyõ] *f.* tegendruk *m.*; ***frein à* —,** terugtraprem *v.(m.)*.

contreprojet [kõ˙trepròjè] *m.* tegenontwerp *o.*

contreproposition [kõ˙trepròpo˙zisyõ] *f.* tegenvoorstel *o.*

contrer [kõ˙tré] *v.t.* (*bridge*) doubleren.

contre-remontrant* [kõ˙treremõ˙trã] *m.* contraremonstrant *m.*

contre-révolution* [kõ˙trerévòlüsyõ] *f.* tegenomwenteling, tegenrevolutie *v.*

contre-révolutionnaire* [kõ˙trerévòlüsyònè:r] **I** *adj.* contrarevolutionair; **II** *s., m.* voorstander van een tegenomwenteling, contrarevolutionair *m.*

contre-ruse* [kõ˙trerü:z] *f.* tegenlist *v.(m.)*.

contrescarpe [kõ˙trèskarp] *f.* contrescarp *v.*, buitenmuur of -wal van vestinggracht.

contresceau [kõ˙trèso] *m.* tegenzegeltje *o.*

contreseing [kõ˙tresẽ] *m.* **1** medeondertekening *v.*; **2** handtekening *v.* (*of* paraaf *m.*) voor vrijdom van port.

contresens [kõ˙tresã:s] *m.* **1** (*v. stof*) tegendraad *m.*; **2** tegenstelling *v.*; **3** begripsfout *v.(m.)*, averechts begrip *o.*; **4** keerzijde *v.(m.)*, averechtse kant *m.*; ***à* —,** verkeerd, averechts.

contresignataire [kõ˙tresiñatè:r] *m.* mede-ondertekenaar *m.*

contresigner [kõ˙tresiñé] *v.t.* medeondertekenen.

contretemps [kõ˙tretã] *m.* **1** tegenvaller; tegenspoed *m.*; **2** (*muz.*) verbreking *v.* van de maat, contratempo *o.*; ***à* —,** te onpas; ***jouer à* —,** niet in de maat spelen.

contretirer [kõ˙tretiré] *v.t.* een prentafdruk maken van. [jager *m.*

contre-torpilleur* [kõ˙tretòrpiyœ:r] *m.* torpedo-

contretype [kõ˙tretip] *m.* (*fot.*) kopie *v.* van een filmpositief.

contre-valeur* [kõ˙trevalœ:r] *f.* tegenwaarde *v.*

contrevallation [kõ˙trevala˙syõ] *f.* tegenomwalling *v.* (door belegeraars).

contre-vapeur [kõ˙trevapœ:r] *f.* tegenstoom *m.*

contrevenant [kõ˙trevnã] *m.* overtreder *m.*

contrevenir* [kõ˙trevni:r] (*à*) *v.i.* overtreden. [*o.*

contrevent [kõ˙trevã] *m.* buitenblind, buitenluik

contre-vérité* [kõ˙trevérité] *f.* onwaarheid *v.*

contre-visite* [kõ˙trevizit] *f.* tweede onderzoek *o.*, herkeuring *v.*

contre-voie [kõ˙trevwa], ***descendre à* —,** aan de verkeerde kant uitstappen.

contribuable [kõ˙tribẅa˙bl] **I** *adj.* belastingschuldig; **II** *s., m.* belastingschuldige *m.*

contribuer [kõ˙tribẅé] (*à*) *v.i.* bijdragen (tot).

contributif [kõ˙tribütif] *adj.* belasting—; ***part contributive,*** aanslag *m.*; bijdrage *v.(m.)*.

contribution [kõ˙tribüsyõ] *f.* **1** bijdrage *v.(m.)*; **2** belasting *v.*; **3** aandeel *o.*; ***mettre à* —, 1** brandschatten; **2** partij trekken van; gebruik maken van; **— *directe,*** directe belasting; **— *foncière,*** grondbelasting; **— *mobilière,*** belasting op roerende goederen; **—*s de guerre,*** oorlogsbelasting.

contrister [kõ˙tristé] *v.t.* bedroeven. [vaardig.

contrit [kõ˙tri] *adj.* **1** bedroefd; **2** berouwvol, boet-

contrition [kõ˙trisyõ] *f.* berouw *o.*; ***acte de* —,** akte *v.(m.)* van berouw, oefening *v.* —.

contrôlable [kõ˙tro˙la˙bl] *adj.* controleerbaar, na te gaan.

contrôle [kõ˙tro:l] *m.* **1** (*v. goud, zilver*) waarmerk *o.*, keur *v.(m.)*; **2** (*mil.*) naamlijst *v.(m.)*; **3** toezicht *o.*; ***sans* —,** klakkeloos.

contrôler [kõ˙tro˙lé] *v.t.* **1** waarmerken, keuren; **2** controleren, toezicht houden op.

contrôleur [kõ˙tro˙lœ:r] *m.* **1** controleur *m.*; **2** bedilal, vitter *m.* [stelling *v.*

contrordre [kõtròrdr] *m.* **1** tegenbevel *o.*; **2** afbe-

controuver [kõ˙tru˙vé] *v.t.* verzinnen, uit zijn duim zuigen.

controversable [kõ˙trovèrsa˙bl] *adj.* betwistbaar.

controverse [kõ˙tròvèrs] *f.* strijd *m.*, twistgeschrijf *o.*

controverser [kõ˙tròvèrsé] *v.t.* twisten over; ***point controversé,*** betwist punt *o.*

contumace [kõ˙tümas] **I** *f.* verstek *o.*; ***condamner par* —,** bij verstek veroordelen; **II** *s., m.* bij verstek veroordeelde *m.*

contus [kõ˙tü] *adj.* gekneusd; ***plaie* —*e,*** kneuzing *v.*; kneuswond *v.(m.)*.

contusion [kõ˙tü˙zyõ] *f.* kneuzing *v.*

contusionner [kõ˙tü˙zyòné] *v.t.* kneuzen.

convaincant [kõ˙vẽ˙kã] *adj.* overtuigend.

convaincre* [kõ˙vẽ:kr] *v.t.* **1** overtuigen; **2** schuldig bevinden aan.

convalescence [kõ˙valèsã:s] *f.* herstel *o.*, beterschap *v.*; ***être en* —,** aan de beterhand zijn.

convalescent [kõ˙valèsã] **I** *adj.* aan de beterhand, herstellend; **II** *s., m.* herstellende *m.*

convenable [kõ˙vna˙bl] *adj.* **1** geschikt, gepast; **2** betamelijk; behoorlijk, welvoeglijk.

convenablement [kõ˙vna˙blemã] *adv.* betamelijk; behoorlijk.

convenance [kõ˙vnã:s] *f.* **1** geschiktheid, gepastheid *v.*; **2** betamelijkheid, behoorlijkheid *v.*; fatsoen *o.*; **3** overeenstemming, gelijkheid *v.*; ***mariage de* —,** huwelijk *o.* uit berekening; ***trouver qc. à sa* —,** iets naar zijn gading vinden; ***manquer de* —,** onbeleefd zijn; ***respecter les* —*s,*** de welvoeglijkheid in acht nemen.

convenir* [kõ˙vni:r] **I** *v.i.*, (*met* ***avoir***) **1** passen; **2** lijken, aanstaan; **3** geschikt zijn, dienstig zijn; ***cela ne lui convient pas,*** dat betaamt hem niet; ***si cela vous convient,*** als u dat schikt, — bevalt; **II** (met ***être***) **1** toegeven, erkennen; **2** overeenkomen; afspreken; **3** overeenstemmen, het eens zijn met; ***c'est convenu,*** afgesproken; **III** *v. imp.* ***il convient,*** het is passend, het is raadzaam.

convent [kõvã] *m.* algemene vrijmetselaarsvergadering *v.* [*v.*

conventicule [kõ˙vã˙tikül] *m.* geheime bijeenkomst

convention [kõ˙vã˙syõ] *f.* **1** overeenkomst *v.*; afspraak *v.(m.)*; **2** verdrag *o.*; **3** bepaling, voorwaarde *v.*; **4** conventie *v.*, aangenomen gebruik *o.*; ***valeur de* —,** fictieve waarde *v.*, toegekende —; ***couleurs de* —,** gangbare kleuren; **—*s matrimoniales,*** huwelijksvoorwaarden.

conventionnel [kõ˙vã˙syònèl] **I** *adj.* overeengekomen, afgesproken; **II** *s., m.* lid *o.* van de Nationale Conventie (1792).

conventualité [kõ˙vã˙tẅalité] *f.* kloosterleven *o.*

conventuel [kõ˙vã˙tẅèl] **I** *adj.* klooster—; ***la vie* —*le,*** het kloosterleven; **II** *s., m.,* ***C*—,** (*kath.*) conventueel *m.*

conventuellement [kõ˙vãtẅèlmã] *adv.* kloosterlijk, klooster—; ***vivre* —,** in een klooster leven.

convenu [kõ˙vnü] *adj.* **1** overeengekomen, afgesproken; **2** algemeen aangenomen.

convergence [kõ'vèrjã:s] *f.* **1** (*nat., wisk.*) convergentie *v.*; **2** (*v. meningen*) overeenstemming, overeenkomst *v.*
convergent [kõ'vèrjã] *adj.* **1** convergerend; **2** (*v. batterijvuur*) op één punt gericht.
converger [kõ'vèrjé] *v.i.* **1** (*wisk.*) convergeren, naderen; **2** overeenstemmen.
convers [kõ'vè:r] *adj.*, ***frère —,*** lekebroeder *m.*; ***sœur —e,*** lekezuster, werkzuster *v.*; ***proposition —e,*** (*wijsb.*) omgekeerde stelling *v.*, omkeerbare —.
conversation [kõ'vèrsa'syõ] *f.* **1** gesprek; onderhoud *o.*; **2** omgang *m.*; ***avoir de la —,*** onderhoudend praten, aardig in 't gesprek zijn.
converser [kõ'vèrsé] (***avec***) *v.i.* omgaan (met), praten (met).
conversible, *voir* ***convertible.***
conversion [kõ'vèrsyõ] *f.* **1** bekering *v.*; **2** verandering *v.*; **3** (*v. munten*) omrekening *v.*; **4** (*v. renten*) conversie *v.*; **5** (*mil.*) zwenking, frontverandering *v.*; **6** (*v. zin, stelling*) omkering *v.*
converti [kõ'vèrti] **I** *adj.* bekeerd; **II** *s., m.* bekeerling *m.*
convertibilité [kõ'vèrtibilité] *f.* omkeerbaarheid, verwisselbaarheid *v.*
convertible [kõ'vèrti'bl] *adj.* **1** omzetbaar; **2** verwisselbaar; **3** converteerbaar; **4** (*wisk.*: *v. breuk*) herleidbaar.
convertir [kõ'vèrti:r] **I** *v.t.* **1** bekeren; **2** overhalen (tot); **3** omzetten; **4** (*v. rente*) converteren; **5** (*v. stelling*) omkeren; **II** *v.pr.*, ***se — (à),*** zich bekeren (tot); ***se — en,*** overgaan in.
convertissement [kõ'vèrtismã] *m.* verandering; inwisseling *v.*
convertisseur [kõ'vèrtisœ:r] *m.* **1** bekeerder *m.*; **2** (*el.*) stroomwisselaar *m.*
convexe [kõ'vèks] *adj.* bol, convex.
convexité [kõ'vèksité] *f.* bolheid *v.*
conviction [kõ'viksyõ] *f.* overtuiging *v.*; ***pièce à —,*** (*recht*) bewijsstuk *o.*
convictionnel [kõ'viksyònèl] *adj.*, (*recht*) overtuigend.
convié [kõ'vyé] *m.* genodigde, gast *m.*
convier [kõ'vyé] *v.t.* **1** uitnodigen; **2** aanzetten, aansporen.
convive [kõ'vi:v] *m.-f.* gast *m.*, disgenoot *m.* [(...note *v.*).
convocation [kõ'vòka'syõ] *f.* **1** oproeping *v.*; **2** bijeenroeping *v.*
convoi [kõ:vwa] *m.* **1** (*mil., sch.*) konvooi *o.*; **2** (*v. boten*) sleeptrein *m.*; ***— funèbre,*** lijkstoet *m.*; ***— de prisonniers,*** gevangenentransport *o.*; ***— de chemin de fer,*** spoortrein *m.*; ***lettres de —,*** geleibrieven *mv.*
convoiement [kõ'vwamã], **convoyage** [kõ'vwaya:j] *m.* konvooiering *v.*
convoitable [kõ'vwata:bl] *adj.* begeerlijk.
convoiter [kõ'vwaté] *v.t.* begeren, najagen.
convoiteux [kõ'vwatö] (***de***) *adj.* begerig (naar), belust (op).
convoitise [kõ'vwati:z] *f.* **1** begerigheid; belustheid *v.*; **2** hebzucht *v.*(*m.*).
convoler [kõ'vòlé] *v.i.* hertrouwen.
convoluté [kõ'vòlüté] *adj.*, (*Pl.*: *v. bladeren*) opgerold, ineengerold.
convolvulus [kõ'vòlvülü's] *m.* (*Pl.*) winde *v.*(*m.*).
convoquer [kõ'vòké] *v.t.* oproepen, bijeenroepen.
convoyage *m.*, *voir* ***convoiement.***
convoyer [kõ'vwayé] *v.t.* begeleiden, konvooieren.
convoyeur [kõ'vwayœ:r] *m.* begeleidend schip, konvooischip *o.*
convulsé [kõ'vülsé] *adj.* krampachtig vertrokken.
convulser [kõ'vülsé] *v.t.* krampachtig vertrekken, — samentrekken.
convulsif [kõ'vülsif] *adj.*, **convulsivement** [kõ'vülsi'vmã] *adv.* krampachtig, stuiptrekkend.
convulsion [kõ'vülsyõ] *f.* stuiptrekking *v.*
convulsionnaire [kõ'vülsyònè:r] **I** *adj.* stuipen hebbend; **II —s** *s. m.pl.* fanatieke jansenisten in 18de eeuw.
convulsionner [kõ'vülsyòné] *v.t.*, *voir* ***convulser.***
cooccupant [koòküpã] *m.* medebewoner; medebezetter *m.*
coolie [kuli] *m.* koelie *m.*
coopérateur [koòpératœ:r] *m.* medewerker *m.*
coopératif [koòpératif] *adj.* samenwerkend, coöperatief; ***société coopérative,*** samenwerkende vennootschap, coöperatieve vereniging; (***société***) ***coopérative de production,*** landbouwersvereniging (arbeidersvereniging), waarvan de leden gezamenlijk hun produkten verkopen; ***société coopérative de consommation,*** verbruiksvereniging, consumentenvereniging; winkelvereniging *v.*
coopération [koòpéra'syõ] *f.* samenwerking, coöperatie *v.*
coopérative [koòpérativ] *f.* coöperatieve vereniging *v.*
coopérer [koòpéré] *v.i.* samenwerken, medewerken.
cooptation [koòpta'syõ] *f.* aanvulling *v.* door eigen keuze.
coopter [koòpté] *v.t.* door onderlinge verkiezing aannemen.
coordination [koòrdina'syõ] *f.* **1** rangschikking *v.*; **2** (*spraakk.*) nevenschikking *v.*; **3** samenhang *m.*; **4** aaneenschakeling *v.*
coordonnées [koòrdòné] *f.pl.* (*wisk.*) coördinaten [*mv.*
coordonner [koòrdòné] *v.t.* **1** rangschikken, ordenen; **2** (*v. zinnen*) nevenschikken.
copain [kòpè] *m.* **1** kameraad, makker *m.*; **2** maat, kornuit, handlanger *m.*
copal [kòpal] *m.* kopalhars *o. en m.*, kopalgom [*m. of o.*
copartageant [kopartajã] **I** *adj.* deelhebbend; **II** *s., m.* **1** deelgenoot *m.*; **2** medegerechtigd erfgenaam *m.*
copartager [kopartajé] *v.t.* medeverdelen.
coparticipant [kopartisipã] *m.* mededeelhebber *m.*
coparticipation [kopartisipa'syõ] *f.* deelgenootschap *o.*
copeau [kòpo] *m.* **1** (*bij 't schaven*) krul *v.*(*m.*); **2** (*bij 't hakken*) spaander *m.*
copeck, kopeck [kopèk] *m.* kopeke *m.*
Copenhague [kòpna'g] *f.* Kopenhagen *o.*
Copernic [kòpèrnik] *m.* Copernicus *m.*
copie [kòpi] *f.* **1** afschrift *o.*, kopie *v.*; **2** afdruk *m.*; **3** nabootsing, navolging *v.*; **4** (*drukk.*) kopij *v.*, handschrift *o.*; **5** (*op school*) werk, netwerk *o.*; ***pour — conforme,*** voor eensluidend afschrift; ***— de lettres,*** kopieerboek *o.*
copier [kòpyé] *v.t.* **1** afschrijven; overschrijven; **2** natekenen; **3** nabootsen; **4** navolgen, naäpen.
copieux [kòpyö] *adj.*, **copieusement** [kòpyö'zmã] *adv.* overvloedig, ruim.
copilote [kòpilòt] *m.* tweede piloot *m.*
copine [kòpin] *f. fém. de* ***copain.***
copiste [kòpist] *m.* **1** (over)schrijver, kopiist *m.*; **2** (*fig.*) namaker, naäper *m.*
copossesseur [ko'pòsèsœ:r] *m.* medebezitter *m.*
copra(h) [kòpra] *f.* kopra *v.*(*m.*).
copropriétaire [kopròpryétè:r] *m.-f.* medeëigenaar *m.*, —ares *v.*
copropriété [kopròpryété] *f.* gemeenschappelijk eigendom *o.* [*m.*
copte [kòpt] **I** *adj.* Koptisch; **II** *s., m.*, **C—,** Kopt
copulatif [kòpülatif] *adj.* verbindend, koppelend, aaneenschakelend.
copulation [kòpüla'syõ] *f.*, (*v. dieren*) paring *v.*
copule [kòpül] *f.* koppelwoord *o.* [*o.*
copyright [kòpérayt] *m.* copyright, auteursrecht

coq [kòk] *m.* **1** (*Dk.*) haan *m.*; **2** weerhaan *m.*; **3** scheepskok *m.*; **— *de bruyère,*** korhaan *m.*; **— *de marais,*** hazelhoen *o.*; **— *de perdrix,*** mannetjespatrijs *m.*; **— *d'Inde,*** kalkoen *m.*; ***au chant du —,*** met het krieken van de dag; ***des mollets de —,*** spillebenen *mv.*; ***vivre comme un — en pâte,*** leven als God in Frankrijk; een heerlijk leventje leiden.

coq-à-l'âne [kòkala·n] *m.* onsamenhangende taal, wartaal *v.*(*m.*); ***faire des —,*** van de hak op de tak springen.

coque [kòk] *f.* **1** schaal *v.*(*m.*), dop *m.*; **2** (*v. zijderups*) cocon *m.*; **3** (*v. schip*) romp *m.*; **4** (*v. linten*) strik *m.*; ***œuf à la —,*** zachtgekookt ei; ***sortir de sa —,*** pas komen kijken in de wereld.

coquebin [kòkbẽ] *m.* onnozel ventje *o.*

coquecigrue [kòksigrü] *f.* beuzelpraat, zotteklap *m.*, sprookje *o.*; ***quand viendront les —s,*** met sint-jut(te)mis; ***raisonner comme une —,*** redeneren als een kip zonder kop.

coquelicot [kòkliko] *m.*, (*Pl.*) klaproos *v.*(*m.*).

coqueluche [kòklüʃ] *f.* kinkhoest *m.*

coquemar [kòkma:r] *m.* waterketel *m.*

coqueret [kòkrè] *m.*, (*Pl.*) jodenkers *v.*(*m.*).

coquerico [kòk(e)riko] *m.* **1** kukeleku; **2** hanegekraai *o.*

coquerie [kòkri] *f.*, (*sch.*) kokerij *v.*

coqueron [kòkrõ] *m.*, (*sch.*) kombuis *v.*(*m.*).

coquet [kòkè] *adj.* **1** (*v. persoon*) behaagziek; **2** (*v. zaak*) aardig, lief, keurig.

coqueter* [kòkté] *v.i.* trachten te behagen, koketteren.

coquetier [kòktyé] *m.* **1** eierdopje *o.*; **2** eierhandelaar, eierboer *m.*; **3** poelier *m.*

coquetière [kòktyè:r] *f.* eierkoker *m.*

coquette [kòkèt] *f.* behaagzieke vrouw *v.*

coquettement [kòkètmã] *adv.* **1** behaagziek; **2** aardig, koket.

coquetterie [kòkètri] *f.* behaagzucht *v.*(*m.*); ***être mis avec —,*** zeer elegant gekleed zijn.

coquillage [kòki·ya:j] *m.* **1** schelpdier *o.*; **2** schelp *v.*(*m.*).

coquillart [kòki·ya:r] *m.* schelpenkalk *m.*

coquille [kòki·y] *f.* **1** schelp *v.*(*m.*); **2** eierschaal *v.*(*m.*), eierdop *m.*; **3** slakkehuis *o.*; **4** notedop *m.*; **5** (*v. degen, sabel*) stootplaat *v.*(*m.*); **6** (*v. wenteltrap*) binnengewelf *o.*; **7** (*drukk.*) drukfout *v.*(*m.*); **8** (*in broodkorst*) blaas *v.*(*m.*), bobbel *m.*; **9** bep. papierformaat *o.* (44×56 cm); **— *de noix,*** notedop *m.* (*vaartuig*); ***en —,*** schulpvormig; ***rentrer dans sa —,*** in zijn schulp kruipen; ***il sort à peine de sa —,*** hij komt maar pas kijken; ***portez ailleurs vos —s,*** maak dat anderen wijs.

coquiller [kòki·yé] *v.i.* (*v. broodkorst*) blaren vertonen.

coquilleux [kòkiyö] *adj.* vol schelpen.

coquillier [kòkiyé] *m.* schelpenverzameling *v.*

coquin [kòkẽ] **I** *m.* **1** schelm, schurk *m.*; **2** (*fam.*) deugniet *m.*; ***heureux —,*** geluksvogel, boffer *m.*; ***ver —,*** lintworm *m.*; **II** *adj.* guitig; spotziek.

coquine [kòkin] *f.* **1** kwaje meid *v.*; **2** schurk van een vrouw.

coquinerie [kòkinri] *f.* schelmerij *v.*, schelmstuk *o.*, schurkenstreek *m.*

cor [kò:r] *m.* **1** hoorn *m.*; **2** hoornblazer *m.*; **3** likdoorn *m.*, eksteroog *o.*; **4** vertakking *v.* van een gewei; **— *de chasse,*** jachthoorn; **— *de basset,*** altklarinet *v.*(*m.*); althoorn *m.*; **— *anglais,*** althobo *v.*(*m.*), Engelse hoorn *m.*; **— *à pistons,*** stellahoorn; **— *des Alpes,*** Alpenhoorn; ***sonner du —,*** op de hoorn blazen; ***à — et à cri,*** **1** (*bij jacht*) met hoorns en honden; **2** (*fig.*) met groot misbaar, met veel geweld.

corail [kòra·y] *m.*, (*pl.*: ***coraux***) koraal *o.*; **— *rouge,*** bloedkoraal; **— *des jardins,*** (*Pl.*) Spaanse peper *m.*

corailleur [kòra·yœ:r] *m.* koraalvisser *m.*

coralliaires [kòralyè:r] *m.pl.* koraaldieren *mv.*

corallien [kòralyẽ] *adj.* koraalachtig, koraal—.

corallin [kòralẽ] *adj.* koraalrood.

coralline [kòralin] *f.* koraalmos *o.*

Coran [kòrã] *m.* koran *m.*

corbeau [kòrbo] *m.* **1** (*Dk.*) raaf *v.*(*m.*); **2** (*pop.*) aanspreker *m.*, kraai *v.*(*m.*); **3** (*bouwk.*) kraagsteen *m.*; muuranker *o.*

corbeille [kòrbè·y] *f.* **1** korf *m.*; **2** bloemperk *o.*; ***la —,*** (*beurs*) de officiële effectenmakelaars; **— *à papier,*** scheurmand *v.*(*m.*); **— *de mariage,*** bruidskorf *m.*

corbillard [kòrbiya:r] *m.* lijkkoets *v.*(*m.*), lijkwagen *m.*

corbillat [kòrbiya] *m.* jonge raaf *v.*(*m.*).

corbillon [kòrbiyõ] *m.* korfje, mandje *o.*

corbine [kòrbin] *f.* zwarte kraai *v.*(*m.*).

corbleu! [kòrblö] *ij.* drommels!

cordage [kòrda:j] *m.*, (*sch.*) touw, touwwerk *o.*

corde [kòrd] *f.* **1** touw *o.*; koord *o. en v.*(*m.*); **2** (*v. instrument*) snaar *v.*(*m.*); **3** strop *m.*, galg *v.*(*m.*); **4** (*v. boog*) pees *v.*(*m.*); **5** (*meetk.*) koorde *v.*(*m.*); ***les —s vocales,*** de stembanden; ***sauter à la —,*** in de bocht springen; ***danseur de —,*** koorddanser *m.*; ***usé jusqu'à la —,*** tot op de draad versleten; ***il mérite la —,*** hij verdient de galg; **— *de commande,*** (*vl.*) stuurreep *m.*; ***avoir plusieurs —s à son arc,*** meer dan één pijl op zijn boog hebben; ***avoir la — au cou,*** tot over de oren in moeilijkheden zitten; ***trop jouer de la même —,*** te veel op één punt aanhouden.

cordé [kordé] *adj.* hartvormig.

cordeau [kòrdo] *m.* **1** touwtje *o.*; **2** richtsnoer *o.*; **3** slaglijn *v.*(*m.*); **4** jaaglijn *v.*(*m.*); **5** lont *v.*(*m.*); ***tiré au —,*** (*v. straat, pad, enz.*) lijnrecht.

cordée [kordé] *f.* **1** vaam *m.* (hout); **2** groep met touw verbonden bergbeklimmers.

cordeler* [kòrdelé] *v.t.* (als touw ineen)vlechten.

cordelette [kòrdelèt] *f.* touwtje *o.*

cordelier [kòrdelyé] *m.* franciscaan *m.*

cordelière [kòrdelyè:r] *f.* **1** koord *o. en v.*(*m.*) (*v. monnik, kamerjapon, enz.*); **2** franciscanes *v.*

cordelle [kòrdèl] *f.* **1** touwtje *o.*; **2** jaaglijn *v.*(*m.*).

corder [kòrdé] **I** *v.t.* **1** tot touw slaan, ineendraaien; **2** (*v. tabak*) spinnen; **3** (*v. hout*) vademen, meten; **4** (*v. haar*) vlechten; **II** *v.i.*, **— *avec,*** het kunnen vinden met.

corderie [kòrd(e)ri] *f.* touwslagerij *v.*; lijnbaan *v.*(*m.*).

cordial [kòrdyal] **I** *adj.* **1** hartelijk; **2** hartversterkend; **II** *s.*, *m.* hartversterkend middel *o.*; hartsterking *v.*

cordialement [kòrdyalmã] *adv.* hartelijk; van harte.

cordialité [kòrdyalité] *f.* hartelijkheid *v.*

cordier [kòrdyé] *m.* **1** touwslager *m.*; **2** (*v. viool*) snaarhouder *m.*

cordiforme [kòrdifòrm] *adj.* hartvormig.

Cordillères [kòrdiyè:r] *f.pl.* Cordilleras *mv.*

cordon [kòrdõ] *m.* **1** koord *o. en v.*(*m.*); **2** (*v. muntstuk*) kabelrand, muntrand *m.*; **3** ordelint *o.*; ***grand —,*** grootkruis *o.* van een ridderorde; **4** (*bouwk.*) gordellijst *v.*(*m.*); ***un — d'arbres,*** een rij bomen; **— *de gazon,*** grasrand *m.*; **— *nerveux,*** zenuwvertakking *v.*; **— *ombilical,*** navelstreng *v.*(*m.*); ***un — de troupes,*** een kordon troepen; ***tenir les —s de la bourse,*** de kas houden, het geld beheren.

cordon*-bleu* [kòrdõ·blö] *m.* bekwame keukenmeid *v.*

cordonner [kòrdòné] *v.t.* **1** vlechten, (tot koord) draaien; **2** (*v. muntrand*) kartelen, opwerken.

cordonnerie [kòrdònri] *f.* 1 schoenmakerij *v.*; 2 schoenwinkel *m.*
cordonnet [kòrdònè] *m.* 1 koordje *o.*; 2 koordzijde *v.*(*m.*); 3 zilvergalon *o. en m.*, tres *v.*(*m.*); 4 haakgaren *o.*; 5 muntrand *m.*
cordonnier [kòrdònyé] *m.* schoenmaker *m.*
cordouan [kòrduã] *adj.* uit Cordova.
Cordoue [kòrdu] *f.* Cordova *o.*
Corée [kòré] *f.* Korea *o.*
coréen [kòréẽ] **I** *adj.* Koreaans; **II** *s., m.*, ***C—,*** Koreaan *m.*
coreligionnaire [kor(e)lijyònè:r] *m.-f.* geloofsgenoot *m.*, —genote *v.*
Corfou [kòrfu] *m.* Korfu *o.*
coriace [kòryas] *adj.* 1 (*v. vlees, enz.*) taai; 2 (*fig.*) vasthoudend; 3 gierig.
coriacité [kòryasité] *f.* taaiheid *v.*
coriandre [kòryã:dr] *f.* koriander *m.*
coricide [kòrisi·d] *m.* likdoornmiddel *o.*
corindon [kòrẽ·dõ] *m.* diamantspaat *o.*
Corinthe [kòrẽ:t] *f.* Korinthe *o.*; ***raisin de —,*** krent *v.*(*m.*).
corinthien [kòrẽ·tyẽ] *adj.* Korinthisch.
corme [kòrm] *f.*, (*Pl.*) sorbepeer *v.*(*m.*).
cormier [kòrmyé] *m.* sorbeboom *m.*
cormoran [kòrmòrã] *m.*, (*Dk.*) aalscholver *m.*
cornac [kòrnak] *m.* kornak, olifantsdrijver *m.*
cornage [kòrna:j] *m.* (*v. paarden*) gesnuif *o.*
cornaline [kòrnalin] *f.* kornalijnsteen *m.*
cornard [kòrna:r] **I** *m.* 1 horendrager *m.*; 2 bedrogen echtgenoot *m.*; **II** *adj.* (*v. paarden*) dampig, snuivend.
corne [kòrn] *f.* 1 horen *m.*; 2 (*stof*) hoorn *o.*; 3 (*Pl.*) spoor *v.*(*m.*); 4 hoef *m.*; 5 (*in papier, enz.*) vouw *v.*(*m.*); 6 kornoelje *v.*(*m.*); ***bêtes à —s,*** hoornvee *o.*; ***— d'appel,*** signaalhoren, toeter *m.*; ***la C— d'or,*** de Gouden Hoorn; ***en —,*** hoornen.
corné [kòrné] *adj.* 1 hoornachtig; 2 (*v. blad, enz.*) omgevouwen.
cornée [kòrné] *f.* hoornvlies *o.* (van het oog).
corneillard [kòrnèya:r] *m.* jonge kraai *v.*(*m.*).
corneille [kòrnè·y] *f.* kraai *v.*(*m.*); ***— d'église,*** kauw *v.*(*m.*); ***— cendrée,*** bonte kraai.
Corneille [kòrnè·y] *m.* Cornelis *m.*
corneillon [kòrnè·yõ] *m.* jonge kraai *v.*(*m.*).
Cornélie [kòrnéli] *f.* Cornelia *v.*
cornélien [kòrnélyẽ] *adj.* zoals bij Corneille.
cornement [kòrnemã] *m.* getuit *o.* (in de oren).
cornemuse [kòrnemü:z] *f.* doedelzak *m.*
cornemuseur [kòrnemüzœ:r] *m.* doedelzakspeler [*m.*
corner [kòrné] **I** *v.t.* 1 uitbazuinen; 2 (*v. visitekaartje*) omvouwen; 3 (*v. blad*) een ezelsoor maken in; 4 stoten (met de horens); **II** *v.i.* 1 op de hoorn blazen; 2 (*v. auto, enz.*) toeteren; 3 (*v. paard*) snuiven; ***les oreilles me cornent,*** mijn oren tuiten; **III** *s.* [kòrnè:r] *m.* (*sp.*) hoekschop *m.*
cornet [kòrnè] *m.* 1 horentje *o.*; 2 dobbelbeker *m.*; 3 (papieren) zakje *o.*; ***— à la crème,*** roomhorentje *o.*; ***— à pistons,*** klephoorn *m.*; ***— acoustique,*** spreekhoorn *m.*
cornette [kòrnèt] *f.* 1 kornetmuts *v.*(*m.*); 2 (*sch.*) wimpel *m.*; 3 ruiterstandaard *m.*
cornettiste [kòrnètist] *m.* pistonblazer *m.*
corneur [kòrnœ:r] *m.* hoornblazer *m.*
corniche [kòrniʃ] *f.* 1 (*bouwk.*) kroonlijst *v.*(*m.*); 2 weg *m.* langs een afgrond; ***la C—,*** de weg van Nizza naar Genua.
cornichon [kòrniʃõ] *m.* 1 (*Pl.*) augurk *v.*(*m.*); 2 (*pop.*) lummel, sufferd *m.*
cornicule [kòrnikül] *f.* horentje *o.*
cornier [kòrnyé] *adj.* op een hoek staand, hoek—; ***poteau —,*** hoekpaal *m.*
cornillon [kòrniyõ] *m.* 1 beenkern *v.*(*m.*) van een horen; 2 jonge kraai *v.*(*m.*).
cornique [kòrnik] *adj.* uit Cornwall.
corniste [kòrnist] *m.*, (*muz.*) hoornist *m.*
Cornouailles [kòrnwa·y] *f.* Cornwall *o.*
cornouille [kòrnuy] *f.*, (*Pl.*) kornoelje *v.*(*m.*).
cornouiller [kòrnuyé] *m.* kornoeljeboom *m.*
cornu [kòrnü] *adj.* 1 gehoornd; 2 (*fig.*) mal, dwaas.
cornue [kòrnü] *f.* distilleerkolf *v.*(*m.*).
Corogne, *la* — [lakòròñ] *f.* Coruna *o.* (*Spanje*).
corollaire [kòrò(l)lè:r] *m.* 1 (*meetk.*) gevolg *o.*; 2 uitvloeisel; nevenresultaat *o.*
corolle [kòròl] *f.* bloemkroon *v.*(*m.*).
coron [kòrõ] *m.* mijnwerkerswijk *v.*(*m.*). [mig.
coronaire [kòrònè:r] *adj.* kroonvormig, kransvor-
coronal [kòrònal] *adj.* voorhoofds—; ***(os)—,*** *s., m.* voorhoofdsbeen *o.*
coronille [kòròni·y] *f.* kornoelje *v.*(*m.*).
corozo [kòròzo] *m.* plantaardig namaakivoor *o.* (voor knopenfabricage).
corporal [kòrpòral] *m.*, (*kath.*) corporale *o.*
corporalité [kòrpòralité] *f.* lichamelijkheid *v.*
corporatif [kòrpòratif] *adj.* van een gilde, van een vakvereniging; ***esprit —,*** gildegeest *m.*
corporation [kòrpòra·syõ] *f.* gilde *o. en v.*(*m.*), vakvereniging, corporatie *v.* [tief.
corporativement [kòrpòrati·vmã] *adv.* corpora-
corporel(lement) [kòrpòrèl(mã)] *adj.* (*adv.*) lichamelijk; ***peine —le,*** lijfstraf *v.*(*m.*).
corps [kò:r] *m.* 1 lichaam *o.*; 2 lijf *o.*, romp *m.*; 3 lijk, stoffelijk overschot *o.*; 4 (*v. viool*) buik *m.*; 5 (*v. brief, boek*) hoofdzaak *v.*(*m.*); 6 (*v. schip*) romp *m.*; 7 korps *o.*; ***exercices du —,*** lichaamsoefeningen; ***— à —,*** man tegen man; ***— et âme,*** met hart en ziel; ***à — perdu,*** blindelings, hals over kop; ***à son — défendant,*** tegen wil en dank; ***prendre du —,*** dikker worden; zwaarlijvig worden; ***un drôle de —,*** een rare kerel; ***séparation de — et de biens,*** scheiding van tafel en bed; ***contrainte par —,*** (*recht*) lijfsdwang *m.*; ***— de baleine,*** keurslijf *o.*; ***périr — et biens,*** met man en muis vergaan; ***j'ai le — brisé,*** ik ben (als) geradbraakt; ***faire —,*** een geheel vormen; ***— diplomatique,*** vreemde gezanten en gevolmachtigde ministers; ***— expéditionnaire,*** expeditiekorps; ***— simple,*** element *o.*; ***— solide,*** vaste stof *v.*(*m.*); ***cette étoffe a du —,*** die stof is dik, — stevig; ***vin qui a du —,*** volle wijn *m.*; ***le — du logis,*** het hoofdgebouw; ***le — du délit,*** het corpus delicti; ***garde du —,*** lijfwacht *v.*(*m.*); ***le — enseignant,*** het onderwijzend personeel; ***— de métier,*** gilde *o. en v.*(*m.*), vakvereniging *v.*; ***— législatif,*** wetgevende vergadering *v.*; ***le — médical,*** de geneesheren; ***— de doctrine,*** leerstelsel *o.*; ***les — constitués,*** de staatslichamen; ***— franc,*** vrijkorps *o.*; ***— de garde,*** hoofdwacht *v.*(*m.*); ***des propos de — de garde,*** kazernetaal *v.*(*m.*).
corpulence [kòrpülã:s] *f.* gezetheid, zwaarlijvigheid *v.*
corpulent [kòrpülã] *adj.* gezet, zwaarlijvig.
corpuscule [kòrpüskül] *m.* stofdeeltje, atoom *o.*
corral [kòral] *m.* kraal *v.*(*m.*).
correct(ement) [kòrèkt(emã)] *adj.* (*adv.*) 1 juist, nauwkeurig; 2 (*v. stijl*) zuiver; 3 netjes, onberispelijk, behoorlijk. [*m.*
correcteur [kòrèktœ:r] *m.* corrector, verbeteraar
correctif [kòrèktif] **I** *adj.* verbeterend; **II** *s., m.* correctief, verbeteringsmiddel *o.*
correction [kòrèksyõ] *f.* 1 verbetering, correctie *v.*; 2 straf *v.*(*m.*), bestraffing *v.*; 3 (*v. taal*) zuiverheid, juistheid, nauwkeurigheid *v.*; ***sauf —,*** als ik me niet vergis; ***maison de —,*** verbeterhuis, ver-

beteringsgesticht *o.*; — ***supplémentaire,*** extra-correctie *v.*
correctionnel(lement) [kòrèksyònèl(mã)] *adj.* (*adv.*), (*recht*) correctioneel.
correctionnelle [kòrèksyònèl] *f.* correctionele rechtbank *v.*(*m.*).
Corrège, *le* — [lekò(r)rè:j] *m.* Correggio *o.*
corrélatif [kòrélatif] *adj.* in onderling verband staand, logisch uit elkaar voortvloeiend, correlatief.
corrélation [kòréla·syõ] *f.* onderling verband *o.*; onderlinge overeenstemming *v.*
correspondance [kòrèspõ·dã·s] *f.* **1** overeenkomst, overeenstemming *v.*; **2** briefwisseling, correspondentie *v.*; **3** (*in dagblad*) ingezonden stukken *mv.*; **4** (*tussen plaatsen*) verbinding *v.*; **5** (*v. treinen, enz.*) aansluiting *v.*; **6** (*op tram*) overstapje, overstapkaartje *o.*; (*Z.N.*) verbinding *v.*; ***par*** —, schriftelijk.
correspondancier [kòrèspõdãsyé] *m.* handels-[correspondent *m.*
correspondant [kòrèspõ·dã] **I** *adj.* **1** overeenkomstig; **2** (*v. lid*) corresponderend; **II** *s., m.* **1** correspondent *m.*; **2** berichtgever *m.*; **3** handelsvriend *m.*; **4** corresponderend lid *o.*
correspondre [kòrèspõ:dr] **I** *v.i.* **1** overeenkomen, overeenstemmen (met); **2** aansluiting hebben (met); **3** beantwoorden (aan); **4** briefwisseling houden (met), corresponderen (met); **II** *v.pr.*, ***se*** —, met elkaar overeenstemmen.
corrida [kòrida] *f.* stieregevecht *o.*
corridor [kòridò:r] *m.* gang *m.*; ***le — polonais,*** (*gesch.*) de Poolse corridor *m.*
corrigé [kòri·jé] *m.* verbeterd werk *o.*
corriger [kòri·jé] **I** *v.t.* **1** verbeteren; **2** (*v. werk*) nazien; **3** bestraffen, kastijden; **4** (*v. rivier*) normaliseren; **5** verzachten, matigen, temperen; — ***le tir d'un canon,*** (*mil.*) een kanon inschieten; **II** *v.pr.*, ***se*** —, zich beteren.
corrigeur [kòri·jœ:r] *m.*, (*drukk.*) zetter *m.* die correcties aanbrengt.
corrigible [kòriji·bl] *adj.* voor verbetering vat-[baar.
corroborant [kòròbòrã] **I** *adj.* versterkend; **II** *s., m.* versterkend middel *o.*
corroboratif [kòròbòratif] **I** *adj.* versterkend; **II** *s., m.* versterkend middel *o.*
corroboration [kòròbòra·syõ] *f.* **1** versterking *v.*; **2** (*fig.*) staving *v.*
corroborer [kòròbòré] *v.t.* **1** versterken; **2** staven.
corrodant [kòròdã] **I** *adj.* bijtend, invretend; **II** *s., m.* bijtend middel *o.*
corroder [kòròdé] *v.t.* **1** uitbijten, invreten; wegvreten; **2** (*fig.*) verteren.
corroi [kòrwa] *m.* leerbereiding *v.*, (het) leertou-[wen *o.*
corroirie [kòrwa·ri] *f.* leertouwerij *v.*
corrompre* [kòrõ·pr] **I** *v.t.* **1** bederven; **2** (*v. rechter, enz.*) omkopen; **3** verleiden; **4** (*v. lucht*) verontreinigen; **5** (*v. tekst*) verdraaien, verminken; **6** (*v. was*) verharden, hard maken; **II** *v.pr.*, ***se*** —, **1** bederven; **2** ontaarden; **3** (*v. taal*) verbasteren.
corrompu [kòrõ·pü] *adj.* **1** bedorven; **2** verdorven.
corrosif [kòròzif] **I** *adj.* bijtend, invretend; **II** *s., m.* bijtmiddel, etsmiddel *o.*
corrosion [kòròzyõ] *f.* invreting, uitbijting *v.*
corroyage [kòrwaya:j] *m.* leerbereiding *v.*, (het) leertouwen *o.*
corroyer [kòrwayé] *v.t.* **1** (*v. leer*) bereiden, touwen; **2** (*v. ijzer*) wellen; **3** (*v. leem, kalk, enz.*) kneden, aanmaken.
corroyeur [kòrwayœ:r] *m.* leertouwer, leerbereider [*m.*
corrupteur [kòrüptœ:r] **I** *adj.* **1** bedervend; **2** verderfelijk; **II** *s., m.* **1** bederver *m.*; **2** verleider *m.*; **3** omkoper *m.*
corruptibilité [kòrüptibilité] *f.* **1** bederfelijkheid *v.*; **2** omkoopbaarheid *v.*
corruptible [kòrüpti·bl] *adj.* **1** bederfelijk; **2** omkoopbaar.
corruption [kòrüpsyõ] *f.* **1** bederf *o.*; **2** verdorvenheid *v.*; **3** verleiding *v.*; **4** omkoping *v.*; **5** (*v. tekst*) verdraaiing, verminking *v.*; **6** (*v. taal*) verbastering *v.*; — ***électorale,*** verkiezingsknoeierij *v.*
corsage [kòrsa:j] *m.* **1** bovenlijf *o.*; **2** (*v. japon*) lijf(je) *o.*
corsaire [kòrsè:r] *m.* **1** zeerover, kaper *m.*; **2** kaperschip *o.*; **3** (*fig.*) afzetter *m.*; **4** driekwart damesbroek *v.*(*m.*).
Corse [kòrs] **I** *f.* Corsika *o.*; **II** *m.* Corsikaan *m.*; **III** *adj.*, **c—**, Corsikaans.
corsé [kòrsé] *adj.* **1** sterk, flink; **2** (*v. stof, enz.*) dik, stevig; **3** (*v. wijn*) vol; **4** (*v. foto*) donker; **5** (*v. verhaal*) pittig, pikant.
corselet [kòrselè] *m.* **1** (*v. harnas*) borststuk *o.*; **2** (*Dk.*: *v. insekt*) borstschild *o.*; **3** tailleband *o. en m.*
corser [kòrsé] **I** *v.t.* **1** (*v. wijn*) krachtiger maken, aanzetten; **2** (*v. verhaal*) aandikken, pikanter maken; **II** *v.pr.*, ***l'affaire se corse,*** het wordt menens.
corset [kòrsè] *m.* korset, keurslijf *o.*
corsetier [kòrsetyé] *m.*, **corsetière** [kòrsetyè:r] *f.* korsettenmaker *m.*, —maakster *v.*
Corswarem [kòrswa·rm] Korsworm *o.*
cortège [kòrtè:j] *m.* **1** gevolg *o.*; **2** stoet *m.*; **3** optocht *m.*; **4** (*fig.*) nasleep *m.*; — ***funèbre,*** begrafenisstoet; — ***lumineux,*** lichtstoet.
cortès [kòrtè·s] *f.pl.* cortes, volksvertegenwoordiging *v.* in Spanje en Portugal.
cortical [kòrtikal] *adj.* schorsachtig.
corticine [kòrtisin] *f.* looistof *v.*(*m.*).
cortisone [kòrtizo:n] *f.* cortisone *v.*; hormoon uit bijnieren, tegen reuma.
corton [kòrtõ] *m.* bekende wijn uit de Côte d'Or.
coruscant [korüskã] *adj.* schitterend, fonkelend.
corvéable [kòrvéa·bl] *adj.* tot herendiensten verplicht.
corvée [kòrvé] *f.* **1** herendienst *m.*; **2** (*mil.*) corvee *v.*; **3** vervelend (*of* onaangenaam) werk *o.*, karwei *v.*(*m.*) *en o.*
corvette [kòrvèt] *f.* **1** (*sch.*) korvet *v.*(*m.*); **2** adviesjacht *o.*
corvidés [kòrvidé] *m.pl.* (*Dk.*) raafachtigen *mv.*
corybante [kòribã:t] *m.* corybant *m.*, dansende priester van Cybele.
corydale [kòridal] *f.* (*Pl.*) helmbloem *v.*(*m.*).
corymbe [kòrẽ:b] *m.*, (*Pl.*) (bloem)tuil *m.*
coryphée [kòrifé] *m.* **1** koorleider, kooraanvoerder *m.*; **2** eerste zanger (*of* danser) *m.*
coryza [kòriza] *m.* hoofdverkoudheid *v.*; (*bij dieren*) snot *o. en m.*
cosaque [kòzak] *m.* kozak *m.*
cosécante [kosékã:t] *f.*, (*meetk.*) cosecans, secans *v.*(*m.*) van het complement van een hoek.
cosignataire [kosiñatè:r] *m.* medeondertekenaar [*m.*
cosinus [kosinüs] *m.*, (*wisk.*) cosinus *m.*
cosmétique [kòsmétik] **I** *adj.* de schoonheid bevorderend; ***savon*** —, schoonheidszeep *v.*(*m.*); **II** *s., m.* kosmetiek *v.*, schoonheidsmiddel *o.*; **III** *s., f.* leer *v.*(*m.*) van de schoonheidsmiddelen *v.*(*m.*).
cosmique [kòsmik] *adj.* kosmisch, van 't heelal.
cosmogonie [kòsmògòni] *f.* kosmogonie, leer *v.*(*m.*) van de vorming van 't heelal.
cosmographe [kòsmògraf] *m.* kosmograaf *m.*
cosmographie [kòsmògrafi] *adj.* kosmografie.
cosmographique [kòsmògrafik] *adj.* kosmografisch.
cosmologie [kòsmòloji] *f.* kosmologie *v.*

cosmopolite [kòsmòpòlit] **I** *adj.* kosmopolitisch; **II** *s., m.* wereldburger *m.*
cosmos [kòsmòs] *m.* kosmos *m.*
cosse [kòs] *f.* **1** (*v. peulvrucht*) schil, peul *v.(m.)*; **2** (*sch.*) (scheeps)romp *m.*; ***pois sans* —,** peulen.
cosser [kòsé] *v.t.* **1** (*v. rammen*) elkaar stoten met de horens; **2** vechten.
cossette [kòsèt] *f.* (voor suikerbereiding) gekapte beetwortel *m.* [weelderig.
cossu [kòsü] *adj.* **1** welgesteld, rijk; **2** prachtig,
costal [kòstal] *adj.* van de ribben, rib—.
costaricien [kòstari'sjẽ] *adj.* Costaricaans, uit Costa Rica.
costaud [kòsto] **I** *adj.* stevig, potig; **II** *s., m.* flinke kerel, potige vent *m.*
costume [kòstüm] *m.* **1** kostuum; pak *o.*; **2** klederdracht *v.(m.)*; **3** kleding *v.*, gewaad *o.*; ***en* — (*officiel*),** in ambtsgewaad; **— *tailleur*,** mantelpak *o.* [***costumé*,** gekostumeerd bal.
costumer [kòstümé] *v.t.* kleden, verkleden; ***bal***
costumier [kòstümyé] *m.* kostuumverkoper; kostuumverhuurder *m.*
cotangente [kotã'jã:t] *f.* cotangens *v.(m.)*.
cotation [kòta'syõ] *f.* (*H.*: *beurs*) notering *v.*
cote [kòt] *f.* **1** (*H.*: *beurs*) notering *v.*, koers *m.*; **2** (*in belasting*) aanslag *m.*; **3** aanslagbiljet *o.*; **4** (*bij wedrennen*) notering *v.*; **5** peil *o.*, waterstand *m.*; **6** (*v. catalogus, inventaris, enz.*) rangnummer, nummerteken *o.*; **— *de clôture*,** (*H.*) slotnotering *v.*, slotkoers *m.*; **— *mal taillée*,** (*fig.*) ruwe berekening *v.*
côte [ko:t] *f.* **1** rib *v.(m.)*; **2** (*v. kaas*) korst *v.(m.)*; **3** (*v. heuvel*) helling *v.*; **4** (*v. weg*) stijging *v.*; **5** kust, zeekust *v.(m.)*, oever *m.*; **6** (*v. schip*) kniehout *o.*; **— *de veau*,** kalfskotelet *v.(m.)*; ***— à —*,** zij aan zij, naast elkander; ***à mi-—*,** op halver hoogte; ***à —s*,** (*v. stof*) geribd; (*v. handschoenen*) met opgelegde naden; ***se tenir les —s (de rire)*,** zijn buik vasthouden van 't lachen; ***la C— d'Azur*,** de Riviera; ***C—-d'Ivoire*,** Ivoorkust *v.*
côté [ko'té] *m.* **1** zijde *v.(m.)*, kant *m.*; **2** (*v. mens*) zijde *v.(m.)*; ***un point de* —,** een steek *m.* in de zijde; ***les bas —s*,** (*bouwk.*) de zijbeuken *mv.*; ***à* —,** er naast; vlak bij; ***répondre à* —,** verkeerd antwoorden; ***il est à* —,** hij heeft het mis; ***à — de*,** naast; bezijden; ***de* —,** op zij, van ter zijde; schuins; ***mettre de* —, 1** ter zijde leggen; **2** (*v. geld*) sparen; **3** buiten beschouwing laten; ***des deux —s*,** van weerszijden; ***de tous les —s*,** allerwegen; ***de l'autre — de la rivière*,** aan de overkant van de rivier; ***se ranger du — de qn.*,** iem. bijvallen; ***voir de quel — vient le vent*,** de kat uit de boom kijken; poolshoogte nemen; **— *de première*** (*of* ***de une***), rectozijde, schoondruk; **— *de seconde*** (*of* ***de deux***), versozijde, weerdruk. [helling *v.*
coteau [kòto] *m.* **1** heuveltje *o.*; **2** (*v. heuvel*)
côtelé [ko'tlé] *adj.* geribd.
côtelette [ko'tlèt] *f.* kotelet *v.(m.)*; ribbetje *o.*; **—*s*,** bakkebaarden *mv.*
coter [kòté] *v.t.* **1** (*in belasting*) aanslaan; **2** (*v. prijs*) noteren; **3** (*v. peil, enz.*) aangeven; **4** (*op school*) een cijfer geven; **5** (*v. stukken, op lijst*) nummeren; ***valeurs cotées à la bourse*,** effecten die in de officiële beursnotering zijn opgenomen; ***être bien coté*,** goed aangeschreven staan.
coterie [kòtri] *f.* kliek *v.(m.)*; aanhang *m.*
cothurne [kòtürn] *m.* cothurn, toneellaars *v.(m.)*; ***chausser le* —,** een pathetische toon aanslaan.
côtier [ko'tyé] **I** *adj.* van de kust, kust—; ***bateau* —,** kustvaarder *m.*; ***navigation côtière*,** kustvaart *v.(m.)*; **II** *s., m.* **1** kustvaarder *m.*; **2** kustloods *m.*
cotignac [kòtiñak] *m.* kweeperenmoes *o.*
cotillon [kòtiyõ] *m.* **1** onderrok *m.*; **2** (*dans*) cotillon *m.*
cotir [kòti:r] *v.t.*, (*v. vruchten*) kneuzen, blutsen.
cotisation [kòtiza'syõ] *f.* bijdrage *v.(m.)*, contributie *v.*
cotiser, se — [s(e)kòti'zé] *v.pr.* bijdragen; geld bij elkaar leggen, botje bij botje leggen.
cotissure [kòtisü:r] *f.* kneuzing *v.* (*v. fruit*).
coton [kòtõ] *m.* **1** katoen *o. en m.*; **2** (*v. vruchten*) dons *o.*; **3** watten *mv.*; ***bonnet de* —,** slaapmuts *v.(m.)*; ***en* —, 1** katoenen; **2** (*fig.*) slap, krachteloos, zwak; **3** (*v. knie*) knikkend; ***élever dans du* —,** vertroetelen.
cotonnade [kòtòna'd] *f.* **1** katoenen stof *v.(m.)*; **2** katoentje *o.*
cotonner, se — [s(e)kòtòné] *v.pr.* pluizig worden.
cotonnerie [kòtònri] *f.* katoenplantage *v.*
cotonnette [kòtònèt] *f.* geruite katoenen stof *v.(m.)*.
cotonneux [kòtònö] *adj.* **1** wollig, donzig; **2** (*v. vrucht*) voos, melig; **3** (*v. stem*) mat, zonder uitdrukking; **4** (*v. stijl, voordracht*) futloos, zonder pit; ***nuages* —,** schapewolkjes.
cotonnier [kòtònyé] **I** *m.* katoenboom *m.*; **II** *adj.* katoen—; ***industrie cotonnière*,** katoennijverheid *v.* [*o. en m.*
coton*-poudre [kòtõpu'dr] *m.* schietkatoen
côtoyer [ko'twayé] *v.t.* **1** gaan (*of* rijden, varen) langs; **2** nabij zijn; **— *la misère*,** de armoede nabij zijn; **— *le ridicule*,** op 't belachelijke af zijn.
cotre [kòtr] *m.* kotter *m.* [*m.*
cotret [kòtrè] *m.* takkenbosje *o.*; korte mutsaard
cottage [kòta:j] *m.* landhuisje, villaatje *o.*
cotte [kòt] *f.* **1** rok *m.*; **2** werkbroek *v.(m.)*; werkmanskiel *m.*; **— *d'armes*,** (*gesch.*) wapenrok *m.*; **— *de mailles*,** maliënkolder *m.*
cotuteur [kotütœ:r] *m.* medevoogd, toeziende voogd *m.*
cotyle [kòtil] *f.* gewrichtsholte *v.*
cotylédon [kòtilédõ] *m.*, (*Pl.*) zaadlob *v.(m.)*.
cotylédoné [kòtilédòné] *adj.*, (*Pl.*) met zaadlobben, zaadlobbig.
cotyloïde [kòtilòi'd] *adj.* komvormig.
cou [ku] *m.* hals *m.*; ***se casser le* —,** zich de nek breken; **— *rouge*,** (*Dk.*) roodborstje *o.*; **— *blanc*,** (*Dk.*) witstaart *m.*; **— *de cigogne*,** (*Pl.*) geranium *v.(m.)*; ***prendre ses jambes à son* —,** benen maken; ***dans les dettes jusqu'au* —,** tot over de oren in de schuld.
couac [kwak] *m.*, (*muz.*) valse noot *v.(m.)*.
couard [kwa:r] **I** *adj.* laf, lafhartig; bang; **II** *s., m.* lafaard; bangerik *m.*
couardise [kwardi:z] *f.* lafheid; bangheid *v.*
couchage [kuʃa:j] *m.* **1** (*mil.*) slaapplaats *v.(m.)*, nachtleger *o.*; **2** beddegoed *o.*; **3** (*v. stoffen*) (het) opmaken, (het) gladmaken *o.*
couchant [kuʃã] **I** *adj.* **1** (*v. zon*) ondergaand; **2** (*v. hond*) staande; ***faire le chien* —,** vleien, flikflooien; **II** *s., m.* **1** westen *o.*; **2** (*fig.*) verval *o.*; ***toucher à son* —,** beginnen te tanen.
couche [kuʃ] *f.* **1** sponde *v.(m.)*, bed *o.*, legerstede *v.(m.)*; **2** laag *v.(m.)*; **3** bedding *v.*; **4** (*meestal mv.*) bevalling *v.*; ***fausse* —,** miskraam *v.(m.) en o.*; ***première* —,** grondverf *v.(m.)*; ***les —s sociales*,** de maatschappelijke standen; **— *ligneuse*,** houtlaag *v.(m.)*, jaarring *m.*; **— *chaude*,** broeibed *o.*
couche*-culotte* [kuʃkülòt] *f.* luierbroekje *o.*
couchée [kuʃé] *f.* nachtverblijf *o.*
coucher [kuʃé] **I** *v.t.* **1** naar bed brengen, te bed leggen; **2** neerleggen; uitstrekken; **3** (*v. schip*) doen overhellen; **4** (*v. mast*) strijken; **5** (*v. stof, hoed, enz.*) gladstrijken; **6** (*v. papier*) koetsen;

scheppen; **7** (*v. plant*) ombuigen; **8** (*bij spel*) inzetten; **9** (*v. koren*) neerslaan; ***— par écrit,*** boeken, opschrijven; ***— qn. sur son testament,*** iem. in zijn testament zetten; ***— en joue,*** aanleggen, mikken (op); ***papier couché,*** gekoetst papier; ***écriture couchée,*** schuinschrift *o.*; **II** *v.i.* **1** te bed liggen, slapen; **2** overnachten; ***— à la belle étoile,*** onder de blote hemel slapen; ***— sur la dure,*** op de grond slapen; **III** *v.pr.*, ***se —,*** **1** naar bed gaan; **2** gaan liggen; **3** (*v. zon*) ondergaan; ***se — comme les poules,*** met de kippen op stok gaan; ***allez vous —!*** loop heen! loop naar de weerga! **IV** *s., m.* **1** (het) naar bed gaan *o.*; **2** (*v. zon*) (het) ondergaan *o.*

couchette [kuʃèt] *f.* **1** bedje *o.*; **2** (*op schip*) kooi *v.(m.)*; **3** slaapbank *v.(m.)*.

coucheur [kuʃœ:r] *m.* slaapkameraad *m.*; ***un mauvais —,*** een lastige kerel.

couchis [kuʃi] *m.* **1** onderlaag *v.(m.)* van zand; **2** stellage *v.* voor gewelf.

couci-couci [kusikusi] *adv.* zo zo, tamelijk.

coucou [kuku] *m.* **1** (*Dk.*) koekoek *m.*; **2** koekoeksklok *v.(m.)*; **3** (*Pl.*) sleutelbloem *v.(m.)*.

coude [ku'd] *m.* **1** elleboog *m.*; **2** (*v. weg*) bocht *v.(m.)*; ***jouer des —s,*** zich door 't gedrang heenwerken.

coudée [kudé] *f.* elleboogslengte *v.*; ***avoir ses —s franches,*** **1** zich vrij kunnen bewegen; **2** (*fig.*) vrij spel hebben.

cou*-de-pied [kudpyé] *m.* wreef *v.(m.)*.

couder [kudé] *v.t.* **1** een elleboog maken in; **2** ombuigen.

coudoiement [kudwaymã] *m.* **1** aanraking *v.* (met de elleboog); **2** (*fig.*) omgang *m.*

coudoyer [kudwayé] *v.t.* **1** met de elleboog aanstoten; aanraken; **2** omgaan met; **3** vlak langs lopen; staan dicht bij.

coudraie [kudrè] *f.* hazelaarsbosje *o.*

coudre* [kudr] *v.t.* **1** naaien, aannaaien, vastnaaien; **2** hechten; ***machine à —,*** naaimachine *v.*; ***cousu d'or,*** met goud bestikt; ***cousu de fil blanc,*** in 't oog lopend.

coudrette [kudrèt] *f.* hazelaarsbosje *o.*

coudrier [kudri(y)é] *m.* hazelaar *m.*

couenne [kwan, kwèn] *f.* **1** zwoord, zwoerd *o.*; **2** huidvlek *v.(m.)*; **3** (*bij keelontsteking*) vlies *o.*; **4** domoor *m.*, uilskuiken *o.*, lammeling *m.*

couenneux [kwènö] *adj.* **1** zwoordachtig; **2** (*v. bloed*) met een spekhuid; ***angine couenneuse,*** (*gen.*) difteritis *v.*

couette [kuèt] *f.* **1** veren bed *o.*; **2** staartje *o.*

couffe [kuf] *f.*, **couffin** [kufẽ] *m.* (vijgen)mand *v.(m.)*.

couguar [kugwa:r] *m.* poema *m.*

couic! [kuik] *interj.* piep!

coulage [kula:j] *m.* **1** (*v. metaal*) (het) gieten *o.*; **2** (*uit vat, enz.*) lekkage *v.*; (het) weglopen *o.*; **3** (*v. was*) (het) in de week zetten, (het) uitkoken *o.*; **4** vermorsing *v.*

coulamment [kulamã] *adv.* vloeiend *v.*

coulant [kulã] **I** *adj.* **1** vloeiend; **2** (*fig.*) vlot, coulant; **3** inschikkelijk; ***nœud —,*** lus *v.(m.)*, strop *m. en v.*; ***style —,*** vloeiende (vlotte) stijl; **II** *s., m.* **1** schuifring *m.*; **2** (*Pl.*) uitloper *m.*; **3** schuiver *m.* (nijptang); ***— de serviette,*** servetring *m.*

coule [kul] *f.* **1** *voir* ***coulage***; **2** monnikspij *v.(m.)*.

coulé [kulé] **I** *adj.* **1** geruïneerd; **2** (*v. schrift*) lopend; **3** (*v. beweging*) slepend; **II** *s., m.* **1** (*muz.: v. noten*) binding *v.*; **2** (*bilj.*) doorstoot *m.*; **3** (*bij dans*) sleeppas *m.*; **4** (*tn.*) gietsel, in de vorm gegoten metaal *o.*

coulée [kulé] *f.* **1** lopend schrift *o.*; **2** (*v. lava, enz.*) vloed *m.*; **3** stroom *m.*, uitstroming *v.*; **4** (*v. metaal*) (het) gieten *o.*; **5** (*v. was*) (het) in de week zetten (*of* staan) *o.*

couler [kulé] **I** *v.i.* **1** vloeien, stromen; **2** (*v. vat, enz.*) lekken; **3** (*v. kaars*) druipen, aflopen; **4** zinken; **5** voortglijden, voorbijglijden; **6** (*bilj.*) doorstoten; ***— bas, — à fond,*** **1** zinken; **2** (*fig.*) ten onder gaan; ***— de source,*** vlot gaan, van een leien dakje gaan; **II** *v.t.* **1** (*v. beeld, enz.*) gieten; **2** (*v. schip*) in de grond boren; **3** (*v. was*) laten uitkoken; in de week zetten; **4** (*v. zaak*) afdoen; **5** (*muz.: v. noten*) slepen; verbinden; **6** (*bilj.: v. bal*) doorstoten; ***— un regard sur,*** een zijdelingse blik werpen op; ***— des jours heureux,*** een onbezorgd leven leiden; ***en — à qn.,*** iem. iets op de mouw spelden; **III** *v.pr.*, ***se —,*** **1** binnensluipen; **2** wegsluipen; **3** zich ruïneren; ***se la — douce,*** een gemakkelijk leventje leiden.

couleur [kulœ:r] *f.* **1** kleur *v.(m.)*; **2** verf *v.(m.)*; **3** gelaatskleur *v.(m.)*; **4** (*fig.*) schijn *m.*, uiterlijk *o.*; voorwendsel, voorgeven *o.*; ***— (de) chair,*** vleeskleurig; ***les trois —s,*** de driekleur; ***les —s nationales,*** de nationale vlag *v.(m.)*; ***tablier de —,*** bonte schort *v.(m.) en o.*; ***— de rose,*** rooskleurig; ***sans —,*** kleurloos, bleek; ***— minérale,*** aardverf *v.(m.)*; ***homme de —,*** kleurling *m.*; ***impression en —s,*** kleurendruk *m.*; ***haut en —,*** hoogrood; ***perdre ses —s,*** bleek worden; ***nommer la —,*** (*kaartsp.*) troef maken; ***en avoir vu de toutes les —s,*** van alles hebben meegemaakt; ***donner — à,*** opsmukken.

couleuvre [kulœ:vr] *f.* **1** slang *v.(m.)*; ***— lisse,*** gladde slang; ***— à collier,*** ringslang; **2** (*fig.*) listig (vals) persoon *m.*; **3** hatelijkheid *v.*; ***avaler des —s,*** beledigingen slikken.

couleuvreau [kulœ'vro] *m.* jonge slang *v.(m.)*.

couleuvrée [kulœ'vré] *f.*, (*Pl.*) heggerank *v.(m.)*.

couleuvrine [kulœ'vrin] *f.* veldslang *v.(m.)*, oud lang kanon.

couli [kuli] *m.* koelie *m.*

coulis [ku'li] **I** *m.* **1** (*v. groenten, enz.*) afkooksel *o.*; **2** dunne mortel *m.*; **3** soldeerlood *o.*; **II** *adj.*, ***vent —,*** tocht *m.*

coulisse [kulis] *f.* **1** sponning *v.*; **2** sleuf, groeve *v.(m.)*; **3** schuifdeur *v.(m.)*; schuifraam *o.*; **4** (*toneel*) scherm *o.*, verplaatsbare toneelwand *m.*; **5** (*muz.*) schuif *v.(m.)*; ***dans la —,*** achter de schermen; ***banc à —s,*** (*sp.*) glijbank *v.(m.)*; ***table à —s,*** inschuiftafel *v.(m.)*.

coulisseau [kuliso] *m.* sleufje *o.*

coulisser [kulisé] *v.t.* **1** van een sleuf voorzien; **2** in een sleuf schuiven.

coulissier [kulisyé] *m.* niet-officieel effectenmakelaar, beunhaas *m.*

couloir [kulwa:r] *m.* **1** (smalle) gang *m.*; **2** (*v D-trein*) zijgang *m.*; **3** (*v. Kamers*) wandelgang *m.*

couloire [kulwa:r] *f.* vergiettest *v.(m.)*, vergiet *o.*

coulomb [kulõ] *m.*, (*el.*) coulomb *m.* (1 ampère per sec.).

coulpe [kulp] *f.* (*veroud.*) schuld *v.(m.)*.

coulure [kulü:r] *f.* **1** niet-bevruchting *v.* van de wijnbloesem; **2** langs de gietvorm gemorst metaal *o.*

coup [ku] *m.* **1** slag; stoot *m.*; **2** schot *o.*; **3** bons *m.*; **4** schok *m.*; **5** steek *m.*; houw *m.*; **6** klap *m.*; **7** (*voetb.*) schop *m.*; **8** worp *m.*, gooi *m.*; zet *m.*; **9** slok *m.*, teug *m. en v.*; **10** handeling *v.*, daad *v.(m.)*; streek *m.*; **11** maal *v.(m.) en o.*, keer *m.*; **12** klokslag *m.*; ***— de poing,*** stomp *m.*; ***— de pied,*** schop *m.*; ***— de fusil,*** geweerschot *o.*; ***— de vent,*** rukwind *m.*, windvlaag *v.(m.)*; ***entrer en — de vent,*** binnenstormen; ***— de fouet,*** zweepslag *m.*; ***— d'essai,*** proefstuk *o.*; ***— de***

bourse, gelukkige speculatie *v.*; — ***de dent,*** beet; knauw *m.*; — ***d'archet,*** (*muz.*: *op viool*) streek *v.*(*m.*); — ***de cloche,*** gelui, gebel *o.*; ***au — de midi,*** op slag van twaalven; — ***de mer,*** stortzee *v.*(*m.*); golfslag *m.*; — ***d'épingle,*** speldeprik *m.*; (*fig.*) steek *m.* onder water; — ***de canon,*** kanonschot *o.*; — ***de tête,*** dwaze inval *m.*, ondoordachte handeling *v.*; — ***de maître,*** meesterstuk *o.*; — ***de grâce,*** genadeslag *m.*; — ***d'État,*** staatsgreep *m.*; — ***de force,*** geweldddaad *v.*(*m.*), overrompeling *v.*; — ***de langue,*** stekelig gezegde *o.*; kwaadsprekerij *v.*; — ***de sang,*** beroerte *v.*; — ***de sabre,*** sabelhouw *m.*; — ***de tonnerre,*** donderslag *m.*; — ***d'œil,*** blik; oogopslag *m.*; ***jeter un — d'œil sur,*** een blik werpen op; ***du premier — d'œil,*** bij de eerste oogopslag; — ***de reins,*** krachtsinspanning *v.*; — ***de grisou,*** mijngasontploffing *v.*; — ***de pierre,*** steenworp *m.*; — ***de sonnette,*** ruk *m.* aan de bel; — ***de soleil,*** zonnesteek *m.*; — ***d'envoi,*** aftrap *m.*; — ***de théâtre,*** plotselinge (verrassende) ommekeer *m.*; ***un — du ciel,*** een beschikking des hemels; ***donner un — de main, — d'épaule à qn.,*** iem. een handje helpen; ***donner un — de téléphone à,*** even opbellen; ***réussir un —,*** een goede slag slaan; ***être sous le — d'un soupçon,*** onder verdenking staan; ***un — d'épée dans l'eau,*** een slag in de lucht; ***à —s redoublés,*** met verdubbelde kracht; ***monter un — à qn.,*** iem. beetnemen; ***tomber sous le — de la loi,*** strafbaar zijn; ***faire — double, faire d'une pierre deux —s,*** twee vliegen in één klap slaan; ***le — est raté,*** de zaak is mislukt; ***frapper les grands —s,*** spijkers met koppen slaan; ***à — sûr,*** ongetwijfeld; ***—s et blessures,*** (*recht*) mishandeling *v.*; ***avoir un — de marteau,*** een slag van de molen beethebben; ***vider d'un seul —,*** in één teug ledigen; ***après —,*** naderhand, achteraf; ***du même —,*** tegelijkertijd; — ***sur —,*** slag op slag; ***tout d'un —,*** in eens; ***tout à —,*** eensklaps, plotseling; onverwacht; ***du premier —,*** dadelijk.

coupable [kupa'bl] **I** *adj.* **1** schuldig; **2** strafbaar; misdadig; **II** *s.*, *m.-f.* schuldige *m.-v.*

coupablement [kupa'blemã] *adv.* misdadig, strafbaar, op strafbare wijze.

coupage [kupa:j] *m.* (*v. wijn*) het versnijden *o.*

coupant [kupã] **I** *adj.* snijdend, scherp; **II** *s.*, *m.* snede *v.*(*m.*), (het) scherp *o.*

coup*-de-poing [kudpwẽ] *m.* **1** vuiststeen *m.*; **2** boksbeugel *m.*; **3** zakpistool *o.*

coupe [kup] *f.* **1** beker; drinkbeker *m.*; **2** (*v. fontein, enz.*) bekken *o.*; **3** (*v. zin*) indeling, schikking *v.*; **4** (*v. vers*) cesuur *v.*; **5** (*v. gebouw, machine enz.*) doorsnede *v.*(*m.*); **6** (*v. kleed, gelaat*) snit, vorm *m.*; **7** (*kaartsp.*) (het) afnemen *o.*; **8** (*sp.*) beker *m.*, bokaal *m.*; **9** (het) omhakken *o.*; **10** omgehakte bomen *mv.*; **11** (*v. haar, enz.*) (het) knippen *o.*; — ***de challenge,*** wisselbeker *m.*; ***nager à la —,*** met de Spaanse slag zwemmen; ***boire la pleine —,*** met volle teugen drinken; ***il y a loin de la — aux lèvres,*** prijs de dag niet eer het avond is; ***vider la — jusqu'à la lie,*** de lijdenskelk tot op de bodem ledigen.

coupé [kupé] *m.* **1** coupé *m.*, rijtuig *o.* met twee plaatsen; **2** spoorwegcoupé *m.*

coupe-choux [kupʃu] *m.* koolschaaf *v.*(*m.*).

coupe-cigares [kupsiga:r] *m.* sigarenknijper *m.*

coupe-circuit [kupsirkwi] *m.*, (*el.*) zekering *v.*; stroomafsluiter *m.*

coupée [kupé] *f.*, (*sch.*) valreep *m.*

coupe-feu [kupfö] *m.* brandgang *m.* in bos.

coupe-file [kupfil] *m.* kaart (om doorgelaten te worden); perskaart *v.*(*m.*).

coupe-foin [kupfwẽ] *m.* hooisnijder *m.*

coupe-gazon [kupgazõ] *m.* grassnijder *m.*

coupe-gorge [kupgòrj] *m.* **1** moordhol *o.*; **2** (*fig.*) rovershol *o.*; gevaarlijke plaats *v.*(*m.*).

coupe-jarret* [kupjarè] *m.* struikrover, bandiet [*m.*

coupe-légumes [kuplégüm] *m.* koolmes *o.*

coupé*-lit* [kupéli] *m.* slaapcoupé *m.*

coupellation [kupèla'syõ] *f.*, (*v. goud, zilver*) zuivering *v.*

coupelle [kupèl] *f.* smeltkroes *m.*

coupe-ongles [kupõ:gl] *m.* nagelschaar *v.*(*m.*).

coupe-paille [kuppa'y] *m.* strosnijder *m.*

coupe-papier [kuppapyé] *m.* papiersnijder *m.*, vouwbeen *o.*

coupe-pâte [kuppa:t] *m.* deegmes *o.*

couper [kupé] **I** *v.t.* **1** snijden; **2** afsnijden; **3** doorsnijden; **4** afknippen; doorknippen; afhakken; doorhakken; **5** (*v. gras*) maaien; **6** (*v. boek*) opensnijden; **7** (*v. been*) afzetten; **8** (*v. motor*) afstellen; **9** (*v. adem*) benemen; **10** (*v. elektrische stroom*) verbreken; **11** (*v. stoom*) afsluiten; **12** (*v. zin*) verdelen; **13** (*v. wijn*) versnijden; (*v. melk*) aanlengen; dopen; **14** (*v. koorts*) stuiten; **15** (*v. golven*) klieven, doorklieven; **16** (*v. brug*) afbreken; — ***les ailes à,*** kortwieken; — ***l'herbe sous le pied à qn.,*** iem. het gras voor de voeten wegmaaien; — ***la parole à qn.,*** iem. in de rede vallen; — ***un cheveu en quatre,*** haarkloven; ***style coupé,*** versnipperde stijl, stijl met korte zinnen; **II** *v.i.* snijden; ***je n'y coupe pas,*** daar vlieg ik niet in; — ***court à,*** paal en perk stellen aan; een eind maken aan; (*v. gesprek*) afbreken; — ***à travers champs,*** een kortere weg (dwars) door het veld nemen; **III** *v.pr.*, ***se —,*** **1** zich snijden; **2** zich tegenspreken; **3** (*v. stof*) doorslijten (op de plooien); **4** (*v. zijde*) kerven, schiften; ***se — au doigt,*** zich in de vinger snijden.

coupe-racines [kuprasin] *m.* hakselsnijder *m.*

couperet [kuprè] *m.* **1** hakmes *o.*; **2** valbijl *v.*(*m.*).

couperose [kupro:z] *f.* **1** koperrood *o.*, vitriool *o.* en *m.*; **2** (*gen.*) vurige uitslag *m.*, rode puist *v.*(*m.*); — ***bleue,*** kopersulfaat *o.*; — ***verte,*** ijzersulfaat *o.*; — ***blanche,*** zinksulfaat *o.*

couperosé [kupro'zé] *adj.* puistig, vol rode puisten.

coupe-tête [kuptè:t] *m.* valbijl *v.*(*m.*).

coupeur [kupœ:r] *m.*, **coupeuse** [kupõ:z] *f.* snijder, coupeur *m.*; snijdster, coupeuse *v.*; — ***de bourse,*** beurzensnijder *m.*

coupe-vent [kupvã] *m.* windbreker *m.*, windscherm *o.*

couplage [kupla:j] *m.*, (*tn.*) koppeling *v.*

couple [kupl] **I** *m.* **1** koppel, paar *o.* (bij elkaar behorend); **2** (*sch.*) spant *o.*; ***par —s,*** paarsgewijze; **II** *f.* **1** paar *o.*, twee; **2** koppelriem, koppelband *m.*

couplement [kuplemã] *m.* (*tn.*) koppeling *v.*

coupler [kuplé] *v.t.* koppelen.

couplet [kuplè] *m.* strofe *v.*(*m.*), couplet *o.*

coupoir [kupwa:r] *m.* snijwerktuig *o.*

coupole [kupòl] *f.* koepel *m.*; koepelgewelf *o.*

coupon [kupõ] *m.* **1** coupon *m.*, rentebewijs *o.*; **2** lap *m.* stof; **3** reisbiljet *o.*; **4** (*v. schouwburg*) plaatsbewijs *o.*, plaatskaart *v.*(*m.*).

coupon*-réponse [kupõrépõ:s] *m.* antwoordcoupon *m.*

coupure [kupü:r] *f.* **1** snede, insnijding *v.*; **2** geul *v.*(*m.*); **3** bankbiljet *o.* (minder dan 1000 fr); **4** onderaandeel *o.*; **5** (*v. krant*) knipsel *o.*; **6** (*v. boek, toneelstuk, enz.*) besnoeiing, verkorting *v.*; **7** snijwonde *v.*(*m.*).

couque [kuk] *f.* taaitaai *m.* en *o.*

cour [ku:r] *f.* **1** hof *o.*; **2** hofhouding *v.*; **3** gerechtshof *o.*; **4** binnenplaats *v.*(*m.*); **5** speelplaats *v.*(*m.*); **6** voorplein, erf *o.*; — ***d'appel,*** hof van beroep; — ***d'assises,*** assisenhof, lijfstraffelijk gerechtshof *o.*; ***— de cassation,*** hof van cassatie, verbrekingshof; ***— des comptes,*** rekenhof; ***— d'honneur,*** hoofdplein; ***les gens de —,*** de hovelingen; ***— plénière,*** algemene vergadering *v.*; ***haute —,*** hooggerechtshof; ***— martiale,*** krijgsraad *m.*; ***la — du roi Pétaud,*** een Poolse landdag, een janboel; ***faire la — à qn.,*** iem. het hof maken.

courage [kura:j] *m.* **1** moed *m.*; **2** flinkheid *v.*; **3** ijver *m.*; ***prendre —,*** moed scheppen; ***prendre son — à deux mains,*** de stoute schoenen aantrekken, al zijn moed bijeenrapen.

courageux [kurajö] *adj.*, **courageusement** [kurajö˙zmã] *adv.* moedig, dapper.

couramment [kuramã] *adv.* **1** vlug, vlot; **2** (*verkopen*) grif; ***cela se dit —,*** dat wordt dagelijks gezegd.

courant [kurã] **I** *adj.* **1** lopend; **2** vloeiend; **3** (*v. munten, ideeën*) gangbaar; **4** (*v. water*) stromend; ***affaires —es,*** lopende zaken; ***compte —,*** rekening-courant *v.*; ***intérêts —s,*** lopende rente *v.(m.)*; ***prix —,*** prijscourant *m.*; ***au prix —,*** tegen de marktprijs; ***mètre —,*** strekkende meter; ***la langue —e,*** de omgangstaal; ***le dix —,*** de tiende dezer; ***fin —,*** ultimo dezer; **II** *s. m.* **1** loop *m.*; **2** stroom *m.*; **3** stroming *v.*; ***— d'air,*** tocht *m.*; ***— continu,*** (*el.*) gelijkstroom *m.*; ***— alternatif,*** wisselstroom *m.*; ***être au —, 1*** op de hoogte zijn; **2** bij zijn (met betalingen, werk, enz.), niets meer schuldig zijn; ***tenir au —,*** bijhouden; ***se mettre au —, 1*** zich op de hoogte stellen; **2** het verschuldigde betalen; **3** het achterstallige werk afmaken.

courante [kurã:t] *f.* **1** lopend schrift *o.*; **2** oude statige dans *m.*; **3** (*pop.*) buikloop *m.*

courbage [kurba:j] *m.* (het) ombuigen *o.*

courbatu [kurbatü] *adj.* stijf.

courbature [kurbatü:r] *f.* spierpijn, gewrichtspijn *v.(m.)*.

courbaturer [kurbatüré] *v.t.* stijf maken, spierpijn doen krijgen.

courbe [kurb] **I** *adj.* krom, gebogen; **II** *s. f.* **1** kromme lijn, gebogen lijn *v.*; **2** (*op tabel*) curve *v.(m.)*; **3** kromming *v.*, bocht *v.(m.)*; **4** (*sch.*) kromhout, kniehout *o.*; ***— de chevaux,*** koppel (*of* span) *o.* jaagpaarden; ***— de la demande,*** vraagcurve.

courbement [kurbemã] *m.* kromming *v.*

courber [kurbé] **I** *v.t.* **1** krommen; **2** buigen, ombuigen; **II** *v.i.* buigen; **III** *v.pr.*, ***se —, 1*** zich buigen; **2** (zich) bukken.

courbet [kurbè] *m.* snoeimes *o.*

courbette [kurbèt] *f.* **1** (*v. paard*) (korte) sprong *m.*; **2** nederige (*of* ootmoedige) buiging *v.*; ***faire des —s,*** kruipen, mooi weer spelen.

courbure [kurbü:r] *f.* kromming *v.*

courcailler [kurka˙yé] *v.i.*, (*v. kwartel*) slaan.

courette [kurèt] *f.* **1** binnenplaatsje *o.*; **2** voorpleintje *o.*

coureur [kurœ:r] **I** *m.* **1** loper; hardloper *m.*; **2** wielrenner, hardrijder *m.*; **3** loopknecht *m.*; **4** (*Dk.*) loopvogel *m.*; **5** loopkever *m.*; ***— de cabarets,*** kroegloper; ***— de places,*** baantjesjager *m.*; ***— de nuit,*** nachtbraker *m.*; ***— de pays,*** zwerver *m.*; ***— de fond,*** (*sp.*) stayer *m.*; ***— de vitesse,*** (*sp.*) sprinter *m.*; ***— cycliste,*** wielrenner *m.*; **II** *adj.* loop—; ***oiseau —,*** loopvogel *m.*

courge [kurj] *f.* **1** (*Pl.*) pompoen *m.*; **2** schoorsteenanker *o.*

courir* [kuri:r] **I** *v.i.* **1** lopen; **2** hardlopen; **3** (*v. paard*) rennen; **4** (*v. schip*) lopen, varen; **5** (*v. gerucht*) in omloop zijn; ***— après l'esprit,*** trachten geestig te zijn; ***— à sa perte,*** zijn ondergang tegemoet gaan; ***par le temps qui court,*** tegenwoordig, heden ten dage; ***— après,*** nalopen; ***— au plus pressé,*** het allernoodzakelijkste eerst doen; ***la mode qui court,*** de heersende mode; **II** *v.t.* **1** nalopen, najagen; **2** doorlopen; doorkruisen; doorreizen; **3** dingen naar; ***— les rues,*** rondslenteren, langs de straten slenteren; ***— les champs,*** in het veld rondzwerven; ***fou à — les champs,*** stapelgek; ***— risque,*** gevaar lopen; ***— deux lièvres à la fois,*** twee dingen tegelijk willen bereiken.

courlandais [kurlã˙dè] **I** *adj.* Koerlands; **II** *s., m.* ***C—,*** Koerlander *m.*

Courlande [kurlã:d] *f.* Koerland *o.*

courlis [kurli], **courlieu** [kurlyö] *m.* pluvier, [wulp *m.*

couroir [kurwa:r] *m.* (*sch.*) kajuitsgang *m.*

couronne [kuròn] *f.* **1** krans *m.*; **2** kroon *v.(m.)*; **3** (*op motor*) kap *v.(m.)*; **4** bep. papierformaat *o.* (*kantoorboekh.* 36×46 cm.; *boekdrukk.* 37×47 cm.); ***— d'épines,*** doornenkroon; ***— solaire,*** corona *v.*, kring *m.* om de zon; ***discours de la —,*** troonrede *v.(m.)*; ***domaine de la —,*** kroondomein *o.*

couronnement [kurònmã] *m.* **1** kroning *v.*; **2** (*v. werk*) voltooiing, voleindiging *v.*; **3** kroonlijst *v.(m.)*; **4** (*v. dijk*) kruin *v.(m.)*; **5** muurkap *v.(m.)*; **6** (*v. schip*) spiegelboog *m.*

couronner [kuròné] *v.t.* **1** kronen; **2** bekronen; **3** omkransen, bekransen; **4** (*mil.*: *v. heuvel*) bezetten, bezet houden; **5** (*v. boom*) kroonvormig snoeien; ringvormig insnijden; ***la fin couronne l'œuvre,*** het einde kroont het werk.

courre [ku:r] **I** *v.t.* jacht maken op; ***chasse à —,*** jacht met honden, lange jacht; **II** *s., m.* jachtterrein *o.*

courrier [kuryé] *m.* **1** (ren)bode; koerier *m.*; **2** post *v.(m.)*; **3** kroniek *v.*; ***dépouiller son —,*** zijn brieven lezen; ***par retour du —,*** per omgaande.

courriériste [kuryérist] *m.*, (*v. dagblad*) overzichtschrijver, kroniekschrijver *m.*

courroie [kurwa] *f.* (leren) riem *m.*; ***— de transmission,*** drijfriem *m.*; ***du cuir d'autrui large —,*** van andermans leer is het goed riemen snijden; ***serrer la — à qn.,*** iem. kort houden.

courroucer [kurusé] **I** *v.t.* vertoornen; **II** *v.pr.*, ***se —,*** in toorn ontsteken.

courroux [kuru] *m.* gramschap *v.*, toorn *m.*, verbolgenheid *v.*

cours [ku:r] *m.* **1** (*v. rivier, sterren, enz.*) loop *m.*; **2** (*beurs*) notering *v.*, prijs *m.*; **3** (*v. munten*) koers *m.*, gangbaarheid *v.*; **4** (*fig.*) voortgang, loop *m.*; **5** leergang, cursus *m.*; **6** leerboek, handboek *o.*; **7** (*bouwk.*) rij *v.(m.)*; ***avoir —, 1*** in omloop zijn, gangbaar zijn; **2** in trek zijn; ***capitaine au long —,*** kapitein op de lange (*of* grote) vaart; ***— forcé,*** dwangkoers; ***prendre —,*** ontspringen; ***en — de route,*** onderweg; ***en — de construction,*** in aanbouw; ***mettre hors de —,*** aan de circulatie onttrekken; ***— de clôture,*** slotkoers; ***— d'eau,*** rivier, stromend water; ***— du change,*** wisselkoers; ***— acheteurs, — argent*** (A.), biedkoers; ***— vendeurs, — papier*** (P), laatkoers; ***— du marché,*** marktprijs; ***donner libre — à,*** de vrije loop laten aan; ***il a fini ses —,*** hij is afgestudeerd; ***suivre les —,*** college lopen; ***faire (un) —,*** college geven.

course [kurs] *f.* **1** (het) lopen *o.*; **2** (het) rennen *o.*; **3** wedren, wedloop; wedstrijd *m.*; **4** uitstap, tocht *m.*, wandeling *v.*; **5** boodschap *v.*; **6** (*v. machinedeel*) beweging *v.*; **7** (*fig.*) loopbaan *v.(m.)*, levensloop *m.*; ***— au clocher,*** wedren over heg en steg, steeple-chase; ***faire des —s,*** boodschappen doen; ***— de chevaux,*** wedren *m.*; ***champ de —s,*** renbaan *v.(m.)*; ***pas de —,*** looppas *m.*

coursier [kursyé] *m.* **1** ros, strijdros *o.*; **2** loopjongen, loopknecht *m.*; **3** molenvliet *m.*
coursive [kursi:v] *f.* (*sch. vl.*) gangboord *o. en m.*
courson [kursõ] *m.*, **coursonne** [kursòn] *f.* voor vruchtzetting gesnoeide boomtak *m.*
court [ku:r] **I** *adj.* **1** kort; **2** (*v. persoon*) ineengedrongen; **3** (*v. verstand*) bekrompen; ***avoir l'haleine —e,*** kortademig zijn; ***avoir la vue —e,*** **1** bijziende zijn; **2** (*fig.*) kortzichtig zijn; ***avoir la mémoire —e,*** kort van geheugen zijn; ***à — d'argent,*** slecht bij kas; ***lettre de change à —s jours,*** kortzichtwissel *m.*; ***prendre par le plus —,*** de kortste weg nemen; **II** *adv.*, ***demeurer —,*** blijven steken; ***couper — à,*** een einde maken aan, plotseling afbreken; ***s'arrêter —,*** plotseling blijven staan; ***tout —,*** kortaf, zonder meer; **III** *s.*, *m.*, ***— de tennis,*** tennisveld *o.*, tennisbaan *v.*(*m.*).
courtage [kurta:j] *m.* **1** makelaarsloon *o.*; **2** makelaardij *v.*, makelaarsvak *o.*
courtaud [kurto] **I** *adj.* kort en dik; **II** *s.*, *m.* dikkerd *m.*
courtauder [kurto˙dé] *v.t.* kortstaarten; kortoren.
court*-bouillon* [ku˙rbuyõ] *m.* visnat *o.* [v.
court*-circuit* [ku˙rsirkẅi] *m.*, (*el.*) kortsluiting
courtement [kurt(e)mã] *adv.* kort.
courtepointe [kurtpwẽ:nt] *f.* gestikte deken; beddesprei *v.*(*m.*).
courtier [kurtyé] *m.* makelaar *m.*; ***— maritime,*** scheepsmakelaar, cargadoor *m.*; ***— marron,*** beunhaas *m.*
courtilière [kurtilyè:r] *f.* veenmol, aardkrekel *m.*
courtine [kurtin] *f.* (*mil.*) verbindingswal *m.* tussen twee bastions. [ogendienaar *m.*
courtisan [kurti˙zã] *m.* **1** hoveling *m.*; **2** (*fig.*)
courtisane [kurti˙zan] *f.* voorname boeleerster *v.*
courtisanerie [kurti˙zanri] *f.* vleierij, pluimstrijkerij *v.*
courtiser [kurti˙zé] *v.t.* **1** het hof maken aan; **2** vleien. [gekoot.
court-jointé* [ku˙rjwẽ˙té] *adj.* (*v. paarden*) kort
courtois(ement) [kurtwa(˙zmã)] *adj.* (*adv.*) hoffelijk, beleefd. [v.
courtoisie [kurtwa˙zi] *f.* hoffelijkheid, beleefdheid
court-pendu* [ku˙rpã˙dü] *m.* aagtappel *m.*
Courtrai [kurtrè] *m.* Kortrijk *o.*
courtraisien [kurtrè˙zyẽ] **I** *adj.* Kortrijks; **II** *s.*, *m.*, **C—**, Kortrijker *m.* [rokken.
court-vêtu* [kurvètü] *adj.* kortgerokt, met korte
couru [kurü] *adj.* gewild, populair. [gerecht.
couscous [kuskus] *m.* koeskoes *v.*(*m.*), Arabisch
cousette [kuzèt] *f.* naaimeisje *o.*
couseuse [kuzö:z] *f.* **1** innaaister *v.*; **2** stikster *v.*; **3** innaaimachine *v.*
cousin [kuzẽ] *m.* **1** neef *m.*; ***— germain,*** volle neef; **2** mug *v.*(*m.*).
cousinage [kuzina:j] *m.* neef-en-nichtschap *v.*, het neef-en-nicht-zijn *o.*
cousine [kuzin] *f.* nicht *v.*
cousiner [kuziné] *v.i.*, ***ne pas — ensemble,*** het met elkaar niet kunnen vinden.
cousinette [kuzinèt] *f.* nichtje *o.*
coussin [kusẽ] *m.* kussen *o.* [o.
coussinet [kusinè] *m.* **1** kussentje *o.*; **2** railkussen
cousu [kuzü] *adj.* genaaid; ***tout — d'or,*** schatrijk; ***— de petite vérole,*** van de pokken geschonden; pokdalig.
coût [ku] *m.* kosten *mv.*; ***le — fait perdre le goût,*** men deinst voor de kosten terug; ***des —s marginaux,*** grenskosten.
coûtant [kutã] *adj.*, ***prix —,*** kostprijs *m.*
couteau [kuto] *m.* **1** mes *o.*; **2** valbijl *v.*(*m.*); ***— à papier,*** vouwbeen *o.*; ***— à découper,*** voorsnijmes; ***— pliant,*** knipmes; ***jouer du —,*** met messen vechten; ***être à —x tirés,*** op zeer gespannen voet staan.
couteau*-scie* [kuto˙si] *m.* kartelmes *o.*
coutelas [kutla] *m.* **1** (*mil.*) korte sabel *m.*; **2** keukenmes *o.*
coutelier [kutelyé] *m.* messenmaker *m.*
coutellerie [kutèlri] *f.* **1** messenmakerij *v.*; **2** messenwinkel *m.*
coûter [kuté] *v.i.* **1** kosten; **2** zwaar vallen; ***— cher,*** **1** duur kosten, duur zijn; **2** duur te staan komen; ***— les yeux de la tête,*** hopen geld kosten; ***coûte que coûte,*** het koste wat het wil; ***il m'en coûte de,*** het valt mij zwaar om.
coûteux [kutö] *adj.*, **coûteusement** [kutö˙zmã] *adv.* kostbaar, duur.
coutil [kuti] *m.* tijk *o.* [bijl *v.*(*m.*).
coutre [kutr] *m.* **1** ploegijzer, kouter *o.*; **2** korte
coutume [kutüm] *f.* gewoonte *v.*, gebruik *o.*; ***avoir — de,*** gewoon zijn te; ***de —,*** gewoonlijk; ***une fois n'est pas —,*** als het maar geen gewoonte wordt.
coutumier [kutümyé] *adj.* gewoon; gebruikelijk; ***droit —,*** gewoonterecht *o.*
couture [kutü:r] *f.* **1** (het) naaien *o.*; **2** naaikunst *v.*; **3** naad *m.*; **4** litteken *o.*; ***travaux de —,*** naaiwerk *o.*; ***point de —,*** naaisteek *m.*; ***— spirale,*** spiraalband *m.*
couturé [kutü˙ré] *adj.* vol naden, vol littekens.
couturerie [kutü˙r(r)i] *f.* naaiwinkel *m.*
couturier [kutüryé] *m.* (dames)kleermaker *m.*
couturière [kutüryè:r] *f.* naaister *v.*
couvage [kuva:j] *m.* (het) broeden *o.*
couvain [kuvẽ] *m.*, (*v. insekten*) broedsel *o.*
couvaison [kuvè˙zõ] *f.* broedtijd *m.*
couvée [kuvé] *f.* **1** broedsel *o.*; **2** (*fig.*) gebroed *o.*
couvent [kuvã] *m.* klooster *o.*
couver [ku˙vé] **I** *v.t.* **1** broeden, uitbroeden; **2** (*fig.*) beramen, smeden; ***— une maladie,*** een ziekte onder de leden hebben; ***— des yeux,*** met de ogen verslinden; **II** *v.i.* **1** broeden; **2** smeulen.
couvercle [kuvèrkl] *m.* deksel *o.*
couvert [kuvè:r] **I** *adj.* **1** bedekt, gedekt; **2** overladen (**de**, met) **3** (*v. lucht*) bewolkt, betrokken; ***pays —,*** bosachtig land; ***à — de,*** beschut tegen, veilig voor; ***rester —,*** zijn hoed ophouden; **II** *s.*, *m.* lepel *m.* en vork *v.*(*m.*); ***avoir le vivre et le —,*** kost en inwoning hebben; ***mettre le —,*** de tafel dekken; ***sous le — de,*** onder bescherming van; onder de dekmantel van; ***être à —,*** (*H.*) gedekt zijn; ***vendre à —,*** op levering verkopen.
couverte [kuvèrt] *f.* **1** glazuur *o.* **2** (*mil.*) deken *v.*(*m.*).
couverture [kuvèrtü:r] *f.* **1** deken *v.*(*m.*); **2** (*v. dak*) bedekking *v.*; **3** (*v. slot*) dekplaatje *o.*; **4** (*v. boek*) omslag *m. en o.*; **5** (*H.*) dekking *v.*, pand *o.*; **6** (*fig.*) dekmantel *m.*; ***tirer la — à soi,*** alles naar zich toehalen; ***troupes de —,*** dekkingstroepen; grenstroepen *mv.*
couveuse [ku˙vö:z] *f.* **1** broedhen *v.*; **2** broedmachine *v.*; **3** (*voor kinderen*) couveuse *v.*
couvi [ku˙vi] *adj.*, ***œuf —,*** broedei, vuil ei *o.*
couvoir [ku˙vwa:r] *m.* broedmachine *v.*
couvre-chaîne* [ku˙vreſè:n] *m.* kettingkast *v.*(*m.*).
couvre-chef* [ku˙vreſèf] *m.* hoofddeksel *o.*
couvre-feu [ku˙vrefö] *m.* **1** vuurdekker *m.*; **2** avondklok *v.*(*m.*); **3** (*mil.*) taptoe *m.* [m.
couvre-joint* [ku˙vrejwẽ] *m.*, (*bouwk.*) voegkalk
couvre-lit* [ku˙vreli] *m.* sprei, bedsprei *v.*(*m.*).
couvre-pied(s) [ku˙vrepyé] *m.* voetendeken *v.*(*m.*).
couvre-plat* [ku˙vrepla] *m.* deksel *o.* van een schotel.

couvre-selle* [ku'vresèl] *m.* zadeldek *o.*
couvre-théière* [ku'vretéyè:r] *m.* theemuts *v.(m.).*
couvreur [kuvrœ:r] *m.* leidekker *m.*
couvrir* [kuvri:r] **I** *v.t.* **1** dekken; **2** bedekken; **3** (*in bed*) toedekken; **4** (*v. meubel, enz.*) overtrekken; **5** (*v. vuur*) inrekenen; **6** (*v. afstand*) afleggen; **7** (*v. geluid*) overstemmen, verdoven; **8** (*met loftuitingen, scheldwoorden, enz.*) overladen; **9** (*v. fout, misslag*) verbloemen, bewimpelen; **10** (*v. lening*) voltekenen; **11** (*v. oppervlakte*) beslaan; **12** (*v. bod*) ophogen; **II** *v.pr.*, ***se —***, **1** zich bedekken; **2** zijn hoed opzetten; **3** (*v. lucht*) betrekken; ***se — chaudement,*** zich warm kleden; ***se — de ridicule,*** zich erg bespottelijk maken; ***se — de gloire,*** zich met roem overladen; ***l'horizon se couvre,*** (*fig.*) de toekomst ziet er somber uit.
cow-boy* [kao:bòy] *m.* cowboy *m.*
coxal [kòksal] *adj.* heup—; ***os —,*** heupbeen *o.*
coxalgie [kòksalji] *f.* heupziekte *v.*, heupjicht *v.(m.).*
coyote [kòyòt] *m.*, (*Dk.*) prairiewolf *m.*
crabe [kra'b, kra'b] *m.* krab *v.(m.).*
crac [krak] **I** *ij.* krak! **II** *s., m.* gekraak *o.*
crachat [kraʃa] *m.* speeksel, spuug *o.*
crachement [kraʃmã] *m.* **1** spuwing *v.*; **2** (*v. geweer*) (het) ketsen *o.*; **3** (*tel.*) geknetter *o.*; ***— de sang,*** bloedspuwing *v.*
cracher [kraʃé] **I** *v.t.* **1** uitspuwen; spuwen; **2** (*fig.*) uitbraken; **II** *v.i.* **1** spuwen; **2** (*v. pen*) spatten; **3** (*v. geweer*) ketsen; **4** (*v. kat*) blazen; **5** (*tel.*) knetteren; ***— au bassinet,*** afdokken, over de brug komen; ***— sur,*** versmaden, minachting hebben voor; ***— au nez,*** grievend beledigen.
cracheur [kraʃœ:r] *m.* spuwer *m.*
crachin [kraʃẽ] *m.* motregen *m.*
crachoir [kraʃwa:r] *m.* spuwbakje *o.*
crachoter [kraʃòté] *v.i.* dikwijls spuwen.
crack [krak] *m.* (*fam.*) kampioen *m.*
cracking [krakẽ] *m.* (*tn.*) **1** het kraken *o.*; **2** kraakinstallatie *v.*
Cracovie [krakòvi] *f.* Krakau *o.*
cracovien [krakòvyẽ] *adj.* uit Krakau.
craie [krè] *f.* krijt *o.*
crailler [krayé] *v.i.*, (*v. kraai*) krassen.
craindre* [krẽ:dr] *v.t.* **1** vrezen; duchten, bang zijn voor; **2** (*v. moeite, enz.*) opzien tegen; **3** (*v. koude, vocht, licht*) niet bestand zijn tegen; ***craint l'humidité,*** voor vocht te vrijwaren; ***qui craint les feuilles n'aille pas au bois,*** die de bramen vreest, moet uit het bos blijven; ***ne pas — de,*** zich niet ontzien om.
crainte [krẽ:t] *f.* **1** vrees *v.(m.)*; **2** beschroomdheid *v.*; **3** ontzag *o.*, eerbied *m.*
craintif [krẽ'tif] *adj.*, **craintivement** [krẽ'ti'vmã] *adv.* vreesachtig, bang.
cramoisi [kramwa'zi] **I** *m.* karmozijn *o.*; **II** *adj.* karmozijnrood.
crampe [krã:p] *f.* kramp *v.(m.).*
crampillon [krã'piyõ] *m.* kram *v.(m.).*
crampon [krã'põ] *m.* **1** kram *v.(m.)*; **2** muurhaak *m.*; **3** hoefijzerpunt *m.*, ijsnagel *m.*; **4** (*Pl.*) hechtwortel *m.*; **5** (*fig.*) klis, klier *v.(m.)*, lastig mens *m.*
cramponner [krã'pòné] **I** *v.t.* krammen; **II** *v.pr.*, ***se —,*** zich vastklemmen.
cramponnet [krã'pònè] *m.* krammetje *o.*
cran [krã] *m.* **1** keep, kerf *v.(m.)*, insnijding *v.*; **2** (*in riem*) gaatje *o.*; **3** (*drukk.*) signatuur *v.*; **4** vastberadenheid *v.*; **5** (*fam.*) lef *o.*; ***avoir du —,*** kranig zijn; weten wat men wil; ***baisser d'un —,*** **1** achteruitgaan; **2** een toontje lager zingen.
crâne [kra:n] **I** *m.* **1** schedel *m.*; **2** (*sp.*) kopschot *o.*, kopstoot *m.*; **3** kranige kerel *m.*; **II** *adj.* kranig, flink.
crâner [kra'né] *v.i.* opscheppen, opsnijden.
crânerie [kra'nri] *f.* kranigheid, flinkheid *v.*
crâneur [kra'nœ:r] *m.* brani *m.*
crânien [kra'nyẽ] *adj.* schedel—; ***boîte —ne,*** hersenkas *v.(m.)*; ***cavité —ne,*** schedelholte *v.*
cran(i)ologie [kran(y)òlòji] *f.* schedelleer *v.(m.).*
cranter [krã'té] *v.t.* kerven, inkepen.
crapaud [krapo] *m.* **1** (*Dk.*) pad *v.(m.)*; **2** (*mil.*) mortierstoel *m.*; **3** lage leunstoel *m.*; **4** (*in edelsteen*) troebele plek *v.(m.)*; **5** (*fam.*) mormel *o.*, kwajongen *m.*; ***avaler un —,*** iets onaangenaams slikken.
crapaudière [krapo'dyè:r] *f.* **1** paddennest *o.*; **2** (*fig.*) vuile boel *m.*
crapaudine [krapo'din] *f.* **1** roostertje *o.* in pijpleiding enz.; **2** *tn.* scharnierholte *v.*; **3** (*Pl.*) paddesteen *m.*
crapelet [kraplè] *m.* jonge pad *v.(m.).*
crapouillot [krapuyo] *m.*, (*mil.*) loopgraafmortier *m.* en *o.*
crapoussin [krapusẽ] *m.* onderkruipsel *m.*
crapule [krapül] *f.* **1** janhagel, grauw *o.*; **2** schoft, smeerlap *m.*; **3** liederlijkheid *v.*
crapuleux [krapülö] *adj.*, **crapuleusement** [krapülö'zmã] *adv.* laag, gemeen, liederlijk.
crapulos [krapülo:s] *m.* stinkstok *m.*
craque [krak] *f.*, (*pop.*) leugentje *o.*, fopperij *v.*
craquelage [krakla:j] *m.* barstproces *o.* van porseleinglazuur.
craquelé [kraklé] *adj.* vol haarbarstjes.
craqueler [kraklé] *v.t.* porseleinglazuur zeer fijn doen barsten.
craquelin [kraklẽ] *m.* krakeling *m.*
craquelure [kraklü:r] *f.* barstje *o.*
craquement [krakmã] *m.* gekraak *o.*
craquer [kraké] *v.i.* **1** kraken; **2** knappen; **3** (*v. vogel*) klepperen, kleppen.
craquètement [krakètmã] *m.* **1** gekraak *o.*; **2** geknap *o.*; **3** geklepper *o.*
craqueter [krakté] *v.i.* **1** kraken; **2** knapperen; **3** klepperen.
craqueur [krakœ:r] *m.* leugenaar; pocher, snoever *m.*
crassane [krasan] *f.* fijne bergamot(peer) *v.(m.).*
crasse [kras] *f.* **1** vuil *o.*, vuiligheid *v.*; **2** metaalslakken *mv.*; **3** (*op schilderij*) stoflaag *v.(m.)*; **4** gierigheid, vrekkigheid *v.*; ***être plongé dans la —,*** (*vl.*) in de mist zitten.
crasser [krasé] *v.t.* vuil maken.
crasseux [krasö] **I** *adj.* **1** vuil, smerig; **2** gierig, vrekkig; **II** *s., m.* **1** vuile kerel *m.*; **2** vrek *m.*
crassier [krasyé] *m.* (metaal- of kool)slakkenberg *m.*
crassulacée [krasülasé] *f.* (*Pl.*) vetplant *v.(m.).*
cratère [kratè:r] *m.* **1** krater *m.*; **2** granaattrechter *m.*; **3** (*oudh.*) drinkschaal *v.(m.).*
cratériforme [kratérifòrm] *adj.* kratervormig.
cravache [kravaʃ] *f.* karwats, rijzweep *v.(m.).*
cravacher [kravaʃé] *v.t.* met de karwats slaan, afranselen.
cravate [kravat] *f.* **1** das *v.(m.)*; **2** (*v. vaandel*) strik *m.*, sjerp *m.*; **3** (*v. orde*) commandeurslint *o.*
cravater [kravaté] *v.t.* een das omdoen.
cravatier [kravatyé] *m.* dassenmaker *m.*
crawl [krò:l] *m.* crawl(slag) *m.*
crayère [krèyè:r] *f.* krijtgroeve *v.(m.).*
crayeux [krèyö] *adj.* **1** krijtachtig; **2** krijthoudend.
crayon [krèyõ] *m.* **1** potlood *o.*; **2** tekenkrijt *o.*; **3** potloodtekening *v.*; **4** schetsje, ontwerp *o.*; ***— d'ardoise,*** griffel *v.(m.)*; ***— gras,*** inktpotlood.
crayonnage [krèyòna:j] *m.* potloodaantekening *v.*
crayonner [krèyòné] *v.t.* **1** met potlood tekenen;

2 schetsen; **— *à la hâte*,** haastig neerkrabbelen.
crayonneur [krèyònœ:r] *m.* kladder, slecht tekenaar *m.*
crayonneux [krèyònö] *adj.* potloodachtig; krijtachtig.
créance [kréã:s] *f.* 1 geloof, vertrouwen *o.*; 2 schuldvordering *v.*; ***lettre de* —**, 1 (*H.*) schuldvordering *v.*; 2 (*v. gezant*) geloofsbrief *m.*; **— *douteuse*,** dubieuze vordering; **— *hypothécaire*,** hypotheek *v.*
créancier [kréã'syé] *m.* schuldeiser *m.*
créateur [kréatœ:r] I *m.* 1 schepper *m.*; 2 uitvinder *m.*; II *adj.* scheppend.
création [kréa'syõ] *f.* 1 schepping *v.*; 2 oprichting *v.*; 3 instelling *v.*; 4 vinding, uitvinding *v.*; 5 (*v. woord*) vorming *v.*; 6 aanleg *m.*; 7 (*v. rol*) eerste uitbeelding, creatie *v.*; ***de* — *récente*,** 1 pas opgericht; 2 pas ingesteld; 3 (*v. ambtenaar*) pas benoemd; 4 nieuwbakken; ***dernière* —,** nieuwste mode.
créature [kréatü:r] *f.* 1 schepsel *o.*; 2 (*fig.*) gunsteling, beschermeling *m.*
crécelle [krésèl] *f.* ratel *m.*
crécerelle [krésrèl] *f.* torenvalk *m. en v.*
crèche [krè:ʃ] *f.* 1 krib *v.*(*m.*); 2 kinderbewaarplaats *v.*(*m.*).
crédence [krédã:s] *f.* 1 (*kath.*) credenstafel *v.*(*m.*), credens *v.*; 2 laag buffet *o.*; 3 dientafel *v.*(*m.*).
credibilité [krédibilité] *f.* geloofwaardigheid *v.*
crédit [krédi] *m.* 1 krediet *o.*; 2 invloed *m.*, aanzien *o.*; 3 credit, tegoed *o.*; ***faire* — *à qn.*,** iem. krediet geven; ***porter au* — *de qn.*,** op iemands credit boeken; **— *à découvert*, — *en blanc*,** blanco krediet; **— *foncier*,** (bank voor) grondkrediet; **— *mobilier*,** los krediet; **— *public*,** staatskrediet; ***à* —,** op krediet, op afrekening; ***à trois mois de* —,** op drie maanden; **— *municipal*,** (*F.*) bank van lening.
créditable [krédita'bl] *adj.* kredietwaardig.
créditer [krédité] *v.t.* crediteren, tegoed schrijven.
créditeur [kréditœ:r] *m.* crediteur *m.*; ***compte* —,** creditrekening *v.*; ***solde* —,** creditsaldo, batig saldo *o.*
credo [krédo] *m.* geloofsbelijdenis *v.*, credo *o.*
crédule(ment) [krédül(mã)] *adj.* (*adv.*) lichtgelovig.
crédulité [krédülité] *f.* lichtgelovigheid *v.*
créer [kréé] *v.t.* 1 scheppen; 2 oprichten, stichten; 3 instellen; 4 (*v. woord*) vormen; 5 (*v. moeilijkheden, hinderpalen*) in de weg leggen.
crémaillère [kréma'yè:r] *f.* 1 haal *v.*(*m.*) *en o.*; heugel *m.*; 2 stelhout, stelijzer *o.*; 3 (*v. vesting*) zaagwerk *o.*; ***chemin de fer à* —,** tandradspoorweg *m.*
crémation [kréma'syõ] *f.* lijkverbranding, crematie *v.*
crématoire [krématwa:r] I *m.* crematorium *o.*; II *adj.*, ***four* —,** lijkverbrandingsoven *m.*
crematorium [krématòryòm] *m.* crematorium, lijkverbrandingsgebouw *o.*
crème [krè:m] *f.* 1 room *m.*; 2 vel *o.* op melk; 3 vla, roomsaus *v.*(*m.*); 4 (*fig.*) (het) beste, (het) puikje *o.*; 5 schoensmeer *o. en m.*; **— *fouettée*,** slagroom *m.*; **— *au riz*,** rijstebrij *m.*; **— *de riz*,** rijstemeel *o.*; **— *à la glace*,** roomijs *o.*
crémer [krémé] I *v.i.* romen, room vormen; II *v.t.*, (*v. lijk*) verbranden, verassen.
crémerie [krèmri] *f.* melkinrichting *v.*, melksalon *m. en o.*, roomhuis *o.*
crémeux [krèmö] *adj.* roomhoudend.
crémier [krèmyé] *m.* handelaar in zuivelprodukten; houder *m.* van een melkinrichting.
crémière [krèmyè:r] *f.* 1 houdster *v.* van een melkinrichting; 2 roomkannetje, melkkannetje *o.*
crémomètre [krèmòmè'tr] *m.* roomweger *m.*
crémone [krémòn] I *f.* vensterstang, spanjolet *v.*(*m.*); II *m.* viool *v.*(*m.*) (uit Cremona).
créneau [kréno] *m.* kanteel *m.*
crénelage [krénla:j] *m.* 1 karteling *v.*; 2 (*om munten*) rand *m.*
crénelé [krénlé] *adj.* 1 gekanteeld; 2 getand; 3 (*Pl.*: *v. blad*) gekarteld.
créneler* [krénlé] *v.t.* 1 van kantelen voorzien; 2 (*v. rad*) tanden; 3 (*v. munt*) randen, kartelen.
crénelure [krénlü:r] *f.* 1 kanteelwerk *o.*; 2 inkerving *v.*; 3 gekartelde rand *m.*
créole [kréòl] I *m.-f.* Kreool *m.*, Kreoolse *v.*; II *adj.* Kreools.
créosote [kréòzòt] *f.* creosoot *m. en o.*
créosoter [kréòzòté] *v.t.* in creosoot drenken.
crêpage [krè:pa:j] *m.* 1 (*v. weefsels*) (het) krippen *o.*; 2 (*v. haar*) (het) kroezen *o.*
crêpe [krè'p] I *f.* flensje *o.*; ***grosse* —,** pannekoek *m.*; II *m.* floers, rouwfloers, krip *o.*; rouwband *m.*
crépelé [kréplé], **crépelu** [kréplü] *adj.* gekruld, gekroesd.
crêper [krè'pé] *v.t.* 1 krippen; 2 kroezen, krullen.
crépi [krépi] *m.* pleisterkalk, muurkalk *m.*
Crépin [krépẽ] *m.* Crispijn *m.*
crépine [krépin] *f.* 1 franje *v.*(*m.*); 2 darmnet *o.*
crépinette [krépinèt] *f.* platte worst *v.*(*m.*).
crépins [krépẽ] *m.pl.* schoenmakersgereedschap *o.*
crépir [krépi:r] *v.t.* bepleisteren, aanstrijken.
crépissage [krépisa:j] *m.* bepleistering *v.*
crépissure [krépisü:r] *f.* bepleistering *v.*
crépitation [krépita'syõ] *f.*, **crépitement** [krépitmã] *m.* 1 geknetter *o.*; 2 (*gen.*: *v. borst*) gepiep *o.*
crépiter [krépité] *v.i.* 1 knetteren; 2 (*v. borst*) piepen.
crépon [krépõ] *m.* 1 grove kripstof *v.*(*m.*); 2 rol *v.*(*m.*) vals haar.
crépu [krépü] *adj.* gekruld; ***cheveux* —*s*,** kroeshaar *o.*
crépusculaire [krépüskülè:r] *adj.* schemer—, van de schemering; ***lumière* —,** schemerlicht *o.*
crépuscule [krépüskül] *m.* schemering, avondschemering *v.*; ***le* — *de la vie*,** de avond van het leven.
crescendo [krèsẽ'do, krèʃẽ'do] I *adv.* toenemend; ***aller* —,** toenemen; II *s.*, *m.* 1 crescendo *o.*; 2 (*fig.*) climax *m.*
cresson [krèsõ] *m.*, (*Pl.*) kers, bitterkers *v.*(*m.*); **— *de fontaine*,** waterkers; **— *alénois*,** tuinkers *v.*(*m.*).
cressonnière [krèsònyè:r] *f.* kersbed *o.*; kerscultuur *v.*
Crésus [krézüs] *m.* 1 Crœsus *m.*; 2 (*fig.*) rijkaard *m.*
crésyl [krésil] *m.* desinfecterend middel *o.* uit koolteer.
crétacé [krétasé] I *adj.* krijtachtig, krijthoudend; II *s.*, *m.* (*geol.*) krijt *o.*, jongste periode van secondaire tijdperk.
Crète [krè't] *f.* Kreta *o.*
crête [krè't] *f.* 1 (*v. haan, berg, enz.*) kam *m.*; 2 (*v. dak*) nok *v.*(*m.*); 3 (*v. muur*) kap *v.*(*m.*); 4 (*v. golf*) kop *m.*; 5 (*v. borstwering*) kruin *v.*(*m.*); 6 boordlint *o.*; ***dresser la* —,** overmoedig worden; ***baisser la* —,** een toontje lager zingen.
crête*-de-coq [krè'tdekòk] *f.*, (*Pl.*) hanekam *m.*
crételer [krétlé] *v.i.* kakelen.
crételle [krétèl] *f.*, (*Pl.*) kamgras *o.*
crêter [krè'té] *v.t.* (met boorlint) boorden.
crétin [krétẽ] *m.* 1 kropmens *m.*; 2 (*fig.*) domkop, idioot *m.*
crétinerie [krétinri] *f.* stommiteit *v.*
crétiniser [krétini'zé] *v.t.* verstompen.
crétinisme [krétinizm] *m.* 1 kropziekte *v.*; 2 stompzinnigheid *v.*

Crétois [krétwa] **I** *m.* Kretenser *m.*; **II** *adj.* **c—,** Kretensisch, uit Kreta.
cretonne [kretòn] *f.* sterk linnen, cretonne *o.*
creton(s) [kretõ] *m.(pl.)* kaantje(s) *o.(mv.)*.
creusage [krö'za:j], **creusement** [krö'zmã] *m.* **1** uitholling *v.*; **2** uitdieping *v.*; **3** (het) graven *o.*
creuser [krö'zé] **I** *v.t.* **1** uithollen; **2** (*v. haven*) uitdiepen; **3** (*v. sloot*) uitgraven; **4** (*v. put, kuil*) delven, graven; **5** (*v. grond*) omwoelen; **6** (*v. wangen*) doen invallen; **7** (*v. denkbeeld, enz.*) uitwerken; ***— l'estomac,*** hongerig maken; ***— un déficit,*** een tekort doen ontstaan; ***— son sillon,*** stil voortdoen; **II** *v.pr.*, ***se —,*** **1** hol worden; **2** (*v. zee*) hol staan; **3** (*v. wangen*) invallen; ***se — la tête,*** zich het hoofd breken.
creuset [krö'zè] *m.* smeltkroes *m.*
creux [krö] **I** *adj.* **1** (*v. weg, tand, enz.*) hol; **2** (*v. wangen*) ingevallen; **3** (*v. ogen*) diepliggend; **4** (*v. bord*) diep; **5** leeg, ijdel; ***tête creuse,*** leeghoofd *o. en m.-v.*; ***viande creuse,*** lichte kost *m.*; ***esprit —,*** dromer *m.*; ***mois — de l'été,*** komkommertijd *m.*; **II** *adv.* ***sonner —,*** hol klinken; **III** *s., m.* **1** holte *v.*; **2** diepte *v.*; **3** (*v. zeil*) buik *m.*; **4** gietvorm *m.*; ***— de l'estomac,*** maagkuil *m.*; ***en —,*** diepdruk—.
crevaison [krevè'zõ] *f.* (het) springen *o.* (van een band).
crevasse [krevas] *f.* **1** spleet *v.(m.)*; kloof *v.(m.)*; **2** barst *m. en v.*
crevassé [krevasé] *adj.* vol barsten.
crevasser [krevasé] **I** *v.t.* doen barsten, doen springen; **II** *v.pr.*, ***se —,*** barsten, springen.
crevé [krevé] *m.* split *o.*
crève-cœur [krè'vkœ:r] *m.* hartzeer *o.*
crève-la-faim [krè'vlafẽ] *m.* hongerlijder *m.*
crever [krevé] **I** *v.t.* **1** doen barsten; doen springen; **2** doorbreken; **3** (*v. paard*) bek-af rijden, doodrijden; ***— les yeux à,*** de ogen uitsteken; (*fig.*) de ogen bederven; **II** *v.i.* **1** (*v. band*) barsten; springen; **2** (*v. gezwel*) doorbreken; **3** (*v. onweer*) losbarsten; **4** (*v. wolk*) zich ontlasten; **5** (*v. muur, enz.*) splijten; **6** sterven; kreperen; ***— d'argent,*** bulken van 't geld; ***— de faim,*** vergaan van honger; ***pneu crevé,*** lekke band.
crevette [krevèt] *f.* garnaal *m.*
cri [kri] *m.* **1** kreet *m.*; **2** gil *m.*; **3** geroep, geschreeuw *o.*; **4** (*v. dieren*) geluid *o.*; **5** (*v. vijl, zaag*) gekras *o.*; **6** geknars, gepiep *o.*; ***à grands —s,*** luidkeels; ***le — de la conscience,*** de stem van het geweten; ***le — public,*** de openbare mening; ***le dernier —,*** het allernieuwste snufje; ***il n'y a qu'un — sur lui,*** er gaat maar één roep over hem.
criailler [kri(y)ɑ'yé] *v.i.* schreeuwen, kijven.
criaillerie [kri(y)ɑ'yri] *f.* geschreeuw, gekijf *o.*
criailleur [kri(y)ɑ'yœ:r] *m.* schreeuwer, kijver *m.*
criant [kri(y)ã] *adj.* schreeuwend; ongehoord.
criard [kri(y)a:r] **I** *adj.* **1** schreeuwerig; **2** (*v. stem*) schel, krijsend; **3** (*v. kleur*) opzichtig; ***dette —e,*** kladschuld, dringende schuld *v.(m.)*; **II** *s., m.* schreeuwer, schreeuwlelijk *m.*
criblage [kribla:j] *m.* (het) zeven, (het) ziften *o.*
crible [kri'bl] *m.* zeef *v.(m.)*; ***passer au —,*** **1** zeven; ziften; **2** (*fig.*) zorgvuldig nagaan, schiften.
cribler [kri'blé] *v.t.* **1** zeven, ziften; **2** nagaan; ***criblé de dettes,*** tot over de oren in de schuld; ***criblé de balles,*** op vele plaatsen doorboord; ***— de questions,*** overstelpen met vragen.
cribleur [kriblœ:r] *m.* **1** zifter *m.*; **2** zeeftoestel *o.*
cribleux [kriblö] *adj.*, ***os —,*** zeefbeen *o.*
criblure [kriblü:r] *f.* ziftsel *o.*
cric [krik] *m.*, (*tn.*) dommekracht *v.(m.)*.
cric crac! [krikrak] *ij.* krik-krak.
cricket [krikè] *m.* cricket *o.*
cricketeur [kriktœr] *m.* cricketspeler *m.*
cricri [krikri] *m.* **1** krekel *m.*; **2** gepiep *o.* (van een krekel).
criée [kri(y)é] *f.*, ***vente à la —,*** openbare verkoping *v.* (bij opbod).
crier [kri(y)é] **I** *v.i.* **1** schreeuwen, gillen; **2** (*v. deur*) knarsen; **3** (*v. vijl, pen*) krassen; **4** (*v. ingewanden*) rommelen; **5** (*v. hond*) huilen; ***— au secours,*** om hulp roepen; **II** *v.t.* **1** roepen; uitroepen; **2** toeroepen; **3** omroepen; **4** (*v. waren*) uitventen; **5** (*v. nieuws, enz.*) uitbazuinen, rondvertellen; **6** bij opbod verkopen; ***— famine,*** zijn nood klagen; ***— famine sur un tas de blé,*** nooit genoeg hebben; ***— vengeance,*** om wraak roepen; ***— miséricorde,*** om genade smeken; ***— qc. sur les toits,*** iets aan de grote klok hangen.
crieur [kri(y)œ:r] *m.* **1** schreeuwer *m.*; **2** (straat) venter *m.*; ***— public,*** omroeper *m.*
crime [krim] *m.* misdaad *v.(m.)*; ***— d'État,*** hoogverraad *o.*; ***imputer à —,*** als een misdaad aanrekenen.
Crimée [krimé] *f.* de Krim *v.*
criminaliser [kriminali'zé] *v.t.* tot een strafzaak [maken.
criminaliste [kriminalist] *m.* criminalist *m.*, kenner *m.* van het strafrecht, — van misdadigers.
criminalité [kriminalité] *f.* **1** misdadigheid *v.*; **2** aantal *o.* misdaden, criminaliteit *o.*
criminel [kriminèl] **I** *adj.* **1** misdadig; **2** strafrechtelijk; ***affaire —le,*** strafzaak *v.(m.)*; **II** *s., m.* misdadiger *m.*; ***— d'État,*** hoogverrader *m.*
criminologie [kriminòlòji] *f.* criminologie *v.*, criminaliteitsleer *v.(m.)*.
crin [krẽ] *m.* paardehaar *o.*; ***— végétal,*** zeegras *o.*; ***être comme un —,*** onhandelbaar zijn.
crincrin [krẽkrẽ] *m.* **1** slechte viool *v.(m.)*; **2** gekras *o.*
crinière [krinyè:r] *f.* **1** manen *mv.*; **2** (*v. helm*) [haarbos *m.*
crinoline [krinòlin] *f.* **1** paardeharen stof *v.(m.)*; **2** hoepelrok *m.*
crique [krik] *f.* kreek *v.(m.)*.
criquet [krikè] *m.* **1** sprinkhaan *m.*; **2** mager paard *o.*; **3** mager, zwak persoon *m.*
crise [kri:z] *f.* crisis *v.*; ***— de nerfs,*** zenuwtoeval *m. en o.*; ***— de larmes,*** huilbui *v.(m.)*; ***— monétaire,*** geldschaarste *v.*; ***— du logement,*** woningnood *m.*
crispant [krispã] *adj.* onverdraaglijk.
crispation [krispɑ'syõ] *f.* **1** krimping *v.*; **2** (*v. spieren, enz.*) samentrekking *v.*; ***— nerveuse,*** zenuwtrekking *v.*
crisper [krispé] *v.t.* **1** doen krimpen; **2** samentrekken; **3** (*v. vuist*) ballen; ***feuille crispée,*** gekroesd blad *o.*
crispin [krispẽ] *m.* (*toneel*) karakteristieke huisknechtrol *v.(m.)*.
criss [kris] *m.* kris *v.(m.)*.
crissement [krismã] *m.* geknars *o.*
crisser [krisé] *v.i.* **1** krassen; knarsetanden; **2** (*v. pen*) krassen.
cristal [kristal] *m.* kristal *o.*; ***— de roche,*** bergkristal; ***de —,*** kristallen.
cristallerie [kristalri] *f.* **1** kristalfabriek *v.*; **2** kristalfabricage *v.*
cristallier [kristalyé] *m.* **1** kristalgraveerder *m.*; **2** kristalkast *v.(m.)*.
cristallifère [kristalifè:r] *adj.* kristalhoudend.
cristallin [kristalẽ] **I** *adj.* kristalhelder, kristallijnen; **II** *s., m.* **1** kristallens *v.(m.)* (van het oog); **2** (*dicht.*) kristallijn *o.*
cristallisable [kristaliza'bl] *adj.* kristalliseerbaar.
cristallisation [kristalizɑ'syõ] *f.* kristalvorming, kristallisatie *v.*; ***eau de —,*** kristalwater *o.*

cristalliser [kristali'zé] **I** *v.t.* tot kristal vormen; **II** *v.i. en v.pr.*, **se —**, kristalliseren; ***sucre cristallisé***, kristalsuiker.
cristallisoir [kristalizwa:r] *m.* kristalliseerbak *m.*
cristallographie [kristalògrafi] *f.* cristallografie *v.*, kristallenleer *v.(m.)*.
cristalloïde [kristalòi'd] *adj.* kristalachtig, kristalvormig.
critère [kritè:r], **critérium** [kritéryòm] *m.* **1** (*wijsb.*) kenmerk, criterium *o.*; **2** maatstaf, waardemeter *m.*; **3** (*sp.*) oefeningswedstrijd, beproevingswedstrijd *m.*
criticisme [kritisizm] *m.* (*wijsb.*) kennisleer *v.(m.)*.
critiquable [kritika'bl] *adj.* berispelijk, aanvechtbaar.
critique [kritik] **I** *adj.* **1** kritisch; **2** gevaarlijk, hachelijk; **3** (*in ziekte*) beslissend, kritiek; **4** bedilziek; **II** *s., m.* **1** criticus, kunstrechter *m.*; **2** (*fig.*) vitter, bediller *m.*; **III** *s., f.* **1** kritiek, (kunst)beoordeling *v.*; recensie *v.*; **2** hekeling, berisping *v.*; **3** (de) critici, (de) gezamenlijke beoordelaars *mv.*; ***faire la — de***, kritiek leveren op; ***faire la — d'un livre***, een boek recenseren; ***la — est aisée et l'art est difficile***, de beste stuurlui staan aan wal.
critiquer [kritiké] *v.t.* **1** beoordelen, recenseren; **2** afkeuren, hekelen.
critiqueur [kritikœ:r] *m.* vitter *m.*
croassement [kròasmã] *m.*, (*v. raven*) gekras *o.*
croasser [kròasé] *v.i.*, (*v. raven*) krassen.
croate [kròat] **I** *adj.* Kroatisch; **II** *s., m.*, ***C—***, Kroaat *m.*
Croatie [kròasi] *f.* Kroatië *o.*
croc I [kro] *m.* **1** haak *m.*; **2** vleeshaak *m.*; **3** mestvork *v.(m.)*; **4** (*v. bulhond, enz.*) hoektand *m.*; ***en —***, haakvormig, omgebogen; ***mettre au —***, voorlopig laten rusten; **II** [kròk] *ij.* krak!
croc*-en-jambe [kròkãʒã:b] *m.*, ***donner un — à qn.***, **1** iem. een beentje lichten; **2** iem. onderkruipen.
croche [kròʃ] *f.*, (*muz.*) achtste noot *v.(m.)*; ***double —***, zestiende noot.
crocher [kròʃé] *v.t.* **1** aanhaken; **2** ombuigen; **3** (*muz.*) van een staart voorzien.
crochet [kròʃè] *m.* **1** haak *m.*, haakje *o.*; **2** (*v. tuinman*) hak *v.(m.)*; **3** haaknaald *v.(m.)*; **4** scherpe bocht *v.(m.)*; **5** (*sp.: boksen*) hoekstoot *m.*; ***ouvrage au —***, haakwerk *o.*; ***faire du —***, haken; ***être aux —s de qn.***, op iemands kosten leven.
crochetage [kròʃta:ʒ] *m.* (*v. slot*) het opensteken *o.*
crocheter* [kròʃté] *v.t.* **1** (*v. slot*) opensteken; **2** haken.
crocheteur [kròʃtœ:r] *m.* **1** kruier *m.*; **2** (*fig.*) inbreker *m.*
crocheton [kròʃtõ] *m.* haakje *o.*
crochu [kròʃü] *adj.* gebogen, krom, haakvormig; ***avoir les mains —es***, lange vingers hebben.
crocodile [kròkòdil] *m.* krokodil *m.*
crocus [kròküs] (*Pl.*) krokus *m.*
croire* [krwa:r] **I** *v.t.* **1** geloven; **2** menen; **3** houden voor; ***il se croit bon poète***, hij denkt dat hij een goed dichter is; ***à l'en —***, als men hem geloven mag; ***croyez-m'en***, heus, werkelijk; ***je ne lui crois pas ces qualités***, ik geloof niet, dat hij die hoedanigheden bezit; ***il croit que c'est arrivé***, hij is erg met zich zelf ingenomen; **II** *v.i.*, ***— à***, geloven aan; ***— en Dieu***, in God geloven; **III** *v.pr.*, **se —**, zich wanen, zich houden voor; ***si je m'en croyais***, als ik mijn zin deed; ***il s'en croit***, hij voelt zich.
croisade [krwa'za'd] *f.* kruistocht *m.*
croisé [krwa'zé] **I** *adj.* **1** gekruist; **2** kruiselings over elkaar; **3** gekeperd; ***rester les bras —s***, werkeloos toezien; ***feu —***, kruisvuur *o.*; ***mots —s***, kruiswoordraadsel *o.*; **II** *s., m.* **1** kruisvaarder *m.*; **2** gekeperde stof *v.(m.)*.
croisée [krwa'zé] *f.* **1** venster *o.*; **2** kruisraam *o.*; **3** (*v. kerk*) kruisbeuk *m. en v.*; **4** (*v. wagen*) kruispunt *o.*; **5** (*sch.*) ankerkruis *o.*
croisement [krwa'zmã] *m.* **1** kruising *v.*, (het) kruisen *o.*; **2** kruispunt *o.*; ***feu(x)*** *m.(pl.)* ***de —***, dimlicht *o.*
croiser [krwa'zé] **I** *v.t.* **1** kruisen; **2** (*v. persoon*) ontmoeten; **3** met een kruis merken; **4** dwarsbomen; **5** (*v. stof*) keperen; **6** (*v. alinea, enz.*) doorhalen, schrappen; ***— la baïonnette***, de bajonet vellen; **II** *v.pr.*, **se —**, **1** elkaar kruisen, elkaar ontmoeten; **2** elkaar dwarsbomen.
croisette [krwa'zèt] *f.* kruisje *o.*
croiseur [krwa'zœ:r] *m.* kruiser *m.*; ***— cuirassé***, pantserkruiser *m.*; ***— de poche***, vestzakkruiser.
croisier [krwa'zyé] *m.*, (*kath.*) kruisheer *m.*
croisière [krwa'zyè:r] *f.* **1** (*v. schip, vlieger*) (het) kruisen *o.*; **2** (*v. schip*) kruistocht *m.*; pleziervaart *v.(m.)*; **3** kruiservloot *v.(m.)*; **4** (*spoorw.: v. rails*) kruispunt *o.*
croisillon [krwa'ziyõ] *m.* **1** (*v. kruis*) dwarshout *o.*; **2** (*bouwk.*) dwarsbalk *m.*; **3** (*v. kruisbeuk*) kruisarm *m.*; **4** dwarsstrook *v.(m.)*.
croissance [krwasã:s] *f.* **1** groei *m.*; **2** (*v. bevolking*) toeneming *v.*; ***avoir toute sa —***, volwassen zijn.
croissant [krwasã] **I** *adj.* **1** wassend, toenemend; **2** (*v. reeks*) opklimmend; **II** *s., m.* **1** wassende maan *v.(m.)*; **2** snoeimes *o.*; **3** halvemaan *v.(m.)* (v. Turkije); **4** (*broodje*) halfmaantje *o.*
croisure [krwa'zü:r] *f.* **1** (*v. rijmen*) kruising *v.*; **2** (*v. weefsel*) kepering *v.*
croît [krwa] *m.*, (*v. kudde*) aangroei *m.*, aanwinst *v.*
croître* [krwa:tr] *v.i.* **1** wassen, toenemen; **2** groeien; **3** (*v. water*) stijgen; wassen; **4** (*v. dagen*) langer worden; ***laisser — sa barbe***, zijn baard laten staan; ***mauvaise herbe croît toujours***, onkruid vergaat niet.
croix [krwa] *f.* kruis *o.*; ***la descente de —***, de kruisafneming *v.*; ***le chemin de la —***, (*kath.*) de kruisweg *m.*; ***signe de (la) —***, kruisteken *o.*; ***faire un signe de —***, het kruisteken maken; ***— de Saint-André***, sint-andrieskruis, Bourgondisch kruis; ***— gammée***, hakenkruis *o.*, swastika *v.(m.)*; ***C— Rouge***, Rode Kruis; ***— bleue***, blauwe knoop *m.*; ***— ou pile***, kruis of munt; ***faire une — à la cheminée***, een streep(je) aan de balk zetten; ***chacun a sa —***, elk huis heeft zijn kruis; ***en —***, kruisvormig; kruiselings, gekruist; ***mettre en —***, kruisigen.
cromesquis [kromèski] *m.* wildcroquetje *o.*
cromlech [kròmlèk] *m.* cromlech *m.* (druïdisch stenenmonument).
crône [kro:n] *m.* (*sch.*) kraan *v.(m.)*.
croquade [kròka'd] *f.* vluchtige (ruwe) schets *v.(m.)*.
croquant [kròkã] **I** *adj.* knappend; **II** *s., m.* **1** boerenpummel *m.*; **2** kraakbeen *o.*
croquante [kròkã:t] *f.* knapkoekje, kletskopje *o.*
croquembouche [kròkã'buʃ] *m.* knappend gebak, knapkoekje *o.*
croque-mitaine* [kròkmitè:n] *m.* boeman *m.*
croque-mort* [kròkmò:r] *m.* lijkbidder, aanspreker *m.*
croque-note* [kròknòt] *m.* (*fam.*) slechte muzikant *m.*
croquenots [kròkno] *m.pl.* (*arg.*) schoenen *mv.*
croquer [kròké] **I** *v.i.* knappen; **II** *v.t.* **1** opknabbelen; **2** oppeuzelen; **3** (*muz.: v. noot*) overslaan; **4** (*v. fortuin*) opmaken; **5** (*spel: v. bal*) wegslaan; **6** schetsen, ontwerpen; ***chocolat à —***, eetchocola-

de *m.*; ***joli à —,*** snoezig; ***— le marmot,*** blauwbekken, vergeefs staan wachten. [spel *o.*
croquet [kròkè] *m.* 1 knapkoekje *o.*; 2 croquet-
croqueton [kròktõ] *m.* klein schetsje *o.*
croquette [kròkèt] *f.* 1 croquetje *o.*; 2 chocoladetabletje *o.*
croquignole [kròkiñòl] *f.* 1 knapperig koekje *o.*; 2 knip *m.* voor de neus.
croquis [kròki] *m.* ruw ontwerp *o.*, schets *v.(m.)*.
croskill [kròskil] *m.* zware kluitenbreker *m.*
crosne [kro:n] *m.* Japanse andoorn *m.*
cross [kròs] *m.* (*sp.*) veldloop *m.*
cross-country* [kròskuntri] *m.* cross-country *m.*
crosse [kròs] *f.* 1 bisschopsstaf, kromstaf *m.*; 2 kolfstok *m.*; 3 kolfspel *o.*; 4 golfstok *m.*; 5 (*v. geweer*) kolf *v.(m.)*; ***mettre la — en l'air,*** zich overgeven, de strijd staken.
crossé [kròsé] *adj.*, ***— et mitré,*** met staf en mijter.
crosser [kròsé] **I** *v.i.* kolven; **II** *v.t.* 1 voortslaan (met de kolfstok); 2 ruw behandelen; 3 afkammen, afrossen.
crossette [kròsèt] *f.* loot *v.(m.)*.
crosseur [kròsœ:r] *m.* kolver, kolfspeler *m.*
crotale [kròtal] *m.* ratelslang *v.(m.)*.
croton [kròtõ] *m.* kreeftsbloem *v.(m.)*.
crotte [kròt] *f.* 1 straatslijk, straatvuil *o.*, modder *m.*; 2 drek *m.*; 3 (*fig.*) armoede *v.(m.)*.
crotté [kròté] *adj.* bemodderd.
crotter [kròté] *v.t.* bemodderen, bevuilen.
crottin [kròtẽ] *m.* paardevijg *v.(m.)*; ***— de mouton,*** schapekeutels *mv.*
croulant [krulã] *adj.* 1 bouwvallig; 2 (*fig.*) wankelend.
croulement [krulmã] *m.* instorting *v.*
crouler [krulé] *v.i.* instorten.
croulier [krulyé] *adj.* los, mul.
croup [krup] *m.*, (*gen.*) kroep *m.*
croupe [krup] *f.* 1 (*v. paard*) kruis, achterdeel *o.*; 2 bergrug, ronde bergtop *m.*; ***en —,*** achter op 't paard. [ken.
croupetons, à —, [akruptõ] gehurkt, op de hur-
croupier [krupyé] *m.*, (*in speelhuis*) croupier *m.*
croupière [krupyè:r] *f.* 1 staartriem *m.*; 2 (*sch.*) achtertros *m.*
croupion [krupyõ] *m.* stuit *v.(m.)*, stuitbeen *o.*; ***parlement —,*** rompparlement *o.*
croupir [krupi:r] *v.i.* 1 vervuilen; 2 (*v. water*) stilstaan; 3 bederven, rotten; ***— dans la misère,*** in de ellende gedompeld zijn.
croupissement [krupismã] *m.* 1 vervuiling *v.*; 2 stilstand *m.*; 3 bederf *o.*
croupon [krupõ] *m.* gelooide koeiehuid *v.(m.)* zonder nek- en buikstukken.
croustade [krusta·d] *f.* vleespastei *v.(m.)* (in een korst); korstdeeg *o.*
croustillant [krustiyã] *adj.* 1 knappend; 2 bekoorlijk.
croustille [krusti·y] *f.* 1 korstje *o.*; 2 hapje *o.*
croustiller [krustiyé] *v.i.* 1 knabbelen; korstjes eten; 2 knappen.
croustilleux [krustiyö] *adj.* (*v. mop*) tikje schuin.
croûtard [kruta:r] *m.* kladschilder *m.*
croûte [krut] *f.* 1 korst *v.(m.)*; 2 (*v. wond, zweer*) roof *v.(m.)*; ***—s de lait,*** (*gen.*) dauwworm *m.*
croûteux [krutö] *adj.* korstig.
croûton [krutõ] *m.* 1 korstje *o.*; 2 kladschilder *m.*; 3 (*fig.*) ouwe sok *v.(m.)*.
croyable [krwaya·bl] *adj.* geloofwaardig.
croyance [krwayã:s] *f.* 1 geloof *o.*; 2 overtuiging; mening *v.* [*m.*
croyant [krwayã] **I** *adj.* gelovig; **II** *s., m.* gelovige
cru [krü] **I** *adj.* 1 rauw; 2 (*v. water*) hard; 3 onverteerbaar; 4 (*v. koffie*) ongebrand; 5 (*v. kleur*) schril; 6 (*v. licht*) helder, scherp; 7 (*v. gedachte, woorden*) onbewimpeld, onomwonden; 8 ruw, lomp, onbeleefd; 9 (*v. leer, zijde, enz.*) ruw; **II** *s., m.* 1 gewas *o.*; 2 wijnvoortbrengst *v.*; 3 wijnjaar *o.*; wijnsoort *v.(m.)* *en o.*; ***vin du —,*** landwijn *m.*; ***de son —,*** van eigen vinding; ***(monter) à —,*** zonder zadel (rijden).
cruauté [krüo·té] *f.* wreedheid *v.*
cruche [krüʃ] *f.* 1 kruik *v.(m.)*; 2 (*fig.*) domkop *m.*
cruchée [krüʃé] *f.* 'n kruik *v.(m.)* vol. [*o.*
cruchette [krüʃèt] *f.*, **cruchon** [krüʃõ] *m.* kruikje
crucial [krüsyal] *adj.* kruisvormig; ***expérience —e,*** beslissende proef *v.(m.)*, toets *m.*; ***incision —e,*** kruissnede *v.(m.)*. [*mv.*
crucifères [krüsifè:r] *f.pl.*, (*Pl.*) kruisbloemigen
crucifiement [krüsifimã] *m.* kruisiging *v.*
crucifier [krüsifyé] *v.t.* 1 kruisigen; 2 kastijden; ***le Crucifié,*** de Gekruiste *m.*
crucifix [krüsifi] *m.* kruisbeeld *o.*
crucifixion [krüsifiksyõ] *f.* kruisiging *v.*
cruciforme [krüsifòrm] *adj.* kruisvormig.
cruciverbiste [krüsivèrbist] *m.-f.* liefhebber *m.* (*of* -hebster) van kruiswoordraadsels.
crudité [krüdité] *f.* 1 rauwheid *v.*; 2 (*v. water*) hardheid *v.*; 3 onverteerbaarheid *v.*; 4 (*v. kleur*) schrilheid *v.*; 5 (*v. licht*) scherpheid, schelheid *v.*; 6 lompheid, ruwheid *v.*; ***des —s,*** grofheden *mv.*, gemene praatjes *mv.*
crue [krü] *f.* 1 (*v. water*) (het) wassen *o.*; 2 groei *m.*; ***grande —,*** hoge waterstand *m.*, hoog water *o.*
cruel [krüèl] **I** *adj.* 1 wreed; 2 ongevoelig, hardvochtig; 3 (*v. woorden*) pijnlijk; 4 (*v. verlies*) pijnlijk, smartelijk; 5 (*v. verwijt*) gevoelig; 6 onverbiddelijk; 7 (*v. tegenslag*) erg; **II** *s., m.* wreedaard *m.*
cruellement [krüèlmã] *adv.*, *voir* ***cruel*** **I.**
crûment [krü·mã] *adv.*, (*fig.*) onomwonden, onverbloemd, ongezouten, ruw.
crural [krüral] *adj.* van de dij, dij—.
crustacé [krüstasé] **I** *adj.* geschubd, met een schaal; **II** *s., m.pl.* schaaldieren *mv.*
cryolithe [kriolit] *f.* cryoliet *o.*, ijssteen *m.* *en o.*
crypte [kript] *f.* 1 onderaardse kerk *v.(m.)*; 2 grafkelder *m.*; 3 krocht *v.(m.)*.
cryptogame [kriptògam] **I** *adj.*, (*Pl.*) bedektbloeiend; **II** *s., f.* bedektbloeiende (plant) *v.(m.)*.
cryptogamie [kriptògami] *f.* bedekte bloeiwijze *v.(m.)*.
cryptogramme [kriptògram] *m.* stuk *o.* in geheimschrift.
cryptographie [kriptògrafi] *f.* geheimschrift *o.*
crypton, krypton [kriptòn] *m.* krypton *o.*
csardas [ksardas] *f.* csardas *m.*
Cuba [küba] *m.* Cuba *o.* [*m.*
cubage [küba:j] *m* 1 inhoudsmeting *v.*; 2 inhoud
Cubain [kübẽ] **I** *m.* Cubaan *m.*, inwoner *m.* van Cuba; **II** *adj.* ***c—,*** Cubaans.
cube [kü·b] **I** *m.* 1 kubus *m.*; 2 teerling *m.*; 3 (*rek.*) derde macht *v.(m.)* (van een getal); **II** *adj.* kubiek; ***mètre —,*** kubieke meter *m.*
cuber [kübé] **I** *v.t.* 1 de inhoud berekenen van; 2 tot de derde macht verheffen; **II** *v.i.* een inhoud hebben van.
cubilot [kübilo] *m.* koepeloven *m.*
cubique [kübik] *adj.* kubiek; ***racine —,*** derdemachtswortel *m.*
cubisme [kübizm] *m.* kubisme *o.*
cubiste [kübist] **I** *adj.* kubistisch; **II** *s., m.* kubist *m.*, aanhanger *m.* van het kubisme.
cubital [kübital] *adj.* elleboogs—.
cubitus [kübitüs] *m.* ellepijp *v.(m.)*.

cuboïde [kübòi'd] *adj.* kubusvormig.

cuculle [küḱül] *f.* kartuizerscapulier *o. en m.*

cucurbitacées [kükürbitasé] *f.pl.* (*Pl.*) pompoenachtigen.

cucurbite [kükürbit] *f.* distilleerkolf *v.(m.).*

cueillage [kœya:j] *m.* **1** (het) plukken *o.*; **2** pluktijd *m.*

cueillaison [kœyè'zõ] *f.* pluktijd *m.*

cueille-fruits [kœyfrŵi] *m.* pluktrechter *m.*, plukschaar *v.(m.).*

cueillette [kœyèt] *f.* **1** (het) plukken *o.*, pluk *m.*; **2** inzameling *v.*; ***chargé en* —,** met stukgoederen bevracht.

cueilleur [kœyœ:r] *m.* plukker *m.*

cueillir* [kœyi:r] *v.t.* **1** plukken; **2** inzamelen; **3** (*v. zwerm*) scheppen; **4** (*v. lauweren*) oogsten.

cueilloir [kœywa:r] *m.* plukkorf *m.*, plukmand *v.(m.).*

cuiller, cuillère [kŵiyè:r, küyè:r] *f.* lepel *m.*; ***en* —,** lepelvormig; ***— à café, — à thé,*** koffielepeltje, theelepeltje *o.*; ***— à bouche,*** eetlepel; ***héron* —,** lepelaar *m.*; ***une bonne* —,** een flinke eter.

cuillerée [kŵiy(e)ré, küy(e)ré] *f.* 'n lepel *m.* vol.

cuilleron [kŵiy(e)rõ] *m.* lepelholte *v.*

cuir [kŵi:r] *m.* **1** leder, leer *o.*; **2** huid *v.(m.)*; **3** verkeerde verbinding *v.* tussen twee woorden; ***— vert, — cru,*** onbereid leer; ***— de Russie,*** juchtleer; ***— à rasoir,*** aanzetriem *m.*; ***— de laine,*** bukskin *o.*; ***faire un* —,** verkeerd verbinden (van woorden).

cuirasse [kŵiras] *f.* **1** borstharnas *o.*; **2** (*v. schip*) pantser *o.*; ***le défaut de la* —,** (*fig.*) de zwakke plek *v.(m.).*

cuirassé [kŵirasé] **I** *adj.* **1** gepantserd; **2** geharnast; **3** ongevoelig (voor); ***croiseur* —,** pantserkruiser *m.*; **II** *s., m.* **1** pantserschip *o.*; **2** (*Dk.*) gordeldier *o.*

cuirassement [kŵirasmã] *m.* pantsering *v.* (v. schip).

cuirasser [kŵirasé] *v.t.* **1** pantseren; **2** (*fig.*) harnassen, wapenen; harden.

cuirassier [kŵirasyé] *m.* kurassier *m.*

cuire* [kŵi:r] **I** *v.t.* **1** bakken, braden, koken; **2** (*v. gips, kalk*) branden; **3** (*v. vruchten*) rijp doen worden, rijp maken; ***trop cuit,*** te gaar; ***une (statuette en) terre cuite,*** een terracotta beeldje; ***un dur à* —,** een ijzervreter, een lastig heerschap; ***avoir son pain cuit,*** zijn schaapjes op het droge hebben; **II** *v.i.* **1** bakken, braden, koken; **2** (*v. wonden*) branden, schrijnen; ***faire* —,** koken; ***mettre* —,** op 't vuur zetten; ***faire — dans son jus,*** in zijn eigen sop laten gaar koken; ***il vous en cuira,*** het zal u berouwen.

cuisant [kŵizã] *adj.* **1** (*v. pijn*) brandend, stekend; **2** (*v. smart*) schrijnend; **3** (*v. koude*) bijtend, nijpend, vinnig; **4** (*v. wroeging*) knagend.

cuisine [kŵizin] *f.* **1** keuken *v.(m.)*; **2** kookkunst *v.*; **3** (*fig.*) geknoei, gekonkel *o.*; ***— électorale,*** verkiezingszwendel *m.*; ***— roulante,*** (*mil.*) veldkeuken *v.(m.)*; ***— bourgeoise,*** burgerpot *m.*; ***livre de* —,** kookboek *o.*; ***chef de* —,** eerste kok *m.*; ***aide de* —,** bijkok; ***— froide,*** koude spijzen *mv.*; ***faire la* —,** koken.

cuisiner [kŵiziné] **I** *v.i.* koken, eten koken; **II** *v.t.* **1** klaarmaken; toebereiden; **2** (*v. verkiezing, enz.*) bewerken; **3** (*v. beschuldigde*) uithoren; **4** (*v. persoon*) ompraten; **5** (*v. kleur*) mengen.

cuisinier [kŵizinyé] *m.* **1** kok *m.*; **2** kookboek *o.*

cuisinière [kŵizinyè:r] *f.* **1** keukenmeid *v.*; **2** keukenfornuis *o.*; **3** braadpan *v.(m.).*

cuissard [kŵisa:r] *m.* (*v. harnas*) dijstuk *o.*

cuisse [kŵis] *f.* **1** dij *v.(m.)*; **2** bil *v.(m.)*; **3** (*v. gevogelte*) boutje *o.*; ***— de noix,*** vierde deel van een noot; ***il se croit sorti de la — de Jupiter,*** hij is erg verwaand; hij meent dat 's keizers kat zijn nicht is.

cuisseau [kŵiso] *m.* kalfslendestuk *o.*

cuisson [kŵisõ] *f.* **1** (het) bakken, braden, koken *o.*; **2** gaarheid *v.*; **3** steking *v.*, brandende pijn *v.(m.).*

cuissot [kŵiso] *m.* dijstuk *o.*, bout *m.*

cuistre [kŵistr] *m.* **1** schoolvos *m.*; **2** kwast *m.*

cuistrerie [kŵistreri] *f.* **1** schoolvosserij *v.*; **2** kwasterigheid *v.*

cuit [kŵi] *adj., voir* ***cuire.***

cuite [kŵit] *f.* **1** (het) bakken *o.*; **2** baksel *o.*; **3** roes *m.*

cuivrage [kŵivra:j] *m.* verkopering *v.*, (het) verkoperen *o.*

cuivre [kŵi:vr] *m.* koper *o.*; ***— jaune,*** geel koper; ***— natif,*** gedegen koper; ***— rouge,*** rood koper; ***— gris,*** kopersulfide *o.*; ***— blanc,*** wit koper, tombak *o.*; ***— bleu,*** koolzuurkoper; ***— noir,*** onzuiver koper; ***des —s,*** **1** koperwerk *o.*; **2** blaasinstrumenten *mv.*; **3** kopergravures *mv.*; **4** kopermijnwaarden *mv.*

cuivré [kŵi'vré] *adj.* **1** koperkleurig; **2** (*v. klank, stem*) metalen.

cuivrer [kŵi'vré] *v.t.* verkoperen.

cuivrerie [kŵi'vreri] *f.* **1** koperen voorwerp *o.*; **2** koperhandel *m.*

cuivreux [kŵi'vrö] *adj.* koperachtig, koperkleurig.

cuivrique [kŵi'vrik] *adj.*, ***oxyde* —,** koperoxyde *o.*

cuivrure [kŵivrür] *f.* kopertint *v.(m.).*

cul [kü] *m.* **1** achterste, gat *o.*; **2** (*v. fles, vat, enz.*) bodem *m.*; **3** (*v. schip*) achterste *o.*; ***mettre sur le* —,** **1** overeind zetten; **2** (*v. fles, enz.*) ledigen; ***être à* —,** met de handen in het haar zitten; vastzitten; ***tirer au* —,** lijntrekken; ***montrer le* —,** vluchten; ***— sec,*** ad fundum.

culasse [külas] *f.* **1** (*v. kanon*) achterste deel *o.*, staart *m.*, kulas *v.(m.)*; **2** (*v. diamant*) ondervlak *o.*; ***canon se chargeant par la* —,** achterlaadkanon *o.*

cul*-blanc* [küblã] *m.*, (*Dk.*) witstaart *m.*

culbutant [külbütã] *m.*, (*Dk.*) tuimelaar *m.*

culbute [külbüt] *f.* **1** tuimeling, buiteling *v.*; **2** (*fig.*) val, ondergang *m.*, ruïne *v.*; ***faire la* —,** **1** tuimelen, vallen; **2** (*fig.*) over de kop gaan, failliet gaan; **3** er bekaaid afkomen.

culbuter [külbüté] **I** *v.i.* **1** buitelen, tuimelen; **2** over de kop gaan (ook van auto); **II** *v.t.* **1** doen tuimelen, doen buitelen; **2** omverwerpen, ten val brengen.

culbuteur [külbütœ:r] *m.* tuimelaar *m.*

culbutis [külbüti] *m.* wanordelijke hoop *m.* voorwerpen.

cul*-de-basse-fosse [küdba'sfo:s] *m.* onderaardse kerker *m.*

cul*-de-jatte [küdjat] *m.* iemand zonder benen, napkruiper *m.*

cul*-de-lampe [küdlã:p] *m.* **1** (*v. boek*) sluitvignet, sluitornament *o.*; **2** rond zolderingsieraad *o.*

cul*-de-sac [kütsak] *m.* slop *o.*, doodlopende steeg *v.(m.).*

culée [külé] *f.* **1** (*v. brug*) landhoofd *o.*; **2** (*v. huid*) staartstuk *o.*; **3** boomstronk *m.*

culer [külé] *v.i.* **1** (*v. schip*) achteruitvaren; vaart verminderen; **2** tegen de grond stoten; **3** (*v. wind*) draaien.

culière [külyè:r] *f.* staartriem *m.* van paard.

culinaire [küliné:r] *adj.* keuken—, kook—; ***art* —,** kookkunst *v.*; ***exposition* —,** voedingstentoonstelling *v.*

culminant [külminã] *adj.*, ***point* —,** **1** hoogste punt, toppunt *o.*; **2** (*sterr.*) culminatiepunt *o.*

culmination [külmina'syõ] *f.*, (*sterr.*) culminatie *v.*

culminer [külminé] *v.i.* **1** zijn hoogste punt bereiken; **2** (*sterr.*) culmineren, door de middaglijn gaan.

culot [külo] *m.* **1** (*v. lamp, enz.*) voet *m.*, onderste deel *o.*; **2** (*v. huls, pijpekop, enz.*) bodem *m.*; **3** (*bouwk.*) kelkvormig sieraad *o.*; **4** (*in smeltkroes*) bezinksel *o.*; **5** nestvogel *m.*; nestkuiken *o.*; **6** jongste kind *o.*, heksluiter *m.*; ***avoir du —***, durf hebben, lef hebben.

culottage [külòta:j] *m.*, (*v. pijp*) (het) doorroken *o.*

culotte [külòt] *f.* **1** korte broek, kniebroek *v.*(*m.*); **2** broek *v.*(*m.*); **3** (*v. rund*) staartstuk *o.*; **4** (*v. pijp*) doorgerookt deel *o.*; **5** (*bij spel*) verlies *o.*; **6** (*pop.*) roes *m.*

culotter [külòté] **I** *v.t.* **1** in de broek steken, een broek aandoen; **2** (*v. pijp*) doorroken; **II** *v.pr.*, ***se —***, **1** zijn broek aantrekken; **2** (*bij spel*) verliezen; **3** zich bedrinken.

culottier [külòtyé] *m.* broekenmaker *m.* (*vooral* [*leren broeken*).

culottin [külòtẽ] *m.* broekje; broekventje *o.*

culpabilité [külpabilité] *f.* schuld *v.*(*m.*); strafbaarheid *v.*; ***verdict de —***, schuldigverklaring *v.*

culte [kült] *m.* **1** eredienst *m.*; **2** verering *v.*; ***liberté des —s***, godsdienstvrijheid *v.*

cul*-terreux [kütèrö] *m.* (*fam.*) boer *m.*

cultivable [kültiva·bl] *adj.* bebouwbaar.

cultivateur [kültivatœ:r] **I** *m.* **1** landbouwer *m.*; **2** schoffelploeg, lichte ploeg *m. en v.*; **II** *adj.* landbouwend.

cultivé [kültivé] *adj.* **1** (*v. land*) bebouwd; **2** (*v. plant*) gekweekt; **3** (*v. mens, volk*) ontwikkeld; beschaafd.

cultiver [kültivé] *v.t.* **1** (*v. grond*) bebouwen; **2** (*v. plant*) kweken; **3** (*v. graan, aardappelen, enz.*) verbouwen; **4** (*v. mens, volk*) ontwikkelen, beschaven; **5** (*v. kunst*) beoefenen; **6** (*v. geheugen*) oefenen; **7** (*v. stem*) scholen; **8** (*v. talent*) ontwikkelen; **9** (*v. kennissen, vrienden*) aanhouden, in ere houden.

cultuel [kültüèl] *adj.* de eredienst betreffend.

cultural [kültüral] *adj.* landbouw—.

culture [kültü:r] *f.* **1** bebouwing *v.*; **2** kweking *v.*, (het) kweken *o.*; **3** verbouwing *v.*; **4** ontwikkeling, beschaving *v.*; **5** beoefening *v.*; ***— alterne***, wisselbouw *m.*; ***— jardinière***, groenteteelt *v.*(*m.*), tuinbouw *m.*; ***— physique***, lichaamsontwikkeling *v.*, lichaamsoefeningen *mv.*

culturel [kültürèl] *adj.* cultureel, cultuur—.

cumin [kümẽ] *m.*, (*Pl.*) komijn *m.*

cumul [kümül] *m.* **1** vereniging *v.* van verschillende ambten; bijbetrekking *v.*; **2** samenvoeging *v.* van verschillende straffen.

cumulard [kümüla:r] *m.* baantjesjager *m.*

cumulatif [kümülatif] *adj.*, (*recht*) ophopend.

cumuler [kümülé] *v.t.* **1** (*recht*) samenvoegen, in zich verenigen; **2** (*v. ambten*) gelijkzijdig bekleden.

cumulus [kümülüs] *m.* stapelwolk *v.*(*m.*).

cunéiforme [künéifòrm] *adj.* wigvormig; ***écriture —***, spijkerschrift *o.*

cupide [küpi:d] *adj.* hebzuchtig, inhalig.

cupidité [küpidité] *f.* hebzucht *v.*(*m.*).

Cupidon [küpidõ] *m.* Cupido *m.*

cuprifère [küprifè:r] *adj.* koperhoudend; ***valeurs —s***, koperwaarden *mv.*

cuprique [küprik] *adj.* koper—.

cupro-nickel [küpronikèl] *m.* legering *v.* van koper en nikkel.

cupulaire [küpülè:r] *adj.* bekervormig.

cupule [küpül] *f.*, (*Pl.*) napje *o.*

cupuliféracées [küpüliférasé] *f.pl.* (*Pl.*) napjesdragers *mv.*

curabilité [kürabilité] *f.* geneesbaarheid, geneeslijkheid *v.*

curable [küra·bl] *adj.* geneesbaar, geneeslijk.

curaçao [küraso] *m.* curaçao *m.*

Curaçao [küraso] *m.* Curaçao *o.*

curage [küra:j] *m.* **1** reiniging *v.*; **2** (*v. put*) ruiming *v.*; **3** (*v. haven, enz.*) uitbaggering *v.*

Curange [kürã:j] Kuringen *o.*

curare [küra:r] *m.* curare *m.*, Indiaans pijlgif.

curatelle [küratèl] *f.* curatele *v.*(*m.*); voogdijschap *o.*

curateur [küratœ:r] *m.* curator *m.*

curatif [küratif] **I** *adj.* genezend, geneeskrachtig; **II** *s., m.* geneesmiddel *o.*

cure [kü:r] *f.* **1** kuur *v.*(*m.*), (geneeskundige) behandeling *v.*; **2** genezing *v.*; **3** pastoorschap *o.*; **4** pastorie *v.*; ***il n'en a —***, hij bekommert er zich niet om.

curé [küré] *m.* pastoor *m.*

cure-dent* [kü·rdã] *m.* tandestoker *m.*

curée [kü·ré] *f.* **1** hondenportie *v.* van het wild; **2** het verdelen *o.* van de buit; ***— des places***, baantjesjagerij *v.*

cure-langue* [kü·rlã:g] *m.* tongschraper *m.*

cure-môle* [kü·rmò:l] *m.* baggermolen *m.*, baggermachine *v.*

cure-ongles [kü·rõgl] *m.* nagelvijltje *o.*

cure-oreille* [kü·ròrèy] *m.* oorlepeltje *o.*

cure-pipe* [kü·rpip] *m.* pijpuithaler *m.*

curer [kü·ré] *v.t.* **1** reinigen, schoonmaken; **2** (*v. put*) ruimen; **3** (*v. haven, enz.*) uitbaggeren; **4** (*v. pijp, buis*) doorsteken.

cureter [kü·rté] *v.t.* (*gen.*) een curette toepassen op.

curet(t)age [kü·rta:j] *m.* **1** (*gen.*) curette *v.*; **2** het schoonkrabben *o.*

curette [kü·rèt] *f.* **1** (*gen.*) graveellepel *m.*, lepel met scherpe randen; **2** krabber, schraper *m.*

cureur [kü·rœ:r] *m.* **1** putruimer *m.*; **2** baggerman *m.*; **3** rioolwerker *m.*

curial [küryal] *adj.* parochie—; pastoors—; ***assemblée —e***, (*kath.*) vergadering *v.* van de curie.

curieusement [küryö·zmã] *adv.*, *voir* ***curieux* I.**

curieux [küryö] **I** *adj.* **1** nieuwsgierig; **2** weetgierig; **3** bezienswaardig, merkwaardig, eigenaardig; **4** zeldzaam, vreemd; **5** zorgvuldig, nauwkeurig; **II** *s., m.* **1** nieuwsgierige *m.*; **2** (het) eigenaardige *o.*

curiosité [küryozité] *f.* **1** nieuwsgierigheid *v.*; **2** weetgierigheid *v.*; **3** bezienswaardigheid, merkwaardigheid *v.*; **4** zeldzaamheid *v.*; ***objets de haute —***, preciosa *mv.*

curiste [kürist] *m.-f.* kurende badgast *m.*

curriculum vitae [kürikülòm vité] *m.* korte levensbeschrijving *v.*

curseur [kürsœ:r] *m.* **1** ritssluiting, patentsluiting *v.*; **2** (*v. passer*) stelschroef *v.*(*m.*).

cursif [kürsif] *adj.* lopend.

cursive [kürsi:v] *f.* lopend schrift *o.*

curure [kürü:r] *f.* baggermodder *m.*

curviligne [kürviliñ] *adj.* kromlijnig.

curvimètre [kürvimè·tr] *m.* curvimeter *m.*, afstandsmeter van kromme lijnen.

curvirostre [kürviròstr] *adj.*, (*Dk.*) kromsnavelig.

cuscute [küsküt] *f.* (*Pl.*) viltkruid *o.*, monniksbaard *m.*

cuspidé [küspidé] *adj.* (*Pl.*: *v. blad*) met scherpe [punt.

custode [küstò·d] **I** *f.* **1** altaargordijn *o.*; **2** ciboriekleed *o.*; **3** (*v. auto*) achterruit *v.*(*m.*); **4** foedraal, etui *o.*; **II** *m.*, (*kath.*) waarnemend provinciaal *m.*

cutané [kütané] *adj.* huid—; ***maladie —e***, huidziekte *v.*

cuticule [kütiküll] *f.*, (*Pl.*) opperhuid *v.*(*m.*).

cuvage [kü·va:j] *m.*, **cuvaison** [kü·vèzõ] *f.* **1** (*v. wijn*) gisting *v.*; **2** gisttijd *m.*

cuve [ku:v] *f.* **1** kuip; tobbe *v.*(*m.*); **2** gistkuip v.(m.); **3** bekken o.; **4** roerbak m.; **5** (v. hoogoven) schacht v.(m.); ***papier à la —,*** handgeschept papier o.

cuveau [kü'vo] m. kuipje; tobbetje o.

cuvée [kü'vé] f. 'n kuip v.(m.) vol; ***la première —,*** de hoofdgisting v.; ***la seconde —,*** de nagisting v.; ***de première —,*** uit ongeperste druiven; ***vin de seconde —,*** nawijn m.

cuvelage [kü'vla:j] m. (v. mijn) schachtbeschoeiing v.

cuver [kü'vé] **I** v.i., (v. wijn) gisten; **II** v.t. laten gisten; ***— son vin,*** zijn roes uitslapen.

cuvette [küvèt] f. **1** waskom v.(m.); **2** closetbak m.; **3** (v. barometer) bakje o.; **4** kom v.(m.), diepte, inzinking v.; **5** (v. horloge) deksel o.; ***baromètre à —,*** bakbarometer m.

cuvier [kü'vyé] m. wastobbe v.(m.).

cyanhidrique [syanidrik] adj., ***acide —,*** cyaanwaterstofzuur, Pruisisch zuur o.

cyanique [syanik] adj., ***acide —,*** cyaanzuur o.

cyanogène [syanòjè:n] m. cyaan o.

cyanose [syano:z] f. **1** (gen.) blauwzucht v.(m.); **2** (scheik.) kopersulfaat o.

cyanure [syanü:r] m. cyanide o.; ***— de potassium,*** cyaankali m.

cybernétique [sibèrnétik] **I** f. cybernetica v.; **II** adj. cybernetisch.

cyclable [sikla'bl] adj. berijdbaar (voor fietsen); ***piste —, trottoir —,*** fietspad, rijwielpad o.

Cyclades [sikla'd] f.pl. Cycladen mv.

cyclamen [siklamèn] m., (Pl.) cyclamen v.(m.).

cycle [sikl] m. **1** cyclus m.; **2** tijdkring, tijdcirkel m.; ***— lunaire,*** maancirkel m.

cyclecar [siklekar] m. 3- of 4-wielig (bestel)autootje o.

cyclique [siklik] adj. betrekking hebbend op een [cyclus.

cyclisme [siklizm] m. wielersport v.(m.).

cycliste [siklist] **I** m. wielrijder, fietser m.; **II** adj. wieler—; fiets—; ***sport —,*** wielersport v.(m.); ***agent —,*** agent m. van de rijwielbrigade.

cycloïde [siklòi'd] f. cycloïde v., radlijn v.(m.).

cyclomoteur [siklòmòtœ:r] m. bromfiets m. en v.

cyclone [siklo:n] m. cycloon, wervelstorm m.

Cyclope [siklòp] m. cycloop m.

cyclopéen [siklòpéẽ] adj. cyclopisch, reusachtig.

cyclostyle [siklòstil] m. multiplicator m.

cyclotourisme [siklòturizm] m. rijwieltoerisme o.

cyclotron [siklotrõ] m. cyclotron o.

cygne [siñ] m. **1** zwaan m. en v.; **2** (fig.) groot dichter (of schrijver) m.; ***le — de Cambrai,*** Fénelon; ***chant du —,*** zwanezang m.

cylindrage [silẽ'dra:j] m. **1** (het) rollen o.; **2** (het) pletten o.; **3** (het) walsen o.; **4** (het) mangelen o.

cylindre [silẽ'dr] m. **1** cilinder m.; **2** rol v.(m.); **3** mangel m., mangelrol v.(m.); ***— à vapeur,*** stoomwals v.(m.); ***— compresseur,*** wals v.(m.); ***— noté,*** muziekrol; draaiorgelrol; ***— de laminoir,*** pletrol; ***passer au —,*** mangelen.

cylindrée [silẽ'dré] f. (v. motor) cilinderinhoud m.

cylindrer [silẽ'dré] v.t. **1** rollen; **2** pletten; **3** walsen; **4** mangelen.

cylindrique [silẽ'drik] adj. cilindervormig, rol- [rond.

cymaise f., voir ***cimaise.***

cymbale [sẽ'bal] f., (muz.) bekken o.; cimbaal [v.(m.).

cymbalier [sẽ'balyé] m. bekkenslager m.; cimbaalspeler m.

cyme [sim] f., (Pl.) bijscherm o.

cymettes [simèt] f.pl. spruitjes mv.

cynanche [sinã:ʃ] m., (Pl.) engbloem v.(m.).

cynégétique [sinéjétik] **I** adj. jacht—; ***plaisirs —s,*** jachtvermaak o.; **II** s., f. jacht v.(m.), jachtkunst v.

cynips [sinips] m. galwesp v.(m.).

cynique(ment) [sinik(mã)] **I** adj. (adv.) cynisch; schaamteloos, ongevoelig; **II** s., m. cynicus m.

cynisme [sinizm] m. **1** cynische wijsbegeerte v.; **2** cynisme o.; schaamteloosheid, onbeschaamdheid v.

cynocéphale [sinòséfal] m. hondskopaap m.

cynodrome [sinòdro:m] m. hondenrenbaan v.(m.).

cynoglosse [sinògiòs] f., (Pl.) hondstong v.(m.).

cyphose [sifo:z] f. ruggegraatsvergroeiing v., ronde rug m.

cyprès [siprè] m. cipres m.

cyprière [sipryè:r] f. cipressenbos o.

cyprin [siprẽ] **I** adj., (Dk.) karperachtig; **II** s., m., ***— argenté,*** zilvervis m.; ***— doré,*** goudvis m.

cyprinidés [siprinidé] m.pl. karpervissen mv.

cypriote [sipriòt] **I** adj. cypers; **II** s., m., ***C—,*** bewoner m. van Cyprus.

Cyrénaïque, *la* — [lasirénaik] Cyrenaika v.

Cyrille [siril] m. Cyrillus m.

cyrillique [sirilik] adj. Cyrillisch.

cysticerque [sistisèrk] m., (gen.) blaasworm m.

cystique [sistik] adj. van de blaas; ***calcul —,*** galsteen m.

cystite [sistit] f. blaasontsteking v.

cystotomie [sistòtòmi] f., (gen.) blaasoperatie v.

cytise [siti:z] m., (Pl.) goudenregen m.

cytoblaste [sitòblast] m. celkern v.(m.).

cytologie [sitòlòji] f. cellenleer v.(m.).

cytoplasme [sitòplazm] m. celkern omgevend plasma o.

czar [ksa:r], voir ***tsar.***

D

D [dé] m. d v.(m.); ***il faut appliquer le système D (débrouille-toi),*** u moet u zelf maar redden.

da! [da] ij., voir ***oui-da.***

dab [da'b] m. (arg.) vader, baas m.

dabesse [dabès] f., (arg.) bazin, moeder v.

da capo adv., (muz.) da capo, van voren af te herhalen.

dactyle [daktil] m. **1** dactylus m.; **2** (Pl.) vinger- [kruid o.

dactylé [daktilé] adj. vingervormig.

dactylo(graphe) [daktilo, daktilògraf] m.-f. typist(e) m. (v.).

dactylographie [daktilògrafi] f. (het) machine- [schrijven o.

dactylographier [daktilògrafyé] v.t. typen; (fam.) tikken.

dactylologie [daktilòlòji] f. gebarentaal, vingerspraak v.(m.).

dactyloptère [daktilòptè:r] m. zeehaan m.

dactyloscopie [daktilòskopi] f. identificatiesysteem o. d.m.v. vingerafdrukken.

dactylotype [daktilotip] f. oude naam voor schrijfmachine v.

dada [dada] m. **1** (in kindertaal) paard o.; **2** stokpaardje o.

dadais [dadè] m. stumper, onnozele hals m.; ***grand —,*** lange slungel m.

dadaïsme [dadaizm] m. dadaïsme o.

dague [da:g] f. **1** dolk m., dagge v.(m.); **2** eerste gewei o. (v. hert); **3** (v. wild zwijn) slagtand m.

daguerréotype [dagè'réotip] *m.* lichtbeeld *o.*, daguerreotype *v.* (eerste foto).
daguet [dagè] *m.* spieshert, spithert, éénjarig hert *o.*
dahlia [dalya] *m.*, (*Pl.*) dahlia *v.*(*m.*).
dahoméen [daoméẽ] *adj.* uit Dahomey.
daigner [dè'ñé] *v.t.* zich verwaardigen; gelieven; ***daignez agréer,*** ontvangt hierbij.
daim [dẽ] *m.* **1** damhert *o.*; **2** hertsleer *o.*; **3** stumper, sul *m.* [edelman *m.*
daïmio [daimyo] *m.* daimio *m.*, Oudjapans land-
daine [dẽ:n] *f.* wijfjesdamhert *o.*
dais [dè] *m.* **1** troonhemel *m.*; **2** (*in processie*) baldakijn *o. en m.*; **3** (*boven beeld*) nisgewelf *o.*; ***— de feuillage, — de verdure,*** bladerdak *o.*
dallage [dala:j] *m.* **1** bevloering *v.*; **2** stenen vloer, tegelvloer *m.*
dalle [dal] *f.* **1** vloersteen, tegel *m.*; **2** grafzerk *v.*(*m.*); **3** (*v. vis*) moot *v.*(*m.*); **4** dakgoot *v.*(*m.*); **5** (*op schip*) afvoerbuis *v.*(*m.*); **6** (*pop.*) keel *v.*(*m.*); ***se rincer la —,*** zijn keel smeren, drinken.
daller [dalé] *v.t.* met tegels bevloeren.
dalmate [dalmat] **I** *adj.* Dalmatisch; **II** *s., m.,* ***D—,*** Dalmatiër *m.*
Dalmatie [dalmasi] *f.* Dalmatië *o.*
dalmatique [dalmatik] *f.*, (*kath.*) dalmatiek *v.*
dalot [dalo] *m.*, (*v. schip*) spuigat *o.*
daltonien [daltònyẽ] **I** *adj.* kleurenblind; **II** *s., m.* kleurenblinde *m.*
daltonisme [daltònizm] *m.* **1** kleurenblindheid *v.*; **2** onderwijsmethode *v.* door zelfwerkzaamheid.
dam [dã] *m.*, (*oud*) schade *m.*, nadeel *o.*; ***la peine du —,*** de pijn van schade.
damage [dama:j] *m.* het aanstampen *o.*
damas [dama] *m.* **1** damast *o.*; **2** damascener kling *v.*(*m.*); **3** damastdruif *v.*(*m.*); **4** ***D—,*** Damascus *o.*
damasquinage [damaskina:j] *m.* damascering *v.*, (het) damasceren *o.*
damasquiner [damaskiné] *v.t.* damasceren.
damasquinerie [damaskinri] *f.* damascering *v.*
damasquineur [damaskinœ:r] *m.* damasceerder *m.*
damassé [damasé] **I** *adj.* **1** (*v. linnen*) damasten, gebloemd; **2** (*v. staal*) gedamasceerd; ***linge —,*** damastlinnen *o.*; **II** *s., m.* **1** damastlinnen *o.*; **2** damascener staal *o.*
damasser [damasé] *v.t.* damasseren.
damasserie [damasri] *f.* damastweverij *v.*
damasseur [damasœ:r] *m.* damastwever *m.*
damassin [damasẽ] *m.* halfdamast *o.*
damassure [damasü:r] *f.* damastwerk *o.*
dame [dam] **I** *f.* **1** vrouw, dame *v.*; **2** juffrouw; mevrouw *v.*; **3** (*kaartsp.*) vrouw *v.*; **4** (*schaaksp.*) koningin *v.*; **5** (*damsp.*) dam *v.*(*m.*); **6** (*triktrak*) schijf *v.*(*m.*); **7** keerdam *m.*; **8** (*v. hoogoven*) damsteen *m.*; **9** handhei *v.*(*m.*), straatstamper *m.*; ***Notre D—,*** Onze-Lieve-Vrouw; ***— d'honneur,*** hofdame; ***— de charité,*** armbezoekster; ***— de compagnie,*** gezelschapsjuffrouw; ***— de la halle,*** marktvrouw, visvrouw; ***compartiment pour —s seules,*** damescoupé *m.*; ***jeu de —s,*** damspel *o.*; ***jouer aux —s,*** dammen; ***aller à —,*** dam halen; ***— de carreau,*** ruitenvrouw; **II** *ij.*, **—!** ja, och, drommels. [*v.*(*m.*).
dame*-jeanne* [damjan] *f.* grote bemande fles
damer [damé] *v.t.* **1** aanstampen; **2** (*spel: een schijf*) tot dam maken; ***— le pion à qn.,*** iem. de loef afsteken.
dameret [damrè] *m.* saletjonker *m.*
damette [damèt] *f.* witte kwikstaart *m.*
damier [damyé] *m.* **1** dambord *o.*; **2** ruitjesgoed *o.*; **3** (*Dk.*) paarlemoervlinder *m.*; **4** Kaapse duif *v.*(*m.*).
Damiette [damyèt] *f.* Damiate *o.*
damnable [dana'bl] *adj.* **1** verdoemenswaardig; **2** afschuwelijk, schandelijk.
damnation [dana'syõ] *f.* verdoemenis *v.*
damné [dané] **I** *adj.* **1** verdoemd; **2** (*fig.*) beroerd; vervloekt; **II** *s., m.* verdoemde *m.*; ***souffrir comme un —,*** helse pijnen uitstaan.
damner [dané] *v.t.* **1** verdoemen; **2** veroordelen; ***faire — qn.,*** iem. hels (*of* razend) maken.
damoiseau [damwazo] *m.* **1** (*oudtijds*) jonker *m.*; **2** saletjonker *m.* [heid *v.*
dancing [dã'sẽ('g)] *m.* danslokaal *o.*, dansgelegen-
dandin [dã'dẽ] *m.* sul, sukkel *m.*
dandinement [dã'dinmã] *m.* wiegelende gang *m.*
dandiner [dã'diné] **I** *v.i.* schommelen; **II** *v.pr.*, ***se —,*** **1** wiegelen; **2** (*v. eend*) waggelen.
dandy [dã'di] *m.* modegek, dandy *m.* [*v.*
dandysme [dã'dizm] *m.* fatterigheid, aanstellerij
Danemark [danmark] *m.* Denemarken *o.*
danger [dã'jé] *m.* gevaar *o.*; ***— de mort,*** levensgevaar; ***pas de —,*** geen nood.
dangereux [dã'jrö] *adj.*, **dangereusement** [dã'jrö'zmã] *adv.* gevaarlijk. [*m.*
danois [danwa] **I** *adj.* Deens; **II** *s., m.,* ***D—,*** Deen
dans [dã] *prép.* in; ***entrer — la maison,*** het huis binnengaan; ***— une île,*** op een eiland; ***boire — un verre,*** uit een glas drinken; ***— sa chambre,*** op zijn kamer; ***— trois jours,*** over drie dagen; ***— la quinzaine,*** binnen de veertien dagen; ***— peu,*** binnenkort; ***il est — l'enseignement,*** hij is bij het onderwijs; ***cela n'est pas — ses habitudes,*** dat strookt niet met zijn gewoonten; ***cela n'est pas — son caractère,*** dat ligt niet in zijn karakter; ***— l'intention de,*** met de bedoeling te, met het doel om (te); ***— la crainte de tomber,*** uit vrees (van) te vallen. [dansavond *m.*
dansant [dã'sã] *adj.* dansend; dans—; ***soirée —e,***
danse [dã:s] *f.* **1** dans *m.*, (het) dansen *o.*; **2** danswijs *v.*(*m.*); dansmuziek *v.*; **3** (*pop.*) rammeling *v.*, pak slaag *o.*; ***— de Saint Guy,*** sint-vitusdans; ***mener*** (*of* ***ouvrir***) ***la —,*** **1** de dans openen; **2** (*fig.*) het voorbeeld geven; de boel aan de gang brengen; ***ne pas avoir le cœur à la —,*** neerslachtig zijn, niet opgewekt zijn.
danser [dã'sé] *v.t. et v.i.* dansen; ***— devant le buffet,*** honger lijden; ***— sur la corde,*** op het koord dansen, koorddansen; ***faire — l'anse du panier,*** oneerlijk zijn; ***ne savoir sur quel pied —,*** niet weten waaraan zich te houden; niet weten wat men doen of laten moet; ***faire — l'argent*** (*of* ***les écus***), het geld laten rollen.
danseur [dã'sœ:r] *m.* danser *m.*; ***— de corde,*** koorddanser; ***— mondain,*** beroepsdanser *m.*
dansomanie [dãsòmani] *f.* danswoede *v.*(*m.*).
dansotter [dã'sòté] *v.i.* huppelen, wat rondspringen.
Dante, *le —* [ledã:t] *m.* Dante *m.*
dantesque [dã'tèsk] *adj.* van Dante; in de trant van Dante.
Dantzig [dansig] *m.* Danzig *o.*
Danube [danü'b] *m.* Donau *m.*
danubien [danübyẽ] *adj.* van de Donau; Donau—; ***les pays —s,*** de Donaulanden *mv.*
daphné [dafné] *m.*, (*Pl.*) peperboompje *o.*
daphnie [dafni] *f.* watervlo, dafnia *v.*(*m.*).
dard [da:r] *m.* **1** (*v. bij, enz.*) angel *m.*; **2** werpspies *v.*(*m.*); **3** (*Pl.: v. bloem*) stamper *m.*; **4** (*v. slang*) tongpunt *m.*; **5** pijlkarper *m.*; **6** (*fig.*) scherpe zet *m.*; **7** (*pijnlijke aandoening*) steek *m.*
Dardanelles [dardanèl] *f.pl.* Dardanellen *mv.*
darder [dardé] *v.t.* **1** (*v. stralen*) schieten; **2** (*v.*

blik) werpen, vestigen; 3 (*v. spies*) werpen; 4 (*v. takken*) horizontaal uitschieten; — ***un trait piquant***, een steek geven.
dardillon [dardiyõ] *m.* 1 kleine werpspies *v.*(*m.*); 2 weerhaak *m.*; 3 angeltje *o.*
dare-dare [da'rda:r] *adv.* in grote haast, overhaast, op stel en sprong.
darne [darn] *f.*, (*v. vis*) moot *v.*(*m.*).
daron [darõ] *m.*, (*arg.*) vader, baas, paai *m.*
daronne [daròn] *f.*, (*arg.*) moeder *v.*
darse [dars] *f.* havendok *o.*
dartois [dartwa] *m.* 1 vlaatje *o.*; 2 amandelbroodje [*o.*
dartre [dartr] *m.*, (*gen.*) huiduitslag *m.*; (*bij kinderen*) dauwworm *m.*
dartreux [dartrö] *adj.*, ***affection dartreuse***, huiduitslag *m.*
darwinisme [darwinizm] *m.* darwinisme *o.*, leer *v.*(*m.*) van Darwin.
darwiniste [darwinist] *m.* aanhanger van de leer van Darwin, Darwinist *m.*
datation [data'syõ] *f.* datering *v.*
date [dat] *f.* dagtekening *v.*, datum *m.*; ***jours de —***, (*H.*) zichtdagen, dagen zicht; ***payable à huit jours de —***, betaalbaar acht dagen na dato; ***de vieille —***, oud, van oude datum; — ***de la poste***, datum postmerk; ***de fraîche —***, van recente datum, van jonge datum; ***faire —***, belangrijk zijn, een gewichtig keerpunt vormen; ***prendre —***, een datum bepalen.
dater [daté] *v.t. et v.i.* 1 dagtekenen, dateren; 2 belangrijk zijn, een keerpunt vormen; ***cela date de loin***, dat is van oude datum; ***à — de***, van af.
daterie [datri] *f.* pauselijke kanselarij *v.*
dateur [datœ:r] *m.* datumstempel *m.*
datif [datif] *m.* datief, derde naamval *m.*
datte [dat] *f.* dadel *v.*(*m.*).
dattier [datyé] *m.* dadelpalm *m.*
datura [datü'ra] *m.* doornappelboom *m.*
daube [do:b] *f.* 1 (*v. vlees*) smoring *v.*, (het) smoren *o.*; 2 gesmoord vlees *o.*; ***à la —***, gesmoord.
dauber [do:bé] I *v.t.* 1 (*v. vlees, enz.*) smoren; 2 afrossen, afranselen; II *v.i.*, — ***sur qn.***, afgeven op iem.
daubeur [do'bœ:r] *m.* kwaadspreker *m.*
daubière [do'byè:r] *f.* smoorpan *v.*(*m.*).
daumont, *à la* — [aladomõ] (uitrijden) met 2 maal 2 ingespannen paarden, geflankeerd door 2 postillons.
dauphin [do'fẽ] *m.* 1 (*Dk.*) dolfijn *m.*; 2 (*v. afvoerbuis*) elleboog *m.*; 3 (*gesch.*) dauphin *m.*, kroonprins van Frankrijk.
dauphinelle [do'finèl] *f.*, (*Pl.*) ridderspoor *v.*(*m.*).
Dauphinois [do'finwa] *m.* bewoner *m.* van Dauphiné.
daurade [dò'ra'd] *f.*, (*Dk.*) goudbrasem *m.*
davantage [davã'ta:j] *adv.* meer; langer; ***pas —***, evenmin; ***sans hésiter —***, zonder langer te aarzelen.
davier [davyé] *m.* 1 (*v. timmerman, enz.*) klemhaak *m.*; 2 (*v. tandarts*) pelikaan *m.*; 3 (*v. kuiper*) hoepeltang *v.*(*m.*).
de [de], **d'** [d] *prép.* van; ***les livres — mon frère***, de boeken van mijn broer; ***le signe — la croix***, het teken des kruises; ***tentative — vol***, poging tot diefstal; ***l'amour — la patrie***, de liefde tot het vaderland; ***le respect — Dieu***, de eerbied voor God; ***il vient — France***, hij komt uit Frankrijk; ***du vin — France***, Franse wijn; ***du fromage — Hollande***, Hollandse kaas; — ***jour et — nuit***, bij dag en bij nacht; ***tirer — l'eau***, uit het water halen; ***mourir — faim***, van honger sterven; ***souffrir — la soif***, dorst lijden; — ***part et d'autre***, van weerszijden, aan beide zijden; — ***ce côté***, aan deze kant; — ***nos jours***, in onze dagen; ***aimé — tous***, door allen bemind; ***suivi —***, gevolgd door; ***jouer — la flûte***, op de fluit spelen; — ***cette façon***, op die manier; ***triste —***, bedroefd over; ***se nourrir — viande***, zich met vlees voeden; ***la ville — Malines***, de stad Mechelen; ***le mois — septembre***, de maand september; — ***grand matin***, 's morgens vroeg; ***une tasse — café***, een kop koffie; ***un tas — pierres***, een hoop stenen; ***livre — lecture***, leesboek; ***cabinet — travail***, studeerkamer; ***homme — lettres***, letterkundige; ***un homme — courage***, een moedig man; ***âgé — 40 ans***, 40 jaar oud; ***large — trois mètres***, drie meter breed; ***un troupeau — moutons***, een kudde schapen; ***et les enfants — courir***, en daar zetten de kinderen het op een lopen; ***éclater — rire***, schaterlachen; — ***préférence***, bij voorkeur; ***une robe — soie***, een zijden japon; ***un chapeau — paille***, een strohoed; ***tâchez — réussir***, tracht te slagen; ***s'approcher — qn.***, iem. naderen; ***il y avait trente hommes — blessés***, er waren dertig gekwetsten.
dé [dé] *m.* 1 vingerhoed *m.*; 2 dobbelsteen *m.*; 3 dominosteen *m.*; ***jouer aux —s***, dobbelen; — ***pipé***, — ***chargé***, valse dobbelsteen; ***le — en est jeté***, de teerling is geworpen; ***tenir le — (de la conversation)***, het hoogste woord voeren.
dead-heat [dèdhi:t] *m.* wedstrijd waarbij twee rivalen gelijk eindigen.
déambulatoir [déã'bülatwa:r] *m.* (*in kerk*) omgang *m.* achter het priesterkoor.
déambuler [déã'mbülé] *v.i.* rondwandelen, rondlopen. [lopen.
débâcle [déba:kl] *f.* 1 ijsgang *m.*, (het) kruien *o.*; 2 (*fig.*) ontreddering, ineenstorting *v.*; 3 (— ***financière***), krach *m.*
débâclement [déba'klemã] *m.*, (*v. haven, rivier*) (het) ruimen *o.*
débâcler [déba'klé] I *v.t.* (*v. haven*) ruimen; II *v.i.*, (*v. ijs*) losgaan, kruien.
déballage [débala:j] *m.* 1 (het) uitpakken *o.*; 2 uitgepakte waar *v.*(*m.*); ***vente au —***, vliegende winkel *m.*
déballer [débalé] *v.t.* uitpakken.
déballeur [débalœ:r] *m.* 1 venter, reizend koopman *m.*; 2 uitpakker *m.*
débandade [débã'da'd] *f.* wilde vlucht *v.*(*m.*), verwarde aftocht *m.*; ***à la —***, in 't wild, wanordelijk; ***tout va à la —***, alles loopt in het honderd.
débander [débã'dé] I *v.t.* 1 het verband afnemen van, ontzwachtelen; 2 de blinddoek afnemen; 3 (*v. boog*) ontspannen; II *v.pr.*, ***se —***, 1 (verward) uiteenlopen; 2 (*v. boog*) zich ontspannen; ***se — l'esprit***, zijn geest ontspannen, zijn geest wat rust gunnen.
débanquer [débã'ké] *v.t.*, — ***le banquier***, de bank doen springen.
débaptiser [débati'zé] *v.t.* 1 verdopen, omdopen; 2 een andere naam geven aan.
débarbouillage [débarbuya:j] *m.* (het) wassen *o.* (van 't gezicht).
débarbouiller [débarbuyé] I *v.t.*, (*v. gezicht*) wassen; II *v.pr.*, ***se —***, 1 zijn gezicht wassen; 2 (*fig.*) zich uit de verlegenheid redden.
débarcadère [débarkadè:r] *m.* 1 aanlegplaats *v.*(*m.*), steiger *m.*; 2 landingsplaats *v.*(*m.*); 3 losplaats *v.*(*m.*); 4 (*v. station*) perron *o.*
débardage [débarda:j] *m.* (het) lossen *o.*
débarder [débardé] *v.t.* 1 lossen; 2 (*v. boomstammen*) vervoeren.
débardeur [débardœ:r] *m.* bootwerker, sjouwer *m.*

débarquement [débarkemã] *m.* **1** (het) lossen *o.*; **2** ontscheping *v.*; **3** landing *v.*; ***troupes de —,*** landingstroepen *mv.*
débarquer [débarké] **I** *v.t.* **1** (*v. goederen*) lossen; **2** (*v. troepen, enz.*) ontschepen; aan wal zetten; **3** (*fig.*) aan de dijk zetten; **II** *v.i.* **1** landen, aan wal gaan; **2** (*uit trein, enz.*) uitstappen.
débarras [débara] *m.* opruiming *v.*; verlichting, opluchting *v.*; ***chambre de —,*** rommelkamer *v.(m.).*
débarrasser [débarasé] **I** *v.t.* **1** ontdoen (van); **2** ontlasten; **3** (*v. kamer*) opruimen; **4** (*v. tafel*) afruimen, afnemen; **5** (*v. maag*) opluchten; ***— le plancher,*** maken dat men wegkomt; **II** *v.pr.*, ***se —*** (***de***), **1** zich ontdoen (van); **2** zich bevrijden (van); ***se — de qn.,*** zich van iem. afmaken; ***se — d'un ennemi,*** een vijand uit de weg ruimen.
débarrer [déba'ré] *v.t.* de slagboom wegnemen van; ontgrendelen.
débat [déba] *m.* debat *o.*, gedachtenwisseling *v.*; openbare redetwist *m.*; ***—s,*** beraadslagingen *mv.*
debater [déba'tœ:r] *m.* debater *m.*
débâter [déba'té] *v.t.* ontzadelen.
débâtir [déba'ti:r] *v.t.* **1** (*v. gebouw, enz.*) afbreken; **2** de rijgdraden halen uit.
débattre* [débatr] **I** *v.t.* **1** bespreken; **2** redetwisten over; **3** (*v. prijs*) onderhandelen over; ***— le prix,*** dingen, loven en bieden; ***prix à —,*** nader overeen te komen prijs; **II** *v.pr.*, ***se —,*** **1** tegenspartelen, zich verzetten; **2** tekeer gaan; **3** betwist worden; ***se — contre le courant,*** tegen de stroom worstelen.
débauchage [débo'ʃaj] *m.* het aanzetten *o.* tot staking of tot desertie.
débauche [débo:ʃ] *f.* **1** liederlijkheid *v.*; **2** slemperij *v.*; **3** overdaad *v.(m.)*; ***faire une petite —,*** het er eens van nemen.
débauché [débo'ʃé] **1** *adj.* liederlijk, losbandig; **II** *s., m.* losbandig mens, losbol, lichtmis *m.*
débauchée [débo'ʃé] *f.* schafttijd *m.*
débaucher [débo'ʃé] **I** *v.t.* **1** verleiden, tot losbandigheid overhalen; **2** overhalen tot staken; **II** *v.pr.*, ***se —,*** verliederlijken, tot losbandigheid vervallen.
débaucheur [débo'ʃœ:r] *m.* verleider *m.*
débet [débè] *m.*, (*H.*) (het) verschuldigde, debet, debetsaldo *o.*
débile [débil] *adj.* tenger, zwak, krachteloos.
débilité [débilité] *f.* zwakheid, krachteloosheid, tengerheid *v.*; ***— mentale,*** zwakzinnigheid *v.*
débiliter [débilité] **I** *v.t.* verzwakken; **II** *v.pr.*, ***se —,*** verzwakken, zwak worden.
débinage [débina:j] *m.* afkamming, aftuiging *v.*
débine [débin] *f.*, (*pop.*) geldnood *m.*, geldgebrek *o.*; ***être dans la —,*** in de klem zitten, geen spie meer hebben.
débiner [débiné] *v.t.* **1** afkammen, aftuigen; **2** (*v. truc, enz.*) verklappen, verraden.
débineur [débinœ:r] *m.* **1** afkammer *m.*; **2** verklapper, verrader *m.*
débit [débi] *m.* **1** afzet, verkoop *m.*, debiet *o.*; **2** slijterij *v.*; **3** voordracht *v.(m.)*, manier *v.(m.)* van spreken; **4** (*v. rivier*) afvoer *m.*; **5** (*v. kraan, pomp, enz.*) capaciteit *v.*; **6** (*H.*: *v. grootboek*) debetzijde *v.(m.)*; ***— de vins,*** proeflokaal, wijnhuis *o.*; ***avoir du —,*** aftrek hebben; ***porter une somme au — de qn.,*** iem. voor een bedrag debiteren.
débitage [débita:j] *m.* (*v. hout of vlees*) het kleinhakken en verkopen van de stukken.
débitant [débitã] *m.* kleinhandelaar; slijter *m.*
débiter [débité] *v.t.* **1** in het klein verkopen; slijten; **2** (*v. berichten, enz.*) verspreiden, uitstrooien; **3** (*v. leugens*) vertellen, verkondigen; **4** (*v. water, gas*) aanvoeren; **5** (*H.*) debiteren; **6** (*v. post*) op de debetzijde boeken; **7** (*v. gedicht, enz.*) voordragen; ***— par cœur,*** van buiten opzeggen.
débiteur I [débitœ:r] *m.*, **débiteuse** [débitö:z] *f.* **1** verkoper *m.*; **2** (*v. nieuwtjes, enz.*) verspreider *m.*; ***— de phrases,*** praatjesmaker *m.*; **II —** [débitœ:r], **débitrice** [débitris] *f.* schuldenaar *m.*, —nares *v.*; **III** *adj.*, ***compte —,*** debetrekening *v.*; ***solde —,*** debet-saldo *o.*
déblai [déblè] *m.* afgraving *v.*; ***travaux de —,*** graafwerk *o.*; ***—s,*** **1** weggegraven aarde *v.(m.)*; **2** puin *o.*
déblaiement, déblayement [déblèymã] *m.* **1** afgraving *v.*; **2** opruiming *v.*, (het) opruimen *o.*; ***travaux de —,*** opruimingswerk *o.*
déblatérer [déblatéré] (***contre***) *v.i.* hevig uitvaren (tegen), schelden.
déblayement, *voir* ***déblaiement.***
déblayer [déblèyé] *v.t.* **1** (*v. aarde*) afgraven, weggraven; **2** opruimen; **3** (*fig.*) snel voorlezen (*of* voordragen); ***— le terrain,*** **1** het terrein effenen; **2** (*fig.*) de moeilijkheden uit de weg ruimen.
déblocage [déblòka:j] *m.* deblokkering *v.*; het vrijgeven *o.*
débloquer [déblòké] *v.t.* **1** (*mil.*: *v. stad, enz.*) ontzetten; **2** (*blok v. spoorbaan*) vrijmaken.
déboire [débwa:r] *m.* **1** verdriet *o.*; teleurstelling, ontgoocheling *v.*; **2** bittere nasmaak *m.*
déboisement [débwa'zmã] *m.* ontbossing *v.*
déboiser [débwa'zé] *v.t.* ontbossen.
déboîtement [débwa'tmã] *m.* ontwrichting *v.*
déboîter [débwa'té] **I** *v.t.* **1** ontwrichten; **2** losmaken; **II** *v.pr.*, ***se —,*** uit het lid gaan.
débomber [débõ'bé] *v.t.* plat slaan.
débonder [débõ'dé] **I** *v.t.* **1** de spon wegnemen uit (een vat); **2** (*v. vijver, enz.*) het water aflaten van; **II** *v.i.* **1** uitstromen; **2** overstromen.
débonnaire(ment) [débònè:r, —nè'rmã] *adj.* (*adv.*) zachtmoedig, goedig, goedhartig; ***Louis le D—,*** Lodewijk de Vrome.
débonnaireté [débònè'rté] *f.* goedigheid *v.*
débord [débò:r] *m.* **1** (*v. weg, straat*) buitenrand *m.*; **2** (*v. munt*) rand *m.*; **3** (*v. gal*) overloop *m.*; **4** zoom, stootkant *m.*
débordant [débòrdã] *adj.* uitbundig; overweldigend; (*v. gezondheid*) blakend.
débordé [débòrdé] *adj.* **1** losbandig, ongebonden; **2** (*met werk, enz.*) overladen, overstelpt; **3** blootgewoeld.
débordement [débòrdemã] *m.* **1** (*v. rivier*) overstroming *v.*; **2** (*v. gal*) uitstorting *v.*; **3** (*v. vreugde, woede*) uitbarsting *v.*; **4** (*v. woorden, scheldwoorden*) stortvloed *m.*; **5** losbandigheid, ongebondenheid *v.*
déborder [débòrdé] **I** *v.i.* **1** (*v. rivier*) overstromen, buiten de oevers treden; **2** (*v. gal*) overlopen; **3** overvloeien; **4** uitsteken, overhangen; **5** (*fig.*) de overhand nemen; **6** propvol zijn, overvol zijn; ***joie débordante,*** uitbundige vreugde, overdreven vreugde *v.*; **II** *v.t.* **1** steken buiten; hangen over; **2** de rand (*of* zoom) afnemen; **3** (*v. schip*) van zijn buitenhuid ontdoen; **4** (*v. deken*) wegtrekken; **5** (*v. sloep*) afhouden, afsteken; ***— les ailes de l'ennemi,*** de vleugels van de vijand omsingelen; **III** *v.pr.*, ***se —,*** **1** buiten de oevers treden; **2** overlopen; **3** zich bloot woelen; **4** zich te buiten gaan.
débosseler [débòslé] *v.t.* ontdeuken.
débotter [débòté] *v.t.* de laarzen uittrekken.
débouché [débuʃé] *m.* **1** uitweg, uitgang *m.*; **2** (*v. kanaal*) monding, uitmonding *v.*; **3** (*H.*) afzetgebied *o.*, (afzet)markt *v.(m.).*

déboucher [débuʃé] **I** *v.t.* **1** (*v. fles*) opentrekken, ontkurken; **2** (*v. pijp*) doorsteken; **3** (*v. buis*) openmaken, ontstoppen; **4** (*fig.*) ontbolsteren, wijzer (*of* verstandiger) maken; **II** *v.i.* **1** (*v. rivier*) uitmonden (in), zich uitstorten (in), zich ontlasten (in); **2** (*v. straat*) uitkomen (op, in).
déboucler [débuklé] **I** *v.t.* losgespen; **II** *v.pr.*, ***se —***, losgaan; uit de krul gaan.
débouler [débulé] *v.i.* **1** naar beneden tuimelen; **2** (*v. wild*) opspringen; **3** (*v. voetbal*) plotseling uitlopen.
déboulonnage [débulòna:j], **déboulonnement** [débulònmã] *m.* **1** (*tn.*) het losschroeven *o.*; **2** (*fam.*: *uit ambt*) het wippen *o.*
déboulonner [débulòné] *v.t.* **1** (*tn.*) losschroeven; de bouten losdraaien van; **2** (*fam.*: *v. minister, enz.*) wippen.
débouquement [débukmã] *m.* **1** uitmonding *v.* van zeestraat; **2** het deze uitvaren naar volle zee.
débouquer [débuké] *v.i.* vanuit een zeeëngte volle zee opvaren.
débourber [déburbé] *v.t.* **1** uitbaggeren; **2** uit de modder halen; **3** (*v. erts*) wassen.
débourrage [débura:j] *m.* **1** (*v. prei e.d.*) schoonmaken *o.*; **2** het wegnemen van een prop.
débourre-pipe* [déburpip] *m.* pijpuithaler *m.*
débourrer [déburé] *v.t.* **1** (*v. stoel, enz.*) het vulsel halen uit; **2** (*v. pijp*) doorsteken, uitkloppen; **3** (*fig.*) ontbolsteren, beschaven.
débours [débu:r] *m.(pl.)* voorschot *o.*; bijkomende onkosten *mv.*; ***rentrer dans ses —***, zijn onkosten goedmaken, zijn verschotten terugkrijgen.
déboursé [débursé] *m.* voorschot *o.*
déboursement [débursemã] *m.* (het) voorschieten *o.*; uitbetaling *v.*
débourser [débursé] *v.t.* voorschieten; uitbetalen.
debout [d(e)bu] *adv.* overeind; staande, op de been; ***cela ne tient pas —***, dat is onzin, dat houdt geen steek; ***mettre —***, overeind zetten; ***rester —***, blijven staan; ***être —***, **1** staan; **2** op zijn; ***dormir —***, omvallen van de slaap; ***vent —***, (*sch.*) tegenwind *m.*; ***magistrature —***, staande magistratuur; ***contes à dormir —***, bakerpraatjes, praatjes voor de vaak.
débouté [débuté] *m.*, (*recht*) ontzegging *v.* (van eis).
déboutement [débutmã] *m.* het afwijzen, ontzeggen *o.*
débouter [débuté] *v.t.*, (*recht*) afwijzen; ***— qn. de sa demande***, iem. zijn eis ontzeggen.
déboutonner [débutòné] **I** *v.t.* losknopen; ***rire à ventre déboutonné***, schudden van 't lachen, zijn buik vasthouden van het lachen; **II** *v.pr.*, ***se —***, **1** zijn knopen losmaken; **2** (*fig.*) zijn hart uitstorten.
débraillé [débra'yé] **I** *adj.* **1** slordig; **2** (*v. gesprek, enz.*) onfatsoenlijk, ongegeneerd; **II** *s.*, *m.* **1** slordigheid *v.*; **2** ongegeneerdheid *v.*
débrailler, se — [sedébra'yé] *v.pr.* zijn kleren losmaken.
débrancher [débrãʃé] *v.t.* **1** (*el.*) uitschakelen; **2** (*v. radio*) afzetten.
débrayage [débrè'ya:j] *m.* ontkoppeling, loskoppeling *v.*; ***pédale de —***, koppelingspedaal *o. en m.*
débrayer [débrè'yé] *v.t.* ontkoppelen, loskoppelen; uitschakelen.
débridé [débri'dé] *adj.* teugelloos, ongebreideld.
débridement [débri'dmã] *m.* onttoming, aftoming *v.*
débrider [débri'dé] *v.t.* onttomen; ***sans —***, zonder rusten, zonder ophouden; ***— une plaie***, een wond opensnijden.
débris [débri] *m.* **1** overschot, overblijfsel *o.*; **2** puin *o.*; **3** scherf *v.(m.)*; **4** (*v. schip*) wrak *o.*; **5** stukken, brokstukken *mv.*
débrouillard [débru'ya:r] **I** *adj.* handig, gewiekst; **II** *s.*, *m.* iem. die zich uit de slag weet te trekken.
débrouillement [débru'ymã] *m.* ontwarring *v.*
débrouiller [débru'yé] **I** *v.t.* **1** ontwarren; **2** (*v. zaak*) ophelderen, tot klaarheid brengen; **II** *v.pr.*, ***se —***, **1** zich uit de slag trekken, zich weten te redden, zich erdoor slaan; **2** (*v. weer*) opklaren; **3** (*v. zaak*) ophelderen.
débroussailler [débrusayé] *v.t.* ontdoen van struikgewas.
débrutir [débrüti:r] *v.t.* ruw bewerken, het ergste wegslijpen.
débrutissement [débrütismã] *m.* ruwe polijsting [*v.*
débucher [débüʃé] **I** *v.t.* (*v. wild*) opjagen; **II** *v.i.*, (*v. hert*) uit het kreupelhout te voorschijn komen.
débusquer [débüské] **I** *v.t.* **1** (*v. wild*) opjagen; **2** (*v. vijand*) uit zijn dekking (*of* uit zijn positie) verdrijven; **II** *v.i.* (plotseling) te voorschijn komen.
début [débü] *m.* **1** begin *o.*, aanvang *m.*; **2** (*v. toneelspeler*) eerste optreden *o.*; **3** (*spel*) eerste slag, (*of* stoot) *m.*; **4** (*v. schrijver*) eerste werk *o.*; ***au —*** in 't begin; ***dès le —***, dadelijk bij het begin.
débutant [débütã] *m.* **1** beginner, nieuweling *m.*; **2** (*toneel*) debutant *m.*
débuter [débüté] **I** *v.i.* beginnen, aanvangen; **II** *v.t.*, (*v. bal*) van het doel wegslaan.
deçà [desa, tsa] *adv.* aan deze zijde; ***— et delà***, aan beide kanten; hier en daar; ***rester en — de***, te kort schieten in.
décacheter [dékaʃté] *v.t.*, (*v. brief, enz.*) openmaken, ontzegelen.
décade [déka'd] *f.* decade *v.*; tijdperk *o.* van tien dagen.
décadence [dékadã:s] *f.* verval *o.*, ontaarding *v.*; achteruitgang *m.*
décadent [dèkadã] **I** *adj.* in verval; **II** *s.*, *m.* decadent *m.*
décaèdre [dékaè'dr] **I** *adj.* tienvlakkig; **II** *s.*, *m.* tienvlakkig lichaam *o.*
décagénaire [dékajénè:r] **I** *m.-f.* tiener, teenager *m.-v.*; **II** *adj.* tienjarig.
décagonal [dékagònal] *adj.* tienhoekig; tienzijdig.
décagone [dékagòn] **I** *m.* tienhoek *m.*; **II** *adj.* tienhoekig.
décagramme [dékagram] *m.* decagram *o.*
décaissage [dékèsa:j], **décaissement** [dékèsmã] *m.* het uitpakken *o.* (v. kist).
décaisser [dékè'sé] *v.t.* **1** uitpakken; **2** (*v. plant*) uit een bak halen.
décalage [dékala:j] *m.* **1** het wegnemen van de stutten; **2** opschuiving, verplaatsing *v.*
décalaminer [dékalaminé] *v.t.* ontkolen.
décalcifier [dékalsifyé] *v.t.* ontkalken.
décalcomanie [dékalkòmani] *f.* het overweken *o.* van plakplaatjes.
décaler [dékalé] *v.t.* **1** de stutten wegnemen van; **2** opschuiven, verplaatsen; ***— l'heure***, de klok verzetten.
décalitre [dékalitr] *m.* decaliter *m.*
décalotter [dékalòté] *v.t.* het kapje (*of* de kap) afnemen van.
décalogue [dékalò'g] *m.* (de) Tien geboden *mv.*
décalque [dékalk] *m.* **1** afdruk, overdruk *m.*; **2** (*fig.*) slaafse navolging *v.*
décalquer [dékalké] *v.t.* **1** doortekenen, natrekken, overdrukken; **2** (*fig.*) naäpen, slaafs navolgen; ***papier à —***, calqueerpapier *o.*
Décaméron [dékamérõ] *m.* Decamerone *m.*
décamètre [dékamè'tr] *m.* decameter *m.*
décampement [dékã'pmã] *m.* het opbreken *o.* van een kamp.
décamper [dékã'pé] *v.i.* **1** (het kamp) opbreken;

2 (*fig.*) zijn biezen pakken, zich uit de voeten maken; de plaat poetsen.
décanal [dékanal] *adj.* van een deken; ***dignité —e,*** waardigheid van deken.
décanat [dékana] *m.* decanaat *o.*
décaniller [dékaniyé] *v.i.* zijn biezen pakken, de plaat poetsen.
décantage [dékã·ta:j] *m.*, **décantation** [dékã·tα·syõ] *f.* (langzame) afgieting *v.*
décanter [dékã·té] *v.t.* (langzaam) afgieten.
décapage [dékapa:j] *m.* het schoonmaken *o.* (van metaal).
décaper [dékapé] **I** *v.t.* het schoonmaken van metaal; **II** *v.i.* een kaap omzeilen.
décapitation [dékapitα·syõ] *f.* onthoofding *v.*
décapiter [dékapité] *v.t.* onthoofden.
décapotable [dékapota·bl] *adj.*, (*v. auto*) met afneembare kap.
décapsuleur [dékapsülœ:r] *m.* flesopener *m.*
décarburation [dékarbürα·syõ] *f.* het van koolstof reinigen *o.*
décarburer [dékarbüré] *v.t.* van koolstof zuiveren.
décarcasser, *se —* [sedékarkasé] *v.pr.* (*pop.*) zich afsloven.
décarêmer, *se —* [sedékarèmé] *v.pr.* (na de vasten) zijn schade inhalen.
décarreler [dékarelé] *v.t.* de tegels (van de vloer) [opbreken.
décastère [dékastè·r] *m.* decastère *v.*(*m.*).
décasyllabe [dékasila·b], **décasyllabique** [dékasilabik] *adj.* tienlettergrepig.
décathlon [dékatlõ] *m.* tienkamp *m.*
décati [dékati] *adj.* **1** krimpvrij; **2** verlept, afgetakeld.
décatir [dékati:r] **I** *v.t.* **1** krimpvrij maken; ontglanzen; **2** (*fig.*) doen verleppen; **II** *v.pr.*, ***se —,*** aftakelen.
décatissage [dékatisa:j] *m.* (het) krimpvrij maken [*o.*
décatisseur [dékatisœ:r] *m.* ontglanzer *m.*
décavé [dékavé] *adj.* platzak, blut; geruïneerd; aan lager wal.
décaver [dékavé] *v.t.*, ***— qn.,*** iem. al zijn geld afwinnen.
décédé [désédé] *m.* overledene *m.*
décéder [désédé] *v.i.* overlijden, sterven.
décèlement [désèlmã] *m.* ontmaskering, openbaarmaking *v.*
déceler [déslé] *v.t.* openbaren; verraden, aan 't licht brengen.
décélération [désélérα·syõ] *f.* vertraging *v.* (in [snelheid).
décembre [désã:br] *m.* december *m.*
décemment [désamã] *adv.* betamelijk, fatsoenlijk, welvoeglijk.
décemvir [désèmvi:r] *m.* tienman *m.*
décemvirat [désèmvira] *m.* tienmanschap *o.*
décence [désã:s] *f.* fatsoen *o.*, welvoeglijkheid, gepastheid *v.*
décennal [désènal] *adj.* tienjarig; tienjaarlijks.
décent [désã] *adj.* betamelijk, fatsoenlijk, welvoeglijk.
décentralisateur [désã·tralizatœ:r] *adj.* decentraliserend.
décentralisation [désã·tralizã·syõ] *f.* decentrali- [satie *v.*
décentraliser [désã·trali·zé] *v.t.* decentraliseren, losmaken van het centraal gezag.
décentrement [désã·tremã] *m.* (*v. lenzen*) het decentreren *o.*, een afwijkend middelpunt geven.
déception [désèpsyõ] *f.* teleurstelling *v.*
décercler [désèrklé] *v.t.* (*v. vat*) van hoepels ontdoen.
décernement [désèrnemã] *m.* toekenning *v.*
décerner [désèrné] *v.t.* **1** (*v. prijs, beloning*) toekennen; **2** (*v. bevel*) uitvaardigen.
décès [désè] *m.* **1** overlijden *o.*, dood *m. en v.*; **2** sterfgeval *o.*
décevant [dés(e)vã] *adj.* **1** teleurstellend; **2** bedrieglijk, misleidend.
décevoir [dés(e)vwa:r] *v.t.* **1** teleurstellen; **2** bedriegen, misleiden; **3** (*v. verwachting*) beschamen.
déchaînement [déʃè·nmã] *m.* **1** ontketening *v.*; **2** losbarsting *v.*
déchaîner [déʃè·né] **I** *v.t.* **1** ontketenen; **2** (*fig.*) aanhitsen; **II** *v.pr.*, ***se —,*** **1** losbreken; **2** uitvaren, razen.
déchaler [déʃalé] *v.i.*, (*v. zee*) teruglopen.
déchant [déʃã] *m.*, (*muz.*) uithaal *m.*; (*gregor.*) discantus *m.*
déchanter [déʃã·té] *v.i.* een toontje lager zingen.
déchard [dèʃa:r] *m.* (*pop.*) arme drommel *m.*
décharge [déʃarj] *f.* **1** (*v. wagen, enz.*) (het) lossen *o.*; **2** (*v. wapen*) losbranding *v.*; **3** (*el.*) ontlading *v.*; **4** (*v. belasting, enz.*) ontheffing *v.*; **5** (*v. geweten*) opluchting, ontlasting *v.*; **6** kwijting *v.*; kwitantie *v.*; **7** afwatering *v.*; **8** rechtvaardiging, vrijpleiting *v.*; ***témoin à —,*** getuige ten gunste van de beklaagde; ***tuyau de —,*** afvoerbuis *v.*(*m.*); ***chambre de —,*** rommelkamer *v.*(*m.*); ***— de livraison,*** leveringsbewijs *o.*; ***porter en —,*** in mindering brengen, op het credit boeken.
déchargement [déʃarj(e)mã] *m.* **1** (*v. wagen, enz.*) lossing *v.*; **2** (*v. vuurwapen*) ontlading *v.*
déchargeoir [déʃarjwa:r] *m.* afwatering *v.*
décharger [déʃarjé] **I** *v.t.* **1** lossen; **2** (*v. waren*) afladen, lossen; **3** (*v. vuurwapen*) afschieten, aftrekken; **4** (*el.*) ontladen; **5** (*v. geweten*) ontlasten; **6** (*v. persoon*) rechtvaardigen, vrijpleiten; **7** (*v. woede*) luchten; ***— son cœur,*** zijn hart luchten; ***— qn. d'un travail,*** iem. van een werk ontslaan; **II** *v.i.*, (*v. stoffen*) afgeven; **III** *v.pr.*, ***se —,*** **1** zich ontlasten; **2** zich uitstorten, uitstromen; **3** zijn gemoed luchten; **4** (*v. geweer*) afgaan.
déchargeur [déʃarjœ:r] *m.* losser *m.*
décharné [déʃarné] *adj.* **1** mager, ontvleesd, uitgemergeld; **2** (*v. stijl*) dor, droog.
décharner [déʃarné] *v.t.* **1** ontvlezen; **2** uitmer- [gelen.
déchaumage [déʃo·ma·j] *m.* het onderploegen van stoppels.
déchaumer [déʃo·mé] *v.t.*, (*v. veld*) de stoppels onderploegen.
déchaumeuse [déʃo·mö:z] *f.* hakploeg *m. en v.*
déchaussement [déʃo·smã] *m.* **1** (*v. boomwortels, fundamenten, enz.*) blootlegging *v.*, (het) blootleggen *o.*; **2** (*v. tanden*) (het) losmaken *o.*, (het) losgaan *o.*
déchausser [déʃo·sé] **I** *v.t.* **1** schoenen en kousen uittrekken; **2** (*v. boom, muur, enz.*) van onder blootleggen; **3** (*v. tand*) losmaken; ***carme déchaussé,*** ongeschoeide karmeliet *m.*; **II** *v.pr.*, ***se —,*** zijn kousen en schoenen uittrekken.
dèche [dèʃ] *f.* geldverlegenheid *v.*; ***être dans la —,*** op zwart zaad zitten.
déchéance [déʃéã:s] *f.* **1** verval *o.*; achteruitgang *m.*; **2** (*uit ambt, macht*) ontzetting *v.*, afzetting *v.*; **3** (*v. recht*) verlies *o.*; **4** vervallenverklaring *v.*
déchet [déʃè] *m.* **1** afval *m.*; **2** waardevermindering *v.*; **3** (*drukk.*) misdruk *m.*
déchiffrable [déʃifra·bl] *adj.* ontcijferbaar.
déchiffrage [déʃifra:j] *m.* (*muz.*) het van het blad spelen.
déchiffrement [déʃifremã] *m.* ontcijfering *v.*
déchiffrer [déʃifré] *v.t.* **1** ontcijferen; **2** (*v. raadsel*) oplossen; **3** (*muz.*) van 't blad spelen (*of* zingen).
déchiffreur [déʃifrœ:r] *m.* **1** ontcijferaar *m.*; **2** iem. die van 't blad speelt (*of* zingt) *m.*
déchiqueter* [déʃiketé] *v.t.* **1** in strookjes knippen,

verknippen, uitrafelen; 2 onhandig voorsnijden; ***feuille déchiquetée,*** (*Pl.*) gekorven blad *o.*; ***côte déchiquetée,*** ontwikkelde kustlijn *v.*(*m.*), ongelijkmatige kust *v.*(*m.*), kust met veel inhammen; ***style déchiqueté,*** versnipperde stijl *m.*
déchiqueture [déʃiketü:r] *f.* 1 kerf *v.*(*m.*), inkerving *v.*; 2 (*met schaar*) knip *m.*; 3 (*v. kust*) insnijding *v.*
déchirant [déʃirã] *adj.* 1 hartverscheurend; 2 (*v. hoest*) rauw.
déchiré [déʃiré] *adj.* inwendig verdeeld.
déchirement [déʃirmã] *m.* 1 verscheuring *v.*, (het) verscheuren *o.*; 2 hevige pijn *v.*(*m.*); 3 diepe smart *v.*(*m.*); ***—s,*** verdeeldheid *v.*
déchirer [déʃiré] I *v.t.* 1 scheuren, verscheuren; 2 (*v. omslag*) openscheuren; 3 (*v. lucht*) doorklieven; 4 (*v. schip, enz.*) slopen; 5 (*v. wond*) openrijten; 6 (*v. overeenkomst, verdrag*) met voeten treden; 7 (*fig.*) kwellen, teisteren; ***— qn. à belles dents,*** iem. belasteren, iemands goede naam bekladden; II *v.pr.*, ***se —,*** 1 scheuren; 2 kraken; 3 (*v. hart*) bloeden.
déchireur [déʃirœ:r] *m.* scheepssloper *m.*
déchirure [déʃirü:r] *f.* scheur *v.*(*m.*).
déchoir* [déʃwa:r] *v.i.* 1 vervallen; 2 achteruitgaan, verminderen; ***ange déchu,*** gevallen engel *m.*; ***être déchu d'un droit,*** een recht verbeurd hebben. [kerstening *v.*
déchristianisation [dékristyaniza·syõ] *f.* ont-
déchristianiser [dékristyani·zé] *v.t.* ontkerstenen.
déciare [désya:r] *m.* deciare *v.*(*m.*).
décibel [désibèl] *m.* decibel *v.*
décidé [désidé] *adj.* 1 (*v. persoon*) vastberaden, flink; 2 (*v. zaak*) beklonken, beslist; ***c'est une affaire —e,*** dat is een uitgemaakte zaak.
décidément [désidémã] *adv.* 1 zeker, beslist, stellig; 2 waarlijk, waarachtig.
décider [désidé] I *v.t.* 1 beslissen; 2 (*v. twist, enz.*) beslechten, een eind maken aan; ***— qn. à faire qc.,*** iem. overhalen iets te doen; II *v.i.*, ***— de,*** beslissen over; III *v.pr.*, ***se —,*** 1 een besluit nemen; 2 beslist worden; ***se — à,*** het besluit nemen om.
décigramme [désigram] *m.* decigram *o.*
décilitre [désilitr] *m.* deciliter *m.*
décimal [désimal] *adj.* 1 decimaal, tiendelig; 2 (*v. stelsel*) tientallig.
décimale [désimal] *f.*, (*rek.*) decimaal *v.*(*m.*); tiendelige breuk *v.*(*m.*).
décimalité [désimalité] *f.* tiendeligheid *v.*
décimation [désima·syõ] *f.* decimering *v.*
décime [désim] *m.* 1 tiende deel *o.* van een frank; 2 tien opcenten op de belasting, belasting van 10%.
décimer [désimé] *v.t.* 1 dunnen, ontvolken; 2 (*mil.*) decimeren, zwaar teisteren.
décimètre [désimè·tr] *m.* decimeter *m.*
décintrement [désẽ·tr(e)mã] *m.* wegneming *v.* van het timmerwerk (de houten bogen).
décintrer [désẽ·tré] *v.t.* de houten bogen wegnemen (onder een gewelf).
décisif [désizif] *adj.* 1 beslissend; 2 (*v. toon*) beslist, vastberaden.
décision [désizyõ] *f.* 1 beslissing *v.*; 2 besluit *o.*; 3 beslistheid *v.*; 4 vastberadenheid *v.*; ***avec —,*** vastberaden.
décisivement [désizivmã] *adj.* 1 beslist; vastberaden; 2 op beslissende wijze.
décisoire [désizwa:r] *adj.* beslissend; ***serment —,*** (*recht*) zuiveringseed *m.*
déclamateur [déklamatœ:r] I *m.* 1 voordrager, declamator *m.*; 2 (*ong.*) woordenkramer *m.*; II *adj.* hoogdravend.
déclamation [déklama·syõ] *f.* 1 voordracht *v.*(*m.*), declamatie *v.*; 2 woordenkramerij *v.*, woordenpraal *v.*(*m.*), bombast *m.*; ***tomber dans la —,*** bombast verkopen.
déclamatoire [déklamatwa:r] *adj.* 1 (*v. toon*) hoogdravend; 2 (*v. stijl*) gezwollen.
déclamer [déklamé] I *v.t.* voordragen, opzeggen; II *v.i.*, ***— contre,*** uitvaren tegen.
déclancher [déklã·ʃé] *v.t.*, *voir* ***déclencher.***
déclaratif [déklaratif] *adj.* verklarend, verklarings—; ***verbe —,*** werkwoord dat de gedachte uitdrukt.
déclaration [déklara·syõ] *f.* 1 verklaring *v.*; 2 (*v. geboorte, belasting, enz.*) aangifte *v.*; ***faire la — de,*** verklaren; aangifte doen van; ***— en douane,*** douaneverklaring.
déclaratoire [déklaratwa:r] *adj.* verklarend.
déclaré [déklaré] *adj.* 1 verklaard; 2 (*v. waarde*) aangegeven; 3 (*v. strijd, oorlog*) openlijk; 4 (*v. vijand*) gezworen; 5 (*gen.*) erkend.
déclarer [déklaré] I *v.t.* 1 verklaren; 2 (*v. geboorte, sterfgeval*) aangeven; 3 (*v. bericht*) bekend maken; 4 (*v. faillissement*) uitspreken; ***valeur déclarée,*** aangegeven waarde; II *v.pr.*, ***se —,*** 1 zich verklaren; 2 zijn mening bekend maken, uitkomen voor; 3 (*v. ziekte*) uitbreken; 4 (*v. brand*) uitbarsten; 5 (*v. onrust, enz.*) zich openbaren.
déclassé [dékla·sé] I *adj.* 1 (*v. persoon*) verlopen; 2 (*v. effect, enz.*) minderwaardig; 3 (*mil.*: *v. vesting*) afgekeurd; II *s.*, *m.* gedeclasseerde *m.*
déclassement [dékla·smã] *m.* 1 schrapping *v.* (van lijst); 2 waardevermindering *v.*; 3 (*v. vesting*) afkeuring *v.*
déclasser [dékla·sé] *v.t.* 1 (*v. naamlijst*) schrappen; 2 (*v. schip, vesting*) afkeuren; ***valeurs déclassées,*** waardeloze effecten; II *v.pr.*, ***se —,*** uit zijn stand raken; achteruitgaan.
déclenchement [déklã·ʃmã] *m.*, (*tn.*) afkoppeling; afzetting *v.*
déclencher [déklã·ʃé] I *v.t.* 1 (*tn.*) afkoppelen; 2 (*v. deur*) de klink oplichten van; 3 (*fig.*) ontketenen; 4 (*mil.*: *v. aanval*) inzetten; 5 uitlokken, de stoot geven tot; II *v.pr.*, ***se —,*** 1 losgaan; 2 in werking komen; 3 (*v. aanval*) ingezet worden; ***se — l'épaule,*** zijn schouder ontwrichten.
déclencheur [déklã·ʃœ:r] *m.* (*fot.*) ontspanner *m.*
déclic [déklik] *m.* 1 (*v. uurwerk*) slagveer *v.*(*m.*); 2 (*fot.*) druk *m.* op de knop.
déclin [déklẽ] *m.* 1 (*v. hemellichaam, enz.*) daling *v.*; 2 vermindering *v.*, achteruitgang *m.*; 3 (*v. koorts*) (het) afnemen *o.*; ***au — du jour,*** tegen de avond; ***le soleil est à son —,*** de zon daalt, de zon gaat onder.
déclinable [déklina·bl] *adj.*, (*gram.*) verbuigbaar.
déclinaison [déklinè·zõ] *f.* 1 (*gram.*) verbuiging *v.*; 2 (*sterr.*) declinatie *v.*; 3 (*v. kompas*) afwijking *v.*
déclinatoire [déklinatwa:r] *adj.*, (*recht*) wrakend, afwijzend.
décliner [dékliné] I *v.i.* 1 (*v. ster, muur, enz.*) afwijken; 2 (*v. kompas*) mis wijzen, afwijken; 3 (*v. zon*) dalen, ondergaan; 4 (*fig.*) achteruitgaan, tanen; in verval geraken; II *v.t.* 1 (*gram.*) verbuigen; 2 (*v. naam*) opgeven; 3 (*v. aanbod, enz.*) afslaan; 4 (*v. eer*) afwijzen; 5 (*recht*) wraken; 6 (*v. verantwoordelijkheid*) afwijzen, van de hand wijzen.
déclinomètre [déklinòmè·tr] *m.* declinatiekompas *o.* [len.
décliquer [déklikė] *v.t.*, (*tn.*) afspannen, afkoppe-
déclive [dékli:v] *adj.* hellend, schuin, glooiend; ***toit en —,*** hellend dak.
décliver [dékli·vé] *v.i.* hellen, glooien.
déclivité [déklivité] *f.* helling, glooiing *v.*

déclore* [déklò:r] *v.t.* ontsluiten.
déclouer [déklué] *v.t.* **1** de spijkers halen uit; **2** (*v. kist*) openmaken; **3** (*v. tapijt*) opnemen.
décochement [dékòʃmã] *m.* het afschieten *o.*
décocher [dékòʃé] *v.t.* **1** (*v. pijl*) afschieten; **2** (*fig.*: *v. slag, enz.*) geven; **3** (*v. blik*) toewerpen; **— *un trait à qn.*,** iem. een steek onder water geven.
décocté [dékòkté] *m.* afkooksel *o.*
décoction [dékòksyõ] *f.* **1** afkoking *v.*, (het) afkoken *o.*; **2** afkooksel *o.*
décoiffer [dékwafé] **I** *v.t.* **1** de haren (*of* het kapsel) in de war brengen; **2** het hoofddeksel afslaan; **3** (*v. fles*) de capsule afnemen van, ontkurken; **II** *v.pr.*, ***se* —, 1** zijn hoed afzetten; **2** het haar losmaken.
décolérer [dékòléré] *v.i.* ophouden boos te zijn; ***ne pas* —,** woedend blijven.
décollage [dékòla:j] *m.* (het) loskomen *o.*; (*v. vliegtuig*) (het) starten *o.*
décollation [dékò'la'syõ] *f.* onthoofding *v.*
décollement [dékòlmã] *m.* het losgaan *o.* (van wat gelijmd was).
décoller [dékòlé] **I** *v.t.* **1** losmaken; **2** (*bilj.*: *v. bal*) van de band afbrengen, van de band afspelen; **II** *v.i.* **1** loslaten; **2** (*vl.*) van de grond loskomen; starten, opstijgen; **3** (*fam.*) heengaan, ophoepelen; **III** *v.pr.*, ***se* —,** losgaan.
décolletage [dékòlta:j] *m.* **1** (het) decolleteren *o.*, ontbloting *v.*; **2** zeer lage hals *m.*
décolleter [dékòlté] *v.t.* decolleteren, laag uitsnijden, ontbloten.
décolorant [dékòlòrã] **I** *adj.* ontkleurend; **II** *s.*, *m.* ontkleurend middel *o.*; bleekmiddel *o.*
décoloration [dékòlòra'syõ] *f.* **1** ontkleuring *v.*; (het) verschieten *o.*; **2** (*v. suiker*) klaring *v.*, (het) klaren *o.*
décoloré [dékòlòré] *adj.* **1** bleek, verschoten; **2** (*fig.*: *v. stijl*) kleurloos; **3** (*v. leven, enz.*) saai, eentonig.
décolorer [dékòlòré] **I** *v.t.* **1** ontkleuren; **2** (*v. stoffen*) bleken; **3** (*v. suiker*) klaren; **4** (*v. kleuren*) doen verschieten, doen verbleken; **II** *v.pr.*, ***se* —, 1** van kleur veranderen; **2** verschieten.
décombrement [dékõ'bremã] *m.* wegruiming *v.*
décombrer [dékõ'bré] *v.t.* **1** het puin wegruimen van; **2** (*v. doorgang, enz.*) vrijmaken.
décombres [dékõ:br] *m.pl.* puin *o.*, afbraak *v.*(*m.*).
décommander [dékòmã'dé] *v.t.* afbestellen; **2** (*v. feest, enz.*) afzeggen, afgelasten. [schenden.
décompléter [dékõ'pleté] *v.t.* onvolledig maken,
décomposable [dékõ'po'za'bl] *adj.* ontleedbaar.
décomposant [dékõ'po'zã] *adj.* ontbindend.
décomposer [dékõ'po'zé] **I** *v.t.* **1** ontleden; **2** ontbinden; **3** (*v. gelaatstrekken*) verwringen; **II** *v.pr.*, ***se* —, 1** zich ontbinden; tot ontbinding overgaan; **2** (*v. gelaatstrekken*) vertrekken, zich verwringen.
décomposition [dékõ'po'zisyõ] *f.* **1** ontleding *v.*; **2** ontbinding *v.*; **3** (het) verwringen *o.*
décompression [dékõ'prèsyõ] *f.* (*tn.*) vermindering *v.* van spanning *of* druk.
décomprimer [dékõ'primé] *v.i.*,(*tn.*) de spanning opheffen of verminderen.
décompte [dékõ:t] *m.* **1** (*v. kosten, enz.*) mindering *v.*, aftrek *m.*; **2** (*H.*) afrekening *v.*; **3** tegenvaller *m.*, misrekening *v.*; ***trouver du* —, 1** minder ontvangen dan men dacht; **2** (*fig.*) bedrogen uitkomen.
décompter [dékõ'té] **I** *v.t.* **1** aftrekken, korten; **2** afrekenen; in rekening brengen; **II** *v.i.* **1** (*v. klok*) van slag zijn; **2** een tegenvaller hebben.
déconcertant [dékõ'sèrtã] *adj.* ontstellend, verbijsterend.
déconcertement [dékõ'sèrtemã] *m.* verlegenheid; verbijstering *v.*
déconcerter [dékõ'sèrté] **I** *v.t.* **1** verlegen maken; verbijsteren; **2** in de war brengen; **II** *v.pr.*, ***se* —,** in de war raken; van zijn stuk raken.
déconfès [dékõ'fè] *adj.*, ***mourir* —,** zonder biecht sterven.
déconfit [dékõ'fi] *adj.* **1** verslagen; beteuterd; **2** failliet.
déconfiture [dékõ'fitü:r] *f.* **1** ondergang *m.*, bankroet *o.*; **2** volkomen nederlaag *v.*(*m.*); ***en* —,** failliet, in staat van faillissement.
décongeler [dékõ'jelé] *v.t.* ontdooien.
décongestionner [dékõ'jèstyòné] *v.t.* **1** de congestie doen ophouden; **2** (*v. verkeer*) ontlasten.
déconnecter [dékònèkté] *v.t.* uitschakelen.
déconseiller [dékõ'sèyé] *v.t.* ontraden, afraden.
déconsidération [dékõ'sidéra'syõ] *f.* verlies *o.* van aanzien, diskrediet *o.*
déconsidérer [dékõ'sidéré] *v.t.* de achting doen verliezen; onteren.
déconstruire [dékõ'strwi:r] *v.t.* uit elkaar nemen.
décontenancé [dékõ'tnã'sé] *adj.* verlegen, van streek, ontdaan.
décontenancer [dékõ'tnã'sé] *v.t.* van zijn stuk brengen, uit het veld slaan.
décontracter [dékõ'trakté] **I** *v.t.* (*v. spieren*) ontspannen; **II** *v.pr.*, ***se* —,** zijn spieren ontspannen; (*v. gelaat*) zich ontspannen.
décontraction [dékõ'traksyõ] *f.* ontspanning *v.*
déconvenue [dékõ'vnü] *f.* teleurstelling *v.*, tegenslag *m.*
décor [dékò:r] *m.* **1** versiering *v.*; **2** toneelversiering *v.*, schermen *mv.*; **3** (*fig.*) omgeving, omlijsting *v.*, achtergrond *m.*; **—*s*,** decors *mv.*; ***peintre en* —*s*,** decoratieschilder *m.*
décorateur [dékòratœ:r] *m.* **1** versierder, decorateur *m.*; **2** toneelschilder *m.*; **3** decoratieschilder *m.*
décoratif [dékòratif] *adj.* versierend, versierings—.
décoration [dékòra'syõ] *f.* **1** versiering *v.*; **2** opschik, tooi *m.*; **3** ereteken *o.*, decoratie *v.*
décorer [dékòré] *v.t.* **1** versieren; **2** (*v. woning*) stofferen; **3** decoreren, ridderen, een ridderorde verlenen.
décorner [dékòrné] **1** (*v. boek*) de ezelsoren gladstrijken; **2** de horens afrukken; ***il fait un vent à — les bœufs*,** er staat een stormwind.
décorticage [dékòrtika:j] *m.*, **décortication** [dékòrtika'syõ] *f.* **1** ontschorsing *v.*; **2** (*v. vrucht*) (het) pellen *o.*
décortiquer [dékòrtiké] *v.t.* **1** ontschorsen; **2** pellen, schillen.
décortiqueur [dékòrtikœ:r] *m.* peller *m.*
décorum [dékòròm] *m.* fatsoen, decorum *o.*; ***par* —,** fatsoenshalve, welstaanshalve.
découcher [dékuʃé] *v.i.* buitenshuis slapen.
découdre* [déku:dr] **I** *v.t.* **1** lostornen; **2** (*v. dier*) (de buik) openrijten; **II** *v.i.* van leer trekken; **III** *v.pr.*, ***se* —,** (*v. naad*) losgaan.
découlement [dékulmã] *m.*, (*gen.*) afvloeiing *v.*
découler [dékulé] *v.i.* **1** wegvloeien; afvloeien; **2** voortvloeien (***de***, uit).
découpage [dékupa:j] *m.* **1** (*v. hout, metaal*) (het) uitsnijden *o.*; **2** (*v. papier, stof*) (het) uitknippen *o.*; **3** (het) doorslaan, (het) ponsen *o.*; **4** (het) voorsnijden *o.*
découpe [dékup] *f.* uitsnijding *v.*
découper [dékupé] **I** *v.t.* **1** uitsnijden; **2** uitknippen; **3** doorslaan, ponsen; **4** voorsnijden; **5** (*v.*

koek) doorsnijden, verdelen; ***couteau à —,*** voorsnijmes *o.*; ***côte découpée,*** sterk ontwikkelde kustlijn; **II** *v.pr.*, ***se — (sur),*** **1** afsteken (tegen); **2** zich aftekenen (tegen).

découpeur [dékupœ:r] *m.* voorsnijder *m.*; ***— en bois,*** houtsnijder *m.*

découpeuse [dékupö:z] *f.* snijmachine *v.*

découplé [dékuplé] *adj.*, ***bien —,*** welgevormd, welgemaakt.

découpler [dékuplé] *v.t.* loskoppelen.

découpoir [dékupwa:r] *m.* **1** (*tn.*) doorslag, pons *m.*; **2** snijmachine *v.*

découpure [dékupü:r] *f.* **1** (het) uitsnijden, (het) uitknippen *o.*; **2** uitgesneden (uitgeknipte) figuur *v.*(*m.*) *en o.*; **3** (*v. krant*) uitknipsel *o.*; **4** (*v. kust, blad*) insnijding *v.*; ***travail en —,*** snijwerk, knipwerk, zaagwerk *o.*

décourageant [dékurajã] *adj.* ontmoedigend.

découragement [dékurajmã] *m.* **1** ontmoediging *v.*; **2** moedeloosheid, neerslachtigheid *v.*

décourager [dékurajé] **I** *v.t.* ontmoedigen, moedeloos maken; **II** *v.pr.*, ***se —,*** moedeloos worden, de moed verliezen.

découronner [dékuròné] *v.t.* onttronen, de kroon afnemen van.

décours [déku:r] *m.*, (*v. maan, ziekte*) (het) afnemen *o.*

décousu [dékuzü] **I** *adj.* **1** los; **2** (*v. stijl*) onsamenhangend; **3** (*v. schoen, enz.*) kapot; **II** *s., m.* gebrek *o.* aan samenhang.

décousure [dékuzü:r] *f.* losgetornde naad *m.*, torntje *o.*

découvert [dékuvè:r] **I** *adj.* **1** ongedekt; **2** wolkeloos; **3** (*v. arm, enz.*) bloot; **4** (*v. rijtuig*) open; **5** (*v. land, terrein*) zonder bomen, vlak; **6** (*v. voorhoofd*) kaal; ***à ciel —,*** onder de blote hemel; ***crédit à —,*** blanco krediet *o.*; ***acceptation à —,*** blanco accept *o.*; ***la tête —e,*** blootshoofds, met ontbloot hoofd; **II** *s., m.* **1** tekort *o.*; **2** voorschotten *mv.*; ***avoir un —,*** open krediet hebben; ***vendre à —,*** blanco verkopen; ***mettre à —,*** blootleggen; ***tirer à —,*** in blanco trekken.

découverte [dékuvèrt] *f.* **1** ontdekking *v.*; **2** (*bij schermen*) blootgeving *v.*; **3** uitkijk *m.*; ***aller à la —,*** op verkenning uitgaan.

découvrir* [dékuvri:r] **I** *v.t.* **1** ontbloten; **2** ontdekken, vinden; **3** (*v. plannen*) verraden; **4** (*v. wortels, strand*) blootleggen; **5** bespeuren, ontwaren; ***— son jeu,*** (*fig.*) zich in de kaart laten kijken; **II** *v.pr.*, ***se —,*** **1** de hoed afnemen, het hoofd ontbloten; **2** zich dunner kleden; **3** zich blootgeven; **4** (*v. lucht*) opklaren; **5** zijn hart uitstorten.

décrassage [dékra'sa:j], **décrassement** [dékra'smã] *m.* reiniging *v.*

décrasser [dékra'sé] *v.t.* **1** reinigen, zuiveren; **2** (*fig.*) ontbolsteren, manieren leren.

décrassoir [dékra'swa:r] *m.* stofkam *m.*

décréditer [dékrédité] *v.t.* in diskrediet brengen.

décrépir [dékrépi:r] *v.t.* de kalk afbikken van.

décrépissage [dékrépisa:j] *m.* het afbikken *o.*

décrépit [dékrépi] *adj.* afgeleefd, versleten.

décrépitation [dékrépita'syõ] *f.* geknetter *o.*

décrépiter [dékrépité] *v.i.* knetteren, knapperen (in 't vuur).

décrépitude [dékrépitü'd] *f.* afgeleefdheid *v.*, verval *o.*

decrescendo [dékrèsè'do, dékrèʃèndo] **I** *adv.* afnemend; **II** *s., m.*, (*muz.*) descrescendo *o.*

décret [dékrè] *m.* decreet, besluit *o.*

décrétale [dékrétal] *f.* oude pauselijke beslissing *v.*

décréter [dékrété, dékrèté] *v.t.* bevelen, verordenen, decreteren.

décret*-loi* [dékrèlwa] *m.* noodverordening *v.*; (*B.*) besluitwet *v.*(*m.*).

décrié* [dékri(y)é] *adj.* berucht.

décrier [dékri(y)é] *v.t.* belasteren, bekladden; in opspraak brengen.

décrire [dékri:r] *v.t.* beschrijven.

décrochage [dékròʃa:j], **décrochement** [dékròʃmã] *m.* loshaking *v.*

décrocher [dékròʃé] *v.t.* **1** loshaken; afhaken; **2** (*v. telefoon*) van de haak nemen; **3** (*pop.*) uit de lommerd halen; ***— la timbale,*** **1** (*bij mastklimmen*) de eerste prijs behalen; **2** (*fig.*) zijn doel bereiken, het begeerde veroveren.

décrochez-moi-ça [dékròʃémwasa] *m.* oudekleerkoop *m.*

décroiser [dékrwa'zé] *v.t.*, ***— les bras,*** de armen niet meer kruisen.

décroissance [dékrwa'sã:s] *f.*, **décroissement** [dékrwa'smã] *m.* vermindering, afneming *v.*

décroissant [dékrwa'sã] *adj.* afnemend; ***progression —e,*** (*rek.*) afdalende reeks *v.*(*m.*).

décroît [dékrwa] *m.* **1** (*v. maan*) afneming *v.*; **2** (*v. veestapel*) vermindering *v.*

décroître* [dékrwa:tr] *v.i.* **1** afnemen; **2** verminderen; **3** (*v. water*) dalen, vallen; **4** (*v. dagen*) korten, korter worden.

décrottage [dékròta:j] *m.* (het) schoonmaken *o.*; (het) poetsen *o.*

décrotter [dékròté] *v.t.* **1** (*v. kleren*) schoonmaken, afborstelen; **2** (*v. schoenen*) poetsen; **3** (*v. steen*) afbikken; **4** (*v. persoon*) ontbolsteren, beschaven.

décrotteur [dékròtœ:r] *m.* schoenpoetser *m.*

décrotteuse [dékròtö:z] *f.* schoenborstel *m.*

décrottoir [dékròtwa:r] *m.*, (*aan deur*) voetschrapper *m.*

décrottoire [dékròtwa:r] *f.* schoenborstel *m.*

décrue [dékrü] *f.*, (*v. water*) val *m.*, daling *v.*

décruer [dékrüé] *v.t.*, (*v. garen, zijde, enz.*) wassen, logen, afkoken.

décrypter [dékripté] *v.t.* (*v. geheimschrift*) ontcijferen.

déçu [désü] *adj.* teleurgesteld; *voir* ***décevoir.***

décubitus [dékübitü's] *m.* liggende houding *v.*; ***— dorsal,*** op de rug; ***— ventral,*** op de buik; ***— latéral,*** op de zij.

déculotter [déküloté] **I** *v.t.* de broek uittrekken; **II** *v.i.*, (*pop.*) failliet gaan.

décuple [déküpl] **I** *adj.* tienvoudig; **II** *s., m.* tienvoud *o.*

décupler [déküplé] *v.t.* vertienvoudigen.

décussé [déküsé] *adj.* kruiswijs geplaatst.

décuvage [déküva:j] *m.*, **décuvaison** [déküvè'zõ] *f.*, (*v. wijn*) aftapping *v.*

décuver [déküvé] *v.t.* aftappen.

dédaigner [dédèñé] *v.t.* versmaden, verachten; geringschatten, verwerpen; ***il dédaignait de nous saluer,*** hij verwaardigde zich niet ons te groeten.

dédaigneux [dédèñö] *adj.*, **dédaigneusement** [dédèñö'zmã] *adv.* minachtend, geringschattend; smadelijk; ***être — de,*** versmaden.

dédain [dédẽ] *m.* minachting, geringschatting *v.*; verachting *v.*

dédale [dédal] *m.* doolhof *m.*

dédaléen [dédaléẽ] *adj.* onontwarbaar.

dedans [d(e)dã] *adv.* binnen; van binnen; in; ***au— de,*** binnen in; ***il n'y a rien —,*** er is niets in; ***là—,*** daarin, daar binnen; ***mettre qn. —,*** iem. er in laten lopen; ***donner —,*** er in lopen, zich laten beetnemen; ***il est très en —,*** hij is zeer gesloten, erg in zich zelf gekeerd.

dédicace [dédikas] *f.* **1** kerkwijding *v.*; **2** (*v. boek*) opdracht *v.*(*m.*).

dédicacer [dédikasé] *v.t.* van een opdracht voorzien.

dédier [dédyé] *v.t.* **1** (*v. kerk*) wijden; **2** (*v. altaar, enz.*) toewijden; **3** (*v. boek*) opdragen.

dédire* [dédi:r] **I** *v.t.* **1** logenstraffen; **2** verloochenen; **II** *v.pr.*, ***se —,*** zijn woorden intrekken; ***se — de sa promesse,*** zijn belofte herroepen.
dédit [dédi] *m.* **1** herroeping, intrekking *v.*; **2** rouwkoop *m.*
dédommagement [dédòmajmã] *m.* schadeloosstelling, vergoeding *v.*
dédommager [dédòma'jé] **I** *v.t.* schadeloosstellen, vergoeden; **II** *v.pr.*, ***se —,*** zijn schade verhalen (*of* inhalen).
dédorage [dédòra:j] *m.*, **dédorure** [dédòrü:r] *f.* **1** het ontdoen van het verguldsel; **2** het niet meer verguld zijn.
dédorer [dédòré] **I** *v.t.* ontdoen van het verguldsel; **II** *v.pr.*, ***se —,*** zijn verguldsel verliezen.
dédouanement [dédwanmã] *m.* inklaring *v.*
dédouaner [dédwané] *v.t.* inklaren, uitklaren.
dédoublage [dédubla:j] *m.*, (*v. alcohol*) verdunning *v.*
dédoublement [dédublemã] *m.* splitsing *v.*, verdeling *v.* in tweeën.
dédoubler [dédublé] **I** *v.t.* **1** splitsen; **2** (*v. balk, steen*) splijten; **3** (*v. alcohol*) verdunnen, versnijden; **4** (*v. wijn*) aanlengen; **5** (*v. kleren*) van de voering ontdoen; ***— les rangs,*** (*mil.*) één gelid formeren; **II** *v.pr.*, ***se —,*** **1** zich splitsen; **2** (*v. voering*) losgaan.
déductif [dédüktif] *adj.* deductief.
déduction [dédüksyõ] *f.* **1** afleiding *v.*; **2** gevolgtrekking *v.*; **3** aftrek *m.*, korting, mindering *v.*; ***— faite de,*** na aftrek van.
déduire* [dédẅi:r] *v.t.* **1** afleiden; **2** aftrekken, korten.
déesse [dées] *f.* godin *v.*; ***la — aux cent voix,*** de [Faam.
défâcher, se — [sedéfa'ʃé] *v.pr.* niet boos meer zijn; weer goed worden.
défaillance [défayã:s] *f.* **1** verzwakking *v.*; **2** zwakheid *v.*; **3** bezwijming, flauwte *v.*; **4** tekortkoming *v.*; **5** (*sp.*) inzinking *v.*; ***tomber en —,*** flauw vallen.
défaillant [défayã] **I** *adj.* **1** verzwakkend; **2** machteloos; **3** (*v. geslacht*) uitstervend; **4** (*recht*) afwezend; **5** (*beurs: v. aandeel*) waarop niet gestort is; ***d'une main —e,*** met zwakke hand; **II** *s., m.* (*recht*) afwezende partij *v.*
défaillir* [défayi:r] *v.i.* **1** ontbreken; **2** flauw vallen, bezwijmen; **3** te kort schieten.
défaire* [défè:r] **I** *v.t.* **1** te niet doen, vernietigen; **2** (*v. knoop, enz.*) losmaken; **3** (*v. naad*) lostornen; **4** (*v. pak, kist, enz.*) openmaken; **5** (*v. koffer*) uitpakken; **6** (*v. bed*) afhalen; **7** (*v. koop, overeenkomst*) verbreken, ongedaan maken; **8** (*v. schroef*) losdraaien; **9** (*v. vijand*) verslaan; **10** bevrijden, ontdoen (van); ***visage défait,*** ontsteld gelaat *o.*; ***chambre défaite,*** rommelige kamer *v.*(*m.*); **II** *v.pr.*, ***se —,*** **1** losgaan; **2** zijn kleren losmaken; ***se — de,*** **1** zich ontdoen van; **2** (*v. kleding*) uittrekken; **3** (*v. bediende*) wegzenden; **4** (*v. waren, enz.*) kwijtraken, van de hand doen. [afzet *m.*
défaite [défè't] *f.* **1** nederlaag *v.*(*m.*); **2** (*H.*) aftrek,
défaitisme [défè'tizm] *m.* gebrek *o.* aan vertrouwen in de overwinning.
défaitiste [défè'tist] *m.* defaitist *m.*
défalcation [défalka'syõ] *f.* aftrekking, korting *v.*
défalquer [défalké] *v.t.* aftrekken, korten.
défausser [défo'sé] **I** *v.t.* rechtbuigen; **II** *v.pr.*, ***se —,*** (*spel*) zijn slechte kaarten wegdoen.
défaut [défo] *m.* **1** gebrek *o.*; **2** afwezigheid, ontstentenis *v.*; **3** fout *v.*(*m.*), onvolkomenheid *v.*; ***— corporel,*** lichaamsgebrek *o.*; ***être en —,*** **1** te kort schieten, falen; **2** op een dwaalspoor zijn, zich vergissen; ***avoir le — de ses qualités,*** de gebreken hebben die met zijn goede eigenschappen verband houden; goede hoedanigheden hebben, maar ze bederven door overdrijving; ***prendre en —,*** op een fout (*of* een tekortkoming) betrappen; ***à — de,*** bij gebrek aan; bij gebreke van; ***faire —,*** **1** ontbreken; **2** in gebreke blijven, te kort schieten; **3** (*recht*) niet verschijnen; ***condamner par —,*** bij verstek veroordelen; ***ma mémoire est en —,*** mijn geheugen laat mij in de steek.
défaveur [défavœ:r] *f.* **1** ongenade *v.*(*m.*); **2** ongunst *v.* [ongunstig.
défavorable(ment) [défavòra'bl(emã)] *adj.* (*adv.*)
défavoriser [défavori'zé] *v.t.* achterstellen.
défécation [défékа'syõ] *f.* **1** (*chem.*) klaring, zuivering *v.*; **2** ontlasting *v.*
défectible [défèkti'bl] *adj.* onvolkomen.
défectif [défèktif] *adj.* defectief; ***verbe —,*** onvolledig werkwoord *o.*
défection [défèksyõ] *f.* **1** afvalligheid *v.*; **2** (het) afvallen *o.*; ***faire —,*** afvallig worden.
défectueux [défèktẅö] *adj.*, **défectueusement** [défèktẅö'zmã] *adv.* **1** gebrekkig; **2** onvolkomen, onvolledig.
défectuosité [défèktẅo'zité] *f.* **1** gebrek *o.*, gebrekkigheid *v.*; **2** onvolledigheid *v.*
défendable [défã'da'bl] *adj.* verdedigbaar.
défendeur [défã'dœ:r] *m.*, **défenderesse** [défã'drès] *f.* gedaagde *m.-v.*, verweerder *m.*, verweerster *v.*
défendre [défã'dr] **I** *v.t.* **1** verdedigen; **2** beschutten, beschermen; **3** behoeden; **4** verbieden; ***à son corps défendant,*** tegen wil en dank; **II** *v.pr.*, ***se —,*** **1** zich verdedigen; **2** zich teweer stellen; **3** zich verzetten; ***se — de,*** **1** zich beveiligen tegen; **2** ontkennen, loochenen; **3** van zich afzetten.
défenestration [défenèstra'syõ] *f.* het iemand het raam uitgooien.
défense [défã:s] *f.* **1** verdediging *v.*; **2** verbod *o.*; **3** slagtand *m.*; **4** verweerschrift *o.*; **5** verzet *o.*; **6** (*in proces*) verdediger *m.*; ***sans —,*** weerloos; ***légitime —,*** wettige zelfverdediging *v.*; ***— antiaérienne,*** (*mil.*) luchtafweer *m.*; ***— passive,*** bescherming burgerbevolking; ***département de la — nationale,*** departement van Defensie; (*B.*) ministerie van Landsverdediging; ***— de fumer,*** verboden te roken; ***se mettre en —,*** zich te weer stellen; ***avoir de la —,*** van zich afbijten, haar op de tanden hebben.
défenseur [défã'sœ:r] *m.* **1** verdediger *m.*; **2** pleitbezorger *m.*
défensif [défã'sif] *adj.* verdedigend; ***alliance défensive,*** defensief verbond *o.*; ***geste —,*** afwerend gebaar *o.*
défensive [défã'si:v] *f.* tegenweer *v.*(*m.*); ***se tenir sur la —,*** een verdedigende houding aannemen, tot tegenweer bereid zijn. [defensief.
défensivement [défã'si'vmã] *adv.* verdedigend,
déféquer [défékė] *v.t.* zuiveren, klaren.
déférence [déférã:s] *f.* **1** eerbied *m.*; **2** toegevendheid, inschikkelijkheid *v.*
déférer [déféré] **I** *v.t.* **1** (*v. titel, recht, enz.*) verlenen; **2** (*v. bevel*) opdragen; **3** voor de rechter dagen; **4** (*v. zaak*) verwijzen; ***— le serment à qn.,*** iem. de eed opleggen; ***— à la justice,*** aan het gerecht overleveren; **II** *v.i.* **1** toegeven, gehoor geven (aan); **2** zich schikken (naar).
déferlement [défèrlemã] *m.* (het) breken *o.* (v. de golven).
déferler [défèrlé] **I** *v.t.*, (*v. zeil*) losmaken; **II** *v.i.*, (*v. golven*) breken.
déferrage [défèra:j], **déferrement** [défèrmã] *m.* het afnemen van hoefbeslag.

déferrer [défèré] **I** *v.t.* **1** (*v. paard*) de hoefijzers afnemen; **2** van zijn stuk brengen; **II** *v.pr.*, **se —, 1** zijn hoefijzers verliezen; **2** van zijn stuk geraken.
défeuillaison [défœyè'zõ] *f.* het vallen van de bladeren.
défeuiller [défœyé] **I** *v.t.* ontbladeren; **II** *v.pr.*, ***se —***, zijn bladeren verliezen.
défi [défi] *m.* uitdaging *v.*; ***mettre au —***, uitdagen, tarten; ***relever le —***, de uitdaging aannemen.
défiance [défyã:s] *f.* wantrouwen *o.*, argwaan *m.*; ***— de soi-même***, gebrek aan zelfvertrouwen.
défiant [défyã] *adj.* wantrouwend, argwanend, achterdochtig.
défibrer [défibré] *v.t.* ontvezelen.
défibreuse [défibrö:z] *f.* ontvezelmachine *v.*
déficeler [défislé] *v.t.* het touw losmaken van.
déficience [défisyã:s] *f.* (het) ontbreken *o.*
déficient [défisyã] *adj.* onvoldoende, minderwaardig, onvolwaardig.
déficit [défisi(t)] *m.*, (*H.*) tekort, nadelig saldo, deficit *o.*
déficitaire [défisitè:r] *adj.* die een tekort oplevert.
défier [défyé] **I** *v.t.* **1** uitdagen; tarten; **2** trotseren; ***prix défiant toute concurrence***, scherp concurrerende prijs; **II** *v.pr.*, **se — de**, wantrouwen, op zijn hoede zijn voor; ***se — de soi-même***, geen zelfvertrouwen hebben.
défiger [défijé] **I** *v.t.* doen smelten, vloeibaar maken; **II se —**, *v.pr.* ontdooien (*ook fig.*).
défiguration [défigü'ra'syõ] *f.* verminking, misvorming *v.*
défigurer [défigü'ré] *v.t.* **1** verminken, misvormen; **2** (*v. aangezicht*) schenden; **3** (*v. woorden, waarheid*) verdraaien.
défilade [défila'd] *f.* (het) voorbijtrekken *o.*; ***à la —***, achter elkaar.
défilage [défila:j] *m.* **1** uitrafeling *v.*; **2** (*bij papierfabr.*) lompenvernietiging *v.*
défilé [défilé] *m.* **1** bergpas *m.*, engte *v.*; **2** (*mil.*) (het) defileren, (het) voorbijtrekken *o.*
défilement [défilmã] *m.* (*mil.*) het dekken (tegen vijandelijk zicht).
défiler [défilé] **I** *v.t.* **1** (*v. paarlen, enz.*) losrijgen, afrijgen, ontsnoeren; **2** (*tn.*: *v. lompen*) uitrafelen, fijnmaken, kappen; **3** (*mil.*: *v. loopgraaf*) beveiligen voor het vijandelijk inschieten; ***— son chapelet***, **1** zijn rozenhoedje bidden; **2** (*fig.*) zijn hart uitstorten; **II** *v.i.* **1** voorbijtrekken, defileren; **2** elkaar opvolgen; **III** *v.pr.*, **se —, 1** losgaan; **2** zich beveiligen.
défilocher [défilòʃé] *v.t.* uitrafelen.
défini [défini] *adj.* **1** (*v. lidwoord*) bepalend; **2** (*v. getal*) bepaald; **3** duidelijk, omschreven; ***passé —***, voltooid (*of* bepaald) verleden tijd *m.*
définir [défini:r] *v.t.* **1** (juist) bepalen, omschrijven; **2** vaststellen; ***— qn.***, iem. nauwkeurig doen kennen.
définissable [définisa'bl] *adj.* te omschrijven, dat omschreven kan worden.
définitif [définitif] *adj.* **1** beslissend, afdoend; **2** onherroepelijk, uiteindelijk; ***jugement —***, eindoordeel *o.*; ***en définitive***, ten slotte, per slot van rekening, op slot van zaken.
définition [définisyõ] *f.* **1** bepaling, omschrijving, definitie *v.*; **2** (*telev.*) het aantal beeldlijnen; ***par —***, uit de aard der zaak; logisch.
définitivement [définiti'vmã] *adv.* **1** voorgoed, onherroepelijk; **2** ten slotte.
déflagration [déflagra'syõ] *f.* losbarsting; opvlamming *v.*; ***— spontanée***, zelfontbranding *v.*
déflagrer [déflagré] *v.i.* in brand vliegen, in de lucht vliegen.
déflation [défla'syõ] *f.* **1** deflatie *v.*, inkrimping *v.* van bankbiljettencirculatie; **2** vertraging *v.* van een luchtstroom.
déflationniste [défla'syònist] *m.* voorstander *m.* van deflatie.
déflecteur [déflèktœ:r] *m.* keerplaat *v.*(*m.*), leischot *o.* (voor gasstroom).
défleuraison [déflœrè'zõ] *f.* (het) afvallen *o.* van de bloemen.
défleurir [déflœri:r] **I** *v.i.* verwelken, bloesem verliezen; **II** *v.t.* van bloesem beroven.
déflexion [déflèksyõ] *f.*, (*v. stralen*) breking, afwijking *v.*
défloraison [déflòrè'zõ] *f.* (het) afvallen *o.* van de bloemen (*of* bloesems).
défloration [déflòra'syõ] *f.* ontmaagding *v.*
déflorer [déflòré] *v.t.* **1** van zijn bloesems beroven; **2** ontmaagden.
défoliation [défòlya'syõ] *f.* het vallen *o.*, van de bladeren.
défonçage [défõ'sa:j] *m.*, (*v. grond*) (het) omwerken, (het) diep omploegen *o.*
défoncement [défõ'smã] *m.* **1** (het) inslaan *o.* van de bodem; **2** omwerking *v.*
défoncer [défõ'sé] *v.t.* **1** (*v. vat*) de bodem inslaan; **2** (*v. grond*) diep omploegen, omspitten; **3** (*v. weg*) doen verzakken, stuk rijden; (door regen) doorweken; ***chapeau défoncé***, ingedeukte hoed; ***chaise défoncée***, ingezakte stoel.
défonceuse [défõ'söz] *f.* ondergrondsploeg *m. en v.*, bulldozer *m.*
déforestation [défòrèsta'syõ] *f.* ontbossing *v.*
déformation [défòrma'syõ] *f.* misvorming; vervorming *v.*
déformer [défòrmé] **I** *v.t.* misvormen; vervormen; ***glace déformante***, lachspiegel *m.*; **II** *v.pr.*, **se —**, uit de vorm gaan.
défournage [défurna:j], **défournement** [défurnmã] *m.* het uit de oven halen *o.*
défourner [défurné] *v.t.* uit de oven halen.
défraîchir [défrè'ʃi:r] *v.t.* van zijn glans (*of* frisheid) beroven; (*v. kleuren*) doen verschieten; ***défraîchi***, (*v. goederen*) verlegen.
défrayer [défrèyé] *v.t.* **1** vrijhouden, de kosten betalen van; **2** (*v. gesprek*) gaande houden, aan de gang houden; **3** (*v. gezelschap*) bezighouden.
défrichable [défriʃa'bl] *adj.* ontginbaar.
défrichage [défriʃa:j], **défrichement** [défriʃmã] *m.* ontginning *v.*
défricher [défriʃé] *v.t.* ontginnen.
défricheur [défriʃœ:r] *m.* ontginner *m.*
défriper [défripé] *v.t.*, (*v. kleren*) gladstrijken, uitstrijken.
défrisement [défri'zmã] *m.* **1** (*v. haar*) het ontkrullen; **2** (*v. lok*) het losmaken *o.*
défriser [défri'zé] *v.t.* **1** (*v. haar*) uit de krul doen; **2** (*v. lok*) losmaken; **3** (*fam.*) teleurstellen, ontnuchteren.
défroncer [défrõ'sé] *v.t.* de plooien strijken uit, gladstrijken; ***— les sourcils***, weer vrolijk (*of* tevreden) kijken.
défroque [défròk] *f.* **1** aflegger *m.*, (afgedragen) plunje *v.*(*m.*); **2** schamele kleding *v.*
défroqué [défròké] *m.* ex-priester; weggelopen monnik *m.*
défroquer, se — [sedéfròké] *v.pr.* de geestelijke stand verlaten.
défruiter [défrẅité] *v.t.* de vruchtensmaak ontnemen aan (*bv.* olijfolie).
défunt [défœ̃] **I** *adj.* overleden; **II** *s.*, *m.* overledene *m.*
dégagé [dégajé] *adj.* **1** los, ongedwongen, gemakkelijk; **2** vrij; **3** (*v. gestalte*) slank; **4** (*v. hemel*) hel-

der, wolkeloos; **5** (*v. kamer*) met vrije uitgang; **6** (*v. plooi*) uitspringend.
dégagement [dégajmã] *m.* **1** losheid, ongedwongenheid *v.*; **2** (*v. pand, enz.*) inlossing *v.*; **3** (*v. schip*) vlotmaking *v.*; **4** (*mil.*) ontzet *o.*; **5** (*v. geur*) uitwaseming *v.*; **6** (*v. gas*) ontwikkeling *v.*; **7** (*stelk.*: *v. onbekende*) vrijmaking *v.*; **8** (*v. stoom*) (het) uitlaten *o.*; **9** (*beurs: v. positie*) afwikkeling *v.*; ***porte de —,*** geheime deur, achterdeur *v.(m.)*.
dégager [dégajé] **I** *v.t.* **1** (*v. pand, enz.*) inlossen; **2** (*v. woord*) gestand doen; **3** (*v. schip*) vlot maken; **4** (*mil.*) ontzetten; **5** (*v. geur*) uitwasemen; **6** (*v. gas, enz.*) ontwikkelen; **7** (*stelk.*) vrijmaken; **8** (*v. stoom*) uitlaten; **9** (*v. degen*) losmaken; **10** (*v. weg, doorgang*) ontruimen, vrijmaken; **11** (*v. luchtwegen*) ruimer maken, ontlasten; **12** (*v. soldaat*) vrijstellen; **13** (*v. feit*) doen uitkomen, naar voren brengen, de aandacht vestigen op; **14** (*v. verantwoordelijkheid*) van zich afschuiven; **II** *v.pr.*, ***se — (de)***, **1** zich losmaken (uit); **2** zich vrijmaken (van); **3** opstijgen (uit); **4** (*v. lucht, weder*) ophelderen; **5** (*v. damp*) vluchtig worden; **6** te voorschijn komen (uit).
dégaine [dégè:n] *f.* linksheid, onbeholpenheid *v.*
dégainement [dégè'nmã] *m.* (het) uit de schede trekken *o.*
dégainer [dégè'né] **I** *v.t.* uit de schede trekken; **II** *v.i.* van leer trekken.
déganter [dégã'té] *v.t.* (*et v.pr.*, ***se —***), de handschoenen uittrekken.
dégarni [dégarni] *adj.* **1** kaal; **2** leeg; **3** verlaten; **4** (*v. boom*) ontbladerd, kaal; **5** (*v. mond*) tandeloos.
dégarnir [dégarni:r] **I** *v.t.* **1** ontdoen (van); beroven (van); **2** (*v. kamer, beurs*) leeg maken; **3** (*v. schip*) aftakelen; **4** (*v. boom*) snoeien; **5** (*v. vesting, grens*) van troepen ontbloten; **II** *v.pr.*, ***se —***, **1** (*v. hoofd, enz.*) kaal worden; **2** (*v. boomkruin*) dunner worden; **3** (*v. zaal*) leeglopen; **4** al zijn geld uitgeven.
dégât [dégɑ] *m.* **1** schade *v.(m.)*; **2** vernieling *v.*
dégauchir [dégo'ʃi:r] *v.t.* fatsoeneren; beschaven.
dégauchissage [dégo'ʃisɑ:j] *m.* bijwerking, fatsoenering *v.*; het recht schaven *o.*
dégauchisseuse [dégo'ʃisö:z] *f.* schaafmachine *v.*
dégazolinage [dégazòlina:j] *f.* petroleumwinning *v.*
dégazonner [dégazòné] *v.t.* (*v. grasland*) scheuren.
dégel [déjèl] *m.* dooi *m.*; dooiweer *o.*; ***le temps est au —,*** het gaat dooien.
dégelée [déjlé] *f.*, (*pop.*) afrossing *v.*, pak *o.* slaag.
dégèlement [déjèl(e)mã] *m.* ontdooiing *v.*
dégeler* [déjlé] **I** *v.i.* dooien; **II** *v.t.* ontdooien.
dégénération [déjénérɑ'syõ] *f.* ontaarding, degeneratie *v.*
dégénérer [déjénéré] *v.i.* ontaarden, degenereren.
dégénérescence [déjénérèsã:s] *f.* ontaarding, verwording *v.*
dégermer [déjèrmé] *v.t.* (*v. aardappels enz.*) uitlopers verwijderen.
dégingandé [déjẽ'gã'dé] *adj.* **1** slungelachtig; **2** (*v. gang*) slingerend; **3** (*fig.*) onbeholpen; **4** (*v. stijl*) onsamenhangend.
dégingandement [déjẽ'gã'dmã] *m.* **1** slungelachtigheid *v.*; **2** slingerende gang *m.*
dégîter [déji'té] *v.t.*, (*v. haas, enz.*) opjagen.
dégivrage [déjivra:j] *m.* verwijdering *v.* van ijsafzetting.
dégivrer [déjivré] *v.t.* tegengaan of verhinderen van ijsafzetting.
dégivreur [déjivrœ:r] *m.* instrument *o.* voor het tegengaan van ijsafzetting.
déglaçage [déglasa:j] *m.* **1** (*v. weg*) het ijsvrijmaken *o.*; **2** (*v. papier*) ontglanzing *v.*
déglacer [déglasé] *v.t.* **1** ontdooien; **2** (*fig.*) verwarmen; **3** (*v. papier*) ontglanzen.
déglutir [déglüti:r] *v.t.* doorslikken, inslikken.
déglutition [déglütisyõ] *f.* doorslikking *v.*, (het) inslikken *o.*
dégobiller [dégòbiyé] *v.t. et v.i.* (*pop.*) braken, overgeven.
dégoiser [dégwa'zé] **I** *v.t.* **1** uitflappen, uitslaan; **2** (*v. verzen, enz.*) afraffelen, opdreunen; **II** *v.i.* doordraven, doorslaan, babbelen.
dégommer [dégòmé] **I** *v.t.* **1** (*v. zijde, enz.*) ontgommen; **2** (*wat gelijmd is*) losweken; **3** (*pop.*) aan de dijk zetten; uit het zadel lichten; **II** *v.pr.*, ***se —***, **1** zijn gom verliezen; **2** aftakelen, aftands worden; **3** (*pop.*) om zeep gaan.
dégonder [dégõ'dé] *v.t.* uit de hengsels lichten.
dégonflement [dégõ'flemã] *m.* (*v. band*) het leeglopen *o.*
dégonfler [dégõ'flé] *v.t.* **1** (*v. ballon, band*) laten leeglopen; **2** (*v. gezwel*) dunner doen worden; **3** (*fig.*) uithoren; ***— son cœur,*** zijn hart uitstorten, zijn hart luchten.
dégorgement [dégòrj(e)mã] *m.* **1** (*v. water, enz.*) afvloeiing *v.*; **2** (*v. goot*) (het) doorsteken, (het) ruimen *o.*; **3** (*gen.*) uitstorting *v.*; **4** (*v. wol, enz.*) zuivering *v.*
dégorgeoir [dégòrjwa:r] *m.* **1** spuigat *o.*; **2** ruimnaald *v.(m.)*; **3** (*vissp.*) bekopener *m.*; **4** smidsgereedschap *o.* om heet ijzer door te snijden.
dégorger [dégòrjé] **I** *v.t.* **1** (*v. voedsel, drank*) uitbraken, overgeven; **2** (*v. buis, enz.*) doorsteken, reinigen; **3** (*v. stoffen*) vollen; **4** (*v. wol*) uitwassen; **5** (*v. zijde*) aflogen; **6** (*v. vis*) spenen; **7** (*v. flessen*) uitspoelen; **II** *v.pr.*, ***se —***, **1** overlopen, overvloeien; **2** zich ontlasten; uitstromen (in); **3** (*v. klier*) slinken.
dégot(t)er [dégòté] *v.t.* **1** (*spel*) omwerpen; **2** (*fig.*) de loef afsteken, de baas zijn. [pen.
dégouliner [déguliné] *v.i.*, (*pop.*) druppelen, drui-
dégourdi [dégurdi] *adj.* **1** bij de hand, wakker; **2** los, ongedwongen, vrijmoedig.
dégourdir [dégurdi:r] **I** *v.t.* **1** lenig maken; buigzaam maken; **2** (*v. water*) even de kou afnemen van, lauw maken; **3** (*fig.*) ontbolsteren; **II** *v.pr.*, ***se —***, **1** lenig worden; **2** lauw worden; **3** (*fig.*) loskomen, ongedwongener worden; ***se — les jambes,*** zich wat vertreden.
dégourdissement [dégurdismã] *m.* **1** (het) lenig worden *o.*; **2** ontbolstering *v.*
dégoût [dégu] *m.* **1** walging *v.*, afkeer *m.*; **2** tegenzin, afschuw *m.*; ***prendre en —,*** een walg krijgen van.
dégoûtant [dégutã] *adj.* **1** walglijk, weerzinwekkend; **2** onuitstaanbaar.
dégoûté [déguté] *adj.* **1** afkerig, wars (van); vies (van); **2** kieskeurig, veeleisend; ***faire le —,*** zijn neus voor iets ophalen; ***être — de,*** walgen van, vies zijn van.
dégoûter [déguté] **I** *v.t.* **1** afkerig maken (van), een afkeer doen krijgen van; **2** de eetlust benemen; **II** *v.pr.*, ***se — (de),*** een afkeer (*of* tegenzin) krijgen (van).
dégouttant [dégutã] *adj.* druipend, druipnat.
dégouttement [dégutmã] *m.* het druppelen, druipen *o.*
dégoutter [déguté] *v.i.* afdruipen, lekken.
dégradant [degradã] *adj.* verlagend, onterend.
dégradateur [dégradatœ:r] *m.* (*fot.*) voorzetplaat *v.(m.)*.
dégradation [dégradɑ'syõ] *f.* **1** rangsverlaging,

degradatie *v.*; **2** ontzetting uit een waardigheid *v.*; **3** verval *o.*, verdorvenheid *v.*; **4** (*fig.*) vernedering *v.*; **5** (*v. kleur*) verzwakking *v.*, (het) uitlopen *o.*; **6** beschadiging *v.*; ***— civique,*** verlies *o.* van burgerrechten.

dégrader [dégradé] **I** *v.t.* **1** in rang verlagen, degraderen; **2** afzetten; uit zijn waardigheid ontzetten; **3** vernederen, onteren; **4** (*v. kleur, licht*) langzamerhand doen afnemen, zachtjes verminderen; **5** (*v. meubel, gebouw*) beschadigen; **II** *v.pr.*, ***se —,*** **1** zich verlagen; **2** vervallen; **3** uitlopen, verzwakken.

dégrafer [dégrafé] **I** *v.t.* loshaken; **II** *v.pr.*, ***se —,*** losgaan.

dégraissage [dégrè'sa:j] *m.* **1** ontvetting *v.*; **2** (*v. kleren*) (het) reinigen *o.*; **3** (*v. wol*) (het) wassen *o.*

dégraisser [dégrèsé] *v.t.* **1** ontvetten; **2** reinigen; uitstomen; **3** wassen; **4** (*v. soep, enz.*) het vet afschuimen.

dégras [dégrɑ] *m.* talk *m.* (v. huiden).

dégravoiement, dégravoîment [dégravwaymã] *m.*, (*v. muur, enz.*) ondermijning, afspoeling *v.*

dégravoyer [dégravwayé] *v.t.*, (*v. muur, enz.*) ondermijnen.

degré [degré] *m.* **1** trede *v.*(*m.*), trap *m.* (één trede); **2** graad; rang *m.*; **3** (*v. ziekte*) stadium *o.*; **4** (*v. rechtspraak*) instantie *v.*; ***à un haut —,*** in hoge mate; ***—s de comparaison,*** trappen van vergelijking; ***par —s,*** trapsgewijze, langzamerhand; ***— zéro,*** nulpunt *o.*; ***prendre ses —s,*** promoveren. [v.

dégréement [dégrémã] *m.* onttakeling, aftuiging

dégréer [dégréé] *v.t.* onttakelen, aftuigen.

dégressif [dégrèsif] *adj.*, (*v. belasting*) afnemend.

dégression [dégrèsyõ] *f.* afneming *v.*

dégrèvement [dégrè'vmã] *m.* **1** vrijmaking (*of* inlossing) *v.* van hypotheek; **2** ontheffing *v.* (van belasting); **3** vermindering *v.* van rechten.

dégrever [dégrevé] *v.t.* **1** vrijmaken (*of* inlossen) van hypotheek; **2** ontheffen van belasting; **3** de rechten verminderen op.

dégringolade [dégrẽ'gòla'd] *f.* **1** (*v. helling, trap, enz.*) tuimeling *v.*, val *m.*; **2** (*v. geld, enz.*) scherpe daling *v.*, val *m.*; **3** bankroet *o.*

dégringoler [dégrẽ'gòlé] **I** *v.i.* **1** aftuimelen, naar beneden tuimelen; **2** (*v. effecten, enz.*) snel dalen, kelderen; **II** *v.t.* **1** (*v. trap*) afstormen; **2** doen tuimelen.

dégrisement [dégri'zmã] *m.* ontnuchtering *v.*

dégriser [dégri'zé] **I** *v.t.* **1** ontnuchteren; **2** (*fig.*) de ogen openen; **II** *v.pr.*, ***se —,*** **1** nuchter worden; **2** (*fig.*) tot rede komen.

dégrossir [dégro'si:r] *v.t.* **1** ruw bewerken; **2** ontbolsteren, beschaven.

dégrossissage [dégro'sisa:j], **dégrossissement** [dégro'sismã] *m.* **1** ruwe bewerking *v.*; **2** ontbolstering *v.*

déguenillé [dégni'yé] **I** *adj.* haveloos, in lompen gekleed; **II** *s., m.* haveloos type *o.*, haveloze kerel *m.*

déguerpir [dégèrpi:r] **I** *v.i.* er vandoor gaan, zich uit de voeten maken; ***faire — qn.,*** iem. wegjagen; **II** *v.t.* **1** (*recht*) afzien van; **2** (*v. huis*) ontruimen.

déguerpissement [dégèrpismã] *m.* **1** afstand *m.*; **2** ontruiming *v.*

dégueuler [dégœ'lé] *v.t.* uitbraken.

déguisement [dégi'zmã] *m.* **1** vermomming, verkleding *v.*; **2** (*v. waarheid, enz.*) verdraaiing *v.*; **3** bewimpeling, verbloeming *v.*

déguiser [dégi'zé] **I** *v.t.* **1** vermommen, verkleden; **2** verdraaien; **3** bewimpelen, verbloemen; ***— sa voix,*** zijn stem veranderen; ***sans —,*** rechtuit, ronduit; **II** *v.pr.*, ***se —,*** **1** zich vermommen, zich verkleden; **2** veinzen; zich anders voordoen dan men is.

dégustateur [dégüstatœ:r] *m.* proever, fijnproever *m.*

dégustation [dégüstɑ'syõ] *f.* (het) proeven *o.*; ***salle de —,*** proeflokaal *o.* [nieten.

déguster [dégüsté] *v.t.* **1** (*v. drank*) proeven; **2** ge-

déhaler [dé(h)alé] *v.t.*, (*v. schip*) verhalen.

déhâler [dé(h)ɑlé] *v.t.* weer blank maken.

déhanchement [dé(h)ã'ʃmã] *m.* **1** heupontwrichting *v.*; **2** schommelende gang *m.*

déhancher [dé(h)ã'ʃé] **I** *v.t.*, (*v. kind*) zwikken; **II** *v.pr.*, ***se —,*** **1** zijn heup ontwrichten; **2** (*fig.*) waggelend lopen, heupwiegend gaan.

déharnacher [dé(h)arnaʃé] *v.t.* uitspannen, aftuigen.

déhiscence [dé(h)isã:s] *f.* (*Pl.*: *v. splitvruchten*) opensplijting *v.*

déhiscent [dé(h)isã] *adj.*, (*Pl.*) openspringend; ***fruit —,*** splitvrucht *v.*(*m.*).

dehors [dé(h)ò:r] **I** *adv.* buiten; naar buiten; ***mettre qn. —,*** iem. buiten zetten, iem. wegjagen; ***par —,*** buiten om; ***au —,*** naar buiten; van buiten; ***mettre toutes voiles —,*** alle zeilen bijzetten; **II** *prép.*, ***en — de,*** buiten; ***en — de moi,*** buiten mij om, zonder mijn medeweten; ***être en — de la question,*** afdwalen; **III** *s., m.* **1** (het) buitenste, uitwendige *o.*; **2** buitenkant *m.*, buitenzijde *v.*(*m.*); **3** buitenwereld *v.*(*m.*); **4** uiterlijk *o.*; schijn *m.*; ***les ennemis du —,*** de buitenlandse vijanden.

déification [déifikɑ'syõ] *f.* vergoding *v.*

déifier [déifyé] *v.t.* vergoden.

déisme [déizm] *m.* deïsme *o.*

déiste [déist] **I** *adj.* deïstisch; **II** *s., m.* deïst *m.*

déité [déité] *f.* godheid *v.*

déjà [déja] *adv.* reeds, al; ***—!*** nu al! ***comment s'appelle-t-il —?*** hoe heet hij ook weer?

déjanter [déjãté] *v.t.* (een band) van de velg afhalen.

déjection [déjèksyõ] *f.* ontlasting *v.*

déjeté [déjté] *adj.* scheef.

déjeter [déjté] **I** *v.t.* scheef buigen, scheef maken; **II** *v.pr.*, ***se —,*** **1** (*v. meubels*) scheef (*of* krom) trekken; **2** scheef groeien.

déjettement [déjètmã] *m.* kromtrekking *v.*

déjeuner [déjœné] **I** *v.i.* **1** ontbijten; **2** lunchen; **II** *s., m.* **1** ontbijt *o.*; **2** lunch *m.*, tweede ontbijt *o.*; **3** ontbijtservies *o.*; ***petit —,*** ontbijt; ***— dînatoire,*** (uitgebreide) warme lunch; ***c'est un — de soleil,*** **1** die stof zal spoedig verschieten; **2** (*fig.*) dat zal niet lang duren. [brengen.

déjoindre* [déjwẽ:dr] *v.t.* losmaken, uit de voegen

déjouer [déjué] *v.t.* verijdelen.

déjucher [déjüʃé] **I** *v.t.* **1** (*v. kippen*) van de roeststok jagen; **2** (*v. vogels*) opjagen; **II** *v.i.* van de roeststok (*of* van het kippenrek) springen.

déjuger, se — [sedéjüjé] *v.pr.* op een oordeel (besluit, *of* vonnis) terugkomen.

delà [d(e)la] *adv.* aan gene zijde van; ***par —,*** verder dan; meer dan, boven; aan gene zijde van; ***au — de la rivière,*** aan de overzijde van de rivier; ***promettre au — de son pouvoir,*** meer beloven dan men houden kan; ***cela va au — de mon attente,*** dat gaat mijn verwachting te boven.

délabré [délɑ'bré] *adj.* **1** bouwvallig, vervallen; **2** haveloos; **3** (*v. maag*) slecht, in de war.

délabrement [délɑ'br(e)mã] *m.* **1** bouwvalligheid *v.*, verval *o.*; **2** haveloosheid *v.*; **3** (*v. gezondheid*) slechte staat, achteruitgang *m.*; verval *o.* van krachten.

délabrer [délɑ'bré] **I** *v.t.* **1** (*v. gebouw*) doen ver-

vallen, in verval brengen; **2** (*v. gezondheid*) bederven, knakken; **3** (*v. meubelen*) beschadigen; **4** (*v. kleren*) havenen; **5** (*v. naam*) te gronde richten; **II** *v.pr.*, *se* —, **1** vervallen, in slechte staat geraken; **2** te gronde gaan.
délacer [délasé] *v.t.* losrijgen, losmaken.
délai [délè] *m.* **1** termijn *m.*; **2** uitstel, verwijl *o.*; **3** vertraging *v.*; oponthoud *o.*; ***à bref —,*** binnen korte tijd; ***dans le plus bref —,*** zo spoedig mogelijk; ***sans —,*** onverwijld, zonder uitstel; ***— de grâce,*** respijt *o.*, respijtdagen *mv.*; ***— de livraison,*** leveringstijd *m.* [zeggingstermijn.
délai*-congé* [délèkõ'jé] *m.* ontslag *o.* met op-
délaissement [délè'smã] *m.* **1** verlatenheid; hulpeloosheid *v.*; **2** (vrijwillige) afstand *m.*, overlating *v.*; **3** (het) in de steek laten *o.*
délaisser [délè'sé] *v.t.* **1** verlaten, in de steek laten; **2** afstand doen van; **3** afzien van, laten varen.
délaiter [délè'té] *v.t.*, (*v. boter*) uitkneden.
délaiteuse [délè'tö:z] *f.* boterkneedmachine *v.*
délarder [délardé] *v.t.* **1** het spek snijden uit, van spek ontdoen; **2** dunner (*of* smaller) maken; **3** afkanten, afschuinen, afschaven.
délassement [déla'smã] *m.* **1** ontspanning, verpozing, verkwikking *v.*; **2** tijdverdrijf *o.*
délasser [déla'sé] **I** *v.t.* ontspannen, verkwikken; verpozen; **II** *v.pr.*, ***se —,*** uitrusten, zich ontspannen.
délateur [délatœ:r] *m.* aanbrenger, verklikker *m.*
délation [déla'syõ] *f.* **1** verklikking *v.*; **2** (*v. eed*) oplegging *v.*
délavage [délava:j] *m.* verwatering *v.*
délaver [délavé] *v.t.* **1** verwateren, uitweken; **2** bleker maken.
délayable [délèya'bl] *adj.* verdunbaar.
délayage [délèya:j] *m.* **1** verdunning, aanlenging *v.*; **2** aanmenging *v.*, (het) aanmaken *o.*; **3** verwatering *v.*
délayer [délèyé] *v.t.* **1** verdunnen, aanlengen; **2** (*v. kleur, enz.*) aanmengen, aanmaken; **3** (*v. meel*) beslaan; **4** (*v. gedachte, stijl*) verwateren.
délébile [délébil] *adj.* uitwisbaar. [kelijk.
délectable [délèkta'bl] *adj.* lekker, heerlijk, sma-
délectation [délèkta'syõ] *f.* genot *o.*, geneugte *v.*
délecter [délèkté] **I** *v.t.* **1** vergasten; **2** verheugen; **3** (*v. zinnen*) strelen; **II** *v.pr.*, ***se — à,*** zich verlustigen in; ***se — de,*** genieten van.
délégant [délégã] *m.* hij die een vordering overdraagt. [overneemt.
délégataire [délégatè:r] *m.* hij die een schuld
délégateur [délégatœ:r] *m.* overdrager *m.*
délégation [déléga'syõ] *f.* **1** last *m.*, volmacht *v.*(*m.*); **2** (*v. ambt, schuldvordering*) overdracht *v.*(*m.*); **3** afvaardiging, delegatie *v.*
délégatoire [délégatwa:r] *adj.* lastgevend.
délégué [délégé] *m.* **1** gemachtigde; gevolmachtigde *m.*; **2** afgevaardigde, gedelegeerde *m.*; **3** (*v. bond*) consul *m.*; ***débiteur —,*** aangewezen schuldenaar *m.*
déléguer [délégé] *v.t.* **1** machtigen, volmacht geven; **2** afvaardigen; **3** (*v. ambt, enz.*) overdragen; **4** (*v. zending*) opdragen; ***— un débiteur,*** op een schuldenaar aanwijzing geven.
délestage [délèsta:j] *m.* **1** (*sch.*) (het) uitladen *o.* van de ballast; **2** ontlasting, verlichting *v.*
délester [délèsté] *v.t.* **1** (*sch.*) de ballast laden uit; **2** (*fig.*: *v. persoon*) uitschudden, de beurs lichten, van zijn geld ontdoen. [*m.*
délesteur [délèstœ:r] *m.*, ***bateau —,*** ballastlichter
délétère [délétè:r] *adj.* **1** schadelijk; levensgevaarlijk, dodelijk; **2** (*fig.*) verderfelijk.
délibérant [délibérã] *adj.* beraadslagend.
délibératif [délibératif] *adj.* beraadslagend; ***avoir voix délibérative,*** stemgerechtigd zijn.
délibération [délibéra'syõ] *f.* **1** beraadslaging *v.*; **2** beraad, overleg *o.*; **3** besluit *o.*; ***mettre en —,*** overwegen; in bespreking brengen; ***après —,*** na beraad.
délibéré [délibéré] **I** *adj.* **1** rijpelijk overwogen; **2** vastberaden; **3** besloten, vastgesteld; ***de propos —,*** met voorbedachten rade; **II** *s.*, *m.*, (*v. rechters*) beraadslaging *v.*; ***mettre en —,*** beraadslagen over; ***tenir en —,*** in beraad houden.
délibérément [délibérémã] *adv.* vastberaden, zonder aarzelen; zelfbewust.
délibérer [délibéré] *v.i.* beraadslagen, overleggen; ***sans —,*** zonder aarzelen.
délicat(ement) [délika(tmã)] *adj.* (*adv.*) **1** fijn, teer; **2** (*v. spijzen, enz.*) uitgezocht, fijn, keurig; **3** (*v. opvoeding*) wekelijk; **4** (*v. persoon*) kies, fijngevoelig; **5** (*v. geweten*) nauwgezet; **6** (*v. toestand*) moeilijk, netelig; **7** (*v. handelwijze*) voorzichtig; **8** (*v. gestel*) zwak; **9** (*v. slaap*) los, onvast; ***avoir l'oreille —e,*** een zuiver gehoor hebben.
délicatesse [délikatès] *f.* **1** fijnheid, teerheid *v.*; **2** uitgezochtheid, keurigheid *v.*; **3** wekelijkheid *v.*; **4** kiesheid, fijngevoeligheid *v.*; **5** nauwgezetheid *v.*; **6** moeilijkheid, neteligheid *v.*; **7** voorzichtigheid *v.*; **8** zwakheid *v.*; ***des —s,*** lekkernijen *mv.*
délice [délis] *m.* genot *o.*; ***—s,*** *f.pl.* genot *o.*, genoegens *mv.*, heerlijkheid *v.*; ***lieu de —s,*** lustoord, (aards) paradijs *o.*; ***—s des sens,*** zingenot *o.*
délicieux [délisyö] *adj.*, **délicieusement** [délisyö'zmã] *adv.* **1** heerlijk, lekker; **2** genotrijk, weelderig; zalig.
délictueux [déliktüö] *adj.* strafbaar, misdadig.
délié [délyé] **I** *adj.* **1** dun, fijn; **2** (*fig.*) schrander; **3** doortrapt, sluw; **II** *s.*, *m.*, (*v. letter*) ophaal *m.*
délier [délyé] **I** *v.t.* **1** losmaken; losknopen; **2** (*fig.*) ontslaan (van); ontheffen (van); ***sans bourse —,*** zonder een cent te betalen; ***il a la langue déliée,*** hij is rad van tong; **II** *v.pr.*, ***se —,*** **1** losgaan; **2** zijn banden losmaken.
délimitation [délimita'syõ] *f.* **1** grensbepaling, begrenzing *v.*; **2** afbakening *v.*
délimiter [délimité] *v.t.* **1** afpalen; **2** (*fig.*) afbakenen.
délinquance [délẽ'kã:s] *f.* schuldigheid *v.*; ***— juvénile,*** jeugdcriminaliteit *v.* [*m.*
délinquant [délẽ'kã] *m.* overtreder *m.*; schuldige
déliquescence [délikèsã:s] *f.* vervloeibaarheid *v.*
déliquescent [délikèsã] *adj.* vervloeibaar.
délirant [délirã] *adj.* **1** (*v. zieke*) ijlend; **2** (*v. verbeelding*) ontsteld, buitensporig; **3** (*v. vreugde, enz.*) dol, uitgelaten.
délire [déli:r] *m.* **1** (het) ijlen *o.*; **2** ijlheid, ijlhoofdigheid *v.*; **3** geestdrift *v.*(*m.*), verrukking, hevige opwinding *v.*; **4** razernij *v.*; ***en —,*** opgewonden, dol, jubelend; ***— alcoolique,*** delirium *o.* tremens, dronkemanswaanzin *m.*
délirer [déli'ré] *v.i.* ijlen, raaskallen.
delirium tremens [déli'ryòmtrémẽ:s] *m.* dronkemanswaanzin *m.*
délisser [délisé] *v.t.* **1** (*v. haar enz.*) in de war maken; **2** (*v. papierlompen*) sorteren.
délit [déli] *m.* overtreding *v.*, vergrijp, misdrijf *o.*; ***— de presse,*** persdelict *o.*; ***prendre en flagrant —,*** op heterdaad betrappen.
délitement [délitmã] *m.* het splijten van een steen- of leiblok in zijn structuurrichting.
déliter [délité] *v.t.* een steen- of leiblok splijten in zijn structuurrichting.
délivrance [délivrã:s] *f.* **1** bevrijding *v.*; **2** (*v. stad*)

ontzet *o.*; **3** verlossing *v.*; **4** uitreiking; afgifte *v.*; **5** (*fig.*) opluchting *v.*
délivrer [délivré] *v.t.* **1** bevrijden; **2** ontzetten; **3** verlossen; **4** (*v. goederen*) afleveren; **5** (*v. paspoort*) uitreiken; **6** (*v. kaarten, enz.*) afgeven, uitreiken.
délogement [délòjmã] *m.* **1** verhuizing *v.*; **2** aftocht *m.*
déloger [délòjé] **I** *v.t.* **1** verhuizen; **2** heengaan, weggaan; **3** opbreken; ***— à la cloche de bois,*** met de noorderzon vertrekken; ***— sans tambour ni trompette,*** met de stille trom vertrekken; **II** *v.t.* verjagen, verdrijven.
déloyal(ement) [délwayal(mã)] *adj.* (*adv.*) trouweloos, oneerlijk.
déloyauté [délwayoté] *f.* trouweloosheid *v.*, ontrouw *v.*(*m.*), oneerlijkheid *v.*
Delphes [dèlf] *f.* Delphi *o.*
delta [dèlta] *m.* delta *v.*(*m.*).
deltaïque [dèltaik] *adj.* delta—.
deltoïde [dèltòi'd] *adj.* deltavormig.
déluge [délü:j] *m.* **1** zondvloed *m.*; **2** (*fig.*) stortvloed, stroom *m.*; ***après nous le —,*** wie dan leeft, die dan zorgt; ***remonter au —,*** te hoog opklimmen.
déluré [délü'ré] *adj.* wakker, glad.
délustrer [délüstré] *v.t.* ontglanzen.
déluter [délüté] *v.t.* het kleefdeeg verwijderen van.
démagogie [démagòji] *f.* demagogie, volksmenning *v.*
démagogique [démagòjik] *adj.* demagogisch.
démagogue [démagò:g] *m.* demagoog, volksmenner *m.*
démaigrir [démègri:r] *v.t.*, (*v. hout*) dunner maken.
démailler [déma'yé] **I** *v.t.* de mazen losmaken van; **II** *v.pr.*, ***se —,*** losgaan; (v. kous) ladderen.
démailloter [démayòté] *v.t.* van de luiers ontdoen.
demain [d(e)mẽ] *adv.* morgen; (***de***) ***— en quinze,*** morgen over veertien dagen; ***dès —,*** morgen aan de dag; ***les événements de —,*** de komende gebeurtenissen.
démanché [démã'ʃé] *m.*, (*muz.*) overgreep *m.*
démanchement [démã'ʃmã] *m.* **1** (*v. steel enz.*) het losgaan; **2** (*muz.*) het overgrijpen *o.*
démancher [démã'ʃé] **I** *v.t.* **1** van steel (*of* hecht) ontdoen; **2** (*v. lid*) ontwrichten; **3** (*v. zaak*) in de war brengen; **II** *v.i.* **1** (*muz.*) overgrijpen; **2** (*sch.*) uit een zeearm varen; **III** *v.pr.*, ***se —,*** **1** uiteenvallen; **2** (*fig.*) zich afsloven, zich uit de naad werken.
demande [d(e)mã:d] *f.* **1** vraag *v.*(*m.*); **2** aanvraag *v.*(*m.*), verzoek *o.*; **3** verzoekschrift *o.*; **4** vordering *v.*, eis *m.*; ***— en mariage,*** huwelijksaanzoek *o.*; ***débouter qn. de sa —,*** iem. zijn eis ontzeggen; ***l'offre et la —,*** (*H.*) vraag en aanbod; ***sur —,*** **1** volgens bestelling, volgens opgave; **2** op aanvraag; ***à la — générale,*** op algemeen verzoek.
demander [d(e)mã'dé] **I** *v.t.* **1** vragen; **2** verzoeken, smeken; **3** vorderen, eisen; **4** vragen naar, te spreken vragen; **5** (*v. dokter*) laten komen; **6** (*H.*) bestellen; ***cela demande du cœur,*** daar behoort moed toe; ***c'est un article très demandé,*** er is veel vraag naar dat artikel; ***demandez-moi pourquoi?*** ik weet het zelf niet! ***ces plantes demandent de l'eau,*** die planten hebben water nodig; ***il ne demande qu'à travailler,*** hij doet niets liever dan werken; ***nous ne demandons pas mieux,*** niets is ons liever; **II** *v.pr.*, ***se —,*** **1** zich afvragen; **2** (*v. artikel*) gevraagd worden.
demandeur [d(e)mã'dœ:r] *m.* **1** (*fém.*: ***demandeuse***) vrager, verzoeker *m.*; **2** (*fém.*: ***demanderesse***) eiser *m.*

démangeaison [démã'jè'zõ] *f.* **1** jeuking, jeukte *v.*; **2** aanvechting *v.*; onweerstaanbare lust *m.*
démanger [démã'jé] *v.i.* **1** jeuken; **2** grote lust hebben om; ***la langue lui démange,*** het brandt hem op de tong, hij kan niet langer zwijgen.
démantèlement [démã'tèlmã] *m.*, (*mil.*) ontmanteling *v.*
démanteler* [démã'tlé] *v.t.*, (*mil.*) ontmantelen.
démantibuler [démã'tibülé] **I** *v.t.* **1** (*v. kaak*) ontwrichten, uit het lid brengen; **2** (*v. toestel*) stuk maken, uit elkaar nemen; **II** *v.pr.*, ***se — la mâchoire,*** zich vergapen.
démaquiller, se — [sedémakiyé] *v.pr.* zich afschminken. [nings—.
démarcatif [démarkatif] *adj.* grens—, afbake-
démarcation [démarka'syõ] *f.* begrenzing, afbakening *v.*; ***ligne de —,*** grenslijn *v.*(*m.*); (*mil.*) demarcatielijn *v.*(*m.*).
démarche [démarʃ] *f.* **1** gang *m.*; **2** (*fig.*) stap *m.*, bemoeiing, poging *v.*; ***faire une fausse —,*** een misstap doen.
démarcheur [démarʃœ:r] *m.*, (*beurs*) acquisiteur *m.* (die inschrijvers voor een emissie aanwerft).
démarier [démaryé] *v.t.* **1** (*v. echtgenoten*) scheiden; **2** (*landb.*: *v. bieten, enz.*) dunnen.
démarquage [démarka:j] *m.* plompe nabootsing *v.*
démarquer [démarké] *v.t.* **1** het merk wegnemen; **2** (*v. boek*) het leesteken wegnemen; **3** (*fig.*) het eigenaardige wegnemen van; **4** (*v. schrijver*) navolgen. [*m.*
démarqueur [démarkœ:r] *m.* navolger, nabootser
démarrage [démara:j] *m.* **1** (*sch.*) (het) van wal steken *o.*; **2** (*v. trein*) vertrek *o.*; **3** start *m.*, (het) starten *o.*; **4** (*sp.*) spurt *m.*; ***résistance de —,*** aanloopweerstand *m.*
démarrer [déma'ré] **I** *v.t.* **1** (*v. schip*) losmaken; **2** (*v. voertuig*) in beweging brengen; **II** *v.i.* **1** (*sch.*) van wal steken; **2** de kabels losgooien; **3** (*v. voertuig*) wegrijden; **4** (*v. auto*) starten, wegrijden; **5** (*sp.*) spurten.
démarreur [déma'rœ:r] *m.*, (*el.*) aanzetschakelaar, starter *m.*; ***— automatique,*** zelfstarter *m.*
démasquer [démaské] *v.t.* **1** ontmaskeren; **2** (*mil.*) demaskeren; de bedekking wegnemen van; ***— ses batteries,*** (*fig.*) **1** zijn bedoelingen verraden, met zijn plannen voor de dag komen; **2** openlijk aanvallen; ***se —,*** het masker afwerpen.
démastiquer [démastiké] *v.t.* de stopverf verwijderen van. [masten verliezen.
démâter [déma'té] **I** *v.t.* ontmasten; **II** *v.i.* de
démêlage [démè'la:j] *m.* **1** (*v. draad, touw, enz.*) ontwarring *v.*; **2** (*v. haar*) (het) uitkammen *o.*; **3** (*tn.*) (het) wolkammen *o.*
démêlé [démè'lé] *m.* geschil *o.*, twist *m.*; ***avoir des —s avec la justice,*** in aanraking komen met de justitie.
démêler [démè'lé] **I** *v.t.* **1** (*v. draad, touw, enz.*) ontwarren; **2** (*v. haar*) uitkammen; **3** (*v. wol*) kammen; **4** (*v. zaak*) ophelderen, in 't reine brengen; **5** (*v. plan, bedoeling, enz.*) doorzien, doorgronden; **6** (*v. waarheid, enz.*) onderscheiden, herkennen; ***je ne veux rien avoir à — avec lui,*** ik wil niets met hem te maken hebben; **II** *v.pr.*, ***se —,*** **1** uit de war geraken, zich ontwarren; **2** zich kammen; **3** opgehelderd worden; ***se — de,*** zich redden uit; zich onttrekken aan.
démêloir [démè'lwa:r] *m.* grove kam *m.*
démêlures [démè'lü:r] *f.pl.* kamhaar *o.*
démembrement [démã'bremã] *m.* verbrokkeling, versnippering, verdeling *v.*
démembrer [démã'bré] *v.t.* verbrokkelen, versnipperen, verdelen.

déménagement [déménajmã] *m.* verhuizing *v.*; ***trois —s valent un incendie,*** verhuizen kost bedstro.
déménager [déménajé] *v.t. et v.i.* verhuizen; ***sa tête déménage,*** hij loopt met molentjes; ***— à la cloche de bois,*** met de noorderzon vertrekken.
déménageur [déménajœ:r] *m.* verhuizer *m.*
démence [démã:s] *f.* waanzin *m.*, zinneloosheid, krankzinnigheid *v.*
démener, se — [sedémné] *v.pr.* te keer gaan; zich weren; spartelen; ***se — comme un diable dans un bénitier,*** als een razende te keer gaan.
dément [démã] **I** *adj.* waanzinnig; krankzinnig; **II** *s., m.* waanzinnige; krankzinnige *m.*
démenti [démã·ti] *m.* logenstraffing *v.*; tegenspraak *v.(m.)*; ***donner un — à,*** logenstraffen.
démentiel [démãtyèl] *adj.* waanzinnig, op waanzin duidend.
démentir* [démã·ti:r] **I** *v.t.* **1** logenstraffen; tegenspreken; **2** verloochenen; **3** *(v. verwachting, enz.)* teleurstellen; **II** *v.pr.*, ***se —,*** **1** zijn woord niet houden, zijn woord verbreken; **2** zich zelf niet gelijk blijven.
démérite [démérit] *m.* tekortkoming *v.*, fout *v.(m.)*.
démériter [démérité] *v.i.* afkeuring verdienen; verkeerd handelen, een fout begaan; ***— de,*** te kort komen jegens.
déméritoire [déméritwa:r] *adj.* laakbaar.
démesure [démzü:r] *f.* zelfoverschatting *v.*, het uit het oog verliezen van de verhoudingen.
démesuré(ment) [démzüré(mã)] *adj. (adv.)* bovenmatig, mateloos, overdreven.
démettre* [démètr] **I** *v.t.* **1** ontwrichten, verstuiken; uit het lid brengen; **2** *(v. persoon)* ontslaan, afzetten; **3** *(recht)* afwijzen; **II** *v.pr.*, ***se —,*** **1** ontwrichten; **2** ontslag nemen, zijn ambt neerleggen.
démeubler [démœ·blé] *v.t., (v. huis)* ontruimen, de meubels wegnemen uit; ***bouche démeublée,*** tandeloze mond *m.*
demeurant [d(e)mœ·rã] **I** *adj.* woonachtig; **II** *s., m.* rest *v.(m.)*, overige *o.*; ***au —,*** overigens, voor het overige.
demeure [d(e)mœ:r] *f.* **1** verblijf *o.*; **2** verblijfplaats *v.(m.)*, woning *v.*; **3** uitstel *o.*, vertraging *v.*; ***mettre qn. en —,*** iem. aanmanen, iem. sommeren; ***mise en —,*** aanmaning, sommatie *v.*; ***conduire à sa dernière —,*** naar zijn laatste rustplaats vergezellen; ***être en — de,*** in staat zijn om; ***à —,*** voorgoed, blijvend, duurzaam.
demeurer [d(e)mœ·ré] *v.i.* **1** (met ***être***) blijven; **2** (met ***avoir***) wonen, verblijf houden; ***en — là,*** het daarbij laten, niet verder gaan; ***— court,*** blijven steken; ***— indécis,*** niet kunnen besluiten; ***— interdit,*** verstomd staan; ***— en arrière,*** achterblijven; ***— en place,*** stilstaan, stilzitten; ***l'affaire n'en demeurera pas là,*** dat muisje zal een staartje hebben.
demi [d(e)mi] **I** *adj.* half; ***un an et —,*** anderhalf jaar; ***midi et —,*** half een ('s middags); ***minuit et —,*** half een ('s nachts); ***à malin, malin et —,*** baas boven baas; ***à trompeur, trompeur et —,*** de bedrieger bedrogen; ***fou et —,*** volslagen gek; **II** *s., m.* **1** helft *v.(m.)*; half *o.*; **2** halve liter *m.*; **3** *(sp.)* middenspeler, halfback *m.*; ***— centre,*** *(sp.)* spil *v.(m.)*; ***à —,*** *adv.* ten halve, half; onvolledig.
demi-bas [d(e)miba] *m.* kniekous *v.(m.)*.
demi-bâton* [d(e)mibɑ·tõ] *m., (muz.)* twee maten rust. [*v.(m.)*.
demi-blanche* [d(e)miblã:ʃ] *f., (muz.)* halve noot
demi-bosse* [d(e)mibòs] *f.* half verheven beeldhouwwerk *o.*
demi-botte* [d(e)mibòt] *f.* kuitlaarsje *o.*
demi-cercle* [d(e)misèrkl] *m.* **1** halve cirkel *m.*; **2** graadmeter, graadboog *m.*
demi-circulaire* [d(e)misirkülè:r] *adj.* halfcirkelvormig, halfrond.
demi-croche* [d(e)mikròʃ] *f., (muz.)* zestiende noot *v.(m.)*.
demi-deuil* [d(e)midœ:y] *m.* lichte rouw *m.*
demi-dieu* [d(e)midyö] *m.* halfgod *m.*
demi-douzaine* [d(e)miduzè·n] *f.* half dozijn *o.*
demie [d(e)mi] *f.* half uur *o.*; ***cette pendule sonne les —s,*** deze klok slaat de halve uren.
demi-fille* [d(e)mifi·y] *f.* stiefdochter *v.*
demi-fils [d(e)mifis] *m.* stiefzoon *m.*
demi-fin* [d(e)mifẽ] *adj.* voor de helft van fijn goud.
demi-finale* [d(e)mifinal] *f., (sp.)* halve eindwedstrijd *m* [*v.(m.)*.
demi-fond* [d(e)mifõ] *m., (sp.)* half lange baan
demi-frère* [d(e)mifrè:r] *m.* halfbroeder, stiefbroeder *m.*
demi-gros [d(e)migro] *m.* tussenhandel *m.*
demi-heure* [d(e)miœ:r] *f.* halfuur *o.*
demi-jour* [d(e)miju:r] *m.* schemerlicht, halfduister *o.*
démilitariser [démilitarizé] *v.t.* demilitariseren, de troepen wegtrekken uit, het militair karakter ontnemen aan.
demi-lune* [d(e)milün] *f.* **1** *(mil.)* halvemaan *v.(m.)*; **2** halfrond plein *o.*
demi-mal [d(e)mimal] *(pl.: **demi-maux**) m.*, ***il n'y a que —,*** het is nog zo erg niet.
demi-mesure* [d(e)mimzü:r] *f.* halve maatregel *m.*
demi-mondaine* [d(e)mimõ·dè:n] *f.* vrouw *v.* van verdacht allooi. [half woord.
demi-mot, à — [ad(e)mi·mo] *adv.* met een
déminage [démina:j] *m.* het mijnen ruimen *o.*
déminer [déminé] *v.t.* mijnen ruimen.
démineraliser [déminerali·zé] *v.t.* zijn zouten doen verliezen.
demi-ouvrier* [d(e)miuvryé] *m.* halfwas *m.-v.*
demi-pause* [d(e)mipo:z] *f., (muz.)* halve noot rust *v.(m.)*
demi-pension* [d(e)mipã·syõ] *f.* halve kost *m.*
demi-pensionnaire* [d(e)mipã·syònè:r] *m.* halvekostleerling, leerling *m.* die gedeeltelijk intern is.
demi-place* [d(e)miplas] *f.*, ***payer —,*** half geld betalen
demi-reliure* [d(e)mir(e)lyü:r] *f.* halfleren band *m.*; ***— en toile,*** halflinnen band *m.*; ***— amateur,*** halfleren band met leren hoeken.
demi-saison* [d(e)misè·zõ] **I** *f.* overgangstijd *m.*; **II** *s., m.* lichte overjas *m. en v.*, demi *m.*
demi-sang [d(e)misã] *m. (v. paard)* halfbloed *m.-v.*
demi-savant* [d(e)misavã] *m.* halfgeleerde *m.*
demi-savoir [d(e)misavwa:r] *m.* halve kennis *v.*
demi-sœur* [d(e)misœ:r] *f.* halfzuster, stiefzuster *v.* [op wachtgeld.
demi-solde* [d(e)misòld] *f.* halve soldij *v.*; ***en —,***
demi-sommeil [d(e)misòmèy] *m.* eerste slaap, dommel *m.*
demi-soupir* [d(e)misupi:r] *m., (muz.)* achtste *o.* rust.
démission [démisyõ] *f.* ontslag, aftreden *o.*; ***donner sa —,*** zijn ontslag indienen, zijn ambt neerleggen.
démissionnaire [démisyònè:r] **I** *adj.* aftredend; **II** *s., m.* aftredende *m.*
démissionner [démisyòné] *v.i.* zijn ontslag nemen, aftreden.
demi-tasse* [d(e)mitɑ:s] *f.* kleintje *o.* koffie.

demi-teinte* [d(e)mitẽ:t] *f.* halve tint *v.(m.)*; overgang *m.*
demi-ton* [d(e)mitõ] *m.* halve toon *m.*
demi-tour* [d(e)mitu:r] *m.* halve wending *v.*, halve draai *m.*, halve zwenking *v.*; ***faire —,*** rechtsomkeert maken.
démiurge [démyürj] *m.* demiurg *m.*
demi-voix, à — [ad(e)mivwa] *adv.* halfluid.
démobilisation [démòbilizα'syõ] *f.* demobilisatie *v.*
démobiliser [démòbilizé] *v.t.* demobiliseren.
démocrate [démòkrat] *m.* democraat *m.*
démocrate*-chrétien* [démòkratkrétyẽ] *m.* christen-democraat *m.*
démocrate*-socialiste* [démòkratsòsyalist] *m.* sociaal-democraat *m.*
démocratie [démòkrasi] *f.* democratie, volksheerschappij, volksregering *v.*
démocratique(ment) [démòkratik(mã)] *adj.* (*adv.*) democratisch.
démocratiser [démòkrati'zé] *v.t.* democratiseren.
démodé [démòdé] *adj.* ouderwets, uit de mode.
démoder [démòdé] **I** *v.t.* uit de mode brengen; **II** *v.pr.*, ***se —,*** verouderen, uit de mode gaan.
démographie [démògrafi] *f.* volksbeschrijving *v.*
demoiselle [d(e)mwazèl] *f.* **1** juffrouw *v.*; **2** (*Dk.*) waterjuffer *v.(m.)*; **3** handschoenrekker *m.*; **4** straatstamper *m.*; **5** bedkruik *v.(m.)*, bedwarmer *m.*; ***rester —,*** ongetrouwd blijven; ***— d'honneur,*** bruidsmeisje *o.*; ***— du téléphone,*** telefoniste *v.*; ***— de compagnie,*** gezelschapsjuffrouw *v.*; ***— de magasin,*** winkeljuffrouw.
démolir [démòli:r] *v.t.* **1** afbreken, slopen, slechten; **2** (*fig.*) omverwerpen; **3** (*v. record*) verbeteren.
démolissage [démòlisa:j] *m.* het slopen *o.*
démolisseur [démòlisœ:r] *m.* sloper *m.*
démolition [démòlisyõ] *f.* **1** sloping, slechting *v.*, (het) slechten *o.*; **2** omverwerping *v.*; ***—s,*** afbraak *v.(m.)*, puin *o.*
démon [démõ] *m.* **1** duivel *m.*; **2** (*oudh.*) genius; boze geest, kwelgeest *m.*; ***faire le —,*** veel leven maken.
démonétisation [démònétizα'syõ] *f.* ontmunting [v.
démonétiser [démònéti'zé] *v.t.* ontmunten, buiten omloop brengen.
démoniaque [démònyak] **I** *adj.* demonisch, (van de duivel) bezeten; **II** *s.*, *m.* bezetene *m.*
démonographie [démònògrafi] *f.* leer *v.(m.)* van natuur en invloed der duivels.
démonomanie [démònòmani] *f.* waan *m.* door de duivel bezeten te zijn.
démonstratif [démõ'stratif] *adj.* **1** overtuigend, aantonend; **2** (*v. cijfers*) welsprekend; **3** (*v. voornaamwoord*) aanwijzend; **4** (*v. persoon*) hartelijk, zich uitend.
démonstration [démõ'strα'syõ] *f.* **1** betoog *o.*, uiteenzetting *v.*; **2** bewijs *o.*; **3** uiting *v.*, teken, blijk *o.*; **4** demonstratie *v.*, machtsvertoon *o.*; **5** (*bij onderwijs*) aanschouwelijke voordracht *v.(m.)*; ***champ de —,*** proefveld *o.*
démontable [démõ'ta'bl] *adj.* dat uit elkaar kan worden genomen; ***canot —,*** vouwbootje *o.* [o.
démontage [démõ'ta:j] *m.* (het) uit elkaar nemen
démonte-pneu* [démõ'tpnö] *m.* bandelichter *m.*
démonter [démõ'té] **I** *v.t.* **1** uit elkander nemen, demonteren, afbreken; **2** (*v. ruiter*) uit de zadel lichten; **3** (*v. veer*) ontspannen; **4** (*v. gewicht*) laten zakken; **5** (*v. instrument*) onbruikbaar maken; **6** (*fig.*) van zijn stuk brengen, in de war brengen; ***— la batterie de qn.,*** iemands plannen verijdelen; ***une mer démontée,*** een holle, onstuimige zee; ***l'horloge est démontée,*** de klok is afgelopen; **II** *v.pr.*, ***se —,*** **1** uit elkaar genomen (kunnen) worden; **2** van zijn stuk geraken, in de war geraken; **3** zich boos maken, woedend worden.
démontrabilité [démõ'trabilité] *f.* aantoonbaarheid, bewijsbaarheid *v.*
démontrable [démõ'tra'bl] *adj.* bewijsbaar.
démontrer [démõ'tré] *v.t.* bewijzen, aantonen.
démoralisateur [démòralizatœ:r] *adj.* **1** zedenbedervend; **2** demoraliserend; deprimerend, ontmoedigend.
démoralisation [démòralizα'syõ] *f.* **1** zedenbederf *o.*; **2** demoralisatie *v.*
démoraliser [démòrali'zé] **I** *v.t.* **1** ontmoedigen, ontzenuwen; **2** de zeden bederven van; **II** *v.pr.*, ***se —,*** de moed verliezen.
démordre [démòrdr] *v.i.* **1** loslaten; **2**(*fig.*) afzien van; ***ne pas —,*** op zijn stuk blijven staan.
Démosthène [démòstè:n] *m.* Demosthenes *m.*
démotique [démòtik] *adj.* demotisch.
démoulage [démula:j] *m.* het uit de vorm nemen.
démouler [démulé] *v.t.* uit de vorm nemen.
démultiplication [démültiplikα'syõ] *f.* systeem *o.* van bewegingsoverbrenging dat de snelheid vertraagt.
démunir [démüni:r] **I** *v.t.* ontbloten (van), ontdoen (van); ***être démuni d'argent,*** zonder geld zitten; **II** *v.pr.*, ***se — de,*** **1** zich ontbloten van; **2** uit de handen geven.
démuseler [démüzlé] *v.t.*, (*v. hond*) de muilband afnemen. [ven.
dénantir [dénã'ti:r] *v.t.* van een onderpand berodénasaliser
dénasaliser [dénazalizé] *v.t.* de neusklank doen verliezen. [v.
dénatalité [dénatalité] *f.* geboortenvermindering
dénationaliser [dénasyònali'zé] *v.t.* de volksaard (*of* de nationaliteit) doen verliezen.
dénatter [dénaté] *v.t.* losvlechten.
dénaturalisation [dénatüralizα'syõ] *f.* ontneming *v.* van het burgerrecht.
dénaturaliser [dénatürali'zé] *v.t.* de nationaliteit (*of* het burgerrecht) ontnemen.
dénaturant [dénatü'rã] *m.* denatureermiddel, middel *o.* om waren ongeschikt te maken voor menselijk gebruik. [king v.
dénaturation [dénatürα'syõ] *f.* onbruikbaarmadénaturé
dénaturé [dénatü'ré] *adj.* **1** (*v. waren*) gedenatureerd; **2** (*fig.*) ontaard; verbasterd; **3** (*v. woorden, tekst*) verdraaid, verminkt; ***alcool —,*** brandspiritus *m.*
dénaturer [dénatü'ré] *v.t.* **1** (*v. waren*) denatureren, ongeschikt maken voor menselijk gebruik; **2** onkenbaar maken; **3** (*v. woorden, tekst*) verdraaien, verminken; **4** verbasteren, doen ontaarden.
dénégateur [dénégatœ:r] *m.* ontkenner *m.*
dénégation [dénégα'syõ] *f.* ontkenning *v.*; ***geste de —,*** ontkennend gebaar *o.*
déni [déni] *m.* **1** ontkenning *v.*; **2** weigering *v.*; ***— de justice,*** rechtsweigering *v.* [ontgroening v.
déniaisement [dényè'zmã] *m.* ontbolstering;
déniaiser [dényè'zé] *v.t.* ontbolsteren; ontgroenen; ***se —,*** wereldwijs worden.
dénicher [déniʃé] **I** *v.t.* **1** uit het nest halen (*of* nemen); **2** opdiepen, opsporen; **3** (*v. vijand*) verjagen (uit zijn stelling); ***— des oiseaux,*** nestjes uithalen; **II** *v.i.* **1** het nest verlaten, uitvliegen; **2** zich uit de voeten maken, oprukken, zich wegpakken.
dénicheur [déniʃœ:r] *m.* **1** nestenuithaler *m.*; **2** (*fig.*) klaploper *m.*; ***— de merles,*** flessentrekker *m.*
dénicotiniser [dénikotini'zé] *v.t.* nicotinegehalte verminderen.

denier [d(e)nyé] *m.* **1** (*Rome*) denarius; zilverling *m.*; **2** penning *m.*, duit *m. en v.*; **—s,** geld *o.*; **— à Dieu,** godspenning; **le — de saint Pierre,** (*kath.*) de Sint-Pieterspenning *m.*; **les —s publics,** de staatsgelden, de schatkist; **au — vingt,** tegen vijf percent; **payer à beaux —s,** met klinkende munt betalen; **n'avoir pas un —,** geen cent hebben.
dénier [dényé] *v.t.* **1** ontkennen, loochenen; **2** (*recht*) weigeren, ontzeggen.
dénigrant [dénigrã] *adj.* **1** lasterlijk; **2** geringschattend.
dénigrement [dénigremã] *m.* **1** bekladding, belastering *v.*; **2** (*v. zaken*) beknibbeling, afkamming *v.*
dénigrer [dénigré] *v.t.* bekladden, zwartmaken; afkammen.
Denis [d(e)ni] *m.* Dionysius *m.*
déniveler [dénivlé] *v.t.* ongelijk maken.
dénivellation [dénivèlα'syõ] *f.*, **dénivellement** [dénivèlmã] *m.* hoogteverschil *o.*
dénombrement [dénõ'bremã] *m.* **1** telling, optelling, opsomming *v.*; **2** volkstelling *v.*
dénombrer [dénõ'bré] *v.t.* tellen, opsommen.
dénominateur [dénòminatœ:r] *m.*, (*v. breuk*) noemer *m.*
dénominatif [dénòminatif] *adj.* benoemend.
dénomination [dénòminα'syõ] *f.* benaming *v.*, naam *m.*
dénommer [dénòmé] *v.t.* **1** benoemen, een naam geven aan; **2** (*recht: in akte*) noemen.
dénoncer [dénõ'sé] *v.t.* **1** aangeven, aanklagen; **2** (*v. verdrag*) opzeggen; **3** (*v. akte, enz.*) betekenen.
dénonciateur [dénõ'syatœ:r] *m.* aanbrenger, aanklager *m.*
dénonciation [dénõ'syα'syõ] *f.* **1** aangifte *v.*, aanklacht *v.*(*m.*); **2** opzegging *v.*; **3** betekening *v.*
dénotation [dénòtα'syõ] *f.* aanwijzing *v.* door tekens.
dénoter [dénòté] *v.t.* aanduiden, aanwijzen, een teken zijn van.
dénouement, dénoûment [dénumã] *m.* **1** (*v. drama*) ontknoping *v.*; **2** beslissing *v.*, afloop *m.*; **on craint un — fatal,** men vreest het ergste.
dénouer [dénwé] **I** *v.t.* **1** ontknopen, losdoen; **2** (*v. crisis, moeilijkheid*) oplossen; **3** (*v. intrige*) ontwarren; **4** (*v. ledematen*) lenig maken; **— la langue à qn.,** iem. aan 't spreken brengen; **II** *v.pr.*, **se —, 1** losgaan; **2** (*v. crisis, enz.*) opgelost worden; **les langues se dénouent,** de tongen komen los.
dénoyauter [dénwayoté] *v.t.* ontpitten.
denrée [dã'ré] *f.* waar, eetwaar *v.*(*m.*); **—s alimentaires,** eetwaren *mv.*; **—s coloniales,** koloniale waren *mv.*
dense [dã:s] *adj.* dicht.
densifier [dã'sifyé] *v.t.* verdichten.
densimètre [dã'simè'tr] *m.* dichtheidsmeter *m.*
densité [dã'sité] *f.* **1** dichtheid *v.*; **2** soortelijk gewicht *o.*
dent [dã] *f.* **1** tand *m.*; **2** (*v. mes*) schaarde *v.*(*m.*); **3** (*v. berg*) piek *v.*(*m.*), scherpe top *m.*; **grosse —,** kies *v.*(*m.*); **— de sagesse,** verstandskies; **avoir mal aux —s,** kiespijn hebben; **faire ses —s,** tanden krijgen; **mordre à belles —s,** gretig bijten; **montrer les —s à,** de tanden laten zien, bedreigen; **avoir les —s longues,** grote honger hebben; **desserrer les —s,** de mond opendoen; **être sur les —s,** uitgeput zijn; **avoir une — contre qn.,** een wrok tegen iem. hebben; **parler entre ses —s,** mompelen; **ses —s claquaient,** hij stond te klappertanden; **prendre le mors aux —s,** op hol gaan; **tenir la mort entre les —s,** met de dood in de schoenen lopen.
dentaire [dã'tè:r] *adj.* **1** tand—; **2** tandheelkundig; **art —,** tandheelkunde *v.*
dental [dã'tal] *adj.* tand—; **consonne —e,** of **—e,** *f.* tandmedeklinker *m.*
dent*-de-chien [dã'dſyẽ] *f.* **1** (*Pl.*) hondstand *m.*; **2** beeldhouwersbeitel *m.*
dent*-de-lion [dã'd(e)lyõ] *f.*, (*Pl.*) paardebloem *v.*(*m.*).
denté [dã'té] *adj.* getand; tand—; **roue —e,** tandrad *o.*
dentelé [dã'tlé] *adj.* getand, uitgetand.
denteler* [dã'tlé] *v.t.* tanden, uittanden, kartelen.
dentelle [dã'tèl] *f.* kant *m.*, kantwerk *o.*; **de —,** kanten; **— à la mécanique,** machinaal gemaakte kant.
dentellerie [dã'tel(e)ri] *f.* kantnijverheid *v.*
dentellière [dã'tèlyè:r] *f.* kantwerkster *v.*; **industrie —,** kantnijverheid *v.*
dentelure [dã'tlü:r] *f.* **1** uitgetande rand, kartelrand *m.*; **2** tanding *v.*; **3** (*bouwk.*) kantwerk *o.*
denter [dã'té] *v.t.* van tanden voorzien.
denticule [dã'tikül] *m.* tandje *o.*
dentier [dã'tyé] *m.* kunstgebit, vals gebit *o.*
dentiforme [dã'tifòrm] *adj.* tandvormig.
dentifrice [dã'tifris] **I** *m.* tandmiddel *o.*; **II** *adj.*, **pâte —,** tandpasta *m. en o.*; **poudre —,** tandpoeder *o. en m.*; **eau —,** mondwater *o.*
dentine [dã'tin] *f.* tandbeen *o.*
dentiste [dã'tist] *m.* tandarts *m.*
dentisterie [dã'tistri] *f.* tandheelkunde *v.*
dentition [dã'tisyõ] *f.* (het) tanden krijgen *o.*; **seconde —,** (het) wisselen *o.*
dentolabiale [dã'tòlabyal] *f.* tandlipletter *v.*(*m.*).
denture [dã'tü:r] *f.* **1** gebit *o.*; **2** (*v. rad*) tandwerk *o.*, tanding *v.*
dénudation [dénüdα'syõ] *f.* blootlegging, ontbloting *v.*
dénudé [dénüdé] *adj.* kaal, naakt.
dénuder [dénüdé] *v.t.* **1** blootleggen, ontbloten; **2** kaal maken.
dénué [dénẃé] (**de**) *adj.* ontbloot; beroofd van; **— de fondement,** ongegrond, uit de lucht gegrepen; **— d'esprit,** geesteloos; **— de ressources,** hulpbehoevend; zonder middelen van bestaan.
dénuement, dénûment [dénümã] *m.* **1** ontbloting *v.*; **2** gebrek *o.*, nooddruft *m. en v.*
dénuer [dénẃé] (**de**) *v.t.* ontbloten (van); beroven (van).
dénutrition [dénütrisyõ] *f.* ondervoeding *v.*
dépailler [dépayé] *v.t.* het stro verwijderen uit.
dépannage [dépana:j] *m.*, (*v. auto, vliegtuig, enz.*) (het) weer op gang brengen *o.*; hulp *v.*(*m.*) aan auto's.
dépanner [dépané] *v.t.* weer op gang brengen, (onderweg) herstellen.
dépanneur [dépanœ:r] *m.* **1** krikwagen *m.*; **2** hersteller *m.*
dépaquetage [dépakta:j] *m.* het uitpakken *o.*
dépaqueter [dépakté] *v.t.* uitpakken.
déparaffinage [déparafina:j] *m.* het vrijmaken *o.* van paraffine uit aardolie.
dépareillé [déparè'yé] *adj.* onvolledig; geschonden; **gant —,** losse handschoen *m. en v.*
dépareiller [déparè'yé] *v.t.* onvolledig maken; schenden.
déparer [dépa'ré] *v.t.* ontsieren.
déparier [déparyé] *v.t.* ontparen.
déparler [déparlé] *v.i.* wartaal uitslaan; **il ne déparle pas,** zijn mond staat niet stil, hij kan geen ogenblik zwijgen.
départ [dépa:r] *m.* **1** vertrek *o.*; **2** (*sp.*) afrit, start *m.*; **3** (*v. vuurwapen*) (het) afgaan *o.*; **— arrêté,** staande start, afrit van meet; **— lancé,** vliegende

start, afrit in beweging; *faux* **—,** mislukte afrit; ***prendre le —,*** **1** (*sp.*) starten; **2** (*vl.*) opstijgen; ***point de —,*** **1** punt *o.* van vertrek; **2** (*fig.*) uitgangspunt *o.* [beslissen.
départager [départajé] *v.t.* de doorslag geven;
département [départemã] *m.* **1** ministerie, departement *o.*; **2** afdeling *v.*; **3** (*in F.*) departement *o.*
départemental [départemã'tal] *adj.* **1** departementaal; **2** (*fig.*) kleinsteeds.
départir* [départi:r] **I** *v.t.* **1** verdelen; **2** toewijzen, toebedelen; **II** *v.pr.*, ***se — de,*** afwijken van; laten varen; zich afwennen.
dépassement [dépɑ'smã] *m.* overschrijding *v.*
dépasser [dépɑ'sé] *v.t.* **1** voorbijgaan (—lopen, —rijden, enz.); **2** groter zijn dan, uitsteken boven; **3** (*fig.*) overtreffen; **4** (*v. krachten, enz.*) te boven gaan; **5** (*v. grenzen*) te buiten gaan; **6** (*v. aantal, tijd, enz.*) overschrijden; ***cela dépasse les bornes,*** dat loopt de spuigaten uit; ***— le but,*** het doel voorbijstreven; ***cela me dépasse,*** daar kan ik niet bij, dat gaat mijn verstand te boven; ***il a dépassé la cinquantaine,*** hij heeft de vijftig al achter de rug. [breken *o.*
dépavage [dépava:j] *m.* (*v. straat of vloer*) het open-
dépaver [dépavé] *v.t.* (*v. straat*) opbreken.
dépaysement [dépé(y)i'zmã] *m.* verplaatsing *v.* naar vreemde omgeving.
dépayser [dépé(y)i'zé] *v.t.* **1** naar een ander land overbrengen, uit zijn land verwijderen; **2** van levenswijze doen veranderen; **3** in de war brengen, van de wijs brengen; ***il est tout à fait dépaysé,*** hij is helemaal van de wijs.
dépeçage [dép(e)sa:j], **dépècement** [dépèsmã] *m.* **1** (het) kleinsnijden, (het) in stukken verdelen *o.*; **2** (*v. staat*) (het) verbrokkelen; **3** (*v. schip*) (het) slopen *o.*
dépecer [dépsé] *v.t.* in stukken snijden.
dépeceur [dépsœ:r] *m.* sloper *m.* (van schepen).
dépêche [dépè:ʃ] *f.* **1** ambtelijk bericht *o.*, staatsbrief *m.*; **2** telegram *o.*; **3** (*post*) gesloten briefpostzending *v.*; ***— chiffrée,*** telegram in cijferschrift; ***— en clair,*** telegram in gewoon schrift; ***salle des —s,*** tijdingzaal *v.*(*m.*); ***— ministérielle,*** ministerieel aanschrijven *o.* [postwissel *m.*
dépêche*-mandat* [dépè'ʃmã'da] *f.* telegrafische
dépêcher [dépè'ʃé] **I** *v.t.* **1** bespoedigen, snel afdoen; **2** (snel) afzenden; ***— son déjeuner,*** snel ontbijten, zijn ontbijt haastig naar binnen werken; **II** *v.pr.*, ***se —,*** zich haasten.
dépeigner [dépèñé] *v.t.* kapsel in de war brengen.
dépeindre* [dépẽ:dr] *v.t.* afschilderen.
dépelotonner [déplòtòné] *v.t.* (*v. kluwen*) afwinden.
dépenaillé [dépnɑ'yé] *adj.* haveloos, slordig.
dépenaillement [dépnɑ'ymã] *m.* haveloosheid *v.*
dépendance [dépã'dã:s] *f.* **1** afhankelijkheid, ondergeschiktheid *v.*; **2** bijgebouw *o.*, bijkantoor *o.*
dépendant [dépã'dã] *adj.* **1** afhankelijk, ondergeschikt; **2** onzelfstandig.
dépendre [dépã:dr] **I** *v.t.* **1** (*v. haak*) afnemen; **2** afsnijden, lossnijden; **II** *v.i.* afhangen (van), afhankelijk zijn (van); ***cela dépend,*** dat hangt er van af.
dépens [dépã] *m.pl.* kosten *mv.*; ***aux — de,*** ten koste van; ten nadele van; ***condamner aux —,*** in de kosten veroordelen.
dépense [dépã:s] *f.* **1** uitgave *v.*(*m.*); **2** verbruik *o.*; **3** (*in klooster, enz.*) provisiekamer *v.*(*m.*); ***— de houille,*** kolenverbruik; ***— de forces,*** krachtsinspanning *v.*
dépenser [dépã'sé] **I** *v.t.* **1** uitgeven, verteren; **2** (*v. tijd, enz.*) verspillen, verkwisten; ***— sa science,*** zijn geleerdheid (nutteloos) ten toon spreiden; **II** *v.pr.*, ***se —,*** **1** zich niet ontzien; **2** zich inspannen, geen moeite ontzien; ***il se dépense beaucoup,*** hij doet veel voor anderen.
dépensier [dépã'syé] **I** *adj.* verkwistend; **II** *s., m.* **1** verkwister *m.*; **2** (*in klooster*) spijsmeester, keldermeester *m.*; **3** (*op schip*) proviandmeester *m.*
déperdition [dépèrdisyõ] *f.* **1** verlies *o.*; **2** afneming, vermindering *v.*
dépérir [dépéri:r] *v.i.* **1** vervallen, afnemen; **2** kwijnen, wegkwijnen.
dépérissement [dépérismã] *m.* **1** verval; (het) afnemen *o.*; **2** verzwakking, wegkwijning *v.*
dépêtrer [dépè'tré] *v.t.* **1** bevrijden (van); losmaken (van); **2** uit de verlegenheid helpen; uit de knoop halen.
dépeuplement [dépœplemã] *m.* ontvolking *v.*
dépeupler [dépœplé] **I** *v.t.* **1** ontvolken; **2** ontbloten (van wild, enz.); **II** *v.pr.*, ***se —,*** **1** ontvolkt worden; **2** (*v. zaal, enz.*) leeglopen.
déphasage [défaza:j] *m.* fazeverschil *o.* (tussen twee periodiek afwisselende verschijnselen).
dépiauter, dépioter [dépyo'té] *v.t.* (*fam.*) villen.
dépiécer [dépyésé] *v.t.* in stukken snijden, ontleden. [*f.* ontharing *v.*
dépilage [dépila:j] *m.*, **dépilation** [dépilɑ'syõ]
dépilatoire [dépilatwa:r] **I** *adj.* ontharend; **II** *s., m.* ontharingsmiddel *o.*
dépiler [dépilé] *v.t.* ontharen.
dépingler [dépẽglé] *v.t.* losspelden.
dépioter, *voir* ***dépiauter.***
dépiquage [dépika:j] *m.* het dorsen *o.*
dépiquer [dépiké] *v.t.* **1** dorsen; **2** (*v. plant*) uit de grond halen; **3** de steken lostornen van.
dépistage [dépista:j] *m.* opsporing *v.*
dépister [dépisté] *v.t.* **1** op het spoor komen; vinden; **2** van het spoor brengen, het spoor bijster maken.
dépit [dépi] *m.* **1** spijt *v.*(*m.*), wrevel *m.*; ergernis *v.*; **2** verdriet *o.*; ***en — de,*** ondanks, ten spijt van; ***concevoir du —,*** zich boos maken.
dépité [dépité] *adj.* nijdig, wrevelig, spijtig.
dépiter [dépité] **I** *v.t.* ergeren, nijdig maken, wrevelig maken; **II** *v.pr.*, ***se —,*** zich ergeren, nijdig worden, boos worden.
déplacé [déplasé] *adj.* **1** verzet, verplaatst; **2** misplaatst; **3** ongepast; ***personne —e,*** ontheemde *m.-v.*
déplacement [déplasmã] *m.* **1** verplaatsing *v.*; **2** (*v. ambtenaar, enz.*) overplaatsing *v.*; **3** (*v. schip*) waterverplaatsing *v.*; **4** (*v. lading*) (het) werken *o.*; **5** (*gen.: v. orgaan*) verschuiving *v.*; **6** reis *v.*(*m.*); ***— gratuit,*** vrij vervoer *o.*; ***frais de —,*** **1** reiskosten; **2** verhuiskosten.
déplacer [déplasé] **I** *v.t.* **1** verplaatsen; **2** overplaatsen; **II** *v.pr.*, ***se —,*** **1** zich verplaatsen; **2** reizen; **3** (*v. zaken*) van plaats veranderen; **4** (*v. lading*) werken; **5** van woonplaats veranderen.
déplaire* [déplè:r] (*à*) *v.i.* mishagen (aan), niet bevallen (aan); ***ne vous en déplaise,*** met uw verlof; neem het mij niet kwalijk.
déplaisant [déplè'zã] *adj.* onaangenaam.
déplaisir [déplè'zi:r] *m.* misnoegen *o.*, onbehaaglijkheid *v.*
déplantage [déplã'ta:j] *m.*, **déplantation** [déplã'tɑ'syõ] *f.* verplanting *v.*
déplanter [déplã'té] *v.t.* **1** verplanten; **2** (*v. paal, enz.*) uit de grond halen.
déplantoir [déplã'twa:r] *m.* tuinmansboor *v.*(*m.*).
déplâtrer [déplɑ'tré] *v.t.* afbikken.
dépliant [dépli(y)ã] *m.* uitslaande plaat *v.*(*m.*); folder *m.*

déplier [dépli(y)é] *v.t.* openvouwen. [plooien.
déplissage [déplisa:j] *m.* het wegmaken van de
déplisser [déplisé] *v.t.* de plooien wegmaken uit.
déploiement, déploîment [déplwaymã] *m.* **1** ontplooiing *v.*; **2** (*v. leger*) verspreiding *v.* in slagorde; **3** (*v. vleugels*) (het) uitslaan *o.*; **4** (*fig.*: *v. kracht, weelde*) tentoonspreiding *v.*
déplombage [déplõ'ba:j] *m.* **1** (het) wegnemen *o.* van loodjes; **2** (*v. tand*) (het) wegnemen *o.* van plombeersel.
déplomber [déplõ'bé] *v.t.* **1** van loodjes ontdoen; **2** (*v. tand*) het plombeersel wegnemen.
déplorable(ment) [déplòra'bl(mã)] *adj.* (*adv.*) **1** beklagenswaardig; **2** erbarmelijk.
déplorer [déplòré] *v.t.* betreuren, beklagen.
déployer [déplwayé] *v.t.* **1** ontplooien; **2** (*v. vleugels*) uitslaan; **3** (*v. kracht, enz.*) ontwikkelen; **4** (*v. weelde*) tentoonspreiden; **5** (*mil.*) in slagorde opstellen; ***rire à gorge déployée,*** schateren, luidkeels lachen; ***enseignes déployées,*** met vliegende vaandels.
déplumé [déplümé] *adj.* **1** geplukt; **2** kaal.
déplumer [déplümé] **I** *v.t.* plukken; **II** *v.pr.*, ***se —,*** **1** zijn veren verliezen; **2** (*fig.*) zijn haar verliezen, kaal worden.
dépocher [dépòʃé] *v.t.* uit de zak halen.
dépoitraillé [dépwatrayé] *adj.* ongegeneerd.
dépoli [dépòli] **I** *adj.* mat, dof; ***verre —,*** matglas *o.*; **II** *s.*, *m.* matheid *v.*
dépolir [dépòli:r] *v.t.* **1** ontglanzen; **2** mat maken, dof maken.
dépolissage [dépòlisa:j], **dépolissement** [dépòlismã] *m.* ontglanzing, mat- *of* dofmaking *v.*
déponent [dépònã] *adj.* ***verbe —,*** deponens *o.*
dépopulariser [dépòpülari'zé] *v.t.* de volksgunst doen verliezen.
dépopulation [dépòpüla'syõ] *f.* ontvolking *v.*
déport [dépò:r] *m.*, (*H.*) huur *v.*(*m.*) van effecten (in termijnhandel); ***sans —,*** onverwijld.
déportation [dépòrta'syõ] *f.* deportatie, verbanning *v.*
déporté [dépòrté] *m.* gedeporteerde, weggevoerde; verbannene *m.* [gen *mv.*
déportement(s) [dépòrtemã] *m.*(*pl.*) uitspattin-
déporter [dépòrté] *v.t.* verbannen.
déposant [dépo'zã] *m.* **1** (*recht*) bewaargever *m.*; **2** (*H.*) depositogever *m.*; **3** (*op spaarbank*) inlegger *m.*; **4** getuige *m.*
dépose [dépo:z] *f.* wegneming *v.*
déposer [dépo'zé] **I** *v.t.* **1** neerleggen; **2** neerzetten; afzetten; **3** (*v. geld*) inleggen; **4** (*v. telegram*) aanbieden; **5** (*v. klacht, wetsontwerp*) indienen; **6** (*v. masker*) afwerpen; **7** (*v. fabrieksmerk, stukken*) deponeren; **8** (*v. lijk*) bijzetten; **9** afzetten, ontzetten (uit); ***— son bilan,*** zich failliet laten verklaren; **II** *v.i.* **1** getuigen, getuigenis afleggen; **2** een bezinksel vormen.
dépositaire [dépozitè:r] *m.* **1** bewaarder *m.*; **2** depothouder *m.*; ***— de pouvoir,*** (tijdelijk) machthebber *m.*; ***— d'un secret,*** ingewijde *m.* in een geheim.
déposition [dépozisyõ] *f.* **1** getuigenis *o. en v.*; **2** afzetting, ontzetting *v.*; **3** aanbieding *v.*; **4** indiening *v.*; ***— de croix,*** kruisafneming *v.*
dépositoire [dépo'zitwa:r] *m.* lijkenhuisje *o.*
déposséder [dépòsédé] *v.t.* **1** onteigenen; ontnemen; **2** afzetten.
dépossession [dépòsèsyõ] *f.* **1** onteigening *v.*; **2** vervallenverklaring *v.*
dépôt [dépo] *m.* **1** (*v. goed*) bewaargeving *v.*; **2** (*op bank*) deposito *o.*; **3** (*op spaarbank*) inleg *m.*; **4** (*v. octrooi*) inschrijving *v.*; **5** (*v. aandelen, enz.*) afgifte *v.*, (het) neerleggen *o.*; **6** bezinksel *o.*, neerslag *m.*; **7** opslagplaats *v.*(*m.*), depot *o. en m.*; **8** stalling *v.*, loods *v.*(*m.*); ***caisse de —s et de consignations,*** (deposito en) consignatiekas *v.*(*m.*); ***— à découvert,*** open bewaargeving; ***— cacheté,*** gesloten bewaargeving; ***— de banque,*** bankdeposito *o.*; ***certificat de —,*** depositorecepis *o. en v.*(*m.*); ***— de mendicité,*** (*B.*) bedelaarskolonie; (*N.*) rijkswerkinrichting *v.*; ***envoyer en —,*** in commissie zenden; ***— mortuaire,*** lijkenhuis *o.*; ***— de charbon,*** kolenstation *o.*; ***tenir en —,*** in voorraad hebben; ***mandat de —,*** bevel *o.* tot aanhouding.
dépotage [dépòta:j], **dépotement** [dépòtmã] *m.* **1** (*v. planten*) verpotting *v.*; **2** (*v. wijn*) (het) overgieten *o.*
dépoter [dépòté] *v.t.* **1** verpotten; **2** overgieten.
dépotoir [dépòtwa:r] *m.* **1** asbelt *m. en v.*, vuilnishoop *m.*; **2** inrichting *v.* voor vuilverbranding.
dépoudrer [dépudré] *v.t.* van poeder (*of* stof) reinigen.
dépouille [dépuy] *f.* **1** afgestroopt vel; afgelegd vel *o.*; **2** (***— mortelle***), stoffelijk omhulsel, — overschot *o.*; **3** buit *m.*; **4** nalatenschap *v.*; ***se parer des —s d'autrui,*** pronken met een andermans veren.
dépouillement [dépuymã] *m.* **1** (het) stropen, — afstropen *o.*; **2** vervelling *v.*; **3** (*fig.*) beroving *v.*; **4** verloochening *v.*; **5** (*v. spaarpot*) (het) opmaken *o.*; **6** algemene inhoudsopgave (van verscheidene boekdelen); ***— du courrier,*** nazien (*of* inzien) *o.* van de post; ***— du scrutin,*** stemopneming *v.*
dépouiller [dépuyé] **I** *v.t.* **1** (*v. paling, haas*) stropen, afstropen; **2** (*v. boom*) ontbladeren; **3** (*v. vrucht*) pellen; **4** (*v. dossier*) onderzoeken; nazien; **5** (*v. boek*) een uittreksel maken van, excerperen; **6** beroven, uitschudden; ***— le scrutin,*** de stemmen opnemen, de uitslag van de stemming vaststellen; ***— le vieil homme,*** de oude Adam afleggen, zijn leven beteren; **II** *v.pr.*, ***se —,*** **1** vervellen; **2** zijn bladeren verliezen; **3** (*v. wijn*) slapper worden, minder koppig worden; **4** zijn geld weggeven.
dépourvoir* [dépurvwa:r] *v.t.* ontbloten.
dépourvu [dépurvü] *adj.* ontbloot, kaal; ***— de,*** verstoken (*of* beroofd) van; ***au —,*** onverhoeds; ***prendre au —,*** overvallen.
dépoussiérer [dépusyéré] *v.t.* stofvrij maken.
dépravant [dépravã] *adj.* verderfelijk.
dépravateur [dépravatœ:r] **I** *adj.* bedervend, verderfelijk; **II** *s.*, *m.* bederver *m.*
dépravation [déprava'syõ] *f.* **1** bederf *o.*; **2** verdorvenheid *v.*; ***— du goût,*** wansmaak *m.*
dépraver [dépravé] *v.t.* bederven, verderven.
déprécation [dépréka'syõ] *f.* afsmeking, afbidding *v.*
déprécatoire [déprékatwa:r] *adj.* afbiddend.
dépréciant [déprésyã] *adj.* vernederend.
dépréciateur [déprésyatœ:r] *m.* vernederend (*of* kleinerend) iemand *m.*
dépréciatif [déprésyatif] *adj.*, (*v. woord*) geringschattend, ongunstig.
dépréciation [déprésya'syõ] *f.* **1** waardevermindering *v.*; **2** (*fig.*) geringschatting *v.*
déprécier [déprésyé] *v.t.* **1** in waarde doen verminderen; **2** geringschatten; ***change déprécié,*** lage valuta.
déprédateur [déprédatœ:r] **I** *m.* plunderaar, verduisteraar *m.*; **II** *adj.* verduisterend.
déprédation [dépréda'syõ] *f.* **1** plundering, beroving *v.*; **2** verduistering *v.*
déprendre* [déprã:dr] **I** *v.t.* losmaken, vrijmaken; **II** *v.pr.*, ***se — (de),*** zich losmaken (van).

dépressif [déprèsif] *adj.* **1** neerdrukkend; **2** ontmoedigend.
dépression [déprèsyõ] *f.* **1** neerdrukking *v.*; **2** (*v. barometer*) daling *v.*; **3** lage barometerstand *m.*, depressie *v.*; **4** (*v. markt*) gedruktheid *v.*; **5** ontmoediging, neerslachtigheid *v.*; **— *du terrain,*** inzinking *v.*
déprimé [déprimé] *adj.* **1** ingedrukt; **2** (*v. voorhoofd*) laag; **3** (*v. pols*) zeer zwak; **4** (*v. stengel*) neerhangend; **5** (*v. markt*) lusteloos; **6** neerslachtig.
déprimer [déprimé] *v.t.* **1** indrukken, neerdrukken; **2** vernederen; **3** neerslachtig maken.
depuis [depẅi] **I** *prép.* sedert, sinds; **— *longtemps,*** reeds lang; **— *lors,*** sedert die tijd; **— *l'école,*** vanaf de school; **II** *adv.* sedert die tijd; later; **— *que,*** *conj.* sedert, sinds.
dépulper [dépülpé] *v.t.* tot pulp snijden, tot pulp malen.
dépuratif [dépüratif] **I** *adj.* bloedzuiverend; **II** *s., m.* bloedzuiverend middel *o.*
dépuration [dépüra˙syõ] *f.* zuivering *v.*
dépuratoire [dépüratwa:r] *adj.* zuiverend, bloedzuiverend.
dépurer [dépüré] *v.t.* zuiveren.
députation [dépüta˙syõ] *f.* **1** afvaardiging *v.*; **2** zending, deputatie *v.*; **3** kamerlidmaatschap *o.*; ***la — permanente,*** Gedeputeerde Staten; (*B.*) de bestendige Deputatie.
député [dépüté] *m.* **1** afgevaardigde *m.*; **2** kamerlid *o.*; ***Chambre des —s,*** Tweede Kamer; (*B.*) Kamer van volksvertegenwoordigers.
députer [dépüté] *v.t.* afvaardigen.
déracinement [dérasinmã] *m.* ontworteling *v.*
déraciner [dérasiné] *v.t.* **1** ontwortelen; rooien; **2** uittrekken; **3** (*fig.*) uitroeien; **4** uit zijn omgeving rukken.
dérager [déra˙jé] *v.i.* uitrazen; ***il ne dérage pas,*** hij blijft woedend.
déraidir [dérèdi:r] *v.t.* lenig maken, buigzaam maken.
déraillé [dérayé] *m.* mislukte *m.*
déraillement [déraymã] *m.* ontsporing *v.*
dérailler [dérayé] *v.i.* **1** ontsporen; **2** (*fig.*) kletsen.
dérailleur [dérayœ:r] *m.* (*v. fiets*) versnelling *v.*
déraison [dérè˙zõ] *f.* **1** onverstand *o.*; **2** onredelijkheid *v.*
déraisonnable(ment) [dérè˙zòna˙bl(emã)] *adj.* (*adv.*) **1** onverstandig; **2** onredelijk, onbillijk.
déraisonner [dérè˙zòné] *v.i.* doorslaan, onzin uitslaan.
dérangé [dérã˙jé] *adj.* **1** (*v. kamer*) in wanorde, overhoop; **2** (*v. klok, enz.*) defect, van slag; **3** (*v. maag*) van streek; **4** overstuur, van de wijs; **5** losbandig; ***avoir le cerveau —,*** niet goed wijs zijn.
dérangement [dérã˙jmã] *m.* **1** verwarring *v.*, wanorde *v.*(*m.*); **2** ongeregeldheid *v.*; **3** storing *v.*; **4** ongesteldheid *v.*; **5** (**— *de corps***), buikloop *m.*, diarree *v.*; **— *d'esprit,*** geestesstoornis, storing *v.* van de geestvermogens.
déranger [dérã˙jé] **I** *v.t.* **1** verleggen; verzetten; **2** in wanorde brengen, door elkaar werpen, overhoop halen; **3** hinderen; **4** (*bij werk, enz.*) storen; **5** (*v. machine, enz.*) defect maken; **6** van de wijs brengen; **II** *v.pr.*, ***se —,*** **1** in wanorde geraken; **2** van streek geraken, van de wijs geraken; **3** moeite doen; ***ne vous dérangez pas,*** **1** doe geen moeite; **2** blijft u zitten.
dérapage [dérapa:j] *m.* (het) slippen *o.*
déraper [dérapé] *v.i.* slippen.
déraser [dérazé] *v.t.* met de grond gelijk maken.
dératé [dératé] *adj.* zonder milt; ***courir comme un*** (***chien***) **—,** rennen als een postpaard.
dérater [dératé] *v.t.* de milt wegnemen.
dératisation [dératiza˙syõ] *f.* rattenvernietiging *v.*
dératiser [dérati˙zé] *v.t.*, (*v. schip*) ontratten.
dérayure [dérèyü:r] *f.* greppel *v.*(*m.*) tussen twee akkers.
derby [dèrbi] *m.* derby *m.* **1** paardenrennen *mv.* te Epsom; **2** hardloppersschoen *m.*; **3** licht 4-wielig wagentje *o.*; **— *français,*** paardenrennen te Chantilly.
derechef [derʃèf] *adv.* opnieuw.
déréglé [déréglé] *adj.* **1** ongeregeld; wanordelijk; **2** ongebonden, losbandig.
dérèglement [dérèglemã] *m.* **1** ongeregeldheid; wanordelijkheid *v.*; **2** ongebondenheid, losbandigheid *v.*
dérégler [déréglé] *v.t.* **1** van streek brengen; **2** in de war maken.
déréliction [dérélikssyõ] *f.* (geestelijke) verlatenheid *v.*
dérider [déridé] **I** *v.t.* **1** gladstrijken; **2** (*fig.*) uit de plooi brengen; opvrolijken; **II** *v.pr.*, ***se —,*** uit de plooi komen.
dérision [dérizyõ] *f.* bespotting *v.*, spot *m.*; ***tourner en —,*** de spot drijven met.
dérisoire [dérizwa:r] *adj.* bespottelijk; ***prix —,*** spotprijs *m.*
dérivatif [dérivatif] **I** *adj.* afleidend; **II** *s., m.* afleidend middel *o.*
dérivation [dériva˙syõ] *f.* **1** afleiding *v.*; **2** (*el.*) aftakking *v.*; **3** (*v. verkeer*) omlegging *v.*; **4** afdrijving *v.* (uit de koers).
dérive [déri:v] *f.*, (*v. schip*) afdrijving *v.*; ***aller*** (*of* ***partir***) ***à la —,*** **1** afdrijven, wegdrijven; **2** (*v. auto*) het stuur kwijt zijn; **3** (*fig.*) afdwalen; zich niet meer beheersen.
dérivé [déri˙vé] *m.* **1** afgeleid woord *o.*; **2** (*scheik.*) derivaat; bijprodukt *o.*
dériver [déri˙vé] **I** *v.t.* **1** afleiden; **2** (*el.*) aftakken; **II** *v.i.*, (**— *de***), **1** afgeleid zijn (van); **2** voortvloeien (uit); **3** (*v. schip*) afdrijven.
dermatite [dèrmatit] *f.* huidontsteking *v.*
dermatologie [dèrmatòlòji] *f.* leer *v.*(*m.*) van de huidziekten.
dermatologiste [dèrmatòlòjist] *m.* (*gen.*) huidspecialist, dermatoloog *m.*
dermatose [dèrmato:z] *f.* huidziekte *v.*
derme [dèrm] *m.* lederhuid *v.*(*m.*).
dermique [dèrmik] *adj.* van de huid.
dermite [dèrmit] *f.* huidontsteking *v.*
dernier [dérnyé] *adj.* **1** (*vóór z.n.*) laatste; achterste; **2** (*na z.n.*) vorig, verleden; **3** hoogste, grootste, voornaamste; ***au*(*x*) *—*(*s*) *les bons,*** lest best; ***l'année dernière,*** het vorig jaar, verleden jaar; ***en dernière analyse,*** ten slotte; ***en — ressort,*** in laatste instantie; ***avoir le —,*** het laatste woord hebben; ***il est à la dernière extrémité,*** hij ligt op sterven; ***c'est du — ridicule,*** het is hoogst belachelijk; ***ces jours —s,*** dezer dagen; ***en — lieu,*** ten slotte, in de allerlaatste plaats; ***son — fils,*** zijn jongste zoon; ***le — prix,*** de laagste prijs.
dernièrement [dérnyè˙rmã] *adv.* **1** onlangs, laatst; **2** (*in opsomming*) in de laatste plaats, ten slotte.
dernier*-né* [dérnyéné] *m.* jongste *m.*
dérobade [déròba˙d] *f.*, (*v. paard*) zijsprong *m.*
dérobé [déròbé] *adj.* **1** gestolen, geroofd; **2** verborgen, geheim; **3** (*v. boon*) gedopt; ***heures —es,*** snipperuurtjes *mv.*; ***à la —e,*** heimelijk, stiekem.
dérober [déròbé] **I** *v.t.* **1** bestelen, uitschudden; **2** ontstelen, ontvreemden; **3** (*v. geheim*) ontfutselen; **4** verbergen; **5** onttrekken (aan); **II** *v.pr.*, ***se —,*** **1** zich onttrekken (aan); **2** zich verbergen; **3** (*v. paard*) een zijsprong maken; **4** ontwijken; **5** zich er afmaken; ***ses jambes se dérobent sous lui,*** zijn benen weigeren hun dienst.

dérochage [dérɔʃa:j] *m. voir* ***dérocher.***
dérocher [dérɔʃé] **I** *v.t.* **1** metaal schoonmaken; **2** rotsen verwijderen; **II** *v.i.* van een rots afglijden.
déroder [dérodé] *v.t.* dode bomen kappen.
dérogation [dérɔga'syõ] *f.* **1** afbreuk *v.(m.)*; **2** inbreuk *v.(m.)*; afwijking *v.*; **3** (*v. rechten*) verkorting *v.*
dérogatoire [dérɔgatwa:r] *adj.* inbreuk makend; [afwijkend (van).
déroger [dérɔjé] (*à*) *v.i.* **1** inbreuk maken (op); **2** afwijken (van); **3** handelen in strijd met; ***cela déroge à son rang,*** dat is beneden zijn waardigheid.
dérompre [dérõ:pr] *v.t.* **1** (*v. akker*) omwerken; omspitten; **2** (*tn.*: *v. lompen*) snijden, kappen.
dérouiller [déruyé] **I** *v.t.* **1** van het roest ontdoen; **2** (*v. geheugen, enz.*) opfrissen; **3** beschaven; **II** *v.pr.*, ***se —,*** **1** het roest verliezen; **2** beschaafder worden; ***se — les jambes,*** zich wat vertreden.
déroulement [dérulmã] *m.* (het) ontrollen, (het) afwikkelen *o.*, afwikkeling *v.*
dérouler [dérulé] **I** *v.t.* **1** afrollen, ontrollen; **2** (*v. film*) afdraaien; **3** (*fig.*: *v. plannen*) ontvouwen; **4** ten toon spreiden; **II** *v.pr.*, ***se —,*** **1** zich ontrollen; **2** (*v. gebeurtenis*) zich afspelen; **3** (*v. schouwspel, enz.*) zich ontvouwen.
déroute [dérut] *f.* **1** wanordelijke vlucht *v.(m.)*; **2** (*fig.*) achteruitgang, ondergang *m.*, verval *o.*; ***mettre en —,*** **1** op de vlucht drijven; **2** (*fig.*) in de war brengen.
déroutement [dérutmã] *m.* afwijking *v.*
dérouter [déruté] *v.t.* **1** van het spoor (af)brengen; **2** (*jacht*) het spoor bijster maken; **3** (*fig.*) in de war brengen; uit het veld slaan. [boortoren *m.*
derrick [dèrik] *m.* dirk (kraan) *v.(m.)*, (olie-)
derrière [dèryè:r] **I** *prép.* achter; ***les mains — le dos,*** met de handen op de rug; ***laisser qn. — soi,*** **1** iem. inhalen; **2** (*fig.*) iem. de baas zijn; **II** *adv.* achter; achteraan; ***par —,*** van achteren; ***sens devant —,*** achterste voor; **III** *s., m.* **1** achterste *o.*; **2** achterzijde *v.(m.)*; **3** achterste deel *o.*; ***mettre le feu au — à qn.,*** iem. het vuur na aan de schenen leggen; ***assurer ses —s,*** (*mil.*) zich in de rug dekken; ***porte de —,*** achterdeur *v.(m.)*; ***se ménager une porte de —,*** èen achterdeurtje openhouden; ***montrer le —,*** vluchten.
derviche, dervis [dèrviʃ] *m.* derwisj *m.*
des [dè] *art.* (*samentrekking van*: ***de les***) van de.
dès [dè] *prép.* van af; sedert; ***— demain,*** van morgen af aan; morgen aan de dag; ***— huit heures,*** al om acht uur; ***— lors,*** **1** van toen af; **2** derhalve; ***— que,*** *conj.* zodra.
désabonner [dézabɔné] **I** *v.t.* als abonnee schrappen; **II** *v.pr.*, ***se —,*** zijn abonnement opzeggen.
désabusé [dézabü'zé] *adj.* ontgoocheld, wijzer geworden.
désabusement [dézabü'zmã] *m.* ontgoocheling *v.*
désabuser [dézabü'zé] **I** *v.t.* ontgoochelen, ontnuchteren; uit de droom helpen; **II** *v.pr.*, ***se —,*** zijn dwaling inzien.
désaccord [dézakɔ:r] *m.* **1** onenigheid *v.*, gebrek *o.* aan overeenstemming; onmin *v.(m.)*; **2** (*v. instrumenten*) ongelijke stemming *v.*; ***être en —,*** **1** het niet eens zijn; **2** (*v. instrumenten*) niet op elkaar afgestemd zijn.
désaccorder [dézakɔrdé] *v.t.* **1** (*muz.*) ontstemmen; **2** onenig maken, onenigheid zaaien tussen.
désaccoupler [dézakuplé] *v.t.* loskoppelen.
désaccoutumance [dézakutümã:s] *f.* ontwenning *v.*
désaccoutumer [dézakutümé] *v.t.* ontwennen, afwennen, afleren. [klanten.
désachalandage [dézaʃalãda:j] *m.* verlies *o.* van
désachalander [dézaʃalãdé] *v.t.* klandizie benemen, klanten doen verliezen.
désaffectation [dézafèkta'syõ] *f.* het onttrekken *o.* aan vroegere bestemming.
désaffecter [dézafèkté] *v.t.* onttrekken aan zijn vroegere bestemming, een andere bestemming geven. [afkeer *m.*
désaffection [dézafèksyõ] *f.* vervreemding *v.*,
désaffectionner [dézafèksyɔné] *v.t.* vervreemden, onverschillig maken voor.
désagréable(ment) [dézagréa'bl(emã)] *adj.* (*adv.*) onaangenaam.
désagrégation [dézagréga'syõ] *f.* **1** (*v. vaste stoffen*) scheiding, ontbinding *v.*; **2** (het) uiteenvallen *o.*; ***— atomique,*** atoomsplitsing *v.*
désagréger [dézagréjé] **I** *v.t.* **1** ontbinden; **2** doen uiteenvallen; **II** *v.pr.*, ***se —,*** uiteenvallen.
désagrément [dézagrémã] *m.* onaangenaamheid *v.*
désaimanter [dézèmã'té] *v.t.* amagnetisch maken.
désajustement [dézajustemã] *m.* het uit elkaar halen *o.*
désajuster [dézajüsté] *v.t.* in wanorde brengen.
désaltérant [dézaltérã] *adj.* dorstlessend, verfrissend.
désaltérer [dézaltéré] **I** *v.t.* de dorst lessen van, laven; **II** *v.pr.*, ***se —,*** zijn dorst lessen.
désamarrer [dézamaré] *v.t.* (*sch.*) losgooien, losmaken.
désamorcer [dézamɔrsé] *v.t.* **1** onklaar maken; **2** (*v. mijn*) demonteren, (*v. projectielen*) slaghoedje (*of* lont) wegnemen.
désancrer [dézã'kré] *v.i.* het anker lichten.
désappareiller [dézaparè'yé] *v.t.* **1** aftakelen; **2** aftuigen.
désapparier [dézaparyé] *v.t.* ontparen. [ling *v.*
désappointement [dézapwẽ'tmã] *m.* teleurstel-
désappointer [dézapwẽ'té] *v.t.* teleurstellen.
désapprendre* [dézaprã:dr] *v.t.* **1** verleren; **2** afleren.
désapprobateur [dézaprɔbatœ:r] *adj.* afkeurend.
désapprobation [dézaprɔba'syõ] *f.* afkeuring *v.*
désappropriation [dézaprɔpria'syõ] *f.* onteigening *v.*
désapproprier [dézaprɔpri(y)é] *v.t.* onteigenen.
désapprouver [dézapru'vé] *v.t.* afkeuren, laken.
désarçonner [dézarsɔné] *v.t.* **1** uit de zadel lichten; **2** van zijn stuk brengen; de mond snoeren.
désargenté [dézarjã'té] *adj.* (*fam.*) op zwart zaad.
désargenter [dézarjã'té] *v.t.* van zilver ontdoen, verzilversel wegnemen.
désarmé [dézarmé] *adj.* **1** ontwapend; **2** weerloos.
désarmement [dézarmemã] *m.* **1** ontwapening *v.*; **2** (*v. schip*) oplegging *v.*
désarmer [dézarmé] **I** *v.t.* **1** ontwapenen; **2** (*v. schip*) opleggen, onttakelen; **3** (*v. kanon*) ontladen; **4** (*v. geweer*) de haan in rust zetten; **5** (*v. riemen*) inhalen, innemen; **6** (*bij schermen, duel*) de degen uit de hand slaan; **7** (*fig.*) machteloos maken, verlammen; **8** tot bedaren brengen; **II** *v.i.* **1** de wapens neerleggen; **2** zijn bewapening verminderen; **3** (*fig.*) toegeven.
désarroi [dézarwa] *m.* verwarring, ontreddering *v.*
désarticulation [dézartiküla'syõ] *f.* ontwrichting *v.*
désarticuler [dézartikülé] **I** *v.t.* **1** ontwrichten; **2** (*gen.*) bij het gewricht afzetten; **II** *v.pr.*, ***se —,*** uit het lid schieten, uit het gewricht gaan.
désassemblage [dézasã'bla:j], **désassemblement** [dézasãblemã] *m.* het uit elkaar nemen *o.*
désassembler [dézasã'blé] *v.t.* uit elkander nemen.

désassimilation [dézasimila'syõ] *f.* (*biol.*) uitscheiding *v.*, uitscheidingsproces *o.*
désassimiler [dézasimilé] *v.t.* (*biol.*) uitscheiden.
désassocier [dézasòsyé] *v.t.* scheiden, ontbinden.
désassortir [dézasòrti:r] *v.t.* **1** scheiden (wat bijeen hoort); **2** (*v. servies, enz.*) schenden, onvolledig maken.
désastre [dézastr] *m.* onheil *o.*, ramp *v.*(*m.*).
désastreux [dézaströ] *adj.*, **désastreusement** [dézaströ'zmã] *adv.* rampspoedig, rampzalig.
désavantage [dézavã'ta:j] *m.* nadeel *o.*
désavantager [dézavã'tajé] *v.t.* benadelen.
désavantageux [dézavã'tajö] *adj.*, **désavantageusement** [dézavã'tajö'zmã] *adv.* **1** onvoordelig, schadelijk; **2** (*v. oordeel, enz.*) ongunstig.
désaveu [dézavö] *m.* **1** verloochening *v.*; **2** loochening, ontkenning *v.*; **3** niet-erkenning *v.*; **4** herroeping *v.*; **5** wraking *v.*
désaveugler [dézavœglé] *v.t.* iemand de ogen [openen.
désavouer [dézavwé] *v.t.* **1** verloochenen; **2** loochenen, ontkennen; **3** (*v. kind, enz.*) niet erkennen; **4** herroepen; **5** wraken.
désaxé [dézaksé] *adj.* ontwricht, onevenwichtig; ontoerekenbaar.
désaxer [dézaksé] *v.t.* iemand uit zijn evenwicht [brengen.
Descartes [dèkart] *m.* Cartesius *m.*
descellement [désèlmã] *m.* **1** (het) losmaken *o.*; **2** ontzegeling *v.*
desceller [désèlé] *v.t.* **1** losmaken; **2** ontzegelen.
descendance [désã'dã:s] *f.* **1** afkomst, afstamming *v.*; **2** nakomelingschap *v.*, nageslacht *o.*
descendant [désã'dã] **I** *adj.* **1** afdalend; **2** (*mil.*: *v. wacht*) aftrekkend; ***marée —e,*** eb(be) *v.*(*m.*); ***train —,*** trein afgaande van 't hoofdstation; **II** *s., m.* afstammeling *m.*
descendre [désã'dr] **I** *v.i.* **1** naar beneden gaan (*of* komen); **2** dalen; zakken; **3** (*v. politie*) een huiszoeking doen; **4** afstammen (van); ***— de voiture,*** uit het rijtuig stijgen; ***— à un hôtel,*** in een hotel zijn intrek nemen; ***— à terre,*** aan wal gaan; ***cette route descend,*** die weg gaat bergaf; ***— d'un ton,*** (*muz.*) een toon zakken; ***— en soi-même,*** de hand in eigen boezem steken; ***— dans la rue,*** (*v. volk*) in opstand komen; ***— une gamme,*** een toonladder afdalen; **II** *v.t.* **1** (*v. trap, berg*) afgaan, afkomen; **2** (*v. rivier*) afvaren; **3** (*v. meubelen, enz.*) naar beneden brengen; **4** (*door venster*) neerlaten; **5** (*v. schilderij*) laten zakken, lager hangen; **6** (*v. toonladder*) afdalen; **7** (*v. vliegtuig*) naar beneden halen, naar beneden schieten; ***— d'un coup de fusil*** (*of* ***de revolver***), neerschieten; ***— la garde,*** (*mil.*) afgelost worden, van wacht komen.
descente [désã:t] *f.* **1** afdaling, neerdaling *v.*; **2** (*v. weg*) helling *v.*; **3** (*gen.*) verzakking *v.*; breuk *v.*(*m.*); **4** (*in hotel*) aankomst *v.*; **5** (*v. ballon*) daling *v.*, val *m.*; **6** landing *v.*; **7** (*v. berg*) helling *v.*; **8** afvoerbuis, afvoerpijp *v.*(*m.*); ***— de Croix,*** kruisafneming *v.*; ***— de justice,*** huiszoeking *v.*; ***— de lit,*** beddekleedje, kleedje *o.* vóór het bed.
descripteur [dèskriptœ:r] *m.* beschrijver *m.*
descriptible [dèskripti'bl] *adj.* wat beschreven kan worden; te beschrijven.
descriptif [dèskriptif] *adj.* beschrijvend; ***musique descriptive,*** programmamuziek *v.*
description [dèskripsyõ] *f.* **1** beschrijving *v.*; **2** (*v. huisraad*) korte inventaris *m.*
déséchouer [dézéʃwé] *v.t.*, (*v. schip*) afbrengen, weer vlot maken.
désemballage [dézã'bala:j] *m.* uitpakking *v.*
désemballer [dézã'balé] *v.t.* uitpakken.
désembarquement [dézã'barkemã] *m.* ontscheping *v.*
désembarquer [dézã'barké] *v.t.* ontschepen.
désembellir [dézã'bèli:r] *v.t.* ontsieren.
désembourber [dézã'burbé] *v.t.* **1** uit het slijk trekken; **2** (*fig.*) uit de moeilijkheid (*of* de ellende) redden.
désembrayer [dézã'brè'yé] *v.t.*, *voir* ***débrayer.***
désemparé [dézã'pa'ré] *adj.* **1** ontredderd; **2** in de war.
désemparer [dézã'pa'ré] **I** *v.t.* ontredderen; **II** *v.i.* het veld ruimen, wegtrekken; ***sans —,*** **1** dadelijk, onverwijld; **2** aan één stuk door.
désempeser, se — [sedézã'pezé] *v.pr.* slap worden.
désemplir [dézã'pli:r] *v.t.* ledigen.
désemprisonner [dézãprizòné] *v.t.* bevrijden; uit gevangenis ontslaan.
désencadrer [dézãka'dré] *v.t.* uit de lijst nemen.
désenchantement [dézãʃã'tmã] *m.* teleurstelling, ontgoocheling *v.* [goochelen.
désenchanter [dézãʃã'té] *v.t.* teleurstellen, ont-
désenchanteur [dézãʃã'tœ:r] *adj.* teleurstellend, ontgoochelend.
désencombrement [dézãkõbremã] *m.* opruiming, ontruiming *v.* [maken.
désencombrer [dézãkõ'bré] *v.t.* opruimen, vrij-
désenfiler [dézã'filé] *v.t.* weer losrijgen.
désenfler [dézã'flé] **I** *v.t.* doen slinken; **II** *v.i.* slinken.
désenflure [dézã'flü:r] *f.* slinking *v.*
désenfourner [dézã'furné] *v.t.* uit de oven nemen.
désengager [dézã'gagé] *v.t.* van een verbintenis ontslaan.
désengorger [dézã'gòrjé] *v.t.* ontkurken, van stop ontdoen, vrijmaken.
désenivrer [dézã'ni'vré] *v.t.* ontnuchteren.
désenlaidir [dézã'lèdi:r] **I** *v.t.* minder lelijk maken; **II** *v.i.* minder lelijk worden.
désennui [dézã'nwi] *m.* tijdverdrijf *o.*
désennuyer [dézã'nwiyé] *v.t.* verstrooien.
désenrayer [dézã'rèyé] *v.t.* in staat van gereedheid brengen; van de rem af zetten, in zijn vrij zetten; (*v. geweer*) rustpal terugleggen.
désenrhumer [dézã'rümé] *v.t.* iemands verkoudheid genezen.
désensabler [dézã'sablé] *v.t.*, (*v. schip, enz.*) uit het zand losmaken. [ven.
désensevelir [dézã'sevli:r] *v.t.* ontgraven, opgra-
désensibiler [désãsibilé] *v.t.* (*fot.*) minder (licht-) gevoelig maken.
désentoilage [dézãtwala:j] *m.* verdoeking *v.*
désentoiler [dézã'twalé] *v.t.* verdoeken.
désentortiller [dézã'tòrti'yé] *v.t.* uit de war halen.
désentraver [dézã'travé] *v.t.* de kluisters wegnemen van.
désenvelopper [dézãvelòpé] *v.t.* uitpakken.
désépargne [dézéparñ] *f.* ontsparing *v.*
déséquilibre [dézékili'br] *m.* verstoord evenwicht *o.*, gebrek *o.* aan evenwicht.
déséquilibré [dézékilibré] *adj.* **1** zwakzinnig, geestelijk abnormaal; **2** dwaas.
déséquilibrer [dézékilibré] *v.t.* het evenwicht doen verliezen. [leggen.
déséquiper [dézékipé] *v.t.* (*sch.*) onttakelen, op-
désert [dézè:r] **I** *adj.* **1** eenzaam, verlaten; **2** (*v. streek*) onbewoond; woest; **II** *s., m.* **1** woestijn *v.*(*m.*), wildernis *v.*; **2** woestenij *v.*; ***prêcher dans le —,*** voor dovemans oren preken, in de woestijn preken.
déserter [dézèrté] **I** *v.t.* **1** verlaten; **2** ontlopen, ontvluchten; **3** in de steek laten; **II** *v.i.* **1** weglopen; **2** (*mil.*) deserteren; ***— à l'ennemi,*** (naar de vijand) overlopen.

déserteur [dézèrtœ:r] *m.* **1** deserteur, overloper *m.*; **2** afvallige *m.*

désertion [dézèrsyõ] *f.* **1** desertie *v.*; (het) overlopen *o.*; **2** afvalligheid *v.*

désertique [dézèrtik] *adj.* woestijnachtig; ***flore —,*** woestijnflora *v.(m.).*

désespérance [dézèspérã:s] *f.* wanhoop *v.(m.).*

désespérant [dézèspérã] *adj.* wanhopig.

désespéré [dézèspéré] **I** *adj.* **1** (*v. persoon*) wanhopig; **2** (*v. toestand, enz.*) hopeloos; **3** ontroostbaar; **II** *s., m.* wanhopige *m.*

désespérément [dézèspérémã] *adv.* wanhopig.

désespérer [dézèspéré] (***de***) **I** *v.i.* **1** wanhopen (aan); **2** (*v. zieke*) opgeven; **II** *v.t.* wanhopig maken, tot wanhoop brengen; **III** *v.pr.*, ***se —,*** wanhopig zijn (*of* worden).

désespoir [dézèspwa:r] *m.* **1** wanhoop *v.(m.)*, vertwijfeling *v.*; **2** leedwezen *o.*, spijt *v.(m.)*; ***en — de cause,*** ten einde raad; ***j'en suis au —,*** het spijt mij vreselijk.

déshabillage [dézabiya:j] *m.* ontkleding *v.*

déshabillé [dézabiyé] *m.* **1** ochtendjapon *m.*, negligé *o.*; **2** (*fig.*) ware gedaante *v.*

déshabiller [dézabiyé] *v.t.* **1** ontkleden, uitkleden; **2** in zijn hemd zetten.

déshabituer [dézabitwé] **I** *v.t.* afwennen; **II** *v.pr.*, ***se — de,*** ontwennen aan.

désherber [dézèrbé] *v.t.* wieden.

déshérence [dézérã:s] *f.* ontstentenis *v.* van erfgenamen.

déshérité [dézérité] **I** *adj.* misdeeld; **II** *s., m.* misdeelde *m.*

déshéritement [dézéritmã] *m.* onterving *v.*

déshériter [dézérité] *v.t.* **1** onterven; **2** stiefmoederlijk behandelen.

déshonnête(ment) [dézònè˙t(mã)] *adj.* (*adv.*) onbetamelijk, onfatsoenlijk.

déshonnêteté [dézònè˙tté] *f.* onbetamelijkheid, onfatsoenlijkheid *v.*

déshonneur [dézònœ:r] *m.* oneer, schande *v.(m.).*

déshonorable [dézònòra˙bl] *adj.* oneervol.

déshonorant [dézònòrã] *adj.* onterend.

déshonorer [dézònòré] *v.t.* **1** onteren, schande aandoen; **2** (*fig.*) ontsieren, verminken.

déshydrater [dézidraté] *v.t.* van het water ontdoen.

desideratum [dézidératòm] *m.* wat begeerd wordt *o.*; wens *m.*

désignatif [déziñatif] *adj.* aanwijzend, kenmerkend.

désignation [déziña˙syõ] *f.* aanduiding, aanwijzing *v.*

désigner [déziñé] *v.t.* **1** aanduiden, aanwijzen; **2** beduiden.

désillusion [dézilüzyõ] *f.* ontgoocheling *v.*

désillusionnement [dézilüzyònmã] *m.* ontgoocheling *v.*

désillusionner [dézilüzyòné] *v.t.* ontgoochelen.

désincrustant [dézẽ˙krüstã] *m.* middel *o.* tegen ketelsteen.

désincruster [dézẽ˙krüsté] *v.t.* ketelsteen verwijderen uit.

désinence [dézinã˙s] *f.* (buigings)uitgang *m.*

désinfectant [dézẽ˙fèktã] **I** *adj.* ontsmettend; **II** *s., m.* ontsmettend middel *o.*

désinfecter [dézẽ˙fèkté] *v.t.* ontsmetten.

désinfecteur [dézẽ˙fèktœ:r] **I** *adj.* ontsmettend; ontsmettings—; **II** *s., m.* ontsmetter *m.*; ontsmettingstoestel *o.*

désinfection [dézẽ˙fèksyõ] *f.* ontsmetting *v.*

désintégration [dézẽ˙tégra˙syõ] *f.* ontbinding *v.*

désintégrer [dézẽ˙tégré] *v.t.* ontbinden.

désintéressé [dézẽ˙térèsé] *adj.* **1** belangeloos, onbaatzuchtig; **2** onpartijdig.

désintéressement [dézẽ˙térèsmã] *m.* belangeloosheid, onbaatzuchtigheid *v.*

désintéresser [dézẽ˙térèsé] **I** *v.t.* **1** (*v. schuldeiser*) schadeloosstellen; **2** (*v. deelgenoot*) uitkopen; **II** *v.pr.*, ***se —,*** zich schadeloosstellen; ***se — de,*** geen belang meer stellen in; afzien van.

désintoxication [dézẽtòksika˙syõ] *f.* ontwenningskuur *v.(m.)* (voor wie verslaafd is aan drank of verdovende middelen).

désintoxiquer [dézẽtòksiké] *v.t.* genezen van drank- of narcoticazucht.

désinviter [dézẽ˙vité] *v.t.* een uitnodiging herroepen, (gasten) afzeggen.

désinvolte [dézẽ˙vòlt] *adj.* los, ongedwongen, vrij.

désinvolture [dézẽ˙vòltü:r] *f.* losheid, ongedwongenheid *v.*

désir [dézi:r] *m.* **1** wens *m.*; **2** begeerte *v.*, lust *m.*; ***— de plaire,*** behaagzucht *v.(m.).*

désirable [dézira˙bl] *adj.* wenselijk, verkieslijk.

Désiré [déziré] *m.* Desiderius *m.*

désirer [déziré] *v.t.* verlangen, wensen, begeren; ***laisser à —,*** te wensen overlaten; ***il se fait —,*** hij laat op zich wachten.

désireux [dézirö] *adj.* verlangend, begerig (naar, om); ***— de plaire,*** behaagziek; ***— de savoir,*** **1** benieuwd te weten; **2** weetgierig; ***— de gloire,*** roemzuchtig.

désistement [dézistemã] *m.* afstand *m.*, intrekking *v.*

désister, se — [sedézisté] (***de***) *v.pr.*, **1** afstand doen van, afzien van; **2** zich terugtrekken; ***se — de sa plainte,*** zijn klacht intrekken.

désobéir [dézòbéi:r] *v.i.* ongehoorzaam zijn.

désobéissance [dézòbéisã:s] *f.* ongehoorzaamheid *v.*

désobéissant [dézòbéisã] *adj.* ongehoorzaam.

désobligeance [dézòblijã:s] *f.* onheusheid, onvriendelijkheid *v.*

désobligeant [dézòblijã] *adj.* onheus, onvriendelijk, onaardig.

désobliger [dézòblijé] *v.t.* **1** onheus behandelen, onvriendelijk bejegenen; **2** onaangenaam stemmen, tegen zich innemen.

désobstruction [dézòpstrüksyõ] *f.* ontruiming, vrijmaking *v.*

désobstruer [dézòpstrüé] *v.t.* **1** (*v. doorgang*) vrijmaken; **2** (*gen.*) de verstopping wegnemen.

désodorisant [dézodòrizã] *m.* luchtververser *m.*, stankverdrijvend middel *o.*

désodoriser [dézodòrizé] *v.t.* de reuk verdrijven.

désœuvré [dézœ˙vré] **I** *adj.* werkeloos; **II** *s., m.* nietsdoener, leegloper *m.*

désœuvrement [dézœ˙vremã] *m.* werkeloosheid, ledigheid *v.*

désolant [dézòlã] *adj.* **1** bedroevend, treurig, naar; **2** (*v. persoon*) lastig, onverdraaglijk.

désolation [dézòla˙syõ] *f.* **1** verwoesting, vernieling *v.*; **2** verslagenheid, diepe droefheid *v.*

désolé [dézòlé] *adj.* **1** verwoest; woest; **2** verslagen, diep bedroefd.

désoler [dézòlé] *v.t.* **1** verwoesten; **2** diep bedroeven, in diepe droefheid storten.

désopilant [dézòpilã] *adj.* lachwekkend, hoogst vermakelijk, om te gieren.

désopiler [dézòpilé] **I** *v.t.*, ***— la rate,*** hartelijk doen lachen; **II** *v.pr.*, ***se —,*** hartelijk lachen.

désordonné [dézòrdòné] *adj.* **1** wanordelijk, ongeregeld; **2** (*v. eetlust, enz.*) onmatig, buitensporig; **3** (*v. uitgaven, enz.*) overdreven, buitensporig; **4** (*v. leven*) losbandig; **5** (*v. vaart*) woest; **6** slordig, nalatig.

désordre [dézòrdr] *m.* **1** wanorde *v.(m.)*; **2** ordeloosheid *v.*; **3** (*v. gestel, bloedsomloop*) stoornis *v.*; **4** (*fig.*) verwarring *v.*; **5** losbandigheid, buitensporigheid *v.*; **—s,** onlusten *mv.*; ***en —,*** verward, in de war, wanordelijk.

désorganisateur [dézòrganizatœ:r] *adj.* verstorend; ontbindend.
désorganisation [dézòrganiza'syõ] *f.* verstoring; ontbinding; ontwrichting *v.*
désorganiser [dézòrganizé] *v.t.* verstoren; ontbinden; ontwrichten.
désorientation [dézoryãta'syõ] *f.* verwarring *v.* (het verwarren).
désorienter [dézòryã'té] *v.t.* **1** doen verdwalen; uit de koers brengen; **2** (*fig.*) in de war brengen.
désormais [dézòrmè] *adv.* voortaan, in 't vervolg.
désossé [dézòsé] **I** *adj.* **1** (*v. vlees*) uitgebeend; **2** (*fig.*) slap, lenig; **II** *s., m.* **1** lange slungel *m.*; **2** slangemens *m.*
désossement [dézòsmã] *m.* (het) uitbenen *o.*
désosser [dézòsé] *v.t.* uitbenen.
despote [dèspòt] *m.* despoot, dwingeland *m.*
despotique(ment) [dèspòtik(mã)] *adj.* (*adv.*) despotisch.
despotisme [dèspòtizm] *m.* **1** onbeperkte macht *v.(m.)*; **2** dwingelandij, tirannie *v.*
desquamation [dèskwama'syõ] *f.* **1** afschilfering *v.*; **2** (*gen.*) vervelling *v.*
desquamer, ***se*** **—** [sedèskwamé] *v.pr.*, **1** afschilferen; **2** vervellen.
dessaisir [dèsè'zi:r] **I** *v.t.* uit handen nemen; **II** *v.pr.*, ***se — de,*** afstaan, afgeven, uit handen geven.
dessaisissement [dèsè'zismã] *m.* afstand *m.*, het afstaan *o.*
dessalaison [désalèzõ] *f.*, **dessalement** [désalmã] *m.* ontzouting *v.*
dessalé [désalé] *adj.* bij de pinken, uitgeslapen.
dessaler [désalé] *v.t.* **1** ontzouten; **2** (*v. stokvis*) weken; **3** (*fig.*) ontbolsteren, wegwijs maken.
dessangler [désã'glé] *v.t.* de buikriem losser maken *of* afdoen.
dessèchement [déséʃmã, désèʃmã] *m.* **1** uitdroging, opdroging *v.*; **2** (*v. polder*) droogmaking; **3** (*fig.*) verdorring *v.*
dessécher [déséʃé, désèʃé] **I** *v.t.* **1** (*v. plant, enz.*) drogen; **2** (*v. lichaam, enz.*) uitdrogen, uitmergelen; **3** (*v. meer, enz.*) droogleggen, droogmaken; **4** (*fig.*: *v. geest*) verdorren; **5** (*v. hart*) ongevoelig maken; **II** *v.pr.*, ***se* —, 1** uitdrogen; **2** verdorren; **3** ongevoelig worden.
dessein [dèsẽ] *m.* plan, voornemen *o.*; doel *o.*, bedoeling *v.*; ***à* —,** met opzet, opzettelijk; ***sans* —,** doelloos.
desseller [désèlé] *v.t.* afzadelen, ontzadelen. [*v.*
desserrage [désèra:j] *m.* losmaking, ontspanning
desserre [désè:r] *f.*, ***dur à la* —,** vasthoudend, op de penning.
desserrer [désèré] *v.t.* **1** (*v. knoop, riem*) losmaken; **2** (*v. boog*) ontspannen; **3** (*v. pijl*) afschieten; **4** (*v. schroef*) losdraaien; **5** (*v. gelid*) openen; ***ne pas — les dents,*** geen mond opendoen.
dessert [désè:r] *m.* nagerecht, dessert *o.*
desserte [désèrt] *f.* **1** kliekjes *mv.*; **2** dientafeltje; theemeubel *o.*; **3** (*v. parochie*) bediening *v.*
dessertir [désèrti:r] *v.t.*, (*v. parel, enz.*) uit de montuur nemen.
desservant [désèrvã] *m.*, (*kath.*) bedienaar *m.*
desservir* [désèrvi:r] *v.t.* **1** (*v. tafel*) afnemen; **2** (*v. parochie; geschut*) bedienen; **3** een ondienst doen, schaden; **4** (*v. autobus, enz.*) de verbinding onderhouden tussen; ***le chemin de fer dessert ce village,*** de trein loopt langs dat dorp.
dessiccateur [désikatœ:r] *m.* droogtoestel *o.*
dessiccatif [désikatif] **I** *adj.* opdrogend; **II** *s., m.* opdrogend middel *o.*
dessiccation [désika'syõ] *f.* (het) opdrogen, (het) uitdrogen *o.*, uitdroging *v.*
dessiller [désiyé] *v.t.* (de ogen) openen.
dessin [dèsẽ] *m.* **1** tekening *v.*; **2** (het) tekenen *o.*; **3** tekenkunst *v.*; **4** (*v. stof*) patroon *o.*; **5** ontwerp, plan *o.*; **6** (*muz.*) aangegeven thema *o.*; **— *animé,*** tekenfilm *m.*; **— *linéaire,*** (het) lijntekenen *o.*; **— *à main levée,* — *d'imitation,*** handtekenen; **— *industriel,*** machinetekenen; **— *au lavis,*** gewassen tekening *v.* **— *au trait,*** omtrektekening.
dessinateur [dèsinatœ:r] *m.* tekenaar *m.*; **— *industriel,*** technisch tekenaar.
dessiner [dèsiné] **I** *v.t.* **1** tekenen; **2** schetsen, ontwerpen; **3** (*v. vorm, gestalte*) doen uitkomen; **4** (*v. karakter, enz.*) uitbeelden; ***bouche bien dessinée,*** goed gevormde mond; **II** *v.pr.*, ***se* —, 1** zich aftekenen; **2** (*v. plan*) een vaste vorm aannemen; **3** merkbaar worden.
dessolement [désòlmã] *m.*, (*landb.*) wisselbouw *m.*
dessoucher [désuʃé] *v.t.* boomstronken verwijderen uit.
dessouder [désudé] **I** *v.t.* het soldeersel smelten *of* wegnemen; **II** *v.pr.* ***se* —,** losgaan.
dessouler [désulé] *v.t.* nuchter maken.
dessous [d(e)su, tsu] **I** *adv.* onder, er onder; ***en* —, 1** van onderen; **2** (*fig.*) heimelijk; **3** onoprecht, geveinsd; ***regarder en* —,** van ter zijde aankijken; ***mettre sens dessus* —,** het ondersteboven keren; ***il y a qc. là-* —,** daar steekt iets achter; **II** *prép.* onder; ***de* —,** van onder; ***il est au-* — *de sa tâche,*** hij is niet tegen zijn taak opgewassen; **III** *s., m.* **1** onderste, onderste gedeelte *o.*; **2** onderzijde *v.(m.)*, onderkant *m.*; **— *de bouteille,*** flessenbakje *o.*; **— *de plat,*** tafelmatje *o.*; **— *de verre,*** glazenbakje *o.*; ***les — de la société,*** de onderste lagen van de maatschappij; ***être dans le troisième* —,** in een allertreurigste toestand verkeren, er beroerd aan toe zijn; ***voir le — des cartes,*** in de kaart kijken; (*fig.*) achter de schermen zien.
dessuinter [déswẽ'té] *v.t.* ontvetten.
dessus [d(e)sü, tsü] **I** *adv.* boven, er op, bovenop; ***au-* — *de,*** boven; ***par* —,** er overheen; ***en* —,** van boven, aan de bovenkant; ***en — de,*** behalve; ***mettre le doigt* —,** de spijker op de kop slaan; ***vêtements de* —,** bovenkleren; **II** *prép.* op, bovenop; ***par-* — *le marché,*** op de koop toe; **III** *s., m.* **1** bovenste *o.*; **2** bovenzijde *v.(m.)*, bovenkant *m.*; **3** (*muz.*) bovenstem, bovenste stem *v.(m.)*; **4** (*fig.*) overwicht *o.*, bovenhand *v.(m.)*; ***le — de la main,*** de rug *m.* van de hand; **— *de piano,*** pianoloper *m.*; **— *de lit,*** sprei *v.(m.)*; **— *de table,*** tafelblad *o.*; ***avoir le* —,** de overhand hebben; ***le — du panier,*** het neusje van de zalm, het puikje.
destin [dèstẽ] *m.* **1** lot, noodlot *o.*; **2** bestaan *o.*; **3** bestemming *v.* [*m.-v.*
destinataire [dèstinatè:r] *m.-f.* geadresseerde
destination [dèstina'syõ] *f.* **1** bestemming *v.*; **2** plaats *v.(m.)* van bestemming.
destinée [dèstiné] *f.* **1** lot, noodlot *o.*; **2** bestaan *o.*; **3** bestemming *v.*
destiner [dèstiné] (*à*) **I** *v.t.* bestemmen (voor); **II** *v.pr.*, ***se — à,*** **1** zich wijden aan; **2** (*v. vak*) kiezen.
destituable [dèstitẅa'bl] *adj.* afzetbaar.
destitué [dèstitẅé] (*de*) *adj.* verstoken (van), ontbloot.
destituer [dèstitẅé] *v.t.* **1** afzetten, ontslaan; **2** ontnemen, beroven (van).
destitution [dèstitüsyõ] *f.* afzetting *v.*, ontslag *o.*
destrier [dèstrié] *m.* strijdros *o.*
destroyer [dèstrwayœ:r] *m.* snelle torpedojager *m.*
destructeur [dèstrüktœ:r] **I** *m.* vernieler; verwoester *m.*; **II** *adj.* vernielend; verwoestend.

destructibilité [dèstrüktibilité] *f.* vernielbaarheid *v.*
destructible [dèstrükti'bl] *adj.* vernielbaar.
destructif [dèstrüktif] *adj.* vernielend; verwoestend.
destruction [dèstrüksyõ] *f.* **1** vernieling; verwoesting *v.*; **2** uitroeiing *v.*
destructivité [dèstrüktivité] *f.* vernielzucht *v.(m.)*.
désuet [déswè] *adj.* verouderd, in onbruik geraakt.
désuétude [déswétü'd] *f.*, ***tomber en —,*** in onbruik geraken.
désunion [dézünyõ] *f.* **1** scheiding *v.*; **2** onenigheid *v.*, tweedracht, tweespalt *v.(m.)*; **3** (*v. stenen, enz.*) (het) losgaan *o.*
désunir [dézüni:r] **I** *v.t.* **1** scheiden; **2** twist (*of* tweedracht) zaaien tussen; **II** *v.pr.*, ***se —,*** in onmin geraken.
détachage [détaʃa:j] *m.* ontvlekking *v.*, reiniging *v.*
détaché [détaʃé] *adj.* **1** los; **2** afzonderlijk; **3** ongedwongen; onverschillig.
détachement [détaʃmã] *m.* **1** onverschilligheid *v.*; **2** onbevangenheid *v.*; **3** losmaking, afscheiding *v.*; **4** (*mil.*) detachement *o.*, afdeling *v.* soldaten; **5** (*kath.*) onthechting *v.*
détacher [détaʃé] **I** *v.t.* **1** losmaken; **2** scheiden, afscheiden; **3** uitknippen, uitscheuren; **4** (*v. coupons*) knippen; **5** (*v. ogen*) afwenden; **6** (*v. tak, vrucht*) afbreken; **7** (*mil.*) detacheren; **8** (*v. slag, enz.*) geven, toebrengen; **9** vervreemden, verwijderen; **10** (*muz.*: *v. noot*) staccato spelen; **11** van vlekken reinigen; ***— des biens de la terre,*** onverschillig maken voor de aardse goederen, van de aardse goederen losmaken; **II** *v.pr.*, ***se —,*** **1** zich losmaken; **2** losgaan; **3** afbrokkelen; **4** zich aftekenen (tegen); **5** onverschillig worden (voor).
détacheur [détaʃœ:r] *m.* vlekkenwater, ontvlekkingspreparaat *o.*
détail [déta'y] *m.* **1** bijzonderheid *v.*; **2** kleinigheid *v.*; **3** kleinhandel *m.*, verkoop *m.* in 't klein; **4** opsomming *v.*; ***entrer dans les —s,*** in bijzonderheden treden; omstandig verhalen; ***raconter dans les —s,*** in bijzonderheden vertellen, omstandig verhalen; ***ne voir que les —s,*** door de bomen het bos niet zien.
détaillant [détayã] *m.* kleinhandelaar; slijter *m.*
détaillé [détayé] *adj.* omstandig, uitvoerig.
détailler [détayé] *v.t.* **1** in 't klein verkopen; **2** (*v. dranken*) slijten; **3** opsommen, specificeren; **4** (*v. vlees*) in stukken snijden; **5** omstandig beschrijven, uitvoerig vertellen.
détaler [détalé] **I** *v.t.*, (*v. uitgestalde goederen*) weer inpakken; **II** *v.i.* zijn biezen pakken, zich uit de voeten maken.
détartrer [détartré] *v.t.* (*v. ketel*) afbikken, uitbikken.
détartreur [détartrœ:r] *m.* middel *o.* tegen ketelsteenvorming.
détaxe [détaks] *m.* **1** vermindering (*of* vrijstelling) *v.* van belasting; **2** (*post*) ontheffing *v.* van port.
détaxer [détaksé] *v.t.* vrijstellen van belasting (*of* port).
détecter [détèkté] *v.t.* opsporen, ontdekken.
détecteur [détèktœ:r] *m.* **1** (*tn.*, *el.*) verklikker *m.*, detector *m.*; **2** (*radio*) radiotoestel *o.*; ***— à lampe,*** lampdetector *m.*; ***— à cristaux*** (*of* ***à galène***), kristaldetector *m.*
détection [détèksyõ] *f.* opsporing *v.*
détective [détèkti:v] *m.* **1** geheime agent, rechercheur *m.*; **2** (*fot.*) handcamera *v.(m.)*.
déteindre* [détẽ:dr] **I** *v.t.* ontkleuren; **II** *v.i.* **1** verkleuren, verschieten; **2** afgeven; ***— sur,*** **1** afgeven op; **2** (*fig.*) beïnvloeden, sporen achterlaten op.
dételage [détla:j] *m.* het uitspannen.
dételer* [détlé] **I** *v.t.* **1** uitspannen; **2** (*v. wagon*) afkoppelen; **II** *v.i.*, (*fig.*) inbinden.
détendeur [détã'dœ:r] *m.* ontspanner *m.*
détendre [détã:dr] **I** *v.t.* **1** ontspannen; **2** (*v. veer*) in rust zetten; **3** (*v. touw*) vieren; **4** (*v. gordijnen*) afnemen; **5** (*v. tenten*) opbreken; **6** (*v. zenuwen*) kalmeren, tot rust laten komen; **II** *v.pr.*, ***se —,*** **1** zich ontspannen; **2** losgaan; slapper worden; **3** (*v. gelaat*) uit de plooi geraken, ophelderen; **4** (*v. toestand*) opklaren; **5** (*v. beurs*) slapper worden; **6** (*v. zenuwen*) tot rust komen; **7** (*v. betrekkingen*) minder gespannen worden.
détendu [détã'dü] *adj.* slap.
détenir* [détni:r] *v.t.* **1** in bezit hebben, onder zich houden; **2** (*v. record*) houden; **3** (*v. macht, enz.*) in handen hebben; **4** achterhouden; **5** gevangen houden.
détente [détã:t] *f.* **1** ontspanning *v.*; **2** verslapping *v.*; **3** (*v. geweer*) trekker *m.*; **4** (*v. boog*) drukker *m.*; **5** (*fig.*) opluchting, verademing *v.*; ***dur la —,*** *voir* ***dur.***
détenteur [détã'tœ:r] *m.* **1** bezitter *m.*; **2** (*v. bewijs, pas, enz.*) houder *m.*
détention [détã'syõ] *f.* **1** bezit *o.*; **2** gevangenhouding; hechtenis *v.*; **3** vestingstraf; tuchthuisstraf *v.(m.)*; ***maison de —,*** gevangenis *v.*; ***— préventive,*** voorlopige hechtenis *v.*, voorarrest *o.*
détenu [détnü] *m.* gevangene *m.*
détergent [détèrjã] **I** *adj.* zuiverend; **II** *s.*, *m.* zuiverend middel, wasmiddel *o.*
déterger [détèrjé] *v.t.* zuiveren, reinigen.
détérioration [détéryòrɑ'syõ] *f.* beschadiging *v.*; bederf *o.*
détériorer [détéryòré] **I** *v.t.* beschadigen; bederven; **II** *v.pr.*, ***se —,*** bederven.
déterminable [détèrmina'bl] *adj.* bepaalbaar, te bepalen.
déterminant [détèrminã] **I** *adj.* **1** bepalend; **2** beslissend; **3** (*v. oorzaak*) aanleidend; **II** *s.*, *m.* (*gram.*) bepalend woord *o.*
déterminatif [détèrminatif] **I** *adj.* **1** (*v. woord*) bepalend; **2** (*v. voornw.*) bepalingaankondigend; **II** *s.*, *m.* bepalend woord *o.*
détermination [détèrminɑ'syõ] *f.* **1** bepaling; vaststelling *v.*; **2** (*v. plant, bloem*) determinering *v.*, (het) determineren *o.*; **3** besluit *o.*, beslissing *v.*; **4** vastberadenheid *v.*
déterminé [détèrminé] **I** *adj.* **1** bepaald; vastgesteld; **2** vastberaden, beslist; **3** hardnekkig, hartstochtelijk; **4** vastbesloten (***à***, om, tot); **II** *s.*, *m.*, (*gram.*) bepaald woord *o.*
déterminer [détèrminé] **I** *v.t.* **1** bepalen, vaststellen; **2** (*v. bloem*) determineren; **3** een besluit doen nemen; **4** (*v. bedrag*) bestemmen; **II** *v.pr.*, ***se — à,*** besluiten tot, er toe besluiten om.
déterminisme [détèrminizm] *m.* determinisme *o.*, wijsgerig stelsel dat wilsvrijheid (bij besluitvorming ontkent.
déterrement [détèremã] *m.* **1** opgraving *v.*; **2** opsporing *v.*
déterrer [détèré] *v.t.* **1** opgraven; uitgraven; **2** (*fig.*) opsporen, ontdekken, opdiepen; ***avoir l'air d'un déterré,*** er doodsbleek uitzien, er uitzien als de dood van Ieperen.
détersif [détèrsif] **I** *adj.* reinigend; **II** *s.*, *m.* reinigend middel *o.*
détersion [détèrsyõ] *f.* reiniging *v.*
détestable(ment) [détèsta'bl(emã)] *adj.* (*adv.*) verfoeilijk, afschuwelijk.
détestation [détèstɑ'syõ] *f.* verfoeiing *v.*, afschuw *m.*, afgrijzen *o.*
détester [détèsté] *v.t.* verfoeien, verafschuwen.
détirer [déti'ré] *v.t.* rekken, uitrekken.

détonant [détònã] *adj.* ontploffend; ***gaz* —,** knalgas *o.*

détonateur [détònatœ:r] *m.*, (*v. torpedo, enz.*) ontsteker *m.*

détonation [détònɑ'syõ] *f.* knal *m.*, ontploffing *v.*

détoner [détòné] *v.i.* ontploffen, knallen.

détonner [détòné] *v.i.* **1** vals zingen (*of* klinken); **2** uit de toon raken; **3** afsteken (tegen).

détordre [détòrdr] *v.t.* losdraaien.

détors [détò:r] *adj.* losgedraaid.

détorsion [détòrsyõ] *f.* (het) losdraaien *o.*

détortiller [détòrtiyé] *v.t.* ontwarren.

détour [détu:r] *m.* **1** omweg *m.*; **2** (*v. rivier, weg*) kromming *v.*, bocht *v.*(*m.*); **3** (*fig.*) uitvlucht *v.*(*m.*), voorwendsel *o.*; ***sans* —*s*,** ronduit, zonder omwegen.

détourné [déturné] *adj.* **1** afgevend; **2** afgelegen; **3** bedekt, onrechtstreeks; ***chemin* —,** **1** omweg, zijweg *m.*; **2** slinkse streek *m.* *en v.*; ***sens* —,** bijbetekenis, verdraaide betekenis *v.*

détournement [déturnemã] *m.* **1** (het) afwenden *o.*; **2** (*v. rivier, enz.*) (het) afleiden *o.*; **3** (*v. geld*) verduistering *v.*; **4** (*v. minderjarige*) ontvoering, schaking *v.*; ***— de pouvoir*,** machtsmisbruik *o.*

détourner [déturné] **I** *v.t.* **1** afwenden; **2** (*v. rivier, enz.*) afleiden; **3** (*v. gesprek, enz.*) een andere wending geven aan; **4** (*v. geld*) verduisteren, ontvreemden; **5** ontvoeren, schaken; **6** (*v. slag*) afweren; **7** (*v. touw*) losdraaien; uit elkaar draaien; ***— du droit chemin*,** van de rechte weg afbrengen; **II** *v.pr.*, ***se* —,** **1** zich afwenden; **2** een omweg maken.

détracter [détrakté] *v.t.* belasteren, kwaadspreken van; kleineren.

détracteur [détraktœ:r] *m.* kwaadspreker, lasteraar *m.*

détraction [détraksyõ] *f.* lastering *v.*; kleinering *v.*

détraqué [détraké] *adj.* **1** in de war, defect; **2** (*v. hersenen*) gekrenkt.

détraquement [détrakmã] *m.* **1** verbijstering *v.*; **2** verwarring *v.* (in de war gaan).

détraquer [détraké] **I** *v.t.* **1** in de war brengen; defect maken; **2** (*v. paard*) bederven; **3** (*v. geest*) krenken; **II** *v.pr.*, ***se* —,** **1** in de war geraken; defect worden; **2** (*v. hersenen*) gekrenkt worden; **3** (*v. stem*) omslaan.

détrempe [détrã:p] *f.* **1** waterverf *v.*(*m.*); **2** (*v. staal*) ontharding, weekgloeiing *v.*; ***en* —,** **1** met waterverf; **2** (*fig.*) ondeugdelijk; ***ouvrage en* —,** prulwerk *o.*

détremper [détrã'pé] *v.t.* **1** aanmengen, verdunnen; **2** (*v. kalk*) blussen; **3** (*v. weg*) doorweken; **4** (*v. staal*) ontharden, week gloeien; **5** (*fig.*: *v. leed, bitterheid*) verzachten; **6** (*v. karakter*) verzwakken.

détresse [détrès] *f.* nood, angst *m.*; ***signal de* —,** noodsein *o.*

détresser [détrèsé] *v.t.* losvlechten.

détriment [détrimã] *m.* nadeel *o.*, schade *v.*(*m.*); ***au — de*,** ten koste van.

détriter [détrité] *v.t.* uitpersen.

détrition [détrisyõ] *f.* afslijting *v.*

détritus [détritü's] *m.* afval *o.* *en m.*

détroit [détrwa] *m.* **1** zeeëngte *v.*, straat *v.*(*m.*); **2** bergpas *m.*; ***les D—s*,** de Straits-Settlements.

détromper [détrõ'pé] **I** *v.t.* uit de droom helpen, de ogen openen; ***détrompez-vous*,** geloof dat niet; dat zal u tegenvallen; **II** *v.pr.*, ***se* —,** zijn dwaling inzien.

détrônement [détro'nmã] *m.* **1** onttroning *v.*; **2** (*fig.*) verdringing *v.*

détrôner [détro'né] *v.t.* **1** onttronen; **2** (*fig.*) verdringen.

détrousser [détrusé] *v.t.* **1** (*v. kleed, enz.*) laten zakken; **2** uitplunderen, beroven.

détrousseur [détrusœ:r] *m.* rover, straatrover *m.*

détruire* [détrẅi:r] *v.t.* **1** vernietigen, vernielen, verwoesten; **2** afbreken, slopen; **3** (*v. ongedierte, enz.*) doden, verdelgen; **4** (*v. vooroordeel*) uitroeien; **5** te gronde richten.

dette [dèt] *f.* **1** schuld *v.*(*m.*); **2** (*fig.*) verplichting *v.*; ***— flottante*,** vlottende schuld; ***— consolidée*,** vaste schuld; ***— publique*,** staatsschuld; ***— criarde*,** dringende schuld, kladschuld; ***être criblé de —s*,** tot over de oren in de schuld zitten; ***payer sa — à la nature*,** de tol aan de natuur betalen.

deuil [dœ'y] *m.* **1** rouw *m.*; **2** rouwkleed *o.*; **3** rouwtijd *m.*; ***grand* —,** zware rouw; ***petit* —,** lichte rouw; ***bordé de* —,** met een rouwrand; ***vêtu de* —,** in de rouw; ***faire son — de qc.*,** niet meer op iets rekenen, iets opgeven, in iets berusten; ***porter le — de qn.*,** over iem. in de rouw zijn; ***mettre en* —,** in rouw dompelen; ***porter le — de sa blanchisseuse*,** vuil linnen dragen.

deutérium [dœtéryòm] *m.* deuterium *o.* (zware waterstofisotoop, bestanddeel van zwaar water).

Deutéronome [dœtéròn̂òm] *m.* Deuteronomium *o.*

deux [dö] *n. card.* **1** twee; **2** tweede; ***tous les* —,** beide; beiden; ***de — jours l'un*,** om de andere dag; ***— points*,** dubbelpunt *v.*(*m.*) *en o.*; ***piquer des* —,** het paard de sporen geven; ***à — pas d'ici*,** hier vlak bij; ***couper en* —,** doorsnijden; ***courbé en* —,** voorovergebogen; ***le — septembre*,** de tweede september; ***être à — doigts de la mort*,** de dood in 't aangezicht zien, op de rand van het graf staan; ***jamais — sans trois*,** driemaal is scheepsrecht; alle goede dingen bestaan in drieën.

Deux-Acres [dö'zakr] *m.* Twee-Akren *o.*

deuxième [dö'zyèm] *n.ord.* tweede.

deuxièmement [dö'zyèmmã] *adv.* ten tweede.

deux-mâts [dömɑ] *m.*, (*sch.*) tweemaster *m.*

deux-points [döpwẽ] *m.* dubbelpunt *v.*(*m.*) *en o.*

Deux-Ponts [döpõ] *m.* Zweibrücken *o.*

deux-quatre [dökat(r)] *m.*, (*muz.*) tweekwartsmaat *v.*(*m.*).

Deux-Siciles *f.pl.*, ***les* —** [lèdösisil] (*gesch.*) de Beide Siciliën *mv.*

dévaler [dévalé] **I** *v.t.* **1** naar beneden brengen; laten zakken, neerlaten; **2** (*v. helling, enz.*) afgaan, afkomen, aflopen; **II** *v.i.* naar beneden gaan, afdalen.

dévaliser [dévali'zé] *v.t.* beroven, uitschudden.

dévaliseur [dévalizœ:r] *m.* plunderaar, rover *m.*

dévalorisation [dévalòrizɑ'syõ] *f.* waardevermindering *v.*

dévaloriser [dévalòri'zé] *v.t.* in waarde doen verminderen.

dévaluation [dévalẅɑ'syõ] *f.* waardevermindering; muntverzwakking *o.*

dévaluer [dévalẅé] *v.t.* in waarde doen verminderen.

devancement [devã'smã] *m.* het voorafgaan, voorbijlopen *o.*

devancer [d(e)vã'sé] *v.t.* **1** voorgaan, voorafgaan; **2** voorbijlopen; **3** vooruitlopen; **4** voorbijstreven; overtreffen; ***— son siècle*,** zijn tijd vooruit zijn.

devancier [d(e)vã'syé] *m.* voorganger *m.*

devant [d(e)vã] **I** *prép.* **1** voor; **2** in tegenwoordigheid van, in het bijzijn van; ***aller droit — soi*,** **1** recht voor zich uitlopen; **2** zijns weegs gaan; recht door zee gaan; ***avoir du temps — soi*,** nog tijd genoeg hebben; ***aller au — de qn.*,** iem. tegemoet gaan; **II** *adv.* voor; vooraan; voorin; voorop; ***sens — derrière*,** achterste voren; ***ci-—*,** voorheen, vroeger; ***par* —,** van voren; **III** *s., m.* voorzijde *v.*(*m.*), voorkant *m.*; voorste gedeelte *o.*; ***porte de* —,** voordeur *v.*(*m.*); ***— de cheminée*,** vuurscherm *o.*; ***prendre les —s*,** **1** vooruit vertrekken; **2** een voorsprong nemen; **3** het initiatief nemen.

devanture [d(e)vã'tü:r] *f.* **1** voorgevel *m.*, voorpui *v.(m.)*; **2** winkelraam *o.*; uitstalkast *v.(m.)*.
dévaser [déva'sé] *v.t.* uitbaggeren.
dévastateur [dévastatœ:r] **I** *adj.* verwoestend; **II** *s., m.* verwoester, vernieler *m.*
dévastation [dévasta'syõ] *f.* verwoesting, vernieling *v.*
dévaster [dévasté] *v.t.* verwoesten, vernielen.
déveinard [dévè'na:r] *m.* ongeluksvogel, pechvogel *m.*
déveine [dévè:n] *f.* ongeluk *o.*, pech, tegenspoed *m.*; ***avoir de la —,*** wanboffen.
développable [dévlòpa'bl] *adj.* **1** voor ontwikkeling vatbaar; **2** (*meetk.*) ontwikkelbaar.
développante [dévlòpã:t] *f.*, (*meetk.*) evolvente *v.*
développateur [dévlòpatœ:r] *m.*, (*fot.*) ontwikkelaar *m.*
développé [dévlòpé] *adj.* **1** ontwikkeld; **2** omstandig.
développement [dévlòpmã] *m.* **1** ontwikkeling *v.*; **2** (het) ontvouwen, (het) ontrollen *o.*; **3** (*v. onderwerp, enz.*) uitwerking *v.*; **4** uiteenzetting, uitweiding *v.*; **5** (*v. vleugels*) (het) uitslaan *o.*; **6** (*v. fiets*) versnelling *v.*; **7** (*muz.*: *v. thema*) doorvoering *v.*; ***prendre du —,*** uitgroeien; ***triple —,*** drieversnellingsnaaf *v.(m.)*.
développer [dévlòpé] **I** *v.t.* **1** ontwikkelen; **2** ontvouwen, ontrollen; **3** uitwerken; **4** uiteenzetten; **5** uitslaan, uitspreiden; **6** (*v. leger*) verspreiden, ontplooien; **7** (*gymn.*) uitstrekken; **8** (*fig.*) ontwarren, oplossen; **II** *v.pr.*, ***se —,*** **1** zich ontwikkelen; **2** (*v. ziekte*) toenemen.
devenir* [devni:r] **I** *v.i.* worden; ***que deviendra-t-il ?*** wat zal er van hem worden ? ***qu'est-il devenu ?*** wat is er van hem geworden ? waar is hij gebleven ? waar zit hij toch ? ***il ne sait que —,*** hij weet niet wat te beginnen, hij weet geen raad meer; **II** *s., m.* wording *v.*, ontstaan *o.*
dévergondage [dévèrgõ'da:j] *m.* liederlijkheid, schaamteloosheid *v.*
dévergondé [dévèrgõ'dé] *adj.* liederlijk, schaamteloos.
dévergonder, *se —* [sedévèrgõ'dé] *v.pr.* alle schaamte afleggen.
déverrouiller [dévèruyé] *v.t.* ontgrendelen.
devers [d(e)vè:r] *prép.* naar, naar de kant van; ***garder par — soi,*** onder zich houden, onder zijn berusting houden; ***par — le juge,*** in tegenwoordigheid van de rechter.
dévers [dévè:r] **I** *adj.* scheef, hellend; **II** *s., m.* **1** schuine ligging *v.*, schuine kant *m.*; **2** (*v. rails*) hoogteverschil *o.*
déversement [dévèrs(e)mã] *m.* uitstorting *v.*
déverser [dévèrsé] **I** *v.t.* uitstorten; **II** *v.i.* overhellen, overhangen; scheef worden; **III** *v.pr.*, ***se —,*** **1** uitstromen, zich uitstorten; **2** (*v. muur*) wijken; **3** (*v. hout, enz.*) kromtrekken.
déversoir [dévèrswa:r] *m.* **1** overlaat *m.*; **2** vergaarbak *m.*
dévêtir* [dévè'ti:r] *v.t.* uitkleden, ontkleden.
déviation [dévya'syõ] *f.* **1** afwijking *v.*; **2** (*v. geest*) storing *v.*
dévidage [dévida:j] *m.* **1** afhaspeling, afwikkeling *v.*; **2** gehaspel *o.*
dévider [dévidé] *v.t.* **1** afhaspelen, afwikkelen; **2** ontwarren.
dévidoir [dévidwa:r] *m.* haspel *m.*
dévié [dévyé] *adj.* scheef.
dévier [dévyé] **I** *v.i.* **1** afwijken; **2** scheef groeien; **II** *v.t.* **1** doen afwijken; **2** van de rechte weg afbrengen; **3** (*v. verkeer*) verleggen; **4** (*v. gesprek*) een andere wending geven aan.
devin [d(e)vẽ] *m.* **1** waarzegger *m.*; **2** boa constrictor *m.*
devinable [d(e)vina'bl] *adj.* te raden.
deviner [d(e)viné] **I** *v.t.* **1** raden, gissen; **2** voorspellen; **3** (*fig.*) doorzien; **II** *v.pr.*, ***se —,*** zich laten raden.
devineresse [d(e)vinrès] *f.* waarzegster *v.*
devinette [d(e)vinèt] *f.* raadseltje *o.*
devineur [d(e)vinœ:r] *m.* (*fam.*) iem. die raadt.
dévirer [déviré] *v.t.* **1** (*sch., tn.*) terugdraaien; **2** (*v. hout*) krommen.
devis [d(e)vi] *m.* bestek *o.*; ***— et marché,*** bestek en voorwaarden; ***— estimatif,*** kostenberekening *v.*
dévisager [déviza'jé] *v.t.* strak aankijken; brutaal opnemen.
devise [d(e)vi:z] *f.* **1** zinspreuk *v.(m.)*; **2** leus *v.(m.)*; ***—s,*** (*H.*) deviezen *mv.*
deviser [d(e)vizé] *v.i.* keuvelen, kouten.
dévissage [dévisa:j] *m.* het losschroeven, afschroeven, openschroeven *o.*
dévisser [dévisé] *v.t.* afschroeven, losschroeven.
dévitaliser [dévitali'zé] *v.t.* het mergweefsel wegnemen uit; (*v. tand*) de tandpulpa eruithalen.
dévitrifier [dévitrifyé] *v.t.* (*v. glas*) ondoorzichtig maken.
dévoiement, dévoîment [dévwa(y)mã] *m.* **1** afwijking, schuine richting *v.*, schuine stand *m.*; **2** (*gen.*) buikloop *m.*
dévoilement [dévwalmã] *m.* **1** ontsluiering *v.*; **2** onthulling *v.*
dévoiler [dévwalé] *v.t.* **1** ontsluieren; **2** onthullen, aan 't licht brengen; ***se —,*** (*v. geheim*) aan 't licht komen, openbaar worden.
devoir [d(e)vwa:r] **I** *v.t.* **1** moeten; **2** schuldig zijn; **3** verschuldigd zijn; te danken hebben; ***il doit être malade,*** hij zal zeker (wel) ziek zijn; ***cela est dû à,*** dat is te danken aan; dat is te wijten aan; **II** *v.pr.*, ***se —,*** **1** aan zichzelf verplicht zijn; **2** behoren te zijn; ***cela se doit,*** dat behoort zo; ***il se doit aux siens,*** hij moet voor de zijnen zorgen; **III** *s., m.* **1** plicht *m. en v.*; **2** verplichting *v.*; **3** huiswerk, schoolwerk *o.*; ***il est de mon — de,*** het is mijn plicht om; ***se mettre en — de,*** zich gereedmaken om, aanstalten maken om; ***rendre les derniers —s à qn.,*** iem. de laatste eer bewijzen.
dévoltage [dévòlta:j] *m.* (*el.*) vermindering *v.* van voltspanning.
dévolter [dévòlté] *v.t.* (*el.*) de voltspanning verlagen; naar lagere voltspanning transformeren.
dévolu [dévòlü] (*à*) *adj.* vervallen (aan), ten deel gevallen (aan).
dévolution [dévòlüsyõ] *f.* devolutie *v.*, versterf *o.*
devon [devõ] *m.* (*viss.*) kunstvisje *o.*
dévorant [dévòrã] *adj.* **1** verslindend; verscheurend; **2** verterend, vernielend; **3** (*v. honger*) onverzadelijk.
dévorateur [dévòratœ:r] *adj.* verslindend.
dévorer [dévòré] *v.t.* **1** verslinden; verscheuren; **2** verteren; **3** verkwisten; **4** (*v. belediging, enz.*) opkroppen, verkroppen; **5** (*v. tranen*) weerhouden, inhouden.
dévoreur [dévòrœ:r] *m.* verslinder *m.*; ***— de kilomètres,*** kilometervreter *m.*
dévot(ement) [dévo, dévòtmã] *adj.* (*adv.*) **1** vroom, godvruchtig; **2** schijnvroom, kwezelig.
dévotieux [dévòsyö] *adj.*, **dévotieusement** [dévòsyö'zmã] *adv.* streng vroom, overdreven vroom.
dévotion [dévòsyõ] *f.* vroomheid *v.*, godsvrucht *v.(m.)*; ***fausse —,*** schijnvroomheid, huichelarij *v.*; ***être à la — de qn.,*** iem. met hart en ziel toegedaan zijn; ***faire ses —s,*** zijn devotie doen.
dévoué [dévwé] *adj.* toegewijd, verknocht; toegenegen; ***votre —,*** uw toegenegen.

dévouement, dévoûment [dévumã] *m.* **1** toewijding, verknochtheid *v.*; **2** zelfopoffering *v.*
dévouer [dévwé] **I** *v.t.* **1** toewijden; **2** opofferen; **II** *v.pr.*, ***se* — (*à*),** **1** zich wijden (aan); **2** zich opofferen.
dévoyé [dévwayé] *adj.* **1** afgedwaald; **2** scheef.
dévoyer [dévwayé] **I** *v.t.* van de goede weg afbrengen; **II** *v.pr.*, ***se* —,** **1** verdwalen; **2** van de goede weg afdwalen.
dextérité [dè(k)stérité] *f.* handigheid, behendigheid *v.*
dextrement [dè(k)stremã] *adv.* handig, behendig.
dextrine [dèkstrin] *f.* dextrine *v.(m.).*
dextrogyre [dekstròji:r] *adj.* (*bij polarisatie*) rechtsdraaiend.
dey [dé] *m.* dey *m.* (voorm. Algerijnse vorstentitel).
dia! [dya] *ij.* her! (om paard links te doen gaan); ***il n'entend ni à hue ni à* —,** hij is voor geen rede vatbaar.
diabète [dyabè·t] *m.* **1** suikerziekte *v.*; **2** tantalusbeker *m.*
diabétique [dyabétik] **I** *adj.* lijdend aan suikerziekte; **II** *s., m.-f.* lijder(es) *m.(v.)* aan suikerziekte.
diable [dya·bl, dya:bl] *m.* **1** duivel *m.*; **2** drommel *m.*; kerel *m.*; **3** deugniet *m.*; **4** (*boven smidse*) trekbuis, trekpijp *v.(m.)*; ***— à surprise, — à ressort,*** duiveltje *o.* in een doosje; ***un grand —,*** een lange slungel *m.*; ***avoir le — au corps,*** zich erg druk maken; ***aller au —,*** mislukken; ***faire le — à quatre,*** een hels lawaai maken; ***le — bat sa femme et marie sa fille,*** 't is kermis in de hel; ***il n'est pas si — qu'il est noir,*** hij is zo kwaad niet als hij lijkt; ***loger le — dans sa bourse,*** op zwart zaad zitten; ***ce n'est pas le —,*** 't is geen heksenwerk; ***tirer le — par la queue,*** veel moeite hebben om rond te komen; armoe lijden; ***c'est là le —,*** daar zit juist de knoop; ***se démener comme un —,*** geweldig te keer gaan, als een razende te keer gaan; ***que —!*** wat drommel! ***à la —,*** slordig, met de Franse slag; ***faire qc. à la —,*** iets afraffelen; ***se donner au —,*** wanhopig worden; ***— non,*** om de duivel niet; ***en —,*** verduiveld, erg; ***c'est difficile en —,*** het is drommels moeilijk; ***envoyer au —,*** naar de drommel wensen; ***le — et son train,*** de hele rommel.
diablement [dyablemã, dya·blemã] *adv.* verduiveld, duivels, drommels.
diablerie [dyableri, dya·bleri] *f.* duivelskunst, toverij *v.*
diablesse [dyablès, dya·blès] *f.* duivelin *v.*; helleveeg, feeks *v.*
diabloteau [dyablòto, dya·blòto] *m.* duiveltje *o.*
diablotin [dyablòtẽ, dya·blòtẽ] *m.* **1** duiveltje *o.*; **2** (*fig.*: *v. kind*) woelwater, deugniet *m.*; **3** (*sch.*) kruisstengstagzeil *o.*; **4** pistache *v.(m.)*, knalbonbon *m.*
diabolique(ment) [dyabòlik(mã), dya·bòlik(mã)] *adj.* (*adv.*) duivelachtig, duivels.
diabolo [dyabòlo, dya·bòlo] *m.* diabolo *m.*
diaconal [dyakònal] *adj.* diaken—.
diaconat [dyakòna] *m.* diaconaat; diakenschap *o.*
diaconesse [dyakònès] *f.* diacones *v.*
diaconie [dyakòni] *f.*, (*prot.*) diaconie *v.*
diacre [dyakr] *m.* diaken *m.*
diacritique [dyakritik] *adj.* onderscheidend, tekenend.
diadème [dyadè:m] *m.* **1** diadeem *m. en o.*; **2** (*fig.*) kroon *m.*; regering *v.*
diadoque [dyadòk] *m.* diadoche *m.*
diagnose [dyagno:z] *f.* diagnose, ziekteonderkenning *v.*
diagnostic [dyagnòstik] *m.* diagnose *v.*
diagnostique [dyagnòstik] *adj.* diagnotisch; ***signe —,*** kenteken *o.* van een ziekte.
diagnostiquer [dyagnòstiké] *v.t.* **1** (*v. ziekte*) de diagnose stellen, bepalen uit de kentekenen; **2** (*v. toekomst, enz.*) voorspellen.
diagonal [dyagònal] *adj.* diagonaal, overhoeks.
diagonale [dyagònal] *f.* diagonaal *v.(m.)*, hoekpuntslijn *v.(m.)*.
diagonalement [dyagònalmã] *adv.* overhoeks, dwars.
diagramme [dyagram] *m.* **1** (*Pl., meetk.*) diagram *o.*; **2** curve *v.(m.)*, grafiek *v.*
diakène [dyakèn] *m.* (*Pl.*) uit twee dopvruchten samengestelde vrucht.
dialectal [dyalèktal] *adj.* dialectisch, gewestelijk.
dialecte [dyalèkt] *m.* dialect *o.*, streektaal *v.(m.)*, tongval *m.*
dialecticien [dyalèktisyẽ] *m.* dialecticus *m.*
dialectique [dyalèktik] **I** *f.* dialectiek, redeneerkunde *v.*; **II** *adj.* dialectisch.
dialogique [dyalòjik] *adj.* in dialoogvorm.
dialogue [dyalò·g] *m.* dialoog *m.*, tweespraak *v.(m.)*.
dialogué [dyalògé] *adj.* in de vorm van een gesprek.
dialoguer [dyalògé] **I** *v.t.* als een samenspraak (*of* in gesprekvorm) inkleden; **II** *v.i.* een samenspraak houden.
dialypétale [dyalipétal] *adj.* (*Pl.*) met losse bloemkroonbladen.
dialyse [dyali:z] *f.* dialyse *v.* (scheiding *v.* van een mengsel d.m.v. diffusie door poreuze wand).
dialysépale [dyalisépal] *adj.* (*Pl.*) met losstaande bloemkelkbladen.
diamant [dyamã] *m.* **1** diamant *o. en m.*; **2** (*fig.*) juweel *o.*; ***de —,*** diamanten; ***— brut,*** ruwe diamant; ***— de vitrier,*** glazenmakersdiamant.
diamantaire [dyamã·tè:r] *m.* diamantslijper *m.*; diamanthandelaar *m.*
diamanté [dyamã·té] *adj.* met diamanten punt.
diamanterie [dyamã·tri] *f.* diamantslijperij *v.*
diamantifère [dyamã·tifè:r] *adj.* diamanthoudend.
diamantin [dyamã·tẽ] *adj.* diamantachtig.
diamétral(ement) [dyamétral(mã)] *adj.* (*adv.*) lijnrecht, diametraal.
diamètre [dyamè·tr] *m.* diameter *m.*, middellijn *v.(m.)*.
diandre [dyã:dr] *adj.*, (*Pl.*) tweehelmig.
diane [dyan] *f.*, (*mil.*) reveille *v.(m.)*; ***sonner la —,*** de reveille blazen.
Diane [dyan] *f.* Diana *v.*
diantre [dyã:tr] *ij.* drommels.
diantrement [dyã·tremã] *adv.* drommels, verduiveld.
diapason [dyapazõ] *m.* **1** stemvork *v.(m.)*; **2** stemfluitje *o.*; **3** toonhoogte *v.*; **4** omvang *m.* van een stem; **5** (*fig.*) gemoedsstemming *v.*; ***faire baisser le — à qn.,*** iem. een toontje lager doen zingen.
diaphane [dyafan] *adj.* **1** doorschijnend, doorzichtig; **2** (*fig.*) erg mager.
diaphanéité [dyafanéité] *f.* doorschijnendheid, doorzichtigheid *v.*
diaphore [dyafò:r] *f.* diafora *v.*, herhaling *v.* van een woord in een andere betekenis.
diaphorèse [dyaforè·z] *f.* zweet *o.*
diaphorétique [dyaforétik] **I** *m.* transpireermiddel *o.*; **II** *adj.* zweet opwekkend.
diaphragme [dyafragm] *m.* **1** middenrif *o.*; **2** (*v. neus, enz.*) tussenschot *o.*; **3** diafragma *o.*, lensopening *v.*
diaphragmer [dyafragmé] **I** *v.t.* voorzien van een tussenschot; **II** *v.i.* de lensopening stellen.
diaphyse [dyafi:z] *f.* tussenschot *o.*
diapositive [dyapo·ziti:v] *f.* lantaarnplaatje *o.*, dia *m.*
diapré [dya·pré] *adj.* bont, veelkleurig.
diaprer [dya·pré] *v.t.* veelkleurig maken.
diaprure [dya·prü:r] *f.* veelkleurigheid *v.*
diarrhée [dyaré] *f.* **1** buikloop *m.*, diarree *v.*; **2** (*v. vee*) doorloop *m.*

diastase [dyasta:z] *f.* diastase *v.*, ferment dat zetmeel omzet in maltose. [aderen).
diastole [dyastòl] *f.* uitzetting *v.* van hart (en slag-
diathermane [dyatèrman] *adj.* warmtegeleidend.
diathermie [dyatèrmi] *f.* (*gen.*) bestraling *v.*
diatonique [dyatònik] *adj.*, (*muz.*) diatonisch, volgens de toonladder.
diatribe [dyatri'b] *f.* scherpe aanval, verontwaardigde uitval *m.*, hekelschrift *o.* [gevorkt.
dichotome [dikòto:m] *adj.* in tweeën verdeeld,
dichotomie [dikòto'mi] *f.* **1** splitsing *v.*; **2** halvering; (*gen.*) deling van honorarium.
dicline [diklin] *adj.*, (*Pl.*) eenslachtig.
dicotylédone [dikòtilédòn], **dicotylédoné** [dikòtilédòné] *adj.*, (*Pl.*) tweezaadlobbig.
dictame [diktam] *m.* **1** (*Pl.*) essekruid *o.*; **2** (*fig.*) balsem *m.* [geving *v.*
dictamen [diktamèn] *m.* inspraak *v.*(*m.*), in-
dictaphone [diktafòn] *m.* dictafoon *m.*
dictateur [diktatœ:r] *m.* dictator *m.*
dictatorial [diktatòryal] *adj.* **1** dictatoriaal; **2** onbeperkt; gebiedend.
dictature [diktatü:r] *f.* **1** dictatuur, onbeperkte heerschappij *v.*; **2** dictatorschap *o.*
dictée [dikté] *f.* **1** dictaat, dictee *o.*; **2** (het) dicteren *o.*; ***écrire sous la — de qn.***, opschrijven wat iem. voorzegt.
dicter [dikté] *v.t.* **1** dicteren; **2** (*v. wet. gedragslijn*) voorschrijven; **3** (*v. woorden, enz.*) ingeven.
diction [diksyõ] *f.* voordracht *v.*(*m.*), wijze *v.*(*m.*) van zeggen, dictie *v.*; voordrachtkunst *v.*
dictionnaire [diksyònè:r] *m.* woordenboek *o.*
dicton [diktõ] *m.* spreuk, (spreekwoordelijke) zegswijze *v.*(*m.*).
didactique [didaktik] **I** *adj.* didactisch, lerend, onderrichtend; ***poème —***, leerdicht *o.*; **II** *s.*, *f.* onderwijskunde, didactiek *v.*
didactyle [didaktil] *adj.* tweevingerig, tweetenig.
didelphe [didèlf] *m.* buideldier *o.*
Didon [didõ] *f.* Dido *v.*
dièdre [dyè'dr] *adj.* door twee vlakken gevormd, tweevlakkig; ***angle —***, tweevlakshoek, standhoek *m.*
diélectrique [diélèktrik] *adj.* (*el.*) isolerend.
diérèse [dyérè:z] *f.* **1** (*taalk.*) diërese *v.*, gescheiden uitspraak *v.*(*m.*) van twee vocalen; **2** (*gram.*) trema, deelteken *o.*
dièse [dyè:z] *m.*, (*muz.*) kruis *o.*; ***fa —***, fis; ***double —***, dubbel kruis.
diesel [dizèl] *m.* **1** dieselmotor *m.*; **2** diesel *m.*
diéser [dyé'zé] *v.t.*, (*muz.*) door een kruis verhogen.
diète [dyè't] *f.* **1** dieet *o.*, leefregel *m.*; **2** landdag, rijksdag *m.*; ***mettre à la —***, op dieet stellen.
diététicien [dyététisyẽ] *m.* diëtist *m.*
diététique [dyététik] **I** *adj.* diëtetisch; **II** *s. f.* voedingsleer; dieetleer *v.*(*m.*).
Dieu [dyö] *m.* God *m.*; ***d—***, godheid *v.*, afgod *m.*; ***l'Homme —***, de Godmens; ***plaise à —***, God geve het; ***à — ne plaise***, God verhoede het; ***— vous bénisse***, wel bekome 't u! God zegene u! ***le bon —***, Onze Lieve Heer; ***il n'y a pas de bon —***, daar helpt geen lieve moederen aan, daar gaat niets af; ***grâce à —, — merci***, goddank; ***la maison du bon —***, de zoete inval; ***mon —!*** lieve hemel! ***le — des armées***, de Heer van de heirscharen; ***— me pardonne!*** de hemel sta mij bij! ***jurer ses grands —x***, bij hoog en bij laag verzekeren (*of* zweren); ***il est devant —***, hij is overleden.
diffamant [difamã] *adj.* lasterlijk; eerrovend, onterend. [m.
diffamateur [difamatœ:r] *m.* lasteraar; eerrover
diffamation [difamα'syõ] *f.* eerroof *m.*, lastering *v.*
diffamatoire [difamatwa:r] *adj.* eerrovend, lasterlijk.
diffamer [difamé] *v.t.* **1** belasteren; **2** (*fig.*) onteren. [ders.
différemment [diféramã] *adv.* verschillend, an-
différence [diférã:s] *f.* **1** verschil, onderscheid *o.*; **2** (*H.*) koersverschil *o.*; ***à la — de***, anders dan, in tegenstelling met.
différenciation [diférãsyα'syõ] *f.* (het) onderscheiden *o.*, differentiëring *v.*
différencier [diférã'syé] *v.t.* onderscheid maken tussen.
différend [diférã] *m.* geschil *o.*; verschil *o.* van mening; onenigheid *v.*; ***partager le —***, het verschil delen.
différent [diférã] *adj.* verschillend; uiteenlopend; ***c'est bien —***, dat is heel wat anders; ***—es personnes***, verscheidene personen.
différentiation [diférãsyα'syõ] *f.*, (*wisk.*) differentiëring *v.*
différentiel [diférã'syèl] *adj.* ***calcul —***, differentieelrekening *v.*; ***droits —s***, differentiële rechten *mv.*
différentielle [diférã'syèl] *f.* differentieel *v.*
différentier [diférã'syé] *v.t.* differentiëren.
différer [diféré] **I** *v.t.* uitstellen opschorten; ***ce qui est différé n'est pas perdu***, uitstel is geen afstel; wat in 't vat zit, verzuurt niet; **II** *v.i.* verschillen, uiteenlopen; ***— du blanc au noir***, hemelsbreed verschillen.
difficile [difisil] *adj.* **1** moeilijk; **2** lastig; onhandelbaar; **3** (*v. kind ook:*) tuchteloos; **4** veeleisend; kieskeurig; ***il est — à contenter***, hij heeft veel noten op zijn zang.
difficilement [difisilmã] *adv.* moeilijk, met moeite.
difficulté [difikülté] *f.* **1** moeilijkheid *v.*; **2** bezwaar *o.*, zwarigheid *v.*; **3** beletsel *o.*, hinderpaal *m.*; **4** geschil *o.*, onenigheid *v.*; ***aplanir les —s***, de hinderpalen (*of* moeilijkheden) uit de weg ruimen; ***cela ne fait pas de —***, dat is geen bezwaar; ***sans —***, **1** gemakkelijk; **2** gaarne; **3** buiten kijf, zonder tegenspraak.
difficultueux [difikültẅö] *adj.* **1** zwaartillend; **2** moeilijk, zeer lastig.
difforme [difòrm] *adj.* misvormd, mismaakt, wanstaltig.
difformer [difòrmé] *v.t.* misvormen, mismaken.
difformité [difòrmité] *f.* misvormdheid, wanstaltigheid, mismaaktheid *v.*
diffracter [difrakté] *v.t.*, (*v. lichtstralen*) buigen.
diffractif [difraktif] *adj.* buigend.
diffraction [difraksyõ] *f.* (straal)buiging *v.*
diffus [difü] *adj.* **1** verspreid, verstrooid; **2** (*Pl.*) met verspreide takken; **3** (*v. lucht*) mat, dof; **4** (*fig.*) langdradig, breedsprakig, wijdlopig; **5** onsamenhangend.
diffusément [difüzémã] *adv.* **1** onsamenhangend, verward; **2** wijdlopig.
diffuser [difü'zé] **I** *v.t.* **1** verspreiden, verstrooien; **2** (*radio*) uitzenden; **II** *v.pr.*, ***se —***, **1** zich verspreiden; **2** (*v. vorm*) vervagen.
diffuseur [difü'zœ:r] *m.*, (*radio*) ontvangtoestel *o.* (met ingebouwde luidspreker).
diffusible [difüzi'bl] *adj.* verstrooibaar.
diffusion [difüzyõ] *f.* **1** verspreiding *v.*; **2** (*v. radio*) uitzending *v.*; **3** (*v. licht, warmte*) onregelmatige weerkaatsing *v.*; **4** (*v. stijl, enz.*) wijdlopigheid *v.*; **5** (*v. gedachten*) verwardheid *v.*
digérable [dijéra'bl] *adj.* verteerbaar.
digérer [dijéré] **I** *v.t.* **1** verteren; **2** (*v. belediging, enz.*) verkroppen, verdragen; **3** (*v. plan, enz.*)

rijpelijk overwegen; **4** (*v. gezwel*) rijp doen worden; **II** *v.i.*, ***bien* —,** een goede spijsvertering hebben.
digest [dijè] *m.* digest *v.(m.)* (periodiek met samenvattingen van artikelen).
digeste [dijèst] *m.* pandecten *mv.*
digestibilité [dijèstibilité] *f.* verteerbaarheid *v.*
digestible [dijèsti'bl] *adj.* verteerbaar.
digestif [dijèstif] *adj.* **1** de spijsvertering bevorderend; **2** licht verteerbaar; ***appareil* —,** spijsverteringsorgaan *mv.*
digestion [dijèstyõ] *f.* spijsvertering *v.*; ***d'une — difficile,*** **1** moeilijk te verteren; **2** (*fig.*) ongenietbaar; **3** bijna ongelooflijk.
digital [dijital] *adj.* vingervormig; vinger—.
digitale [dijital] *f.*, (*Pl.*) vingerhoedskruid *o.*
digitaline [dijitalin] *f.*, (*gen.*: *vergif*) digitaline *v.*
digité [dijité] *adj.* **1** (*Pl.*) gevingerd; **2** handvormig.
digitiforme [dijitifòrm] *adj.* vingervormig.
digitigrade [dijitigra'd] *m.*, (*Dk.*) teenganger *m.*
digne(ment) [diñ(mã)] *adj.* (*adv.*) **1** waardig; waard; **2** zelfbewust; deftig; **3** rechtschapen, eerlijk; **4** overeenkomstig (met), evenredig (aan); ***— de créance, — de foi,*** geloofwaardig; ***— de mépris,*** verachtelijk; ***— de pitié,*** beklagenswaardig.
dignitaire [diñitè:r] *m.* dignitaris, waardigheidsbekleder *m.*, ambtsdrager *m.*
dignité [diñité] *f.* **1** waardigheid *v.*; **2** deftigheid *v.*
digon [digõ] *m.* wimpelstok *m.*
digramme [digram] *m.* groep van twee letters die één klank voorstellen (b.v.: ***ou, au***).
digresser [digrèsé] *v.i.* uitweiden.
digressif [digrèsif] *adj.* uitweidend.
digression [digrèsyõ] *f.* uitweiding *v.*
digue [di'g] *f.* **1** dijk *m.*; **2** (*fig.*) dam *m.*; ***opposer une — à,*** een dam opwerpen tegen; ***— de mer,*** zeedijk *m.*; strandboulevard *m.*
diguer [di'gé] *v.t.* **1** bekijken; **2** (*v. paard*) de sporen geven (aan).
dilacération [dilaséra'syõ] *f.* verscheuring *v.*
dilacérer [dilaséré] *v.t.* verscheuren, vaneenscheuren.
dilapidateur [dilapidatœ:r] **I** *m.* verkwister, doorbrenger *m.*; **II** *adj.* verkwistend.
dilapidation [dilapida'syõ] *f.* verkwisting *v.*
dilapider [dilapidé] *v.t.* verkwisten, doorbrengen.
dilatabilité [dilatabilité] *f.* uitzettingsvermogen *o.*, uitzetbaarheid *v.*
dilatable [dilata'bl] *adj.* uitzetbaar.
dilatation [dilata'syõ] *f.* **1** uitzetting *v.*; **2** verwijding *v.*; ***— d'estomac,*** maagverwijding *v.*
dilater [dilaté] **I** *v.t.* **1** doen uitzetten; **2** verwijden; **3** (*fig.*: *v. hart*) verheffen, tot vreugde stemmen; **II** *v.pr.*, ***se* —, 1** uitzetten; **2** (*fig.*) zich verruimen.
dilatoire [dilatwa:r] *adj.*, (*recht*) vertragend.
dilatomètre [dilatòmè'tr] *m.* uitzettingsmeter *m.*
dilection [dilèksyõ] *f.* vrome liefde *v.*
dilemme [dilèm] *m.* dilemma *o.*
dilettante [dilètã:t] *m.* kunstliefhebber *m.*; dilettant *m.*
dilettantisme [dilètã'tizm] *m.* liefhebberij *v.* voor de kunst.
diligemment [dilijamã] *adv.* **1** naarstig, vlijtig; **2** met bekwame spoed; **3** zorgvuldig.
diligence [dilijã:s] *f.* **1** naarstigheid *v.*, vlijt *v.(m.)*, ijver *m.*; **2** spoed *m.*, gezwindheid *v.*; **3** nauwlettendheid *v.*; **4** postwagen *m.*, diligence *v.(m.)*; ***— d'eau,*** trekschuit *v.(m.)*; ***faire —,*** spoed maken; ***à la — de,*** (*recht*) op vordering van, ten verzoeke van; ***faire des —s contre,*** een vervolging instellen tegen; ***faire les —s nécessaires,*** de nodige stappen doen.
diligent [dilijã] *adj.* **1** naarstig, vlijtig; **2** voortvarend, gezwind; **3** zorgvuldig.
dilobé [dilòbé] *adj.*, (*Pl.*) tweelobbig.
diluer [dilüé] *v.t.* **1** verdunnen; **2** (*H.*) verwateren.
dilution [dilüsyõ] *f.* verdunning *v.*
diluvial [dilüvyal] *adj.* diluviaal.
diluvien [dilüvyẽ] *adj.* **1** diluviaal; **2** diluviaans, van de zondvloed; ***pluie —ne,*** wolkbreuk *v.(m.)*; stortregen *m.*
diluvium [dilüvyòm] *m.* diluvium *o.*
dimanche [dimã:ʃ] *m.* zondag *m.*; ***le* —,** 's zondags; ***— des Rameaux,*** Palmzondag; ***— de Quasimodo,*** Beloken Pasen.
dîme [di'm] *f.*, (*gesch.*) tiend *m.* en *o.*
dimension [dimã'syõ] *f.* **1** afmeting *v.*; **2** formaat *o.*; ***prendre ses —s,*** (*fig.*) zijn maatregelen nemen; ***timbre de —,*** formaatzegel *o.*
dîmer [di'mé] *v.t.* tiend heffen van.
diminuendo [diminwẽ'do] *adv.* afnemend in kracht, diminuendo.
diminuer [diminwé] **I** *v.t.* **1** verminderen; **2** verkleinen; verkorten; **3** (*v. prijs*) verlagen; **4** (*fig.*) kleineren, afbreuk doen aan; ***intervalle diminué,*** verkleind interval; ***colonne diminuée,*** smal (naar boven) toelopende zuil *v.(m.)*; **II** *v.i.* **1** verminderen; **2** kleiner worden; korter worden; **3** (*v. prijs*) dalen; **4** (*v. gezicht, geest*) verzwakken; **5** (*v. roem, enz.*) tanen; **6** (*v. geluid*) wegsterven; **7** (*v. wind*) afnemen; **8** (*bij 't breien*) minderen.
diminutif [diminütif] **I** *adj.* verkleinend; **II** *s.*, *m.* **1** verkleinwoord *o.*; **2** verkleinde reproduktie *v.*, nabootsing *v.* in 't klein.
diminution [diminüsyõ] *f.* **1** vermindering *v.*; **2** verkleining *v.*; **3** verlaging *v.*, afslag *m.*; **4** (*v. geld*) waardeverlaging *v.*; **5** (*bij 't breien*) mindering *v.*; ***faire une —,*** **1** rabat verlenen; **2** (*bij 't breien*) minderen.
dimorphe [dimòrf] *adj.* dimorf, in twee vormen kristalliserend.
dinanderie [dinã'dri] *f.* geel koperwerk *o.*
dinandier [dinã'dyé] *m.* geelgieter *m.*
dinantais [dinã'tè] **I** *adj.* Dinants; **II** *s.*, *m.*, ***D*—,** inwoner *m.* van Dinant.
dînatoire [dinatwa:r] *adj.*, ***déjeuner —,*** uitgebreide warme lunch *m.*
dinde [dẽ:d] *f.* **1** kalkoense hen *v.*; **2** (*fig.*) domme gans *v.(m.)*.
dindon [dẽ'dõ] *m.* **1** kalkoen, kalkoense haan *m.*; **2** domkop, stommerik *m.*; ***être le — de la farce,*** het kind van de rekening zijn.
dindonneau [dẽ'dòno] *m.* jonge kalkoen *m.*
dindonner [dẽ'dòné] *v.t.* (*fam.*) beetnemen.
dindonnier [dẽ'dònyé] *m.* kalkoenenhoeder *m.*
diné, *voir* ***diner* II.**
dîner [diné] **I** *v.i.* het middagmaal gebruiken, eten, dineren; ***j'ai dîné quand je le vois,*** ik moet niets van hem hebben; mijn dag is bedorven, als ik hem gezien heb; ***— en ville,*** uit eten gaan; ***— de qc.,*** zijn middagmaal doen met iets; ***— par cœur,*** niets te eten krijgen; **II, *diné*** *s.*, *m.* middagmaal, diner *o.*; ***à l'heure du —,*** op etenstijd.
dînette [dinèt] *f.* lichte maaltijd *m.*; ***jouer à la —,*** met het serviesje spelen.
dîneur [dinœ:r] *m.* gast (aan tafel) *m.*; ***beau —,*** flink eter, stevig eter *m.*
dingo [dẽ'go] *adj.* (*pop.*) getikt, niet goed snik.
dinosauriens [dinozoryẽ] *m.pl.* dinosauriërs *mv.*
diocésain [dyòsézẽ] **I** *adj.* tot het bisdom behorend; **II** *s.*, *m.* diocesaan *m.*
diocèse [dyòsè:z] *m.* bisdom, diocees *o.*
Dioclétien [dyòklésyẽ] *m.* Diocletianus *m.*
diode [diòd] *f.* twee-elektrodenlamp *v.(m.)*.
Diogène [dyòjè'n] *m.* Diogenes *m.*
dioïque [dyòik] *adj.*, (*Pl.*) tweehuizig.

dionée [diòné] *f.* (*Pl.*) vliegenvangertje *o.*
dionysiaque [dyònizyak] *adj.* Dionysisch.
dioptre [dyòptr] *m.* diopter *o.*, kijkspleet *v.*(*m.*).
dioptrie [dyòptri] *f.* dioptrie *v.*, sterkte-eenheid voor optische instrumenten.
dioptrique [dyòptrik] *f.* leer *v.*(*m.*) van de straalbreking.
diorama [dyòrama] *m.* diorama *o.*
dipétale [dipétal] *adj.*, (*Pl.*) tweebladig.
diphasé [difazé] *adj.* tweefazig.
diphtérie [diftéri] *f.*, (*gen.*) difteritis *v.*
diphtérique [diftérik] *adj.*, ***angine* —,** difteritis *v.*
diphtongue [diftõ:g] *f.* tweeklank *m.*
diphtonguer [diftõ·gé] *v.t.* tot een tweeklank maken.
diplomate [diplòmat] *m.* diplomaat *m.*
diplomatie [diplòmasi] *f.* **1** diplomatie *v.*; **2** (*fig.*) omzichtigheid *v.*; ***user de* —,** voorzichtig te werk gaan.
diplomatique [diplòmatik] **I** *adj.* **1** diplomatiek; **2** diplomatisch; ***le corps* —,** het corps diplomatique, de gezamenlijke vreemde gezanten; ***par voie* —,** langs diplomatieke weg; ***texte* —,** zeer nauwkeurige tekstuitgave; **II** *s.*, *f.* oorkondenleer *v.*(*m.*).
diplomatiquement [diplòmatikmã] *adv.* **1** diplomatiek; **2** (*fig.*) met handigheid en tact.
diplôme [diplo:m] *m.* diploma *o.*, akte *v.*(*m.*) (van bekwaamheid).
diplômé [diplo·mé] *adj.* gediplomeerd.
diplômer [diplo·mé] *v.t.* diplomeren.
diplopie [diplòpi] *f.* dubbelzien *o.*
dipode [dipòd] *adj.* tweevoetig.
dipsomane [dipsòman] *m.* drankzuchtige *m.*
dipsomanie [dipsòmani] *f.* drankzucht *v.*(*m.*).
diptère [diptè:r] **I** *adj.* tweevleugelig; **II** *s.*, *m.* tweevleugelig insekt *o.*
diptyque [diptik] *m.* **1** (*oudh.*) dubbele ivoren tafel *v.*(*m.*); **2** (*kunst*) tweeluik *o.*
dire* [di:r] **I** *v.t.* **1** zeggen; **2** (*v. les, enz.*) opzeggen; **3** vertellen; **4** bevelen; **5** verkondigen, beduiden; **6** voordragen; voorlezen; **— *la messe*,** de mis lezen; **— *son bréviaire*,** zijn brevier bidden; **— *la bonne aventure*,** de toekomst voorspellen; **— *son mot*,** een woordje meespreken; **— *du mal de qn.*,** van iem. kwaadspreken; ***cela va sans* —,** dat spreekt vanzelf; ***il n'y a pas à* —,** daar valt niets op af te dingen; ***à vrai* —,** eigenlijk gezegd; ***c'est beaucoup* —,** dat is veel gezegd; ***comme qui dirait*,** om zo te zeggen; ***en* — *long*,** veel zeggen; ***si l'on peut* —,** als men dat zo mag noemen; hoe is 't mogelijk! ***vous m'en direz tant*,** o zo; ***cela ne me dit rien*,** daar voel ik niets voor, dat laat mij koud; ***je ne dis pas cela*,** dat beweer ik niet; ***qui ne dit mot consent*,** wie zwijgt stemt toe; ***je ne vous l'envoie pas* —,** ik zeg het u ronduit; ***il y a bien à* —,** er valt heel wat op af te dingen; ***c'est dit*,** dat is afgesproken; ***ce dit-on*,** naar men zegt; ***on dirait du vinaigre*,** men zou denken, dat het azijn is; ***cela me dit qc.*,** dat staat mij aan; ***les on dit, les qu'en dira-t-on*,** de praatjes van de mensen; ***pour mieux* —,** beter nog, liever gezegd; **II** *v.pr.*, ***se* —, 1** bij zich zelf zeggen (*of* denken); **2** zich uitgeven voor; zich noemen; ***cela ne se dit pas*,** dat zegt men niet; **III** *s.*, *m.* **1** (het) zeggen *o.*; gezegde *o.*, uitlating *v.*; **2** getuigenis *o. en v.*; ***au* — *de*,** volgens het zeggen van; ***au* — *des experts*,** volgens de verklaring van de deskundigen.
direct [dirèkt] **I** *adj.* **1** recht, lijnrecht; **2** rechtstreeks; ***coup* —,** voltreffer *m.*; ***cas* —*s*,** 1e en 4e naamval; ***train* —,** doorgaande trein *m.*; ***complément* —,** lijdend voorwerp *o.*; ***contributions* —*es*,** directe belastingen *mv.*; ***héritier* —,** erfgenaam *m.* in de rechte lijn; ***raison* —*e*,** rechte reden *v.*(*m.*); **II** *s.*, *m.* (*sp.*) rechte stoot *m.*
directement [dirèktemã] *adv.* **1** regelrecht; **2** rechtstreeks.
directeur [dirèktœ:r] **I** *m.* **1** bestuurder, directeur *m.*; **2** (*aan ministerie*) referendaris *m.*; **3** hoofd *o.* van de school; **— *de conscience*,** (*kath.*) biechtvader *m.*; **— *de musique*,** kapelmeester *m.*; **— *gérant*,** verantwoordelijk directeur; **II** *adj.* (*f.* : ***directrice***) leidend; ***comité* —,** bestuur *o.*; ***plan* —,** (*meetk.*) richtvlak *o.*
directif [dirèktif] *adj.* leidend.
direction [dirèksyõ] *f.* **1** richting *v.*; **2** leiding *v.*; **3** bestuur, beheer *o.*; **4** directeursambt *o.*; **5** directeurskantoor *o.*; **6** (*v. schip*) richting *v.*, koers *m.*; **7** (*v. auto*) stuurinrichting *v.*; **8** leiding, aanvoering *v.*; **9** aanwijzing *v.*; **10** gedragslijn *v.*(*m.*); **— *du vol*,** (*vl.*) vliegrichting *v.*; ***sens de la* —,** oriënteringsvermogen *o.*
directive [dirèkti:v] *f.* richtlijn *v.*(*m.*), richtsnoer *o.*
directoire [dirèktwa:r] *m.* **1** bewind *o.*; **2** (kerkelijke) kalender *m.*; ***le D*—,** het Directoire (1795-1799).
directorat [dirèktòra] *m.* directeurschap *o.*
directorial [dirèktòryal] *adj.* **1** directeurs—; **2** (*gesch.*) van het Directoire.
directrice [dirèktris] **I** *f.* **1** directrice, bestuurster *v.* **2** gedragslijn *v.*(*m.*); **3** richtlijn *v.*(*m.*); **4** (***roue* —**), vliegwiel *o.*; **II** *adj.*, *voir* ***directeur*** (**II**).
dirigeable [dirija·bl] **I** *adj.* bestuurbaar; **II** *s.*, *m.* luchtschip *o.*, bestuurbare ballon *m.*
dirigeant [dirijã] **I** *adj.* leidend; ***les classes* —*es*,** de hogere standen, de toonaangevende standen.
diriger [dirijé] **I** *v.t.* **1** besturen; beheren; **2** leiden, aanvoeren; **3** (*v. verkeer*) regelen; **4** (*muz.*) dirigeren; **5** richten, sturen; **— *sur*,** zenden naar, overbrengen naar; **II** *v.pr.*, ***se* — *vers*,** zich richten naar; zich begeven naar.
dirigisme [dirijizm] *m.* geleide economie *v.*
dirigist [dirijist] *m.* voorstander *m.* van geleide economie.
dirimant [dirimã] *adj.* tenietdoend.
discale [diskal] *m.* gewichtsverlies *o.* (door verdamping).
discernable [disèrna·bl] *adj.* onderscheidbaar, waarneembaar.
discernement [disèrnemã] *m.* **1** onderscheiding *v.*; **2** onderscheidingsvermogen *o.*; **3** doorzicht *o.*, scherpzinnigheid *v.*; ***âge de* —,** jaren van onderscheid.
discerner [disèrné] *v.t.* **1** onderscheiden; **2** (*fig.*) inzien.
disciple [disipl] *m.* leerling, volgeling; discipel *m.*; ***les* —*s d'Emmaüs*,** de Emmaüsgangers *mv.*
disciplinable [disiplina·bl] *adj.* handelbaar, vatbaar voor tucht.
disciplinaire [disiplinè:r] **I** *adj.* disciplinair, tucht—; ***mesure* —,** tuchtmaatregel *m.*; **II** *s.*, *m.*, (*mil.*) klassiaan *m.*, soldaat *m.* van een strafcompagnie.
discipline [disiplin] *f.* **1** tucht, orde *v.*(*m.*); **2** leiding *v.*, toezicht *o.*; **— *militaire*,** krijgstucht *v.*(*m.*); ***compagnie de* —,** (*mil.*) strafcompagnie *v.*; ***sans* —,** tuchteloos.
discipliner [disipliné] *v.t.* **1** disciplineren; aan tucht gewennen; **2** (*v. wil*) vormen; **3** (*v. stroomloop*) regelen.
discobole [diskòbòl] *m.* discuswerper *m.*
discolore [diskòlò:r] *adj.* tweekleurig.
discontinu [diskõ·tinü] *adj.* **1** afgebroken; **2** (*wisk.*) niet doorlopend.
discontinuation [diskõ·tinüa·syõ] *f.* onderbreking *v.*; ***sans* —,** onophoudelijk.

discontinuer [diskõ'tinẅé] **I** *v.t.* onderbreken, staken; **II** *v.i.* ophouden; ***sans —,*** onophoudelijk.
discontinuité [diskõ'tinẅité] *f.* onderbreking *v.*
disconvenance [diskõ'vnã:s] *f.* **1** onevenredigheid, wanverhouding *v.*; **2** ongeschiktheid, ongepastheid *v.*; ***— d'âge,*** verschil in leeftijd.
disconvenir* [diskõ'vni:r] *v.i.* **1** (***de,*** met ***être***) ontkennen, loochenen; **2** (***à,*** met ***avoir***) niet passen.
discord [diskò:r] *adj.* vals, ontstemd.
discordance [diskòrdã:s] *f.* **1** wanklank *m.*, wanluidendheid *v.*; **2** gebrek *o.* aan overeenstemming, onenigheid *v.*
discordant [diskòrdã] *adj.* **1** wanluidend; **2** (*v. stem*) vals; **3** (*v. piano*) ontstemd; **4** (*v. kleuren*) niet bijeenpassend; **5** (*v. meningen, karakters*) uiteenlopend, geheel verschillend, tegenstrijdig; ***note —e,*** wanklank *m.*
discorde [diskòrd] *f.* tweedracht *v.(m.)*, verdeeldheid, onenigheid *v.*; ***pomme de —,*** twistappel *m.*
discorder [diskòrdé] *v.i.* **1** (*muz.*) vals klinken, ontstemd zijn; **2** niet overeenstemmen; **3** (*fig.*) het oneens zijn.
discothèque [diskotèk] *f.* grammofoonplatenverzameling *v.*
discoureur [diskurœ:r] *m.* prater *m.*
discourir* [diskuri:r] *v.i.* praten, redeneren.
discours [disku:r] *m.* **1** rede *v.(m.)*, redevoering *v.*; **2** gesprek, onderhoud *o.*; **3** taal *v.(m.)*, stijl *m.*; ***— du trône,*** troonrede *v.(m.)*; ***les parties du —,*** de rededelen; ***changer de —,*** over iets anders praten; ***dans le — familier,*** in de omgangstaal.
discourtois(ement) [diskurtwa('zmã)] *adj. (adv.)* onhoffelijk, onheus. [onheusheid *v.*
discourtoisie [diskurtwa'zi] *f.* onhoffelijkheid,
discrédit [diskrédi] *m.* diskrediet *o.*
discréditer [diskrédité] *v.t.* in diskrediet brengen.
discret [diskrè] *adj.* (*f.* : ***discrète*** [diskrèt]) **1** bescheiden; **2** (*v. opschik, stijl, enz.*) sober; **3** voorzichtig; **4** (*v. vriend, enz.*) vertrouwd; **5** (*v. ziekte*) verborgen; **6** (*v. wiel, enz.*) geruisloos; **7** (*v. persoon*) gesloten, stilzwijgend; die weet te zwijgen; ***âge —,*** middelbare leeftijd *m.*; ***une obscurité discrète,*** een geheimzinnige duisternis *v.*
discrète, *voir* ***discret.***
discrètement [diskrètmã] *adv.* **1** bescheiden; **2** sober; **3** omzichtig, behoedzaam.
discrétion [diskrésyõ] *f.* **1** bescheidenheid *v.*; **2** omzichtigheid *v.*; **3** stilzwijgendheid *v.*; geheimhouding *v.*; **4** willekeur *v.(m.)*; **5** onbepaalde inzet *m.*; **6** onderscheidingsvermogen *o.*; ***à la — de,*** overgeleverd aan; ***âge de —,*** jaren van onderscheid; ***se rendre à —,*** zich op genade of ongenade overgeven; ***à —,*** naar believen; naar willekeur; ***boire à —,*** drinken zoveel men wil.
discrétionnaire [diskrésyònè:r] *adj.* **1** aan de willekeur overgelaten; **2** (*fig.*) onbeperkt; ***pouvoir —,*** macht van de rechter om naar goeddunken te handelen.
discrétoire [diskrétwa:r] *m.* kloosterraad *m.*
discriminant [diskriminã] *adj.* onderscheid makend.
discrimination [diskrimina'syõ] *f.* **1** onderscheidingsvermogen *o.*; **2** het maken van onderscheid. [den.
discriminer [diskriminé] *v.t.* scherp onderschei-
disculpation [diskülpa'syõ] *f.* rechtvaardiging *v.*
disculper [diskülpé] **I** *v.t.* rechtvaardigen, vrijpleiten; **II** *v.pr.*, ***se —,*** zich rechtvaardigen, zich vrijpleiten, zich schoonwassen.
discursif [diskürsif] *adj.* gevolgtrekkend, deductief, door redenering.
discussion [diskü'syõ] *f.* **1** bespreking, beraadslaging *v.*; **2** woordenwisseling *v.*; **3** geschil *o.*; ***cela est sujet à —,*** dat is nog de vraag, dat is nog niet uitgemaakt.
discutable [disküta'bl] *adj.* betwistbaar.
discuter [disküté] **I** *v.t.* **1** beraadslagen over, bespreken; **2** beredeneren; **II** *v.i.* redetwisten.
disert [dizè:r] *adj.* welbespraakt.
disette [dizèt] *f.* **1** gebrek *o.*; **2** schaarste *v.*
diseur [dizœ:r] *m.* **1** spreker *m.*; **2** verteller, voordrager *m.*; ***beau —,*** mooiprater *m.*; ***— de bons mots,*** moppentapper *m.*
disgrâce [dizgra:s] *f.* **1** ongenade *v.(m.)*; **2** ongeluk, onheil *o.*; **3** onheusheid *v.*
disgracié [dizgrasyé] **I** *adj.* **1** in ongenade; **2** misdeeld; **II** *s.*, *m.* verschoppeling *m.*
disgracier [dizgrasyé] *v.t.* zijn gunst onttrekken aan; in ongenade doen vallen.
disgracieux [dizgrasyö] *adj.*, **disgracieusement** [dizgrasyö'zmã] *adv.* **1** onbevallig; **2** onaangenaam.
disjoindre* [dizjwẽ:dr] **I** *v.t.* **1** scheiden; **2** (*v. stenen*) losmaken; **3** (*recht: v. zaken*) splitsen; **II** *v.pr.*, ***se —,*** **1** vaneengaan; **2** losgaan.
disjoint [dizjwẽ] *adj.* gescheiden, vaneen.
disjoncteur [dizjõ'ktœ:r] *m.*, (*el.*) stroomonderbreker, uitschakelaar *m.*
disjonctif [dizjõ'ktif] *adj.* scheidend.
disjonction [dizjõ'ksyõ] *f.* **1** scheiding *v.*; **2** splitsing *v.*; **3** (het) losgaan *o.*
dislocation [dislòka'syõ] *f.* **1** ontwrichting, verstuiking *v.*; **2** (het) uit elkaar nemen *o.*; **3** (*v. optocht*) ontbinding *v.*; **4** (*v. land*) verbrokkeling, verdeling *v.*; **5** (het) lenig maken *o.*
disloquer [dislòké] **I** *v.t.* **1** ontwrichten; **2** uit elkaar nemen; **3** ontbinden; **4** doen uiteenvallen, verbrokkelen; **5** lenig maken; ***discours disloqué,*** onsamenhangende rede *v.(m.)*; **II** *v.pr.*, ***se —,*** **1** ontwricht worden; **2** uiteenvallen; **3** ontbonden worden.
dispache [dispaʃ] *v.*, (*H.*) dispache *v.(m.)*, averijrekening *v.*
dispacheur [dispaʃœ:r] *m.*, (*H.*) dispacheur *m.*
disparaître* [disparè:tr] *v.i.* verdwijnen.
disparate [disparat] **I** *adj.* **1** uiteenlopend, ongelijk; **2** (*v. kleuren*) vloekend; **II** *s.*, *f.* strijdigheid; wanverhouding *v.*
disparité [disparité] *f.* ongelijkheid *v.*, verschil *o.*
disparition [disparisyõ] *f.* verdwijning *v.* [*m.*
disparu [disparü] *m.* **1** vermiste *m.*; **2** ontslapene
dispendieux [dispã'dyö] *adj.*, **dispendieusement** [dispã'dyö'zmã] *adv.* kostbaar, duur.
dispensaire [dispã'sè:r] *m.* **1** consultatiebureau *o.* (v. geneesheer); **2** stadsapotheek *v.(m.)*; **3** apothekershandboek; receptenboek *o.*
dispensateur [dispã'satœ:r] *m.* uitdeler *m.*
dispensation [dispã'sa'syõ] *f.* **1** uitdeling, uitreiking *v.*; **2** artsenijbereiding *v.*
dispense [dispã:s] *f.* ontheffing, vrijstelling, dispensatie *v.*
dispenser [dispã'sé] **I** *v.t.* **1** (***— de***) vrijstellen, ontheffen, ontslaan (van); **2** (***— à***), verdelen, uitreiken (aan); **II** ***se — de,*** zich ontslaan van.
disperme [dispèrm] *adj.*, (*Pl.*) tweezadig.
dispersement [dispèrsemã] *m.* verstrooiing, verspreiding *v.*
disperser [dispèrsé] **I** *v.t.* **1** verstrooien, verspreiden; uiteenjagen; **2** (*fig.*) versnipperen, verdelen; ***— son esprit,*** zijn krachten aan allerlei studie versnipperen; **II** *v.pr.*, ***se —,*** **1** verstrooid worden; **2** uiteengaan. [dend.
dispersif [dispèrsif] *adj.* verstrooiend, versprei-
dispersion [dispèrsyõ] *f.* **1** verstrooiing, versprei-

ding *v.*; **2** versnippering, verdeling *v.*; **3** kleurschifting *v.*
disponibilité [dispònibilité] *f.* beschikbaarheid *v.*; ***fonctionnaire en —,*** ambtenaar op non-activiteit, — op wachtgeld; ***traitement de —,*** wachtgeld *o.*; ***—s,*** beschikbare gelden; — goederen.
disponible [dispòni'bl] **I** *adj.* **1** beschikbaar; **2** op non-activiteit, op wachtgeld; ter beschikking; **II** *s., m., (H.)* **1** beschikbare gelden *mv.*; **2** loco voorraad *m.*; ***en —,*** direct leverbaar.
dispos [dispo] *adj.* vaardig, monter, opgeruimd.
disposant [dispo'zã] *m., (recht)* beschikker *m.*; erflater *m.*
disposé [dispo'zé] *adj.* geneigd, bereid; ***bien —,*** welgezind; (*H.*: *v. markt*) willig.
disposer [dispo'zé] **I** *v.t.* **1** schikken, ordenen; **2** (*v. tuin*) aanleggen; **3** (*v. tijd*) verdelen; **4** (*v. kamer, enz.*) inrichten; ***— en faveur de,*** gunstig stemmen voor; **II** *v.i.*, (***de***) **1** beschikken (over); disponeren (over); **2** beslissen; ***l'homme propose et Dieu dispose,*** de mens wikt en God beschikt; ***— sur,*** een wissel afgeven op; **III** *v.pr.*, ***se — à,*** zich gereedmaken tot (*of* om).
dispositif [dispo'zitif] *m.* **1** (*recht*) beschikking *v.*; **2** (*tn.*) inrichting *v.*, toestel *o.*; ***— du carême,*** (*kath.*) vastenwet *v.(m.)*.
disposition [dispo'zisyõ] *f.* **1** schikking *v.*; **2** verdeling *v.*; **3** inrichting *v.*; **4** gesteldheid, stemming *v.*; **5** aanleg *m.*, geschiktheid *v.*; **6** bepaling *v.*, voorschrift *o.*; **7** (*muz.*) ligging *v.*; **8** (*H.*) aanwijzing *v.* van de beschikking; ***— d'âme,*** gemoedstoestand *m.*; ***faire ses —s,*** toebereidselen maken; maatregelen treffen.
disproportion [dispròpòrsyõ] *f.* onevenredigheid, wanverhouding *v.*
disproportionné [dispròpòrsyòné] *adj.* **1** onevenredig (aan); **2** buitensporig.
disproportionnel [dispròpòrsyònèl] *adj.* onevenredig.
disproportionner [dispròpòrsyòné] *v.t.* onevenredig maken (***à***, met).
disputable [dispüta'bl] *adj.* betwistbaar.
disputailler [dispüta'yé] *v.i.* harrewarren.
dispute [dispüt] *f.* **1** twist *m.*; **2** woordenwisseling *v.*; **3** twistgesprek, dispuut *o.*; ***hors de —,*** buiten kijf.
disputer [dispüté] **I** *v.i.* **1** twisten (***de***, over); **2** redetwisten (***de***, over); ***— de la chape de*** (*of* ***à***) ***l'évêque,*** twisten om hetgeen geen van beiden toebehoort; ***— sur la pointe d'une aiguille,*** om 's keizers baard twisten; **II** *v.t.* betwisten, twisten om; **II** *v.pr.*, ***se —,*** twisten; (*fam.*) kibbelen; ***se — qc.,*** wedijveren om iets te krijgen.
disputeur [dispütœ:r] **I** *m.* twister; redetwister *m.*; **II** *adj.* twistziek.
disquaire [diskè:r] *m.* grammofoonplatenhandelaar *m.*
disqualification [diskalifika'syõ] *f.* **1** diskwalificatie, uitsluiting *v.* (bij wedstrijden); **2** ongeschiktverklaring *v.*
disqualifier [diskalifyé] *v.t.* **1** diskwalificeren, uitsluiten; **2** (*v. waren, enz.*) afkeuren, ongeschikt verklaren.
disque [disk] *m.* **1** (*sp.*) werpschijf *v.(m.)*, discus *m.*; **2** (*spoorw.*) signaalschijf *v.(m.)*; **3** (*v. grammofoon*) plaat *v.(m.)*; **4** (*v. verrekijker*) glas *o.*; **5** (*zon, blad, bloem*) schijf *v.(m.)*; ***— d'appel,*** nummerschijf *v.(m.)*; ***— tournant,*** draaischijf *v.(m.)*.
dissecteur [disèktœ:r] *m.* ontleder *m.*
dissection [disèksyõ] *f.* ontleding, lijkopening, sectie *v.*
dissemblable [disã'bla'bl] *adj.* ongelijk, verschillend, ongelijksoortig.
dissemblance [disã'blã:s] *f.* ongelijkheid *v.*, verschil *o.*, ongelijksoortigheid *v.*
dissémination [disémina'syõ] *f.* verspreiding, verstrooiing *v.*
disséminer [disséminé] *v.t.* verspreiden, verstrooien.
dissension [disã'syõ] *f.* verdeeldheid *v.*, tweespalt *v.(m.)*, onenigheid *v.*; ***—s civiles,*** burgertwisten *mv.*
dissentiment [disã'timã] *m.* verschil *o.* van mening, onenigheid *v.*
disséquer [diséké] *v.t.* **1** (*v. lijk*) ontleden, opensnijden; **2** (*fig.*) nagaan, uitpluizen.
disséqueur [disékœ:r] *m.* ontleder *m.*
dissertateur [disèrtatœ:r] *m.* langdradig schrijver *of* spreker *m.*
dissertation [disèrta'syõ] *f.* **1** verhandeling *v.*; **2** (letterkundig) opstel *o.*
disserter [disèrté] *v.i.* **1** een verhandeling schrijven; een vertoog houden; **2** redeneren (over), uitweiden (over).
dissidence [disidã:s] *f.* scheuring; afscheiding *v.*
dissident [disidã] **I** *adj.* afgescheiden; andersdenkend; **II** *s., m.* **1** afgescheidene *m.*; **2** andersdenkende *m.*
dissimilaire [disimilè:r] *adj.* ongelijksoortig.
dissimilarité [disimilarité] *f.* ongelijksoortigheid *v.*
dissimilation [disimila'syõ] *f.* dissimilatie *v.*
dissimiler [disimilé] *v.t.* ongelijk maken, dissimileren.
dissimilitude [disimilitü'd] *f.* ongelijkheid *v.*
dissimulateur [disimülatœ:r] *m.* veinzer *m.*
dissimulation [disimüla'syõ] *f.* geveinsdheid, veinzerij *v.*
dissimulé [disimülé] *adj.* geveinsd, dubbelhartig; ***homme —,*** veinzer *m.*
dissimuler [disimülé] **I** *v.t.* **1** verbergen, verhelen; **2** ontveinzen; **II** *v.i.* veinzen; **III** *v.pr.*, ***se —,*** zich verbergen, zich verschuilen; ***se — qc.,*** zich iets ontveinzen.
dissipateur [disipatœ:r] **I** *m.* verkwister *m.*; **II** *adj.* verkwistend.
dissipation [disipa'syõ] *f.* **1** verkwisting, verspilling *v.*; **2** verstrooiing, uitspanning *v.*; **3** losbandigheid *v.*; **4** verdrijving *v.*; **5** verstrooidheid *v.*
dissipé [disipé] *adj.* **1** verstrooid; **2** losbandig.
dissiper [disipé] **I** *v.t.* **1** verkwisten, verspillen; **2** verstrooien; **3** (*v. wolken, onweer*) uiteendrijven; verdrijven; **4** (*v. misverstand*) uit de weg ruimen; **II** *v.pr.*, ***se —,*** **1** (*v. onweer*) wegdrijven, wegtrekken; **2** (*v. mist*) optrekken; **3** (*v. hoop, illusies*) vervliegen; **4** verstrooid zijn.
dissociable [disòsya'bl] *adj.* scheidbaar; ontbindbaar.
dissociation [disòsya'syõ] *f.* scheiding; ontbinding *v.*
dissocier [disòsyé] **I** *v.t.* scheiden; ontbinden; **II** *v.pr.*, ***se —,*** uit elkaar gaan.
dissolu [disòlü] *adj.* losbandig, liederlijk.
dissolubilité [disòlübilité] *f.* **1** oplosbaarheid *v.*; **2** ontbindbaarheid *v.*
dissoluble [disòlü'bl] *adj.* **1** (*v. zout, enz.*) oplosbaar; **2** (*v. gas, enz.*) ontbindbaar; **3** (*fig.*) opzegbaar.
dissolution [disòlüsyõ] *f.* **1** oplossing *v.*; **2** ontbinding *v.*; **3** losbandigheid *v.*
dissolvant [disòlvã] **I** *adj.* **1** oplossend; **2** ontbindend; **3** (*fig.*) ontzenuwend, deprimerend; **II** *s., m.* **1** oorzaak *v.(m.)* van ontbinding; **2** (*scheik.*) oplossingsmiddel *o.*; **3** vermagerend middel *o.*
dissonance [disònã:s] *f.* **1** wanklank *m.*; **2** (*muz.*) valse toon, dissonant *m.*

dissonant [disònã] *adj.* 1 wanluidend; 2 (*v. akkoord*) vals klinkend.
dissoudre* [disu'dr] I *v.t.* 1 oplossen; 2 (*v. huwelijk, parlement, enz.*) ontbinden; II *v.pr.*, ***se* —,** 1 zich oplossen; 2 ontbonden worden; 3 uiteenvallen.
dissuader [diswadé] *v.t.* ontraden, afbrengen van.
dissuasion [diswa'zyõ] *f.* het ontraden *o.*
dissyllabe [disila'b] I *adj.* tweelettergrepig; II *s., m.* tweelettergrepig woord *o.*
dissyllabique [disilabik] *adj.* tweelettergrepig.
dissymétrie [disimétri] *f.* asymmetrie *f.*
dissymétrique [disimétrik] *adj.* asymmetrisch.
distance [distã:s] *f.* 1 afstand *m.*; tussenruimte *v.*; 2 tussentijd *m.*, tijdruimte *v.*; 3 (*in leeftijd, enz.*) verschil *o.*; 4 (*in stand*) onderscheid, verschil *o.*; ***à — entière!*** neemt afstand! ***— des voies,*** railwijdte *v.*; ***de — en —,*** op zekere afstanden van elkaar.
distancer [distã'sé] *v.t.* 1 voorbijsnellen, achter zich laten; 2 (*fig.*) inhalen; 3 voorbijstreven; 4 (*sp.*: *v. paard*) diskwalificeren.
distant [distã] *adj.* 1 verwijderd; 2 (*fig.*: *v. houding, enz.*) koel, afgemeten.
distendre [distã:dr] *v.t.* uitrekken, spannen.
distension [distã'syõ] *f.* uitrekking, spanning *v.*
distillateur [distilatœ:r] *m.* brander, likeurstoker *m.*
distillation [distila'syõ] *f.* distillatie *v.*
distillatoire [distilatwa:r] *adj.* distilleer—.
distiller [distilé] *v.t.* 1 distilleren, branden, stoken; 2 (*Pl.*: *v. sappen*) afscheiden; 3 voortbrengen; ***— son fiel,*** zijn gal uitstorten.
distillerie [distilri] *f.* distilleerderij, branderij, stokerij *v.*
distinct [distẽ] *adj.* 1 verschillend, onderscheiden; 2 duidelijk, verstaanbaar.
distinctement [distẽ'ktemã] *m.* duidelijk.
distinctif [distẽ'ktif] *adj.* onderscheidend, onderscheidings—, kenmerkend; ***signe —,*** kenmerk *o.*
distinction [distẽ'ksyõ] *f.* 1 onderscheiding *v.*; 2 onderscheid, verschil *o.*; 3 voornaamheid *v.*; 4 onderscheidingsteken *o.*; ***sans — de personne,*** zonder aanzien des persoons; ***un air de —,*** een voornaam uiterlijk *o.*
distingué [distẽ'gé] *adj.* 1 voortreffelijk, uitnemend; verdienstelijk; 2 voornaam, deftig; 3 geacht; ***considération —e,*** bijzondere hoogachting.
distinguer [distẽ'gé] *v.t.* 1 onderscheiden; 2 kenmerken; 3 opmerken.
distique [distik] *m.* tweeregelig vers, distichon *o.*
distorsion [distòrsyõ] *f.* 1 (*gen.*) verwringing *v.*; 2 (*fot.*) verdraaiing, vertekening (*v. beeld*) *v.*
distraction [distraksyõ] *f.* 1 afleiding, verstrooiing *v.*, verzet *o.*; 2 verstrooidheid *v.*; onoplettendheid *v.*; 3 (*recht*) onttrekking *v.*; 4 verduistering *v.*
distraire* [distrè:r] I *v.t.* 1 afleiding verschaffen; 2 afleiden; 3 onttrekken; 4 verduisteren; II *v.pr.*, ***se —,*** zich verzetten, zich vermaken.
distrait(ement) [distrè(tmã)] *adj.* (*adv.*) 1 verstrooid, onoplettend; 2 (*v. oog*) dwalend; ***d'une oreille —e,*** met een half oor. [deelbaar.
distribuable [distribwa'bl] *adj.* uitdeelbaar, ver-
distribuer [distribwé] *v.t.* 1 uitdelen; 2 (*v. werk, enz.*) verdelen; 3 (*v. prijzen*) uitreiken; 4 (*v. brieven*) bestellen; 5 (*v. dividend*) uitkeren; 6 (*drukk.*) distribueren; 7 (*v. huis, appartement*) inrichten.
distributeur [distribütœ:r] *m.* 1 uitdeler *m.*; 2 verdeler *m.*; 3 besteller *m.*; 4 (*v. machine*) voedingspijp *v.*(*m.*); ***— de la vapeur,*** stoomregulator *m.*; ***— automatique,*** automaat *m.*; ***— d'essence,*** benzinepomp *v.*(*m.*).
distributif [distribütif] *adj.* verdelend.
distribution [distribüsyõ] *f.* 1 uitdeling *v.*; 2 verdeling *v.*; 3 uitreiking *v.*; 4 bestelling, bezorging *v.*; 5 uitkering *v.*; 6 distributie *v.*; 7 inrichting *v.*; ***— des prix,*** prijsuitdeling; ***tableau de —,*** (*el.*) schakelbord *o.*
district [distri, distrikt] *m.* district *o.*
dit [di] I *adj.* 1 gezegd; 2 genaamd; bijgenaamd; 3 afgesproken; II *s., m.* 1 gezegde *o.*; 2 (*letterk.*) sproke *v.*(*m.*); ***—s et redits,*** praatjes *mv.*
dithyrambe [ditirã:b] *m.* dithyrambus, Bacchuszang *m.*; vurig loflied *o.*
dithyrambique [ditirã'bik] *adj.* 1 dithyrambisch; 2 geestdriftig.
dito [dito] *adv.* dito, eveneens.
diurétique [dyürétik] I *adj.* diuretisch, urineafscheiding bevorderend; II *s., m.* diuretisch middel *o.*
diurnal [dyürnal] *m.*, (*kath.*) diurnaal *o.*
diurne [dyürn] *adj.* 1 dagelijks; 2 overdag zichtbaar; ***papillon —,*** dagvlinder *m.*; ***insecte —,*** ééndagsinsekt *o.*
diva [diva] *f.* diva, beroemde zangeres *v.*
divagateur [divagatœ:r] *adj.* afdwalend.
divagation [divaga'syõ] *f.* 1 afdwaling *v.*; 2 geraaskal *o.* [doorslaan.
divaguer [divagé] *v.i.* 1 afdwalen; 2 raaskallen,
divan [divã] *m.* 1 Turkse staatsraad *m.*; 2 lage rustbank *v.*(*m.*), divan *m.*
dive [di:v] *adj.* goddelijk.
divergence [divèrjã:s] *f.* 1 afwijking *v.*; 2 verschil *o.*; ***— de vues,*** meningsverschil *o.*
divergent [divèrjã] *adj.* 1 afwijkend; 2 verschillend; 3 uiteenlopend.
diverger [divèrjé] *v.i.* 1 afwijken; 2 verschillen; 3 uiteenlopen.
divers [divè:r] *adj.* 1 verschillend, anders; 2 verscheiden; ***faits —,*** gemengd nieuws, allerlei *o.*
diversement [divèrs(e)mã] *adv.* verschillend, anders.
diversifier [divèrsifyé] *v.t.* afwisselen, verscheidenheid brengen in.
diversion [divèrsyõ] *f.* afleiding *v.*; ***faire — à son chagrin,*** zijn verdriet verzetten.
diversité [divèrsité] *f.* verscheidenheid, afwisseling *v.*
divertir [divèrti:r] I *v.t.* 1 afbrengen, onttrekken (aan); 2 afleiden (van); 3 afleiding verschaffen, verstrooien, vermaken; II *v.pr.*, ***se — de,*** zich vermaken met.
divertissant [divèrtisã] *adj.* vermakelijk.
divertissement [divèrtismã] *m.* 1 afleiding, ontspanning *v.*; 2 vermaak *o.*; 3 (*muz.*) divertimento *o.*; 4 (*recht*) verduistering *v.*
divette [divèt] *f.* operettezangeres *v.*
dividende [dividã:d] *m.* 1 (*wisk.*) deeltal *o.*; 2 (*H.*) dividend, winstaandeel *o.*; 3 (*in faillissement*) uitkering *v.*; ***— provisoire,*** voorlopig dividend.
divin [divẽ] *adj.* 1 goddelijk; 2 heerlijk, verrukkelijk; ***service —,*** kerkdienst *m.*
divinateur [divinatœ:r] *adj.* waarzeggend, voorspellend.
divination [divina'syõ] *f.* 1 waarzegging *v.*; wichelarij *v.*; 2 helderziendheid *v.*; hoger inzicht *o.*
divinatoire [divinatwa:r] *adj.*, ***baguette —,*** wichelroede *v.*(*m.*); ***art —,*** wichelaarskunst *v.*
divinisation [diviniza'syõ] *f.* vergoddelijking *v.*
diviniser [divini'zé] *v.t.* 1 vergoddelijken; 2 vergoden. [*v.*
divinité [divinité] *f.* 1 goddelijkheid *v.*; 2 godheid

divis [divi] **I** *adj.* verdeeld; **II** *s., m.* deling, verdeling *v.*; ***par —,*** deelsgewijs; gezamenlijk.
diviser [divi'zé] *v.t.* **1** verdelen; **2** (*rek.*) delen; **3** scheiden, splitsen; **4** (*v. woord*) afbreken; **5** (*fig.*) onenig maken.
diviseur [divizœ:r] *m.* deler *m.*; ***— premier,*** ondeelbare factor *m.*; ***le plus grand commun —,*** de grootste gemene deler.
divisibilité [divi'zibilité] *f.* deelbaarheid *v.*
divisible [divi'zi'bl] *adj.* deelbaar.
division [divi'zyõ] *f.* **1** verdeling *v.*; **2** (*rek.*) deling *v.*; **3** afdeling *v.*; **4** (*mil.*) divisie *v.*; **5** (*v. thermometer*) deelstreepje *o.*; **6** (*v. machten*) scheiding, splitsing *v.*; **7** (*fig.*) verdeeldheid, onenigheid *v.*; ***— du travail,*** verdeling van arbeid.
divisionnaire [divi'zyònè:r] **I** *adj.* divisie—; afdelings—; ***monnaie —,*** pasmunt *v.*(*m.*); ***inspecteur-—,*** districtsinspecteur *m.*; ***professeur —,*** leraar *m.* van een parallelklasse; **II** *s., m.* luitenant-generaal *m.*
divorce [divòrs] *m.* **1** echtscheiding *v.*; **2** onenigheid *v.*; breuk *v.*(*m.*); ***faire — avec le monde,*** de wereld vaarwel zeggen.
divorcer [divòrsé] *v.i.* **1** wettig scheiden; **2** (*fig.*) breken met.
divulgation [divülga'syõ] *f.* verspreiding, ruchtbaarmaking *v.*
divulguer [divülgé] *v.t.* **1** verspreiden, ruchtbaar maken; **2** (*v. geheim*) verklappen.
dix [dis] *n.card.* tien; ***le — novembre,*** de tiende november; ***chapitre —,*** tiende hoofdstuk.
dix-huit [dizẅit] *n.card.* **1** achttien; **2** achttiende.
dix-huitième [dizẅityèm] *n.ord.* achttiende.
dixième [dizyèm] *n.ord.* tiende.
dixièmement [dizyèm(m)ã] *adv.* ten tiende.
Dixmude [diksmü'd] *m.* Diksmuide *o.*
dix-neuf [diznœ(f)] *n. card.* **1** negentien; **2** negentiende.
dix-neuvième [diznœvyèm] *n.ord.* negentiende.
dix-sept [disè(t)] *n.card.* **1** zeventien; **2** zeventiende.
dix-septième [disètyèm] *n.ord.* zeventiende.
dizain [di'zẽ] *m.* **1** tienregelig gedicht *o.*; **2** (*kath.*) tientje *o.* (van het rozenhoedje).
dizaine [di'zẽ'n] *f.* **1** tiental *o.*; **2** tientje *o.* (v. rozenhoedje).
djebel [djébèl] *m.* (*Arabisch woord voor*) berg *m.*
djellaba [djèlaba] *f.* Arabische wollen mantel *m.*
djinn [djin] *m.* dzjin *m.*, (*Arabisch woord voor goede of kwade*) geest *m.*
Dnieper, Dniepr [dnyèpr] *m.* Dnjepr *m.*
Dniester, Dniestr [dnyèstr] *m.* Dnjestr *m.*
do [do] *m.*, (*muz.*) do *v.*(*m.*).
docile(ment) [dòsil(mã)] *adj.* (*adv.*) **1** volgzaam, gewillig; gedwee; **2** leerzaam.
docilité [dòsilité] *f.* **1** volgzaamheid, gewilligheid, gehoorzaamheid *v.*; **2** leerzaamheid *v.*
dock [dòk] *m.* **1** dok *o.*; **2** pakhuis *o.*; ***— de carénage,*** droogdok *o.*; ***— flottant,*** drijvend dok.
docker I [dòké] *v.i.* dokken, in het dok gaan; **II** [dòkè:r] *s., m.* dokwerker *m.*
dockeur [dòkœ:r] *m.* dokwerker *m.*
docte(ment) [dòkt(emã)] *adj.* (*adv.*) geleerd.
docteur [dòktœ:r] *m.* **1** doctor *m.*; **2** dokter, geneesheer *m.*; **3** geleerde *m.*; ***— de l'Église,*** Kerkvader *m.*; ***— de la loi,*** schriftgeleerde *m.*; ***— ès sciences,*** doctor in de wis- en natuurkunde; ***ce n'est pas un —,*** hij heeft het buskruit niet uitgevonden.
doctissime [dòktisim] *adj.* zeergeleerd.
doctoral(ement) [dòktòral(mã)] *adj.* (*adv.*) doctoraal; ***ton —,*** (*iron.*) geleerde toon *m.*
doctorat [dòktòra] *m.* doctoraat *o.*
doctoresse [dòktòrès] *f.* vrouwelijke doctor *m.*
doctrinaire [dòktrinè:r] *adj.* doctrinair.
doctrinal [dòktrinal] *adj.* leerstellig, dogmatisch, theoretisch.
doctrine [dòktrin] *f.* leer *v.*(*m.*); leerstelsel *o.*, geloofsinhoud *m.*; lering *v.*
document [dòkümã] *m.* **1** document *o.*; **2** bewijsstuk *o.*; **3** akte, oorkonde *v.*(*m.*).
documentaire [dòkümã'tè:r] *adj.* **1** door bewijsstukken gestaafd; **2** (*v. wissel*) met documenten; **3** (*fig.*) pijnlijk nauwgezet; ***film —,*** cultuurfilm *m.*; ***à titre —,*** als inlichting, volledigheidshalve.
documentation [dòkümã'ta'syõ] *f.* staving *v.* met bewijzen; bewijsmateriaal *o.*
documenter [dòkümã'té] **I** *v.t.* **1** met bewijsstukken staven; **2** van bewijsstukken voorzien; **II** *v.pr.*, ***se —,*** bewijsmateriaal verzamelen.
dodécaèdre [dòdékaè'dr] *m.* twaalfvlak *o.*
dodécagonal [dòdékagònal] *adj.* twaalfhoekig.
dodécagone [dòdékagòn] *m.* twaalfhoek *m.*
dodécaphonique [dòdékafònik] *adj.*, (*muz.*) twaalftoons-, dodecafonisch.
dodécaphonisme [dòdékafònizm] *f.*, (*muz.*) twaalftoonsstelsel *o.*, twaalftoonsmuziek, dodecafonie *v.*
dodelinement [dòdlinmã] *m.* gewieg *o.*, wiegeling *v.*; ***— de la tête,*** geknikkebol *o.*
dodeliner [dòdliné] **I** *v.t. et v.i.* heen en weer wiegelen; **II** *v.i.* knikkebollen.
dodiner [dòdiné] **I** *v.t.* **1** wiegen, schommelen; **2** (*fig.*) vertroetelen; **II** *v.pr.*, ***se —,*** zich koesteren; zich te goed doen.
dodinette [dòdinèt] *f.* wiegeling *v.*; ***faire —,*** wiegen.
dodo [dodo] *m.* **1** slaap *m.*; **2** bed *o.*; ***faire —,*** slapen, slaapjes doen; ***être dans son —,*** in zijn bedje liggen.
dodu [dòdü] *adj.* mollig, poezelig
dogaresse [dògarès] *f.* dogaressa, gemalin *v.* van de doge.
doge [do:j] *m.* doge *m.*
dogmatique [dògmatik] *adj.* **1** dogmatisch, leerstellig; **2** apodictisch; ***théologie —,*** dogmatische godgeleerdheid *v.*; ***ton —,*** stellige toon, apodictische toon *m.*
dogmatiquement [dògmatikmã] *adv.* **1** dogmatisch; **2** (*fig.*) apodictisch.
dogmatiser [dògmati'zé] *v.i.* **1** dogmatiseren; **2** op besliste toon spreken.
dogmatisme [dògmatizm] *m.* dogmatisme *o.*, leerstelligheid *v.*
dogmatiste [dògmatist] *m.* dogmatist, aanhanger *m.* van leerstelligheid.
dogme [dògm] *m.* dogma, leerstuk *o.*; vastgesteld geloofsartikel *o.*
dogre [dò'gr] *m.* doggerboot *m. en v.*, visserspink *m.*
dogue [dò'g] *m.* **1** dog, doghond *m.*; **2** (*fig.*) bullebak *m.*; ***grand —,*** buldog *m.*; ***petit —,*** mopshond *m.*
doguin [dògẽ] *m.*, (*Dk.*) mops *m.*, jonge dog *m.*
doigt [dwa] *m.* **1** vinger *m.*; **2** teen *m.*; **3** vingerdikte *v.*; vingerbreedte *v.*; **4** (*v. rad*) invallende tand *m.*; ***petit —,*** pink *m.*; ***conduire au — et à l'œil,*** narijden; ***montrer du —,*** aanwijzen; ***montrer au —,*** met de vinger nawijzen; ***mettre le — dessus,*** de spijker op de kop slaan; ***un — de vin,*** een teugje wijn; ***se mettre le — dans l'œil,*** een bok schieten; ***savoir sur le bout du —,*** op zijn duimpje kennen; ***donner sur les —s à qn.,*** iem. op de vingers tikken; ***être obéi au — et à l'œil,*** op zijn wenken gehoorzaamd worden; ***avoir de bons —s,*** **1** handig zijn; **2** (*muz.*) een goede techniek hebben; ***avoir des —s de fée,***

kunnen toveren; ***se lécher les —s,*** zich de vingers aflikken; (*fig.*) iets heel lekker vinden; ***faire toucher du —,*** tastbaar maken, duidelijk aantonen; ***se mordre les —,*** spijt hebben; ***ne faire œuvre de ses dix —s,*** geen steek uitvoeren; ***il est à deux —s de sa perte,*** hij is zijn ondergang nabij.

doigté [dwaté] *m.* **1** (*muz.*) vingerzetting *v.*; **2** aanslag *m.*; **3** (*fig.*) vaardigheid *v.*; **4** tact *m.*; ***avoir du —,*** handig zijn; ***exercice de —,*** (*muz.*) vingeroefening *v.*

doigter [dwaté] **I** *v.t.* **1** (*muz.*) de vingerzetting aangeven bij; **2** uitvoeren met juiste vingerzetting; **II** *s., m.* vingerzetting *v.*

doigtier [dwatyé] *m.* **1** vingerling *m.*; **2** (*Pl.*) vingerhoedskruid *o.*

doit [dwa] *m.*, (*H.*) debetzijde *v.*(*m.*); ***— et avoir,*** debet en credit.

dol [dòl] *m.*, (*recht*) bedrog *o.*; ***— positif,*** leugen *v.*(*m.*); ***— négatif,*** verzwijging *v.*

dolage [dòla:j] *m.* (het) afschaven *o.*

doléance(**s**) [dòléã:s] *f.*(*pl.*) klacht(en) *v.*(*mv.*).

dolent [dòlã] *adj.*, **dolemment** [dòlamã] *adv.* klagend. [bedisselen.

doler [dòlé] *v.t.* **1** schaven, afschaven; **2** (*v. hout*)

dolichocéphale [dòlikòséfal] *adj.* langschedelig.

doline [dòlin] *f.* rond dal *o.* in kalksteengebergte.

dollar [dòla:r] *m.* dollar *m.*

dolman [dòlmã] *m.*, (*mil.*) dolman *m.*

dolmen [dòlmèn] *m.* hunebed *o.*, dolmen *m.*

doloir [dòlwa:r] *m.* schaafijzer *o.*

doloire [dòlwa:r] *f.* dissel *m.*

dolosif [dòlo·zif] *adj.* misleidend.

dom [dõ] *m.* dom *m.* (*titel*).

domaine [dòmè·n] *m.* **1** gebied *o.*; **2** domein, landgoed *o.*; **3** eigendomsrecht *o.*; ***tomber dans le — public,*** algemeen eigendom worden.

domanial [dòmanyal] *adj.* domein—; domaniaal.

dôme [do:m] *m.* **1** koepel *m.*; **2** (*v. locomotief*) stoomdom *m.*; **3** (*buiten F.*) dom *m.*; ***— de verdure,*** bladerdak *o.*

domestication [dòmèstika·syõ] *f.* temming *v.*, (het) tam maken *o.*

domesticité [dòmèstisité] *f.* **1** dienstbaarheid *v.*; **2** dienstboden *mv.*; personeel *o.*; **3** (*v. dieren*) tamheid *v.*; ***à l'état de —,*** in tamme staat.

domestique [dòmèstik] **I** *adj.* **1** huiselijk; **2** tam; ***animal —,*** huisdier *o.*; ***crise —,*** dienstbodennood *m.*; **II** *s., m. et f.*, bediende *m. en v.*; dienstbode *v.*

domestiquer [dòmèstiké] *v.t.* tam maken.

domicile [dòmisil] *m.* **1** woonplaats *v.*(*m.*); **2** woning *v.*; ***livrer à —,*** aan huis bestellen; ***établir son — à,*** zich (metterwoon) vestigen te; ***prendre à —,*** (aan huis) afhalen; ***élire —,*** domicilie kiezen, zich metterwoon vestigen; ***franco à —,*** franco huis; ***violation de —,*** huisvredebreuk *v.*(*m.*); ***sans —,*** zonder vaste woonplaats.

domiciliaire [dòmisilyè:r] *adj.*, ***visite —,*** huiszoeking *v.*

domiciliation [dòmisilya·syõ] *f.*, (*H.*) domiciliëring *v.*, aanwijzing *v.* van de betaalbaarstelling.

domicilier [dòmisilyé] **I** *v.t.* domiciliëren; **II** *v.pr.*, ***se —,*** zich metterwoon vestigen.

dominant [dòminã] *adj.* **1** heersend; **2** overheersend; overwegend; hoofd—.

dominante [dòminã:t] *f.* **1** (*muz.*) grote kwint *v.*(*m.*); **2** hoofdtrek *m.*

dominateur [dòminatœ:r] **I** *m.* heerser, overheerser *m.*; **II** *adj.* heerszuchtig.

domination [dòmina·syõ] *f.* **1** heerschappij *v.*; **2** overheersing *v.*; ***esprit de —,*** heerszucht *v.*(*m.*).

dominer [dòminé] **I** *v.i.* **1** heersen over; bevelen over; **2** de overhand hebben over; **3** de boventoon voeren; **II** *v.t.* **1** beheersen; overheersen; **2** (*v. hartstochten*) beteugelen; **3** uitsteken boven; bestrijken. [*o.*

Domingue *m.*, ***Saint —*** [sẽ·dòmẽ:g] San Domingo

dominicain [dòminikẽ] *m.* dominicaan, predikheer *m.*; ***la République D—e,*** de republiek San Domingo.

dominical [dòminikal] *adj.* zondags—; ***oraison —e,*** gebed des Heren, onzevader *o.*; ***repos —,*** zondagsrust *v.*(*m.*).

Dominique [dòminik] **1** *m.* Dominicus *m.*; **2** *f.* Dominica *v.*

domino [dòmino] *m.* **1** domino *m.*; **2** dominospel *o.*; **3** dominosteen *m.*; ***jouer aux —s,*** dominospelen; domineren.

dommage [dòma:j] *m.* schade *v.*(*m.*), nadeel *o.*; ***c'est —,*** dat is jammer; ***—s (et) intérêts,*** schadevergoeding *v.*; ***— rend sage,*** door schade en schande wordt men wijs. [delig.

dommageable [dòmaja·bl] *adj.* schadelijk, na-

domptable [dõ·(p)ta·bl] *adj.* tembaar.

domptage [dõ·(p)ta:j] *m.* (het) temmen *o.*

dompter [dõ·(p)té] *v.t.* **1** temmen; **2** bedwingen.

dompteur [dõ·(p)tœ:r] *m.* temmer *m.*

don [dõ] *m.* **1** gift *v.*(*m.*), schenking *v.*; **2** gave *v.*(*m.*); talent *o.*; **3** geschenk *o.*; ***— de la parole,*** redenaarstalent *o.*; ***les —s de la terre,*** de vruchten van de bodem; ***faire — de,*** schenken; ***avoir le — des langues,*** **1** (*v. de Apostelen*) de gave van de rede bezitten, de gave bezitten van alle talen te spreken; **2** gemakkelijk vreemde talen leren, aanleg hebben voor talen.

donataire [dònatè:r] *m.-f.* begiftigde *m.-v.*

donateur [dònatœ:r] *m.* gever, schenker *m.*

donation [dòna·syõ] *f.* schenking *v.*, gift *v.*(*m.*); ***— entre vifs,*** schenking onder levenden.

donc [dõ·k, dõ] **I** *conj.* dus, bijgevolg, derhalve; **II** *adv.*, ***comment —?*** hoe nu? dat zal wel waar zijn! ***qu'avez-vous —?*** wat is er toch? wat scheelt u toch? ***voyez —!*** kijk eens! ***allons —!*** och kom!

dondaine [dò·dèn] *f.* soort doedelzak *m.*

dondon [dõ·dõ] *f.* dikke vrouw *v.*, dik meisje *o.*

donjon [dõ·jõ] *m.* **1** slottoren *m.*; **2** wachttorentje *o.*

donnant [dònã] *adj.* mild, goedgeefs, vrijgevig; ***— donnant,*** gelijk oversteken, boter bij de vis.

donne [dòn] *f.*, (*kaartsp.*) (het) geven *o.*; ***à qui la —?*** wie moet geven? ***faire fausse —,*** verkeerd geven.

donnée [dòné] *f.* opgave *v.*(*m.*), gegeven *o.*

donner [dòné] **I** *v.t.* **1** geven; **2** weggeven, schenken; **3** (*v. resultaat*) opleveren; **4** (*v. zorgen*) wijden; **5** (*v. slag, enz.*) geven, toebrengen; **6** (*v. straf*) opleggen; **7** (*v. geneesmiddel*) toedienen; ***— sa démission,*** ontslag nemen; ***— du bénéfice,*** winst opleveren; ***— son temps à qc.,*** zijn tijd aan iets besteden; ***— la mort,*** doden; de dood veroorzaken; ***— vue sur,*** uitzien op; ***— des fruits,*** vrucht dragen; ***— ses raisons,*** zijn redenen uiteenzetten; ***— son attention à,*** zijn aandacht wijden aan; ***la — belle à qn.,*** **1** iem. de kans schoon laten, iem. een goede kans geven; **2** iem. wat wijsmaken, iem. iets op de mouw spelden; ***— et retenir ne vaut,*** eens gegeven, blijft gegeven; ***— un œuf pour avoir un bœuf,*** een spiering uitgooien om een kabeljauw te vangen; **II** *v.i.* **1** geven; **2** (*v. zon, maan*) schijnen; **3** (*mil.*) aanvallen; **4** (*v. werk*) lonen, lonend zijn; ***— dedans,*** er in lopen; ***— dans le piège,*** in de val lopen; ***— sur,*** uitzien op, uitkomen op; ***ne savoir où — de la tête,*** niet meer weten wat te beginnen, ten einde raad zijn; ***— contre,*** stoten tegen, stoten op; ***— dans un travers,*** met een gebrek behept zijn; ***— au but,*** het doel raken; ***— sur les nerfs,*** zenuwachtig maken; **III** *v.pr.*, ***se —,*** zich geven; zich overgeven; ***se — des airs,*** grootdoen; ***se — la mort,*** zelfmoord plegen; ***se — du bon temps,*** het er van nemen, een vrolijk leventje leiden; ***se — pour,*** zich uitgeven voor, zich laten doorgaan voor; ***se — le mot,*** iets met elkaar afspreken.

donneur [dònœ:r] *m.* **1** gever *m.*; **2** (*sp.*) bookmaker *m.*; ***c'est un — d'eau bénite,*** hij is kwistig met mooie beloften; ***— à la grosse,*** bodemerijgever *m.*

dont [dõ] *pr.rel.* wiens, van wie; waarvan; wier; ***ce —,*** datgene waarvan (*of* waarover).

donzelle [dõ'zèl] *f.*, (*ong.*) juffer, deern *v.*

dopage [dòpa:j] *m.*, **doping** [dòpẽ:g] *m.* (*sp.*) doping *m.*, het toedienen van een stimulerend middel voor betere prestaties.

dorade [dòra'd] *f.* **1** goudvisje *o.*; **2** *voir* ***daurade.***

dorage [dòra:j] *m.* (het) vergulden *o.*

doré [dòré] *adj.* **1** verguld; **2** (*v. korenaren, enz.*) goudgeel; **3** (*v. boter*) bruin; **4** (*v. vlees*) bruin gebraden; **5** (*fig.*) heerlijk, schitterend; ***langue —e,*** fluwelen tong; ***blond —,*** goudblond; ***mots —s,*** lieve woordjes; ***la jeunesse —e,*** de rijke jongelui; ***— sur tranche,*** verguld op snee.

dorelle [dòrèl] *f.*, (*Pl.*) goudhaar *o.*

dorénavant [dòrénavã] *adv.* voortaan, in 't vervolg.

dorer [dòré] *v.t.* **1** vergulden; **2** (*met eierdooier*) geel maken; **3** (*v. oogst*) doen rijpen.

doreur [dòrœ:r] *m.* vergulder *m.*

dorien [dòryẽ] **I** *adj.* Dorisch; **II** *s., m.*, ***D—,*** Doriër *m.*

dorique [dòrik] *adj.* Dorisch.

doris [dòris] *m.* platboomd vissersschuitje *o.*

dorlotement [dòrlotemã] *m.* koestering *v.*

dorloter [dòrlòté] **I** *v.t.* koesteren, vertroetelen; **II** *v.pr.*, ***se —,*** zich verwennen.

dormailler [dòrma'yé] *v.i.* dommelen, dutten.

dormant [dòrmã] **I** *adj.* **1** slapend; **2** vast, onbeweeglijk; **3** (*v. water*) stilstaand; **II** *s., m.* **1** vast raam *o.*; **2** tafelmiddenstuk *o.*; **3** (*op graf*) liggend beeld *o.*; ***manœuvres —es,*** (*sch.*) staand want *o.*

dormasser [dòrma'sé] *v.i.* dommelen.

dormeur [dòrmœ:r] *m.* slaper, langslaper *m.*

dormeuse [dòrmœ:z] *f.* **1** slaapster *v.*; **2** slaapstoel *m.*; **3** rustbed *o.*; **4** oorknop *m.*, oorbelletje *o.*

dormir* [dòrmi:r] *v.i.* **1** slapen; **2** rusten; **3** stilstaan; ***— en lièvre,*** een hazeslaapje doen; ***— comme une marmotte,*** slapen als een os; ***— à poings fermés,*** slapen als een roos; ***— la grasse matinée,*** een gat in de dag slapen; ***— debout,*** omvallen van slaap; ***— tout éveillé,*** suffen; ***ne — que d'un œil,*** onrustig slapen; ***— son compte,*** uitslapen; ***qui dort dîne,*** wie slaapt, voelt geen honger; ***il n'est pire eau que l'eau qui dort,*** stille waters hebben diepe gronden.

dormitif [dòrmitif] **I** *adj.* slaapverwekkend; **II** *s., m.* slaapmiddel *o.*

dormition [dòrmisyõ] *f.*, (*kath.*) dood *m. en v.* van de H. Maagd.

dorsal [dòrsal] *adj.* rug—; ***épine —e,*** ruggegraat [*v.*(*m.*).

dortoir [dòrtwa:r] *m.* slaapzaal *v.*(*m.*). [*o.*

dorure [dòrü:r] *f.* **1** verguldsel *o.*; **2** (het) vergulden

doryphore [dòrifò:r] *m.* coloradokever *m.*

dos [do] *m.* **1** rug *m.*; **2** (*v. hand, tong*) bovenzijde *v.*(*m.*); ***avoir bon —,*** een brede rug hebben; ***en avoir plein le —,*** er meer dan genoeg van hebben; ***— à —,*** rug aan rug, met de ruggen tegen elkaar; ***renvoyer — à —,*** gelijk schuldig verklaren; ***faire le gros —,*** **1** (*v. kat*) een hoge rug zetten; **2** gewichtig doen; ***courber le —,*** buigen; toegeven; ***monter sur le — de qn.,*** iem. lastig vallen; ***mettre qc. sur le — de qn.,*** iem. iets op de hals schuiven; ***scier le — à qn.,*** iem. aan zijn hoofd zaniken; ***tourner le — à,*** de rug toedraaien; (*fig.*) gelijk schuldig verklaren; ***vu de —,*** van achteren gezien; ***se laisser tondre la laine sur le —,*** zich 't vel over de oren laten halen; ***se mettre qn. à —,*** iem. tegen zich innemen.

dosage [do'za:j] *m.* afweging, afpassing *v.*

dose [do:z] *f.* dosis *v.*; ***il a sa —,*** hij heeft de hoogte.

doser [do'zé] *v.t.* afwegen, afpassen, doseren.

dosimétrie [do'zimétri] *f.* bepaling *v.* van de doses.

dossard [do'sa:r] *m.*, (*sp.*) rugnummer *o.*

dossier [do'syé] *m.* **1** rugleuning *v.*; **2** bundel *m.* bescheiden, dossier *o.*; **3** omslag *m. en o.*, map *v.*(*m.*); **4** strafregister *o.*

dossière [do'syè:r] *f.* **1** (*v. paardetuig*) draagriem, rugriem *m.*; **2** (*v. pantser*) ruggestuk *o.*

dot [dòt] *f.* bruidsschat *m.*, huwelijksgift *v.*(*m.*).

dotal [dòtal] *adj.*, ***régime —,*** huwelijksvoorwaarden *mv.*, huwelijkscontract *o.*; ***assurance —e,*** uitzetverzekering *v.*

dotation [dòta'syõ] *f.* **1** schenking *v.*; **2** (*aan vorsten, enz.*) jaargeld *o.*; **3** (*v. kamerlid*) jaarwedde *v.*(*m.*); ***— de la couronne,*** kroonbezittingen *mv.*

doter [dòté] *v.t.* **1** een bruidsschat geven aan; **2** een schenking doen aan; **3** begiftigen.

Dottignies [dòtiñi] Dottenijs *o.*

Douai [dwè] *m.* Dowaai *o.*

douaire [dwè:r] *m.* weduwgift *v.*(*m.*), lijftocht *m.*

douairière [dwè'ryè:r] *f.* **1** weduwe *v.* met een lijftocht; **2** adellijke weduwe *v.*

douane [dwan] *f.* **1** tol *m.*, in- en uitvoerrechten *mv.*; **2** beheer *o.* van de in- en uitvoerrechten; **3** douanekantoor *o.*; **4** douanebeambten *mv.*; ***agent en —,*** grensexpediteur *m.* [voorzien.

douaner [dwané] *v.t.* waarmerken; van een loodje

douanier [dwanyé] **I** *m.* douanebeambte, tolbeambte, douanier *m.*; **II** *adj.* tol—, douane—; ***union douanière,*** tolverbond *o.*, tolunie *v.*; ***guerre douanière,*** tarievenoorlog *m.*

douar [dwa:r] *m.* Arabisch tentendorp *o.*

doublage [dubla:j] *m.* **1** verdubbeling *v.*; **2** (het) voeren *o.*; **3** (*v. garen*) twijning *v.*, (het) twijnen *o.*; **4** (*v. schip*) bekleding *v.*, buitenhuid *v.*(*m.*); **5** (*drukk.*) (het) dubbelzetten *o.*

double [dubl] **I** *adj.* **1** dubbel; **2** tweevoudig; **3** (*v. maten, gewichten*) vals; ***bière —,*** sterk bier, bokbier *o.*; ***à cœur —,*** dubbelhartig; ***à — sens,*** dubbelzinnig; ***fromage — crème,*** volvette kaas *m.*; ***encre —,*** zeer zwarte inkt *m.*; ***fermer à — tour,*** op 't nachtslot doen; ***— croche,*** (*muz.*) zestiende noot *v.*(*m.*); ***tenue des livres en partie —,*** dubbel boekhouden; **II** *adv.* dubbel; ***voir —,*** dubbel zien; **III** *s., m.* **1** (het) dubbele, tweevoud *o.*; **2** duplicaat, tweede exemplaar *o.*; **3** (*v. akte*) afschrift *o.*; **4** (*sp.*) dubbelspel *o.*; **5** dubbelganger *m.*; ***en —,*** in duplo, dubbel; ***mettre en —,*** toevouwen.

doublé [dublé] *m.* **1** verguld zilver, doublé *o.*; **2** (*bilj.*) overhaalstoot, stoot *m.* over de losse band.

doubleau [dublo] *m.* zware vloerbalk *m.*

double-crème [dublkrè:m] *m.* volvette kaas *m.*

double*-feuille* [dubl(e)fœy] *f.*, (*Pl.*) keverorchis *v.*, tweeblad *o.*

doublement [dubl(e)mã] **I** *adv.* dubbel; **II** *s., m.* verdubbeling *v.*

doubler [dublé] **I** *v.t.* **1** verdubbelen; **2** tweemaal nemen; **3** (*v. kleren*) voeren; **4** (*v. garen*) twijnen; **5** (*v. kaap*) omvaren, omzeilen; **6** (*v. pas*) verhaasten; **7** (*v. klas*) blijven zitten in; **8** (*v. bal*) overhalen; **9** (*drukk.*: *v. letter*) dubbel zetten, tweemaal zetten; **10** voorbijrijden; ***un savant doublé d'un artiste,*** een geleerde die tevens een kunstenaar is; **II** *v.i.* verdubbelen; **III** *s. m. voir* ***doublé 1.***
doublet [dublè] *m.* **1** valse steen *m.*; **2** dubbele lens *v.*(*m.*); **3** dubbele stoot, dubbele slag *m.*; **4** etymologische dubbelvorm *m.*, doublet *o.*
doublette [dublèt] *f.* **1** (*muz.*: *v. orgel*) dubbelregister *o.*; **2** plank *v.*(*m.*) van 33 cm.
doubleur [dublœ:r] *m.* **1** twijnder *m.*; **2** (*op school*) zittenblijver *m.*
doublis [dubli] *m.*, (*v. dak*) druiplijn *v.*(*m.*).
doublon [dublõ] *m.* dubloen *m.*
doublure [dublü:r] *f.* **1** voering *v.*; **2** (*v. rijtuig, enz.*) bekleedsel *o.*; **3** invallend toneelspeler *m.*
douce, *voir* ***doux.***
douce*-amère* [dusamè:r] *f.*, (*Pl.*) bitterzoet *o.*
douceâtre [dusa:tr] *adj.* **1** zoetachtig, zoetig; **2** (*fig.*) zoetsappig.
doucement [dusmã] **I** *adv.* **1** zacht, zachtjes; **2** langzaam; **3** kalmpjes, bedaard; **4** stilletjes, zachtjes; **II** *ij.* zacht wat! bedaar!
doucereux [dusrö] *adj.*, **doucereusement** [dusrö'zmã] *adv.* **1** flauwzoet, zoetig; **2** (*fig.*) zoetsappig; **3** gemaakt vriendelijk.
doucet [dusè] *adj.* **1** zachtmoedig; **2** zoetsappig.
doucette [dusèt] *f.* veldsla *v.*(*m.*).
doucettement [dusètmã] *adv.* zachtjes.
douceur [dusœ:r] *f.* **1** (*v. smaak*) zoetheid *v.*; **2** (*v. gevoel, enz.*) zachtheid *v.*; **3** zoetigheid *v.*; **4** zachtzinnigheid *v.*; **—s,** suikergoed *o.*, zoetigheden *mv.*; ***rire en —,*** inwendig lachen; ***plus fait — que violence,*** men vangt meer vliegen met een lepel honig dan met een vat azijn. [koud water.
douche [duʃ] *f.* **1** stortbad *o.*; **2** (*fig.*) emmer *m.*
doucher [duʃé] *v.t.* een stortbad geven aan.
doucin [dusẽ] *m.* dwergappelboom *m.*
doucine [dusin] *f.* **1** ojief *o.*, keellijst *v.*(*m.*); **2** ojiefschaaf, lijstschaaf *v.*(*m.*). [polijsten.
doucir [dusi:r] *v.t.*, (*v. spiegel, metaal*) slijpen,
doucissage [dusisa:j] *m.* (*v. spiegel, metaal*) het slijpen, het polijsten *o.*
douelle [dwèl] *f.* duigje *o.*
douer [dwé] *v.t.* **1** begiftigen (met); **2** toerusten (met); ***doué*** (***de talents***), begaafd.
douille [duy] *f.* **1** patroonhuls *v.*(*m.*); **2** (*v. matras, peluw*) overtrek *o. en m.*; **3** (*v. bajonet*) schaft *v.*(*m.*); **4** fitting *m.*; ***— voleuse,*** plugfitting *m.*
douillet [duyè] *adj.* **1** lekker zacht; **2** kleinzerig; kouwelijk; verwend.
douillette [duyèt] *f.* **1** gewatteerde mantel *m.* (jas *m. en v.*); **2** leuningstoel *m.*
douilletter [duyèté] *v.t.* verwennen, vertroetelen.
douleur [dulœ:r] *f.* **1** smart, pijn *v.*(*m.*); **2** leed, verdriet *o.*, droefheid *v.*; ***Notre-Dame des sept D—s,*** Onze Lieve Vrouw van zeven Weeën.
douloureux [dulurö] *adj.*, **douloureusement** [dulurö'zmã] *adv.* **1** smartelijk, pijnlijk; **2** droevig; ***cri —,*** smartkreet *m.*
doute [dut] *m.* **1** twijfel *m.*; **2** onzekerheid *v.*; **3** vermoeden *o.*; ***sans —,*** waarschijnlijk; ***sans aucun —,*** zeker, zonder twijfel; ***révoquer en —,*** in twijfel trekken; ***cela ne fait aucun —,*** dat lijdt geen twijfel.
douter [duté] **I** *v.i.* **1** twijfelen (***de,*** aan); **2** aarzelen; ***ne — de rien,*** alles aandurven; zich tot alles in staat achten; **II** *v.pr.*, ***se — de,*** vermoeden.
douteur [dutœ:r] *m.* twijfelaar *m.*
douteux [dutö] *adj.*, **douteusement** [dutö'zmã] *adv.* **1** twijfelachtig; onzeker; **2** verdacht; **3** onbetrouwbaar; **4** (*v. linnen*) onfris, smoezelig; ***clarté douteuse,*** flauw licht, schemerlicht *o.*
douvain [duvẽ] *m.* duighout *o.*
douve [du:v] *f.* **1** duig *v.*(*m.*); **2** vestinggracht *v.*(*m.*); **3** (*Pl.*) dotterbloem, waterboterbloem *v.*(*m.*).
douvelle [duvèl] *f.* duigje *o.*
Douvres [du:vr] *f.* Dover *o.*
doux [du] **I** *adj.* (*f.* : ***douce*** [dus, du:s]) **1** zacht; **2** zoet; **3** (*v. tabak*) licht; **4** aangenaam, lieflijk; **5** (*v. middel*) zachtwerkend; **6** zachtaardig, zachtzinnig; **7** (*v. ijzer*) week; **8** (*v. trap*) gemakkelijk; ***eau douce,*** zoet water; ***billet —,*** minnebriefje *o.*; ***faire les yeux — à qn.,*** iem. toelonken, iem. verliefd aankijken; ***prix —,*** gematigde prijs *m.*, billijke prijs; ***consonne douce,*** zachte medeklinker *m.*; ***— comme le miel,*** zoet als honig; ***douce raillerie,*** bescheiden spotternij *v.*; **II** *adv.* **1** zacht; **2** langzaam; ***filer —,*** zoete broodjes bakken; ***à la douce,*** zachtjes aan.
douzain [du'zẽ] *m.* twaalfregelig gedicht *o.*
douzaine [du'zè'n] *f.* twaalftal; dozijn *o.*; ***à la —,*** **1** per dozijn; **2** zoveel men wil.
douze [du'z] **I** *n.card.* **1** twaalf; **2** twaalfde; **II** *s.,m.* (*drukk.*) cicero *v.*(*m.*).
douzième [du'zyèm] *n.ord.* twaalfde.
douzièmement [du'zyèm(m)ã] *adv.* ten twaalfde.
doxologie [dòksòlòji] *f.* verheerlijking, lofprijzing *v.*
doyen [dwayẽ] *m.* **1** deken *m.*; **2** oudste lid *o.*; ***— de la faculté,*** voorzitter *m.* van de faculteit.
doyenne [dwayèn] *f.* abdis *v.*
doyenné [dwayèné] *m.* **1** dekenij *v.* (*waardigheid; woning*); **2** dekanaat *o.* (*waardigheid; gebied*); **3** boterpeer *v.*(*m.*).
drachme [dragm] *f.* drachme *v.*(*m.*) *en o.* [streng.
draconien [drakònyẽ] *adj.* draconisch, overdreven
dragage, draguage [draga:j] *m.* uitbaggering *v.*
dragée [drajé] *f.* **1** suikerboon *v.*(*m.*); **2** suikeramandel *v.*(*m.*); **3** bruidssuiker *m.*; **4** fijne jachthagel *m.*; **5** voederzaad *o.*; ***—s d'anis,*** muisjes *mv.*; ***tenir la — haute à qn.,*** iem. hoge eisen stellen; iem. lang laten wachten.
drageoir [drajwa:r] *m.* **1** bonbondoos *v.*(*m.*); **2** suikergoedschaal *v.*(*m.*). [per *m.*
drageon [drajõ] *m.*, (*Pl.*) wortelscheut *m.*, uitlo-
drageonner [drajòné] *v.i.* wortelscheuten krijgen, loten schieten.
dragon [dragõ] *m.* **1** draak *m.*; **2** dragonder *m.*; **3** feeks *v.*; **4** (*bij paard*) staar *v.*(*m.*); ***— de mer,*** (*Dk.*) pieterman *m.*
dragonnades [dragòna'd] *f.pl.* protestantenvervolging onder Lodewijk XIV (door inkwartiering van dragonders).
dragonne [dragòn] *f.* degenkwast *m.*
dragonneau [dragòno] *m.*, (*Dk.*) haarworm *m.*
dragonnier [dragònyé] *m.* drakebloedboom *m.*
draguage, *voir* ***dragage.***
drague [dra'g] *f.* **1** baggermachine *v.*; **2** baggerschuit *v.*(*m.*); **3** dregtouw *o.*; ***— aspiratrice,*** zandzuiger *m.*
drague-mines [dra'gmin] *m.* mijnenveger *m.*
draguer [dragé] *v.t.* **1** uitbaggeren; **2** afdreggen.
dragueur [dragœ:r] *m.* **1** baggerman *m.*; **2** (***bateau —***), baggerschuit *v.*(*m.*); ***— de mines,*** mijnenveger *m.*
drain [drẽ] *m.* draineerbuis, afvoerbuis *v.*(*m.*).
drainage [drè'na:j] *m.* **1** drainering, drooglegging *v.* (door afvoerbuizen); **2** (*fig.*) onttrekking *v.*
draine [drè'n] *f.*, (*Dk.*) grote lijster *v.*(*m.*).
drainer [drè'né] *v.t.* **1** draineren, droogleggen; **2** (*fig.*) onttrekken.

drainette [drè'nèt] *f.* dregnet *o.*
draineur [drè'nœ:r] *m.* draineerder *m.*
draisienne [drè'zyèn] *f.* eerste model fiets, loopfiets *m. en v.*
draisine [drèzin] *f.* raillorrie *v.*
drakkar [draka'r] *m.* vikingschip *o.*
dramatique [dramatik] **I** *adj.* **1** dramatisch; **2** treffend, aangrijpend; ***auteur* —,** toneelschrijver *m.*; **II** *s., m.* **1** toneelkunst *v.*; **2** (het) dramatische *o.*
dramatiquement [dramatikmã] *adv.* dramatisch.
dramatiser [dramati'zé] *v.t.* **1** voor het toneel bewerken; **2** pakkend (treffend *of* dramatisch) voorstellen.
dramaturge [dramatürj] *m.* toneelschrijver *m.*
dramaturgie [dramatürji] *f.* toneelschrijfkunst, dramatische kunst *v.*
drame [dram, dra:m] *m.* **1** drama *o.*; **2** toneelstuk *o.*; **3** ramp *v.*(*m.*), ongeluk *o.*; ***— lyrique,*** (symfonische) opera *v.*
drap [dra] *m.* **1** laken *o.*; **2** beddelaken *o.*; ***— mortuaire,*** lijkkleed *o.*; ***tailler en plein —,*** niets ontzien; er met de grove bijl inhakken; ***être dans de mauvais —s,*** in een lastig parket zitten; ***au bout de l'aune faut le —,*** aan alles komt een eind; ***vouloir le — et l'argent,*** willen kopen zonder te betalen.
drapé [drapé] *m.* drapering *v.*; plooienval *m.*
drapeau [drapo] *m.* **1** vlag *v.*(*m.*); **2** vaandel *o.*; **3** lap, doek *m.*; **4** stuk *o.* laken; ***être sous les —x,*** in dienst zijn, onder de wapens zijn; ***le — tricolore,*** de driekleur *v.*(*m.*); ***rester fidèle à son —,*** zijn partij trouw blijven.
drapelet [draplè] *m.* vaantje *o.*
drapement [drapmã] *m.* bekleding *v.*; drapering [*v.*
draper [drapé] **I** *v.t.* **1** tot laken verwerken; **2** met rouwstof bekleden, omfloersen; **3** (*v. stof*) kunstig plooien, draperen; **II** *v.pr.*, ***se — dans,*** zich hullen in; ***se — dans sa dignité,*** voornaam doen, zich deftig voordoen.
draperie [drapri] *f.* **1** lakenweverij *v.*; **2** lakenhandel *m.*; **3** drapering *v.*; **4** voorhang *m.* (met wijde plooien), draperie *v.*
drapier [drapyé] *m.* **1** lakenwever *m.*; **2** lakenkoopman *m.*
drastique [drastik] *adj.* drastisch, snel en krachtig [werkend.
drayer [drèyé] *v.t.* gelooide huiden afschaven.
dreadnought [drèdnòt] *m.* zwaar slagschip *o.*
drêche [drèʃ] *f.* draf *m.*, spoeling *v.*
drège [drè:j] *f.* **1** groot sleepnet *o.*; **2** (*tn.*) repel *m.*
dréger [dré'jé] *v.t.*, (*tn.*: *v. vlas*) repelen.
drelin [drlẽ] **I** *ij.* tingeling; **II** *s., m.* getingel *o.*
drenne [drèn] *f.* grote lijster *v.*(*m.*).
Dresde [drèzd] *f.* Dresden *o.*
dressage [drèsa:j] *m.* **1** dressuur, africhting *v.*; **2** (het) recht maken *o.*
dressement [drèsmã] *m.*, (*v. akte, enz.*) (het) op[maken *o.*
dresser [drèsé] **I** *v.t.* **1** rechtop zetten; **2** (*v. hoofd, enz.*) oprichten; **3** (*v. tent*) opslaan; **4** (*v. lijst, akte*) opmaken; **5** (*v. dier*) africhten, dresseren; **6** (*v. tafel*) dekken; **7** (*v. strik*) spannen; **8** (*v. reisplan*) opstellen, samenstellen; **9** (*v. soldaat*) oefenen; **10** (*v. batterij*) opstellen; ***— l'oreille,*** de oren spitsen, opmerkzaam luisteren; ***— la carte de,*** in kaart brengen; ***— ses batteries,*** (*fig.*) zijn maatregelen nemen; ***faire — les cheveux sur la tête,*** de haren te berge doen rijzen; **II** *v.pr.*, ***se —,*** **1** zich oprichten; **2** (*v. haren*) te berge rijzen; ***se — sur la pointe des pieds,*** op de tenen gaan staan.
dresseur [drèsœ:r] *m.* africhter, dresseerder *m.*
dressoir [drèswa:r] *m.* **1** aanrechttafel *v.*(*m.*), (laag) buffet *o.*; **2** (*tn.*) richthout *o.*; richtijzer *o.*
dribbler [driblé] *v.i.* (*sp., voetb.*) dribbelen.
drille [dri'y] **1** *f.* drilboor *v.*(*m.*); **2** *m.* kameraad, kerel *m.*; ***vieux —,*** **1** oudgediende; **2** oude snoeper *m.*
drisse [dris] *f.* hijstouw *o.*
drive [drayf] *m.* (*sp., tennis*) drive *m.*
driver [drayvé] *v.t.* (*sp., tennis*) een drive geven.
drogman [drògmã] *m.* tolk, drogman *m.*
drogue [drò'g] *f.* **1** drogerij *v.*, gedroogde kruiden *mv.*; **2** (*ong.*) medicijn *v.*(*m.*), geneesmiddel *o.*; **3** (*fam.*) slechte waar *v.*(*m.*); **4** verdovend middel *o.*
droguer [drògé] **I** *v.t.* **1** veel medicijnen doen slikken; **2** verknoeien; vervalsen; **II** *v.pr.*, ***se —,*** zich met geneesmiddelen volstoppen.
droguerie [drògri] *f.* **1** drogerij(en) *v.*(*mv.*); **2** drogisterij *v.*, drogistenwinkel *m.*
droguet [drògè] *m.* droget *o.*, wollen stof met garen inslag.
droguiste [drògist] *m.* drogist *m.*
droit [drwa] **I** *adj.* **1** recht; **2** oprecht; rechtschapen; **3** rechts, rechter; ***la —e raison, le sens —,*** het gezond verstand; ***un esprit —,*** een helder verstand; ***se tenir —,*** rechtop staan; ***— comme une faucille,*** zo recht als een hoepel; ***droit comme un i,*** kaarsrecht; ***en —e ligne,*** **1** regelrecht, rechtstreeks; **2** in rechte lijn; **II** *adv.* **1** recht; **2** rechtuit; **3** rechtstreeks; ***tout —,*** rechtuit; ***marcher —,*** **1** rechtuit lopen; **2** eerlijk handelen, zijn plicht doen; ***juger —,*** gezond oordelen; ***raisonner —,*** verstandig redeneren; **III** *s., m.* **1** recht *o.*; **2** rechte lijn *v.*(*m.*); **3** rechte hoek *m.*; **4** rechtswetenschap *v.*; **5** claimrecht *o.*, claim *m.*; ***être en — de,*** recht hebben om; ***de (plein) —,*** rechtens, van rechtswege; ***à qui de —,*** **1** aan de rechthebbende; **2** te bevoegder plaatse; wie zulks aangaat; ***à bon —,*** terecht; ***à tort ou à —,*** te recht of ten onrechte; ***— d'aînesse,*** eerstgeboorterecht; ***— de cité,*** burgerrecht; ***— civil,*** burgerlijk recht; ***— privé,*** privaatrecht; ***— public, — constitutionnel,*** staatsrecht; ***— public international, — des gens,*** volkenrecht; ***— pénal,*** strafrecht; ***— comparé,*** vergelijkende rechtswetenschap; ***— d'auteur,*** auteursrecht; ***— de douane, — d'entrée,*** invoerrecht; ***— de sortie,*** uitvoerrecht; ***— de présence,*** presentiegelden; ***—s de garde,*** bewaarloon; ***— de timbre,*** zegelrecht; ***—s ad valorem,*** waarderechten; ***—s de bassin,*** dokgelden; ***— de quai,*** kaaigeld; ***— canon,*** kanoniek recht; ***faire — à une réclamation,*** aan een klacht gevolg geven; ***faire — à qn.,*** iem. recht laten wedervaren; ***faire son —,*** in de rechten studeren; ***payer le — à la nature,*** de tol aan de natuur betalen.
droite [drwat] *f.* **1** rechte lijn *v.*(*m.*); **2** rechterzijde *v.*(*m.*); **3** rechterhand *v.*(*m.*); **4** (*v. leger*) rechtervleugel *m.*; ***à —,*** rechts; ***prendre sa —, tenir sa*** (*of* ***la***) ***—,*** rechts houden; ***un à —,*** een wending naar rechts.
droitement [drwatmã] *adv.* eerlijk, rechtschapen, recht door zee.
droitier [drwatyé] **I** *adj.* rechts; **II** *s., m.* **1** iem. die rechts is; **2** lid *o.* van de rechterzijde.
droiture [drwatü:r] *f.* **1** oprechtheid, rechtschapenheid, onkreukbaarheid *v.*; **2** gezond oordeel *o.*; ***en —,*** rechtstreeks, zonder omweg.
drolatique [dro'latik] *adj.* grappig, koddig.
drôle [dro:l] **I** *adj.* **1** grappig, koddig; **2** vreemd, gek; ***cela n'est pas —,*** dat is niet plezierig; **II** *s., m.* **1** grappenmaker *m.*; **2** schurk, schavuit *m.*; ***un — de corps,*** een rare snuiter *m.*
drôlerie [dro'lri] *f.* **1** grappigheid *v.*; **2** klucht *v.*(*m.*), grappenmakerij *v.*
drôlesse [dro'lès] *f.* schaamteloze, brutale meid *v.*

drôlet [dro'lè] *adj.* koddig.
drolichon [dro'lišõ] *adj.* grappig, koddig.
dromadaire [dròmadè:r] *m.* dromedaris *m.*
dromomètre [dròmòmè'tr] *m.*, (*spoorw.*) snelheidsmeter *m.*
dronte [drõ:t] *m.* dodaars *m.*
drosère [drozè:r] *m.* (*Pl.*) vliegenvangertje *o.*
drosse [dròs] *f.*, (*sch.*) stuurreep *m.*
drosser [dròsé] *v.t.* doen afdrijven.
dru [drü] **I** *adj.* **1** dicht, dik; **2** (*v. kind, enz.*) flink, sterk, struis; **II** *adv.* dicht opeen, dik; ***semer* —,** dik zaaien.
druide [drŵi'd] *m.* Keltisch priester, druïde *m.*
druidique [drŵi'dik] *adj.* druïdisch.
druidisme [drŵi'dizm] *m.* druïdendienst *m.*
drupacé [drüpasé] *adj.* met steenvruchten.
drupe [drüp] *m.* steenvrucht *v.(m.).*
dry [draγ] *adj.* sec, niet-zoet.
dryade [dri(y)a'd] *f.* bosnimf, woudnimf *v.*
du [dü] **I** *art.déf.*, (*samentr. v.*: ***de le***) van de, van de, van het; **II** *art. part.*, ***boire — lait,*** melk drinken.
dû [dü] **I** *m.* (het) verschuldigde *o.*; ***il réclame son* —,** hij eist op hetgeen hem toekomt; **II** *adj.* (*fém.* : ***due***; *pl.* : ***dus***) verschuldigd; ***en*** (***bonne et***) ***due forme,*** in de vereiste vorm.
dualisme [dŵalizm] *m.* dualisme *o.*
dualiste [dŵalist] **I** *adj.* dualistisch; **II** *s., m.* dualist *m.*
dualité [dŵalité] *f.* dualiteit, tweeheid *v.*
dubitatif [dübitatif] *adj.* **1** twijfelend, weifelend; **2** twijfel uitdrukkend.
duc [dük] *m.* hertog *m.*; ***grand-*—,** groothertog; (*Rusland*) grootvorst *m.*
ducal [dükal] *adj.* hertogelijk.
ducasse [dükas] *f.* (*in Artois en Vlaanderen*) patroonsfeest *o.*
ducat [düka] *m.* dukaat *m.*
duché [düšé] *m.* hertogdom *o.*; ***grand-*—,** groothertogdom.
duchesse [düšès] *f.* hertogin *v.*; ***grande-*—,** groothertogin *v.*; grootvorstin *v.*
ducroire [dükrwa:r] *m.*, (*H.*) delcredere *o.*
ductile [düktil] *adj.* **1** rekbaar, buigbaar; **2** (*fig.*) plooibaar.
ductilité [düktilité] *f.* **1** rekbaarheid *v.*; **2** plooibaarheid *v.*
duègne [düèñ] *f.* **1** duenna, oude gouvernante in Spanje; **2** oude vrijster *v.*
duel [dŵèl] *m.* **1** tweegevecht, duel *o.*; **2** (*fig.*) strijd *m.*; **3** (*gram.*) tweevoud *o.*, dualis *m.*; ***se battre en* —,** duelleren; **— *judiciaire,*** (*gesch.*) godsgericht *o.*
duelliste [dŵèlist] *m.* **1** duellist *m.*; **2** vechtersbaas *m.*
duettiste [düètist] *m.* duetspeler, duetzanger *m.*
dugong [dügõ] *m.* zeekoe *v.(m.).*
duit [dŵi] *m.* **1** dam *m.* in rivier om vis tegen te houden; **2** bedijkt kunstmatig stroombed *o.* langs rivier.
dulcifiant [dülsifyã] *adj.* verzachtend.
dulcification [dülsifika'syõ] *f.* verzachting, verzoeting *v.*
dulcifier [dülsifyé] *v.t.* verzachten, verzoeten.
dulcinée [dülsiné] *f.* dulcinea, beminde, aangebedene *v.*
dum*-dum* [dumdum] *f.* dumdumkogel *m.*
dûment [dümã] *adv.* behoorlijk.
dumping [dœ̃'pĕ'g] *m.* dumping *v.(m.).*
dundee [dœ̃di] *m.* vissersboot *m. en v.* met twee masten.
dune [dün] *f.* duin *v.(m.) of o.*; ***les —s,*** het duin *o.*; **— *mouvante,* — *continentale,*** zandverstuiving *v.*; ***les D—s,*** Duins *o.*

dunette [dünèt] *f.*, (*sch.*) kampanje *v.(m.).*
Dunkerque [dœ̃'kèrk] *f.* Duinkerken *o.*
dunkerquois [dœ̃'kèrkwa] *adj.* Duinkerker, Duinkerks.
duo [düo] *m.*, (*muz.*) duet, duo *o.*
duodécennal [düodésènal] *adj.* twaalfjarig.
duodécimal [düodésimal] *adj.* twaalftallig.
duodénite [düodénit] *f.* ontsteking *v.* aan de twaalfvingerige darm.
duodénum [düodénòm] *m.* twaalfvingerige darm [*m.*
dupe [düp] *f.* bedrogene, gefopte *m.*, slachtoffer *o.*; ***être la — de qn.,*** door iem. bedrogen worden.
duper [düpé] *v.t.* bedriegen, foppen, beetnemen.
duperie [düpri] *f.* bedriegerij, fopperij *v.*
dupeur [düpœ:r] *m.* bedrieger *m.*
duplicata [düplikata] *m.* afschrift, duplicaat *o.*; ***en* —,** in duplo.
duplicateur [düplikatœ:r] *m.* verdubbelaar *m.*
duplicatif [düplikatif] *adj.* verdubbelend.
duplication [düplika'syõ] *f.* verdubbeling *v.*
duplice [düplis] *f.* tweevoudig verbond *o.*, tweebond *m.*
duplicité [düplisité] *f.* dubbelhartigheid, valsheid *v.*
duplique [düplik] *f.* dupliek *v.*
duquel [dükèl] *pr.rel.*, (*samentr. v.*: ***de lequel***) wiens, van wie, waarvan.
dur [dü:r] **I** *adj.* **1** hard; **2** (*v. stem, gelaatstrekken*) ruw; **3** moeilijk, lastig; zwaar; **4** ongevoelig, hardvochtig; streng; **5** (*v. kleur*) schel; **6** (*v. stijl*) stroef; **7** (*v. wijn*) wrang; **— *à la détente,*** vasthoudend, schriel; **— *comme fer,*** ijzerhard; **— *d'oreille,*** hardhorend; ***avoir la tête —e,*** **1** hardleers zijn, slecht van begrip zijn; **2** koppig zijn; ***avoir la vie —e,*** een taai gestel hebben; ***rendre la vie —e à qn.,*** iem. het leven onaangenaam maken; ***coucher sur la —e,*** op de blote grond slapen; **II** *adv.* hard; ***travailler* —,** hard werken; ***entendre* —,** hardhorig zijn.
durabilité [dü'rabilité] *f.* duurzaamheid *v.*
durable(ment) [dü'ra'bl, dü'rablemã] *adj.* (*adv.*) duurzaam, blijvend.
duralumin [düralümẽ] *m.* duraluminium *o.*
duramen [dü'ramèn] *m.*, (*Pl.*) kernhout *o.*
durant [dü'rã] *prép.* gedurende, tijdens; ***un mois* —,** een maand lang; ***sa vie* —,** zijn hele leven.
durcir [dürsi:r] **I** *v.t.* harden, verharden; **II** *v.i. et v.pr.*, ***se* —,** hard worden, verharden.
durcissement [dürsismã] *m.* verharding *v.*, (het) hard worden *o.*
durée [dü'ré] *f.* **1** duur *m.*; **2** duurzaamheid *v.*
dure*-mère* [dürmè:r] *f.* buitenste hersenvlies *o.*
durer [dü'ré] *v.i.* **1** duren; voortduren; **2** lang vallen, lang schijnen; **3** het uithouden; **4** stand houden; ***il ne peut* —,** hij kan niet blijven stilstaan.
duret [dü'rè] *adj.* een beetje hard.
dureté [dü'rté] *f.* **1** hardheid *v.*; **2** (*v. geluid*) rauwheid *v.*; **3** (*v. kleur*) schelheid *v.*; **4** (*v. klimaat*) guurheid *v.*; **5** ongevoeligheid, hardvochtigheid *v.*; **6** strengheid *v.*; **7** verharding *v.*; **— *d'oreille,*** hardhorigheid *v.*; **— *de ventre,*** hardlijvigheid *v.*
durillon [düriyõ] *m.* **1** eeltplek *v.(m.)*, eeltknobbel *m.*; **2** (*in hout, enz.*) harde plek *v.(m.)*, kwast *m.*
duumvir [düòmvi:r] *m.*, (*gesch.*) tweeman *m.*
duumvirat [düòmvi'ra] *m.*, (*gesch.*) tweemanschap *o.*
duvet [düvè] *m.* **1** dons *o.*; **2** vlasbaard *m.*; **3** slaapzak *m.*
duveté [düvté] *adj.* met dons bedekt, donzig.
dynamique [dinamik] **I** *adj.* dynamisch; **II** *s., f.* dynamica *v.*
dynamisme [dinamizm] *m.* **1** dynamiek *v.*; **2** stuwkracht *v.(m.)*, werking *v.*
dynamitage [dinamita:j] *m.* het opblazen met dynamiet.

dynamitard [dinamita:r] *m.* bommengooier *m.*, anarchist *m.* van de daad.
dynamite [dinamit] *f.* dynamiet *o.*
dynamiter [dinamité] *v.t.* (met dynamiet) laten [springen.
dynamiterie [dinamitri] *f.* dynamietfabriek *v.*
dynamo [dinamo] *f.* dynamo *m.*
dynamomètre [dinamòmè'tr] *m.* krachtmeter, dynamometer *m.*
dynamométrie [dinamòmétri] *f.* krachtmeting *v.*
dynastie [dinasti] *f.* vorstenhuis *o.*, dynastie *v.*
dynastique [dinastik] *adj.* dynastiek.
dyne [din] *f.* dyne *m.*, eenheid van kracht.
dysenterie [disã'tri] *f.*, (*gen.*) dysenterie *v.*, rode loop *m.*
dysentérique [disã'térik] *m.* dysenterielijder *m.*
dyspepsie [dispèpsi] *f.* slechte spijsvertering *v.*
dyspepsique [dispèpsik], **dyspeptique** [dispèptik] **I** *m.* lijder aan slechte spijsvertering, dyspepsie lijder *m.*; **II** *adj.* slechte spijsvertering betreffend.
dyspnée [dispné] *f.* benauwdheid *v.*
dyssymétrie [dissimétri] *f.* gebrek *o.* aan symmetrie, asymmetrie *v.*
dysurie [disüri] *f.* moeilijke urinering *v.*
dytique [ditik] *m.* waterroofkever *m.*

E

e [é, e] *m.* e *v.(m.)*; **— *fermé,*** gesloten e (é); **— *ouvert,*** open e (è); **— *muet,*** stomme (*of* toonloze) e.
eau [o] *f.* **1** water *o.*; **2** regen *m.*; **3** (*v. vruchten*) sap *o.*; **4** vocht *o.*; **—x, 1** kielwater *o.*; **2** fontein *v.(m.)*; waterwerken *mv.*; **3** waterwegen *mv.*, wateren *mv.*; **4** minerale bronnen *mv.*, baden *mv.*; ***basse —,*** eb *v.(m.)*; ***haute —,*** vloed *m.*; ***—x mortes,*** dood tij *o.*; ***— dormante,*** stilstaand water; ***— de savon,*** zeepsop *o.*; ***— de Javel,*** bleekwater *o.*; ***— bénite,*** wijwater *o.*; ***de l'— bénite de cour,*** ijdele beloften; ***ville d'—x,*** badplaats *v.(m.)*; ***prendre les —x,*** de baden gebruiken; ***voie d'—,*** (*sch.*) lek *o.*; ***ligne d'—,*** waterlijn *v.(m.)*; ***faire —,*** lek zijn; ***faire venir l'— à la bouche,*** doen watertanden; ***les —x d'un navire,*** het kielwater van een schip; ***être dans les —x de qn.,*** in iemands zog varen; met iem. in één schuitje varen; ***se jeter à l'—,*** in 't water springen, zich verdrinken; ***se jeter dans l'—,*** te water gaan (voor bad); ***mettre de l'— dans son vin,*** water in zijn wijn doen; eieren voor zijn geld kiezen; ***porter l'— à la rivière,*** uilen naar Athene brengen; ***l'— va toujours à la rivière,*** waar geld is wil geld wezen; ***laisser couler l'—,*** Gods water over Gods akker laten lopen; de kat uit de boom kijken; ***il n'est pire — que l'— qui dort,*** stille waters hebben diepe gronden; ***les —x sont basses,*** 't zit er niet aan, de lamp staat schuin; ***être tout en —,*** erg bezweet zijn; ***battre l'—,*** vergeefse moeite doen.
eau*-de-vie [o'dvi] *f.* brandewijn *m.*
eau*-forte* [o'fòrt] *f.* **1.** sterkwater, salpeterzuur *o.*; **2** ets *v.(m.)*; ***graver à l'—,*** etsen.
eau*-seconde* [o'segõ:d] *f.* verdund salpeterzuur *o.*
eaux-vannes [ovan] *f.pl.* (*v. fabriek*) afvalwater *o.*
ébahi [éba(h)i] *adj.* verbaasd, verbluft.
ébahir, s'— [séba(h)i:r] *v.pr.* verbaasd staan, verbluft staan.
ébahissement [éba(h)ismã] *m.* verbazing, verbluftheid, verbouwereerdheid *v.*
ébarber [ébarbé] *v.t.* **1** (*v. metaal, enz.*) afbaarden, afvijlen; **2** (*v. plant*) de haarwortels afnemen; **3** (*v. papier, enz.*) afsnijden, gelijk knippen; **4** (*v. heg*) besnoeien; **4** (*v. wond*) uitsnijden.
ébarbeuse [ébarbö:z] *f.* afbaarder *m.* (*werktuig*).
ébarboir [ébarbwa:r] *m.* schaafmes, schraapmes *o.*
ébarbure [ébarbü:r] *f.* schaafsel; schraapsel *o.*
ébarouissage [ébaruisa:ʒ] *m.* het ten gevolge van de droogte uiteenscheuren.
ébats [éba] *m.pl.* gestoei, dartel spel *o.*; ontspanning *v.*; ***prendre ses —,*** stoeien, dartelen; zich ontspannen.
ébattement [ébatmã] *m.* **1** gedartel *o.*; genoegen *o.*; **2** (*v. rijtuigdelen*) speling *v.*
ébattre*, s'— [sébatr] *v.pr.* stoeien, dartelen; zich vermaken.
ébaubi [ébo'bi] *adj.* verbouwereerd, beduusd, stom verbaasd.
ébaubir [ébo'bi:r] *v.t.* verstomd doen staan.
ébaubissement [ébo'bismã] *m.* verbouwereerdheid *v.*
ébauchage [ébo'ʃa:ʒ] *m.* **1** (het) schetsen *o.*; **2** (het) ontwerpen *o.*
ébauche [ébo'ʃ] *f.* **1** schets *v.(m.)*; ruw ontwerp *o.*; **2** (*fig.*) begin *o.*; zwakke poging *v.*
ébaucher [ébo'ʃé] *v.t.* schetsen; ontwerpen; voorbereiden; ***— un sourire,*** even glimlachen.
ébauchoir [ébo'ʃwa:r] *m.* **1** steekbeitel *m.*; **2** boetseerhout *o.*
ébaudir, s'— [sébo'di:r] *v.pr.* zich vermaken.
ébène [ébè:n] *f.* ebbehout *o.*; ***d'—,*** **1** ebbehouten; **2** gitzwart.
ébéner [ébéné] *v.t.* zwart maken.
ébénier [ébényé] *m.* ebbeboom *m.*; ***faux —,*** (*Pl.*) goudenregen *m.*
ébéniste [ébénist] *m.* meubelmaker, schrijnwer[ker *m.*
ébénisterie [ébénistri] *f.* **1** schrijnwerkersvak *o.*; **2** meubelmakerij *v.*; **3** ingelegd werk *o.*
éberluer [ébèrlüé] *v.t.* verstomd doen staan.
ébertauder [ébèrtodé] *v.t.* (*v. laken*) scheren.
ébeurrer [ébœ'ré] *v.t.* (*v. melk*) de boter halen uit, van boter ontdoen.
ébiseler [ébi'zlé] *v.t.* afschuinen.
éblouir [éblui:r] **I** *v.t.* verblinden; **II** *v.pr.*, ***s'—,*** zich laten verblinden.
éblouissant [ébluisã] *adj.* **1** verblindend; **2** schitt[erend.
éblouissement [ébluismã] *m.* **1** verblinding *v.*; **2** (*fig.*) verrukking *v.*; **3** duizeling, bedwelming *v.*
ébonite [ébonit] *f.* eboniet *o.*
éborgnage [ébòrña:ʒ] *m.* (het) wegsnijden *o.* van de knoppen (van bomen).
éborgnement [ébòrñemã] *m.* het aan één oog blind [maken *o.*
éborgner [ébòrñé] *v.t.* **1** van één oog beroven; **2** (*v. boom*) de knoppen (*of* ogen) wegsnijden.
ébouer [ébwé] *v.t.*, ***— les rues,*** het straatvuil opruimen (*of* ophalen).
éboueur [ébwœ:r] *m.* straatruimer *m.*
ébouillantage [ébuyã'ta:ʒ] *m.* het in kokend water dompelen *o.*
ébouillanter [ébuyã'té] *v.t.* in kokend water dom[pelen.
ébouillir [ébuyi:r] *v.i.* verkoken.
éboulement [ébulmã] *m.* **1** instorting, verzakking *v.*; **2** bergstorting, grondverschuiving *v.*
ébouler [ébulé] **I** *v.t.* doen instorten; **II** *v.i. et v.pr.*, ***s'—,*** instorten.
ébouleux [ébulö] *adj.* gemakkelijk instortend; (*v. grond*) gemakkelijk verzakkend.
éboulis [ébuli] *m.* ingestorte aarde *v.(m.)*, puin *o.*
ébouqueter [ébuk(e)té] *v.t.* de bladknoppen wegnemen van.

ébourgeonnement [éburjònmã] *m.* het snoeien (van knoppen).

ébourgeonner [éburjòné] *v.t.* snoeien, de (overtollige) knoppen wegsnijden van.

ébourgeonnoir [éburjònwa:r] *m.* snoeimes *o.* (met lange steel).

ébouriffant [éburifã] *adj.* buitengewoon, reusachtig, verbluffend.

ébouriffé [éburifé] *adj.* **1** verward, verwilderd; **2** ontdaan, onthutst.

ébouriffer [éburifé] *v.t.* **1** in de war brengen; **2** doen ontstellen, verbluffen.

ébranchage [ébrã'ʃa:j], **ébranchement** [ébrã'ʃmã] *m.* het snoeien (van takken).

ébrancher [ébrã'ʃé] *v.t.* snoeien; besnoeien.

ébranchoir [ébrã'ʃwa:r] *m.* snoeimes *o.*

ébranlement [ébrã'lmã] *m.* **1** schudding *v.*; **2** trilling *v.*; **3** (*fig.*) wankeling *v.*; **4** ontroering *v.*; ***— au cerveau,*** hersenschudding *v.*

ébranler [ébrã'lé] **I** *v.t.* **1** doen schudden; **2** (*v. lucht*) doen trillen; **3** doen wankelen; **4** (*v. gezondheid*) ondermijnen; **5** (*v. zenuwen*) schokken; **6** bewegen, ontroeren; **II** *v.pr.*, ***s'—,*** **1** (*v. trein, enz.*) zich in beweging zetten; **2** wankelen; **3** aangedaan worden, ontroeren.

ébrasement [ébra'zmã] *m.* (*bouwk.*) verwijding *v.* naar binnen.

ébraser [ébra'zé] *v.t.* naar binnen verwijden.

Èbre [è:br] *m.* Ebro *m.*

ébréché [ébréʃé] *adj.* **1** vol schaarden; **2** met een stuk er uit; **3** afgebroken.

ébrécher [ébréʃé] *v.t.* **1** schaarden maken in, schaarden; **2** (*v. bord, enz.*) een stuk breken uit, beschadigen; **3** (*v. erfdeel, fortuin*) een bres maken in.

ébréchure [ébréʃü:r] *f.* beschadiging *v.*

ébriété [ébri(y)été] *f.* (lichte) dronkenschap, beschonkenheid *v.*

ébrouage [ébrua:j] *m.* uitwassing, spoeling *v.*

ébrouement [ébrumã] *m.* **1** (*v. paard, enz.*) gesnuif, geproest *o.*; **2** genies *o.*

ébrouer [ébrué] **I** *v.t.* **1** uitwassen, spoelen; **2** (*v. noot*) ontbolsteren; **II** *v.pr.*, ***s'—,*** **1** snuiven, proesten; **2** niezen.

ébruitement [ébrẅitmã] *m.* (het) ruchtbaar maken *o.*

ébruiter [ébrẅité] **I** *v.t.* ruchtbaar maken; **II** *v.pr.*, ***s'—,*** ruchtbaar worden, uitlekken.

ébulliomètre [ébülyomè'tr], **ébullioscope** [ébülyòsk^o^p] *m.* kookpuntmeter *m.*

ébullition [ébülisyõ] *f.* **1** (het) koken *o.*; opborreling *v.*; **2** (*scheik.*) opbruising *v.*; **3** huiduitslag *m.*, puistje *o.*; **4** (*fig.*) beroering, opschudding *v.*; gisting *v.*; ***température d'—,*** kooktemperatuur *v.*

éburné [ébürné] *adj.* ivoorachtig.

éburnéen [ébürnéẽ] *adj.* ivoren.

Éburons [ébürõ] *m.pl.* Eburonen *mv.*

écachement [ékaʃmã] *m.* kneuzing; pletting *v.*

écacher [ékaʃé] *v.t.* **1** kneuzen; **2** pletten, platdrukken; **3** (*v. was*) kneden; **4** (*v. lemmet*) stomp maken.

écaillage [éka'ya:j] *m.* **1** (*v. vis*) (het) afschrappen, (het) schubben *o.*; **2** (*v. oesters, mosselen*) (het) openmaken *o.*; **3** (*v. zout*) afkorsting *v.*; **4** afschilfering *v.*

écaille [éka'y] *f.* **1** (*v. vis, enz.*) schub *v.*(*m.*); **2** (*v. oester, mossel*) schaal, schelp *v.*(*m.*); **3** (*v. metaal*) schilfer *m.*; **4** (*v. schildpad*) schild *o.*; **5** schutblad *o.*; ***d'—, en —,*** schildpadden; ***les —s lui sont tombées des yeux,*** de schellen zijn hem van de ogen gevallen.

écaillé [éka'yé] *adj.* **1** geschubd; **2** afgeschilferd.

écaillement [éka'ymã], *voir **écaillage.***

écailler [éka'yé] **I** *v.t.* **1** (*v. vis*) schubben, afschrappen; **2** (*v. oesters, enz.*) ontschalen, openmaken; **II** *v.pr.*, ***s'—,*** afschilferen; **III** *s.*, *m.* oesterkoopman *m.*

écaillère [éka'yè:r] *f.* **1** oestervrouw *v.*; **2** oestermes *o.*

écailleux [éka'yö] *adj.* **1** schubbig; **2** schilferig.

écale [ékal] *f.* **1** (*v. ei*) schaal *v.*(*m.*); **2** (*v. peulvruchten*) dop *m.*, schil *v.*(*m.*); **3** (*v. noot*) bolster *m.*; **—s,** steenafval *o. en m.* steenschilfers *mv.*

écaler [ékalé] **I** *v.t.* **1** ontbolsteren; **2** doppen; **II** *v.pr.*, ***s'—,*** **1** schilferen; **2** uit de schil gaan.

écang [ékã] *m.* zwingel *m.*

écangage [ékã'ga:j] *m.* (het) zwingelen *o.*

écanguer [ékã'gé] *v.t.* (*v. vlas*) zwingelen.

écangueur [ékã'gœ:r] *m.* zwingelaar *m.*

écarlate [ékarlat] **I** *f.* **1** scharlaken *o.*, scharlakenstof *v.*(*m.*); **2** scharlakenkleur *v.*(*m.*); **II** *adj.* scharlaken(kleurig); ***étoffe —,*** vuurrode stof.

écarquiller [ékarki'yé] *v.t.* **1** (*v. ogen*) opensperren; **2** (*v. benen*) uitspreiden, (wijd) vaneenspreiden.

écart [éka:r] *m.* **1** afwijking, afdwaling *v.*; **2** (*v. prijs, enz.*) verschil *o.*; **3** (*v. benen*) uitspreiding *v.*; **4** (*v. paard*) zijsprong *m.*; **5** buitensporigheid, uitspatting *v.*; **6** (*muz.: op piano*) grote greep *m.*; **7** afgelegen plaats, — buurt *v.*(*m.*); **8** (*fig.*) verschil *o.*, afstand *m.*; ***— de la main,*** spanwijdte *v.* van de hand; ***à l'—,*** **1** op een afstand; **2** ter zijde; **3** teruggetrokken, afgezonderd; ***se tenir à l'—,*** op een afstand blijven; ***se tenir à l'— de,*** zich ver houden van.

écarté [ékarté] **I** *adj.* **1** afgezonderd, afgelegen; **2** (*v. kaart*) weggeworpen; ***les jambes —es,*** wijdbeens, met de benen uit elkaar; **II** *s.*, *m.* (*kaartsp.*) écarté *o.*

écartèlement [ékartèlmã] *m.* vierendeling *v.*

écarteler* [ékartelé] *v.t.* **1** vierendelen; **2** (*herald.*) een schild kwartileren, in kwartieren verdelen; **3** (*fig.*) verdelen, scheuren.

écartement [ékartemã] *m.* **1** (*v. benen*) (het) uitspreiden *o.*; **2** (het) verwijderen *o.*; **3** afstand *m.*, wijdte *v.*; **4** afwijking *v.*; **5** afdwaling *v.*; ***— des essieux,*** radstand *m.*; ***— des rails,*** spoorwijdte *v.*

écarter [ékarté] **I** *v.t.* **1** (*v. benen, vingers*) uitspreiden; **2** (*v. gordijn*) openschuiven, ter zijde schuiven; **3** (*v. publiek*) op een afstand houden; **4** (*v. hinderpaal*) uit de weg ruimen; **5** (*v. gevaar*) verwijderen; **6** (*v. verdenking*) afwenden; **7** (*v. kaarten*) wegleggen, ecarteren; **8** (*v. gedachte*) van zich afzetten; ***sa candidature a été écartée,*** hij is niet in aanmerking gekomen; **II** *v.i.* (*v. geweer*) spreiden, afwijken; **III** *v.pr.*, ***s'—,*** **1** zich uitspreiden; **2** afwijken; afdwalen; **3** uiteengaan; ***s'— du chemin,*** afdwalen; ***ne pas s'—,*** bij de zaak blijven.

écaudé [ékodé] *adj.* staartloos.

ecce homo [èkséomo] *m.* ecce-homo *o.*

ecchymose [èkimo:z] *f.* blauwe plek *v.*(*m.*).

Ecclésiaste [èklézyast] *m.* (*Bijb.*) Prediker *m.*

ecclésiastique [èklézyastik] **I** *adj.* **1** kerkelijk; **2** geestelijk; ***l'état —,*** de geestelijke staat; **II** *s.*, *m.* geestelijke *m.*; ***l'E—,*** de spreuken van Jezus Sirach.

écervelé [ésèrvelé] **I** *adj.* hersenloos, onbezonnen; **II** *s.*, *m.* onbezonnene *m.*

échafaud [éʃafo] *m.* **1** schavot *o.*; **2** steiger *m.*, stelling *v.*; **3** bouwsteiger *m.*; **4** verhoging *v.*, podium *o.*

échafaudage [éʃafo'da:j] *m.* **1** steiger *m.*; **2** oprichting *v.* van een steiger; **3** (*v. boeken, enz.*) stapel *m.*; **4** opeenstapeling *v.* (van meningen, redeneringen).

échafauder [éʃafo'dé] **I** *v.t.* **1** opstapelen; **2** opbouwen; ineenzetten; **II** *v.i.* een steiger (*of* stellage) maken.

échalas [éʃala] *m.* **1** wijngaardstaak *m.*; **2** lat *v.*(*m.*), stok *m.*; **3** (*fig.*) lang mens, bonestaak *m.*

échalasser [éʃala'sé] *v.t.* stutten.

échalier [éʃalyé] *m.* akkeromheining *v.* van takken.

échalote [éʃalòt] *f.* (*Pl.*) sjalot *v.*(*m.*).

échancrer [éʃã'kré] *v.t.* (boogsgewijze) uitsnijden.

échancrure [éʃã'krü:r] *f.* (ronde) uitsnijding *v.*
échange [éʃã:j] *m.* **1** ruil *m.*, ruiling *v.*; **2** ruilverkeer *o.*; **3** uitwisseling *v.*; **4** (*tn.*) bewegingsomzetting *v.*; ***libre —,*** vrijhandel *m.*; ***faire un —,*** ruilen; ***— de vues,*** gedachtenwisseling *v.*; ***— de bons offices,*** wederzijds dienstbetoon; ***en —,*** daarvoor, daartegenover; ***en — de,*** in ruil voor; ***valeur d'—,*** ruilwaarde *v.*
échangeable [éʃã'ja'bl] *adj.* ruilbaar, inwisselbaar.
échanger [éʃã'jé] *v.t.* **1** ruilen; **2** inwisselen; **3** uitwisselen; ***— des notes,*** nota's wisselen.
échanson [éʃã'sõ] *m.* schenker *m.*; ***grand —,*** opperschenker *m.*
échantillon [éʃã'tiyõ] *m.* **1** monster, staal(tje) *o.*; **2** proef *v.(m.)*; **3** model *o.*; ***carte d'—s,*** staalkaart *v.(m.)*; ***— d'essai,*** proefmonster; ***— de référence,*** uitvalmonster; ***— sans valeur,*** monster zonder waarde.
échantillonnage [éʃã'tiyòna:j] *m.* **1** (het) maken *o.* van stalen; **2** (*H.*) bemonstering *v.*; monstercollectie *v.*
échantillonner [éʃã'tiyòné] *v.t.* **1** stalen (*of* monsters) maken van; **2** (*H.*) bemonsteren.
échanvrer [éʃã'vré] *v.t.* (*v. vlas, hennep*) braken.
échappatoire [éʃapatwa:r] *f.* uitvlucht *v.(m.)*.
échappée [éʃapé] *f.* **1** ontsnapping *v.*; **2** uitstapje *o.*; **3** onbezonnenheid *v.*; onbekookt gezegde *o.*; **4** opening *v.*; open plek *v.(m.)*; **5** ruimte, speelruimte *v.*; **6** vergezicht *o.*; ***une — de bon sens,*** een helder ogenblik; ***par —s,*** bij tussenpozen, bij vlagen.
échappement [éʃapmã] *m.* **1** ontsnapping *v.*; **2** (*v. horloge*) schakelrad *o.*; **3** uitlaat *m.*; ***tuyau d'—,*** knalpot *m.*; ***vapeur d'—,*** afgewerkte stoom *m.*
échapper [éʃapé] **I** *v.i.* **1** ontsnappen; **2** ontkomen aan, ontlopen; **3** (*v. naad*) losgaan; ***— des mains,*** aan de handen ontglippen; ***cela m'a échappé,*** dat is mij ontgaan; ***ce mot m'est échappé,*** ik heb mij dat woord laten ontvallen; ***son nom m'échappe,*** ik kan niet op zijn naam komen; ***laisser — un point,*** een steek laten vallen; **II** *v.t.* ontsnappen, ontkomen aan; ***l'— belle,*** er goed afkomen; **III** *v.pr.*, ***s'—,*** **1** ontsnappen, ontvluchten; **2** er even uitbreken; **3** (*sp.*) uitlopen; **4** zich vergeten, zich te buiten gaan.
écharde [éʃard] *f.* splinter *m.*
échardonnage [éʃardòna:j] *m.* het van distels zuiveren.
échardonner [éʃardòné] *v.t.* van distels zuiveren.
écharner [éʃarné] *v.t.* (*v. huid*) slichten, van het vlees ontdoen.
écharnoir [éʃarnwa:r] *m.* slichtmes, schaafmes *o.*
écharnure [éʃarnü:r] *f.* afschraapsel *o.* van huid.
écharpe [éʃarp] *f.* **1** sjerp *m.*; **2** das *v.(m.)*; sjaal *m.*; **3** draagband *m.*; ***en —,*** overdwars, schuins; ***prendre en —,*** (*v. auto, enz.*) in de flank aanrijden, schuin inrijden op.
écharper [éʃarpé] **I** *v.t.* **1** (*mil.*) in de pan hakken; **2** verwonden, verminken; **3** lynchen; **4** (*tn.: v. vlas, enz.*) in draden afdelen; **II** *v.i.* in schuine richting marcheren.
échasse [éʃɑ:s] *f.* **1** stelt *v.(m.)*; **2** (*bouwk.*) steigerpaal *m.*; **3** (*Dk.*) strandruiter, oeverloper *m.*; ***être monté sur des —s,*** **1** lange benen hebben; **2** hoogdravend zijn.
échassier [éʃɑ'syé] *m.* steltloper *m.*
échauboulé [éʃo'bulé] *adj.* vol puistjes.
échauboulure [éʃo'bulü:r] *f.* puistje *o.*
échaudage [éʃo'da:j] *m.* **1** (het) broeien *o.*; **2** (het) begieten *o.* met heet water; **3** kalkwater *o.*; **4** (het) witten *o.*
échauder [éʃo'dé] **I** *v.t.* **1** broeien; **2** met heet water begieten; **3** met kalk witten; **II** *v.pr.*, ***s'—,*** **1** zich branden; **2** (*fig.*) zich de vingers branden; ***chat échaudé craint l'eau froide,*** een ezel stoot zich geen tweemaal aan dezelfde steen.
échaudoir [éʃo'dwa:r] *m.* (*v. slachthuis*) wasplaats *v.(m.)* (waar het vlees tevens in bouten verdeeld wordt voor grossiers).
échaudure [éʃo'dü:r] *f.* brandwond *v.(m.)* (door heet water).
échauffement [éʃo'fmã] *m.* **1** verwarming, verhitting *v.*; **2** (*gen.*) verstopping, hardlijvigheid *v.*; **3** opwinding *v.*
échauffer [éʃo'fé] **I** *v.t.* **1** verwarmen, verhitten; **2** warm doen lopen; **3** hardlijvig maken; **4** prikkelen, opwinden; ***— la bile à qn.,*** iem. boos maken; **II** *v.pr.*, ***s'—,*** **1** warm worden, verhit worden; **2** warm lopen; **3** zich opwinden; driftig worden.
échauffourée [éʃo'furé] *f.* **1** roekeloze onderneming *v.*; **2** schermutseling *v.*; **3** opstootje *o.*, vechtpartij *v.*
échauffure [éʃo'fü:r] *f.* **1** hittepuistje *o.*; **2** verstopping *v.*; **3** mufheid *v.*
échauguette [éʃo'gèt] *f.* **1** wachttoren, uitkijktoren *m.*; **2** (*sch.*) kraaienest *o.*
échauler [éʃo'lé] *v.t.* kalken; met kalk bemesten.
échéable [éʃéa'bl] *adj.* vervalbaar.
échéance [éʃéã:s] *f.* **1** vervaldag *m.*; **2** vervallen bedrag *o.*; ***à brève —, à courte —,*** binnenkort; ***payer à l'—,*** op de vervaldag betalen; ***traite à courte —,*** wissel op kort zicht; ***à longue —,*** **1** op lange termijn; **2** op lang zicht.
échéancier [éʃéã'syé] *m.* acceptenboek *o.*
échéant [éʃéã], ***le cas —,*** bij gelegenheid, eventueel.
échec [éʃè(k)] *m.* **1** schaak *o.*; **2** tegenslag *m.*, mislukking *v.*; nederlaag *v.(m.)*; ***faire — à,*** **1** schaak zetten; **2** (*fig.*) doen mislukken, dwarsbomen; ***— et mat,*** schaakmat; ***tenir en —,*** in bedwang houden; ***—s*** [éʃè], **1** schaakspel *o.*; **2** schaakstukken *mv.*; ***jouer aux —,*** schaken.
échelette [éʃlèt] *f.* **1** laddertje *o.*; **2** wagenladder *v.(m.)*.
échelle [éʃèl] *f.* **1** ladder *v.(m.)*; **2** toonladder, toonschaal *v.(m.)*; **3** schaal *v.(m.)*; maatstaf *m.*; **4** peilschaal *v.(m.)*; ***— double,*** trapladder; ***— de corde,*** touwladder; ***— à coulisse,*** schuifladder; ***— de commandement,*** staatsietrap; ***— des eaux,*** peilschaal *v.(m.)*; ***— des couleurs,*** kleurengamma *v.(m.)*; ***l'— sociale,*** de maatschappelijke ladder; ***sur une grande —,*** op grote schaal; ***après cela il faut tirer l'—,*** dat is het toppunt; dat doet de deur dicht.
échelon [éʃlõ] *m.* **1** sport *v.(m.)*; trede *v.(m.)*; **2** (*fig.*) trap, rang *m.*; ***par —s, d'—s en —s,*** trapsgewijze.
échelonnement [éʃlòn(e)mã] *m.* (*v. betalingen*) spreiding *v.*
échelonner [éʃlòné] **I** *v.t.* **1** van afstand tot afstand opstellen; **2** (*v. betalingen, enz.*) regelmatig verdelen over zekere tijd; ***— les payements,*** in termijnen afbetalen; **II** *v.pr.*, ***s'—,*** **1** van afstand tot afstand opgesteld zijn; **2** met vaste tussenruimten geschieden.
échenillage [éʃniya:j] *m.* rupsenverdelging *v.*
écheniller [éʃniyé] *v.t.* van rupsen zuiveren.
échenilloir [éʃniywa:r] *m.* rupsentang, rupsenschaar *v.(m.)*.
écheveau [éʃvo] *m.* **1** (*v. wol, garen, enz.*) streng *v.(m.)*; **2** ingewikkelde zaak *v.(m.)*; ***dévider son —,*** doorratelen.
échevelé [éʃ(e)vlé] *adj.* **1** met verwarde (*of* loshangende) haren; **2** (*fig.*) dwaas; wild, dol.
échevette [éʃvèt] *f.* strengetje *o.*
échevin [éʃvẽ] *m.* (*N.*) wethouder *m.*; (*B.*) schepen *m.*
échevinage [éʃvina:j] *m.* waardigheid *v.* van schepen.
échevinal [éʃvinal] *adj.* van de schepenen; ***col-***

***lège* —,** Burgemeester en wethouders; (*B.*) Burgemeester en schepenen.

échidné [ékidné] *m.* mierenegel *m.*

échine [éʃin] *f.* **1** ruggegraat *v.(m.)*; **2** (*bouwk.*) echinus *m.*; ***avoir l'— souple,*** kruipen; ***courber l'—,*** kruipen, het hoofd buigen, onderdanig zijn.

échiné [ékiné] *adj.* met stekels bezet.

échinée [éʃiné] *f.* (*v. varken*) rugstuk *o.*

échinéens [ékinéẽ] *m.pl.* egelachtigen *mv.*

échiner [éʃiné] **I** *v.t.* **1** de ruggegraat breken van; **2** (*fig.*) doodslaan; **3** afbeulen; **II** *v.pr.*, ***s'—,*** zich afsloven, zich afbeulen, zich doodwerken.

échinodermes [ékinòdèrm] *m.pl.* stekelhuidigen *mv.*

échiqueté [éʃikté] *adj.* geruit.

échiquier [éʃikyé] *m.* **1** schaakbord *o.*; **2** kruisnet *o.*, totebel *v.(m.)*; ***en —,*** in vakken verdeeld, geruit; ***chancelier de l'—,*** kanselier *m.* van de schatkist.

écho [éko] *m.* **1** echo *m.*, weergalm *m.*; **2** weerklank *m.*; ***—s,*** (*in dagblad*) allerlei *o.*, nieuwtjes *mv.*; ***faire — à,*** instemmen met; ***se faire l'— de,*** overbrengen; vertolken.

échoir* [éʃwa:r] *v.i.* **1** ten deel vallen; **2** (*v. coupons, wissel, enz.*) vervallen, betaalbaar zijn, verschijnen; ***— mal,*** het slecht treffen.

échoppe [éʃòp] *f.* **1** kraampje, stalletje *o.*; **2** etsnaald *v.(m.)*.

échopper [éʃòpé] *v.t.* met de etsnaald graveren.

échoppier [éʃòpyé] *m.* kramer *m.*

échotier [ékòtyé] *m.* redacteur *m.* gemengde berichten.

échouage [éʃwa:j] *m.* **1** (vrijwillige, opzettelijke) stranding *v.*; **2** strandplaats *v.(m.)*.

échouement [éʃumã] *m.* stranding *v.*

échouer [éʃwé] **I** *v.i.* **1** stranden; **2** (*fig.*) mislukken, schipbreuk lijden; (*voor examen*) zakken; **II** *v.t.* op het strand zetten; **III** *v.pr.*, ***s'—,*** stranden, op het strand lopen.

échu [éʃü] (*part. passé v.* ***échoir***), vervallen.

écimage [ésima:j] *m.* het aftoppen, knotten *o.*

écimer [ésimé] *v.t.* aftoppen, knotten.

éclaboussement [éklabusmã] *m.* bespatting *v.*

éclabousser [éklabusé] *v.t.* **1** bespatten, bemodderen; **2** (*fig.*) de ogen uitsteken van.

éclaboussure [éklabusü:r] *f.* **1** spat, modderspat *v.(m.)*; **2** (*fig.*) smet *v.(m.)*; **3** klap *m.*

éclair [éklè:r] *m.* **1** bliksem *m.*; bliksemstraal *m. en v.*; **2** flikkering, glinstering *v.*; ***il fait des —s,*** het weerlicht; ***lancer des —s,*** vonken schieten; ***fermeture —,*** patentsluiting, ritssluiting *v.*; ***— de génie,*** geniale inval *m.*; ***— de bonheur,*** kortstondig geluk *o.*

éclairage [éklè·ra:j] *m.* verlichting *v.*; ***— au gaz,*** gasverlichting; ***gaz d'—,*** lichtgas *o.*

éclairagiste [éklè·rajist] *m.* verlichtingsspecialist *m.*

éclaircie [éklèrsi] *f.* **1** (*in bos, enz.*) open plek *v.(m.)*; **2** (*v. lucht*) opklaring *v.*; lichte plek *v.(m.)* (in de wolken); **3** (*v. vruchten, bomen*) uitdunning *v.*; **4** (*fig.*) gunstige wending, (tijdelijke) verbetering *v.*

éclaircir [éklèrsi:r] **I** *v.t.* **1** doen opklaren; **2** (*v. kleur*) lichter maken; **3** (*v. bos, enz.*) uitdunnen; **4** (*v. saus, siroop*) verdunnen; **5** (*v. geheim*) ophelderen; **II** *v.pr.*, ***s'—,*** **1** (*v. lucht*) opklaren; **2** (*v. gelaat, weer*) ophelderen; **3** (*v. kleur*) minder donker worden; **4** dunner worden; **5** opgehelderd worden.

éclaircissage [éklèrsisa:j] *m.* **1** het polijsten; **2** uitdunning *v.*

éclaircissement [éklèrsismã] *m.* **1** (het) dunner maken *o.*; **2** (het) lichter maken *o.*; **3** uitdunning *v.*; **4** opklaring *v.*; **5** opheldering *v.*

éclairé [éklè·ré] *adj.* **1** verlicht; **2** schrander, verstandig; **3** welingelicht.

éclairement [éklèrmã] *m.* **1** verlichting *v.*; **2** opheldering *v.*

éclairer [éklè·ré] **I** *v.t.* **1** verlichten; **2** (*v. schilderij, enz.*) belichten; **3** (*v. persoon*) voorlichten; **4** bijlichten; **5** (*v. onderwerp, enz.*) toelichten; **6** (*mil.*) verkennen; **II** *v.i.* **1** licht geven; **2** fonkelen; ***— mal,*** (*v. lamp*) slecht branden; **III** *v.imp.* weerlichten, bliksemen; **IV** *v.pr.*, ***s'—,*** **1** verlicht worden; **2** licht ontvangen van; **3** (*v. gelaat*) ophelderen; **4** het terrein verkennen.

éclaireur [éklè·rœ:r] *m.* **1** verkenner *m.*; **2** padvinder *m.*; **3** verkenningsvliegtuig *o.*; ***envoyer en —,*** op verkenning zenden.

éclaireuse [éklèrö:z] *f.* padvindster *v.*

éclampsie [éklã·psi] *f.* (*gen.*) stuipen *mv.*

éclanche [éklã:ʃ] *f.* schapebout *m.*

éclat [ékla] *m.* **1** (*v. hout, been*) splinter *m.*; **2** (*v. glas, steen, metaal*) scherf *v.(m.)*; **3** slag, knal *m.*; **4** uitbarsting *v.*; **5** glans *m.*, schittering *v.*; **6** pracht *v.(m.)*; ***voler en —s,*** in stukken vliegen; ***— de rire,*** schaterlach *m.*; ***rire aux —s,*** schaterlachen; ***faire de l'—,*** opzien baren; ***action d'—,*** roemrijke daad.

éclatant [éklatã] *adj.* **1** schitterend; verblindend; **2** (*v. geluid*) schetterend, schel; **3** luisterrijk, glansrijk; **4** roemrijk.

éclatement [éklatmã] *m.* **1** (het) barsten *o.*; (het) springen *o.*; **2** (*v. oorlog*) (het) uitbarsten, (het) uitbreken *o.*

éclater [éklaté] *v.i.* **1** barsten; springen; **2** uitbarsten, uitbreken; **3** (*v. onweer*) losbarsten; **4** (*v. brand*) uitbreken; **5** afschilferen; **6** (*v. schoten*) knallen; **7** fonkelen, schitteren; ***— de rire,*** schaterlachen, in lachen uitbarsten; ***— de santé,*** blaken van gezondheid.

éclectique [éklèktik] **I** *adj.* eclectisch; **II** *s., m.* eclecticus *m.*

éclectisme [éklèktizm] *m.* eclectisme *o.*

éclipse [éklips] *f.* **1** (*v. zon, maan*) verduistering *v.*; **2** (tijdelijke) afwezigheid *v.*; ***— annulaire,*** ringvormige eclips *v.(m.)*; ***phare à —s,*** flikkerlicht *o.*

éclipser [éklipsé] **I** *v.t.* **1** verduisteren; **2** (*fig.*) in de schaduw stellen, overtreffen; **II** *v.pr.*, ***s'—,*** verdwijnen, zich uit de voeten maken.

écliptique [ékliptik] **I** *adj.* ecliptisch; **II** *s., f.* ecliptica *v.*, zonnebaan *v.(m.)*, (schijnbare) zonneweg *m.*

éclissage [éklisa:j] *m.* **1** het spalken; **2** (*v. rails*) het vastklinken *o.*

éclisse [éklis] *f.* **1** spaander *m.*; **2** splinter *m.*; **3** spalk *v.(m.)*; **4** (*voor rails*) lasplaat *v.(m.)*; **5** kaashorde *v.(m.)*.

éclisser [éklisé] *v.t.* **1** spalken; **2** lassen.

éclopé [éklòpé] **I** *adj.* kreupel, verminkt; **II** *s., m.* kreupele, verminkte *m.*

écloper [éklòpé] *v.t.* kreupel maken, verminken.

éclore* [éklò:r] *v.i.* **1** (*v. kuikens*) uitkomen; **2** (*v. bloem*) ontluiken; **3** (*v. dag*) aanbreken; ***faire —,*** **1** uitbroeden; **2** doen ontluiken; **3** in 't leven roepen.

éclos [éklo] *adj.* ontloken.

éclosion [éklo·zyõ] *f.* **1** (het) uitkomen *o.*; **2** ontluiking *v.*, (het) ontluiken *o.*

éclusage [éklüza:j] *m.* (het) schutten *o.*

écluse [éklü:z] *f.* sluis *v.(m.)*; ***— à sas,*** schutsluis; ***— d'écoulement,*** uitlaatsluis; ***— de fuite,*** verlaat *o.*; ***l'É—,*** **1** Sluis (*Z.-Vl.*) *o.*; **2** Sluizen (*Brabant*) *o.*

éclusée [éklüzé] *f.* het water *o.* in de schutsluis.

éclusement [éklü·zmã] *m.* **1** (het) schutten *o.*; **2** (het) afsluiten *o.* (door sluizen).

écluser [éklü·zé] *v.t.* **1** (*v. schip*) schutten; **2** afsluiten (door sluis).

éclusier [éklü·zyé] *m.* sluiswachter *m.*

écobuage [ékòbwa:j] *m.* grondontginning *v.* met stoppelverbranding.

écobue [ékòbü] *f.* pikhouweel *o.* voor grondontginning.

écobuer [ékòbẅé] *v.t.* ontginnen van de grond, verbranden van de stoppels en bemesten met de as.
écœurant [ékœ'rã] *adj.* walgelijk; ergerlijk.
écœurement [ékœ'rmã] *m.* walging *v.*
écœurer [ékœ'ré] *v.t.* doen walgen.
écoinçon, écoinson [ékwẽ'sõ] *m.* **1** hoeksteen *m.*; **2** hoekkast *v.(m.)*, hoekmeubel *o.* [zoek *o.*
écolage [ékòla:j] *m.* **1** schoolgeld *o.*; **2** schoolbe-
école [ékòl] *f.* **1** school *v.(m.)*; **2** leerschool *v.(m.)*; **3** dressuur *v.*; **4** blunder, flater *m.*; **5** scholastiek *v.*; ***— maternelle,*** bewaarschool; ***— primaire, — élémentaire,*** lagere school; ***— primaire supérieure,*** (*N.*) U. L. O.-school; ***— secondaire,*** middelbare school; ***— normale,*** (*N.*) kweekschool; (*B.*) normaalschool; ***— supérieure,*** hogeschool; ***— professionnelle,*** vakschool, ambachtsschool; ***— des beaux-arts,*** Academie voor beeldende kunsten; ***— des arts et métiers,*** kunstnijverheidsschool; ***— à classe unique,*** eenmansschool; ***être à bonne —,*** op een goede leerschool zijn; ***renvoyer qn. à l'—,*** iem. zijn domheid doen inzien; ***sentir l'—,*** pedant doen; ***faire —,*** navolgers vinden, school maken; ***tenir —,*** onderwijs geven.
écolier [ékòlyé] **I** *m.*, **écolière** [ékòlyè:r] *f.* scholier *m.*, —ster *v.*, schooljongen *m.*, —meisje *o.*; ***faute d'—,*** blunder *m.*, grove domheid *v.*; ***suivre le chemin des —s,*** de langste weg volgen, een omweg maken; **II** *adj.* ***papier —,*** papier voor schoolschriften; ***la gent écolière,*** het schoolvolkje; ***manières écolières,*** schooljongensmanieren.
éconduire* [ékõ'dẅi:r] *v.t.* afschepen, afwijzen.
économat [ékònòma] *m.* provisoraat *o.*
économe [ékònòm] **I** *adj.* zuinig, spaarzaam; **II** *s., m.* **1** provisor *m.*; **2** (*v. schip*) administrateur *m.*
économie [ékònòmi] *f.* **1** zuinigheid, spaarzaamheid *v.*; **2** huishoudkunde *v.*; **3** bezuiniging; besparing *v.*; **4** ***—s,*** spaarpenningen *mv.*; ***— de bouts de chandelles,*** verkeerde zuinigheid; ***— domestique,*** huishoudkunde; ***— sociale, — politique,*** staathuishoudkunde; ***faire des —s,*** sparen; ***il n'y a pas de petites —s,*** alle beetjes helpen.
économique [ékònòmik] *adj.* **1** economisch, huishoudkundig; **2** zuinig, spaarzaam; ***chauffage —,*** goedkope verwarming; ***— à l'usage,*** voordelig in 't gebruik.
économiser [ékònòmi'zé] *v.t.* **1** sparen; **2** bezuinigen op; **3** zuinig omgaan met. [econoom *m.*
économiste [ékònòmist] *m.* staathuishoudkundige,
écope [ékòp] *f.* **1** hoosvat *o.*; **2** afroomschaal *v.(m.)*, afscheplepel *m.*
écoper [ékòpé] **I** *v.t.* (water)hozen, leeghozen; **II** *v.i.*, er inlopen, het gelag betalen; 't loodje leggen.
écoperche [ékòpèrʃ] *f.* hijsbalk *m.*; steigerpaal *m.*
écorçage [ékòrsa:j] *m.* ontschorsing *v.*
écorce [ékòrs] *f.* **1** schors *v.(m.)*, bast *m.*; **2** schil *v.(m.)*; **3** (*fig.*) uiterlijk *o.*, schijn *m.*; buitenkant *m.*; ***— confite (de melon),*** sukade *v.(m.)*; ***— de quinquina,*** kinabast *m.*
écorcement [ékòrs(e)mã] *m.* ontschorsing *v.*
écorcer [ékòrsé] *v.t.* **1** ontschorsen; **2** schillen; **3** (*v. rijst, enz.*) pellen.
écorché [ékòrʃé] *m.* anatomische afbeelding *v.* van mens of dier.
écorchement [ékòrʃ(e)mã] *m.* (het) villen *o.*
écorcher [ékòrʃé] *v.t.* **1** villen, het vel afstropen; **2** ontvellen, schrammen; **3** (*fam.*) afzetten, het vel over de oren halen; **4** (*fig.: v. taal*) radbraken; **5** (*v. gehoor*) kwetsen; **6** (*v. schrijver*) slecht verklaren, verminken; ***il crie comme si on l'écorchait,*** hij schreeuwt als een bezetene, — alsof hij vermoord wordt. [winkel *m.*
écorcherie [ékòrʃeri] *f.* **1** vilderij *v.*; **2** afzetters-
écorcheur [ékòrʃœ:r] *m.* **1** vilder *m.*; **2** afzetter *m.*
écorchure [ékòrʃü:r] *f.* ontvelling *v.*, schaafwond, schram *v.(m.)*.
écorner [ékòrné] *v.t.* **1** de horens afzagen van; **2** een hoek (*of* de hoeken) afbreken van; **3** (*fig.: v. kapitaal, enz.*) aanspreken, interen.
écornifler [ékòrniflé] *v.t.* (*v. geld, eten*) oplopen, schooien, door klaploperij krijgen.
écornifllerie [ékòrnifleri] *f.* klaploperij *v.*
écornifleur [ékòrniflœ:r] *m.* klaploper, tafelschuimer *m.*
écornure [ékòrnü:r] *f.* afgebroken hoek *m.*
écossais [ékòsè] **I** *adj.* Schots; ***étoffe —e,*** geruite stof; **II** *s., m.* ***É—,*** Schot *m.*
Écosse [ékòs] *f.* Schotland *o.*
écosser [ékòsé] **I** *v.t.* (*v. erwten, enz.*) doppen; **II** *v.pr.*, ***s'—,*** uit de peul gaan. [gezelschap *o.*
écot [éko, ékò] *m.* **1** gelag *o.*; **2** aandeel *o.*; **3** dis-
écôter [éko'té] *v.t.* (*v. tabak*) strippen.
écoulement [ékulmã] *m.* **1** (het) wegvloeien *o.*; **2** afwatering *v.*; **3** (*v. menigte*) (het) uiteengaan *o.*; **4** (*v. waren*) afzet *m.*; **5** (*gen.*) lozing *v.*; **6** (*v. tijd*) (het) voorbijgaan *o.*
écouler [ékulé] **I** *v.t.* (*v. goederen*) van de hand doen, aan de markt brengen; **II** *v.pr.*, ***s'—,*** **1** afvloeien; **2** (*v. menigte*) uiteengaan; **3** (*v. tijd*) verstrijken, voorbijgaan; **4** (*H.*) van de hand gaan, aftrek hebben; ***le quinze écoulé,*** de vijftiende van de vorige maand.
écourter [ékurté] *v.t.* **1** afkorten; **2** (*v. werk, rede, enz.*) besnoeien.
écoutant [ékutã] **I** *adj.* luisterend; **II** *s., m.* toehoorder; luisteraar *m.*
écoute [ékut] *f.* **1** luisterhoekje *o.*; **2** (het) luisteren *o.*; **3** (*sch.: v. zeil*) schoot *m.*; ***poste d'—,*** luisterpost *m.*; ***être aux —s, être à l'—,*** luisteren; ***sœur —,*** (*in klooster*) luisterzuster *v.*
écouter [ékuté] **I** *v.t.* **1** luisteren naar; aanhoren; **2** (*v. gebed*) verhoren; **3** afluisteren, beluisteren; ***se faire —,*** gehoor vinden; gezag hebben; **II** *v.pr.*, ***s'—,*** **1** met zich zelf ingenomen zijn; **2** bezorgd zijn om zijn gezondheid; altijd menen iets te voelen; ***s'— parler,*** zich zelf graag horen spreken.
écouteur [ékutœ:r] *m.* **1** luisteraar *m.*; **2** luistervink *m. en v.*; **3** (*v. radio*) hoortoestel *o.*, koptelefoon *m.*; **4** telefoonhoorn *m.*
écoutille [ékuti'y] *f.* (*sch.*) luik *o.*; luikgat *o.*
écouvillon [ékuviyõ] *m.* **1** ovendweil *m.*; **2** (*mil.*) kanonwisser *m.*
écouvillonner [ékuviyòné] *v.t.* met dweil of wisser reinigen, schoonmaken.
écrabouillage [ékrabuya:j] *m.* vermorzeling *v.*
écrabouiller *v.t.* (*pop.*) vermorzelen.
écran [ékrã] *m.* **1** scherm, vuurscherm, lichtscherm *o.*; **2** projectiedoek, witte doek *o.*; **3** (*fig.*) filmkunst *v.*; **4** (*fot.*) filter *m. en o.*; ***servir d'—,*** ter bescherming dienen. [overweldigend.
écrasant [ékrɑ'zã] *adj.* verpletterend; drukkend;
écrasé [ékrɑ'zé] *adj.* **1** (*v. gestalte*) ineengedrongen; **2** (*v. neus, hoed*) plat.
écrasement [ékrɑ'zmã] *m.* verplettering, verbrijzeling, vermorzeling.
écraser [ékrɑ'zé] **I** *v.t.* **1** verpletteren; verbrijzelen, vermorzelen; **2** overrijden; **3** (*v. volk*) verdrukken; **4** (*fig.*) overstelpen (met); **5** (*v. insekt*) doodtrappen; **6** (*v. druiven*) persen; **II** *v.pr.*, ***s'—,*** **1** verpletterd worden; **2** elkaar verdringen.
écraseur [ékrɑ'zœ:r] *m.* doodrijder *m.* [men *o.*
écrémage [ékréma:j] *m.* afroming *v.*, (het) ontro-
écrémer [ékrémé] *v.t.* **1** afromen, ontromen; **2** (*fig.*) het beste afnemen van; ***lait écrémé,*** taptemelk *v.(m.)*.

écrémeuse [ékrémö:z] *f.* ontromer *m.*
écrémoir [ékrémwa:r] *m.* roomlepel *m.*
écrêter [ékrè'té] *v.t.* **1** (*v. haan*) ontkammen; **2** (*met kanon*) bovenste stuk (*v. huis, muur enz.*) afschieten.
écrevisse [ékrevis] *f.* kreeft, rivierkreeft *m. en v.*; ***— de mer,*** zeekreeft; ***marcher comme une —,*** de kreeftegang gaan.
écrier, s'— [sékri(y)é] *v.pr.* uitroepen, roepen.
écrille [ékri'y] *f.* (*voor vijver*) tenen visweer *m.*
écrin [ékrẽ] *m.* juwelenkistje *o.*
écrire* [ékri:r] *v.t.* **1** schrijven; **2** opschrijven, inschrijven; ***il écrit mieux qu'il ne parle,*** hij schrijft beter dan hij spreekt.
écrit [ékri] *m.* **1** geschrift *o.*; **2** stuk, bewijs *o.*; **3** schriftelijk examen *o.*; ***un mot d'—,*** een briefje; ***mettre par —,*** opschrijven; ***—s,*** geschriften, werken *mv.*
écriteau [ékrito] *m.* **1** opschrift *o.*; **2** bordje *o.*
écritoire [ékritwa:r] *f.* inktstel *o.*; schrijfkoker *m.*
écriture [ékritü:r] *f.* **1** schrijfkunst *v.*; **2** schrift *o.*; **3** schrijfwijze, hand *v.*(*m.*); **4** (het) geschrevene *o.*; **5** stijl *m.*; ***l'É— sainte,*** de Heilige Schrift *v.*(*m.*), de Schriftuur *v.*; ***commis aux —s,*** kantoorbeambte, schrijver; boekhouder *m.*; ***faux en —s,*** valsheid in geschrifte.
écrivailler [ékriva'yé] *v.i.* papier bekladden, — vermorsen.
écrivailleur [ékriva'yœ:r] *m.* kladschrijver, prulschrijver *m.*
écrivain [ékrivẽ] *m.* schrijver, auteur *m.*; ***femme —,*** schrijfster *v.*
écrivassier [ékrivasyé] *m.* kladschrijver *m.*
écrou [ékru] *m.* **1** (schroef)moer *v.*(*m.*); **2** gevangenisrol *v.*(*m.*); ***lever l'—,*** uit de gevangenis (*of* hechtenis) ontslaan.
écrouelles [ékruèl] *f.pl.* kliergezwel *o.*
écrouer [ékrué] *v.t.* achter slot en grendel zetten.
écrouir [ékrui:r] *v.t.* koud smeden.
écrouissage [ékruisa:j] *m.* (*v. metaal*) harding *v.*
écroulement [ékrulmã] *m.* **1** instorting *v.*; **2** ineenstorting *v.*; ondergang *m.*
écrouler, s'— [sékrulé] *v.pr.* **1** instorten; **2** ineenstorten; **3** in duigen vallen; ***faire —,*** in duigen doen vallen; te gronde richten.
écroûter [ékruté] *v.t.* van de korst ontdoen.
écru [ékrü] *adj.* **1** ruw; **2** ongebleekt; ongewassen; **3** (*v. ijzer*) slecht geweld, slecht gezuiverd.
écu [ékü] *m.* **1** schild *o.*; **2** wapenschild *o.*; **3** (*vroeger*) kroon *v.*(*m.*); **4** bep. papierformaat (40 × 51 of 52 cm); ***avoir des —s,*** geld hebben, duiten hebben; ***voilà le reste de nos —s,*** dat ontbrak er nog maar aan.
écubier [ékübyé] *m.* (*sch.*) kluisgat *o.*
écueil [ékœ'y] *m.* klip *v.*(*m.*), rif *o.*
écuelle [ékwèl] *f.* kom, schaal *v.*(*m.*), nap *m.*; ***qui s'attend à l'— d'autrui dîne souvent par cœur,*** wie op anderen vertrouwt, komt vaak bedrogen uit.
écuellée [ékwèlé] *f.* 'n kom *v.*(*m.*) vol, 'n nap *m.* vol.
éculer [ékülé] *v.t.* (*v. schoenen*) uitlopen, scheeflopen.
écumage [éküma:j] *m.* (het) afschuimen *o.*
écumant [ékümã] *adj.* **1** schuimend; **2** schuimbekkend.
écume [éküm] *f.* schuim *o.*; ***— de mer,*** meerschuim *o.*; ***pipe d'—,*** meerschuimen pijp *v.*(*m.*).
écumer [ékümé] **I** *v.t.* **1** afschuimen; **2** (*v. eten, geld*) oplopen; ***— les mers,*** zeeschuimen; ***— des nouvelles,*** op nieuwtjes uitgaan; **II** *v.i.* **1** schuimen; **2** schuimbekken.
écumette [ékümèt] *f.* (kleine) schuimspaan *v.*(*m.*).
écumeur [ékümœ:r] *m.* schuimer *m.*; ***— de mer,*** zeeschuimer; ***— de marmites, — de tables,*** tafelschuimer; ***— littéraire,*** letterdief *m.*
écumeux [ékümö] *adj.* schuimend, met schuim bedekt.
écumoire [ékümwa:r] *f.* schuimspaan *v.*(*m.*).
écurage [éküra:j] *m.* **1** (het) schoonmaken *o.*; **2** afschuring *v.*, (het) afschuren *o.*
écurer [éküré] *v.t.* **1** (*v. put, tanden, enz.*) schoonmaken; **2** (*v. ketel, enz.*) afschuren; **3** (*v. sloot*) uitbaggeren.
écureuil [éküroe'y] *m.* eekhoorntje *o.*
écureur [ékü'rœ:r] *m.* schoonmaker *m.*
écurie [éküri] *f.* paardestal *m.*; ***— de courses,*** renstal *m.*; ***sentir l'—,*** **1** (*v. paard*) de stal ruiken; **2** een vlegel zijn; ***mettre à l'—,*** stallen; ***langage d'—,*** straattaal *v.*(*m.*); ***fermer l'— quand les chevaux sont dehors,*** de put dempen, als 't kalf verdronken is.
écusson [éküsõ] *m.* **1** wapenschild *o.*; **2** nummerplaat *v.*(*m.*); **3** naamplaatje *o.*; **4** sleutelplaatje, dekplaatje *o.*; **5** (*v. koe*) melkspiegel *m.*; **6** oculeerschors *v.*(*m.*).
écussonner [éküsòné] *v.t.* **1** oculeren; **2** van een wapenschild voorzien.
écussonnoir [éküsònwa:r] *m.* oculeermes *o.*
écuyer [ékwiyé] *m.* **1** schildknaap *m.*; **2** jonker *m.*; **3** stalmeester *m.*; **4** rijmeester *m.*; **5** kunstrijder *m.*; **6** trapleuning *v.*; **7** leistaak *m.*; ***— de cuisine,*** keukenmeester, hofmeester *m.*; ***— tranchant,*** voorsnijder *m.*
écuyère [ékwiyè:r] *f.* paardrijdster; kunstrijdster *v.*; ***bottes à l'—,*** rijlaarzen *mv.*
eczéma [ègzéma] *m.* huiduitslag *m.*, eczeem *o.*
eczémateux [ègzématö] **I** *adj.* eczeemachtig; **II** *s., m.* eczeemlijder *m.*
éden [édèn] *m.* Eden, paradijs *o.*
édénien [édényẽ] *adj.* paradijsachtig.
édenté [édã'té] *adj.* tandeloos.
édenter [édã'té] **I** *v.t.* de tanden uittrekken; **II** *v.pr.* ***s'—,*** de tanden verliezen; aftands worden.
édicter [édikté] *v.t.* **1** uitvaardigen; **2** (*v. straf*) bepalen.
édicule [édiküI] *m.* **1** gebouwtje *o.*; **2** (*oudh.*) tempeltje *o.*
édifiant [édifyã] *adj.* stichtelijk; ***peu —,*** onverkwikkelijk.
édificateur [édifikatœ:r] *m.* **1** oprichter *m.*; **2** stichter *m.*
édification [édifika'syõ] *f.* **1** oprichting *v.*; **2** stichting *v.*
édifice [édifis] *m.* gebouw *o.*
édifier [édifyé] *v.t.* **1** bouwen; oprichten; **2** (*v. systeem, enz.*) opbouwen; **3** stichten; **4** volledig inlichten.
édile [édil] *m.* (*gesch.*) aedilis *m.*; ***les —s,*** de vroede vaderen.
édilité [édilité] *f.* **1** (*gesch.*) ambt *o.* van aedilis; **2** stadsbestuur *o.*
Édimbourg [édẽ'bu:r] *m.* Edinburg *o.*
édit [édi] *m.* edict, bevelschrift *o.*
éditer [édité] *v.t.* uitgeven.
éditeur [éditœ:r] *m.* uitgever *m.*
édition [édisyõ] *f.* **1** uitgave *v.*(*m.*); **2** druk *m.*; oplage *v.*(*m.*); ***maison d'—(s),*** uitgeverij, uitgeversmaatschappij *v.*
éditorial [éditòryal] **I** *adj.* redactioneel; redactie-; **II** *s., m.* hoofdartikel *o.* (van de redactie).
Édouard [édwa:r] *m.* Eduard *m.*
édredon [édredõ] *m.* **1** eiderdons *o.*; **2** dekbed *o.*
éducable [édüka'bl] *adj.* opvoedbaar.
éducateur [édükatœ:r] **I** *m.* opvoeder *m.*; **II** *adj.* opvoedings-; opvoedend.
éducatif [édükatif] *adj.* opvoedend, vormend; ***cinéma —,*** schoolfilm *m.*, schoolbioscoop *m.*

éducation [édüka'syõ] *f.* **1** opvoeding *v.*; **2** opleiding *v.*; **3** (*v. dier*) africhting *v.*; **4** (*v. planten*) teelt *v.*(*m.*), aankweking *v.*; — ***professionnelle,*** vakopleiding; — ***physique,*** lichamelijke opvoeding; ***avoir de l'—,*** goed opgevoed zijn; ***faire l'— de,*** opvoeden.
édulcorant [édülkòrã] **I** *adj.* verzoetend; **II** *s., m.* zoetstof *v.*(*m.*).
édulcoration [édülkòra'syõ] *f.* verzoeting *v.*
édulcorer [édülkòré] *v.t.* verzoeten.
éduquer [édüké] *v.t.* opvoeden.
éfaufiler [éfo'filé] *v.t.* uitrafelen.
effaçable [éfasa'bl] *adj.* uitwisbaar.
effacé [éfasé] *adj.* bescheiden; teruggetrokken.
effacement [éfasmã] *m.* **1** uitwissing *v.*; **2** doorhaling *v.*; **3** schrapping *v.*; **4** vergetelheid *v.*; **5** teruggetrokkenheid *v.*; *voir* ***effacer.***
effacer [éfasé] **I** *v.t.* **1** uitwissen; uitvegen, wegvegen; **2** (*met pen, potlood*) doorhalen; **3** (*v. naam, enz.*) schrappen; **4** (*v. kleur*) doen verbleken; **5** (*v. rimpels*) doen verdwijnen; **6** (*v. lichaam, schouders*) intrekken; **7** (*fig.*) overtreffen, in de schaduw stellen; **II** *v.pr.*, ***s'—,*** **1** verbleken; **2** zich op de achtergrond houden; bescheiden terugtreden; **3** uitwijken; opzij gaan; ***s'— pour qn.,*** iem. de voorrang laten, zich terugtrekken voor iem.
effaçure [éfasü:r] *f.* doorhaling *v.*
effaner [éfané] *v.t.* ontbladeren.
effaré [éfa'ré] *adj.* ontsteld, ontdaan.
effarement [éfa'rmã] *m.* ontsteltenis *v.*
effarer [éfa'ré] **I** *v.t.* doen ontstellen; **II** *v.pr.*, ***s'—,*** ontstellen, schrikken.
effarouche [éfaruʃ] *adj.* schuw.
effaroucher [éfaruʃé] **I** *v.t.* **1** afschrikken; **2** schuw maken, bang maken; **II** *v.pr.*, ***s'—,*** **1** afgeschrikt worden; wantrouwig worden; **2** schuw worden.
effectif [éfèktif] **I** *adj.* **1** wezenlijk, werkelijk; **2** (*fig.*) betrouwbaar; **II** *s., m.* (*mil.*) effectief *o.*, werkelijk aantal *o.*; — ***de paix,*** vredessterkte *v.*
effectivement [éfèkti:vmã] *adv.* werkelijk, inderdaad.
effectuation [éfèktẅa'syõ] *f.* uitvoering, voltrekking *v.* [voering *v.*]
effectuer [éfèktẅé] *v.t.* **1** uitvoeren; **2** verwezenlijken; tot stand brengen; **3** (*v. belofte*) vervullen; **4** (*v. betaling, storting*) doen.
effémination [éfémina'syõ] *f.* **1** verwekelijking *v.*; **2** verwijfdheid *v.*
efféminé [éféminé] *adj.* verwijfd; wekelijk.
efféminer [éféminé] *v.t.* **1** verwijfd maken; **2** verwekelijken.
efférent [éférã] *adj.* (*anat.*) afvoerend.
effervescence [éfèrvèsã:s] *f.* **1** opbruising *v.*; **2** gisting *v.*; **3** (*fig.*) onstuimigheid *v.*, drift *v.*(*m.*); opwinding *v.*
effervescent [éfèrvèsã] *adj.* **1** opbruisend; **2** gistend; **3** onstuimig, opvliegend; vurig.
effet [éfè] *m.* **1** gevolg *o.*; **2** uitwerking *v.*; **3** uitvloeisel *o.*; **4** (*bilj.*) effect *o.*; **5** (*v. rede, enz.*) indruk *m.*, effect *o.*; **6** (*v. wet*) werking *v.*; **7** (*v. machine*) vermogen *o.*, kracht *v.*(*m.*); **8** handelspapier *o.*, wissel *m.*; — ***de complaisance,*** ruiter *m.*; **—*s,*** goed *o.*, kleren *mv.*; bagage *v.*; **—*s mobiliers,*** roerende goederen; **—*s publics,*** staatspapieren, effecten *mv.*; ***à — rétroactif,*** met terugwerkende kracht; ***à cet —,*** daartoe, te dien einde; ***en —,*** inderdaad; ***à l'— de,*** met het doel om.
effeuillage [éfœya:j] *m.* ontbladering *v.* [deren.
effeuillaison [éfœyè'zõ] (het) vallen *o.* van de bladeren.
effeuillement [éfœymã] *m.* bladerloosheid *v.*
effeuiller [éfœyé] **I** *v.t.* ontbladeren; ***calendrier à —,*** scheurkalender *m.*; **II** *v.pr.*, ***s'—,*** zijn bladeren verliezen.
efficace [éfikas] *adj.* **1** (*v. geneesmiddel, enz.*) werkzaam; **2** (*v. middel, enz.*) doeltreffend, afdoend, heilzaam; ***la grâce —,*** de uitwerkende genade *v.*(*m.*).
efficacement [éfikasmã] *adv.* doeltreffend, afdoend, doelmatig.
efficacité [éfikasité] *f.* **1** werkzaamheid *v.*; **2** doeltreffendheid, doelmatigheid *v.*
efficience [éfisyã:s] *f.* efficiëntie *v.*, nuttig effekt *o.*, doelmatigheid *v.*
efficient [éfisyã] *adj.* werkend, uitwerkend.
effigie [éfi'ji] *f.* **1** beeld *o.*; **2** beeltenis *v.*; **3** beeldenaar *m.*
effilage [éfila:j] *m.* uitrafeling *v.*
effilé [éfilé] **I** *adj.* **1** uitgerafeld; **2** slank, dun; **3** (*v. stem*) zwak; **4** (*v. tong*) scherp; **II** *s., m.* franje *v.*(*m.*).
effiler [éfilé] *v.t.* **1** uitrafelen; **2** (*v. haar*) uitdunnen; **3** (*v. bonen*) aftrekken.
effilochage [éfilòʃa:j] *m.* (het) uitrafelen *o.*
effiloche [éfilòʃ], **effiloque** [éfilòk] *f.* vlokzijde *v.*(*m.*). [rafelen.
effilocher [éfilòʃé], **effiloquer** [éfilòké] *v.t.* uitrafelen.
effilocheuse [éfilòʃö:z] *f.* kapmachine *v.*
effilochure [éfilòʃü:r], **effilure** [éfilü:r] *f.* rafel *v.*(*m.*).
efflanqué [éflã'ké] *adj.* **1** mager, uitgemergeld; **2** (*v. stijl*) mat.
efflanquer [éflã'ké] *v.t.* doen vermageren, uitmergelen.
effleurement [éflœ'rmã] *m.* **1** lichte aanraking *v.*; **2** schramming *v.*; **3** (het) afschaven *o.*
effleurer [éflœ'ré] *v.t.* **1** even aanraken; **2** strijken langs, rakelings gaan langs; **3** schrammen; **4** (*v. onderwerp*) even aanroeren, oppervlakkig behandelen.
effleurir [éflœ'ri:r] *v.t.*, ***s'—,*** *v.pr.* verweren.
effloraison [éflorèzõ] *f.* begin *o.* van de bloeitijd.
efflorescence [éflòrèsã:s] *f.* **1** (*Pl.*) begin *o.* van de bloeitijd; **2** verwering *v.*; **3** (*gen.*) huiduitslag *m.*; **4** muursalpeter *m. en o.*; ***tomber en —,*** verweren; als stof uiteenvallen.
efflorescent [éflòrèsã] *adj.* **1** bloeiend; **2** verwerend.
effluence [éflüã:s] *f.* uitstroming *v.*
effluent [éflüã] *adj.* uitstromend.
effluve [éflü:v] *m.* **1** uitwaseming *v.*; **2** (*el.*) uitstroming *v.*; **—*s printaniers,*** lentegeuren *mv.*
effondrement [éfõ'dremã] *m.* **1** instorting *v.*; **2** (*fig.*) val *m.*, ineenstorting *v.*
effondrer [éfõ'dré] **I** *v.t.* **1** (*v. grond*) diep omgraven, diep omspitten; **2** inslaan, instoten, intrappen; **3** doen inzakken; **II** *v.pr.*, ***s'—,*** **1** inzakken, instorten; **2** ineenstorten.
effondrilles [éfõ'dri'y] *f.pl.* aanzetsel, aanbaksel *o.*
efforcer, s'— [séfòrsé] *v.pr.* zich inspannen (om), trachten (te), pogen (om).
effort [éfò:r] *m.* **1** poging, inspanning *v.*; **2** (*gen.*) vertilling *v.*; **3** (*v. paard*) verstuiking *v.*; ***se donner un —,*** zich verrekken, zich vertillen; ***faire des —s,*** pogingen aanwenden, zich inspannen; ***faire un — sur soi-même,*** zich geweld aandoen; ***sans —,*** zonder moeite; ***la loi du moindre —,*** de wet van de minste werking.
effraction [éfraksyõ] *f.* braak, inbraak *v.*(*m.*).
effraie [éfrè, éfrè'y] *f.* kerkuil *m.*
effrangement [éfrãjemã] *m.* het uitrafelen *o.*
effranger [éfrã'jé] *v.t.* uitrafelen.
effrayant [éfrèyã] *adj.* verschrikkelijk, vreselijk.
effrayer [éfrèyé] **I** *v.t.* verschrikken, schrik aanjagen; ***cela m'effraye,*** ik zie daartegen op; **II** *v.pr.*, ***s'—,*** schrikken, bang worden.
effréné [éfréné] *adj.* **1** teugelloos, ongebreideld; **2** onmatig.

effritement [éfritmã] *m.* **1** uitmergeling *v.*; **2** afbrokkeling, verbrokkeling *v.*
effriter [éfrité] **I** *v.t.* **1** (*v. bodem*) uitmergelen; **2** verbrokkelen; **II** *v.pr.*, ***s'—***, **1** uitgemergeld worden; **2** verweren, verbrokkelen.
effroi [éfrwa] *m.* ontzetting *v.*, schrik *m.*
effronté(ment) [éfrõ'té(mã)] *adj.* (*adv.*) onbeschaamd, schaamteloos, driest, brutaal.
effronterie [éfrõ'tri] *f.* onbeschaamdheid, schaamteloosheid, brutaliteit *v.*
effroyable(ment) [éfrwaya'bl(emã)] *adj.* (*adv.*) verschrikkelijk, vreselijk, ontzettend.
effruiter [éfrwité] *v.t.* van vruchten beroven.
effusion [éfü'zyõ] *f.* **1** uitstorting *v.*; **2** plenging *v.*; **3** uiting, ontboezeming *v.*; ***avec —***, vertrouwelijk; ***parler avec —***, zijn hart uitstorten.
éfourceau [éfurso] *m.* mallejan *m.*
égaiement [égèymã] *m.* opvrolijking *v.*
égailler, s'— [séga'yé] *v.pr.* zich verspreiden.
égal [égal] **I** *adj.* **1** gelijk; **2** effen; **3** gelijkmatig, gelijkvormig; **4** (*meetk.*) congruent; **5** (*v. karakter*) bestendig; ***c'est —***, dat doet er niet toe; ***cela m'est —***, dat kan mij niet schelen, het laat mij koud; **II** *s.*, *m.* gelijke *m.*; ***sans —***, weergaloos, zonder weerga; ***d'— à —***, op voet van gelijkheid; ***à l'— de***, evenzeer als.
égalable [égala'bl] *adj.* te evenaren.
également [égalemã] *adv.* **1** gelijk, gelijkelijk; **2** eveneens, ook.
égaler [égalé] *v.t.* **1** gelijkmaken; **2** gelijk zijn met, evenaren; ***— à***, gelijkstellen met. [stelling *v.*
égalisation [égali'za'syõ] *f.* gelijkmaking, gelijk-
égaliser [égali'zé] *v.t.* **1** gelijkmaken, effenen; **2** (*sp.*) gelijkspelen.
égalitaire [égalitè:r] *adj.* gelijkheids-; ***théorie —***, gelijkheidstheorie *v.*
égalité [égalité] *f.* **1** gelijkheid *v.*; **2** gelijkmatigheid *v.*; **3** (*v. grond, enz.*) effenheid *v.*; **4** (*meetk.*) gelijk- en gelijkvormigheid, congruentie *v.*
égard [éga:r] *m.* **1** eerbied *m.*, ontzag *o.*; **2** voorkomendheid, welwillendheid *v.*; **3** oplettendheid *v.*; **4** beleefdheid *v.*; ***à l'— de***, ten opzichte van; ***à tous (les) —s***, in alle opzichten, in ieder opzicht; ***avoir — à***, letten op, rekening houden met; ***eu — à***, met het oog op, gelet op; ***à cet —***, in dit opzicht; ***sans — pour***, zonder rekening te houden met.
égaré [éga'ré] *adj.* **1** verdwaald; **2** (*v. blik*) wezenloos; **3** (*v. ogen*) verwilderd.
égarement [éga'rmã] *m.* **1** afdwaling *v.*; **2** buitensporigheid, uitspatting *v.*; ***— d'esprit***, verstandsverbijstering *v.*
égarer [éga'ré] **I** *v.t.* **1** doen dwalen, op een dwaalspoor brengen; **2** zoek maken, doen verloren gaan; **3** verleggen; **4** (*fig.*) in de war brengen; zijn bezinning benemen; **II** *v.pr.*, ***s'—***, **1** verdwalen, afdwalen; **2** zoek raken, wegraken; **3** in de war raken, zijn bezinning verliezen.
égayement [égèymã] *m.* opvrolijking *v.*
égayer [égèyé] **I** *v.t.* **1** opvrolijken; levendiger maken; **2** (*v. stijl*) opsmukken, losheid geven aan; **3** (*v. boom*) dunnen; **II** *v.pr.*, ***s'—***, zich vrolijk maken; vrolijk worden.
Égée [éjé], ***mer — f.***, Egeïsche zee *v.(m.)*.
égérie [éjéri] *f.* raadgeefster *v.* van een politicus of schrijver.
égide [éji'd] *f.* **1** schild *o.* (van Pallas Athene); **2** bescherming *v.*
églantier [églã'tyé] *m.* (*Pl.*) egelantier *m.* (*struik*).
églantine [églã'tin] *f.* (*Pl.*) egelantier *m.* (*bloem*).
église [égli:z] *f.* **1** kerk *v.(m.)*; **2** geestelijke stand *m.*; ***l'É— militante***, de strijdende Kerk; ***l'É— souffrante***, de lijdende Kerk; ***l'É— triomphante***, de zegepralende Kerk; ***les Pères de l'É—***, de Kerkvaders; ***les commandements de l'É—***, de geboden van de Heilige Kerk; ***les biens de l'É—***, de kerkelijke goederen; ***gueux*** (*of* ***pauvre***) ***comme un rat d'—***, arm als Job.
églogue [églò'g] *f.* herderszang *m.*
égocentrique [égosã'trik] *adj.* egocentrisch.
égoïne, égohine [égòin] *f.* kleine handzaag *v.(m.)*.
égoïsme [égòizm] *m.* zelfzucht, baatzucht *v.(m.)*, egoïsme *o.*
égoïste [égòist] **I** *m.-f.* zelfzuchtig mens, egoïst *m.*; **II** *adj.* zelfzuchtig, baatzuchtig, egoïstisch.
égorgement [égòrj(e)mã] *m.* **1** vermoording *v.*; **2** slachting *v.*
égorger [égòrjé] *v.t.* **1** vermoorden; **2** slachten; **3** (*fig.*) te gronde richten; **4** afzetten.
égorgeur [égòrjœ:r] *m.* moordenaar *m.* [wen.
égosiller, s'— [ségo'ziyé] *v.pr.* zich hees schreeu-
égotisme [égòtizm] *m.* zelfoverschatting *v.*
égout [égu] *m.* **1** afloop *m.*; **2** druiplijn *v.(m.)*; **3** (*v. dak, muur*) helling *v.*; **4** riool *o. en v.(m.)*; **5** (*fig.*) vergaarbak *m.*; ***le tout à l'—***, het rioolstelsel; de waterspoeling *v.*
égoutier [égutyé] *m.* rioolwerker *m.*
égouttage [éguta:j] *m.* **1** uitdruiping *v.*; **2** (*landb.*) waterafvoer *m.*
égoutter [égouté] **I** *v.t.* **1** laten uitdruipen; **2** (*v. grond*) drooglеggen, drogen.
égouttoir [égutwa:r] *m.* **1** druipplank *v.(m.)*, druiprek *o.*; **2** vergiet *o. en v.(m.)*; **3** (*fot.*) droogrekje *o.*
égoutture [égutü:r] *f.* laatste druppels *mv.*
égrainer, *voir* ***égrener***.
égrappage [égrapa:j] *m.* het afristen *o.*
égrapper [égrapé] *v.t.* **1** afristen; **2** (*v. erts*) zuiveren. [ment *o.*
égrappoir [égrapwa:r] *m.* druivenafristinstru-
égratigner [égratiñé] *v.t.* **1** krabben; **2** schrammen; **3** (*v. grond*) licht omploegen; **4** (*fig.*) krenken.
égratignure [égratiñü:r] *f.* **1** krab *v.(m.)*; **2** schram *v.(m.)*; **3** (*fig.*) krenking *v.* [afristen *o.*
égrenage [égrena:j] *m.* **1** (het) uitkorrelen; **2** (het)
égrener [égrené], **égrainer** [égrèné] *v.t.* **1** (*v. aren*) uitkorrelen; **2** (*v. bessen, enz.*) afristen; ***— son chapelet***, **1** het rozenhoedje bidden; **2** (*fig.*) zijn hart uitstorten; ***— un chapelet de noms***, een reeks namen opnoemen. [*toen, maïs*).
égreneuse [égrenö:z] *f.* afristmachine *v.* (*voor ka-*
égrillard [égriya:r] *adj.* tikje vrijmoedig uitgelaten.
égrisée [égri'zé] *f.* diamantpoeder *o. en m.*
égriser [égri'zé] *v.t.* (*v. diamant, enz.*) ruw slijpen.
égrotant [égròtã] *adj.* ziekelijk.
égrugeoir [égrüjwa:r] *m.* vijzel *m.*
égruger [égrüjé] *v.t.* fijnstampen, vergruizen.
Égypte [éjipt] *f.* Egypte *o.*
égyptien [éjipsyẽ] **I** *adj.* Egyptisch; **II** *s.*, *m.*, ***É—***, Egyptenaar *m.*
égyptologie [éjiptòlòji] *f.* kennis van de Egyptische oudheden, egyptologie *v.*
égyptologue [éjiptòlòg] *m.* kenner van de Egyptische oudheden, egyptoloog *m.*
eh! [é] *ij.* wel! ei! ***— bien!*** welnu.
éhonté [é(h)õ'té] *adj.* schaamteloos.
eider [è(y)dè:r] *m.* (*Dk.*) eidergans *v.(m.)*.
éjaculateur [éjakülatœ:r] *adj.* uitspuitend.
éjaculation [éjaküla'syõ] *f.* **1** uitspuiting *v.*; **2** zaadlozing *v.*; **3** schietgebed *o.*
éjaculer [éjakülé] *v.t.* **1** uitspuiten; **2** lozen.
éjectable [éjèkta'bl] *adj.* uitwerpbaar; ***siège —***, schietstoel *m.*
éjecter [éjèkté] *v.t.* uitwerpen (kabel, parachute), afstorten (uit vliegtuig).

éjecteur [éjèktœ:r] *m.* (*v. geweer*) uitwerper *m.*
éjection [éjèksyõ] *f.* **1** uitwerping, uitscheiding *v.*; **2** afstorting *v.* (uit vliegtuig).
éjointer [éjwẽté] *v.t.* kortwieken.
élaboration [élabòra'syõ] *f.* **1** uitwerking *v.*; **2** verwerking *v.*; **3** voorbereiding *v.*; **4** bereiding *v.*
élaborer [élabòré] *v.t.* **1** (*v. denkbeeld, enz.*) uitwerken; **2** (*v. spijs, sap*) verwerken; **3** (*v. ontwerp, enz.*) voorbereiden; **4** bereiden.
élagage [élaga:j] *m.* snoeiing; besnoeiing *v.*
élaguer [élagé] *v.t.* **1** snoeien; **2** (*v. boek, tekst*) besnoeien, bekorten.
élagueur [élagœ:r] *m.* snoeier *m.*
élan [élã] *m.* **1** aanloop *m.*; **2** sprong *m.*; **3** (*v. pijn*) scheut *m.*; **4** (*fig.*) drang *m.*, streven *o.*; **5** gloed *m.*, vervoering *v.*; **6** opwelling *v.*; **7** (*Dk.*) eland *m.*
élancé [élã'sé] *adj.* slank, rijzig.
élancement [élã'smã] *m.* **1** (het) vooruitspringen *o.*; **2** (*v. pijn*) steek, scheut *m.*; **3** verheffing, verzuchting *v.*
élancer [élã'sé] **I** *v.i.* steken, pijn doen; **II** *v.pr.*, **s'—, 1** toeschieten, toesnellen; **2** vooruitspringen, vooruitsnellen; **3** slank worden; **4** zich verheffen.
élargir [élarji:r] **I** *v.t.* **1** verbreden; **2** verwijden, wijder maken; **3** (*fig.*) verruimen; **4** (*v. kennis*) uitbreiden; **5** (*v. gevangene*) in vrijheid stellen; **II** *v.pr.*, **s'—, 1** breder worden; **2** wijder worden; **3** zich verruimen; **4** zich uitbreiden; **5** zich vrijmaken, uitbreken.
élargissement [élarjismã] *m.* **1** verbreding *v.*; **2** verwijding *v.*; **3** verruiming *v.*; **4** uitbreiding *v.*; **5** invrijheidstelling, vrijlating *v.*
élasticité [élastisité] *f.* **1** veerkracht *v.(m.)*; **2** (*fig.*) rekbaarheid *v.*
élastique [élastik] **I** *adj.* **1** veerkrachtig; **2** rekbaar; ***sommier* —,** springveren matras *v.(m.) en o.*; **II** *s.*, *m.* elastiek *o.*; elastiekje *o.*
élater [élatè:r] *m.* (*Dk.*) kniptor *v.(m.)*.
élatère [élatè:r] *m.* (*Pl.*) springdraad *m.*
élavé [élavé] *adj.* vaal.
Elbe [èlb] *f.* Elba *o.*
eldorado [èldòrado] *m.* eldorado, luilekkerland, land *o.* van belofte.
électeur [élèktœ:r] *m.* **1** kiezer *m.*; **2** (***prince* —**), keurvorst *m.*
électif [élèktif] *adj.* verkozen; kies-; ***affinité élective,*** (*scheik.*) keurverwantschap *v.*
élection [élèksyõ] *f.* **1** keuze *v.(m.)*; **2** verkiezing *v.*; ***le peuple d'—,*** het uitverkoren volk; ***— de domicile,*** (*recht*) (het) kiezen van domicilie.
électoral [élèktòral] *adj.* kies-, verkiezings-; ***loi —e,*** kieswet *v.(m.)*; ***comité* —,** kiesvereniging *v.*; ***lutte —e,*** verkiezingsstrijd *m.*; ***Altesse —e,*** (*gesch.*) keurvorstelijke Hoogheid.
électorat [élèktòra] *m.* **1** kiesrecht *o.*; **2** keurvorstendom *o.*
électricien [élèktrisyẽ] *m.* **1** elektrisch ingenieur *m.*; **2** werkman in het elektrisch bedrijf, elektricien *m.*
électricité [élèktrisité] *f.* elektriciteit *v.*; ***éclairer à l'—,*** elektrisch verlichten.
électrification [élèktrifika'syõ] *f.* elektrificatie *v.*
électrifier [élèktrifyé] *v.t.* elektrificeren.
électrique [élèktrik] *adj.* elektrisch; ***machine* —,** elektriseermachine *v.*; ***pile* —,** element *o.*
électrisable [élèktriza'bl] *adj.* elektriseerbaar.
électrisation [élèktriza'syõ] *f.* elektrisering *v.*
électriser [élèktri'zé] *v.t.* **1** elektriseren; **2** (*fig.*) in vervoering brengen.
électro-aimant* [élèktròèmã] *m.* elektromagneet *m.*
électrocardiogramme [élèktròkardiogram] *m.* elektrocardiogram *o.*
électrochimie [élèktròʃimi] *f.* elektrochemie *v.*
électrochimique [élèktròʃimik] *adj.* elektrochemisch.
électrochoc [élèktròʃòk] *m.* (*gen.*) shock *m.*
électrocuter [élèktròküté] *v.t.* doden (*of* terechtstellen) door elektriciteit.
électrocution [élèktròküsyõ] *f.* terechtstelling *v.* door elektriciteit.
électrode [élèktrò'd] *f.* elektrode *v.*
électrodynamique [élèktròdinamik] **I** *f.* elektrodynamica *v.*; **II** *adj.* elektrodynamisch.
électrogène [élèktròjè:n] *adj.* elektriciteit opwekkend.
électrolyse [élèktròli:z] *f.* elektrolyse *v.*
électrolyser [élèktròli'zé] *v.t.* door elektriciteit ontleden.
électrolyte [élèktròlit] *m.* elektrolyt *m.*, stof die door elektriciteit ontleed wordt.
électromagnétique [élèktròmañétik] *adj.* elektromagnetisch.
électromagnétisme [élèktròmañétizm] *m.* elektromagnetisme *o.* (leer van 't verband tussen elektriciteit en magnetisme).
électrométallurgie [élèktròmétalürji] *f.* het langs elektrische weg winnen en zuiveren van metalen.
électromètre [élèktròmè'tr] *m.* elektrometer, elektriciteitsspanningsmeter *m.*
électromoteur [élèktròmòtœ:r] **I** *m.* elektromotor *m.*; **II** *adj.* elektromotorisch.
électron [élèktrõ] *m.* elektron *o.*
électronique [élèktrònik] **I** *f.* elektronika *v.*; **II** *adj.* elektronisch.
électrophone [élèktròfòn] *m.* pick-up *m.*
électroscope [élèktròskòp] *m.* elektroscoop *m.*
électrosoudure [élèktròsudü:r] *f.* het elektrisch lassen *o.*
électrostatique [élèktròstatik] *f.* elektrostatica *v.*
électrotechnique [élèktròtèknik] **I** *f.* elektrotechniek *v.*; **II** *adj.* elektrotechnisch.
électrothérapie [élèktròtérapi] *f.* elektrotherapie *v.*, geneeswijze *v.(m.)* door elektriciteit.
électrothermie [élèktròtèrmi] *f.* leer *v.(m.)* der betrekkingen tussen warmte en elektriciteit.
électrotypie [élèktròtipi] *f.* vervaardiging *v.* van clichés langs galvanische weg.
électuaire [élèktwè:r] *m.* (*gen.*) likkepot *m.*
élégamment [élégamã] *adv.* bevallig, sierlijk, keurig.
élégance [élégã:s] *f.* bevalligheid, sierlijkheid, keurigheid *v.*
élégant [élégã] **I** *adj.* bevallig, sierlijk, keurig; zwierig; **II** *s.*, *m.*, **—e** *f.* fat *m.*, modepop *v.(m.)*; elegante dame *v.*
élégiaque [éléjyak] *adj.* elegisch, weemoedig, zacht klagend.
élégie [éléji] *f.* elegie *v.*, klaaglied *o.*, treurzang *m.*
élément [élémã] *m.* **1** element *o.*; **2** grondstof *v.(m.)*; **3** grondbestanddeel *o.*; ***les —s,*** de beginselen; de eerste begrippen; *ook*: de elementen, de natuurkrachten; ***il en est aux —s,*** hij weet er nog niet veel van.
élémentaire [élémã'tè:r] *adj.* **1** de grondstof betreffend; **2** (*v. deel*) samenstellend; **3** (*v. onderwijs; klas*) lager; voorbereidend; ***traité* —,** eerste handleiding *v.*, beknopt leerboek *o.*; ***principe* —,** hoofdbeginsel, grondbeginsel *o.*; ***vérité* —,** eenvoudige (doodgewone) waarheid *v.*
éléphant [éléfã] *m.* olifant *m.*; ***— de mer,*** zeerob *m.*
éléphanteau [éléfãto] *m.* olifantsjong *o.*
éléphantesque [éléfãtèsk] *adj.* olifantachtig.
éléphantiasis [éléfã'tyazis] *f.* (*gen.*) olifantsziekte *v.*
éléphantin [éléfã'tẽ] *adj.* **1** olifantachtig; **2** ivoren.
élevage [élva:j] *m.* **1** fokkerij *v.*, veeteelt *v.(m.)*; **2** (het) kweken *o.*

élévateur [élévatœ:r] **I** *m.* **1** hefspier *v.(m.)*; **2** hijsmachine *v.*, hijstoestel *o.*; **3** elevator, zuiger *m.*; **4** lift *m.*; **5** *(v. geweer)* aanbrenger *m.*
élévation [éléva'syõ] *f.* **1** opheffing *v.*; **2** stijging *v.*; **3** *(sterr.)* hoogte *v.*; **4** *(kath.: in de mis)* elevatie *v.*; **5** *(bouwk.)* opstand *m.*; **6** *(v. muur, enz.)* verhoging, optrekking *v.*; **7** *(wisk.)* machtsverheffing *v.*; **8** *(v. stem, rang, enz.)* verheffing *v.*; **9** grootheid, verhevenheid *v.*; **10** *(v. prijs)* verhoging, opdrijving *v.*; ***temps d'—,*** *(muz.)* opslag *m.*
élévatoire [élévatwa:r] *adj.* opheffend; hef-; ***machine —,*** hefmachine *v.*
élève [élè:v] **I** *m.-f.* **1** leerling(e) *m.(v.)*; **2** kwekeling(e) *m.(v.)*; **3** jong dier *o.*; **4** zaailing, stek *m.*; **II** *f.* (het) fokken *o.*
élevé [élvé] *adj.* **1** hoog; **2** *(fig.)* verheven; ***bien —,*** welopgevoed; ***mal —,*** ongemanierd.
élever [élvé] **I** *v.t.* **1** opheffen; ophijsen; **2** *(v. muur, enz.)* verhogen, hoger maken, optrekken; **3** *(in rang)* verheffen, bevorderen; **4** *(v. prijs)* opslaan, verhogen; **5** *(v. standbeeld, enz.)* oprichten; **6** *(v. kind)* opvoeden, grootbrengen; **7** *(wisk.)* verheffen; **8** *(v. temperatuur)* doen stijgen; **9** *(v. dier)* fokken; **10** *(v. plant)* kweken; **11** *(v. bezwaren, twijfel)* opperen; **12** *(v. moeilijkheden, enz.)* opwerpen; **II** *v.pr.*, ***s'—,*** **1** zich verheffen; **2** opstijgen; **3** *(v. mist)* optrekken; **4** *(v. prijs, temperatuur)* stijgen; **5** *(v. wind)* opsteken; **6** *(v. onweer)* opkomen; **7** *(v. factuur, enz.)* bedragen, belopen; ***s'— à,*** bedragen, belopen; ***s'— contre,*** zich verzetten tegen, opkomen tegen.
éleveur [élvœ:r] *m.* fokker, veefokker *m.*
elfe [èlf] *m.* elf *v.(m.)*, luchtgeest *m.*
élider [élidé] *v.t.* *(gram.)* weglaten, afkappen.
Élie [éli] *m.* Elias *m.*
éligibilité [élijibilité] *f.* verkiesbaarheid *v.*
éligible [éliji'bl] *adj.* verkiesbaar.
élimer [élimé] *v.t.* verslijten.
éliminateur [éliminatœ:r] *adj.* eliminerend, verwijderend.
élimination [élimina'syõ] *f.* **1** verwijdering *v.*; **2** *(wisk.)* verdrijving *v.*; **3** *(v. kandidaat)* uitsluiting, terzijdestelling *v.*; **4** *(op lijst)* schrapping, doorschrapping *v.*; **5** *(fig.)* uitschakeling *v.*
éliminatoire [éliminatwa:r] *f.* *(of adj.:* ***épreuve —****)* *(sp.)* voorwedstrijd, afvalwedstrijd *m.*
éliminer [éliminé] *v.t.* **1** verwijderen; **2** *(wisk.)* verdrijven, elimineren; **3** uitsluiten, terzijdestellen; **4** schrappen; **5** uitschakelen; **6** *(scheik.)* vrijmaken.
élingue [élẽ:g] *f.* **I** leng *m.*; **II** leng *o.*, strop *m.* en *v.* om te hijsen.
élinvar [élẽ'var] *m.* legering *v.* met te verwaarlozen uitzettingscoëfficient.
élire* [éli:r] *v.t.* kiezen; verkiezen.
Élisabeth [élizabèt] *f.* Elizabeth *v.*
Élisée [élizé] *m.* Eliza, Elizeus *m.*
élision [éli'zyõ] *f.* *(gram.)* weglating, afkapping *v.*
élite [élit] *f.* keur, kern *v.(m.)*; ***troupe d'—,*** keurbende *v.(m.)*; ***d'—,*** uitstekend, uitgelezen; hoogstaand.
élixir [éliksi:r] *m.* elixer *o.*
elle [èl] *pr.pers.* zij, ze; haar.
ellébore [èlébò:r] *m.* nieskruid *o.*; ***— noir,*** kerstroos *v.(m.)*; ***— vert,*** wrangwortel *m.*
Ellezelles [èlzèl] Elzele *o.*
ellipse [èlips] *f.* **1** *(wisk.)* ellips *v.(m.)*; **2** *(gram.)* weglating *v.* van een woord, ellips *v.(m.)*.
ellipsographe [èlipsògraf] *m.* ellipspasser *m.*
ellipsoïdal [èlipsòidal] *adj.* ellipsvormig.
ellipsoïde [èlipsòi'd] *m.* ellipsoïde *v.*
ellipticité [èliptisité] *f.* elliptische vorm *m.*
elliptique(ment) [èliptik(mã)] *adj.* *(adv.)* elliptisch.
Elme *m.*, ***feu Saint —*** [fösètèlm] sint-elmsvuur *o.*
élocution [élòküsyõ] *f.* **1** uitspraak *v.(m.)*; **2** voordracht *v.(m.)*; ***exercice d'—,*** spreekoefening *v.*; ***avoir l'— facile,*** zich gemakkelijk uitdrukken, gemakkelijk spreken.
éloge [élò:j] *m.* **1** lof *m.*, loftuiting *v.*; **2** lofrede *v.(m.)*; ***— funèbre,*** lijkrede *v.(m.)*; ***faire l'— de,*** loven, prijzen.
élogieux [élòjyö] *adj.* vol lof, prijzend; ***en termes —,*** in vleiende bewoordingen.
Éloi [élwa] *m.* Eligius, Elooi *m.*
éloigné [élwañé] *adj.* verwijderd, afgelegen, ver.
éloignement [élwañmã] *m.* **1** verwijdering *v.*; **2** afstand *m.*, verte *v.*; **3** afwezigheid *v.*; **4** vervreemding *v.*; **5** *(fig.)* afkeer, tegenzin *m.*; ***dans l'—,*** in de verte, in het verschiet.
éloigner [élwañé] **I** *v.t.* **1** verwijderen; **2** vervreemden; **3** *(v. betaling, enz.)* verschuiven, uitstellen; **4** *(fig.: v. gedachte, vrees)* verbannen, verdrijven; **5** *(v. onheil)* afwenden; **II** *v.pr.*, ***s'—,*** **1** zich verwijderen; weggaan; **2** zich afwenden; **3** *(v. onderwerp, waarheid, enz.)* afwijken (van).
élongation [élõ'ga'syõ] *f.* **1** peesrekking *v.*; **2** *(v. spier)* uitrekking *v.*; **3** *(v. zenuw)* verlenging *v.*; **4** *(sterr.)* afstandshoek *m.*
élonger [élõ'jé] *v.t.* **1** uitleggen, uitrekken; **2** *(v. kabel)* vieren; **3** van ter zijde naderen.
éloquemment [élòkamã] *adv.* welsprekend.
éloquence [élòkã:s] *f.* **1** welsprekendheid *v.*; **2** overredingskracht *v.(m.)*; ***— de la chaire,*** kanselwelsprekendheid *v.*; ***un regard plein d'—,*** een veelzeggende blik *m.*
éloquent [élòkã] *adj.* **1** welsprekend; **2** *(v. blik)* veelzeggend.
élu [élü] **I** *adj.* verkozen; uitverkoren; **II** *s.*, *m.* **1** uitverkorene *m.*; **2** gekozene, afgevaardigde *m.*
élucidation [élüsi'da'syõ] *f.* opheldering *v.*
élucider [élüsi'dé] *v.t.* ophelderen.
élucubration [élükübra'syõ] *f.* *(fig., ong.)* uitbroedsel *o.*
élucubrer [élükübré] *v.t.* uitbroeden, bedenken.
éluder [élü'dé] *v.t.* ontwijken; ontduiken.
élusion [élüsyõ] *f.* ontduiking *v.*
Élysée [éli'zé] *m.* Elysium *o.*; ***les champs —s,*** **1** *(oudh.)* de Elyzese velden, het verblijf van de zaligen; **2** bekende laan te Parijs.
élyséen [élizéẽ] *adj.* Elyzees.
élytre [éli:tr] *m.* *(v. insekt)* dekschild *o.*
elzévir [èlzévi:r] *m.* **1** elzevier *m.*, uitgave *v.(m.)* van de Elzeviers; **2** letter *v.(m.)* van de Elzeviers.
elzévirien [èlzéviryẽ] *adj.* elzevier; ***format —,*** in duodecimo, elzevierformaat.
émaciation [émasya'syõ] *f.* vermagering *v.*
émacié [émasyé] *adj.* vermagerd, uitgeteerd.
émail [éma'y] *m.* *(pl.:* ***émaux****)* **1** email, glazuur *o.*; **2** emailwerk *o.*; **3** *(v. wapen)* kleuren *mv.*; **4** *(fig.)* kleurschakering *v.*, (schitterende) kleurenpracht *v.(m.)*.
émaillage [émayaj] *m.* (het) emailleren *o.*
émailler [émayé] *v.t.* **1** emailleren, brandschilderen; **2** *(v. aardewerk)* verglazen; **3** versieren (met bloemen, kleuren); ***émaillé de fleurs,*** bezaaid met bloemen; ***émaillé de fautes,*** vol fouten.
émaillerie [émayri] *f.* emailleerkunst *v.*
émailleur [émayœ:r] *m.* emailleerder, emailwerker, brandverfschilder *m.*
émaillure [émayü:r] *f.* emailleerwerk *o.*, brandschildering *v.*
émanation [émana'syõ] *f.* **1** uitvloeiing, uitstroming *v.*; **2** uitwaseming *v.*
émancipateur [émã'sipatœ:r] **I** *adj.* vrijmakend; **II** *s.*, *m.* vrijmaker *m.*

émancipation [émã'sipa'syõ] *f.* **1** vrijmaking *v.*; **2** mondigverklaring, emancipatie *v.*; **3** (*fig.*) ontvoogding *v.*

émanciper [émã'sipé] **I** *v.t.* **1** vrijmaken; **2** mondig verklaren, emanciperen; **3** ontvoogden; **II** *v.pr.*, ***s'—***, zich vrijmaken, zich vrijheden veroorloven.

émaner [émané] (*de*) *v.i.* **1** uitstromen, uitvloeien; **2** uitgaan (van); **3** voortkomen (uit), voortvloeien (uit); **4** afkomstig zijn (van); **5** (*v. geur*) opstijgen (uit); **6** (*wijsb.*) zijn oorsprong hebben (in).

émargement [émarjemã] *m.* **1** (het) afsnijden *o.* (van de rand); **2** kanttekening *v.*; **3** aftekening *v.* (voor ontvangst); ***feuille d'—***, betaalstaat *m.*

émarger [émarjé] *v.t.* **1** (de rand) afsnijden; **2** kanttekeningen maken bij; **3** (*v. staat, rekening*) aftekenen (voor ontvangst).

émasculer [émasküIé] *v.t.* castreren, ontmannen.

embâcle [ã'ba:kl] *m.* (*voor scheepvaart*) hinderpaal *m.*, belemmering *v.*; ijsdam *m.*

emballage [ã'bala:j] *m.* **1** verpakking *v.*; **2** pakloon *o.*; **3** (*sp.*) eindspurt *m.*; ***— compris, — perdu,*** verpakking inbegrepen, inclusief verpakking; ***toile d'—***, paklinnen *o.*; ***papier d'—***, pakpapier *o.*

emballement [ã'balmã] *m.* **1** (*tn.*) (het) doorslaan *o.*; **2** opwinding *v.*; **3** bevlieging *v.*; **4** (*beurs: v. koers*) (het) plotseling oplopen *o.*

emballer [ã'balé] **I** *v.t.* **1** inpakken, verpakken; **2** opwinden; **3** (*fig.*) beetnemen; **4** inrekenen, in de gevangenis zetten; **II** *v.pr.*, ***s'—***, **1** (*tn.*) doorslaan; **2** (*v. paard*) op hol gaan; **3** (*fig.*) opvliegen, opstuiven; zich opwinden; **4** (*v. koers*) plotseling oplopen.

emballeur [ã'balœ:r] *m.* **1** inpakker *m.*; **2** mooiprater, opsnijder *m.*

embander [ã'bã'dé] *v.t.* inwikkelen.

embarbouiller [ã'barbuyé] **I** *v.t.* **1** bemorsen, vuil maken; **2** (*fig.*) in de war brengen; **II** *v.pr.*, ***s'—***, in de war raken.

embarcadère [ã'barkadè:r] *m.* **1** (*sch.*) aanlegplaats *v.*(*m.*); **2** (*spoorw.*) perron *o.* (van vertrek).

embarcation [ã'barka'syõ] *f.* vaartuig *o.*, boot *m.* en *v.*; ***mettre les —s à la mer,*** de sloepen strijken.

embardée [ã'bardé] *f.* (*v. schip, auto, enz.*) giering *v.*; ***faire une —***, gieren; slippen.

embarder [ã'bardé] *v.i.* **1** gieren; **2** (*fig.*) schipperen.

embargo [ã'bargo] *m.* beslaglegging *v.*, embargo *o.*; ***mettre l'— sur,*** beslag leggen op.

embariller [ã'bariyé] *v.t.* in vaten pakken.

embarquement [ã'barkemã] *m.* **1** inscheping; inlading *v.*; **2** aanmonstering *v.*

embarquer [ã'barké] **I** *v.t.* **1** inschepen; inladen; **2** aan boord brengen; naar de trein brengen; ***— une lame,*** een golf over krijgen; ***— qn. dans une affaire,*** iem. in een zaak betrekken, iem. in een zaak wikkelen; **II** *v.pr.*, ***s'—***, **1** zich inschepen; scheep gaan; **2** (*fam.*) instappen; ***— dans,*** zich wikkelen in, zich inlaten met; ***s'— sans boussole,*** onbeslagen ten ijs komen; zonder beschuit in zee gaan.

embarras [ã'bara] *m.* **1** hindernis *v.*, hinderpaal *m.*; **2** last *m.*, moeite *v.*; **3** verlegenheid, verwarring *v.*; **4** wanorde *v.*(*m.*); **5** drukte *v.*; **6** hinder *m.*, moeilijkheid *v.*; ***— de voitures,*** opstopping van rijtuigen; ***avoir l'— du choix,*** voor een moeilijke keus staan; ***des — d'argent,*** geldverlegenheid *v.*; ***causer de l'— à,*** ongelegen komen; ***faire de l'—***, veel drukte maken; ***être dans l'—***, in de knel zitten, in 't nauw zitten; ***tirer d'—***, uit de moeilijkheid redden; ***— gastrique,*** (*gen.*) darmverstopping *v.*

embarrassant [ã'bara'sã] *adj.* hinderlijk; lastig, moeilijk.

embarrassé [ã'bara'sé] *adj.* **1** verlegen; **2** onbeholpen; **3** (*v. geest, gedachte*) verward; **4** (*v. maag*) van streek; **5** (*v. zaken*) in de war; ***être — pour répondre,*** niet weten wat te antwoorden.

embarrasser [ã'bara'sé] **I** *v.t.* **1** hinderen, belemmeren; **2** (*v. straat*) versperren; **3** in verlegenheid brengen; **4** (*gen.*) verstoppen; **II** *v.pr.*, ***s'—***, **1** verlegen worden; **2** in verwarring geraken, in wanorde geraken; ***s'— de,*** zich bekommeren om; zich ongerust maken over; ***s'— dans,*** verward raken in.

embase [ã'ba:z] *f.* (*aan stuk metaal*) verdikking *v.*

embastillement [ã'bastiymã] *m.* gevangenzetting *v.* (in de Bastille).

embastiller [ã'bastiyé] *v.t.* **1** in de Bastille zetten; **2** gevangen zetten.

embâter [ã'ba'té] *v.t.* **1** (*v. lastdier*) zadelen; **2** (*fig.*) belasten.

embat(t)re [ã'batr] *v.t.* (*v. wiel*) ijzeren band omslaan.

embauchage [ã'bo'ʃa:j] *m.* **1** (*v. troepen*) aanwerving *v.*; **2** (*v. werkvolk*) (het) in dienst nemen *o.*; **3** ronseling *v.*

embaucher [ã'bo'ʃé] *v.t.* **1** aanwerven; **2** in dienst nemen; **3** ronselen.

embaucheur [ã'bo'ʃœ:r] *m.* werver; ronselaar *m.*

embauchoir [ã'bo'ʃwa:r] *m.* leest *v.*(*m.*).

embaumé [ã'bo'mé] *adj.* **1** gebalsemd; **2** geurig.

embaumement [ã'bo'm(e)mã] *m.* balseming *v.*

embaumer [ã'bo'mé] **I** *v.t.* **1** balsemen; **2** welriekend maken, geurig maken; **II** *v.i.* lekker rieken, een heerlijke geur verspreiden.

embaumeur [ã'bo'mœ:r] *m.* balsemer *m.*

embecquer [ã'bèké] *v.t.* **1** (*v. vogel*) voeden; **2** 't aas slaan aan.

embéguiner [ã'béginé] **I** *v.t.* **1** een kap (*of* muts) opzetten; **2** (*fig.*) het hoofd op hol brengen; **II** *v.pr.*, ***s'— de,*** gek worden op.

embellie [ã'bèli] *f.* **1** (*in storm*) kalmte *v.*; **2** opklaring *v.*

embellir [ã'bèli:r] **I** *v.t.* verfraaien, mooier maken; opsmukken, versieren; ***s'—***, mooier worden, fraaier worden.

embellissement [ã'bèlismã] *m.* verfraaiing; versiering *v.*

embérize [ã'béri:z] *f.*, (*Dk.*) rietgors *v.*(*m.*).

emberlificoter [ã'bèrlifikòté] **I** *v.t.* (*pop.*) erin laten lopen; **II** *v.pr.*, ***s'—***, verward raken.

embesogné [ã'bzòñé] (*de*), *adj.* druk bezet (met).

embêtant [ã'bè'tã] *adj.* vervelend, beroerd.

embêtement [ã'bè'tmã] *m.* **1** verveling *v.*; **2** onaangenaamheid *v.*, last *m.*

embêter [ã'bè'té] **I** *v.t.* **1** vervelen; **2** lastig vallen; **II** *v.pr.*, ***s'—***, zich vervelen.

embeurrer [ã'bœ'ré] *v.t.* boteren, met boter smeren.

emblave [ã'bla:v] *f.* korenveld *o.*

emblaver [ã'bla'vé] *v.t.* met koren bezaaien.

emblavure [ã'bla'vü:r] *f.* korenveld *o.*

emblée, d'— [dã'blé] *adv.* **1** dadelijk; in eens; **2** bij de eerste aanval; bij de eerste poging; bij de eerste stemming.

emblématique(ment) [ã'blématik(mã)] *adj.*(*adv.*) zinnebeeldig.

emblématiser [ã'blématizé] *v.t.* zinnebeeldig voorstellen.

emblème [ã'blè'm] *m.* **1** zinnebeeld *o.*; **2** kenteken *o.*

embob(el)iner [ã'bòb(l)iné] *v.t.* inpalmen.

emboîtage [ã'bwata:j] *m.* **1** losse boekband *m.*; **2** *voir* ***emboîter.***

emboîtement [ã'bwa'tmã] *m.* ineenvoeging *v.*

emboîter [ã'bwa'té] **I** *v.t.* **1** ineenvoegen, ineenzetten; **2** (*v. boek*) in een band zetten; ***— le pas à qn.,*** iem. op de voet volgen; iem. slaafs navolgen; **II** *v.pr.*, ***s'—***, in elkaar sluiten, in elkaar passen.

emboîture [ã'bwa'tü:r] *f.* **1** ineenvoeging, ineenzetting *v.*; **2** voeg *v.*(*m.*).

embolie [ã'bòli] *f.* (*gen.*) (bloedvat)verstopping, embolie *v.*

embonpoint [ã'bõ'pwẽ] *m.* gezetheid, zwaarlijvigheid *v.*; ***prendre de l'—,*** dik worden.
embossage [ã'bòsa:j] *m.* (*v. schip*) **1** het dwars halen *o.*; **2** het dwars liggen *o.*
embosser, s'— [sã'bòsé] *v.pr.* (*v. schip*) dwars gaan [liggen.
emboucaner [ã'bukané] **I** *v.t.* (*pop.*) pesten; **II** *v.i.*, (*pop.*) stinken.
embouche [ã'buʃ] *f.* vette weide *v.*(*m.*).
emboucher [ã'buʃé] **I** *v.t.* **1** (*v. instrument*) de mond zetten aan; **2** (*v. paard*) een gebit aanleggen; ***—la trompette,*** **1** hoogdravend worden; **2** de grote trom roeren; **II** *v.pr.* ***s'—,*** (*v. rivier*) uitmonden.
embouchoir [ã'buʃwa:r] *m.* **1** (*v. instrument*) mondstuk *o.*; **2** schacht, leest *v.*(*m.*).
embouchure [ã'buʃü:r] *f.* **1** mondstuk *o.*; **2** (*v. instrument*) aanzetting *v.*, manier *v.*(*m.*) van blazen; **3** (*v. vaas*) opening *v.*; **4** (*v. rivier*) mond *m.*, uitmonding *v.*
embouer [ã'bwé] *v.t.* bemodderen; ***qui se loue s'emboue,*** eigen roem stinkt.
embouquer [ã'buké] *v.i.* een zeeëngte invaren.
embourber [ã'burbé] **I** *v.t.* **1** in de modder vastzetten; **2** (*fig.*) in een slechte zaak betrekken; **II** *v.pr.*, ***s'—,*** **1** in het slijk blijven steken; **2** (*fig.*) zich vastwerken; zich vastpraten.
embourgeoiser [ã'burjwa'zé] **I** *v.t.* burgerlijk maken, verburgerlijken; **II** *v.pr.*, ***s'—,*** verburgerlijken, iets burgerlijks aannemen.
embourser [ã'bursé] *v.t.* **1** in de zak steken; **2** (*fig.*) slikken.
embout [ã'bu] *m.* (*v. paraplu, stok, enz.*) dopje *o.*
embouteillage [ã'butèya:j] *m.* **1** (het) bottelen *o.*; **2** opsluiting *v.* in een haven; **3** (*op de weg*) opstopping, versperring, verkeersopstopping *v.*
embouteiller [ã'butèyé] *v.t.* **1** bottelen; **2** (*v. schip*) opsluiten in een haven; **3** (*v. haven*) afsluiten, verstoppen; **4** (*v. weg*) versperren.
embouter [ã'buté] *v.t.* (*v. paraplu, stok*) van een dopje voorzien.
emboutir [ã'buti:r] *v.t.* **1** (*v. metaal*) uitdrijven; **2** met metaal beslaan; ***fer embouti,*** profielijzer *o.*
emboutissage [ã'butisa:j] *m.* (*v. metaal*) het uitdrijven *o.*
emboutissoir [ã'butiswa:r] *m.* uitdrijfhamer *m.*
embranchement [ã'brã'ʃmã] *m.* **1** vertakking *v.*; **2** (*v. sporen, wegen*) kruispunt *o.*; **3** (*v. spoor*) zijlijn *v.*(*m.*); **4** zijweg *m.*; **5** (*v. berg*) uitloper *m.*; **6** (*v. wetenschap, nat.*) hoofdafdeling *v.*
embrancher [ã'brã'ʃé] **I** *v.t.* verbinden (*à*, met); **II** *v.pr.*, ***s'—,*** zich verenigen, samenkomen, een kruispunt vormen; (*spoorw.*) een vertakking vormen.
embraquer [ã'braké] *v.t.* (*v. touw*) strak trekken.
embrasé [ã'bra'zé] *adj.* gloeiend, in vuur.
embrasement [ã'bra'zmã] *m.* **1** (het) in vuur en vlam zetten *o.*; **2** vuurzee *v.*(*m.*); (grote) brand *m.*; **3** grote verlichting *v.*; **4** (*fig.*) (het) blaken *o.*
embraser [ã'bra'zé] **I** *v.t.* **1** in vuur en vlam zetten; **2** in brand steken; **3** doen blaken; **II** *v.pr.*, ***s'—,*** **1** vuur vatten; **2** (*fig.*) in geestdrift geraken.
embrassade [ã'brasa'd] *f.* omhelzing, omarming *v.*
embrasse [ã'bras] *f.* gordijnophouder *m.*
embrassement [ã'brasmã] *m.* omhelzing, omarming *v.*
embrasser [ã'bra'sé] *v.t.* **1** omhelzen, omarmen; **2** kussen, zoenen; **3** omvatten; **4** (*v. beroep*) kiezen; **5** (*v. gelegenheid*) aangrijpen; **6** (*v. godsdienst*) omhelzen; **7** (*v. ruimte, landschap, enz.*) overzien; **8** zich wijden aan; ***qui trop embrasse mal étreint,*** men moet niet te veel hooi op zijn vork nemen.
embrasseur [ã'bra'sœ:r] *m.* kusserd *m.*
embrassure [ã'brasü:r] *f.* ijzeren band *m.*
embrasure [ã'bra'zü:r] *f.* **1** vensternis *v.*(*m.*); **2** deuropening; vensteropening *v.*; **3** schietgat *o.*
embrayage [ã'brèya:j] *m.* (*tn.*) koppeling *v.*
embrayer [ã'brèyé] *v.t.* **1** (*tn.*) koppelen; **2** (*v. auto*) aanzetten, in de versnelling zetten.
embrayeur [ã'brèyœ:r] *m.* **1** koppeling *v.*; **2** koppelingsmechanisme *o.*
embrigader [ã'briga'dé] *v.t.* **1** tot brigades verenigen; **2** aanwerven.
embrocation [ã'bròka'syõ] *f.* (*gen.*) **1** behandeling *v.* van ziek lichaamsdeel met een bep. vettig vocht; **2** bep. vettig vocht *o.*
embrocher [ã'bròʃé] *v.t.* **1** aan het spit steken; **2** (*fig.*) aan de degen rijgen.
embroncher [ã'brõ'ʃé] *v.t.* dakpansgewijze leggen.
embrouillement [ã'bruymã] *m.* verwarring *v.*
embrouiller [ã'bruyé] **I** *v.t.* **1** verwarren, in de war brengen; **2** ingewikkeld maken; **II** *v.pr.*, ***s'—,*** in de war raken.
embroussaillé [ã'brusa'yé] *adj.* **1** vol struikgewas; **2** (*fig.*: *v. haar, enz.*) verward, verwilderd.
embrumé [[ã'brümé] *adj.* nevelig, mistig.
embrumer [ã'brümé] *v.t.* **1** nevelig maken, mistig maken; **2** (*fig.*) onbegrijpelijk maken.
embrun [ã'brœ̃] *m.* **1** mistige lucht *v.*(*m.*); **2** fijne stofregen *m.* (boven de golven).
embrunir [ã'brüni:r] *v.t.* bruin maken; donker maken, verduisteren.
embryogenèse [ã'bri(y)òjénè:z], **embryogénie** [ã'bri(y)òjéni] *f.* ontstaan en ontwikkeling van het embryo.
embryologie [ã'bri(y)òlòji] *f.* embryologie *v.*, ontwikkelingsleer *v.*(*m.*) van het embryo.
embryon [ã'bri(y)õ] *m.* **1** embryo *o.*; **2** ontwerp *o.*, schets *v.*(*m.*), ruw plan *o.*
embryonnaire [ã'bri(y)ònè:r] *adj.* in wording, in zijn eerste ontwikkeling.
embûche [ã'büʃ] *f.* hinderlaag *v.*(*m.*); ***semé d'—s,*** bezaaid met voetangels en klemmen.
embuer [ã'bwé] **I** *v.t.* **1** (*v. kamer, enz.*) met damp vullen; **2** (*v. land, enz.*) met een waas bedekken; **3** (*fig.*) onduidelijk maken; **II** *v.pr.*, ***s'—,*** (*v. ruiten*) beslaan.
embuscade [ã'büska'd] *f.* hinderlaag *v.*(*m.*); ***se mettre en —,*** zich verdekt opstellen; ***dresser une —,*** een hinderlaag leggen.
embusqué [ã'büské] **I** *adj.* verdekt opgesteld, in hinderlaag opgesteld, op de loer; **II** *s.*, *m.* (*mil.*) lijntrekker, soldaat *m.* die zich aan de dienst (vooral in oorlogstijd) tracht te onttrekken.
embusquer [ã'büské] **I** *v.t.* in hinderlaag leggen; **II** *v.pr.*, ***s'—,*** in hinderlaag gaan liggen; zich aan de oorlog onttrekken.
embut [ã'bü] *m.* put *m.* in kalkhoudend terrein.
éméché [éméʃé] *adj.* aangeschoten.
émendation [émã'da'syõ] *f.* tekstverbetering *v.*
émender [émã'dé] *v.t.* verbeteren.
émeraude [émro:d] **I** *f.* smaragd *o.*; ***l'île d'—,*** Ierland; **II** *adj.* groen, smaragdgroen.
émergence [émèrjã's] *f.* het uittreden; ***point d'—,*** uittredingspunt *o.* van een lichtstraal.
émergent [émèrjã] *adj.* **1** (*v. land*) opduikend; **2** (*v. straal*) uittredend.
émerger [émèrjé] *v.i.* **1** opduiken (uit); uitsteken (boven); **2** droogvallen; **3** (*fig.*) te voorschijn komen.
émeri [émri] *m.* amaril *v.*(*m.*); ***toile d'—; papier d'—,*** schuurlinnen *o.*; schuurpapier *o.*; ***bouché à l'—,*** hermetisch gesloten.
émerillon [émriyõ] *m.* **1** (*sch.*) wartel *m.*; **2** (*visv.*) haak, wartelhaak *m.*; **3** (*Dk.*) dwergvalk *m. en v.*
émerillonné [émriyòné] *adj.* levendig, vrolijk.

éméritat [émérita] *m.* emeritaat *o.*
émérite [émérit] *adj.* **1** emeritus, rustend; **2** uitstekend, ervaren, bekwaam; **3** doortrapt.
émersion [émèrsyõ] *f.* **1** opduiking *v.*; **2** droogvalling *v.*; **3** (*sterr.*) uittreding *v.*
émerveillé [émèrvèyé] *adj.* opgetogen; verrukt.
émerveillement [émèrvèymã] *m.* opgetogenheid; verrukking *v.*; verbazing *v.*
émerveiller [émèrvèyé] *v.t.* doen verstomd staan, verbazen.
émétique [émétik] *m.* braakmiddel *o.*
émetteur [émètœ:r] **I** *m.* **1** emittent *m.*; **2** (*radio*) zender *m.*; ***— de brouillage, — de bruitage,*** stoorzender *m.*; **II** *adj.* **1** (*beurs*) die uitgeeft; **2** seingevend; ***poste —,*** zendstation *o.*
émettre* [émètr] *v.t.* **1** (*v. klank*) voortbrengen, uitbrengen; **2** (*v. warmte*) uitstralen; **3** (*v. stralen, golven*) uitzenden; **4** (*v. papiergeld, vals geld*) uitgeven, in omloop brengen; **5** (*v. mening, wens*) uitdrukken; **6** lozen.
émeu [émö] *m.* emu *m.* (Austral. loopvogel).
émeute [émö:t] *f.* opstand *m.*, oproer *o.*
émeuter [émö'té] *v.t.* opruien, tot oproer brengen
émeutier [émö'tyé] *m.* oproerling *m.*
émiettement [émyètmã] *m.* **1** kruimeling *v.*; **2** (*fig.*) verbrokkeling *v.*
émietter [émyèté] **I** *v.t.* **1** kruimelen; **2** (*fig.*) verbrokkelen; **II** *v.pr.*, ***s'—,*** afbrokkelen, verbrokkelen.
émigrant [émigrã] *m.* landverhuizer *m.*, uitgewekene *m.*
émigration [émigra'syõ] *f.* **1** landverhuizing *v.*; uitwijking *v.*; **2** (*v. dieren*) trek *m.*
émigré [émigré] *m.* uitgewekene *m.*
émigrer [émigré] *v.i.* **1** uitwijken, het land verlaten; **2** (*v. dieren*) trekken.
Émile [émil] *m.* Emilius, Emiel *m.*
Émilie [émili] *f.* Emilia *v.*
Émilien [émilyẽ] *m.* Emiliaan *m.*
émincé [émẽ'sé] *m.* dun plakje *o.* vlees.
émincer [émẽ'sé] *v.t.* in dunne plakjes (*of* reepjes) [snijden.
éminemment [éminamã] *adv.* uitstekend, in de hoogste mate.
éminence [éminã:s] *f.* **1** hoogte *v.*; **2** beenuitsteeksel *o.*; **3** (*fig.*) uitmuntendheid *v.*; ***Son É—,*** Zijne Eminentie.
éminent [éminã] *adj.* **1** hoog, hooggelegen, verheven; **2** (*v. persoon, karakter*) hoogstaand; **3** uitmuntend, uitstekend, voortreffelijk.
éminentissime [éminã'tisim] *adj.* zeer verheven; zeer voortreffelijk.
émir [émi:r] *m.* emir *m.*
émissaire [émisè:r] **I** *m.* **1** geheime bode *m.*; **2** afvoerkanaal *o.*; **II** *adj.*, ***bouc —,*** zondebok *m.*
émissif [émisif] *adj.* (*nat.*) uitstralings-, uitstralend.
émission [émisyõ] *f.* **1** (*v. golf, sein*) uitzending *v.*; **2** (*v. warmte*) uitstraling *v.*; **3** (*v. klank*) voortbrenging *v.*; **4** (*v. geld, enz.*) uitgifte *v.*; **5** (*v. wens, enz.*) uitdrukking *v.*; **6** lozing *v.*; ***— sanguine,*** (*gen.*) aderlating *v.*; ***banque d'—,*** circulatiebank *v.*(*m.*).
emmagasinage [ã'magazina:j], **emmagasinement** [ã'magazinmã] *m.* **1** (*v. goederen*) (het) opslaan *o.*; **2** (*nat.*) accumulatie *v.*; **3** (*fig.*) (het) verzamelen *o.*
emmagasiner [ã'magaziné] *v.t.* **1** opslaan; **2** verzamelen.
emmaillotement [ã'mayòtmã] *m.* inbakering *v.*
emmailloter [ã'mayòté] **I** *v.t.* **1** inbakeren; **2** (*v. ledematen*) omzwachtelen; **II** *v.pr.*, ***s'—,*** zich goed inpakken.
emmanchement [ã'mã'ʃmã] *m.* het aanzetten *o.* van een steel.
emmancher [ã'mã'ʃé] *v.t.* **1** een steel zetten aan; een heft zetten aan; **2** (*v. lichaamsdeel*) verbinden; **3** (*v. zaak*) op touw zetten, in elkaar zetten.
emmanchure [ã'mã'ʃü:r] *f.* armsgat *o.*
emmanteler [ã'mã'tlé] *v.t* ommantelen, omwallen.
emmêlement [ã'mè'lmã] *m.* verwarring *v.*
emmêler [ã'mè'lé] **I** *v.t.* verwarren, in de war brengen; **II** *v.pr.*, ***s'—,*** in de war raken.
emménagement [ã'ména'jmã] *m.* **1** (het) betrekken *o.*; **2** inrichting *v.*; **3** verdeling *v.* (van de scheepsruimte); *voir* ***emménager.***
emménager [ã'ména'jé] **I** *v.t.* **1** (*v. huis*) inrichten; **2** (*v. scheepsruimte*) verdelen; **II** *v.i. et v.pr.*, ***s'—,*** **1** een nieuwe woning betrekken; — inrichten; **2** zijn meubelen plaatsen.
emmener [ã'mné] *v.t.* **1** wegvoeren; **2** meenemen.
emmenotter [ã'mnòté] *v.t.* handboeien aandoen.
emmenthal [èmã'tal] *m.* soort gruyèrekaas *m.*
emmerder [ã'mèrdé] **I** *v.t.* **1** bevuilen; **2** (*pop.*) treiteren; **II** *v.pr.*, ***s'—,*** (*pop.*) het land in hebben.
emmétrope [èmétròp] *adj.* met normaal gezichtsvermogen.
emmiellé [ã'm(i)yèlé] *adj.* honigzoet.
emmieller [ã'm(i)yèlé] *v.t.* **1** met honig bestrijken; **2** verzoeten.
emmitonner [ã'mitòné], **emmitoufler** [ã'mituflé] *v.t.* warm instoppen; inbakeren.
emmortaiser [ã'mòrtèzé] *v.t.* (*tn.*) pen-gat-verbinding in elkaar zetten.
emmotté [ã'mòté] *adj.* met een aardkluit aan de [wortel.
emmurer [ã'mü'ré] *v.t.* ommuren, inmetselen.
émoi [émwa] *m.* **1** onrust, zorg *v.*(*m.*); **2** aandoening, ontroering *v.*; ***mettre en —,*** in opschudding brengen.
émollient [émòlyã] **I** *adj.* verzachtend; **II** *s.*, *m.* verzachtend middel *o.*
émolument [émòlümã] *m.* **1** bijkomende verdiensten, toevallige inkomsten *mv.*; **2** buitenkansje *o.*; ***—s,*** salaris, traktement *o.*, bezoldiging *v.*
émondage [émõ'da:j] *m.* **1** snoeiing *v.*; **2** (*fig.*) besnoeiing *v.*
émonder [émõ'dé] *v.t.* **1** snoeien; **2** (*v. koren, zaden*) reinigen; **3** (*fig.*: *v. tekst*) besnoeien, bekorten.
émonde(s) [émõ:d] *f.*(*pl.*) snoeihout *o.*, snoeitakken *mv.*
émondeur [émõ'dœ:r] *m.* **1** snoeier *m.*; **2** korenzeef *v.*(*m.*).
émondoir [émõ'dwa:r] *m.* snoeimes *o.*
émotif [émo'tif] *adj.* gevoelig; gevoels-; ***sens —,*** aandoenlijkheid *v.*
émotion [émo'syõ] *f.* **1** aandoening; ontroering *v.*; **2** gisting; opschudding *v.*
émotionner [émo'syòné] *v.t.* ontroeren, aandoen.
émotivité [émo'tivité] *f.* aandoenlijkheid, gevoeligheid *v.*
émotter [émòté] *v.t.* **1** (*v. akker*) eggen, de aardkluiten breken; **2** (*v. suiker*) fijnstampen.
émotteur [émòtœ:r] *m.* **1** kluitenbreker *m.*; **2** (*tn.*) suikerstamper *m.*
émouchet [émuʃè] *m.* torenvalk *m. en v.*
émouchette [émuʃèt] *f.* vliegennet *o.* (voor paarden).
émouchoir [émuʃwa:r] *m.* vliegenkwast *m.*
émoudre* [ému'dr] *v.t.* slijpen.
émoulage [émula:j] *m.* (het) slijpen *o.*
émouleur [émulœ:r] *m.* slijper, scharenslijper *m.*
émoulu [émulü] *adj.* geslepen, scherp; ***frais —,*** nieuwbakken; ***il est frais — du collège,*** hij komt kersvers van 't college.
émoussé [émusé] *adj.* **1** bot; stomp; **2** (*fig.*) verstompt, afgestompt.
émoussement [émusmã] *m.* **1** stompheid *v.*; **2** afstomping *v.*
émousser [émusé] **I** *v.t.* **1** bot maken; stomp ma-

ken; 2 verstompen; afstompen; 3 (*v. wilskracht*) verslappen; 4 van mos ontdoen, van mos zuiveren; II *v.pr.*, ***s'—***, 1 bot worden; 2 verstompen; afstompen; 3 verslappen; ***s'— sur***, afstuiten op.
émoustiller [émustiyé] *v.t.* prikkelen, opwekken.
émouvant [émuvã] *adj.* aandoenlijk, roerend.
émouvoir* [émuvwa:r] I *v.t.* 1 in beweging brengen; 2 aangrijpen, ontroeren; 3 (*v. pols*) onrustig maken, versnellen; ***— la bile à qn.***, iem. boos maken, iemands toorn opwekken; ***tout cela ne l'émeut pas***, dat alles laat hem koud; II *v.pr.*, ***s'—***, 1 in beweging komen; 2 aangedaan worden, bewogen worden; ontstellen; 3 onrustig worden; 4 zich opwinden; ***sans s'—***, rustig, zonder zijn koelbloedigheid te verliezen.
empaillage [ã'pa'ya:j] *m.* 1 (*v. stoel*) het matten; 2 (*v. dieren*) het opzetten; 3 omwikkeling *v.* met stro.
empailler [ã'pa'yé] *v.t.* 1 (*v. stoel*) matten; 2 (*v. dieren*) opzetten; 3 (*v. planten, enz.*) met stro omwikkelen; in stro inpakken; ***quel empaillé !*** wat een hark !
empailleur [ã'pa'yœ:r] *m.* 1 stoelenmatter *m.*; 2 dierenopzetter *m.*
empalement [ã'palmã] *m.* het spietsen *o.*
empaler [ã'palé] *v.t.* spietsen.
empan [ã'pã] *m.* span *v.*(*m.*) (afstand tussen toppen van uitgespreide pink en duim).
empanacher [ã'panaʃé] *v.t.* 1 met pluimen versieren; 2 (*fig.*) opsmukken.
empanner [ã'pané] *v.t.* (*v. schip*) bijdraaien.
empaquetage [ã'pakta:j] *m.* inpakking *v.*, (het) inpakken *o.*
empaqueter* [ã'pakté] I *v.t.* inpakken; II *v.pr.*, ***s'—***, zich instoppen.
emparer, s'— [sã'pa'ré] (***de***) *v.pr.* zich meester maken van, bemachtigen.
empâté [ã'pa'té] *adj.* 1 kleverig; 2 pafferig.
empâtement [ã'pa'tmã] *m.* 1 kleverigheid, slijmerigheid *v.*; 2 pafferigheid *v.*; 3 (*v. kip, enz.*) vetmesting *v.*; 4 (het) aandikken *o.*
empâter [ã'pa'té] I *v.t.* 1 kleverig maken, slijmerig maken; 2 pafferig maken; 3 vetmesten; 4 (*v. schilderij*) aandikken, met dikke lagen schilderen; 5 (*v. verf*) dik opleggen; ***langue empâtée***, dikke tong *v.*(*m.*); II *v.pr.*, ***s'—***, 1 kleverig worden, lijmig worden; 2 pafferig worden, dik worden.
empattement [ã'patmã] 1 (*v. metselwerk*) het vooruitspringen *o.* van de fundering; 2 (*v. auto*) afstand *m.* tussen de twee assen.
empaumer [ã'po'mé] *v.t.* 1 (*v. bal*) opvangen en terugslaan, terugkaatsen; 2 (*fig.*: *v. zaak*) flink aanpakken; 3 (*v. persoon*) inpalmen.
empaumure [ã'po'mü:r] *f.* 1 (*v. handschoen*) palm *m.*; 2 (*v. hert*) geweikroon *v.*(*m.*).
empêché [ã'pè'ʃé] *adj.* 1 verhinderd; 2 verlegen.
empêchement [ã'pè'ʃmã] *m.* 1 beletsel *o.*; hindernis *v.*; 2 verhindering *v.*; ***mettre un — à***, zich verzetten tegen; ***— de mariage***, stuiting *v.* van 't huwelijk.
empêcher [ã'pè'ʃé] I *v.t.* beletten; belemmeren; verhinderen; ***cela n'empêche (pas) que***, dat neemt niet weg, dat; II *v.pr.*, ***s'— (de)***, zich weerhouden, nalaten (te).
empêcheur [ã'pè'ʃœ:r] *m.* beletter *m.*
empeigne [ã'pèñ] *f.* bovenleer *o.*
empeloter [ã'plòté] *v.t.* tot een kluwen maken, op een kluwen winden.
empennage [ã'pèna:j] *m.* 1 (*v. pijl*) veren *mv.*; 2 (*v. luchtschip*) stabilisatievlak *o.*; 3 staartpen *v.*(*m.*).
empenne [ã'pèn] *f.* pijlveder *v.*(*m.*).
empenneler [ã'pènlé] *v.t.* (*sch.*: *v. anker*) katten.
empennelle [ã'pènèl] *f.* (*sch.*) katanker *o.*
empenner [ã'pèné] *v.t.* (*v. pijl*) van veren voorzien.
empereur [ã'prœ:r] *m.* 1 keizer *m.*; 2 (*Dk.*) zwaardvis *m.*
emperler [ã'pèrlé] *v.t.* met parels versieren, beparelen.
empesage [ã'peza:j] *m.* (*v. linnen*) (het) stijven *o.*
empesé [ã'pezé] *adj.* 1 gesteven; 2 (*fig.*) stijf.
empeser [ã'pezé] *v.t.* 1 (*linnen*) stijven; 2 (*v. zeil*) natmaken.
empester [ã'pèsté] *v.t.* verpesten.
empêtrement [ã'pètremã] *m.* 1 belemmering *v.*; hindernis *v.*; 2 verwarring *v.*
empêtrer [ã'pètré] I *v.t.* 1 belemmeren; 2 verwarren; II *v.pr.*, ***s'—***, verward raken (in); zich verwikkelen (in).
emphase [ã'fa:z] *f.* 1 hoogdravendheid, gezwollenheid *v.*; 2 (*taalk.*) bijzondere nadruk *m.*
emphatique(ment) [ã'fatik(mã)] *adj.*(*adv.*) 1 hoogdravend, gezwollen; 2 (*taalk.*) krachtig.
emphysémateux [ã'fizématö] *adj.* aan emfyseem lijdend, emfyseem—.
emphysème [ã'fizè:m] *m.* emfyseem *o.*, opzwelling door lucht in celweefsel.
emphytéose [ã'fitéo:z] *f.* erfpacht *v.*(*m.*).
emphytéote [ã'fitéòt] *m.* erfpachter *m.*
emphytéotique [ã'fitéòtik] *adj.*, ***bail —***, erfpacht *v.*(*m.*).
empiècement [ã'pyèsmã] *m.* ingezet stuk *o.*
empierrement [ã'pyè'rmã] *m.*(*v. weg*) begrinting *v.*; (het) beharden, verharden *o.*
empierrer [ã'pyè'ré] *v.t.* begrinten; beharden, verharden.
empiétement [ã'pyétmã] *m.* inbreuk *v.*(*m.*) (op recht); onrechtmatige toeëigening *v.*
empiéter [ã'pyété, ã'pyèté] I *v.t.* zich toeëigenen; II *v.i.* (***— sur***), 1 inbreuk maken op; 2 vooruitlopen op; 3 (*v. zee*) veld winnen; 4 (*fig.*) in bezit nemen; ***— sur les droits de qn.***, onrechtvaardig in iemands rechten treden.
empiffrer [ã'pifré] *v.t.* volproppen, volstoppen (met eten).
empilage [ã'pila:j], **empilement** [ã'pilmã] *m.* opstapeling, ophoping *v.*
empiler [ã'pilé] *v.t.* opstapelen, ophopen.
empileur [ã'pilœ:r] *m.* opstapelaar *m.*
empire [ã'pi:r] *m.* 1 macht *v.*(*m.*); 2 heerschappij *v.*; 3 keizerrijk *o.*; 4 keizerschap *o.*, keizerlijke waardigheid *v.*; 5 rijk *o.*; ***— sur soi-même***, zelfbeheersing *v.*; ***le premier —***, het eerste keizerrijk (van Napoleon I); ***style —***, empirestijl *m.*, stijl uit de tijd van Napoleon I; ***pas pour un —***, voor geen geld ter wereld.
empirer [ã'pi'ré] I *v.t.* erger maken; II *v.i.* verergeren, erger worden.
empirique [ã'pirik] I *adj.* op ondervinding gegrond, empirisch; II *s.*, *m.* 1 empiricus, man die op de ervaring afgaat *m.*; 2 (*ong.*) kwakzalver *m.*
empirisme [ã'pirizm] *m.* 1 ervaringsleer *v.*(*m.*); 2 kwakzalverij *v.*
empiriste [a'pirist] *m.* *voir* ***empirique***, **II.**
emplacement [ã'plasmã] *m.* 1 plaats *v.*(*m.*); 2 bouwgrond *m.*, bouwterrein *o.*; 3 ligging *v.*; ***droit d'—***, marktgeld *o.*
emplanter [ã'plã'té] *v.t.* beplanten.
emplâtre [ã'pla:tr] *m.* 1 pleister *v.*(*m.*); 2 (*v. persoon*) sukkel *m.*; 3 (*pop.*) muilpeer *v.*(*m.*); ***— agglutinant***, hechtpleister; ***c'est un — sur une jambe de bois***, 't is boter aan de galg gesmeerd.
emplâtrer [ã'pla'tré] *v.t.* een pleister leggen op; ***— de***, opschepen met
emplette [ã'plèt] *f.* 1 (kleine) inkoop *m.*; 2 gekocht voorwerp *o.*; ***faire l'— de***, inkopen, aanschaffen.

emplir [ã'pli:r] *v.t.* vullen.
emplissage [ã'plisa:j] *m.* vulling *v.*
emploi [ã'plwa] *m.* **1** gebruik *o.*; **2** aanwending; besteding *v.*; **3** belegging *v.*; **4** (*in boekhouding*) post *m.*; **5** betrekking *v.*, baantje *o.*; **6** bezigheid *v.*, arbeid *m.*; **7** (*toneel*) rol *v.(m.)*; **— du temps,** tijdverdeling *v.*; werkrooster *m. en o.*; ***mode d'—,*** gebruiksaanwijzing *v.*; ***trouver son —,*** gebruikt worden; te pas komen; **— *abusif,*** misbruik *o.*; ***sans —,* 1** ambteloos; buiten betrekking; **2** (*v. kapitaal*) ongebruikt; ***double —,* 1** tweemaal geboekte post; **2** (*fig.*) onnodige herhaling *v.*
employable [ã'plwaya'bl] *adj.* bruikbaar.
employé [ã'plwayé] *m.* **1** beambte; bediende *m.*; **2** werknemer *m.*; ***les —s,*** het personeel.
employer [ã'plwayé] **I** *v.t.* **1** gebruiken; **2** besteden, aanwenden; **3** beleggen; **4** zich bedienen van, gebruik maken van; **— *le vert et le sec,*** alles in 't werk stellen; **II** *v.pr.*, ***s'—,* 1** gebruikt worden, aangewend worden; **2** zich nuttig maken; ***s'— à,*** zich bezighouden met, zich toeleggen op; ***s'— pour,*** zijn best doen om, zijn invloed gebruiken voor.
employeur [ã'plwayœ:r] *m.* werkgever *m.*
emplumé [ã'plümé] *adj.* gevederd, met vederen versierd.
emplumer [ã'plümé] *v.t.* met vederen tooien.
empocher [ã'pòſé] *v.t.* **1** in de zak steken; **2** (*v. slagen*) oplopen.
empoignade [ã'pwaña'd] *f.* kloppartij *v.*
empoignant [ã'pwañã, ã'pòñã] *adj.* aangrijpend.
empoigne [ã'pwañ, ã'pòñ] *f.* (het) grijpen *o.*, greep *m.*; ***acheter à la foire d'—,*** (*arg.*) stelen, gappen.
empoigner [ã'pwañé, ã'pòñé] *v.t.* **1** grijpen, pakken; **2** onder handen nemen; **3** inrekenen; **4** (*fig.*) hevig aangrijpen; boeien.
empointer [ã'pwẽ'té] *v.t.* aanpunten.
empois [ã'pwa] *m.* stijfsel *m. en o.* [*v.*
empoisonnement [ã'pwazònmã] *m.* vergiftiging
empoisonner [ã'pwazòné] **I** *v.t.* **1** vergiftigen, vergeven; **2** (*fig.*) bederven; verpesten; **3** (*v. leven*) vergallen, verbitteren; **II** *v.i.* stinken; **III** *v.pr.*, ***s'—,*** zich vergiftigen.
empoisonneur [ã'pwazònœ:r] *m.* **1** giftmenger *m.*; **2** (*fig.*) verleider *m.*; **— *public,*** volksvergiftiger *m.*
empoisser [ã'pwasé] *v.t.* **1** bepekken; **2** kleverig maken.
empoissonnement [ã'pwasònmã] *m.* (het) poten *o.* (van vis).
empoissonner [ã'pwasòné] *v.t.* (vis) poten; (*v. vijver, enz.*) met vis bevolken.
emporté [ã'pòrté] *adj.* **1** driftig, opvliegend; **2** (*v. paard*) hollend.
emportement [ã'pòrtmã] *m.* **1** drift *v.(m.)*, opvliegendheid, oplopendheid *v.*; **2** driftbui *v.(m.)*.
emporte-pièce [ã'pòrtpyès] *m.* doorstoot, doorslag, pons *m.*, ponsmachine *v.*; ***à l'—,*** (*fig.*) scherp, raak.
emporter [ã'pòrté] **I** *v.t.* **1** wegdragen; **2** wegnemen; **3** meenemen; **4** (*door ziekte*) wegrukken; **5** (*mil.*: *v. plaats*) innemen; **6** (*v. voordeel*) behalen; **7** (*door stroom*) meeslepen; **8** (*v. vlek*) verdrijven; **9** na zich slepen, ten gevolge hebben; **— *d'assaut,*** stormenderhand innemen; **— *la balance,*** de doorslag geven; **— *la conviction de qn.,*** iem. overtuigen; **— *le morceau,*** dadelijk slagen; raak zijn; ***le diable l'emporte,*** de duivel hale hem; ***la forme emporte le fond,* 1** (*recht*) een gebrek in de vorm maakt de procedure nietig; **2** (*bij schrijver*) de vorm gaat voor de inhoud; ***autant en emporte le vent,*** daarvan komt niets in huis; allemaal woorden in de wind; ***l'—,*** de overhand behouden; ***l'— sur,*** het winnen van; overtreffen; **II** *v.pr.*, ***s'—,* 1** boos worden, driftig worden; **2** (*v. paard*) op hol slaan; **3** (*v. boom*) te welig opschieten.
empotage [ã'pòta:j] *m.* (*tuinb.*) (het) potten *o.*
empoté [ã'pòté] **I** *adj.* onbeholpen; lomp; **II** *s., m.* lomperd *m.*
empoter [ã'pòté] *v.t.* potten, in potten zetten.
empourprer [ã'purpré] **I** *v.t.* purperrood kleuren; **II** *v.pr.*, ***s'—,*** purperrood worden.
empoussiérer, *s'—* [sã'pusyéré] *v.pr.* ondergestoft raken.
empreindre* [ã'prẽ:dr] *v.t.* **1** indrukken; afdrukken; **2** (*fig.*) inprenten; ***empreint de,*** doordrongen van.
empreinte [ã'prẽ:t] *f.* **1** indruk; afdruk *m.*; spoor *o.*; **2** drukmatrijs *v.(m.)*; **3** (*fig.*) stempel *m.*; **— *digitale,*** vingerafdruk *m.*
empressé [ã'prèsé] *adj.* **1** druk, bedrijvig; haastig; **2** gedienstig, dienstvaardig; **3** belangstellend; ***salutations —es,*** beleefde groeten; ***civilités —es,*** hoogachting.
empressement [ã'prèsmã] *m.* **1** ijver *m.*, bedrijvigheid *v.*; **2** haast *v.(m.)*; **3** dienstvaardigheid *v.*; bereidwilligheid *v.*; ***accepter avec —,*** zeer gaarne aannemen.
empresser, *s'—* [sã'prèsé] *v.pr.* **1** zich beijveren (om); **2** zich haasten (om); ***s'— auprès de qn.,*** vol attenties zijn voor iem., naar iemands gunst dingen.
emprise [ã'pri:z] *f.* greep *m.*; beslaglegging *v.*
emprisonnement [ã'prizònmã] *m.* **1** gevangenzetting *v.*; **2** gevangenschap, hechtenis *v.*
emprisonner [ã'prizòné] *v.t.* gevangen zetten; opsluiten.
emprunt [ã'prœ̃] *m.* **1** lening *v.*; **2** (het) geleende *o.*; **3** ontlening *v.*; ***contracter un —,*** een lening aangaan; **— *à lots,*** premielening; **— *forcé,*** gedwongen lening; ***l'— a été couvert,*** de lening werd voltekend; **— *sur titres,*** prolongatie *v.*; **— *national,*** staatslening; ***nom d'—,*** aangenomen naam *m.*, pseudoniem *o.*; ***mot d'—,*** bastaardwoord *o.*; ***vertu d'—,*** voorgewende deugd *v.(m.)*.
emprunté [ã'prœ̃'té] *adj.* **1** geleend; ontleend; **2** gemaakt, onnatuurlijk; **3** onecht; ***nom —,*** aangenomen naam, schuilnaam *m.*, pseudoniem *o.*; ***visage —,*** gelegenheidsgezicht *o.*
emprunter [ã'prœ̃'té] *v.t.* **1** lenen (van); **2** ontlenen (aan); **3** (*v. el. stroom*) afnemen; **4** zich bedienen van.
emprunteur [ã'prœ̃'tœ:r] *m.* lener *m.*; **— *sur gage,*** pandgever *m.*
empuantir [ã'pwã'ti:r] *v.t.* verpesten.
empuantissement [ã'pwã'tismã] *m.* verpesting *v.*
empyrée [ã'piré] *m.* **1** de zevende hemel *m.*; **2** (*dicht.*) uitspansel, firmament *o.*
ému [émü] *adj.* **1** aangedaan, ontroerd, bewogen; **2** (*v. woorden, enz.*) gevoelvol; **3** (*fam.*) aangeschoten.
émulateur [émülatœ:r] *m.* mededinger *m.*
émulation [émüla'syõ] *f.* wedijver *m.*
émule [émül] *m.-f.* mededinger *m.*, —ster *v.*
émulseur [émülsœ:r] *m.* emulgeerapparaat *o.*
émulsif [émülsif] *adj.* oliegevend.
émulsion [émülsyõ] *f.* **1** melksap *o.*, zaadmelk *v.(m.)*; **2** emulsie *v.*
émulsionner [émülsyòné] *v.t.* tot emulsie maken.
en [ã] **I** *prép.* **1** (*plaats*) in; te; naar; op; **2** (*tijd*) in; binnen; gedurende; **3** (*toestand*) in, op...; **— *Suisse,*** in Zwitserland; naar Zwitserland; **— *mer,*** op zee; ***porter — terre,*** ter aarde bestellen; ***de ville — ville,*** van stad tot stad; **— *trois jours,*** in drie dagen; **— *moins de six mois,*** binnen het half jaar; ***d'aujourd'hui — huit,*** vandaag over een week; **— *automne,*** in de herfst;

— ce moment, op dit ogenblik; ***peindre — bleu,*** blauw schilderen; ***— sabots,*** op klompen; ***— cheveux,*** blootshoofds; ***mettre — tas,*** op een hoop leggen; ***agir — ami,*** als een vriend handelen; ***portrait — pied,*** portret ten voeten uit; ***— congé,*** met verlof, met vakantie; ***— secret,*** heimelijk; ***— l'honneur de,*** ter ere van; ***se mettre — route,*** zich op weg begeven; ***de mal — pis,*** van kwaad tot erger; ***— écrivant,*** al schrijvende; ***— partant,*** bij mijn (*of* zijn) vertrek; **II** *adv.* er vandaan; eruit; ***j'— viens,*** ik kom er vandaan; ***s'— échapper,*** er uit ontsnappen; ***s'— aller,*** heengaan, weggaan; ***il s'— fut,*** hij ging heen; **III** *pron.* **1** ervan, erover, eraan, enz.; **2** er, wat, enige; ***il — rougit,*** hij schaamt zich erover; ***il s'— sert toujours,*** hij bedient er zich altijd van; ***— mourir,*** er aan sterven; ***j'— ai une douzaine,*** ik heb er een dozijn; ***je n'— ai pas,*** ik heb er geen; ***c'— est assez,*** dat is genoeg; ***c'— est trop,*** dat gaat te ver; ***quoi qu'il — soit,*** hoe het ook zij; ***ce n'— est pas moins vrai,*** het is daarom niet minder waar.

enamourer [ã'namuré], (*volgens l'Académie*:) **énamourer I** *v.t.* verliefd maken; **II** *v.pr.*, ***s'—,*** verliefd worden.

énanthème [énã'tè:m] *m.* inwendige uitslag *m.*

énarthrose [énartro:z] *f.* kogelgewricht *o.*

encablure [ã'kablü:r] *f.* kabellengte *v.*

encadrement [ã'ka'dremã] *m.* **1** omlijsting *v.*; **2** lijst *v.(m.)*; **3** (*mil.*) kader *o.*

encadrer [ã'ka'dré] *v.t.* **1** omlijsten, in een lijst zetten; **2** omringen, omsluiten; **3** (*mil.*) bij 't kader indelen; ***une armée bien encadrée,*** een goed aangevoerd leger.

encadreur [ã'ka'drœ:r] *m.* lijstenmaker *m.*

encager [ã'ka'jé] *v.t.* **1** in een kooi zetten; **2** (*fig.*) opsluiten; gevangen zetten.

encaissable [ã'kè'sa'bl] *adj.* (*H.*) inbaar, invorderbaar.

encaissage [ã'kè'sa:j] *m.* (*v. planten*) het in bakken [plaatsen *o.*

encaisse [ã'kè's] *f.* (*H.*) geld *o.* in kas, kasvoorraad *m.*; ***— métallique,*** metaalvoorraad *m.*

encaissé [ã'kè'sé] *adj.* **1** (*v. weg*) hol; **2** (*v. rivier, meer*) met steile oevers; ***vallée —e,*** diep dal, keteldal *o.*

encaissement [ã'kè'smã] *m.* **1** verpakking *v.* (in kisten), (het) inpakken *o.*; **2** inning, incassering *v.*; **3** (*v. weg*) holte *v.*; **4** diepte, diepe rivierbedding *v.*; **5** kiezellaag *v.(m.)*.

encaisser [ã'kè'sé] *v.t.* **1** in kisten pakken; **2** innen, incasseren; **3** (*v. slagen*) oplopen; **4** (*fig.*) slikken; **5** insluiten, inbedden.

encaisseur [ã'kè'sœ:r] *m.* incasseerder, wisselloper *m.*

encan [ã'kã] *m.* veiling *v.*; ***vendre à l'—,*** bij opbod verkopen.

encanailler [ã'kana'yé] **I** *v.t.* met gemeen volk in aanraking brengen; **II** *v.pr.*, ***s'—,*** met gemeen volk omgaan.

encapuchonner [ã'kapüʃòné] *v.t.* met een kap be- [dekken.

encaquement [ã'kakmã] *m.* het haringkaken *o.*

encaquer [ã'kaké] *v.t.* **1** kaken, inpakken in tonnen; **2** (*fig.*) als haring in een ton pakken.

encaqueur [ã'kakœ:r] *m.* haringkaker *m.*

encart [ã'kar] *m.* bijlage *v.(m.)*, los blad *o.* *of* katern *v.(m.)* *en o.*

encartage [ã'karta:j] *m.* **1** invoeging *v.*; **2** inlegblad *o.*; **3** omslag *m. en o.*

encarter [ã'karté] *v.t.* **1** invoegen; **2** in een (kartonnen) omslag doen.

en-cas, [ã'ka] *m.* wat in geval van nood moet dienen; mand *v.(m.)* met eetwaren; kleine paraplu *m.* (die ook parasol is).

encaserner [ã'kazèrné] *v.t.* in kazernen onderbrengen.

encastrement [ã'kastremã] *m.* invoeging, in- [vatting *v.*

encastrer [ã'kastré] *v.t.* invoegen, invatten.

encaustique [ã'ko'stik] *f.* **1** wasschildering *v.*; **2** boenwas *m. en o.*, politoer *o. en m.*

encaustiquer [ã'ko'stiké] *v.t.* met boenwas wrijven, politoeren.

encaustiqueur [ã'ko'stikœ:r] *m.* politoerder *m.*

encavement [ã'ka'vmã] *m.* (*v. wijn, enz.*) keldering *v.*

encaver [ã'ka'vé] *v.t.* kelderen.

enceindre [ã'sẽ'dr] *v.t.* **1** omgorden; omringen; **2** (*mil.*) omwallen.

enceinte [ã'sẽ:t] **I** *f.* **1** ringmuur *m.*; omheining *v.*; **2** omwalling *v.*; **3** afgesloten ruimte *v.*; **II** *adj.* zwanger.

encelluler [ã'sèlülé] *v.t.* in een cel opsluiten.

encens [ã'sã] *m.* **1** wierook *m.*; **2** (*fig.*) lof *m.*, vleierij *v.*; **3** (*Pl.*) rozemarijn *m.*; ***aimer l'—,*** gaarne geprezen worden.

encensement [ã'sã'smã] *m.* bewieroking *v.*

encenser [ã'sã'sé] *v.t.* bewieroken.

encenseur [ã'sã'sœ:r] *m.* **1** wierookdrager *m.*; **2** (*fig.*) vleier, flikflooier *m.*

encensoir [ã'sã'swa:r] *m.* wierookvat *o.*; ***casser le nez à qn. à coups d'—,*** iem. stroop om de mond smeren.

encéphale [ã'séfal] *m.* hersenen *mv.*

encéphalique [ã'séfalik] *adj.* hersen—.

encéphalite [ã'séfalit] *f.* hersenontsteking *v.*

encerclement [ã'sèrklemã] *m.* insluiting, omsingeling *v.* [**2** omringen.

encercler [ã'sèrklé] *v.t.* **1** insluiten, omsingelen;

enchainement [ã'ʃè'nmã] *m.* **1** (het) vastketenen *o.*; **2** aaneenschakeling *v.*; **3** logische samenhang *m.*

enchainer [ã'ʃè'né] **I** *v.t.* **1** ketenen, vastketenen; **2** aan een ketting leggen; **3** kluisteren; **4** (*fig.*) bedwingen, aan banden leggen; **II** *v.pr.*, ***s'—,*** aan elkaar verbonden zijn, met elkaar in logisch verband staan.

enchanté [ã'ʃã'té] *adj.* **1** betoverd; **2** verrukkelijk; **3** verrukt, opgetogen; ***— de faire votre connaissance,*** aangenaam kennis te maken; ***flûte —,*** toverfluit *v.(m.)*; ***jardin —,*** lustwarande *v.(m.)*.

enchantement [ã'ʃã'tmã] *m.* **1** betovering *v.*; **2** tovermiddel *o.*; **3** bekoring *v.*; **4** verrukking, opgetogenheid *v.*; ***comme par —,*** als bij toverslag.

enchanter [ã'ʃã'té] *v.t.* **1** betoveren; **2** bekoren, verrukken.

enchanteresse, *voir* ***enchanteur.***

enchanteur [ã'ʃã'tœ:r] (*f.*: ***enchanteresse*** [ã'ʃã'terès]) **I** *m.* **1** tovenaar *m.*; **2** verleider *m.*; **II** *adj.* **1** betoverend; **2** verleidelijk, bekoorlijk; **3** verrukkelijk.

enchâssement [ã'ʃa'semã] *m.* **1** (*v. diamant*) het zetten *o.*; **2** invoeging *v.*

enchâsser [ã'ʃa'sé] *v.t.* **1** (*v. diamant, enz.*) (in)-zetten; **2** in een relieksschrijn zetten; **3** inlassen, invoegen.

enchâssure [ã'ʃa'sü:r] *f.* **1** inzetting; invatting *v.*; **2** kas *v.(m.)*.

enchatonner [ã'ʃatòné] *v.t.* (*v. edelsteen*) zetten.

enchausser [ã'ʃo'sé] *v.t.* (*v. planten*) toedekken, met stro dekken.

enchemiser [ã'ʃemi'zé] *v.t.* kaften.

enchère [ã'ʃè:r] *f.* opbod *o.*; ***mettre aux —s,*** in veiling brengen; ***vendre aux —s,*** bij opbod verkopen, in veiling brengen; ***vente aux —s,*** auctie, veiling *v.* bij opbod; ***payer la folle —,*** voor zijn onbezonnenheid boeten.

enchérir [ã'ʃéri:r] **I** *v.t.* opslaan; duurder maken;

II *v.i.* **1** duurder worden; **2** opbieden; — ***sur qn.,*** **1** hoger bieden dan een ander; **2** (*fig.*) iem. te boven gaan.

enchérissement [ã·ʃérismã] *m.* prijsverhoging, prijsstijging *v.*, opslag *m.*

enchérisseur [ã·ʃérisœ:r] *m.* opbieder *m.*; ***dernier* —,** meestbiedende *m.*

enchevaler [ã·ʃvalé] *v.t.* stutten, schoren.

enchevaucher [ã·ʃvo·ʃé] *v.t.* dakpansgewijze leggen.

enchevêtré [ã·ʃvè·tré] *adj.* verward, in de war.

enchevêtrement [ã·ʃvètrmã] *m.* verwarring *v.*

enchevêtrer [ã·ʃvè·tré] **I** *v.t.* **1** (*v. paard*) een halster aandoen; **2** verwarren, in de war brengen; **3** (*bouwk.*) door draagbalken verbinden; **II** *v.pr.*, ***s'*—,** zich verwarren, in de knoop raken.

encheviller [ã·ʃviyé] *v.t.* vastpinnen, met pinnen vastmaken.

enchifrené [ã·ʃifrené] *adj.* verstopt, neusverkouden. [de neus.

enchifrènement [ã·ʃifrè·nmã] *m.* verstopping *v.* in

encirer [ã·si·ré] *v.t.* met was inwrijven.

enclave [ã·kla:v] *f.* enclave *v.*(*m.*).

enclavement [ã·kla·vmã] *m.* omsluiting, insluiting, enclavering *v.*

enclaver [ã·kla·vé] *v.t.* **1** omsluiten, insluiten; **2** (*tn.*) met een bout vastmaken.

enclenchement [ã·klã·ʃmã] *m.* (*tn.*) koppeling *v.*

enclencher [ã·klã·ʃé] *v.t.* (*tn.*) koppelen.

enclin [ã·klẽ] (*à*) *adj.* geneigd (tot).

encliquetage [ã·klikta:j] *m.* (*tn.*: *v. rad*) het pallen *o.*

encliqueter [ã·klikté] *v.t.* (*tn.*: *v. rad*) pallen, om terugdraaien te verhinderen.

enclitique [ã·klitik] *adj.* (*v. woord*) aangehangen, enclytisch (bv. *je* in *sais-je*).

enclore* [ã·klò:r] *v.t.* omringen, omheinen.

enclos [ã·klo] *m.* **1** omheining *v.*; **2** omheinde ruimte *v.*, erf *o.*

enclouage [ã·klua:j] *m.* (*v. kanon*) (het) vernagelen *o.*, vernageling *v.*

enclouer [ã·klué] **I** *v.t.* vernagelen; **II** *v.pr.*, ***s'*—,** zich vastpraten. [een hoefspijker.

enclouure [ã·kluü:r] *f.* (*v. paard*) wond *v.*(*m.*) van

enclume [ã·klüm] *f.* aanbeeld *o.*; ***remettre sur l'*—,** omwerken; ***être entre l'— et le marteau,*** tussen twee vuren zitten. [beeldje *o.*

enclumeau [ã·klümo] *m.* klein aanbeeld, aan-

encoche [ã·kòʃ] *f.* **1** keep, kerf *v.*(*m.*), insnijding *v.*; **2** (klompenmakers)werkbank *v.*(*m.*).

encochement [ã·kòʃmã] *m.* inkeping *v.*

encocher [ã·kòʃé] *v.t.* inkepen, inkerven.

encoffrer [ã·kòfré] *v.t.* in een korf sluiten.

enco(i)gnure [ã·kòñü:r] *f.* **1** hoek *m.*; **2** hoekkast *v.*(*m.*).

encollage [ã·kòla:j] *m.* **1** het lijmen, gommen *o.*; **2** lijm *m.*, stijfsel *m. en o.*

encoller [ã·kòlé] *v.t.* lijmen, gommen.

encolleuse [ã·kòlö:z] *f.* lijmmachine *v.*

encolure [ã·kòlü:r] *f.* **1** (*v. paard*) hals *m.*; **2** halslengte *v.*; **3** (*v. kledingstuk*) halswijdte *v.*; **4** (*v. boord*) maat *v.*(*m.*); **5** (*v. persoon*) voorkomen *o.*, houding *v.*; ***en avoir l'*—,** er wel naar uitzien.

encombrant [ã·kõ·brã] *adj.* hinderlijk; lastig.

encombre [ã·kõ:br] *f.* hindernis *v.*, letsel *o.*; ***sans* —,** zonder ongelukken.

encombrement [ã·kõ·bremã] *m.* **1** belemmering; versperring *v.*; **2** opstopping *v.*; **3** (*v. markt*) overvoering *v.*; **4** volte; overstelpende drukte *v.*; **5** (*sch.*) slechte stuwage *v.*

encombrer [ã·kõ·bré] **I** *v.t.* **1** belemmeren; versperren; **2** (*v. markt*) overvoeren; **3** vullen; vol zetten met; **4** (*fig.*) overstelpen; ***une classe encombrée,*** een overvolle klas; **II** *v.i.* in de weg staan.

encontre, *à l'— de* [alã·kõ·trede] in tegenstelling met; ***aller à l'— de,*** tegenwerken; zich kanten tegen; tegenspreken.

encorbellement [ã·kòrbèlmã] *m.* uitstek *o.*; ***en* —,** vooruitspringend, erkervormig; ***balcon en* —,** erker *m.*

encorder, *s'*— [sã·kòrdé] *v.pr.* (*bergsp.*) zich aan elkaar vastbinden.

encore [ã·kò:r] *adv.* **1** nog; **2** nog altijd, nog steeds; **3** nog eens, opnieuw; **4** bovendien, verder; **5** en dan nog; ***pas* —,** nog niet; ***il court* —,** hij is nog niet terug; ***comment s'appelle-t-il* —?** hoe heet hij ook weer? — ***est-il,*** zoveel is zeker; — ***que,*** *conj.* hoewel.

encorné [ã·kòrné] *adj.* gehoornd.

encorner [ã·kòrné] *v.t.* **1** met de horens stoten; **2** van horens voorzien. [vis *m.*

encornet [ã·kòrnè] *m.* (*gewone naam voor*:) inkt-

encourageant [ã·kurajã] *adj.* bemoedigend.

encouragement [ã·kurajmã] *m.* aanmoediging *v.*; aansporing *v.*; ***société d'*—,** vereniging *v.* tot bevordering (van kunst, sport, enz.). [ren.

encourager [ã·kurajé] *v.t.* aanmoedigen, aanspo-

encourir* [ã·kuri:r] *v.t.* **1** zich op de hals halen; **2** (*v. verantwoordelijkheid*) op zich laden; **3** (*v. boete*) oplopen.

encrage [ã·kra:j] *m.* (*drukk.*) (het) inkten *o.*

encrassement [ã·kra·smã] *m.* **1** (het) vuil worden *o.*; **2** vervuiling *v.*; **3** vuil *o.*

encrasser [ã·kra·sé] **I** *v.t.* vuil maken; **II** *v.pr.*, ***s'*—, 1** vuil worden; **2** (*v. geweerloop*) aanslaan; **3** (*fig.*) zich verlagen.

encre [ã:kr] *f.* inkt *m.*; — ***d'imprimerie,*** drukinkt; — ***de Chine,*** Oostindische inkt; — ***à copier,*** kopieerinkt; — ***à tampon,*** stempelinkt; — ***à marquer,*** merkinkt; ***c'est la bouteille à l'*—,** het is zo helder als koffiedik; men wordt er niet wijs uit.

encrêper [ã·krè·pé] *v.t.* van een rouwband voorzien. [gen op.

encrer [ã·kré] *v.t.* (*drukk.*) inkten, drukinkt bren-

encreur [ã·krœ:r] *adj.*, ***rouleau* —,** inktrol *v.*(*m.*).

encrier [ã·kri(y)é] *m.* **1** inktpot, inktkoker *m.*; **2** (*drukk.*) inkttafel *v.*(*m.*). [stompt.

encroûté [ã·kruté] *adj.* **1** omkorst; **2** (*fig.*) ver-

encroûtement [ã·krutmã] *m.* **1** aankorsting *v.*; **2** verstomping *v.*

encroûter [ã·kruté] **I** *v.t.* **1** omkorsten, met een korst bedekken; **2** met mortel bestrijken; **II** *v.pr.*, ***s'*—, 1** een korst krijgen; **2** verstompen.

encuirasser [ã·kẅirasé] *v.t.* harnassen.

encuvage [ã·küva:j] *m.* het inkuipen *o.*

encuver [ã·kü·vé] *v.t.* in een kuip doen.

encyclique [ã·siklik] *f.* encycliek *v.*

encyclopédie [ã·siklòpédi] *f.* encyclopedie *v.*

encyclopédique [ã·siklòpédik] *adj.* encyclopedisch.

encyclopédiste [ã·siklòpédist] *m.* **1** schrijver *m.* van (*of* medewerker aan) een encyclopedie; **2** (*gesch.*) encyclopedist *m.*

endaubage [ã·do·ba:j] *m.* **1** het smoren *o.*; **2** vlees *o.* in blik.

endauber [ã·do·bé] *v.t.* smoren.

endéans [ã·déã] *prép.* (*oud*; *recht*) binnen.

endémie [ã·démi] *f.* plaatselijke ziekte, inheemse ziekte *v.* [heems.

endémique [ã·démik] *adj.* (*v. ziekte*) plaatselijk, in-

endenter [ã·dã·té] *v.t.* **1** van tanden voorzien; **2** intanden; ***roue endentée,*** tandrad *o.*

endenture [ã·dã·tür] *f.* gebit *o.*

endettement [ã·dètmã] *m.* **1** (het) schulden maken *o.*; **2** schuldenlast *m.*

endetter [ã'dèté] **I** *v.t.* in schulden steken; **II** *v.pr.*, **s'—,** schulden maken, zich in schulden steken.
endeuiller [ã'dœyé] *v.t.* in rouw dompelen.
endêver [ã'dè'vé] *v.i.* (*fam.*) prikkelbaar zijn, zich ergeren; ***faire —,*** ergeren, treiteren.
endiablé [ã'dyablé, ã'dyɑ'blé] *adj.* **1** van de duivel bezeten; **2** hels, razend, dol; ***être — après, — de,*** verzot zijn op, happig zijn op.
endiabler [ã'dyablé, ã'dyɑ'blé] *v.t.* woedend (hels, *of* razend) maken.
endiamanté [ã'dyamã'té] *adj.* met diamanten getooid.
endiguement [ã'digmã] *m.* indijking *v.*
endiguer [ã'digé] *v.t.* indijken, inpolderen.
endimancher [ã'dimã'ʃé] **I** *v.t.* op zijn zondags kleden; **II** *v.pr.*, **s'—,** zijn zondagse kleren aantrekken.
endive(s) [ã'di:v] *f.(pl.)* **1** Brussels lof *o.*; **2** andijvie *v.(m.)*.
endivisionner [ã'divizyòné] *v.t.* tot divisies verenigen.
endocarde [ã'dòkard] *m.* hartvlies *o.*
endocardite [ã'dòkardit] *f.* hartvliesontsteking *v.*
endocarp [ã'dòkarp] *m.* (*Pl.*) inwendig vruchthulsel *o.*
endocrine [ã'dòkrin] *adj.* (*anat.*) met inwendige secretie.
endocrinien [ã'dòkrinyẽ] *adj.* betrekking hebbend op klieren met inwendige secretie.
endoctriner [ã'dòktriné] *v.t* **1** onderrichten; **2** inlichten; **3** (*ong.*) overhalen.
endoderme [ã'dòdèrm] *m.* binnenste laag *v.(m.)* van de schil.
endolori [ã'dòlòri] *adj.* pijnlijk.
endolorir [ã'dòlòri:r] *v.t.* pijnlijk maken.
endolorissement [ã'dòlòrismã] *m.* pijnlijkheid *v.*
endommagement [ã'dòmajmã] *m.* beschadiging *v.*
endommager [ã'dòmajé] *v.t.* beschadigen.
endormant [ã'dòrmã] *adj.* **1** slaapverwekkend; **2** (*fig.*) vervelend.
endormeur [ã'dòrmœ:r] *m.* **1** die in slaap maakt; **2** vervelend mens *m.*; **3** bedrieger, zwendelaar *m.*
endormi [ã'dòrmi] **I** *adj.* slaperig, loom; suf; ***ma jambe est (tout) —e,*** mijn been slaapt; **II** *s.*, *m.* slaapkop *m.*
endormir* [ã'dòrmi:r] **I** *v.t.* **1** in slaap maken; **2** (*v. zieke*) wegmaken; **3** (*v. tand, enz.*) verdoven; **4** (*fig.*) paaien, misleiden, (in slaap) sussen; **5** (*sp.*) knockout slaan; **II** *v.pr.*, **s'—, 1** inslapen, in slaap vallen; **2** (*fig.*) indutten.
endos [ã'do] *m.* (*H.*) endossement *o.*
endoscope [ã'dòskòp] *m.* endoscoop *m.*
endosmose [ã'dòsmo:z] *f.* endosmose *v.*, osmose waarbij dunnere vloeistof door dichtere wordt opgezogen.
endosperme [ã'dòspèrm] *m.* (*Pl.*) kiemwit *o.* rond zaadkern.
endossage [ã'do'sa:j] *m.* (*v. boekrug*) (het) ronden *o.*
endossataire [ã'do'satè:r] *m.* (*H.*) geëndosseerde *m.*
endossement [ã'do'smã] *m.* **1** (*H.*) wisseloverdracht *v.(m.)*, endossement *o.*; **2** (*v. boekrug*) (het) ronden *o.*
endosser [ã'do'sé] *v.t.* **1** (*v. kledingstuk*) aantrekken; **2** (*H.*: *v. wissel*) overdragen, endosseren; **3** (*v. boek*) de rug ronden van; **4** (*v. kind*) erkennen; **5** (*v. verantwoordelijkheid*) op zich nemen; ***— qc. à qn.,*** iem. iets op de hals schuiven.
endosseur [ã'do'sœ:r] *m.* (*H.*) endossant, overdrager *m.*
endothélium [ã'dòtélyòm] *m.* (*Pl.*) uit platte cellen bestaand epitelium *o.*
endothermique [ã'dòtèrmik] *adj.* endotherm.
endroit [ã'drwɑ] *m.* **1** plaats; plek *v.(m.)*; **2** (*v. boek*) passage *v.*; plaats *v.(m.)*; **3** (*v. stof*) rechte zijde *v.(m.)*; ***les gens de l'—,*** de inwoners; ***prendre qn. par son — faible,*** iem. in zijn zwak tasten; ***à l'— de,*** ten opzichte van; ***mettre à l'—,*** goed aantrekken.
enduire* [ã'dẅi:r] *v.t.* bestrijken, besmeren.
enduit [ã'dẅi] *m.* **1** laag *v.(m.)*, bedekking *v.*; **2** (*op tong*) beslag *o.*; **3** smeersel *o.*, zalf *v.(m.)*.
endurance [ã'dü'rã:s] *f.* uithoudingsvermogen, weerstandsvermogen *o.*; ***épreuve d'—,*** betrouwbaarheidsrit *m.*
endurant [ã'dü'rã] *adj.* **1** geduldig, lijdzaam; **2** taai, onvermoeibaar.
endurcir [ã'dürsi:r] **I** *v.t.* **1** harden, verharden, hard maken; **2** (*fig.*: *v. lichaam*) stalen, sterk maken; **3** ongevoelig maken; ***pécheur endurci,*** verstokte zondaar; **II** *v.pr.*, **s'—, 1** zich harden; **2** ongevoelig worden.
endurcissement [ã'dürsismã] *m.* **1** harding; verharding *v.*; **2** ongevoeligheid; verstoktheid *v.*
endurer [ã'dü'ré] *v.t.* **1** verdragen, verduren, uitstaan; **2** dulden.
Énée [éné] *m.* Aeneas *m.*
Énéide [énéi'd] *f.* Aeneïs *v.*
énergétique [énèrjétik] *adj.* energetisch.
énergie [énèrji] *f.* **1** kracht *v.(m.)*; **2** geestkracht *v.(m.)*; **3** arbeidsvermogen *o.*; **4** nadruk *m.*, klem *v.(m.)*; ***— musculaire,*** spierkracht *v.(m.)* ***— électrique,*** elektrische beweegkracht *v.(m.)*.
énergique(ment) [énèrjik(mã)] *adj.(adv.)* krachtig, flink, energiek; doortastend.
énergumène [énèrgümè'n] *m.* **1** bezetene *m.*; **2** (*fig.*) woesteling, woestaard, dolleman *m.*
énervant [énèrvã] *adj.* **1** ontzenuwend; verslappend; **2** (*fig.*) onuitstaanbaar.
énervation [énèrvɑ'syõ] *f.* ontzenuwing; verzwakking *v.*
énervement [énèrv(e)mã] *m.* **1** ontzenuwing, verslapping *v.*; **2** prikkelbaarheid *v.*
énerver [énèrvé] **I** *v.t.* **1** ontzenuwen, verzwakken; **2** prikkelen, prikkelbaar maken; zenuwachtig maken; **II** *v.pr.*, **s'—,** zich zenuwachtig maken, zenuwachtig worden.
enfaiteau [ã'fè'to] *m.* vorstpan, nokpan *v.(m.)*.
enfaitement [ã'fè'tmã] *m.* (*bouwk.*) nokbedekking, vorstbedekking *v.*
enfaiter [ã'fè'té] *v.t.* de nok dekken van.
enfance [ã'fã:s] *f.* **1** kindsheid *v.*, kinderjaren *mv.*; **2** kinderwereld *v.(m.)*; ***dès l'—,*** van kindsbeen af; ***tomber en —,*** kinds worden.
enfant [ã'fã] *m.-f.* **1** kind *o.*; **2** jongen *m.*; meisje *o.*; **3** afstammeling *m.*; **4** volgeling *m.*; **5** gevolg, uitvloeisel *o.*; **6** voortbrengsel *o.*; ***— de chœur,*** koorknaap *m.*; ***l'— prodigue,*** de verloren zoon; ***l'— Jésus,*** het kindeke Jezus; ***—s assistés,*** voogdijkinderen; ***les —s de saint Ignace,*** de jezuïeten; ***les —s du ciel,*** **1** de engelen; **2** de rechtvaardigen; ***faire l'—,*** zich kinderachtig aanstellen; ***c'est l'— de son père,*** hij lijkt sprekend op zijn vader; ***— trouvé,*** vondeling *m.*; ***bon —,*** geschikt, goedig; ***jeu d'—,*** kinderspel *o.*; ***— terrible,*** flapuit *m.*; ***— de la Gascogne,*** opsnijder *m.*
enfantement [ã'fã'tmã] *m.* **1** bevalling, baring *v.*; **2** (*fig.*) voortbrenging, vervaardiging *v.*
enfanter [ã'fã'té] *v.t.* **1** baren; **2** (*fig.*) voortbrengen; **3** teweegbrengen, veroorzaken.
enfantillage [ã'fã'tiya:j] *m.* **1** kinderachtigheid *v.*; **2** kinderspel *o.*; **3** kinderstreken *mv.*
enfantin [ã'fã'tẽ] *adj.* **1** kinderlijk; **2** kinderachtig; ***classe —e,*** voorbereidende klasse *v.*
enfariner [ã'fariné] *v.t.* **1** met meel bestrooien; **2** wit poederen; ***avoir la bouche enfarinée,*** vol lof zijn voor; ***être enfariné de,*** een oppervlakkige kennis hebben van.
enfer [ã'fè:r] *m.* hel *v.(m.)*; ***les —s,*** de onderwereld *v.(m.)*; ***aller un train d'—,*** vreselijk hard rijden.

als een bezetene rijden; ***jouer un jeu d'—,*** zeer grof (*of* zeer hoog) spelen; ***d'—,*** hels, razend; ***furie d'—,*** helleveeg *v.*

enfermer [ã'fèrmé] **I** *v.t.* **1** opsluiten; **2** wegsluiten; **3** bevatten; **II** *v.pr.*, ***s'—,*** **1** zich opsluiten; **2** (*fig.*) ***— dans,*** zich bepalen tot.

enferrer [ã'fèré] **I** *v.t.* doorsteken, doorboren; **II** *v.pr.*, ***s'—,*** zich vastpraten; in zijn eigen strikken verward raken.

enfieller [ã'fyèlé] *v.t.* **1** bitter maken; **2** (*fig.*) verbitteren, vergallen.

enfiévré [ã'fyévré] *adj.* koortsachtig.

enfièvrement [ã'fyè'vremã] *m.* koortsachtigheid *v.*

enfiévrer [ã'fyévré] *v.t.* **1** koortsig maken; **2** (*fig.*) opwinden.

enfilade [ã'fila'd] *f.* reeks, rij *v.(m.)*; ***chambres en —,*** ineenlopende kamers; ***tir en —,*** lengtevuur *o.*; ***d'—,*** achter elkaar.

enfilement [ã'filmã] *m.* **1** (*v. draad*) (het) insteken *o.*; **2** (*v. kralen*) (het) aanrijgen *o.*

enfiler [ã'filé] *v.t.* **1** (*v. naald*) een draad steken in; **2** (*v. paarlen*) aan een snoer rijgen, aanrijgen; **3** (*v. snoer*) maken; **4** (*v. straat, weg*) inslaan; **5** (*v. kledingstuk*) aanschieten; **6** (*mil.*) in de lengte beschieten; **7** aan de degen rijgen; **8** (*v. trap*) snel aflopen; **9** (*v. redevoering*) beginnen; ***nous ne sommes pas ici pour — des perles,*** wij zijn hier niet om vliegen te vangen, — om onze tijd te verbeuzelen; ***— la venelle,*** (*fam.*) benen maken, het hazepad kiezen.

enfileur [ã'filœ:r] *m.* aanrijger *m.*

enfin [ã'fẽ] *adv.* **1** eindelijk, ten laatste; **2** kortom; ***car —,*** eigenlijk, want nu ja; ***mais —, écoutez,*** maar luister dan toch eens.

enflammé [ã'flamé] *adj.* **1** vurig; gloeiend; **2** (*v. wond, enz.*) ontstoken; **3** (*v. wang, enz.*) vuurrood; **4** (*fig.*) blakend, gloeiend.

enflammer [ã'flamé] **I** *v.t.* **1** aansteken, doen ontbranden; **2** (*v. bloed*) verhitten; **3** geestdriftig maken; **II** *v.pr.*, ***s'—,*** **1** vuur vatten, ontbranden; **2** ontstoken worden; **3** (*fig.*) zich warm maken; ***s'— d'amour,*** in liefde ontsteken (*of* ontgloeien).

enflé [ã'flé] *adj.* **1** gezwollen; **2** opgeblazen; **3** (*muz.*: *v. noot*) krachtig aangehouden.

enflement [ã'flemã] *m.* zwelling *v.*

enfler [ã'flé] **I** *v.t.* **1** doen zwellen; **2** opblazen; **3** (*v. stem*) uitzetten; **4** (*v. rekening*) aandikken, hoog opvoeren; **5** (*beurs*: *v. koers*) opzetten; **6** (*v. moed*) aanwakkeren; **II** *v.i. et v.pr.*, ***s'—,*** **1** zwellen, opzwellen; **2** zich opblazen.

enflure [ã'flü:r] *f.* **1** zwelling, opzwelling *v.*; **2** gezwel *o.*, dikte *v.*; **3** (*fig.*) gezwollenheid *v.*

enfoncé [ã'fõ'sé] *adj.* **1** ingeslagen; **2** (*v. kast, enz.*) diep; **3** (*v. ogen*) diepliggend; **4** geslagen; verslagen; ***— dans,*** verdiept in; ***avoir la tête —e dans les épaules,*** hoge schouders hebben.

enfoncement [ã'fõ'smã] *m.* **1** (het) inslaan *o.*; **2** (het) indrijven *o.*; **3** (het) heien *o.*; **4** diepte, holte *v.*; **5** (*v. kust*) bocht *v.(m.)*; **6** (*v. schilderij*) achtergrond *m.*

enfoncer [ã'fõ'sé] **I** *v.t.* **1** inslaan; **2** indrijven; **3** heien; **4** (*v. deur*) intrappen; **5** (*v. toets*) aanslaan; **6** dieper maken; **7** (*fig.*: *in 't hoofd*) inprenten; **8** de loef afsteken, overdonderen; **9** van een bodem voorzien, een bodem zetten in; ***— une porte ouverte,*** vermeende hinderpalen overwinnen, een open deur intrappen; onnut werk verrichten; ***— son chapeau sur sa tête,*** zijn hoed in de ogen trekken; **II** *v.i.* **1** zinken; **2** inzakken; **3** (*fig.*) doordringen (in), zich verdiepen (in); **III** *v.pr.*, ***s'—,*** **1** zinken; wegzinken; **2** ***— dans,*** diep doordringen in; zich verdiepen in; (*v. spel*) zich overgeven aan.

enfonceur [ã'fõ'sœ:r] *m.*, ***— de portes ouvertes,*** druktemaker, grootspreker, snoever *m.*

enfonçure [ã'fõ'sü:r] *f.* **1** kuil *m.*, holte *v.*, deuk *v.(m.)*; **2** (*v. vat*) bodem *m.*; **3** (*v. bed*) onderlagen *mv.*

enforcir [ã'fòrsi:r] *v.t.* versterken.

enfouir [ã'fwi:r] *v.t.* **1** begraven, bedelven; **2** (*v. aardappelen, enz.*) inkuilen; **3** in de grond verstoppen; **4** (*fig.*: *v. talent, enz.*) verbergen.

enfouissement [ã'fwismã] *m.* **1** begraving, bedelving *v.*; **2** inkuiling *v.*

enfouisseur [ã'fwi'sœ:r] *m.* begraver, schatbegraver *m.*

enfourcher [ã'furʃé] *v.t.* **1** op een hooivork steken; **2** schrijlings gaan zitten op; **3** (*v. fiets*) bestijgen, springen op; ***— son dada,*** op zijn stokpaardje komen, zijn stokpaardje berijden.

enfourchure [ã'furʃü:r] *f.* **1** gaffel *v.(m.)*; **2** (*v. broek*) kruis *o.*

enfourner [ã'furné] *v.t.* **1** in de oven schieten; **2** (*fig.*) beginnen, aanpakken; ***bien —,*** een goed begin maken.

enfreindre* [ã'frẽ:dr] *v.t.* overtreden.

enfuir*, s'— [sã'fwi:r] *v.pr.* **1** vluchten, ontvluchten, ontsnappen; **2** (*v. melk, enz.*) overlopen, overkoken; **3** (*v. vloeistof*) doorlekken; **4** (*v. grond*) wegzakken; **5** (*v. tijd*) heenvlieden; **6** (*v. klank*) wegsterven.

enfumage [ã'füma:j] *m.* (het) beroken *o.*

enfumé [ã'fümé] *adj.* **1** berookt; **2** (*v. glas, enz.*) zwart, roetkleurig.

enfumer [ã'fümé] *v.t.* **1** beroken; **2** door rook verdrijven; **3** bewalmen; **4** (*fig.*) benevelen.

enfûtage [ã'füta:j] *m.* het op fust doen.

enfûtailler [ã'füta'yé], **enfûter** [ã'füté] *v.t.* op fust doen.

engagé [ã'gajé] **I** *adj.* **1** verpand; **2** in beslag genomen; **3** (*v. long, enz.*) aangetast; **4** (*v. machinedeel*) onklaar; **5** beklemd; verward; **II** *s., m.* **1** aangeworven soldaat *m.*; **2** koelie *m.*; ***— volontaire,*** vrijwilliger *m.*

engageable [ã'gaja'bl] *adj.* beleenbaar, verpandbaar.

engageant [ã'gajã] *adj.* **1** innemend, vriendelijk; **2** bekoorlijk, aantrekkelijk.

engagement [ã'gajmã] *m.* **1** verpanding *v.*; **2** verbintenis, verplichting *v.*; **3** dienstneming *v*; **4** (*voor wedstrijd*) inschrijving *v.*; **5** (*mil.*) gevecht, treffen *o.*; **6** (*v. toneelspeler*) verbintenis *v.*; **7** (*v. bank*) obligo *o.*; ***faire face à ses —s,*** zijn verplichtingen nakomen; ***prendre des —s,*** zich verbinden; ***sans —,*** (*H.*) vrijblijvend.

engager [ã'gajé] **I** *v.t.* **1** verpanden, belenen; **2** verbinden; **3** verplichten, binden; **4** in dienst nemen; **5** (*v. soldaten*) aanwerven; **6** (*v. toneelspeler*) engageren; **7** (*v. matrozen*) aanmonsteren; **8** (*v. gesprek*) aanknopen; **9** (*v. strijd*) beginnen; **10** aansporen (tot), opwekken (om); ***— dans une entreprise,*** in een onderneming betrekken; ***— qn. dans une affaire,*** iem. in een zaak wikkelen; ***— le feu,*** het vuur openen; ***— un marché,*** een koop aangaan; **II** *v.pr.*, ***s'—,*** **1** borg blijven; **2** dienst nemen; **3** zich verhuren; **4** beginnen; **5** vastlopen; **6** (*gen.*) aangetast zijn; ***s'— à,*** zich verbinden, de verplichting op zich nemen; ***s'— à fond,*** partij kiezen; er alles op zetten; ***s'— trop (avant),*** te ver gaan; ***s'— dans une rue,*** een straat inslaan.

engainant [ã'gènã] *adj.* schedevormig.

engainer [ã'gèné] *v.t.* **1** in de schede steken; **2** omvatten.

engazonner [ã'gazòné] *v.t.* met gras bezaaien; met graszoden bedekken.

engeance [ã'jã:s] *f.* gebroed, gespuis *o.*

engeancer [ã'jã'sé] *v.t.* (*fam.*) opschepen (***de,*** met).

engelure [ã'jlü:r] *f.*, ***—s aux mains,*** winterhanden *mv.*; ***—s aux pieds,*** wintervoeten *mv.*

engendrement [ã'jã'dremã] *m.* **1** verwekking *v.*; **2** voortbrenging *v.*
engendrer [ã'jã'dré] *v.t.* **1** verwekken, baren; **2** voortbrengen; veroorzaken; ***l'oisiveté engendre le vice,*** ledigheid is het oorkussen van de duivel.
engerber [ã'jèrbé] *v.t.* **1** in schoven binden; **2** (*v. vaten*) opstapelen.
Enghien [*B.* ã'gyẽ, *F.* ã'gẽ] *m.* Edingen *o.*
engin [ã'jẽ] *m.* werktuig, toestel *o.*; ***—s de guerre,*** oorlogstuig *o.*
englober [ã'glòbé] *v.t.* omvatten; verenigen.
engloutir [ã'gluti:r] **I** *v.t.* **1** opslokken; **2** verzwelgen; **3** (*fig.*) verslinden; **4** verspillen, doorbrengen; **II** *v.pr.*, ***s'—,*** verzwolgen worden.
engloutissement [ã'glutismã] *m.* verzwelging *v.*
engluer [ã'glüé] **I** *v.t.* **1** met vogellijm bestrijken; **2** met boomzalf bestrijken; **3** (*fig.*) lijmen; **II** *v.pr.*, ***s'—,*** in de val lopen.
engommer [ã'gòmé] *v.t.* gommen.
engoncer [ã'gõ'sé] *v.t.* (*v. kleding*) iem. stijf (*of* te hoog) inpakken; ***taille engoncée,*** hoge schouders.
engorgement [ã'gòrjmã] *m.* verstopping *v.*
engorger [ã'gòrjé] **I** *v.t.* **1** verstoppen; **2** overvoeren; **II** *v.pr.*, ***s'—,*** verstopt raken.
engouement, engoûment [ã'gumã] *m.* **1** verstopping *v.*; **2** overdreven voorliefde *v.*, geestdrift *v.*(*m.*) (voor), verzotheid *v.* (op).
engouer [ã'gwé] **I** *v.t.* verstoppen; ***— le gosier,*** in de keel blijven zitten; **II** *v.pr.*, ***s'—,*** **1** stikken; **2** zich verslikken; ***s'— de,*** verzot worden op, veel ophebben met.
engouffrer [ã'gufré] **I** *v.t.* in een afgrond storten; **2** verzwelgen; **II** *v.pr.*, ***s'—,*** **1** zich in een afgrond storten; **2** (*fig.*) verloren gaan, te niet gaan.
engoulevent [ã'gulvã] *m.* (*Dk.*) geitenmelker *m.*, nachtzwaluw *v.*(*m.*).
engourdi [ã'gurdi] *adj.* **1** verdoofd; verkleumd; **2** stijf; **3** dof, log.
engourdir [ã'gurdi:r] *v.t.* **1** verdoven; verkleumen; **2** verstijven; **3** (*fig.*) verstompen.
engourdissement [ã'gurdismã] *m.* **1** verdoving; verkleumdheid *v.*; **2** verstijving *v.*; **3** verstomping *v.*
engrain [ã'grẽ] *m.* zaaigraan, zaaikoren *o.*
engrais [ã'grè] *m.* **1** mest *m.*, meststof *v.*(*m.*); **2** vetweiderij *v.*; **3** mestvoeder *o.*; ***— chimique,*** kunstmest; ***mettre à l'—,*** mesten, vetmesten.
engraissement [ã'grè'smã] *m.* **1** mesting, vetmesting *v.*; **2** (het) dikker worden *o.*
engraisser [ã'grè'sé] **I** *v.t.* **1** mesten, vetmesten; **2** bemesten; **3** met vet insmeren; **4** (*fig.*) rijk maken; **II** *v.i. et v.pr.*, ***s'—,*** **1** vet worden, dikker worden; **2** rijk worden, zich verrijken.
engraisseur [ã'grè'sœ:r] *m.* vetweider *m.*
engranger [ã'grã'jé] *v.t.* binnenhalen (in de schuur).
engravement [ã'gra'vmã] *m.* (*v. schip*) (het) verzanden *o.*
engraver [ã'gra'vé] *v.t.* **1** op het droge zetten, verzanden; **2** (*v. weg*) begrinten.
engrêlure [ã'grè'lü:r] *f.* kartelrand *m.*
engrenage [ã'grena:j] *m.* raderwerk *o.*
engrener [ã'grené] **I** *v.t.* **1** (*v. molen, enz.*) van graan voorzien; **2** met graan voeden (*of* mesten); **3** beginnen, aanpakken, aanvatten; **4** (*v. raderen*) doen ineengrijpen; **5** aan de gang maken; **6** slijpen, polijsten; ***qui bien engrène bien finit,*** een goed begin is het halve werk; **II** *v.pr.*, ***s'—,*** (*v. raderen*) in elkaar grijpen.
engrenure [ã'grenü:r] *f.* (het) ineengrijpen *o.*
engrumeler [ã'grümlé] *v.t.* doen klonteren.
enguenillér [ã'gniyé] *v.t.* in lompen hullen, met lompen bekleden.
engueulade [ã'gœla'd] *f.* **1** scheldpartij *v.*; **2** uitbrander *m.*
engueuler [ã'gœlé] *v.t.* **1** uitschelden; **2** een uitbrander geven; **3** toesnauwen, afbekken.
enguignonné [ã'giñòné] **I** *m.* pechvogel *m.*; **II** *adj.* ongelukkig, pech hebbend.
enguirlander [ã'girlã'dé] *v.t.* **1** met slingers versieren, omkransen; **2** (*fam.*) een uitbrander geven.
enhardir [ã'(h)ardi:r] **I** *v.t.* aanmoedigen, stoutmoedig maken; **II** *v.pr.*, ***s'—,*** zich verstouten, de stoute schoenen aantrekken.
enharmonie [ã'narmòni] *f.* (*muz.*) enharmonie *v.*
enharmonique [ã'narmònik] *adj.* (*muz.*) enharmonisch.
enharnacher [ã'(h)arnaʃé] *v.t.* **1** optuigen, zadelen; **2** (*fig.*) toetakelen.
enherber [ã'nèrbé] *v.t.* met gras bezaaien.
énigmatique [énigmatik] *adj.* raadselachtig, duister.
énigme [énigm] *f.* raadsel *o.*; ***le mot de l'—,*** de oplossing van het raadsel; ***proposer une —,*** een raadsel opgeven.
enivrant [ã'ni'vrã] *adj.* bedwelmend.
enivrement [ã'ni'vremã] *m.* **1** dronkenschap *v.*; **2** bedwelming *v.*; **3** opwinding *v.*
enivrer [ã'ni'vré] **I** *v.t.* **1** dronken maken; **2** bedwelmen; **3** (*fig.*) verblinden; **II** *v.pr.*, ***s'—,*** **1** zich dronken drinken; **2** verblind worden; ***s'— de son vin,*** een te grote dunk van zich zelf hebben.
enjaler [ã'jalé] *v.t.* (*sch.*: *v. anker*) stokken.
enjambée [ã'jã'bé] *f.* **1** stap *m.*, schrede *v.*(*m.*); **2** (het) overstappen *o.*
enjambement [ã'jã'bmã] *m.* (het) overspringen *o.* van de ene op de andere versregel.
enjamber [ã'jã'bé] **I** *v.t.* **1** stappen over; **2** (*v. paard*) bestijgen; **3** (*v. rivier*) overbruggen; **4** (*v. rang, graad*) overspringen; **II** *v.i.* **1** met grote stappen lopen; **2** (*in gedicht*) overspringen van de ene op de andere versregel; ***— sur,*** **1** inbreuk maken op; **2** overspringen.
enjaveler [ã'javlé] *v.t.* (*v graan*) op hopen leggen.
enjeu [ã'jö] *m.* inzet, inleg *m.*
enjoindre* [ã'jwẽ:dr] *v.t.* bevelen, gelasten.
enjôler [ã'jo'lé] *v.t.* bepraten, paaien.
enjôleur [ã'jo'lœ:r] *m.* mooiprater *m.*
enjolivement [ã'jòli'vmã] *m.* verfraaiing, versiering *v.*
enjoliver [ã'jòlivé] *v.t.* verfraaien, versieren.
enjoliveur [ã'jòlivœ:r] *m.* (*v. auto*) wieldop *m.*
enjolivure [ã'jòlivü:r] *f.* versiersel *o.*; siermotief *o.*
enjoué [ã'jwé] *adj.* opgeruimd, vrolijk.
enjouement, enjoûment [ã'jumã] *m.* opgeruimdheid, vrolijkheid *v.*
enjuguer [ã'jügé] *v.t.* het juk opleggen.
enjuponner [ã'jüpòné] *v.t.* een rok aandoen.
enlacé [ã'lasé] *adj.* ineengestrengeld; dooreengevlochten.
enlacement [ã'lasmã] *m.* **1** ineenstrengeling *v.*; **2** omstrengeling *v.*; **3** omvatting; omarming *v.*
enlacer [ã'lasé] **I** *v.t.* **1** ineenstrengelen, dooreenvlechten; **2** (*in net*) verwarren; **3** omvatten; omarmen; **4** (*fig.*) binden, omstrikken; **II** *v.pr.*, ***s'—,*** **1** (*v. zaken*) zich ineenstrengelen; **2** (*v. personen*) elkaar omarmen.
enlaidir [ã'lèdi:r] **I** *v.t.* lelijk maken; **II** *v.pr.*, ***s'—,*** lelijk worden.
enlaidissement [ã'lèdismã] *m.* (het) lelijk maken *o.*; (het) lelijk worden *o.*
enlevage [ã'lva:j] *m.* (*bij roeien*) spurt *m.*
enlevé [ã'lvé] *m.* (*sp.*) krachtige beweging *v.* voorwaarts.
enlèvement [ã'lèvmã] *m.* **1** wegneming *v.*; **2** wegruiming; verwijdering; opruiming *v.*; **3** schaking, ontvoering *v.*; **4** (*v. vlieger*) oplating *v.*; **5** (*v. ballon*)

stijging *v.*; **6** (*mil.*) inneming, verovering *v.*; **7** (*v. lijk*) (het) opnemen *o.*; **8** (*v. stukken*) verduistering *v.*; **— *à domicile,*** afhaling (aan huis); **— *d'enfant,*** kinderdiefstal, kinderroof *m.*; ***l'— des Sabines,*** de Sabijnse maagdenroof.

enlever [ã'lvé] **I** *v.t.* **1** wegnemen; **2** wegruimen, verwijderen; opruimen; **3** schaken, ontvoeren; **4** (*v. vlieger, ballon*) oplaten; **5** (*v.jas*) uittrekken; **6** (*mil.*: *v. vesting*) innemen, veroveren; **7** (*v. troepen*) overrompelen; **8** (*v. goederen*) afhalen; **9** (*muz., toneel*) vlot spelen; **10** (*fig.*) bekoren, verrukken, meeslepen; **— *le couvert,*** de tafel afnemen; **— *un souvenir,*** een herinnering uitwissen; ***enlevez-le!*** gooi hem er uit! **II** *v.pr.*, ***s'—,*** **1** grif verkocht worden, aftrek vinden; **2** opstijgen, zich verheffen (in de lucht); **3** (*v. vlek*) uitgaan; **4** (*v. knoop*) losgaan.

enleveur [ã'lvœ:r] *m.* ontvoerder *m.*

enlevure [ã'lvü:r] *f.* **1** lederafval *o. en m.*; **2** afgeschilferde verf *v.*(*m.*); **3** huidopzwelling *v.*

enliasser [ã'lyasé] *v.t.* tot een bundel verenigen.

enlier [ã'lyé] *v.t.* verbinden.

enligner [ã'liñé] *v.t.* op één lijn plaatsen.

enlisement [ã'li'zmã] *m.* het wegzinken *o.* (in drijfzand).

enliser, s'— [sã'li'zé] *v.pr.* wegzinken (in het drijfzand).

enluminé [ã'lüminé] *adj.* **1** gekleurd; **2** (*v. gelaatskleur*) vuurrood; **3** aangeschoten; **4** (*fig.*: *v. stijl*) bombastisch, vol valse schittering.

enluminer [ã'lüminé] *v.t.* **1** kleuren; **2** verluchten, versieren; **3** (*v. gelaat*) vuurrood maken.

enlumineur [ã'lüminœ:r] *m.* verluchter *m.* van handschriften.

enluminure [ã'lüminü:r] *f.* **1** (het) kleuren *o.*; **2** verluchtingskunst *v.*; **3** gekleurde miniatuur *v.*; **4** hoogrode gelaatskleur *v.*(*m.*); **5** valse schittering *v.*, bombast *m.*

ennéagonal [ènéagònal] *adj.* negenhoekig.

ennéagone [ènéagòn] *m.* negenhoek *m.*

enneigé [ã'nè'jé] *adj.* besneeuwd, met sneeuw bedekt; ingesneeuwd.

enneigement [ã'nèjemã] *m.* sneeuwsituatie, besneeuwing *v.*; ***bulletin d'—,*** sneeuwbericht *o.*

ennemi [ènmi] **I** *m.* vijand *m.*; ***l'— du genre humain,*** de boze; **— *mortel,*** aartsvijand, doodsvijand; ***tué à l'—,*** gesneuveld, gevallen op het veld van eer; ***passer à l'—,*** **1** overlopen; **2** (*fig.*) afvallig worden; **II** *adj.* **1** vijandelijk; **2** vijandig.

ennoblir [ã'nòbli:r] *v.t.* veredelen.

ennoblissement [ã'nòblismã] *m.* veredeling *v.*

ennuager, s'— [sã'nüajé] *v.pr.* bewolkt worden.

ennui [ã'nŵi] *m.* **1** verveling *v.*; **2** verdriet *o.*; zorg *v.*(*m.*); **3** ongemak *o.*; overlast *m.*; ***avoir des —s,*** onaangenaamheden hebben; **— *de vivre,*** levensmoeheid *v.*

ennuyant [ã'nŵiyã] *adj.* vervelend.

ennuyer [ã'nŵiyé] **I** *v.t.* **1** vervelen; **2** hinderen, lastig vallen, overlast aandoen; **II** *v.pr.*, ***s'—,*** zich vervelen; ***s'— de,*** verlangen naar.

ennuyeux [ã'nŵiyö] *adj.*, **ennuyeusement** [ã'nŵiyö'zmã] *adv.* **1** vervelend; **2** lastig.

énoncé [énõ'sé] *m.* **1** (*v. contract, enz.*) tekst *m.*; **2** (*v. vraagstuk*) opgave *v.*(*m.*); **3** inhoud *m.*; **4** vermelding *v.*

énoncer [énõ'sé] **I** *v.t.* **1** (*v. gedachte, enz.*) uitdrukken; **2** (*v. feit*) aanduiden, vermelden; **3** (*v. getal*) uitspreken; **4** (*v. opgave*) formuleren, onder woorden brengen; **II** *v.pr.*, ***s'—,*** zich uitdrukken.

énonciatif [énõ'syatif] *adj.* uitdrukkend; verklarend.

énonciation [énõ'syasyõ] *f.* **1** uitdrukking *v.*; **2** vermelding *v.*; **3** verklaring *v.*; **4** (het) uitspreken *o.*

enorgueillir [ã'nòrgœyi:r] **I** *v.t.* trots maken, hoogmoedig maken; **II** *v.pr.*, ***s'— (de),*** trots zijn (op); zich verhovaardigen (op).

énorme [énòrm] *adj.* ontzaglijk, geweldig, verbazend groot.

énormément [énòrmémã] *adv.* verbazend veel, geweldig, uitermate.

énormité [énòrmité] *f.* **1** buitengewone grootte, ontzaglijke grootte *v.*; **2** afschuwelijkheid, snoodheid *v.*; **3** stommiteit *v.*

énouer [énwé] *v.t.* (*v. laken*) noppen.

enquérir* [ã'kéri:r] *v.pr.*, ***s'— de,*** onderzoeken, navraag doen naar.

enquête [ã'kè:t] *f.* onderzoek *o.*; ***faire une —,*** een onderzoek instellen.

enquêter [ã'kè'té] *v.i.* een onderzoek instellen.

enquêteur [ã'kè'tœ:r] *m.* onderzoeker *m.*

enquinauder [ã'kinodé] *v.t.* (*pop.*) ertussen nemen, beetnemen.

enraciné [ã'rasiné] *adj.* ingeworteld.

enracinement [ã'rasinmã] *m.* (het) wortel schieten *o.*

enraciner [ã'rasiné] **I** *v.t.* doen wortel schieten; **II** *v.pr.*, ***s'—,*** wortel schieten.

enragé [ã'rajé] **I** *adj.* **1** razend, dol; **2** woedend; **3** (*v. speler*) verwoed; ***manger de la vache —e,*** groot gebrek lijden; **II** *s., m.* bezetene; dolleman *m.*

enrageant [ã'rajã] *adj.* om dol te worden, om razend te worden.

enrager [ã'rajé] *v.i.* razend worden; woedend zijn; ***j'enrage,*** mijn bloed kookt, ik kan het niet langer aanzien; ***faire —,*** woedend maken, uit zijn vel doen springen.

enrayage [ã'rèya:j] *m.* (het) remmen *o.*, remming *v.*; ***sabot d'—,*** remschoen *m.*

enrayement, enraiement [ã'rèymã] *m.* **1** remming *v.*; **2** stuiting *v.*

enrayer [ã'rèyé] **I** *v.t.* **1** remmen; **2** (*fig.*: *v. ziekte*) stuiten, tegenhouden; **3** (*v. akker*) de eerste voor trekken in; **4** (*v. wiel*) spaken inzetten; **II** *v.i.* inbinden.

enrayure [ã'rèyü:r] *f.* **1** remschoen *m.*; **2** (*in akker*) eerste voor *v.*(*m.*).

enrégimenter [ã'réjimã'té] *v.t.* **1** in een regimen inlijven; **2** (*fig.*) aanwerven, winnen (voor partij).

enregistrement [ã'rejistremã] *m.* **1** inschrijving; registratie *v.*; **2** (*v. bagage*) aangifte *v.*; **3** (*v. trillingen*) registrering *v.*; **4** registratiekosten *mv.*; **5** (*v. film, grammofoonplaat*) opname *v.*(*m.*); **— *sonore,*** geluidsopname, bandopname, klankfilmopname *v.*(*m.*).

enregistrer [ã'r(e)jistré] *v.t.* **1** inschrijven; registreren; **2** (*v. film, grammofoonplaat*) opnemen; **3** (*v. werktuig*) aantekenen; ***faire —,*** (*v. bagage*) aangeven.

enregistreur [ã'r(e)jistrœ:r] **I** *adj.* zelfregistrerend; ***caisse enregistreuse,*** kasregister *o.*; **II** *s., m.* registreertoestel *o.*

enrhumé [ã'rümé] *adj.* verkouden.

enrhumer [ã'rümé] **I** *v.t.* verkouden maken; **II** *v.pr.*, ***s'—,*** verkouden worden.

enrichir [ã'risi:r] **I** *v.t.* **1** verrijken, rijk maken; **2** (*fig.*) versieren; opsmukken; ***un nouvel enrichi,*** een oweeër, een parvenu; **II** *v.pr.* zich verrijken; rijk worden.

enrichissement [ã'risismã] *m.* **1** verrijking *v.*; **2** versiering *v.*

enrober [ã'ròbé] *v.t.* **1** (*v. sigaar*) dekken; **2** (*H.*) inpakken, verpakken (in douanevrije verpakking); **3** (*v. vlees*) bedekken met gelatine (of vet).

enrochement [ã'ròsmã] *m.* **1** stenen onderlaag *v.*(*m.*); **2** het aanbrengen daarvan.

enrôlement [ã'ro'lmã] *m.* **1** aanwerving *v.*; **2** dienstneming *v.*; **3** werflijst *v.(m.)*.
enrôler [ã'ro'lé] **I** *v.t.* **1** aanwerven; **2** inlijven; in dienst nemen; ***enrôlé volontaire,*** vrijwilliger *m.*; **II** *v.pr.*, ***s'—,*** **1** dienst nemen; **2** (*fig.*) zich aansluiten (bij), toetreden (tot).
enrôleur [ã'ro'lœ:r] *m.* werver *m.*
enroué [ã'rwé] *adj.* hees, schor.
enrouement [ã'rumã] *m.* heesheid, schorheid *v.*
enrouer [ã'rwé] **I** *v.t.* schor maken; **II** *v.pr.*, ***s'—,*** schor worden.
enrouiller [ã'ruyé] **I** *v.t.* doen roesten, roestig maken; **II** *v.pr.*, ***s'—,*** roesten.
enroulement [ã'rulmã] *m.* **1** winding; kronkeling *v.*; **2** ineenrolling *v.*; oprolling *v.*; **3** (*Pl.*) bladplooiing; bloemplooiing *v.*; **4** (*bouwk.*) krul, volute *v.(m.)*.
enrouler [ã'rulé] **I** *v.t.* **1** opwinden; **2** oprollen; **3** omwinden, omslingeren; **II** *v.pr.*, ***s'—,*** (zich) ineenrollen.
enrubanner [ã'rübané] *v.t.* met linten versieren.
ensablement [ã'sa'blemã] *m.* **1** verzanding *v.*; **2** (*v. schip*) (het) op 't zand lopen *o.*
ensabler [ã'sa'blé] **I** *v.t.* **1** met zand bedekken; **2** (*v. schip*) op het zand zetten; **3** (*fig.*) vervuilen; **II** *v.pr.*, ***s'—,*** **1** verzanden; **2** in het zand vastraken.
ensachement [ã'saʃemã] *m.* het in zakken doen *o.*
ensacher [ã'saʃé] *v.t.* in een zak (*of* in zakken) doen.
ensanglanté [ã'sã'glã'té] *adj.* **1** bebloed; **2** bloederig.
ensanglanter [ã'sã'glã'té] *v.t.* met bloed bevlekken.
ensavonner [ã'savòné] *v.t.* inzepen.
enseignant [ã'sèñã] *adj.* onderwijzend; ***corps —,*** onderwijzend personeel.
enseigne [ã'sèñ] **I** *f.* **1** uithangbord *o.*; **2** standaard *m.*; vaandel *o.*; ***nous sommes logés à la même —,*** wij varen in 't zelfde schuitje; ***à l'— de la lune,*** onder de blote hemel; ***à bon vin point d'—,*** goede wijn behoeft geen krans; ***—s déployées,*** met vliegende vaandels; ***à bonnes —s,*** op goede gronden; **II** *m.* **1** vaandrig *m.*; **2** onderluitenant *m.*; ***— de vaisseau,*** luitenant-ter-zee tweede klasse.
enseignement [ã'sèñmã] *m.* **1** onderwijs *o.*; **2** onderrichting, lering *v.*; ***— primaire,*** lager onderwijs; ***— primaire supérieur,*** (m)ulo-onderwijs; ***— secondaire,*** middelbaar onderwijs; ***— supérieur,*** hoger onderwijs; ***— professionnel,*** vakonderwijs, nijverheidsonderwijs; ***— libre,*** bijzonder onderwijs; ***— obligatoire,*** leerplicht, schoolplicht *m. en v.*
enseigner [ã'sèñé] *v.t.* **1** onderwijzen; les geven in; **2** onderrichten; **3** (*v. plicht, enz.*) wijzen op, voorhouden.
ensellé [ã'sèlé] *adj.* met een zadelrug.
ensellure [ã'sèlü:r] *f.* holle rug *m.*
ensemble [ã'sã:bl] **I** *adj.* **1** samen, te zamen; **2** te gelijk; **II** *s.*, *m.* **1** geheel *o.*; **2** eenheid *v.*, samenhang *m.*; **3** stel *o.*; **4** samenklank *m.*; samenzang *m.*; **5** japon en mantel; ***musique d'—,*** meerstemmige muziek *v.*, meerstemmig koor *o.*; ***tableau d'—,*** overzicht *o.*; ***vue d'—,*** algemeen overzicht; ***mouvements d'—,*** samenwerkende bewegingen; ***— de salon,*** bankstel *o.*
ensemblier [ã'sã'bli(y)é] *m.* binnenhuisarchitect *m.*
ensemencement [ã'smã'smã] *m.* **1** bezaaiing *v.*; **2** (*v. vis*) (het) uitpoten *o.*
ensemencer [ã'smã'sé] *v.t.* **1** bezaaien; **2** uitpoten.
enserrement [ã'sèrmã] *m.* insluiting *v.*
enserrer [ã'sèré] *v.t.* **1** omvatten; **2** wegsluiten; **3** in een broeikas zetten.
ensevelir [ã'sevli:r] **I** *v.t.* **1** (*v. dode*) afleggen; **2** begraven; **3** bedelven; **4** (*fig.*) verbergen; **II** *v.pr.*, ***s'—,*** zich begraven, zich afzonderen; ***s'— dans les livres,*** zich verdiepen in de boeken.
ensevelissement [ã'sevlismã] *m.* **1** (het) afleggen *o.*; **2** (het) begraven *o.*
ensevelisseur [ã'sevlisœ:r] *m.* aflegger *m.*
ensiforme [ã'sifòrm] *adj.* zwaardvormig.
ensilage [ã'sila:j] *m.* inkuiling *v.*
ensiler [ã'silé] *v.t.* inkuilen.
ensoleillé [ã'sòlèyé] *adj.* zonnig.
ensoleiller [ã'sòlèyé] *v.t.* **1** aan de zon blootstellen; **2** verlichten; **3** (*fig.*) een zonnetje doen schijnen in.
ensommeillé [ã'sòmèyé] *adj.* slaperig.
ensorceler* [ã'sòrselé] *v.t.* beheksen; betoveren.
ensorceleur [ã'sòrselœ:r] **I** *m.* tovenaar *m.*; **II** *adj.* betoverend.
ensorceleuse [ã'sòrselö:z] *f.* tovenares, toverheks [*v.*
ensorcellement [ã'sòrsèlmã] *m.* betovering *v.*
ensoufrer [ã'sufré] *v.t.* zwavelen.
ensouple [ã'su:pl] *f.* weversboom *m.*
ensoutané [ã'sutané] *m.* (*pop.*: *ong.*) zwartrok *m.*
ensuairer [ã'swè'ré] *v.t.* (*een overledene*) afleggen.
ensuite [ã'swit] *adv.* daarna, vervolgens.
ensuivre*, ***s'—*** [sã'swi:vr] *v.pr.* volgen (uit), voortvloeien (uit); ***il s'ensuit que,*** daaruit volgt dat.
entablement [ã'tablemã] *m.* **1** (*bouwk.*) hoofdgestel *o.*; **2** muurbekroning *v.*
entaché [ã'taʃé] *adj.* besmet; ***— de nullité,*** nietig, van onwaarde.
entacher [ã'taʃé] *v.t.* **1** besmetten; **2** (*fig.*) bezoedelen, bevlekken.
entaille [ã'ta'y] *f.* **1** inkerving *v.*, keep *v.(m.)*; **2** (diepe) snede; snijwond *v.(m.)*; **3** (*sch.*) mangat *o.*
entailler [ã'ta'yé] *v.t.* **1** inkepen; **2** diep insnijden.
entaillure [ã'tayü:r] *f.* inkerving *v.*, keep, groef *v.(m.)*.
entame [ã'tam] *f.* eerste snede *v.(m.)*.
entamer [ã'tamé] *v.t.* **1** (*v. brood, enz.*) aansnijden; **2** (*v. fles*) aanbreken; **3** (*v. vat*) aansteken; **4** (*v. kapitaal*) aanspreken; **5** (*v. werk*) beginnen aan; aanvatten; **6** (*v. gezondheid, naam, eer*) aantasten; **7** (*v. bespreking*) openen; **8** (*v. vervolging*) instellen; **9** (*v. overtuiging*) doen wankelen; ***— du pied droit,*** (*v. paard*) met het rechterbeen beginnen te galopperen.
entamure [ã'tamü:r] *f.* eerste snede *v.(m.)*.
entartrer [ã'tartré] *v.t.* bedekken met ketelsteen.
entassement [ã'ta'smã] *m.* ophoping, opeenstapeling *v.*
entasser [ã'ta'sé] **I** *v.t.* **1** ophopen, opstapelen; **2** (*v. geld*) oppotten; **II** *v.pr.*, ***s'—,*** **1** zich opeenpakken; **2** elkaar verdringen.
entasseur [ã'ta'sœ:r] *m.* (*fam.*) potter, schraper *m.*
ente [ã't] *f.* **1** ent *v.(m.)*; **2** enting *v.*; **3** geënte boom *m.*; **4** penseelsteel *m.*
entendement [ã'tã'dmã] *m.* **1** verstand, begrip *o.*; **2** (*wijsb.*) kenvermogen *o.*
entendeur [ã'tã'dœ:r] *m.*, ***à bon —, salut! à bon — peu de paroles,*** een goed verstaander heeft maar een half woord nodig.
entendre [ã'tã:dr] **I** *v.t.* **1** horen; **2** verhoren; **3** luisteren naar; **4** menen, bedoelen; **5** verstaan, begrijpen; **6** kennen, verstand hebben van; ***— dur,*** hardhorig zijn; ***— clair,*** een scherp gehoor hebben; ***il ne veut rien —,*** hij wil naar geen raad luisteren; ***donner à —,*** te verstaan geven; ***il n'entend pas de cette oreille-là,*** daar wil hij niets van weten, hij is doof aan dat oor; ***il n'y entend rien,*** hij heeft er geen verstand van; ***il n'y entend pas malice,*** hij bedoelt het zo kwaad niet; ***comment l'entendez-vous?*** hoe bedoelt u dat? ***à l'—,*** volgens zijn zeggen, als men hem geloven mag; **II** *v.pr.*, ***s'—,*** **1** elkaar horen; **2** elkaar verstaan;

3 elkaar begrijpen; 4 verstaan worden, begrepen worden; 5 het (samen) eens zijn; goed overeenkomen; ***s'— à,*** verstand hebben van; ***s'y entendre comme à ramer des choux,*** niet het minste begrip hebben van iets; ***ils s'entendent comme larrons en foire,*** zij spelen onder één hoedje, zij liggen onder één deken; ***je m'entends,*** ik weet wat ik zeg; ***cela s'entend,*** dat spreekt van zelf.

entendu [ã'tã'dü] *adj.* 1 gehoord; 2 afgesproken; 3 begrepen; 4 verstandig, ervaren; ***l'affaire est —e,*** de zaak is afgehandeld; ***c'est une affaire —e,*** dat is afgesproken; ***un zèle mal —,*** een misplaatste ijver; ***bien —,*** natuurlijk; wel te verstaan; ***bien — que,*** met dien verstande dat; ***faire l'—,*** doen alsof men er alles van weet; de man van ondervinding uithangen.

enténébrer [ã'ténébré] *v.t.* in duisternis dompelen.

entente [ã'tã't] *f.* 1 verstandhouding; overeenstemming *v.*; 2 betekenis *v.*; 3 verstand *o.*; kennis *v.*; ***à double —,*** dubbelzinnig; ***— cordiale,*** hartelijke verstandhouding; ***l'E—,*** (*gesch.*) de Entente *v.*

enter [ã'té] *v.t.* 1 enten; 2 (*v. kous*) aanbreien.

entérinement [ã'térinmã] *m.* bekrachtiging *v.*

entériner [ã'tériné] *v.t.* bekrachtigen, goedkeuren.

entérique [ã'térik] *adj.* ingewands-; ***inflammation —,*** darmontsteking *v.*

entérite [ã'térit] *f.* ingewandsontsteking, darmontsteking, enteritis *v.*

entérocolite [ã'téròkòlit] *f.* ontsteking *v.* aan dunne en karteldarm.

entérolithe [ã'téròlit] *m.* (*gen.*) darmsteen *m.*

entérovaccin [ã'téròvaksẽ] *m.* ingewandsvaccin *o.*

enterrement [ã'tè'rmã] *m.* begrafenis *v.*; ***— de première classe,*** (*v. toneelstuk, enz.*) eervolle begrafenis; ***mine d'—,*** begrafenisgezicht *o.*

enterrer [ã'tè'ré] **I** *v.t.* 1 begraven; 2 (*fig.*) wegstoppen, doen verdwijnen; 3 in de doofpot stoppen; uit de wereld helpen; 4 eindigen, uitluiden; 5 verre overtreffen; in de schaduw stellen; ***il a enterré tous ses amis,*** hij heeft al zijn vrienden overleefd; **II** *v.pr.*, ***s'—,*** zich begraven; zich afzonderen.

enterreur [ã'tè'rœ:r] *m.* 1 begraver *m.*; 2 (*Dk.*) doodgraver *m.*

en-tête* [ã'tè:t] *m.* hoofd, opschrift *o.*; ***— de lettre,*** briefhoofd *o.*

entêté [ã'tè'té] **I** *adj.* koppig, stijfhoofdig; **II** *s., m.* stijfkop *m.*

entêtement [ã'tè'tmã] *m.* koppigheid, stijfhoofdigheid *v.*

entêter [ã'tè'té] **I** *v.t.* 1 bedwelmen, naar 't hoofd stijgen; 2 het hoofd op hol brengen; 3 (*tn.*: *v. spelden*) een kop zetten aan; **II** *v.pr.*, ***s'—,*** hardnekkig vasthouden (aan); koppig volharden (in).

enthousiasme [ã'tuzyasm] *m.* geestdrift *v.*(*m.*), vervoering *v.*

enthousiasmer [ã'tuzyasmé] **I** *v t.* in geestdrift brengen, verrukken; **II** *v.pr.*, ***s'—,*** in geestdrift geraken; ***s'— pour,*** dwepen met.

enthousiaste [ã'tuzyast] **I** *adj.* geestdriftig, vol geestdrift (voor); **II** *s., m.-f.* dweper *m.*, dweepster *v.*; geestdriftig bewonderaar *m.*

entiché [ã'tiʃé] (***de***) *adj.* 1 besmet (met); 2 aangestoken; 3 (dwaas) ingenomen (met), verzot (op).

entichement [ã'tiʃmã] *m.* dwaze ingenomenheid, dwaze voorliefde *v.*

enticher [ã'tiʃé] **I** *v.t.* 1 aansteken, aantasten; 2 verzot maken (op); **II** *v.pr.*, ***s'— de,*** verzot zijn op, blindelings ingenomen zijn met.

entier [ã'tyé] **I** *adj.* 1 geheel, gans; volkomen; 2 volledig; onverkort; 3 (*v. melk, korenbrood*) vol; 4 (*v. karakter*) hardnekkig, halsstarrig; ***nombre —,*** geheel getal; ***la difficulté reste entière,*** de moeilijkheid blijft onopgelost; ***tout —,*** geheel en al; ***cheval —,*** hengst *m.*; ***un homme —,*** een man uit één stuk, een onbuigzaam man; **II** *s., m.* 1 geheel *o.*; 2 geheel getal *o.*; ***en —,*** geheel, in zijn geheel.

entièrement [ã'tyè'rmã] *adv.* geheel en al, volkomen.

entité [ã'tité] *f.* (*wijsb.*) wezen *o.*, wezenheid, eenheid *v.*

entoilage [ã'twala:j] *m.* het op linnen plakken.

entoiler [ã'twalé] *v.t.* op linnen plakken.

entoir [ã'twa:r] *m.* entmes *o.*

entomologie [ã'tòmòlòji] *f.* insektenkunde *v.*, insektenleer *v.*(*m.*).

entomologique [ã'tòmòlòjik] *adj.* insektenkundig.

entomologiste [ã'tòmòlòjist] *m.* insektenkenner, insektenkundige, entomoloog *m.*

entomophage [ã'tòmòfa:j] **I** *m.* insekteneter *m.*; **II** *adj.* insektenetend.

entonnage [ã'tòna:j] *m.* (*v. vat*) (het) vullen *o.*; (het) in vaten gieten *o.*

entonner [ã'tòné] *v.t.* 1 in vaten gieten; 2 (*v. gezang*) aanheffen; 3 (*v. toon*) inzetten; 4 hijsen, drinken.

entonnoir [ã'tònwa:r] *m.* 1 trechter *m.*; 2 (*pop.*) keelgat *o.*; 3 scheepsroeper *m.*; 4 keteldal *o.*; 5 granaattrechter *m.*; ***— de mine,*** mijntrechter; ***en —,*** trechtervormig.

entorse [ã'tòrs] *f.* 1 verstuiking *v.*; 2 (*fig.*) verdraaiing *v.*; ***se donner une — au pied,*** zijn voet verstuiken; ***donner une — à la vérité,*** de waarheid verkrachten.

entortillement [ã'tòrtiymã] *m.* 1 omwikkeling; omslingering *v.*; 2 (*fig.*) verwarring; verwardheid *v.*; 3 gewrongenheid *v.*

entortiller [ã'tòrtiyé] **I** *v.t.* 1 omwinden, omwikkelen; omslingeren; 2 verwarren; 3 gewrongen maken; 4 (*v. persoon*) verstrikken; ***— ses phrases,*** er omheen draaien; ***style entortillé,*** gewrongen stijl; **II** *v.pr.*, ***s'—,*** 1 (*v. zaken*) zich slingeren (om); 2 (*v. persoon*) verward raken (in), zich verstrikken (in).

entour [ã'tu:r] *m.*, ***à l'— de,*** rondom; ***—s,*** omstreken *mv.*; omgeving *v.*

entourage [ã'tura:j] *m.* 1 omgeving *v.*; 2 omlijsting *v.*

entourer [ã'turé] **I** *v.t.* omgeven, omringen; ***— de soins,*** goed verzorgen; op zijn wenken bedienen; **II** *v.pr.*, ***s'— de,*** zich omringen met; rondom zich verenigen; ***s'— de précautions,*** alle mogelijke voorzorgen nemen; ***s'— de mystère,*** zich hullen in geheimzinnigheid.

entournure [ã'turnü:r] *f.* armsgat *o.*; ***être gêné aux —s,*** niet op zijn gemak zijn.

en-tout-cas [ã'tuka] *m.* kleine damesparaplu *m.* (die ook als parasol kan dienen).

entozoaire [ã'tòzòè:r] *m.* (*Dk.*) parasiet *m.*

entraccorder, *s'—* [sã'trakòrdé] *v.pr.* het eens zijn, in goede verstandhouding leven.

entraccuser, *s'—* [sã'traküzé] *v.pr.* elkaar beschuldigen.

entracte [ã'trakt] *m.* 1 pauze *v.*(*m.*); 2 tussenbedrijf, tussenspel *o.*; 3 (*muz.*) intermezzo *o.*

entradmirer, *s'—* [sã'tradmiré] *v.pr.* elkaar bewonderen.

entraide [ã'trè'd] *f.* wederzijdse (*of* onderlinge) hulp *v.*(*m.*).

entraider, *s'—* [sã'trè'dé] *v.pr.* elkaar helpen.

entrailles [ã'tra'y] *f.pl.* 1 ingewanden *mv.*; 2 (*fig.*) schoot *m.*; 3 hart *o.*; ziel *v.*(*m.*); ***un homme sans —,*** een man zonder hart, een ongevoelig man; ***le fruit de vos — est béni,*** (*kath.*) gezegend is de vrucht van uw lichaam.

entr'aimer, *s'—* [sã'trè'mé] *v.pr.* elkaar beminnen, elkaar liefhebben.

entrain [ã'trẽ] *m.* 1 vrolijkheid, levendigheid, opgewektheid *v.*; 2 ijver *m.*, ambitie *v.*; ***sans —,***

lusteloos; ***cela manque d'—,*** daar zit geen gang in.
entraînant [ã'trè'nã] *adj.* meeslepend.
entraînement [ã'trè'nmã] *m.* **1** meeslepende kracht, geestdrift *v.(m.)*; **2** (natuurlijke) drang *m.*; **3** wegvoering *v.*; **4** (*sp.*) africhting; oefening; training *v.*; gangmaking *v.*; (*v. paard*) africhting *v.*; ***équipe d'—,*** stel gangmakers; ***centre d'—,*** (*vl.*) oefenterrein *o.*; ***partie d'—,*** (*sp.*) oefenwedstrijd *m.*
entraîner [ã'trè'né] **I** *v.t.* **1** meeslepen, wegslepen, voortslepen; **2** ten gevolge hebben, met zich brengen; **3** (*v. harten*) winnen, tot zich trekken; **4** (*sp.*) africhten; trainen; oefenen; gangmaken; **II** *v.pr.*, ***s'—,*** **1** elkaar meeslepen; **2** zich trainen.
entraîneur [ã'trè'nœ:r] *m.* **1** trainer *m.*; **2** gangmaker *m.*
entrait [ã'trè] *m.* (*bouwk.*) bindbalk *m.*
entrant [ã'trã] **I** *adj.* **1** binnenkomend; aankomend; **2** indringend; **II** *s., m.* **1** binnenkomende; nieuw aangekomene *m.*; **2** nieuweling *m.*
entr'apercevoir [ã'trapèrsevwa:r] *v.t.* vaag (*of* half) zien.
entr'appeler, s'— [sã'traplé] *v.pr.* elkaar roepen; elkaar noemen.
entrave [ã'tra:v] *f.* **1** voetkluister *v.(m.)*; **2** (*fig.*) belemmering, hindernis *v.*, hinderpaal *m.*; ***mettre des —s à,*** belemmeren.
entraver [ã'tra'vé] *v.t.* **1** kluisteren; **2** belemmeren, hinderen.
entr'avertir, s'— [sã'travèrti:r] *v.pr.* elkaar waarschuwen.
entre [ã'tr] *prép.* **1** tussen; **2** te midden van, onder; ***regarder qn. — les yeux,*** iem. strak aankijken, iem. in de ogen kijken; ***— quatre yeux,*** onder vier ogen; ***tenir — ses mains,*** in zijn handen hebben; ***— la poire et le fromage,*** bij het dessert; ***soit dit — nous,*** onder ons gezegd; ***— eux,*** onder elkaar, onderling; ***— autres,*** onder anderen; ***l'un d'— vous,*** één van u.
entrebâillé [ã'treba'yé] *adj.* op een kier.
entrebâillement [ã'treba'ymã] *m.* kier *m. en v.*
entrebâiller [ã'treba'yé] *v.t.* op een kier zetten.
entrebattre, s'— [sã'trebatr] *v.pr.* elkaar slaan.
entrechat [ã'treʃa] *m.* kuitenflikker *m.*
entrechoquer [ã'treʃòké] *v.t.* tegen elkaar stoten, klinken.
entrecolonnement [ã'trekòlònmã] *m.* (*bouwk.*) zuilenwijdte *v.*, ruimte *v.* tussen twee zuilen.
entrecôte [ã'treko:t] *f. et m.* ribbestuk *o.*, tussenrib *v.(m.)*.
entrecouper [ã'trekupé] **I** *v.t.* **1** doorsnijden; **2** afbreken; onderbreken; **II** *v.pr.*, ***s'—,*** **1** elkaar snijden; **2** elkaar in de rede vallen.
entrecroisement [ã'trekrwa'zmã] *m.* kruising *v.*
entrecroiser [ã'trekrwa'zé] **I** *v.t.* **1** elkaar doen kruisen; **2** dooreenweven; **II** *v.pr.*, ***s'—,*** elkaar kruisen.
entre-déchirer, s'— [sã'tredéʃi:ré] *v.pr.* elkaar verscheuren. [vernietigen.
entre-détruire*, s'— [sã'tredétrẅi:r] *v.pr.* elkaar
entre-deux [ã'tredö] **I** *m.* **1** tussenruimte *v.*; **2** (*v. kant, enz.*) tussenzetsel *o.*; **3** penanttafeltje *o.*; **II** *adv.* tussenbeide. [verslinden.
entre-dévorer, s'— [sã'tredévòré] *v.pr.* elkaar
entre-donner, s'— [sã'tredòné] *v.pr.* elkaar geven.
entrée [ã'tré] *f.* **1** (het) binnenkomen *o.*; **2** (*v. troepen*) (het) binnentrekken *o.*; **3** intocht *m.*, intrede *v.(m.)*; **4** (*v. koopwaren*) invoer; aanvoer *m.*; **5** invoerrecht *o.*; **6** (*v. instrumenten*) (het) invallen *o.*; **7** inkomprijs, toegangsprijs *m.*; **8** voorspijs *v.(m.)*, voorgerecht *o.*; **9** begin *o.*; **10** inleiding *v.*; ***droit d'—,*** invoerrecht; ***— en vigueur,*** inwerkingtreding *v.*; ***— en possession,*** inbezitneming *v.*; ***— en fonction,*** ambtsaanvaarding *v.*; ***— en matière,*** aanhef *m.*, begin *o.*; ***dès l'—,*** reeds bij het begin; ***— de faveur,*** vrijbiljet *o.*; ***— de serrure,*** sleutelgat *o.*; ***avoir ses petites —s chez qn.,*** bij iem. in- en uitlopen.
entrefaites [ã'trefèt] *f.pl.*, ***sur ces —,*** ondertussen, inmiddels, middelerwijl.
entrefilet [ã'trefilè] *m.* (*in dagblad*) kort bericht *o.*
entre-frapper, s'— [sã'trefrapé] *v.pr.* elkaar slaan.
entregent [ã'trejã] *m.* slag *m.* (*of* handigheid *v.*) om met mensen om te gaan; ***avoir de l'—,*** zich gemakkelijk bewegen. [moorden.
entr'égorger, s'— [sã'trégòrjé] *v.pr.* elkaar ver-
entre-haïr, s'— [sã'tre(h)ai:r] *v.pr.* elkaar haten.
entre-heurter, s'— [sã'tre(h)œrté] *v.pr.* tegen elkaar stoten. [ineenstrengeling *v.*
entrelacement [ã'trelasmã] *m.* ineenvlechting,
entrelacer [ã'trelasé] **I** *v.t.* ineenvlechten, ineenstrengelen; **II** *v.pr.*, ***s'—,*** ineengevlochten zijn, in elkaar gevlochten zijn.
entrelacs [ã'trela] *m.* vlechtwerk; loofwerk *o.*
entrelardé [ã'trelardé] *adj.* **1** (*v. vlees*) doorregen; **2** (*fig.*) doorspekt (met).
entrelarder [ã'trelardé] *v.t.* **1** doorspekken, larderen; **2** (*fig.*) doorspekken.
entre-ligne* [ã'treliñ] *m.* **1** (*in schrift*) tussenregel *m.*; **2** (*drukk.*) interlinie, spatie (*of* ruimte) *v.* tussen twee regels; **3** (*muz.*) ruimte *v.* tussen twee lijnen (van de notenbalk).
entre-luire [ã'trelẅi:r] *v.i.* even doorschemeren.
entremêler [ã'tremè'lé] **I** *v.t.* dooreenmengen, vermengen; **II** *v.pr.*, ***s'—,*** zich mengen (met).
entremets [ã'tremè] *m.* tussengerecht *o.*
entremetteur [ã'tremètœ:r] *m.* **1** middelaar *m.*; **2** (*ong.*) koppelaar *m.*
entremettre*, s'— [sã'tremètr] *v.pr.* **1** tussenbeide komen; **2** zijn bemiddeling verlenen; **3** zich mengen (in).
entremise [ã'tremi:z] *f.* **1** tussenkomst *v.*; **2** bemiddeling *v.* [nadelen.
entre-nuire, s'— [sã'trenẅi:r] *v.pr.* elkaar be-
entrepont [ã'trepõ] *m.* (*sch.*) tussendek *o.*
entreposage [ã'trepo'za:j] *m.* opslag *m.* in entrepot. [entrepot).
entreposer [ã'trepo'zé] *v.t.* (*v. waren*) opslaan (in
entreposeur [ã'trepo'zœ:r] *m.* **1** (*v. entrepot*) magazijnmeester *m.*; **2** depothouder *m.*
entrepositaire [ã'trepo'zitè:r] *m.* **1** koopman, die goederen heeft opgeslagen; **2** depothouder *m.*
entrepôt [ã'trepo] *m.* **1** opslagplaats *v.* (*m.*), pakhuis *o.*; **2** stapelplaats *v.(m.)*; ***— particulier,*** veem *o.*
entreprenant [ã'treprenã] *adj.* ondernemend.
entreprendre* [ã'treprã:dr] *v.t.* **1** ondernemen; beginnen, aanpakken; **2** (*v. werk*) aannemen; **3** aanvallen, aangrijpen; **4** onder handen nemen.
entrepreneur [ã'treprenœ:r] *m.* ondernemer, aannemer *m.*; ***— de messageries,*** expediteur *m.*; ***— de transport,*** vervoerder *m.*
entrepris [ã'trepri] *adj.* verlegen, geremd.
entreprise [ã'trepri:z] *f.* **1** onderneming *v.*; **2** aanneming *v.*; **3** aanslag *m.*, inbreuk *v.(m.)*; ***mettre un travail à l'—,*** een werk aanbesteden.
entrer [ã'tré] **I** *v.i.* **1** binnengaan, binnentreden; binnenrijden; binnenvaren; binnendringen; **2** deelnemen (aan), meedoen (aan); **3** zich inlaten (met); ***— dans les frais,*** bijdragen aan de kosten; ***— en matière,*** ter zake komen, zijn onderwerp aanpakken; ***— en scène,*** op het toneel komen; ***— en religion,*** in 't klooster gaan; ***— en lice,*** in 't krijt treden; ***— en pourparlers,*** onderhandelingen aanknopen; ***— en fonction(s),*** zijn ambt

aanvaarden; ***faire — un clou,*** een spijker inslaan; ***— dans les détails,*** in bijzonderheden treden; ***— dans les pensées de qn.,*** iemands gedachten delen; ***cela n'entre pas dans ses projets,*** dat strookt niet met zijn plannen; ***— dans la voie des aveux,*** een bekentenis afleggen; ***— dans une carrière,*** een loopbaan kiezen; ***— en ligne de compte,*** meetellen; ***— en convalescence,*** beginnen te herstellen; ***— en fureur,*** woedend worden, in woede ontsteken; ***— en comparaison avec,*** vergeleken kunnen worden met; ***n'— pour rien dans,*** niets te maken hebben met; **II** *v.t.* **1** binnenbrengen; **2** (*v. wagen, enz.*) binnenrijden; **3** (*v. koopwaar*) invoeren; ***— en fraude,*** binnensmokkelen.

entre-regarder, s'— [sā'treregardé] *v.pr.* elkaar aankijken.

entresol [ā'tresòl] *m.* tussenverdieping *v.* (tussen gelijkvloers en eerste verdieping).

entretaille [ā'treta'y] *f.* fijne tussenstreep *v.*(*m.*) (op gravure).

entre-temps [ā'tretā] **I** *m.* tussentijd *m.*; **II** *adv.* intussen, onderwijl.

entretenir* [ā'tretni:r] **I** *v.t.* **1** (*alg.*) onderhouden; **2** (*v. vrede*) bewaren; **3** (*v. vuur*) niet laten uitgaan; **4** (*v. vriendschap, briefwisseling*) aanhouden; **5** spreken met, onderhouden; **II** *v.pr.*, ***s'—,*** **1** zich onderhouden; **2** in goede staat blijven, zich in goede staat houden; ***s'— la main,*** zich steeds oefenen.

entretien [ā'tretyē] *m.* **1** onderhoud *o.*; **2** gesprek *o.*; **3** (*el.*) voeding *v.*

entretoil [ā'tretwal] *f.* kanten tussenzetsel *o.*

entretoise [ā'tretwa:z] *f.* (*bouwk.*) dwarshout, verbindingsstuk *o.*

entre-tuer, s'— [sā'tretwé] *v.pr.* elkaar doden.

entre-voie* [ā'trevwa] *f.* ruimte *v.* tussen de spoorlijnen.

entrevoir* [ā'trevwa:r] *v.t.* **1** vluchtig zien; onduidelijk zien; **2** zien doorschemeren; **3** vermoeden.

entrevue [ā'trevü] *f.* samenkomst, ontmoeting *v.*

entrouvert [ā'truvè:r] *adj.* half open; op een kier.

entrouvrir* [ā'truvri:r] **I** *v.t.* half openen; op een kier zetten; **II** *v.pr.*, ***s'—,*** **1** half opengaan; **2** ontluiken.

enture [ā'tü:r] *f.* **1** enting *v.*; **2** entspleet *v.*(*m.*); **3** lassing *v.*; **4** aaneenhechting *v.*

énucléation [énükléa'syõ] *f.* (*gen.*) uitpelling *v.* van een orgaan.

énucléer [énükléé] *v.t.* (*gen.*) uitpellen.

énumérateur [énümératœ:r] *m.* opsommer *m.*

énumératif [énümératif] *adj.* opsommend; ***liste énumérative,*** opsomming *v.* [nie *v.*(*m.*).

énumération [énüméra'syõ] *f.* opsomming *v.*, lita-

énumérer [énüméré] *v.t.* opsommen, opnoemen.

envahir [ā'va(h)i:r] *v.t.* **1** binnendringen, overrompelen; overweldigen, vermeesteren; **2** (*v. ziekte*) aantasten; **3** (*v. water*) overstromen; **4** (*v. koude*) bevangen; **5** (*v. planten*) voortwoekeren over, geheel begroeien; **6** (*fig.*) zich meester maken van.

envahissant [ā'va(h)isā] *adj.* **1** overweldigend; **2** indringerig.

envahissement [ā'va(h)ismā] *m.* **1** (het) binnendringen *o.*; overrompeling; overweldiging *v.*; **2** overstroming *v.*; **3** overwoekering *v.*

envahisseur [ā'va(h)isœ:r] *m.* overweldiger, indringer *m.*

envasement [ā'va'zmā] *m.* verslijking *v.*

envaser [ā'va'zé] **I** *v.t.* met slijk vullen; **II** *v.pr.*, ***s'—,*** **1** aanslijken; **2** in het slijk zakken.

enveloppant [ā'vlòpā] *adj.* **1** omhullend, omwikkelend; **2** (*v. beweging*) omtrekkend; **3** onweerstaanbaar; betoverend.

enveloppe [ā'vlòp] *f.* **1** omhulsel, bekleedsel *o.*; **2** (brief)omslag *m. en o.*; **3** (*v. fiets*) buitenband *m.*; **4** (*v. kogel, projectiel*) mantel *m.*; **5** (*fig.*) uiterlijk, voorkomen *o.*; ***— à fenêtre,*** vensterenvelop *v.*(*m.*); ***mettre sous —,*** in een envelop doen; ***— terrestre,*** stoffelijk omhulsel *o.*

enveloppement [ā'vlòpmā] *m.* **1** inwikkeling *v.*; **2** (*mil.*) omvatting *v.*; **3** (*gen.*) omslag *m. en o.*; **4** (*fig.*) inpalming *v.*

envelopper [ā'vlòpé] *v.t.* **1** inwikkelen, inpakken; **2** omhullen; **3** omringen, omsingelen; **4** (*fig.*) verwikkelen (in), betrekken (in); **5** verbergen, bewimpelen.

envenimation [ā'vnima'syõ] *f.* verbittering *v.*

envenimé [ā'vnimé] *adj.* (*fig.*) giftig.

envenimement [ā'vnimemā] *m.* **1** vergiftiging *v.*; **2** verbittering *v.*

envenimer [ā'vnimé] **I** *v.t.* **1** vergiftigen; **2** (*v. wond*) verergeren, schrijnender maken; **3** (*fig.*) verbitteren; **4** (*v. twist*) aanstoken; **II** *v.pr.*, ***s'—,*** **1** bitter worden; **2** verergeren.

enverguer [ā'vèrgé] *v.t.* (*sch.*: *v. zeil*) aanslaan.

envergure [ā'vèrgü:r] *f.* **1** (*v. zeil*) (het) aanslaan *o.*; **2** zeilbreedte *v.*; **3** breedte *v.*; **4** (*v. arend, enz.*) vlucht *v.*(*m.*); **5** spanwijdte *v.*; **6** vleugelwijdte *v.*; **7** (*v. geest*) omvang *m.*

envers [ā'vè:r] **I** *prép.* jegens, tegen; ten opzichte van; ***— et contre tous,*** tegen iedereen; **II** *s., m.* **1** keerzijde *v.*(*m.*); **2** (*fig.*) tegendeel, tegenovergestelde *o.*; ***à l'—,*** verkeerd; averechts; in de war; ***tomber à l'—,*** achterover vallen; ***il a la tête à l'—,*** hij is de kluts kwijt.

envi, *à l'—* [alā'vi] om strijd, om 't hardst.

enviable [ā'vya'bl] *adj.* benijdenswaardig.

envider [ā'vi'dé] *v.t.* (*v. garen*) opwinden.

envie [ā'vi] *f.* **1** lust, zin *m.*; **2** afgunst *v.*, nijd *m.*; **3** aandrang *m.*; **4** dwangnagel *m.*; **5** moedervlek *v.*(*m.*); ***l'— me prend de,*** ik krijg lust om; ***digne d'—,*** benijdenswaard; ***porter — à qn.,*** iem. benijden; ***faire —,*** benijd worden; ***regarder d'un œil d'—,*** een afgunstige blik werpen op.

envier [ā'vyé] *v.t.* **1** benijden, misgunnen; **2** begeren, (hevig) verlangen.

envieux [ā'vyö] **I** *adj.* afgunstig; nijdig; **II** *s., m.* afgunstige; benijder *m.*

environ [ā'virõ] **I** *adv.* ongeveer; **II** *s., m.pl.*, ***—s,*** omstreken *mv.*; ***aux —s de,*** omstreeks.

environnant [ā'viròná] *adj.* omliggend.

environner [ā'viròné] *v.t.* omringen, omgeven.

envisager [ā'vizajé] *v.t.* **1** zijn blik vestigen op; **2** (*v. mogelijkheid, enz.*) beschouwen, overwegen, onder 't oog zien; **3** (*v. toekomst*) tegemoet zien.

envoi [ā'vwa] *m.* **1** zending, bezending *v.*; **2** verzending, afzending *v.*; **3** (*v. gedicht, ballade*) opdracht *v.*(*m.*); **4** (*sp.*) aftrap *m.*; ***— à titre d'essai,*** proefzending *v.*; ***lettre d'—,*** vrachtbrief *m.*; ***— à condition,*** (*H.*) zichtzending *v.*

envoiler, s'— [sā'vwalé] *v.pr.* (*tn.*: *v. staal*) kromtrekken.

envoisiné [ā'vwaziné] *adj.*, ***bien —,*** met goede buren.

envol [ā'vòl] *m.* **1** (het) opvliegen *o.*; **2** (*v. vliegtuig*) start *m.*; **3** (*fig.*) gloed *m.*; geestdrift *v.*(*m.*).

envolée [ā'vòlé] *f.* **1** (het) opvliegen *o.*; **2** vlucht *v.*(*m.*); **3** (*v. koersen*) plotselinge stijging *v.*; **4** bezieling *v.*, geestdrift *v.*(*m.*); ***manquer d'—,*** laag bij de grond blijven, zich niet boven het gewone verheffen.

envoler, s'— [sā'vòlé] *v.pr.* **1** wegvliegen; **2** (*v. hoed, enz.*) afwaaien; **3** (*v. vliegtuig*) starten; **4** (*v. tijd*) snel voorbijgaan, voorbijvliegen.

envoluté [ā'vòlüté] *adj.* ingekruld.

envoûtement [ã'vutmã] *m.* bezwering *v.* door mishandeling van iemands beeld in was.
envoûter [ã'vuté] *v.t.* betoveren; (*fig.*) overheersen.
envoyé [ã'vwayé] *m.* **1** gezant *m.*; **2** verslaggever *m.*
envoyer* [ã'vwayé] *v.t.* **1** zenden, sturen; **2** afzenden, verzenden; **3** (*v. licht, geluid*) uitzenden; **4** (*v. kus*) toewerpen; **5** (*v. slag*) toebrengen; **6** (*v. schot*) lossen; **7** (*sp.*) uitslaan; uitschoppen, aftrappen; **8** afvaardigen; ***— chercher,*** laten halen; ***— qn. au diable,*** iem. naar de weerlicht wensen; ***— promener qn.,*** iem. afschepen, naar de weerga laten lopen. [inschopper *m.*
envoyeur [ã'vwayœ:r] *m.* **1** afzender *m.*; **2** (*sp.*)
enwagonner [ã'wagòné] *v.t.* (in wagons) laden.
éocène [éosè:n] (*geol.*) **I** *m.* Eoceen *o.*, oudste formatie van het Tertiair; **II** *adj.* van het Eoceen.
Éole [éòl] *m.* Eolus *m.*
éolien [éòlyẽ] *adj.* eolisch; ***harpe —ne,*** eolusharp *v.*(*m.*).
éosine [éozi:n] *f.* eosine *v.*, rode verfstof *v.*(*m.*).
épacte [épakt] *f.* epacta *mv.*
épagneul [épañœl] *m.* patrijshond *m.*
épais [épè] **I** *adj.* (*f.* : ***épaisse*** [épè's] **1** dik; **2** (*v. nevel, woud, enz.*) dicht; **3** (*v. kleur*) zwaar; **4** (*muz.*) log; **5** (*fig.*) bot; lomp; ***avoir l'esprit —,*** stompzinnig zijn; ***une nuit —se,*** een stikdonkere nacht; **II** *adv.*, ***semer —,*** dicht zaaien; **III** *s.,m.* dikte *v.*
épaisse, *voir* ***épais.***
épaisseur [épè'sœ:r] *f.* **1** dikte *v.*; **2** dichtheid *v.*; **3** zwaarte *v.*; **4** logheid *v.*; **5** botheid, stompzinnigheid *v.*; ***il s'en est fallu de l'— d'un cheveu,*** het heeft maar een haar gescheeld.
épaissir [épè'si:r] **I** *v.t.* **1** verdikken; **2** verdichten; **3** bot maken; **II** *v.i. et v.pr.*, ***s'—,*** **1** dikker worden; lijviger worden; **2** dichter worden; **3** (*v. geest*) verstompen; **4** ongevoeliger worden.
épaississement [épè'sismã] *m.* **1** verdikking *v.*; **2** verdichting *v.*; **3** verstomping *v.*
épamprer [épã'pré] *v.t.* (*v. wijnstok*) snoeien.
épanchement [épã'ʃmã] *m.* **1** uitstorting *v.*; **2** (*fig.*) ontboezeming *v.*; **3** hartelijkheid *v.*; ***— de sang,*** bloedstorting *v.*
épancher [épã'ʃé] **I** *v.t.* **1** (*v. water, enz.*) uitgieten; **2** (*v. bloed*) vergieten; **3** (*fig.*: *v. hart, weldaden*) uitstorten; **4** ontboezemen, lucht geven aan; **II** *v.pr.*, ***s'—,*** **1** zich uitstorten; **2** overkoken, overlopen; **3** (*fig.*) zijn hart uitstorten.
épandage [épã'da:j] *m.* uitspreiding, uitstorting *v.*; ***terrains d'—,*** stortvelden voor rioolwater.
épandeur [épã'dœr] *m.*, **épandeuse** [épã'dö:z] *f.* stortmachine; betonstortmachine *v.*
épandre [épã'dr] **I** *v.t.* **1** uitspreiden, uitstrooien; **2** (*v. bloed*) vergieten; **II** *v.pr.*, ***s'—,*** **1** zich verspreiden; **2** uitgestrooid worden; **3** vergoten worden; **4** (*v. blik*) weiden over.
épanoui [épanwi] *adj.* **1** (*v. bloem*) ontloken; **2** (*v. gelaat*) stralend (van vreugde).
épanouir [épanwi:r] **I** *v.t.* **1** doen ontluiken, doen opengaan; **2** (*v. gelaat*) doen stralen (van vreugde); ***— la rate,*** de lever doen schudden; **II** *v.pr.*, ***s'—,*** **1** ontluiken, opengaan; **2** stralen van vreugde, opgehelderen; vrolijk worden.
épanouissement [épanwismã] *m.* **1** ontluiking *v.*; **2** (*v. gelaat*) opheldering; opvrolijking *v.*; **3** opgetogenheid *v.*
éparcette [éparsèt], *voir* ***esparcette.***
épargnant [éparñã] **I** *adj.* spaarzaam, zuinig; **II** *s., m.* spaarder *m.*
épargne [éparñ] *f.* **1** spaarzaamheid, zuinigheid *v.*; **2** besparing *v.*; **3** spaarpot *m.*, spaarpenningen *mv.*; **4** spaarders *mv.*; ***caisse d'—,*** spaarbank *v.*(*m.*).
épargner [éparñé] **I** *v.t.* **1** sparen; **2** besparen; uitzuinigen; **3** ontzien, sparen, verschonen; **II** *v.i.* sparen, potten; **III** *v.pr.*, ***s'—,*** **1** zich sparen, zijn krachten sparen; **2** elkaar ontzien.
éparpillement [éparpiymã] *m.* verspreiding, verstrooiing *v.*
éparpiller [éparpiyé] **I** *v.t.* **1** verspreiden, verstrooien; **2** versnipperen; **II** *v.pr.*, ***s'—,*** **1** verstrooid worden; **2** uiteengaan; **3** versnipperd worden.
épars [épa:r] *adj.* **1** verspreid, verstrooid; **2** (*v. haar, enz.*) los, in wanorde.
éparvin [éparvẽ], **épervin** [épèrvẽ] *m.* (*v. paarden*) spat *v.*(*m.*). [heerlijk.
épatant [épatã] *adj.* verbazend, kras; prachtig,
épate [épat] *f.* gewichtigdoenerij *v.*; ***faire de l'—,*** branie hebben, lef maken, drukte maken.
épaté [épaté] *adj.* **1** stom verbaasd, paf; **2** plat; **3** (*v. glas, enz.*) zonder voet; ***nez —,*** platte neus *m.*
épatement [épatmã] *m.* **1** het plat zijn; **2** stomme verbazing *v.*
épater [épaté] **I** *v.t.* **1** (*v. glas, enz.*) de voet breken van; **2** plat maken; **3** verbazen, verstomd doen staan, overbluffen; **II** *v.pr.*, ***s'—,*** **1** languit vallen; **2** plat worden; **3** (*fig.*) verstomd staan.
épateur [épatœ:r] *m.* druktemaker *m.*
épaule [épo'l] *f.* schouder *m.*; ***hausser les —s,*** de schouders ophalen; ***donner un coup d'— à qn.,*** iem. een handje helpen; ***courber les —s,*** het hoofd buigen; ***faire qc. par-dessus l'—,*** iets slordig doen; ***changer son fusil d'—,*** (*fig.*) van plan veranderen, het over een andere boeg gooien; ***regarder par-dessus l'—,*** met minachting aanzien.
épaulée [épo'lé] *f.* **1** schouderstoot *m.*; **2** schoudervracht *v.*(*m.*).
épaulement [épo'lmã] *m.* **1** steunmuur *m.*; **2** (*mil.*) (flank)borstwering *v.*; **3** (*v. voorschip*) welving *v.*, buik *m.*; **4** (*v. winkelhaak*) aanloop *m.*
épauler [épo'lé] **I** *v.t.* **1** de schouder ontwrichten; **2** (*v. geweer*) in de aanslag brengen; **3** (*mil.*) dekken met een borstwering; **4** (*fig.*) helpen, steunen, bijstaan; **II** *v.pr.*, ***s'—,*** **1** zich de schouder ontwrichten; **2** elkaar helpen, elkaar steunen; **3** (*v. troepen*) zich dekken.
épaulette [épo'lèt] *f.* **1** (*v. kledingstuk*) schouderstuk *o.*; **2** (*v. schort, enz.*) schouderband *m.*; schouderlint *o.*; **3** (*mil.*) epaulet *v.*(*m.*); ***fausse —,*** schouderbedekking *v.*; ***obtenir l'—,*** officier worden.
épaulière [épo'lyè:r] *f.* **1** (*gesch.*: *v. wapenrusting*) schouderstuk *o.*; **2** schouderband *m.*
épave [épa:v] **I** *f.* **1** wrak *o.*; **2** wrakhout *o.*; **3** (*fig.*) overblijfsel *o.*; ***droit d'—,*** strandrecht *o.*; ***directeur des —s,*** strandvonder *m.*; **II** *adj.* onbeheerd; zonder eigenaar.
épeautre [épo'tr] *m.* (*Pl.*) spelt *v.*(*m.*).
épée [épé] *f.* **1** degen *m.*; **2** zwaard *o.*; **3** els *v.*(*m.*); ***— à deux tranchants,*** tweesnijdend zwaard; ***homme d'—,*** schermer *m.*; ***les gens d'—,*** de soldaten, de militairen; ***un coup d'— dans l'eau,*** gescherm in de lucht; ***passer au fil de l'—,*** over de kling jagen; ***— de mer,*** zwaardvis *m.*; ***emporter qc. à la pointe de l'—,*** iets met geweld verkrijgen; ***l'— use le fourreau,*** te grote geestesinspanning sloopt het lichaam.
épeiche [épè:ʃ] *f.* (*Dk.*) bonte specht *m.*
épéiste [épéist] *m.* sabelschermer *m.*
épeler* [éplé] *v.t.* spellen.
épellation [épèla'syõ] *f.* (het) spellen *o.* [greep.
épenthèse [épã'tè:z] *f.* inlassing *v.* van een letter-
éperdu(ment) [épèrdü(mã)] *adj.*(*adv.*) **1** buiten zich zelf; **2** hevig, hartstochtelijk; **3** wanhopig.

radeloos; 4 ontsteld; ***fuite —e,*** dolle vlucht *v.(m.)*.
éperlan [épèrlã] *m.* spiering *m.*
éperon [éprõ] *m.* 1 (*v. ruiter, haan, enz.*) spoor *v.(m.)*; 2 (*v. schip*) ram *m.*; 3 (*v. brug*) stroompijler *m.*; 4 (*in rivier*) kribbe *v.(m.)*; 5 (natuurlijke) golfbreker *m.*; 6 (*v. gebergte*) uitloper *m.*; ***donner les —s,*** de sporen geven; ***gagner ses —s,*** zijn sporen verdienen; ***la bataille des É—s d'or,*** de Guldensporenslag.
éperonné [éprònè] *adj.* 1 gespoord; 2 (*v. schip*) met een ram, van een ram voorzien.
éperonner [éprònè] *v.t.* 1 (*v. paard*) de sporen geven; 2 (*v. haan*) van sporen voorzien; 3 (*v. schip*) rammen; 4 (*fig.*) aansporen, aanzetten.
éperonnier [éprònyé] *m.* 1 sporenmaker *m.*; 2 (*Dk.*) pauwfazant *m.*
épervier [épèrvyé] *m.* 1 (*Dk.*) sperwer *m.*; 2 (*visv.*) werpnet, stelpnet *o.*
épervière [épèrvyè:r] *f.* (*Pl.*) havikskruid *o.*
épervin, *voir* ***éparvin.***
éphèbe [éfè'b] *m.* (*bij de Grieken*) jongeling *m.*
éphémère [éfémè:r] I *adj.* 1 van één dag; 2 kortstondig; II *s., m.* (*Dk.*) haft *o.*, ééndagsvlieg *v.(m.)*; oeveraas *o.*
éphémérides [éfémérì:d] *f.pl.* 1 (*sterr., Dk.*) efemeriden *mv.*; 2 dagboek *o.*; 3 scheurkalender *m.*
Éphèse [éfè:z] *f.* Ephesus *o.*
épi [épi] *m.* 1 aar, korenaar *v.(m.)*; 2 (*langs rivier*) waterkering *v.*, krib(be) *v.(m.)*; 3 (*op muur, hek*) ijzeren punt *m.*; 4 (*bouwk.: op fronton*) kruisbloem *v.(m.)*; ***— d'eau,*** fonteinkruid *o.*; ***— du vent,*** windhalm *m.*; ***— fleuri,*** andoorn *m.*; ***monter en —,*** aren schieten.
épiage [épya:j] *m.* aarvorming *v.*
épiaire [épyè:r] *m.* (*Pl.*) andoorn *m.*
épicarpe [épikarp] *m.* (*Pl.*) vruchtschil *v.(m.)*.
épice [épis] *f.* specerij *v.*; ***pain d'—(s),*** peperkoek, ontbijtkoek, zoetekoek *m.*
épicé [épisé] *adj.* 1 gekruid; 2 (*fig.*) gepeperd, peperduur.
épicéa [épiséa] *m.* (*Pl.*) spar *m.*
épicène [épisè:n] *adj.* (*taalk.*) gemeenslachtig, zelfslachtig.
épicentre [épisã:tr] *m.* epicentrum *o.*
épicer [épisé] *v.t.* 1 kruiden; 2 (*fig.*) peperen; zeer duur aanrekenen.
épicerie [épisri] *f.* 1 kruidenierswaren *mv.*; 2 kruidenierswinkel *m.*; 3 kruideniersvak *o.*; 4 (*fig.*) bekrompenheid *v.*; ***— fine,*** delicatessenhandel *m.*
épicier [épisyé] I *m.* 1 kruidenier *m.*; 2 droogstoppel *m.*; ***garçon —,*** kruideniersbediende, kruideniersknecht *m.*; II *adj.* kruidenierachtig.
épicrâne [épikra:n] *m.* schedelhuid *v.(m.)*.
Épicure [épikü:r] *m.* Epicurus *m.*
épicurien [épiküryẽ] I *adj.* epicurisch, genotzuchtig; II *s., m.* epicurist, genotzoeker *m.*
épicurisme [épikürizm] *m.* epicurisme *o.*, genotzucht *v.(m.)*.
épidémicité [épidémisité] *f.* epidemisch karakter *o.*
épidémie [épidémi] *f.* 1 epidemie, besmettelijke ziekte *v.*; 2 (*fig.*) besmetting *v.*
épidémiologie [épidémyòlòji] *f.* leer *v.(m.)* van de besmettelijke ziekten.
épidémique(ment) [épidémik(mã)] *adj.(adv.)* 1 epidemisch; 2 (*fig.*) aanstekelijk.
épiderme [épidèrm] *m.* 1 opperhuid *v.(m.)*; 2 buitenkant *m.*; ***avoir l'— sensible,*** lichtgeraakt zijn, kittelorig zijn.
épidermique [épidèrmik] *adj.* van de opperhuid.
épier [épyé] I *v.t.* 1 bespieden, begluren; 2 beluisteren, afluisteren; II *v.i.* in de aren schieten.
épierrer [épyè'ré] *v.t.* van stenen zuiveren.
épieu [épyö] *m.* (jacht)spies *v.(m.)*.
épieur [épyœ:r] *m.* bespieder, afkijker *m.*
épigastre [épigastr] *m.* maagstreek *v.(m.)*.
épigastrique [épigastrik] *adj.* van de maagstreek.
épiglotte [épiglòt] *f.* strotklep *v.(m.)*.
épigone [épigòn] *m.* epigoon *m.*
épigrammatique [épigramatik] *adj.* epigrammatisch, scherp, kort en zinrijk.
épigrammatiste [épigramatist] *m.* puntdichter *m.*
épigramme [épigram] *f.* puntdicht, epigram *o.*
épigraphe [épigraf] *f.* 1 opschrift *o.*; 2 (*op boek, enz.*) motto *o.*
épigraphie [épigrafi] *f.* opschriftenkunde *v.*
épigraphique [épigrafik] *adj.* van een opschrift; ***style —,*** korte en heldere stijl.
épigraphiste [épigrafist] *m.* opschriftenkenner *m.*
épilage [épila:j] *m.* ontharing *v.*
épilation [épila'syõ] *f.* ontharing *v.*
épilatoire [épilatwa:r] I *adj.* ontharend; II *s., m.* ontharingsmiddel *o.*
épilepsie [épilèpsi] *f.* vallende ziekte *v.*; ***attaque d'—,*** toeval *m. en o.*
épileptique [épilèptik] I *adj.* 1 epileptisch; 2 woedend, woest; II *s., m.-f.* lijder(es) *m.(v.)* aan vallende ziekte.
épiler [épilé] *v.t.* ontharen, de overtollige haren uittrekken van.
épilogue [épilò'g] *m.* 1 slotwoord *o.*, narede *v.(m.)*; 2 naspel *o.*; 3 slot *o.*
épiloguer [épilò'gé] I *v.t.* bedillen; II *v.i.* 1 vitten; 2 napleiten.
épilogueur [épilò'gœ:r] *m.* vitter *m.*
épiloir [épilwa:r] *m.* haartangetje *o.*
épinaie [épinè, épiné'y] *f.* doornbos *o.*
épinard(s) [épina:r] *m.(pl.)* spinazie *v.(m.)*.
épine [épin] *f.* 1 doorn *m.*; 2 doornstruik *m.*; 3 stekel *m.*; 4 (*fig.*) moeilijkheid *v.*; ***— blanche,*** hagedoorn, meidoorn *m.*; ***— noire,*** sleedoorn *m.*; ***— dorsale,*** ruggegraat *v.(m.)*; ***être sur des —s,*** op hete kolen staan; ***point de roses sans —s,*** geen rozen zonder doornen; ***tirer à qn. une — du pied,*** iem. uit de verlegenheid redden; ***marcher sur des —s,*** in een netelige toestand zijn.
épiner [épiné] *v.t.* (*v. boom*) met doornachtige takken beschermen.
épinette [épinèt] *f.* (*muz.*) spinet *o.*
épineux [épinö] *adj.* 1 doornig, stekelig; 2 (*fig.*) moeilijk, lastig; netelig.
épine*-vinette* [épinvinèt] *f.* (*Pl.*) berberis, zuurbes *v.(m.)*.
épingle [épẽ:gl] *f.* 1 speld *v.(m.)*; 2 houten knijper *m.*; ***— à cheveux,*** haarspeld *v.(m.)*; ***— de sûreté,*** veiligheidsspeld; ***—s,*** speldengeld *o.*; ***je n'en donnerais pas une —,*** dat heeft voor mij geen waarde; ***il est tiré à quatre —s,*** hij is in de puntjes gekleed, hij is om door een ringetje te halen; ***tirer son — du jeu,*** zich stilletjes aan een zaak onttrekken.
épinglé [épẽ'glé] *adj.*, ***du velours —,*** geribd fluweel.
épingler [épẽ'glé] *v.t.* 1 vastspelden; 2 opprikken; 3 (*v. gaspit*) opensteken.
épinglerie [épẽ'gleri] *f.* speldenfabriek *v.*
épinglier [épẽ'glié] *m.* speldendoos *v.(m.)*.
épinière [épinyè:r] *adj.*, ***moelle —,*** ruggemerg *o.*
épinoche [épinòʃ] *f.* stekelbaarsje *o.*
Épiphanie [épifani] *f.* Driekoningen *m.*
épiploon [épiplòõ] *m.* darmnet *o.*
épique [épik] *adj.* episch; ***poème —,*** heldendicht *o.*
Épire [épi:r] *f.* Epirus *m.*
épirote [épi'ròt] *adj.* van Epirus.
épiscopal [épiskòpal] *adj.* bisschoppelijk; ***l'Église —e,*** de anglicaanse kerk.

épiscopat [épiskòpa] *m.* **1** bisschoppelijke waardigheid *v.*; **2** de bisschoppen *mv.*; episcopaat *o.*
épiscope [épiskòp] *m.* (*v. tank*) kijktorentje *o.*
épisode [épizò'd] *m.* episode *v.*
épisodique [épizò'dik] *adj.* episodisch.
épisperme [épispèrm] *m.* (*Pl.*) zaadvlies *o.*
épisser [épisé] *v.t.* (*v. touw*) splitsen.
épissure [épisü:r] *f.* **1** (*v. touw*) splitsing *v.*; **2** kabellas *v.*(*m.*).
épistaxis [épistaksi] *f.* neusbloeding *v.*
épistolaire [épistòlè:r] *adj.*, ***style —,*** briefstijl *m.*
épitaphe [épitaf] *f.* grafschrift *o.*
épitaphier [épitafyé] *m.* grafschriftenverzameling [*v.*
épithalame [épitalam] *m.* bruiloftsdicht *o.*
épithélial [épitélyal] *adj.* (*anat.*) het epithelium betreffend.
épithélium [épitélyòm] *m.* (*anat.*) epithelium *o.*, opperste laag *v.*(*m.*) van weefselbekleding.
épithète [épitèt] *f.* **1** epitheton *o.*; **2** benaming *v.*; bijnaam *m.*
épitoge [épitò:j] *f.* schouderbedekking *v.* van professoren en magistraten.
épitomé [épitòmé] *m.* uittreksel, kort overzicht *o.*
épître [épitr] *f.* **1** brief *m.*; **2** (*kath.*) epistel *o. of m.*; ***les —s de saint Paul,*** de brieven van Paulus; ***le côté de l'—,*** de epistelzijde *v.*(*m.*).
épizoaire [épizoè:r] *m.* huidparasiet *m.*
épizootie [épizòòsi] *f.* veepest *v.*(*m.*), veeziekte *v.*
épizootique [épizòòtik] *adj.*, ***maladie —,*** veeziekte *v.*
éploré [éplòré] *adj.* treurend, in tranen wegsmeltend.
éployé [éplwayé] *adj.* (*wap.*) met uitgespreide vleugels.
épluchage [éplüʃa:j], **épluchement** [éplüʃmã] *m.* **1** (*v. groenten, vis, enz.*) (het) schoonmaken *o.*; **2** (*v. aardappelen*) (het) schillen *o.*; **3** (*v. garnaal, enz.*) (het) pellen *o.*; **4** (*fig.*) (het) uitpluizen *o.*
éplucher [éplüʃé] *v.t.* **1** schoonmaken; **2** schillen; **3** pellen; **4** (*v. gevogelte*) plukken, reinigen; **5** (*v. akker*) wieden; **6** (*fig.*) uitpluizen.
éplucheur [éplüʃœ:r] *m.* uitpluizer, napluizer *m.*; ***— de mots,*** woordenzifter *m.*
épluchure [éplüʃü:r] *f.* **1** (*v. groenten*) afval *o. en m.*; **2** (*v. aardappel*) schil *v.*(*m.*); **3** uitpluissel *o.*
épode [épò'd] *f.* slotzang, nazang *m.*
épointer [épwẽ'té] *v.t.* afpunten, de punt afbreken, stomp maken.
éponge [épõ:j] *f.* **1** sponsdier *o.*; **2** spons *v.*(*m.*); ***serviette —,*** badhanddoek *m.*; ***passer l'— sur qc.,*** de spons over iets halen; iets in de doofpot stoppen; ***boire comme une —,*** drinken als een tempelier.
éponger [épõ'jé] **I** *v.t.* **1** afsponsen; **2** afwissen, afvegen; **3** wegwerken; **II** *v.pr.*, ***s'—,*** zich (het zweet van) 't voorhoofd afwissen.
épopée [épòpé] *f.* heldendicht, epos *o.*
époque [épòk] *f.* **1** tijdperk, tijdvak *o.*; **2** tijdstip *o.*; ***à pareille —,*** (anders) om deze tijd; ***faire —,*** van bijzondere betekenis zijn, baanbrekend zijn.
épouiller [épuyé] *v.t* luizen, ontluizen.
époumoner [épumòné] **I** *v.t.* buiten adem brengen; **II** *v.pr.*, ***s'—,*** buiten adem geraken; zich hees schreeuwen, zich moe schreeuwen.
épousable [épuza'bl] *adj.* huwbaar.
épousailles [épuza'y] *f.pl.* bruiloft *v.*(*m.*).
épouse [épu:z] *f.* echtgenote, gemalin *v.*
épousée [épuzé] *f.* bruid *v.*
épouser [épuzé] *v.t.* **1** huwen, trouwen met; **2** (*fig.*) (*v. mening*) zich aansluiten bij; de zijde kiezen van; (*v. zaak*) tot de zijne maken; (*v. vorm*) aannemen; ***— la forme de,*** de vorm aannemen van.
épouseur [épuzœ:r] *m.* trouwlustige *m.*
époussetage [épusta:j] *m.* (het) afstoffen *o.*
épousseter* [épusté] *v.t.* **1** afstoffen; afborstelen; **2** (*v. paard*) afwrijven; **3** (*fig.*) afrossen.
époussette [épusèt] *f.* **1** borstel *m.*; **2** wrijflap *m.*
épouvantable(ment) [épuvã'ta'bl(emã)] *adj.* (*adv.*) verschrikkelijk, ontzettend.
épouvantail [épuvã'ta'y] *m.* **1** vogelverschrikker *m.*; **2** (*fig.*) schrikbeeld *o.*
épouvante [épuvã:t] *f.* ontzetting, verschrikking *v.*
épouvanter [épuvã'té] **I** *v.t.* verschrikken, schrik aanjagen; **II** *v.pr.*, ***s'—,*** schrikken.
époux [épu] *m.* echtgenoot, gemaal *m.*; ***les jeunes —,*** de jonggehuwden; ***les futurs —,*** het bruidspaar; ***les —,*** de gehuwden, de echtelieden.
épreindre* [éprẽ:dr] *v.t.* uitpersen.
épreinte [éprẽ:t] *f.* buikpijn *v.*(*m.*), koliek *o. en v.*
éprendre*, s'— [séprã:dr] *v.pr.* **1** verliefd worden (op); **2** zich aangetrokken voelen (door), smaak krijgen (in).
épreuve [éprœ:v] *f.* **1** proef *v.*(*m.*), proefneming *v.*; **2** beproeving *v.*; **3** drukproef *v.*(*m.*); **4** (*fot.*) afdruk *m.*; **5** (*v. prent*) proefblad *o.*; **6** wedstrijd, deelwedstrijd *m.*; **7** examen; examenwerk *o.*; ***à l'— de,*** bestand tegen; ***à l'— des balles,*** kogelvrij; ***à l'— du feu,*** vuurvast; ***mettre à l'—,*** op de proef stellen; ***à toute —,*** tegen alles bestand; ***— d'examen,*** proefwerk *o.*; ***—s orales,*** mondeling examen; ***— positive,*** positief *o.*; ***— négative,*** negatief *o.*
épris [épri] *adj.* **1** verliefd (op); **2** verzot (op); **3** aangegrepen (door).
éprouver [épruvé] *v.t.* **1** beproeven; **2** op de proef stellen; **3** ondervinden, ervaren; **4** (*v. verlies*) lijden; **5** gevoelen.
éprouvette [épruvèt] *f.* **1** proefglas *o.*; **2** proefbuisje *o.*
épucer [épüsé] *v.t.* vlooien.
épuisable [épŵi'za'bl] *adj.* uitputtelijk, uitputbaar.
épuise [épŵi:z] *f.* gemaal *o.*
épuisé [épŵi'zé] *adj.* **1** uitgeput; **2** (*v. boek*) uitverkocht; **3** (*v. agenda*) afgehandeld.
épuisement [épŵi'zmã] *m.* **1** uitpomping *v.*; **2** (*v. polder*) bemaling, droogmaking *v.*; **3** uitputting, afmatting *v.*
épuiser [épŵi'zé] **I** *v.t.* **1** uitpompen; **2** bemalen, droogmaken; **3** (*v. boek*) uitverkopen; **4** (*v. agenda*) afhandelen; **5** (*v. onderwerp*) volledig behandelen; **6** uitputten, afmatten; **II** *v.pr.*, ***s'—,*** **1** uitgeput worden; uitgeput raken; **2** uitverkocht raken; **3** zich uitputten; zich afsloven.
épuisette [épŵi'zèt] *f.* **1** schepnet *o.*; **2** vogelnet *o.*; **3** hoosvat *o.*
épurateur [épüratœ:r] **I** *adj.* zuiverend, reinigend; **II** *s.*, *m.* zuiveraar *m.*; zuiveringstoestel *o.*
épuratif [épüratif] *adj.* zuiverend.
épuration [épüra'syõ] *f.* **1** zuivering *v.*; **2** veredeling, verbetering *v.*
épure [épü:r] *f.* tekening; projectietekening *v.*
épurement [épü'rmã] *m.* zuivering *v.*
épurer [épü'ré] *v.t.* **1** zuiveren; louteren; **2** veredelen.
équanime [ékwanim] *adj.* gelijkmoedig.
équanimité [ékwanimité] *f.* gelijkmoedigheid *v.*
équarrir [ékari:r] *v.t.* **1** vierkant maken (snijden, *of* hakken); **2** (*v. paard, enz.*) villen; **3** (*fig.*) ontbolsteren, beschaven.
équarrissage [ékarisa:j], **équarrissement** [ékarismã] *m.* **1** (het) vierkant maken (*of* hakken) *o.*; **2** (het) villen *o.*
équarrisseur [ékarisœ:r] *m.* paardenvilder *m.*
équarrissoir [ékariswa:r] *m.* **1** vildersmes *o.*; **2** slagbeitel *m.*; **3** vilderij *v.*
équateur [ékwatœ:r] *m.* evenaar *m.*, evennachtslijn *v.*(*m.*); (***république de l'***)***É—,*** Ecuador *o.*
équation [ékwa'syõ] *f.* (*stelk.*) vergelijking *v.*; ***— du temps,*** tijdsvereffening *v.*

équatorial [ékwatòryal] *adj.* equatoriaal.
Équatorien [ékwatòryẽ] **I** *m.* bewoner *m.* van Ecuador; **II** *adj.* **e—,** Ecuadoriaans.
équerrage [ékè'ra:j] *m.* tweevlakshoek *m.*
équerre [ékè:r] *f.* (winkel)haak *m.*; ***— à dessin, — ordinaire,*** driehoek *m.*; ***fausse —,*** zwei *v.(m.)*; ***mettre d'—,*** haaks maken; ***à fausse —,*** niet haaks.
équerrer [ékè'ré] *v.t.* haaks maken.
équestre [ék(w)èstr] *adj.* ridder-; ruiter-; ***statue —,*** ruiterstandbeeld *o.*; ***ordre —,*** ridderstand *m.*
équeuter [ékœté] *v.t.* (*v. vruchten*) de stelen verwijderen, ontstelen.
équiangle [ékwiã:gl] *adj.* gelijkhoekig.
équidistance [ékidistã:s] *f.* gelijke afstand *m.*
équidistant [ékwidistã] *adj.* even ver verwijderd.
équilatéral [ékwilatéral] *adj.* **1** (*v. driehoek*) gelijkzijdig; **2** (*v. veelhoek*) regelmatig; **3** onverschillig.
équilibre [ékili'br] *m.* evenwicht *o.*
équilibrer [ékilibré] **I** *v.t.* in evenwicht brengen (*of* houden); ***bien équilibré,*** evenwichtig; **II** *v.pr.*, ***s'—,*** tegen elkaar opwegen.
équilibriste [ékilibrist] *m.-f.* koorddanser(es) *m.(v.)*, equilibrist *m.*
équille [éki'y] *f.* (*Dk.*) smelt *v.(m.)*.
équinoxe [ékinòks] *m.* nachtevening *v.*
équinoxial [ékinòksyal] *adj.* nachtevenings-; ***année —e,*** astronomisch jaar; ***ligne —e,*** evenaar *m.*
équipage [ékipa:j] *m.* **1** bemanning *v.*; **2** legertros, legertrein *m.*; **3** uitrusting *v.*; **4** eigen rijtuig *o.*; **5** toebehoren *o.*, benodigdheden *mv.*
équipe [ékip] *f.* **1** (*v. werklieden, enz.*) ploeg *v.(m.)*; **2** (*voetbal*) elftal *o.*; **3** (*v. schepen*) sleep *m.*; ***chef d'—,*** ploegbaas *m.*; ***homme d'—,*** spoorwegwerker, treinwerkman *m.*
équipée [ékipé] *f.* dwaze onderneming *v.*; onbezonnen daad *v.(m.)*.
équipement [ékipmã] *m.* **1** uitrusting; toerusting *v.*; **2** (*v. toestel*) montering *v.*
équiper [ékipé] *v.t.* **1** uitrusten; toerusten; **2** monteren.
équipier [ékipyé] *m.* **1** ploegman; treinwerkman *m.*; **2** (*sp.*) medespeler *m.*
équipollence [ékipòlã:s] *f.* gelijkwaardigheid *v.*
équipollent [ékipòlã't] *adj.* equipollent, gelijkwaardig.
équitable(ment) [ékita'bl(emã)] *adj.(adv.)* billijk; rechtvaardig.
équitation [ék(w)itɑ'syõ] *f.* **1** rijkunst *v.*; **2** (het) paardrijden *o.*
équité [ékité] *f.* billijkheid; rechtvaardigheid *v.*
équivalence [ékivalã:s] *f.* gelijkwaardigheid *v.*
équivalent [ékivalã] **I** *adj.* gelijkwaardig; **II** *s.*, *m.* equivalent *o.*; gelijke waarde *v.*
équivaloir* [ékivalwa:r] *v.i.* gelijkwaardig zijn (aan), gelijkstaan (met), opwegen (tegen).
équivoque [ékivòk] **I** *adj.* **1** dubbelzinnig; **2** (*v. gedrag, handelwijze*) verdacht; **II** *s.*, *f.* dubbelzinnigheid *v.*
équivoquer [ékivòké] *v.i.* dubbelzinnig spreken, zich dubbelzinnig uitdrukken.
érable [éra'bl] *m.* **1** ahorn, esdoorn *m.*; **2** ahornhout *o.*
éradication [éradikɑ'syõ] *f.* uitroeiing *v.*
érafler [éraflé] *v.t.* schrammen, ontvellen.
éraflure [éraflü:r] *f.* schram *v.(m.)*.
éraillé [érɑ'yé] *adj.* **1** (*v. stof*) uitgerafeld; **2** ruw, gebarsten; **3** (*v. stem*) schor, rauw; **4** (*v. ooglid*) omgekeerd, omgedraaid.
éraillement [érɑ'ymã] *m.* **1** (*v. stof*) uitrafeling *v.*; **2** (*v. stem*) schorheid, rauwheid *v.*; **3** omkering *v.* van het (onderste) ooglid.
érailler [érɑ'yé] **I** *v.t.* **1** (*v. stof*) uitrafelen; **2** (*v. meubel, huid*) schrammen, afschaven; **II** *v.pr.*, ***s'—,*** **1** (*v. stof*) rafelen; schiften; **2** schor worden.
éraillure [érɑ'yü:r] *f.* **1** rafeling, uitrafeling *v.*; **2** schram; afschaving *v.*
Erasme [érasm] *m.* Erasmus *m.*
erbue [èrbü] *f.* in hoogovens gebruikt smeltmiddel *o.*
ère [è:r] *f.* **1** tijdrekening *v.*; **2** jaartelling *v.*; **3** tijdperk *o.*
érecteur [érèktœ:r] *adj. et s.*, *m.* oprichtende (spier *v.(m.)*).
érectile [érèktil] *adj.* in staat tot erectie.
érection [érèksyõ] *f.* **1** (*v. gedenkteken, enz.*) oprichting *v.*; **2** instelling, stichting *v.*; **3** verheffing *v.*; **4** (het) stijf worden *o.*
éreintant [érẽ'tã] *adj.* vermoeiend, afmattend.
éreinté [érẽ'té] *adj.* **1** afgemat, doodop; **2** (*v. piano*) afgespeeld.
éreintement [érẽ'tmã] *m.* **1** afmatting, afbeuling *v.*; **2** uitputting *v.*; **3** (*v. werk, toneelstuk, enz.*) (het) afbreken *o.*, afbrekende kritiek *v.*
éreinter [érẽ'té] **I** *v.t* **1** afmatten, afbeulen; **2** (*fam.*) afrossen; **3** afbreken, afkammen, hekelen; **II** *v.pr.*, ***s'—,*** zich afbeulen.
éreinteur [érẽ'tœ:r] *m.* afbreker *m.*
érémitique [érémitik] *adj.* kluizenaars-; ***vie —,*** kluizenaarsleven *o.*
érésipèle [érézipèl] *f.* (*gen.*) roos *v.(m.)*.
éréthisme [érétizm] *m.* (*gen.*) prikkeling, overprikkeldheid, overspanning *v.*
erg [èrg] *m.* **1** (*nat.*) erg *o.*, eenheid van arbeid (1 dyne over 1 cm); **2** (*in Sahara*) groep zandduinen.
ergastule [èrgastül] *m.* (*bij Romeinen*) tuchtkelder *m.* voor slaven.
ergostérol [èrgòstéròl] *m.* anti-rachitismiddel *o.*
ergot [èrgo] *m.* **1** (*v. haan*) spoor *v.(m.)*; **2** (*Pl.* brand *m.* (in 't koren); moederkoren *o.*; **3** dood takje, dood uitsteeksel *o.*; **4** (*tn.*) stift *v.(m.)*, pen *v.(m.)*; ***se dresser sur ses —s,*** opstuiven, een dreigende houding aannemen.
ergotage [èrgòta:j] *m.* vitterij *v.*
ergoté [èrgòté] *adj.* **1** gespoord; **2** (*v. graan*) brandig; ***blé —,*** moederkoren *o.*
ergoter [èrgòté] *v.i.* vitten, haarkloven.
ergoterie [èrgòtri] *f.* vitterij, haarkloverij *v.*
ergoteur [èrgòtœ:r] *m.* vitter, haarklover *m.*
ergotine [èrgòtin] *f.* ergotine *v.*, bloedstelpend, giftig alkaloïde uit moederkoren.
érica [érika] *f.* dopheide *v.(m.)*.
éricacées [érikasé] *f.pl.* (*Pl.*) heideachtigen *mv.*
Érié [éryé] *m.*, ***lac —,*** Erie-meer *o.*
ériger [éri'jé] **I** *v.t.* **1** (*v. gedenkteken, enz.*) oprichten; **2** instellen, stichten; **3** verheffen; **II** *v.pr.* ***s'— en,*** zich opwerpen tot.
Érin [érẽ] *f.* Erin, Ierland *o.*
éristale [éristal] *m.* op een bij gelijkende vlieg *v.(m.)*.
erminette, *voir* ***herminette.***
ermitage [èrmita:j] *m.* **1** kluizenaarswoning *v.*, kluis *v.(m.)*; **2** afgelegen huisje *o.*
ermite [èrmit] *m.* kluizenaar *m.*
Ernest [èrnèst] *m.* Ernst *m.*
éroder [éro'dé] *v.t.* **1** (door bijtmiddel) wegvreten; **2** (door water) wegspoelen, afschuren.
érosif [éro'zif] *adj.* **1** wegvretend; **2** uitschurend.
érosion [éro'zyõ] *f.* **1** wegvreting *v.*, (het) wegvreten *o.*; **2** (het) wegspoelen *o.*; **3** (*v. gletsjer*) uitschuring *v.*
érotique(ment) [éròtik(mã)] *adj.(adv.)* erotisch.
érotisme [éròtizm] *m.* erotische drang *m.*
érotomanie [éròtòmani] *f.* erotomanie *v.*
erpétologie [èrpétòlòji] *f.* kennis *v.* van de kruipende dieren.
errance [èrã:s] *f.* het dolen *o.*
errant [èrã] *adj.* dolend, zwervend; ***étoile —e,*** dwaalster, planeet *v.(m.)*; ***chevalier —,*** dolende ridder; ***le juif —,*** de wandelende jood.

errata [èrata] *m.* (*pl.*: ***des —***), lijst *v.*(*m.*) van drukfouten, errata *mv.*
erratique [èratik] *adj.* **1** zwervend; **2** (*gen.*: *v. koorts*) onregelmatig, afwisselend, intermitterend; ***oiseau —***, trekvogel *m.*
erratum [èratòm] *m.* (*pl.*: ***errata***), drukfout *v.*(*m.*).
errements [è'rmã] *m.pl.* **1** gang *m.* (van de zaken); **2** dwaling *v.*; ***les anciens —***, de sleur *m.*
errer [è'ré] *v.i.* **1** dwalen, dolen, rondzwerven; **2** (*fig.*) dwalen, zich vergissen.
erreur [è'rœ:r] *f.* **1** dwaling *v.*; **2** vergissing *v.*, abuis *o.*; ***— de nom,*** naamsverwisseling *v.*; ***induire en —,*** op een dwaalspoor brengen; ***— de caisse,*** kasverschil *o.*; ***par —,*** bij vergissing; ***— n'est pas compte,*** een rekenfout geldt niet, een vergissing is nooit uitgesloten; ***sauf — et omission,*** (*H.*) vergissing en weglating voorbehouden; ***— de plume,*** verschrijving *v.*; ***être dans l'—,*** het mis hebben; ***faire —,*** zich vergissen; ***—s,*** dwaasheden, uitspattingen *mv.*
erroné [èròné] *adj.* verkeerd, vals.
ers [è:r] *m.* peulgewas *o.* van het type linze.
erse [èrs] *adj.* van de Schotse Hooglanden, Erzisch.
érubescent [érübèsã] *adj.* rood (wordend).
éructation [érüktα'syõ] *f.* oprisping *v.*
éructer [érükté] **I** *v.i.* oprispen, oprispingen hebben; **II** *v.t.* uitbraken.
érudit [érüdi] **I** *adj.* geleerd; **II** *s.*, *m.* geleerde *m.*
érudition [érüdisyõ] *f.* geleerdheid *v.*
érugineux [érüjinö] *adj.* roestig, roestkleurig.
éruptif [érüptif] *adj.* **1** vulkanisch; **2** (*gen.*) met uitslag gepaard.
éruption [érüpsyõ] *f.* **1** uitbarsting *v.*; **2** (*gen.*) uitslag *m.*; **3** (*v. tanden, etter*) doorbreking *v.*; **4** (*v. ziekte*) (het) uitbreken *o.*; ***entrer en —,*** (*v. vulkaan*) beginnen te werken.
érysipélateux [érizipélatö] *adj.* (*gen.*) roosachtig.
érysipèle [érizipèl] *m.* (*gen.*) roos *v.*(*m.*).
érythème [éritè:m] *m.* huidontsteking *v.*, rode uitslag *m.*
Érythrée [éritré] *f.* Erythrea *o.*
ès [ès] *prép.* in de; ***docteur — lettres,*** doctor in de [letteren.
Ésaïe [ézè] *m.* Jesaja *m.*
Ésaü [ézaü] *m.* Ezau *m.*
esbroufe [èzbruf] *f.* kale bluf *m.*, kale drukte *v.*
esbroufer [èzbrufé] *v.t.* overdonderen, overbluffen.
esbroufeur [èzbrufœ:r] *m.* druktemaker *m.*
escabeau [èskabo] *m.* **1** krukje *o.*; **2** voetbankje *o.*; **3** laag trapje *o.*
escabelle [èskabèl] *f.* voetbank *v.*(*m.*), voetbankje *o.*
escadre [èska'dr] *f.* eskader, smaldeel *o.*
escadrille [èskadri'y] *f.* **1** (*sch.*) smaldeel *o.*; **2** (*vl.*) eskader *o.*
escadron [èskadrõ] *m.* **1** ruiterbende *v.*(*m.*), eskadron *o.*; **2** (*fig.*) schaar *v.*(*m.*), troep *m.*; ***chef d'—,*** ritmeester *m.*; ***— volant,*** vliegend vendel *o.*
escalade [èskala'd] *f.* **1** beklimming; overklimming *v.*; **2** bestorming *v.* met ladders; ***vol à l'—,*** diefstal met inklimming.
escalader [èskaladé] *v.t.* **1** beklimmen; **2** bestormen (met ladders); **3** (*v. muur*) overklimmen; **4** (*fig.*) opklimmen tot.
escalator [èskalatòr] *m.* roltrap *m.*
escale [èskal] *f.* **1** (*sch.*) aanlegplaats *v.*(*m.*); **2** losplaats *v.*(*m.*); **3** (*v. vliegtuig*) landingsplaats *v.*(*m.*); **4** tussenlanding *v.*; ***faire —,*** een haven binnenlopen; ***faire — à Anvers,*** Antwerpen aandoen; ***sans —,*** zonder tussenlanding.
escalier [èskalyé] *m.* trap *m.*; ***— tournant, — en colimaçon,*** wenteltrap *m.*; ***— dérobé,*** geheime trap; ***tomber dans l'—,*** van de trappen vallen; ***avoir l'esprit de l'—,*** het juiste woord altijd even te laat vinden.
escalope [èskalòp] *f.* **1** lapje *o.* (vlees); **2** (*Pl.*) splitboon *v.*(*m.*); ***— de veau,*** kalfsoester *v.*(*m.*).
escamotable [èskamòta'bl] *adj.* intrekbaar.
escamotage [èskamòta:j] *m.* **1** (het) wegmoffelen *o.*; **2** ontfutseling *v.*; **3** (*fot.*) wisselinrichting *v.*; **4** (*v. plaat*) (het) wisselen *o.*
escamoter [èskamòté] *v.t.* **1** weggoochelen, wegtoveren, wegmoffelen; **2** ontfutselen; **3** (*v. fotoplaat*) wisselen; **4** (*v. woorden*) inslikken; weglaten.
escamoteur [èskamòtœ:r] *m.* **1** goochelaar *m.*; **2** zakkenroller *m.*
escampette [èskã'pèt] *f.*, ***prendre la poudre d'—,*** het hazepad kiezen.
Escanaffles [èskanafl] Schalafie *o.*
escapade [èskapa'd] *f.* **1** ontsnapping *v.*; **2** slippertje *o.*; **3** buitensporigheid *v.*; ***faire une —,*** er even uitbreken; ***— d'écolier,*** kwajongensstreek *m.* en *v.*
escape [èskap] *f.* zuilschacht *v.*(*m.*).
escarbille [èskarbi'y] *f.* sintel *m.*
escarbot [èskarbo] *m.* **1** mestkever *m.*, tor *v.*(*m.*); **2** (*pop.*) meikever *m.*; ***— doré,*** goudkever *m.*
escarboucle [èskarbukl] *f.* karbonkel *m.*
escarcelle [èskarsèl] *f.* geldtas, beugeltas *v.*(*m.*), buidel *m.*
escargot [èskargo] *m.* **1** huisjesslak *v.*(*m.*); **2** alikruik *v.*(*m.*); ***escalier en —,*** wenteltrap *m.*
escargotière [èskargòtyè:r] *f.* slakkenkuil *m.*, slakkenkwekerij *v.*
escarmouche [èskarmuʃ] *f.* schermutseling *v.*
escarmoucher [èskarmuʃé] *v.i.* schermutselen.
escarmoucheur [èskarmuʃœ:r] *m.* schermutselaar *m.*
escarole [èskaròl], **scarole** [skaròl] *f.* (*Pl.*) andijvie *v.*(*m.*).
escarpe [èskarp] *f.* (*mil.*) escarp, inwendige scherpe glooiing *v.* van een vestinggracht.
escarpé [èskarpé] *adj.* steil.
escarpement [èskarpemã] *m.* steile helling, [steilte *v.*
escarpin [èskarpẽ] *m.* dansschoen, lage schoen *m.*
escarpolette [èskarpòlèt] *f.* schommel *m.* en *v.*
escarre [èska:r] *f.* **1** (*op wond*) korst, roof *v.*(*m.*); **2** ontvelling *v.*; **3** winkelhaak *m.*
escarrifier [èska'rifyé] *v.t.* een korst vormen.
Escaut [èsko] *m.* Schelde *v.*
eschare [èska:r], *voir* ***escarre.***
eschatologie [èskatòlòji] *f.* leer *v.*(*m.*) van de uitersten van de mens.
eschatologique [èskatòlòjik] *adj.* eschatologisch.
Eschyle [èʃil] *m.* Aeschylus *m.*
escient [èsyã] *m.*, ***à bon —,*** welbewust, na rijp beraad; ***à mon —,*** naar mijn weten.
esclaffer, s'— [sèsklafé] *v.pr.*, (***— de rire***) schaterlachen, het uitproesten.
esclandre [èsklã:dr] *m.* schandaal *o.*
esclavage [èsklava:j] *m.* **1** slavernij *v.*; **2** afhankelijkheid, onderworpenheid *v.*; **3** juk *o.*
esclavagiste [èsklavajist] **I** *m.* slavendrijver *m.*; **II** *adj.* slavendrijvend.
esclave [èskla:v, èsklα:v] **I** *m.-f.* slaaf *m.*, slavin *v.*; **II** *adj.* **1** slaafs; **2** afhankelijk, onderworpen.
esclavon [èsklavõ] **I** *adj.* Slavonisch; **II** *s.*, *m.*, ***E—,*** Slavoniër *m.*
Esclavonie [èsklavòni] *f.* Slavonië *o.*
escobar [èskòba:r] *m.* schijnheilige, sluwerd *m.*
escof(f)ier [èskòfyé] *v.t.* (*arg.*) mollen doden.
escogriffe [èskògrif] *m.* **1** (lange) slungel *m.*; **2** grijpvogel, gapper *m.*
escomptable [èskõ'ta'bl] *adj.* verdisconteerbaar.
escompte [èskõ:t] *m.* **1** (*v. wissels*) disconto *o.*; **2**

korting *v.* (voor contante betaling); ***taux de l'—*** discontovoet *m.*

scompter [èskõ'té] *v.t.* 1 verdisconteren; 2 (vervroegde) levering vragen van; 3 vooruit voordeel trekken van; 4 vooruitlopen op; 5 tegemoet zien; 6 rekenen op, speculeren op. [contant *m.*

escompteur [èskõ'tœ:r] *m.* discontogever, dis-

escopette [èskòpèt] *f.* 15e-eeuws vuurroer *o.*

Escornaix [èskòrnè] Schorisse *o.*

escorte [èskòrt] *f.* 1 (*mil.*) geleide *o.*; 2 (*sch.*) konvooi *o.*; 3 (*v. vorst, enz.*) gevolg *o.*; ***— d'honneur,*** erewacht *v.(m.).*

escorter [èskòrté] *v.t.* 1 begeleiden; 2 (*sch.*) konvooiëren; 3 (*fig.*) vergezellen.

escorteur [èskòrtœ:r] *m.* escorteschip *o.*

escouade [èskwa'd] *f.* 1 (*mil.*) escouade, soldatenafdeling *v.*; 2 (*v. agenten*) afdeling *v.*; 3 (*v. werklieden*) ploeg *v.(m.)*; 4 troepje *o.*

escourgée [èskurjé] *f.* geselzweep *v.(m.).*

escourgeon [èskurjõ] *m.* wintergerst *v.(m.).*

escrime [èskrim] *f.* 1 schermkunst *v.*; 2 (het) schermen *o.*; ***faire de l'—,*** schermen.

escrimer [èskrimé] **I** *v.i.* schermen; **II** *v.pr.* ***s'— à,*** zich afsloven om; ***s'— contre,*** strijden tegen, te keer gaan tegen.

escrimeur [èskrimœ:r] *m.* schermer *m.*

escroc [èskro] *m.* oplichter; gauwdief; bedrieger; aftroggelaar *m.*

escroquer [èskròké] *v.t.* 1 oplichten; 2 aftroggelen.

escroquerie [èskròkri] *f.* oplichterij, zwendelarij *v.*

escroqueur [èskròkœ:r] *m.* gauwdief, oplichter *m.*

esculape [èskülap] *m.* esculaap, dokter *m.*

Esope [ézòp] *m.* Aesopus *m.*

ésotérique [ézòtérik] *adj.* esoterisch.

espace [èspɑ:s] **I** *m.* 1 ruimte *v.*; 2 tussenruimte *v.*; 3 tijdruimte *v.*, tijd *m.*; 4 (*muz.*) spatie, ruimte *v.* tussen de notenlijnen; ***géométrie dans l'—,*** stereometrie *v.*; **II** *f.* (*drukk.*) spatie *v.*

espacé [èspɑ'sé] *adj.* uit elkaar, met tussenruimten; ***— d'arbres,*** met bomen ertussen.

espacement [èspɑ'smã] *m.* 1 tussenruimte *v.*; afstand *m.* tussen de woorden; 2 spatiëring *v.*; ***barre d'—,*** (*drukk.*) Duitse komma *v.(m.) of o.*

espacer [èspɑ'sé] **I** *v.t.* 1 door een tussenruimte scheiden, een ruimte laten tussen; 2 (*drukk.*) spatiëren; 3 (*v. bezoeken, betalingen, enz.*) een tijd laten verlopen tussen; **II** *v.pr.*, ***s'—,*** 1 zich met tussenruimten opstellen, zich verspreiden; 2 (*v. bezoeken, enz.*) schaarser worden.

espadon [èspadõ] *m.* 1 (groot) slagzwaard *o.*; 2 (*Dk.*) zwaardvis *m.*

espadrille [èspadri'y] *f.* gymnastiekschoen *m.*

Espagne [èspañ] *f.* Spanje *o.* [Spanjaard *m.*

espagnol [èspañòl] **I** *adj.* Spaans; **II** *s., m.* ***E—,***

espagnolette [èspañòlèt] *f.* spanjolet *v.(m.).*

espalier [èspalyé] *m.* 1 latwerk *o.*; 2 (***arbre en —***), leiboom *m.*

espar(t) [èspar] *m.* masthout *o.*

esparcette [èsparsèt] *f.* (*Pl.*) hanekam *m.*

espèce [èspès] *f.* 1 soort *v.(m.) en o.*; aard *m.*, slag *o.*; 2 (*H.*) baar geld *o.*; 3 (*kath.*) gedaante *v.*; 4 (*gen.*) geneeskrachtig kruid *o.*; ***en l'—,*** in het onderhavige geval; ***l'— humaine,*** het menselijk geslacht; ***en —s (sonnantes),*** in klinkende munt, in geld; ***de toute —,*** allerlei; ***de même —,*** gelijksoortig; ***sous les deux —s,*** (*kath.*) onder de twee gedaanten (van brood en wijn); ***brouiller les —s,*** de zaken in de war sturen.

espérance [èspérã:s] *f.* 1 hoop *v.(m.)*; 2 verwachting *v.*; ***elle a des —s,*** zij heeft nog wat te wachten; ***il est sans —,*** de dokter heeft hem opgegeven, zijn toestand is hopeloos.

espérantiste [èspérã'tist] **I** *adj.* esperanto betreffende; **II** *s., m.-f.* esperantist(e) *m.-v.*

espéranto [èspérã'to] *m.* Esperanto *o.*

espérér* [èspéré] **I** *v.t.* 1 hopen; 2 verwachten; **II** *v.i.*, ***— en,*** hopen op, zijn hoop vestigen op, vertrouwen op. [*m. et f.* guit, snaak *m.*

espiègle [èspyè'gl] **I** *adj.* olijk, guitig, schalks; **II**

espièglerie [èspyè'gleri] *f.* schalksheid, snakerij *v.*, guitenstreek *m. en v.*

Espierres [èspyèr] Spiere *o.*

espingole [èspẽ'gòl] *f.* donderbus *v.(m.).*

espion [èspyõ] *m.*, **—ne** [èspyòn] *f.* bespieder *m.*, bespiedster *v.*; spion *m.*; geheim agent *m.*

espionnage [èspyòna:j] *m.* 1 bespieding *v.*; 2 (*mil.*) spionage *v.* [neren.

espionner [èspyòné] **I** *v.t.* bespieden; **II** *v.i.* spio-

esplanade [èsplana'd] *f.* 1 voorplein *o.*; 2 vestingkring *m.*; 3 (*v. batterij*) onderlaag *v.(m.)*, bedding *v.*

espoir [èspwa:r] *m.* hoop *v.(m.)*; verwachting *v.*

esprit [èspri] *m.* 1 geest *m.*; 2 levensgeest *m.*; 3 spook *o.*; 4 verstand, vernuft *o.*; 5 hart, gemoed *o.*; ziel *v.(m.)*; 6 geest *m.*, geestigheid *v.*; 7 neiging *v.*, aanleg *m.*; 8 (*v. dagblad, enz.*) richting, opvatting *v.*; ***— de vin,*** brandspiritus *m.*; ***— de bois,*** houtgeest; ***— fugitif,*** kwik *o.*; ***— de sel,*** verdund zoutzuur *o.*; ***— alcalin,*** geest van salmiak; ***le Saint E—,*** de H. Geest; ***— de clocher,*** bekrompenheid *v.*; ***petit —,*** 1 kleingeestig mens, bekrompen geest *m.*; 2 kleingeestigheid *v.*; ***— d'initiative,*** ondernemingsgeest *m.*, initiatief *o.*; ***— de sacrifice,*** offervaardigheid *v.*; ***— de discernement,*** scherpzinnigheid *v.*; ***perdre l'—*** het verstand verliezen; ***perdre ses —s,*** het bewustzijn verliezen; ***reprendre ses —s,*** weer bijkomen; ***courir après l'—,*** geestig willen zijn; ***se mettre qc. dans l'—,*** zich iets in 't hoofd halen; ***présence d'—,*** tegenwoordigheid van geest; ***calmer les —s,*** de gemoederen bedaren; ***l'— public,*** de openbare mening; ***animé d'un bon —,*** met goede bedoelingen bezield; ***il a l'— bien fait,*** hij heeft een heldere kop; ***l'— de la langue française,*** het eigenaardige karakter van de Franse taal; ***l'— du siècle,*** de geest des tijds; ***un — fort,*** een vrijdenker; ***avoir l'— de contradiction,*** altijd in de contramine zijn; ***les —s célestes, les —s de lumière,*** de engelen; ***les —s des ténèbres,*** de duivelen; ***faire — de tout,*** alles bespotten.

esquif [èskif] *m.* bootje, klein vaartuig *o.*

esquille [èski'y] *f.* beensplinter *m.*

esquilleux [èskiyö] *adj.* splinterig, versplinterd; ***fracture esquilleuse,*** (*gen.*) splinterbreuk *v.(m.).*

Esquimau [èskimo] **I** *s., m.* Eskimo *m.*; ***e—,*** *m.* 1 tricot kinderpakje *o.*; 2 ijsco *m.* met chocolade; **II** *adj.* (*fém.*: ***—de***) Eskimoos, Eskimose.

esquinancie [èskinã'si] *f.* keelontsteking; amandelontsteking *v.*

esquintement [èskẽ'tmã], *voir **éreintement.***

esquinter [èskẽ'té] *v.t.* (*pop.*) afbeulen, vermoeien.

esquisse [èskis] *f.* schets *v.(m.)*; ruw ontwerp *o.*

esquisser [èskisé] *v.t.* schetsen; ontwerpen; ***— un sourire,*** even glimlachen.

esquive [èski:v] *f.* het ontwijken *o.*

esquiver [èski'vé] **I** *v.t.* ontwijken, omzeilen; ontduiken; **II** *v.pr.*, ***s'—,*** ontsnappen, zich uit de voeten maken.

essai [èsè, èsè] *m.* 1 proef *v.(m.)*, proefneming *v.*; 2 (*v. goud, enz.*) toets *m.*, keuring *v.*; 3 (*v. kleding*) (het) passen *o.*; 4 (*sp.*) proefschop *m.*; 5 verhandeling *v.*, letterkundig opstel *o.*; ***à titre d'—,*** bij wijze van proef; ***coup d'—,*** proefstuk *o.*; ***commande d'—, ordre d'—,*** proeforder *v.(m.) en o.*; ***faire l'— de,*** beproeven, proberen, de proef nemen met; ***faire des —s,*** 1 (*sch.*) proefstomen; 2 (*vl.*)

invliegen; ***station d'—s,*** landbouwproefstation *o.*
essaim [ésẽ, èsẽ] *m.* **1** zwerm *m.*; **2** (*fig.*) zwerm, drom *m.*
essaimage [ésèma:j, èsèma:j] *m.* (het) zwermen *o.*
essaimer [ésèmé, èsèmé] **I** *v.i.* zwermen, uitvliegen; **II** *v.t.* verbreiden, uitzaaien.
essanger [ésã'jé] *v.t.* (*v. was*) in de week zetten.
essartage [ésarta:j] *m.* (bos)ontginning *v.* (na boomkap).
essarter [ésarté] *v.t.* bosgrond ontginnen (na boomkap).
essarts [ésa:r] *m.pl.* ontgonnen bosgrond *m.*
essayage [ésèya:j, èsèya:j] *m.* **1** (het) passen; (het) beproeven *o.*; **2** (*v. goud, enz.*) keuring *v.*; ***salon d'—,*** paskamer *v.(m.)*.
essayer [ésèyé, èsèyé] **I** *v.t.* **1** beproeven, proberen; **2** (*v. edele metalen*) keuren, toetsen; **3** (*v. kleding*) passen; **4** (*v. spijzen*) proeven; **II** *v.i.* de proef nemen met; **III** *v.pr.*, ***s'— (à),*** zijn krachten beproeven (aan), pogen.
essayeur [ésèyœ:r, èsèyœ:r] *m.* **1** keurder *m.*; **2** bediende *m.* die de kleren aanpast; **3** onderzoeker *m.*
essayeuse [ésèyö:z, èsèyö:z] *f.* pasjuffrouw *v.*
essayiste [ésèyist, èsèyist] *m.* schrijver van letterkundige opstellen, essayist *m.*
Essche-Saint-Liévin Sint-Lievens-Esse *o.*
esse [ès] *f.* s-vormige ijzeren haak *m.*
essence [ésã:s, èsã:s] *f.* **1** wezen *o.*, natuur *v.*; **2** aftreksel *o.*; **3** (*v. vlees*) extract *o.*; **4** vluchtige olie *v.(m.)*; **5** benzine *v.(m.)*; ***— minérale,*** gezuiverde petroleum *m.*; ***— de térébenthine,*** terpentijn *m.*; ***par —,*** uiteraard, van nature.
essentiel [ésã'syèl, èsã'syèl] **I** *adj.* **1** wezenlijk, essentieel; **2** noodzakelijk, onontbeerlijk; **3** kenmerkend; **4** voornaamste; ***huile —le,*** vluchtige olie; ***condition —le,*** hoofdvoorwaarde *v.*; **II** *s., m.* (het) wezenlijke *o.*; (het) voornaamste *o.*
essentiellement [ésã'syèlmã, èsã'syèlmã] *adv.* **1** wezenlijk, volstrekt; **2** bijzonder, in hoge mate.
essère [ésè:r, èsè:r] *f.* (*gen.*) netelroos *v.(m.)*.
esseret [ésrè, èsrè] *m.* (*tn.*) avegaar *m.*
esseulé [ésœlé] *adj.* alleen, eenzaam, verlaten.
esseulement [ésœlmã] *m.* eenzaamheid, vereenzaming *v.*
esseuler [ésœlé] *v.t.* alleen laten.
essieu [ésyö, èsyö] *m.* as, wagenas *v.(m.)*; ***— moteur,*** drijfas *v.(m.)*.
essor [ésò:r, èsò:r] *m.* **1** (*v. vogel*) vlucht *v.(m.)*, opstijging *v.*, (het) opvliegen *o.*; **2** (*fig.*) vlucht *v.(m.)*, snelle ontwikkeling *v.*; ***prendre l'—,*** **1** uitvliegen; **2** (*fig.*) de vleugels uitslaan; (*v. ziel*) ten hemel stijgen; ***prendre un grand —,*** een hoge vlucht nemen.
essorer [ésò'ré, èsò'ré] *v.t.* **1** (*v. linnengoed*) uitwringen; **2** in de lucht drogen.
essoreuse [ésò'rö:z, èsò'rö:z] *f.* **1** wringmachine *v.*; **2** droogmachine *v.*
essoriller [ésòriyé, èsòriyé] *v.t.* de oren afsnijden van; kortoren.
essoucher [ésuʃé] *v.t.* boomstronken rooien uit.
essoufflé [ésuflé, èsuflé] *adj.* buiten adem.
essoufflement [ésuflemã, èsuflemã] *m.* ademloosheid *v.*
essouffler [ésuflé, èsuflé] **I** *v.t.* buiten adem brengen; **II** *v.pr.*, ***s'—,*** buiten adem raken.
essuie-glace* [éswiglas, èswiglas] *m.* (*v. auto*) ruitewisser *m.*
essuie-main* [éswimẽ, èswimẽ] *m.* keukenhanddoek *m.*
essuie-plume* [éswiplüm, èswiplüm] *m.* inktlap(je) *m.(o.)*, pennewisser *m.*
essuyage [éswiya:j, èswiya:j] *m.* **1** het afvegen; **2** het schoonmaken; **3** het afdrogen *o.*
essuyer [èswiyé, éswiyé] *v.t.* **1** afvegen; **2** schoonmaken; **3** afdrogen; afwissen; **4** (*v. verlies, nederlaag*) lijden; **5** (*v. weigering*) krijgen, oplopen; **6** (*v. belediging*) moeten slikken, te slikken krijgen; ***— un échec,*** bot vangen.
essuyeur [éswiœ:r] *m.* afveger *m.*
est [èst] **I** *m.* oosten *o.*; ***vent d'—,*** oostenwind *m.*; **II** *adj.* oostelijk; ooster-.
estacade [èstaka'd] *f.* **1** paalwerk *o.*; **2** staketsel *o.*; **3** (*voor brug*) heiwerk *o.*
estafette [èstafèt] *f.* renbode *m.*
estafier [èstafyé] *m.* **1** gewapende knecht *m.*; **2** gehuurde moordenaar *m.*
estafilade [èstafilad] *f.* houw *m.*
Est-Africain [èstafrikẽ] *m.* Oost-Afrika *o.*
estagnon [èstañõ] *m.* (*in Zuid-Fr.*) koperen kan *v.(m.)* voor olijfolie.
Estaimpuis [èstèmpwi] Steenput *o.*
estame [èstam] *f.* sajet *m.*
estaminet [èstaminè] *m.* kroeg *v.(m.)*, bierhuis *o.*, herberg *v.(m.)*; ***pilier d'—,*** kroegloper, herbergklant *m.*
estampage [èstã'pa:j] *m.* **1** stempeling *v.*; **2** afdruk *m.*
estampe [èstã:p] *f.* **1** stempel *m.*; doorslag *m.*; **2** prent, plaat, gravure *v.(m.)*.
estamper [èstã'pé] *v.t.* stempelen; afdrukken.
estampeur [èstã'pœ:r] *m.* stempelaar *m.*
estampeuse [èstã'pö:z] *f.* stempelmachine *v.*
estampillage [èstã'piya:j] *m.* stempeling *v.*, (het) merken *o.*
estampille [èstã'pi'y] *f.* **1** stempel *o. en m.*, merk *o.*; **2** (*fig.*) kenmerk *o.*
estampiller [èstã'piyé] *v.t.* stempelen, merken.
estarie [èstari], **starie** [stari] *f.* (*sch.*) ligdagen *mv.*
ester I [èsté] *v.i.* in rechten verschijnen; een proces hebben; **II** [èstè:r] *s., m.* ester *m.*, door inwerking van een alcohol op een zuur ontstane organische verbinding.
esthète [èstèt] *m.* estheet, kunstdweper *m.*
esthéticien [èstétisyẽ] *m.* schoonheidskenner, estheticus *m.*
esthétique [èstétik] **I** *adj.* schoon, smaakvol, esthetisch; ***sens —,*** schoonheidszin *m.*; **II** *s., f.* schoonheidsleer *v.(m.)*, esthetica *v.*
Esthonie [èstòni] *f.* Estland *o.*
esthonien [èstònyẽ] **I** *adj.* uit Estland; **II** *s., m.*, ***E—,*** Estlander *m.*
estimable [èstima'bl] *adj.* achtenswaardig; lofwaardig.
estimateur [èstimatœ:r] *m.* schatter *m.*
estimatif [èstimatif] *adj.* schattend; ***devis —,*** raming *v.*
estimation [èstima'syõ] *f.* **1** schatting *v.*; **2** (*v. kosten*) begroting *v.*
estimatoire [èstimatwa:r] *adj.* naar schatting.
estime [èstim] *f.* achting *v.*; ***succès d'—,*** matig succes.
estimer [èstimé] *v.t.* **1** waarderen; **2** achten, hoogachten; **3** schatten, ramen; **4** menen, oordelen; ***s'— trop,*** een te hoge dunk van zich zelf hebben.
estivage [èstiva:j] *m.* **1** (*v. vee*) verblijf *o.* in de zomerweiden; **2** (*sch.: v. lading*) vaststuwing *v.*
estival [èstival] *adj.* zomers; zomer-; ***fleur —e,*** zomerbloem *v.(m.)*.
estivant [èstivã] *m.* zomergast *m.-v.*
estivation [èstiva'syõ] *f.* (*Dk.*) zomerslaap *m.*
estiver [èstivé] *v.t.* **1** (*v. vee*) naar de zomerweiden brengen; **2** (*sch.: v. lading*) vaststuwen.
estoc [èstòk] *m.* **1** boomstronk *m.*; **2** stootdegen *m.*; **3** geslacht *o.*, afkomst *v.*; ***parler d'— et de taille,*** doorslaan.
estocade [èstòka'd] *f.* degenstoot *m.*
estomac [èstòma] *m.* **1** maag *v.(m.)*; **2** maagstreek *v.(m.)*; ***sentir son — dans les talons,*** honger hebben als een paard, rammelen van de honger;

manquer d'—, geen lef hebben; *avoir de l'—,* 1 durf hebben; 2 tegen een stootje kunnen.

estomaquer, s'— [sèstòmaké] *v.pr.* 1 lelijk tegenvallen; 2 zich ergeren; zich hees schreeuwen.

estompe [èstõ:p] *f.* 1 doezelaar *m*'; 2 gedoezelde tekening *v.* [vervlakking *v.*

estompement [èstõ'pmã] *m.* 1 (het) doezelen; 2

estomper [èstõ'pé] I *v.t.* 1 (*v. tekening*) doezelen, schaduwen; 2 verdoezelen, wegdoezelen; 3 de omtrekken vervagen van; 4 (*v. rimpels*) wegwerken; II *v.pr.*, **s'—,** verflauwen, wazig worden; vervlakken.

estourbir [èsturbi:r] *v.t.* (*arg.*) mollen, doden.

estrade [èstra'd] *f.* podium *o.*, verhevenheid *v.*

estragon [èstragõ] *m.* (*Pl.*) dragon *m.*

estrapade [èstrapa'd] *f.* 1 wipgalgstraf *v.(m.)*; 2 wipgalg *v.(m.)*. [galg.

estrapader [èstrapadé] *v.t.* folteren aan de wip-

estropié [èstròpyé] *adj.* verminkt, kreupel.

estropier [èstròpyé] *v.t.* 1 verminken, kreupel maken; 2 verlammen; 3 (*v. taal*) radbraken.

estuaire [èstwè:r] *m.* 1 brede riviermond *m.*; 2 inham *m.*

estudiantin [èstüdyã'tẽ] *adj.* studenten —.

esturgeon [èstürjõ] *m.* (*Dk.*) steur *m.*

et [é] *conj.* en; *— de deux!* dat zijn er twee!

établage [établa:j] *m.* 1 stalgeld *o.*; 2 stalling *v.*

étable [éta'bl] *f.* stal, koestal, veestal *m.*

établer [éta'blé] *v.t.* stallen, op stal zetten.

établi [établi] *m.* 1 (*v. timmerman*) schaafbank *v.(m.)*; 2 (*v. slotenmaker, enz.*) werkbank *v.(m.)*; 3 (*v. kleermaker*) werktafel *v.(m.)*.

établir [établi:r] I *v.t.* 1 vestigen, oprichten, stichten; 2 (*v. grondslag*) leggen; 3 (*v. rechtbank, enz.*) instellen; 4 (*v. feit, enz.*) vaststellen; 5 (*v. verbinding*) aanbrengen; 6 (*v. record*) maken, vestigen; 7 (*v. rekening*) opmaken; 8 (*v. kamp*) opslaan; 9 (*v. orde*) doen heersen; 10 (*v. zoon*) een betrekking bezorgen, onder dak brengen; 11 (*v. dochter*) uithuwelijken; 12 (*v. recht*) staven; *il est établi que,* het staat vast dat; *l'usage établi,* de heersende gewoonte; *le gouvernement établi,* de bestaande regering; II *v.pr.*, **s'—,** 1 zich vestigen; 2 een huishouden opzetten; trouwen; 3 een zaak openen; *s'— en juge,* zich als rechter opwerpen.

établissement [établismã] *m.* 1 vestiging, oprichting, stichting *v.*; 2 instelling *v.*; 3 (*v. fabriek, enz.*) oprichting *v.*; 4 vaststelling *v.*; 5 invoering *v.*; 6 (*v. troep*) opstelling *v.*; 7 (*v. gezin*) toekomst; bezorging *v.*; 8 gesticht *o.*, inrichting, instelling *v.*; 9 (*in koloniën*) nederzetting *v.*; *capital d'—,* stamkapitaal *o.*; *frais de premier —,* oprichtingskosten *mv.*; *frais d'—,* aanloopkosten *mv.*

étage [éta:j] *m.* 1 verdieping *v.*; 2 (*aardk.*) tijdlaag *v.(m.)*; 3 trap, stand, rang *m.*; 4 (*v. raket*) trap *m.*; *menton à double —,* onderkin *v.(m.)*; *des gens de bas —,* gemeen volk, lieden van minder allooi.

étagement [éta'jmã] *m.* 1 trapsgewijze plaatsing *v.*; 2 (*fig.*) trapsgewijze opvolging *v.*

étager [éta'jé] I *v.t.* trapsgewijze plaatsen; II *v.pr.*, **s'—,** trapsgewijze oplopen.

étagère [étajè:r] *f.* rekje *o.*

étai [étè] *m.* 1 (*bouwk.*) schoor, stut *m.*; 2 (*sch.*) stag *o.*; *voile d'—,* stagzeil *o.* [ning *v.*

étaiement [étèmã] *m.* 1 schoring *v.*; 2 ondersteu-

étaim [étẽ] *m.* fijnste kaardwol *v.(m.)*.

étain [étẽ] *m.* tin *o.*; *des —s,* tinnen voorwerpen *mv.*; *feuilles d'—, — en feuilles,* bladtin *o.*; *— de glace,* bismut, spiegeltin *o.*

étal [étal] *m.* 1 slagersbank, vleesbank *v.(m.)* 2 slagerij *v.*, slagerswinkel *m.*; 3 (*voor vis*) snijbank *v.(m.)*; 4 stalletje, kraampje *o.*

étalage [étala:j] *m.* 1 uitstalling *v.*; 2 stalletje, kraampje *o.*; 3 uitstalkast *v.(m.)*; 4 (*fig.*) vertoon *o.*, pralerij *v.*; *faire — de,* pronken met, geuren met.

étalager [étala'jé] *v.t.* uitstallen, etaleren.

étalagiste [étala'jist] *m.* 1 etaleerder, etaleur *m.*; 2 marktkramer; straatkramer *m.*

étale [étal] I *adj.* 1 stilstaand, onbeweeglijk; 2 (*v. schip*) stilliggend; 3 (*v. wind*) gelijkmatig; 4 (*v. net*) vast; II *s.*, *m.* (*v. zee*) stilstand *m.*

étaler [étalé] I *v.t.* 1 uitstallen; 2 uitspreiden, openleggen; 3 (*v. spel*) blootleggen; 4 (*v. boter*) smeren; 5 (*v. verf*) uitstrijken; 6 (*fig.*) pronken met; 7 (*v. weelde*) ten toon spreiden; II *v.pr.*, **s'—,** 1 pralen pronken; 2 zich lang uitstrekken; languit vallen; 3 (*fig.*) uitweiden.

étalier [étalyé] *m.* vleeskramer *m.*

étalon [étalõ] *m.* 1 hengst *m.*; 2 ijkmaat, standaardmaat *v.(m.)*; 3 muntstandaard *m.*; *— boiteux,* hinkende standaard; *—-or,* goudstandaard *m.*

étalonnage [étalòna:j] *m.* ijk *m.*, (het) ijken *o.*

étalonner [étalòné] *v.t.* ijken.

étalonneur [étalònœ:r] *m.* ijkmeester, ijker *m.*

étamage [étama:j] *m.* vertinning *v.*

étambot [étã'bo] *m.* (*sch.*) achtersteven *m.*

étamer [étamé] *v.t.* 1 vertinnen; 2 (*v. spiegel*) verfoeliën. [foeliër *m.*

étameur [étamœ:r] *m.* 1 vertinner *m.*; 2 ver-

étamine [étamin] *f.* 1 (*wollen weefsel*) etamine *v.*; 2 zeefdoek *o. en m.*; 3 vlaggendoek *o. en m.*; 4 (*Pl.*) meeldraad *m.*; *faire passer par l'—,* 1 ziften; 2 (*fig.*) uitpluizen, nauwkeurig onderzoeken.

étampage [étã'pa:j] *m.* het gaten slaan in metaal.

étamper [étã:pé] *v.t.* gaten slaan in metaal.

étamperche [étã'pèrʃ] *f.* steigerpaal *m.*

étamure [étamü:r] *f.* 1 vertinsel *o.*; 2 foelie *v.(m.)*.

étanche [étã'ʃ] *adj.* waterdicht.

étanchéité [étã'ʃéité] *f.* waterdichtheid *v.*

étanchement [étã'ʃmã] *m.* 1 (*v. bloed*) stelping *v.*; 2 (*v. dorst*) lessing *v.*; 3 (*v. vat, enz.*) (het) dichten, (het) waterdicht maken *o.*; 4 (*v. lek*) (het) stoppen *o.*

étancher [étã'ʃé] *v.t.* 1 (*v. bloed*) stelpen; 2 (*v. dorst*) lessen; 3 (*v. vat, enz.*) dichten, waterdicht maken; 4 (*v. lek*) stoppen. [balk *m.*

étançon [étã'sõ] *m.* zware stut, schoor, schoor-

étançonner [étã'sòné] *v.t.* stutten, schoren.

étang [étã] *m.* vijver *m.*

étape [étap] *f.* 1 (*mil.*) etappe *v.(m.)*; 2 dagmars *m. en v.*; dagreis *v.(m.)*; 3 rustplaats, pleisterplaats, halte *v.(m.)*; 4 rantsoen *o.*; 5 (*fig.*) mijlpaal *m.*; *par —s,* stap voor stap, langzaam.

état [éta] *m.* 1 staat *m.*; 2 toestand *m.*, gesteldheid *v.*; 3 stand, rang *m.*; 4 beroep, vak, ambt *o.*; 5 staat *m.*, opgave, lijst *v.(m.)*, overzicht *o.*; *— tampon,* bufferstaat; *homme d'É—,* staatsman; *les É—s de l'Église,* de Kerkelijke Staten; *— de siège,* staat van beleg; *— civil,* burgerlijke stand; *— d'âme,* stemming *v.*, gemoedstoestand *m.*; *— de santé,* gezondheidstoestand; *en — de grâce,* in staat van genade; *tenir un grand —,* op grote voet leven; *en tout — de cause,* hoe het ook zij; *faire — de qc.,* iets op prijs stellen, waarde hechten aan iets; *tenir en bon —,* onderhouden, in orde houden; *— de services,* staat van dienst; *— des dépenses,* lijst van de uitgaven; *crime d'—,* misdrijf tegen (*of* aanslag op) de veiligheid van de staat.

étatiser [étati'zé] *v.t.* onder staatsbeheer brengen.

étatisme [étatizm] *m.* staatsbemoeiing, staatsinmenging *v.* [menging.

étatiste [étatist] *m.* voorstander *m.* van staatsin-

état*-major* [étamajò:r] *m.* 1 (*mil.*) staf *m.*; 2

(*fig.*) staf *m.*, leiders *mv.*; **— *général*,** generale staf.
États-Unis [étazüni] *m.pl.* Verenigde Staten *mv.*
étau [éto] *m.* **1** bankschroef *v.*(*m.*); **2** (*fig.*) sterke greep *m.*; ***être pris comme dans un —*,** erg in de klem zitten.
étayage [étèya:j], **étayement** [étèmã] *m.* schoring *v.*, (het) stutten *o.*
étayer [étèyé] *v.t.* **1** schoren, stutten; **2** (*fig.*) ondersteunen, kracht bijzetten, adstrueren.
et caetera [ètsétéra], **etc.,** enzovoort, enz.
été [été] *m.* zomer *m.*; ***heure d'—*,** zomertijd *m.*; ***— de la Saint-Martin*,** nazomer *m.*; ***se mettre en —*,** zomerkleren aantrekken. [pot *m.*
éteignoir [étèñwa:r] *m.* **1** domper *m.*; **2** (*fig.*) doof-
éteindre* [étẽ:dr] **I** *v.t.* **1** blussen; **2** (*v. licht*) uitdoven; **3** (*v. geluid*) dempen; **4** (*v. dorst*) lessen; **5** (*v. koorts*) stillen; **6** (*v. schuld*) delgen, aflossen; **7** (*v. opstand*) smoren; **8** (*v. verf, enz.*) dof maken; **9** (*v. gevoelens*) doden; **— *ses phares*,** (*v. auto*) zijn licht dempen, dimmen; **II** *v.pr.*, ***s'—*,** **1** uitgaan; **2** uitdoven; **3** (*v. geluid*) wegsterven; **4** (*v. geslacht, ras*) uitsterven; **5** (*v. ijver*) verdoven; **6** (*v. hoop*) vervliegen; **7** ontslapen, sterven.
éteint [étẽ] *adj.* **1** (*v. vulkaan*) uitgedoofd; **2** (*v. kalk*) geblust; **3** (*v. stem*) dof, mat, gesmoord; **4** (*v. kleur*) gedempt; **5** (*v. ras*) uitgestorven.
étendage [étã'da:j] *m.* **1** drooglijnen *mv.*; **2** (*v. was*) (het) drogen *o.*; **3** (*drukk.*) droogkoord *o. en v.*(*m.*); **4** droogkamer *v.*(*m.*); droogzolder *m.*
étendard [étã'da:r] *m.* **1** standaard *m.*; **2** (*v. ruiterij*) vaandel *o.*; ***lever l'— de la révolte*,** de vaan des oproers opsteken.
étendoir [étã'dwa:r] *m.* **1** droogstok *m.*; **2** droogplaats *v.*(*m.*), droogzolder *m.*
étendre [étã:dr] **I** *v.t.* **1** uitspreiden; **2** (*v. hand*) uitsteken; **3** (*v. armen*) uitstrekken; **4** (*v. wasgoed*) uitspannen; **5** (*v. boter*) smeren; **6** (*v. verf*) uitstrijken; **7** (*met water*) verdunnen, aanlengen; **8** (*v. gebied, enz.*) uitbreiden, vergroten; **9** (*v. tegenstander*) neervellen, neerschieten; **10** (*v. verhaal*) langer maken, uitspinnen; ***voix étendue*,** omvangrijke stem; **II** *v.pr.*, ***s'—*,** **1** zich uitstrekken; **2** zich uitrekken; **3** zich uitbreiden; **4** zich verbreiden; **5** reiken (tot).
étendu [étã'dü] *adj.* **1** uitgestrekt; **2** (*v. kennis, enz.*) uitgebreid; **3** verdund.
étendue [étã'dü] *f.* **1** uitgestrektheid *v.*; **2** uitgebreidheid *v.*; **3** (*v. stem, verlies*) omvang *m.*; **4** luchtruim, wereldruim *o.*; **5** duur *m.*; tijdperk *o.*
éternel [étèrnèl] **I** *adj.* eeuwig, eeuwigdurend; **II** *s. m.*, ***l'É—*,** de Eeuwige Vader, God.
éternellement [étèrnèlmã] *adv.*, *voir* ***éternel*, I.**
éternisation [étèrniza'syõ] *f.* eeuwige voortzetting *v.*
éterniser [étèrni'zé] **I** *v.t.* **1** vereeuwigen; **2** eeuwig doen duren; **3** op de lange baan schuiven; **II** *v.pr.*, ***s'—*,** **1** zich vereeuwigen; **2** een eeuwigheid duren; — blijven.
éternité [étèrnité] *f.* **1** eeuwigheid *v.*; **2** onsterfelijkheid *v.*; ***l'— heureuse*,** de gelukzaligheid *v.*; ***l'— malheureuse*,** de verdoemenis *v.*
éternuement, éternûment [étèrnümã] *m.* (het) niezen, genies *o.*
éternuer [étèrnwé] *v.i.* niezen.
étésien [étézyẽ] *m.* noordenwind *m.* in Middell. zee.
étêtage [étè'ta:j], **étêtement** [étè'tmã] *m.* (*v. bomen*) (het) toppen *o.*
étêter [étè'té] *v.t.* **1** (*v. bomen*) toppen; **2** (*v. spijker*) de kop afbreken van; ***saule étêté*,** knotwilg *m.*
éteuble [étœ'bl], *voir* ***éteule*.**
éteuf [étœf] *m.* kaatsbal *m.*
éteule [étœ'l] *f.* **1** stoppel *m.*; **2** stoppelveld *o.*
éther [étè:r] *m.* ether *m.*
éthéré [étéré] *adj.* etherisch; vluchtig; ***la voûte —e*** het hemelgewelf.
éthérification [étérifika'syõ] *f.* **1** omvorming *v.* van een alcohol in een ester; **2** ethervorming *v.*
éthérisation [éteriza'syõ] *f.* verdoving door ether, ethernarcose *v.*
éthériser [étéri'zé] *v.t.* met ether verdoven.
éthérisme [étérizm] *m.* **1** *voir* ***éthérisation***; **2** gevoelloosheid *v.*
éthéromane [étéròman] *m.* aan ether verslaafd persoon *m.* [ether.
éthéromanie [étéròmani] *f.* verslaafdheid *v.* aan
Éthiopie [étyòpi] *f.* Ethiopië, Abessinië *o.*
éthiopien [étyòpyẽ] **I** *adj.* Ethiopisch; **II** *s., m.*, ***É—*,** Ethiopiër *m.*
éthique [étik] **I** *adj.* ethisch, zedekundig; **II** *s., f.* ethica *v.*, zedenleer *v.*(*m.*).
ethnique [ètnik] *adj.* **1** ethnisch, volks-, ras-; heidens; ***mot —*,** volksnaam *m.*
ethnographe [ètnògraf] *m.* land- en volkenbeschrijver, volkenkundige *m.* [schrijving *v.*
ethnographie [ètnògrafi] *f.* land- en volkenbe-
ethnographique [ètnògrafik] *adj.* van de land- en volkenbeschrijving, etnografisch.
ethnologie [ètnòlòji] *f.* volkenkunde, etnologie *v.*
ethnologique [ètnòlòjik] *adj.* volkenkundig, etnologisch. [loog *m.*
ethnologue [ètnòlò'g] *m.* volkenkundige, etno-
éthyle [étil] *m.* ethyl *o.*
éthylène [étilè:n] *m.* ethyleen *o.* [holicus *m.*
éthylique [étilik] **I** *adj.* ethyl-; **II** *s., m.* alco-
éthylisme [étilizm] *m.* alcoholisme *o.*
étiage [étya:j] *m.* **1** normaalpeil *o.*; **2** laagste waterstand *m.*
Étienne [étyèn] *m.* Stephanus, Steven *m.*
étincelant [étẽ'slã] *adj.* glinsterend, fonkelend, schitterend. [teren.
étinceler* [étẽ'slé] *v.i.* glinsteren, fonkelen, schit-
étincelle [étẽ'sèl] *f.* vonk, sprank *v.*(*m.*).
étincellement [étẽ'sèlmã] *m.* schittering, fonkeling *v.*
étiolé [étyòlé] *adj.* **1** geel, verbleekt; **2** bleek, bleekzuchtig; **3** (*fig.*) kwijnend.
étiolement [étyòlmã] *m.* **1** verbleking *v.*; **2** bleekheid *v.*; **3** wegkwijning *v.*
étioler [étyòlé] **I** *v.t.* **1** doen verbleken; **2** doen kwijnen; **II** *v.pr.*, ***s'—*,** **1** verbleken; **2** kwijnen, verwelken; **3** (*v. zieke*) wegkwijnen.
étiologie [étyòlòji] *f.* etiologie *v.*, leer *v.*(*m.*) der ziekteoorzaken.
étique [étik] *adj.* **1** uitgeteerd, uitgemergeld, spichtig; broodmager; **2** (*v. koorts*) voortdurend.
étiquetage [étikta:j] *m.* het voorzien van een etiket.
étiqueter* [étikté] *v.t.* van een etiket voorzien.
étiquette [étikèt] *f.* **1** etiket; opschrift *o.*; **2** sleutelplankje *o.*; **3** (*in brief*) beleefdheidsvorm *m.*; **4** etiquette *v.*(*m.*), hofceremonieel *o.*; **5** (*fig.*) partijleus *v.*(*m.*); uithangbord *o.*
étirable [étira'bl] *adj.* uitrekbaar.
étirage [étira:j] *m.* **1** (het) uitrekken *o.*; **2** draadtrekkerij *v.*, (het) draadtrekken *o.*
étirer [étiré] **I** *v.t.* **1** uittrekken; **2** (***— du fer***), draadtrekken; **3** (*v. huid*) gladschaven; **II** *v.pr.*, ***s'—*,** zich uitrekken.
étireur [étirœ:r] *m.* **1** uitrekker *m.*; **2** draadtrekker *m.*; ***cylindre —*,** pletrol *v.*(*m.*).
étisie [étizi] *f.* tering, uittering *v.*
étoc [étòk] *m.* **1** klip *v.*(*m.*); **2** boomstronk *m.*
étoffe [étòf] *f.* **1** stof *v.*(*m.*), weefsel *o.*; **2** hoedanigheid *v.*, aanleg *m.*, geschiktheid *v.*; **3** materiaal *o.*;

4 (*fig.*) stof *v.(m.)*; ***tailler en pleine —,*** de grove schaar er in zetten.
étoffé [étòfé] *adj.* 1 gestoffeerd; 2 (*v. persoon*) welgedaan; 3 (*v. dier*) goed in het vlees; 4 (*fig.: v. stem*) vol; 5 (*v. stijl*) rijk; 6 (*v. tint*) warm.
étoffer [étòfé] *v.t.* 1 stofferen; 2 aanvullen; 3 gevulder maken; 4 (*v. verhaal*) boeiender (*of* spannender) maken.
étoile [étwal] *f.* 1 ster *v.(m.)*; 2 geluksster *v.(m.)*, gesternte *o.*; 3 (*drukk.*) sterretje *o.*; 4 (*op de kop v. paard of rund*) bles *v.(m.)*, kol *m.*; 5 sterverband *o.*; ***— filante,*** vallende ster; ***— fixe,*** vaste ster; ***obtenir les —s,*** generaal worden; ***dormir à la belle —,*** onder de blote hemel slapen; ***— de mer,*** zeester *v.(m.)*; ***pomme d'—,*** sterappel *m.*
étoilé [étwalé] *adj.* 1 met sterren bezaaid, vol sterren; 2 stervormig; ***ciel —,*** sterrenhemel *m.*
étoilement [étwalemã] *m.* stervormige barst *m. en v.*
étoiler [étwalé] *v.t.* met sterren bezaaien, — versieren.
étole [étòl] *f.* stool *m.*, stola *v.(m.)*.
étonnant [étònã] *adj.* verbazend, verwonderlijk.
étonné [étòné] *adj.* verwonderd, verbaasd.
étonnement [étònmã] *m.* 1 verwondering, verbazing *v.*; 2 (*in gewelf*) barst *m. en v.*
étonner [étòné] **I** *v.t.* 1 verwonderen, verbazen; 2 (*v. gewelf*) doen barsten; **II** *v.pr.*, ***s'—,*** zich verwonderen.
étouffant [étufã] *adj.* drukkend, verstikkend, zwoel.
étouffé [étufé] *adj.* 1 verstikt, gesmoord; 2 gedempt, onderdrukt; 3 muf, benauwd; ***des rires —s,*** onderdrukt gelach, gegichel *o.*
étouffée [étufé] *f.* (het) smoren *o.*; ***à l'—,*** gesmoord; ***cuire à l'—,*** smoren.
étouffement [étufmã] *m.* 1 verstikking *v.*; 2 benauwdheid, beklemdheid *v.*
étouffer [étufé] **I** *v.t.* 1 verstikken; smoren; 2 (*v. geluid*) dempen; 3 (*v. opstand*) onderdrukken, dempen; 4 (*v. brand*) blussen; 5 (*v. zaak*) in de doofpot stoppen; ***— dans l'œuf,*** in de kiem smoren; **II** *v.i.* stikken.
étouffoir [étufwa:r] *m.* 1 doofpot *m.*; 2 toondemper *m.*
étoupe [étup] *f.* 1 (*v. vlas*) werk *o.*; 2 poetskatoen *o.*; ***mettre le feu aux —s,*** de lont in het kruit werpen.
étouper [étupé] *v.t.* breeuwen.
étoupille [étupi'y] *f.* lont *v.(m.)*.
étoupiller [étupiyé] *v.t.* van een lont voorzien.
étourderie [éturderi] *f.* 1 onbezonnenheid, onbedachtzaamheid, onnadenkendheid *v.*; 2 onbezonnen streek *m. en v.*
étourdi(ment) [éturdi(mã)] **I** *adj.(adv.)* 1 onbezonnen, onbesuisd, onnadenkend; 2 duizelig, versuft; **II** *s., m.* wildzang *m.*
étourdie, à l'— [aléturdi] onbesuisd, roekeloos.
étourdir [éturdi:r] **I** *v.t.* 1 bedwelmen; doen duizelen, duizelig maken; 2 verbluffen, van zijn stuk brengen; 3 suf maken; 4 (*v. honger*) stillen; 5 (*v. gevoel*) verdoven; 6 (*v. vlees*) even braden; **II** *v.pr.*, ***s'—,*** 1 bedwelmd worden; 2 afleiding zoeken.
étourdissant [éturdisã] *adj.* 1 bedwelmend; 2 overstelpend; 3 (*v. lawaai*) oorverdovend; 4 (*v. nieuws*) verbijsterend.
étourdissement [éturdismã] *m.* 1 bedwelming *v.*; 2 duizeling *v.*; 3 verbijstering, verbazing, ontsteltenis *v.*; 4 versuffing, verdoving *v.*; 5 (*v. vreugde, geluk*) roes *m.*
étourneau [éturno] *m.* 1 (*Dk.*) spreeuw *m. en v.*; 2 (*fig.*) onbezonnen mens *m.*, wildebras *m.-v.*
étrange(ment) [étrã'j(mã)] *adj.(adv.)* vreemd, zonderling, ongewoon.
étranger [étrã'jé] **I** *adj.* vreemd, buitenlands, uitheems; ***ministère des Affaires Étrangères,*** ministerie van Buitenlandse Zaken; ***— au sujet,*** buiten de zaak; ***cela est — à la cause,*** dat doet niets ter zake; ***il est — à la politique,*** hij staat buiten de politiek, hij bemoeit zich niet met de politiek; **II** *s., m.* 1 vreemdeling *m.*; buitenlander *m.*; 2 buitenland *o.*; 3 onbekende *m.*; ***à l'—,*** in 't buitenland.
étrangeté [étrã'jté] *f.* vreemdheid; vreemdsoortigheid *v.*
étranglé [étrã'glé] *adj.* 1 verstikt, gesmoord; 2 (*v. keel*) toegeknepen; 3 nauw, eng; 4 (*v. breuk*) beklemd.
étranglement [étrã'glemã] *m.* 1 worging *v.*; 2 beklemming *v.*; 3 engte, vernauwing *v.*
étrangler [étrã'glé] **I** *v.t.* 1 worgen; 2 beklemmen, beknellen; 3 vernauwen; 4 (*v. zaak*) in de doofpot stoppen; 5 (*v. onderwerp*) niet geheel uitwerken, oppervlakkig behandelen; **II** *v.i.* 1 stikken; 2 (*v. dorst*) versmachten; **III** *v.pr.*, ***s'—,*** 1 zich worgen; 2 stikken; 3 nauwer worden.
étrangleur [étrã'glœ:r] *m.* worger *m.*
étrave [étra:v] *f.* (*sch.*) voorsteven *m.*
être [è:tr] **I** *v.i.* 1 zijn; 2 wezen, bestaan, zijn; 3 (*lijdende vorm*) worden; 4 (*met w.w.*) hebben; ***le livre est sur la table,*** het boek ligt op de tafel; ***le vase est sur la cheminée,*** de vaas staat op de schoorsteen; ***les poires sont sur l'arbre,*** de peren hangen aan de boom; ***ce temps n'est plus,*** die tijd is voorbij; ***il n'est plus,*** hij is gestorven; ***cela n'est pas,*** dat is niet waar; dat bestaat niet; ***il est à écrire,*** hij is aan het schrijven, hij zit te schrijven; ***ce tableau est à moi,*** dat schilderij is van mij, — behoort mij toe; ***je suis à vous,*** ik ben tot uw dienst; ***c'est à vous de répondre,*** het is uw beurt om te antwoorden; ***ce n'est pas à moi de l'avertir,*** het ligt niet op mijn weg hem te waarschuwen; ***— à la conversation,*** het gesprek volgen; ***nous sommes bien ici,*** we zitten hier goed; ***où en sommes-nous restés?*** waar zijn we gebleven? ***il n'en est rien,*** daar is niets van aan; ***il en est pour son argent,*** hij is zijn geld kwijt; ***il en est pour sa peine,*** zijn moeite is vergeefs geweest; ***je vous dirai ce qu'il en est,*** ik zal u zeggen hoe die zaak staat; ***il n'est pas de mes amis,*** hij behoort niet tot mijn vrienden; ***il est de toutes les fêtes,*** hij gaat naar alle feesten; ***vous y êtes?*** bent u klaar? ***j'y suis,*** ik ben er; ik heb het begrepen; ik ben klaar; ***je n'y suis pour rien,*** ik heb daaraan geen schuld; ***vous n'y êtes pas,*** u hebt het mis; ***nous étions six,*** wij waren met zijn zessen; ***c'est qu'il est malade,*** dat komt doordat hij ziek is; ***soit!*** het zij zo! ***ainsi soit-il!*** amen! ***voilà ce que c'est!*** dat komt er van! ***— ailleurs,*** niet opletten; **II** *s., m.* 1 bestaan *o.*; 2 wezen *o.*; ***l'Ê— suprême,*** het Opperwezen.
étrécir [étrési:r] *v.t.* vernauwen.
étrécissement [étrésismã] *m.* vernauwing *v.*
étreignoir [étrèñwa:r] *m.* klemhaak *m.* (*v. schrijnwerker*).
étreindre* [étrẽ:dr] **I** *v.t.* 1 omarmen; 2 omknellen; 3 samenbinden, samensnoeren; 4 (*v. vriendschapsbanden*) nauwer toehalen, vaster aanhalen; **II** *v.pr.*, ***s'—,*** 1 elkaar omarmen; 2 elkaar omknellen.
étreinte [étrẽ:t] *f.* 1 omarming, omhelzing *v.*; 2 omknelling *v.*; 3 dwang, druk *m.*
étrenne [étrèn] *f.* 1 handgift *v.(m.)*, handgeld *o.*; 2 eerste gebruik *o.*; ***—s,*** nieuwjaarsgeschenk *o.*; nieuwjaarsfooi *v.(m.)*.
étrenner [étrèné] **I** *v.t.* 1 een nieuwjaarsgeschenk (*of* nieuwjaarsfooi) geven aan; 2 (*v. kledingstuk*) voor het eerst aandoen; 3 voor het eerst gebruiken,

inwijden; 4 handgift geven aan; **II** *v.i.* 1 een handgift krijgen; 2 (*fig.*) een pak slaag krijgen.

êtres, aitres [è:tr] *m.pl.* (*v. huis*) inrichting, indeling, belending *v.*

étrésillon [étréziyõ] *m.* dwarshout *o.*

étrésillonner [étréziyòné] *v.t.* stutten met dwarshouten.

étricage [étrika:j] *m.* (het) versmallen, (het) smaller maken *o.*

étrier [étri(y)é] *m.* 1 stijgbeugel *m.*; 2 beugel, ring *m.*; ***à franc* —,** in gestrekte galop; ***avoir le pied à l'*—,** 1 tot vertrekken gereed staan; 2 er goed vóór staan; ***tenir l'— à qn.*,** iem. in 't zadel helpen; ***boire le coup de l'*—,** een glaasje op de valreep drinken; ***vider les —s*,** zandruiter worden.

étrillage [étri(y)a:j] *m.* 1 (het) roskammen *o.*; 2 pak slaag *o.*

étrille [étri'y] *f.* roskam *m.*

étriller [étri(y)é] *v.t.* 1 roskammen; 2 afrossen; 3 (*fig.*) afzetten, beetnemen.

étriper [étripé] *v.t.* 1 (*v. kip, enz.*) uithalen; 2 (*v. wild*) ontweien; 3 (*v. vis*) grommen; 4 (*v. touw*) uitrafelen; 5 (*fig.*) hevig afkammen; ***à étripe-cheval*,** in razende vaart.

étriqué [étriké] *adj.* 1 nauw, eng; 2 (*v. lijf*) smal; 3 (*fig.* : *v. geest*) bekrompen; ***esprit* —,** kruideniersmentaliteit *v.*

étriquer [étriké] *v.t.* 1 vernauwen; 2 (*v. hout*) versmallen; 3 te nauw (*of* te krap) maken; 4 (*fig.*) te beknopt maken.

étrive [étri:v] *f.* (*sch.*) kruisbindsel *o.*

étrivière [étrivyè:r] *f.* 1 stijgbeugelriem *m.*; 2 geselriem *m.*; ***donner les —s à qn.*,** iem. van de zweep geven.

étroit [étrwa] *adj.* 1 smal, nauw, eng; 2 nauwsluitend; 3 bekrompen, kleingeestig; 4 (*v. omgang*) vertrouwelijk; 5 (*v. vriendschap*) innig; 6 (*v. geweten*) nauwgezet; 7 (*v. regel, enz.*) streng; 8 (*v. betekenis*) strikt; ***dans un sens plus* —,** in engere zin; ***être à l'*—,** 1 gedrongen zitten; in een beperkte ruimte zitten; 2 er krap bij zitten, in geldverlegenheid zitten.

étroitement [étrwatmã] *adv.* 1 (*wonen, leven, enz.*) in een beperkte ruimte; 2 smal, nauw, eng; bekrompen; *voir* ***étroit.***

étroitesse [étrwatès] *f.* 1 smalheid, nauwheid, engheid *v.*; 2 (*fig.*) bekrompenheid kleingeestigheid *v.*

étronçonner [étrõ'sòné] *v.t.* (*v. boom*) knotten.

Étrurie [étrüri] *f.* Etrurië *o.*

étrusque [étrüsk] **I** *adj.* Etruskisch; **II** *s., m., E—,* Etrusk *m.*

étude [étü'd] *f.* 1 studie *v.*; 2 (het) studeren *o.*; 3 (*muz.*) oefening, etude *v.*; 4 studiezaal *v.(m.)*; 5 (*v. notaris, advocaat, enz.*) kantoor *o.*; 6 gemaaktheid, gezochtheid *v.*; **—s,** onderwijs *o.*, studie *v.*; ***faire ses —s*,** studeren; ***maître d'—s*,** surveillant, bewaker *m.*; ***il a fait de bonnes —s*,** hij heeft goed onderwijs genoten; ***sans* —,** ongekunsteld; ***mettre à l'*—,** in studie nemen.

étudiant [étüdyã] *m.*, **—e** *f.* student(e) *m.(v.)*.

étudié [étüdyé] *adj.* 1 (*v. persoon*) bestudeerd; 2 weloverwogen; 3 gemaakt, geveinsd, gedwongen.

étudier [étüdyé] **I** *v.t.* 1 bestuderen; 2 instuderen; 3 (*v. lessen*) leren; 4 (*v. plan, enz.*) (zorgvuldig) voorbereiden; 5 (*mil.* : *v. terrein*) opnemen, verkennen; **II** *v.i.* studeren.

étui [étẘi] *m.* 1 (*v. naalden, sigaren*) koker *m.*; 2 (*v. kijker, geweer, enz.*) foedraal *o.*; 3 (*v. raket*) hoes *v.(m.)*; 4 (*Dk.*) angelschede *v.(m.)*; 5 (*fig.*) omhulsel *o.*; ***— de lunettes*,** brilledoos *v.(m.)*; ***— à violon*,** vioolkist *v.(m.)*; ***— de mathématiques*,** passerdoos *v.(m.)*.

étuve [étü:v] *f.* 1 zweetbad *o.*; 2 badstoof *v.(m.)*; 3 droogkamer *v.(m.)*; droogoven *m.*; ***— à désinfection*,** ontsmettingsoven *m.*; ***— humide*,** stoombad, dampbad *o.*

étuvée [étü'vé] *f.* 1 (het) stoven *o.*; 2 stoofsel *o.*; ***à l'*—,** gestoofd.

étuver [étü'vé] *v.t.* 1 stoven; 2 drogen, in de droogoven zetten; 3 (*v. wond*) betten; 4 (*v. hout*) uitstomen.

étymologie [étimòlòji] *f.* 1 woordafleiding *v.*; 2 vormleer *v.(m.)*.

étymologique(ment) [étimòlòjik(mã)] *adj.(adv.)* etymologisch.

étymologiste [étimòlòjist] *m.* etymoloog, woordafleidkundige, woordvorser *m.*

eucalyptus [ö'kaliptüs] *m.* (*Pl.*) eucalyptus *m.*

eucharistie [ö'karisti] *f.* (het) H. Sacrament *o.* des Altaars, eucharistie *v.*

eucharistique [ö'karistik] *adj.* eucharistisch; ***congrès* —,** eucharistisch congres *o.*

euclidien [ö'klidyẽ] *adj.* Euclidisch.

eucologe [ö'kòlò:j] *m.* zondagsmisboek *o.*

eudiomètre [ö'dyòmè'tr] *m.* eudiometer *m.*, toestel *o.* voor het analyseren van gasmengsels.

eudiométrie [ö'dyòmétri] *f.* eudiometrie *v.*, het analyseren van gasmengsels.

eufraise [ö'frè:z] *f.* (*Pl.*) ogentroost *m.*

Eugène [ö'jè:n] *m.* Eugenius *m.*

Eugénie [ö'jéni] *f.* Eugenia *v.*

eugénique [ö'jénik] *f.* eugenetiek *v.*, leer *v.(m.)* van de rasverbetering.

euh! [ö'] *ij.* 1 (*verbazing*) wat! zo! 2 (*twijfel*) hm!

eulogies [ö'lòji] *f.pl.* gezegende broden die (in de oudheid) na de mis werden uitgedeeld.

euménide [ö'méni'd] *f.* furie, wraakgodin *v.*

eunuque [ö'nük] *m.* eunuch *m.*

euphémique [ö'fémik] *adj.* (*taalk.*) eufemistisch, verbloemend, verzachtend.

euphémisme [ö'fémizm] *m.* eufemisme *o.*, verzachtende uitdrukking *v.*

euphonie [ö'fòni] *f.* welluidendheid *v.*

euphonique(ment) [ö'fònik(mã)] *adj.(adv.)* welluidend.

euphorbe [ö'fòrb] *f.* (*Pl.*) wolfsmelk *v.(m.)*.

euphorie [ö'fòri] *f.* gevoel *o.* van welbehagen.

euphraise [ö'frè:z], *voir* ***eufraise.***

Euphrate [ö'frat] *m.* Eufraat *m.*

eurafricain [œrafrikẽ] *adj.* Europa en Afrika betreffend.

Eurasien [œrazyẽ] *m.* Indo *m.*

Euripide [ö'ri'pi'd] *m.* Euripides *m.*

Europe [œròp] *f.* Europa *o.*

européanisation [œròpéaniza'syõ] *f.* europeanisering *v.*

européaniser [œròpéani'zé] *v.t.* Europees maken.

européen [œròpéẽ] **I** *adj.* Europees; **II** *s., m., E—,* Europeaan *m.*

eurythmie [œritmi] *f.* harmonie; regelmatigheid *v.*

eurythmique [œritmik] *adj.* harmonisch.

euscarien [ö'skaryẽ] *adj.* Baskisch.

eustache [ö'staʃ] *m.* mes *o.* met houten heft.

euthanasie [ö'tanazi] *f.* 1 zachte dood *m. en v.*; 2 theorie volgens welke men een ongeneeslijk zieke mag doden.

eux [ö'] *pr.pers.* zij; hen; ***avec* —,** met hen; ***leur maison à* —,** hun huis.

évacuant [évakẘã], **évacuatif** [évakẘatif] *adj.* (*gen.*) ontlastend.

évacuation [évakẘa'syõ] *f.* 1 ontruiming *v.*; 2 (*mil.*) wegzending *v.* van zieken; evacuatie *v.*; 3 ontlasting, lozing *v.*

évacuer [évakẘé] *v.t.* 1 ontruimen; 2 (*v. zieken,*

gewonden) evacueren, naar elders overbrengen; **3** ontlasten, lozen.
évadé [évadé] *m.* ontsnapte *m.*
évader, s'— [sévadé] *v.pr.* ontsnappen, ontvluchten.
évaluable [évalẅa˙bl] *adj.* schatbaar, waardeerbaar, begrootbaar.
évaluation [évalẅɑ˙syõ] *f.* schatting, begroting *v.*
évaluer [évalẅé] *v.t.* schatten, begroten.
évanescent [évanèsã] *adj.* vervliegend.
évangéliaire [évã˙jélyè:r] *m.* evangelieboek *o.*
évangélique(ment) [évã˙jélik(mã)] *adj.(adv.)* evangelisch.
évangélisation [évã˙jélizɑ˙syõ] *f.* evangelieprediking *v.*
évangéliser [évã˙jéli˙zé] *v.t.* het evangelie prediken aan.
évangélisme [évã˙jélizm] *m.* (*prot.*) evangelische leer *v.(m.)*.
évangéliste [évã˙jélist] *m.* evangelist *m.*
évangile [évã˙jil] *m.* evangelie *o.*; ***le côté de l'—,*** (*v. altaar*) de evangeliezijde *v.(m.)*; ***ce n'est pas parole d'—,*** dat is geen evangelie.
évanouir, s'— [sévanwi:r] *v.pr.* **1** flauw vallen, bezwijmen, in zwijm vallen; **2** vervliegen; (spoorloos) verdwijnen; ***faire —,*** **1** doen vervliegen; **2** (*stelk.*) wegwerken, elimineren; **3** (*fig.*: *v. plan, enz.*) de bodem inslaan.
évanouissement [évanwismã] *m.* **1** flauwte, bezwijming *v.*; **2** vervlieging, verdwijning *v.*; **3** sluiereffect *o.*
évaporable [évapòra˙bl] *adj.* verdampbaar.
évaporateur [évapòratœ:r] *m.* (*tn.*) verdamper *m.*
évaporation [évapòrɑ˙syõ] *f.* **1** verdamping; uitwaseming *v.*; **2** (*v. vrucht*) (het) drogen *o.*; **3** (*fig.*) lichtzinnigheid, wispelturigheid *v.*
évaporatoire [évapòratwa:r] *adj.* verdampings-; ***appareil —,*** verdampingstoestel *o.*
évaporé [évapòré] **I** *adj.* **1** verdampt; **2** wuft, lichtzinnig; **II** *s., m.* loshoofd, warhoofd *o. en m.-v.*
évaporer [évapòré] **I** *v.t.* **1** doen verdampen; **2** (*v. vruchten*) drogen; ***— sa bile,*** zijn gal uitstorten; **II** *v.pr.*, ***s'—,*** **1** verdampen; **2** (*fig.*) vervliegen.
évasé [évɑ˙zé] *adj.* met wijde mond, wijd uitlopend, trechtervormig.
évasement [évɑ˙zmã] *m.* verwijding *v.*
évaser [évɑ˙zé] **I** *v.t.* verwijden, wijd maken; **II** *v.pr.*, ***s'—,*** wijd uitlopen.
évasif [évɑ˙zif] *adj.* ontwijkend.
évasion [évɑ˙zyõ] *f.* **1** ontsnapping, ontvluchting *v.*; **2** ontwijking *v.*, uitvlucht *v.(m.)*; ***— de capitaux,*** kapitaalvlucht *v.(m.)*.
évasure [évɑ˙zü:r] *f.* wijde opening *v.*
Ève [è:v] *f.* Eva *v.*
évêché [évè˙ʃé] *m.* **1** bisdom *o.*; **2** bisschoppelijke waardigheid *v.*; **3** bisschoppelijk paleis *o.*
éveil [évè˙y] *m.* **1** waarschuwing *v.*; **2** wenk *m.*; **3** (*fig.*) wakkerheid *v.*; ***donner l'— à qn.,*** iem. waarschuwen; iem. een wenk geven; ***tenir en —,*** gespannen houden; ***se tenir en —,*** op zijn hoede zijn.
éveillé [évèyé] *adj.* **1** wakker; **2** schrander, helder van hoofd; **3** levendig, opgeruimd, vrolijk; **4** uitgeslapen.
éveiller [évèyé] **I** *v.t.* **1** wekken, wakker maken; **2** (*v. aandacht*) trekken; **3** (*fig.*) aanwakkeren; **II** *v.pr.*, ***s'—,*** ontwaken, wakker worden.
éveilleur [évèyœ:r] *m.* wekker *m.*
événement [évènmã] *m.* **1** gebeurtenis *v.*; **2** (*v. onderneming, enz.*) afloop, uitslag *m.*; **3** ontknoping *v.*; ***à tout —,*** voor iedere gebeurlijkheid; ***faire —,*** opzien baren.
évent [évã] *m.* **1** luchtgat *o.*; **2** (*v. bier, enz.*) verschaaldheid *v.*; **3** (het) luchten *o.*; **4** (*v. kalk*) splijting *v.*; ***mettre à l'—,*** luchten, laten doorwaaien; ***tête à l'—,*** lichtzinnig mens *m.*
éventage [évã˙ta:j] *m.* (het) luchten *o.*
éventail [évã˙ta˙y] *m.* **1** waaier *m.*; **2** scherm *o.*; ***en —,*** waaiervormig.
éventaire [évã˙tè:r] *m.* **1** mars *v.(m.)*; **2** stalletje *o.*; uitstalling *v.*
éventé [évã˙té] *adj.* **1** gelucht; **2** verschaald; **3** (*v. gist*) zonder kracht; **4** lichtzinnig.
éventer [évã˙té] **I** *v.t.* **1** luchten; **2** (*v. koren*) omzetten; **3** (*v. mijn, enz.*) ventileren; **4** (*v. zeil*) volbrassen; **5** (*v. wijn, enz.*) laten verschalen; **6** (*v. komplot*) verijdelen; **7** (*v. geur*) laten vervliegen; **8** (*v. geheim*) ontdekken, komen achter; **9** (*v. spoor*) vinden; ***— la mèche,*** lont ruiken; **II** *v.pr.*, ***s'—,*** **1** zich koelte toewaaien; **2** (*v. bier, wijn*) verschalen; **3** (*v. geur*) vervliegen; **4** (*v. komplot*) verijdeld worden; **5** (*v. geheim*) ontdekt worden.
éventration [évã˙trɑ˙syõ] *f.* **1** scheuring *v.* van de buikhuid; **2** buikhernia *v.(m.)*.
éventrer [évã˙tré] *v.t.* **1** (*v. dier*) opensnijden; **2** (*v. koffer, brandkast*) openbreken; **3** intrappen; **4** stukslaan; stukschieten.
éventualité [évã˙tẅalité] *f.* gebeurlijkheid, mogelijkheid *v.*
éventuel [évã˙tẅèl] **I** *adj.* gebeurlijk, mogelijk eventueel; **II** *s., m.* **1** (het) gebeurlijke *o.*; **2** bijinkomsten *mv.*
éventuellement [évã˙tẅèlmã] *adv.*, ***voir éventuel I.***
évêque [évè:k] *m.* bisschop *m.*
évertuer, s'— [sévèrtẅé] *v.pr.* zijn best doen, zich afsloven.
éviction [éviksyõ] *f.* (*recht*) ontzetting *v.*
évidage [évida:j] **évidement** [évidmã] *m.* **1** uitholling *v.*; **2** openwerking *v.*; **3** (*v. takken*) uitsnijding *v.*
évidemment [évidamã] *adv.* klaarblijkelijk, ongetwijfeld; natuurlijk.
évidence [évidã:s] *f.* **1** klaarblijkelijkheid, duidelijkheid *v.*; **2** zichtbaarheid *v.*; ***mettre en —,*** in 't licht stellen; op de voorgrond stellen, doen uitkomen; ***être en —,*** de aandacht trekken; ***se rendre à l'—,*** zich gewonnen geven, toegeven; ***c'est de toute —,*** dat is zonneklaar.
évident [évidã] *adj.* klaarblijkelijk, duidelijk, zonneklaar.
évider [évidé] *v.t.* **1** uithollen; **2** openwerken; **3** (*v. takken*) uitsnijden.
évidoir [évidwa:r] *m.* holboor *v.(m.)*.
évier [évyé] *m.* gootsteen *m.*
évincement [évẽ˙smã] *m.* verdringing *v.*
évincer [évẽ˙sé] *v.t.* **1** (*v. concurrent*) verdringen, wegwerken; **2** (*v. kandidaat*) afschepen, afpoeieren; **3** (*recht*: *v. koper*) uit zijn bezit ontzetten.
évitable [évita˙bl] *adj.* vermijdbaar; ontwijkbaar.
évitage [évita:j] *m.*, **évitée** [évité] *f.* (*sch.*) zwaaiing *v.*
évitement [évitmã] *m.* vermijding; ontwijking *v.*; ***voie d'—,*** zijspoor *o.*; ***gare d'—*** rangeerstation *o.*
éviter [évité] **I** *v.t.* **1** (*v. gevaar, enz.*) vermijden; **2** (*v. blik, voertuig*) ontwijken; **3** ontgaan, ontlopen; **4** (*v. moeilijkheden*) voorkomen; ***— qc. à qn.,*** iem. iets besparen; **II** *v.i.* (*sch.*) zwaaien.
évocateur [évòkatœ:r] **I** *adj.* **1** die oproept; **2** vol herinneringen; **3** (*v. stijl*) beeldrijk; **4** bezwerend; ***formule évocatrice,*** bezweringsformulier *o.*; **II** *s. m.* geestenbezweerder *m.*
évocation [évòkɑ˙syõ] *f.* **1** oproeping *v.*; **2** herinnering *v.*; **3** bezwering *v.*; **4** (*recht*) verwijzing *v.* (naar een andere rechtbank).
évocatoire [évòkatwa:r] *adj.* **1** bezwerings-; **2** verwijzings-.
évoluer [évòlẅé] *v.i.* **1** draaien, zwenken; **2** (*mil. sch.*) manœuvreren; **3** zich ontwikkelen.
évolution [évòlüsyõ] *f.* **1** draaiing, zwenking *v.*; **2** (*mil., v. troepen*) manœuvre, beweging *v.*; **3** geleidelijke ontwikkeling *v.*; **4** (*v. ziekte*) verloop *o.*

évolutionnisme [évòlüsyònizm] *m.* evolutieleer *v.(m.)*.
évolutionniste [évòlüsyònist] *m.* voorstander *m.* van de evolutieleer.
évoquer [évòké] *v.t.* **1** oproepen; voor de geest roepen; **2** (*v. geesten*) bezweren, oproepen; **3** (*recht*) naar een andere rechtbank verwijzen.
évulsif [évülsif] *adj.* (*gen.*) uittrekkend.
évulsion [évülsyõ] *f.* (*gen.*) uittrekking, uitrukking *v.*
ex- [èks] *prép.* gewezen, voormalig, oud-.
ex-abrupto [ègzabrüpto] *adv.* plotseling, zonder voorbereiding.
exacerbation [ègzasèrbɑ'syõ] *f.* **1** (*gen.*) verergering *v.*; **2** (*fig.*) verbittering *v.*
exacerbé [ègzasèrbé] *adj.* **1** verscherpt; **2** verbitterd.
exacerber [ègzasèrbé] *v.t.* **1** verscherpen; **2** verbitteren.
exact(ement) [ègza(kt)(emã)] *adj.(adv.)* **1** (*v. persoon*) stipt, nauwgezet; **2** (*v. zaak*) nauwkeurig, juist, precies; **3** (*v. waarheid*) strikt; ***sciences —es,*** wis- en natuurkunde.
exacteur [ègzaktœ:r] *m.* afperser, afzetter; knevelaar *m.*
exaction [ègzaksyõ] *f.* afpersing; knevelarij *v.*
exactitude [ègzaktitü'd] *f.* **1** stiptheid, nauwgezetheid *v.*; **2** nauwkeurigheid, juistheid *v.*
ex aequo [ègzékwo] *adv.* op gelijke voet.
exagérateur [ègzajératœ:r] *m.* overdrijver *m.*
exagératif [ègzajératif] *adj.* overdrijvend.
exagération [ègzajérɑ'syõ] *f.* overdrijving *v.*; grootspraak *v.(m.)*.
exagéré(ment) [ègzajéré(mã)] *adj.(adv.)* overdreven.
exagérer [ègzajéré] **I** *v.t.* overdrijven; **II** *v.pr.*, ***s'—,*** zich overdreven voorstellen, overschatten.
exaltation [ègzaltɑ'syõ] *f.* **1** verheerlijking *v.*; **2** verheffing *v.*; **3** geestdrift *v.(m.)*, vervoering *v.*; **4** opgewondenheid; overspanning *v.*; ***l'E— de la sainte Croix,*** Kruisverheffing.
exalté [ègzalté] **I** *adj.* **1** geestdriftig; **2** overspannen; **II** *s., m.* geëxalteerde *m.*
exalter [ègzalté] **I** *v.t.* **1** verheerlijken; **2** verheffen; **3** hoog opgeven van, zeer hoog prijzen, ophemelen; **4** prikkelen; overspannen; **II** *v.pr.*, ***s'—,*** zich opwinden; zich overspannen.
examen [ègzamẽ] *m.* **1** onderzoek *o.*; **2** examen *o.*; **3** (*recht*) verhoor *o.*; ***— de conscience,*** zelfonderzoek, gewetensonderzoek; ***faire son — de conscience,*** zijn hand in eigen boezem steken; ***— d'admission, — d'entrée,*** toelatingsexamen; ***— de sortie, — de fin d'étude,*** eindexamen; ***— de passage,*** overgangsexamen; ***faire l'— de,*** onderzoeken; ***passer un —,*** examen doen, een examen afleggen.
examinateur [ègzaminatœ:r] *m.* **1** onderzoeker *m.*; **2** examinator *m.*
examiner [ègzaminé] *v.t.* **1** onderzoeken; **2** (aandachtig) bekijken; opnemen; **3** examineren.
exanthème [ègzã'tè:m] *m.* (*gen.*) huiduitslag *m.*
exarchat [ègzarka] *m.* exarchaat *o.*
exarque [ègzark] *m.* exarch *m.*
exaspérant [ègzaspérã] *adj.* ergerlijk.
exaspération [ègzaspérɑ'syõ] *f.* **1** (hevige) verbittering *v.*, woede *v.(m.)*; **2** (*gen.*: *v. ziekte, enz.*) verergering *v.*, hevigste stadium *o.*
exaspérer [ègzaspéré] **I** *v.t.* **1** verbitteren; woedend maken; radeloos maken, tot wanhoop brengen; **2** verergeren; **II** *v.pr.*, ***s'—,*** **1** verbitterd worden, woedend worden; wanhopig worden; **2** erger worden.
exaucement [ègzo'smã] *m.* verhoring *v.*
exaucer [ègzo'sé] *v.t.* verhoren.
excavateur [è(k)skavatœ:r] *m.* graafmachine *v.*
excavation [è(k)skavɑ'syõ] *f.* **1** uitgraving, uitholling *v.*; **2** kuil *m.*, groeve *v.(m.)*, holte *v.*
excaver [è(k)skavé] *v.t.* uitgraven; uithollen.
excédant [èksédã] *adj.* **1** overschietend; **2** afmattend; vervelend, lastig.
excédent [èksédã] *m.* **1** overschot *o.*; overwicht *o.*, overmaat *v.(m.)*; **2** batig saldo, batig slot *o.*
excédentaire [èksédã'tè:r] *adj.* met een overschot, met winst.
excéder [èksédé] **I** *v.t.* **1** te boven gaan, overschrijden; **2** (*v. bevoegdheid*) te buiten gaan; **3** uitsteken boven; **4** (*fig.*) afmatten; lastig vallen; erg vervelen; **II** *v.pr.*, ***s'—,*** zich afmatten; zich te buiten gaan (aan).
excellemment [èksèlamã] *adv.* voortreffelijk, uitstekend.
excellence [èksèlã:s] *f.* **1** voortreffelijkheid, uitmuntendheid *v.*; **2** uitstekende kwaliteit *v.*; **3** (*titel*) excellentie *v.*; ***prix d'—,*** ereprijs *m.*; eerste prijs *m.* (voor de gezamenlijke vakken).
excellent [èksèlã] *adj.* **1** voortreffelijk, uitmuntend, uitstekend; **2** (*v. eten*) heerlijk, lekker; **3** (*v. persoon*) zeer goed, best.
exceller [èksèlé] *v.i.* **1** uitmunten, uitblinken (*à*, in); **2** uitstekend zijn.
excentrer [èksã'tré] *v.t.* het middelpunt (*of* de as) verplaatsen van.
excentricité [èksã'trisité] *f.* **1** uitmiddelpuntigheid *v.*; **2** (*fig.*) excentriciteit, zonderlingheid, buitenissigheid *v.*
excentrique [èksã'trik] **I** *adj.* **1** uitmiddelpuntig, excentrisch; van 't middelpunt verwijderd; **2** excentriek, zonderling, buitenissig; **3** (*v. stadswijk*) afgelegen; **II** *s., m.* **1** excentriek *o.*; **2** zonderling *m.*
excepté [èksèpté] *prép. et adj.* uitgezonderd, behalve.
excepter [èksèpté] *v.t.* uitzonderen.
exception [èksèpsyõ] *f.* uitzondering *v.*; ***à l'— de,*** uitgezonderd, uitgenomen, behalve; ***tribunal d'—,*** buitengewone rechtbank *v.(m.)*.
exceptionnel [èksèpsyònèl] *adj.* **1** exceptioneel; **2** buitengewoon.
exceptionnellement [èksèpsyònèlmã] *adv.* **1** bij wijze van uitzondering; **2** buitengewoon.
excès [èksè] *m.* **1** overmaat *v.(m.)*; **2** overdaad *v.(m.)*; **3** overdrijving, buitensporigheid *v.*; **4** (*rek.*: *bij aftrekking*) verschil, overschot *o.*; ***— de pouvoir,*** machtsmisbruik *o.*, machtsoverschrijding *v.*; ***à l'—,*** bovenmate, al te (zeer); ***pousser à l'—,*** overdrijven; ***— de joie,*** overmatige vreugde.
excessif [èksèsif] *adj.*, **excessivement** [èksèsi'vmã] *adv.* **1** bovenmatig; **2** overdadig; **3** (*v. prijs*) overdreven; **4** (*v. werk*) al te zwaar.
exciper [èksipé] (*de*) *v.i.* zich beroepen op.
excipient [èksipyã] *m.* (*gen.*) bindmiddel *o.*
exciser [èksi'zé] *v.t.* (*gen.*) uitsnijden.
excision [èksi'zyõ] *f.* (*gen.*) uitsnijding, wegsnijding *v.*
excitabilité [èksitabilité] *f.* prikkelbaarheid *v.*
excitable [èksita'bl] *adj.* prikkelbaar.
excitant [èksitã] **I** *adj.* opwekkend, prikkelend; **II** *s., m.* opwekkend (*of* prikkelend) middel *o.*
excitateur [èksitatœ:r] **I** *m.* **1** aanstoker, aanzetter *m.*; **2** prikkel *m.*; **3** (*el.*) ontlader *m.*; ***— d'ondes,*** (*radio*) golfopwekker *m.*; **II** *adj.* opwekkend, prikkelend; ***courant —,*** aanzetstroom *m.*
excitatif [èksitatif] *adj.* opwekkend, prikkelend.
excitation [èksitɑ'syõ] *f.* **1** opwekking, prikkeling *v.*; **2** aansporing, aanzetting; aanvuring *v.*; **3** aanhitsing; ophitsing; opruiing *v.*; **4** (*el.*) opwekking *v.*; **5** opgewondenheid *v.*, opgewonden toestand *m.*
exciter [èksité] **I** *v.t.* **1** (*v. eetlust, gevoelens*) opwek-

ken; 2 aansporen, aanzetten; aanvuren; 3 aanhitsen; ophitsen; opruien; 4 (*v. zenuwen*) prikkelen; 5 (*v. hartstochten*) gaande maken; **II** *v.pr.*, ***s'—***, 1 zich opwinden; 2 elkaar opstoken.
exclamatif [è(k)sklamatif] *adj.* uitroepend; ***point —***, uitroepteken *o.*
exclamation [è(k)sklama·syõ] *f.* uitroep *m.*; ***point d'—***, uitroepteken *o.*
exclamer, s'— [sè(k)sklamé] *v.pr.* uitroepen.
exclure* [è(k)sklü:r] *v.t.* 1 uitsluiten; 2 (*v. leerling*) verwijderen, wegjagen.
exclusif [è(k)sklü·zif] *adj.* 1 uitsluitend; 2 eenzijdig, eenzelvig; ***être — de***, onverenigbaar zijn met; ***vente exclusive***, alleenverkoop *m.*
exclusion [è(k)sklü·zyõ] *f.* 1 uitsluiting *v.*; 2 verwijdering, wegjaging *v.*; 3 onverenigbaarheid *v.*; ***à l'— de***, met uitsluiting van.
exclusivement [è(k)sklü·zivmã] *adv.* 1 uitsluitend; 2 niet meegerekend.
exclusivisme [è(k)sklüzivizm] *m.* aparte smaak *m.*; zelfingenomen buitensluiting *v.* van anderen.
exclusivité [è(k)sklü·zivité] *f.* 1 (het) uitsluitende *o.*; 2 eenzijdigheid *v.*; 3 (*v. opvoering, enz.*) uitsluitend recht *o.*
excommunication [è(k)skòmünika·syõ] *f.* ban, kerkban *m.*, excommunicatie *v.*
excommunié [è(k)skòmünyé] *m.* geëxcommuniceerde *m.*
excommunier [è(k)skòmünyé] *v.t.* in de (kerk)ban [doen.
excoriation [è(k)skòrya·syõ] *f.* ontvelling *v.*, schram *v.(m.)*.
excorier [è(k)skòryé] *v.t.* ontvellen, schrammen.
excrément [è(k)skrémã] *m.* 1 uitwerpsel *o.*; 2 (*fig.*) uitvaagsel *o.*
excrémenteux [è(k)skrémã·tö], **excrément(it)iel** [è(k)skrémã·(ti)syèl] *adj.* uitscheidings—.
excréter [è(k)skrété] *v.t.* uitscheiden.
excréteur [è(k)skrétœ:r] *adj.* uitscheidend, afvoerend.
excrétion [è(k)skrésyõ] *f.* 1 uitscheiding, afscheiding *v.*; 2 uitwerpsel *o.*
excrétoire [èkskrétwa:r] *adj.* uitscheidend.
excroissance [è(k)skrwasã:s] *f.* uitwas *m. en o.*
excursion [è(k)skürsyõ] *f.* 1 uitstapje, tochtje *o.*; 2 (*mil.*) inval, strooptocht *m.*; 3 (*fig.*) uitweiding *v.*
excursionner [èkskürsyòné] *v.i.* een tochtje maken.
excursionniste [è(k)skürsyònist] *m.* plezierreiziger *m.*; ***—s (du dimanche)***, dagjesmensen *mv.*
excurvé [è(k)skürvé] *adj.* naar buiten gebogen.
excusable [è(k)skü·za·bl] *adj.* verschoonbaar, te verontschuldigen.
excuse [è(k)skü:z] *f.* verontschuldiging *v.*, excuus *o.*; ***faites —***, excuseer.
excuser [è(k)skü·zé] **I** *v.t.* 1 verontschuldigen; 2 vergeven, door de vingers zien, niet kwalijk nemen; ***excusez du peu!*** dat is geen kleinigheid! **II** *v.pr.*, ***s'—***, zich verontschuldigen; ***s'— sur***, de schuld werpen op; ***qui s'excuse s'accuse***, wie zich verontschuldigt, bekent schuld.
exeat [ègzéat] *m.* 1 bewijs *o.* van verlof (uit school, bisdom); 2 (*uit ziekenhuis*) ontslag *o.*; 3 (*in bibliotheek*) verlof *o.* om boeken mee te nemen.
exécrable(ment) [ègzékra·bl(emã)] *adj.(adv.)* verfoeilijk, afschuwelijk.
exécration [ègzékra·syõ] *f.* 1 afschuw *m.*, afgrijzen *o.*; 2 gruwel *m.*, verfoeilijke daad *v.(m.)*; 3 verwensing *v.*; 4 (*v. kerk, enz.*) ontwijding *v.*; ***avoir en —***, verfoeien.
exécratoire [ègzékratwa:r] *adj.* ontwijdend.
exécrer [ègzékré] *v.t.* verafschuwen, verfoeien.
exécutable [ègzéküta·bl] *adj.* uitvoerbaar.
exécutant [ègzéküta͂] *m.* uitvoerende, medespeler *m.*
exécuter [ègzéküté] **I** *v.t.* 1 uitvoeren, ten uitvoer brengen; 2 (*v. stuk*) opvoeren, spelen; 3 (*v. muziek*) uitvoeren; 4 (*v. vonnis*) ten uitvoer leggen; 5 (*v. veroordeelde*) terechtstellen; 6 (*v. doodvonnis*) voltrekken; 7 (*v. schuldenaar*) executeren; **II** *v.pr.*, ***s'—***, 1 uitgevoerd worden; 2 zich in iets schikken, zich gewonnen geven; 3 (*fig.*) door de zure appel heen bijten; ***s'— de bonne grâce***, iets goedschiks doen.
exécuteur [ègzékütœ:r] *m.* uitvoerder *m.*; ***— testamentaire***, boedelberedderaar, executeur *m.*
exécutif [ègzékütif] **I** *adj.* uitvoerend; **II** *s., m.* uitvoerende macht *v.(m.)*.
exécution [ègzéküsyõ] *f.* 1 uitvoering, volvoering *v.*; 2 opvoering *v.*; 3 uitvoering *v.*; 4 tenuitvoerlegging *v.*; 5 terechtstelling *v.*; 6 voltrekking *v.*; 7 executie *v.*; ***voir exécuter***; ***mettre à —***, uitvoeren, ten uitvoer brengen; ***mise à —***, tenuitvoerlegging *v.*; ***délai d'—***, termijn *m.* van oplevering.
exécutoire [ègzékütwa:r] **I** *adj.* (*recht*) uitvoerbaar; **II** *s., m.* gerechtelijke volmacht *v.(m.)*.
exégèse [ègzéjè:z] *f.* bijbelverklaring, exegese *v.*
exégète [ègzéjè:t] *m.* bijbelverklaarder, exegeet *m.*
exégétique [ègzéjétik] *adj.* exegetisch, van (*of* volgens) de exegese.
exemplaire [ègzã·plè:r] **I** *adj.* voorbeeldig; **II** *s., m.* exemplaar *o.*; ***en deux —s***, in duplo.
exemplairement [ègzã·plè·rmã] *adv.* voorbeeldig.
exemple [ègzã:pl] *m.* voorbeeld *o.*; ***à l'— de***, in navolging van, naar het voorbeeld van; ***prendre — sur***, zich spiegelen aan; ***sans —***, voorbeeldeloos; ***par —***, 1 bij voorbeeld; 2 nu nog mooier! verbeeld je!
exempt [ègzã] *adj.* 1 (*v. zorg, enz.*) vrij (van); 2 (*v. verplichting*) ontheven; vrijgesteld; ***— du service militaire***, niet dienstplichtig.
exempter [ègzã·té] *v.t.* 1 bevrijden (van); 2 ontheffen; vrijstellen (van).
exemption [ègzã·syõ] *f.* ontheffing, vrijstelling *v.*
exequatur [ègzékwa·tü:r] *m.* 1 voltrekkingsbevel *o.*; 2 (officiële) goedkeuring, bekrachtiging *v.*; 3 erkenning *v.* (*v. consul*).
exerçant [ègzèrsã] *adj.* (*v. arts, enz.*) praktizerend.
exercé [ègzèrsé] *adj.* geoefend.
exercer [ègzèrsé] **I** *v.t.* 1 oefenen; africhten; 2 (*v. macht, beroep, recht*) uitoefenen; 3 (*v. gastvrijheid*) bewijzen, beoefenen; 4 (*v. ambt*) waarnemen, bekleden; 5 (*v. waakzaamheid*) aan de dag leggen; ***— la justice***, recht doen; **II** *v.i.* praktizeren; **III** *v.pr.*, ***s'— (à)***, zich oefenen (in).
exercice [ègzèrsis] *m.* 1 oefening *v.*; 2 uitoefening *v.*; 3 lichaamsbeweging, lichaamsoefening *v.*; 4 (*v. deugd, godsdienst, enz.*) beoefening *v.*; 5 (*mil.*) exercitie *v.*; 6 (*H.*) boekjaar *o.*, dienst *m.*; ***— religieux***, godsdienstoefening *v.*; ***entrer en —***, een betrekking aanvaarden; ***faire l'—***, (*mil.*) exerceren; ***prendre de l'—***, beweging nemen.
exérèse [ègzérè:z] *f.* (*gen.*) wegneming, wegsnijding *v.*
exergue [ègzèrg] *m.* (*op munt of penning*) 1 afsnede *v.(m.)*, ruimte voor opschrift onder wapen; 2 opschrift *o.*
exfoliation [è(k)sfòlya·syõ] *f.* 1 afschilfering *v.*; 2 afbladering *v.*
exfolier [è(k)sfòlyé] **I** *v.t.* 1 (*boomkw.*) afbladeren; 2 doen afschilferen; **II** *v.pr.*, ***s'—***, 1 (*Pl.*) afbladeren; 2 (*gen., v. been, enz.*) afschilferen.
exhalaison [ègzalè·zõ] *f.* uitwaseming, uitdamping *v.*
exhalation [ègzala·syõ] *f.* (huid)uitwaseming *v.*
exhaler [ègzalé] **I** *v.t.* 1 uitwasemen; uitdampen;

2 (*v. woede*) luchten, lucht geven aan; **3** (*v. gal*) uitbraken; **4** (*v. klacht*) uiten; **II** *v.pr.*, **s'—, 1** (*v. damp*) opstijgen uit; **2** (*v. reuk*) zich verspreiden; ***s'— en,*** zich uiten in; zijn gemoed luchten in.
exhaussement [ègzo'smã] *m.* verhoging, ophoging *v.*
exhausser [ègzo'sé] *v.t.* verhogen, ophogen.
exhaustion [ègzo'styõ] *f.* **1** uitpomping *v.*; **2** (*fig.*) uitputting *v.*
exhérédation [ègzéréda'syõ] *f.* onterving *v.*
exhéréder [ègzérédé] *v.t.* onterven.
exhiber [ègzibé] *v.t.* **1** vertonen, laten zien; **2** tentoonstellen; tentoonspreiden; **3** (*v. stukken*) overleggen; **4** (*fig.*) te koop lopen met, pronken met.
exhibition [ègzibisyõ] *f.* **1** vertoon, (het) vertonen *o.*; **2** tentoonstelling; tentoonspreiding *v.*; **3** overlegging *v.*; **4** vliegdemonstratie *v.*; ***faire l'— de,*** **1** vertonen; **2** te koop lopen met, geuren met, pronken met.
exhilarant [ègzilarã] *adj.* lachwekkend.
exhortatif [ègzòrtatif] *adj.* vermanend.
exhortation [ègzòrta'syõ] *f.* vermaning *v.*; aansporing *v.*
exhorter [ègzòrté] *v.t.* vermanen; aansporen.
exhumation [ègzüma'syõ] *f.* **1** opgraving *v.*; **2** (*fig.*) (het) opdiepen *o.*
exhumer [ègzümé] *v.t.* **1** opgraven; **2** (*v. papieren, enz.*) opdiepen; voor de dag halen.
exigeant [ègzi'jã] *adj.* veeleisend.
exigence [ègzi'jã:s] *f.* **1** eis *m.*; vordering *v.*; **2** veeleisendheid, aanmatiging *v.*; ***suivant*** (*of* ***selon***) ***l'— du cas,*** naar vereis van zaken.
exiger [ègzi'jé] *v.t.* eisen, vorderen; vereisen.
exigibilité [ègzi'jibilité] *f.* invorderbaarheid *v.*
exigible [ègzi'ji'bl] *adj.* (*v. schuld*) invorderbaar.
exigu [ègzigü, égzigü] (*fém.*: ***exiguë***), *adj.* **1** (*v. ruimte*) eng, bekrompen; **2** (*v. inkomen*) gering; **3** (*v. gestalte*) klein, ineengedrongen.
exiguïté [ègzigẅité, égzigẅité] *f.* **1** engheid, bekrompenheid *v.*; **2** geringheid *v.*; **3** kleinheid *v.*
exil [ègzil] *m.* verbanning, ballingschap *v.*; ***terre d'—,*** vreemde grond, vreemde bodem; ***lieu d'—,*** verbanningsoord *o.*
exilé [ègzilé] *m.* banneling, balling *m.*
exiler [ègzilé] **I** *v.t.* verbannen; **II** *v.pr.*, **s'—,** in ballingschap gaan; ***s'— du monde,*** zich van de wereld afzonderen.
exinscrit [ègzẽ'skri] *adj.* (*meetk.*: *v. cirkels*) aangeschreven.
existant [ègzistã] *adj.* **1** bestaand; **2** voorhanden.
existence [ègzistã:s] *f.* **1** bestaan *o.*; aanzijn *o.*; **2** voorraad *m.*; ***— en magasin,*** aanwezige voorraad, — goederen; ***— visible,*** zichtbare voorraad; ***moyens d'—,*** middelen van bestaan.
existentialisme [ègzistãsyalizm] *m.* existentialisme *o.*, wijsbegeerte van o.a. G. Marcel en J. P. Sartre.
existentiel [ègzistãsyèl] *adj.* existentieel, het bestaan bewijzend; betrekking hebbend op het bestaan.
exister [ègzisté] *v.i.* bestaan; leven.
ex-libris [èkslibris] *m.* ex-libris, boekmerk *o.*
exocet [ègzòsè] *m.* bep. vliegende zeevis *m.*
exode [ègzò'd] *m.* **1** uittocht, „trek" *m.*; **2** (*fig.*) slot *o.*, ontknoping *v.*; ***E—,*** *f. et m.* Exodus *m.* (tweede boek van Mozes); ***— de capitaux,*** kapitaalvlucht *v.*(*m.*).
exomphale [ègzõ'fal] *f.* (*gen.*) navelbreuk *v.*(*m.*).
exonder, s'— [sègzõ'dé] *v.pr.* droogvallen.
exonération [ègzònéra'syõ] *f.* vrijstelling, ontheffing *v.*
exonérer [ègzònéré] **I** *v.t.* vrijstellen, ontheffen; **II** *v.pr.*, ***s'— de,*** zich kwijten van.
exophthalmie [ègzòftalmi] *f.* uitpuiling *v.* van de oogbal.
exorable [ègzòra'bl] *adj.* vermurwbaar.
exorbitant [ègzòrbitã] *adj.* overdreven, buitensporig.
exorcisation [ègzòrsiza'syõ] *f.* duivelbanning *v.*
exorciser [ègzòrsi'zé] *v.t.* (de duivel) bezweren, uitdrijven, bannen.
exorciseur [ègzòrsi'zœ:r] *m.* duivelbanner *m.*
exorcisme [ègzòrsizm] *m.* duivelbezwering, duivelbanning *v.*
exorciste [ègzòrsist] *m.* duivelbezweerder *m.*
exorde [ègzòrd] *m.* (*v. rede*) aanhef *m.*, inleiding *v.*
exosmose [ègzòsmo:z] *f.* exosmose *v.*, osmose waarbij dichtere vloeistof door dunnere wordt opgezogen.
exotérique [ègzòtérik] *adj.* openbaar.
exothermique [ègzòtèrmik] *adj.* exotherm, warmte afgevend.
exotique [ègzòtik] *adj.* vreemd, uitheems, exotisch.
exotisme [ègzòtizm] *m.* uitheemsheid *v.*
expansibilité [è(k)spã'sibilité] *f.* uitzetbaarheid *v.*
expansible [è(k)spã'si'bl] *adj.* uitzetbaar.
expansif [è(k)spã'sif] *adj.* **1** uitzetbaar; **2** (*fig.*) spraakzaam, mededeelzaam, openhartig; ***force expansive,*** spankracht *v.*(*m.*); ***balle expansive,*** dumdumkogel *m.*
expansion [è(k)spã'syõ] *f.* **1** uitzetting *v.*; **2** (*v. land*) uitbreiding *v.*; **3** (*v. leer, beschaving, enz.*) verbreiding *v.*; **4** (*fig.*) mededeelzaamheid, openhartigheid *v.*
expansivité [è(k)spã'si'vité] *f.* mededeelzaamheid *v.*, behoefte *v.* om zich te uiten.
expatriation [è(k)spatri(y)a'syõ] *f.* **1** verdrijving *v.* uit het vaderland; **2** verbanning *v.*; **3** uitwijking *v.*
expatrier [è(k)spatri(y)é] **I** *v.t.* uit het vaderland verdrijven; verbannen; **II** *v.pr.*, **s'—,** zijn vaderland verlaten, uitwijken.
expectant [è(k)spèktã] *adj.* afwachtend.
expectatif [è(k)spèktatif] *adj.* hoopgevend.
expectation [è(k)spèkta'syõ] *f.* afwachting *v.*
expectative [è(k)spèktati:v] *f.* verwachting *v.*, vooruitzicht *o.*; ***être dans l'—,*** in afwachting zijn.
expectorant [è(k)spèktòrã] **I** *adj.* borstzuiverend; **II** *s.*, *m.* borstzuiverend middel *o.*
expectoration [è(k)spèktòra'syõ] *f.* (het) opgeven *o.* (van slijm).
expectorer [è(k)spèktòré] *v.t. et v.i.* (slijm) opgeven.
expédié [è(k)spédyé] *adj.* **1** verzonden; **2** afgedaan; **3** (*v. schrift*) lopend.
expédient [è(k)spédyã] **I** *adj.* dienstig, geschikt; **II** *s.*, *m.* hulpmiddel, redmiddel *o.*, uitweg *m.*; ***être réduit aux —s,*** in het nauw zitten, lelijk in de klem zitten; ***vivre d'—s,*** van alles doen om aan de kost te komen.
expédier [è(k)spédyé] *v.t.* **1** afzenden, verzenden; **2** (*over zee*) verschepen; **3** (*v. zaak*) (spoedig) afdoen, afmaken; **4** (*v. persoon*) spoedig voorthelpen; afschepen, zich afmaken van; **5** (*v. akte*) een afschrift maken van; ***— son dîner,*** gauw even eten; zijn eten vlug naar binnen werken.
expéditeur [è(k)spéditœ:r] *m.* **1** afzender *m.*; **2** (*H.*) vrachtondernemer, expediteur *m.*
expéditif [è(k)spéditif] *adj.* **1** (*v. middel*) afdoend; snelwerkend; **2** (*v. persoon*) doortastend; voortvarend.
expédition [è(k)spédisyõ] *f.* **1** afzending, verzending *v.*; **2** verscheping *v.*; **3** (*v. zaken*) (het) afdoen *o.*, afdoening, uitvoering *v.*; **4** ontdekkingsreis *v.*(*m.*), onderzoekingstocht *m.*, expeditie *v.*; **5** (*mil.*) onderneming, krijgsverrichting *v.*; **6** (*van akte*) afschrift *o.*; ***un homme d'—,*** een voortvarend man; ***droits d'—,*** (*H.*) leges *mv.*
expéditionnaire [è(k)spédisyònè:r] **I** *m.* **1** ver-

zender, expediteur *m.*; **2** schrijver, klerk *m.*; **II** *adj.* expeditie-; ***corps* —,** expeditiekorps *o.*

expéditivement [è(k)spéditivmã] *adv.* **1** snelwerkend; **2** voortvarend.

expérience [è(k)spéryã:s] *f.* **1** ondervinding, ervaring *v.*; **2** proefneming *v.*, proef *v.(m.)*, experiment *o.*; ***par* —,** bij ervaring; ***faire l'— de,*** **1** leren kennen; **2** een proef nemen met; ***verre à* —,** proefglas *o.*

expérimental(ement) [è(k)spérimã·tal(mã)] *adj.* *(adv.)* proefondervindelijk. [nemer *m.*

expérimentateur [è(k)spérimã·tatœ:r] *m.* proef-

expérimentation [è(k)spérimã·ta·syõ] *f.* proefneming *v.* [proefd.

expérimenté [è(k)spérimã·té] *adj.* ervaren, be-

expérimenter [è(k)spérimã·té] **I** *v.t.* **1** de proef nemen met; **2** ondervinden, ervaren; **II** *v.i.* proeven nemen, experimenteren.

expert [è(k)spè:r] **I** *adj.* ervaren, bedreven; **II** *s., m.* deskundige *m.*; ***— en écritures,*** schriftkundige *m.*; ***— comptable,*** accountant *m.*

expertise [è(k)spèrti:z] *f.* **1** deskundig onderzoek *o.*; **2** taxatie *v.*; **3** verslag *o.* van de deskundige.

expertiser [è(k)spèrti·zé] *v.t.* aan een deskundig onderzoek onderwerpen.

expiateur [è(k)spyatœ:r] *adj.* boete-; ***larmes expiatrices,*** boetetranen. [*v.(m.)*, verzoening *v.*

expiation [è(k)spya·syõ] *f.* boetedoening *v.*, boete

expiatoire [è(k)spyatwa:r] *adj.* verzoenend, boetend; ***sacrifice* —,** zoenoffer *o.*

expier [è(k)spyé] *v.t.* boeten voor, boete doen voor.

expirant [è(k)spi·rã] *adj.* **1** zieltogend; **2** (*v. geluid, stem*) wegstervend; **3** (*v. licht*) verflauwend; **4** (*v. contract, enz.*) aflopend.

expirateur [è(k)spiratœ:r] *adj.* uitademings-.

expiration [è(k)spi·ra·syõ] *f.* **1** uitademing *v.*; **2** afloop *m.*, einde *o.*, vervaltijd *m.*

expirer [è(k)spi·ré] **I** *v.t.* uitademen; uitblazen; **II** *v.i.* **1** de geest geven, sterven; **2** (*v. contract, enz.*) aflopen, eindigen, vervallen; **3** (*v. geluid*) wegsterven; **4** (*v. licht*) uitgaan.

explétif [è(k)splétif] **I** *adj.* (*v. woord*) aanvullend; overtollig, overbodig; **II** *s., m.* aanvullend woord; overtollig woord *o.*

explétivement [è(k)spléti·vmã] *adv.* (*gram.*) aanvullend, overtollig, als aanvullingswoord (gebruikt).

explicable [è(k)splika·bl] *adj.* verklaarbaar.

explicateur [è(k)splikatœ:r] *m.* uitlegger *m.*

explicatif [è(k)splikatif] *adj.* verklarend.

explication [è(k)splika·syõ] *f.* **1** verklaring, uitlegging, opheldering *v.*; **2** (*op school*) tekstverklaring *v.*; ***demander des —s,*** rekenschap vragen.

explicite(ment) [è(k)splisit(mã)] *adj.(adv.)* uitdrukkelijk, ondubbelzinnig. [leren.

expliciter [è(k)splisité] *v.t.* ondubbelzinnig formu-

expliquer [è(k)spliké] **I** *v.t.* **1** uitleggen, verklaren, ophelderen; **2** een tekstverklaring geven van; **II** *v.pr.*, ***s'—,*** **1** zich verklaren; **2** zijn zaak uiteenzetten; **3** zich verantwoorden; **4** zich laten verklaren; ***s'— avec qn.,*** iem. opheldering geven; — vragen; ***je ne me l'explique pas,*** ik begrijp dat niet.

exploit [è(k)splwa] *m.* **1** heldendaad *v.(m.)*; **2** (*recht*) dagvaarding *v.*, exploot *o.*

exploitable [è(k)splwata·bl] *adj.* **1** (*v. mijn, enz.*) ontginbaar, tot exploitatie geschikt; **2** bebouwbaar; bruikbaar; **3** goedgelovig. [ontginner *m.*

exploitant [è(k)splwatã] *m.* **1** ondernemer *m.*; **2**

exploitation [è(k)splwata·syõ] *f.* **1** ontginning *v.*; **2** exploitatie *v.*; **3** uitbuiting *v.*; **4** mijn *v.(m.)*; bos *o.*; landgoed *o.* (dat men exploiteert); ***— des mines,*** mijnbouw *m.*

exploiter [è(k)splwaté] *v.t.* **1** (*v. mijn, enz.*) ontginnen; **2** (*v. spoorweg, enz.*) exploiteren; **3** (*v. werkman*) uitbuiten, exploiteren; **4** partij trekken van, tot zijn voordeel aanwenden.

exploiteur [è(k)splwatœ:r] *m.* uitbuiter *m.*

explorable [è(k)splòra·bl] *adj.* peilbaar, te onderzoeken.

explorateur [è(k)splòratœ:r] *m.* ontdekkingsreiziger, onderzoeker *m.*; ***— polaire,*** poolreiziger *m.*

exploration [è(k)splòra·syõ] *f.* **1** onderzoek *o.*, onderzoeking *v.*; **2** doorzoeking, nasporing *v.*; **3** (zorgvuldige) bestudering *v.*; ***voyage d'—,*** ontdekkingsreis *v.(m.)*.

explorer [è(k)splòré] *v.t.* **1** ontdekkingsreizen doen in, onderzoeken; **2** doorzoeken, doorsnuffelen; **3** (*v. ziekte*) zorgvuldig nagaan; **4** (*v. wond*) peilen.

exploser [è(k)splo·zé] *v.i.* ontploffen, exploderen.

exploseur [è(k)splo·zœ:r] *m.* ontploffingstoestel *o.*; mijnontsteker *m.* [heid *v.*

explosibilité [è(k)splo·zibilité] *f.* ontplofbaar-

explosible [è(k)splo·zi·bl] *adj.* ontplofbaar.

explosif [è(k)splo·zif] **I** *adj.* ontploffend, ontplofbaar; ***consonne explosive,*** klapper *m.*; **II** *s., m.* springstof *v.(m.)*.

explosion [è(k)splo·zyõ] *f.* **1** ontploffing *v.*; **2** (*fig.*) uitbarsting *v.*; ***faire* —, 1** ontploffen; **2** uitbarsten.

explosive [è(k)splo·zi:v] *f.* ontploffingsgeluid *o.*, klapper *m.* [port.

exportable [è(k)spòrta·bl] *adj.* geschikt voor ex-

exportateur [è(k)spòrtatœ:r] *m.* (*H.*) uitvoerder, exporteur *m.*

exportation [è(k)spòrta·syõ] *f.* (*H.*) uitvoer, export *m.* [ren.

exporter [è(k)spòrté] *v.t.* (*H.*) uitvoeren, exporte-

exposant [è(k)spo·zã] *m.* **1** (*op tentoonstelling*) inzender *m.*; **2** (*recht*) verzoeker *m.*; **3** (*wisk.*) exponent *m.*

exposé [è(k)spo·zé] *m.* **1** uiteenzetting *v.*; **2** verslag *o.*; ***— des motifs,*** memorie *v.* van toelichting.

exposer [è(k)spo·zé] **I** *v.t.* **1** tentoonstellen; **2** (*v. waren*) uitstallen, te koop zetten; **3** (*v. plant, onderwerp*) uiteenzetten; **4** (*aan koude, gevaar*) blootstellen; **5** (*v. kind*) te vondeling leggen; **6** (*fot.*) belichten; ***— sa vie,*** zijn leven in gevaar brengen, — in de waagschaal stellen; ***exposé au soleil,*** aan de zonkant; **II** *v.pr.*, ***s'—,*** zich blootstellen; zich in gevaar begeven.

exposition [è(k)spo·zisyõ] *f.* **1** tentoonstelling *v.*; **2** uitstalling *v.*; **3** uiteenzetting *v.*; **4** blootstelling *v.*; **5** te vondeling legging *v.*; **6** (*v. schilderij; foto*) belichting *v.*; **7** (***jour d'—***), kijkdag *m.*; ***— universelle,*** wereldtentoonstelling *v.*

exprès [è(k)sprè] **I** *adj.* (*f.*: ***expresse*** [è(k)sprès]) uitdrukkelijk; **II** *adv.* met opzet; **III** *s.,m.* bijzondere bode *m.*; ***par* —,** per spoedbestelling.

express [è(k)sprès] *adj. et s., m.*, (***train* —**), sneltrein *m.*

expresse, *voir* ***exprès.***

expressément [è(k)sprèsémã] *adv.* uitdrukkelijk.

expressif [è(k)sprèsif] *adj.* **1** vol uitdrukking; **2** (*v. blik, stilte, enz.*) veelbetekenend; **3** (*v. het lezen*) natuurlijk, stilistisch.

expression [è(k)sprèsyõ] *f.* **1** uitdrukking *v.*; **2** gevoel *o.*; **3** (*wisk.*) formule *v.(m.)*, vorm *m.*; ***réduire à sa plus simple* —, 1** tot de eenvoudigste vorm herleiden; **2** vereenvoudigen, zoveel mogelijk verkorten.

expressionnisme [èk()sprèsyònizm] *m.* expressionisme *o.* [kenend.

expressivement [è(k)sprèsi·vmã] *adv.* veelbete-

exprimable [è(k)sprima·bl] *adv.* uit te drukken.

exprimer [è(k)sprimé] *v.t.* **1** uitdrukken; **2** (*tn.*) uitpersen.

expropriation [è(k)spròpri(y)a·syõ] *f.* onteigening

v.; — ***pour cause d'utilité publique,*** onteigening ten algemenen nutte.
exproprier [è(k)sprópri(y)é] *v.t.* **1** onteigenen; **2** (*v. persoon*) uit zijn eigendom ontzetten.
expulser [è(k)spülsé] *v.t.* **1** verdrijven uit, verjagen uit; **2** (*uit school*) verwijderen; **3** uit zijn woning zetten; **4** uitwijzen, over de grens zetten.
expulsif [è(k)spülsif] **I** *adj.* uitdrijvend; **II** *s., m.* uitdrijvend middel *o.*
expulsion [è(k)spülsyõ] *f.* **1** verdrijving, verjaging *v.*; **2** verwijdering *v.*; **3** uitzetting *v.*; **4** uitwijzing *v.*
expurgation [è(k)spürgɑ˙syõ] *f.* **1** (*v. boek*) zuivering *v.*; **2** (*v. bos*) dunning *v.*
expurger [è(k)spürjé] *v.t.* (*v. boek*) zuiveren.
exquis(ement) [è(k)ski, è(k)ski:z, (è(k)ski˙zmã)] *adj.(adv.)* **1** uitmuntend, uitgezocht, voortreffelijk; **2** (*v. meubel, enz.*) keurig; **3** (*v. persoon*) allerliefst.
exquisité [è(k)ski˙zité] *f.* uitgezochtheid, voortreffelijkheid *v.*
exsangue [èksã:g] *adj.* bloedeloos; bleek.
exsudant [èksüdã] **I** *m.* zweetmiddel *o.*; **II** *adj.* het zweten bevorderend.
exsudat [èksüda] *m.* uitzweetsel *o.*
exsudation [èksüdɑ˙syõ] *f.* uitzweting *v.*; afscheiding *v.*
exsuder [èksüdé] *v.t.* uitzweten.
extase [è(k)stɑ:s] *f.* verrukking, vervoering *v.*; opgetogenheid *v.*; ***en —,*** verrukt.
extasier, s'— [sè(k)stɑ˙zyé] *v.pr.* verrukt zijn; opgetogen zijn.
extatique [è(k)statik] *adj.* **1** verrukkend, vervoerend; **2** verrukt, extatisch.
extemporané [è(k)stã˙pòrané] *adj.* **1** (*v. rede*) onvoorbereid; **2** (*recht*: *v. misdaad*) zonder voorbedachten rade; **3** (*v. geneesmiddel*) onmiddellijk te gebruiken.
extenseur [è(k)stã˙sœ:r] **I** *adj.* uitstrekkend; **II** *s., m.* **1** strekspier *v.(m.)*; **2** (*gymn.*) strektoestel *o.*
extensibilité [è(k)stã˙sibilité] *f.* rekbaarheid *v.*
extensible [è(k)stã˙si˙bl] *adj.* rekbaar.
extensif [è(k)stã˙sif] *adj.* **1** uitstrekkend; rekbaar; **2** uitbreidend; ***sens —,*** uitgebreide betekenis, ruimere betekenis; ***force extensive,*** spankracht *v.(m.)*.
extension [è(k)stã˙syõ] *f.* **1** uitstrekking *v.*; **2** uitzetting *v.*; **3** uitbreiding, verruiming *v.*; ***par —,*** bij uitbreiding, in ruimere zin; — ***universitaire,*** volksuniversiteit *v.*; ***prendre de l'—,*** zich uitbreiden.
exténuation [è(k)sténẅɑ˙syõ] *f.* uitputting, afmatting *v.*
exténuer [è(k)sténẅé] *v.t.* uitputten, afmatten.
extérieur [è(k)stéryœ:r] **I** *adj.* **1** uiterlijk, uitwendig; **2** buitenlands; **3** buitenste; ***monde —,*** buitenwereld *v.(m.)*; **II** *s., m.* **1** uiterlijk *o.*; **2** buitenkant *m.*, (het) uitwendige *o.*; **3** buitenland *o.*; ***nouvelles de l'—,*** buitenlands nieuws *o.*, nieuws uit het buitenland.
extérieurement [è(k)stéryœ˙rmã] *adv.* **1** uitwendig; **2** naar de schijn.
extérioriser [è(k)stéryòri˙zé] **I** *v.t.* manifesteren, uitdrukking geven aan; **II** *v.pr.*, ***s'—,*** zich openbaren, aan het licht komen.
extériorité [è(k)stéryòrité] *f.* uitwendigheid *v.*
exterminateur [è(k)stèrminatœ:r] **I** *adj.* verdelgend, vernielend, verderf brengend; ***l'ange —,*** de wrekende engel *m.*, de engel van het verderf; **II** *s., m.* verdelger, vernietiger, uitroeier *m.*
extermination [è(k)stèrminɑ˙syõ] *f.* verdelging, uitroeiing *v.*
exterminer [è(k)stèrminé] *v.t.* verdelgen, uitroeien.
externat [è(k)stèrna] *m.* dagschool *v.(m.)*, externaat *o.*
externe [è(k)stèrn] **I** *adj.* **1** uitwendig; aan de buitenzijde; **2** (*v. leerling, enz.*) uitwonend, extern; ***angle —,*** buitenhoek *m.*; ***usage —,*** uitwendig gebruik *o.*; **II** *s., m.* **1** dagscholier, extern *m.*; **2** (*in ziekenhuis*) uitwonend assistent *m.*
exterritorialité [è(k)stèritòryalité] *f.* exterritorialiteit *v.*
extincteur [è(k)stẽ˙ktœ:r] *m.* blusapparaat *o.*; — ***à mousse,*** schuimblusapparaat.
extinctif [è(k)stẽ˙ktif] *adj.* **1** blussend; **2** annulerend, vernietigend.
extinction [è(k)stẽ˙ksyõ] *f.* **1** (*v. kalk, metaal*) blussing *v.*; **2** (uit)blussing, uitdoving *v.*; **3** (*v. schuld*) delging, aflossing *v.*; **4** (*v. kracht*) uitputting *v.*; **5** (*v. stam, volk*) uitsterving *v.*; **6** (*v. stem*) verlies *o.*; **7** (*v. misdaad*) verjaring *v.*
extinguible [è(k)stẽ˙gibl] *adj.* blusbaar.
extirpateur [è(k)stirpatœ:r] *m.* **1** uitroeier, verdelger *m.*; **2** (*landb.*) hakploeg *m. en v.*
extirpation [è(k)stirpɑ˙syõ] *f.* **1** uitroeiing *v.*; **2** (*v. zweer, likdoorn*) uitsnijding *v.*; **3** (*fig.*) vernietiging, verdelging *v.*
extirper [è(k)stirpé] *v.t.* **1** uitroeien; **2** uitsnijden, wegsnijden; **3** vernietigen, verdelgen.
extorquer [è(k)stòrké] *v.t.* **1** (*v. geld*) afpersen; **2** (*v. handtekening, enz.*) afdwingen.
extorqueur [è(k)stòrkœ:r] *m.* afperser *m.*
extorsion [è(k)stòrsyõ] *f.* **1** afpersing *v.*; **2** (het) afdwingen *o.*
extra [è(k)stra] **I** *m.* (*pl.*: ***des —***) **1** iets buitengewoons, extra *o.*; **2** noodhulp *v.(m.)*; **II** *adj.* buitengewoon, prima, zeer; ***qualité —,*** prima kwaliteit.
extra-budgétaire [è(k)strabüdjétè:r] buiten de begroting om.
extra-conjugal [è(k)strakõ˙jügal] *adj.* buitenechtelijk.
extracteur [è(k)straktœ:r] *m.* **1** uittrekker *m.*; **2** (*v. geweer*) patroontrekker *m.*; **3** (honig)slinger *m.*; **4** (*gen.*) extractor *m.*; **5** (*tn.*) exhaustor *m.*
extractible [è(k)strakti˙bl] *adj.* uittrekbaar.
extraction [è(k)straksyõ] *f.* **1** uittrekking *v.*; **2** (*v. kolen*) opdelving *v.*; **3** (*v. petroleum*) (het) winnen *o.*; **4** (*gen.*) verwijdering *v.*; (het) verwijderen, (het) uittrekken *o.*; **5** (*v. suiker*) bereiding *v.*; **6** afkomst *v.*; stand *m.*; ***de basse —,*** van lage afkomst; — ***de racines,*** (*wisk.*) worteltrekking *v.*
extrader [è(k)stradé] *v.t.* uitleveren.
extradition [è(k)stradisyõ] *f.* uitlevering *v.*
extrados [è(k)strado] *m.* (*v. gewelf en dgl.*) buitenvlak *o.*
extra-européen [è(k)straœròpéẽ] *adj.* buiten-Europees.
extra-fin [è(k)strafẽ] *adj.* prima, extra-fijn.
extra-fort [è(k)strafò:r] *m.* zoomband *o. en m.*
extraire* [è(k)strè:r] *v.t.* **1** uittrekken; **2** (*v. tand*) trekken; **3** (*v. kolen*) opdelven; **4** (*v. petroleum, enz.*) winnen; **5** (*v. boek*) uittreksels maken uit; **6** (*aan boek, tijdschrift*) ontlenen; **7** (*wisk.*: *v. wortel*) trekken; **8** (*gen.*) verwijderen (uit).
extrait [è(k)strè] *m.* **1** uittreksel *o.*; **2** fragment *o.*; **3** aftreksel, extract *o.*; — ***de naissance,*** geboorteakte *v.(m.)*, uittreksel *o.* uit het geboortenregister; — ***mortuaire,*** uittreksel uit het overlijdensregister; — ***de viande,*** vleesextract *o.*
extrajudiciaire(ment) [è(k)strajüdisyè˙r(mã)] *adj.(adv.)* buitengerechtelijk.
extralégal [è(k)stralégal] *adj.* onwettig.
extra-muros [è(k)stramüro˙s] *adv.* buiten de stad.
extranéité [è(k)stranéité] *f.* (*recht*) vreemdelingschap *v.*
extraordinaire [è(k)straòrdinè:r] **I** *adj.* **1** buitengewoon; **2** ongewoon, ongemeen; **3** bijzonder, uitstekend; **4** (*v. gedachten*) zonderling; **II** *s., m.* (het) buitengewone *o.*; ***par —,*** bij uitzondering.

extraordinairement [è(k)straòrdinè˙rmã] *adv.* **1** buitengewoon; **2** ongemeen; bijzonder.
extrapolation [è(k)strapòlɑ˙syõ] *f.* extrapolering *v.*
extrapoler [è(k)strapòlé] *v.t.* extrapoleren.
extra-réglementaire [è(k)straréglemã˙tè:r] *adj.* buiten de voorschriften om. [verband.
extrascolaire [è(k)straskòlè:r] *adj.* buiten school-
extravagance [è(k)stravagã:s] *f.* **1** buitensporigheid *v.*; **2** dwaasheid, onzinnigheid *v.*; **3** ongerijmdheid *v.*
extravagant [è(k)stravagã] **I** *adj.* **1** buitensporig; **2** dwaas, onzinnig, mal; **3** ongerijmd; **II** *s., m.* onzinnig persoon, zonderling *m.* [heden begaan.
extravaguer [è(k)stravagé] *v.i.* raaskallen; dwaas-
extravaser, s'— [sè(k)stravazé] *v.pr.* (*v. bloed en ander lichaamsvocht*) zich (buiten de normale kanalen) uitstorten.
extrême [è(k)strè:m] **I** *adj.* **1** uiterst; laatst; **2** buitengewoon, bijzonder, ongemeen; **3** (*v. warmte, koude*) hevigste; **4** (*v. ouderdom*) hoogste; ***cours —s,*** hoogste en laagste koersen; ***il est — en tout,*** hij is overdreven in alles, hij vervalt steeds tot uitersten; **II** *s., m.* **1** uiterste *o.*; **2** (*wisk.*) uiterste term *m.*; **3** (*sp.*) buitenspeler *m.*; ***les —s se touchent,*** de uitersten raken elkander; ***— droit,*** rechtsbuiten; ***— gauche,*** linksbuiten; ***pousser à l'—,*** tot het uiterste drijven.
extrêmement [è(k)strè˙m(m)ã] *adv.* uiterst, uitermate, buitengewoon, bijzonder.
extrême-onction [è(k)strè˙mõ˙ksyõ] *f.* (*kath.*) H. Oliesel *o.* [ten, Oost-Azië *o.*
Extrême-Orient [è(k)strè˙mòryã] *m.* Verre Oos-
extrême-oriental [è(k)strè˙mòryã˙tal] *adj.* uit het Verre Oosten, Oostaziatisch.
extrémiste [è(k)strémist] **I** *m.* extremist, ultra *m.*; **II** *adj.* extremistisch.
extrémité [è(k)strémité] *f.* **1** uiteinde *o.*; **2** (*v. leven, enz.*) uiterste, einde *o.*; **3** grens *v.(m.)*; **4** (*v. vinger*) top *m.*; **5** overdrijving *v.*; buitensporigheid *v.*; ***pousser à l'—,*** tot het uiterste drijven; ***être à l'—,*** op het uiterste liggen; ***être réduit à la dernière —,*** in de uiterste nood gebracht zijn.
extrinsèque [è(k)strẽ˙sèk] *adj.* uiterlijk, uitwendig; ***valeur —,*** (*v. papieren geld*) nominale —, wettelijk vastgestelde waarde *v.*
exubérance [ègzübérã:s] *f.* **1** (*v. plantengroei*) weelderigheid *v.*; **2** (*v. gevoelens*) uitbundigheid *v.*; **3** (*v. persoon*) uitgelatenheid *v.*; **4** (*v. stijl*) gezwollenheid *v.*; **5** overvloed, rijkdom *m.*; ***— de paroles,*** stortvloed *m.* van woorden, overgrote woordenrijkheid *v.*
exubérant [ègzübérã] *adj.* **1** weelderig; **2** uitbundig; **3** uitgelaten; **4** gezwollen; **5** overvloedig; **6** (*v. gezondheid*) blakend; *voir* ***exubérance.***
exulcération [ègzülsérɑ˙syõ] *f.* (lichte) verzwering *v.*
exulcérer [ègzülséré] *v.t.* (licht) doen verzweren.
exultation [ègzültɑ˙syõ] *f.* gejuich, gejubel *o.*
exulter [ègzülté] *v.i.* juichen, jubelen.
exutoir [ègzütwa:r] *f.* **1** fontanel *v.(m.)*; **2** uitweg *m.*
ex-voto [ègzvoto] *m.* (*pl.*: ***des —***) geloftegift *v.(m.)*.
Ezéchias [ézékyɑ˙s] *m.* Ezechias *m.*
Ezéchiel [ézékyèl] *m.* Ezechiel *m.*

F

f [èf] *f.* f *v.(m.)*.
fa [fa, fɑ] *m.* (*muz.*) fa *v.(m.)*; ***clef de —,*** bassleutel, f-sleutel *m.*
fab (*H.*) fob (franco aan boord).
Fabien [fabyẽ] *m.* Fabianus *m.*
fable [fa˙bl, fɑ˙bl] *f.* **1** fabel *v.(m.)*; **2** fabelleer *v.(m.)*, mythologie *v.*; **3** stof *v.(m.)* (*v. verhaal, v. roman*); **4** verdichtsel, verzinsel *o.*; **5** voorwerp *o.* van spot.
fabliau [fa˙bli(y)o, fɑ˙bli(y)o] *m.* Oudfranse vertelling *v.* of sproke *v.(m.)* (gewoonlijk in verzen).
fablier [fa˙bli(y)é, fɑ˙bli(y)é] *m.* **1** fabeldichter *m.*; **2** fabelboek *o.*
fabricant [fabrikã] *m.* fabrikant *m.*
fabricateur [fabrikatœ:r] *m.* (*ong.*) maker, vervaardiger *m.*; **2** (*fig.*) verzinner *m.*; ***— de fausse monnaie,*** valsemunter *m.*
fabrication [fabrikɑ˙syõ] *f.* **1** vervaardiging, fabricatie *v.*, (het) maken *o.*; **2** (*fig.*) (het) verzinnen *o.*; ***secret de —,*** fabrieksgeheim *o.*
fabricien [fabrisyẽ] *m.* kerkmeester *m.*, lid *o.* van de kerkfabriek.
fabrique [fabrik] *f.* **1** fabriek *v.*; **2** (*fig.*) maaksel *o.*; ***marque de —,*** fabrieksmerk *o.*; ***prix de —,*** fabrieksprijs *m.*; ***cela sort de sa —,*** dat komt uit zijn koker; ***— d'église,*** kerkfabriek *v.*
fabriquer [fabriké] *v.t.* **1** vervaardigen, fabriceren; **2** verzinnen; ***qu'est-ce qu'il fabrique donc?*** wat voert hij toch uit?
fabuleux [fabülö] *adj.*, **fabuleusement** [fabülö˙zmã] *adv.* **1** fabelachtig; **2** ongelooflijk.
fabuliste [fabülist] *m.* fabeldichter *m.*
façade [fasa˙d] *f.* **1** gevel, voorgevel *m.*; **2** (*fig.*) schijn *m.*, (het) uiterlijke *o.*; **3** (*pop.*) gezicht *o.*
face [fas] *f.* **1** gezicht, gelaat *o.*; **2** (*v. munt*) voorzijde, beeldzijde *v.(m.)*; **3** (*fig.*) aanzien *o.*, aanblik *m.*, gedaante *v.*; **4** oppervlakte *v.*; **5** zijde *v.(m.)*, kant *m.*; ***balcon de —,*** frontbalkon *o.*; ***portrait de —,*** portret en face; ***à double —,*** **1** (*v. persoon*) niet te vertrouwen; **2** (*v. stof*) zonder keerzijde; **3** (*v. grammofoonplaat, enz.*) aan beide kanten bruikbaar (*of* bespeelbaar); ***à la — de,*** ten aanzien van; ***changer de —,*** een ander aanzien krijgen, van gedaante veranderen; ***sauver la —,*** de schijn redden; ***pile ou —,*** kruis of munt; ***en —,*** **1** openlijk, in 't gezicht; **2** aan de overkant; ***en — de,*** tegenover; ***faire — à qn.,*** naar iem. gekeerd zijn; ***faire — aux difficultés,*** de moeilijkheden het hoofd bieden; ***faire — à ses engagements,*** zijn verplichtingen nakomen; ***— à —,*** van aangezicht tot aangezicht; ***les —s d'un cube,*** de zijden van een kubus.
face*-à-main [fasamẽ] *m.* lorgnet *v.(m.) en o.* met lang handvat.
facétie [fasési] *f.* grap, mop *v.(m.)*.
facétieux [fasésyö] *adj.*, **facétieusement** [fasésyö˙zmã] *adv.* grappig, moppig, koddig.
facette [fasèt] *f.* facet, geslepen vlak *o.*; (*fig.*) ***style à —s,*** schitterende (*of* fonkelende) stijl.
facetter [fasèté] *v.t.* met facetten slijpen.
fâché [fɑ˙ʃé] *adj.* kwaad, boos; ***je suis bien — que...,*** het spijt mij erg, dat...
fâcher [fɑ˙ʃé] **I** *v.t.* **1** kwaad maken, boos maken; **2** ontstemmen; **II** *v.pr.*, ***se —,*** boos worden, zich kwaad maken; zich ergeren; ***se — avec qn.,*** ruzie krijgen met iem., kwade vrienden met iem. worden.
fâcherie [fɑ˙ʃri] *f.* **1** gekibbel, geharrewar *o.*; **2** kwaadheid, boosheid *v.*; **3** onenigheid, verwijdering *v.*

fâcheusement [fa:ʃö'zmã] *adv.* **1** noodlottig; **2** ongelukkig, jammerlijk.
fâcheux [fa'ʃö] **I** *adj.* **1** noodlottig; **2** droevig, spijtig; **3** (*v. toestand*) onaangenaam, lastig, benard; **4** schadelijk; **— *troisième,*** derde persoon die tot last is, dwarskijker *m.*; ***de fâcheuse mémoire,*** onzaliger gedachtenis; **II** *s., m.* **1** lastig persoon, vervelend mens *m.*; **2** (het) vervelende *o.*
facial [fasyal] *adj.* gelaats-, aangezichts-; ***angle —,*** gelaatshoek *m.*; ***nerf —,*** gelaatszenuw *v.(m.)*; ***massage —,*** gezichtsmassage *v.*
faciès [fasyè's] *m.* **1** gelaat, gezicht *o.*; **2** (*pop.*) facie *o. en v.*, tronie *v.*; **3** (*v. plant*) uiterlijk *o.*
facile [fasil] *adj.* **1** gemakkelijk; **2** (*v. stijl*) vloeiend; **3** (*v. karakter*) inschikkelijk, meegaand; **4** (*v. zeden*) los, licht; ***c'est — à dire,*** dat is gauw gezegd.
facilement [fasilmã] *adv.* gemakkelijk.
facilité [fasilité] *f.* **1** gemakkelijkheid *v.*; **2** vloeiendheid *v.*; **3** inschikkelijkheid, meegaandheid *v.*; **4** losheid *v.*; ***avec —,*** gemakkelijk; ***—s de paiement,*** termijnbetaling *v.*
faciliter [fasilité] *v.t.* **1** vergemakkelijken, gemakkelijk maken; **2** (*werk, enz.*) verlichten.
façon [fasõ] *f.* **1** (*v. grond*) werk *o.*, bewerking *v.*; **2** (*v. bewerkte voorwerpen*) vorm *m.*; **3** (*v. kleren*) snit *m. en v.*, fatsoen *o.*; **4** maakloon *o.*; **5** manier, wijze, handelwijze *v.(m.)*; **6** voorkomen, gedrag *o.*; **7** plichtpleging *v.*; ***de — de,*** zodat; ***sans —,*** zonder omslag; ***—s,*** complimenten, drukte, plichtplegingen; ***c'est une — de parler,*** bij wijze van spreken; ***c'est sa —,*** dat is zo zijn manier van doen, zo is hij nu eenmaal; ***en aucune —,*** geenszins; ***en quelque —,*** enigszins; ***de toute —,*** in elk geval, hoe het ook zij; ***de la belle —,*** flink, duchtig; ***travailler à —,*** de geleverde stof verwerken.
faconde [fakõ:d] *f.* welbespraaktheid *v.*
façonnage [fasòna:j] *m.* fatsoenering, bewerking *v.*
façonné [fasòné] *adj.* **1** bewerkt; **2** (*v. stof*) gewerkt.
façonner [fasòné] **I** *v.t.* **1** bewerken, fatsoeneren; **2** vormen; **II** *v.pr.*, ***se — (à),*** **1** gewennen (aan); **2** zich schikken (naar).
façonnier [fasònyé] **I** *m.* **1** maakloonwerker, fatsoeneerder *m.*; **2** complimentenmaker *m.*; **II** *adj.* die veel complimenten maakt, overbeleefd; ***être —,*** complimenten maken.
fac-similaire [faksimilè:r] *adj.* getrouw weergegeven; ***copie —,*** getrouw afschrift.
fac-similé* [faksimilé] *m.* facsimile *o.*, getrouwe reproduktie, getrouwe kopie *v.*
factage [fakta:j] *m.* **1** (*v. goederen*) (het) bestellen *o.*, bezorging *v.*; **2** bestelloon *o.*; **3** bestelkantoor *o.*
facteur [faktœ:r] *m.* **1** brievenbesteller *m.*; **2** (*v. goederen*) besteller *m.*; **3** fabrikant (v. muziekinstrumenten) *m.*; **4** (*wisk.*) factor *m.*; **5** dienstman, pakjesdrager *m.*; **6** makelaar *m.*; **7** (*fig.*) factor *m.*, meewerkende oorzaak *v.(m.)*; ***— rural,*** postbode *m.*
facteur*-télégraphiste* [faktœ'rtélégrafist] *m.* telegrambesteller *m.*
factice [faktis] *adj.* **1** nagemaakt; kunstmatig; **2** gemaakt, gekunsteld; **3** denkbeeldig; voorgewend.
factieux [faksyö] **I** *adj.* oproerig; **II** *s., m.* oproermaker, muiter *m.*
faction [faksyõ] *f.* **1** wacht *v.(m.)*; **2** (oproerige) partij *v.*, kliek *v.(m.)*; ***être en —,*** op wacht staan; ***faire —,*** schilderen.
factionnaire [faksyònè:r] *m.* schildwacht *m.*
factitif [faktitif] *adj.* (*gram.*) factitief.
factorat [faktòra] *m.* (*H.*) makelaarschap *o.*
factorerie [faktòreri] *f.* factorij *v.*, handelskantoor [*o.*
factotum [faktotòm] *m.* **1** duivelstoejager *m.*, factotum *o. en m.*; **2** helper *m.*
factum [faktòm] *m.* **1** (*recht*) verweerschrift *o.*; **2** (*ong.*) pamflet *o.*
facturation [faktüra'syõ] *f.* (*H.*) (het) factureren *o.*
facture [faktü:r] *f.* **1** (*H.*) factuur *v.*; **2** (*v. orgels, piano's*) fabricatie *v.*; **3** (*v. werk*) uitvoering, bewerking *v.*; ***d'une bonne —,*** (*v. boek*) goed in elkaar gezet; ***prix de —,*** fabrieksprijs *m.*; ***timbre de —,*** plakzegel *m.*; ***— simulée,*** pro-formarekening *v.*
facturer [faktü'ré] *v.t.* factureren, in rekening brengen.
facturier [faktüryé] *m.* **1** factuurboek *o.*; **2** facturist *m.*; ***— d'entrée,*** factuurboek voor inkomende waren.
facule [fakül] *f.* (*sterr.*) zonnefakkel *v.(m.)*.
facultatif [faküItatif] *adj.*, **facultativement** [faküItati'vmã] *adv.* **1** facultatief, niet verplicht; **2** naar verkiezing, willekeurig; ***arrêt —,*** halte op verzoek; ***rendre —,*** facultatief stellen.
faculté [fakülté] *f.* **1** (*v. geest*) vermogen *o.*; **2** aanleg *m.*, bekwaamheid *v.*; **3** (*recht*) bevoegdheid *v.*, recht *o.*; **4** (*v. hogeschool*) faculteit *v.*
fada [fada] *m.* (*fam.*) dwaas *m.*, uilskuiken *o.*
fadaise [fadè:z] *f.* flauwiteit *v.*
fadard [fada:r] *m.* (*pop.*) fat *m.*
fadasse [fadas] *adj.* (*v. smaak*) zeer flauw, laf.
fade(ment) [fa'd(mã)] *adj.(adv.)* **1** flauw, laf, smakeloos; **2** (*v. stijl, enz.*) futloos; ***avoir le cœur —,*** wee zijn.
fadet [fadè] *adj.* een beetje flauw.
fadeur [fadœ:r] *f.* **1** flauwheid, smakeloosheid *v.*; **2** onbeduidendheid *v.*; **3** flauwiteit *v.*
fading [fédè'g] *m.* (*radio*) fading, sluiering *v.*
fafiot [fafyo] *m.* (*arg.*) briefje, bankbiljet *o.*; ***— à roulotter,*** sigarettepapier, vloeitje *o.*
faginé [fajin] *f.* beukenoteolie *v.(m.)*.
fagne [fañ] *f.* **1** hoogveen *o.*; **2** bergmoeras *o.*
fagot [fago] *m.* **1** takkenbos, mutsaard *m.*; **2** pak *o.*, bundel *m.*; ***conter des —s,*** praatjes voor de vaak houden; ***sentir le —,*** naar de mutsaard rieken; ***il y a —s et —s,*** alle hout is geen timmerhout; ***habillé comme un —,*** smakeloos, slordig gekleed; ***de derrière les —s,*** van de bovenste plank.
fagotage [fagòta:j] *m.* **1** (het) binden *o.* van takkenbossen; **2** (*fig.*) knoeiwerk *o.*
fagoter [fagòté] *v.t.* **1** in bossen binden; **2** (*fig.*) samenflansen; **3** toetakelen.
fagoteur [fagòtœ:r] *m.* **1** takkenbosbinder *m.*; **2** knoeier *m.*
fagotin [fagòtẽ] *m.* **1** takkenbosje *o.*; **2** vuurmaker *m.*
faguette [fagèt] *f.* takkenbosje *o.*
faiblard [fè'bla:r] *adj.* zwakjes.
faible(ment) [fè'bl(mã)] **I** *adj.(adv.)* **1** zwak; **2** (*v. waarde, inkomsten, enz.*) gering; **3** (*v. koffie*) slap; **4** (*v. wijn*) licht; **II** *s., m.* **1** zwakke zijde, zwakke plaats *v.(m.)*; **2** zwak *o.*, voorliefde *v.*; ***prendre par son —,*** in zijn zwak tasten; ***avoir un — pour,*** een zwak hebben voor.
faiblesse [fè'blès] *f.* **1** zwakte *v.*; **2** zwakheid *v.*; **3** geringheid *v.*; ***tomber en —,*** flauw vallen.
faiblir [fè'bli:r] *v.i.* **1** verzwakken; **2** verflauwen, verslappen; **3** (*v. moed*) wankelen; **4** (*v. wind*) gaan liggen.
faïence [fayã:s] *f.* aardewerk, plateel *o.*
faïencerie [fayã'sri] *f.* **1** plateelbakkerij *v.*; **2** aardewerk *o.*
faïencier [fayã'syé] *m.* plateelbakker *m.*
faille [fa'y] *f.* **1** spleet *v.(m.)* in aardlaag; breuk *v.(m.)* in een mijnader; **2** faliezijde *v.(m.)*.
failli [fayi] *m.* gefailleerde *m.*
faillibilité [fayibilité] *f.* feilbaarheid *v.*
faillible [fayi'bl] *adj.* feilbaar.
faillir* [fayi:r] *v.i.* **1** falen; **2** (*H.*) failliet gaan; **3**

— à, te kort schieten in; ***il a failli tomber,*** hij was haast gevallen.
faillite [fayit] *f.* **1** (*H.*) faillissement *o.*; **2** (*fig.*) bankroet *o.*, mislukking *v.*; ***être en —,*** failliet zijn; ***faire —,*** failleren, failliet gaan.
faim [fẽ] *f.* **1** honger *m.*; **2** (*fig.*) zucht *v.*(*m.*), verlangen *o.*; ***— canine, — de loup,*** geeuwhonger *m.*; ***crier la —,*** uitgehongerd zijn; ***la — chasse le loup du bois,*** honger is een scherp zwaard; nood leert bidden; ***manger à sa —,*** zijn genoegen eten.
faim-valle [fẽ'val] *f.* (*v. paarden*) geeuwhonger *m.*, vraatzucht *v.*(*m.*).
faine [fè:n] *f.* (*Pl.*) beukenoot *v.*(*m.*).
fainéant [fénéã] **I** *adj.* nietsdoend, lui, vadsig; ***les Rois —s,*** (*gesch.*) de Schijnkoningen, de laatste Merovingers; **II** *s., m.* nietsdoener, luiaard *m.*
fainéanter [fénéã'té] *v.i.* nietsdoen, lanterfanten, luieren.
fainéantise [fénéã'ti:z] *f.* ledigheid *v.*, nietsdoen *o.*, luiheid, lanterfanterij *v.*
faire* [fè:r] **I** *v.t.* **1** maken (vervaardigen, oprichten, vormen); **2** (*v. brug*) bouwen; **3** (*v. boek*) schrijven; **4** (*v. muziek*) componeren; **5** (*v. rede, enz.*) opstellen; **6** fabriceren; **7** (*v. geld*) opbrengen, opleveren; **8** (*v. bed*) opmaken; **9** doen; **10** verrichten, volbrengen, uitvoeren; **11** (*v. redevoering*) houden, uitspreken; **12** (*v. oorlog*) voeren; **13** (*v. vrede*) sluiten; **14** (*v. handel*) drijven; **15** (*v. weg*) afleggen; **16** (*v. winst*) behalen; **17** (*v. dwaasheid*) begaan; ***— sa barbe,*** zich scheren; ***— ses dents,*** tanden krijgen; ***— l'aumône,*** een aalmoes geven; ***— de la bicyclette,*** fietsen; ***— du 60 à l'heure,*** 60 km per uur rijden; ***— du sport,*** aan sport doen; ***— le malade,*** zich ziek houden; ***— naufrage,*** schipbreuk lijden; ***— son droit,*** in de rechten studeren; ***— du tort,*** benadelen; ***— le jeu de qn.,*** in iemands kaart spelen; ***avoir fort à —,*** de handen vol hebben, het druk hebben; ***comment — ?*** hoe zullen wij het aanleggen ? ***il ne faut pas me la —,*** maak dat de ganzen wijs; ***on ne me la fait pas,*** ik laat me niets wijsmaken, ik laat me niet beetnemen; ***— de son mieux,*** zijn best doen; ***ce n'est ni fait ni à —,*** dat is knoeiwerk; ***— vanité de,*** prat gaan op; ***— la province,*** (*H.*) de provincie afreizen; ***— la place,*** (*H.*) de stad bewerken; ***je n'en ferai rien!*** ik denk er niet aan! ***c'est bien fait!*** goed zo! ***une phrase toute faite,*** een geijkte (*of* staande) uitdrukking; ***cela vaut fait,*** dat is zo goed als klaar; ***voilà qui est fait,*** dat is klaar; ***c'en est fait,*** het is gedaan, het is afgelopen, nu is 't uit; ***ce qui est fait est fait,*** gedane zaken nemen geen keer; ***cela ne fait rien,*** dat doet er niet toe; ***il ne fait que de partir,*** hij is juist vertrokken; ***grand bien vous fasse!*** **1** wel bekome het u! **2** geluk er mee! **II** *v.i.*, ***rien n'y fit,*** niets mocht baten; ***cela fait bien*** (***avec***), dat staat goed (bij); ***— bien ensemble,*** goed bij elkaar passen; ***faites!*** ga uw gang! ***en — à sa tête,*** zijn eigen zin volgen; ***je n'y fais plus,*** ik doe niet meer mee; **III** *v.imp.*, ***il fait beau*** (***temps***), het is mooi weer; ***il fait froid,*** het is koud; ***il fait du vent,*** het waait; ***il se fait tard,*** het wordt laat; **IV** *v.pr.*, ***se —,*** **1** gebeuren; **2** (*v. huwelijk, aanstelling*) plaats hebben; **3** (*v. wil*) geschieden; **4** (*v. stilte*) ontstaan; ***se — prêtre*** (***instituteur, soldat***), priester (onderwijzer, soldaat) worden; ***se — vieux,*** oud worden; ***le vin doit se —,*** de wijn moet belegen worden; ***se — à la situation,*** aan de toestand gewoon raken; zich schikken in de toestand; ***se — de la bile,*** zich ergeren; ***se — un devoir de,*** het zich tot een plicht rekenen; ***comment se fait-il que...?*** hoe komt het dat...? ***s'en —,*** **1** zich ongerust maken; **2** zich ergeren; **V** *s., m.* **1** (het) doen *o.*, uitvoering *v.*; **2** manier *v.*(*m.*) (*v. schrijven, schilderen, enz.*).
faire-part [fè'rpa:r] *m.* kennisgeving *v.* (*v. huwelijk, overlijden, enz.*).
faire-valoir [fè'rvalwa:r] *m.* exploitatie *v.*, (het) produktief maken *o.*
faisable [f(e)za'bl] *adj.* doenlijk, uitvoerbaar.
faisan [fezã] *m.* fazant *m.*
faisandage [fezã'da:j] *m.* (*v. wild*) (het) adellijk laten worden *o.*
faisande [fezã'd] *f.* fazantehen *v.*
faisandé [fezã'dé] *adj.* **1** (*v. wild*) adellijk; **2** (*fig.*) [bedorven.
faisandeau [fezã'do] *m.* jonge fazant *m.*
faisander [fezã'dé] *v.t.* (*v. wild*) adellijk laten worden, laten besterven.
faisanderie [fezã'dri] *f.* fazantenpark *o.*
faisandier [fezã'dyé] *m.* fazantenhouder *m.*
faisane [fezan], *voir* ***faisande.***
faisceau [fèso] *m.* **1** bundel, bos *m.*; **2** (*v. geweren*) rot *o.*; **3** (*gesch.*) bijlbundel *m.*; **4** (*fig.*) groep *v.*(*m.*), geheel *o.*; ***— lumineux,*** lichtbundel *m.*; ***former les —x, mettre les fusils en —s,*** (*mil.*) de geweren aan rotten zetten; ***rompre les —x,*** de geweren hernemen, de rotten verbreken; ***un — d'arguments,*** een groep argumenten.
faiseur [f(e)zœ:r] *m.*, **faiseuse** [f(e)zö:z] *f.* **1** maker *m.*, maakster *v.*; **2** intrigant *m.*; **3** opsnijder, opschepper *m.*; **4** kleermaker *m.*; ***les grands diseurs ne sont pas les —s,*** de harde schreeuwers doen het minst.
faisse [fès] *f.* tenen band *m.*
faisselle [fèsèl] *f.* tenen mand *v.*(*m.*).
faisserie [fèsri] *f.* mandewerk *o.*
fait [fèt, *plur.* fè] **I** *adj.* **1** gemaakt; **2** gevormd, gebouwd; **3** volwassen; **4** (*v. kaas, wijn*) belegen; **5** (*v. prijs*) vast; ***bien —,*** goed gebouwd, wel gevormd; ***idée toute —e,*** gemeenplaats *v.*(*m.*); ***vêtements tout —s,*** gemaakte kleren; ***— pour,*** geschikt voor, geschapen (*of* in de wieg gelegd) voor; **II** *s., m.* **1** feit *o.*; **2** daad *v.*(*m.*), handeling *v.*; **3** voorval *o.*, gebeurtenis *v.*; **4** werkelijkheid *v.*; ***— accompli,*** voldongen feit; ***prendre sur le —,*** op heterdaad betrappen; ***c'est un —,*** dat is onbetwistbaar; ***cela n'est pas votre —,*** dat is niets voor u; ***en venir au —,*** ter zake komen; ***être sûr de son —,*** zeker zijn van zijn zaak; ***dire son — à qn.,*** iem. (flink) de waarheid zeggen; ***il a son —,*** hij heeft zijn verdiende loon; hij heeft zijn bekomst; ***voies de —,*** handtastelijkheden *mv.*; ***prendre — et cause pour qn.,*** het opnemen voor iem.; ***les —s et gestes,*** **1** (het) gedrag *o.*; **2** (het) doen en laten *o.*; ***—s divers,*** gemengde berichten *mv.*; ***—s d'armes,*** wapenfeiten *mv.*; ***hauts —s,*** heldendaden; ***être au —,*** op de hoogte zijn; ***mettre au —,*** op de hoogte brengen; ***en — de,*** op het stuk van, wat betreft; ***par mon —,*** door mijn toedoen; ***si —,*** toch wel; ***tout à —,*** helemaal, geheel en al.
faitage [fèta:j] *m.* **1** nokbalk *m.*; **2** nokbedekking *v.*, nokpannen *mv.*
faîte [fè:t] *m.* **1** nok, vorst *v.*(*m.*); **2** (*v. boom*) top *m.*; **3** (*fig.: v. roem, enz.*) toppunt *o.*; ***ligne de —,*** kam *m.* (*v. gebergte*).
faîteau [fè'to] *m.* nokversiering *v.*; vorstpan *v.*(*m.*).
faîtière [fè'tyè:r] *f.* **1** nokpan, vorstpan *v.*(*m.*); **2** dakvenstertje, dakraampje *o.*; **3** tentstaak *m.*
fait-tout [fètu] *m.* kookpan *v.*(*m.*).
faix [fè] *m.* **1** last *m.*, vracht *v.*(*m.*); **2** (*bouwk.*) zetting *v.*
fakir, faquir [faki:r] *m.* fakir *m.*
falaise [falè:z] *f.* steile kust *v.*(*m.*), rotswand *m.* [(aan de kust).
falarique [falarik] *f.* (*gesch.*) brandpijl, vuurpijl *m.*
falbala [falbala] *m.* **1** strook *v.*(*m.*), oplegsel *o.*; **2**

(*fig.*) tierelantijn *m.*; **—s,** strikjes en kwikjes *mv.*
falbalasser [falbalasé] *v.t.* met oplegsels garneren.
falciforme [falsifòrm] *adj.* sikkelvormig. [*mv.*
falconidés [falkònidé] *m.pl.* (*Dk.*) valkachtigen
falerne [falèrn] *m.* befaamde Italiaanse wijn *m.*
fallacieux [falasyö] *adj.*, **fallacieusement** [falasyö'zmã] *adv.* bedrieglijk.
falloir* [falwa:r] *v.imp.* **1** moeten; nodig zijn; **2** nodig hebben; ***il le faut,*** het moet; ***il me faut partir, il faut que je parte,*** ik moet vertrekken; ***il me faut un livre,*** ik heb een boek nodig; ***il faut un livre à mon frère,*** mijn broer heeft een boek nodig; ***comme il faut,*** zoals het behoort; ***un homme comme il faut,*** een deftig man; ***s'en —,*** schelen; ontbreken; ***il s'en faut de peu,*** het scheelt weinig.
falot [falo] **I** *m.* **1** stoklantaarn *v.(m.)*; **2** achterlicht *o.*; **II** *adj.* mal, gek, onnozel.
falourde [falurd] *f.* bos *m.* knuppelhout.
falsificateur [falsifikatœ:r] *m.* vervalser *m.*
falsification [falsifika'syõ] *f.* vervalsing *v.*
falsifier [falsifyé] *v.t.* vervalsen.
faluche [falüʃ] *f.* studentenmuts *v.(m.)*.
falun [falœ̃] *m.* schelpzand *o.*
falunière [falünyè:r] *f.* schelpmergelgroeve *v.(m.)*.
famé [famé] *adj.* befaamd; ***bien —,*** gunstig bekend, te goeder faam bekend; ***mal —,*** berucht.
famélique [famélik] **I** *adj.* hongerig, hongerlijdend; ***auteur —,*** broodschrijver *m.*; **II** *s., m.* hongerlijder *m.* [zend.
fameusement [famö'zmã] *adv.* geweldig, verbafameux
fameux [famö] *adj.* **1** befaamd, beroemd; **2** (*ong.*) berucht; **3** uitstekend, fameus; ***du vin —,*** fijne wijn; ***ce n'est pas —,*** 't is niet veel zaaks.
familial [familyal] *adj.* **1** gezins—, familie—; **2** huiselijk, gezellig; ***allocation —e,*** gezinsvergoeding *v.*; ***régime —,*** (*v. krankzinnigen*) gezinsverpleging *v.*
familiale [familyal] *f.* station-car *m. en v.*
familiariser [familyari'zé] (***avec***), **I** *v.t.* vertrouwd maken (met), gewennen (aan); **II** *v.pr.*, ***se —,*** **1** vertrouwd raken (met), wennen (aan); **2** (*v. taal, enz.*) zich eigen maken.
familiarité [familyarité] *f.* **1** gemeenzaamheid, vertrouwelijkheid, familiariteit *v.*; **2** (*ong.*) vrijpostigheid *v.*; **3** vertrouwelijke omgang *m.*; **4** (*met taal, enz.*) bekendheid, vertrouwdheid *v.*
familier [familyé] **I** *adj.* **1** familie—, huis—; **2** (*v. omgang*) gemeenzaam; familiaar; **3** (*v. toon*) ongedwongen; **4** (*v. dier*) tam; **5** (*v. taal, stijl*) gewoon, dagelijks; alledaags; ***l'espagnol lui est —,*** hij is goed vertrouwd met het Spaans; ***cet auteur lui est —,*** hij is goed bekend met die schrijver; ***son visage m'est —,*** ik heb dat gezicht meer gezien; **II** *s., m.* huisvriend *m.*; vertrouwde *m.*
familièrement [familyè'rmã] *adv.* **1** (*omgaan*) gemeenzaam; **2** (*praten*) ongedwongen.
familistère [familistè:r] *m.* **1** huurkazerne *v.(m.)*; **2** verbruikscoöperatie *v.*
famille [fami'y] *f.* **1** gezin, huisgezin *o.*; **2** familie *v.*; **3** geslacht *o.*; **4** kroost *o.*; ***père de —,*** huisvader *m.*; ***fils de —,*** jongmens van goeden huize; ***soutien de —,*** kostwinner *m.*; ***vie de —,*** huiselijk leven; ***en —,*** in de familiekring; ***air de —,*** familietrek *m.*, gelijkenis *v.*
famine [famin] *f.* hongersnood *m.*; ***prendre par la —,*** (*v. stad*) uithongeren; ***crier —,*** zijn nood klagen; ***salaire de —,*** hongerloon *o.*
famosité [famozité] *f.* befaamdheid; beruchtheid *v.*
fanage [fana:ʒ] *m.* **1** (het) hooien *o.*; **2** hooioogst *m.*
fanaison [fanè'zõ] *f.* hooitijd *m*
fanal [fanal] *m.* **1** scheepslantaarn *v.(m.)*; **2** (*v. haven*) lichtbaak *v.(m.)*; **3** vuurbaak *v.(m.)*, kustlicht *o.*; **4** (locomotief)lantaarn *v.(m.)*; **5** (*fig.*) gids, wegwijzer *m.*; ***— de signaux,*** seinlamp *v.(m.)*.
fanatique [fanatik] **I** *adj.* dweepziek, fanatiek; ***zèle —,*** vurige ijver; **II** *s., m.* **1** dweper *m.*; **2** geestdrijver *m.*
fanatiquement [fanatikmã] *adv.* fanatiek.
fanatiser [fanati'zé] *v.t.* opzwepen, dweepziek maken. [dweperij *v.*
fanatisme [fanatizm] *m.* dweepzucht *v.(m.)*,
Fanchon [fã'ʃõ] *f.* (*meisjesnaam*) Fransje *v.*; ***f—,*** *f.* hoofddoek *m.*
fandango [fã'dã'go] *m.* bep. Spaanse dans *m.*
fane [fan] *f.* **1** droge bladeren *mv.*; **2** loof *o.* (*v. aardappelen, enz.*). [verlept.
fané [fané] *adj.* **1** flets, verwelkt; **2** (*v. schoonheid*)
faner [fané] **I** *v.t.* **1** hooien; **2** doen verwelken; **3** (*v. kleuren*) doen verschieten; **II** *v.pr.*, ***se —,*** **1** verwelken; **2** (*v. kleur*) verschieten; **3** (*fig.*) verleppen.
faneur [fanœ:r] *m.* hooier *m.*
faneuse [fanö:z] *f.* **1** hooister *v.*; **2** hooimachine *v.*
fanfan [fã'fã] *m.* (*als liefkozing v. kind*) kindje, hartje, schatje *o.*
fanfare [fã'fa:r] *f.* **1** fanfare *v.(m.)*; **2** trompetgeschal *o.*; **3** fanfarekorps *o.*; **4** (*fig.*) ophef *m.*; ***faire — de,*** ophef maken van.
fanfarer [fã'faré] *v.t.* uitbazuinen. [korps.
fanfariste [fã'farist] *m.* lid *o.* van een fanfare-
fanfaron [fã'farõ] **I** *adj.* snoevend, blufferig; **II** *s., m.* snoever, bluffer, pocher *m.*
fanfaronnade [fã'faròna'd] *f.* snoeverij, pocherij, opsnijderij *v.*, grootspraak *v.(m.)*.
fanfaronner [fã'faròné] *v.i.* snoeven, pochen.
fanfaronnerie [fã'faròni] *f.* snoeverij, pocherij *v.*
fanfreluche [fã'frelüʃ] *f.* **1** snuisterij *v.*; **2** tierelantijntje *o.*, strikjes en kwikjes *mv.*
fange [fã:ʒ] *f.* slijk *o.*, modder *m.* (*ook fig.*); ***sortir de la —,*** van zeer geringe afkomst zijn.
fangeux [fã'ʒö] *adj.* slijkerig, modderig.
fanion [fanyõ] *m.* vaantje, vlaggetje *o.*
fanoir [fanwa:r] *m.* droogrek *o.*, droogkegel *m.* (voor hooi).
fanon [fanõ] *m.* **1** (*v. banier, v. mijter*) slip *v.(m.)*; **2** (*v. rund*) kossem *m.*, halskwab *v.(m.)*; **3** (*v. walvis*) baard *m.*
fantaisie [fã'tè'zi] *f.* **1** verbeeldingskracht *v.(m.)*, fantasie *v.*; **2** gril, luim *v.(m.)*; **3** goeddunken *o.*; ***à sa —,*** naar zijn zin; ***pain de —,*** fijn brood, casinobrood *o.*
fantaisiste [fã'tè'zist] **I** *adj.* **1** (*v. persoon*) grillig; **2** (*v. verhaal, enz.*) verzonnen, gefingeerd; **II** *s., m.* **1** fantasieschilder (schrijver, enz.) *m.*; **2** (*ong.*) fantast *m.* [ruiterspel *o.*
fantasia [fã'tazya] *f.* fantasia *v.(m.)*, Arabisch
fantasmagorie [fã'tasmagòri] *f.* **1** schimmenspel *o.*, fantasmagorie *v.*; **2** (*fig.*) zinsbegoocheling *v.*
fantasmagorique [fã'tasmagòrik] *adj.* fantasmagorisch.
fantasque(ment) [fã'task(emã)] *adj.(adv.)* grillig, eigenzinnig, wispelturig.
fantassin [fã'tasẽ] *m.* infanterist *m.*
fantastique(ment) [fã'tastik(mã)] *adj.(adv.)* **1** fantastisch, wonderlijk; **2** grillig; **3** (*v. rijkdom*) fabelachtig.
fantoche [fã'tòʃ] *m.* marionet, ledenpop *v.(m.)*.
fantomatique [fã'tòmatik] spookachtig.
fantôme [fã'to:m] *m.* **1** spook *o.*; **2** schim *v.(m.)*; **3** hersenschim *v.(m.)*; **4** dummy *m.*; reisexemplaar *o.*; ***le vaisseau —,*** het spookschip, de Vliegende Hollander.
fanton [fã'tõ], *voir* ***fenton.***

fanu [fanü] *adj.* met veel loof, loofrijk.

fanure [fanü:r] *f.* (het) verwelkt zijn *o.*

faon [fã] *m.* jong *o.* (*v. hert, v. reebok*).

faquin [fakẽ] *m.* ploert *m.*

faquinerie [fakinri] *f.* schurkenstreek *m. en v.*

faquir [faki:r], *voir* ***fakir.***

farad [fara] *m.* (*el.*) farad *m.*, eenheid van elektrische capaciteit.

faradisation [faradiza'syõ] *f.* (*gen.*) medische behandeling *v.* met elektriciteit.

farandole [farã'dòl] *f.* slingerdans *m.*

faraud [faro] **I** *adj.* verwaand, pronkerig; **II** *s., m.* verwaande gek, pronker *m.*

farce [fars] *f.* **1** grap *v.*(*m.*); **2** (*lett.*) klucht *v.*(*m.*), kluchtspel *o.*; **3** vulsel *o.* (*bv. van gehakt vlees*); ***faire une — à qn.,*** iem. een poets bakken.

farceur [farsœ:r] *m.*, **farceuse** [farsö:z] *f.* grappenmaker *m.*, —maakster *v.*

farci [farsi] *adj.* **1** gefarceerd, opgevuld; **2** (*fig.*) ***— de,*** doorspekt met, volgepropt met.

farcineux [farsinö] *adj.* droezig.

farcir [farsi:r] *v.t.* **1** opvullen; **2** doorspekken (met), volproppen (met).

farcissure [farsisü:r] *f.* **1** (het) farceren *o.*; **2** opvulsel *o.*

fard [fa:r] *m.* **1** blanketsel *o.*; **2** veinzerij *v.*; ***sans —,*** onopgesmukt, onbewimpeld.

farde [fard] *f.* **1** grote baal *v.*(*m.*) (koffie); **2** schrift *o.* met losse bladen.

fardeau [fardo] *m.* last *m.*, vracht *v.*(*m.*), pak *o.*

farder [fardé] **I** *v.t.* **1** blanketten; **2** opsmukken; **3** (*fig.*) bewimpelen; **II** *v.i.* **1** (*v. muur*) inzakken; **2** (*v. zeil*) opbollen; **3** (*v. schip*) zwaar drukken, overhellen.

fardier [fardyé] *m.* blokwagen *m.*

farfadet [farfadè] *m.* kaboutermannetje *o.*

farfelu [farfelü] *adj.* buitensporig, fantastisch.

farfouiller [farfuyé] **I** *v.t.* doorsnuffelen; overhoop halen; **II** *v.i.* snuffelen (in).

faribole [faribòl] *f.* praatjes *mv.*, gekheid *v.*, zottenklap *m.*

faridondaine [faridõ'dè:n] *f.* tralala *m.*

farinacé [farinasé] *adj.* meelachtig, melig.

farine [farin] *f.* meel *o.*; ***fleur de —,*** bloem *v.*(*m.*); ***folle —,*** (*Pl.*) stuifmeel *o.*; ***— lactée,*** kindermeel *o.*; ***— de maïs,*** maïzena *m.*; ***— de moutarde,*** mosterdpoeder *o. en m.*; ***ils sont de la même —,*** het is één pot nat, ze zijn van 't zelfde slag.

fariner [fariné] **I** *v.t.* met meel bestrooien; **II** *v.i.* (*v. aardappelen, enz.*) kruimen, meelachtig er uitzien.

farineux [farinö] **I** *adj.* meelachtig, melig; **II** *m.pl.* meelspijzen *mv.*

farinier [farinyé] *m.* meelhandelaar *m.*

farinière [farinyè:r] *f.* meelkist *v.*(*m.*).

fario [faryo] *m.* (*Dk.*) forel, rivierforel *v.*(*m.*).

farniente [farnyè:t] *m.* (het) zalig nietsdoen *o.*

faro [faro] *m.* faro *m.*

farouche [faruʃ] *adj.* **1** (*v. dier*) schuw; wild; **2** (*v. persoon*) mensenschuw; **3** (*v. blik*) woest.

farrago [farago] *m.* **1** korenmengsel *o.*, masteluin *m. of o.*; **2** (*fig.*) mengelmoes *o. en v.*(*m.*), poespas *m.*

fart [far] *m.* skivet *o.*

farter [farté] *v.t.* (*de ski's*) invetten.

fasce [fas] *f.* (*wap.*) dwarsbalk *m.*, streep *v.*(*m.*).

fascicule [fasiküil] *m.* **1** (*v. kruiden, hooi, enz.*) bundel *m.*; **2** (*v. boek, vervolgwerk*) aflevering *v.*; **3** haarbundeltje *o.*

fasciculé [fasikülé] *adj.* in bundels verenigd.

fascie [fasi] *f.* **1** (*v. viool*) stapel *m.*; **2** (*Dk.: op schelpen*) streep *v.*(*m.*); **3** (*Pl.*) afgeplatte stengel *m.*

fascié [fasyé] *adj.* **1** gestreept; **2** afgeplat.

fascinage [fasina:j] *m.* rijswerk *o.*

fascinateur [fasinatœ:r] *adj.* betoverend, fascinerend.

fascination [fasina'syõ] *f.* **1** betovering *v.*; **2** het biologeren *o.* (door de blik).

fascine [fasin] *f.* (*mil.*) legertakkenbos *m.*

fasciner [fasiné] *v.t.* **1** betoveren; **2** biologeren; **3** (*mil.*) van takkenbossen voorzien.

fascisme [fasizm] *m.* fascisme *o.*

fasciste [fasist] **I** *m.* fascist *m.*; **II** *adj.* fascistisch.

faséole [fa'zéòl] *f.* (*Pl.*) Turkse boon *v.*(*m.*).

faseyer [fazèyé], **fasier** [fazyé] *v.i.* (*sch.: v. zeil*) killen.

faste [fast] *m.* praal, luister *m.*; ***—s,*** jaarboeken, geschiedboeken *mv.*

fastidieux [fastidyö] *adj.*, **fastidieusement** [fastidyö'zmã] *adv.* vervelend, saai, langdradig.

fastigié [fastijyé] *adj.* (*Pl.*) opstaand, met opstaande takken.

fastueux [fastŵö] *adj.*, **fastueusement** [fastŵö'zmã] *adv.* **1** (*v. kleding, enz.*) prachtig, weids; **2** (*v. persoon*) pralerig, pronkziek.

fat [fat] **I** *adj.* verwaand, fatterig; **II** *s., m.* verwaande gek *m.*

fatal(**ement**) [fatal(mã)] *adj.*(*adv.*) (*pl.: **fatals***) **1** onvermijdelijk, onafwendbaar; **2** noodlottig; **3** verderfelijk, heilloos, rampzalig; ***le coup —,*** de dodelijke slag.

fatalisme [fatalizm] *m.* fatalisme *o.*

fataliste [fatalist] **I** *m.* fatalist *m.*; **II** *adj.* fatalistisch.

fatalité [fatalité] *f.* **1** noodlot *o.*; **2** ramp *v.*(*m.*), onheil *o.*; **3** onvermijdelijke noodwendigheid *v.*, ijzeren noodzaak *v.*(*m.*).

fata morgana [fatamòrgana] *f.* luchtspiegeling *v.*

fatidique [fatidik] *adj.* voorspellend, profetisch.

fatigable [fatiga'bl] *adj.* vermoeibaar.

fatigant [fatigã] *adj.* vermoeiend.

fatigue [fati'g] *f.* **1** vermoeidheid *v.*; **2** vermoeienis *v.*; ***cheval de —,*** werkpaard *o.*; ***chaussures de —,*** werkschoenen *mv.*; ***tomber de —,*** er bij neervallen.

fatigué [fatigé] *adj.* **1** vermoeid; **2** versleten.

fatiguer [fatigé] **I** *v.t.* **1** vermoeien; **2** afmatten; **3** (*met vragen, enz.*) lastig vallen, vervelen; **4** (*v. grond*) bewerken; **5** (*v. sla*) aanmaken; **6** (*v. kleren*) afdragen; **7** (*v. korset*) slap maken; **II** *v.i.* **1** sloven, zich afsloven; **2** (*v. balk*) te zwaar belast zijn; **III** *v.pr.*, ***se —,*** zich vermoeien, moe worden; ***se — à travailler,*** zich moe werken; ***se — de,*** genoeg krijgen van.

fatras [fatra] *m.* **1** rommel *m.*; **2** (*v. kennis, enz.*) ballast *m.*; **3** geklets *o.*, woordenkraam, zinledige taal *v.*(*m.*).

fatuité [fatŵité] *f.* inbeelding, verwaandheid *v.*

fatum [fatòm] *m.* fatum, noodlot *o.*

faubert [fo'bè:r] *m.* (*sch.*) zwabber, scheepsdweil *m.*

fauberter [fo'bèrté] *v.t.* (*sch.*) schoonzwabberen, dweilen.

faubourg [fo'bu:r] *m.* **1** voorstad *v.*(*m.*); **2** buitenwijk *v.*(*m.*); ***la ville et les —s,*** Jan en alleman; (*fig.*) ***les —s,*** de arbeidersbevolking (van de voorsteden).

faubourien [fo'buryẽ] **I** *adj.* uit de volksbuurt, achterbuurts—; **II** *s., m.* **1** bewoner *m.* van een voorstad; **2** bewoner *m.* van de achterbuurten.

faucard [fo'ka:r] *m.* sikkel *m.* met lange steel.

faucarder [fokardé] *v.t.* waterplanten wegsnijden uit.

fauchage [fo'ʃa:j] *m.* **1** (het) maaien *o.*; **2** maailoon *o.*; **3** (*mil.*) spreidingsvuur *o.*

fauchaison [fo'ʃè'zõ] *f.* maaitijd *m.*

fauchard [fo'ʃa:r] *m.* tweesnijdende zeis *v.*(*m.*).

fauche [fo:ʃ] *f.* **1** maaitijd *m.*; **2** (het) gemaaide *o.*

fauchée [fo'ʃé] *f.* dagwerk *o.* van een maaier.

faucher [fo'ʃé] **I** *v.t.* **1** maaien, afmaaien; **2** (*fig.*) wegmaaien, wegrukken; **3** uitschudden; ***être***

fauché, (*fam.*) blut zijn; **II** *v.i.* (*v. paard*) maaivoeten.
fauchet [fo'ʃè] *m.* hooihark *v.*(*m.*).
fauchette [fo'ʃèt] *f.* snoeimes *o.*
faucheur [fo'ʃœ:r] *m.* **1** maaier *m.*; **2** (*Dk.*: *spin*) hooiwagen *m.*
faucheuse [fo'ʃö:z] *f.* **1** maaister *v.*; **2** maaimachine *v.*
faucheux [fo'ʃö] *m.* (*Dk.*) hooiwagen *m.*
faucille [fo'si'y] *f.* sikkel *v.*(*m.*).
fauciller [fo'siyé] *v.t.* met de sikkel snijden.
faucillon [fo'siyõ] *m.* kapmes *o.*, heep *v.*(*m.*).
faucon [fo'kõ] *m.* (*Dk.*) valk *m.*; ***— de la presse,*** persmuskiet *m.*
fauconneau [fo'kòno] *m.* jonge valk *m.*
fauconnerie [fo'kònri] *f.* **1** valkejacht *v.*(*m.*); **2** valkerij *v.*
fauconnier [fo'kònyé] *m.* valkenier *m.*
fauder [fo'dé] *v.t.* (*v. laken*) in de lengte toevouwen.
faufil [fo'fil] *m.* rijgdraad *m.*
faufiler [fo'filé] **I** *v.t.* **1** rijgen; **2** (*fig.*) binnensmokkelen; **II** *v.pr.*, ***se —,*** **1** zich indringen; **2** binnensluipen.
faufilure [fo'filü:r] *f.* **1** (het) rijgen *o.*; **2** rijgsel *o.*, rijgdraden *mv.*
faune [fo:n] **I** *m.* (*myth.*) faun, bosgeest *m.*; **II** *f.* fauna, dierenwereld *v.*(*m.*).
faunesque [fo'nèsk] *adj.* van de faun.
faunique [fo'nik] *adj.* van de fauna.
Fauquemont [fo'kmõ] *m.* Valkenburg *o.*
faussaire [fo'sè:r] *m.* vervalser, falsaris *m.*
fausse, *voir* ***faux.***
faussement [fo'smã] *adv.* valselijk, verkeerdelijk.
fausser [fo'sé] **I** *v.t.* **1** vervalsen; **2** (*v. werktuig, toestel, enz.*) verbuigen, verdraaien; **3** (*v. woord*) schenden; **4** op een verkeerd spoor brengen; ***— compagnie à qn.,*** iem. in de steek laten, zich niet houden aan een afspraak; **II** *v.i.* vals zingen; **III** *v.pr.*, ***se —,*** **1** verdraaid worden; **2** op een dwaalspoor geraken; **3** vals worden.
fausset [fo'sè] *m.* **1** (*muz.*) falsetstem, kopstem *v.*(*m.*); **2** (*v. vat*) zwikje *o.*
fausseté [fo'sté] *f.* **1** onwaarheid *v.*; **2** onjuistheid *v.*; **3** valsheid, onoprechtheid *v.*
faussure [fo'sü:r] *f.* **1** (*v. werktuig, toestel, enz.*) verbuiging, verdraaiing *v.*; **2** (*v. klok*) welving *v.*
faute [fo:t] *f.* **1** (*bij schrijven, enz.*) fout *v.*(*m.*); **2** gebrek *o.*; **3** schuld *v.*(*m.*), tekortkoming *v.*; **4** misslag, misstap *m.*; ***être en —,*** schuld hebben; zijn verplichtingen niet nakomen; ***faire —,*** ontbreken; ***ne pas se faire — de,*** niet nalaten, niet schromen; ***— de,*** bij gebrek aan; ***sans —,*** beslist, zonder mankeren; ***— de quoi,*** zoniet, anders.
fauter [fo'té] *v.i.* een misstap doen.
fauteuil [fo'tœ'y] *m.* **1** armstoel, leuningstoel *m.*; **2** (voorzitters)zetel *m.*; ***— à bascule,*** schommelstoel; ***— de bicyclette,*** stoeltje vóór op een fiets; ***—s d'orchestre,*** stalles *mv.*; ***occuper le — de la présidence,*** het voorzitterschap waarnemen.
fauteuil*-abri* [fo'tœ'yabri] *m.* strandstoel, badstoel *m.*
fauteur [fo'tœ:r] *m.* aanstichter, aanlegger *m.*; aanhitser *m.*; ***— de désordres,*** onruststoker *m.*
fautif [fo'tif] *adj.* **1** (*v. berekening*) fout, niet juist; **2** vol fouten; **3** (*v. geheugen*) gebrekkig; **4** schuldig.
fautivement [fo'ti'vmã] *adv.* verkeerd.
fauve [fo'v] *adj.* **1** rossig, rosachtig, vaalrood; **2** wild; ***bêtes —s,*** wilde dieren.
fauverie [fo'veri] *f.* roofdierenkooi *v.*(*m.*).
fauvette [fo'vèt] *f.* (*Dk.*) bastaardnachtegaal *m.*; ***— cendrée,*** grasmus *v.*(*m.*); ***— à tête noire,*** (*Dk.*) zwartkop *m.*
faux [fo] **I** *adj.* (*f.*: ***fausse*** [fo:s]) **1** vals; onwaar, onjuist; **2** schijnbaar; **3** onoprecht, dubbelhartig; **4** nagemaakt, onecht; ***fausse alarme,*** loos alarm *o.*; ***fausse attaque,*** schijnaanval *m.*; ***fausse dent,*** kunsttand *m.*; ***fausse clef,*** loper *m.*; ***— serment,*** meineed *m.*; ***— ami,*** schijnvriend *m.*; ***fausse porte,*** blinde deur; geheime deur *v.*(*m.*); ***fausse honte,*** valse schaamte *v.*; ***— point d'honneur,*** misplaatst eergevoel *o.*; ***— accord,*** wanklank *m.*; ***— plaisir,*** ijdel genoegen *o.*; ***— pas,*** misstap *m.*; ***— frais,*** onkosten *mv.*; ***esprit —,*** verwarde geest *m.*; ***— comme un jeton,*** zo vals als een kat; ***faire — bond à qn.,*** zijn woord niet gestand doen; iem. in de steek laten; ***être dans une position fausse,*** in een scheve verhouding staan; ***faire fausse queue,*** (*bilj.*) ketsen; ***faire fausse route,*** op een dwaalspoor zijn, een verkeerde weg inslaan; ***faire une fausse sortie,*** doen alsof men weggaat; **II** *adv.* **1** (*zingen*) vals; **2** (*redeneren, berekenen*) verkeerd; ***à —,*** ten onrechte; ***frapper à —,*** misslaan; ***porter à —,*** **1** geen steun hebben; **2** ongegrond zijn, op niets berusten; **3** zijn doel missen; **III** *s., m.* **1** (het) valse; (het) onware, (het) onjuiste *o.*; **2** vervalsing *v.*, bedrog *o.*; ***— (en écritures),*** valsheid in geschriften; ***s'inscrire en — contre,*** opkomen tegen, bestrijden, voor onjuist verklaren; **IV** *f.* zeis *v.*(*m.*).
faux-bourdon* [fo'burdõ] *m.* **1** (*Dk.*) dar *m.*; **2** driestemmig kerkgezang *o.* (met bas als hoofdpartij).
faux-col* [fo'kòl] *m.* **1** (los) boord *o. en m.*; **2** (*op glas bier*) schuim *o.*, manchet *v.*(*m.*).
faux-fuyant* [fo'fẅiyã] *m.* uitvlucht *v.*(*m.*), voorwendsel *o.*
faux-monnayeur* [fo'mònèyœ:r] *m.* valsemunter *m.*
faux-ourlet* [fo'zurlè] *m.* loze zoom *m.*
faux-semblant* [fo'sã'blã] *m.* valse schijn *m.*
faveur [favœ:r] *f.* **1** gunst *v.*; **2** begunstiging *v.*; **3** gunstbewijs *o.*; **4** smal lintje *o.*; ***billet de —,*** vrijkaart *v.*(*m.*); ***être en —,*** **1** in de gunst staan; **2** gezocht zijn; ***à la — de,*** onder begunstiging van; ***jours de —,*** respijtdagen; ***prix de —,*** verminderde prijs.
faveux [favö] *adj.*, ***teigne faveuse,*** (*gen.*) favus *m.* [(*hoofdzeer*).
favorable(ment) [favòra'bl(emã)] *adj.*(*adv.*) **1** (*v. weer, tijd, enz.*) gunstig; **2** (*v. persoon*) gunstig gezind.
favori [favòri] (*f.* : ***favorite*** [favòrit]) **I** *adj.* geliefkoosd, geliefd, lievelings—; **II** *s., m.* **1** gunsteling *m.*; **2** (*v. paard bij wedren*) favoriet *m.*; ***— de la fortune,*** gelukskind *o.*; ***—s,*** bakkebaarden.
favoriser [favòri'zé] *v.t.* **1** begunstigen (***de,*** met); **2** (*v. plan, enz.*) in de hand werken, bevorderen.
favorite, *voir* ***favori.***
favoritisme [favòritizm] *m.* (het) voortrekken *o.* van gunstelingen.
fayard [faya:r] *m.* beuk *m.*
féage [féa:j] *m.* (*gesch.*) leenverdrag *o.*; leenplichtigheid *v.*
féauté [féo'té] *f.* trouw *v.*(*m.*), verknochtheid *v.*
fébrifuge [fébrifü:j] **I** *adj.* koortsverdrijvend; **II** *s., m.* koortswerend middel *o.*
fébrile(ment) [fébril(mã)] *adj.*(*adv.*) koortsig, koortsachtig; zenuwachtig, onrustig.
fébrilité [fébrilité] *f.* koortsigheid *v.*
fécal [fékal] *adj.*, ***matières —es,*** uitwerpselen *mv.*
fèces [fès] *f.pl.* **1** droesem *m.*; **2** feces, fecaliën, uitwerpselen *mv.*
fécond [fékõ] *adj.* **1** vruchtbaar; **2** (*v. regen*) groeizaam; **3** (*fig.*) rijk, mild.
fécondable [fékõ'da'bl] *adj.* bevruchtbaar.
fécondant [fékõ'dã] *adj.* vruchtbaar makend, bevruchtend.

fécondation [fékõ·da·syõ] *f.* **1** bevruchting *v.*; **2** (*Pl.*) bestuiving *v.*
féconder [fékõ·dé] *v.t.* **1** bevruchten; **2** (*Pl.*) bestuiven; **3** (*fig.*) vruchtbaar maken, doen gedijen.
fécondité [fékõ·dité] *f.* **1** vruchtbaarheid *v.*; **2** groeizaamheid *v.*; **3** rijkdom *m.*
fécule [fékül] *f.* **1** zetmeel *o.*; **2** aardappelmeel *o.*
féculence [féküläːs] *f.* **1** rijkdom *m.* aan zetmeel; **2** (*v. vloeistof*) troebelheid, drabbigheid *v.*
féculent [féküIã] *adj.* **1** zetmeelhoudend; **2** (*v. vloeistof*) troebel, drabbig.
féculerie [fékülri] *f.* aardappelmeelfabriek *v.*
féculeux [fékülö] *adj.* zetmeelhoudend.
fédéral [fédéral] *adj.* federaal; bonds—; ***gouvernement* —,** bondsregering *v.*, bondsbestuur *o.*
fédéraliser [fédérali·zé] *v.t.* tot een bond verenigen.
fédéralisme [fédéralizm] *m.* federalisme *o.*, stelsel *o.* van een statenbond.
fédéraliste [fédéralist] **I** *m.* federalist *m.*, voorstander *m.* van het federalisme; **II** *adj.* federalistisch.
fédératif [fédératif] *adj.* bondgenootschappelijk; ***état* —,** statenbond *m.*
fédération [fédéra·syõ] *f.* **1** bondgenootschap *o.*; **2** verbond *o.*; federatie *v.*; **3** (staten)bond *m.*
fédéré [fédéré] **I** *adj.* verbonden; **II** *s.*, *m.* verbondene *m.*
fédérer [fédéré] *v.t.* tot een bond verenigen.
fée [fé] *f.* tovergodin, fee *v.*; ***conte de* —*s*,** sprookje *o.*
feeder [fi·dœr] *m.* gasleiding *v.* voor lange afstand.
féerie [fé(e)ri] *f.* **1** toverwereld *v.(m.)*; **2** toverballet *o.*; **3** tovermacht *v.(m.)*; **4** toverachtig schouwspel *o.*
féerique [fé(e)rik] *adj.* toverachtig.
feindre* [fẽ:dr] *v.t.* **1** veinzen; **2** voorwenden.
feinte [fẽ:t] *f.* **1** veinzerij *v.*; **2** (*bij schermen*) schijnbeweging *v.*, schijnstoot *m.*; **3** list *v.(m.)*.
feinter [fẽ·té] *v.i.* (*sp.*) een schijnbeweging maken.
félatier [félatyé] *m.* glasblazer *m.*
feld-maréchal* [fèltmaréʃal] *m.* veldmaarschalk [*m.*
feldspath [fèltspat] *m.* veldspaat *o.*
fêle [fè:l] *f.* (*tn.*) blaaspijp *v.(m.)* (*v. glasblazers*).
fêlé [fè·lé] *adj.* gebarsten; ***il a le timbre*** (*ou* ***le cerveau***) **—,** hij is niet goed wijs, het scheelt hem in zijn bovenkamer; ***un pot* — *dure longtemps*,** krakende wagens duren het langst.
fêler [fè·lé] **I** *v.t.* doen barsten; **II** *v.pr.*, ***se* —,** barsten.
félibre [féli·br] *m.* Provençaals dichter (*of* zanger) *m.*
félicitation [félisita·syõ] *f.* gelukwens *m.*
félicité [félisité] *f.* geluk *o.*, gelukzaligheid *v.*
féliciter [félisité] (*de*) **I** *v.t.* gelukwensen (met); **II** *v.pr.*, ***se* —,** zich verheugen (over), zich gelukkig achten (met).
félidés [félidé] *m.pl.* (*Dk.*) katachtigen *mv.*, katachtige dieren *mv.*
félin [félẽ] *adj.* **1** katachtig; **2** vals, sluw; ***race* —*e*,** kattengeslacht *o.*; (*fig.*) ***avoir une grâce* —*e*,** poeslief zijn.
félinité [félinité] *f.* **1** katachtigheid *v.*; **2** katachtige listigheid *v.*
fellah [fèla] *m.* fellah, Egyptische boer *m.*
felle [fèl], *voir* ***fêle.***
félon [félõ] **I** *adj.* trouweloos; verraderlijk; **II** *s.*, *m.* verrader *m.*
félonie [félòni] *f.* **1** trouweloosheid *v.*; verraad *o.*; **2** trouwbreuk *v.(m.)*.
felouque [feluk] *f.* feloek *v.*, boot met 2 masten in Midd. zee.
fêlure [fè·lü:r] *f.* barst *m. en v.*, scheur *v.(m.)*; ***il a une* —,** hij is niet wel bij het hoofd.
femelle [f(e)mèl] **I** *f.* **1** wijfje *o.*; **2** vingerling, duimeling *m.*; **II** *adj.* vrouwelijk.
féminin [féminẽ] **I** *adj.* vrouwelijk; ***voix* —*e*,** vrouwenstem; ***rime* —*e*,** vrouwelijk rijm, rijm dat eindigt op een toonloze lettergreep; **II** *s.*, *m.* (*gram.*) vrouwelijk *o.*
féminiser [fémini·zé] *v.t.* vrouwelijk maken.
féminisme [féminizm] *m.* vrouwenbeweging *v.*, feminisme *o.*
féministe [féminist] **I** *m.-f.* feminist(e) *m.(v.)*; **II** *adj.* feministisch.
féminité [féminité] *f.* vrouwenaard *m.*, vrouwelijkheid *v.*
femme [fam] *f.* vrouw *v.*; **— *de chambre*, 1** kamermeisje *o.*; **2** kamenier *v.*; **— *de charge*,** huishoudster *v.*; **— *de ménage*,** werkvrouw *v.*; **— *auteur*, — *de lettres*,** schrijfster *v.*; **— *docteur*,** dokteres *v.*; ***conte de bonne* —,** bakerpraatje *o.*; ***remède de bonne* —,** huismiddeltje *o.*; ***ce que* — *veut, Dieu le veut*,** de vrouw weet steeds haar wil door te zetten.
femmelette [famlèt] *f.* **1** vrouwtje, dametje *o.*; **2** (*ong.*) verwijfde man *m.*
fémoral [fémòral] *adj.* tot de dij behorend, dij—; ***os* —,** dijbeen *o.*
fémur [fémü:r] *m.* dijbeen *o.*
fenaison [f(e)nè·zõ] *f.* **1** (het) hooien *o.*; **2** hooitijd *m.*
fendage [fã·da:j] *m.* (het) splijten *o.*
fendant [fã·dã] **I** *adj.* snoevend; **II** *s.*, *m.* snoever, grootspreker *m.*; ***faire le* —,** praats hebben.
fenderie [fã·dri] *f.* **1** (het) splijten, (het) kloven *o.* (*v. hout of ijzer*); **2** ijzerkloverij *v.*
fendeur [fã·dœ:r] *m.* klover *m.*
fendille [fã·di·y] *f.* barstje *o.*
fendillé [fã·diyé] *adj.* vol barsten, vol kloofjes.
fendillement [fã·diymã] *m.* (het) barsten *o.*
fendiller [fã·diyé] **I** *v.t.* splijten, doen barsten; **II** *v.pr.*, ***se* —,** splijten, barsten.
fendoir [fã·dwa:r] *m.* kloofbeitel, kloofhamer *m.*, kloofmes *o.*
fendre [fã·dr] **I** *v.t.* **1** kloven, splijten; **2** (*v. golven, lucht*) doorklieven; **3** (*v. menigte*) dringen door; **4** (*fig.: hart*) breken; **— *l'oreille à*,** afdanken; (*v. ambtenaar, enz.*) ontslaan, aan de dijk zetten; ***geler à pierre* —,** vriezen dat het kraakt; ***c'est à* — *l'âme*,** het is hartverscheurend; ***un bruit à vous* — *la tête*,** een lawaai dat horen en zien vergaan; **— *un cheveu en quatre*,** haarkloven; **II** *v.pr.*, ***se* —, 1** barsten, opensplijten; **2** (*bij schermen*) uitvallen; ***se* — *de*,** (*pop.*) afdokken; trakteren op.
fendu [fã·dü] *adj.* gespleten.
fendue [fã·dü] *f.* mijngalerij *v.*, open mijngang *m.*
fenestré [f(e)nèstré] *adj.* (*Pl.*) met openingen.
fenêtrage [f(e)nè·tra:j] *m.* vensterwerk *o.*
fenêtre [f(e)nè·tr] *f.* venster, raam *o.*; **— *à bascule*,** tuimelvenster *o.*; ***à la* —,** voor 't raam.
fenêtrer [f(e)nè·tré] *v.t.* van vensters voorzien.
fenil [f(e)ni] *m.* hooizolder *m.*, hooischuur *v.(m.)*.
fennec [fènèk] *m.* woestijnvos *m.*
fenouil [f(e)nu·y] *m.* (*Pl.*) venkel *v.(m.)*.
fenouillet [f(e)nuyè] *m.*, **fenouillette** [f(e)nuyèt] *f.* venkelappel *m.*
fente [fã:t] *f.* **1** spleet *v.(m.)*; **2** (*in grond*) kloof *v.(m.)*; **3** (*v. deur*) reet *v.(m.)*; **4** (*in glas, enz.*) barst *v.(m.)*; **5** (*bij schermen*) (het) uitvallen *o.*; ***bois de* —,** kloofhout *o.*
fenton, fanton [fã·tõ] *m.* ijzeren stang *v.(m.)*; — anker *o.*
féodal [féòdal] *adj.* feodaal, leen—, van het leenstelsel; ***droit* —,** leenrecht *o.*; ***régime* —,** leenstelsel *o.*
féodalement [féòdalmã] *adv.* leenrechtelijk, volgens het leenrecht.

féodalité [féòdalité] *f.* leenstelsel *o.*
fer [fè:r] *m.* **1** ijzer *o.*; **2** degen *m.*, zwaard *o.*; **3** mes *o.*; **— *natif*,** gedegen ijzer; **— *doux*,** week ijzer; **— *forgé*,** gesmeed ijzer; **— *de fonte*,** gietijzer; **— *à cheval*,** hoefijzer; **— *à repasser*,** strijkijzer; **— *de tailleur*,** persijzer; **— *de relieur*,** boekbindersstempel *m.*; ***prendre du* —,** staal innemen; **—*s*, 1** boeien, ketens *mv.*; **2** slavernij *v.*; ***mettre aux* —*s*,** in boeien klinken; ***jeter dans les* —*s*,** in de gevangenis zetten; ***gémir dans les* —*s*,** in de kerker zuchten; ***marquer au* — *rouge*,** brandmerken; ***tomber les quatre* —*s en l'air*,** achterover vallen; ***employer le* — *et le feu*,** geweld (*of* krasse maatregelen) gebruiken; ***il faut battre le* — *quand il est chaud*,** men moet het ijzer smeden terwijl het heet is; ***de* —, 1** ijzeren; **2** ijzersterk, onverwoestbaar; **3** ongevoelig; ***santé de* —,** ijzersterk gestel *o.*
fer*-blanc* [fè'rblã] *m.* blik *o.*
ferblanterie [fè'rblã'tri] *f.* **1** blikslagerij *v.*; **2** blikslagerswerk *o.*; **3** (*pop.*) ridderorden *mv.*
ferblantier [fè'rblã'tyé] *m.* blikslager *m.*
fer-chaud [fè'rʃo] *m.* (*gen.*) maagvlammen *mv.*, scherp zuur *o.* (in de maag).
féret [férè] *m.* **1** roodijzersteen *m.*; **2** ijzeren staaf *v.*(*m.*) om versieringen op glas te maken.
férial [féryal] *adj.*, ***office* —,** (*kath.*) officie *o.* van de dag.
férie [féri] *f.* (*oudh.*) rustdag *m.*; ***office de la* —,** officie van de dag; ***2***^e^ **—,** maandag; ***3***^e^ **—,** dinsdag, enz.
férié [féryé] *adj.*, ***jour* —,** feestdag, rustdag *m.*
férir* [féri:r] *v.t.*, ***sans coup* —,** zonder slag of stoot.
ferler [fèrlé] *v.t.* (*sch.*: *v. zeil*) beslaan, inbinden.
ferlet [fèrlè] *m.* (*drukk.*) kruis *o.*
fermage [fèrma:j] *m.* pacht *v.*(*m.*), pachtgeld *o.*, pachtsom *v.*(*m.*).
fermail [fèrma'y] *m.* gesp *m. en v.*, sluitstuk *o.*
fermant [fèrmã] *adj.* sluitend.
ferme [fèrm] **I** *adj.* **1** vast, stevig; **2** vastberaden; **3** standvastig; **4** krachtig, flink; ***d'une main* —, 1** (*schrijven, enz.*) met vaste hand; **2** (*fig.*) met krachtige hand; ***la terre* —,** de vaste wal, het vaste land; ***être* — *sur ses jambes*,** stevig op zijn benen staan; ***être* — *sur ses étriers*,** vast in zijn schoenen staan; ***achat* —,** (*H.*) vaste koop, aankoop op levering; ***offre* —,** vaste offerte; **II** *adv.*, ***parler* —,** een krachtige taal spreken; ***tenir* —,** standhouden, volhouden; ***acheter* —,** op levering kopen; ***manger* —,** flink eten; ***marchons* —,** laten we flink doorstappen; **III** *s.*, *f.* **1** boerderij *v.*, pachthoeve *v.*(*m.*); **2** pacht *v.*(*m.*); **3** (*v. toneel*) sluitscherm *o.*; ***donner à* —,** verpachten; ***prendre à* —,** pachten.
fermé [fèrmé] *adj.* gesloten; **— *à clef*,** op slot; ***cercle* —,** besloten kring *m.*
ferme-circuit [fèrmsirkŵi] *m.* (*el.*) stroomsluiter *m.*
ferme*-école* *f.* [fèrmékòl] *f.* modelboerderij *v.*
fermement [fèrmemã] *adv.* **1** vast; **2** vastberaden; **3** flink; ***agir* —,** vastberaden optreden; ***croire* —,** standvastig geloven.
ferment [fèrmã] *m.* **1** gist *m.*, giststof *v.*(*m.*); **2** (*fig.*) zaad *o.*, kiem *v.*(*m.*); **— *de discorde*,** splijtzwam *v.*(*m.*), kiem *v.*(*m.*) van tweedracht.
fermentant [fèrmã'tã] *adj.* **1** gistend; **2** (*v. bakmeel*) zelfrijzend.
fermentatif [fèrmã'tatif] *adj.* de gisting bevorderend.
fermentation [fèrmã'ta'syõ] *f.* gisting *v.*; ***être en* —,** gisten.
fermenter [fèrmã'té] *v.i.* gisten.
fermentescible [fèrmã'tèsi'bl] *adj.* voor gisting vatbaar.
ferme*-pilote* [fèrmpilòt] *f.* modelboerderij *v.*
ferme-porte [fèrmpòrt] *m.* deursluiter, deurdrukker *m.*
fermer [fèrmé] **I** *v.t.* **1** dichtdoen, toedoen; **2** sluiten; **3** (*v. tijdperk, enz.*) afsluiten, besluiten; **4** (*v. haven*) versperren; **— *au verrou*,** dichtgrendelen; **— *à clef*,** op slot doen; **— *à double tour*,** op het nachtslot doen; **— *la bouche à qn.*,** iem. de mond snoeren; **— *boutique*,** de handel vaarwel zeggen; (*fig.*) inpakken; **— *les yeux sur qc.*,** iets door de vingers zien; ***faire qc. les yeux fermés*,** iets blindelings doen; **— *la marche*,** (*fig.*) achteraan komen, het hek sluiten; ***fermé à la pitié*,** ontoegankelijk voor medelijden; ***mener une vie fermée*,** een teruggetrokken leven leiden; ***il faut qu'une porte soit ouverte ou fermée*,** of het een, of het ander; **II** *v.i.* **1** sluiten; **2** gesloten worden; **III** *v.pr.*, ***se* —,** dichtgaan; zich sluiten.
fermeté [fèrmeté] *f.* **1** vastheid, stevigheid *v.*; **2** vastberadenheid *v.*; **3** standvastigheid *v.*; **4** flinkheid *v.*
fermeture [fèrmetü:r] *f.* **1** (af)sluiting *v.*, slot *o.*; **2** (*v. winkels, enz.*) sluiting *v.*; **— *à baionnette*,** bajonetsluiting.
fermeture*-éclair [fèrmetü:réklè:r] *f.* ritssluiting
fermier [fèrmyé] *m.* pachter *m.*
fermoir [fèrmwa:r] *m.* **1** (*v. boek*) slot *o.*, sluiting *v.*; **2** (*v. tas*) beugel *m.*
fernambouc [fèrnã'buk] *m.* brazielhout, pernambukhout *o.*
Fernand [fèrnã] *m.* Ferdinand *m.*
féroce(ment) [féròs(mã)] *adj.*(*adv.*) **1** wreed; **2** (*v. dier*) verscheurend; **3** wild; **4** (*v. blik*) woest; **5** meedogenloos; **6** monsterachtig.
férocité [féròsité] *f.* **1** wreedheid *v.*; **2** wildheid *v.*; **3** woestheid *v.*
Féroé, *îles* — [i'lféròé] *f.pl.* Far Öer *mv.*
ferrade [fèra'd] *f.* (*v. vee*) (het) brandmerken *o.*
ferrage [fèra:j] *m.* (*v. paard*) (het) beslaan *o.*
ferraille [fèra'y] *f.* oud ijzer *o.*
ferrailler [fèra'yé] *v.i.* **1** vechten (met degens); van leer trekken; **2** (*fig.*) kibbelen.
ferrailleur [fèra'yœ:r] *m.* **1** handelaar *m.* in oud ijzer; **2** vechtersbaas *m.*
ferrant [fèrã] *adj.*, ***maréchal* —,** hoefsmid *m.*
ferré [fèré] *adj.* beslagen; ***voie* —*e*,** spoorweg *m.*; ***bâton* —,** bergstok *m.*, stok *m.* met ijzeren punt; ***eau* —*e*,** staalwater *o.*; ***souliers* —*s*,** schoenen met spijkers, spijkerschoenen *mv.*; **— *à glace*, 1** (*v. paard*) scherp beslagen; **2** bekwaam, doorkneed (in); ***être* — *sur un sujet*,** een onderwerp door en door kennen.
ferrement [fèrmã] *m.* **1** (het) beslaan *o.*; **2** ijzerwerk *o.*
ferrer [fèré] *v.t.* **1** (*v. paard*) beslaan; **2** (*v. varken*) ringelen; **3** (*v. vis*) opslaan; **4** (*v. stof*) stempelen, merken; **5** (*v. schoenen*) met spijkers beslaan.
ferret [fèrè] *m.* malie *v.*
ferretier [fèrtyé] *m.* hoefsmidshamer *m.*
ferreux [fèrö] *adj.* ijzerhoudend; ***sulfate* —,** ijzersulfaat *o.*
ferrière [fèryè:r] *f.* gereedschapszak *m.* (*v. hoefsmid, slotenmaker, enz.*).
ferrifère [fèrifè:r] *adj.* ijzerhoudend.
ferrique [fèrik] *adj.*, ***oxyde* —,** ijzeroxydule *o.*
ferrocérium [fèròséryòm] *m.* ceriumijzer *o.*
ferromanganèse [fèròmã'ganè:z] *m.* mangaanstaal *o.*
ferronickel [fèrònikèl] *m.* nikkelstaal *o.*
ferronnerie [fèrònri] *f.* **1** ijzerhandel *m.*; **2** klein ijzerwerk *o.*; **3** edelsmeedwerk *o.*
ferronnier [fèrònyé] *m.* **1** ijzerhandelaar *m.*; **2** — (***d'art***), edelsmid *m.*
ferronnière [fèrònyè:r] *f.* metalen voorhoofdsband *m.*

ferrotype [fèròtip] *m.*, *voir* ***phototype.***
ferroviaire [fèròvyè:r] *adj.* spoorweg—; ***valeurs —s,*** spoorwegwaarden.
ferrugineux [fèrüjinö] **I** *adj.* ijzerachtig, ijzerhoudend; ***eau ferrugineuse,*** staalwater *o.*; **II** *s.*, *m.* (*gen.*) ijzerhoudend middel *o.*
ferrure [fèrü:r] *f.* **1** (metalen) beslag *o.*; **2** hoefbeslag *o.*
ferry-boat* [férébo:t] *m.* veerpont *v.*(*m.*) voor treinen.
fertile(ment) [fèrtil(mã)] *adj.*(*adv.*) vruchtbaar; ***— en expédients,*** vindingrijk; ***sujet —,*** dankbaar onderwerp.
fertilisable [fèrtiliza·bl] *adj.* vruchtbaar te maken.
fertilisant [fèrtilizã] *adj.* **1** vruchtbaarmakend; **2** (*v. regen*) mals.
fertilisation [fèrtiliza·syõ] *f.* vruchtbaarmaking *v.*
fertiliser [fèrtili·zé] *v.t.* vruchtbaar maken.
fertilité [fèrtilité] *f.* vruchtbaarheid *v.*; ***— d'esprit,*** vindingrijkheid *v.*
féru [férü] *adj.* **1** gewond, gekwetst; **2** dol (op), verzot (op).
férule [férül] *f.* **1** (*Pl.*) priemkruid *o.*; **2** plak *v.*(*m.*) (*v. schoolmeester*); **3** (strenge) leiding *v.*
fervent [fèrvã] **I** *adj.* **1** (*v. gebed, godsvrucht*) vurig; **2** (*v. bewondering, enz.*) geestdriftig; **II** *s.*, *m.* **1** vurig bewonderaar *m.*; **2** (*v. sport, enz.*) hartstochtelijk liefhebber *m.*
ferveur [fèrvœ:r] *m.* **1** vurigheid *v.*, vuur *o.*; **2** geestdrift *v.*(*m.*); **3** (vrome) ijver *m.*
fesse [fès] *f.* bil *v.*(*m.*).
fessée [fèsé] *f.* pak *o.* (slaag) voor de broek.
fesse-mathieu* [fèsmatyö] *m.* woekeraar, vrek *m.*
fesser [fèsé] *v.t.* voor de broek geven, op de billen slaan.
fessier [fèsyé] **I** *adj.* bil—; ***muscle —,*** bilspier *v.*(*m.*); **II** *s.*, *m.* achterwerk, achterste *o.*
fessu [fèsü] *adj.* met dikke billen.
festin [fèstẽ] *m.* feestmaal *o.*, feestdis *m.*, gastmaal *o.*
festiner [fèstiné] *v.i.* **1** een feestmaal houden; **2** zich te goed doen.
festival [fèstival] *m.* (*pl.*: ***festivals***) muziekfeest *o.*
festivité [fèstivité] *f.* feest *o.*, feestviering *v.*
festoiement [fèstwamã] *m.* (het) feestvieren *o.*
feston [fèstõ] *m.* **1** loofwerk *o.*; **2** bloemslinger *m.*; **3** (*v. borduurwerk*) feston *o.*
festonner [fèstòné] **I** *v.t.* **1** met loofwerk versieren; **2** festonneren; **II** *v.i.* zigzagsgewijze over de weg gaan.
festoyer [fèstwayé] **I** *v.i.* **1** feest vieren; **2** (*fam.*) fuiven; **II** *v.t.* feestelijk onthalen; — ontvangen.
fêtard [fè·ta:r] *m.* fuifnummer *o.*
fête [fè:t] *f.* **1** feest *o.*; **2** feestdag *m.*; **3** naamdag *m.*; **4** verjaardag *m.*; ***un air de —,*** een feestelijk uitzicht *o.*; ***c'est sa —,*** hij is jarig; ***la — du village,*** de dorpskermis *v.*(*m.*); ***les —s mobiles,*** de veranderlijke feestdagen; ***faire la —,*** feestvieren, fuiven; ***troubler la —,*** de vreugde verstoren; ***se faire une — de qc.,*** zich op iets verheugen; ***en —,*** in feestdos.
fête*-Dieu [fè·tdyö] *f.* Sacramentsdag *m.*
fêter [fè·té] *v.t.* **1** vieren; **2** feestelijk onthalen.
fétiche [fétiʃ] *m.* **1** fetisj *m.*; **2** (*fig.*) afgod *m.*
féticheur [fétiʃœ:r] *m.* **1** fetisjpriester *m.*; **2** medicijnman *m.*
fétichisme [fétiʃizm] *m.* **1** fetisjdienst *m.*; **2** afgodische verering *v.*
fétide [féti·d] *adj.* **1** stinkend, walglijk; **2** (*fig.*) afschuwelijk.
fétidité [fétidité] *f.* stank *m.*
fêtoyer [fètwayé], *voir* ***festoyer.***
fétu [fétü] *m.* **1** strohalm *m.*; **2** ziertje *o.*, zier *v.*(*m.*); ***je n'en donnerais pas un —,*** ik geef er geen steek om.
fétuque [fétük] *f.* (*Pl.*) zwenkgras *o.*
feu [fö] **I** *m.* **1** vuur *o.*; **2** hemelvuur *o.*; **3** haardstede *v.*(*m.*), haard *m.*; **4** licht; kustlicht *o.*; **5** (*v. diamant, enz.*) schittering *v.*, glans *m.*; **6** uitslag *m.*, branderigheid *v.*; **7** (*fig.*) vuur *o.*, geestdrift *v.*(*m.*); **8** opwinding *v.*; ***faire du —,*** vuur aanleggen; ***faire —,*** schieten; ***faire un — d'enfer,*** hard stoken; ***— d'artifice,*** vuurwerk *o.*; ***arme à —,*** vuurwapen *o.*; ***coup de —,*** **1** schot *o.*; **2** schotwond *v.*(*m.*); **3** voetzoeker *m.*; ***en —,*** in brand; ***mettre le — à,*** in brand steken; ***art du —,*** **1** glasblazerskunst *v.*; **2** pottenbakkerskunst *v.*; ***allant au —, qui va au —,*** vuurvast; ***— follet,*** dwaallichtje *o.*; ***— tournant,*** draailicht; ***aller au —,*** ten strijde trekken; ***— roulant,*** (*mil.*) roffelvuur; ***— de barrage,*** (*mil.*) spervuur; ***— croisé,*** (*mil.*) kruisvuur; ***—(x) de croisement,*** dimlicht *o.*; ***— arrière,*** (*v. fiets, enz.*) achterlicht *o.*, reflector *m.*; ***couleur de —,*** vuurrood; ***les —x du soleil,*** de zonnegloed *m.*; ***— sacré,*** **1** heilig vuur (*v. de Romeinen*); **2** (*fig.*) geestdrift *v.*(*m.*); ***— Saint Antoine,*** (*gen.*) roos *v.*(*m.*); ***jeter — et flamme,*** vuur en vlam spuwen; ***il n'est — que de bois vert,*** alleen de jeugd heeft zulk een ijver, — is zo onstuimig; ***il faut faire — qui dure,*** men moet niet te hard van stapel lopen; men moet het niet over de balk gooien; ***faire — des quatre pieds,*** (*fig.*) zich uitsloven; ***mettre le — sous le ventre à qn.,*** iem. het vuur na aan de schenen leggen; ***n'avoir ni — ni lieu,*** geen onderdak hebben; ***sans — ni lieu,*** dakloos; ***n'y voir que du —,*** **1** er niets van begrijpen; **2** verblind zijn; ***mettre le — aux poudres,*** de lont in 't kruit werpen; ***j'en mettrais ma main au —,*** ik sta er voor in, ik zou er mijn hoofd onder verwedden; **II** *adj.* wijlen, zaliger; ***— la reine, la —e reine,*** wijlen de koningin.
feudataire [fö·datè:r] *m.* (*gesch.*) leenman *m.*
feu*-éclair* [föéklè:r] *m.* flikkerlicht *o.*
feuillage [fœya:j] *m.* **1** gebladerte *o.*; **2** (***— artificiel***), loofwerk *o.*
feuillaison [fœyè·zõ] *f.* (het) uitkomen *o.* van de bladeren.
feuillant [fœyã] *m.* **1** (*kath.*) cisterciënser *m.*; **2** (*Fr. revolutie*) constitutionalist *m.*
feuillantine [fœyã·tin] *f.* gebakje *o.* van bladerdeeg.
feuillard [fœya:r] *m.* **1** gedroogde tak *m.* met loof (*als veevoeder*); **2** hoephout *o.*; ***fer —,*** hoepijzer *o.*
feuille [fœ·y] *f.* **1** blad *o.*; **2** (*v. papier*) vel *o.*; **3** (*v. glas, koper, enz.*) plaat *v.*(*m.*); **4** (dag)blad *o.*; **5** lijst *v.*(*m.*), register *o.*; ***—s mortes,*** dorre blaren; ***— de présence,*** presentielijst *v.*(*m.*); ***— d'épreuve,*** proefvel *o.*; ***bonne —,*** afgedrukt vel; ***— volante,*** **1** los blad; **2** (kort) vlugschrift *o.*; ***— de route,*** **1** reiswijzer *m.*; **2** marsorder *v.*(*m.*) *en o.*; ***trembler comme une —,*** beven als een riet.
feuillé [fœyé] *adj.* bebladerd.
feuillée [fœyé] *f.* gebladerte, loof *o.*; bladerdak *o.*
feuille-morte [fœymòrt] **I** *adj.* geelbruin, donkergeel; **II** *s.*, *m.* geelbruine kleur *v.*(*m.*).
feuiller [fœyé] **I** *v.i.* bladeren krijgen; **II** *v.t.* bladeren schilderen (aan); ***— une planche,*** een sponning in een plank maken.
feuillet [fœyè] *m.* **1** (*v. boek*) blad *o.*; **2** schilfer *m.*; **3** (*v. hout, schors, enz.*) blaadje *o.*; **4** (*Dk.*) boekpens *v.*(*m.*); ***— mobile,*** inlegblad *o.*
feuilletage [fœyta:j] *m.* **1** bladerdeeg *o.*; **2** (het) maken *o.* van bladerdeeg.
feuilleté [fœyté] *adj.* gebladerd; ***pierre —e,*** schilferige steen *m.*
feuilleter* [fœyté] *v.t.* **1** (*v. boek*) doorbladeren; **2** (*v. deeg*) bladerig maken; ***— de la pâte,*** bladerdeeg maken.
feuilletis [fœyti] *m.* **1** (*v. leisteen*) afschilfering *v.*; **2** (*v. diamant, enz.*) hoek *m.*

feuilleton [fœytõ] *m.* feuilleton *o. en m.*
feuilletoniste [fœytònist] *m.* feuilletonschrijver *m.*
feuillette [fœyèt] *f.* **1** blaadje *o.*; **2** half okshoofd *o.*
feuillettement [fœyètmã] *m.* (het) doorbladeren *o.*
feuillir [fœyi:r] *v.i.* bladeren krijgen.
feuillu [fœyü] *adj.* bladerrijk, dichtbebladerd; ***arbre* —,** loofboom *m.*
feuillure [fœyü:r] *f.* sponning *v.(m.)*.
feulement [fœlemã] *m.* (*v. tijger, kat*) gegrom *m.*
feuler [fœlé] *v.i.* (*v. tijger, kat*) grommen.
feutrage [fötra:j] *m.* **1** (het) vilten *o.*; **2** bevilting *v.*
feutre [fö:tr] *m.* **1** vilt *o.*; **2** vilten hoed, gleufhoed *m.*; **3** (*in papierfabriek*) viltdoek *o.*; **— *bitume*,** asfaltvilt; ***de* —,** vilten.
feutrer [fö'tré] *v.t.* vilten; met vilt bedekken; ***étoffe feutrée*,** viltachtige stof; ***à pas feutrés*,** zachtjes; ***en termes feutrés*,** in bedekte termen.
feutrier [fö'tri(y)é] *m.* viltwerker *m.*
fève [fè:v] *f.* **1** boon *v.(m.)*; **2** (*v. vlinder*) pop *v.(m.)*; **3** (*bij paard*) kikvorsgezwel *o.*; **— *des marais*,** tuinboon *v.(m.)*; **— *à cochon*,** bilzenkruid *o.*; ***gâteau de la* —,** driekoningenbrood *o.*; ***donner un pois pour avoir une* —,** een spiering uitgooien om een kabeljauw te vangen.
féverole [févròl] *f.* (*Pl.*) paardenboon, veldboon *v.(m.)*.
févier [févyé] *m.* (*Pl.*) gleditschia *v.(m.)*.
février [févri(y)é] *m.* februari *m.*, sprokkelmaand *v.(m.)*.
fez [fèz] *m.* fez *m.* (rode Turkse muts).
fi! [fi] *ij.* foei! ***faire* — *de qc.*,** zijn neus ophalen voor iets.
fiacre [fyakr] *m.* huurrijtuig *o.*; ***sacrer comme un* —,** razen als een bezetene.
fiançailles [fyã'sa'y] *f.pl.* verloving *v.*
fiancé [fyã'sé] *m.* **1** verloofde, aanstaande *m.*; **2** bruidegom *m.*
fiancée [fyã'sé] *f.* **1** verloofde, aanstaande *v.*; **2** bruid *v.*
fiancer [fyã'sé] **I** *v.t.* verloven; **II** *v.pr.*, ***se* —,** zich verloven.
fiasco [fyasko] *m.* mislukking *v.*, fiasco *o.*
fiasque [fyask] *m.* Italiaanse wijnfles *v.(m.)*.
fibran(n)e [fibran] *f.* stapelvezel, kunstwol *v.(m.)*.
fibre [fi'br] *f.* **1** vezel *v.(m.)*; **2** (*fig.*) (gevoelige) snaar *v.(m.)*; ***avoir la* — *de la musique*,** aanleg voor muziek hebben; **—*s de bois*,** houtwol *v.(m.)*.
fibre*-cellule* [fi'brsèlül] *f.* celvezel *v.(m.)*.
fibreux [fibrö] *adj.* vezelig, vezelachtig.
fibrillaire [fibrilè:r] *adj.* uit vezeltjes bestaand.
fibrille [fibril] *f.* **1** vezeltje *o.*; **2** (*Pl.*) haarworteltje *o.*
fibrine [fibrin] *f.* fibrine, bloedvezelstof *v.(m.)*.
fibrociment [fibrosimã] *m.* asbestcement *o. en m.*
fibrome [fibròm] *m.* (*gen.*) fibroom, vezelgezwel *o.*
fibule [fibül] *f.* antieke doekspeld *v.(m.)*.
ficaire [fikè:r] *f.* (*Pl.*) speenkruid *o.*
ficelage [fisela:j] *m.* (het) vastbinden *o.*
ficeler* [fislé] *v.t.* met een touwtje vastbinden, een touwtje doen om; ***mal ficelé*,** slecht (*of* slordig) gekleed.
ficeleur [fislœ:r] *m.* inpakker *m.*
ficelier [fiselyé] *m.* rol *v.(m.)* voor bindtouw.
ficelle [fisèl] **I** *f.* **1** touwtje *o.*; **2** bindgaren, bindtouw *o.*; **3** (*fig.*) handigheid *v.*, kunstgreep *m.*; foefje *o.*; **4** (*v. persoon*) slimmerd *m.*; ***il connaît toutes les* —*s*,** hij kent het klappen van de zweep; ***tenir les* —*s*,** aan de touwtjes trekken; ***on voit la* —,** 't ligt er dik op; ***tirer sur la* —,** te lang aanhouden; **II** *adj.* (*fam.*) glad, slim, handig.
ficellier, *voir* ***ficelier.***
fiche [fiʃ] *f.* **1** (*houten of metalen*) pin, spie *v.(m.)*; **2** (*v. deur*) knier *v.(m.)*; **3** fiche *o. en v.(m.)*, speelmerk *o.*, speelpenning *m.*; **4** (*v. metselaar*) voegijzer *o.*; **5** kaart *v.(m.)* (voor aantekeningen); **— *de consolation*, 1** kleine vergoeding *v.*; **2** (*fig.*) kleine troost *m.* (in ongeluk); **— *de piano*,** stemstift *v.(m.)*.
ficher [fiʃé] **I** *v.t.* **1** (*v. paal*) inslaan; **2** (*v. pin, spie*) insteken; **3** (*steen, bij 't metselen*) voegen; **4** (*fig.*: *v. ogen*) vestigen, strak richten; **— *le camp*,** maken dat men wegkomt; **— *à la porte*,** de deur uitgooien; **— *qn. dedans*,** iem. er in laten lopen; ***fichez-moi la paix*,** laat me met rust; ***je t'en fiche!*** kun je begrijpen! ***va te faire fiche*,** loop naar de weerlicht; **II** *v.pr.*, ***se* — *de*,** niets geven om; ***se* — *de tout*,** van (*of* aan) alles de brui geven; ***se* — *de qn.*,** iem. voor de gek houden; ***se* — *qc. dans la tête*,** iets in zijn hoofd halen; ***se* — *par terre*,** neervallen.
ficheron [fiʃrõ] *m.* (*tn.*) luns *v.(m.)*.
fichier [fiʃyé] *m.* kaartregister, kaartsysteem *o.*; kaartenkast *v.(m.)*.
fichoir [fiʃwa:r] *m.* knijpertje, klemhoutje *o.*
fichtre [fiʃtr] *ij.* drommels! alle duivels!
fichu [fiʃü] **I** *m.* halsdoek *m.*; **II** *adj.* **1** erbarmelijk, beroerd; **2** (*pop.*: *v. persoon*) gesjochten; **3** verloren; bedorven, naar de maan; ***mal* —,** slecht gekleed.
fictif [fiktif] *adj.* **1** verzonnen; **2** ingebeeld, denkbeeldig; **3** verdicht; **4** overeengekomen.
fiction [fiksyõ] *f.* **1** verzinsel *o.*; **2** verdichting *v.*; **3** overeenkomst *v.*; **— *légale*,** (*recht*) wettelijke fictie *v.*; ***valeur de* —,** aangenomen waarde *v.*
fictivement [fikti'vmã] *adv.*, *voir* ***fictif.***
fidéicommis [fidéikòmi] *m.* (*recht*) erfstelling *v.* over de hand.
fidéicommissaire [fidéikòmisè:r] *m.* erfgenaam [*m.* bij fideï-commis.
fidéjusseur [fidéjüsœ:r] *m.* (*recht*) borg *m.*
fidéjussion [fidéjüsyõ] *f.* (*recht*) (schriftelijke) borgstelling *v.*
fidéjussoire [fidéjüswa:r] *adj.* (*recht*) borgtochtelijk.
fidèle(ment) [fidèl(mã)] **I** *adj.(adv.)* **1** trouw, getrouw; **2** (*v. geheugen, gids, enz.*) betrouwbaar; **II** *s., m.-f.* getrouwe *m.-v.*; ***les* —*s*,** de gelovigen *mv.*
fidélité [fidélité] *f.* **1** trouw *v.(m.)*, getrouwheid *v.*; **2** betrouwbaarheid *v.*
Fidji [fi'dji] ***les îles* —,** Fidzji-eilanden *mv.*
fidjien [fi'djyẽ] *adj.* Fidzjiaans, van de Fidzji-eilanden.
fiduciaire [fidüsyè:r] *adj.* **1** (*vroeger*) op vertrouwen gegrond; **2** (*thans*) zonder werkelijke waarde; ***héritier* —,** erfgenaam die een fideï-commis heeft; ***monnaie* —,** papieren geld; ***circulation* —,** omloop van papieren geld; ***société* —,** administratiekantoor *o.*
fiducie [fidüsi] *f.* schijnverkoop *m.*
fief [fyèf] *m.* (*gesch.*) leen, leengoed *o.*; **— *noble*,** ridderleen; **— *masculin*,** zwaardleen; **— *féminin*,** spilleleen; (*fig.*) **— *électoral*,** kiesdistrict waarin men zeker herkozen wordt; **— *servant*,** achterleen.
fieffé [fyèfé] *adj.* doortrapt, volslagen, aarts—.
fieffer [fyèfé] *v.t.* (*gesch.*) in leen geven, belenen.
fiel [fyèl] *m.* **1** gal *v.(m.)*; **2** (*fig.*) bitterheid *v.*, wrok *m.*; ***sans* —,** onschuldig.
fielleux [fyèlö] *adj.* **1** gallig, galachtig; **2** (*fig.*) hatelijk.
fiente [fyã:t] *f.* drek, mest *m.* (*v. vogels*).
fienter [fyã'té] *v.t.* bemesten (met hoender- of duivenmest).
fier I *v.pr.*, ***se* —** [s(e)fyé] (***à***), vertrouwen op; ***se* — *sur*,** afgaan op; **II** [fyè:r] *adj.* trots, fier; hooghartig; ***un* — *coquin*,** een aartsschurk; ***faire le* —,** zich groot houden.
fier-à-bras [fyè'rabra] *m.* **1** ijzervreter, vechter *m.*; **2** snoever *m.*

fièrement [fyè'rmã] *adv.* **1** trots, fier; **2** flink, geducht. [heid *v.*
fierté [fyèrté] *f.* trots *m.*, fierheid *v.*; hooghartig-
fièvre [fyè:vr] *f.* **1** koorts *v.*(*m.*); **2** (*fig.*) gejaagdheid, opgewondenheid *v.*; — ***tierce,*** anderdaagse koorts; — ***quarte,*** derdendaagse koorts; — ***intermittente,*** wisselkoorts; — ***scarlatine,*** roodvonk *v.*(*m.*) *en o.*; — ***typhoïde,*** tyfus *m.*; ***donner la — à qn.,*** iem. de koorts op 't lijf jagen; ***tomber de — en chaud mal,*** van de regen in de drop komen, van de wal in de sloot geraken.
fiévreusement [fyé'vrö'zmã] *adv.* **1** koortsig, koortsachtig; **2** zenuwachtig.
fiévreux [fyé'vrö] **I** *adj.* **1** koortsig, koortsachtig; **2** zenuwachtig; **3** koortsverwekkend; ***climat —,*** koortsverwekkend klimaat; **II** *s.*, *m.* koortslijder *m.*
fiévrotte [fyé'vròt] *f.* lichte koorts *v.*(*m.*).
fifi [fifi] *m.*, **fifille** [fifiy] *f.* (*fam.*) zoontje, dochtertje *o.*, lieveling *m.*
fifre [fifr] *m.* **1** dwarsfluitje *o.*, piccolofluit *v.*(*m.*); **2** pijper *m.*
fifrelin [fifrelẽ] *m.* sikkepitje, ziertje *o.*
figaro [figaro] *m.* (*fam.*) barbier, kapper *m.*
figement [fi'jmã] *m.* stolling *v.*
figer [fi'jé] **I** *v.t.* **1** doen stollen; **2** doen verstijven; **II** *v.pr.*, ***se —,*** stollen; ***sang figé,*** geronnen bloed.
fignolage [fiñòla:j] *m.* **1** opschik *m.*; **2** gepeuter *o.*
fignoler [fiñòlé] *v.t.* **1** opschikken; **2** peuterig afwerken.
fignoleur [fiñòlœ:r] **I** *m.* peuteraar *m.*; **II** *adj.* peuterig.
figue [fi'g] *f.* vijg *v.*(*m.*); — ***de Barbarie,*** cactusvijg *v.*(*m.*); ***faire la — à qn.,*** iem. uitsliepen; ***moitié —, moitié raisin,*** half willens, half onwillens; half scherts, half ernst; (*v. gezicht*) zuurzoet.
figuerie [figri] *f.* vijgeboomgaard *m.*
figuier [figyé] *m.* **1** vijgeboom *m.*; **2** (*Dk.*: *vogel*) vijgeneter *m.*; — ***de Barbarie,*** cactus *m.*
figuline [figülin] *f.* terracotta vaas *v.*(*m.*).
figurable [figüra'bl] *adj.* voorstelbaar; in beeld te brengen.
figurant [figürã] *m.*, **—e** *f.* figurant *m.*, —e *v.*
figuratif [figüratif] *adj.* **1** afbeeldend; **2** zinnebeeldig; ***art —,*** beeldende kunst *v.*; ***écriture figurative,*** beeldenschrift *o.*
figuration [figüra'syõ] *f.* **1** afbeelding; voorstelling *v.*; **2** de figuranten *mv.*
figure [figü:r] *f.* **1** gedaante *v.*, vorm *m.*; **2** (*v. persoon*) gelaat, gezicht *o.*; **3** (*wisk.*, *stijl*, *enz.*) figuur *v.*(*m.*) *en o.*; **4** (*in kaartsp.*) prent, pop *v.*(*m.*); ***faire —,*** uitblinken, een voorname rol spelen, een voorname plaats innemen; ***faire bonne —,*** een goed figuur maken.
figuré [figüré] **I** *adj.* **1** afgebeeld; **2** aanschouwelijk voorgesteld; **3** figuurlijk; ***danse —e,*** figurendans *m.*; **II** *s.*, *m.* figuurlijke zin *m.*; ***au —,*** in figuurlijke zin, figuurlijk gebruikt.
figurer [figüré] **I** *v.t.* **1** afbeelden; **2** voorstellen; **II** *v.i.* **1** figuur maken; **2** als figurant optreden; ***— sur une liste,*** op een lijst staan; **III** *v.pr.*, ***se —,*** zich voorstellen, zich inbeelden.
figurine [figürin] *f.* beeldje; figuurtje *o.*
figuriste [figürist] *m.* beeldjesmaker *m.*
fil [fil] *m.* **1** draad *m.*; **2** garen *o.*; **3** (*v. vlas, hennep*) vezel *v.*(*m.*); **4** (*v. mes*) snede *v.*(*m.*); **5** (*v. water*) richting *v.*, loop, stroom *m.*; — ***conducteur,*** (*el.*) geleidraad *m.*; — ***de chaîne,*** kettingdraad; — ***de trame,*** inslag *m.*; — ***à plomb,*** schietlood *o.*; — ***métallique,*** metaaldraad; — ***de fer,*** ijzerdraad; — ***de fer barbelé,*** prikkeldraad *o.*; ***—s de la Vierge,*** herfstdraden; ***par —,*** per draad, telegrafisch; ***sans —,*** draadloos; ***au — de l'eau,*** met de stroom mee; — ***de haute tension,*** (*el.*) hoogspanningsdraad; ***donner du — à retordre,*** heel wat last veroorzaken; ***ne tenir qu'à un —,*** weinig schelen, maar een haar schelen, aan een zijden draadje hangen; ***passer au — de l'épée,*** over de kling jagen; ***il n'a pas inventé le — à couper le beurre,*** hij heeft het buskruit niet uitgevonden; ***de — en aiguille,*** van 't een op 't ander; ***aller de droit —,*** recht door zee gaan, recht op het doel afgaan.
filage [fila:j] *m.* **1** (het) spinnen *o.*; **2** (*v. onderwerp*) (het) uitspinnen *o.*; **3** (*Pl.*) viltkruid *o.*
filaire [filè:r] *m. ou f.* draadworm *m.*
filament [filamã] *m.* **1** (*Pl.*, *ontleedk.*) vezeltje *o.*; **2** (*v. metaal, enz.*) draadje *o.*; **3** (*el.*) gloeidraad *m.*
filamenteux [filamã'tö] *adj.* vezelig, draderig.
filandière [filã'dyè:r] *f.* spinster *v.*; ***les sœurs —s,*** de schikgodinnen.
filandre [filã:dr] *f.* **1** (*in vlees*) taaie vezel *v.*(*m.*); **2** plantenvezel *v.*(*m.*); **3** (*in marmer*) ader *v.*(*m.*); **4** herfstdraad *m.* [dradig.
filandreux [filã'drö] *adj.* **1** draderig; **2** (*fig.*) lang-
filant [filã] *adj.* **1** dik vloeiend, stroperig; **2** (*v. ster*) verschietend, vallend. [gascar).
filanzane [filã'zan] *m.* draagstoel *m.* (op Mada-
filariose [filaryo:z] *f.* (*gen.*) draadwormziekte *v.*
filasse [filas] *f.* **1** (gehekeld) vlas *o.* (hennep *m.*); **2** (*fig.*) vezelig vlees *o.*; ***cheveux de —,*** vlashaar *o.*
filassier [filasyé] *m.* **1** vlasbewerker *m.*; **2** vlaskoper *m.*
filateur [filatœ:r] *m.* **1** spinner *m.*; **2** eigenaar *m.* van een spinnerij.
filature [filatü:r] *f.* **1** spinnerij *v.*; **2** (het) spinnen *o.*
file [fil] *f.* **1** rij *v.*(*m.*); **2** gelid *o.*; ***chef de —,*** **1** vleugelman *m.*; **2** (*fig.*) leider, voorman *m.*; ***à la —,*** achter elkaar; ***prendre la —,*** in de file plaats nemen; ***par — à droite,*** hoofd van de kolonne rechts.
filé [filé] **I** *adj.* **1** gesponnen; **2** (*v. snaar, enz.*) omwonden; **3** uitgesponnen; **II** *s.*, *m.* **1** gesponnen stof *v.*(*m.*); **2** gesponnen tabak *m.*; **3** gouddraad; zilverdraad *o. en m.*
filer [filé] **I** *v.t.* **1** spinnen; **2** (*v. metaal*) tot draden trekken; **3** (*v. kabel*) vieren; **4** (*v. vat*) met een touw neerlaten; **5** (*v. toneel*) uitspinnen; **6** (*v. toon*) lang aanhouden; — ***un voleur,*** een dief nagaan; — ***vingt nœuds,*** twintig knopen lopen; — ***doux,*** zoete broodjes bakken; — ***un mauvais coton,*** er slecht aan toe zijn; — ***des jours d'or et de soie,*** een onbezorgd leven leiden, leven als God in Frankrijk; ***du temps où la reine Berthe filait,*** in de goede oude tijd; **II** *v.i.* **1** spinnen; **2** (*v. lamp*) walmen, stomen; **3** (*v. ster*) verschieten; **4** (*v. auto, enz.*) snel rijden; **5** er vandoor gaan, vertrekken; — ***vite,*** vaart hebben; — ***à l'anglaise,*** stiekem uitknijpen.
filerie [filri] *f.* **1** spinnerij *v.*; **2** draadtrekkerij *v.*
filet [filè] *m.* **1** draadje *o.*, dunne draad *m.*; **2** (*Pl.*) helmdraad *m.*; **3** (*v. vlees, vis*) reep *m.*; **4** (*v. water, enz.*) straaltje *o.*; **5** (*v. azijn*) scheutje *o.*; **6** (*schild., bouwk.*) lijst, bies *v.*(*m.*); **7** (— ***de vis***), schroefdraad *m.*; **8** (*voor haar, enz.*) netje *o.*; **9** (*v. ballon*) net *o.*; — ***de bœuf,*** ossehaas *m.*; — ***de sauvetage,*** veiligheidsnet *o.*; — ***de voix,*** pieperig stemmetje *o.*; ***avoir le — bien coupé,*** goed van de tongriem gesneden zijn.
filetage [filta:j] *m.* **1** (het) draadtrekken *o.*; **2** (het) snijden *o.* (*v. schroefdraden*).
fileter [filté] *v.t.* **1** (*v. draad*) trekken; **2** een draad snijden (in een schroef).

filetier [filtyé] *m.* nettenmaker *m.* [—ster *v.*
fileur [filœ:r] *m.*, **fileuse** [filö:z] *f.* spinner *m.*,
filial(ement) [filyal(mã)] *adj.(adv.)* kinderlijk; ***amour —,*** kinderliefde *v.*
filiale [filyal] *f.* dochteronderneming *v.*, filiaal *o.*
filiation [filya·syõ] *f.* **1** afstamming *v.*; **2** (*fig.*: *v. gedachten*) aaneenschakeling *v.*, samenhang *m.*
filicinée [filisiné] *f.* (*Pl.*) varen *v.(m.)*.
filicoïde [filikòi·d] *adj.* (*Pl.*) varenachtig.
filière [filyè:r] *f.* **1** (*voor draden*) trekijzer *o.*, trekplaat *v.(m.)*; **2** (*voor schroefdraden*) snijijzer *o.*; **3** (*fig.*) gewone weg *m.*; ***la — administrative,*** de administratieve weg; ***suivre la —,*** er langs de gewone weg komen, van onderaf opklimmen.
filiforme [filifòrm] *adj.* draadvormig.
filigrane [filigran] *m.* **1** (*v. goud, enz.*) filigraan, fijn draadwerk *o.*; **2** metaaldraad, koperdraad *m.* (om watermerken te maken); **3** watermerk *o.* (in papier).
filigraner [filigrané] *v.t.* **1** bewerken met metaaldraad; **2** van een watermerk voorzien.
filigraneur [filigranœ:r], **filigraniste** [filigranist] *m.* filigraanwerker *m.*
filin [filẽ] *m.* (*sch.*) tros *m.*
fille [fi·y] *f.* **1** dochter *v.*; **2** (***petite —, jeune —***), meisje *o.*; **3** ongehuwde vrouw *v.*; ***rester —,*** ongehuwd blijven; ***vieille —,*** oude vrijster; ***— de ferme,*** boerenmeid; ***— de brasserie, — d'auberge,*** kelnerin *v.*; ***— de service,*** kamermeisje *o.*
fillette [fiyèt] *f.* klein meisje *o.*
filleul [fiyœl] *m.*, **—e** *f.* petekind *o.*
film [film] *m.* film *m.*; ***— muet,*** zwijgende film; ***— parlant,*** sprekende film; ***— sonore,*** geluidsfilm; ***— documentaire,*** cultuurfilm; ***— à épisodes,*** amusementsfilm.
filmer [filmé] *v.t.* filmen, verfilmen.
filoche [filòʃ] *f.* net; netvormig weefsel *o.*
filocher [filòʃé] *v.i.* (*v. dameshandwerk*) knopen.
filon [filõ] *m.* **1** mijnader *v.(m.)*; **2** (*fig.*) baantje *o.*
filoselle [filòzèl] *f.* floretzijde, vloszijde *v.(m.)*.
filotière [filòtyè:r] *f.* (loden) rand *m.* om geschilderd raam. [roller *m.*
filou [filu] *m.* **1** schurk *m.*; **2** gauwdief, zakken-
filoutage [filuta:j] *m.* bedrog *o.*
filouter [filuté] *v.t. et v.i.* **1** rollen, zakkenrollen; **2** bedriegen, knoeien (bij spel).
filouterie [filutri] *f.* **1** afzetterij *v.*; **2** schurkenstreek *m. en v.*
fils [fi·s] *m.* zoon *m.*; ***— de famille,*** jongmens van goeden huize; ***il est bien le — de son père,*** hij lijkt sprekend op zijn vader, hij heeft een aardje naar zijn vaartje; ***être — de ses œuvres,*** alles aan zich zelf te danken hebben.
filtrage [filtra:j] *m.* (het) filtreren *o.*, doorzijging *v.*
filtrant [filtrã] *adj.* filtrerend; ***papier —,*** filtreerpapier *o.*
filtrat [filtra] *m.* filtraat *o.*
filtration [filtra·syõ] *f.* filtrering; doorsijpeling *v.*
filtre [filtr] *m.* filter *m.*, filtreertoestel *o.*; ***— coloré,*** lichtfilter *m. en o.*
filtre*-charbon [filtreʃarbõ] *m.* koolfilter *m.*
filtrer [filtré] **I** *v.t.* filtreren; **II** *v.i.* **1** doorsijpelen; **2** (*fig.*) uitlekken.
filure [filü:r] *f.* spinsel *o.*
fin [fẽ] **I** *adj.* **1** fijn; **2** verfijnd, beschaafd; **3** slim, leep, loos; **4** scherp; **5** scherpzinnig, geestig; **6** (*v. gestalte*) slank, welgevormd; ***—e lame,*** uitstekend schermer *m.*; ***— gourmet,*** fijnproever *m.*; ***pluie —e,*** motregen *m.*; ***pierres —es,*** edelgesteenten *mv.*; ***la —e fleur,*** de bloem; de keur; ***une —e mouche,*** een slimme vogel; ***bien — qui le prendra,*** een loze vos die hem vangt; ***plus — que lui n'est pas bête,*** laat hem maar lopen; ***savoir le — mot de l'affaire,*** het fijne van de zaak weten; **II** *adv.* fijn, klein (*schrijven*); **III** *s., m.* **1** (het) fijne *o.*; **2** fijn goud (*of* zilver) *o.*; **3** slimmerd, sluwerd *m.*; ***blanchisseuse de —,*** fijnstrijkster *v.*; ***jouer au plus —,*** elkaar een vlieg trachten af te vangen, elkaar trachten beet te nemen; **IV** *f.* **1** einde, slot *o.*; **2** doel, doeleinde, oogmerk *o.*; ***sans —,*** eindeloos; ***à la — du compte, en — de compte,*** per slot van rekening; ***prendre —,*** eindigen; ***tirer*** (***ou toucher***) ***à sa —,*** **1** ten einde spoeden; **2** op sterven liggen; ***mener à bonne —,*** tot een goed einde brengen; ***mettre — à,*** een einde maken aan; ***arriver à ses —s,*** zijn doel bereiken; ***à cette —, à ces —s,*** daarom, tot dat doel; ***les —s dernières,*** de uitersten *mv.*; ***opposer une — de nonrecevoir,*** afwijzend beschikken op; niet-ontvankelijk verklaren; ***renvoyer des —s de la plainte,*** ontslaan van rechtsvervolging; ***la — justifie les moyens,*** het doel heiligt de middelen; ***qui veut la — veut les moyens,*** wanneer men iets bereiken wil, moet men ook de nodige stappen doen.
finage [fina:j] *m.* **1** grondgebied *o.*, uitgestrektheid *v.* (*v. gemeente*); **2** (*v. ijzer*) zuivering *v.*
final [final] *adj.* **1** laatste; **2** eind—, slot—; ***cause —e,*** einddoel *o.*; ***consonne —e,*** slotmedeklinker *m.*; ***proposition —e,*** doelaanwijzende bijzin *m.*
finale [final] **I** *m.*, **final** (*muz.*) finale *v.(m.)*, slotstuk *o.*; **II** *f.* **1** laatste noot *v.(m.)*; **2** laatste lettergreep *v.(m.)*; **3** (*sp.*) eindstrijd *m.*, eindpartij *v.*
finalement [finalmã] *adv.* ten slotte, eindelijk.
finalité [finalité] *f.* (*wijsb.*) finaliteit *v.*, (het) bestaan *o.* van een doel (in de natuur).
finance [finã:s] *f.* **1** geld *o.*; **2** geldwereld *v.(m.)*; **3** geldmannen *mv.*; **4** financievak *o.*; ***entrer dans la —,*** financier worden; ***la haute —,*** de geldaristocratie *v.*; ***moyennant —,*** tegen betaling; ***—s,*** geldmiddelen *mv.*, financiën *mv.*
financement [finã·smã] *m.* financiering *v.*
financer [finã·sé] **I** *v.t.* financieren; bekostigen; **II** *v.i.* afdokken, geld geven.
financier [finã·syé] **I** *adj.*, **financièrement** [finã·syè·rmã] *adv.* financieel, geldelijk; ***crise financière,*** geldcrisis *v.*; **II** *s., m.* financier, geldman *m.*
finasser [finasé] *v.i.* **1** slim doen; **2** draaien.
finasserie [finasri] *f.* draaierij *v.*, slinkse streken *mv.*
finasseur [finasœ:r] *m.* (*fig.*) draaier *m.*
finassier [finasyé] *m.* (*fig.*) draaier *m.*
finaud [fino] **I** *adj.* listig, sluw; **II** *s., m.* slimmerd, slimme vogel *m.*
fine [fi:n] *f.* goede cognac *m.*
finement [finmã] *adv., voir* ***fin.***
finesse [finès] *f.* **1** fijnheid *v.*; **2** zuiverheid *v.*; **3** slimheid *v.*, list *v.(m.)*; **4** scherpzinnigheid *v.*; **5** (*v. zintuigen*) scherpte *v.*; ***chercher — à qc.,*** kwaad achter iets zoeken.
finet [finè] *adj.* slim, listig, sluw, uitgeslapen.
finette [finèt] *f.* molton *o.*, lichte wollen (*of* katoenen) stof *v.(m.)*.
fingard [fẽga:r] *adj.* weerbarstig.
fini [fini] **I** *adj.* **1** ten einde, uit, gedaan; **2** zorgvuldig bewerkt; **3** (*wijsb.*) eindig; ***produit —,*** afgewerkt produkt *o.*; ***un coquin —,*** een aartsschurk, volslagen schurk *m.*; **II** *s., m.* **1** afwerking *v.*; **2** (*wijsb.*) (het) eindige *o.*
finir [fini:r] **I** *v.t.* **1** eindigen; **2** afmaken, voltooien; **3** (*v. bord*) leegeten; **4** (*v. glas, enz.*) leegdrinken; **II** *v.i.* **1** eindigen; **2** aflopen, uit zijn; ***il finira mal,*** het zal nog slecht met hem aflopen; ***laissez-moi —*** (***de parler***), laat mij uitspreken; ***en — avec qc.,*** een eind maken aan iets; ***en — avec qn.,***

zich afmaken van iem.; ***cela n'en finit pas,*** er komt geen eind aan; — ***en,*** **1** uitgaan op; **2** uitlopen in; — ***de chanter,*** ophouden met zingen; — ***par chanter,*** ten slotte zingen, eindigen met zingen (na een andere handeling).
finissage [finisa:j] *m.* afwerking *v.*
finisseur [finisœ:r] ***m.***, **finisseuse** [finisö:z] ***f.*** afwerker *m.*, —ster *v.*
finition [finisyõ] *f.* afwerking *v.*
finlandais [fẽ'lã'dè] **I** *adj.* Fins; **II** ***s., m., F—,*** Fin, Finlander *m.*
Finlande [fẽ'lã:d] *f.* Finland *o.*
finnois [finwa] *voir* ***finlandais.***
fiole [fyòl] *f.* **1** flesje *o.*; **2** (*pop.*) kop *m.*
fion [fyõ] *m.* handige slag *m.*; ***il a le —,*** hij heeft er de slag van; ***donner le — à qc.,*** de laatste hand aan iets leggen.
fiord, fjord [fyò:r] *m.* fjord *m.*
fioritures [fyòritü:r] *f.pl.* (*muz.*) versieringen *mv.*
firmament [firmamã] *m.* uitspansel, firmament *o.*
firman [firmã] *m.* ferman *m.*, edict *o.* van de sultan.
firme [firm] *f.* firma *v.(m.).*
fisc [fisk] *m.* **1** fiscus *m.*, belastingwezen *o.*; **2** staatskas *v.(m.).*
fiscal(ement) [fiskal(mã)] *adj.(adv.)* fiscaal; ***lois —es,*** belastingwetten.
fiscalité [fiskalité] *f.* **1** belastingwezen *o.*; **2** belastingwetten *mv.*
fissifolié [fisifòlyé] *adj.* met gespleten bladeren.
fissile [fisil] *adj.* splijtbaar.
fission [fisyõ] *f.* (*v. atoom*) splitsing *v.*
fissipède [fisipè'd] *adj.* met gespleten hoeven.
fissipenne [fisipèn] *adj.* met gespleten vleugels.
fissure [fisü:r] *f.* spleet, scheur *v.(m.)*, barst *m.* en *v.*; ***il a une —,*** er loopt bij hem een streep door.
fissurelle [fisürèl] *f.* (*Dk.*) spleetschelp *v.(m.).*
fissurer [fisüré] *v.t.* doen splijten.
fiston [fistõ] *m.* jongen *m.*, ventje *o.*
fistulaire [fistülè:r] *adj.* pijpvormig.
fistule [fistül] *f.* (*gen.*) fistel, pijpzweer *v.(m.).*
fistuleux [fistülö] *adj.* fistelachtig.
fistuline [fistülin] *f.* (*Pl.*) ossetong *v.(m.).*
fixage [fiksa:j] *m.* (het) vastmaken, (het) fixeren *o.*; ***bain de —,*** fixeerbad *o.*
fixateur [fiksatœ:r] **I** *m.* fixeermiddel *o.*; **II** *adj.*, ***sel —,*** fixeerzout *o.*
fixatif [fiksatif] *m.* fixeermiddel *o.*, fixeerstof *v.(m.).*
fixation [fiksɑ'syõ] *f.* **1** (het) vastmaken *o.*; **2** (het) vastleggen *o.*, vastlegging *v.*; **3** vaststelling, bepaling *v.*
fixe [fiks] **I** *adj.* **1** vast; **2** onveranderlijk; **3** (*v. blik*) strak; ***idée —,*** dwangvoorstelling *v.*; ***beau —,*** bestendig weer; ***à prix —,*** tegen vaste prijs; ***à heure —,*** op een bepaald uur, op een vast uur; **II** *s., m.* **1** vast inkomen, vast salaris *o.*; **2** onsmeltbaar lichaam *o.*; ***être au —,*** op bestendig staan.
fixe-chapeau* [fiksʃapo] *m.* hoedespeld *v.(m.).*
fixe-chaussettes [fiksʃo'sèt] *m.* sokophouder *m.*
fixe-cravate* [fikskravat] *m.* dassehouder *m.*
fixement [fiksemã] *adv.* strak.
fixer [fiksé] **I** *v.t.* **1** vastmaken; **2** vastleggen; **3** (*blik, verblijf*) vestigen; **4** (*keus, waarde, enz.*) bepalen; **5** (*aandacht*) trekken, boeien; **6** (iem.) strak aankijken; **7** (*v. kleur*) fixeren; ***son cœur est fixé,*** zijn keus is gedaan; ***être fixé,*** op de hoogte zijn; weten waaraan men zich te houden heeft; **II** *v.pr.*, ***se —,*** **1** zich vastzetten; **2** zich vasthechten; **3** zich vestigen; **4** zich bepalen.
fixisme [fiksizm] *m.* biol. leer *v.(m.)* over vastheid der soorten.
fixité [fiksité] *f.* **1** vastheid *v.*; **2** onbeweeglijkheid *v.*; **3** onveranderlijkheid, bestendigheid *v.*; **4** (*v. blik*) strakheid *v.*
fjord, *voir* ***fiord.***
fla [fla] *m.* dubbele trommelslag *m.*
flabelliforme [flabèlifòrm] *adj.* waaiervormig.
flac! [flak] *ij.* klets! pats!
flaccidité [flaksidité] *f.* weekheid, slapheid *v.*
flache [flaʃ] *f.* **1** (*v. hout*) wankant *m.*; **2** (*in rots*) spleet *v.(m.)*; **3** (*in weg, plaveisel*) inzakking *v.*, kuil *m.*
flacher [flaʃé] *v.t.* (*v. boom*) merken.
flacheux [flaʃö] *adj.* wankantig.
flacon [flakõ] *m.* stopfles *v.(m.)*, flacon *m.*
fla-fla [flafla] *m.* bluf *m.*
flagellant [flajèlã] *m.* (*gesch.*) geselbroeder *m.*
flagellateur [flajèlatœ:r] *m.* geselaar *m.*
flagellation [flajèlɑ'syõ] *f.* geseling *v.*
flageller [flajèlé] *v.t.* geselen.
flageoler [flajòlé] *v.i.* (*v. benen*) trillen, knikken.
flageolet [flajòlè] *m.* **1** (*muz.*) oktaaffluit *v.(m.)*; **2** (*Pl.*) witte boon *v.(m.)*; **3** (*pop.*) spillebeen *o.*, trommelstok *m.*
flagorner [flagòrné] *v.t.* flikflooien.
flagornerie [flagòrn(e)ri] *f.* flikflooierij *v.*
flagorneur [flagòrnœ:r] *m.* flikflooier, ogendienaar *m.*
flagrant [flagrã] *adj.* in 't oog lopend, klaarblijkelijk, zonneklaar; ***en — délit,*** op heterdaad.
flair [flè:r] *m.* **1** fijne reuk *m.*; **2** (*fig.*) speurzin, fijne neus *m.*
flairer [flè'ré] **I** *v.t.* **1** ruiken aan, beruiken; **2** speuren; **3** (*v. wild*) de lucht hebben van; **4** (*fig.*: *v. bedrog, enz.*) de lucht krijgen van; **II** *v.i.* snuffelen.
flaireur [flè'rœ:r] *m.* snuffelaar *m.*
flamand [flamã] **I** *adj.* Vlaams; **II** ***s., m., F—,*** Vlaming *m.*; ***le —,*** het Vlaams.
flamandisation [flamã'dizɑ'syõ] *f.* vervlaamsing [*v.*
flamandiser [flamã'di'zé] *v.t.* vervlaamsen.
flamant [flamã] *m.* (*Dk.*) flamingo *m.*
flambage [flã'ba:j] *m.* (het) zengen *o.*
flambant [flã'bã] **I** *adj.* vlammend; **II** ***adv., tout — neuf,*** gloednieuw, spiksplinternieuw.
flambart [flã'ba:r] *m.* **1** gloeiende kool *v.(m.)*; **2** visserssloep *v.(m.)*; **3** geurmaker, opschepper *m.*
flambe [flã:b] *f.* **1** degen *m.* met gegolfde kling; **2** (*Pl.*) lisbloem *v.(m.).*
flambé [flã'bé] *adj.* **1** gezengd; **2** gevlamd; **3** (*pop.*) verloren, geruïneerd, op de fles.
flambeau [flã'bo] *m.* **1** toorts, fakkel, flambouw *v.(m.)*; **2** kaars *v.(m.)*; **3** (hoge) kandelaar *m.*; ***course au —,*** fakkelloop *m.*; ***retraite aux —x,*** fakkeloptocht *m.*; ***le — de la foi,*** het licht van het geloof; ***le — du jour,*** de zon.
flambée [flã'bé] *f.* helder (vlammend) vuurtje *o.*
flamber [flã'bé] **I** *v.t.* **1** zengen, aan het vuur blootstellen; **2** (*v. verf*) afbranden; **3** (*fig.*) in 't ongeluk storten; **4** (*v. geld, fortuin*) opmaken; **II** *v.i.* vlammen.
flamberge [flã'bèrj] *f.* (lange) degen *m.*; ***mettre — au vent,*** van leer trekken.
flamboiement [flã'bwamã] *m.* (het) vlammen *o.*
flamboyant [flã'bwayã] *adj.* **1** vlammend; **2** (*fig.*) fonkelend, schitterend; ***style —,*** (*bouwk.*) laatgotische stijl.
flamboyer [flã'bwayé] *v.i.* **1** vlammen; **2** vlammen schieten; **3** (*fig.*) fonkelen, schitteren.
flambure [flã'bü:r] *f.* vlam *v.(m.)* (in geverfde [stoffen).
flamingant [flamẽ'gã] **I** *adj.* vlaamsgezind; **II** *s. m.* vlaamsgezinde, flamingant *m.*
flamingantisme [flamẽ'gã'tizm] *m.* beweging van de flaminganten, vlaamsgezindheid *v.*

flammant, *voir* ***flamant.***
flamme [flam] *f.* **1** vlam *v.(m.)*; **2** gloed *m.*, vuur *o.*, hartstocht *m.*; **3** wimpel *m.*; **4** lancet, laatijzer *o.*; ***les —s éternelles,*** het eeuwig vuur; ***en —s,*** in lichte laaie.
flammé [flamé] *adj.* gevlamd.
flammèche [flamèʃ] *f.* vonk *v.(m.)*.
flammerole [flamròl] *f.* dwaallichtje *o.*
flammette [flamèt] *f.* **1** wimpeltje *o.*; **2** *(Dk.)* peperschelp *v.(m.)*; **3** *(Pl.)* boterbloem *v.(m.)*.
flan [flã] *m.* **1** roomtaart *v.(m.)*; **2** pudding *m.*; **3** muntplaatje *o.*; **4** *(drukk.)* clicheerplaat *v.(m.)*; ***du —!*** *(pop.)* morgen brengen! niks! kan je begrijpen!
flanc [flã] *m.* **1** zijde *v.(m.)*; **2** *(mil.)* flank *v.(m.)*; **3** *(dicht.)* schoot *m.*; ***par le — droit!*** *(mil.)* rechts uit de flank! ***être sur le —,*** bedlegerig zijn, te bed liggen; ***se battre les —s,*** zich uitsloven; ***prêter le —,*** **1** zich blootgeven; **2** *(fig.)* vat geven (aan).
flanc*-garde* [flã'gard] *f.* *(mil.)* flankdekking *v.*
flancher [flã'ʃé] *v.i.* **1** weifelen; **2** wijken; **3** zwak staan; **4** *(v. motor)* haperen. [stuk *o.*
flanchet [flã'ʃè] *m.* *(v. rund of v. kabeljauw)* zij-
Flandre [flã:dr] *f.* Vlaanderen *o.*; ***— Orientale,*** Oost-Vlaanderen; ***— Occidentale,*** West-Vlaanderen.
flandrin [flã'drẽ] *m.* lange slungel *m.*
flanelle [flanèl] *f.* flanel *o.*; ***gilet de —,*** flanelletje *o.*
flâner [flɑ'né] *v.i.* **1** slenteren, drentelen; **2** luieren, niets uitvoeren. [luieren *o.*
flânerie [flɑ'nri] *f.* **1** (het) rondslenteren *o.*; **2** (het)
flâneur [flɑ'nœ:r] *m.* slenteraar; straatslijper *m.*
flânocher [flɑ'nòʃé] *v.i.* slenteren.
flanquement [flã'kmã] *m.* *(mil.)* flankering, flankdekking *v.*
flanquer [flã'ké] *v.t.* **1** staan naast, flankeren; **2** smijten, gooien; ***— à la porte,*** de deur uitgooien; ***— un coup de pied à qn.,*** iem. een trap geven; ***— un soufflet*** *(ou* ***une gifle****)* ***à qn.,*** iem. een oorvijg geven.
flapi [flapi] *adj.* bekaf, doodop.
flaque [flak] *f.* plas *m.*
flaquée [flaké] *f.* klets *v.(m.)* water.
flaquer [flaké] *v.t.* *(met water, enz.)* kletsen.
flash [flaʃ] *(fot.)* flitslicht *o.*
flasque [flask] **I** *adj.* slap; mat, week; **II** *s., m.* *(v. affuit)* zijwang *v.(m.)*; **III** *s., f.* **1** klamp *m. en v.* van een mast; **2** kruithoorn *m.*; **3** platte fles *v.(m.)*.
flasquement [flaskemã] *adv.* slap, mat, wekelijk.
flatir [flati:r] *v.t.* platslaan, pletten.
flatoir [flatwa:r] *m.* plethamer *m.*
flatter [flaté] **I** *v.t.* **1** strelen; liefkozen; **2** zacht behandelen; **3** vleien; **4** *(v. portret)* flatteren, mooier maken; ***— une corde,*** *(muz.)* een snaar even aanraken; **II** *v.pr.*, ***se — (de),*** zich vleien (met).
flatterie [flatri] *f.* vleierij *v.*
flatteur [flatœ:r] **I** *adj.* **1** strelend; **2** vleiend; **3** geflatteerd; **II** *s., m.* vleier *m.*
flatteusement [flatö:zmã] *adv.* vleiend.
flatueux [flatẅö] *adj.* winderig.
flatulence [flatülã:s] *f.* winderigheid *v.*
flatulent [flatülã] *adj.* winderig.
flatuosité [flatẅo'zité] *f.* winderigheid *v.*
flavéole [flavéòl] *f.* *(Dk.)* geelgors *v.(m.)*.
flavescent [flavèsã] *adj.* geelachtig.
Flavien [flavyẽ] *m.* Flavius *m.*
fléau [fléo] *m.* **1** dorsvlegel *m.*; **2** *(v. weegschaal)* hefboom *m.*; **3** *(fig.)* gesel *m.*, plaag *v.(m.)*; ***le — de Dieu,*** de gesel van God.
flèche [flèʃ] *f.* **1** pijl *m.*; **2** *(v. rijtuig)* disselboom *m.*; **3** *(v. toren)* spits *v.(m.)*; **4** *(op kaart)* pijltje *o.*; **5** *(v. ophaalbrug)* wip *v.(m.)*; **6** *(op triktrakbord)* veld *o.*; **7** *(Pl.)* rechtopstaande tak *m.*; **8** *(v. kanon)* affuitlijf *o.*; **9** *(v. auto)* richtingaanwijzer *m.*; ***— de lard,*** zij *v.(m.)* spek; ***faire — de tout bois,*** geen middel ongebruikt laten; ***ne plus savoir de quel bois faire —,*** geen raad meer weten, ten einde raad zijn.
fléchette [fléʃèt] *f.* pijltje *o.*
fléchière [fléʃyè:r] *f.* *(Pl.)* pijlkruid *o.*
fléchir [fléʃi:r] **I** *v.t.* **1** buigen, doorbuigen; **2** vermurwen, overhalen; **II** *v.i.* **1** buigen, doorbuigen; **2** zwichten, toegeven; **3** *(v. cijfers, koersen)* dalen; ***faire —,*** aan het wankelen brengen.
fléchissement [fléʃismã] *m.* **1** buiging, doorbuiging *v.*; **2** (het) zwichten *o.*; **3** daling *v.*
fléchisseur [fléʃisœ:r] *adj.*, ***muscle —,*** buigspier *v.(m.)*.
flegmatique(ment) [flègmatik(mã)] *adj.(adv.)* **1** flegmatisch; **2** bedaard, koelbloedig; **3** onverschillig; **4** slijmerig.
flegme [flègm] *m.* **1** flegma *o.*; **2** koelheid, bedaardheid, kalmte *v.*; **3** *(gen.)* slijm *o.*
flémard [fléma:r] **I** *adj.* vadsig, lui; **II** *s., m.* luilak, luiwammes *m.*
flème, flemme [flèm] *f.* vadsigheid, luiheid *v.*; ***avoir la —,*** lui zijn, geen lust hebben om te werken; ***battre sa —,*** luilakken.
fléole [fléòl] *f.* *(Pl.)* doddegras *o.*
Flessingue [flèsẽ:g] *f.* Vlissingen *o.*
flet [flè] *m.* *(Dk.)* bot *m.*
flétan [flétã] *m.* *(Dk.)* heilbot *m.*
flétri [flétri] *adj.* **1** verwelkt, verlept; **2** flets; **3** *(v. linnen)* vuil, smoezelig.
flétrir [flétri:r] **I** *v.t.* **1** *(v. bloem)* doen verwelken; **2** *(v. kleur)* doen verbleken; **3** *(v. gelaatskleur, enz.)* flets maken; **4** *(v. handelwijze, misdadiger, enz.)* brandmerken; ***peine flétrissante,*** onterende straf; **II** *v.pr.*, ***se —,*** **1** verwelken; **2** flets worden; **3** vergaan.
flétrissure [flétrisü:r] *f.* **1** brandmerk *o.*; **2** *(fig.)* schandvlek, smet *v.(m.)*.
flette [flèt] *f.* *(sch.)* vlet *v.(m.)*.
fleur [flœ:r] *f.* **1** bloem *v.(m.)*; **2** *(v. vruchtbomen)* bloesem *m.*; **3** bloei *m.*; **4** *(op vruchten)* waas *o.*; **5** *(fig.)* sieraad *o.*, tooi *m.*; **6** keur *v.(m.)*, puik *o.*; ***— artificielle,*** kunstbloem; ***— de rhétorique,*** beeldspraak *v.(m.)*; ***en —,*** in bloei; ***à —s,*** gebloemd; ***à — de,*** aan de oppervlakte van, gelijk met; ***à — de peau,*** **1** rakelings langs de huid; **2** *(fig.)* oppervlakkig; ***des yeux à — de tête,*** uitpuilende ogen; ***à la — de l'âge,*** in de bloei van 't leven; ***la fine —,*** het puik, het fijnste.
fleurage [flœ'ra:j] *m.* **1** gebloemd patroon *o.*; **2** gruttenzemelen *mv.*
fleuraison [flœ'rè'zõ] *f.* bloei, bloeitijd *m.*
fleurdelisé [flœ'rdeli'zé] *adj.* *(wap.)* met leliën versierd.
fleurer [flœ'ré] *v.i.* rieken (naar), geuren.
fleuret [flœ'rè] *m.* **1** floret *v.(m.) en o.*, schermdegen *m.*; **2** *(tn.)* mijnboor *v.(m.)*; **3** floretzijde *v.(m.)*. [hof maken.
fleurette [flœ'rèt] *f.* bloempje *o.*; ***conter —s,*** het
fleuri [flœ'ri] *adj.* **1** bloeiend, in bloei; **2** *(fig.)* bloemrijk; **3** *(v. gelaatskleur)* fris, rood, gezond; **4** *(v. steen)* geaderd, gestreept; **5** *(v. baard)* wit, sneeuwwit; **6** *(v. neus)* rood; ***Pâques —es,*** Palmzondag.
fleurir [flœ'ri:r] **I** *v.i.* **1** bloeien, in bloei staan; **2** rood zien; **3** *(fig.)* voorspoedig gaan; **II** *v.t.* **1** met bloemen versieren; **2** *(iem.)* bloemen, vereren; **3** een bloem doen in *(knoopsgat, enz.)*; **III** *v.pr.*, ***se —,*** **1** zich met bloemen tooien; **2** een bloem in zijn knoopsgat steken; **3** *(v. neus)* rood worden.

fleurissant [flœ'ri'sã] *adj.* (*Pl.*) bloeiend, in bloei.
fleuriste [flœ'rist] *m.-f.* **1** bloemist, bloemkweker *m.*; **2** bloemenverkoper *m.* (—verkoopster *v.*); **3** bloemenmaker *m.* (—maakster *v.*).
fleuron [flœ'rõ] *m.* **1** (*drukk.*) bloem *v.*(*m.*), bloemvormig sieraad *o.*; **2** (*Pl.*) bloempje *o.* (*v. samengesteldbloemige*); **3** (*bouwk.*) kruisbloem *v.*(*m.*); **4** (*fig.*) parel *v.*(*m.*).
fleuronné [flœ'ròné] *adj.* **1** met bloemen versierd; **2** uit bloempjes samengesteld.
fleuronner [flœ'ròné] **I** *v.i.* (*Pl.*) bloempjes schieten; **II** *v.t.* met bloemen versieren.
fleuve [flœ:v] *m.* stroom *m.*
flexibilité [flèksibilité] *f.* buigzaamheid; lenigheid *v.*
flexible [flèksi'bl] *adj.* buigzaam; lenig.
flexion [flèksyõ] *f.* buiging *v.*
flexionnel [flèksyònèl] *adj.* buigings—; ***désinence —le,*** (*gram.*) buigingsuitgang *m.*
flexueux [flèksẅö] *adj.* bochtig, met veel bochten.
flexuosité [flèksẅo'zité] *f.* bochtigheid *v.*
flibot [flibo] *m.* (*sch.*) vlieboot *m. en v.*
flibuste [flibüst] *f.* vrijbuiterij *v.*
flibuster [flibüsté] *v.i.* vrijbuiten.
flibusterie [flibüstri] *f.* **1** vrijbuiterij *v.*; **2** (*fig.*) oplichterij, flessentrekkerij *v.*
flibustier [flibüstyé] *m.* **1** vrijbuiter, zeerover *m.*; **2** (*fig.*) oplichter, flessentrekker *m.*
flic [flik] *m.* (*pop.*) smeris *m.*
flicflac [flikflak] **I** *ij.* klik klak! **II** *s., m.* geklap *o.*
flingot [flẽ'go] *m.* (*pop.*) geweer *o.*, spuit *v.*(*m.*).
flinguer [flẽ'gé] *v.t.* (*arg.*) doden.
flint-glass [flintglas] *m.* flintglas *o.*
flirt [flœrt] *m.* flirt *m.*
flirtage [flœrta:j] *m.*, **flirtation** [flœrta'syõ] *f.* (het) flirten *o.*
flirter [flœrté] *vi.i* flirten, koketteren.
flirteur [flœrtœ:r] *m.* flirter *m.*
Flobecq [flòbèk] Vloesberg *o.*
floc [flòk] *m.* kwastje *o.*
floche [flòʃ] **I** *adj.* **1** fluwelig; **2** wollig, pluizig; ***soie —,*** floszijde *v.*(*m.*); **II** *s., f.* zijden kwastje *o.*
flocon [flòkõ] *m.* vlok *v.*(*m.*).
floconner [flòkòné] *v.i.* vlokken, vlokken vormen.
floconneux [flòkònö] *adj.* vlokkig.
flonflon [flõ'flõ] *m.* (*ong.*) deuntje, refrein *o.*
floquet [flòkè] *m.* kwastje *o.*
floraison [flòrè'zõ] *f.* bloei; bloeitijd *m.*
floral [flòral] *adj.* bloem—, bloemen—; ***exposition —e,*** bloemententoonstelling *v.*
floralies [flòrali] *f.pl.* **1** (*oudh.*) Florafeesten (te Rome) *mv.*; **2** bloemententoonstelling *v.*
Flore [flò:r] *f.* Flora *v.* (godin van de bloemen); ***f—,*** *f.* flora *v.*(*m.*).
floréal [flòréal] *m.* bloeimaand *v.*(*m.*).
florence [flòrã:s] *m.*, **florentine** [flòrã'tin] *f.* taf *m. en o.* (voor voeringen).
Florent [flòrã] *m.* Floris *m.*
Florentin [flòrã'tẽ] **I** *m.* Florentijn *m.*; **II** *adj.*, ***f—,*** Florentijns.
florès [flòrè's] *m.*, ***faire —,*** (*fam.*) succes hebben, opgang maken.
floriculteur [flòrikültœ:r] *m.* bloemkweker *m.*
floriculture [flòrikültü:r] *f.* bloementeelt *v.*
Floride [flòri'd] *f.* Florida *o.*
florifère [flòrifè:r] *adj.* bloemdragend.
floriforme [flòrifòrm] *adj.* bloemvormig.
florilège [flòrilè:j] *m.* bloemlezing *v.*
florin [flòrẽ] *m.* gulden; florijn *m.*
florissant [flòrisã] *adj.* (*fig.*) bloeiend, welvarend.
florule [flòrül] *f.* bloempje *o.* (v. samengestelde bloem).
flosculeux [flòskülö] *adj.* uit bloempjes bestaand.
flot [flo] *m.* **1** (*v. zee*) golf *v.*(*m.*); **2** vloed *m.* (wassend getij); **3** (*v. vloed, tranen, enz.*) stroom *m.*; **4** (*fig.*) overvloed *m.*; **5** menigte *v.*; **6** (*v. hout*) vlot *o.*; ***les —s,*** de zee; ***à —s,*** bij stromen; ***remettre à —,*** **1** weer vlot maken; **2** (*fig.*) er weer bovenop helpen; ***se remettre à —,*** (*fig.*) weer boven water komen; ***rester à —,*** **1** drijven; **2** (*fig.*) boven blijven.
flottabilité [flòtabilité] *f.* drijfvermogen *o.*
flottable [flòta'bl] *adj.* **1** drijvend; **2** (*v. rivier*) bevaarbaar voor vlotten.
flottage [flòta:j] *m.* (het) vlotten *o.*; ***bois de —,*** vlothout *o.*
flottaison [flòtè'zõ] *f.* waterspiegel *m.*; ***ligne de —,*** waterlijn *v.*(*m.*).
flottant [flòtã] *adj.* **1** drijvend; **2** (*bevolking, schuld*) vlottend; **3** (*v. kleed, enz.*) golvend; **4** (*fig.: v. karakter*) weifelend, ongestadig, besluiteloos; ***cale —e,*** drijvend dok *o.*; ***vendre —,*** (*H.*) stomend verkopen.
flotte [flòt] *f.* **1** vloot *v.*(*m.*); **2** (*sch.*) boei *v.*(*m.*); **3** (*visv.*) dobber *m.*; ***— marchande,*** koopvaardijvloot; ***— aérienne,*** luchtvloot; ***— de pêche,*** vissersvloot; ***une — d'amis,*** een hoop vrienden; ***il a de la —,*** hij heeft duiten.
flottement [flòtmã] *m.* **1** golvende beweging *v.*; **2** (*fig.*) weifeling, onzekerheid *v.*
flotter [flòté] *v.i.* **1** drijven; **2** (*v. haar, kleed, enz.*) golven; **3** (*v. vlag*) wapperen; **4** zweven; **5** (*fig.*) weifelen, aarzelen; **6** (*tussen hoop en vrees*) dobberen; ***— dans ses vêtements,*** in zijn kleren zwemmen.
flotteron [flòtrõ] *m.* (*visv.*) dobbertje *o.*
flotteur [flòtœ:r] *m.* **1** vlotter, houtvlotter *m.*; **2** drijver, vlotter *m.* (om snelheid v. de stroom te meten); **3** (*visv.*) dobber *m.*
flottille [flòti'y] *f.* kleine vloot *v.*(*m.*), vloot van lichte vaartuigen.
flou [flu] **I** *adj.* mollig; wazig; **II** *s., m.* (het) mollige *o.*; (het) wazige *o.*
flouer [flué] *v.t.* bedriegen, beetnemen, bedotten.
flouerie [flu'ri] *f.* bedriegerij, bedotterij *v.*
floueur [fluœ:r] *m.* bedrieger, bedotter, oplichter *m.*
flouve [flu:v] *f.* (*Pl.*) reukgras *o.*
fluctuant [flüktẅã] *adj.* **1** golvend; **2** wisselvallig, onbestendig.
fluctuation [flüktẅa'syõ] *f.* **1** golving *v.*; **2** (*v. prijzen*) schommeling *v.*; **3** wisselvalligheid, onbestendigheid *v.*
fluctueux [flüktẅö] *adj.* **1** golvend; **2** wisselvallig, ongestadig.
fluent [flüã] *adj.* **1** vochtig; **2** bloedend; **3** (*fig.*) vlietend.
fluer [flüé] *v.i.* **1** vloeien; **2** (*v. wond*) dragen; **3** (*v. het water*) opkomen.
fluet [flüè] *adj.* tenger, teder, zwak.
flueurs [flüœ:r] *f.pl.*, ***— blanches,*** witte vloed *m.*
fluide [flüi'd] **I** *adj.* vloeibaar *of* gasvormig; **2** (*fig.*) voorbijgaand; **3** (*v. stijl, enz.*) vloeiend; **II** *s., m.* **1** vloeistof *v.*(*m.*) *of* gas *o.*; **2** (*el.*) stroom *m.*; **3** (*spiritisme*) fluïdum *o.*, magnetische uitstraling *v.*
fluidification [flüidifika'syõ] *f.* (het) vloeibaar maken *o.*
fluidifier [flüidifyé] *v.t.* vloeibaar maken.
fluidité [flüidité] *f.* vloeibaarheid *v.*
fluor [flüò:r] *m.* (*scheik.*) fluor, fluorium *o.*; ***spath —,*** vloeispaat *o.*
fluorescéine [flüòrèsé(y)in] *f.* fluorescerende gele verf *v.*(*m.*).
fluorescence [flüòrèsã:s] *f.* fluorescentie; lichtuitstraling *v.*
fluorescent [flüòrèsã] *adj.* fluorescent; ***tube —,*** T.L.-buis *v.*(*m.*).
fluorhydrique [flüòridrik] *adj.*, ***acide —,*** fluorwaterstof *v.*(*m.*).

fluorine [flüòrin] *f.* vloeispaat *o.*
fluorure [flüòrü:r] *m.* fluoride *o.*
flûte [flüt] **I** *f.* **1** fluit *v.(m.)*; **2** fluitist *m.*; **3** fluitje, langwerpig broodje *o.*; **4** fluitglas *o.*; **— *traversière*,** dwarsfluit; ***petite* —,** piccolofluit; **— *enchantée*,** toverfluit; **— *de Pan*,** herdersfluit; ***des jambes comme des* —*s*,** spillebenen *mv.*; ***ce qui vient de la — s'en retourne au tambour*,** zo gewonnen, zo geronnen; **II** *ij.*, **—!** niks daarvan! morgen brengen!
flûté [flüté] *adj.* (*v. geluid*) helder en zacht; ***sons* —*s*,** (*muz.*) flageolettonen *mv.*
flûteau [flüto] *m.* **1** kinderfluitje *o.*; **2** (*Pl.*) waterweegbree *v.(m.)*.
flûter [flüté] *v.i.* fluit spelen; (*v. merel*) fluiten.
flûteur [flütœ:r] *m.* **1** (slecht) fluitspeler *m.*; **2** (*v. vogels*) fluiter *m.*
flûtiste [flütist] *m.* fluitspeler, fluitist *m.*
fluvial [flüvyal] *adj.* rivier—, stroom—; ***réseau* —,** net *o.* van rivieren; ***eaux* —*es*,** rivierwater *o.*; ***navigation* —*e*,** binnenvaart *v.(m.)*.
fluviatile [flüvyatil] *adj.* rivier—, zoetwater—; ***coquille* —,** rivierschelp *v.(m.)*; ***plante* —,** rivierplant *v.(m.)*.
fluviomètre [flüvyòmè'tr] *m.* peilmeter *m.*
flux [flü] *m.* **1** vloed *m.*; **2** (*licht, el.*) stroom *m.*; **— *de paroles*,** woordenvloed; **— *de sang*,** rode loop *m.*, dysenterie *v.*; **— *de ventre*,** buikloop *m.*; **— *et reflux*,** eb en vloed.
fluxion [flüksyõ] *f.* **1** (*v. wang, enz.*) opzwelling *v.*; **2** (*op het oog*) zinking *v.*; **— *de poitrine*,** longontsteking *v.*; ***méthode des* —*s*,** differentieelrekening *v.*
foc [fòk] *m.* (*sch.*) fok *v.(m.)*, kluiver *m.*
focal [fòkal] *adj.* brandpunts—; ***distance* —*e*,** (*nat.*) brandpuntsafstand *m.*
focale [fòkal] *f.* brandlijn *v.(m.)*.
foehn [fœn] *m.* föhn *m.*
foëne, fouëne [fòè:n] *f.* (*visv.*) aalgeer, elger *m.*
foëner [fwèné] *v.i.* elgeren, aal steken.
fœtus [fétüs] *m.* fœtus *m. en o.*
foi [fwa, fwɑ] *f.* **1** geloof *o.*; **2** trouw *v.(m.)*; **3** (gegeven) woord *o.*; **4** vertrouwen *o.*; ***digne de* —,** geloofwaardig; ***bonne* —,** goede trouw; ***de bonne* —,** te goeder trouw, eerlijk; ***mauvaise* —,** kwade trouw, valsheid, onoprechtheid *v.*; ***article de* —,** geloofspunt *o.*; ***profession de* —,** geloofsbelijdenis *v.*; ***faire — de*,** getuigen van, bewijzen; ***faire* —,** rechtsgeldig zijn; ***ajouter — à*,** geloof hechten aan; ***avoir — en*,** vertrouwen hebben in; ***en — de quoi*,** ten bewijze waarvan; (***par***) ***ma* —,** op mijn woord, werkelijk; ***sous la — du serment*,** onder ede; ***il n'a ni — ni loi*,** hij kent God noch gebod.
foie [fwa, fwɑ] *m.* lever *v.(m.)*; ***huile de — de morue*,** levertraan *m.*; ***pâté de — gras*,** ganzeleverpastei *v.(m.)*.
foin [fwẽ] **I** *m.* **1** hooi *o.*; **2** haar (*of* dons) *o.* van een artisjok; ***faire les* —*s*,** maaien; ***faire ses* —*s*,** (*fig.*) een zoet winstje maken; ***avoir du — dans ses bottes*,** er warmpjes in zitten; **II** *ij.*, **— *de!*** weg met!
foirail [fwara'y], **foiral** [fwaral] *m.* kermisveld *o.*
foire [fwa:r] *f.* **1** jaarmarkt *v.(m.)*; **2** (*Ned.*) jaarbeurs *v.(m.)*; **3** (*Duitsl.*) messe *v.*; **4** kermis *v.(m.)*; ***la — n'est pas sur le pont*,** je hoeft je niet zo te haasten.
foirer [fwa'ré] *v.i.* **1** (*pop.*) dun afgaan; **2** (*v. wapen*) ketsen; **3** (*fig.*) in de penarie zitten.
foireux [fwa'rö] *adj.* **1** (*pop.*) loslijvig; **2** bang.
fois [fwa] *f.* maal *v.(m.) en o.*, keer *m.*; ***cette* —,** ditmaal; ***toutes les — que*,** telkens als, zo dikwijls als; ***une — pour toutes*,** eens voor altijd; ***une — que*,** als eenmaal; ***bien des* —,** herhaaldelijk; ***à la* —, 1** tegelijk; **2** tevens; ***encore une* —,** nogmaals; ***combien de* —?** hoe dikwijls? ***y regarder à deux* —,** zich wel tweemaal bedenken.
foison [fwa'zõ] *f.* overvloed *m.*; ***à* —,** bij de vleet, in overvloed.
foisonnant [fwa'zònã] *adj.* **1** welig groeiend; **2** overvloedig, bij de vleet.
foisonnement [fwa'zònmã] *m.* **1** gewemel *o.*; **2** (*v. kalk*) opzwelling *v.*
foisonner [fwa'zòné] *v.i.* **1** wemelen; **2** krioelen; **3** zich sterk vermeerderen, voortwoekeren; **4** (*v. kalk*) opzwellen.
fol [fòl] *adj.*, *voir* ***fou.***
folâtre(ment) [fòlɑ'tr(emã)] *adj.(adv.)* dartel, uitgelaten, vrolijk.
folâtrer [fòlɑ'tré] *v.i.* dartelen, stoeien.
folâtrerie [fòlɑ'treri] *f.* dartelheid *v.*, gestoei *o.*
foliacé [fòlyasé] *adj.* **1** bladvormig; **2** bladerig.
foliaire [fòlyè:r] *adj.* blad—; ***glande* —,** bladklier *v.(m.)*.
foliation [fòlyɑ'syõ] *f.* **1** bladstand *m.*; **2** (het) uitlopen *o.* van de bladeren.
folichon [fòliſõ] *adj.* dartel, vrolijk.
folichonner [fòliſòné] *v.i.* dartel zijn.
folie [fòli] *f.* **1** krankzinnigheid *v.*; **2** dwaasheid *v.*; **3** dwaze streek *m. en v.*; **4** gekheid, zotternij *v.*; **5** overdreven uitgave *v.(m.)*; **— *des grandeurs*,** grootheidswaanzin *m.*; ***aimer à la* —,** dol veel houden van.
folié [fòlyé] *adj.* **1** gebladerd; **2** bladerig.
folio [fòlyo] *m.* **1** blad *o.*; **2** (nummer van een) folio *o.*; paginacijfer *o.*
foliole [fòlyòl] *f.* **1** blaadje *o.* (van een samengesteld blad); kroonblaadje; kelkblaadje *o.*
foliotage [fòlyòta:j] *m.* foliëring *v.*
folioter [fòlyòté] *v.t.* nummeren, foliëren.
folioteuse [fòlyòtö:z] *f.* folieermachine *v.*
folklore [fòlklò:r] *m.* folklore *v.(m.)*, volkskunde *v.*
folklorique [fòlklòrik] *adj.* folkloristisch.
folkloriste [fòlklòrist] *m.-f.* folklorist(e) *m.(v.)*.
folle [fòl] **I** *f.* gekkin *v.*; **II** *adj.* gek; *voir* ***fou.***
follement [fòlmã] *adv.* **1** (*handelen*) dwaas, dwaselijk; **2** (*lachen*) uitgelaten, onbedaarlijk; **3** (*gekleed, enz.*) gek.
follet [fòlè] *adj.* mal, dartel; ***cheveux* —*s*,** nekhaartjes *mv.*; ***esprit* —,** kwelgeest *m.*; ***feu* —,** dwaallichtje *o.* [ver *m.*
folliculaire [fòlikülè:r] *m.* (slecht) dagbladschrijver *m.*
follicule [fòlikül] *m.* **1** (*Pl.*) zaadvlies, zaadhulsel *o.*; **2** klierblaasje *o.*
Fologne [fòlõñ] Veulen *o.*
fomentateur [fòmã'tatœ:r] *m.* aanstoker *m.*; **— *de troubles*,** onruststoker *m.*
fomentatif [fòmã'tatif] *adj.* broeiend.
fomentation [fòmã'tɑ'syõ] *f.* **1** (*gen.*) (het) pappen *o.*; broeiing *v.*; **2** (*v. onlusten, enz.*) verwekking *v.*, (het) aanstoken *o.*
fomenter [fòmã'té] *v.t.* **1** (*gen.*) pappen; **2** (*v. onrust*) stoken; **3** (*v. onlusten*) verwekken, aanstoken.
fonçage [fõ'sa:j] *m.* **1** (*v. vat*) (het) bodemen, (het) inzetten van een bodem *o.*; **2** (het) inheien *o.*
fonçailles [fõ'sɑ'y] *f.pl.* **1** (*v. vat*) bodemstukken *mv.*; **2** (*v. bed*) onderlagen, bodemplanken *mv.*
foncé [fõ'sé] *adj.* **1** (*v. kleur*) donker; **2** met een bodem.
foncer [fõ'sé] **I** *v.t.* **1** (*v. kleur*) donker maken; **2** (*v. vat*) bodemen, van een bodem voorzien; **3** (*v. put*) boren; **4** (*v. paal*) inslaan, inheien; **II** *v.i.*, **— *sur*,** zich werpen op, zich storten op.
fonceur [fõ'sœ:r] *m.* gronder *m.* (van behangselpapier).

foncier [fõ'syé] *adj.* **1** grond—, van de bodem; **2** hoofd—, voornaamste; ***crédit* —, 1** grondkrediet *o.*; **2** hypotheekbank *v.(m.)*; ***propriétaire* —,** grondbezitter *m.*; ***propriété foncière,*** grondeigendom *m.*; ***impôt* —,** grondbelasting *v.*; ***qualité foncière,*** hoofdeigenschap *v.*
foncièrement [fõ'syè'rmã] *adv.* in de grond; door en door.
fonçoir [fõ'swa:r] *m.* klinkijzer *o.*
fonction [fõ'ksyõ] *f.* **1** ambt *o.*; **2** (ambts)bezigheid *v.*, werk *o.*; **3** (lichaams)verrichting *v.*; **4** (*wisk.*) functie *v.*; ***faire* — *de,*** dienst doen als, optreden als.
fonctionnaire [fõ'ksyònè:r] *m.-f.* ambtenaar *m.*, [—nares *v.*
fonctionnarisme [fõ'ksyònarizm] *m.* ambtenarij *v.*
fonctionnel [fõ'ksyònèl] *adj.* functioneel.
fonctionnement [fõ'ksyònmã] *m.* werking *v.*
fonctionner [fõ'ksyòné] *v.i.* werken, in werking zijn.
fond [fõ] *m.* **1** bodem *m.*; **2** (*uit fles, vat, enz.*) onderste *o.*; **3** (*v. fles wijn*) grondsop *o.*; **4** (*v. hart*) grond *m.*, binnenste, diepste *o.*; **5** (*v. hoed*) bodem *m.*; **6** (*v. broek*) kruis *o.*; **7** (*v. schilderij, toneel*) achtergrond *m.*; **8** (*v. kleur*) ondergrond *m.*; **9** (*fig.*) wezen *o.*, aard *m.*; **10** kern *v.(m.)*, grondslag *m.*; ***au — du jardin,*** achter in de tuin; ***au — du tonneau,*** onder in het vat; ***au — de la forêt,*** in 't midden van het woud, in het diepst van het woud; ***couler à* —,** in de grond boren; ***connaître à* —,** grondig kennen; ***course de* —,** afstandsrit *m.*; ***le — et la forme,*** de zaak zelve; ***avoir un bon* —,** een goede inborst, een goed karakter hebben; ***il n'a pas de* —,** hij is zeer oppervlakkig; ***article de* —,** hoofdartikel *o.*; ***pousser à* —,** tot het uiterste drijven; ***à — de train,*** in vliegende vaart; ***de — en comble,*** van onder tot boven, geheel en al; ***faire — sur,*** staat maken op, vertrouwen op; ***au* —,** eigenlijk; ***sans* —,** bodemloos; ***un bon* —, 1** een goed karakter; **2** een sterk gestel.
fondage [fõ'da:j] *m.* (*v. metalen*) (het) smelten *o.*
fondamental [fõ'damã'tal] *adj.* voornaamste, grond—, fundamenteel; ***son* —,** (*muz.*) grondtoon, hoofdtoon *m.*
fondamentalement [fõ'damã'talmã] *adv.* in de grond.
fondant [fõ'dã] **I** *adj.* **1** smeltend; **2** (*v. vrucht*) sappig; **3** (*gen.*) oplossend; **II** *s.*, *m.* **1** (*tn.*) smeltmiddel *o.*; **2** (*v. suikergoed*) fondant *m.*; **3** (*gen.*) slinkmiddel *o.*
fondateur [fõ'datœ:r] *m.* **1** stichter, oprichter *m.*; **2** grondlegger *m.*; ***part de* —,** oprichtersaandeel *o.*
fondation [fõ'da'syõ] *f.* **1** grondslag *m.*; **2** (*v. gebouw*) fondament *o.*, fundering *v.*; **3** stichting, oprichting *v.*; ***— pieuse,*** stichting van weldadigheid.
fondé [fõ'dé] **I** *adj.* **1** gegrond; **2** gesticht; **II** *s.*, *m.* ***— de pouvoirs,*** gemachtigde *m.*; procuratiehouder *m.*
fondement [fõ'dmã] *m.* **1** grondslag *m.*; **2** fondament *o.*, fundering *v.*, onderbouw *m.*; **3** (*fig.*) grond *m.*, reden *v.(m.)*; ***sans —, dénué de* —,** ongegrond.
fonder [fõ'dé] **I** *v.t.* **1** stichten; oprichten; **2** (*bouwk.*) grondvesten, funderen; ***dette fondée,*** ingeschreven schuld; ***être fondé à,*** gerechtigd zijn om, grond hebben om; ***être fondé sur,*** gegrond zijn op, berusten op; **II** *v.pr.*, ***se* —, 1** gegrondvest worden; **2** (*fig.*) berusten (op).
fonderie [fõ'dri] *f.* **1** (metaal)gieterij *v.*; **2** (het) gieten *o.* (v. metalen).
fondeur [fõ'dœ:r] *m.* metaalgieter, ijzersmelter *m.*
fondeuse [fõ'dö:z] *f.* gietmachine *v.*
fondis [fõ'di] *m.* inzakking, instorting *v.*
fondoir [fõ'dwa:r] *m.* vetsmelterij *v.*
fondre [fõ'dr] **I** *v.t.* **1** smelten; **2** (*v. metaal*) gieten; **3** vermengen, samensmelten; **II** *v.i.*, **1** smelten; **2** (*v. voorraad*) slinken; **3** (*in vloeistof*) zich oplossen; **4** (*v. ijs*) ontdooien; **5** (*fig.*) verdwijnen; ***— en larmes,*** in tranen uitbarsten (*of* wegsmelten); ***— à vue d'œil,*** (*v. zieke*) zienderogen wegkwijnen; ***— sur,*** zich storten op, aanvallen op; **III** *v.pr.*, ***se* —, 1** smelten; **2** slinken; **3** ontdooien; **4** verdwijnen; **5** (*v. kleuren*) ineenvloeien.
fondrière [fõ'dri(y)è:r] *f.* **1** kuil *m.*; **2** (*in weg*) modderpoel *m.*; **3** open mijngroeve *v.(m.)*.
fondrilles [fõ'driy] *f.pl.* bezinksel *o.*
fonds [fõ] *m.* **1** bodem, grond *m.* (als eigendom), erf *o.*; **2** kapitaal, fonds *o.*; **3** effecten, staatspapieren *mv.*; **4** (***— de commerce***), zaak, handelszaak *v.(m.)*; winkel *m.*; ***de son propre* —,** uit zijn eigen koker; ***être en* —,** bij kas zijn, van geld voorzien zijn; ***— de boutique,*** winkelopstand *m.*; ***— de roulement,*** bedrijfskapitaal; ***— de librairie,*** fonds (van een uitgever) *o.*; ***faire un appel de* —,** bijstorting eisen van geld; ***placer son argent à — perdu,*** zijn geld als een lijfrente beleggen; ***rentrer dans ses* —,** zijn geld terugkrijgen; ***— publics,*** effecten, staatspapieren *mv.*
fondu [fõ'dü] *adj.* **1** gesmolten; **2** gegoten; **3** (*v. tinten*) ineengesmolten; ***cheval* —,** bok sta vast.
fondue [fõ'dü] *f.* toespijs *v.(m.)* van zachte kaas en witte wijn.
fongible [fõ'ji'bl] *adj.* (*recht*) fungibel.
fongicide [fõ'jisi:d] *adj.* paddestoeldodend.
fongiforme [fõ'jifòrm] *adj.* paddestoelvormig, zwamvormig.
fongique [fõ'jik] *adj.* zwamachtig; ***intoxication* —,** vergiftiging *v.* door paddestoelen.
fongosité [fõ'go'zité] *f.* **1** (*gen.*) sponsachtige uitwas *m.* en *o.*; **2** sponsachtigheid *v.*
fongueux [fõ'gö] *adj.* (*gen.*) sponsachtig.
fongus [fõ'gü's] *m.* (*gen.*) sponsgezwel *o.*
fontaine [fõ'tè'n] *f.* **1** bron *v.(m.)*; **2** fontein *v.(m.)*; **3** put *m.*; **4** (*in meelbeslag*) kuiltje *o.*; ***— publique,*** fontein op straat; openbare pomp *v.(m.)*; ***pleurer comme une* —,** tranen met tuiten huilen; ***il ne faut jamais dire: —, je ne boirai pas de ton eau,*** men kan nooit weten of men iem. nog eens nodig heeft.
fontainier [fõ'tènyé], ***voir fontenier.***
fontanelle [fõ'tanèl] *f.* fontanel *v.(m.)*.
fontange [fõ'tã:j] *f.* bep. strik *m.* als haartooi.
fonte [fõ't] *f.* **1** (*v. sneeuw, enz.*) (het) smelten; (het) dooien *o.*; **2** (het) gieten *o.*, smelting *v.*; **3** gietijzer *o.*; **4** (*v. kleuren*) ineensmelting *v.*; **5** (*drukk.*) letterkast *v.(m.)*, stel *o.* letters; **6** holster *m.* (voor pistool).
fontenier [fõ'tenyé] *m.* **1** fonteinmaker *m.*; **2** aanlegger van waterleiding, pompen, enz.
fonts [fõ] *m.pl.* (***— baptismaux***), doopvont *v.(m.)*; ***tenir sur les* —,** ten doop houden.
football [futbòl, futbal] *m.* voetbal *m.*; ***jouer au* —,** voetballen.
footballeur [futbòlœ:r] *m.* voetballer *m.*
footing [futè'g] *m.* wandelsport *v.(m.)*.
for [fò:r] *m.*, ***dans son — intérieur,*** in zijn binnenste.
forage [fòra:j] *m.* boring *v.* (*v. put, enz.*).
forain [fòrẽ] **I** *adj.* **1** buitenlands, vreemd; **2** kermis—; ***marchand* —,** kermiskramer *m.*; ***propriétaire* —,** forens *m.*; **II** *s.*, *m.* kermisreiziger, kermisgast *m.*
foraminé [fòraminé] *adj.* (*Dk.*) met gaatjes (doorboord).
foraminifères [fòraminifè:r] *m.pl.* (*Dk.*) foraminiferen *mv.* (lagere diersoort).
forban [fòrbã] *m.* **1** zeeschuimer, zeerover *m.*; **2** (*fig.*) schurk *m.*
forçage [fòrsa:j] *m.* **1** (*v. munt*) overwicht *o.*; **2** (*v.*

planten) (het) trekken *o.*; **3** (*v. slot, enz.*) (het) forceren *o.*
forçat [fòrsa] *m.* **1** 'galeiboef *m.*; **2** dwangarbeider *m.*
force [fòrs] **I** *f.* **1** kracht *v.(m.)*, sterkte *v.*; **2** macht *v.(m.)*; **3** dwang *m.*, geweld *o.*; overmacht *v.(m.)*; **4** ***—s,*** *f.pl.* krijgsmacht *v.(m.)*, strijdkrachten *mv.*; ***— d'âme,*** zielskracht, wilskracht *v.(m.)*; ***—s hydrauliques,*** waterkracht; ***— motrice,*** beweegkracht; ***— de traction,*** trekkracht; ***— de caractère,*** vastheid van karakter; ***dans toute la — du mot*** (*ou* ***du terme***), in de volle zin van het woord; ***céder à la —,*** voor de overmacht wijken; ***être de — à,*** in staat zijn om; ***soulever à la — du poignet,*** boven de macht zetten; ***— armée,*** gewapende macht; ***maison de —,*** gevangenis *v.*; ***— majeure,*** overmacht *v.(m.)*; ***faire — de rames,*** uit alle macht roeien; ***faire — de voiles,*** alle zeilen bijzetten; ***plein de —,*** krachtig; gespierd; ***sans —,*** machteloos; ***la — des choses,*** de drang van de omstandigheden; ***les —s aériennes,*** de luchtstrijdkrachten *mv.*; ***— ascensionnelle,*** (*vl.*) stijgkracht; ***avoir — de loi,*** kracht van wet hebben; ***coup de —,*** daad van geweld; ***de*** (***vive***) ***—,*** met geweld; ***à — de bras,*** met man en macht; ***à toute —,*** met alle geweld; ***à — de travailler,*** door veel te werken, door maar steeds te werken; ***— me fut de,*** ik was genoodzaakt om; ***de gré ou de —,*** goedschiks, kwaadschiks; ***ils sont de même —,*** ze zijn aan elkaar gewaagd; ***contre la — il n'y a pas de résistance,*** voor geweld moet men buigen; **II** *adv.* veel; ***— argent,*** veel geld.
forcé [fòrsé] *adj.* **1** gedwongen; **2** (*v. werktuig*) verbogen, verdraaid; **3** (*fig.*) onnatuurlijk, stijf, gedwongen; ***atterrissage —,*** (*vl.*) noodlanding *v.*
forcément [fòrsémã] *adv.* **1** met geweld; **2** noodzakelijk, noodzakelijkerwijs.
forcené [fòrsené] **I** *adj.* dol, razend; **II** *s., m.* razende *m.*
forceps [fòrsèps] *m.* tang, verlostang *v.(m.)*.
forcer [fòrsé] **I** *v.t.* **1** dwingen, noodzaken (tot); **2** (*v. werktuig, enz.*) verdraaien; **3** (*v. deur*) openbreken; **4** (*v. stad, enz.*) gewapenderhand nemen, vermeesteren; **5** (*eerbied, bewondering*) afdwingen; **6** (*betekenis v. woord*) verdraaien, geweld aandoen; **7** (*v. hinderpaal*) overwinnen; **8** (*v. paard*) afbeulen; **9** (*v. planten*) trekken; ***— la nature,*** de natuur geweld aandoen; ***— la dose,*** de dosis te groot nemen; ***— la porte de qn.,*** bij iem. binnendringen; ***— le pas,*** de pas versnellen; ***— la main à qn.,*** iem. tot iets dwingen; ***travaux forcés,*** dwangarbeid; ***plante forcée,*** getrokken plant; **II** *v.i.* (*v. deur*) klemmen; **III** *v.pr.*, ***se —,*** **1** zich te zeer inspannen; **2** zich bedwingen.
forcerie [fòrseri] *f.* broeikas, trekkas *v.(m.)*.
forces [fòrs] *f.pl.* grote schaar *v.(m.)* (wolschaar; blikschaar).
forcettes [fòrsèt] *f.pl.* kleine scheerschaar *v.(m.)*.
forceur [fòrsœ:r] *m.*, ***— de blocus,*** blokkadebreker *m.*
forcir [fòrsi:r] *v.i.* dikker worden; aansterken.
forclore* [fòrklò:r] *v.t.* (*recht*) **1** afwijzen; **2** vervallen verklaren (van een recht); ***déclarer forclos,*** afwijzen, niet ontvankelijk verklaren.
forclusion [fòrklü'zyõ] *f.* **1** vervallenverklaring *v.*; **2** niet-ontvankelijkverklaring *v.*
forer [fòré] *v.t.* **1** boren; **2** (*v. sleutel*) uitboren; ***clef forée,*** pijpsleutel *m.*
forerie [fòreri] *f.* **1** boortoestel *o.*; boorinrichting *v.*; **2** geschutboorderij *v.*
Forest [fòrè] *m.* Vorst *o.* (*bij Brussel*).
forestier [fòrèstyé] **I** *adj.* bos—; ***arbre —,*** woudboom *m.*; ***école forestière,*** bosbouwschool *v.(m.)*; ***ingénieur —,*** bosbouwingenieur *m.*; **II** *s., m.* **1** boswachter *m.*; **2** houtvester *m.*
foret [fòrè] *m.* boor, drilboor *v.(m.)*.
forêt [fòrè] *f.* woud, bos *o.*; ***— vierge,*** oerwoud *o.*
Forêt-Noire [fòrènwa:r] *f.* Zwarte Woud *o.*
foreur [fòrœ:r] *m.* boorder *m.*
foreuse [fòrö:z] *f.* boormachine *v.*
forfaire* [fòrfè:r] (***à***), *v.i.* zich vergrijpen (aan), zondigen (tegen); te kort schieten (in); ***— à son devoir,*** zijn plicht verzaken, in zijn plicht te kort schieten.
forfait [fòrfè] *m.* **1** (grove) misdaad *v.(m.)*, misdrijf *o.*; **2** afspraak *v.(m.)*, overeenkomst *v.*, akkoord *o.*; **3** (*bij wedrennen*) rouwgeld *o.*; ***à —,*** tegen vooruit bepaalde vergoeding; ***traiter à —,*** de prijs vooraf bepalen; ***acheter à —,*** voetstoots kopen.
forfaitaire [fòrfètè:r] *adj.* (*v. prijs*) overeengekomen.
forfaiture [fòrfètü:r] *f.* ambtsmisdrijf *o.*, plichtverzaking *v.*
forfanterie [fòrfã'tri] *f.* snoeverij, opsnijderij, zwetserij *v.*
forficule [fòrfikül] *f.* oorworm *m.*
forge [fòrj] *f.* **1** smederij *v.*, smidse *v.(m.)*; **2** ijzersmelterij *v.*; ***maître de —s,*** eigenaar *m.* van hoogovens.
forgeable [fòrja'bl] *adj.* smeedbaar.
forgeage [fòrja:j] *m.* (het) smeden *o.*
forger [fòrjé] **I** *v.t.* **1** smeden; **2** (*fig.: verhaal, enz.*) verzinnen, bedenken; ***en forgeant on devient forgeron,*** al doende leert men; **II** *v.i.* (*v. paard*) aanslaan; **III** *v.pr.*, ***se —,*** zich in het hoofd halen.
forgerie [fòrjeri] *f.* **1** smidsvak *o.*; **2** (*fig.*) verzinsel, bedenksel *o.*
forgeron [fòrjerõ] *m.* smid *m.*
forgeur [fòrjœ:r] *m.* **1** smeder *m.*; **2** (*fig.*) verzinner *m.*
forjet [fòrjè] *m.* (*bouwk.*) **1** (het) uitspringen *o.*; **2** (het) uitbouwen *o.*
forjeter [fòrjeté] **I** *v.i.* (*bouwk.*) uitspringen (uit de rooilijn); **II** *v.t.* uitbouwen.
forlancer [fòrlã'sé] *v.t.* (*v. wild*) opjagen.
forligner [fòrliñé] *v.i.* ontaarden, verbasteren.
formaliser [fòrmali'zé] *v.pr.*, ***se — de qc.,*** iets kwalijk nemen, beledigd zijn over iets.
formalisme [fòrmalizm] *m.* vormelijkheid *v.*, formalisme *o.*
formaliste [fòrmalist] **I** *adj.* vormelijk, formalistisch; **II** *s., m.* vormelijk persoon, formalist *m.*
formalité [fòrmalité] *f.* vorm *m.*; formaliteit *v.*
format [fòrma] *m.* formaat *o.*
formateur [fòrmatœ:r] **I** *adj.* vormend; **II** *s., m.* vormer, formeerder *m.*
formation [fòrma'syõ] *f.* **1** vorming, samenstelling *v.*; **2** (*aardk., mil.*) formatie *v.*; ***— en bataille,*** (*mil.*) opstelling *v.* in slagorde.
forme [fòrm] *f.* **1** vorm *m.*; **2** gedaante *v.*; **3** vorm, stijl *m.*; **4** (*v. schoenen*) leest *v.(m.)*; **5** (*v. hoed*) bol *m.*; **6** vormen *mv.*, manieren *mv.*; **7** (*sp.*) conditie *v.*; ***sous la — de,*** in de gedaante van; ***sans*** (***autre***) ***— de procès,*** zonder nader onderzoek; kort en goed, zonder veel omhaal; ***en bonne et due —,*** in de vereiste vorm; ***y mettre des —s,*** vormelijk zijn; ***chapeau haut de —,*** hoge hoed *m.*; ***pour la —,*** voor de leus; ***— flottante,*** (*sch.*) drijvend dok *o.*; ***papier à la —,*** handgeschept papier *o.*
formel(lement) [fòrmèl(mã)] *adj.(adv.)* **1** (*v. bevel*) uitdrukkelijk; **2** (*v. weigering*) stellig, uitdrukkelijk.
former [fòrmé] **I** *v.t.* **1** vormen; **2** stichten, oprichten; **3** (*v. wens*) koesteren; **4** (*v. soldaten*) africhten; **5** (*v. klacht*) uiten; **6** (*v. plan*) opvatten; ***— une résolution,*** een besluit nemen; **II** *v.pr.*,

se —, **1** zich vormen; gevormd worden; **2** (*v. persoon*) zich ontwikkelen; **3** (*v. troepen*) zich opstellen.
formiate [fòrmyat] *m.* (*scheik.*) mierenzuurzout *o.*
formication [fòrmika·syõ] *f.* (*gen.*) kriebeling *v.*
formidable(ment) [fòrmida·bl(emã)] *adj.(adv.)* **1** vreselijk; **2** ontzaglijk.
formier [fòrmyé] *m.* leestenmaker *m.*
formique [fòrmik] *adj.*, ***acide —,*** mierezuur *o.*
formol [fòrmòl] *m.* formol *o. en m.*, formaline *v.(m.)*.
formosan [fòrmo·zã] *adj.* uit, van Formosa.
Formose [fòrmo:z] *f.* Formosa *o.*
formulaire [fòrmülè:r] *m.* formulierboek *o.*; ***— pharmaceutique,*** receptenboek; ***— de prières,*** gebedenboek.
formulation [fòrmüla·syõ] *f.* formulering *v.*
formule [fòrmül] *f.* **1** formule *v.(m.)*; **2** formulier *o.*; ***— de politesse,*** beleefdheidsformule.
formuler [fòrmülé] *v.t.* formuleren, onder woorden brengen; in de vereiste vorm opstellen.
fornication [fòrnika·syõ] *f.* ontucht *v.(m.)*.
fors [fò:r] *prép.* behalve.
fort [fò:r] **I** *adj.* **1** sterk, krachtig; **2** (*v. stad*) versterkt; **3** (*v. warmte*) hevig; **4** (*v. bedrag, som*) hoog, belangrijk; **5** (*v. medeklinker*) scherp; **6** (*v. boter*) sterk; **7** (*v. taak, papier, sigaar*) zwaar; **8** (*v. kennis*) uitgebreid; **9** knap, bekwaam; ***esprit —,*** vrijdenker *m.*; ***place —e,*** vesting *v.*; ***vin —,*** zware wijn *m.*; ***poids —,*** bruto gewicht *o.*; ***c'est plus — que moi,*** ik kan er niets aan doen; ***il est — en gueule,*** hij is niet op zijn mondje gevallen; ***de —es études,*** degelijke studies; **II** *adv.* **1** sterk, krachtig; **2** zeer, erg; ***crier —,*** luid schreeuwen; ***frapper —,*** hard kloppen; ***— bien,*** heel goed; ***se faire — de,*** zich sterk maken om; ***se porter — pour,*** instaan voor; **III** *s., m.* **1** sterke *m.*; **2** dikste (*of* sterkste) deel *o.*; **3** fort *o.*, kleine vesting *v.*; ***— d'arrêt,*** sperfort *o.*; ***— cuirassé,*** pantserfort; ***— maritime,*** kustfort; ***au — de l'été,*** in het warmste van de zomer; ***au — de l'hiver,*** in 't hartje van de winter; ***au — de la tempête,*** in het felst van de storm; ***le — et le faible de,*** het goede en het slechte van; ***le droit du plus —,*** het recht van de sterkste; ***c'est là son —,*** daarin is hij het sterkst; ***la géographie est son —,*** aardrijkskunde is zijn hoofdvak.
forte [fòrté] *adv.* (*muz.*) forto, krachtig.
fortement [fòrt(e)mã] *adv.* **1** sterk, krachtig; **2** (*ziek*) erg; **3** (*aandringen, enz.*) zeer, ten zeerste; **4** (*fig.*) met nadruk.
forteresse [fòrt(e)rès] *f.* vesting *v.*
fortifiant [fòrtifyã] **I** *adj.* versterkend; **II** *s., m.* versterkend middel *o.*
fortificateur [fòrtifikatœ:r] *m.* **1** versterker *m.*; **2** vestingbouwkundige *m.*
fortification [fòrtifika·syõ] *f.* **1** versterking *v.*; **2** vestingwerk *o.*
fortifier [fòrtifyé] **I** *v.t.* versterken; **II** *v.pr.*, ***se —,*** **1** sterker worden, in kracht toenemen; **2** (*mil.*) zich verschansen.
fortin [fòrtẽ] *m.* (*mil.*) **1** fortje *o.*; **2** blokhuis *o.*
fortiori, à — [afòrsyòri] a fortiori, zoveel te meer.
fortissimo [fòrtisimo] *adv.* (*muz.*) zeer krachtig.
fortrait [fòrtrè] *adj.* (*v. paard*) afgejaagd.
fortuit(ement) [fòrtwi(tmã)] *adj.* (*adv.*) toevallig.
fortune [fòrtün] *f.* **1** fortuin *v.(m.)*, lot *o.*; **2** kans *v.(m.)*, toeval *o.*; **3** geluk *o.*, voorspoed *m.*; **4** fortuin, vermogen *o.*, rijkdom *m.*; ***bonne —,*** geluk *o.*; ***mauvaise —,*** tegenspoed *m.*; ***dans la bonne et la mauvaise —,*** in lief en leed; ***tenter la —,*** zijn geluk beproeven; ***la — des armes,*** de krijgskans *v.(m.)*; ***mât de —,*** (*sch.*) noodmast *m.*; ***gouvernail de —,*** (*sch.*) noodroer *o.*; ***dîner à la — du pot,*** eten wat de pot schaft; ***faire contre mauvaise — bon cœur,*** zich goed houden (in tegenspoed).
fortuné [fòrtüné] *adj.* **1** gelukkig, voorspoedig; **2** rijk, gefortuneerd, vermogend.
forum [foròm] *m.* forum *o.*
forure [fòrü:r] *f.* boorgat *o.*, opening *v.*
fosse [fo:s] *f.* **1** kuil *m.*; **2** graf *o.*, grafkuil *m.*; **3** mijnschacht *v.(m.)*; ***— commune,*** algemeen graf; ***un pied dans la —,*** een voet in het graf; ***— d'aisances,*** beerput *m.*; ***les —s nasales,*** de neusholten *mv.*
fossé [fo·sé] *m.* sloot *v.(m.)*; gracht *v.(m.)*; ***— d'écoulement,*** afvoergreppel *v.(m.)*; ***sauter le —,*** een gewichtig besluit nemen; ***il a sauté le —,*** de kogel is door de kerk; ***au bout du — la culbute,*** de kruik gaat zo lang te water tot ze breekt.
fossette [fo·sèt] *f.* kuiltje *o.*
fossile [fo·sil] **I** *adj.* **1** fossiel, versteend; **2** uitgestorven; **II** *s., m.* fossiel *o.*
fossilisation [fosili·za·syõ] *f.* verstening *v.*
fossiliser, *se —* [sefosili·zé] *v.pr.* verstenen.
fossoyage [fo·swaya:j] *m.* (het) graven *o.* van een kuil.
fossoyer [fo·swayé] *v.t.* met greppels omgeven, door sloten omringen.
fossoyeur [fo·swayœ:r] *m.* doodgraver *m.*
fou [fu] (*devant une voyelle* : ***fol*** [fòl]; *f.* : ***folle*** [fòl]) **I** *adj.* **1** gek, krankzinnig; **2** dwaas, zot; **3** (*v. uitgaven*) overdreven; **4** (*v. prijs*) buitensporig; **5** (*v. gelach*) onbedaarlijk; uitgelaten; **6** (*v. succes*) kolossaal; **7** (*v. wind*) onvast, ongestadig; **8** dol, onzinnig; ***— de,*** dol op; ***— à lier,*** stapelgek; ***il y avait un monde —,*** er waren geweldig veel mensen; ***une mèche folle,*** een weerbarstige lok; **II** *s., m.* **1** gek, krankzinnige *m.*; **2** dwaas *m.*; **3** (*gesch.*) nar *m.*; **4** (*schaaksp.*) raadsheer *m.*; ***faire le —,*** zich dwaas aanstellen; ***la folle du logis,*** de inbeelding *v.*; ***à chaque — sa marotte,*** elke zot heeft zijn marot, ieder heeft zijn stokpaardje; ***plus on est de —s, plus on rit,*** hoe meer zielen, hoe meer vreugd.
fouaillée [fwa·yé] *f.* pak *o.* slaag.
fouailler [fwa·yé] *v.t.* afrossen, afranselen (met de zweep).
foucade [fuka·d] *f.* bui *v.(m.)*.
fouchtra! [fuʃtra] *ij.* bliksems!
foudre [fu·dr] **I** *f.* bliksem *m.*; ***comme la —,*** bliksemsnel; ***la — est tombée,*** de bliksem is ingeslagen; (*fig.*) ***en coup de —,*** als een donderslag; ***les —s de l'Église,*** de banbliksems van de Kerk; **II** *m.* **1** bliksem *m.* (attribuut van Jupiter); **2** groot wijnvat *o.*; ***— d'éloquence,*** meeslepend redenaar; ***— de guerre,*** geducht krijgsman *m.*; (*iron.*) ijzervreter *m.*
foudroiement, foudroîment [fudrwamã] *m.* (het) treffen (*of* neerslaan) door de bliksem, (het) doodbliksemen *o.*
foudroyant [fudrwayã] *adj.* **1** vernietigend; **2** (*v. nieuws, enz.*) verpletterend; ***apoplexie —e,*** plotselinge beroerte; ***mort —e,*** schielijke dood.
foudroyer [fudrwayé] **I** *v.t.* **1** treffen (*of* neerslaan) door de bliksem; **2** (*v. persoon*) neerschieten; **3** (*v. stad*) platschieten; **4** (*met blik, banvloek, enz.*) verpletteren, vernietigen; **II** *v.i.* bliksemen, uitvaren.
fouée [fwé] *f.* takkenbos *m.*
fouëne, *voir* **foëne.**
fouet [fwè] *m.* **1** zweep *v.(m.)*; **2** slag *m.* (aan zweep); **3** roede *v.(m.)*; **4** (*fig.*) gesel *m.*, kastijding *v.*; ***— à œufs,*** eierklopper *m.*; ***peine du —,*** **1** geselstraf *v.(m.)*; **2** geseling *v.*; ***donner le — à,*** **1** (*v. paard*) met de zweep slaan; **2** (*v. kind*) een pak slaag geven; **3** (*v. misdadiger*) geselen; ***collision de plein —,*** frontale botsing *v.*

fouettage [fwèta:j] *m.* **1** (het) slaan *o.*; **2** (het) kloppen *o.*
fouettement [fwètmã] *m.* (het) slaan *o.*
fouetter [fwèté] *v.t.* **1** met de zweep slaan; **2** voortzwepen, opzwepen; **3** (*v. kind*) kastijden; **4** (*v. vloeistof*) kloppen, klutsen; **5** (*v. regen, hagel*) striemen, kletteren tegen; ***crème fouettée,*** slagroom *m.*; ***il n'y a pas là de quoi — un chat,*** daar steekt niets kwaads in; ***j'ai bien d'autres chats à —,*** ik heb wel wat anders te doen.
fouetteur [fwètœ:r] *m.* **1** geselaar *m.*; **2** eierklopper *m.*
fougade [fuga·d] *f.* bui *v.(m.).*
fougasse [fugas] *f.* (*mil.*) floddermijn, landmijn *v.(m.).*
fougeraie [fuʒrè] *f.* met varens begroeide plek *v.(m.).*
fougère [fuʒè:r] *f.* varen *v.(m.)*, varenkruid *o.*; ***— arborescente,*** boomvaren *v.(m.).*
fougue [fu·g] *f.* **1** vuur *o.*, vurigheid *v.*; **2** drift *v.(m.)*; **3** voortvarendheid *v.*; ***mât de —,*** (*sch.*) bazaansmast *m.*
fougueux [fugö] *adj.* **1** vurig, onstuimig, wild; **2** driftig; **3** voortvarend.
fouille [fuy] *f.* **1** opgraving *v.*; **2** (*fig.*) onderzoek *o.*
fouillé [fuyé] *adj.* **1** nauwkeurig, goed uitgewerkt, doorwrocht; **2** opengewerkt.
fouille-au-pot [fuyopo] *m.* koksjongen *m.*, koksmaatje *o.*
fouiller [fuyé] **I** *v.t.* **1** uitgraven; **2** (*v. dieren*) wroeten (in de grond); **3** (*landb.: v. grond*) omwoelen; **4** (*v. boeken*) doorsnuffelen; **5** (*v. huis, enz.*) doorzoeken; **6** (*v. marmer*) uitbeitelen; **II** *v.i.* **1** wroeten; **2** ***— dans,*** (*v. kast, enz.*) doorsnuffelen; **3** (*fig.: de geschiedenis*) doorzoeken; **III** *v.pr.*, ***se —,*** in zijn zakken voelen.
fouilleur [fuyœ:r] *m.* **1** opgraver *m.*; **2** snuffelaar *m.*
fouillis [fuyi] *m.* **1** warboel, verwarde hoop *m.*; **2** mengelmoes *o. en v.(m.).*
fouinard [fwina:r] *m.*, *voir* ***fouineur.***
fouine [fwin] *f.* **1** (*Dk.*) steenmarter *m.*; **2** (*fig.*) snuffelaar *m.*; **3** hooivork *v.(m.)*; **4** (*visv.*) aalgeer *m.*
fouiner [fwiné] *v.i.* **1** snuffelen; **2** stil wegsluipen.
fouineur [fwinœ:r] *m.* **1** snuffelaar *m.*; **2** gluiper *m.*
fouir [fwi:r] *v.t.* graven in, omwoelen.
fouissement [fwis(e)mã] *m.* gewroet *o.*
fouisseur [fwisœ:r] *m.* graafdier *o.*
foulage [fula:ʒ] *m.* **1** (*v. laken*) (het) vollen *o.*; **2** (*v. druiven*) (het) persen, (het) treden *o.*; **3** (*drukk.*) (het) doordrukken *o.*
foulant [fulã] *adj.*, ***pompe —e,*** perspomp *v.(m.).*
foulard [fula:r] *m.* **1** halsdoek *m.*; **2** zijdeachtige stof *v.(m.).*
foule [ful] *f.* menigte *v.*; hoop *m.*; ***il y avait —,*** er was veel volk.
foulé [fulé] *m.* zomerlaken *o.*
foulée [fulé] *f.* **1** (*v. wild*) spoor *o.*; **2** (*v. paard*) sprong *m.*
fouler [fulé] **I** *v.t.* **1** (*v. druiven*) persen, treden; **2** (*v. laken*) vollen; **3** (*geboortegrond, enz.*) betreden; **4** (*drukk.: v. letters*) doordrukken; **5** (*v. voet*) verstuiken, verzwikken; ***— aux pieds,*** **1** vertrappen; **2** met voeten treden; **II** *v.pr.*, ***se — le pied,*** zijn voet verstuiken; ***se — (la rate),*** zich uitsloven; ***il ne se la foule pas,*** hij maakt zich niet druk.
foulerie [fulri] *f.* **1** volderij *v.*, volmolen *m.*; **2** druivenperserij *v.*
fouleur [fulœ:r] *m.* **1** voller, volder *m.*; **2** druivenperser *m.*
fouloir [fulwa:r] *m.* **1** stamper *m.*; **2** perskuip *v.(m.)*; **3** vollerij *v.*
foulon [fulõ] *m.* voller, volder *m.*; ***moulin à —,*** volmolen *m.*
foulque [fulk] *f.* (*Dk.*) waterhoen *o.*
foulure [fulü:r] *f.* **1** verstuiking *v.*; **2** (het) vollen *o.*; **3** spoor *o.* van een hert.
fouquet [fukè] *m.* zeezwaluw *v.(m.).*
four [fu:r] *m.* **1** oven *m.*; **2** fiasco *o.*; ***— à chaux,*** kalkoven; ***petits —s,*** kleine gebakjes *mv.*; ***il y fait chaud comme dans un —,*** het is er smoorheet; ***le — chauffe pour vous,*** je zult er van lusten, er staat je wat te wachten; ***noir comme dans un —,*** pikdonker; ***on ne peut pas être à la fois au — et au moulin,*** men kan niet overal tegelijk zijn; men kan geen twee dingen tegelijk doen.
fourbe [furb] **I** *adj.* bedriegelijk, vals; **II** *s., m.* bedrieger *m.*
fourberie [furberi] *f.* **1** schurkenstreek *m. en v.*, schurkerij *v.*; **2** valsheid *v.*, bedrog *o.*
fourbi [furbi] *m.* **1** (*pop.*) rommel *m.*, boeltje *o.*; **2** streek *m. en v.*
fourbir [furbi:r] *v.t.* **1** polijsten; **2** (*v. metaal, wapens*) poetsen, oppoetsen.
fourbissage [furbisa:ʒ], **fourbissement** [furbismã] *m.* **1** (het) polijsten *o.*; **2** (het) poetsen *o.*
fourbisseur [furbisœ:r] *m.* polijster, zwaardveger *m.*
fourbissure [furbisü:r] *f.*, *voir* ***fourbissage.***
fourbu [furbü] *adj.* **1** (*v. paard*) bevangen; **2** (*fig.*) uitgeput, doodmoe; **3** (*v. fiets*) afgereden.
fourbure [furbü:r] *f.* (*v. paard*) bevangenheid *v.*
fourche [furʃ] *f.* **1** hooivork, gaffel *v.(m.)*; **2** (*v. fiets*) vork *v.(m.)*; **3** (*v. broek*) kruis *o.*; **4** (*v. el. tram*) beugel *m.*; **5** (*v. weg*) tweesprong *m.*; ***faire la —,*** (*v. weg*) zich splitsen; ***à la —,*** ruw, slordig, met de Franse slag; ***passer par les —s caudines,*** een vernedering moeten ondergaan.
fourché [furʃé] *adj.* **1** gevorkt; **2** vertakt.
fourchée [furʃé] *f.* 'n hooivork *v.(m.)* vol.
fourcher [furʃé] *v.i.* **1** (*v. wegen*) zich splitsen; **2** zich vertakken; ***la langue m'a fourché,*** ik heb mij versproken.
fourchet [furʃè] *m.* **1** gaffel *v.(m.)* (van takken); **2** tweetandige vork *v.(m.)*; **3** klauwzeer *o.* (van schapen).
fourcheté [furʃeté] *f.* 'n vork *v.(m.)* vol.
fourchette [furʃèt] *f.* **1** vork *v.(m.)*; **2** gaffelvormig voorwerp *o.*; **3** (*v. paardehoef*) straal *m.*; ***déjeuner à la —,*** lunch *m.*; ***la — du père Adam,*** zijn tien geboden; ***une bonne —,*** een flink eter *m.*
fourchon [furʃõ] *m.* **1** vorktand *m.*; **2** gaffel *v.(m.)* (v. boom).
fourchu [furʃü] *adj.* **1** gespleten; **2** gevorkt; ***chemin —,*** tweesprong *m.*; ***pied —,*** gespleten hoef *m.*
fourchure [furʃü:r] *f.* splitsing *v.*; tweesprong *m.*
fourgon [furgõ] *m.* **1** bagagewagen *m.*; **2** (*mil.*) legerwagen *m.*; **3** (lange) pook *m. en v.*; ***— d'ambulance,*** ziekenwagen; ***— de déménagement,*** verhuiswagen *m.*; ***la pelle se moque du —,*** de pot verwijt de ketel dat hij zwart is.
fourgonner [furgòné] *v.i.* **1** poken; **2** morrelen; **3** rommelen; in de war halen.
fouriérisme [furyérizm] *m.* wijsgerig-economisch stelsel *o.* van Fourier.
fourmi [furmi] *f.* mier *v.(m.)*; ***avoir des —s dans les jambes,*** gekriebel in de benen hebben.
fourmilier [furmilyé] *m.* miereneter *m.*
fourmilière [furmilyè:r] *f.* **1** mierennest *o.*, mierenhoop *m.*; **2** (*fig.*) zwerm *m.*, menigte *v.*
fourmi*-lion*, **fourmilion** [furmilyõ] *m.* mierenleeuw *m.*
fourmillement [furmiymã] *m.* **1** gekrioel, gewemel *o.*; **2** (*in ledematen*) kriebeling, prikkeling *v.*
fourmiller [furmiyé] *v.i.* **1** wemelen, krioelen; **2** kriebelen.
fournage [furna:ʒ] *m.* ovengeld *o.*
fournaise [furnè:z] *f.* **1** gloeiende oven *m.*; **2** (*bij brand*) vuurpoel *m.*, vlammenzee *v.(m.)*; **3** (*fig.*)

smeltkroes *m.*; ***jeter de l'huile dans la —,*** (*fig.*) olie in 't vuur gieten.
fourneau [furno] *m.* **1** oven *m.*; **2** fornuis *o.*, keukenkachel *v.*(*m.*); **— *à pétrole,*** petroleumstel *o.*; **— *de mine,*** mijnkamer *v.*(*m.*); ***haut —,*** hoogoven *m.*; **— *d'une pipe,*** pijpekop *m.*; **— *économique,*** gaarkeuken *v.*(*m.*).
fournée [furné] *f.* **1** 'n oven *m.* vol; **2** (*v. brood, enz.*) baksel *o.*; **3** (*fig.*) vracht *v.*(*m.*), bezending *v.*
fourni [furni] *adj.* **1** (*v. bos*) dicht; **2** (*v. baard*) gevuld; **3** (*v. winkel*) goed voorzien.
fournil [furni] *m.* **1** bakhuis *o.*, bakkerij *v.*; **2** washuis *o.* (met oven).
fourniment [furnimã] *m.* uitrusting *v.* (v. soldaat).
fournir [furni:r] **I** *v.t.* **1** leveren (aan), bezorgen (aan), verschaffen (aan); **2** (*v. stukken*) overleggen; **3** (*v. geld*) storten; **4** (*v. rit*) volbrengen; **— *cœur,*** (*kaartsp.*) harten bekennen; **— *une belle carrière,*** een mooie loopbaan achter de rug hebben; **— *une traite,*** (*H.*) een wissel afgeven; **II** *v.i.*, **— *à,*** voorzien in; zorgen voor; **— *à la dépense,*** de uitgaven dekken; **III** *v.pr.*, ***se —,*** zich voorzien; ***se — chez,*** kopen bij, zijn waren betrekken van.
fournissement [furnismã] *m.* **1** levering *v.*; **2** aandeel *o.*, inleg *m.*
fournisseur [furnisœ:r] *m.* leverancier *m.*
fourniture [furnitü:r] *f.* **1** levering, leverantie *v.*; **2** benodigdheden *mv.*; **3** verschot *o.*; **4** (*bij sla*) toekruid *o.*; ***—s de bureau,*** kantoorbehoeften *mv.*
Fouron-le-Comte [furõ'lkõ't] 's-Gravenvoeren *o.*
Fouron-Saint-Martin Sint-Martens-Voeren *o.*
Fouron-Saint-Pierre Sint-Pieters-Voeren *o.*
fourrage [fura:j] *m.* voeder, veevoeder *o.*; ***aller au —,*** (*mil.*) foerageren.
fourrager [furajé] **I** *v.i.* **1** voeder halen; **2** (*mil.*) foerageren; **— *dans une contrée,*** een streek uitplunderen; **— *dans une armoire,*** in een kast rommelen; **II** *v.t.* **1** (*v. streek*) verwoesten, plunderen; **2** (*v. papieren, enz.*) door elkaar halen, in wanorde brengen.
fourragère [furajè:r] **I** *adj.* voeder—, tot voeder dienend; ***plante —,*** voederplant *v.*(*m.*); ***betterave —,*** voederbiet *v.*(*m.*); **II** *s.*, *f.* **1** hooiweide *v.*(*m.*); **2** (*mil.*) foeragewagen *m.*
fourrageur [furajœ:r] *m.* **1** (*mil.*) foerageerder, soldaat die foerageert *m.*; **2** (*fig.*) plunderaar *m.*; **3** (*in papieren, enz.*) snuffelaar *m.*
fourré [furé] **I** *adj.* **1** met bont gevoerd; **2** (*v. bos*) dicht; ***manteau —,*** bontmantel, pelsmantel *m.*; ***petit pain —,*** belegd broodje *o.*; ***pays —,*** bosrijke streek *v.*(*m.*); ***bonbon —,*** gevulde bonbon *m.*; ***il est — de malice,*** hij zit vol heimelijk kwaad, hij heeft ze achter de mouw; **II** *s.*, *m.* **1** kreupelbos *o.*; **2** dichte plek *v.*(*m.*) in 't bos.
fourreau [furo] *m.* **1** (*v. degen, enz.*) schede *v.*(*m.*); **2** (*v. paraplu, peluw, enz.*) overtrek *o. en m.*
fourrée [furé] *f.* visweer *v.*(*m.*).
fourrer [furé] **I** *v.t.* **1** met bont voeren; **2** bekleden, bedekken (met); **3** (*fam.*) steken (in), stoppen (in); **— *son nez partout,*** overal zijn neus insteken; **— *qn. dedans,*** iem. beetnemen; **II** *v.pr.*, ***se —,*** **1** (*in gezelschap, enz.*) zich indringen; **2** (*in slechte zaak*) zich steken (in); **3** zich mengen (in); ***se — le doigt dans l'œil,*** zich lelijk vergissen, een bok schieten.
fourre-tout [furtu] *m.* **1** reistas *v.*(*m.*); **2** rommelhok *o.*
fourreur [furœ:r] *m.* bontwerker *m.*
fourrier [furyé] *m.* (*mil.*) foerier *m.*
fourrière [furyè:r] *f.* **1** schuthok *o.*; **2** bewaarplaats *v.*(*m.*) (voor honden, enz.).
fourrure [furü:r] *f.* **1** bont, bontwerk *o.*; **2** pelsjas *m. en v.*; **3** pels *m.* (op het dier); **4** (*v. touw*) bekleding *v.*
fourvoiement [furvwamã] *m.* verdwaling *v.*
fourvoyer [furvwayé] **I** *v.t.* doen dwalen, van de rechte weg afbrengen; **II** *v.pr.*, ***se —,*** **1** verdwalen; **2** (*fig.*) zich vergissen.
foutaise [futè:z] *f.* (*pop.*) nietigheid *v.*, wissewasje *o.*
fouteau [futo] *m.* beuk *m.*
foutu [futü] *adj.* verloren, naar de maan.
fox [fòks] *m.* fox, fox-terriër *m.*
foyer [fwayé] *m.* **1** haard *m.*; haardstede *v.*(*m.*); **2** huiselijke haard *m.*; **3** (*in schouwburg*) koffiekamer *v.*(*m.*), foyer *m.*; **4** middelpunt *o.*; **5** brandpunt *o.*; **6** (*v. kwaal*) zetel *m.*; **— *de contagion,*** besmettingshaard; **— *du soldat,*** tehuis voor militairen; ***femme de —,*** huiselijke vrouw.
frac [frak] *m.* (geklede) rok *m.*
fracas [fraka] *m.* **1** geraas, lawaai *o.*; **2** (*v. donder*) geratel *o.*
fracasser [frakasé] *v.t.* **1** verbrijzelen; **2** vermorzelen
fraction [fraksyõ] *f.* **1** deel, onderdeel *o.*; **2** breuk *v.*(*m.*); **— *décimale,*** tiendelige breuk; ***la — du pain,*** het breken van het brood.
fractionnaire [fraksyònè:r] *adj.*, ***nombre —,*** gebroken getal, gemengd getal *o.*
fractionnement [fraksyònmã] *m.* **1** splitsing *v.*; **2** versnippering *v.*; **3** verdeling *v.* (in breuken).
fractionner [fraksyòné] *v.t.* **1** splitsen; **2** versnipperen.
fracture [fraktü:r] *f.* **1** (*v. deur, enz.*) het openbreken *o.*; **2** (*gen.*) breuk *v.*(*m.*); **3** (*in aardkorst*) spleet *v.*(*m.*); ***réduire une —,*** een breuk zetten.
fracturer [fraktüré] **I** *v.t.* **1** breken; **2** openbreken; **II** *v.pr.*, ***se — la jambe,*** zijn been breken.
fragile [frajil] *adj.* **1** breekbaar; **2** (*fig.: geluk, gezondheid, enz.*) broos; **3** zwak, teer; **4** vergankelijk.
fragilité [frajilité] *f.* **1** breekbaarheid *v.*; **2** broosheid *v.*; **3** zwakheid *v.*; **4** vergankelijkheid *v.*
fragment [fragmã] *m.* **1** (*v. vaas, enz.*) scherf *v.*(*m.*); **2** (*v. tekst, versiering, enz.*) fragment, brokstuk *o.*; **3** overblijfsel *o.*; **4** (*v. been, enz.*) splinter *m.*
fragmentaire [fragmã'tè:r] *adj.* fragmentarisch, in brokstukken.
fragmentation [fragmã'ta'syõ] *f.* verbrokkeling *v.*
fragmenter [fragmã'té] *v.t.* in fragmenten (stukken, delen) verdelen.
fragon [fragõ] *m.* (*Pl.*) muizendoorn *m.*
fragrance [fragrã:s] *f.* geur *m.*, geurigheid *v.*
fragrant [fragrã] *adj.* geurig.
frai [frè] *m.* **1** (*v. vis*) kuit *v.*(*m.*); **2** (het) kuitschieten *o.*; **3** pootvis *m.*; **4** (*v. munt*) afslijting *v.*, gewichtsverlies *o.*
fraîche [frè:ʃ] **I** *voir* ***frais;*** **II** *s. f.* **1** zachte land- of zeewind *m.*; **2** koelte, avondkoelte *v.*; ***vers la —,*** tegen de avond.
fraîchement [frè'ʃmã] *adv.* **1** fris, koel; **2** onlangs, pas, vers.
fraîcheur [frè'ʃœ:r] *f.* **1** frisheid, koelte *v.*; **2** versheid *v.*; **3** frisse, levendige kleur *v.*(*m.*).
fraîchir [frè'ʃi:r] *v.i.* **1** koeler worden; **2** (*v. avondwind*) stijven.
frais [frè] **I** *adj.* (*fém.:* ***fraîche*** [frè:ʃ]) **1** fris, koel; **2** vers; **3** nieuw, ongebruikt; **4** (*v. linnen*) schoon; ***de fraîche date,*** van jonge datum; **— *comme l'œil,*** zo fris als een hoen; ***rasé de —,*** pas geschoren; ***vous voilà —,*** nu zit je er tussen, nu ben je er mooi aan toe; **II** *adv.* **1** koel, fris; **2** pas, onlangs; ***des fleurs fraîches cueillies,*** vers geplukte bloemen; ***il fait —,*** het is fris; ***il vente —,*** er waait een koeltje; **III** *s.*, *m.* koelte, frisse lucht *v.*(*m.*); ***tenir au —,*** koel houden; ***mettre au —,*** **1** op een koele plaats zetten; **2** (*iron.*) achter de tralies zetten; ***prendre le —,*** een luchtje scheppen; **IV** *m.pl.*

kosten, onkosten *mv.*; ***se mettre en —,*** **1** veel kosten maken; **2** (*fig.*) zich veel moeite geven; ***mettre qn. en —,*** iem. op kosten jagen; ***à peu de —,*** met weinig kosten, vrij gemakkelijk; ***faux —,*** bijkomende kosten; onvoorziene uitgaven; ***en être pour ses —,*** vergeefse moeite doen; ***faire ses —,*** zijn kosten goedmaken; ***les — généraux,*** vaste kosten; ***les — spéciaux,*** variabele kosten.
fraisage [frè'za:j] *m.* (het) frezen *o.*
fraise [frè:z] *f.* **1** aardbei *v.(m.)*; **2** (*gen.*) moedervlek *v.(m.)*; **3** (*tn.*) frees *v.(m.)*; **4** (*v. kalkoen*) lel *v.(m.)*; **5** (*gesch.*) geplooide halskraag *m.*
fraiser [frè'zé] *v.t.* **1** (*v. kraag*) plooien; **2** (*tn.*) boren, uitboren, frezen; **3** (*v. deeg*) rollen.
fraiseraie [frè'zrè] *f.* aardbeienveld *o.*
fraisette [frè'zèt] *f.* halskraagje *o.*
fraiseuse [frè'zö:z] *f.* (*tn.*) freesmachine *v.*, freesboor *v.(m.)*.
fraisier [frè'zyé] *m.* aardbeiplant *v.(m.)*.
fraisière [frè'zyè:r] *f.* aardbeienveld *o.*
fraisil [frè'zi] *m.* steenkoolas *v.(m.)*.
fraisoir [frè'zwa:r] *m.* freesboor, fijne drilboor [*v.(m.)*.
fraisure [frè'zü:r] *f.* uitgeboorde (*of* uitgefreesde) holte *v.*
framboise [frã'bwa:z] *f.* framboos *v.(m.)*.
framboiser [frã'bwa'zé] *v.t.* een frambozearoma geven aan.
framboisier [frã'bwa'zyé] *m.* frambozestruik *m.*
framée [framé] *f.* (*gesch.*) lange werpspies *v.(m.)*.
franc [frã] **I** *m.* frank *m.*; ***au marc le —,*** (*H.*) pondspondsgewijs; **II** (*fém.*: **franche** [frã:ʃ]) *adj.* **1** vrij; **2** oprecht, rondborstig; **3** (*v. toestand*) zuiver; **4** (*v. wijn, enz.*) zuiver, onvervalst; **5** (*in kunst*) los, ongedwongen; **6** (*v. lach*) gul; **7** (*v. succes, enz.*) duidelijk, ondubbelzinnig, onbetwistbaar; ***— de port,*** portvrij, franco; ***coup —,*** (*voetb.*) vrije schop *m.*; ***corps —,*** vrijkorps *o.*; ***huit jours —s,*** acht volle dagen; ***— menteur,*** aartsleugenaar *m.*; ***moineau —,*** huismus *v.(m.)*; ***terre franche,*** **1** onbezwaard land; **2** zuivere teelaarde; ***avoir son — parler,*** vrijuit kunnen spreken; ***— comme l'or,*** zo eerlijk als goud; ***y aller de — jeu,*** met open kaart spelen; **III** *adv.* **1** ronduit; **2** vrijuit; **IV** (*fém.*: **franque** [frã:k]) *adj.* Frankisch; ***la langue franque,*** het Frankisch; **V** *s., m.*, ***F—, Franque*** *f.* Frank *m.*, Frankische vrouw *v.*
français [frã'sè] **I** *adj.* Frans; **II** *s., m.*, ***F—,*** **1** Fransman *m.*; **2** (het) Frans *o.*; de Franse taal *v.(m.)*; ***parler —,*** **1** Frans spreken; **2** duidelijk spreken, er geen doekjes omwinden.
franc*-alleu* [frã'kalö] *m.* (*gesch.*) vrij erfleen, allodium *o.*
franc*-bord* [frã'bò:r] *m.* oevergedeelte *o.* naast [het jaagpad.
franc*-bourgeois [frã'burjwa] *m.* (*gesch.*) vrijgestelde *m.* van stedelijke lasten.
franc-comtois [frã'kõ'twa] *adj.* uit Franche-[Comté.
France [frã:s] *f.* Frankrijk *o.*
franc*-fief* [frã'fyèf] *m.* (*gesch.*) vrij leen *o.*
Francfort [frã'kfò:r] *m.* Frankfort *o.*
Francfortois [frã'fòrtwa] **I** *m.* Frankforter *m.*; **II** *adj.* ***f—,*** Frankforter.
franc-funin [frã'füně] *m.* ongeteerd touwwerk *o.*
franche, *voir* ***franc*** (***II***).
franchement [frã'ʃmã] *adv.* **1** openhartig, ronduit; **2** werkelijk; ***— laid,*** werkelijk lelijk.
franchir [frã'ʃi:r] **I** *v.t.* **1** (*v. grens*) overschrijden; **2** (*v. muur*) overklimmen; **3** (*v. straat*) oversteken; **4** (*v. sloot*) overspringen; **5** (*v. afstand*) afleggen; **6** (*fig.*: *v. moeilijkheden*) te boven komen, overwinnen; **7** (*de perken*) te buiten gaan; ***— le pas,*** de stap wagen; **II** *v.i.* **1** (*v. wind*) ruimen; **2** (*v. pomp*) lens zijn.
franchise [frã'ʃi:z] *f.* **1** openhartigheid, vrijmoedigheid, rondborstigheid *v.*; **2** oprechtheid *v.*; **3** vrijdom *m.*, vrijstelling *v.*; **4** (*in kunst*) losheid, ongedwongenheid *v.*; **5** (*gesch.*) asylrecht *o.*; ***lieu de —,*** vrijplaats *v.(m.)*; ***en —,*** vrij van rechten.
franchissable [frã'ʃisa'bl] *adj.* overschrijdbaar; overkomelijk.
franchissement [frã'ʃismã] *m.* (het) overschrijden *o.*
francique [frã'sik] *adj.* Frankisch.
francisation [frã'sizɑ'syõ] *f.* verfransing *v.*
franciscain [frã'siskě] **I** *adj.* franciscaans; **II** *s., m.* ***F—,*** franciscaan *m.*
franciser [frã'si'zé] *v.t.* verfransen.
francisque [frã'sisk] *f.* Frankische strijdbijl *v.(m.)*.
franc*-juge* [frã'jü:j] *m.* (*gesch.*) veemrechter *m.*
franc*-maçon* [frã'masõ] *m.* vrijmetselaar *m.*
franc-maçonnerie [frã'masònri] *f.* vrijmetselarij *v.*
franc-maçonnique* [frã'masònik] *adj.* vrijmetselaars—.
franco [frã'ko] **I** *adv.* franco, portvrij, vrachtvrij; **II** *adj.* Frans; ***la guerre —-allemande,*** de Frans-Duitse oorlog.
francolin [frã'kòlě] *m.* (*Dk.*) berghazelhoen *o.* (Afrikaanse patrijs).
François [frã'swa] *m.* Frans, Franciscus *m.*
Françoise [frã'swa:z] *f.* Francisca, Francina *v.*; (*fam.*) Fransje *v.*
Franconie [frã'kòni] *f.* Frankenland *o.*
francophile [frã'kòfil] **I** *adj.* Fransgezind; **II** *s., m.* Fransgezinde *m.*
francophobe [frã'kòfò'b] *adj.* anti-Frans.
francophobie [frã'kòfòbi] *f.* Fransvijandigheid *v.*
francophone [frã'kòfòn] *adj.* Franssprekend.
franc-parler [frã'parlé] *m.* vrijheid *v.* van spreken; vrijmoedigheid *v.* in 't spreken.
franc*-tireur* [frã'tirœ:r] *m.* vrijschutter *m.*
frange [frã:j] *f.* franje *v.(m.)*.
franger [frã'jé] *v.t.* **1** met franje versieren; **2** tot franje uitrafelen.
frangier [frã'jyé] *m.* franjewerker, franjemaker *m.*
frangipane [frã'jipan] *f.* **1** reukwerk *o.* uit jasmijnbloesem; **2** amandelpas *m.*; ***crème à la —,*** amandelvla *v.(m.)*.
frangipanier [frã'jipanyé] *m.* jasmijnboom *m.*
franque, *voir* ***franc*** (***IV, V***).
franquette [frã'kèt] *f.*, ***à la bonne —,*** zonder omslag *m.*
fransquillon [frã'skiyõ] *m.* franskiljon *m.*
frappage [frapa:j] *m.* (*v. munten, enz.*) (het) slaan *o.*
frappant [frapã] *adj.* **1** treffend; **2** sprekend.
frappe [frap] *f.* **1** aanmunting *v.*, (het) slaan *o.* (*v.* geld); **2** afdruk (muntstempel) *m.*; **3** (*op schrijfmachine*) tik *m.*; ***force de —,*** stootkracht *v.(m.)*.
frappé [frapé] *adj.* **1** getroffen, verwonderd; **2** (*v. stijl, verzen*) krachtig, pittig, kernachtig; ***— au bon coin,*** degelijk.
frappement [frapmã] *m.* **1** (het) slaan *o.*; **2** (het) kloppen *o.*
frapper [frapé] **I** *v.t.* **1** slaan; **2** treffen; **3** (*v. licht*) vallen op; **4** (*v. wijn*) afkoelen, frapperen; **5** (*v. waren*) belasten; **6** (*v. lucht*) doen weergalmen; ***— comme un sourd,*** er duchtig op los slaan; ***— d'une amande,*** beboeten; ***— d'une hypothèque,*** met hypotheek bezwaren; ***— les yeux,*** in 't oog vallen; **II** *v.i.* **1** slaan; **2** kloppen; ***on frappe,*** er wordt geklopt; ***— du pied,*** **1** schoppen; **2** stampvoeten; **III** *v.pr.*, ***se —,*** **1** elkaar slaan; **2** zich ongerust maken; **3** zich iets aantrekken.
frapperie [frapri] *f.* geklop *o.*
frappeur [frapœ:r] *adj.*, ***esprit —,*** klopgeest *m.*
frasque [frask] *f.* frats, kuur *v.*

frater [fratè:r] *m.* **1** (klooster)broeder *m.*; **2** (*gesch.*) chirurgijnshelper *m.*
fraternel(lement) [fratèrnèl(mã)] *adj.*(*adv.*) broederlijk.
fraternisation [fratèrniza'syõ] *f.* verbroedering *v.*
fraterniser [fratèrni'zé] *v.i.* **1** verbroederen; **2** als broeders met elkaar omgaan.
fraternité [fratèrnité] *f.* **1** broederschap *o. en v.*; **2** broederlijke liefde *v.*; **3** (*fig.*) verbroedering *v.*; **— *d'armes,*** wapenbroederschap *o. en v.*
fratricide [fratrisi'd] **I** *m.* **1** broedermoord; zustermoord *m. en v.*; **2** broedermoordenaar; zustermoordenaar *m.*; **II** *adj.* broeder(zuster)moordend.
fraude [fro:d] *f.* **1** bedrog *o.*; **2** smokkelarij *v.*; ***introduire en —,*** binnensmokkelen.
frauder [fro'dé] **I** *v.t.* **1** bedriegen; **2** binnensmokkelen; **II** *v.i.* **1** bedrog plegen; knoeien; **2** smokkelen.
fraudeur [fro'dœ:r] *m.* **1** bedrieger; knoeier *m.*; **2** smokkelaar *m.*
frauduleux [fro'dülö] *adj.*, **frauduleusement** [fro'dülö:zmã] *adv.* bedrieglijk; ***commerce —,*** sluikhandel *m.*
fraxinées [fraksiné] *f.pl.* (*Pl.*) esachtigen *mv.*
fraxinelle [fraksinèl] *f.* (*Pl.*) essenkruid *o.*
frayer [frèyé] **I** *v.t.* **1** (*v. weg*) banen; **2** (*v. munt*) afslijten; **3** (*v. de huid*) afschaven; **II** *v.i.* (*Dk.*) kuit schieten; **— *avec,*** omgaan met.
frayère [frèyè:r] *f.* paaiplaats *v.*(*m.*), plaats waar de vis kuit schiet.
frayeur [frèyœ:r] *f.* schrik, angst *m.*
frayonne [frèyòn] *f.* (*Dk.*) roek *m.*, bonte kraai [*v.*(*m.*).
fredaine [fredè:n] *f.* frats *v.*(*m.*); lichtzinnige streek *m. en v.*
Frédéric [frédérik] *m.* Frederik, Frits *m.*
Frédérique [frédérik] *f.* Frederika *v.*
fredon [fredõ] *m.* **1** (*muz.*) triller *m.*; **2** refrein *o.*
fredonnement [fredònmã] *m.* geneurie *o.*
fredonner [fredòné] *v.t. et v.i.* neuriën.
frégate [frégat] *f.* **1** (*sch.*) fregat *o.*; **2** (*Dk.*) fregatvogel *m.*; ***capitaine de —,*** kapitein-luitenant ter zee.
frein [frẽ] *m.* **1** (*v. voertuig*) rem *v.*(*m.*); **2** (*v. paard*) gebit, mondstuk *o.*; **3** (*fig.*) breidel, teugel *m.*; **— *pneumatique,*** luchtdrukrem; **— *à rétropédalage,* — *à contrepression,*** terugtraprem; **— *sur jante,*** velgrem; **— *à tambour,*** trommelrem; **— *de la langue,*** tongriem *m.*; ***mettre un — à,*** beteugelen; ***serrer le —,*** remmen; ***ronger son —,*** zijn verdriet (*of* spijt) opkroppen (*of* verbergen).
freinage [frè'na:j] *m.* (het) remmen *o.*
freiner [frè'né] *v.t.* remmen.
frelatage [frelata:j], **frelatement** [frelatmã] *m.* vervalsing *v.* (van dranken).
frelater [frelaté] *v.t.* (dranken) vervalsen.
frelaterie [frelatri] *f.*, ***voir frelatage.***
frelateur [frelatœ:r] *m.* vervalser *m.*
frêle [frè:l] *adj.* **1** broos, breekbaar; **2** (*v. vaartuig*) rank; **3** (*fig.*) zwak, tenger; **4** vergankelijk.
freloche [frelòʃ] *f.* **1** vlindernet *o.*; **2** schepnetje *o.*
frelon [frelõ] *m.* **1** (*Dk.*) horzel *v.*(*m.*); **2** (*fig.*) onnut wezen *o.*
freluche [frelüʃ] *f.* **1** zijden kwastje *o.*; **2** herfstdraad *m.*; **3** nietigheid *v.*
freluquet [frelükè] *m.* saletjonker *m.*
frémir [frémi:r] *v.i.* **1** (*v. persoon*) sidderen, beven; **2** huiveren; **3** popelen; **4** (*v. lucht, v. snaar*) trillen; **5** (*v. bladeren*) ritselen; **6** (*v. water*) bruisen, razen; ***qui fait —,*** huiveringwekkend.
frémissement [frémismã] *m.* **1** siddering, beving *v.*; **2** huivering *v.*; **3** trilling *v.*; **4** geritsel *o.*; **5** geruis, geraas *o.*
frênaie [frè'nè] *f.* essenbos *o.*; essenlaan *v.*(*m.*).
frêne [frè:n] *m.* **1** es *m.*; **2** essehout *o.*
frénésie [frénézi] *f.* razernij *v.*, waanzin *m.*; ***avec —,*** waanzinnig.
frénétique [frénétik] **I** *adj.* krankzinnig, razend, waanzinnig; **II** *s., m.* krankzinnige, razende, waanzinnige *m.*
fréquemment [frékamã] *adv.* dikwijls, vaak.
fréquence [frékã:s] *f.* **1** herhaling *v.*; **2** menigvuldigheid *v.*; **3** (*nat.*) frequentie *v.*; **4** (*gen.*: *v. pols*) gejaagdheid *v.*, (het) jagen *o.*; ***à haute —,*** (*el.*) hoogfrequent; **— *d'images,* — *des images,*** beeldfrequentie *v.*
fréquencemètre [frékã'smè'tr] *m.* frequentiemeter *m.*
fréquent [frékã] *adj.* **1** herhaald; **2** veelvuldig; **3** (*gen.*: *v. pols*) snel, gejaagd.
fréquentatif [frékã'tatif] *adj.* herhaling aanduidend, frequentatief.
fréquentation [frékã'ta'syõ] *f.* **1** geregeld bezoek, (het) herhaald bezoeken *o.*; **2** omgang (met) *m.*
fréquenté [frékã'té] *adj.* bezocht, druk.
fréquenter [frékã'té] **I** *v.t.* **1** dikwijls (*of* geregeld) bezoeken; **2** omgaan (met); **II** *v.i.*, **— *chez,*** veel komen bij.
frère [frè:r] *m.* **1** broeder *m.*; **2** ordebroeder; medebroeder *m.*; **— *consanguin,*** halfbroer; **— *convers,* — *servant,*** lekebroeder; **— *mineur,*** minderbroeder; ***faux —,*** verrader *m.*; **— *d'armes,*** wapenbroeder; **—*s jumeaux,*** tweelingbroeders *mv.*
frérot [fréro] *m.* broertje *o.*
fresaie [frezè] *f.* kerkuil, steenuil *m.*
Fresin [fresẽ] Vorsen *o.*
fresque [frèsk] *f.* fresco *o.*; ***peindre à —,*** in fresco schilderen.
fressure [frèsü:r] *f.* ingewanden *mv.* (van slachtvee).
fret [frè] *m.* **1** (*v. schip*) bevrachting *v.*; **2** vracht *v.*(*m.*), vrachtprijs *m.*, vrachtloon *o.*; **3** lading *v.*; ***prendre à —,*** bevrachten; **— *payé,*** vrachtvrij; ***donner à —,*** vervrachten.
frètement [frètmã] *m.* (*v. schip*) bevrachting *v.*
fréter [frété] *v.t.* **1** bevrachten; **2** vervrachten.
fréteur [frétœ:r] *m.* **1** vervrachter *m.*; **2** bevrachter *m.*; **3** verhuurder *m.* van schip.
frétillage [frétiya:j] *m.* (het) spartelen *o.*
frétillant [frétiyã] *adj.* **1** spartelend; **2** (*v. persoon*) beweeglijk; **3** onrustig, woelig.
frétillement [frétiymã] *m.* **1** sparteling *v.*; **2** gekwispel *o.*; **3** (het) huppelen *o.*
frétiller [frétiyé] *v.i.* **1** spartelen; **2** kwispelen; **3** (*v. vreugde*) huppelen.
frétillon [frétiyõ] *m.* woelwater, beweeglijk persoon *m.*
fretin [fretẽ] *m.* katvis *m.*; ***menu —,*** uitschot *o.*
frette [frèt] *f.* **1** (*om as, enz.*) ijzeren ring *m.*; **2** (*om kanon*) stalen ring *m.*
fretter [frèté] *v.t.* met een ijzeren (*of* stalen) ring beslaan.
freudien [frœdyẽ] *adj.* Freudiaans.
freudisme [frœdizm] *m.* dieptepsychologie *v.* van Freud.
freux [frö] *m.* (*Dk.*) roek *m.*
friabilité [fri(y)abilité] *f.* **1** brokkeligheid, brosheid *v.*; **2** (*v. grond*) losheid *v.*
friable [fri(y)a'bl] *adj.* **1** brokkelig, kruimelig; **2** (*v. grond*) los.
friand [fri(y)ã] **I** *adj.* **1** snoepachtig; **2** lekker, fijn; **— *de,*** verlekkerd op, belust op; ***morceau —,*** fijn brokje *o.*; **II** *s., m.* snoeper, lekkerbek *m.*
friandise [fri(y)ãdi:z] *f.* **1** lekkernij *v.*; **2** (*voor kinderen*) snoepgoed *o.*; **3** snoeplust *m.*
Fribourg [fribu:r] *m.* Freiburg *o.*
fric [frik] *m.* (*arg.*) duiten, centjes *mv.*
fricadelle [frikadèl] *f.* frikadel *v.*(*m.*), gestoofd vleesballetje *o.*
fricandeau [frikã'do] *m.* fricandeau *m.*

fricassée [frikasé] *f.* **1** vleesragoût *m.*; **2** (*fig.*) mengelmoes *o. en v.*(*m.*).
fricasser [frikasé] **I** *v.t.* **1** stoven (als ragoût); **2** (*fam.*) verbrassen, verkwisten; **II** *v.i.* kokerellen.
fricasseur [frikasœ:r] *m.* **1** slechte kok *m.*; **2** opmaker *m.*
fricatif [frikatif] *adj.* (*v. spraakgeluid*) wrijvend; ***consonne fricative,*** schuringsgeluid *o.*
fric-frac! [frikfrak] *ij.* krak!; ***faire un —,*** (*arg.*) inbreken; een kraak zetten; ***ne trouver ni fric ni frac,*** niets te eten vinden.
friche [friʃ] *f.* braakland *o.*; ***être en —,*** braakliggen.
frichti [friʃti] *m.* (*pop.*) (het) eten *o.*, de pot *m.*
fricot [friko] *m.* (*pop.*) **1** vleesragoût *m.*, opgestoofd vlees *o.*; **2** (het) eten *o.*
fricoter [frikòté] **I** *v.t.* **1** (*v. vlees*) opstoven; **2** (*v. geld*) verbrassen; **II** *v.i.* **1** eten koken, kokerellen; **2** smullen; **3** (*pop.*; *mil.*) lijntrekken.
fricoteur [frikòtœ:r] *m.* **1** slechte kok *m.*; **2** lekkerbek, smulpaap *m.*; **3** lijntrekker *m.*
friction [friksyõ] *f.* **1** wrijving, inwrijving *v.*; **2** hoofdwassing *v.*
frictionner [friksyòné] *v.t.* **1** wrijven; inwrijven; **2** het hoofd wassen van.
frigidaire [frijidè:r] *m.* koelkast *v.*(*m.*).
frigidité [frijidité] *f.* **1** koudheid *v.*; **2** koelheid, ongevoeligheid *v.*
frigo [frigo] *m.* (*fam.*) bevroren vlees *o.*
frigorie [frigòri] *f.* frigorie *v.*, in diepvriesindustrie gebruikelijk equivalent van calorie.
frigorifère [frigòrifè:r] *m.* koelruimte *v.*
frigorifier [frigòrifyé] *v.t.* **1** koud maken, afkoelen; **2** (*v. vlees, enz.*) doen bevriezen, invriezen.
frigorifique [frigòrifik] *adj.* afkoelend, verkoelend, koudmakend; ***appareil —,*** koelmachine *v.*; ***procédé —,*** bevriezingssysteem *o.*
frileuse [frilö:z] *f.* **1** wollen hoofddoekje *o.*; **2** roodborstje *o.*
frileux [frilö] **I** *adj.* **1** kouwelijk; **2** laf; **II** *s., m.* kouwelijk persoon *m.*
frimaire [frimè:r] *m.* vorstmaand *v.*(*m.*) (3e maand v. republikeinse kalender).
frimas [frima] *m.* rijp, rijm *m.*; ***les —,*** **1** de winterkou *v.*; **2** de nachtvorst *m.*
frime [frim] *f.* **1** schijn *m.*; ***pour la —,*** voor de grap; ***faire qc. pour la —,*** iets voor de leus doen.
frimousse [frimus] *f.* (*pop.*) gezicht, snuitje, bekje *o.*
fringale [frẽ'gal] *f.* **1** geeuwhonger *m.*; **2** (*fig.*) erge honger *m.*
fringant [frẽ'gã] *adj.* **1** levendig, vurig; **2** zwierig, keurig uitgedost; **3** vrolijk.
fringille [frẽ'jil] *f.* vink *m. en v.*
fringuer [frẽ'gé] **I** *v.i.* **1** huppelen, dartelen; **2** trappelen; **II** *v.t.* uitdossen.
friper [fripé] *v.t.* **1** kreukelen; verfrommelen; **2** (*v. geld*) verbrassen.
friperie [fripri] *f.* **1** oude kleren *mv.*; oude rommel *m.*; **2** handel *m.* in oude kleren; **3** uitdragerij *v.*, uitdragerswinkel *m.*
fripe-sauce [fripso:s] *m.* **1** slechte kok *m.*; **2** smulpaap, gulzigaard *m.*
fripier [fripyé] *m.* uitdrager *m.*
fripon [fripõ] **I** *adj.* schalks, schelms; **II** *s., m.* guit, deugniet; schelm *m.*; ***—ne,*** *s., f.* ondeugende meid *v.*
friponneau [fripòno] *m.* kleine schelm *m.*
friponner [fripòné] *v.t.* **1** ontfutselen; **2** beetnemen, bedotten.
friponnerie [fripònri] *f.* schelmerij *v.*, schurkenstreek *m. en v.*
fripouille [fripuy] *f.* (*pop.*) schurk *m.*
friquet [frikè] *m.* ringmus, rietmus *v.*(*m.*).
frire* [fri:r] *v.t. et v.i.* bakken; ***il n'y a rien à —,*** er is niets te bikken; ***pommes frites,*** frieten *mv.*
frise [fri:z] *f.* **1** (*bouwk.*) fries *v.*(*m.*) *of o.*; **2** (*stof*) duffel *o.*; baai *m. en o.*; **3** Fries linnen *o.*
Frise [fri:z] *f.* Friesland *o.*
frisé [fri'zé] *adj.* gekruld, gekroesd; ***chicorée —e,*** krulandijvie *v.*(*m.*); ***chou —,*** boerenkool *v.*(*m.*); ***tête —e,*** krullebol, krullekop *m.*
friselis [fri'zli] *m.* geritsel *o.*
friser [fri'zé] **I** *v.t.* **1** krullen; friseren; **2** (*v. knevel*) opdraaien; **3** strijken langs, scheren langs; **4** zwemen naar; ***il frise la cinquantaine,*** hij loopt naar de vijftig; ***cela frisait l'impolitesse,*** dat was op het kantje af van onbeleefdheid; **II** *v.i.* krullen.
frisette [fri'zèt] *f.* krulletje *o.*
frisoir [fri'zwa:r] *m.* krulijzer *o.*, krultang *v.*(*m.*).
frison [fri'zõ] *m.* krul *v.*(*m.*).
Frison [fri'zõ] **I** *m.*, **—ne** *f.* Fries *m.*, Friezin *v.*; **II** *f—, adj.* Fries.
frisotter [fri'zòté] *v.t.* in fijne krullen zetten.
frisquet [friskè] *adj.* fris, koeltjes.
frisquette [friskèt] *f.* (*tn.*) frisket, drukkersraam *o.*
frisson [frisõ] *m.* rilling, huivering *v.*; ***donner le —,*** doen rillen, doen huiveren
frissonnant [frisònã] *adj.* rillend, huiverend.
frissonnement [frisònmã] *m.* (lichte) rilling, huivering *v.*
frissonner [frisòné] *v.i.* rillen, huiveren; ijzen; griezelen.
frisure [frizü:r] *f.* **1** gekruld haar *o.*; **2** (het) krullen *o.*
frit [fri] *adj.* gebakken; *voir* ***frire.***
friterie [frit(e)ri] *f.* gebakken vis- of frietkraam *v.*(*m.*) *en o.*
frites [frit] *f.pl.* frieten *mv.*, gebakken aardappelsnippers *mv.*
fritillaire [fritiyè:r] *f.* (*Pl.*) keizerskroon *v.*(*m.*); ***— damier,*** kievitsbloem *v.*(*m.*).
friton [fritõ] *m.* kaantje, zwoerdje *o.*
frittage [frita:j] *m.* (*tn.*) fritting *v.*
fritte [frit] *f.* frit *o.*, halfgesmolten glasstof *v.*(*m.*).
fritter [frité] *v.t.* (*tn.*) fritten, uitgloeien.
friture [fritü:r] *f.* **1** (het) bakken *o.* (in pan); **2** gebakken vis *m.*; **3** bakolie *v.*(*m.*); bakvet *o.*; **4** (*fig.*: *in tel.*) geknetter, geruis *o.*
friturer [fritüré] *v.t.* **1** bakken; **2** verkwisten.
friturier [fritüryé] *m.* frietverkoper *m.*
frivole(ment) [frivòl(mã)] *adj.*(*adv.*) **1** ijdel, wuft; **2** beuzelachtig, nietig, onbeduidend.
frivolité [frivòlité] *f.* **1** ijdelheid, wuftheid *v.*; **2** beuzelachtigheid, nietigheid *v.*
froc [fròk] *m.* **1** monnikspij *v.*(*m.*); **2** monnikskap *v.*(*m.*); ***prendre le —,*** monnik worden; ***jeter le — aux orties,*** de kap over de haag werpen, het kloosterleven vaarwel zeggen.
frocard [fròka:r] *m.* (*ong.*: *als scheldnaam*) monnik, paap *m.*
froid [frwa] **I** *adj.* **1** koud; **2** (*v. gevoelens*) koel; **3** nuchter, onverschillig; ***à —,*** **1** koud, zonder verhitting; **2** (*fig.*) zonder geestdrift; ***chambre —e,*** koelkamer *v.*(*m.*); ***cela me laisse —,*** dat raakt mijn koude kleren niet; **II** *adv.*, ***battre — à qn.,*** iem. koel bejegenen; **III** *s., m.* **1** koude *v.*; **2** (*fig.*) koelheid *v.*; **3** onverschilligheid *v.*; **4** verkoeling *v.*; ***prendre —,*** kou vatten; ***donner —,*** doen huiveren; ***jeter un —,*** de stemming bederven; ***— de loup,*** bittere kou; ***cela ne me fait ni — ni chaud,*** dat laat me volkomen onverschillig; ***il n'a pas — aux yeux,*** hij is voor geen klein geruchtje vervaard.
froidement [frwadmã] *adv.* **1** koud; **2** koel; **3** nuchter, in koelen bloede.
froideur [frwadœ:r] *f.* **1** koude *v.*; **2** koelheid *v.*; **3** nuchterheid *v.*; **4** verkoeling *v.*
froidir [frwadi:r] *v.i.* koud worden.
froidure [frwadü:r] *f.* **1** koude, winterkoude *v.*; **2** winter *m.*

froissable [frwasa'bl] *adj.* **1** kreukelig; **2** lichtgeraakt.
froissage [frwasa:j] *m.* zachte kneuzing *v.*
froissement [frwasmã] *m.* **1** kneuzing *v.*; **2** (*v. stof*) verkreukeling; (*v. papier*) verfrommeling *v.*; **3** (*v. zijde, enz.*) geruis *o.*; **4** (*fig.*) krenking, belediging *v.*; **5** (*tussen twee personen*) wrijving *v.*
froisser [frwasé] **I** *v.t.* **1** kneuzen; **2** verkreukelen; verfrommelen; **3** krenken, kwetsen, beledigen; **4** (*v. belangen*) schaden; **II** *v.pr.*, ***se* —, 1** zich kneuzen; **2** (*v. stoffen*) kreuken; **3** ***se* — *de,*** zich gekrenkt gevoelen door.
froissure [frwasü:r] *f.* **1** kneuzing *v.*; **2** kreuk [*v.*(*m.*).
frôlement [fro'lmã] *m.* lichte aanraking *v.*
frôler [fro'lé] *v.t.* **1** even aanraken; **2** scheren langs, strijken langs.
fromage [fròma:j] *m.* kaas *m.*; ***— blanc,*** hangop *m.*; ***— de cochon,*** hoofdkaas *m.*, zult *m.*; ***— d'Italie,*** preskop *m.*
fromager [fròmajé] **I** *adj.* kaas—; **II** *s.*, *m.* **1** kaasboer, kaasverkoper *m.*; **2** kaasvorm *m.*; **3** (*Pl.*) kapokboom *m.*
fromagère [fròmajè:r] *f.* **1** kaasverkoopster *v.*; **2** kaasstolp *v.*(*m.*).
fromagerie [fròmajri] *f.* **1** kaasmakerij, kaasfabriek *v.*; **2** kaashandel *m.*
fromageux [fròmajö] *adj.* kaasachtig.
froment [fròmã] *m.* tarwe *v.*(*m.*); ***— d'Inde, — de Turquie,*** maïs *m.*
fromentacé [fròmã'tasé] *adj.* (*Pl.*) tarweachtig.
fromenté [fròmã'té] *adj.* roodachtig geel.
fromentée [fròmã'té] *f.* tarwepap *v.*(*m.*).
fronce [frõ:s] *f.* **1** plooi, vouw *v.*(*m.*); **2** rimpel *m.*
froncement [frõ'smã] *m.* fronsing, rimpeling *v.*
froncer [frõ'sé] *v.t.* **1** fronsen, rimpelen; **2** (*v. stof*) plooien.
froncilier [frõ'siyé] *v.t.* fijn plooien.
froncis [frõ'si] *m.* **1** (*aan japon*) plooien *mv.*; **2** plooisel *o.*
frondaison [frõ'dè'sõ] *f.* **1** loof *o.*; **2** (het) uitkomen *o.* van de bladeren.
fronde [frõ:d] *f.* **1** slinger *m.*, katapult *m.*; **2** (*gen.*) slingerverband *o.*; **3** loof, gebladerte *o.*
fronder [frõ'dé] **I** *v.t.* **1** slingeren; **2** (*fig.*: *gezag, enz.*) hekelen, afgeven op; **II** *v.i.* hekelen, mopperen, kritiseren.
frondeur [frõ'dœ:r] **I** *m.* **1** slingeraar *m.*; **2** bediller, vitter *m.*; **3** (*gesch.*) aanhanger *m.* van de Fronde (1648); **II** *adj.* **1** bedilziek; **2** oproerig; ***esprit —,* 1** hekelzucht *v.*(*m.*); **2** oproerige geest *m.*
front [frõ] *m.* **1** voorhoofd *o.*; **2** (*v. gebouw, enz.*) voorzijde *v.*(*m.*); **3** (*mil.*) front *o.*; **4** (*v. berg*) top *m.*; ***courber*** (*ou* ***baisser***) ***le —,*** het hoofd buigen; ***avoir du —,*** brutaal zijn; ***n'avoir pas de —,*** geen schaamte hebben; ***faire —,*** front maken; ***faire — à,*** het hoofd bieden aan; ***heurter de —,*** niet ontzien; ***marcher de —,*** samen optrekken; ***changement de —,* 1** frontwisseling *v.*; **2** (*fig.*) plotselinge verandering *v.*; ***mener deux choses de —,*** twee dingen tegelijk doen.
frontail [frõ'tay] *m.* (*v. paard*) kopriem *m.*
frontal [frõtal] **I** *adj.* voorhoofds—; ***os —,*** voorhoofdsbeen *o.*; **II** *s.*, *m.* **1** voorhoofdsbeen *o.*; **2** (*gen.*) hoofdomslag *m.*
frontalier [frõ'talyé] *adj.* van de grens, grens—.
fronteau [frõ'to] *m.* **1** (*gen.*) hoofdomslag *m.*; **2** (*v. nonnen*) voorhoofdsdoek *m.*; **3** (*v. paarden*) kopriem *m.*; voorhoofdsplaat *v.*(*m.*).
frontière [frõ'tyè:r] **I** *f.* grens *v.*(*m.*); **II** *adj.* grens—, aan de grens gelegen; ***localité —,*** grensplaats *v.*(*m.*).
frontignan [frõ'tiñã] *m.* muskaatwijn *m.* uit [Frontignan.
frontispice [frõ'tispis] *m.* **1** (*bouwk.*) voorgevel *m.*; **2** (*drukk.*) titelblad *o.*, titelplaat *v.*(*m.*), versierde titel *m.*
fronton [frõ'tõ] *m.* **1** fronton *o.* (driehoekige of boogvormige versiering boven gevels, enz.); **2** (*boven kast, spiegel*) kap *v.*(*m.*).
froquer [fròké] *v.t.* in een (monniks)pij steken.
frottage [fròta:j] *m.* (het) wrijven, (het) boenen *o.*
frottée [fròté] *f.* pak *o.* slaag, aframmeling *v.*
frottement [fròtmã] *m.* **1** wrijving, schuring *v.*; **2** (*fig.*) omgang *m.* (met de mensen); ***le — du monde,*** de omgang met de mensen.
frotter [fròté] **I** *v.t.* **1** wrijven; **2** (*v. meubelen, strijkstok, enz.*) inwrijven (met); **3** (*v. parketvloer, meubelen*) boenen; **4** (*v. vloer*) (*Z.N.*) schuren; (*N.N.*) boenen; **5** (*v. lucifer*) aansteken, aanstrijken; **6** (*v. persoon*) afranselen; ***être frotté de,*** een oppervlakkige kennis hebben van; ***— les oreilles à qn.,*** iem. de oren wassen; **II** *v.i.* **1** wrijven (tegen); **2** strijken (langs); **3** licht aanraken; **III** *v.pr.*, ***se —,*** zich wrijven; ***se — les yeux,*** zich de ogen uitwrijven; ***se — les mains,*** zich in de handen wrijven; ***se — à,* 1** de strijd aanbinden met, iets beginnen tegen, aanvallen; **2** omgang hebben met; ***ne vous y frottez pas,*** begin maar niet tegen hem; ***qui s'y frotte s'y pique,*** het is geen katje om zonder handschoenen aan te pakken.
frotteur [fròtœ:r] *m.* **1** boener *m.*; **2** (*v. tram, enz.*) contactbeugel *m.*
frottis [fròti] *m.* doorschijnende verflaag *v.*(*m.*).
frottoir [fròtwa:r] *m.* **1** wrijflap *m.*; **2** (*voor vloer*) wrijfborstel *m.*; **3** (*v. hoed, schoenen; el.*) wrijfkussen *o.*; **4** (*v. lucifersdoosje*) strijkvlak *o.*; **5** (*voor scheermes*) gummibakje *o.*
frouer [frué] *v.i.* op een lokfluitje blazen.
frou-frou*, froufrou [frufru] *m.* (*v. zijde, enz.*) geruis, geritsel *o.*; ***faire du —,*** drukte maken.
frou-frouter [frufruté] *v.i.* ruisen; ritselen.
froussard [frusa:r] *m.* (*pop.*) bangerd *m.*
frousse [frus] *f.* angst *m.*, bangheid *v.*; ***avoir la —,*** in de rats zitten.
fructiculture [früktikültü:r] *f.* fruitteelt *v.*(*m.*).
fructidor [früktidò:r] *m.* vruchtmaand *v.*(*m.*) (12e maand van de republikeinse kalender).
fructifère [früktifè:r] *adj.* vruchtdragend.
fructifiant [früktifyã] *adj.* vruchtdragend.
fructification [früktifika'syõ] *f.* **1** (*Pl.*) vruchtvorming *v.*; **2** ontwikkeling *v.* van de vrucht; **3** stand *m.* van de vrucht.
fructifier [früktifyé] *v.i.* **1** vrucht dragen; **2** (*fig.*) gedijen, bloeien; **3** winst opleveren; rente geven; ***faire —,*** op rente plaatsen.
fructose [frükto'z] *m.* vruchtesuiker *m.*
fructueux [früktẅö] *adj.*, **fructueusement** [früktẅö:zmã] *adv.* **1** vruchtdragend; **2** (*v. werk, enz.*) vruchtbaar; **3** (*v. zaak*) voordelig, winstgevend.
frugal(ement) [frügal(mã)] *adj.*(*adv.*) **1** (*v. persoon*) matig, sober; **2** (*v. maaltijd*) eenvoudig, sober.
frugalité [frügalité] *f.* **1** matigheid, soberheid *v.*; **2** eenvoud *m.*
frugifère [früjifè:r] *adj.* vruchtdragend.
frugivore [früjivò:r] *adj.* vruchtenetend.
fruit [frẅi] *m.* **1** vrucht *v.*(*m.*); **2** voortbrengsel *o.*; **3** opbrengst *v.*; **4** winst *v.*, voordeel *o.*; ***—s,*** *m.pl.* fruit *o.*; ***— à noyau,*** steenvrucht; ***— à pépins,*** pitvrucht; ***— charnu,*** vleesvrucht; ***—s naturels,*** natuurlijke opbrengst; ***— sec,* 1** gedroogde vrucht; **2** (*fig.*) mislukt student (mens, enz.); ***sans —,*** vruchteloos, vergeefs.
fruité [frẅité] *adj.* met vruchtensmaak; ***vin —,*** wijn *m.* met druivesmaak.

fruiterie [frŵitri] *f.* **1** fruitkelder *m.*; **2** fruithandel *m.*
fruitier [frŵityé] **I** *adj.* vruchtdragend; ***arbre —,*** vruchtboom *m.*; ***jardin —,*** boomgaard *m.*; **II** *s., m.* **1** boomgaard *m.*; **2** fruitkelder *m.*; **3** fruitverkoper *m.*
fruitière [frŵityè:r] *f.* fruitvrouw, fruitverkoopster *v.* [*v.*(*m.*).
frumentaire [frümã'tè:r] *adj.*, ***loi —,*** graanwet
frusquer [früské] *v.t.* (*pop.*) aankleden.
frusques [früsk] *f.pl.* **1** (*pop.*) plunje *v.*(*m.*), kleren *mv.*; **2** (*v. meubelen, enz.*) boeltje, rommeltje *o.*
frusquin [früskẽ] *m.* (*pop.*) boeltje *o.*, have *v.*(*m.*); ***son saint —,*** al zijn hebben en houden.
fruste [früst] *adj.* **1** (*v. munt*) afgesleten; **2** (*v. gelaat, steen*) verweerd; **3** (*v. beeldhouwwerk; stijl*) ruw; **4** (*v. karakter*) onbehouwen.
frustration [früstra'syõ] *f.* **1** beroving *v.*; **2** bewustzijnsvernauwing *v.* [nutteloos.
frustratoire [früstratwa:r] *adj.* **1** bedrieglijk; **2**
frustrer [früstré] *v.t.* **1** beroven, te kort doen; **2** (*v. hoop*) bedriegen; verijdelen.
frutescent [frütèsã] *adj.* (*Pl.*) struikvormig.
fuchsia [füksya] *m.* (*Pl.*) fuchsia *v.*(*m.*).
fuchsine [füksin] *f.* fuchsine *v.*, rode anilinekleurstof *v.*(*m.*).
fucus [füküs] *m.* zeewier *o.*
fuégien [füéjyẽ] **I** *adj.* Vuurlands; **II** *s., m.* ***F—,*** Vuurlander *m.*
fugace [fügas] *adj.* **1** vluchtig, vergankelijk; **2** (*v. geheugen*) zwak; **3** snel vervliegend. [heid *v.*
fugacité [fügasité] *f.* vluchtigheid, vergankelijk-
fugitif [füjitif] **I** *adj.* **1** voortvluchtig; **2** vluchtig, vergankelijk, voorbijgaand; **3** (*v. hoop, genoegen*) kortstondig; **II** *s., m.* vluchteling *m.*
fugue [fü'g] *f.* **1** (*muz.*) fuga *v.*(*m.*); **2** (*fig.*) plotselinge verdwijning *v.*, vlucht *v.*(*m.*), uitstapje *o.*; ***faire une —,*** een slippertje maken.
fuie [fŵi'y] *f.* (kleine) duiventil *v.*(*m.*).
fuir* [fŵi:r] **I** *v.i.* **1** vluchten; **2** (*dicht.*) vlieden; **3** (*v. tijd*) voorbijsnellen, heenvlieden; **4** (*v. vloeistoffen*) weglopen; **5** (*v. vat*) lekken; **6** (*v. wolken*) jagen; **7** (*v. beelden, enz.*) wijken; **8** (*v. werktuig*) uitglippen, uitglijden; **9** (*v. grond*) wegzakken; **II** *v.t.* **1** ontvluchten; (*dicht.*) ontvlieden; **2** (*v. persoon*) mijden, schuwen; **3** op de vlucht slaan voor; **III** *v.pr.*, ***se —,*** elkaar ontlopen.
fuite [fŵit] *f.* **1** vlucht *v.*(*m.*); ontvluchting *v.*; **2** (*v. tijd, enz.*) (het) voorbijsnellen *o.*; **3** (het) weglopen *o.*; **4** lek *o.*; **5** (het) wijken *o.* (voor het oog); **6** uitvlucht *v.*(*m.*); ***mettre en —,*** op de vlucht drijven, verjagen; ***il y a eu des —s,*** er is wat uitgelekt.
fulgurant [fülgürã] *adj.* **1** bliksemend; **2** flikkerend; **3** (*v. pijnen*) schietend.
fulguration [fülgüra'syõ] *f.* **1** flikkering *v.*; **2** weerlicht *o. en m.* (zonder donder).
fulgurer [fülgüré] *v.i.* **1** flikkeren; **2** bliksemen.
fuligineux [fülijinö] *adj.* **1** roetachtig; **2** roetkleurig.
fuliginosité [fülijinozité] *f.* **1** roetachtigheid *v.*; **2** (*gen.*) roetkleurig beslag *o.*
fulmicoton [fülmikòtõ] *m.* schietkatoen *o. en m.*
fulminaire [fülminè:r], **fulminal** [fülminal] *adj.* van de bliksem, bliksem—.
fulminant [fülminã] *adj.* **1** bliksemend; **2** (*fig.*) donderend; (heftig) uitvarend; ***poudre —e,*** knalpoeder *o. en m.*
fulminate [fülminat] *m.* (*scheik.*) knalzuurzout *o.*; ***— de mercure,*** knalkwik *o.*
fulmination [fülmina'syõ] *f.* **1** ontploffing *v.*, knal *m.*; **2** afkondiging *v.* (van banvloek).
fulminatoire [fülminatwa:r] *adj.*, ***sentence —,*** banvonnis *o.*
fulminer [fülminé] **I** *v.i.* **1** ontploffen; **2** heftig uitvaren, razen; **II** *v.t.* (*v. banvloek*) slingeren, afkondigen.
fulminique [fülminik] *adj.*, ***acide —,*** knalzuur *o.*
fumage [füma:j] *m.* **1** (*v. vlees, vis, enz.*) (het) roken *o.*; **2** (*v. grond*) (het) bemesten *o.*, bemesting *v.*
fumaison [fümè'zõ] *f.* bemesting *v.*
fumant [fümã] *adj.* rokend, dampend.
fumé [fümé] *adj.* **1** gerookt, opgerookt; **2** (*v. glas*) berookt; **3** (*v. grond*) bemest; ***viande —e,*** rookvlees *o.*
fume-cigare(*) [fümsiga:r] *m.* sigarepijpje *o.*
fume-cigarette(*) [fümsigarèt] *m.* sigarettepijpje *o.*
fumée [fümé] *f.* **1** rook *m.*; **2** damp *m.*, uitwaseming *v.*; **3** (*v. eten, enz.*) lucht *v.*(*m.*), geur *m.*; **4** (*fig.*) opwelling *v.*, roes *m.*; **5** vlek *v.*(*m.*) (op diamant); ***s'en aller en —,*** in rook vervliegen; ***il n'y a pas de — sans feu,*** men noemt geen koe bont, of er is een vlekje aan.
fumer [fümé] **I** *v.i.* **1** roken; **2** (*v. spijzen*) dampen; **3** (*v. lamp*) walmen; ***— de colère,*** zieden (*of* schuimbekken) van woede; **II** *v.t.* **1** (*v. sigaar, vlees, vis*) roken; **2** (*v. grond*) bemesten.
fumerie [fümri] *f.*, ***— d'opium,*** opiumkit *v.*(*m.*).
fumerolle [fümròl] *f.* fumarole *v.*, dampbron *v.*(*m.*) in vulkanisch gebied.
fumeron [fümrõ] *m.* **1** rokende (houts)kool *v.*(*m.*); **2** (*op akker*) mesthoopje *o.*
fumet [fümè] *m.* **1** (*v. spijzen, enz.*) geur *m.*; **2** (*v. wild, jacht*) lucht *v.*(*m.*).
fumeterre [fümtè:r] *f.* (*Pl.*) duivekervel *m.*
fumeur [fümœ:r] *m.* roker *m.*; (***compartiment pour***) ***—s,*** rookcoupé *m.*
fumeuse [fümö:z] *f.* **1** rookster *v.*; **2** rookstoel *m.*
fumeux [fümö] *adj.* **1** rokerig; **2** (*v. lamp, licht*) walmend; **3** (*v. wijn*) koppig, bedwelmend; **4** (*v. denkbeelden*) verward.
fumier [fümyé] *m.* **1** mest *m.*; **2** mesthoop *m.*; ***mourir sur le —,*** in grote ellende sterven.
fumière [fümyè:r] *f.* mestkuil *m.*
fumifuge [fümifü:j] *adj.* rookverdrijvend.
fumigateur [fümigatœ:r] *m.* berokingstoestel *o.*
fumigation [fümiga'syõ] *f.* **1** beroking *v.*; **2** (*gen.*) dampbad *o.*
fumigène [fümijè'n] *adj.* rookverwekkend; ***obus —,*** rookbom *v.*(*m.*).
fumiger [fümi'jé] *v.t.* beroken.
fumiste [fümist] *m.* **1** rookverdrijver; schoorsteenveger *m.*; **2** kachelmaker, kachelsmid *m.*; **3** grappenmaker *m.*
fumisterie [fümistri] *f.* **1** schoorsteenvegersvak *o.*, beroep *o.* van rookverdrijver; **2** grappenmakerij *v.*, grap *v.*(*m.*), mystificatie *v.*
fumivore [fümivò:r] **I** *adj.* rookverterend; **II** *s., m.* **1** (*op schoorsteen*) rookvang *m.*; **2** (*boven lamp*) walmvanger *m.*
fumoir [fümwa:r] *m.* **1** rookkamer *v.*(*m.*), rooksalon *m. en o.*; **2** (*voor vlees, enz.*) rokerij *v.*
fumosité [fümo'zité] *f.* rokerigheid *v.*
fumure [fümü:r] *f.* **1** bemesting *v.*, (het) bemesten *o.*; **2** mest *m.*
funambule [fünã'bül] *m.-f.* koorddanser(es) *m.*(*v.*).
funambulesque [fünã'bülèsk] *adj.* **1** koorddansers—; **2** (*fig.*) gewaagd, stout, stoutmoedig; **3** vreemd, gek; **4** kunstig.
fune [fün] *f.* (*sch.*) touw *o.*
funèbre [fünè'br] *adj.* **1** begrafenis—; **2** somber, doods; ***cortège —,*** begrafenisstoet *m.*; ***oraison —,***

lijkrede *v.(m.)*; ***vêtements* —*s,*** rouwkleren *mv.*; ***marche* —,** treurmars *m. en v.*
funer [füné] *v.t.* (*v. schip*) takelen, optuigen.
funérailles [fünéra·y] *f.pl.* begrafenis *v.*
funéraire [fünérè:r] *adj.* begrafenis—; graf—; ***drap* —,** lijkkleed *o.*; ***frais* —*s,*** begrafeniskosten *mv.*; ***pierre* —,** grafsteen *m.*
funeste(ment) [fünèst(emã)] *adj.(adv.)* **1** noodlottig; **2** (*v. invloed, enz.*) verderfelijk; **3** (*v. oorlog, enz.*) rampzalig; **4** (*v. schouwspel*) treurig, droevig.
funiculaire [fünikülè:r] *adj.* kabel—; ***chemin de fer* —, *ou* —*s,*** *s., m.* kabelspoorweg *m.*
funicule [fünikül] *m.* navelstreng *v.(m.)*.
funin [fünẽ] *m.* (*sch.*) **1** (ongeteerd) touw *o.*; **2** staand en lopend want *o.*
fur [fü:r] *m.*, ***au* — *et à mesure de,*** naar gelang van; ***au* — *et à mesure que,*** naarmate.
furet [fü·rè] *m.* **1** (*Dk.*) fret *o.*; **2** (*fig.*) snuffelaar *m.*
furetage [fürta:j] *m.* **1** konijnejacht *v.(m.)* met een fret; **2** gesnuffel, (het) snuffelen *o.*
fureter* [fürté] *v.i.* **1** fretten, met een fret jagen; **2** snuffelen, zoeken.
fureteur [fürtœ:r] **I** *m.* **1** jager *m.* met een fret; **2** snuffelaar *m.*; **II** *adj.* snuffelend; ***yeux* —*s,*** scherpe blik *m.*
fureur [fürœ:r] *f.* **1** woede *v.(m.)*, razernij *v.*; **2** vlaag *v.(m.)* van woede; **3** vervoering *v.*; ***entrer en* —,** woedend worden, in woede ontsteken; ***la* — *des vents,*** de onstuimigheid van de wind; ***la* — *du jeu,*** de hartstocht voor het spel; ***faire* —,** opgang maken.
furfuracé [fürfürasé] *adj.* zemelachtig; ***dartre* —*e,*** [dauwworm *m.*
furibond [füribõ] *adj.* woedend, razend (van woede), in woede ontstoken.
furie [füri] *f.* **1** furie *v.*; **2** razernij *v.*, woede *v.(m.)*; **3** helleveeg *v.*; ***en* —,** woedend.
furieux [füryö] *adj.*, **furieusement** [füryö·zmã] *adv.* **1** woedend, razend; **2** geweldig, verschrikkelijk; ***un* — *menteur,*** een aartsleugenaar *m.*
Furnes [fürn] *m.* Veurne *o.*
furol(l)e [füròl] *f.* st.-elmsvuur, dwaallicht *o.*
furoncle [fürõ:kl] *m.* steenpuist, bloedzweer *v.(m.)*.
furonculeux [fürõ·külö] *adj.* steenpuistachtig.
furtif [fürtif] *adj.*, **furtivement** [fürti·vmã] *adv.* **1** steelsgewijs, ter sluiks; **2** heimelijk.
fusain [füzẽ] *m.* **1** houtskool *v.(m.)* (om te tekenen); **2** houtskooltekening *v.*; **3** (*Pl.*) kardinaalsmuts *v.(m.)*.
fuseau [fü·zo] *m.* **1** (*v. spinnewiel*) spil *v.(m.)*; **2** (*voor kantwerk*) klos *m. en v.*; **3** (*v. balustrade*) spijl *v.(m.)*; ***jambes de* —,** spillebenen *mv.*
fusée [fü·zé] *f.* **1** (*v. garen*) spil *v.(m.)* vol; **2** (*v. vuurwerk*) raket *v.(m.)*, vuurpijl *m.*; **3** (*v. horloge*) kettingspil *v.(m.)*; **4** (*v. granaat*) ontstekingsbuis *v.(m.)*; **5** (*v. as*) top *m.*; ***— à temps,*** tijdbuis *v.(m.)*; ***— incendiaire,*** brandraket *v.(m.)*; ***partir en* —,** als een vuurpijl omhoog schieten; (*v. gelach, handgeklap, enz.*) losbarsten; ***— de rires,*** schaterlach *m.*
fuselage [füzla:j] *m.* geraamte *o.* (romp *m.*) van een vliegtuig. [dun uitlopend.
fuselé [fü·zlé] *adj.* **1** spilvormig; **2** (*v. vinger*)
fuser [fü·zé] *v.i.* **1** (*v. kleuren*) vervloeien; **2** (*v. kaarsen, enz.*) wegsmelten; **3** (*in 't vuur*) knetteren; **4** sissend uiteenspatten; **5** (*fig.*) met een sisser aflopen; ***des rires fusèrent,*** gelach steeg op en verdween.
fusette [füzèt] *f.* (naaizijde)rolletje *o.*
fusibilité [füzibilité] *f.* smeltbaarheid *v.*
fusible [füzi·bl] **I** *adj.* smeltbaar; **II** *s., m.,* ***— (de sécurité),*** (*el.*) zekering *v.*
fusiforme [füzifòrm] *adj.* spilvormig.
fusil [füzi] *m.* **1** geweer *o.*; **2** vuursteen *m.*; **3** (*v. maaier*) wetsteen *m.*; **4** (*v. slager*) aanzetstaal, wetstaal *o.*; ***— à vent,*** windbuks *v.(m.)*; ***— à deux coups,*** tweeloopsgeweer *o.*; ***changer son* — *d'épaule,*** (*fig.*) van mening veranderen, uit een ander vaatje tappen, in een ander register spelen.
fusilier [füzilyé] *m.* fuselier *m.*; ***— marin,*** marinier *m.*
fusillade [füziya·d] *f.* **1** geweervuur *o.*; **2** (het) fusilleren *o.*
fusiller [füziyé] *v.t.* **1** doodschieten, fusilleren; **2** (*v. mes*) aanzetten, slijpen.
fusion [fü·zyõ] *f.* **1** smelting *v.*; **2** fusie, samensmelting, versmelting, vermenging *v.*; ***point de* —,** smeltpunt *o.*
fusionnement [fü·zyònmã] *m.* ineensmelting *v.*
fusionner [fü·zyòné] *v.t. et v.i.* ineensmelten, samensmelten, versmelten.
fustanelle [füstanèl] *f.* korte plooirok *m.* (van Griekse nationale klederdracht).
fustigation [füstiga·syõ] *f.* geseling, kastijding *v.*
fustiger [füsti·jé] *v.t.* geselen.
fût [fü] *m.* **1** fust, vat *o.*; **2** (*v. zaag, v. tennisracket*) handvat *o.*; **3** (*v. trom*) cilinder *m.*; **4** (*v. orgel*) kast *v.(m.)*; **5** boomstam *m.*; **6** (*v. zuil*) schacht *v.(m.)*; ***vin en* —*s,*** wijn op fust; ***vendre à* — *perdu,*** verkopen fust inbegrepen; ***bois de haut* —** hoogstammig gewas.
futaie [fütè(·y)] *f.* hoogstammig hout *o.*
futaille [füta·y] *f.* vat *o.*, ton *v.(m.)*; vaatwerk *o.*
futaillerie [fütayri] *f.* hout voor vaatwerk, duighout *o.*
futaine [fütè·n] *f.* bombazijn *o.*
futé [füté] *adj.* slim, sluw, geslepen.
futée [füté] *f.* soort stopverf *v.(m.)*.
fûtier [fü·tyé] *m.* **1** kuiper *m.*; **2** koffermaker *m.*
futile [fütil] *adj.* nietig, onbeduidend; beuzelachtig.
futilité [fütilité] *f.* nietigheid; beuzelarij *v.*
futur [fütü:r] **I** *adj.* toekomstig; aanstaand; **II** *s., m.* **—e,** *f.* aanstaande, verloofde *m.-v.*; —, *m.* **1** toekomende tijd *m.*; **2** toekomst *v.*; ***— antérieur,*** voltooid toekomende tijd.
futurisme [fütürizm] *m.* futurisme *o.* (moderne richting in schilderkunst, enz.).
futuriste [fütürist] **I** *adj.* futuristisch; **II** *s., m.* futurist *m.*
fuyant [fwiyã] **I** *adj.* **1** vluchtend; **2** (*v. lijn*) wijkend; **3** (*v. blik*) schuw; ***front* —,** wijkend voorhoofd *o.*; **II** *s., m.* **1** (*v. tekening*) wijking *v.*; **2** (*v. schilderij*) verschiet *o.*
fuyard [fwiya:r] *m.* vluchteling; overloper *m.*

G

G *m.* g *v.(m.)*.
gabardine [gabardin] *f.* gabardine *v.(m.)* (*stof*).
gabare [gaba:r] *f.* **1** lichter *m.*; aak *m. en v.*; **2** transportschip *o.*; **3** (*visv.*) groot slagnet *o.*; ***— à vase,*** modderschuit *v.(m.)*.
gabarier [gabaryé] **I** *m.* **1** schipper, aakschipper *m.*; **2** lichtersknecht, sjouwer *m.*; **II** *v.t.* (*bij scheepsbouw*) naar een mal fatsoeneren.
gabari(t) [gabari] *m.* **1** (*v. schip*) mal *m.*, model *o.*; **2** (*v. wagen*) voorgeschreven vorm *m.*, reglemen-

taire grootte *v.*; **3** doorgangshoogte, doorrijhoogte, doorvaarthoogte *v.*

gabegie [gabji] *f.* (*pop.*) bedrog *o.*, fopperij *v.*, gekonkel *o.*, wanbeheer *o.*

gabelle [gabèl] *f.* **1** (*gesch.*) zoutbelasting *v.*; **2** zouthuis *o.*

gabelou [gablu] *m.* (*ong.*) kommies *m.* (v. douane of belasting).

gaber [gabé] *v.t.* bespotten.

gaberie [gabri] *f.* spotternij *v.*

gabie [gabi˙y] *f.* **1** mastkorf *m.*; **2** kraaienest *o.*

gabier [gabyé] *m.* marsgast, matroos *m.*

gabion [gabyõ] *m.* (*mil.*) schanskorf *m.*

gabionner [gabyòné] *v.t.* (*mil.*) met schanskorven dekken. [gevel *m.*

gable [ga˙bl], **gâble** [ga:bl] *m.* (*bouwk.*) punt-

gabonais [gabònè] *adj.* Gaboenees, uit Gaboen.

gabord [gabò:r] *m.* (*sch.*) kielgang *m.*

gâchage [ga˙ʃa:j] *m.* **1** (*v. kalk, enz.*) (het) beslaan, (het) aanmaken *o.*; **2** vermorsing *v.*; **3** (het) verknoeien *o.*; **4** knoeiwerk *o.*

gâche [ga:ʃ] *f.* **1** kalkschop *v.*(*m.*); **2** (*v. banketbakker*) spatel *v.*(*m.*), roerstok *m.*; **3** (*v. slot*) schootplaat *v.*(*m.*).

gâcher [ga˙ʃé] *v.t.* **1** (*v. kalk, enz.*) beslaan, aanmaken; **2** vermorsen; **3** verknoeien, bederven; — ***le métier,*** de markt bederven.

gâcherie [ga˙ʃeri] *f.* verspilling *v.*

gâchette [ga˙ʃèt] *f.* **1** (*v. slot*) sluitveer *v.*(*m.*); **2** (*v. geweer*) spanveer *v.*(*m.*).

gâcheur [ga˙ʃœ:r] *m.* **1** werkman die kalk beslaat, metselaarsknecht *m.*; **2** knoeier, kladder *m.*; **3** marktbederver *m.*

gâchis [ga˙ʃi] *m.* **1** mortel *m.* (van gips, kalk, zand en cement), mortelspecie *v.*; **2** modder *m.*, slijk *o.*; **3** (*fig.*) warboel, knoeiboel *m.*

gâchoir [ga˙ʃwa:r] *m.* pottenbakkerstrog *m.*

gadoue [gadu] *f.* **1** straatvuil *o.*; **2** beer *m.*; **3** compost *o.*; **4** (*fam.*) slet *v.*

gaélique [gaélik] *adj.* Gaëlisch, Keltisch.

gaffe [gaf] *f.* **1** (*sch.*) vaarboom, bootshaak *m.*; **2** (*fam.*) flater, blunder *m.*, onhandigheid *v.*

gaffer [gafé] **I** *v.t.* **1** (*sch.*) voortbomen; **2** met de bootshaak vatten; **3** (*fig.*) een flater begaan.

gaffeur [gafœ:r] *m.* bokkenschieter *m.*

gaga [gaga] *adj.* kinds.

gage [ga:j] *m.* **1** pand, onderpand *o.*; **2** blijk, bewijs *o.*; ***mettre en —,*** verpanden, belenen; — ***d'amitié,*** blijk van vriendschap; ***casser aux gages,*** ontslaan; ***jouer aux —s, jouer au — touché,*** pandverbeuren; ***être aux —s de qn.,*** **1** bij iem. in dienst zijn; **2** (*fig.*) door iem. omgekocht zijn; ***donner des —s,*** waarborgen geven; ***prêter sur —,*** belenen; ***lettre de —,*** pandbrief *m.*; ***—s,*** **1** (*v. dienstpersoneel*) loon *o.*; **2** (*v. matroos*) gage *v.*(*m.*).

gagée [gajé] *f.* geelster *v.*(*m.*). [digen.

gager [ga˙jé] *v.t.* **1** wedden; verwedden; **2** bezol-

gageur [gajœ:r] *m.* wedder *m.*

gageure [gajü:r] *f.* weddenschap *v.*; (*fig.*) ***c'est une —,*** het is niet te geloven, het klinkt ongeloofelijk.

gagiste [gajist] *m.* **1** bezoldigde, loontrekker *m.*; **2** stafmuzikant *m.*; **3** pandhouder *m.*

gagnable [gaña˙bl] *adj.* te winnen.

gagnage [gaña:j] *m.* weide *v.*(*m.*), weiland *o.*

gagnant [gañã] **I** *adj.* winnend; **II** *s., m.* winner *m.*

gagne-pain [gañpẽ] *m.* **1** broodwinning *v.*; **2** kostwinner *m.* [kleinkoopman *m.*

gagne-petit [gañpeti] *m.* **1** scharensliiper *m.*; **2**

gagner [gañé] **I** *v.t.* **1** winnen; **2** (*geld, hemel, enz.*) verdienen; **3** (*overwinning*) behalen; **4** (*stad, enz.*) veroveren, zich meester maken van, vermeesteren; **5** (*achting*) verwerven; **6** (*ziekte*) krijgen, oplopen; **7** (*persoon*) overhalen, op zijn hand krijgen; **8** (*v. brand*) aangrijpen; — ***du terrain,*** veld winnen, zich uitbreiden; — ***gros,*** grof geld verdienen; — ***sa vie,*** de kost verdienen; — ***le port,*** de haven opzoeken; — inlopen; — ***la frontière,*** de grens bereiken; — ***les champs,*** het hazepad kiezen, zich uit de voeten maken; — ***la mer,*** zee kiezen; — ***le dessus,*** de overhand hebben; ***donner gagné,*** zich gewonnen geven; ***le sommeil le gagne,*** hij valt in slaap; — ***les devants,*** vóórkomen; — ***qn. de vitesse,*** iem. te vlug af zijn; **II** *v.i.* **1** winnen; **2** geld verdienen; **3** (erop) vooruitgaan; **4** toenemen; ***ce vin gagne,*** die wijn wordt beter; ***il gagne à être connu,*** bij nadere kennismaking valt hij mee; **III** *v.pr.*, ***se —,*** **1** (*v. ziekte*) besmettelijk zijn; **2** (*v. lachen, geeuwen, enz.*) aanstekelijk werken.

gagneur [gañœ:r] *m.* winnaar *m.*

gai [gé, gè] *adj.* **1** vrolijk, opgeruimd; **2** aangeschoten; **3** los, met speelruimte; ***hareng —,*** lege (ijle) haring; ***avoir le vin —,*** een vrolijke dronk hebben.

gaïac [gayak] *m.* pokhoutboom *m.*

gaïacol [gayakòl] *m.* pokhoutether *m.*

gaiement, gaiment [gé˙mã, gè˙mã] *adv.* vrolijk, opgeruimd; (*fig.*) ***aller —,*** goed vooruitgaan.

gaieté, gaîté [gé˙té, gè˙té] *f.* vrolijkheid, opgeruimdheid *v.*; ***de — de cœur,*** goedsmoeds.

gaillard [gaya:r] **I** *adj.* **1** vrolijk, opgewekt; **2** flink, kloek; **3** los, schuin; ***vent —,*** frisse wind; **II** *s., m.* **1** vrolijke snaak *m.*; **2** (flinke) kerel *m.*; **3** (*v. schip*) plecht *v.*(*m.*); — ***d'avant,*** voorplecht; — ***d'arrière,*** achterplecht.

gaillarde [gayard] *f.* **1** (*drukk.*) galjard *v.* (letter v. 8 punten); **2** (*oud*) vrolijke dans *m.*

gaillardise [gayardi:z] *f.* vrolijkheid, dartelheid *v.*

gaillet [gayè] *m.* (*Pl.*) walstro *o.*

gailleterie [gaytri] *f.* bonkjeskolen *mv.*, steenkool *v.*(*m.*) in bonkjes. [in nootjes.

gailletins [gaytẽ] *m.pl.* nootjes *mv.*, steenkool *v.*(*m.*)

gaillette [gayèt] *f.* nootje *o.* (steenkool); ***—s,*** nootjeskolen *mv.*

gaiment [gé˙mã, gè˙mã] , *voir* ***gaiement.***

gain [gẽ] *m.* **1** winst *v.*; voordeel *o.*; **2** (*v. leden, enz*). aanwas *m.*; ***obtenir — de cause,*** zijn zaak winnen, in 't gelijk gesteld worden; ***donner — de cause,*** zich gewonnen geven; ***être en —,*** aan de winnende hand zijn; ***amour du —,*** winzucht *v.*(*m.*).

gaine [gè:n] *f.* **1** schede *v.*(*m.*); **2** (*v. schaar, enz.*) foedraal *o.*; **3** (*v. zeil*) zoom *m.*; **4** hermeszuil *v.*(*m.*); **5** nauwsluitende japon *m.*; nauwsluitend korset *o.*; ***horloge à —,*** staande klok.

gainerie [gè˙nri] *f.* **1** schedenmakerij *v.*; **2** schedewerk *o.*

gainier [gè˙nyé] *m.* **1** schedenmaker *m.*; **2** (*Pl.*) judasboom *m.*

gaîté [gé˙té, gè˙té] , *voir* ***gaieté.***

gala [gala] *m.* galafeest *o.*, staatsie *v.*; ***habits de —,*** galakleding, staatsiekleding *v.*

galactogène [galaktòjèn] *adj.* melkvormend.

galactomètre [galaktòmè˙tr] *m.* zuivelgehaltemeter *m.*

galalithe [galalit] *f.* galaliet *o.*

galamment [galamã] *adv.* hoffelijk, galant.

galant [galã] **I** *adj.* **1** hoffelijk, galant, voorkomend; **2** bevallig; **3** keurig, smaakvol; ***un — homme,*** een man van eer, een fatsoenlijk mens; ***un homme —,*** een hoffelijk man; **II** *s., m.* **1** jonker, galante heer *m.*; **2** beminde *m.*

galanterie [galã˙tri] *f.* **1** hoffelijkheid *v.*; **2** vleierij *v.*; **3** keurigheid *v.*

galantin [galã·tẽ] *m.* verwaand heertje, fatje *o.*
galantine [galã·tin] *f.* koud vlees *o.* in gelei.
galapiat [galapya] *m.* vlegel, deugniet *m.*
Galatie [galasi] *f.* Galatië *o.*
galaxie [galaksi] *f.* (*sterr.*) melkweg *m.*
galbe [galb] *m.* **1** mooie ronding, welving *v.*; **2** (*bouwk.*: *v. zuil*) zwelling *v.*
galbé [galbé] *adj.* **1** mooi gerond; **2** in 't midden gewelfd; ***colonne —e,*** gezwollen zuil.
galbeux [galbö] *adj.* (*pop.*) piekfijn.
galbord [galbò:r] ,*voir* ***gabord.***
gale [gal] *f.* schurft *v.*(*m.*) *en o.*; ***— du bois,*** wormgaten *mv.*; ***— des végétaux,*** boomkanker *m.*; ***méchante —,*** beroerling *m.*
galé [galé] *m.* (*Pl.*) gagel *m.* [galei *v.*(*m.*).
galéace, galéasse [galéas] *f.* (*sch.*) galjas, grote
galée [galé] *f.* (*drukk.*) galei *v.*(*m.*), zetplankje *o.*
galéga [galéga] *m.* (*Pl.*) galigaan *v.*(*m.*), vlekkenkruid *o.*
galéjade [galéya:d] *f.* opsnijderij *v.* (in Provence).
galène [galè·n] *f.* loodglans *o.*; ***détecteur à —,*** kristaldetector *m.*
galéopsis [galéòpsis] *m.* (*Pl.*) hennepnetel *v.*(*m.*).
galère [galè:r] *f.* **1** (*sch.*) galei *v.*(*m.*); **2** (*tn.*) rijschaaf; roffelschaaf *v.*(*m.*); ***les —s,*** **1** de galeistraf *v.*(*m.*); **2** dwangarbeid *m.*; ***vogue la —!*** laat de boel maar waaien! ***qu'allait-il faire dans cette —?*** waarmee heeft hij zich ook bemoeid!
galerie [galri] *f.* **1** galerij *v.*, zuilengang *m.*; **2** collectie *v.* kunstvoorwerpen; **3** schilderijententoonstellingsruimte *v.*; **4** mijngang *m.*; **5** (*op rijtuig of auto*) imperiaal *o. en v.*(*m.*); ***faire —,*** toekijken, luisteren; ***pour la —,*** voor de schijn. [arbeider *m.*
galérien [galéryẽ] *m.* **1** galeislaaf *m.*; **2** dwang-
galerne [galèrn] *f.* noordwestenwind *m.*
galet [galè] *m.* **1** strandkei *m.*; **2** (*tn.*) wieltje *o.*; **3** (*onder meubels*) rolletje *o.*; **4** steenachtig gedeelte *o.* van het strand; ***jeu de —s,*** sjoelbak *m.*
galetas [galta] *m.* **1** zolderkamertje *o.*, vliering *v.*(*m.*); **2** krot *o.*
galette [galèt] *f.* **1** rond plat koekje *o.*; **2** pannekoek *m.*; **3** scheepsbeschuit *v.*(*m.*); **4** (*pop.*) geld *o.*, duiten *mv.*
galetteux [galètö] *adj.* (*pop.*) rijk.
galettoire [galètwa:r] *f.* koekepan *v.*(*m.*).
galeux [galö] *adj.* schurftig; ***verre —,*** (*tn.*) onzuiver glas.
galfâtre [galfa·tr] *m.* nietsnutter *m.*
galhauban [galo·bã] *m.* (*sch.*) pardoen *v.*(*m.*).
galibot [galibo] *m.* jonge mijnwerker *m.*
Galice [galis] *f.* Galicië *o.* (in Spanje).
Galicie [galisi] *f.* Galicië *o.* (in Polen).
galicien [galisyẽ] *adj.* Galicisch.
Galilée [galilé] *f.* Galilea *o.*; ***—,*** *m.* Galileï *m.*
galimafrée [galimafré] *f.* **1** opgestoofd vlees *o.* (vleesresten); **2** (*fig.*) poespas *m.*
galimatias [galimatya] *m.* **1** wartaal *v.*(*m.*), onzin *m.*; **2** warboel *m.*
galion [galyõ] *m.* (*sch.*) galjoen *o.* [schip *o.*
galiote [galyòt] *f.* (*sch.*) **1** galjoot *v.*(*m.*); **2** vracht-
galipette [galipèt] *f.* (*pop.*) bokkesprong *m.*
galipot [galipo] *m.* **1** pijnhars *o. en m.*; **2** harpuis *o.*
gallate [galat] *m.* galzuurzout *o.*
galle [gal] *f.* galappel *m.*, galnoot *v.*(*m.*).
Galles [gal] *f.*, ***pays de —,*** Wales *o.*
gallican [gal(l)ikã] **I** *adj.* gallicaans; **II** *s., m.*, ***G—,*** gallicaan *m.*
gallicanisme [gal(l)ikanizm] *m.* gallicanisme *o.*
gallicisme [gal(l)isizm] *m.* gallicisme *o.*
gallinacés [gal(l)inasé] *m.pl.* hoenderachtigen *mv.*
galline [galin] *adj.*, ***espèce —,*** hoenderras *o.*, hoendersoort *v.*(*m.*) *en o.*, de hoenders *mv.*
gallique [galik] *adj.* **1** Gallisch; **2** ***acide —,*** galnotezuur *o.* [inwoner *m.* van Wales.
gallois [galwa] **I** *adj.* uit Wales; **II** *s., m.*, ***G—,***
gallomane [galòman] *m.* overdreven bewonderaar *m.* van de Fransen.
gallomanie [galòmani] *f.* overdreven bewondering *v.* voor de Fransen.
gallon [galõ] *m.* gallon *m.* (Eng. inhoudsmaat).
gallophile [galòfil] *adj.* Fransgezind.
gallophobe [galòfò·b] **I** *adj.* anti-Frans; **II** *s., m.* Fransenhater *m.*
gallophobie [galòfòbi] *f.* Fransenhaat *m.*
gallo-romain [galòròmẽ] *adj.* Gallo-Romeins.
gallo-roman [galòròmã] *adj.* gallo-romaans.
galoche [galòʃ] *f.* **1** klompschoen *m.*; **2** overschoen *m.*; (*fam.*) ***menton en —,*** lange (puntige) kin, (centenbakje).
galon [galõ] *m.* boordsel *o.*; bies *v.*(*m.*), galon *o.*; ***perdre ses —s,*** (*mil.*) zijn strepen verliezen, zijn rang verliezen.
galonné [galòné] *m.* gegradueerde *m.*
galonner [galòné] *v.t.* galonneren.
galop [galo] *m.* **1** galop *m.*; **2** Hongaarse of Beierse dans *m.*; ***— allongé,*** gestrekte galop; ***au —,*** **1** in galop; **2** in (vliegende) haast; ***donner un —,*** een standje geven.
galopade [galòpa·d] *f.* **1** galop *m.*; **2** (het) galopperen, gegaloppeer *o.*
galopant [galòpã] *adj.* galopperend; ***phtisie —e,*** vliegende tering *v.*
galoper [galòpé] **I** *v.i.* **1** galopperen; **2** (*fig.*: *v. verbeelding, enz.*) voorthollen; **II** *v.t.* doen galopperen.
galopin [galòpẽ] *m.* **1** loopjongen *m.*; **2** kwajongen *m.* [halen.
galopiner [galòpiné] *v.i.* kwajongensstreken uit-
galoubet [galubè] *m.* fluitje *o.* in Provence.
galuchat [galüʃa] *m.* soort segrijnleer, roggevel *o.*
galvanique [galvanik] *adj.* galvanisch.
galvanisation [galvaniza·syõ] *f.* galvanisering *v.*
galvaniser [galvani·zé] *v.t.* **1** galvaniseren; **2** (*fig.*) doen opleven, doen herleven.
galvanisme [galvanizm] *m.* galvanisme *o.*
galvano [galvano] *m.* (*drukk.*) galvano *m.*, elektrische drukplaat *v.*(*m.*), langs galvanische weg verkregen cliché *o.*
galvanomètre [galvanòmè·tr] *m.* galvanometer *m.*
galvanoplastie [galvanòplasti] *f.* galvanoplastiek *v.*
galvanoplastique [galvanòplastik] *adj.* galvanoplastisch.
galvanothérapie [galvanòtérapi] *f.* galvanotherapie *v.* (geneeswijze door galvanische stromen).
galvaudage [galvo·da:j] *m.* **1** (het) verknoeien *o.*; **2** (het) te grabbel gooien *o.*
galvauder [galvo·dé] **I** *v.t.* **1** verknoeien; **2** te grabbel gooien, onteren; **II** *v.pr.*, ***se —,*** zich weggooien. [loper *m.*
galvaudeux [galvo·dö] *m.* (*fam.*) nietsnut, leeg-
gamache [gamaʃ] *f.* slobkous *v.*(*m.*).
gambade [gã·ba·d] *f.* luchtsprong, bokkesprong *m.*
gambader [gã·ba·dé] *v.i.* **1** dansen, springen (van blijdschap); **2** huppelen.
gambe [gã·b] *f.* **1** (*sch.*) putting *v.*(*m.*); **2** (*muz.*) ***viole de —,*** viola da gamba, oude violoncel *v.*(*m.*); (*ook*: orgelregister).
gambette [gã·bèt] *f.* **1** (*Dk.*) tureluur *m.*; **2** (*pop.*) been *o.*; ***jouer des —s,*** zich uit de voeten maken.
gambéyer [gã·béyé], **gambier** [gã·byé] *m.* gambirstruik *m.*
Gambie [gã·bi] *f.* Gambia *o.* [slingeren.
gambiller [gã·biyé] *v.i.* (met de benen) wiebelen,
gambir [gã·bi:r] *m.* gambir *o.*

gambit [gã'bi] *m.* (*schaaksp.*) gambiet *o.*
gamelle [gamèl] *f.* **1** (*mil.*) eetketel *m.*; **2** officierstafel *v.*(*m.*).
gamelon [gamlõ] *m.* klein eetketeltje *o.* [*v.*(*m.*).
gamète [gãmèt] *m.* (*biol.*) voortplantingskiem
gamin [gamẽ] **I** *m.* **1** jongen; dreumes *m.*; **2** (*ong.*) kwajongen, straatjongen *m.*; **II** *adj.* ondeugend.
gamine [gamin] *f.* **1** meisje *o.*; **2** ondeugende meid *v.*
gaminer [gaminé] *v.i.* kwajongensstreken uithalen.
gaminerie [gaminri] *f.* kwajongensstreek *m. en v.*
gamme [gam] *f.* **1** (*muz.*) gamma *v.*(*m.*) *en o.*, toonladder *v.*(*m.*); **2** reeks, lijst *v.*(*m.*); ***— de couleurs,*** kleurengamma, reeks van kleurschakeringen; ***changer de —,*** een andere toon aanslaan; ***chanter sa — à qn.,*** iem. de les lezen.
gammé [gamé] *adj.*, ***croix —e,*** swastika *v.*(*m.*), hakenkruis *o.*
Gammerages [gamra:j] Galmaarden *o.*
ganache [ganaʃ] *f.* **1** (*v. paard*) onderkaak *v.*(*m.*); **2** (*pop.*) kinnebak *v.*(*m.*); **3** (*fig.*) domkop, botterik *m.*
Gand [gã] *m.* Gent *o.*
gandin [gã'dẽ] *m.* fat, modegek *m.*
gandinerie [gã'dinri] *f.* fatterigheid *v.*
gandoura [gã'dura] *f.* Arabische blouse *v.*
gang [gã] *m.* bende *v.*(*m.*) (van misdadigers).
Gange [gã:j] *m.* Ganges *m.*
ganglion [gã'gliõ] *m.* (*ontleedk.*) knoop *m.*; ***— nerveux,*** zenuwknoop *m.*, zenuwcel *v.*(*m.*); ***— lymphatique,*** peesknoop *m.*
ganglionnaire [gã'gliònè:r] *adj.* van de gangliën, gangliën—; ***système —,*** gangliënstelsel *o.*
gangrène [gã'grè:n] *f.* **1** (*gen.*) gangreen, koudvuur *o.*; **2** boomkanker *m.*; **3** (*fig.*) kanker *m.*, bederf *o.*; ***— des os,*** beeneter *m.*
gangrener [gã'grené] **I** *v.t.* **1** het koudvuur veroorzaken in; **2** (*fig.*) bederven; **II** *v.pr.*, ***se —,*** **1** door koudvuur aangetast worden; **2** verkankeren, verrotten.
gangreneux [gã'grenö] *adj.* (*gen.*) koudvuurachtig, gangreneus.
gangster [gãgstœr] *m.* bendelid *o.*
gangue [gã:g] *f.* **1** gangsteen *m.*; **2** omhulsel *o.* van een (kostbare) steen; **3** (*fig.*) omhulsel *o.*, korst *v.*(*m.*), ruwe omgeving *v.* van iets kostbaars.
gannet [ganè] *m.* (*Dk.*) jan-van-gent *m.*
ganse [gã:s] *f.* **1** luskoord *o.*, galon *o. en m.*; **2** lus *v.*(*m.*); **3** (*v. rivier*) dode arm *m.*
ganser [gã'sé] *v.t.* omboorden.
gant [gã] *m.* handschoen *m.*; ***en —s,*** gehandschoend; ***jeter le —,*** uitdagen; ***relever*** (*ou* ***ramasser***) ***le —,*** de uitdaging aannemen; ***se donner les —s de qc.,*** zich de verdienste van iets toekennen; ***souple comme un —,*** gedwee als een lam; ***cela vous va comme un —,*** **1** (*v. kleren*) dat zit u als aan het lijf gegoten; **2** (*v. ambt, enz.*) dat is voor u geknipt; ***— de Notre-Dame,*** (*Pl.*) vingerhoedskruid *o.*; akelei *v.*(*m.*).
ganté [gã'té] *adj.* gehandschoend.
gantelet [gã'tlè] *m.* **1** (*v. ambachtsman*) handleer *o.*; **2** (*gen.*) handverband *o.*; **3** (*gesch.*) ijzeren handschoen, pantserhandschoen *m.*
gant*-éponge* [gã'tépõ:j] *m.* washandje *o.*
ganter [gã'té] **I** *v.t.* **1** (iem.) handschoenen aantrekken; **2** handschoenen leveren aan; ***— du six,*** handschoenen nummer zes dragen; ***cela me gante,*** dat lijkt me wel; **II** *v.pr.*, ***se —,*** handschoenen aantrekken; ***se — chez qn.,*** bij iem. handschoenen kopen.
ganterie [gã'tri] *f.* **1** handschoenenfabriek *v.*; **2** handschoenenwinkel *m.*; —handel *m.*
gantier [gã'tyé] *m.*, **gantière** [gã'tyè:r] *f.* **1** handschoenenmaker *m.*, —maakster *v.*; **2** handschoenenverkoper *m.*, —verkoopster *v.*
gantois [gã'twa] **I** *adj.* Gents; **II** *s.*, *m.*, ***G—,*** Gentenaar *m.*
garage [gara:j] *m.* **1** (het) stallen, (het) bergen *o.*; **2** stalling *v.*, bergplaats *v.*(*m.*), garage *v.*; **3** (het) uitwijken *o.*; ***voie de —,*** zijspoor, wisselspoor *o.*; ***bassin de —,*** schuilhaven *v.*(*m.*).
garagiste [garajist] *m.* garagehouder *m.*
garance [garã:s] **I** *f.* (*Pl.*) meekrap *v.*(*m.*); **II** *adj.* vuurrood, scharlakenrood. [verven.
garancer [garã'sé] *v.t.* met meekrap verven, rood
garancière [garã'syè:r] *f.* **1** meekrapveld *o.*; **2** meekrapververij *v.*
garant [garã] *m.* **1** (*zaak*) waarborg *m.*; **2** (*persoon of zaak*) borg *m.*; ***se porter — (de),*** borg blijven (voor).
garantie [garã'ti] *f.* **1** waarborg *m.*; **2** borgstelling *v.*; **3** waarborgsom *v.*(*m.*); ***avec —,*** met garantie; ***appeler en —,*** aansprakelijk stellen; ***bureau de —,*** kantoor *o.* van de waarborg (v. goud en zilver); ***donner des —s,*** zekerheid verschaffen.
garantir [garã'ti:r] **I** *v.t.* **1** waarborgen; **2** garanderen, garantie geven voor; **3** (*v. waarheid, persoon, enz.*) instaan voor; **4** ***— de,*** vrijwaren, beschutten; behoeden; ***— du froid,*** tegen koude beschutten; ***— du danger,*** voor gevaar behoeden; **II** *v.pr.*, ***se — de,*** zich beschutten tegen; zich behoeden voor, zich vrijwaren voor.
garbure [garbü:r] *f.* soep *v.*(*m.*) van kool, gezouten ganzevlees, ham en spek.
garce [gars] *f.* meid, deern *v.*
garcette [garsèt] *f.* **1** (*sch.*) seizing *v.*, beslaglijn *v.*(*m.*); **2** (*tn.*) nopijzer *o.*
garçon [garsõ] *m.* **1** jongen, knaap *m.*; **2** vrijgezel, ongehuwd man *m.*; **3** (*in hotel e. dgl.*) kelner *m.*; ***bon —,*** niet lastig, meegaand; ***rester —,*** ongehuwd blijven, vrijgezel blijven; ***— d'ascenseur,*** liftjongen; ***— de magasin,*** winkelknecht; ***— de recettes,*** kwitantieloper, geldophaler *m.*; ***— de courses,*** loopjongen; ***— de salle,*** **1** zaalknecht *m.*; **2** (*in universiteit*) amanuensis *m.*; ***— d'honneur,*** bruidsjonker *m.*
garçonne [garsòn] *f.* **1** kelnerin *v.*; **2** vrijgezellin *v.*; **3** jongensachtig meisje *o.*
garçonner [garsòné] *v.i.* met jongens spelen.
garçonnet [garsònè] *m.* jongetje *o.*
garçonnier [garsònyé] *adj.* jongensachtig; ***habitudes garçonnières,*** jongensgewoonten *mv.*
garçonnière [garsònyè:r] *f.* kamers *mv.* van een vrijgezel.
garde [gard] **I** *f.* **1** (*v. persoon, goederen, enz.*) bewaking *v.*; **2** (*v. geld*) bewaring *v.*; **3** wacht, lijfwacht *v.*(*m.*); **4** hoede *v.*(*m.*), bescherming *v.*; **5** (*v. degen*) gevest *o.*; ***— civique,*** burgerwacht; ***— royale,*** koninklijke lijfwacht; ***corps de —,*** wacht *v.*(*m.*); wachthuis *o.*; ***— noble,*** pauselijke lijfwacht; ***chien de —,*** waakhond *m.*; ***— avancée,*** voorpost *m.*; ***n'avoir — de,*** zich er wel voor wachten, er niet aan denken; ***être de —,*** **1** de wacht hebben; **2** dienst hebben; ***monter la —,*** **1** de wacht betrekken; **2** op wacht staan; ***faire bonne —,*** waakzaam zijn; ***être sur ses —s,*** op zijn hoede zijn; ***prendre —,*** oppassen; ***prendre — que,*** er voor zorgen dat; ***mettre en — contre,*** waarschuwen tegen; ***se tenir sur ses —s,*** op zijn hoede zijn; ***— à vous!*** geef acht! ***prenez — à vous,*** neem u in acht; ***le médecin de —,*** de dienstdoende geneesheer; ***papier de —,*** pakpapier *o.*; ***feuille de —,*** (*v. boek*) schutblad *o.*; ***droit de —,*** bewaarloon *o.*; **II** *m.* **1** bewaker *m.*; **2** wachter *m.*; **3** gardesoldaat *m.*; ***— champêtre,*** veldwachter; ***— forestier,***

boswachter; houtvester; — ***noble,*** soldaat van de pauselijke lijfwacht; — ***des sceaux,*** grootzegelbewaarder, minister van justitie.
garde*-barrière(*) [gardbaryè:r] *m.* baanwachter *m.*
garde-boue [gard(e)bu] *m.* spatbord *o.*; jasbeschermer; (*v. auto*) slijklap *m.*
garde-boutique [gardbutik] *m.* winkeldochter *v.*, onverkocht voorwerp *o.*
garde-chaîne [gardʃè:n] *m.* (*v. fiets*) kettingkast *v.*(*m.*).
garde*-chasse [gardʃas] *m.* jachtopziener *m.*
garde*-chiourme [gardʃyurm] *m.* opzichter *m.* van galeiboeven.
garde-corps [gardkò:r] *m.* leuning *v.* (van schip).
garde-côte [gardko:t] *m.* kustwachter *m.* (als *schip* krijgt *côte*, als *soldaat* krijgt *garde* een *s* in het meervoud).
garde*-couches [gardkuʃ] *f.* kraamverpleegster *v.*
garde-crotte [gardkròt] *m.* spatbord *o.*
garde*-écluse(*) [gardéklü:z] *m.* sluiswachter *m.*
garde*-enfants [gardã'fã] *m.* babysit *m.*
garde-feu(*) [gardfö] *m.* vuurscherm *o.*
garde-fou* [gardfu] *m.* leuning *v.* (van brug, enz.).
garde*-frein(*) [gardfrẽ] *m.* remmer *m.*
garde*-frontière [gardfrõ'tyè:r] *m.* grenswachter *m.*
garde-jambe* [gardjã:b] *m.* beenbedekking *v.*
garde-jupe [gardjüp] *m.* **1** rokbeschermer *m.*; **2** (*v. damesfiets*) net *o.*
garde*-ligne(*) [gardliñ] *m.* lijnwachter *m.*
garde-linge [gardlẽ:j] *m.* linnenkamer *v.*(*m.*).
garde*-magasin(*) [gardmagazẽ] *m.* **1** magazijnmeester *m.*; **2** (*pl.*: —) winkeldochter *v.* (onverkoopbaar artikel).
garde-main [gardmẽ] *m.* handlegger, onderlegger *m.* (bij het schrijven).
garde*-malade* [gardmala'd] *m.-f.* ziekenoppasser *m.*, —verpleegster *v.*
garde-manche* [gardmã:ʃ] *m.* morsmouw, overmouw *v.*(*m.*).
garde-manger [gardmã'jé] *m.* **1** provisiekast, provisiekamer *v.*(*m.*); **2** vliegenkast *v.*(*m.*).
garde-meuble* [gardmœ'bl] *m.* meubelbewaarplaats *v.*(*m.*), bergplaats voor inboedels.
garde-nappe(*) [gardnap] *m.* tafelmatje *o.*, onderlegger *m.*
gardénia [gardénya] *m.* (*Pl.*) gardenia *v.*(*m.*).
garde*-pêche [gardpè:ʃ] *m.* visserijopzichter *m.*
garde*-port(*) [gardpò:r] *m.* havenmeester *m.*
garder [gardé] **I** *v.t.* **1** bewaren; **2** (*gewoonte, invloed, enz.*) behouden; **3** (*grens, gevangenen*) bewaken; **4** (*kinderen*) passen op; **5** (*zieke*) oppassen, verplegen; **6** (*hoed*) ophouden; **7** (*jas*) aanhouden; **8** (*kudde*) hoeden; — ***la chambre,*** de kamer houden; — ***son sérieux,*** ernstig blijven; — ***rancune à,*** — ***une dent contre,*** boos blijven op; — ***à vue,*** (zeer) streng bewaken; — ***les distances,*** de afstanden in acht nemen; **II** *v.pr.*, ***se*** —, (*v. vruchten, enz.*) goed blijven; ***se*** — ***de qc.,*** zich voor iets wachten.
garderie [gard(e)ri] *f.* **1** kinderbewaarplaats *v.*(*m.*); **2** gebied *o.* van één boswachter.
garde*-rivière [gardrivyè:r] *m.* rivierwachter *m.*
garde-robe* [gardrò'b] *f.* **1** kleerkast *v.*(*m.*); kleedkamer *v.*(*m.*); **2** (al de) kleren *mv.*; **3** stoelgang *m.*
garde*-scellés [gardsèlé] *m.* zegelbewaarder *m.*
garde*-sémaphore [gardsémafò:r] *m.* seinwachter *m.*
gardeur [gardœ:r] *m.* hoeder; bewaarder *m.*
garde*-voie(*) [gardvwa] *m.* baanwachter, blokhuiswachter *m.*
garde-vue [gardvü] *m.* **1** oogklep, zonneklep *v.*(*m.*); **2** (*op lamp*) lichtscherm *o.*
gardien [gardyẽ] **I** *m.* **1** bewaker *m.*; **2** bewaarder, beschermer *m.*; **3** (*in klooster*) gardiaan *m.*; — ***de la paix,*** politieagent *m.*; — ***de but,*** (*voetb.*) doelwachter, keeper *m.*; **II** *adj.*, ***ange*** —, engelbewaarder *m.*; ***école —ne,*** bewaarschool *v.*(*m.*).
gardiennage [gardyèna:j] *m.* **1** bewaking *v.*; **2** waakloon *o.*
gardon [gardõ] *m.* (*Dk.*) voorn *m.*
gare [ga:r] **I** *f.* **1** station *o.*; **2** (*voor rivierschepen*) wijkplaats *v.*(*m.*); — ***d'embranchement,*** wisselplaats; — ***d'évitement,*** zijspoor *o.*; — ***centrale,*** hoofdstation, centraalstation *o.*; — ***terminus,*** eindstation; — ***de triage,*** rangeerstation; — ***de passage,*** tussenstation; **II** *ij.* opgepast! pas op! — ***à toi!*** wee je gebeente! ***sans crier*** —, zonder te waarschuwen.
gare*-frontière [ga:rfrõ'tyè:r] *f.* grensstation *o.*
garenne [garèn] *f.* **1** konijnenfokkerij *v.*; **2** afgesloten jachtplaats (*of* visplaats) *v.*(*m.*); ***lapin de*** —, wild konijn *o.*
garer [garé] **I** *v.t.* **1** (*v. trein*) op een zijspoor brengen; **2** (*v. fiets, auto*) stallen; **3** (*auto op straat*) parkeren; **4** (*v. schip*) doen uitwijken, in een wijkplaats brengen; **5** (*graan, enz.*) bergen, opbergen; **II** *v.pr.*, ***se*** — (***de***), **1** uitwijken; uit de weg gaan (voor); **2** zich wachten (voor).
gargantua [gargãtwa] *m.* veelvraat *m.* (fig. van Rabelais).
gargariser, *se* — [segargari'zé] *v.pr.* **1** (*gen.*) gorgelen; **2** zich te goed doen (aan); drinken, zijn keel spoelen; **3** rollen met de r; **4** gamma's spelen (op de piano).
gargarisme [gargarizm] *m.* gorgeldrank *m.*
gargote [gargòt] *f.* **1** gaarkeuken *v.*(*m.*); **2** (*fig.*) goedkoop restaurant *o.*
gargotier [gargòtyé] *m.* **1** houder *m.* van een gaarkeuken; **2** slechte kok *m.*
gargouille [gargu'y] *f.* **1** (*bouwk.: aan gotische kerk*) waterspuwer *m.*, tuit *v.*(*m.*); **2** afvoerpijp *v.*(*m.*) (voor dakwater).
gargouillement [garguymã] *m.* **1** borreling, opborreling *v.*; **2** (*in de ingewanden*) gerommel *o.*; **3** geplas, (het) neerplassen *o.* (v. water).
gargouiller [garguyé] *v.i.* **1** (*in maag of buik*) rommelen; **2** (*v. water*) plassen.
gargouillis [garguyi] *m.* **1** geborrel *o.*; **2** geplas *o.*
gargoulette [gargulèt] *f.* koelkruik *v.*(*m.*).
gargousse [gargus] *f.* kardoes *v.*(*m.*).
gargoussier [gargusyé] *m.* kardoeskoker *m.*
garnement [garnemã] *m.* deugniet, kwajongen *m.* (*ook:* ***mauvais*** —).
garni [garni] **I** *adj.* **1** voorzien (van); **2** (*v. kamer*) gemeubileerd, gestoffeerd; ***une bourse bien —e,*** een goed gevulde beurs; ***choucroute —e,*** zuurkool met spek (worst, enz.); ***une salle bien —e,*** een goed bezette zaal; **II** *s.*, *m.* gemeubileerde kamers *mv.*; ***loger en*** —, op kamers wonen.
garnir [garni:r] **I** *v.t.* **1** voorzien van (*het nodige, enz.*); **2** (*hoed, schotel*) opmaken, garneren; **3** (*v. huis*) meubelen, stofferen; **4** (*v. stoel*) opvullen; **5** (*v. japon*) afzetten; **6** (*v. vesting, zaal, enz.*) bezetten; **7** (*v. mantel, enz.*) voeren; **II** *v.pr.*, ***se*** —, **1** zich voorzien; **2** (*v. zaal, enz.*) bezet worden, vol lopen.
garnisaire [garnizè:r] *m.* (*gesch.*) bij iem. met belastingschuld ingekwartierd soldaat *m.*
garnison [garni'zõ] *f.* bezetting *v.*, garnizoen *o.*
garnissage [garnisa:j] *m.* (het) opmaken; (het) versieren *o.*; (het) bekleden *o.*; bekleding *v.*
garnisseur [garnisœ:r] *m.* **1** stoffeerder, garneerder *m.*; **2** (*tn.*) kaardtrommel *v.*(*m.*).
garniture [garnitü:r] *f.* **1** versiering *v.*; **2** (*v. hoed, schotel, enz.*) garnering *v.*; **3** (*v. leer, metaal, enz.*) belegsel *o.*; **4** (*v. wastafel, haard, enz.*) stel *o.*; **5**

(*op schoorsteen*) garnituur *o.*; **6** (*sch.*: *v. mast*) takelage *v.*; **7** (*drukk.*) formaatwit *o.*; **8** (*tn.*) pakking *v.*

garouille [garuy] *f.* (*Pl.*) dwergeik *m.*

garrigue [gari'g] *f.* woest stuk braakland *o.* in Z.-Frankrijk.

garrot [garo] *m.* **1** (*v. paard, rund*) schoft *v.*(*m.*); **2** worging *v.*; **3** knevel *m.*; **4** spanstok *m.*

garrotte [garòt] *f.* worging *v.* (als straf).

garrotter [garòté] *v.t.* **1** knevelen, binden; **2** (*fig.*) aan banden leggen.

gars [ga] *m.* jongen *m.*

gascon [gaskõ] **I** *adj.* Gascons; **II** *s., m.*, ***G—***, Gascogner; ***g—***, snoever, grootspreker *m.*

gasconnade [gaskòna'd] *f.* snoeverij, opsnijderij *v.*, grootspraak *v.*(*m.*).

gasconner [gaskòné] *v.i.* **1** snoeven, opsnijden; **2** met een Gasconse tongval spreken.

gasoil [gazwal] *m.* gasolie *v.*(*m.*).

Gaspard [gaspa:r] *m.* Kasper *m.* [*v.*

gaspillage [gaspiya:j] *m.* verkwisting, verspilling

gaspiller [gaspiyé] *v.t.* verkwisten, verspillen.

gaspilleur [gaspiyœ:r] *m.* verkwister, verspiller *m.*

gastéropodes [gastéropò'd] *m.pl.* (*Dk.*) buikpotigen *mv.* [*v.*(*m.*).

gastralgie [gastralji] *f.* maagkramp, maagpijn

gastralgique [gastraljik] *adj.* maag—; ***douleur —***, maagpijn *v.*(*m.*). [sap *o.*

gastrique [gastrik] *adj.* maag—; ***suc —***, maag-

gastrite [gastrit] *f.* maagvliesontsteking *v.*

gastrocèle [gastròsèl] *m.* maagbreuk *v.*(*m.*).

gastro-entérite* [gastròã'térit] *f.* maag- en darmontsteking *v.* [ver *m.*

gastronome [gastrònòm] *m.* lekkerbek, fijnproe-

gastronomie [gastrònòmi] *f.* **1** lekkerbekkerij *v.*; **2** fijne kookkunst *v.*

gastronomique [gastrònòmik] *adj.* gastronomisch.

gastrorragie [gastròraji] *f.* maagbloeding *v.*

gastrotechnie [gastròtèkni] *f.* kookkunst *v.*

gastrotomie [gastròtòmi] *f.* maagoperatie *v.*

gâté [ga'té] *adj.* **1** bedorven; **2** (*fig.*: *v. kind, enz.*) verwend.

gâteau [ga'to] *m.* **1** koek *m.*; **2** taart *v.*(*m.*), taartje *o.*; ***— de miel,*** honigraat *v.*(*m.*); ***partager le —,*** de buit verdelen, de winst verdelen; ***avoir part au —,*** aandeel in de winst hebben.

gâte-bois [ga'tbwa] *m.* **1** slechte timmerman *m.*; **2** (*Dk.*) wilgehoutvlinder *m.*

gâte-maison [ga'tmè'zõ], **gâte-ménage** [ga't-ména:j] *m.* dienstdoener *m.*

gâte-métier [ga'tmétyé] *m.* loonbederver, marktbederver, beunhaas *m.*

gâte-papier [ga'tpapyé] *m.* kladschrijver, prulschrijver *m.*

gâte-pâte [ga'tpa't] *m.* **1** slechte bakker *m.*; **2** (*fig.*) knoeier *m.*

gâter [ga'té] **I** *v.t.* **1** bederven; **2** verknoeien; **3** (*v. kind*) verwennen, vertroetelen; **4** (*fig.*: *v. papier*) bekladden; ***cela ne gâte rien,*** dat kan geen kwaad; **II** *v.pr.*, ***se —***, **1** (*v. eetwaren*) bederven; **2** (*v. de lucht*) betrekken; ***cela se gâte,*** dat loopt mis, dat wordt hommeles; ***le métier se gâte,*** de klad komt in 't vak.

gâterie [ga'tri] *f.* vertroeteling *v.*

gâte-sauce [ga'tso:s] *m.* **1** slechte kok *m.*; **2** koksjongen *m.*

gâteur [ga'tœ:r] *m.* **1** bederver *m.*; **2** verknoeier *m.*; **3** verwenner *m.* [vuilt.

gâteux [ga'tö] *adj.*, ***malade —,*** zieke die zich be-

gâtine [ga'tin] ontoegankelijk, woest moerasland *o.*

gâtisme [ga'tizm] *m.* toestand *m.* van half kinds zijn.

gattilier [gatilyé] *m.* (*Pl.*) kuisboom *m.*

gauche [go:ʃ] **I** *adj.* **1** linker; **2** (*v. houding*) links; **3** (*v. persoon*) onhandig, onbeholpen; **4** (*meetk.*) scheef; ***mariage de la main —,*** morganatisch huwelijk; vrij huwelijk; **II** *s., f.* **1** linkerhand *v.*(*m.*); **2** linkerzijde *v.*(*m.*); **3** (*v. parlement*) linkervleugel *m.*, linkerzijde *v.*(*m.*); ***prendre la —,*** links houden.

gauchement [go'ʃmã] *adv.* links, onhandig.

gaucher [go'ʃé] **I** *adj.* links; **II** *s., m.* linkshandige *m.*

gaucherie [go'ʃri] *f.* linksheid, onhandigheid *v.*

gauchir [go'ʃir] **I** *v.i.* **1** (*v. plank, enz.*) kromtrekken; **2** uitwijken; **3** (*fig.*) niet oprecht zijn, eromheendraaien; **II** *v.t.* scheefmaken; ***— les ailes d'un avion,*** de invalshoek van een vliegmachine veranderen.

gauchissement [go'ʃismã] *m.* **1** (het) kromtrekken *o.*, kromtrekking *v.*; **2** uitwijking *v.*; **3** (*vl.*) verandering *v.* van de invalshoek.

gaude [go'd] *f.* **1** (*Pl.*) wouw *v.*(*m.*); **2** maïspap *v.*(*m.*).

gaudriole [go'dri(y)òl] *f.* grap, mop *v.*(*m.*).

gaudrioler [go'dri(y)òlé] *v.i.* plezier maken, lol maken. [ling *v.*

gaufrage [go'fra:j] *m.* blinddruk *m.*; blindstempe-

gaufre [go:fr] *f.* **1** wafel *v.*(*m.*); **2** honigraat *v.*(*m.*); ***moule à —s,*** wafelijzer *o.*; (*fig.*) ***être la —,*** het kind van de rekening zijn.

gaufrer [go'fré] *v.t.* gaufreren, figuren persen op (stof, papier, enz.); ***papier gaufré,*** crêpepapier *o.*

gaufrette [go'frèt] *f.* wafeltje *o.*

gaufreur [go'frœ:r] *m.* figurendrukker *m.*

gaufrier [go'fri(y)é] *m.* wafelijzer *o.*

gaufroir [go'frwa:r] *m.* gaufreerijzer *o.* (*v. stoffen, enz.*).

gaufrure [go'frü:r] *f.* gaufrering *v.*

gaulage [go'la:j] *m.* (het) afslaan *o.* (*v. noten, enz.*).

gaule [go:l] *f.* **1** lange stok, staak *m.*; **2** vlaggestok *m.*; **3** hengelroede *v.*(*m.*).

Gaule [go:l] *f.* Gallië *o.*

gaulée [go'lé] *f.* **1** afgeslagen vruchten *mv.*; **2** pak *o.* slaag.

gauler [go'lé] *v.t.* afslaan (v. vruchten).

gaulette [go'lèt] *f.* roede *v.*(*m.*).

gaulis [go'li] *m.* rijs(hout) *o.*

gaulois [go'lwa] **I** *adj.* **1** Gallisch; **2** spottend, geestig, gewaagd; ***esprit —,*** grove geestigheid, losse vrolijkheid *v.*; **II** *s., m.*, ***G—***, Galliër *m.*

gauloiserie [go'lwa'zri] *f.* gewaagde aardigheid *v.*, plat gezegde *o.*

gausse [go:s] *f.* verzinsel *o.*, mop *v.*(*m.*).

gausser, *se —* [sego'sé] (***de***) *v.pr.* spotten met, voor de gek houden, de draak steken met.

gausserie [go'sri] *f.* spotternij *v.*

gausseur [go'sœ:r] *m.* spotter *m.*

Gautier [go'tyé] *m.* Wouter, Walter *m.*

gave [ga:v] *m.* (*in de Pyreneeën*) bergstroom *m.*

gaveau, gavot [gavo] *m.* lid van een arbeidersbond.

gaver [ga'vé] **I** *v.t.* **1** (*v. ganzen, eenden, enz.*) proppen, volstoppen; **2** (*v. kind*; *fig.*) volproppen; **II** *v.pr.*, ***se —,*** zich volproppen.

gavette [ga'vèt] *f.* gouden staaf *m.* (voor het draadtrekken).

gavial [gavyal] *m.* snavelkrokodil *m. en v.*

gavot, *voir* ***gaveau.***

gavotte [gavòt] *f.* gavotte *v.*(*m.*) (dans).

gavroche [gavròʃ] *m.* straatjongen *m.*

gaz [ga:z] *m.* **1** gas *o.*; **2** lichtgas *o.*; ***— détonnant,*** knalgas; ***— asphyxiant,*** stikgas; ***— pauvre,*** zuiggas; ***— naturel,*** aardgas; ***compteur à —,*** gasmeter; ***ouvrir*** (*of* ***mettre***) ***les —,*** (*v. automobilist*) gas geven; ***—, pl.*** oprispingen *mv.*

gaze [ga:z] *f.* **1** gaas *o.*; **2** bewimpeling, verbloeming *v.*; **— *métallique*,** metaalgaas *o.*
gazé [ga·zé] **I** *adj.* bij een gasaanval gewond (*of* gedood); **II** *s., m.* iem. die bij een gasaanval gewond werd, gasziekte *m.*
gazéification [gazéifika·syõ] *f.* verandering *v.* in gas.
gazéifier [gazéifyé] *v.t.* in gas veranderen.
gazéiforme [gazéifòrm] *adj.* gasvormig.
gazéité [gazéité] *f.* gasvormigheid *v.*
gazelle [gazèl] *f.* gazelle *v.(m.)*.
gazer [ga·zé] **I** *v.t.* **1** met gaas bedekken; **2** (*fig.*) verbloemen, bewimpelen; **II** *v.t.* **1** (*mil.*) met gas bedwelmen, een gasaanval doen op; **2** in de gasvlam schroeien; **III** *v.i.* (*pop.*) hard rijden.
gazetier [gaztyé] *m.* (*ong.*) dagbladschrijver, kranteman *m.*
gazette [gazèt] *f.* **1** krant *v.(m.)*, dagblad *o.*; **2** kletskous *v.(m.)*; ***lire la —,*** mogen toekijken; niets (te eten) krijgen.
gazeuse [ga·zö:z] *f.* spuitwater *o.*
gazeux [ga·zö] *adj.* **1** gasachtig; **2** koolzuurhoudend; ***eau gazeuse,*** spuitwater *o.*
gazier [ga·zyé] *m.* gasfitter *m.*
gazifier [ga·zifyé] *v.t.* (*mil.*) vergassen.
gazogène [gazòjè:n] **I** *adj.* gas voortbrengend; **II** *s., m.* **1** gasgenerator *m.*; **2** toestel *o.* om spuitwater te maken.
gazol(é)ine [gazòl(é)in] *f.* gasoline *v.(m.)*, petroleumether *m.*
gazomètre [gazòmè·tr] *m.* **1** gashouder *m.*; **2** (*scheik.*) gasmeter *m.*
gazon [gazõ] *m.* **1** gras *o.*; **2** grasperk *o.*; **3** graszode *v.(m.)*.
gazonnant [gazònã] *adj.* grasachtig.
gazonnement [gazònmã] *m.* **1** bekleding *v.* met graszoden; **2** grasaanplant *m.*
gazonner [gazòné] *v.t.* met gras(zoden) bekleden (*of* bedekken).
gazouillement [gazuymã] *m.* **1** gesjilp, gekweel *o.*; **2** (*v. beek*) gemurmel *o.*; **3** (*v. kinderen*) getater *o.*
gazouiller [gazuyé] *v.i.* **1** sjilpen, kwelen; **2** murmelen; **3** tateren.
gazouillis [gazuyi], *voir **gazouillement.***
geai [jè] *m.* meerkol *m.*, Vlaamse gaai *m.*
géant [jéã] **I** *m.* reus *m.*; ***pas de —,*** (*spel*) zweefmolen *m.*; ***à pas de —,*** met reuzenschreden; **II** *adj.* reusachtig, reuzen—.
gecko [jèko] *m.* gekko *m.*
Gédéon [jédéõ] *m.* Gideon *m.*
géhenne [jéèn] *f.* gehenna, hel *v.(m.)*.
geignant [jènyã] *adj.* huilerig.
geignard [jènya:r] *m.* dreiner, griener *m.*
geignement [jèñmã] *m.* **1** gedrein, gegrien *o.*; **2** gekerm *o.*
geigneur [jèñœ:r], *voir **geignard.***
geindre* [jẽ:dr] *v.i.* **1** dreinen, grienen; **2** kermen, janken.
gel [jèl] *m.* vorst *m.*; ***point de —,*** vriespunt *o.*
gélatine [jélatin] *f.* gelatine; lijmstof *v.(m.)*.
gélatineux [jélatinö] *adj.* **1** lijmachtig; **2** lijmhoudend.
gélatiniser [jélatinizé] *v.t.* tot gelatine maken.
gelée [j(e)lé] *f.* **1** vorst *m.*; **2** gelei *m. en v.*; ***— blanche,*** rijp *m.*; ***temps de —,*** vriezend weer; ***— de viande,*** dril *v.(m.)*.
geler* [j(e)lé] **I** *v.t.* doen bevriezen; **II** *v.i.* **1** vriezen; **2** bevriezen; ***il gèle,*** het vriest; ***il gèle à pierre fendre,*** het vriest dat het kraakt; ***je gèle,*** ik ben ijskoud.
geleur [j(e)lœ:r] *m.* ijsaanbrenger *m.*; ***les geleurs de raisins, — de vignes,*** de ijsheiligen.
gélif [jélif] *adj.* door de vorst splijtend.
gelinotte [j(e)linòt] *f.* hazelhoen *o.*
gélissure [jélisü:r], **gélivure** [jélivü:r] *f.* vorstspleet *v.(m.)*, ijsbarst *m. en v.*
gélose [jéloz] *f.* agar-agar *o.*
gelure [j(e)lü:r] *f.* het bevriezen *o.* van lichaamsdelen.
Gembloux [jã·blu] *m.* Gembloers *o.*
Gémeaux, *les* — [lèjémo] *m.pl.* (*sterr.*) de Tweelingen *mv.*
gémelliflore [jémèliflò:r] *adj.* (*Pl.*) tweebloemig.
géminé [jéminé] *adj.* **1** (*recht*) herhaald; **2** (*v. letters; v. vensters, enz.*) gepaard, twee aan twee geplaatst.
géminer [jéminé] *v.t.* verbinden, samenkoppelen.
gémir [jémi:r] *v.i.* **1** kermen, steunen; **2** (*v. wind*) huilen; **3** (*dicht.: in gevangenis, enz.*) zuchten.
gémissant [jémisã] *adj.* **1** kermend, steunend; **2** zuchtend.
gémissement [jémismã] *m.* gesteun, gekerm *o.*; ***—s,*** *m.pl.* weeklachten *mv.*
gémisseur [jémisœ:r] *m.* huilebalk *m.*
gemmage [jèma:j] *m.* harswinning *v.*
gemmation [jèma·syõ] *f.* (*Pl.*) **1** uitbotting *v.* (van knoppen); **2** tijd *m.* van de uitbotting.
gemme [jèm] **I** *f.* **1** edelgesteente *o.*; **2** (*Pl.*) knop *m.*; **3** harsdruppel *m.*; **II** *adj.*, ***sel —,*** steenzout, klipzout *o.*
gemmé [jèmé] *adj.* versierd met edelstenen.
gemmer [jèmé] **I** *v.i.* knopdragen; **II** *v.t.* (*v. dennen*) insnijden voor harswinning.
gemmifère [jèmifè:r] *adj.* (*Pl.*) knopdragend.
gemmiforme [jèmifòrm] *adj.* knopvormig.
gemmule [jèmül] *f.* (*Pl.*) kiembeginsel *o.*
gémonies [jémòni] *f.pl.* galgeveld *o.* (in oude Rome); (*fig.*) ***vouer quelqu'un aux —,*** iemand aan de openbare verachting prijsgeven.
génal [jénal] *adj.* wang—; ***muscle —,*** wangspier *v.(m.)*.
gênant [jè·nã] *adj.* hinderlijk, lastig.
Genappe [jenap] Genepiën *o.*
gencives [jã·si:v] *f.pl.* tandvlees *o.*
gendarme [jã·darm] *m.* **1** (*B.*) gendarm *m.*; **2** (*N.*) marechaussee, rijksveldwachter *m.*; **3** (*pop.*) bokking *m.*
gendarmer, se — [sejã·darmé] *v.pr.* **1** (van woede) opstuiven; **2** zich verzetten, hevig protesteren.
gendarmerie [jã·darmri] *f.* **1** (*B.*) rijkswacht *v.(m.)*; **2** (*N.*) marechaussee *v.*; marechausseekazerne *v.(m.)*.
gendre [jã·dr] *m.* schoonzoon *m.*
gêne [jè:n] *f.* **1** hinder, last *m.*; **2** verlegenheid, gegeneerdheid *v.*; **3** geldverlegenheid *v.*; **4** knelling *v.*; ***éprouver de la —,*** niet op zijn gemak zijn; ***être dans la —,*** geldgebrek hebben; ***sans —,*** ongegeneerd.
gêné [jè·né] *adj.* **1** gehinderd; **2** verlegen, gegeneerd; **3** in geldverlegenheid; ***silence —e,*** pijnlijke stilte.
généalogie [jénéalòji] *f.* **1** stamboom *m.*; **2** afstamming *v.*; **3** geslachtkunde *v.*
généalogique(ment) [jénéalòjik(mã)] *adj.(adv.)* geslachtkundig; ***arbre —,*** stamboom *m.*
généalogiste [jénéalòjist] *m.* genealoog, geslachtkundige *m.*
génépi [jénépi], **génipi** [jénipi] *m.* (*Pl.*) alpenalsem *m.*
gêner [jè·né] **I** *v.t.* **1** hinderen; **2** lastig vallen; **3** (*verkeer, enz.*) belemmeren; **4** (*v. kleding, schoenen*) knellen; **5** verlegen maken; **II** *v.pr.*, ***se —,*** zich generen.
général [jénéral] **I** *adj.* algemeen; ***en —,*** over 't algemeen; ***officier —,* 1** (*mil.*) opperofficier; **2** (*sch.*) vlagofficier; ***quartier —,*** hoofdkwartier *o.*; ***directeur —,*** directeur-generaal; **II** *s., m.* generaal *m.*;

— *de brigade,* generaal-majoor *m.*; **— *de division,*** luitenant-generaal *m.*; **— *en chef,*** opperbevelhebber *m.*
généralat [jénérala] *m.* generaalschap *o.*
générale [jénéral] *f.* generaalsvrouw *v.*
généralement [jénéralmã] *adv.* in 't algemeen, gewoonlijk.
généralisateur [jénéralizatœ:r] *adj.* veralgemenend, generaliserend. [generalisatie *v.*
généralisation [jénéralizɑ'syõ] *f.* veralgemening,
généraliser [jénérali'zé] **I** *v.t.* veralgemenen, generaliseren; **II** *v.pr.*, ***se* —,** algemeen worden.
généralissime [jénéralisim] *m.* opperbevelhebber *m.*
généralité [jénéralité] *f.* **1** algemeenheid *v.*; **2** meerderheid *v.*; ***dans la — des cas,*** in de meeste gevallen.
générateur [jénératœ:r] **I** *adj.* voortbrengend; ***force génératrice, puissance génératrice,*** teelkracht *v.*(*m.*); ***idée génératrice,*** grondgedachte *v.*; ***usine génératrice,*** krachtstation *o.*; ***son —,*** hoofdtoon *m.*; **II** *s., m.* **1** stoomketel *m.*; **2** (*el.*) generator *m.*; ***génératrice,*** *f.* (*meetk.*) beschrijvende lijn *v.*(*m.*) die een vlak vormt.
génératif [jénératif] *adj.* voortbrengend.
génération [jénérɑ'syõ] *f.* **1** voortplanting *v.*; **2** nakomelingschap *v.*; nakomelingen, afstammelingen *mv.*; **3** geslacht *o.*, generatie *v.*; **4** (*meetk.*) (het) beschrijven *o.* (v. vlakken, enz.); ***la jeune —,*** het jonge geslacht.
généreux [jénérö] *adj.*, **généreusement** [jénérö:zmã] *adv.* **1** edelmoedig; **2** mild, royaal, gul; ***vin —,*** krachtige, vurige wijn; ***un sang —,*** edel bloed.
générique [jénérik] **I** *adj.* geslachts—, soort—, generiek; ***nom —,*** soortnaam *m.*; **II** *m.* voorwerk *o.* (titel, rolverdeling, enz.) van film.
générosité [jénéro'zité] *f.* **1** edelmoedigheid *v.*; **2** mildheid, gulheid *v.*; **3** grootmoedigheid *v.*; **4** milde gave *v.*(*m.*).
Gênes [jè:n] *f.* Genua *o.* [ontstaan *o.*
Genèse [j(e)nè:z] *f.* Genesis *v.*; ***g—,*** wording *v.*,
génésiaque [jénézyak] *adj.* **1** wordings—; **2** uit Genesis; ***récit —,*** Genesisverhaal *o.*
génésique [jénézik] *adj.* geslachts—, geslachtelijk.
genet [j(e)nè] *m.* genet *o.* (Spaans paardje).
genêt [j(e)nè] *m.* **1** brem *m.*; **2** bremstruik *m.*
genêtière [j(e)nètyè:r] *f.* bremveld *o.*
génétique [jénétik] **I** *adj.* genetisch; **II** *s., f.* afstammingsleer *v.*(*m.*).
genette [j(e)nèt] *f.* genetkat *v.*(*m.*).
gêneur [jè'nœ:r] *m.* lastpost, hinderlijk persoon, dwarskijker *m.*
Geneviève [jenvyè:v] *f.* Genoveva *v.*
genevois [jenvwa] **I** *adj.* Geneefs; **II** *s., m.*, ***G—,*** inwoner *m.* van Genève.
genévrette [jnévrèt] *f.* jeneverbessenwijn *m.*
genévrier [jnévri(y)é] *m.* jeneverbes *v.*(*m.*), jeneverbesboompje *o.*
génial [jényal] *adj.* geniaal, vernuftig.
génialité [jényalité] *f.* genialiteit *v.*
génie [jéni] *m.* **1** genie, vernuft *o.*; **2** genius, beschermgeest *m.*; **3** geniaal mens, genie *m.*; **4** (*mil.*) genie *v.*; ***le — de la langue,*** het taaleigen; ***un — incompris,*** een miskend genie; ***officier de —,*** genieofficier. [*v.*(*m.*).
génien [jényẽ] *adj.* kin—; ***muscle —,*** kinspier
genièvre [j(e)nyè:vr] *m.* **1** jenever *m.*; **2** (*Pl.*) jeneverbes *v.*(*m.*); **3** jeneverstruik *m.*
genièvrerie [j(e)nyè'vreri] *f.* jeneverstokerij *v.*
génipi [jénipi], *voir **génépi.***
génisse [jénis] *f.* vaars *v.*
génisson [jénisõ] *m.* graskalf *o.*
génital [jénital] *adj.* geslachts—.
génitif [jénitif] *m.* genitief, tweede naamval *m.*
génocide [jénosid] *m.* genocide *v.*, uitroeiing *v.* van een volk, rasmoord *m. en v.*
génois [jénwa] **I** *adj.* Genuees; **II** *s., m.* Genuees *m.*
genou [j(e)nu] *m.* (*pl.* : ***—x***) **1** knie *v.*(*m.*); **2** (*voor werkman*) knielap *m.*; ***être à —x,*** op de knieën liggen; ***avoir la tête comme un —,*** een kale knikker hebben.
genouillère [j(e)nuyè:r] *f.* **1** (*v. laars, harnas*) kniestuk *o.*; **2** (*v. werkman, paard*) knieleer *o.*, knielap, kniebeschermer *m.*; **3** kniekous *v.*(*m.*).
genre [jã:r] *m.* **1** geslacht *o.*; **2** soort *v.*(*m.*) *en o.*, aard *m.*; **3** stijl *m.*; ***du dernier —,*** volgens de laatste mode; ***le — humain,*** het menselijk geslacht, het mensdom; ***tableau de —,*** genrestuk *o.*; ***— de vie,*** levenswijze *v.*(*m.*); ***d'un bon —,*** keurig, smaakvol; ***de ce —,*** dergelijk; ***ce n'est pas mon —,*** dat is niets voor mij; ***se donner du —,*** zich aanstellen.
gens [jã] *m.-f.pl.* lieden, mensen *mv.*; ***jeunes —,*** jongelui *mv.*; ***— de maison,*** personeel *o.*, bedienden *mv.*; ***— de métier,*** handwerkslui *mv.*; ***— de lettres,*** letterkundigen *mv.*; ***— de mer,*** zeelieden *mv.*; ***— d'affaires,*** zakenmensen *mv.*; ***— d'église,*** geestelijken *mv.*; ***— de robe,*** rechtsgeleerden *mv.*; ***— de guerre,*** krijgslieden *mv.*; ***— de bien,*** rechtschapen lieden *mv.*; ***— de sac et de corde,*** janhagel *o.*; ***droit des —,*** volkenrecht *o.*
gent [jã] *f.* volk(je) *o.*; ***la — trotte-menu,*** het ratten- en muizenvolkje *o.*; (*fig.*) ***la — moutonnière,*** de meelopers, de jabroers *mv.*
gentiane [jãsyan] *f.* (*Pl.*) gentiaan *v.*(*m.*).
gentianées [jãsyané] *f.pl.* (*Pl.*) gentiaanachtigen *mv.* [kruid *o.*
gentianelle [jãsyanèl] *f.* (*Pl.*) duizendgulden-
gentil [jã'ti] **I** *adj.* (*f.* : ***gentille*** [jã'ti'y]) aardig, lief; **II** *s., m.* heiden *m.*
gentilhomme [jã'tiyòm] *m.* (*pl.*: ***gentilshommes***) edelman *m.*
gentilhommerie [jã'tiyòmri] *f.* (*fam.*) adel *m.*
gentilhommière [jã'tiyòmyè:r] *f.* klein adellijk landgoed *o.*
gentilité [jã'tilité] *f.* heidendom *o.*
gentillâtre [jã'tiyɑ'tr] *m.* kale jonker *m.*
gentille, *voir **gentil.***
gentillesse [jã'tiyès] *f.* aardigheid, liefheid, bevalligheid *v.*
gentillet [jã'tiyè] *adj.* snoezig.
gentiment [jã'timã] *adv.* aardig, lief.
gentry [jèntri] *f.* Engelse lagere adel *m.*
génuflecteur [jénüflèktœ:r] **I** *adj.* kruiperig; **II** *s., m.* hielenlikker *m.*
génuflexion [jénüflèksyõ] *f.* **1** kniebuiging *v.*; **2** (*fig.*) knieval *m.*
géocentrique [jéòsã'trik] *adj.* geocentrisch (met de aarde als middelpunt).
géode [jéòd] *f.* holle steen *m.* met kristallen.
géodésie [jéòdézi] *f.* landmeetkunde, aardmeetkunde, geodesie *v.*
géodésien [jéòdézyẽ] *m.* landmeter *m.*
géodésique [jéòdézik] *adj.* landmeetkundig, geodetisch.
Géoffroi [jòfrwa] *m.* Godfried *m.*
géographe [jéògraf] *m.* aardrijkskundige *m.*
géographie [jéògrafi] *f.* aardrijkskunde *v.*
géographique(ment) [jéògrafik(mã)] *adj.*(*adv.*) aardrijkskundig.
geôle [jo:l] *f.* kerker *m.*, gevangenis *v.*
geôlier [jo'lyé] *m.* cipier; gevangenbewaarder *m.*
géologie [jéòlòji] *f.* aardkunde, geologie *v.*

géologique [jéòlòjik] *adj.* aardkundig, geologisch.
géologue [jéòlò'g] *m.* geoloog, aardkundige *m.*
géométral(ement) [jéòmétral(mã)] *adj.(adv.)* meetkundig, met juiste grootte en afmetingen; ***plan* —,** plattegrond *m.* [meter *m.*
géomètre [jéòmè'tr] *m.* **1** meetkundige *m.*; **2** land-
géométrie [jéòmétri] *f.* meetkunde *v.*; **— *plane,*** planimetrie, vlakke meetkunde *v.*; **— *dans l'espace,*** stereometrie *v.*; **—*descriptive,*** beschrijvende meetkunde *v.*
géométrique(ment) [jéòmétrik(mã)] *adj.(adv.)* **1** meetkundig, geometrisch; **2** *(fig.)* nauwkeurig, streng methodisch. [aardeter *m.*
géophage [jéòfa:j] **I** *adj.* aardetend; **II** *s., m.*
géophysique [jéòfizik] **I** *f.* natuurkunde *v.* der aarde, geofysica *v.*; **II** *adj.* geofysisch.
géorama [jéòrama] *m.* holle aardglobe *v.*
George(s) [jòrj] *m.* Joris, George *m.*
Géorgie [jéòrji] *f.* Georgië *o.*
géorgique [jéòrjik] *adj.,* ***poème* —,** landelijk gedicht; **—*s,*** georgica (velddichten van Vergilius).
géothermie [jéòtèrmi] *f.* inwendige aardwarmte *v.*
géotropisme [jéòtropizm] *m.* invloed *m.* van de zwaartekracht op de richting van bep. planteorganen.
gérance [jérã:s] *f.* beheer, bewind, bestuur *o.*
géranium [jéranyòm] *m.* *(Pl.)* geranium *v.(m.)*, ooievaarsbek *m.*
gérant [jérã] *m.* **1** beheerder *m.*; **2** *(v. café)* zetbaas *m.*; ***directeur* —,** *(v. dagblad)* verantwoordelijk uitgever *m.*
Gérard [jéra:r] *m.* Gerard, Gerrit *m.*
Gérardine [jérardin] *f.* Gerardina, Gerritje *v.*
gerbe [jèrb] *f.* **1** *(v. koren)* schoof, garve *v.(m.)*; **2** *(v. bloemen)* ruiker *m.*; **3** *(v. vuurwerk)* bundel *m.*
gerbée [jèrbé] *f.* voederstro, groenvoer *o.*
gerber [jèrbé] **I** *v.t.* **1** *(v. koren)* in schoven binden; **2** *(v. tonnen)* opstapelen; **II** *v.i.* *(v. vuurwerk, fontein)* bundels schieten.
gerbeuse [jèrböz] *f.* schovenbindapparaat *o.*
gerbier [jèrbyé] *m.* stapel *m.* schoven.
gerbière [jèrbyè:r] *f.* schovenwagen *m.*
gerboise [jèrbwa:z] *f.* *(Dk.)* springmuis *v.(m.)*.
gerce [jèrs] *f.* **1** *(in hand)* kloof *v.(m.)*; **2** *(v. hout)* spleet *v.(m.)*, barst *m. en v.*; **3** *(in stof)* mot *v.(m.)*.
gercer [jèrsé] **I** *v.t.* splijten, doen barsten; **II** *v.pr.,* ***se* —, 1** splijten, barsten; **2** *(v. handen)* springen.
gerçure [jèrsü:r] *f.* **1** spleet *v.(m.)*, barst *m. en v.*; **2** *(in handen, lippen)* kloof *v.(m.)*; **—*s,*** springende handen.
gérer [jéré] *v.t.* beheren, besturen.
gerfaut [jèrfo] *m.* giervalk *m.*
germain [jèrmẽ] **I** *adj.* **1** Germaans; **2 *cousin* —,** volle neef; **II** *s., m.,* ***G*—, 1** Germaan *m.*; **2** Herman *m.*
germandrée [jèrmã'dré] *f.* *(Pl.)* manderkruid *o.*
Germanie [jèrmani] *f.* Germanië *o.*
germanique [jèrmanik] *adj.* Germaans, Duits; ***confédération* —,** *(gesch.)* Duitse Bond.
germanisant [jèrmani'zã] *m.* germanist *m.*, naaper *m.* van al wat Duits is.
germanisation [jèrmaniza'syõ] *f.* verduitsing *v.*
germaniser [jèrmani'zé] *v.t.* verduitsen.
germanisme [jèrmanizm] *m.* germanisme *o.*
germanist [jèrmanist] *m.* germanist *m.*, beoefenaar *m.* van de Germaanse talen.
germanophile [jèrmanòfil] **I** *adj.* Duitsgezind; **II** *s., m.-f.* Duitsgezinde *m.-v.*
germanophobe [jèrmanòfò'b] **I** *adj.* anti-Duits; **II** *s., m.-f.* Duitshater *m.*, —haatster *v.*
germe [jèrm] *m.* kiem *v.(m.)*.
germer [jèrmé] *v.i.* **1** kiemen; **2** ontkiemen; **3** *(v. gedachte)* opkomen, ontstaan; **4** zich ontwikkelen.
germinal [jèrminal] **I** *adj.* kiem—; ***feuille* —*e,*** kiemblaadje *o.*; **II** *s., m.* zevende maand van de republikeinse kalender, kiemmaand *v.(m.)*.
germinateur [jèrminatœ:r] *adj.* ontkiemend; ***pouvoir* —,** kiemkracht *v.(m.)*.
germinatif [jèrminatif] *adj.* kiem—; ***faculté germinative,*** kiemvermogen *o.*; ***pouvoir* —,** kiemkracht *v.(m.)*. [kieming *v.*
germination [jèrmina'syõ] *f.* **1** kieming *v.*; **2** ont-
germoir [jèrmwa:r] *m.* mouterij *v.*
géromé [jéromé] *m.* bep. kaas *m.* uit de Vogezen.
gérondif [jérõ'dif] *m.* **1** *(Latijn)* gerundium *o.*; **2** *(Frans)* werkwoordsvorm op ***-ant*** voorafgegaan door ***en.***
géronte [jérõ:t] *m.* *(fam.)* ouwe sok *v.(m.)*.
Gertrude [jèrtrü'd] *f.* Geertruida, Truus *v.*
gerzeau [jèrzo] *m.* brand *m.* (in koren).
gésier [jé'zyé] *m.* *(Dk.)* *(v. vogels)* spiermaag *v.(m.)*.
gésir* [jézi:r] *v.i.* liggen; ***ci-gît,*** hier ligt (begraven).
gesse [jès] *f.* *(Pl.)* lathyrus *m.*
gestation [jèsta'syõ] *f.* **1** dracht *v.(m.)*, zwangerschap *v.*; **2** *(fig.)* ontstaan *o.*, voortbrenging *v.*
geste [jèst] *m.* **1** gebaar *o.*; beweging *v.*; **2** daad *v.(m.)*; ***beau* —,** edele daad; ***les faits et —s de qn.,*** iemands doen en laten.
gesticulateur [jèstikülatœ:r] *m.* gebarenmaker *m.*
gesticulation [jèstiküla'syõ] *f.* gebarenspel *o.*, gebarentaal *v.(m.)*. [leren.
gesticuler [jèstikülé] *v.i.* gebaren maken, gesticu-
gestion [jèstyõ] *f.* beheer, bestuur *o.*; **— *directe,*** eigen beheer.
gestionnaire [jèstyònè:r] *m.* beheerder *m.*
geyser [jé'zè:r] *m.* geiser *m.* (bron).
ghanéen [ganéẽ] *adj.* Ghanees, uit Ghana.
ghetto [gèto] *m.* getto *o.*
ghilde [gild] *f.* *voir* ***guilde.***
Ghislenghien [gislã'gyẽ] *m.* Gellingen *o.*
Ghistelles [gistèl] *m.* Gistel.
giaour [jiau:r] *m.* Turkse scheldnaam voor nietmoslem. [lig.
gibbeux [jibö] *adj.* bultig, met knobbels, knobbe-
gibbon [jibõ] *m.* gibbon, langarmige aap *m.*
gibbosité [jibo'zité] *f.* **1** bult *m.*; **2** bultigheid *v.*, knobbel *m.*
gibecière [jib(e)syè:r] *f.* **1** weitas *v.(m.)*; **2** schooltas *v.(m.)*; **3** goocheltas *v.(m.)*; ***tour de* —,** goochelkunstje *o.*
gibelet [jiblè] *m.* zwikboor *v.(m.)*.
gibelotte [jiblòt] *f.* ragoût *m.* (van konijn).
giberne [jibèrn] *f.* patroontas *v.(m.)*. [Christus).
gibet [jibè] *m.* **1** galg *v.(m.)*; **2** kruishout *o.* (van
gibier [jibyé] *m.* **1** wild *o.*; **2** wildbraad *o.*; ***gros* —,** grof wild; *(fig.)* **— *de potence,*** galgenaas *o.*
giboulée [jibulé] *f.* **1** bui *v.(m.)*; slagregen *m.*; **2** pak *o.* slaag; **—*s de mars,*** maartse buien.
giboyeux [jibwayö] *adj.* wildrijk, vol wild.
gibus [jibüs] *m.* klakhoed *m.*
gicler [jiklé] *v.i.* gutsen, spatten, opspatten.
gicleur [jiklœ:r] *m.* *(tn.)* sproeier *m.*
gifle [jifl] *f.* oorveeg *v.(m.)*.
gifler [jiflé] *v.t.* een klap (*of* oorveeg) geven.
gigantesque [jigã'tèsk] *adj.* reusachtig.
gigogne [jigòñ] *f.,* ***la mère* —,** moeder met veel kinderen (kluchttype); ***table* —,** mimitafeltje *o.*
gigot [jigo] *m.* schapebout, lamsbout, reebout *m.*; ***manche à* —,** pofmouw *v.(m.)*. [spartel *o.*
gigotage [jigòta:j], **gigotement** [jigòtmã] *m.* ge-
gigoter [jigòté] *v.i.* (met de benen) spartelen.
gigoteuse [jigòtö:z] *f.* trappelzak *m.*
gigue [ji'g] *f.* **1** reebout *m.*; **2** *(pop.)* lange, magere meid *v.*; **3** giga (vrolijke dans), horlepijp *v.(m.)*.

gilet [jilè] *m.* vest *o.*; — *de flanelle,* 1 borstrok *m.*; 2 flanellen hemd *o.*
giletier [jiltyé] *m.* vestenmaker *m.*
gille [jil] *m.* 1 hansworst *m.*; 2 sul, sukkelaar *m.*; 3 (*visv.*) groot werpnet *o.*
gimblette [jẽ'blèt] *f.* kransje *o.* (*koekje*).
gin [djin] *m.* Engelse jenever *m.*
gindre [jẽ:dr] *m.* bakkersknecht, kneder *m.*
gingas [jẽ'ga] *m.* matraslinnen *o.*
gingembre [jẽ'jã'br] *m.* gember *m.*
gingeole [jẽjòl] *f.* jujube *m. en v.*
gingival [jẽ'jival] *adj.* van het tandvlees.
gingivite [jẽ'jivit] *f.* tandvleesontsteking *v.*
ginglyme [jẽ'glim] *m.* scharniergewricht *o.*
gingois [jẽ'gwa] *être de* —, schuin staan.
ginguer [jẽgé] *v.i.* dartelen, springen.
ginguet [jẽ'gè] *adj.* 1 slecht, waardeloos; 2 (*v. wijn*) zuur.
giorno [djiòrno], *éclairage à* —, schitterende verlichting *v.*
girafe [jiraf] *f.* giraffe *v.*(*m.*).
girande [jirã:d] *f.* 1 springfontein *v.*(*m.*); 2 (*v. vuurwerk*) lichtbundel, bundel *m.* vuurpijlen.
girandole [jirã'dòl] *f.* kroonkandelaar *m.*
girasol [jirasòl] *m.* sterresteen *m.*
giration [jira'syõ] *f.* draaibeweging *v.*
giratoire [jiratwa:r] *adj.* draaiend; *mouvement* —, draaibeweging *v.*; *point* —, draaipunt *o.*
girer [ji'ré] *v.i.* draaien.
girie [jiri] *f.* jammerklacht *v.*(*m.*), jeremiade *v.*
girofle [jiròfl] *m.*, *clou de* —, kruidnagel *m.*
giroflée [jiròflé] *f.* violier *v.*(*m.*); — *jaune,* — *des murailles,* muurbloem *v.*(*m.*); (*fig.*) — *à cinq feuilles,* oorveeg, muilpeer *v.*(*m.*).
giroflier [jiròfli(y)é] *m.* kruidnagelboom *m.*
giron [jirõ] *m.* 1 schoot *m.*; 2 (*v. trap*) aantrede *v.*(*m.*).
Girondin [jirõ'dẽ] *m.* Girondijn *m.*
girouette [jirwèt] *f.* windwijzer *m.*; weerhaan *m.*
gisant [ji'zã] *adj.* 1 liggend; 2 (*v. hout*) afgevallen; *meule* —*e,* onderste molensteen.
gisement [ji'zmã] *m.* 1 (*v. kust*) ligging *v.*; 2 (*v. mijn*) bedding *v.*, laag *v.*(*m.*).
gît [ji], *voir gésir.*
gitan [jitã] *m.* zigeuner *m.*
gîte [ji't] *m.* 1 verblijfplaats, slaapplaats *v.*(*m.*), nachtverblijf *o.*; 2 (*v. haas*) leger *o.*; 3 ertslaag, mijnlaag *v.*(*m.*); 4 (*sch.*) strandingsplaats *v.*(*m.*); *trouver le lièvre au* —, iem. thuis vinden.
gîter [ji'té] I *v.i.* 1 overnachten, verblijven; 2 (*v. dier*) legeren; 3 (*v. schip*) slagzij hebben; II *v.t.* herbergen.
givrage [jivra'j] *m.* ijsafzetting *v.*
givre [ji:vr] *m.* 1 rijp, rijm *m.*; 2 wit poeder *o. en m.* (op vanille).
givré [ji'vré] *adj.* met rijp bedekt, berijpt.
givreux [ji'vrö] *adj.* (*v. edelgesteenten*) met lichte barstjes.
glabre [gla'br] *adj.* 1 onbehaard, kaal; 2 gladgeschoren.
glaçant [glasã] *adj.* ijskoud, verstijvend.
glace [glas] *f.* 1 ijs *o.*; 2 portie *v.* ijs; 3 (*fig.*) koelheid, onverschilligheid *v.*; 4 spiegel *m.*; 5 spiegelglas *o.*; 6 spiegelruit *v.*(*m.*); 7 (*v. rijtuig, enz.*) raam(pje) *o.*; 8 (*v. brandmelder*) ruitje *o.*; 9 eiwitglazuur *o.*; — *creuse,* bomijs; — *à la vanille,* vanille-ijs; — *comestible,* consumptie-ijs; — *flottante,* drijfijs; *rompre la* —, het ijs breken; *froid comme* —, ijskoud; *le thermomètre est à* —, de thermometer staat op het vriespunt; *les saints de* —, de ijsheiligen.
glacé [glasé] *adj.* 1 bevroren; 2 verstijfd; 3 ijskoud; 4 (*fig.*) koud, koel; 5 (*v. papier, stoffen, enz.*) geglansd; *gants* —*s,* glacéhandschoenen.
glace*-arrière [glasaryè:r] *f.* (*v. auto*) achterruit *v.*(*m.*).
glace*-avant [glasavã] *f.* voorruit *v.*(*m.*).
glacer [glasé] I *v.t.* 1 doen bevriezen; 2 ijskoud maken; 3 (doen) verstijven; 4 glanzen, met glazuur bedekken; 5 (*v. papier*) glaceren, satineren; — *le sang,* het bloed doen stollen; — *d'effroi,* van schrik doen ijzen; II *v.i.* 1 bevriezen; 2 (*fig.*) verstijven.
glacerie [glasri] *f.* 1 ijsfabriek *v.*; 2 ijshandel *m.*; 3 spiegelglasfabriek *v.*
glaceur [glasœ:r] *m.* glaceerder *m.*
glaceux [glasö] *adj.* (*v. diamant, enz.*) onzuiver.
glaciaire [glasyè:r] *adj.* ijs—, gletsjer—; *époque* —, ijstijd *m.*
glacial [glasyal] *adj.* (*pl.* : *glacials*) 1 ijskoud; 2 (*fig.*) ijzig, koel; *zone* —*e,* koude luchtstreek *v.*(*m.*); *Océan G*—, IJszee *v.*(*m.*).
glaciation [glasya'syõ] *f.* ijsvorming *v.*
glacier [glasyé] *m.* 1 gletsjer *m.*, ijsveld *o.*; 2 spiegelgieter *m.*; 3 ijsmaker; ijsverkoper *m.*
glacière [glasyè:r] *f.* 1 ijskast *v.*; 2 ijsmachine *v.*; 3 ijskelder *m.*
glacis [glasi] *m.* 1 glooiing, helling *v.*; 2 (*mil.*) glacis *o.*, veldborstwering *v.*; 3 dunne verflaag *v.*(*m.*).
glaçoire [glaswa:r] *f.* suikerstrooier *m.*
glaçon [glasõ] *m.* 1 ijsschots *v.*(*m.*); 2 ijskegel *m.*; 3 onverschillig, ongevoelig mens *m.*; (*fig.*) *c'est un* —, hij is zo koud als ijs.
glaçure [glasü:r] *f.* (*op aardewerk*) glazuur *o.*
gladiateur [gladyatœ:r] *m.* gladiator, zwaardvechter *m.*
gladi(ol)é [glady(òl)é] *adj.* zwaardvormig.
glaïeul [glayœl] *m.* (*Pl.*) zwaardlelie, gladiolus *v.*(*m.*).
glaire [glè:r] *f.* 1 (*tn.*) eiwit *o.*; 2 slijm *o.*, fluim *v.*(*m.*).
glairer [glè'ré] *v.t.* (*tn.*) met eiwit bestrijken.
glaireux [glè'rö] *adj.* 1 eiwitachtig; 2 slijmerig.
glaise [glè:z] *f.* (*terre* —), potaarde, klei *v.*(*m.*).
glaiser [glè'zé] *v.t.* 1 met leem (*of* klei) besmeren; 2 (*landb.*) met leem bemesten.
glaiseux [glè'zö] *adj.* leemachtig.
glaisière [glè'zyè:r] *f.* kleigroeve *v.*(*m.*), leemput *m.*
glaive [glè:v] *m.* zwaard *o.*
glanage [glana:j] *m.* (het) arenlezen *o.*
gland [glã] *m.* 1 eikel *m.*; 2 (*aan gordijn, enz.*) kwastje *o.*; — *doux,* eetbare eikel.
glandage [glãda'j] *m.* recht *o.* om eikels te verzamelen of varkens eikels te laten vreten in bos.
glande [glã:d] *f.* klier *v.*(*m.*); — *à sécrétion,* afscheidingsklier.
glandée [glã'dé] *f.* eikeloogst *m.*
glandulaire [glã'dülè:r] *adj.* kliervormig.
glandule [glã'dül] *f.* kliertje *o.*
glanduleux [glã'dülö] *adj.* klierachtig.
glane [glan] *f.* 1 (*v. korenaren*) hand *v.*(*m.*) vol; 2 (*v. peren, bessen, enz.*) tros *m.*; 3 (*v. uien*) rist *v.*(*m.*).
glaner [glané] *v.t.* 1 (*v. aren*) lezen; 2 nalezen.
glaneur [glanœ:r] *m.* arenlezer *m.*
glanure [glanü:r] *f.* nalezing *v.*
glapir [glapi:r] *v.i.* 1 keffen, janken; 2 (*fig.*) krijsen.
glapissement [glapismã] *m.* 1 gekef *o.*; 2 gekrijs *o.*
glaréole [glaréòl] *f.* zandhoen *o.*, zwaluwpluvier *m.*
glas [gla] *m.* 1 doodsklok *v.*(*m.*), gelui *o.* van de doodsklok; 2 (*bij mil. begrafenis*) artilleriesalvo *o.*; *sonner le* — *de,* uitluiden.
glatir [glati:r] *v.i.* (*v. arend*) schreeuwen.
glaucome [glo'ko:m] *m.* (*gen.*) groene staar *v.*(*m.*).
glauque [glo'k] *adj.* zeegroen.
glaux [glo] *m.* (*Pl.*) melkkruid *o.*

glèbe [glè:b] *f.* 1 aardklomp, aardkluit *m.*; 2 grond, bodem *m.*
glène [glè:n] *f.* 1 gewrichtsholte *v.*; 2 (*sch.*) opgerold touw *o.*
glénoïdal [glénòidal], **glénoïde** [glénòi·d] *adj.* vlak uitgehold; ***cavité —e,*** gewrichtsholte *v.*
glette [glèt] *f.* loodglit *o.*
gletteron [glètrõ] *m.* (*Pl.*) klit *v.*(*m.*).
gleucomètre [glö·kòmè·tr] *m.* mostmeter *m.*
glissade [glisa·d] *f.* 1 (het) glijden *o.*; 2 glijbaan *v.*(*m.*); 3 (*dans*) glijpas *m.*; 4 (*fig.*) misstap *m.*; ***faire des —s,*** baantje glijden.
glissant [glisã] *adj.* glibberig, glad.
glissé [glisé] *m.* (*bij dans*) glijpas, sleeppas *m.*
glissement [glismã] *m.* 1 glijding, uitglijding *v.*; 2 aardverschuiving *v.*
glisser [glisé] I *v.i.* 1 glijden, uitglijden; 2 (uit de handen) ontglippen; 3 (*fig.*) afstuiten; 4 licht heengaan, heenstappen (over een onderwerp, enz.); II *v.t.* 1 inlassen; 2 (*in envelop, enz.*) steken; 3 inschuiven; 4 (*geld, enz.*) toestoppen; ***— qc. à l'oreille de qn.,*** iem. iets influisteren, — in het oor fluisteren; III *v.pr.*, ***se —,*** sluipen, binnensluipen.
glisseur [glisœ:r] *m.* 1 glijder *m.*; 2 (*vl.*) glijvliegtuig *o.*; 3 glijboot *m. en v.*
glissière [glisyè:r] *f.* 1 schuif *v.*(*m.*); 2 (*v. venster*) sponning *v.*; 3 (*tn.*) glijvlak *o.*; 4 onderstel *o.* van een affuit; ***— du papier,*** (*v. telegraaf*) papiergeleider *m.*; ***porte à —s,*** schuifdeur *v.*(*m.*).
glissoire [gliswa:r] *f.* glijbaan *v.*(*m.*).
global(ement) [glòbal(mã)] *adj.*(*adv.*) globaal, ruw.
globalité [glòbalité] *f.* algemeenheid *v.*
globe [glò·b] *m.* 1 bol *m.*; 2 aardbol *m.*; 3 (*v. lamp*) ballon *m.*; 4 (*over pendule, enz.*) stolp *v.*(*m.*); ***— terrestre,*** (*voor 't onderwijs*) globe, aardglobe *v.*(*m.*); ***— céleste,*** hemelglobe *v.*(*m.*); ***— de l'œil,*** oogappel, oogbol *m.*
globe-trotter* [glò·btròtœ:r] *m.* wereldreiziger *m.*
globulaire [glòbülè:r] *adj.* bolvormig, bolrond, kogelvormig.
globule [glòbül] *m.* bolletje *o.*; ***—s du sang,*** bloedlichaampjes *mv.*
globuleux [glòbülö] *adj.* bolrond, bolvormig.
gloire [glwa:r] *f.* 1 roem *m.*; 2 eer *v.*(*m.*), glorie *v.*; 3 stralenkrans *m.*, aureool *v.*(*m.*); ***mettre sa — à,*** er een eer in stellen om; ***se faire*** (***une***) ***— de,*** er trots op zijn om; ***tourner à la — de,*** tot roem strekken van; (*fam.*) ***travailler pour la — de Dieu,*** voor niets werken.
glomérule [glòmérü:l] *m.* kleine opeenhoping *v.*
Glons [glõ·s] Glaaien *o.*
gloria [glòrya] *m.* 1 (*in de mis*) gloria *m.*; 2 gloriazijde *v.*(*m.*); 3 (*pop.*) koffie *m.* met brandewijn.
gloriette [glòryèt] *f.* prieel, tuinhuisje *o.*
glorieusement [glòryö·zmã] *adv.* 1 roemrijk; 2 glorierijk.
glorieux [glòryö] I *adj.* 1 roemrijk; 2 glorierijk; 3 gelukzalig; 4 trots; ***un esprit —,*** een hovaardige geest; ***être — de qc.,*** hovaardig op iets zijn; II *s., m.* 1 verwaande gek *m.*; 2 hovaardig persoon *m.*
glorification [glòrifika·syõ] *f.* verheerlijking *v.*
glorifier [glòrifyé] I *v.t.* verheerlijken, roemen; II *v.pr.*, ***se — de,*** zich beroemen op.
gloriole [glòryòl] *f.* 1 ijdelheid *v.*; 2 ijdele roem *m.*
glose [glo:z] *f.* 1 glosse, tekstverklaring, verklaring *v.* van een woord; 2 spottende (scherpe) opmerking *v.*
gloser [glo·zé] *v.i.* 1 verklaren (door aantekeningen), ophelderen; 2 (stekelige) aanmerkingen maken (op).
gloseur [glo·zœ:r] *m.* vitter *m.*
glossaire [glòsè:r] *m.* 1 (verklarende) woordenlijst *v.*(*m.*) (op een schrijver); 2 (*v. dialect*) woordenschat *m.*, idioticon *o.*
glossalgie [glòsalji] *f.* tongpijn *v.*(*m.*).
glossateur [glòsatœ:r] *m.* 1 verklaarder, commentator *m.*; 2 maker (*of* samensteller) *m.* van een woordenlijst. [spier *v.*(*m.*).
glossien [glòsyẽ] *adj.* tong—; ***muscle —,*** tong-
glossite [glòsit] *f.* ontsteking *v.* van de tong.
glotte [glòt] *f.* stemspleet *v.*(*m.*).
glottite [glòtit] *f.* stembandontsteking *v.*
glouglou [gluglu] *m.* (*v. fles, v. hoenders*) geklok *o.*
glouglouter [glugluté] *v.i.* klokken. [kakel *o.*
gloussement [glusmã] *m.* (*v. kip*) geklok, ge-
glousser [glusé] *v.i.* klokken, kakelen.
glouteron [glutrõ] *m.* (*Pl.*) klis *v.*(*m.*), kliskruid *o.*
glouton [glutõ] I *adj.* gulzig; II *s., m.* 1 (*persoon*) gulzigaard, slokop *m.*; 2 (*dier*) veelvraat *m.*
gloutonnement [glutònmã] *adv.* gulzig.
gloutonnerie [glutònri] *f.* 1 gulzigheid *v.*; 2 vraatzucht *v.*(*m.*).
glu [glü] *f.* vogellijm *m.*; ***prendre à la —,*** (met vogellijm) vangen; ***il a de la — aux doigts,*** zijn handen staan verkeerd; ***il est collant comme la —,*** het is een plakker. [kerig.
gluant [glüã] *adj.* 1 lijmachtig; 2 kleverig; 3 plak-
gluau [glüo] *m.* lijmstokje *o.*
glucide [glüsid] *m.* koolwaterstof *v.*(*m.*).
glucose [glüko:z] *f.* glucose *v.*(*m.*), druivesuiker *m.*
glucoserie [glüko·zri] *f.* glucosefabriek *v.*
gluer [glüé] *v.t.* 1 met (vogel)lijm bestrijken; 2 kleverig maken.
glui [glwi] *m.* dakstro *o.*
glume [glüm] *f.* (*Pl.*) kaf, kafblaadje *o.*
gluten [glütèn] *m.* gluten *o.* (plantelijm).
glutinatif [glütinatif] *adj.* hechtend, klevend.
glutineux [glütinö] *adj.* lijmachtig, kleverig.
glutinosité [glütinozité] *f.* kleverigheid *v.*
glycémie [glisémi] *f.* aanwezigheid *v.* van suiker in het bloed.
glycérie [gliséri] *f.* (*Pl.*) vlotgras *o.*
glycérine [glisérin] *f.* glycerine *v.*(*m.*).
glycine [glisin] *f.* (*Pl.*) blauwe regen *m.* [geen.
glycogène [glikòjè:n] *adj.* suikervormend, glyco-
glycogénie [glikòjéni] *f.* suikervorming *v.*
glycosurie [glikòzüri] *f.* aanwezigheid *v.* van suiker in de urine.
glyphe [glif] *m.* (*beeldh.*) gleuf *v.*(*m.*).
glyptique [gliptik] *f.* steengraveerkunst *v.*
glyptothèque [gliptòtè:k] *f.* museum *o.* van sculptuur.
gnan-gnan [ñã·ñã] I *adj.* hangerig, zeurig; II *s., m.* lamlendig mens, zeurpiet *m.*
gnaule [ñòl], *voir* ***gnole.***
gneiss [gnèys] *m.* (*geol.*) gneis *o.* (afzettingsgesteente, bestaande uit glimmer, kwarts en veldspaat).
gniole [ñòl], *voir* ***gnole.***
gnocchi [gnyòki] *m.* in zout water gepocheerd deeg *o.* van meel, eieren en kaas. [goed *o.*
gnognotte [ñòñòt] *f.* (*pop.*) bocht *o. en m.*, prulle-
gnole, gnaule, gniole, gnôle, niaule [ñòl] *f.* (*pop.*) opstopper *m.*
gnome [gnòm] *m.* kabouter *m.*, aardmannetje *o.*
gnomique [gnòmik] *adj.* in kernspreuken.
gnomon [gnòmõ] *m.* zonnewijzer *m.*
gnose [gno:z] *f.* gnosis *v.*, hoger inzicht *o.*
gnosticisme [gnòstisizm] *m.* gnosticisme *o.*, leerstelsel *o.* van de gnostici. [van het gnosticisme.
gnostique [gnòstik] *m.* gnosticus *m.*, aanhanger *m.*
gnou [gnu] *m.* (*Dk.*) gnoe *m.*
go, tout de — [tu·dgo] *adv.* (*fam.*) zonder omslag, zonder plichtplegingen.

goal [go'l] *m.* (*voetb.*) goal *m.*, doel *o.*
gobage [gòba:j] *m.* (*pop.*) verliefdheid *v.*
gobbe, gobe [gò'b] *f.* deegballetje *o.*
gobelet [gòblè] *m.* beker *m.* (*ook*: goochelbeker, dobbelbeker); ***joueur de —s,*** goochelaar *m.*
gobeletier [gòblètyé] *m.* handelaar *m.* in, en vervaardiger *m.* van, glazen, bekers en dgl.
gobelin [gòblẽ] *m.* **1** duiveltje *o.*, kwelgeest *m.*; **2** wandtapijt, gobelin *o.* [pelen.
gobeloter [gòblòté] *v.i.* (*fam.*) **1** lepperen; **2** pim-
gobe-mouches [gò'bmuʃ] *m.* **1** (*Dk.*) vliegenvanger *m.*; **2** (*fig.*) sul, lichtgelovig mens *m.*
gober [gòbé] **I** *v.t* **1** inslikken, inzwelgen; **2** (*fig.*) slikken, voor goede munt aannemen; **— *les mouches,*** zijn tijd verbeuzelen; alles voor goede munt aannemen; ***tout —,*** alles slikken; **II** *v.pr.*, ***se —,*** met zich zelf ingenomen zijn.
goberge [gòbèrj] *f.* klemhaak *m.* (van schrijnwerker). [doen.
goberger, *se—* [s(e)gòbèrjé] *v.pr.* zich te goed
gobet [gòbè] *m.* **1** hapje *o.*; **2** (*fig.*) sul *m.*
gobeter [gòbté] *v.t.* (*een muur*) voegen, pleisteren.
gobetis [gòbti] *m.* pleisterkalk *m.*
gobeur [gòbœ:r] *m.* **1** lichtgelovige sul *m*; **2** slokop *m.* [buiten zetten.
gobichonner [gòbiʃòné] *v.i.* uit zijn, de bloemetjes
gobie [gòbi] *f.* (*Dk.*) grondel *m.*
gobillard [gòbiya:r] *m.* duighout *o.*
gobille [gòbi'y] *f.* stuiter, knikker *m.*
gobine [gòbin] *f.* (*Ile-de-France*) feestmaal bij druivenoogst.
godage [gòda:j] *m.* valse plooi *v.*(*m.*).
godaille [gòdɑ'y] *f.* braspartij *v.*
godailler [gòdɑ'yé] *v.i.* brassen, zwelgen.
godailleur [gòdɑ'yœ:r] *m.* slemper *m.*
godant [gòdã] *m.* fopperij *v.*; ***donner dans le —,*** zich laten bedotten.
Godefroid, Godefroy [gòdfrwa] *m.* Godfried *m.*
godelureau [gòdlüro] *m.* saletjonker *m.*
goder [gòdé] *v.i.* valse plooien maken.
godet [gòdè] *m.* **1** (*voor verf, inkt, enz.*) potje *o.*; **2** (*v. baggermolen*) bak *m.*; **3** putemmer *m.*; **4** (*in kleren*) valse plooi *v.*(*m.*); **5** (*v. pijp*) kop *m.*; **6** druipbakje *o.*; **7** grijp(er)kraan *v.*(*m.*); **— *graisseur,*** smeerpot *m.*
godiche [gòdiʃ] **I** *adj.* onbeholpen, onnozel; **II** *s.*, *m.-f.* uilskuiken *o.*
godille [gòdi'y] *f.* (*sch.*) wrikriem *m.*
godiller [gòdiyé] *v.i.* wrikken.
godillot [gòdiyo] *m.* (*pop.*) **1** soldatenschoen *m.* (turftrapper, sigarenkistje); **2** jonge rekruut *m.*
godiveau [gòdivo] *m.* vleespastei *v.*(*m.*), vleesballetje *o.*
godron [gòdrõ] *m.* **1** (*bouwk.*) eierlijst *v.*(*m.*); **2** (*in kraag*) stolpplooi *v.*(*m.*). [sieren; **2** plooien.
godronner [gòdròné] *v.t.* **1** met een eierlijst ver-
Goé [gòé] Gulke *o.*
goéland [gòélã] *m.* grote zeemeeuw *v.*(*m.*).
goélette [gòélèt] *f.* **1** (*sch.*) schoener *m.*; **2** (*Dk.*) zeezwaluw *v.*(*m.*).
goémon [gòémõ] *m.* (*Pl.*) wier, zeegras *o.*
gogaille [gògɑ'y] *f.* (*pop.*) eetfestijn *o.*
gogo [gògo] *m.* uilskuiken *o.*, hals *m.*; ***à —,*** *adv.* in overvloed, volop.
goguenard [gògna:r] **I** *adj.* spotziek, spottend; **II** *s.*, *m.* spotvogel *m.*
goguenarder [gògnardé] *v.i.* spotten.
goguenardise [gògnardi:z] *f.* spotternij *v.*
goguette [gògèt] *f.* grap *v.*(*m.*), koddig verhaaltje *o.*; ***être en —(s),*** boven zijn theewater zijn, wat aangeschoten zijn; ***chanter — à qn.,*** iem. uitmaken.
goinfre [gwẽ:fr] *m.* gulzigaard *m.*
goinfrer [gwẽ'fré] *v.i.* schrokken, vreten.
goinfrerie [gwẽ'freri] *f.* gulzigheid *v.*
goitre [gwa:tr] *m.* kropgezwel *o.*
goitreux [gwa'trö] **I** *adj.* met een kropgezwel; **II** *s.*, *m.* kropmens *m.*
golf [gòlf] *m.* (*sp.*) golf *o.*
golfe [gòlf] *m.* golf, baai *v.*(*m.*).
gommage [gòma:j] *m.* (het) gommen *o.*
gomme [gòm] *f.* **1** gom *m.* *of* *o.*; **2** gummi *o.* *en* *m.*; ***— à effacer,*** radeergom; ***— élastique,*** gomelastiek *o.* [geelhars *o.* *en* *m.*
gomme*-gutte* [gòmgüt] *f.* guttegom *m.* *of* *o.*,
gomme*-laque* [gòmlak] *f.* gomlak, schellak *o.*
gommer [gòmé] *v.t.* **1** gommen; **2** met gom vermengen; ***cheveux gommés,*** geplakte haren.
gomme*-résine* [gòmrézin] *f.* gomhars *o.* *en* *m.*
gommeux [gòmö] **I** *adj.* **1** gomachtig; **2** gomgevend; ***arbre —,*** gomboom *m.*; **II** *s.*, *m.* fat, dandy *m.*
gommier [gòmyé] *m.* gomboom *m.*
gommifère [gòmifè:r] *adj.* gomhoudend.
gommose [gòmo:z] *f.* (*v. boom*) gomziekte *v.*
Gomorrhe [gòmò:r] *f.* Gomorra *o.*
gond [gõ] *m.* (*v. deur*) duim *m.*; (*fig.*) ***sortir de ses —s,*** uit zijn vel springen. [hout).
gondolage [gõ'dòla:j] *m.* kromtrekking *v.* (van
gondolant [gõ'dòlã] *adj.* lollig, dolprettig.
gondole [gõ'dòl] *f.* **1** gondel *v.*(*m.*); **2** oogbad, oogschaaltje *o.*
gondoler [gõ'dòlé] **I** *v.i.* (*v. hout*) kromtrekken, uitzetten; **II** *v.pr.*, ***se —,*** **1** kromtrekken; **2** (*fig.*) zich kromlachen, zich doodlachen.
gondolier [gõ'dòlyé] *m.* gondelier *m.* [vaantje *o.*
gonfalon [gõ'falõ], **gonfanon** [gõ'fanõ] *m.* lans-
gonfalonier [gõ'falònyé], **gonfanonier** [gõ'fanònyé] *m.* banierdrager *m.*
gonflage [gõfla'j] *m.* (*v. band*) oppompen *o.*
gonflé [gõ'flé] *adj.* **1** gezwollen, opgezwollen; **2** opgezet; ***avoir le cœur —,*** een overkropt gemoed hebben.
gonflement [gõ'flemã] *m.* **1** opzwelling *v.*; **2** (*v. fietsband*) (het) oppompen *o.*; **3** (*v. ballon*) (het) vullen *o.*; **4** (*v. zuil*) buik *m.*
gonfler [gõ'flé] **I** *v.t.* **1** doen zwellen; **2** (*v. blaas, wangen*) opblazen; **3** (*v. fietsband*) oppompen; **4** (*v. ballon*) vullen; **II** *v.i.* *et* *v.pr.*, ***se —,*** **1** zwellen; **2** opzwellen; **3** (*v. deeg*) rijzen.
gonfleur [gõflœ:r] *m.* luchtpomp *v.*(*m.*).
gong [gõ] *m.* gong *m.*
gongorisme [gõ'gòrizm] *m.* gewrongen stijl *m.*, stijlaffectatie *v.* [meter *m.*
goniomètre [gònyòmè'tr] *m.* hoekmeter, gonio-
goniométrie [gònyòmétri] *f.* goniometrie *v.*, meting *v.* van hoeken.
goniométrique [gònyòmétrik] *adj.* goniometrisch.
gonne [gòn] *f.* teerton *v.*(*m.*).
gord [gò:r] *m.* in een fuik uitlopend paalwerk *o.*
gordien [gòrdyẽ] *adj.* Gordiaans; ***nœud —,*** Gordiaanse knoop *m.*
goret [gòrè] *m.* **1** big *v.*(*m.*), varkentje *o.*; **2** (*fig.*) smeerpoes *m.*; **3** (*sch.*) varken *o.*, hog *m.*
gorge [gòrj] *f.* **1** keel *v.*(*m.*); **2** (*fam.*) strot *m.*; **3** boezem *m.*; **4** bergengte *v.*, bergpas *m.*; **5** (*v. vogel*) krop *m.*; **6** nauwe doortocht *m.*; **7** (*bouwk.*) groef, holle lijst *v.*(*m.*); ***à — déployée,*** luidkeels, uit volle borst; ***faire des —s chaudes de qc.,*** met iets openlijk de spot drijven, zich vrolijk maken over iets; ***saisir à la —,*** bij de keel grijpen; ***prendre à la —,*** (*v. lucht, enz.*) de borst beklemmen.
gorge*-blanche* [gòrjblã:ʃ] *f.* (*Dk.*) zwartkop *m.*, witkeeltje *o.*

gorge*-bleue* [gòrjblö] *f.* (*Dk.*) blauwborstje *o.*
gorge-de-pigeon [gòrjdepijõ] *adj.* met weerschijn.
gorgée [gòrjé] *f.* slok, teug *m.* [*v.*(*m.*).
gorge*-fouillée* [gòrjfuyé] *f.* (*tn.*) kraalschaaf
gorger [gòrjé] (*de*), *v.t.* **1** volproppen (met); **2** (*fig.*) overladen (met).
gorgerette [gòrj(e)rèt] *f.* **1** halskraag *m.*; **2** (*v. muts*) keelband *m.*
gorgerin [gòrj(e)rẽ] *m.* **1** (*v. harnas*) halsstuk *o.*; **2** halsband *m.*
gorget [gòrjè] *m.* kraalschaaf *v.*(*m.*).
gorille [gòri'y] *m.* gorilla *m.*
gosier [go'zyé] *m.* **1** keel *v.*(*m.*) (van binnen); **2** (*fam.*) strot *m. en v.*; **3** (*v. blaasbalg*) windpijp *v.*(*m.*); ***à plein —,*** luidkeels, uit volle borst; ***avoir une éponge dans le —,*** een droge lever hebben.
gossampin [gòsã'pẽ] *m.* kasboom, wolboom, kapokboom *m.* [kleine meid *v.*
gosse [gòs] **I** *m.* jongetje, ventje *o.*; **II** *f.*, meisje *o.*,
gosseline [gòslin] *f.* kleine meid *v.*
Gossoncourt [gòsõ'ku:r] **1** (*lez-Tirlemont*) Goetsenhoven *o.*; **2** (*lez-Looz*) Gutschoven *o.*
Gothembourg [gòtã'bu:r] *m.* Gothenburg *o.*
Gothie [gòti] *f.* Gotland *o.* (in Zweden).
gothique [gòtik] **I** *adj.* **1** gotisch; **2** middeleeuws; **II** *s.*, *m.* gotische stijl *m.*; **III** *s.*, *f.* gotisch schrift *o.*
Goths [go] *m.pl.* Goten *mv.*
goton [gòtõ] *f.* **1** boerenmeid *v.*; **2** slet *v.*
gouache [gwaʃ] *f.* waterverfschildering *v.* (met gom).
gouailler [gwɑ'yé] **I** *v.t.* uitlachen, bespotten, voor de gek houden; **II** *v.i.* spotten.
gouaillerie [gwɑ'yri] *f.* (ruwe) spotternij *v.*
gouailleur [gwɑ'yœ:r] **I** *adj.* spottend; **II** *s.*, *m.* spotter *m.*
gouape [gwap] *f.* baliekluiver *m.*
gouaper [gwapé] *v.i.* baliekluiven.
gouapeur [gwapœ:r], *voir* ***gouape.***
goudron [gudrõ] *m.* teer *m. en o.*; ***— minéral,*** koolteer; ***— végétal,*** houtteer.
goudronnage [gudròna:j] *m.* (het) teren *o.*
goudronner [gudròné] *v.t.* teren.
goudronnerie [gudrònri] *f.* teerkokerij *v.*
goudronneur [gudrònœ:r] *m.* teerder *m.*
goudronnière [gudrònyè:r] *f.* teerstokerij *v.*
gouet [gwè] *m.* **1** (*Pl.*) aronskelk *m.*; **2** snoeimes *o.*
gouffre [gufr] *m.* **1** afgrond *m.*; **2** draaikolk *m. en v.*, maalstroom *m.*; **3** diepte *v.* (van de zee).
gouge [gu:j] *f.* **1** guts *v.*(*m.*); holle beitel *m.*; **2** halfrond mes *o.*
gougelhof [kuglòf] *m. voir* ***kouglof.*** [hollen.
gouger [gu'jé] *v.t.* (*tn.*) gutsen, met de guts uit-
goujat [guja] *m.* **1** opperman *m.* (v. metselaar); **2** ploert, vlegel, schoft *m.*
goujaterie [gujatri] *f.* ploertigheid *v.*, gemene streek *m. en v.*
goujon [gujõ] *m.* **1** (*Dk.*) grondel *m.*; **2** (*tn.*) ijzeren pin *v.*(*m.*), drevel *m.*; **3** (*tel.*) seinpen *v.*(*m.*); **4** (*beeldh.*) kleine guts *v.*(*m.*).
goujonner [gujòné] *v.t.* met pinnen bevestigen.
goujure [gujü:r] *f.* gleuf *v.*(*m.*). [vampier *m.*
goule [gul] *f.* zich met opgegraven lijken voedende
goulée [gulé] *f.* mond *m.* vol.
goulet [gulè] *m.* **1** (*v. haven*) nauwe invaart, ingangsgeul *v.*(*m.*); **2** (*v. trechter*) hals *m.*
goulette [gulèt] *f.* gootje *o.*
goulot [gulo] *m.* **1** (*v. fles, enz.*) hals *m.*; **2** (*pop.*) keel *v.*(*m.*).
goulotte [gulòt] *f.* gootje *o.*
goulu [gulü] **I** *adj.*, **goulûment** [gulümã] *adv.* gulzig; ***pois —s,*** peulen *mv.*; **II** *s.*, *m.* gulzigaard, veelvraat *m.*
goum [gum] *m.* **1** Arabische stam *m.*; **2** ruiterafdeling *v.* van een Arabische stam.
goumier [gumyé] *m.* Arabische ruiter *m.*
goupille [gupi'y] *f.* (*tn.*) pen; splitpen *v.*(*m.*).
goupiller [gupiyé] *v.t.* vastpennen.
goupillon [gupiyõ] *m.* **1** wijwaterkwast *m.*; **2** flessenborstel, wisser *m.*; ***donner du — à qn.,*** iem. met mooie woorden afschepen.
gourbi [gurbi] *m.* Arabische riethut *v.*(*m.*).
gourd [gu:r] *adj.* verkleumd, verstijfd.
gourde [gurd] *f.* **1** veldfles *v.*(*m.*); **2** (*Pl.*) (uitgeholde) kalebas *v.*(*m.*); **3** (*fig.*) uilskuiken *o.*
gourdin [gurdẽ] *m.* knuppel *m.*
gourer [guré] *v.t.* bedriegen, bedotten.
gourgandine [gurgã'din] *v.* slet *v.*
gourgane [gurgan] *f.* (*Pl.*) paardeboon *v.*(*m.*).
gourmade [gurma'd] *f.* vuistslag, stomp *m.* (in 't gelaat).
gourmand [gurmã] **I** *adj.* gulzig, snoepachtig; ***— de,*** dol op; ***pois —s,*** peultjes *mv.*; **II** *s.*, *m.* gulzigaard, lekkerbek, snoeper *m.*
gourmander [gurmã'dé] *v.t.* **1** ***— qn.,*** iem. een standje geven, beknorren; **2** (*v. driften*) beteugelen, bedwingen, in bedwang houden.
gourmandise [gurmã'di:z] *f.* **1** gulzigheid, snoepachtigheid *v.*
gourme [gurm] *f.* **1** (*v. jong paard*) droes *m.*; **2** (*gen.*) dauwworm *m.*; **3** huiduitslag *m.*; (*fig.*) ***jeter sa —,*** zijn wilde haren verliezen.
gourmé [gurmé] *adj.* (*v. houding*) stijf, vormelijk.
gourmer [gurmé] **I** *v.t.* **1** (in 't gelaat) stompen, met de vuist slaan; **2** (een paard) de kinketting aandoen; **II** *v.pr.*, ***se —,*** een deftige (*of* stijve) houding aannemen.
gourmet [gurmè] *m.* **1** fijnproever *m.*; **2** lekkerbek *m.*; **3** wijnproever *m.*
gourmette [gurmèt] *f.* kinketting *m. en v.*; ***bracelet —,*** schakelarmband *m.*
gournable [gurna'bl] *f.* **1** houten nagel *m.*; **2** (*sch.*) keernagel *m.* [*m.*, boefje *o.*
gouspin, goussepain [guspẽ] *m.* kleine rakker
gousse [gus] *f.* **1** bast *m.*; **2** (*v. erwten, enz.*) dop *m.*; **3** (*v. knoflook*) bol *m.*
gousset [gusè] *m.* **1** okselstuk *o.*; **2** vestzak *m.*; ***avoir le — vide,*** platzak zijn.
goût [gu] *m.* **1** smaak *m.*; **2** lust *m.*, neiging, voorliefde *v.*; **3** trant, stijl *m.*; ***plein de —,*** smaakvol; ***de haut —,*** sterk gekruid; (*fig.*) scherp, prikkelend; ***faire passer à qn. le — du pain,*** iem. naar de andere wereld helpen; ***sans —,*** smakeloos; ***de mauvais —,*** **1** onsmakelijk; **2** (*v. opschik, enz.*) lelijk; **3** (*v. opmerking, enz.*) misplaatst; ***prendre — à,*** zin krijgen in; ***c'est à mon —,*** dat bevalt mij, dat valt in mijn smaak; ***avoir bon —,*** **1** lekker zijn; **2** goede smaak hebben.
goûter [guté] **I** *v.t.* **1** (*spijs, drank*) proeven; **2** (*genoegen, enz.*) smaken; **3** (*v. muziek, boek, enz.*) genieten van; **4** waarderen, op prijs stellen; **II** *v.i.* **1** proeven (van); **2** een licht maal gebruiken om 4 uur; **III** *s.*, *m.* lichte maaltijd *m.* om 4 uur.
goutte [gut] *f.* **1** druppel *m.*; **2** borrel *m.*; **2** jicht *v.*(*m.*); ***avoir la — au nez,*** een druipneus hebben; ***— à —,*** druppelsgewijze; ***ils se ressemblent comme deux —s d'eau,*** ze lijken sprekend op elkaar; ***je n'y vois —,*** ik zie geen steek; ***je n'y entends —,*** ik begrijp er niets van; ***—s d'Angleterre,*** Hofmandruppels; ***— sciatique,*** ischias *v.*(*m.*).
gouttelette [gutlèt] *f.* druppeltje *o.*
goutter [guté] *v.i.* druppelen. [der *m.*
goutteux [gutö] **I** *adj.* jichtig; **II** *s.*, *m.* jichtlij-
gouttier [gutyé] *adj.*, ***eaux —ières,*** dakwater *o.*

gouttière [gutyè:r] *f.* **1** dakgoot *v.(m.)*; **2** *(in lemmet, enz.)* groeve *v.(m.)*; **3** *(v. boek)* holle snede *v.(m.)*; **4** *(gen.)* beugel *m.*; ***lapin de —,*** dakhaas *m.*
gouvernable [guvèrna·bl] *adj.* **1** *(v. personen)* te regeren; **2** *(v. zaken)* bestuurbaar.
gouvernail [guvèrnɑ·y] *m.* **1** stuur, roer *o.*; **2** *(v. windmolen)* staart *m.*; ***— de direction,*** *(vl.)* stuurroer *o.*; ***— d'altitude, — de plongeon,*** hoogteroer, hoogtestuur *o.* [bestuurder *m.*
gouvernant [guvèrnã] **I** *adj.* regerend; **II** *s., m.*
gouvernante [guvèrnã:t] *f.* gouvernante *v.* (huisonderwijzeres; huishoudster).
gouverne [guvèrn] *f.* **1** *(sch.)* (het) sturen *o.*; **2** *(fig.)* richtsnoer *o.*; ***aviron de —,*** stuurriem *m.*; ***pour votre —,*** tot uw naricht.
gouvernement [guvèrnemã] *m.* **1** regering *v.*, bewind, staatsbestuur *o.*; **2** regeringsvorm *m.*; **3** (het) besturen *o.*; **4** gouvernementsgebouw *o.*
gouvernemental [guvèrnemã·tal] *adj.* regerings—; ***parti —,*** regeringspartij *v.*
gouverner [guvèrné] **I** *v.t.* **1** *(v. schip)* sturen; **2** *(v. land; gram.)* regeren; **3** *(v. kind)* opvoeden; **4** *(v. fortuin)* beheren; **5** *(v. hartstochten)* beheersen; ***il sait — sa barque,*** hij kan zijn zaken wel besturen; **II** *v.i.* **1** sturen; **2** *(v. schip)* naar het roer luisteren; **3** regeren; **III** *v.pr.*, ***se —,*** zich beheersen.
gouverneur [guvèrnœ:r] *m.* **1** gouverneur *m.*; **2** huisonderwijzer, opvoeder *m.*; **3** landvoogd *m.*; **4** *(v. bank)* directeur *m.*
goyau [gòyo] *m.* mijnschacht *v.(m.)*.
goyave [gòya:v] *v.* guayave, Indiaanse peer *v.(m.)*.
goyavier [gòyavyé] *m.* guayaveboom *m.*
Goyer [gòyé] Jeuk *o.*
grabat [grabɑ] *m.* **1** armzalig bed *o.*, ellendige legerstede *v.(m.)*; **2** ziekbed *o.*
grabataire [grabɑtè:r] *adj.* bedlegerig.
grabuge [grabü:j] *m.* **1** ruzie, kibbelarij *v.*; **2** soort kaartspel *o.*; ***il va y avoir du —,*** 't zal er spannen.
grâce [grɑ:s] *f.* **1** genade *v.(m.)*; **2** bevalligheid *v.*; **3** bekoorlijkheid *v.*; **4** gunst, goedgunstigheid *v.*; ***action de —s,*** dankgebed *o.*; ***rendre —(s) à,*** danken; ***de bonne —,*** van harte, gaarne, gewillig; ***être dans les bonnes —s de qn.,*** bij iem. in de gunst staan; ***l'an de —,*** het jaar Onzes Heren; ***coup de —,*** genadeslag *m.*; ***faire — à qn.,*** iem. genade schenken; ***droit de —,*** recht *o.* van gratie; ***— sanctifiante,*** heiligmakende genade; ***— actuelle,*** dadelijke genade; ***— à Dieu,*** Goddank! ***à la — de Dieu,*** **1** in Gods naam; **2** op hoop van zegen; ***par la — de Dieu,*** bij de gratie Gods; ***faire qc. de mauvaise —,*** iets met tegenzin doen; ***de —,*** alsjeblieft, in Godsnaam; ***— à,*** dank zij; ***jours de —,*** respijtdagen.
graciable [grasya·bl] *adj.* vergeeflijk. [aan.
gracier [grasyé] *v.t.* begenadigen, genade schenken
gracieusement [grasyö·zmã] *adv.* **1** bevallig; **2** kosteloos, gratis.
gracieuser [grasyö·zé] *v.t.* erg lief behandelen, lief doen tegen.
gracieuseté [grasyö·sté] *f.* **1** vriendelijkheid *v.*; **2** beleefdheid *v.*
gracieux [grasyö] *adj.* **1** bevallig; bekoorlijk; **2** vriendelijk, minnelijk; ***à titre —,*** kosteloos, gratis; ***— comme une porte de prison,*** zo vriendelijk als de deur van 't rasphuis.
gracile [grasil] *adj.* tenger, rank.
gracilité [grasilité] *f.* **1** tengerheid, slankheid *v.*; **2** *(v. stem)* fijnheid, schrielheid *v.*
gradation [gradɑ·syõ] *f.* trapsgewijze opklimming *v.*; ***— décroissante,*** trapsgewijze afdaling *v.*
grade [gra·d] *m.* graad *m.* [dueerde *m.*
gradé [gradé] **I** *adj.* gegradueerd; **II** *s., m.* gegra-
gradient [gradyã] *m.* *(meteorol.)* gradiënt *m.*, barometerverschil *o.* tussen twee 111 km van elkaar gelegen plaatsen.
gradin [gradẽ] *m.* **1** trede *v.(m.)*, trapje *o.*; **2** *(v. amfitheater)* bank *v.(m.)*. [beitel *m.*
gradine [gradin] *f.* gradeerijzer *o.*, uitgetande
graduation [gradwɑ·syõ] *f.* graadverdeling *v.*
gradué [gradwé] *adj.* gegradueerd; ***verre —,*** maatglas *o.*
graduel [gradwèl] **I** *adj.* trapsgewijs; **II** *s., m.* **1** *(in de mis)* graduale *o.*, trapzang *m.*; **2** *(boek)* graduale *o.*
graduellement [gradwèlmã] *adv.* trapsgewijs; van lieverlede.
graduer [gradwé] *v.t.* **1** in graden verdelen; **2** *(v. moeilijkheden)* trapsgewijs (*of* geleidelijk) doen toenemen; **3** een academische graad verlenen aan.
graffite [grafit] *m.* graffito *o.*, opschrift *o.* op antieke muren en gedenktekenen.
grafigner [grafiñé] *v.t.* *(pop.)* krabben.
graille [grɑ·y] *f.* *(Dk.)* roek *m.*
graillement [grɑ·ymã] *m.* schor stemgeluid *o.*
grailler [grɑ·yé] *v.i.* schor spreken.
graillon [grɑ·yõ] *m.* **1** reuk *m.* van aangebrand vet; **2** kliekjes *mv.*
graillonner [grɑ·yòné] *v.i.* een aangebrande reuk krijgen, naar aangebrand vet smaken.
grain [grẽ] *m.* **1** korrel *m.*; **2** bes, druif *v.(m.)*; **3** *(v. rozenkrans, snoer)* kraal *v.(m.)*; **4** *(op huid)* pukkeltje, bobbeltje *o.*; **5** *(v. stof)* keper *m.*, nop *v.(m.)*; **6** ***— (de vent),*** windvlaag *v.(m.)*, rukwind *m.*; ***—s,*** graan, koren *o.*; ***— de beauté,*** moedervlekje *o.*; ***— d'orge,*** gerstekorrel *m.*; *(op het oog)* strontje *o.*; ***poulet de —,*** mesthoen *o.*; ***— de café,*** koffieboon *v.(m.)*; ***un — de bon sens,*** een greintje gezond verstand; ***veiller au —,*** op zijn hoede zijn, goed uit de ogen kijken.
graine [grè:n] *f.* **1** zaad *o.*; **2** zaadkorrel *m.*; ***monter en —,*** *(Pl.)* zaad schieten; ***mauvaise —,*** deugniet *m.* [grutterij *v.*
graineterie [grè·ntri] *f.* **1** graanhandel *m.*; **2**
grainetier [grè·ntyé], **grainier** [grè·nyé] *m.* **1** graanhandelaar; zaadhandelaar *m.*; **2** grutter *m.*
graissage [grè·sa:j] *m.* (het) smeren *o.*, smering *v.*; ***— automatique,*** zelfsmering *v.*; ***huile de —,*** smeerolie *v.(m.)*.
graisse [grè:s] *f.* **1** vet *o.*; **2** *(voor wagens, enz.)* smeer *o. en m.*; ***étoiles de —,*** ogen (op soep, enz.); ***prendre de la —,*** dik worden; ***vivre de sa —,*** op zijn vet teren.
graisser [grè·sé] **I** *v.t.* **1** *(v. machine, enz.)* smeren; **2** insmeren, invetten; **3** vet maken; *(fig.)* ***— ses bottes,*** zich gereedmaken om te vertrekken; ***— la patte à qn.,*** iem. de handen zalven, iem. omkopen; **II** *v.i.* *(v. wijn)* dik worden, olieachtig worden.
graisseur [grè·sœ:r] **I** *m.* smeerder *m.*; **II** *adj.* smeer—; ***appareil —,*** smeertoestel *o.*
graisseux [grè·sö] *adj.* vettig.
gramen [gramèn] *m.* *(Pl.)* gras, grasgewas *o.*
graminacées [graminasé] *f.pl.* grasgewassen *mv.*
graminé [graminé] *adj.* grasachtig.
graminées [graminé] *f.pl.* *(Pl.)* grasachtigen *mv.*
grammaire [gramè:r] *f.* spraakleer *v.(m.)*, spraakkunst *v.*
grammairien [gramè·ryẽ] *m.* **1** spraakkunstkenner, grammaticus; taalkundige *m.*; **2** schrijver *m.* van een spraakkunst.
grammatical(ement) [grama·tikal(mã)] *adj.* *(adv.)* spraakkunstig, taalkundig.
gramme [gram] *m.* gram *o.*
Grammont [gram(m)õ] *m.* Geraardsbergen *o.*
grand [grã] **I** *adj.* **1** groot; **2** *(v. boom, berg)* hoog;

3 hevig, sterk; 4 voornaam, belangrijk; 5 vol, geheel; ***un — homme,*** een groot man; ***un homme —,*** een grote man; ***les —es personnes,*** de grote mensen (volwassenen); ***— âge,*** hoge ouderdom; ***au — air,*** in de open lucht; ***— jour,*** klaarlichte dag; ***au — jour,*** in 't openbaar; ***de — matin,*** 's morgens vroeg; ***— temps,*** hoog tijd; ***— silence,*** diepe stilte; ***—e fortune,*** aanzienlijk fortuin; ***— blessé,*** ernstig (*of* zwaar) gewonde; ***—e dame,*** deftige dame; ***—s amis,*** dikke vrienden; ***la —e guerre,*** de wereldoorlog; ***— livre,*** (*H.*) grootboek *o.*; ***— teint,*** kleurhoudend, wasecht; **II** *adv.*, ***— ouvert,*** wijd open; ***faire —,*** iets grootscheeps aanleggen; **III** *s.*, *m.* **1** grote, aanzienlijk persoon *m.*; **2** (het) grootse, (het) verhevene *o.*; ***un — d'Espagne,*** een Spaanse grande; ***en —,*** **1** in 't groot; **2** op grote schaal. [(74 × 105 cm).

grand-aigle [grã'dè'gl] *m.* bep. papierformaat

Grand-Bigard [grã'biga:r] Groot-Bijgaarden *o.*

grand-chose [grã'ʃo:z] *m.* veel zaaks; ***un pas —,*** een vent van niks.

grand-croix [grã'krwa] *f.* grootkruis *o.* (orde); ***—d*-croix,*** *m.* grootkruis *m.* (persoon).

grand*-duc* [grã'dük] *m.* **1** groothertog *m.*; **2** (*in Rusl.*) grootvorst *m.*; **3** (*Dk.*) schuifuil *m.*

grand-ducal* [grã'dükal] *adj.* groothertogelijk.

grand*-duché* [grã'düʃé] *m.* groothertogdom *o.*

Grande-Bretagne [grã'dbretañ] *f.* Groot-Brittannië *o.*

grande*-duchesse* [grã'düʃès] *f.* groothertogin *v.*

grandelet [grã'dlè] *adj.* tamelijk groot, een beetje opgeschoten.

grande*-marée* [grã'dmaré] *f.* springvloed *m.*

grandement [grã'dmã] *adv.* **1** groot; **2** grotelijks; **3** ruimschoots; in hoge mate; ***se tromper —,*** zich erg (*of* zeer) vergissen; ***il est — temps,*** het is hoog tijd. [van grande.

grandesse [grã'dès] *f.* (*in Spanje*) waardigheid *v.*

grandet [grã'dè] *adj.* nogal groot.

grandeur [grã'dœ:r] *f.* **1** grootte *v.*; **2** omvang *m.*; **3** grootheid *v.*; **4** aanzien *o.*; verhevenheid, grootsheid *v.*; ***— d'âme,*** grootmoedigheid *v.*; ***les —s de Dieu,*** de heerlijkheden van God; ***regarder du haut de sa —,*** uit de hoogte neerzien op; ***Sa G—,*** **1** Zijne Hoogheid; **2** (*v. bisschop*) Zijne Doorluchtige Hoogwaardigheid.

grand-garde* [grã'gard] *f.* voorposten *mv.*

grandiflore [grã'diflò:r] *adj.* (*Pl.*) grootbloemig.

grandifolié [grã'difòlyé] *adj.* (*Pl.*) grootbladig.

grandiloquence [grã'dilòkã:s] *f.* (*v. stijl*) gezwollenheid, hoogdravendheid *v.* [dravend.

grandiloquent [grã'dilòkã] *adj.* gezwollen, hoog-

grandiose [grã'dyo:z] *adj.* groots, verheven.

grandir [grã'di:r] **I** *v.i.* **1** groter worden, groeien; **2** (*fig.*) toenemen; **II** *v.t.* **1** vergroten; **2** groot maken; **3** (*fig.*) veredelen.

grandissement [grã'dismã] *m.* vergroting *v.*

grandissime [grã'disim] *adj.* zeer groot.

Grand-Jamine [grã'jamin] Groot-Gelmen *o.*

grand*-livre* [grã'li:vr] *m.* grootboek *o.*

grand*-maître* [grã'mè:tr] *m.* grootmeester *m.*

grand-maman* [grã'mamã] *f.* grootmama *v.*

grand-mère* [grã'mè:r] *f.* grootmoeder *v.*

grand-messe* [grã'mès] *f.* hoogmis *v.*(*m.*).

grand*-oncle* [grã'tõ:kl] *m.* oudoom *m.*

Grand-Orient [grã'tòryã] *m.* Groot Oosten *o.*

grand*-père* [grã'pè:r] *m.* grootvader *m.*

grand*-prêtre* [grã'prè:tr] *m.* hogepriester *m.*

grand*-prix* [grã'pri] *m.* **1** eerste prijs *m.*; **2** winnaar *m.* van de eerste prijs.

grand-route* [grã'rut] *f.* hoofdweg *m.*

grand-rue* [grã'rü] *f.* hoofdstraat *v.*(*m.*).

grands-parents [grã'parã] *m.pl.* grootouders *mv.*

grand*-tante* [grã'tã:t] *f.* oudtante *v.*

grand-teint [grã'tẽ] *m.* kleurhoudende verfstof *v.*(*m.*), [*als adjectief: twee woorden*].

grand*-vizir* [grã'vizi:r] *m.* grootvizier *m.*

grange [grã:j] *f.* schuur *v.*(*m.*); ***battre en —,*** dorsen; ***batteur en —,*** dorser *m.*

granit [grani] *m.* graniet *o.*

graniter [granité] *v.t.* als graniet schilderen.

graniteux [granitö] *adj.* **1** granietachtig; **2** granniethoudend.

granitier [granityé] *m.* granietwerker *m.*

granitique [granitik] *adj.* granietachtig.

granivore [granivò:r] *adj.* zaadetend.

granulaire [granülè:r] *adj.* korrelig.

granulation [granüla'syõ] *f.* **1** (*tn.*) korreling *v.*; **2** (*gen.*) granulatie *v.*

granule [granül] *f.* **1** korreltje *o.*; **2** kiemkorrel *m.*

granuler [granülé] *v.t.* korrelen, tot korrels maken; ***chocolat granulé,*** chocoladehagelslag *m.*

granuleux [granülö] *adj.* korrelig.

granuliforme [granülifòrm] *adj.* korrelvormig.

grape-fruit [gré'pfrwi] *m.* grapefruit *m.*, pompelmoes *v.*(*m.*).

graphie [grafi] *f.* schrijfwijze *v.*(*m.*), voorstelling *v.* (door tekens, enz.), spelling *v.*

graphique [grafik] **I** *adj.* grafisch; **II** *s.*, *f.* tekenkunst *v.*; **III** *s.*, *m.* **1** lijntekening *v.*; **2** grafische voorstelling *v.*, — tabel *v.*(*m.*); **3** curve *v.*(*m.*).

graphiquement [grafikmã] *adv.* grafisch.

graphite [grafit] *m.* grafiet, potlooderts *o.*

graphiteux [grafitö], **graphitique** [grafitik] *adj.* grafiethoudend.

graphologie [grafòlòji] *f.* schriftkunde, grafologie *v.*

graphologue [grafòlò'g] *m.* schriftkundige *m.*

graphomètre [grafòmè'tr] *m.* hoekmeter *m.* (van landmeter).

grappe [grap] *f.* **1** (*v. druiven, enz.*) tros *m.*; **2** (*v. uien, enz.*) rist *v.*(*m.*); **3** (*voor paarden*) ijsnagel *m.*; ***mordre à la —,*** gretig aannemen; ***vin de —,*** (druiven)most *m.*

grappelle [grapèl] *f.* (*Pl.*) kleefkruid *o.*, klis *v.*(*m.*).

grappillage [grapiya:j] *m.* **1** (*druiven*) nalezen *o.*; **2** mazzeltje *o.*

grappiller [grapiyé] **I** *v.i.* **1** (*druiven*) nalezen; **2** (*fig.*) iets verdienen, sjacheren; **II** *v.t.* bemachtigen.

grappilleur [grapiyœ:r] *m.* **1** nalezer *m.* (v. druiven); **2** sjacheraar *m.*

grappillon [grapiyõ] *m.* trosje *o.*

grappin [grapẽ] *m.* **1** (*sch.*) werpanker *o.*; **2** (*sch.*) enterhaak *m.*; **3** (*voor boomsnoeiers*) klimijzer, klimspoor *o.*; (*fig.*) ***mettre*** (*ou* ***jeter***) ***le — sur qn.,*** iem. inpalmen.

grappiner [grapiné] *v.t.* (*v. schip*) enteren.

grappu [grapü] *adj.* vol trossen.

gras [gra] **I** *adj.* (*f.* : ***grasse*** [gra's]) **1** vet; **2** vettig; **3** glibberig; **4** vruchtbaar, overvloedig; ***le bœuf —,*** de Paasos *m.*; ***plante —se,*** vetplant *v.*(*m.*); ***toux —se,*** losse hoest *m.*; ***vin —,*** drabbige wijn; ***mardi —,*** vastenavond; ***jours —,*** vleesdagen (in tegenstelling met vastendagen); ***tourner au —,*** dik worden; ***tuer le veau —,*** het gemeste kalf slachten; ***dormir la —se matinée,*** een gat in de dag slapen; **II** *adv.* vet; ***parler —,*** brouwen; ***faire —,*** vlees eten; **III** *s.*, *m.* **1** (*v. vlees*) vet *o.*; **2** (*v. been*, *v. drukletter*) dik gedeelte *o.*; ***il y a —,*** er is wat te verdienen.

gras-double* [gradu'bl] *m.* vetdarm *m.*

grasse, *voir* **gras** (**I**).

grassement [gra'smã] *adv.* **1** (*leven*) ruim, breed; **2** (*betalen*) ruimschoots, rijkelijk.

grasset [gra'sè] *adj.* mollig.

grassette [gra'sèt] *f.* (*Pl.*) vetkruid *o.*
grasseyement [grasèymã] *m.* (het) brouwen *o.*
grasseyer [grasèyé] *v.i.* brouwen.
grasseyeur [grasèyœ:r] *m.* die brouwt, brouwer (van de r) *m.*
grassouillet [grasuyè] *adj.* mollig.
grateron [gratrõ] *m.* (*Pl.*) kleefkruid *o.*, klis *v.*(*m.*).
graticule [gratikül] *m.* net *o.* (om iets na te tekenen).
graticuler [gratikülé] *v.t.* (met een net) overtekenen.
gratification [gratifika'syõ] *f.* gratificatie *v.*, toelage *v.*(*m.*).
gratifier [gratifyé] *v.t.* begunstigen, begiftigen (met).
gratin [gratẽ] *m.* **1** aanbaksel, aanzetsel *o.*; **2** schotel *m. en v.* (bereid in paneermeel); **3** (*fig.*) de „chic" *m.*, voorname lui *mv.*; **4** (*pop.*) opstopper *m.*
gratiner [gratiné] **I** *v.i.* aanbakken; **II** *v.t.* bakken met paneermeel.
gratiole [grasyòl] *f.* (*Pl.*) genadekruid *o.*
gratis [gratis] *adv.* kosteloos, gratis.
gratitude [gratitü'd] *f.* dankbaarheid *v.*
grattage [grata:j] *m.* **1** (het) afkrabben; (het) uitkrabben *o.*; **2** gekrabbel *o.*
gratte [grat] *f.* **1** krabijzer *o.*; **2** (*fam.*) ongeoorloofde voordeeltjes, zaakjes *mv.*
gratteau [grato] *m.* krasijzer *o.*
gratte-ciel [gratsyèl] *m.* wolkenkrabber *m.*
gratte-cul [gratkü] *m.* (*Pl.*) rozebottel *v.*(*m.*).
gratte-dos [gratdo] *m.* rugkrabbertje *o.*
grattée [graté] *f.* pak *o.* slaag.
gratteleux [gratlö] *adj.* schurftig.
grattelle [gratèl] *f.* schurft *v.*(*m.*) *en o.*
grattement [gratmã] *m.* gekrab *o.*
gratte-papier [gratpapyé] *m.* (*ong.*) pennelikker *m*
gratte-pieds [gratpyé] *m.* voetkrabber *m.*
gratter [graté] **I** *v.t.* **1** krabben; **2** (*v. muur, enz.*) afkrabben; **3** (*v. grond*) omkrabben; **4** (*v. woord*) uitkrabben; **5** vleien; **— *qn. où il lui démange,*** iem. naar de mond praten; **II** *v.i.* **1** krabben; **2** bezuinigen; schrapen; **— *du violon,*** op de viool krassen; **— *à la porte,*** zacht aankloppen.
gratteur [gratœ:r] *m.* krabber *m.*; **— *de papier,*** pennelikker *m.*
grattoir [gratwa:r] *m.* **1** krabijzer *o.*; **2** radeermesje *o.*
gratture [gratü:r] *f.* afkrabsel *o.*
gratuit [gratwi] *adj.* **1** kosteloos; **2** (*v. verwijt*) ongegrond; **3** (*v. aardigheid*) goedkoop; **4** (*v. veronderstelling*) bloot, ongemotiveerd, klakkeloos; **5** (*v. lening, voorschot*) renteloos; ***à titre* —,** kosteloos, gratis.
gratuité [gratwité] *f.* kosteloosheid *v.*
gratuitement [gratwitmã] *adv.* **1** kosteloos; **2** ongegrond.
gravatier [gravatyé] *m.* puinruimer, karreman *m.*
gravatif [gravatif] *adj.*, ***douleur gravative,*** pijn met een gevoel van loomheid.
gravats [grava] *m.pl.* puin, kalkpuin *o.*
grave [gra:v] *adj.* **1** (*v. uiterlijk*) ernstig, deftig; **2** (*v. zaak*) gewichtig, belangrijk; **3** (*v. toon*) laag, diep; **4** (*v. ziekte*) ernstig; **5** (*v. toestand v. zieke*) zorgwekkend; **6** (*v. zonde*) zwaar; ***accent* —,** zwaar toonteken *o.*
gravelage [gravla:j] *m.* begrinding *v.*, (het) bedekken *o.* met grind.
gravelée [gravlé] **I** *f.* wijnsteenas *v.*(*m.*); **II** *adj.* ***cendre* —,** wijnsteenas.
graveler [gravlé] *v.t.* begrinden, met grind bedekken.
graveleux [gravlö] **I** *adj.* **1** grindachtig; grindhoudend; **2** (*gen.*) graveelachtig; **3** (*fig.*) schunnig; **II** *s., m.* graveellijder *m.*
Gravelines [gravlin] *f.* Grevelingen *o.*
gravelle [gravèl] *f.* **1** (*gen.*) graveel *o.*; **2** gedroogd wijnmoer *v.*(*m.*).
gravelure [gravlü:r] *f.* onbetamelijkheid *v.*
gravement [gra'vmã] *adv.* **1** ernstig, deftig; **2** zwaar.
graver [gravé] *v.t.* **1** graveren, snijden; **2** (*fig.: in geheugen*) prenten; **— *à l'eau forte,*** etsen.
graveur [gravœ:r] *m.* plaatsnijder, graveerder, etser *m.*
gravier [gravyé] *m.* **1** grind, kiezelzand *o.*; **2** (*gen.*) graveel *o.*, niersteen *m.*
gravière [gravyè:r] *f.* grindgroeve *v.*(*m.*).
gravillon [graviyõ] *m.* fijn grind *o.*
gravir [gravi:r] *v.t.* beklimmen, bestijgen.
gravitation [gravita'syõ] *f.* zwaartekracht *v.*(*m.*).
gravité [gravité] *f.* **1** ernst *m.*, deftigheid *v.*; **2** gewicht *o.*, belangrijkheid *v.*; **3** laagte, diepte *v.*; **4** zwaarte *v.*; ***centre de* —,** zwaartepunt *o.*
graviter [gravité] *v.i.* **1** graviteren; **2** (*fig.*) zich bewegen (om), draaien (om).
gravoir [gravwa:r] *m.* griffelijzer *o.*
gravois [gravwa] *m.pl.* puin, kalkpuin *o.*
gravure [gravü:r] *f.* **1** plaat, prent *v.*(*m.*); **2** graveerkunst *v.*; **— *au burin,*** kopergravure *v.*(*m.*); **— *à l'eau forte,*** ets *v.*(*m.*); **— *sur bois,*** **1** houtsnijplaat *v.*(*m.*); **2** houtsnijkunst *v.*; **— *de modes,*** modeplaat *v.*(*m.*).
gré [gré] *m.* **1** zin *m.*; **2** goeddunken *o.*; **3** dank *m.*; ***trouver qc. à son* —,** behagen scheppen in iets; ***à mon* —,** **1** naar mijn zin; **2** naar goeddunken, naar willekeur; ***au* — *du hasard,*** op goed geluk; ***bon* —, *mal* —,** goedschiks of kwaadschiks; ***vendre de* — *à* —,** uit de hand verkopen; ***savoir* —,** dank weten; ***de son plein* —,** met zijn volle toestemming; ***être emporté au* — *du courant,*** met de stroom worden meegesleurd.
gréage [gréa:j] *m.*, (*sch.*) optuiging *v.*, (het) optuigen *o.*
grèbe [grè:b] *m.*, (*Dk.*) fuut, zilverduiker *m.*
grébiche, grébige [grébiʃ] *f.* losse (boek)omslag *m. en o.*
grec [grèk] (*fém.*: **grecque** [grèk]) **I** *adj.* Grieks; **II** *s., m.*, **G—,** Griek *m.*; **g—,** Grieks *o.*, Griekse taal *v.*(*m.*); ***c'est du* — *pour moi,*** daar begrijp ik niets van.
Grèce [grè's] *f.* Griekenland *o.*
grécisant [grésizã] *m.* hellenist, beoefenaar *m.* van het Grieks.
gréciser [grési'zé] *v.t.* vergrieksen, een Griekse wending geven aan.
gréco-romain [grékoròmẽ] *adj.* Grieks-Romeins.
grecque [grèk] **I** *voir grec*; **II** *s. f.* Griekse ornamentlijn *v.*(*m.*) *of* -rand *m.*
gredin [gredẽ] *m.* schurk, schoft *m.*
gredinerie [gredinri] *f.* schurkenstreek *m. en v.*
gréement [grémã] *m.* **1** optuiging *v.*, (het) uitrusten *o.* (van een schip); **2** tuig *o.*, takelage *v.*
gréer [gréé] *v.t.*, (*sch.*) optuigen, takelen.
gréeur [gréœ:r] *m.*, (*sch.*) takelaar *m.*
greffage [grèfa:j] *m.* enting *v.*, (het) enten *o.*
greffe [grèf] **I** *m.* griffie *v.*; **II** *f.* **1** enting *v.*; **2** ent, griffel *v.*(*m.*).
greffer [grèfé] *v.t.* **1** enten, griffelen; **2** (*fig.*) verbinden.
greffeur [grèfœ:r] *m.* enter *m.*
greffier [grèfyé] *m.* griffier *m.*
greffoir [grèfwa:r] *m.* entmes *o.*
greffon [grèfõ] *m.* ent *v.*(*m.*).
grégaire [grégè:r] *adj.* in kudden levend; ***esprit* —,** kuddegeest *m.*
grège [grè:j] **I** *adj.*, (*v. zijde*) ruw; **II** *s., f.* ruwe zijde *v.*(*m.*).
grégeois [gréjwa] *adj.*, ***feu* —,** Grieks vuur.
Grégoire [grégwa:r] *m.* Gregorius *m.*
grégorien [grégòryẽ] *adj.* Gregoriaans.
grègue [grè:g] *f.*, ***tirer ses* —*s,*** zijn biezen pakken.
grêle [grè:l] **I** *adj.* **1** schraal, lang en dun; **2** mager;

3 (*v. stem*) fijn, pieperig; ***intestin —,*** dunne darm *m.*; **II** *s., f.* **1** hagel *m.*; **2** (*fig.*) hagelbui *v.(m.).*
grêlé [grè'lé] *adj.* **1** verhageld; **2** pokdalig.
grêler [grè'lé] **I** *v.imp.* hagelen; **II** *v.t.* verhagelen.
grelet [grelè] *m.* metselaarshamer *m.*
grelin [grelẽ] *m.*, (*sch.*) greling *m.*
grêlon [grè'lõ] *m.* hagelsteen *m.*, hagelkorrel *m.*
grelot [grelo] *m.* **1** (*v. paard, enz.*) belletje *o.*; **2** (*v. ratelslang*) ratel *m.*; ***attacher le —,*** de kat de bel aanbinden.
grelotter [grelòté] *v.i.* rillen, bibberen, klappertanden.
grelotteux [grelòtö] *m.* dakloze *m.*
grément [grémã] *m.*, *voir* ***gréement.***
gremeuille, *voir* ***grémille.***
grémial [grémyal] *m.*, (*v. bisschop*) gremiale *v.*, schootdoek *m.*
grémil [grémil] *m.*, (*Pl.*) parelkruid *o.*
grémille [grémi'y] *f.*, (*Dk.*) baarsvis *m.*
grenade [grena'd] *f.*, (*Pl. en mil.*) granaat *v.(m.)*; ***— à main,*** handgranaat *v.(m.)*; ***— incendiaire,*** brandbom *v.(m.).*
Grenade [grena'd] *f.* Granada *o.*
grenader [grenadé] *v.t.* bestoken met granaten.
grenadier [grenadyé] *m.* **1** (*Pl.*) granaatboom *m.*; **2** (*mil.*) grenadier *m.*; **3** (*fig.*) dragonder *m.*
grenadière [grenadyè:r] *f.* **1** granaattas *v.(m.)*; **2** riembeugel *m.* (v. geweer).
grenadille [grenadi'y] *f.* passiebloem *v.(m.).*
grenadin [grenadẽ] *m.* kleine fricandeau *m.*
grenadine [grenadin] *f.* **1** zwarte kantzijde *v.(m.)*; **2** grenadine *v.(m.)*, siroop *v.(m.)* van granaatsap.
grenage [grena:j] *m.* korreling *v.*
grenaille [grena'y] *f.* **1** hagel *m.* (voor geweer); **2** uitschot *o.* van zaad.
grenailler [grena'yé] *v.t.* korrelen.
grenaison [grenèzõ] *f.* (*Pl.*) korrelvorming *v.*
grenat [grena] **I** *m.* granaat *o.*, granaatsteen *m.*; **II** *adj.* granaatkleurig.
greneler* [grenlé] *v.t.* korrelen, korrelig maken, greineren.
grener [grené] **I** *v.t.* korrelen, greineren; **II** *v.i.* in het zaad schieten.
grèneterie [grèntri] *f.* **1** zaadhandel *m.*; **2** grutterij *v.*
grènetier [grèntyé] *m.* **1** zaadhandelaar *m.*; **2** grutter *m.*
grènetis [grènti] *m.*, (*v. munt*) kartelrand *m.*
grenier [grenyé] *m.* **1** zolder *m.*; **2** graanzolder *m.*; ***les —s de l'Europe,*** de korenschuren van Europa; ***— d'abondance,*** voorraadschuur *v.(m.).*
grenouille [grenu'y] *f.* **1** kikvors *m.*; **2** (*pop.*) kas *v.(m.)* (*v. vereniging, enz.*); ***vin de —s,*** ganzenwijn *m.*; ***manger la —, faire sauter la —,*** de kas bestelen, er met de kas van doorgaan.
grenouiller [grenuyé] *v.i.* plassen, ploeteren.
grenouillère [grenuyè:r] *f.* kikkerpoel *m.*
grenouillette [grenuyèt] *f.* **1** (*Pl.*) kikkerkruid, duitblad *o.*; **2** kikvorsgezwel *o.* (onder de tong); **3** boomkikvors *m.*
grenu [grenü] *adj.* **1** vol korrels; **2** korrelig, gekorreld.
grenure [grenü:r] *f.* **1** korreligheid *v.*; **2** (*v. gravure*) greinering *v.*
grès [grè] *m.* **1** zandsteen *o. en m.*; **2** pottebakkersklei *v.(m.)* **3** Keuls aardewerk *o.*; ***poudre de —,*** zandsteenpoeder *o. en m.*, schuurzand *o.*; ***de —,*** aarden.
gréseux [grézö] *adj.* zandsteenachtig.
grésier [grézyé] *m.* zandsteengraver *m.*; zandsteenbewerker *m.*
grésière [grézyè:r] *f.* zandsteengroeve *v.(m.).*
grésil [grézi, grézi'y, grézil] *m.* **1** stofhagel *m.*; **2** glasgruis *o.*
grésillement [grézi'ymã] *m.* **1** (het) stofhagelen *o.*; **2** geknetter *o.* (in het vuur).
grésiller [gréziyé] **I** *v.imp.* **1** stofhagelen; **2** knetteren; **II** *v.t.* doen ineenkrimpen.
grésillon [gréziyõ] *m.* kolengruis *o.*
gresserie [grèsri] *f.* **1** zandsteengroeve *v.(m.)*; **2** Keuls aardewerk *o.*
gressin [grèsẽ] *m.* klein knapperig stokbroodje *o.*
grève [grè:v] *f.* **1** strand *o.*, zandige oever *m.*; **2** (*in rivier*) zandbank *v.(m.)*; **3** werkstaking *v.*; ***se mettre en —, faire —,*** staken; ***— perlée,*** lijdelijk verzet *o.*; ***— sur le tas,*** sit-downstaking; ***— de la faim,*** hongerstaking *v.*
grever [grevé] *v.t.* belasten, bezwaren.
gréviste [grévist] **I** *m.* werkstaker *m.*; **II** *adj.* stakers—; stakings—; ***mouvement —,*** stakersbeweging *v.*
Grez-Doiseau [grédwazo] Graven *o.*
gribouillage [gribuya:j] *m.* **1** kladwerk *o.*, kladschilderij *o. en v.*; **2** gekrabbel *o.*
gribouille [gribu'y] *m.* onnozele hals *m.*
gribouiller [gribuyé] *v.t.* **1** kladden; **2** krabbelen.
gribouillette [gribuyèt] *f.* grabbelspel *o.*; ***jeter à la —,*** te grabbel gooien.
gribouilleur [gribuyœ:r] *m.* **1** kladder *m.*; **2** krabbelaar *m.*
gribouillis [gribuyi] *m.* (*fam.*) onleesbaar schrift *o.*
grièche [grièʃ] *adj.*, ***pie —,*** klapekster *v.(m.).*
grief [gri(y)èf] *m.* grief, klacht *v.(m.).*
grièvement [gri(y)è'vmã] *adv.* **1** (*ziek*) ernstig, erg; **2** (*gewond*) zwaar.
grièveté [gri(y)è'vté] *f.* zwaarte, zwaarwichtigheid *v.*
griffade [grifa'd] *f.* krab, schram *v.(m.).*
griffe [grif] *f.* **1** klauw *m. en v.*; **2** naamstempel *m.*; (gestempelde) handtekening *v.*; **3** (*v. klimplant*) weerhaak *m.*; **4** (*v. kunstenaar, enz.*) stempel *o. en m.*, kenmerk *o.*
griffer [grifé] *v.t.* krabben.
griffon [grifõ] *m.* **1** (*Dk.*) smoushond, griffon *m.*; **2** griffioen *m.*; **3** (*visv.*) snoekhaak *m.*; **4** muurzwaluw *v.(m.).*
griffonnage [grifòna:j] *m.* gekrabbel, krabbelschrift; krabbelpootje *o.*
griffonner [grifòné] **I** *v.i.* krabbelen; **II** *v.t.* neerkrabbelen.
griffonneur [grifònœ:r] *m.* krabbelaar *m.*
griffonnis [grifòni] *m.* penneschets *v.(m.).*
griffu [grifü] *adj.* met klauwen.
griffure [grifü:r] *f.* krab, schram *v.(m.).*
grignon [griñõ] *m.* (harde) broodkorst *v.(m.).*
grignotement [griñòtmã] *m.* geknabbel *o.*
grignoter [griñòté] **I** *v.i.* knabbelen; **II** *v.t.* opknabbelen.
grigou [grigu] **I** *adj.* vrekkig; **II** *s., m.* vrek *m.*
gri*-gri*, grigri [grigri] *m.* negeramulet *v.(m.).*
gril [gri] *m.* rooster *m. en o.*; (*fig.*) ***être sur le —,*** op hete kolen staan.
grillade [griya'd] *f.* **1** (het) roosteren *o.*; **2** geroosterd vlees *o.*
grillage [griya:j] *m.* traliewerk *o.*, afrastering *v.*
grillager [griyajé] *v.t.* van traliewerk voorzien, afrasteren.
grillageur [griyajœ:r] *m.* fabrikant *m.* van traliewerk.
grille [gri'y] *f.* **1** (*v. tuin, enz.*) hek *o.*; **2** (*vóór venster*) traliewerk *o.*; **3** rooster *m. en o.*; **4** metalen deurmat *v.(m.)*; ***sous les —s,*** achter de tralies.
grillé [griyé] *adj.* **1** getralied; **2** geroosterd.
grille-pain [griypẽ] *m.* broodrooster *m. en o.*
griller [griyé] **I** *v.t.* **1** (*v. brood, vlees, enz.*) roosteren; **2** (*v. koffie*) branden; **3** (*tn.: v. stoffen*) zengen; **4** van een hek voorzien; **5** met traliën afsluiten; ***en — une,*** even (een sigaret) opsteken; **II** *v.i.* roosteren; ***— d'impatience,*** popelen van ongeduld.
grillet [griyè] *m.* brandblaar *v.(m.).*

grilloir [griywa:r] m. zengoven m.

grillon [griyõ] m. krekel m.

grimaçant [grimasã] adj. grijnzend.

grimace [grimas] f. 1 grimas v.(m.); 2 (in kraag, enz.) valse plooi v.(m.); 3 veinzerij v.; *faire des —s*, lelijke gezichten trekken; *faire la —*, een zuur gezicht zetten.

grimacer [grimasé] I v.i. 1 grijnzen, gezichten trekken; 2 een valse plooi maken; II v.t., *— un sourire*, grijnslachen.

grimacerie [grimasri] f. grimas v.(m.).

grimacier [grimasyé] I adj. 1 grijnzend, gezichten trekkend; 2 aanstellerig; II s., m. 1 grijnzaard m.; 2 aanstellerig persoon, aansteller m.

grimaud [grimo] I adj. knorrig; II m. slecht schrijver m.

grime [grim] m., (op toneel) oude gek m.

grimer, se — [se grimé] v.pr. zich grimeren, rimpels maken.

grimoire [grimwa:r] m. 1 toverboek o.; 2 onleesbaar schrift, gekrabbel o.

grimpant [grẽ'pã] adj., *plante —e*, klimplant v.(m.); *rue —e*, opgaande straat.

grimper [grẽ'pé] I v.i. klimmen, klauteren; II v.t. beklimmen; *— une côte*, (met auto) een helling nemen.

grimpereau [grẽ'pro] m., (Dk.) boomkruipertje o.

grimpeur [grẽ'pœ:r] m. 1 klimmer m.; 2 (Dk.) klimvogel m.

grincement [grẽ'smã] m. geknars o.

grincer [grẽ'sé] v.i. knarsen; *— des dents*, knarsetanden.

grincher [grẽ'ʃé] I v.i. knorren, brommen; II v.t. (pop.) gappen, stelen.

grincheux [grẽ'ʃö] I adj. knorrig, stuurs; II s., m. knorrepot m.

gringalet [grẽ'galè] I adj. schraal; II s., m. schraal persoon m.

gringotter [grẽ'gòté] I v.i. tjilpen, kwelen; II v.t., (v. persoon) neuriën.

griot [grio] m. (West-Afrika) tovenaar-zanger m.

griotte [gri(y)òt] f. 1 (Pl.) morel v.(m.); 2 rood en bruin gevlekt marmer o.

griottier [gri(y)òtyé] m. morelleboom m.

grippage [gripa:j], **grippement** [gripmã] m. 1 (v. machine) vastlopen; 2 (v. stoffen) rimpeling v.

grippal [gripal] adj., (gen.) griepachtig, griep—.

grippe [grip] f. griep, influenza v.(m.); *prendre qn. en —*, een hekel aan iem. krijgen.

grippé [gripé] adj. grieperig.

grippe-argent [griparjã] m. duitendief, schraper, sjacheraar m.

grippe-coquin* [gripkòkẽ] m., (pop.) diender, smeris m.

grippeler [griplé] I v.t. doen rimpelen; II v.pr., *se —*, rimpelen.

grippement, *voir grippage*.

grippeminaud [gripmino] m. huichelaar m.

gripper [gripé] I v.t. 1 grijpen, pakken; 2 wegkapen; gappen; 3 (v. machinedelen) haken; II v.i. stilstaan door wrijving, haperen; III v.pr., *se —*, rimpelen.

grippe-sou* [gripsu] m. duitendief, schraper, sjacheraar m.

gris [gri] I adj. 1 grijs; grauw; 2 aangeschoten, dronken; 3 (v. weer) druilerig; *bois —*, hout met de schors; *— perle*, parelgrijs; *cheveux —*, grijzend haar; *— pommelé*, appelgrauw; *— d'acier*, staalgrijs; *— de souris*, muiskleurig; II s., m. (het) grijze o.; *en faire voir des —es à qn.*, iem. er in laten lopen.

grisaille [griza'y] f. grisaille o. en v.(m.) (grijs schilderwerk).

grisailler [griza'yé] v.t. in grisaille schilderen.

grisard [griza:r] m. 1 (Dk.) das m.; 2 zeemeeuw v.(m.); 3 witte populier m.; 4 grauwe zandsteen o. en m.

grisâtre [griza:tr] adj. grijsachtig.

grisé [gri'zé] m. grijze (grauwe) tint v.(m.).

griser [gri'zé] I v.t. 1 grijs maken; 2 dronken maken; 3 (v. gravure) arceren; 4 (fig.) bedwelmen; het hoofd op hol brengen; II v.pr., *se —*, 1 dronken worden; 2 zich laten bedwelmen; zich opwinden.

griserie [gri'zri] f. 1 roes m.; 2 bedwelming v.

griset [gri'zè] m., (Dk.) jonge distelvink m. en v.

grisette [gri'zèt] f. 1 grijze stof v.(m.); 2 naaistertje o.

grisol(l)er [grizòlé] v.i., (v. leeuwerik) slaan, kwinkeleren.

grison [grizõ] I adj., (v. haar) grijzend; II s., m. 1 grijze kleur v.(m.); 2 grauwtje o., ezel m.; *pays (canton) des G—s*, Grauwbunderland o.

grisonner [grizòné] I v.i. grijs worden; II v.t. grijs verven.

grisou [grizu] m. mijngas o.; *coup de —*, mijngasontploffing v.

grisoumètre [grizumè'tr] m. mijngasmeter m.

grisouteux [grizutö] adj. mijngas bevattend; *mine grisouteuse*, gasrijke mijn.

grive [gri:v] f. lijster v.(m.); *soûl comme une —*, dronken als een tol; *faute de —s, on mange des merles*, bij gebrek aan brood eet men korstjes van pasteien.

grivelé [grivlé] adj. wit en grijs gespikkeld.

griveler [grivlé] v.t. et v.i. in restaurant eten zonder geld.

grivèlerie [grivèlri] f. het eten o. zonder geld.

grivelure [grivlü:r] f. grijs o. met witte spikkels.

grivette [grivèt] f. kleine lijster v.(m.).

grivois [grivwa] adj. schuin, onbetamelijk, schunnig.

grivoiserie [grivwa'zri] f. schunnigheid v.

Groenland [gròè'lã] m. Groenland o.

Groenlandais [gròè'lã'dè] I m. Groenlander m.; II adj., g—, Groenlands.

grog [gròg] m. grog m.

grognard [gròña:r] I adj. knorrig; II s., m. knorrepot m.

grognement [gròñmã] m. 1 geknor o.; 2 gemor o.

grogner [gròñé] v.i. 1 knorren, brommen; 2 pruttelen, mopperen.

grogneur [gròñœ:r], **grognon** [gròñõ] I adj. knorrig; II s., m. knorrepot m.

groin [grwẽ] m. 1 varkenssnuit m.; 2 (fig.) snoet m., tronie v.

grol(l)e [gròl] f., (Dk.) roek m., kauw v.(m.).

grommeler* [gròmlé] v.i. mopperen, pruttelen.

grondement [grõ'dmã] m. 1 gebrom o.; 2 gerommel o.

gronder [grõ'dé] I v.i. 1 mopperen, pruttelen; 2 (v. hond, beer) brommen; 3 (v. donder) rommelen; 4 (v. kanon) dreunen, bulderen; 5 (v. oproer, enz.) gisten, dreigen; II v.t. beknorren.

gronderie [grõ'dri] f. beknorring v., standje o.

grondeur [grõ'dœ:r] I adj. knorrig; II s., m. knorrepot m.

grondin [grõ'dẽ] m., (Dk.) knorhaan m.

Groningue [grònẽ:g] f. Groningen o.

Groninguois [grònẽ'gwa] I m. Groninger m.; II adj., g—, Gronings.

groom [grum] m. groom m., livreiknechtje o.

gros [gro] I adj. (f. : *grosse* [gro's]) 1 dik; 2 (v. bedrag, winst, enz.) groot, aanzienlijk; 3 (v. persoon) aanzienlijk; 4 (v. linnen, geschut, belediging) grof; 5 (v. arbeid, stem, zonde, enz.) zwaar; 6 (v. rivier) gezwollen; 7 (v. koorts) erg, hevig; 8 (v. weer) onstuimig, ruw; 9 belangrijk, gewichtig; 10 zwanger; 11 (fig.) vol; *— bétail*, hoornvee o.; *de —ses larmes*, bittere tranen; *— bonnet*, hoge hans m.; *— juron*, ruwe vloek;

—se mer, holle zee; ***des — mots,*** scheldwoorden; ***avoir le cœur —,*** verdriet hebben; ***faire le — dos,*** **1** (*v. kat*) een hoge rug zetten; **2** (*fig.*) gewichtig doen; ***coucher —,*** (*bij spel*) hoog inzetten; (*fig.*) veel wagen; ***jouer — jeu,*** grof spelen; ***cela est — de conséquences,*** er zijn heel wat gevolgen aan verbonden; **II** *adv.* **1** dik; **2** groot; **3** veel; ***cela coûte —,*** dat loopt in de papieren; ***il y a — à parier,*** er bestaat veel kans op; ***gagner —,*** grof geld verdienen; **III** *s., m.* **1** (het) dikste (deel) *o.*; **2** (*v. boom*) stam *m.*; **3** (*v. zaak*) (het) voornaamste *o.*; **4** (*v. leger*) gros *o.*; ***commerce de —,*** groothandel *m.*; ***en —,*** in 't groot; ***prix de —,*** groothandelsprijs *m.*; ***marchand de —,*** groothandelaar *m.*

gros-bec* [grobèk] *m.*, (*Dk.*) dikbek *m.*

groseille [gròzè'y] *f.* **1** (*Pl.*) aalbes *v.(m.)*; **2** bessesap *v.(m.)*; ***— à maquereau,*** kruisbes *v.(m.)*.

groseillier [gròzèyé] *m.* aalbessestruik *m.*

Gros-Jean [grojã] *m.* verwaande gek *m.*; ***être — comme devant,*** geen stap gevorderd zijn; ***c'est — qui veut en remontrer à son curé,*** het ei wil wijzer wezen dan de hen.

grosse [gro:s] **I** *adj.*, *voir* ***gros***; **II** *s. f.* **1** gros *o.*; **2** groot schrift *o.*; ***contrat à la —, prêt à la —,*** bodemerijbrief *m.*

grossement [gro'smã] *adv.* in grote trekken.

grosserie [gro'sri] *f.* **1** grove ijzerwaren *mv.*; **2** grossierderij *v.*

grossesse [gro'sès] *f.* zwangerschap *v.*

grosset [gro'sè] *adj.* dikachtig.

grosseur [gro'sœ:r] *f.* **1** dikte *v.*; **2** grootte *v.*; **3** (*gen.*) gezwel *o.*

grossier [gro'syé] *adj.* **1** grof; **2** ruw; **3** (*v. persoon*) lomp, onbeschoft, ongemanierd; **4** (*v. uitdrukking*) gemeen, plat; ***— comme du pain d'orge,*** zo grof als bonestro.

grossièreté [gro'syè'rté] *f.* **1** grofheid *v.*; **2** ruwheid, ongemanierdheid *v.*; **3** lompheid *v.*

grossir [gro'si:r] **I** *v.i.* **1** (*v. persoon, vrucht, enz.*) dikker worden; **2** (*v. menigte*) toenemen, aangroeien; **3** (*v. rivier*) wassen; **4** (*v. zee*) onstuimig worden; **II** *v.t.* **1** dikker maken; **2** (*met lens*) vergroten; **3** (*verhaal, bijzonderheden*) overdrijven, aandikken; **4** (*v. rivier*) doen zwellen; ***— sa voix,*** een grove stem opzetten.

grossissant [gro'sisã] *adj.* **1** aangroeiend, toenemend; **2** zwellend; ***verre —,*** vergrootglas *o.*

grossissement [gro'sismã] *m.* vergroting *v.*

grossiste [gro'sist] *m.* grossier *m.*

grosso modo [gròsomòdo] *adv.* in ruwe trekken.

grossoyer [gròswayé] *v.t.*, (*een akte*) grosseren, een afschrift maken van.

grotesque [grotèsk, gròtèsk] **I** *adj.* bespottelijk, grotesk; **II** *s.,m.* **1** (het) groteske *o.*; **2** hansworst *m.*

grotte [gròt] *f.* grot; spelonk *v.(m.)*.

grouillant [gruyã] *adj.* wemelend, krioelend.

grouillement [gruymã] *m.* **1** gewemel, gekrioel *o.*; **2** gerommel *o.* in de buik.

grouiller [gruyé] **I** *v.i.* **1** wemelen, krioelen; **2** rommelen; **II** *v.pr.*, ***se —,*** voortmaken.

grouillis [gruyi] *m.* warboel *m.*

grouiner [grwiné] *v.i.*, (*v. varken*) knorren.

group [grup] *m.* verzegelde geldzak *m.*

groupage [grupa:j] *m.*, (*spoorw.*) samenlading *v.*

groupe [grup] *m.* **1** groep *v.(m.)*, troepje *o.*; **2** (*muz.*) grupetto, dubbelslag *m.*

groupement [grupmã] *m.* **1** groepering; rangschikking *v.*; **2** groep *v.(m.)*; **3** (*in schilderij, enz.*) schikking *v.*; **4** (*el.*) schakeling *v.*

grouper [grupé] *v.t.* **1** groeperen; rangschikken, indelen; **2** (*el.*) schakelen.

gru [grü] *m.* boekweitepap *m.*

gruau [grüo] *m.* gort *m.*, grutten *mv.*; ***farine de —,*** fijn tarwemeel *o.*; ***pain de —,*** (fijn) tarwebrood, wittebrood *o.*

grue [grü] *f.* **1** (*Dk.*) kraanvogel *m.*; **2** (*tn.*) kraan, hijskraan *v.(m.)*; **3** (*fig.*) uilskuiken *o.*; ***— mobile,*** loopkraan; ***— alimentaire,*** (*spoorw.*) hydraulische kraan; ***— flottante,*** verplaatsbare kraan; ***— de transbordement,*** overlaadkraan; ***faire le pied de —,*** lang staan wachten.

gruer [grüé] *v.t.* tot grutten malen.

gruger [grüjé] *v.t.* **1** opknabbelen; **2** doorbijten, stukbijten; **3** (*fig.*: *v. persoon*) uitzuigen.

grume [grüm] *f.* schors *v.(m.)*; ***bois en —,*** hout met schors.

grumeau [grümo] *m.* **1** klonter *m.*; **2** (*v. rijst, havermout*) vlok *v.(m.)*.

grumeler*, ***se —*** [segrümlé] *v.pr.* klonteren.

grumeleux [grümlö] *adj.* klonterig.

gruyère [grüyè:r] *m.* gruyèrekaas *m.*

guano [gŵano] *m.* guano *m.*, vogelmest *m.*

guatémaltèque [gŵatémaltè:k] *adj.* uit Guatemala.

gué [gé] *m.* doorwaadbare plaats *v.(m.)*; ***passer à —,*** doorwaden; ***sonder le —,*** (*fig.*) poolshoogte nemen.

guéable [géa'bl] *adj.* doorwaadbaar.

guède [gè'd] *f.*, (*Pl.*) wede, pastel *v.(m.)*.

guéder [gédé] *v.t.* **1** met wede verven; **2** (*fig.*) verzadigen.

guéer [géé] *v.t.* **1** doorwaden; **2** (*v. paard*) in het wed brengen.

Gueldre [gèldr] *f.* Gelderland *o.*

gueldrois [gèldrwa] *adj.* Gelders.

guelfe [gŵèlf] **I** *adj.* Welfs; **II** *s., m.*, ***G—,*** Welf *m.*

guelte [gèlt] *f.* tantième *o.* (aan winkelbediende), provisie *v.* van de verkoop.

guenille [g(e)ni'y] *f.* vod *o.* en *v.(m.)*, lomp *v.(m.)*; ***en —s,*** in lompen gehuld.

guenilleux [g(e)niyö] *adj.* vodderig, in lompen.

guenillon [g(e)niyõ] *m.* vodje *o.*

guenipe [genip] *f.* slons *v.*

guenon [genõ] *f.* **1** (*Dk.*) apin *v.*; **2** lelijkerd *m.*, apegezicht *o.*

guenuche [genüʃ] *f.* apinnetje *o.*

guépard [gépa:r] *m.* jachtluipaard *m.*

guêpe [gè:p] *f.* wesp *v.(m.)*.

guêpier [gè'pyé] *m.* **1** wespennest *o.*; **2** (*Dk.*) bijenwolf *m.*; ***se fourrer dans un —,*** zich in een wespennest steken.

guère, guères [gè:r] *adv.*, ***ne ... —,*** **1** niet veel, bijna geen; **2** weinig, nauwelijks.

guéret [gé'rè] *m.* **1** bouwland *o.*; **2** omgeploegde akker *m.*; **3** braakland *o.*

guéridon [gérìdõ] *m.* rond tafeltje *o.*

guérilla [gériya] *f.*, (*mil.*) **1** guerilla *m.* (oorlog); **2** ongeregelde bende *v.(m.)*.

guérillero [gériyéro] *m.* (Spaans) guerillastrijder *m.*

guérir [gé'ri:r] *v.t.* et *v.i.* genezen.

guérison [gérizõ] *f.* genezing *v.*, herstel *o.*

guérissable [gé'risa'bl] *adj.* geneeslijk.

guérisseur [gé'risœ:r] *m.* **1** genezer *m.*; **2** wonderdokter, kwakzalver *m.*

guérite [gérit] *f.* **1** (*mil.*) schilderhuisje *o.*; **2** strandstoel *m.*; **3** wachthuisje *o.*

guerre [gè:r] *f.* **1** oorlog *m.*; **2** krijg, strijd *m.*; **3** (*fig.*) twist *m.*; ***— civile, — intestine,*** burgeroorlog *m.*; ***— mondiale,*** wereldoorlog; ***— aérienne,*** luchtoorlog; ***gens de —,*** krijgslieden *mv.*; ***nom de —,*** aangenomen naam, schuilnaam *m.*; ***petite —,*** spiegelgevecht *o.*; ***conseil de —,*** krijgsraad *m.*; ***de — lasse,*** **1** strijdensmoe; **2** in arren moede; ***c'est de bonne —,*** dat is geoorloofd; dat is eerlijk spel; ***qui terre a, — a,*** veel koeien, veel moeien; ***à la — comme à la —,*** in de nood moet men zich weten te behelpen.

guerrier [gèryé] **I** *adj.* **1** krijgs—; **2** oorlogszuchtig, krijgshaftig; ***chant —,*** krijgslied *o.*; ***littérature guerrière,*** oorlogsliteratuur *v.*; **II** *s., m.* krijgsman *m.*

guerroyant [gèrwayã] *adj.* oorlogszuchtig, twistziek.

guerroyer [gèrwayé] *v.i.* oorlog voeren.

guerroyeur [gèrwayœ:r] *m.* vechtersbaas *m.*

guet [gè] *m.*, wacht *v.(m.)*; ***faire le —,*** de wacht houden; ***être au —,*** op de loer liggen; ***avoir l'œil au —,*** een oogje in 't zeil houden.

guet*-apens [gètapã] *m.* **1** hinderlaag *v.(m.)*; **2** verraderlijke overval *m.*

guêtre [gè:tr] *f.* slobkous *v.(m.)*.

guêtron [gè'trõ] *m.* lage slobkous *v.(m.)*.

guette [gèt] *f.* wacht *m.* (persoon); ***de bonne —,*** waakzaam.

guetter [gèté] *v.t.* **1** bespieden, beloeren; **2** opwachten.

guetteur [gètœ:r] *m.* **1** bespieder *m.*; **2** torenwachter; nachtwachter; kustwachter *m.*

gueulard [gœla:r] *m.* **1** (*sch.*) scheepsroeper *m.*; **2** (*v. hoogoven*) uitlaat *m.*; **3** (*pop.*) schreeuwer *m.*

gueulardise [gœlardi:z] *f.* vraatzucht *v.(m.)*.

gueule [gœl] *f.* **1** muil; bek *m.*; **2** (*pop.*) smoel *m.*, bakkes *o.*; **3** (*v. kanon, oven*) mond *m.*; **4** (*v. tunnel*) ingang *m.*; ***fine —,*** lekkerbek *m.*; ***faire une —,*** een lang gezicht zetten; ***fermer sa —,*** zijn bek houden; ***avoir la — de bois,*** katterig zijn; ***il est fort en —,*** hij is een schreeuwer; ***casser la — à qn.,*** iem. de hersens inslaan.

gueule*-de-loup [gœldelu] *f.*, **1** (*Pl.*) leeuwebek *m.*; **2** (*tn.*) holschaaf *v.(m.)*; **3** (*gen.*) wolfsmuil *m.*

gueuler [gœlé] *v.i.* schreeuwen, een grote bek opzetten.

gueules [gœl] *m.pl.*, (*wap.*) keel, rood *o.*

gueuleton [gœltõ] *m.* smulpartij *v.*

gueusaille [gö'za'y] *f.* bedelvolk, schooiersvolk *o.*

gueusailler [gö'zayé] *v.i.* bedelen, schooien.

gueusard [gö'za:r] *m.* bedelaar, schooier *m.*

gueuse [gö:z] **1** bedelares *v.*; **2** (*tn.*) geus *v.(m)*, gieteling *m.*

gueuserie [gö'zri] *f.* **1** bedelarij *v.*, geschooi *o.*; **2** prullerij *v.*

gueux [gö] **I** *m.* **1** bedelaar, schooier *m.*; **2** gemene vent *m.*; **3** (*gesch.*) geus *m.*; ***— de mer,*** watergeus; **II** *adj.* arm, armzalig.

gugusse [gügüs] *m.* clown *m.*

gui [gi] *m.* **1** (*Pl.*) mistel, maretak *m.*; **2** (*sch.*) giek, gijk *m.*

guibolard [gibòla:r] *m.* uilskuiken *o.*

guiches [giʃ] *f.pl.* lokken *mv.* op het voorhoofd.

guichet [giʃè] *m.* **1** raampje *o.*; **2** (*in station, enz.*) loket *o.*; **3** (*in deur, poort*) deurtje *o.*; **4** (*sp.*: *cricket*) wicket *o.*

guichetier [giʃtyé] *m.* gevangenbewaarder, cipiersknecht *m.*

guidage [gi'da:j] *m.*, (*in mijn*) geleikoker *m.*

guide [gi'd] **I** *m.* **1** (*persoon, boek*) gids *m.*; **2** handboek *o.*, leidraad *m.*; **3** reisgids *m.*, reisboek *o.*; **4** (*v. peloton*) richtman *m.*; **5** leistang, leisponning *v.(m.)*; **II** *f.* **1** teugel *m.*, leidsel *o.*; **2** padvindster, gids *v.*; ***mener la vie à grandes —s,*** op grote voet leven.

guide-âne* [gi'da:n] *m.* **1** ezelsbruggetje *o.*; **2** transparant *o.* (*blad met lijnen*).

guideau [gi'do] *m.* **1** (*in haven*) stroomleider *m.*; **2** (*visv.*) zaknet *o.*

guide-main [gi'dmẽ] *m.*, (*aan piano*) handleider *m.*

guider [gi'dé] **I** *v.t.* leiden; **II** *v.pr.*, ***se — (sur),*** zich richten (naar).

guiderope [gi'dròp] *m.*, (*v. luchtballon*) sleeptouw *o.*

guidon [gi'dõ] *m.* **1** (*v. fiets*) stuur *o.*; **2** (*mil.*) richtvaantje *o.*; **3** vaandrager *m.*; **4** (*sch.*) seinwimpel *m.*; **5** (*v. gilde*) banier *v.(m.)*; **6** (*v. geweer*) vizierkorrel *m.*; **7** landmetersvlagje *o.*

guignard [giña:r] *m.* **1** (*Dk.*) kleine pluvier *m.*; **2** (*fig.*) ongeluksvogel *m.*

guigne [giñ] *f.* **1** (*Pl.*) kriek *v.(m.)*; **2** (*fam.*) ongeluk *o.*, pech *m.*

guigner [giñé] *v.t.* **1** loeren op; **2** begluren.

guignette [giñèt] *f.*, (*Dk.*) oeverloper *m.*

guignier [giñyé] *m.*, (*Pl.*) kriekeboom *m.*

guignol [giñòl] *m.* poppenkast *v.(m.)*, Jan-Klaassenspel *o.*

guignolet [giñòlè] *m.* kriekenbrandewijn *m.*

guignon [giñõ] *m.* tegenspoed, wanbof, pech *m.*

guignonnant [giñònã] *adj.* **1** ergerlijk; **2** ongelukkig.

guilde, ghilde [gild] *f.* gild *o.*

guildive [gildi:v] *f.* suikerbrandewijn *m.*

guillage [giya:j] *m.* gisting *v.* (v. nieuw bier).

Guillaume [giyo:m] *m.* Willem *m.*; ***g—,*** *m.* sponningschaaf *v.(m.)*.

guilledou [giydu] *m.* (*fam.*), ***courir le —,*** vaak naar verdachte gelegenheden gaan.

guillemet [giymè] *m.* aanhalingsteken *o.*

guillemeter [giymeté] *v.t.* tussen aanhalingstekens plaatsen.

Guillemette [giymèt] *f.* Mien(tje) *v.(o.)*.

guillemot [giymo] *m.*, (*Dk.*) duikerhoen *o.*

guiller [giyé] *v.i.*, (*v. bier*) gisten, gijlen.

guilleret [giyrè] *adj.* **1** opgeruimd, vrolijk, lustig; **2** dartel, los.

guilleri [giyri] *m.* getjilp *o.* (*v. mussen*).

guillocher [giyòʃé] *v.t.* versieren met ineengeslingerde lijnen, guillocheren.

guillochis [giyòʃi] *m.* guillocheerwerk *o.*

guilloire [giywa:r] *f.* gijlkuip *v.(m.)* (voor bier).

guillotine [giyòtin] *f.* guillotine *v.*, valbijl *v.(m.)*; ***fenêtre à —,*** schuifraam *o.*

guillotiner [giyòtiné] *v.t.* guillotineren, met de valbijl onthoofden.

guimauve [gimo:v] *f.*, (*Pl.*) heemst, witte maluwe *v.(m.)*.

guimbarde [gẽ'bard] *f.* **1** vrachtwagen *m.*; **2** oude dans *m.*; **3** mondharmonika *v.*; **4** slechte gitaar *v.(m.)*; **5** (*tn.*) verdiepschaaf *v.(m.)*.

guimpe [gẽ:p] *f.* **1** (*v. nonnen*) kap *v.(m.)*; **2** (*v. japon*) inzetsel *o.*

guinche [gẽ:ʃ] *f.*, (*v. schoenmaker*) likhout *o.*

guindage [gẽ'da:j] *m.* **1** (het) hijsen, (het) ophijsen *o.*; **2** hijstuig *o.*

guindant [gẽ'dã] *m.* hijs *m.*

guindas [gẽ'da] *m.* windas *o.*

guindé [gẽ'dé] *adj.* opgeschroefd, gemaakt.

guinder [gẽ'dé] **I** *v.t.* **1** ophijsen; **2** (*fig.*) opschroeven; **II** *v.pr.*, ***se —,*** **1** zich ophijsen, zich omhoog werken; **2** hoogdravend worden; gemaakt doen.

guinderesse [gẽ'd(e)rès] *f.* hijstouw *o.*

Guinée [giné] *f.* Guinea *o.*

guinée [giné] *f.* **1** (*munt*) gienje *m.*; **2** blauw (grof) katoen *o. en m.*

guinéen [ginéẽ] *adj.* Guinees, uit Guinea.

guingois [gẽ'gwa] *m.* scheefheid *v.*; ***de —,*** scheef.

guinguette [gẽ'gèt] *f.* **1** uitspanning *v.*, buitenherberg *v.(m.)*; **2** buitenhuisje, optrekje *o.*

guiorer [giòré] *v.i.*, (*v. muizen*) piepen.

guiper [gipé] *v.t.* omspinnen (met wol of zijde).

guipon [gipõ] *m.* **1** teerkwast *m.*; **2** (*v. leerlooier*) kalkkwast *m.*

guipure [gipü:r] *f.* guipure *v.(m.)* (soort kant).

guirlande [girlã:d] *f.* slinger, bloemslinger *m.*

guirlander [girlã'dé] *v.t.* met (bloem)slingers versieren.

guise [gi:z] *f.* manier, wijze *v.(m.)*; ***en — de,*** bij wijze van; ***à sa —,*** naar eigen goeddunken.

guitare [gita:r] *f.* **1** gitaar *v.(m.)*; **2** deun *m.*; gezeur *o.*
guitariste [gitarist] *m.-f.* gitaarspeler *m*, —speelster *v.*
guitoune [gitun] *f.* (*arg. mil.*) schuilplaats *v.(m.)*.
Gulf-stream [gœlfstrim] *m.* Golfstroom *m.*
gustatif [güstatif] *adj.* smaak—; ***nerf* —,** smaakzenuw *v.(m.)*.
gustation [güsta·syõ] *f.* (het) proeven *o.*
Gustave [güsta:v] *m.* Gustaaf *m.*
gutta-percha [gütapèrka] *f.* guttapercha *m.* *en o.*
guttier [gütyé] *m.*, (*Pl.*) gomboom *m.*
guttifère [gütifè:r] *adj.* gom leverend.
guttiforme [gütifòrm] *adj.* dropvormig.
guttural [gütüral] *adj.* keel—; ***son* —,** keelklank *m.*
gutturale [gütüral] *f.* keelletter *v.(m.)*.
Guy [gi] *m.* Vitus, Gwijde *m.*
guyanais [gŵiyanè] *adj.* Guyanees, uit Guyana.
Guyane [gŵiyan] *f.* Guyana *o.*; **— *hollandaise,*** Suriname *o.*
gymkhana [jimkana] *m.* openluchtfeest *o.* met sportwedstrijden.
gymnase [jimna:z] *m.* **1** gymnastiekschool *v.(m.)*; **2** gymnastieklokaal *o.*; **3** (*in Holland en Duitsland*) gymnasium *o.*
gymnasiarque [jimnazyark] *m.* **1** gymnastiekleraar *m.*; **2** gymnast *m.*; **3** (*oudh.*) hoofd van een gymnastiekschool *o.*
gymnaste [jimnast] *m.* **1** gymnastiekleraar *m.*; **2** gymnast *m.*
gymnastique [jimnastik] **I** *adj.* gymnastisch; ***pas* —,** looppas *m.*; **II** *s.*, *f.* **1** gymnastiek *v.*; **2** gymnastieklokaal *o.*; **— *médicale,*** heilgymnastiek.
gymnique [jimnik] *f.* worstelkunst *v.*
gymnospermes [jimnòspèrm] *f.pl.* (*Pl.*) naaktzadigen *mv.*
gymnote [jimnòt] *m.*, (*Dk.*) sidderaal *m.*
gynandre [jinã·dr] *adj.*, (*Pl.*) helmstijlig.
gynécée [jinésé] *m.* **1** (*Grieken*) vrouwenvertrek *o.*; **2** (*Pl.*) vrouwelijke planteorganen.
gynécologie [jinékòlòji] *f.* gynaecologie *v.*
gynécologue [jinékòlò·g] *m.* vrouwenarts *m.*
gypaète [jipaèt] *m.*, (*Dk.*) lammergier *m.*
gypse [jips] *m.* gips *o.*
gypseux [jipsö] *adj.* gipsachtig.
gypsier [jipsyé] *m.* gipswerker *m.*
gypsifère [jipsifè:r] *adj.* gipshoudend.
gypsophile [jipsòfil] *f.*, (*Pl.*) gipskruid *o.*
gyratoire [jiratwa:r] *adj.* draaiend; ***mouvement* —,** draaibeweging *v.*
gyrin [jirẽ] *m.* draaikevertje *o.*; **— *nageur,*** schrijvertje *o.*
gyromancie [jiròmã·si] *f.* kringwichelarij *v.*
gyroscope [jiròskòp] *m.* **1** gyroscoop *m.* (toestel om de aswenteling van de aarde te bewijzen); **2** sneldraaiend toestel om schommelingen te breken.
gyrostat [jiròsta] *m.* gyrostaat *m.*
gyrotrope [jiròtròp] *m.*, (*el.*) stroomomschakelaar, stroomwender *m.*

H

(**'h** duidt de *h aspirée* aan)

H [aʃ] *m.* *ou f.* h *v.(m.)*; **— *aspirée,*** aangeblazen h; **— *muette,*** stomme h.
'ha! [hɑ·] *ij.* ha! zo!
habanera [abanéra] *f.* Spaanse dans *m.* in 2/4 maat.
Habergy [abèrji] Heverding *o.*
habile(ment) [abil(mã)] *adj.* (*adv.*) **1** behendig, handig, bedreven, bekwaam; **2** (*recht*) bevoegd, gerechtigd; **— *à tester,*** (*recht*) gerechtigd te getuigen.
habileté [abilté] *f.* behendigheid, handigheid, bedrevenheid, bekwaamheid *v.*
habilitation [abilitɑ·syõ] *f.* bevoegdverklaring *v.*
habilité [abilité] *f.* bevoegdheid *v.*
habiliter [abilité] *v.t.* bevoegd verklaren (in rechten).
habillage [abiya:j] *m.* (het) kleden, (het) aankleden *o.*; *etc.*, *voir* ***habiller.***
habillant [abiyã] *adj.* die goed kleedt.
habillement [abiymã] *m.* kleding; kledij, uitrusting *v.*
habiller [abiyé] **I** *v.t.* **1** kleden, aankleden; **2** (goed) staan, zitten, kleden; **3** (*v. plant*) bedekken (tegen vorst); **4** (*v. boom*) de takken besnoeien en de wortels korten; **5** (*v. gevogelte*) opmaken; **6** (*v. vis*) schoonmaken; **7** (*v. meubel*) met een hoes overtrekken; **8** (*v. fles*) van een strohuls voorzien; **9** (*v. koopwaren*) verpakken; **10** (*v. hennep*) hekelen; **11** (*fig.*) (*gedachte, enz.*) inkleden, voorstellen; (*fout*) bemantelen; ***habillé de blanc,*** in 't wit gekleed; **— *qn. de toutes pièces,*** iem. flink over de hekel halen; ***c'est habillé,*** het staat gekleed; ***un costume habillé,*** een gekleed pak, een galapak; **II** *v.pr.*, ***s'*—, 1** zich kleden, zich aankleden; **2 — (*chez*),** zijn kleren kopen (bij).
habilleur [abiyœ:r] *m.* **1** (*in schouwburg*) aankleder *m.*; **2** (*v. vis*) bereider *m.*
habit [abi] *m.* **1** kleding *v.*; gewaad *o.*; **2** (heren) rok *m.*; ***en* —,** in rok; ***prendre l'*—,** in een klooster gaan; ***misère en — noir,*** vergulde armoede; ***l'— est de rigueur,*** de heren in avondtoilet; **— *court,*** zwarte jas; ***l'— ne fait pas le moine,*** de kap maakt de monnik niet, schijn bedriegt.
habitable [abita·bl] *adj.* bewoonbaar.
habitacle [abitakl] *m.* **1** (*Bijb.*) woning *v.*; **2** (*sch.*) kompashuisje *o.*
habitant [abitã] *m.* **1** inwoner *m.*; **2** bewoner *m.*
habitat [abita] *m.*, (*v. plant, dier*) verblijfplaats, vindplaats *v.(m.)*.
habitation [abitɑ·syõ] *f.* **1** woning *v.*; **2** woonplaats *v.(m.)*, verblijf *o.*; **3** (het) bewonen *o.*
habiter [abité] **I** *v.t.* bewonen; **II** *v.i.* wonen; ***il habite rue du moulin,*** hij woont in de Molenstraat.
habitude [abitü·d] *f.* **1** gewoonte *v.*; **2** omgang *m.*, betrekkingen *mv.*; ***avoir l'— des chevaux,*** met paarden kunnen omgaan; ***avoir l'— du monde,*** zich in de wereld weten te bewegen; ***cela n'est pas dans vos —s,*** dat zijn we niet van u gewoon; ***d'*—,** gewoonlijk.
habitué [abitŵé] **I** *adj.* gewoon; **II** *s.*, *m.* vaste bezoeker, vaste gast, stamgast *m.*
habituel [abitŵèl] *adj.* gewoon.
habituellement [abitŵèlmã] *adv.* gewoonlijk.
habituer [abitŵé] **I** *v.t.* gewennen; **II** *v.pr.*, ***s'*— (*à*),** zich wennen (aan).
habitus [abitüs] *m.* habitus *m.*
'hâbler [(h)ɑ·blé] *v.i.* opsnijden, snoeven.
'hâblerie [(h)ɑ·bleri] *f.* opsnijderij, snoeverij *v.*
'hâbleur [(h)ɑ·blœ:r] *m.* opsnijder, snoever, grootspreker *m.*
'hachage [(h)aʃa:j] *m.* (het) hakken *o.*

'hachard [(h)aʃa:r] *m.* metaalschaar *v.(m.).*
'hache [(h)aʃ] *f.* bijl *v.(m.)*; — ***d'abordage,*** enterbijl; — ***d'armes,*** strijdbijl; — ***à main,*** handbijl; ***fait à coups de —,*** ruw bewerkt, ruw afgewerkt.
'haché [(h)aʃé] *adj.* **1** gehakt; **2** (*fig.*) afgebroken.
'hache-légumes [(h)aʃlégüm] *m.* hakmes *o.* (voor groenten).
'hachement [(h)aʃmã] *m.* het hakken *o.*
'hache-paille [(h)aʃpɑ'y] *m.* strohakmachine *v.*, strosnijder *m.*
'hacher [(h)aʃé] *v.t.* **1** hakken; **2** (*v. vlees, groenten*) fijnhakken; **3** (*fig.*) versnijden, verknippen; **4** (*v. tekening*) arceren; — ***le style,*** in korte zinnen schrijven; ***la grêle hache les récoltes,*** de hagel vernielt (*of* teistert) de oogst.
'hachereau [(h)aʃro] *m.* bijltje *o.*
'hachette [(h)aʃèt] *f.* **1** bijltje *o.*; **2** bikhamer *m.*; **3** (*Dk.*) alvertje *o.*
'hache-viande [(h)aʃvyã:d] *m.* vleesmolen *m.*
'hachis [(h)aʃi] *m.* gehakt *o.*
'hachisch, 'haschich [aʃi] *m.* hasjisj *v.* (verdovend middel).
'hachoir [(h)aʃwa:r] *m.* **1** (*voor keuken*) hakbord *o.*; **2** (*voor slager*) hakblok *o.*; **3** hakmes *o.*
'hachotte [(h)aʃòt] *f.* **1** (*v. leidekker*) kloofmes *o.*; **2** (*v. kuiper*) hoepelmes *o.*
'hachure [(h)aʃü:r] *f.* arcering *v.*
'hachurer [(h)aʃüré] *v.t.* arceren.
'haddock [adòk] *m.* gerookte vis *m.*
'hagard [(h)aga:r] *adj.*, (*v. blik*) verwilderd, woest.
hagiographe [ajyògraf] *m.* hagiograaf *m.*, beschrijver *m.* van de levens der heiligen.
hagiographie [ajyògrafi] *f.* levensbeschrijving *v.* van heiligen.
hagiographique [ajyògrafik] *adj.* hagiografisch.
hagiologie [ajyòlòji] *f.* heiligenleer *v.(m.).*
haguenois [agènwa] *adj.* Haags.
'hai [(h)è] *ij.* **1** (*v. verwondering*) hè! **2** (*v. pijn*) au!
'haie [(h)è('y)] *f.* **1** haag, heg *v.(m.)*; **2** ploegboom *m.*; **3** (*fig.*) gelid *o.*, rij *v.(m.)*; — ***vive,*** groene heg; ***faire la —,*** zich in een dubbele rij opstellen; ***course de —s,*** wedren met hindernissen; — ***de rochers,*** rotsbank *v.(m.).*
'haillon [(h)ɑ'yõ] *m.* lomp *v.(m.)*, vod *o. en v.(m.).*
'haillonneux [(h)ɑ'yònö] *adj.* sjofel, in lompen.
'Hainaut [(h)è'no] *m.* Henegouwen *o.*
'haine [(h)è:n] *f.* **1** haat *m.*; **2** afkeer, tegenzin *m.*; ***avoir qc. en —,*** een hekel hebben aan iets; ***prendre en —,*** een hekel krijgen aan.
'haineux [(h)è'nö] *adj.*, **'haineusement** [(h)è'nö:zmã] *adv.* haatdragend, vijandig, nijdig.
'Hainuyer [(h)è'nüyé] **I** *m.* Henegouwer *m.*; **II** *adj.* ***h —,*** Henegouws.
'haïr* [(h)ai:r] *v.t.* haten, verafschuwen, verfoeien; ***se faire — de,*** zich gehaat maken bij.
'haire [(h)è:r] *f.* haren kleed, boetkleed *o.*
'haïssable [(h)aisa'bl] *adj.* hatelijk, verfoeilijk.
haïtien [aisyẽ] *adj.* uit Haïti.
Hal [(h)al] *m.* Halle *o.* (in Brabant).
'halage [(h)ala:j] *m.*, (*v. schuit*) (het) jagen, (het) voorttrekken; ***chemin de —,*** jaagpad *o.*, trekweg *m.*
Halanzy [alã'zi] Helsingen *o.*
'halbran [(h)albrã] *m.*, (*Dk.*) jonge wilde eend *v.(m.).*
halbrené [(h)albrené] *adj.* vleugellam; (*fig.*) bek-af.
'hâle [(h)ɑ:l] *m.* **1** zonnegloed *m.*; **2** bruine kleur *v.(m.)* (v. zon en wind).
'hâlé [(h)ɑ'lé] *adj.* gebruind, verbrand (door de zon).
'hale-à-bord [(h)alabò:r] *m.*, (*sch.*) inhaler *m.*
'hale-avant [h)alavã] *m.*, (*sch.*) voorhaler *m.*
'hale-bas [(h)albɑ] *m.*, (*sch.*) neerhaler *m.*
'hale-dedans [(h)aldedã] *m.*, (*sch.*) inhaler *m.*
'hale-dehors [(h)alde(h)ò:r] *m.*, (*sch.*) uithaler *m.*
haleine [alè:n] *f.* **1** adem *m.*; **2** ademtocht *m.*; **3** uitwaseming *v.*; ***perdre —,*** buiten adem raken; ***courir à perte d'—,*** zich buiten adem lopen; ***hors d'—,*** buiten adem; ***tout d'une —,*** aan een stuk door; ***un travail de longue —,*** een werk van lange duur; ***tenir en —,*** in spanning houden.
'halement [(h)almã] *m.* **1** (het) ophalen *o.*; **2** (*in hijstouw*) strik *m.*
halenée [alné] *f.* ademtocht *m.*
halener [alné] *v.t.* de lucht krijgen van (wild).
'haler [(h)alé] **I** *v.t.* **1** (*schuit*) voorttrekken, jagen; **2** (*touw*) halen, hijsen; — ***le vent,*** (*sch.*) bij de wind opsteken; **II** *v.i.*, (*v. wind*) waaien; — ***de l'avant,*** krimpen; — ***de l'arrière,*** ruimen.
'hâler [(h)ɑ'lé] **I** *v.t.* **1** (door zon en wind) verbranden; **2** (*v. planten*) verschroeien; **II** *v.pr.*, ***se —,*** bruin worden.
'haletant [(h)altã] *adj.* hijgend.
'halètement [(h)alètmã] *m.* (het) hijgen *o.*
'haleter* [(h)alté] *v.i.* hijgen.
'haleur [(h)alœ:r] *m.* jager, lijnloper *m.*
'halibut [alibü] *m.*, (*Dk.*) heilbot *m.*
halieutique [alyötik] **I** *adj.* de visvangst betreffend; **II** *s.*, *f.* de kunst *v.* van het vissen.
'halin [(h)alẽ] *m.*, (*sch.*) jaaglijn, sleeplijn *v.(m.).*
halitueux [alitwö] *adj.* klam, zweterig, vochtig.
'hall [(h)ò:l, (h)al] *m.* **1** hall *m.*, grote zaal *v.(m.)*, — vestibule *m.*; **2** (*v. station*) overkapping *v.*
'hallage [(h)ala:j] *m.* marktgeld, staangeld *o.*
hallali [(h)alali] *m.* hallali *v.* (jachtkreet *m.*, hoorngeschal *o.*).
'halle [(h)al] *f.* **1** overdekte markt, hal *v.(m.)*; **2** bergplaats, opslagplaats *v.(m.)*; — ***aux draps,*** (*gesch.*) lakenhal; — ***aux fruits,*** fruithal; — ***aux blés,*** korenhal; — ***au poisson,*** vismarkt; ***dame de la —,*** marktvrouw *v.*, koopvrouw *v.* in een hal.
'hallebarde [(h)albard] *f.* hellebaard *v.(m.)*; ***il pleut des —s,*** het regent bakstenen.
'hallebardier [(h)albardyé] *m.* hellebaardier *m.*
'hallier [(h)alyé] *m.* **1** halbewaarder *m.*; **2** verkoper *m.* in een hal; **3** (*in bos*) dicht struikgewas *o.*
'hallope [(h)alòp] *m.* groot sleepnet *o.*
hallucination [alüsinɑ'syõ] *f.* **1** zinsbegoocheling *v.*; **2** visioen, droomgezicht *o.*
hallucinatoire [alüsinatwa:r] *adj.*, ***vision —,*** droomgezicht *o.*
halluciné [alüsiné] *adj.* aan zinsbegoocheling lijdend.
halluciner [alüsiné] *v.t.* verbijsteren, begoochelen.
'halo [(h)alo] *m.* halo *m.*, kring *m.* (om zon of maan).
halogène [alòjèn] **I** *adj.* zoutvormend; **II** *s.*, *m.* zoutvormende stof *v.(m.)*, halogeen *o.*
'hâloir [(h)ɑlwa:r] *m.* hennepeest *m.*
halologie [alòloji] *f.* kennis *v.* van de zouten.
'halot [(h)alo] *m.* konijnehol *o.*
'halte [(h)alt] *f.* **1** halte, stopplaats *v.(m.)*; **2** stilstand *m.*, oponthoud *o.*; ***faire —,*** halt houden; ***—-là!*** schei uit! genoeg!
haltère [(h)altè:r] *m.* halter *m.*
'hamac [(h)amak] *m.* **1** hangmat *v.(m.)*; **2** (*sch.*) kooi *v.(m.).*
'hamada [(h)amada] *f.* steenwoestijn *v.(m.)* in de Sahara.
hamadryade [amadriya'd] *f.* boomnimf, bosnimf *v.*
hamadryas [amadrias] *m.* mantelbaviaan *m.*
hamamélis [amamélis] *m.* (*Pl.*) hamamelis *v.(m.).*
'Hambourg [(h)ã'bu:r] *m.* Hamburg *o.*
'hambourg [(h)ã'bu:r] *m.* **1** zalmton *v.(m.)*; fust *o.* voor gezouten vis; **2** biervaatje *o.*
'hambourgeois [(h)ã'bu'rjwa] *adj.* Hamburger, Hamburgs; ***méthode —e,*** staffelmethode *v.*

'hameau [(h)amo] *m.* gehucht *o.*
hameçon [amsõ] *m.* **1** vishaak *m.*; **2** lokaas *o.*; ***mordre à l'—***, toehappen, zich laten vangen.
hameçonné [amsòné] *adj.* **1** haakvormig; **2** van een haak voorzien.
'hammam [(h)ɑmã] *m.* badhuis *o.*
'hampe [(h)ã:p] *f.* **1** vlaggestok *m.*; **2** (*v. penseel*) steel *m.*; **3** (*v. lans, veer*) schacht *v.(m.)*; **4** (*in café*) krantestok *m.*; **5** (*v. bloem*) stengel *m.*; **6** (*v. slachtdier*) middenrif *o.*; **7** (*v. hert*) borststuk *o.*
'hampé [(h)ã'pé] *adj.* voorzien van een stok.
'hamster [(h)amstè:r] *m.*, (*Dk.*) hamster *v.(m.)*.
'han [hã] *m.* hè (geluid bij zware inspanning).
'hanap [(h)anap] *m.* drinknap *m.*
'hanche [(h)ã:ʃ] *f.* **1** heup *v.(m.)*; **2** (*v. paard*) bil *v.(m.)*; **3** (*v. schip*) windviering *v.*; ***les poings sur les —s***, met de vuisten in de zijde.
'handicap [(h)ã'dikap] *m.* handicap *m.*
'handicapé [(h)ã'dikapé] *adj.* belemmerd, gehandicapt.
'handicaper [(h)ã'dikapé] *v.t.* handicappen.
'hanebane [(h)anban] *f.*, (*Pl.*) bilzekruid *o.*
'hangar [(h)ã'ga:r] *m.* loods *v.(m.)*, afdak *o.*
'hanneton [(h)antõ] *m.* **1** meikever *m.*; **2** (*fig.*) onbezonnene *m.*; ***il a un — dans le*** (*ou* ***son***) ***plafond***, er loopt een streep door, hij heeft een klap van de molen gehad. [ging *v.*
'hannetonnage [(h)antòna:ʒ] *m.* meikeververdel-
Hannut [(h)anüt] Hannuit *o.*
'Hannuyer [(h)anẅiyé] **I** *m.* Henegouwer *m.*; **II** *adj.* ***h—***, Henegouws.
'Hanovre [(h)anò:vr] *m.* Hannover *o.*
'Hanovrien [(h)anò'vr(i)yẽ] **I** *m.* Hannoveraan *m.*; **II** *adj.*, ***h—***, Hannoveraans.
'hansart [(h)ãsa'r] *m.* slagershakmes *o.*
'hanse [(h)ã:s] *f.* Hanzeverbond *o.*, Hanze *v.(m.)*.
'hanséatique [(h)ã'séatik] *adj.* tot het Hanzeverbond behorend; ***ligue —***, verbond *o.* van de Hanzesteden; ***ville —***, Hanzestad *v.(m.)*.
'hanté [(h)ã'té] *adj.* behekst; ***maison —e***, spookhuis *o.*
'hanter [(h)ã'té] *v.t.* **1** (*v. personen*) omgaan met; **2** (*v. plaats*) geregeld bezoeken; **3** spoken in; ***— l'esprit de qn.***, spoken in iemands brein; ***ces idées le hantent***, die gedachten kwellen hem, — laten hem niet los; ***dis-moi qui tu hantes, je te dirai qui tu es***, waar men mee verkeert, wordt men mee geëerd.
'hantise [(h)ã'ti:z] *f.* spookbeeld *o.*, kwelling, kwellende gedachte *v.*
'happe [(h)ap] *f.* **1** kram *v.(m.)*; **2** snaveltang *v.(m.)*.
'happeau [(h)apo] *m.* vogelknip *v.(m.)*.
'happe-chair [(h)apʃè:r] *m.* hapschaar, diender *m.*
'happelourde [(h)aplurd] *f.* valse steen *m.*
'happement [(h)apmã] *m.* het happen *o.*
'happer [(h)apé] **I** *v.t.* **1** happen in; **2** snappen (v. insekt, enz.); **II** *v.i.* kleven (op de tong).
'haquenée [(h)akné] *f.* hakkenei *v.(m.)*, telganger *m.*
'haquet [(h)akè] *m.* bierwagen, rolwagen *m.*
'haquetier [(h)aktyé] *m.* voerman *m.*
'harangue [(h)arã:g] *f.* toespraak *v.(m.)*, redevoering *v.* [houden tot.
'haranguer [(h)arã'gé] *v.t.* toespreken, een rede
'harangueur [(h)arã'gœ:r] *m.* redenaar *m.*
'haras [(h)arɑ] *m.* stoeterij, paardenfokkerij *v.*
'harassement [(h)arasmã] *m.* afmatting *v.*
'harasser [(h)arasé] *v.t.* afmatten; ***se —***, doodmoe worden.
'harcèlement [(h)arsèlmã] *m.* **1** kwelling *v.*; **2** bestoking *v.*
'harceler* [(h)ars(e)lé] *v.t.* **1** kwellen, lastig vallen; **2** bestoken, verontrusten.
'harde [(h)ard] *f.* **1** koppelriem *m.* (voor honden); **2** koppel *o.* honden (v. 4 of 6); **3** kudde *v.(m.)* rood wild; ***—s***, *f.pl.* plunje *v.(m.)*.
'hardé [(h)ardé] *adj.*, ***œuf —***, windei *o.*
'hardeau [(h)ardo] *m.* touw *o.* van molenvang.
'harder [(h)ardé] *v.t.*, (*v. jachthonden*) koppelen (4 aan 4 of 6 aan 6).
'hardi [(h)ardi] *adj.* **1** (*in gevaar*) stoutmoedig, onverschrokken; **2** (*v. onderneming, bouw, enz.*) stout, gewaagd; **3** (*ong.*) driest, onbeschaamd; vermetel.
'hardiesse [(h)ardyès] *f.* **1** stoutmoedigheid, onverschrokkenheid *v.*; **2** stoutheid *v.*, durf *m.*; **3** driestheid, onbeschaamdheid *v.*; vermetelheid *v.*; **4** waagstuk *o.*
'hardiment [(h)ardimã] *adv.* **1** stoutmoedig, onverschrokken; **2** onbeschaamd; *voir* ***hardi.***
'harem [(h)arèm] *m.* harem *m.*
'hareng [(h)arã] *m.* haring *m.*; ***— frais***, nieuwe haring; ***— bouffi***, panharing; ***— gai***, ijle haring; ***— plein***, volle haring; ***— pec***, pekelharing; ***— saur***, bokking *m.*
'harengaison [(h)arã'gè'zõ] *f.* **1** haringvangst *v.*; **2** haringtijd *m.*
'harengère [(h)arã'ʒè:r] *f.* **1** haringvrouw *v.*; **2** (*fig.*: *ong.*) viswijf *o.*
'harengerie [(h)arã'ʒeri] *f.* haringpakkerij *v.*
'harenguet [(h)arã'gè] *m.* sprot *m.*
'harenguière [(h)arã'gyè:r] *f.* haringnet *o.*
'haret [(h)arè] *adj.*, (*v. kat*) wild.
'harfang [(h)arfã] *m.*, (*Dk.*) sneeuwuil *m.*
'hargne [arñ] *f.* slecht humeur *o.*
'hargneux [(h)arñö] *adj.* nijdig, twistziek, kribbig.
'haricot [(h)ariko] *m.* boon *v.(m.)*; ***—s verts***, prinsessebonen; snijbonen; ***—s coupés***, snijbonen (gesneden); ***—s blancs***, witte bonen; ***—s rouges***, bruine bonen; ***— de mouton***, hutspot *m.* (v. schapevlees, knollen, aardappelen).
'haridelle [(h)aridèl] *f.* **1** (*paard*) knol *m.*; **2** (*fig.*) scharminkel *o.* [wind *m.*
'harmattan [armatã] *m.* (*W.-Afrika*) woestijn-
harmonica [armònika] *m.* glasharmonika *v.*; ***— à bouche***, mondharmonika *v.*
harmonie [armòni] *f.* **1** welluidendheid *v.*; **2** overeenstemming *v.* van de tonen; **3** harmonie, overeenstemming, juiste verhouding *v.*; **4** slag- en blaasinstrumenten *mv.* van orkest; **5** (*fig.*) eensgezindheid *v.*, eendracht *v.(m.)*; ***en parfaite —***, in volkomen eensgezindheid; ***— imitative***, klanknabootsing *v.*; ***table d'—***, (*muz.*) klankbodem *m.*
harmonieux [armònyö] *adj.*, **harmonieusement** [armònyö:zmã] *adv.* welluidend, harmonisch.
harmonique [armònik] **I** *adj.* harmonisch; **II** *s.*, *m.* boventoon *m.*; ***échelle —***, harmonische (diatonische) toonladder *v.(m.)*; ***son —***, bijtoon.
harmoniser [armòni'zé] **I** *v.t.* **1** (*kleuren, belangen*) in overeenstemming brengen; **2** (*muz.*) de harmoniepartijen componeren (van), een melodie van begeleiding voorzien; **II** *v.pr.*, ***s'—***, overeenstemmen, harmoniëren.
harmoniste [armònist] *m.*, (*muz.*) harmonist *m.*
harmonium [armònyòm] *m.*, (*muz.*) harmonium, serafineorgel *o.*
'harnachement [(h)arnaʃmã] *m.* **1** optuiging *v.*, (het) optuigen *o.* (v. paard); **2** (paarden)tuig *o.*; **3** opschik *m.*
'harnacher [(h)arnaʃé] *v.t.* **1** (*v. paard*) optuigen; **2** (*fig.*) opdirken, toetakelen.
'harnacheur [(h)arnaʃœ:r] *m.* zadelmaker *m.*
'harnais [(h)arnè], **'harnois** [(h)arnwa] *m.* **1** (paarde)tuig *o.*; **2** harnas *o.*; **3** vistuig *o.*; **4**

jachttuig *o.*; ***cheval de —,*** trekpaard *o.*; ***blanchi sous le —,*** in de dienst vergrijsd.

'haro [(h)aro] *m.* geschreeuw *o.* van afkeuring, kreten *mv.* van verontwaardiging; ***crier — sur qn.,*** zijn verontwaardiging over iem. luide te kennen geven.

harpagon [(h)arpagõ] *m.* vrek *m.*

'harpailler, se — [se(h)arpayé] *v.pr.* krakelen, plukharen.

'harpe [(h)arp] *f.* **1** (*muz.*) harp *v.(m.)*; **2** (*bouwk.*) uitstekende kantsteen *m.*

'harpeau [(h)arpo] *m.* enterhaak *m.*

'harper [(h)arpé] *v.t.* stevig aangrijpen, aanpak- [ken.

'harpie [(h)arpi] *f.* **1** harpij *v.*; **2** (*fam.*) helleveeg *v.*

'harpigner, se — [se(h)arpiñé], **'harpiller, se —** [se(h)arpiyé] *v.pr.* krakelen, plukharen.

'harpin [(h)arpẽ] *m.*, (*sch.*) bootshaak *m.*

'harpiste [(h)arpist] *m.-f.* harpspeler *m.*, harpspeelster *v.*

'harpon [(h)arpõ] *m.* **1** harpoen *m.*; **2** enterhaak *m.*; **3** trekzaag *v.(m.)*.

'harponnage [(h)arpòna:j], **'harponnement** [(h)arpòn(e)mã] *m.* het harpoenen *o.*

'harponner [(h)arpòné] *v.t.* **1** harpoenen; **2** aan de haak slaan; **3** vastgrijpen.

'harponneur [(h)arpònœ:r] *m.* harpoenier *m.*

'harponnier [(h)arpònyé] *m.* **1** (*Dk.*) harpoenreiger *m.*; **2** (*Pl.*) hondsroos *v.(m.)*.

'hart [(h)a:r] *f.* strop *m. en v.*, galg *v.(m.)*.

'hasard [(h)aza:r] *m.* **1** toeval *o.*; **2** kans *v.(m.)*; **3** waagstuk, gevaar *o.*; ***jeu de —,*** kansspel *o.*; ***objet de —,*** koopje *o.*; ***au —,*** op goed geluk af, zoals 't valt; ***au — de,*** op gevaar af; ***par —,*** **1** bij toeval, toevallig; **2** (*in vraag*) misschien, soms; ***à tout —,*** in elk geval; op goed geluk af.

'hasardé [(h)azardé] *adj.* gewaagd; onzeker.

'hasarder [(h)azardé] **I** *v.t.* wagen, op het spel zetten; ***qui ne hasarde rien n'a rien,*** die niet waagt, (die) niet wint; **II** *v.pr.*, ***se —,*** zich (*of* het) wagen; zich verstouten; zich blootstellen.

'hasardeux [(h)azardö] *adj.*, **'hasardeusement** [(h)azardö:zmã] *adv.* gewaagd, hachelijk, gevaarlijk.

'hasardise [(h)azardi'z] *f.* waaghalzerij *v.*

'hase [(h)a:z] *f.* moerhaas *m.*; moerkonijn *o.*

hastaire [(h)astè:r] *m.* speerdrager *m.*

haste [(h)ast] *f.* werpspies, speer *v.(m.)*.

hasté [(h)asté] *adj.*, (*Pl.*) spiesvormig.

'hâte [(h)ɑ:t] *f.* haast *v.(m.)*, spoed *m.*; ***à la —, en (toute) —,*** inderhaast.

'hâtelet [(h)ɑ'tlè] *m.* braadspitje *o.*

'hâter [(h)ɑ'té] **I** *v.t.* **1** bespoedigen, verhaasten, versnellen; **2** aanzetten tot spoed, haasten; **3** (*v. vruchten*) vervroegen; **II** *v.pr.*, ***se —,*** zich haasten.

'hâtier [(h)ɑ'tyé] *m.* brandijzer *o.* (v. braadspit).

'hâtif [(h)ɑ'tif] *adj.* **1** vroegtijdig; **2** (*v. vruchten*) vroegrijp.

'hâtiveau [(h)ɑ'tivo] *m.* **1** vroege peer *v.(m.)*; **2** vroege erwt *v.(m.)*.

'hâtivement [(h)ɑ'ti'vmã] *adv.* vroegtijdig; haas- [tig.

'hauban [(h)o'bã] *m.* **1** (*sch.*) hoofdtouw *o.*; **2** (*vl.*) spandraad, trekdraad *m.*; ***les —s,*** het want.

'haubaner [(h)o'bané] *v.t.* (*sch.*) met hoofdtouwen vastzetten.

'haubert [(h)o'bè:r] *m.* pantserhemd *o.*, maliën- [kolder *m.*

'hausse [(h)o:s] *f.* **1** (*v. prijzen*) stijging *v.*; **2** (*v. fondsen*) rijzing, stijging *v.*; **3** (*drukk.*) onderlegsel *o.*; **4** verhoogstuk *o.*; **5** (*v. geweer*) opzet *m.*; ***être en —,*** rijzen.

'hausse-col* [(h)o:skòl] *m.* ringkraag *m.*

'haussement [(h)o'smã] *m.* verhoging *v.*; ***un — d'épaules,*** een schouderophalen.

'hausse-pied [(h)o'spyé] *m.* **1** wolfsklem *v.(m.)*; **2** (*v. spade*) stut *m.* voor de voet.

'hausser [(h)o'sé] **I** *v.t.* **1** verhogen; **2** (*dam, enz.*) ophogen; **3** (*gordijn*) optrekken; **4** (*arm*) opheffen; **5** (*stem*) verheffen; **6** (*prijs*) verhogen, opslaan; **7** (*schouders*) ophalen; **8** (*eisen*) hoger stellen; **9** (*fig.*) vermeerderen; — ***le ton,*** een hoge toon aanslaan; **II** *v.i.* **1** stijgen; **2** rijzen; **3** (*v. rivieren*) wassen; **III** *v.pr.*, ***se —,*** **1** omhoog komen; **2** op zijn tenen gaan staan; **3** (*fig.*) groter willen schijnen dan men is.

'hausse-talon* [(h)o'stalõ] *m.* gummihak *v.(m.)*.

'haussier [(h)o'syé] *m.*, (*H.*) haussier, speculant *m.* op het rijzen van de effecten. [*v.(m.)*.

('h)aussière [(h)o'syè:r] *f.*, (*sch.*) tros *m.*, lijn

'haut [(h)o] **I** *adj.* **1** hoog; **2** hooggelegen, bovenste, opper—, boven—; **3** rechtop, opgeheven; **4** voornaam, aanzienlijk; **5** (*muz.*) hooggestemd; **6** (*geluid*) luid, hoog, helder; ***la —e mer,*** de open zee; ***la mer —e,*** de vloed *m.*; ***la mer est —e,*** de zee staat hol; ***la ville —e,*** de bovenstad *v.(m.)*; ***la —e Égypte,*** Opper-Egypte *o.*; ***—e trahison,*** hoogverraad *o.*; ***la —e antiquité,*** de grijze oudheid; ***le — moyen âge,*** de vroegste middeleeuwen; ***à —e voix,*** luidop, met luider stem; ***— en couleur,*** **1** (*v. persoon*) hoogrood; **2** (*v. zaken*) sterk gekleurd; ***jeter les —s cris,*** moord en brand schreeuwen; **II** *adv.* **1** hoog; **2** luid; ***le porter —,*** trots zijn; ***le prendre —,*** op hoge toon spreken; ***dire tout —,*** hardop zeggen; **III** *s.*, *m.* **1** hoogte *v.*; **2** top *m.*, kruin *v.(m.)*; ***regarder qn. de — (en bas),*** uit de hoogte (*of* met minachting) op iem. neerzien; ***tomber de son —,*** **1** languit vallen; **2** (*fig.*) uit de lucht vallen, ten hoogste verbaasd zijn; ***tenir le — du pavé,*** tot de hogere kringen behoren, een eerste viool spelen; ***voir les choses de —,*** een ruime blik hebben; ***il a des —s et des bas,*** het gaat op en af met hem, hij heeft voor- en tegenspoed; ***un — de forme,*** een hoge hoed; ***le Très-Haut,*** de Allerhoogste; ***en — de,*** bovenaan; ***15 mètres de —,*** 15 m hoog.

'hautain(ement) [(h)o'tẽ, (h)o'tènmã] *adj.* (*adv.*) trots, hooghartig.

'hautbois [(h)o'bwɑ] *m.* **1** (*muz.*) hobo *m.*; **2** hobospeler *m.*

'hautboïste [(h)obòist] *m.* hobospeler, hoboïst *m.*

'haut*-de-chausse(s) [(h)o'tjo:s] *m.* 17e-eeuwse kniebroek *v.(m.)*.

'Hautecroix [(h)o'tkrwa] Heikruis *o.*

'haute-forme [(h)o'tfòrm] *m.* hoge hoed *m.*

'hautement [(h)o'tmã] *adv.* **1** openlijk; **2** met nadruk, nadrukkelijk; **3** in hoge mate, ten hoogste, ten zeerste.

'Hautesse [(h)o'tès] *f.* Hoogheid *v.* (titel v. sultan).

'haute*-tige* [(h)o't(t)i:j] *f.* hoogstammige boom *m.*; ***rosier —,*** stamroos *v.(m.)*.

'hauteur [(h)o'tœ:r] *f.* **1** hoogte *v.*; **2** grootheid, verhevenheid *v.*; **3** hoogmoed, trots *m.*; **4** heuvel *m.*; ***— d'âme,*** zielegrootheid *v.*; ***— barométrique,*** barometerstand *m.*; ***— de la volée,*** (*vl.*) stijghoogte *v.*; ***prendre de la —,*** (*vl.*) opstijgen; ***à la — d'Ostende,*** (*sch.*) ter hoogte van Oostende; ***à — d'appui,*** op borsthoogte; ***être à la — de sa tâche,*** berekend zijn voor (*of* opgewassen tegen) zijn taak.

'Haute-Volta [(h)o'tvòlta] *f.* Opper Volta *o.*

'haut*-fond* [(h)o'fõ] *m.* ondiepte *v.*, zandbank *v.(m.)*.

'hautin [(h)o'tẽ] *m.* hoog opgroeiende wijnstok *m.*

'haut-le-cœur [(h)o'lkœ:r] *m.* walging *v.*

'haut-le-corps [(h)o'lkò:r] *m.* **1** schok *m.*, plotselinge beweging *v.* (van verbazing, verontwaar-

diging, enz.); **2** (*v. paard*) (plotselinge) sprong *m.*
'haut-parleur* [(h)o'parlœ:r] *m.* luidspreker *m.*; **— *incorporé,*** ingebouwde luidspreker.
'haut*-relief* [(h)o'relyèf] *m.* hoogreliëf *o.*
'hauturier [(h)o'türyé] *adj.*, (*sch.*) buitengaats.
'havage [(h)ava:j] *m.* (*mijnb.*) het afgraven *o.* door horizontale sleuven.
Havanais [(h)avanè] *m.* bewoner *m.* van Havana.
Havane [(h)avan] **I** (***La*** —) Havana *o.*; **II** *m.*, ***h—,*** havanasigaar *v.*(*m.*); **III** *adj.*, ***h—,*** havanakleurig.
'hâve [(h)a:v] *adj.* bleek en mager, uitgemergeld.
'haveneau [(h)avno], **'havenet** [(h)avnè] *m.* zaknet *o.*
'haveron [(h)avrõ] *m.*, (*Pl.*) wilde haver *v.*(*m.*).
'havet [(h)avè] *m.* **1** (*tn.*) haak *m.* (van leidekker); **2** vleesvork *v.*(*m.*).
'haveuse [(h)avö:z] *f.* (*mijnb.*) sleufmachine *v.*
'havir [(h)avi:r] *v.t.* rauw vlees dichtschroeien.
'havrais [(h)a:vrè] *adj.* uit Le Havre.
'havre [(h)a:vr] *m.* kleine zeehaven *v.*(*m.*) (bij eb droog).
'Havre, *Le* — [le(h)a:vr] Havre *o.*
'havresac [(h)a'vresak] *m.* **1** knapzak *m.*; **2** ransel *m.*
hawaiien [awayẽ, avayẽ] *adj.* uit, van Hawaï.
Haye, *La* — [la(h)è('y)] *m.* Den Haag, 's-Gravenhage *o.*
'hayer [(h)èyé] *v.t.* met een haag omringen.
'hayon [(h)èyõ] *m.* **1** horde *v.*(*m.*); **2** wagenbord *o.*; **3** tent *v.*(*m.*) van een stalletje.
'hé [(h)é] *ij.* hé! hei! — ***bien!*** welnu!
'heaume [(h)o:m] *m.*, (*gesch.*) helm *m.*
hebdomadaire [èbdòmadè:r] **I** *adj.* wekelijks; ***journal*** —, weekblad *o.*; **II** *s.*, *m.* weekblad *o.*
hebdomadairement [èbdòmadè'rmã] *adv.* wekelijks.
hébergement [ébèrjemã] *m.* huisvesting *v.*
héberger [ébèrjé] *v.t.* herbergen, huisvesten.
hébété [ébété] *adj.* dom, stompzinnig, verstompt.
hébétement [ébètmã] *m.* stompzinnigheid, verstomping *v.*
hébéter [ébété] **I** *v.t.* verstompen; **II** *v.pr.*, ***s'—,*** versuffen, stompzinnig worden.
hébétude [ébétü'd] *f.* stompzinnigheid *v.*
hébraïque [ébraik] *adj.* Hebreeuws.
hébraïsant [ébrai'zã] *m.* kenner *m.* van het Hebreeuws.
hébraïsme [ébraizm] *m.* hebraisme *o.*, Hebreeuwse uitdrukking *v.*
hébreu [ébrö] **I** *adj.* (*m.pl. et f.* : ***hébraïque*** [ébraik]) Hebreeuws; **II** *s.*, *m.* Hebreeuws *o.*, Hebreeuwse taal *v.*(*m.*); **'H—,** *m.* Hebreeër *m.*; ***c'est de l'— pour moi,*** dat is Grieks voor mij.
hécatombe [ékatõ:b] *f.* **1** hecatombe *v.*(*m.*), offer van 100 ossen; **2** (*fig.*) slachting *v.*, bloedbad *o.*
hectare [èkta:r] *m.* hectare *v.*(*m.*).
hectique [èktik] *adj.*, ***fièvre —,*** teringkoorts *v.*(*m.*).
hectisie [èktizi] *f.* teringkoorts *v.*(*m.*).
hectogramme [èktògram] *m.* hectogram *o.* (100 gram).
hectolitre [èktòlitr] *m.* hectoliter *m.* (100 liter).
hectomètre [èktòmè'tr] *m.* hectometer *m.* (100 meter).
hédéracé [édérasé] *adj.*, (*Pl.*) klimopachtig.
hédonisme [édònizm] *m.* genotsleer *v.*(*m.*).
hégélien [éjélyẽ] *adj.* Hegeliaans.
hégémonie [éjémòni] *f.* hegemonie, opperheerschappij *v.*
hégire [éji:r] *f.* **1** hegira, vlucht *v.*(*m.*) van Mohammed (in 622); **2** mohammedaanse tijdrekening *v.*
'hein! [ẽ] *ij.* hè? niet waar?
hélas! [éla:s] *ij.* helaas!
Helchin [èlʃẽ] Helkijn *o.*
Helder, *Le* — [le(h)èldè:r] *m.* Den Helder *m.*
Hélène [élè:n] *f.* Helena *v.*
'héler [(h)élé] *v.t.* **1** (*koetsier, enz.*) aanroepen; **2** (*sch.*) praaien.
hélianthe [élyã:t] *m.*, (*Pl.*) zonnebloem *v.*(*m.*).
hélianthème [élyã'tè:m] *m.*, (*Pl.*) zonnekruid *o.*; goudroos *v.*(*m.*).
hélice [élis] *f.* **1** (*meetk.*) schroeflijn *v.*(*m.*); **2** (*tn.*) schroef *v.*(*m.*); **3** (*Dk.*) huisjesslak, schelpslak *v.*(*m.*); ***escalier en —,*** wenteltrap *m.*; ***bateau à —,*** schroefboot *v.*(*m.*).
héliciculture [élisikültür] *f.* slakkenteelt *v.*(*m.*).
hélicoïdal [élikoidal] *adj.* schroef-, spiraalvormig.
hélicoïde [élikòi'd] **I** *adj.* schroef-, spiraalvormig; **II** *s.*, *m.* schroefvlak *o.*
hélicon [élikõ] *m.* bashoorn *m.*
hélicoptère [élikòptè:r] **I** *m.*, (*vl.*) helikopter *m.*, loodrecht opstijgende vliegmachine *v.*; **II** *adj.*, (*vl.*) loodrecht opstijgend.
Heligoland [éligòlã] *m.* Helgoland *o.*
héliocentrique [élyòsã'trik] *adj.* heliocentrisch, met de zon als middelpunt.
heliochromie [élyòkròmi] *f.* fotografie in kleuren, heliochromie *v.*
héliographe [élyògraf] *m.* heliograaf, zontelegraaf *m.*
héliographie [élyògrafi] *f.* **1** zonbeschrijving *v.*; **2** lichtdruk *m.*
héliographique [élyògrafik] *adj.* heliografisch; ***gravure —,*** heliogravure *v.*
héliogravure [élyògravü:r] *f.* lichtdruk; koperdiepdruk *m.*
héliomètre [élyòmè'tr] *m.* zonnemeter *m.*
hélioscope [élyòskòp] *m.* zonnekijker *m.* (verrekijker met donker glas).
héliothérapie [élyòtérapi] *f.* geneeswijze *v.*(*m.*) door zonlicht.
héliotrope [élyòtròp] *m.*, (*Pl.*) heliotroop *v.*(*m.*).
héliotropisme [élyòtròpizm] *m.* (*Pl.*) neiging *v.* om zich naar de zon te keren.
héliport [élipò:r] *m.* luchthaven *v.*(*m.*) voor hefschroefvliegtuigen.
hélium [élyòm] *m.* helium *o.*
hélix [éliks] *m.* buitenste rand *m.* van het oor.
Hellade [èla'd] *f.* Hellas *o.* (oud-Griekenland).
Hellène [èlè:n] *m.* Helleen, Griek *m.*
hellénique [èlénik] *adj.* Helleens.
hellénisme [èlénizm] *m.* **1** Griekse zinswending, — uitdrukking *v.*; **2** Griekse beschaving *v.*
helléniste [èlénist] *m.* graecus, kenner (beoefenaar) *m.* van het Grieks.
hellénistique [èlénistik] *adj.* hellenistisch.
Hellespont [èlèspõ] *m.* Hellespont *m.*
helminthe [èlmẽ:t] *m.* ingewandsworm *m.*
Helvète [èlvè:t] *m.* Helvetiër; Zwitser *m.*
Helvétie [èlvési] *f.* Helvetië *o.*
helvétique [èlvétik] *adj.* Helvetisch; Zwitsers.
'hem! [(h)èm] *ij.* hem! hm!
hémateux [ématö] *adj.* van het bloed.
hématie [émati] *f.* rood bloedlichaampje *o.*
hématite [ématit] *f.* bloedsteen *m.*
hématogène [ématòjè:n] **I** *adj.* bloedvormend; **II** *s.*, *m.* bloedvormend middel *o.*
hématologie [ématòlòji] *f.* leer *v.*(*m.*) van het bloed.
hématose [émato:z] *f.* bloedvorming *v.*
hématozoaires [ématòzòè:r] *m.pl.* hematozoën *mv.*, parasieten in het bloed.
hématurie [ématüri] *f.* bloedwateren.
héméralopie [éméralopi] *f.* nachtblindheid *v.*
hémicycle [émisikl] *m.* **1** halve cirkel *m.*; **2** halfrond *o.*; **3** halfronde zaal (*of* bank) *v.*(*m.*).
hémione [émyòn] *m.*, (*Dk.*) halfezel *m.*
hémiopie [émyòpi] *f.* (het) halfzien *o.*
hémiplégie [émipléji], **hémiplexie** [émiplèksi]

f., (*gen.*) eenzijdige (*of* halfzijdige) verlamming *v.*
hémiplégique [émipléjik] *adj.* eenzijdig (*of* halfzijdig) verlamd.
hémiplexie, *voir* ***hémiplégie.***
hémiptère [émiptè:r] **I** *adj.* halfvleugelig; **II** *s., m.* halfvleugelig insekt *o.*
hémisphère [émisfè:r] *m.* **1** halve bol *m.*; **2** halfrond *o.*; — ***boréal,*** noordelijk halfrond; — ***austral,*** zuidelijk halfrond; ***les —s cérébraux,*** de hersenhelften *mv.*
hémisphérique [émisférik] *adj.* halfrond.
hémistiche [émistiʃ] *m.* half vers *o.* (vooral van alexandrijn).
hémoglobine [émòglòbin] *f.* bloedkleurstof *v.(m.).*
hémolyse [émòliz] *f.* vernietiging *v.* van rode bloedlichaampjes.
hémopathie [émòpati] *f.* bloedziekte *v.*
hémophilie [émòfili] *f.* bloederziekte, neiging *v.* om veel en lang te bloeden.
hémoptysie [émòptizi] *f.* bloedspuwing *v.*
hémorragie [émòraji] *f.* **1** bloeduitstorting *v.*; **2** bloeding *v.*; — ***nasale,*** neusbloeding *v.*
hémorroïdal [émòròidal] *adj.* van de aambeien. [*v.* (*mv.*).
hémorroïde(s) [émòròi·d] *f.* (*pl.*) aambei(en)
hémoscopie [émòskòpi] *f.* bloedonderzoek *o.*
hémostase [émòsta:z] *f.* bloedstelping *v.*
hémostatique [émòstatik] *adj.* bloedstelpend.
hémotoxie [émòtòksi] *f.* bloedvergiftiging *v.*
hendécagonal [ẽ·dékagònal] *adj.* elfhoekig.
hendécagone [ẽ·dékagòn] *m.* elfhoek *m.*
'henné [(h)èné] *m.* henna *v.* (struik en kleurmiddel).
'hennin [(h)ènẽ] *m.* tuit, puntige vrouwenmuts *v.(m.)* (in de middeleeuwen).
'hennir [(h)èni:r, (h)ani:r] *v.i.* hinniken. [nik *o.*
'hennissement [(h)ènismã, (h)anismã] *m.*, gehin-
'hennuyer [(h)anẁiyé] *adj.* Henegouws.
Henri [(h)ã·ri] *m.* Hendrik, Hein *m.*
Henri-Chapelle [(h)ã·riʃapèl] Hendrikkapelle *o.*
Henriette [(h)ã·ryèt] *f.* Hendrika *v.*
henry [ã·ri] *m.* henry *v.*, eenheid *v.* van elektrische zelfinductie.
hépatique [épatik] **I** *adj.* **1** lever—; **2** leverkleurig; **II** *s., f.* leverbloempje *o.*
hépatisme [épatizm] *m.* leveraandoening *v.*
hépatite [épatit] *f.* **1** leverontsteking *v.*; **2** leversteen *m.*
heptacorde [èptakòrd] **I** *adj.* zevensnarig; **II** *s., m.* zevensnarige lier *v.(m.).*
heptaèdre [èptaè:dr] **I** *adj.* zevenvlakkig; **II** *s., m.* zevenvlak *o.*
heptagonal [èptagònal] *adj.* zevenhoekig.
heptagone [èptagòn] *m.* zevenhoek *m.*
heptamètre [èptamè·tr] *m.* zevenvoetig vers *o.*
heptandre [èptã:dr] *adj.*, (*Pl.*) zevenhelmig (met 7 meeldraden).
Héraclée [éraklé] *f.* Heraclea *v.*
héraldique [éraldik] **I** *adj.* wapenkundig; **II** *s., f.* wapenkunde *v.*
héraldiste [éraldist] *m.* wapenkundige *m.*
'héraut [(h)éro] *m.* heraut, wapenbode *m.*
herbacé [èrbasé] *adj.* grasachtig, kruidachtig.
herbage [èrba:j] *m.* **1** gras *o.*; **2** weiland *o.*, weide *v.(m.)*; —***s,*** (allerlei) kruiden *mv.*
herbagement [èrba·jmã] *m.* (het) vetweiden *o.*
herbager [èrba·jé] **I** *v.t.* vetweiden; **II** *s., m.* vetweider *m.*
herbageux [èrbajö] *adj.* met gras bedekt, grasrijk.
herbe [èrb] *f.* **1** gras *o.*; **2** kruid *o.*; ***mauvaise —,*** onkruid *o.*; ***mauvaise — croît toujours,*** onkruid vergaat niet; —***s potagères,*** soepgroenten; moeskruiden; ***en —,*** **1** (*v. koren, enz.*) nog groen; **2** (*fig.*) aankomend, in de dop; ***employer toutes les —s de la Saint-Jean,*** alles in 't werk stellen, alle middelen aanwenden; ***il a marché sur une mauvaise —,*** hij is met het verkeerde been uit bed gestapt; ***sur quelle — a-t-il marché?*** wat heeft hem zo uit zijn humeur gebracht? waarom is hij zo kribbig?
herbé [èrbé] *adj.* met gras begroeid. [bleken.
herber [èrbé] *v.t.* op het gras uitspreiden, — laten
herberie [èrbri] *f.* groentenmarkt *v.(m.).*
herbette [èrbèt] *f.* jong gras *o.*
herbeux [èrbö] *adj.* grasrijk, grazig.
herbicide [èrbisid] **I** *adj.* onkruid verdelgend; **II** *m.* onkruidbestrijdingsmiddel *o.*
herbier [èrbyé] *m.* **1** herbarium *o.*, plantenverzameling *v.*; **2** plantenboek *o.*; **3** (*in water*) grasbank *v.(m.).*
herbière [èrbyè:r] *f.* groentevrouw *v.*
herbivore [èrbivò:r] **I** *adj.* plantenetend; **II** *s., m.* plantenetend dier *o.*
herborisateur [èrbòrizatœ:r] *m.* kruidenzoeker, plantenzoeker *m.*
herborisation [èrbòriza·syõ] *f.* (het) plantenzoeken, (het) botaniseren *o.*
herboriser [èrbòri·zé] *v.i.* botaniseren.
herboriseur [èrbòrizœ:r] *voir* ***herborisateur.***
herboriste [èrbòrist] *m.* drogist, kruidenverkoper *m.*
herboristerie [èrbòristri] *f.* drogisterij *v.*
herbu [èrbü] *adj.* begroeid met gras, vol met gras.
herbue [èrbü] *f.* **1** bladaarde, teelaarde *v.(m.)*; **2** lichte weidegrond *m.*
'herche [(h)èrʃ] *f.* ertswagentje, mijnwagentje *o.*
'hercher [(h)èrʃé] *v.i.*, (*in mijn*) de ertswagentjes voortduwen.
Hercule [èrkül] *m.* Hercules *m.*; ***h—,*** atleet; krachtmens *m.*
herculéen [èrküléẽ] *adj.* herculisch. [*o.*
hercynien [èrsinyẽ] *adj.*, ***monts —s,*** ertsgebergte
'herd-book* [hœrdbuk] *m.* veestamboek *o.*
'hère [(h)è:r] *m.* stakker, drommel *m.*
héréditaire(ment) [éréditè:r, -ditè·rmã)] *adj.* (*adv.*) erfelijk; ***ennemi —,*** erfvijand *m.*; ***prince —,*** erfprins *m.*
hérédité [érédité] *f.* **1** erfelijkheid *v.*; **2** erfrecht *o.*
hérésiarque [érézyark] *m.* ketterhoofd *o.*, stichter *m.* van een nieuwe sekte.
hérésie [érézi] *f.* ketterij *v.*
hérétique [érétik] **I** *adj.* ketters; **II** *s., m.-f.* ketter *m.*, ketterin *v.*
Hérinnes [érin] Herne *o.*
'hérissé [(h)érisé] *adj.* **1** rechtopstaand, te berge rijzend; **2** borstelig, stekelig; **3** ruig, sterk behaard; **4** (*v. veren*) opgezet; **5** (*fig.*) weerbarstig, stroef, lastig; — ***de,*** vol met, bedekt met.
'hérissement [(h)érismã] *m.* (het) rechtopstaan *o.*
'hérisser [(h)érisé] **I** *v.t.* **1** rechtop doen staan; **2** stekelig maken; **3** (*veren*) opzetten; **4** — ***de,*** bedekken met, vol maken met; **II** *v.i.* te berge rijzen; **III** *v.pr.*, ***se —,*** **1** te berge rijzen; **2** rechtop staan; **3** zijn veren opzetten; **4** (*fig.*) onhandelbaar worden.
'hérisson [(h)érisõ] *m.* **1** egel *m.*; **2** stekelvis *m.*; **3** stekelschelp *v.(m.)*; **4** kastanjebolster *m.*; **5** (*fig.*) stekelvarken *o.*, onhandelbaar mens *m.*; **6** ragebol *m.* (v. schoorsteenveger).
Héristal [éristal] *m.* Herstal *o.*
héritage [érita:j] *m.* **1** erfenis; nalatenschap *v.*; **2** erfdeel *o.*; **3** erfgoed *o.*; ***tante à —,*** erftante *v.*; ***faire un —,*** een erfenis krijgen.
hériter [érité] *v.t. et v.i.* erven; ***— de qn.,*** van

iem. erven; **— *de qc.*,** iets erven; **— *qc. de qn.*** iets van iem. erven.
héritier [érityé] *m.*, **héritière** [éritye̊:r] *f.* erfgenaam *m.*, erfgename *v.*; ***une** (**riche**) **héritière,*** een (rijke) erfdochter; **— *de la couronne,*** troonopvolger *m.*; ***prince* —,** erfprins *m.*
Herk-la-Ville [èrklavil] Herk-de-Stad *o.*
Herk-Saint-Lambert Sint-Lambrechts-Herk *o.*
hermaphrodisme [èrmafròdizm] *m.* tweeslachtigheid *v.*
hermaphrodite [èrmafròdit] **I** *adj.* tweeslachtig; **II** *s.*, *m.* hermafrodiet *m.*
herméneutique [èrménö'tik] **I** *adj.* verklarend; **II** *s.*, *f.* hermeneutiek, verklaring *v.* van de Bijbel.
hermétique(ment) [èrmé'tik(mã)] *adj.* (*adv.*) hermetisch, luchtdicht; ***colonne* —,** hermeszuil *v.*(*m.*).
hermine [èrmin] *f.* **1** (*Dk.*) hermelijn *m.*; **2** hermelijnbont *o.*; ***doublé d'*—,** met hermelijn *o.* gevoerd.
herminé [èrminé] *adj.* met hermelijn gevoerd.
(h)erminette [èrminèt] *f.* dissel *m.* (van kuipers).
(h)ermitage [èrmita:j] *m.* kluis *v.*(*m.*).
(h)ermite [èrmit] *m.* kluizenaar *m.*
'herniaire [(h)èrnyè:r] **I** *adj.* breuk—; ***bandage* —,** breukband *m.*; **II** *s.*, *f.* breukkruid *o.*
'hernie [(h)èrni] *f.* breuk *v.*(*m.*), uitzakking *v.*; **— *étranglée,*** beklemde breuk; **— *ombilicale,*** navelbreuk; ***réduire une* —,** een breuk terugduwen.
'hernieux [(h)èrnyö] *m.* breuklijder *m.*
'herniole [(h)èrnyòl] *f.* breukkruid, duizendkoren [*o.*
'herniotomie [(h)èrnyòtòmi] *f.* breuksnijding, operatie *v.* van een beklemde breuk.
Hern-Saint-Hubert Sint-Huibrechts-Hern *o.*
'Hernute [(h)èrnüt] *m.* hernhutter *m.*
Hérode [(h)érò'd] *m.* Herodes *m.*
Herodiade [(h)éròdya'd] *f.* Herodias *v.*
héroïcité [éroisité] *f.* heldhaftigheid *v.*
héroï-comique [éròikòmik] *adj.* boertig-verheven, heroïek-komisch.
héroïne [éroin] *f.* **1** heldin *v.*; **2** heroïne *v.* (verdovend middel).
héroïque [éròik] *adj.*, **héroïquement** [éròikmã] *adv.* heldhaftig; ***poème* —,** heldendicht *o.*; ***remède* —,** paardemiddel *o.*
héroïsme [éròizm] *m.* heldenmoed *m.*, heldhaftig- [heid *v.*
'héron [(h)érõ] *m.*, (*Dk.*) reiger *m.*; **— *de mer,*** zwaardvis *m.*
'héronneau [(h)éròno] *m.* jonge reiger *m.*
'héronnière [(h)érònyè:r] *f.* **1** reigerkooi *v.*(*m.*); **2** reigernest *o.*, reigerbroedplaats *v.*(*m.*).
'héros [(h)éro] *m.* **1** held *m.*; **2** (*oudh.*) halfgod, heros *m.*; **3** (*v. roman*) hoofdpersoon, held *m.*; ***le* — *de la fête,*** de jubilaris *m.*
herpès [èrpè:s] *m.*, (*gen.*) haarworm *m.*
'hersage [(h)èrsa:j] *m.* (het) eggen *o.*
'herse [(h)èrs] *f.* **1** eg(ge) *v.*(*m.*); **2** (*op toneel*) bovenlicht *o.*; **3** (*voor zwemschool, in rivier, enz.*) staketsel *o.*; **4** (*gesch.*) valpoort; hamei *v.*(*m.*); **5** (*tel.*) dradenrek *o.*; **6** driehoekige lichtkroon *v.*(*m.*).
Herseaux [èrso] Herzeeuw *o.*
'herser [(h)èrsé] *v.t.* eggen.
'herseur [(h)èrsœ:r] *m.* egger *m.*
hertz [èrts] *m.* hertz *v.*, eenheid van frequentie.
hertzien [èrtsyẽ] *adj.* van Hertz; ***ondes —nes,*** (*el.*) elektromagnetische golven, golven van Hertz.
Herzégovine [èrzégòvin] *f.* Herzegowina *v.*
hésitant [ézitã] *adj.* aarzelend, weifelend, weifelmoedig.
hésitation [ézita'syõ] *f.* **1** aarzeling, weifeling *v.*; **2** (*bij spreken*) hapering *v.*; gestotter *o.*
hésiter [ézité] (*à*) *v.i.* **1** aarzelen, weifelen; **2** (*bij spreken*) hakkelen, stamelen; **— *devant,*** terugdeinzen voor.
Hespérides [èspéri'd] *f.pl.* Hesperiden *mv.*
'Hesse [(h)ès] *f.* Hessen *o.*
'Hessois [(h)èswa] **I** *m.* Hes *m.*; **II** *adj.*, ***h*—,** Hessisch.
hétaïre [ètai:r] *f.* hetaere *v.*, Griekse vrouw van [losse zeden.
hétéroclite [étéròklit] *adj.* **1** onregelmatig; **2** merkwaardig, zonderling, wonderlijk.
hétérodoxe [étéròdòks] *adj.* onrechtzinnig, afwijkend in mening.
hétérodoxie [étéròdòksi] *f.* onrechtzinnigheid, afwijkende mening *v.* (vooral in godsdienst).
hétérogame [étérògam] *adj.* ongelijkslachtig.
hétérogène [étéròjè:n] *adj.* ongelijksoortig; ***nombre* —,** gemengd getal.
hétérogénéité [étéròjénéité] *f.* ongelijksoortigheid [*v.*
hetman [(h)ètmã] *m.* hoofdman van kozakken, hetman *m.*
'hêtraie [(h)è'trè] *f.* beukenbos *o.*, beukenlaan [*v.*(*m.*).
'hêtre [(h)è'tr] *m.* **1** beuk *m.*; **2** beukehout *o.*
heu! [(h)ö] *ij.* och!
heure [œ:r] *f.* **1** uur *o.*; **2** tijd *m.*; **3** ogenblik, tijdstip *o.*; ***les —s canoniales,*** de getijden; ***livre d'—s,*** getijdenboek *o.*; ***—s supplémentaires,*** (*v. werklieden*) overuren *mv.*; ***—s de loisir,*** vrije tijd; ***demander l'*—,** vragen hoe laat het is; ***une — d'horloge,*** een vol uur; ***prendre — avec qn.,*** een bepaalde tijd met iem. afspreken; een uur vaststellen; ***les huit —s,*** de achturige werkdag; ***à l'*—,** op tijd; ***à l'— du dîner,*** bij etenstijd; ***à l'— qu'il est, à l'— présente,*** thans; op dit ogenblik; ***à toute* —,** ieder ogenblik; te allen tijde; ***tout à l'*—,** dadelijk, straks; ***quelle — est-il?*** hoe laat is het? ***avoir l'*—,** weten hoe laat het is; gelijk zijn; ***de bonne* —,** vroeg; ***à la bonne* —,** goed zo! prachtig! ik vind het goed! ***il est l'— de,*** het is tijd om; ***venir à son* —,** op 't juiste ogenblik komen; ***dernière* —,** (*in dagblad*) laatste nieuws; ***— d'été,*** zomertijd; ***à des —s indues,*** bij nacht en ontij; ***les —s de pointe,*** de spitsuren; ***arriver après l'*—,** te laat komen; ***d'— en* —,** om het uur; ***— par* —,** van uur tot uur; ***chercher midi à quatorze —s,*** spijkers op laag water zoeken.
heureusement [œrö'zmã] *adv.* gelukkig.
heureux [œrö] **I** *adj.* **1** gelukkig; **2** blij; **3** voorspoedig; ***avoir la main heureuse,*** een gelukkige keus doen; **II** *s.*, *m.* gelukkige *m.*; ***faire un* —,** iem. gelukkig maken; ***les — du monde,*** de rijken van de aarde.
Heur-le-Tiexhe [œ'rltiks] Dietsch-Heur *o.*
'heurt [(h)œ:r] *m.* **1** stoot, duw, schok *m.*; **2** kneuzing *v.*; **3** hoogste deel *o.* van oplopende straat (brug, enz.).
'heurté [(h)œ'rté] *adj.* **1** (*v. kleuren*) schreeuwend, schel; **2** (*v. trekken*) onregelmatig; **3** (*v. stijl*) stroef; **4** (*v. betoog*) onsamenhangend; **5** (*v. klanken*) onharmonisch.
'heurtement [(h)œ'rtemã] *m.* (het) stoten *o.*
'heurter [(h)œ'rté] **I** *v.t.* **1** stoten tegen; **2** (*v. schip*) aanvaren; **3** (*v. mijn*) lopen op; **4** (*fig.*) aanstoot geven aan, kwetsen, tegen de borst stoten; **5** indruisen tegen, strijden met; **II** *v.i.* **1** stoten (tegen); **2 — *à la porte,*** (aan de deur) aankloppen; **III** *v.pr.*, ***se* —, 1** stoten, zich stoten (aan); **2** met elkaar in botsing komen; ***se — à,*** afstuiten op.
'heurtoir [(h)œ'rtwa:r] *m.* **1** klopper *m.*; **2** (*v. spoor*) stootblok *o.*; **3** (*v. sluis*) slagdrempel, slagbalk *m.*; **4** (*v. kanon*) stootbalk *m.*
hévée [évé] *f.*, (*Pl.*) hevea *v.*(*m.*).
hexacorde [ègzakòrd] *adj.*, (*muz.*) zessnarig.

hexaèdre [ègzaè:dr] *m.* zesvlak *o.*
hexagonal [ègzagònal] *adj.* zeshoekig.
hexagone [ègzagòn] *m.* zeshoek *m.*
hexamètre [ègzamè'tr] *m.* zesvoetig vers *o.*
hexandre [ègzã:dr] *adj.*, (*Pl.*) zeshelmig.
hexapode [ègzapò'd] *adj.* zesvoetig.
hiatus [yatüs] *m.* **1** hiaat *m. en o.*; **2** gaping *v.*
hibernal [ibèrnal] *adj.* winter—; ***sommeil* —**, winterslaap *m.* [(dier *o.*).
hibernant [ibèrnã] *adj. et s., m.* 's winters slapend
hibernation [ibèrna'syõ] *f.* winterslaap *m.*, overwintering *v.*
hiberner [ibèrné] *v.i.* een winterslaap hebben, overwinteren.
'hibou [(h)ibu] *m.* (*pl.* : *—x*) **1** uil *m.*; **2** (*fig.*) schuw mens *m.*
'hic [(h)ik] *m.* moeilijkheid *v.*; ***voilà le* —**, daar zit de moeilijkheid, daar zit hem de knoop.
'hideur [(h)idœ:r] *f.* afschuwelijkheid, afzichtelijkheid *v.*
'hideux [(h)idö] *adj.*, **'hideusement** [(h)idö'zmã] *adv.* afschuwelijk, afzichtelijk, afgrijselijk, afstotend. [straatstenen).
'hie [(h)i] *f.* straatstamper *m.*, heiblok *o.* (voor
hièble [yè'bl] *f.*, (*Pl.*) wilde vlier *v.*(*m.*).
hiémal [yémal] *adj.* winter—, overwinterend; ***plante* —*e*,** winterplant *v.*(*m.*).
hiémation [yémasyõ] *f.* overwintering *v.*
'hiement [(h)imã] *m.* **1** (het) heien *o.*; **2** (het) dreunen *o.*
hier [yè:r, iyè:r] *adv.* gisteren; ***d'*—**, van gisteren; nieuwbakken; ***il n'est pas né d'*—**, hij is niet van gisteren; ***il est né d'*—**, hij komt pas kijken.
'hier [(h)iyé] **I** *v.t.* heien, inheien; **II** *v.i.*, (*v. machine*) knarsen, piepen.
'hiérarchie [yérarʃi] *f.* hiërarchie *v.*, rangorde *v.*(*m.*), rangopvolging *v.*
'hiérarchique(ment) [yérarʃik(mã)] *adj.* (*adv.*) hiërarchiek; ***par voie* —**, langs de hiërarchieke weg.
hiératique [yératik] *adj.* **1** priesterlijk, heilig; **2** (*v. kunst, stijl*) streng, traditioneel; ***écriture* —**, hiëratisch schrift.
hiéroglyphe [yéròglif] *m.* **1** hiëroglief *v.*(*m.*); **2** (*fig.*) onbegrijpelijk teken *o.*
hiéroglyphique [yéròglifik] *adj.* **1** hiëroglyfisch; **2** raadselachtig, duister.
'highlander [haylã'dœr] *m.* Hooglander, Bergschot *m.*
Hilaire [ilè:r] *m.* Hilarius *m.* [gas *o.*
hilarant [ilarã] *adj.* lachwekkend; ***gaz* —**, lach-
hilare [ila:r] *adj.* vrolijk.
hilarité [ilarité] *f.* vrolijkheid *v.*, lachlust *m.*
'hile [(h)il] *m.* (*Pl.*) (*v. zaadje*) navel *m.*
Hindou [ẽ'du] **I** *m.* Hindoe *m.*; **II** *adj.*, ***h*—, 1** Hindoes; **2** Indiaas.
hindouisme, indouisme [ẽ'duizm] *m.* hindoeïsme *o.*
Hindoustan [ẽ'dustã] *m.* Hindostan, Voor-Indië *o.*
hindoustani [ẽ'dustani] *adj.* Hindostani.
'hinterland [(h)intè'rlã:d] *m.* achterland *o.* (van kuststreek). [paard.
hipparion [iparyõ] *m.* voorvader *m.* van het
hippiatre [ipyatr] *m.* paardenarts *m.*
hippiatrie [ipyatri], **hippiatrique** [ipyatrik] *f.* paardenartsenijkunde *v.*
hippique [ipik] *adj.* paarden—; de paarden betreffend; ***concours* —**, paardenwedstrijd *m.*; ***sport* —**, paardesport *v.*(*m.*).
hippisme [ipism] *m.* paardesport *v.*(*m.*).
hippobosque [ipòbòsk] *m.* paardevlieg *v.*(*m.*).
hippocampe [ipòkã:p] *m.*, (*Dk.*) zeepaardje *o.*
hippodrome [ipòdròm] *m.* **1** hippodroom *m. en o.*; rijtent *v.*(*m.*); **2** renbaan *v.*(*m.*); **3** (*op kermis*) paardenspel *o.*
hippologie [ipòlòji] *f.* leer *v.*(*m.*) van het paard.
Hippolyte [ipòlit] *m.* Hippolytus *m.*
hippomobile [ipòmòbil] *adj.* door paarden voortbewogen; ***traction* —**, paardentrekkracht *v.*(*m.*).
hippophage [ipòfa:j] *m.* paardevleeseter *m.*
hippophagie [ipòfaji] *f.* (het) eten *o.* van paardevlees.
hippophagique [ipòfajik] *adj.* paardevlees—; ***boucherie* —**, paardenslachterij *v.*
hippopotame [ipòpòtam] *m.* nijlpaard *o.*
hippotechnie [ipòtèkni] *f.* het fokken en africhten *o.* van paarden.
hircin [irsẽ] *adj.* van een bok.
hirondeau [irõ'do] *m.* jonge zwaluw *v.*(*m.*).
hirondelle [irõ'dèl] *f.* **1** zwaluw *v.*(*m.*); **2** (*fig.*) rivierstoombootje *o.*; ***— de fenêtre*,** huiszwaluw; ***— de rivage*,** oeverzwaluw; ***— rustique*,** boerenzwaluw; ***une — ne fait pas le printemps*,** één zwaluw maakt nog geen zomer.
hirsute [irsüt] *adj.* **1** behaard, ruig, harig; **2** (*fig.*: *v. persoon*) stekelig.
hispanique [ispanik] *adj.* Spaans.
hispanisme [ispanizm] *m.* Spaanse uitdrukking *v.*
hispano- [ispano] *adj.* Spaans—.
hispide [ispi'd] *adj.*, (*v. planten*) behaard, ruig.
'hisser [(h)isé] *v.t.* hijsen, ophijsen.
histogénie [istojéni] *f.* weefselvorming *v.*
histoire [istwa:r] *f.* **1** geschiedenis *v.*; **2** verhaal *o.*; **3** onaangenaamheid, moeilijkheid *v.*; ***— nationale*,** vaderlandse geschiedenis; ***— universelle*,** algemene geschiedenis; ***— sainte*,** gewijde (*of* bijbelse) geschiedenis; ***— naturelle*,** natuurlijke historie; ***c'est toute une* —, 1** dat is heel moeilijk; **2** daar is heel wat van te zeggen; ***c'est de l'*—**, het is historisch; ***c'est de l'— ancienne*,** dat is oud nieuws, dat weten we al, dat behoort tot het verleden; ***faire des —s*,** drukte maken; ***faire des —s à qn.*,** iem. lastig vallen, iem. in moeilijkheden brengen; ***— de rire*,** voor de grap, voor de aardigheid.
histologie [istòlòji] *f.* weefselleer *v.*(*m.*).
histolyse [istòli:z] *f.* (*Dk.*) weefselvernietiging *v.* tijdens metamorfoseproces van insekten.
historicité [istòrisité] *f.* historisch karakter *o.*
historien [istòryẽ] *m.* geschiedschrijver *m.*
historier [istòryé] *v.t.* verluchten, versieren (met krullen, enz.).
historiette [istòryèt] *f.* verhaaltje *o.*
historiographe [istòryògraf] *m.* (officieel aangesteld) geschiedschrijver, historiograaf *m.*
historique(ment) [istòrik(mã)] **I** *adj.* (*adv.*) geschiedkundig, historisch; **II** *s., m.* geschiedkundig verloop, geschiedkundig overzicht *o.*
histrion [istri(y)õ] *m.* **1** kluchtspeler *m.* (bij de Ouden); **2** (*fig.*) potsenmaker *m.*
hitlérien [itléryẽ] **I** *adj.* Hitleriaans, volgens de beginselen van Hitler; **II** *s., m.* nazi, aanhanger *m.* van Hitler.
hiver [ivè:r] *m.* winter *m.*
hivernage [ivèrna:j] *m.* **1** overwintering *v.*; **2** winterstalling *v.* (van vee); **3** (*v. land*) (het) omploegen *o.* voor de winter; **4** (*sch.*) winterhaven *v.*(*m.*).
hivernal [ivèrnal] *adj.* **1** winter—; **2** winters.
hivernant [ivèrnã] *m.* wintergast *m.*
hiverner [ivèrné] **I** *v.i.* overwinteren; **II** *v.t.* **1** (*v. land*) voor de winter bewerken; **2** (*v. vee*) in de winter stallen.
'ho! [(h)o] *ij.* ho! hé!

'hobereau [(h)òbro] *m.* **1** (*Dk.*) boomvalk *m. en v.*; **2** landjonker, landedelman *m.*

'hoc [(h)òk] *m.* hokspel *o.*

'hoche [(h)òʃ] *f.* keep, kerf *v.*(*m.*), insnijding *v.*

'hochement [(h)òʃmã] *m.* (het) schudden *o.* (van het hoofd).

'hochepot [(h)òʃpo] *m.* hutspot *m.*, jachtschotel *m.*

'hochequeue [(h)òʃkö] *m.* kwikstaart *m.*

'hocher [(h)òʃé] *v.t.* **1** schudden (van het hoofd); **2** inkepen.

'hochet [(h)òʃè] *m.* **1** rammelaar *m.*; **2** speelgoed *o.*; **3** (*fig.*) beuzeling *v.* [hockey *o.*

'hockey [òkè] *m.* hockey *o.*; — ***sur glace,*** ijs-

hoir [wa:r] *m.*, (*oud: recht*) erfgenaam *m.*

hoirie [wa:ri] *f.* **1** erfenis *v.*; **2** erfopvolging *v.*

'holà [(h)òla, (h)òlɑ] *ij.* **1** (*aanroep*) hola! **2** (*om op te houden*) houd op! wacht even! ***mettre le — (à)***, een einde maken (aan).

'holding [holdẽ] *m.* trust *m.* door aandelenfusie van versch. vennootschappen.

'hôlement [(h)o'lmã] *m.* (het) schreeuwen *o.* (van uil).

'hôler [(h)o'lé] *v.i.* schreeuwen (van uil).

'hollandais [(h)òlã'dè] **I** *adj.* Hollands, Nederlands; **II** ***H—***, *m.*, ***—e*** *f.* Hollander *m.*, —dse *v.*, Nederlander *m.*, —dse *v.*

'Hollande [(h)òlã'd] *f.* Holland, Nederland *o.*; ***h—***, *m.* Hollandse kaas *m.*

'hollandé [(h)òlã'dé] *adj.* sterk en dicht; ***batiste —***, sterk, stevig batist *o.*

holocauste [òlòko:st] *m.* **1** (*bij de joden*) brandoffer *o.*; **2** (*fig.*) offer, zoenoffer *o.*

holoèdre [òlòè:dr] *m.* regelmatig gevormd kristal *o.*

holoédrique [òlòédrik] *adj.*, (*v. kristal*) regelmatig gevormd.

Holopherne [òlòfèrn] *m.* Holophernes *m.*

holothurie [òlòtüri] *f.* zeekomkommer *m.*

hom! [(h)òm] *ij.* hm!

'homard [(h)òma:r] *m.* (zee)kreeft *m. en v.*

Hombourg [õ'bu:r] Homburg *o.*

hombre [õ:br] *m.* omberspel *o.*

'home [om] *m.* thuis *o.*; gezinsleven *o.*

homélie [òméli] *f.* **1** leerrede, preek *v.*(*m.*); **2** (*fig.*) zedenpreek *v.*(*m.*).

homéopathe [òméòpat] *m.* homeopaat, voorstander van de homeopathie, homeopatisch arts *m.*

homéopathie [òméòpati] *f.* homeopathie *v.* (geneeswijze waarbij een ziekte bestreden wordt met datgene, waardoor bij een gezonde de ziekte zou ontstaan).

homéopathique [òméòpatik] *adj.* homeopatisch.

Homère [òmè:r] *m.* Homerus *m.*

homérides [òméri'd] *m.pl.* homeriden *mv.*

homérique [òmérik] *adj.* homerisch; ***rire —***, onbedaarlijk (uitbundig) gelach *o.*

homicide [òmisi'd] **I** *m.* **1** moordenaar *m.*; **2** manslag, doodslag *m.*, moord *m. en v.*; **II** *adj.* moordend; moorddadig; ***le fer —***, het moordend staal. [*v.*

homilétique [òmilétik] *f.* kanselwelsprekendheid

hommage [òma:j] *m.* **1** (*gesch.*) leenplicht *m. en v.*, leenhulde *v.*; **2** hulde *v.*, eerbewijs *o.*, verering *v.*; ***rendre — à***, hulde brengen aan, huldigen; ***faire — de qc. à qn.***, iem. iets als huldeblijk aanbieden; iem. iets ten geschenke geven; — ***de l'auteur,*** **1** (*op boek*) van de schrijver; **2** presentexemplaar *o.*; ***—s,*** beleefde groeten *mv.*

hommagé [òmajé] *adj.*, (*gesch.*) leenplichtig, leenroerig (van goederen).

hommager [òmajé] *adj.*, (*et s., m.*) leenplichtig(e) (*m.*) (van personen).

hommasse [òmas] *adj.*, (*ong.*) manachtig; ***femme —***, manwijf *o.*

homme [òm] *m.* **1** mens *m.*; **2** man *m.*; **3** (*pop.*) echtgenoot *m.*; **4** soldaat *m.*; — ***d'armes,*** krijgsman *m.*; — ***de lettres,*** letterkundige *m.*; — ***de robe,*** rechter *m.*; — ***de loi,*** rechtsgeleerde *m.*; — ***d'affaires,*** zakenman *m.*; — ***de métier,*** handwerksman *m.*; — ***d'État,*** staatsman *m.*; — ***de bien,*** rechtschapen man; — ***de paille,*** stroman *m.*, stropop *v.*(*m.*); — ***de peine*** **1** sjouwer *m.*; **2** hotelknecht *m.*; — ***fait,*** volwassen mens; ***il a trouvé son —***, hij heeft de tegenstander gevonden die hem aandurft.

homme*-affiche* [òmafiʃ] *m.* sandwichman, reclameloper *m.*

Homme-Dieu [òmdyö] *m.* Godmens *m.*

homme*-grenouille* [òmgrenu'y] *m.* kikvorsman *m.*

homme*-orchestre [òmòrkèstr] *m.* belleman, kermismuzikant *m.* [dermens *m.*

homme*-phénomène* [òmfénomè:n] *m.* won-

homme*-sandwich* [òmsã'dviʃ] *m.* sandwichman, reclameloper *m.*

homocentrique [òmòsã'trik] *adj.* concentrisch, gelijkmiddelpuntig.

homogame [òmògam] *adj.*, (*Pl.*) zelfbestuivend.

homogamie [òmògami] *f.* (*Pl.*) zelfbestuiving *o.*

homogène [òmòjè:n] *adj.* **1** gelijksoortig, homogeen; **2** eensgezind.

homogénéité [òmòjénéité] *f.* **1** gelijksoortigheid, homogeniteit *v.*; **2** eensgezindheid *v.*

homologatif [òmòlògatif] *adj.* bekrachtigend.

homologation [òmòlògɑ'syõ] *f.* (gerechtelijke) bekrachtiging, homologatie *v.*

homologue [òmòlò'g] *adj.* gelijkvormig, overeenkomstig, homoloog.

homologuer [òmòlògé] *v.t.* (gerechtelijk) bekrachtigen, homologeren.

homonyme [òmònim] **I** *adj.* gelijkluidend; **II** *s., m.* **1** gelijkluidend woord, homoniem *o.*; **2** naamgenoot *m.*

homonymie [òmònimi] *f.* **1** gelijkluidendheid *v.*; **2** gelijknamigheid *v.* [luidend.

homophone [òmòfòn] *adj.* gelijkklinkend, gelijk-

homophonie [òmòfòni] *f.* gelijkheid van toon, — van klank, gelijkluidendheid *v.*

Hondelange [õ'dlã:j] Hondelingen *o.*

'hondurien [õdüryẽ] *adj.* uit Honduras. [(*m.*).

'hongre [(h)õ:gr] *s., m. et adj.* (***cheval —***), ruin

'hongrer [(h)õ'gré] *v.t.* snijden.

'Hongrie [(h)õ'gri] *f.* Hongarije *o.*

'Hongrois [(h)õ'grwa] **I** *m.* Hongaar *m.*; **II** *adj.*, ***h—***, Hongaars. [jurk *v.*(*m.*).

'Hongroise [(h)õ'grwa:z] *f.* **1** Hongaarse *v.*; **2**

'hongroyer [(h)õ'grwayé] *v.t.*, (— ***le cuir***), (het leer) op zijn Hongaars bereiden.

honnête [ònè:t] *adj.* **1** eerlijk, rechtschapen; **2** fatsoenlijk, eerbaar; **3** beleefd, beschaafd; **4** (*v. prijs*) redelijk; **5** (*v. beloning*) passend, geschikt, redelijk; ***un — homme,*** een eerlijk, fatsoenlijk man; ***un homme —***, een beleefd man.

honnêtement [ònè'tmã] *adj.*, *voir* ***honnête.***

honnêteté [ònè'tté] *f.* **1** eerlijkheid, rechtschapenheid *v.*; **2** fatsoen *o.*, eerbaarheid *v.*; **3** beleefdheid, beschaafdheid *v.*; **4** redelijkheid *v.*

honneur [ònœ:r] *m.* eer *v.*(*m.*); eergevoel *o.*; ***—s,*** **1** eerbewijzen *mv.*; ereambten *mv.*; ***en tout —***, in alle eer en deugd; ***dame d'—***, hofdame *v.*; ***garçon d'—***, bruidsjonker *m.*; ***demoiselle d'—***, bruidsmeisje *o.*; ***sur l'—, sur mon —***, op mijn woord van eer; ***piquer qn. d'—***, op iemands eergevoel werken; ***point d'—***, eergevoel; ***être à l'—***, geëerd worden, gevierd worden (bij bepaalde gelegenheid); ***faire — à,*** **1** eer aandoen; **2** (*v. ver-*

plichtingen) nakomen; **3** *(v. wissel)* honoreren; **4** *(v. handtekening)* gestand doen; ***se faire — de,*** trots zijn op; ***se faire un — de,*** het zich tot eer aanrekenen; ***à tout seigneur, tout —,*** ere wie ere toekomt.

'honnir [(h)ònì:r] *v.t.*, *(verouderd)* honen, smaden; ***honni soit qui mal y pense,*** schande over hem die er kwaad van denkt.

honorabilité [ònòrabilité] *f.* **1** achtbaarheid *v.*; **2** *(v. koopman)* betrouwbaarheid, soliditeit *v.*

honorable(ment) [ònòra'bl(emã)] **I** *adj.* *(adv.)* **1** *(v. persoon)* achtbaar, fatsoenlijk; **2** *(v. daad)* eervol, loffelijk; **3** *(v. koopman)* solide, betrouwbaar; ***faire amende —,*** zijn ongelijk bekennen; ***mention —,*** cum laude; ***mention très —,*** magna cum laude; **II** *s., m.* kamerlid *o.*

honoraire [ònòrè:r] **I** *adj.* ere—; ***membre —,*** erelid *o.*; ***notaire —,*** oud-notaris *m.*; **II —s,** *m.pl.* honorarium *o.*

honorariat [ònòrarya] *m.* **1** ereambt *o.*; **2** eregraad *m.*; **3** erelidmaatschap *o.*

Honoré [ònòré] *m.* Honorius *m.*

honorée [ònòré] *f.*, ***votre —,*** uw geëerd schrijven *o.*

honorer [ònòré] **I** *v.t.* **1** eren; **2** *(v. heiligen)* vereren; **3** *(v. wissel)* honoreren; **4** tot eer strekken; ***— de,*** vereren met; **II** *v.pr.*, ***s'— de,*** een eer stellen in, vereerd zijn met.

honorifique [ònòrifik] *adj.* **1** *(v. ambt, onderscheiding)* eervol; **2** ere—; ***titre —,*** eretitel *m.*

'honte [(h)õ:t] *f.* **1** schande *v.(m.)*; **2** schaamte, beschaamdheid *v.*; ***avoir — de,*** zich schamen over; ***fausse —,*** valse schaamte; ***faire — à qn.,*** iem. tot schande strekken; ***faire — à qn. de qc.,*** iem. iets tot schande rekenen; ***en être pour (ou revenir avec) sa courte —,*** met de kous op de kop thuis komen, met beschaamde kaken staan.

'honteux [(h)õ'tö] *adj.*, **honteusement** [(h)õ'tö'zmã] *adv.* **1** beschaamd; **2** schandelijk; **3** verlegen; ***être — (de),*** zich schamen (over); ***pauvre —,*** stille arme *m.*; ***il n'y a que les — qui perdent,*** de brutalen hebben de halve wereld.

'hop [(h)òp] *ij.* hop! hopla!

hôpital [òpital] *m.* ziekenhuis, gasthuis *o.*; ***— militaire,*** hospitaal *o.*; ***— de chiens,*** hondenasiel *o.*; ***l'— se moque de la charité,*** de pot verwijt de ketel dat hij zwart is.

hoplie [òpli] *m.*, *(Dk.)* schubkever *m.*

hoplite [òplit] *m.*, *(gesch.)* hopliet *m.*

'hoquet [(h)òkè] *m.* hik *m.*; ***— de la mort,*** doodssnik *m.*

'hoqueter [(h)òkté] *v.i.* hikken.

Horace [òras] *m.* Horatius *m.*

horaire [òrè:r] **I** *adj.* uur—; ***cercle —,*** uurcirkel *m.*; **II** *s., m.* **1** *(bij spoorw.)* dienstregeling *v.*; **2** *(in school)* lesrooster *m. en o.*; **3** *(bij administratie)* dienstrooster *m. en o.*; **4** tijdschema *o.*

'horde [(h)òrd] *f.* horde, bende *v.(m.)*.

Horebeke-Saint-Corneille Sint-Kornelis-Horebeke *o.*

Horebeke-Sainte-Marie Sint-Maria-Horebeke *o.*

'horion [(h)òryõ] *m.* slag, stomp *m.*

horizon [òrizõ] *m.* **1** horizon, gezichteinder *m.*; **2** *(fig.)* gezichtskring *m.*

horizontal(ement) [òrizõ'tal(mã)] *adj.* *(adv.)* horizontaal, waterpas.

horizontalité [òrizõ'talité] *f.* horizontale ligging *v.*

horloge [òrlò:j] *f.* **1** uurwerk *o.*; **2** klok *v.(m.)*; ***être réglé comme une —,*** een man van de klok zijn; ***— de la mort,*** *(Dk.)* kloptor *v.(m.)*, doodkloppertje *o.*, houtluis *v.(m.)*.

horloger [òrlòjé] *m.* horlogemaker, klokkenmaker *m.*

horlogerie [òrlòjri] *f.* **1** uurwerkmakerij *v.*; **2** horlogemakerswinkel *m.*

'hormis [(h)ò'rmi] *prép.* behalve, uitgezonderd.

hormone [òrmòn] *f.* hormoon *o.*

'Horn [(h)òrn] *m.*, ***cap —,*** Kaap Hoorn *v.(m.)*.

horométrie [òròmétri] *f.* tijdmeting *v.*

horoscope [òròskòp] *m.* horoscoop *m.*, planeetlezing *v.*; ***tirer l'— de qn.,*** iem. de horoscoop trekken, iem. de toekomst voorspellen.

horoscopique [òròskòpik] *adj.* horoscopisch, van een horoscoop.

horreur [òrœ:r] *f.* **1** afschuw *m.*, afgrijzen *o.*, afschrik *m.*; **2** afschuwelijkheid, afgrijselijkheid *v.*; **3** ijzing, huivering *v.*; **4** gruwel *m.*, schanddaad *v.(m.)*; **5** spook, monster *o.*; ***avoir qc. en —,*** een afschuw hebben van iets; ***être en — (à),*** verafschuwd worden (door); ***prendre en —,*** een afschuw krijgen van.

horrible(ment) [òri'bl(emã)] *adj.* *(adv.)* **1** afschuwelijk, afgrijselijk; **2** verschrikkelijk, vreselijk.

horrifier [òrifyé] *v.t.* vrees inboezemen.

horrifique [òrifik] *adj.* afschuwelijk, afgrijselijk.

horripilant [òripilã] *adj.* ijselijk, om van te rillen.

horripilation [òripila'syõ] *f.* **1** ijzing *v.*; **2** dodelijke ergernis *v.*

horripiler [òripilé] *v.t.* **1** doen rillen; **2** ergeren.

'hors [(h)ò:r] **I** *prép.* **1** buiten; **2** behalve, uitgenomen; ***— ligne,*** buitengewoon; ***mettre — de cause,*** van vervolging ontslaan, buiten vervolging stellen; ***mettre — la loi,*** vogelvrij verklaren; ***— de combat,*** buiten gevecht, weerloos; ***— de prix,*** peperduur, niet te betalen; ***— de page,*** mondig; ***— de propos, — de saison,*** misplaatst, ongepast; ***— concours,*** buiten mededinging; ***— d'ici!*** maak dat je weg komt! de deur uit! **II** *adv.* buiten; **III** ***— que,*** *conj.* tenzij.

'hors-bord [(h)ò'rbò:r] *m.* boot *m.* *en v.* met buitenboordmotor.

'hors-concours [(h)ò'rkõku:r] *m.* iem. die buiten mededinging meedoet [*als adjectief: twee woorden*].

'hors-d'œuvre [(h)ò'rdœ:vr] *m.* **1** bijgerecht, hors-d'œuvre *o.*; **2** *(in boek, enz.)* uitweiding *v.*, bijwerk *o.*; **3** *(bouwk.)* aanbouw *m.*; uitsteeksel, uitstekend bouwwerk *o.*

'hors-jeu [(h)ò'rjö] *m.* buitenspel *o.*

'hors-texte [(h)ò'rtèkst] *m.* buitentekstplaat *v.(m.)*.

hortensia [òrtã'sya] *m.*, *(Pl.)* hortensia *v.(m.)*.

horticole [òrtikòl] *adj.* tuinbouw—, de tuinbouw betreffend.

horticulteur [òrtikültœ:r] *m.* tuinbouwkundige, tuinier *m.*

horticulture [òrtikültü:r] *f.* tuinbouw *m.*

hosanna [òzan(n)a] *ij.* *et s., m.* **1** hosannah; **2** vreugdekreet *m.*

hospice [òspis] *m.* **1** armenhuis, gesticht *o.*; **2** kloosterherberg *v.(m.)*, hospitium *o.*; ***— d'aliénés,*** krankzinnigengesticht *o.*; ***— des vieillards,*** oudemannenhuis *o.*

hospitalier [òspitalyé] *adj.*, **hospitalièrement** [òspitalyè'rmã] *adv.* **1** *(v. plaats)* herbergzaam; **2** *(v. persoon en plaats)* gastvrij; ***sœur hospitalière,*** liefdezuster *v.*

hospitalisation [òspitaliza'syõ] *f.* (het) opnemen *o.* in een gesticht.

hospitaliser [òspitali'zé] *v.t.* **1** opnemen (in een ziekenhuis); **2** onderdak verlenen (aan).

hospitalité [òspitalité] *f.* **1** herbergzaamheid *v.*; **2** gastvrijheid *v.*; ***— écossaise,*** gulle, onbekrompen gastvrijheid.

hostie [òsti] *f.* **1** hostie *v.*; **2** *(in de oudheid)* offer(dier) *o.*

hostile(ment) [òstil(mã)] *adj.* *(adv.)* vijandig (aan), gekant (tegen).

hostilité [òstilité] *f.* **1** vijandigheid, vijandschap *v.*; **2** tegenkanting *v.*; ***les —s,*** de vijandelijkheden.

hôte [o:t] *m.* **1** gastheer *m.*; **2** gast *m.*; **3** waard,

herbergier, logementhouder, hotelhouder *m.*; ***table d'—***, (*in hotel*) open tafel; ***compter sans son —***, buiten de waard rekenen.
hôtel [o'tèl] *m.* **1** hotel *o.*; **2** groot herenhuis *o.*; **3** openbaar gebouw *o.*; ***l'— des monnaies***, de Munt; ***— de ville***, stadhuis *o.*; ***— des postes***, hoofdpostkantoor *o.*; ***maître d'—***, **1** (*op schip*) hofmeester *m.*; **2** (*in hotel, enz.*) oberkelner *m.*; **3** (*in herenhuis*) eerste bediende *m.*; ***sauce à la maître d'—***, botersaus *v.*(*m.*). [huis *o.*
hôtel*-Dieu [o:tèldyö] *m.* gasthuis, groot zieken-
hôtelier [o'telyé] **I** *m.* hotelhouder, waard *m.*; **II** *adj.* hotel-; ***personnel —***, horecapersoneel *o.*
hôtellerie [o'tèlri] *f.* logement *o.*, herberg *v.*(*m.*).
hôtesse [o'tès] *f.* **1** gastvrouw *v.*; **2** waardin *v.*; **3** kostjuffrouw, hospita *v.*
'hotte [(h)òt] *f.* **1** draagmand *v.*(*m.*), korf *m.*; **2** (*boven haard*) rookvang *m.*; **3** (*in laboratorium*) dampkap *v.*(*m.*); **4** baggeremmer *m.* [vol.
'hottée [(h)òté] *f.* mand *v.*(*m.*) vol, draagkorf *m.*
'hottentot [(h)òtã'to] **I** *adj.* Hottentots; **II** *s., m.* ***'H—***, Hottentot *m.*
'hottereau [(h)òtro], **hotteret** [(h)òtrè] *m.* draagkorfje *o.*
'hou [(h)u] *ij.* **1** (*om bang te maken*) boe! **2** (*om uit te jouwen*) huu!
'houache [(h)uaʃ] *f.* kielzog *o.*
'houblon [(h)ublõ] *m.* hop *v.*(*m.*).
'houblonnage [(h)ublòna:j] *m.* (het) brouwen met hop, (het) hoppen *o.* (van bier).
'houblonner [(h)ublòné] *v.t.* met hop brouwen.
'houblonnier [(h)ublònyé] *adj.* hop—; ***culture houblonnière***, hopteelt *v.*(*m.*).
'houblonnière [(h)ublònyè:r] *f.* hopveld *o.*
'houe [(h)u] *f.* **1** hak *v.*(*m.*), houweel *o.*; **2** (*v. metselaar*) kalkkloet *m.*; ***— à cheval***, haakploeg *m. en v.* [bewerken.
'houer [(h)wé] *v.t.* (de grond) hakken, met de hak
'houette [(h)uwèt] *f.* hakje *o.*
'houille [(h)u'y] *f.* steenkool *v.*(*m.*); ***— à gaz***, gaskolen *mv.*; ***— flambante***, vlamkolen *mv.*; ***— grasse***, vlamkolen; ***— lignite***, bruinkolen *mv.*; ***— blanche***, witte steenkool; arbeidsvermogen van watervallen; ***— verte***, arbeidsvermogen *o.* van rivieren, waterkracht *v.*(*m.*).
'houiller [(h)uyé] *adj.* steenkoolhoudend; ***bassin —***, kolenbekken *o.*
'houillère [(h)uyè:r] *f.* steenkolenmijn *v.*(*m.*).
'houilleur [(h)uyœ:r] *m.* mijnwerker *m.*
'houilleux [(h)uyö] *adj.* steenkoolachtig.
'houle [(h)ul] *f.* deining *v.*
'houler [(h)ulé] *v.i.* golven. [je *o.*
'houlette [(h)ulèt] *f.* **1** herdersstaf *m.*; **2** tuinschop-
'houleux [(h)ulö] *adj.* **1** (*v. zee*) deinend, hol; **2** (*fig.*) stormachtig, rumoerig, woelig.
'houlque [(h)ulk], **'houque** *f.*, (*Pl.*) honinggras *o.*
'houp! [(h)up] *ij.* hoep! hop! allo!
'houper [(h)upé] *v.t.* **1** (*bij jacht*) roepen; **2** (*een hond*) aanzetten.
'houppe [(h)up] *f.* **1** kwastje *o.* (*v. wol, enz.*); **2** poederkwastje *o.*; **3** kuif *v.*(*m.*); **4** haarbundel *m.* (aan een korrel); **5** boomkruin *v.*(*m.*); **6** (*tn.*) kamwol *v.*(*m.*).
'houppelande [(h)uplã:d] *f.* manteljas *m. en v.*
'houpper [(h)upé] *v.t.* **1** kwasten maken van (zijde); **2** (wol) kammen. [derdonsje *o.*
'houppette [(h)upèt] *f.* **1** (klein) kwastje *o.*; **2** poe-
'houppier [(h)upyé] *m.* **1** besnoeide boom *m.* (met kruin alleen); **2** boomkruin *v.*(*m.*).
'houque [(h)uk], *voir* **'houlque.**
'hourdage [(h)urda:j], **'hourdis** [(h)urdi] *m.* ruw metselwerk *o.*
'hourder [(h)urdé] *v.t.* ruw metselen.
'houri [(h)uri] *f.* (*islam*) hoeri *v.*, mooie vrouw in het paradijs.
'hourque [(h)urk] *f.*, (*sch.*) hoeker *m.*
'hourra [(h)ura] *m.* hoera(geroep) *o.*
'hourvari [(h)urvari] *m.* **1** jagerskreet *m.*, hoorngeschal *o.* (om de honden weer op het spoor te brengen); **2** lawaai, geschreeuw *o.*; **3** list *v.*(*m.*) van vervolgd hert; **4** (*fig.*) tegenvaller *m.*
'housard [(h)uza:r] *m.* huzaar *m.*
'houseau [(h)uzo] *m.* hoge slobkous *v.*(*m.*).
'houspiller [(h)uspiyé] *v.t.* **1** (heen en weer) schudden; **2** uitschelden, mishandelen.
'houssage [(h)usa:j] *m.* (het) afstoffen, (het) afvegen *o.*
'houssaie [(h)usè(y)] *f.* hulstbosje *o.*
'housse [(h)us] *f.* **1** (*v. meubels*) hoes *v.*(*m.*), overtrek *o. en m.*; **2** (*op bok v. rijtuig*) dekkleed *o.*; **3** zadeldek *o.*, sjabrak *v.*(*m.*) *en o.*
'housser [(h)usé] *v.t.* **1** van een hoes voorzien; **2** afstoffen, afvegen.
'houssière [(h)usyè:r] *f.* hulstbosje *o.*
'houssine [(h)usin] *f.* roede *v.*(*m.*), kloppertje, stokje *o.*
'houssiner [(h)usiné] *v.t.* uitkloppen.
'houssoir [(h)uswa:r] *m.* **1** stoffer *m.*; **2** bezem *m.* (van hulst of twijgen). [tem *o.*
'Houtain-l'Évêque [(h)utẽ'lévè:k] *m.* Walshou-
Houtem-Sainte-Marguerite Sint-Margriete-Houtem *o.*
Houtem-Saint-Liévin Sint-Lievens-Houtem *o.*
'houx [(h)u] *m.*, (*Pl.*) hulst *m.*
hoyat [òya] *m.*, (*Pl.*) duingras *o.*
'hoyau [(h)òyo, (h)wayo] *m.* houweel *o.*, hak *v.*(*m.*).
'huard [(h)ŵa:r] *m.*, (*Dk.*) **1** zeearend *m.*; **2** ijsduiker *m.*
'huau [(h)ŵo] *m.* (roofvogel als) vogelverschrikker *m.* [*m.*
Hubert [übè:r] *m.* Hubertus, Huibert, Huibrecht
'hublot [(h)üblo] *m.*, (*sch.*) patrijspoort *v.*(*m.*).
'huche [(h)üʃ] *f.* **1** (bak)trog *m.*; **2** (*voor erts*) kloptrog *m.*; **3** broodkist, meelkist *v.*(*m.*).
'huchet [(h)üʃè] *m.* jachthorentje *o.*
'hue! [(h)ü] *ij.* hot! hu! [*o.*
'huée [(h)ŵé] *f.* **1** (jacht)geschreeuw *o.*; **2** gejouw
'huer [(h)ŵé] *v.t.* **1** uitjouwen; **2** (*bij klopjacht*) met geschreeuw opjagen.
'huette [(h)ŵèt] *f.*, (*Dk.*) bosuil *m.*
'huguenot [(h)ügno] *m.* Hugenoot *m.*
'huguenote [(h)ügnòt] *f.* aarden kookpot *m.* [*o.*
'huguenotisme [(h)ügnòtizm] *m.* hugenotendom
Hugues [(h)ü'g] *m.* Hugo *m.*
huilage [ŵila:j] *m.* (het) oliën, (het) smeren *o.*
huile [ŵi'l] *f.* olie *v.*(*m.*); ***les saintes —s***, de Heilige Olie, het H. Oliesel; ***— à brûler***, lampolie; ***— à graisser***, machineolie; ***— de foie de morue***, levertraan *m.*; ***— de ricin***, ricinusolie, wonderolie; ***— de colza***, raapolie; ***— essentielle***, vluchtige olie; ***couleur à l'—***, olieverf; ***peint à l'—***, met olieverf geschilderd; (*fig.*) ***sentir l'—***, naar de lamp ruiken.
huiler [ŵilé] *v.t.* oliën, smeren; ***papier huilé***, geolied papier *o.*
huilerie [ŵilri] *f.* oliefabriek, olieslagerij *v.*
huileux [ŵilö] *adj.* olieachtig; vet.
huilier [ŵilyé] *m.* **1** olieslager, oliefabrikant *m.*; **2** olie- en azijnstel *o.*
huis [ŵi] *m.*, (*verouderd*) deur *v.*(*m.*); ***à — clos***, met gesloten deuren.
huisserie [ŵisri] *f.* deurlijst *v.*(*m.*). [portier *m.*
huissier [ŵisyé] *m.* **1** deurwaarder *m.*; **2** bode,
'huit [ŵit] *n.card.* acht; ***le — avril***, de achtste

april; ***(d')aujourd'hui en —,*** vandaag over acht dagen; ***ils sont —,*** zij zijn met zijn achten.
'huitain [ŵitẽ] *m.* achtregelig vers *o.* [*mv.*
'huitaine [ŵitè'n] *f.* **1** achttal *o.*; **2** acht dagen
'huitième [ŵityèm] *n.ord.* achtste.
'huitièmement [ŵityèm(m)ã] *adv.* ten achtste.
huître [ŵitr] *f.* **1** oester *v.*(*m.*); **2** (*fig.*) stommerik *m.*, uilskuiken *o.*; ***— perlière,*** pareloester *v.*(*m.*).
'huit-reflets [ŵirflè] *m.* hoge hoed *m.*
huîtrier [ŵitri(y)é] **I** *adj.* oester—; ***industrie huîtrière,*** oesterhandel *m.*; **II** *s., m.* oesterkoopman *m.*
huîtrière [ŵitri(y)è:r] *f.* oesterbank *v.*(*m.*).
'hulan [ülã] *m., voir* ***uhlan.***
'hulotte [(h)ülòt] *f.*, (*Dk.*) bosuil *m.*
Hulpe, *la* — [la(h)ülp] *f.* Terhulpen *o.*
humain [ümẽ] **I** *adj.* **1** menselijk; **2** (*v. behandeling*) humaan, menslievend; ***genre —,*** mensdom *o.*; ***respect —,*** menselijk opzicht; **II** *s., m.* (het) menselijke *o.*; ***les —s,*** de stervelingen *mv.*
humainement [umènmã] *adv.* **1** menselijk, menselijkerwijze; **2** menslievend, humaan.
humaniser [ümani'zé] **I** *v.t.* menselijk(er) maken; beschaven; handelbaar maken; **II** *v.pr.*, ***s'—,*** menselijk worden; beschaafder worden; handelbaar worden.
humanisme [ümanizm] *m.* humanisme *o.*, leer *v.*(*m.*) van de humanisten.
humaniste [ümanist] *m.* humanist *m.*
humanitaire [ümanitè:r] *adj.* menslievend, humanitair.
humanité [ümanité] *f.* **1** menselijke natuur *v.*; **2** mensheid *v.*, mensdom *o.*; **3** menselijkheid, menslievendheid *v.*; ***—s,*** studie *v.* van de klassieke letteren, humaniora *mv.*; ***faire ses —s,*** (*B.*) zijn humaniora afdoen; (*N.*) het gymnasium aflopen.
humantin [ümã'tẽ] *m.*, (*Dk.*) stekelhaai *m.*
humble(ment) [œ̃:bl(emã)] **I** *adj.* (*adv.*) **1** ootmoedig, nederig; **2** bescheiden; **3** (*stand, afkomst*) gering, bescheiden; **4** (*woning, enz.*) schamel; **II** *s., m.* nederige *m.*
humectation [ümèkta'syõ] *f.* bevochtiging *v.*
humecter [ümèkté] *v.t.* bevochtigen, nat maken.
humecteur [ümèktœ:r] *m.* bevochtiger *m.*
'humer [(h)ümé] *v.t.* **1** (*v. drank*) opslurpen; **2** (*v. lucht*) opsnuiven; ***— une prise,*** een snuifje nemen.
huméral [üméral] **I** *adj.* schouder—, opperarm—; ***artère —e,*** opperarmslagader *v.*(*m.*); **II** *s., m.* (*priestergewaad*) amict *m.*, humeraal *v.*
humérus [ümérüs] *m.* opperarmbeen *o.*
humeur [ümœ:r] *f.* **1** (lichaams)vocht, sap *o.*; **2** aard *m.*, karakter *o.*; **3** luim *v.*(*m.*), stemming *v.*; ***de bonne —,*** goed geluimd, in zijn humeur; ***prendre de l'—,*** uit zijn humeur raken, ontstemd raken; ***— noire,*** zwartgalligheid *v.* [nat.
humide(ment) [ümi'd(mã)] *adj.* (*adv.*) vochtig,
humidification [ümidifika'syõ] *f.* bevochtiging *v.*
humidifier [ümidifyé] *v.t.* vochtig maken, bevochtigen.
humidité [ümidité] *f.* vochtigheid *v.*; ***craint l'—!*** voor nat te bewaren! droog houden!
humiliant [ümilyã] *adj.* vernederend.
humiliation [ümilya'syõ] *f.* vernedering *v.*
humilier [ümilyé] *v.t.* vernederen.
humilité [ümilité] *f.* **1** nederigheid *v.*, ootmoed *m.*; **2** bescheidenheid *v.*
humique [ümik] *adj.* van teelaarde; ***acide —,*** humuszuur *o.* [treffend.
humoral [ümòral] *adj.* de lichaamsvochten be-
humoriste [ümòrist] **I** *adj.* grillig; **II** *s., m.* humorist, luimig (grappig) schrijver *m.* [tisch.
humoristique [ümòristik] *adj.* luimig, humoris-
humour [ümu:r] *m.* humor *m.*, geestigheid *v.*
humus [ümüs] *m.* humus *m.*, teelaarde *v.*(*m.*).
'Hun [(h)œ̃] *m.* Hun *m.*
'hune [(h)ün] *f.* **1** (*sch.*) mars *v.*(*m.*); **2** klokkebalk *m.*; ***mât de —,*** marssteng *v.*(*m.*).
'hunier [(h)ünyé] *m.* marszeil *o.*; ***— de misaine,*** voortopzeil *o.*
'hunter [œ:tèr] *m.* jachtpaard *o.*
'huppe [(h)üp] *f.* **1** (*Dk.*) hop *m.*; **2** kuif *v.*(*m.*) (vederbos); ***rabattre la — à qn.,*** iem. een toontje lager doen zingen, iem. de mond snoeren.
'huppé [(h)üpé] *adj.* **1** gekuifd; **2** (*fig.*) voornaam, rijk.
'hure [(h)ü:r] *f.* **1** kop *m.* (v. wild zwijn, v. grote vis, enz.); **2** preskop *m.*; **3** (*fig.*) ragebol *m.*
'hurlement [(h)ürlemã] *m.* **1** gehuil *o.*; **2** gebrul *o.*; **3** geloei *o.*
'hurler [(h)ürlé] *v.i.* **1** (*v. wolf, enz.*) huilen; **2** (*v. pijn*) brullen; **3** (*v. wind*) loeien; ***— avec les loups,*** huilen met de wolven waarmee men in het bos is.
'hurleur [(h)ürlœ:r] **I** *adj* huilend; **II** *s., m.* huiler, schreeuwer *m.*; ***— ou singe —,*** brulaap *m.*
hurluberlu [(h)ürlübèrlü] **I** *adj.* onbesuisd; **II** *s., m.* wildebras, wildzang *m.*
'huron [(h)ürõ] *m.* vlegel, lomperd *m.*
'hussard [(h)üsa:r] *m.* huzaar *m.*
'hussarde [(h)üsard] *f.* Hongaarse dans *m.*; ***à la —,*** zonder omslag.
'hussite [(h)üsit] *m.* Hussiet *m.*
'hutte [(h)üt] *f.* hut *v.*(*m.*).
'hutter, *se* — [se(h)üté] *v.pr.* zich een hut bouwen.
Huy [ŵi] *m.* Hoei *o.*
hyacinthe [yasẽ:t] *v.* hyacint (bloem: *v.*(*m.*); edelgesteente: *m.*).
hyalin [yalẽ] *adj.* glasachtig; doorschijnend; ***quartz —,*** bergkristal *o.*
hyaloïde [yaloid] *adj.* doorschijnend.
hyalurgie [yalürgi] *f.* kunst *v.* van het glasblazen.
hybridation [ibrida'syõ] *f.* hybridatie, kruising *v.*
hybride [ibri'd] *adj.* hybridisch, bastaard—.
hybrider [ibri'dé] *v.t.* kruisen (v. planten, enz.).
hybridité [ibridité] *f.* hybridisch karakter *o.*
hydarthrose [idartro:z] *f.*, (*gen.*) leewater *o.*
hydatide [idati'd] *f.* blaasworm *m.*
hydatique [idatik] *m.* waterkever *m.*
hydracide [idrasi'd] *m.* waterstofzuur *o.*
hydragogue [idragòg] *adj.* waterafdrijvend.
hydratation [idrata'syõ] *f.* hydraatvorming *v.*
hydrate [idrat] *m.* hydraat *o.*, waterverbinding *v.*
hydraté [idraté] *adj.* met water verbonden.
hydraulicien [idro'lisyẽ] *m.* waterbouwkundige *m.*
hydraulique [idro'lik] **I** *adj.*, (*v. kalk, pers, enz.*) hydraulisch; ***mortier —,*** mortel *m.* die in 't water hard wordt; ***travaux —s,*** waterwerken *mv.*; **II** *s., f.* hydraulica *v.*
hydravion [idravyõ] *m.* watervliegtuig *o.*
hydre [i:dr] *f.* **1** hydra *v.*(*m.*); **2** (*fig.*) veelhoofdig monster *o.*
hydrique [idrik] *adj.* water—, waterstof—.
hydroaéroplane [idròaéròplan] *m.* watervliegtuig *o.* [*o.*
hydroavion [idròavyõ] *m.* militair watervliegtuig
hydrocarbonate [idròkarbònat] *m.* koolwaterstofzuurzout *o.*
hydrocarbure [idròkarbü:r] *m.* koolwaterstofverbinding *v.*
hydrocèle [idròsè:l] *f.* waterbreuk *v.*(*m.*).
hydrocéphale [idròséfal] **I** *adj.*, (*gen.*) met een waterhoofd; **II** *s., m.-f.* waterhoofd *o.*
hydrocéphalie [idròséfali] *f.* hoofdwaterzucht *v.*(*m.*), waterhoofd *o.* (als ziekte).

hydrochlorate [idròklòrat] *m.* zoutzuurzout *o.*; — ***de chaux,*** chloorcalcium *o.*

hydrochlorique [idròklòrik] *adj.* zoutzuurhoudend.

hydrocotyle [idròkòtil] *f.*, (*Pl.*) navelkruid *o.*

hydrodynamique [idròdinamik] *f.* hydrodynamica *v.*

hydrofuge [idròfü:j] *adj.* vochtwerend, vochtvrij.

hydrogène [idròjè:n] *m.* waterstof *v.*(*m.*).

hydrogéné [idròjéné] *adj.* met waterstof verbonden.

hydroglisseur [idròglisœ:r] *m.* glijboot *m. en v.*

hydrographe [idrògraf] *m.* hydrograaf *m.*; ***ingénieur* —,** ingenieur *m.* van de Waterstaat.

hydrographie [idrògrafi] *f.* hydrografie *v.* (beschrijving van zeeën, stromen, enz.).

hydrographique [idrògrafik] *adj.* hydrografisch.

hydrologie [idròlòji] *f.* hydrologie *v.*, waterleer *v.*(*m.*).

hydrolyse [idròliz] *f.* hydrolyse *v.*, ontbinding van zouten onder invloed van water.

hydromel [idròmèl] *m.* mede *v.*(*m.*), honingwater *o.*

hydromètre [idròmè·tr] *m.* watermeter *m.*

hydrométrie [idròmétri] *f.* watermeetkunde *v.*

hydropathe [idròpat] *m.* waterdokter *m.*

hydropathie [idròpati] *f.* watergeneeskunde *v.*

hydrophile [idròfil] *adj.* vocht aantrekkend, water opzuigend; ***ouate* —,** verbandwatten *mv.*

hydrophobe [idròfò·b] *adj. et s.*, *m.* aan watervrees lijdend.

hydrophobie [idròfòbi] *f.* **1** watervrees *v.*(*m.*); **2** hondsdolheid *v.*

hydropique [idròpik] **I** *adj.*, (*gen.*) waterzuchtig; **II** *s.*, *m.-f.* waterzuchtige *m.-v.*

hydropisie [idròpizi] *f.*, (*gen.*) waterzucht *v.*(*m.*).

hydroplane [idròplan] *m.* watervliegtuig *o.*

hydroscope [idròskòp] *m.* bronnenzoeker *m.*

hydrosphère [idròsfèr] *f.* hydrosfeer *v.*, de gezamenlijke waterwegen, meren en zeeën op aarde.

hydrostatique [idròstatik] *f.* hydrostatica *v.*

hydrosulfate [idròsülfat], **hydrosulfure** [idròsülfü:r] *m.* zwavelwaterstofverbinding *v.*

hydrosulfurique [idròsülfürik] *adj.*, ***acide* —,** zwavelwaterstof *v.*(*m.*).

hydrotechnique [idròtèknik] *f.* waterbouwkunde, hydrotechniek *v.*

hydrothérapie [idròtérapi] *f.* watergeneeswijze *v.*(*m.*), koudwaterbehandeling *v.*

hydrothérapique [idròtérapik] *adj.*, ***traitement* —,** (*gen.*) koudwaterbehandeling *v.*; ***établissement* —,** koudwaterinrichting *v.*

hydrure [idrü:r] *m.* hydride, verbinding *v.* met waterstof.

hyémal [yémal] *adj.* winters, winter—.

hyène [yè:n] *f.* hyena *v.*(*m.*).

hygiène [ijyè:n] *f.* hygiëne, gezondheidsleer *v.*(*m.*).

hygiénique(ment) [ijénik(mã)] *adj.* (*adv.*) hygiënisch, bevorderlijk voor de gezondheid; ***papier* —,** closetpapier *o.*

hygiéniste [ijénist] *m.* hygiënist *m.*, kenner *m.* van de gezondheidsleer.

hygromètre [igròmè·tr] *m.* vochtigheidsmeter, hygrometer *m.*

hygrométrie [igròmétri] *f.* vochtigheidsmeting *v.*

hygrométrique [igròmétrik] *adj.* hygrometrisch.

hygroscope [igròskòp] *m.* vochtigheidsmeter, hygroscoop *m.*

hygroscopique [igròskòpik] *adj.* vochtopslorpend, hygroscopisch.

hymen [imèn] *m.* **1** huwelijksgod *m.*; **2** (*dicht.*) huwelijk *o.*

hyménée [iméné], *voir* ***hymen.***

hyménoptère [iménòptè:r] *m.* vliesvleugelig insekt *o.*

hymne [imn] **I** *m.* hymne *v.*(*m.*), lofzang *m.*; — ***national,*** volkslied *o.*; **II** *f.* kerkgezang *o.*

hyoïde [iòi·d] *m.* tongbeen *o.*

hypallage [ipala:j] *m.* (*stijlfiguur*) woordverwisseling *v.*

hyperbole [ipèrbòl] *f.* **1** (*lett.*) hyperbool *v.*(*m.*), overdrijving *v.*; **2** (*meetk.*) dwarse kegelsnede *v.*(*m.*).

hyperbolique [ipèrbòlik] *adj.* overdreven; hyperbolisch.

hyperboréen [ipèrbòréẽ], **hyperborée** [ipèrbòré] *adj.* uiterst noordelijk, van het hoge noorden.

hyperdulie [ipèrdüli] *f.* verering *v.* van de H. Maagd.

hyperémie [ipèrémi] *f.* te grote bloedaandrang *m.*

hyperesthésie [ipèrèstézi] *f.* overgevoeligheid *v.*

hypermétropie [ipèrmétròpi] *f.* verziendheid *v.*

hypertension [ipèrtã·syõ] *f.*, (*gen.*) verhoogde bloeddruk *m.*

hypertrophie [ipèrtròfi] *f.* abnormale groei *m.*, ziekelijke uitzetting, vergroting *v.*

hypertrophié [ipèrtròfyé] *adj.* **1** vergroot, uitgezet; **2** (*fig.*) overdreven.

hypnose [ipno:z] *f.* hypnose *v.*, hypnotische slaap *m.*

hypnotique [ipnòtik] *adj.* hypnotisch.

hypnotisation [ipnòtiza·syõ] *f.* (het) hypnotiseren *o.*

hypnotiser [ipnòti·zé] **I** *v.t.* **1** hypnotiseren, onder hypnose brengen; **2** (*fig.*) biologeren, betoveren; **II** *v.pr.*, ***s'— sur une affaire,*** zich op een zaak blind staren.

hypnotiseur [ipnòtizœ:r] *m.* hypnotiseur *m.*

hypnotisme [ipnòtizm] *m.* hypnotisme *o.*

hypocondre [ipòkõ:dr] **I** *m.* **1** buikzijde *v.*(*m.*), deel *o.* van de buik onder de korte ribben; **2** lijder *m.* aan zwaarmoedigheid; **II** *adj.* zwaarmoedig.

hypocondriaque [ipòkõ·dri(y)ak] *adj.* zwaarmoedig, zwartgallig, hypochondrisch.

hypocondrie [ipòkõ·dri] *f.* zwaarmoedigheid *v.*

hypocras [ipòkras] *m.* hypocras, kruidenwijn *m.*

hypocrisie [ipòkri·zi] *f.* schijnheiligheid, huichelarij *v.*

hypocrite(ment) [ipòkrit(mã)] **I** *adj.* (*adv.*) schijnheilig, huichelachtig; **II** *s.*, *m.-f.* huichelaar(ster), schijnheilige *m.-v.*

hypodermique [ipòdèrmik] *adj.* onderhuids.

hypogastre [ipògastr] *m.* onderbuik *m.*

hypogé [ipòjé] *adj.* onderaards.

hypogée [ipòjé] *m.*, (*bij de Ouden*) onderaardse begraafplaats *v.*(*m.*), hypogeum *o.*

hypostase [ipòsta:z] *f.* (*theol.*) onderscheiden persoon *m.*

hypostatique [ipòstatik] *adj.* (*theol.*) één enkel persoon vormend.

hypostyle [ipòstil] *adj.* door zuilen gedragen; ***salle* —,** zuilenzaal *v.*(*m.*).

hyposulfite [ipòsülfit] *m.* onderzwaveligzuur zout *o.*

hyposulfureux [ipòsülfürö] *adj.*, ***acide* —,** onderzwaveligzuur *o.*

hypotendu [ipòtãdü] *adj.* met een te lage bloeddruk.

hypotension [ipòtã·syõ] *f.* te lage bloeddruk *m.*

hypoténuse [ipòténü:z] *f.* schuine zijde van een rechthoekige driehoek, hypotenusa *v.*(*m.*).

hypothécable [ipòtéka·bl] *adj.* waarop men hypotheek kan nemen.

hypothécaire [ipòtékè:r] *adj.* hypothecair, pandrechtelijk; ***caisse* —,** hypotheekbank *v.*(*m.*); ***créancier* —,** hypotheekhouder *m.*; schuldeiser *m.* op een vast pand.

hypothèque [ipòtè:k] *f.* hypotheek *v.*; ***grevé d'—,*** met hypotheek bezwaard; ***conservateur des —s,*** hypotheekbewaarder *m.*

hypothéquer [ipòtéké] *v.t.* hypotheek nemen op; verpanden; ***être mal hypothéqué,*** erg ziek zijn.

hypothèse [ipòtè:z] *f.* onderstelling, hypothese *v.*
hypothétique [ipòtétik] *adj.* hypothetisch.
hypsomètre [ipsòmè'tr] *m.* hoogtemeter *m.* (naar de temperatuur van kokend water).
hypsométrie [ipsòmétri] *f.* hoogtemeting *v.*
hysope [izòp] *f.*, (*Pl.*) hysop *m.*
hystérie [istéri] *f.* hysterie *v.* (soort zenuwziekte).
hystérique [istérik] **I** *adj.* hysterisch, door hysterie aangetast; ***boule —,*** prop in de keel; **II** *s., m.* hystericus *m.*

I

i [i] *m.* 1 *v.*(*m.*); ***mettre les points sur les —,*** de puntjes op de i's zetten. [dicht *o.*
ïambe [yã:b] *m.* **1** jambe *v.*(*m.*); **2** satirisch ge-
ïambique [yã'bik] *adj.* jambisch.
ibère [ibè:r] **I** *adj.* Iberisch; **II** *s., m.* **I—,** Iberiër *m.* [*v.*(*m.*).
ibéride [ibéri'd] *f.*, (*Pl.*) scheefbloem, wilde kers
Ibérie [ibéri] *f.* Iberië *o.* [riër *m.*
ibérien [ibéryẽ] **I** *adj.* Iberisch; **II** *s., m.*, **I—,** Ibe-
ibérique [ibérik] *adj.* Iberisch.
ibidem [ibidèm] *adv.* ter zelfder plaatse.
ibis [ibis] *m.*, (*Dk.*) ibis, nijlreiger *m.*
Icare [ika:r] *m.* Icarus *m.*
iceberg [isbè:rg] *m.* ijsberg *m.*
ichneumon [iknömò] *m.* **1** sluipwesp *v.*(*m.*); **2** farao-rat *v.*(*m.*). [tekening *v.*
ichnographie [iknògrafi] *f.* plattegrond *m.*, plan-
ichor [ikò:r] *m.* wondwater *o.*, etter *m.*
ichoreux [ikòrö] *adj.* etterachtig.
ichtyocolle [iktyòkòl] *v.* vislijm *m.*
ichtyoïde [iktyòid] *adj.* op een vis lijkend.
ichtyolithe [iktyòlit] *m.* versteende vis *m.*
ichtyologie [iktyòlòji] *f.* kennis *v.* van de vissen.
ichtyologique [iktyòlòjik] *adj.* ichthyologisch.
ichtyologiste [iktyòlòjist] *m.* ichthyoloog, kenner *m.* van de ichthyologie.
ichtyophage [iktyòfa:j] **I** *adj.* visetend; **II** *s., m.* viseter *m.*
ichtyosaure [iktyòsò:r] *m.* ichtyosaurus *m.*, prehistorische reuzenhagedis *v.*(*m.*).
ichtyose [iktyo:z] *f.* schubbige uitslag *m.*, schubziekte *v.*
ici [isi] *adv.* **1** (*plaats*) hier; **2** (*tijd*) nu; ***—-bas,*** hier beneden, op deze wereld; ***jusqu'—,*** tot nu toe; tot hier toe; ***par —,*** **1** hierheen; **2** hierlangs; ***il habite par —,*** hij woont hier in de buurt; ***d'— à huit jours,*** voordat er acht dagen voorbij zijn.
icône, icone [ikòn] *f.* icoon *v.*(*m.*), heiligenbeeld *o.* (in de Griekse kerk).
iconoclasie [ikònòklazi] *f.* beeldstormerij *v.*
iconoclasme [ikònòklazm] *m.* beeldstormerij *v.*
iconoclaste [ikònòklast] *m.* beeldstormer *m.*
iconographe [ikònògraf] *m.* beeldenbeschrijver; iconograaf *m.*
iconographie [ikònògrafi] *f.* **1** beeldenbeschrijving *v.*; **2** verzameling *v.* portretten van beroemde personen.
iconographique [ikònògrafik] *adj.* iconografisch.
iconolâtre [ikònòla:tr] *m.* beeldendienaar *m.*
iconolâtrie [ikònòla'tri] *f.* beeldendienst *m.*
iconologie [ikònòlòji] *f.* kennis *v.* en beschrijving *v.* van beelden.
iconologique [ikònòlòjik] *adj.* iconologisch.
iconologiste [ikònòlòjist], **iconologue** [ikònòlò'g] *m.* beeldenbeschrijver *m.*
iconophile [ikònòfil] *m.* liefhebber *m.* van beelden.
iconostase [ikònòsta:s] *f.* iconostase *v.*, wand tussen priesterkoor en kerkschip (in Griekse kerk).
icosaèdre [ikòzaè:dr] *m.* twintigvlak *o.*
icosagone [ikòzagòn] *m.* twintighoek *m.*
icosandre [ikòzã:dr], **icosandrique** [ikòzã'drik] *adj.*, (*Pl.*) twintighelmig.
icosandrie [ikòzã'dri] *f.*, (*Pl.*) twintighelmigen *mv.*
ictère [iktè:r] *m.* geelzucht *v.*(*m.*).
ictérique [iktérik] *adj.* geelzuchtig.
ictus [iktüs] *m.* ritmisch accent *o.*
idéal [idéal] **I** *adj.* **1** denkbeeldig, ideëel; **2** volmaakt, ideaal; **II** *s., m.* **1** ideaal *o.*; **2** volmaaktheid *v.*
idéalisation [idéaliza'syõ] *f.* idealisering *v.*
idéaliser [idéali'zé] *v.t.* idealiseren, volkomener voorstellen dan het is.
idéalisme [idéalizm] *m.* **1** idealisme *o.*; **2** (*in kunst*) (het) streven *o.* naar het volmaakte.
idéaliste [idéalist] **I** *m.* idealist *m.*; **II** *adj.* idealistisch.
idée [idé] *f.* **1** voorstelling *v.*, begrip *o.*; **2** denkbeeld *o.*; **3** besef *o.*, gedachte *v.*; **4** mening, opvatting *v.*; **5** inbeelding *v.*; ***il n'en a pas*** (***la moindre***) ***—,*** hij heeft er geen besef (*of* benul) van; ***se faire une — de qc.,*** zich iets voorstellen; ***cela ne me vient pas dans l'—,*** ik denk er niet over, dat komt niet eens bij me op; ***on n'en a pas —,*** men kan zich dat niet voorstellen; ***— creuse,*** droombeeld *o.*; ***— fixe,*** dwangvoorstelling *v.*
idée*-mère [idémè:r] *f.* grondgedachte *v.*, grondbegrip *o.*
idem [idèm] *adv.* eveneens.
identification [idã'tifika'syõ] *f.* **1** vereenzelviging *v.*; **2** vaststelling *v.* van de identiteit.
identifier [idã'tifyé] *v.t.* **1** vereenzelvigen, gelijkstellen; **2** de identiteit vaststellen van; ***s'— avec,*** één worden met.
identique(**ment**) [idã'tik(mã)] *adj.* (*adv.*) gelijk (aan), eender (als), identiek.
identité [idã'tité] *f.* **1** identiteit *v.*; **2** gehele gelijkheid *v.*; ***carte d'—,*** identiteitskaart *v.*(*m.*); persoonsbewijs *o.*; (*B.*) eenzelvigheidskaart *v.*(*m.*).
idéogramme [idéògram] *m.* begripteken *o.* (i.p.v. lettertekens voor een woord).
idéographie [idéògrafi] *f.* uitdrukking *v.* van de gedachten door beelden.
idéographique [idéògrafik] *adj.* ideografisch.
idéologie [idéòlòji] *f.* **1** begripsleer *v.*(*m.*); **2** getheoretiseer *o.*
idéologique [idéòlòjik] *adj.* ideologisch.
idéologiste [idéòlòjist], **idéologue** [idéòlò'g] *m.* **1** ideoloog, beoefenaar *m.* van de begripsleer; **2** (*fig.*) theoreticus, (wijsgerig) dromer *m.*
ides [i'd] *f.pl.*, (*oudh.*) iden *mv.*
idiomatique [idyòmatik] *adj.* idiomatisch, tot het taaleigen behorend.
idiomatisme [idyòmatizm] *m.* kennis *v.* van het taaleigen.
idiome [idyòm] *m.* **1** taaleigen *o.*; **2** dialect *o.*
idiopathie [idyòpati] *f.* **1** zelfstandig optredende ziekte *v.*; **2** eigenaardige voorliefde *v.*
idiosyncrasie [idyòsẽ'krazi] *f.* idiosynkrasie *v.*; bep. overgevoeligheid *v.* (voor voeding enz.).
idiot [idyo] **I** *adj.* **1** onnozel; **2** onwijs, dwaas; **II** *s., m.* onnozele, idioot *m.*

idiotie [idyòsi] *f.* **1** onnozelheid, zwakzinnigheid *v.*; **2** dwaasheid *v.*
idiotisme [idyòtizm] *m.*, (*taalk.*) eigenaardige uitdrukking *v.*, idiotisme *o.*
idoine [idwan] *adj.* geschikt, passend.
idolâtre [idòla'tr] **I** *adj.* **1** afgodisch; **2** *— de*, verzot op; **II** *s.*, *m.* afgodendienaar *m.*
idolâtrer [idòla'tré] *v.t.* vergoden, afgodisch beminnen, — vereren.
idolâtrie [idòla'tri] *f.* **1** afgoderij *v.*, afgodendienst *m.*; **2** (*fig.*) verafgoding, afgodische liefde *v.*
idolâtrique [idòla'trik] *adj.* afgodisch.
idole [idòl] *f.* **1** afgod *m.*; **2** afgodsbeeld *o.*
idylle [idil] *f.* **1** idylle *v.*(*m.*); **2** naief verhaal, — tafereel *o.*; **3** episode *v.* van rein geluk.
idyllique [idilik] *adj.* idyllisch.
idylliste [idilist] *m.* idyllenschrijver *m.*
Iéna [yéna] *m.* Jena *o.*
if [if] *m.* **1** (*Pl.*) taxusboom *m.*; **2** druiprek *o.* (voor flessen); **3** (driehoekig) kaarsenrek *o.*
igloo [iglu] *m.* sneeuwhut *v.*(*m.*) van Eskimo's.
Ignace [iñas] *m.* Ignatius *m.*
igname [ignam] *f.*, (*Pl.*) broodvrucht *v.*(*m.*), jamswortel *m.*
ignare [iña:r] **I** *adj.* zeer onwetend, ongeletterd; **II** *s.*, *m.* onwetende *m.*, leeghoofd *o.*
igné [igné] *adj.* vuur—, door vuur gevormd; ***matière —e***, vuurstof *o.*; ***roche —e***, door het vuur gevormde rots.
ignescent [ignèsã] *adj.* ontvlammend; vurig.
ignicole [ignikòl] *m.* vuuraanbidder *m.*
ignifère [ignifè:r] *adj.* vuurgeleidend.
ignifuge [ignifü:j] *adj.* onbrandbaar (makend).
ignifuger [ignifü'jé] *v.t.* onbrandbaar maken.
ignition [ignisyõ] *f.* **1** (het) gloeien, (het) branden *o.*; **2** verbranding *v.*; ***— spontanée***, zelfontbranding *v.*
ignivome [ignivo'm] *adj.* vuurspuwend.
ignivore [ignivò:r] *adj.* vuuretend.
ignoble(ment) [iñòbl(emã)] *adj.* (*adv.*) laag, gemeen.
ignominie [iñòmini] *f.* schande, oneer *v.*(*m.*).
ignominieux [iñòminyö] *adj.*, **ignominieusement** [iñòminyö'zmã] *adv.* schandelijk, smadelijk.
ignorable [iñòra'bl] *adj.* wat ongekend (*of* ongeweten) mag blijven.
ignoramment [iñòramã] *adv.* onwetend, uit onwetendheid.
ignorance [iñòrã:s] *f.* onwetendheid, onkunde *v.*
ignorant [iñòrã] **I** *adj.* onwetend, onkundig (van); **II** *s.*, *m.* onwetende, weetniet *m.*
ignorantin [iñòrã'tè] **I** *m.* broeder *m.* van Sint-Johannes de Deo; **II** *adj.* zo'n broeder of hun congregatie betreffend.
ignorantisme [iñòrã'tizm] *m.* obscurantisme, (het) stelselmatig dom houden *o.*
ignoré [iñòré] *adj.* **1** onbekend; **2** vergeten; **3** afgelegen, ver van 't gewoel.
ignorer [iñòré] **I** *v.t.* **1** niet weten (wat er gebeurt, enz.); **2** (*vak, reglement, enz.*) niet kennen; ***ne pas —***, zeer goed weten; — kennen; ***laisser —***, onkundig laten van; ***— les hommes***, geen mensenkenner zijn; **II** *v.pr.*, ***s'—***, zichzelf niet kennen; elkaar niet kennen.
iguane [igwan] *m.*, (*Dk.*) leguaan *m.*, kamhagedis *v.*(*m.*).
iguanodon [igwanòdõ] *m.* iguanodon *m.*, bep. voorwereldlijke reuzenhagedis *v.*(*m.*).
il [il] *pr.pers.* hij; het, er; ***— pleut***, het regent; ***— y a***, er is, er zijn; ***— y a quinze jours***, veertien dagen geleden.
ilang-ilang, ylang-ylang [ilañilañ] *m.* ilang-ilang *o.*, **1** Filippijnse orchidee *v.*(*m.*); **2** parfum *o. en m.* uit olie van zo'n orchidee.
île [iL] *f.* eiland *o.*; ***— de maisons***, blok *o.* huizen.
Ile-de-France [ildefrã:s] *f.* **1** Mauritius *o.*; **2** (*gesch.*) provincie *v.* Ile-de-France.
iléon [iléõ], **iléum** [ilèòm] *m.* kronkeldarm *m.*
îlet [ilè] *m.*, **îlette** [ilèt] *f.* klein eilandje *o.*
ilex [ilèks] *m.*, (*Pl.*) **1** hulst *m.*; **2** steeneik *m.*
Iliade [ilya'd] *f.* Ilias *v.*(*m.*).
iliaque [ilyak] *adj.* de zijden van de onderbuik betreffend; ***os —***, darmbeen, heupbeen *o.*; ***passion —***, darmjicht *v.*(*m.*).
illabourable [il(l)abura'bl] *adj.* niet te bewerken, onbebouwbaar.
illabouré [il(l)aburé] *adj.* onbebouwd, ongeploegd.
illégal(ement) [il(l)égal(mã)] *adj.* (*adv.*) onwettig.
illégalité [il(l)égalité] *f.* onwettigheid *v.*
illégitime(ment) [il(l)éjitim(mã)] *adj.*(*adv.*) **1** onwettig; **2** (*v. kind*) onecht; **3** (*v. eis*) onbillijk; **4** (*v. besluit, gevolgtrekking*) ongeoorloofd.
illégitimité [il(l)éjitimité] *f.* **1** onwettigheid *v.*; **2** onechtheid *v.*; **3** onbillijkheid *v.*; **4** ongeoorloofdheid *v.*
illettré [ilètré] **I** *adj.* ongeletterd; **II** *s.*, *m.* ongeletterde, analfabeet *m.*
illibéral(ement) [il(l)ibéral(emã)] *adj.* (*adv.*) **1** onvrijzinnig; **2** bekrompen.
illicite(ment) [ilisit(mã)] *adj.* (*adv.*) **1** ongeoorloofd; **2** onwettig.
illico [iliko] *adv.* terstond, dadelijk.
illimitable [il(l)imita'bl] *adj.* onbegrensbaar.
illimité [il(l)imité] *adj.* onbegrensd, onbeperkt.
illisibilité [il(l)izibilité] *f.* onleesbaarheid *v.*
illisible(ment) [il(l)izi'bl(emã)] *adj.* (*adv.*) onleesbaar.
illogique(ment) [il(l)òjik(mã)] *adj.* (*adv.*) onlogisch, ongerijmd.
illogisme [il(l)òjizm] *m.* gebrek *o.* aan logica, ongerijmdheid *v.*
illuminateur [ilüminatœ:r] *m.* verlichter *m.*
illumination [ilümina'syõ] *f.* **1** feestverlichting, illuminatie *v.*; **2** (*fig.*) ingeving *v.*
illuminé [ilüminé] **I** *adj.* feestelijk verlicht; **II** *s.*, *m.* dweper, ziener *m.*
illuminer [ilüminé] *v.t.* **1** feestelijk verlichten, illumineren; **2** (*fig.*) verlichten.
illusion [ilü'zyõ] *f.* **1** illusie *v.*, zinsbedrog *o.*; **2** droombeeld *o.*, hersenschim *v.*(*m.*); **3** bedrieglijke schijn *m.*, inbeelding *v.*; ***— d'optique***, gezichtsbedrog *o.*; ***se faire — sur qc.***, zich illusies maken over iets.
illusionner [ilü'zyòné] **I** *v.t.* begoochelen; **II** *v.pr.*, ***s'—***, zich illusies maken, zich iets wijsmaken.
illusionniste [ilü'zyònist] *m.* goochelaar *m.*
illusoire(ment) [ilü'zwa:r(mã)] *adj.* (*adv.*) bedrieglijk, denkbeeldig.
illustrateur [ilüstratœ:r] *m.* tekenaar, verluchter *m.*
illustration [ilüstra'syõ] *f.* **1** roem, luister *m.*; **2** (*v. persoon*) beroemdheid *v.*; **3** (*in tekst*) plaat, prent *v.*(*m.*); **4** (*v. tijdschrift*) illustratie *v.*; **5** verklaring, verduidelijking *v.*
illustre [il(l)üstr] *adj.* beroemd, vermaard.
illustré [il(l)üstré] *m.* illustratie *v.*, geïllustreerd tijdschrift *o.*
illustrer [il(l)üstré] **I** *v.t.* **1** beroemd maken; **2** illustreren, verluchten, met platen versieren; **3** verklaren, (met voorbeelden) toelichten, verduidelijken; **II** *v.pr.*, ***s'—***, zich beroemd maken.
illustrissime [il(l)üstrisim] *adj.* zeer doorluchtig, allerdoorluchtigst.
illutation [ilüta'syõ] *f.*, (*gen.*) modderbad *o.*
Illyrie [iliri] *f.* Illyrië *o.*
Illyrien [ilìryẽ] **I** *m.* Illyriër *m.*; **II** *adj.*, ***i—***, Illyrisch.
îlot [i'lo] *m.* eilandje *o.*; ***— de maisons***, blok *o.* huizen; ***chef d'—***, blokhoofd *o.*

ilote [ilòt] *m.* **1** heloot *m.*; **2** (*fig.*) verschoppeling *m.*

ilotisme [ilòtizm] *m.* slavernij *v.*

image [ima:j] *f.* **1** beeld *o.*, afbeelding *v.*; **2** prent, plaat *v.*(*m.*); **3** beeldspraak *v.*(*m.*); ***à l'— de Dieu,*** naar Gods beeld; ***— mortuaire,*** bidprentje *o.*; ***livre d'—s,*** prentenboek *o.*

imagé [ima'jé] *adj.* beeldrijk.

imager [ima'jé] **I** *v.t.* met beelden versieren; **II** *s., m.* prentenverkoper *m.*

imagerie [ima'jri] *f.* **1** prentenhandel *m.*; **2** prentenwinkel *m.*

imagier [ima'jyé] *m.* **1** prentenverkoper *m.*; **2** beeldsnijder, beeldenmaker *m.*; **3** tekenaar *m.*

imaginable [imajina'bl] *adj.* denkbaar.

imaginaire [imajinè:r] *adj.* ingebeeld, denkbeeldig.

imaginatif [imajinatif] **I** *adj.* vindingrijk, vol verbeeldingskracht, vernuftig; **II** *s., m.* verbeeldingsmens *m.*

imagination [imajina'syõ] *f.* **1** verbeelding *v.*, verbeeldingskracht *v.*(*m.*); **2** gedachte, voorstelling *v.*; **3** bedenksel *o.*; ***en*** —, in zijn verbeelding; ***c'est une pure —,*** het is louter inbeelding; ***d'—,*** belletristisch.

imaginative [imajinati:v] *f.* verbeeldingskracht *v.*(*m.*).

imaginer [imajiné] **I** *v.t.* **1** zich voorstellen; **2** (*voorwendsel, enz.*) verzinnen, uitdenken; **3** uitvinden; **II** *v.pr.*, ***s'—,*** **1** zich verbeelden; **2** zich inbeelden.

imago [imago] *f.* (*v. insekt*) definitieve vorm *m.* na zijn metamorfoses.

iman [imã] *m.* iman *m.*, mahomedaans priester(vorst) *m.*

imbâti [ẽ'ba'ti] *adj.* ongebouwd.

imbattable [ẽ'bata'bl] *adj.* onoverwinnelijk, niet te verslaan.

imbécile [ẽ'bésil] **I** *adj.* **1** dom; **2** stompzinnig; **3** zwakhoofdig; **II** *s., m.* **1** stommerik, ezel *m.*; **2** stompzinnige, onnozele *m.*

imbécillité [ẽ'bésilité] *f.* **1** domheid *v.*; **2** stompzinnigheid *v.*; **3** zwakhoofdigheid *v.*

imberbe [ẽ'bèrb] *adj.* baardeloos.

imbiber [ẽ'bibé] (***de***) **I** *v.t.* nat maken (met); doorweken, doortrekken; **II** *v.pr.*, ***s'—,*** **1** nat worden, doortrekken; **2** (*fig.*) in zich opnemen.

imbibition [ẽ'bibisyõ] *f.* doorweking, doortrekking *v.*

imbrication [ẽ'brika'syõ] *f.* dakpansgewijze plaatsing *v.*, dakpansgewijs verband *o.*

imbriquer [ẽ'briké] *v.t.* dakpansgewijze plaatsen.

imbrisable [ẽ'briza'bl] *adj.* onbreekbaar.

imbroglio [ẽ'bròlyo] *m.* **1** verwarring, verwikkeling *v.*; warwinkel *m.*; **2** ingewikkeld toneelstuk *o.*

imbrûlable [ẽ'brü'la'bl] *adj.* onbrandbaar.

imbu [ẽ'bü] (***de***) *adj.* vol (met), doortrokken (van).

imbuvable [ẽ'büva'bl] *adj.* ondrinkbaar.

imitable [imita'bl] *adj.* navolgbaar.

imitateur [imitatœ:r] **I** *m.* navolger *m.*; **II** *adj.* navolgend; ***esprit —,*** neiging tot nabootsen.

imitatif [imitatif] *adj.* navolgend, nabootsend.

imitation [imita'syõ] *f.* **1** navolging; nabootsing *v.*; **2** namaak *m.*, imitatie *v.*; **3** (*muz.*) herhaling *v.*; ***dessin d'—,*** handtekenen naar voorbeeld; ***l'I— de Jésus-Christ,*** de Navolging *v.* van Christus.

imiter [imité] *v.t.* **1** navolgen, nabootsen; **2** (*v. handelsartikel*) namaken.

immaculé [im(m)akülé] *adj.* **1** (*v. kleed, naam, enz.*) vlekkeloos, smetteloos rein; **2** (*v. bloem*) ongevlekt; ***l'I—e Conception,*** de Onbevlekte Ontvangenis.

immanence [im(m)anã:s] *f.* innerlijkheid *v.*, immanent karakter *o.*, immanentie *v.*

immanent [im(m)anã] *adj.* innerlijk werkend, immanent.

immangeable [ẽ'mã'ja'bl] *adj.* oneetbaar.

immanquable(ment) [ẽ'mã'ka'bl(emã)] *adj.* (*adv.*) onvermijdelijk, onfeilbaar, zeker.

immarcessible [ẽ'marsèsi'bl] *adj.* onverwelkbaar.

immatérialiser [im(m)atéryali'zé] **I** *v.t.* onstoffelijk maken, — voorstellen; **II** *v.pr.*, ***s'—,*** onstoffelijk worden.

immatérialité [im(m)atéryalité] *f.* onstoffelijkheid *v.*

immatériel(lement) [im(m)atéryèl(mã)] *adj.* (*adv.*) onstoffelijk.

immatriculation [im(m)atriküla'syõ] *f.* inschrijving *v.* (op register); ***numéro d'—,*** **1** stamboeknummer *o.*; **2** autonummer *o.*; ***plaque d'—,*** kentekenplaat *v.*(*m.*).

immatricule [im(m)atrikül] *f.* **1** stamboek, register *o.*; **2** bewijs *o.* van inschrijving.

immatriculer [im(m)atrikülé] *v.t.* inschrijven (op register, stamboek).

immaturité [im(m)atürité] *f.* onrijpheid *v.*

immédiat(ement) [im(m)édya(tmã)] *adj.* (*adv.*) onmiddellijk.

immémorial [im(m)émòryal] *adj.* onheuglijk; ***de temps —,*** sedert onheuglijke tijden.

immense [im(m)ã:s] *adj.*, **immensément** [im(m)ã'sémã] *adv.* onmetelijk, ontzaglijk, uitgestrekt; oneindig groot.

immensité [im(m)ã'sité] *f.* **1** onmetelijkheid, oneindigheid *v.*; **2** onmetelijke uitgestrektheid *v.*

immensurable [im(m)ã'süra'bl] *adj.* onmeetbaar.

immerger [im(m)èrjé] **I** *v.t.* **1** indompelen, onderdompelen; **2** (*lijk; torpedo*) te water laten; **3** (*v. kabel*) leggen; **II** *v.pr.*, ***s'—,*** **1** onderdompelen; **2** wegzakken.

immérité [im(m)érité] *f.* onverdiend.

imméritoire [im(m)éritwa:r] *adj.* onverdienstelijk.

immersion [im(m)èrsyõ] *f.* **1** indompeling, onderdompeling *v.*; **2** (*v. torpedo*) (het) te water laten *o.*; **3** (*v. kabel*) (het) leggen *o.*; **4** (*v. velden*) (het) blank staan *o.*; **5** (*sterr.*) immersie *v.*

immeuble [im(m)œ'bl] **I** *adj.* onroerend; **II** *s., m.* **1** onroerend goed *o.*; **2** huis, pand, perceel *o.*; ***— collectif,*** flatgebouw *o.*

immigrant [im(m)igrã] *m.* (inkomend) landverhuizer, immigrant *m.*

immigration [im(m)igra'syõ] *f.* immigratie *v.*

immigrer [im(m)igré] *v.t.* zich in een land vestigen, immigreren.

imminemment [im(m)inamã] *adv.* dreigend.

imminence [im(m)inã:s] *f.* (het) dreigende *o.*, dreigende nabijheid *v.*

imminent [im(m)inã] *adj.* dreigend, naderend, nakend.

immiscer [im(m)isé] **I** *v.t.* mengen (in), betrekken (in); **II** *v.pr.*, ***s'— (de, dans)*** zich mengen (in), zich inlaten (met), zich bemoeien (met).

immiscible [im(m)isi'bl] *adj.* onvermengbaar.

immixtion [im(m)ikstyõ] *f.* inmenging *v.*

immobile(ment) [im(m)òbil(mã)] *adj.* (*adv.*) onbeweeglijk.

immobilier [im(m)òbilyé] *adj.* **1** onroerend; **2** onroerende goederen betreffend; ***saisie immobilière,*** beslag op onroerende goederen.

immobilisation [im(m)òbiliza'syõ] *f.* **1** (het) onbeweeglijk maken *o.*; **2** stopzetting *v.*; **3** (het) vasthouden *o.*; **4** (het) vastleggen *o.*, belegging *v.*; (het) onttrekken *o.* aan de omloop; **5** verlamming *v.*; **6** (het) onroerend maken *o.*; ***—s,*** *f.pl.* kapitaalgoederen *mv.*

immobiliser [im(m)òbili'zé] **I** *v.t.* **1** onbeweeglijk maken; **2** (*v. machine, werk*) stopzetten; **3** (*v. leger, enz.*) vasthouden; **4** (*v. kapitaal*) vastleggen, beleggen; onttrekken aan de omloop; **5** (*verkeer; leger*) verlammen; **6** (*v. goederen, rente*) onroerend

maken; **7** (*v. effecten*) blokkeren; **8** (*v. kamer*) in beslag nemen; **II** *v.pr.*, ***s'—***, onbeweeglijk blijven.
immobilisme [im(m)òbilizm] *m.* conservatisme *o.*, vastroesting *v.* in het oude.
immobilité [im(m)òbilité] *f.* onbeweeglijkheid *v.*
immodération [im(m)òdéra'syõ] *f.* ongematigdheid, onmatigheid *v.*
immodéré(ment) [im(m)òdéré(mã)] *adj.* (*adv.*) onmatig; bovenmatig.
immodeste(ment) [im(m)òdèst(emã)] *adj.* (*adv.*) onzedig, oneerbaar, onwelvoeglijk.
immodestie [im(m)òdèsti] *f.* onzedelijkheid, oneerbaarheid, onwelvoeglijkheid *v.*
immolateur [im(m)òlatœ:r] *m.* offeraar *m.*
immolation [im(m)òla'syõ] *f.* **1** (het) offeren *o.*; **2** slachting *v.*
immoler [im(m)òlé] **I** *v.t.* **1** offeren; **2** slachten, doden; **II** *v.pr.*, ***s'—***, zich opofferen.
immonde [im(m)õ'd] *adj.* **1** onrein, vuil; **2** (*fig.*) walgelijk; ***l'esprit —***, de boze geest, de duivel.
immondice [im(m)õ'dis] *f.* onreinheid *v.*; ***—s***, straatvuil *o.*, vuilnis *v. en o.*
immondicité [im(m)õ'disité] *f.* onreinheid *v.*
immoral(ement) [im(m)òral(mã)] *adj.* (*adv.*) onzedelijk.
immoralité [im(m)òralité] *f.* onzedelijkheid *v.*
immortalisation [im(m)òrtaliza'syõ] *f.* vereeuwiging *v.*
immortaliser [im(m)òrtali'zé] *v.t.* vereeuwigen, onsterfelijk maken.
immortalité [im(m)òrtalité] *f.* onsterfelijkheid *v.*
immortel [im(m)òrtèl] **I** *adj.* **1** (*v. ziel, held, enz.*) onsterfelijk; **2** (*v. eer, liefde, enz.*) onvergankelijk; **II** *s., m.* onsterfelijke *m.*; ***les —s***, de leden van de Académie française.
immortelle [im(m)òrtèl] *f.*, (*Pl.*) strobloem, immortelle *v.*(*m.*); ***— des Alpes***, edelweiss *o.*
immortifié [im(m)òrtifyé] *adj.* onboetvaardig.
immuable(ment) [im(m)ẅa'bl(emã)] *adj.* (*adv.*) onveranderlijk, onwrikbaar.
immunisation [im(m)üniza'syõ] *f.* immunisering *v.*, (het) immuun maken *o.*
immuniser [im(m)üni'zé] *v.t.* immuun maken, immuniseren, vrijwaren tegen zekere ziekten.
immunité [im(m)ünité] *f.* **1** (*v. kamerleden, enz.*) onschendbaarheid *v.*; **2** (*v. belasting, legerdienst, enz.*) vrijdom *m.*, vrijstelling *v.*; **3** (*gen.*) immuniteit, onvatbaarheid *v.* voor zekere ziekten.
immutabilité [im(m)ütabilité] *f.* onveranderlijkheid, onvergankelijkheid *v.*
impact [ẽ'pakt] *m.* **1** schok *m.*, botsing *v.*; **2** (*v. kogel, enz.*) stoot, treffer *m.*; ***point d'—***, trefpunt *o.*
impair [ẽ'pè:r] **I** *adj.* **1** oneven; **2** (*Pl.*) ongepaard; **3** (*v. organen*) niet symmetrisch; **II** *s., m.* **1** oneven nummer *o.*; **2** (*fam.*) blunder, flater *m.*
impalpabilité [ẽ'palpabilité] *f.* ontastbaarheid *v.*
impalpable [ẽ'palpa'bl] *adj.* **1** ontastbaar; **2** (*v. poeder*) zeer fijn.
impardonnable [ẽ'pardòna'bl] *adj.* onvergeeflijk; ***il est —***, hij is niet te verontschuldigen.
imparfait(ement) [ẽ'parfè(:tmã)] **I** *adj.* (*adv.*) **1** onvoltooid; **2** onvolmaakt, onvolkomen; **II** *s., m.* onvoltooid verleden tijd *m.*
imparipenné [ẽ'paripèné] *adj.*, (*Pl.*) oneven gevind.
imparisyllabique [ẽ'parisil(l)abik] *adj.* (*et s., m.*) in de verbuiging niet altijd gelijklettergrepig (woord *o.*).
imparité [ẽ'parité] *f.* **1** onevenheid *v.*; **2** ongelijkheid *v.*
imparlementaire [ẽ'parlemã'tè:r] *adj.* onparlementair.
impartagé [ẽ'partajé] *adj.* onverdeeld.
impartageable [ẽ'partaja'bl] *adj.* onverdeelbaar.
impartial(ement) [ẽ'parsyal(mã)] *adj.* (*adv.*) onpartijdig.
impartialité [ẽ'parsyalité] *f.* onpartijdigheid *v.*
impartir [ẽ'parti:r] *v.t.*, (*recht*) toestaan, bewilligen.
impasse [ẽ'pa:s] *f.* **1** slop, doodlopend straatje *o.*; **2** (*fig.*) netelige toestand *m.*; ***voie en —***, (*spoorw.*) dood spoor *o.*; ***être dans une —***, vastzitten, in de knel zitten, geen uitweg weten.
impassibilité [ẽ'pasibilité] *f.* **1** ongevoeligheid *v.*; **2** onverstoorbaarheid; onbewogenheid *v.*; **3** hardvochtigheid *v.*
impassible(ment) [ẽ'pasi'bl(emã)] *adj.* (*adv.*) **1** ongevoelig; **2** onverstoorbaar, onbewogen; **3** onaandoenlijk, gevoelloos; **4** hardvochtig; **5** met een stalen gezicht.
impastation [ẽ'pasta'syõ] *f.* **1** menging *v.*, mengsel *o.*; **2** brij *m.*, deeg *o.*
impatiemment [ẽ'pasyamã] *adv.* ongeduldig.
impatience [ẽ'pasyã:s] *f.* **1** ongeduld *o.*; **2** verlangen *o.*; **3** (*fam.*) kriebeling *v.*; ***avoir des —s***, ongeduldig zijn.
impatient [ẽ'pasyã] *adj.* **1** ongeduldig; **2** verlangend (naar, om); **3** (*v. paard, enz.*) onrustig; ***— du joug***, het juk ongeduldig (*of* node) dragend.
impatientant [ẽ'pasyã'tã] *adj.* ergerlijk; om tureluurs te worden.
impatiente [ẽ'pasyã:t] *f.*, (*Pl.*) springzaad *o.*
impatienter [ẽ'pasyã'té] **I** *v.t.* ongeduldig maken, het geduld doen verliezen; **II** *v.pr.*, ***s'—***, **1** (*bij wachten, enz.*) ongeduldig worden; **2** zich ergeren.
impatroniser [ẽ'patròni'zé] **I** *v.t.* als meester aanstellen; **II** *v.pr.*, ***s'—***, zich als meester opwerpen, de baas spelen.
impavide [ẽ'pavi'd] *adj.* onbevreesd, stoutmoedig.
impavidité [ẽ'pavidité] *f.* stoutmoedigheid *v.*
impayable [ẽ'pèya'bl] *adj.* onbetaalbaar.
impayé [ẽ'pèyé] *adj.* onbetaald.
impeccabilité [ẽ'pèkabilité] *f.* **1** onfeilbaarheid *v.*; **2** onberispelijkheid, keurigheid *v.*
impeccable [ẽ'pèka'bl] *adj.* **1** onfeilbaar, zondeloos; **2** onberispelijk, keurig.
impécunieux [ẽ'pékünyö] *adj.* om geld verlegen, berooid.
impécuniosité [ẽ'pékünyo'zité] *f.* geldverlegenheid *v.*, geldgebrek *o.*, berooidheid *v.*
impédance [ẽ'pédã:s] *f.*, (*el.*) impedentie *v.*, schijnbare weerstand *m.*
impédiment [ẽ'pédimã] *m.* belemmering *v.*; ***—s***, (*mil.*) zwaar legertuig *o.*
impénétrabilité [ẽ'pénétrabilité] *f.* **1** ondoordringbaarheid *v.*; **2** ondoorgrondelijkheid *v.*
impénétrable(ment) [ẽ'pénétra'bl(emã)] *adj.* (*adv.*) **1** ondoordringbaar; ontoegankelijk; **2** ondoorgrondelijk; **3** gesloten, geheimzinnig.
impénétré [ẽ'pénétré] *adj.* ondoorgrond.
impénitence [ẽ'pénitã:s] *f.* **1** onboetvaardigheid *v.*; **2** (*fig.*) verstoktheid *v.*; ***mourir dans l'—***, onboetvaardig (*of* in zonde) sterven.
impénitent [ẽ'pénitã] **I** *adj.* onboetvaardig; onverbeterlijk, verstokt; **II** *s., m.* verstokte zondaar, onboetvaardige *m.*
impensable [ẽ'pã'sa'bl] *adj.* ondenkbaar.
impenses [ẽ'pã:s] *f.pl.* kosten *mv.* voor onderhoud.
impératif [ẽ'pératif] **I** *adj.* gebiedend; ***mandat —***, bindende opdracht *v.*(*m.*); **II** *s., m.*, (*gram.*) gebiedende wijs *v.*(*m.*).
impérativement [ẽ'pérati:vmã] *adv.* gebiedend.
impératoire [ẽ'pératwa:r] *f.*, (*Pl.*) meesterwortel *m.*
impératrice [ẽ'pératris] *f.* keizerin *v.*

imperceptibilité [ẽ·pèrsèptibilité] *f.* onmerkbaarheid *v.*

imperceptible(ment) [ẽ·pèrsèpti·bl(emã)] *adj.* (*adv.*) onmerkbaar.

imperdable [ẽ·pèrda·bl] *adj.* onverliesbaar.

imperfectibilité [ẽ·pèrfèktibilité] *f.* onvolmaakbaarheid *v.*

imperfectible [ẽ·pèrfèkti·bl] *adj.* onvolmaakbaar.

imperfection [ẽ·pèrfèksyõ] *f.* 1 onvolmaaktheid, onvolkomenheid *v.*, gebrek *o.*; 2 onvoltooidheid *v.*

impérial [ẽ·péryal] *adj.* keizerlijk; keizers—; ***couronne —e,*** keizerskroon *v.*(*m.*); ***les villes —es,*** (*gesch.*) de (vrije) Rijkssteden.

impériale [ẽ·péryal] *f.* 1 (*v. omnibus, enz.*) imperiaal *o. en v.*(*m.*); 2 (*Pl.*) keizerskroon *v.*(*m.*); 3 (*kaartsp.*) de vier hoogste kaarten van één kleur : aas, heer, vrouw, boer.

impérialisme [ẽ·péryalizm] *m.* imperialisme, (het) streven *o.* naar een wereldmacht.

impérialiste [ẽ·péryalist] **I** *m.* 1 imperialist, voorstander *m.* van het keizerschap; 2 voorstander *m.* van het imperialisme, — van machts- en gebiedsuitbreiding.

impérieux [ẽ·péryö] *adj.*, **impérieusement** [ẽ·péryö:zmã] *adv.* 1 (*v. eis, enz.*) gebiedend, dringend; 2 (*v. karakter*) heerszuchtig. [ter *o.*

impériosité [ẽ·péryozité] *f.* heerszuchtig karak-

impérissable [ẽ·périsa·bl] *adj.* onvergankelijk.

impéritie [ẽ·périsi] *f.* onbekwaamheid *v.*

imperméabilisation [ẽ·pèrméabilizɑ·syõ] *f.* (het) ondoordringbaar maken *o.*

imperméabiliser [ẽ·pèrméabili·zé] *v.t.* ondoordringbaar maken. [baarheid *v.*

imperméabilité [ẽ·pèrméabilité] *f.* ondoordring-

imperméable [ẽ·pèrméa·bl] **I** *adj.* 1 ondoordringbaar; 2 waterdicht; ***— à l'air,*** luchtdicht; ***toile —,*** hospitaallinnen *o.*; **II** *s., m.* regenjas *m. en v.*, regenmantel *m.*

impermutabilité [ẽ·pèrmütabilité] *f.* onverwisselbaarheid *v.* [baar.

impermutable [ẽ·pèrmüta·bl] *adj.* onverwissel-

impersonnaliser [ẽ·pèrsònali·zé] *v.t.* onpersoonlijk maken. [heid *v.*

impersonnalité [ẽ·pèrsònalité] *f.* onpersoonlijk-

impersonnel(lement) [ẽ·pèrsònèl(mã)] *adj.* (*adv.*) onpersoonlijk.

impertinemment [ẽ·pèrtinamã] *adv.* onbeschaamd, brutaal.

impertinence [ẽ·pèrtinã:s] *f.* onbeschaamdheid, brutaliteit *v.*

impertinent [ẽ·pèrtinã] **I** *adj.* onbeschaamd, brutaal; **II** *s., m.* onbeschaamde, brutale kerel *m.*

imperturbabilité [ẽ·pèrtürbabilité] *f.* 1 onverstoorbaarheid, onverzettelijkheid *v.*

imperturbable [ẽ·pèrtürba·bl] *adj.* 1 onverstoorbaar; 2 onverzettelijk.

impétigo [ẽ·pétigo] *m.*, (*gen.*) dauwworm *m.*

impétrable [ẽ·pétra·bl] *adj.*, (*recht*) verkrijgbaar.

impétrant [ẽ·pétrã] *m.*, (*recht*) verkrijger *m.*

impétration [ẽ·pétrɑ·syõ] *f.*, (*recht*) verkrijging *v.*

impétrer [ẽ·pé·tré] *v.t.*, (*recht*) verkrijgen, verwerven.

impétueux [ẽ·pétẅö] *adj.*, **impétueusement** [ẽ·pétẅö·zmã] *adv.* 1 onstuimig; 2 (*v. wind, enz.*) hevig, woest; 3 (*v. karakter*) driftig.

impétuosité [ẽ·pétẅo·zité] *f.* 1 onstuimigheid *v.*; 2 hevigheid, woestheid *v.*; 3 drift *v.*(*m.*).

impie [ẽ·pi] **I** *adj.* goddeloos; **II** *s., m.* goddeloze *m.*

impiété [ẽ·pyété] *f.* 1 goddeloosheid *v.*; 2 (*jegens ouders, enz.*) oneerbiedigheid *v.*

impitoyable(ment) [ẽ·pitwaya·bl(emã)] *adj.* (*adv.*) onmeedogend, onbarmhartig.

implacabilité [ẽ·plakabilité] *f.* onverbiddelijkheid, onverzoenlijkheid *v.*

implacable(ment) [ẽ·plaka·bl(emã)] *adj.* (*adv.*) onverbiddelijk, onverzoenlijk.

implantation [ẽ·plã·tɑ·syõ] *f.* inplanting *v.*

implanter [ẽ·plã·té] **I** *v.t.* 1 inplanten; 2 (*v. gebruik, enz.*) ingang doen vinden; **II** *v.pr.*, ***s'—,*** ingang vinden, wortel schieten.

implexe [ẽ·plèks] *adj.* ingewikkeld, verwikkeld.

impliable [ẽ·plia·bl] *adj.* onopvouwbaar.

implication [ẽ·plikɑ·syõ] *f.* 1 (*v. misdrijf*) (het) betrokken zijn bij *o.*; 2 tegenstrijdigheid *v.* (in het wezen van de zaak).

implicite(ment) [ẽ·plisit(mã)] *adj.* (*adv.*) 1 stilzwijgend (daaronder begrepen), niet uitgedrukt; 2 (*v. geloof*) blind, volmaakt.

impliquer [ẽ·pliké] *v.t.* 1 (*in zaak*) betrekken, wikkelen; 2 (stilzwijgend) in zich sluiten, bevatten; ***— contradiction,*** tegenstrijdig zijn.

implorable [ẽ·plòra·bl] *adj.* die zich laat smeken, te verbidden.

implorateur [ẽ·plòratœ:r] *m.* smekeling *m.* [*v.*

imploration [ẽ·plòrɑ·syõ] *f.* smeking, aanroeping

implorer [ẽ·plòré] *v.t.* 1 afsmeken, smeken om; 2 smeken, aanroepen.

imployable [ẽ·plwaya·bl] *adj.* onbuigbaar.

impoli(ment) [ẽ·pòli(mã)] *adj.* (*adv.*) onbeleefd, ongemanierd.

impolicé [ẽ·pòlisé] *adj.* onbeschaafd; tuchteloos.

impolitesse [ẽ·pòlitès] *f.* onbeleefdheid, ongemanierdheid *v.*

impolitique(ment) [ẽ·pòlitik(mã)] *adj.* (*adv.*) onpolitiek, onhandig. [heid *v.*

impondérabilité [ẽ·põ·dérabilité] *f.* onweegbaar-

impondérable [ẽ·põ·déra·bl] *adj.* onweegbaar.

impondération [ẽ·põ·dérɑ·syõ] *f.* gebrek *o.* aan evenwicht.

impondéré [ẽ·põ·déré] *adj.* onoverwogen.

impopulaire [ẽ·pòpülè:r] *adj.* impopulair, niet bemind.

impopularité [ẽ·pòpülarité] *f.* impopulariteit *v.*

importable [ẽ·pòrta·bl] *adj.* invoerbaar.

importance [ẽ·pòrtã:s] *f.* 1 belangrijkheid *v.*, belang, gewicht *o.*; 2 deftigheid *v.*, aanzien *o.*; ***attacher de l'— à,*** gewicht hechten aan; ***sans —,*** onbelangrijk; ***de la dernière —,*** hoogst gewichtig; ***se donner des airs d'—,*** gewichtig doen.

important [ẽ·pòrtã] **I** *adj.* 1 belangrijk, gewichtig; 2 aanzienlijk, invloedrijk; 3 zelfgenoegzaam, verwaand; **II** *s., m.* 1 hoofdzaak *v.*(*m.*), (het) voornaamste *o.*; 2 verwaande gek *m.*; ***faire l'—,*** gewichtig doen.

importateur [ẽ·pòrtatœ:r] *m.*, (*H.*) invoerder, importeur *m.* [*m.*

importation [ẽ·pòrtɑ·syõ] *f.*, (*H.*) invoer, import

importer [ẽ·pòrté] **I** *v.t.* invoeren, importeren; **II** *v.i.* 1 van belang zijn, er op aankomen; 2 kunnen schelen; ***n'importe,*** dat doet er niet toe; ***peu m'importe,*** het kan me niet schelen; ***qu'importe ?*** wat kan dat schelen ? ***que vous importe ?*** wat gaat u dat aan ? ***n'importe qui,*** om het even wie; de eerste de beste; wie ook.

importun [ẽ·pòrtœ̃] **I** *adj.* 1 hinderlijk; 2 (*v. bezoek, enz.*) lastig, ongelegen; **II** *s., m.* vervelend (*of* lastig) mens *m.* [lastig; opdringerig.

importunément [ẽ·pòrtünémã] *adv.* hinderlijk;

importuner [ẽ·pòrtüné] *v.t.* 1 hinderen; 2 lastig vallen; 3 ongelegen komen.

importunité [ẽ·pòrtünité] *f.* 1 hinderlijkheid *v.*; 2 lastigheid *v.*, overlast *m.*; 3 indringerigheid *v.*; ***—s,*** *f.pl.* lastig gevraag, gezanik *o.*

imposable [ẽ·po·za·bl] *adj.* belastbaar.

imposant [ẽ'po'zã] *adj.* indrukwekkend, ontzagwekkend.
imposé [ẽ'po'zé] **I** *adj.* in de belasting aangeslagen; **II** *s., m.* belastingbetaler *m.*; ***les plus (forts) —s,*** de hoogstaangeslagenen.
imposer [ẽ'po'zé] **I** *v.t.* **1** (*taak, stilzwijgen, handen*) opleggen; **2** (*aanwezigheid, gezelschap*) opdringen; **3** (*zijn wil*) voorschrijven; **4** (*eerbied*) afdwingen, inboezemen; **5** (*vel drukwerk*) opmaken; **6** belasting heffen van, een belasting opleggen aan; **II** *v.i.* eerbied afdwingen, ontzag inboezemen; ***en — à qn.,*** iem. iets wijsmaken, iem. bedriegen; **III** *v.pr.*, ***s'—,*** **1** zich (iets) opleggen; **2** zich laten gelden; **3** zich opdringen; ***des mesures sévères s'imposent,*** strenge maatregelen zijn geboden, — zijn noodzakelijk.
imposeur [ẽ'po'zœ:r] *m.*, (*drukk.*) vormopmaker *m.*
imposition [ẽ'po'zisyõ] *f.* **1** handoplegging *v.*; **2** (*drukk.*) vormopmaking *v.*; **3** (*v. belasting*) aanslag *m.*
impossibilité [ẽ'pòsibilité] *f.* onmogelijkheid *v.*; ***être dans l'— de faire qc.,*** iets onmogelijk kunnen doen.
impossible [ẽ'pòsi'bl] **I** *adj.* onmogelijk; **II** *s., m.*, ***l'—,*** (het) onmogelijke *o.*; ***à l'— nul n'est tenu,*** men kan geen ijzer met handen breken.
imposte [ẽ'pòst] *f.* **1** (*bouwk.*) impost *m.*; **2** (*v. deur of venster*) bovenlicht *o.*
imposteur [ẽ'pòstœ:r] **I** *m.* bedrieger *m.*; **II** *adj.* bedrieglijk.
imposture [ẽ'pòstü:r] *f.* bedrog *o.*, huichelarij *v.*
impôt [ẽ'po] *m.* belasting *v.*; ***— sur le revenu,*** inkomstenbelasting; ***—s somptuaires,*** weeldebelastingen; ***— du sang,*** dienstplicht *m.*; ***— foncier,*** grondbelasting.
impotable [ẽ'pòta'bl] *adj.* ondrinkbaar.
impotence [ẽ'pòtã:s] *f.* gebrekkigheid, verlamming *v.*
impotent [ẽ'pòtã] *adj.* gebrekkig, verminkt.
impourvu [ẽ'purvü] *adj.* onvoorzien.
impraticabilité [ẽ'pratikabilité] *f.* **1** onuitvoerbaarheid *v.*; **2** onbegaanbaarheid *v.*
impraticable [ẽ'pratika'bl] *adj.* **1** ondoenlijk; **2** (*v. plan, enz.*) onuitvoerbaar; **3** (*v. persoon*) onmogelijk, onhandelbaar; **4** (*v. weg: voor voetgangers*) onbegaanbaar; (*voor voertuigen*) onberijdbaar; (*voor schepen*) onbevaarbaar.
imprécateur [ẽ'prékatœ:r] *m.* verwenser *m.*
imprécation [ẽ'prékɑ'syõ] *f.* verwensing, vervloeking *v.*
imprécatoire [ẽ'prékatwa:r] *adj.* vervloekend, vervloekings—; ***formule —,*** verwensingsformule *v.*(*m.*).
imprécis [ẽ'présì] *adj.* **1** (*v. beeld*) onduidelijk; **2** (*v. term*) onjuist, onnauwkeurig.
imprécisé [ẽ'prési'zé] *adj.* niet duidelijk omschreven.
imprécision [ẽ'prési'zyõ] *f.* **1** onduidelijkheid *v.*; **2** onjuistheid, onnauwkeurigheid *v.*
imprégnable [ẽ'préña'bl] *adj.* doorweekbaar.
imprégnation [ẽ'préñɑ'syõ] *f.* **1** doorweking *v.*; **2** doortrekking *v.*
imprégné [ẽ'préñé] (***de***) *adj.* **1** doortrokken (met); **2** doordrongen (van).
imprégner [ẽ'préñé] (***de***) **I** *v.t.* **1** doorweken (met); **2** doortrekken (met); **3** (*met dampen, enz.*) bezwangeren; **II** *v.pr.*, ***s'— (de),*** **1** doortrokken worden (met); **2** bezwangerd worden (met); **3** doordrongen worden (van).
imprenable [ẽ'prena'bl] *adj.* onneembaar.
imprésario [ẽ'prézaryo] *m.* (*pl.*: ***des imprésarios***) impresario, ondernemer *m.* van toneel- en muziekuitvoeringen.
imprescriptibilité [ẽ'prèskriptibilité] *f.* **1** onverjaarbaarheid *v.*; **2** (*v. recht*) onaantastbaarheid *v.*
imprescriptible [ẽ'prèskripti'bl] *adj.* **1** onverjaarbaar; **2** onaantastbaar.
impression [ẽ'prèsyõ] *f.* **1** indruk *m.*; **2** (*v. boek*) druk, afdruk *m.*; **3** (het) drukken *o.*; ***faute d'—,*** drukfout *v.*(*m.*); ***— d'indiennes,*** katoendruk *m.*
impressionnabilité [ẽ'prèsyònabilité] *f.* vatbaarheid (*of* gevoeligheid) *v.* voor indrukken.
impressionnable [ẽ'prèsyòna'bl] *adj.* vatbaar voor indrukken, gevoelig.
impressionnant [ẽ'prèsyònã] *adj.* indrukwekkend.
impressionner [ẽ'prèsyòné] *v.t.* indruk maken op, treffen.
impressionnisme [ẽ'prèsyònizm] *m.* impressionisme *o.*
impressionniste [ẽ'prèsyònist] **I** *m.* impressionist, aanhanger *m.* van het impressionisme; **II** *adj.* impressionistisch.
imprévisible [ẽ'prévizi'bl] *adj.* niet te voorzien.
imprévision [ẽ'prévizyõ] *f.* *voir* ***imprévoyance.***
imprévoyable [ẽ'prévwaya'bl] *adj.* niet te voorzien.
imprévoyance [ẽ'prévwayã:s] *f.* zorgeloosheid *v.*, gebrek *o.* aan voorzorg, onbezorgdheid *v.*
imprévoyant [ẽ'prévwayã] *adj.* onvoorzichtig, onbedachtzaam, onberaden.
imprévu [ẽ'prévü] **I** *adj.* onvoorzien, onverwacht; **II** *s., m.* (het) onvoorziene *o.*; ***en cas d'—,*** voor onvoorziene omstandigheden.
imprimé [ẽ'primé] **I** *adj.* gedrukt; **II** *s., m.* drukwerk *o.*
imprimer [ẽ'primé] *v.t.* **1** (*v. boek, enz.*) drukken; **2** (*v. stof*) bedrukken; **3** (*paneel, doek*) in de grondverf zetten; **4** (*drukk.: vel*) afdrukken; **5** (iem. iets) inprenten; ***— un mouvement,*** een beweging mededelen.
imprimerie [ẽ'primri] *f.* **1** boekdrukkunst *v.*; **2** drukkerij *v.*
imprimeur [ẽ'primœ:r] *m.* drukker *m.*
imprimeuse [ẽ'primö:z] *f.* drukmachine *v.*
imprimure [ẽ'primü:r] *f.* grondverf *v.*(*m.*).
improbabilité [ẽ'pròbabilité] *f.* onwaarschijnlijkheid *v.*
improbable(ment) [ẽ'pròba'bl(emã)] *adj.* (*adv.*) onwaarschijnlijk.
improbateur [ẽ'pròbatœ:r], **improbatif** [ẽ'pròbatif] *adj.* afkeurend.
improbation [ẽ'pròbɑ'syõ] *f.* afkeuring *v.*
improbe [ẽ'prò'b] *adj.* oneerlijk.
improbité [ẽ'pròbité] *f.* oneerlijkheid *v.*
improductif [ẽ'pròdüktif] *adj.* **1** (*v. grond, werk*) onvruchtbaar; **2** (*v. kapitaal*) renteloos.
improductivité [ẽ'pròdüktivité] *f.* **1** onvruchtbaarheid *v.*; **2** renteloosheid *v.*
impromptu [ẽ'prõ'ptü] **I** *adj. et adv.* onvoorbereid; voor de vuist (spreken); **II** *s., m.* **1** onvoorbereide zaak *v.*(*m.*); **2** voor de vuist gemaakt gedicht, lied, enz.; ***à l'—,*** onvoorbereid, zonder voorbereiding.
imprononçable [ẽ'prònõ'sa'bl] *adj.* onuitspreekbaar.
impropice [ẽ'pròpis] *adj.* ongunstig.
improportionnel [ẽ'pròpòrsyònèl] *adj.* onevenredig.
impropre(ment) [ẽ'pròpr(emã)] *adj.* (*adv.*) **1** ongeschikt; **2** (*v. woordgebruik*) onjuist, oneigenlijk.
impropriété [ẽ'pròpri(y)été] *f.* **1** ongeschiktheid *v.*; **2** onjuistheid *v.*, verkeerd gebruik *o.*
improuvable [ẽ'pruva'bl] *adj.* onbewijsbaar.
improvisateur [ẽ'pròvizatœ:r] *m.* improvisator, spreker (*of* dichter) *m.* voor de vuist.
improvisation [ẽ'pròvizɑ'syõ] *f.* improvisatie *v.*, voordracht *v.*(*m.*) voor de vuist.

improvisé [ẽ'pròvi'zé] *adj.* geïmproviseerd, onvoorbereid; op stel en sprong klaargemaakt.
improviser [ẽ'pròvi'zé] **I** *v.i.* improviseren, voor de vuist voordragen (dichten, enz.); **II** *v.t.* **1** improviseren; **2** (*v. feest, enz.*) vlug in elkaar zetten; **3** (*v. maatregelen*) op staande voet nemen.
improviste, *à l'*— [alẽ'pròvist] *adv.* **1** onverwachts, onverhoeds; **2** onvoorbereid.
imprudemment [ẽ'prüdamã] *adv.* onvoorzichtig.
imprudence [ẽ'prüdã:s] *f.* onvoorzichtigheid *v.*
imprudent [ẽ'prüdã] *adj.* onvoorzichtig.
impubère [ẽ'pübè:r] *adj.* nog niet huwbaar.
impubliable [ẽ'pübliya'bl] *adj.* ongeschikt voor publikatie.
impudemment [ẽ'püdamã] *adv.* onbeschaamd, brutaal.
impudence [ẽ'püdã:s] *f.* onbeschaamdheid, brutaliteit *v.*
impudent [ẽ'püdã] *adj.* onbeschaamd, brutaal.
impudeur [ẽ'püdœ:r] *f.* schaamteloosheid *v.*
impudicité [ẽ'püdisité] *f.* onkuisheid *v.*, ontucht *v.*(*m.*).
impudique(ment) [ẽ'püdik(mã)] *adj.* (*adv.*) onkuis, ontuchtig.
impuissance [ẽ'pẅisã:s] *f.* **1** machteloosheid *v.*; **2** onmacht *v.*(*m.*), onvermogen *o.*; ***être dans l'—de,*** niet bij machte zijn om.
impuissant [ẽ'pẅisã] *adj.* **1** machteloos; **2** onmachtig; niet in staat (om).
impulsif [ẽ'pülsif] **I** *adj.* **1** aandrijvend, voortdrijvend; **2** impulsief; ***force impulsive,*** aandrijvende kracht, stuwkracht *v.*(*m.*); **II** *s.*, *m.* impulsief persoon *m.* (die aan de opwellingen van het ogenblik gehoor geeft).
impulsion [ẽ'pülsyõ] *f.* **1** aandrijving *v.*; **2** aandrang *m.*; **3** aansporing *v.*, drang *m.*; ***— des ondes,*** (*el.*) golfstoot *m.*; ***donner l'— à,*** de stoot geven tot.
impulsivité [ẽ'pülsivité] *f.* impulsiviteit *v.*, geneigdheid aan elke opwelling gevolg te geven.
impunément [ẽ'pünémã] *adv.* straffeloos, ongestraft.
impuni [ẽ'püni] *adj.* ongestraft.
impunité [ẽ'pünité] *f.* straffeloosheid *v.*
impur(ement) [ẽ'pü:r(mã)] *adj.* (*adv.*) **1** onzuiver; **2** (*fig.*) onrein; **3** onkuis.
impureté [ẽ'pü:rté] *f.* **1** onzuiverheid *v.*; **2** onreinheid *v.*; **3** onkuisheid *v.*
imputabilité [ẽ'pütabilité] *f.* toerekenbaarheid *v.*
imputable [ẽ'püta'bl] *adj.* toe te schrijven (aan), te wijten (aan); ***— sur,*** (*H.*) **1** af te trekken, af te schrijven (van); **2** te boeken, over te brengen (op).
imputation [ẽ'püta'syõ] *f.* **1** toeschrijving, toerekening *v.*; **2** aantijging, beschuldiging *v.*; **3** verrekening, vereffening *v.*
imputer [ẽ'püté] *v.t.* **1** toeschrijven (aan), wijten (aan); **2** aanrekenen, aanwrijven; ***— sur,*** **1** aftrekken, afschrijven (van); **2** boeken (op), overschrijven (op); ***— à crime,*** als een misdaad aanrekenen.
imputrescible [ẽ'pütrèsi'bl] *adj.* onbederfbaar, bederfwerend.
inabordable [inabòrda'bl] *adj.* **1** ongenaakbaar; **2** ontoegankelijk; **3** niet te betalen, buitengewoon duur.
inabrité [inabrité] *adj.* onbeschut.
inabrogeable [inabroja'bl] *adj.* onvervreemdbaar.
inaccentué [inaksã'tẅé] *adj.* toonloos, zonder klemtoon.
inacceptable [inaksèpta'bl] *adj.* onaannemelijk.
inaccessibilité [inaksèsibilité] *f.* ongenaakbaarheid; ontoegankelijkheid *v.*
inaccessible [inaksèsi'bl] *adj.* ongenaakbaar; ontoegankelijk; ***— à,*** **1** ongevoelig voor; **2** niet vatbaar voor; **3** ongenaakbaar voor; ontoegankelijk voor; **4** onbereikbaar voor (geest).
inaccompli [inakõpli] *adj.* onvervuld.
inaccordable [inakòrda'bl] *adj.* **1** onverenigbaar; **2** niet vatbaar voor inwilliging.
inaccostable [inakòsta'bl] *adj.* **1** ongenaakbaar; **2** stuurs, nors.
inaccoutumé [inakutümé] *adj.* ongewoon.
inachevé [inaʃvé] *adj.* onvoltooid, niet af.
inactif [inaktif] *adj.* **1** werkeloos; **2** traag, lusteloos.
inaction [inaksyõ] *f.* werkeloosheid *v.*
inactivement [inakti'vmã] *adv.* **1** werkeloos; **2** traag, lusteloos.
inactivité [inaktivité] *f.* **1** werkeloosheid, ledigheid *v.*; **2** traagheid, lusteloosheid *v.*; **3** (*mil.*) non-activiteit *v.*
inadaptable [inadapta'bl] *adj.* onsociaal.
inadaptation [inadapta'syõ] *f.* gebrek *o.* aan aanpassingsvermogen.
inadéquat [inadékwa] (*à*) *adj.* niet overeenstemmend met, niet beantwoordend aan; ***connaissance —e,*** onvolledige kennis; ***idée —e,*** onjuist begrip.
inadmissibilité [inadmisibilité] *f.* onaannemelijkheid, ontoelaatbaarheid; niet ontvankelijkheid *v.*
inadmissible [inadmisi'bl] *adj.* onaannemelijk, ontoelaatbaar; niet ontvankelijk.
inadvertance [inadvèrtã:s] *f.* **1** onoplettendheid, onachtzaamheid *v.*; **2** vergissing *v.*; ***commettre une —,*** een vergissing begaan.
inaguerri [inagèri] *adj.* ongehard, ongeoefend.
inaliénabilité [inalyénabilité] *f.* onvervreemdbaarheid *v.*
inaliénable [inalyéna'bl] *adj.* onvervreemdbaar.
inalliable [inalya'bl] *adj.* **1** (*v. metalen*) onvermengbaar; **2** (*v. meningen*) onverenigbaar.
inaltérabilité [inaltérabilité] *f.* **1** onveranderlijkheid *v.*; **2** (*fig.*) onvergankelijkheid *v.*; enz.; *voir* ***inaltérable.***
inaltérable [inaltéra'bl] *adj.* **1** onveranderlijk; **2** (*v. metaal*) onroestbaar; **3** (*v. inkt, enz.*) onverbleekbaar; **4** (*v. stoffen*) onverslijtbaar; **5** (*v. humeur*) onverstoorbaar; **6** (*v. roem, enz.*) onvergankelijk.
inamendable [inamã'da'bl] *adj.* onverbeterbaar, niet vatbaar voor verbetering.
inamical [inamikal] *adj.* onvriendschappelijk.
inamovibilité [inamòvibilité] *f.* onafzetbaarheid *v.*
inamovible [inamòvi'bl] *adj.* onafzetbaar.
inanimation [inanima'syõ] *f.* levenloosheid, onbezieldheid *v.*
inanimé [inanimé] *adj.* **1** onbezield; **2** levenloos; **3** (*fig.*) koud, zonder uitdrukking.
inanité [inanité] *f.* **1** leegte *v.*; **2** ijdelheid, nietigheid *v.*; **3** waardeloosheid *v.*
inanition [inanisyõ] *f.* uitputting, zwakte *v.* (door gebrek aan voedsel).
inapaisable [inapèza'bl] *adj.* niet te stillen, niet te bevredigen, onlesbaar.
inapaisé [inapè'zé] *adj.* ongestild, onbevredigd.
inapaisement [inapè'zmã] *m.* onbevredigdheid *v.*
inapercevable [inapèrseva'bl] *adj.* onmerkbaar.
inaperçu [inapèrsü] *adj.* ongemerkt, onopgemerkt.
inappétence [inapétã:s] *f.* gebrek *o.* aan eetlust.
inapplicable [inaplika'bl] *adj.* ontoepasselijk, niet van toepassing (op).
inapplication [inaplika'syõ] *f.* nalatigheid *v.*, gebrek *o.* aan ijver.
inappliqué [inaplikė] *adj.* **1** nalatig, niet ijverig, onachtzaam; **2** nog niet toegepast.

inappréciable [inaprésya·bl] *adj.* **1** (*v. verschil, enz.*) uiterst gering; **2** (*v. diensten, enz.*) onschatbaar.
inapprêté [inaprè·té] *adj.* **1** onvoorbereid; **2** onopgesmukt, ongekunsteld, eenvoudig.
inapprivoisé [inaprivwazé] *adj.* ongetemd, wild.
inapprochable [inaprò∫a·bl] *adj.* ongenaakbaar.
inapprouvé [inapruvé] *adj.* niet goedgekeurd.
inapte [inapt] *adj.* onbekwaam, ongeschikt.
inaptitude [inaptitü·d] *f.* onbekwaamheid, ongeschiktheid *v.*
inarticulé [inartikülé] *adj.* **1** (*v. klank*) onduidelijk, niet gearticuleerd; **2** (*Pl.*; *Dk.*) ongeleed, zonder geledingen.
inassermenté [inasèrmã·té] *adj.* onbeëdigd.
inasservi [inasèrvi] *adj.* ononderworpen.
inassimilable [inasimila·bl] *adj.* **1** (*v. spijzen*) onverteerbaar; **2** niet gelijk te stellen, niet te vergelijken.
inassociable [inasòsya·bl] *adj.* niet verenigbaar.
inassorti [inasòrti] *adj.* niet bij elkaar passend.
inassouvi [inasuvi] *adj.* onbevredigd, onverzadigd.
inassouvissable [inassuvisa·bl] *adj.* onverzadelijk.
inattaquable [inataka·bl] *adj.*, (*v. recht*) onaantastbaar, onaanvechtbaar.
inattendu [inatã·dü] *adj.* onverwacht.
inattentif [inatã·tif] *adj.* onoplettend.
inattention [inatã·syõ] *f.* onoplettendheid *v.*
inaudible [inodi·bl] *adj.* onhoorbaar.
inaugural [ino·güral] *adj.* openings—, inwijdings—; ***cérémonie —e,*** inwijdingsplechtigheid *v.*; ***discours —,*** **1** (*v. congres, enz.*) openingsrede *v.*(*m.*); **2** (*v. hoogleraar*) inaugurele rede.
inauguration [ino·güra·syõ] *f.* **1** inwijding *v.*; **2** onthulling *v.*; **3** opening *v.*
inaugurer [ino·güré] *v.t.* **1** (*v. nieuw gebouw, enz.*) inwijden; **2** (*v. standbeeld*) onthullen; **3** (*v. tentoonstelling*) openen; **4** (*v. vorst*) inhuldigen; **5** (*fig.*: *tijdperk, enz.*) inluiden, openen.
inauthenticité [ino·tã·tisité] *f.* onechtheid *v.*
inauthentique [ino·tã·tik] *adj.* onecht.
inavouable [inavwa·bl] *adj.* niet te bekennen, verdacht.
inavoué [inavwé] *adj.* verborgen, onbeleden.
incalculable [ẽ·kalküla·bl] *adj.* **1** onberekenbaar; **2** zeer talrijk.
incandescence [ẽ·kã·dèsã:s] *f.* **1** gloeiing, witgloeihitte *v.*; **2** (*fig.*) gloed *m.*; opgewondenheid *v.*; ***lampe à —,*** gloeilamp *v.*(*m.*); ***manchon à —,*** gloeikousje *o.*
incandescent [ẽ·kã·dèsã] *adj.* **1** witgloeiend; **2** (*fig.*) gloeiend; opgewonden.
incantation [ẽ·kã·ta·syõ] *f.* bezwering, toverformule *v.*
incantatoire [ẽ·kã·tatwa:r] *adj.* bezwerings—; ***puissance —,*** tovermacht *v.*(*m.*).
incapable [ẽ·kapa·bl] (*de*) *adj.* **1** onbekwaam (tot, voor), niet in staat (tot, om); **2** (*recht*) onbevoegd.
incapacité [ẽ·kapasité] *f.* **1** onbekwaamheid *v.*; **2** onbevoegdheid *v.*
incarcération [ẽ·karséra·syõ] *f.* opsluiting, gevangenzetting, kerkering *v.*
incarcérer [ẽ·karséré] *v.t.* opsluiten, gevangen zetten, kerkeren.
incarnadin [ẽ·karnadẽ] *adj.* bleekrood, vleeskleurig.
incarnat [ẽ·karna] **I** *adj.* hoogrood, rozerood; **II** *s., m.* rozerode kleur *v.*(*m.*).
incarnation [ẽ·karna·syõ] *f.* **1** incarnatie, vleeswording, belichaming *v.*; **2** levend symbool *o.*; ***l'I—,*** de Menswording *v.*
incarné [ẽ·karné] *adj.* **1** vleesgeworden; **2** in 't vlees gegroeid; ***le Verbe —,*** het vleesgeworden Woord; ***le diable —,*** de duivel in persoon.
incarner [ẽ·karné] **I** *v.t.*, (*gedachte, beginsel*) belichamen, vertegenwoordigen, voorstellen; **II** *v.pr.*, ***s'—,*** **1** (*v. God*) mens worden; **2** (*v. nagel*) in 't vlees groeien.
incartade [ẽ·karta·d] *f.* **1** onbezonnenheid, buitensporigheid *v.*; **2** ruwe (*of* dwaze) uitval *m.*; **3** dwaze streek *m.*; **4** (*v. paard*) zijsprong *m.*
incassable [ẽ·ka·sa·bl] *adj.* onbreekbaar.
incendiaire [ẽ·sã·dyè:r] **I** *adj.* **1** brandstichtend; **2** (*fig.*) oproerig; ***bombe —,*** brandbom *v.*(*m.*); ***obus —,*** brandgranaat *v.*(*m.*); ***lettre —,*** brandbrief *m.*; ***discours —,*** oproerige rede *v.*(*m.*); **II** *s., m.* brandstichter *m.*
incendie [ẽ·sã·di] *m.* brand *m.*
incendié [ẽ·sã·dyé] **I** *adj.* afgebrand; **II** *s., m.* slachtoffer *o.* van een brand.
incendier [ẽ·sã·dyé] *v.t.* **1** in brand steken; **2** (*fig.*) doen ontbranden.
incertain [ẽ·sèrtẽ] *adj.* **1** onzeker; **2** twijfelachtig; **3** (*v. weer*) veranderlijk, onbestendig; **4** vaag, onduidelijk; **5** besluiteloos, in twijfel.
incertitude [ẽ·sèrtitü·d] *f.* **1** onzekerheid *v.*; **2** twijfelachtigheid *v.*; **3** onbestendigheid *v.*; **4** besluiteloosheid *v.*, twijfel *m.*
incessamment [ẽ·sèsamã] *adv.* **1** aanstonds, dadelijk; **2** onophoudelijk, voortdurend.
incessant [ẽ·sèsã] *adj.* onophoudelijk, aanhoudend, voortdurend.
incessible [ẽ·sèsi·bl] *adj.*, (*recht*) onoverdraagbaar, onvervreemdbaar.
inceste [ẽ·sèst] *m.* bloedschande *v.*(*m.*).
incestueux [ẽ·sèstwö] **I** *adj.* bloedschendig; **II** *s., m.* bloedschender *m.*
inchangé [ẽ·∫ã·jé] *adj.* onveranderd.
inchoatif [ẽ·kòatif] *adj.* inchoatief, begin van de handeling *of* wording uitdrukkend.
incidemment [ẽ·sidamã] *adv.* terloops, toevallig bij gelegenheid.
incidence [ẽ·sidã:s] *f.* **1** (*v. tussenzin*) afhankelijkheid *v.*; **2** (*nat.*) inval *m.*; ***angle d'—,*** invalshoek *m.*
incident [ẽ·sidã] **I** *m.* **1** incident *o.*; **2** voorval *o.*; **3** bijkomstige omstandigheid *v.*; **4** zwarigheid *v.*; **II** *adj.* **1** tussenkomend, bijkomend, incidenteel; **2** (*v. straal*) invallend; ***proposition —e,*** tussenzin *m.*; ***demande —e,*** (*recht*) incidentele vordering *v.*
incidente [ẽ·sidã:t] *f.* tussenzin *m.*
incidentel [ẽ·sidã·tèl] *adj.* incidenteel, tussenkomend.
incinérateur [ẽ·sinératœ:r] *m.* verbrandingsoven *m.*
incinération [ẽ·sinéra·syõ] *f.* **1** verbranding *v.*; **2** verassing; lijkverbranding *v.*
incinérer [ẽ·sinéré] *v.t.* tot as verbranden; verassen.
incirconcis [ẽ·sirkõ·si] *adj.* onbesneden.
incise [ẽ·si:z] *f.* korte tussenzin *m.*
inciser [ẽ·si·zé] *v.t.* insnijden.
incisif [ẽ·si·zif] *adj.* **1** insnijdend; bijtend; **2** (*fig.*: *v. toon, kritiek*) scherp; ***dent incisive,*** snijtand *m.*
incision [ẽ·sizyõ] *f.* insnijding *v.*
incisive [ẽ·sizi:v] *f.* snijtand *m.*
incitant [ẽ·sitã] **I** *adj.* opwekkend, prikkelend; **II** *s., m.* opwekkend middel *o.*
incitateur [ẽ·sitatœ:r] *m.* opwekker, aanspoorder *m.*
incitation [ẽ·sita·syõ] *f.* prikkeling, opwekking; aansporing *v.*
inciter [ẽ·sité] (*à*) *v.t.* prikkelen, opwekken; aansporen.
incivil(ement) [ẽ·sivil(mã)] *adj.* (*adv.*) onbeleefd.
incivilisé [ẽ·sivili·zé] *adj.* onbeschaafd.
incivilité [ẽ·sivilité] *f.* onbeleefdheid *v.*

incivisme [ẽ'sivizm] *m.* gebrek *o.* aan burgerzin.
inclémence [ẽ'klémã:s] *f.* **1** onbarmhartigheid *v.*; **2** strengheid *v.*; **3** (*v. weer*) guurheid, barheid *v.*
inclément [ẽ'klémã] *adj.* **1** onbarmhartig; **2** streng; **3** guur, bar.
inclinaison [ẽ'klinè'zõ] *f.* **1** (*v. terrein*) helling *v.*; **2** (*v. lijnen*) schuinte *v.*; **3** (*v. magneetnaald*) inclinatie *v.*
inclinant [ẽ'klinã] *adj.* hellend; schuin.
inclination [ẽ'klina'syõ] *f.* **1** (*v. hoofd, lichaam*) buiging *v.*; **2** neiging *v.*, zin *m.*; **3** genegenheid *v.*; ***— de tête,*** knikje *o.*; ***mariage d'—,*** huwelijk uit liefde.
incliné [ẽ'kliné] *adj.* hellend; schuin; geneigd (tot).
incliner [ẽ'kliné] **I** *v.t.* **1** (*v. hoofd*) buigen; **2** (*v. voorwerp*) schuin houden; **3** (*v. vlak*) doen hellen; **4** (*fig.*) doen overhellen (tot), aansporen (tot); **II** *v.i.* **1** buigen; **2** schuin staan; **3** overhellen; ***— à, vers,*** **1** overhellen naar; **2** zich geneigd voelen tot; **III** *v.pr.*, ***s'—,*** **1** buigen; overhellen; ***s'— devant,*** het hoofd buigen voor; berusten in.
inclure [ẽ'klü:r] *v.t.* insluiten.
inclus [ẽ'klü] *adj.* ingesloten, inliggend; ***ci-—,*** bijgaand.
inclusif [ẽ'klüzif] *adj.* insluitend.
inclusion [ẽ'klüsyõ] *f.* insluiting *v.*, het ingesloten [zijn *o.*
inclusivement [ẽ'klüzi'vmã] *adv.* ingesloten, daaronder begrepen, incluis; ***jusqu'au 20 janvier —,*** tot en met 20 januari.
incoercible [ẽ'kòèrsi'bl] *adj.* onbedwingbaar.
incognito [ẽ'kòñito] **I** *adv.* incognito, onder een vreemde naam; **II** *s., m.* (het) incognito *o.*
incohérence [ẽ'kò(h)érã:s] *f.* gebrek *o.* aan samenhang.
incohérent [ẽ'kò(h)érã] *adj.* onsamenhangend.
incolore [ẽ'kòlò:r] *adj.* kleurloos, ongekleurd.
incomber [ẽ'kõ'bé] (*à*) *v.i.* **1** rusten op; **2** passen bij.
incombustibilité [ẽ'kõ'büstibilité] *f.* onbrandbaarheid *v.* [brandvrij.
incombustible [ẽ'kõ'büsti'bl] *adj.* onbrandbaar,
incomestible [ẽ'kòmèsti'bl] *adj.* oneetbaar.
incommensurabilité [ẽ'kòmã'sürabilité] *f.* onmeetbaarheid *v.*
incommensurable [ẽ'kòmã'süra'bl] *adj.* **1** onmeetbaar; **2** (*fig.*) onmetelijk (groot).
incommodant [ẽ'kòm(m)òdã] *adj.* hinderlijk, lastig. [ongemakkelijk.
incommode [ẽ'kòm(m)ò'd] *adj.* lastig, hinderlijk,
incommodé [ẽ'kòm(m)òdé] *adj.* **1** gehinderd; **2** onwel, onpasselijk; **3** in geldverlegenheid.
incommodément [ẽ'kòm(m)òdémã] *adv.* hinderlijk, lastig, ongemakkelijk.
incommoder [ẽ'kòm(m)òdé] *v.t.* **1** hinderen; lastig vallen; **2** ongesteld maken; **3** (*v. spijzen*) bezwaren.
incommodité [ẽ'kòm(m)òdité] *f.* **1** hinder, last *m.*; **2** ongemak, ongerief *o.*; **3** (*v. houding, enz.*) ongemakkelijkheid *v.*; **4** ongesteldheid *v.*; **5** geldverlegenheid *v.* [deelbaar.
incommunicable [ẽ'kòmünika'bl] *adj.* onmede-
incommutabilité [ẽ'kòmütabilité] *f.* **1** onontzetbaarheid *v.*; **2** onvervreemdbaarheid *v.*
incommutable [ẽ'kòmüta'bl] *adj.* **1** (*v. persoon*) onontzetbaar; **2** (*v. eigendom*) onvervreemdbaar.
incomparabilité [ẽ'kõ'parabilité] *f.* onvergelijkbaarheid *v.*
incomparable(ment) [ẽ'kõ'para'bl(emã)] *adj.* (*adv.*) onvergelijkelijk, weergaloos.
incompatibilité [ẽ'kõ'patibilité] *f.* **1** onverenigbaarheid *v.*; **2** gebrek *o.* aan overeenstemming; **3** (*v. karakters*) verschil *o.*, strijdigheid *v.*; ***— d'humeur,*** te grote uiteenlopendheid van karakter.
incompatible [ẽ'kõ'pati'bl] *adj.* **1** (*v. betrekkingen*) onverenigbaar; **2** (*v. meningen, karakters*) uiteenlopend; **3** (*scheik.*) onvermengbaar; **4** (***— avec***), strijdig (met). [voegd.
incompétemment [ẽ'kõ'pétamã] *adv.* onbe-
incompétence [ẽ'kõ'pétã:s] *f.* onbevoegdheid, ondeskundigheid *v.*
incompétent [ẽ'kõ'pétã] *adj.* onbevoegd.
incomplet [ẽ'kõ'plè] *adj.*, **incomplètement** [ẽ'kõ'plètmã] *adv.* **1** onvolledig; **2** (*Pl.*) onvolkomen; **2** niet voltallig.
incomplexe [ẽ'kõ'plèks] *adj.* enkelvoudig, niet samengesteld.
incompréhensibilité [ẽ'kõ'pré(h)ã'sibilité] *f.* onbegrijpelijkheid *v.* [grijpelijk.
incompréhensible [ẽ'kõ'pré(h)ãsi'bl] *adj.* onbe-
incompréhensif [ẽ'kõ'pré(h)ãsif] *adj.* niet in staat tot begrijpen.
incompréhension [ẽ'kõ'pré(h)ã'syõ] *f.* traagheid *v.* van begrip.
incompressibilité [ẽ'kõ'prèsibilité] *f.* onsamendrukbaarheid *v.* [drukbaar.
incompressible [ẽ'kõ'prèsi'bl] *adj.* onsamen-
incompris [ẽ'kõ'pri] *adj.* **1** onbegrepen; **2** (*v. genie*) miskend.
inconcevable(ment) [ẽ'kõ's(e)va'bl(emã)] *adj.* (*adv.*) onbegrijpelijk, ondenkbaar.
inconciliabilité [ẽ'kõ'silyabilité] *f.* onverenigbaarheid *v.*
inconciliable [ẽ'kõ'silya'bl] *adj.* onverenigbaar; onverzoenbaar.
inconditionné [ẽ'kõ'disyòné] *adj.* aan geen enkele voorwaarde verbonden.
inconditionnel(lement) [ẽ'kõ'disyònèl(mã)] *adj.* (*adv.*) onvoorwaardelijk.
inconduite [ẽ'kõ'dŵit] *f.* wangedrag *o.*
inconfortable [ẽ'kõ'fòrta'bl] *adj.* ongeriefelijk.
incongelable [ẽ'kõ'jla'bl] *adj.* onbevriesbaar.
incongru [ẽ'kõ'grü] *adj.* **1** ongepast, onbetamelijk; **2** lomp, onbeholpen.
incongruité [ẽ'kõ'grŵité] *f.* **1** ongepastheid *v.*; **2** lompheid *v.*; ***faire des —s,*** zich onbetamelijk gedragen.
inconjugable [ẽ'kõ'jüga'bl] *adj.* onvervoegbaar.
inconnaissable [ẽ'kònè'sa'bl] *adj.* onkenbaar.
inconnu [ẽ'kònü] **I** *adj.* **1** onbekend; **2** ongekend (nieuw); **II** *s., m.* (het) onbekende *o.*; ***— m.,*** ***—e*** *f.* onbekende *m.-v.*; ***—e,*** *f.*, (*wisk.*) onbekende, onbekende grootheid *v.*
inconsciemment [ẽ'kõ'syamã] *adv.* onbewust.
inconscience [ẽ'kõ'syã:s] *f.* **1** onbewustheid *v.*; **2** onverantwoordelijkheid, lichtzinnigheid *v.*
inconscient [ẽ'kõ'syã] **I** *adj.* **1** onbewust; **2** onverantwoordelijk, lichtzinnig; **II** *s., m.* (het) onbewuste *o.*
inconséquence [ẽ'kõ'sékã:s] *f.* **1** inconsequentie, strijdigheid *v.* met eigen beginselen; **2** (*fig.: v. handelwijze*) onbezonnenheid, ongerijmdheid *v.*
inconséquent [ẽ'kõ'sékã] *adj.* **1** inconsequent, niet beginselvast, onlogisch; **2** onbezonnen, ongerijmd.
inconsidération [ẽ'kõ'sidéra'syõ] *f.* **1** onberadenheid, onbedachtzaamheid *v.*; **2** minachting *v.*
inconsidéré(ment) [ẽ'kõ'sidéré(mã)] *adj.* (*adv.*) onberaden, onbedacht, onbezonnen.
inconsistance [ẽ'kõ'sistã:s] *f.* **1** onvastheid *v.*; **2** onbestendigheid, vaagheid *v.*
inconsistant [ẽ'kõ'sistã] *adj.* **1** (*v. stoffen*) onvast; **2** (*fig.: v. denkbeelden*) onbestendig, vaag.
inconsolable(ment) [ẽ'kõ'sòla'bl(emã)] *adj.* (*adv.*) ontroostbaar.
inconsolé [ẽ'kõ'sòlé] *adj.* ongetroost.

inconsommable [ẽ˙kõ˙sòma˙bl] *adj.* onverbruikbaar.
inconstamment [ẽ˙kõ˙stamã] *adv.* onbestendig.
inconstance [ẽ˙kõ˙stã:s] *f.* **1** onstandvastigheid, onbestendigheid *v.*; **2** ontrouw *v.*(*m.*).
inconstant [ẽ˙kõ˙stã] *adj.* onstandvastig; wispelturig; ontrouw.
inconstitutionnalité [ẽ˙kõ˙stitüsyònalité] *f.* ongrondwettigheid *v.*
inconstitutionnel(lement) [ẽ˙kõ˙stitüsyònèl(mã)] *adj.* (*adv.*) ongrondwettig.
incontestabilité [ẽ˙kõ˙tèstabilité] *f.* onbetwistbaarheid *v.*
incontestable(ment) [ẽ˙kõ˙tèsta˙bl(emã)] *adj.* (*adv.*) onbetwistbaar, ontegenzeglijk.
incontesté [ẽ˙kõ˙tèsté] *adj.* onbetwist, onweersproken.
incontinence [ẽ˙kõ˙tinã:s] *f.* **1** onmatigheid *v.*; **2** onbezadigdheid *v.*; **3** oningetogenheid *v.*; **4** onkuisheid *v.*; **5** gebrek *o.* aan zelfbeheersing; ***— de langue,*** praatzucht *v.*(*m.*).
incontinent [ẽ˙kõ˙tinã] **I** *adj.* **1** onmatig; **2** onbezadigd; **3** oningetogen; **4** onkuis; **II** *adv.* terstond, dadelijk.
incontrôlable [ẽ˙kõ˙tro˙la˙bl] *adj.* oncontroleerbaar, niet na te gaan.
incontroversé [ẽ˙kõ˙tròvèrsé] *adj.* onbestreden.
inconvenance [ẽ˙kõ˙vnã:s] *f.* ongepastheid, onbehoorlijkheid *v.*
inconvenant [ẽ˙kõ˙vnã] *adj.* ongepast, onbehoorlijk.
inconvénient [ẽ˙kõ˙vényã] *m.* **1** bezwaar, beletsel *o.*; **2** nadeel *o.*; schaduwzijde, onaangename zijde *v.*(*m.*); ***cela présente de graves —s,*** dat is zeer bedenkelijk.
inconvertible [ẽ˙kõ˙vèrti˙bl] *adj.* **1** onverwisselbaar; **2** (*v. papiergeld, enz.*) oninwisselbaar.
incoordination [ẽ˙koòrdina˙syõ] *f.* gebrek *o.* aan samenwerking.
incoordonné [ẽ˙koòrdòné] *adj.* ongeordend.
incorporalité [ẽ˙kòrpòralité] *f.* onstoffelijkheid, onlichamelijkheid *v.*
incorporation [ẽ˙kòrpòra˙syõ] *f.* **1** vermenging *v.* (met), opname *v.*(*m.*) (in); **2** inlijving *v.*
incorporéité [ẽ˙kòrpòréité] *f.* onlichamelijkheid *v.*
incorporel [ẽ˙kòrpòrèl] *adj.* onstoffelijk, onlichamelijk.
incorporer [ẽ˙kòrpòré] (*à*) *v.t.* **1** vermengen (met), opnemen (in); **2** inlijven (bij); **3** (*in korps, enz.*) indelen (in).
incorrect(ement) [ẽ˙kòrèkt(emã)] *adj.* (*adv.*) **1** (*v. berekening, enz.*) onjuist, onnauwkeurig; **2** (*v. uitdrukking*) foutief; **3** (*v. houding*) ongepast, onbehoorlijk.
incorrection [ẽ˙kòrèksyõ] *f.* **1** onjuistheid, onnauwkeurigheid *v.*; **2** ongepastheid *v.*
incorrigé [ẽ˙kòrijé] *adj.* onverbeterd.
incorrigible(ment) [ẽ˙kòriji˙bl(emã)] *adj.* (*adv.*) onverbeterlijk, verstokt.
incorruptibilité [ẽ˙kòrüptibilité] *f.* **1** (*v. zaken*) onbederfelijkheid *v.*; **2** (*v. persoon*) onomkoopbaarheid *v.*; **3** (*v. roem, enz.*) onvergankelijkheid *v.*
incorruptible [ẽ˙kòrüpti˙bl] *adj.* **1** onbederfelijk; **2** onomkoopbaar; **3** onvergankelijk.
incorruption [ẽ˙kòrüpsyõ] *f.* onverdorvenheid *v.*
incourant [ẽ˙kurã] *adj.* incourant, niet verhandelbaar.
incrédibilité [ẽ˙krédibilité] *f.* ongelofelijkheid *v.*
incrédule [ẽ˙krédül] **I** *adj.* ongelovig; **II** *s., m.-f.* ongelovige *m.-v.*
incrédulité [ẽ˙krédülité] *f.* **1** ongelovigheid *v.*; **2** ongeloof *o.*
incréé [ẽ˙kréé] *adj.* ongeschapen.
increvable [ẽ˙kreva˙bl] *adj.*, (*v. fietsband, enz.*) punctuurvrij, die niet kan springen.
incriminable [ẽ˙krimina˙bl] *adj.* laakbaar, vervolgbaar.
incriminer [ẽ˙kriminé] *v.t.* **1** (iem.) beschuldigen (van misdaad); **2** (iets) als strafbaar (*of* als misdaad) beschouwen.
incritiquable [ẽ˙kritika˙bl] *adj.* boven kritiek verheven, onaantastbaar.
incroyable(ment) [ẽ˙krwaya˙bl(emã)] *adj.* (*adv.*) ongelofelijk.
incroyance [ẽ˙krwayã:s] *f.* ongelovigheid *v.*
incroyant [ẽ˙krwayã] **I** *adj.* ongelovig; **II** *s., m.* ongelovige *m.*
incrustation [ẽ˙krüsta˙syõ] *f.* **1** (het) inleggen *o.*; **2** inlegsel *o.*; **3** ketelsteen *o. en m.*; **4** aankorsting *v.*; **5** bekleding *v.* (met marmer, enz.).
incruster [ẽ˙krüsté] **I** (*de*) *v.t.* **1** inleggen; **2** beleggen, bekleden (met); **3** omkorsten (met); **II** *v.pr.*, ***s'—,*** **1** aankorsten, zich met ketelsteen bedekken; **2** ingelegd worden; **3** (*fig.*) vastroesten; (in de geest) zich vastzetten.
incubateur [ẽ˙kübatœ:r] *m.* broedmachine *v.*
incubation [ẽ˙küba˙syõ] *f.* **1** broeding *v.*; **2** broedtijd *m.*; **3** (*gen.*) incubatie *v.*, ontwikkelingstijd *m.* van ziekte.
incuit [ẽ˙kw̃i] *adj.* ongaar.
inculcation [ẽ˙külka˙syõ] *f.* inprenting *v.*
inculpation [ẽ˙külpa˙syõ] *f.* beschuldiging *v.*
inculpé [ẽ˙külpé] *m.* beschuldigde, beklaagde *m.*
inculper [ẽ˙külpé] (*de*) *v.t.* beschuldigen (van); ***— qn. de qc.,*** iem. iets ten laste leggen.
inculquer [ẽ˙külké] *v.t.* inprenten.
inculte [ẽ˙kült] *adj.* **1** (*v. grond*) onbebouwd; **2** verwilderd, verwaarloosd; **3** ruw, onontwikkeld, onbeschaafd.
incultivable [ẽ˙kültiva˙bl] *adj.* onbebouwbaar.
incunable [ẽ˙küna˙bl] *adj.*, ***édition —,*** ou ***— m.*** wiegedruk *m.*
incurabilité [ẽ˙kürabilité] *f.* ongeneeslijkheid *v.*
incurable [ẽ˙küra˙bl] **I** *adj.* ongeneeslijk; **II** *s., m.* ongeneeslijke zieke *m.*
incurie [ẽ˙küri] *f.* zorgeloosheid, nalatigheid *v.*
incurieux [ẽ˙küryö] *adj.* zonder belangstelling; niet weetgierig.
incuriosité [ẽ˙küryo˙zité] *f.* gebrek *o.* aan belangstelling, onverschilligheid *v.*
incursion [ẽ˙kürsyõ] *f.* **1** (*v. leger*) inval *m.*; **2** (*v. rovers*) strooptocht *m.*; **3** ontdekkingstocht *m.*; ***faire une — dans le domaine de,*** het gebied betreden van.
incurvation [ẽ˙kürva˙syõ] *f.* kromming *v.*
incurvé [ẽ˙kürvé] *adj.* naar binnen gebogen.
incurver [ẽ˙kürvé] **I** *v.t.* krommen; **II** *v.pr.*, ***s'—,*** ombuigen.
Inde [ẽ:d] *f.* Voor-Indië *o.*; ***—s occidentales,*** West-Indië *o.*; ***i—,*** *m.* indigoblauw *o.*
indébrouillable [ẽ˙débruya˙bl] *adj.* niet te ontwarren.
indécemment [ẽ˙désamã] *adv.* onwelvoeglijk, onbetamelijk.
indécence [ẽ˙désã:s] *f.* onwelvoeglijkheid, onbetamelijkheid *v.*
indécent [ẽ˙désã] *adj.* onwelvoeglijk, onbetamelijk.
indéchiffrable [ẽ˙déśifra˙bl] *adj.* **1** niet te ontcijferen; onleesbaar; **2** (*fig.*) onverklaarbaar.
indéchirable [ẽ˙déśira˙bl] *adj.* onverscheurbaar.
indécis [ẽ˙dési] *adj.* **1** (*v. vraag, strijd*) onbeslist, onbeslecht; **2** (*v. persoon*) besluiteloos; **3** (*v. beeld, enz.*) onduidelijk, vaag.
indécisif [ẽ˙désizif] *adj.* niet beslissend.
indécision [ẽ˙désizyõ] *f.* **1** besluiteloosheid, wankelmoedigheid *v.*; **2** vaagheid; onbestemdheid *v.*

indéclinable [ẽ˙déklina˙bl] *adj.* onverbuigbaar.
indécomposable [ẽ˙dékõ˙po˙za˙bl] *adj.*, (*scheik.*) onontbindbaar, niet te ontleden.
indécomposé [ẽ˙dékõ˙po˙zé] *adj.* onontbonden, niet ontleed.
indécrottable [ẽ˙dékròta˙bl] *adj.* **1** niet te reinigen; **2** onverbeterlijk, onhandelbaar.
indéfectibilité [ẽ˙défèktibilité] *f.* **1** onvergankelijkheid *v.*; **2** onfeilbaarheid *v.*; **3** onwankelbaarheid *v.*
indéfectible [ẽ˙défèkti˙bl] *adj.* **1** onvergankelijk; **2** (*v. gevolgtrekking*) onfeilbaar; **3** (*v. trouw, enz.*) onwankelbaar.
indéfendable [ẽ˙défã˙da˙bl] *adj.* onverdedigbaar.
indéfini(ment) [ẽ˙défini(mã)] *adj.* (*adv.*) **1** onbeperkt, oneindig; **2** onbepaald; ***article —,*** onbepaald lidwoord; ***pronom —,*** onbepaald voornaamwoord; ***passé —,*** voltooid tegenwoordige tijd.
indéfinissable [ẽ˙définisa˙bl] *adj.* **1** onbepaalbaar; **2** (*fig.*: *v. gevoel, enz.*) onverklaarbaar.
indéformable [ẽ˙défòrma˙bl] *adj.* vormvast.
indéfrichable [ẽ˙défriʃa˙bl] *adj.* onontginbaar.
indéfrisable [ẽ˙défriza˙bl] *adj.*, (*v. kapsel*) met blijvende haarkrul.
indéhiscent [ẽ˙dé(h)isã] *adj.*, (*Pl.*) niet openspringend.
indélébile [ẽ˙délébil] *adj.* onuitwisbaar; ***encre —,*** merkinkt *m.*
indélibéré(ment) [ẽ˙délibéré(mã)] *adj.* (*adv.*) onberaden, onoverlegd.
indélicat(ement) [ẽ˙délika(tmã)] *adj.* (*adv.*) **1** onkies; **2** oneerlijk, ontrouw.
indélicatesse [ẽ˙délikatès] *f.* **1** onkiesheid *v.*; **2** oneerlijkheid *v.*
indémaillable [ẽ˙démaya˙bl] *adj.*, (*v. kous*) laddervrij.
indemne [ẽ˙dèmn] *adj.* **1** ongedeerd, zonder letsel; **2** zonder schade.
indemnisation [ẽ˙dèmniza˙syõ] *f.* schadeloosstelling *v.*
indemniser [ẽ˙dèmni˙zé] (*de*) *v.t.* schadeloosstellen (voor).
indemnitaire [ẽ˙dèmnitè:r] *m.* schadeloos gestelde *m.*
indemnité [ẽ˙dèmnité] *f.* **1** schadeloosstelling, schadevergoeding *v.*; **2** tegemoetkoming *v.*; **3** toelage *v.*(*m.*), uitkering *v.*; ***— de séjour,*** verblijfkosten *mv.*; ***— de vie chère,*** duurtetoeslag *m.*; ***— de chômage,*** werklozensteun *m.*
indémontrable [ẽ˙démõ˙tra˙bl] *adj.* onbewijsbaar.
indéniable [ẽ˙dénya˙bl] *adj.* onloochenbaar, onbetwistbaar.
indénouable [ẽ˙dénwa˙bl] *adj.* onontwarbaar.
indentation [ẽ˙dã˙ta˙syõ] *f.* uittanding *v.*
indépendamment [ẽ˙dépã˙damã] *adv.* onafhankelijk; ***— de,*** afgezien van, behalve.
indépendance [ẽ˙dépã˙dã:s] *f.* **1** onafhankelijkheid *v.*; **2** (*v. karakter, enz.*) zelfstandigheid *v.*; ***guerre d'—,*** vrijheidsoorlog *m.*
indépendant [ẽ˙dépã˙dã] *adj.* **1** onafhankelijk; **2** zelfstandig.
indéracinable [ẽ˙dérasina˙bl] *adj.* **1** niet te ontwortelen; **2** onuitroeibaar.
indéréglable [ẽ˙dérégla˙bl] *adj.* altijd nauwkeurig functionerend, precisie—.
indescriptible [ẽ˙dèskripti˙bl] *adj.* onbeschrijfelijk.
indésirable [ẽ˙dézira˙bl] **I** *adj.* ongewenst; **II** *s., m.* ongewenste (vreemdeling) *m.*
indestituable [ẽ˙dèstitwa˙bl] *adj.* onafzetbaar.
indestructibilité [ẽ˙dèstrüktibilité] *f.* **1** onverwoestbaarheid *v.*; **2** onuitroeibaarheid *v.*
indestructible [ẽ˙dèstrükti˙bl] *adj.* **1** onverwoestbaar; **2** onuitroeibaar; **3** (*v. gevoelens*) eeuwig.
indéterminable [ẽ˙détèrmina˙bl] *adj.* onbepaalbaar, niet te bepalen.
indétermination [ẽ˙détèrmina˙syõ] *f.* **1** (*v. zaken*) onbepaaldheid *v.*; **2** (*v. personen*) besluiteloosheid *v.*
indéterminé [ẽ˙détèrminé] *adj.* **1** onbepaald; **2** besluiteloos.
index [ẽ˙dèks] *m.* **1** wijsvinger *m.*; **2** (*v. boek*) inhoud *m.*, inhoudsopgave *v.*(*m.*); **3** index *m.*, lijst *v.*(*m.*) van verboden boeken; **4** (*tn.*) wijzer *m.*; **5** (*statistiek*) verhoudingscijfer *o.*; ***mettre à l'—,*** **1** op de index plaatsen; **2** uitsluiten, verbieden.
indexer [ẽ˙dèksé] *v.t.* **1** (*H.*) aan een vaste waarde verbinden; **2** (*v. boek*) voorzien van een register.
indianisme [ẽ˙dyanizm] *m.* indologie, studie *v.* van Indië.
indianiste [ẽ˙dyanist] *m.* **1** indoloog, kenner *m.* van Indië; **2** student *m.* in Indische vakken.
indicateur [ẽ˙dikatœ:r] *m.*, **indicatrice** [ẽ˙dikatris] *f.* **1** verklikker *m.*; **2** wijsvinger *m.*; ***— (des chemins de fer),*** spoorboekje *o.*; ***— d'accord,*** afstemindicator; ***— d'aiguille,*** (*spoorw.*) wisselsignaal *o.*; ***— de direction,*** (*v. auto*) richtingwijzer *m.*; ***— téléphonique,*** telefoongids *m.*; ***— de potentiel,*** (*el.*) spanningwijzer, — meter *m.*; ***— d'eau,*** peilglas *o.*; **II** *adj.* aanwijzend; ***poteau —,*** wegwijzer *m.*; ***plaque indicatrice,*** naambordje *o.* (*v. straat*).
indicatif [ẽ˙dikatif] **I** *adj.* aanwijzend, aantonend; ***plaque indicative,*** naambordje *o.*; **II** *s., m.* aantonende wijs *v.*(*m.*); ***— d'appel,*** **1** (*tel.*) roepletter *v.*(*m.*); **2** (*televisie*) beeldsignaal *o.*
indication [ẽ˙dika˙syõ] *f.* **1** aanwijzing, aanduiding *v.*; **2** inlichting *v.*; **3** vingerwijzing *v.*
indice [ẽ˙dis] *m.* **1** aanwijzing, aanduiding *v.*; **2** teken *o.*; **3** (*wisk., nat.*) index *m.*; ***— de réfraction,*** brekingsindex.
indiciaire [ẽ˙disyè:r] *adj.* volgens het indexcijfer.
indicible(ment) [ẽ˙disi˙bl(emã)] *adj.* (*adv.*) onuitsprekelijk; nameloos.
indiction [ẽ˙diksyõ] *f.* indictie *v.*
indien [ẽ˙dyẽ] **I** *adj.* **1** Indisch, Indiaas; **2** Indiaans; **II** *s., m.,* **I—, 1** Indiër *m.*; **2** Indiaan *m.*
indienne [ẽ˙dyèn] *f.* bedrukt katoen *o. en m.*, sits *o.*
indiennerie [ẽ˙dyènri] *f.* katoendrukkerij, fabriek *v.* van (*of* handel *m.* in) sitsen.
indifféremment [ẽ˙diféramã] *adv.* onverschillig.
indifférence [ẽ˙diférã:s] *f.* onverschilligheid *v.*
indifférent [ẽ˙diférã] **I** *adj.* **1** onverschillig; **2** koel, ongevoelig; **II** *s., m.* **1** onverschillige *m.*; **2** wildvreemde *m.*
indifférentisme [ẽ˙diférã˙tizm] *m.* stelselmatige onverschilligheid *v.*
indigénat [ẽ˙dijéna] *m.* inboorlingschap; inboorlingsrecht *o.*
indigence [ẽ˙dijã:s] *f.* armoede *v.*(*m.*), gebrek *o.*, behoeftigheid *v.*; ***certificat d'—,*** bewijs van onvermogen; ***— d'idées,*** geestelijke armoede.
indigène [ẽ˙dijè:n] **I** *adj.* inheems, inlands; **II** *s., m.-f.* inlander, inboorling *m.*
indigent [ẽ˙dijã] **I** *adj.* arm, behoeftig; armlastig; **II** *s., m.* arme, behoeftige; armlastige *m.*
indigéré [ẽ˙dijéré] *adj.* onverteerd.
indigeste [ẽ˙dijèst] *adj.* **1** onverteerbaar, moeilijk te verteren; **2** (*fig.*) taai, saai.
indigestible [ẽ˙dijèsti˙bl] *adj.* onverteerbaar.
indigestion [ẽ˙dijèstyõ] *f.* slechte spijsvertering; indigestie *v.*; ***se donner une —,*** zich overeten; ***avoir une — de qc.,*** meer dan genoeg van iets hebben.
indignation [ẽ˙diña˙syõ] *f.* verontwaardiging *v.*
indigne(ment) [ẽ˙diñ(mã)] **I** *adj.* (*adv.*) **1** onwaardig; **2** (*v. handelwijze*) laag, gemeen; ***c'est — de lui,*** het is zijner onwaardig; **II** *s., m.* onwaardige *m.*

indigné [ẽ'diñé] *adj.* verontwaardigd.
indigner [ẽ'diñé] **I** *v.t.* verontwaardigen; **II** *v.pr.*, **s'— (de),** zich verontwaardigen (over); zich ergeren (aan).
indignité [ẽ'diñité] *f.* **1** onwaardigheid; laagheid *v.*; **2** smaad *m.*
indigo [ẽ'digo] *m.* indigo *o. of m.*
indigoterie [ẽ'digòtri] *f.* indigofabriek *v.*
indigotier [ẽ'digòtyé] *m.* **1** indigoplant *v.(m.)*; **2** indigofabrikant *m.*
indiquer [ẽ'diké] *v.t.* **1** aanwijzen, aanduiden; **2** bepalen, vaststellen; **3** wijzen op.
indirect(ement) [ẽ'dirèkt(emã)] *adj.* (*adv.*) **1** (*v. afkeuring, enz.*) onrechtstreeks; **2** (*v. aanval, enz.*) zijdelings; **3** (*v. rede, belasting*) indirect; **4** bedekt; slinks; ***par une voie —e,*** langs een omweg; ***complément —,*** meewerkend (*of* belanghebbend) voorwerp.
indirigeable [ẽ'dirija'bl] *adj.* onbestuurbaar.
indiscernable [ẽ'disèrna'bl] *adj.* niet te onderscheiden.
indisciplinable [ẽ'disiplina'bl] *adj.* ongezeglijk, weerspannig, voor geen tucht vatbaar.
indiscipline [ẽ'disiplin] *f.* tuchteloosheid; ongezeglijkheid *v.*
indiscipliné [ẽ'disipliné] *adj.* tuchteloos; ongezeglijk.
indiscret [ẽ'diskrè] **I** *adj.*, **indiscrètement** [ẽ'diskrè'tmã] *adv.* **1** onbescheiden; **2** loslippig, praatziek; **II** *s., m.* **1** onbescheidene *m.*; **2** babbelaar *m.*, babbelkous *v.(m.)*.
indiscrétion [ẽ'diskrésyõ] *f.* **1** onbescheidenheid *v.*; **2** loslippigheid *v.*, praatzucht *v.(m.)*; ***s'il n'y a pas d'—,*** als het niet onbescheiden is.
indiscutable(ment) [ẽ'disküta'bl(emã)] *adj.* (*adv.*) onbetwistbaar.
indiscuté [ẽ'disküté] *adj.* onbetwist.
indispensabilité [ẽ'dispã'sabilité] *f.* **1** onmisbaarheid *v.*; **2** noodzakelijkheid *v.*
indispensable(ment) [ẽ'dispã'sa'bl(emã)] *adj.* (*adv.*) **1** onmisbaar, onontbeerlijk; **2** onvermijdelijk, noodzakelijk.
indisponibilité [ẽ'dispònibilité] *f.* onbeschikbaarheid *v.*
indisponible [ẽ'dispòni'bl] *adj.* niet beschikbaar.
indisposé [ẽ'dispo'zé] *adj.* **1** ongesteld, onpasselijk; **2** misnoegd, ontstemd.
indisposer [ẽ'dispo'zé] *v.t.* **1** ongesteld (*of* onpasselijk) maken; **2** ontstemmen, misnoegen, misnoegd maken.
indisposition [ẽ'dispo'zisyõ] *f.* **1** ongesteldheid, onpasselijkheid *v.*; **2** ontstemming *v.*; misnoegen *o.*
indisputable [ẽ'dispüta'bl] *adj.* onbetwistbaar.
indissolubilité [ẽ'disòlübilité] *f.* **1** onoplosbaarheid *v.*; **2** onverbreekbaarheid, onontbindbaarheid *v.*
indissoluble(ment) [ẽ'disòlü'bl(emã)] *adj.* (*adv.*) **1** (*in water, enz.*) onoplosbaar; **2** (*v. huwelijk, enz.*) onverbreekbaar, onontbindbaar.
indissous [ẽ'disu] *adj.* **1** onopgelost; **2** onontbonden.
indistinct [ẽ'distẽ] *adj.* **1** onduidelijk; **2** verward.
indistinctement [ẽ'distẽ'ktemã] *adv.* **1** onduidelijk; **2** verward; **3** zonder onderscheid; ***tous —,*** alle(n) zonder onderscheid.
individu [ẽ'dividü] *m.* **1** wezen *o.*, enkeling, eenling *m.*; **2** persoon; kerel *m.*
individualiser [ẽ'dividẅali'zé] *v.t.* **1** afzonderlijk beschouwen; **2** op een enkel voorwerp overdragen.
individualisme [ẽ'dividẅalizm] *m.* individualisme *o.*, (het) stellen van de rechten van het individu boven die van de gemeenschap.
individualiste [ẽ'dividẅalist] **I** *m.* individualist, aanhanger *m.* van het individualisme; **II** *adj.* individualistisch.
individualité [ẽ'dividẅalité] *f.* individualiteit, persoonlijkheid *v.*
individuel(lement) [ẽ'dividẅèl(mã)] *adj.* (*adv.*) individueel, persoonlijk, afzonderlijk.
indivis [ẽ'divi] *adj.* onverdeeld; ***par —,*** gemeenschappelijk; ***pour sortir d'—,*** om uit onverdeeldheid te geraken.
indivisibilité [ẽ'divizibilité] *f.* ondeelbaarheid *v.*
indivisible(ment) [ẽ'divizi'bl(emã)] *adj.* (*adv.*) **1** ondeelbaar; **2** gemeenschappelijk.
indivision [ẽ'divizyõ] *f.* **1** onverdeeldheid *v.*; **2** (*v. boedel*) gemeenschappelijk bezit *o.*
in-dix-huit [ẽ'dizẅit] **I** *adj.* ***format —,*** octodecimoformaat *o.* (met 36 blz. per vel); **II** *s., m.*, (*boek*) een octodecimo *m.*
Indochine [ẽ'dòʃin] *f.* Achter-Indië *o.*
Indochinois [ẽ'dòʃinwa] **I** *m.* Achter-Indiër *m.*; **II** *adj.*, ***i—,*** Achter-Indisch.
indocile(ment) [ẽ'dòsil(mã)] *adj.* (*adv.*) ongezeglijk, weerspannig, ongehoorzaam.
indocilité [ẽ'dòsilité] *f.* ongezeglijkheid, weerspannigheid, ongehoorzaamheid *v.*
indo-européen [ẽ'dòœròpéẽ] *adj.* Indo-europeaans.
indo-germanique [ẽ'dòjèrmanik] *adj.* Indogermaans.
indolemment [ẽ'dòlamã] *adv.* lusteloos, traag, vadsig, indolent.
indolence [ẽ'dòlã:s] *f.* **1** lusteloosheid, traagheid, vadsigheid, indolentie *v.*; **2** (*gen.*) ongevoeligheid *v.* voor pijn.
indolent [ẽ'dòlã] *adj.* lusteloos, traag, vadsig, indolent.
indolore [ẽ'dòlò:r] *adj.* pijnloos.
indomptabilité [ẽ'dõ'tabilité] *f.* **1** ontembaarheid *v.*; **2** onbuigzaamheid *v.*
indomptable(ment) [ẽ'dõ'ta'bl(emã)] *adj.* (*adv.*) **1** ontembaar; **2** (*fig.*) onbuigzaam, onverzettelijk.
indompté [ẽ'dõ'té] *adj.* **1** ongetemd; **2** (*fig.*) onverzettelijk.
Indonésie [ẽ'dòné'zi] *f.* Indonesië *o.*
Indonésien [ẽ'dònésyẽ] **I** *m.* Indonesiër *m.*; **II** *adj.*, ***i—,*** Indonesisch.
indouisme [ẽ'duizm], *voir* ***hindouisme.***
in-douze [ẽ'du:z] **I** *adj.*, ***format —,*** duodecimoformaat (24 blz. per vel); **II** *s., m.* een duodecimo *m.*
indu [ẽ'dü] *adj.* **1** (*v. klacht, enz.*) ongegrond, onredelijk; **2** ontijdig, ongelegen; ***à une heure —e,*** bij nacht en ontij.
indubitable(ment) [ẽ'dübita'bl(emã)] *adj.* (*adv.*) ontwijfelbaar, stellig.
inducteur [ẽ'düktœ:r] **I** *adj.* inductie—; ***courant —,*** inductiestroom *m.*; **II** *s., m.* **1** inductietoestel *o.*; **2** (*v. dynamo*) veldmagneet *m.*; ***— fixe,*** stator *m.*; ***— tournant,*** draaiend magneetrad *o.*
inductif [ẽ'düktif] *adj.* afleidend, inductief.
inductile [ẽ'düktil] *adj.* onrekbaar.
inductilité [ẽ'düktilité] *f.* onrekbaarheid *v.*
induction [ẽ'düksyõ] *f.* **1** inductie *v.*; **2** gevolgtrekking *v.*; ***bobine d'—,*** (*el.*) inductieklos *m. en v.*
induire* [ẽ'dẅi:r] *v.t.* **1** leiden, overhalen (tot); **2** afleiden (uit), besluiten (uit); ***— en erreur,*** op een dwaalspoor brengen; ***— en tentation,*** in bekoring (*of* verzoeking) leiden.
induit [ẽ'dẅi] *m.*, (*el.*) anker *o.*; ***courant —,*** (*el.*) geïnduceerde stroom.
indulgemment [ẽ'düljamã] *adv.* toegeeflijk, inschikkelijk.
indulgence [ẽ'düljã:s] *f.* **1** toegeeflijkheid, inschikkelijkheid *v.*; **2** (*kath.*) aflaat *m.*; ***— plénière,*** volle aflaat.

indulgent [ẽ'düljã] *adj.* toegeeflijk, inschikkelijk.

indult [ẽ'dült] *m.* indult *o.* [rechte.

indûment [ẽ'dümã] *adv.* onrechtmatig, ten on-

induration [ẽ'düra'syõ] *f.*, (*gen.*) verharding *v.*

induré [ẽ'düré] *adj.*, (*gen.*) verhard.

indurer, s'— [sẽ'düré] *v.pr.* verharden.

industrialiser [ẽ'düstri(y)ali'zé] *v.t.* tot een tak van nijverheid maken.

industrie [ẽ'düstri] *f.* **1** nijverheid, industrie *v.*; **2** tak *m.* van nijverheid; **3** handigheid, vaardigheid *v.*; **— *d'art*,** kunstnijverheid; **— *agricole*,** landbouwnijverheid; ***la nécessité est la mère de l'—*,** nood leert bidden; nood maakt vindingrijk; ***vivre d'—*,** van alles doen om aan de kost te komen.

industrie*-clé [ẽ'düstri'klé] *f.* sleutelindustrie *v.*

industriel [ẽ'düstri(y)èl] **I** *adj.* industrieel; nijverheids—; ***école —le*,** nijverheidsschool; **II** *s., m.* industrieel, nijveraar *m.*

industrieux [ẽ'düstri(y)ö] *adj.*, **industrieusement** [ẽ'düstri(y)ö'zmã] *adv.* **1** vlijtig, nijver, bedrijvig; **2** handig, bedreven, kunstvaardig.

inébranlable(ment) [inébrã'la'bl(emã)] *adj.* (*adv.*) onwrikbaar, onwankelbaar; onverzettelijk.

inébranlé [inébrã'lé] *adj.* ongeschokt.

inéchangeable [inéʃãja'bl] *adj.* onverwisselbaar, niet te ruilen.

inéclairci [inéklè'rsi] *adj.* onopgehelderd.

inédit [inédi] **I** *adj.* **1** onuitgegeven; **2** onbekend, nieuw; **II** *s., m.,* ***de l'—*, 1** (*lett.*) onuitgegeven werk *o.*; **2** (*fig.*) iets nieuws *o.*

inéducation [inédüka'syõ] *f.* onopgevoedheid *v.*

ineffabilité [inèfabilité] *f.* onuitsprekelijkheid *v.*

ineffable(ment) [inèfa'bl(emã)] *adj.* (*adv.*) onuitsprekelijk. [onuitwisbaar.

ineffaçable(ment) [inèfasa'bl(emã)] *adj.* (*adv.*)

inefficace(ment) [inèfikas(mã)] *adj.* (*adv.*) ondoeltreffend; (*v. geneesmiddel ook*:) krachteloos.

inefficacité [inèfikasité] *f.* **1** ondoeltreffendheid *v.*; **2** krachteloosheid *v.*

inégal(ement) [inégal(mã)] *adj.* (*adv.*) **1** (*v. lijnen, enz.*) ongelijk; **2** (*v. beweging, enz.*) ongelijkmatig; **3** oneffen; **4** (*fig.*) ongestadig, wispelturig.

inégalable [inégala'bl] *adj.* weergaloos.

inégalité [inégalité] *f.* **1** ongelijkheid *v.*; **2** ongelijkmatigheid *v.*; **3** oneffenheid *v.*; **4** ongestadigheid, wispelturigheid *v.* [onelegant.

inélégamment [inélégamã] *adv.* onbevallig;

inélégance [inélégã:s] *f.* **1** onbevalligheid *v.*; gebrek *o.* aan sierlijkheid; **2** (het) onelegant zijn *o.*

inélégant [inélégã] *adj.* onbevallig; onelegant.

inéligibilité [inélijibilité] *f.* onverkiesbaarheid *v.*

inéligible [inéliji'bl] *adj.* onverkiesbaar.

inéloquent [inélòkã] *adj.* onwelsprekend.

inéluctable [inélükta'bl] *adj.* onvermijdelijk.

inemployable [inã'plwaya'bl] *adj.* onbruikbaar.

inemployé [inã'plwayé] *adj.* ongebruikt.

inénarrable [inénara'bl] *adj.* niet te vertellen, onbeschrijfelijk.

inepte [inèpt] *adj.* **1** (*v. persoon*) onbekwaam; **2** (*v. woorden, enz.*) dwaas, onzinnig, zinledig.

ineptie [inèpsi] *f.* **1** onbekwaamheid *v.*; **2** dwaasheid, onzinnigheid, zinledigheid *v.*

inépuisable(ment) [inépẅisa'bl(emã)] *adj.* (*adv.*) onuitputtelijk.

inépuisé [inépẅizé] *adj.* onuitgeput.

inéquation [inékwa'syõ] *f.* ongelijkheid *v.* tussen algebraïsche termen.

inéquilatéral [inékẅilatéral] *adj.* ongelijkzijdig.

inéquitable [inékita'bl] *adj.* onbillijk.

inerme [inèrm] *adj.*, (*Dk.*; *Pl.*) ongewapend; zonder doornen of stekels.

inerte [inèrt] *adj.* **1** krachteloos; traag; **2** (*v. massa, enz.*) roerloos, levenloos; **3** willoos.

inertie [inèrsi] *f.* **1** krachteloosheid; traagheid *v.*; **2** willoosheid *v.*; **3** (*fig.*) lijdelijk verzet *o.*

inespérable [inèspéra'bl] *adj.* niet te verwachten.

inespéré [inèspéré] *adj.* onverhoopt.

inestimable [inèstima'bl] *adj.* onschatbaar.

inévitabilité [inévitabilité] *f.* onvermijdelijkheid *v.*

inévitable(ment) [inévita'bl(emã)] *adj.* (*adv.*) onvermijdelijk.

inexact(ement) [inègzakt(emã)] *adj.* (*adv.*) **1** (*v. berekening, enz.*) onjuist, onnauwkeurig; **2** (*v. persoon*) niet stipt, niet nauwgezet.

inexactitude [inègzaktitü'd] *f.* **1** onjuistheid, onnauwkeurigheid *v.*; **2** gebrek *o.* aan stiptheid, **—** aan nauwgezetheid.

inexaucé [inègzo'sé] *adj.* onverhoord.

inexcusable [inè(k)sküza'bl] *adj.* niet te verontschuldigen.

inexécutable [inègzéküta'bl] *adj.* onuitvoerbaar.

inexécuté [inègzéküté] *adj.* onuitgevoerd.

inexécution [inègzéküsyõ] *f.* niet-uitvoering *v.*

inexercé [inègzèrsé] *adj.* ongeoefend, onbedreven.

inexhaustible [inègzosti'bl] *adj.* onuitputtelijk.

inexigible [inègziji'bl] *adj.*, (*v. schuld*) niet invorderbaar, niet opeisbaar.

inexistant [inègzistã] *adj.* niet bestaand.

inexistence [inègzistã:s] *f.* niet-bestaan *o.*

inexorabilité [inègzòrabilité] *f.* onverbiddelijkheid *v.*

inexorable(ment) [inègzòra'bl(emã)] *adj.* (*adv.*) onverbiddelijk.

inexpérience [inè(k)spéryã:s] *f.* onervarenheid *v.*

inexpérimenté [inè(k)spérimã'té] *adj.* **1** (*v. persoon*) onervaren; **2** (*v. methode, enz.*) onbeproefd.

inexpiable [inè(k)spya'bl] *adj.* niet uit te boeten.

inexpié [inè(k)spyé] *adj.* nog niet uitgeboet.

inexplicabilité [inè(k)splikabilité] *f.* onverklaarbaarheid *v.* [baar.

inexplicable [inè(k)splika'bl] *adj.* onverklaar-

inexpliqué [inè(k)spliké] *adj.* onverklaard.

inexploitable [inè(k)splwata'bl] *adj.* **1** niet te ontginnen; **2** niet te exploiteren.

inexploité [inè(k)splwaté] *adj.* **1** onontgonnen; **2** niet geëxploiteerd.

inexplorable [inè(k)splòra'bl] *adj.*, (*v. grond, enz.*) niet te onderzoeken.

inexploré [inè(k)splòré] *adj.* **1** (*v. bodem*) ondoorzocht; **2** (*v. land*) niet onderzocht, nog niet bekend.

inexplosible [inè(k)splo'zi'bl] *adj.* onontplofbaar.

inexpressif [inè(k)sprèsif] *adj.*, (*v. gelaat, enz.*) zonder uitdrukking, nietszeggend. [lijk.

inexprimable [inè(k)sprima'bl] *adj.* onuitspreke-

inexprimé [inè(k)sprimé] *adj.* onuitgesproken, onuitgedrukt. [baarheid *v.*

inexpugnabilité [inè(k)spügnabilité] *f.* onneem-

inexpugnable [inè(k)spügna'bl] *adj.* onneembaar. [heid *v.*

inextensibilité [inè(k)stã'sibilité] *f.* onrekbaar-

inextensible [inè(k)stã'si'bl] *adj.* onrekbaar.

in extenso [inèkstènzo] *loc.adv.* in extenso, voluit.

inextinguible [inè(k)stẽ'gi'bl] *adj.* **1** (*v. vuur*) onblusbaar; **2** (*v. dorst*) onlesbaar; **3** (*v. gelach*) onbedaarlijk.

inextirpable [inè(k)stirpa'bl] *adj.* onuitroeibaar.

in extremis [inèkstrémis] *loc.adv.* in extremis, op het allerlaatste moment.

inextricable [inè(k)strika'bl] *adj.* niet te ontwarren, onontwarbaar, hopeloos verward.

infaillibilité [ẽ'fayibilité] *f.* onfeilbaarheid *v.*

infaillible(ment) [ẽ'fayi'bl(emã)] *adj.* (*adv.*) **1** onfeilbaar; **2** onvermijdelijk.

infaisable [ẽ'feza'bl] *adj.* ondoenlijk.
infamant [ẽ'famã] *adj.* onterend.
infâme [ẽ'fa:m] **I** *adj.* **1** (*v. persoon*) eerloos, laaghartig; **2** (*v. daad*) schandelijk; **3** (*v. krotwoning*) ellendig; **II** *s., m.* eerloze, schurk *m.*
infamie [ẽ'fami] *f.* **1** eerloosheid, laaghartigheid *v.*; **2** schande *v.(m.)*; **3** schanddaad *v.(m.)*; ***dire des —s,*** schandelijke lasterpraatjes vertellen.
infant [ẽ'fã] *m.*, **—e** [ẽ'fã:t] *f.* infant(e) *m.(v.)*, prins *m.* (prinses *v.*) (in Spanje en Portugal).
infanterie [ẽ'fã'tri] *f.* infanterie *v.*, voetvolk *o.*
infanticide [ẽ'fã'tisi'd] *m.* **1** kindermoord *m. en v.*; **2** *m.-f.* kindermoordenaar *m.*, —nares *v.*
infantile [ẽ'fã'til] *adj.* kinder—; ***maladie —,*** kinderziekte *v.*
infantilisme [ẽ'fã'tilizm] *m.*, (*gen.*) kindsheid *v.*
infatigable(ment) [ẽ'fatiga'bl(emã)] *adj.* (*adv.*) onvermoeibaar.
infatuation [ẽ'fatẅa'syõ] *f.* verwaandheid, dwaze ingenomenheid *v.*
infatué [ẽ'fatẅé] *adj.*, ***— de soi-même,*** met zichzelf ingenomen.
infatuer [ẽ'fatẅé] **I** *v.t.* verwaand maken, dwaas ingenomen maken; **II** *v.pr.*, ***s'— de,*** dwaas ingenomen zijn met.
infécond [ẽ'fékõ] *adj.* onvruchtbaar.
infécondité [ẽ'fékõ'dité] *f.* onvruchtbaarheid *v.*
infect [ẽ'fèkt] *adj.* **1** stinkend, verpest; **2** walglijk; **3** besmet; **4** (*v. hoedanigheid: eten, drank, enz.*) doorslecht.
infectant [ẽ'fèktã] *adj.* besmettelijk.
infecter [ẽ'fèkté] **I** *v.t.* **1** (*door uitwasemingen, enz.*) verpesten; **2** bederven; **3** (*gen.*) aansteken; **4** (*fig.: gen.*) besmetten; **II** *v.i.* stinken; **III** *v.pr.* ***s'—,*** **1** aangestoken (*of* besmet) worden; **2** elkaar aansteken.
infectieux [ẽ'fèksyö] *adj.* besmettelijk.
infection [ẽ'fèksyõ] *f.* **1** verpesting *v.*; **2** besmetting *v.*; **3** stank *m.*
inféodation [ẽ'féòda'syõ] *f.*, (*gesch.*) belening *v.*
inféoder [ẽ'féòdé] **I** *v.t.* belenen, in leenbezit geven; **II** *v.pr.*, ***s'— à,*** zich aansluiten bij.
infère [ẽ'fèr] *adj.*, (*Pl.*) onderstandig.
inférence [ẽ'férã:s] *f.* gevolgtrekking *v.*
inférer [ẽ'féré] (***de***) *v.t.* opmaken, afleiden (uit).
inférieur [ẽ'féryœ:r] **I** *adj.* **1** onderst, laagst; **2** onder—, beneden—; **3** minder, minderwaardig; **4** ondergeschikt; ***la lèvre —e,*** de onderlip *v.(m.)*; ***le Rhin —,*** de Beneden-Rijn; ***à un niveau —,*** op een lager peil; ***— en nombre,*** geringer in aantal; ***être — à qn.,*** **1** lager staan dan iem.; **2** niet tegen iem. opgewassen zijn; **II** *s., m.* mindere, ondergeschikte *m.*
inférieurement [ẽ'féryœ'rmã] *adv.* lager; minder; slechter.
infériorité [ẽ'féryòrité] *f.* **1** minderheid *v.*; **2** minderwaardigheid *v.*; **3** geringer aantal *o.*; **4** ondergeschiktheid *v.*
infernal(ement) [ẽ'fèrnal(mã)] *adj.* (*adv.*) hels; duivels.
infertile [ẽ'fèrtil] *adj.* onvruchtbaar.
infertilité [ẽ'fèrtilité] *f.* onvruchtbaarheid *v.*
infestation [é'fèsta'syõ] *f.* **1** verwoesting *v.*; **2** (het) onveilig maken *o.*
infester [ẽ'fèsté] *v.t.* **1** verwoesten; **2** onveilig maken (*v. rovers*), teisteren (*door strooptochten*); **3** verpesten: ***être infesté de,*** (*ong.*) wemelen van.
infidèle(ment) [ẽ'fidèl(mã)] **I** *adj.* (*adv.*) **1** ontrouw; trouweloos; **2** (*v. kassier, enz.*) oneerlijk; **3** (*v. verhaal, enz.*) onjuist; **4** (*v. geheugen*) onbetrouwbaar; **5** ongelovig; **II** *s., m.* ongelovige *m.*
infidélité [ẽ'fidélité] *f.* **1** ontrouw *v.(m.)*; trouweloosheid *v.*; **2** oneerlijkheid *v.*; **3** onjuistheid *v.*; **4** onbetrouwbaarheid *v.* [zijging *v.*
infiltration [ẽ'filtra'syõ] *f.* doorsijpeling, door-
infiltrer, s'— [sẽ'filtré] *v.pr.* **1** doorsijpelen, doorzijgen; **2** langzaam doordringen.
infime [ẽ'fim] *adj.* **1** laagst, onderst; **2** heel klein, heel gering.
infini [ẽ'fini] **I** *adj.* **1** oneindig; **2** onbegrensd; **II** *s., m.* (het) oneindige *o.*
infiniment [ẽ'finimã] *adv.* **1** oneindig; **2** ten zeerste. [aantal *o.*
infinité [ẽ'finité] *f.* **1** oneindigheid *v.*; **2** zeer groot
infinitésimal [ẽ'finitézimal] *adj.* oneindig klein; ***calcul —,*** differentieelrekening *v.*
infinitésime [ẽ'finitézim] *adj.* oneindig klein.
infinitif [ẽ'finitif] **I** *m.* onbepaalde wijs *v.(m.)*; **II** *adj.* infinitief—; ***proposition infinitive,*** infinitiefzin *m.*; ***construction infinitive,*** constructie met de infinitief.
infinitude [ẽ'finitü'd] *f.* oneindigheid *v.*
infirmable [ẽ'firma'bl] *adj.* wraakbaar; te ontzenuwen.
infirmatif [ẽ'firmatif] *adj.*, (*recht*) vernietigend.
infirmation [ẽ'firma'syõ] *f.* **1** vernietiging *v.*; **2** ongeldigverklaring *v.*; **3** ontzenuwing *v.*
infirme [ẽ'firm] **I** *adj.* **1** ziekelijk; **2** gebrekkig; **II** *s., m.-f.* **1** zieke *m.-v.*; **2** gebrekkige *m.-v.*
infirmer [ẽ'firmé] *v.t.* **1** (*recht: v. vonnis*) vernietigen; **2** (*v. akte*) ongeldig verklaren, krachteloos maken; **3** (*verklaring, getuigenis*) verzwakken, ontzenuwen.
infirmerie [ẽ'firmri] *f.* ziekenzaal *v.(m.)*.
infirmier [ẽ'firmyé] *m.*, **infirmière** [ẽ'firmyè:r] *f.* **1** ziekenoppasser, verpleger *m.*; verpleegster *v.*; **2** (*mil.*) hospitaalsoldaat *m.*
infirmier*-brancardier* [ẽ'firmyé-brã'kardyé] *m.*, (*mil.*) ziekendrager *m.*
infirmité [ẽ'firmité] *f.* **1** gebrek *o.*; **2** gebrekkigheid *v.*; **3** (*fig.*) zwakheid *v.*
infixe [ẽ'fiks] *m.* tussenvoegsel *o.*
inflagration [ẽ'flagra'syõ] *f.* ontbranding *v.*
inflammabilité [ẽ'flamabilité] *f.* ontvlambaarheid *v.*
inflammable [ẽ'flama'bl] *adj.* **1** ontvlambaar; **2** (*fig.*) licht vuur vattend.
inflammation [ẽ'flama'syõ] *f.* **1** ontvlamming *v.*; **2** (*gen.*) ontsteking *v.*
inflammatoire [ẽ'flamatwa:r] *adj.* met ontsteking gepaard; ***fièvre —,*** koorts met ontsteking gepaard.
inflation [ẽ'fla'syõ] *f.* inflatie, waardevermindering *v.* van het geld door een overmatige papieruitgifte.
inflationniste [ẽ'fla'syònist] *m.* voorstander *m.* van de inflatie.
infléchir [ẽ'fléʃi:r] **I** *v.t.* buigen, ombuigen; **II** *v.pr.*, ***s'—,*** (zich) buigen; ombuigen.
inflétrissable [ẽ'flétrisa'bl] *adj.* onverwelkbaar.
inflexibilité [ẽ'flèksibilité] *f.* **1** onbuigbaarheid *v.*; **2** onbuigzaamheid, onverzettelijkheid, onverbiddelijkheid *v.*
inflexible(ment) [ẽ'flèksi'bl(emã)] *adj.* (*adv.*) **1** onbuigbaar; **2** onbuigzaam, onverzettelijk, onverbiddelijk.
inflexion [ẽ'flèksyõ] *f.* **1** buiging *v.*; **2** stembuiging *v.*; **3** (*meetk., nat.*) afwijking *v.*; **4** (*gram.*) buigingsvorm *m.*; ***voix sans —,*** klankloze stem.
infliction [ẽ'fliksyõ] *f.*, (*v. straf*) oplegging *v.*
infliger [ẽ'flijé] *v.t.* **1** (*v. straf, enz.*) opleggen; **2** (*v. verlies*) toebrengen.
inflorescence [ẽ'flòrèsã:s] *f.*, (*Pl.*) bloeiwijze *v.(m.)*.
influençable [ẽ'flüã'sa'bl] *adj.* vatbaar voor beïnvloeding.

influence [ẽ'flüä:s] *f.* invloed *m.*
influencer [ẽ'flüä'sé] *v.t.* beïnvloeden, invloed uitoefenen op.
influent [ẽ'flüä] *adj.* invloedrijk.
influenza [ẽ'flüä'za] *f.* influenza, (kwaadaardige) griep *v.(m.).*
influer [ẽ'flüé] (*sur*) *v.i.* invloed hebben (op).
influx [ẽ'flü] *m.* hypothetisch lichaamsfluïdum *o.*; *— nerveux,* zenuwwerking.
in-folio [ẽ'fòlyo] **I** *adj., format —,* in folioformaat (4 blz. per vel); **II** *s., m.* (*pl.*: *des —*) **1** (*v. formaat*) folio *o.* (35-50 *cm hoog*); **2** (*v. boek*) foliant *m.*
informateur [ẽ'fòrmatœ:r] *m.* zegsman *m.*
information [ẽ'fòrma'syõ] *f.*, (*recht*) onderzoek *o.*; *—s,* inlichtingen *mv.*; *aller aux —s, prendre des —s,* inlichtingen inwinnen.
informe [ẽ'fòrm] *adj.* **1** (*v. blok, enz.*) vormeloos; **2** (*ong.*) wanstaltig; **3** (*recht*: *v. akte, enz.*) niet in de vereiste vorm.
informé [ẽ'fòrmé] **I** *adj.* ingelicht; *bien —,* goed op de hoogte; **II** *s., m.,* (*recht*) onderzoek *o.*; *jusqu'à plus ample —,* tot nader onderzoek.
informer [ẽ'fòrmé] **I** *v.t.* kennis geven (van), op de hoogte brengen (van), inlichten (over); **II** *v.i.* een (gerechtelijk) onderzoek instellen; **III** *v.pr., s'—* (*de*), inlichtingen inwinnen (omtrent), informeren (naar).
informité [ẽ'fòrmité] *f.* vormeloosheid *v.*
infortune [ẽ'fòrtün] *f.* ongeluk *o.*, tegenspoed *m.*
infortuné [ẽ'fòrtüné] **I** *adj.* ongelukkig, rampspoedig; **II** *s., m.* ongelukkige *m.*
infracteur [ẽ'fraktœ:r] *m.* overtreder *m.*
infraction [ẽ'fraksyõ] *f.* overtreding *v.*; *— à,* inbreuk op.
infranchissable [ẽ'frã'ʃisa'bl] *adj.* **1** onoverschrijdbaar; **2** onoverkomelijk.
infrangible [ẽ'frã'ʒi'bl] *adj.* onbreekbaar.
infrarouge [ẽ'fraru:ʒ] *adj.* (*et s., m.*) infrarood (*o.*).
infrastructure [ẽ'frastrüktü:r] *f.* onderbouw *m.*
infréquence [ẽ'frékä:s] *f.* zeldzaamheid *v.*
infréquenté [ẽ'frékã'té] *adj.* **1** weinig bezocht; **2** (*v. weg, enz.*) eenzaam. [stellend.
infroissable [ẽ'frwasa'bl] *adj.* kreukvrij, kreukher-
infructueux [ẽ'früktüö] *adj.*, **infructueusement** [ẽ'früktüö'zmã] *adv.* vruchteloos, vergeefs.
infructuosité [ẽ'früktüo'zité] *f.* vruchteloosheid *v.*
infus [ẽ'fü] *adj.* ingeschapen, aangeboren; *avoir la science —e,* de wijsheid in pacht hebben.
infuser [ẽ'fü'zé] **I** *v.t.* **1** ingieten; **2** opgieten; **3** laten trekken; **II** *v.pr., s'—,* (*v. thee, enz.*) trekken.
infusibilité [ẽ'füzibilité] *f.* onsmeltbaarheid *v.*
infusible [ẽ'füzi'bl] *adj.* onsmeltbaar.
infusion [ẽ'füzyõ] *f.* **1** (het) ingieten *o.*; **2** (het) opgieten *o.*; **3** (*v. thee*) (het) zetten *o.*; **4** aftreksel *o.*
infusoir [ẽ'füzwa:r] *m.* trekpot *m.*
infusoire [ẽ'füzwa:r] *f.* infusiediertje *o.*
ingagnable [ẽ'gaña'bl] *adj.* niet te winnen.
ingambe [ẽ'gã:b] *adj.* vlug ter been, wakker.
ingénier, s'— [sẽ'ʒényé] (*à*) *v.pr.* middelen zoeken (om).
ingénieur [ẽ'ʒényœ:r] *m.* ingenieur *m.*; *— conseil,* technisch adviseur; *— mécanicien,* werktuigkundig ingenieur; *— hydrographe,* ingenieur van de waterstaat; *— naval,* scheepsbouwingenieur.
ingénieux [ẽ'ʒényö] *adj.* **ingénieusement** [ẽ'ʒényö'zmã] *adv.* schrander, vernuftig; *— à,* vindingrijk in.
ingéniosité [ẽ'ʒényo'zité] *f.* schranderheid *v.*, vernuft *o.*, vernuftigheid *v.*; vindingrijkheid *v.*
ingénu [ẽ'ʒénü] **I** *adj.* naïef, argeloos, ongekunsteld; **II** *s., m.* naïef jongmens *o.*
ingénuité [ẽ'ʒénẅité] *f.* argeloosheid, ongekunsteldheid *v.* [gekunsteld.
ingénument [ẽ'ʒénümã] *adv.* naïef, argeloos, on-
ingérence [ẽ'ʒérã:s] *f.* inmenging *v.*
ingérer [ẽ'ʒéré] **I** *v.t.* **1** (*v. voedsel*) ingeven, inbrengen; **2** (in de maag) opnemen; **II** *v.pr., s'—* (*de*; *dans*), zich bemoeien (met); zich mengen (in).
ingestion [ẽ'ʒèstyõ] *f.*, (*gen.*: *v. spijzen*) opneming *v.*
inglorieux [ẽ'glòryö] *adj.* roemloos.
ingouvernable [ẽ'guvèrna'bl] *adj.* niet te regeren, onhandelbaar.
ingrat(ement) [ẽ'gra(tmã)] **I** *adj.* (*adv.*) **1** ondankbaar; **2** (*v. grond*) dor, onvruchtbaar; *âge —,* vlegeljaren, tienersleeftijd; **II** *s., m.* ondankbare *m.*
ingratitude [ẽ'gratitü'd] *f.* ondankbaarheid *v.*, ondank *m.* [*o.*
ingrédient [ẽ'grédyã] *m.* bestanddeel, ingrediënt
ingression [ẽ'grèsyõ] *f.* binnendringing *v.*, inval *m.*
Ingrie [ẽ'gri] *f.* Ingermanland *o.*
inguéable [ẽ'géa'bl] *adj.* ondoorwaadbaar.
inguérissable [ẽ'gérisa'bl] *adj.* ongeneeslijk.
inguinal [ẽ'gẅinal] *adj.* van de lies, lies—; *hernie —e,* liesbreuk *v.(m.).*
ingurgitation [ẽ'gürʒita'syõ] *f.* doorslikking *v.*, (het) inslikken *o.*
ingurgiter [ẽ'gürʒité] *v.t.* doorslikken, inslikken; inzwelgen.
inhabile(ment) [inabil(mã)] *adj.* (*adv.*) **1** onhandig, onbehendig, onbedreven; **2** (*recht*) onbevoegd.
inhabileté [inabilté] *f.* onhandigheid, onbehendigheid, onbedrevenheid *v.*
inhabilité [inabilité] *f.*, (*recht*) onbevoegdheid *v.*
inhabitable [inabita'bl] *adj.* onbewoonbaar.
inhabité [inabité] *adj.* onbewoond.
inhabitude [inabitü'd] *f.* ongewoonte *v.*
inhabituel [inabitẅèl] *adj.* ongewoon.
inhabituellement [inabitẅèlmã] *adv.* tegen de gewoonte.
inhalateur [inalatœ:r] *m.* **1** inhalatietoestel *o.*; **2** (*bij operatie*) narcosemasker *o.*
inhalation [inala'syõ] *f.* inademing; inhalatie *v.*
inhaler [inalé] *v.t.* inademen; inhaleren.
inharmonieux [inarmònyö] *adj.*, **inharmonieusement** [inarmònyö'zmã] *adv.* onwelluidend, onharmonisch.
inhérence [inérã:s] *f.* onafscheidelijkheid *v.*, (het) onafscheidelijk verbonden zijn *o.*, onafscheidelijke samenhang *m.*
inhérent [inérã] *adj.* (*à*) innig verbonden (met), eigen (aan), één (met).
inhibition [inibisyõ] *f.* **1** (*recht*) verbod *o.*; ontzegging *v.*; **2** (*gen.*) stuiting, remming, belemmering *v.*; *cure d'—,* ontwenningskuur *v.(m.).*
inhibitoire [inibitwa:r] *adj.* **1** verbods—; **2** stuitend.
inhospitalier [inòspitalyé] *adj.* ongastvrij.
inhospitalité [inòspitalité] *f.* ongastvrijheid *v.*
inhumain [inümẽ] *adj.*, **inhumainement** [inümènmã] *adv.* onmenselijk, wreed; (op onmenselijke wijze).
inhumanité [inümanité] *f.* onmenselijkheid *v.*
inhumation [inüma'syõ] *f.* begrafenis, teraardebestelling *v.*
inhumer [inümé] *v.t.* begraven, ter aarde bestellen.
inimaginable [inimaʒina'bl] *adj.* ondenkbaar.
inimitable [inimita'bl] *adj.* onnavolgbaar.
inimitié [inimityé] *f.* vijandigheid, vijandschap *v.*
inimprimable [inẽ'prima'bl] *adj.* niet te drukken, niet voor de druk geschikt.
ininflammabilité [inẽ'flamabilité] *f.* onontvlambaarheid *v.* [baar.
ininflammable [inẽ'flama'bl] *adj.* onontvlam-

inintelligemment [inẽ'tèlijamã] *adv.* onverstandig, niet erg verstandig.
inintelligence [inẽ'tèlijã:s] *f.* onverstand *o.*, gebrek *o.* aan verstand.
inintelligent [inẽ'tèlijã] *adj.* **1** (*v. persoon*) dom, niet schrander, niet intelligent; **2** (*v. handelwijze*) onverstandig.
inintelligibilité [inẽ'tèlijibilité] *f.* onverstaanbaarheid, onbegrijpelijkheid *v.*
inintelligible(ment) [inẽ'tèliji'bl(emã)] *adj.* (*adv.*) onverstaanbaar, onbegrijpelijk.
ininterrompu [inẽ'tèrõ'pü] *adj.* onafgebroken, ononderbroken.
inique(ment) [inik(mã)] *adj.* (*adv.*) onrechtvaardig, onbillijk.
iniquité [inikité] *f.* **1** onrechtvaardigheid, onbillijkheid *v.*; **2** ongerechtigheid *v.*
initial [inisyal] *adj.* **1** beginnend; **2** begin—; ***lettre —e,*** beginletter *v.(m.)*; ***vitesse —e,*** aanvangssnelheid *v.*
initiale [inisyal] *f.* **1** beginletter *v.(m.)*; **2** (*v. naam*) voorletter *v.(m.)*.
initiateur [inisyatœ:r] **I** *m.* **1** (*in geheim, enz.*) inwijder *m.*; **2** (*in wetenschap*) inleider *m.*; **3** baanbreker, wegbereider *m.*; **II** *adj.* **1** inleidend; **2** baanbrekend.
initiation [inisya'syõ] *f.* **1** inwijding *v.*; **2** inleiding [*v.*
initiative [inisyati:v] *f.* initiatief *o.*, eerste stap, eerste stoot *m.*; ***prendre l'— de,*** de eerste stoot geven tot; ***l'— parlementaire,*** het recht van initiatief.
initié [inisyé] *m.* ingewijde *m.*
initier [inisyé] (*à*) **I** *v.t.* **1** (*in geheim*) inwijden (in); **2** bekend maken (met); **3** (*in wetenschap*) inleiden (in); **II** *v.pr.*, ***s'— à,*** zich op de hoogte stellen van.
injecté [ẽ'jèkté] *adj.* (met bloed) belopen.
injecter [ẽ'jèkté] **I** *v.t.* **1** inspuiten; **2** (*v. lucht*) inblazen; **II** *v.pr.*, ***s'—,*** (met bloed) belopen.
injecteur [ẽ'jèktœ:r] *m.* **1** (*gen.*) injectiespuit *v.(m.)*; **2** (*tn.*) injector *m.*
injection [ẽ'jèksyõ] *f.* inspuiting, injectie *v.*
injonction [ẽ'jõ'ksyõ] *f.* gebod, uitdrukkelijk bevel *o.*
injouable [ẽ'jua'bl] *adj.* onspeelbaar.
injudicieux [ẽ'jüdisyö] *adj.*, **injudicieusement** [ẽ'jüdisyö'zmã] *adv.* onoordeelkundig.
injure [ẽ'jü:r] *f.* **1** belediging *v.*; **2** scheldwoord *o.*; **3** hoon, smaad *m.*; **4** (*fig.*) schade *v.(m.)*; ***l'— du temps, l'— des ans,*** de tand des tijds; ***dire des —s à qn.,*** iem. uitschelden.
injurier [ẽ'jüryé] *v.t.* **1** beledigen; **2** uitschelden.
injurieux [ẽ'jüryö] *adj.*, **injurieusement** [ẽ'jüryö'zmã] *adv.* **1** beledigend; **2** smadelijk, honend.
injuste(ment) [ẽ'jüst(emã)] **I** *adj.* (*adv.*) **1** onrechtvaardig, onbillijk; **2** ongerechtig; **II** *s.*, *m.* **1** onrechtvaardige *m.*; **2** onrecht, (het) onrechtvaardige *o.*
injustice [ẽ'jüstis] *f.* **1** onrechtvaardigheid, onbillijkheid *v.*; **2** ongerechtigheid *v.*
injustifiable [ẽ'jüstifya'bl] *adj.* niet te rechtvaardigen.
injustifié [ẽ'jüstifyé] *adj.* ongerechtvaardigd.
inlandsis [ẽ'lã'dsis] *m.* poolijsvlakten *mv.*
inlassable [ẽ'la'sa'bl] *adj.* onvermoeibaar.
innavigabilité [in(n)avigabilité] *f.* onbevaarbaarheid *v.*
innavigable [in(n)aviga'bl] *adj.* onbevaarbaar.
inné [in(n)é] *adj.* aangeboren, ingeschapen.
innégociable [inégosya'bl] *adj.* niet verhandelbaar, onverkoopbaar.
innéité [in(n)éité] *f.* het aangeboren zijn *o.*

innervation [in(n)èrva'syõ] *f.* innervatie *v.*, werkzaamheid *v.* van de zenuwen.
innocemment [inòsamã] *adv.* **1** onschuldig; **2** onnozel. [zelheid *v.*
innocence [inòsã:s] *f.* **1** onschuld *v.(m.)*; **2** onno-
innocent [inòsã] **I** *adj.* **1** onschuldig; **2** onnozel; **3** (*v. geneesmiddel, enz.*) onschadelijk; ongevaarlijk; ***jeux —s,*** gezelschapsspelen *mv.*; **II** *s.*, *m.* **1** onschuldige *m.*; **2** onnozele, onnozele bloed *m.*; ***faire l'—,*** zich van de domme houden; ***— du village,*** dorpsgek *m.*; ***le Massacre des I—s,*** de Kindermoord (te Bethlehem); ***les (saints) I—s,*** de Onnozele Kinderen; ***I—,*** *m.* Innocentius *m.*
innocenter [inòsã'té] **I** *v.t.* onschuldig verklaren, vrijspreken; **II** *v.pr.*, ***s'—,*** zich vrijpleiten, zijn onschuld bewijzen.
innocuité [inòkwité] *f.* onschadelijkheid *v.*
innombrable(ment) [in(n)õ'bra'bl(emã)] *adj.* (*adv.*) ontelbaar, talloos. [naam.
innom(in)é [in(n)òm(in)é] *adj.* onbenoemd, zonder
innommable [in(n)òma'bl] *adj.* onnoembaar, niet te noemen.
innommé [in(n)òmé] *adj.* onbenoemd.
innovateur [in(n)òvatœ:r] **I** *m.* invoerder van nieuwigheden; baanbreker *m.*; **II** *adj.* nieuwigheden invoerend.
innovation [in(n)òva'syõ] *f.* **1** nieuwigheid *v.*; **2** invoering *v.* van iets nieuws.
innové [in(n)òvé] *adj.* vernieuwd.
innover [in(n)òvé] **I** *v.i.* nieuwigheden invoeren; **II** *v.t.* invoeren, in zwang brengen.
inobéissance [inòbéisã:s] *f.* ongehoorzaamheid *v.*
inobservable [inòpsèrva'bl] *adj.* niet waar te nemen.
inobservance [inòpsèrvã:s] *f.* (*v. voorschrift*) nietinachtneming.
inobservation [inòpsèrva'syõ] *f.*, (*v. regel, v. verbintenis*) niet-naleving *v.*, (het) niet-nakomen *o.*
inobservé [inòpsèrvé] *adj.* **1** (nog) niet waargenomen; **2** niet nagekomen.
inoccupation [inòküpa'syõ] *f.* **1** werkeloosheid, ledigheid *v.*; **2** (het) onbezet zijn *o.*
inoccupé [inòküpé] *adj.* **1** werkeloos, ledig; **2** (*v. plaats*) onbezet, niet bezet.
in-octavo [inòktavo] **I** *adj.*, ***format —,*** octavoformaat (16 blz. per vel); **II** *s.*, *m.*, (*boek*) octavo *o.* (20-25 *cm hoog*).
inoculable [inòküla'bl] *adj.* overentbaar.
inoculateur [inòkülatœ:r] *m.* inenter *m.*
inoculation [inòküla'syõ] *f.* **1** inenting *v.*; **2** (*fig.*) overplanting *v.*
inoculer [inòkülé] *v.t.* **1** inenten; **2** (*fig.*) overplanten; **3** (*v. denkbeelden, enz.*) inplanten.
inodore [inòdò:r] *adj.* reukeloos, zonder reuk.
inoffensif [inòfã'sif] *adj.*, **inoffensivement** [inòfã'si'vmã] *adv.* onschadelijk, ongevaarlijk, onschuldig.
inofficiel(lement) [inòfisyèl(mã)] *adj.* (*adv.*) niet-officieel, niet-ambtelijk.
inofficieux [inòfisyö] *adj.*, (*v. testament, schenking*) onbillijk; ***testament —,*** rechtverkortend (*of* ontervend) testament.
inofficiosité [inòfisyo'zité] *f.* onbillijkheid; wederrechtelijkheid *v.*
inondable [inõ'da'bl] *adj.*, (*mil.*) inundeerbaar.
inondation [inõ'da'syõ] *f.* **1** overstroming *v.*; **2** (*mil.*) inundatie *v.*; **3** (*fig.*) stroom, stortvloed *m.*
inondé [inõ'dé] **I** *adj.* overstroomd; ***— de larmes,*** in tranen badend; **II** *s.*, *m.* slachtoffer *o.* van een watersnood.
inonder [inõ'dé] *v.t.* **1** overstromen; **2** onder water zetten; **3** (*fig.*) drenken in.

inopérant [inòpérã] *adj.* zonder uitwerking.
inopiné(ment) [inòpiné(mã)] *adj.* (*adv.*) onverwacht, onvoorzien.
inopportun [inòpòrtœ̃] *adj.* **1** ontijdig, ongelegen komend; **2** onvoegzaam. [gelegenheid *v.*
inopportunité [inòpòrtünité] *f.* ontijdigheid, on-
inorganique [inòrganik] *adj.* **1** anorganisch; **2** onbewerktuigd; **3** ongeorganiseerd.
inorganisation [inòrganiza'syõ] *f.* ongeorganiseerde toestand *m.*; gebrek *o.* aan organisatie.
inoubliable [inublia'bl] *adj.* onvergetelijk.
inouï [inwi] *adj.* ongehoord.
inouïsme [inwizm] *m.*, (*fam.*) ongehoordheid *v.*; ***ruisselant d'—***, nog nooit gehoord.
inoxydable [inòksida'bl] *adj.* roestvrij.
in petto [inpèto] *loc.adv.* in petto, achter de hand.
in-plano [ẽ'plano] **I** *adj.* in plano; **II** *s.*, *m.* atlasformaat *o.* (*meer dan* 50 *cm hoog*).
inqualifiable [ẽ'kalifya'bl] *adj.* niet te kwalificeren, waarvoor geen naam te vinden is.
in-quarto [ẽ'kwarto] **I** *adj.*, ***format —***, kwartoformaat (8 blz. per vel); **II** *s.*, *m.* kwarto *o.* (25-35 *cm hoog*).
inquiet [ẽ'kyè] *adj.* (*f.*: ***inquiète*** [ẽ'kyèt]) onrustig; ongerust. [barend.
inquiétant [ẽ'kyétã] *adj.* verontrustend, onrust-
inquiète, *voir* ***inquiet.***
inquiéter [ẽ'kyété] **I** *v.t.* verontrusten; **II** *v.pr.*, ***s'—*** (***de***), zich ongerust maken (over).
inquiétude [ẽ'kyétü'd] *f.* **1** onrust *v.*(*m.*); **2** ongerustheid *v.*; ***—s d'argent***, geldzorgen; ***soyez sans —***, maak u maar niet ongerust.
inquisiteur [ẽ'kizitœ:r] **I** *m.* inquisiteur, rechter *m.* van de inquisitie; **II** *adj.* (scherp) onderzoekend; ***regard —***, onderzoekende blik.
inquisition [ẽ'kizisyõ] *f.* **1** onderzoek *o.*; **2** inquisitie *v.*, geloofsonderzoek *o.*
inquisitorial [ẽ'kizitòryal] *adj.* **1** inquisitoriaal, van de inquisitie; **2** (*fig.*) al te streng; willekeurig.
insaisissable [ẽ'sèzisa'bl] *adj.* **1** (*recht*) onaantastbaar, vrij van gerechtelijk beslag; **2** niet te begrijpen, ondoorgrondelijk.
insalarié [ẽ'salaryé] *adj.* onbezoldigd.
insalivation [ẽ'saliva'syõ] *f.* vermenging *v.* met speeksel. [ongezond.
insalubre(ment) [ẽ'salü'br(emã)] *adj.* (*adv.*)
insalubrité [ẽ'salübrité] *f.* ongezondheid *v.*
insane [ẽ'san] *adj.* gek.
insanité [ẽ'sanité] *f.* **1** (*v. persoon*) krankzinnigheid *v.*, waanzin *m.*; **2** (*v. zaken*) onzinnigheid, dwaasheid *v.*
insatiabilité [ẽ'sasyabilité] *f.* onverzadelijkheid *v.*
insatiable(ment) [ẽ'sasya'bl(emã)] *adj.* (*adv.*) onverzadelijk, niet te verzadigen.
insatisfaction [ẽ'satisfaksyõ] *f.* onvoldaanheid *v.*
insatisfaisant [ẽ'satisfezã] *adj.* onbevredigend.
insatisfait [ẽ'satisfè] *adj.* onvoldaan, onbevredigd.
insaturable [ẽ'satüra'bl] *adj.* onverzadigbaar.
insaturé [ẽ'satüré] *adj.* onverzadigd.
inscienmment [ẽ'syamã] *adv.* onwetend.
inscientifique(ment) [ẽ'syã'tifik(mã)] *adj.* (*adv.*) onwetenschappelijk.
inscripteur [ẽ'skriptœ:r] *adj.* (zelf)registrerend.
inscriptible [ẽ'skripti'bl] *adj.* inschrijfbaar, in te schrijven.
inscription [ẽ'skripsyõ] *f.* **1** opschrift; inschrift *o.*; **2** inschrijving *v.*; ***— de faux***, (*recht*) valsverklaring *v.*; ***prendre une —***, zich laten inschrijven als student; ***payer ses —s***, zijn collegegeld betalen.
inscrire* [ẽ'skri:r] **I** *v.t.* **1** inschrijven; **2** (*meetk.*: *figuur in cirkel*) beschrijven; **II** *v.pr.*, ***s'—***, zich inschrijven, zich laten inschrijven; ***s'— en faux contre***, **1** (*recht*: *akte, enz.*) voor vals verklaren; **2** (*fig.*) opkomen tegen, de juistheid betwisten van.
inscrit [ẽ'skri] **I** *adj.* ingeschreven; ***angle —***, omtrekshoek; **II** *s.*, *m.* ingeschrevene *m.*
inscrutable [ẽ'skrüta'bl] *adj.* ondoorgrondelijk.
insécable [ẽ'séka'bl] *adj.* ondeelbaar.
insecte [ẽ'sèkt] *m.* insekt *o.*
insecticide [ẽ'sèktisi'd] **I** *adj.* insektendodend; ***poudre —***, insektenpoeder *o. en m.*; **II** *s.*, *m.* insektenpoeder *o. en m.*
insectivore [ẽ'sèktivò:r] **I** *adj.* insektenetend; **II** *s.*, *m.* insekteneter *m.*
insectologie [ẽ'sèktòlòji] *f.* insektenkunde *v.*
insécurité [ẽ'séküríté] *f.* onveiligheid *v.*
inséductible [ẽ'sédükti'bl] *adj.* niet te verleiden.
in-seize [ẽ'sè:z] *adj. et d.*, *m.* sedecimo *o.* (*tot* 20 *cm hoog*).
insémination [ẽ'sémina'syõ] *f.* kunstmatige bevruchting *v.*
insensé [ẽ'sã'sé] **I** *adj.* **1** waanzinnig; **2** onzinnig, uitzinnig, dwaas; **II** *s.*, *m.* **1** waanzinnige *m.*; **2** dwaas *m.* [verdovend.
insensibilisateur [ẽ'sã'sibilizatœ:r] *adj.*, (*gen.*)
insensibilisation [ẽ'sã'sibiliza'syõ] *f.* (het) gevoelloos maken, (het) wegmaken *o.*
insensibiliser [ẽ'sã'sibili'zé] *v.t.* **1** gevoelloos maken; **2** (*v. zieke*) onder narcose brengen, wegmaken. [**2** gevoelloosheid *v.*
insensibilité [ẽ'sã'sibilité] *f.* **1** ongevoeligheid;
insensible [ẽ'sã'si'bl] *adj.* **1** ongevoelig; **2** gevoelloos; **3** (*v. verschil, enz.*) onmerkbaar.
insensiblement [ẽ'sã'siblemã] *adv.* onmerkbaar, allengs.
inséparable [ẽ'sépara'bl] **I** *adj.* **1** onscheidbaar; **2** (*v. vrienden, enz.*) onafscheidelijk; **II** ***—s***, *m.-f.* (*pl.*), onafscheidelijke vrienden *mv.* (vriendinnen *mv.*). [scheidelijk.
inséparablement [ẽ'sépara'blemã] *adv.* onaf-
insérer [ẽ'séré] **I** *v.t.* **1** (*in omslag*) invoegen; **2** (*in tekst*) inlassen; **3** (*advertentie, enz.*) opnemen, plaatsen; **II** *v.pr.*, ***s'—***, **1** ingelast worden; **2** opgenomen worden; **3** (*Pl.*; *ontleedk.*) aangehecht zijn.
insermenté [ẽ'sèrmã'té] *adj.* niet beëdigd.
insertion [ẽ'sèrsyõ] *f.* **1** invoeging *v.*; **2** inlassing *v.*; **3** opname *v.*(*m.*), plaatsing *v.*; **4** aanhechting *v.*; ***point d'—***, aanhechtingsplaats *v.*(*m.*).
insexué [ẽ'sèkswé] *adj.* geslachtloos.
insidieux [ẽ'sidyö] *adj.*, **insidieusement** [ẽ'sidyö'zmã] *adv.* **1** (*v. ondervraging; bedrog*) arglistig; **2** (*v. ziekte*) verraderlijk; ***question insidieuse***, strikvraag *v.*(*m.*).
insigne [ẽ'siñ] **I** *adj.* buitengewoon, ongemeen; opmerkelijk; opvallend; **II** *s.*, *m.* **1** (*v. rang, ambt*) teken *o.*; **2** (*v. vereniging, enz.*) onderscheidingsteken, insigne *o.*
insignifiance [ẽ'siñifyã:s] *f.* onbeduidendheid *v.*
insignifiant [ẽ'siñifyã] *adj.* onbeduidend, onbetekenend.
insincère [ẽ'sẽ'sè:r] *adj.* onoprecht.
insinuant [ẽ'sinwã] *adj.* **1** indringend; **2** innemend.
insinuation [ẽ'sinwa'syõ] *f.* **1** (het) indringen *o.*; **2** bedekte toespeling, zijdelingse verdachtmaking, insinuatie *v.*
insinuer [ẽ'sinwé] **I** *v.t.* **1** (*in wonde, enz.*) voorzichtig insteken; **2** bedekte toespelingen maken, te verstaan geven, insinueren; **II** *v.pr.*, ***s'—***, zich indringen.
insipide(ment) [ẽ'sipi'd(mã)] *adj.* (*adv.*) **1** smakeloos; **2** (*fig.*: *v. grap, enz.*) zouteloos, flauw.
insipidité [ẽ'sipidité] *f.* **1** smakeloosheid *v.*; **2** zouteloosheid, flauwheid *v.* [*v.*
insipience [ẽ'sipyã:s] *f.* onverstand *o.*, onwijsheid

insistance [ẽ'sistã:s] *f.* **1** aandrang *m.*, (het) aandringen, (het) aanhouden *o.*; **2** dringend verzoek *o.*
insister [ẽ'sisté] *v.i.* **1** aandringen, aanhouden; **2** de nadruk leggen (op); **— *sur un point,*** bij een punt blijven stilstaan.
insociabilité [ẽ'sòsyabilité] *f.* ongezelligheid, eenzelvigheid *v.*
insociable [ẽ'sòsya'bl] *adj.* ongezellig, eenzelvig.
insocial [ẽ'sòsyal] *adj.* onmaatschappelijk.
insolation [ẽ'sòla'syõ] *f.* **1** blootstelling *v.* aan de zonnestralen; **2** (*gen.*) zonnesteek *m.*
insolé [ẽ'sòlé] *adj.* **1** door de zon beschenen; **2** door een zonnesteek getroffen.
insolemment [ẽ'sòlamã] *adv.* onbeschaamd, brutaal, onbeschoft.
insolence [ẽ'sòlã:s] *f.* onbeschaamdheid, brutaliteit, onbeschoftheid *v.*
insolent [ẽ'sòlã] **I** *adj.* **1** onbeschaamd, brutaal, onbeschoft; **2** (*v. geluk, enz.*) ongewoon; ***luxe —,*** buitensporige weelde; **II** *s., m.* onbeschaamde (*of* brutale, onbeschofte) kerel *m.*
insoler [ẽ'sòlé] *v.t.* aan de zonnestralen blootstellen.
insolite [ẽ'sòlit] *adj.* ongewoon, ongebruikelijk.
insolubilité [ẽ'sòlübilité] *f.* onoplosbaarheid *v.*
insoluble [ẽ'sòlü'bl] *adj.* onoplosbaar.
insolvabilité [ẽ'sòlvabilité] *f.* insolventie *v.*, onvermogen *o.* om te betalen.
insolvable [ẽ'sòlva'bl] *adj.* insolvent, niet in staat om te betalen.
insomniaque [ẽ'sòmniak] *m.-f.* slapeloos iem.
insomnie [ẽ'sòmni] *f.* slapeloosheid *v.*; ***une nuit d'—,*** een slapeloze nacht; ***avoir des —s,*** niet kunnen slapen.
insondable [ẽ'sõ'da'bl] *adj.* **1** (*v. diepte*) onpeilbaar; **2** (*v. geheim, persoon*) ondoorgrondelijk.
insonore [ẽ sò'nò:r] *adj.* geluidloos.
insonorisant [ẽ'sònòri'zã] *adj.* geluiddempend.
insonoriser [ẽ'sònòri'zé] *v.t.* geluiddicht maken.
insouciamment [ẽ'susyamã] *adv.* zorgeloos.
insouciance [ẽ'susyã:s] *f.* zorgeloosheid, onbezorgdheid *v.*
insouciant [ẽ'susyã] **I** *adj.* zorgeloos, onbezorgd; **II** *s., m.* zieltje *o.* zonder zorg.
insoucieux [ẽ'susyö] *adj.*, **insoucieusement** [ẽ'susyö'zmã] *adv.* onbezorgd, onbekommerd.
insoumis [ẽ'sumi] **I** *adj.* niet onderworpen, weerspannig; **II** *s., m.* **1** weerspannige *m.*; **2** (*mil.*) dienstweigeraar *m.*
insoumission [ẽ'sumisyõ] *f.* **1** weerspannigheid *v.*; **2** (*mil.*) dienstweigering *v.*
insoupçonné [ẽ'supsòné] *adj.* onverwacht, onvermoed.
insoupçonneux [ẽ'supsònö] *adj.* niet achterdochtig, argeloos.
insoutenable [ẽ'sutna'bl] *adj.* **1** onhoudbaar; **2** (*v. stelling; bewering*) onverdedigbaar; **3** (*v. hoogmoed, enz.*) onverdraaglijk.
inspecter [ẽ'spèkté] *v.t.* **1** bezichtigen, in ogenschouw nemen; **2** onderzoeken; **3** (*mil.; onderwijs, enz.*) inspecteren.
inspecteur [ẽ'spèktœ:r] *m.* **1** (*admin.*) opzichter *m.*; **2** (*v. hogere ambten; onderwijs*) opziener, inspecteur *m.*; **— *primaire,*** schoolopziener *m.*
inspection [ẽ'spèksyõ] *f.* **1** bezichtiging *v.*; **2** opzicht, toezicht *v.*; **3** monstering *v.*; **4** inspectie *v.*; **5** ambtsgebied *o.* van een inspecteur; ***passer à l'—,*** (*mil.*) geïnspecteerd worden.
inspectorat [ẽ'spèktòra] *m.* inspecteurschap *o.*
inspectrice [ẽ'spèktris] *f.* inspectrice *v.*
inspirateur [ẽ'spiratœ:r] **I** *adj.* **1** inademend, inademings—; **2** (*fig.*) bezielend; ***muscles —s,*** inademingsspieren; ***force inspiratrice,*** bezielende kracht; **II** *s., m.* bezieler, ingever *m.*

inspiration [ẽ'spira'syõ] *f.* **1** inademing *v.*; **2** ingeving, bezieling *v.*; **3** inblazing *v.*; **4** gelukkige inval *m.*
inspiratoire [ẽ'spiratwa:r] *adj.*, ***mouvement —,*** inademingsbeweging *v.*
inspiré [ẽ'spiré] *adj.* geïnspireerd; bezield.
inspirer [ẽ'spiré] **I** *v.t.* **1** inademen; **2** (*fig.: gedachten*) ingeven, inblazen; **3** (*gevoelens: vrees, enz.*) inboezemen; **4** bezielen; **II** *v.pr.*, ***s'— de,*** zich laten inspireren door.
instabilité [ẽ'stabilité] *f.* **1** onvastheid, wankelbaarheid *v.*; **2** (*fig.: v. geluk, enz.*) onbestendigheid *v.*
instable [ẽ'sta'bl] *adj.* **1** onvast, wankelbaar; **2** onbestendig; **3** (*fig.*) onberekenbaar; ***équilibre —,*** labiel evenwicht.
installateur [ẽ'stalatœ:r] *m.* **1** installerend persoon (ambtenaar, enz.) *m.*; **2** (*v. leidingen, enz.*) aanlegger, installateur *m.*
installation [ẽ'stala'syõ] *f.* **1** (*in ambt*) bevestiging *v.*; **2** (*v. pastoor*) installatie, aanstelling *v.*; **3** (*v. huis*) inrichting *v.*; **4** (*v. gas, enz.*) (het) aanleggen *o.*, aanleg *m.*; **— *frigorifique,*** koelinrichting *v.*; **— *de force motrice,*** krachtcentrale *v.*(*m.*).
installer [ẽ'stalé] **I** *v.t.* **1** bevestigen; **2** installeren, aanstellen; **3** inrichten; **4** aanleggen; **II** *v.pr.*, ***s'—,*** **1** (*in stad, enz.*) zich vestigen; **2** (*in woning*) zich inrichten; **3** (een huis) betrekken; ***s'— dans un fauteuil,*** zich in een leuningstoel neervlijen.
instamment [ẽ'stamã] *adv.* dringend, met aandrang, met nadruk.
instance [ẽ'stã:s] *f.* **1** dringend verzoek *o.*, dringende bede *v.*(*m.*); **2** (*recht*) eis *m.*, rechtsvordering *v.*; **3** aanleg *m.*, instantie *v.*; ***en première —,*** in eerste aanleg; ***faire des —s auprès de,*** dringend verzoeken; ***tribunal de première —,*** rechtbank van eerste aanleg; **— *en divorce,*** eis tot echtscheiding; ***avec —,*** met aandrang; ***sur les —s de,*** op aandrang van.
instant [ẽ'stã] **I** *adj.* dringend; **II** *s., m.* ogenblik *o.*; ***à chaque —, à tout —,*** ieder ogenblik, telkens; ***à l'—,*** **1** ogenblikkelijk, terstond; **2** daareven; ***en un —,*** in een ommezien; ***dans un —,*** dadelijk; ***par —s,*** zo nu en dan; ***il peut rentrer d'un — à l'autre,*** hij kan ieder ogenblik thuiskomen.
instantané [ẽ'stã'tané] **I** *adj.* **1** ogenblikkelijk; **2** kort, vluchtig; ***la mort a été —e,*** hij was op slag dood; **II** *s., m.*, (*v. foto*) momentopname *v.*(*m.*).
instantanéité [ẽ'stã'tanéité] *f.* **1** (het) plotselinge *o.*; **2** ogenblikkelijkheid *v.*, korte duur *m.*
instantanément [ẽ'stã'tanémã] *adv.* ogenblikkelijk.
instar, *à l'— de,* [alẽ'sta:rde] *prép.* in navolging van, gelijk, evenals.
instaurateur [ẽ'stò'ratœ:r] *m.* insteller, stichter, oprichter *m.*
instauration [ẽ'stò'ra'syõ] *f.* **1** (*v. gebruik, enz.*) instelling *v.*; **2** (*v. bewind*) inrichting, vestiging *v.*
instaurer [ẽ'stò'ré] *v.t.* **1** instellen; **2** (weder) oprichten.
instigateur [ẽ'stigatœ:r] *m.* aanstoker; aanstichter; aanhitser, opruier *m.*
instigation [ẽ'stiga'syõ] *f.* aanstoking, aanhitsing *v.*
instigatrice [ẽ'stigatris] *f.* aanstookster *v.*
instiguer [ẽ'stigé] *v.t.* aanstoken, aanhitsen.
instillation [ẽ'stila'syõ] *f.* indruppeling *v.*
instiller [ẽ'stilé] *v.t.* indruppelen.
instinct [ẽ'stẽ] *m.* instinct *o.*, natuurdrift *v.*(*m.*); ***d'—,*** instinctmatig.
instinctif [ẽ'stẽ'ktif] *adj.*, **instinctivement** [ẽ'stẽ'kti'vmã] *adv.* instinctmatig, instinctief.
instituer [ẽ'stitẅé] **I** *v.t.* **1** (*sacrament, feest*) in-

stellen; **2** (*vereniging, enz.*) stichten; **3** (*rechter, enz.*) aanstellen; **4** (*erfgenaam*) benoemen, aanwijzen; **II** *v.pr.*, ***s'—***, zich opwerpen als.
institut [ẽ·stitü] *m.* **1** geleerd genootschap, wetenschappelijk instituut *o.*; **2** inrichting (voor onderwijs) *v.*; **3** kloosterorde *v.*(*m.*); ***l'I— catholique de Paris,*** de Katholieke Universiteit te Parijs; ***l'I—*** (***de France***), de gezamenlijke (5) Academies.
institutes [ẽ·stitüt] *f.pl.*, (*recht*) instituten *mv.*
instituteur [ẽ·stitütœ:r] *m.* **1** onderwijzer *m.*; **2** (*v. kloosterorde*) stichter *m.*
institution [ẽ·stitüsyõ] *f.* **1** instelling *v.*; **2** stichting *v.*; **3** aanstelling *v.*; **4** (*bij testament*) benoeming *v.*; **5** inrichting *v.* voor onderwijs.
institutrice [ẽ·stitütris] *f.* **1** onderwijzeres *v.*; **2** (*v. kloosterorde*) stichtster *v.*
instructeur [ẽ·strüktœ:r] *m.* exerceermeester, drilmeester *m.*; ***sergent —,*** sergeant instructeur; ***juge —,*** rechter van instructie.
instructif [ẽ·strüktif] *adj.* leerrijk, leerzaam.
instruction [ẽ·strüksyõ] *f.* **1** onderwijs, onderricht *o.*; **2** (*v. dokter*) voorschrift *o.*; **3** lering *v.*, les *v.*(*m.*); **4** kennis, kunde *v.*; **5** (*v. rechtszaak*) voorlopig (*of* voorbereidend) onderzoek *o.*; ***— obligatoire,*** leerplicht *m. en v.*; ***— pastorale,*** herderlijk schrijven *o.* (van bisschop); ***pour votre —,*** tot uw naricht; ***juge d'—,*** rechter van instructie; (*B.*) onderzoeksrechter *m.*; ***code d'— criminelle,*** wetboek van strafvordering; ***sans —,*** onwetend.
instruire* [ẽ·strŵi:r] **I** *v.t.* **1** onderwijzen, onderrichten; **2** (*v. soldaten*) drillen, exerceren; **3** (*v. rechtszaak*) voorbereiden, instrueren; ***— qn. de qc.,*** iem. kennis geven van iets; ***— une demande,*** een eis onderzoeken; **II** *v.pr.*, ***s'—,*** leren.
instruit [ẽ·strŵi] *adj.* **1** goed onderricht, ontwikkeld; **2** bekwaam, kundig.
instrument [ẽ·strümã] *m.* **1** werktuig *o.*; **2** (*muz., gen., nat.*) instrument *o.*; **3** (*recht*) bewijsstuk *o.*, akte *v.*(*m.*); **4** (*fig.*) middel *o.*; ***— aratoire,*** landbouwgereedschap *o.*; ***— à vent,*** blaasinstrument; ***— à cordes,*** snaarinstrument; ***—s de percussion,*** slaginstrumenten; ***— d'échange,*** ruilmiddel.
instrumental [ẽ·strümã·tal] *adj.* instrumentaal; ***musique —e,*** orkestmuziek *v.*
instrumentation [ẽ·strümã·ta·syõ] *f.* instrumentatie *v.*
instrumenter [ẽ·strümã·té] **I** *v.t.*, (*muz.*) instrumenteren, voor orkest arrangeren; **II** *v.i.* gerechtelijke bewijsstukken opmaken.
instrumentiste [ẽ·strümã·tist] *m.* **1** bespeler *m.* van een instrument; **2** (*mil.*) muzikant *m.*
insu [ẽ·sü] *m.*, ***à l'— de,*** buiten weten van; ***à mon —,*** zonder mijn medeweten.
insubmersible [ẽ·sübmèrsi·bl] *adj.* onzinkbaar.
insubordination [ẽ·sübòrdina·syõ] *f.* weerspannigheid, insubordinatie *v.*
insubordonné [ẽ·sübòrdòné] *adj.* weerspannig.
insuccès [ẽ·süksè] *m.* mislukking *v.*, fiasco *o.*
insuffisamment [ẽ·süfizamã] *adv.* onvoldoende.
insuffisance [ẽ·süfizã:s] *f.* **1** ontoereikendheid *v.*; **2** onbekwaamheid, onvoldoende bekwaamheid *v.*
insuffisant [ẽ·süfizã] *adj.* **1** onvoldoend, ontoereikend; **2** onbekwaam (om ambt uit te oefenen).
insufflateur [ẽ·süflatœ:r] *m.* blaastoestel *o.*
insufflation [ẽ·süfla·syõ] *f.* **1** inblazing *v.*; **2** opblazing *v.*
insuffler [ẽ·süflé] *v.t.* **1** (*v. lucht, enz.*) inblazen; **2** (*v. bal*) opblazen.
insulaire [ẽ·sülè:r] **I** *adj.* eiland—; op een eiland wonend; **II** *s., m.* eilandbewoner *m.*
insularité [ẽ·sülarité] *f.* eiland-karakter *o.*
insuline [ẽ·sülin] *f.* insuline *v.*(*m.*).
insultant [ẽ·sültã] *adj.* beledigend, honend.
insulte [ẽ·sült] *f.* **1** belediging *v.*; hoon, smaad *m.*; **2** (*mil.*) aanval, overval *m.*; ***faire — à,*** beledigen.
insulter [ẽ·sülté] **I** *v.t.* **1** beledigen; honen; **2** (*mil.*) aanvallen; **II** *v.i.*, ***— à,*** beledigen; spotten met.
insulteur [ẽ·sültœ:r] *m.* belediger *m.*
insupportable(ment) [ẽ·süpòrta·bl(emã)] *adj.* (*adv.*) onverdraaglijk, onuitstaanbaar.
insurgé [ẽ·sürjé] **I** *adj.* oproerig; **II** *s., m.* oproerling, opstandeling *m.*
insurger [ẽ·sürjé] **I** *v.t.* in opstand brengen; **II** *v.pr.*, ***s'—,*** opstaan, in opstand komen.
insurmontable(ment) [ẽ·sürmõ·ta·bl(emã)] *adj.* (*adv.*) onoverkomelijk.
insurpassable [ẽ·sürpa·sa·bl] *adj.* onovertrefbaar.
insurrection [ẽ·sürèksyõ] *f.* opstand *m.*, oproer *o.*
insurrectionnel [ẽ·sürèksyònèl] *adj.* oproerig, opstandig; ***le mouvement —,*** het oproer.
insusceptible [ẽ·süsèpti·bl] *adj.* niet gevoelig (voor), onontvankelijk, onvatbaar (voor).
intact [ẽ·takt] *adj.* **1** onaangeroerd; **2** (*fig.*) ongeschonden.
intactile [ẽ·taktil] *adj.* ontastbaar.
intaille [ẽ·ta·y] *f.*, (*kunst*) intaglio *m.*
intaillé [ẽ·ta·yé] *adj.* hol uitgesneden (steen).
intangible [ẽ·tã·ji·bl] *adj.* **1** ontastbaar; **2** onaantastbaar.
intarissable [ẽ·tarisa·bl] *adj.* onuitputtelijk.
intégral(ement) [ẽ·tégral(mã)] *adj.* (*adv.*) volkomen, geheel, absoluut; ***calcul —,*** integraalrekening *v.*
intégrale [ẽ·tégral] *f.*, (*wisk.*) integraal *v.*(*m.*).
intégralité [ẽ·tégralité] *f.* volkomenheid *v.*; ***dans son —,*** in zijn geheel.
intégrant [ẽ·tégrã] *adj.* deel uitmakend van, tot het geheel behorend; ***partie —e,*** integrerend deel.
intégration [ẽ·tégra·syõ] *f.* integratie *v.*
intègre [ẽ·tè:gr] *adj.* **1** (*v. persoon*) rechtschapen; **2** (*v. ambtenaar, rechter*) onkreukbaar, onomkoopbaar.
intégrer [ẽ·tégré] **I** *v.t.* integreren; **II** *v.pr.*, ***s'— dans,*** zich vereenzelvigen met.
intégrité [ẽ·tégrité] *f.* **1** rechtschapenheid *v.*; **2** onkreukbaarheid, onomkoopbaarheid *v.*; **3** (*v. gebied*) ongeschondenheid *v.*; **4** volledigheid *v.*
intellect [ẽ·tèlèkt] *m.* intellect *o.*
intellectif [ẽ·tèlèktif] *adj.* verstandelijk.
intellectualisme [ẽ·tèlèktŵalizm] *m.* intellectualisme *o.*
intellectualité [ẽ·tèlèktŵalité] *f.* verstandelijkheid *v.*, verstandstoestand *m.*
intellectuel(lement) [ẽ·tèlèktŵèl(mã)] **I** *adj.* (*adv.*) **1** verstandelijk, intellectueel; **2** geestelijk; **II** *s., m.* intellectueel, hoger ontwikkelde *m.*
intelligemment [ẽ·tèlijamã] *adv.* verstandig, intelligent.
intelligence [ẽ·tèlijã:s] *f.* **1** verstand *o.*, intelligentie *v.*; **2** begrip, inzicht *o.*; **3** schranderheid *v.*; **4** verstandhouding *v.*; ***avoir l'— vive,*** vlug van begrip zijn; ***vivre en parfaite —,*** in de beste verstandhouding leven; ***être d'—,*** het met elkaar eens zijn.
intelligent [ẽ·tèlijã] *adj.* **1** verstandig, intelligent; **2** vlug van begrip; **3** (*v. blik*) schrander.
intelligibilité [ẽ·tèlijibilité] *f.* verstaanbaarheid; begrijpelijkheid *v.*
intelligible(ment) [ẽ·tèliji·bl(emã)] *adj.* (*adv.*) verstaanbaar, begrijpelijk, bevattelijk.
intempéramment [ẽ·tã·péramã] *adv.* onmatig.
intempérance [ẽ·tã·pérã:s] *f.* onmatigheid *v.*; ***— de langue,*** loslippigheid, lichtzinnigheid bij 't spreken.

intempérant [ẽˑtãˑpérã] *adj.* onmatig.
intempéré [ẽˑtãˑpéré] *adj.* ongeregeld.
intempérie [ẽˑtãˑpéri] *f.* **1** (*v. weer*) ongestadigheid, guurheid *v.*; **2** slecht weer *o.*; ***les —s,*** weer en wind.
intempestif [ẽˑtãˑpèstif] *adj.*, **intempestivement** [ẽˑtãˑpèstiˑvmã] *adv.* ongelegen, ontijdig, te onpas komend.
intempestivité [ẽˑtãˑpèstivité] *f.* ontijdigheid, ongelegenheid *v.*
intenable [ẽˑtnaˑbl] *adj.* onhoudbaar.
intendance [ẽˑtãˑdã:s] *f.* **1** (*v. goederen*) opzicht, beheer *o.*; **2** opzichtersambt *o.*; **3** (*mil.*) intendance *v.*(*m.*).
intendant [ẽˑtãˑdã] *m.* **1** (*v. goederen*) opziener, opzichter, beheerder, rentmeester *m.*; **2** (*mil.*) intendant *m.*
intense [ẽˑtã:s] *adj.* **1** (*v. geluid; nat.*) intens; **2** (*v. koude*) vinnig, hevig; **3** (*v. wind, warmte*) hevig; **4** (*v. verlangen*) sterk.
intensif [ẽˑtãˑsif] *adj.* **1** krachtig; **2** (*gram.*) versterkend; **3** (*v. cultuur, werk, enz.*) intensief.
intensifier [ẽˑtãˑsifyé] *v.t.* versterken.
intensité [ẽˑtãˑsité] *f.* **1** intensiteit *v.*; **2** hevigheid *v.*; **3** vinnigheid *v.*; **4** kracht *v.*(*m.*), sterkte *v.*
intensivement [ẽˑtãˑsiˑvmã] *adv.* intensief; sterk, krachtig.
intenter [ẽˑtãˑté] *v.t.* **1** (*v. proces*) aandoen; aanhangig maken; **2** (*v. rechtsvordering*) instellen.
intention [ẽˑtãˑsyõ] *f.* **1** bedoeling *v.*, oogmerk *o.*; **2** voornemen *o.*; ***à cette —,*** met dit doel; ***à votre —,*** om uwentwil; ***à l'— de,*** **1** ter wille van; **2** ter ere van; **3** (*v. mis*) tot intentie van; ***avoir l'— de,*** van plan zijn; ***l'— est réputée pour le fait,*** de wil geldt voor de daad.
intentionné [ẽˑtãˑsyòné] *adj.* gezind; ***être bien*** (*ou **mal***) ***—,*** goede (*of* slechte) bedoelingen hebben.
intentionnel(**lement**) [ẽˑtãˑsyònèl(mã)] *adj.* (*adv.*) opzettelijk.
interaction [ẽˑtèraksyõ] *f.* wisselwerking *v.*
interallié [ẽˑtèralyé] *adj.* **1** onderling verbonden; **2** van de geallieerden onderling.
interarmées [ẽˑtèrarmé] *adj.* gemeenschappelijk voor land—, lucht— en zeemacht.
interarmes [ẽˑtèrarm] *adj.* gemeenschappelijk voor verschillende wapens van de landmacht.
interastral [ẽˑtèrastral] *adj.* interastraal, tussen de sterren.
intercadence [ẽˑtèrkadã:s] *f.* onregelmatigheid *v.* (van de pols).
intercadent [ẽˑtèrkadã] *adj.* onregelmatig.
intercalaire [ẽˑtèrkalè:r] *adj.* ingelast, ingevoegd; ***jour —,*** schrikkeldag *m.*
intercalation [ẽˑtèrkalɑˑsyõ] *f.* **1** inlassing, invoeging *v.*; **2** (*el.*) inschakeling *v.*
intercaler [ẽˑtèrkalé] *v.t.* **1** inlassen, invoegen; **2** inschakelen.
intercéder [ẽˑtèrsédé] *v.i.* tussenbeide komen; een goed woordje doen (voor).
intercepter [ẽˑtèrsèpté] *v.t.* **1** (*bericht, brief, enz.*) onderscheppen; **2** (*lichtstralen*) opvangen; **3** (*het licht*) benemen.
interception [ẽˑtèrsèpsyõ] *f.* **1** onderschepping *v.*; **2** (het) opvangen *o.*; **3** (het) benemen *o.*
intercesseur [ẽˑtèrsèsœ:r] *m.* bemiddelaar *m.*, voorspraak *v.*(*m.*).
intercession [ẽˑtèrsèsyõ] *f.* bemiddeling *v.*, voorspraak *v.*(*m.*), tussenkomst *v.*
interchangeable [ẽˑtèrʃɑˑjaˑbl] *adj.* (onderling) verwisselbaar.
intercirculation [ẽˑtèrsirkülɑˑsyõ] *f.* onderling verkeer *o.*; ***wagon à —,*** D-wagen; ***train à —,*** doorlopende trein, D-wagen, harmonikatrein *m.*
intercolonial [ẽˑtèrkòlònyal] *adj.* tussen de koloniën (onderling), interkoloniaal.
intercommunal [ẽˑtèrkòmünal] *adj.* intercommunaal, tussen de gemeenten; ***au niveau —,*** op bovengemeentelijk niveau.
intercommunication [ẽˑtèrkòmünikɑˑsyõ] *f.* onderlinge verbinding *v.*
intercontinental [ẽˑtèrkõˑtinãˑtal] *adj.* tussen twee vastelanden.
intercostal [ẽˑtèrkòstal] *adj.* tussen de ribben, intercostaal.
intercourse [ẽˑtèrkurs] *f.* vrij verkeer *o.*
intercurrence [ẽˑtèrkürã:s] *f.* afwisseling, onregelmatigheid *v.*
intercurrent [ẽˑtèrkürã] *adj.* **1** tussenkomend; **2** (*gen.*: *v. pols*) onregelmatig, intercurrent.
intercutané [ẽˑtèrkütané] *adj.* onderhuids.
interdépartemental [ẽˑtèrdépartmãˑtal] *adj.* tussen de (*of* enkele) departementen.
interdépendance [ẽˑtèrdépãˑdã:s] *f.* onderlinge afhankelijkheid *v.*
interdépendant [ẽˑtèrdépãˑdã] *adj.* onderling afhankelijk.
interdiction [ẽˑtèrdiksyõ] *f.* **1** verbod *o.*; **2** ontzegging *v.*; **3** schorsing *v.*; **4** plaatsing *v.* onder curatele; ***— légale, — des droits civiques,*** verlies van burgerrechten; ***— de sortie,*** uitvoerverbod; ***— de séjour,*** verbod om op een bepaalde plaats te verblijven.
interdigital [ẽˑtèrdijital] *adj.* tussen de vingers (*of* tenen).
interdire* [ẽˑtèrdi:r] *v.t.* **1** verbieden; **2** ontzeggen; **3** schorsen; **4** onder curatele stellen; **5** (*fig.*) sprakeloos maken, verbijsteren.
interdit [ẽˑtèrdi] **I** *adj.* **1** verboden; **2** geschorst; **3** onder curatele; **4** onthutst, verbijsterd, uit zijn lood geslagen; **5** (*kath.*) met interdict gestraft; ***demeurer —,*** sprakeloos staan, uit zijn lood geslagen zijn; **II** *s.*, *m.* interdict *o.*
interdroit [ẽˑtèrdrwa] *m.* (*sp.*) rechtsbinnen *m.*
intéressant [ẽˑtérèsã] *adj.* belangwekkend, interessant.
intéressé [ẽˑtérèsé] **I** *adj.* **1** baatzuchtig, hebzuchtig; **2** (*gen.*) aangedaan; ***— à,*** betrokken bij; ***— dans,*** (*H.*: *bij zaak, onderneming, enz.*) geïnteresseerd bij; **II** *s.*, *m.* belanghebbende *m.*
intéresser [ẽˑtérèsé] **I** *v.t.* **1** belang inboezemen, interesseren; **2** aangaan, raken; **3** betrekken bij, deelgenoot maken; **II** *v.pr.*, ***s'— à,*** belangstellen in; ***s'— dans,*** geld steken in.
intérêt [ẽˑtérè] *m.* **1** belang *o.*; **2** eigenbelang *o.*; **3** belangstelling *v.*; **4** aantrekkelijkheid *v.*; **5** interest *m.*, rente *v.*(*m.*); **6** deelneming *v.*; ***— composé,*** samengestelde interest; ***— simple,*** enkelvoudige interest; ***—s de retard,*** achterstallige renten; ***entendre ses —s,*** op zijn voordeel bedacht zijn, zijn eigen belang niet uit het oog verliezen; ***porter —,*** interest opbrengen; ***porter — à qn.,*** in iem. belang stellen; ***prendre — à,*** belangstellen in; ***par —,*** **1** uit belangstelling; **2** uit eigenbelang; ***dans votre — bien entendu,*** in uw welbegrepen eigenbelang.
interfédéral [ẽˑtèrfédéral] *adj.* tussen de bondsstaten.
interférence [ẽˑtèrférã:s] *f.* interferentie *v.*
interférent [ẽˑtèrférã] *adj.* interferent.
interfolier [ẽˑtèrfòlyé] *v.t.*, (*boek*) met wit papier doorschieten.
intergauche [ẽˑtèrgo:ʃ] *m.*, (*sp.*) linksbinnen *m.*
intérieur [ẽˑtéryœ:r] **I** *adj.* **1** inwendig; **2** (*v. gevoelens*) innerlijk; **3** binnenlands; **4** binnen—; ***commerce —,*** binnenlandse handel; ***la vie —e,*** het inwendig leven, het zieleleven; ***rire —,*** verborgen lach; ***les provinces —es,*** het hartje van 't land; **II** *s.*, *m.* **1** binnenste *o.*; **2** inwendige *o.*; **3** binnenland *o.*; **4** binnenzijde *v.*(*m.*); **5** huiselijke

kring, huiselijke haard, familiekring *m.*; ***dans*** (*of* ***en***) ***son for —***, in zijn binnenste, inwendig; ***ministère de l'—***, ministerie van binnenlandse zaken; ***rester à l'—***, binnen blijven; ***scène d'—***, ***tableau d'—***, (*v. schilderij*) binnenhuisje *o.*; ***robe d'—***, huisjapon *m.*

intérieurement [ẽ˙téryœ˙rmã] *adv.* inwendig; in zijn binnenste.

intérim [ẽ˙térim] *m.* tussentijd *m.*, interim *o.*; ***par —***, tijdelijk, ad interim; ***chargé de l'—***, met de waarneming belast; ***faire l'—***, een betrekking tijdelijk waarnemen.

intérimaire [ẽ˙térimè:r] **I** *adj.* tijdelijk, waarnemend; **II** *s.*, *m.* tijdelijk (aangesteld) ambtenaar *m.*

intérimat [ẽ˙térima] *m.* tijdelijke waarneming *v.*

interjacent [ẽ˙tèrjasã] *adj.* tussenliggend.

interjectif [ẽ˙tèrjèktif] *adj.* **1** tussengevoegd; **2** (*gram.*) als tussenwerpsel gebruikt.

interjection [ẽ˙tèrjèksyõ] *f.* tussenwerpsel *o.*; ***— d'appel,*** (*recht*) hoger beroep *o.*

interjeter [ẽ˙tèrjeté] *v.t.*, ***— appel,*** in hoger beroep gaan.

interligne [ẽ˙tèrliñ] *m.* **1** interlinie *v.*, ruimte *v.* tussen twee regels; **2** (*in akte; recht*) tussen de regels geschreven tekst *m.*; ***levier d'—***, (*v. schrijfmachine*) regelversteller *m.*

interligner [ẽ˙tèrliñé] *v.t.* interliniëren, door een interlinie scheiden. [(gezet).

interlinéaire [ẽ˙tèrlinéè:r] *adj.* tussen de regels

interlocuteur [ẽ˙tèrlòkütœ:r] *m.* aangesprokene, gesprekspartner *m.*

interlocution [ẽ˙tèrlòküsyõ] *f.* **1** samenspraak *v.*(*m.*), gesprek *o.*; **2** (*recht*) voorlopig vonnis *o.*

interlocutoire [ẽ˙tèrlòkütwa:r] *adj.*, ***jugement —***, voorlopig vonnis *o.*, vonnis dat een nader onderzoek voorschrijft.

interlope [ẽ˙tèrlòp] *adj.* **1** smokkel—; **2** verdacht; ***commerce —***, smokkelhandel, sluikhandel *m.*; ***maison —***, verdacht huis.

interloqué [ẽ˙tèrlòké] *adj.* overbluft, van zijn stuk gebracht.

interloquer [ẽ˙tèrlòké] *v.t.* verbluffen, van zijn stuk brengen, uit het veld slaan.

interlude [ẽ˙tèrlü˙d] *m.*, (*muz.*) interludium *o.*

intermède [ẽ˙tèrmè˙d] *m.* **1** (*muz., toneel*) tussenspel, intermezzo *o.*; **2** tussenpersoon *m.*; ***par l'— de,*** door tussenkomst van, door bemiddeling van.

intermédiaire [ẽ˙tèrmédyè:r] **I** *adj.* tussen—, tussenliggend; ***commerce —***, tussenhandel *m.*; **II** *s.*, *m.* tussenpersoon *m.*; ***par l'— de,*** door tussenkomst (*of* bemiddeling) van.

intermezzo [ẽ˙tèrmèdzo] *m.* intermezzo *o.*

interminable(ment) [ẽ˙tèrmina˙bl(emã)] *adj.* (*adv.*) eindeloos. [tijd *m.*

intermission [ẽ˙tèrmisyõ] *f.* verpozing *v.*, tussen-

intermittence [ẽ˙tèrmitã:s] *f.* **1** (*v. koorts, enz.*) onderbreking *v.*; **2** (*v. pols, geluid, enz.*) onregelmatigheid *v.*

intermittent [ẽ˙tèrmitã] *adj.* **1** intermitterend, beurtelings ophoudend en weer beginnend; **2** (*v. pols, enz.*) onregelmatig; ***fièvre —e,*** wisselkoorts *v.*(*m.*). [de moleculen.

intermoléculaire [ẽ˙tèrmolékülè:r] *adj.* tussen

intermusculaire [ẽ˙tèrmüskülè:r] *adj.* tussen de spieren gelegen.

internat [ẽ˙tèrna] *m.* **1** kostschool *v.*(*m.*), internaat *o.*; **2** (*in ziekenhuis*) betrekking *v.* van inwonend geneesheer, assistentschap *o.*

international [ẽ˙tèrnasyònal] *adj.* internationaal; ***droit —***, volkenrecht *o.*; ***droit — privé,*** internationaal privaatrecht *o.*

internationale [ẽ˙tèrnasyònal] *f.* internationale *v.*; **1** socialistische arbeidersvereniging *v.*; **2** socialistisch strijdlied *o.*

internationaliser [ẽ˙tèrnasyònali˙zé] *v.t.* internationaal maken, — verklaren.

internationalisme [ẽ˙tèrnasyònalizm] *m.* internationalisme *o.*

internationaliste [ẽ˙tèrnasyònalist] **I** *adj.* internationalistisch; **II** *s.*, *m.* internationalist *m.*

internationalité [ẽ˙tèrnasyònalité] *f.* internationaal karakter *o.*

interne [ẽ˙tèrn] **I** *adj.* **1** inwendig; **2** innerlijk; **3** (*v. leerling, geneesheer*) inwonend, intern; ***angle —***, binnenhoek *m.*; **II** *s.*, *m.* **1** inwonend leerling, kostleerling, intern *m.*; **2** inwonend geneesheer, — assistent *m.*

internement [ẽ˙tèrnemã] *m.* **1** internering *v.*; **2** opsluiting *v.*

interner [ẽ˙tèrné] *v.t.* **1** interneren; **2** opsluiten.

internonce [ẽ˙tèrnõ:s] *m.* internuntius *m.*

internonciature [ẽ˙tèrnõ˙syatü:r] *f.* internuntiatuur *v.* [oceanen.

interocéanique [ẽ˙tèròséanik] *adj.* tussen twee

interparlementaire [ẽ˙tèrparlemã˙tè:r] *adj.* interparlementair, tussen de parlementen.

interpellant [ẽ˙tèrpèlã], **interpellateur** [ẽ˙tèrpèlatœ:r] *m.* interpellant *m.*

interpellation [ẽ˙tèrpèla˙syõ] *f.* **1** (het) aanroepen *o.*; **2** (*v. minister, enz.*) interpellatie *v.*; **3** (*recht*) sommatie *v.*

interpeller [ẽ˙tèrpèlé] *v.t.* **1** aanroepen; **2** interpelleren; **3** sommeren.

interplanétaire [ẽ˙tèrplanétè:r] *adj.* tussen de planeten.

interpolateur [ẽ˙tèrpòlatœ:r] *m.* tussenvoeger, interpolator *m.* [polatie *v.*

interpolation [ẽ˙tèrpòla˙syõ] *f.* inlassing, inter-

interpoler [ẽ˙tèrpòlé] *v.t.* inlassen, tussenvoegen, interpoleren.

interposer [ẽ˙tèrpo˙zé] **I** *v.t.* **1** plaatsen tussen, tussenplaatsen; **2** tussenbeide komen met; ***personne interposée,*** **1** tussenpersoon, bemiddelaar *m.*; **2** stroman *m.*; **II** *v.pr.*, ***s'—***, **1** zich plaatsen tussen; **2** (*fig.*) tussenbeide komen, als bemiddelaar optreden.

interpositif [ẽ˙tèrpo˙zitif] *adj.* tussenliggend.

interposition [ẽ˙tèrpo˙zisyõ] *f.* **1** tussenplaatsing *v.*; **2** (*fig.*) tussenkomst, bemiddeling *v.*

interprétable [ẽ˙tèrpréta˙bl] *adj.* te verklaren, uit te leggen.

interprétateur [ẽ˙tèrprétatœ:r] **I** *adj.* verklarend, uitleggend; **II** *s.*, *m.* **1** (*v. tekst*) verklaarder *m.*; **2** (*v. droom, enz.*) uitlegger *m.*; **3** (*v. gevoelens*) vertolker *m.*

interprétatif [ẽ˙tèrprétatif] *adj.* **1** verklarend; **2** uitleggend; **3** vertolkend.

interprétation [ẽ˙tèrpréta˙syõ] *f.* **1** verklaring *v.*; **2** uitlegging *v.*; **3** vertolking *v.*; **4** opvatting *v.*

interprète [ẽ˙tèrprè˙t] *m.* **1** tolk *m.*; **2** verklaarder; uitlegger *m.*; **3** (*v. rol in toneelstuk*) vertolker *m.*; ***se faire l'— de,*** vertolken.

interpréter [ẽ˙tèrprété] *v.t.* **1** (*v. tekst*) verklaren; **2** (*v. droom, enz.*) uitleggen; **3** (*v. gevoelens*) vertolken; **4** (*v. woorden, bedoelingen*) opvatten.

interrègne [ẽ˙tèrèñ] *m.* tussenregering *v.*, interregnum *o.*

interrogant [ẽ˙tèrògã] *adj.* vragerig, veel vragend.

interrogateur [ẽ˙tèrògatœ:r] **I** *adj.* (*v. blik, enz.*) vragend; **II** *s.*, *m.* ondervrager *m.*; examinator *m.*

interrogatif [ẽ˙tèrògatif] *adj.* vragend, ondervragend; ***point —***, vraagteken *o.*

interrogation [ẽ˙tèròga˙syõ] *f.* ondervraging *v.*, vraag *v.*(*m.*); ***point d'—***, vraagteken *o.*

interrogativement [ẽ˙tèrògati˙vmã] *adv.* vragend, vragenderwijs. [hoor *o.*
interrogatoire [ẽ˙tèrògatwa:r] *m.*, (*recht*) ver-
interroger [ẽ˙tèròjé] *v.t.* **1** ondervragen; **2** (*recht*) verhoren; **3** (*fig.*) raadplegen, onderzoeken.
interrompre* [ẽ˙tèrõ:pr] **I** *v.t.* **1** onderbreken; afbreken; **2** schorsen; **3** (*v. stroom*) verbreken; **4** in de rede vallen; **II** *v.pr.*, ***s'—***, **1** (plotseling) ophouden; **2** zijn gesprek afbreken.
interrompu [ẽ˙tèrõ˙pü] *adj.* **1** onderbroken; **2** afgebroken; gestoord.
interrupteur [ẽ˙tèrüptœ:r] **I** *adj.* onderbrekend, storend; **II** *s., m.*, (*el.*) schakelaar, stroomverbreker *m.*; ***— horaire,*** tijdschakelaar *m.*
interruptif [ẽ˙tèrüptif] *adj.* onderbrekend.
interruption [ẽ˙tèrüpsyõ] *f.* **1** onderbreking *v.*; afbreking *v.*; **2** schorsing *v.*, (het) tijdelijk staken *o.*; **3** storing *v.*; **4** (het) in de rede vallen *o.*; ***sans —,*** zonder ophouden, onafgebroken, zonder onderbreking. [*enz.*) tussen de scholen.
interscolaire [ẽ˙tèrskòlè:r] *adj.*, (*v. wedstrijd,*
intersection [ẽ˙tèrsèksyõ] *f.*, (*v. lijnen of vlakken*) snijding *v.*; ***point d'—,*** snijpunt *o.*; ***ligne d'—,*** snijlijn *v.*(*m.*).
intersession [ẽ˙tèrsèsyõ] *f.* reces *o.*
intersidéral [ẽ˙tèrsidéral] *adj.* tussen de sterren.
interstellaire [ẽ˙tèrstèlè:r] *adj.* tussen de sterren.
interstice [ẽ˙tèrstis] *m.* **1** tussenruimte *v.*; **2** (*v. planken*) reet *v.*(*m.*); **3** (*v. metselwerk*) voeg *v.*(*m.*).
interstitiel [ẽ˙tèrstisyèl] *adj.* in de gaatjes van een weefsel. [kringen.
intertropical [ẽ˙tèrtròpikal] *adj.* tussen de keer-
interurbain [ẽ˙tèrürbẽ] *adj.* intercommunaal.
intervalle [ẽ˙tèrval] *m.* **1** tussentijd *m.*, tussenpoos *v.*(*m.*); **2** tussenruimte *v.*, afstand *m.*; **3** (*muz.*) interval *o.*, toonafstand *m.*; ***par —s,*** bij tussenpozen, nu en dan; ***sans —,*** zonder ophouden.
intervenant [ẽ˙tèrvenã] **I** *adj.* **1** tussentredend; **2** bemiddelend; **II** *s., m.*, (*H.*) intervenient *m.*
intervenir* [ẽ˙tèrveni:r] *v.i.* **1** tussenbeide komen; **2** bemiddelend optreden; **3** zich voordoen, plaats grijpen; **4** ingrijpen; **5** (*recht: als partij*) interveniëren.
intervention [ẽ˙tèrvã˙syõ] *f.* **1** tussenkomst *v.*; **2** bemiddeling *v.*; **3** (het) ingrijpen *o.*; **4** interventie *v.*; ***par —,*** (*H.*) bij interventie; ***— chirurgicale,*** chirurgische ingreep *m.*
interversion [ẽ˙tèrvèrsyõ] *f.* **1** omkering *v.*; **2** (*v. plaats*) verwisseling *v.* [wisselen.
intervertir [ẽ˙tèrvèrti:r] *v.t.* **1** omkeren; **2** ver-
intervertissement [ẽ˙tèrvèrtismã] *m.* **1** omkering *v.*; **2** verwisseling *v.* [gesprek *o.*
interview [ẽ˙tèrvyu] *f. et m.* interview, vraag-
interviewer [ẽ˙tèrvyué] *v.t.* interviewen.
intervieweu(u)r [ẽ˙tèrvyuœ:r] *m.* interviewer *m.*
intestat [ẽ˙tèsta] *adj.* zonder testament.
intestin [ẽ˙tèstẽ] **I** *adj.* **1** inwendig; **2** binnenlands; ***guerre —e,*** burgeroorlog *m.*; **II** *s., m.* darm *m.*; ***— grêle,*** dunne darm; ***gros —,*** dikke darm; ***—s,*** ingewanden.
intestinal [ẽ˙tèstinal] *adj.* **1** darm—; **2** ingewands—; ***canal —,*** darmkanaal *o.*; ***ver —,*** ingewandsworm *m.*
intimation [ẽ˙tima˙syõ] *f.* **1** opdracht *v.*(*m.*), (nadrukkelijk) bevel *o.*; **2** (gerechtelijke) aanzegging *v.*; **3** dagvaarding *v.*
intime [ẽ˙tim] **I** *adj.* **1** intiem; **2** (*v. gevoelens, enz.*) innig, innerlijk; **3** (*v. gesprek, enz.*) vertrouwelijk; **4** (*v. omgeving, woning*) gezellig; ***ami —,*** boezemvriend *m.*; ***paysage —,*** stemmingslandschap *o.*; **II** *s., m.* boezemvriend *m.*
intimé [ẽ˙timé] *m.* gedaagde *m.* in hoger beroep.
intimement [ẽ˙tim(m)ã] *adv.* **1** intiem; **2** innig; innerlijk; **3** vertrouwelijk; **4** (*praten, enz.*) gezellig.
intimer [ẽ˙timé] *v.t.* **1** gerechtelijk aanzeggen; **2** dagvaarden (in hoger beroep); **3** (*v. last*) opleggen; ***— un ordre à qn.,*** iem. een nadrukkelijk bevel geven.
intimidateur [ẽ˙timidatœ:r] *adj.* vreesaanjagend.
intimidation [ẽ˙timida˙syõ] *f.* vreesaanjaging *v.*
intimider [ẽ˙timidé] *v.t.* **1** vrees aanjagen; **2** (*v. kind*) verlegen maken.
intimité [ẽ˙timité] *f.* **1** intimiteit *v.*; **2** innigheid *v.*; **3** vertrouwelijkheid *v.*; **4** gezelligheid *v.*; ***dans l'—,*** in de huiselijke kring; ***en bonne —,*** in goede verstandhouding.
intitulé [ẽ˙titülé] **I** *adj.* getiteld; **II** *s., m.* **1** (*v. boek*) titel *m.*; **2** (*recht: v. wet, akte*) hoofd, opschrift *o.*, titel *m.*
intituler [ẽ˙titülé] **I** *v.t.* betitelen; van een titel voorzien; **II** *v.pr.*, ***s'—,*** heten.
intolérabilité [ẽ˙tòlérabilité] *f.* **1** (*v. pijn*) ondraaglijkheid *v.*; **2** (*v. toestand, enz.*) onduldbaarheid *v.*
intolérable(ment) [ẽ˙tòléra˙bl(emã)] *adj.* (*adv.*) **1** ondraaglijk; **2** onduldbaar; **3** (*v. hoogmoed, enz.*) onuitstaanbaar.
intolérance [ẽ˙tòlérã:s] *f.* onverdraagzaamheid *v.*
intolérant [ẽ˙tòlérã] *adj.* onverdraagzaam.
intolérantisme [ẽ˙tòlérã˙tizm] *m.* geest *m.* van onverdraagzaamheid, stelselmatige onverdraagzaamheid *v.*
intonation [ẽ˙tòna˙syõ] *f.* **1** (*muz.*) aanhef, inzet *m.*; **2** (*bij lezen, spreken*) toon *m.*, stembuiging *v.*; **3** toonvorming, toongeving *v.*
intoxication [ẽ˙tòksika˙syõ] *f.* vergiftiging *v.*
intoxiquer [ẽ˙tòksiké] *v.t.* vergiftigen.
intrados [ẽ˙trado] *m.*, (*bouwk.*) binnenwelving *v.*
intraduisible [ẽ˙tradẅizi˙bl] *adj.* onvertaalbaar.
intraduit [ẽ˙tradẅi] *adj.* onvertaald, niet vertaald.
intraitable [ẽ˙trèta˙bl] *adj.* onhandelbaar.
intra-muros [ẽ˙tramüro:s] *adv.* binnen de muren, in de stad. [spier.
intramusculaire [ẽ˙tramüskülè:r] *adj.* in een
intransférable [ẽ˙trã˙sféra˙bl] *adj.* niet overdraagbaar.
intransigeance [ẽ˙trã˙zijã:s] *f.* onverzoenlijkheid *v.*; weigering *v.* van elke schikking.
intransigeant [ẽ˙trã˙zijã] *adj.* onverzoenlijk; ontoegeeflijk.
intransitif [ẽ˙trã˙zitif] *adj.*, **intransitivement** [ẽ˙trã˙ziti˙vmã] *adv.* onovergankelijk.
intransmissible [ẽ˙trã˙zmisi˙bl] *adj.* niet overdraagbaar. [heid *v.*
intransparence [ẽ˙trã˙sparã:s] *f.* ondoorzichtig-
intransparent [ẽ˙trã˙sparã] *adj.* ondoorzichtig.
intransportable [ẽ˙trã˙spòrta˙bl] *adj.* niet te vervoeren. [ader.
intraveineux [ẽ˙travènö] *adj.* intraveneus, in de
intrépide(ment) [ẽ˙trépi˙d(mã)] *adj.* (*adv.*) onverschrokken.
intrépidité [ẽ˙trépidité] *f.* onverschrokkenheid *v.*
intrigailler [ẽ˙trigayé] *v.i.* konkelen.
intrigant [ẽ˙trigã] **I** *adj.* intrigerend, arglistig; **II** *s., m.* intrigant, indringer *m.*
intrigue [ẽ˙tri˙g] *f.* **1** gekonkel *o.*, kuiperij *v.*; **2** (*v. toneelstuk*) verwikkeling *v.*, intrige *v.*(*m.*).
intrigué [ẽ˙trigé] *adj.* **1** geïntrigeerd; **2** nieuwsgierig.
intriguer [ẽ˙trigé] **I** *v.i.* intrigeren, kuipen, konkelen; **II** *v.t.* **1** nieuwsgierig maken; **2** in verlegenheid brengen.
intrinsèque(ment) [ẽ˙trẽ˙sèk(mã)] *adj.* (*adv.*) innerlijk; ***valeur —,*** intrinsieke (*of* innerlijke) waarde.

introducteur [ẽ˙tròdüktœ:r] *m.* die introduceert, inleider *m.*
introductif [ẽ˙tròdüktif] *adj.* inleidend.
introduction [ẽ˙tròdüksyõ] *f.* **1** (het) binnenlaten *o.*; **2** inleiding *v.*; **3** invoering *v.*; **4** (het) inbrengen *o.*; ***lettre d'—,*** aanbevelingsbrief *m.*
introduire* [ẽ˙tròdẅi:r] **I** *v.t.* **1** binnenlaten; **2** inleiden; **3** (*v. nieuwigheid*) invoeren; **4** inbrengen; **5** meebrengen, introduceren; ***— en fraude,*** binnensmokkelen; **II** *v.pr.*, ***s'—,*** **1** binnendringen, zich toegang verschaffen; **2** ingevoerd worden, opkomen, in zwang komen; ***s'— furtivement,*** binnensluipen.
introït [ẽ˙tròit] *m.* introïtus *m. en o.*
intromission [ẽ˙tròmisyõ] *f.* **1** inbrenging *v.*; **2** inmenging *v.*
intronisation [ẽ˙tròniza˙syõ] *f.* **1** (*v. bisschop, koning*) inhuldiging *v.*; **2** (*H. Hart, enz.*) wijding, intronisatie *v.*; **3** (*fig.*: *gebruik, enz.*) invoering *v.*
introniser [ẽ˙tròni˙zé] *v.t.* **1** inhuldigen; **2** wijden, introniseren; **3** invoeren.
introspection [ẽ˙tròspèksyõ] *f.* innerlijke aanschouwing, zelfwaarneming *v.*
introuvable [ẽ˙truva˙bl] *adj.* onvindbaar.
intrus [ẽ˙trü] *m.* **1** indringer *m.*; **2** ongenode gast [*m.*
intrusion [ẽ˙trü˙zyõ] *f.* indringing *v.*
intuitif [ẽ˙tẅitif] *adj.* intuïtief; innerlijk aanschouwend.
intuition [ẽ˙tẅisyõ] *f.* **1** intuïtie, innerlijke aanschouwing *v.*; **2** ingeving *v.*
intuitivement [ẽ˙tẅiti˙vmã] *adv.* intuïtief, bij intuïtie.
intumescence [ẽ˙tümèsã:s] *f.* opzwelling, opzetting *v.*]
intumescent [ẽ˙tümèsã] *adj.* zwellend.
inule [inül] *f.*, (*Pl.*) alant(swortel) *m.*
inulée [inülé] *f.*, (*Pl.*) alantsachtige *v.*
inuline [inülin] *f.* alantstof *v.(m.).*
inusable [inüza˙bl] *adj.* onverslijtbaar.
inusité [inüzité] *adj.* ongebruikelijk.
inutile(ment) [inütil(mã)] *adj.* (*adv.*) nutteloos, vergeefs, vruchteloos, onnodig; ***— à,*** onbruikbaar voor.
inutilisable [inütiliza˙bl] *adj.* onbruikbaar, ongeschikt.]
inutilisé [inütili˙zé] *adj.* ongebruikt, onbenut.
inutilité [inütilité] *f.* nutteloosheid *v.*; vruchteloosheid *v.*
invaincu [ẽ˙vẽ˙kü] *adj.* onoverwonnen.
invalidation [ẽ˙valida˙syõ] *f.* ongeldigverklaring *v.*
invalide [ẽ˙vali˙d] **I** *adj.* **1** gebrekkig; **2** (*mil.*) invalide; **3** (*recht*) ongeldig; **II** *s.*, *m.*, (*mil.*) invalide, gebrekkig soldaat *m.*; ***prendre ses —s,*** pensioen nemen.
invalidement [ẽ˙vali˙dmã] *adv.* ongeldig.
invalider [ẽ˙validé] *v.t.* ongeldig verklaren.
invalidité [ẽ˙validité] *f.* **1** gebrekkigheid, invaliditeit *v.*; **2** ongeldigheid *v.*
invar [ẽ˙va:r] *m.* nikkelstaal *o.*
invariabilité [ẽ˙varyabilité] *f.* onveranderlijkheid *v.*]
invariable(ment) [ẽ˙varya˙bl(emã)] *adj.* (*adv.*) onveranderlijk.
invasif [ẽ˙va˙zif] *adj.* invallend, invals—.
invasion [ẽ˙va˙zyõ] *f.* **1** (*mil.*) inval *m.*; **2** strooptocht *m.*; **3** (*v. ziekte*) (het) optreden *o.*
invective [ẽ˙vèkti˙v] *f.* scheldwoord *o.*
invectiver [ẽ˙vèkti˙vé] **I** *v.i.* schelden; ***— contre,*** uitvaren tegen; **II** *v.t.* uitschelden, schelden op.
invendable [ẽ˙vã˙da˙bl] *adj.* onverkoopbaar.
invendu [ẽ˙vã˙dü] *adj.* onverkocht.
invengé [ẽ˙vã˙jé] *adj.* ongewroken.
inventaire [ẽ˙vã˙tè:r] *m.* **1** (*v. erfenis, enz.*) boedelbeschrijving *v.*; **2** (*H.*) boedellijst *v.(m.)*; inventaris *m.*; ***faire son —,*** (*H.*) de inventaris opmaken; ***sous bénéfice d'—,*** onder voorrecht van boedelbeschrijving; (*fig.*) onder zeker voorbehoud.
inventer [ẽ˙vã˙té] *v.t.* **1** uitvinden; **2** (*uitvlucht, voorwendsel*) bedenken, verzinnen.
inventeresse, *voir* ***inventeur*** (***II***).
inventeur [ẽ˙vã˙tœ:r] **I** *m.* (*f.* : ***inventrice***) **1** uitvinder *m.*; **2** verzinner *m.*; **II** *adj.* (*f.*: ***inventeresse*** [ẽ˙vã˙t(e)rès]) vindingrijk.
inventif [ẽ˙vã˙tif] *adj.* vindingrijk.
invention [ẽ˙vã˙syõ] *f.* **1** uitvinding *v.*; **2** verzinsel, bedenksel *o.*; ***l'I— de la Croix,*** de Kruisvinding; ***de son —,*** van eigen vinding.
inventorier [ẽ˙vã˙tòryé] *v.t.* inventariseren.
inventrice [ẽ˙vã˙tris] *f.* uitvindster *v.*
invérifiable [ẽ˙vérifya˙bl] *adj.* niet na te gaan.
inversable [ẽ˙vèrsa˙bl] *adj.* die niet kan omvallen.
inverse [ẽ˙vèrs] **I** *adj.* omgekeerd; ***en raison — de,*** in omgekeerde verhouding tot; ***en sens —,*** in omgekeerde richting; **II** *s.*, *m.* (het) omgekeerde; (het) tegendeel *o.*; ***à l'—,*** averechts.
inverser [ẽ˙vèrsé] *v.t.*, (*el.*) omschakelen.
inverseur [ẽ˙vèrsœ:r] *m.*, (*el.*) stroomwisselaar; poolwisselaar *m.*
inversion [ẽ˙vèrsyõ] *f.* **1** omkering *v.*; **2** (*gram.*) omzetting *v.*; **3** (*v. suiker*) invertering *v.*
invertébré [ẽ˙vèrtébré] **I** *adj.* ongewerveld; **II** *s.*, *m.* ongewerveld dier *o.*
inverti [ẽ˙vèrti] *adj.* omgekeerd.
invertir [ẽ˙vèrti:r] *v.t.* omkeren, omzetten.
invertissement [ẽ˙vèrtismã] *m.* omkering *v.*
investigateur [ẽ˙vèstigatœ:r] **I** *adj.* onderzoekend, nasporend, vorsend; **II** *s.*, *m.* onderzoeker, navorser *m.*
investigation [ẽ˙vèstiga˙syõ] *f.* onderzoek *o.*, navorsing, nasporing *v.*]
investir [ẽ˙vèsti:r] (***de***) *v.t.* **1** (*met ambt, gezag*) bekleden; **2** (*mil.*: *v. vesting*) insluiten, omsingelen; **3** (*H.*: *v. kapitaal*) beleggen.
investissement [ẽ˙vèstismã] *m.* **1** (*v. vesting*) insluiting, omsingeling *v.*; **2** (*v. kapitaal*) belegging, vastlegging *v.*
investiture [ẽ˙vèstitü:r] *f.* **1** bekleding *v.* met gezag; **2** (*v. waardigheid*) begeving *v.*; **3** (*gesch.*) investituur *v.*
invétéré [ẽ˙vétéré] *adj.* **1** (*v. gewonde, enz.*) ingeworteld; **2** (*v. kwaad*) ingekankerd; **3** (*v. boosdoener*) verstokt.
invétérer, s'— [sẽ˙vétéré] *v.pr.* **1** inwortelen; **2** inkankeren; ***laisser s'—,*** laten voortwoekeren.
invincibilité [ẽ˙vẽ˙sibilité] *f.* onoverwinnelijkheid *v.*
invincible(ment) [ẽ˙vẽ˙si˙bl(emã)] *adj.* (*adv.*) [onoverwinnelijk.
inviolabilité [ẽ˙vyòlabilité] *f.* onschendbaarheid *v.*
inviolable(ment) [ẽ˙vyòla˙bl(emã)] *adj.* (*adv.*) onschendbaar.
inviolé [ẽ˙vyòlé] *adj.* ongeschonden.
invisibilité [ẽ˙vizibilité] *f.* onzichtbaarheid *v.*
invisible(ment) [ẽ˙vizi˙bl(emã)] *adj.* (*adv.*) onzichtbaar.
invitant [ẽ˙vitã] *adj.* verlokkend, aanlokkelijk.
invitation [ẽ˙vita˙syõ] *f.* uitnodiging *v.*
invite [ẽ˙vit] *f.* **1** (*kaartsp.*) invite *v.(m.)*; **2** (*fig.*) lokking *v.*
invité [ẽ˙vité] *m.* genodigde, gast *m.*
inviter [ẽ˙vité] **I** *v.t.* **1** uitnodigen; **2** (*fig.*) aansporen, aanzetten; **II** *v.pr.*, ***s'—,*** zich zelf uitnodigen, ongenood komen.
inviteur [ẽ˙vitœ:r] *m.* uitnodiger *m.*
invocateur [ẽ˙vòkatœ:r] *m.* aanroeper *m.*
invocation [ẽ˙vòka˙syõ] *f.* aanroeping *v.*
invocatoire [ẽ˙vòkatwa:r] *adj.* aanroepend; aanroepings—.
involontaire(ment) [ẽ˙vòlõ˙tè:r(mã)] *adj.* (*adv.*) [onwillekeurig.

involucelle [ẽ'vòlüsèl] *f.* (*Pl.*) omwindseltje *o.*
involucre [ẽ'vòlükr] *m.* (*Pl.*) hulsel van het bloemscherm, omwindsel *o.*
involuté [ẽ'vòlüté] *adj.* (*Pl.*) ingerold, opgerold, naar binnen gekruld.
involution [ẽ'vòlüsyõ] *f.* verwikkeling *v.*
invoquer [ẽ'vòké] *v.t.* **1** aanroepen; **2** (*hulp, enz.*) inroepen; **3** aanhalen.
invraisemblable(ment) [ẽ'vrèsã'bla'bl(emã)] *adj.* (*adv.*) **1** onwaarschijnlijk; **2** (*fig.*: *v. kleding*) onmogelijk.
invraisemblance [ẽ'vrèsã'blã:s] *f.* onwaarschijnlijkheid *v.* [heid *v.*
invulnérabilité [ẽ'vülnérabilité] *f.* onkwetsbaar-
invulnérable [ẽ'vülnéra'bl] *adj.* onkwetsbaar.
iodate [yòdat] *m.* jodaat, joodzuur zout *o.*
iode [yò'd] *m.* jodium *o.*
iodé [yòdé] *adj.* jodium bevattend, joodhoudend.
iodeux [yòdö] *adj.*, ***acide* —,** jodigzuur *o.*
iodique [yòdik] *adj.*, ***acide* —,** jodiumzuur *o.*
iodoforme [yòdòfòrm] *m.* jodoform *m.*
iodoformé [yòdòfòrmé] *adj.* jodoformhoudend.
iodure [yòdü:r] *f.* jodiumverbinding *v.*
ion [(i)yõ] *m.* ion *o.* [*m.*
ionien [yònyẽ] **I** *adj.* Ionisch; **II** *s. m.*, ***I*—,** Ioniër
ionique [yònik] *adj.* **1** Ionisch; ***ordre* —,** Ionische stijl; **2** ionen—.
ionisation [(i)yòniza'syõ] *f.* elektrolytische molecuulsplitsing *v.*
iota [yòta] *m.* jota *v.*(*m.*); ***il n'y manque pas un* —,** er ontbreekt niets aan.
iouler [yulé] *v.i.* jodelen, joedelen.
ipéca(cuana) [ipéka(kwana)] *m.* braakwortel *m.*
irakien, iraquien [irakyẽ] *adj.* Iraaks, van Irak.
iranien [iranyẽ] **I** *adj.* Iraans; **II** *s. m.*, ***I*—,** Iraniër *m.*
iraquien, *voir* ***irakien.*** [geraaktheid *v.*
irascibilité [irasibilité] *f.* prikkelbaarheid, licht-
irascible [irasi'bl] *adj.* prikkelbaar, lichtgeraakt.
iridacées [iridasé] *f.pl.* irisachtigen, lisbloemigen *mv.*
iridié [iridyé] *adj.* met iridium verbonden.
iridium [iridyòm] *m.* iridium *o.*
iris [iris] *m.* **1** (*Pl.*) lisbloem *v.*(*m.*); **2** regenboog *m.*; **3** regenboogvlies *o.*, iris *v.*(*m.*).
irisation [iriza'syõ] *f.* regenboogweerschijn, parelmoerglans *m.* [moerglans.
irisé [iri'zé] *adj.* regenboogkleurig, met parel-
iriser [iri'zé] *v.t.* iriseren.
iritis [iritis] *f.* regenboogvliesontsteking *v.*
irlandais [irlã'dè] **I** *m.* Ier *m.*; ***i*—,** Iers *o.*; **II** *adj.* ***i*—,** Iers.
Irlande [irlã:d] *f.* Ierland *o.*
ironie [iròni] *f.* ironie *v.*, bedekte spot *m.*
ironique(ment) [irònik(mã)] *adj.* (*adv.*) ironisch, spottend.
ironiste [irònist] *m.* ironisch schrijver *m.*
Iroquois [iròkwa] *m.* **1** Irokees *m.*; **2** (*fig.*) rare snuiter, rare Chinees *m.* [stelbaar.
irraccommodable [irakòmòda'bl] *adj.* onher-
irrachetable [iraʃta'bl] *adj.* niet af te kopen, niet terug te kopen.
irradiation [iradya'syõ] *f.* uitstraling *v.*
irradier [iradyé] *v.i.* uitstralen. [redeloos.
irraisonnable(ment) [irèzòna'bl(emã)] *adj.* (*adv.*)
irraisonné [irèzòné] *adj.* onberedeneerd.
irrationnel [irasyònèl] *adj.* **1** in strijd met de rede; **2** (*wisk.*: *v. getal*) onmeetbaar. [lijken.
irréalisable [iréaliza'bl] *adj.* niet te verwezen-
irréalisé [iréali'zé] *adj.* niet uitgevoerd.
irréalité [iréalité] *f.* onwezenlijkheid *v.*
irrecevable [ires(e)va'bl] *adj.* niet ontvankelijk.
irréconciliable(ment) [irékõ'silya'bl(emã)] *adj.* (*adv.*) onverzoenlijk.
irréconcilié [irékõ'silyé] *adj.* onverzoend.
irrécouvrable [irékuvra'bl] *adj.* oninbaar, niet invorderbaar.
irrécusable [iréküza'bl] *adj.* onwraakbaar.
irrédentisme [irédã'tizm] *m.* irredentisme *o.*
irrédentiste [irédã'tist] **I** *m.* irredentist *m.*, aanhanger *m.* van het irredentisme; **II** *adj.* irredentistisch. [heid *v.*
irréductibilité [irédüktibilité] *f.* onherleidbaar-
irréductible [irédükti'bl] *adj.* **1** onherleidbaar; **2** (*v. rente*) onverminderbaar; **3** (*gen.*) niet te zetten, onherstelbaar.
irréel [iréèl] *adj.* onwezenlijk.
irréfléchi [irébléʃi] *adj.* **1** (*v. persoon*) onnadenkend; **2** (*v. persoon, daad*) onbedachtzaam, onbezonnen.
irréflété [iréflété] *adj.* niet weerkaatst.
irréflexion [iréflèksyõ] *f.* **1** onnadenkendheid *v.*; **2** onbedachtzaamheid, onbezonnenheid *v.*
irréformable [iréfòrma'bl] *adj.* **1** onherstelbaar, onherroepelijk; **2** onverbeterbaar.
irréfragable [iréfraga'bl] *adj.* (*v. getuigenis*) onwraakbaar. [breekbaar.
irréfrangible [iréfrã'jibl] *adj.* (*v. stralen*) niet
irréfrénable [iréfréna'bl] *adj.* onbedwingbaar.
irréfutabilité [iréfütabilité] *f.* onweerlegbaarheid *v.*
irréfutable [iré'füta'bl] *adj.* onweerlegbaar.
irrégularité [irégülarité] *f.* onregelmatigheid *v.*
irrégulier [irégülyé] *adj.*, **irrégulièrement** [irégülyè:rmã] *adv.* **1** onregelmatig; **2** (*v. troepen, leven*) ongeregeld.
irréligieux [irélijyö] *adj.*, **irréligieusement** [irélijyö'zmã] *adv.* ongodsdienstig. [heid *v.*
irréligion [irélijyõ] *f.* ongeloof *o.*, ongodsdienstig-
irréligiosité [irélijyo'zité] *f.* ongodsdienstigheid *v.*
irrémédiable(ment) [irémédya'bl(emã)] *adj.* (*adv.*) onherstelbaar.
irrémissible(ment) [irémisi'bl(emã)] *adj.* (*adv.*), (*v. zonde, enz.*) onvergeeflijk.
irremplaçable [irã'plasa'bl] *adj.* onvervangbaar.
irréparabilité [iréparabilité] *f.* onherstelbaarheid *v.*
irréparable(ment) [irépara'bl(emã)] *adj.* (*adv.*) onherstelbaar. [stokt.
irrepentant [irepã'tã] *adj.* onboetvaardig, ver-
irréplicable [iréplika'bl] *adj.* onaanvechtbaar.
irrépréhensible(ment) [irépré(h)ã'si'bl(emã)] *adj.* (*adv.*) onberispelijk.
irrépressible [iréprèsi'bl] *adj.* onbedwingbaar.
irréprochable(ment) [irépròʃa'bl(emã)] *adj.* (*adv.*) **1** onberispelijk; **2** (*v. gedrag*) onbesproken.
irrésistible(ment) [irézisti'bl(emã)] *adj.* (*adv.*) onweerstaanbaar.
irrésolu(ment) [irézòlü(mã)] *adj.* (*adv.*) **1** (*v. persoon*) besluiteloos, weifelend; **2** (*v. vraagstuk*) onopgelost.
irrésoluble [irézòlü'bl] *adj.* onoplosbaar.
irrésolution [irézòlüsyõ] *f.* besluiteloosheid, wankelmoedigheid *v.*
irrespectueux [irèspèktwö] *adj.*, **irrespectueusement** [irèspèktwö'zmã] *adv.* oneerbiedig.
irrespirable [irèspira'bl] *adj.* niet in te ademen.
irresponsabilité [irèspõ'sabilité] *f.* onverantwoordelijkheid *v.*
irresponsable(ment) [irèspõ'sa'bl(emã)] *adj.* (*adv.*) onverantwoordelijk.
irrétrécissable [irétrésisa'bl] *adj.* krimpvrij.
irrévéremment [irévéramã] *adv.* oneerbiedig.

irrévérence [irévérã:s] *f.* oneerbiedigheid *v.*
irrévérencieusement [irévérã'syö'zmã] *adv.* oneerbiedig.
irrévérencieux [irévérã'syö] *adj.* oneerbiedig.
irrévérent [irévérã] *adj.* oneerbiedig.
irréversible [irévèrsi'bl] *adj.* die niet kan worden omgegooid. [onherroepelijk.
irrévocable(ment) [irévòka'bl(emã)] *adj.* (*adv.*)
irrévoqué [irévòké] *adj.* onherroepen.
irrigable [iriga'bl] *adj.* besproeibaar; bevloeibaar.
irrigateur [irigatœ:r] *m.* **1** (*in tuin*) besproeier *m.*; **2** (*voor straat*) sproeiwagen *m.*; **3** (*gen.*) irrigator *m.*
irrigation [iriga'syõ] *f.* besproeiing; bevloeiing *v.*
irriguer [irigé] *v.t.* besproeien; bevloeien, irrigeren.
irritabilité [iritabilité] *f.* prikkelbaarheid *v.*
irritable [irita'bl] *adj.* prikkelbaar.
irritant [iritã] **I** *adj.* **1** prikkelend; **2** opwekkend; **II** *s., m.* prikkelend middel *o.*
irritatif [iritatif] *adj.* prikkelend.
irritation [irita'syõ] *f.* **1** prikkeling *v.*, prikkel *m.*; **2** opwekking *v.*; **3** geprikkeldheid *v.*; **4** ergernis; verbittering *v.*; **5** (*gen.*) ontsteking *v.*
irriter [irité] **I** *v.t.* **1** prikkelen; **2** tergen; **3** opwekken; **4** ergeren; verbitteren; **II** *v.pr.*, ***s'—***, **1** boos worden; **2** zich ergeren; **3** (*gen.*) ontstoken zijn; **4** (*v. de zee*) onrustig worden.
irroration [iròra'syõ] *f.* besprenkeling *v.*
irrorer [iròré] *v.t.* besprenkelen.
irruption [irüpsyõ] *f.* **1** inval *m.*; **2** inbraak *v.*(*m.*); ***faire — dans,*** binnendringen, binnenstormen.
Isaac [izak] *m.* Izaak *m.*
Isabelle [izabèl] **I** *f.* Isabella *v.*; **II** *adj.*, ***i—,*** bruingeel, isabelkleurig.
Isaïe [izai] *m.* Jesaja *m.*
isard [iza:r] *m.* gems *v.*(*m.*) uit de Pyreneeën.
isatis [izatis] *m.* poolvos *m.*
isba [izba] *m.* (N.-Europa en Azië) houten huis *o.*
ischiagre [iskya'gr] *f.* ischias, heupjicht *v.*(*m.*).
ischial [iskyal] *adj.* van het heupbeen.
ischialgie [iskyalji] *f.* (*gen.*) heuppijn *v.*(*m.*).
ischiatique [iskyatik] *adj.* van het heupbeen.
ischion [iskyõ] *m.* heupbeen *o.*
Isengrin [izã'grẽ] *m.* iezegrim *m.*
Iseult [izö] *f.* Isolde *v.*
isiaque [iziak] *adj.* van Isis.
Isis [izis] *f.* Isis *v.*
islam [izlam] *m.* islam *m.* [daans.
islamique [izlamik] *adj.* islamitisch, mohamme-
islamisme [izlamizm] *m.* islamisme *o.*, leer *v.*(*m.*) van de islam. [islamiet *m.*
islamite [izlamit] **I** *adj.* islamitisch; **II** *s.m.*
islandais [izlã'dè] **I** *adj.* IJslands; **II** *s.m.* (het) IJslands *o.*; ***I—,*** IJslander *m.*
Islande [izlã:d] *f.* IJsland *o.*
Ismaélite [izmaélit] *m.* Ismaëliet *m.*
iso- [izò] gelijk—.
isobare [izòba:r], **isobarométrique** [izòbaròmétrik] *adj.* met gelijke barometerstand; ***ligne —,*** isobaar *m.*
isocèle [izòsè:l] *adj.*, (*v. driehoek*) gelijkbenig.
isochrone [izòkròn] *adj.* gelijk van duur, isochroon.
isochronisme [izòkrònizm] *m.* gelijkheid *v.* van duur.
isogone [izògòn] *adj.* gelijkhoekig.
isolable [izòla'bl] *adj.* isoleerbaar.
isolant [izòlã] *adj.* isolerend, niet-geleidend.
isolateur [izòlatœ:r] *m.* isolator *m.*, isoleerpotje *o.*, isolerende stof *v.*(*m.*). [ring *v.*
isolation [izòla'syõ] *f.* **1** afzondering *v.*; **2** isole-
isolationnisme [izòlasyònizm] *m.* onzijdigheidspolitiek *v.*
isolé [izòlé] *adj.* **1** afgezonderd; **2** alleenstaand, op zich zelf staand; los; **3** eenzaam, afgelegen; **4** (*nat.*) zonder verbinding.
isolement [izòlmã] *m.* **1** afzondering *v.*; **2** eenzaamheid *v.*; **3** eenzame ligging *v.*; **4** (*el.*) isolering *v.*
isolément [izò'lémã] *adv.* **1** afzonderlijk, op zich zelf; **2** eenzaam.
isoler [izòlé] *v.t.* **1** afzonderen; **2** afzonderlijk plaatsen; **3** isoleren. [*o.*; **3** stemhokje *o.*
isoloir [izòlwa:r] *m.* **1** isolator *m.*; **2** isoleerbankje
isomère [izòmè:r] *adj.* isomeer. [dezelfde vorm.
isomorphe [izòmòrf] *adj.* gelijkvormig, van
isotherme [izòtèrm] *adj.* van gelijke warmtegraad.
isotope [izòto'p] *m.* isotoop *m.*
Israël [izraèl] *m.* Israël *o.*
Israélien [izraélyẽ] **I** *m.* Israëli, Israeliër *m.*; **II** *adj.*, ***i—,*** Israëlisch.
israélite [izraélit] **I** *adj.* Israëlitisch; **II** *s., m.-f.* Israëliet *m.-v.* [(van).
issu [isü] (*de*) *adj.* afstammend (van), afkomstig
issue [isü] *f.* **1** uitgang *m.*; **2** (*fig.: uit moeilijkheid*) uitweg *m.*; **3** (*v. onderhandelingen, enz.*) afloop *m.*; uitslag *m.*; ***à l'— de,*** bij het uitgaan van.
isthme [ism] *m.* landengte *v.*
isthmique [ismik] *adj.* istmisch. [veritaliaansen.
italianiser [italyani'zé] *v.t.* Italiaans maken;
Italie [itali] *f.* Italië *o.*
italien [italyẽ] **I** *adj.* Italiaans; ***format à l'—ne,*** oblong, langwerpig boekformaat; **II** *s., m.*, ***I—,*** Italiaan *m.*
italique [italik] **I** *adj.* oud-Italiaans, Italisch; ***caractère —,*** cursiefletter; **II** *s., f.* cursiefletter *v.*(*m.*); ***imprimer en —(s),*** cursief drukken, cursiveren.
italiqué [italiké] *adj.* cursief (gedrukt).
item [itèm] **I** *adv.* **1** eveneens; **2** daarenboven; **II** *s.m.* post *m.* (van een rekening).
itératif [itératif] *adj.* herhaald, herhalend.
itération [itéra'syõ] *f.* herhaling *v.*
itérativement [itérati'vmã] *adv.* bij herhaling.
Ithaque [itak] *f.* Ithaca *o.*
itinéraire [itinérè:r] **I** *adj.* weg—; ***mesure —,*** afstandsmaat; **II** *s.m.* **1** reisweg *m.*, reisroute *v.*(*m.*); **2** reisbeschrijving *v.*
itinérant [itinérã] *adj.* reizend, rondtrekkend.
itou [itu] *adv.* (*pop.*) eveneens, net zo.
Ittre [i'tr] Itter *o.* [katje *o.*
iule [yül] *m.* **1** (*Dk.*) duizendpoot *m.*; **2** (*Pl.*)
iuliflore [yüliflò:r] *adj.* (*Pl.*) katjesdragend.
ive [i:v], **ivette** [i'vèt] *f.* (*Pl.*) veldcipres *m.*
iveteau [i'vto] *m.* taxusboompje *o.*
ivoire [ivwa:r] *m.* **1** ivoor, elpenbeen *o.*; **2** tandbeen *o.*; ***noir d'—,*** beenzwart *o.*; ***des —s,*** ivoren kunstvoorwerpen *mv.* [handel *m.*
ivoirerie [ivwarri] *f.* **1** ivoordraaierij *v.*; **2** ivoor-
ivoirien [ivwa'ryẽ] *adj.* Ivorisch, van de Ivoorkust.
ivoirier [ivwa'ryé] *m.* ivoordraaier; ivoorsnijder *m.*
ivoirin [ivwa'rẽ] *adj.* ivoorachtig, ivoor—.
ivraie [ivrè] *f.* **1** (*Pl.*) dolik *v.*(*m.*); **2** onkruid *o.*; ***séparer l'— d'avec le bon grain,*** het kaf van het koren scheiden.
ivre [i:vr] *adj.* dronken, beschonken; ***— mort(e),*** smoordronken, stomdronken; ***— de,*** bedwelmd door.
ivresse [ivrès] *f.* **1** dronkenschap *v.*; **2** (*fig.*) roes *m.*, bedwelming *v.* [**II** *s.m.* dronkaard *m.*
ivrogne [ivròñ] **I** *adj.* aan de drank verslaafd;
ivrogner [ivròñé] **I** *v.i.* aan de drank verslaafd zijn; **II** *v.pr.* ***s'—*** zich bedrinken.
ivrognerie [ivròñri] *f.* dronkenschap (als gewoonte), verslaafdheid *v.* aan de drank.
Ixelles [iksèl] *m.* Elsene *o.*
ixode [iksò'd] *m.* teek *v.*(*m.*).

J

J [ji] *m.* **j** *v.(m.)*.
jablage [jɑ˙bla:j] *m.* (het) gergelen *o.*
jable [jɑ˙bl] *m.* **1** gergel *m.*; **2** kim *v.(m.)* (rand v. duigen).
jabler [jɑ˙blé] *v.t.*, (*v. vat*) gergelen.
jablière [jɑ˙bli(y)è:r] *f.*, **jabloir** [jɑ˙blwa:r] *m.*, **jabloire** [jɑ˙blwa:r] *f.* gergelijzer, gergelmes *o.*
jabot [jabo] *m.* **1** (*v. vogels*) krop *m.*; **2** (*v. hemd, enz.*) bef *v.(m.)*; ***faire* —,** een hoge borst zetten.
jabotage [jabòta:j] *m.* gebabbel, gesnap *o.*
jaboter [jabòté] *v.i.* babbelen, kletsen, kakelen.
jaboteur [jabòtœ:r] *m.* babbelaar *m.*
jacasse [jakas] *f.* **1** klappei *v.*, kletskous *v.(m.)*; **2** (*Dk.*) ekster *v.(m.)*.
jacasser [jakasé] *v.i.* **1** babbelen, kletsen; **2** (*v. ekster*) klappen.
jacasserie [jakasri] *f.* gebabbel, geklets, gesnater [o.
jacée [jasé] *f.* (*Pl.*) wilde amberbloem *v.(m.)*; knoopbloem *v.(m.)*, knoopkruid *o.*
jacent [jasã] *adj.* (*v. eigendom*) onbeheerd.
jachère [jaʃè:r] *v.* braakland *o.*; ***en* —,** braakliggend.
jachérer [jaʃéré] *v.t.* (*braakland*) omploegen.
jacinthe [jasẽ:t] *f.* hyacint *v.(m.)*.
Jacob [jakòb] *m.* Jacob (aartsvader) *m.*
jacobée [jakòbé] *f.* (*Pl.*) sint-jakobskruid *o.*
jacobin [jakòbẽ] *m.* (*gesch.*) Jacobijn *m.*
jacobinisme [jakòbinizm] *m.* jacobinisme, stelsel *o.* van de Jacobijnen.
jacobite [jakòbit] *m.* (*gesch.*) aanhanger *m.* van Jacobus II (v. Engeland).
jaconas [jakòna] *m.* jaconet, soort neteldoek *o.*
jacquard [jaka:r] *m.* weefgetouw *o.* (van Jacquard), jacquard-machine *v.*; ***couverture* —,** gebloemde beddedeken *v.(m.)*.
Jacqueline [jaklin] *f.* Jacoba *v.*
jacquerie [jakri] *f.* boerenopstand *m.* (in 1357).
Jacques [ja:k, jɑ:k] *m.* Jacob, Jacobus *m.*; ***un* —,** een dommerik, een botterik; ***faire le* —,** zich van de domme houden.
jacquet [jakè] *m.* **1** (*spel*) verkeerbord *o.*; **2** (*pop.*) eekhoorntje *o.*
jacquot [jako] *m.* lorre, papegaai *m.*
jactance [jaktɑ:s] *f.* grootspraak *v.(m.)*, snoeverij *v.*
jacter [jakté] *v.i.* praten, kletsen.
jacteur [jaktœ:r] *m.* prater, kletser *m.*
jaculatoire [jakülatwa:r] *adj.*, ***fontaine* —,** springfontein *v.(m.)*; ***prière* (*of* *oraison*) —,** schietgebed *o.*
jade [ja˙d] *m.* niersteen *m.*
jadis [jɑ˙dis] *adv.* eertijds, vroeger; ***au temps* —,** in de goede oude tijd.
jaguar [jag(w)a:r] *m.* jaguar *m.*
jaillir [jayi:r] *v.i.* **1** (*v. bron*) ontspringen; **2** (*v. vloeistof*) opspringen, spatten; **3** (*v. vlammen*) uitslaan, oplaaien; **4** (*fig.*) oplaaien, uitbarsten.
jaillissement [jayismã] *m.* **1** (het) opspringen *o.*; **2** (het) oplaaien *o.*
jais [jè] *m.* git *o.*; ***noir comme* —,** gitzwart.
jalap [jalap] *m.*, (*Pl.*) jalappe *m.*
jalon [jalõ] *m.* **1** bakenstok *m.*; **2** (*mil.*) richtvlag *v.(m.)*; **3** (*fig.*) richtsnoer, baken *o.*; ***planter les* —s,** de weg afbakenen.
jalonnement [jalònmã] *m.* afbakening, afpaling *v.*
jalonner [jalòné] **I** *v.i.* bakenstokken (*of* richtstokken) zetten; **II** *v.t.* afbakenen, afpalen.
jalousement [jalu˙zmã] *adv.* **1** jaloers, afgunstig, naijverig; **2** angstvallig.
jalouser [jalu˙zé] *v.t.* benijden, jaloers zijn op.
jalousie [jaluzi] *f.* **1** jaloersheid, afgunst *v.*, naijver *m.*; **2** (*voor raam*) jaloezie *v.*, zonneblind *o.*; **— *de métier*,** broodnijd *m.*
jaloux [jalu] *adj.* jaloers, afgunstig, naijverig; ***avec un soin* —,** met angstvallige zorg; **— *de sa liberté*,** zeer gehecht aan zijn vrijheid.
jamaïquain [jamaikẽ] *adj.* Jamaïcaans, uit Jamaïca.
Jamaïque, *la* — [lajamaik] Jamaïca *o.*
jamais [jamè] *adv.* **1** ooit, immer; **2** ***ne* —,** nooit, nimmer; ***à* —, *à tout* —, *pour* —,** voor altijd; ***au grand* —,** nooit in der eeuwigheid, nooit ofte nimmer.
jambage [jã˙ba:j] *m.* **1** (*v. letter*) neerhaal *m.*; **2** (*bouwk.*) steunmuur *m.*; **3** (*v. deur*) post, stijl *m.*; **4** (*v. venster*) kozijn *o.*; **— *de cheminée*,** schoorsteenverband *o.*
jambe [jã:b] *f.* **1** been *o.*; **2** (*v. paard, koe*) poot *m.*; **3** (*v. broek*) pijp *v.(m.)*; **4** (*v. passer, enz.*) been *o.*; **5** steun *m.*, schraag *v.(m.)*; **— *de force*,** (*bouwk.*) steunbalk *m.*; ***à mi-*—,** halverwege de knie; ***passer la — à qn.*,** iem. een beentje lichten; ***courir à toutes —s*,** benen maken, lopen zo hard als men kan; ***cela vous fera une belle* —,** daar schiet je ook niet veel mee op, daar kom je ook niet verder mee; ***jouer qn. par-dessous* —,** het gemakkelijk van iem. winnen; ***je n'ai plus de —s, j'ai les —s brisées*,** ik voel mijn benen niet meer; ***prendre ses —s à son cou*,** het op een lopen zetten; ***il a encore ses —s de quinze ans*,** hij is nog flink ter been; ***les —s me rentrent dans le corps*,** ik kan niet meer op mijn benen staan. [benen.
jambé [jã˙bé] *adj.*, ***bien* —,** met goed gevormde
jambette [jã˙bèt] *f.* **1** beentje *o.*; **2** (*fig.*) knipmes *o.*; ***donner la — à qn.*,** iem. een beentje lichten.
jambier [jã˙byé] **I** *adj.* been—; ***muscle* —,** beenspier *v.(m.)*; **II** *s., m.* **1** beenspier *v.(m.)*; **2** (*v. werkman*) knieleer *o.*; **3** slagersboom *m.*
jambière [jã˙byè:r] *f.* **1** beenstuk *o.*; **2** (*v. harnas*) scheenstuk *o.*
jambon [jã˙bõ] *m.* ham *v.(m.)*.
jambonneau [jã˙bòno] *m.* **1** hammetje *o.*; **2** (*pop.*) mandoline *v.*; gitaar *v.(m.)*.
janissaire [janisè:r] *m.* **1** janitsaar *m.* (lijfgarde v. de sultan); **2** (*fig.*) handlanger *m.*
jansénisme [jã˙sénizm] *m.* jansenisme *o.*, leer *v.(m.)* van Jansenius.
janséniste [jã˙sénist] *m.* jansenist *m.*
jante [jã˙t] *f.* velg *v.(m.)*.
janvier [jã˙vyé] *m.* januari *m.*
Japhet [jafèt] *m.* Japhet *m.*
Japon [japõ] *m.* Japan *o.*
japon [japõ] *adj.* Japans; ***du* —, 1** Japans porselein; **2** Japans papier. [Japanner *m.*
japonais [japònè] **I** *adj.* Japans; **II** *s., m.*, ***J*—,**
japonaiserie [japònèzeri], **japonerie** [japòneri] *f.* Japans kunstvoorwerp *o.* [Japannoloog *m.*
japoniste [japònist] *m.* kenner van het Japans,
jappement [japmã] *m.* gekef *o.*
japper [japé] *v.i.* keffen.
jappeur [japœ:r] *m.* keffer *m.*
jaque [jak] *f.* **1** (*gesch.*) kolder *m.*; **2** vrucht v. de broodboom. [uren slaat).
jaquemart [jakma:r] *m.* klokkeman *m.* (die de
jaquette [jakèt] *f.* **1** pandjesjas *m. en v.*; **2** kinderjurk *v.(m.)*; **3** boekomslag *m. en o.*

jaquier [jakyé] *m.* broodboom *m.*

jard [jar] *m.* borstelhaar *o.*

jarde [jard] *f.* hazespat *v.*(*m.*) (*v. paard*).

jardin [jardẽ] *m.* tuin *m.*; ***— botanique,*** kruidtuin, plantentuin *m.*; (*bij universiteit*) hortus *m.*; ***— fruitier,*** boomgaard *m.*; ***— potager,*** moestuin *m.*; ***— zoologique,*** dierentuin *m.*; ***— d'enfants,*** fröbelinrichting *v.*; (*B.*) kindertuin *m.*; ***les —s suspendus,*** (*gesch.*) de hangende tuinen.

jardinage [jardina:j] *m.* **1** tuinbouw *m.*; **2** (het) tuinieren *o.*; **3** (*in diamant*) vlek *v.*(*m.*); troebeling *v.*; ***instruments de —,*** tuingereedschap *o.*

jardiner [jardiné] *v.i.* tuinieren.

jardinet [jardinè] *m.* tuintje *o.*

jardineux [jardinö] *adj.* (*v. diamant*) troebel.

jardinier [jardinyé] *m.* tuinman, tuinier *m.*

jardinière [jardinyè:r] *f.* **1** bloementafel *v.*(*m.*); **2** bloemenbakje *o.*; **3** groentekar *v.*(*m.*); ***à la —,*** met allerlei groenten; ***potage à la —,*** groentesoep *v.*(*m.*).

jardiniste [jardinist] *m.* tuinarchitect *m.*

jargon [jargõ] *m.* **1** brabbeltaal *v.*(*m.*); **2** bargoens *o.*, dieventaal *v.*(*m.*); **3** vaktaal *v.*(*m.*); **4** gele diamant *m.*

jargonner [jargòné] *v.i.* **1** brabbelen, brabbeltaal spreken; **2** (*v. gans*) snateren.

Jarnac [jarnak] *m.*, ***coup de —,*** verraderlijke slag (steek *of* stoot) *m.*

jarre [ja:r] **I** *f.* (water)kruik *v.*(*m.*); ***— électrique,*** Leidse fles; **II** *m.* (*v. schapen*) zomerhaar *o.*

jarret [jarè] *m.* **1** knieboog *m.*; **2** (*v. dier*) sprong-gewricht *o.*; **3** (*fig.*; *tn.*) valse bocht *v.*(*m.*); ***plier le —,*** de knie buigen; ***être ferme sur les —s,*** vast op de benen staan; ***avoir des —s d'acier, avoir du —,*** onvermoeibaar zijn, sterke benen hebben. [benen.

jarreté [jarté] *adj.* met binnenwaarts gekeerde

jarretelle [jartèl] *v.* **1** kousophouder *m.*; **2** (*v. heren*) sokophouder *m.*

jarretière [jartyè:r] *f.* kouseband *m.*

jars [ja:r] *m.*, (*Dk.*) gent *m.* [*v.*(*m.*).

jas [jɑ] *m.* **1** (*sch.*) ankerstok *m.*; **2** (*pop.*) klets

jasement [jɑˑzmã] *m.* geklets *o.*

jaser [jɑˑzé] *v.i.* praten, babbelen, kletsen.

jaseran [jɑˑzrã], **jaseron** [jɑˑzrõ] *m.* **1** maliënkolder *m.*; **2** gouden schakelkettinkje *o.* of armband *m.*

jaserie [jɑˑzri] *f.* gebabbel, geklets *o.*

jaseron, *voir* ***jaseran.***

jaseur [jaˑzœ:r] **I** *m.* babbelaar *m.*, babbelkous *v.*(*m.*); **II** *adj.* babbelziek. [boksdoorn *m.*

jasmin [jazmẽ] *m.*, (*Pl.*) jasmijn *v.*(*m.*); ***— bâtard,***

jaspage [jaspa:j] *m.* imitatie *v.* van de jaspis.

jaspe [jasp] *m.* jaspis *m.* [kleurig.

jaspé [jaspé] *adj.* gespikkeld, gemarmerd, jaspis-

jasper [jaspé] *v.t.* bespikkelen, marmeren, jasperen.

jaspure [jaspü:r] *f.* marmering, jaspering *v.*

jatte [jat] *f.* nap *m.*, kom *v.*(*m.*).

jattée [jaté] *f.* nap *m.* vol, kom *v.*(*m.*) vol.

Jauche [jo:ʃ] Geten *o.*

jauge [jo:j] *f.* **1** maat, tonnenmaat *v.*(*m.*); **2** ijkmaat *v.*(*m.*), ijkstok *m.*; **3** (*v. timmerman*) maatstok *m.*; **4** meetschaal *v.*(*m.*); **5** diktepasser *m.*

jaugeage [joˑja:j] *m.* (het) ijken; (het) peilen; (het) bepalen *o.* v. de inhoud; tonnenmaat *v.*(*m.*).

jauger [joˑjé] *v.t.* meten; peilen; ijken; (*sch.*) een diepgang hebben van... [**2** wijnroeier *m.*

jaugeur [joˑjœ:r] *m.* **1** (*sch.*) scheepsmeter *m.*;

jaunâtre [joˑnɑ:tr] *adj.* geelachtig.

jaune [jo:n] **I** *adj.* **1** geel; **2** (*v. linnen*) ongebleekt; ***fièvre —,*** gele koorts; ***— comme un coing,*** zo geel als saffraan; **II** *adv.*, ***rire —,*** gedwongen lachen, lachen als een boer die kiespijn heeft; **III** *s.m.* **1** geel *o.*; **2** (*bij staking*) werkwillige, onderkruiper *m.*; **3** niet bij een vakvereniging aangeslotene *m.*; ***— d'œuf,*** eierdooier *m.*

jauneau [joˑno] *m.* (*Pl.*) speenkruid *o.*

jaunet [joˑnè] **I** *adj.* geelachtig; **II** *s.*, *m.*, (*fam.*) geeltje *o.* (goudstuk van 20 fr.).

jaunir [joˑni:r] **I** *v.t.* geel verven, geel maken; **II** *v.i.* geel worden.

jaunissant [joˑnisã] *adj.* geel wordend.

jaunisse [joˑnis] *f.*, (*gen.*) geelzucht *v.*(*m.*).

Java [java] *m.* Java *o.*; ***à —,*** op Java; ***j—,*** javakoffie *m.*

Javanais [javanè] **I** *m.* **1** Javaan *m.*; **2** (het) Javaans *o.*; **II** *adj.*, ***j—,*** Javaans.

javart [java:r] *m.* kootgezwel *o.* (v. paarden).

javeau [javo] *m.* aanslibbing, plaat *v.*(*m.*) (in rivier).

Javel, (***eau de —***) [(od)javèl] *f.* bleekwater *o.*

javelage [javla:j] *m.* (het) plaatsen *o.* van graan in zwaden.

javelé [javlé] *adj.* (*v. koren*) verregend.

javeler* [javlé] **I** *v.t.* (*koren, enz.*) aan zwaden leggen, uitspreiden; **II** *v.i.* **1** (*v. koren*) geel worden; **2** (*v. weefsels*) kunstmatig bleken.

javeleur [javlœ:r] *m.* zwadenmaker *m.*

javeline [javlin] *f.* korte werpspies *v.*(*m.*).

javelle [javèl] *f.* **1** (*v. koren*) zwade *v.*(*m.*); **2** (*v. brandhout*) bundel *m.*, bosje *o.*; ***eau de —,*** bleekwater *o.*

javelliser [javèliˑzé] *v.t.* chloreren. [speer *v.*(*m.*).

javelot [javlo] *m.* **1** (*mil.*) werpspies *v.*(*m.*); **2** (*sp.*)

jazz [djaz] *m.* jazz *m.*

je [je] *pron. pers.* ik.

Jean [jã] *m.* Jan, Johan(nes) *m.*; ***saint —-Baptiste,*** Johannes de Doper; ***saint — de Dieu,*** de H. Johannes de Deo.

jean-farine [jãˑfarin] *m.* hansworst *m.*

jean-foutre [jãˑfutr] *m.* uilskuiken *o.*

jean-jean [jãˑjã] *m.* sul, Joris Goedbloed *m.*

Jeanne [jan] *f.* Johanna *v.*

Jeannette [janèt] *f.* Jansje *o. en v.*; ***j—,*** **1** gouden kettinkje *o.* met kruis (halssieraad); **2** strijkplankje *o.*; **3** (*Pl.*) witte narcis *v.*(*m.*); **4** botaniseertrommel *m.*

Jeannot [jano] *m.* Jantje *m.*; ***j—,*** sul *m.*

jectisses [jèktis] *adj. f.pl.* omgewoeld; ***terres —,*** stortgrond *m.*; ***pierres —,*** (*bouwk.*) stenen om met de hand te leggen.

jeep [djip] *f.* jeep *m.*

jéjunum [jéjünòm] *m.* nuchtere darm *m.*

Jephté [jèfté] *m.* Jephta *m.* [jeremiade *v.*

jérémiade [jérémyaˑd] *f.* klaaglied, gejammer *o.*,

Jérémie [jérémi] *m.* Jeremia *m.*

Jéricho [jériko] *f.* Jericho *o.*

Jérôme [jéro:m] *m.* Hieronymus *m.*

jersey [jèrsè] *m.* jersey *m.*, lijfje *o.*

Jérusalem [jérüzalèm] *f.* Jeruzalem *o.*

jésuite [jézẅit] **I** *m.* jezuïet *m.*; **II** *adj.* jezuïetisch.

jésuitique [jézẅitik] *adj.* jezuïetisch.

jésuitisme [jézẅitizm] *m.* jezuïetisme *o.*, leer *v.*(*m.*) van de jezuïeten.

Jésus [jézü] *m.* Jezus *m.*; ***—-Christ,*** Jezus Christus; ***la Société de —,*** het Gezelschap Jesu, de orde van de jezuïeten; ***papier —,*** groot formaat papier (56 × 72 cm); ***petit —*** (55 × 70 cm); ***grand —,*** (56 × 76 cm).

jet [jè] *m.* **1** worp, gooi *m.*; **2** (*v. vloeistof*) scheut *m.*, gulp *v.*(*m.*); **3** straal *m.*; **4** (*Pl.*) loot *v.*(*m.*), uitspruitsel *o.*; **5** (het) gieten *o.* (in vorm); ***à — continu,*** doorstromend; ***d'un seul —,*** in ééns; ***— d'eau,*** waterstraal *m.*, springfontein *v.*(*m.*); ***— de***

lumière, lichtstraal *m.*; **— *de vapeur,*** stoomwolk *v.(m.)*; ***à un — de pierre,*** op een steenworp (afstand); ***premier —,*** eerste ontwerp; schets.

jetage [j(e)ta:j] *m.* (het) werpen, (het) gieten, enz.

jeté [j(e)té] *m.* danspas *m.*; **— *de lit,*** sprei *v.(m.)*.

jetée [j(e)té] *f.* **1** pier *m.*, havenhoofd *o.*; **2** (*op weg*) grintlaag *v.(m.)*; **— *promenade,*** wandelpier *m.*, wandelhoofd *o.*

jeter* [j(e)té] **I** *v.t.* **1** werpen, gooien; **2** (*met geweld*) smijten; **3** (*uit kar, zak*) storten; **4** weggooien, wegwerpen; **5** (*v. kreet*) slaken; **6** (*schrik, ontsteltenis, enz.*) verspreiden; **— *l'ancre,*** het anker laten vallen; **— *un pont,*** een brug slaan; **— *feu et flamme,*** vuur en vlam spuwen; **— *de la poudre aux yeux,*** zand in de ogen strooien; **— *sa langue aux chats,*** het opgeven; **— *les hauts cris,*** groot misbaar maken; te keer gaan; **— *un sort à qn.,*** iem. betoveren; **II** *v.i.* **1** lopen, etteren; **2** (*Pl.*) uitlopen; **III** *v.pr.*, ***se —,*** zich werpen, zich storten; ***se — au cou de qn.,*** iem. om de hals vallen; ***se — à l'eau,*** in het water springen, zich verdrinken; ***se — dans,*** (*v. stroom*) uitmonden in.

jeteur [j(e)tœ:r] *m.* werper *m.*; **— *de sorts,*** tovenaar, heksenmeester *m.*

jeton [j(e)tõ] *m.* fiche *o. en v.(m.)*, speelpenning *m.*; **— *de présence,*** presentiepenning; **— *de caisse,*** rekenpenning; ***il est faux comme un —,*** hij is de valsheid zelve, hij is zo vals als een kat.

jeu [jö] *m.* **1** spel *o.*; **2** speling *v.*; **3** (*v. machine*) gang *m.*, werking *v.*; **4** (*muz.*) register *o.*; **5** (*v. roeiriemen, zeilen, enz.*) stel *o.*; **— *d'enfant,*** kinderspel *o.*; **— *de dames,*** damspel *o.*; **— *d'échecs,*** schaakspel *o.*; **— *de paume,*** **1** kaatsbaan *v.(m.)*; **2** kaatsspel *o.*; **— *de quilles,*** **1** kegelbaan *v.(m.)*; **2** kegelspel *o.*; ***c'est vieux —,*** dat is ouderwets; **— *de mots,*** woordspeling *v.*; ***petits —x,*** (gezelschaps)spelletjes *mv.*; **— *concours,*** quiz *m.*; ***animateur de —,*** quizmaster *m.*; ***cacher*** (*of* ***couvrir***) ***son —,*** zich niet in de kaart laten kijken; ***faire le — de qn.,*** iem. in de kaart spelen, de belangen van iem. dienen; ***faire son —,*** inzetten; ***jouer gros —,*** **1** grof spelen; **2** (*fig.*) veel op het spel zetten; ***avoir beau —,*** vrij spel hebben; ***jouer le grand —,*** **1** alle registers uittrekken (van orgel); **2** (*fig.*) de uiterste middelen aanwenden; ***mettre en —,*** op het spel zetten; ***le — ne vaut pas la chandelle,*** het sop is de kool niet waard.

jeudi [jö'di] *m.* donderdag *m.*; **— *saint,*** Witte Donderdag; ***à la semaine des quatre —s,*** met sint-juttemis.

jeun, *à —* [ajœ̃] *adv.* nuchter.

jeune [jœn] **I** *adj.* **1** jong; **2** (*v. leeftijd, kleur*) jeugdig; ***Durand —,*** (*H.*) Durand junior; ***le — âge,*** de jeugd; **— *barbe,*** melkmuil, vlasbaard *m.*; **— *fille,*** meisje *o.*; **— *personne,*** jonge dame, jonge vrouw; **— *homme,*** jongmens; ***homme —,*** jonge man; ***les —s gens,*** de jongelui *mv.*; ***avoir son — homme,*** (*pop.*) aangeschoten zijn; ***il est plus — que son âge,*** hij ziet er jong uit; **II** *s., m.* **1** jongmens *o.*; **2** (*dichter, schilder, enz.*) jongere *m.*; **3** (*v. dier*) jong *o.*

jeûne [jœ:n, jö:n] *m.* vasten *m.*

jeunement [jœnmã] *adv.* onbezonnen.

jeûner [jœ'né, jö'né] *v.i.* vasten.

jeunesse [jœnès] *f.* **1** jeugd *v.(m.)*; **2** jeugdigheid *v.*; **3** jongelingschap *v.*, jongelieden *mv.*; ***il faut que — se passe,*** de jeugd moet uitrazen.

jeunet [jœnè] *adj.* piepjong.

jeûneur [jœ'nœ:r, jö'nœ:r] *m.* vaster *m.*

Jézabel [jézabèl] *f.* Jezabel *v.*

jiu-jitsu [jiujitsu] *m.* jioe-jitsoe *o.*, Japans worstelen.

Joachim [joakim] *m.* Jochem *m.*

joaillerie [jwa'yri] *f.* **1** juweliersvak *o.*, juwelierskunst *v.*; **2** juwelen *mv.*; **3** juwelenhandel *m.*

joaillier [jwa'yé] *m.* juwelier *m.*

job [jòb] *m.*, (*pop.*) kop *m.*; ***monter le — à qn.,*** iem. een poets bakken, iem. om de tuin leiden, iem. het hoofd op hol brengen.

jobard [jòba:r] *m.* uilskuiken *o.*, sul, hals *m.*

jobarder [jòbardé] *v.t.* beetnemen, bedotten, voor de gek houden.

jockey [jòkè] *m.* jockey *m.*

jocrisse [jòkris] *m.* sul *m.*, uilskuiken *o.*; onnozele, onhandige knecht *m.*

jodler [jòdlé] *v.i.* jodelen, joedelen.

Jodoigne [jòdòñ] *m.* Geldenaken *o.*

Jodoigne-Souveraine [jòdòñsuvrèn] *m.* Opgeldenaken *o.*

joie [jwa, jwa] *f.* vreugde, blijdschap *v.*; **— *de vivre,*** levensvreugde *v.*, levenslust *m.*; ***faire la — de,*** het geluk uitmaken van; een reden tot vreugde zijn voor; ***s'en donner à cœur —,*** zijn hart aan iets ophalen.

joignant [jwañã] **I** *adj.* aangrenzend, palend (aan); **II** *prép.* naast.

joindre* [jwẽ:dr] **I** *v.t.* **1** samenvoegen, bijeenvoegen; **2** verbinden, verenigen; **3** (*v. handen*) vouwen; **4** inhalen, zich voegen bij; **— *l'utile à l'agréable,*** het nuttige met het aangename verenigen; **— *les deux bouts,*** rondkomen, de eindjes aan elkaar knopen; ***se — à qn.,*** zich bij iem. aansluiten; **II** *v.i.* passen, aansluiten, (aan elkaar) sluiten.

joint [jwẽ] **I** *adj.* **1** bijeengevoegd, samengevoegd; **2** (*v. handen*) gevouwen; **3** (*v. voeten*) aaneengesloten; **II** *s. m.* **1** gewricht *o.*; **2** (*bouwk.*) voeg *v.(m.)*; **3** (*v. metalen*) las *v.(m.)*; **4** (*in rots*) spleet *v.(m.)*; ***trouver le —,*** de beste manier vinden om een zaak aan te pakken.

jointe [jwẽ:t] *f.* **1** (*v. paard*) koot *v.(m.)*; **2** (*bouwk.*) voeg *v.(m.)*.

jointé [jwẽ'té] *adj.* (*v. paard*), ***court —,*** kort gekoot.

jointée [jwẽ'té] *f.* twee bijeengenomen handen vol.

jointif [jwẽ'tif] *adj.* (*tn.*) aaneensluitend, vlak tegen elkaar.

jointoiement [jwẽ'twamã] *m.* **1** (het) voegen *o.*; **2** voegwerk *o.*

jointoyer [jwẽ'twayé] *v.t.* (*bouwk.*) voegen.

jointoyeur [jwẽ'twayœ:r] *m.* voeger *m.*

jointure [jwẽ'tü:r] *f.* **1** gewricht, gelid *o.*; **2** (*v. paard*) koot *v.(m.)*; **3** (*bouwk.*) voeg *v.(m.)*.

jole [jòl] *f.*, (*sch.*) jol *v.(m.)*.

joli [jòli] **I** *adj.* **1** mooi; **2** lief, aardig; **— *à croquer,*** snoezig, schattig; ***il fait —,*** het is mooi weer; **II** *s. m.* (het) mooie; (het) aardige *o.*; ***c'est du —!*** het is wat moois! ***le plus —, c'est que...,*** het mooiste van de zaak is, dat...

joliesse [jòlyès] *f.* mooiheid *v.*

joliet [jòlyè] *adj.* nogal mooi, — aardig.

joliment [jòlimã] *adv.* mooi, aardig; ***il a — raison,*** hij heeft schoon gelijk; ***il s'est — trompé,*** hij heeft zich lelijk vergist.

jolivété [jòli'vté] *f.* **1** aardigheid *v.*; **2** geestige inval *m.*; **3** snuisterij *v.*

Jonas [jònas] *m.* Jonas *m.*

jonc [jõ] *m.* bies *v.(m.)*; riet *o.*; ***canne de —,*** rotting *m.*

joncacées [jõ'kasé] *f.pl.* rietachtigen, rietachtige planten *mv.*

joncer [jõ'sé] *v.t.* (*v. stoel*) matten.

jonchaie [jõ'ʃè] *f.* biesbos *o.*; rietveld *o.*

jonchée [jõ'ʃé] *f.* **1** (*v. bloemen, groen, enz.*) strooisel *o.*; **— *de fleurs,*** gestrooide bloemen; **2** (*kaas*) hangop *m.*

joncher [jõ'ʃé] *v.t.* bestrooien, bezaaien, bedekken (met).

jonchère [jõ'ʃè:r] *f.* rietbos *o.*

jonchets [jõ'ʃè] *m.pl.* knibbelspel *o.*

jonction [jõ'ksyõ] *f.* **1** verbinding, samenvoeging *v.*; **2** aansluiting *v.*; **3** (*tn.*: *v. assen*) koppeling *v.*; **4** (*v. rails*) las *v.*(*m.*); ***point de —,*** verenigingspunt *o.*

jongler [jõ'glé] *v.i.* goochelen, jongleren; (*fig.*) ***— avec les chiffres,*** met de cijfers goochelen.

jonglerie [jõ'gleri] *f.* **1** goochelarij *v.*; goocheltoer *m.*; **2** (*fig.*) handigheid, schijnredenering *v.*

jongleur [jõglœ:r] *m.* **1** goochelaar *m.*; **2** bedrieger *m.*; **3** (*gesch.*) minnezanger *m.*

jonque [jõ:k] *f.* (*sch.*) jonk *m.*

jonquille [jõ:ki'y] **I** *f.* (*Pl.*) tijloos *v.*(*m.*); **II** *adj. et s. m.* geelwit (*o.*).

jordanais [jòrdanè] *adj.* Jordaans, uit Jordanië.

Jordanie, *la —* [lajòrdani], Jordanië *o.*

jordonne [jòrdòn] *m.-f.* albedil *m.-v.*

Joseph [jo'zèf] *m.* Jozef *m.*; ***papier —,*** zeer dun en licht papier.

Joséphine [jo'zéfin] *f.* **1** Jozefina *v.*; **2** (*mil.*) [bajonet *v.*(*m.*).

Josse [jòs] *m.* Jodocus, Joost *m.*

Josué [jo'züé] *m.* Jozua *m.*

jouable [jwa'bl] *adj.* speelbaar.

jouailler [jwa'yé] *v.i.* **1** om een kleine inzet spelen; **2** (*muz.*) slecht spelen; tokkelen.

joubarbe [jubarb] *f.* (*Pl.*) huislook *o.*; ***— des toits,*** daklook *o.*

joue [ju] *f.* wang *v.*(*m.*); ***mettre*** (*of* ***coucher***) ***en —,*** [aanleggen op.

jouée [jwé] *f.* vlucht *v.*(*m.*) (van deur of venster).

jouer [jwé] **I** *v.i.* **1** spelen; **2** speling hebben; **3** (*v. hout, enz.*) werken, zich bewegen; **4** (*v. fontein*) spuiten; ***— à la bourse,*** op de beurs spelen; speculeren; ***— aux cartes,*** kaarten; ***— aux dames,*** dammen; ***— aux échecs,*** schaken; ***— d'adresse,*** handig te werk gaan, zich door handigheid trachten te redden; ***— de malheur,*** pech hebben; ***— des jambes,*** benen maken; ***— serré,*** **1** voorzichtig spelen; **2** (*fig.*) zich niet blootgeven; ***— aux courses,*** wedden; ***— sur les mots,*** woordspelingen maken; ***— sur son ancre,*** (*sch.*) voor anker rijden, — drijven; ***— du pouce,*** dokken, afschuiven; ***— du violon (du piano, etc.),*** viool (piano, enz.) spelen; **II** *v.t.* **1** spelen; **2** (*kaart*) uitspelen; **3** (*fig.*) op het spel zetten; ***— un pion,*** een pion verzetten; ***— une pièce de théâtre,*** een toneelstuk opvoeren; ***— le tout pour le tout,*** alles op één kaart zetten, alles op het spel zetten; ***— qn.,*** iem. bedriegen, — beetnemen; ***— le grand seigneur,*** de grote heer uithangen; ***— gros jeu,*** **1** grof spelen; **2** (*fig.*) hoog spel spelen; **III** *v.pr.* ***se —,*** **1** spelen; **2** gespeeld worden; ***se — de,*** spotten met; ***faire qc. en se jouant,*** iets spelenderwijs doen; ***se — à qn.,*** het opnemen tegen iemand.

jouet [jwè] *m.* **1** (stuk) speelgoed *o.*; **2** (*fig.*) speel-[bal *m.*

joueur [jwœ:r] **I** *m.* speler *m.*; ***être beau —,*** goed tegen zijn verlies kunnen; ***— de bourse,*** beursspeculant *m.*; ***— d'orgue,*** orgeldraaier *m.*; **II** *adj.* speels; speelziek.

joufflu [juflü] *adj.* bolwangig.

joug [ju'g] *m.* **1** juk *o.*; **2** (*fig.*) dienstbaarheid, slavernij *v.*; ***secouer le —,*** het juk afschudden.

jougo-slave [jugòsla:v] *adj.* Joegoslavisch.

Jougo-slave [jugòsla:v] *m.* Joegoslaaf *m.*

joui(ll)ère [juyè:r] *f.* sluismuur, sluiswand *m.*

jouir [jwi:r] *v.i.* genieten; ***— de,*** genieten van, in het bezit zijn van.

jouissance [jwisã:s] *f.* **1** genot *o.*; **2** genieting *v.*; **3** (*v. vermogen*) vruchtgebruik *o.*; ***action de —,*** winstaandeel, winstbewijs *o.*; ***entrer en — de,*** de beschikking krijgen over.

jouisseur [jwisœ:r] *m.* genotzuchtig mens, pretmaker *m.*

joujou [juju] *m.* stuk speelgoed *o.*; ***des —x,*** speelgoed *o.*; ***faire —,*** spelen.

joule [jul] *m.* joule *m.* (eenheid van arbeid).

jour [ju:r] *m.* **1** dag *m.*; **2** (dag)licht *o.*; **3** opening *v.*, venster *o.* (vooral tussen twee kamers); ***— d'aplomb,*** bovenlicht *o.*; ***— d'escalier,*** binnenruimte van een wenteltrap; ***— de souffrance,*** venster in een scheidsmuur; ***faux —,*** vals licht; ***au grand —,*** op klaarlichte dag; ***se lever avant le —,*** voor dag en dauw opstaan; ***mettre à —,*** (*de boeken*) bijwerken; ***mettre au —,*** **1** aan 't licht brengen; **2** uitgeven; **3** bekend maken; ***tenir à —,*** (*de boeken*) bijhouden; ***vivre au — le —,*** van de hand in de tand leven, van de ene dag in de andere leven; ***au petit —,*** bij het aanbreken van de dag; ***un de ces —s,*** een van deze dagen; ***l'autre —,*** onlangs; ***de deux —s l'un,*** om de andere dag; ***du — au lendemain,*** ineens; ***— ouvrable,*** werkdag; ***— férié,*** (kerkelijke) feestdag; ***le — des morts,*** Allerzielen; ***de nos —s,*** heden ten dage; ***— pour —,*** op de dag af; ***— maigre,*** onthoudingsdag; ***—s de planche,*** (*sch.*) ligdagen; ***à huit —s de date,*** (*H.*) met acht dagen zicht; ***donner ses huit —s,*** de dienst opzeggen (*v. bediende*); ***être de —,*** dienst hebben; ***voir le —,*** **1** verschijnen; **2** geboren worden; ***il s'affaiblit d'un — à l'autre,*** hij wordt met de dag zwakker; ***dentelle à —,*** opengewerkte kant; ***travailler à —,*** openwerken; ***demain il fera —,*** morgen is er nog een dag; ***il fera beau — quand je ferai cela,*** je kunt nog lang wachten, vóór ik dat doe; ***les —s se suivent et ne se ressemblent pas,*** elke dag brengt weer wat anders; ***à chaque — suffit sa peine,*** geen zorgen vóór de tijd, elke dag heeft genoeg aan zijn eigen kwaad.

Jourdain [jurdẽ] *m.* Jordaan *m.*

journal [jurnal] *m.* **1** dagblad *o.*, krant *v.*(*m.*); **2** tijdschrift *o.*; **3** (*H.*) dagboek, journaal *o.*; ***— de bord,*** (*sch.*) scheepsjournaal *o.*; ***— de classe,*** klasseboek *o.*; ***— hebdomadaire,*** weekblad *o.*; ***— d'information,*** nieuwsblad *o.*; ***J— officiel,*** **1** staatscourant *v.*(*m.*); **2** (*B.*) staatsblad *o.*

journaleux [jurnalö] *m.*, (*ong.*) kranteman *m.*

journalier [jurnalyé] **I** *adj.* **1** dagelijks; **2** wisselvallig; **II** *s., m.* dagloner *m.*

journalisme [jurnalizm] *m.* **1** journalistiek *v.*; **2** de pers *v.*(*m.*); de dagbladen *mv.*

journaliste [jurnalist] *m.* journalist, dagbladschrijver *m.*

journée [jurné] *f.* **1** dag *m.*; **2** dagtaak *v.*(*m.*), dagwerk *o.*; **3** dagreis *v.*(*m.*); **4** dagloon *o.*; ***gagner de grosses —s,*** een hoog dagloon verdienen; ***aller en —, faire des —s,*** uit werken gaan; ***à la —,*** in daghuur; ***la — de huit heures,*** de achturige werkdag; ***la — de Waterloo,*** de slag bij Waterloo.

journellement [jurnèlmã] *adv.* dagelijks.

joute [jut] *f.* **1** (*gesch.*) (water)steekspel *o.*; **2** worstelstrijd *m.*, gevecht *o.*; **3** debat *o.*

jouter [juté] *v.i.* **1** (*gesch.*) een steekspel houden, in een steekspel vechten; **2** zich meten met; vechten.

jouteur [jutœ:r] *m.* **1** steekspeler *m.*; **2** tegenpartij *v.*; ***un rude —,*** een geduchte tegenstander.

Jouvence [juvã:s] *f.*, ***fontaine de —,*** verjongingsbron *v.*(*m.*).

jouvenceau [juvã'so] *m.* jongeling *m.*

jouxter [juksté] *v.t.* (*v. percelen*) liggen naast.

jovial [jòvyal] *adj.*, **jovialement** [jòvyalmã] *adv.* joviaal, gul; opgeruimd, blijmoedig.

jovialité [jòvyalité] *f.* jovialiteit, gulheid; opgeruimdheid *v.*

jovien [jòvyẽ] *adj.* van Jupiter.
joyau [jwayo] *m.* juweel, kleinood *o.*
joyeusement [jwayö'zmã] *adv.*, *voir* ***joyeux.***
joyeuseté [jwayö'zté] *f.* grap *v.*(*m.*), aardigheid *v.*
joyeux [jwayö] *adj.* vrolijk, blij, opgeruimd; heuglijk; ***joyeuse entrée,*** blijde intocht *m.*
jubé [jübé] *m.* oksaal, doksaal *o.*; ***venir à —,*** met hangende pootjes komen, zich onderwerpen.
jubilaire [jübilè:r] **I** *adj.* jubel—; ***année —,*** jubeljaar *o.*; ***prêtre —,*** priester-jubilaris; **II** *s. m.* jubilaris *m.*
jubilant [jübilã] *adj.* jubelend. [gejuich *o.*
jubilation [jübila'syõ] *f.* uitbundige blijdschap *v.*,
jubilé [jübilé] *m.* **1** jubelfeest; jubeljaar *o.*; **2** jubileum *o.*; ***gagner son —,*** de jubileumaflaat verdienen.
jubiler [jübilé] *v.i.* jubelen, juichen.
jucher [jüʃé] **I** *v.i.* (*v. vogels*) op een stok zitten, roesten; (*fig.*) ***— au quatrième,*** vier hoog wonen; **II** *v.t.* hoog plaatsen, ophijsen, optillen; **III** *v.pr.* ***se —,*** **1** (*v. kippen, enz.*) op stok gaan, rekken; **2** (*fig.*) hoog gaan wonen. [*en o.*, rek *o.*
juchoir [jüʃwa:r] *m.* stok, roeststok *m.*, roest *m.*
judaïque [jüdaik] *adj.* **1** joods; **2** (*fig.*) gehecht aan de letter; ***interprétation —,*** verklaring naar de letter.
judaïser [jüdai'zé] *v.i.* de joodse gebruiken volgen.
judaïsme [jüdaizm] *m.* jodendom *o.*, joodse godsdienst *m.*
Judas [jüda] *m.* **1** Judas *m.*; **2** (*fig.*) verrader *m.*; ***j—,*** kijkgat, kijkraampje *o.*
judasserie [jüdasri] *f.* judasstreek *m. en v.*
Judée [jüdé] *f.* Judea *o.* [lijk.
judéo-chrétien [judéòkré'tyẽ] *adj.* joods-christe-
judicature [jüdikatü:r] *f.*, (*oud*) rechtersambt *o.*
judiciaire [jüdisyè:r] *adj.* **1** (*macht, instelling*) rechterlijk; **2** (*onderzoek, vervolging*) gerechtelijk; ***combat —,*** (*gesch.*) godsgericht, gerechtelijk tweegevecht *o.*
judiciairement [jüdisyè'rmã] *adv.* gerechtelijk.
judicieux [jüdisyö] *adj.*, **judicieusement** [jüdisyö'zmã] *adv.* oordeelkundig, verstandig.
judo [jüdo] *m.* judo *o.*; ***prise de —,*** judogreep *m.*; ***pratiquer le —*** *of* ***faire du —,*** judoën.
judoka [jüdoka] *m.* beoefenaar *m.* van judo.
jugal [jügal] *adj.* de wang betreffend.
juge [jü:j] *m.* **1** rechter *m.*; **2** scheidsrechter *m.*; ***— de camp,*** kamprechter; ***— de paix,*** kantonrechter *m.*; vrederechter *m.*; ***— d'instruction,*** rechter van instructie; (*B.*) onderzoeksrechter; ***— criminel,*** strafrechter; ***être — et partie,*** rechter in eigen zaak zijn.
jugé [jü'jé] **I** *adj.* **1** beslist; **2** gevonnist; **II** *s., m.* ***au —,*** op de gis; ***le bien —,*** de billijke uitspraak.
jugeable [jü'ja'bl] *adj.* berechtbaar.
jugement [jü'jmã] *m.* **1** oordeel *o.*, mening *v.*; **2** vonnis *o.*, uitspraak *v.*(*m.*); **3** gezond oordeel *o.*; ***le dernier —,*** het Laatste Oordeel; ***prononcer un —,*** uitspraak doen, een vonnis vellen; ***perdre le —,*** zijn verstand verliezen.
jugeot(t)e [jü'jòt] *f.* gezond (mensen)verstand o., verstand *o.*, hersenen *mv.*; ***il a de la —,*** hij is niet dom.
juger [jü'jé] **I** *v.t.* **1** beoordelen; **2** oordelen; **3** uitspraak doen in, rechtspreken over, vonnissen; **4** menen, vinden, achten; ***la chose jugée,*** het gewijsde; **II** *v.i.* oordelen; ***à en — par,*** te oordelen naar; ***jugez de ma surprise,*** stel u mijn verbazing voor.
jugeur [jü'jœ:r] *m.* **1** oordeelveller, bediller *m.*; **2** rechtspreker *m.*
jugulaire [jügülè:r] **I** *adj.* van de keel, keel—; ***glande —,*** keelklier *v.*(*m.*); **II** *s. f.* **1** keelader *v.*(*m.*); **2** stormband *m.* (van soldatenhelm).
jugulant [jügülã] *adj.* (*pop.*) beroerd, vervelend.
juguler [jügülé] *v.t.* **1** worgen; **2** (*fig.*) smoren; **3** vervelen.
juif [jŵif] **I** *m.* **1** jood *m.*; **2** (*fig.*) woekeraar; afzetter *m.*; ***le — errant,*** de wandelende jood; **II** *adj.* joods.
juillet [jŵiyè, jü(l)yè] *m.* juli *m.*
juin [jwẽ] *m.* juni *m.*
juivrerie [jŵi'vri] *f.* **1** jodenstreek *m. en v.*, afzetterij *v.*; **2** de joden *mv.*, jodenkliek *v.*(*m.*); **3** (*oud*) jodenwijk, jodenbuurt *v.*(*m.*), ghetto *o.*
jujube [jüjüb] **I** *f.* rode borstbes *v.*(*m.*), jujube *m. en v.*; **II** *m.* borstdeeg o.
jujubier [jüjübyé] *m.* borstbezieboom *m.*
julep [jülèp] *m.* kalmerende drank *m.*
Jules [jül] *m.* Julius *m.*
Julie [jüli] *f.* Julia *v.*
Julien [jülyẽ] *m.* Julianus, Julius *m.*; ***Alpes —nes,*** Julische Alpen; ***j—,*** *adj.* (*v. tijdrekening*) Juliaans.
Julienne [jülyèn] *f.* Juliana *v.*; ***j—,*** **1** (*Pl.*) nachtviolier *v.*(*m.*); **2** groentesoep *v.*(*m.*).
Juliers [jülyé] *m.* Gulik *o.*
Juliette [jülyèt] *f.* Julia *v.*
jumeau [jümo] *adj.* (*f.* : ***jumelle*** [jümèl]) tweeling—; ***frère —,*** tweelingbroeder *m.*; ***sœur jumelle,*** tweelingzuster *v.*; ***trois —x, — jumelles,*** drieling *m.*; ***lits —x,*** twee bedden naast elkaar.
jumelage [jümela:j] *m.* het koppelen, in paren zetten *o.*
jumelé [jümlé] *adj.* paarsgewijze geplaatst.
jumeler [jümlé] *v.t.* koppelen, in paren zetten.
jumelle(s) [jümèl] **I** *f.* (*pl.*) **1** toneelkijker, verrekijker *m.*; **2** (*sch.*) zijschaal *v.*(*m.*), zijstuk *o.*; **II** *adj* *voir* ***jumeau.***
jument [jümã] *f.* merrie *v.*
jumping [jœ'pẽ] *m.* concours *o.* hippique.
jungle [jœ:gl] *f.* rimboe *v.*(*m.*), wildernis *v.*
junior [jüñòr] **I** *m.* junior *m.*; **II** *adj.* junior.
Junon [jünõ] *f.* Juno *v.*
junte [jõ:t] *f.* junta *v.* [rok *m.*
jupe [jüp] *f.* (vrouwen)rok *m.*; ***— fendue,*** broek-
jupe*-culotte* [jüpkülòt] *f.* broekrok *m.*
jupière [jüpyè:r] *f.* rokkennaaister *v.*
Jupin [jüpẽ] *m.* (*fam.*) Jupijn, Jupiter *m.*
Jupiter [jüpitè:r] *m.* Jupiter *m.*
jupon [jüpõ] *m.* onderrok; korte rok *m.*
Jura [jüra] *m.* Juragebergte *o.*
jurançon [jürã'sõ] *m.* wijn *m.* uit de Pyreneeën.
jurande [jürã:d] *f.* **1** ambt *o.* van gezworene; **2** raad *m.* van gezworenen.
Jurassien [jürasyẽ] *m.* Jurabewoner *m.*; ***j—,*** *adj.* van de Jura, Jura—. [matie.
jurassique [jürasik] *adj.* Jura—, van de Jurafor-
juratoire [jüratwa:r] *adj.* (*recht*) ***caution —,*** borgtocht *m.* onder eed.
Jurbise [jürbi:z] Jurbeke *o.*
juré [jü'ré] **I** *adj.* **1** beëdigd; **2** (*fig.*: *vijand, enz.*) gezworen; **II** *s. m.* gezworene *m.*, jurylid *o.*
jurement [jü'rmã] *m.* **1** (onnodige) eed *m.*, (het) zweren *o.*; **2** vloek *m.*
jurer [jü'ré] **I** *v.t.* **1** zweren; **2** bezweren; ***— le nom de Dieu,*** Gods naam ijdellijk gebruiken; ***— ses grands dieux,*** bij hoog en bij laag zweren; ***je n'oserais le —,*** ik zou er geen eed op durven doen; **II** *v.i.* **1** zweren, een eed doen; **2** (*fig.*) vloeken, afsteken bij; ***— comme un charretier,*** vloeken als een ketter; ***il ne faut — de rien,*** men weet nooit wat er nog gebeuren kan.
jureur [jü'rœ:r] *m.* **1** vloeker *m.*; **2** zweerder, eedaflegger *m.*

juridiction [jüridiksyõ] *f.* **1** rechtsbevoegdheid *v.*, rechtsmacht *v.(m.)*; **2** rechtsgebied *o.*; **3** (*kath.*) jurisdictie *v.* [gerechtelijk.
juridique(ment) [jüridikmã] *adj.* (*adv.*) juridisch,
jurisconsulte [jüriskõ'sült] *m.* rechtsgeleerde *m.*
jurisprudence [jürisprüdã:s] *f.* **1** rechtsgeleerdheid *v.*; **2** rechtspraak *v.(m.)*, jurisprudentie *v.*
juriste [jürist] *m.* jurist, rechtsgeleerde, schrijver *m.* over rechtsgeleerdheid.
juron [jü'rõ] *m.* vloek *m.*
jury [jü'ri] *m.* **1** rechtbank *v.(m.)* van gezworenen; **2** jury *v.(m.)*, commissie *v.* (van beoordeling); **3** examencommissie *v.*
jus [jü] *m.* sap, nat *o.*; ***— de réglisse,*** drop *v.(m.)* *en o.*; ***— de viande,*** vleesnat *o.*; ***— de la treille,*** druivesap *o.*; (*mil.*) koffie *m.*; ***c'est — vert et vert —,*** het is één pot nat.
jusant [jüzã] *m.* (*sch.*) eb *v.(m.)*.
jusque [jüske] *prép.* tot, tot aan; ***jusqu'ici,*** tot hier toe; ***j'en ai — là,*** ik heb er meer dan genoeg van; ***jusqu'à son propre frère,*** zelfs zijn eigen broer; ***jusqu'à ce que,*** *conj.* totdat.
jusquiame [jüskyam] *f.* **1** (*Pl.*) bilzenkruid *o.*; **2** vergif *o.* daaruit bereid.
jussion [jüsyõ] *f.* hoog bevel *o.* [*m. en v.*
justaucorps [jüstokò:r] *m.* nauwsluitende jas
Juste [jüst] *m.* Justus *m.*
juste [jüst] **I** *adj.* **1** rechtvaardig; **2** (*eis, beloning*) billijk, gegrond; **3** (*berekening*) juist, nauwkeurig; **4** (*term*) juist, geschikt; **5** (*v. tijd, gewicht, enz.*) juist, precies; **6** (*v. kleren*) passend, nauw; ***balance —,*** zuivere weegschaal; ***esprit —,*** gezond oordeel; ***— orgueil,*** rechtmatige trots; ***avoir l'oreille —,*** een fijn gehoor hebben; ***avoir le coup d'œil —,*** een scherpe blik hebben; ***comme de —,*** zoals billijk is; **II** *adv.* **1** juist; **2** nauwkeurig, precies; ***au —,*** nauwkeurig, precies; ***chanter —,*** zuiver zingen; ***c'est — ce que je cherchais,*** dat is net wat ik zocht; ***être chaussé —,*** nauwe schoenen dragen; **III** *s. m.* **1** (*persoon*) rechtvaardige *m.*; **2** (het) rechtvaardige *o.*; ***le — et l'injuste,*** recht en onrecht.
justement [jüstemã] *adv.* **1** (*handelen, enz.*) rechtvaardig; **2** (*beloond worden, enz.*) billijk; **3** terecht, op goede gronden; **4** juist, precies.
justesse [jüstès] *f.* juistheid, nauwkeurigheid *v.*; ***— de tir,*** (*mil.*) trefzekerheid *v.*; ***chanter avec —,*** zuiver zingen; ***de —,*** op het nippertje.
justice [jüstis] *f.* **1** rechtvaardigheid *v.*; **2** gerechtigheid *v.*; **3** recht, gerecht *o.*; **4** rechtspleging *v.*; ***cour de —,*** gerechtshof *o.*; ***rendre*** (*of* ***faire***) ***— à qn.,*** iem. recht laten wedervaren; ***ce n'est que —,*** het is maar billijk; ***en bonne —,*** in alle recht en billijkheid; ***repris de —,*** recidivist *m.*; ***traduire en —,*** voor het gerecht (*of* de rechtbank) dagen; ***faire — de,*** afrekenen met; ***rendre la —,*** recht spreken; ***c'est une — à lui rendre,*** dat moet men hem nageven; ***— de paix,*** kantongerecht; vredegerecht; ***bois de —,*** schavot *o.*
justiciable [jüstisya'bl] (***de***) **I** *adj.* onderworpen aan de rechtspraak (van); **II** *s. m.* justiciabele *m.*
justicier [jüstisyé] *m.* rechtsvoltrekker *m.*, handhaver *m.* van het recht.
justifiable [jüstifya'bl] *adj.* te rechtvaardigen.
justificatif [jüstifikatif] **I** *adj.* rechtvaardigend; ***pièce justificative,*** bewijsstuk *o.*; **II** *s. m.* **1** bewijsnummer *o.*; **2** bewijsstuk *o.*
justification [jüstifika'syõ] *f.* **1** rechtvaardiging *v.*; **2** (*drukk.*) regellengte, zetbreedte *v.*; ***— du tirage,*** waarmerk *o.* (van de oplage).
justifier [jüstifyé] **I** *v.t.* **1** rechtvaardigen; **2** wettigen; **3** bewijzen; **4** (*drukk.*) richten; **II** *v.i.* **1** ***— de,*** bewijzen; **2** rekenschap geven van; ***— de son identité,*** zijn identiteit bewijzen; ***— de son administration,*** rekenschap geven van zijn beheer; **III** *v.pr.* ***se —,*** **1** (*v. personen*) zich rechtvaardigen; **2** (*v. zaken*) gerechtvaardigd worden.
Justin [jüstẽ] *m.* Justinus *m.*
Justine [jüstin] *f.* Justine *v.*
Justinien [jüstinyẽ] *m.* Justinianus *m.*
jute [jüt] *m.* jute *v.(m.)* (*plant of weefsel*).
juter [jüté] *v.i.* sappig zijn. [dant *m.*
juteux [jütö] **I** *adj.* sappig; **II** *s. m.* (*mil.*) adju-
Jutland [jütlã'd] *m.* Jutland *o.*
Jutlandais [jütlã'dè] **I** *m.* Jutlander *m.*; **II** *adj.* ***j—,*** Jutlands.
juvenat [jüvéna] *m.* (*in klooster*) juvenaat *o.*
juvénile [jüvénil] *adj.* jeugdig.
juvenilia [jüvénilya] *m.pl.* jeugdwerk(en) *o.(mv.)*.
juvénilité [jüvénilité] *f.* jeugdigheid *v.*
juxtalinéaire [jükstalinéè:r] *adj.*, ***traduction —,*** vertaling *v.* naast de tekst. [plaatst.
juxtaposé [jükstapo'zé] *adj.* naast elkaar ge-
juxtaposer [jükstapo'zé] *v.t.* naast elkaar plaatsen.
juxtaposition [jükstapo'zisyõ] *f.* **1** nevenschikking, naastelkanderplaatsing *v.*; **2** aanhechting *v.*

K

K [ka] *m.* k *v.(m.)*. [byls.
Kabyle [kabil] **I** *m.* Kabyl *m.*; **II** *adj.*, ***k—,*** Ka-
kaïnite [kaynit] *f.* kaïniet *o.*
kajac, *voir* ***kayak.*** [kaketoe *m.*
kakatoès, cacatoès [kakatwa, kakatòès] *m.*
kakémono [kakémono] *m.* Japanse schildering *v.* op papier.
kaki [kaki] **I** *m.* kaki *o.*; **II** *adj.* kakikleurig.
kaléidoscope [kaléidòskòp] *m.* caleidoscoop *m.*
kaléidoscopique [kaléidòskòpik] *adj.* caleidoscopisch.
kali [kali] *m.* loogzout *o.*, potas *v.(m.)*.
Kalmouk [kalmuk] *m.* Kalmuk *m.*
kan, kanat, *voir* ***khan, khanat.*** [*m.*
kandj(i)ar, kangiar [kã'dyar] *m.* Oosterse dolk
kangourou [kã'guru] *m.* kangoeroe *m.*
kantien [kã'tyẽ] *adj.* Kantiaans, van Kant.
kantiste [kã'tist] *m.* Kantiaan *m.*
kaolin [kaòlẽ] *m.* (Chinese) porseleinaarde *v.(m.)*, kaolien *o.*
kart [ka't] *m.* skelter *m.*; ***course de —s,*** skelteren *o.*
karting [ka'tẽ] *m.* skelteren *o.*; ***faire du —,*** skelteren.
kascher, kasher, *voir* ***cawcher.***
Kattégat [katégat] *m.* Kattegat *o.*
kayak, kayac, kajac [kayak] *m.* kajak *m.*, Eskimo-boot *m. en v.*
keepsake [kipsék] *m.* souvenir-album *o.*
Kenia, Kenya [kénya] *m.* Kenya *o.*
kénotron [kénotrõ] *m.* kenotron *o.*
Kenya, *voir* ***Kénia.***
képi [képi] *m.* kepi *m.*; uniformpet *v.(m.)*.
kératine [kératin] *f.* keratine *v.*, hoornstof *v.(m.)*.
kératite [kératit] *f.* hoornvliesontsteking *v.*
kermès [kèrmès] *m.* **1** (*Dk.*) kermes *v.(m.)*; **2** (*Pl.*) scharlakenbes *v.(m.)*.

kermesse [kèrmès] *f.* kermis *v.(m.)*; — ***d'été,*** weldadigheidsfeest *o.*
kérosène [kérozèn] *m.* kerosine *v.*
khamsin [kã'sẽ] *m.* droge zuidenwind *m.* in Egypte.
khan [kã] *m.* kan (Tartaars vorst) *m.*
khanat [kã'na] *m.* gebied *o.* van een kan.
khédive [kédi:v] *m.* kedive *m.* (onderkoning van Egypte).
kidnapper [kidnapé] *v.t.* kidnappen.
kif-kif [kifkif] **I** *m.* kakkerlak *m.*; **II** *adv.* van 't zelfde, precies eender.
kilo [kilo] *m.* kilo *o.*; (*pop.*) liter *m.*
kilogramme [kilògram] *m.* kilogram *o.*
kilolitre [kilòlitr] *m.* kiloliter *m.*
kilométrage [kilòmétra:j] *m.* **1** kilometertal *o.*; **2** het voorzien van km-paaltjes; ***long —,*** hoog aantal kilometers.
kilomètre [kilòmè'tr] *m.* kilometer *m.*
kilométrique [kilòmé'trik] *adj.* kilometer—; ***borne —,*** kilometerpaal *m.*; ***prix —,*** (*spoorw.*) prijs per kilometer.
kilowatt [kilòwat] *m.* kilowatt *m.*
kilowattheure [kilòwatœ:r] *m.* kilowattuur *o.*
kilt [kilt] *m.* kilt *m.*
kimono [kimòno] *m.* kimono *m.*
kiosque [kyòsk] *m.* **1** (open) tent; muziektent *v.(m.)*; **2** kiosk *v.(m.)*.
kirsch [kirʃ] *m.* kirsch, kersenbrandewijn *m.*
klaxon [klaksõ] *m.* autotoeter, claxon *m.*; — ***d'alarme,*** alarmclaxon *m.*
kléban [klébã] *m.* klewang *m.*
kleptomane [klèptòman] *m.-f.* kleptomaan *m.-v.*, lijder(es) *m.* (*v.*) aan steelzucht.
kleptomanie [klèptòmani] *f.* kleptomanie *v.*, steelzucht *v.(m.)*.
knock-out [nòkaut] **I** *m.* knock-out *m.*; **II** *adj.* [knock-out.
knout [knut] *m.* knoet *m.*
kodak [kòdak] *m.* kodak *m.*, kiektoestel *o.*
kola, cola [kòla] **1** *m.* kolaboom *m.*; **2** *v.* kolanoot *v.(m.)*.
kolkhoze [kòlko:z] *m.* kolchose *v.*
kopeck [kòpèk] *m.* kopek(e) *m.*
korrigan [kòrigã] *m.* Bretonse kwelgeest *m.*
kouglof [kuglòf], **gougelhof, kougelhof** *m.* gebak *o.* uit de Elzas.
Kourde [kurd] **I** *m.* Koerde *m.*; **II** *adj.*, **k—,** [Koerdisch.
Kourdistan [kurdistã] *m.* Koerdistan *m.*
Koweït, Kuwait [kò'wéit] *m.* Koeweit *o.*
kraâl [kral] *m.* kraal *v.(m.)*.
krach [krak] *m.* handelscrisis *v.*; val *m.* van grote onderneming(en); financiële ramp *v.(m.)*.
kraft [kraft] *m.* sterk pakpapier *o.*
kriss [kris] *m.* kris *v.(m.)*.
kummel [kümèl] *m.* kummel *m.*
Kuwait, *voir* ***Koweït.***
kymrique [kimrik] *adj.* Keltisch.
kyrielle [kiryèl] *f.* reeks, rist *v.(m.)*, sleep *m.*
kyste [kist] *m.* blaasgezwel, kliergezwel *o.*
kysteux [kistö], **kystique** [kistik] *adj.* blaasgezwelachtig.

L

l [èl] *f.* l *v.(m.)*.
la [la] **I** *art. déf.* de *m.* *en* *v.*; het *o.*; **II** *pr.pers.* hem *m.*; haar, ze *v.*; het *o.*; **III** *s. m.*, (*muz.*) la, a *v.(m.)*; ***donner le —,*** **1** (*muz.*) de la aangeven; **2** (*fig.*) de toon aangeven.
là [la] **I** *adv.* daar, ginds; ***par —,*** **1** (*plaats*) daarlangs, daarheen; **2** (*middel, oorzaak*) daardoor, daarmee, op die manier; ***qu'entendez-vous par —?*** wat wil je daarmee zeggen? ***à quelque temps de —,*** enige tijd later; ***il n'est pas —,*** hij is er niet; ***arrêtons-nous —,*** wij zullen het daarbij laten; **II** *ij.* zo! daar! —, —, kom, kom! nu, nu!
labadens [labadã's] *m.* reünist *m.*
labarum [labaròm] *m.* labarum *o.*
là-bas [labɑ] *adv.* daar, daarginds, ginder.
label [labèl] *m.* etiket *o.*
labelle [labèl] *f.* **1** (*Pl.*: *v. bloem*) onderlip *v.(m.)*; **2** (*v. schip*) opstaande rand *m.*
labeur [labœ:r] *m.* zware arbeid *m.*; ***bête de —,*** werkdier *o.*; ***terres en —,*** beploegde landen.
labial [labyal] **I** *adj.* van de lippen, lip—; ***son —,*** lipklank *m.*; ***lettre —e,*** lipletter *v.(m.)*; **II** *s. f.* **—e,** lipletter *v.(m.)*. [*v.* (van klinkers).
labialisation [labyalizɑ'syõ] *f.* (*taalk.*) ronding
labialiser [labyali'zé] *v.t.* (*v. klinker*) ronden.
labié [labyé] **I** *adj.* (*Pl.*) lipvormig; **II** *s. f.*, **—e,** *f.* lipbloem *v.(m.)*. [wankel.
labile [labil] *adj.* **1** licht afvallend; **2** onvast,
laborantine [labòrãtin] *f.* analiste, laborante *v.*
laboratoire [labòratwa:r] *m.* laboratorium *o.*, werkplaats *v.(m.)*; — ***d'essais,*** proefstation *o.*
laborieusement [labòryö'zmã] *adv.* met veel moeite; moeizaam.
laborieux [labòryö] *adj.* **1** (*v. persoon*) werkzaam, vlijtig; **2** (*v. werk*) zwaar; **3** (*v. onderzoek, spijsvertering*) moeilijk; ***les classes laborieuses,*** de arbeidersklasse *v.*, de werkende stand *m.*
labour [labu:r] *m.* **1** (het) omploegen *o.*; **2** (het) omspitten *o.*; ***cheval de —,*** ploegpaard *o.*; ***terre de —,*** geploegd veld.
labourable [labu'ra'bl] *adj.* beploegbaar; ***terre —,*** bouwland *o.*
labourage [labu'ra:j] *m.* **1** (het) omploegen *o.*; **2** (het) omspitten *o.*; **3** akkerbouw *m.*
labourer [labu'ré] *v.t.* **1** beploegen; **2** omspitten; **3** bebouwen, (grond) bewerken, enz.; **4** openrijten, openkrabben; **5** (*fig.*) omwerken, bearbeiden; — ***le fond,*** (*sch.*: *v. anker*) slepen.
laboureur [labu'rœ:r] *m.* landbouwer, boer *m.*
laboureuse [labu'rö:z] *f.* stoomploeg *m.* *en* *v.*
labre [la:br] *m.* (*v. zoogdieren*) bovenlip *v.(m.)*.
labyrinthe [labirẽ:t] *m.* doolhof *m.*
labyrinthique [labirẽ'tik] *adj.* doolhofachtig.
lac [lak] *m.* meer *o.*; — ***des Quatre Cantons,*** Vierwoudstedenmeer; — ***Léman,*** meer van Genève; — ***salant,*** zoutmeer; ***être dans le —,*** (*pop.*) in 't water gevallen zijn.
laçage [lasa:j] *m.* (het) rijgen *o.*
lacé [lasé] *m.* glassnoer *o.* (versiering aan luchter).
Lacédémone [lasédémòn] *f.* Lacedemonië (Sparta) *o.*
Lacédémonien [lasédémònyẽ] **I** *m.* Lacedemoniër *m.*; **II** *adj.*, **l—,** Lacedemonisch, Spartaans.
lacer [lɑ'sé] **I** *v.t.* **1** dichtrijgen, (dicht)snoeren; **2** (*v. netten*) mazen; **II** *v.pr.*, ***se —,*** zich inrijgen.
lacérable [laséra'bl] *adj.* te verscheuren.
lacération [laséra'syõ] *f.* verscheuring *v.*, (het) verscheuren *o.*
lacérer [lasérè] *v.t.* verscheuren.
lacerie [lɑ'sri] *f.* fijn vlechtwerk *o.*

laceron [lasrõ] *m.* (*Pl.*) melkdistel *m. en v.*
lacet [la'sè] *m.* **1** veter *m.*; **2** rijgsnoer *o.*; **3** (*jacht*) strik *m.*; **4** (*tn.*: *v. scharnier*) pin *v.*(*m.*), scharnierstift *v.*(*m.*); **5** (*v. weg*) kronkeling *v.*, zigzaglijn *v.*(*m.*); **6** (*v. trein*) slingering *v.*, (het) slingeren *o.*; ***prendre au* —,** (*v. wild*) strikken, stroppen.
laceur [la'sœ:r] *m.* nettenbreier *m.*
lâchage [la'ʃa:ʒ] *m.* **1** (het) loslaten *o.*; **2** (het) in de steek laten.
lâche [la'ʃ] **I** *adj.* **1** laf, lafhartig; **2** (*v. knoop, weefsel*) los; **3** slap (niet gespannen); **4** (*v. stijl*) waterig; **5** vadsig, loom; **II** *s., m.* lafaard *m.*
lâché [la'ʃé] *adj.* slordig.
lâchement [la'ʃmã] *adv.* **1** laf, lafhartig; **2** vadsig; ***travailler* —,** vadsig werken.
lâcher [la'ʃé] **I** *v.t.* **1** loslaten; **2** (*v. schoenen*) losrijgen; **3** (*teugel, touw*) vieren; **4** laten schieten; **5** laten varen; **— *de l'eau*,** (*kraan, sluis*) water lozen; **— *des pigeons*,** duiven oplaten; **— *la vapeur*,** (*v. locomotief*) de stoom afblazen; **— *prise*, 1** (*v. prooi, enz.*) loslaten; **2** (*fig.*) het opgeven; **— *pied*, 1** wijken, toegeven, terugdeinzen; **2** er van door gaan; **— *une écluse*,** een sluis openzetten; **— *la bride à qn.*,** iem. de vrije teugel laten; **— *une parole*,** zich een woord laten ontvallen; **— *une sottise*,** er een dwaasheid uitflappen; **— *le mot*,** het beslissende woord spreken; **— *la couleur*,** afgeven; **— *la rampe*,** (*pop.*) het hoekje omgaan, sterven; **II** *v.i.* **1** (*v. knoop*) losgaan; **2** (*v. geweer*) afgaan.
lâcheté [la'ʃté] *f.* lafheid, lafhartigheid; laagheid *v.*
lâcheur [la'ʃœ:r] *m.* **1** uitknijper *m.*; **2** spelbreker *m.*
lacinié [lasinyé] *adj.* (*Pl.*) slipvormig.
lacis [la'si] *m.* maaswerk, netwerk *o.*
Laconie [lakòni] *f.* Laconië *o.*
laconien [lakònyẽ] *adj.* Laconisch.
laconique(ment) [lakònik(mã)] *adj.* (*adv.*) laconiek.
laconisme [lakònizm] *m.* beknoptheid *v.*
là-contre [lakõ:tr] *adv.* daartegen.
lacrymal [lakrimal] *adj.* traan—; ***canal* —,** traanbuis *v.*(*m.*); ***glande* —*e*,** traanklier *v.*(*m.*).
lacrymatoire [lakrimatwa:r] **I** *m.* (*oudh.*) tranenkruik, tranenvaas *v.*(*m.*); **II** *adj.*, ***urne* —,** traanurn, tranenkruik *v.*(*m.*).
lacrymogène [lakrimòjè:n] *adj.* tranenverwekkend; ***obus* —,** (*mil.*) traanbom *v.*(*m.*); ***gaz* —,** traangas *o.*
lacs [la] *m.* **1** strik *m.*, vogelnet *o.*; **2** valstrik *m.*; ***tomber dans le* —,** in de val lopen; ***tomber dans les* — *de qn.*,** in iemands netten verstrikt raken.
lactaire [laktè:r] *adj.* melk—; ***conduits* —*s*,** melkwegen.
lactate [laktat] *m.* zout *o.* van melkzuur.
lactation [lakta'syõ] *f.* **1** melkafscheiding *v.*; **2** (het) zogen *o.*, borstvoeding *v.*
lacté [lakté] *adj.* melk—; ***régime* —,** melkdieet *o.*; ***veines* —*es*,** melkvaten *mv.*; ***la Voie* —*e*,** (*sterr.*) de Melkweg *m.*
lactescence [laktèsã:s] *f.* melkachtigheid *v.*
lactescent [laktèsã] *adj.* melkachtig.
lactifère [laktifè:r] *adj.* melk—, melkhoudend; ***conduits* —*s*,** melkwegen.
lactine [laktin] *f.* melksuiker *m*
lactique [laktik] *adj.*, ***acide* —,** melkzuur *o.*; ***ferment* —,** melkferment *o.*
lactomètre [laktòmè'tr] *m.* melkweger *m.*
lactoscope [laktòskòp] *m.* melkweger *m.*
lactoscopie [laktòskòpi] *f.* melkonderzoek *o.*
lactose [lakto:z] *f.* melksuiker *m*
lacune [lakün] *f.* **1** leemte *v.*; **2** (*in tekst*) gaping *v.*; **3** (*in weefsel*) opening, holte *v.*; ***combler une* —,** een leemte aanvullen.
lacuneux [lakünö] *adj.* met leemten.
lacustre [laküstr] *adj.* meer—; in meren levend (*of* groeiend); ***plante* —,** meerplant *v.*(*m.*); ***habitations* —*s*,** paalwoningen *mv.*
lad [lad] *m.* (bij wedrennen) staljongen *m.*
ladanum [ladanòm] *m.* gomhars *o. en m.*
là-dedans [lad(e)dã] *adv.* daarin.
là-dessous [lad(e)su] *adv.* daaronder.
là-dessus [lad(e)sü] *adv.* **1** daarboven; **2** (*tijd*) daarna, daarop; **— *il partit*,** daarna (*of* daarop) vertrok hij.
ladre [la'dr] **I** *adj.* **1** schriel, vrekkig; **2** (*verouderd*) melaats; **II** *s., m.* vrek *m.*
ladrerie [la'dreri] *f.* vrekkigheid, schrielheid *v.*
lady [lédi] *f.* lady *v.*
Laeken [la'kèn] Laken *o.*
lagon [lagõ] *m.* binnenwater *o.* van een atol.
lagopède [lagòpè'd] *m.*, (*Dk.*) sneeuwhoen *o.*
lagophtalmie [lagòftalmi] *f.* (*gen.*) hazeoog *o.*
lagostome [lagòsto:m] *m.* (*gen.*) hazelip *v.*(*m.*).
lagune [lagün] *f.* lagune *v.*(*m.*), kustmeer, strandmeer *o.*
là-haut [la(h)o] *adv.* daarboven.
lai [lè] **I** *m.* leek *m.*; **II** *adj.* leke—; wereldlijk; ***frère* —,** lekebroeder.
laïc [laik] **I** *m.* leek *m.*; **II** *adj.* leke—, wereldlijk.
laîche [lèʃ] *f.*, (*Pl.*) zegge *v.*(*m.*).
laïcisation [laisiza'syõ] *f.* (het) verwereldlijken *o.*
laïciser [laisi'zé] *v.t.* verwereldlijken, wereldlijk maken.
laïcité [laisité] *f.* (*v. school, enz.*) wereldlijk karakter *o.*, onzijdigheid *v.*
laid [lè] **I** *adj.* lelijk; **— *à faire peur*,** lelijk als de nacht, te lelijk om te helpen donderen; ***voir les choses en* —,** de dingen van de lelijke zijde bezien; **II** *s., m.* lelijkerd *m.*
laidement [lè'dmã] *adv.* lelijk.
laideron [lè'drõ] *f.-m.* lelijkerd *v.-m.* (vooral van vrouw of meisje).
laideur [lè'dœ:r] *f.* lelijkheid *v.*
laie [lè] *f.* **1** wilde zeug *v.*; **2** (*tn.*) getande hamer, steenhouwershamer *m.*; **3** (*muz.*) orgelkast *v.*(*m.*).
lainage [lè'na:j] *m.* **1** wollen stof *v.*(*m.*); **2** schapevacht *v.*(*m.*); **3** kaarding *v.*
laine [lè'n] *f.* **1** wol *v.*(*m.*); **2** wollig plantehaar *o.*; **— *à carder*,** kaardwol; **— *courte*,** lakenwol; **— *de bois*,** houtwol; **— *de nettoyage*,** poetskatoen *o. en m.*; ***fil de* —,** wolgaren *o.*; **— *longue*,** kamwol; ***bêtes à* —,** wolvee *o.*; ***couper la* — *sur le dos à qn.*,** van iem. halen wat er te halen is; ***se laisser manger la* — *sur le dos*,** zich de kaas van 't brood laten eten; zich laten villen.
lainer [lè'né] *v.t.* (laken) kaarden, — rouwen.
lainerie [lè'nri] *f.* **1** wolhandel *m.*; **2** wolindustrie *v.*; **3** wolfabriek *v.*; **4** wollen goed *o.*, wollen stoffen *mv.*; **5** schaapscheerderij *v.*
lainette [lè'nèt] *f.* **1** (*Pl.*) wolmos *o.*; **2** wolachtige stof *v.*(*m.*).
laineur [lè'nœ:r] *m.* wolkaarder, (laken)rouwer *m.*
laineuse [lè'nö:z] *f.* **1** (*tn.*) kaardmachine *v.*; **2** wolkaardster *v.*
laineux [lè'nö] *adj.* wollig.
lainier [lè'nyé] **I** *adj.* wol—; ***industrie lainière*,** wolindustrie *v.*; **II** *s. m.* **1** wolhandelaar *m.*; **2** rouwer *m.*
laïque [laik] **I** *adj.* wereldlijk, leke—; **II** *s. m.* leek *m.*
lais [lè] *m.* **1** overblijvende boom *m.* (bij het kappen); **2** aanslibbing *v.*
laisse [lè:s] *f.* **1** koppelriem *m.*; **2** leiband *m.*; **3** hoedekoord *o. en v.*(*m.*); ***une* — *de lévriers*,** een koppel hazewinden; ***tenir en* —,** (*v. hond*) vasthouden; ***mener qn. en* —,** iem. aan de leiband laten lopen.
laissé*-pour-compte [lè'sépurkõ:t] *m.* niet afgehaalde bestelling *v.*, geweigerd artikel *o.*

laisser [lè'sé] *v.t.* **1** laten; **2** nalaten, achterlaten; **3** laten staan, laten liggen; **4** verlaten; **5** (*v. bezoeker*) alleen laten; — ***faire,*** laten begaan; — ***aller les choses,*** de zaken maar op hun beloop laten; — ***là,*** **1** in de steek laten; **2** laten rusten; — ***tranquille,*** met rust laten; — ***à désirer,*** te wensen overlaten; ***y — sa vie,*** er zijn leven bij inschieten; — ***en blanc,*** openlaten; — ***en chemin,*** achterlaten, onderweg laten liggen; — ***pour mort,*** voor dood laten liggen; — ***passer,*** doorlaten; ***cela ne laisse pas d'être vrai,*** toch is het waar; — ***de côté,*** **1** links laten liggen; **2** terzijde laten.
laisser-aller [lè'séalé] *m.* **1** zorgeloosheid; slordigheid *v.*; **2** ongedwongenheid *v.*
laissez-passer [lè'sépa'sé] *m.* **1** toegangsbewijs *o.*; vrijgeleide *o.*; **2** (*v. goederen*) geleibiljet *o.*
lait [lè] *m.* melk *v.*(*m.*); — ***battu,*** karnemelk; — ***caillé,*** zure melk; — ***coupé,*** melk en water; ***petit —,*** wei, hui *v.*(*m.*); — ***de chaux,*** kalkmelk; ***battre du —,*** karnen; ***vache à —,*** melkkoe *v.*; ***dent de —,*** melktand *m.*; — ***de poule,*** eierdooier in melk geklopt; ***le — tourne,*** de melk wordt zuur.
laitage [lè'ta:j] *m.* **1** zuivel *m. of o.*; **2** melkspijs *v.*(*m.*).
laitance [lè'tã:s], **laite** [lè't] *f.* hom *v.*(*m.*) (van vis).
laité [lè'té] *adj.* (*v. vis*) met hom.
laiterie [lè'tri] *f.* **1** melkerij *v.*; **2** melkinrichting *v.*, melksalon *m. en o.*
laiteron [lè'trõ] *m.* (*Pl.*) melkdistel *m. en v.*
laiteux [lè'tö] *adj.* melkachtig; melkkleurig; ***blanc —,*** melkwit; ***verre —,*** melkglas *o.*
laitier [lè'tyé] *m.* **1** melkboer *m.*; **2** metaalschuim [*o.*
laitière [lè'tyè:r] **I** *f.* **1** melkmeisje *o.*; **2** melkgevende koe *v.*; **II** *adj.*, ***vache —,*** melkkoe *v.*
laiton [lè'tõ] *m.* geel koper, messing *o.*; — ***rouge,*** tombak *o.*; ***fil de —,*** messingdraad *m.*
laitonner [lè'tòné] *v.t.* **1** verkoperen; **2** met messingdraad opmaken, van koperdraad voorzien.
laitue [lè'tü] *f.* (*Pl.*) latuw *v.*(*m.*); — ***pommée,*** kropsla *v.*(*m.*).
laïus [layüs] *m.*, (*pop.*) speech *m.*; ***piquer un —,*** een speech afsteken.
laize [lè:z] *f.* **1** (*v. stof, papierrol*) breedte *v.*; **2** (*v. zeil*) baan *v.*(*m.*).
lalopathie [lalòpati] *f.* spraakstoornis *v.*
lama [lama] *m.* **1** Tibetaans (Boeddha)priester, lama *m.*; **2** (*Dk.*) lama *m.*, schaapkameel *m.*
lamanage [lamana:j] *m.* **1** loodsdienst *m.*, loodswezen *o.*; **2** loodsgeld *o.*; **3** (het) loodsen *o.*
lamaneur [lamanœ:r] *m.* havenloods *m.*
lamantin [lamã'tẽ] *m.* zeekoe *v.*
lamaserie [lama'zri] *f.* lamaklooster *o.* (in Tibet).
lambeau [lã'bo] *m.* lap *m.*, lomp *v.*(*m.*); ***en —x,*** aan flarden.
Lambert [lã'bè:r] *m.* Lambertus *m.*
lambic [lã'bik] *m.* lambiek *m.*
lambin [lã'bẽ] **I** *m.* treuzelaar, talmer *m.*; **II** *adj.* treuzelachtig, talmend.
lambiner [lã'biné] *v.t.* treuzelen, talmen.
lambinerie [lã'binri] *f.* getreuzel, getalm *o.*
lambourde [lã'burd] *f.* **1** vloerrib *v.*(*m.*); — ***de plafond,*** zolderrib *v.*(*m.*); **2** zachte kalksteen *m.*
lambrequin [lã'brekẽ] *m.* **1** lambrekijn *m.*, topversiering *v.* (*v. paviljoen, enz.*); **2** (*wap.*) helmdekkleed *o.*
lambris [lã'bri] *m.* **1** paneelwerk *o.*, lambrizering, wandbekleding *v.*; **2** stukadoorswerk *o.*; **3** plafond, gewelf *o.*; ***les célestes —,*** het hemelgewelf.
lambrissage [lã'brisa:j] *m.* lambrizering *v.*, (het) lambrizeren *o.*
lambrisser [lã'brisé] *v.t.* **1** lambrizeren; **2** (*v. zoldering*) bepleisteren.
lambrissure [lã'brisü:r] *f.*, *voir* ***lambrissage.***
lambruche [lã'brüʃ], **lambrusque** [lã'brüsk] *f.* (*Pl.*) wilde wingerd *m.*
lame [lam] *f.* **1** (*v. metaal*) blad, dun plaatje *o.*; **2** (*v. hout*) dun plankje *o.*; **3** (*v. mes*) lemmet, lemmer *o.*; **4** (*v. degen*) kling *v.*(*m.*); **5** (*v. de zee*) golf, baar *v.*(*m.*); — ***de fond,*** grondzee *v.*(*m.*); — ***d'or,*** gouddraad *m.*; ***un visage en — de couteau,*** een smal en lang gezicht; ***la — use le fourreau,*** te grote geestesinspanning sloopt het lichaam.
lamé [lamé] *adj.* met gouddraad (of zilverdraad) doorwerkt.
lamellaire [lamèlè:r] *adj.* schilferig.
lamelle [lamèl] *f.* **1** metaalblaadje, plaatje *o.*; **2** (*v. hout*) latje *o.*; **3** (*el.*) lamel *v.*(*m.*).
lamelleux [lamèlö] *adj.* schilferig, bladerig.
lamellibranches [lamèlibrã:ʃ] *m.pl.* plaatkieuwigen *mv.* (oesters, mosselen, enz.).
lamentable(ment) [lamã'ta'bl(emã)] *adj.* (*adv.*) jammerlijk, deerniswekkend, erbarmelijk.
lamentation [lamã'ta'syõ] *f.* weeklacht, jammerklacht *v.*(*m.*), klaaglied, gejammer *o.*; ***les L—s de Jérémie,*** de Klaagliederen van Jeremia.
lamenter [lamã'té] **I** *v.t.* beklagen, bejammeren; **II** *v.pr.*, ***se —,*** weeklagen, jammeren.
lamette [lamèt], *voir* ***lamelle.***
lamie [lami] *f.* **1** lamia, fabelmonster *o.*; **2** menseneter haai *m.*
lamier [lamyé] *m.* (*Pl.*) witte dovenetel *v.*(*m.*).
laminage [lamina:j] *m.* (het) pletten *o.*
laminer [laminé] *v.i.* pletten.
laminerie [laminri] *f.* metaalpletterij *v.*
lamineur [laminœ:r] *m.* metaalpletter *m.*; rol *v.*(*m.*), cilinder *m.*
lamineux [laminö] *adj.* bladerig; ***tissu —,*** celweefsel *o.*
laminoir [laminwa:r] *m.* pletmolen, pletcilinder [*m.*
lampadaire [lã'padè:r] *m.* **1** (*persoon*) lampendrager, lichtdrager *m.*; **2** lampenstandaard; kandelaber *m.*; **3** lichtmast, lichtpaal *m.*; **4** schemerlamp *v.*(*m.*).
lampant [lã'pã] *adj.* helderbrandend; ***huile —e,*** lichtolie *v.*(*m.*).
lampas [lã'pa] *m.* **1** keelgezwel *o.* (bij paarden); **2** (*pop.*) keel *v.*(*m.*); **3** gebloemde zijde *v.*(*m.*).
lampe [lã:p] *f.* **1** lamp *v.*(*m.*); **2** radiolamp *v.*(*m.*); — ***à alcool,*** — ***à esprit-de-vin,*** spiritaslamp; — ***à incandescence,*** gloeilamp; — ***à arc,*** booglamp; — ***applique,*** muurlamp; — ***à suspension,*** hanglamp; — ***de résistance,*** weerstandslamp; — ***de sûreté,*** — ***Davy,*** veiligheidslamp; — ***liseuse,*** leeslamp; — ***du sanctuaire,*** godslamp.
lampée [lã'pé] *f.* grote slok *m.*, lange teug *m. en v.*
lampe*-éclair [lã:péklè:r] *f.* blitzlicht *o.*
lamper [lã'pé] **I** *v.t.* met lange teugen drinken, (leeg) drinken; **II** *v.i.*, (*pop.*) zuipen.
lamperon [lã'prõ] *m.* pijp, tuit *v.*(*m.*) (van olielamp).
lampier [lã'pyé] *m.* lichtkroon *v.*(*m.*).
lampion [lã'pyõ] *m.* **1** vetpotje, illumineerglas *o.*; **2** Chinese ballon *m.*; **3** (*pop.*) hoge hoed *m.*, kachelpijp *v.*(*m.*).
lampiste [lã'pist] *m.* **1** lampenmaker *m.*; **2** lampenist *m.*
lampisterie [lã'pistri] *f.* **1** lampenwinkel *m.*; **2** lampenhandel *m.*; **3** lampenhok *o.*
lamproie [lã'prwa] *f.*, (*Dk.*) lamprei *v.*(*m.*); — ***fluviale,*** negenoog *v.*(*m.*).
lampsane [lã'psan] *f.* akkerkool *v.*(*m.*).
lampyre [lã'pi:r] *m.* glimworm *m.*
Lanaye [lanè] Ternaaien *o.*
lançage [lã'sa:j] *m.* **1** (*sch.*) (het) van stapel lopen *o.*; **2** (het) in de mode brengen *o.*
lance [lã:s] *f.* **1** lans, speer *v.*(*m.*); **2** ijzeren punt

m. (van een hek); **3** (*v. brandspuit*) slangpijp, straalpijp *v.*(*m.*); **4** (*v. boetseerder*) spatel *v.*(*m.*); **5** (*visv.*) harpoen *m.*; ***— à feu,*** **1** lange lont *v.*(*m.*); **2** vuurpijl *m.*; ***rompre une — pour,*** een lans breken voor.

lancé [lã'sé] **I** *adj.* **1** gelanceerd; **2** op dreef; **II** *s. m.* **1** (*v. wild*) (het) opjagen *o.*; **2** plaats *v.*(*m.*) waar het wild opgejaagd werd; **3** (*spoorw.*) afstootmanœuvre *v.*(*m.*) *en o.*

lance-bombes [lã'zbõ'b] *m.* bommenwerper *m.*

lancée [lã'sé] *f.* (het) werpen *o.*; ***des —s,*** steken *mv.*, stekende pijnen *mv.*

lance-flammes [lã'sflam] *m.* vlammenwerper *m.*

lance-fusées [lã'sfü'zé] *m.* raketlanceerinrichting *v.*

lance-grenades [lã'sgrena'd] *m.* granaatwerper *m.*

lancéiforme [lã'séifòrm] *adj.* lansvormig.

lancement [lã'smã] *m.* **1** tewaterlating *v.*, (het) van stapel doen lopen *o.*; **2** (*v. pijn*) steek *m.*, scheut *m.*; **3** (*v. blad, enz.*) (het) lanceren *o.*; ***— du javelot,*** (*sp.*) (het) speerwerpen *o.*; ***— du poids,*** (het) kogelstoten *o.*

lance-mines [lã'smin] *m.* mijnenlegger *m.*

lancéolé [lã'séolé] *adj.* speervormig, lansvormig, spits; ***gothique —,*** (*bouwk.*) laatgotiek *v.* [*m.*

lance-pierres [lã'spyè:r] *m.* katapult *m.*, slinger

lancer [lã'sé] **I** *v.t.* **1** werpen, gooien; slingeren; **2** (*v. pijl, torpedo*) afschieten; **3** (*v. vlieger*) oplaten; **4** (*v. stralen*) uitzenden; **5** (*v. wild*) opjagen; **6** (*v. hond*) loslaten; **7** (*sch.*) van stapel laten lopen, te water laten; **8** (*besluit, decreet*) uitvaardigen; **9** (*mode, manifest, onderneming, enz.*) lanceren; **10** (*handelsartikel*) op de markt ingang doen vinden; in omloop brengen; **11** (*spoorwegen*) afstoten; ***— une affaire,*** een zaak op touw zetten; ***— une personne,*** iemand in de wereld (*of* in zaken) brengen; ***— un regard à qn.,*** iem. een blik toewerpen; **II** *v.pr.* ***se —,*** **1** zich werpen, zich storten; **2** toeschieten (om te helpen, enz.); **3** loskomen; ***se — en avant,*** er op losstormen; ***se — dans les affaires,*** zich in zaken steken.

lanceron [lã'srõ] *m.* jonge snoek *m.*

lance-roquettes [lã'sròkèt] *m.* raketlanceerinrichting *v.*

lance-torpilles [lã'stòrpi'y] *m.* torpedolanceerbuis *v.*(*m.*).

lancette [lã'sèt] *f.* **1** (*gen.*) lancet *o.*; **2** (*v. houtsnijder*) graveerstift *v.*(*m.*); **3** schaafmes *o.*

lanceur [lã'sœ:r] *m.* lanceerder *m.* die in zwang brengt. [zwang brengt.

lanceuse [lã'sö:z] *f.* dame *v.* die nieuwe modes in

lancier [lã'syé] *m.* lansier *m.*; ***le quadrille des —s, les —s,*** de lansiers *m.* (dans).

lancinant [lã'sinã] *adj.* (*v. pijn*) schietend, stekend. [ten pijn doen.

lanciner [lã'siné] *v.i.* (*v. pijn*) steken, met scheu-

lançoir [lã'swa:r] *m.* verlaat *o.*

lançon [lã'sõ] *m.* (*Dk.*) zandaal *m.*, smelt *v.*(*m.*).

Landais [lã'dè] *m.* bewoner *m.* van de Landes.

landau [lã'do] *m.* landauer *m.*

landaulet [lã'dolè] *m.* landaulet *m.*

lande [lã:d] *f.* heide; steppe *v.*(*m.*); ***les L—s,*** de Landes.

Landerneau [lã'dèrno] *m.*, ***il y aura du bruit dans —,*** daar zal heel wat over gepraat worden.

landgrave [lã:dgra:v] *m.* landgraaf *m.*

landgraviat [lã:dgravya] *m.* landgraafschap *o.*

landier [lã'dyé] *m.* **1** haardijzer *o.*; **2** (*Pl.*) gaspeldoorn *m.*

landole [lã'dòl] *f.* vliegende vis *m.*

laneret [lanrè] *m.* kwartelvalk *m. en v.*; blauwvoet *m.*

langage [lã'ga:j] *m.* taal, spraak *v.*(*m.*); ***— courant,*** spreektaal, omgangstaal; ***changer de —,*** een andere toon aanslaan.

lange [lã:j] *m.* luier *v.*(*m.*); (*fig.*) ***dans les —s,*** in de kinderschoenen, in zijn prille jeugd.

langer [lã'jé] *v.t.* inbakeren.

langoureux [lã'gurö] *adj.*, **langoureusement** [lã'gurö'zmã] *adv.* smachtend

langouste [lã'gust] *f.* pantserkreeft *m. en v.*

langoustier [lã'gustyé] *m.* kreeftennet *o.*

langoustine [lã'gustin] *f.* kleine zeekreeft *m. en v.*

langue [lã:g] *f.* **1** tong *v.*(*m.*); **2** taal *v.*(*m.*); ***— maternelle,*** moedertaal; ***— écrite,*** schrijftaal; ***— parlée,*** spreektaal; ***— verte,*** bargoens *o.*, dieventaal *v.*(*m.*); ***— morte,*** dode taal; ***— vivante,*** levende taal; ***— de vipère*** lastertong; ***tenir sa —,*** zijn mond houden; ***avoir une bonne —,*** wel ter tong zijn; ***— dorée,*** fluwelen tong; ***se mordre la —,*** zich op de lippen bijten; ***avoir la — bien pendue*** (*of* ***affilée***)***,*** niet op zijn mondje gevallen zijn; goed van de tongriem gesneden zijn; ***il n'a pas sa — dans sa poche,*** hij is niet op zijn mondje gevallen; ***qui — a, à Rome va,*** met vragen komt men overal terecht; ***tirer la —,*** **1** zijn tong uitsteken; **2** dodelijk vermoeid zijn; ***prendre —,*** om inlichtingen vragen; ***prendre — avec qn.,*** ruggespraak houden met iem.; aanvraag doen bij iem.; ***donner sa — aux chiens,*** (het) opgeven (bij het raden).

languedocien [lã'gdòsyẽ] **I** *adj.* van Languedoc; **II** *s., m., L—,* bewoner *m.* van Languedoc.

languette [lã'gèt] *f.* **1** tongetje *o.*; **2** (*tn.*) klepje *o.*

langueur [lã'gœ:r] *f.* **1** kwijning *v.*; **2** (*v. stijl, enz.*) matheid, loomheid *v.*; ***maladie de —,*** kwijnende (*of* slepende) ziekte.

languide [lã'gi'd] *adj.* kwijnend, smachtend.

languier [lã'gyé] *m.* gerookte varkenstong *v.*(*m.*).

languir [lã'gi:r] *v.i.* **1** kwijnen, wegkwijnen; **2** smachten; ***faire — qn.,*** het geduld van iem. op de proef stellen.

languissant [lã'gisã] *adj.*, **languissamment** [lã'gisamã] *adv.* **1** kwijnend, smachtend; **2** slepend.

lanier [lanyé] *m.*, (*Dk.*) kwartelvalk *m. en v.*

lanière [lanyè:r] *f.* lange smalle riem, bindriem *m.*

lanifère [lanifè:r], **lanigère** [lanijè:r] *adj.* **1** (*v. dier*) woldragend; **2** (*v. plant*) wollig.

lanlaire [lã'lè:r], ***va te faire —,*** loop naar de weerlicht; hoepel op!

lanoline [lanòlin] *f.* wolvet *o.*

lansquenet [lã'skenè] *m.* **1** landsknecht *m.*; **2** (*kaartsp.*) lanskenet *o.*

lansquiner [lã'skiné] *v.i.* (*fam.*) gieten, regenen.

lanternage [lã'tèrna:j] *m.* geleuter, geteut *o.*

lanterne [lã'tèrn] *f.* lantaarn *v.*(*m.*); ***— de mât,*** (*sch.*) toplicht *o.*; ***— magique,*** toverlantaarn; ***— chinoise, — vénitienne,*** lampion *m.*; ***— sourde,*** dievenlantaarn; ***prendre des vessies pour des —s,*** zich knollen voor citroenen laten verkopen; ***raconter des —s,*** praatjes vertellen.

lanterneau [lã'tèrno] *m.* bovenlicht *o.* (van trap).

lanterner [lã'tèrné] **I** *v.i.* treuzelen, talmen, lanterfanten; **II** *v.t.* aan 't lijntje houden.

lanternerie [lã'tèrneri] *f.* **1** getreuzel, getalm *o.*; **2** geleuter *o.*

lanternier [lã'tèrnyé] *m.* **1** lantaarnmaker *m.*; **2** lantaarnopsteker *m.*

lanture [lã'tür] *f.* drijfwerk *o.* (in metaal).

lanugineux [lanüjinö] *adj.* wollig, donzig.

laotien [laòtyẽ] *adj.* Laotisch, uit Laos.

lapalissade [lapalisa'd] *f.* waarheid *v.* als een koe.

laparotomie [laparòtòmi] *f.*, (*gen.*) operatie, buikopening *v.*

lapement [lapmã] *m.* geslobber *o.*

laper [lapé] *v.t.* leppen, (op)slobberen.
lapereau [lapro] *m.* jong konijn *o.*
lapidaire [lapidè:r] **I** *m.* **1** steensnijder *m.*; **2** diamantslijper *m.*; **II** *adj.*, ***style —***, **1** bondige stijl van opschriften (in steen); **2** (*fig.*) kernachtige stijl.
lapidation [lapidα˙syõ] *f.* steniging *v.*
lapider [lapidé] *v.t.* stenigen.
lapideux [lapidö] *adj.* steenachtig.
lapidification [lapidifikα˙syõ] *f.* verstening *v.*
lapidifier [lapidifyé] *v.t.* doen verstenen.
lapilleux [lapiyö] *adj.* steenhard.
lapin [lapẽ] *m.* konijn *o.*; ***— domestique, — de clapier,*** tam konijn; ***— de garenne, — sauvage,*** wild konijn; ***— de gouttière,*** dakhaas *m.*; ***poser un — à qn.,*** iem. laten schilderen.
lapinière [lapinyè:r] *f.* konijnehok *o.*
lapis [lapi] *m.* lazuursteen *m.*
Lapon [lapõ] **I** *m.* Laplander *m.*; **II** *adj.*, ***l—,*** Laplands.
Laponie [lapòni] *f.* Lapland *o.*
laps [laps] *m.*, ***— de temps,*** tijdsverloop *o.*
lapsus [lapsüs] *m.* verspreking, vergissing *v.*
laquage [laka:j] *m.* het lakken *o.*
laquais [lakè] *m.* lakei *m.*
laque [lak] **1** *f.* lak *o. en m.*; **2** *m.* lakwerk *o.*
Laquedives [lakdi:v] *f.pl.* Lakedieven *mv.*
laquelle [lakèl] *pr.rel. et pr.int.* dewelke; welke.
laquer [laké] *v.t.* lakken.
laqueur [lakœ:r] *m.* lakker *m.*
laqueux [lakö] *adj.* lakachtig.
larbin [larbẽ] *m.*, (*pop.*) knecht *m.*
larcin [larsẽ] *m.* (kleine) diefstal *m.*, ontvreemding [*v.*
lard [la:r] *m.* spek *o.*; ***— maigre,*** doorregen spek; ***avoir mangé le —,*** het gedaan hebben; ***perdre son —,*** mager worden; ***ni — ni cochon,*** vis noch vlees.
larder [lardé] *v.t.* **1** doorspekken, larderen; **2** [doorsteken.
lardeux [lardö] *adj.* met veel spek.
lardoire [lardwa:r] *f.* **1** lardeerpen *v.*(*m.*); **2** (*fig.*) degen *m.*
lardon [lardõ] *m.* **1** reepje *o.* spek; **2** schimpscheut *m.*, steek *m.* onder water; **3** (*drukk.*) vreemde letter *v.*(*m.*) (in tekst).
lare [la:r] *m.* huisgod *m.*; (*fig.*) ***les —s,*** de huiselijke haard.
large [larj] **I** *adj.* **1** breed; **2** (*v. opening, kleren*) wijd, ruim; **3** (*fig.: v. opvatting, geweten*) ruim, onbekrompen; **4** mild, gul, vrijgevig; **II** *adv.* **1** ruim; **2** rijkelijk; ***il n'en mène pas —,*** hij is niet op zijn gemak; ***se promener de long en —,*** heen en weer lopen; **III** *s. m.* **1** breedte *v.*; **2** ruimte *v.*; **3** ruime sop *o.*, volle zee *v.*(*m.*); ***prendre le —,*** **1** in zee steken; **2** (*fig.*) zijn biezen pakken; ***au —,*** (*sch.*) in volle zee; ***au — d'Ostende,*** op de hoogte van Oostende; ***vent du —,*** zeewind *m.*
largement [larj(e)mã] *adv.* **1** breed; **2** wijd; **3** ruim; **4** mild.
largesse [larjès] *f.* **1** mildheid *v.*; **2** milde gift *v.*(*m.*).
largeur [larjœ:r] *f.* **1** breedte *v.*; **2** wijdte *v.*; **3** onbekrompenheid *v.*
largue [larg] **I** *adj. et adv.* los, slap hangend; ***vent —,*** ruime wind.
larguer [largé] **I** *v.t.* **1** (*touwen*) losgooien; **2** (*schoot*) vieren; **3** (*parachute, kabel*) uitwerpen; **II** *v.i.*, (*sch.*) ruimen.
larigot [larigo] *m.* **1** fluit *v.*(*m.*); **2** (*v. orgel*) fluitregister *o.*
larix [lariks] *m.* lariks *m.*
larme [larm] *f.* **1** traan *m. en v.*; **2** (*fig.*) druppeltje *o.*; ***tout en —s,*** in tranen badend; ***se répandre en —s,*** in tranen wegsmelten; ***pleurer à chaudes —s,*** hete tranen schreien; ***rire aux —s,*** tranen lachen; ***avoir des —s dans la voix,*** met bewogen stem spreken.
larmier [larmyé] *m.* **1** (*bouwk.*) druiplijst *v.*(*m.*); **2** (binnenste) ooghoek *m.*; **3** (*v. paard*) slaap *m.*
larmille [larmi˙y] *f.* traangas *o.*
larmoiement, larmoîment [larmwamã] *m.* **1** (*v. de ogen*) (het) tranen *o.*; **2** gehuil *o.*
larmoyant [larmwayã] *adj.* **1** in tranen badend; **2** (*v. toon, enz.*) huilerig; **3** (*fig.*) aandoenlijk.
larmoyer [larmwayé] *v.i.* tranen storten, huilen.
larmoyeur [larmwayœ:r] **I** *adj.* huilerig; **II** *s. m.* huilebalk *m.*
larron [larõ] *m.* **1** dief *m.*; **2** (*in boek*) ezelsoor *o.*, vouw *v.*(*m.*); ***le bon —,*** (*Bijb.*) de goede moordenaar; ***l'occasion fait le —,*** de gelegenheid maakt de dief; ***s'entendre comme —s en foire,*** onder één hoedje spelen; ***donner sa bourse à garder au —,*** bij de duivel te biecht gaan.
larronneau [laròno] *m.* diefje *o.*
larronner [laròné] *v.t.* stelen.
larronnesse [larònès] *f.* dievegge *v.*
larvaire [larvè:r] *adj.* larve—.
larve [larv] *f.* **1** larve *v.*(*m.*); **2** (*fabelleer*) spook *o.*
larvé [larvé] *adj.*, (*v. ziekte*) vermomd, niet te onderkennen; ***fièvre —e,*** lichte malaria.
laryngé [larẽ˙jé], **laryngien** [larẽ˙jyẽ] *adj.* keel—.
laryngite [larẽ˙jit] *f.* keelontsteking, ontsteking *v.* van het strottehoofd.
laryngoscope [larẽ˙gòskòp] *m.* keelspiegel *m.*
laryngoscopie [larẽ˙gòskòpi] *f.* onderzoek *o.* van het strottehoofd (met keelspiegel).
laryngotomie [larẽ˙gòtòmi] *f.* operatie *v.* van het strottehoofd.
larynx [larẽ:ks] *m.* strottehoofd *o.*
las [lα] *adj.* (*f.* : *lasse* [lα˙s]) **1** moe, vermoeid, afgemat; **2** (*fig.*) wars, afkerig van; ***de guerre —se,*** strijdensmoe.
lascar [laska:r] *m.* **1** Indisch matroos *m.*; **2** (*pop.*) kerel, slimme vogel *m.*; **3** (*mil.*) lijntrekker *m.*
lascif [lasif] *adj.*, **lascivement** [lasi˙vmã] *adv.* **1** dartel; **2** wulps.
lasciveté [lasi˙vté] *f.* **1** dartelheid *v.*; **2** wulpsheid [*v.*
lassant [lα˙sã] *adj.* vermoeiend.
lasse, *voir* ***las.***
lasser [lα˙sé] **I** *v.t.* **1** vermoeien; **2** vervelen; ***— la patience de qn.,*** het geduld van iem. uitputten; **II** *v.pr.*, ***se — de qc.,*** iets moe worden.
lassitude [lα˙sitü˙d] *f.* **1** moeheid *v.*; **2** (ziekelijke) loomheid *v.*; **3** afkeer *m.*, walging *v.*
lasso [laso] *m.* lasso *m.*
last(e) [last] *m.* scheepslast *m.*
latanier [latanyé] *m.* (*Pl.*) waaierpalm *m.*
Latem-Sainte-Marie Sint-Maria-Latem *o.*
Latem-Saint-Martin Sint-Martens-Latem *o.*
latent [latã] *adj.* verborgen, latent.
latéral [latéral] *adj.* zijdelings; (*in samenstellingen*) zij—; ***rue —e,*** zijstraat *v.*(*m.*).
latéralement [latéralmã] *adv.* van ter zijde; ***— à,*** zijdelings van.
latérite [latérit] *f.* lateriet *o.*
latex [latèks] *m.* (*Pl.*) melksap *o.*
lathyrus [latirü˙s] *m.* (*Pl.*) lathyrus *m.*
laticlave [latikla:v] *m.* met purper omzoomde witte tuniek van de Romeinse senatoren.
latin [latẽ] **I** *adj.* latijns; ***nations —es,*** Romaanse volkeren; ***quartier —,*** studentenwijk te Parijs; **II** *s., m.* Latijn *o.*; ***— de cuisine,*** potjeslatijn *o.*; ***bas —,*** middeleeuws Latijn; ***j'y perds mon —,*** ik begrijp er niets van; ***être au bout de son —,*** niet meer weten wat aan te vangen.

latinisant [latinizã] **I** *adj.* de rooms-katholieke ritus volgend (in de landen van de Griekse ritus); **II** *s., m.* latinisant *m.*
latiniser [latini'zé] *v.t.* verlatiniseren, verlatijnsen.
latinisme [latinizm] *m.* latinisme *o.*, Latijnse zegswijze *v.(m.).*
latiniste [latinist] *m.* latinist *m.*, kenner *m.* van het Latijn.
latinité [latinité] *f.* latiniteit *v.*
latitude [latitü'd] *f.* **1** (aardrijkskundige) breedte *v.*; **2** luchtstreek *v.(m.)*; klimaat *o.*; **3** (*fig.*) vrijheid (van handelen), speelruimte *v.*; ***sous cette —,*** op deze breedtegraad, in deze streken; ***vivre sous toutes les —s,*** in ieder klimaat (*of* in alle luchtstreken) kunnen leven.
latitudinaire [latitüdinè:r] *adj.* zeer breed van opvatting.
Latran [latrã] *m.* Lateraan *o.*; ***Concile de —,*** Lateraans Concilie.
latrie [latri] *f.* (*in theologie*) godsverering *v.*
latrines [latrin] *f.pl.* privaat *o.*
lattage [lata:j] *m.* **1** (het) belatten *o.*; **2** latwerk *o.*
latte [lat] *f.* **1** lat *v.(m.)*; **2** (*mil.*) pallas, ruitersabel *m.*
latter [laté] *v.t.* met latten voorzien, betingelen.
lattis [lati] *m.* latwerk *o.*, betingeling *v.*
laudanum [lo'danòm] *m.* laudanum *o.*, opiumtinctuur *v.(m.).*
laudatif [lo'datif] *adj.* prijzend; ***discours —,*** lofrede *v.(m.).*
laudes [lo:d] *f.pl.* lauden *mv.*
lauracées [lòrasé] *f.pl.* (*Pl.*) laurierachtigen *mv.*
Laure [lò:r] *f.* Laura *v.*
lauré [lo'ré] *adj.* gelauwerd.
lauréat [lo'réa] **I** *adj.* bekroond; **II** *s. m.* bekroonde, prijswinnaar *m.*
laurelle [lo'rèl] *f.* oleander *m.*
Laurent [lo'rã] *m.* Laurens, Laurentius *m.*
lauréole [lo'réòl] *f.* peperboompje *o.*
laurier [lo'ryé] *m.* **1** laurierboom *m.*; **2 —s,** *m.pl.* lauweren *mv.*; ***s'endormir sur ses —s,*** op zijn lauweren rusten.
laurier*-cerise* [lo'ryésri:z] *m.* laurierkers *v. of m.*
laurier*-rose* [lo'ryéro:z] *m.* oleander *m.*
lavable [lava'bl] *adj.* wasbaar; wasecht.
lavabo [lavabo] *m.* **1** wastafel *v.(m.)*; **2** (*in de mis*) lavabo *o.*, handenwassing *v.*
lavage [lava:j] *m.* **1** (het) wassen *o.*; **2** (*fig.*: *v. soep, enz.*) spoeling *v.*, spoelwater *o.*; ***— de cerveau,*** hersenspoeling *v.*
lavallière [lavalyè:r] *f.* grote dasstrik *m.*, lavallièredas *v.(m.).*
lavande [lavã:d] *f.* lavendel *v.(m.).*
lavandière [lavã'dyè:r] *f.* **1** wasmachine *v.*; **2** witte kwikstaart *m.*; **3** (*verouderd*) wasvrouw *v.*
lavaret [lavarè] *m.* meerforel *v.(m.).*
lavasse [lavas] *f.* **1** stortbui *v.(m.)*, kletsregen, plasregen *m.*; **2** waterige soep *v.(m.)*, spoelwater *o.*; **3** vaatwater *o.*; **4** lawaaisaus *v.(m.)*; **5** uitbrander *m.*
lave [la:v] *f.* lava *v.(m.).*
lave-mains [lavmẽ] *m.* fonteintje, wasbekken *o.*
lavement [lavmã] *m.* **1** wassing *v.*; **2** (*gen.*) lavement *o.*; ***— des pieds,*** voetwassing *v.*
lave-pieds [lavpyé] *m.* voetbad *o.*
laver [lavé] **I** *v.t.* **1** wassen; afwassen, uitwassen; **2** afspoelen; **3** (*v. rivier*) bespoelen; **4** (*v. schande, enz.*) uitwissen; **5** rechtvaardigen, vrijpleiten; ***— la tête à qn., — les oreilles à qn.,*** iem. een uitbrander geven, iem. de oren wassen; ***pierre à —,*** gootsteen *m.*; ***— son linge sale en famille,*** onenigheden onder elkaar uitmaken; ruzie onder elkaar uitvechten; ***à — la tête d'un Maure, on perd sa lessive,*** 't is de Moriaan geschuurd, alle moeite is vergeefs; **II** *v.pr.* ***se —,*** zich wassen; ***se — les mains,*** zijn handen wassen; ***s'en — les mains,*** zijn handen in onschuld wassen; ***se — d'une accusation,*** zich rechtvaardigen, zich (van een beschuldiging) schoonwassen.
laverie [lavri] *f.* wasplaats *v.(m.).* [kous *v.(m.).*
lavette [lavèt] *f.* **1** vaatdoek *m.*; **2** (*fig.*) klets-
laveur [lavœ:r] *m.* wasser, wasbaas *m.*
laveuse [lavö:z] *f.* **1** wasster *v.*; **2** wasmachine *v.*
lavique [lavik] *adj.* lava-achtig.
lavis [lavi] *m.* **1** (het) wassen *o.* (van tekening); **2** gewassen tekening *v.*
lavoir [lavwa:r] *m.* **1** wasplaats *v.(m.)*; washuis *o.*; **2** (*voor erts*) wasvat *o.*, wasmachine *v.*; **3** (*voor geweer*) poetsstok *m.*
lavure [lavü:r] *f.* **1** waswater *o.*; **2** spoelwater *o.*; **3** (*v. erts*) (het) wassen *o.*; **4** (*fig.*) waterige soep *v.(m.).*
laxatif [laksatif] **I** *adj.* ontlastend, afvoerend, laxerend; **II** *s., m.* laxeermiddel *o.*
laxité [laksité] *f.* losheid, slapheid *v.*
layer [lè'yé] *v.t.* **1** bomen merken (die niet moeten gekapt worden); **2 *— un bois,*** een pad door een bos maken. [makerij, koffermakerij *v.*
layeterie, layetterie [lèyetri, lèyètri] *f.* kisten-
layetier [lèytyé] *m.* kisten—, koffermaker *m.*
layette [lèyèt] *f.* **1** (kleine) kist *v.(m.)*; **2** luiermand *v.(m.)*, uitzet *m. en o.* (v. klein kind).
layetterie, *voir* ***layeterie.***
layeur [lèyœ:r] *m.* houtmerker, boommerker *m.*
layon [lèyõ] *m.* **1** jagerspad *o.*; **2** (*v. wagen*) achterschot, achterluik *o.*
Lazare [laza:r] *m.* Lazarus *m.*
lazaret [lazarè] *m.* quarantaine-huis *o.*; hospitaal *o.* voor besmettelijke ziekten.
lazarone [lazaròn] *m.* (*pl.*: ***des —i***), bedelaar *m.*
lazzi [lazi, ladzi] *m.* kwinkslag *m.*, grap *v.(m.)* (*v. clown, enz.*).
le [le] **I** *art. déf.* de, den, het; **II** *pr.pers.* hem, het.
lé [lé] *m.* baan *v.(m.)*, breedte *v.* (van stof).
leader [lidœ:r] *m.* **1** (partij)leider *m.*; **2** hoofdartikel *o.*
Léau [léo] *m.* Zoutleeuw *o.*
lebel [lebèl] *m.* lebelgeweer *o.*
lèche [lèʃ] *f.* sneetje, schijfje *o.* [beer.
léché [léʃé] *adj.* gelikt; ***ours mal —,*** ongelikte
lèche-doigts, à — [alèʃdwa] met mondjesmaat.
lèchefrite [lèʃfrit] *f.* druippan *v.(m.)* (onder braadspit).
lèchement [lèʃmã] *m.* (het) likken *o.*
lécher [léʃé] **I** *v.t.* likken; aflikken; **II** *v.pr.*, ***se —*** zich (*of* elkaar) likken; ***se — les doigts,*** zijn vingers aflikken; ***se — les babines,*** zijn baard aflikken.
lécherie [léʃri] *f.* **1** gelik *o.*; **2** gesmul *o.*
lécheur [léʃœ:r] *m.* **1** likker *m.*; **2** smulpaap *m.*
leçon [l(e)sõ] *f.* **1** les *v.(m.)*; **2** (*v. tekst, verhaal, enz.*) lezing *v.*; ***—s de choses,*** aanschouwelijk onderwijs; ***faire la — à qn.,*** iem. de les lezen; ***réciter sa —,*** zijn les opzeggen; ***faire réciter sa — à un enfant,*** een kind zijn les overhoren.
lecteur [lèktœ:r] *m.* **1** lezer *m.*; **2** voorlezer *m.*
lectrice [lèktris] *f.* lezeres *v.*; voorlezeres *v.*
lecture [lèktü:r] *f.* **1** (het) lezen *o.*; **2** (het) voorlezen *o.*; **3** belezenheid *v.*; ***—s édifiantes,*** stichtende lectuur *v.*; ***avoir de la —,*** belezen zijn, veel gelezen hebben; ***donner — de,*** voorlezen; ***salle de —,*** leeszaal *v.(m.)*; ***en première —,*** (*v. wet*) bij eerste lezing.

ledit [ledi] *adj.* genoemde.
Leerne-Saint-Martin Sint-Martens-Leerne *o.*
Leeuw-Saint-Pierre Sint-Pieters-Leeuw *o.*
légal(ement) [légal(mã)] *adj.* (*adv.*) **1** wettelijk; **2** wettig.
légalisation [légaliza˙syõ] *f.* **1** verklaring door bevoegde overheid dat iets echt is, legalisatie *v.*; **2** gerechtelijke bekrachtiging *v.*
légaliser [légali˙zé] *v.t.* **1** echt verklaren, legaliseren; **2** gerechtelijk bekrachtigen.
légalité [légalité] *f.* wettigheid, legaliteit *v.*
légat [léga] *m.* legaat, pauselijk gezant *m.*
légataire [légatè:r] *m.-f.* erfgenaam *m.*
légation [léga˙syõ] *f.* **1** gezantschap *o.*, legatie *v.*; **2** (*kath.*) legaatschap *o.*, waardigheid *v.* van een legaat.
lège [lè:j] *adj.* (*sch.*) niet vol geladen, te licht bevracht, leeg; ***flottaison* —,** diepgang leeg.
légendaire [léjã˙dè:r] **I** *adj.* legendarisch; **II** *s. m.* **1** legendenschrijver *m.*; **2** legendenboek *o.*
légende [léjã:d] *f.* **1** legende, sage *v.*(*m.*); **2** (*v. munt*) randschrift, opschrift *o.*; **3** verklaring *v.* (*v. tekens op kaart, enz.*).
léger [léjé] *adj.* **1** licht; **2** (*v. koffie, thee*) slap; **3** (*v. fout, onkosten*) gering; **4** (*v. gang*) vlug, rap; **5** (*v. ijslaag*) dun; **6** (*v. spijzen*) licht verteerbaar; **7** (*v. gedrag, oordeel*) lichtzinnig; **8** (*v. zeden*) wuft; ***avoir le sommeil* —,** een losse slaap hebben; ***avoir la main légère,*** **1** een vlugge hand hebben; **2** vlug schrijven; **3** (*op de toetsen*) een lichte aanslag hebben; **— *à la course,*** vlug ter been; ***avoir le cœur* —,** luchthartig, zorgeloos zijn; ***à la légère,*** **1** luchtig; **2** (*onderzoeken*) oppervlakkig; **3** (*oordelen*) lichtzinnig.
légèrement [léjè˙rmã] *adv.* **1** licht; **2** lichtzinnig; **3** (*onderzoeken*) oppervlakkig; **4** (*lopen, springen*) vlug, luchtig; **5** lichtelijk, ietwat, enigszins.
légèreté [léjè˙rté] *f.* **1** lichtheid *v.*; **2** lichtzinnigheid *v.*; **3** vlugheid; luchtigheid *v.*; **4** geringheid *v.*; **5** dwaasheid *v.*
leggins [lègins] *f.pl.* (*sp.*) beenkappen *mv.*
légiférer [léjifé˙ré] *v.i.* wetten maken; wetten uitvaardigen.
légion [lejyõ] *f.* **1** legioen *o.*; **2** groot aantal *o.*, menigte *v.*; **— *d'honneur,*** Legioen van Eer; **— *étrangère,*** vreemdelingenlegioen.
légionnaire [léjyònè:r] *m.* **1** (*gesch.*) soldaat *m.* van een Romeins legioen; **2** soldaat *m.* van het vreemdelingenlegioen; **3** ridder *m.* van het Legioen van Eer.
législateur [léjislatœ:r] *m.* wetgever *m.*
législatif [léjislatif] *adj.* wetgevend.
législation [léjisla˙syõ] *f.* **1** wetgeving *v.*; **2** rechtswetenschap, rechtsgeleerdheid, wetskennis *v.*
législativement [léjislati˙vmã] *adv.* door middel van wetgeving.
législature [léjislatü:r] *f.* **1** wetgevend lichaam *o.*; **2** zittingsduur *m.* (van de Kamers).
légiste [léjist] *m.* rechtsgeleerde, rechtskundige, jurist *m.*; ***médecin* —,** wetsdokter *m.*
legitimaire [léjitimè:r] *adj.* wettig, legitiem.
légitimation [léjitima˙syõ] *f.* echtverklaring *v.*
légitime [léjitim] *adj.* **1** (*v. gezag, enz.*) wettig; **2** (*v. kind*) echt, wettig; **3** (*v. eis*) billijk; **4** (*v. vermoeden*) gewettigd; **5** rechtmatig.
légitimement [léjitimmã] *adv.* **1** wettig; **2** met recht; **3** billijk.
légitimer [léjitimé] *v.t.* **1** wettigen; **2** (*v. kind*) echten; **3** (*v. handelwijze*) rechtvaardigen.
légitimiste [léjitimist] *m.* aanhanger *m.* van het wettige koningshuis; legitimist, aanhanger *m.* van de Bourbons.
légitimité [léjitimité] *f.* **1** wettigheid *v.*; **2** echtheid *v.*
legs [lè, lè˙g] *m.* legaat *o.*
léguer [légé] *v.t.* nalaten, vermaken, legateren.
légume [légüm] *m.* groente *v.*; **—*s secs,*** gedroogde groenten; **—*s verts,*** bladgroenten; ***les grosses* —*s,*** de hoge omes.
légumier [légümyé] **I** *m.* groenteschaal *v.*(*m.*); **II** *adj.* groente(n)—; ***jardin* —,** groentetuin *m.*
légumineux [légüminö] *adj.* peulvruchtdragend; ***légumineuses*** *f.pl.* peulgewassen *mv.*, peulvruchten *mv.*
Leipsick [lèpsik] *m.* Leipzig *o.*
leitmotiv [lètmòtiv] *m.* (*pl.* : **—*e***, leidmotief, leitmotiv *o.*
Léman (*lac* —) [laklémã] *m.* meer *o.* van Genève.
lemme [lèm] *m.* (*wisk., wijsb.*) lemma *o.*, hulpstelling *v.*; (*in woordenboek*) trefwoord.
lemming [lèmẽ:g] *m.* (*Dk.*) bergmuis *v.*(*m.*).
lémures [lémü:r] *f.pl.* spoken *mv.*; (*bij Romeinen*) geesten der afgestorvenen.
lémuriens [lémü˙ryẽ] *m.pl.* (*Dk.*) halfapen *mv.*
lendemain [lã˙dmẽ] *m.* volgende dag *m.*; ***le — matin,*** de volgende morgen *m.*; ***le — de,*** de dag na; ***du jour au —,*** in een ommezien, opeens.
lendit [lã˙di] *m.* extra-vakantie *v.*; **— *scolaire,*** interscholaire sportwedstrijden *mv.*
lendore [lã˙dò:r] *m.-f.* suffer, dromer *m.*
lénifier [lénifyé] *v.t.* verzachten, lenigen.
lénitif [lénitif] **I** *adj.* verzachtend; **II** *s., m.* **1** verzachtend middel *o.*; **2** (*fig.*) leniging *v.*, troost *m.*
Lennik-Saint-Martin Sint-Martens-Lennik *o.*
Lennik-Saint-Quentin Sint-Kwintens-Lennik *o.*
lent(ement) [lã˙(tmã)] *adj.* (*adv.*) langzaam, traag.
lente [lã:t] *f.* neet *v.*(*m.*).
lenteur [lã˙tœ:r] *f.* langzaamheid, traagheid *v.*
lenticulaire [lã˙tikülè:r], **lenticulé** [lã˙tikülé] *adj.* lensvormig.
lentigineux [lẽ˙tijinö] *adj.* sproetig.
lentigo [lẽ˙tigo] *m.* zomersproeten *mv.*
lentille [lã˙ti˙y] *f.* **1** (*Pl.*) linze *v.*(*m.*); **2** (*nat.*) lens *v.*(*m.*); **3** zomersproet *v.*(*m.*); **— *d'eau,*** (*Pl.*) (eende)kroos *o.*; ***champ de —,*** (*v. lens*) beeldveld *o.*
lentilleux [lã˙tiyö] *adj.* sproetig.
lentisque [lã˙tisk] *m.* mastikboom *m.*
Léon [léõ] *m.* Leo *m.*
Léonard [léòna:r] *m.* Lenaart, Leendert *m.*
léonin [léonẽ] *adj.* leeuwachtig; ***part —e,*** leeuweaandeel *o.*; ***vers —s,*** Leonijnse verzen, verzen met midden- en eindrijm.
léopard [léòpa:r] *m.* luipaard *m.*; ***tenue —,*** camouflagetenue *o. en v.*(*m.*).
léopardé [léòpardé] *adj.* gevlekt.
Lépante [lépã:t] *f.* Lepanto *o.*
lépas [lépas] *m.* eendeschelp *v.*(*m.*).
lépidoptère [lépidòptè:r] *m.* schubvleugelig insekt *o.*; **—*s,*** schubvleugeligen *mv.*
lépiote [lépyòt] *f.* bep. paddestoel *m.*
lépisme [lépizm] *m.* (*Dk.*) boekenwurm *m.*
léporidés [lépòri˙dé] *m.pl.* (*Dk.*) haasachtigen *mv.*
lèpre [lè˙pr] *f.* **1** melaatsheid *v.*, lepra *v.*(*m.*); **2** (*fig.*) kanker *m.*
lépreux [léprö] **I** *adj.* melaats; **II** *s., m.* melaatse *m.*
léproserie [lépro˙zri] *f.* leprozenhuis *o.*
lepte [lèpt] *m.* (*Dk.*) mijt *v.*(*m.*).
leptocéphale [lèptoséfal] *m.* (*Dk.*) aallarve *v.*(*m.*).
lequel [lekèl] **I** *pron.rel.* welke, dewelke, die; **II** *pron.int.* welk(e)?
lérot [léro] *m.*, (*Dk.*) hazelmuis *v.*(*m.*).
les [lè] **I** *art.déf., pl.* de; **II** *pron.pers.* hen, haar, ze.
lesbien [lèzbyẽ] **I** *adj.* Lesbisch; **II** *s., m.,* ***L—,*** Lesbiër *m.*; **III** *s. f.,* ***L—ne,*** Lesbische *v.*

lesdits [lèdit] *adj.* genoemde.

lèse-majesté [lè'zmajesté] *f.* majesteitsschennis [v.

léser [lé'zé] *v.t.* **1** (*v. orgaan*) kwetsen; **2** (*v. eer*) krenken; **3** (*v. belangen*) schaden, benadelen; ***la partie lésée,*** de lijdende partij.

lésinage [lézina:j] *m.* uitzuiniging *v.*

lésine [lézin] *f.* schrielheid, krenterigheid, gierigheid, vrekkigheid *v.*

lésiner [léziné] *v.i.* krenterig (*of* vrekkig) zijn; ***— sur,*** uitzuinigen op; ***— sur tout,*** op alles beknibbelen.

lésinerie [lézinri] *voir* ***lésine.***

lésineur [lézinœ:r] *m.* schrielhannes, gierige vent [m.

lésion [lé'zyõ] *f.* **1** (*gen.*) wond *v.(m.)*, kwetsing *v.*; **2** krenking *v.*; **3** beschadiging *v.*

Lessines [lèsin] Lessen *o.*

lessivable [lèsiva'bl] *adj.* wasbaar.

lessivage [lèsiva:j] *m.* **1** (*scheik.*) uitloging *v.*, (het) uitlogen *o.*; **2** was *m.*; **3** (*fig.*) klap *m.*, geldverlies *o.*

lessive [lèsi:v] *f.* **1** loog *v.(m.) en o.*, loogwater *o.*; **2** zeepsop *o.*; **3** was *m.*; ***faire la —,*** de grote was doen; ***supporter la —,*** wasecht zijn; ***essuyer une —,*** zijn broek scheuren (geldverlies).

lessiver [lèsivé] *v.t.* **1** wassen; **2** (*tn.*) uitlogen, uitwassen; **3** (*pop.*) opruiming houden; **4** uitschudden (bestelen).

lessiveur [lèsivœ:r] *m.* wasser *m.*

lessiveuse [lèsivö:z] *f.* **1** wasvrouw *v.*; **2** wasmachine *v.*

lest [lèst] *m.* ballast *m.*; ***jeter du —,*** ballast uitgooien; ***naviguer sur —,*** (*sch.*) in ballast varen.

lestage [lèsta:j] *m.* (het) ballasten *o.*

leste(ment) [lèst(emã)] *adj.* (*adv.*) **1** vlug, rap; **2** ongegeneerd; **3** los, gewaagd; ***avoir la main —,*** gauw toeslaan; ***— en affaires,*** coulant in zaken.

lester [lèsté] *v.t.* ballasten, van ballast voorzien; (*fam.*) ***se — (l'estomac),*** goed eten.

lesteur [lèstœ:r] *m.* ballastschuit *v.(m.)*, ballastlichter *m.*

léthal [létal] *adj.* dodelijk.

léthalité [létalité] *f.* **1** dodelijkheid *v.*; **2** sterfte *v.*

léthargie [létarji] *f.* **1** verdoving *v.*, slaapzucht *v.(m.)*; **2** gevoelloosheid *v.*; **3** (*fig.*) doffe onverschilligheid *v.*

léthargique [létarjik] **I** *adj.* **1** (*v. slaap*) lethargisch; **2** (*v. persoon*) slaapzuchtig; **3** ongevoelig; **4** onverschillig, apathisch; **II** *s. m.-f.* slaapzuchtige *m.-v.*

léthifère [létifè:r] *adj.* dodelijk, dodend.

lette [lèt], **lettique** [lètik], **letton** [lètõ] *adj.* Lettisch.

Letton [lètõ] *m.* Letlander *m.*

Lettonie [lètòni] *f.* Letland *o.*

lettre [lètr] *f.* **1** letter *v.(m.)*; **2** brief *m.*; ***les —s,*** de letterkunde *v.*; ***les belles —s,*** de fraaie letteren; ***en toutes —s,*** voluit; ***—s de créance,*** geloofsbrieven; ***— de marque,*** kaperbrief; ***— majuscule,*** hoofdletter; ***— minuscule,*** kleine letter; ***à la —, au pied de la —,*** letterlijk; ***homme de —s,*** letterkundige; ***— recommandée,*** aangetekende brief; ***— chargée,*** aangetekende brief met aangegeven waarde; ***— de change,*** wissel *m.*; ***— de crédit,*** kredietbrief; ***— de crédit circulaire,*** reiskredietbrief; ***— de voiture,*** vrachtbrief; ***— pastorale,*** herderlijke brief; ***c'est — close,*** dat is een gesloten boek; ***cela passera comme une — à la poste,*** **1** (*v. eten of drinken*) dat zal er ingaan als koek (als klokspijs, enz.); **2** dat zal zonder moeite geloofd worden.

lettré [lètré] **I** *adj.* geletterd; geleerd; **II** *s. m.* geletterde; geleerde *m.*

lettre*-circulaire* [lètrsirkülè:r] *f.* rondschrijven *o.*

lettrine [lètrin] *f.* **1** lettertje *o.*, verwijzingsletter *v.(m.)*; **2** versierde hoofdletter *v.(m.)*.

leu [lö], ***à la queue — —,*** op 'n rijtje.

leucémie [lösémi] *f.* leucemie *v.*

leucocyte [lö'kòsit] *m.* wit bloedlichaampje *o.*

leucorrhée [lö'kòré] *v.*, (*gen.*) witte vloed *m.*

leur [lœ:r] **I** *pr.pers.* hun, haar, aan hen; **II** *pron. poss.*, hun(ne), haar, hare; ***les —s,*** de hunnen.

leurre [lœ:r] *m.* **1** (*op jacht*) lokvogel *m.*; **2** lokmiddel *o.*; **3** lokaas, bedrog *o.*, voorspiegeling *v.*

leurrer [lœ'ré] **I** *v.t.* **1** verleiden, misleiden; aanlokken, bedriegen; **2** (*jacht*) de valk africhten, door lokaas doen terugkomen; **II** *v.pr.* ***se — (de),*** zich vleien met.

levage [leva:j] *m.* **1** (het) opheffen, (het) ophijsen *o.*; **2** (*v. deeg, enz.*) (het) rijzen *o.*; ***appareil de —,*** hijstoestel *o.*

levain [l(e)vẽ] *m.* zuurdesem *m.*; gist *m.*; ***— de discorde,*** twistappel *m.*

levant [l(e)vã] **I** *m.* oosten *o.*; ***le L—,*** de Levant *m.*; **II** *adj.* opgaand; ***le soleil —,*** de opgaande zon.

levantin [l(e)vã'tẽ] **I** *adj.* Levantijns; **II** *s., m.,* ***L—,*** Levantijn *m.*

lève-auto [lè'voto] *m.* autovijzel *v.(m.)*.

levé [l(e)vé] **I** *adj.*, (*v. hoofd, arm, enz.*) opgeheven; **II** *s. m.* **1** (*v. kaart, plan*) (het) opmaken *o.*; **2** (*muz.*) opslag *m.*; ***voter par assis et —,*** stemmen met zitten en opstaan.

levée [l(e)vé] *f.* **1** (het) opheffen, (het) oplichten, (het) opnemen *o.*; **2** (*v. verband*) (het) afnemen *o.*; **3** (*v. oogst*) (het) binnenhalen *o.*; **4** (*v. brievenbus; v. soldaten*) lichting *v.*; **5** (*v. vergadering*) sluiting *v.*; **6** (*v. belasting*) heffing *v.*; **7** (*v. beleg*) opbreking *v.*, (het) opbreken *o.*; **8** (*bij 't kaarten*) trek, slag *m.*; **9** (*langs vijver*) dam *m.*; ***la — du corps,*** het uitdragen van het lijk (uit het sterfhuis); ***— des scellés,*** (*recht*) ontzegeling *v.*

lève-gazon [lè'vgazõ] *m.* zodenspade *v.(m.)*.

lever [l(e)vé] **I** *v.t.* **1** opheffen, oplichten; **2** (*v. last*) optillen; **3** (*v. brug, scherm*) optrekken; **4** (*v. toneelscherm*) ophalen; **5** (*v. verband*) afnemen; **6** (*v. anker, brievenbus*) lichten; **7** (*verbod, straf, zitting*) opheffen; **8** (*moeilijkheid, hinderpaal*) wegnemen, uit de weg ruimen; **9** (*de schouders*) ophalen; **10** (*de wacht*) aflossen; **11** (*v. beleg*) opbreken; **12** (*v. belasting*) heffen; ***— le doigt,*** de vinger opsteken; ***— le masque,*** het masker afwerpen; ***j'en lèverais la main,*** ik zou er een eed op durven doen; ***— un lièvre,*** **1** een haas opjagen; **2** (*fig.*) iets op het tapijt brengen; **II** *v.i.* **1** (*v. plant*) opkomen; **2** (*v. deeg*) rijzen; **III** *v.pr.* ***se —,*** **1** opstaan; **2** (*v. zon, enz.*) opkomen, opgaan; **3** (*v. wind*) opsteken; **4** zich oprichten; zich verheffen; **IV** *s. m.* **1** (het) opstaan *o.*; **2** (*v. zon, maan*) opgang *m.*, (het) opgaan *o.*; ***le — du rideau,*** het ophalen van het scherm; ***donner un — de rideau,*** een voorstukje spelen.

leveur [l(e)vœ:r] *m.*, (*in papierfabriek*) vlijer, afnemer *m.* van de vellen papier.

lève-voiture [lè'vwatü:r] *m.* wagenvijzel *v.(m.)*.

léviathan [lévyatã] *m.* **1** leviathan *m.*; **2** (*fig.*) kolos *m.*

levier [l(e)vyé] *m.* **1** hefboom *m.*; **2** (*v. pomp*) zwengel *m.*; ***— d'interligne,*** (*v. schrijfmachine*) regelversteller *m.*; ***— de direction,*** (*vl.*) stuurhefboom *m.*

levière [l(e)vyè:r] *f.* ophaaltouw *o.*

léviger [lévijé] *v.t.* (*techn.*) uitwassen (en laten neerslaan).

levis [l(e)vi] *adj.*, ***pont* —,** ophaalbrug *v.(m.)*.
lévitation [lévita·syõ] *f.* (*spirit.*) oplichting, opheffing *v.*
lévite [lévit] *m.* leviet, (joods) priester *m.*
Lévitique [lévitik] **I** *m.* Leviticus *m.*; **II** *adj.*, ***l*—,** levitisch.
lévogyre [lévòji:r] *adj.* linksdraaiend.
levraut [levro] *m.* jonge haas *m.*
lèvre [lè:vr] *f.* **1** lip *v.(m.)*; **2** rand *m.* (van een wond); **— *inférieure*,** onderlip; **— *supérieure*,** bovenlip; ***serrer les —s*,** de lippen op elkaar klemmen; ***ne pas desserrer les —s*,** de mond niet opendoen; zwijgen; ***rire du bout des —s*,** gedwongen lachen; ***se mordre les —s*,** zich op de lippen bijten.
levrette [levrèt] *f.* wijfje *o.* van een windhond.
levretté [levrèté] *adj.* lang en smal als een windhond.
lévrier [lévri(y)é] *m.* hazewind, windhond *m.*
levron [levrõ] *m.* jonge hazewind *m.*
lévulose [lévülo:z] *f.* vruchtesuiker *m.*
levure [l(e)vü:r] *f.* **1** gist *m.*; **2** spekzwoord *o.*
levurier [l(e)vüryé] *m.* **1** gistfabrikant *m.*; **2** gisthandelaar *m.*
lexicographe [lèksikògraf] *m.* woordenboekschrijver, lexicograaf *m.*
lexicographie [lèksikògrafi] *f.* lexicografie *v.*
lexicographique [lèksikògrafik] *adj.* lexicografisch, woordenboek—.
lexicologie [lèksikòlòji] *f.* kennis (studie) *v.* van de woorden en hun betekenis.
lexicologique [lèksikòlòjik] *adj.* lexicologisch.
lexicologue [lèksikòlòg] *m.* lexicoloog, kenner *m.* van de woordenleer.
lexique [lèksik] *m.* **1** (*bij boek, enz.*) woordenlijst *v.(m.)*; **2** (*v. taal*) woordenschat *m.*
Leyde [lè:d] *f.* Leiden *o.*
lez [lé] *prép.*, (*in plaatsnamen*) bij.
lézard [léza:r] *m.* hagedis *v.(m.)*; ***faire le* —,** zich koesteren in de zon.
lézarde [lézard] *f.* spleet, scheur *v.(m.)* (in een muur).
lézardé [lézardé] *adj.* gescheurd.
lézarder [lézardé] **I** *v.t.* doen scheuren, doen splijten; **II** *v.i.* luilakken in de zon; **III** *v.pr.* ***se* —,** (*v. muur*) scheuren.
liage [lya:j] *m.* het binden *o.*
liais [lyè] *m.* liassteen, fijnkorrelige kalksteen *o. en m.*
liaison [lyè·zõ] *f.* **1** verbinding *v.*; **2** (*v. gedachten, enz.*) samenhang *m.*; **3** (*bouwk.*; *fig.*, *v. denkbeelden*) verband *o.*; **4** (*muz.*) verbindingsstreepje *o.*; **5** (*keuken*) bindmiddel; (het) binden (*v. saus, enz.*) *o.*; **6** (*bij 't schrijven*) ophaal *m.*; **7** (*ong.*) verhouding *v.*; **8** (*taalk.*) klankverbinding *v.*; ***faire la* —,** verbinden.
liaisonner [lyè·zòné] *v.t.* **1** (*bouwk.*) in het verband plaatsen; **2** (*v. stenen*) voegen.
liane [lyan] *f.* (*Pl.*) liaan, tropische slingerplant *v.(m.)*.
liant [lyã] **I** *adj.* **1** buigzaam, lenig; **2** (*v. mortel, meel, enz.*) bindend; **3** (*fig.*) vriendelijk, minzaam, voorkomend, aanhalig; **II** *s. m.* **1** bindmiddel *o.*; **2** buigzaamheid, lenigheid *v.*; **3** vriendelijkheid, aanhaligheid *v.*
liard [lya:r] *m.* duit *m.*, oortje *o.*; ***couper un — en quatre*,** een duit in tweeën bijten.
liarder [lyardé] *v.i.* krenterig zijn, op een cent doodblijven.
liardeur [lyardœ:r] *m.* vrek, duitendief *m.*
lias [lya], **liasique** [lyazik] *m.* (*geol.*) Lias *o.*
liasse [lyas] *f.* lias *v.(m.)*, bundel *m.* papieren.
Liban [libã] *m.* Libanon *m.*
libanais [libanè] *adj.* Libanees, uit Libanon.
libation [liba·syõ] *f.* (*oudh.*) wijnplenging *v.*; (*fig.*) ***faire des —s*,** (overvloedig) drinken.
libelle [libèl] *m.* schotschrift, smaadschrift; pamflet *o.*
libellé [libèlé] *m.* (*recht*) **1** (het) opstellen *o.* (v. vonnis, enz.); **2** inhoud *m.* (van akte).
libeller [libèlé] *v.t.*; (een akte) opstellen.
libelliste [libèlist] *m.* schrijver *m.* van schotschriften.
libellule [libèlül] *f.*, (*Dk.*) waterjuffer, libel *v.(m.)*.
liber [libè:r] *m.* (*Pl.*) bast *m.*
libérable [libéra·bl] *adj.* onthefbaar, vrij te stellen.
libéral [libéral] **I** *adj.* **1** vrijgevig, mild; **2** vrijzinnig, liberaal; ***arts libéraux*,** vrije kunsten; ***profession —e*,** gestudeerd beroep; **II** *s., m.* liberaal, vrijzinnige *m.*
libéralisme [libéralizm] *m.* liberalisme *o.*
libéralité [libéralité] *f.* mildheid, vrijgevigheid *v.*; **—s,** milde giften *mv.*
libérateur [libératœ:r] **I** *m.* bevrijder *m.*; **II** *adj.* bevrijdend.
libération [libéra·syõ] *f.* **1** bevrijding, verlossing *v.*; **2** (*v. gevangene, soldaat*) ontslag *o.*; **3** (*v. schuld*) delging *v.*; **4** (*v. aandeel*) volstorting *v.*
libératoir [libératwa:r] *adj.* ontheffend, kwijtend.
libérer [libéré] **I** *v.t.* **1** bevrijden, verlossen; **2** vrijstellen, ontslaan; **3** delgen; **4** volstorten; ***être libéré*,** (*mil.*) met groot verlof zijn; ***action complètement libérée*,** volgestort aandeel; **II** *v.pr.*, ***se* —, 1** zich vrijmaken; **2** zich bevrijden; **3** zijn schulden betalen.
libérien [libéryẽ] **I** *adj.* **1** van Liberia; **2** ***tissu* —,** bastweefsel *o.*; **II** *s., m.*, ***L*—,** bewoner *m.* van Liberia.
libertaire [libèrtè:r] **I** *adj.* anarchistisch; **II** *s. m.* anarchist *m.*
liberté [libèrté] *f.* **1** vrijheid *v.*; **2** vrijmoedigheid, vrijpostigheid *v.*; **— *de langage*,** vrijmoedigheid; ***prendre des —s*,** zich vrijheden veroorloven; ***mettre en* —,** op vrije voeten stellen, in vrijheid stellen; ***en toute* —,** in volle vrijheid; **— *de conscience*,** gewetensvrijheid; **— *des cultes*,** godsdienstvrijheid, vrijheid van eredienst; **— *individuelle*,** persoonlijke vrijheid.
libertin [libèrtẽ] **I** *adj.* **1** losbandig, ongebonden; **2** (*gesch.*) libertijns; **II** *s., m.* **1** losbol *m.*; **2** (*gesch.*) libertijn, vrijgeest *m.*
libertinage [libèrtina:j] *m.* losbandigheid, ongebondenheid, lichtzinnigheid *v.*
libertiner [libèrtiné] *v.i.* losbandig leven.
libidineux [libidinö] *adj.* wulps.
libraire [librè·r] *m.* boekhandelaar *m.*
librairie [librè·ri] *f.* **1** boekhandel *m.*; **2** boekwinkel *m.*; **— *circulante*,** leesbibliotheek *v.*; **— *classique*,** schoolboekhandel.
libration [libra·syõ] *f.* (*sterr.*) libratie, slingering *v.* (schijnbare schommeling van een hemellichaam).
libre [li·br] *adj.* **1** vrij; **2** onbezet; **3** vrijmoedig, vrijpostig; **4** (*v. papier*) ongezegeld; ***avoir l'esprit* —,** onbevooroordeeld zijn; **— *penseur*,** vrijdenker *m.*; **— *à vous de*,** het staat u vrij om; **— *de son temps*,** meester van zijn tijd; ***il est — de ses actions*,** hij kan doen en laten wat hij wil; ***avoir le champ* —,** vrij spel hebben; **— *arbitre*,** vrije wil; ***école* —,** bijzondere school; (*B.*) vrije school; **— *comme l'air*,** zo vrij als een vogel in de lucht; ***avoir ses entrées —s chez qn.*,** bij iem. vrij in- en uitlopen.
libre-échange [li·bréšã:j] *m.* vrijhandel *m.*
libre-échangiste* [li·bréšã·jist] **I** *m.* vrijhandelaar, voorstander *m.* van de vrijhandel; **II** *adj.*, ***la politique* —,** de vrijhandelspolitiek.

librement [li'bremã] *adv.* vrijelijk, vrij.
libre*-service* [li'br(e)sèrvis] *m.* zelfbediening *v.*
librettiste [librètist] *m.* librettist *m.*, schrijver *m.* van een libretto.
libretto [librèto] *m.*, (*pl.*: ***libretti** ou **librettos***) libretto *o.*, tekst *m.* van een opera.
Libye [libi] *f.* Libië *o.* [Libisch.
Libyen [libyẽ] **I** *m.* Libiër *m.*; **II** *adj.* ***l—, libyque,***
lice [lis] *f.* **1** strijdperk *o.*; **2** (*v. weefgetouw*) schering *v.*; **3** teef *v.* van een jachthond; **4** (*sp.*) speelterrein *o.*; ***entrer en —,*** in het krijt treden, de strijd aanbinden.
licence [lisã:s] *f.* **1** vergunning *v.*, verlof *o.*; **2** kandidaats-examen *o.*; **3** losbandigheid, ongebondenheid *v.*; ***— poétique,*** dichterlijke vrijheid; ***— d'importation,*** invoervergunning *v.*; ***— d'exportation,*** uitvoervergunning *v.*, consent *o.*
licencié [lisã'syé] *m.* **1** kandidaat *m.*; **2** ontslagene *m.*; **3** (*in België*) (*Ned.*) doctorandus *m.*, (*België*) licentiaat *m.*
licenciement [lisã'simã] *m.* ontslag *o.*, afdanking *v.*; ***— graduel,*** afvloeiing *v.* (van personeel).
licencier [lisã'syé] **I** *v.t.* ontslaan, afdanken; **II** *v.pr.* ***se —,*** zich te buiten gaan, al te veel vrijheid nemen.
licencieux [lisã'syö] *adj.*, **licencieusement** [lisã'syö'zmã] *adv.* losbandig, ongebonden.
licet [lisèt] *m.* toelating, vergunning *v.*, verlof *o.*
lichade [liʃa'd] *f.* gesmul *o.*, smulpartij *v.*
lichen [likèn] *m.* (*Pl.*) korstmos *o.*; ***— d'Islande,*** IJslands mos.
lichéneux [likénö] *adj.* mosachtig.
licher [liʃé] *v.i.* likken, snoepen, smullen.
licheur [liʃœ:r] *m.* snoeper, smulpaap *m.*
licitation [lisita'syõ] *f.* veiling *v.* van onverdeeld (*of* onroerend) goed.
licite(ment) [lisit(mã)] *adj.* (*adv.*) geoorloofd.
liciter [lisité] *v.t.* (onverdeelde goederen) bij opbod verkopen.
licol [likòl], *voir* ***licou.*** [eenhoornvis *m.*
licorne [likòrn] *f.* eenhoorn *m.*; ***— de mer,*** narwal,
licou [liku] *m.* **1** halster *m.*; **2** strop *m.*
licteur [liktœ:r] *m.* (*gesch.*) lictor *m.*
lie [li] *f.* droesem *m.*, grondsop, bezinksel *o.*, moer *v.*(*m.*); ***— du peuple,*** heffe des volks; (***couleur***) ***— de vin,*** donkerrood; ***boire le calice jusqu'à la —,*** de lijdenskelk tot op de bodem ledigen.
lié [lyé] *adj.* gebonden; (*fig.*) ***très —,*** zeer bevriend; ***j'ai la langue —e,*** ik mag niets zeggen.
lied [li:d] *m.* lied *o.* (*pl.*: des *lieds* ou *lieder*).
liège [lyè:j] *m.* **1** kurk *o. en m.*; **2** kurkeik *m.*
Liège [lyè:j] *m.* Luik *o.*
liégé [lyéjé] *adj.* met kurk. [Luiks, Luiker.
Liégeois [lyéjwa] **I** *m.* Luikenaar *m.*; **II** *adj.*, ***l—,***
liégeux [lyéjö] *adj.* kurkachtig.
lien [lyẽ] *m.* **1** band *m.*; **2** (*v. gevangene, enz.*) boei, keten *v.*(*m.*); ***— conjugal,*** huwelijksband; ***rompre ses —s,*** zich bevrijden; ***St. Pierre-aux-L—s,*** Sint-Pietersbanden; ***traîner son —,*** zich niet kunnen losmaken, zijn boeien nog na zich slepen.
lientérie [lyã'téri] *f.* (*gen.*) diarree *v.*
lier [lyé] **I** *v.t.* **1** binden; **2** (aan iets) vastbinden; **3** (*gram, muz.*) verbinden; **4** (*v. stenen*) voegen; ***— une sauce,*** een saus binden; ***— amitié,*** vriendschap sluiten; ***— conversation,*** een gesprek aanknopen; ***— la langue à qn.,*** iem. een slot op de mond doen; **II** *v.pr.*, ***se —,*** zich binden, zich verbinden; ***se — d'amitié,*** vriendschap sluiten met.
Lierde-Sainte-Marie Sint-Maria-Lierde *o.*
Lierde-Saint-Martin Sint-Martens-Lierde *o.*
lierne [lyèrn] *f.* **1** (*v. dak*) nokbalk *m.*; **2** (*v. gewelf*) dwarsrib *v.*(*m.*); **3** (*v. schuit*) bodemplank *v.*(*m.*).
lierre [lyè:r] *m.* (*Pl.*) klimop *m. en o.*
Lierre [lyè:r] Lier *o.* [Lierenaar *m.*
lierrois [lyè'rwa] **I** *adj.* uit Lier; **II** *s. m.* ***L—,***
liesse [lyès] *f.* vreugde, vrolijkheid *v.*; ***être en —,*** feest vieren.
lieu [lyö] *m.* **1** plaats, plek *v.*(*m.*); **2** oord *o.*; **3** reden *m.*, aanleiding *v.*; ***saint —,*** heiligdom *o.*; ***les saints —x,*** de heilige plaatsen; ***— d'asile,*** toevluchtsoord *o.*; ***en temps et —,*** te zijner tijd en plaats, op het gepaste ogenblik; ***mettre en — sûr,*** in veiligheid brengen; ***n'avoir ni feu ni —,*** dakloos zijn; ***— de plaisance,*** lustoord *o.*; ***donner — à,*** aanleiding geven tot; ***s'il y a —,*** als 't nodig is; ***au — de,*** in plaats van; ***au — que,*** terwijl; ***— commun,*** gemeenplaats; ***en premier —,*** in de eerste plaats; ***tenir — de,*** vervangen.
lieue [lyö] *f.* mijl *v.*(*m.*); ***— commune,*** uur gaans *o.* (4 km); ***— marine,*** zeemijl; ***être à cent —s de qc.,*** er ver van af zijn; het glad mis hebben; ***il est à mille*** (***cent***) ***—s d'ici,*** hij is er niet bij.
lieur [lyœ:r] *m.* binder, schovenbinder *m.*
lieuse [lyö:z] *f.* (*landbouwmachine*) zelfbinder *m.*
lieutenance [lyötnã:s] *f.* luitenantschap *o.*
lieutenant [lyötnã] *m.* **1** (*mil.*) luitenant *m.*; **2** plaatsvervanger *m.*; ***— de vaisseau,*** luitenant-ter-zee; ***— en premier,*** (*mil.*) eerste luitenant; ***— en second,*** tweede luitenant.
lieutenant*-colonel* [lyötnãkòlònèl] *m.* luitenant-kolonel *m.*
lieutenante [lyötnã:t] *f.* luitenantsvrouw *v.*
lièvre [lyè:vr] *m.* haas *m.*; ***sommeil de —,*** lichte slaap, hazeslaap *m.*; ***avoir une mémoire de —,*** een geheugen hebben als een garnaal; ***courir le même —,*** hetzelfde doel najagen; ***courir deux —s à la fois,*** twee doeleinden tegelijk nastreven; ***savoir où gît le —,*** weten waar het paard gebonden ligt.
lièvreteau [lyè'vreto] *m.* jong haasje *o.*
liftier [liftyé] *m.* **1** liftjongen *m.*; **2** lifter *m.*
ligament [ligamã] *m.* gewrichtsband *m.*
ligamenteux [ligamã'tö] *adj.* vezelig, dradig.
ligature [ligatü:r] *f.* **1** (*gen.*) (het) afbinden *o.* (*v. slagader, enz.*) ligatuur *v.*; **2** (*tn.*) draadlas *v.*(*m.*); **3** (*tuinb.*) (het) opbinden *o.*; **4** (*drukk.*) koppelletter *v.*(*m.*); **5** verbindingsstreepje *o.*
ligaturer [ligatü'ré] *v.t.* **1** (*gen.*) afbinden; **2** (*tuinb.*) opbinden.
lige [li:j] *adj.* **1** leenplichtig; **2** (*fig.*) verknocht.
lignage [liña:j] *m.* afstamming, afkomst *v.*, geslacht *o.*
lignager [liñajé] *m.* stamverwant *m.*
lignard [liña:r] *m.* (*mil.*) liniesoldaat *m.*
ligne [liñ] *f.* **1** lijn *v.*(*m.*); **2** regel *m.*; **3** snoer *o.*, meetlijn *v.*(*m.*); **4** (*mil.*) linie *v.*; **5** hengel *m.*; **6** (*televisie*) beeldlijn *v.*(*m.*); ***pêcher à la —,*** hengelen; ***— à niveau,*** waterpaslijn; ***— de partage des eaux,*** waterscheiding; ***— aérienne,*** luchtlijn; ***— de charge, — de flottaison,*** (*sch.*) waterlijn; ***— de fond,*** (*visv.*) grondlijn; ***— de combat,*** gevechtslinie; ***— de tir,*** schootslijn; ***en première —,*** **1** in de eerste plaats; **2** (*mil.*) in de voorlinie; ***dans ses grandes —s,*** in grote trekken; ***mettre sur la même —,*** op één lijn stellen; ***aller à la —,*** een nieuwe regel beginnen; ***entrer en — de compte,*** meetellen; ***— de conduite,*** gedragslijn; ***— de démarcation,*** scheidingslijn; ***— équinoxiale,*** evenachtslijn; ***— méridienne,*** meridiaan *m.*; ***hors —,*** buitengewoon, ongeëvenaard; ***— boiteuse*** (*of* ***creuse***) (*drukk.*) „hoerenjong"; ***— à voleur*** (*drukk.*) regel van slechts enkele letters aan het eind van een (opnieuw te zetten) alinea.

ligne*-bloc* [liñblòk] *m.* (op linotype, enz.) gegoten regel *m.*
lignée [liñé] *f.* **1** nakomelingschap *v.*; **2** (adellijk) geslacht *o.*
ligner [liñé] *v.t.* liniëren, lijnen trekken op.
lignette [liñèt] *f.* netgaren *o.*
ligneul [liñœl] *m.* pikdraad *o. en m.*
ligneux [liñö] *adj.* houtachtig; ***couche ligneuse,*** jaarring *m.*
lignification [liñifika'syõ] *f.* houtvorming *v.*
lignifier [liñifyé] *v.pr.*, ***se —,*** in hout veranderen.
lignite [liñit] *m.* bruinkool *v.(m.).*
ligot [ligo] *m.* vuurmaker *m.*
ligotage [ligòta:j] *m.* (het) binden *o.*, kneveling *v.*
ligoter [ligòté] *v.t.* binden, knevelen.
ligue [li'g] *f.* bond *m.*, verbond *o.*
liguer [ligé] **I** *v.t.* verenigen (in een verbond); **II** *v.pr.* ***se —,*** samenspannen.
ligueur [ligœ:r] *m.* bondgenoot *m.*
ligulaire [ligülè:r] *f.* (*Pl.*) lintbloem *v.(m.).*
ligulé [ligülé] *adj.*, (*Pl.*) lintvormig.
ligulée [ligülé] *f.* lintbloem *v.(m.).*
lilas [lila] **I** *m.* (*Pl.*) sering *v.(m.)*; **II** *adj.* lila, [paars.
liliacées [lilyasé] *f.pl.*, (*Pl.*) lelieachtigen *mv.*
lilial [lilyal] *adj.* lelieblank.
Lille [lil] *f.* Rijsel *o.*
Lille-Saint-Hubert Sint-Huibrechts-Lille.
lilliputien [lilipütyẽ] **I** *adj.* dwergachtig, zeer klein; **II** *s., m.*, ***L—,*** lilliputter *m.*
lillois [lilwa] **I** *adj.* Rijsels, van Rijsel; **II** *s. m.* ***L—,*** Rijselaar *m.*
limace [limas] *f.* **1** (naakte) slak *v.(m.)*; **2** (*tn.*) schroef *v.(m.)* van Archimedes; ***marcher comme une —,*** een slakkegang gaan.
limacien [limasyẽ] *adj.* van een slak; slakke—.
limaçon [limasõ] *m.* **1** huisjesslak *v.(m.)*; **2** slakkehuis *o.* (in het oor); ***escalier en —,*** wenteltrap *m.*
limage [lima:j] *m.* (het) vijlen *o.*
limaille [lima'y] *f.* vijlsel *o.*
liman [limã] *m.* lagune *v.(m.).*
limande [limã'd] *f.* **1** (*Dk.*) schar *v.(m.)*; **2** (*sch.*) [smarting *v.*
limander [limã'dé] *v.t.* (een touw) smarten, met een smarting bekleden.
limandière [limã'dyè:r] *f.* tongschar *v.(m.).*
limbe [lẽ:b] *m.* **1** (*sterr.*) rand, buitenrand *m.*; **2** bladschijf *v.(m.)*; **3** (*fig.*) grensgebied *o.*; **4** staat *m.* van onzekerheid; ***—s,*** voorgeborchte *o.* (van de hel).
Limbourg [lẽ'bu:r] *m.* **I** Limburg *o.*; **II** ***l—,*** Limburgse kaas *m.*
Limbourgeois [lẽ'burjwa] **I** *m.* Limburger *m.*; **II** *adj.*, ***l—,*** Limburgs.
lime [lim] *f.* vijl *v.(m.)*; ***grosse —,*** ruwvijl; ***— douce,*** zoetvijl.
limer [limé] *v.t.* **1** vijlen, afvijlen; **2** polijsten.
limette [limèt] *f.* (*Pl.*) limmetje *o.*, zoete limoen *m.*
limeur [limœ:r] *m.* vijler *m.*
limeuse [limö:z] *f.* vijlmachine *v.*
limier [limyé] *m.* **1** speurhond *m.*; **2** (*fig.*) speurhond, politiespion *m.*
liminaire [liminè:r] *adj.* inleidend.
limitatif [limitatif] *adj.* beperkend.
limitation [limita'syõ] *f.* beperking *v.*
limite [limit] *f.* **1** grens, limiet *v.(m.)*; **2** grenspaal *m.*; ***— d'âge,*** leeftijdsgrens; ***— de charge,*** maximumbelasting *v.*
limiter [limité] *v.t.* **1** begrenzen; **2** beperken.
limitrophe [limitròf] *adj.* aangrenzend.
limoger [limò'jé] *v.t.* (*pop.*) afdanken, aan de dijk zetten.
limon [limõ] *m.* **1** slijk, slib *o.*; **2** (*Pl.*) limoen *m.*; **3** disselboom *m.*; **4** (*sch.*) jakobsladder *v.(m.).*
limonade [limòna'd] *f.* limonade *v.(m.)*; ***être dans la —,*** (*pop.*) in de miserie zitten.
limonadier [limònadyé] *m.* limonadeverkoper, koffiehuishouder *m.*
limonage [limòna:j] *m.* beslibbing *v.*
limoner [limòné] *v.t.* **1** (*v. grond*) door slikaanvoer verbeteren; **2** (*v. vis*) spenen, zuiver water geven, de grondsmaak wegnemen.
limoneux [limònö] *adj.* slijkerig.
limonier [limònyé] *m.* **1** lamoenpaard, disselpaard *o.*; **2** (*Pl.*) limoenboom *m.*
limonière [limònyè:r] *f.* lamoen *o.*, disselboom *m.*
limonite [limònit] *f.* ijzeroer *o.*
Limousin [limuzẽ] *m.* **1** bewoner *m.* van Limoges (of van Limousin); **2** ***l—,*** metselaar *m.* (voor grof werk).
limousinage [limuzina:j] *m.* grof metselwerk *o.*
limousine [limuzin] *f.* **1** herdersmantel *m.* (wollen mantel met cape); **2** gesloten automobiel *m.*, limousine *v.*
limpide [lẽ'pi'd] *adj.* **1** helder, doorschijnend, klaar; **2** (*v. betoog*) glashelder.
limpidité [lẽ'pidité] *f.* helderheid, klaarheid, doorschijnendheid *v.*
limure [limü:r] *f.* **1** vijlsel *o.*; **2** (het) vijlen *o.*
lin [lẽ] *m.* **1** vlas *o.*; **2** lijnwaad *o.*; ***farine de —,*** lijnmeel *o.*; ***graine de —,*** lijnzaad *o.*; ***huile de —,*** lijnolie *v.(m.).*
linacé [linasé] *adj.* vlasachtig.
linaigrette [linègrèt] *f.* wollegras *o.*
linaire [linè:r] *f.* (*Pl.*) vlasbek *m.*
Lincent [lẽ'sã] Lysem *o.*
linceul [lẽ'sœl] *m.* lijkwade *v.(m.)*, doodskleed *o.*
linçoir [lẽ'swa:r] *m.* draagbalk *m.*
linéaire [linéè:r] *adj.* lijnvormig; ***le dessin —,*** het lijntekenen, het rechtlijnig tekenen.
linéal [linéal] *adj.* **1** (*recht*) volgens de rechte linie; **2** lijn—; ***perspective —e,*** lijnperspectief *o.*
linéament [linéamã] *m.* **1** trek *m.*; **2** ontwerp *o.*, schets *v.(m.).*
linéature [linéatü:r] *f.* (*televisie*) de beeldlijnen *mv.*
linette [linèt] *f.* vlaszaad *o.*
lineux [linö] *adj.* vlasachtig, vlassig.
linge [lẽ:j] *m.* **1** linnen, linnengoed *o.*; **2** doek *m.*; ***— de corps,*** ondergoed *o.*; ***— de table,*** tafellinnen *o.*; ***— ouvré,*** gebloemd lijnwaad *o.*; ***— de rechange,*** schoon goed *o.*; ***changer de —,*** schoon goed aantrekken; ***blanc comme un —,*** zo bleek als een doek; ***il faut laver son — sale en famille,*** wanneer het rookt, zorg dat de rook in huis blijft.
lingé [lẽ'jé] *adj.*, ***être bien —,*** fijn linnen hebben.
linger [lẽ'jé] *m.* linnenkoper *m.*
lingère [lẽ'jè:r] *f.* **1** linnenkoopster *v.*; **2** linnennaaister *v.*; **3** (*in hotels, enz.*) linnenjuffrouw *v.*
lingerie [lẽ'jri] *f.* **1** linnenhandel *m.*; **2** linnenkamer *v.(m.)*; **3** linnenkast *v.(m.)*; **4** linnengoed *o.*
lingot [lẽ'go] *m* **1** baar, staaf *v.(m.)* (*v. metaal*); **2** (*drukk.*) holwit *o.*
lingotière [lẽ'gòtyè:r] *f.* smeltvorm, staafvorm, gietvorm *m.* voor metaalstaven.
lingual [lẽ'gwal] *adj.* tong—; ***consonne —e,*** tongmedeklinker *m.*
lingue [lẽ'g] *f.* (*Dk.*) leng *m.*
linguiforme [lẽ'gifòrm] *adj.* tongvormig.
linguiste [lẽ'gwist] *m.* taalkundige, taalgeleerde [*m.*
linguistique [lẽ'gwistik] **I** *adj.* taalkundig; **II** *s. f.* taalkunde, taalstudie, linguistiek *v.*
linier [linyé] *adj.* vlas—; ***industrie linière,*** vlasindustrie *v.*
linière [linyè:r] *f.* vlasveld *o.*
liniment [linimã] *m.* zalf *v.(m.)*; smeersel *o.*

linoléum [linòléòm] *m.* linoleum, kurkzeil *o.*
linon [linõ] *m.* fijn linnen *o.*
linot [lino] *m.*, **linotte** [linòt] *f.* vlasvink *m. en v.*; ***tête de —te,*** kuiken zonder kop, onbedachtzaam mens.
linotype [linòtip] *f.* (regel)zetmachine *v.*
linotypie [linòtipi] *f.* (het) zetten *o.* met de zetmachine.
linotypiste [linòtipist] *m.* machinezetter *m.*
Linsmeau [lẽ'smo] Linsmeel *o.*
linteau [lẽ'to] *m.* (*bouwk.*) bovendrempel *m.*; (*v. schoorsteen*) mantelplaat *v.(m.)*.
lion [lyõ] *m.*, **—ne** [lyòn] *f.* **1** leeuw *m.*, —in *v.*; **2** (*fig.*) dandy *m.*; **— *marin,*** zeeleeuw *m.*; ***fosse aux —s,*** leeuwenkuil *m.*; ***le — de Flandre,*** **1** de Vlaamse Leeuw; **2** de Leeuw van Vlaanderen.
lionceau [lyõ'so] *m.* jonge leeuw *m.*, welp *m. en o.*
lionné [lyòné] *adj.*, (*wap.*) klimmend.
lioube [lyub] *f.* (*sch.*) kluft *v.(m.)*.
lipide [lipi'd] *m.* vetstof *v.(m.)*.
lipoïde [lipòi'd] *adj.* vetachtig, vettig.
lipome [lipòm] *m.* (*gen.*) vetgezwel *o.*
lipothymie [lipòtimi] *f.* appelflauwte *v.*
lippe [lip] *f.* dikke onderlip, hanglip *v.(m.)*; ***faire la —,*** de lip laten hangen, pruilen.
lippée [lipé] *f.* **1** lekker beetje, lekker hapje *o.*; **2** mond *m.* vol; ***franche —,*** smulpartij *v.*, kosteloze maaltijd *m.*
lippu [lipü] *adj.* met dikke lippen, diklippig.
liquation [likwa'syõ] *f.* (*techn.*) afscheiding *v.* van een metaal door smelten van een legering.
liquéfaction [likéfaksyõ] *f.* vloeibaarmaking *v.*
liquéfiable [likéfya'bl] *adj.* vatbaar voor vloeibaarmaking.
liquéfier [likéfyé] *v.t.* vloeibaar maken.
liqueur [likœ:r] *f.* **1** vloeistof *v.(m.)*; **2** likeur *v.(m.)*; ***vin de —,*** likeurwijn *m.*
liquidable [likida'bl] *adj.* vereffenbaar.
liquidateur [likidatœ:r] *m.* vereffenaar, boedelberedderaar *m.*; **— *judiciaire,*** curator *m.*
liquidatif [likidatif] *adj.* liquiderend.
liquidation [likida'syõ] *f.* **1** afrekening, vereffening *v.*; **2** boedelbereddering *v.*; **3** (totale) uitverkoop *m.*; opruiming *v.*; **4** (*beurs*) afrekening *v.*, rescontre *v.(m.)*.
liquide [liki'd] **I** *adj.* **1** vloeibaar; **2** (*v. letter*) vloeiend; ***argent —,*** gereed geld *o.*, contanten *mv.*; **II** *s. m.* **1** vloeistof *v.(m.)*; **2** drank *m.*; **III** *s. f.* vloeiende letter *v.(m.)*.
liquider [likidé] *v.t.* **1** afrekenen, vereffenen; **2** beredderen; **3** uitverkopen, opruimen; **4** (*v. zaak*) afwikkelen; **5** (*beurs*) rescontreren; **6** (*fig.*) afdoen, regelen.
liquidité [likidité] *f.* vloeibaarheid *v.*; **—*s,*** vlottende middelen *mv.*
liquoreux [likòrö] *adj.* likeurachtig, zoet.
liquoriste [likòrist] *m.* **1** likeurstoker *m.*; **2** likeurhandelaar *m.*
lire* [li:r] **I** *f.* lire *v.(m.)*; **II** *v.t.* **1** lezen; **2** voorlezen; **3** (*v. drukproeven*) nazien; **— *au doigt,*** doorbladeren, vluchtig lezen.
lis, lys [lis] *m.* lelie *v.(m.)*; ***fleur de —,*** [li], (*wap.*) lelie *v.(m.)*; **— *tigre,*** tijgerlelie; **— *des vallées,*** lelietje *o.* van dalen.
Lisbonne [lizbòn] *f.* Lissabon *o.*
lisbonnin [lizbònẽ] **I** *adj.* uit Lissabon; **II** *s., m.* ***L —,*** bewoner van Lissabon.
Lise [li:z] **1** *f.* Liza *v.*; **2** ***l—,*** drijfzand *o.*
liséré [lizéré] *m.* boordsel *o.*; bies *v.(m.)*.
lisérer [lizéré] *v.t.* omboorden; met een bies versieren.
liseron [lizrõ] *m.* (*Pl.*) winde, klokjeswinde *v.(m.)*; **— *des champs,*** akkerwinde.
Lisette [lizèt] *f.* Liesje *o. en v.*
liseur [lizœ:r] *m.* die veel leest, veellezer, lectuurverslinder *m.*; **— *de pensées,*** gedachtenlezer *m.*
liseuse [lizö:z] *f.* **1** lezeres *v.*; **2** leeslamp *v.(m.)*; **3** leeswijzer *m.*; **4** boekentafeltje *o.*; **5** losse boekomslag, leesomslag *m. en o.*; **6** bedjasje *o.*
lisibilité [lizibilité] *f.* leesbaarheid *v.*
lisible(ment) [lizi'bl(emã)] *adj.* (*adv.*) leesbaar.
lisière [lizyè:r] *f.* **1** (*v. stof*) zelfkant *m.*; **2** (*v. bos*) zoom, rand *m.*; **3** (*voor kinderen en fig.*) leiband *m.*; ***mener qn. à la —,*** iem. aan de leiband hebben.
Lison [lizõ] *f.* Liesje *o. en v.*
lissage [lisa:j] *m.* **1** (het) gladmaken *o.*, gladmaking *v.*; **2** glanzing *v.*
lisse [lis] **I** *adj.* glad, effen, vlak; **II** *s., f.* schering *v.*, scheerlijst *v.(m.)*.
lisser [lisé] *v.t.* **1** gladmaken, effenen; **2** glanzen, polijsten.
lisseur [lisœ:r] *m.* glanzer *m.*
lisseuse [lisö:z] *f.* glansmachine *v.*
lissoir [liswa:r] *m.* liksteen, glanssteen *m.*; likhout *o.*
liste [list] *f.* lijst *v.(m.)*; **— *civile,*** civiele lijst; **— *électorale,*** kiezerslijst.
listel [listèl], **listeau** [listo] *m.* vierkante lijst *v.(m.)* (als versiering, aan zuil, enz.).
liston [listõ] *m.* **1** (*wap.*) dunne band *m.* (op wapenschild); **2** rand *m.* (om een muntstuk).
lit [li] *m.* **1** bed *o.*; **2** ledikant *o.*; **3** (*v. haas*) leger *o.*; **4** (*v. rivier*) bedding *v.*; bodem *m.*; **5** (*in groeve*) laag *v.(m.)*; **— *de camp,*** veldbed; **— *de douleur,*** ziekbed; **— *de mort,*** sterfbed; **— *de parade,*** pronkbed; **— *de pèlerin,*** kermisbed; **— *réversible,*** opklapbed; **— *du vent,*** windstreek *v.(m.)*; ***faire le —,*** het bed opmaken; ***un enfant du second —,*** een kind uit het tweede huwelijk; ***prendre le —,*** (*v. zieke*) gaan liggen; ***mourir dans son —,*** zijn natuurlijke dood sterven; ***au saut du —,*** bij het opstaan; ***comme on fait son —, on se couche,*** zo men zaait, zo men maait; zulk leven, zulke dood.
litanie [litani] *f.* **1** litanie *v.(m.)*; **2** (*fig.*) eentonige (vervelende) opsomming *v.*
lit*-armoire* [litarmwa:r] *m.* bedstede *v.(m.)*.
lit*-bibliothèque* [libibliòtè'k] *m.* opklapbed *o.*
lit*-brancard* [librã'ka:r] *m.* draagbed *o.*
lit*-cage* [lika:j] *m.* opvouwbaar bed, opklapbed *o.*
liteau [lito] *m.* **1** wolfsleger *o.*; **2** (*in tafellinnen*) bonte streep *v.(m.)*; **3** (*tn.*) houten roede, panlat *v.(m.)*.
litée [lité] *f.* (*v. jonge dieren*) nest, nest *o.* vol.
literie [litri] *f.* beddegoed *o.*
litham [litam] *m.* (*v. Arabieren*) kindoek *m.*
litharge [litarj] *f.* loodglit *o.*
lithiase [litya:z], **lithiasie** [lityazi] *f.*, (*gen.*) steenvorming *v.*
lithine [litin] *f.* lithiumoxyde *o.*
lithobie [litòbi] *f.*, (*Dk.*) duizendpoot *m.*
lithochromie [litòkròmi] *f.* kleurensteendruk *m.*
lithoglyphie [litòglifi] *f.* steensnijkunst *v.*
lithographe [litògraf] *m.* steendrukker *m.*
lithographie [litògrafi] *f.* **1** steendruk *m.*; **2** steendrukkerij *v.*
lithographier [litògrafyé] *v.t.* steendrukken.
lithographique [litògrafik] *adj.* lithografisch; steendruk—; ***procédé —,*** steendrukmethode *v.*
lithoïde [litòi'd] *adj.* steenachtig.
lithologie [litòlòji] *f.* steenkunde, steenkennis *v.*
lithologue [litòlò'g] *m.* steenkenner *m.*
lithophyte [litòfit] *m.* (*Pl.*) steenplant *v.(m.)*.
lithosphère [litòsfè:r] *f.* lithosfeer *v.*, vaste korst van de aarde.

lithotomie [litòtòmi] *f.* (*gen.*) steensnijding, blaassteenoperatie *v.*
lithotritie [litòtrisi] *f.* blaassteenverbrijzeling *v.*
litière [lityè:r] *f.* **1** draagbaar *v.*(*m.*), draagstoel *m.*; **2** (stal)stro, strooisel *o.*; ***être sur la —***, **1** op stro liggen; **2** (*fig.*) (*v. persoon*) ziek zijn, bedlegerig zijn; ***faire — de***, (*v. beginselen, enz.*) geringschatten, met voeten treden.
litigant [litigã] *adj.* twistend, pleitend, procederend.
litige [liti:j] *m.* geschil, geding *o.*; ***en —***, betwist; ***point en —***, twistpunt *o.*
litigieux [litijyö] *adj.* **1** betwistbaar; **2** (*v. persoon*) twistziek.
litorne [litòrn] *f.* (*Dk.*) veldlijster *v.*(*m.*), kramsvogel *m.*
litote [litòt] *f.* litotes *v.*(*m.*), redekunstige figuur waarbij men minder zegt dan men bedoelt.
litre [litr] **I** *m.* **1** liter *m.*; **2** literfles *v.*(*m.*); **II** *f.*, (*wap.*) rouwband *m.*
litron [litrõ] *m.* **1** (*oude maat*) kan *v.*(*m.*); **2** (*pop.*) liter wijn *m.*
littéraire(ment) [litérè:r(mã)] *adj.* (*adv.*) letterkundig.
littéral(ement) [litéral(mã)] *adj.* (*adv.*) letterlijk; ***grandeur —e***, (*stelk.*) door letters uitgedrukte grootheid.
littéralité [litéralité] *f.* letterlijkheid *v.*
littérateur [litératœ:r] *m.* letterkundige *m.*
littérature [litératü:r] *f.* **1** letterkunde, literatuur *v.*; **2** alles wat over een onderwerp geschreven is; ***— universelle***, wereldliteratuur *v.*
littoral [lit(t)òral] **I** *m.* kust *v.*(*m.*); strand *o.*; **II** *adj.* kust—; ***montagnes —es***, kustgebergte *o.*
littorelle [litòrèl] *f.* (*Pl.*) oeverkruid *o.*
Lituanie [litwani] *f.* Litouwen *o.*
lituanien [litwanyẽ] **I** *adj.* Litouws; **II** *s.*, *m.*, ***L—***, Litouwer *m.*
liturgie [litürji] *f.* liturgie *v.*
liturgique [litürjik] *adj.* liturgisch.
liure [lyü:r] *f.* **1** dik bindtouw *o.*; **2** (*op wagen of schip*) sjorring *v.*
livarde [livard] *f.*, (*sch.*) zeilspriet *m.*; ***voile à —***, sprietzeil *o.*
livarot [livaro] *m.* kaassoort *v.*(*m.*) *en o.* uit Livarot.
livide [livi·d] *adj.* vaal, loodkleurig.
lividité [lividité] *f.* vaalheid *v.*, loodkleur *v.*(*m.*).
living-room [livẽru:m] *m.* huiskamer *v.*(*m.*).
Livonie [livòni] *f.* Lijfland *o.*
livonien [livònyẽ] **I** *adj.* Lijflands; **II** *s.*, *m.*, ***L—***, Lijflander *m.*
Livourne [livurn] *f.* Livorno *o.*
livournien [livurnyẽ] *adj.* uit Livorno.
livrable [livra·bl] *adj.* leverbaar.
livraison [livrè·zõ] *f.* **1** levering *v.*; **2** aflevering *v.*; ***prendre — de***, (*H.*) in ontvangst nemen; ***faire — de***, afleveren; ***— immédiate***, directe levering; ***— à domicile***, thuisbezorging *v.*; ***par —s***, in afleveringen.
livre [li:vr] *m.* boek *o.*; ***— d'adresses***, adresboek; ***— de caisse***, (*H.*) kasboek; ***— de comptes***, ***grand —***, (*H.*) grootboek; ***— d'entrée et de sortie de titres***, effectenboek; ***— journal***, (*H.*) journaal *o.*; ***tenir les —s***, (*H.*) boekhouden; ***— classique***, ***— de classe***, schoolboek; ***— d'images***, prentenboek; ***— de cuisine***, kookboek; ***— d'heures***, getijdenboek; ***— de lecture***, leesboek; ***— d'or***, **1** adelboek; **2** gedenkboek; ***— de bord***, (*sch.*) scheepsjournaal *o*; ***— à calquer***, doorschrijfboek *o.*; ***— d'étrennes***, boek om cadeau te geven; ***à — ouvert***, **1** voor de vuist; **2** (*muz.*) van het blad; ***parler comme un —***, spreken als een boek; **II** *f.* pond *o.*; ***— sterling***, pond sterling; ***vendre à la —***, bij het pond verkopen.
livrée [livré] *f.* **1** livrei *v.*(*m.*); **2** livreibedienden *mv.*; **3** gevlekte huid *v.*(*m.*) van jonge dieren.
livrer [livré] **I** *v.t.* **1** leveren, afleveren; **2** uitleveren, overleveren; **3** prijsgeven; **4** (*post*) bestellen; ***— bataille***, slag leveren; ***— passage***, doortocht verlenen; **II** *v.pr.*, ***se —***, **1** (*sp.*) zich blootgeven; **2** ***—*** (***à***), zich overgeven aan (*blijdschap, wanhoop, enz.*); **3** zich wijden aan (*studie, enz.*).
livresque [livrèsk] *adj.* boekachtig, boek(en)—.
livret [livrè] *m.* **1** boekje *o.*; **2** (*muz.*) libretto, tekstboekje *o.*; ***— de caisse d'épargne***, spaarbankboekje; ***— de famille***, (*F.*) ***— de mariage***, (*B.*) trouwboekje; ***— militaire***, ***— matricule***, ***— de soldat***, (*mil.*) zakboekje; ***— d'ouvrier***, werkmansboekje.
livreur [livrœ:r] *m.* **1** leveraar *m.*; **2** (*v. winkel*) bezorger, besteller *m.*; ***garçon —***, bezorger *m.*
livreuse [livrö:z] *f.* bestelwagen *m.*, bestelauto *m.*
Lixhe [liks] Lieze *o.*
lixiviation [liksivyɑ·syõ] *f.*, (*scheik.*) uitloging *v.*
lixivier [liksivyé] *v.t.* uitlogen.
llano (lyano] *m.* (*Z.-Am.*) grote grasvlakte *v.*
lobaire [lòbè:r] *adj.* **1** kwabvormig, lobvormig; **2** lelvormig.
lobe [lò·b] *m.* **1** kwab, lob *v.*(*m.*); **2** lel *v.*(*m.*).
lobé [lòbé] *adj.* gelobd.
lobulaire [lòbülè:r], **lobulé** [lòbülé] *adj.* lobvormig.
lobule [lòbül] *m.* **1** kwabje, lobje *o.*; **2** lelletje *o.*
local(ement) [lòkal(mã)] **I** *adj.* (*adv.*) plaatselijk; ***mémoire —e***, plaatsgeheugen *o.*; ***couleur —e***, lokale kleur *v.*(*m.*); **II** *s.*, *m.* lokaal *o.*, lokaliteit *v.*; plaats *v.*(*m.*), ruimte *v.*
localisation [lòkalizɑ·syõ] *f.* lokalisering *v.*(*m.*), beperking *v.* tot een bepaalde plaats.
localiser [lòkali·zé] *v.t.* **1** lokaliseren, tot een bepaalde plaats beperken; **2** de juiste plaats bepalen.
localité [lòkalité] *f.* plaats *v.*(*m.*) (plek, dorp).
locataire [lòkatè:r] *m.-f.* huurder *m.*, huurster *v.*
locateur [lòkatœ:r] *m.* verhuurder *m.*
locatif [lòkatif] *adj.* huur—, van de huurder; ***valeur locative***, huurwaarde *v.*; ***réparation locative***, herstelling *v.* ten laste van de huurder; ***proposition locative***, bijzin *m.* van plaats.
location [lòkɑ·syõ] *f.* **1** (het) huren *o.*; **2** (het) verhuren *o.*; **3** (*in schouwburg, enz.*) plaatsbespreking *v.*; **4** huur *v.*(*m.*), huurprijs *m.*; ***agence de —***, verhuurkantoor *o.*; ***bureau de —***, bespreekbureau *o.*, bureau *o.* voor plaatsbespreking.
location-vente [lòkɑ·syõvã:t] *f.* huurkoop *m.*
locatis [lòkati] *m.* (*ong.*) **1** huurrijtuig, aapje *o.*; **2** gehuurde woning *v.* (gemeubeld).
loch [lòk] *m.* (*sch.*) log *v.*(*m.*); ***ligne de —***, loglijn *v.*(*m.*); ***livre de —***, logboek *o.*
loche [lòʃ] *f.* (*Dk.*) modderkruiper *m.*
lock-out [lòkaut] *m.* uitsluiting *v.*
lock-outer [lòkauté] *v.t.* uitsluiten.
locomobile [lòkòmòbil] **I** *adj.* verplaatsbaar; **II** *s. f.* locomobiel *m.*, verplaatsbare stoommachine *v.*
locomoteur [lòkòmòtœ:r] *adj.* bewegend, voortbewegend; ***organe —***, voortbewegingsorgaan *o.*; ***force locomotrice***, beweegkracht *v.*(*m.*).
locomotif [lòkòmòtif] *adj.* bewegend, bewegings—; ***trouble —***, (*gen.*) bewegingsstoornis *v.*
locomotion [lòkòmòsyõ] *f.* voortbeweging *v.*; ***moyen de —***, vervoermiddel *o.*; ***— à vapeur***, stoomkracht *v.*(*m.*); ***— aérienne***, luchtscheepvaart *v.*(*m.*).
locomotive [lòkòmòti:v] *f.* locomotief *v.*(*m.*).
loculaire [lòkülè:r], **loculé** [lòkülé], **loculeux** [lòkülö] *adj.* (*Pl.*) in hokjes verdeeld.
locuste [lòküst] *f.* sprinkhaan *m.* [*v.*(*m.*).
locution [lòküsyõ] *f.* uitdrukking *v.*, zegswijze

loden [lodèn] *m.* loden stof *v.(m.).*
loess [lœs] *m.* löss, Limburgse klei *v.(m.).*
lof [lòf] *m.*, (*sch.*) windzijde, loef, loefzijde *v.(m.)*; ***au —,*** loefwaarts; ***revenir du —,*** bakzeil halen.
lofer [lòfé] *v.i.*, (*sch.*) loeven.
loffe [lòf] *m.* (*pop.*) onnozele hals *m.*
logarithme [lògaritm] *m.* logaritme *v.(m.).*
logarithmique [lògaritmik] *adj.* logaritmisch.
loge [lò:j] *f.* **1** hut *v.(m.)*; **2** (*v. schouwburg, vrijmetselarij*) loge *v.(m.)*; **3** (*bouwk.*) loggia *v.(m.)*; **4** (*voor krankzinnigen*) cel *v.(m.)*; ***— de concierge,*** portierswoning *v.*; (*fig.*) ***être aux premières —s,*** een van de beste plaatsen hebben (om iets te zien).
logeable [lòja'bl] *adj.* bewoonbaar; gerieflijk.
logement [lòjmã] *m.* **1** woning *v.* **2** inwoning *v.*; **3** huisvesting, inkwartiering *v.*; **4** (*aan boord*) logies *o.*; ***la crise du —,*** de woningnood *m.*; ***la table et le —,*** kost en inwoning.
loger [lòjé] **I** *v.t.* **1** huisvesten; logies verschaffen; **2** inkwartieren; **3** (*fig.*) plaatsen; ***— le diable dans sa bourse,*** geen geld hebben, platzak zijn; ***— une balle dans la tête à qn.,*** iem. een kogel door het hoofd jagen; ***du vin logé,*** wijn op fust; **II** *v.i.* wonen; ***— à la belle étoile,*** onder de blote hemel slapen; ***nous sommes logés à la même enseigne,*** we varen in 't zelfde schuitje; **III** *v.pr.*, ***se —,*** zijn intrek nemen, gaan wonen; ***une balle s'est logée dans le mur,*** een kogel is in de muur blijven zitten.
logette [lòjèt] *f.* hokje, celletje, vertrekje *o.*
logeur [lòjœ:r] *m.*, **logeuse** [lòjö:z] *f.* kamerverhuurder *m.*, kamerverhuurster, kostjuffrouw *v.*
logicien [lòjisyẽ] *m.* **1** logicus, redeneerkundige *m.*; **2** streng logisch redenerend persoon *m.*
logique [lòjik] **I** *f.* logica, redeneerkunst *v.*; **II** *adj.* **1** logisch; **2** (*v. ontleding*) redekundig; ***être — (avec soi-même),*** consequent blijven.
logiquement [lòjik(mã)] *adv.* logisch.
logis [lòji] *m.* woning *v.*, huis *o.*; ***au —,*** thuis.
logiste [lòjist] *m.* kandidaat *m.* voor prix de Rome, of voor soortgelijke prijs.
logistique [lòjistik] *f.* (*mil.*) logistiek *v.*
logographe [lògògraf] *m.* (*gesch.*) **1** Griekse retor *m.*; **2** logograaf, snelschrijver *m.*
logogriphe [lògògrif] *m.* letterraadsel *o.*
logomachie [lògòmaʃi] *f.* woordenstrijd, —twist *m.*, —vitterij *v.*
logopédiste [lògòpédist] *m.* spraakarts *m.*
loi [lwa] *f.* **1** wet *v.(m.)*; **2** (*fig.*) voorschrift *o.*, regel *m.*, richtsnoer *o.*; **3** (*v. munten*) gehalte, allooi *o.*; ***— naturelle,*** natuurwet; ***— martiale,*** krijgswet; ***d'après les —s de la guerre,*** volgens de krijgswet; ***— d'exception,*** uitzonderingswet; ***homme de —,*** rechtsgeleerde *m.*; ***faire —,*** als wet gelden; gezaghebbend zijn, gezag hebben; ***se faire une — de,*** het zich tot plicht rekenen om; ***faire la — à qn.,*** iem. de wet voorschrijven; ***c'est la — et les prophètes pour lui,*** dat is Evangelie voor hem; ***nécessité n'a pas de —,*** nood breekt wet.
loi*-cadre* [lwaka:dr] *f.* raamwet.
loin [lwẽ] *adv.* ver; ***au —,*** in de verte; ***de —,*** van verre; ***de — en —,*** af en toe, van tijd tot tijd, nu en dan; ***— de là,*** verre vandaar; ***d'aussi — qu'il m'aperçut,*** zodra hij mij zag; ***je ne le connais ni de près, ni de —,*** ik ken hem in 't geheel niet; ***il y a — de vous à lui,*** er is een heel verschil tussen u en hem; ***il ira —,*** hij zal het ver brengen; ***il n'ira pas —,*** **1** hij zal het niet ver brengen; **2** (*v. zieke*) hij zal het niet lang maken; ***nous sommes — de compte,*** wij hebben ons verrekend; (*fig.*) wij kunnen het niet eens worden; ***du plus — qu'il me souvienne,*** voor zover mijn herinnering gaat; ***— des yeux, — du cœur,*** uit het oog, uit het hart.
lointain [lwẽ'tẽ] **I** *adj.* ver, afgelegen; **II** *s. m.* verte *v.*; ***dans le —,*** in de verte.
loir [lwa:r] *m.* **1** (*Dk.*) bergrat *v.(m.)*, zevenslaper *m.*; **2** (*fig.*) luilak *m.*; ***dormir comme un —,*** slapen als een os.
loisible [lwa'zi'bl] *adj.* geoorloofd; ***il vous est — de,*** het staat u vrij om.
loisir [lwa'zi:r] *m.* vrije tijd *m.*; ***à —,*** op zijn gemak; ***heures de —,*** snipperuurtjes *mv.*; ***être de —,*** vrij zijn.
lombaire [lõ'bè:r] *adj.* lende—; ***douleurs —s,*** lendepijn *v.(m.).*
Lombard [lõ'ba:r] **I** *m.* Lombard(ijer) *m.*; **II** *adj.* [*l—,* Lombardijs.
Lombardie [lõ'bardi] *f.* Lombardije *o.*
Lombeek-Sainte-Catherine Sint-Katharina-Lombeek *o.*
Lombeek-Sainte-Marie Onze-Lieve-Vrouw-Lombeek *o.*
lombes [lõ:b] *f.pl.* lendenen *mv.*
lombric [lõ'brik] *m.* **1** regenworm *m.*, pier *m.*; **2** spoelworm *m.*
lombrical [lõ'brikal] *adj.* wormvormig.
Londonien [lõ'dònyẽ] **I** *m.* Londenaar *m.*; **II** *adj.*, *l—,* Londens.
Londres [lõ:dr] *m.* Londen *o.*
londrès [lõ'drè's] *m.* fijne sigaar, havanasigaar [*v.(m.).*
long [lõ] (*fém.*: ***longue*** [lõ:g]) **I** *adj.* **1** lang; langwerpig; **2** langdurig; ***de longues années,*** vele jaren; ***sauce longue,*** waterige (*of* dunne) saus; ***capitaine au — cours,*** kapitein op de grote vaart; ***voyage au — cours,*** verre zeereis; ***être — à,*** veel tijd nodig hebben om; ***il a le bras —,*** hij heeft veel invloed; ***avoir les dents longues,*** grote honger hebben; ***il était — à s'endormir,*** het duurde lang eer hij insliep; ***il a la vue longue,*** zijn ogen dragen ver; ***je ne fus pas — à comprendre,*** ik begreep het spoedig; ***ce serait trop —,*** dat zou ons te ver voeren; dat zou te lang duren; ***— comme un jour sans pain,*** eindeloos lang; ***préparer de longue main,*** lang van te voren voorbereiden; **II** *adv.* lang; ***— vêtu,*** lang gekleed; ***écrire —,*** uitvoerig schrijven; ***en savoir —,*** er heel wat van af weten; niet licht te vangen zijn; ***en savoir plus —,*** er méér van weten; ***en dire —,*** heel wat te vertellen hebben; **III** *s. m.* lengte *v.*; ***trois mètres de —,*** drie meter lang; ***au —,*** uitvoerig; ***tomber (tout) de son —,*** languit vallen; ***prendre par le plus —,*** de langste weg nemen; ***aller de — en large,*** heen en weer lopen; ***le — de,*** langs; ***tout le — de la journée,*** de godganse dag; ***c'est d'un — !*** daar komt geen einde aan ! ***à la longue,*** op de duur.
longaille [lõ'gay] *f.* duighout *o.*
longanime [lõ'ganim] *adj.* lankmoedig.
longanimité [lõ'ganimité] *f.* lankmoedigheid *v.*
long-courrier* [lõ'kuryé] *m.* **1** schip *o.* voor de grote vaart; **2** leerling-zeekapitein *m.* (voor de grote vaart).
longe [lõ:j] *f.* **1** leireep, halsterriem *m.*; **2** (gevlochten) zweepriem *m.*; ***— de veau,*** lendestuk, ruggestuk *o.* (v. een kalf).
longer [lõ'jé] *v.t.* langs... gaan, lopen, rijden.
longeron [lõ'jrõ] *m.* **1** (*tn.*) brugbalk, brugligger *m.*; **2** (*vl.*) langsgording *v.*
longévité [lõ'jévité] *f.* lang leven *o.*, hoge ouderdom *m.*
longicaude [lõjiko'd] *adj.* (*Dk.*) langstaartig.
longicaule [lõjiko'l] *adj.* (*Pl.*) langstengelig.
longimétrie [lõ'jimétri] *f.* lengtemeting *v.*
longipenne [lõ'jipèn] *adj.* langvleugelig.

longirostre [lõ'jiròstr] **I** *adj.*, (*Dk.*) langsnavelig; **II** *s.*, *m.* langbek *m.*

longitude [lõ'jitü'd] *f.* (geografische) lengte *v.*; ***— est,*** oosterlengte *v.*

longitudinal [lõ'jitüdinal] *adj.* lengte—; ***coupe —e,*** overlangse doorsnede, doorsnede in de lengte; ***—ement,*** *adv.* **1** overlangs, in de lengte; **2** (*sch.*) langscheeps.

longrine, longuerine [lõ'grin] *f.* **1** balk, legger *m.*; **2** langsligger *m.*

longtemps [lõ'tã] *adv.* lang, lange tijd; ***il y a —,*** lang geleden; ***depuis —,*** al lang; ***il n'en a plus pour —,*** hij zal het niet lang meer maken.

longue [lõ:g] **I** *voir* ***long***; **II** *s. f.*, (*muz.*) lange noot *v.*(*m.*); ***à la —,*** op de duur.

longuement [lõ'gmã] *adv.* **1** lang, lange tijd; **2** breedvoerig; ***respirer —,*** diep ademhalen.

longuerine [lõ'grin] *f.*, *voir* ***longrine.***

longuet [lõ'gè] *adj.* nog al lang, een beetje lang.

longueur [lõ'gœ:r] *f.* **1** lengte *v.*; **2** langdurigheid *v.*; ***— d'onde,*** golflengte; ***des —s,*** (*in boek*) langdradige passages *mv.*; ***fendre en —,*** overlangs splijten; ***traîner en —,*** **I** *v.t.* op de lange baan schuiven; **II** *v.i.* lang duren.

longue*-vue* [lõ'gvü] *f.* verrekijker *m.*

looch [lòk] *m.* verzachtend drankje *o.* (borstmiddel).

Looz [lo] *m.* Borgloon *o.*

lopin [lòpẽ] *m.* **1** (*v. grond*) stukje, lapje *o.*; **2** (*tn.*) ijzerklomp *m.*

loquace [lòk(w)as] *adj.* praatziek, spraakzaam.

loquacité [lòk(w)asité] *f.* praatzucht *v.*(*m.*), spraakzaamheid *v.*

loque [lòk] *f.* lap *m.*, vod *o. en v.*(*m.*), lomp *v.*(*m.*); ***en —s,*** aan flarden.

loquèle [lòkwèl] *f.*, (*ong.*) bespraaktheid *v.*

loquet [lòkè] *m.* (deur)klink *v.*(*m.*); ***couteau à —,*** mes met sluitveer.

loqueteau [lòkto] *m.* klinkje *o.*

loqueteux [lòktö] **I** *adj.* in lompen gehuld, haveloos; **II** *s.*, *m.* haveloze kerel *m.*

loquette [lòkèt] *f.* **1** vodje, lapje, stukje *o.*; **2** (*v. vis*) mootje *o.*

lord [lò:r] *m.* lord *m.*

lord*-maire* [lò'rmè:r] *m.* lord-mayor *m.*

lordose [lòrdo:z] *f.* voorwaartse kromming *v.* van de ruggegraat.

lorgnade [lòrña'd] *f.* lonk *m.*

lorgner [lòrñé] *v.t.* **1** toelonken; **2** begluren; **3** door een toneelkijker bekijken.

lorgnerie [lòrñeri] *f.* **1** (het) begluren *o.*; **2** (het) bekijken *o.* (door een toneelkijker).

lorgnette [lòrñèt] *f.* toneelkijker *m.*

lorgneur [lòrñœ:r] *m.* begluurder *m.*

lorgnon [lòrñõ] *m.* **1** lorgnet *v.*(*m.*) *en o.*; **2** ooglas *o.*

lori [lòri] *m.* **1** lorrie *v.* (wagentje op rails); **2** (*Dk.*) lori, lorrie *m.*

loriot [lòryo] *m.* **1** (*Dk.*) wielewaal *m.*; **2** bakkerstobbe *v.*(*m.*).

Lorrain [lòrẽ] **I** *m.* Lotharinger *m.*; **II** *adj.*, ***l—,*** Lotharings.

Lorraine [lòrè:n] *f.* Lotharingen *o.*

lorry [lòri] *m.* lorrie *v.*

lors [lò:r] *adv.* toen; ***dès —,*** **1** van die tijd af; **2** dientengevolge; ***depuis —,*** sedert die tijd; ***pour —,*** dan; in dat geval; ***— de,*** *prép.* tijdens, ten tijde van; bij; ***— de son départ,*** bij zijn vertrek; ***— même que,*** *conj.* zelfs als.

lorsque [lòrs(e)ke] *conj.* **1** wanneer, als; **2** (*verleden*) toen.

losange [lòzã:j] *m.* ruit *v.*(*m.*); ***en —,*** ruitvormig.

losanger [lòzã'jé] *v.t.* in ruiten verdelen.

losangique [lòzã'jik] *adj.* ruitvormig.

losse [lòs] *f.* spongatenboor *v.*(*m.*).

lot [lo] *m.* **1** (*in erfenis, enz.*) deel, aandeel *o.*; **2** (*H.*) partij, kaveling *v.*; **3** (*v. onroerend goed*) perceel *o.*; ***le gros —,*** de hoofdprijs *m.*

loterie [lòtri] *f.* **1** loterij *v.*; **2** loterijspel *o.*; **3** verloting *v.*; ***mettre qc. en —,*** iets verloten; ***billet de —,*** lot, loterijbriefje *o.*

Lothaire [lòtè:r] *m.* Lotharius *m.*

loti [lòti] *adj.* bedeeld; ***bien —,*** goed af; ***mal —,*** slecht af.

lotier [lòtyé] *m.* (*Pl.*) steenklaver *v.*(*m.*).

lotion [lo'syõ] *f.* **1** wassing *v.*; **2** wasmiddel *o.*; ***— capillaire,*** haarwater *o.*

lotionner [lo'syòné] *v.t.* wassen.

lotir [lòti:r] *v.t.* in kavelingen (*of* in percelen) verdelen; ***me voilà bien loti,*** nu ben ik goed af.

lotissement [lòtismã] *m.* verkaveling *v.*

loto [lòto] *m.* lotto, kienspel *o.*

lotte [lòt] *f.*, (*Dk.*) kwabaal *m.*

lotus [lòtü's], **lotos** [lòtòs] *m.*, (*Pl.*) lotus *m.*

louable(ment) [lwa'bl(emã)] *adj.* (*adv.*) loffelijk, lofwaardig, prijzenswaardig.

louage [lwa:j] *m.* **1** huur *v.*(*m.*); **2** (het) huren *o.*; **3** (het) verhuren *o.*; ***— de voitures,*** stalhouderij *v.*; ***donner à —,*** verhuren.

louange [lwã:j] *f.* lof *m.*, lofspraak *v.*(*m.*); ***des —s,*** loftuitingen *mv.*

louanger [lwã'jé] *v.t.* prijzen, ophemelen, de lof uitbazuinen van.

louangeur [lwã'jœ:r] **I** *m.* lofredenaar *m.*; **II** *adj.* lovend, prijzend.

louche [luʃ] **I** *adj.* **1** scheel, loens; **2** verdacht, slinks, niet pluis; **II** *s. m.* schele *m.*; ***il y a du — là-dedans,*** daar is iets verdachts in; **III** *f.* **1** pollepel, soeplepel *m.*; **2** (*tn.*) drilboor *v.*(*m.*).

loucher [luʃé] *v.t.* scheel zien, scheelkijken.

loucherie [luʃri] *f.* (het) scheelzien *o.*

louchet [luʃè] *m.* **1** smalle spade *v.*(*m.*); **2** turfsteker *m.*; **3** emmer *m.* van baggermachine.

loucheur [luʃœ:r] *m.* schele *m.*

louchir [luʃi:r] *v.i.* (*v. vloeistoffen*) troebel worden.

louchon [luʃõ] *m.*, (*pop.*) schele *m.*

louchoter [luʃòté] *v.i.* een beetje scheel kijken.

louée [lwé] *f.* publieke verhuring *v.* van boerenknechten.

louer [lwé] **I** *v.t.* **1** huren; **2** verhuren; **3** (*v. plaatsen*) bespreken; **4** (*v. boeken*) uitlenen; **5** loven, prijzen, roemen; ***à —,*** te huur; ***qui se loue s'emboue,*** eigen lof stinkt; **II** *v.pr.*, ***se — de,*** **1** tevreden zijn over; **2** blij zijn met.

loueur [lwœ:r] *m.* **1** verhuurder *m.*; **2** lofredenaar *m.*

loufoque [lufòk] *adj.*, (*pop.*) mesjogge, gek.

lougre [lu'gr] *m.* (*sch.*) logger *m.*

Louis [lwi] *m.* Lodewijk *m.*; ***l—,*** napoleon *m.* (goudstuk).

louise*-bonne* [lwi'zbòn] *f.* bep. herfstpeer *v.*(*m.*).

loulou [lulu] *m.* keeshond *m.*

loup [lu] *m.* **1** wolf *m.*; **2** zwart (satijnen) masker *o.*; **3** blunder, bok *m.*, fout *v.*(*m.*); **4** (*tn.*) spijkertang *v.*(*m.*); **5** brombeer, ongezellig persoon *m.*; **6** (*pop.*) beer *m.*, schuld *v.*(*m.*); ***avoir vu le —,*** het klappen van de zweep kennen; ***tête de —,*** ragebol *m.*; ***— de mer,*** (*Dk.*) zeewolf *m.*; (*fig.*) zeerob, zeebonk *m.*; ***froid de —,*** vinnige koude *v.*; ***enfermer le — dans la bergerie,*** de kat bij het spek zetten; ***marcher à pas de —,*** komen aansluipen; ***être connu comme le — gris*** (*ou* ***blanc***), bekend zijn als de bonte hond; ***tenir le — par les oreilles,*** in netelige omstandigheden verkeren; ***entre chien et —,*** tussen licht en donker; ***les —s ne se mangent pas entre eux,*** de ene kraai pikt de andere de ogen niet uit, de ene duivel deert de andere niet; ***le — mourra dans sa peau,*** de vos verliest wel zijn haar, maar niet zijn

knepen; ***quand on parle du —, on en voit la queue,*** als men van de duivel spreekt, ziet men zijn staart.
loup*-cervier* [lusèrvyé] *m.* (*Dk.*) los, lynx *m.*
loupe [lup] *f.* **1** vergrootglas *o.*, loep *v.*(*m.*); **2** (*gen.*) knobbel *m.*, gezwel *o.*; **3** (*aan boom*) knoest *m.*; **4** (*v. ijzer*) wolf, gezuiverde ijzerklomp *m.*; **5** onvolmaakte edelsteen *m.*
louper [lupé] **I** *v.t.* verknoeien; **II** *v.i.* luieren.
loupeur [lupœ:r] (*arg.*) **I** *adj.* lui; **II** *s., m.* lijntrekker *m.*
loupeux [lupö] *adj.* knoestig, vol knoesten.
loup*-garou* [lugaru] *m.* **1** weerwolf *m.*; **2** (*fig.*) bullebak *m.*
loupiot [lupyo] *m.* (*arg.*) kwajongen *m.*, mormel *o.*
lourd [lu:r] *adj.* **1** zwaar; **2** lomp, plomp, log; **3** loom, mat; **4** drukkend; **5** (*v. fout*) grof; **6** (*v. handel*) gedrukt; ***— de sens,*** veelbetekenend; ***une maison —e,*** een kostbaar huishouden; ***il n'en fait pas —,*** hij neemt het niet zwaar op.
lourdaud [lurdo] **I** *adj.* lomp; **II** *s., m.* lomperd, lompe kerel, kinkel *m.*
lourdement [lurdemã] *adv.*, *voir* ***lourd***; ***se tromper —,*** zich geweldig vergissen.
lourderie [lurderi] *f.* **1** lompheid *v.*; **2** domme streek *m. en v.*
lourdeur [lurdœ:r] *f.* **1** zwaarte *v.*; **2** lompheid *v.*; **3** logheid *v.*; **4** loomheid, matheid *v.*; **5** (*v. weer*) drukkendheid *v.*; **6** grofheid *v.*
loustic [lustik] *m.* snaak, grappenmaker *m.*
loutre [lu·tr] *f.* **1** (*Dk.*) otter *m.*; **2** otterbont *o.*
Louvain [lu·vẽ] *m.* Leuven *o.*
Louvaniste [lu·vanist] **I** *m.* Leuvenaar *m.*; **II** *adj.*, ***l—,*** Leuvens.
louvard [luva:r], **louvat** [luva] *m.* jonge wolf *m.*
louve [lu:v] *f.* **1** wolvin *v.*; **2** (*tn.*) steentang *v.*(*m.*); **3** (rechtopstaand) visnet *o.*
louver [lu·vé] *v.t.* met de steentang oplichten.
louvet [lu·vè] *adj.* wolfkleurig, grauw. [welp *m.*
louveteau [lu·vto] *m.* **1** jonge wolf *m.*; **2** (*padv.*)
louveter [lu·vté] *v.i.* **1** (*v. wolvin*) werpen; **2** (*tn.*) wolven, wol breken.
louveterie [lu·vtri] *f.* wolvejacht *v.*(*m.*).
louvière [lu·vyè:r] *f.* wolfskuil *m.* [Louviers).
louviers [luviyé] *m.* lakensoort *v.*(*m.*) *en o.* (uit
louvoyage [luvwaya:j] *m.*, (*sch.*) (het) laveren *o.*
louvoyer [luvwayé] *v.i.*, **1** (*sch.*) laveren; **2** (*fig.*) schipperen.
lovanois [lòvanwa] *adj.* Leuvens.
lovelace [lòvlas] *m.* verleider, don juan *m.*
lover [lòvé] **I** *v.t.* (*sch.*) oprollen, opschieten (v. touw); **II** *v.pr.*, ***se —,*** zich kronkelen (v. slangen).
Lowaige [lòwè:j] Lauw.
loxodromie [lòksòdròmi] *f.*, (*sch.*) schuine koers *m.* (van een schip).
loyal(ement) [lwayal(mã)] *adj.* (*adv.*) **1** (*v. persoon*) rechtschapen, eerlijk; **2** (*v. hart, dienst*) trouw, oprecht; **3** (*v. houding*) loyaal.
loyalisme [lwayalizm] *m.* trouw *v.*(*m.*) aan het koningshuis.
loyauté [lwayo·té] *f.* **1** rechtschapenheid, eerlijkheid *v.*; **2** trouw *v.*(*m.*), oprechtheid *v.*; **3** loyauteit; getrouwheid *v.*
loyer [lwayé] *m.* huur *v.*(*m.*), huurprijs *m.*; ***donner à —,*** verhuren; ***prendre à —,*** huren.
lubie [lübi] *f.* dwaze inval *m.*, luim, gril, kuur *v.*(*m.*).
lubricité [lübrisité] *f.* wulpsheid *v.*
lubrifiant [lübrifyã] **I** *m.* smeermiddel *o.*; **II** *adj.*, ***huile —e,*** smeerolie *v.*(*m.*).
lubrificateur [lübrifikatœ:r] **I** *adj.* glad makend; **II** *s., m.*, (*tn.*) smeerinrichting *v.* [oliën *o.*
lubrification [lübrifika·syõ] *f.* (het) smeren, (het)
lubrifier [lübrifyé] *v.t.* **1** glad maken; **2** (*v. machine*) smeren, oliën.
lubrique(ment) [lübrik(mã)] *adj.* (*adv.*) wulps.
Luc [lük] *m.* Lucas *m.*
lucane [lükan] *m.* vliegend hert *o.*
lucarne [lükarn] *f.* dakvenster, zoldervenster *o.*
Lucerne [lüsèrn] *f.* Luzern *o.*
lucide(ment) [lüsi·d(mã)] *adj.* (*adv.*) **1** helder, klaar, duidelijk; **2** helderziend, scherpzinnig.
lucidité [lüsidité] *f.* **1** helderheid, klaarheid, duidelijkheid *v.*; **2** helderziendheid, scherpzinnigheid *v.*
Lucie [lüsi] *f.* Lucia *v.*
Lucien [lüsyẽ] *m.* **1** (*gesch.*) Lucianus *m.*; **2** (*voornaam*) Lucien *m.* [satan *m.*
Lucifer [lüsifè:r] *m.* **1** (*ster*) Venus *v.*; **2** Lucifer,
lucifuge [lüsifü:j] *adj.* lichtschuw.
luciole [lüsyòl] *f.* glimworm *m.*
Lucques [lük] *f.* Lucca *o.*
lucratif [lükratif] *adj.*, **lucrativement** [lükra-ti·vmã] *adv.* lonend, winstgevend, voordelig; ***sans but —,*** zonder winstoogmerk; zonder winstgevend doel. [geldzucht *v.*(*m.*).
lucre [lükr] *m.* winst *v.*, voordeel *o.*; ***amour du —,***
Lucrèce [lükrès] **1** *f.* Lucretia *v.*; **2** *m.* Lucretius *m.*
lucullesque [lükülèsk] *adj.*, (*v. maaltijd*) Lucullisch, weelderig.
ludion [lüdyõ] *m.* Cartesiaans duikertje *o.*
luette [lẅèt] *f.* huig *v.*(*m.*).
lueur [lẅœ:r] *f.* **1** schijnsel, flauw licht *o.*; **2** (*fig.*: *hoop, enz.*) straal *m.*, vleugje *o.*; ***à la — de,*** bij het licht van.
luge [lü·j] *f.* (Zwitsers) sleetje *o.*
luger [lü·jé] *v.i.* sleeën (met de luge).
lugeur [lü·jœ:r] *m.* sledérijder *m.*
lugubre(ment) [lügü·br(emã)] *adj.* (*adv.*) akelig, somber, naar, naargeestig, triest.
lui [lẅi] *pron.pers.* hij; hem, haar.
luire* [lẅi:r] *v.i.* **1** schijnen; **2** blinken, glimmen; **3** (*fig.*) glanzen, schitteren.
luisance [lẅi·zã:s] *f.* glans *m.*, schittering *v.*
luisant [lẅi·zã] **I** *adj.* **1** lichtgevend; **2** glanzend, zacht blinkend; **3** schitterend, glinsterend; ***ver —,*** glimworm *m.*; **II** *s. m.* glans *m.*
lumbago [lõ·bago] *m.* lendepijn *v.*(*m.*), spit *o.* (in de rug).
lumen [lümèn] *m.* lumen *o.* (lichteenheid).
lumière [lümyè:r] *f.* **1** licht *o.*; **2** dag *m.*, daglicht *o.*; **3** (*v. instrument*) kijkspleet *v.*(*m.*); **4** (*v. orgel*) windspleet *v.*(*m.*), windgat *o.*; **5** (*v. kanon*) zundgat, laadgat *o.*; **6** (*v. pomp*) loosgat *o.*; **7** (*in schilderij*) lichte plek *v.*(*m.*), lichtpartij *v.*; **8** (*v. stoommachine*) stoompoort *v.*(*m.*); ***à la —,*** bij avondlicht, bij kunstlicht; ***avoir de grandes —s,*** een grote kennis hebben; ***voir la —,*** het daglicht aanschouwen; ***perdre la —,*** de ogen sluiten, sterven; ***mettre en —,*** in 't licht stellen, duidelijk maken; ***mettre la — sous le boisseau,*** (*Bijb.*) zijn licht onder de korenmaat zetten; ***la — se fait dans mon esprit,*** er gaat mij een licht op.
lumière*-éclair* [lümyè:réklè:r] *f.* flitslicht *o.*
lumignon [lümiñõ] *m.* brandende pit *v.*(*m.*); lichtje, lampje *o.*
luminaire [lüminè:r] *m.* **1** licht *o.*; **2** (*kath.*) kaarslicht *o.* [stralen.
luminescence [lüminèsã:s] *f.* uitzending *v.* van
lumineusement [lüminö·zmã] *adv.* helder.
lumineux [lüminö] *adj.* **1** lichtgevend; **2** (*v. betoog*) helder, duidelijk; **3** (*v. geest*) helder, helderziend; ***enseigne lumineuse,*** lichtreclame *v.*(*m.*); ***intensité lumineuse,*** lichtsterkte *v.*
luminosité [lümino·zité] *f.* lichtsterkte *v.*
lunaire [lünè:r] **I** *adj.* maan—; maanvormig, hal-

vemaanvormig; ***année* —,** maanjaar *o.*; ***face* —,** vollemaansgezicht *o.*; **II** *s. f.* (*Pl.*) judaspenning *m.*
lunaison [lünè'zõ] *f.* **1** maanverwisseling *v.*; **2** maanmaand *v.(m.)*.
lunatique [lünatik] **I** *adj.* **1** (*v. paard*) maanziek; **2** (*v. persoon*) grillig, fantastisch; **II** *s. m.* gek *m.*
lunch [lœ:ʃ] *m.* lunch *m.*, tweede ontbijt, twaalfuurtje *o.*
luncher [lœ'ʃé] *v.i.* lunchen, koffie drinken.
lundi [lœ'di] *m.* maandag *m.*; ***faire le* —,** maandag houden.
lune [lün] *f.* **1** maan *v.(m.)*; **2** gril, kuur, nuk *v.(m.)*; **3** (maan)maand *v.(m.)*; ***clair de* —,** maneschijn *m.*; ***il y a clair de* —,** de maan schijnt; ***la* — *est dans son plein*,** het is volle maan; **— *rousse*,** aprilmaan; ***fausse* —,** bijmaan *v.(m.)*; **— *d'eau*,** (*Pl.*) (witte) waterlelie *v.(m.)*; **— *de miel*,** wittebroodsweken *mv.*; ***demander la* —,** het onmogelijke verlangen; ***tomber de la* —,** zeer verwonderd kijken; ***être dans la* —,** verstrooid zijn, weg zijn; ***promettre la* —,** iets beloven dat men onmogelijk geven kan; ***faire voir la* — *en plein midi à qn.*,** iem. iets op de mouw spelden, iem. knollen voor citroenen verkopen; ***vouloir prendre la* — *avec les dents*,** het onmogelijke willen.
luné [lüné] *adj.* **1** maanvormig; **2** (*fig.*) (goed, slecht) gemutst; ***être* —,** humeurig zijn.
lunetier [lüntyé] *m.* brillenmaker, brillenslijper *m.*
lunette [lünèt] *f.* **1** verrekijker *m.*; **2** bril *m.*; **3** (*mil.*: *v. vesting*) lunet *v.(m.)*; **— *d'approche*,** verrekijker *m.*; **— *acoustique*,** (*vl.*) luistertrompet *v.(m.)*; **— *astronomique*,** sterrenkijker *m.*; **— *prismatique*,** prismakijker *m.*; **—*s*,** bril *m.*; ***deux paires de* —*s*,** twee brillen; **—*s de cheval*,** oogkleppen *mv.*; **—*s solaires*,** zonnebril; ***serpent à* —*s*,** brilslang *v.(m.)*; ***en* —*s*,** met een bril op; ***champ de* —,** beeldveld *o.*
lunetterie [lünètri] *f.* **1** brillenhandel *m.*; **2** brillenwinkel *m.*
luniforme [lünifòrm] *adj.* halvemaanvormig.
lunule [lünül] *f.* **1** (*meetk.*) halvemaan *v.(m.)*; **2** (*sterr.*) maantje *o.*; **3** (*v. monstrans*) luna *v.*
lunulé [lünülé] *adj.* halvemaanvormig.
lupanar [lüpana:r] *m.* bordeel *o.*
lupin [lüpẽ] *m.* (*Pl.*) lupine *v.(m.)*.
lupuline [lüpülin] *f.* (*Pl.*) hopklaver *v.(m.)*.
lupus [lüpüs] *m.*, (*gen.*) lupus *m.*, huidtuberculose *v.*
lurette [lürèt] *f.*, ***il y a belle* —,** het is al lang geleden.
luron [lürõ] *m.* (vrolijke) kerel *m.*; ***un gai* —,** een vrolijke snuiter, een vrolijke Frans.
lustrage [lüstra:j] *m.* (het) glanzen *o.* (v. stoffen).
lustral [lüstral] *adj.*, ***eau* —*e*,** reinigingswater *o.*; ***jour* —,** (*oudh.*) doopdag *m.*; ***les* —*es*,** (*oudh.*) de reinigingsfeesten *mv.*
lustration [lüstra'syõ] *f.* rituele reiniging *v.*
lustre [lüstr] *m.* **1** glans *m.*; **2** (*fig.*) glans, luister *m.*; **3** lichtkroon *v.(m.)*, kroonkandelaar *m.*; **4** lustrum *o.* (5 jaar); ***donner du* — *à*,** luister bijzetten aan.
lustrer [lüstré] *v.t.* glanzen, glanzend maken.
lustrerie [lüstreri] *f.* fabriek *v.* van lichtkronen.
lustreur [lüstrœ:r] *m.* glanzer, polijster *m.*
lustrine [lüstrin] *f.* lustre *o.*, glanszijde *v.(m.)*.
lustucru [lüstükrü] *m.* sul, onnozele hals *m.*
lut [lüt] *m.* kleefdeeg, kit *o.*
Lutèce [lütè:s] *f.* Lutetia *o.* (oude naam v. Parijs).
luter [lüté] *v.t.* met kleefdeeg dichtmaken.
luth [lüt] *m.*, (*muz.*) luit *v.(m.)*.
luthéranisme [lütéranizm] *m.* lutheranisme *o.*, lutherse leer *v.(m.)*.
lutherie [lütri] *f.* fabriek van snaarinstrumenten, vioolmakerij *v.*
luthérien [lütéryẽ] **I** *adj.* luthers; **II** *s. m.* ***L*—,** lutheraan *m.*
luthier [lütyé] *m.* vioolbouwer, snaarinstrumentmaker *m.*
lutin [lütẽ] **I** *m.* **1** kabouter *m.*, kaboutermannetje *o.*; **2** (*fig.*) kwelduivel, plaaggeest *m.*; **3** (*v. kind*) wildzang *m.*; **II** *adj.* guitig; dartel.
lutiner [lütiné] *v.t.* plagen.
lutinerie [lütinri] *f.* plagerij *v.*
lutrin [lütrẽ] *m.* **1** koorlessenaar *m.*; **2** koor *o.* (zangers).
lutte [lüt] *f.* **1** worsteling *v.*; **2** strijd, wedstrijd *m.*; **3** (*sp.*) (het) worstelen *o.*; **—*des classes*,** klassenstrijd; ***entrer en* —,** de strijd aanbinden; ***de bonne* —,** in eerlijke kamp; **— *à la corde*,** (*sp.*) touwtrekken *o.*
lutter [lüté] *v.i.* **1** worstelen, strijden; **2** stoeien.
lutteur [lütœ:r] *m.* **1** worstelaar *m.*; **2** (*fig.*) strijder *m.*
lux [lüks] *m.* lux *v.* (verlichtingseenheid).
luxation [lüksa'syõ] *f.* ontwrichting *v.*; verrekking *v.*
luxe [lüks] *m.* weelde *v.(m.)*; ***édition de* —,** prachtuitgave *v.(m.)*.
luxé [lüksé] *adj.* uit het lid.
Luxembourg [lüksã'bu:r] *m.* Luxemburg *o.*
Luxembourgeois [lüksã'burzwa] **I** *m.* Luxemburger *m.*; **II** *adj.*, ***l*—,** Luxemburgs.
luxer [lüksé] *v.t.* ontwrichten; verrekken.
luxueux [lüksẅö] *adj.*, **luxueusement** [lüksẅö'zmã] *adv.* weelderig.
luxure [lüksü:r] *f.* wellust *m.*
luxuriance [lüksüryã:s] *f.* **1** overvloedigheid *v.*; **2** (*v. plantengroei*) weelderigheid *v.*
luxuriant [lüksüryã] *adj.* **1** te welig; **2** (*v. plantengroei*) te weelderig.
luxurieux [lüksüryö] *adj.*, **luxurieusement** [lüksüryö'zmã] *adv.* wellustig.
luzerne [lüzèrn] *f.* (*Pl.*) luzerne, rupsklaver *v.(m.)*.
luzernière [lüzèrnyè:r] *f.* luzernveld *o.*
lycée [lisé] *m.* lyceum *o.*
lycéen [liséẽ] *m.* leerling *m.* van een lyceum, lyceïst *m.*
lychnide [likni'd] *f.* koekoeksbloem *v.(m.)*.
lyciet [lisyè] *m.* (*Pl.*) boksdoorn *m.*
lycope [likòp] *m.* (*Pl.*) wolfspoot, wolfsklauw *m.*
lycoperdon [likòpèrdõ] *m.* **1** (*Pl.*) wolfsveest *m.*; **2** stuifzwam *v.(m.)*.
lycopode [likòpò'd] *m.* (*Pl.*) wolfsklauw *m.*
lycose [liko'z] *f.* loopspin *v.(m.)*.
Lycurgue [likürg] *m.* Lycurgus *m.*
lygée [li'jé] *f.* (*Pl.*) Spaans gras *o.*
lymphangite [lẽ'fã'jit] *f.* lymfvatenontsteking *v.*
lymphatique [lẽ'fatik] *adj.* lymfatisch; ***vaisseaux* —*s*,** lymfvaten *mv.*; ***tempérament* —,** krachteloos gestel *o.*
lymphe [lẽ'f] *f.* **1** lymfe *v.(m.)* (waterachtig vocht in de lymfvaten); **2** (*Pl.*) plantesap *o.*
lynch [lẽ'ʃ] *m.*, ***la loi de* —,** de lynchwet *v.(m.)*.
lynchage [lẽ'ʃa:j] *m.* (het) lynchen *o.*
lyncher [lẽ'ʃé] *v.t.* lynchen.
lynx [lẽ:ks] *m.* los, lynx *m.*
lyonnais [lyònè] **I** *adj.* van Lyon, Lyons; **II** *s. m.*, ***L*—,** inwoner *m.* van Lyon.
lyre [li:r] *f.* **1** lier *v.(m.)*; **2** (*fig.*) dichtkunst *v.(m.)*; **3** liervogel *m.*; **4** liervis *m.*; ***toute la* —,** (*fam.*) de hele geschiedenis, alles bij elkaar.
lyrique [lirik] **I** *adj.* lyrisch; ***théâtre* —,** opera *m.*; ***artiste* —,** operazanger(es) *m.(v.)*; ***poète* —,** lyrisch dichter *m.*; **II** *s. m.* **1** lyrisch dichter *m.*; **2** lyriek *v.* (het genre).

lyrisme [lirizm] *m.* **1** lyrisme *o.*, lyrische poëzie *v.*; **2** vervoering, bezieling, warmte *v.*, gloed *m.*
lys [lis] *voir* ***lis.***
Lys [lis] *f.* de Leie *v.*
lysimachie [lizimaʃi], **lysimaque** [lizimak] *f.* (*Pl.*) wederik *m.*; **— *nummulaire,*** penningkruid *o.*
lysol [lizòl] *m.* lysol *o. en m.*

M

M [èm] *m. et f.* m *v.*(*m.*).
ma [ma] *pron.poss.* mijn.
maboul(**e**) [mabul] *adj. et s., m.* (*pop.*) gek, stommerik, ezel *m.*
maboulisme [mabulizm] *m.* stommiteit, sufheid *v.*
macabre [maka·br] *adj.* griezelig, ijzig, afschuwelijk; ***danse —,*** dodendans *m.*
macache [makaʃ] (*arg.*) geen, niks.
macadam [makadam] *m.* **1** macadam, granietkiezel *o. en m.*; **2** macadamweg *m.*
macadamisage [makadamiza:j] *m.* macadamisering *v.*, (het) macadamiseren *o.*
macadamiser [makadami·zé] *v.t.* macadamiseren, met macadam (*of* granietkiezel) bestraten.
macaque [makak] *m.* **1** (*Dk.*) meerkat *v.*(*m.*); **2** (*fig.*) lelijk mens, lelijke aap, baviaan *m.*
macareux [makarö] *m.* (*Dk.*) papegaaiduiker *m.*
macaron [makarõ] *m.* **1** bitterkoekje *o.*; **2** ronde haarkam, insteekkam *m.*; **3** kapstok *m.* met ronde knop.
macaroni [makaròni] *m.* macaroni *m.*
macaronique [makarònik] *adj.* macaronisch, in potjeslatijn (van verzen, enz.); ***poésie —,*** kolderpoëzie *v.*
Macchabée [makabé] *m.* Maccabeeër *m.*; ***m—,*** *m.* lijk *o.*
macédoine [masédwan] *f.* **1** vruchtencompote; vruchtensla *v.*(*m.*); **2** huzarensla; sla *v.*(*m.*) uit velerlei groenten; **3** (*fig.*) mengelmoes *o. en v.*(*m.*), poespas *m.*; **4** bonte verzameling *v.*; **5** ***M—,*** Macedonië *o.*
Macédonien [masédònyẽ] **I** *m.* Macedoniër *m.*; **II** *adj.* ***m—,*** Macedonisch.
macération [maséra·syõ] *f.* **1** weking *v.*; **2** zelfkastijding, boetedoening *v.*
macérer [maséré] *v.t.* **1** (laten) weken, in de week zetten; **2** kastijden.
macfarlane [makfarlan] *m.* regenjas *m. en v.* zonder mouwen.
mach [maʃ] *m.* snelheid *v.* van het geluid.
machaon [makaõ] *m.* koninginnepage *m.*, (vlinder).
mâche [ma:ʃ] *f.* veldsla *v.*(*m.*).
mâche-bouchon [ma·ʃbuʃõ] *m.* kurkentang *v.*(*m.*).
mâchefer [ma·ʃfè:r] *m.* ijzerslak *v.*(*m.*), slakkenkei, hamerslag *m.*
mâchelier [ma·ʃlyé] *adj.* kaak—; ***dent mâchelière,*** maaltand, kauwtand *m.*
mâchement [ma·ʃmã] *m.* het kauwen *o.*
mâcher [ma·ʃé] **I** *v.t.* **1** kauwen; **2** bijten op; **3** (*v. tabak*) pruimen; **4** (*fig.*) voorkauwen; ***gomme à —,*** kauwgom *m. of o.*; ***il ne mâche pas ses mots,*** hij windt er geen doekjes om, hij neemt geen blad voor de mond; ***papier mâché,*** papierdeeg *o.*; ***construction en papier mâché,*** revolutiebouw *m.*; ***— entre les dents,*** mompelen; **II** *v.i.*, ***— à vide,*** **1** schermen in de wind; **2** voor niets werken.
mâcheur [ma·ʃœ:r] *m.* **1** kauwer *m.*; **2** (*pop.*) schranser *m.*; ***— de tabac,*** pruimer *m.*
machiavélique [makyavélik] *adj.* machiavellistisch, sluw, arglistig.
machiavélisme [makyavélizm] *m.* **1** machiavellisme *o.*, sluwe staatkunde *v.*; **2** (*fig.*) gewetenloosheid *v.*
machiavéliste [makyavélist] *m.* machiavellist *m.*, aanhanger *m.* van machiavellistische (trouweloze) staatkunde.
mâchicatoire [ma·ʃikatwa:r] *m.* kauwmiddel *o.*
mâchicoulis [ma·ʃikuli] *m.* (*mil.*) **1** borstwering *v.*; **2** schietgat *o.* (in torenvloer).
mâchiller [ma·ʃiyé] *v.t.* knabbelen op, beknabbelen.
machin [maʃẽ] *m.* **1** ding *o.*; **2** dinges *m.-v.*
machinal(**ement**) [maʃinal(mã)] *adj.* (*adv.*) werktuiglijk, machinaal.
machinateur [maʃinatœ:r] *m.* aanlegger *m.* (van een komplot).
machination [maʃina·syõ] *f.* kuiperij *v.*, boze aanleg *m.*, samenzwering *v.*; ***toutes sortes de —s,*** allerlei listen en lagen.
machine [maʃin] *f.* **1** werktuig *o.*, machine *v.*; **2** toestel *o.*; **3** gevaarte *o.*; **4** geheel, samenstel *o.*; **5** (*pop.*) locomotief *v.*(*m.*); **6** fiets *m. en v.*; ***— à coudre,*** **1** naaimachine *v.*; **2** (*mil.*: *arg.*) mitrailleur *m.*; ***— à écrire,*** schrijfmachine *v.*; ***— comptable,*** telmachine; ***— à imprimer les adresses,*** adresseermachine; ***— à calculer,*** rekentoestel *o.*; ***— à découper,*** snijmachine; ***écrire à la —,*** machineschrijven, typen; ***— de guerre,*** oorlogstuig *o.*; ***— pneumatique,*** luchtpomp *v.*(*m.*); ***— d'induction,*** inductiedynamo *m.*; ***la — ronde,*** de aarde *v.*(*m.*), de aardbol *m.*; ***faire — (en) arrière,*** **1** achteruitrijden, achteruitstomen; **2** (*fig.*) terugkrabbelen, bakzeil halen, inbinden.
machine*-outil* [maʃinuti] *m.* werktuigmachine *v.*
machiner [maʃiné] *v.t.* **1** (*v. samenzwering, enz.*) beramen, op touw zetten, smeden; **2** (*v. schouwburg*) van de nodige toestellen voorzien, (de decors) opstellen.
machinerie [maʃinri] *f.* **1** machinerieën *mv.*; **2** machinekamer *v.*(*m.*).
machinette [maʃinèt] *f.* **1** klein toneelstuk *o.*; **2** (*ong.*) dingetje *o.*
machinisme [maʃinizm] *m.* **1** samenstel *o.* van machines; **2** machinale arbeid *m.*; **3** mechanisering *v.*
machiniste [maʃinist] *m.* **1** toneelknecht *m.*; **2** autobusbestuurder *m.*
machinoir [maʃinwa:r] *m.* (schoenmakers)likhout *o.*
mâchoire [ma·ʃwa:r] *f.* **1** kaak, kinnebak *v.*(*m.*); **2** kaaksbeen *o.*; **3** (*v. sleutel, bankschroef, enz.*) bek *m.*; **4** (*in stopcontact*) stekker *m.*; **5** (*v. geweerhaan*) lip *v.*(*m.*); **6** (*fig.*) ezel, botterik *m.*; ***— inférieure,*** onderkaak; ***avoir la — lourde,*** moeilijk spreken, zich moeilijk uitdrukken; ***jouer des —s,*** zijn kaken roeren, schransen.
mâchonnement [ma·ʃònmã] *m.* **1** (het) kieskauwen, (het) langzame kauwen *o.*; **2** (het) prevelen, gemompel *o.*; (het) onduidelijk spreken *o.*
mâchonner [ma·ʃòné] *v.t.* **1** kieskauwen; **2** prevelen, mompelen; onduidelijk spreken.
mâchonneur [ma·ʃònœ:r] *m.* mummelaar *m.*
mâchure [ma·ʃü:r] *f.* gekneusde plek *v.*(*m.*).
mâchurer [ma·ʃüré] *v.t.* **1** kneuzen, pletten;

2 (*drukk.*) onzuiver afdrukken; 3 (*fig.*) bekladden; ***le chaudron mâchure la poêle,*** de pot verwijt de ketel dat hij zwart is.
macis [masi] *m.* foelie *v.*(*m.*).
mackintosh [makĕ'tòʃ] *m.* 1 waterdichte regenmantel *m.*; 2 waterdichte stof *v.*(*m.*).
macle [makl] *f.* 1 waternoot *v.*(*m.*); 2 kruisnet *o.* (met wijde mazen).
maçon [masõ] *m.* 1 metselaar *m.*; 2 knoeier, prutser *m.*; 3 (***franc —***), vrijmetselaar *m.*; (***abeille***) ***—ne,*** metselbij *v.*(*m.*).
maçonnage [masòna:j] *m.* metselwerk *o.*
maçonne [masòn] *f.* metselbij *v.*(*m.*).
maçonner [masòné] *v.t.* 1 metselen; 2 toemetselen; 3 ruw afwerken; samenflansen, in elkaar flansen.
maçonnerie [masònri] *f.* 1 metselwerk *o.*; 2 (***franc-—***), vrijmetselarij *v.*; ***entrepreneur de —,*** metselaarsbaas *m.*
maçonnique [masònik] *adj.* van de vrijmetselaars, de vrijmetselarij betreffend; ***loge —,*** vrijmetselaarsloge *v.*(*m.*).
macquage [maka:j] *m.*, (*tn.*) (het) braken *o.* (v. vlas, hennep); *voir* ***maquage.***
macramé [makramé] *m.* geknoopte kant *m.*
macre [makr] *f.*, (*Pl.*) waterkastanje *v.*(*m.*).
macreuse [makrö:z] *f.* (*Dk.*) zwarte eend, raafeend, rouweend *v.*(*m.*).
macrobien [makròbyĕ], **macrobite** [makròbit] *adj.* langlevend.
macrocéphale [makròséfal] *adj.* groothoofdig.
macrocosme [makròkòzm] *m.* macrocosmos *m.*, het heelal *o.*
macrodactyle [makròdaktil] *adj.* langvingerig; met lange tenen.
macropode [makròpò'd] **I** *adj.* met lange poten; met lange vinnen; **II** *s. m.* paradijsvis *m.*
macroule [makrul] *f.* (*Dk.*) zwarte koet *m.*
macroure [makru:r] *adj.* langstaartig.
maculage [maküla:j], **maculation** [makülα'syõ] *m.* (het) bekladden, (het) smetten *o.*; misdruk *m.*
maculature [makülatü:r] *f.* 1 bekladding *v.* (met inkt); 2 misdruk *m.*; 3 (*v. graveur*) schutblad *o.*; 4 pakpapier *o.*
macule [maköl] *f.* vlek, smet *v.*(*m.*), vuiligheid *v.*
maculé [makülé] *adj.* gevlekt, bevlekt.
maculer [makülé] **I** *v.t.* 1 bevlekken, bemorsen, bekladden; 2 (*drukk.*) misdrukken; **II** *v.i.* afgeven, smetten.
macusson [maküsõ] *m.* knollathyrus *m.*
madame [madam] *f.* (*pl.*: ***mesdames*** [mé'dam]) mevrouw *v.*
madapolam [madapòlam] *m.* madapolam *v.* (sterk, grof katoen).
madécasse [madékas] *adj.* uit Madagaskar.
madéfaction [madéfaksyõ] *f.* bevochtiging *v.*
madéfier [madéfyé] *v.t.* bevochtigen.
madeleine [madlè'n] *f.* 1 boetvaardige zondares *v.*; 2 zomerpeer *v.*(*m.*); 3 zomerpruim *v.*(*m.*); 4 (*gebak*) kolombijntje *o.*
Madeleine [madlè'n] *f.* Magdalena, Lena *v.*; ***la —,*** de Magdalenakerk (te Parijs).
Madelon [madlõ] *f.* Leentje *v. en o.*
mademoiselle [madmwazèl] *f.* (*pl.* : ***mesdemoiselles*** [mé'dmwazèl]) juffrouw, mejuffrouw, jongejuffrouw; (*v. adel*) freule *v.*
Madère [madè:r] **I** *f.* Madera *o.*; **II** ***m—,*** *m.* madera(wijn) *m.*
madone [madòn] *f.* madonna *v.*; Mariabeeld *o.*
madrague [madrag] *f.* tonijnennet *o.*
madras [madrα:s] *m.* 1 madras *o.*; 2 veelkleurige (katoenen) halsdoek *m.*; 3 hoofddoek *m.*
madré [mα'dré] *adj.* 1 gevlekt, gespikkeld, gemarmerd; 2 (*fig.*) doortrapt, geslepen, uitgeslapen.
madrépore [madrépò:r] *m.* sterkoraal, sponskoraal *o.*
Madrid [madri(d)] *m. et f.* Madrid *o.*
madrier [mα'dri(y)é] *m.* dikke plank *v.*(*m.*), dikke balk *m.*, deel *v.*(*m.*).
madrigal [madrigal] *m.* 1 madrigaal, lyrisch minnedicht *o.*; 2 galant compliment *o.*
madrigalesque [madrigalèsk] *adj.* galant, hoffelijk.
madrigalier [madrigalyé], **madrigaliste** [madrigalist] *m.* madrigaaldichter *m.*
madrigaliser [madrigali'zé] *v.i.* complimenten maken.
madrilène [madrilè'n] **I** *adj.* Madrileens, uit Madrid; **II** *s.*, *m.-f.* Madrileen, bewoner *m.* van Madrid; Madrileense *v.*
madrure [mα'drü:r] *f.* (*v. huid, hout*) spikkeling *v.*
maelström, malstrom [maèlstròm] *m.* maalstroom *m.*
maestria [maèstrya] *f.* (*schone kunsten*) meesterschap *o.*
Maëstricht [ma(è)strik] *m.* Maastricht *o.*
maestro [maèstrò] *m.* (*pl.*: —s) (*muziek*) maestro *m.*
maf(f)ia [mafi(y)a] *f.* (*It.*) maffia *v.*(*m.*) (geheim roversverbond).
mafflé [maflé], **mafflu** [maflü] *adj.* bolwangig, dikwangig.
magasin [magazĕ] *m.* 1 winkel *m.*; magazijn *o.*; 2 bergplaats, opslagplaats *v.*(*m.*), pakhuis *o.*; 3 (*v. geweer*) magazijn *o.*, holte *v.* voor patronen; ***grand —,*** warenhuis *o.*; ***commis de —,*** winkelbediende; ***avoir en —,*** in voorraad hebben; ***— général,*** veem, veempakhuis *o.*
magasinage [magazina:j] *m.* 1 (het) opslaan *o.*; 2 pakhuishuur *v.*(*m.*); 3 opslagtijd *m.*; ***frais de —,*** pakhuishuur *v.*(*m.*).
magasinier [magazinyé] *m.* magazijnmeester; pakhuismeester *m.*
magazine [magazin] *m.* magazijn *o.* (geïllustreerd tijdschrift van gemengde inhoud).
magdalénien [magdalényĕ] *adj.* uit de prehistorische grotten in Dordogne.
magdaléon [magdaléõ] *m.* rolletje, pijpje *o.* (voor pillen).
Magdebourg [magdebu:r] *m.* Maagdenburg *o.*
mage [ma:j] *m.* 1 magiër, priester *m.* bij de oude Perzen; 2 (*fig.*) ziener *m.*; ***les*** (***Rois***) ***M—s,*** de drie Koningen.
maghrébin [magrébĕ] *adj.* betrekking hebbend op de Maghreb (Marokko, Tunis, Algerije), Noordafrikaans.
maghzen [magzèn] *m.* (Marokko) sultanbewind *o.*
magicien [majisyĕ] *m.* tovenaar *m.*
magie [maji] *f.* toverij; toverkunst *v.*; ***— blanche,*** goochelkunst *v.*; ***— noire,*** zwarte kunst *v.*
magique [majik] *adj.* 1 magisch, toverachtig; 2 betoverend; ***lanterne —,*** toverlantaarn *v.*(*m.*).
magister [majistè'r] *m.* (*vroeger*) schoolmeester; frik *m.*
magistère [majistè:r] *m.* 1 (*alchemie*) meesterpoeder *o. en m.*; 2 leerstellige autoriteit *v.*
magistral [majistral] *adj.* 1 meesterlijk; 2 meesterachtig, verwaand, pedant; 3 voornaamste, hoofd—; ***œuvre —e,*** meesterwerk *o.*
magistralement [majistralmã] *adv.* 1 meesterlijk; 2 meesterachtig.
magistrat [majistra] *m.* 1 magistraat, overheidspersoon *m.*; 2 rechter *m.*, lid *o.* van de rechterlijke macht.
magistrature [majistratü:r] *f.* 1 overheid *v.*; overheidsambt *o.*; 2 magistratuur *v.*, rechterlijke macht *v.*(*m.*); 3 rechterlijke waardigheid *v.*; ***— assise,*** rechters, onafzetbare magistratuur; ***— de-***

bout, staande magistratuur; ***haute —,*** leden van Verbrekingshof, Rekenkamer, enz.
magma [magma] *m.* vloeibare (vulkaan)massa *v.(m.).*
magnan [mañã] *m.* zijdeworm *m.*, zijderups *v.(m.).*
magnanerie [mañanri] *f.* **1** zijdeteelt *v.(m.)*; **2** kwekerij *v.* van zijderupsen.
magnanier [mañanyé] *m.* kweker *m.* van zijderupsen.
magnanime(ment) [mañanim(mã)] *adj.* (*adv.*) grootmoedig, edelmoedig.
magnanimité [mañanimité] *f.* grootmoedigheid, edelmoedigheid *v.*
magnat [maña] *m.* **1** magnaat, Pools (of Hongaars) edelman *m.*; **2** (*Am.*) groot financier *m.*
magnésie [mañé'zi] *f.* magnesia, bitteraarde *v.(m.)*, magnesiumoxyde *o.*; ***sulfate —,*** bitterzout *o.*
magnésien [mañézyẽ], **magnésifère** [mañézifè:r] *adj.* magnesiahoudend.
magnésique [mañé'zik] *adj.* magnesium—; ***lumière —,*** magnesiumlicht *o.*
magnésite [mañézit] *f.* meerschuim *o.*
magnésium [mañézyòm] *m.* magnesium *o.*
magnétique [mañétik] *adj.* magnetisch, aantrekkend; ***regard —,*** onweerstaanbare blik.
magnétiquement [mañétikmã] *adv.* magnetisch, langs magnetische weg.
magnétisation [mañétiza'syõ] *f.* **1** (het) magnetiseren *o.*; **2** (het) biologeren *o.*
magnétiser [mañéti'zé] *v.t.* **1** magnetiseren; **2** biologeren.
magnétiseur [mañétizœ:r] *m.* magnetiseur *m.*
magnétisme [mañétizm] *m.* magnetisme *o.*; magnetische kracht *v.(m.).*
magnéto [mañéto] *f.* **1** magneet *m.*; **2** elektromagnetische machine *v.*; **3** lasthefmagneet *m.*
magnéto-électrique* [mañétoélèktrik] *adj.* elektromagnetisch.
magnétophone [mañétòfòn] *m.* bandopnemer *m.*
magnien [mañẽ] *m.* slak *v.(m.)*; zwervende ketellapper, leurder *m.*
magnificat [mañifikat] *m.* magnificat *o.*
magnificence [mañifisã:s] *f.* **1** pracht *v.(m.)*, heerlijkheid *v.*, luister *m.*; **2** prachtlievendheid *v.*; **3** (vorstelijke) mildheid *v.*
magnifier [mañifyé] *v.t.* verheerlijken, prijzen.
magnifique(ment) [mañifik(mã)] *adj.* (*adv.*) **1** heerlijk, prachtig, luisterrijk; **2** prachtlievend; **3** mild.
magnolia [magnò'lya] *m.* (*Pl.*) magnolia *v.(m.).*
magnolier [magnò'lyé] *m.* magnolia *v.(m.).*
magnum [magnòm] *m.* dubbele wijnfles *v.(m.).*
magot [mago] *m.* **1** staartloze aap *m.*; **2** lelijk mens *m.*; apegezicht *o.*, apetronie *v.*; **3** spaarpot *m.*; **4** geld *o.*
Magyar [majya:r] **I** *m.* Magyaar, Hongaar *m.*; **II** *adj.* ***m—,*** Magyaars, Hongaars.
Mahomet [maòmè] *m.* Mohammed *m.*
Mahométan [maòmétã] **I** *m.* mohammedaan *m.*; **II** *adj.*, ***m—,*** mohammedaans.
mahométisme [maòmétizm] *m.* leer *v.(m.)* van Mohammed, islamisme *o.*, islam *m.*
mai [mè] *m.* **1** mei *m.*, bloeimaand *v.(m.)*; **2** meiboom *m.*
maie [mè] *f.* **1** baktrog *m.*; **2** broodkist *v.(m.).*
maigre [mè:gr] **I** *adj.* **1** mager; **2** (*v. grond, oogst*) schraal; **3** (*v. maal*) karig; **4** (*v. voordeel, winst*) karig, gering; **5** (*v. onderwerp*) onbeduidend; ondankbaar; **6** (*v. stijl*) dor; **7** (*v. genoegen*) armzalig; ***jour —,*** onthoudingsdag *m.*; ***repas —,*** maaltijd zonder vlees; ***— repas,*** karig maal *o.*; ***faire —,*** vlees derven; **II** *s. m.* **1** (*v. vlees*) (het) magere *o.*; **2** mager vlees *o.*; **3** (*in rivier*) ondiepte *v.*
maigrelet [mè'grelè] *adj.* nogal mager.
maigrement [mè'gremã] *adv.* **1** mager; **2** schraal, sober.
maigreur [mè'grœ:r] *f.* **1** magerheid *v.*; **2** schraalheid *v.*
maigrichon [mè'griʃõ] *adj.* al te mager.
maigrichonne [mè'griʃòn] *f.* mager meisje *o.*
maigriot [mè'grio] *adj.* al te mager.
maigriotte [mè'griòt] *f.* mager meisje *o.*
maigrir [mè'gri:r] *v.i.* vermageren, mager worden.
mail [ma:y] *m.* **1** smidshamer, voorhamer *m.*; **2** (*sp.*) kolf *v.(m.)*, malie *v.*; **3** kolfspel *o.*; **4** mailcoach *v.*; ***jouer au —,*** kolven.
maille [ma'y] *f.* **1** (*v. net*) maas *v.(m.)*; **2** (*v. breiwerk*) steek *m.*; **3** malie *v.*; **4** (*in traliewerk*) opening *v.*; ***— en l'air,*** losse steek; ***— simple,*** vaste steek; ***il n'a ni sou ni —,*** hij is doodarm, hij heeft kruis noch munt, hij heeft geen rooie cent; ***avoir — à partir avec qn.,*** met iem. een appeltje te schillen hebben.
maillechort [ma'jʃò:r] *m.* argentaan, nieuwzilver *o.*
mailler [mayé, ma'yé] **I** *v.t.* **1** (netten) breien; **2** van traliewerk voorzien; **3** (*v. leer*) kloppen; **4** (*v. vlas, hennep*) beuken; **II** *v.i. et v.pr.*, ***se —,*** (*v. vogels*) spikkelen, vlekken krijgen.
maillet [mayè] *m.* **1** houten hamer *m.*; **2** vlasbeuker *m.*
mailleter [mayté] *v.t.* (*sch.*) bespijkeren.
mailleur [mayœ:r] *m.* nettenbreier, nettenknoper *m.*
mailloche [mayòʃ] *f.* houten (beuk)hamer *m.*
maillon [mayõ] *m.* **1** (*v. net*) maas *v.(m.)*; **2** (*v. ketting*) schakel *m. en v.*; **3** band *m.*
maillot [mayo] *m.* **1** luier *m.*; **2** (*sp.*) trui *v.(m.)*; **3** (*v. danseres, enz.*) tricot *m. en o.*; ***— de bain,*** badpak, badkostuum *o.*
maillotin [mayotẽ] *m.* olijvenpers *v.(m.).*
maillure [mayü:r] *f.* vlek *v.(m.)* (*op hout*).
main [mẽ] *f.* **1** hand *v.(m.)*; **2** (*kaartsp.*) slag, trek *m.*; **3** (*in rijtuig, tram*) lus *v.(m.)*; **4** (*v. lade*) ring *m.*; **5** hechtrank *v.(m.)*; **6** (*tn.*) sleeptang *v.(m.)*; ***— de papier,*** boek *o.* papier; ***— courante,*** **1** (trap)leuning *v.*; **2** (*H.*) kladboek *o.*; **3** (*v. schrift*) lopende hand *v.(m.)*; lopend schrift *o.*; **4** (*tn.*) handvat *o.*; ***— morte,*** slap handje; ***ne pas y aller de — morte,*** er flink op los slaan, er met de grove bijl in hakken; ***faire — basse sur qc.,*** zich meester maken van iets; ***avoir la — heureuse,*** **1** geluk hebben; **2** een gelukkige keus doen; ***avoir une belle —,*** een mooie hand (van schrijven) hebben; ***lâcher la — à qn.,*** iem. de vrije teugel laten; ***mettre la — à la pâte*** (*ou* ***à l'ouvrage***), de handen uit de mouw steken; ***prendre à pleines —s,*** veel nemen, flink toetasten; ***avoir les —s liées,*** gebonden zijn; ***de la — à la —,*** van de ene hand in de andere, onderhands; ***c'est un homme à toutes —s,*** hij is van alle markten thuis; ***cela a été fait en un tour de —,*** dat is in een oogwenk gedaan; ***j'en donnerais ma — à couper,*** ik zou er mijn hoofd onder verwedden; ***avoir les —s nettes de qc.,*** geen schuld hebben aan iets; ***changer de —,*** (*v. huis, enz.*) van eigenaar veranderen; ***adopter à —s levées,*** zonder stemming aannemen; ***ce travail demande de la —,*** voor dat werk is handigheid nodig; ***il passera par mes —s,*** ik zal hem wel te pakken krijgen; ***ils peuvent se donner la —,*** ze zijn aan elkaar gewaagd; ***il a des —s de beurre,*** hij heeft twee linkerhanden; hij laat alles uit zijn handen vallen; ***en venir aux —s,*** handgemeen worden; ***battre des —s,*** in de handen klappen; ***la — sur la conscience,*** met de hand op het hart; ***à — armée,*** gewapenderhand; ***de longue —,*** lang op voorhand; ***avoir les —s longues,*** veel invloed hebben; ***forcer la — à qn.,*** iem. dwingen; ***les —s me***

tombent, daar sta ik paf van; ***remettre en —(s) propre(s),*** persoonlijk overhandigen; ***prendre son courage à deux —s,*** al zijn moed bijeenrapen; ***vendre sous —,*** (*H.*) onder de hand (*of* onderhands) verkopen; ***donner un coup de — à qn.,*** iem. een handje helpen; ***prendre qn. la — dans le sac,*** iem. op heterdaad betrappen; ***je m'en lave les —s,*** ik was mijn handen in onschuld.

main*-d'œuvre [mẽ'dœ:vr] *f.* **1** handenarbeid *m.*; **2** arbeidsloon *o.*; **3** arbeidskrachten *mv.*

main-forte [mẽ'fòrt] *f.* hulp *v.(m.)*, bijstand *m.*; ***prêter —,*** hulp verlenen.

Mainfroi [mẽ'frwa] *m.* Manfred *m.*

beslag).

mainlevée [mẽ'lvé] *f.*, (*recht*) opheffing *v.* (van

mainmise [mẽ'mi:z] *f.* **1** (*recht*) beslaglegging *v.*; **2** (*fig.*) inpalming *v.*; **3** (*fam.*) rammeling *v.*

mainmortable [mẽ'mòrta'bl] *adj.* tot de dode hand behorend.

mainmorte [mẽ'mòrt] *v.* dode hand *v.(m.)*, onvervreemdbaarheid *v.*; ***biens de —,*** goederen in de dode hand.

maint [mẽ, mẽ't] *adj.* menig, vele; ***—es fois,*** menigmaal, dikwijls.

maintenant [mẽ'tnã] *adv.* nu, thans; ***— que,*** nu; ***dès —,*** van heden af (aan).

mainteneur [mẽ'tnœ:r] *m.* handhaver *m.*

maintenir* [mẽ'tni:r] **I** *v.t.* **1** handhaven; **2** in stand houden; **3** volhouden, staande houden; **4** onderhouden; ondersteunen; ***— la parole donnée,*** het gegeven woord gestand doen; ***à —,*** blijft! correctie niet waarnemen; **II** *v.pr.*, ***se —,*** **1** zich handhaven; **2** zich staande houden; **3** (*v. weder*) aanhouden.

maintien [mẽ'tyẽ] *m.* **1** handhaving *v.*; **2** houding *v.*, uiterlijke manieren *mv.*, voorkomen *o.*; ***il n'a pas de —,*** hij heeft geen manieren; ***perdre son —,*** met zijn figuur verlegen zijn, niet weten hoe zich te houden; ***— des prix*** (*of* ***du prix fort***) prijsbinding *v.*

maire [mè:r] *m.* burgemeester *m.*; ***— du palais,*** hofmeier *m.*; ***passer devant le —,*** trouwen op 't stadhuis.

mairesse [mè'rès] *f.* burgemeestersvrouw *v.*

mairie [mè'ri] *f.* **1** gemeentehuis, raadhuis *o.*; **2** burgemeestersambt *o.*

mais [mè] *conj.* **1** maar; **2** wel; ***— non,*** welneen; ***— encore,*** maar in ernst; ***— enfin!*** neen maar! ***il ne peut rien, — rien,*** hij kan niets doen, hoegenaamd niets; ***il n'en peut —,*** hij kan er niets aan doen, hij kan het niet helpen; ***il y a un —,*** er is een maar bij.

maïs [mais] *m.* Turkse tarwe *v.(m.)*, maïs *m.*

maison [mè'zõ] *f.* **1** huis *o.*, woning *v.*; **2** geslacht *o.*; **3** firma *v.(m.)*, handelshuis *o.*; **4** bedienden *mv.*, personeel *o.*; ***— commune,*** gemeentehuis, raadhuis *o.*; ***— d'arrêt, — de détention,*** huis *o.* van bewaring, gevangenis *v.*; ***— de banque,*** bankinstelling *v.*, bank *v.(m.)*; ***— de campagne,*** landhuis, buiten *o.*; ***— de commerce,*** handelshuis; ***— de maître,*** herenhuis; ***— de rapport,*** huurhuis; ***— religieuse,*** klooster *o.*; ***— de santé,*** ziekenverpleging; inrichting voor zenuwlijders; ***— mère*** [mèzõ'mè:r] *f.* **1** (*v. kloosterorde*) moederhuis *o.*; **2** (*v. handelshuis*) hoofdzetel *m.* ; ***c'est la — du bon Dieu,*** het is daar de zoete inval; ***les —s empêchent de voir la ville,*** men kan van wege de bomen het bos niet zien; ***tenir — ouverte,*** zeer gastvrij zijn; ***rester à la —,*** thuisblijven; ***les gens de —,*** het dienstpersoneel; ***— d'éditions,*** uitgeversfirma, uitgeverszaak *v.(m.)*; ***— de détail,*** kleinhandel *m.*; ***entrer en —,*** (*v. dienstbode*) in dienst treden; ***avoir un grand train de —,*** op grote voet leven.

maison*-caserne* [mèzõ'kazèrn] *f.* kazernewoning *v.*, huurkazerne *v.(m.)*.

maisonnée [mè'zòné] *f.* **1** al de huisgenoten *mv.*; **2** huis *o.* vol (*v. kinderen, enz.*).

maisonnette [mè'zònèt] *f.* huisje *o.*

maistrance [mèstrã:s] *f.* (*mil.*) de marine-onderofficieren *mv.*

maître [mè:tr] *m.* **1** meester *m.*; **2** heer, gebieder *m.*; **3** baas, patroon *m.*; **4** onderwijzer; leraar *m.*; ***— d'équipage,*** (*sch.*) bootsman *m.*; ***premier —,*** (*sch.*) opperbootsman; ***second —,*** bootsmansmaat *m.*; ***— d'hôtel,*** **1** chef-kok *m.*; **2** hofmeester *m.*; **3** oberkelner *m.*; ***— d'études,*** studiemeester, surveillant; ***— de conférences,*** lector *m.*; ***— d'armes,*** schermmeester; ***— garçon,*** eerste kelner; ***de main de —,*** met meesterhand; ***petit —,*** fat *m.*; ***se rendre — de,*** zich meester maken van; ***être — de son sujet,*** zijn onderwerp beheersen; ***être — de soi,*** zich beheersen; ***parler en —,*** gebiedend optreden; ***tel —, tel valet,*** zo heer, zo knecht.

maître*-autel* [mè'trotèl] *m.* hoogaltaar, hoofdaltaar *o.*

maîtresse [mè'très] **I** *f.* **1** meesteres *v.*; (***— de maison***), vrouw des huizes; **2** onderwijzeres; lerares *v.*; ***— de piano,*** pianojuffrouw; **II** *adj.* voornaamste; ***— ancre,*** (*sch.*) plechtanker *o.*; ***une — femme,*** een flinke vrouw; ***une — corde,*** een heel dik touw *o.*; ***— branche,*** hoofdtak, dikke tak *m.*

maîtrisable [mètriza'bl] *adj.* bedwingbaar.

maîtrise [mè'tri:z] *f.* **1** meesterschap *o.*; **2** beheersing *v.*; **3** zangkoor *o.* (v. koorknapen); **4** zangschool *v.(m.)* (voor kerkzang); **5** kapelmeestersambt *o.*; ***— de soi,*** zelfbeheersing *v.*

maîtriser [mè'tri'zé] **I** *v.t.* **1** overmeesteren; **2** beheersen, bedwingen; **II** *v.pr.*, ***se —,*** zich beheersen.

majesté [majèsté] *f.* **1** majesteit *v.*; verhevenheid *v.*; **2** deftigheid *v.*

majestueux [majestwö] *adj.*, **majestueusement** [majèstwö'zmã] *adv.* statig, majestueus.

majeur [majœ:r] **I** *adj.* **1** groter, grootst; **2** meerderjarig; **3** gewichtig; ***force —e,*** overmacht *v.(m.)*; ***tierce —e,*** (*muz.*) grote terts *v.(m.)*; ***ton*** (***ou mode***) ***—,*** (*muz.*) majeurtoonaard *m.*; ***les ordres —s,*** (*kath.*) de hogere wijdingen *mv.*; ***raison —e,*** dwingende (*of* gewichtige) reden *v.(m.)*; ***doigt —,*** middelvinger *m.*; **II** *s.*, *m.* **1** meerderjarige *m.*; **2** middelvinger *m.*

majeure [majœ:r] *f.* eerste stelling *v.* van een sluitrede, major *m.*

majolique [majòlik] *f.* majolica *o. en v.(m.)*, Italiaans aardewerk *o.*

major [majò:r] *m.* **1** kapitein-kwartiermeester *m.*; **2** officier *m.* van gezondheid; **3** (*B.*) majoor *m.*; ***sergent-—,*** sergeant-majoor *m.*; ***— général,*** chef *m.* van de generale staf.

majorat [majòra] *m.* majoraat *o.*

majoration [majòra'syõ] *f.* **1** verhoging, vermeerdering *v.*; **2** prijsverhoging *v.*; **3** (*v. salaris*) opslag *m.*

majorer [majòré] *v.t.* verhogen, vermeerderen.

majoritaire [majòritè:r] *adj.* meerderheids—; ***système —,*** meerderheidssysteem *o.*

majorité [majòrité] *f.* **1** meerderheid *v.*; **2** meerderjarigheid *v.*; ***arriver à sa —,*** meerderjarig worden; ***la — des hommes,*** de meeste mensen; ***à la —,*** bij meerderheid van stemmen; ***— absolue,*** volstrekte meerderheid.

Majorque [mayòrk] *f.* Majorca *o.*
majorquin [mayòrkẽ] *adj.* uit Majorca.
majuscule [majüskül] *f.* (*et adj.*: ***lettre —***) hoofdletter *v.*(*m.*).
maki [maki] *m.* maki *m.*; halfaap van Madagascar.
mal [mal] **I** *m.* **1** kwaad *o.*; **2** ramp *v.*(*m.*), ongeluk *o.*; **3** ziekte *v.*; kwaal *v.*(*m.*); **4** pijn *v.*(*m.*); **5** moeite *v.*, last *m.*; ***faire —,*** pijn doen; ***faire du —,*** kwaad doen; ***— de dents,*** kiespijn; ***avoir — aux dents,*** kiespijn hebben; ***avoir — à la tête,*** hoofdpijn hebben; ***avoir son — de tête,*** weer hoofdpijn hebben; ***vouloir du — à qn.,*** iem. een kwaad hart toedragen, boos zijn op iem.; ***— du pays,*** heimwee *o.*; ***— de mer,*** zeeziekte; ***se donner du —,*** moeite doen; ***mettre à —,*** verleiden; ***de — en pis,*** van kwaad tot erger; ***avoir beaucoup de — à,*** veel moeite hebben om; ***le — est que,*** het ergste is dat; ***— vous en prendra,*** het zal u slecht bekomen; ***penser à —,*** kwaad in de zin hebben; ***il n'y a pas grand — à cela,*** dat kan niet veel kwaad, zo erg is het niet; ***— d'autrui n'est que songe,*** een vet varken weet niet, dat een mager honger heeft (men bekommert zich weinig om het leed van anderen); **II** *adj.* slecht; ***bon an — an,*** door elkaar; ***bon gré — gré,*** of men wil of niet; ***être —,*** erg ziek zijn; ***être — à l'aise,*** niet op zijn gemak zijn; ***se trouver —,*** onwel worden; flauw vallen; **III** *adv.* **1** slecht; **2** verkeerd; ***prendre —,*** kwalijk nemen; ***— en point,*** lelijk toegetakeld; ***— tourner,*** **1** mislukken, in 't water vallen; **2** de verkeerde weg opgaan; ***être — vu,*** niet gezien zijn, in een kwade reuk staan; ***pas —,*** heel wat, aardig wat; ***il n'a pas — de livres,*** hij heeft aardig wat boeken; ***il n'y avait pas — de monde,*** er waren heel wat (*of* vrij wat) mensen.
malabar [malaba:r] *m.* palankijn *m.*
malachite [malakit] *f.* malachiet *o.*, groen kopererts *o.*
malade [mala'd] **I** *adj.* **1** ziek; **2** (*v. vrucht*) bedorven; ***tomber —,*** ziek worden; ***se porter —,*** zich ziek melden; ***es-tu — ?*** (*fam.*) ben je zestig? ben je gek? ***— de,*** lijdende aan; ***une imagination —,*** een ontstelde verbeelding *v.*; **II** *s., m.-f.* **1** zieke; lijder(es) *m.*(*v.*); **2** patiënt *m.-v.*
maladie [maladi] *f.* **1** ziekte *v.*; kwaal *v.*(*m.*); **2** manie *v.*; ***faire une —,*** een ziekte doormaken; ***il en fera une —,*** hij zal er nog ziek van worden.
maladif [maladif] *adj.* ziekelijk.
maladrerie [maladreri] *f.* leprozenhuis *o.*
maladresse [maladrès] *f.* onhandigheid *v.*
maladroit(ement) [maladrwa(tmã)] *adj.* (*adv.*) onhandig, links.
malaga [malaga] *m.* malaga(wijn) *m.*
malaire [malè:r] *adj.* wang—; ***os —,*** wangbeen *o.*
Malais [malè] **I** *m.* **1** Maleier *m.*; **2** Maleisiër *m.*; **II** *adj.*, ***m—,*** **1** Maleis; **2** Maleisisch, uit Maleisië.
malaise [malè:z] *m.* **1** onaangenaam gevoel *o.*, onbehaaglijkheid *v.*; **2** (*H.*) slapte *v.* (in zaken).
malaisé(ment) [malè'zé(mã)] *adj.* (*adv.*) moeilijk, ongemakkelijk.
Malaisie [malè'zi] *f.* **1** Oostindische archipel *m.*; Insulinde *o.*; **2** Maleisië, Malaysia *o.*
malaisien [malè'zyẽ] *adj.* Maleisisch.
malandre [malã:dr] *f.* **1** (*bij paard*) krab, rasp *v.*(*m.*), gekloven knieholte *v.*; **2** (*in hout*) uileveer *v.*(*m.*), rotte kwast *m.*
malandreux [malã'drö] *adj.* (*v. hout*) rottig.
malandrin [malã'drẽ] *m.* schelm, schooier, (straat)rover *m.*
malappris [malapri] **I** *adj.* onopgevoed, ongemanierd, lomp; **II** *s. m.* lomperd *m.*
malard, malart [mala:r] *m.* wilde eend *m.*
malaria [malarya] *f.* malaria *v.*(*m.*).
malarique [malarik] **I** *adj.* malaria—; **II** *s., m.-f.* malarialijder(es) *m.* (*v.*).
malavisé [malavi'zé] *adj.* onberaden, onbezonnen, onnadenkend, onverstandig.
malaxage [malaksa:j] *m.*, **malaxation** [malaksa'syõ] *f.* (het) kneden *o.*
malaxer [malaksé] *v.t.* kneden, murw maken.
malaxeur [malaksœ:r] *m.* **1** kneder *m.*; **2** kneedmachine *v.*; **3** (*in brouwerij*) roerkuip *v.*(*m.*).
malbâti [malba'ti] **I** *adj.* mismaakt, wanstaltig; **II** *s. m.* mismaakte *m.*
malchance [malʃã:s] *f.* ongeluk *o.*, tegenspoed *m.*, pech *m.*
malchanceux [malʃã'sö] **I** *adj.* ongelukkig, rampspoedig; **II** *s. m.* ongeluksvogel, pechvogel, wanboffer *m.*
Maldives [maldi:v] *f.pl.* Maladiven *mv.*
maldonne [maldòn] *f.* (het) vergeven, (het) verkeerd geven *o.* (v. kaarten); ***il y a —,*** **1** (*kaartsp.*) er is verkeerd gegeven; **2** het is een vergissing.
mâle [ma:l] **I** *adj.* **1** mannelijk; **2** (*fig.*) kloek, fors, gespierd; ***—s accents,*** krachtige tonen; **II** *s. m.* **1** (*v. dier*) mannetje *o.*; **2** man, kerel *m.*; **3** (*fam.*) mannetjesputter *m.*
malechance [malʃã:s], *voir* ***malchance.***
malédiction [malédiksyõ] *f.* vervloeking, verwensing *v.*; ***—!*** *ij.* vervloekt!
maléfice [maléfis] *m.* hekserij, betovering, bezwering *v.*
maléficié [maléfisyé] *adj.* behekst, betoverd.
maléfique [maléfik] *adj.* noodlottig.
malencontre [malã'kõ'tr] *f.* ongeluk *o.*, tegenspoed *m.*
malencontreux [malã'kõ'trö] *adj.*, **malencontreusement** [malã'kõ'trö:zmã] *adv.* ongelukkig, rampspoedig.
malendurant [malã'dürã] *adj.* ongeduldig, driftig.
mal-en-point [malã'pwẽ] *adv.* in slechte staat, lelijk toegetakeld.
malentendu [malã'tã'dü] *m.* misverstand *o.*
malentente [malã'tã:t] *f.* onenigheid *v.*
malfaçon [malfasõ] *f.* **1** (*in werk*) gebrek *o.*, fout *v.*(*m.*); **2** (*in geldzaken*) bedrog, geknoei *o.*
malfaisant [malfezã] *adj.* **1** boosaardig, kwaadwillig; **2** (*v. dier, voedsel*) schadelijk.
malfaiteur [malfètœ:r] *m.* boosdoener, booswicht *m.*
malfamé [malfamé] *adj.* berucht, ongunstig bekend, in kwade reuk.
mal-fondé [malfõ'dé] *m.* ongegrondheid *v.*
malformation [malfòrma'syõ] *f.* misvorming, misvormdheid *v.*
malgache [malgaʃ] *adj.* van Madagascar, van Malagasië; Madagassisch.
malgracieux [malgrasyö] *adj.*, **malgracieusement** [malgrasyö'zmã] *adv.* onvriendelijk, onbeleefd, onheus.
malgré [malgré] *prép.* ondanks, niettegenstaande; in weerwil van; ***— moi,*** tegen mijn zin, tegen wil en dank, mijns ondanks.
malhabile(ment) [malabil(mã)] *adj.* (*adv.*) onhandig, onbedreven.
malhabileté [malabilté] *f.* onhandigheid *v.*
malheur [malœ:r] *m.* **1** ongeluk; onheil *o.*; **2** ramp *v.*(*m.*); ***— à lui!*** wee hem! ***faire le — de qn.,*** iem. ongelukkig maken; ***jouer de —,*** pech hebben; ***porter —,*** ongeluk aanbrengen; ***par —,*** bij ongeluk; ***à quelque chose — est bon,*** er is altijd een geluk bij een ongeluk.
malheureusement [malœrö'zmã] *adv.* ongelukkig, ongelukkigerwijs.
malheureux [malœrö] **I** *adj.* **1** ongelukkig; **2** ellendig, droevig; **3** armzalig; ***jour —,*** ongeluksdag; ***un — écrivain,*** een erbarmelijk schrijver; ***ce n'est pas —,*** (*fam.*) **1** dat is maar gelukkig; **2** dat

valt dan nog mee; **II** *s. m.* **1** ongelukkige *m.*; **2** (*fam.*) vervelende kerel *m.*
malhonnête(ment) [malònè·t(mã)] *adj.* (*adv.*) **1** oneerlijk; **2** onheus, onbeleefd.
malhonnêteté [malònè·tté] *f.* **1** oneerlijkheid *v.*; **2** onheusheid, onbeleefdheid *v.*
malice [malis] *f.* **1** boosaardigheid, kwaadwilligheid *v.*; **2** guitigheid, ondeugendheid *v.*; guitenstreek *m. en v.*; ***il n'y entend pas —,*** hij meent het zo kwaad niet; ***faire des —s à qn.,*** iem. poetsen bakken.
malicieux [malisyö] *adj.*, **malicieusement** [malisyö·zmã] *adv.* **1** boosaardig, kwaadwillig; **2** guitig, ondeugend.
malien [malyẽ] *adj.* Malisch, uit Mali.
maligne(ment) [maliñ(mã)] *adj., adv., voir* ***malin.***
malignité [maliñité] *f.* **1** boosaardigheid, kwaadwilligheid *v.*; **2** (*v. ziekte*) kwaadaardigheid *v.*; **3** ondeugendheid *v.*
malin [malẽ] **I** *adj.* (*fém.*: ***maligne*** [maliñ]) **1** slim, geslepen; **2** guitig, ondeugend; **3** boos, boosaardig; **4** kwaadaardig; ***l'esprit —,*** de duivel; ***joie maligne,*** leedvermaak *o.*; ***fièvre maligne,*** kwaadaardige koorts *v.(m.)*; **II** *s., m.*, **1** slimmerd; sluwe vos *m.*; **2** guit *m.*; ***faire le —,*** **1** slim (*of* geestig) willen zijn; **2** zich onnozel houden; ***un vieux —,*** een ouwe rot; ***le M—,*** de Boze *m.*
maline [malin] *f.* springvloed *m.*
Malines [malin] **I** *m.* Mechelen *o.*; **II** *f.*, ***m—,*** Mechelse kant *m.*
malingre [malẽ:gr] **I** *adj.* zwak, mager, tenger, kwijnend; **II** *s. m.* bleekneusje *o.*
Malinois [malinwa] **I** *m.* **1** Mechelaar *m.*; **2** ***m—,*** Mechelse herdershond *m.*; **II** *adj.*, ***m—,*** Mechels.
malintentionné [malẽ·tã·syòné] *adj.* kwaadwillig, kwalijkgezind.
malique [malik] *adj.*, ***acide —,*** appelzuur *o.*
malitorne [malitòrn] **I** *adj.* lomp; **II** *s. m.* lomperd *m.*
mal-jugé [maljüjé] *m.*, (*recht*) verkeerd gewezen vonnis *o.*
mallard [mala:r] *m.* (kleine) slijpsteen *m.* (van scharenslijpers).
malle [mal] *f.* **1** koffer, reiskoffer *m.*; **2** brievenmaal *v.(m.)*; **3** mail *v.(m.)*; **4** mailboot *m. en v.*; **5** postwagen *m.*; **6** (*v. marskramer*) mars *v.(m.)*; ***faire sa —, faire ses —s,*** **1** zijn koffer(s) pakken; **2** (*fig.*) zijn matten oprollen.
malléabilité [maléabilité] *f.* **1** pletbaarheid, smeedbaarheid *v.*; **2** (*fig.*) buigzaamheid, plooibaarheid *v.*
malléable [maléa·bl] *adj.* **1** pletbaar, smeedbaar; **2** (*fig.*) buigzaam, gedwee.
malle*-armoire* [malarmwa:r] *f.* kastkoffer *m.*
malle*-cabine [malkabin] *f.* hutkoffer *m.*
malléole [maléòl] *f.* enkel *m.*
malle*-poste [malpòst] *f.* **1** postwagen *m.*, diligence *v.(m.)*; **2** mailboot *m. en v.*; **3** mailpost *v.(m.)*; **4** langwerpige koffer *m.*
malletier [maltyé] *m.* **1** koffermaker *m.*; **2** kofferverkoper *m.*
mallette [malèt] *f.* **1** koffertje, valiesje *o.*, handkoffer *m.*; **2** (*Pl.*) herderstas *v.(m.)*.
mallier [malyé] *m.* postpaard *o.*
malmenage [malmena:j] *m.* mishandeling *v.*
malmener [malmené] *v.t.* mishandelen.
malodorant [malòdòrã] *adj.* onwelriekend.
malotru [malòtrü] **I** *adj.* lomp; **II** *s., m.* lomperd *m.*
malouin [malwẽ] *adj.* uit Saint-Malo.
Malouines [malwin] *f.pl.* Falkland-eilanden *mv.*
malpeigné [malpèñé] *adj.* slecht gekamd, onfris, slonzig.
malplaisant [malplè·zã] *adj.* onbehaaglijk, onaangenaam.
malpropre(ment) [malpròpr(emã)] *adj.* (*adv.*) onzindelijk, vuil.
malpropreté [malpròpreté] *f.* **1** onzindelijkheid, vuilheid *v.*; **2** (*fig.*) vuiligheid *v.*
malsain [malsẽ] *adj.* **1** ongezond; **2** (*sch.*) gevaarlijk, klippig.
malséant [malséã] *adj.* onbetamelijk, ongepast.
malsonnant [malsònã] *adj.* **1** onbetamelijk; **2** aanstotelijk.
malstrom *m.*, *voir* ***maelström.***
malt [malt] *m.* mout *o. en m.*; ***— d'avoine,*** havermout *m.*
maltage [malta:j] *m.* (het) mouten *o.*
Maltais [maltè] **I** *m.* Maltezer *m.*; **II** *adj.*, ***m—,*** Maltezer, Maltees, van Malta.
Malte [malt] *f.* Malta *o.*; ***chevaliers de —,*** Maltezer ridders.
malter [malté] *v.t.* mouten.
malterie [malteri] *f.* mouterij *v.*
malteur [maltœ:r] *m.* mouter *m.*
maltine [maltin] *f.* moutstof *v.(m.)*.
maltose [malto:z] *m.* moutsuiker *m.*
maltôte [malto:t] *f.* knevelarij, afpersing *v.* (van belastingen).
maltraiter [maltrè·té] *v.t.* **1** mishandelen; **2** (*fig.*) toetakelen.
malvacées [malvasé] *f.pl.* (*Pl.*) malva-achtigen, maluwachtigen *mv.*
malveillance [malvèyã:s] *f.* kwaadwilligheid *v.*
malveillant [malvèyã] *adj.* kwaadwillig.
malvenant [malvenã] *adj.* slecht groeiend.
malvenu [malvnü] *adj.* **1** onbevoegd; **2** misplaatst.
malversation [malvèrsa·syõ] *f.* **1** verduistering *v.* van gelden (door ambtenaar); **2** ontrouwe daad *v.(m.)*.
malverser [malvèrsé] *v.i.* gelden verduisteren.
malvoisie [malvwa·zi] *f.* malvezij *m.* (wijn).
maman [mamã] *f.* mama, moeder *v.*; ***bonne —,*** grootmoeder, oma *v.*
mamelle [mamèl] *f.* **1** borst *v.(m.)*; **2** uier *m.*; ***enfant à la —,*** zuigeling *m.*
mamelon [mamlõ] *m.* **1** tepel *m.*; **2** (*Pl.*) knobbel *m.*; **3** (*tn.*) nippel *m.*; **4** (*fig.*) heuveltje *o.*, ronde heuveltop *m.*
mamelonné [mamlòné] *adj.* **1** (*Pl.*) knobbelig; **2** (*v. landschap*) heuvelachtig.
mameluk, mamelouk [mamluk] *m.* **1** mammeluk, Egyptisch ruiter *m.*; **2** (*fig.*) slaafs aanhanger *m.*; **3** afvallige *m.*
mamillaire [mamilè:r] *adj.* tepelvormig.
mammaire [mammè:r] *adj.* borst—, tepel—.
mammifère [mam(m)ifè:r] **I** *m.* zoogdier *o.*; **II** *adj.* zogend.
Mammon [mam(m)õ] *m.* Mammon *m.*
mammouth [mamut] *m.* mammoet *m.*
mamour, m'amour [mamu:r] *m.-f.* liefje *o.*; lievigheid *v.*; ***faire des —s,*** erg lief doen.
mamzelle [mamzèl] *f.* (*pop.*) juffrouw *v.*
man [mã] *m.*, (*Dk.*) engerling *m.*
manade [mana·d] *f.* kudde *v.(m.)* runderen of paarden in Provence.
manager [manajè:r] (*Sp.*) verzorger *m.* van een kampioen.
manant [manã] *m.* **1** (*gesch.*) lijfeigene *m.*; **2** boer, landman *m.*; **3** kinkel, lomperd *m.*
mancenillier [mã·sni·yé] *m.* manzanillaboom *m.*
manche [mã:ʃ] **I** *f.* **1** mouw *v.(m.)*; **2** (*kaartsp.*) partij *v.*; **3** (*sch.*) buis, pijp, slang *v.(m.)*; **4** (*sp.*) enkele loop *m.*; **5** (*bij tennis*) set *m.*; ***la M—,*** het Kanaal; ***fausse —,*** losse mouw, morsmouw; ***— à air,*** (*op schip*) luchtkoker *m.*; ***être dans la — de qn.,*** bij iem. een wit voetje hebben; ***être — à —,*** (*spel*) gelijk zijn; ***avoir qn. dans sa —,*** op iem. kunnen rekenen; ***avoir la — large,*** een rekbaar geweten hebben; ***se faire tirer la —,*** zich (lang) laten bidden; ***c'est une autre paire de —s,*** dat is wat anders, dat verandert de zaak, dat is

andere koffie; **II** *m.* **1** (*v. mes*) heft, hecht *o.*; **2** (*v. bezem, enz.*) steel *m.*; **3** (*v. viool*) hals *m.*; **4** (*v. rib, bout*) been *o.*; ***— de charrue,*** ploegstaart *m.*; ***branler dans le —,*** niet vast in 't zadel zitten; ***se mettre du côté du —,*** zich bij de sterkste partij aansluiten; ***jeter le — après la cognée,*** het opgeven, er het bijltje bij neerleggen.

mancheron [mã'ʃrõ] *m.* **1** ploegstaart *m.*; **2** armbelegsel *o.*

manchette [mã'ʃèt] *f.* **1** manchet *v.(m.)*; **2** handboei *v.(m.)*; **3** kanttekening *v.*; **4** (*in dagblad*) grote titel *m.*, hoofd *o.*; **5** (*v. stoel*) opgevulde armleuning *v.*; **6** (*mil.*: *v. kanonnier*) morsmouw *v.(m.)*.

manchon [mã'ʃõ] *m.* **1** mof *v.(m.)*; **2** gloeikousje *o.*; **3** (*tn.*) sok *v.(m.)*; ***chien de —,*** schoothondje *o.*

manchot [mã'ʃo] **I** *adj.* eenhandig; eenarmig; ***il n'est pas —,*** hij is handig, hij weet zijn handen te gebruiken; **II** *s. m.* **1** persoon met één hand (*of* één arm); **2** pinguïn *m.*, vetgans *v.(m.)*.

mandant [mã'dã] *m.* lastgever *m.*

mandarin [mã'darẽ] *m.* mandarijn *m.*

mandarinat [mã'darina] *m.* waardigheid *v.* van mandarijn.

mandarine [mã'darin] *f.* mandarijntje *o.*

mandarinier [mã'darinyé] *m.* mandarijntjesboom *m.*

mandat [mã'da] *m.* **1** (*v. kamerlid, voor betaling*) mandaat *o.*; **2** volmacht *v.(m.)*, procuratie *v.*; **3** opdracht *v.(m.)*, machtiging *v.*; **4** (*recht*) bevel *o.*; bevelschrift *o.*; **5** betaalbriefje *o.*; ***— postal,*** postwissel *m.*; ***— télégraphique,*** telegrafische postwissel; ***— de virement,*** girobiljet *o.*; ***— à ordre,*** wissel op zicht; ***— d'amener,*** bevelschrift om iem. voor de rechter te brengen; ***— d'arrêt,*** bevel tot inhechtenisneming; ***— de dépôt,*** bevel tot gevangenhouding.

mandataire [mã'datè:r] **I** *m.* **1** mandataris; lasthebber, gevolmachtigde *m.*; **2** (***— du peuple***), afgevaardigde, volksvertegenwoordiger *m.*; **II** *adj.*, ***puissance —,*** mandaatstaat *m.*

mandatement [mã'datmã] *m.* het betalen *o.* per postwissel. [2 afvaardigen.

mandater [mã'daté] *v.t.* **1** per postwissel betalen;

mandat*-poste [mã'dapòst] *m.* postwissel *m.*

Mandchou [mã'tʃu] *m.* bewoner van Mantsjoerije, Mantsjoe *m.*

Mandchoukouo [mã'tʃukwo] *m.* Mandsjoekwo *o.*

Mandchourie [mã'tʃuri] *f.* Mantsjoerije *o.*

mandement [mã'dmã] *m.* (*kath.*) herderlijke brief *m.*; ***— de carême,*** vastenbrief; ***— de collocation,*** uitdelingslijst *v.(m.)*.

mander [mã'dé] *v.t.* **1** berichten, melden; **2** ontbieden.

mandibulaire [mã'dibülè:r] *adj.* van de kaken, kaak—. [v.(m.).

mandibule [mã'dibül] *f.* kaak *v.(m.)*; kinnebak

mandoline [mã'dòlin] *f.* mandoline *v.*

mandoliniste [mã'dòlinist] *m.* mandolinespeler *m.*

mandragore [mã'dragò:r] *f.* alruin *v.(m.)*; alruinwortel *m.*

mandrill [mã'dril] *m.* mandril *m.* (aap).

mandrin [mã'drẽ] *m.* **1** (*tn.*) drevel, doorslag *m.*; **2** (*v. draaibank*) klauw *m.*, houvast *o.*; **3** (*fig.*) booswicht, spitsboef *m.* [klauw).

mandriner [mã'driné] *v.t.* vastzetten (in een

manducation [mã'düka'syõ] *f.* **1** (het) eten; (het) kauwen *o.*; **2** (*kath.*) (het) nuttigen *o.* van de H. Hostie.

manécanterie [manékã'tri] *f.* parochiale (koor)-zangschool *v.(m.)*.

manège [manè:j] *m.* **1** rijschool, manege *v.(m.)*; **2** rijkunst *v.*; **3** africhting *v.* (v. paarden); **4** tredmolen, rosmolen *m.*; **5** (*fig.*) (listig, sluw) gedoe, gekonkel *o.*; ***— de chevaux de bois,*** draaimolen *m.*; ***— à vapeur,*** stoomcarrousel *m. en o.*; ***il a du —,*** hij zit vol streken; hij is handig.

mânes [ma:n] *m.pl.*, (*oudh.*) schimmen *mv.* (van de afgestorvenen).

maneton [mantõ] *m.*, (*techn.*) **1** handeltje *o.*; **2** krukpen *v.(m.)*.

manette [manèt] *f.* **1** handel, hefboom *m.*, handvat *o.*; **2** plantschopje *o.* [o.

manganèse [mã'ganè:z] *m.* mangaan, bruinsteen

manganésien [mã'ganézyẽ] *adj.* mangaanhoudend.

mangeable [mã'ja'bl] *adj.* eetbaar.

mangeaille [mã'ja'y] *f.* **1** voeder *o.*; **2** (*fam.*) eten *o.*, eterij *v.*

mangeoire [mã'jwa:r] *f.* **1** trog *m.*; krib *v.(m.)*, voederbak *m.*; **2** (*v. vogel*) etensbakje *o.*

mangeo(t)ter [mã'jòté] *v.i.* kieskauwen.

manger [mã'jé] **I** *v.t.* **1** eten, opeten; **2** (*v. dier*) vreten; **3** (*v. geld, vermogen*) verteren, opmaken, doorbrengen; **4** (*v. metaal, enz.*) invreten, wegbijten; **5** (*v. kleuren*) doen verschieten; **6** (*v. woorden*) inslikken; **7** (*met de ogen*) verslinden; ***— de caresses,*** met liefkozingen overladen; ***— des yeux,*** met de ogen verslinden; ***— la consigne,*** het verbod (*of* zijn orders) overtreden; ***— sur le pouce,*** in haast iets gebruiken; ***— le morceau,*** door de mand vallen, bekennen; ***— de la vache enragée,*** armoede (*of* gebrek) lijden; ***— son blé en herbe,*** zijn geld roekeloos verkwisten; ***— sa douleur,*** zijn smart verkroppen; ***je ne mange pas de ce pain-là,*** daar moet ik niets van hebben; **II** *v.i.* eten; ***— au restaurant,*** zijn maaltijden in het restaurant gebruiken; **III** *v.pr.*, ***se —,*** **1** eetbaar zijn; **2** elkaar verscheuren; ***se — le nez,*** elkaar in de haren vliegen; **IV** *s. m.* (het) eten *o.*, spijs *v.(m.)*.

mangerie [mã'jri] *f.* (*fam.*) eterij, eetpartij *v.*

mange-tout [mã'jtu] *m.* **1** verkwister, doorbrenger *m.*; **2** peulerwt *v.(m.)*; ***pois —,*** peulen *mv.*

mangeur [mã'jœ:r] *m.* **1** eter *m.*; **2** verkwister, doorbrenger *m.*; ***— de livres,*** **1** boekenverslinder *m.*; **2** boekenwurm *m.*; ***— de curés,*** priesterhater, papenvreter *m.*; ***— de crucifix,*** pilaarbijter, schijnvrome *m.*; ***— de kilomètres,*** kilometervreter *m.*; ***— de lune,*** dromer *m.*; ***— de nez,*** vechtjas, vechtersbaas *m.*; ***— de vers,*** bastaardnachtegaal *m.*

mangeure [mã'jœ:r] *f.* motgaatje *o.*; aangevreten plek *v.(m.)*. [grove.

mangle [mã'gl] *f.* (*Pl.*) vrucht *v.(m.)* van de man-

manglier [mã'gli(y)é] *m.* mangrove *m.*, wortelboom *m.* [rat *v.(m.)*.

mangouste [mã'gust] *f.* ichneumon *m.*, faraons-

mangue [mã:g] *f.* manga *m.*

manguier [mã:gyé] *m.* mangaboom *m.*

maniabilité [manyabilité] *f.* hanteerbaarheid *v.*

maniable [manya'bl] *adj.* **1** hanteerbaar, gemakkelijk te hanteren, handzaam; **2** lenig, buigzaam, soepel; **3** handelbaar, gedwee.

maniage [manya:j] *m.* hantering *v.*, (het) hanteren, (het) omgaan *o.* met.

maniaque [manyak] **I** *m.* maniak *m.*, lijder *m.* aan een manie; **II** *adj.* (*gen.*) krankzinnig, razend.

manicle [manikl] *f.*, *voir* ***manique.***

manicure [manikü:r] *m.-f.* manicure *m.-v.*, handverzorger *m.* (—zorgster *v.*).

manie [mani] *f.* **1** (*gen.*) krankzinnigheid (razernij) *v.* op één punt; **2** dwaze gewoonte, ziekelijke hebbelijkheid, verslaafdheid, manie *v.*; ***— des gran-***

deurs, hoogmoedswaanzin *m.*; ***il a la — des tableaux,*** hij is verzot op schilderijen; ***— de lire,*** leeswoede *v.(m.)*.

maniement, manîment [manimã] *m.* **1** hantering, behandeling *v.*; **2** (*v. stof, enz.*) betasting *v.*, (het) betasten *o.*; ***le — des armes,*** **1** het hanteren *o.* van de wapens; **2** de handgrepen *mv.* (van 't geweer); ***le — de l'argent,*** het omgaan met geld.

manier [manyé] **I** *v.t.* **1** hanteren, behandelen; **2** omgaan met; **3** (*v. stoffen*) betasten; **4** (*v. boter*) kneden; **5** (*v. geld, vermogen*) beheren; ***savoir — les enfants,*** met kinderen weten om te gaan; ***— la parole,*** zich juist weten uit te drukken; **II** *s., m.* (het) aanvoelen *o.*; ***au —,*** bij het aanvoelen, bij de betasting.

manière [manyè:r] *f.* **1** wijze, manier *v.(m.)*; **2** gewoonte *v.*; **3** gekunsteldheid, gemaaktheid *v.*; ***de bonnes —s,*** goede manieren; ***de — que,*** zo dat; ***de telle — que,*** zodanig dat; op zodanige manier dat; ***de — ou d'autre,*** op de een of andere manier; ***en quelque —,*** enigermate, tot op zekere hoogte; ***en aucune —,*** op generlei wijze, in geen geval; ***faire des —s,*** complimenten maken; tegenspartelen; ***— de voir,*** zienswijze; ***par — de dire,*** bij wijze van spreken, om zo te zeggen; ***on l'a rossé de la belle —,*** (*pop.*) men heeft hem duchtig afgeranseld; ***ne pas avoir de —s,*** onbeholpen zijn; ***— noire,*** (*drukk.*) zwartekunst *v.*, mezzotint *v.(m.)*.

maniéré [manyéré] *adj.* **1** (*v. kunst, stijl*) gekunsteld, gezocht; **2** (*v. optreden*) gemaakt, onnatuurlijk.

maniérer [manyéré] *v.t.* gekunsteld maken.

maniérisme [manyérizm] *m.* gekunsteldheid *v.*

manieur [manyœ:r] *m.* die iets hanteert; ***— d'argent,*** geldhandelaar, financier *m.*; ***— d'hommes,*** die met mensen weet om te gaan, die met de mensen kan doen wat hij wil.

manifestant [manifèstã] *m.* betoger *m.*

manifestation [manifèstɑ·syõ] *f.* **1** betoging, manifestatie *v.*; **2** openbaring *v.*; **3** uiting *v.*

manifeste [manifèst] *adj.* blijkbaar, klaarblijkelijk, duidelijk; ***en état d'ivresse —,*** in kennelijke staat (van dronkenschap); **II** *s., m.* **1** manifest *o.*, openbare verklaring *v.*; **2** (*sch.*) cargalijst *v.(m.)*; ***— du bord,*** passagierslijst *v.(m.)*.

manifestement [manifèstemã] *adv.* klaarblijkelijk, duidelijk; ***— ivre,*** *voir* ***manifeste.***

manifester [manifèsté] **I** *v.t.* **1** openbaren, verkondigen; **2** doen blijken; **3** (*v. verlangens, wensen*) uiten, te kennen geven; **II** *v.i.* manifesteren, een betoging houden; **III** *v.pr.* ***se —,*** zich openbaren.

manigance [manigã:s] *f.* (*fam.*) gekonkel *o.*, kuiperij *v.*, slinkse streek *m. en v.*, knoeierij *v.*

manigancer [manigã·sé] *v.t.* bedisselen, bekonkelen; listig ineenzetten, op slinkse manier klaarspelen.

maniguette [manigèt] *f.* paradijskorrels *mv.*

Manille [mani·y] *f.* Manilla *o.*

manille [mani·y] **I** *m.* manilla-sigaar *v.(m.)*; **II** *f.* **1** (*kaartsp.*) manille *v.(m.)*, tweede matador *m.*; **2** (*tn.*) sluitschalm *m.*; **3** (*bij wilden*) voetring, armband *m.*

maniller [maniyé] *v.i.* pandoeren.

manillon [maniyõ] *m.* (bij pandoeren) aas *m. of o.*

manioc [manyòk] *m.* broodboom, maniok *m.*

manipulateur [manipülatœ:r] *m.* **1** behandelaar, bewerker *m.*; **2** (*tel.*) seingever, manipulator *m.*; ***— (du télégraphe) Morse,*** morsesleutel *m.*; ***— de chimie,*** amanuensis *m.*

manipulation [manipülɑ·syõ] *f.* behandeling, bewerking *v.*; ***—s,*** **1** (*in laboratorium*) praktische oefeningen *mv.*; **2** (*ong.*) gekonkel, geknoei *o.*; ***— de chimie,*** praktische scheikunde(lessen).

manipule [manipül] *m.* **1** (*kath.*) manipel *m.*; **2** (*v. korrels, zaad, enz.*) hand *v.(m.)* vol; **3** handvat *o.*

manipuler [manipülé] *v.t.* **1** behandelen, bewerken; **2** omgaan met.

manipuleur [manipülœ:r] *m.* knoeier, onhandig bewerker *m.*

manique [manik] *f.* **1** (*v. schoenmaker*) handleer *o.*; **2** werkhandschoen *m. en v.*; **3** (*v. borstel, schaar*) handvat *o.*

manitou [manitu] *m.* godheid *v.* van de Indianen, Grote Geest *m.*; ***les grands —s,*** de hoge omes, de bonzen *mv.*

maniveau [manivo] *m.* (tenen) uitstalmandje *o.*

manivelle [manivèl] *f.* **1** handvat *o.*; **2** (*v. pomp*) zwengel *m.*; **3** (*v. stoommachine*) kruk *v.(m.)*; **4** (*v. fiets*) trapkruk *v.(m.)*; **5** (*v. auto*) aanzetzwengel, starter *m.*; **6** (*mil.*) hefboom *m.* (sluitstuk); ***tourneur de —,*** filmdraaier *m.*

manne [man] *f.* **1** manna *o.*; **2** grote (diepe) mand *v.(m.)*; ***— de Pologne,*** (*Pl.*) mannagras *o.*; ***— d'enfant,*** tenen wieg, korfwieg *v.(m.)*.

mannée [mané] *f.* mand *v.(m.)* vol.

mannequin [man(e)kẽ] *m.* **1** tenen mand *v.(m.)*; **2** ledenpop *v.(m.)*; **3** kostuumpop *v.(m.)*; **4** pasjuffrouw *v.*, pasmodel *o.*; **5** (*fig.*) stropop *v.(m.)*; ***défilé de —s,*** modeshow *m.*

mannette [manèt] *f.* mandje *o.*

manodétendeur [manòdétã·dœ:r] *m.* gasdrukregelaar *m.*

manœuvre [manœ·vr] **I** *f.* **1** behandeling *v.*; **2** (het) hanteren, (het) besturen *o.*; **3** (*v. machine*) bediening *v.*; **4** (*mil., sch.*) beweging *v.*, manœuvre *v.(m.) en o.*; **5** kunstgreep *m.*, list *v.(m.)*; **6** (*sch.*) touwwerk, want *o.*; ***—s courantes,*** (*sch.*) lopend want; ***—s dormantes,*** staand (*of* vast) want; ***champ de —s,*** exercitieveld *o.*; ***fausse —,*** **1** verkeerde wending *v.*; **2** (*fig.*) misgreep *m.*; ***faire la —,*** (*v. trein*) rangeren; **II** *m.* **1** dagloner *m.*; **2** opperman *m.*; **3** handlanger, helper *m.*

manœuvrer [manœ·vré] **I** *v.t.* **1** (*v. machine*) bedienen; **2** (*v. toestel*) in beweging brengen; **3** besturen; **4** (*v. trein*) rangeren; **5** (*fig.*) bewerken, tot werktuig maken; **II** *v.i.* **1** bewegingen uitvoeren, manœuvres maken, manœuvreren; **2** (*v. machine, toestel*) werken; **3** (*v. trein*) rangeren; **4** (*fig.*) tussen de klippen doorzeilen.

manœuvrier [manœ·vri(y)é] **I** *m.* **1** ervaren zeeman *m.*; **2** kundig officier, ervaren veldheer *m.*; **II** *adj.* **1** goed (*of* behendig) manœuvrerend; **2** ervaren.

manoir [manwa:r] *m.* **1** riddergoed, kasteel *o.*, burg *m. en v.*; **2** (*fig.*) woning *v.*, verblijf *o.*

manomètre [manòmè·tr] *m.* stoomdrukmeter, manometer *m.*

Manon [manõ] *f.* Marietje *v.*

manoque [manòk] *f.* **1** (*v. garen, katoen, enz.*) kluwen *o.*; **2** (*v. tabak*) bundel *m.*

manouvrier [manuvri(y)é] *m.* dagloner, handarbeider *m.*

manquant [mã·kã] **I** *adj.* **1** ontbrekend; niet aanwezig, afwezig; **2** vermist; ***porter —,*** (*mil.*) mankerend melden; **II** *s. m.* **1** ontbrekende, ontbrekend gedeelte *o.*; **2** (*H.*) gewichtsverlies *o.*; **3** vermiste *m.*

manque [mã:k] **I** *m.* **1** gebrek, gemis, (het) ontbreken *o.*; **2** ontbrekende *o.*; **3** (*in weefsel*) gevallen steek *m.*; **4** (*v. paard*) misstap *m.*; ***— de foi,*** trouweloosheid *v.*; ***— de parole,*** woordbreuk *v.(m.)*; ***— de respect,*** oneerbiedigheid *v.*; ***— de touche,*** (*bilj.*) misstoot *m.*; ***— de mémoire,*** vergeetachtigheid *v.*; ***un — de mille francs,***

een tekort van duizend frank; ***être de —,*** ontbreken; **II** *f.* (het) ontbreken *o.* op 't appel; ***artiste à la —,*** kunstenaar van de koude grond; ***avoir de l'argent*** (*ou* ***de la galette***) ***à la —,*** geen geld hebben; ***il n'est pas à la —,*** hij is bij de hand.

manqué [mã'ké] *adj.* **1** mislukt; **2** (*v. huwelijk*) afgesprongen.

manquement [mã'kmã] *m.* **1** misslag *m.*; **2** gebrek, tekort *o.*; **3** (*aan woord*) ontrouw *v.*(*m.*); ***— de parole,*** woordbreuk *v.*(*m.*).

manquer [mã'ké] **I** *v.t.* **1** (*v. trein, enz.*) missen; **2** niet raken; **3** (*v. gelegenheid, enz.*) verzuimen, laten voorbijgaan; **4** (*v. persoon*) niet aantreffen; **5** (*v. werk*) verknoeien, niet goed uitvoeren; ***— la classe*** (*ou* ***l'école***), de school verzuimen, spijbelen; ***— la balle,* 1** de bal misslaan; **2** (*fig.*) de gelegenheid laten voorbijgaan; ***— la bille,*** (*bilj.*) misstoten; ***— une marche,*** misstappen (op trede); ***— le but,*** zijn doel niet bereiken; ***— des points,*** steken laten vallen; **II** *v.i.* **1** ontbreken, te kort komen; **2** (*v. pogingen, enz.*) mislukken; **3** (*v. vuurwapen*) ketsen, weigeren; **4** missen, een fout begaan; ***— à sa parole,*** zijn woord breken, zijn woord niet houden; ***— de respect,*** in eerbied te kort schieten; ***il ne manque de rien,*** het ontbreekt hem aan niets; ***l'argent lui manque,*** hij heeft geen geld; ***sa mère lui manque,*** hij voelt het gemis van zijn moeder; ***les forces lui manquent,*** zijn krachten begeven hem; ***le pied lui a manqué,*** hij is uitgegleden; ***je n'y manquerai pas,*** ik zal het niet nalaten, ik zal het zeker doen; ***j'ai manqué*** (***de***) ***tomber,*** ik was bijna gevallen; ***il ne manquerait plus que cela,*** dat moest er nog bijkomen; ***l'affaire a manqué,*** de zaak is mislukt; **III** *v.pr.* ***se —,*** **1** elkaar missen; **2** zich zelf te kort doen; ***se — à soi-même,*** zijn waardigheid uit het oog verliezen.

mansard [mã'sa:r] *m.* houtduif *v.*(*m.*).

mansarde [mã'sard] *f.* **1** dakkamertje, zolderkamertje *o.*; **2** dakvenster *o.*; **3** gebroken dak *o.*

mansardé [mã'sardé] *adj.* met gebroken dak; ***chambre —e,*** dakkamer *v.*(*m.*).

mansion [mã'syõ] *f.*, (*sterr.*) positie *v.* van een hemellichaam, huis *o.*

mansuétude [mã'swétü'd] *f.* zachtmoedigheid *v.*

mante [mã:t] *f.* **1** korte mantel *m.* (zonder mouwen); **2** lange rouwsluier *m.*; **3** (*Dk.*) mantis *v.*

manteau [mã'to] *m.* **1** mantel *m.*; **2** (wijde) overjas *m. en v.*; **3** (*fig.*) dekmantel *m.*; **4** (*v. stof*) omslag *m.*; ***— gris,*** (*Dk.*) mantelkraai *v.*(*m.*); ***— royal,*** (*Pl.*) akelei *v.*(*m.*); ***— d'armes,*** geweermantel *m.*; ***sous le —,*** in 't geheim, achter de schermen; ***sous le — de,*** onder de dekmantel van; onder het voorwendsel van; ***garder les —x,* 1** op wacht staan; handlangersdiensten bewijzen; **2** mogen toekijken (en niet meedoen), als anderen zich vermaken.

mantelé [mã'tlé] *adj.*, (*wap.*) gemanteld.

mantelet [mã'tlè] *m.* manteltje *o.*

mantille [mã'ti'y] *f.* mantille *v.*, Spaans manteltje *o.*, Spaanse sluier *m.*

mantisse [mãtis] *f.* decimale breuk *v.*(*m.*) van logaritme.

Mantoue [mã'tu] *f.* Mantua *o.*

manucure [manükü:r] *f.* manicure *v.*(*m.*).

manuel [manwèl] **I** *adj.* hand—, met de hand verricht; ***travaux —s,*** handenarbeid *m.*; ***langage —,*** gebarentaal *v.*(*m.*); **II** *s., m.* handleiding *v.*, leerboek *o.* [eigenhandig.

manuellement [manwèlmã] *adv.* met de hand;

manufacture [manüfaktü:r] *f.* **1** fabriek *v.*; **2** vervaardiging, fabricatie *v.*

manufacturer [manüfaktüré] *v.t.* bewerken, vervaardigen.

manufacturier [manüfaktüryé] **I** *m.* fabrikant *m.*; **II** *adj.* fabrieks—; ***ville manufacturière,*** fabrieksstad *v.*(*m.*).

manuluve [manülü:v] *m.*, (*gen.*) handbad, armbad *o.* [*v.* (v. slaven).

manumission [manümisyõ] *f.* (*gesch.*) vrijlating

manuscrit [manüskri] **I** *m.* handschrift, manuscript *o.*; ***— en rouleau,*** boekrol *v.*(*m.*); **II** *adj.* met de hand geschreven.

manutention [manütã'syõ] *f.* **1** (*v. gelden, enz.*) beheer *o.*, administratie *v.*; **2** (*v. waren*) behandeling; bereiding *v.*; **3** (*mil.*) militaire bakkerij, garnizoensbakkerij *v.*; **4** (*H.*) lading, overlading en lossing *v.*; ***entrepreneur de —,*** stuwadoor *m.*

manutentionnaire [manütã'syònè:r] *m.* **1** administrateur *m.*; **2** pakhuisknecht *m.*; **3** opzichter (chef) *m.* van een militaire bakkerij.

manutentionner [manütã'syòné] *v.t.* **1** beheren; **2** verwerken.

mappemonde [mapmõ:d] *m.* wereldkaart *v.*(*m.*); ***— céleste,*** hemelkaart *v.*(*m.*).

maquage [maka:j] *m.* (het) zwingelen *o.* (v. hennep, vlas).

maque [mak] *f.* zwingel *m.*

maquer [maké] *v.t.* zwingelen.

maqueraison [makerè'zõ] *f.* makreelvangst *v.*

maquereau [makro] *m.* makreel *m.*; ***groseille à —,*** klapbes, kruisbes *v.*(*m.*).

maquette [makèt] *f.* (*v. kunstwerk*) (geboetseerd) verkleind model *o.*, maquette *v.*(*m.*), ontwerp *o.*

maquignon [makiñõ] *m.* **1** paardenhandelaar, paardenkoper *m.*; **2** beunhaas, knoeier *m.*; **3** sjacheraar *m.*

maquignonnage [makiñòna:j] *m.* **1** paardenhandel *m.*; **2** beunhazerij *v.*

maquignonner [makiñòné] **I** *v.t.* **1** de gebreken (v. paard) verbergen; **2** bedisselen; **II** *v.i.* beunhazen; sjacheren.

maquillage [makiya:j] *m.* **1** (het) blanketten *o.*; **2** blanketsel *o.*; **3** vervalsing *v.*; **4** (*pop.*) bedotterij *v.*

maquiller [makiyé] **I** *v.t.* **1** blanketten; grimeren; **2** (*v. effecten, enz.*) vervalsen; **3** (*v. gestolen goed*) onkenbaar maken; **II** *v.pr.*, ***se —,*** zich blanketten.

maquilleur [makiyœ:r] *m.* **1** makreelvisser *m.*; **2** grimeur *m.*; **3** (*pop.*) vervalser; bedrieger *m.*

maquis [maki] *m.* **1** (*op Corsica*) struikgewas, dicht kreupelhout *o.*; **2** (*fig.*) warwinkel *m.*, warnet *o.*; ***prendre le —,*** onderduiken (tijdens de oorlog 1940-'44).

maquisard [makiza'r] *m.* onderduiker *m.*

marabout [marabu] *m.* **1** maraboet, mohammedaans kluizenaar *m.* **2** grafkapel *v.*(*m.*) van een maraboet; **3** (*Dk.*) maraboe *m.*; **4** maraboe-veer *v.*(*m.*); **5** dikbuikige koffiekan *v.*(*m.*); **6** (*mil.*) kleine, kegelvormige tent *v.*(*m.*).

maraîcher [marè'ʃé] **I** *m.* warmoez(en)ier, groentekweker *m.*; **II** *adj.* moes—, de groenteteelt betreffend; ***jardin —,*** moestuin *m.*; ***industrie maraîchère,*** groentehandel *m.*; ***culture maraîchère,*** groentekwekerij *v.*

marais [marè] *m.* moeras; moerasland *o.*; ***— salant,*** zoutpan *v.*(*m.*); ***— tourbeux,*** veenmoeras *o.*; ***fièvre de —,*** moeraskoorts *v.*(*m.*).

marasme [marazm] *m.* **1** (*gen.*) wegkwijning *v.*; **2** ouderdomszwakte, krachteloosheid *v.*; **3** (*v. handel*) slapte *v.*; **4** (*v. firma, enz.*) kwijnende toestand *m.*; ***être dans le —,* 1** in de put zijn; **2** (*v. handel, nijverheid*) kwijnen.

marasquin [maraskẽ] *m.* maraskijn *m.*

marâtre [mara:tr] **I** *f.* **1** stiefmoeder *v.*; **2** slechte (*of* ontaarde) moeder *v.*; ***en —,*** stiefmoederlijk; **II** *adj.* stiefmoederlijk.
maraud [maro] *m.* schelm, schurk, deugniet *m.*
maraudage [maro'da:j] *m.*, **maraude** [maro:d] *f.* **1** stroperij, roverij *v.*, (het) stropen *o.*; **2** (*mil.*) marode, plundering *v.*; ***aller à la —*** op strooptocht uitgaan.
marauder [maro'dé] *v.i.* **1** stropen; plunderen; **2** (*v. koetsier, taxi-chauffeur*) snorren.
maraudeur [maro'dœ:r] *m.* **1** stroper, plunderaar *m.*; **2** snorder *m.*
maravédis [maravédi] *m.* Spaans muntje *o.*; ***n'avoir pas un —,*** geen cent op zak hebben.
marbre [marbr] *m.* **1** marmer *o.*; **2** marmeren beeld *o.*; **3** (*op boeken, enz.*) gemarmerde kleur *v.*(*m.*); **4** (*drukk.*) (corrigeer)steen *m.*; ***— factice,*** gipsmarmer *o.*; ***de —,*** marmeren; ***—s,*** marmeren kunstwerken *mv.*
marbré [marbré] *adj.* gemarmerd; marmerkleurig; ***papier —,*** marmerpapier *o.*
marbrée [marbré] *f.* lamprei *v.*(*m.*) (vis).
marbrer [marbré] *v.t.* marmeren.
marbrerie [marbreri] *f.* **1** marmerbewerking *v.*; **2** marmerslijperij *v.*, steenhouwerswerkplaats *v.*(*m.*); **3** marmerwerk *o.*
marbreur [marbrœ:r] *m.* marmeraar *m.* (*v. papier, hout, enz.*).
marbrier [marbri(y)é] *m.* **1** marmerbewerker, marmersteenhouwer; marmerslijper *m.*; **2** handelaar *m.* in marmeren voorwerpen.
marbrière [marbri(y)è:r] *f.* marmergroeve *v.*(*m.*).
marbrure [marbrü:r] *f.* **1** marmering *v.*; **2** (*v. zweep*) striem *v.*(*m.*); **3** (*op huid: v. koude*) blauwe plekken *mv.*
Marc [mark, ma:r] *m.* Marcus *m.*
marc [ma:r] *m.* **1** mark *m.*; **2** droesem *m.*, bezinksel *o.*; ***— de café,*** koffiedik *o.*; ***— de raisin,*** druivenmoer *v.*(*m.*); ***au — le franc,*** pondspondsgewijs.
marcassin [markasẽ] *m.* jong *o.* van wild zwijn.
marcassite [markasit] *f.* zwavelkies, ijzerkies *o.*
marcescence [marsèsã:s] *f.* verwelking *v.*
marcescent [marsèsã] *adj.* verwelkend.
marchand [marʃã] **I** *m.* koopman; handelaar *m.*; ***— de*** (*ou* ***en***) ***gros,*** groothandelaar *m.*; ***— de demi-gros,*** grossier *m.*; ***— de détail,*** kleinhandelaar *m.*; ***— des quatre saisons,*** groentekoopman *m.*; ***— forain,*** marktkramer *m.*; ***le — de sable,*** Klaas Vaak *m.*, het zandmannetje *o.*; ***être le mauvais —,*** het kind van de rekening zijn; ***trouver —,*** een koper vinden, aftrek vinden; **II** *adj.* **1** verkoopbaar; **2** handeldrijvend; **3** handels—; ***capitaine —,*** koopvaardijkapitein *m.*; ***marine —e,*** koopvaardijvloot *v.*(*m.*); ***navire —,*** koopvaardijschip *o.*; ***prix —,*** fabrieksprijs, inkoopsprijs *m.*; ***valeur —e,*** handelswaarde *v.*; ***ville —e,*** handelsstad *v.*(*m.*); ***style —,*** koopmansstijl *m.* [bieden *o.*
marchandage [marʃã'da:j] *m.* (het) loven en
marchandailler [marʃã'dayé] *v.t. et v.i.* pingelen.
marchande [marʃã:d] *f.* koopvrouw *v.*
marchander [marʃã'dé] **I** *v.t.* **1** afdingen; **2** karig zijn met; ***— les éloges,*** karig zijn met zijn lof; **II** *v.i.* afdingen; ***sans —,*** zonder aarzelen, zonder zich te bedenken.
marchandeur [marʃã'dœ:r] *m.* **1** afdinger *m.*; **2** (*ong.*) pingelaar *m.*; **3** akkoordwerker, stukwerker, onderaannemer *m.*
marchandise [marʃã'di:z] *f.* koopwaar *v.*(*m.*); ***—s,*** *f.pl.*, (*spoorw., sch.*) goederen *mv.*; ***—s de*** (*ou* ***en***) ***grande vitesse,*** ijlgoed *o.*; ***—s de*** (*ou* ***en***) ***petite vitesse,*** vrachtgoed *o.*; ***—s diverses,*** (*sch.*) stukgoederen; ***train de —s,*** goederentrein *m.*; ***faire valoir sa —, vanter sa —,*** zijn waar weten aan te prijzen; ***le pavillon couvre la —,*** de vlag dekt de lading.
marche [marʃ] *f.* **1** loop *m.*; **2** (het) gaan, (het) lopen *o.*; **3** (*mil.*: *muz.*) mars *m. en v.*; **4** (*v. hemellichaam*) beweging *v.*, loop *m.*; **5** (*v. trap, enz.*) trede *v.*(*m.*); **6** (*v. orgel, weefgetouw*) trapper *m.*; **7** (*v. gebeurtenissen, ziekte*) verloop *o.*; **8** (*v. schip*) vaart *v.*(*m.*); **9** (*v. wild*) spoor *o.*; **10** (*v. machine*) werking *v.*, (het) werken *o.*; ***—s et contre-—s,*** heen- en weergeloop; ***— funèbre,*** treurmars; ***— triomphale,*** **1** zegetocht *m.*; **2** (*muz.*) triomfmars *m. en v.*; ***deux heures de —,*** twee uren gaans; ***se mettre en —,*** op weg gaan, zich op weg begeven; ***— rapide,*** snelle gang *m.*; ***faire une longue —,*** een lange tocht maken, een lange weg afleggen; ***la — à suivre,*** de te volgen methode.
marché [marʃé] *m.* **1** markt *v.*(*m.*); marktplein *o.*; **2** koop *m.*; **3** overeenkomst *v.*, contract *o.*; (***à***) ***bon —,*** goedkoop; (***à***) ***meilleur —,*** goedkoper; ***faire un bon —,*** een koopje doen; ***faire bon — de qc.,*** niet veel om iets geven; ***avoir bon — de qn.,*** iem. gemakkelijk de baas worden; ***— au comptant,*** contante handel *m.*; ***— à terme,*** termijnmarkt *v.*(*m.*), tijdaffaires *mv.*; ***— à prime,*** premieaffaires; ***— en bourse, — officiel,*** officiële notering *v.*; ***— en banque,*** banknotering *v.*; ***— donné,*** spotgoedkoop; ***— financier,*** kapitaalmarkt; ***— monétaire,*** geldmarkt; ***par-dessus le —,*** op de koop toe; ***conclure un —,*** een overeenkomst aangaan; ***— à forfait,*** aannemingscontract *o.*; ***c'est un — fait,*** **1** de koopprijs is vastgesteld; **2** (*fig.*) de zaak is beklonken; ***coupons le —,*** laten wij het verschil delen; ***le bon — est toujours cher, les bons —s ruinent,*** goedkoop is duurkoop; ***M— commun,*** Euromarkt *v.*(*m.*).
marche*-palier* [marʃpalyé] *m.*, (*v. portaal*) traprand *m.*
marchepied [marʃpyé] *m.* **1** (*v. rijtuig, enz.*) trede *v.*(*m.*), opstap *m.*; **2** (*v. trein*) treeplank *v.*(*m.*); **3** (*v. fiets*) step *m.*; **4** voetbank *v.*(*m.*); **5** trapje *o.* (van 3 of 4 treden); **6** loper *m.*; **7** (*fig.*) middel *o.* om hoger op te komen.
marcher [marʃé] **I** *v.i.* **1** gaan, lopen; **2** (*mil.*) marcheren; uitrukken; **3** vorderen, vooruitkomen; **4** (*v. klok*) lopen; **5** (*v. machine*) draaien; ***— au pas,*** in de pas lopen; ***— droit,*** **1** rechtuit lopen; **2** (*fig.*) recht door zee gaan; ***il ne marche pas droit,*** hij staat niet recht in zijn schoenen; ***— à sa ruine,*** zijn ondergang tegemoet gaan; ***je ne marche pas,*** ik laat me niet lijmen, ik doe het niet; ***— sur le pied à qn.,*** iem. op zijn tenen trappen; ***— sur les plates-bandes de qn.,*** iem. onder de duiven schieten; ***— au combat,*** ten strijde trekken; ***— sur les talons de qn.,*** iem. op de voet volgen; ***— sur les pas*** (*ou* ***les traces***) ***de qn.,*** in iemands voetstappen treden; ***— dans les eaux de qn.,*** het met iem. eens zijn; **II** *v.i.*, (*v. klei, enz.*) treden; **III** *s. m.* **1** gang, tred *m.*; **2** (het) lopen *o.*
marcheur [marʃœ:r] *m.* **1** voetganger *m.*; **2** kleitrapper *m.*; ***bon —,*** (*sch.*) goed zeiler *m.*; snellopend schip *o.*; ***être bon —,*** flink kunnen lopen.
marcheuse [marʃö:z] *f.* figurante *v.*
marconigramme [markònigram] *m.* marconigram, draadloos telegram; radiogram *o.*
marcottage [markòta:j] *m.*, (*tuinb.*) (het) afleggen *o.* van loten. [afzetsel *o.*
marcotte [markòt] *f.* loot *v.*(*m.*), aflegger *m.*,
marcotter [markòté] *v.t.* (loten) afleggen.

Marcq [mark] Mark *o.*
mardi [mardi] *m.* dinsdag *m.*; ***— gras,*** vastenavond *m.*
mare [ma:r, mɑ:r] *f.* poel, plas *m.*; ***— de sang,*** bloedplas; ***la — aux harengs,*** de zee *v.(m.)*, de oceaan *m.*
marécage [maréka:j] *m.* moeras *o.*
marécageux [marékajö] *adj.* moerassig.
maréchal [maréʃal] *m.* maarschalk *m.*; ***— des logis,*** (*mil.*) opperwachtmeester *m.*; ***— de camp,*** generaal-majoor *m.*; ***— de la cour,*** hofmaarschalk; ***— ferrant,*** hoefsmid *m.*
maréchalat [maréʃala] *m.* maarschalksrang *m.*
maréchale [maréʃal] *f.* maarschalksvrouw *v.*
maréchalerie [maréʃalri] *f.* hoefsmederij *v.*
maréchaussée [maréʃo'sé] *f.* rijkspolitie, marechaussee *v.* (*B.*) rijkswacht *v.(m.)*; (*vroeger*) gendarmerie *v.*
marée [maré] *f.* **1** getij *o.*; **2** (verse) zeevis *m.*; ***— basse,*** eb *v.(m.)*; ***— haute,*** vloed *m.*; ***— descendante,*** afgaand getij; ***— montante,*** wassend getij; ***grande —,*** springtij; ***arriver comme — en carême,*** juist van pas komen; ***la — n'attend personne,*** men moet het ijzer smeden, terwijl het heet is. [—, hinkelen.
marelle [marèl] *f.* hinkelbaan *v.(m.)*; ***jouer à la***
maremmatique [marèmatik] *adj.*, ***fièvre —,*** moeraskoorts *v.(m.)*.
maremme [marèm] *f.* (*Italië*) moeras *o.* aan zee.
marengo [marẽ'go] *m.* (zwart) leerlaken *o.*
maré(o)graphe [maré(ò)graf] *f.* getijhoogteregistrator *m.*
mareyage [marèya:j] *m.* zeevishandel *m.*
mareyeur [marèyœ:r] *m.* zeevishandelaar *m.*
margarine [margarin] *f.* margarine, kunstboter *v.(m.)*. [zuur *o.*
margarique [margarik] *adj.*, ***acide —,*** margarine-
marge [marj] *f.* **1** (*v. boek, gracht*) kant, rand *m.*; **2** speelruimte *v.*; **3** (*beurs: bij speculatie*) surplus *o.*; **4** (*drukk.*) timpaanpapier *o.*; ***en — de la société,*** aan de zelfkant van de maatschappij; ***avoir de la —,*** tijd (of geld) in overvloed hebben.
margelle [marjèl] *f.* (*v. put*) rand *m.*
marger [marjé] *v.t.* (*drukk.*) inleggen, in de vorm plaatsen.
margeur [marjœ:r] *m.* **1** (*drukk.*) inlegger *m.*; **2** inlegmachine *v.*; **3** (*v. schrijfmachine*) tabulator *m.*; kantlijnstop *m.*
marginal [marjinal] *adj.* aan de kant; ***note —e,*** kanttekening *v.*
marginer [marjiné] *v.t.* kanttekeningen maken op.
Margot [margo] *f.* **1** Griet, Grietje *v.*; **2** ekster *v.(m.)*; **3** (*fig.*) babbelkous *v.(m.)*, klappei *v.*
margo(t)ter [margòté] *v.i.*, (*v. kwartel*) slaan.
margotin [margòtẽ] *m.* **1** takkenbosje *o.*; vuurmaker *m.*; **2** hengelsnoer *o.*
margouillis [marguyi] *m.* **1** vuilnishoop, mesthoop *m.*; **2** (*fig.*) vuil zaakje *o.*
margoulette [margulèt] *f.*, (*pop.*) bakkes *o.*
margoulin [margulẽ] *m.* **1** lastige klant *m.*; **2** marskramer, sjacheraar *m.*
margouliner [margouliné] *v.i.* sjacheren.
margoulis [marguli] *m.*, (*pop.*) ruzie *v.*, herrie *v.(m.)*. [gravin *v.*
margrave [margra:v] markgraaf *m.*; mark-
margraviat [margravya] *m.* markgraafschap *o.*
margravine [margravin] *f.* markgravin *v.*
marguerite [margerit] *f.* madeliefje *o.*; ***grande —,*** ganzebloem *v.(m.)*.
Marguerite [margerit] *f.* Margaretha, Grietje *v.*
marguillage [margiya:j] *m.* **1** (*kath.*) kerkfabriek *v.*; **2** (*prot.*) college *o.* van ouderlingen.
marguillerie [margiyri] *f.* **1** kerkmeestersambt *o.*; **2** kerkelijk archief *o.* (v. parochie). [*m.*
marguillier [margiyé] *m.* kerkmeester, ouderling
mari [mari] *m.* man, echtgenoot *m.*
mariable [marya'bl] *adj.* huwbaar.
mariage [marya:j] *m.* **1** huwelijk *o.*; **2** bruiloft *v.(m.)*; **3** (*kaartsp.*) heer en vrouw van dezelfde kleur; ***contracter —,*** een huwelijk aangaan, in de echt treden; ***— de raison*** (*ou* ***d'argent***), huwelijk uit berekening; ***— d'inclination,*** huwelijk uit liefde; ***demander en —,*** ten huwelijk vragen.
marial [maryal] *adj.*, (*kath.*) aan Maria gewijd; ***congrès —,*** Maria-congres *o.*
Marianne [maryan] *f.* **1** Marianna *v.*; **2** (*fig.*) de Franse Republiek *v.*; ***les —s,*** de Marianeneilanden.
Marie [mari] *f.* Maria *v.*
marié [maryé] *m.* **1** jonggehuwde *m.*; **2** bruidegom *m.*; ***—e,*** *f.* bruid *v.*; ***les nouveaux —s, les jeunes —s,*** de jonggehuwden.
Marie-graillon [marigrɑ'yõ] *f.*, (*pop.*) slons *v.*
marier [maryé] **I** *v.t.* **1** in de echt verbinden, trouwen; **2** uithuwelijken; **3** (*fig.: v. kleuren, enz.*) paren, verenigen; harmonisch samenvoegen; ***fille à —,*** huwbare dochter; ***— la cave et le puits,*** water in de wijn doen; **II** *v.pr.*, ***se —*** **1** trouwen, in het huwelijk treden; **2** (*fig.*) goed passen bij, bij elkaar passen, harmonisch aansluiten bij.
marie*-salope* [marisalòp] *f.* **1** modderschuit *v.(m.)*; **2** baggermolen *m.*
Mariette [maryèt] *f.* Marietje, Mietje, Mieke *v.*
marieuse [maryö:z] *f.* koppelaarster *v.*
marigot [marigo] *m.* moerassige rivierarm *m.* (in de Tropen).
marihuana, mariyuana [mariyüana] *f.* marihuana *v.(m.)*.
marin [marẽ] **I** *adj.* zee—; ***lieue —e,*** zeemijl *v.(m.)*; ***bâtiment —,*** zeewaardig schip *o.*; ***costume —,*** matrozenpak *o.*; ***fusilier —,*** marinier *m.*; **II** *s.*, *m.* **1** zeeman; matroos *m.*; **2** matrozenpak *o.*; ***— d'eau douce,*** binnenschipper *m.*; ***Saint M—,*** San Marino *o.*
marinade [marina'd] *f.* **1** pekelsaus *v.(m.)*; **2** pekelvlees *o.* [inleggen *o.*
marinage [marina:j] *m.* (het) inmaken, (het)
marine [marin] *f.* **1** zeewezen *o.*; **2** zeemacht *v.(m.)*, marine *v.*; **3** (*v. schilderij*) zeestuk *o.*; ***— marchande,*** koopvaardijvloot, handelsvloot *v.(m.)*; ***— militaire,*** oorlogsvloot *v.(m.)*; ***officier de —,*** zeeofficier *m.*; ***soldat de —,*** marinier *m.*
mariné [mariné] *adj.* **1** door zeewater beschadigd; **2** ingemaakt, gemarineerd; ***bœuf —,*** rolpens *v.(m.)*.
mariner [mariné] **I** *v.t.* inmaken, inleggen, marineren; **II** *v.i.* in de pekel staan, in kruidenazijn liggen.
maringo(t)te [marẽ'gòt] *f.* **1** boerenwagentje *o.*, licht rijtuig *o.* met losse banken; **2** woonwagen, kermiswagen *m.*
maringouin [marẽ'gwẽ] *m.* **1** muskiet *m.*, steekmug *v.(m.)*; **2** Amerikaanse snip *v.(m.)*.
marinier [marinyé] *m.* **1** bootsgezel, zeeman *m.*; **2** binnenschipper *m.*
marinière [marinyè:r] *f.* **1** schippersvrouw *v.*; **2** matrozenpakje *o.*; ***nager à la —,*** op de zij zwemmen; ***moules à la —,*** mosselen met uiensaus.
mariniste [marinist] *m.* zeeschilder *m.* [*m.*
mariol [maryòl] (*pop.*) **I** *adj.* leep; **II** *s.*, *m.* leperd
Marion [maryõ] *f.* Marietje *v.*
marionnette [maryònèt] *f.* **1** poppetje *o.*; **2** (*fig.*) marionet, ledenpop *v.(m.)*; ***théâtre de —s,*** poppenspel *o.*, poppenkast *v.(m.)*.

mariste [marist] *m.* pater *m.* van de congregatie der maristen.
marital [marital] *adj.* van de echtgenoot, de echtgenoot betreffend, mannelijk.
maritalement [maritalmã] *adv.* als echtgenoten, als man en vrouw.
maritime [maritim] *adj.* van de zee, zee—, zeevaart—; ***ville* —,** zeehaven, havenstad *v.(m.)*; ***grève* —,** havenstaking *v.*; ***climat* —,** zeeklimaat *o.*; ***puissance* —,** zeemogendheid *v.*; ***droit* —,** zeerecht *o.* [slons *v.*
maritorne [maritòrn] *f.* plomp, slordig wijf *o.*,
marivaudage [marivo'da:j] *m.* **1** (het) spreken (*of* schrijven) *o.* in gezochte taal, affectatie *v.*; **2** gezochte (*of* galante) complimenten *mv.*
marivauder [marivo'dé] *v.i.* **1** in gezochte taal spreken (*of* schrijven); **2** gezochte complimenten maken.
mariyuana, *voir* ***marihuana.***
marjolaine [marjòlè'n] *f.* (*Pl.*) marjolein *v.(m.)*.
mark [mark] *m.* mark *m.*; **— *papier*,** papieren mark; **— *or*,** goudmark.
marli [marli] *m.* **1** dun gaas *o.*; **2** (*v. schotel*) (versierde) rand *m.*, randversiering *v.*
Marlinne [marlin] Mechelen-Bovelingen.
marmaille [marma'y] *f.* kleine kleuters *mv.*; grut *o.*
marmelade [marmela'd] *f.* vruchtenmoes *o.*; ***— de pommes*,** appelmoes; ***en* —,** tot moes (gekookt, gestoofd, enz.); ***mettre en* —,** bont en blauw slaan. [*o.*
marmenteau [marmã'to] *m.* hoogstammig hout
marmite [marmit] *f.* **1** ketel, vleesketel, (ijzeren) pot *m.*; **2** (*mil.*) soepketel, veldketel *m.*; **3** (*mil., pop.*) zware granaat *v.(m.)*; **4** helm *m.*; **5** (*v. loodgieter*) smeltketel, soldeerpot *m.*; ***— à colle*,** lijmpot *m.*; ***— norvégienne*,** hooikist *v.(m.)*; ***écumer la* —, 1** het schuim afscheppen; **2** klaplopen; ***écumeur de —s*,** klaploper *m.*; ***nez en pied de* —,** stompneus *m.*; ***cela fait bouillir la* —,** daar moet de schoorsteen van roken; ***la — est renversée*,** we krijgen geen eten; er valt niets meer te halen.
marmitée [marmité] *f.* **1** ketel *m.* vol; **2** (*mil.*) granaatsplinter *m.*
marmiter [marmité] *v.t.* met granaten beschieten, bombarderen.
marmiteux [marmitö] **I** *adj.* armzalig; **II** *s., m.* arme drommel *m.*
marmiton [marmitõ] *m.* koksjongen *m.*
marmonner [marmòné] *v.t.* mompelen.
marmoréen [marmòréẽ] *adj.* **1** marmerachtig; **2** (*fig.*) marmeren, steenkoud, koud als marmer.
marmot [marmo] *m.* kleuter, dreumes *m.*; ***croquer le* —,** lang staan schilderen; lang moeten wachten. [*o.*
marmottage [marmòta:j] *m.* geprevel, gemompel
marmotte [marmòt] *f.* **1** marmot *v.(m.)*, mormeldier *o.*; **2** hoofddoek *m.* (v. vrouwen); **3** stalendoos, monsterdoos *v.(m.)*, monsterkoffer *m.*; **4** dubbele reiskoffer *m.*; ***dormir comme une* —,** slapen als een roos. [geprevel *o.*
marmottement [marmòtmã] *m.* gemompel,
marmotter [marmòté] *v.t.* prevelen, mompelen.
marmotteur [marmòtœ:r] *m.* prevelaar *m.*
marmouset [marmuzè] *m.* **1** (*pop.*) kereltje, joch *o.*; **2** klein gedrocht; poppetje *o.*; **3** (driehoekig) haardijzer *o.*
marnage [marna:j] *m.* (*landb.*) (het) mergelen, (het) bemesten *o.* met mergel.
marne [marn] *f.* mergel *m.*, mergelaarde *v.(m.)*.
marner [marné] **I** *v.t.* met mergel bemesten; **II** *v.i.* (*v. zee*) hoog lopen.
marneron [marn(e)rõ] *m.* mergelgraver *m.*
marneux [marnö] *adj.* mergelachtig, mergelhoudend.
marnière [marnyè:r] *f.* mergelgroeve *v.(m.)*.
Maroc [maròk] *m.* Marokko *o.*
Marocain [maròkẽ] **I** *m.* Marokkaan *m.*; **II** *adj.* *m—*, Marokkaans. [uit Maroilles.
maroilles, marolles [maròl] *m.* bep. kaas *m.*
Maronite [marònit] *m.* maroniet *m.*
maronner [maròné] *v.i.* morren, pruttelen.
maroquin [maròkẽ] *m.* marokijn(leer) *o.*
maroquinage [maròkina:j] *m.* bereiding *v.* tot marokijnleer.
maroquiner [maròkiné] *v.t.* tot marokijnleer bewerken; ***papier maroquiné*,** marokijnpapier *o.*
maroquinerie [maròkinri] *f.* **1** marokijnfabriek *v.*; **2** marokijnbewerking *v.*; **3** marokijnhandel *m.*; **4** marokijnwerk *o.*; **5** fijne leerwaren *mv.*
maroquinier [maròkinyé] *m.* **1** marokijnbereider, —fabrikant *m.*; **2** lederbewerker *m.*
marotte [maròt] *f.* **1** zotskap *v.(m.)*; **2** (*fig.*) stokpaardje *o.*; **3** hoedenstander *m.*
marouette [marwèt] *f.* waterhoentje *o.*
maroufle [marufl] **I** *m.*, (*pop.*) brutale vlegel *m.*; **II** *f.* schilderslijm *m.*
maroufler [maruflé] *v.t.* (*v. schilderij*) verdoeken, *of* op paneel overbrengen. [pelen *o.*
marquage [marka:j] *m.* (het) merken; (het) stem-
marquant [markã] *adj.* opvallend, sterk uitkomend, markant; ***rien de* —,** niets bijzonders.
marque [mark] *f.* **1** merk, merkteken *o.*; **2** stempel *o. en m.*; **3** brandmerk *o.*; **4** herkenningsteken *o.*; **5** (*v. waterstand*) peil *o.*; **6** (*v. wonde*) litteken *o.*; **7** (*fig.*) blijk, bewijs *o.*; ***de première* —,** (*v. handelswaren*) eerste kwaliteit, prima; ***— de fabrique*,** fabrieksmerk, handelsmerk *o.*; ***article de* —,** merkartikel *o.*; ***personnage de* —,** man *m.* van betekenis.
marqué [marké] *adj.* **1** (*v. trekken, enz.*) scherp getekend; **2** (*v. datum, plaats*) bepaald; ***— de la petite vérole*,** van de pokken geschonden; ***— au bon coin*,** van de echte soort.
marquer [marké] **I** *v.t.* **1** merken; stempelen; **2** kenmerken; **3** aantekenen, aanduiden; **4** (*bij spel; pas*) markeren; **5** betuigen; **6** (*v. figuur, enz.*) doen uitkomen; **7** (*v. vee, enz.*) brandmerken; ***il ne marque pas ses 70 ans*,** men kan het hem niet aanzien, dat hij al 70 jaar is; ***— la mesure*,** de maat aangeven, de maat slaan; **II** *v.i.* **1** (*v. paard*) tekenen; **2** (*v. persoon*) uitmunten, zich onderscheiden; **3** (*sp.*) doelpunten, een goal maken; ***cela marquerait trop*,** dat zou te zeer in 't oog lopen; ***il marque mal*,** hij ziet er slecht (*ook*: ongunstig) uit; ***il marque bien*,** hij ziet er nog flink uit.
marqueter* [marketé] *v.t.* **1** spikkelen; **2** (*v. vloer, meubelen*) inleggen.
marqueterie [marketri] *f.* ingelegd werk, mozaïek(werk) *o.*
marqueteur [marketœ:r] *m.* mozaïekwerker *m.*
marqueur [markœ:r] *m.* **1** merker *m.*; **2** stempelaar *m.*; **3** (*spel*) teller, aantekenaar, markeur *m.*
marquis [marki] *m.* markies *m.*
marquisat [markiza] *m.* markizaat *o.*
marquise [marki:z] *f.* **1** markiezin *v.*; **2** (*aan venster*) zonnescherm *o.*; **3** (*boven perron, enz.*) afdak *o.*; ***les M—s*,** de Markiezen-eilanden *mv.*
marquoir [markwa:r] *m.* **1** merklap, tekenlap *m.*; **2** (*v. kleermaker*) merklat *v.(m.)*.
marraine [ma'rèn] *f.* meter *v.*; petemoei *v.*
marrant [ma'rã] *adj.*, (*pop.*) lollig, leuk.

marre [ma:r] *adv.*, (*pop.*) genoeg; ***j'en ai —,*** ik heb er genoeg van, ik ben het beu.
marri(e) *adj.*, ***j'en suis —,*** het spijt me.
marron [ma'rõ] **I** *m.* **1** tamme kastanje *v.(m.)*; **2** kastanjekleur *v.(m.)*; **3** haardot *m.*; **4** (*pop.*) opstopper, vuistslag *m.*; ***— d'Inde,*** wilde kastanje; ***— d'eau,*** waternoot *v.(m.)*; ***— lumineux,*** lichtraket *v.(m.)*; ***tirer les —s du feu,*** de kastanjes uit het vuur halen; **II** *adj.* **1** kastanjebruin; **2** onbevoegd; zonder patent; ***courtier —,*** beunhaas *m.*
marronnage [ma'ròna:j] *m.* beunhazerij *v.*
marronner [ma'ròné] *v.i.* **1** beunhazen; **2** morren, brommen.
marronnier [ma'rònyé] *m.* (tamme) kastanjeboom *m.*; ***— d'Inde,*** wilde kastanjeboom.
marrube [ma'rü'b] *m.*, (*Pl.*) malrove *v.*
Mars [mars] *m.* Mars *m.*
mars [mars] *m.* **1** maart *m.*, lentemaand *v.(m.)*; **2** dagvlinder *m.*; ***comme — en carême,*** juist van pas.
marsault [marso] *m.* (*pl.*: marsaux) teenwilg *m.*
Marseillais [marsèyè] *m.* bewoner *m.* van Marseille.
marsette [marsèt] *f.* doddegras, helmgras *o.*
marsouin [marswẽ] *m.* **1** bruinvis *m.*; **2** (*fig.*) zeerob *m.*; **3** (*sch.*) boegtent *v.(m.)*.
marsupial [marsüpyal] *adj.* buideldragend.
marsupiaux [marsüpyo] *m.pl.* buideldieren *mv.*
martagon [martagõ] *m.* Turkse lelie *v.(m.)*.
marte [mart] *f.* ***voir martre.***
marteau [marto] *m.* **1** hamer *m.*; **2** deurklopper *m.*; ***— d'armes,*** strijdhamer; ***— à pointes,*** bikhamer; ***— d'enclume,*** voorhamer; ***— de forge,*** smidshamer; ***il a un coup de —,*** er loopt een streep door, hij heeft een slag van de molen weg; ***graisser le —,*** de portier een fooi geven.
marteau*-pilon* [martopilõ] *m.* stoomhamer *m.*
martel [martèl] *m.*, ***se mettre — en tête,*** muizenissen in 't hoofd halen.
martelage [martela:j] *m.* **1** (het) hameren *o.*; **2** (het) merken *o.* van bomen.
Martelange [martelã:j] Martelingen *o.*
martèlement [martèlmã] *m.* **1** (het) hameren *o.*; **2** (*v. lettergrepen, noten*) (het) kort afbreken *o.*
marteler* [martelé] *v.t.* **1** hameren; **2** (*v. bomen*) merken; **3** (*v. lettergrepen, noten*) kort afbreken.
martelet [martelè] *m.* **1** hamertje *o.*; **2** (*Dk.*) muurzwaluw *v.(m.)*.
martellerie [martèlri] *f.* hamerwerk *o.*, metaalklopperij *v.*
Marthe [mart] *f.* Martha *v.*
martial(ement) [marsyal(mã)] *adj.* (*adv.*) krijgshaftig; ***loi —e,*** krijgswet *v.(m.)*.
martien [marsyẽ] **I** *adj.* van de planeet Mars; **II** *s. m.*, ***M—,*** (mogelijke) Marsbewoner *m.*
Martin [martẽ] *m.* Maarten, Martinus *m.*
martin [martẽ] *m.* spreeuw *m.*
martinet [martinè] *m.* **1** gierzwaluw *v.(m.)*; **2** kleerklopper *m.*; **3** stoomhamer *m.*
martingale [martẽ'gal] *f.* **1** (*v. paard*) springteugel *m.*; **2** (*v. jas*) trekband, tailleband *m.*; **3** (*bij spel*) verdubbeling *v.* van de inzet.
martingaler [martẽ'galé] *v.i.* de inzet verdubbelen.
martin*-pêcheur* [partẽ'pè'ſœ:r] *m.* ijsvogel *m.*
martin*-sec* [martẽ'sèk] *m.* (kleine) herfstpeer *v.(m.)*.
martin*-sucré* [martẽ'sükré] *m.* zoete winterpeer, suikerpeer *v.(m.)*.
martre [martr] *f.* **1** marter *m.*; **2** marterbont *o.*; ***— blanche,*** hermelijn *m.*; ***— zibeline,*** sabeldier *o.*; ***prendre — pour renard,*** zich vergissen, zich verkijken; ***rendre — pour renard,*** met gelijke munt betalen.
martyr [marti:r] **I** *m.* martelaar *m.*; ***il est du commun des —s,*** hij is geen uitblinker; **II** *adj.*, ***enfant —,*** kleine martelaar.
martyre [marti:r] *m.* marteling *v.*, marteldood *m. en v.*; ***souffrir le —,*** **1** de marteldood sterven; **2** (*fig.*) hevige pijnen verduren, gemarteld worden.
martyriser [martiri'zé] *v.t.* martelen.
martyrologe [martiròlò:j] *m.* **1** martelaarsboek *o.*; **2** (*fig.*) lijdensgeschiedenis *v.*
martyrologie [martiròlòji] *f.* geschiedenis *v.* van de martelaren.
marxisme [marksizm] *m.* marxisme *o.*, leer *v.(m.)* van Karl Marx.
marxiste [marksist] **I** *m.* marxist; **II** *adj.* marxistisch.
maryland [marilã] *m.* bep. tabak *m.*
mas [mas] *m.* landhuis *o.* (in Z.-Fr.).
mascarade [maskara'd] *f.* maskerade; vermomming *v.*
mascaret [maskarè] *m.* springvloed *m.*
mascaron [maskarõ] *m.* groteske sierkop *m.* (aan deur, gevel, fontein etc.).
mascotte [maskòt] *f.* mascotte, gelukspop *v.(m.)*, geluksaanbrenger *m.*
masculin [masküle͂] **I** *adj.* mannelijk; ***vers —,*** versregel met staand rijm (dat niet op een stomme lettergreep eindigt); **II** *s., m.* mannelijk geslacht *o.*
masculiniser [masküliniˈzé] *v.t.*, (*gram.*) mannelijk maken.
masculinité [masküIinité] *f.* mannelijkheid *v.*; mannelijk geslacht *o.*
masque [mask] *m.* **1** masker *o.*; **2** vermomming *v.*; **3** gemaskerd persoon *m.*; **4** (*mil.*: *v. kanon, enz.*) maskering *v.*; **5** (*fig.*) gelaatsuitdrukking *v.*; ***— à gaz, — contre les gaz,*** gasmasker; ***— à chloroforme,*** narcosemasker.
masquer [maské] **I** *v.t.* **1** maskeren, vermommen; **2** maskeren, verbergen; **3** (*v. lek*) stoppen; **II** *v.pr.*, ***se —,*** zich maskeren, zich vermommen; een masker voordoen.
massacrant [masakrã] *adj.* onuitstaanbaar, lastig; ***être d'une humeur —e,*** de bokkepruik op hebben, zeer slecht geluimd zijn, spinnijdig zijn.
massacre [masakr] *m.* **1** slachting *v.*, bloedbad *o.*; **2** (*v. werk*) verknoeiing *v.*; **3** knoeier, broddelaar *m.*; ***jeu de —,*** (*op kermis*) ballentent *v.(m.)*, werpspel *o.*; ***le — des Innocents,*** de moord op de onnozele kinderen.
massacrer [masakré] *v.t.* **1** vermoorden, slachten; **2** (*v. werk*) verknoeien.
massacreur [masakrœ:r] *m.* **1** moordenaar *m.*; **2** (*fig.*) knoeier *m.*
massage [masa:j] *m.* massage *v.*, (het) masseren *o.*
masse [mas] *f.* **1** massa *v.(m.)*, menigte *v.*; **2** (*v. spel*) inzet, pot *m.*; **3** (*in faillissement*) boedel *m.*; **4** houten hamer *m.*; **5** (*v. erfenis, maatschappij*) kapitaal, fonds *o.*; **6** staf *m.*; ***— d'habillement,*** (*mil.*) kledingsfonds *o.*; ***— active,*** (*H.*) actief *o.*; ***— passive,*** (*H.*) passief *o.*; ***levée en —,*** algemene bewapening *v.*; ***production en —,*** massale produktie *v.*; ***la — flottante,*** (*fig.*: *bij verkiezing, enz.*) de kleurloze middenstof *v.(m.)*.
massé [masé] *m.*, (*bilj.*) kopstoot *m.*
masseau [maso] *m.* (*techn.*) gieteling *m.*
masselotte [maslòt] *f.*, (*techn.*) gietkop *m.*
massepain [maspẽ] *m.* marsepein *m. en o.*; amandelpas *o.*
masser [masé] **I** *v.t.* **1** masseren; **2** (*v. troepen, enz.*) in (grote) massa's samentrekken, verzamelen; **3** (*bilj.*) een kopstoot geven; **II** *v.pr.* ***se —,*** **1** zich verzamelen; **2** zich opeenpakken; **3** zich tot een massa verenigen.
masséter [masétè:r] *m.* (grote) kauwspier *v.(m.)*.

massette [masèt] *f.* **1** houten hamer *m.*; **2** (*Pl.*) lisdodde *v.*(*m.*).
masseur [masœ:r] *m.* masseur *m.*
massicot [masiko] *m.* **1** loodglit *o.*; **2** (papier)snijmachine *v.* [facteur *m.*
massier [masyé] *m.* **1** stafdrager, pedel *m.*; **2** (*mil.*)
massif [masif] **I** *adj.* **1** massief, niet hol, vol; **2** (*ong.*: *v. gebouw, lichaam*) log, zwaar; **II** *s. m.* **1** (stevige) grondmuur *m.*; metselwerk *o.*; **2** berggroep *v.*(*m.*), gebergte *o.*; **3** dicht bos, dicht gewas *o.*; ***— de maisons,*** blok *o.* huizen; ***— de pierre,*** steenmassa *v.*(*m.*); ***— de verdure,*** groepje *o.* planten en bloemen.
massivement [masi'vmã] *adv.* **1** massief, zwaar; **2** op hechte wijze.
massiveté [masi'vté] *f.* **1** (het) massieve, zware *o.*; **2** stevigheid *v.*
massue [masü] *f.* knots *v.*(*m.*).
mastic [mastik] *m.* **1** stopverf *v.*(*m.*); **2** hars *o. en m.*; kleefdeeg *o.*; **3** (*pop.*) warboel *m.*; ***— de dentiste,*** plombeersel *o.* [pen *o.*
masticage [mastika:j] *m.* (het) vullen, (het) stop-
masticateur [mastikatœ:r] *m.* kauwspier *v.*(*m.*).
mastication [mastika'syõ] *f.* (het) kauwen *o.*, kauwing *v.*
masticatoire [mastikatwa:r] **I** *m.* kauwmiddel *o.*; **II** *adj.* ***gomme —,*** kauwgom *m. of o.*
mastiff [mastif] *m.* bulhond *m.*
mastiquer [mastiké] *v.t.* **1** met stopverf dichtmaken; **2** kauwen.
mastoc [mastòk] *m.* plomp mens, lomperd *m.*
mastodonte [mastòdõ:t] *m.* mastodont, voorwereldlijke olifant *m.*
mastoïdite [mastòidit] *f.* middenoorontsteking *v.*
mastroquet [mastròkè] *m.*, (*pop.*) kroegbaas *m.*
masure [mazü:r] *f.* krot, oud bouwvallig huis *o.*
mat [mat] **I** *adj.* **1** dof, mat, zonder glans; **2** (*schaaksp.*) mat; ***verre —,*** matglas *o.*; **II** *s., m.* **1** (het) matte, (het) doffe, mat gedeelte *o.*; **2** (*schaaksp.*) mat; ***donner le — à,*** schaakmat zetten.
mât [mɑ] *m.* **1** mast *m.*; **2** (*v. gymnastiek*) klimpaal *m.*; **3** (*radio*) antennedrager, mast *m.*; ***— d'artimon,*** bezaansmast; ***— d'avant,*** fokkemast; ***— de fortune,*** noodmast; ***— de hune,*** marssteng *v.*(*m.*); ***— de beaupré,*** boegspriet *m.*; ***— de cocagne,*** klimmast; ***— de pavillon,*** vlaggestok *m.*; ***— de signaux,*** (*vl.*) landingsmast.
matador [matadò:r] *m.* **1** stierendoder *m.*; **2** (*omberspel*) hoge kaart *v.*(*m.*); **3** (*fig.*) grote Piet *m.*; (*in vak*) meester, baas *m.* [bemasting *v.*
mâtage [mɑ'ta:j], **mâtement** [mɑ'tmã] *m.*, (*sch.*)
matamore [matamò:r] *m.* bluffer, snoever, grootspreker, druktemaker *m.*
match [matʃ] *m.* (*pl.* : ***—es,*** *ou* ***—s***) wedstrijd *m.*, match *m. en v.*; ***— nul,*** gelijk spel *o.*
matcher [matʃé] *v.t. et v.i.* (doen) uitkomen in een wedstrijd.
maté [maté] *m.* maté, Zuidamerikaanse thee *m.*
matelas [matlɑ] *m.* **1** matras *v.*(*m.*) *en o.*; **2** (*in rijtuig*) opvulsel *o.*; ***— à air,*** luchtkussen *o.*; ***avoir le —,*** goed in zijn duiten zitten, er warmpjes in zitten.
matelasser [matlɑ'sé] *v.t.* **1** (*v. stoel*) opvullen; **2** (*v. rijtuig, enz.*) voeren, met kussens bekleden; **3** van matrassen (*of* kussens) voorzien (tegen kogels, enz.); ***porte matelassée,*** tochtdeur *v.*(*m.*).
matelassier [matlɑ'syé] *m.* matrassenmaker *m.*
matelassure [matlɑ'sü:r] *f.* opvulling *v.*
matelot [matlo] *m.* **1** matroos *m.*; **2** matrozenpak *o.*; ***— d'avant,*** (*sch.*) voorzeiler *m.*; ***— d'arrière,*** opsluiter *m.*
matelote [matlòt] *f.* **1** matrozendans *m.*; **2** visschotel *m.* (met wijnsaus); ***à la —,*** op matrozenmanier, op zeemanswijze; ***chapeau à la —,*** matrozenhoed *m.*
mâtement [mɑ'tmã] *m.* *voir* ***mâtage.***
mater [maté] *v.t.* **1** mat (*of* dof) maken; **2** (*spel*) (schaak)mat zetten; **3** (*fig.*) bedwingen, temmen, kleinkrijgen.
mâter [mɑ'té] *v.t.* **1** van masten voorzien; **2** overeind zetten.
mâtereau [mɑ'tro] *m.* kleine mast *m.*
matérialisation [matéryalizɑ'syõ] *f.* verstoffelijking *v.*
matérialiser [matéryali'zé] **I** *v.t.* **1** stoffelijk maken, materialiseren; **2** stoffelijk voorstellen; **II** *v.pr.* ***se —,*** stoffelijk worden, zich materialiseren.
matérialisme [matéryalizm] *m.* materialisme *o.*
matérialiste [matéryalist] **I** *m.* materialist *m.*; **II** *adj.* materialistisch.
matérialité [matéryalité] *f.* stoffelijkheid *v.*; ***la — du fait,*** het feit zelf, het tastbare feit.
matériaux [matéryo] *m.pl.* materiaal *o.*, bouwstoffen *mv.*; ***— de construction,*** bouwmaterialen; ***— bruts,*** grondstoffen.
matériel [matéryèl] **I** *adj.* **1** stoffelijk, materieel; **2** (*wijsb.*) wezenlijk, feitelijk, zakelijk; **3** zwaar, lomp, massief; **4** zinnelijk; ***vie —le,*** levensonderhoud *o.*; ***besoins —s,*** lichaamsbehoeften *mv.*; **II** *s., m.* **1** (het) stoffelijke *o.*; **2** (*tn.*) materieel *o.*; ***— scolaire,*** leermiddelen *mv.*
matériellement [matéryèlmã] *adv.* stoffelijk, materieel.
maternel [matèrnèl] *adj.* **1** moederlijk, moeder—; **2** van moederszijde; ***école —le,*** bewaarschool *v.*(*m.*); ***langue —le,*** moedertaal *v.*(*m.*); ***grand-père —,*** grootvader *m.* van moederszijde.
maternité [matèrnité] *f.* **1** moederschap *o.*; **2** kraaminrichting *v.*; **3** kweekschool *v.*(*m.*) voor vroedvrouwen.
mathématicien [matématisyẽ] *m.* wiskundige *m.*
mathématique(ment) [matématik(mã)] *adj.* (*adv.*) **1** wiskundig, wiskunstig; **2** (*fig.*) ontwijfelbaar, onomstotelijk.
mathématiques [matématik] *f.pl.* wiskunde, mathesis *v.*; ***boîte de —s,*** passerdoos *v.*(*m.*).
mathurin [matürẽ] *m.* **1** janmaat, matroos *m.*, jantje *o.*; **2** matrozentaal *v.*(*m.*).
Mathusalem [matüzalèm] *m.* Methusalem *m.*
matière [matyè:r] *f.* **1** stof *v.*(*m.*), zelfstandigheid, materie *v.*; **2** (*fig.*) onderwerp *o.*; ***— purulente,*** etter *m.*; ***— première,*** grondstof *v.*(*m.*); ***— imposable,*** belastingobject *o.*; ***en — de religion,*** in godsdienstzaken; ***la — du sacrement,*** (*kath.*) het uitwendig teken van het sacrament; ***— d'agrégation,*** bindmiddel *o.*; ***table des —s,*** inhoudsopgave *v.*(*m.*); ***donner — à,*** aanleiding geven tot; ***bien connaître la —,*** **1** de stof beheersen; **2** er alles van af weten.
matin [matẽ] **I** *m.* morgen, ochtend *m.*; ***de grand —, de bon —,*** zeer vroeg, vroeg in de morgen; ***ce —,*** vanmorgen; ***demain —,*** morgenochtend; ***un beau —,*** op zekere morgen, op zekere dag; ***un de ces quatre —s,*** een van deze dagen; ***à deux heures du —,*** om twee uur 's nachts; **II** *adv.* vroeg; ***se lever —,*** vroeg opstaan.
mâtin [mɑ'tẽ] *m.* **1** bulhond; waakhond *m.*; **2** (*fig.*) rakker, rekel; ongelikte beer *m.*; ***—!*** drommels.
matinal [matinal] *adj.* morgen—, ochtend—; ***rosée —e,*** morgendauw, ochtenddauw *m.*; ***être —,*** vroeg op zijn.
mâtine [mɑ'tin] *f.* feeks, kwaje meid *v.*
mâtiné [mɑ'tiné] *adj.* bastaard—, gekruist; ***produit —,*** bastaardprodukt.

mâtineau [ma'tino] *m.* kleine waakhond *m.*
matinée [matiné] *f.* **1** morgen *m.*; **2** voormiddag *m.*; **3** middagvoorstelling, middagvertoning *v.*; **— *enfantine,*** kindervoorstelling; **— *musicale,*** namiddagconcert *o.*; ***dans la —,*** in de voormiddag, voor twaalven.
mâtiner [ma'tiné] *v.t.* **1** (*v. honden*) kruisen; **2** afsnauwen.
matines [matin] *f.pl.*, (*kath.*) metten *mv.*; ***les M— brugeoises,*** de Brugse Metten; **— *bien sonnées sont à demi dites,*** goed begonnen is half gewonnen.
matineux [matinö] *adj.* matineus, gewoonlijk vroeg op.
matinière [matinyè:r] *adj.*, ***étoile —,*** morgenster *v.*(*m.*).
matir [mati:r] *v.t.* dof, mat maken.
matité [matité] *f.* matheid, dofheid *v.*
matoir [matwa:r] *m.* **1** matbeitel *m.*; **2** klinkhamer *m.*
matois [matwa] **I** *adj.* slim, doortrapt, geslepen; **II** *s. m.* sluwerd, leperd, slimme vos *m.*
matoiserie [matwa'zri] *f.* sluwheid, geslepenheid, doortraptheid *v.*
maton [matõ] *m.* **1** klonter, klomp *m.*; **2** (*tn.*: *bij 't kaarden*) knoop *m.*
matou [matu] *m.* kater *m.*; ***un vilain —,*** een lelijk mormel.
matraque [matrak] *f.* **1** knuppel *m.*; **2** (*v. politie*) gummistok *m.*
matras [matra, matra:s] *m.* distilleerfles, distilleerkolf *v.*(*m.*).
matriarcat [matriarka] *m.* matriarchaat *o.*
matrice [matris] **I** *f.* **1** matrijs *v.*(*m.*), gietvorm *m.*; **2** ijkmaat *v.*(*m.*), standaard *m.*; **3** baarmoeder *v.*; **4** (*v. belasting*) legger *m.*; **— *du rôle des contributions,*** belastingkohier, belastingregister *o.*; **II** *adj.* moeder—; ***église —,*** moederkerk *v.*(*m.*); ***couleur —,*** enkelvoudige kleur *v.*(*m.*); ***langue —,*** grondtaal *v.*(*m.*).
matricide [matrici'd] *m.* **1** moedermoord *m. en v.*; **2** moedermoordenaar *m.*
matriciel [matrisyèl] *adj.* volgens het register, volgens het kohier.
matriculaire [matrikülè:r] *adj.* op de rol (*of* op het register) ingeschreven; ***inscription —,*** inschrijving in het register.
matricule [matrikül] **I** *f.* **1** naamlijst *v.*(*m.*), register *o.*; **2** stamboek *o.*; **3** inschrijving *v.*; ***numéro —,*** stamboeknummer *o.*; **II** *m.* volgnummer (in register), stamboeknummer *o.*
matriculer [matrikülé] *v.t.* **1** inschrijven in een stamboek *of* register; **2** merken met stamnummer (bv. kleren).
matrimonial [matrimònyal] *adj.* huwelijks—; ***conventions —es,*** huwelijksvoorwaarden *mv.*; ***agence —e,*** huwelijkskantoor *o.*
matrone [matròn] *f.* **1** matrone, bejaarde dame *v.*; **2** vroedvrouw *v.*
matte [mat] *f.* **1** ruwsteen *m.*; **— (*de cuivre*),** kopersteen *m.*; **2** wrongel *v.*(*m.*).
Matthieu [matyö] *m.* Mathijs; Mattheus *m.*
matthiole [matyòl] *f.* (*Pl.*) violier *v.*(*m.*).
maturatif [matüratif] *adj.*, (*gen.*) rijpmakend.
maturation [matüra'syõ] *f.* rijpwording *v.*
mâture [ma'tü:r] *f.* **1** mastwerk *o.*; **2** bemasting *v.*; **3** mastenmakerij *v.*
maturité [matürité] *f.* rijpheid *v.*; ***venir à —,*** rijp worden; **— *sexuelle,*** geslachtsrijpheid *v.*; ***examen de —,*** eindexamen *o.*
matutinal [matütinal] *adj.* ochtend—, morgen—.
maudire* [mo'di:r] *v.t.* vervloeken, verwensen.
maudissable [mo'disa'bl] *adj.* verfoeilijk.
maudit [mo'di] *adj.* vervloekt, verwenst.
maugréer [mo'gréé] *v.i.* mopperen, schelden, vloeken.
Maure [mò:r] **I** *m.* Moor *m.*; **II** *adj.*, ***m—,*** Moors.
mauresque, moresque [mò'rèsk] *adj.* Moors.
Maurice [mò'ris] *m.* Maurits *m.*; ***île —,*** Mauritius *o.*
mauritanien [mò'ritanyẽ] *adj.* Mauretanisch, uit Mauretanië.
mauser [mo'zèr] *m.* (*Duits*) mausergeweer *o.*
mausolée [mo'zòlé] *m.* praalgraf, mausoleum *o.*
maussade(ment) [mo'sa'd(mã)] *adj.* (*adv.*) **1** (*v. persoon*) slecht gehumeurd, nors, gemelijk; **2** (*v. zaken, weer*) somber, naargeestig, druilerig.
maussaderie [mo'sadri] *f.* norsheid, gemelijkheid, knorrigheid *v.*, slecht humeur *o.*
mauvais [mo'vè] **I** *adj.* **1** slecht; **2** verkeerd; **3** kwaad; **— *garnement,*** bengel *m.*; ***—e langue,*** boze (*of* kwade) tong *v.*(*m.*); ***—e plaisanterie,*** flauwe grap *v.*(*m.*); ***—e herbe,*** onkruid *o.*; ***joie —e,*** leedvermaak *o.*; **— *souvenir,*** onaangename herinnering *v.*; ***avoir —e mine,*** er slecht (*of* ziekelijk) uitzien; ***prendre en —e part,*** kwalijk nemen; ***la mer est —e,*** de zee is onstuimig; ***se lever du — côté,*** met het verkeerde been uit bed stappen; ***il fait —* (*temps*),** het is slecht weer; **II** *adv.* slecht, kwalijk; verkeerd; ***sentir —,*** kwalijk rieken, stinken; **III** *s.*, *m.* **1** (het) kwade *o.*; **2** deugniet *m.*; valsaard *m.*; ***les —,*** de bozen *mv.*
mauvaisement [movè'zmã] *adv.* gemeen.
mauvaiseté [movè'zté] *f.* slechtheid *v.*
mauve [mo:v] **I** *f.* **1** (*Pl.*) maluwe, malve *v.*(*m.*); **2** zeemeeuw *v.*(*m.*); **II** *adj.* licht paars.
mauviette [mo'vyèt] *f.* **1** grasleeuwerik *m.*; **2** (*fig.*) teer, mager mens *m.*; magere sprinkhaan *m.*
mauvis [mo'vi] *m.* **1** oranjelijster *v.*(*m.*); **2** kuifleeuwerik *m.*
maxillaire [maksilè:r] **I** *adj.* kaak—; ***os —,*** kaakbeen *o.*; **II** *s.*, *m.* kaakbeen *o.*
Maxime [maksim] *m.* Maximus *m.*
maxime [maksim] *f.* **1** grondregel, stelregel *m.*; **2** zinspreuk, spreuk *v.*(*m.*).
Maximilien [maksimilyẽ] *m.* Maximiliaan *m.*
maximum [maksimòm] (*plur.* : ***maxima ou maximums***) **I** *m.* maximum *o.*; (het) hoogste; (het) grootste; (het) meeste *o.*; ***au —,*** op zijn hoogst, ten hoogste; **II** *adj.* maximum, hoogste; ***dose —, —,*** maximumdosis *v.*; ***valeur —,*** hoogste waarde *v.*
Mayence [mayã:s] *m.* Mainz *o.*
mayençais [mayã'sè] *adj.* Mainzer, uit Mainz.
mayonnaise [mayònè:z] *f.* mayonaise(saus) *v.*(*m.*).
mazagran [mazagrã] *m.* zwarte koffie *m.* (in een glas).
mazdéisme [mazdéizm] *m.* Oudperzische godsdienst *m.*
mazette [mazèt] *f.*, (*bij spel*) kruk, slecht speler *m.*; ***—!*** drommels! kolossaal! verbazend!
mazout [mazu] *m.* stookolie *v.*(*m.*).
mazurka [mazürka] *f.* mazurka *m. en v.*
me [me] *pron.pers.* mij, me; **— *voici,*** hier ben ik.
mea-culpa [méakulpa] *m.* schuldbekentenis *v.*; ***faire son —,*** zijn schuld (*of* ongelijk) bekennen.
méandre [méã:dr] *m.* **1** (*v. rivier*) bocht *v.*(*m.*), kromming *v.*; **2** (*fig.*) list *v.*(*m.*), kuiperij *v.*
meat [méa] *m.* (*ontleedk.*) kanaal *o.*, buis *v.*(*m.*).
mec [mèk] *m.* (*arg.*) **1** vent *m.*; **2** baas *m.*
mécanicien [mékanisyẽ] *m.* **1** werktuigkundige, mechanicus *m.*; **2** (*spoorw.*) machinist *m.*; ***ingénieur —,*** werktuigkundig ingenieur *m.*
mécanicien*-auto [mékanisyẽ'oto] *m.* automonteur *m.*
mécanicienne [mékanisyèn] *f.* machinenaaister *v.*
mécanique [mékanik] **I** *adj.* **1** mechanisch; **2** werktuiglijk, machinaal; **3** werktuigkundig; ***jouets —s,*** speelgoed met mekaniek; ***fabrication —,*** machinale fabricatie *v.*; ***geste —,*** werktuiglijk gebaar *o.*; **II** *s.*, *f.* **1** werktuigkunde, mechanica *v.*; **2** machine *v.*; **3** (*v. horloge*) werk *o.*; **4** (*fig.*) inrichting *v.*, bouw *m.*, samenstelling *v.*

mécaniquement [mékanikmã] *adv.* mechanisch; machinaal; werktuiglijk.
mécanisation [mékaniza'syõ] *f.* mechanisering *v.*
mécanisé [mékani'zé] *adj.* beweegbaar.
mécaniser [mékani'zé] *v.t.* **1** mechaniseren (arbeidskrachten door machines vervangen); **2** tot een werktuig maken, verlagen; **3** (*pop.*) plagen, sarren.
mécanisme [mékanizm] *m.* **1** mechanisme, samenstel *o.*, inrichting *v.*; **2** (*v. kunst, instrument*) techniek *v.*; ***— de commande,*** drijfwerk *o.*; ***— de freinage,*** reminrichting *v.*; ***— d'une phrase,*** bouw *m.* van een zin.
mécano [mékano] *m.* **1** werktuigkundige *m.*; **2** (*pop.*) machinist *m.*; **3** meccano-bouwdoos *v.*(*m.*).
mécanographie [mékanògrafi] *f.* het machinaal verrichten *o.* van kantoorwerk.
mécanothérapie [mékanòtérapi] *f.* heilgymnastiek *v.*
Mécène [mésè:n] *m.* mecenas *m.*
méchage [méʃa:j] *m.*, (*v. vat*) zwaveling *v.*
méchamment [méʃamã] *adv.* **1** boosaardig; **2** moedwillig.
méchanceté [méʃã'sté] *f.* **1** boosheid, slechtheid *v.*; **2** boosaardigheid *v.*; **3** (*v. kind*) ondeugendheid, stoutheid *v.*; **4** hatelijkheid *v.*, boosaardig woord (gezegde) *o.*; ***dire des —s,*** hatelijk zijn.
méchant [méʃã] **I** *adj.* **1** boos, slecht; **2** boosaardig; **3** ondeugend, stout; **4** (*v. verzen, enz.*) prullig, erbarmelijk; ***ce n'est pas bien —,*** dat is zo erg niet; ***être en —e posture,*** in een ongunstige toestand verkeren; **II** *s.*, *m.* **1** slecht mens, slechtaard *m.*; **2** ondeugd, deugniet *m.*; ***les —s,*** de bozen; ***faire le —,*** opspelen, op zijn poot spelen.
mèche [mèʃ] *f.* **1** (*v. kaars*) pit *v.*(*m.*); **2** (*v. lamp*) kousje *o.*; **3** (*v. mijn, enz.*) lont *v.*(*m.*); **4** (*gen.*) wiek *v.*(*m.*); **5** (*v. haar*) lok *v.*(*m.*); **6** (*v. boor, kurketrekker*) ijzer *o.*; ***— folle,*** piek *v.*(*m.*); ***ils sont de —,*** zij spelen onder één hoedje, zij spannen samen; ***découvrir la —,*** een komplot ontdekken, lont ruiken; ***vendre la —,*** de boel verklappen, uit de school klappen.
mécher [méʃé] *v.t.* (*v. vat*) zwavelen.
Mecklembourg [mèklẽ'bu:r] *m.* Mecklenburg *o.*
mécomprendre, *se —* [s(e)mékõ'prã'dr] *v.pr.* elkaar verkeerd begrijpen.
mécompte [mékõ:t] *m.* **1** misrekening *v.*; **2** teleurstelling *v.*
mécompter [mékõ'té] **I** *v.i.* (*v. klok*) van slag zijn; **II** *v.pr.* ***se —,*** zich verrekenen; een misrekening maken, zich vergissen.
méconduire, *se —* [s(e)mékõ'dwi:r] *v.pr.* zich misdragen, zich slecht gedragen.
méconnaissable [mékònèsa'bl] *adj.* onkenbaar.
méconnaissance [mékònèsã:s] *f.* miskenning, ondankbaarheid *v.*
méconnaître* [mékònè:tr] *v.t.* **1** miskennen; **2** niet herkennen, niet willen kennen; **3** verloochenen.
mécontent [mékõ'tã] *adj.* ontevreden; ***les —s,*** (*gesch.*) de malcontenten.
mécontentement [mékõ'tã'tmã] *m.* ontevredenheid *v.*, misnoegen *o.*
mécontenter [mékõ'tã'té] *v.t.* ontevreden maken, ontstemmen.
Mecque, *la —* [lamèk] *f.* Mekka *o.*
mécréant [mékréã] **I** *adj.* ongelovig; **II** *s. m.* ongelovige *m.*
médaille [méda:y] *f.* **1** medaille *v.*(*m.*); **2** gedenkpenning *m.*; **3** (*als prijs*) erepenning *m.*; **4** (*v. kruier, enz.*) nummerplaat, dienstplaat *v.*(*m.*); ***— de chien,*** hondepenning; ***— de Judas,*** (*Pl.*) Judaspenning; ***— militaire,*** eremetaal *o.*
médaillé [médayé] **I** *adj.* begiftigd met een medaille; **II** *s.*, *m.* begiftigde met een medaille.
médailler [médayé] *v.t.* **1** bekronen, een medaille toekennen aan; **2** decoreren.
médailleur [médayœ:r] *m.* stempelsnijder *m.*
médaillier [médayé] *m.* **1** medaillekast *v.*(*m.*), penningkastje *o.*; **2** penningkabinet *o.*, verzameling *v.* van munten en penningen.
médailliste [médayist] *m.* penningkundige *m.*
médaillon [médayõ] *m.* **1** grote gedenkpenning *m.*; **2** (*in plaat*) inzet *m.*; **3** bas-relief, halfverheven beeldwerk *o.* op schild of medaillon.
Mède [mè:d] *m.* Mediër *m.*
médecin [médsẽ, métsẽ] *m.* geneesheer, arts, dokter *m.*; ***— ordinaire,*** huisdokter; ***— militaire,*** officier van gezondheid; ***— légiste,*** gerechtelijk geneeskundige; ***— de bord,*** scheepsdokter; ***— des âmes,*** zielverzorger; biechtvader; ***— des morts,*** lijkschouwer; ***femme —,*** vrouwelijke arts, dokteres; ***la robe ne fait pas le —,*** 't zijn al geen dokters die rode mutsen dragen; het zijn niet allen apostelen die wandelstokken dragen (schijn bedriegt).
médecine [médsin, métsin] *f.* **1** geneeskunde *v.*; **2** geneesmiddel *o.*, medicijn *v.*(*m.*); ***faculté de —,*** geneeskundige faculteit *v.*; ***étudiant en —,*** medisch student *m.*; ***étudier la —,*** in de medicijnen studeren.
médeciner [médsiné, métsiné] **I** *v.t.* geneesmiddelen voorschrijven; **II** *v.pr.*, ***se —,*** medicijn innemen.
médecin*-major* [métsẽ-majò:r] *m.* (*mil.*) dirigerend officier *m.* van gezondheid.
Médée [médé] *f.* Medea *v.*
médersa [médèrsa] *f.* Arabische hogere school [*v.*(*m.*).
médiaire [médyè:r], **médial** [médyal] *adj.* midden—, middelste.
médiale [médyal] *f.* middenletter *v.*(*m.*).
médiane [médyan] *f.*, (***ligne —***), middellijn, mediaanlijn, zwaartelijn *v.*(*m.*).
médianique [médyanik] *adj.* van een medium.
médianoche [médyanòʃ] *m.* warme maaltijd *m.* na 's nachts twaalf uur.
médiante [médyã:t] *f.* (*muz.*) middeltoon *m.*
médiastin [médyastẽ] *m.* **1** (*v. d. borst*) middelvlies *o.*; **2** (*v. vruchten*) tussenschot *o.*
médiat(ement) [médya(tmã)] *adj.* (*adv.*) middellijk.
médiateur [médyatœ:r] **I** *m.* bemiddelaar *m.*; **II** *adj.* bemiddelend; ***Marie Médiatrice,*** Maria (O. L. Vrouw) Middelares.
médiation [médya'syõ] *f.* bemiddeling, tussen-[komst *v.*
médical(ement) [médikal(mã)] *adj.* (*adv.*) geneeskundig, medisch.
médicament [médikamã] *m.* geneesmiddel *o.*
médicamentaire [médikamã'tè:r] *adj.* de geneesmiddelen betreffend.
médicamental [médikamã'tal] *adj.* geneeskundig.
médicamenter [médikamã'té] *v.t.* geneesmiddelen voorschrijven, — toedienen.
médicamenteux [médikamã'tö] *adj.* geneeskrachtig.
médicastre [médikastr] *m.* (*ong.*) kwakzalver, onbekwaam geneesheer *m.*
médicateur [médikatœ:r] *adj.* genezend.
médication [médika'syõ] *f.* geneeswijze *v.*(*m.*), behandeling *v.*
médicinal [médisinal] *adj.* **1** geneeskrachtig; **2** medicinaal; ***plante —e,*** geneeskrachtige plant *v.*(*m.*).
médicinalement [médisinalmã] *adv.* **1** medicinaal; **2** uit een geneeskundig oogpunt.

médico-légal [médikolégal] *adj.* van de gerechtelijke geneeskunde; ***expertise —e,*** geneeskundig onderzoek *o.*
médiéval [médyéval] *adj.* middeleeuws.
médiéviste [médyévist] *m.* kenner *m.* van de middeleeuwen.
Médine [médin] *f.* Medina *o.*
médiocre(ment) [médyòkr(emã)] **I** *adj.* (*adv.*) middelmatig; **II** *s. m.* **1** (het) middelmatige *o.*; **2** middelmatig mens *m.*
médiocrité [médyòkrité] *f.* **1** middelmatigheid *v.*; **2** middelmaat *v.*(*m.*); **3** middelmatig mens *m.*
médique [médik] *adj.* Medisch.
médire* [médi:r] *v.i.* kwaadspreken.
médisance [médizã:s] *f.* **1** kwaadsprekendheid, kwaadsprekerij *v.*; **2** lasterpraatje *o.*
médisant [médizã] **I** *adj.* kwaadsprekend; **II** *s. m.* kwaadspreker *m.*
méditateur [méditatœ:r] *m.* bespiegelaar *m.*
méditatif [méditatif] **I** *adj.* **1** nadenkend, peinzend; bespiegelend; **2** (*v. leven*) aan overdenking gewijd; **II** *s. m.* denker *m.*
méditation [méditɑˑsyõ] *f.* **1** overdenking, overpeinzing; bespiegeling *v.*; **2** (*kath.*) meditatie *v.*; ***— du soir,*** (*radio*) avondoverdenking *v.*
méditer [médité] **I** *v.t.* **1** overdenken, overpeinzen; **2** (*v. plan, enz.*) beramen; **II** *v.i.* **1** denken, peinzen; **2** (*kath.*) mediteren.
méditerrané [méditèrané] *adj.* middellands.
Méditerranée [méditèrané] *f.* Middellandse zee *v.*(*m.*).
méditerranéen [méditèranéẽ] *adj.* van de Middellandse zee.
médium [médyòm] *m.* **1** (*spiritisme*) medium *o.*; **2** (*muz.*) middenstem *v.*(*m.*); **3** middenweg *m.*, voorstel *o.* tot een vergelijk.
médiumnique [médyòmnik] *adj.* eigen aan een medium.
médiumnité [médyòmnité] *f.* mediumschap *o.*, geschiktheid *v.* tot medium.
médius [médyüs] *m.* middelvinger *m.*
médiuscules [médyüskül] *f.pl.* kleinkapitalen *mv.*
médoc [médòk] *m.* beroemde bordeauxwijn *m.*
médonner [médòné] *v.i.*, (*kaartsp.*) verkeerd geven.
médullaire [médüllè:r] *adj.* **1** merghoudend, merg bevattend; **2** mergachtig; ***os —,*** mergbeen *o.*
médulle [médül] *f.* (plante)merg *o.*
médulleux [médüllö] *adj.* rijk aan merg.
médullite [médüllit] *f.* ruggemergontsteking *v.*
méduse [médü:z] *f.* (zee)kwal *v.*(*m.*).
méduser [médüˑzé] *v.t.* doen verstijven van schrik.
meeting [mitẽ:g] *m.* meeting, bijeenkomst, politieke volksvergadering *v.*(*m.*).
méfait [méfè] *m.* misdrijf *o.*, euveldaad, wandaad *v.*(*m.*).
méfiance [méfyã:s] *f.* wantrouwen *o.*
méfiant [méfyã] *adj.* wantrouwend.
méfier, *se —* [s(e)méfyé] *v.pr.* wantrouwig zijn (van aard); ***se — de,*** wantrouwen; ***méfiez-vous!*** pas op! opgepast! ***méfiez-vous des contrefaçons,*** wacht u voor namaak.
meg [mèg], **méga** [méga] *prép. indiquant* een miljoen maal.
mégalithe [mégalit] *m.* grote voorhistorische steen *m.*
mégalithique [mégalitik] *adj.* uit de steentijd.
mégalomane [mégalòman] *m.* lijder *m.* aan grootheidswaanzin.
mégalomanie [mégalòmani] *f.* grootheidswaanzin, hoogmoedswaanzin *m.*
mégalosaure [mégalòzò:r] *m.* voorwereldlijke reuzenhagedis *v.*(*m.*).
mégamètre [mégamèˑtr] *m.*, (*sch.*) lengtemeter *m.*
mégaphone [mégafòn] *m.* scheepsroeper, geluidversterker *m.*
mégarde [mégard] *f.* vergissing *v.*; ***par —,*** bij vergissing, per ongeluk.
mégascope [mégaskòp] *m.* zonnemicroscoop *m.*
mégathérium [mégatéryòm] *m.* megatherium *m.*, voorwereldlijk zoogdier *o.*
mégère [méjè:r] *f.* feeks, helleveeg *v.*
mégie [méji] *f.* zeembereiding *v.*; (het) zeemtouwen *o.*
mégir [méji:r], **mégisser** [méjisé] *v.t.* zeemleer bereiden; zeemtouwen.
mégis [méji] *m.* looisop *o.* voor zeemleerbereiding.
mégisser [méjisé], *voir* ***mégir.***
mégisserie [méjisri] *f.* **1** zeemleerbereiding *v.*; **2** zeemtouwerij *v.*
mégissier [méjisyé] *m.* zeemtouwer *m.*
mégot [mégo] *m.* eindje sigaar, peukje *o.*
méhalla [mé(h)alla] *f.* (N.-Afrika) **1** expeditiegroep *v.*(*m.*); **2** kampplaats *v.*(*m.*).
méhari [mé(h)ari] *m.* snelle dromedaris *m.*
méhariste [méarist] *m.* kameelruiter *m.*
meilleur [mèyœ:r] *adj.* beter; ***le —,*** de beste; het beste; ***de —e heure,*** vroeger; ***la —e partie,*** het grootste deel; ***— marché,*** goedkoper; ***rendre —,*** verbeteren; ***il fait —,*** het is beter weer.
Mein [mẽ] *m.* Main *v.*
méjuger [méjüjé] *v.t.* verkeerd beoordelen.
mélagre [mélɑˑgr] *f.* lendepijn *v.*(*m.*).
mélancolie [mélãˑkòli] *f.* droefgeestigheid, zwaarmoedigheid *v.*; ***douce —,*** weemoed *m.*; ***il n'engendre pas la —,*** hij is vrolijk, 't is geen kniesoor.
mélancolique(ment) [mélãˑkòlik(mã)] *adj.* (*adv.*) **1** droefgeestig, zwaarmoedig; **2** (zacht) weemoedig.
mélancoliser [mélãˑkòliˑzé] *v.t.* droefgeestig stemmen.
mélange [mélã:j] *m.* **1** (*v. handeling*) menging, vermenging *v.*; **2** mengsel *o.*; **3** (*ong.*) mengelmoes *o. en v.*(*m.*); **4** (*fig.*: *v. hoop en vrees, enz.*) mengeling *v.*; ***bonheur sans —,*** onvermengd geluk *o.*
mélanger [mélãˑjé] *v.t.* mengen, vermengen.
mélangeur [mélãˑjœ:r] *m.* menger *m.*
mélangeuse [mélãˑjö:z] *f.* mengmachine *v.*, mengmolen *m.*
mélanite [mélanit] *f.* zwart granaat *o.*
mélasse [mélɑ:s] *f.* suikerstroop *v.*(*m.*); ***être dans la —,*** in de penarie zitten.
melchior [mèlſyòr] *m.* argentaan, nieuw zilver *o.*
mêlé [mèˑlé] *adj.* gemengd; ***sang- —,*** *m.* halfbloed *m.*
mêlé-cass [mèˑlékas] *m.* bessenbrandewijn *m.*; ***voix de —,*** grogstem *v.*(*m.*).
mêlée [mèˑlé] *f.* **1** gevecht, krijgsgewoel *o.*; **2** (*fig.*) hevige strijd *m.*
mêler [mèˑlé] **I** *v.t.* mengen, vermengen; **2** (*v. garen, touw, enz.*) verwarren; **3** (*v. wijn*) versnijden; **4** (*v. rassen*) kruisen; **5** (*v. slot*) verdraaien; **6** (*v. kaarten*) schudden, wassen; **7** (*fig.*) wikkelen (in), betrekken (bij); **II** *v.pr.*, ***se —,*** **1** zich vermengen; **2** verward raken; **3** (*v. rivieren*) samenvloeien; ***se — de,*** zich bemoeien met; ***le diable s'en mêle,*** daar speelt de duivel mee.
mêle-tout [mèˑltu] *m.* bemoeial *m.*
melette [m(e)lèt] *f.* sprot *m.*
mélèze [mélè:z] *m.*, (*Pl.*) lariks, lorkeboom *m.*
mélilot [mélilo] *m.* honigklaver *v.*(*m.*).
méli*-mélo* [mélimélo] *m.* mengelmoes *o. en v.*(*m.*), allegaartje *o.*
Mélin [mélẽ] Malen *o.*
mélinet [méline] *m.* wasbloempje *o.*
mélinite [mélinit] *f.* meliniet *o.*
mélisse [mélis] *f.* (*Pl.*) melisse *v.*(*m.*).
mellifère [mèlifè:r] *adj.* honigvormend.
mellification [mèlifikɑˑsyõ] *f.* honigvorming *v.*

mellifique [mèlifik] *adj.* honingvormend; ***abeille —,*** honingbij *v.(m.).*
melliflue [mèliflue] *adj., **paroles —s,*** honingzoete woordjes *mv.*
mellite [mèlit] *f.* honigstroop *v.(m.).*
mélo [mélo] *m.* (*pop.*) *voir **mélodrame.***
mélodie [mélòdi] *f.* **1** wijs *v.(m.),* melodie *v.*; **2** welluidendheid *v.*
mélodieux [mélòdyö] *adj.,* **mélodieusement** [mélòdyö'zmã] *adv.* welluidend, melodieus, zangerig, zoetvloeiend.
mélodique [mélòdik] *adj.* melodisch.
mélodiste [mélòdist] *m.* componist *m.* die aan de melodie de voorrang toekent.
mélodramatique [mélòdramatik] *adj.* melodramatisch, hartroerend.
mélodrame [mélòdram] *m.* **1** drama *o.* met muzikale begeleiding; **2** volksdrama *o.,* draak *m.*
mélomane [mélòman] *m.* hartstochtelijk muziekliefhebber *m.* [voor muziek.
mélomanie [mélòmani] *f.* overdreven liefde *v.*
melon [m(e)lõ] *m.* **1** meloen *m. en v.*; **2** (*pop.*) stommerik *m.,* uilskuiken *o.*; ***— brodé,*** netmeloen *m. en v.*; ***chapeau —,*** dophoed *m.,* kaasbolletje *o.*
melonnière [melònyè:r] *f.* meloenbed *o.*
mélopée [mélòpé] *f.* **1** gezang *o.* bij een voordracht; **2** eenvoudig gezang *o.*
mélotypie [mélòtipi] *f.* notendruk *m.*
membrane [mã'bran] *f.* **1** vlies *o.*; **2** (*tn.*) metaalplaatje *o.*; **3** boekbindersplankje *o.*
membrané [mã'brané], **membraneux** [mã'branö] *adj.* vliezig; perkamentachtig.
membre [mã'br] *m.* **1** lid *o.*; **2** (*v. arm, been*) lidmaat *o.*; **3** (*sch.*) spant *o.*; **4** (*gram.*) zinsdeel *o.*; ***— actif,*** werkend lid; ***— associé,*** buitengewoon lid, buitenlands lid. [leden.
membré [mã'bré] *adj., **bien —,*** flink van lijf en
membrière [mã'bri(y)è:r] *f.,* (*sch.*) raamhout *o.*
membru [mã'brü] *adj.* grof gebouwd.
membrure [mã'brü:r] *f.* **1** ledematen *mv.*; **2** (*v. deur*) paneelraam *o.*; **3** (*sch.*) inhouten *mv.*
même [mè:m] **I** *pron.ind.* **1** zelf, zelve; **2** zelfde; ***le — livre,*** hetzelfde boek; ***la — chose,*** hetzelfde; ***en — temps,*** gelijktijdig; ***cela revient au —,*** dat komt op hetzelfde neer; ***pour cela —,*** daarom juist; **II** *adv.* zelfs; ***être à — de,*** in staat zijn om; ***mettre à — de,*** in staat stellen om; ***aujourd'hui —,*** vandaag nog; ***boire à — la bouteille,*** zo maar uit de fles drinken; ***de —,*** eveneens, evenzo; ***tout de —,*** toch; ***quand —,*** toch, in ieder geval.
mémento [mémẽ'to] *m.* **1** herinneringsteken *o.*; **2** notitieboekje *o.*; **3** (*kath.: in de mis*) memento *o.*
mémoire [mémwa:r] **I** *f.* **1** geheugen *o.*; **2** gedachtenis, nagedachtenis *v.*; **3** herinnering *v.,* aandenken *o.*; ***si j'ai bonne —,*** als ik me goed herinner; ***de — d'homme,*** bij mensenheugenis; ***repasser dans sa —,*** weer voor de geest roepen; ***manquer de —,*** een slecht geheugen hebben; ***écrire de —,*** uit het hoofd opschrijven; ***pour —,*** pro memorie; **II** *m.* **1** rekening *v.*; **2** (*voor Academie, enz.*) verhandeling *v.*; **3** verweerschrift *o.*; ***—s,*** *m.pl.* gedenkschriften *mv.*
mémorable [mémòra'bl] *adj.* gedenkwaardig.
mémorandum [mémòrã'dòm] *m.* memorandum *o.*
mémoratif [mémòratif] *adj., **faculté mémorative,*** herinneringsvermogen *o.*
mémorial [mémòryal] *m.* **1** gedenkboek *o.*; **2** (*H.*) memoriaal *o.*
mémorialiste [mémòryalist] *m.* schrijver *m.* van gedenkschriften.
mémorisation [mémòriza'syõ] *f.* het van buiten leren. [heugen.
mémoriser [mémòri'zé] *v.t.* opnemen in het ge-
menaçant [m(e)nasã] *adj.* dreigend.
menace [m(e)nas] *f.* bedreiging *v.*
menacer [m(e)nasé] *v.t.* dreigen, bedreigen; ***cette maison menace ruine,*** dat huis staat op invallen, — dreigt in te storten.
menaceur [m(e)nasœ:r] *m.* bedreiger *m.*
ménade [ména'd] *f.* bacchante, menade *v.*
ménage [ména:j] *m.* **1** huishouding *v.*; **2** huishouden, huisraad *o.*; **3** huisgezin *o.*; ***articles de —,*** huishoudelijke artikelen *mv.*; ***femme de —,*** werkvrouw; ***le jeune —,*** de jonggehuwden; ***vivre de —,*** zuinig leven; ***faire bon — avec qn.,*** goed met iem. overeenkomen; ***monter son —,*** zich inrichten, zijn huishouden opzetten; ***pain de —,*** gewoon brood *o.*
ménagement [ménajmã] *m.* **1** omzichtigheid *v.*; **2** (het) ontzien, (het) sparen *o.*; ***user de —s avec*** (*ou **envers***) ***qn.,*** iem. ontzien; ***annoncer avec des —s,*** voorzichtig meedelen; ***sans —s,*** zonder complimenten.
ménager [ménajé] **I** *v.t.* **1** (*v. persoon*) ontzien; **2** (*v. krachten, enz.*) sparen; **3** (*v. verrassing, enz.*) bezorgen, verschaffen, bereiden; ***— son temps,*** met zijn tijd woekeren, zijn tijd nuttig gebruiken; ***— une surprise à qn.,*** iem. een verrassing bereiden; ***— ses expressions,*** op zijn woorden passen, voorzichtig zijn woorden kiezen; ***ne pas — les termes,*** geen blad voor de mond nemen; ***— un escalier*** (*ou **une porte***), een trap (*of* een deur) aanbrengen; ***— la chèvre et le chou,*** de geit en de kool willen sparen; ***qui veut aller loin, ménage sa monture,*** zachtjes aan, dan breekt het lijntje niet; **II** *v.pr. **se —,*** zich in acht nemen; **III** *adj.* **1** zuinig, spaarzaam; **2** huishoudelijk; huishoud—; ***école ménagère,*** huishoudschool *v.(m.).*
ménagère [ménajè:r] *f.* **1** huishoudster *v.*; **2** olie- en azijnstel *o.*; **3** naaldenkoker *m.*
ménagerie [ménajri] *f.* **1** beestenspel *o.*; **2** diergaarde *v.(m.).* [o.
mendélisme [mã'délizm] *m.* (*biol.*) het mendelen
mendiant [mã'dyã] *m.* bedelaar *m.*; ***ordres —s,*** bedelorden *mv.*
mendicité [mã'disité] *f.* **1** bedelarij *v.*; **2** bedelstaf *m.*; ***réduire à la —,*** tot de bedelstaf brengen; ***dépôt de —,*** rijkswerkinrichting *v.,* (*Belg.*) bedelaarskolonie *v.* [len.
mendier [mã'dyé] *v.t.* **1** bedelen; **2** (*fig.*) afbede-
mendigo(t) [mã'digo] *m.* bedelaar *m.*
mendole [mã'dòl] *f.* laxeervis *m.*
meneau [m(e)no] *m.* vensterboom *m.*
ménechme [ménèkm] *m.* dubbelganger *m.*
menée [m(e)né] *f.* **1** list *v.(m.)*; kuiperij *v.*; **2** (*tn.: v. tand van rad*) greep *m.,* ingrijping *v.*
Ménélas [ménélas] *m.* Menelaüs *m.*
mener [m(e)né] **I** *v.t.* **1** leiden; **2** (*met voertuig*) voeren, brengen; **3** (*v. troep*) aanvoeren; ***— à bien,*** tot een goed einde brengen; ***— grand train,*** op grote voet leven; ***— à la baguette,*** drillen; ***— la danse,*** de dans openen; (*fig.*) de boel aan de gang brengen; ***— en lisière,*** aan de leiband laten lopen; ***— qn. par le nez,*** iem. bij de neus leiden, iem. laten doen wat men wil; ***cela me mènerait trop loin,*** dat zou me te ver voeren; ***— de longs jours,*** lang blijven leven; ***— grand bruit,*** **1** een hels leven maken; **2** veel ophef maken; ***— une droite,*** (*meetk.*) een rechte lijn trekken; ***— une perpendiculaire,*** (*meetk.*) een loodlijn neerlaten; ***— bien sa barque,*** handig

tussen de gevaren doorsturen; **II** *v.i.* **1** leiden; voeren; **2** (*sp.*) de leiding hebben; **3** mennen, rijden; ***— loin,*** **1** ver reiken; **2** lang duren.

ménestrel [ménèstrèl] *m.* **1** menestreel, rondtrekkend dichter-zanger *m.*; **2** (*thans ook*) negerzanger *m.* [muzikant *m.*

ménétrier [ménétri(y)é] *m.* speelman, dorps-

meneur [m(e)nœ:r] *m.* **1** leider, aanvoerder *m.*; **2** (*ong.*) belhamel *m.*; ***— de foules,*** volksmenner *m.*; ***— de bœufs,*** ossendrijver *m.*; ***— de jeu,*** spelleider *m.*

menhir [mèni:r] *m.* voorhistorische zuil *v.*(*m.*) (steenblok) uit de tijd van de Druïden, menhir *m.*

Menin [m(e)nẽ] *m.* Menen *o.*

méninge [ménẽ˙j] *f.* hersenvlies *o.*

méningite [ménẽ˙jit] *f.* hersenvliesontsteking *v.*

ménisque [ménisk] *m.* hol-bolle lens *v.*(*m.*).

mennonisme [mènònizm] *m.* doopsgezinde leer *v.*(*m.*). [niet *m.*

mennonite [mènònit] *m.* doopsgezinde, menno-

menotte [m(e)nòt] *f.* **1** handje *o.*; **2** (*v. lade*) handvat *o.*; ***—s,*** handboeien *mv.*

menotter [m(e)nòté] *v.t.* de handboeien aandoen.

mensonge [mã˙sõ˙j] *m.* **1** leugen *v.*(*m.*); **2** verdichtsel *o.*; **3** misleiding *v.*, bedrog *o.*; ***— officieux,*** leugentje om bestwil; ***tous songes sont —s,*** dromen is bedrog.

mensonger [mã˙sõ˙jé] *adj.*, **mensongèrement** [mã˙sõ˙jè˙rmã] *adv.* **1** leugenachtig; **2** bedrieglijk.

menstruation [mã˙strüα˙syõ] *f.* menstruatie *v.*

menstrues [mã˙strü] *f.pl.* maandstonden *mv.*

mensualité [mã˙sẅalité] *f.* **1** maandelijkse betaling, — storting *v.*; **2** maandgeld *o.*, maandelijkse toelage *v.*(*m.*).

mensuel(lement) [mã˙sẅèl(mã)] *adj.* (*adv.*) maandelijks.

mensurabilité [mã˙sürabilité] *f.* meetbaarheid *v.*

mensurable [mã˙süra˙bl] *adj.* meetbaar.

mensuration [mã˙sürα˙syõ] *f.* meting *v.*, (het) meten *o.*

mentagre [mãta˙gr] *f.* baardschurft *v.*(*m.*) *en o.*, baardvin *v.*(*m.*).

mental [mã˙tal] *adj.* **1** van de geest, geestes—; **2** innerlijk; **3** geestelijk; ***aliénation —e,*** krankzinnigheid *v.*; ***état —,*** geestestoestand *m.*; ***calcul —,*** hoofdrekenen *o.*; ***oraison —e,*** stil (*of* innerlijk) gebed *o.*

mentalement [mã˙talmã] *adv.* **1** in gedachten; **2** (*v. rekenen*) uit het hoofd; **3** (*v. bidden*) innerlijk.

mentalité [mã˙talité] *f.* geestestoestand *m.*, mentaliteit *v.*

menterie [mã˙tri] *f.* leugentje, jokkentje *o.*

menteur [mã˙tœ:r] **I** *m.* leugenaar *m.*; **II** *adj.* **1** leugenachtig; **2** bedrieglijk.

menthe [mã:t] *f.* (*Pl.*) munt *v.*(*m.*); ***— poivrée,*** (*Pl.*) pepermunt *v.*(*m.*); ***pastille de —,*** pepermuntje *o.*

menthol [mã˙tòl] *m.* menthol *m.*

mentholé [mãtòlé] *adj.* bereid met menthol.

mention [mã˙syõ] *f.* melding *v.*; ***— honorable,*** eervolle vermelding *v.*; ***faire — de,*** gewag maken van, melding maken van, vermelden.

mentionner [mã˙syòné] *v.t.* vermelden, gewag maken van, melding maken van.

mentir* [mã˙ti:r] *v.i.* liegen; ***sans —,*** om de waarheid te zeggen; ***— à sa promesse,*** zijn belofte ontrouw worden; ***— comme un arracheur de dents,*** liegen alsof het gedrukt staat; ***bon sang ne peut —,*** de appel valt niet ver van de boom.

menton [mã˙tõ] *m.* kin *v.*(*m.*); ***double —,*** onderkin *v.*(*m.*); ***— triple, — à triple étage,*** dubbele onderkin.

mentonnet [mã˙tònè] *m.*, (*v. deurklink, enz.*) sluithaak, klemhaak *m.*

mentonnière [mã˙tònyè:r] *f.* **1** stormband *m.*; **2** (*v. hoed, enz.*) keelband *m.*; **3** (*gen.*) kinverband *o.*; **4** (*v. viool*) kinhouder *m.*; **5** (*v. helm*) kinstuk *o.*; **6** (*v. hoogoven*) moffelplaat *v.*(*m.*).

mentor [mẽ˙tò:r] *m.* raadsman, leidsman *m.*

menu [m(e)nü] **I** *adj.* **1** dun, fijn; **2** (*v. geld, onkosten*) klein; gering, onbeduidend; ***— bétail,*** klein vee; ***— gibier,*** klein wild; ***—e monnaie,*** kleingeld *o.*; ***le — peuple,*** de mindere man; ***— charbon,*** gruis *o.*; **II** *adv.* klein, fijn; ***hacher —,*** fijnhakken; ***écrire —,*** klein schrijven; ***trotter —,*** trippelen, met kleine pasjes lopen; **III** *s. m.* **1** spijskaart *v.*(*m.*), menu *o.*; **2** kleinigheden, bijzonderheden *mv.*; ***raconter par le —,*** tot in bijzonderheden vertellen, haarfijn vertellen. [schot *o.*

menuaille [menwα:y] *f.* **1** kleingoed *o.*; **2** uit-

menuet [menẅè] *m.* menuet *o.*

menuise [menẅi:z] *f.* **1** kleine vis, katvis *m.*; **2** fijne jachthagel *m.*

menuiser [menẅizé] *v.i.* timmeren.

menuiserie [menẅi˙zri] *f.* **1** timmerwerk; beschotwerk *o.*; **2** timmermansvak, schrijnwerkersvak *o.*

menuisier [menẅi˙zyé] *m.* timmerman, schrijnwerker *m.*

ménure [ménü:r] *m.* liervogel *m.*

Méphistophélès [méfistofélè˙s] *m.* mefisto *m.*

méphitique [méfitik] *adj.* verpestend, verstikkend.

méphitisme [méfitizm] *m.* verpestende lucht *v.*(*m.*), verstikkende gassen *mv.*

méplat [mépla] **I** *adj.* **1** half vlak; **2** (*v. reliëf*) schuin toelopend; **II** *s., m.* halfvlak *o.*

méprendre*, se — [s(e)méprã:dr] *v.pr.* zich vergissen.

mépris [mépri] *m.* minachting, verachting *v.*; ***au — du danger,*** ondanks (*of* in weerwil van) het gevaar.

méprisable [mépri˙za˙bl] *adj.* verachtelijk.

méprisant [mépri˙zã] *adj.* minachtend.

méprise [mépri:z] *f.* vergissing *v.*

mépriser [mépri˙zé] *v.t.* **1** minachten; verachten; **2** versmaden.

mer [mè:r] *f.* zee *v.*(*m.*); ***coup de —,*** golfslag *m.*; stortzee *v.*(*m.*); ***la haute —,*** de volle zee; ***une grosse —,*** een hoge zee; ***homme de —,*** zeeman *m.*; ***prendre la —,*** in zee steken; ***tenir la —,*** varen; zee bouwen; ***voguer en pleine —,*** (*fig.*) in voorspoed leven; ***c'est la — à boire,*** dat is eindeloos werk; ***il avalerait la — et les poissons,*** hij is niet te verzadigen. [handelaar *m.*

mercanti [mèrkã˙ti] *m.* **1** sjacheraar *m.*; **2** ketting-

mercantile [mèrkã˙til] *adj.* handels—; ***esprit —,*** (*ong.*) koopmansgeest *m.*; ***style —,*** koopmansstijl *m.*

mercantilisme [mèrkã˙tilizm] *m.* enge handelsgeest *m.*, winstbejag *o.*

mercenaire [mèrsenè:r] **I** *adj.* **1** gehuurd; **2** bezoldigd; **3** baatzuchtig, veil, omkoopbaar; **II** *s. m.* huurling *m.*

mercerie [mèrseri] *f.* **1** garen- en bandwinkel *m.*; **2** garen en band *o.*

merceriser [mèrseri˙zé] *v.t.*, (*v. katoen*) glanzen.

merceriseuse [mèrserizö:z] *f.* glansmachine *v.*

merci [mèrsi] **I** *f.* **1** genade *v.*(*m.*), barmhartigheid *v.*, erbarmen *o.*; **2** macht, willekeur *v.*(*m.*); ***être à la — de qn.,*** aan iem. overgeleverd zijn, in iemands macht zijn, van iemands willekeur afhangen; ***crier —,*** om genade smeken; ***Dieu —,*** Goddank; ***sans —,*** meedogenloos; ***guerre sans —,*** oorlog tot het uiterste; ***se rendre à —,*** zich op genade of ongenade overgeven; **II** *s.*, *m.* dank *m.*, dankbetuiging *v.*; ***grand* —,** hartelijk dank, dank u zeer; **—*!*** dank u wel! **— *bien,* — *beaucoup,*** dank u wel; **— *oui,*** alstublieft; **— *non,*** (*om te weigeren*) dank u! ***un simple* —,** een plasdankje *o.*

mercier [mèrsyé] *m.* garen en bandverkoper *m.*; ***à petit —, petit panier,*** men moet de tering naar de nering zetten.

merciologie [mèrsyòlòji] *f.* warenkennis *v.*

mercredi [mèrkredi] *m.* woensdag *m.*; **— *des Cendres,*** Aswoensdag.

mercure [mèrkü:r] *m.* kwik, kwikzilver *o.*

Mercure [mèrkü:r] *m.* Mercurius *m.*

mercuriale [mèrküryal] *f.* **1** openingsrede *v.*(*m.*) (bij zitting van gerechtshof); **2** (*fig.*) berisping *v.*, standje *o.*; **3** (*H.*) marktbericht *o.*, beursnotering *v.*

mercuriel [mèrküryèl] *adj.* kwikhoudend, kwik—; ***sels —s,*** kwikzouten *mv.*

mercurifère [mèrkürifè:r] *adj.* kwikhoudend.

merde [mèrd] *f.* drek *m.*; **—*!*** stik!

merdeux [mèrdö] *adj.* bevuild.

mère [mè:r] *f.* moeder *v.*; **— *de famille,*** huismoeder; **— *branche,*** hoofdtak *m.*; ***maison* —,** moederhuis *o.*; ***pensée* —,** grondgedachte *v.*; ***notre — commune,*** de moederaarde *v.*(*m.*); **— *artificielle,*** kunstmoeder *v.*; ***contes de ma — l'Oie,*** sprookjes van moeder de gans.

méreau [méro] *m.* schijf *v.*(*m.*) van het hinkelspel.

mère*-patrie* [mè:rpatri] *f.* moederland *o.*

méridien [méridyẽ] **I** *m.* meridiaan, middagcirkel *m.*; **II** *adj.* meridiaan—; ***hauteur —ne,*** middaghoogte *v.*

méridienne [méridyèn] *f.* **1** middaglijn *v.*(*m.*); **2** middagslaapje *o.*; **3** luie stoel *m.*

méridional [méridyònal] **I** *adj.* zuidelijk; ***latitude —e,*** zuiderbreedte *v.*; **II** *s. m.* zuiderling *m.*

meringue [m(e)rẽ:g] *f.* soort schuimpje *o.*

mérinos [mérinòs] *m.* **1** merinosschaap *o.*; **2** merinoswol *v.*(*m.*).

merise [m(e)ri:z] *f.* wilde kers *v.*(*m.*).

merisier [m(e)ri˙zyé] *m.* wilde kerseboom *m.*

méritant [méritã] *adj.* verdienstelijk.

mérite [mérit] *m.* verdienste *v.*; ***de* —,** verdienstelijk.

mériter [mérité] **I** *v.t.* **1** verdienen; **2** waard(ig) zijn; **II** *v.i.* ***bien — de,*** zich verdienstelijk maken jegens (*of* ten opzichte van).

méritoire(ment) [méritwa:r(mã)] *adj.* (*adv.*) [verdienstelijk.

merlan [mèrlã] *m.* wijting *m.*

merle [mèrl] *m.* merel *m. en v.*; **— *blanc,*** witte raaf *v.*(*m.*); ***fin* —,** slimme vogel *m.*; ***siffler comme un* —,** zingen als een lijster.

merleau [mèrlo] *m.* jonge merel *m. en v.*

merlette [mèrlèt] *f.* **1** wijfjesmerel *v.*; **2** (*herald.*) vogel zonder poten en snavel.

merlin [mèrlẽ] *m.* **1** kloofbijl, hakbijl *v.*(*m.*); **2** marlijn *v.*(*m.*), bindtouw *o.*

merliner [mèrliné] *v.t.*, (*sch.*) marlen.

merluche [mèrlüʃ] *f.* stokvis *m.*; kabeljauw *m.*

Mérovingien [méròvẽ˙jyẽ] **I** *m.* Merovinger *m.*; **II** *adj.*, ***m*—,** Merovingisch.

merrain [mèrẽ] *m.* duighout *o.*

mérule [mérül] *m.* huiszwam *v.*(*m.*).

merveille [mèrvè˙y] *f.* wonder *o.*; ***à* —,** uitstekend, opperbest; ***faire* —,** een prachtig effect maken; ***une pure* —,** een waar kunststuk *o.*; ***promettre monts et —s,*** gouden bergen beloven.

merveilleux [mèrvèyö] **I** *adj.*, **merveilleusement** [mèrvèyö˙zmã] *adv.* **1** wonderbaar; wondermooi; **2** uitstekend; **II** *s. m.* (het) wonderbare *o.*

mes [mé, mè] *pron.poss.* mijn(e).

mésalliance [mézalyã:s] *f.* huwelijk *o.* beneden zijn stand.

mésallier [mézalyé] **I** *v.t.* beneden zijn stand uithuwelijken; **II** *v.pr.*, ***se* —,** beneden zijn stand huwen.

mésange [mézã:j] *f.* mees *v.*(*m.*); **— *bleue,*** pimpelmees; **— *charbonnière,*** koolmees; **— *huppée,*** kuifmees.

mésangette [mézã˙jèt] *f.* vogelknip *v.*(*m.*).

mésarriver [mézari˙vé] *v.imp.* slecht aflopen.

mésaventure [mézavã˙tü:r] *f.* **1** ongeval *o.*; **2** tegenspoed *m.*

mésentente [mézã˙tã˙t] *f.* onmin *v.*(*m.*), slechte verstandhouding *v.*

mésentère [mézã˙tè:r] *m.* (*anat.*) mesenterium, darmscheel *o.*

mésestimation [mézèstimɑ˙syõ] *f.* te lage schatting, onderschatting *v.*

mésestime [mézèstim] *f.* geringschatting; minachting *v.*

mésestimer [mezèstimé] *v.t.* **1** (*v. persoon*) geringschatten; **2** (*v. waarde, enz.*) onderschatten.

mésintelligence [mézẽ˙tèlijã:s] *f.* **1** slechte verstandhouding, onenigheid *v.*; **2** misverstand *o.*

mésinterpréter [mézẽ˙tèrprété] *v.t.* verkeerd uitleggen, verkeerd opvatten.

mésocarpe [mézòkarp] *m.* (*Pl.*) vlezig vruchthulsel *o.*

méson [mézõ] *m.* meson *o.*

Mésopotamie [mézòpòtami] *f.* Mesopotamië, Irak *o.*

mesquin(ement) [mèskẽ(mèskinmã)] *adj.* (*adv.*) **1** (*v. persoon*) karig, krenterig; **2** (*v. woning*) eng; **3** armoedig, armzalig; **4** (*fig.*: *v. denkbeelden*) kleingeestig, benepen; ***esprit* —,** kruideniersmentaliteit *v.*

mesquinerie [mèskinri] *f.* **1** karigheid, krenterigheid *v.*; **2** engheid *v.*; **3** armoedigheid, armzaligheid *v.*; **4** kleingeestigheid, benepenheid *v.*

mess [mès] *m.* **1** officierstafel *v.*(*m.*); **2** eetzaal *v.*(*m.*) voor officieren.

message [mèsa:j] *m.* boodschap *v.*

messager [mèsajé] *m.* **1** boodschapper *m.*; bode *m.*; **2** voorbode *m.*; **3** voorteken *o.*; **— *de malheur,*** ongeluksbode, jobsbode *m.*

messagerie [mèsajri] *f.* **1** bestelkantoor *o.*; **2** bestelgoederendienst *m.*; **3** kantoor *o.* voor personen- en goederenvervoer; ***entrepreneur de —s,*** expediteur *m.*; ***—s maritimes,*** stoomvaartmaatschappij *v.*

messe [mès] *f.* mis *v.*(*m.*); **— *lue,*** gelezen mis; ***dire* (*ou* *célébrer*) *la* —,** de mis opdragen; ***grand*—,** hoogmis; **— *des morts,*** zielmis, requiemmis˙ mis voor overledenen; **— *pontificale,*** pontificale mis (opgedragen door de bisschop).

messéance [mèséã:s] *f.* onwelvoeglijkheid, onbetamelijkheid *v.*

messéant [mèséã] *adj.* onwelvoeglijk, onbetamelijk.

messeoir* [mèswa:r] *v.i.* misstaan, niet betamen, onbetamelijk zijn.

messianique [mèsyanik] *adj.* Messiaans.

messidor [mèsido:r] *m.* oogstmaand *v.*(*m.*).

Messie [mèsi] *m.* Messias, Verlosser *m.*

messier [mèsyé] *adj.* de oogst betreffend.

Messin [mèsẽ] **I** *m.* bewoner *m.* van Metz; **II** *adj.* ***m*—,** uit Metz.

Messine [mèsin] *f.* Messina *o.*

Messines [mèsin] *m.* Mesen *o.* (in West-Vlaanderen).

Messinois [mèsinwa] **I** *m.* bewoner *m.* van Messina; **II** *adj.*, ***m*—,** uit Messina.

messire [mè˙si:r] *m.* edele heer *m.*

mesurable [m(e)zü˙ra˙bl] *adj.* meetbaar.

mesurage [m(e)zü˙ra:j] *m.* **1** (het) meten *o.*; **2** (*v. land*) (het) opmeten *o.*

mesure [m(e)zü:r] *f.* **1** maat *v.(m.)*; **2** maatstaf *m.*; **3** maatregel *m.*; **4** meting *v.*, (het) meten *o.*; **— *des hauteurs,*** hoogtemeting *v.*; **— *de longueur,*** lengtemaat; **— *de capacité,*** inhoudsmaat; **— *de superficie,*** vlaktemaat; ***dans la — du possible,*** voor zoveel dit mogelijk is, binnen de grenzen van het mogelijke; ***donner sa —,*** tonen wat men kan; ***donner bonne —,*** **1** ruim meten; **2** (*fig.*) ruim rekenen; ***dans une certaine —,*** tot op zekere hoogte; ***être en — de,*** in staat zijn om; ***par — de prudence,*** voorzichtigheidshalve; ***acheter à la —,*** bij de maat kopen; ***avoir deux poids et deux —s,*** met twee maten meten; ***battre la —,*** (*muz.*) de maat slaan; ***perdre la —,*** (*muz.*) uit de maat raken; ***outre —,*** bovenmate, buitenmate; ***sans —,*** mateloos, eindeloos; ***à — que,*** naarmate.
mesuré [m(e)zü·ré] *adj.* **1** (*v. pas, enz.*) afgemeten; **2** (*v. toon, enz.*) gematigd; behoedzaam; **3** (*muz.*) in de maat; ***vers —s,*** metrische verzen; ***peu —,*** onvoorzichtig.
mesurer [m(e)zü·ré] **I** *v.t.* **1** meten; **2** afmeten; **3** (*v. land*) opmeten; **— *le sol,*** languit vallen; **— *ses paroles,*** zijn woorden wikken; **— *les autres à son aune,*** een ander naar zich zelf beoordelen; **— *ses forces avec qn.,*** zijn krachten tegen iem. beproeven; **— *des yeux,*** van het hoofd tot de voeten opnemen; **II** *v.pr.* ***se —,*** zich meten (met). [maatpijp *v.(m.)*.
mesureur [m(e)zü·rœ:r] *m.* **1** meter *m.*; **2** (*tn.*)
mésusage [mézüsa:j] *m.* verkeerd gebruik *o.*
mésuser [mézü·zé] *v.i.*, **— *de,*** misbruik maken van. [herhaling *v.*
métabole [métabòl] *f.*, (*stijlfiguur*) omgekeerde
métabolisme [métabòlizm] *m.* stofwisseling *v.*
métacarpe [métakarp] *m.* middelhand *v.(m.)*.
métairie [métè·ri] *f.* boerderij *v.*, pachthoeve *v.(m.)*.
métal [métal] *m.* metaal *o.*; **— *natif,*** gedegen metaal; **— *blanc,*** nieuwzilver *o.*; **— *précieux,*** edel metaal; **— *de cloches,*** klokspijs *v.(m.)*.
métallescence [métalèsã:s] *f.* metaalglans *m.*
métallifère [métalifè:r] *adj.* metaalhoudend.
métalliforme [métalifòrm] *adj.* metaalvormig.
métallin [métalẽ] *adj.* metaalachtig, metaalkleurig.
métallique [métalik] *adj.* metaalachtig, metaal—; ***son —,*** metaalklank *m.*; ***plume —,*** stalen pen *v.(m.)*; ***câble —,*** staaldraadkabel *m.*; ***réserve —,*** (*v. bank*) metaaldekking *v.*
métallisation [métaliza·syõ] *f.* **1** metaalvorming *v.*; metaalwinning *v.*; **2** bedekking *v.* met metaal.
métalliser [métali·zé] *v.t.* **1** tot zuiver metaal terugbrengen; **2** met een laagje metaal overdekken.
métallo [métalo] *m.* metaalbewerker *m.*
métallographie [métalògrafi] *f.* beschrijving *v.* van de metalen.
métalloïde [métalòi·d] *m.* metalloïde *o.*
métallurgie [métalürji] *f.* **1** metaalbewerking *v.*; **2** metaalindustrie *v.*
métallurgique [métalürjik] *adj.* metallurgisch, metaal—; ***industrie —,*** metaalindustrie.
métallurgiste [métalürjist] *m.* **1** metaalkundige, kenner *m.* van de metalen; **2** metaalwerker *m.*
métamorphisme [métamòrfizm] *m.* (*v. gesteenten*) verandering *v.* door vulkanische invloed.
métamorphose [métamòrfo:z] *f.* gedaanteverwisseling, metamorfose *v.*
métamorphoser [métamòrfo·zé] **I** *v.t.* van gedaante doen veranderen; **II** *v.pr.* ***se —,*** van gedaante verwisselen.
métaphonie [métafòni] *f.* umlaut *m.*
métaphore [métafò:r] *f.* metafoor, zinnebeeldige zegswijze *v.(m.)*, figuurlijke uitdrukking *v.*
métaphorique(ment) [métafòrik(mã)] *adj.* (*adv.*) overdrachtelijk, figuurlijk.
métaphysicien [métafizisyẽ] *m.* metafysicus *m.*
métaphysique [métafizik] **I** *f.* bovennatuurkunde, metafysica *v.*; **II** *adj.* metafysisch.
métatarse [métatars] *m.* middelvoet *m.*
métatarsien [métatarsyẽ] *adj.* van de middelvoet; ***os —,*** middelvoetsbeen *o.*
métathèse [métatè:z] *f.* omzetting (v. letters), metathesis *v.*
métayage [métèya:j] *m.* halfbouw *m.*, verpachting *v.* tegen half vruchtgenot.
métayer [métèyé] *m.* halfbouwer, pachter *m.* (tegen de helft van de oogst).
métazoaire [métazòè·r] *m.* metazo, metazoön *o.*
méteil [météè·y] *m.* masteluin *m.* of *o.*, mengsel *o.* van rogge en tarwe. [*v.*
métempsycose [métã·psiko:z] *v.* zielsverhuizing
météo [météò] *f.* weerbericht *o.*
météore [météò:r] *m.* **1** meteoor *m.*, luchtverschijnsel *o.*; **2** (*fig.*) schitterende verschijning *v.* van korte duur.
météorique [météòrik] *adj.* meteorisch; ***pierre —,*** luchtsteen *m.*
météorisme [météòrizm] *m.* buikopzetting *v.*
météorite [météòrit] *m.* meteoorsteen, luchtsteen *m.*
météorologie [météòròlòji] *f.* weerkunde *v.*
météorologique [météòròlòjik] *adj.* weerkundig, meteorologisch; ***bulletin —,*** weerbericht *o.*; ***conditions —s,*** weersgesteldheid *v.*
météorologiste [météòròlòjist], **météorologue** [météòròlò:g] *m.* weerkundige, meteoroloog *m.*
métèque [métèk] *m.*, (*ong.*) vreemdeling; vreemde indringer *m.*
méthane [métan] *m.* methaan, moerasgas *o.*
méthode [métò·d] *f.* **1** manier *v.(m.)* van handelen; **2** leergang *m.*, methode *v.*
méthodique(ment) [métòdik(mã)] *adj.* (*adv.*) methodisch, stelselmatig, geregeld.
méthodisme [métòdizm] *m.* methodisme *o.*
méthodiste [métòdist] **I** *m.* methodist *m.*; **II** *adj.* methodistisch.
méthodologie [métòdòlòji] *f.* methodenleer *v.(m.)*.
méthodologique [métòdòlòjik] *adj.* methodisch.
méthyle [métil] *m.* methyl *o.*
méthylène [métilèn] *m.* methylalcohol *m.*
méthylique [métilik] *adj.* methyl—; ***alcool —,*** methylalcohol, brandspiritus *m.*
méticuleux [métikülö] *adj.*, **méticuleusement** [métikülö·zmã] *adv.* angstvallig, nauwgezet; ***d'une propreté méticuleuse,*** kraakzindelijk.
méticulosité [métikülo·zité] *f.* **1** nauwgezetheid *v.*; **2** grote angstvalligheid, pietluttigheid *v.*
métier [métyé] *m.* **1** ambacht; handwerk *o.*; **2** vak, beroep *o.*; **3** weefgetouw *o.*; ***être du —,*** van het vak zijn; ***avoir du —,*** vaardigheid bezitten, de techniek van zijn vak kennen; ***second —,*** bijbaantje *o.*; ***gâter le —,*** de markt bederven; ***être de tous —s,*** van alle markten thuis zijn; ***jalousie de —,*** broodnijd *m.*; **— *d'art,*** kunstambacht *o.*; ***les corps de —s,*** (*gesch.*) de gilden; **— *à broder,*** borduurraam *o.*; ***à chacun son — les vaches seront bien gardées,*** schoenmaker blijf bij je leest.
métis [métis] *m.* kleurling, halfbloed *m.*
métisation [métiza·syõ] *f.* kruising *v.*
métissage [métisa:j] *m.* kruising *v.*

métisser [métisé] *v.t.* kruisen.
métonomasie [métònòmazi] *f.* naamsverandering *v.* (door vertaling).
métonymie [métònimi] *f.* (*stijlfiguur*) overnoeming, metonymie *v.*
métope [métòp] *f.* (*bouwk.*) metopen *v.* (in Dorische fries).
métrage [métra:j] *m.* **1** meting, opmeting *v.*; **2** aantal *o.* meters.
mètre [mè'tr] *m.* **1** meter *m.*; **2** versmaat *v.*(*m.*), versvoet *m.*; ***— à ruban,*** rolmetertje *o.*; ***— courant,*** strekkende meter; ***— pliant,*** duimstok *m.*
métré [métré] *m.* **1** opmeting *v.*; **2** aantal *o.* meters.
métrer [métré] *v.t.* meten met de meter, opmeten.
métreur [métrœ:r] *m.* opmeter *m.*
métrique [métrik] **I** *adj.* **1** metrisch; **2** (*v. stelsel, enz.*) metriek; ***système —,*** metrieke stelsel *o.*; ***tonne —,*** 1000 kg; **II** *s., f.* metriek *v.*, verzenleer *v.*(*m.*).
métro [métro] *m.* **1** ondergrondse spoorweg *m.* (te Parijs); **2** (*mil.*) zware granaat *v.*(*m.*).
métrologie [métròlòji] *f.* kennis *v.* van de maten en gewichten.
métromane [métròman] *m.* rijmelaar, rijmmaniak *m.*
métromanie [métròmani] *f.* dichtwoede *v.*(*m.*).
métronome [métrònòm] *m.*, (*muz.*) metronoom, maatmeter *m.*
métropole [métròpòl] *f.* **1** wereldstad *v.*(*m.*); **2** (*v. handel*) hoofdstad; **3** (*tegenover koloniën*) moederland *o.*; **4** aartsbisschoppelijke stad *v.*(*m.*).
métropolitain [métròpòlitẽ] **I** *adj.* **1** van het moederland, het moederland betreffend; **2** aartsbisschoppelijk; **II** *s. m.* **1** metropolitaan, aartsbisschop *m.* (als hoofd van kerkprovincie); **2** ondergrondse spoorweg *m.* (te Parijs).
métropolite [métròpòlit] *m.* metropoliet *m.*
mets [mè] *m.* gerecht *o.*, spijs *v.*(*m.*).
mettable [mèta'bl] *adj.* (*v. kleren*) draagbaar, te dragen, aan te trekken.
mettage [mèta:j] *m.* het (klaar) zetten, (op)leggen *o.*
metteur [mètœ:r] *m.* plaatser, steller, zetter *m.*; ***— en pages,*** (*drukk.*) (vorm)opmaker *m.*; ***— en scène,*** toneelschikker, toneelspelleider, regisseur *m.*; ***— en bouteilles,*** bottelaar *m.*
mettre* [mètr] **I** *v.t.* **1** zetten, plaatsen, leggen; **2** (*v. kleren*) aantrekken, aandoen; **3** (*v. hoed*) opzetten; **4** (*v. zout, enz.*) doen in; **5** (*v. edelgesteenten*) zetten, in goud vatten; ***— à mort,*** ter dood brengen; ***— à l'épreuve,*** op de proef stellen; ***— au fait,*** op de hoogte brengen; ***— à l'ancre,*** (*sch.*) ankeren, voor anker gaan; ***— à l'école,*** naar school zenden, op school doen; ***— à sec,*** droogleggen; ***— au net,*** in 't net schrijven; ***— de côté,*** overleggen, wegleggen, sparen; ***— qn. dedans,*** iem. er in laten lopen; ***— le feu à,*** in brand steken; ***— en bouteilles,*** bottelen; ***— en pièces,*** stukslaan; ***— du soin à qc.,*** zorg aan iets besteden; ***— trois mois à qc.,*** drie maanden nodig hebben om iets te doen, drie maanden over iets doen; ***— en doute,*** betwijfelen; ***— en pages,*** (*v. zetsel*) opmaken; ***— à l'envers,*** **1** omkeren; **2** (*fig.*: *v. hoofd*) op hol brengen; ***— en fuite,*** op de vlucht drijven; ***— qn. sur la voie,*** iem. op de goede weg helpen; ***— en vente,*** te koop bieden, verkopen; ***être bien mis,*** goed (*of* netjes) gekleed zijn; ***— de l'argent à qc.,*** geld voor iets besteden; ***mettons qu'il ait tort,*** aangenomen dat hij ongelijk heeft, laten we veronderstellen dat hij ongelijk heeft; ***— au pied du mur,*** in 't nauw drijven; **II** *v.i.* **1** zetten; **2** inzetten; ***— à la loterie,*** in de loterij spelen; ***— à la voile,*** onder zeil gaan; **III** *v.pr.*, ***se —,*** **1** zich plaatsen; **2** gaan staan (*of* zitten); ***se — à écrire,*** beginnen te schrijven; ***se — à table,*** aan tafel gaan; ***se — d'accord,*** het eens worden; ***se — en colère,*** kwaad worden; ***se — en sueur,*** zich in 't zweet werken (*of* lopen); ***se — en quatre,*** zich uitsloven; ***se — qc. en tête,*** zich iets in het hoofd halen; ***il ne sait où se —,*** hij weet niet, wat hij beginnen moet; hij zit met zijn figuur verlegen.
meublant [mœblã] *adj.* wat goed meubelt; wat effect maakt; ***c'est —,*** dat staat gekleed; dat maakt effect.
meuble [mœ'bl] **I** *m.* **1** meubel; stuk huisraad *o.*; **2** (*wap.*) wapenbeeld, figuur *o.* van wapenschild; ***être dans ses —s,*** zijn eigen huishouden hebben; **II** *adj.* **1** (*v. grond*) los; **2** (*v. goederen*) roerend; ***biens —s,*** roerende goederen.
meublé [mœblé] *adj.* gemeubeld, gestoffeerd; ***bouche bien —e,*** mond met mooi gebit.
meubler [mœblé] **I** *v.t.* **1** meubelen, stofferen; **2** voorzien van, opsieren met; **II** *v.i.* meubelen; ***cela meuble,*** dat maakt effect, dat vult (de kamer); **III** *v.pr.*, ***se —,*** zich meubelen aanschaffen.
meuglement [mœ'glemã] *m.* geloei *o.*
meugler [mœ'glé] *v.i.* loeien.
meulard [mœla:r] *m.* grote molensteen *m.*
meule [mœl] *f.* **1** molensteen *m.*; **2** slijpsteen *m.*; **3** hooimijt, hooischelf *v.*(*m.*); **4** hoop *m.* koren; **5** grote kaas *m.*
meuler [mœlé] *v.t.* slijpen.
meulette [mœlèt] *f.* kleine schelf *v.*(*m.*), oppertje *o.*
meulier [mœlyé] *m.* molensteenhouwer *m.*
meulière [mœlyè:r] *f.* molensteengroeve *v.*(*m.*).
meulon [mö'lõ] *m.* opper *m.*, schelf *v.*(*m.*).
meunerie [mö'nri] *f.* molenaarsbedrijf, molenaarsvak *o.*
meunier [mö'nyé] *m.* **1** molenaar *m.*; **2** meelkever *m.*; **3** (*Pl.*) molenaarsziekte *v.*; **4** bakkerstor *v.*(*m.*).
meunière [mö'nyè:r] *f.* **1** molenaarsvrouw *v.*; **2** (*Dk.*) staartmees *v.*(*m.*); ***sole à la —,*** tong *v.*(*m.*) gebakken in botersaus.
meurt-de-faim [mœ'rdefẽ] *m.* hongerlijder *m.*
meurt-de-soif [mœ'rdeswaf] *m.* drinkebroer *m.*
Meurthe [mœ'rt] *f.* Meurthe *v.* (bijrivier van Moezel).
meurtre [mœrtr] *m.* moord *m. en v.*; (*fig.*) ***c'est un —,*** het is zonde.
meurtrier [mœrtri(y)é] **I** *m.* moordenaar *m.*; **II** *adj.* moorddadig.
meurtrière [mœrtri(y)è:r] *f.* **1** moordenares *v.*; **2** (*mil.*) schietgat *o.*
meurtrir [mœrtri:r] *v.t.* kneuzen, kwetsen.
meurtrissure [mœrtrisü:r] *f.* **1** kneuzing; kwetsuur *v.*; **2** (*v. vrucht*) gekneusde plek *v.*(*m.*); **3** (*fig.*) kwetsing *v.*
Meuse [mö:z] *f.* Maas *v.*
meute [mö:t] *f.* **1** koppel (jachthonden) *o.*; **2** (*v. dieren*) troep *m.*
mévendre [mévã:dr] *v.t.* met schade verkopen.
mévente [mévã:t] *f.* verkoop *m.* met schade.
Mexicain [mèksikẽ] **I** *m.* Mexicaan *m.*; **II** *adj.*, ***m—,*** Mexicaans.
Mexico [mèksiko] *m.* Mexico *o.* (stad).
Mexique, le — [lemèksik] *m.* Mexico *o.* (*land*).
mézéréon [mézéréõ] *m.* peperboompje, miserieboompje *o.*
mezzanine [mèdzanin] *f.* tussenverdieping *v.*
Mezzogiorno [mèdzògyòrnò] *m.* Zuid-Italië *o.*
mezzo-soprano* [mèdzòsòprano] *m.* mezzosopraan *m.-v.*
mezzo-tinto [mèdzotinto], **mezzotinte** [mèdzotẽ] *m.* (*drukk.*) zwartekunst *v.*, mezzotint *v.*(*m.*).
mi [mi] **I** *adj.* midden; half; ***mi-septembre,*** *f.*

midden september; **II** *s.*, *m.* **1** (*muz.*: *noot*) mi *v.*(*m.*); **2** e-snaar *v.*(*m.*).
miaou [miau] *ij.* miauw!
miasmatique [myazmatik] *adj.* smetstof bevattend, miasmatisch.
miasme [myazm] *m.* smetstof *v.*(*m.*); (ongezonde) uitwaseming *v.*
miaulement [myo'lmã] *m.* gemauw *o.*
miauler [myo'lé] *v.i.* miauwen.
miauleur [myo'lœ:r] *adj.* miauwend.
mica [mika] *m.* glimmer *o.*, mica *o. en m.*
micacé [mikasé] *adj.* mica-achtig, glimmerachtig.
mi-carême* [mikarè:m] *f.* halfvasten *m.*
micaschiste [mikaʃist] *m.* glimmerlei *o.*
micelle [misèl] *f.* micel *v.*(*m.*).
miche [miʃ] *f.* groot rond brood *o.*, mik *v.*(*m.*); ***savoir de quel côté la — est beurrée,*** weten waar Abraham de mosterd haalt.
Michel [miʃèl] *m.* Michiel, Michaël *m.*
Michel-Ange [mikèlã:j] *m.* Michel Angelo *m.*
micheline [miʃlin] *f.* treinstel *o.* op banden.
mi-chemin *adv.*, *à* — [amiʃmẽ] halverwege.
michon [miʃõ] *m.* snee *v.*(*m.*) brood (van mik).
mi-clos [miklo] *adv.* halfdicht.
micmac [mikmak] *m.* geknoei; gekonkel *o.*
micocoulier [mikòkulyé] *m.* Franse lotusboom *m.*
mi-corps *adv.*, *à* — [amikò:r] tot aan het middel.
mi-côte *adv.*, *à* — [amiko:t] ter halverhoogte (van helling).
microbe [mikrò'b] *m.* microbe *v.*(*m.*), bacterie *v.*, [bacil *m.*
microbicide [mikròbisi'd] *adj.* bacteriëndodend.
microbien [mikròbyẽ] *adj.* microben—.
microbiologie [mikròbyòlòji] *f.* bacteriologie *v.*
microcéphale [mikròséfal] *adj.* kleinschedelig; met weinig verstand.
microcosme [mikròkòzm] *m.* wereld *v.*(*m.*) (heelal *o.*) in 't klein.
microfilm [mikròfilm] *m.* microfilm *m.*
micrographie [mikrògrafi] *f.* beschrijving *v.* van microscopische waarnemingen.
micromètre [mikròmè'tr] *m.* micrometer *m.* (instrument om kleine afstanden of heel kleine voorwerpen te meten).
micrométrie [mikròmétri] *f.* (het) meten *o.* van heel kleine afstanden of lichamen.
micron [mikrõ] *m.* micron *o. en m.* (1/1000 mm).
Micronésie [mikròné'zi] *f.* Micronesië *o.*
micro-organisme* [mikròòrganizm] *m.* microscopisch wezen *o.*
microphone [mikròfòn] *m.* microfoon, geluidsversterker *m.*
microphotographie [mikròfòtògrafi] *f.* het fotograferen van microscopische preparaten.
microscope [mikròskòp] *m.* microscoop *m.*
microscopique [mikròskòpik] *adj.* **1** zeer klein (alleen microscopisch waarneembaar); **2** microscopisch, met behulp van een microscoop.
microsillon [mikròsiyõ] *m.* minigroove; (***disque***) **—,** langspeelplaat *v.*(*m.*).
miction [miksyõ] *f.* urinelozing *v.*
Middelbourg [midèlbu:r] *m.* Middelburg *o.*
midi [midi] *m.* **1** middag *m.*, 12 uur; **2** zuiden *o.*; ***— et demi,*** half een; ***en plein —,*** op klaarlichte dag; ***le — de Greenwich,*** de middagtijd van Greenwich; ***le — de la vie,*** de zomer van het leven; ***chercher — à quatorze heures,*** spijkers op laag water zoeken.
midinette [midinèt] *f.* (Parijs) ateliermeisje, werkstertje *o.*
mie [mi] *f.* **1** kruim *v.*(*m.*) *en o.*; **2** vriendin *v.*
miel [myèl] *m.* honig *m.*; ***doux comme le —,*** honigzoet; ***être tout —,*** overvriendelijk zijn.
miellat [myèla] *m.*, **miellée** [myèlé] *f.* honigdauw *m.*
miellé [myèlé] *adj.* **1** honig bevattend; **2** honig- [zoet.
mielleusement [myèlö'zmã] *adv.* zoetsappig.
mielleux [myèlö] *adj.* **1** honigachtig; **2** honigzoet; **3** zoetsappig.
mien [myẽ] *pron.poss.* van mij; ***un — ami,*** een vriend van mij; ***le —,*** het mijne; ***les —s,*** de mijnen; mijn gezin (familie).
miette [myèt] *f.* **1** kruimel *m.*; **2** brokje, beetje *o.*; ***mettre en —s,*** aan gruizelementen slaan (*of* gooien).
mieux [myö] **I** *adv.* **1** beter; **2** liever; ***aimer —,*** liever hebben; meer houden van; ***il ne demande pas —,*** hij vraagt (*of* verlangt) niets liever; ***tant —,*** des te beter; ***de — en —,*** hoe langer hoe beter; ***pour — dire,*** juister (*of* beter) gezegd; ***le — possible,*** zo goed mogelijk; ***— vaut tard que jamais,*** beter laat dan nooit; **II** *adj.* **1** knapper, mooier; **2** beter gekleed; ***elle est — que sa sœur,*** zij is knapper dan haar zuster; ***qui — est,*** wat beter is; **III** *s.*, *m.* **1** (het) betere; (het) beste *o.*; **2** beterschap *v.*; ***faute de —,*** bij gebrek aan beter; ***tout est au —,*** alles is opperbest; ***je vendrai ces marchandises au — de vos intérêts,*** ik zal die goederen zo voordelig mogelijk zien te verkopen; ***faire de son —,*** zijn best doen; ***de — en —,*** hoe langer hoe beter; ***s'attendre à —,*** iets beters verwachten; ***le — est souvent l'ennemi du bien,*** (het streven naar 't betere maakt, dat het goede soms lang achterwege blijft) wie het onderste uit de kan wil hebben, krijgt het deksel op zijn neus.
mièvre [myè:vr] *adj.* **1** gekunsteld, gemaakt lief; **2** (*v. vormen*) teer.
mièvrerie [myè'vreri] *f.* **1** gemaakte liefheid *v.*; **2** teerheid *v.*
mignard(ement) [miñа:r(demã)] *adj.* (*adv.*) gemaakt lief, zoetsappig.
mignarder [miñardé] *v.t.* **1** lief doen tegen; **2** (*v. kind*) vertroetelen; **3** (*v. stijl*) een gekunstelde vorm geven aan.
mignardise [miñardi:z] *f.* **1** gemaakte liefheid *v.*; gekunstelde aanvalligheid *v.*; **2** fijn belegsel *o.*; **3** kleine anjer, grasanjelier *v.*(*m.*).
mignon(nement) [miñõ(miñònmã)] *adj.* (*adv.*) lief, aardig, schattig; ***argent —,*** zakgeld *o.*
mignonne [miñòn] *f.* liefje, schatje *o.*
mignonnette [miñònèt] *f.* **1** liefje *o.*; **2** fijne kant *m.*; **3** welriekende reseda, tuinreseda *v.*(*m.*); **4** (*drukk.*) zeer kleine lettersoort *v.*(*m.*).
mignoter [miñòté] *v.t.* vertroetelen.
migraine [migrè'n] *f.* schele hoofdpijn *v.*(*m.*).
migraineux [migrènö] *adj.* aan migraine lijdend.
migrateur [migratœ:r] *adj.* trekkend, trek—; ***oiseau —,*** trekvogel *m.*
migration [migrɑsyõ] *f.* **1** landverhuizing *v.*; **2** (*v. dieren*) (het) trekken *o.*, trek *m.*; ***— des peuples,*** volksverhuizing *v.*
migratoire [migratwa:r] *adj.* trek—; ***instinct —,*** trekinstinct *o.*
mi-hauteur *adv.*, *à* — [ami(h)o'tœ:r] ter halver- [hoogte.
mijaurée [mijo'ré] *f.* nufje *o.*; ***faire la —,*** zich nuffig aanstellen.
mijoter [mijòté] **I** *v.t.* **1** zacht stoven; **2** (*fig.*: *v. plan, enz.*) in stilte voorbereiden, bekokstoven; **II** *v.i.* zacht koken; zacht stoven; **III** *v.pr.*, **se —,** (*v. plan, enz.*) uitgebroed worden.
mil [mil] **I** *n.card.* (*in jaartallen*) duizend; **II** *s. m.* **1** gierst *v.*(*m.*); ***— à épis, — d'Italie,*** negerkoren *o.*; **2** (*gymn.*) knots *v.*(*m.*).
mi-laine [milè'n] **I** *f.* halfwol *v.*(*m.*); **II** *adj.* halfwollen.

milan [milã] *m.* (*Dk.*) wouw, kiekendief *m.*
Milan [milã] *m.* Milaan *o.*
Milanais [milanè] **I** *m.* Milanees *m.*; **II** *adj.*, ***m—***, Milanees.
mildiou, mildew [mildyu] *m.* meeldauw *m.*
miliacées [milyasé] *f.pl.* gierstachtigen *mv.*
miliaire [milyè:r] *adj.* gierstachtig; ***fièvre —***, koorts *v.*(*m.*) met gierstuitslag.
milice [milis] *f.* **1** krijgswezen *o.*; **2** volksleger *o.*; **3** militie, jaarlijkse lichting *v.*; **4** hulptroepen *mv.* (in de koloniën); ***les —s célestes,*** de hemelse heirscharen; ***tirer à la —,*** loten.
milicien [milisyẽ] *m.* **1** milicien, gewoon soldaat *m.*; **2** soldaat *m.* van het volksfront.
milieu [milyö] *m.* **1** midden *o.*; **2** middenweg *m.*; **3** sfeer *v.*(*m.*); omgeving *v.*; **4** (*nat.*) middenstof *v.*(*m.*); medium *o.*; ***le juste —,*** de gulden middenweg; ***par le —,*** middendoor; ***au beau — de,*** juist in 't midden van; ***dans les —x politiques,*** in politieke kringen; ***il n'y a point de —,*** er is geen middenweg; of het een, of het ander.
militaire [militè:r] **I** *adj.* militair, krijgs—, krijgskundig; ***à l'heure —,*** precies op tijd; ***port —,*** oorlogshaven *v.*(*m.*); ***discipline —,*** krijgstucht *v.*(*m.*); ***venir à l'heure —,*** precies op tijd komen; ***herbe —,*** (*Pl.*) duizendblad *o.*; **II** *s.*, *m.* **1** militair, krijgsman *m.*; **2** krijgsmansstand *m.*
militairement [militè'rmã] *adv.* **1** op krijgsmanswijze, op soldatenwijze; **2** met militaire macht; **3** stipt; ordelijk; streng.
militant [militã] **I** *adj.* strijdend; ***l'Église —e,*** de strijdende Kerk; **II** *s.*, *m.*, (*in partij*) strijder, man *m.* van de daad.
militarisation [militarizα'syõ] *f.* militarisering *v.*, (het) militair inrichten *o.*
militariser [militari'zé] *v.t.* militariseren, militair inrichten.
militarisme [militarizm] *m.* militarisme *o.*, overwicht *o.* (overwegende invloed *m.*) van de militairen.
militariste [militarist] *m.* militarist, aanhanger *m.* van het militarisme.
militer [milité] *v.i.*, (*fig.*) strijden; pleiten (voor).
mille [mil] **I** *n.card.* duizend; ***un —,*** een duizendtal *o.*; ***quatrième —,*** (*v. boek*) vierde duizendtal; ***des centaines de —,*** honderdduizenden; ***gagner des — et des cents,*** duizenden verdienen, grof geld verdienen; **II** *s.*, *m.* mijl *v.*(*m.*); ***— marin,*** zeemijl *v.*(*m.*).
mille-feuille* [milfœ'y] **1** *f.* (*Pl.*) duizendblad *o.*; **2** *m.* (*v. gebakje*) tompouce *m.*
mille-fleurs [milflœ:r] *m.* duizendbloemengeur [*m.*
millénaire [milénè:r] **I** *adj.* duizendjarig; ***nombre —,*** duizendtal *o.*; **II** *s.*, *m.* **1** duizend jaren *mv.*; **2** tijdperk *o.* van duizend jaren; ***règne —,*** duizendjarig rijk *o.* [rijk *o.*
millénium [milényòm] *m.* (*gesch.*) duizendjarig
mille-pattes [milpat] *m.* (*Dk.*) duizendpoot *m.*
mille-pertuis [milpèrtẅi] *m.* (*Pl.*) sint-janskruid *o.*
mille-pieds [milpyé], *voir* ***mille-pattes.***
millésime [milézim] *m.* (*op munt, gebouw*) jaartal *o.*
millet [miyè] *m.* **1** gierst *v.*(*m.*); **2** gierstgras *o.*; ***— noir,*** boekweit *v.*(*m.*).
milliaire [milyè:r] **I** *adj.* mijl—; ***pierre —,*** mijlsteen *m.*; ***borne —,*** mijlpaal *m.*; **II** *s. m.* mijlpaal *m.*
milliampère [milyã'pè:r] *m.* milliampère *m.*
milliard [mi(l)ya:r] *m.* miljard *o.*
milliardaire [mi(l)yardè:r] *adj. et s.*, *m.* miljardair *m.*
milliasse [milyas] *f.* **1** biljoen *o.*; **2** enorm aantal *o.*; **3** maïskoek *m.*
millibar [milibar] *m.* millibar *m.*
millième [mi(l)yèm] *adj.* (*et s.*, *m.*) duizendste (deel *o.*). [zenden.
millier [mil(l)yé] *m.* duizendtal *o.*; ***des —s,*** dui-
milligramme [miligram] *m.* milligram *o.*
millilitre [mililitr] *m.* milliliter *m.*
millimètre [milimè'tr] *m.* millimeter *m.*
million [mi(l)yõ] *m.* miljoen *o.*
millionième [mi(l)yònyèm] *adj.*, (*et s.*, *m.*) miljoenste (deel *o.*).
millionnaire [mi(l)yònè:r] *m.* miljonair *m.*
milord [milò:r] *m.* **1** mylord *m.*; **2** (*rijtuig*) mylord *m.*, victoria *v.*
milouin [milwẽ] *m.* tafeleend *v.*(*m.*).
mi-mât *adv.*, ***à —*** [amimα] (*sch.*) halfstok.
mime [mim] *m.* **1** (*oudh.*) mime *m.*, gebarenkluchtspel *o.*; **2** (*fig.*) nabootser, mimicus *m.*
mimer [mimé] *v.t.* **1** nabootsen; **2** (*v. toneel*) door gebarenspel vertolken.
mimétisme [mimétizm] *m.* mimicry *v.*(*m.*).
mimeuse [mimö:z] *f.* mimosa *v.*(*m.*).
mimi [mimi] *m.* poes *v.*(*m.*).
mimique [mimik] **I** *adj.* mimisch, door gebaren nabootsend; **II** *s. f.* gebarenspel *o.*, gebarenkunst, mimiek *v.*
mimodrame [mimòdram] *m.* pantomimische toneelopvoering *v.*
mimologie [mimòlòji] *f.* stem-, geluid- en gebaarnabootsing *v.* [mij-niet *o.*
mimosa [mimoza] *f.* mimosa *v.*(*m.*), kruidje-roer-
minable [mina'bl] *adj.* ellendig, armoedig, armzalig, berooid.
minaret [minarè] *m.* minaret *v.*(*m.*).
minauder [mino'dé] *v.i.* gemaakt lief doen, aanhalig zijn. [nuffigheid *v.*
minauderie [mino'dri] *f.* gemaakte liefheid,
minaudier [mino'dyé] **I** *adj.* behaagziek, gemaakt lief; **II** *s.*, *m.* behaagziek persoon *m.*
mince [mẽ:s] *adj.* **1** dun; **2** (*v. persoon*) mager, tenger; slank; **3** (*v. inkomsten*) schraal, gering; ***ce n'est pas une — besogne,*** dat is geen kleinigheid.
mincer [mẽ'sé] *v.t.* klein snijden, fijnhakken.
minceur [mẽ'sœ:r] *f.* **1** dunheid *v.*; **2** slankheid *v.*
mine [min] *f.* **1** gelaat, gezicht, uiterlijk *o.*; **2** mijn, groeve *v.*(*m.*), bergwerk *o.*; **3** kruitmijn *v.*(*m.*); ***— de plomb,*** potlood *o.*; ***avoir bonne —,*** er goed uitzien; ***faire froide — à qn.,*** iem. koel bejegenen; ***faire — de partir,*** aanstalten maken om te vertrekken; ***faire la —,*** pruilen; ***faire bonne — à mauvais jeu,*** zich goed houden (in tegenspoed, bij tegenslag); ***— active,*** wakende mijn; ***— passive,*** slapende mijn; ***— automatique,*** schokmijn; ***— flottante,*** drijvende mijn; ***éventer la —,*** **1** de mijn ontdekken; **2** (*fig.*) lont ruiken; ***la — est éventée,*** de toeleg is mislukt, de list is ontdekt; ***il ne paie pas de —,*** hij heeft zijn uiterlijk tegen.
miner [miné] *v.t.* **1** ondermijnen; **2** uithollen, wegspoelen; **3** (*fig.*) verwoesten, slopen; ondermijnen.
minerai [minrè] *m.* erts *o.*
minéral [minéral] **I** *m.* mineraal *o.*, delfstof *v.*(*m.*); **II** *adj.* mineraal, tot de delfstoffen behorend, delfstoffelijk; ***règne —,*** delfstoffenrijk *o.*; ***eau —e,*** bronwater, mineraal water *o.*; ***couleur —e,*** aardverf *v.*(*m.*).
minéralisateur [minéralizatœ:r] **I** *adj.* ertsvormend; **II** *s. m.* ertsvormende stof *v.*(*m.*).
minéralisation [minéralizα'syõ] *f.* ertsvorming; mineraalvorming *v.*

minéraliser [minérali'zé] *v.t.* **1** tot erts maken, omzetten in erts; **2** met minerale bestanddelen vermengen.
minéralogie [minéralòji] *f.* delfstofkunde *v.*
minéralogique [minéralòjik] *adj.* **1** mineralogisch, van de delfstoffen; ***plaque* —,** (*tot 1928*) kentekenplaat *v.(m.)*. [*m.*
minéralogiste [minéralòjist] *m.* delfstofkundige
minerval [minèrval] *m.*, (*B.*) collegegeld *o.*
Minerve [minèrv] *f.* Minerva *v.*
minet [minè] *m.*, **—te** [minèt] *f.* poesje, katje *o.*
mineur [minœ:r] **I** *m.* **1** mijnwerker *m.*; **2** (*mil.*) mineur, mijngraver *m.*; **3** minderjarige *m.*; **4** (*muz.*) mineurtoonaard, kleine-tertstoonaard *m.*; ***brigade des* —s,** kinderpolitie *v.*; **II** *adj.* **1** kleiner, minder; **2** minderjarig; **3** (*muz.*) mineur; ***ouvrier* —,** mijnwerker *m.*; ***frère* —,** minderbroeder *m.*; ***les ordres* —s,** (*kath.*) de lagere wijdingen *mv.*; ***tierce* —e,** (*muz.*) kleine terts *v.(m.)*; ***une pièce en* —,** (*muz.*) een stuk in mol; ***l'Asie M—e,*** Klein-Azië *o.*
mineure [minœ:r] *f.* **1** (*wijsb.*) minor *m.*, tweede stelling *v.* (van sluitrede); **2** minderjarige *v.*
miniature [minyatü:r] *f.* **1** (*in oude boeken*) versierde hoofdletter *v.(m.)*; **2** miniatuur, miniatuurschildering *v.*; ***en* —,** in 't klein, in miniatuur.
miniaturiste [minyatürist] *m.* miniatuurschilder *m.*
minier [minyè:r] *adj.* de mijnen betreffend, mijn—; ***industrie minière,*** mijnindustrie *v.*; ***gisement* —,** delfstoflaag *v.(m.)*.
minière [minyè:r] *f.* **1** ertsgroeve *v.(m.)*; **2** open mijn *v.(m.)*.
minimal [minimal] *adj.* uiterst gering.
minime [minim] **I** *adj.* zeer gering, zeer klein, onbeduidend; **II** *s.*, *m.* miniem *m.* (kloosterling).
minimiser [minimi'zé] *v.t.* bagatelliseren.
minimité [minimité] *f.* uiterste kleinheid *v.*
minimum [minimòm] *m.* (*pl.*: ***minima***), minimum, kleinste, geringste *o.*; laagste *o.*; ***au* —,** op zijn minst; ***thermomètre à minima,*** minimumthermometer *m.*; ***valeur* —,** minimumwaarde *v.*
ministère [ministè:r] *m.* **1** ambt *o.*, bediening *v.*; **2** dienst *m.*; **3** ministerie *o.*; ***offrir son* —,** zijn diensten aanbieden; ***le — public,*** het Openbaar Ministerie; ***le saint —, le — des autels,*** het heilig priesterambt; ***le — de la parole,*** (*prot.*) de bediening van het woord.
ministériel [ministéryèl] *adj.* ministerieel.
ministrable [ministra'bl] *adj.* (*et s. m.*) (iem.) die in aanmerking komt om minister te worden.
ministre [ministr] *m.* **1** minister *m.*; **2** (*prot.*) predikant *m.*; **3** gevolmachtigd minister; gezant *m.*; ***— du culte,*** geestelijke *m.*; ***— des autels,*** priester *m.*
ministresse [ministrès] *f.* ministersvrouw *v.*
minium [minyòm] *m.* menie *v.(m.)*.
minois [minwa] *m.* (aardig) gezichtje *o.*
minon [minõ] *m.* **1** poesje *o.*; **2** (*Pl.*) katje *o.*
minorer [minòré] *v.t.* verlagen (in prijs).
minoritaire [minòritè:r] *m.* lid *o.* van de minderheid.
minorité [minòrité] *f.* **1** minderjarigheid *v.*; **2** minderheid *v.*
Minorque [minòrk] *f.* Minorca *o.*
Minotaure [minòto:r] *m.* Minotaurus *m.*
minoterie [minòtri] *f.* meelfabriek *v.*
minotier [minòtyé] *m.* **1** meelfabrikant *m.*; **2** meelhandelaar *m.*
minuit [minẅi] *m.* middernacht *m.*, 12 uur ('s nachts); ***— et demi,*** half een.
minuscule [minüskül] **I** *adj.* zeer klein; **II** *s. f.* kleine letter *v.(m.)*.
minus habens [minüzabẽ's] *m.* (*fam.*) onvolwaardig persoon. [akte *v.(m.)*.
minutaire [minütè:r] *adj.*, ***acte* —,** originele
minute [minüt] *f.* **1** minuut *v.(m.)*; **2** (*fig.*) ogenblik *o.*; ***à la* —, 1** op staande voet, direct; **2** stipt op tijd; ***un homme à la* —,** een man van de klok; ***il peut rentrer d'une — à l'autre,*** hij kan elk ogenblik thuiskomen.
minuter [minüté] *v.t.* **1** de minuut opmaken (*v. akte*); **2** timen.
minuterie [minütri] *f.* **1** (*v. klok*) wijzerwerk *o.*; **2** tijdschakelaar *m.*
minutie [minüsi] *f.* **1** kleinigheid, nietigheid *v.*; **2** muggezifterij *v.*; **3** peuterigheid; uiterste nauwkeurigheid *v.*
minutier [minütyé] *m.* minutenregister *o.*
minutieux [minüsyö] *adj.*, **minutieusement** [minüsyö'zmã] *adv.* **1** uiterst nauwkeurig (*of* zorgvuldig); **2** kleingeestig, pietluttig.
miocène [miosè:n] *m.* Mioceen *o.*
mioche [myòʃ] *m.* (kleine) kleuter, dreumes *m.*, kind(je) *o.* [*enz.*) gemengd.
mi-parti [miparti] *adj.* **1** half; **2** (*v. vergadering,*
mipartir [miparti:r] *v.t.* in twee helften verdelen.
mi-partition [mipartisyõ] *f.* halvering *v.*
mirabelle [mirabèl] *f.* mirabel(pruim) *v.(m.)*.
mirabellier [mirabèlyé] *m.* gele-pruimeboom *m.*
miracle [mira:kl] *m.* **1** wonder, mirakel *o.*; **2** (*gesch.*) mirakelspel *o.*; ***à* —,** uitstekend, wonderwel; ***par* —,** (als) door een wonder; ***il n'y a pas de quoi crier au* —,** er bestaat geen reden om zoveel drukte te maken.
miraculé [mirakülé] **I** *adj.* wonderbaar genezen; **II** *s.*, *m.-f.* wonderbaar genezen persoon *m.*
miraculeux [mirakülö] *adj.*, **miraculeusement** [mirakülö'zmã] *adv.* wonderbaar(lijk); miraculeus; ***statue miraculeuse,*** wonderbeeld *o.*
mirador [miradò:r] *m.* (*mil.*) observatiepost, uitkijkpost, wachttoren *m.*
mirage [mira:j] *m.* **1** luchtspiegeling, fata morgana *v.*; **2** (*fig.*) zinsbedrog *o.*; **3** hersenschim *v.(m.)*.
mire [mi:r] *f.* **1** (het) mikken *o.*; **2** (*v. geweer*) vizier *o.*; **3** (*TV*) testbeeld *o.*; ***point de* —,** mikpunt *o.*; ***prendre sa* —,** mikken.
mire-œufs [mi'rö] *m.* eierspiegel *m.*
mirer [mi'ré] **I** *v.t.* **1** mikken (naar); **2** spiegelen; **3** (*v. eieren*) schouwen; **II** *v.pr.* ***se* —, 1** zich spiegelen; **2** weerspiegelen; **3** zich zelf bewonderen.
mirette [mirèt] *f.* **1** (*v. metselaar*) voegijzer *o.*; **2** boetseerstok *m.*; **3** (*pop.*) oog *o.*, kijker *m.*
mirifique(ment) [mirifik(mã)] *adj.* (*adv.*) wonderbaarlijk, verbazingwekkend.
mirlicoton [mirlikotõ] *m.* grote perzik *v.(m.)*.
mirliflore [mirliflò:r] *m.* pronker *m.*
mirliton [mirlitõ] *m.* **1** mirliton *m.*, rietfluitje *o.*; **2** roomhoorntje *o.*; **3** deuntje *o.*
mirmidon, *voir* ***myrmidon.***
mirobolant [miròbòlã] *adj.* wonderbaarlijk.
miroir [mirwa:r] *m.* spiegel *m.*; ***— à barbe,*** scheerspiegel; ***— ardent,*** brandspiegel; ***œufs au* —,** spiegeleieren.
miroitant [mirwatã] *adj.* weerspiegelend, weerkaatsend, flikkerend.
miroitement [mirwatmã] *m.* **1** weerschijn *m.*, (weer)spiegeling, flikkering *v.*; **2** (*fig.*) voorspiegeling *v.*; bedrieglijke schijn *m.*
miroiter [mirwaté] *v.i.* flikkeren, glinsteren; ***faire — qc. aux yeux de qn.,*** iem. iets voorspiegelen. [gelhandel *m.*
miroiterie [mirwatri] *f.* **1** spiegelfabriek *v.*; **2** spie-

miroitier [mirwatyé] *m.* **1** spiegelfabrikant *m.*; **2** spiegelhandelaar *m.*
miroton [miròtõ] *m.* hachee *m. en o.* (van rundvlees).
mi-route *adv.*, *à* — [amirut] halverwege.
mirtille [mirtil] *f.* blauwbes, bosbes *v.(m.)*.
mis [mi] *part. passé de* ***mettre***; ***bien*** —, goed gekleed.
misaine [mizè:n] *f.* (*sch.*) fok *v.(m.)*; ***mât de*** —, fokkemast *m.*
misanthrope [mizã'tròp] **I** *m.* mensenhater *m.*; **II** *adj.* mensenhatend, mensenschuw.
misanthropie [mizã'tròpi] *f.* mensenhaat *m.*
misanthropique [mizã'tròpik] *adj.* mensenschuw, mensenhatend.
miscellanées [misèlané] *f.pl.* (*lett.*, *enz.*) mengelwerk *o.*, mengelingen *mv.*, verzamelde opstellen *mv.*
miscibilité [misibilité] *f.* mengbaarheid *v.*
miscible [misi'bl] *adj.* mengbaar.
mise [mi:z] *f.* **1** plaatsing, stelling *v.*; **2** inleg, inzet *m.*, inleggeld *o.*; **3** (*bij verkoping*) bod *o.*; **4** kleding, kledij *v.*; — ***à prix***, (*H.*) gevraagde prijs *m.*; inschrijving *v.*; (*bij verkoop*) inzet *m.*; — ***au point***, **1** (*tn.*) instelling *v.*; **2** (*fig.*) rechtzetting *v.*, (het) preciseren *o.*; — ***en valeur***, (*v. grond*) (het) produktief maken; — ***en vente***, uitverkoop *m.*; — ***en liberté***, invrijheidstelling *v.*; — ***en adjudication***, aanbesteding *v.*; — ***en bouteilles***, (het) bottelen *o.*; — ***en circuit***, (*el.*) inschakeling *v.*; — ***en page***, lay-out, opmaak *m.*; — ***en train***, (*drukk.*) het toestellen.
miser [mi'zé] **I** *v.t.* (*bij spel*) inzetten; **II** *v.i.* (*bij verkoping*) bieden.
misérable [mizéra'bl] **I** *adj.* **1** ellendig, ongelukkig; **2** armzalig, armoedig; **3** rampzalig; **II** *s. m.* **1** ellendeling *m.*; **2** ongelukkige *m.*
misérablement [mizéra'blemã] *adv.* ellendig; ongelukkig.
misère [mizè:r] *f.* **1** gebrek *o.*, ellende, armoede *v.(m.)*; **2** kleinigheid, nietigheid *v.*; ***faire des —s à qn.***, iem. plagen.
miséréré [mizéréré] *m.* miserere *o.*; ***chanter le*** —, klaagliederen aanheffen.
miséreux [mizérö] **I** *adj.* armoedig, berooid; **II** *s.*, *m.* arme drommel *m.*
miséricorde [mizérikòrd] **I** *f.* **1** barmhartigheid, ontferming; goedertierenheid *v.*; **2** genade *v.(m.)*; vergiffenis *v.*; ***sans*** —, zonder genade; **II** *ij.*, —*!* goeie hemel!
miséricordieux [mizérikòrdyö] *adj.*, **miséricordieusement** [mizérikòrdyö'zmã] *adv.* barmhartig, goedertieren, genadig.
misogame [mizògam] *m.* huwelijkshater *m.*
misogyne [mizòjin] *m.* vrouwenhater *m.*
misonéisme [mizònéizm] *m.* afkeer *m.* van nieuwigheden.
missel [misèl] *m.* **1** misboek *o.*; **2** (*op altaar*) missaal *o.*
missiologie [misyòlòji] *f.* missiewetenschap *v.*
mission [misyõ] *f.* **1** missie *v.*; **2** (*prot.*) zending *v.*; **3** opdracht *v.(m.)*; **4** roeping *v.*, levenstaak *v.(m.)*.
missionnaire [misyònè:r] *m.* missionaris; zendeling *m.*
missionnariat [misyònarya] *m.* zendelingschap *o.*
missive [misi:v] *f.* bericht *o.*, missive *v.*
mistelle [mistèl] *f.* druivemost *m.* met alcohol.
mistigri [mistigri] *m.* **1** (*fam.*) poes *v.(m.)*; **2** (*bep. kaartsp.*) klaverenboer *m.*
mistral [mistral] *m.* (*pl.* : —*s*) mistral, hevige noordwestenwind *m.* (*in Z.-Frankrijk*).
mitaine [mitè'n] *f.* (dames)handschoen *m. en v.* zonder vingers; want *v.(m.)*; ***mettre*** (*ou* ***prendre***) ***des —s***, voorzichtig te werk gaan.
mite [mit] *f.* **1** mijt, kaasmijt *v.(m.)*; **2** (*in kleren*) mot *v.(m.)*.
mité [mité] *adj.* **1** vol mijten; **2** waar de mot in is.
mi-temps [mitã] *f.* (*sp.*) rust *v.(m.)*.
miteux [mitö] *adj.* kaal, berooid, armzalig.
mithridate [mitridat] *m.* tegengif *o.*
mithridatism [mitridatizm] *m.* (door geleidelijke gewenning) immuniteit *v.* tegen gif.
mitigation [mitiga'syõ] *f.* verzachting, leniging *v.*
mitiger [mitijé] **I** *v.t.* verzachten, lenigen; **II** *v.pr.* ***se*** —, zachter worden.
miton [mitõ] *m.* polsmofje *o.*
mitonner [mitòné] **I** *v.i.* zachtjes koken, preutelen; **II** *v.t.* **1** langzaam laten koken; **2** omzichtig voorbereiden; **3** (*v. kind*) vertroetelen, verwennen.
mitoyen [mitwayẽ] *adj.* tussen twee in; gemeenschappelijk; ***mur*** —, gemeenschappelijke muur; tussenmuur, scheidsmuur *m.*
mitraillade [mitra'ya'd] *f.* mitrailleurvuur, schrootvuur *o.*
mitraille [mitra'y] *f.* **1** schroot *o.*; **2** oud ijzer *o.*; **3** (*pop.*) kleingeld, kopergeld *o.*
mitrailler [mitrayé] **I** *v.t.* mitrailleren, met schroot beschieten; **II** *v.i.* met schroot schieten.
mitraillette [mitrayèt] *f.* machinepistool *o.*; stengun *m.*
mitrailleur [mitrayœ:r] *m.* machinegeweerschutter *m.*
mitrailleuse [mitrayö:z] *f.* mitrailleur *m.*, machinegeweer *o.*
mitral [mitral] *adj.* mijtervormig.
mitre [mitr] *f.* **1** mijter *m.*; **2** schoorsteenkap *v.(m.)*.
mitré [mitré] *adj.* gemijterd.
mitron [mitrõ] *m.* bakkersjongen *m.*
mi-voix *adv.*, *à* — [amivwa] halfluid, met gedempte stem.
mixte [mikst] *adj.* gemengd; ***école*** —, school *v.(m.)* voor jongens en meisjes; ***nombre*** —, gemengd getal *o.*
mixtiligne [mikstiliñ] *adj.* gemengdlijnig.
mixtion [mikstyõ] *f.* **1** mengsel *o.*; **2** vermenging *v.*
mixtionner [mikstyòné] *v.t.* mengen, dooreenmengen.
mixture [mikstü:r] *f.* **1** mengsel *o.*; **2** mengkoren *o.*
mnémonique [mnémònik] **I** *adj.* het geheugen betreffend; **II** *s. f.* geheugenkunst *v.*, kunst om 't geheugen te hulp te komen.
mnémotechnie [mnémòtèkni] *f.* geheugenkunst *v.*
mobile [mòbil] **I** *adj.* **1** beweegbaar, beweeglijk; **2** (*v. feestdagen*) veranderlijk; **3** (*v. drukletters, machine-onderdelen, enz.*) los; **4** (*v. stempel*) verstelbaar; **5** (*fig.*: *v. gelaat*) beweeglijk; **6** (*v. karakter*) veranderlijk, onbestendig; **II** *s.*, *m.* **1** beweegkracht *v.(m.)*; **2** drijfkracht, stuwkracht *v.(m.)*; **3** (*fig.*) drijfveer, beweegreden *v.(m.)*; **4** soldaat *m.* van de mobiele garde.
mobiliaire [mòbilyè:r] *adj.* roerende goederen betreffend; ***impôt*** —, belasting op roerende goederen.
mobilier [mòbilyé] **I** *m.* huisraad *o.*, inboedel *m.*, (de) meubelen *mv.*; **II** *adj.* roerend; ***vente mobilière***, verkoop *m.* van roerend goed; ***saisie mobilière***, beslag *o.* op het huisraad.
mobilisable [mòbiliza'bl] *adj.* mobiliseerbaar.
mobilisation [mòbiliza'syõ] *f.* **1** (*mil.*) mobilisatie *v.*; **2** (*v. goederen*) roerend-verklaring *v.*
mobiliser [mòbili'zé] *v.t.* **1** mobiliseren; **2** roerend verklaren.
mobilité [mòbilité] *f.* **1** beweeglijkheid *v.*; **2** beweegbaarheid, verplaatsbaarheid *v.*; **3** veranderlijkheid, wispelturigheid *v.*
mocassin [mòkasẽ] *m.* **1** Indianenschoen *m.*; **2** (zachte) pantoffel *v.(m.)*; **3** (*Dk.*) moerasslang *v.(m.)*.

moche [mòʃ] **I** *adj.* **1** (*v. persoon*) lelijk; **2** (*v. boek, enz.*) saai, flauw; **II** *s. f.* streng *v.(m.)*.
modal [mòdal] *adj.* **1** (*gram.*) modaal, beperkend; **2** (*muz.*) van de toonsoort.
modalité [mòdalité] *f.* **1** (*gram.*) modaliteit *v.*, wijze *v.(m.)* van zijn; **2** (*muz.*) toonaard *m.*
mode [mò'd] **I** *m.* **1** (*gram.*) wijs *v.(m.)* (van werkwoord); **2** (*muz.*) toonaard *m.*; **3** methode, wijze *v.(m.)* (v. werken, enz.); ***— d'emploi,*** gebruiksaanwijzing *v.*; **II** *f.* **1** manier, wijze *v.(m.)*; **2** mode *v.(m.)*; ***à la —,*** in de mode; ***passé de —,*** uit de mode, verouderd; ***couleur à la —,*** modekleur *v.(m.)*; ***—s,*** modeartikelen *mv.*; ***magasin de —s,*** modemagazijn *o.*; ***oncle à la — de Bretagne,*** neef van vader of moeder; ***chaque pays a sa —,*** 's lands wijs, 's lands eer.
modelage [mòdla:j] *m.* modellering *v.*, (het) modelleren *o.*
modèle [mòdèl] *m.* **1** model, voorbeeld *o.*; **2** toonbeeld *o.*; ***ferme —,*** modelboerderij *v.*; ***élève —,*** voorbeeldige leerling *m.*
modelé [mòdlé] *m.*, (*kunst*) vorm *m.*, relief *o.*
modeler* [mòdlé] **I** *v.t.* **1** modelleren, boetseren, vormen; **2** (*fig.*) regelen naar; ***— sa vie sur,*** zijn levenswijze regelen naar; **II** *v.pr.*, ***se — sur,*** zich richten naar, een voorbeeld nemen aan.
modeleur [mòdlœ:r] *m.* modelleerder, boetseerder *m.*
modelliste [mòdèlist] *m.* modellenmaker *m.*
modénais [mòdénè] *adj.* uit Modena.
Modène [mòdè'n] *f.* Modena *o.*
modérantisme [mòdérã'tizm] *m.* gematigdheid *v.*; stelsel *o.* van de gematigden; politiek *v.* van schipperen.
modérateur [mòdératœ:r] **I** *m.* **1** bestuurder, leider *m.*; **2** regelaar *m.*; **3** bemiddelaar *m.*; **4** (*tn.*) regulateur *m.* (toestel dat de werking van een machine regelt); ***lampe à —,*** moderateurlamp *v.(m.)*; **II** *adj.* **1** regelend; **2** matigend, bemiddelend.
modération [mòdéra'syõ] *f.* matiging; gematigdheid *v.*
modéré(ment) [mòdéré(mã)] *adj.* (*adv.*) matig, gematigd.
modérer [mòdéré] **I** *v.t.* **1** matigen; **2** (*v. snelheid*) verminderen; **3** (*v. licht*) temperen; **4** (*v. strengheid*) verzachten; **II** *v.pr.*, ***se —,*** zich matigen, zich bedwingen.
moderne [mòdèrn] **I** *adj.* **1** modern, hedendaags, van de nieuwere tijd; **2** nieuw, nieuwmodisch, nieuwerwets; ***l'histoire —,*** de nieuwe geschiedenis; **II** *s.*, *m.pl.*, ***les —s,*** de modernen (tegenover de klassieken).
modernisation [mòdèrniza'syõ] *f.* modernisering *v.*
moderniser [mòdèrni'zé] **I** *v.t.* moderniseren, naar de moderne smaak of stijl inrichten; **II** *v.pr.*, ***se —,*** modern worden, met zijn tijd meegaan.
modernisme [mòdèrnizm] *m.* modernisme *o.*
moderniste [mòdèrnist] *m.* modernist *m.*, aanhanger *m.* van het modernisme.
modernité [mòdèrnité] *f.* (het) moderne, modern karakter *o.*
modeste(ment) [mòdèst(emã)] *adj.* (*adv.*) **1** bescheiden; ingetogen; **2** (*v. kleding, enz.*) welvoeglijk, zedig; **3** (*v. inrichting, meubelen, enz.*) eenvoudig, zonder weelde.
modestie [mòdèsti] *f.* **1** bescheidenheid *v.*; ingetogenheid *v.*; **2** welvoeglijkheid, zedigheid *v.*; **3** eenvoud *m.*
modicité [mòdisité] *f.* billijkheid *v.*; geringheid *v.*
modifiable [mòdifya'bl] *adj.* voor wijziging vatbaar.
modificateur [mòdifikatœ:r] **I** *adj.* wijzigend; **II** *s. m.* wijzigende factor *m.*
modificatif [mòdifikatif] *adj.* wijzigend; bepalend.
modification [mòdifika'syõ] *f.* wijziging, verandering *v.*
modifier [mòdifyé] **I** *v.t.* **1** wijzigen, veranderen; **2** (*gram.*) bepalen; **II** *v.pr.* ***se —,*** **1** zich wijzigen; **2** gewijzigd worden.
modillon [mòdiyõ] *m.*, (*aan kroonlijst*) krul *v.(m.)*, versiering *v.*
modique [mòdik] *adj.* **1** (*v. inkomen, enz.*) gering, matig; **2** (*v. prijs*) billijk.
modiste [mòdist] *f.* modemaakster; modiste, (dames)hoedenmaakster *v.*
modulation [mòdüla'syõ] *f.* **1** stembuiging *v.*; **2** overgang *m.* van de ene toonsoort in de andere.
module [mòdül] *m.* **1** (*v. medaille, penning*) middellijn *v.(m.)*; **2** (*bouwk.*) maat, zetmaat *v.(m.)*; onderste halve middellijn *v.(m.)* van zuilschacht; **3** (*fig.*) norm *v.(m.)*.
moduler [mòdülé] **I** *v.t.* **1** met verschillende stembuiging voordragen; **2** (*v. zin*) mooi afronden; **II** *v.i.*, (*muz.*) van de ene toonsoort in de andere overgaan.
moelle [mwal, mwèl] *f.* **1** merg *o.*; **2** (*Pl. en fig.*) pit *o. en v.(m.)*; ***— de sureau,*** vlierpit *v.(m.)*; ***— épinière,*** ruggemerg *o.*; ***os à —,*** mergpijp *v.(m.)*; ***pénétrer jusqu'à la — des os,*** door merg en been gaan.
moelleusement [mwalö'zmã, mwèlö'zmã] *adv.* zacht, mollig.
moelleux [mwalö, mwèlö] **I** *adj.* **1** zacht, mollig; **2** (*v. been*) mergachtig; vol merg; **3** (*v. wijn*) vol; **4** (*v. kleur*) glanzend zacht; **5** lenig; **II** *s. m.* **1** molligheid, zachtheid *v.*; **2** (*v. wijn*) (het) volle *o.*; **3** (het) lenige *o.*
moellon [mwalõ, mwèlõ] *m.* bouwsteen; zandsteen *m.*
mœurs [mœrs, mœ:r] *f.pl.* **1** zeden *mv.*; **2** gewoonten *mv.*, gebruiken *mv.*; ***homme sans —,*** zedeloos mens *m.*; ***certificat de bonne vie et —,*** bewijs van goed zedelijk gedrag.
mofette [mòfèt] *f.* **1** (*in mijn*) stiklucht *v.(m.)*; ***— inflammable,*** mijngas *o.*; **2** stinkdier *o.*
mohair [mòè:r] *m.* mohair *o.*, wol *v.(m.)* van angorageit.
moi [mwa] **I** *pron.pers.* mij; ik; ***chez —,*** (bij mij) thuis; ***selon —,*** volgens mij, volgens mijn mening; ***de vous à —,*** onder ons gezegd; ***quant à —,*** wat mij betreft; **II** *s. m.*, ***le —,*** (het) ik *o.*; ***son autre —-même,*** zijn tweede ik, zijn alter ego.
moignon [mwañõ, mòñõ] *m.* **1** stompje *o.* (*v. arm, been, enz.*); **2** boomstronk *m.*
moindre [mwẽ:dr] *adj.* kleiner, geringer; ***le —,*** de minste, de geringste; ***c'est la — des choses,*** dat is maar een kleinigheid, dat betekent niets; ***c'est là son — défaut,*** dat is hij allerminst.
moindrement [mwẽ'dremã] *adv.* minder, geringer; ***il n'est pas le — inquiet,*** hij is er absoluut gerust op, hij is niet in het minst ongerust.
moine [mwan] *m.* **1** monnik, kloosterling *m.*; **2** bedwarmer *m.*, beddepan *v.(m.)*; **3** (*in metaal*) blaas *v.(m.)*.
moineau [mwano] *m.* **1** mus, huismus *v.(m.)*; **2** (*mil.*) klein bastion *o.*
moinerie [mwanri] *f.* (*ong.*) monnikendom, monnikswezen *o.*
moinillon [mwaniyõ] *m.* (*ong.*) monnikje *o.*
moins [mwẽ] **I** *adv.* **1** minder; **2** (*wisk.*) min; ***plus ou —,*** min of meer; ***rien — que,*** alles behalve; ***pas le — du monde,*** in de verste verte niet; ***il n'en travaille pas —,*** toch werkt hij; ***de — en —,*** steeds minder, al minder en minder; ***en — de deux heures,*** binnen twee uren; ***les enfants de — de quinze ans,*** de kinderen beneden vijftien jaar; ***en — de rien,*** in een oogwenk, in minder dan geen tijd; (***tout***) ***au —,*** minstens, op zijn minst, ten minste; ***à — que,*** tenzij; ***j'ai***

***reçu cinq francs en* —,** ik heb vijf frank te weinig gekregen; ***onze heures* — *dix*,** tien minuten voor elven; **II** *s. m.* **1** (het) minste *o.*; **2** (*wisk.*) minteken *o.*; **3** (*drukk.*) lang streepje, dwarsstreepje *o.*
moins-perçu* [mwẽ'pèrsü] *m.* het te weinig ontvangene *o.*
moins-value* [mwẽ'valü] *f.* **1** verminderde opbrengst *v.*; **2** waardevermindering *v.*
moirage [mwa'ra:j] *m.* het wateren (*of* moireren) van een stof.
moire [mwa:r] *f.* moor *o.*, gewaterde (*of* gevlamde) stof *v.*(*m.*).
moiré [mwa'ré] *adj.* (*v. stof*) gewaterd, gemoireerd.
moirer [mwa'ré] *v.t.* (*v. stof, metaal*) moireren, wateren.
mois [mwa, mwa] *m.* **1** maand *v.*(*m.*); **2** maandloon, maandgeld *o.*; ***six* —,** een half jaar; ***trois* —,** een kwartaal; ***le* — *de Marie*,** de meimaand.
moise [mwa:z] *f.* (*bouwk.*) klamp *m.*, karbeel *m.*
Moïse [mòi:z] *m.* **1** Mozes *m.*; **2** ***m*—,** wiegemandje *o.*
moiser [mwa'zé] *v.t.*, (*bouwk.*) met karbelen vastmaken.
moisi [mwazi] **I** *adj.* beschimmeld; **II** *s. m.* schimmel *m.*; ***sentir le* —,** muf rieken.
moïsiaque [mòizyak] *adj.* Mozaïsch.
moisir [mwazi:r] **I** *v.i. et v.pr.* ***se* —, 1** beschimmelen; **2** (*fig.*) ergens lang blijven; **3** een planteleven leiden, versuffen; **II** *v.t.* doen beschimmelen.
moisissure [mwazisü:r] *f.* **1** schimmel *m.*; **2** schimmelvorming *v.*
moissine [mwasin] *f.* bebladerde wijngaardrank *v.*(*m.*) met druiventros.
moisson [mwasõ] *f.* **1** oogst *m.*; **2** oogsttijd *m.*; ***faire la* —,** oogsten.
moissonnage [mwasòna:j] *m.* (het) maaien *o.*
moissonner [mwasòné] *v.t.* **1** oogsten; **2** (*fig.*) oogsten, inoogsten; **3** wegmaaien.
moissonneur [mwasònœ:r] *m.* (koren)maaier *m.*
moissonneuse [mwasònö:z] *f.* maaimachine *v.*
moissonneuse*-batteuse* [mwasònö:zbatö:z] *f.* maaidorser *m.*, gecombineerde maai- en dorsmachine, combine *v.*
moissonneuse*-lieuse* [mwasònö:zliö:z] *f.* maaibinder *m.*, maaimachine *v.* die tevens tot schoven bindt.
moite [mwat] *adj.* klam, vochtig.
moiteur [mwatœ:r] *f.* klamheid, vochtigheid *v.*
moitié [mwatyé] *f.* **1** helft *v.*(*m.*); **2** wederhelft *v.*(*m.*); ***à* —,** half; voor de helft; ***à* — *prix*,** voor de halve prijs; **— *figue*, — *raisin*,** half scherts, half ernst; niet goed en niet slecht; ***couper par* —,** in tweeën delen, middendoor delen; ***la* — *du temps*,** meestal, meestentijds.
moitir [mwati:r] *v.t.* klam maken, bevochtigen.
moka [mòka] *m.* mokkakoffie *m.*
mol, *voir* ***mou.***
molaire [mòlè:r] *adj. et s. f.*, **(*dent* —),** maaltand *m.*, kies *v.*(*m.*).
molasse [mòlas] *f.* kalkzandsteen *o. en m.*
Moldavie [mòldavi] *f.* Moldavië *o.*
môle [mo:l] *m.* havenhoofd *o.*, havendam *m.*
moléculaire [mòléküle:r] *adj.* moleculair, de moleculen betreffend.
molécule [mòléküll] *f.* molecule *v.*(*m.*) *en o.*
Molenbeek-Saint-Jean Sint-Jans-Molenbeek *o.*
molène [mòlè'n] *f.* (*Pl.*) koningskaars, toorts *v.*(*m.*), wolkruid *o.*
moleskine, molesquine [mòlèskin] *f.* **1** soort voeringstof *v.*(*m.*); **2** imitatieleer *o.*; leerdoek *o.*
molestation [mòlèsta'syõ] *f.* overlast, hinder *m.*, letsel *o.*
molester [mòlèsté] *v.t.* overlast aandoen, hinderen, molesteren.
molette [mòlèt] *f.* **1** (*v. schilder*) wrijfsteen *m.*, wrijfkolf *v.*(*m.*); **2** kartelrad *o.*; **3** (*v. spoor, boormachine, enz.*) radertje *o.*
molièresque [mòlyérèsk] *adj.* Molière betreffende als van Molière.
moliérist [mòlyérist] *m.* Molièrekenner *m.*
molinisme [mòlinizm] *m.* leer *v.*(*m.*) van Molina over genade en vrije wil.
mollasse [mòlas] *adj.* **1** slap, week; wekelijk; **2** paffig; **3** (*fig.*) futloos.
mollasson [mòlasõ] *adj.* zeer slap, apathisch.
molle, *voir* ***mou.***
mollement [mòlmã] *adv.* **1** slap; **2** (*liggen*) (lekker) zacht; **3** (*opvoeden*) week, wekelijk.
mollesse [mòlès] *f.* **1** slapheid *v.*; **2** zachtheid *v.*; **3** weekheid *v.*; **4** verwijfdheid *v.*
mollet [mòlè] **I** *adj.* zacht; week; ***œuf* —,** zacht ei *o.*; **II** *s., m.* kuit *v.*(*m.*).
molletière [mòltyè:r] *f.* beenwindsel *o.*, puttee *m.*
molleton [mòltõ] *m.* molton *o.* (*stof*).
molletonné [mòltòné] *adj.* moltonnen.
mollification [mòlifika'syõ] *f.* verzachting *v.*
mollifier [mòlifyé] *v.t.* **1** verzachten; **2** verdunnen, vloeibaar maken.
mollir [mòli:r] *v.i.* **1** week worden; **2** (*v. weerstand, ijver, enz.*) verslappen; **3** (*v. wind*) gaan liggen.
mollusque [mòlüsk] *m.* weekdier *o.*
molosse [mòlòs] *m.* grote waakhond *m.*
Moluques [mòlük] *f.pl.* Molukken *mv.*
molve [mòlv] *f.* (*Dk.*) leng *m.*
molybdène [mòlibdèn] *m.* molybdeen *o.*
môme [mo:m] **I** *m.* (*pop.*) jongen *m.*, joch *o.*; **II** *f.* meisje *o.*, meid *v.*
moment [mòmã] *m.* ogenblik, moment *o.*; ***dans un* —,** zo meteen, dadelijk; ***en ce* —,** op dit ogenblik, nu; ***à ce* —,** op dat ogenblik, toen, dan; ***par* —*s*,** nu en dan, bij tussenpozen; ***au dernier* —,** op het nippertje; ***un* — !** wacht even ! een ogenblik ! ***à tout* —,** ieder ogenblik, onophoudelijk; ***il peut venir d'un* — *à l'autre*,** hij kan ieder ogenblik komen; ***du* — *que*, 1** zodra; **2** daar, daar immers.
momentané(ment) [mòmã'tané(mã)] *adj.* (*adv.*) **1** kortstondig; **2** ogenblikkelijk.
momerie [mo'mri] *f.* **1** veinzerij, kwezelarij *v.*; **2** dwaze vertoning, potsenmakerij *v.*
momie [mo'mi] *f.* **1** mummie *v.*; **2** (*fam.*) houten Klaas *m.*
momification [mo'mifika'syõ] *f.* **1** verandering *v.* in een mummie; **2** (*fig.*) verstijving *v.*
momifier [mo'mifyé] *v.t.* **1** tot een mummie maken; **2** (*fig.*) verstijven.
mon [mõ] *pron.poss.* mijn, mijne.
monacal [mònakal] *adj.* monniken—; ***vie* —*e*,** monnikenleven *o.*
monacalement [mònakalmã] *adv.* als een monnik; ***vivre* —,** als een monnik leven.
monachisme [mònaʃizm] *m.* monnikenwezen *o.*
monade [mòna'd] *f.* monade *v.*, enkelvoudig wezen *o.*
monadelphe [mònadèlf] *adj.* (*Pl.*) eenbroederig.
monarchie [mònarʃi] *f.* monarchie, eenhoofdige regering *v.*
monarchique(ment) [mònarʃik(mã)] *adj.* (*adv.*) monarchaal, eenhoofdig.
monarchiste [mònarʃist] **I** *m.* voorstander van een eenhoofdige regeringsvorm, monarchist *m.*; **II** *adj.* monarchistisch.
monarque [mònark] *m.* vorst *m.*; monarch, alleenheerser *m.*
monastère [mònastè:r] *m.* klooster *o.*

monastique [mònastik] *adj.* kloosterachtig, klooster—; ***vie —,*** kloosterleven *o.*
monaut [mòno] *adj.* (*v. hond*) eenorig.
monceau [mõ'so] *m.* hoop, stapel *m.*
mondain [mõ'dẽ] **I** *adj.* **1** wereldlijk; **2** werelds, van de wereld; **3** elegant; **II** *s. m.* werelds mens, wereldling *m.*
mondaniser [mõ'dani'zé] *v.t.* werelds maken.
mondanité [mõ'danité] *f.* **1** wereldsgezindheid *v.*; **2** wereldse ijdelheid *v.*
monde [mõ:d] *m.* **1** wereld *v.*(*m.*); **2** (de) mensen *mv.*; ***beaucoup de —,*** veel volk; ***tout le —,*** iedereen; ***le petit —,*** de kleine luiden, de burgerlui; ***le — savant,*** de geleerden; ***le — chrétien,*** de christenen, de christenwereld; ***courir le —,*** veel reizen; ***le mieux du —,*** allerbest; ***avoir du —,*** **1** zich weten te bewegen, zijn wereld kennen; **2** mensen op bezoek hebben; ***aller dans le —,*** uitgaan, in de wereld komen; ***avoir une figure de l'autre —,*** er uitzien als de dood van Ieperen; ***il a des idées de l'autre —,*** hij heeft van die verouderde denkbeelden; — denkbeelden van 't jaar nul; ***pas le moins du —,*** in het minst niet; ***il n'est pas de notre —,*** hij is niet van onze stand; ***le — paie d'ingratitude,*** ondank is 's werelds loon.
mondé [mõ'dé] *adj.* gepeld.
monder [mõ'dé] *v.t.* **1** pellen, schillen; **2** schoonmaken.
mondeuse [mõ'dö:z] *f.* pelmachine *v.*
mondial [mõ'dyal] *adj.* wereld—.
mondification [mõ'difika'syõ] *f.* (*gen.*: *v. wond, enz.*) reiniging *v.*
mondifier [mõ'difyé] *v.t.*, (*gen.*) reinigen, zuiveren.
Monégasque [mònégask] **I** *s. m.* bewoner *m.* van Monaco; **II** *adj.*, ***m—,*** van Monaco.
monétaire [mònétè:r] *adj.* munt—, geld—; ***système —,*** muntstelsel *o.*; ***crise —,*** geldcrisis *v.*
monétisation [mònétiza'syõ] *f.* **1** (het) munten *o.*; **2** aanmunting *v.*
monétiser [mònéti'zé] *v.t.* munten; aanmunten.
Mongol [mõ'gòl] **I** *m.* Mongool *m.*; **II** *adj.*, ***m—,*** Mongools.
Mongolie [mõ'gòli] *f.* Mongolië *o.*; ***— extérieure,*** Buiten-Mongolië.
mongolien [mõ'gòlyẽ] *adj.* Mongools.
mongolique [mõ'gòlik] *adj.* Mongools.
monial [mònyal] *m.* kloosterling *m.*
moniale [mònyal] *f.* kloosterlinge *v.*
Monique [mònik] *f.* Monica *v.*
moniteur [mònitœ:r] *m.* **1** raadgever *m.*; **2** (*gymn.*) voorwerker, voorturner *m.*; **3** (*mil.*) hulpinstructeur *m.*; **4** (*bij hoogleraar*) eerste assistent *m.*; **5** (*Z.N.*) staatscourant *v.*(*m.*), staatsblad *o.*
monition [mònisyõ] *f.* (*kath.*) waarschuwing *v.*
monitoire [mònitwa:r] *m.* (*adj.*: ***lettre —***) (*kath.*) vermaningsbrief *m.*
monitor [mònitò:r] *m.* (*sch.*) monitor *m.*
monitorial [mònitòryal] *adj.* ***lettre —e,*** (kerkelijke) vermaningsbrief *m.*
monitrice [mònitris] *f.* voorwerkster; leidster *v.*
monnaie [mònè] *f.* **1** munt *v.*(*m.*); **2** geld *o.*; **3** kleingeld *o.*; ***la M—,*** de Munt (*gebouw*); ***— divisionnaire,*** pasmunt; ***— blanche,*** zilvergeld; ***— de compte, — imaginaire,*** rekenmunt *v.*(*m.*); ***— fiduciaire,*** papiergeld; ***— légale,*** wettig betaalmiddel *o.*; ***— courante,*** gangbare munt; (*fig.*) iets alledaags; ***— d'appoint,*** pasmunt; ***— étalon,*** standaardmunt; ***rendre à qn. la — de sa pièce,*** iem. met gelijke munt betalen; ***payer en — de singe,*** met praatjes afschepen, naar zijn geld laten fluiten.
monnaie-du-pape [mònèdüpap] *f.* (*pop.*) judaspenning *m.*
monnayage [mònèya:j] *m.* (het) munten *o.*, aanmunting *v.*
monnayer [mònèyé] *v.t.* munten; aanmunten.
monnayeur [mònèyœ:r] *m.* munter *m.*; ***faux —,*** valsmunter *m.*
monobloc [mònòblòk] *adj.* uit één stuk.
monocellulaire [mònòsèlülè:r] *adj.* ééncellig.
monocéphale [mònòséfal] *adj.* éénhoofdig.
monochrome [mònòkròm] *adj.* éénkleurig.
monochromie [mònòkròmi] *f.* éénkleurigheid *v.*
monocle [mònòkl] *m.* monocle *m.*, ooglas *o.*
monocorde [mònòkòrd] *m.* (*muz.*) eensnarig speeltuig *o.*
monocotylédone [mònòkòtilédòn] **I** *adj.* éénzaadlobbig; **II** *s. f.* éénzaadlobbige plant *v.*(*m.*).
monocycle [mònòsikl] *m.* éénwieler *m.*
monodonte [mònòdõ:t] *adj.* eentandig.
monogame [mònògam] *adj.* slechts met één vrouw gehuwd.
monogamie [mònògami] *f.* huwelijk *o.* met één vrouw.
monogamique [mònògamik] *adj.* monogaam.
monogramme [mònògram] *m.* monogram, naamcijfer *o.*
monographie [mònògrafi] *f.* verhandeling over één speciaal onderwerp, monografie *v.*
monogyne [mònòjin] *adj.* (*Pl.*) eenstijlig.
monoïque [mònòik] *adj.* (*Pl.*) éénhuizig.
monolithe [mònòlit] **I** *adj.* monolitisch, uit één steen gevormd; **II** *s. m.* monoliet *m.*, gedenkteken *o.* uit één steen gevormd.
monologue [mònòlò'g] *m.* monoloog *m.*, alleenspraak *v.*(*m.*).
monologuer [mònòlògé] *v.i.* een alleenspraak houden.
monomane [mònòman] *adj.* gek op één punt, monomaan.
monomanie [mònòmani] *f.* krankzinnigheid *v.* op één punt.
monôme [mòno'm] *m.* **1** éénterm *m.*; **2** (*fam.*) studentenoptocht *m.*
monométallisme [mònòmétalizm] *m.* stelsel *o.* van de enkele standaard.
monométalliste [mònòmétalist] *m.* voorstander *m.* van de enkele standaard.
monomètre [mònòmè'tr] *adj.* in één versmaat geschreven.
monomoteur [mònòmòtœ:r] *adj.* eenmotorig.
monopétale [mònòpétal] *adj.* (*Pl.*) met één bloemblad, éénbladig.
monophylle [mònòfil] *adj.* (*Pl.*) eenbladig.
monoplace [mònòplas] **I** *adj.* éénzits—, éénpersoons—; **II** *s.*, *m.* eenpersoonsauto *m.*, eenzitsvliegtuig *o.*
monoplan [mònòplã] *m.*, (*vl.*) ééndekker *m.*
monopole [mònòpòl] *m.* monopolie, alléénrecht *o.*; alléénverkoop, alléénhandel *m.*; ***avoir le — de la vertu,*** de deugd in pacht hebben.
monopolisation [mònòpòliza'syõ] *f.* monopolievorming, trustvorming *v.*
monopoliser [mònòpòli'zé] *v.t.* **1** monopoliseren, tot een monopolie maken; **2** alleen verkopen.
monoptère [mònòptè:r] *adj.* **1** (*v. tempel*) met één rij zuilen; **2** (*Dk.*) eenvinnig; eenvleugelig.
monorail [mònòra'y] *m.* spoorweg *m.* met één rail.
monorime [mònòrim] *adj.* met één rijm.
monosépale [mònòsépal] *adj.* met één kelkblad.
monosperme [mònòspèrm] *adj.* (*Pl.*) eenzadig.
monostique [mònòstik] *m.* eenregelig opschrift *o.*
monosyllabe [mònòsil(l)a'b] *m.* éénlettergrepig woord *o.*
monosyllabique [mònòsil(l)abik] *adj.* éénlettergrepig.
monothéisme [mònòtéizm] *m.* monotheïsme *o.*
monothéiste [mònòtéist] *m.* monotheïst *m.*
monotone [mònòtòn] *adj.* eentonig, saai.
monotonie [mònòtòni] *f.* eentonigheid *v.*

monotype [mònòtip] *f.* **1** zetmachine *v.* met losse letters; **2** (*sp.*) eenheidsklasse *v.*
monovalent [mònòvalã] *adj.* (*scheik.*) éénwaardig.
monoxyle [mònòksil] *adj.* uit één stuk hout.
Mons [mõ:s] *m.* Bergen *o.* (België).
monseigneur [mõ˙sèñœ:r] *m.* (*pl.*: ***messeigneurs***) monseigneur *m.*; Hoogedelgeboren Heer, Hoogheid; ***nosseigneurs les évêques,*** hunne hoogwaardigheden de bisschoppen.
monsieur [m(e)syö] *m.* (*pl.*: ***messieurs***), **1** mijnheer *m.*; **2** heer *m.*; ***— votre père,*** uw vader; ***faire le —,*** gewichtig doen. [en *v.*
monstrance [mõ˙strã:s] *f.* (*kath.*) monstrans *m.*
monstre [mõ:str] **I** *m.* monster, gedrocht *o.*; **II** *adj.* reusachtig, reuzen—.
monstreux [mõ˙strüö] *adj.* **monstrueusement** [mõ˙strüö˙zmã] *adv.* **1** monsterachtig; gedrochtelijk; **2** buitensporig, verbazend groot.
monstruosité [mõ˙strüo˙zité] *f.* **1** monsterachtigheid, gedrochtelijkheid *v.*; **2** afschuwelijkheid *v.*
mont [mõ] *m.* berg *m.*; ***le — Blanc,*** de Mont Blanc *m.*; ***le — Etna,*** de Etna *m.*; ***les —s Ourals,*** het Oeralgebergte *o.*; ***par —s et par vaux,*** langs bergen en dalen, naar alle kanten, overal; ***promettre —s et merveilles,*** gouden bergen beloven.
montage [mõ˙ta:j] *m.* **1** (*tn.*: *v. machine, enz.*) (het) in elkaar zetten, (het) ineenzetten, (het) monteren *o.*; **2** (*el.*) (het) schakelen *o.*; **3** (*v. edelgesteenten*) (het) zetten, (het) kassen *o.*; **4** (*v. breiwerk; tent*) (het) opzetten *o.*; **5** (*v. platen, enz.*) (het) opplakken, (het) inlijsten *o.*; **6** (het) ophalen, (het) naar boven brengen *o.*
montagnard [mõ˙taña˙r] **I** *m.* **1** bergbewoner *m.*; **2** lid *o.* van de Bergpartij (in de Nat. Conventie); ***— écossais,*** Hooglander *m.*; **II** *adj.* van de bergen, berg—; ***population —e,*** bergbevolking *v.*
montagne [mõ˙tãñ] *f.* berg *m.*; gebergte *o.*; ***la M—,*** de Bergpartij (in de Nat. Conventie); ***chaîne de —s,*** bergketen *v.(m.)*; ***—s russes,*** roetsjbaan *v.(m.)*; ***pas de — sans vallée,*** alles heeft zijn voor en tegen.
montagneux [mõ˙tañö] *adj.* bergachtig.
Montaigu [mõ˙tègü] *m.* Scherpenheuvel *o.*
montalbanais [mõ˙talbanè] *adj.* uit Montauban.
montant [mõ˙tã] **I** *adj.* **1** opgaand, stijgend; **2** opkomend; ***garde —e,*** (*mil.*) opkomende wacht *v.(m.)*; ***marée —e,*** wassend tij *o.*; ***robe —e,*** hoge, tot boven dichte japon *m.*; ***gamme —e,*** (*muz.*) opgaande gamma *v.(m.) en o.*; **II** *s. m.* **1** (*v. vliegt., deur, enz.*) stijl *m.*; **2** (*v. ladder*) boom *m.*; **3** (*v. rekening*) bedrag *o.*; **4** (*v. wijn, saus, enz.*) pikante geur (smaak) *m.*; **5** (*v. vloed*) (het) stijgen *o.*
mont*-de-piété [mõ˙tpyété] *m.* bank *v.(m.)* van lening, lommerd *m.*
monte [mõ:t] *f.* **1** (manier *v.(m.)* van) het te paard stijgen *o.*; **2** (*v. dieren*) dekking *v.*
monté [mõ˙té] *adj.* **1** opgewonden; **2** (*v. politie, mil.*) bereden; **3** (*v. vogel*) opgezet; **4** (*tn.*: *v. machine*) ineengezet, gemonteerd; **5** (*v. schotel*) opgemaakt; **6** (*v. ballon*) bemand; **7** (*v. huishouden*) (volledig) ingericht; ***un coup —,*** afgesproken werk, een doorgestoken kaart; ***— en couleur,*** hoog gekleurd; ***être bien —,*** goed op 't paard zitten. [lift *m.*
monte-bagages [mõ˙tbaga:j] *m.* reisgoederen-
monte-charge [mõ˙tʃarj] *m.* **1** (*tn.*) hijstoestel *o.*; **2** goederenlift *m.*
montée [mõ˙té] *f.* **1** (het) stijgen, (het) klimmen *o.*; **2** (het) bestijgen (*of* beklimmen) *o.*; **3** (*v. rivier*) (het) wassen *o.*; **4** opgaande (*of* steile) weg *m.*; stijgend terrein *o.*; **5** trapje *o.*; ***c'est toute une —,*** dat is een hele klim.
Monténégrin [mõ˙ténégrẽ] **I** *m.* Montenegrijn *m.*; **II** *adj.*, ***m—,*** Montenegrijns.
monte-pente [mõ˙tpã:t] *m.* skilift *m.*
monte-plats [mõ˙tpla] *m.*, (*in hotel, enz.*) bordenlift *m.*
monter [mõ˙té] **I** *v.i.* **1** stijgen, rijzen; **2** opstijgen; **3** (*in huis, enz.*) naar boven gaan; **4** (*v. mist*) optrekken; **5** (*v. koopwaren*) opslaan, duurder worden; **6** (*v. som*) bedragen, belopen; **7** (*mil.*) naar de vuurlinie gaan, de loopgraven betrekken; **8** (*v. plant, enz.*) opschieten; **9** (*fig.*) opklimmen, in rang stijgen; ***— à bicyclette,*** fietsen, fietsrijden; ***— à cheval,*** **1** paardrijden; **2** te paard stijgen; ***— en graine,*** (*v. plant*) doorschieten; ***— en voiture,*** instappen; ***— sur ses ergots,*** opstuiven, op zijn achterste benen gaan staan; **II** *v.t.* **1** beklimmen, bestijgen; **2** naar boven brengen; optrekken, ophijsen; **3** (*v. paard*) berijden; **4** (*tn.*) ineenzetten, stellen, monteren; **5** (*v. huis*) inrichten; **6** (*v. edelgesteenten*) zetten; **7** (*el.*) schakelen; **8** (*v. klok*) opwinden; **9** (*v. plaat, enz.*) inlijsten, in een lijst zetten; **10** (*v. kleur*) ophalen; **11** (*v. petroleumlamp*) hoger draaien; **12** (*v. schilderij, enz.*) hoger hangen; **13** (*fig.*: *v. streek, komplot, enz.*) op touw zetten; ***— un coup à qn.,*** iem. een poets bakken; ***— la garde,*** (*mil.*) de wacht betrekken; ***— une batterie,*** een batterij van kanonnen voorzien; ***— qn., — la tête à qn.,*** iem. ophitsen; **III** *v.pr.*, ***se —,*** **1** (*v. hoogte*) bestegen (kunnen) worden; **2** (*v. paard*) bereden kunnen worden, zich laten berijden; **3** zich een paard aanschaffen; **4** zich inrichten; **5** (*fig.*) zich opwinden; ***se — à,*** bedragen, belopen.
monte-sac [mõ˙tsak] *m.* zakkenlift *m.*
monteur [mõ˙tœ:r] *m.* **1** (*tn.*) monteur *m.*; **2** (*v. edelgesteenten*) zetter *m.*
montgolfière [mõ˙gòlfyè:r] *f.* luchtballon *m.* (gevuld met verwarmde lucht).
monticole [mõ˙tikòl] *adj.* groeiend of levend op bergen.
monticule [mõ˙tikül] *f.* bergje *o.*, heuvel *m.*
mont*-joie [mõ˙jwa] *m.* **1** steenhoop *m.* als gedenkteken of wegwijzer; **2** oude Franse oorlogskreet.
montmartrois [mõ˙martrwa] *adj.* uit Montmartre.
montoir [mõ˙twa:r] *m.* voor het te paard stijgen dienende steen *m.* of blok hout; ***côté du —,*** linkerzijde (v. het paard).
montrable [mõ˙tra˙bl] *adj.* toonbaar.
montre [mõ:tr] *f.* **1** horloge *o.*; **2** uitstalling *v.*; uitstalkast *v.(m.)*; **3** uitgestalde waren *mv.*; **4** monster, staal *o.*; **5** vertoon *o.*; **6** (*mil.*) parade, wapenschouwing *v.*; ***faire — de,*** ten toon spreiden; pronken met; ***mettre en —,*** uitstallen; ***pour la —,*** voor het oog.
montre*-bracelet* [mõ:trbraslè] *f.* armbandhorloge, polshorloge *o.*
montrer [mõ˙tré] **I** *v.t.* **1** tonen, laten zien; vertonen; **2** wijzen, aanwijzen; aantonen; **3** bewijzen; **4** betonen, aan de dag leggen; ***— le dos,*** aan de haal gaan; ***— les dents,*** de tanden laten zien, dreigend optreden; ***— la corde,*** tot op de draad versleten zijn; ***— son nez quelque part,*** zich ergens even vertonen; **II** *v.pr.*, ***se —,*** **1** zich vertonen, zich laten zien; **2** vertoond worden.
montreur [mõ˙trœ:r] *m.* (*op kermis*) vertoner *m.*; ***— d'ours,*** bereleider *m.*
Mont-Saint-Amand [mõ˙sẽ˙tamã] Sint-Amandsberg.
montueux [mõ˙twö] *adj.* bergachtig.
montuosité [mõ˙two˙zité] *f.* bergachtigheid *v.*
monture [mõ˙tü:r] *f.* **1** rijdier, rijpaard *o.*; **2** (*v.*

steen, bril, enz.) invatting *v.*, montuur *o. en v.*; **3** (*tn.*) (het) in elkaar zetten, (het) monteren *o.*; **4** (*v. zaag*) raam *o.*

monument [mònümã] *m.* **1** gedenkteken *o.*; **2** (groot) openbaar gebouw *o.*; **3** (*fig.*) blijvend gewrocht *o.*; **4** (*fam.*) kolossus *m.*; ***— funéraire,*** grafteken *o.*, graftombe *v.*(*m.*).

monumental [mònümã'tal] *adj.* **1** als gedenkteken opgericht; **2** groots, monumentaal.

moque [mòk] *f.* maatje *o.*; mok *v.*(*m.*).

moquer [mòké] **I** *v.t.* bespotten, de spot drijven met; **II** *v.pr.* ***se —,*** **1** spotten (met), uitlachen; voor de gek houden; **2** schertsen, spotten; **3** niets geven om, geen zier geven om; ***je m'en moque comme de l'an quarante,*** ik geef er geen steek om.

moquerie [mòkri] *f.* spotternij *v.*, spot *m.*

moquette [mòkèt] *f.* trijp; mokfluweel *o.*

moqueur [mòkœ:r] **I** *adj.* spottend; **II** *s.*, *m.* **1** spotter, spotvogel *m.*; **2** (*Dk.*) spotvogel *m.*

morailles [mòra'y] *f.pl.* neusknijper *m.* (v. paard).

moraillon [mòra'yõ] *m.* (*v. kist, koffer*) sluithengsel *o.*

moraine [mòrè:n] *f.* gruiswal, steenhoop *m.* aan de voet van gletsjers.

moral [mòral] **I** *adj.* **1** zedelijk, moreel; **2** zedenkundig; **3** zeden—; **II** *s.*, *m.* **1** (het) zedelijke *o.*; **2** (*mil.*) moreel *o.*; **3** geestkracht *v.*(*m.*); moed *m.*; ***relever le —,*** de moed doen herleven.

morale [mòral] *f.* **1** moraal, zedenleer *v.*(*m.*); **2** zedelijkheid *v.*, zedelijk gedrag *o.*; **3** (*v. fabel, enz.*) zedenles *v.*(*m.*); **4** zedenpreek *v.*(*m.*); ***faire la — à qn.,*** iem. de les lezen.

moralisateur [mòralizatœ:r] *adj.* de zedelijkheid bevorderend, moraliserend.

moralisation [mòraliza'syõ] *f.* verzedelijking, zedelijke verbetering *v.*

moraliser [mòrali'zé] **I** *v.i.* zedenkundige bespiegelingen houden; zedenpreken houden; **II** *v.t.* **1** verzedelijken, zedelijk verbeteren; **2** de les lezen, berispen.

moraliseur [mòralizœ:r] *m.* zedenpreker *m.*

moraliste [mòralist] *m.* **1** moralist, zedenmeester, zedenleraar *m.*; **2** (*fam.*) zedenpreker *m.*

moralité [mòralité] *f.* **1** zedelijkheid *v.*; **2** zedelijk gedrag *o.*; **3** (*v. fabel, enz.*) moraal, zedenles *v.*(*m.*); **4** (*gesch.*) moraliteit *v.*, spel van zinnen, abel spel *o.*

morasse [mòras] *f.* (laatste) drukproef *v.*(*m.*) van een krant.

Morat [mòra] *m.* Murten *o.* (*in Zwitserland*).

moratoire [mòratwa:r] **I** *adj.* een uitstel betreffend; **II** *s. m.* moratorium *o.*

moratorium [mòratòryòm] *m.* **1** moratorium, uitstel *o.* van betaling; **2** wet *v.*(*m.*) die uitstel van betaling toestaat.

morave [mòra:v] *adj.* Moravisch; ***frères —s,*** Hernhutters *mv.*

morbide [mòrbi'd] *adj.* **1** ziekelijk; ziekte—; **2** (*kunst*) mollig, week; ***symptôme —,*** ziekteverschijnsel *o.*

morbidesse [mòrbidès] *f.* molligheid, slapheid *v.*

morbidité [mòrbidité] *f.* **1** ziekelijkheid *v.*, ziektetoestand *m.*; **2** ziektecijfer *o.*

morbifique [mòrbifik] *adj.* ziekte veroorzakend.

morbilleux [mòrbiyö] *adj.* de mazelen betreffend.

morbleu! [mòrblö] *ij.* verduiveld!

morceau [mòrso] *m.* stuk *o.*; brok *m. en v.*, *of o.*; ***—x choisis,*** bloemlezing *v.*; ***— de poésie,*** gedicht, dichtstuk; ***— de musique,*** muziekstuk; ***un — friand,*** een lekker hapje *o.*; ***mettre en menus —x,*** **1** fijnsnijden; **2** stukgooien, stukwerpen; ***c'est un gros —,*** **1** dat is zwaar werk, dat is 'n hele kluif; **2** dat is een hoge ome; ***aimer les bons —x,*** van lekker eten en drinken houden; ***gober le —,*** toebijten; ***rogner les —x à qn.,*** iem. beknibbelen (*winst, inkomen, enz.*); ***emporter le —,*** **1** flink happen; **2** (*fig.*) iets doen (*of* zeggen) dat inslaat; **3** scherp zijn, geen blad voor de mond nemen.

morceler* [mòrslé] *v.t.* verbrokkelen.

morcellement [mòrsèlmã] *m.* verbrokkeling, versnippering *v.*

mordache [mòrdaʃ] *f.* (houten) klemhaak *m.*

mordacité [mòrdasité] *f.* **1** bijtende kracht *v.*(*m.*), invretend vermogen *o.*; **2** (*fig.*) bitsheid *v.*

mordançage [mòrdã'sa:j] *m.* (het) beitsen *o.*

mordancer [mòrdã'sé] *v.t.* beitsen.

mordant [mòrdã] **I** *adj.* **1** bijtend, scherp; **2** invretend; **3** (*v. stem*) scherp, doordringend; **II** *s.*, *m.* **1** bijtmiddel; beitsmiddel *o.*; **2** (*tn.*) klemhaak *m.*; **3** (korte) nijptang *v.*(*m.*); **4** (*v. spot, enz.*) (het) bijtende, (het) scherpe *o.*; **5** (*v. uitdrukking*) raakheid *v.*; ***avoir du —,*** scherp, stekelig zijn.

mordicant [mòrdikã] *adj.* **1** scherp, bijtend; **2** (*fig.*) vinnig, bits.

mordicus [mòrdiküs] *adv.* stokstijf, bij kris en bij kras.

mordienne! [mòrdyèn] *ij.* wel verduiveld!

mordillage [mòrdiya:j] *m.* geknabbel *o.*

mordiller [mòrdiyé] *v.t.* knabbelen op.

mordoré [mòrdòré] *adj.* goudbruin.

mordorer [mòrdòré] *v.t.* goudbruin kleuren.

mordorure [mòrdòrü:r] *f.* goudbruine kleur *v.*(*m.*).

mordre [mòrdr] **I** *v.t.* **1** bijten; **2** (*v. insekt*) steken; **3** (*v. zuren*) inbijten; **4** (*tn.*: *v. kamrad, tang, enz.*) grijpen; **5** (*fig.*) hekelen, scherp gispen; ***se — les doigts,*** berouw hebben; ***— la poussière,*** in 't stof bijten (sneuvelen); ***— à belles dents,*** flink happen (in); **II** *v.i.* **1** bijten; **2** (*fig.*) smaak krijgen in; **3** (*v. anker*) pakken; ***ça ne mord pas,*** **1** de vis wil niet bijten; **2** dat pakt niet, daarmee vangt men mij niet; ***— à l'hameçon,*** toehappen.

mordu [mòrdü] *m.* (*pop.*) fan *m.*

More, *voir* ***Maure.***

moreau [mòro] *adj.* glimmend zwart.

Morée [mòré] *f.* Morea *o.*

morelle [mòrèl] *f.* (*Pl.*) nachtschade *v.*(*m.*).

moresque *adj.*, *voir* ***mauresque.***

morfil [mòrfil] *m.* (*v. mes*) draad *m.*, braam *v.*(*m.*).

morfondre [mòrfõ:dr] **I** *v.t.* doen verkleumen, koud maken; **II** *v.pr.* ***se —,*** **1** verkleumen, koud worden; **2** lang (vergeefs) wachten; **3** verteren (van ongeduld).

morfondu [mòrfõ'dü] *adj.* **1** verkleumd; **2** droezig.

morfondure [mòrfõ'dü:r] *f.* droes *m.* (v. paard).

morganatique [mòrganatik] *adj.* morganatisch.

morgeline [mòrjelin] *f.* (*Pl.*) vogelkruid *o.*

morgue [mòrg] *f.* **1** verwaandheid, laatdunkendheid *v.*; **2** lijkenhuis *o.*

moribond [mòribõ] **I** *adj.* zieltogend, stervend; **II** *s. m.* stervende, zieltogende *m.*

moricaud [mòriko] **I** *adj.* donkerbruin; **II** *s.*, *m.* nikker, neger *m.*

morigéner [mòrijéné] *v.t.* de les lezen.

morille [mòri'y] *f.* (*Pl.*) morille *v.*(*m.*) (eetbare paddestoel).

morillon [mòriyõ] *m.* **1** (*Dk.*) kuifeend *v.*(*m.*); **2** zwartrode druif *v.*(*m.*).

morio [mòryo] *m.* (*Dk.*) koningsmantel *m.*

morion [mòryõ] *m.* (*gesch.*) stormhoed *m.*

mormon [mòrmõ] **I** *m.* mormoon *m.*; **II** *adj.* mormoons.

morne [mòrn] *adj.* **1** (*v. persoon, kleur*) somber; **2** (*v. landschap, enz.*) doods.

mornifle [mòrnifl] *f.* oorvijg, muilpeer *v.*(*m.*).

morose [mòro:z] *adj.* gemelijk, verdrietig, mistroostig, zwaarmoedig, somber.
morosité [mòro'zité] *f.* gemelijkheid, enz.; — *voir morose.*
Morphée [mòrfé] *m.* Morpheus *m.*
morphine [mòrfin] *f.* morfine *v.(m.).*
morphinisme [mòrfinizm] *m.* morfinevergiftiging *v.*
morphinomane [mòrfinòman] *m.* morfinist, aan morfine verslaafd persoon *m.*
morphinomanie [mòrfinòmani] *f.* verslaafdheid *v.* aan morfine.
morphologie [mòrfòlòji] *f.* **1** gedaanteleer *v.(m.)*; **2** (*taalk.*) vormleer, leer *v.(m.)* van de woordvorming.
morphologique [mòrfòlòjik] *adj.* morfologisch, van de woordvorming.
morpion [mòrpyõ] *m.* platluis *v.(m.).*
mors [mò:r] *m.* **1** bit, mondstuk *o.*; **2** (*v. tang, schroef*) bek *m.*; ***prendre le — aux dents,*** **1** op hol slaan; **2** (*fig.*) driftig worden; ***ronger le —,*** zich verbijten (van ergernis, ongeduld).
morse [mòrs] *m.* walrus *m.*, zeekoe *v.(m.).*
morsure [mòrsü:r] *f.* **1** beet *m.*; **2** (*fig.*) felle aanval *m.*; **3** (*v. laster, enz.*) angel *m.*
mort [mò:r] **I** *f.* dood *m. en v.*, overlijden *o.*; — ***apparente,*** schijndood *m. en v.*; ***la — dans l'âme,*** diep terneergeslagen, diep bedroefd; ***mettre à —,*** doden; ***sentence de —,*** doodvonnis *o.*; ***mourir de sa belle —,*** een natuurlijke dood sterven; ***malade à la —,*** dodelijk ziek; ***à son lit de —,*** op zijn sterfbed; ***après la — le médecin,*** als 't kalf verdronken is, dempt men de put; ***être à l'article de la —,*** op sterven liggen; ***la — éternelle,*** de eeuwige verdoemenis; ***travailler à —,*** zich doodwerken; ***— aux mouches,*** vliegenpapier *o.*; ***— aux chiens,*** (*Pl.*) herfsttijloos *v.(m.)*; **II** *m.* **1** dode, overledene *m.*; **2** (*bij kaartsp.*) blinde *m.*; ***faire le —,*** zich dood houden; ***jour des —s,*** (*kath.*) Allerzielen *m.*; **III** *adj.* **1** dood; **2** (*fig.*) doods, uitgestorven; **3** (*v. blaren, takken*) dor, verdord; ***chair —e,*** wild vlees *o.*; ***eau —e,*** stilstaand water *o.*; ***nature —e,*** stilleven *o.*; ***point —,*** dode punt *o.*; ***saison —e,*** slappe tijd; komkommertijd *m.*; ***perle —e,*** doffe parel *v.(m.)*; ***papier —,*** ongezegeld papier *o.*
mortadelle [mòrtadèl] *f.* Italiaanse metworst *v.(m.).*
mortaise [mòrtè:z] *f.* **1** groef, keep *v.(m.)*; **2** (*tn.*) tapgat *o.*; **3** (*in deur*) slotgat *o.*
mortaiser [mòrtè'zé] *v.t.*, (*tn.*) een tapgat maken in.
mortaiseuse [mòrtè'zö:z] *f.* groefmachine; uitsteekmachine *v.*
mortalité [mòrtalité] *f.* **1** sterfelijkheid *v.*; **2** sterfte *v.*; **3** sterftecijfer *o.*
mort-aux-rats [mò:rtora] *f.* rattenkruit *o.*
morte*-eau* [mòrto] *f.* doodtij *o.*
mortel [mòrtèl] **I** *adj.* **1** (*v. lichaam*) sterfelijk; **2** (*v. ziekte, enz.*) dodelijk; ***péché —,*** doodzonde *v. (m.)*; ***ennemi —,*** doodsvijand *m.*; ***haine —le,*** dodelijke haat *m.*; ***dépouille —le,*** stoffelijk overschot *o.*; ***coup —,*** genadeslag, doodsteek *m.*; **II** *s., m.* sterveling *m.*
mortellement [mòrtèlmã] *adv.* dodelijk; ***pécher —,*** een doodzonde bedrijven.
morte*-paie* [mòrtpè'y] *f.* oudgediende *m.*
morte*-saison* [mòrtsè'zõ] *f.* slappe tijd, komkommertijd *m.*
mort*-gage* [mò'rga:j] *m.* dood pand *o.*
mortier [mòrtyé] *m.* **1** mortel *m.*, metselspecie *v.*; **2** kalkput *m.*; **3** vijzel *m.*; **4** (*mil.*) mortier *m.*; **5** (*fig.*) rechtersbaret *v.(m.).*
mortifère [mòrtifè:r] *adj.* dodelijk, de dood veroorzakend.
mortifiant [mòrtifyã] *adj.* **1** vernederend, krenkend, grievend; **2** (*kath.*) versterven d.
mortification [mòrtifika'syõ] *f.* **1** vernedering, krenking *v.*; **2** (*kath.*) versterving *v.*; **3** (*fig.*; *bijb.*) kastijding *v.*; **4** (*v. vlees*) (het) besterven *o.*
mortifier [mòrtifyé] **I** *v.t.* **1** vernederen, grieven; **2** kastijden; **3** laten besterven; **II** *v.pr.*, ***se —,*** **1** zich versterven; **2** zich kastijden; **3** (*gen.*) afsterven.
mort-né* [mò'rné] *adj.* doodgeboren.
mortuaire [mòrtwè:r] *adj.* dood—; lijk—; ***drap —,*** doodskleed, lijkkleed *o.*; ***maison —,*** sterfhuis *o.*; ***service —,*** lijkdienst *m.*; ***registre —,*** dodenregister *o.*
morue [mòrü] *f.* kabeljauw *m.*; ***— sèche,*** stokvis *m.*; ***— salée,*** zoutevis, labberdaan *m.*; ***— longue,*** leng *m.*
morutier [mòrütyé], **moruyer** [mòrüyé] *m.* kabeljauwvisser *m.*
morve [mòrv] *f.* **1** snot *o. en m.*; **2** (*v. paarden*) droes *m.*
morveux [mòrvö] **I** *adj.* **1** snotterig; **2** (*v. paard*) droezig; ***qui se sent — se mouche,*** wie de schoen past, trekke hem aan; **II** *s. m.* snotneus *m.*; ***les — veulent moucher les autres,*** men ziet de splinter in 't oog van een ander, maar niet de balk in zijn eigen oog.
mosaïque [mòzaik] **I** *adj.* Mozaïsch, van Mozes; **II** *s. f.* mozaïek, ingelegd werk *o.*
mosaïsme [mòzaizm] *m.* wet *v.(m.)* van Mozes.
mosaïste [mòzaist] *m.* mozaïekwerker *m.*
Moscou [mòsku] *f.* Moskou *o.*
moscouade [mòskwa'd] *m.* ruwe suiker *m.*
Moscovie [mòskòvi] *f.* Moskovië *v.*
Moscovite [mòskòvit] **I** *m.* Moskoviet *m.*; **II** *adj.* ***m—,*** Moskovietisch.
mosellan [mòzèlã] *adj.* Moezel—.
Moselle [mòzèl] **I** *f.* Moezel *v.*; **II** *m.*, ***m—,*** moezelwijn *m.*
mosette, mozette [mòzèt] *f.* schoudermantel *m.* (van kanunniken).
mosquée [mòské] *f.* moskee *v.*
mot [mo] *m.* **1** woord *o.*; **2** (*v. raadsel*) oplossing *v.*; ***— à —,*** woordelijk; ***bon —,*** kwinkslag *m.*, geestigheid *v.*; ***gros —s,*** scheldwoorden; ***au bas —,*** op zijn minst; ***à —s couverts,*** in bedekte termen; ***se payer de —s,*** zich met praatjes tevreden stellen; ***trancher le —,*** zeggen waar het op staat; ***en un —,*** kortom; ***connaître le fin —,*** het fijne van de zaak weten; ***il n'en sait pas le premier —,*** hij weet er geen jota van; ***dire son —,*** een woordje meespreken; ***qui ne dit —, consent,*** wie zwijgt, stemt toe; ***vous dites le —,*** u slaat de spijker op de kop; ***se donner le —,*** met elkaar afspreken; ***— de ralliement,*** strijdleus *v.(m.)*; ***— d'ordre,*** wachtwoord, parool *o.*; ***le — propre,*** het juiste woord; ***le — de la fin,*** een geestige zet tot besluit; ***je vais lui dire deux —s,*** ik zal het hem eens goed zeggen; ***pour dire le —,*** om het nu maar ronduit te zeggen; ***traîner ses —s,*** slepend spreken; ***se prendre au —,*** doen wat men zich voorneemt.
motet [mòtè] *m.* motet, kort kerkelijk zangstuk *o.*
moteur [mòtœ:r] **I** *m.* **1** beweegkracht, drijfkracht *v.(m.)*; **2** motor *m.*; **3** (*v. persoon*) aanlegger, bewerker *m.*; ***— électrique,*** elektromotor *m.*; ***— générateur,*** dynamomotor *m.*; **II** *adj.* bewegend; ***force motrice,*** beweegkracht *v.(m.)*; ***roue motrice,*** drijfrad, drijfwiel *o.*; ***nerf —,*** bewegingszenuw *v.(m.).*
moteur*-fusée* [mòtœ:rfüsé] *m.* raketmotor *m.*
motif [mòtif] *m.* **1** beweegreden, drijfveer *v.(m.)*, grond *m.*; **2** (*kunst*) motief *o.*; **3** (*muz.*) gedeelte *o.* van een muzikale zin.
motilité [mòtilité] *f.* beweeglijkheid *v.*

motion [mòsyõ] *f.* **1** beweging *v.*; **2** voorstel *o.*, motie *v.*; **— *d'ordre,*** motie van orde.
motiver [mòtivé] *v.t.* **1** met redenen omkleden, motiveren; **2** (*v. maatregel*) rechtvaardigen; ***un arrêt motivé,*** een met redenen omkleed vonnis.
moto [mòto] *f. voir* ***motocycle.***
motocanot [mòtòkano] *m.* motorboot *m. en v.*
motoculture [mòtòkültü:r] *f.* akkerbouw *m.* met behulp van mechanische werktuigen.
motocycle [mòtòsikl] *m.*, **motocyclette** [mòtòsiklèt] *f.* motorfiets *m. en v.*
motocycliste [mòtòsiklist] *m.* motorrijder *m.*
motopompe [mòtòpõ'p] *m.* motorpomp *v.*(*m.*).
motoriser [mòtòrizé] *v.t.* motoriseren.
motovélo [mòtòvélo] *m.* bromfiets *m. en v.*
mots-croisiste* [mokrwazist] *m.* liefhebber *m.* van kruiswoordraadsels.
mot*-souche* [mosuʃ] *m.* trefwoord *o.*
motte [mòt] *f.* **1** kluit *m. en v.*, klomp *m.*; **2** hoogte *v.*, heuveltje *o.*
mottereau [mòtro] *m.* (*Dk.*) oeverzwaluw *v.*(*m.*).
motteux [mòtö] *m.* (*Dk.*) witstaartje *o.*
motus! [motü's] *ij.* stil! mondje dicht!
mou [mu] (devant voyelle: ***mol*** [mòl]; fém.: ***molle***) *adj.* **1** week, zacht; **2** (*v. touw, hoed*) slap; **3** (*v. weer*) warm en vochtig; **4** (*fig.*) krachteloos, slap; verwekelijkt; **5** (*v. omtrek*) vaag; **— *de veau,*** kalfslong *v.*(*m.*).
mouchage [muʃa:j] *m.* het snuiten *o.*
moucharabieh [muʃarabi] *m.* Arabisch houten tralievenster *o.*
mouchard [muʃa:r] *m.* **1** verklikker *m.*; **2** stille agent *m.*; spion *m.*
mouchardage [muʃarda:j] *m.* verklikkerij; spionage *v.*
moucharder [muʃardé] *v.t. et v.i.* bespieden, [spioneren.
mouche [muʃ] *f.* **1** vlieg *v.*(*m.*); **2** schoonheidspleistertje *o.*; **3** politiespion *m.*; **4** (*op schietschijf*) roos *v.*(*m.*); **5** (*v. floret*) leren knopje *o.*; **6** (*op stoffen*) stippeltje, rondje, moesje *o.*; **— *à bœufs,*** horzel *v.*(*m.*); **— *à viande,*** vleesvlieg *v.*(*m.*); **— *à miel,*** bij *v.*(*m.*); ***fine —,*** slimmerd *m.*; ***faire la — du coche,*** de Jan Albestel spelen; zich het slagen van een zaak toeschrijven; ***prendre la —,*** opstuiven, boos worden; ***quelle — le pique?*** waarom wordt hij boos? ***gober les —s,*** zijn tijd verbeuzelen; ***bateau-—,*** stoombootje, passagiersbootje *o.*
moucher [muʃé] **I** *v.t.* **1** snuiten; **2** bespieden; **3** (*pop.*) een pak slaag geven; **II** *v.pr.* ***se —,*** zijn neus snuiten.
moucherolle [muʃròl] *m. et f.* (*Dk.*) vliegenvanger *m.*
moucheron [muʃrõ] *m.* **1** vliegje *o.*; **2** mug *v.*(*m.*); **3** (*v. kaars*) neus, dief *m.*; **4** kleine jongen *m.*, ventje *o.*
moucheté [muʃté] *adj.* gespikkeld; gevlekt.
moucheter* [muʃté] *v.t.* **1** spikkelen; **2** (*v. floret*) van een knopje voorzien.
mouchette [muʃèt] *f.* korte schaaf *v.*(*m.*); **—*s,*** *f.pl.* kaarsesnuiter *m.*
moucheture [muʃtü:r] *f.* **1** spikkel *m.*, spikkeling *v.*; **2** (*op gezicht, stof, enz.*) moesje *o.*
mouchoir [muʃwa:r] *m.* **1** zakdoek *m.*; **2** (***— de cou***), halsdoek *m.*; **— *de tête,*** hoofddoek *m.*
moudre* [mu'dr] *v.t.* **1** malen; **2** (*fam.*) afrossen; **3** (*v. deuntje, enz.*) afdraaien; ***être moulu,*** doodop zijn; ***or moulu,*** **1** stofgoud *o.*; **2** schildersvergulddsel *o.*
moue [mu] *f.* pruilmond *m.*, pruillip *v.*(*m.*); ***faire la —,*** een pruilend gezicht zetten; zijn neus optrekken (voor iets); ***faire la — à qn.,*** een lelijk gezicht tegen iem. trekken.

mouette [mwèt] *f.* meeuw *v.*(*m.*).
mo(uf)fette [mufèt] *f.* stinkdier *o.*
moufle [mufl] **I** *f.* **1** want *v.*(*m.*) (*handschoen*); **2** katrolblok *o.*; **3** (*bouwk.*) muuranker *o.*; **4** (*v. soldeerijzer*) greep *m.*; **II** *m.*, (*tn.*) moffel *m.*
moufler [muflé] *v.t.* **1** moffelen; **2** (*v. muur*) verankeren, van ankers voorzien.
mouflon [muflõ] *m.* (*Dk.*) moeflon *m.*, wild schaap *o.* (*op Balkan en Sardinië*).
mouillage [muya:j] *m.* **1** (het) ankeren *o.*; **2** ankergrond *m.*, ankerplaats *v.*(*m.*); **3** bevochtiging *v.*; **4** (*v. melk, wijn, enz.*) (het) aanlengen *o.*; ***au —,*** voor anker.
mouillé [muyé] *adj.* **1** nat, vochtig; **2** (*gram.*: *v. medeklinker*) gemouilleerd; **— *comme un canard,*** nat als een kat.
mouille-bouche [mu'ybuʃ] *f.* juttepeer *v.*(*m.*).
mouille-étiquettes [mu'yétikèt] *m.* postzegelbevochtiger *m.*
mouiller [muyé] **I** *v.t.* **1** nat maken, bevochtigen; **2** met water aanlengen; vervalsen; **3** (*v. tabak*) sausen; **4** (*v. kust*) bespoelen; **5** (*v. mijn*) leggen; (*v. torpedo*) te water laten; **II** *v.i.* ankeren; **III** *v.pr.* ***se —,*** nat worden. [soppen).
mouillette [muyèt] *f.* reepje *o.* brood (om te
mouilleur [muyœ:r] *m.* (postzegel)bevochtiger *m.*; **— *de mines,*** mijnenlegger *m.*
mouillure [muyü:r] *f.* **1** bevochtiging *v.*; **2** vochtigheid, nattigheid *v.*
mouïse [mwi:z] *f.* (*pop.*) penarie.
moujik [mujik] *m.* moezjiek, Russische boer *m.*
moulage [mula:j] *m.* **1** (het) vormen; (het) gieten *o.*; **2** (het) halen *o.*; **3** (*v. beeld, enz.*) afgietsel *o.*
moule [mul] **I** *m.* **1** vorm *m.*; **2** gietvorm *m.*; ***ils ont été jetés dans le même —,*** ze zijn met hetzelfde sop overgoten, ze zijn op één leest geschoeid; ***le — en est brisé*** (***perdu, rompu***), iets dergelijks vindt men niet meer, het is iets enigs in zijn soort; **II** *f.* **1** mossel *v.*(*m.*); **2** (*fam.*) uilskuiken *o.*; sukkel, zwakkeling *m.*
moulé [mulé] **I** *adj.* gegoten; **II** *s. m.* (het) gedrukte *o.*
mouler [mulé] **I** *v.t.* **1** vormen, gieten; **2** van lijstwerk voorzien; **— *la taille,*** de vormen doen uitkomen; **II** *v.pr.* ***se —,*** **1** gevormd worden; gegoten worden; **2** (*v. kleren*) als gegoten zitten, goed om het lichaam sluiten.
moulerie [mulri] *f.* gieterij *v.*
mouleur [mulœ:r] *m.* **1** (*v. metaal, enz.*) gieter *m.*; **2** (*v. stenen, enz.*) vormer *m.*
moulière [mulyè:r] *f.* **1** mosselverkoopster *v.*; **2** mossselkwekerij *v.*, mosselput *m.*
moulin [mulẽ] *m.* **1** molen *m.*; **2** meelfabriek *v.*; **3** motor *m.* (van vliegmachine); **4** (*mil.*: *arg.*) mitrailleur *m.*; **— *à café,*** koffiemolen *m.*; **— *à foulon,*** volmolen; **— *à paroles,*** babbelkous *v.*(*m.*), klappermolen *m.* [zijde).
moulinage [mulina:j] *m.* (het) tweernen *o.* (van
mouliner [muliné] *v.t.* **1** (*v. zijde*) tweernen; **2** (*v. marmer*) polijsten; **3** (*v. hout*) doorknagen (door wormen); **4** (*v. stok, enz.*) in 't rond zwaaien.
moulinet [mulinè] *m.* **1** molentje *o.*; **2** haspel *m.*; **3** draaispil *v.*(*m.*), kruisrad *o.*
moulineur [mulinœ:r], **moulinier** [mulinyé] *m.* tweerner *m.*
moulu [mulü] *adj.*, *voir* ***moudre.***
moulure [mulü:r] *f.* lijstwerk *o.*, richel *v.*(*m.*).
moulurer [mulüré] *v.t.* inlijsten.
mourant [murã] **I** *adj.* **1** stervend; **2** (*v. stem*) zwak; **3** (*v. geluid*) wegstervend; **4** (*v. leven*) kwijnend; **5** (*fig.*: *v. blik*) smachtend; ***bleu —,*** bleekblauw; **II** *s.*, *m.* stervende *m.*

mourir* [muri:r] **I** *v.i.* **1** sterven, overlijden; **2** (*v. geluid*) wegsterven; **3** (*v. vuur*) uitgaan; **— *de faim,*** verhongeren; **— *de soif,*** van dorst omkomen; **— *de rire,*** stikken van 't lachen; **— *de honte,*** van schaamte in de grond zinken; **— *de plaisir,*** dolle pret hebben; ***s'ennuyer à —,*** zich dodelijk vervelen; **II** *v.pr.* ***se —,*** **1** sterven, op sterven liggen, zieltogen; **2** (*v. vuur, licht*) uitgaan; **3** (*fig.*) uitsterven; **4** (*v. geluid*) wegsterven.
mouron [murõ] *m.* (*Pl.*) murik *v.*
mousmé [musmé] *f.* Japans danseresje *o.*
Mouscron [muskrõ] Moeskroen *o.*
mousquet [muskè] *m.* musket, vuurroer *o.*
mousquetade [musketa'd] *f.* musketvuur *o.*
mousquetaire [musketè:r] *m.* musketier *m.*
mousqueterie [musketri] *f.* musketvuur; geweervuur *o.*
mousqueton [musketõ] *m.* karabijn *v.*(*m.*).
moussaillon [musayõ] *m.* scheepsjongen *m.*
mousse [mus] **I** *m.* scheepsjongen *m.*; **II** *f.* **1** mos *o.*; **2** schuim *o.*; **— *au café,*** slagroom *m.* met koffie; **— *de verre,*** glasvezel *v.*(*m.*); **— *de caoutchouc,*** schuimrubber *m. en o.*; ***se faire de la —,*** zich dik maken; **III** *adj.* stomp, bot.
mousseline [muslin] *f.* neteldoek *o. en m.*; ***verre —,*** fijn glas *o.*
mousser [musé] *v.i.* **1** schuimen; **2** (*fig.*) schuimbekken (van woede); ***faire — qn.,*** iem. woedend maken.
mousseron [musrõ] *m.* kampernoelie *v.*(*m.*).
mousseux [musö] *adj.* schuimend; ***rose mousseuse,*** mosroos *v.*(*m.*).
moussoir [muswa:r] *m.* schuimklopper *m.*
mousson [musõ] *m. et f.* moesson, passaatwind *m.*
moussu [musü] *adj.* bemost, met mos bedekt; ***rose —e,*** mosroos *v.*(*m.*).
moustache [mustaʃ] *f.* **1** knevel *m.*, snor *v.*(*m.*); **2** (*Dk.*) baardmees *v.*(*m.*); ***vieille —,*** oude snorrebaard *m.*
moustachu [mustaʃü] *adj.* met een (grote) snor.
moustiquaire [mustikè:r] *f.* muskietennet *o.*
moustique [mustik] *m.* muskiet *m.*, steekmug *v.*(*m.*).
moût [mu] *m.* most *m.*, ongegist druivesap *o.*
moutard [muta:r] *m.* kleine jongen, kleuter, dreumes *m.*
moutarde [mutard] *f.* **1** mosterd *m.*; **2** mosterdplant *v.*(*m.*); mosterdzaad *o.*; ***de la — après dîner,*** mosterd na de maaltijd; ***la — lui monte au nez,*** hij begint boos te worden; ***gaz —,*** mosterdgas *o.*
moutardelle [mutardèl] *f.* (*Pl.*) mierikwortel *m.*
moutardier [mutardyé] *m.* **1** mosterdpot *m.*; **2** mosterdfabrikant; —koopman *m.*
mouton [mutõ] **I** *m.* **1** schaap *o.*; **2** hamel *m.*; **3** schapevlees *o.*; **4** schapeleer *o.*; **5** (*tn.*) heiblok *o.*; **6** (*arg.*) uithoorder *m.*; **7** (*v. klok*) balk *m.*; **—s, 1** (*op zee*) schuimkoppen *mv.*; **2** schapewolkjes *mv.*; ***revenons à nos —s,*** laten we op ons onderwerp terugkomen; **II** *adj.* schaapachtig.
moutonné [mutòné] *adj.* wollig; ***nuages —s,*** schapewolkjes *mv.*
moutonnement [mutònmã] *m.* **1** (het) krullen *o.*; **2** (*v. golven*) (het) schuimen *o.*
moutonner [mutòné] **I** *v.t.* **1** krullen, kroezen; **2** (*v. gevangene*) uithoren; **II** *v.t.* (*v. golven*) schuimen, schuimkoppen.
moutonnerie [mutònri] *f.* schaapachtigheid *v.*; kuddegeest *m.*
moutonneux [mutònö] *adj.* **1** (*v. zee*) schuimend; **2** (*v. lucht*) vol schapewolkjes.
moutonnier [mutònyé] *adj.* **1** schaapachtig; **2** gedwee, volgzaam; ***esprit —,*** kuddegeest *m.*
mouture [mutü:r] *f.* **1** (het) malen *o.*; **2** maalloon, maalgeld *o.*; **3** (***blé —***), mengkoren *o.*; meel *o.* van gemengd koren.
mouvant [mu'vã] *adj.* **1** bewegend; **2** beweeglijk; **3** (*gesch.*) **— (*de*),** leenplichtig; ***force —e,*** beweegkracht *v.*(*m.*); ***sable —,*** drijfzand *o.*
mouvement [mu'vmã] *m.* **1** beweging *v.*; **2** drukte; levendigheid *v.*; **3** verkeer *o.*; **4** (*spoorw.*) treinenloop *m.*; **5** (*H.*) omzet *m.*; **6** (*v. prijzen*) schommeling *v.*; **7** (*muz.*) tempo *o.*; **8** (*v. klok, enz.*) raderwerk *o.*; **9** (*v. denkbeelden*) vooruitgang *m.*; **10** (*v. personeel*) mutatie, overplaatsing, bevordering *v.*; **11** (*v. toneelstuk*) actie *v.*; **12** (*v. gevoelens: medelijden, enz.*) opwelling *v.*; **13** (*v. terrein*) golving *v.*; ***— de l'âme,*** gemoedsaandoening *v.*; ***être dans le —, suivre le —,*** meedoen (met zijn tijd); ***de son propre —,*** uit eigen beweging; ***se donner du —,*** beweging nemen; ***se donner beaucoup de — pour,*** veel moeite doen voor; ***— perpétuel,*** perpetuum mobile *o.*
mouvementé [mu'vmã'té] *adj.* **1** (*v. leven*) bewogen, veelbewogen; **2** levendig, vol afwisseling; **3** (*v. vergadering*) woelig.
mouvementer [mu'vmã'té] *v.t.* leven brengen in; afwisseling brengen in.
mouver [mu'vé] *v.t.* **1** (*v. aarde*) losmaken, omwoelen; **2** (*v. vloeistoffen*) omroeren.
mouvoir* [muvwa:r] **I** *v.t.* **1** bewegen, in beweging brengen; **2** (*fig.*) aandrijven, aanzetten, aansporen; **II** *v.pr.* ***se —,*** zich bewegen.
moyen [mwayẽ] **I** *adj.* **1** gemiddeld; **2** middelbaar; **3** (*v. hoedanigheid*) middelmatig; ***âge —,*** middelbare leeftijd *m.*; ***école —ne,*** (*B.*) (staats)middelbare school *v.*(*m.*); ***cours —,*** (*H.*) middenkoers *m.*; ***— âge*** [mwayèna:ʒ] *m.* middeleeuwen *mv.*; ***le bas— âge,*** de late middeleeuwen; ***le haut—âge,*** de vroege middeleeuwen; **II** *s.m.* **1** middel *o.*; **2** (*recht*) reden *v.*(*m.*), grond *m.*; **3 —s,** *m.pl.* geld *o.*, middelen *mv.*; **4 —s,** talent *o.*, aanleg *m.*; ***avoir des —s,*** **1** bemiddeld zijn; **2** begaafd zijn; ***au — de,*** door middel van; ***je ne vois pas — de faire cela,*** ik zie geen kans om dat te doen; ***(il n'y a) pas — de,*** het is niet mogelijk om.
moyenâgeux [mwayèna'ʒö] *adj.* middeleeuws.
moyennant [mwayènã] *prép.* **1** tegen betaling van; **2** door middel van; ***— que,*** op voorwaarde dat; ***— quoi,*** onder welk beding; ***— paiement,*** tegen betaling.
moyenne [mwayèn] *f.* gemiddelde *o.*; ***— proportionnelle,*** middelevenredige *v.*(*m.*); ***en —,*** gemiddeld. [middelmatig.
moyennement [mwayènmã] *adv.* gemiddeld;
moyer [mwayé] *v.t.* (*v. steen*) kloven, splijten.
moyette [mwayèt] *f.* korenschelf *v.*(*m.*).
moyeu [mwayö] *m.* (*v. rad*) naaf *v.*(*m.*).
mozarabe [mozarab] *m.* Spaans christen *m.* tijdens Moorse overheersing.
mozette, *voir* ***mosette.***
mû [mü] *part. de* ***mouvoir.***
muabilité [mŵabilité] *f.* veranderlijkheid *v.*
muance [mŵã:s] *f.* stemwisseling, —breking *v.*
muche-pot, à — (amüʃpo] heimelijk.
mucilage [müsila:ʒ] *m.* **1** plantegom *m. of o.*; **2** lijm *m.* [lijmachtig.
mucilagineux [müsilaʒinö] *adj.* **1** slijmerig; **2**
mucosité [müko'zité] *f.* slijm *o.*, slijmstof *v.*(*m.*).
mucus [mükü's] *m.* slijm *o.*, slijmlaag *v.*(*m.*).
mue [mü] *f.* **1** (*v. vogel*) (het) ruien *o.*; **2** (*v. kat, enz.*) (het) verharen *o.*; **3** (het) vervellen *o.*; **4** ruitijd *m.*; **5** stemwisseling *v.*
muer [mŵé] **I** *v.i.* **1** ruien; **2** verharen; **3** vervellen;

4 van stem verwisselen; **II** *v.t.* veranderen, verwisselen.
muet [mwè], **—te** [mwèt] **I** *adj.* **1** stom; **2** sprakeloos, verstomd; **3** (*v. spel, verwijt*) stil; **4** (*v. rol*) zwijgend; **5** (*v. kaart*) blind; **II** *s. m.* stomme *m.*; ***faire le —,*** voor stommetje spelen.
muette [mwèt] *f.* **1** stomme letter *v.(m.)*; **2** jachthuis *o.* (in bos).
muezzin, muézin [mwèzin] *m.* moeëdzin, mohammedaans priester-gebedsuurafkondiger *m.*
mufle [müfl] *m.* **1** snuit, snoet *m.*; **2** (*fig.*) ploert, schoft *m.*; ***— de chien,*** (*Pl.*) leeuwebek *m.*
mufleau [müflo] *m.* (*Pl.*) leeuwebek *m.*
muflerie [müfleri] *f.* ploertigheid *v.*, ploertenstreek *m. en v.*
muflier [müflyé] *m.* (*Pl.*) leeuwebek *m.*
mufti, muphti [müfti] *m.* moefti, mohammedaans opperpriester *m.*
muge [mü:j] *f.* (*Dk.*) harder *m.* (*vis*).
mugir [müji:r] *v.i.* **1** loeien, bulken; **2** (*v. wind, storm*) huilen, gieren; **3** (*v. zee*) bulderen, loeien.
mugissant [müjisã] *adj.* **1** loeiend, bulkend; **2** huilend, gierend; **3** bulderend.
mugissement [müjismã] *m.* **1** geloei, gebulk *o.*; **2** gehuil *o.*; **3** gebulder *o.*
muguet [mügè] *m.* **1** (*Pl.*) lelietje-van-dalen *o.*; **2** (*gen.*) spruw *v.(m.)*.
muid [mwi] *m.* mud *o. en v.(m.)*.
mulard [müla:r] *m.* bastaardeend *m.*
mulasse [mülas] *f.* jong muildier *o.*
mulassier [mülasyé] *adj.* de muilezelfokkerij betreffend.
mulâtre [mülɑ:tr] *m.-f.* **1** mulat *m.*, mulattin *v.*; **2** kleurling *m.*
mulâtresse [mülɑˑtrès] *f.* mulattin *v.*
mule [mül] *f.* **1** muilezelin *v.*; **2** muil, pantoffel *v.(m.)*; **3** (*gen.*) winterhiel *m.*
mulet [mülè] *m.* **1** muildier *o.*, muilezel *m.*; **2** zeebarbeel *m.*; ***chargé comme un —,*** zwaar beladen.
muletier [mültyé] *m.* muilezeldrijver *m.*
Mulhouse [mülu:z] *f.* Mühlhausen *o.*
mulle [mül] *f.* zeebarbeel *m.*
mulot [mülo] *m.* grote veldmuis *v.(m.)*.
multangulaire [mültãˑgülè:r] *adj.* veelhoekig.
multicaule [mültikoˑl] *adj.* (*Pl.*) veelstengelig.
multicellulaire [mültisèlülè:r] *adj.* veelcellig.
multicolore [mültikòlò:r] *adj.* veelkleurig.
multiflore [mültiflò:r] *adj.* veelbloemig.
multiforme [mültifòrm] *adj.* veelvormig.
multilatéral [mültilatéral] *adj.* multilateraal.
multimillionnaire [mültimilyònè:r] *adj. et s. m.* multimiljonair (*m.*).
multinervé [mültinèrvé] *adj.* veelnervig.
multipare [mültipa:r] *adj.* per worp meerdere jongen werpend.
multiplan [mültiplã] *m.* veeldekker *m.*
multiple [mültipl] **I** *adj.* veelvoudig, menigvuldig; **II** *s., m.* **1** veelvoud *o.*; **2** (*tel.*) schakelbord *o.*, schakeltafel *v.(m.)*.
multipliable [mültipli(y)aˑbl] *adj.* vermenigvuldigbaar.
multipliant [mültipli(y)ã] *adj.* vermenigvuldigend.
multiplicande [mültiplikã:d] *m.* vermenigvuldigtal *o.*
multiplicateur [mültiplikatœ:r] *m.* **1** vermenigvuldiger *m.*; **2** coëfficiënt *m.*; **3** (*el.*) multiplicator *m.*
multiplication [mültiplikɑˑsyõ] *f.* **1** vermenigvuldiging *v.*; **2** (*tn.*; *v. fiets*) versnelling *v.*
multiplicité [mültiplisité] *f.* menigvuldigheid *v.*
multiplier [mültipli(y)é] **I** *v.t.* **1** vermenigvuldigen; **2** vermeerderen; **II** *v.i. et v.pr.* ***se —,*** **1** zich vermenigvuldigen; **2** overal tegelijk zijn.
multipolaire [mültipolè:r] *adj.* meerpolig.
multipose [mültipo:z] *adj.* verstelbaar.
multiséculaire [mültisékülè:r] *adj.* (vele) eeuwen oud.
multitude [mültitüˑd] *f.* menigte *v.*; groot aantal *o.*
Munich [münik] *m.* **1** München *o.*; **2** Münchener-bier *o.*
Munichois [münikwa] **I** *m.* inwoner *m.* van München; **II** ***m—,*** *adj.* Münchener.
municipal [münisipal] *adj.* stedelijk, gemeentelijk, gemeente—; ***conseil —,*** gemeenteraad *m.*; ***conseiller —,*** gemeenteraadslid *o.*
municipalité [münisipalité] *f.* **1** gemeentebestuur *o.*; **2** gemeenteraad *m.*; **3** raadhuis, gemeentehuis *o.*
munificence [münifisã:s] *f.* mildheid, milddadigheid, vrijgevigheid *v.*
munificent [münifisã] *adj.* mild, vrijgevig.
munir [müni:r] (*de*) *v.t.* voorzien (van).
munition [münisyõ] *f.* krijgsvoorraad *m.*, krijgsbehoeften *mv.*; munitie *v.*; ***pain de —,*** kommiesbrood *o.*; ***—s de bouche,*** mondvoorraad *m.*
munitionnaire [münisyònè:r] *m.* leverancier van levensmiddelen voor het leger, legerleverancier *m.*
munster [münstè:r] *m.* bep. kaas *m.* uit de Elzas.
muphti, *voir* ***mufti.***
muqueuse [mükö:z] *f.* slijmvlies *o.*
muqueux [mükö] *adj.* slijmig, slijm—; ***membrane muqueuse,*** slijmvlies *o.*; ***fièvre muqueuse,*** slijmkoorts *v.(m.)*.
mur [mü:r] *m.* muur *m.*; ***— de refend,*** binnenmuur; tussenmuur; ***gros —,*** buitenmuur; ***— mitoyen,*** gemeenschappelijke muur; ***— de planches,*** schutting *v.*; ***— de soutènement,*** steunmuur; ***— du son,*** geluidsbarrière *v.(m.)*; ***battre les —s,*** over de straat laveren; ***mettre qn. au pied du —,*** iem. in het nauw drijven.
mûr [mü:r] *adj.* **1** rijp; **2** ervaren, ontwikkeld; **3** (*pop.*) dronken; **4** (*v. wijn*) belegen; ***l'âge —,*** de rijpere leeftijd.
murage [müra:j] *m.* (het) ommuren *o.*
muraille [mürɑˑy] *f.* **1** (dikke, hoge) muur *m.*; **2** (*v. schip*) buitenhuid *v.(m.)*.
muraillement [müraymã] *m.* metselwerk *o.*
mural [müral] *adj.* muur—; wand—; ***carte —e,*** wandkaart *v.(m.)*; ***peinture —e,*** muurschildering *v.*
mûre [mü:r] *f.* moerbei, moerbezie *v.(m.)*; ***— sauvage,*** braambezie, braam *v.(m.)*.
mûrement [müˑrmã] *adv.* rijpelijk.
murène [mürèˑn] *f.* (*Dk.*) moeraal *m.*
murer [müˑré] **I** *v.t.* **1** (*v. stad, enz.*) ommuren; **2** (*v. deur, venster*) dichtmetselen, toemetselen; **3** (*v. schat, enz.*) inmetselen; **II** *v.pr.* ***se —,*** (*fig.*) zich inmetselen, zich opsluiten.
muret [mürè], **muretin** [mürtẽ] *m.*, **murette** [mürèt] *f.* muurtje *o.*
murex [mürèks] *m.* (*Dk.*) stekelhoorn *m.*, purperslak *v.(m.)*.
muriatique [müryatik] *adj.*, ***acide —,*** (oude naam voor) zoutzuur *o.*
mûrier [müryé] *m.* moerbezieboom *m.*; ***— sauvage,*** braamstruik *m.*
mûrir [müri:r] **I** *v.t.* rijp worden, rijpen; **II** *v.t.* **1** doen rijpen, rijp maken; **2** (*v. grond*) diep omploegen.
murissage [mürisa:j], **murissement** [mürismã] *m.* rijping, rijpwording *v.*; het rijpen *o.*
murmel [mürmèl] *m.* Amerikaanse marmot *v.(m.)*.
murmurant [mürmürã] *adj.* ruisend, murmelend.
murmure [mürmü:r] *m.* **1** geritsel; zacht geruis *o.*; **2** (*v. beek, enz.*) gemurmel *o.*; **3** gemor, gemopper *o.*
murmurer [mürmüˑré] **I** *v.i.* **1** ritselen; ruisen;

2 murmelen; 3 morren, mopperen; II *v.t.* mompelen.
mûron [mü'rõ] *m.* 1 braambezie *v.(m.)*; 2 braambeziestruik *m.*
musaraigne [müzarèñ] *f.* spitsmuis *v.(m.)*.
musard [mü'za:r] I *adj.* treuzelend; beuzelachtig; II *s., m.* treuzelaar, lanterfanter *m.*
musarder [mü'zardé] *v.i.* treuzelen, lanterfanten.
musarderie [mü'zardri], **musardise** [mü'zardi:z] *f.* getreuzel *o.*; beuzelarij, tijdverbeuzeling *v.*
musc [müsk] *m.* 1 muskus *m.*; 2 muskusdier *o.*; 3 muskuspeer *v.(m.)*; ***herbe au* —**, muskuskruid *o.*
muscade [müska'd] *f.* 1 muskaatnoot *v.(m.)*; 2 goochelballetje *o.*; ***rose* —**, muskaatroos *v.(m.)*; ***fleur de* —**, foelie *v.(m.)*.
muscadelle [müskadèl] *f.* muskadelpeer *v.(m.)*.
muscadet [müskadè] *m.* muskaatwijn *m.*
muscadier [müskadyé] *m.* muskaatboom *m.*
muscadin [müskadẽ] *m.* elegante Franse royalist *m.* uit 1793.
muscardin [müskardẽ] *m.* relmuis *v.(m.)*.
muscari [müskari] *m.* druifjeshyacint *v.(m.)*.
muscat [müska] I *adj.* met een muskaatgeur, muskaat—; II *s., m.* 1 muskadel(druif) *v.(m.)*; 2 muskaatwijn *m.*
muscidés [müsidés] *m.pl.* (*Dk.*) vliegen *mv.*
muscle [müskl] *m.* spier *v.(m.)*.
musclé [müsklé] *adj.* gespierd.
musculaire [müskülè:r] *adj.* de spieren betreffend, spier—; ***force* —**, spierkracht *v.(m.)*.
musculature [müskülatü:r] *f.* spierstelsel *o.*
musculeux [müskülö] *adj.* gespierd.
Muse [mü:z] *f.* muze *v.*; ***cultiver les* —s**, de dichtkunst (*of* de schone kunsten) beoefenen.
museau [mü'zo] *m.* snuit, snoet, bek *m.*
musée [mü'zé] *m.* museum *o.*
museler* [mü'zlé] *v.t.* 1 muilbanden; 2 (*fig.*) bedwingen, temmen.
muselet [mü'zlè] *m.* ijzerdraad *m.* om kurk.
muselière [müzelyè:r] *f.* muilband, muilkorf *m.*
musellement [müzèlmã] *m.* (het) muilbanden *o.*
muser [mü'zé] *v.i.* zitten dromen; beuzelen.
musero(l)le [mü'zròl] *f.* neusriem *m.* (*v. paard*).
musette [mü'zèt] *f.* 1 (*muz.*) doedelzak *m.*; 2 (*voor paard*) haverzak *m.*; 3 (*mil.*) broodzak *m.*; rugzak *m.*; 4 spitsmuis *v.(m.)*.
muséum [müzéòm] *m.* museum *o.* van natuurlijke [historie.
musical [müzikal] *adj.* muzikaal; muziek—; ***fête* —e**, muziekfeest *o.*; ***avoir l'oreille* —e**, een goed gehoor voor muziek hebben.
musicastre [müzikastr] *m.* slecht musicus *m.*
music-hall* [mü'zikòl] *m.* variététheater *o.*
musicien [müzisyẽ] I *m.* 1 muzikant *m.*; 2 musicus, toonkunstenaar *m.*; ***être bon* —**, zeer muzikaal zijn; II *adj.* muzikaal.
musicographe [müzikògraf] *m.* muziekgeleerde, schrijver *m.* over muziek.
musicomane [müzikòman] *m.* muziekmaniak, melomaan *m.*
musique [müzik] *f.* 1 muziek *v.*; 2 toonkunst *v.*; 3 (*mil.*) muziekkorps *o.*, kapel *v.(m.)*; ***cahier de* —**, muziekboek *o.*; ***la* — *militaire***, de militaire kapel, de stafmuziek; **— *sacrée***, gewijde muziek, kerkmuziek; ***mettre en* —**, op muziek zetten; **— *enregistrée***, grammofoonmuziek; **— *d'ensemble***, samenspel *o.*; ***faire de la* —**, musiceren.
musiquer [müziké] I *v.i.* musiceren, muziek maken; II *v.t.* op muziek zetten.
musiquette [mü'zikèt] *f.* lichte muziek *v.*
musoir [mü'zwa:r] *m.* 1 sluishoofd *o.*; 2 einde *o.* van een havenhoofd.
musqué [müské] *adj.* muskusachtig; naar muskus riekend; ***rat* —**, muskusrat *v.(m.)*; ***poire* —e**, muskuspeer *v.(m.)*. [maken.
musquer [müské] *v.t.* met muskus welriekend
mustang [müstã] *m.* mustang *m.*, verwilderd Zuidamerikaans pampapaard *o.* [tigen *mv.*
mustélidés [müstélidé] *m.pl.*, (*Dk.*) marterach-
musulman [müzülmã] I *m.* muzelman, moslem, mohammedaan *m.*; II *adj.* mohammedaans.
mutabilité [mütabilité] *f.* veranderlijkheid *v.*
mutable [müta'bl] *adj.* veranderlijk.
mutacisme [mütasizm] *m.* moeite *v.* om de lipletters te vormen.
mutage [müta:j] *m.* 1 (*v. most*) zwaveling *v.*; 2 (*v. ambtenaar enz.*) overplaatsing *v.*
mutation [mütɑ'syõ] *f.* 1 verandering, mutatie *v.*; 2 (*v. goederen*) overdracht *v.(m.)*, overgang *m.*; ***droits de* —**, overschrijvingsrechten *mv.*; ***droits de* — *après décès***, successierechten *mv.*
muter [müté] *v.t.* 1 (*v. most*) zwavelen; 2 (*v. ambtenaren*) overplaatsen.
mutilateur [mütilatœ:r] *m.* verminker *m.*
mutilation [mütilɑ'syõ] *f.* verminking *v.*
mutilé [mütilé] *m.* verminkte *m.*; ***grand* —**, (*mil.*) zwaar verminkte.
mutiler [mütilé] *v.t.* verminken.
mutin [mütẽ] I *adj.* 1 muitend, oproerig, weerspannig; 2 (*v. kind*) wakker, guitig; II *s. m.* muiter, muiteling, oproermaker *m.*
mutiner [mütiné] I *v.t.* tot muiten aanzetten; II *v.pr.* ***se* —**, muiten.
mutinerie [mütinri] *f.* 1 muiterij, oproerigheid *v.*; 2 (*fig.*) guitigheid, schalksheid *v.*
mutisme [mütizm] *m.* stomheid *v.*; ***réduire au* —**, tot zwijgen brengen.
mutité [mütité] *f.* stomheid *v.*
mutualiste [mütẅalist] I *m.* mutualist *m.*, lid *o.* van een ziekenfonds; II *adj.* mutualistisch.
mutualité [mütẅalité] *f.* 1 wederkerigheid *v.*; 2 onderlinge hulp *v.(m.)*; 3 ziekenfonds *o.*
mutuel(lement) [mütẅèl(mã)] *adj.* (*adv.*) wederkerig, wederzijds, onderling; ***assurance* —le**, onderlinge verzekering *v.*; ***pari* —**, totalisator *m.*
myalgie [myalji] *f.* spierpijn *v.(m.)*.
mycélium [misélyòm] *m.* mycelium *o.*, zwamvlok *v.(m.)*.
mycoderme [mikòdèrm] *m.* zich op zoete vloeistoffen ontwikkelende gist *m.*
mycologie [mikòlòji] *f.* leer *v.(m.)* van de zwammen, paddestoelkunde *v.*
mycologue [mikòlò:g] *m.* kenner van schimmelplanten, paddestoelkenner *m.*
mycose [miko:z] *f.* schimmelziekte *v.*
myélite [myélit] *f.* ruggemergontsteking *v.*
mygale [migal] *f.* vogelspin *v.(m.)*.
myocarde [miokard] *m.* hartspier *v.(m.)*.
myocardite [miokardit] *f.* ontsteking *v.* van de hartspier.
myographie [miògrafi] *f.* spierbeschrijving *v.*
myologie [myòlòji] *f.* leer *v.(m.)* van de spieren, spierenkennis *v.* [*m.-v.*
myope [myòp] I *adj.* bijziend; II *s., m.-f.* bijziende
myopie [myòpi] *f.* bijziendheid *v.*
myosotis [myòzòti] *m.* vergeet-mij-nietje *o.*
myriade [mirya'd] *f.* 1 tienduizendtal *o.*; 2 ontelbare menigte *v.*
myriagramme [miryagram] *m.* myriagram *o.* (10 kg).
myriamètre [miryamè'tr] *m.* myriameter *m.* (10 km).
myriapode [miryapò'd] *m.* duizendpoot *m.*
myrmécophage [mirmékòfa:j] I *adj.* miereneetend; II *s. m.* miereneter *m.*

myrmidon, mirmidon [mirmidõ] *m.* dwerg *m.*
myrobalan, myrobolan [miròbòlã] *m.* myrobolaan, zalfnoot *v.(m.).*
myrrhe [mi:r] *f.* mirre *v.(m.).*
myrrhé [mirré] *adj.* met mirre gekruid.
myrtacées [mirtasé] *f.* (*Pl.*) mirtachtigen, mirtplanten *mv.*
myrte [mirt] *m.* (*Pl.*) mirt *m.*
myrtille [mirtil] *f.* blauwe bosbes *v.(m.).*
mystère [mistè:r] *m.* **1** mysterie *o.*; **2** geheim *o.*; **3** (*lett.*) mysteriespel *o.*; ***célébrer les saints —s*** het heilig Misoffer opdragen; ***faire — de qc.,*** iets geheim houden.
mystérieux [mistéryö] *adj.*, **mystérieusement** [mistéryö'zmã] *adv.* mysterieus, geheimzinnig.
mysticisme [mistisizm] *m.* mysticisme *o.*
mysticité [mistisité] *f.* mystieke neiging *v.*
mystifiable [mistifya'bl] *adj.* fopbaar.
mystificateur [mistifikatœ:r] *m.* fopper; grappenmaker *m.*
mystification [mistifika'syõ] *f.* fopperij, bedotterij, mystificatie *v.*
mystifier [mistifyé] *v.t.* foppen.
mystique [mistik] **I** *adj.* **1** verborgen, geheimzinnig; **2** mystiek; van het mysticisme; **II** *s. f.* mystiek *v.*; **III** *s. m.* mysticus *m.*
mythe [mit] *m.* mythe *v.(m.)*; verdichtsel *o.*, fabel *v.(m.).*
mythique [mitik] *adj.* mythisch.
mythologie [mitòlòji] *f.* mythologie *v.*, fabelleer *v.(m.).*
mythologique(ment) [mitòlòjik(mã)] *adj.* (*adv.*) mythologisch.
mythologiste [mitòlòjist], **mythologue** [mitòlò:g] *m.* kenner van de mythologie, mytholoog *m.*
mythomane [mitòma:n] *m.* verzinner *m.* van (fantastische) leugenverhalen.
mytiliculture [mitilikültü:r] *f.* mosselteelt *v.(m.).*
myure [myü:r] *adj.* (*gen.*: *v. pols*) gestadig afnemend.
myxomatose [miksòmato:z] *f.* myxomatose, konijneziekte *v.*
myxome [mikso:m] *m.* slijmvliesgezwel *o.*
myxomycètes [miksòmisè:t] *m.pl.* (*Pl.*) slijmzwammen.

N

N [èn] *m. et f.* n *v.(m.).*
na [na] *ij.* nou! daar!
nabab [nabab] *m.* Indisch vorst, nabob; rijkaard [*m.*
nable [na'bl] *m.* **1** (*sch.*) propgat, stopgat *o.*; **2** prop *v.(m.).*
nabot [nabo] *m.* dwerg, dreumes *m.*
Nabuchodonosor [nabükòdònòzò:r] *m.* Nebukadnezar *m.*
nacarat [nakara] *adj.* helderrood, oranjerood.
nacelle [nasèl] *f.* schuitje, bootje *o.*; mand *v.(m.)* (van luchtballon).
nacre [nakr] *f.* parelmoer *o.*
nacré [nakré] *adj.* parelmoerachtig.
nacrer [nakré] *v.t.* de parelmoerglans geven aan.
nacrier [nakri(y)é] *m.* parelmoerwerker *m.*
nacrure [nakrü:r] *f.* parelmoerkleur *v.(m.).*
nadir [nadi:r] *m.* (*sterr.*) voetpunt *o.*
naevus [névüs] *m.* moedervlek *v.(m.).*
nage [na:j] *f.* (het) zwemmen *o.*; ***à la —,*** al zwemmend; ***banc de —,*** roeibank; ***être en —,*** nat van het zweet zijn; ***se jeter à la —,*** zich te water begeven; ***se mettre en —,*** zich in 't zweet werken (*of* lopen).
nagée [najé] *v.* slag *m.* (bij het zwemmen).
nageoire [najwa:r] *f.* **1** vin *v.(m.)* (v. vis); **2** zwemgordel *m.*
nager [najé] *v.i.* **1** zwemmen; **2** (met riemen) roeien; **3** (*v. hout, enz.*) drijven; ***— entre deux eaux,*** **1** onder water zwemmen; **2** (*fig.*) zich tussen twee partijen bewegen; ***— comme un chien de plomb,*** zwemmen als een baksteen; ***— dans les eaux de qn.,*** in iemands zog varen; ***— dans l'opulence,*** zich in weelde baden.
nageur [najœ:r] *m.* **1** zwemmer *m.*; **2** roeier *m.*
naguère(s) [nagè:r] *adv.* onlangs, kort geleden.
naïade [naya'd] *f.* najade, waternimf *v.*
naïf [naif] **I** *adj.* naïef; natuurlijk, ongekunsteld; **II** *s. m.* onnozele bloed *m.*
nain [nẽ] **I** *m.* dwerg *m.*; **II** *adj.* dwergachtig, dwerg—; ***arbre —,*** dwergboom *m.*; ***œuf —,*** windei *o.*
naissain [nèsẽ] *m.* mosselbroed, oesterbroed *o.*
naissance [nèsã:s] *f.* **1** geboorte *v.*; **2** afkomst, hoge afkomst *v.*; **3** (*v. de wereld, enz.*) oorsprong *m.*, ontstaan *o.*, wording *v.*; **4** (*v. orgaan*) begin *o.*; **5** (*bouwk.*) gewelfaanzet *m.*; (*v. zuil*) aanloop *m.*; **6** (*v. de dag*) aanbreken *o.*; ***aveugle de —,*** blindgeboren; ***avoir de la —,*** van hoge komaf zijn; ***prendre —,*** ontstaan; ontspringen.
naissant [nèsã] *adj.* **1** beginnend; **2** (*v. dag*) aanbrekend; **3** (*v. talent, moeilijkheden, enz.*) opkomend; **4** (*v. schoonheid, enz.*) ontluikend.
naître* [nè:tr] *v.i.* **1** geboren worden; **2** afstammen; **3** (*v. rivier*) ontspringen; **4** (*v. bloemen, enz.*) ontspruiten, uitkomen; **5** (*v. wetenschap*) ontstaan; ***faire —,*** **1** in het leven roepen; **2** (*gedachten, argwaan, enz.*) wekken.
naïvement [naivmã] *adv.*, *voir* ***naïf.***
naïveté [nai'vté] *f.* naïeveteit *v.*; natuurlijkheid, ongekunsteldheid *v.*
naja [naya] *m.* brilslang *v.(m.).*
Namur [namü:r] *f.* Namen *o.*
Namurois [namürwa] **I** *m.* Namenaar *m.*; **II** *adj.*, Naams. [***n—,***
nanan [nanã] *m.* (*fam.*) lekkers *o.*
nandou [nã'du] *m.* Amerikaanse struisvogel *m.*
nanisme [nanizm] *m.* dwergachtigheid *v.*
Nankin [nã'kẽ] *m.* Nanking *o.*
nankin [nã'kẽ] *m.* nanking *o.* (lichtgele katoenen stof).
Nantais [nã'tè] *m.* inwoner *m.* van Nantes.
nantir [nã'ti:r] *v.t.* **1** een onderpand (*of* waarborg) geven; **2** verschaffen, (iem. van iets) voorzien; ***se — de,*** zich voorzien van; beslag leggen op; ***être bien nanti,*** er warmpjes inzitten.
nantissement [nã'tismã] *m.* borgtocht *m.*, onderpand *o.*, waarborg *m.*
napalm [napalm] *m.* napalm *o.*, zeer ontbrandbare stof *v.(m.).*
napée [napé] *f.* bosnimf *v.*
napel [napèl] *m.* (*Pl.*) monnikskap *v.(m.).*
naphtaline [naftalin] *f.* naftaline *v.(m.).*
naphte [naft] *m.* nafta *m.*
Naples [napl] *f.* Napels *o.*
Napoléon [napòléõ] *m.* Napoleon *m.*
napoléon [napòléõ] *m.* napoleon *m.*, gouden 20-frankstuk *o.*
napoléonien [napòléònyẽ] *adj.* Napoleontisch.

Napolitain [napòlitẽ] **I** *m.* bewoner van Napels, Napolitaan *m.*; **II** *adj.*, *n—,* Napolitaans.
nappage [napa:j] *m.* tafellinnen *o.*
nappe [nap] *f.* tafellaken *o.*; ***— d'autel,*** altaardoek *m.*, altaardwaal *v.(m.)*; ***— d'eau,*** (groot) watervlak *o.*; vlakke waterval *m.*; ***— de feu,*** vuurzee *v.(m.)*; ***mettre la —,*** de tafel dekken; ***ôter*** (*ou* ***lever***) ***la —,*** de tafel afnemen.
napperon [naprõ] *m.* klein tafellaken, dekservet *o.*
narcisse [narsis] *m.* narcis *v.(m.)*; ***N—,*** Narcissus *m.*
narcissisme [narsisizm] *m.* narcisme *o.*, ziekelijke zelfbewondering *v.*
narcose [narko:z] *f.* narcose *v.*, toestand *m.* van verdoving.
narcotine [narkòtin] *f.* narcotine *v.(m.)*.
narcotique [narkòtik] **I** *adj.* narcotisch, bedwelmend, verdovend, slaapverwekkend; **II** *s. m.* verdovend (bedwelmend *of* slaapverwekkend) middel *o.*
narcotisme [narkòtizm] *m.* verdovingstoestand *m.*
nard [na:r] *m.* nardus *m.*, welriekende olie *v.(m.)*.
narghileh [nargilé] *m.* Oosterse (*of* Turkse) pijp, waterpijp *v.(m.)*, narghileh *v.*
nargue [narg] *f.* spot *m.*, minachting *v.*; ***faire — de qc.,*** de brui van iets geven, maling aan iets hebben.
narguer [nargé] *v.t.* honen, bespotten.
narguilé, *voir* ***narghileh.***
narine [narin] *f.* neusgat *o.*
narquois [narkwa] *adj.* spottend; sluw.
narrateur [naratœ:r] *m.* verhaler, verteller *m.*
narratif [naratif] *adj.* verhalend.
narration [nara'syõ] *f.* verhaal *o.*
narré [naré] *m.* verhaal; verslag *o.*
narrer [naré] *v.t.* verhalen, vertellen.
narthex [nartèks] *m.* (*christel. archeol.*) voorportaal *o.* van basiliek.
narval [narval] *m.* (*pl.* : ***—s***) (*Dk.*) narwal *m.*
nasal [nazal] *adj.* van de neus, neus—, nasaal; ***fosse —e,*** neusholte *v.*; ***son —,*** neusklank *m.*
nasale [nazal] *f.* neusklinker; neusklank *m.*
nasalement [nazalmã] *adv.* met een neusklank, door de neus.
nasalisation [nazaliza'syõ] *f.* (het) nasaal maken. (het) uitspreken *o.* door de neus, nasalisatie *v.*
nasaliser [nazali'zé] *v.t.* door de neus uitspreken, in een neusklank veranderen, nasaliseren.
nasarde [nazard] *f.* knip *m.* voor de neus.
nasarder [nazardé] *v.t.* een knip voor de neus geven; bespotten.
naseau [nazo] *m.* neusgat *o.* (v. dier).
nasillard [naziya:r] *adj.* door de neus, neus—; ***voix —e,*** neusstem *v.(m.)*.
nasillement [naziymã] *m.* (het) door de neus spreken *o.*
nasiller [naziyé] *v.i.* door de neus spreken.
nasilleur [naziyœ:r] *m.* die door de neus spreekt.
nasique [nazik] *m.* neusaap *m.*
nasitor(t) [nazitò:r] *m.* tuinkers *v.(m.)*.
nassauvien [nasovyẽ] *adj.* nassauwer.
nasse [nas, na:s] *f.* **1** (vis)fuik *v.(m.)*; **2** vogelnet *o.*; **3** (*fig.*) val, klem *v.(m.)*; ***tomber dans la —,*** in de val lopen.
natal [natal] *adj.* geboorte—; ***pays —,*** geboorteland *o.*; ***ville —e,*** geboortestad *v.(m.)*.
natalité [natalité] *f.* geboortecijfer *o.*
natation [nata'syõ] *f.* **1** (het) zwemmen *o.*; **2** zwemkunst *v.*, zwemsport *v.(m.)*; ***école de —,*** zwemschool *v.(m.)*.
natatoire [natatwa:r] *adj.* zwem—; ***vessie —,*** zwemblaas *v.(m.)*; ***vitesse —,*** zwemsnelheid *v.*
natif [natif] **I** *adj.* **1** geboortig; **2** aangeboren, oorspronkelijk; **3** (*v. metalen*) gedegen; **II** *s. m.* inboorling *m.*
nation [na'syõ] *f.* natie *v.*, volk *o.*; ***l'apôtre des —s,*** de apostel van de heidenen.
national [nasyònal] **I** *adj.* nationaal; volks—; lands—; ***histoire —e,*** vaderlandse geschiedenis; ***langue —e,*** landtaal *v.(m.)*; **II** *s. m.pl.*, ***les nationaux,*** de landzaten, de landgenoten, de landskinderen.
nationalement [nasyònalmã] *adv.* nationaal.
nationalisation [nasyònaliza'syõ] *f.* nationalisatie, naasting *v.*
nationaliser [nasyònali'zé] *v.t.* nationaliseren, naasten, tot staatseigendom maken.
nationalisme [nasyònalizm] *m.* nationalisme *o.*
nationaliste [nasyònalist] **I** *m.* nationalist *m.*; **II** *adj.* nationalistisch.
nationalité [nasyònalité] *f.* nationaliteit *v.*
nativement [nativmã] *adv.* van nature.
nativité [nativité] *f.* geboorte *v.* (van Jezus, van O. L. Vrouw, van Johannes de Doper).
natron [natrõ], **natrum** [natròm] *m.* natron *o.*
nattage [nata:j] *m.* vlechtwerk, matwerk *o.*
natte [nat] *f.* **1** mat *v.(m.)*; **2** vlechtwerk *o.*; **3** (haar)vlecht *v.(m.)*.
natter [naté] *v.t.* **1** vlechten; **2** strengelen; **3** met matten beleggen.
nattier [natyé] *m.* mattenmaker *m.*
naturalisation [natüraliza'syõ] *f.* **1** naturalisatie *v.*; **2** (het) wennen *o.* (v. dieren of planten) aan een klimaat; **3** (het) invoeren, (het) opnemen *o.* (v. vreemde woorden in een taal); **4** (het) opzetten *o.* (v. dieren).
naturaliser [natürali'zé] *v.t.* **1** naturaliseren; **2** aan een klimaat wennen; **3** invoeren, opnemen; **4** opzetten.
naturalisme [natüralizm] *m.* **1** naturalisme *o.*; **2** natuurleer *v.(m.)*.
naturaliste [natüralist] **I** *m.* **1** natuurhistoricus *m.*; **2** (*kunst, lett.*) naturalist *m.*; **3** dierenopzetter *m.*; **II** *adj.* naturalistisch.
naturalité [natüralité] *f.* **1** natuurstaat *m.*; **2** natuurlijkheid *v.*
nature [natü:r] **I** *f.* **1** natuur *v.*; **2** aard *m.*; **3** inborst *v.(m.)*; ***faire —,*** natuurlijk schilderen (enz.); ***payer en —,*** in natura betalen; ***peindre d'après —,*** schilderen naar de natuur; — naar model; ***— morte,*** stilleven *o.*; ***la — du sol,*** de bodemgesteldheid *v.*; ***bon de sa —,*** van nature goed; ***de toutes —s,*** allerlei, allerhande; ***être de — à,*** geschikt zijn om, in staat zijn om; ***de — à,*** zodanig dat, van die aard dat; ***plus grand que —,*** meer dan levensgroot; **II** *adj.* natuurlijk; ***pommes (de terre) —,*** gekookte aardappelen; ***bœuf —,*** rosbief *m.*
naturel [natürèl] **I** *adj.* natuurlijk; natuur—; ***loi —le,*** natuurwet *v.(m.)*; ***style —,*** ongekunstelde stijl; **II** *s.*, *m.* **1** aard *m.*, inborst *v.(m.)*; **2** natuurlijkheid *v.*; **3** inboorling *m.* (v. onbeschaafd land); ***chassez le —, il revient au galop,*** de natuur gaat boven de leer.
naturellement [natürèlmã] *adv.* natuurlijk; van nature.
naturisme [natürizm] *m.* natuurgeneeswijze *v.(m.)*.
naufrage [no'fra:j] *m.* schipbreuk *v.(m.)*; ***faire —,*** schipbreuk lijden; ***droit de —,*** strandrecht *o.*
naufragé [no'frajé] **I** *adj.* gestrand, verongelukt; **II** *s. m.* schipbreukeling *m.*
naufrager [no'frajé] *v.i.* schipbreuk lijden.
naufrageur [no'frajœ:r] *m.* strandjutter *m.*

naulage [no'la:j] *m.* (*sch.*) **1** bevrachting *v.*; **2** vrachtloon *o.* [(te water).
naumachie [no'maʃi] *f.* (*gesch.*) spiegelgevecht *o.*
nauséabond [no'zéabõ] *adj.* walglijk.
nausée [no'zé] *f.* **1** misselijkheid *v.*; **2** walging *v.*
nauséeux [no'zéö] *adj.* walglijk, walgingwekkend.
nautique [no'tik] *adj.* scheepvaart—, zeevaart—; ***art*** (*ou* ***science***) **—**, zeevaartkunde *v.*; ***carte* —,** zeekaart *v.*(*m.*); ***sport* —,** watersport, roei- en zeilsport *v.*(*m.*); ***cercle*** (*ou* ***club***) **—,** zeilvereniging, zeil- en roeivereniging *v.*
nautonier [no'tònyé] *m.* schipper *m.*; ***le* — *des Enfers*,** Charon.
navaja [navacha] *f.* lang Spaans mes *o.*
naval [naval] *adj.*, (*pl.*: ***navals***) zee—; ***bataille* —*e*, *combat* —,** zeeslag *m.*; ***école* —*e*,** zeevaartschool *v.*(*m.*), instituut *o.* voor de Marine; ***forces* —*es*,** zeemacht *v.*(*m.*). [en knollen.
navarin [navarẽ] *m.* ragoût *m.* van schapevlees
Navarrais [navarè] *m.* inwoner *m.* van Navarre.
Navarre [nava:r] *f.* Navarra *o.*
navarrin [navarẽ] *adj.* uit Navarre.
navet [navè] *m.* **1** raap *v.*(*m.*); knol *m.*; **2** (*fam.*) lummel, sul *m.*; ***des* —*s!*** (*fam.*) niks ervan! morgen brengen!
navetière [navtyè:r] *f.* rapenveld; knollenveld *o.*
navette [navèt] *f.* **1** spoel (schietspoel, weversspoel) *v.*(*m.*); **2** raapzaad *o.*; **3** klein wierookvat *o.*; ***faire la* —,** heen en weer gaan (lopen, reizen, enz.); (*H.*) aan wisselruiterij doen; ***étudiant faisant la* —,** spoorstudent *m.*
navigabilité [navigabilité] *f.* **1** bevaarbaarheid *v.*; **2** zeewaardigheid *v.*; luchtwaardigheid *v.*
navigable [naviga'bl] *adj.* **1** bevaarbaar; **2** zeewaardig; luchtwaardig. [varend.
navigant [navigã] *adj.* (*v. personeel*) boord—,
navigateur [navigatœ:r] **I** *m.* zeevaarder *m.*; **II** *adj.* zeevarend; ***peuple* —,** zeevaardersvolk *o.*
navigation [naviga'syõ] *f.* scheepvaart *v.*(*m.*); **— *fluviale*, — *intérieure*,** binnenvaart *v.*(*m.*); **— *maritime*,** zeevaart; **— *côtière*,** kustvaart; **— *au long cours*,** grote vaart; **— *aérienne*,** luchtvaart; ***droits de* —,** kanaalrechten *mv.*
naviguer [navigé] *v.i.* varen; zeilen; stevenen, (een schip) sturen.
navire [navi:r] *m.* schip *o.*; **— *marchand*,** koopvaardijschip; **— *régulier*,** lijnboot *m. en v.*
navire*-école* [navi'rékòl] *m.* opleidingsschip *o.*
navire*-hôpital* [navi'ròpital] *m.* hospitaalschip *o.*
navrance [na'vrã:s] *f.* harteleed, hartzeer *o.*
navrant [na'vrã] *adj.* hartverscheurend.
navrement [na'vremã] *m.* harteleed, hartzeer *o.*
navrer [na'vré] *v.t.* diep bedroeven; erg grieven; ***je suis navré de...*,** het spijt me zeer...
Nazaréen [nazaréẽ] **I** *m.* Nazarener *m.*; **II** *adj.* ***n*—,** Nazareens, van Nazareth.
nazi [nazi] *m.* nationaal-socialist *m.*
nazisme [nazizm] *m.* nationaal-socialisme *o.*
ne [ne] *adv.*, **—*...pas*,** niet; **—*...plus*,** niet meer; **— ... *jamais*,** nooit; **— ... *rien*,** niets; **— ... *personne*,** niemand; (*expletief in vergelijkende zin, bevestigend*) ***il est plus heureux que vous* — *croyez*,** hij is gelukkiger dan u denkt.
né [né] *adj.* geboren; ***bien* —,** van goede familie; ***nouveau* —,** pasgeboren; ***être* — *pour qc.*,** geknipt zijn voor iets.
néanmoins [néãmwẽ] *adv.* nochtans, niettemin, niettegenstaande.
néant [néã] *m.* **1** niet *o.*; **2** nietigheid *v.*; ***homme de* —,** man van niets; ***mettre*** (*ou* ***réduire***) ***à* —,** vernietigen.
nébuleuse [nébülö:z] *f.* nevelvlek *v.*(*m.*), spiraalnevel *m.*
nébuleux [nébülö] *adj.* **1** nevelachtig, mistig; **2** beneveld, bewolkt, betrokken.
nébulosité [nébülo'zité] *f.* **1** nevelachtigheid *v.*; **2** duisterheid *v.*
nécessaire [nésèsè:r] **I** *adj.* nodig, noodzakelijk; **II** *s.*, *m.* (het) nodige, (het) noodzakelijke *o.*; ***faire le* —, 1** het nodige doen; **2** (*ong.*) de gedienstige spelen; **— *à ouvrage*,** werkdoos *v.*(*m.*); **— *de toilette*,** doos (*of* étui) met toiletbenodigdheden; **— *de voyage*,** reisnecessaire *m.*; ***avoir le* —,** zijn brood hebben.
nécessairement [nésèsè'rmã] *adv.* noodzakelijk, noodzakelijkerwijze; onvermijdelijk.
nécessitant [nésèsitã] *adj.*, ***grâce* —*e*,** dwingende genade *v.*(*m.*).
nécessité [nésèsité] *f.* **1** noodzakelijkheid *v.*; **2** nood *m.*, behoefte *v.*; **3** gebrek *o.*, ellende *v.*(*m.*); ***les premières* —*s*,** de eerste levensbehoeften; ***de toute* —,** allernoodzakelijkst; ***être dans la* — *de*,** genoodzaakt zijn om; ***réduit à la dernière* —,** tot de uiterste nood gebracht; ***sans* —,** onnodig; **— *n'a point de loi*,** nood breekt wet; ***faire de* — *vertu*,** van de nood een deugd maken.
nécessiter [nésèsité] *v.t.* noodzakelijk maken.
nécessiteux [nésèsitö] **I** *adj.* **1** (*persoon*) noodlijdend; **2** (*persoon, leven*) behoeftig; **II** *s. m.* noodlijdende, behoeftige *m.*
nécrologe [nékròlò:j] *m.* dodenlijst *v.*(*m.*).
nécrologie [nékròlòji] *f.* levensbericht *o.*, levensgeschiedenis *v.* van overledene.
nécrologique [nékròlòjik] *adj.* necrologisch; ***notice* —,** doodsbericht *o.*
nécromancie [nékròmã'si] *f.* geestenbezwering, oproeping *v.* van doden.
nécromancien [nékròmã'syẽ] *m.* geestenbezweerder *m.* [kever *m.*
nécrophage [nékròfa:j] *m.* (*Dk.*) lijkkever, aas-
nécrophore [nékròfò:r] *m.* (*Dk.*) doodgraver *m.*
nécropole [nékròpòl] *f.* dodenstad *v.*(*m.*); begraafplaats *v.*(*m.*), kerkhof *o.*
nécrose [nékro:z] *f.* (*gen.*) versterving *v.* (v. been).
nécroser [nékro'zé] *v.t.* (*gen.*) doen versterven.
nécrotomie [nékròtòmi] *f.* lijkopening *v.*
nectaire [nèktè:r] *m.* (*Pl.*) honigkelk *m.*
nectar [nekta:r] *m.* **1** nectar, godendrank *m.*; **2** honigsap *o.*
nectaré [nèktaré], **—en** [nèktaréẽ] *adj.* nectarachtig, vol nectar.
Néerlandais [néèrlã'dè] **I** *m.* Nederlander *m.*; **II** *adj.* ***n*—,** Nederlands.
Néerlande [néèrlã:d] *f.* Nederland *o.*
nef [nèf] *f.* (v. kerk) schip *o.*; **— *principale*** (*ou* ***centrale***), ***grande* —,** hoofdbeuk, middenbeuk *m. en v.*; **— *latérale*,** zijbeuk *m. en v.*
néfaste [néfast] *adj.* noodlottig; ***jour* —,** ongeluksdag *m.*
nèfle [nèfl] *f.* mispel *v.*(*m.*); (*pop.*) ***des* —*s!*** morgen brengen!
néflier [nèfli(y)é] *m.* mispelboom *m.*
négateur [négatœ:r] *m.* loochenaar, die steeds ontkent *m.*
négatif [négatif] **I** *adj.* **1** (*antwoord*; *taalk.*) ontkennend; **2** (*resultaat*; *wisk.*, *foto*, *enz.*) negatief; **II** *s. m.* negatief *o.*
négation [néga'syõ] *f.* ontkenning *v.*
négative [négati:v] *f.* ontkenning, weigering *v.*; ***dans la* —,** zo neen, zo niet; ***se tenir sur la* —,** bij zijn weigering blijven.
négativement [négati'vmã] *adv.* ontkennend.
négaton [négatõ] *m.* negatief elektron *o.*

négligé [néglijé] **I** *m.* **1** morgenjapon *m.*, morgengewaad *o.*; **2** onopgesmuktheid *v.*; achteloosheid *v.*; ***en* —,** half gekleed.
négligeable [néglija'bl] *adj.* te verwaarlozen; onbelangrijk, niet noemenswaard; ***considérer qn. comme quantité* —,** met iem. geen rekening houden. [dig.
négligemment [néglijamã] *adv.* achteloos, slor-
négligence [néglijã:s] *f.* **1** achteloosheid, slordigheid *v.*; **2** onachtzaamheid *v.*; **3** nalatigheid *v.*, verzuim *o.*, verwaarlozing *v.*
négligent [néglijã] **I** *adj.* achteloos, slordig; nalatig; **II** *s. m.* nalatige *m.*
négliger [néglijé] **I** *v.t.* **1** veronachtzamen; **2** verwaarlozen, verzuimen; **3** (*v. gelegenheid*) laten voorbijgaan; **4** (*v. raadgevingen*) in de wind slaan; **5** (*v. talent*) ongebruikt laten; **II** *v.pr.* ***se* —,** zich verwaarlozen.
négoce [négòs] *m.* handel, groothandel *m.*
négociabilité [négòsyabilité] *f.* verhandelbaarheid *v.*
négociable [négòsya'bl] *adj.* verhandelbaar.
négociant [négosyã] *m.* handelaar, koopman *m.*
négociateur [négòsyatœ:r] *m.* onderhandelaar *m.*
négociation [négòsya'syõ] *f.* **1** onderhandeling *v.*; **2** (*H.*) verhandeling *v.*, verkoop *m.*; discontering *v.* (v. wissels).
négocier [négòsyé] **I** *v.t.* **1** onderhandelen; **2** verhandelen; **3** (*wissel*) disconteren; **II** *v.i.* handel drijven.
négous, *voir* ***négus.*** [mv.
négraille [négra'y] *f.* (*ong.*) negervolk *o.*; nikkers
nègre [nègr] **I** *m.* **1** neger *m.*; **2** negertaal *v.*(*m.*); ***travailler comme un* —,** werken als een paard; ***— blanc,*** albino *m.*; **II** *adj.* neger—; ***race* —,** negerras *o.*
négresse [négrès] *f.* **1** negerin *v.*; **2** (*pop.*) wandluis *v.*(*m.*); vlo *v.*(*m.*).
négrier [négri(y)é] **I** *m.* slavenhandelaar *m.*; **II** *adj.* slaven—.
négrillon [négri(y)õ] *m.* negertje *o.*
négroïde [négròi'd] *adj.* negerachtig.
négrophile [négròfil] *m.* vriend *m.* van de negers.
négrophobe [négròfòb] *m.* negervijand *m.*
négus [négüs] *m.* negus *m.*
neige [nè:j] *f.* sneeuw *v.*(*m.*); ***bloqué par la* —,** ingesneeuwd; ***blanc comme* —,** sneeuwwit, hagelwit; ***faire la boule de* —,** voortdurend aangroeien.
neiger [nè'jé] *v.imp.* sneeuwen.
neigeux [nè'jö] *adj.* besneeuwd; sneeuwachtig.
nelombo [nélõ'bo] *m.* lotus *m.*
némathelminthes [nématèlmint] *m.pl.* ingewandsworm *m.*
Némésis [némésis] *f.* Nemesis, wraakgodin *v.*
némoral [némòral] *adj.* levend of groeiend in de bossen.
ne-m'oubliez-pas [nemubli(y)épa] *m.* (*Pl.*) vergeet-mij-niet *v.*(*m.*).
Nemrod [nèmrò'd] *m.* Nimrod; jager *m.*
nenni [nèni, nani] *adv.*, (*fam.*) neen.
nénuphar [nénüfa:r] *m.* waterlelie *v.*(*m.*).
néo [néò] *préf.* nieuw.
néographie [néògrafi] *f.* nieuwe spelling *v.*
néo-grec [néògrèk] **I** *adj.* Nieuwgrieks; **II** *s.*, *m.* Nieuwgrieks *o.*
néo-latin [néòlatẽ] *adj.* Romaans.
néolithique [néòlitik] *adj.* uit het neolithicum *o.* (jongere steentijd).
néologie [néòlòji] *f.* neologie, invoering *v.* (gebruik *o.*) van nieuwe woorden. [gevormd.
néologique [néòlòjik] *adj.* neologisch, nieuw
néologisme [néòlòjizm] *m.* nieuw woord *o.*
néon [néõ] *m.* neon(gas) *o.*
néophobie [néòfòbi] *f.* vrees *v.*(*m.*) voor het nieuwe.
néophyte [néòfit] *m.-f.* neofiet, nieuwbekeerde *m.-v.* [nieuw weefsel.
néoplasie [néòplazi] *f.* (*nat.*) vorming *v.* van
néoplasme [néòplazm] *m.* kankerachtig gezwel *o.*
néo-zélandais [néòzélã'dè] **I** *adj.* Nieuwzeelands; **II** *s. m.* Nieuwzeelander *m.*
népalais [népalè] *adj.* uit Nepal, Nepals.
nèpe [nè:p] *f.* waterschorpioen *m.*
népenthès [népã'tès] *m.* **1** (*Oudh.*) tovermiddel *o.* tegen verdriet; **2** (*Pl.*) bekerplant *v.*(*m.*).
népète [népè:t] *f.* (*Pl.*) neppe, kattekruid *o.*
néphralgie [néfralji] *f.* nierziekte *v.*
néphrétique [néfrétik] **I** *adj.* van de nieren, nier—; ***colique* —,** nierkoliek *o. en v.*; **II** *s.*, *m.* nierlijder *m.*
néphrite [néfrit] *f.* nierontsteking *v.*
néphrolithe [néfròlit] *m.* niersteen *m.*
néphrotomie [néfròtòmi] *f.* nieroperatie *v.*
népotisme [népòtizm] *m.* nepotisme *o.*, begunstiging *v.* van verwanten.
Neptune [nèptün] *m.* Neptunus *m.*
neptunien [nèptünyẽ] *adj.* neptunisch, door 't water ontstaan.
Nérée [néré] *m.* Nereus *m.* (zeegod).
néréide [néréi'd] *f.* zeenimf *v.*
nerf [nè:r, nèrf] *m.* **1** zenuw *v.*(*m.*); **2** (*in vlees, enz.*) pees *v.*(*m.*); **3** (*v. boogwerk, boek, enz.*) rib *v.*(*m.*); **4** (*fig.*) kracht *v.*(*m.*); ziel, spil *v.*(*m.*); ***— de bœuf,*** bullepees *v.*(*m.*); ***avoir du* —,** flink zijn; ***crise de —s,*** zenuwtoeval *m. en o.*; ***avoir ses —s,*** last van zijn zenuwen hebben; ***cela me donne sur les —s,*** dat maakt me zenuwachtig; ***le — de la guerre,*** de ziel van alle dingen, het geld; ***avoir les —s en pelote,*** overspannen zijn.
nerf*-férure* [nè'rférü:r] *f.* peeskwetsuur *v.* (bij paarden).
néroli [néròli] *m.* oranjebloesemolie *v.*(*m.*).
Néron [nérõ] *m.* Nero *m.*
néronien [néròny̆ẽ] *adj.* wreed, als van Nero.
nerprun [nèrprœ̃] *m.* (*Pl.*) wegedoorn *m.*
nervation [nèrva'syõ] *f.* (*v. blad*) nervatuur *v.*
nervé [nèrvé] *adj.* (*v. blad*) generfd.
nerver [nèrvé] *v.t.* (*aan boek*) rugribben maken, ribben.
nerveux [nèrvö] *adj.* **1** zenuwachtig; **2** gespierd, sterk; **3** (*v. stijl*) krachtig, pittig; **4** (*v. vlees*) zenig; ***affection nerveuse,*** zenuwaandoening *v.*
nervi [nèrvi] *m.* bandiet *of* apache *m.* uit Marseille.
Nervien [nèrvyẽ] *m.* Nerviër *m.*
nervifolié [nèrvifòlyé] *adj.* (*Pl.*) met geribde bladeren.
nervin [nèrvẽ] **I** *adj.* zenuwsterkend; **II** *s. m.* zenuwsterkend middel *o.* [v.
nervosisme [nèrvo'zizm] *m.* zenuwoverspanning
nervosité [nèrvo'zité] *f.* zenuwachtigheid *v.*
nervure [nèrvü:r] *f.* **1** (*v. blad*) nerf *v.*(*m.*), nervatuur *v.*; **2** (*v. boeken*) (het) ribben *o.*; **3** (*muur*) werk *o.*; **4** (*vl.*) rib *v.*(*m.*).
nescience [nèsyã:s] *f.* onwetendheid, onkunde *v.*
Nestor [nèstòr] *m.* Nestor; oudste *m.*
net [nèt] **I** *adj.* **1** zuiver; **2** zindelijk; **3** (*v. linnen, vaatwerk, enz.*) schoon; **4** (*v. wijn*) klaar; **5** (*v. prijs, gewicht*) netto; **6** (*v. antwoord*) duidelijk; **7** (*v. winst, opbrengst*) zuiver; **8** (*v. geweten*) rein, vlekkeloos; **9** (*v. geest, uiteenzetting*) helder; ***— de tous frais,*** vrij van alle onkosten; ***je veux en avoir le cœur* —,** ik wil er haring of kuit van hebben; ***avoir les mains —tes de,*** geen schuld hebben aan; ***s'en aller les mains —tes,*** met

ledige handen weggaan; ***faire place —te,*** alles opruimen; **II** *adv.* **1** plotseling, ineens; **2** ronduit, vrijuit, onomwonden; **3** (*H.*) netto; ***parler —,*** precies zeggen waar het op staat; eerlijk de waarheid zeggen; ***refuser —,*** gladweg (botweg *of* vierkant) weigeren; **III** *s. m.*, ***mettre au —,*** in 't net schrijven; ***produire ... au —,*** netto... opbrengen.

nettement [nètmã] *adv.* netjes; duidelijk; ronduit (vierkant *of* botweg).

netteté [nètté] *f.* **1** zindelijkheid *v.*; **2** helderheid, duidelijkheid *v.*; **3** scherpte *v.*; **4** netheid *v.*

nettoiement [nètwaymã] *m.* (het) schoonmaken, (het) reinigen *o.*

nettoyage [nètwaya:j] *m.* **1** (het) schoonmaken *o.*, reiniging *v.*; **2** schoonmaak *m.*; **3** opruiming *v.*; ***le grand —,*** de grote schoonmaak.

nettoyer [nètwayé] *v.t.* **1** schoonmaken, reinigen; **2** schoonvegen; **3** (*v. vijanden, rovers, enz.*) zuiveren, schoonvegen; **4** (*v. flessen*) spoelen; ***— à sec,*** stomen; ***— par le vide,*** stofzuigen; (*fig.*) ***être nettoyé à fond,*** totaal uitgekleed (*of* geruïneerd) zijn.

nettoyeur [nètwayœ:r] *m.* schoonmaker, reiniger *m.*

nettoyure [nètwayü:r] *f.* vuil, stof *o.*

neuf I [nœf] *n.card.* **1** negen; **2** (*in data; v. vorst*) negende; ***ils sont —,*** ze zijn met zijn negenen; **II** [nœf, nœ:v] *adj.* nieuw, pas gemaakt, ongebruikt; ***remettre à —,*** vernieuwen, weer als nieuw maken; ***habillé de —,*** met nieuwe kleren aan, in het nieuw (gekleed); ***tout —,*** splinternieuw.

neurasthénie [nœrasténi] *f.* zenuwzwakte *v.*

neurasthénique [nœrasténik] **I** *adj.* zenuwzwak; **II** *s. m.-f.* zenuwzwakke *m.-v.*

neurologie [nœròlòji] *f.* leer *v.*(*m.*) van de zenuwziekten, neurologie *v.*

neurologiste [nœròlòjist], **neurologue** [nœròlò:g] *m.* zenuwarts *m.*

neurone [nœròn] *m.* neuron *o.*, zenuwelement.

neutralement [nö'tralmã] *adv.* onzijdig, onpartijdig, neutraal. [neutralisatie *v.*

neutralisation [nö'traliza'syõ] *f.* neutralisering,

neutraliser [nö'trali'zé] **I** *v.t.* **1** neutraliseren; **2** krachteloos maken; **II** *v.pr.* ***se —,*** (*scheik.*) elkaar opheffen.

neutralité [nö'tralité] *f.* onzijdigheid, onpartijdigheid; neutraliteit *v.*

neutre [nö:tr] *adj.* onzijdig, onpartijdig; neutraal; ***verbe —,*** onovergankelijk werkwoord.

neutron [nötrõ] *m.* neutron *o.*

neuvain [nœvẽ] *m.* negenregelig vers *o.*

neuvaine [nœvè'n] *f.* novene *v.*(*m.*).

neuvième [nœvyèm] *n.ord.* (*et s. m.*) negende (deel *o.*).

neuvièmement [nœvyèmmã] *adv.* ten negende.

névé [névé] *m.* gletsjersneeuw *v.*(*m.*).

neveu [n(e)võ] *m.* neef *m.* (zoon v. broer of zuster).

névralgie [névralji] *f.* zenuwpijn *v.*(*m.*), neuralgie *v.*; ***—s faciales,*** aangezichtspijn *v.*(*m.*).

névralgique [névraljik] *adj.* neuralgisch; ***douleur —,*** zenuwpijn *v.*(*m.*).

névralgite [névraljit] *f.* zenuwontsteking *v.*

névrite [névrit] *f.* zenuwontsteking, neuralgie *v.*

névritique [névritik] **I** *adj.* zenuwsterkend, kalmerend; **II** *s. m.* zenuwsterkend (*of* kalmerend) middel *o.*

névrologie [névròlòji] *f.* zenuwleer *v.*(*m.*).

névrologue [névròlò:g] *m.* zenuwarts *m.*

névropathe [névròpat] *m.* zenuwlijder *m.*

névropathie [névròpati] *f.* zenuwziekte, —aandoening *v.*, —lijden *o.*

névropathique [névròpatik] *adj.* neuropathisch.

névroptère [névròptè:r] **I** *adj.* netvleugelig; **II** *s. m.* netvleugelig insekt *o.*

névrose [névro:z] *f.* zenuwziekte, neurose *v.*

névrosé [névro'zé] **I** *adj.* zenuwziek; **II** *s. m.* zenuwzieke *m.*

névrotomie [névròtòmi] *f.* zenuwdoorsnijding *v.*

nez [né] *m.* neus *m.*; ***avoir du —,*** een goede neus hebben, flair hebben; ***avoir dans le —,*** 't land hebben aan, een hekel hebben aan; ***allonger le —,*** snuffelen; ***faire un pied de — à qn.,*** tegen iem. een lange neus maken, iem. uitlachen; ***mettre*** (*ou* ***fourrer***) ***le — dans qc.,*** zich met iets bemoeien, ergens zijn neus in steken; ***laver le — à qn.,*** iem. de oren wassen; ***montrer le bout de son —,*** zich even laten zien; ***porter le — au vent,*** de neus in de wind steken, verwaand zijn; ***jeter qc. au — de qn.,*** iem. iets voor de voeten werpen; ***fermer la porte au — de qn.,*** de deur voor iemands neus dichtdoen; ***ce n'est pas pour son —*** (***que le jour chauffe***), dat is geen spekje voor zijn bekje. [ik ook niet.

ni [ni] *conj.* noch, en ook niet; ***— moi non plus,***

niable [nya'bl] *adj.* te ontkennen, loochenbaar.

niais [nyè] **I** *adj.* onnozel, dom, onbeholpen; **II** *s. m.* onnozele hals, sukkel, sul *m.*

niaiser [nyè'zé] *v.i.* zijn tijd verbeuzelen.

niaiserie [nyè'zri] *f.* onnozelheid; beuzelarij; sulligheid *v.*

niaule [ñol], *voir* ***gnole.***

nicaise [nikè:z] *m.* sukkel, sufferd *m.*

nicaraguayen [nikaragwayẽ] *adj.* Nicaraguaans.

Nice [nis] *f.* Nizza *o.*

Nicée [nisé] *f.* Nicea *o.*

nicéen [niséẽ] *adj.* van Nicea.

niche [niʃ] *f.* **1** nis *v.*(*m.*); **2** hok, hondehok *o.*; **3** guitenstreek *m. en v.*, poets, grap *v.*(*m.*); ***faire des —s à qn.,*** iem. een poets bakken (*of* een kool stoven), iem. voor 't lapje houden.

nichée [niʃé] *f.* nest *o.* (vol). [gaan wonen.

nicher [niʃé] *v.i.* nestelen; ***se —,*** zich nestelen,

nichet [niʃè] *m.* nestei *o.*

nichoir [niʃwa:r] *m.* broedkooi *v.*(*m.*).

nichrome [nikro:m] *m.* legering *v.* van ijzer, chroom en nikkel. [nikkelstuk *o.*

nickel [nikèl] *m.* **1** (*metaal*) nikkel *o.*; **2** (*geldstuk*)

nickelage [nikla:j] *m.* vernikkeling *v.*

nickeler [niklé] *v.t.* vernikkelen; ***avoir les pieds nickelés,*** niet willen toegeven (meegaan, betalen, enz.).

nickélifère [nikélifè:r] *adj.* nikkelhoudend.

Nicodème [nikòdè:m] *m.* **1** Nicodemus *m.*; **2** (*fig.*) onnozele hals, sul, sukkel *m.*

Niçois [niswa] *m.* inwoner *m.* van Nizza.

nicol [nikòl] *m.* prisma *o.* van IJslands spaat voor polarisering van het licht.

Nicolas [nikòla] *m.* Nikolaas, Klaas *m.*; ***saint —,*** Sint-Nikolaas.

Nicole(**tte**) [nikòl(èt)] *f.* Klazina, Klaasje *v.*

nicotine [nikòtin] *f.* nicotine *v.*(*m.*).

nicotineux [nikòtinö] *adj.* nicotinehoudend.

nicotinisme [nikòtinizm] *m.* nicotinevergiftiging *v.*

nic(**ti**)**tant** [nik(ti)tã] *adj.* knipperend; ***paupière —e,*** derde ooglid *o.* van nachtvogels.

nic(**ti**)**tation** [nik(ti)ta'syõ] *f.* het knipperen *o.* met de ogen.

nid [ni] *m.* **1** nest *o.*; **2** (*fig.*) woning *v.*; ***— à rats,*** krotwoning *v.*; ***— de pie,*** (*sch.*) kraaienest; ***petit à petit l'oiseau fait son —,*** elke dag een draadje is een hemdsmouw in een jaar.

nidification [nidifika'syõ] *f.* nestbouw *m.*

nidifier [nidifyé] *v.i.* een nest bouwen.
nidiforme [nidifòrm] *adj.* nestvormig.
nidoreux [nidorö] *adj.* met een reuk of smaak van rotte eieren.
nièce [nyès] *f.* nicht *v.* (dochter v. broer of zuster).
nielle [nyèl] **I** *f.* **1** brand *m.* (in 't koren); **2** (*Pl.*) bolderik *m.*; **II** *m.* niëllo *o.*
nieller [nyèlé] *v.t.* **1** (*v. koren*) door brand aantasten (*of* bederven); **2** (*v. metaal*) niëlleren.
niellure [nyèlü:r] *f.* **1** brand *m.* (in 't koren); **2** niëllowerk *o.*
nième [ènyèm] *adj.* (*wisk.*) ***la — puissance,*** de n-de macht; ***la — fois,*** de zoveelste keer.
Niémen [nyém(e)n] *m.* Njemen *m.*
nier [nyé] *v.t.* ontkennen, loochenen.
Nieuport [nyöpò:r] *m.* Nieuwpoort *o.*
nieur [nyœ:r] *m.* loochenaar *m.*
nigaud [nigo] **I** *adj.* dom, onnozel, onbenullig; **II** *s. m.* domkop *m.*, uilskuiken *o.*
nigauderie [nigo'dri] *f.* domheid *v.*, domme streek *m. en v.*
nigelle [nijèl] *f.* **1** (*Pl.*) (wilde) nigelle *v.*; **2** (*Z.N.*) naderzaad *o.*; ***— de Damas,*** juffertje-in-'t-groen *o.*
nigérien [nigéryẽ] *adj.* **1** uit Niger, Nigerisch; **2** uit Nigeria, Nigeriaans.
nigriroste [nigriròst] *adj.* zwartsnavelig.
nihilisme [ni(h)ilizm] *m.* nihilisme *o.*
nihiliste [ni(h)ilist] **I** *adj.* nihilistisch; **II** *s. m.* nihilist *m.*
Nil [nil] *m.* Nijl *m.*
nille [niy] *f.* los handvat *o.*, losse kruk *v.(m.).*
nilotique [nilòtik] *adj.* van de Nijl.
nimbe [nẽ:b] *m.* stralenkrans, nimbus *m.*
nimbé [nẽ'bé] *adj.* **1** met een stralenkrans omgeven; **2** (*fig.*) door luister omgeven.
nimbus [nẽ'büs] *m.* **1** nimbus *m.*; **2** regenwolk *v.(m.).*
Nimègue [nimè:g] *f.* Nijmegen *o.*
nîmois [ni'mwa] *adj.* uit, van Nîmes.
ninas [nina] *m.* klein sigaartje *o.*
Ninive [nini:v] *f.* Niniveh *o.*
ninivite [ninivit] *adj.* uit, van Niniveh.
nippe [nip] *f.*, (*fam.*) kledingstuk *o.*; oude plunje *v.(m.).*
nipper [nipé] *v.t.* kleden, uitdossen, opschikken, in de kleren steken.
nippes [nip] *f.pl.* versleten (vrouwen)kleren.
Nippon [nipõ] *m.* **1** Nippon, Japan *o.*; **2** Japanner *m.*
nique [nik] *f.*, ***faire la — à qn.,*** met iem. spotten, iem. in zijn gezicht uitlachen.
niquet [nikè] *m.* nikkertje *o.*; ***faire un petit —,*** een dutje doen.
nitée [nité] *f.* nest *o.* (vol). [femelaarster *v.*
nitouche [nituʃ] *f.*, ***sainte —,*** heilig boontje *o.*,
nitrate [nitrat] *m.* nitraat, salpeterzuur zout *o.*
nitration [nitra'syõ] *f.* nitrering *v.*
nitre [nitr] *m.* salpeter *o.*
nitré [nitré], **nitreux** [nitrö] *adj.* salpeterachtig, salpeterhoudend.
nitrière [nitri(y)è:r] *f.* salpetergroeve *v.(m.).*
nitrification [nitrifika'syõ] *f.* salpetervorming *v.*
nitrifier, *se —* [s(e)nitrifyé] *v.pr.* uitslaan (door salpeter).
nitrique [nitrik] *adj.*, ***acide —,*** salpeterzuur *o.*
nitrite [nitrit] *m.* nitriet *o.*, zout *o.* van salpeterig zuur. [*o. en m.*
nitrocellulose [nitròsèlülo:z] *f.* schietkatoen
nitrogène [nitròjẽ] *m.* stikstof *v.(m.).*
nitroglycérine [nitròglisérin] *f.* nitroglycerine *v.(m.).* [bloeiend.
nivéal [nivéal] *adj.* **1** sneeuw—; **2** 's winters
niveau [nivo] *m.* **1** waterpas *o.*; **2** (*v. water; v. beschaving*) peil *o.*; ***au — de, de — avec,*** op dezelfde hoogte als; ***de —,*** waterpas; ***— de la mer,*** zeespiegel *m.*; ***— à plomb,*** schietlood *o.*; ***— de vie,*** levensstandaard *m.*; ***passage à —,*** overweg *m.*; ***courbe de —,*** (*aardr.*) hoogtelijn *v.(m.).*
nivéen [nivéẽ] *adj.* sneeuwwit.
niveler* [nivlé] *v.t.* **1** waterpas maken, waterpassen; **2** gelijkmaken.
nivelette [nivlèt] *f.* waterpaslat *v.(m.).*
niveleur [nivlœ:r] *m.* **1** waterpasser, waterpasmeter *m.*; **2** gelijkmaker *m.*
nivellement [nivèlmã] *m.* **1** meting *v.* met het waterpas; **2** gelijkmaking *v.*
Nivelles [nivèl] *m.* Nijvel *o.*
Nivellois [nivèlwa] **I** *m.* Nijvelaar *m.*; **II** *adj.*, ***n—,*** Nijvels.
nivéole [nivéòl] *f.* (*Pl.*) lenteklokje *o.*
Nivernais [nivèrnè] **I** *m.* inwoner *m.* van Nevers; **II** *adj.*, ***n—,*** uit Nevers.
niverolle [nivròl] *f.* sneeuwvink *m. en v.*
nivet [nivè] *m.* steekpenning *m.*
nivôse [nivo:z] *m.*, (*gesch.*) sneeuwmaand *v.(m.).*
nizéré [nizéré] *m.* rozenolie *v.(m.).*
nobiliaire [nòbilyè:r] **I** *adj.* adellijk, van de adel; **II** *s.*, *m.* adelboek *o.* [adel.
noblaillon [nòblayõ] *m.* iemand van vervallen
noble [nò'bl] **I** *adj.* **1** edel, edelmoedig; **2** adellijk, van adel; **3** (*v. stijl, enz.*) verheven; **II** *s. m.* edelman, adellijke *m.*
noblement [nò'blemã] *adv.* **1** edel, edelmoedig; **2** adellijk, als een edelman.
noblesse [nòblès] *f.* **1** adel; adeldom *m.*; **2** edellieden *mv.*; **3** (*fig.*) edelmoedigheid, voortreffelijkheid, waardigheid *v.*; ***— d'extraction,*** geboorteadel; ***— de finance,*** geldadel; ***— oblige,*** edele afkomst (een hoge geboorte, waardigheid, enz.) brengt verplichtingen mee.
nobliau [nòblyo] *m.* *voir* ***noblaillon.***
noce [nòs] *f.* bruiloft *v.(m.)*; bruiloftsfeest *o.* (*vooral in 't mv.*); ***le jour de ses —s,*** zijn trouwdag; ***épouser en secondes —s,*** een tweede huwelijk aangaan (met); ***—s d'argent,*** zilveren bruiloft; ***faire la —,*** (*fam.*) feestvieren, fuiven; ***ne pas être à la —,*** zijn plezier wel op kunnen, niet voor zijn plezier uit zijn; ***il a l'air à la —,*** hij ziet er vergenoegd uit; ***les gens de la —,*** de bruiloftsgasten.
nocer [nòsé] *v.i.* pretmaken, fuiven.
noceur [nòsœ:r] *m.* pretmaker, fuiver *m.*, fuiftype, fuifnummer *o.*
nocher [nòʃé] *m.* (*dichterl.*) schipper *m.*
nocif [nòsif] *adj.* schadelijk, kwaadaardig.
nocivité [nòsivité] *f.* schadelijkheid *f.*
noctambule [nòktã'bül] *m.-f.* **1** slaapwandelaar *m.*, —ster *v.*; nachtwandelaar *m.*, —ster *v.*; **2** (*fig.*) nachtraaf *v.(m.)*, nachtbraker *m.*, fuifnummer *o.* [delen.
noctambuler [nòktã'bülé] *v.i.* 's nachts rondwan-
noctambulisme [nòktã'bülizm] *m.* **1** (het) slaapwandelen; (het) nachtwandelen *o.*; **2** (het) nachtelijk fuiven *o.*
noctiflore [nòktiflò:r] *adj.* (*Pl.*) 's nachts bloeiend.
noctiluque [nòktilük] *adj.* 's nachts lichtgevend.
noctuelle [nòktwèl] *f.* (*Dk.*) nachtvlinder *m.*
nocturne [nòktürn] **I** *adj.* nachtelijk; ***oiseaux —s,*** nachtvogels; **II** *s. m.* **1** nocturne *v.(m.)* (gedeelte der metten); **2** (*muz.*) nocturne *v.(m.)*, nachtmuziek *v.*
nocuité [nòkwité] *f.* schadelijkheid *v.*
nodal [nòdal] *adj.*, ***point —,*** knooppunt *o.*; ***ligne —e,*** knooplijn *v.(m.).*

nodosité [nòdo'zité] *f.* knobbeligheid, knoesterigheid *v.*; knobbel, knoest *m.* [knobbelig.
nodulaire [nòdülè:r], **noduleux** [nòdülö] *adj.*
nodule [nòdül] *m.* knobbeltje *o.*
noduleux [nòdülö] *adj.* knobbelig.
nodus [nòdüs] *m.* (*gen.*, *Pl.*) knoop, knobbel *m.*
Noé [nòé] *m.* Noach *m.*
Noël [nòèl] *m.* Kerstmis *m.*; ***petit* —,** Kerstkindje *o.*; ***le bonhomme* —,** het kerstmannetje; ***à*** (***la***) **—,** met Kerstmis.
nœud [nö] *m.* **1** (*in touw, enz.*: *fig.*) knoop *m.*; **2** (*v. lint*) strik *m.*; **3** (*in hout*) kwast, knoest *m.*; **4** (*in steen, marmer*) kwast *m.*; **5** (*v. vinger*) knokkel *m.*; **6** (*v. jicht, enz.*) knobbel *m.*; **7** (*v. dier*) staartwervel *m.*; **8** (*v. slang*) kronkeling *v.*; **9** (*v. wegen, spoorwegen*) knooppunt *o.*; **10** (*lett.*) verwikkeling *v.*; **11** (*sch.*) knoop *m.*; **12** (*fig.*) band *m.*; ***le — du mariage,*** de band van het huwelijk; ***— coulant,*** strik *m.*; strop *m.*; lus *v.*(*m.*); ***— vital,*** levensknoop; ***faire le — de sa cravate,*** zijn das strikken; (*fig.*) ***avoir un — à la gorge,*** in ernstige moeilijkheden verkeren; ***filer vingt —s,*** twintig knopen in 't uur lopen.
noir [nwa:r] **I** *adj.* **1** zwart; **2** donker, duister; **3** (*humeur, stemming*) droevig, somber; **4** (*gedachten, enz.*) zwaarmoedig; **5** (*verraad, ondankbaarheid*) snood, afschuwelijk; **6** (*voorgevoel, enz.*) onheilspellend; ***beurre* —,** bruine boter; ***pain* —,** roggebrood *o.*; ***raisin* —,** blauwe druif *v.*(*m.*); ***misère —e,*** bittere ellende *v.*(*m.*); ***— animal,*** beenderkool *v.*(*m.*); ***— comme jais,*** gitzwart; ***un — chagrin,*** een somber verdriet; ***rendre* —,** bekladden; **II** *s. m.* **1** (het) zwart *o.*, (de) zwarte kleur *v.*(*m.*); **2** zwartsel *o.*; **3** neger *m.*; **4** blauwe plek *v.*(*m.*); ***être en* —,** in de rouw zijn; ***s'habiller de* —,** zich in 't zwart kleden; ***traite des —s,*** slavenhandel *m.*; ***broyer du* —,** somber gestemd zijn, zwartgallig zijn; ***voir tout en* —,** alles donker inzien; ***— de fumée,*** lampzwart *o.*
noirâtre [nwa'ra:tr] *adj.* zwartachtig.
noiraud [nwa'ro] **I** *adj.* zwart, donker (v. haar, huid); **II** *s. m.* zwartje *o.*
noirceur [nwarsœ:r] *f.* **1** zwartheid *v.*; **2** somberheid *v.*; **3** (*fig.*: *v. plan, enz.*) snoodheid, afschuwelijkheid *v.*
noircir [nwarsi:r] **I** *v.t.* **1** zwart maken; donker maken; **2** (*fig.*) belasteren, bekladden, verdacht maken; ***— du papier,*** papier bekladden; **II** *v.i.* zwart worden; **III** *v.pr.* **1** zwart worden; **2** zich (*of* elkaar) zwart maken; **3** donker worden, betrekken (v. lucht).
noircissement [nwarsismã] *m.* (het) zwart maken; (het) bekladden *o.*
noircissure [nwarsisü:r] *f.* **1** (het) zwart maken *o.*; **2** zwarte vlek *v.*(*m.*).
noire [nwa:r] *f.* **1** negerin *v.*; **2** (*muz.*) kwartnoot *v.*(*m.*); **3** (*op schoolrapport*) slechte aantekening *v.*
noise [nwa:z] *f.*, ***chercher — à qn.,*** ruzie zoeken met iem.
noiseraie [nwa'zrè] *f.* hazelaarsbosje *o.*
noisetier [nwastyé] *m.* hazelaar *m.*
noisette [nwa'zèt] **I** *f.* hazelnoot *v.*(*m.*); **II** *adj.* hazelnootkleurig.
noix [nwa] *f.* noot *v.*(*m.*); ***— de coco,*** kokosnoot, klappernoot; ***— de galle,*** galnoot; ***— de muscade,*** muskaatnoot; ***— de veau,*** kalfshaas *m.*
noli me tangere [nòlimétã'jeré] *m.* (*Pl.*) grote balsamine *v.*(*m.*), springkruid *o.*
nolis [nòli] *m.* (*sch.*) bevrachting *v.* [*o.*
nolisement [nòli'zmã] *m.* (*sch.*) (het) bevrachten
noliser [nòli'zé] *v.t.*, (*sch.*) bevrachten.
nom [nõ] *m.* **1** naam *m.*; **2** (zelfstandig) naamwoord *o.*; ***— commun,*** gemeen zelfstandig naamwoord; ***— propre,*** eigennaam *m.*; ***— de nombre,*** telwoord *o.*; ***— de baptême, petit* —,** voornaam *m.*; ***— de famille,*** achternaam *m.*; ***— de plume, — de guerre,*** aangenomen naam, schuilnaam *m.*, pseudoniem *o.*; ***— de religion,*** kloosternaam *m.*; ***de* —,** in naam; van naam; ***sans* —, 1** zonder naam; **2** ongehoord; ***— d'une pipe, — d'un chien,*** jandorie! ***se faire un* —,** naam maken; ***cela n'a pas de* —,** dat is ongehoord.
nomade [nòma'd] **I** *adj.* zwervend, rondzwervend; ***peuple* —,** nomadenvolk, herdersvolk *o.*, zwervende volksstam *m.*; ***population* —,** (*v. stad*) vlottende bevolking *v.*; **II** *s.*, *m.* zwerver *m.*
nomadiser [nòmadi'zé] *v.i.* een nomadenleven leiden, zwervend leven.
nombrable [nõ'bra'bl] *adj.* telbaar. [getal *o.*
nombrant [nõ'brã] *adj.*, ***nombre* —,** onbenoemd
nombre [nõ:br] *m.* **1** getal *o.*; **2** aantal *o.*; **3** telwoord *o.*; **4** menigte *v.*; **5** ritme *o.*, klankmaat *v.*(*m.*), welluidendheid, harmonie *v.* van de woorden; ***— cardinal,*** hoofdtelwoord; ***— ordinal,*** rangtelwoord; ***— abstrait,*** onbenoemd getal; ***— concret,*** benoemd getal; ***— premier,*** ondeelbaar getal; ***faire* —,** meetellen; ***le petit* —** de minderheid; ***sans* —,** ontelbaar; ***— d'or,*** gulden getal; ***— de fois,*** zeer dikwijls; ***le Livre des N—s,*** het Boek Numeri; ***— d'entre eux,*** velen onder hen.
nombré [nõ'bré] *adj.* (*v. getal*) benoemd.
nombrer [nõ'bré] *v.t.* berekenen, tellen.
nombreusement [nõ'brö'zmã] *adv.* in groten getale.
nombreux [nõ'brö] *adj.* talrijk; ***période nombreuse,*** welluidende periode.
nombril [nõ'bri] *m.* navel *m.*
nomenclateur [nòmã'klatœ:r] *m.* nomenclator *m.*; register *o.* (v. namen).
nomenclature [nòmã'klatü:r] *f.* **1** (*v. wetenschap*) nomenclatuur *v.*; **2** (*v. taal*) woordenschat *m.*; **3** naamlijst, woordenlijst *v.*(*m.*); **4** opsomming *v.*
nominal [nòminal] *adj.*, **nominalement** [nòminalmã] *adv.* in naam; bij name; ***appel* —,** naamafroeping *v.*; ***valeur —e,*** nominale waarde *v.*
nominatif [nòminatif] **I** *adj.* op naam; ***action nominative,*** aandeel *o.* op naam; ***liste nominative,*** naamlijst *v.*(*m.*); **II** *s. m.* nominatief, eerste naamval *m.* [ling *v.*
nomination [nòmina'syõ] *f.* benoeming; aanstel-
nominativement [nòminati'vmã] *adv.* met name.
nommé [nòmé] *adj.* genaamd, geheten; ***un — A.,*** een zekere A.; ***à jour* —,** op de bepaalde dag.
nommément [nòmémã] *adv.* met name.
nommer [nòmé] **I** *v.t.* **1** noemen; **2** benoemen; ***— qn. bourgmestre,*** iem. tot burgemeester benoemen; **II** *v.pr.* ***se* —, 1** heten; **2** zijn naam opgeven.
nomographie [nòmògrafi] *f.* **1** wetskennis *v.*; **2** publikatie *v.* over wetten.
non [nõ] *adv.* **1** neen; **2** niet; ***— pas,*** niet; ***— plus,*** ook niet; evenmin; ***que* —,** welneen; ***— que,*** niet dat.
non-acceptation [nònaksèpta'syõ] *f.* niet-aanneming *v.*
non-activité [nònaktivité] *f.* non-activiteit *v.*
nonagénaire [nònajénè:r] *adj.* (*et s. m.*) negentigjarig(e).
nonagésime [nònajézim] *adj.*, ***degré* —,** negentigste graad *m.* (v. de eliptica).
non-agression [nònagrèsyõ] *f.* het niet-aanvallen; ***pacte de* —,** niet-aanvalsverdrag *o.*
nonante [nònã:t] *n.card.*, (*verouderd*) negentig.

non-avenu [nònavnü] *adj.* nietig, van generlei waarde.
nonce [nõ:s] *m.* nuntius *m.*
nonchalamment [nõ'ʃalamã] *adv.* slordig, achteloos, onverschillig, nonchalant.
nonchalance [nõ'ʃalã:s] *f.* slordigheid, onachtzaamheid, onverschilligheid *v.*
nonchalant [nõ'ʃalã] *adj.* slordig, achteloos, onverschillig, nonchalant.
nonciature [nõ'syatü:r] *f.* nuntiatuur *v.*
non-combattant [nõ'kõ'batã] *m.* niet-strijder *m.*
non-comparant [nõ'kõparã] **I** *adj.* niet voor de rechtbank verschijnend; **II** *s. m.* iemand die niet voor de rechtbank verschijnt.
non-conformiste [nõ'kõ'fòrmist] **I** *m.*, (*prot.*) dissenter, afgescheidene *m.*; **II** *adj.* niet anglicaans.
none [nòn] *f.* none *v.(m.).*
non-être [nònè:tr] *m.* (het) niet-zijn *o.*
non-exécution [nònèksékùsyõ] *f.* niet-uitvoering [*v.*
non-existance [nònèksistã:s] *f.* het niet-bestaan *o.*
non-ferreux [nõ'fèrö] *adj.*, ***métaux —,*** non-ferrometalen *mv.*
non-gréviste [nõ'grévist] *m.* werkwillige *m.*
non-intervention [nònẽ'tèrvɑ'syõ] *f.* non-interventie *v.*, (het) onzijdig blijven *o.*
nonius [nònyüs] *m.* nonius, graadverdeler *m.*
non-lieu [nõ'lyö] *m.* ontslag *o.* van rechtsvervolging.
non-moi [nõ'mwa] *m.* (het) niet-ik, (de) buitenwereld.
nonnain [nònẽ], **nonne** [nòn] *f.* (*ong.*) non *v.*
nonnette [nònèt] *f.* **1** (*ong.*) nonnetje *o.*; **2** mop *v.(m.)* (*gebak*); **3** (*Dk.*) moerasmees *v.(m.).*
nonobstant [nònòpstã] **I** *prép.* niettegenstaande; **II** *adv.* desondanks.
non-paiement [nõ'pèymã] *m.* wanbetaling *v.*
non-pair [nõ'pè:r] *adj.* oneven, onpaar.
nonpareil [nõ'parè'y] *adj.* onvergelijkelijk, weergaloos.
non-recevoir [nõ'res(e)vwa:r] *m.*, ***fin de —,*** grond *m.* van nietontvankelijkheid.
non-réussite [nõ'réüsit] *f.* mislukking *v.*
non-sens [nõ'sã(:s)] *m.* onzin, nonsens *m.*
non-solvable [nõ'sòlva'bl] *adj.* insolvent.
nonuple [nònüpl] *adj.* negenvoudig.
nonupler [nònüplé] *v.t.* vernegenvoudigen.
non-usage [nònüsa:ʒ] *m.* het niet-gebruiken *o.*
non-valeur [nõ'valœ:r] *f.* **1** waardeloosheid *v.*; **2** waardeloos papier *o.*; **3** (*v. persoon*) nul *v.(m.).*
non-viable [nõ'vya'bl] *adj.* niet levensvatbaar.
nopage [nòpa:ʒ] *m.* (het) noppen *o.*
nopal [nòpal] *m.* (*pl.* : **—s**) (*Pl.*) vijgdistel *m. en v.*
nope [nòp] *f.* nop *v.(m.).*
noper [nòpé] *v.t.* noppen.
nord [nò:r] **I** *m.* noorden *o.*; ***latitude —,*** noorderbreedte *v.*; ***vent du —,*** noordenwind *m.*; ***perdre le —,*** de kluts kwijt raken; **II** *adj.* noordelijk.
nord-est [nòr(d)èst] **I** *m.* noordoosten *o.*; **II** *adj.* noordoostelijk.
nordique [nòrdik] *adj.* Noords, Skandinavisch.
nordir [nòrdir] *v.i.* (*v. wind*) noordelijk worden.
nord-ouest [nòrd(w)èst] **I** *m.* noord-westen *o.*; **II** *adj.* noordwestelijk.
noria [nòrya] *f.* jakobsladder *v.(m.).*
normal [nòrmal] *adj.* **1** regelmatig, gewoon; **2** (*fig.*) standaard—; eenheids—; ***école —e,*** (*B.*) normaalschool *v.(m.)*; (*N.*) kweekschool (voor onderwijzers); ***école —e supérieure,*** normaalschool voor leraren (bij het M.O.).
normale [nòrmal] *f.* loodlijn *v.(m.)* (op de raaklijn).
normalement [nòrmalmã] *adv.* normaal, op regelmatige wijze, in normale omstandigheden.
normalien [nòrmalyẽ] *m.* (*B.*) normalist, leerling *m.* van de normaalschool; (*N.*) kwekeling *m.*
normalisation [nòrmalizɑ'syõ] *f.* normalisering *v.*, (het) normaal maken *o.*
normaliser [nòrmali'zé] *v.t.* normaliseren.
Normand [nòrmã] **I** *m.* **1** Normandiër *m.*; **2** (*gesch.*) Noorman *m.*; ***répondre en —,*** ja noch neen zeggen; **II** *adj.* ***n—,*** **1** Normandisch; **2** slim; ***donner une réponse —e,*** een dubbelzinnig antwoord geven.
Normandie [nòrmã'di] *f.* Normandië *o.*
norme [nòrm] *f.* norm *v.(m.)*, maatstaf, regel *m.*
noroît [nòrwa] *m.*, (*sch.*) noordwestenwind *m.*
norrois [nòrwa] *adj.* Oudnoors.
Norvège [nòrvè:ʒ] *f.* Noorwegen *o.*
Norvégien [nòrvéjyẽ] **I** *m.* Noor *m.*; **II** *adj.*, ***n—,*** [Noors.
nos [no] *pr.poss.*, *voir* ***notre.***
nosographie [nòzògrafi] *f.* beschrijving *v.* van de ziekten.
nosologie [nòzòlòʒi] *f.* ziektenleer *v.(m.).*
nosseigneurs [nòsèñœ:r], *voir* ***monseigneur.***
nostalgie [nòstalʒi] *f.* heimwee *o.*; (*fig.*) ***— de,*** verlangen naar.
nostalgique [nòstalʒik] *adj.* aan heimwee lijdend, vol heimwee, heimziek.
nostoc [nòstòk] *m.* (*Pl.*) alge-soort *v.(m.) en o.*
nota [nòta] *m.* noot *v.(m.).*
notabilité [nòtabilité] *f.* **1** aanzienlijkheid; opmerkelijkheid *v.*; **2** aanzienlijk persoon *m.*
notable [nòta'bl] **I** *adj.* aanzienlijk; opmerkelijk; **II** *s. m.* aanzienlijk persoon, notabele *m.*
notablement [nòta'blemã] *adv.* aanzienlijk, aanmerkelijk.
notaire [nòtè:r] *m.* notaris *m.*
notairesse [nòtè'rès] *f.* notarisvrouw *v.*
notamment [nòtamã] *adv.* namelijk, inzonderheid, bijzonder.
notarial [nòtaryal] *adj.* notarieel, notaris—; ***charge —e,*** notarisambt *o.*
notariat [nòtarya] *m.* notariaat, notarisambt *o.*
notarié [nòtaryé] *adj.* notarieel, door een notaris opgemaakt.
notateur [nòtatœ:r] *m.* optekenaar *m.*
notation [nòtɑ'syõ] *f.* **1** aanduiding *v.* (door tekens); **2** (*wisk.*) tekenschrift *o.*; ***— musicale,*** notenschrift *o.*
note [nòt] *f.* **1** aantekening *v.*; **2** (*onderaan blz.*: *muz.*) noot *v.(m.)*; **3** opmerking, aanmerking *v.*; **4** nota *v.(m.)*, rekening *v.*; **5** bericht *o.*, mededeling *v.*; ***de bonnes —s,*** (*op school*) goede cijfers, een goed rapport; ***apporter une — gaie,*** er een vrolijke stemming in brengen; ***une — sombre,*** (*in schilderij*) een sombere tint; ***chanter toujours la même —,*** altijd hetzelfde liedje zingen; ***il ne sait qu'une —,*** hij weet niets anders; ***donner la — à qn.,*** (*muz.*) iem. de toon aangeven; ***donner sa — à qn.,*** iem. op zijn nummer zetten; ***changer de —,*** een andere toon aanslaan; (*H.*) ***— d'expédition,*** kennisgeving van afzending; ***— de frais,*** onkostenrekening *v.*; ***— de poids,*** wichtnota *v.(m.)*; ***prendre — de,*** nota nemen van; boeken; ***de —,*** aanzienlijk; ***— courante,*** voetnoot; ***— marginale,*** kanttekening *v.*
noté [nòté] *adj.* genoteerd; ***être bien —,*** goed aangeschreven staan.
noter [nòté] *v.t.* **1** aantekenen, opschrijven; **2** opmerken; **3** (*muz.*) in noten schrijven; ***notez bien ceci,*** let hier wel op; ***— en passant,*** aanstippen.
noteur [nòtœ:r] *m.* kopiist *m.* (v. muziek).
notice [nòtis] *f.* kort bericht *o.*, mededeling *v.*;

— ***biographique,*** korte levensbeschrijving *v.*
notificatif [nòtifikatif] *adj.* aanzeggend, aankondigend.
notification [nòtifika·syõ] *f.* kennisgeving *v.*; aanzegging, aanschrijving *v.*; ***faire — de,*** bekend maken, afkondigen.
notifier [nòtifyé] *v.t.* **1** kennis geven, aankondigen; **2** aanzeggen, aanschrijven; **3** (*recht*) betekenen.
notion [nòsyõ] *f.* begrip, denkbeeld *o.*; kennis *v.*; ***—s de chimie,*** eerste beginselen van scheikunde.
notoire(ment) [nòtwa:r(mã)] *adj.* (*adv.*) **1** algemeen bekend, vermaard; **2** klaarblijkelijk.
notoriété [nòtòryété] *f.* **1** algemene bekendheid *v.*; **2** bekende persoonlijkheid *v.*; ***c'est de — publique,*** dat is algemeen bekend; ***arriver à la —,*** naam maken, bekend worden.
notre [nò·tr] *pron.poss.* (*plur.*: ***nos***) ons, onze.
nôtre [no:tr] *pron.poss.* het onze; de onze; ***les —s,*** de onzen; ***serez-vous des —s?*** ben je van de partij?
Notre-Dame [nòtrdam] *f.* **1** Onze-Lieve-Vrouw *v.*; **2** O.-L.-Vrouwekerk *v.*(*m.*).
Notre-Seigneur [not(r)sèñœ:r] *m.* Onze-Lieve-Heer *m.*
notule [nòtül] *f.* korte aantekening *v.*
notus [nòtüs] *m.* zuidenwind *m.*
nouba [nuba] *f.* muziek *v.* van Algerijnse soldaten; (*fig.*) ***faire la —,*** feesten, pret maken.
noue [nu] *f.* **1** vette vochtige weide *v.*(*m.*); **2** (*bouwk.*) kielgoot *v.*(*m.*).
nouement [numã] *m.* (het) knopen *o.*
nouer [nwé] **I** *v.t.* **1** knopen; **2** binden, vastbinden; **3** strikken; **4** aanknopen; **II** *v.i.* (*Pl.*) zich tot vrucht zetten; **III** *v.pr.* ***se —,*** **1** in de knoop raken; **2** gebonden worden; **3** knobbelig worden; **4** de Engelse ziekte krijgen; **5** (*Pl.*) zich tot vrucht zetten.
noueux [nwö] *adj.* **1** knoestig; **2** knobbelig, knokig; **3** geleed.
nougat [nuga] *m.* noga *m.*
nouilles [nuy] *f.pl.* noedels *mv.*
noulet [nulè] *m.* (*bouwk.*) kielgoot *v.*(*m.*).
nourrain [nurẽ] *m.* pootvis.
nourri [nuri] *adj.* gevoed; gevuld; krachtig; ***— de faits,*** zaakrijk.
nourrice [nuris] *f.* **1** voedster *v.*; **2** min *v.*; **3** (*techn.*) bijvulreservoir *o.* (voor ketel of motor); ***chanson de —,*** bakerrijmpje *o.*
nourricier [nurisyé] *adj.* voedend; ***père —,*** voedstervader *m.*
nourrir [nuri:r] **I** *v.t.* **1** voeden; **2** (*v. vee*) voederen; **3** (*fig.*) (de geest) vormen; (hoop) koesteren; voedsel geven aan; onderhouden; ***cela ne nourrit pas son homme,*** daarmee kan men zijn brood niet verdienen; (*H.*) ***— une action,*** geld bijpassen op een aandeel; **II** *v.i.* voedzaam zijn; **III** *v.pr.,* ***se —,*** zich voeden.
nourrissage [nurisa:j] *m.* veefokkerij *v.*
nourrissant [nurisã] *adj.* voedzaam.
nourrisseur [nurisœ:r] *m.* veefokker *m.*
nourrisson [nurisõ] *m.* zuigeling *m.*
nourriture [nuritü:r] *f.* **1** voedsel *o.*; **2** voeding *v.*, eten *o.*; **3** (*v. vee*) voeder, voer *o.*
nous [nu] *pron.pers.* wij, we; ons; ***— autres,*** wij; ***chez —,*** bij ons; thuis.
nouure [nwü:r] *f.* **1** (*gen.*) knobbelziekte, Engelse ziekte *v.*; **2** (*Pl.*) vruchtzetting *v.*
nouveau [nuvo] **I** *adj.* (devant une voyelle : ***nouvel*** [nuvèl]; *f.* : ***nouvelle*** [nuvèl]) **1** nieuw; **2** ander; **3** pas verschenen; **4** nieuwerwets; ***un — livre,*** een nieuw boek; ***un livre —,*** een pas verschenen boek; ***jusqu'à nouvel avis,*** tot nader bericht; ***les —x mariés,*** de jonggehuwden; ***— riche,*** oweeër; ***— venu,*** laatst gekomene, pas aangekomene; ***de*** (*ou* ***à***)***—,*** opnieuw; **II** *s. m.* **1** (het) nieuwe *o.*; **2** nieuweling *m.*; ***il y a du —,*** er is wat nieuws.
nouveau-né* [nuvoné] *adj. et s., m.* pasgeboren(e) (*m.*).
nouveauté [nuvoté] *f.* nieuwigheid *v.*; ***haute —,*** nieuwste mode *v.*(*m.*); ***—s,*** mode-artikelen *mv.*, manufacturen *mv.*; ***magasin de —s,*** manufacturenwinkel *m.*
nouvel, *voir* ***nouveau.***
nouvelle [nuvèl] **I** *adj.*, *voir* ***nouveau;*** **II** *s. f.* **1** nieuws *o.*, tijding *v.*, nieuwtje *o.*; **2** (*lett.*) novelle *v.*(*m.*); ***donner de ses —s,*** iets van zich laten horen; ***je n'ai pas eu de ses —s,*** ik heb geen bericht van hem gehad; ***vous aurez de mes —s,*** je hoort nog wel van me; ik zal je wel krijgen! ***aller aux —s,*** op bericht uitgaan; ***je puis en dire des —s,*** daar weet ik van mee te praten; ***— humoristique,*** humoreske *v.*(*m.*).
Nouvelle-Calédonie [nuvèlkalédòni] *f.* Nieuw-Caledonië *o.*
Nouvelle-Galles (du Sud) [nuvèlgal(düsü·d)] *f.* Nieuw Zuid Wales *o.*
nouvellement [nuvèlmã] *adv.* onlangs, pas.
Nouvelle-Orléans [nuvèlòrléã] *f.* Nieuw-Orleans *o.*
Nouvelle-Zélande [nuvèlzélã:d] *f.* Nieuw-Zeeland *o.*
Nouvelle-Zemble [nuvèlzã:bl] *f.* Nova Zembla *o.*
nouvelliste [nuvèlist] *m.* **1** novellist, novellenschrijver *m.*; **2** nieuwtjesjager; reporter *m.*
nova [nova] *f.* nieuwe ster *v.*(*m.*).
novale [nòval] *f.* nieuw ontgonnen land *o.*
novateur [nòvatœ:r] **I** *m.* invoerder van nieuwigheden; baanbreker *m.*; **II** *adj.* baanbrekend.
novation [nòva·syõ] *v.* (*recht*) vernieuwing *v.* (v. schuld, contract).
novembre [nòvã:br] *m.* november *m.*
novice [nòvis] **I** *m.-f.* **1** (*in klooster*) novice *m.-v.*; **2** (*sch.*) licht matroos *m.*; **3** (*fig.*) noviet, onervaren persoon *m.*; **II** *adj.* ongeoefend, onbedreven, onervaren.
noviciat [nòvisya] *m.* **1** (*in klooster*) noviciaat *o.*; **2** (*in beroep*) proeftijd, leertijd *m.*; **3** (*universiteit*) groentijd *m.*
noxal [nòksal] *adj.* (*recht*) schadelijk.
noyade [nwaya·d] *f.* verdrinking *v.*
noyau [nwayo] *m.* **1** (*v. vrucht*) steen *m.*, pit *v.*(*m.*); **2** (*v. wenteltrap*) spil *v.*(*m.*); **3** (*fig.*) kern *v.*(*m.*), middelpunt *o.*, ziel *v.*(*m.*); **4** (*v. polit. partij*) cel *v.*(*m.*).
noyautage [nwayo·ta:j] *m.* **1** kernvorming *v.*; **2** (*fig.*) cellenbouw *m.*
noyauter [nwayo·té] *v.t.* (*v. vereniging*) door cellenbouw ondermijnen.
noyauteur [nwayo·tœ:r] *m.* (communistisch) cellenbouwer *m.*
noyé [nwayé] **I** *adj.* verdronken; ***— de larmes,*** in tranen badend; ***— de dettes,*** tot over de oren in de schuld; **II** *s. m.* drenkeling *m.*
noyer [nwayé] **I** *m.* **1** noteboom *m.*; **2** notehout *o.*; **II** *v.t.* **1** verdrinken; **2** (*land, streek*) overstromen, onder water zetten; **3** (*v. wijn*) aanlengen; **4** (*saus; fig.*) verwateren; ***— les couleurs,*** de kleuren doen ineenvloeien; ***qui veut — son chien, l'accuse de la rage,*** wie een hond wil slaan vindt licht een stok; **III** *v.pr.* ***se —,*** **1** verdrinken; **2** zich verdrinken.
nu [nü] *adj.* **1** naakt; **2** bloot, onbedekt; **3** kaal; ***— comme un ver,*** spiernaakt, moedernaakt; ***—e propriété,*** bloot eigendom, eigendom zonder vruchtgebruik; ***—-tête, tête —e,*** blootshoofds; ***à l'œil —,*** met het blote oog; ***mettre à —,*** blootleggen; opgraven.

nuage [nwa:j] *m.* 1 wolk *v.(m.)*; 2 (*fig.*) nevel *m.*; ***sans —s,*** onbewolkt; ***un — de lait,*** een scheutje (of druppeltje) melk; ***être dans les —s,*** in hoger sferen zweven; ***se perdre dans les —s,*** doordraven (bij redenering, enz.).
nuagé [nwa'jé] *adj.* gewolkt.
nuageux [nwa'jö] *adj.* 1 bewolkt; 2 (*v. stijl*) duister; 3 (*v. edelsteen*) gevlekt. [o.
nuance [nwã:s] *f.* 1 schakering *v.*; 2 klein verschil
nuancement [nwã'smã] *m.* nuancering *v.*
nuancer [nwã'sé] *v.t.* 1 schakeren, nuanceren; 2 doen uitkomen.
Nubie [nübi] *f.* Nubië *o.* [bisch.
Nubien [nübyẽ] I *m.* Nubiër *m.*; II *adj.*, *n—*, Nu-
nubile [nübil] *adj.* huwbaar.
nubilité [nübilité] *f.* huwbaarheid *v.*
nucelle [nüsèl] *f.* (*Pl.*) zaadkern *v.(m.)*.
nucifère [nüsifè:r] *adj.* nootdragend.
nuciforme [nüsifòrm] *adj.* nootvormig.
nucléaire [nükléè:r] *adj.* van de (atoom)kern, kern—; ***fissure —,*** kernsplitsing *v.*; ***explosif —,*** kernspringstof *v.(m.)*; ***armes —s,*** atoomwapens *mv.*
nudité [nüdité] *f.* 1 naaktheid *v.*; 2 kaalheid *v.*
nue [nü] *f.* wolk *v.(m.)*; ***tomber des —s,*** hoogst verbaasd zijn, verstomd staan; uit de lucht komen vallen; ***porter dans les —s, élever jusqu'aux —s,*** hemelhoog prijzen.
nuée [nwé] *f.* 1 dikke wolk, regenwolk *v.(m.)*; 2 menigte *v.*; 3 zwerm *m.*
nuement, *voir* ***nûment.***
nue*-propriété* [nüpròpryété] *f.* bloot eigendom *m.*, eigendom waarvan een ander het vruchtgebruik heeft.
nuire* [nwi:r] I *v.i.* schaden, benadelen; afbreuk doen (aan); ***cela ne nuira pas,*** dat kan geen kwaad; II *v.pr.* ***se —,*** 1 zich benadelen; 2 elkaar benadelen. [delig voor.
nuisible [nwizi'bl] *adj.* 1 schadelijk; 2 ***— à,*** na-
nuit [nwi] *f.* 1 nacht *m.*; 2 duisternis *v.*; ***il fait —,*** het is donker; ***il fait — noire,*** het is pikdonker; ***une — blanche,*** een slapeloze nacht; ***bonne — !*** goede nacht ! wel te rusten ! ***à la — tombante,*** tegen het vallen van de avond; ***cette —*** vannacht; ***— et jour,*** dag en nacht; ***il ne passera pas la —,*** hij zal de morgen niet halen; ***la — des temps,*** de grijze oudheid.
nuitamment [nwitamã] *adv.* 's nachts, bij nacht.
nuitée [nwité] *f.* nacht *m.* (*duur*).
nul [nül] I *adj.* (*f.* : ***nulle***) 1 geen; 2 (*v. persoon*) onbeduidend; 3 (*recht*) nietig, onwettig; 4 (*v. reden*) waardeloos; 5 (*sp.*) gelijk; ***faire match —,*** gelijk spelen; ***— et non avenu,*** van nul en gener waarde; ***—le part,*** nergens; II *pron.ind.* niemand.
nulle, *voir* ***nul.*** [niet.
nullement [nülmã] *adv.* geenszins, in 't geheel
nullification [nülifika'syõ] *f.* nietigverklaring *v.*
nullité [nülité] *f.* 1 onbeduidendheid *v.*; 2 nietigheid, onwettigheid *v.*; 3 (*v. persoon*) onbeduidend mens *m.*, nul *v.(m.)*.
nûment, nuement [nümã] *adv.* vrijuit, ronduit, onbewimpeld.

numéraire [nüméré:r] I *adj.* geld—; ***valeur —,*** geldswaarde *v.*; II *s. m.* geld, gemunt geld *o.*, muntspeciën *mv.*
numéral [nüméral] *adj.*, ***adjectif —,*** telwoord; ***lettre —e,*** getalletter *v.(m.)*.
numérateur [nüméraṭœ:r] *m.* (*v. breuk*) teller *m.*
numération [nüméra'syõ] *f.* 1 (het) tellen *o.*; 2 (het) uitspreken *o.* van een getal; ***système de —,*** talstelsel *o.*
numérique [nümérik] *adj.* numeriek, naar het aantal; ***force —,*** getalsterkte; ***supériorité —,*** grotere getalsterkte.
numéro [nüméro] *m.* nummer *o.*; ***entendre le —,*** van wanten weten; ***tirer un bon —,*** (*mil.*) zich vrijloten; ***tirer un mauvais —,*** (*mil.*) zich er in loten; ***je connais son —,*** ik ken hem van haver tot gort; ik weet welk vlees ik in de kuip heb; ***— d'ordre,*** volgnummer *o.*
numérotage [nüméròta:j] *m.* (het) nummeren *o.*
numéroter [nüméròté] *v.t.* nummeren.
numéroteur [nüméròtœ:r] *m.* nummeraar; nummerstempel *m.*
Numide [nümi'd] I *m.-f.* Numidiër *m.*, Numidische *v.*; II *adj.*, *n—*, Numidisch.
numismate [nümismat] *m.* penningkundige, muntenkenner *m.*
numismatique [nümismatik] *f.* penningkunde *v.*, kennis *v.* van munten.
nummulaire [nümülè:r] *f.* (*Pl.*) penningkruid *o.*
nummulite [nümülit] *f.* (*Pl.*) duivelspenning *m.*
nuphar [nüfa:r] *m.* (*Pl.*) gele plomp *v.(m.)*.
nu-pieds [nüpyé] *adj. et adv.* blootsvoets, barrevoets.
nuptial [nüpsyal] *adj.* huwelijks—; bruids—; ***bénédiction —e,*** huwelijksinzegening *v.*; ***robe —e,*** bruidskleed *o.*
nuptialité [nüpsyalité] *f.* aantal *o.* huwelijken.
nuque [nük] *f.* nek *m.*
Nuremberg [nürẽ'bè:r] *f.* Neurenberg *o.*
nurembergeois [nürẽ'bèrjwa] *adj.* Neurenbergs.
nutation [nüta'syõ] *f.* nutatie *v.*, beweging *v.* van de aardas.
nutrescibilité [nütrèsibilité] *f.* voedingswaarde *v.*
nutrescible [nütrèsi'bl] *adj.* voedzaam.
nutricier [nütrisyé] *adj.* voedend, voedings—.
nutritif [nütritif] *adj.* voedzaam, voedend.
nutrition [nütrisyõ] *f.* voeding *v.*
nutrivité [nütrivité] *f.* voedzaamheid *v.*
nyctage [nikta:j] *m.* (*Pl.*) nachtschone *v.(m.)*.
nyctalope [niktalòp] *adj.* (*et s. m.*) dagblind(e); bij nacht ziend(e), bij dag blind(e).
nyctalopie [niktalòpi] *f.* dagblindheid *v.*
nylon [nilõ] *m.* nylon *o.* en *m.*; ***bas —,*** nylonkousen *mv.*
nymphe [nẽ:f] *f.* 1 nimf *v.*; 2 pop *v.(m.)* (v. insekt).
nymphéa [nẽ'féa] *m.* (*Pl.*) waterlelie, witte plomp *v.(m.)*.
nymphéacées [nẽ'féasé] *f.pl.* (*Pl.*) waterlelieachtigen *mv.*
nymphée [nẽ'fé] *f.* nimfentempel *m.*
nymphose [nẽ'fo:z] *f.* (*Dk.*) verpopping *v.*

O

O [o:] *m.* o *v.(m.)*.
ô ! [o:] *ij.* o ! och !
oasien [oazyẽ] I *adj.* oase—, van de oaze; II *s. m.*, oasebewoner *m.*

oasis [oazi's] *f.* oase *v.*
obédience [òbédyã:s] *f.* 1 (*v. kloosterling*) obediëntie, gehoorzaamheid *v.*; 2 reisbrief, geleibrief *m.*, verlof *o.* om te reizen.

obédientiel [òbédyã·syèl] *adj.* volgens de obediëntie.

obéir [òbéi:r] (*à*) *v.i.* **1** gehoorzamen, gehoorzaam zijn; **2** (*v. dier*) luisteren (naar); **3** (*bij kaartsp.*) volgen; **4** zwichten (voor); **5** (*fig.*) onderworpen zijn (aan).

obéissance [òbéisã:s] *f.* gehoorzaamheid, onderdanigheid *v.*

obéissant [òbéisã] *adj.* **1** gehoorzaam; **2** onderdanig; **3** (*sch.*) naar 't roer luisterend.

obélisque [òbélisk] *m.* obelisk *m.*

obéré [òbéré] *adj.* met schulden belast; ***fortement —,*** zwaar belast (met hypotheek).

obérer [òbére] **I** *v.t.* met schulden belasten; **II** *v.pr.* ***s'—,*** zich in schulden steken.

obèse [obè:z] *adj.* zwaarlijvig.

obésité [òbézité] *f.* zwaarlijvigheid *v.*

obier [òbyé] *m.* (*Pl.*) watervlier *v.(m.)*.

obit [òbit] *m.* jaargetijde *o.*, jaarlijkse zielmis *v.(m.)*.

obituaire [òbitẅè:r] *m.* dodenregister; zielmissenboek *o.*

objecter [òbjèkté] *v.t.* tegenwerpen, (bezwaren) opperen, inbrengen.

objecteur [òbjèktœ:r] *m.*, ***— de conscience,*** dienstweigeraar, gewetensbezwaarde *m.*

objectif [òbjèktif] **I** *adj.* **1** objectief, niet-persoonlijk; **2** zakelijk; **3** (*gram.*) voorwerps—; **II** *s. m.* **1** objectief *o.*, lens *v.(m.)*; **2** (*fig.*) doelwit, oogmerk *o.*

objection [òbjèksyõ] *f* tegenwerping, bedenking, zwarigheid *v.*, bezwaar *o.*

objectivement [òbjèkti·vmã] *adv.* **1** objectief, op een niet-persoonlijke wijze; **2** zakelijk.

objectiver [òbjèkti·vé] *v.t.* objectief voorstellen.

objectivité [òbjèktivité] *f.* **1** objectiviteit *v.*; **2** zakelijkheid *v.*

objet [òbjè] *m.* **1** voorwerp *o.*; **2** doel, oogmerk *o.*; ***— d'alimentation,*** voedingsstof *v.(m.)*; ***— réclame,*** reclameartikel *o.*; ***sans —,*** doelloos.

objurgateur [òbjürgatœ:r] *adj.* verwijtend, (scherp) afkeurend.

objurgation [òbjürga·syõ] *f.* scherp verwijt *o.*, strenge berisping *v.*

objurgatoire [òbjürgatwa:r] *adj.* verwijtend.

objurguer [òbjürgé] *v.t.* met verwijten overstelpen.

oblat [òbla] *m.* oblaat *m.*

oblation [òbla·syõ] *f.* **1** offer *o.* (aan God); **2** (*v. de mis*) oblatie *v.*

obligataire [òbligatè:r] *m.* obligatiehouder *m.*

obligation [òbliga·syõ] *f.* **1** verplichting *v.*; **2** schuldbekentenis, obligatie *v.*; ***fête d'—,*** geboden feestdag *m.*; ***— alimentaire,*** onderhoudplicht *m. en v.*

obligatoire [òbligatwa:r] *adj.* verplichtend, verplicht; bindend; ***enseignement —,*** leerplicht *m. en v.*; ***service militaire —,*** dienstplicht *m. en v.*; ***arrêt —,*** (*v. autobus of tram*) vaste halte *v.(m.)*.

obligatoirement [òbligatwa·rmã] *adv.* verplicht; noodzakelijk.

obligé [òblijé] **I** *adj.* **1** verplicht; **2** (*muz.*) obligaat; ***conséquence —e,*** noodzakelijk gevolg; **II** *s. m.* schuldenaar *m.*; ***je suis votre —,*** ik ben u zeer verplicht, ik ben u dank verschuldigd.

obligeamment [òblijamã] *adv.* gedienstig, hulpvaardig, voorkomend, vriendelijk.

obligeance [òblijã:s] *f.* gedienstigheid, voorkomendheid, vriendelijkheid, beleefdheid *v.*

obligeant [òblijã] *adj.* gedienstig, hulpvaardig, voorkomend, vriendelijk.

obliger [òblijé] **I** *v.t.* **1** verplichten; **2** noodzaken, dwingen; **3** (*recht*) verbinden; **4** een dienst bewijzen; ***— qn.,*** iem. een dienst bewijzen; ***— qn. à faire qc.,*** iem. dwingen iets te doen; ***— qn. de sa bourse,*** iem. financieel steunen; ***— qn. par un contrat,*** iem. contractueel binden; **II** *v.i.* verplichtingen opleggen; **III** *v.pr.* ***s'—,*** zich verplichten, zich verbinden; zich aansprakelijk stellen.

obliquangle [òblikã:gl] *adj.* scheefhoekig.

oblique [òblik] **I** *adj.* **1** schuin; **2** (*fig.*) (*v. handelwijze*) slinks; (*v. gedrag*) dubbelzinnig; ***il a un regard —,*** hij kijkt iem. niet recht in 't gelaat; ***les cas —s,*** (*gram.*) de verbogen naamvallen; **II** *s. f.* schuine lijn *v.(m.)*.

obliquement [òblikmã] *adv.* **1** schuins, scheef; **2** (*fig.*) op slinkse wijze.

obliquer [òbliké] *v.i.* in schuine richting gaan, schuins uitwijken.

obliquité [òblik(ẅ)ité] *f.* **1** schuinte, scheefheid *v.*; **2** slinksheid *v.*

oblitérateur [òblitératœ:r] **I** *m.* stempel *m.*; **II** *adj.*, ***timbre —,*** vernietigingsstempel.

oblitération [òblitéra·syõ] *f.* **1** (*v. schrift*) uitwissing *v.*, (het) onleesbaar maken *o.*; **2** (*v. zegel*) (af)stempeling *v.*; **3** (*gen.*: *v. ader*) verstopping *v.*

oblitérer [òblitéré] *v.t.* **1** uitwissen, onleesbaar maken; **2** (*v. zegel*) (af)stempelen; **3** (*v. bloedvat*) verstoppen.

oblong [òblõ] *adj.* (*f.* : ***oblongue*** [òblõ:g]) langwerpig.

oblongue, *voir* ***oblong.***

obnubilation [òbnübila·syõ] *f.* **1** beneveling, (gezichts)verduistering *v.*; **2** verbijstering *v.*

obnubiler [òbnübilé] *v.t.* benevelen, verduisteren.

oboïste [òbòist] *m.* hoboïst *m.*

obole [òbòl] *f.* **1** obool *m.*; **2** penning *m.*; **3** (*fig.*) kleinigheid *v.*, kleine bijdrage *v.(m.)*; ***apporter son —,*** een steentje bijdragen, een duit in het zakje doen.

obombrer [òbõ·bré] *v.t.* overschaduwen.

obreptice(ment) [òbrèptis(mã)] *adj.* (*adv.*) door list verkregen.

obreption [òbrèpsyõ] *f.* verkrijging *v.* door list.

obscène [òpsè:n] *adj.* onzedelijk, ontuchtig, onkuis.

obscénité [òpsénité] *f.* onzedelijkheid *v.*, ontucht(igheid *v.*) *v.(m.)*; ***—s,*** gemene praatjes (plaatjes, moppen).

obscur [òpskü:r] *adj.* **1** donker; **2** duister; **3** onbekend, vergeten; **4** (*v. geboorte*) onaanzienlijk; ***vie —e,*** verborgen leven *o.*; ***poète —,*** weinig bekend dichter *m.*

obscurant [òpskürã] *m.* duisterling, domper, die het volk niet te wijs wil maken *m.*

obscurantisme [òpskürã·tizm] *m.* domperspolitiek *v.*, obscurantisme *o.*

obscurantiste [òpskürã·tist] *voir* ***obscurant.***

obscuration [òpsküra·syõ] *f.* verduistering *v.*

obscurcir [òpskürsi:r] **I** *v.t.* verdonkeren, duister maken; **II** *v.pr.* ***s'—,*** **1** donker (*of* duister) worden; **2** versomberen.

obscurcissement [òpskürsismã] *m.* **1** verduistering *v.*; **2** (*v. verstand*) beneveling *v.*; **3** (*v. het gezicht*) verzwakking *v.*

obscurément [òpskürémã] *adv.*, *voir* ***obscur.***

obscurité [òpskürité] *f.* **1** duisternis *v.*; **2** duisterheid *v.*; **3** onbekendheid *v.*; ***dans l'—,*** in de duisternis; ***mourir dans l'—,*** onbekend sterven.

obsécration [òpsékra·syõ] *f.* aanroeping, bezwering *v.*

obsécratoire [òpsékratwa:r] *adj.* bezwerend; aanroepend.

obsédant [òpsédã] *adj.* kwellend, obsederend.

obséder [òpsédé] *v.t.* **1** lastig vallen, voortdurend hinderen; **2** kwellen; ***cette pensée l'obsède,*** die gedachte laat hem niet los.

obsèques [òpsèk] *f.pl.* (plechtige) begrafenis *v.*, uitvaart *v.(m.)*.
obséquieux [òpsékyö] *adj.*, **obséquieusement** [òpsékyö'zmã] *adv.* overdreven beleefd, overgedienstig, kruiperig.
obséquiosité [òpsékyo'zité] *f.* overbeleefdheid, kruiperigheid *v.* [bemerkbaar.
observable [òpsèrva'bl] *adj.* waarneembaar,
observance [òpsèrvã:s] *f.* **1** (*v. regels*) inachtneming *v.*; **2** (*v. godsdienstplichten*) waarneming, naleving *v.*; **3** (*in klooster*) observantie *v.*
observantin [òpsèrvã'tẽ] *m.* observant *m.* (kloosterlingen die de strengere regel volgen).
observateur [òpsèrvatœ:r] **I** *m.* **1** waarnemer, opmerker *m.*; **2** (*v. regel*) inachtnemer, nalever *m.*; **3** (*vl.*) waarnemer *m.*; ***— de la nature,*** natuuronderzoeker *m.*; **II** *adj.* opmerkend, scherp waarnemend.
observation [òpsèrva'syõ] *f.* **1** waarneming, observatie *v.*; **2** (*v. gebruik, wet, voorschrift*) naleving; inachtneming *v.*; **3** opmerking; aanmerking *v.*; ***armée d'—,*** verkenningsleger *o.*; ***être en —,*** **1** op de loer staan; **2** (*v. zieke*) in observatie zijn.
observatoire [òpsèrvatwa:r] *m.* **1** sterrenwacht *v.(m.)*, observatorium *o.*; **2** waarnemingspost *m.*
observer [òpsèrvé] **I** *v.t.* **1** waarnemen; **2** (*regel*) inachtnemen; **3** (*wet, enz.*) naleven; **4** gadeslaan, aandachtig bekijken; **5** opmerken, letten op; ***faire observer qc. à qn.,*** iem. opmerkzaam maken op iets; **II** *v.pr.* ***s'—,*** **1** zich inachtnemen, voorzichtig zijn; (*fam.*) op zijn tellen passen; **2** op elkaar letten.
obsession [òpsèsyõ] *f.* **1** (voortdurende) kwelling *v.*; **2** kwellende gedachte *v.*; **3** psychose *v.*; ***c'est une —,*** het is een obsessie. [*f.* lavaglas *o.*
obsidiane [òpsidyan], **obsidienne** [òpsidyèn]
obsidional [òpsidyònal] *adj.* (*gesch.*), ***monnaie —e,*** belegeringsmunt, noodmunt *v.(m.)*; ***couronne —e,*** belegeringskrans *m.* (voor iem. die een stad ontzette).
obsolète [òpsòlèt] verouderd, ongebruikelijk.
obstacle [òpstakl] *m.* hinderpaal *m.*, hindernis *v.*; ***mettre — à,*** zich verzetten tegen, belemmeren; ***faire —,*** hinderen, in de weg staan.
obstétrical [òpstétrikal] *adj.* verloskundig.
obstétrique [òpstétrik] **I** *f.* verloskunde *v.*; **II** *adj.* verloskundig.
obstination [òpstina'syõ] *f.* **1** koppigheid, stijfhoofdigheid *v.*; **2** hardnekkigheid *v.*
obstiné(ment) [òpstiné(mã)] *adj.* (*adv.*) **1** koppig, stijfhoofdig, halsstarrig; **2** hardnekkig.
obstiner, s'— [sòpstiné] *v.pr.* koppig worden; ***— à,*** hardnekkig volhouden, volharden (in).
obstructif [òpstrüktif] *adj.* (*gen.*) stoppend.
obstruction [òpstrüksyõ] *f.* **1** verstopping *v.*; **2** (*in parlement*) obstructie *v.*
obstructionnisme [òpstrüksyònizm] *m.* obstructionisme *o.*, stelsel *o.* van obstructie voeren.
obstructionniste [òpstrüksyònist] *m.* die dit stelsel toepast.
obstruer [òpstrüé] *v.t.* **1** verstoppen; **2** versperren.
obtempérer [òptã'péré] (*à*) *v.i.* **1** gehoorzamen (aan); **2** gevolg geven (aan), voldoen (aan).
obtenir* [òpteni:r] *v.t.* **1** verkrijgen, bekomen, gedaan krijgen; **2** (*diploma, enz.*) behalen.
obtention [òptã'syõ] *f.* verkrijging *v.*
obturant [òptürã] *adj.* sluitend, verstoppend.
obturateur [òptüratœ:r] **I** *m.* afsluiter *m.*, middel *o.* tot afsluiting; ***— de plaque,*** (*foto*) spleetsluiter *m.*; **II** *adj.* afsluitend; ***muscle —,*** sluitspier *v.(m.)*.
obturation [òptüra'syõ] *f.* **1** (luchtdichte) sluiting *v.*; **2** (*v. kies*) vulling *v.*
obturer [òptüré] *v.t.* **1** (af)sluiten; **2** vullen.
obtus [òptü] *adj.* stomp, bot.
obtusangle [òptüzã:gl] *adj.* stomphoekig.
obus [òbüs] *m.* granaat, houwitserbom *v.(m.)*; ***— à balles,*** granaatkartets *v.(m.)*; ***— de rupture,*** brisantgranaat; ***— à gaz,*** gasgranaat *v.(m.)*; ***— éclairant,*** lichtkogel *m.*
obusier [òbüzyé] *m.* houwitser *m.*, mortier *m. en o.*
obusière [òbüzyè:r] *f.* houwitsersloep *v.(m.)*.
obvers [òbvè:r] *m.* voorkant *m.*, voorzijde *v.(m.)*.
obvie [òbvi] *adj.* natuurlijk (*v. betekenis; theologie*).
obvier [òbvyé] (*à*) *v.i.* (*v. bezwaar, enz.*) voorkomen, ondervangen, uit de weg ruimen; tegemoet komen (aan).
oc [òk] (*in Zuidfranse dialecten*) ja; ***langue d'—,*** tot 13e eeuw ten zuiden van de Loire in Fr. gesproken taal.
ocarina [òkarina] *m.* (*muz.*) ocarina *v.(m.)*.
occasion [òka'syõ, òkazyõ] *f.* **1** gelegenheid *v.*; **2** aanleiding *v.*; **3** (*H.*) koopje *o.*; ***à l'—,*** **1** bij gelegenheid; **2** in 't voorbijgaan; ***acheter d'—,*** uit de tweede hand kopen; ***livres d'—,*** tweedehandsboeken; ***meubles d'—,*** oude meubelen, tweedehandsmeubelen; ***par —,*** bij toeval; ***l'— fait le larron,*** de gelegenheid maakt de dief.
occasionnel [òkazyònèl] *adj.* **1** (*v. oorzaak*) aanleidend; **2** toevallig, gelegenheids—; **3** (*v. werkman*) los. [gelegenheid, af en toe.
occasionnellement [òkazyònèlmã] *adv.* bij
occasionner [òkazyòné] *v.t.* veroorzaken, aanleiding geven tot.
occident [òksidã] *m.* westen *o.*; ***empire d'O—,*** Westromeinse Rijk.
occidental [òksidã'tal] **I** *adj.* **1** westers; **2** westelijk; **II** *s. m.*, ***les Occidentaux,*** de westerlingen, de Europeanen.
occidentaliser [òksidã'tali'zé] *v.t.* westers maken.
occipital [òksipital] *adj.* achterhoofds—.
occiput [òksipüt] *m.* achterhoofd *o.* [dood.
occire* [òksi:r] (*verouderd*) *v.t.* doden; ***occis,*** ge-
occision [òksizyõ] *f.* (het) doden *o.*, doodslag *m.*
occlusif [òklüzif] *adj.* afsluitend.
occlusion [òklü'zyõ] *f.* (*gen.*) sluiting *v.*
occlusive [òklüzi:v] *f.* (*klankleer*) ploffingsmedeklinker *m.* [verduistering *v.*
occultation [òkülta'syõ] *f.* (*sterr.*) sterbedekking,
occulte(ment) [òkült(emã)] *adj.* (*adv.*) verborgen, geheim; ***pouvoir —,*** stille kracht; ***sciences —s,*** geheime wetenschappen.
occulter [òkülté] *v.t.*, (*sterr.*) verduisteren, bedekken. [leer *v.(m.)*.
occultisme [òkültizm] *m.* occultisme *o.*, geheim-
occupant [òküpã] **I** *adj.* **1** bezitnemend; **2** (*mil.*) bezettend; **II** *s. m.* bezitnemer; bezitter *m.*
occupateur [òküpatœ:r] *m.* bezitnemer *m.*
occupation [òküpa'syõ] *f.* **1** bezigheid *v.*; **2** inbezitneming *v.*; **3** (*mil.*) bezetting *v.*; **4** (*recht*) bewoning, aanwezigheid *v.*; bedrijfsbezetting *v.*; ***troupes d'—,*** bezettingstroepen.
occupé [òküpé] *adj.* **1** bezet; **2** (*telefoon*) in gesprek.
occuper [òküpé] **I** *v.t.* **1** bezighouden; **2** in bezit nemen; **3** bezetten; **4** bewonen; **5** beslaan, innemen; **6** bekleden, vervullen; **7** werk geven; in zijn dienst hebben; ***être occupé à,*** bezig zijn met; ***monsieur est occupé,*** mijnheer heeft belet; **II** *v.pr.* ***s'— à,*** bezig zijn met; ***s'— de,*** zich bezighouden met; zich bemoeien met, zorg dragen voor.
occurrence [òkürã:s] *f.* omstandigheid, gelegenheid *v.*, voorval *o.*; ***en l'—,*** in het onderhavige geval; ***en pareille —,*** in dergelijke omstandigheden.

occurrent [òkürã] *adj.* vóórkomend.
océan [òséã] *m.* oceaan *m.*, wereldzee *v.(m.)*; — *arctique*, poolzee; — *glacial*, ijszee; — *Pacifique*, Stille Zuidzee.
océanide [òséani'd] *f.* zeenimf *v.*
Océanie [òséani] *f.* Oceanië *o.*
océanien [òséanyẽ] *adj.* oceaan—, oceanisch.
océanique [òséanik] *adj.* van de oceaan, oceanisch.
océanographe [òséanògraf] *m.* oceanograaf *m.*, beschrijver van de oceanen.
océanographie [òséanògrafi] *f.* oceaanbeschrijving *v.*
océanographique [òséanògrafik] *adj.* oceanografisch.
ocellair [òsèlè:r] *adj.* oogvormig.
ocelle [òsèl] *f.* **1** (*v. insekt*) (enkelvoudig) oog *o.*; **2** (*op pauweveer enz.*) oog *o.*; **3** oogvormige plek *v.(m.)*.
ocellé [òsèlé] *adj.* oogvormig gevlekt, met oogvormige plekken.
ocelot [òslo] *m.* tijgerkat *v.(m.)*.
ochlocratie [òklòkrasi] *f.* regering *v.* van het gepeupel.
ochrosé [òkro'zé] *adj.* okergeel.
ocre [òkr] *f.* oker *m.*
ocrer [òkré] *v.t.* oker verven, oker kleuren.
ocreux [òkrö] *adj.* okerachtig.
octacorde [òktakòrd] *adj.* (*muz.*) achtsnarig.
octaèdre [òktaè:dr] *m.* achtvlak, achtvlakkig lichaam *o.*
octaédrique [òktaédrik] *adj.* achtvlakkig.
octane [òktan] *m.* octaan *o.*; *indice d'—*, octaangetal *o.*
octangulaire [òktã'gülè:r] *adj.* achthoekig.
octant [òktã] *m.* octant *m.*
octante [òktã:t] *n.card.* (*verouderd, België*) tachtig.
octave [òkta:v] *f.* **1** octaaf *o. en v.(m.)*; **2** achtregelig vers *o.*
octavin [òktavẽ] *m.*, (*muz.*) octaaffluit, piccolofluit *v.(m.)*.
octidi [òktidi] *m.* achtste dag *m.* van een decade (Fr. Republiek 1793).
octobre [òktò'br] *m.* oktober *m.*
octogénaire [òktòjénè:r] **I** *adj.* tachtigjarig; **II** *s., m.-f.* tachtigjarige *m.-v.*
octogonal [òktògònal] *adj.* achthoekig.
octogone [òktògòn] **I** *adj.* achthoekig; **II** *s. m.* achthoek *m.*
octopode [òktòpòd] *adj.* achtpotig.
octosyllabe [òktòsilab], **octosyllabique** [òktòsilabik] *adj.* achtlettergrepig.
octroi [òktrwa] *m.* **1** vergunning *v.*, octrooi *o.*; **2** gemeentebelasting *v.*, stedelijke accijns *m.*
octroyer [òktrwayé] *v.t.* vergunnen, toestaan, toekennen.
octuor [òktwòr] *m.* (*muz.*) octet *o.*
octuple [òktüpl] *adj.* achtvoudig.
octupler [òktüplé] *v.t.* verachtvoudigen.
oculaire [òkülè:r] **I** *adj.* oog—, van (*of* voor) de ogen; *nerf —*, oogzenuw *v.(m.)*; *témoin —*, ooggetuige *m.-v.*; **II** *s. m.* (*v. kijker*) oogglas, oculair *o.*
oculairement [òkülè'rmã] *adv.* met de ogen.
oculi [òküli] *m.* derde zondag van de vasten.
oculiste [òkülist] **I** *m.* oogarts *m.*; **II** *adj.* oogheelkundig.
oculistique [òkülistik] **I** *f.* oogheelkunde *v.*; **II** *adj.* oogheelkundig.
odalisque [òdalisk] *f.* **1** haremslavin *v.*; **2** haremvrouw *v.*
ode [ò'd] *f.* ode *v.(m.)*, lierdicht, lofdicht *o.*
odéon [òdéõ] *m.* **1** muziekzaal *v.(m.)*, muziektempel *m.*; **2** (*te Parijs*) Odeon-schouwburg *m.*
odeur [òdœ:r] *f.* **1** geur, reuk *m.*; **2** lucht *v.(m.)*; *— de cadavre*, lijklucht; *en — de sainteté*, in geur van heiligheid; *—s*, reukwerk *o.*
odieusement [òdyö'zmã] *adv.*, voir *odieux* **I.**
odieux [ò'dyö] **I** *adj.* hatelijk, verfoeilijk, afschuwelijk; *être — à*, gehaat zijn bij; **II** *s., m.* **1** afschuwelijkheid *v.*; **2** verafschuwde *o.*
odomètre [òdòmè'tr] *m.* wegmeter, afstandswijzer *m.*
odontalgie [òdõ'talji] *f.* tandpijn, kiespijn *v.(m.)*.
odontalgique [òdõ'taljik] **I** *adj.* tandpijn—, tandpijnstillend; **II** *s., m.* middel *o.* tegen kiespijn.
odontologie [òdõ'tòlòji] *f.* leer *v.(m.)* van de tanden; tandheelkunde *v.*
odontologique [òdõ'tòlòjik] *adj.* tandheelkundig.
odorable [òdòra'bl] *adj.* te ruiken, ruikbaar.
odorant [òdòrã] *adj.* geurig, welriekend.
odorat [òdòra] *m.* reuk, reukzin *m.*
odoration [òdòra'syõ] *f.* (het) ruiken *o.*
odorer [òdòré] **I** *v.t.* ruiken; **II** *v.i.* rieken.
odoriférant [òdòriférã] *adj.* welriekend, geurig.
odorifique [òdòrifik] *adj.* geurig.
Odyssée [òdisé] *f.* Odyssea *v.*; (*fig.*) *o—*, zwerftocht *m.*
œcuménique [éküménik] *adj.* œcumenisch; *concile —*, algemene kerkvergadering.
œdémateux [édématö] *adj.* waterzuchtig.
œdème [édè:m] *m.* (*gen.*) œdeem *o.*, zweer *v.(m.)*, gezwel *o.*
Œdipe [édip] *m.* Œdipus *m.*
œil [œ'y] *m.*, (*pl.*: *yeux* [yö]) **1** (*alg.*) oog *o.*; **2** (*in brood, kaas*) gat *o.*; *avoir de l'—*, **1** goede ogen hebben; **2** er goed uitzien; *avoir l'— sur*, een oogje houden op; *avoir l'— au guet*, op de loer liggen, uitkijken; *avoir l'— quelque part*, ergens een oogje in 't zeil houden; *n'avoir pas froid aux yeux*, niet bang uitgevallen zijn; *à vue d'—*, **1** op 't eerste gezicht; **2** zienderogen, zichtbaar; *avoir l'— à tout*, op alles letten; *ouvrir l'—*, goed toezien, zijn ogen de kost geven; *ouvrir de grands yeux*, grote ogen opzetten; *tirer l'—*, de aandacht trekken; *j'en ai par-dessus les yeux*, ik heb er meer dan genoeg van; *regarder qn. d'un mauvais —*, iem. lelijk aankijken; *voir d'un mauvais —*, met lede ogen aanzien; *voir qc. d'un — favorable*, iets gaarne (*of* met welgevallen) zien; *voir tout par ses yeux*, alles door eigen bril zien; *cela coûte les yeux de la tête*, dat kost een hoop geld, dat is erg duur; *ne dormir que d'un —*, een hazeslaapje doen; *faire de l'—*, een knipoogje geven; *faire les yeux doux à qn.*, iem. lief aankijken; *faire de gros yeux à qn.*, iem. boos aankijken; *dessiller les yeux à qn.*, iem. de ogen openen, iem. de schellen van de ogen doen vallen; *je m'en bats l'—*, (*pop.*) daar geef ik geen zier om; *suivre des yeux*, nakijken; *couver* (*of dévorer*) *des yeux*, met de ogen verslinden; *cela saute aux yeux, cela crève les yeux*, dat is duidelijk; *jeter un coup d'—*, een snelle blik werpen; *en un clin d'—*, in een oogwenk; *pour les beaux yeux de*, uit sympathie voor, terwille van; *entre quatre yeux*, onder vier ogen; *entre deux yeux*, strak (*of* vlak) in het gezicht; *à l'—*, (*pop.*) op de pof; gratis; *avoir les yeux plus grands que le ventre*, grotere ogen dan zijn maag hebben; *— poché*, blauw oog.
œil*-de-bœuf [œ'ydebœf] *m.* rond (dak)venster *o.*
œil*-de-chat [œ'ydeʃa] *m.* katoog *o.* (soort kwarts).
œil*-de-perdrix [œ'ydepèrdri] *m.* eksteroog *o.*, likdoorn *m.*
œillade [œ'ya'd] *f.* (knip)oogje *o.*, lonk *m.*
œillé [œ'yé] *adj.* met ogen, gevlekt.
œillère [œ'yè:r] **I** *f.* **1** (*v. paard*) oogklep *v.(m.)*; **2** (*in glas*) oogbad *o.*; **3** oogtand *m.*; **4** (*v. rund*)

middenrif *o.*; ***il a des —s,*** hij is bevooroordeeld, ziet de zaken slechts van één standpunt; **II** *adj.*, ***dent —,*** oogtand *m.*
œillet [œ'yè] *m.* **1** vetergat, nestelgat *o.*; **2** (*bij naaien, borduren*) ronding *v.*; **3** (*sch.*) oog, gat *o.*; **4** (*Pl.*) anjelier *v.*(*m.*); ***— du poète,*** (*Pl.*) duizendschoon *v.*(*m.*).
œilleton [œ'ytõ] *m.* **1** (*Pl.*) wortelscheut *m.*, wortelloot *v.*(*m.*); **2** (*v. telescoop*) kijkgaatje *o.*; **3** (*mil.*) mikgaatje *o.*
œillette [œ'yèt] *f.* (*Pl.*) tuinpapaver *v.*(*m.*).
œnanthe [énã:t] *f.* torkruid *o.*, druivenbloem *v.*(*m.*).
œnanthique [énã'tik] *adj.* wijn—, wijn betreffend.
œnologie [énòlòji] *f.* studie *v.*(*m.*) van de wijnbereiding, kunst *v.* om wijn te maken.
œnomètre [énòmè'tr] *m.* wijnmeter *m.*
œnophile [énòfil] *m.* wijnliefhebber *m.*
œnothère [énòtè:r] *m.* (*Pl.*) teunisbloem *v.*(*m.*).
œsophage [ézòfa:j] *m.* slokdarm *m.*
œsophagien [ézòfajẽ] *adj.* van de slokdarm.
œsophagisme [ézòfajizm] *m.* slokdarmvernauwing *v.*
œsophagite [ézòfajit] *f.* slokdarmontsteking *v.*
œstre [èstr] *m.* horzel *v.*(*m.*).
œuf [œf] *m.* ei *o.*; ***— à la coque, — mollet,*** zacht (gekookt) ei; ***— dur,*** hard (gekookt) ei; ***—s brouillés,*** roereieren; ***— hardé,*** windei; ***— sur le plat,*** spiegelei; ***plein comme un —,*** bomvol; ***marcher sur des —s,*** op eieren lopen, zeer voorzichtig lopen; ***des —s à la neige,*** geklopt eiwit *o.*; ***écraser dans l'—,*** in de kiem smoren; ***— à repriser,*** maasbal *m.*; ***—s de poisson,*** kuit *v.*(*m.*); ***mettre tous ses —s dans un seul panier,*** alles op één kaart zetten; ***donner un — pour avoir un bœuf,*** een spiering uitgooien om een kabeljauw te vangen.
œufrier [œfri(y)é] *m.* **1** eierstel *o.*; **2** eiernetje *o.*
œuvé [œ'vé] *adj.*, ***poisson —,*** vis met kuit.
œuvre [œ:vr] **I** *f.* **1** werk *o.*, arbeid *m.*; **2** voortbrengsel, gewrocht *o.*; **3** liefdewerk *o.*; ***bois d'—,*** timmerhout *o.*; ***bonnes —s,*** goede werken; ***banc d'—,*** kerkmeestersbank *v.*(*m.*); ***mettre en —,*** in 't werk stellen; aanwenden, gebruiken; ***ne faire — de ses dix doigts,*** niets verrichten; ***—s mortes,*** (*sch.*) dood werk (deel v. schip boven de waterlijn); ***—s vives,*** (*sch.*) levend werk (deel v. schip beneden de waterlijn); **II** *m.* **1** gezamenlijke werken *mv.* (v. schrijver of kunstenaar); **2** bouwwerk *o.*; ***le grand —,*** de steen *m.* der wijzen; ***mesurer dans l'—,*** (*bouwk.*) binnenwerks meten; ***hors d'—,*** buitenwerks; ***à pied d'—,*** op het bouwterrein; ***— collective,*** verzamelwerk *o.*
œuvrette [œ'vrèt] *f.* werkje, toneelstukje *o.*
offensant [òfã'sã] *adj.* beledigend.
offense [òfã:s] *f.* **1** belediging *v.*; **2** zonde *v.*(*m.*); ***pardonnez-nous nos —s,*** vergeef ons onze schulden.
offenser [òfã'sé] **I** *v.t.* **1** beledigen; **2** (*v. orgaan*) kwetsen; **II** *v.pr.* ***s'—,*** zich beledigd achten; ***s'— de,*** aanstoot nemen aan, kwalijk nemen.
offenseur [òfã'sœ:r] *m.* belediger *m.*
offensif [òfã'sif] *adj.* aanvallend, offensief.
offensive [òfã'si:v] *f.* offensief *o.*, aanval *m.*; ***prendre l'—,*** het offensief nemen, aanvallen.
offensivement [òfã'si'vmã] *adv.* aanvallend, aanvallenderwijs.
offertoire [òfèrtwa:r] *m.* (*v. de mis*) offerande *v.*(*m.*), offertorium *o.*
office [òfis] **I** *m.* **1** dienst *m.*; **2** (*uit brevier, v. feestdag*) officie *o.*; **3** advocatenkantoor *o.*; **4** ambt *o.*, bediening *v.*; ***— de publicité,*** advertentiebureau *o.*; ***— des morts,*** lijkdienst *m.*; ***— divin,*** kerkdienst *m.*; ***bons —s,*** bemiddeling *v.*; ***un — nombreux,*** een talrijk dienstpersoneel; ***faire — de,*** dienen als, optreden als; ***faire l'— de,*** dienst doen als; ***rendre un bon —,*** een dienst bewijzen; ***d'—,*** ambtshalve; ***avocat (nommé) d'—,*** toegevoegd verdediger; **II** *f.* aanrechtkeuken *v.*(*m.*).
official [òfisyal] *m.* geestelijk rechter *m.*
officialité [òfisyalité] *f.* **1** kerkelijke rechtbank *v.*(*m.*); **2** officieel karakter *o.*
officiant [òfisyã] **I** *m.* officiant, celebrant *m.*; **II** *adj.* **1** (*v. ambtenaar*) dienstdoend; **2** ***prêtre —,*** celebrant *m.*
officiel(lement) [òfisyèl(mã)] *adj.* (*adv.*) officieel, ambtelijk; ***journal —,*** staatscourant *v.*(*m.*).
officier [òfisyé] **I** *v.i.* de mis opdragen; **II** *s. m.* **1** officier *m.*; **2** ambtenaar *m.*; ***— civil,*** burgerlijk ambtenaar; ***— de l'état civil,*** ambtenaar van de burgerlijke stand; ***— supérieur,*** hoofdofficier; ***— général,*** opperofficier; ***— de paix,*** vrederechter *m.*; ***— de santé,*** plattelandsheelmeester *m.*; ***— en second,*** eerstaanwezend officier; ***— d'académie, — de l'instruction publique,*** in graad op elkaar volgende universitaire onderscheidingen.
officieusement [òfisyö'zmã] *adv.* **1** hoffelijk, gedienstig, op gedienstige wijze; **2** half-ambtelijk.
officieux [òfisyö] *adj.* **1** hoffelijk, gedienstig, dienstvaardig; **2** officieus, half-ambtelijk; ***faire l'—,*** al te gedienstig zijn; ***mensonge —,*** leugen om bestwil; ***défenseur —,*** advocaat voor een krijgsraad.
officinal [òfisinal] *adj.* **1** (*v. planten*) geneeskrachtig; **2** officinaal, wat altijd in de apotheek klaar moet zijn.
officine [òfisin] *f.* **1** laboratorium *o* (vooral van apotheek); **2** (*fig.*: *v. intriges, enz.*) broeinest *o.*; ***— du diable,*** heksenkeuken *v.*(*m.*).
officiosité [òfisyo'zité] *f.* **1** gedienstigheid *v.*; **2** half-ambtelijk karakter *o.*
offrande [òfrã:d] *f.* **1** (*aan God*) offer *o.*, offerande, offergave *v.*(*m.*); **2** (*in mis*) offerande *v.*(*m.*); **3** (*in mis voor overledene*) offer *o.*
offrant [òfrã] *m.* bieder *m.*; ***le plus —,*** de meestbiedende.
offre [òfr] *f.* **1** aanbod *o.*; **2** bod *o.*; **3** (*H.*) offerte *v.*(*m.*); ***l'— et la demande,*** vraag en aanbod; ***— ferme,*** vaste offerte; ***— sans engagement,*** vrijblijvende offerte.
offrir* [òfri:r] **I** *v.t.* **1** aanbieden; **2** (*v. prijs*) bieden; ***— en vente,*** te koop bieden; **II** *v.pr.* ***s'—,*** zich aanbieden; ***s'— à la vue,*** zich aan het gezicht vertonen; ***s'— qc.,*** zich op iets trakteren.
offset [òfsèt] *m.* offset(druk) *m.*
offusquer [òfüské] **I** *v.t.* **1** verduisteren, omsluieren; **2** (*v. blik, verstand*) benevelen; **3** hinderen; mishagen, ergeren; **II** *v.pr.*, ***s'— de,*** zich ergeren over.
ogival [òjival] *adj.* spitsboogvormig; ***style —,*** spitsboogstijl, gotische stijl *m.*
ogive [òji:v] *f.* (*bouwk.*) spitsboog *m.*, ogief *o.*
ognon [òñõ] *m.* ui *m.*
ogre [ò:gr] *m.* (*fém.*: ***ogresse*** [ò'grès]) **1** menseneter *m.*; **2** (*in sprookje*) wildeman *m.*; ***manger comme un —,*** eten als een wolf.
oh! [o:] *ij.* o! och! ***— là là,*** hé, hé!
ohé! [ohé] *ij.* hei! heidaar!
ohm [o:m] *m.* (*el.*) ohm *o. en m.*; ***— étalon,*** standaardohm.
ohmmètre [o:mmè'tr] *m.* (*el.*) ohmmeter *m.*
oho! [oho] *ij.* oho! o zo!
oïdium [òidyòm] *m.* (*Pl.*) schimmel *m.* van de druivenziekte.
oie [wa] *f.* **1** gans *v.*(*m.*); **2** (*fig.*) domme gans *v.*(*m.*); ***jeu de l'—,*** ganzebord, ganzespel *o.*

oignon [òñõ] *m.* **1** ui, ajuin *m.*; **2** bloembol *m.*; **3** eeltknobbel *m.*, eeltgezwel *o.*; **4** (*v. horloge*) knol *m.*; ***en rang d'—s,*** op een rij; ***il y aura de l'—,*** er zal wat zwaaien; ***regretter les —s d'Egypte,*** terugverlangen naar de vleespotten van Egypte.
oignonade [òñòna·d] *f.* uiengerecht *o.*
oignonière [òñònyè:r] *f.* uienbed, uienveld *o.*
oïl [òil] (*oud*) in Noord-Frankrijk; ja; ***langue d'—,*** de taal van N.-Frankrijk; Noordromaanse taal (in de middeleeuwen).
oindre* [wẽ:dr] *v.t.* **1** oliën, (met olie) insmeren; **2** zalven.
oing [wẽ] *m.* ***vieux —,*** wagensmeer *o. en m.*
oint [wẽ] *m.* gezalfde *m.*
oiseau [wazo] *m.* **1** vogel *m.*; **2** (*fig.*) kerel, vent *m.*; **3** kalkbak *m.*; ***— migrateur, — de passage,*** trekvogel *m.*; ***— de proie,*** roofvogel; ***— sédentaire,*** standvogel; ***— aquatique,*** watervogel; ***—x de basse-cour,*** pluimvee *o.*; ***— de mauvais augure, — de malheur,*** ongeluksvogel; ***un vilain —,*** een akelige kerel; ***à vol d'—,*** in rechte lijn; ***à vue d'—,*** in vogelvlucht; ***se donner des noms d'—x,*** elkaar de huid volschelden; ***la belle plume fait le bel —,*** de kleren maken de man.
oiseau*-abeille* [wazoabè·y] *m.* kolibrie *m.*
oiseau*-moqueur* [wazomòkœ:r] *m.* spotvogel *m.*
oiseau*-mouche* [wazomuʃ] *m.* kolibrie *m.*
oiseler* [wazlé] **I** *v.i.* vogels vangen; **II** *v.t.* (roofvogel) voor de jacht africhten.
oiselet [wazlè] *m.* vogeltje *o.*
oiseleur [wazlœ:r] *m.* **1** vogelaar *m.*; **2** vogelkoopman *m.*
oiselier [wazli(y)é] *m.* vogelkoopman *m.*
oiselle [wazèl] *f.* vogeltje, wijfje *o.* (v. vogel).
oisellerie [wazèlri] *f.* vogelhandel *m.*
oiseux [wazö] *adj.* **1** ijdel, onnut, onbelangrijk; **2** beuzelachtig; **3** (*v. woord*) zinledig.
oisif [wazif] **I** *adj.* **1** (*v. persoon*) werkeloos; **2** (*v. kapitaal*) renteloos, dood; **II** *s., m.* nietsdoener, leegloper *m.*
oisillon [waziyõ] *m.* vogeltje *o.*
oisivement [wazi·vmã] *adv.* werkeloos, in ledigheid.
oisiveté [wazifté] *f.* ledigheid, werkeloosheid *v.*; ***l'— est la mère de tous les vices,*** ledigheid is het oorkussen van de duivel.
oison [wazõ] *m.* **1** (*Dk.*) jonge gans *v.(m.)*; **2** (*fig.*) domoor *m.*; ***les —s mènent paître les oies,*** het ei wil wijzer wezen dan de hen.
Oisquercq [wazkèrk] Oostkerk *o.*
okapi [òkapi] *m.* okapi *m.*
okoumé [òkumé] *m.* voor fineerwerk gebruikt Afrikaans ebbehout *o.*
oléacées [òléasé] *f.pl.* (*Pl.*) olijfachtigen *mv.*
oléagineux [òléajinö] *adj.* olieachtig, oliehoudend.
oléandre [òléã:dr] *m.* (*Pl.*) oleander *m.*
oléfiant [òléfyã] *adj.* olievormend.
oléiculture [òléikültü:r] *f.* olijfkwekerij *v.*
oléifère [òléifè:r] *adj.* oliehoudend.
oléine [òléin] *f.* olievet *o.*
oléique [òléik] *adj.*, ***acide —,*** oliezuur *o.*
oléoduc [òléòdük] *m.* olieleiding *v.*, pijpleiding *v.* voor aardolie.
Oley(e) [olè] Liek *o.*
olfactif [òlfaktif] *adj.* reuk—; ***organe —,*** reukorgaan *o.*; ***nerf —,*** reukzenuw *v.(m.)*.
olfaction [òlfaksyõ] *f.* reuk(zin) *m.*, (het) ruiken *o.*
oliban [òlibã] *m.* Arabische wierookhars *o. en m.*
olibrius [òlibriüs] *m.* kwast *m.*
olifan(t) [òlifã] *m.* (*gesch.*) hoorn *m.* (v. Roland).
oligarchie [òligarʃi] *f.* oligarchie, aristocratische (familie)regering *v.*
oligarchique [òligarʃik] *adj.* oligarchisch.
oligarque [òligark] *m.* oligarch *m.*
oligocène [òligosè:n] **I** *m.* oligoceen *o.*; **II** *adj.* uit het oligoceen.
olivacé [òlivasé] *adj.* olijfkleurig.
olivaie [òlivè] *f.* olijventuin *m.*
olivaire [òlivè:r] *adj.* olijfvormig.
olivaison [òlivè·zõ] *f.* olijvenoogst *m.*
olivâtre [òliva:tr] *adj.* olijfkleurig.
olive [òli:v] **I** *f.* olijf *v.(m.)*; **II** *adj.* olijfkleurig.
oliveraie [òliverè(·y)] *f.* olijvenbosje.
oliverie [òlivri] *f.* olijfoliefabriek *v.*
olivette [òlivèt] *f.* olijventuin *m.*; ***—s,*** Provençaalse oogstdans *m.*
oliveur [òlivœ:r] *m.* olijvenplukker *m.*
olivier [òlivyé] *m.* olijfboom *m.*; ***jardin des O—s,*** Olijfhof *m.*; ***Mont des O—s,*** Olijfberg *m.*
olla-podrida [òlapòdrida] *f.* **1** Spaanse hutspot *m.*; **2** (*fig.*) mengelmoes *o. en v.(m.)*, poespas *m.*
Ollignies [òliñi] Woelingen *o.*
olographe [òlògraf] *adj.* (*v. testament*) eigenhandig (geschreven).
Olympe [òlẽ:p] *m.* Olympus *m.*
olympiade [òlẽ·pya·d] *f.* olympiade *v.*
olympien [òlẽ·pyẽ] *adj.* olympisch, verheven, majestueus.
olympique [òlẽ·pik] *adj.* (*v. de spelen*) olympisch.
ombelle [õ·bèl] *f.* (*Pl.*) bloemscherm *o.*
ombellé [õ·bèlé] *adj.* schermvormig; ***fleur —e,*** schermbloem *v.(m.)*.
ombelliféracées [õ·bèliférasé] *f.pl.* schermbloemigen.
ombellifère [õ·bèlifè:r] **I** *adj.* schermdragend; **II** *s., f.* schermbloemige *v.*
ombellule [õ·bèlül] *f.* schermpje *o.*
ombilic [õ·bilik] *m.* navel *m.*
ombilical [õ·bilikal] *adj.* navel—, van de navel; ***cordon —,*** navelstreng *v.(m.)*.
ombiliqué [õ·biliké] *adj.* genaveld, met een navel.
omble (chevalier) [õ:bl(ʃvalyé)] *m.* ridderforel *v.(m.)*.
ombrage [õ·bra:j] *m.* **1** lommer *o.*; schaduw *v.(m.)*; **2** achterdocht *v.(m.)*; argwaan *m.*, ***porter*** (*ou* ***faire***) ***— à qn.,*** iemands achterdocht opwekken.
ombragé [õ·bra:jé] *adj.* lommerrijk, beschaduwd, schaduwrijk.
ombrageant [õ·brajã] *adj.* schaduwgevend.
ombrager [õ·brajé] *v.t.* beschaduwen overschaduwen.
ombrageux [õ·brajö] *adj.*, **ombrageusement** [õ·brajö·zmã] *adv.* **1** schuw, schichtig; **2** achterdochtig.
ombre [õ·br] **I** *f.* **1** schaduw *v.(m.)*; **2** (*v. bomen, enz.*) lommer *o.*; **3** (*v. nacht*) duisternis *v.*, donker *o.*; **4** schaduwbeeld *o.*; **5** (*v. overledene*) schim *v.(m.)*; **6** (*fig.*) schijn *m.*; ***— portée,*** slagschaduw *v.(m.)*; ***rester dans l'—,*** op de achtergrond blijven; ***pas l'— d'un doute,*** niet de minste twijfel; ***courir après une —,*** een ijdele hoop voeden; ***avoir peur de son —,*** zeer schrikachtig zijn; ***il n'est plus que l'— de lui-même,*** hij is nog maar een schim van wat hij vroeger was; ***faire — à qn.,*** iem. in de schaduw stellen; ***lâcher la proie pour l'—,*** het zekere voor het onzekere laten varen; ***pas l'— de bon sens,*** geen greintje gezond verstand; ***—s chinoises,*** Chinese schimmen; ***terre d'—,*** omberaarde *v.(m.)*; **II** *m.* (*Dk.*) ombervis *m.*
ombrelle [õ·brèl] *f.* parasol *m.*, zonnescherm *o.*
ombrer [õ·bré] *v.t.*, (*v. schilderij, enz.*) schaduwen, schaduw aanbrengen.
ombreux [õ·brö] *adj.* schaduwrijk, lommerrijk.

Ombrie [õ'bri] *f.* Umbrië *o.*
ombrien [õ'bri(y)ẽ] *adj.* Umbrisch.
oméga [òméga] *m.* omega *v.(m.).*
omelette [òmlèt] *f.* eierpannekoek *m.*, omelet *v.(m.)*; — ***soufflée,*** schuimomelet; ***on ne fait pas d'— sans casser des œufs,*** waar gehakt wordt, vallen spaanders.
omettre* [òmètr] *v.t.* **1** (*uit tekst, enz.*) weglaten, uitlaten; **2** nalaten, verzuimen.
omission [òmisyõ] *f.* **1** weglating *v.*; **2** nalating *v.*, verzuim *o.*
omnibus [òmnibüs] *m.* **1** omnibus *m. en v.*; **2** duivelstoejager *m.*, manusje van alles *o.*; ***train —,*** boemeltrein *m.*
omnicolore [òmnikòlò:r] *adj.* alle kleuren vertonend.
omnipotence [òmnipòtã:s] *f.* almacht *v.(m.).*
omnipotent [òmnipòtã] *adj.* almachtig.
omniprésence [òmniprézã:s] *f.* alomtegenwoordigheid *v.*
omniprésent [òmniprézã] *adj.* alomtegenwoordig.
omniscience [òmnisyã:s] *f.* alwetendheid *v.*
omniscient [òmnisyã] *adj.* alwetend.
omnium [òmnyòm] *m.* **1** wielerwedstrijd *m.* met verschillende nummers; **2** open (paarden)race *m.*
omnivore [òmnivò:r] **I** *adj.* allesetend; **II** *s. m.* allesetend dier *o.*, omnivoor *m.*
omoplate [òmòplat] *f.* schouderblad *o.*
on [õ] *pron. ind.* men; — ***sonne,*** er wordt gebeld; ***un —-dit,*** een praatje; ***le qu'en dira-t-—,*** de mening van anderen, het oordeel van de mensen.
onagre [òna:gr] *m.* wilde ezel *m.*
onanisme [ònanizm] *m.* onanie, zelfbevlekking *v.*
once [õ:s] *f.* **1** zestiende deel van oude pond; 30.59 g.; **2** klein soort jaguar *m.*
oncial [õ'syal] *adj.*, ***lettre —e,*** hoofdletter *v.(m.)* (in oude handschriften).
oncirostre [õ'siròstr] *adj.* kromsnavelig.
oncle [õ:kl] *m.* oom *m.*; — ***à la mode de Bretagne,*** achterneef, verre verwant *m.*
onction [õ'ksyõ] *f.* zalving *v.*; ***l'extrême —,*** het H. Oliesel.
onctueusement [õ'ktẅö'zmã] *adv.* zalvend, met zalving.
onctueux [õ'ktẅö] *adj.* **1** olieachtig, zalfachtig, vettig; **2** (*fig.*) zalvend, stichtelijk.
onctuosité [õ'ktẅo'zité] *f.* olieachtigheid, vettigheid *v.*
ondatra [õ'datra] *m.* bisamrat *v.(m.).*
onde [õ:d] *f.* **1** golf *v.(m.)*; **2** (*v. zee, enz.*) water *o.*; ***l'— amère,*** het zilte nat; — ***sonore,*** geluidsgolf *v.(m.)*; — ***éthérée,*** ethergolf; — ***lumineuse,*** lichtgolf; ***longueur d'—,*** golflengte *v.*; — ***amortie,*** gedempte golf; — ***entretenue,*** ongedempte golf; — ***porteuse,*** draaggolf; ***—s courtes,*** (*radio*) korte golf; ***—s moyennes, petites —s,*** middengolf; ***—s longues, grandes —s,*** lange golf; ***étoffe à —s,*** gewaterde stof *v.(m.)*, moiré *o.*; ***mise en —s,*** radiobewerking *v.*
ondé [õ'dé] *adj.* **1** (*v. haar, enz.*) gegolfd; **2** (*v. stof*) gewaterd; **3** (*v. hout*) gevlamd.
ondée [õ'dé] *f.* bui, stortbui *v.(m.)*, plasregen *m.*
ondemètre [õ'dmè'tr] *m.* golflengtemeter *m.*
ondin [õ'dẽ] *m.*, **—e** [õ'din] *f.* watergeest *m.*, waternimf *v.*
on-dit [õdi] *m.* (klets)praatje *o.*
ondoiement [õ'dwamã] *m.* **1** golving *v.*; **2** nooddoop *m.*
ondoyant [õ'dwayã] *adj.* **1** (*v. haar, enz.*) golvend; **2** (*v. vlag*) wapperend; **3** (*fig.*) wispelturig, veranderlijk.
ondoyer [õ'dwayé] **I** *v.i.* golven; **II** *v.t.* de nooddoop toedienen aan.
ondulant [õ'dülã] *adv.* golvend.
ondulation [õ'düla'syõ] *f.* **1** golving *v.*; **2** slingering *v.*; — ***permanente,*** blijvende haargolf *v.(m.)*; ***théorie des —s,*** (*nat.*) golftheorie *v.*
ondulatoire [õ'dülatwa:r] *adj.* golvend.
ondulé [õ'dülé] *adj.* gegolfd, geonduleerd.
onduler [õ'dülé] **I** *v.i.* golven, zacht bewegen; **II** *v.t.* (doen) golven; onduleren.
onduleux [õ'dülö] *adj.* golvend.
onduline [õ'dülin] *f.*, ***épingle —,*** onduleerspeld *v.(m.).*
onéraire [ònérè:r] *adj.* uitvoerend (*v. orgaan enz.*).
onéreusement [ònérö'zmã] *adv.* onder bezwarende voorwaarden.
onéreux [ònérö] *adj.* **1** zwaar, bezwarend; **2** lastig, moeilijk; **3** (*v. belasting, enz.*) drukkend; ***à titre —,*** onder bezwarende voorwaarden.
onérosité [ònéro'zité] *f.* bezwarend karakter *o.*
onglade [õ'gla:d] *f.* in 't vlees gegroeide nagel *m.*
ongle [õ:gl] *m.* **1** nagel *m.*; **2** (*v. dier*) klauw *m.*; **3** (*v. paard, enz.*) hoef *m.*; ***coup d'—,*** krab *v.(m.)*; ***avoir les —s crochus,*** lange vingers hebben; ***donner sur les —s à qn.,*** iem. op de vingers tikken; ***rogner les —s à qn.,*** iem. kortwieken, de macht van iem. fnuiken; ***se faire les —s,*** zijn nagels knippen en verzorgen; ***se ronger les —s,*** **1** op zijn nagels bijten; **2** (*fig.*) van spijt (*of* ongeduld) zich verbijten; ***jusqu'au bout des —s,*** door en door, in hart en nieren; ***savoir sur l'—,*** op zijn duimpje kennen; ***mise à —,*** microfoonbewerking *v.*
onglée [õ'glé] *f.* tinteling *v.* (in de vingers).
onglet [õ'glè] *m.* **1** (*in boek, album, enz.*) papierstrook *v.(m.)* (om platen op te plakken); **2** (*v. zakmes*) nagelkeep *v.(m.)*; **3** (*v. bloemblad*) nagel *m.*; **4** (*v. oog*) nagelvlies *o.*; **5** (*v. timmerwerk*) verstek *o.*; **6** graveerbeitel *m.*, graveerstift *v.(m.).*
onglette [õ'glèt] *f.* **1** graveerijzer *o.*; **2** (*v. mes*) nagelkeep *v.(m.).*
onglier [õ'gli(y)é] *m.* nageletui *o.*; ***—s,*** nagelschaar *v.(m.).*
onglon [õ'glõ] *m.* hoef *m.*
onguent [õ'gã] *m.* zalf *v.(m.).*
onguicule [õ'gikül] *m.* nageltje, klauwtje *o.*
onguiculé [õ'gikülé] *adj.* (*v. dier*) met nagels.
onguiforme [õ'gifòrm] *adj.* nagelvormig.
ongulé [õ'gülé] *adj.* (*v. dier*) met hoeven.
onirique [ònirik] *adj.* droom—, dromen betreffend.
onirisme [ònirizm] *m.* droomwereld *v.(m.).*
onirocritie [ònieròkrisi] *f.* droomuitlegging *v.*
oniromancie [ònieròmã'si] *f.* droomwichelarij *v.*
oniromancien [ònieròmã'syẽ] *m.* waarzegger *m.* uit dromen.
onomastique [ònòmastik] **I** *adj.* naamkundig; **II** *s., f.* naamkunde *v.*
onomatologie [ònòmatòlòji] *f.* naamkunde *v.*
onomatopée [ònòmatòpé] *f.* klanknabootsend woord *o.*
ontogenèse [òntòjénè:z], **ontogénie** [òntòjéni] *f.* ontwikkelingscyclus *m.* van ei tot volwassenheid.
ontologie [òntòlòji] *f.* (*wijsb.*) wezenleer, leer *v.(m.)* van het zijn, ontologie *v.*
onychophagie [ònikòfaji] *f.* nagelbijten *o.*
onyx [òniks] *m.* onyx *m.*
onze [õ:z] *n.card.* elf; ***le — septembre,*** de elfde september; ***prendre le train —,*** op zijn apostelpaarden reizen.
onzième [õ'zyèm] **I** *n.ord.* elfde; ***de la — heure,*** van 't laatste ogenblik; **II** *s. m.* elfde (deel) *o.*
onzièmement [õ'zyèm(m)ã] *adv.* ten elfde.
oolithe [òòlit] *m.* kuitsteen *m.*
oosphère [òòsfè:r] *f.* (*Dk.*) vrouwelijk beginsel *o.* dat na bevruchting ei geeft.

opacifier [òpasifyé] *v.t.* ondoorschijnend maken.
opacité [òpasité] *f.* ondoorschijnendheid *v.*
opale [òpal] **I** *f.* opaal(steen) *m.*; **II** *adj.* opaalkleurig. [*m.*
opalescence [òpalèsã:s] *f.* opaalachtige weerschijn
opalescent [òpalèsã] *adj.* opaalkleurig, opaalachtig gekleurd.
opalin [òpalẽ] *adj.* opaalachtig, opaalkleurig; ***verre* —,** melkglas *o.*
opaline [òpalin] *f.* opaalglas *o.* [(te) dik.
opaque [òpak] *adj.* **1** ondoorschijnend; **2** (*fig.*)
ope [òp] *m.* muurgat, balkgat *o.* [bouw *o.*
opéra [òpéra] *m.* **1** opera *m.*; **2** opera *m.*, operage-
opérable [òpéra˙bl] *adj.* te opereren.
opéra*-bouffe* [òpérabuf] *m.* komische opera *m.*
opéra*-comique* [òpérakòmik] *m.* komische opera, waarin de tekst gedeeltelijk gesproken wordt.
opérant [òpérã] *adj.* werkend, werkzaam.
opérateur [òpératœ:r] *m.* **1** (*gen.*) operateur, geneesheer *m.* die de (*of* een) operatie verricht; **2** (*v. film*) opnemer *m.*; **3** (*tel., radio*) marconist *m.*; **4** linotypezetter *m.*
opération [òpéra˙syõ] *f.* **1** (*v. verstand, v. H. Geest*) werking *v.*; **2** (*bankwezen*) verrichting *v.*; **3** (*gen., beurs*) operatie *v.*; **4** (*H.*) speculatie, transactie *v.*; **5** (*mil.*) krijgsverrichting *v.*; ***les quatre —s,*** de vier hoofdbewerkingen.
opératoire [òpératwa:r] *adj.* operatie—; ***médecine* —,** operatieve geneeskunde, chirurgie *v.*
operculaire [òpèrkülè:r] *adj.* tot de sluiting dienend.
opercule [òpèrkül] *m.* (*Dk. en Pl.*) deksel *o.*
operculé [òpèrkülé] *adj.* (*Dk. en Pl.*) voorzien van een deksel.
opérer [òpéré] **I** *v.t.* **1** (*gen.*) opereren; **2** teweegbrengen; **3** (*v. wonder*) verrichten; **4** (*v. verandering*) aanbrengen; **— *sur le vif,*** in 't levende vlees snijden; **II** *v.i.* **1** te werk gaan; **2** (*v. geneesmiddel*) werken; **III** *v.pr.* ***s'*—,** plaats grijpen, gebeuren.
opérette [òpérèt] *f.* operette *v.*, kleine komische opera *m.*
ophicléide [òfikléi:d] *m.* (*muz.*) basbazuin *v.(m.)*.
ophidien [òfidyẽ] **I** *adj.* **1** slangvormig; **2** slangachtig; **II** *s., m.* slangachtig dier *o.*
ophite [òfit] *m.* slangesteen *m.*
ophrys [òfri] *m.* bep. soort orchidee *v.(m.)*.
ophtalmie [òftalmi] *f.* oogontsteking *v.*
ophtalmique [òftalmik] *adj.* de ogen betreffend, oog—; ***affection* —,** oogziekte *v.*
ophtalmologie [òftalmòlòji] *f.* oogheelkunde *v.*
ophtalmologique [òftalmòlòjik] *adj.* oogheelkundig.
ophtalmologiste [òftalmòlòjist], **ophtalmologue** [òftalmòlò:g] *m.* oogarts *m.*
ophtalmoscope [òftalmòskòp] *m.* oogspiegel *m.*
ophtalmoscopie [òftalmòskòpi] *f.* oogonderzoek *o.*
opiacé [òpyasé] **I** *adj.* opiumhoudend, opium bevattend; **II** *s. m.* opiumpreparaat *o.* [*en o.*
opiat [òpya] *m.* **1** slaapmiddel *o.*; **2** tandpasta *m.*
opilatif [òpilatif] *adj.* (*gen.*) verstoppend.
opilation [òpila˙syõ] *f.* (*gen.*) verstopping *v.*
opiler [òpilé] *v.t.* (*gen.*) verstoppen.
opimes [òpim] *f.pl.* grote buit *m.*
opinant [òpinã] *m.* die zijn mening zegt; **— *du bonnet,*** ja-knikker *m.*
opiner [òpiné] *v.i.* zijn mening zeggen, van mening zijn; **— *du bonnet,*** zwijgend toestemmen, een jabroer zijn; **— *pour qc.,*** voor iets zijn, voor iets stemmen.
opiniâtre [òpinya:tr] *adj.* **1** hardnekkig, halsstarrig, koppig; **2** (*v. arbeid*) aanhoudend.
opiniâtrément [òpinya˙trémã] *adv.*, *voir opiniâtre.*
opiniâtrer, *s'*— [sòpinya˙tré] *v.pr.* hardnekkig volhouden; ***s'— à,*** volharden in, koppig doorgaan met.
opiniâtreté [òpinya˙treté] *f.* **1** hardnekkigheid, halsstarrigheid, koppigheid *v.*; **2** volharding *v.*
opinion [òpinyõ] *f.* mening *v.*, denkwijze *v.(m.)*, gevoelen *o.*; ***avoir une haute — de,*** een hoge dunk hebben van; ***l'— (publique),*** de openbare mening; ***avoir le courage de son —,*** vrij voor zijn mening durven uitkomen.
opiomane [òpyòman] *m.-f.* opiumroker *m.*, —rookster *v.*, aan opium verslaafde *m.-v.*
opiomanie [òpyòmani] *f.* (het) opiumroken *o.*
opiophage [òpyòfa:j] *m.* opiumschuiver, —eter *m.*
opium [òpyòm] *m.* opium *m. en o.*, heulsap, amfioen *o.*
opontiacées [opõ˙tyasé] *f.pl.* cactusachtigen *mv.*
opopanax [opòpanaks] *m.* bep. welriekende schermbloem *v.(m.)*. [rat *v.(m.)*.
opossum [òpòsòm] *m.* (*Dk.*) opossum *o.*, buidel-
opportun(ément) [òpòrtœ̃, òpòrtünémã] *adj.* (*adv.*) gepast, geschikt, gelegen.
opportunisme [òpòrtünizm] *m.* opportunisme *o.*
opportuniste [òpòrtünist] **I** *m.* opportunist *m.*; **II** *adj.* opportunistisch.
opportunité [òpòrtünité] *f.* **1** geschiktheid *v.*; **2** (gunstige) gelegenheid *v.*
opposable [òpo˙za˙bl] *adj.* tegenoverstelbaar.
opposant [òpo˙zã] **I** *adj.* (*recht*) verwerend, tegenstrevend, opponerend; **II** *s. m.* tegenstrever, tegenstander, bestrijder, opponent *m.*; (*recht*) verweerder *m.*
opposé [òpo˙zé] **I** *adj.* **1** (*v. richting, enz.*) tegen(over)gesteld; **2** (*v. oever*) tegenoverliggend; **3** (*v. hoek*) overstaand; **4** (*v. belangen*) tegenstrijdig; ***à l'— de,*** in tegenstelling met; ***le parti* —,** de tegenpartij; **II** *s. m.* tegendeel, tegenovergestelde *o.*
opposer [òpo˙zé] **I** *v.t.* **1** tegenoverstellen; **2** (*weerstand*) bieden; **II** *v.pr.* ***s'— (à),*** zich verzetten, zich kanten (tegen).
opposite [òpo˙zit] *m.* tegengestelde, tegendeel *o.*; ***à l'— de,*** tegenover.
opposition [òpo˙zisyõ] *f.* **1** tegenstelling *v.*; **2** tegenkanting *v.*, verzet *o.*; **3** (*v. belangen, gevoelens*) tegenstrijdigheid *v.*; **4** (*politiek*) oppositie(partij) *v.*; **5** (*H.*) verzet *o.*; ***mettre (ou faire)— à,*** verzet aantekenen tegen; ***mettre — sur,*** beslag leggen op; ***par — à,*** in tegenstelling met.
oppresser [òprèsé] *v.t.* benauwen, drukken.
oppresseur [òprèsœ:r] *m.* verdrukker, onderdrukker *m.*
oppressif [òprèsif] *adj.* onderdrukkend.
oppression [òprèsyõ] *f.* **1** (*op de borst*) benauwdheid *v.*; **2** (*v. volk, enz.*) verdrukking, onderdrukking *v.*
opprimer [òprimé] *v.t.* **1** verdrukken, onderdrukken; **2** benauwen. [vlek *v.(m.)*.
opprobre [òprò˙br] *m.* **1** schande *v.(m.)*; **2** schand-
optant [òptã] *m.* optant *m.*
optatif [òptatif] **I** *adj.* wensend; **II** *s. m.* (*gram.*) optatief *m.*, wensende wijs *v.(m.)*.
opter [òpté] *v.i.* kiezen.
opticien [òptisyẽ] *m.* brillenmaker, opticien, verkoper *m.* van optische instrumenten. [zicht.
opticité [òptisité] *f.* geschiktheid *v.* voor het ge-
optime [òptim(é)] *adv.* uitstekend, best.
optimisme [òptimizm] *m.* optimisme *o.*; blijmoedige levensbeschouwing *v.* [optimistisch.
optimiste [òptimist] **I** *m.* optimist *m.*; **II** *adj.*

optimum [òptimòm] **I** *adj.* hoogste, ideale, maximum; **II** *s., m.* het beste *o.*
option [òpsyõ] *f.* **1** keus *v.(m.)*; **2** (*bij verkoop, verhuring*) recht *o.* van voorkeur, optie *v.*
optique [òptik] **I** *f.* **1** gezichtkunde *v.*, leer *v.(m.)* van het zien en het licht; **2** kijkkast *v.(m.)*; ***illusion d'—***, gezichtsbedrog *o.*; **II** *adj.* optisch, gezichts—; ***nerf —***, gezichtszenuw *v.(m.)*.
optométrie [òptòmé'tri] *f.* meting *v.* van de ooglensafwijking.
opulemment [òpülamã] *adv.* overvloedig, weelderig, in overvloed, in weelde.
opulence [òpülã:s] *f.* weelde *v.(m.)*, overvloed, grote rijkdom *m.*
opulent [òpülã] *adj.* **1** overvloedig, weelderig; **2** (*v. persoon*) schatrijk, vermogend. [boekje *o.*
opuscule [òpüskül] *m.* klein geschrift, werkje,
or [ò:r] **I** *conj.* welnu, nu; ***— çà***, welaan, hoor eens hier; **II** *s., m.* **1** goud *o.*; **2** goudgeld *o.*; **3** gouden voorwerpen *mv.*, gouden vaatwerk *o.*; ***— en feuilles, — battu***, bladgoud; ***— natif, — vierge***, gedegen goud; ***— filé***, gouddraad *o. en m.*; ***— en barres, — en lingots***, goud in staven, staafgoud; ***— mat***, dof goud, mat goud; ***— potable***, goudchloride *o.*; ***— en poudre***, goudbrons *o.*; ***valoir son pesant d'—***, heel veel waard zijn; ***en lettres d'—***, met gulden letters; ***vous parlez d'—***, dat zijn gulden woorden, u spreekt zeer verstandig; ***une affaire d'—***, (*fig.*) een goudmijn.
oracle [òrakl] *m.* orakel *o.*, godsspraak *v.(m.)*; ***parler comme un —***, heel goed spreken.
oraculeux [òrakülö] *adj.* orakelachtig.
orage [òra:j] *m.* **1** onweer *o.*, donderbui *v.(m.)*; **2** (*fig.*) storm *m.*; ***le temps est à l'—***, er dreigt onweer, we krijgen onweer; ***laisser passer l'—***, de bui (*of* het onweer) laten overdrijven.
orageux [òrajö] *adj.*, **orageusement** [òrajö'zmã] *adv.* **1** stormachtig; **2** onstuimig, bewogen; ***ciel —***, onweerslucht *v.(m.)*.
oraison [òrè'zõ] *f.* **1** gebed *o.*; **2** (*oud*) rede *v.(m.)*, redevoering *v.*; ***— funèbre***, lijkrede *v.(m.)*; ***l'— dominicale***, het onzevader.
oral [òral] **I** *adj.* **1** mondeling; **2** de mond betreffend; ***tradition —e***, mondelinge overlevering *v.*; ***cavité —e***, mondholte *v.*; **II** *s. m.* ***l'(examen) —***, het mondeling (examen).
oralement [òralmã] *adv.* mondeling.
orange [òrã:j] **I** *f.* sinaasappel, oranjeappel *m.*; (***— douce***), sinaasappel *m.*; ***— amère***, bittere oranjeappel; **II** *s. m.* oranjekleur *v.(m.)*; **III** *adj.* oranje(kleurig); ***O—***, *f.* Oranje *o.*
orangé [òrã'jé] **I** *adj.* oranje(kleurig); **II** *s. m.* oranjegeel *o.*
orangeade [òrã'ja:d] *f.* sinaasappellimonade *v.(m.)*.
orangeat [òrã'ja] *m.* oranjesnippers *mv.*
oranger [òrã'jé] **I** *m.* **1** oranjeboom *m.*; **2** sinaasappelboom *m.*; **3** sinaasappelkoopman *m.*; ***fleur d'—***, oranjebloesem *m.*; **II** *v.t.* oranje verven, oranje kleuren.
orangère [òrã'jè:r] *f.* sinaasappelkoopvrouw *v.*
orangerie [òrã'jri] *f.* oranjerie *v.*
orangiste [òrã'jist] *m.* oranjeman, oranjeklant *m.*
orang*-outan(g)* [òrãutã] *m.* orang-oetan *m.*
orant [òrã] *m.* beeld *o.* van biddend persoon.
orateur [òratœ:r] *m.* redenaar *m.*
oratoire [òratwa'r] **I** *adj.* redenaars—, oratorisch; ***l'art —***, de kunst *v.* van voordragen; ***talent —***, redenaarstalent *o.*; **II** *s. m.* **1** huiskapel *v.(m.)*; **2** oratorium *o.*
oratoirement [òratwa'rmã] *adv.* oratorisch, op redenaarswijze. [het oratorium.
oratorien [òratòryẽ] *m.* lid *o.* van (de orde van)
oratorio [òratòryo] *m.* (*muz.*) oratorium *o.*
orbe [òrb] **I** *m.* **1** (*v. planeet*) baan *v.(m.)*; **2** hemellichaam *o.*; ***— épineux***, (*Dk.*) kogelvis *m.*; ***l'— du soleil***, de zonneschijf *v.(m.)*; **II** *adj.*, ***mur —***, blinde muur.
orbicole [òrbikòl] *adj.* (*Pl.*) overal voorkomend.
orbiculaire(ment) [òrbikülè:r(mã)] *adj.* (*adv.*) kringvormig, rond. [van de oogholte.
orbitaire [òrbitè:r] *adj.* de oogholte betreffend,
orbital [òrbital] *adj.* een planeetbaan betreffend.
orbite [òrbit] *f.* **1** oogholte *v.*, oogkas *v.(m.)*; **2** (*v. planeet*) baan, loopbaan *v.(m.)*.
Orcades [òrka'd] *f.pl.* Orkadische eilanden *mv.*
orchestique [òrkèstik] **I** *adj.* de dans betreffend; **II** *s. f.* **1** danskunst *v.*; **2** pantomime *v.(m.)*.
orchestral [òrkèstral] *adj.* voor (*of* van) het orkest.
orchestration [òrkèstra'syõ] *f.* orkestrering, bewerking *v.* voor orkest.
orchestre [òrkèstr] *m.* orkest *o.*; ***chef d'—***, dirigent *m.*; ***fauteuils d'—***, (*in schouwburg*) stalles *mv.* [bewerken.
orchestrer [òrkèstré] *v.t.* orkestreren, voor orkest
orchidée [òrkidé] *f.* (*Pl.*) orchidee *v.(m.)*.
orchis [òrkis] *m.* (*Pl.*) standelkruid *o.*
ordalie [òrdali] *f.* (*gesch.*) godsgericht *o.*
Ordange [òrdã'j] Ordingen *o.*
ordinaire [òrdinè:r] **I** *adj.* **1** gewoon, gebruikelijk; **2** alledaags, middelmatig; ***médecin —***, huisarts, huisdokter *m.*; ***vin —***, tafelwijn *m.*; **II** *s. m.* **1** gewone *o.*; **2** gewoonte *v.*; **3** ordinaris, bisschop *m.* van diocees; **4** (*v. mis*) ordinarium *o.*, onveranderlijke delen *mv.* van de mis; **5** dagelijkse kost *m.*; **6** (*mil.*) menage *v.*; rantsoen *o.*; ***à l'—, d'—***, gewoonlijk; ***contre l'—***, tegen de gewoonte.
ordinairement [òrdinè'rmã] *adv.* gewoonlijk.
ordinal [òrdinal] *adj.*, ***nombre —***, rangtelwoord *o.*
ordinand [òrdinã] *m.* (*kath.*) ordinandus *m.*, die tot priester moet gewijd worden *m.*
ordinant [òrdinã] *m.* wijbisschop *m.*
ordinariat [òrdinarya] *m.* bisschoppelijke jurisdictie *v.*, gebied *o.* van de ordinaris.
ordinateur [òrdinatœ:r] *m.* computer *m.*
ordination [òrdina'syõ] *f.* **1** priesterwijding *v.*; **2** ordening *v.*
ordonnance [òrdònã:s] *f.* **1** regeling, schikking *v.*; **2** bevel *o.*, verordening *v.*; **3** recept, voorschrift *o.*; **4** order *v.(m.) en o.* tot betaling, mandaat *o.*; **5** (*mil.*) ordonnans *m.*; (*Z.N.*) oppasser *m.*; ***officier d'—***, vleugeladjudant *m.*; ***uniforme d'—***, modeluniform, voorgeschreven uniform.
ordonnancement [òrdònã:smã] *m.* mandatering *v.* (tot uitbetaling).
ordonnancer [òrdònã'sé] *v.t.* **1** mandateren, order geven tot uitbetaling; **2** (*v. geneesmiddel*) voorschrijven.
ordonnateur [òrdònatœ:r] **I** *m.* **1** regelaar, bestuurder *m.*; **2** leider *m.* (v. begrafenis, optocht, enz.).
ordonné [òrdòné] *adj.* geordend, geregeld.
ordonnée [òrdòné] *f.* (*wisk.*) ordinaat *v.(m.)*.
ordonner [òrdòné] **I** *v.t.* **1** bevelen, gelasten; **2** schikken, regelen; **3** (*v. geneesmiddel*) voorschrijven; ***— prêtre***, tot priester wijden; **II** *v.i.*, ***— de***, beschikken over.
ordre [òrdr] *m.* **1** orde *v.(m.)*; **2** schikking *v.*, volgorde *v.(m.)*; **3** bevel, gebod *o.*; **4** (*H.*) order *v.(m.) en o.*; **5** ridderorde *v.(m.)*; ***— du jour***, **1** (*v. vergadering*) agenda *v.(m.)*; **2** (*mil.*) dagorder *v.(m.) en o.*; ***— gothique***, gotische stijl *m.*; ***l'— des choses***, de stand *m.* van zaken; ***l'— social***, de maatschappelijke orde; ***d'— social***, van sociale aard; ***les trois —s***, de drie standen; ***—s***

mineurs, lagere wijdingen (*v. priester*); ***—s majeurs,*** hogere wijdingen (*v. priester*); ***de premier —,*** eersterangs; ***— de bataille,*** slagorde *v.*(*m.*); ***à l'— de,*** (*H.*) aan... of order; ***à l'— du jour,*** aan de orde van de dag; ***porter à l'— du jour,*** (*mil.*) eervol (bij dagorder) vermelden; ***conférer*** (*ou* ***recevoir***) ***les —s,*** de wijding toedienen (*of* ontvangen); ***— d'idées,*** gedachtengang *m.*; ***— d'essai,*** (*H.*) proefbestelling *v.*; ***billet à —,*** (*H.*) orderbriefje *o.*, promesse *v.*; ***mot d'—,*** wachtwoord *o.*; ***avec —,*** ordelijk; ***dans l'—,*** in de haak; ***d'— de, par — de,*** (*H.*) voor order van; ***jusqu'à nouvel —,*** tot nader order, voorlopig; ***je suis à vos —s,*** ik ben te uwer beschikking, ik ben tot uw dienst; ***avoir de l'—,*** ordelijk zijn; ***ne pas avoir d'—,*** slordig zijn; ***c'est dans l'—,*** dat behoort zo, dat spreekt vanzelf; ***je ne suis aux —s de personne,*** ik heb van niemand bevelen af te wachten.

ordure [òrdü:r] *f.* vuil *o.*, vuilnis *v. en o.*; vuiligheid *v.*

ordurier [òrdüryé] **I** *adj.* vuil, smerig; **II** *s. m.* **1** vuilnisblik *o.*; **2** vuilnisbak *m.*

oréade [òréa'd] *f.* bergnimf *v.*

orée [òré] *f.* (*oud*) rand, zoom *m.* (v. bos).

oreillard [òrèya:r] **I** *adj.* langorig, met lange oren; **II** *s. m.* langoor, grootoor *m.*

oreille [òrè'y] *f.* **1** oor *o.*; **2** gehoor *o.*; **3** (*v. mand, enz.*) hengsel *o.*; **4** (*v. ploeg*) strijkbord *o.*; ***avoir l'— fine,*** een scherp gehoor hebben; ***avoir l'— dure,*** hardhorend zijn; ***avoir de l'—, avoir l'— juste,*** (*muz.*) een goed (*of* zuiver) gehoor hebben; ***avoir les —s délicates,*** gauw geraakt zijn; ***dresser l'—,*** de oren spitsen; ***faire la sourde —,*** Oostindisch doof zijn; ***fermer l'— à,*** het oor sluiten voor; ***il n'entend pas de cette —,*** daar wil hij niet van weten; ***frotter les —s à qn.,*** iem. de oren wassen; ***échauffer les —s,*** kwaad maken, ergeren; ***j'en ai par-dessus les —s,*** ik heb er meer dan genoeg van; ***secouer les —s,*** er zich niets van aantrekken; ***dire qc. à l'—,*** iets in het oor fluisteren; ***dormir sur les deux —s,*** **1** vast slapen, slapen als een roos; **2** (*fig.*) volkomen gerust zijn; ***se gratter l'—,*** zich achter de oren krabben; ***avoir la puce à l'—,*** ongerust, in moeilijkheden zijn; ***l'— basse,*** met hangende pootjes (*of* oren); ***— de géant,*** (*Pl.*) grote klis *v.*(*m.*); ***— d'ours,*** (*Pl.*) aurikel *v.*(*m.*).

oreille-de-souris [òrè'ydesuri] *f.* vergeet-meniet *v.*(*m.*).

oreiller [òrèyé] *m.* oorkussen, hoofdkussen *o.*

oreillère [òrèyè:r] *f.* oorworm *m.*

oreillette [òrèyèt] *f.* **1** hartboezem *m.*; **2** oorklep *v.*(*m.*); **3** oorkompres *o.*; **4** (*Pl.*) hazelwortel *m.*

oreillon [òrèyõ] *m.* **1** ontsteking *v.* van de oorklieren; **2** (*v. helm*) oorklep *v.*(*m.*); ***les —s,*** (*gen.*) de bof *m.*

orémus [òrémüs] *m.* (*fam.*) gebed *o.*

Orénoque [òrénòk] *m.* Orinoco *m.*

oréographie [òréògrafi] *f.* bergbeschrijving *v.*

ores [ò:r] *adv.*, ***d'— et déjà,*** nu reeds.

Oreye [òrè] Oerle *o.*

orfèvre [òrfè:vr] *m.* goudsmid, zilversmid *m.*; ***vous êtes —, monsieur Josse,*** u spreekt in uw eigen belang.

orfèvrerie [òrfè'vreri] *f.* **1** goudsmederij *v.*; **2** goudsmidswinkel *m.*; **3** goudsmidswerk *o.*; **4** gouden vaatwerk *o.*

orfévri [òrfè'vri] *adj.* bewerkt door een goudsmid.

orfraie [òrfrè] *f.* (*Dk.*) visarend *m.*

orfroi [òrfrwa] *m.* **1** goudgalon *o. en m.*; **2** met goud bestikte stof *v.*(*m.*).

organdi [òrgã'di] *m.* glad, stijf neteldoek *o. en m.*

organe [òrgan] *m.* **1** orgaan *o.* (zintuig *o.*, werktuig *o.*, spraakwerktuig *o.*, stem *v.*(*m.*)); **2** (*fig.*) tolk *m.*, orgaan *o.*; ***par l'— de,*** **1** bij monde van; **2** door bemiddeling van.

organeau [òrgano] *m.* (*sch.*) kabelring, ankerring *m.*

organier [òrganyé] *m.* orgelmaker *m.*

organique [òrganik] *adj.* **1** organisch; **2** (*v. wet, enz.*) organiek.

organiquement [òrganikmã] *adv.* organisch.

organisable [òrganiza'bl] *adj.* voor organisatie vatbaar, te organiseren.

organisateur [òrganizatœ:r] **I** *m.* inrichter, regelaar, organisator *m.*; **II** *adj.* regelend, organiserend.

organisation [òrganizα'syõ] *f.* **1** regeling, organisatie *v.*; **2** inrichting, samenstelling *v.*; **3** bewerktuiging *v.*; ***il est d'une — maladive,*** hij heeft een ziekelijk gestel.

organisé [òrgani'zé] *adj.* **1** georganiseerd; **2** bewerktuigd.

organiser [òrgani'zé] **I** *v.t.* **1** organiseren, inrichten, regelen; **2** bewerktuigen; **II** *v.pr.*, ***s'—,*** zich organiseren.

organisme [òrganizm] *m.* **1** organisme; bewerktuigd lichaam *o.*; **2** samenhangend geheel; gestel *o.*

organiste [òrganist] *m.* organist, orgelspeler *m.*

organsin [òrgã'sẽ] *m.* kettingzijde, dubbel getwijnde zijde *v.*(*m.*).

orge [òrj] **I** *f.* gerst *v.*(*m.*); **II** *m.*, ***— mondé,*** gepelde gerst; ***— perlé,*** geparelde gerst.

orgeat [òrja] *m.* amandelmelk *v.*(*m.*).

orgelet [òrjelè] *m.* gerstekorrel *m.* (op het oog).

orgiaque [òrjyak] *adj.* zwelgend, brassend, losbandig.

orgie [òrji] *f.* zwelgpartij, braspartij *v.*, drinkgelag *o.*; ***—s,*** *f.pl.* (*gesch.*) Bacchusfeesten *mv.*, orgiën *mv.*

orgue [òrg] *m.* (au pl.: *f.*) orgel *o.*; ***— de Barbarie,*** draaiorgel *o.*; ***— expressif,*** harmonium *o.*; ***jeu d'—,*** register *o.*; ***joueur d'—,*** orgeldraaier *m.*; ***point d'—,*** orgelpunt *v.*(*m.*) *en o.*

orgueil [òrgœ'y] *m.* **1** hoogmoed, trots *m.*; **2** (*v. hefboom*) blok *o.*, stut *m.*; ***— précède la chute,*** hoogmoed komt voor de val.

orgueilleusement [òrgœyö'zmã] *adv.* trots, hoogmoedig.

orgueilleux [òrgœyö] **I** *adj.* trots, hoogmoedig; ***— de,*** trots op; ***— avec,*** trots tegen; **II** *s. m.* trotsaard, hoogmoedige *m.*

orient [òryã] *m.* **1** oosten *o.*; ***l'O—,*** de Oosterse landen; ***le proche O—,*** het nabije Oosten; ***l'Extrême O—,*** het Verre Oosten; ***le Moyen —,*** het Midden-Oosten; ***l'empire d'O—,*** het Oostromeinse rijk; ***le Grand O—,*** het Groot-Oosten (*loge*); **2** (*v. parel*) gloed *m.*

orientable [òryã'ta'bl] *adj.* verstelbaar, richtbaar.

oriental [òryã'tal] **I** *adj.* **1** oostelijk; **2** Oosters; **II** *s., m.* oosterling *m.*

orientalisme [òryã'talizm] *m.* kennis *v.* van de Oosterse talen (volken, enz.), oriëntalisme *o.*

orientaliste [òryã'talist] *m.* kenner *m.* van de Oosterse talen.

orientateur [òryã'tatœ:r] *m.* voorlichter *m.* bij beroepskeuze.

orientation [ò'ryãtα'syõ] *f.* **1** oriëntering *v.*; **2** (*fig.*: *v. politiek, enz.*) richting *v.*, koers *m.*; **3** (*v. kerk*) oriëntatie *v.*; ***— professionnelle,*** voorlichting bij de beroepskeuze.

orienter [òryã'té] **I** *v.t.* **1** naar het oosten richten; **2** (*fig.*) oriënteren; **3** (de zeilen) naar de wind zetten; **II** *v.pr.* ***s'—,*** **1** zich oriënteren; **2** zich op de hoogte stellen van, zich inwerken.

orifice [òrifis] *m.* opening *v.*

oriflamme [òriflam] *f.* banier *v.*(*m.*), wimpel *m.*

oriforme [òrifòrm] *adj.* mondvormig.

origan [òrigã] *m.* (*Pl.*) marjolein *v.*(*m.*).

originaire [òrijinè:r] *adj.* **1** inheems; **2** (*v. toestand, enz.*) oorspronkelijk; **— *de,*** afkomstig van.

originairement [òrijinè·rmã] *adv.* oorspronkelijk.

original [òrijinal] **I** *adj.* **1** (*v. kunst, lett., enz.*) oorspronkelijk; **2** (*v. idee*) origineel, eigenaardig; **3** (*v. karakter*) zonderling, vreemd; **II** *s. m.* **1** (*tekst*) oorspronkelijke *o.*; **2** (*tekst, kunstwerk*) origineel *o.*; **3** (*persoon*) zonderling *m.*

originalement [òrijinalmã] *adv.* **1** oorspronkelijk, op oorspronkelijke wijze; **2** op zonderlinge wijze.

originalité [òrijinalité] *f.* **1** oorspronkelijkheid *v.*; **2** originaliteit *v.*; **3** eigenaardigheid *v.*; **4** zonderlingheid *v.*

origine [òrijin] *f.* **1** oorsprong *m.*, begin *o.*; **2** (*v. persoon*) afkomst *v.*; **3** (*v. waren*) herkomst *v.*; ***à l'—,*** oorspronkelijk; ***dès l'—,*** van het begin af aan; ***il est Anglais d'—,*** hij is een Engelsman van geboorte; ***pays d'—,*** land van herkomst; ***certificat d'—,*** bewijs van herkomst; ***de basse —,*** van lage afkomst.

originel [òrijinèl] *adj.* oorspronkelijk; aangeboren; ***péché —,*** erfzonde *v.*(*m.*).

originellement [òrijinèlmã] *adv.* oorspronkelijk, [aanvankelijk.

orignal [òriñal] *m.* Canadese eland *m.*

orillon [òriyõ] *m.* **1** oortje *o.* (*v. voorwerp*); **2** klein handvatsel *o.*

orin [òrẽ] *m.* (*sch.*) boeilijn *v.*(*m.*).

oripeau [òripo] *m.* **1** klatergoud *o.*; **2** valse tooi *m.*

orle [òrl] *m.* (*bouwk.*) zoom *m.* (v. zuil, enz.).

orlé [òrlé] *adj.* omzoomd.

Orléanais [òrléanè] *m.* inwoner *m.* van Orleans.

ormaie [òrmè], **ormoie** [òrmwa] *f.* iepenbos, olmbos *o.*, iepenlaan *v.*(*m.*).

orme [òrm] *m.* iep, olm *m.*; ***attendez-moi sous l'—,*** morgen brengen!

ormeau [òrmo] *m.* jonge iep, — olm *m.*

ormille [òrmi·y] *f.* **1** olmpje *o.*; **2** iepenaanplant *m.*

ormoie [òrmwa], *voir* ***ormaie.***

orne [òrn] *m.* **1** wilde es *m.*; **2** greppel *v.*(*m.*) tussen wijnstokrijen.

ornemaniste [òrnemanist] *m.* ornamentschilder, [—beeldhouwer *m.*

ornement [òrnemã] *m.* versiersel, sieraad, ornament *o.*; ***—s sacerdotaux,*** priestergewaad *o.*; ***revêtu de ses —s,*** in vol ornaat.

ornemental [òrnemã·tal] *adj.* sier—, versierend.

ornementation [òrnemãta·syõ] *f.* **1** (het) versieren *o.*, ornamentatie *v.*; **2** versieringskunst *v.*

ornementer [òrnemã·té] *v.t.* versieren.

orner [òrné] **I** *v.t.* versieren, verfraaien, tooien; **II** *v.pr.* ***s'—,*** zich sieren, zich tooien.

ornière [òrnyè:r] *f.* **1** (wagen)spoor *o.*; **2** (*fig.*) sleur *m.*; ***sortir de l'—,*** breken met de sleur.

ornithogale [òrnitògal] *f.* (*Pl.*) vogelmelk *v.*(*m.*).

ornithologie [òrnitòlòji] *f.* vogelleer *v.*(*m.*), vogelkunde *v.*

ornithologiste [òrnitòlòjist], **ornithologue** [òrnitòlò:g] *m.* vogelkenner *m.*

ornithophile [òrnitòfil] *m.* vogelliefhebber *m.*

ornithorynque [òrnitòrẽ:k] *m.* vogelbekdier *o.*

orobanche [òròbã:ʃ] *f.* (*Pl.*) bremraap *v.*(*m.*).

orobe [òrò·b] *f.* (*Pl.*) wouderwt *v.*(*m.*), knollathyrus *m.*

orogénie [òròjéni] *f.* bergenkunde *v.*

orographie [òrògrafi] *f.* bergbeschrijving *v.*

orographique [òrògrafik] *adj.* orografisch, van de bergbeschrijving.

orologie [òròlòji] *f.* bergkunde *v.*

oronge [òrõ:j] *f.* (*Pl.*) rode eetbare paddestoel *m.*, eierzwam *v.*(*m.*); ***fausse —,*** vliegenzwam *v.*(*m.*).

orpaillage [òrpa·ya:j] *m.* goudwassen *o.*

orpailleur [òrpa·yœ:r] *m.* goudwasser *m.*

Orphée [òrfé] *m.* **1** Orpheus *m.*; **2** (*fig.*) zanger *m.*

orphelin [òrfelẽ] **I** *m.*, **—e** [òrfelin] *f.* wees *m.-v.*, weeskind *o.*, weesjongen *m.*, weesmeisje *o.*; **II** *adj.* ouderloos.

orphelinat [òrfelina] *m.* weeshuis *o.*

orphéon [òrféõ] *m.* zangvereniging *v.*, liedertafel [*v.*(*m.*).

orphéonique [òrféònik] *adj.* zang—; ***société —,*** zangvereniging *v.*; ***concours —,*** zangwedstrijd *m.*

orphéoniste [òrféònist] *m.* lid *o.* van een zangvereniging.

orphie [òrfi] *f.* (*Dk.*) geep *v.*(*m.*).

orphique [òrfik] *adj.* orfisch, van Orpheus.

orpiment [òrpimã] *m.* koningsgeel, operment *o.* (*gele verfstof*).

orpin [òrpẽ] *m.* (*Pl.*) smeerwortel *m.*, vetkruid *o.*

orseille [òrsè·y] *f.* (*Pl.*) verfmos *o.*

ort [ò:r] *b.n. en bw.* (*oud*) bruto.

orteil [òrtè·y] *m.* teen *m.*; ***gros —,*** grote teen.

orthochromatique [òrtòkròmatik] *adj.* kleurgevoelig.

orthodoxe [òrtòdòks] **I** *adj.* rechtzinnig, orthodox; **II** *s. m.-f.* rechtzinnige *m.-v.*

orthodoxie [òrtòdòksi] *f.* rechtzinnigheid *v.*

orthodromie [òrtòdròmi] *f.*, (*sch.*) rechte koers *m.*

orthoépie [òrtòépi] *f.* uitspraakleer *v.*(*m.*).

orthoépiste [òrtòépist] *m.* spraakleraar *m.*

orthogonal [òrtògònal] *adj.* (*v. projectie, enz.*) rechthoekig.

orthographe [òrtògraf] *f.* spelling *v.*; ***faute d'—,*** spelfout *v.*(*m.*).

orthographie [òrtògrafi] *f.* loodrechte projectie *v.*; doorsnede *v.*(*m.*) van een gebouw (op papier).

orthographier [òrtògrafyé] *v.t.* spellen (in 't schrijven), volgens de spelregels schrijven.

orthographique [òrtògrafik] *adj.* spel—; ***règle —,*** spelregel *m.*

orthopédie [òrtòpédi] *f.* orthopedie *v.*; heilgym-[nastiek *v.*

orthopédique [òrtòpédik] *adj.* orthopedisch; ***gymnastique —,*** heilgymnastiek *v.*

orthopédiste [òrtòpédist] *m.* orthopedist *m.*; leraar *m.* in heilgymnastiek.

orthophonie [òrtòfòni] *f.* orthofonie *v.*, verbetering *v.* van spraakstoornissen.

orthoptère [òrtòptè:r] **I** *adj.* rechtvleugelig; **II** *s. m.pl.*, **—s,** rechtvleugelige insekten *mv.*

ortie [òrti] *f.* netel, brandnetel *v.*(*m.*); ***— blanche,*** dovenetel.

ortier [òrtyé] *v.t.* (met brandnetels) branden, prikkelen, (*Z.N.*) netelen; ***fièvre ortiée,*** netelkoorts, netelroos *v.*(*m.*).

ortive [òrti:v] *adj.* (*sterr.*) ***amplitude —,*** morgenwijdte *v.*

ortolan [òrtòlã] *m.* (*Dk.*) ortolaan *m.*, tuingors [*v.*(*m.*).

orvale [òrval] *f.* (*Pl.*) scharlei *v.*(*m.*).

orvet [òrvè] *m.* hazelworm *m.*

orviétan [òrvyétã] *m.* geneesmiddel *o.* tegen alle kwalen; ***marchand d'—,*** kwakzalver *m.*

oryctologie [òriktòlòji] *f.* leer *v.*(*m.*) der fossielen.

os [òs; *pl.*: o] *m.* been *o.*; ***— à moelle,*** mergpijp *v.*(*m.*); ***les —,*** het gebeente; ***donner un — à ronger à qn.,*** iem. wat te kluiven geven; ***un — dur à ronger,*** een harde noot om te kraken; ***y laisser ses —,*** er zijn hachje bij inschieten; ***il ne fera pas de vieux —,*** hij zal het niet lang maken; hij zal niet oud worden; ***rompre les — à qn.,*** iem. duchtig afrossen; ***n'avoir que la peau et les —,*** broodmager zijn; ***en chair et en —,*** in levenden lijve.

oscillant [òsilã] *adj.* slingerend, schommelend.

oscillateur [òsilatœ:r] *m.*, (*radio*) zelfgolfopwekker *m.*

oscillation [òsila·syõ] *f.* **1** slingering *v.*; **2** (*nat., el.*) [trilling *v.*

oscillatoire [òsilatwa:r] *adj.* slingerend, trillings—.
oscillatrice [òsilatris] *f.* oscillatielamp *v.(m.)*.
osciller [òsilé, òsiyé] *v.i.* 1 slingeren, schommelen; 2 (*nat.*, *el.*) trillen.
oscillographe [òsilògraf] *m.* (*el.*) oscillograaf *m.*
osé [o·zé] *adj.* 1 gewaagd, vermetel; 2 stoutmoedig.
Osée [o·zé] *m.* (*profeet*) Hosea *m.*
oseille [o·zè·y] *f.* (*Pl.*) zuring *v.(m.)*; ***sel d'—***, zuringzout *o.*; ***la faire à l'— à qn.***, iem. wat wijsmaken, — in de luren leggen.
oser [o·zé] *v.t.* durven; wagen; ***si j'ose m'exprimer ainsi***, als ik het zo mag uitdrukken.
oseraie [o·zrè] *f.* rijsbos, teenveld *o.*
oseur [o·zœ:r] *m.* durver, durfal, waaghals *m.*
osier [o·zyé] *m.* 1 teenwilg *m.*; 2 teen *v.(m.)*, bindrijs [*o.*
Osmans [òsmã] *m.pl.* Osmanen, Turken *mv.*
osmologie [òsmòlòji] *f.* geurenleer *v.(m.)*.
osmonde [òsmõ:d] *f.* (*Pl.*) koningsvaren *v.(m.)*.
osmose [òsmo:z] *f.* osmose *v.*
osmotique [òsmòtik] *adj.* osmotisch.
ossature [òsatü:r] *f.* 1 beendergestel, gebeente, geraamte *o.*; 2 (*v. gewelf, enz.*) ribwerk *o.*
ossec [òsèk] *m.* (*sch.*) hoosgat *o.*
osséine [òséin] *f.* organische beenstof *v.(m.)*.
osselet [òslè] *m.* 1 beentje, botje *o.*; 2 (*v. paard*) kootgezwel *o.*; 3 (*v. spel*) bikkel *m.*; ***jouer aux —s***, bikkelen.
ossements [òsmã] *m.pl.* gebeente *o.*, beenderen [*mv.*
osseret [òsrè] *m.* beendermes *o.*
osseux [òsö] *adj.* 1 (*v. gezicht, handen*) benig; 2 (*met zwaar beendergestel*) schonkig; 3 (*als been*) beenachtig.
ossification [òsifika·syõ] *f.* beenvorming *v.*
ossifier [òsifyé] **I** *v.t.* doen verbenen; **II** *v.pr.* ***s'—***, verbenen.
ossifique [òsifik] *adj.* beenvormend.
ossu [òsü] *adj.* 1 benig; 2 schonkig.
ossuaire [òswè:r] *m.* knekelhuis *o.*
ostéalgie [òstéalji] *f.* pijn *v.(m.)* in de beenderen.
ostéite [òstéit] *f.* beenontsteking *v.*
Ostende [òstã·d] **I** *m.* Oostende *o.*; **II** *f.*, ***o—***, Oostendse oester *v.(m.)*.
ostendais [òstã·dè] **I** *s. m.* Oostendenaar *m.*; **II** *adj.* ***o—***, Oostends.
ostensible(ment) [òstã·si·bl(emã)] *adj.* (*adv.*) uiterlijk, zichtbaar.
ostension [òstã·syõ] *f.* (het) vertonen *o.* (v. relikwieën).
ostensoir(e) [òstã·swa:r] *m.* monstrans *m. en v.*
ostentateur [òstã·tatœ:r] *adj.* pronkend, pralend.
ostentation [òstãta·syõ] *f.* uiterlijk vertoon *o.*, pralerij *v.*; ***faire — de***, pralen met.
ostentatoire [òstã·tatwa:r] *adj.* pralerig.
ostéocolle [òstéòkòl] *f.* beenderlijm *m.*
ostéogénèse [òstéòjénè:z] *f.* beendervorming *v.*
ostéogénie [òstéòjéni] *f.* leer *v.(m.)* der beendervorming.
ostéographie [òstéògrafi] *f.* beenderbeschrijving *v.*
ostéolithe [òstéolit] *m.* versteend been *o.*
ostéologie [òstéòlòji] *f.* beenderenleer *v.(m.)*.
ostéomalacie [òstéòmalasi] *f.* beenderverweking *v.*
ostéomyélite [òstéòmyélit] *f.* beendermergontsteking *v.*
ostéoplastie [òstéòplasti] *f.* beenderherstel *o.* met andere stukjes been.
Ostie [òsti] *f.* Ostia *o.*
ostiole [òstyòl] kleine opening *v.*
ostracé [òstrasé] *adj.* oesterachtig, schelpvormig.
ostracisme [òstrasizm] *m.* 1 (*gesch.: te Athene*) schervengericht *o.*; 2 (*fig.*) uitsluiting, verbanning *v.*
ostréicole [òstréikòl] *adj.* oesterkwekend; ***industrie —***, oesterkwekerij *v.*
ostréiculteur [ostréikültœ:r] *m.* oesterkweker *m.*
ostréiculture [òstréikültü:r] *f.* oesterteelt *v.(m.)*.
Ostrogoth [òstrògo] *m.* 1 Oostgot *m.*; 2 ***o—***, lomperd, ongelikte beer *m.*
otage [òta:j] *m.* 1 (*persoon*) gijzelaar *m.*; 2 (*stad, enz.*) onderpand *o.*
otalgie [òtalji] *f.* oorpijn *v.(m.)*.
otalgique [òtaljik] *adj.* oorpijn—.
otarie [òtari] *f.* zeeleeuw *m.*
ôter [o·té] **I** *v.t.* 1 wegnemen; 2 (*iets van iem.; hoed*) afnemen; 3 (*kleren*) uitdoen, uittrekken; 4 (*leven*) benemen, ontnemen; 5 (*broodwinning*) ontnemen; 6 (*rek.*) aftrekken, verminderen met; ***— qc. de la tête (ou de l'esprit) à qn.***, iem. iets uit het hoofd praten; **II** *v.pr.* ***s'—***, weggaan, heengaan; ***s'— qc. de l'esprit***, zich iets uit het hoofd zetten; ***ôte-toi de mes yeux!*** ga uit mijn ogen!
Othée [òté] Elch *o.*
Othon [òtõ] *m.* Otto *m.*
otique [òtik] *adj.* oor—.
otite [òtit] *f.* oorontsteking *v.*
otologie [òtòlòji] *f.* oorheelkunde *v.*
otologue [òtòlò:g] *m.* oorarts *m.*
oto-rhino-laryngologiste [òtorinòlarẽ·gòlòjist] *m.* neus-, keel- en oorarts *m.*
otoscope [òtòskòp] *m.* oorspiegel *m.*
Otrange [otrã:j] Wouteringen *o.*
Ottenbourg [òtã·bu:r] Ottenburg *o.*
Ottoman [òtòmã] **I** *m.* Turk *m.*; **II** *adj.* ***o—***, Turks, Ottomaans.
ou [u] *conj.* of.
où [u] *adv.* 1 (*plaats*) waar; 2 (*richting*) waarheen; 3 (*tijd*) waarin, waarop, enz.; ***au moment —***, op het ogenblik dat; ***— que***, waar ... ook; waarheen ... ook; ***d'—***, vanwaar; waaruit; ***par —***, waarlangs, waardoor, langs welke weg; ***— veut-il en venir?*** wat bedoelt hij toch?
ouailles [wa·y] *f.pl.* (geestelijke) kudde *v.(m.)*.
ouais! [wè] *ij.* nee maar! waarlijk!
ouatage [wata:j] *m.* (het) watteren *o.*
ouate [wat] *f.* watten *mv.*
ouater [waté] *v.t.* 1 watteren, met watten voeren; 2 (*fig.*) vertroetelen.
ouateux [watö] *adj.* watachtig; zacht als watten.
ouatier [watyé] *m.* kapokboom *m.*
ouatine [watin] *f.* katoenen voeringstof *v.(m.)*.
ouatiner [watiné] *v.t.* voeren met katoen.
oubli [ubli] *m.* 1 (het) vergeten *o.*; 2 vergetelheid *v.*; 3 vergeetachtigheid *v.*; 4 verzuim *o.*, nalatigheid *v.*; ***— de soi-même***, zelfverloochening *v.*; ***tomber dans l'—***, in de vergetelheid geraken.
oubliable [ubli(y)a·bl] *adj.* te vergeten.
oublie [ubli] *f.* oblie *v.*
oublier [ubli(y)é] **I** *v.t.* vergeten; ***— l'heure***, aan geen tijd denken; ***— à chanter***, het zingen verleren; ***j'oubliais!*** dat is waar ook! **II** *v.pr.* ***s'—***, 1 zichzelf vergeten; 2 zich te buiten gaan; 3 in vergetelheid raken; 4 vergeten worden; ***cela s'oublie***, dat wordt vergeten; ***s'— en bavardant***, al pratend zijn tijd vergeten.
oubliettes [ubli(y)èt] *f.pl.* onderaardse kerker *m.*
oublieur [ubli(y)œ:r] *m.* oblieverkoper *m.*
oublieux [ubli(y)ö] *adj.* vergeetachtig.
oued [wèd] *m.* wadi *v.*; rivier(bedding) in Sahara.
ouest [wèst] **I** *m.* westen *o.*; **II** *adj.* westelijk.
ouf! [uf] *ij.* hè!
Ouganda, *voir* ***Uganda***.
oui [wi] **I** *adv.* ja; ***mais —!*** welzeker! ***je crois que —***, ik geloof van wel; **II** *s. m.* ja(woord) *o.*; ***pour un — ou pour un non***, om een kleinigheid.
ouiche! [wiʃ] *ij.* ja zeker! dat kun je begrijpen!

oui-da [wida] *adv.* jawel, zeker, welzeker.
ouï-dire [widi:r] *m.* horen zeggen, gerucht *o.*; *des —*, praatjes *mv.*; *il le sait par —*, hij weet het van horen zeggen.
ouïe [wi] *f.* **1** gehoor *o.*; **2** galmgat *o.*; **3** *—s*, *f.pl.* kieuwen *mv.*; *à perte d'—*, zover het oor reikt.
ouillage [wya:j] *m.* (het) aanvullen *o.* (v. wijnvat).
ouiller [wyé] *v.t.* aanvullen (v. wijnvat).
ouïr* [wi:r] *v.t.*, (*oud*) horen; *j'ai ouï dire*, ik heb horen zeggen.
ouistiti [wistiti] *m.* oeïstiti *v.*(*m.*), zijdeaapje *o.*
oukase [uka:z] *m.* **1** oekaze *v.*(*m.*), keizerlijk bevel *o.* (in Rusland); **2** (*fig.*) bevel *o.*
oupille [upiy] *f.* toorts, strofakkel *v.*(*m.*).
ouragan [uragã] *m.* orkaan, storm *m.*
Oural [ural] *m.* Oeral *m.*
ouralien [uralyẽ] *adj.* Oeralisch.
ourdir [urdi:r] *v.t.* **1** (*v. wever: stoffen*) scheren; **2** (*fig.: komplot, enz.*) smeden, beramen, op touw zetten.
ourdissage [urdisa:j] *m.* (het) scheren *o.* (v. stoffen).
ourdisseur [urdisœ:r] *m.* scheerder *m.* (v. stoffen).
ourdissoir [urdiswa:r] *m.* scheermachine *v.*, scheerraam *o.*
ourler [urlé] *v.t.* zomen.
ourlet [urlè] *m.* **1** zoom *m.*; **2** rand *m.*, richel *v.*(*m.*); *faux —*, valse zoom.
ours [urs] *m.* **1** beer *m.*; **2** (*fig.*) lomperd, bok *m.*; *— blanc*, ijsbeer; *— mal léché*, ongelikte beer.
ourse [urs] *f.* berin *v.*; *Grande O—*, (*sterr.*) Grote Beer.
ourserie [ursri] *f.* buffelachtigheid *v.*
oursin [ursẽ] *m.* **1** berehuid *v.*(*m.*); **2** beremuts *v.*(*m.*); **3** (*Dk.*) zeeëgel *m.*
ourson [ursõ] *m.* **1** jonge beer *m.*, beertje *o.*; **2** beremuts *v.*(*m.*); **3** teddybeermantel *m.*
ousseau [uso] *m.*, (*sch.*) hoosgat *o.*
ouste! [ust] *interj.* weg! eruit!
out [aut] *interj.* (*tennis*) out.
outarde [utard] *f.* (*Dk.*) trapgans *v.*(*m.*).
outardeau [utardo] *m.* jonge trapgans *v.*(*m.*).
outil [uti] *m.* **1** gereedschap *o.*; **2** werktuig *o.*
outillage [utiya:j] *m.* **1** gereedschappen *mv.*; **2** materieel *o.*; **3** uitrusting *v.* met gereedschappen.
outiller [utiyé] *v.t.* van werktuigen (gereedschap, enz.) voorzien; *bien outillé*, goed toegerust, goed ingespannen.
outilleur [utiyœ:r] *m.* **1** gereedschapmaker *m.*; **2** gereedschaphandelaar *m.*
outrage [utra:j] *m.* hoon, smaad *m.*, grove belediging *v.*; *faire — à*, schenden, kwetsen; *l'— du temps*, de tand des tijds.
outrageant [utrajã] *adj.* beledigend, smadelijk.
outrager [utrajé] *v.t.* **1** beledigen, smaden; **2** schenden, kwetsen.
outrageux [utrajö] *adj.*, **outrageusement** [utrajö'zmã] *adv.* beledigend, smadelijk.
outrance [utrã:s] *f.*, *à —*, tot het uiterste; buitensporig, overdreven; *combat à —*, strijd op leven en dood.
outrancier [utrã'syé] *adj.* die in uitersten vervalt.
outre [utr] **I** *f.* **1** leren zak *m.* (voor wijn, enz.); **2** leren fles *v.*(*m.*); **II** *prép.* **1** aan de overzijde, aan gene zijde over; **2** behalve, buiten; *— mesure*, uitermate, bovenmatig; *— Rhin*, aan gene zijde van de Rijn; **III** *adv.* verder; *passer —*, doorgaan, zich er niets van aantrekken; *passer — à une défense*, over een verbod heenstappen; *en —*, daarenboven; *d'— en —*, door en door; **IV** *conj.*, *— que*, niet alleen dat.
outré [utré] *adj.* overdreven; *— de colère*, buiten zichzelf van woede.
outrecuidance [utrekwidã:s] *f.* verwaandheid, [aanmatiging *v.*
outrecuidant [utrekwidã] *adj.* verwaand.
outre-Manche [utremã:ʃ] *adv.* aan gene zijde van het Kanaal. [*o.*
outremer [utremè:r] *m.* ultramarijn, hemelsblauw
outre-mer, d'— [dutremè:r] overzees.
outre-Meuse [utremö:z] *adv.*, *le pays d'—*, het land aan gene zijde van de Maas.
outrepasser [utrepɑ'sé] *v.t.* te buiten gaan, overschrijden.
outrer [utré] *v.t.* **1** te ver drijven, overdrijven; **2** (iem.) tot het uiterste brengen.
outre-Rhin [utrerẽ] *adv.* *les pays d'—*, de landen aan gene zijde van de Rijn.
outre-tombe, d'— [dutretõ:b] van gene zijde van het graf.
outsider [autsaidœ:r] *m.* outsider *m.*
ouvert [uvè:r] *adj.* **1** open; **2** (*v. stad*) onversterkt, zonder vestingwerken; **3** (*v. vijandschap, enz.*) openlijk; *à cœur —*, openhartig; *traduire à livre —*, voor de vuist vertalen; *à bras —*, met open armen; *à force —e*, gewapenderhand; *esprit —*, ontvankelijke geest *m.*; *guerre —e*, verklaarde oorlog; *ville —e*, open stad.
ouvertement [uvèrtemã] *adv.* **1** (*verklaren, bekennen*) ronduit, openlijk; **2** (*vijandig*) openlijk.
ouverture [uvèrtü:r] *f.* **1** (het) openen, (het) openmaken *o.*; **2** opening *v.*; **3** (*v. opera*) ouverture *v.*; **4** begin *o.*, aanvang *m.*; *— d'esprit*, bevattelijkheid; ontvankelijkheid; *faire des —s*, voorstellen doen; *— de cœur*, openhartigheid *v.*; *je n'y vois pas d'—*, ik zie er geen gat in.
ouvrable [uvra'bl] *adj.* bewerkbaar; *jour —*, werkdag *m.*
ouvrage [uvra:j] *m.* **1** werk *o.*; **2** handwerkje *o.*; *— à l'aiguille*, borduurwerk *o.*; *— au crochet*, haakwerk *o.*; *—s de femme*, vrouwelijke handwerken; handwerkjes; *sac à —*, handwerktas *v.*(*m.*); *table à —*, dameswerktafel *v.*(*m.*); *— de campagne*, (*mil.*) veldschans *v.*(*m.*); *— de fortification*, (*mil.*) vestingwerk *o.*; *— de référence*, naslagwerk *o.*
ouvragé [uvrajé] *adj.* fijn bewerkt, opengewerkt.
ouvrager [uvrajé] *v.t.* (fijn) bewerken.
ouvraison [uvrè'zõ] *f.* bewerking *v.*
ouvrant [uvrã] **I** *adj.* openend; *à jour —*, 's morgens vroeg, bij het aanbreken van de dag, voor dag en dauw; *à portes —es*, **1** zodra de deuren opengaan; **2** (*fig.*) zonder tegenstand; **II** *s. m.* deurvleugel *m.*
ouvré [uvré] *adj.* (met figuren) bewerkt.
ouvre-boîtes [u'vrebwat] *m.* blikopener *m.*
ouvre-gants [u'vregã] *m.* handschoenrekker *m.*, rektang *v.*(*m.*).
ouvre-huîtres [u'vrwitr] *m.* oestermes *o.*
ouvre-lettres [u'vrelètr] *m.* briefopener *m.*
ouvrer [uvré] *v.t.* bewerken; *— de la monnaie*, geld aanmunten; *cuve à —*, schepkuip *v.*(*m.*); *linge ouvré*, opengewerkt linnen.
ouvreur [uvrœ:r] *m.* **1** (*in papierfabriek*) schepper *m.*; **2** opensluiter *m.*
ouvreuse [uvrö:z] *f.* (*in schouwburg, in bioscoop*) ouvreuse *v.*, plaatsaanwijsster *v.*
ouvrier [uvri(y)é] **I** *m.* **1** arbeider *m.*; **2** werkman *m.*; **3** (*fig.*) maker *m.*; *— aux pièces*, stukwerker *m.*; *— qualifié*, geschoold vakarbeider; **II** *adj.* arbeidend, werkend; *parti —*, arbeiderspartij *v.*; *classe ouvrière*, arbeidersklasse *v.*; *logements —s*, werkmanswoningen *mv.*; *jour —*, werkdag *m.*
ouvrière [uvri(y)è:r] *f.* arbeidster, ateliermeisje *v.*

ouvrir* [uvri:r] **I** *v.t.* **1** openen, opendoen, openduwen, enz.; **2** (*v. kraan*) openzetten; **3** (*v. handschoenen*) oprekken; **4** (*v. eetlust*) opwekken; **5** (*v. weg*) banen; **6** (*v. paraplu*) opsteken; ***— de grands yeux,*** grote ogen opzetten; ***— les yeux,*** goed opletten, goed toezien; ***— les oreilles,*** scherp toeluisteren; ***— une fenêtre dans un mur,*** een venster in een muur aanbrengen; **II** *v.i.* **1** opengaan, geopend worden; **2** aangaan, beginnen; ***— sur,*** (*v. venster, deur, enz.*) uitkomen op; **III** *v.pr.* ***s'—,*** **1** opengaan; **2** (*v. bloem*) ontluiken; **3** beginnen, geopend worden; ***s'— un passage,*** zich een weg banen; ***s'— à qn.,*** zijn hart bij iem. uitstorten, zijn gedachten blootleggen voor iemand.

ouvroir [uvrwa:r] *m.* **1** werkplaats *v.(m.)*; **2** (*voor behoeftigen*) werkinrichting *v.*; **3** (*in kloosters*) naaikamer *v.(m.)*.

ovaire [òvè:r] *m.* **1** eierstok *m.*; **2** (*Pl.*) vruchtbeginsel *o.*

ovalaire [òvalè:r] *adj.* eivormig, eirond, ovaal.

ovale [òval] **I** *adj.* ovaal, eirond; **II** *s. m.* ovaal *o.*

ovarien [òvaryẽ] *adj.* van de eierstok.

ovation [òvɑ'syõ] *f.* ovatie, openlijke hulde *v.*; ***faire une — à qn.,*** iem. een ovatie brengen.

ovationner [òvɑ'syòné] *v.t.* een ovatie brengen.

ove [ò:v] *m.* (*bouwk.*) eivormig versiersel *o.*

ové [òvé] *adj.* eivormig.

ovicule [òviküì] *m.* klein eivormig sieraad *o.*

Ovide [òvi'd] *m.* Ovidius *m.*

oviducte [òvidükt] *m.* (*v. vogels*) eierleider *m.*

oviforme [òvifòrm] *adj.* eivormig.

ovin [òvẽ] *m.* **I** (*sch.*) taliereep *m.*; **II** *adj.* schape—.

ovine [òvin] *adj.*, ***race —,*** schaperas *o.*

oviné(s) [òviné] *m.(pl.)* (*Dk.*) schaapachtige(n) [*m.(mv.)*].

ovipare [òvipa:r] *adj.* eierleggend.

ovoïde [òvòi'd] *adj.* eivormig.

ovovivipare [òvòvivipa:r] *adj.* in het moederlijf uitgekomen eieren barend.

ovulaire [òvülè:r] *adj.* de eicel betreffend.

ovule [òvül] *m.* **1** eicel *v.(m.)*, eitje *o.*; **2** (*Pl.*) zaadknop *m.*

oxalate [òksalat] *m.* zuringzuurzout, oxalaat *o.*

oxalide [òksali'd] *f.* (*Pl.*) zuring *v.(m.)*; (*pop.*) zurkel *m. en v.*

oxalique [òksalik] *adj.*, ***acide —,*** zuringzuur *o.*

oxhydrique [òksidrik] *adj.* hydroxygeen—; ***gaz —,*** hydroxygeengas *o.*; ***flamme —,*** knalgasvlam *v.(m.)*.

oxtail [òkstèl] *m.* ossestaartsoep *v.(m.)*.

oxycarbonisme [òksikarbònizm] *m.* kolendampvergiftiging *v.*

oxydabilité [òksidabilité] *f.* oxydeerbaarheid *v.*

oxydable [òksida'bl] *adj.* oxydeerbaar; roestbaar.

oxydation [òksidɑ'syõ] *f.* oxydatie *v.*

oxyde [òksi'd] *m.* oxyde *o.*, verbinding *v.* van een element met zuurstof; ***— de carbone,*** koolmonoxyde *o.*, kolendamp *m.*

oxyder [òksidé] **I** *v.t.* oxyderen; **II** *v.pr.* ***s'—,*** roesten.

oxydrique [òksidrik] *adj.*, ***chalumeau —,*** steekvlam *v.(m.)*.

oxygénation [òksijénɑ'syõ] *f.* verbinding *v.* met zuurstof.

oxygène [òksijè:n] *m.* zuurstof *v.(m.)*.

oxygéné [òksijéné] *adj.* zuurstofhoudend; ***eau oxygénée,*** waterstofperoxyde *o.*

oxygéner [òksijéné] *v.t.* **1** met zuurstof verbinden; **2** (*v. het haar*) blond verven.

oxymel [òksimèl] *m.* honingazijn *m.*

oxyton [òksitõ] *m.* oxytonon *o.*, woord *o.* met klemtoon op de laatste lettergreep.

oxyure [òksiü:r] *f.* draadworm *m.*

oyat [òya] *m.* helmgras *o.*

ozène [òzè:n] *m.* zweer *v.(m.)* in de neus.

ozone [òzòn] *m.* ozon *o. en m.*

ozoner [òzòné], *voir* ***ozoniser.***

ozoneur [òzònœ:r] *m.* toestel *o.* voor ozonbereiding.

ozonisation [òzònizɑ'syõ] *f.* verandering *v.* in ozon.

ozoniser [òzòni'zé] *v.t.* **1** in ozon omzetten; **2** met ozon behandelen.

ozonomètre [òzònòmè'tr] *m.* ozonmeter *m.*

P

p [pé] *m.* p *v.(m.)*.

pacage [paka:j] *m.* weiland *o.*; ***droit de —,*** weiderecht *o.*

pacager [pakajé] *v.t.* **1** weiden, laten grazen; [**2** afgrazen.

pacha [paʃa] *m.* pasja *m.*

pachalik [paʃalik] *m.* gebied *o.* van een pasja.

pachyderme [paʃidèrm] **I** *adj.* dikhuidig; **II** *s. m.* (*Dk.*) dikhuidige *m.*

pacificateur [pasifikatœ:r] **I** *m.* vredestichter *m.*; **II** *adj.* vredestichtend, vredebrengend.

pacification [pasifikɑ'syõ] *f.* vredestichting, bevrediging, pacificatie *v.*

pacifier [pasifyé] *v.t.* **1** bevredigen; **2** de rust herstellen in.

pacifique(ment) [pasifik(mã)] *adj.* (*adv.*) vredelievend; vreedzaam; ***le P—,*** de Stille Oceaan *m.*

pacifisme [pasifizm] *m.* **1** (het) streven naar wereldvrede, pacifisme *o.*; **2** vredelievendheid *v.*

pacifiste [pasifist] **I** *m.* voorstander *m.* van de (wereld)vrede; **II** *adj.* pacifistisch.

pack [pak] *m.* pakijs *o.*

pacotille [pakòti'y] *f.* **1** boeltje *o.*; **2** bocht *o. en m.*, rommel *m.*; ***lecture de —,*** leesvoer *o.*

pacte [pakt] *m.* overeenkomst *v.*, verdrag *o.*

pactisation [paktizɑ'syõ] *f.* (het) afsluiten *o.* van een verdrag.

pactiser [pakti'zé] *v.i.* **1** een verdrag sluiten; **2** in een schikking treden; het op een akkoordje gooien; ***— avec l'ennemi,*** verstandhouding hebben met de vijand; ***— avec sa conscience,*** het op een akkoordje gooien met zijn geweten.

pactole [paktòl] *m.* (*fig.*) goudmijn *v.(m.)*.

paddock [padòk] *m.* (*sp.*) paddock *m.*

padouan [paduan] *adj.* uit, van Padua.

Padoue [padu] *f.* Padua *o.*

paean, *voir* ***péan.***

paf! [paf] **I** *ij.* paf! pif! poef! **II** *adj.* (*pop.*) dronken.

pagaie [pagè] *f.* **1** pagaai *m.*; **2** (*pop.*) rommelzooi *v.(m.)*, janboel *m.*; ***faire de la —,*** de boel in 't honderd sturen.

pagaille, *voir* ***pagaie* 2.**

paganiser [pagani'zé] *v.t.* heidens maken.

paganisme [paganizm] *m.* **1** heidendom *o.*; **2** heidens karakter *o.*

pagaye, *voir* ***pagaie* 2.**

pagayer [pagèyé] *v.i.* pagaaien.

page [pa:j] **I** *f.* bladzijde, pagina *v.(m.)*; ***— blanche,*** onbeschreven blad; ***mettre en —s,*** (*drukk.*) opmaken; ***— de garde,*** (*drukk.*) schutblad; ***—s choisies,*** bloemlezing *v.*; ***être à la —,*** „bij" zijn; ***belle —, — impaire, — recto,*** oneven bladzijde;

fausse —, — paire,— verso, even bladzijde; *—s en regard,* tegenover elkaar liggende bladzijden; *—s liminaires,* voorwerk *o.*; **II** *m.* edelknaap, page *m.*; *être hors de —,* onafhankelijk zijn, niet meer onder voogdij staan.

pageot [pajo] *m.* (*arg.*) bed *o.*

pagination [pajina'syõ] *f.* nummering van de bladzijden, paginering *v.* [pagineren.

paginer [pajiné] *v.t.* (de bladzijden) nummeren,

pagne [pañ] *m.* **1** schaamschort *v.*(*m.*) *en o.*; **2** (*pop.*) bed *o.*

pagnon [pañõ] *m.* fijn laken *o.* [gaan.

pagnoter, se — [s(e)pañòté] *v.pr.* (*arg.*) naar bed

pagode [pagò'd] **I** *f.* **1** pagode *v.*, afgodentempel *m.*; **2** afgod *m.*, afgodsbeeld *o.*; *faire la —,* knikkebollen; **II** *adj.* wijd (uitlopend).

pagodite [pagòdit] *f.* speksteen *m.*

pagure [pagü:r] *m.* kluizenaarskreeft *m. en v.*

paie(ment), *voir* ***paye(ment).***

païen [payẽ] **I** *m.* heiden *m.*; **II** *adj.* heidens.

paierie [pèyri] *f.* kantoor *o.* van de betaalmeester.

paillage [pɑya:j] *m.* (het) dekken *o.* met stro.

paillard [pɑya:r] **I** *adj.* ontuchtig; **II** *s. m.* ontuchtig mens *m.*

paillardise [pɑyardi:z] *f.* **1** ontucht *v.*(*m.*); **2** schunnig verhaal *o.*

paillasse [pɑyas] **I** *f.* strozak *m.*, paljas *m.*; **II** *m.* **1** hansworst, paljas *m.*; **2** (*fig.*) karakterloos politicus *m.*

paillasson [pɑyasõ] *m.* **1** vloermat, stromat *v.*(*m.*); **2** strodek *o.*; **3** strohoed *m.*

paillassonner [pɑyasòné] *v.t.* met stro(matten) bedekken.

paille [pɑ'y] **I** *f.* **1** stro *o.*; **2** strohalm *m.*; **3** (*v. metaal*) schilfer *m.*; **4** (*in diamant, enz.*) vlek *v.*(*m.*); **5** (*fig.*) peulschilletje *o.*; *homme de —,* **1** stroman; **2** karakterloos man; *menue —,* kaf *o.*; *être sur la —,* doodarm zijn; *— hachée,* haksel *o.*; *hacher de la —,* hakkelen, brabbelen; *rompre la —,* in onmin geraken; *tirer à la courte —,* strootje trekken; *enlever la —,* succes hebben, de kroon spannen; *tenir une —,* boven zijn theewater zijn; *trouver des —s à qn.,* aanmerkingen maken op iem.; **II** *adj.* strogeel; *des gants —,* lichtgele (*of* strogele) handschoenen.

paillé [pɑ'yé] *adj.* schilferig.

pailler [pɑ'yé] **I** *v.t.* **1** met stro dekken; **2** (*v. flessen*) in stro wikkelen; (*v. stoelen*) matten; **II** *s., m.* strohoop, stro-opper *m.*; *être sur son —,* in zijn element zijn.

paillet [pɑ'yè] *adj.*, *vin —,* bleekrode wijn *m.*

pailleter [pɑ'yté] *v.t.* met lovertjes bedekken.

pailleteur [pɑyetœ:r] *m.* goudwasser *m.*

paillette [pɑ'yèt] *f.* **1** lovertje; schilfertje *o.*; **2** goudkorreltje *o.*; **3** (*in diamant*) vlek *v.*(*m.*); **4** (*fig.*) peulschilletje *o.*

pailleur [pɑyœ:r] *m.* **1** strohandelaar *m.*; **2** stoelenmatter *m.*

pailleux [pɑ'yõ] *adj.* **1** stroachtig; van stro; **2** schilferig, splinterig.

paillis [pɑ'yi] *m.* strooisel *o.*

paillon [pɑ'yõ] *m.* **1** strohuls, flessehuls *v.*(*m.*); **2** stukje soldeersel *o.*; **3** (*v. juwelen*) onderplaatje *o.*; **4** (*v. ketting*) schakel *m. en v.*

paillonner [pɑ'yòné] *v.t.* vertinnen met bladtin.

paillot [pɑ'yo] *m.* kleine strozak *m.*, stromatrasje *o.*

paillote [pɑ'yòt] *f.* strohut *v.*(*m.*).

pain [pẽ] *m.* **1** brood *o.*; **2** kost *m.*, onderhoud, bestaan *o.*; **3** stuk *o.*, klomp *m.*; *— bis,* bruin brood; *— de luxe,* luxebrood; *— de ménage,* huisbakken brood; gewoon brood; *— blanc,* wittebrood; *— noir,* roggebrood; *— complet,* volkorenbrood; *— au moule,* casinobrood; *— de froment,* tarwebrood; *— d'épice(s),* peperkoek, ontbijtkoek *m.*; *— perdu,* wentelteefje *o.*; *— rassis,* oudbakken brood; *— de munition,* (*mil.* kommiesbrood *o.*; *— à cacheter,* ouwel *m.*; *un — de savon,* een stuk zeep; *les —s de proposition,* (*Bijb.*) de toonbroden; *pour un morceau de —,* voor een appel en een ei; *il a du — sur la planche,* hij heeft zijn schaapjes op het droge; *c'est du — cuit,* dat komt later te pas; *avoir son — cuit,* zijn schaapjes op het droge hebben; *ôter le — à qn.,* iem. zijn broodwinning ontnemen; *s'ôter le — de la bouche,* het brood uit de mond sparen; *je ne mange pas de ce —-là,* daar moet ik niets van hebben; *c'est long comme un jour sans —,* daar komt geen einde aan.

pair [pè:r] **I** *adj.* even; *nombre —,* even getal *o.*; **II** *s., m.* **1** gelijke *m.*; **2** lid *o.* van 't Hogerhuis; **3** lid van de Chambre des Pairs, 1815-1848; **4** (*H.*) pari *o.*; *au —,* tegen kost en inwoning, zonder vergoeding; (*H.*) à pari; *aller de — avec,* op één lijn staan met; *traiter de — à égal,* als zijn gelijke —, op voet van gelijkheid behandelen; *sans —,* weergaloos, onvergelijkelijk; *hors de —,* uitstekend, ongemeen; *la Chambre des —s,* het Hogerhuis.

paire [pè:r] *f.* **1** paar *o.*; **2** (*v. ossen*) span *o.*; *une — de lunettes,* een bril *m.*; *une — de ciseaux,* een schaar *v.*(*m.*); *ces deux font la —,* die twee komen goed bij elkaar.

pairesse [pè'rès] *f.* pairsvrouw *v.*

pairie [pè'ri] *f.* pairschap *o.*

paisible(ment) [pè'zi'bl(emã)] *adj.* (*adv.*) **1** vreedzaam, zachtaardig; **2** rustig, stil.

paissance [pèsã:s] *f.* het weiden *o.*

paissant [pèsã] *adj.* grazend.

paisseau [pèso] *m.* staak *m.* voor wijnstok.

paître* [pè:tr] **I** *v.t.* **1** afgrazen; **2** (*v. kudde*) weiden, laten grazen; **II** *v.i.* grazen, weiden; *mener —,* naar de wei brengen, hoeden; **III** *se —,* zich voeden.

paix [pè] **I** *f.* **1** vrede *m.*; **2** rust *v.*(*m.*), kalmte *v.*; **3** stilte *v.*; **4** (*kath.*) pateen *v.*(*m.*); *— du cœur,* gemoedsrust *v.*(*m.*); *— fourrée, — plâtrée,* schijnvrede; *— religieuse,* godsdienstvrede; *ni — ni trêve,* rust noch duur; *— à ses cendres,* hij ruste in vrede; *laisser en —,* met rust laten; *faire la —,* vrede sluiten; **II** *— !* *ij.* stil!

pajot [pajo] *m.* (*arg.*) bed.

Pakistan [pakistan] *m.* Pakistan *o.*

pakistanais [pakistanè] **I** *adj.* Pakistaans; **II** *s., m.* *P—,* Pakistaner *m.*

pal [pal] *m.* (*pl. : pals*) **1** spiets *v.*(*m.*); **2** (*wap.*) paal *m.*

palabre [pala'br] *f.* **1** onderhandeling, beraadslaging *v.* (met inboorlingen); **2** bespreking, onderhandeling *v.*, langdurig geredeneer *o.*

palabrer [pala'bré] *v.i.* (langdurig) onderhandelen, redeneren, redekavelen.

palabreur [pala'brœ:r] *m.* zeurpiet *m.*

palace [palas] **I** *m.* luxueus hotel *o.*; bioscoop *m.*; **II** *adj.* luxueus.

palade [pala'd] *f.* riemslag *m.*

paladin [paladẽ] *m.* paladijn, ridder *m.*

palafitte [palafit] *m.* paalwoning *v.*

palais [palè] *m.* **1** paleis *o.*; **2** gerechtshof, paleis *o.* van justitie; **3** (*v. mond*) gehemelte *o.*; *le voile du —,* het zachte gehemelte; *terme de —,* stadhuisterm *m.*; *avoir le — fin,* een fijne smaak hebben.

palan [palã] *m.* takel *m. en o.*

palanche [palã:ʃ] *f.* draagjuk *o.*

palancre [palã:kr] *f.* beuglijn *v.*(*m.*).

palanque [palã:k] *f.* paalwerk *o.*, paalverschansing *v.*
palanquer [palã'ké] *v.t.* takelen.
palanquin [palã'kẽ] *m.* draagstoel, palankijn *m.*
palatal [palatal] *adj.* van het gehemelte; ***lettre —e,*** gehemelteletter *v.(m.)*.
palatale [palatal] *f.* gehemelteletter *v.(m.)*.
palatalisation [palataliza'syõ] *f.* palatalisering *v.*, (het) uitspreken *o.* met het gehemelte.
palatin [palatẽ] *adj.* **1** gehemelte—; **2** (*gesch.*) paltsgrafelijk; ***comte —,*** paltsgraaf *m.*
palatinat [palatina] *m.* paltsgraafschap *o.*; ***le P—,*** de Palts.
palatine [palatin] *f.* damespelskraag *m.*
pale [pal] *f.* **1** roeiblad *o.*, roeispaan *v.(m.)*; **2** (*sch.*) schepbord *o.*; **3** (*vl.*) schroefblad *o.*; **4** (*kath.*) palla *v.*, kelkdeksel *o.*
pâle [pɑ'l] *adj.* **1** bleek; **2** mat, dof, vaal; **3** (*v. stijl*) kleurloos; **4** (*mil.*: *arg.*) ziek; ***bleu —,*** lichtblauw; ***une — imitation,*** een flauwe nabootsing.
palée [palé] *f.* paalwerk *o.*
palefrenier [palfrenyé] *m.* stalknecht, palfrenier [*m.*
palefroi [palfrwa] *m.* paradepaard *o.*
paléographe [paléògraf] *m.* kenner *m.* van oude handschriften.
paléographie [paléògrafi] *f.* kennis *v.* van de oude handschriften, paleografie *v.*
paléolithique [paléòlitik] **I** *adj.* uit het stenen tijdperk, paleolithisch; **II** *s. m.* het stenen tijdperk, Paleolithicum *o.*
paléologue [paléòlò:g] *m.* kenner *m.* van oude [talen.
paléontologie [paléõ'tòlòji] *f.* kennis *v.* van de fossiele dieren en planten, paleontologie *v.*
Palerme [palèrm] *f.* Palermo *o.*
Palermitain [palèrmitẽ] **I** *m.* inwoner *m.* van Palermo; **II** *adj.* ***p—,*** uit Palermo.
paleron [palrõ] *m.* (*v. dier*) schouderstuk *o.*
palestin [palèstẽ] **I** *adj.* van Palestina, Palestijns; **II** *s. m.* inwoner *m.* van Palestina.
Palestine [palèstin] *f.* Palestina *o.*
palestre [palèstr] *f.* (*bij de Grieken*) worstelperk *o.*, kampplaats *v.(m.)*.
palet [palè] *m.* **1** (*sp.*) werpschijf *v.(m.)*; **2** (*pop.*: *Z.N.*) achterwiel, vijffrankstuk *o.*; (*N.N.*) rijksdaalder, riks *m.*
paletot [palto] *m.* **1** overjas *m.* ***en*** *v.*; **2** (dames)-[mantel *m.*
palette [palèt] *f.* **1** (*v. schilder*) palet *o.*; **2** verguldmes *o.*; **3** (*spel*) kaatsplankje *o.*; **4** (*v. watermolen, raderboot*) schepbord *o.*; **5** boterspaantje *o.*; **6** (*spoorw.*) vertrekschijf *v.(m.)*; **7** (*v. dier*) schouderstuk *o.*; **8** (*gen.*) laatbekken *o.*
palétuvier [palétüvyé] *m.* wortelboom *m.*
pâleur [pɑ'lœ:r] *f.* bleekheid *v.*; fletsheid *v.*
pâlichon [pališõ] *adj.* (*fam.*) bleekjes.
palier [palyé] *m.* **1** trapportaal *o.*, overloop *m.*; **2** (*v. weg, spoorweg*) vlak gedeelte *o.*; **3** (*tn.*) lager *o.*; **4** prijspeil *o.* van zekere duur; ***— à billes,*** kogellager *o.*; ***par —s,*** trapsgewijze; (*v. belasting*) progressief; ***demeurer au même —,*** op dezelfde verdieping wonen.
palification [palifika'syõ] *f.* het beheien; (*v. palen*) inheien *o.*
palifier [palifyé] *v.t.* met paalwerk versterken, beheien.
palimpseste [palẽ'psèst] **I** *m.* palimpsest *m.*; **II** *adj.* een palimpsest betreffend.
palingénésie [palẽ'jénézi] *f.* wedergeboorte *v.*
palingénésique [palẽ'jénézik] *adj.* van de wedergeboorte.
palinodie [palinòdi] *f.* herroeping *v.* (van een gezegde); ***chanter la —,*** zijn woorden intrekken, van jasje verwisselen.

pâlir [pa:li:r] **I** *v.t.* bleek maken, doen verbleken; **II** *v.i.* verbleken; bleek worden; ***faire —,*** doen verbleken; (*fig.*) in de schaduw stellen; ***— sur les livres,*** onvermoeid studeren, zich suf studeren.
palis [pali] *m.* **1** paal *m.*; **2** paalwerk *o.*
palissade [palisa'd] *f.* **1** paalwerk *o.*; **2** omheining, schutting *v.*
palissader [palisadé] *v.t.* met paalwerk —, met een omheining omgeven.
palissage [pɑ'lisa:j] (*v. boom*) het opbinden *o.*
palissandre [palisã:dr] *m.* palissanderhout *o.*
pâlissant [pɑ'lisã] *adj.* verblekend; verflauwend.
Palisse [palis], ***une vérité de monsieur de La P—,*** een waarheid als een koe.
pâlissement [pɑ'lismã] *m.* (het) verbleken *o.*
palisser [palisé] *v.t.*, (*v. boom*) opbinden.
palladium [paladyòm] *m.* **1** Trojaans houten Pallasbeeld *o.*; **2** hoeksteen, waarborg *m.*; **3** palladium *o.*, witmetaal *o.*
palliatif [palyatif] **I** *adj.* verzacht; **II** *s. m.* **1** verzachtend middel *o.*; **2** (*fig.*) lapmiddel *o.*
palliation [palyɑ'syõ] *f.* **1** verzachting *v.*; **2** bewimpeling, verschoning *v.*
pallier [palyé] *v.t.* **1** verzachten; **2** vergoelijken.
pallium [palyòm] *m.* (*kath.*) pallium *o.*
palma-Christi [palmakristi] *m.* ricinus(boom) *m.*
palmaire [palmè:r] *adj.* van de handpalm; ***muscle —,*** handpalmspier *v.(m.)*.
palmarès [palmarè's] *m.* lijst *v.(m.)* van de prijswinnaars.
palmarium [palmaryòm] *m.* palmentuin, winter-[tuin *m.*
palme [palm] *f.* **1** palmtak *m.*; **2** (*fig.*) overwinning *v.*, zege *v.(m.)*; ***la — du martyre,*** de martelaarskroon *v.(m.)*; ***remporter la —,*** de overwinning behalen.
palmé [palmé] *adj.* handvormig; waaiervormig; ***pied —,*** zwempoot *m.*
palmer [palmé] *v.t.*, (*v. naald*) afplatten.
palmeraie [palmerè] *f.* palmbos *o.*
palmette [palmèt] *f.* palmet *v.(m.)*.
palmier [palmyé] *m.* palmboom *m.*
palmilobé [palmilòbé] *adj.* (*Pl.*) handlobbig.
palminerve [palminèrv] *adj.* (*Pl.*) handnervig.
palmipartite [palmipartit] *adj.* (*Pl.*) handdelig.
palmipède [palmipè'd] *adj.* ***et s. m.*** (***oiseau***) ***—,*** zwemvogel *m.*
palmiste [palmist] *m.* (*Pl.*) koolpalm *m.*
palmite [palmit] *f.* palmmerg *o.*
palmitine [palmitin] *f.* palmolievet *o.*
palmure [palmü:r] *f.* zwemvlies *o.*
Palmyre [palmi:r] *f.* Palmyra *v.*
palois [palwa] *adj.* uit Pau.
palombe [palõ:b] *f.* ringduif *v.(m.)*.
palonnier [palònyé] *m.* **1** zwengel *m.*; **2** (*vl.*) stuurpedaal *o.*
palot [palo] *m.* **1** smalle spade *v.(m.)*; **2** boerenpummel *m.*
pâlot [pɑ'lo] *adj.* (*f.* : ***pâlotte*** [pɑ'lòt]) wat bleek, bleekjes.
pâlotte, *voir* ***pâlot.***
palourde [palurd] *f.* steenmossel *v.(m.)*.
palpabilité [palpabilité] *f.* tastbaarheid *v.*
palpable [palpa'bl] *adj.* **1** tastbaar; **2** (*fig.*) klaarblijkelijk, zonneklaar.
palpablement [palpa'blemã] *adv.* op tastbare wijze.
palpation [palpɑ'syõ] *f.* betasting *v*
palpe [palp] *f.* (*v. insekt*) taster *m.*
palpébral [palpébral] *adj.* van de oogleden.
palper [palpé] *v.t.* **1** betasten, bevoelen; **2** (*fam.*: *v. geld*) opstrijken, beuren.
palpitant [palpitã] *adj.* **1** lillend; **2** trillend, bevend;

3 (*v. hart*) kloppend; 4 (*fig.*: *v. boek, verhaal*) boeiend.
palpitation [palpita'syõ] *f.* 1 lilling *v.*; 2 trilling *v.*; 3 klopping *v.*; ***avoir des —s,*** hartkloppingen hebben.
palpiter [palpité] *v.i.* 1 lillen; 2 trillen, beven; 3 (*v. hart*) kloppen; 4 popelen.
paltoquet [paltòkè] *m.* lummel, vlegel *m.*
paludéen [palüdéẽ] *adj.* moeras—; ***fièvre —ne,*** malaria *v.(m.).*
paludier [palüdyé] *m.* arbeider *m.* in een zoutpan.
paludique [palüdik] *adj.* malaria—, lijdend aan malaria.
paludisme [palüdizm] *m.* malaria *v.(m.).*
palus [palüs] *m.* moeras *o.* [rasfauna *v.(m.).*
palustre [palüstr] *adj.* moeras—; ***faune —,*** moe-
pâmer [pa'mé] *v.i. et v.pr.*, ***se —,*** 1 flauw vallen, in zwijm vallen, in onmacht vallen; 2 (*fig.*) buiten zich zelf raken; ***— de joie,*** buiten zich zelf raken van vreugde; ***— de rire,*** zich half dood lachen.
pâmoison [pa'mwazõ] *f.* 1 onmacht *v.(m.)*, bezwijming, flauwte *v.*; 2 (*fig.*) zinsverrukking *v.*
pamore [pamò:r] *m.* wijngaardrank *v.(m.).*
pampa [pã'pa] *f.* pampa *v.(m.).*
pampelonnais [pãplònè] *adj.* uit Pampelonne.
pamphlet [pã'flè] *m.* pamflet, schotschrift *o.*
pamphlétaire [pã'flétè:r] *m.* pamflettist, schotschriftenschrijver *m.* [pelmoes *v.(m.).*
pamplemousse [pã'plemus] *f. et m.*, (*Pl.*) pom-
pampre [pã:pr] *m.* wijngaardrank, wijnrank *v.(m.).*
pan [pã] **I** *m.* 1 (*v. stof*) baan *v.(m.)*; 2 (*v. kledingstuk*) pand *o.*, slip *v.(m.)*; 3 (*v. muur*) stuk, vak *o.*; ***— coupé,*** stompe hoek *m.*; ***— de boiserie,*** paneel *o.*; **II** *ij.* bons! paf!
panacée [panasé] *f.* algemeen geneesmiddel *o.*
panachage [panaʃa:j] *m.* 1 (ver)menging *v.*; 2 voorkeurkeuze *v.(m.).*
panache [panaʃ] *m.* 1 vederbos *m.*, pluim *v.(m.)*; 2 rookpluim *v.(m.)*; 3 (*fig.*) brio *m. en o.*, schertsende overmoed *m.*; ***faire —,*** (*v. ruiter*) vooroverschieten; (*v. fietser*) over 't stuur van de fiets slaan; (*v. auto*) over de kop gaan.
panaché [panaʃé] *adj.* 1 met een pluim, met een vederbos versierd; 2 (*v. vogel*) gekuifd; 3 bont, veelkleurig; 4 (*v. vruchten, ijs; gezelschap*) gemengd.
panacher [panaʃé] **I** *v.t.* 1 met een vederbos versieren; 2 veelkleurig maken, bont maken; 3 (*fig.*) vermengen; **II** *v.pr.* ***se —,*** bont worden.
panade [pana'd] *f.* 1 broodpap; broodsoep *v.(m.)*; 2 (*pop.*) lammeling, Jan Salie *m.*; ***laisser dans la —,*** in de miserie laten zitten.
panaire [panè:r] *adj.* brood betreffend, brood—.
panais [panè] *m.* (*Pl.*) pastinaak, witte peen *v.(m.).*
panama [panama] *m.* panama(hoed) *m.*
Panam(e) [pana:m] *m.* (*pop.*) Parijs *o.*
panaméricanisme [panamérikanizm] *m.* Monroeleer *v.(m.).*
panamien [panamyẽ] *adj.* Panamees, uit Panama.
panard [pana:r] *m.* (*pop.*) voet, poot *m.*
panaris [panari] *m.* (*gen.*) fijt *v.(m.) en o.*
pancarte [pã'kart] *f.* 1 plakkaat *o.*; 2 papieren omslag *m. en o.*; 3 bordje *o.* met opschrift; 4 (reclame)bord *o.*
panchromatique [pã'kròmatik] *adj.* (*fot.*) panchromatisch, kleurgevoelig. [mengsel *o.*
panclastite [pã'klastit] *m.* bep. ontplofbaar
Pancrace [pã'kras] *m.* Pancratius *m.*
pancrace [pã'kras] *m.*, (*oudh.*) worsteling *v.*
pancréas [pã'kréas] *m.* alvleesklier *v.(m.).*
pancréatine [pã'kréatin] *f.* alvleessap *o.*
pancréatique [pã'kréatik] *adj.* van de alvleesklier, alvlees—; ***suc —,*** alvleessap *o.*
pancréatite [pã'kréatit] *f.* alvleesklierontsteking *v.*
pandectes [pã'dèkt] *f.pl.* pandecten *mv.*
pandémie [pã'démi] *f.* algemene epidemie *v.*
pandémonium [pã'démònyòm] *m.* (*fig.*) 1 broeinest *o.* van ongerechtigheden; 2 verwarring *v.*, hels lawaai *o.*, leven *o.* als een oordeel. [*m.*
pandit [pã'di] *m.* eretitel voor Brahmaans wijsgeer
Pandore [pã'dò:r] *f.* Pandora *v.*
pandore [pã'dò:r] *m.* (*fam.*) gendarme *m.*
pandour [pã'du:r] *m.* 1 (*gesch.*) pandoer, ongeregeld soldaat *m.*; 2 rover, plunderaar, vandaal *m.*; 3 pandoerspel *o.*
panégyrique [panéjirik] *m.* lofrede *v.(m.)*; ***faire le — de qn.,*** iemands lof uitbazuinen.
panégyriste [panéjirist] *m.* lofredenaar *m.*
paner [pané] *v.t.* paneren, met broodkruim bestrooien.
panerée [panré] *f.* mand *v.(m.)* vol. [*v.(m.).*
paneterie [panteri] *f.* broodkamer; broodkast
panetière [pantyè:r] *f.* 1 broodzak *m.*; 2 herderstas *v.(m.)*; 3 (laag) buffet *o.*
paneton [pantõ] *m.* deegkorfje *o.* voor één brood.
paneuropéen [panœròpéẽ] *adj.* Grooteuropees.
pangermanique [pã'jèrmanik] *adj.* alduits.
pangolin [pã'gòlẽ] *m.* schubdier *o.*
panic [panik] *m.* (*Pl.*) vingergras *o.*; ***— millet,*** pluimgierst *v.(m.).*
panicaut [paniko] *m.* (*Pl.*) kruisdistel *m. en v.*
panicule [panikül] *f.* (*Pl.*) pluim; rist *v.(m.).*
panier [panyé] *m.* 1 mand *v.(m.)*, korf *m.*; 2 mandewagen *m.*; ***— à ouvrage,*** werkmand; ***— à papiers,*** scheurmand; ***— aux ordures,*** vuilnisbak *m.*; ***— repas,*** lunchpakket *o.*; ***— percé,*** verkwister, doordraaier *m.*; ***— roulant,*** loopwagen *m.*; ***— à salade,*** (*pop.*) dievenwagen *m.*; ***le dessus du —,*** het neusje van de zalm; ***à petit mercier, petit —,*** men moet de tering naar de nering zetten. [meel *o.*
panifiable [panifya'bl] *adj.*, ***farine —,*** brood-
panification [panifika'syõ] *f.* broodbereiding *v.*
panifier [panifyé] *v.t.* tot brood bereiden.
paniquard [panika:r] *m.* paniekzaaier *m.*
panique [panik] **I** *adj.*, ***terreur —,*** plotselinge, panische schrik; **II** *s. f.* paniek *v.*
panne [pan] *f.* 1 trijp, pluisfluweel *o.*; 2 (*v. dak*) steekbalk *m.*; 3 (*v. mist, wolken*) bank *v.(m.)*; 4 dakpan *v.(m.)*; 5 (*v. hamer*) klauw *m.*; 6 (*aan motor*) defect *o.*; ***rester en —,*** (*v. auto, enz.*) blijven steken; ***être dans la —,*** in de pekel zitten, er beroerd aan toe zijn.
Panne, La — [lapan] De Panne.
panné [pané] *adj.*, (*pop.*) op zwart zaad.
panneau [pano] *m.* 1 vak, paneel *o.*; 2 wand *m.*; 3 (*sch.*) luik *o.*; 4 (*v. marmeren schoorsteen*) plaat *v.(m.)*; 5 (*voor hazen, konijnen*) net *o.*, strik *m.*; 6 (*fig.*) valstrik *m.*; ***donner dans le —,*** in de val lopen, erin lopen. [bord *o.*
panneau*-réclame [pano'réklam] *m.* reclame-
panneauter [panoté] **I** *v.i.* strikken zetten; **II** *v.t.* met strikken vangen.
pannequet [pankè] *m.* flensje *o.* [steen *m.*
panneresse [panrès] *f.* (*bouwk.*) streksteen, strekse
panneton [pantõ] *m.* (*v. sleutel*) baard *m.*
panonceau [panõ'so] *m.* 1 wapenschild *o.*; 2 (*aan deur v. notaris, enz.*) bord, schild *o.*; 3 verkeersbord *o.* [rek *o.*
panoplie [panòpli] *f.* 1 wapenrusting *o.*; 2 wapen-
panorama [panòrama] *m.* panorama *o.*
panoramique [panòramik] *adj.* panorama-achtig; ***vue —,*** uitzicht *o.* in 't rond.
pansage [pã'sa:j] *m.* (het) roskammen, (het) borstelen *o.*

panse [pã's] *f.* 1 buik *m.*; pens *v.(m.)*; 2 (*v. letter*) neerhaal *m.* [2 verband *o.*

pansement [pã'smã] *m.* 1 (het) verbinden *o.*;

panser [pã'sé] *v.t.* 1 (*v. wond*) verbinden; 2 (*v. dier*) borstelen, roskammen.

panslavisme [pã'slavizm] *m.* panslavisme *o.*

pansu [pã'sü] I *adj.* dikbuikig; II *s. m.* dikbuik *m.*

pantagruélique [pã'tagrüélik] *adj.* als van de reus Pantagruel; ***repas* —,** overdadig maal.

pantagruélisme [pã'tagrüélizm] *m.* (voorkeur *v.(m.)* voor) vrolijk leventje *o.*

pantalon [pã'talõ] *m.* 1 (lange) broek *v.(m.)*; 2 hansworst *m.*; 3 quadrillefiguur *v.(m.) en o.*; ***— de cheval,*** rijbroek.

pantalonnade [pã'talòna'd] *f.* hansworsterij *v.*; belachelijke uitvlucht *v.(m.)*.

pante [pã:t] *m.* (*arg.*) man, vent *m.*

pantelant [pã'tlã] *adj.* 1 hijgend; 2 (*v. hart*) kloppend; 3 (*v. vlees*) lillend. [lillen.

panteler* [pã'tlé] *v.i.* 1 hijgen; 2 kloppen; 3

pantellement [pã'tèlmã] *m.* 1 hijging *v.*, gehijg *o.*; 2 geklop *o.*

pantenne [pã'tèn] *f.*, ***en —,*** (*sch.*) ontredderd.

panthéisme [pã'téizm] *m.* pantheïsme *o.*

panthéiste [pã'téist] I *adj.* pantheïstisch; II *s. m.* pantheïst *m.*

Panthéon [pã'téõ] *m.* Pantheon *o.*

panthère [pã'tè:r] *m.* panter *m.*; ***faire la —,*** ijsberen, nijdig heen en weer lopen.

pantière [pã'tyè:r] *f.* 1 snippennet *o.*; 2 gebreide jagerstas *v.(m.)*.

pantin [pã'tẽ] *m.* 1 ledenpop *v.(m.)*; 2 hansworst *m.*

pantographe [pã'tògraf] *m.* 1 tekenaap *m.*; 2 stroomafnemer *m.* (*v. elektr. trein*).

pantois [pã'twa] *adj.* verbluft, verstomd.

pantomètre [pã'tòmè'tr] *m.* hoekmeter *m.*

pantomime [pã'tòmim] I *f.* gebarenspel *o.*, pantomime *v.(m.)*; II *m.* gebarenspeler *m.*

pantouflard [pã'tufla:r] *m.*, (*pop.*) pantoffelheld, huishen *m.*

pantoufle [pã'tufl] *f.* pantoffel *v.(m.)*; muil *v.(m.)*; ***en —s,*** 1 met pantoffels aan; 2 (*fig.*) op zijn gemak, op zijn slofjes, ongestoord; ***raisonner comme une —,*** redeneren als een kip zonder kop.

pantouflerie [pã'tufleri] *f.* 1 pantoffelmakerij *v.*; 2 dwaze redenering *v.*

pantouflier [pã'tuflyé] *m.* pantoffelmaker *m.*

panure [panü:r] *f.* paneermeel *o.*

paon [pã] *m.* 1 pauw *m.*; 2 (*vlinder*) pauwoog *m.*

paonne [pan] *f.* pauwin *v.*

paonneau [pano] *m.* jonge pauw *m.*

paonner [pané] *v.i.* geuren.

papa [papa] *m.* papa, vader *m.*; ***bon —,*** opa *m.*; ***à la —,*** gemoedelijk. [baar.

papable [papa'bl] *adj.* papabile, tot paus verkies-

papal [papal] *adj.* pauselijk. [gezinde *m.*

papalin [papalẽ] I *adj.* pausgezind; II *s. m.* paus-

papauté [papo'té] *f.* pausdom *o.* [tigen *mv.*

papavéracées [papavérasé] *f.* (*Pl.*) papaverach-

papaye [papè] *f.* (*Pl.*) kalebas *v.(m.)*.

papayer [papèyé] *m.* kalebasboom *m.*

pape [pap] *m.* paus *m.*

papegai [pap(e)gé] *m.* (*bij 't schieten*) gaai *m.*

papelard [papla:r] I *adj.* huichelachtig, vals, kwezelachtig; II *s. m.* huichelaar, kwezelaar, schijnvrome *m.* [*v.*

papelardise [paplardi:z] *f.* huichelarij, kwezelarij

paperasse [papras] *f.* papierrommel *m.*, onnut papier *o.* [snuffelen.

paperasser [paprasé] *v.i.* in oude papieren

paperassier [paprasyé] *m.* snuffelaar in oude papieren, liefhebber *m.* van paperassen.

papesse [papès] *f.* pauzin *v.*

papeterie [papt(e)ri] *f.* 1 papierfabriek *v.*; 2 papierfabricage *v.*; 3 papierhandel *m.*; 4 winkel *m.* van kantoor- en schrijfbehoeften; 5 doos *v.(m.)* met schrijfbehoeften.

papetier [paptyé] I *m.* 1 papierfabrikant *m.*; 2 papierhandelaar *m.*; II *adj.* papier—; ***industrie papetière,*** papierindustrie *v.*

papier [papyé] *m.* 1 papier *o.*; 2 wissel *m.*, schuldbekentenis *v.*; ***— court,*** papier (*of* wissel) op kort zicht; ***— long,*** papier (*of* wissel) op lang zicht; ***— commercial,*** handelspapier; ***bon —,*** betrouwbare wissels; ***mauvais —,*** onbetrouwbare wissels; ***— beurre,*** boterhampapier; ***— buvard,*** vloeipapier; ***— timbré,*** gezegeld papier; ***— libre,*** ongezegeld papier; ***— d'affaires,*** (*post*) schrifturen, documenten; zaakpapieren; ***— volant,*** los blad; ***— peint, — de tenture,*** behangselpapier; ***— de verre,*** schuurpapier; ***— à lettre,*** postpapier; ***— bible,*** zeer dun boekdrukpapier; ***— cristal,*** cellofaan *o.*; ***— dentelle,*** kastrandenpapier; ***— au carbon,*** kooldrukpapier; ***— à la cuve,*** geschept papier; ***— à calquer,*** calqueerpapier; ***— d'emballage,*** pakpapier; ***— à dessin,*** tekenpapier; ***— d'émeri,*** schuurpapier; ***— marbré,*** gemarmerd papier; ***— couché,*** kunstdrukpapier; ***— hygiénique,*** closetpapier; ***— journal,*** krantenpapier; ***— sensible,*** fotopapier; ***— vergé,*** vergépapier; ***— à cuve*** (***à la forme*** *of* ***de main***) handgeschept papier; ***être dans les petits —s de qn.,*** bij iem. goed aangeschreven staan, bij iem. in een goed blaadje staan; ***rayer qc. de ses —s,*** niet op iets behoeven te rekenen.

papier-monnaie [papyémònè] *m.* papiergeld, bankpapier *o.*

papier-pelure [papyéplü:r] *m.* mailpapier *o.*

papier-tenture [papyétã'tü:r] *m.* behangselpapier *o.*

Papignies [papiñi] Papegem *o.*

papilionacé [papilyònasé] *adj.* 1 vlinderachtig; vlindervormig; 2 (*Pl.*) vlinderbloemig.

papilionacée [papilyònasé] *f.* (*Pl.*) vlinderbloemige *v.*

papillaire [papiyè:r] *adj.* 1 met papillen; 2 papilvormig.

papille [papi'y] *f.* papil *v.(m.)*.

papilleux [papiyö] *adj.* vol papillen.

papillon [papiyõ] *m.* 1 vlinder *m.*, kapel *v.(m.)*; 2 (*v. kachelpijp*) sleutel *m.*, schuif *v.(m.)*; 3 vleermuisbrander *m.*; 4 (*in boek*) inlegblad *o.*; 5 (*in atlas*) bijkaart *v.(m.)*; 6 (vlindervormige) strik *m.*; 7 (*sch.*) klapmuts *v.(m.)*; 8 smoorklep *v.(m.)*; ***— du chou,*** koolwitje *o.*; ***courir après les —s,*** zijn tijd verbeuzelen met nietigheden.

papillonnage [papiyòna:j] *m.* gefladder *o.*; (het) fladderen *o.*

papillonner [papiyòné] *v.i.* fladderen.

papillotage [papiyòta:j] *m.* 1 (*v. ogen*) (het) blikkeren *o.*; 2 (*v. licht*) flikkering, glinstering *v.*; 3 (het) maken *o.* van papillotten.

papillote [papiyòt] *f.* 1 (*in haar*) papillot *v.(m.)*; 2 pistache *v.(m.)*, knalbonbon *m.*

papillotement [papiyòtmã] *m.* hinderlijke lichtflikkering *v.*

papilloter [papiyòté] I *v.t.* (*v. haar*) in papillotten zetten; II *v.i.* 1 (*v. ogen*) blikkeren; 2 (*v. licht*) flikkeren, glinsteren, dansen.

papion [papyõ] *m.* baviaan *m.*

papisme [papizm] *m.* (*ong.*) pausdom *o.*

papiste [papist] I *adj.* (*ong.*) paaps(gezind), papistisch; II *s. m.* (*ong.*) pausgezinde, papist *m.*

papotage [papòta:j] *m.* gebabbel, gekwebbel *o.*

papoter [papòté] *v.i.* babbelen, kwebbelen.
Papou(a) [papu(a)] *m.* Papoea *m.*
pappe [pap] *f.* (*Pl.*) zaadpluis *o.*
paprika [paprika] *m.* paprika *v.(m.).*
papule [papül] *f.* **1** puistje, pukkeltje *o.*; **2** (*Pl.*) waterblaasje *o.*
papuleux [papülö] *adj.* vol puistjes.
papyracé [papirasé] *adj.* papierachtig.
papyrus [papirüs] *m.* **1** papierplant *v.(m.)*; **2** handschrift *o.* op papyrus; papyrusrol *v.(m.).*
pâque [pɑ:k] *f.* paasfeest *o.* (van de joden).
paquebot [pakbo] *m.* pakketboot *m. en v.*
paquebot*-poste [pakbopòst] *m.* mailboot *m. en v.*
pâquerette [pɑ·krèt] *f.* madeliefje *o.*
Pâques [pɑ·k] *m.* Pasen *o.*; ***— fleuries,*** Palmzondag; ***— closes,*** Beloken Pasen; ***faire ses —,*** zijn Pasen houden; ***lundi de —,*** tweede paasdag.
paquet [pakè] *m.* **1** pak *o.*; **2** (*spoorw.*) pakket *o.*; **3** (*v. papieren*) bundel *m.*; ***— de mer, — d'eau,*** stortzee *v.(m.)*; ***— de pluie,*** stortbui *v.(m.)*; ***faire son —,*** **1** zich reisvaardig maken; **2** zijn matten rollen; ***donner son — à qn.,*** iem. een standje maken; iem. de bons geven; ***recevoir son —,*** **1** gedaan krijgen; **2** er van langs krijgen; ***j'ai mon —,*** ik heb mijn bekomst; ***risquer le —,*** het er op wagen.
paquetage [pakta:j] *m.* **1** (het) pakken, (het) inpakken *o.*; **2** (*mil.*) bepakking *v.*
paqueter* [pakté] *v.t.* pakken, inpakken.
paqueteur [paktœ:r] *m.* pakker, inpakker *m.*
paquetier [paktyé] *m.* (*drukk.*) opmaker *m.*
pâquis [pɑ·ki] *m.* **1** weide *v.(m.)*; **2** weiplaats *v.(m.)* voor wild.
par [par] *prép.* door; over; langs; bij; uit; per; op; ***de —,*** in naam van, namens; vanwege; ***— le bois,*** door het bos; ***voyager — terre,*** over land reizen; ***— terre et — mer,*** te land en te water; ***— ici,*** hierlangs; ***—-ci, —-là,*** hier en daar; ***— un temps pluvieux,*** bij regenachtig weer; ***prendre — les cheveux,*** bij de haren grijpen; ***prendre — la main,*** bij de hand nemen; ***— crainte,*** uit vrees; ***— devoir,*** plichtshalve; ***— mois, — semaine,*** per maand, per week; ***— ordre de,*** op bevel van; ***— cette raison,*** om die reden; ***apprendre — cœur,*** van buiten leren, uit het hoofd leren; ***appeler — son nom,*** bij zijn naam noemen; ***— ma foi,*** op mijn woord; ***— deux fois,*** tot tweemaal toe; ***jurer —,*** zweren bij; ***— tous les temps,*** in weer en wind; ***couper — morceaux,*** in stukken verdelen; ***jour — jour,*** dag aan dag; ***tomber — terre,*** ter aarde vallen; ***— conséquent,*** bijgevolg; ***— exemple,*** bijvoorbeeld; ***— miliers,*** bij duizenden; ***c'est — trop fort,*** dat is al te kras; ***il était — trop heureux,*** hij was te gelukkig.
para [para] *m.* **1** Turkse munt *v.(m.)*; **2** valschermjager *m.*; ***les —s,*** valschermtroepen *mv.*
parabellum [parabèlòm] *m.* automatisch legerpistool *o.*
parabole [parabòl] *f.* **1** parabel *v.(m.)*, gelijkenis *v.*; **2** (*meetk.*) parabool *v.(m.).*
parabolique [parabòlik] *adj.* **1** (*v. betekenis*) figuurlijk; **2** (*meetk.*) parabolisch.
paraboliquement [parabòlikmã] *adv.* door (*of* in) gelijkenissen.
parachevé [paraʃvé] *adj.* geheel af.
parachèvement [paraʃè·vmã] *m.* afwerking, voltooiing *v.*
parachever [paraʃvé] *v.t.* afwerken, voltooien, [volmaken.
parachutage [paraʃüta:j] *m.* **1** dropping *v.*; **2** luchtlanding *v.*
parachute [paraʃüt] *m.* **1** valscherm *o.*; **2** (*in mijn*) valbeschermer *m.*, vangtoestel *o.*
parachuter [paraʃüté] *v.t.*, (*v. troepen, wapens*) neerlaten; ***troupes parachutées,*** valschermtroepen *mv.*
parachutiste [paraʃütist] *m.* valschermjager *m.*
paraclet [paraklè] *m.* de Heilige Geest *m.*
parade [para·d] *f.* **1** vertoning *v.*, pronk *m.*, uiterlijk vertoon *o.*; **2** (*v. troepen*) parade *v.*; **3** (*bij schermen*) afwering, parade *v.*; **4** (*fig.*) schijnvertoning *v.*; ***lit de —,*** praalbed *o.*; ***faire — de,*** pronken met.
parader [paradé] *v.i.* **1** parade maken, paraderen; **2** pronken.
paradeur [paradœ:r] *m.* pronker *m.*
paradigme [paradigm] *m.*, (*spraakk.*) model, voorbeeld *o.* (van verbuiging, vervoeging).
paradis [paradi] *m.* **1** paradijs *o.*; **2** (*in schouwburg*) engelenbak *m.*, schellinkje *o.*; ***il ne l'emportera pas en —,*** boontje komt wel om zijn loontje.
paradisiaque [paradizyak] *adj.* paradijsachtig.
paradisier [paradizyé] *m.* paradijsvogel *m.*
parados [parado] *m.* rugdekking *v.*
paradoxal [paradòksal] *adj.* schijnbaar ongerijmd, paradoxaal.
paradoxe [paradòks] *m.* paradox *m.*, schijnbare tegenstrijdigheid *v.*
parafe [paraf] *m.* paraaf *m.*
parafer [parafé] *v.t.* paraferen, van een paraaf [voorzien.
paraffine [parafin] *f.* paraffine *v.(m.).*
paraffiner [parafiné] *v.t.* met paraffine bestrijken.
parafoudre [parafu·dr] *m.* bliksemafleider *m.*
parage [para:j] *m.* **1** streek *v.(m.)* (van de zee), (zee-)gebied *o.*; **2** (*gesch.*) afkomst *v.*; **3** (*tn.*) opwerking *v.*
paraglace [paraglas] *m.* (*aan schip*) ijsbreker *m.*
paragoge [paragò:j] *f.* (*gram.*) achtervoeging *v.*
paragraisse [paragrè:s] *m.* antimakassar *m.*
paragraphe [paragraf] *m.* **1** paragraaf *m.*; **2** paragraafteken *o.*
paragrêle [paragrè:l] *m.* hagelafleider *m.*
Paraguay [parag(w)è] *m.* Paraguay *o.*
paraguayen [parag(w)ayẽ] **I** *adj.* Paraguayaans; **II** *s., m.*, ***P—,*** Paraguayaan *m.*
paraguéen [parag(w)éẽ] *adj. voir* ***paraguayen.***
paraître* [parè:tr] **I** *v.i.* **1** verschijnen; **2** zich vertonen, te voorschijn komen; **3** zichtbaar worden; **4** schijnen, lijken; ***laisser —,*** laten blijken, laten doorschemeren; ***— plus que son âge,*** ouder lijken dan men is; ***il ne paraît pas son âge,*** hij lijkt jonger dan hij is; **II** *v.imp.*, ***il paraît,*** het schijnt; ***il y paraît,*** men kan het wel zien; ***il n'y paraît plus,*** er is niets meer van te zien; ***il me paraît,*** het komt me voor dat, mij dunkt dat; ***sans qu'il y paraisse,*** onmerkbaar, zonder dat men er iets van merkt, in 't geheim; ***vient de —,*** pas verschenen.
parallaxe [paralaks] *f.* (*astron.*) parallaxis *v.*, verschilzicht *o.*, hoek, gevormd door 2 lijnen vanuit middelpunt van een ster naar kijkende oog en naar middelpunt van de aarde.
parallèle [paral(l)èl] **I** *adj.* evenwijdig; **II** *s. f.* evenwijdige lijn, parallel *v.(m.)*; **III** *s., m.* **1** parallelcirkel, breedtecirkel *m.*; **2** (*fig.*) vergelijking *v.*; ***mettre en —,*** vergelijken.
parallèlement [paral(l)èlmã] *adv.* evenwijdig.
parallélépipède [paralélépipè·d] *m.* parallellepipedum *o.*
parallélisme [paralélizm] *m.* **1** evenwijdigheid *v.*; **2** (*fig.*) voortdurende overeenkomst *v.*
parallélogramme [paralélògram] *m.* parallellogram *o.*
paralogisme [paralòjizm] *m.* valse redenering *v.*

paralysé [parali'zé] I *adj.* verlamd; II *s. m.* verlamde *m.*
paralyser [parali'zé] *v.t.* verlammen.
paralysie [parali'zi] *f.* verlamming *v.*; ***— infantile,*** kinderverlamming *v.*
paralytique [paralitik] I *adj.* verlamd; II *s., m.* lamme *m.*
paramilitaire [paramilitè:r] *adj.* militair georganiseerd.
parangon [parã'gõ] *m.* toonbeeld, model *o.*
parangonner [parã'gòné] *v.t.* (*drukk.*: *v. regel*) opvullen.
paranymphe [paranẽ:f] *m.* **1** bruidsjonker *m.*; **2** paranimf, begeleider *m.*
parapet [parapè] *m.* **1** leuning, brugleuning *v.*; **2** (*mil.*) borstwering *v.*
paraphe [paraf], *voir **parafe.***
parapher [parafé], *voir **parafer.***
paraphernal [parafèrnal] *adj.*, ***biens paraphernaux,*** na huwelijk eigendom van de vrouw blijvend goed.
paraphrase [parafrɑ:z] *f.* **1** verklarende omschrijving *v.*; **2** vrije bewerking *v.*; **3** (*ong.*) langdradige beschrijving *v.*, omhaal *m.* van woorden.
paraphraser [parafrɑ'zé] *v.t.* **1** omschrijven; **2** verklarend uitleggen; met eigen woorden weergeven.
paraphrastique [parafrastik] *adj.* parafraserend.
paraplégie [parapléji] *f.* verlamming *v.* van de benen. [*m.*
parapluie [paraplŵi] *m.* regenscherm *o.*, paraplu
parapsychologie [parapsikòlòji] *f.* parapsychologie *v.*, wetenschap der paranormale verschijnselen.
parascève [parasè:v] *f.* Goede Vrijdag *m.*
parasélène [parasélè:n] *f.* (*sterr.*) bijmaan *v.*(*m.*).
parasitaire [parazitè:r] *adj.* door parasieten veroorzaakt.
parasite [parazit] I *m.* **1** woekerplant *v.*(*m.*), woekerdier *o.*; **2** tafelschuimer, klaploper *m.*; **3** (*radio*) storing *v.*; II *adj.* woekerend; ***plante —,*** woekerplant *v.*(*m.*); ***bruit —,*** bijgeluid *o.*
parasiticide [parazitisi'd] *adj.* parasietendodend.
parasitique [parazitik] *adj.* woekerend; parasitisch.
parasitisme [parazitizm] *m.* **1** (het) woekeren *o.*; **2** klaploperij, tafelschuimerij *v.*
parasol [parasòl] *m.* **1** zonnescherm *o.*; **2** tuinparasol *m.*; ***en —,*** schermvormig.
parasoleil [parasòlèy] *m.* zonnescherm *o.*
parasynthétique [parasẽ'tétik] *adj.* (*et s. m.*) met een voorvoegsel en een achtervoegsel gevormd (woord *o.*).
paratonnerre [paratònè:r] *m.* bliksemafleider *m.*
paratyphoïde [paratifòi'd] *f.* paratyfus *m.*
paravent [paravã] *m.* **1** tochtscherm *o.*; **2** (*v. auto*) windscherm *o.*, voorruit *v.*(*m.*); **3** (*fig.*) bescherming *v.*
parbleu! [parblö] *ij.* drommels! verduiveld!
parc [park] *m.* **1** park *o.*; **2** (*voor auto's, enz.*) parkeerterrein *o.*, parkeerplaats *v.*(*m.*); **3** (*voor vee*) perk *o.*; **4** zoutpan *v.*(*m.*); **5** (*in kamp*) opslagplaats, bewaarplaats *v.*(*m.*); ***— à charbon,*** kolenopslagplaats *v.*(*m.*); ***— à huîtres,*** oesterput *m.*; ***— de bébé,*** babybox *m.*
parcage [parka:j] *m.* **1** (het) parkeren *o.*; **2** (*v. vee*) (het) afsluiten in een weide.
parcellaire [parsèlè:r] *adj.* perceelsgewijs.
parcelle [parsèl] *f.* **1** deeltje, stukje *o.*; **2** (*v. grond*) perceel *o.*
parceller [parsèlé] *v.t.* in percelen verdelen.
parce que [pars(e)k(e)] *conj.* omdat.
parchemin [parʃemẽ] *m.* **1** perkament *o.*; **2** adelbrief *m.*; **3** diploma *o.*
parcheminé [parʃ(e)miné] *adj.* perkamentachtig.
parcheminer, se — [s(e)parʃ(e)miné] *v.pr.* perkamentachtig worden. [briek *v.*
parcheminerie [parʃ(e)minri] *f.* perkamentfa-
parchemineux [parʃeminö] *adj.* perkamentachtig.
parcimonie [parsimòni] *f.* schrielheid, karigheid *v.*
parcimonieux [parsimònyö] *adj.*, **parcimonieusement** [parsimònyö'zmã] *adv.* zuinig, karig, schriel.
parcourir* [parkuri:r] *v.t.* **1** doorlopen, doortrekken; doorrijden; doorreizen; **2** (*v. afstand, weg*) afleggen; **3** (*v. boek, enz.*) doorbladeren, doorlezen.
parcours [parku:r] *m.* **1** afgelegde (*of* doorlopen) weg *m.*; **2** weg *m.*, traject *o.*; ***— de garantie,*** proefrit *m.*; ***libre —,*** **1** vrijkaart *v.*(*m.*) op 't spoor; **2** recht *o.* om een spoorlijn te gebruiken.
pard [pa:r] *m.* tijgerkat *v.*(*m.*).
par-dessous [pardesu] I *prép.* onder ... door, onder; II *adv.* er onder door, daaronder.
par-dessus [pardesü] I *prép.* over, boven, over... heen; ***— le marché,*** op de koop toe; II *adv.* daarboven op, er overheen; ***j'en ai — les yeux,*** ik heb er meer dan genoeg van.
pardessus [pardesü] *m.* overjas *m. en v.*; ***— d'hiver,*** winterjas *m. en v.*
par-devant [pardevã] *prép.* ten overstaan van, in tegenwoordigheid van.
pardi! [pardi], **pardieu!** [pardyö] *ij.* waarachtig! zeker! stellig!
pardon [pardõ] I *m.* **1** vergiffenis, vergeving *v.*; **2** (*in Bretagne*) bedevaart *v.*(*m.*); ***—s,*** (*kath.*) aflaat *m.*; ***la fête du Grand P—,*** de Grote Verzoendag; II *ij.*, ***—!*** neem me niet kwalijk!
pardonnable [pardòna'bl] *adj.* vergeeflijk.
pardonner [pardòné] I *v.t.* **1** vergeven; **2** (*fig.*) verschonen, sparen; ***on ne lui pardonne pas son succès,*** men ziet zijn succes met lede ogen; ***cette maladie ne pardonne pas,*** tegen die ziekte is geen kruid gewassen.
paré [pa'ré] *adj.* versierd, ongeschikt, opgetuigd.
pare-balles [pa'rbal] *m.* **1** kogelvanger *m.*; **2** kogelvrij pantser *o.*
pare-boue [pa'rbu] *m.* spatbord *o.*
pare-brise [pa'rbri:z] *m.* **1** windscherm *o.*; **2** (*v. auto*) voorruit *v.*(*m.*).
pare-chocs [pa'rʃòk] *m.* (*v. auto*) bumper *m.*
pare-éclats [pa'rékla] *m.* (*mil.*) scherfweer *v.*(*m.*).
pare-étincelles [pa'rétẽ'sèl] *m.* vuurscherm, vonkenscherm *o.*
pare-feu [pa'rfö] *m.* brandscherm *o.*
parégorique [parégòrik] *adj.* pijnstillend.
pareil [parè'y] I *adj.* **1** gelijk, gelijkvormig; **2** dergelijk, zulk; II *s. m.* gelijke *m.*; weerga *v.*(*m.*); ***du — au même,*** van 't zelfde laken een pak; ***sans —,*** weergaloos, onvergelijkelijk.
pareille [parè'y] *f.* weerga *v.*(*m.*); ***rendre la — à qn.,*** iem. met gelijke munt betalen; ***à la —,*** evenzo. [lijks.
pareillement [parè'ymã] *adv.* eveneens; insge-
parélie, *voir **parhélie.***
parement [pa'rmã] *m.* **1** versiersel *o.*; **2** opschik, tooi *m.*; **3** belegsel, garnituur *o.*; **4** (*v. mouw*) opslag *m.*; **5** (*v. plaveisel*) randsteen *m.* [kennis *v.*
parémiologie [parémyòlòji] *f.* spreekwoorden-
parenchyme [parã'ʃim] *m.* (*Pl.*) celweefsel *o.*
parénèse [parénè:z] *f.* zedekundig vertoog *o.*
parénétique [parénétik] *adj.* opwekkend tot deugd.
parent [parã] *m.*, **—e** [parã:t] *f.* bloedverwant *m.*, **—e** *v.*; ***il est de mes —s,*** hij is familie van mij;

—s, *m.pl.* **1** ouders *mv.*; **2** bloedverwanten *mv.*; **3** voorouders *mv.*
parenté [parã'té] *f.* **1** bloedverwantschap *v.*; **2** familie *v.*, bloedverwanten *mv.*
parentèle [parã'tè'l] *f.* (*fam.*) **1** verwantschap *v.*; **2** familie *v.*
parenthèse [parã'tè:z] *f.* **1** tussenzin *m.*; **2** haakje, tussenstellingsteken *o.*; ***par —, entre —s,*** tussen twee haakjes; ***faire une —,*** iets inlassen.
pare-poussière [pa'rpusyè:r] *m.* stofmantel *m.*; stofjas *m. en v.*; stofmasker *o.*
parer [pa'ré] **I** *v.t.* **1** versieren; opsmukken, optooien; **2** (*v. vlees, enz.*) opmaken; **3** (*v. slag, stoot*) afweren, afwenden; **4** (*v. bal*) terugslaan; **5** (*v. plant*) bijknippen; **II** *v.i.*, **— *à,*** **1** voorkomen, verhelpen; **2** voorzien in; ***— au plus pressé,*** in 't allernoodzakelijkste (*of* in de meest dringende behoeften) voorzien; ***on ne saurait — à tout,*** men kan niet aan alles denken; **III** *v.pr.*, ***se —,*** **1** zich opschikken; **2** zich tooien (met); ***se — des plumes d'autrui,*** met andermans veren pronken.
pare-secousse [parsekus] *m.* schokbreker *m.*
parésie [paré'zi] *f.* gedeeltelijke verlamming *v.*
pare-soleil [parsòlèy] *m.* zonneklep *v.*(*m.*).
paresse [parès] *f.* **1** luiheid; traagheid *v.*; **2** gemakzucht *v.*(*m.*); ***se laisser aller à la —,*** lui worden.
paresser [parèsé] *v.i.* luieren.
paresseusement [parèsö:zmã] *adv.* lui; traag.
paresseux [parèsö] **I** *adj.* **1** lui; **2** traag; **3** (*v. maag, enz.*) langzaam werkend; **4** (*v. balans*) niet zeer gevoelig; **II** *s. m.* luiaard *m.*
pare-torpilles [pa'rtòrpi'y] *m.* torpedobeschermer *m.*; ***filet —,*** net *o.* tegen torpedo's.
pareur [pa'rœ:r] *m.* afwerker *m.*
parfaire [parfè:r] *v.t.* **1** volmaken, voltooien; **2** (*v. bedrag*) aanvullen.
parfait [parfè] **I** *adj.* **1** volmaakt; **2** volkomen; **3** uitstekend, voortreffelijk; **II** *s. m.* **1** (het) volmaakte *o.*; **2** (*spraakk.*) verleden tijd *m.*; **3** roomijs *o.* (in vorm).
parfaitement [parfètmã] *adv.* **1** volmaakt; **2** volkomen, geheel en al; **3** voortreffelijk, uitstekend; **4** precies, juist; ongetwijfeld.
parfilage [parfila:j] *m.* uitrafeling *v.*
parfiler [parfilé] *v.t.* uitrafelen.
parfois [parfwa] *adv.* somtijds, soms.
parfondre [parfõ:dr] *v.t.* samensmelten (inzonderheid van kleuren met glas of email).
parfum [parfœ̃] *m.* **1** geur *m.*; **2** reukwerk *o.*
parfumer [parfümé] *v.t.* welriekend maken, geurig maken, parfumeren.
parfumerie [parfümri] *f.* **1** reukwerkbereiding *v.*; **2** reukwerkwinkel *m.*, handel *m.* in reukwerk; **3** reukwerk *o.*
parfumeur [parfümœ:r] *m.* **1** reukwerkfabrikant *m.*; **2** handelaar *m.* in reukwerken.
par(h)élie [paréli] *m.* bijzon *v.*(*m.*).
pari [pari] *m.* **1** weddenschap *v.*; **2** inzet, inleg *m.*; ***— mutuel,*** totalisator *m.*
paria [parya] *m.* paria, verworpeling, verstoteling [*m.*
pariade [parya'd] *f.* (*v. vogels*) **1** paring *v.*; **2** paartijd *m.*; **3** paar *o.*
parier [paryé] **I** *v.t.* verwedden; wedden om; **II** *v.i.* wedden.
pariétaire [paryétè:r] *f.* muurkruid *o.*
pariétal [paryétal] **I** *adj.* wand—, muur—; ***dessin —,*** grottekening *v.*; **II** *s., m.* schedelwandbeen *o.*
parieur [paryœ:r] *m.* wedder *m.*
Parigot [parigo] *m.* (*pop.*) Parijzenaar *m.*
Paris [pari] *m.* Parijs *o.*; ***— ne s'est pas fait en un jour,*** Keulen en Aken zijn niet op één dag gebouwd; ***monsieur de —,*** de beul *m.*; ***articles de —,*** luxeartikelen *mv.*
parisianiser [parizyani'zé] *v.t.* verparijsen, Parijs maken.
parisianisme [parizyanizm] *m.* eigenaardige Parijse uitdrukking *v.*
parisien [parizyẽ] **I** *adj.* Parijs; **II** *s. m.*, ***P—,*** Parijzenaar *m.* [grepig.
parisyllab(iqu)e [parisilab(ik)] *adj.* gelijkletter-
paritaire [paritè:r] *adj.* op gelijke voet verdeeld.
parité [parité] *f.* **1** gelijkheid; gelijkstelling *v.*; **2** (*H.*) pariteit *v.*; ***à la — des voix,*** bij staking van stemmen.
parjure [parjü:r] **I** *m.* meineed *m.*; **II** *m.-f.* meinedige *m.-v.*; **III** *adj.* meinedig.
parjurer, *se —* [s(e)parjü'ré] *v.pr.* een valse eed doen; meinedig worden.
parkérisation [parkérizα'syõ] *f.* onroestbaarmaking *v.* van ijzer.
parking [parkẽ] *m.* (*bij café*) parkeerplaats *v.*(*m.*).
parlage [parla:j] *m.* gewauwel, geklets *o.*
parlant [parlã] *adj.* **1** sprekend; **2** spraakzaam; **3** (*fig.*) sprekend gelijkend; **4** sprekend, overtuigend; ***carte —e,*** niet blinde kaart; ***il est peu —,*** hij zegt niet veel; ***faculté —e,*** spraakvermogen *o.*
parlement [parlemã] *m.* parlement *o.*, Kamers *mv.*
parlementaire [parlemã'tè:r] **I** *adj.* parlementair, tot het parlement behorend; ***ce n'est pas —,*** dat is niet netjes, dat is niet zoals 't behoort; ***régime —,*** vertegenwoordigend stelsel; ***drapeau —,*** witte vlag; **II** *s. m.* **1** parlementslid *o.*, parlementariër *m.*; **2** (*mil.*) parlementair, onderhandelaar *m.*
parlementarisme [parlemã'tarizm] *m.* parlementair stelsel, parlementarisme *o.*
parlementer [parlemã'té] *v.i.* onderhandelen.
parler [parlé] **I** *v.i.* **1** spreken; praten; **2** (*muz.*: *v. toets*) aanspreken, aanslaan; ***— haut,*** **1** op hoge toon spreken; **2** luid spreken; ***— bas,*** zachtjes spreken; ***— ferme,*** beslist spreken; ***— fort,*** luid spreken; ***— en maître,*** met gezag spreken; ***— de grosses dents,*** dreigend spreken; ***— mal de qn.,*** iem. bekladden; ***— au gré de qn.,*** iem. naar de mond praten; ***— d'or,*** gulden woorden spreken; ***— du nez,*** door zijn neus spreken; ***trop — nuit, trop gratter cuit,*** alles met mate; ***trouver à qui —,*** zijn man vinden; ***ne m'en parlez pas,*** praat mij niet daarvan; zwijg me daarover; ***pour — net,*** ronduit gezegd; ***de quoi voulez-vous — ?*** wat bedoelt u? ***est-ce à moi que vous parlez ?*** heeft u het tegen mij? ***on en parlera,*** dat zal opzien baren; ***la bouche parle de l'abondance du cœur,*** waar het hart van vol is, daar loopt de mond van over; ***— d'abondance,*** voor de vuist spreken; ***— au cœur,*** tot het hart spreken, ontroeren; **II** *v.t.* **1** spreken; **2** spreken over; praten over; ***— italien,*** Italiaans spreken; ***— l'italien,*** Italiaans kennen, — kunnen spreken; ***— politique,*** over politiek praten; ***— raison,*** verstandige taal spreken; **III** *v.pr.* ***se —,*** **1** elkaar spreken; **2** gesproken worden; **IV** *s. m.* **1** spraak; uitspraak *v.*(*m.*); **2** gouwspraak, streektaal *v.*(*m.*); ***avoir son franc —,*** vrijuit zijn mening zeggen, vrijuit (kunnen) spreken.
parleur [parlœ:r] *m.* **1** prater, babbelaar *m.*; **2** (*tel.*) overbrenger *m.*; **3** radio-omroeper *m.*; ***haut —,*** luidspreker *m.*; ***beau —,*** praatjesmaker *m.*
parloir [parlwa:r] *m.* spreekkamer *v.*(*m.*).
parlot(t)e [parlòt] *f.* gebabbel *o.*
Parme [parm] *f.* Parma *o.*
parmesan [parmezã] **I** *adj.* Parmezaans; **II** *s., m.* Parmezaanse kaas *m.*
parmi [parmi] *prép.* onder, te midden van.

Parnasse [parnas] *m.* **1** Parnassus, Muzenberg *m.*; **2** dichtkunst *v.*
parodie [paròdi] *f.* **1** parodie, boertige (*of* bespottelijke) nabootsing *v.*; **2** (*fig.*) bespotting *v.*
parodier [paròdyé] *v.t.* boertig nabootsen; bespottelijk maken.
parodiste [paròdist] *m.* parodieënschrijver *m.*
paroi [parwa] *f.* wand *m.*
paroisse [parwas] *f.* **1** parochie *v.*; **2** parochiekerk *v.*(*m.*); ***prêcher pour sa —,*** ter wille van zijn eigen voordeel spreken.
paroissial [parwasyal] *adj.* parochiaal, parochie—; ***église —e,*** parochiekerk *v.*(*m.*).
paroissien [parwasyẽ] *m.* **1** parochiaan *m.*; **2** misboek *o.*; ***un drôle de —,*** een rare snaak.
parole [paròl] *f.* **1** woord *o.*; **2** spraak *v.*(*m.*); **3** uitdrukking *v.*, gezegde *o.*; **4** belofte *v.*, gegeven woord *o.*; ***— d'honneur!*** op mijn erewoord! ***don de la —,*** welsprekendheid *v.*; ***couper la —,*** in de rede vallen; ***ce n'est pas — d'Évangile,*** dat is geen evangelie; ***fausser — à qn.,*** zijn woord niet houden; ***un homme de —,*** een man van zijn woord; ***manquer à sa —,*** zijn woord niet gestand doen; ***demeurer sans —,*** sprakeloos blijven; ***avoir la — facile,*** welbespraakt zijn; ***des —s perdues,*** onnutte woorden; ***donner à qn. de belles —s,*** iem. met een kluitje in 't riet sturen; ***la — est d'argent et le silence est d'or,*** spreken is zilver en zwijgen is goud.
paroli [paròli] *m.* (*bij spel*) verdubbeling *v.* van de inzet.
parolier [paròlyé] *m.* librettist, tekstschrijver *m.* (*bij muziek*).
paronyme [parònim] **I** *adj.* klank- en stamverwant; **II** *s. m.* klank- en stamverwant woord *o.*
paronymie [parònimi] *f.* klank- en stamverwantschap *v.*
parotide [paròti'd] *f.* oorklier *v.*(*m.*).
paroxysme [paròksizm] *m.* **1** toppunt *o.*; hoogste graad *m.*; **2** (*gen.*) crisis *v.*
paroxyton [paròksitõ] **I** *adj.* met klemtoon op voorlaatste lettergreep; **II** *s. m.* paroxytonon *o.*
parpaillot [parpa'yo] *m.* ketter *m.*
parpaing [parpẽ] *m.* (*bouwk.*) strekse steen *m.*
Parque [park] *f.* **1** schikgodin *v.*; **2** (*fig.*) dood *m. en v.*
parquer [parké] **I** *v.t.* **1** (*v. auto*) parkeren; **2** (*mil.*) in een opslagplaats verzamelen; **3** (*fig.*) in een enge ruimte opsluiten; **II** *v.i.* geparkeerd zijn; in een perk opgesloten zijn.
parquet [parkè] *m.* **1** parket *o.*; **2** parketvloer *m.*; **3** kippenren *v.*(*m.*).
parqueter* [parketé] *v.t.* van een parketvloer voorzien.
parqueterie [parkètri] *f.* parketwerk *o.*; (het) leggen *o.* van parketvloeren.
parqueteur [parketœ:r] *m.* legger *m.* van parketvloeren.
parrain [pa'rẽ, pa'rẽ] *m.* **1** peter *m.*; **2** (*v. schip, vliegtuig, enz.*) naamgever *m.*; **3** voorsteller *m.* (van een nieuw lid).
parrainage [parèna:j] *m.* peetschap *o.*
parricide [parisi'd] **I** *m.* vadermoord; moedermoord *m. en v.*; **II** *m.-f.* vadermoorder, moedermoorder *m.*; vadermoordenares, moedermoordenares *v.*
parsec [parsèk] *m.* (*astron.*) afstandseenheid; ong. 3,26 lichtjaar.
parsemer [parsemé] (*de*) *v.t.* bezaaien, bestrooien [(met).
part [pa:r] *f.* **1** deel, gedeelte *o.*; **2** aandeel *o.*; **3** onderaandeel *o.*; **4** zijde *v.*(*m.*), kant *m.*; ***avoir — à,*** delen in, deel hebben aan; medeschuld hebben aan; ***faire — de,*** mededelen; ***prendre — à,*** deelnemen aan; ***une — d'enfant,*** een kindsgedeelte; ***avoir — au gâteau,*** aandeel in de buit hebben, mededelen; ***faire la — belle à qn.,*** iem. ruim bedelen; ***faire une large — à,*** een ruime plaats inruimen aan; ***— d'intérêts,*** winstaandeel; ***— de fondateur,*** oprichtersaandeel; ***prendre en mauvaise —,*** kwalijk opnemen; ***quelque —,*** ergens; ***nulle —,*** nergens; ***de toutes —s,*** van alle kanten; overal; ***de — et d'autre,*** van weerskanten; ***de — ou d'autre,*** van de een of andere kant; ***pour ma —,*** wat mij betreft; ***pour une bonne —,*** grotendeels; ***savoir qc. de bonne —,*** iets uit goede bron weten; ***de la — de,*** namens; ***de — en —,*** door en door; ***bien des choses de ma —,*** veel complimenten van mij; ***à —,*** **1** afzonderlijk; **2** terzijde, apart; **3** uitgezonderd, niet medegerekend; ***mettre à —,*** ter zijde leggen; ***plaisanterie à —,*** zonder gekheid, alle gekheid op een stokje; ***à — cela,*** daarvan afgezien; ***— à deux!*** samen delen! ***avoir un but à —,*** een bijzonder doel hebben.
partage [parta:j] *m.* **1** verdeling *v.*; **2** aandeel *o.*; **3** deel; erfdeel *o.*; ***— de la masse,*** boedelverdeling *v.*; ***— des voix,*** staking van stemmen; ***faire le — de,*** verdelen; ***posséder en —,*** gezamenlijk bezitten; ***posséder sans —,*** onverdeeld bezitten; ***ligne du — des eaux,*** waterscheiding *v.*
partageable [partaja'bl] *adj.* verdeelbaar.
partageant [partajã] *m.* deelhebber *m.*
partager [partajé] **I** *v.t.* **1** verdelen; **2** delen in; **3** (*v. vreugde, enz.*) deelnemen in; ***les voix sont partagées,*** de stemmen staken; ***amour partagé,*** wederzijdse liefde, beantwoorde liefde; **II** *v.i.* **1** delen; **2** deel hebben in; een gedeelte krijgen van; **III** *v.pr.* ***se —,*** **1** verdeeld worden; **2** onder elkaar verdelen; **3** (*v. meningen*) uiteenlopen.
partance [partã:s] *f.* afvaart *v.*(*m.*), ogenblik *o.* van vertrek; ***en —,*** zeilree; op 't punt van vertrekken.
partant [partã] **I** *adv.* bijgevolg, derhalve; **II** *s. m.* vertrekkende *m.*
partenaire [partenè:r] *m.-f.* **1** (*sp.*) partner, medespeler *m.*; **2** (*toneel*) tegenspeler *m.*
parterre [partè:r] *m.* **1** bloemperk, grasperk *o.*; **2** (*in schouwburg*) parterre *o. en m.*
parthénogenèse [parténòjénè:z] *f.* voortbrenging *v.* zonder bevruchting.
parti [parti] **I** *adj.* **1** vertrokken; **2** onder zeil, ingedut; **3** aangeschoten, dronken; **4** (*wap.*) gedeeld; **II** *s., m.* **1** partij *v.*; **2** besluit *o.*; **3** voordeel, nut, profijt *o.*; **4** middel *o.*, uitweg *m.*; ***— pris,*** vooringenomenheid *v.*; ***de — pris,*** willens en wetens; ***esprit de —,*** partijgeest *m.*, sectarisme *o.*; ***prendre un —,*** een besluit nemen; ***prendre son — de qc.,*** zich bij iets neerleggen, in iets berusten; ***faire un mauvais — à quelqu'un,*** iem. mishandelen; ***tirer — de,*** partij trekken van; ***se ranger du — de,*** zich aansluiten bij; ***être seul de son —,*** alleen staan met zijn mening; ***prendre — contre,*** stelling nemen tegen; ***c'est le — le plus sûr,*** dat is 't zekerste middel.
partial(ement) [parsyal(mã)] *adj.* (*adv.*) **1** partijdig; **2** eenzijdig. [zijdigheid *v.*
partialité [parsyalité] *f.* **1** partijdigheid *v.*; **2** een-
participant [partisipã] **I** *adj.* **1** deelhebbend, deelachtig; **2** deelnemend; **II** *s. m.* **1** deelhebber *m.*; **2** deelnemer *m.*
participation [partisipa'syõ] *f.* **1** deelneming *v.*; **2** aandeel, medeweten *o.*; ***société en —,*** handelsonderneming op aandelen; ***sans sa —,*** zonder zijn medewerking.

participe [partisip] *m.* (*gram.*) deelwoord *o.*
participer [partisipé] (*à*) *v.i.* deel (*of* aandeel) hebben in; *— de,* iets hebben van, gelijken op, de aard hebben van.
participial [partisipyal] *adj.* van het deelwoord.
particulariser [partikülari'zé] *v.t.* 1 betrekken op een enkel geval; 2 omstandig (*of* uitvoerig) verhalen.
particularisme [partikülarizm] *m.* streven *o.* naar zelfstandigheid van afzonderlijke staatsdelen, particularisme *o.*
particulariste [partikülarist] **I** *adj.* particularistisch; **II** *s. m.-f.* particularist(e) *m.-v.*
particularité [partikülarité] *f.* bijzonderheid *v.*
particule [partikül] *f.* 1 deeltje *o.*; 2 (*spraakk.*) voorvoegsel; achtervoegsel *o.*; *avoir la —,* van adel zijn.
particulier [partikülyé] **I** *adj.* 1 eigenaardig, merkwaardig, ongemeen; 2 (*v. kenmerk*) bijzonder, eigen; 3 (*v. belang*) particulier, privaat; *leçon particulière,* privaatles *v.(m.)*; *à titre —,* privé; **II** *s. m.* 1 privaat persoon, particulier *m.*; 2 (het) bijzondere, (het) eigenaardige *o.*; *en —,* 1 in 't bijzonder; 2 onder vier ogen.
particulièrement [partikülyè'rmã] *adv.* 1 bijzonder; 2 voornamelijk, vooral; 3 afzonderlijk, onder vier ogen.
partie [parti] *f.* 1 deel, gedeelte *o.*; 2 (*v. koopwaren*) partij *v.*; 3 (*recht*) tegenpartij *v.*; 4 vak, beroep *o.*; 5 (*muz., spel*) partij *v.*; *— de plaisir,* partijtje, pretje *o.*; *— du discours,* rededeel *o.*; *en —,* gedeeltelijk; *en —s,* (*muz.*) meerstemmig; *tenue des livres en — double,* dubbel boekhouden; *être de la —,* meedoen, van de partij zijn; *c'est — remise,* het is uitgesteld; *la — lésée,* (*recht*) de aanklager, de beledigde partij; *— civile,* burgerlijke partij; *la — adverse,* de tegenpartij; *la — récitante,* (*muz.*) de solopartij; *la — d'honneur,* (*sp.*) de beslissende partij; *la — n'est pas égale,* het is een ongelijke strijd; *il sait sa —,* hij heeft er verstand van, hij is van 't vak; *morceau à quatre —s,* vierstemmig stuk; *avoir la — belle,* het gemakkelijk hebben; *jouer une — suprême,* alles op het spel zetten; *prendre qn. à —,* iem. eens onder handen nemen; *faire une — avec qn.,* met iem. uitgaan; *abandonner la —,* de partij opgeven; (*fig.*) het opgeven.
partiel(lement) [parsyèl(mã)] *adj.* (*adv.*) gedeeltelijk.
partir* [parti:r] *v.i.* 1 vertrekken; 2 weggaan; wegrijden; wegvaren; 3 (*v. vuurwapen*) afgaan; 4 (*v. contract, abonnement*) ingaan; 5 (*muz.*) beginnen te spelen, inzetten; 6 (*v. motor*) aanslaan; *— d'un éclat de rire,* in lachen uitbarsten; *à — de jeudi,* van donderdag af; *à — de là,* van toen af aan; *avoir maille à — avec qn.,* een appeltje met iem. te schillen hebben; *le voilà parti,* nu slaat hij door, nu komt hij los; nu stuift hij op; *— de rien,* zonder een cent beginnen; *cela part du cœur,* dat komt uit het hart.
partisan [partizã] *m.* 1 partijganger *m.*; 2 voorstander *m.*; 3 (*mil.*) vrijschutter *m.*; partizaan *m.*
partiteur [partitœ:r] *m.* stroomverdeler *m.*
partitif [partitif] *adj.* (*gram.*) partitief, delend.
partition [partisyõ] *f.* 1 (*muz.*) partituur *v.*; 2 (*wap.*) deling *v.*
partout [partu] *adv.* overal, alom; *de —,* van alle kanten; *un peu —,* hier en daar, zowat overal.
parturiente [partüryã:t] *f.* vrouw *v.* in barensnood.
parturition [partürisyõ] *f.* baring, bevalling *v.*
paru [parü] *adj.* verschenen.
parure [parü:r] *f.* 1 versiersel, sieraad *o.*; 2 tooi, opschik *m.*; 3 (*v. diamanten, knopen, enz.*) garnituur, stel *o.*; *de même —,* van hetzelfde slag.
parution [parüsyõ] *f.* (*v. boek*) verschijning *v.*
parvenir* [parveni:r] (*à*) *v.i.* 1 komen (tot), geraken (tot); 2 (*v. brief, enz.*) bereiken; 3 slagen; 4 vooruitkomen, het ver brengen; *il parviendra,* hij zal er wel komen.
parvenu [parvenü] *m.* parvenu, opkomeling *m.*
parvis [parvi] *m.* 1 voorplein, kerkplein *o.*; 2 (*v. tempel*) voorhof *o.*
pas [pa] **I** *m.* 1 stap, pas *m.*, schrede *v.(m.)*; 2 voetstap *m.*, voetspoor *o.*; 3 (*v. deur*) drempel *m.*; 4 bergpas *m.*; 5 zeeëngte *v.*, straat *v.(m.)*, nauw *o.*; 6 (*v. schroef*) draad *m.*; *— à —,* voetje voor voetje; *faux —,* misstap *m.*; *— accéléré, — redoublé,* (*mil.*) versnelde pas; *— gymnastique,* looppas; *— de charge,* (*mil.*) stormpas; *— de l'oie,* (*mil.*) paradepas; *— de route,* (*mil.*) marspas; *aller au —,* (*v. paard*) stapvoets gaan; (*v. ruiter*) stapvoets rijden; *allonger le —,* aanstappen; *à — de loup,* sluipend; *à — de géant,* met reuzenschreden; *à — comptés,* met afgemeten tred; *à deux —,* zeer dichtbij; *de ce —,* op staande voet; *se tirer d'un mauvais —,* zich uit de moeilijkheden redden; *avoir le — sur qn.,* de voorrang boven iem. hebben; *marcher sur les — de qn.,* iemands voetspoor drukken; *observer les — de qn.,* iem. in de gaten houden; *dès le premier —,* al dadelijk; *prendre le — sur qn.,* 1 iem. voorgaan; 2 iem. inhalen; *presser ses —,* zijn schreden verhaasten; *revenir sur ses —,* op zijn schreden terugkeren; *mettre qn. au —,* iem. op zijn nummer zetten; *faire les cent —,* heen en weer lopen; *franchir le —,* door de zure appel heenbijten; *il n'y a que le premier — qui coûte,* alle begin is moeilijk; *ne pas quitter d'un —,* geen ogenblik verlaten; *à deux — d'ici,* vlakbij; *faire un — de clerc,* een flater begaan; *donner le — à,* de voorrang verlenen aan; **II** *adv., ne ... pas,* niet; *— un,* geen enkel; *— non plus,* ook niet; *— mal de,* heel wat.
pascal [paskal] *adj.* paas—; *temps —,* paastijd *m.*; *agneau —,* paaslam *o.*
pas-d'âne [pada:n] *m.* (*Pl.*) hoefblad *o.*
pasquin [paskẽ] *m.* hekelschrift; schotschrift *o.*
pasquinade [paskina'd] *f.* paskwil, schimpdicht *o.*; boertige spotternij *v.*
passable(ment) [pa'sa'bl(emã)] *adj.* (*adv.*) tamelijk, redelijk.
passacaille [pa'saka'y] *f.* passacaglia *m.*
passade [pa'sa'd] *f.* bevlieging *v.*, voorbijgaande gril *v.(m.)*.
passage [pa'sa:j] *m.* 1 doortocht *m.*; 2 doorreis; doorvaart *v.(m.)*; 3 overvaart *v.(m.)*; 4 (*over bergen*) overtocht *m.*; 5 overdekte straat *v.(m.)*, passage *v.*; 6 (*tussen muren, enz.*) doorgang *m.*; 7 tolgeld; veergeld *o.*; 8 (*op boot*) vrachtgeld *o.*; passage *v.*; 9 (*in boek, enz.*) passus *m.*; 10 (*muz.*) loopje *o.*; *— à niveau,* overweg *m.*; *— souterrain,* (*in station*) tunnel *m.*; *— clouté,* oversteekplaats voor voetgangers; *— zébré,* zebrapad, beschermde oversteekplaats voor voetgangers; *de —,* tijdelijk, doortrekkend, doorreizend; *droit de —,* (*recht*) recht van overweg; *examen de —,* overgangsexamen; *il est de — ici,* hij is hier op doorreis; *oiseau de —,* trekvogel *m.*; *se frayer un —,* zich een doortocht banen; *attendre qn. au —,* iem. opwachten; *saisir au —,* in de vlucht snappen; *livrer — à,* doorlaten, doorgang verlenen aan.
passager [pa'sajé] **I** *adj.* 1 voorbijgaand, tijdelijk;

kortstondig; **2** doortrekkend, doorreizend, voorbijtrekkend; **II** *s. m.* (*sch.*) passagier *m.*
passagèrement [pa'sajè'rmã] *adv.* tijdelijk, voor korte tijd.
passant [pa'sã] **I** *adj.* **1** (*v. straat*) druk; **2** (*wap.*) gaand, stappend; **II** *s. m.* voorbijganger *m.*
passation [pa'sa'syõ] *f.*, (*v. akte*) (het) opmaken *o.*, (het) verlijden *o.*
passavant [pa'savã] *m.* **1** (*H.*) geleibiljet, vervoerbiljet *o.*; **2** (*sch.*) loopgang *m.*, gangboord *o. en m.*
passe [pa:s] *f.* **1** (*sch.*) vaargeul *v.(m.)*; **2** doorvaart *v.(m.)*; **3** (*spoorw., enz.*) vrijkaart *v.(m.)*, vrijbiljet *o.*; **4** (*spel*) inzet *m.*; **5** (*sp.*) (*boksen*) ronde *v.(m.)*; (*schermen*) uitval *m.*; (*voetb.*) schermutseling *v.*; **6** duikblok *o.*; **7** ontmoeting *v.* (van tegenstanders); **8** (*drukk.*) drukgang *m.*; ***mot de —,*** wachtwoord *o.*; ***être dans une mauvaise —,*** er naar aan toe zijn; in slechte doen zijn; ***être en — de,*** op weg zijn om.
passé [pa'sé] **I** *m.* **1** verleden *o.*; **2** (*gram.*) verleden tijd *m.*; ***par le —,*** vroeger; **II** *adj.* voorbij; verleden; ***— au soleil, — de couleur,*** verschoten; **III** *prép.* na; ***— huit heures,*** na achten.
passe-boule(s) [pa'sbul] *m.* werpspel *o.*
passe-carreau* [pa'skaro] *m.* persplank *v.(m.)* (*van kleermaker*).
passe-coupe [pa'skup] *m.* (*kaartsp.*) het ondersteken *o.* [*o.*
passe-debout [pa'sdebu] *m.*, (*H.*) doorvoerbiljet
passe-droit* [pa'sdrwa] *m.* bevoorrechting, onrechtvaardige gunst *v.*; ***faire un — à qn.,*** iem. achterstellen.
passée [pa'sé] *f.* **1** (*v. vogels*) (het) trekken *o.*; **2** (*tn.*: *bij 't weven*) inslag *m.*; **3** (*v. wild*) spoor *o.*
passefilage [pa'sfila:j] *m.* kousenstoppen *o.*
passe-fleur* [pa'sflœ:r] *f.* anemoon *v.(m.)*.
passe-lacet* [pa'slasè] *m.* rijgpen, rijgnaald *v.(m.)*.
passe-lait [pa'slè] *m.* melkzeef(je) *v.(m.)*, (*o.*).
passement [pa'smã] *m.* boordsel, treswerk, passement *o.* [versieren.
passementer [pa'smã'té] *v.t.* met passementwerk
passementerie [pa'smã'tri] *f.* **1** passementwerk *o.*; **2** passementhandel *m.* [*m.*
passementier [pa'smã'tyé] *m.* passementwerker
passe-méteil* [pa'smétè'y] *m.* mengkoren *o.*, masteluin *m. of o.* [*v.(m.)*.
passe-montagne* [pa'smõ'tañ] *m.* bivakmuts
passe-partout [pa'spartu] *m.* **1** loper *m.* (sleutel); **2** trekzaag *v.(m.)*; **3** passe-partout *m.*
passe-passe [pa'spa:s] *m.*, ***tour de —,*** goocheltoer *m.*
passe-plats [pa'spla] *m.* dienluik *o.*
passepoil [pa'spwal] *m.* boordsel, biesje *o.*
passepoiler [pa'spwalé] *v.t.* omboorden.
passeport [pa'spò:r] *m.* pas *m.*, paspoort *o.*
passer [pa'sé] **I** *v.i.* **1** gaan; **2** voorbijgaan; langs gaan (rijden, varen, reizen, enz.); **3** door een examen komen; **4** (*v. tijd*) voorbijgaan, verstrijken, verlopen; **5** (*v. munt*) gangbaar zijn; **6** (*v. kleur*) verschieten; **7** (*v. wet, enz.*) aangenomen worden; **8** (*v. bloem*) verwelken; **9** (*v. wijn, bier*) verschalen; **10** (*v. bestelling*) doen; **11** bevorderd worden tot; **12** sterven, overlijden; **13** (*v. honger, enz.*) vergaan, overgaan; **14** (*bij spel*) passen; **15** (*v. toneelstuk*) opgevoerd worden, voor het voetlicht komen; **16** (*v. proces*) in behandeling komen; **17** (*v. onderwerp*) behandeld worden, ter tafel komen; ***— chez qn.,*** bij iem. aanlopen; ***— de mode,*** uit de mode raken; ***— en habitude,*** tot een gewoonte worden; ***— en proverbe,*** spreekwoordelijk worden; ***— à l'ennemi,*** (*mil.*) overlopen naar de vijand; ***cela peut —,*** dat kan er door; ***— par tous les degrés,*** alle rangen doorlopen; ***il faut (en) — par là,*** daar zit niet anders op; wij moeten door de zure appel heen bijten; ***— par de rudes épreuves,*** harde beproevingen doorstaan; ***il passe un ange,*** er gaat een dominee voorbij; ***— dans l'autre monde,*** het tijdelijke met het eeuwige verwisselen, overlijden; ***cela ne passera pas,*** dat zal niet lukken; ***— sur qc.,*** iets door de vingers zien; ***on ne passe pas,*** verboden toegang, geen doorgang; ***— pour riche,*** voor rijk doorgaan; ***se faire — pour,*** zich uitgeven voor; ***— outre,*** er overhéén stappen; zich niets aantrekken van; ***— à l'état liquide,*** in vloeibare toestand overgaan; **II** *v.t.* **1** oversteken; overtrekken; overgaan; **2** (*iem. in boot*) overzetten; **3** aangeven, aanreiken; **4** (*v. tijd*) besteden, doorbrengen; **5** (*v. akte*) opmaken; **6** (*v. wissel*) overdragen; **7** (*v. doel*) voorbijstreven; **8** te boven gaan, overtreffen; **9** (*v. jas, enz.*) aandoen, aantrekken, aanschieten; **10** (*v. woord, enz.*) overslaan, uitlaten; **11** (*v. regel, enz.*) overspringen; **12** ziften; laten doorzijgen; **13** (*v. examen*) afleggen; ***— sous silence,*** stilzwijgend voorbijgaan; ***— en compte,*** boeken; ***— au journal,*** (*H.*) in het journaal boeken; ***cela me passe,*** daar kan ik niet bij; ***— au fil de l'épée,*** over de kling jagen; ***— par les armes,*** fusilleren; ***— l'arme à gauche,*** de kraaiemars blazen; ***cela passe la mesure, — la plaisanterie,*** dat gaat te ver; ***— condamnation,*** zijn ongelijk erkennen; ***le malade ne passera pas la nuit,*** de zieke zal de ochtend niet halen; ***— une mauvaise nuit,*** een slechte nacht hebben; ***— son chemin,*** verder gaan; zijns weegs gaan; ***passez-moi le mot,*** vergeef me dat ik het zeg; ***cela passe ses forces,*** dat gaat boven zijn krachten; ***— sa colère sur qn.,*** op iem. zijn woede koelen; **III** *v.pr.*, ***se —,*** **1** gebeuren, plaats grijpen, geschieden, voorvallen; **2** (*v. tijd*) voorbijgaan, verstrijken, verlopen; **3** (*v. kleur*) verschieten; **4** (*v. bloem*) verwelken; ***je ne peux me — de ce livre,*** ik kan dat boek niet missen; ***je me passerai bien de lui,*** ik kan hem best missen, ik kan mij zonder hem wel redden.
passerage [pa'sra:j] *m.* peperkruid *o.*
passereau [pa'sro] *m.* mus *v.(m.)*; ***les —x,*** de zangvogels *mv.*
passerelle [pa'srèl] *f.* **1** loopbrug, loopplank *v.(m.)*; **2** bruggetje *o.*, vlonder *m.*; **3** scheepsbrug *v.(m.)*; ***— de commandement,*** commandobrug *v.(m.)*.
passe-rose* [pa'sro:z] *f.* stokroos *v.(m.)*.
passe-temps [pa'stã] *m.* tijdverdrijf *o.*
passe-thé [pa'sté] *m.* theezeefje *o.*
passette [pa'sèt] *f.* **1** zeefje *o.*; **2** haaknaald *v.(m.)*.
passeur [pa'sœ:r] *m.* veerman *m.*
passe-volant* [pa'svòlã] *m.* indringer; ongenode gast; blinde passagier *m.*
passibilité [pa'sibilité] *f.* gevoeligheid *v.*, vatbaarheid *v.* voor gewaarwordingen.
passible [pa'si'bl] *adj.* **1** gevoelig, vatbaar voor gewaarwordingen; **2** strafbaar; ***— d'une amende,*** strafbaar met boete, beboetbaar.
passif [pa'sif] **I** *adj.* **1** lijdelijk; **2** (*taalk.*) lijdend; **3** (*v. kennis*) sluimerend, latent; ***dette passive,*** uitstaande schuld, uitschuld *v.(m.)*; **II** *s. m.* **1** (*H.*) passief *o.*, passiva *mv.*; **2** (*gram.*) lijdende vorm *m.*
passiflore [pa'siflò:r] *f.* (*Pl.*) passiebloem *v.(m.)*.
passim [pa'sim] *adv.* hier en daar.
passion [pa'syõ] *f.* **1** passie *v.*, hartstocht *m.*; **2** lijden *o.* (*van Jezus*); **3** lijdenspreek *v.(m.)*; ***le dimanche de la —,*** Passiezondag; ***— du jeu,*** speelzucht *v.(m.)*.

passionnant [pa'syònã] *adj.* opwindend; (*v. verhaal*) zeer spannend, boeiend.
passionné [pa'syòné] **I** *adj.* hartstochtelijk; **II** *s. m.* hartstochtelijk mens *m.*; hartstochtelijk liefhebber *m.*
passionnel [pa'syònèl] *adj.* uit liefde, liefdes—; ***crime* —,** misdaad uit liefde. [lijk.
passionnément [pa'syònémã] *adv.* hartstochte-
passionner [pa'syòné] **I** *v.t.* **1** hartstochtelijk maken, opwinden; **2** (*v. lezer*) boeien; **II** *v.pr.* ***se* —,** zich opwinden, hartstochtelijk worden; ***se* — *pour*,** een hartstocht opvatten voor.
passionnette [pa'syònèt] *f.* bevlieging, kortstondige liefde *v.*
Passionniste [pa'syònist] *m.* passionist *m.*
passivement [pa'si'vmã] *adv.* lijdelijk.
passiveté [pa'si'vté], **passivité** [pa'sivité] *f.* lijdelijkheid *v.*
passoire [pa'swa:r] *f.* **1** vergiettest *v.*(*m.*); **2** zeefje *o.*; **— *à sucre*,** suikerstrooier *m.*
pastel [pastèl] *m.* **1** (*Pl.*) wede *v.*(*m.*); **2** tekenkrijt *o.*; **3** pasteltekening, krijttekening *v.*
pastelliste [pastèlist] *m.* pasteltekenaar *m.*
pastenague [past(e)na'k] *m.* pijlstaartrog *m.*
pastèque [pastè:k] *f.* watermeloen *m. en v.*
pasteur [pastœ:r] **I** *m.* **1** herder *m.*; **2** (*prot.*) dominee, predikant *m.*; ***le bon P*—,** de Goede Herder; **II** *adj.* herders—; ***peuple* —,** herdersvolk *o.*
pasteurien [pastœ'ryẽ] *adj.* Pasteur betreffend.
pasteurisation [pastœ'riza'syõ] *f.* pasteurisering *v.*
pasteuriser [pastœ'ri'zé] *v.t.* pasteuriseren.
pastiche [pastiʃ] *m.* kopie *v.*; nabootsing *v.*
pasticher [pastiʃé] *v.t.* nabootsen.
pasticheur [pastiʃœ:r] *m.* nabootser *m.*
pastillage [pastiya:j] *m.* nabootsing *v.* in suikerwerk of gebakken klei.
pastille [pasti'y] *f.* **1** pastille *v.*(*m.*), schijfje *o.*; **2** reukballetje *o.*; **— *de menthe*,** pepermuntje *o.*; **— *de chocolat*,** flikje *o.* [likeur *v.*(*m.*).
pastis [pasti] *m.* **1** geknoei *o.*; **2** (*Zuid-Fr.*) anijs-
pastoral [pastòral] *adj.* **1** herderlijk; **2** landelijk; ***lettre* —*e*,** herderlijk schrijven; ***la croix* —*e*,** het bisschoppelijk kruis.
pastorale [pastòral] *f.* **1** herderslied *o.*, herderszang *m.*; **2** herdersspel *o.*
pastoralement [pastòralmã] *adv.* herderlijk.
pastorat [pastòra] *m.* predikambt, herderlijk ambt *o.*
pastorien, *voir* ***pasteurien.*** [jongen *m.*
pastoureau [pasturo] *m.* herdertje *o.*; herders-
pastourelle [pasturèl] *f.* **1** herderin *v.*; **2** herderslied(je) *o.*
pat [pat] *adj.*, (*in schaaksp.*) pat.
patache [pataʃ] *f.* **1** wachtschip *o.*; **2** oude postwagen *m.*; **3** (*fam.*) rammelkast *v.*(*m.*).
patachon [pataʃõ] *m.* snorder *m.*; ***mener une vie de* —,** boemelen.
patagon [patagõ] **I** *adj.* Patagonisch; **II** *s. m.*, ***P*—,** Patagoniër *m.*
Patagonie [patagòni] *f.* Patagonië *o.*
patapouf [patapuf] *m.* dikkerd, dikzak *m.*
pataquès [patakè:s] *m.* verkeerde verbinding *v.* (bij het spreken).
pataraſe [pataraf] *f.* gekrabbel, krabbelschrift *o.*
patard [pata:r] *m.* oud muntje, oortje; ***n'avoir pas un* —,** geen rooie cent hebben.
patate [patat] *f.* **1** bataat *m.*; **2** (*fam.*) patat *m. en v.*, aardappel *m.*
patati patata [patatipatata] enzovoort, enzovoort; honderd uit.
patatras! [patatra] *ij.* plof! pats!
pataud [pato] **I** *m.* dikzak *m.*; **II** *adj.* plomp.
patauger [pato'jé] *v.i.* **1** ploeteren; **2** zich vastpraten.
pataugeur [pato'jœ:r] *m.* ploeteraar *m.*
patchouli [patʃuli] *m.* bep. welriekende plant patchouli *v.*(*m.*).
pâte [pa:t] *f.* **1** deeg *o.*; **2** (*v. koek, enz.*) beslag *o.*; **3** (*v. papier*) pap *v.*(*m.*); **4** pastei *v.*(*m.*); **— *de guimauve*,** altheadrop, witte drop *v.*(*m.*) *en o.*; **— *de jujube*,** jujube *m. en v.*; **— *de fruits*,** vruchtenmoes *o.*; **— *d'amande*,** amandelpas *o.*; **—*s alimentaires*, — *d'Italie*,** vermicelli, macaroni *m.*, noedels *mv.*; **— *de bois*,** houtpulp *v.*(*m.*); **— *dentifrice*,** tandpasta *m. en o.*; **—*s pectorales*,** hoestbonbons *mv.*; ***une bonne — d'homme*,** een goeie kerel; ***mettre la main à la* —,** de handen uit de mouw steken; ***vivre comme un coq en* —,** een leventje als een prins hebben; ***tomber en* —,** in pastei vallen, uiteenvallen.
pâté [pa'té] *m.* **1** pastei *v.*(*m.*); **2** inktvlek *v.*(*m.*); **3** blok *o.* (huizen); **— *de foie gras*,** ganzeleverpastei. [(*fam.*) eten *o.*
pâtée [pa'té] *f.* **1** voeder *o.* (voor huisdieren); **2**
patelin [patlẽ] **I** *m.* **1** vleier, flikflooier *m.*; **2** (*fam.*) geboortedorp *o.*; negerij *v.*; **II** *adj.* vleiend.
patelinage [patlina:j] *m.* vleierij, flikflooierij *v.*
pateliner [patliné] *v.t. et v.i.* flikflooien.
patelineur [patlinœ:r] *m.* flikflooier, flemer *m.*
patelle [patèl] *f.* **1** offerschaal *v.*(*m.*); **2** napschelp *v.*(*m.*).
patelliforme [patèlifòrm] *adj.* schotelvormig.
patène [patè:n] *f.*, (*kath.*) pateen *v.*(*m.*).
patenôtre [patno:tr] *f.* **1** onzevader *o.*; **2** (*wap.*) paternoster *o.*; **3** (*aan net*) snoer *o.* kurken; **4** (*aan baggermachine*) jakobsladder *v.*(*m.*); ***dire la — du singe*,** binnensmonds brommen; ***marmotter des* —*s*,** gebeden mompelen; ***mangeur de* —*s*,** pilaarbijter *m.*
patent [patã] *adj.* duidelijk, zonneklaar; ***lettres* —*es*,** (*gesch.*) patentbrieven, privilegebrieven.
patentable [patã'ta'bl] *adj.* aan patentrecht onderworpen.
patente [patã:t] *f.* **1** patent; patentrecht *o.*; **2** octrooi *o.*; **3** (*sch.*) gezondheidspas *m.*
patenté [patã'té] *adj.* **1** van een patent voorzien, gepatenteerd; **2** (*fig.*) degelijk, geschikt.
patenter [patã'té] *v.t.* van een patent voorzien, patenteren.
pater [patè:r] *m.* (*pl.* : *des* —) onzevader *o.*
patère [patè:r] *f.* **1** (*v. kapstok*) haak *m.*; **2** gordijnknop *m.*; **3** (*oudh.*) offerschaal *v.*(*m.*).
paternalisme [patèrnalizm] *m.* beschermende mentaliteit van patroons tegenover arbeiders.
paterne [patèrn] *adj.* vaderlijk.
paternel [patèrnèl] *adj.* **1** vaderlijk; **2** van vaderszijde; **3** ouderlijk; ***la maison* —*le*,** het ouderlijk huis. [een vader.
paternellement [patèrnèlmã] *adv.* vaderlijk, als
paternité [patèrnité] *f.* vaderschap *o.*
pâteux [pa'tö] *adj.* **1** deegachtig; pappig; **2** (*v. vrucht*) melig; **3** (*v. brood*) klef; **4** (*v. weg*) modderig; **5** (*v. stijl*) lijmerig; onbeholpen; **6** (*v. stem*) lijmerig.
pathétique(ment) [patétik(mã)] *adj.* (*adv.*) hartroerend, aangrijpend, pathetisch.
pathogène [patòjè:n] *adj.* ziekteverwekkend.
pathogénie [patòjéni] *f.* ontstaansleer *v.*(*m.*) van ziekten.
pathogénique [patòjénik] *adj.* het ontstaan der ziekten betreffend.
pathognomique [patògnòmik] een ziekte aanduidend; ***signe* —,** ziekteverschijnsel *o.*

pathologie [patòlòji] *f.* ziektenkunde *v.*, ziektenleer *v.(m.)*.
pathologique [patòlòjik] *adj.* ziektenkundig, pathologisch.
pathologiste [patòlòjist] *m.* patholoog, ziektenkundige *m.*
pathos [patò's] *m.* gezwollenheid, hoogdravendheid *v.*, pathos *o.*
patibulaire [patibülè:r] *adj.* van de galg; ***mine* —,** galgetronie *v.*
patiemment [pasyamã] *adv.* geduldig.
patience [pasyã:s] *f.* **1** geduld *o.*; **2** lijdzaamheid *v.*; **3** knopenschaar *v.(m.)*; **4** patiencespel *o.*; ***jeu de* —,** geduldspelletje *o.*; legdoos *v.(m.)*; ***— passe science,*** geduld is beter dan knapheid; ***prendre* —,** geduld oefenen; ***prendre en* —,** geduldig verdragen; ***ouvrage de* —,** geduldwerk(je) *o.*; ***la — vient à bout de tout,*** geduld overwint alles.
patient [pasyã] **I** *adj.* geduldig; **II** *s. m.* **1** patiënt *m.* (bij operatie); **2** ter dood veroordeelde *m.*
patienter [pasyã'té] *v.i.* geduld oefenen.
patin [patẽ] *m.* **1** schaats *v.(m.)*; **2** (*bouwk.*) grondbalk *m.*; **3** (*v. rem*) slof *m.*; **4** (*v. fiets*) remblokje *o.*; **5** (*v. slede*) onderstel *o.*; **6** (*v. pers*) galg *v.(m.)*; **7** schoen *m.* met dikke houten zool; ***— à roulettes,*** rolschaats; ***— d'atterrissement,*** (*vl.*) slede *v.(m.)*.
patinable [patina'bl] *adj.* berijdbaar (op schaatsen).
patinage [patina:j] *m.* **1** (het) schaatsenrijden *o.*; **2** (*v. wielen*) (het) doorslaan *o.*
patine [patin] *f.* groenachtig waas *o.* op oud brons.
patiner [patiné] **I** *v.i.* **1** schaatsenrijden; **2** (*v. wiel*) doorslaan; **II** *v.t.* betasten, bevoelen; **III** *v.pr.*, ***se* —,** (*fam., sch.*) zich haasten.
patinette [patinèt] *f.* autoped *m.*
patineur [patinœ:r] *m.* schaatsenrijder *m.*
patinoire [patinwa:r] *f.* ijsbaan *v.(m.)*.
patio [patio] *m.* binnenplaats *v.(m.)* van Spaans huis.
pâtir [pɑ'ti:r] *v.i.* lijden; te lijden hebben (van).
pâtira(s) [pɑ'tira] *m.* (*fam.*) zondebok *m.*
pâtis [pɑ'ti] *m.* weidegrond *m.*, weiland *o.*
pâtisserie [pɑ'tisri] *f.* **1** banketbakkerij *v.*; banketbakkerswinkel *m.*; **2** gebak *o.*; ***— fraîche,*** gebakjes, taartjes *mv.*; ***grosse* —,** taarten, pasteien *mv.*; ***— sèche,*** koekjes *mv.*
pâtissier [pɑ'tisyé] *m.* banketbakker *m.*
patois [patwa] *m.* streektaal *v.(m.)*; tongval *m.*
patoiser [patwazé] *v.i.* plat spreken.
pâton [pɑ'tõ] *m.* deegklomp *m.*
patouiller [patuyé] *v.i.* ploeteren.
patouillet [patuyè] *m.* wasmachine *v.* voor ertsen.
patraque [patrak] **I** *f.* **1** versleten voorwerp *o.*; **2** (*v. horloge*) knol *m.*; **3** zwak persoon, sukkel *m.*; **II** *adj.* zwak, sukkelend.
pâtre [pɑ'tr] *m.* veehoeder; herder *m.*
patriarcal(ement) [patriarkal(mã)] *adj.* (*adv.*) aartsvaderlijk.
patriarcat [patriarka] *m.* patriarchaat *o.*
patriarche [patriarʃ] *m.* **1** (*Bijb.*) aartsvader *m.*; **2** (*in Griekse kerk*) patriarch *m.*
Patrice [patris] *m.* Patricius; Patrick *m.*
patriciat [patrisya] *m.* patriciaat *o.*, waardigheid *v.* van patriciër.
patricien [patrisyẽ] **I** *adj.* patricisch, aanzienlijk; ***maison* —*ne*,** patriciërshuis *o.*; **II** *s. m.* patriciër, aanzienlijke *m.*
patrie [patri] *f.* vaderland *o.*; ***père* —,** moederland *o.*
patrimoine [patrimwan] *m.* **1** ouderlijk erfdeel *o.*; erfgoed *o.*; **2** (*fig.*) eigendom, vermogen *o.*
patrimonial [patrimònyal] *adj.* erf—, van de ouders geërfd.
patriotard [patri(y)òta:r] *m.* (*ong.*) chauvinist, hoerapatriot *m.*
patriote [patri(y)òt] **I** *m.* **1** vaderlander *m.*; **2** (*gesch.*) patriot *m.*; **II** *adj.* vaderlandslievend.
patriotique(ment) [patri(y)òtik(mã)] *adj.* (*adv.*) vaderlandslievend.
patriotisme [patriòtizm] *m.* vaderlandsliefde *v.*
patristique [patristik] *f.* patristiek, patrologie *v.*, kennis *v.* van de kerkvaders.
patrologie [patròlòji] *f.*, *voir* ***patristique.***
patron [patrõ] *m.* **1** patroon, werkgever *m.*; **2** patroon, beschermheilige *m.*; **3** (*v. koffiehuis*) waard *m.*; **4** beschermheer *m.*; **5** model, voorbeeld, patroon *o.*; **6** schipper *m.*
patronage [patròna:j] *m.* **1** beschermheerschap *o.*; **2** (*kath.*) patronaat *o.*; ***comité de* —,** raad van toezicht.
patronal [patrònal] *adj.* **1** van de beschermheilige; **2** werkgevers—, patroons—; ***fête* —*e*,** naamfeest *o.*; ***syndicat* —,** werkgeverssyndikaat *o.*
patronat [patròna] *m.* **1** beschermheerschap *o.*; **2** positie *v.* van werkgever; **3** (de) werkgevers *mv.*
patron-minet [patrõ'minè] *m.*, (*arg.*) zonsopgang *m.*
patronne [patròn] *f.* **1** beschermheilige, patrones *v.*; **2** meesteres *v.*; **3** waardin *v.*
patronner [patròné] *v.t.* **1** beschermen; **2** volgens een patroon namaken.
patronnesse [patrònès] *f.* beschermvrouw *v.*
patronnet [patrònè] *m.* banketbakkersjongen *m.*
patronyme [patrònim] *m.* familienaam, geslachtsnaam *m.*
patronymique [patrònimik] *adj.*, ***nom* —,** geslachtsnaam, vadernaam *m.*
patrouille [patru'y] *f.* patrouille *v.(m.)*; ***aller en* —, *faire la* —,** patrouilleren.
patrouiller [patruyé] *v.i.* **1** (*mil.*) patrouilleren; **2** ploeteren.
patrouilleur [patruyœ:r] *m.* patrouilleboot *m. en v.*, patrouilleschip *o.*
patte [pat] *f.* **1** poot *m.*; **2** (*v. anker*) hand *v.(m.)*; **3** (*v. glas, enz.*) voet *m.*; **4** vleeshaak *m.*; **5** (*aan jaszak, enz.*) klep *v.(m.)*; **6** (*v. bretel*) leertje *o.*; ***— d'araignée,*** (*Pl.*) juffertje-in-'t-groen; ***— de griffon,*** (*Pl.*) nieskruid *o.*; ***—s de mouche,*** hanepoten *mv.*, krabbelschrift *o.*; ***—s de lapin,*** (*fam.*) tochtlatjes, korte bakkebaardjes; ***faire — de velours,*** zich erg lief voordoen, achter een schijn van vriendschap zijn vijandigheid verbergen; ***graisser la — à qn.,*** iem. omkopen; ***à bas les —s,*** handen thuis! ***à quatre —s,*** op handen en voeten; ***montrer — blanche,*** zich onschuldig voordoen; ***tenir qn. sous sa —,*** iem. in zijn macht hebben; ***ne remuer ni pied ni —,*** geen vin verroeren; ***retomber sur ses —s,*** op zijn pootjes terechtkomen.
patte*-d'oie [patdwa] *f.* **1** (*Pl.*) ganzevoet *m.*; **2** kruispunt *o.* (*van wegen*); **3** rimpels *mv.* (in de ooghoeken).
patter [paté] *v.t.* (*v. muziekpapier*) liniëren.
pattu [patü] *adj.* **1** met dikke poten; **2** ruigpotig, met bevederde poten.
pâturable [pɑ'türa'bl] *adj.* geschikt voor weiland.
pâturage [pɑ'türa:j] *m.* **1** weide *v.(m.)*, weiland *o.*; **2** (het) weiden *o.*
pâture [pɑ'tü:r] *f.* voeder, voedsel *o.*; ***jeter en — aux chiens,*** voor de honden werpen.
pâturer [pɑ'türé] *v.i.* grazen, weiden.
pâturin [patürẽ] *m.* beemdgras *o.*
paturon [patürõ] *m.*, (*v. paard*) koot *v.(m.)*.
pauciflore [po'siflò:r] *adj.* met weinig bloemen.
paucifolié [po'sifolyé] *adj.* met weinig bladeren.
Paul [pòl] *m.* Paulus, Paul, Pauw *m.*
Paule [po:l] *f.* Paula *v.*

Pauline [po'lin] *f.* Paulina *v.* [Paulus.
paulinien [polinyẽ] *adj.* paulinisch, van de apostel
paulownia [polo'nya] *m.* Japanse sierboom *m.*
paume [po:m] *f.* 1 (*v. hand*) palm *m.*; 2 kaatsspel *o.*; 3 kaatsbaan *v.(m.)*; ***jouer à la —,*** kaatsen.
paumelle [po'mèl] *f.* 1 (*v. deur, venster*) hengsel *o.*; 2 zomergerst *v.(m.)*.
paumer [po'mé] *v.t.* met de vlakke hand slaan.
paumure [po'mü:r] *f.* geweikroon *v.(m.)*.
paupérisme [po'périzm] *m.* pauperisme *o.*, grote armoede *v.(m.)* van de massa.
paupière [po'pyè:r] *f.* ooglid *o.*; ***fermer la —,*** de ogen sluiten; ***fermer les —s à qn.,*** iem. de ogen sluiten.
paupiette [po'pyèt], **poupiette** [pu'pyèt] *f.* (*v. vlees*) blinde vink *m. en v.*; (*Z.N.*: loze vink).
pause [po:z] *f.* 1 rust *v.(m.)*; 2 stilstand *m.*, tussenpoos *v.(m.)*; ***faire une —,*** stilhouden, even pauzeren.
pause*-café *f.* koffiepauze *v.(m.)*.
pauser [po'zé] *v.i.* (*muz.*) een maat rust hebben.
pauvre [po:vr] I *adj.* 1 arm, behoeftig; 2 armoedig; 3 erbarmelijk, slecht; 4 (*v. rijm*) onvoldoend; 5 (*v. bloed*) dun; 6 (*v. maal*) schamel, karig; ***avoir — mine,*** er armzalig uitzien; ***— hère, — sire,*** arme slokker; II *s. m.* arme *m.*; ***— honteux,*** stille arme; ***les —s d'esprit,*** de eenvoudigen van geest.
pauvrement [po'vremã] *adv.* 1 arm, armoedig; 2 armzalig; 3 erbarmelijk, slecht.
pauvresse [po'vrès] *f.* arme vrouw *v.*
pauvret [po'vrè] *m.*, **—te** [po'vrèt] *f.* arm schepsel *o.*, arme kleine *m.-v.*
pauvreté [po'vreté] *f.* 1 armoede *v.(m.)*, nooddruft *m. en v.*; behoeftigheid *v.*; 2 armzaligheid *v.*; ***— n'est pas vice,*** armoede is geen schande; ***la — de l'esprit,*** de eenvoud des geestes; ***—s,*** gemeenplaatsen *mv.*
pavage [pava:j] *m.* 1 (het) plaveien, (het) bestraten *o.*; 2 plaveisel *o.*, bestrating *v.*; 3 bevloering *v.*
pavane [pavan] *f.* oude deftige dans *m.*
pavaner, se — [s(e)pavané] *v.pr.* stappen als een pauw; een hoge borst opzetten, een trotse houding aannemen.
pavé [pavé] *m.* 1 straatsteen *m.*; 2 plaveisel *o.*, bestrating *v.*; 3 straat *v.(m.)*; ***battre le —,*** straatslijpen, rondslenteren; ***être sur le —,*** op straat staan, op de keien staan; ***brûler le —,*** rennen, vliegen, zeer snel rijden; ***le — est chaud,*** er zijn moeilijkheden; ***le — de l'ours,*** een goedgemeende, maar onhandige vriendendienst; ***tenir le haut du —,*** de voorrang hebben, een eerste rol spelen.
pavement [pavmã] *m.*, *voir* ***pavage.***
paver [pavé] *v.t.* 1 plaveien; 2 (*v. kamer*) bevloeren; 3 (*v. weg*) bestraten.
paveur [pavœ:r] *m.* straatmaker; plaveier *m.*
Pavie [pavi] *f.* Pavia *o.*
pavie [pavi] *m.* hartperzik *v.(m.)*.
pavillon [paviyõ] *m.* 1 vlag *v.(m.)*; 2 tent *v.(m.)*; 3 (*bouwk.*) paviljoen, tuinhuis *o.*; 4 (*v. fonograaf*) hoorn *m.*; 5 (*v. trompet, hoorn, enz.*) wijde opening *v.*; 6 vlaggeschip *o.*; ***amener le —,*** de vlag strijken; ***baisser —,*** voor iem. onderdoen; ***— de l'oreille,*** oorschelp *v.(m.)*; ***— chinois,*** (*muz.*) schellenboom *m.*; ***— d'isolement,*** barak *v.(m.)*; ***battre — français,*** onder Franse vlag varen; ***mettre — bas, rentrer son —,*** de vlag strijken; ***capitaine de —,*** vlagofficier; ***le — couvre la marchandise,*** de vlag dekt de lading.
pavois [pavwa] *m.* 1 (*gesch.*) groot schild *o.*; 2 (*sch.*) bevlagging, vlaggenversiering *v.*; ***mettre (élever, hisser) sur le —,*** 1 op het schild verheffen; 2 (*fig.*) de lof zingen van, tot roem en eer brengen. [vlaggen *o.*
pavoisement [pavwa'zmã] *m.* bevlagging *v.*, (het)
pavoiser [pavwa'zé] I *v.t.* met vlaggen versieren, bevlaggen; II *v.i.* vlaggen.
pavot [pavo] *m.* (*Pl.*) maankop *m.*, papaver *v.(m.)*; ***— rouge,*** klaproos *v.(m.)*.
payable [pèya'bl] *adj.* betaalbaar.
payant [pèyã] I *adj.* betalend; ***entrée —e,*** ingang *m.* voor betalenden; II *s. m.* betalende *m.*
paye, paie [pè'y] *f.* 1 loon *o.*; 2 (*mil.*) soldij *v.*; 3 (het) betalen *o.*; ***jour de —,*** betaaldag *m.*; ***faire la —,*** uitbetalen; ***bonne —,*** goede betaler.
payement, paiement [pè(y)mã] *m.* betaling *v.*; ***mise en —,*** betaalbaarstelling *v.*
payer [pèyé] I *v.t.* 1 betalen; 2 belonen; vergelden; 3 boeten voor; 4 (*v. dividend*) uitkeren; ***il me le payera,*** dat zal ik hem betaald zetten; ***il ne paye pas de mine,*** hij heeft zijn uiterlijk niet mee; ***ils sont payés pour le savoir,*** zij weten het bij ondervinding; zij hebben leergeld betaald; ***— qn. de retour,*** iem. met gelijke munt betalen; ***— qn. de belles paroles,*** iem. met een kluitje in 't riet sturen; ***— les pots cassés,*** het gelag betalen; ***— qc. de sa vie,*** iets met de dood bekopen; II *v.i.* 1 betalen; 2 lonend zijn; ***— d'audace,*** stout optreden, door zijn brutaal optreden imponeren; ***— de sa personne,*** voor iets in de bres springen; zelf handelend optreden; zijn leven op 't spel zetten; ***— à boire,*** trakteren; ***— d'exemple,*** een goed voorbeeld geven; III *v.pr.*, ***se —,*** 1 zich zelf betalen; 2 betaald worden; ***se — de qc.,*** zich met iets tevreden stellen; ***se — la tête de qn.,*** iem. voor de gek houden; ***se — de phrases,*** zich met mooie woorden laten paaien; ***il peut se — ce luxe,*** hij kan zich die weelde veroorloven.
payeur [pèyœ:r] *m.* betaler; betaalmeester *m.*
pays [pè(y)i] *m.* 1 land *o.*; 2 gewest *o.*; 3 streek *v.(m.)*; 4 vaderland *o.*; 5 geboorteplaats, geboortestreek *v.(m.)*; 6 (*pop.*) landgenoot *m.*; ***le plat —,*** het platte land; ***— plat,*** laagland *o.*; ***— de cocagne,*** luilekkerland; ***— d'Empire,*** Rijksland; ***— du Reich,*** gouw *v.(m.)*; ***un — perdu,*** een afgelegen oord, een verloren hoek; ***voir du —,*** veel rondreizen, wat van de wereld zien; ***écrire au —,*** naar huis schrijven; ***être en — de connaissance,*** onder bekenden zijn; ***il est bien de son —,*** hij is wel erg naïef; ***les gens du —,*** de mensen uit de buurt.
paysage [pè(y)iza:j] *m.* landschap *o.*; ***cela fait bien dans le —,*** dat staat heel goed.
paysagiste [pè(y)izajist] *m.* landschapschilder *m.*
paysan [pè(y)izã] (*f.* : ***paysanne*** [pè(y)izan]) I *m.* boer *m.*; ***la guerre des P—s,*** (*gesch.*) de Boerenkrijg; II *adj.* 1 landelijk; 2 boers; ***à la —ne,*** naar boerse trant.
paysannat [pè(y)izana] *m.* boerenstand *m.*
paysanne, *voir* ***paysan.***
paysannerie [pè(y)izanri] *f.* 1 boerenstand *m.*; 2 toneelstukje *o.* uit het boerenleven.
Pays-Bas [pèjba] *m.pl.* Nederland(en) *o.* (*mv.*).
payse [pèyi:z] *f.*, (*pop.*) landgenote; stadgenote *v.*
péage [péa:j] *m.* 1 tol *m.*; 2 tolhuis *o.*
péager [péa'jé] *m.* tolgaarder *m.* [krijgszang *m.*
péan, paean [péã] *m.* lofzang *m.* aan Apollo;
peau [po] *f.* 1 huid *v.(m.)*; vel *o.*; 2 (*v. vrucht*) schil *v.(m.)*; 3 vlies *o.*; 4 leder *o.*; ***gants de —,*** leren handschoenen, glacé handschoenen; ***relié — souple,*** in zacht leer gebonden; ***— de chamois,*** zeemlap *m.*; ***— d'âne,*** perkament *o.*; trom *v.(m.)*; (*fam.*) diploma *o.*; ***avoir peur pour sa —,*** bang voor zijn hachje zijn; ***faire — neuve,*** 1 vervellen;

2 geheel veranderen; ***j'aurai sa —***, hij gaat eraan!; ***elle l'a dans sa —***, zij is weg van hem; ***il mourra dans sa —***, hij zal zich nooit beteren; ***il ne tient pas dans sa —***, hij zou uit zijn vel willen springen; ***trouver la —***, niets vinden; ***risquer sa —***, zijn huid wagen, zijn leven wagen; ***je ne voudrais pas être dans sa —***, ik zou niet in zijn plaats willen zijn.

peaucier [po'syé] *m.* huidspier *v.(m.)*.

peausserie [po'sri] *f.* **1** huidenhandel *m.*; **2** lederbewerking *v.*; **3** leerhandel *m.*

peaussier [po'syé] *m.* **1** leerbereider, leertouwer *m.*; **2** leerhandelaar *m.*

Peaux-Rouges [po'ru:j] *m.pl.* roodhuiden *mv.*

pébrine [pébrin] *f.* zijderupsenziekte *v.*

pec [pèk] *adj.*, ***hareng —***, pekelharing *m.*

pécari [pékari] *m.* muskuszwijn *o.*

peccabilité [pèkabilité] *f.* zondigheid *v.*

peccable [pèka'bl] *adj.* zondig.

peccadille [pèkadi'y] *f.* pekelzonde *v.(m.)*, klein vergrijp *o.*

peccavi [pèkavi] *m.* zondenbelijdenis; schuldbekentenis *v.*

pechblende [pèʃblẽ'd] *f.* pikblende *v.*

pêche [pè:ʃ] *f.* **1** perzik *v.(m.)*; **2** visserij; visvangst *v.*; ***— maritime,*** zeevisserij; ***petite —,*** kustvisserij; ***— fluviale,*** riviervisserij; ***— à la ligne, — à l'hameçon,*** (het) hengelen *o.*; ***la — miraculeuse,*** de wonderbare visvangst; ***permis de —,*** visakte *v.(m.)*; ***aller à la —,*** gaan vissen.

péché [péʃé] *m.* zonde *v.(m.)*; ***— originel,*** erfzonde; ***— véniel,*** dagelijkse zonde; ***— mortel,*** doodzonde; ***— capital,*** hoofdzonde; ***— actuel,*** dadelijke zonde; ***à tout — miséricorde,*** alle zonden kunnen vergeven worden; ***— avoué est à demi pardonné,*** het kwaad dat men bekent is al half kwijtgescholden.

pécher [péʃé] *v.i.* zondigen; ***— par excès de zèle,*** te ijverig willen zijn; ***— par trop de précaution,*** al te voorzichtig zijn; ***— par la base,*** van een verkeerd beginsel uitgaan.

pêcher [pè'ʃé] **I** *m.* perzikboom *m.*; **II** *v.t. et v.i.* **1** vissen; **2** (*bij dominospel*) kopen; **3** opvissen, uit het water halen; ***— à la ligne,*** hengelen; ***— en eau trouble,*** in troebel water vissen; **III** *v.pr.*, ***se —,*** (*v. vis*) gevangen worden.

pécheresse, *voir* ***pécheur.***

pêcherie [pè'ʃri] *f.* **1** visserij *v.*; **2** visplaats *v.(m.)*.

pécheur [péʃœ:r] (*f.*: ***pécheresse*** [péʃrès]) **I** *m.* zondaar *m.*; **II** *adj.* zondig.

pêcheur [pè'ʃœ:r] **I** *m.* visser *m.*; ***— à la ligne,*** hengelaar *m.*; **II** *adj.*, ***bateau —,*** vissersschuit *v.(m.)*.

pêcheuse [pè'ʃö:z] *f.* vissersvrouw *v.*

pécore [pékò:r] *f.* stom schaap *o.*

pectine [pèktin] *f.* pectine *v.(m.)*.

pectiné [pèktiné] *adj.* kamvormig.

pectoral [pèktòral] **I** *adj.* van (*of* voor) de borst, borst—; ***médicament —,*** hoestmiddel *o.*; ***croix —e,*** bisschopskruis, borstkruis *o.*; **II** *s., m.* **1** borstmiddel *o.*; **2** borstspier *v.(m.)*; **3** (*v. wapenrusting*) borststuk *o.*

péculat [péküla] *m.* verduistering *v.*, diefstal *m.* van staatsgelden.

pécule [pékül] *m.* spaargeld *o.*, spaarpenningen *mv.*

pécuniaire [pékünyè:r] *adj.* geldelijk; ***peine —,*** geldboete *v.(m.)*; ***question —,*** geldkwestie *v.*

pécunieux [pékünyö] *adj.* er warmpjes in zittend.

pédagogie [pédagòji] *f.* opvoedkunde, pedagogie(k) *v.*

pédagogique(ment) [pédagòjik(mã)] *adj.* (*adv.*) opvoedkundig, pedagogisch.

pédagogue [pédagò:g] *m.* **1** opvoedkundige, pedagoog *m.*; **2** (*ong.*) schoolvos *m.*

pédalage [pédala:j] *m.* (het) fietsen, (het) peddelen *o.*

pédale [pédal] *f.* **1** pedaal *o. en m.*; voetklavier *o.*; **2** (*v. fiets, naaimachine*) trapper *m.*; **3** (*v. slijpsteen enz.*) trede, voetplank *v.(m.)*; ***frein à —s,*** voetrem *v.(m.)*; ***— à billes,*** kogelpedaal; ***— de débrayage,*** koppelingspedaal *o. en m.*; ***— d'accélération,*** gaspedaal *o. en m.*; ***mettre la — sourde,*** een toontje lager zingen.

pédalé [pédalé] *adj.* pedaalvormig.

pédaler [pédalé] *v.i.* trappen, fietsen, peddelen.

pédaleur [pédalœ:r] *m.* fietser *m.*

pédaleuse [pédalö:z] *f.* fietsrijdster *v.*

pédalier [pédalyé] *m.* **1** (*muz.*) voetklavier *o.*; pedaal *o. en m.*; **2** (*v. fiets*) trapas *v.(m.)*.

pédant [pédã] **I** *m.* schoolvos, betweter *m.*; **II** *adj.* schoolmeesterachtig.

pédanterie [pédã'tri] *f.* schoolvosserij, betweterij, waanwijsheid *v.*

pédantesque(ment) [pédã'tèsk(emã)] *adj.* (*adv.*) schoolmeesterachtig, waanwijs.

pédantisme [pédã'tizm] *m.*, *voir* ***pédanterie.***

pédard [péda:r] *m.* (*pop.*) fietser *m.*

pédestre [pédèstr] *adj.* te voet; ***voyage —,*** voetreis *v.(m.)*; ***statue —,*** standbeeld ten voeten uit.

pédestrement [pédèstremã] *adv.* te voet.

pédiatre [pédya:tr] *m.* kinderarts *m.*

pédiatrie [pédyatri] *f.* kindergeneeskunde *v.*

pédiatrique [pédyatrik] *adj.*, ***hôpital —,*** kinderziekenhuis *o.*

pédicelle [pédisèl] *m.* (*Pl.*) steeltje *o.*

pédicellé [pédisèlé] *adj.* (*Pl.*) met een steeltje.

pédiculaire [pédikülè:r] *adj.* luis—.

pédicule [pédikül] *m.* (*Pl.*) steel, stengel *m.*

pédiculé [pédikülé] *adj.* (*Pl.*) gesteeld, met een steel.

pédicure [pédikü:r] *m.-f.* likdoornsnijder *m.*, pedicure *m.-v.*

pédieux [pédyö] *adj.* van de voet, voet—.

pédiforme [pédifòrm] *adj.* voetvormig.

pedigree [pédigri] *m.* stamboek *o.*

pédiluve [pédilü:v] *m.* voetbad *o.*

pédimane [pédiman] *adj.* (*Dk.*) met handvormige poten.

pédologie [pédòlòji] *f.* **1** kinderstudie *v.*; **2** chemische bodemstudie *v.*

pédoncule [pédõ'kül] *m.* (*Pl.*) bloemsteel *m.*

pédonculé [pédõ'külé] *adj.* (*Pl.*) gesteeld.

pedzouille [pètzu'y] *m.* (*pop.*) boer *m.*

Pégase [péga:z] *m.* Pegasus *m.*

pègre [pè:gr] *f.* dievenwereld, boevenwereld *v.(m.)*.

peignage [pèña:j] *m.* **1** (*tn.*: *v. wol*) (het) kammen *o.*; **2** (*v. vlas*) (het) hekelen *o.*

peigne [pèñ] *m.* kam *m.*; ***— fin,*** stofkam *m.*; ***— à démêler,*** grove kam; ***se donner un coup de —,*** zijn haar wat opkammen.

peigné [pèñé] **I** *adj.* **1** gekamd; **2** verzorgd, netjes; ***mal —,*** slordig; **II** *s. m.* kamwol *v.(m.)*, kamgaren *o.*

peignée [pèñé] *f.* **1** (*v. wol*) kam *m.* vol; **2** (*fig.*) pak *o.* slaag, aframmeling *v.*

peigner [pèñé] *v.t.* **1** kammen; **2** (*v. wol*) (af)kammen; **3** (*v. vlas*) hekelen; **4** (*fig.*) keurig afwerken.

peignerie [pèñeri] *f.* wolkammerij *v.*

peigneur [pèñœ:r] *m.* **1** wolkammer *m.*; **2** hennephekelaar *m.*

peigneuse [pèñö:z] *f.* wolkammachine *v.*; hekelmachine *v.*

peignier [pèñé] *m.* kammenfabrikant, —verkoper *m.*

peignoir [pèñwa:r] *m.* **1** kapmantel *m.*; **2** badmantel *m.*; **3** ochtendjapon *m.*

peignures [pèñü:r] *f.pl.* uitkamsel *o.*
peinard [pè'na:r] *m.* zwoeger *m.*
peindre* [pẽ:dr] **I** *v.t.* **1** schilderen; **2** beschilderen; **3** verven, kleuren; **4** (*fig.*) afschilderen, kenschetsen; tekenen; ***à —,*** om te stelen; ***— en beau,*** te mooi voorstellen, alles in een gunstig daglicht plaatsen; **II** *v.pr.* ***se —,*** **1** zich aftekenen; **2** zich schminken.
peine [pè'n] *f.* **1** moeite *v.*; **2** zorg *v.(m.)*, verdriet *o.*; **3** pijn, smart *v.(m.)*; **4** straf *v.(m.)*; ***— capitale, — de mort,*** doodstraf *v.(m.)*; ***— corporelle,*** lijfstraf; ***— perdue,*** vergeefse moeite; ***—s éternelles,*** pijnen van de hel; ***faire de la — (à qn.),*** (iem.) leed doen; ***cela ne vaut pas la —,*** dat is de moeite niet waard; ***être dans la —,*** in verlegenheid zijn; ***mourir à la —,*** zich doodwerken; ***sous — de la mort,*** op straffe des doods; ***toute — mérite salaire,*** moeite moet beloond worden; ***cela fait (de la) — à voir,*** het is pijnlijk om aan te zien; ***homme de —,*** sjouwer, dienstman *m.*; ***en être pour sa —, perdre sa —,*** vergeefse moeite doen; ***pour sortir de —,*** om uit de moeilijkheid te geraken; ***en porter la —,*** ervoor moeten boeten; ***à —,*** nauwelijks, ternauwernood; ***savoir à — lire,*** haast niet kunnen lezen; ***à — était-il parti...,*** hij was nauwelijks vertrokken, of...; ***à grand-—,*** met veel moeite, bezwaarlijk; ***avec —,*** met moeite, moeizaam; ***sans —,*** zonder moeite; volgaarne; ***je le crois sans —,*** dat wil ik geloven; ***il ne plaint pas sa —,*** hij spaart geen moeite, geen moeite is hem te veel; ***c'est à —, s'il me salue,*** hij groet me amper; ***être en — de sa personne,*** met zijn figuur geen raad weten; ***donnez-vous la — de...,*** wilt u (alstublieft)...
peiné [pè'né] *adj.* verdrietig; verontrust.
peiner [pè'né] **I** *v.t.* leed doen, verdriet veroorzaken; **II** *v.i. et v.pr.* ***se —,*** zich afsloven, zwoegen; tobben.
peintre [pẽ:tr] *m.* schilder; kunstschilder *m.*; ***— en bâtiments,*** huisschilder; ***— décorateur,*** decoratieschilder; ***— animalier,*** dierenschilder; ***— sur verre,*** glazenier *m.*
peintresse [pẽ'três] *f.* schilderes *v.*
peinture [pẽ'tü:r] *f.* **1** schilderkunst *v.*; **2** schilderij *o. en v.*, schilderstuk *o.*; **3** verf *v.(m.)*; **4** (*fig.*) schildering, beschrijving *v.*, schets *v.(m.)*; ***— à l'huile,*** olieverfschilderij; ***en —,*** (*fig.*) schijnbaar, in schijn; ***— pneumatique,*** met verfspuit verven *o.*
peinturer [pẽ'tü'ré] **I** *v.t.* verven, met verf bestrijken; **II** *v.i.* kladden, kladschilderen.
peintureur [pẽ'türœ:r] *m.* kladschilder *m.*
peinturlurage [pẽ'türlüra:j] *m.* schilderwerk (*of* schilderen) *o.* in schreeuwende kleuren.
péjoratif [péjòratif] **I** *adj.* die een ongunstige betekenis geeft; **II** *s. m.* woord *o.* met een ongunstige betekenis.
péjoration [péjòra'syõ] *f.* verergering *v.*
Pékin [pékẽ] *m.* Peking *o.*
pékin [pékẽ] *m.* **1** Chinese zijde *v.(m.)*; **2** (*mil.: arg.*) burger *m.*
pékinois [pékinwa] *m.* pekinees *m.*; paleishondje *o.*; ***P—,*** inwoner *m.* van Peking.
pelade [p(e)la'd] *f.* haarziekte, kaalhoofdigheid *v.*
pelage [p(e)la:j] *m.* **1** (*v. dieren*) beharing *v.*; **2** (*tn.: v. huiden*) ontharing *v.*; **3** (*v. aardappels*) (het) schillen *o.*
pélagianisme [pélajyanizm] *m.* ketterij *v.* van Pelagius, pelagianisme *o.*
pélagique [pélajik] *adj.* van de zee, zee—.
pélagoscope [pélagòskòp] *m.* diepzee-kijker *m.*
pelard [pela:r] *adj.*, ***bois —,*** geschild hout *o.*
pélargonium [pélargònyòm] *m.* soort geranium, pelargonium *v.(m.)*.
pélasgien [pélasjyẽ] *adj.* Pelasgisch.
pelauder [pelodé] *v.t.* (*fam.*) een aframmeling geven.
pelé [pelé] *m.* kaalkop *m.*; ***quatre —s et un tondu,*** anderhalve man en een paardekop.
pèle-fruits [pè'lfrẅi] *m.* vruchtemes(je) *o.*
pêle-mêle [pèlmè'l] **I** *adv.* door elkaar, dooreen; **II** *s. m.* **1** verwarring *v.*, warboel *m.*; **2** familielijst *v.(m.)* (van foto's).
pèle-oranges [pè'lòrãsj] *m.* sinaasappelmesje *o.*
peler* [p(e)lé] **I** *v.t.* **1** schillen; **2** (*v. huiden*) ontharen; **II** *v.i. et v.pr.* ***se —,*** kaal worden, vervellen.
pèlerin [pèlrẽ] *m.* **1** bedevaartganger *m.*; pelgrim *m.*; **2** (*Dk.*) ijshaai *m.*; ***les —s d'Emmaüs,*** de Emmausgangers; ***un drôle de —,*** een rare klant *m.*
pèlerinage [pèlrina:j] *m.* **1** bedevaart *v.(m.)*; pelgrimstocht *m.*; **2** bedevaartplaats *v.(m.)*.
pèlerine [pèlrin] *f.* **1** bedevaartgangster *v.*; **2** schoudermantel *m.*, pelerine *v.(m.)*.
pèleriner [pèlriné] *v.i.* op bedevaart gaan.
pélican [pélikan] *m.* **1** pelikaan *m.*; **2** (*v. timmerman*) zethaak *m.*
pelisse [p(e)lis] *f.* bontjas *m. en v.*, pelsmantel *m.*
pellagre [pèla'gr] *f.* (*gen.*) pellagra *v.(m.)*, vlekachtige huidziekte *v.*
Pellaines [pèlè:n] Pellen *o.*
pelle [pèl] *f.* **1** schop *v.(m.)*; **2** (*voor stof*) blik *o.*; **3** riemspaan *v.(m.)*; ***— à four,*** ovenpaal *m.*; ***— à tarte,*** taarteschep *v.(m.)*; ***— mécanique,*** grijp(er)kraan *v.(m.)*; ***ramasser une —,*** over de kop gaan; ***la — se moque du fourgon,*** de pot verwijt de ketel dat hij zwart is.
pellée [pèlé], **pelletée** [pèlté] *f.* schop *v.(m.)* vol.
pelleter [pèlté] met de schop omwerken (*bv.* zandhoop).
pelleterie [pèltri] *f.* **1** bontwerk *o.*, pelterijen *mv.*; **2** pelterijenhandel, bonthandel *m.*; **3** bontwerkerij *v.*
pelletier [pèltyé] *m.* **1** bontwerker *m.*; **2** handelaar in pelterijen, pelshandelaar *m.*
pelliculaire [pèlikülè:r] *adj.* **1** vliesachtig, vliesvormig, zeer dun; **2** schilferachtig; ***cuivre —,*** bladkoper *o.*
pellicule [pèlikül] *f.* **1** vlies(je) *o.*; **2** schilfertje *o.*; **3** (*fot.*) film, rolfilm *m.*; ***— en bobine,*** rolfilm *m.*
pelliculeux [pèlikülö] *adj.* vliesachtig, vliezig; schilferig.
pellucide [pèlüsi'd] *adj.* doorzichtig.
Péloponnèse [pélòpònè:z] *m.* Peloponnesus *m.*
péloponnésien [pélòpònézyẽ] *adj.* Peloponnesisch.
pelotage [p(e)lòta:j] *m.* **1** (het) winden *o.* (tot een kluwen); **2** (het) kaatsen *o.*; **3** mishandeling *v.*
pelote [p(e)lòt] *f.* **1** kluwen *o.*; **2** bal *m.*; **3** speldenkussen *o.*; **4** (*v. boter*) kluit *m.*; **5** (*v. breukband*) pop *v.(m.)*; **6** (*v. paard*) bles *v.(m.)*; **7** (***— basque***), kaatsbalspel *o.*; ***faire sa —,*** een spaarpotje maken.
peloter [p(e)lòté] **I** *v.t.* **1** op een kluwen winden; **2** mishandelen; **3** vleien, flikflooien; **II** *v.i.* **1** met sneeuwballen gooien; **2** met de bal spelen.
peloteuse [p(e)lòtö:z] *f.* kluwenwindster *v.*
peloton [p(e)lòtõ] *m.* **1** kluwentje *o.*; **2** balletje *o.*; **3** (*mil.*) peloton *o.*; ***— d'exécution,*** executiepeloton, vuurpeloton; ***feu de —,*** salvo's.
pelotonner [p(e)lòtòné] **I** *v.t.* op een kluwen winden; **II** *v.pr.* ***se —,*** **1** een kluwen vormen; **2** zich oprollen; **3** (*mil.*) pelotons vormen, zich in pelotons opstellen.
pelouse [p(e)lu:z] *f.* **1** grasperk, grasveld *o.*; **2** (*v renbaan*) middenterrein *o.*
pelté [pèlté], **peltiforme** [pèltifòrm] *adj.* schild-[vormig.

pelu [p(e)lü] *adj.* harig, ruig.
peluche [p(e)lüʃ] *f.* pluis *v.(m.)*; wolfluweel *o.*, pluche *o. en m.*
peluché [p(e)lüʃé] *adj.* donzig, fluweelachtig.
pelucher [p(e)lüʃé] *v.i.* pluizen.
pelucheux [p(e)lüʃö] *adj.* pluizig, wollig.
pelure [p(e)lü:r] *f.* **1** (*v. vrucht*) schil *v.(m.)*; **2** (*v. worst*) velletje *o.*; **3** plootwol *v.(m.)*; ***papier —,*** mailpapier, luchtpostpapier *o.*
pelurer [p(e)lü'ré] *v.t.* schillen.
pelviforme [pèlvifòrm] *adj.* bekkenvormig.
pelvis [pèlvis] *m.* bekken *o.*
pemmican [pèmikã] *m.* gedroogd vlees *o.*
pénal [pénal] *adj.* lijfstraffelijk, strafrechtelijk; ***code —,*** wetboek *o.* van strafrecht.
pénalisation [pénaliza'syõ] *f.* (*sp.*) strafpunt *o.*; strafschop *m.* [geven aan.
pénaliser [pénali'zé] *v.t.* (*sp.*) een strafpunt
pénalité [pénalité] *f.* **1** strafwetgeving *v.*; **2** straf *v.(m.)*; **3** (*sp.*) strafschop *m.*
penalty [pènalti] *m.* (*sp.*) strafschop *m.*
pénates [pénat] *m.pl.* penaten, huisgoden *mv.*
penaud [p(e)no] *adj.* verlegen, beteuterd; ***demeurer tout —,*** met beschaamde kaken blijven staan.
penchant [pã'ʃã] **I** *adj.* hellend; schuin, scheef; **II** *m.* **1** helling, glooiing *v.*; **2** (*v. afgrond*) rand *m.*; **3** (*fig.*) neiging, voorliefde *v.*; ***être sur son —,*** **1** (*v. zon*) ter kimme neigen; **2** (*fig.*) aftakelen.
penché [pã'ʃé] *adj.* gebogen; scheef.
penchement [pãʃmã] *m.* overhelling *v.*, scheve stand *m.*
pencher [pã'ʃé] **I** *v.t.* **1** (*v. hoofd*) buigen; **2** (*v. glas, enz.*) schuin houden; **3** doen overhellen; **II** *v.i.* **1** overhellen; schuin staan, scheef staan; **2** neiging hebben (tot); ***faire — la balance,*** de doorslag geven; **III** *v.pr.*, ***se —,*** zich buigen, zich bukken.
pendable [pã'da'bl] *adj.* strafbaar met de galg; ***cas —,*** halsmisdaad *v.(m.)*; ***le cas n'est pas —,*** zo erg is het niet; ***tour —,*** schurkenstreek, boevenstreek *m. en v.*
pendaison [pã'dè'zõ] *f.* (het) ophangen *o.*
pendant [pã'dã] **I** *adj.* **1** hangend; **2** onbeslist; onopgelost; ***oreilles —es,*** hangoren; ***cause —e,*** aanhangige zaak *v.(m.)*; **II** *s. m.* **1** hanger *m.*; **2** tegenhanger *m.*; ***— d'oreille,*** oorhanger *m.*, oorbel *v.(m.)*; ***faire — à,*** een tegenhanger vormen van; **III** *prép.* gedurende, tijdens; **IV** *conj.*, ***— que,*** terwijl.
pendard [pã'da:r] *m.* galgeaas *o.*
pendeloque [pã'dlòk] *f.* **1** oorhanger *m.*; **2** kristallen (kroon)hanger *m.*; **3** (*fam.*) flard *v.(m.)*.
pendentif [pã'dã'tif] *m.* **1** (*v. gewelf*) hangboog *m.*; **2** (*v. halsketting*) hanger *m.*
penderie [pã'dri] *f.* **1** (het) ophangen *o.*; **2** droogplaats, droogschuur *v.(m.)*; **3** (*voor kleren*) hangkast *v.(m.)*.
pendeur [pã'dœ:r] *m.* hanger, ophanger *m.*
pendiller [pã'diyé] *v.i.* bengelen, wapperen.
pendillon [pã'diyõ] *m.* **1** hangertje *o.*; **2** (*in horloge*) onrust *v.(m.)*. [*v.(m.)*.
pendoir [pã'dwa:r] *m.* **1** vleeshaak *m.*; **2** waslijn
pendre [pã:dr] **I** *v.t.* ophangen, hangen; ***être bon à —,*** de galg verdienen; ***— la crémaillère,*** met een maaltijd een nieuwe woning inwijden; ***dire pis que — de qn.,*** iem. erg zwart maken; **II** *v.i.* **1** hangen; **2** afhangen, neerhangen; ***cela lui pend encore à l'oreille,*** dat staat hem nog te wachten; ***avoir la langue bien pendue,*** goed van de tongriem gesneden zijn; **III** *v.pr.* ***se —,*** zich ophangen; ***se — au cou de qn.,*** iem. om de hals vallen, iem. langdurig omarmen.

pendu [pã'dü] *m.* gehangene *m.*
pendulaire [pã'dülè:r] *adj.* slingerend; ***mouvement —,*** slingerbeweging *v.*
pendule [pã'dül] **I** *m.* (*v. uurwerk*) slinger *m.*; ***— radiesthésique,*** wichelroede *v.(m.)*; **II** *f.* klok, pendule *v.(m.)*, slingeruurwerk *o.*
pendulette [pã'dülèt] *f.* klokje *o.*
penduliforme [pã'düliförm] *adj.* met afhangende bloemen.
pêne [pè:n] *m.* (*v. slot*) schoot *m.*, tong *v.(m.)*.
pénéplaine [pénéplè'n] *f.* (*geogr.*) halfvlakte *v.* in bergachtige streek. [*v.*
pénétrabilité [pénétrabilité] *f.* doordringbaarheid
pénétrable [pénétra'bl] *adj.* doordringbaar; te doorgronden.
pénétrant [pénétrã] *adj.* **1** doordringend; **2** (*v. koude*) vinnig; **3** (*v. geest*) scherpzinnig, schrander; **4** (*v. blik*) scherp; **5** (*v. wond*) diep.
pénétration [pénétra'syõ] *f.* **1** (het) indringen, (het) binnendringen *o.*; **2** (het) doordringen *o.*; **3** scherpzinnigheid, schranderheid *v.*; ***puissance de —,*** doordringingsvermogen *o.*; ***— pacifique,*** vredelievende verovering *v.*
pénétré [pénétré] *adj.* **1** doordrongen; **2** (*v. toon*) overtuigd; **3** (*v. vreugde*) vol, vervuld; ***— de joie,*** *ook*: inblij; ***— de froid,*** door en door koud.
pénétrer [pénétré] **I** *v.t.* **1** doordringen; **2** indringen; binnendringen; **3** doorgronden; **4** (*v. hart*) treffen, ontroeren; **II** *v.i.* **1** doordringen (in, tot); **2** indringen; binnendringen; ***— plus avant,*** verder doordringen; **III** *v.pr.* ***se —,*** zich zelf onderzoeken; ***se — de,*** doordrongen worden van; zich goed inprenten, ter harte nemen.
pénible(ment) [peni'bl(emã)] *adj.* (*adv.*) **1** moeilijk, bezwaarlijk; **2** lastig; **3** pijnlijk, smartelijk.
péniche [péniʃ] *f.* **1** aak *m. en v.*, schuit *v.(m.)*; **2** woonschip *o.*, woonark *v.(m.)*; **3** (*mil.*) lichte oorlogssloep, bewapende sloep *v.(m.)*; ***— de débarquement,*** landingsboot *m. en v.*
pénicillé [pénisilé] *adj.* penseelvormig.
pénicilline [pénisilin] *f.* penicilline *v.(m.)*.
péninsulaire [pénẽ'sülè:r] **I** *adj.* van een schiereiland; **II** *m.* schiereilandbewoner *m.*
péninsule [pénẽ'sül] *f.* (groot) schiereiland *o.*; ***la P—,*** **1** Spanje en Portugal; **2** Italië.
pénitence [pénitã:s] *f.* **1** boete *v.(m.)*; **2** boetvaardigheid *v.*; berouw *o.*; **3** straf *v.(m.)*; **4** (*kath.*: *na de biecht*) penitentie *v.*; ***tribunal de la —,*** biechtstoel *m.*; ***mettre en —,*** (*v. kind*) straffen; ***faire —,*** boete doen.
pénitencerie [pénitã'sri] *f.* (*kath.*) penitentiarie *v.*
pénitencier [pénitã'syé] *m.* **1** (*kath.*) penitentiaris *m.*; **2** strafkolonie *v.*; **3** (militaire) strafgevangenis *v.*
pénitent [pénitã] **I** *adj.* boetvaardig; **II** *s. m.* **1** boeteling *m.*; **2** biechteling *m.*; ***procession des —s,*** boetprocessie *v.*
pénitentiaire [pénitã'syè:r] *adj.*, ***colonie —,*** strafkolonie *v.*; ***école —, établissement —,*** verbeterhuis *o.*
pénitentiaux [pénitã'syo] *adj.pl.*, ***psaumes —,*** boetpsalmen *mv.*
pennage [pèna:j] *m.* (vleugel)veren *mv.* van roofvogel. [veer *v.(m.)*.
penne [pèn] *f.* **1** pen, slagpen *v.(m.)*; **2** (*v. pijl*)
penné [pèné] *adj.* **1** vedervormig; **2** (*v. pijl*) geveerd; **3** (*v. blad*) gevind.
penniforme [pènifòrm] *adj.* vedervormig.
pennon [pènõ] *m.* vaantje *o.*, banier *v.(m.)*.
pennonceau [pènõ'so] *m.* vaantje *o.*
pénombre [pénõ:br] *f.* **1** halfschaduw *v.(m.)*; **2** halfdonker, schemerdonker *o.* [kend.
pensant [pã'sã] *adj.* denkend; ***bien —,*** welden-

pensée [pã'sé] *f.* 1 gedachte *v.*; 2 denkbeeld, begrip *o.*; 3 mening *v.*, denkwijze *v.(m.)*; 4 denkvermogen *o.*; 5 plan, oogmerk, voornemen *o.*; 6 (*Pl.*) driekleurig viooltje *o.*; ***parler contre sa —,*** anders spreken dan men denkt; ***il me vient à la —,*** het valt me in; ***faire qc. de la —,*** iets in de geest doen; ***ce n'est pas là ma —,*** zo meen ik het niet, dat was mijn bedoeling niet; ***saisir la — de qn.,*** de bedoeling van iem. vatten; ***sa — m'est toujours présente,*** ik denk steeds aan hem.
pensée-mère [pã'sémè:r] *f.* grondgedachte *v.*
penser [pã'sé] I *v.t. et v.i.* 1 denken; 2 nadenken; 3 menen, oordelen; 4 van plan zijn, voornemens zijn; 5 op het punt zijn om; ***il a pensé tomber,*** hij was bijna gevallen; ***comme bien vous pensez,*** zoals je kunt begrijpen; ***que pense-t-il faire?*** wat stelt hij zich voor te doen? ***j'y pense!*** dat is waar ook! ***à ce que je pense,*** naar mijn mening; ***— tout seul,*** er een eigen mening op na houden; ***mal —,*** kwaad denken; ***— mal,*** verkeerd oordelen; ***bien —,*** weldenkend zijn; ***pensez donc!*** stel u voor! denk eens aan! ***façon de —,*** denkwijze *v.(m.)*; ***sans y —,*** onbewust, zonder opzet; ***faire — qn. à qc.,*** iem. aan iets herinneren; ***— à soi,*** zich in acht nemen; ***il ne pense qu'à soi-même,*** hij is erg baatzuchtig; ***j'y penserai,*** ik zal er eens over nadenken; II *s. m.* 1 denkvermogen *o.*; 2 (*dicht.*) gedachte *v.* [denker *m.*
penseur [pã'sœ:r] *m.* denker *m.*; ***libre —,*** vrij-
pensif [pã'sif] *adj.* nadenkend, peinzend.
pension [pã'syõ] *f.* 1 jaargeld *o.*; 2 kostschool *v.(m.)*, pensionaat *o.*; 3 kosthuis *o.*; 4 kostgeld *o.*; ***— alimentaire,*** ondersteuning, (*B.*) onderstandsgeld; ***— complète,*** kost en inwoning; ***— de famille,*** pension *o.*; ***— de retraite,*** pensioen *o.*; ***— viagère,*** lijfrente *v.(m.)*; ***— d'invalidité,*** invaliditeitsrente *v.(m.)*; ***en —,*** in de kost.
pensionnaire [pã'syònè:r] *m.* 1 kostganger *m.*; 2 kostleerling *m.*; 3 gepensioneerde *m.*; 4 verpleegde *m.*; ***grand —,*** (*gesch.*) raadpensionaris *m.*
pensionnat [pã'syòna] *m.* pensionaat *o.*, kostschool *v.(m.)*. [aan.
pensionner [pã'syòné] *v.t.* een jaargeld toekennen
pensivement [pã'si'vmã] *adv.* nadenkend.
pensum [pẽ'sòm] *m.* strafwerk *o.*
pentacorde [pẽ'takòrd] *m.* vijfsnarige lier *v.(m.)*.
pentadactyle [pẽ'tadaktil] *adj.* vijfvingerig.
pentaèdre [pẽ'taè:dr] I *m.* vijfvlak *o.*; II *adj.* vijfvlakkig.
pentagonal [pẽ'tagònal] *adj.* vijfhoekig.
pentagone [pẽ'tagòn] I *m.* vijfhoek *m.*; II *adj.* vijfhoekig.
pentamètre [pẽ'tamè'tr] *m.* vijfvoetig vers *o.*
pentasyllabe [pẽ'tasilab] *adj.* vijflettergrepig.
Pentateuque [pẽ'tatö:k] *m.* Pentateuch *m.*
pentathlon [pẽ'tatlõ] *m.* vijfkamp *m.*
pente [pã:t] *f.* 1 helling, glooiing *v.*; 2 (*v. rivier*) verval *o.*; 3 (*v. gordijn, enz.*) val *v.(m.)*; 4 (*fig.*) neiging, geneigdheid *v.*; ***en —,*** hellend, schuin aflopend; ***en — douce,*** zachtglooiend; ***aller en —,*** hellen; ***remonter la —,*** er weer bovenop komen; ***avoir une pente dans le gosier,*** een droge lever hebben.
Pentecôte [pã'tko:t] *f.* Pinksteren *o.*
pentothal [pẽ'tòtal] *m.* narcoticum *o.* dat iemand aan het praten brengt.
penture [pã'tü:r] *f.* deurhengsel, deurscharnier *o.*
pénultième [pénültyèm] I *adj.* voorlaatste; II *s. f.* voorlaatste lettergreep *v.(m.)*.
pénurie [pénüri] *f.* 1 schaarste *v.*; 2 (*fig.*) behoefte *v.*, gebrek *o.*; ***vivre dans la —,*** gebrek lijden.
pépère [pépè:r] I *m.* 1 (*pop.*) vadertje *o.*; 2 (*mil.*) oudgediende *m.*; landweerman *m.*; II *adj.* goed, gemoedelijk.
pépettes [pépèt] *f.pl.* (*arg.*) duiten *mv.*
pépie [pépi] *f.* pip *v.(m.)*; ***avoir la —,*** een droge keel hebben.
pépiement [pépimã] *m.* getjilp *o.*
pépier [pépyé] *v.i.* tjilpen. [*v.(m.)*.
pépin [pépẽ] *m.* pit *v.(m.)*; ***fruit à —,*** pitvrucht
Pépin [pépẽ] *m.* Pepijn *m.*
pépinière [pépinyè:r] *f.* 1 boomkwekerij *v.*; 2 (*fig.*) kweekschool; oefenschool *v.(m.)*.
pépiniériste [pépinyérist] *m.* boomkweker *m.*
pépite [pépit] *f.* goudklomp, klomp *m.* gedegen goud. [mantel *m.*
péplum [péplòm] *m.* peplum *o.*, Griekse vrouwen-
pepsine [pèpsin] *f.* pepsine *v.(m.)*.
peptone [pèptòn] *f.* pepton *o.*
peptonification [pèptònifika'syõ] *f.* omzetting *v.* in pepton.
perçage [pèrsa:j] *m.* 1 (het) doorboren *o.*; 2 (*v. deur, raam*) (het) aanbrengen *o.*; 3 (*in stadswijk*) doorbraak *v.(m.)*.
percale [pèrkal] *m.* fijne katoenen stof *v.(m.)*, perkal *o.* [voering).
percaline [pèrkalin] *f.* gekleurd perkal *o.* (voor
perçant [pèrsã] *adj.* 1 puntig; 2 doordringend; 3 (*v. stem, enz.*) scherp, schel; 4 (*v. wind, koude*) snerpend.
perce [pèrs] *f.* 1 boor *v.(m.)*; 2 gat *o.*, opening *v.*; ***mettre en —,*** (*v. vat*) aansteken.
perce-à-main [pèrsamẽ] *f.* handboor *v.(m.)*.
perce-bois [pèrsbwa] *m.* houtworm *m.*, tikkertje *o.*
percée [pèrsé] *f.* 1 opening *v.*; 2 (*in bos*) doorkijk *m.*, doorzicht *o.*, open plaats *v.(m.)*; 3 (*in stadswijk*) doorbraak *v.(m.)*; 4 (*in ijs*) bijt *v.(m.)*; ***ouvrir une —,*** (*fig.*) een uitweg openen.
perce-feuille* [pèrsfœ'y] *f.* (*Pl.*) doorwas *m.*
percement [pèrsmã] *m.* 1 doorboring *v.*; 2 doorgraving *v.*, (het) doorgraven *o.*, doorsteking *v.*; 3 doorbraak *v.(m.)*; tunnel *m.*; 4 (*v. weg*) (het aanleggen *o.*; 5 (*v. put*) (het) boren *o.*
perce-neige [pèrsnè:j] *f.* (*Pl.*) sneeuwklokje *o.*
perce-oreille* [pèrsòrè'y] *m.* oorworm *m.*
percepteur [pèrsèptœ:r] *m.* ontvanger *m.* (van belastingen).
perceptibilité [pèrsèptibilité] *f.* 1 (*v. geluid, enz.*) waarneembaarheid *v.*; 2 (*v. bedrag, belasting*) inbaarheid, invorderbaarheid *v.*
perceptible [pèrsèpti'bl] *adj.* 1 waarneembaar; merkbaar, zichtbaar; 2 inbaar, invorderbaar.
perceptif [pèrsèptif] *adj.* waarnemings—; ***faculté perceptive,*** waarnemingsvermogen *o.*
perception [pèrsèpsyõ] *f.* 1 waarneming *v.*; 2 waarnemingsvermogen *o.*; 3 gewaarwording *v.*; 4 heffing, inning *v.*; 5 ontvangerskantoor, belastingkantoor *o.* [gen *o.*
perceptivité [pèrsèptivité] *f.* waarnemingsvermo-
percer [pèrsé] I *v.t.* 1 doorboren; 2 (*v. berg, enz.*) doorgraven; 3 (*v. muur, stadswijk*) doorbreken; 4 (*v. weg*) aanleggen; 5 (*v. vat*) aansteken; 6 (*v. venster*) aanbrengen; 7 doordringen; 8 (*fig.: v. geheim, enz.*) doorgronden; ***— la foule,*** zich een weg door de menigte banen; ***— l'âme (ou le cœur) à qn.,*** iemands hart verscheuren; ***— ses dents,*** tanden krijgen; ***cela perce le cœur,*** dat snijdt door de ziel; ***— l'avenir*** de toekomst voorzien, doordringen, in de toekomst; ***le soleil perce la nue,*** de zon breekt door de wolken; II *v.i.* 1 doorbreken; 2 (*v. tanden*) doorkomen; 3 (*v. dag*) aanbreken; 4 (*v. geheim*) uitlekken; 5 water doorlaten; 6 (*fig.*) doorschemeren, zich openbaren.

percerette [pèrserèt] *f.* zwikboortje *o.*
perceur [pèrsœ:r] *m.* **1** boorder *m.*; **2** breekstang *v.(m.)*; — ***de coffres-forts,*** inbreker (in brandkasten).
perceuse [pèrsö:z] *f.* boormachine *v.*
percevable [pèrs(e)va·bl] *adj., voir* ***perceptible.***
percevoir [pèrs(e)vwa:r] *v.t.* **1** waarnemen; bemerken; **2** (*v. belasting*) heffen, invorderen.
perche [pèrʃ] *f.* **1** (*Dk.*) baars *m.*; **2** staak *m.*; **3** polsstok *m.*; **4** (*voor vogel, kippen, enz.*) stang *v.(m.)*, stok *m.*; **5** (*v. el. tram*) trolleystaak *m.*; **6** (*fig.*) bonestaak *m.*; ***tendre la — à qn.,*** iem. de reddende hand toesteken.
perchée [pèrʃé] *f.* rij *v.(m.)* zittende vogels.
percher [pèrʃé] *v.i. en v.pr.* ***se —,*** **1** (*v. vogels*) (op een tak) zitten, roesten; **2** (*fig.*) hoog wonen; hoog zitten; ***où perche-t-il?*** (*pop.*) waar zit hij toch?
percheron [pèrʃerõ] *m.* bep. soort trekpaard *o.*
perchette [pèrʃèt] *f.* staakje *o.*
percheur [pèrʃœ:r] *adj.* (*v. vogel*) roestend, zittend; ***oiseau —,*** roestvogel *m.*
perchis [pèrʃi] *m.* 10 à 20 jaar oud kreupelbos *o.*
perchlorure [pèrklòrü:r] *m.* perchloride *o.*
perchoir [pèrʃwa:r] *m.* hoenderrek *o.*, roeststok *m.*
perclus [pèrklü] *adj.* lam, verlamd.
perclusion [pèrklü·zyõ] *f.* verlamming *v.*
perçoir [pèrswa:r] *m.* handboor *v.(m.).*
percolateur [pèrkòlatœ:r] *m.* filtreerkan *v.(m.).*; koffiemachine *v.*
percussion [pèrküsyõ] *f.* **1** schok, stoot *m.*; **2** (*gen.*) percutatie *v.*, onderzoek *o.* door kloppen; ***fusil à —,*** percussiegeweer *o.*; ***instrument de —,*** slaginstrument *o.*
percutant [pèrkütã] *adj.* **1** schok—; **2** (*v. granaat*) met springlading.
percuter [pèrküté] *v.t.* **1** kloppen, slaan; **2** (*gen.*) door kloppen onderzoeken.
percuteur [pèrkütœ:r] *m.* slagpin *v.(m.).*
perdable [pèrda·bl] *adj.* verliesbaar, te verliezen.
perdant [pèrdã] **I** *m.* verliezer *m.*; verliezende partij *v.*; **II** *adj.* verliezend; ***numéro —,*** niet *m.*
perd-fluide [pè·rflwi·d] *m.*, (*el.*) aardleiding *v.*
perdition [pèrdisyõ] *f.* **1** verderf *o.*; ondergang *m.*; **2** nood *m.*, gevaar *o.*; ***vaisseau en —,*** schip in nood; ***mener à —,*** ten verderve voeren.
perdre [pèrdr] **I** *v.t.* **1** verliezen, kwijtraken; **2** verloren doen gaan; **3** doen verdwalen; **4** in 't verderf storten; **5** bederven, onbruikbaar maken; — ***contenance,*** van zijn stuk raken; — ***le fil,*** de draad kwijt raken; — ***le nord,*** beginnen te malen; — ***la boussole,*** de kluts kwijt raken; — ***pied,*** geen grond meer voelen; (*fig.*) achteruitgaan; — ***son temps,*** vergeefse moeite doen; — ***la parole,*** stom worden; sprakeloos staan; — ***du terrain,*** terrein verliezen; (*fig.*) achteruitgaan; — ***la tête,*** zijn tegenwoordigheid van geest verliezen; in de war raken; — ***la carte,*** — ***la tramontane,*** de kluts kwijt raken; — ***sa peine,*** vergeefse moeite doen; ***jouer à tout —,*** alles op het spel zetten; ***perdu de dettes,*** diep in de schulden; ***les espèces perdues,*** de uitgestorven soorten; — ***de vue,*** uit het oog verliezen; ***faire — une habitude,*** een gewoonte afleren; ***se jeter à corps perdu dans,*** zich blindelings werpen op; ***à fond perdu,*** met opoffering van het kapitaal; ***placer à fonds perdu,*** als een lijfrente beleggen; ***emballage perdu,*** (*H.*) verpakking niet terug; ***malade perdu,*** ongeneeslijke zieke; ***reprise perdue,*** onzichtbare stop; ***sentinelle perdue,*** uiterste wachtpost *m.*; ***regard perdu,*** starende, onbestemde blik; ***courir à — haleine,*** zich buiten adem lopen; **II** *v.i.* **1** (*bij spel, enz.*) verliezen; **2** achteruitgaan; in waarde verminderen; **3** (*v. kraan, enz.*) lekken; **III** *v.pr.* ***se —,*** **1** verdwalen; **2** zich in 't verderf storten; **3** (*bilj.*) verlopen; **4** (*v. blik*) afdwalen; **5** (*v. rivier*) uitmonden in; ***se — dans la foule,*** in de menigte opgaan; ***se — corps et biens,*** met man en muis vergaan; ***je m'y perds,*** ik begrijp er niets van; daar staat mijn verstand bij stil; ***se — en conjectures,*** zich in gissingen verdiepen.
perdreau [pèrdro] *m.* jonge patrijs *m. en v.*
perdrix [pèrdri] *f.* patrijs *m. en v.*; — ***des neiges,*** — ***blanche,*** sneeuwhoen *o.*
perdu, *voir* ***perdre* I.**
père [pè:r] *m.* **1** vader *m.*; **2** (*v. geslacht*) stamvader *m.*; **3** pater *m.*; ***le — éternel,*** God; ***le saint —,*** de paus *m.*; ***P— de l'Église,*** Kerkvader *m.*; — ***de famille,*** huisvader; — ***nourricier,*** voedstervader; ***petit —,*** paatje; — ***adoptif,*** pleegvader; — ***spirituel,*** biechtvader; ***placement de — de famille,*** soliede geldbelegging; ***ses — et mère,*** zijn ouders; ***un — douillet,*** een verwend heertje; ***de — en fils,*** van vader op zoon; ***on ne peut contenter tout le monde et son —,*** effen is kwaad treffen.
pérégrination [pérégrina·syõ] *f.* zwerftocht *m.*, lange reis *v.(m.)*; ***les —s,*** het reizen en trekken.
pérégriner [pérégriné] *v.i.* zwerven, reizen en trekken.
péremption [pérã(p)syõ] *f.* verjaring *v.*
péremptoire(ment) [pérã(p)twa:r(mã)] *adj.* (*adv.*) **1** (*recht*) vernietigend, opheffend (door verjaring); **2** afdoend, beslissend.
pérenniser [pérèni·zé] *v.t.* vereeuwigen. [*v.*
pérennité [pérènité] *f.* lange duur *m.*, voortduring
péréquation [pérékwa·syõ] *f.* **1** (*v. belasting*) gelijkmatige verdeling *v.*; **2** (*v. salarissen*) nivellering, aanpassing *v.*
perfectibilité [pèrfèktibilité] *f.* vatbaarheid *v.* voor volmaking. [making.
perfectible [pèrfèkti·bl] *adj.* vatbaar voor vol-
perfection [pèrfèksyõ] *f.* **1** volmaaktheid *v.*; **2** volmaking; voltooiing *v.*; ***dans la —,*** voortreffelijk; ***dans la dernière —,*** allervoortreffelijkst.
perfectionnement [pèrfèksyònmã] *m.* **1** verbetering *v.*; **2** volmaking *v.*
perfectionner [pèrfèksyòné] **I** *v.t.* **1** verbeteren, volkomener maken; **2** volmaken; **II** *v.pr.*, ***se —,*** zich bekwamen. [loos, vals.
perfide(ment) [pèrfi·d(mã)] *adj.* (*adv.*) trouwe-
perfidie [pèrfidi] *f.* trouweloosheid, valsheid *v.*
perfolié [pèrfòlyé] *adj.* (*Pl.*) stengelomvattend.
perforage [pèrfòra:j] *m.* doorboring *v.*
perforateur [pèrfòratœ:r] **I** *adj.* doorborend; **II** *s. m.* **1** boor *v.(m.)*; **2** boortoestel *o.*
perforation [pèrfòra·syõ] *f.* doorboring *v.*
perforatrice [pèrfòratris] *f.* boortoestel *o.*, boormachine *v.*
perforer [pèrfòré] *v.t.* doorboren.
perforeuse [pèrfòrö:z] *f.* pons *m.*, ponsmachine *v.*
performance [pèrfòrmã:s] *f.* **1** afgelegde proef *v.(m.)*; **2** (*fig.*) bewijzen *mv.* van bekwaamheid, prestatie *v.* [booggang *m.*
pergola [pèrgòla] *f.* pergola *v.(m.)*, overgroeide
péri [péri] *f.* peri, Oosterse goede maar grillige fee *v.*
périanthe [péryã:t] *m.* (*Pl.*) bloembekleedsel *o.*
péricarde [périkard] *m.* hartzakje, hartvlies *o.*
péricardite [périkardit] *f.* hartvliesontsteking *v.*
péricarpe [périkarp] *m.* (*Pl.*) vruchtvlies, zaadvlies *o.*
péricliter [périklité] *v.i.* **1** gevaar lopen; **2** in verval geraken, achteruitgaan.

péricrâne [périkra:n] *m.* schedelvlies *o.*
périgée [périjé] *m.* perigeum *o.*, dichtst bij de aarde gelegen punt van een planeetbaan.
périgourdin [périgurdẽ] *adj.* **1** uit de streek van Le Périgord; **2** van Périgueux.
périhélie [péryéli] *m.* perihelium *o.*, dichtst bij de zon gelegen kant van een planeetbaan.
péril [péril] *m.* gevaar *o.*; ***en* —,** in nood; ***au — de sa vie,*** met levensgevaar; ***à ses risques et —s,*** op eigen risico; ***il y a — en la demeure,*** uitstel is gevaarlijk.
périlleux [périyö] *adj.*, **périlleusement** [périyö'zmã] *adv.* gevaarlijk, hachelijk; ***saut —,*** salto mortale, halsbrekende sprong *m.*
périmé [périmé] *adj.* uit de tijd.
périmée [périmé] *m.* laagste deel *o.* van menselijk bekken.
périmer [périmé] *v.i.* **1** vervallen; **2** (*recht*) verjaren.
périmètre [périmè'tr] *m.* omtrek *m.*
période [péryò'd] *f.* **1** tijdperk, tijdvak *o.*; **2** (*v. ziekte*) stadium *o.*; **3** (*wisk.*: *v. breuk*) repetent *m.*; **4** volzin *m.*; **5** (*v. hemellichaam*) omloopstijd *m.*; ***— d'instruction,*** herhalingsoefening *v.*; **II** *m.* toppunt hoogtepunt *o.*
périodicité [péryòdisité] *f.* geregelde terugkeer *m.*
périodique [péryòdik] **I** *adj.* **1** geregeld terugkerend, periodiek; **2** (*rek.*: *v. breuk*) repeterend; ***fièvre —,*** wisselkoorts *v.(m.)*; ***publication —,*** tijdschrift *o.*; **II** *s. m.* tijdschrift *o.*, periodiek *v. en o.*
périodiquement [péryòdikmã] *adv.* periodiek.
périoste [péryòst] *m.* beenvlies *o.*
périostite [péryòstit] *f.* beenvliesontsteking *v.*
péripatéticien [péripatétisyẽ] **I** *adj.* peripatetisch; **II** *s. m.* volgeling *m.* van Aristoteles.
péripatétisme [péripatétizm] *m.* aristotelische wijsbegeerte *v.*
péripétie [péripési] *f.* **1** plotselinge ommekeer *m.*; ontknoping *v.*; **2** wederwaardigheid, wisselvalligheid; onverwachte gebeurtenis *v.*
périphérie [périféri] *f.* omtrek *m.*
périphérique [périférik] *adj.* aan de buitenzijde (gelegen).
périphrase [périfra:z] *f.* omschrijving *v.*
périphraser [périfra'zé] **I** *v.t.* omschrijven, door een omschrijving weergeven; **II** *v.i.* omschrijvingen gebruiken.
périphrastique [périfrastik] *adj.* omschrijvend.
périple [péripl] *m.* (*sch.*) omvaring *v.*
péripneumonie [péripnœmòni] *f.* longontsteking *v.*
périptère [périptè:r] *m.* door zuilengang omgeven gebouw *o.*
périr [péri:r] *v.i.* **1** omkomen; **2** vergaan; ***— corps et biens,*** met man en muis vergaan; ***— de faim,*** verhongeren; ***— d'ennui,*** zich dood vervelen.
périscope [périskòp] *m.* periscoop *m.*
périscopique [périskòpik] *adj.* (*v. lens*) hol-bol.
périsperme [périspèrm] *m.* kiemhulsel, kiemwit *o.*
périssable [périsa'bl] *adj.* vergankelijk; aan bederf onderhevig.
périssoire [périswa:r] *f.* pagaaibootje *o.*; (*sp.*) kano *m.*; ***faire de la —,*** (*sp.*) kanoën.
péristaltique [péristaltik] *adj.* peristaltisch.
péristyle [péristil] *m.* zuilengalerij *v.*
péritoine [péritwan] *m.* buikvlies *o.*
péritonite [péritònit] *f.* buikvliesontsteking *v.*
perlaire [pèrlè:r] *adj.* parelachtig, parelkleurig.
perlasse [pèrla:s] *f.* fijne potas *v.(m.)*.
perle [pèrl] *f.* **1** parel *v.(m.)*; **2** kraal *v.(m.)*; **3** parelletter *v.(m.)*; **4** (*op vloeistof*) gasbelletje, luchtbelletje *o.*; ***— fine,*** echte parel; ***fausse —, — de verre,*** glasparel; ***net comme une —,*** klaar als een klontje; ***je ne suis pas venu pour enfiler des —s,*** ik zit hier niet om vliegen te vangen.
perlé [pèrlé] *adj.* **1** parelachtig; **2** parelvormig; **3** met parels bezet; **4** (*v. suiker, gerst*) gepareld; **5** fijn (*of* zorgvuldig) afgewerkt; **6** (*muz.*) zuiver, kristalhelder; ***grève —e,*** partiële werkstaking *v.*; lijdelijk verzet *o.*; langzaam-aan-actie *v.*
perler [pèrlé] **I** *v.t.* **1** parelvormig maken, — bewerken; **2** met parels bezetten; **3** zorgvuldig bewerken, fijn afwerken; **II** *v.i.* **1** (*v. dauw, zweet*) parelen; **2** (*v. suiker*) paarlen vormen; **3** (*v. lach*) helder klinken.
perlette [pèrlèt] *f.* pareltje *o.*
perlier [pèrlyé] *adj.* parel—; ***huître perlière,*** pareloester *v.(m.)*.
perlière [pèrlyè:r] *f.* (*Pl.*) parelkruid *o.*
perlimpinpin [pèrlẽpẽpẽ] *m.*, ***poudre de —,*** kwakzalversmiddel *o.*, wonderpoeder *o. en m.*
permanence [pèrmanã:s] *f.* **1** voortduring; duurzaamheid *v.*; **2** onafgebroken zitting *v.*; **3** politieposthuis *o.*; **4** (*op congres*) inlichtingenbureau *o.*; ***en —,*** voortdurend.
permanent [pèrmanã] **I** *adj.* **1** voortdurend, duurzaam; **2** (*v. haargolving, vestingwerk, enz.*) blijvend; **3** (*v. leger*) staand; **4** (*v. lid, personeel*) vast; **5** (*v. kalender*) altijddurend; ***billet —,*** doorlopend toegangsbewijs; ***cinéma —,*** bioscoop met doorlopend programma; **II** *s. m.*, (*wijsb.*) (het) blijvende *o.*
permanente [pèrmanã:t] *f.* blijvende haargolf *v.(m.)*.
perméabilité [pèrméabilité] *f.* doordringbaarheid *v.*
perméable [pèrméa'bl] *adj.* doordringbaar.
permettre* [pèrmètr] **I** *v.t.* **1** vergunnen, toestaan, veroorloven; **2** gedogen, dulden; **3** het mogelijk maken; ***permettez !*** excuseer me ! met uw verlof ! sta mij toe (dat ik u in de rede val) ! **II** *v.pr.* ***se — (de),*** zich veroorloven; de vrijheid nemen.
permis [pèrmi] *m.* **1** verlofbriefje *o.*; **2** vervoerbiljet *o.*; ***— de chasse,*** jachtakte *v.(m.)*; ***— de conduire,*** rijbewijs *o.*; ***— de circulation,*** spoorwegvrijkaart *v.(m.)*; ***— d'exportation,*** uitvoerconsent *o.*; ***— d'importation,*** vergunning *v.* tot invoer; ***— de séjour,*** verblijfsvergunning *v.*, verblijfkaart *v.(m.)*.
permission [pèrmisyõ] *f.* verlof *o.*, vergunning, toelating *v.*; ***— de minuit, — de dix heures,*** (*mil.*) avondverlof *o.*, avondpermissie *v.*; ***avec votre —,*** met uw welnemen, neem mij niet kwalijk.
permissionnaire [pèrmisyònè:r] *m.* **1** verlofganger *m.*; **2** (*spoorw.*) houder *m.* van een vrijbiljet.
permutabilité [pèrmütabilité] *f.* **1** verwisselbaarheid *v.*; **2** (*el.*) omschakelbaarheid *v.*
permutable [pèrmüta'bl] *adj.* **1** verwisselbaar; **2** (*el.*) omschakelbaar.
permutateur [pèrmütatœ:r] *m.* (*el.*) omschakelaar *m.*
permutation [pèrmüta'syõ] *f.* **1** verwisseling *v.*; **2** omzetting *v.*; **3** (*v. ambtenaren*) verwisseling, omruiling *v.*
permuter [pèrmüté] **I** *v.t.* **1** verwisselen; **2** omzetten, omwisselen; **II** *v.i.* van standplaats verwisselen, ruilen.
permuteur [pèrmütœ:r] *m.* iem. die zijn standplaats ruilt met een ander.
Pernambouc [pèrnã'buk] *m.* Pernambuco *o.*
pernicieux [pèrnisyö] *adj.*, **pernicieusement** [pèrnisyö'zmã] *adv.* verderfelijk, schadelijk.
perniciosité [pèrnisyo'zité] *f.* verderfelijkheid, schadelijkheid *v.*
péroné [pérònè] *m.* kuitbeen *o.*
péronier [pérònyé] *adj.* het kuitbeen betreffend.

péronnelle [pérònèl] *f.* kletskous *v.(m.)*, babbelaarster, kwebbel *v.*

péroraison [péròrè'zõ] *f.* slotrede *v.(m.)*.

pérorer [péròré] *v.i.* (hoogdravend) redeneren, oreren. [koper *m.*

péroreur [péròrœ:r] *m.* veelprater, praatjesver-

Pérou [péru] *m.* Peru *o.*; ***ce n'est pas le —***, daaraan is niet veel te verdienen, dat zijn nog geen schatten; ***c'est un —***, dat is een goudmijn.

Pérouse [péru:z] *f.* Perugia *o.*

pérousin [péru'zẽ] *adj.* *voir* ***pérugin.***

peroxyde [pèròksi'd] *m.* peroxyde *o.*

perpendiculaire [pèrpã'dikülè:r] **I** *adj.* loodrecht, rechtstandig; **II** *f.* loodlijn *v.(m.)*.

perpendiculairement [pèrpã'dikülè'rmã] *adv.* loodrecht, steil.

perpendicularité [pèrpã'dikülarité] *f.* rechtstandigheid *v.*

perpète [pèrpèt], ***à —***, *adv.* (*arg.*) voor altijd.

perpétration [pèrpétra'syõ] *f.* (het) bedrijven, (het) begaan *o.* [begaan.

perpétrer [pèrpétré] *v.t.* volvoeren, bedrijven,

perpétuation [pèrpétwa'syõ] *f.* **1** bestendiging, vereeuwiging *v.*; **2** (*v. geslacht*) voortplanting *v.*

perpétuel(lement) [pèrpétwèl(mã)] *adj.* (*adv.*) **1** voortdurend, onafgebroken; **2** altijddurend; eeuwig; **3** (*v. straf*) levenslang; **4** (*v. staatsschuld*) onaflosbaar; ***adoration —le,*** (*kath.*) gedurige (*of* altijddurende) aanbidding *v.*

perpétuer [pèrpétwé] **I** *v.t.* **1** vereeuwigen; **2** (*v. misbruik, enz.*) doen voortduren, bestendigen; **3** (*v. proces, enz.*) eindeloos rekken; **4** (*v. geslacht*) voortplanten; **II** *v.pr.* ***se —***, **1** voortduren, blijven bestaan; **2** blijven voortleven.

perpétuité [pèrpétwité] *f.* **1** voortduring, bestendigheid *v.*; **2** eeuwige duur *m.*; ***à —***, voor altijd, voor eeuwig; ***travaux forcés à —***, levenslange dwangarbeid. [slagen.

perplexe [pèrplèks] *adj.* verlegen, onthutst, ver-

perplexité [pèrplèksité] *f.* verslagenheid *v.*

perquisition [pèrkizisyõ] *f.* onderzoek *o.*, navorsing *v.*; ***— à domicile, — domiciliaire,*** huiszoeking *v.* [doen.

perquisitionner [pèrkizisyòné] *v.i.* huiszoeking

Perrette [pèrèt] *f.* Pietje *v.*

perron [pèrõ] *m.* stoep *m. en v.*, bordes *o.*

perroquet [pèròkè] *m.* **1** (*Dk.*) papegaai *m.*; **2** (*sch.*) bramsteng *v.(m.)*; **3** bramzeil *o.*; **4** staande kapstok, stander *m.*; ***voix de —***, kraakstem *v.(m.)*.

perruche [pèrüʃ] *f.* **1** (*Dk.*) parkiet *m.*; **2** (*sch.*) bovenkruiszeil, kruisbramzeil *o.*

perruque [pèrük] **I** *f.* pruik *v.(m.)*; ***vieille —***, oude pruik *v.(m.)*, ouderwets mens *m.*; **II** *adj.* ouderwets.

perruquier [pèrükyé] *m.* pruikenmaker *m.*

pers [pèrs] *adj.* blauwgroen. [Perziër *m.*

persan [pèrsã] **I** *adj.* Perzisch; **II** *s. m.*, ***P—***,

Perse [pèrs] **I** *f.* Perzië *o.*; **II** *s. m.-f.* (*oudh.*) Pers *m.*; Perzische vrouw *v.*; **III** *adj.*, ***p—***, Perzisch.

persécuter [pèrséküté] *v.t.* **1** vervolgen; **2** (*fig.*) kwellen, plagen.

persécuteur [pèrsékütœ:r] (*f.* : ***persécutrice*** [pèrsékütris]) **I** *m.* **1** vervolger *m.*; **2** kwelgeest *m.*; **II** *adj.* vervolgend.

persécution [pèrséküsyõ] *f.* **1** vervolging *v.*; **2** kwelling *v.*; ***délire de la —***, vervolgingswaanzin *m.*

persécutrice, *voir* ***persécuteur.***

Persée [pèrsé] *m.* Perseus *m.* [harding.

persévéramment [pèrsévéramã] *adv.* met vol-

persévérance [pèrsévérã:s] *f.* volharding *v.*

persévérant [pèrsévérã] *adj.* volhardend, standvastig.

persévérer [pèrsévéré] *v.i.* volharden; volhouden.

persicaire [pèrsikè:r] *f.* vlooienkruid *o.*

persicot [pèrsiko] *m.* persico, perzikbrandewijn *m.*

persienne [pèrsyèn] *f.* zonneblind *o.*

persiflage [pèrsifla:ʒ] *m.* bespotting, spotternij *v.*

persifler [pèrsiflé] *v.t.* bespotten, belachelijk maken.

persifleur [pèrsiflœ:r] *m.* bespotter *m.*

persil [pèrsi] *m.* **1** (*Pl.*) peterselie *v.(m.)*; **2** (*pop.*) haar *o.*

persillade [pèrsiya'd] *f.* plak *v.(m.)* koud rundvlees met peterselie.

persillé [pèrsiyé] *adj.*, ***fromage —***, kruidkaas *m.*

persiller, se — [s(e)persiyé] *v.pr.* groen beschimmelen.

persique [pèrsik] *adj.*, ***golfe —***, Perzische golf.

persistance [pèrsistã:s] *f.* **1** bestendigheid, duurzaamheid *v.*, (het) voortduren *o.*; **2** hardnekkigheid *v.*; ***avec —***, hardnekkig.

persistant [pèrsistã] *adj.* **1** volhardend; **2** (*v. beterschap, enz.*) bestendig; **3** (*v. koorts*) aanhoudend; **4** (*Pl.*) overblijvend; **5** (*v. orgaan*) blijvend; **6** (*v. vrager, enz.*) hardnekkig.

persister [pèrsisté] *v.i.* **1** volharden; **2** (*v. beterschap, koude, enz.*) aanhouden; **3** bij zijn mening blijven.

personnage [pèrsòna:ʒ] *m.* **1** persoon *m.*; personage *o. en v.*; **2** (*op schilderij*) figuur *v.(m.) en o.*; **3** (*toneel*) rol *v.(m.)*; ***jouer un sot —***, zich dwaas voordoen.

personnaliser [pèrsònali'zé] **I** *v.t.* verpersoonlijken, personifiëren; **II** *v.i.* persoonlijk worden.

personnalité [pèrsònalité] *f.* **1** persoonlijkheid *v.*; **2** personaliteit *v.*; **3** zelfzucht *v.(m.)*; **4** persoonlijke belediging *v.*; ***— civile,*** rechtspersoonlijkheid *v.*

personne [pèrsòn] **I** *f.* persoon *m.*; persoonlijkheid *v.*; ***grande —***, groot mens, volwassene *m.*; ***jeune —***, jong meisje *o.*; ***— civile,*** rechtspersoon *m.*; ***être content de sa petite —***, met zich zelf zeer ingenomen zijn; ***bien fait de sa —***, knap; ***accident de —***, persoonlijk ongeval; **II** *pron.ind.* iemand; niemand; ***il n'y a —***, er is niemand; ***avez-vous vu qn. ? —!*** hebt u iemand gezien? niemand! ***il est parti sans saluer —***, hij is vertrokken zonder iemand te groeten.

personnel [pèrsònèl] **I** *adj.* **1** persoonlijk; **2** zelfzuchtig; **3** egocentrisch; ***contribution —le,*** personele belasting *v.*; **II** *s. m.* personeel *o.*, bedienden *mv.*

personnellement [pèrsònèl(mã)] *adv.* persoonlijk; in eigen persoon.

personnification [pèrsònifika'syõ] *f.* verpersoonlijking *v.*

personnifier [pèrsònifyé] *v.t.* verpersoonlijken, personifiëren.

perspectif [pèrspèktif] *adj.* perspectivisch.

perspective [pèrspèkti:v] *f.* **1** perspectief *v.(m.)*, doorzichtkunde *v.*; **2** vergezicht; verschiet *o.*; **3** perspectief *o.*, vooruitzicht *o.*; **4** uitzicht *o.*; ***— linéaire,*** lijnperspectief; ***en —***, **1** in perspectief; **2** in 't vooruitzicht.

perspicace [pèrspikas] *adj.* scherpzinnig.

perspicacité [pèrspikasité] *f.* scherpzinnigheid *v.*, doorzicht *o.* [heid *v.*

perspicuité [pèrspikwité] *f.* duidelijkheid, helder-

perspirable [pèrspira'bl] *adj.* verdampbaar.

perspiration [pèrspira'syõ] *f.* (*gen.*) uitwaseming *v.*

perspirer [pèrspiré] *v.i.* doorzweten.

persuader [pèrswadé] **I** *v.t.* **1** overtuigen, overreden; **2** wijsmaken, doen geloven; **3** overhalen, bepraten; **II** *v.pr.* ***se* —, 1** zich verbeelden, geloven; **2** overtuigd zijn.

persuasible [pèrswa'zi'bl] *adj.* vatbaar voor [overreding.

persuasif [pèrswazif] *adj.* overredend, overtuigend.

persuasion [pèrswa'zyõ] *f.* overreding, overtuiging *v.*

perte [pèrt] *f.* **1** verlies *o.*; **2** nadeel *o.*; **3** ondergang *m.*, verderf *o.*; **4** (*v. ballon, enz.*) lek *o.*; **5** (*v. rivier*) verdwijning *v.*, onderaardse loop *m.*; ***— blanche,*** (*gen.*) witte vloed *m.*; ***courir à sa —,*** zijn ondergang tegemoet gaan; ***courir à — d'haleine,*** zich buiten adem lopen; ***en pure —,*** te vergeefs, zonder enig nut; ***— sèche,*** zuiver verlies; ***parler en pure —,*** in de wind praten; ***à — de vue,*** zover het oog reikt, onafzienbaar; ***se retirer sur sa —,*** met spelen ophouden, als men verloren heeft; ***vendre à —,*** met verlies verkopen.

pertinemment [pèrtinamã] *adv.* **1** met kennis van zaken, met oordeel; **2** zeker, met zekerheid.

pertinence [pèrtinã:s] *f.* gepastheid, juistheid, toepasselijkheid *v.*

pertinent [pèrtinã] *adj.* **1** gepast, ter zake dienend; **2** afdoend; **3** volkomen zeker.

pertuis [pèrtwi] *m.* **1** nauwe doorvaart *v.(m.)*; engte *v.* (in rivier); **2** opening *v.*; **3** zeegat *o.*

pertuisane [pèrtwizan] *f.* lange hellebaard, pertizaan *v.(m.)*.

perturbateur [pèrtürbatœ:r] **I** *m.* rustverstoorder *m.*; herrieschopper *m.*; **II** *adj.* storend.

perturbation [pèrtürba'syõ] *f.* storing *v.*

perturbatrice [pèrtürbatris] *adj.* (ver)storend.

perturber [pèrtürbé] *v.t.* verstoren.

pérugin [pérüjẽ] *adj.* uit Perugia.

péruvien [pérüvyẽ] **I** *adj.* Peruaans, uit Peru; **II** *s., m.*, **P—,** Peruaan *m.*

pervenche [pèrvã:ʃ] *f.* (*Pl.*) maagdenpalm *m.*

pervers [pèrvè:r] **I** *adj.* slecht, verdorven; **II** *s. m.* boze, goddeloze *m.*; verdorven mens *m.*

perversion [pèrvèrsyõ] *f.* ontaarding *v.*, bederf *o.*; verdorvenheid *v.*

perversité [pèrvèrsité] *f.* slechtheid, snoodheid, verdorvenheid *v.*

perverti [pèrvèrti] *adj.* verdorven, ontaard.

pervertir [pèrvèrti:r] **I** *v.t.* **1** bederven, doen ontaarden; **2** (*v. toestand*) verstoren; **3** (*v. tekst*) verdraaien, vervalsen; **II** *v.pr.* ***se* —,** ontaarden, slecht worden.

pervertissement [pèrvèrtismã] *m.* **1** (het) bederven; verderf *o.*; **2** verdraaiing, vervalsing *v.*

pervertisseur [pèrvèrtisœ:r] *m.* bederver *m.*

Perwez [pèrwé] Perwijs *o.*

pesade [peza'd] *f.* het steigeren *o.* van een paard.

pesage [peza:j] *m.* **1** (het) wegen *o.*; **2** weegplaats *v.(m.)*.

pesamment [pezamã] *adv.* **1** zwaar; **2** (*v. beweging*) log, plomp; **3** (*spreken*) moeilijk; ***marcher —,*** een logge gang hebben.

pesant [pezã] **I** *adj.* **1** zwaar; **2** log, plomp, loom; **3** (*v. munt*) volwichtig; **4** (*fig.*) zwaar op de hand; **5** lastig, moeilijk, drukkend; **II** *s. m.* gewicht *o.*; ***valoir son — d'or,*** zijn gewicht aan goud waard zijn.

pesanteur [pezã'tœ:r] *f.* **1** zwaarte *v.*, gewicht *o.*; **2** logheid, loomheid *v.*; **3** (*v. slag*) kracht *v.(m.)*; **4** (*v. geest*) traagheid *v.*; **5** (*v. stijl*) stroefheid *v.*; ***— spécifique,*** soortelijk gewicht.

pèse-acide [pè'zasi'd] *m* areometer *m.* voor zure vloeistoffen.

pèse-alcool [pè'zalkòòl] *m.* alcoholmeter *m.*

pèse-bébé* [pè'zbébé] *m.* babyweegschaal *v.(m.)*.

pesée [pezé] *f.* **1** (het) wegen *o.*; **2** afgewogen hoeveelheid *v.*; **3** (*op hefboom*) druk *m.*, drukking *v.*

pèse-lait [pè'zlè] *m.* melkweger *m.*

pèse-lettres [pè'zlètr] *m.* brievenweger *m.*

pèse-liqueur* [pè'zlikœ:r] *m.* vochtweger *m.*

pèse-monnaie [pè'zmònè] *m.* muntschaaltje *o.*

peser [pezé] **I** *v.t.* **1** wegen; **2** afwegen; **3** (*fig.*) overwegen, overleggen, wikken en wegen; **II** *v.i.* **1** wegen; zwaar zijn; **2** drukken; **3** zwaar vallen; ***le travail lui pèse,*** het werk valt hem zwaar; ***ce secret lui pèse,*** dat geheim bezwaart hem; ***— sur l'estomac,*** zwaar op de maag liggen; ***— sur une note,*** een noot aanhouden; ***— sur un mot,*** de nadruk leggen op een woord.

peseta [pezéta] *f.* peseta *m.*

pesette [pezèt] *f.* goudschaaltje *o.*

peseur [pezœ:r] *m.* weger *m.*; ***— public,*** waagmeester *m.*

pèse-vin [pè'zvẽ] *m.* wijnweger *m.*

peson [pezõ] *m.* weeghaak *m.*; ***— à ressort,*** veerbalans *v.(m.)*.

pesse [pès] *f.*, **pessereau** [pèsro] *m.* (*Pl.*) lidsteng *v.(m.)*.

pessimisme [pèsimizm] *m.* pessimisme *o.*

pessimiste [pèsimist] **I** *m.* pessimist *m.*; **II** *adj.* pessimistisch.

peste [pèst] **I** *f.* **1** pest *v.(m.)*; **2** plaag *v.(m.)*; verderf *o.*; ***— bovine,*** runderpest, veepest; ***petite —,*** duivelskind *o.*, helleveeg *v.*; **II** *ij.* drommels!

pester [pèsté] *v.i.* razen, schelden, uitvaren; ***— contre,*** uitvaren tegen, razen op.

pesteux [pèstö] *adj.* pestachtig, pest—; ***bacille —,*** pestbacil *m.*

pestifère [pèstifè:r] *adj.* verpestend.

pestiféré [pèstifé'ré] **I** *adj.* met de pest besmet; **II** *s. m.* pestlijder *m.*

pestilence [pèstilã:s] *f.* pest *v.(m.)*.

pestilent [pèstilã] *adj.* **1** pestachtig; **2** (*fig.*) verpestend.

pestilentiel [pèstilã'syèl] *adj.* verpestend; besmettelijk.

pet [pè] *m.* wind *m.*

pétale [pétal] *m.* (*Pl.*) bloemblad *o.*

pétalé [pétalé] *adj.* (*Pl.*) met bloembladen.

pétanque [pétã'k] *f.* Zuidfr. spel *o.* met houten ballen.

pétarade [pétara'd] *f.* **1** geknetter *o.*; **2** (*v. vuurwerk; fig.*) knaleffect *o.*; **3** (*v. motor*) geknal *o.*; **4** (*v. koperinstrument*) geschetter *o.*

pétarader [pétaradé] *v.i.* knetteren, knallen.

pétard [péta:r] *m.* **1** voetzoeker *m.*; **2** springbus, klakkebus *v.(m.)*; **3** kabaal *o.*, herrie *v.(m.)*, opschudding *v.*; **4** (***— de protection***), (*op spoorweg*) knalsignaal *o.*; ***faire du —,*** herrie schoppen; ***tirer un —,*** schandaal verwekken, de boel op stelten zetten.

pétarder [pétardé] *v.t.* doen springen.

pétardier [pétardyé] *m.* **1** springbusmaker *m.*; **2** (*fig., pop.*) druktemaker, herrieschopper *m.*

Pétaud [péto] *m.*, ***cour du roi —,*** Poolse landdag, huishouden van Jan Steen.

pétaudière [péto'dyè:r] *f.* janboel, warboel *m.*, huishouden *o.* van Jan Steen.

pétéchie [pétéʃi] *f.* rode huidvlek *v.(m.)* door een ziekte.

pet-en-l'air [pètã'lè:r] *m.* huisjasje *o.*

péter [pété] *v.i.* **1** een wind laten; **2** knetteren; **3** barsten, springen.

péteux [pétö] *adj.* (*pop.*) bang, laf.

pétillant [pétiyã] *adj.* **1** (*v. vuur*) knetterend; **2** (*v. oog, enz.*) fonkelend, schitterend; **3** (*v. wijn*) parelend; **4** (*v. karakter*) levendig, vurig.

pétillement [pétiymã] *m.* **1** knettering *v.*, geknetter *o.*; 2 fonkeling, tinteling, schittering *v.*; 3 pareling *v.*; 4 levendigheid, vurigheid *v.*

pétiller [pétiyé] *v.i.* 1 knetteren, knapperen; 2 fonkelen, schitteren, tintelen; 3 parelen; 4 (*v. bloed*) bruisen, koken; — ***de joie,*** buiten zich zelf van vreugde zijn; — ***d'impatience,*** branden van ongeduld.

pétiole [pésyòl] *m.* (*Pl.*) bladsteel *m.*

pétiolé [pésyòlé] *adj.* (*Pl.*) gesteeld.

petiot [petyo] I *adj.* 1 heel klein; 2 kleingeestig, kleinzielig; II *s. m.* kleintje *o.*, kleuter *m.*

petit [p(e)ti] I *adj.* 1 klein; 2 (*v. bedrog, enz.*) gering, onbeduidend; 3 (*v. inkomen*) bekrompen; 4 kleingeestig; 5 (*v. polsslag, gezondheid*) zwak; ***au — bonheur,*** op goed geluk af; ***—e guerre,*** spiegelgevecht *o.*; — ***ami,*** vriendje; — ***deuil,*** lichte rouw, halve rouw; ***la —e noblesse,*** de lagere adel; ***des —s mots,*** lieve woordjes; — ***vin,*** mindere wijn; ***être dans ses —s souliers,*** in 't nauw zitten; II *s. m.* 1 (*kind*) kleine *m.*, kleintje *o.*; 2 (*v. dier*) jong *o.*; 3 (het) kleine *o.*; ***en —,*** in 't klein, in 't kort; — ***à —,*** langzamerhand, allengs; — ***à — l'oiseau fait son nid,*** de tijd baart rozen.

petit*-beurre [p(e)tibœ:r] *m.* droog biscuitje.

petite*-fille* [p(e)titfi·y] *f.* kleindochter *v.*

petite*-maîtresse* [p(e)titmè·très] *f.* modepop *v.*(*m.*); nufje *o.*

petitement [p(e)titmã] *adv.* 1 klein; 2 bekrompen, eng; 3 kleingeestig; 4 bij kleine beetjes.

Petit-Enghien [p(e)titã·gyẽ] *m.* Lettelingen *o.*

petite*-nièce* [p(e)titnyès] *f.* achternicht *v.*

petites-maisons [p(e)titmè·zõ] *f.pl.* gekkenhuis *o.*

petitesse [p(e)titès] *f.* 1 kleinheid *v.*; 2 geringheid; onbeduidendheid *v.*; 3 kleingeestigheid *v.*; — ***d'âme,*** kleinzieligheid *v.*; — ***d'esprit,*** bekrompenheid *v.*

petite-vérole [p(e)titvéròl] *f.* pokken *mv.*

petit*-fils [p(e)tifis] *m.* kleinzoon *m.*

petit*-fond* [p(e)tifõ] *m.* ondiepte *v.*

petit*-gris [p(e)tigri] *m.* 1 grijs eekhoorntje *o.*; 2 grijs bont *o.* van de eekhoorn.

pétition [pétisyõ] *f.* verzoekschrift, smeekschrift *o.*

pétitionnaire [pétisyònè:r] *m.* verzoeker *m.*, indiener *m.* van een verzoekschrift.

pétitionnement [pétisyònmã] *m.* (het) indienen van een verzoekschrift, petitionnement *o.*

pétitionner [pétisyòné] *v.i.* een verzoekschrift indienen.

Petit-Jamine [p(e)tijamin] Klein-Gelmen *o.*

petit*-lait* [p(e)tilè] *m.* hui, wei *v.*(*m.*).

petit*-maître* [p(e)timè:tr] *m.* pronker, fat *m.*

petit-muguet [p(e)timügè] *m.* (*Pl.*) lievevrouwebedstro, ruwkruid *o.*

petit-nègre [p(e)tinègr] *m.* neger-Frans *o.*

petit*-neveu* [p(e)tin(e)vö] *m.* achterneef *m.*; ***nos —s-—x,*** onze nakomelingen.

Petit-Poucet [p(e)tipusè] *m.* kleinduimpje *o.*

petits-enfants [p(e)tizã·fã] *m.pl.* kleinkinderen *mv.*

petit*-suisse* [p(e)tisẅis] *m.* roomkaas *m.*

pétoire [pétwa:r] *f.* klakkebus *v.*(*m.*).

peton [p(e)tõ] *m.* voetje, pootje *o.*

Pétrarque [pétrark] *m.* Petrarca *m.*

pétré [pétré] *adj.* steenachtig.

pétrel [pétrèl] *m.* stormvogel *m.*

pétri [pétri] *adj.* gekneed.

pétrifiant [pétrifyã] *adj.* 1 verstenend; kalkafzettend; 2 (*v. tijding*) verbijsterend.

pétrification [pétrifika·syõ] *f.* verstening *v.*

pétrifier [pétrifyé] I *v.t.* doen verstenen; II *v.pr.* ***se —,*** verstenen.

pétrin [pétrẽ] *m.* bakkerstrog *m.*; ***être dans le —,*** er beroerd aan toe zijn, in de pekel zitten.

pétrir [pétri:r] *v.t.* 1 kneden; 2 (*fig.*) vormen.

pétrissable [pétrisa·bl] *adj.* kneedbaar.

pétrissage [pétrisa:j] *m.* kneding *v.*

pétrisseur [pétrisœ:r] *m.* kneder *m.*

pétrisseuse [pétrisö:z] *f.* kneedmachine *v.*

pétrographie [pétrògrafi] *f.* leer *v.*(*m.*) van de gesteenten.

pétrole [pétròl] *m.* petroleum *m.*; ***essence de —,*** benzine *v.*(*m.*).

pétroler [pétròlé] *v.t.* met petroleum in brand steken.

pétrolerie [pétròlri] *f.* petroleumraffinaderij *v.*

pétroleur [pétròlœ:r] *m.* brandstichter *m.* met petroleum.

pétrolier [pétròlyé] I *adj.* petroleum—; ***société pétrolière,*** petroleummaatschappij *v.*; II *s. m.* tanker *m.*, tankschip *o.*

pétrolifère [pétròlifè:r] *adj.* 1 petroleumhoudend; 2 petroleum—; ***valeurs —s,*** petroleumwaarden.

Pétronelle [pétrònèl] *f.* Petronella, Pietje *v.*

pétrosilex [pétròsilèks] *m.* bergkiezel *o.* en *m.*

pétulamment [pétülamã] *adv.* dartel, uitgelaten.

pétulance [pétülã:s] *f.* dartelheid, uitgelatenheid *v.*

pétulant [pétülã] *adj.* dartel, uitgelaten, opbruisend.

pétun [pétœ̃] *m.* toeback *m.* [*v.*(*m.*).

pétunia [pétünya] *m.* (*Pl.*) petunia, nachtschade

peu [pö] I *adv.* 1 weinig; 2 niet erg, niet zeer; — ***à —,*** langzamerhand; — ***de chose,*** weinig, een kleinigheid; ***excusez du —!*** dat is geen kleinigheid! ***quelque —,*** enigszins; — ***ou point,*** bijna niet; zo goed als niet(s); ***à — près, à — de chose près,*** bijna; ***dans —, sous —,*** binnenkort; ***depuis —,*** sinds kort; — ***intelligent,*** niet zeer verstandig; — ***ordinaire,*** niet alledaags; ***attendez un —,*** wacht even, wacht een ogenblik; ***un —,*** een beetje; ***tant soit —,*** een weinigje; ***un — partout,*** zowat overal; ***des gens de —,*** onbeduidende mensen; ***pour — que,*** als ... maar; ***tant soit —,*** enigszins; II *s., m.,* ***le — qu'il possède,*** het weinige dat hij bezit; ***attendez un —,*** wacht even; ***dites un —,*** zeg eens; ***son — de mérite,*** zijn geringe verdienste; ***pour un — il aurait réussi,*** het scheelde weinig of hij was geslaagd; ***vivre de —,*** met weinig rondkomen; ***peu s'en doutaient,*** weinigen hebben het vermoed.

peuh! [pö] *ij.* och kom! 't mocht wat!

peuplade [pœpla·d] *f.* 1 volksstam *m.*; 2 (*oud*) volksplanting *v.*

peuple [pœpl] I *m.* 1 volk *o.*; 2 menigte *v.*; massa *v.*(*m.*); ***un homme du —,*** een man uit het volk; ***le bas —,*** het gemene volk; ***le petit —,*** de lagere standen; II *adj.* ordinair.

peuplement [pœplemã] *m.* bevolking *v.*, (het) bevolken *o.*

peupler [pœplé] I *v.t.* bevolken; II *v.i.* zich voortplanten.

peupleraie [pœplerè] *f.* populierenlaan *v.*(*m.*).

peuplier [pœpli(y)é] *m.* populier *m.*; — ***blanc,*** witte abeel *m.*; — ***argenté,*** zilverpopulier *m.*

peur [pœ:r] *f.* 1 vrees *v.*(*m.*), angst, schrik *m.*; 2 bezorgdheid *v.*; ***en être quitte pour la —,*** er met de schrik afkomen; ***avoir — de,*** bang zijn voor; ***avoir — pour,*** bezorgd zijn over; ***de — que,*** uit vrees dat, opdat... niet; ***faire — à,*** bang maken, schrik aanjagen; ***laid à faire —,*** zo lelijk als de nacht; ***mis à faire —,*** gekleed als een vogelverschrikker. [wijze.

peureusement [pœrö·zmã] *adv.* op vreesachtige

peureux [pœrö] **I** *adj.* bevreesd, bang, vreesachtig; **II** *m.* bangerd, bloodaard *m.*
peut-être [p(ö)tè:tr] **I** *adv.* misschien, wellicht; mogelijk; **II** *s. m.* twijfelachtig iets *o.*
phacochère [fakòʃè:r] *m.* Afrikaans everzwijn *o.*
phaéton [faétõ] *m.* **1** faëton *m.*, licht open rijtuig *o.*; **2** voerman, koetsier *m.*
phagocyte [fagòsit] *m.* wit bloedlichaampje *o.*
phagocytose [fagòsito:z] *f.* absorptie en digestie van microben e. dgl. door witte bloedlichaampjes.
phalange [falã:j] *f.* **1** vingerlid, kootje *o.*; **2** falanx *v.*(*m.*); slagorde *v.*(*m.*); **3** (*fig.*) legerkorps *o.*, troep *m.*; ***les —s célestes,*** het hemels heir.
phalanger [falã'jé] *m.* soort buidelrat *v.*(*m.*).
phalangette [falã'jèt] *f.* uiterst (vinger)lid, nagelkootje *o.*
phalangine [falã'jin] *f.* middelste vingerlid *o.*
phalangiste [falã'jist] *m.* falangist, lid van de Spaanse falanx.
phalanstère [falã'stè:r] *m.* arbeiderskolonie *v.*
phalanstérien [falã'stéryẽ] **I** *adj.* een arbeiderskolonie betreffend; **II** *s. m.* lid van een arbeiderskolonie.
phalène [falè:n] *f.* (*Dk.*) nachtvlinder, spanrupsvlinder *m.*
phanérogame [fanérògam] **I** *adj.* (*Pl.*) zichtbaar bloeiende; **II** *m.* zichtbaar bloeiende plant *v.*(*m.*).
phantasme [fã'tazm] *m.* gezichtsbedrog *o.*
pharamineux [faraminö] *adj.* (*pop.*) reusachtig, daverend, geweldig.
pharaon [faraõ] *m.* **1** farao *m.*; **2** farospel *o.*
phare [fa:r] *m.* **1** vuurtoren *m.*; **2** vuurbaak *v.*(*m.*); **3** autolantaarn, koplamp *v.*(*m.*); ***— flottant,*** lichtschip *o.*; ***— à éclairs,*** flikkerlicht *o.*; ***le — de l'avant,*** de fokkemast *m.*; ***— hertzien,*** radiobaken *o.*; ***le — de Messine,*** de straat van Messina; ***baisser les —s,*** dimmen.
phare*-code [fa:rkò'd] *m.* dimlicht *o.*
pharillon [fariyõ] *m.* **1** lichtbak *m.*; **2** kleine vuurtoren *m.*
pharisaïque(ment) [farizaik(mã)] *adj.* (*adv.*) schijnheilig, huichelachtig.
pharisaïsme [farizaizm] *m.* schijnheiligheid, huichelarij *v.*
pharisien [farizyẽ] **I** *m.* huichelaar, farizeeër *m.*; **II** *adj.* huichelachtig, farizees.
pharmaceutique [farmasötik] **I** *adj.* farmaceutisch; apothekers—; **II** *s. f.* artsenijbereidkunde *v.*
pharmacie [farmasi] *f.* **1** apotheek *v.*(*m.*); **2** artsenijbereidkunde *v.*; ***— de famille,*** huisapotheek *v.*(*m.*), medicijnkastje *o.*
pharmacien [farmasyẽ] *m.* apotheker *m.*; ***étudiant —,*** student *m.* in de farmacie.
pharmacologie [farmakòlòji] *f.* kennis *v.* van de geneesmiddelen, geneesmiddelenleer *v.*(*m.*).
pharmacologiste [farmakòlòjist] *m.* kenner van de geneesmiddelenleer, farmacoloog *m.*
pharmacopée [farmakòpé] *f.* apothekershandboek *o.*, farmacopœa *v.*
pharyngien [farẽ'jyẽ] *adj.* van het strottenhoofd.
pharyngite [farẽ'jit] *f.* ontsteking van de neuskeelholte, — van het slokdarmhoofd, keelontsteking *v.*
pharynx [farẽ:ks] *m.* slokdarmhoofd *o.*, neuskeelholte *v.*
phase [fa:z] *f.* **1** (*sterr.*: *v. maan, enz.*) schijngestalte *v.*; **2** (*fig.*) stadium *o.*, (opeenvolgende) toestand *m.*; **3** (*el.*) fase *v.*
phasme [fazm] *m.* (*Dk.*) wandelende tak *m.*
Phébé [fébé] *f.* Phœbe, godin *v.* van de maan.
Phébus [fébüs] *m.* Phœbus, zonnegod *m.*; ***ph—,*** bombast, onbegrijpelijke stijl *m.*
Phèdre [fè:dr] **1** *m.* Phœdrus *m.*; **2** *f.* Phaedra *v.*
phénacétine [fénasétin] *f.* fenacetine *v.*
Phénicie [fénisi] *f.* Fenicië *o.*
Phénicien [fénisyẽ] **I** *m.* Feniciër *m.*; **II** *adj.*, ***ph—,*** Fenicisch.
phénicoptère [fénikòptè:r] *m.* (*Dk.*) flamingo *m.*
phénique [fénik] *adj.*, ***acide —,*** carbolzuur, carbol *o. en m.*
phéniqué [féniké] *adj.* carbol—, met carbol doortrokken; ***eau —e,*** verdunde carbol; ***ouate —e,*** carbolwatten.
phéniquer [féniké] *v.t.* met carbol behandelen.
phénix [féniks] *m.* **1** feniks *m.*; **2** (*fig.*) feniks, hoogvlieger *m.*
phénol [fénòl] *m.* fenol, carbolzuur *o.*
phénoménal [fénòménal] *adj.* fenomenaal, verwonderlijk, verbazingwekkend, buitengewoon.
phénomène [fénòmè:n] *m.* **1** (natuur)verschijnsel *o.*; **2** natuurwonder *o.*; **3** wonderlijke gebeurtenis *v.*; **4** (*wijsb.*) verschijnsel *o.*
phénoménologique [fénòménòlòjik] *adj.* fenomenologisch.
phénoplaste [fénòplast] *m.* synthetische hars *o. en m.*
phi [fi] *m.* phi *v.*(*m.*) 21ᵉ letter van het Griekse alfabet.
Philadelphie [filadèlfi] *f.* Philadelphia *o.*
philanthrope [filã'tròp] *m.* mensenvriend, filantroop *m.*
philanthropie [filã'tròpi] *f.* menslievendheid, filantropie *v.*
philanthropique [filã'tròpik] *adj.* menslievend, liefdadig, filantropisch.
philatélie [filatéli] *f.* **1** postzegelliefhebberij *v.*; **2** postzegelkunde *v.*
philatéliste [filatélist] **I** *m.* postzegelverzamelaar *m.*; **II** *adj.* filatelistisch.
philharmonique [filarmònik] *adj.* muziekliefhebbend, filharmonisch; ***société —,*** muziekvereniging; zangvereniging *v.*
philhellène [filèlè:n] *m.* bewonderaar *m.* van de Grieken.
Philippe [filip] *m.* Filips; Philippus *m.*
Philippin [filipẽ] **I** *m.* Filippijn *m.*; **II** *adj.*, ***p—,*** Filippijns.
Philippines, *les —* [lèfilipin] *f.pl.* de Filippijnen [*mv.*
philippique [filipik] *f.* scherpe rede *v.*(*m.*), filippica *v.*
Philistin [filistẽ] *m.* **1** Filistijn *m.*; **2** (*fam.*) burgerman *m.*
philologie [filòlòji] *f.* taalkunde, taalwetenschap; taalstudie *v.*
philologique [filòlòjik] *adj.* taalwetenschappelijk, filologisch.
philologue [filòlò'g] *m.* taalgeleerde, filoloog *m.*
philomatique [filòmatik] *adj.*, ***société —,*** vereniging ter bevordering (*of* beoefening) van de wetenschap.
philomèle [filòmè:l] *f.* (*dicht.*) nachtegaal *m.*
philosophal [filòzòfal] *adj.*, ***pierre —e,*** steen *m.* der wijzen.
philosophe [filòzòf] **I** *m.* **1** wijsgeer, filosoof *m.*; **2** (*fig.*) vals speler *m.*; **II** *adj.* wijsgerig, filosofisch.
philosopher [filòzòfé] *v.i.* wijsgerige beschouwingen houden, filosoferen.
philosophie [filòzòfi] *f.* **1** wijsbegeerte, filosofie *v.*; **2** (*fig.*) gelatenheid *v.*
philosophique(ment) [filòzòfik(mã)] *adj.* (*adv.*) **1** wijsgerig; **2** gelaten.
philosophiste [filòzòfist] *m.* wijsgeer *m.* van de koude grond.
philotechnique [filòtèknik] *adj.* kunstlievend.
philtre [filtr] *m.* toverdrank, liefdedrank *m.*

phlébite [flébit] *f.* (*gen.*) aderwandontsteking *v.*
phlébotomie [flébòtòmi] *f.* aderlating *v.*
phlegmasie [flègmazi] *f.* inwendige ontsteking *v.*
phlegmon [flègmõ] *m.* opgezwollen onderhuidse ontsteking *v.*
phlogose [flògo:z] *f.* lichte ontsteking of verhitting *v.*
phlox [flòks] *m.* (*Pl.*) vlambloem, flox *m.*
phlyctène [fliktè:n] *f.* blaar *v.*(*m.*).
phobie [fòbi] *f.* (ziekelijke) vrees *v.*(*m.*).
phocène [fòsè:n] *m.* (*Dk.*) bruinvis *m.*
phoenix [fòniks] *m.* (*Pl.*) kamerpalmpje *o.*
pholade [fòla·d] *f.* boorschelp *v.*(*m.*).
phonation [fòna·syõ] *f.* stemvorming *v.*
phonème [fònè:m] *m.* gearticuleerde klank *m.*
phonéticien [fònétisyẽ] *m.* kenner van de klankleer, foneticus *m.*
phonétique [fònétik] **I** *adj.* fonetisch, de klank uitdrukkend; ***écriture* —,** klankschrift *o.*; **II** *s. f.* klankleer *v.*(*m.*), fonetiek *v.*
phonique [fònik] *adj.* klank—; stem—; ***signe* —,** klankteken *o.*; ***signal* —,** geluidsignaal *o.*
phono [fònò] *m.* (*fam.*) grammofoon *m.*
phonogénique [fònòjénik] *adj.* voor geluidsopname geschikt.
phonogramme [fònògram] *m.* fonogram *o.*, fonografische opname *v.*(*m.*).
phonographe [fònògraf] *m.* fonograaf *m.*
phonographie [fònògrafi] *f.* **1** klankopname *v.*(*m.*); **2** klankweergave *v.*(*m.*).
phonographier [fònògrafyé] *v.t.* fonografisch opnemen.
phonologie [fònòlòji] *f.* klankleer *v.*(*m.*).
phonomètre [fònòmè·tr] *m.* geluidmeter *m.*
phoque [fòk] *m.* rob, zeehond *m.*
phosphatage [fòsfata:j] *m.* fosfaatbemesting *v.*
phosphate [fòsfat] *m.* fosforzuurzout, fosfaat *o.*; ***— de chaux,*** fosforzure kalk *m.*; ***—s Thomas,*** thomasslakken.
phosphaté [fòsfaté] *adj.* met fosfor (verbonden).
phosphène [fòsfè·n] *m.* door druk op oog veroorzaakt lichtbeeld *o.*
phosphite [fòsfit] *m.* fosforigzuur zout, fosfiet *o.*
phosphore [fòsfò:r] *m.* fosfor *m. en o.*
phosphoré [fòsfòré] *adj.* fosforhoudend.
phosphorescence [fòsfòrèsã:s] *f.* fosforescentie *v.*; lichtuitstraling *v.*, (het) lichten *o.* (van de zee).
phosphorescent [fòsfòrèsã] *adj.* lichtend, lichtgevend.
phosphoreux [fòsfòrö] *adj.*, ***acide* —,** fosforig zuur *o.*
phosphorique [fòsfòrik] *adj.*, ***acide* —,** fosforzuur *o.*
phosphure [fòsfü:r] *m.* fosfide *o.*
phot [fòt] *m.* foot, eenheid van lichtsterkte = 10.000 lux.
photo [fòto] *f.* (*fam.*) kiekje *o.*, foto *v.*(*m.*).
photocalque [fòtòkalk] *m.* lichtdruk *m.*
photochimie [fòtòʃimi] *f.* fotochemie *v.*
photochromie [fòtòkròmi] *f.* kleurenfotografie *v.*
photocopie [fòtòkòpi] *f.* (fotografische) afdruk *m.*
photo-électrique [fòtòélèktrik] *adj.* fotoëlektrisch.
photogène [fòtòjè:n] *adj.* lichtgevend.
photogénique [fòtòjénik] *adj.* fotogeniek; voor filmopname geschikt.
photogramme [fòtògram] *m.* lichtdruk, fotografische afdruk *m.*
photographe [fòtògraf] *m.* fotograaf *m.*
photographie [fòtògrafi] *f.* fotografie *v.*; ***— en couleurs,*** kleurenfotografie; ***— instantanée,*** momentopname *v.*(*m.*).
photographier [fòtògrafyé] *v.t.* fotograferen.
photographique(ment) [fòtògrafik(mã)] *adj.* (*adv.*) fotografisch.
photogravure [fòtògravü:r] *f.* fotogravure *v.*(*m.*).
photolithographie [fòtòlitògrafi] *f.* lichtsteendruk *m.*
photologie [fòtòlòji] *f.* lichtleer *v.*(*m.*).
photomécanique [fòtòmékanik] *adj.* fotomechanisch.
photomètre [fòtòmè·tr] *m.* lichtsterktemeter, fotometer *m.*
photométrie [fòtòmétri] *f.* lichtsterkte-meting *v.*
photométrique [fòtòmétrik] *adj.* fotometrisch.
photon [fòtõ] lichtquantum, foton *o.*
photophobe [fòtòfòb] *adj.* lichtschuw.
photophobie [fòtòfobi] *f.* lichtschuwheid *v.*
photophore [fòtòfò:r] *m.* **1** (*sch.*) lichtboei *v.*(*m.*); **2** elektrische lichtreflector *m.*
photosensible [fòtòsã·si·bl] *adj.* lichtgevoelig.
photosphère [fòtòsfè:r] *f.* lichtende zonneatmosfeer *v.*(*m.*).
photosynthèse [fòtòsẽ·tè:z] *f.* verbinding van een chemische stof onder invloed van licht.
photothérapie [fòtòtérapi] *f.* genezing *v.* door licht.
phototropisme [fòtòtròpizm] *m.* (*Pl.*) het zich naar het licht wenden *o.*
phototype [fòtòtip] *m.* negatief, cliché *o.*
phototypie [fòtòtipi] *f.* lichtdruk *m.*
phrase [fra:z] *f.* **1** zin, volzin *m.*; **2** zinledig gezegde *o.*, frase *v.*; **3** (***— musicale***) muzikale frase *v.*; ***sans —s,*** zonder veel woorden, kort en goed; ***faiseur de —s,*** praatjesmaker *m.*
phraséologie [fra·zéòlòji] *f.* **1** (*v. schrijver*) zinsbouw *m.*; **2** leer *v.*(*m.*) van de zinsbouw, — van de volzin; **3** idiomatische uitdrukkingen (zegswijzen, enz.); **4** zinledig gepraat *o.*
phraséologique [fra·zéòlòjik] *adj.* de zinsbouw betreffend.
phraser [fra·zé] **I** *v.t.* **1** (*v. zin*) afronden; **2** (*muz.*) fraseren, zo voordragen dat het ritme duidelijk blijkt.
phraseur [fra·zœ:r] *m.* praatjesmaker, mooiprater *m.*
phrénique [frénik] *adj.* van 't middenrif.
phrénologie [frénòlòji] *f.* schedelleer *v.*(*m.*).
phrénologiste [frénòlòjist], **phrénologue** [frénòlò:g] *m.* schedelkundige *m.*
phrygane [frigan] *f.* (*Dk.*) kokerjuffer *v.*(*m.*).
phrygien [frijyẽ] **I** *adj.* Frygisch; ***bonnet* —,** Frygische muts, vrijheidsmuts *v.*(*m.*) (Fr. revolutie); **II** *s. m.*, ***P—,*** Frygiër *m.*
phtisie [ftizi] *f.* tering *v.*; ***— galopante,*** vliegende tering; ***— pulmonaire,*** longtering *v.*
phtisique [ftizik] **I** *adj.* teringachtig; **II** *s. m.* teringlijder *m.*
phylactère [filaktè:r] *m.* talisman *m.*, amulet *v.*(*m.*).
phylle [fil] *m.* (*Pl.*) kelkblaadje *o.*
phyllie [fili] *f.* (*Dk.*) wandelend blad *o.*
phyllite [filit] *f.* **1** steen *m.* met bladafdruk; **2** versteend blad *o.*
phylloxéra [filòkséra] *m.* druifluis *v.*(*m.*).
phylloxéré [filòkséré] *adj.* door druifluis aangetast.
physicien [fizisyẽ] *m.* natuurkundige, fysicus *m.*
physico-chimie [fizikòʃimi] *f.* fysische scheikunde *v.*
physico-mathématique [fizikòmatématik] *adj.* wis- en natuurkundig.
physico-thérapie [fizikòtérapi] *f.* natuurgeneeswijze *v.*(*m.*), fysische therapie *v.*
physiocrate [fizyòkrat] *m.* fysiocraat, aanhanger van het de landbouw centraal plaatsende economisch stelsel van Quesnay.
physiocratie [fizyòkrasi] *m.* vroeg-economisch stelsel van de fysiocraten.

physiognomonie [fiziògnòmòni] *f.* gelaatkunde *v.*
physiognomonique [fiziognòmònik] *adj.* gelaatkundig.
physiognomoniste [fiziògnòmònist] *m.* gelaatkenner *m.*
physiographe [fiziògraf] *m.* natuurbeschrijver *m.*
physiographie [fiziògrafi] *f.* natuurbeschrijving, natuurkundige aardrijkskunde *v.*
physiologie [fiziòlòji] *f.* **1** leer *v.(m.)* van de levensverrichtingen; **2** natuurlijke geschiedenis, natuurlijke historie *v.*
physiologique(ment) [fiziòlòjik(mã)] *adj.* (*adv.*) fysiologisch.
physiologiste [fiziòlòjist] *m.* fysioloog *m.*
physionomie [fiziònòmi] *f.* **1** gelaatsuitdrukking *v.*; **2** uiterlijk *o.*; **3** karakter *o.*
physionomique [fiziònòmik] *adj.* gelaats—; ***expression* —,** gelaatsuitdrukking *v.*
physionomiste [fiziònòmist] *m.* gelaatkenner *m.*
physiothérapie [fiziòtérapi] *f.* natuurgeneeswijze *v.(m.)*; natuurgeneeskunde *v.*
physique [fizik] **I** *adj.* **1** natuurkundig; **2** (*v. kracht*) lichamelijk; **3** (*wijsb.*) stoffelijk; ***sciences* —*s*,** natuurwetenschappen; **II** *s. f.* natuurkunde, fysica *v.*; **III** *m.* **1** uiterlijk, voorkomen *o.*; **2** (het) lichamelijke *o.*; ***au* —,** uiterlijk, lichamelijk.
physiquement [fizikmã] *adv.* lichamelijk, fysiek.
phytogène [fitòjè:n] *adj.* van plantaardige oorsprong.
phytographie [fitògrafi] *f.* plantenbeschrijving *v.*
phytopathologie [fitòpatòlòji] *f.* plantenziektenkunde *v.*
phytophage [fitòfa'j] *adj.* plantenetend.
phytothérapie [fitòtérapi] *f.* kruidengeneeskunde *v.*
pi [pi] *m.* pi *v.(m.)*, 16ᵉ letter van het Griekse alfabet; (*meetk.*) het getal 3,1416.
piaculaire [pyakülè:r] *adj.* verzoenend; ***sacrifice* —,** zoenoffer *o.*
piaf [pyaf] *m.* (*arg.*) mus *v.(m.)*.
piaffe [pyaf] *f.* poeha *o. en m.*, vertoon *o.*
piaffement [pyafmã] *m.* getrappel *o.*
piaffer [pyafé] *v.i.* **1** (*v. paard*) trappelen; **2** (*fig.*) zwetsen, pronken.
piaillard [pyaya:r] **I** *adj.* schreeuwerig; huilerig; **II** *s., m.* schreeuwer, huilebalk *m.*
piaillement [pyaymã] *m.* gekrijs, geschreeuw *o.*
piailler [pyayé] *v.i.* **1** schreeuwen, huilen; **2** (*v. vogels*) piepen.
piaillerie [pyayri] *f.* geschreeuw, gekrijs *o.*
piailleur [pyayœ:r] *m.* schreeuwer, huilebalk *m.*
pianino [pyanino] *m.* pianino *v.(m.)*.
pianiste [pyanist] *m.* pianospeler, pianist *m.*
piano [pyano] **I** *adv.* zacht; **II** *s. m.* piano *v.(m.)*; ***— oblique*,** kruissnarige piano; ***— à queue*,** vleugelpiano; ***— demi-queue*,** salonvleugel, kleine vleugel *m.*
pianola [pyanòla] *m.* pianola *v.(m.)*.
pianotage [pyanòta:j] *m.* getrommel *o.* op de piano.
pianotement [pyanòt(e)mã] *m.* getik *o.* (op de schrijfmachine).
pianoter [pyanòté] *v.i.* **1** op de piano trommelen; **2** op de schrijfmachine tikken.
piastre [pyastr] *f.* piaster *m.*
piat [pya] *m.* jonge ekster *v.(m.)*.
piaule [pyo:l] *f.* (*arg.*) **1** knol *m.* (*paard*); **2** hok *o.* (*huis*).
piaulement [pyo'lmã] *m.* **1** gepiep *o.*; **2** gekrijt, geschreeuw *o.*
piauler [pyo'lé] *v.i.* **1** krijsen, schreeuwen; **2** (*v. vogels*) piepen.
piaulis [pyo:li] *m.* het piepen *o.*
pic [pik] *m.* **1** (*Dk.*) specht *m.*; **2** houweel *o.*; **3** bergtop *m.*, piek *v.(m.)*; **4** stookijzer *o.*, pook *m.*; ***à* —,** loodrecht, steil; ***couler à* —,** zinken als een baksteen; rechtstandig zinken; ***tomber à* —,** net van pas komen.
picador [pikadò:r] *m.* picador *m.*, bereden stierenbevechter met lans.
picaillon [pika'yõ] *m.*, (*pop.*) geld *o.*; ***des* —*s*,** duiten, centen.
Picard [pika:r] **I** *m.* Picardiër *m.*; **II** *adj.*, ***p*—,** Picardisch.
Picardie [pikardi] *f.* Picardië *o.*
picaresque [pikarèsk] *adj.*, ***roman* —,** schelmenroman *m.*
picaro [pikaro] *m.* intrigant, schelm *m.*
piccolo [pikòlo] *m.* piccolofluit *v.(m.)*.
pichenette [pišnèt] *f.* knip *m.* (voor de neus).
pichet [pišè] *m.* wijnkannetje *o.*
picholine [pišòlin] *f.* kleine groene olijf *v.(m.)*.
pickles [pikls] *m.pl.* scherp gekruide groentestukjes in zuur.
pickpocket [pikpòkèt] *m.* zakkenroller *m.*
pick-up [pikœp] *m.* (*pl.* ***: des* —**) pick-up *m.*
picoler [pikòlé] *v.i.*, (*arg.*) zuipen, hijsen.
picolo [pikòlo] *m.* **1** bep. kaartspel *o.*; **2** bep. soort lichte wijn *m.*
picon [pikõ] *m.* wolafval *o. en m.*
picorée [pikòré] *f.* strooptocht *m.*
picorer [pikòré] *v.i.* **1** stropen; **2** (*v. vogels*) zijn voedsel zoeken, pikken; **3** honig inzamelen.
picotage [pikòta:j] *m.* (het) pikken, gepik *o.*
picotement [pikòtmã] *m.* **1** prikkeling *v.*; **2** jeuk *m.*
picoter [pikòté] *v.t.* **1** prikkelen, steken; **2** doen jeuken; **3** (*fig.*) plagen, tergen.
picoterie [pikòtri] *f.* stekelig woord *o.*, speldeprik *m.*; plagerij *v.*
picoteux [pikòtö] *m.* Kanaalvissersboot *m. en v.* met 2 masten.
picotin [pikòtẽ] *m.* **1** maat haver *v.(m.)*; **2** (*pop.*) eten *o.*, kost *m.*
picpoule [pikpul], **picpouille** [pikpuy] *m.* bep. Zuidfranse wijn *m.*
picrate [pikrat] *m.* picrinezuurzout *o.*
picrique [pikrik] *adj.*, ***acide* —,** picrinezuur *o.*
pictural [piktüral] *adj.* schilderachtig; beeldschoon; ***art* —,** schilderkunst *v.*
picvert, pivert [pivè:r] *m.* groene specht *m.*
Pie [pi] *m.* Pius *m.*
pie [pi] **I** *f.* **1** (*Dk.*) ekster *v.(m.)*; **2** (*fig.*) klappei *v.*; ***trouver la — au nid*,** de persoon aantreffen die men zoekt; **II** *adj.* **1** vroom, liefdadig; **2** bont; ***œuvre* —,** goed werk, liefdewerk *o.*; ***cheval* —,** bont paard.
piéça [pyésa] *adv.* allang.
piéçard [pyésa:r] *m.* stukwerker *m.*
pièce [pyès] *f.* **1** stuk *o.*; **2** spel, toneelstuk *o.*; **3** (*in kleding, enz.*) stuk *o.*, lap *m.*; **4** kamer *v.(m.)*, vertrek *o.*; **5** document *o.*, akte *v.(m.)*; **6** (*wap.*) schildstuk *o.*; ***— d'artillerie*,** kanon *o.*, vuurmond *m.*; ***— antiavion*,** afweerkanon; ***— d'eau*,** vijver *m.*; ***— de rechange*,** reservestuk; ***— de résistance*,** hoofdschotel *m. en v.*; ***— d'argent*,** geldstukje, zilverstukje *o.*; ***—s à l'appui*,** bijlagen, bewijsstukken; ***— à conviction*,** overtuigingsstuk; ***— de blé*,** korenveld, graanveld *o.*; ***mettre en —s*,** stukslaan; ***tomber en —s*,** in stukken uiteenvallen; ***tailler en —s*, 1** stuk snijden; **2** in de pan hakken; ***travailler à la* —,** op stuk(loon) werken; ***tout d'une* —,** uit één stuk; ***armé de toutes —s*,** van top tot teen gewapend; ***— à* —,** stuk voor stuk; ***trois francs* (*la*) —,** drie frank per stuk; ***emporter la* —,** raak zijn; ***donner la* —,** een fooi geven; ***faire — à qn.*,** iem. een hak zetten; ***jouer une — à qn.*,** iem. een poets bakken; ***inventé de toutes —s*,** geheel uit de lucht gegrepen; ***créer***

de toutes —s, uit het niet te voorschijn roepen; *il est près de ses —s*, hij is op de penning; *de —s et de morceaux*, uit stukken en brokken.

piécette [pyésèt] *f.* **1** stukje; geldstukje *o.*; **2** peseta *m.*

pied [pyé] *m.* **1** voet *m.*; **2** poot *m.*; **3** (*v. lijn*) voetpunt *o.*; **4** (*v. sla*) krop, struik *m.*; *— plat*, platvoet; *— bot*, horrelvoet; *à —*, te voet; *au petit —*, in miniatuur, in het klein; *— de vigne*, wijnstok *m.*; *— de chèvre*, geitepoot; (*tn.*) koevoet; *en —*, (*v. portret*) ten voeten uit; *de — en cap*, van top tot teen; *au — levé*, op staande voet, op stel en sprong; *— à —*, voetje voor voetje; *valet de —*, livreibediende, lakei *m.*; *de — ferme*, onvervaard, onverschrokken; *un coup de —*, een schop; *faire le — de grue*, staan wachten; *bétail sur —*, ongeslacht vee; *le — du lit*, het voeteneinde; *sauter sur un —*, hinkelen; *être sur un bon —*, in goede doen zijn; *avoir les —s chauds*, er warmpjes in zitten; *tenir — à boule*, voet bij stuk houden; *céder —*, toegeven; *lâcher —*, vluchten, terrein verliezen; *se lever du — gauche*, met het verkeerde been uit bed stappen; *gagner au —*, er vandoor gaan; *lever le —*, er vandoor gaan, de hielen lichten; *vivre sur un grand —*, op grote voet leven; *faire un — de nez à qn.*, een lange neus tegen iem. maken; *prendre —*, vaste voet krijgen; zich vestigen; *faire des —s et des mains pour*, hemel en aarde bewegen om; *sécher sur —*, van verdriet verteren; *mettre les —s dans le plat*, een flater begaan; ongemanierd zijn gang gaan; *marcher sur les —s de qn.*, iem. op de tenen trappen; *être sur —*, op de been zijn; *remettre sur —*, weer op de been helpen; *reprendre —*, weer vaste grond onder zijn voeten krijgen; *avoir un — dans la fosse*, met één been in 't graf staan; *au — de la lettre*, letterlijk; *avoir bon —, bon œil*, (nog) krachtig, gezond zijn; *retomber sur ses —s*, op zijn pootjes terecht komen; *si vous lui donnez un —, il en prendra quatre*, als men hem een vinger geeft, neemt hij de gehele hand; *mettre qn. à —*, iem. aan de dijk zetten; *j'en ai cent —s par-dessus la tête*, ik heb er nu meer dan genoeg van; *mettre qn. au — du mur*, iem. vastzetten.

pied-à-terre [pyétatè:r] *m.* **1** optrekje *o.*; **2** tijdelijke verblijfplaats *v.(m.)*.

pied*-bot* [pyébo] *m.* (iem. met) misvormde voet *m.* [spoor *v.(m.)*.

pied*-d'alouette [pyédalwèt] *m.* (*Pl.*) ridder-

pied*-de-biche [pyédbiʃ] *m.* **1** (*tn.*) klauwhamer *m.*; **2** (*v. tandarts*) worteltang *v.(m.)*.

pied*-de-chèvre [pyédʃè:vr] *m.* (*tn.*) koevoet *m.* (hefboom). [*m. en v.*

pied*-de-lion [pyèdlyõ] *m.* (*Pl.*) leeuweklauw

pied*-de-veau [pyédvo] *m.* (*Pl.*) aronskelk *m.*

pied*-droit* [pyédrwa] *m.* **1** deurpost, raampost *m.*; **2** loodrechte muur *m.* tot aan het gewelf.

piédestal [pyédestal] *m.* voetstuk *o.*

piédouche [pyéduʃ] *m.* klein voetstuk *o.*

pied*-plat* [pyépla] *m.* flelt *m.*

piédroit, *voir* ***pied-droit***.

piège [pyè:j] *m.* valstrik *m.*, val *v.(m.)*; *tendre un —*, een strik spannen; *donner dans le —*, in de val lopen.

piéger [pyéjé] *v.t.* in strikken vangen. [*m.*

piégeur [pyéjœ:r] *m.* strikkenzetter, vallenzetter

pie*-grièche* [pigri(y)èʃ] *f.* **1** (*Dk.*) klapekster *v.(m.)*; **2** (*fig.*) helleveeg *v.*

pie*-mère* [pimè:r] *f.* zachte hersenvlies *o.*

Piémontais [pyémõtè] **I** *m.* bewoner *m.* van Piémont; **II** *adj.*, *p—*, van Piémont.

piéride [pyéri'd] *f.*, (*— du chou*) (*Dk.*) koolwitje *o.*

pierraille [pyèra'y] *f.* (steen)gruis, puin, grof grind *o.*

Pierre [pyè:r] *m.* Pieter, Petrus *m.*

pierre [pyè:r] *f.* steen *m.*; (*stofnaam*) steen *m. en o.*; *— de taille*, hardsteen; *— à chaux*, kalksteen; *— angulaire*, hoeksteen; *— fondamentale*, grondslag *m.*; *— milliaire*, mijlpaal *m.*; *— de lard*, *— à magot*, speksteen; *—s précieuses*, edelgesteenten; *— à fusil*, vuursteen; *— à aiguiser*, slijpsteen; *— d'aimant*, zeilsteen; *— ponce*, puimsteen; *— infernale*, helse steen; *— philosophale*, steen der wijzen; *— tombale*, grafsteen; *— à plâtre*, gips *o.*; *— de touche*, toetssteen; *— levée*, menhir *m.*; *fruit à —s*, steenvrucht *v.(m.)*; *dur comme —*, steenhard; *— d'achoppement*, steen des aanstoots; *faire d'une — deux coups*, twee vliegen in één klap slaan; *jeter des —s dans le jardin de qn.*, iem. steken onder water geven; *jeter la — à qn.*, iem. de eerste steen toewerpen; *il a une mauvaise — dans son sac*, hij is er beroerd aan toe; *— qui roule n'amasse pas mousse*, een rollende steen vergaart geen mos.

pierrée [pyèré] *f.* stenen waterafvoerleiding *v.*

pierreries [pyè'rri] *f.pl.* edelgesteenten *mv.*

pierrette [pyèrèt] *f.* **1** steentje *o.*; **2** wijfjesmus *v.(m.)*; **3** *P—*, Petronella, Pietje *v.*

pierreux [pyèrö] *adj.* steenachtig, vol stenen.

pierrier [pyèryé] *m.* (*mil.*) steenmortier *m. en o.*

pierriste [pyèrist] *m.* steensnijder *m.* (voor horloges). [*v.(m.)*.

pierrot [pyèro] *m.* **1** hansworst *m.*; **2** (*fam.*) mus

piétaille [pyéta'y] *f.* (*arg.*) zandhazen *mv.* (infanterie).

piété [pyété] *f.* **1** godsvrucht *v.(m.)*, vroomheid *v.*; **2** liefdevolle eerbied *m.*; *— filiale*, kinderlijke liefde *v.*; *articles de —*, religieuze voorwerpen *mv.*

piéter [pyété] **I** *v.i.* **1** (*spel*) voet aan meet houden, op de meet staan; **2** (*v. vogel*) lopen; **II** *v.t.* **1** (*v. gras*) bij de grond afsnijden; **2** (*fig.*) tot weerstand prikkelen; **III** *v.pr.*, *se —*, zich schrap zetten, de voet schrap zetten.

piétin [pyétẽ] *m.* klauwzeer *o.*

piétinement [pyétinmã] *m.* getrappel *o.*

piétiner [pyétiné] **I** *v.i.* trappelen, stampvoeten; *— sur place*, niet vooruitkomen; **II** *v.t.* vertrappen, vertreden; plattrappen.

piétisme [pyétizm] *m.* mystieke vroomheid *v.*

piétiste [pyétist] *m.* piëtist *m.*

piéton [pyétõ] *m.* voetganger *m.*

piétonne [pyétòn] *f.* voetgangster *v.*

Piétrain [pyétrẽ] Petrem *o.*

piètre(ment) [pyètr(emã)] *adj.* (*adv.*) armzalig, erbarmelijk; *c'est assez —*, het is niet veel zaaks, het is maar dunnetjes.

piètrerie [pyètreri] *f.* armzaligheid *v.*; vodderij *v.*

pieu [pyö] *m.* **1** paal, staak *m.*; **2** (*pop.*) bed, mandje *o.*

pieusement [pyö'zmã] *adv.* vroom, godvruchtig, op godvruchtige wijze; *croire —*, te goeder trouw geloven, heilig overtuigd zijn; *— décédé*, in de Heer ontslapen.

pieuvre [pyœ:vr] *f.* inktvis *m.*

pieux [pyö] *adj.* **1** vroom, godvruchtig; **2** vol eerbiedige liefde; *soins —*, liefdevolle zorgen; *un mensonge —*, een leugentje om bestwil.

pif [pif] *m.*, (*fam.*) kokkerd *m.* (neus). [*m.*

piffre [pifr] *m.* **1** dikbuik, dikzak *m.*; **2** vreetzak

piffrer, se — [s(e)pifré] *v.pr.* zich volproppen.

pige [pi:j] *f.* (*arg.*) **1** taak *v.(m.)*; **2** de nor *v.(m.)*; *faire la — à qn.*, iem. de baas zijn.

pigeon [pijõ] *m.* **1** (*Dk.*) duif *v.*(*m.*); **2** (*fig.*) onnozele hals *m.*; — ***mâle,*** doffer *m.*; — ***voyageur,*** — ***messager,*** reisduif, postduif; — ***à collier,*** ringduif; — ***culbutant,*** tuimelaar *m.*; — ***vole,*** (*sp.*) alle vogels vliegen.
pigeonne [pijòn] *f.* duifje *o.*, wijfjesduif *v.*(*m.*).
pigeonneau [pijòno] *m.* **1** jonge duif *v.*(*m.*); **2** (*fig.*) onnozele bloed *m.*, uilskuiken *o.* [slag *o.*
pigeonnier [pijònyé] *m.* duiventil *v.*(*m.*); duiven-
piger [pijé] **I** *v.t.* (*pop.*) **1** bekijken, bewonderen; **2** nemen, gappen; **3** snappen; **4** (*v. verkoudheid, enz.*) oplopen; **II** *v.pr.* ***se — avec qn.,*** zich met iem. meten.
pigment [pigmã] *m.* kleurstof *v.*(*m.*), pigment *o.*
pigmentaire [pigmã'tè:r] *adj.* pigment betreffend; ***tache —,*** moedervlek *v.*(*m.*). [*v.*
pigmentation [pigmã'ta'syõ] *f.* pigmentvorming
pigmenter [pigmã'té] *v.t.* kleuren.
pignade [piña'd] *f.* zeedennenbos *o.*
pigne [piñ] *f.* pijnappel *m.*
pignocher [piñòʃé] *v.i.* kieskauwen.
pignon [piñõ] *m.* **1** puntgevel *m.*; **2** (*tn.*) tandrad *o.*; — ***à redans,*** trapgevel *m.*; ***avoir — sur rue,*** een eigen huis hebben.
pignoratif [piñòratif] *adj.*, ***contrat —,*** (*recht*) pandcontract *o.* [kerel *m.*
pignouf [piñuf] *m.* (*pop.*) vlegel, onbehouwen
pilaf, pilau, pilaw [pilaf] *m.* gepeperde rijstschotel *m. en v.* [(het) braken *o.*
pilage [pila:j] *m.* **1** (het) stampen *o.*; **2** (*v. hennep*)
pilaire [pilè:r] *adj.* haar—. [pijler *m.*
pilastre [pilastr] *m.* kantige zuil *v.*(*m.*), muur-
Pilate [pilat] *m.* Pilatus *m.*
pilau, pilaw, *voir* ***pilaf.***
pile [pil] *f.* **1** stapel *m.*; **2** (*v. brug*) pijler *m.*; **3** stamptrog *m.*; **4** (*el.*) batterij *v.*, zuil *v.*(*m.*); **5** (*v. radio*) accu *m.*; **6** (*pop.*) aframmeling *v.*, pak *o.* slaag; ***mettre en —,*** opstapelen; — ***ou face, croix ou —,*** kruis of munt; ***s'arrêter —,*** (*pop.*) onverhoeds stoppen; — ***atomique,*** atoomzuil *v.* (*m.*), kernreactor *m.* [braken; **3** (*pop.*) afranselen.
piler [pilé] *v.t.* **1** (fijn)stampen; **2** (*v. hennep*)
pileur [pilœ:r] *m.* stamper *m.*
pileux [pilö] *adj.* haar—.
pilier [pilyé] *m.* **1** pilaar, pijler *m.*; **2** steunpilaar *m.*; **3** vaste bezoeker; stamgast *m.*; — ***de cabaret,*** kroegloper *m.*
pilifère [pilifè:r] *adj.* haardragend.
pillage [piya:j] *m.* plundering *v.*; ***mettre au —,*** plunderen; ***livrer au —,*** aan plundering prijsgeven.
pillard [piya:r] *m.* plunderaar *m.*
piller [piyé] *v.t.* **1** plunderen, uitplunderen; **2** stelen; ***pille !*** (*tot hond*) pak ze !
pillerie [piyri] *f.* plundering, knevelarij *v.*
pilleur [piyœ:r] *m.* plunderaar *m.*
piloir [pilwa:r] *m.*, (*tn.*) stamper *m.*
pilon [pilõ] *m.* **1** (*v. vijzel*) stamper *m.*; **2** (*mil.*) handgranaat *v.*(*m.*) met steel; ***mettre au —,*** (*v. boek, papier*) vernietigen, naar de papiermolen sturen.
pilonner [pilòné] **I** *v.t.* **1** (*v. grond*) stampen; **2** (*mil.*) vernietigen door roffelvuur, bombarderen; **II** *v.i.* sjouwen, zwoegen.
pilori [pilòri] *m.* schandpaal *m.*, kaak *v.*(*m.*); ***mettre au —,*** aan de kaak stellen.
pilorier [pilòryé] *v.t.* aan de kaak stellen.
pilot [pilo] *m.* heipaal *m.*
pilotage [pilòta:j] *m.* **1** loodswezen *o.*; **2** (het) loodsen *o.*; **3** loodsgeld *o.*; **4** heiwerk, paalwerk *o.*; **5** (het) heien *o.*; **6** (*v. vliegtuig*) (het) besturen *o.*; ***poste de —,*** stuurstoel *m.*
pilote [pilòt] *m.* **1** (*sch.*) loods *m.*; **2** stuurman *m.*; **3** (*vl.*) bestuurder, piloot *m.*; **4** zeeatlas *m.*; **5** (*Dk.*: *vis*) loodsmannetje *o.*; ***bateau —,*** loodskotter *m.*; — ***côtier,*** havenloods, kustloods *m.*; — ***d'essai,*** testpiloot, invlieger *m.*; ***drap —,*** pilo *o.*
piloter [pilòté] **I** *v.t.* **1** (*v. grond*) beheien, met heipalen voorzien; **2** (*v. schip*) loodsen, binnenloodsen; **3** (*v. vliegtuig, auto*) besturen; **4** (*v. persoon*) rondleiden, de weg wijzen; **5** (*v. artikel*) ingang doen vinden; **II** *v.i.* palen inheien, — inslaan.
pilotin [pilòtẽ] *m.* leerling-loods *m.*
pilotis [pilòti] *m.* **1** heipaal *m.*; **2** paalwerk *o.*
pilou [pilu] *m.* pluizige, licht ontvlambare katoenen stof *v.*(*m.*).
pilulaire [pilülè:r] *adj.* pilvormig.
pilule [pilül] *f.* **1** pil *v.*(*m.*); **2** (*fig.*) onaangenaamheid *v.*; ***avaler la —,*** de (bittere) pil slikken; ***dorer la —,*** de pil vergulden.
pilulier [pilülyé] *m.* pillenmachine *v.*
pimbêche [pẽ'bèʃ] *f.* (*pop.*) feeks, kat *v.*
piment [pimã] *m.* **1** (*Pl.*) Spaanse peper *m.*; **2** (*fig.*) kruidigheid *v.*; iets gekruids *o.*; **3** prikkel, stimulans *m.*
pimenter [pimã'té] *v.t.* kruiden, peperen.
pimpant [pẽ'pã] *adj.* **1** keurig, fijn; sierlijk; **2** (*fam.*) kittig.
pimprenelle [pẽ'prenèl] *f.* (*Pl.*) pimpernel *v.*(*m.*).
pin [pẽ] *m.* pijnboom, den *m.*; — ***sylvestre,*** — ***sauvage,*** grove den; — ***américain,*** pitchpine *m.*; — ***du Libanon,*** ceder *m.* van de Libanon.
pinace [pinas] *f.* pinas *v.*(*m.*), lichte boot *m. en v.*
pinacle [pinakl] *m.* **1** tinne *v.*(*m.*); **2** (*fig.*) toppunt *o.*; ***porter qn. au —,*** iem. hemelhoog verheffen.
pinacothèque [pinakòtè:k] *f.* kunstkabinet *o.*
pinaie [pinè] *f.* pijnbos, dennenbos *o.*
pinard [pina:r] *m.* (*pop.*) wijn *m.*
pinasse, pinace [pinas] *f.* (*sch.*) pinas *v.*(*m.*), lichte boot *m. en v.*
pinastre [pinastr] *m.* zeeden *m.*
pinçade [pẽ'sa'd] *f.* kneep *v.*(*m.*).
pinçage [pẽ'sa:j] *m.* het knijpen *o.*
pinçard [pẽ'sa:r] *m.* (*v. paard*) steltloper *m.*
pince [pẽ:s] *f.* **1** (het knijpen *o.*; **2** knijptang, *v.*(*m.*); **3** (*v. kreeft*) schaar *v.*(*m.*); **4** knijper *m.*; pen, prang *v.*(*m.*); **5** (*v. fietser*) broekveer *v.*(*m.*) broekknijper *m.*; **6** (*v. planteneter*) snijtand *m.*; — ***à billets,*** ponstang; — ***à linge,*** knijper *m.*; — ***à sucre,*** suikertang; — ***à tube,*** pijptang; ***avoir la — forte,*** hard kunnen knijpen.
pincé [pẽ'sé] *adj.* stijf, effen, gemaakt (kijkend).
pinceau [pẽ'so] *m.* **1** penseel *o.*, kwast *m.*; **2** haarbosje *o.*; — ***à barbe,*** scheerkwast; — ***à colle,*** lijmkwastje *o.*; — ***lumineux,*** lichtstreep *v.*(*m.*).
pinceauter [pẽ'so'té] *v.t.* met het penseel bijwerken.
pincée [pẽ'sé] *f.* **1** vingergreep *m.*; **2** (*v. tabak, zout, enz.*) snuifje *o.*
pince-feuilles [pẽ'sfoey] *m.* paperclip *v.*(*m.*).
pincelier [pẽselyé] *m.* penseelbakje *o.*
pince-maille* [pẽ'sma'y] *m.* vrek, schraper *m.*
pincement [pẽ'smã] *m.* **1** (het) knijpen *o.*; **2** (*v. lippen*) (het) samenknijpen *o.*; **3** (het) snarentokkelen *o.*
pince*-monseigneur [pẽ'smõ'sèñœ:r] *m.* breekijzer *o.* [en *o.*
pince-nez [pẽ'sné] *m.* knijpbril *m.*, lorgnet *v.*(*m.*)
pince-notes [pẽ'snòt] *m.* papierknijper *m.*
pince-pantalon [pẽ'spã'talõ] *m.* broekknijper *m.*
pincer [pẽ'sé] **I** *v.t.* **1** knijpen, nijpen; **2** afknijpen; **3** (*v. lippen*) op elkaar klemmen; **4** (*v. dief, enz.*) betrappen, knippen; **5** (*v. kou*) vatten; **6** (*v. ziekte*)

oplopen; **7** (*pop.*) stelen, wegkapen; **II** *v.i.* knijpen; ***— de la harpe,*** harpspelen; ***le froid pince,*** de koude nijpt; ***être pincé,*** verliefd zijn; het te pakken hebben; **III** *v.pr.* ***se —,*** **1** zich knijpen; **2** (*v. neus*) smaller worden; ***se — les lèvres,*** zijn lippen stijf samenknijpen; ***se — pour ne pas rire,*** zich geweld aandoen om niet te lachen.

pince-sans-rire [pẽ˙säri:r] *m.* droogkomiek *m.*

pincette(s) [pẽ˙sèt] *f.(pl.)* **1** tang *v.(m.)*; **2** tangetje *o.*; ***une paire de —s,*** een tang; ***il n'est pas à prendre avec des —s,*** hij is met geen tang aan te vatten.

pinçon [pẽ˙sõ] *m.* kneep, blauwe plek *v.(m.)*.

pinçoter [pẽ˙sòté] *v.t.* zachtjes knijpen.

pinçure [pẽ˙sü:r] *f.* **1** kneep *v.(m.)*; **2** (*in stof*) vouw *v.(m.)*.

Pindare [pẽ˙da:r] *m.* Pindarus *m.*

Pinde [pẽ:d] *m.* Pindus, zangberg *m.*; ***le dieu du —,*** Apollo *m.*

pinéal [pinéal] *adj.* pijnappelvormig; ***glande —e,*** pijnappelklier *v.(m.)*.

pineau, pinot [pino] *m.* kleine blauwe Bourgondische druif *v.(m.)*.

pinède [pinè˙d], **pineraie** [pinrè] *f.* pijnbos *o.*

pingouin [pẽ˙gwẽ] *m.* (*Dk.*) vetgans *v.(m.)*, pinguïn *m.*

ping-pong [pẽpoñ] *m.* tafeltennis *o.*

pingre [pẽ:gr] **I** *adj.* vrekkig, gierig; **II** *s. m.* vrek, gierigaard *m.*

pingrerie [pẽ˙greri] *f.* vrekkigheid, inhaligheid *v.*

pinière [pinyè:r] *f.* pijnbos *o.*

pinifère [pinifè:r] *adj.* met dennen begroeid.

pinnal [pinal] *adj.* veervormig.

pinne [pin] *f.* (*Dk.*) zijdeschelp *v.(m.)*.

pinniforme [pinifòrm] *adj.* vinvormig.

pinnipède [pinipè˙d] *adj.* vinpotig.

pinnule [pinül] *f.* vizier *o.* van graadboog.

pinot, *voir* ***pineau.***

pinque [pẽ:k] *f.*, (*sch.*) pink, vissерspink *m.*

pinson [pẽ˙sõ] *m.* vink *m.* *en v.*

pinsonnière [pẽ˙sònyè:r] *f.* (*pop.*) koolmees *v.(m.)*.

pintade [pẽ˙ta˙d] *f.* parelhoen *o.*

pintadeau [pẽ˙tado] *m.* jong parelhoen *o.*

pintadine [pẽ˙tadin] *f.* pareloester *v.(m.)*.

pinte [pẽ:t] *f.* pint *v.(m.)*; ***se faire une — de bon sang,*** eens hartelijk lachen, zich een kriek lachen; ***se faire une — de mauvais sang,*** zich boos maken.

Pinte, *La —,* De Pinte.

pinter [pẽ˙té] *v.i.* (*pop.*) pimpelen, zuipen.

piochage [pyòʃa:j] *m.* **1** (het) omhakken; **2** (*fam.*) (het) blokken *o.*

pioche [pyòʃ] *f.* **1** houweel *o.*; **2** (*fam.*) zwaar (*of* hard) werk *o.*; ***se mettre à la —,*** eens flink aanpakken; ***dormir comme une —,*** slapen als een os.

piocher [pyòʃé] **I** *v.t.* **1** (*v. grond*) omwerken (met een houweel); **2** (*fam.*) blokken op; **II** *v.i.* **1** blokken, vossen; **2** (*spel*) kopen.

piocheur [pyòʃœ:r] **I** *m.* **1** houweelwerker *m.*; **2** (*fig.*) hard werker, blokker *m.*; **II** *adj.* ijverig, blokkend, hard werkend; ***élève —,*** blokker *m.*

piochon [pyòʃõ] *m.* kleine houweel *o.*

piolet [pyòlè] *m.* ijshouweel *o.*, gletsjerbijl *v.(m.)*.

pion [pyõ] *m.* **1** (*schaaksp.*) pion *m.*; **2** (*damsp.*) schijf *v.(m.)*; **3** (*op school*) studiemeester, surveillant *m.*; ***damer le — à qn.,*** iem. schaakmat zetten.

pionner [pyòné] *v.i.* (*spel*) pionnen nemen.

pionnier [pyònyé] *m.* **1** schansgraver, geniesoldaat *m.*; **2** baanbreker, voorloper *m.*

piot [pyo] *m.* (*pop.*) wijn *m.*

piote [pyòt] *m.* (*arg.*) piot, soldaat *m.*

pioupiou [pyupyu] *m.* infanterist, zandhaas *m.*

pipe [pip] *f.* **1** (tabaks)pijp *v.(m.)*; **2** pijp, buis *v.(m.)*; **3** vat *o.*; ***casser sa —,*** (*pop.*) om zeep gaan; ***bourrer la — à qn.,*** iem. afranselen.

pipeau [pipo] *m.* **1** herdersfluit, schalmei *v.(m.)*; **2** vogelfluitje, lokfluitje *o.*; **3** lijmstokje *o.*

pipée [pipé] *f.* **1** vogelvangst *v.* (met lokfluitjes); **2** boerenbedrog *o.*; ***attraper à la —,*** in zijn netten vangen.

pipelet [piplè] *m.* (*fam.*) conciërge *m.*

pipe-line* [payplayn] *m.* pijpleiding *v.* (voor olie).

piper [pipé] **I** *v.t.* **1** (*v. vogels*) vangen (met een lokfluit); **2** (*fig.*) bedriegen, bedotten; **3** vervalsen; ***— des cartes,*** kaarten merken; **II** *v.i.* piepen; ***ne pas —,*** geen kik geven.

pipéracées [pipérasé] *f.pl.* (*Pl.*) peperachtigen *mv.*

piper-cub* [paypeküp] *m.* licht verkenningsvliegtuig *o.*

piperie [pipri] *f.* bedrog, vals spel *o.*

pipette [pipèt] *f.* pipet *v.(m.)* *en o.*

pipeur [pipœ:r] *m.* **1** vogelvanger *m.*; **2** bedrieger *m.*

pipi [pipi] *m.* pies *m.*; ***faire —,*** (*kindertaal*) plasje doen.

pipiement [pipimã] *m.* gesjilp *o.*

pipier [pipyé] *v.i.* sjilpen, piepen.

pipistrelle [pipistrèl] *f.* dwergvleermuis *v.(m.)*.

piquant [pikã] **I** *adj.* **1** stekend, stekelig; **2** (*v. punt, koude, woorden*) scherp; **3** (*v. smaak*) prikkelend; **4** schamper, vinnig, bijtend; **5** (*v. saus, enz.*) gekruid, pikant; **6** (*fig.*) geestig, aantrekkelijk; **II** *s., m.* **1** stekel; prikkel *m.*; **2** (het) scherpe; (het) pikante *o.*

pique [pik] **I** *f.* **1** piek, spies *v.(m.)*; **2** onenigheid *v.*, twist *m.*; **3** wrok *m.*; ***lancer une — à qn.,*** iem. een steek geven, iem. een hak zetten; ***à la — du jour,*** voor dag en dauw; **II** *m.* (*kaartsp.*) schoppen *v.(m.)*; ***roi de —,*** schoppenheer

piqué [piké] **I** *adj.*, *voir* ***piquer;*** **II** *s. m.* **1** stiksteek *m.*; **2** (*stof*) piqué *o.*

pique-assiette [pikasyèt] *m.* tafelschuimer, klaploper *m.*

pique-feu [pikfö] *m.* pookijzer *o.*

pique-nique* [piknik] *m.* picknick *m.*

pique-niquer [pikniké] *v.i.* picknicken, een picknick houden.

pique-notes [piknòt] *m.* liashaakje *o.*, liaspen *v.(m.)*.

piquer [piké] **I** *v.t.* **1** steken; **2** (*met speld, enz.*) prikken; **3** (*met naaimachine*) stikken; **4** (*v. worm*) knagen; **5** (*v. vlees*) larderen; **6** (*v. koude, enz.*) bijten; **7** (*v. steen*) ruw beitelen; **8** (*v. nieuwsgierigheid, enz.*) prikkelen, opwekken; **9** (*v. ketel*) uitbikken; ***— au vif,*** diep grieven, — krenken; ***— qn. d'honneur,*** iemands eergevoel kwetsen; ***— les notes,*** (*muz.*) de noten afstoten, — spiccato spelen; ***— les absents,*** de afwezigen aantekenen; ***— une crise de nerfs,*** het op zijn zenuwen krijgen, een toeval krijgen; ***— un fard, — un soleil,*** een kop als vuur krijgen; ***— une tête,*** duiken, een duik nemen; ***— un chien,*** een uiltje knappen; ***piqué des vers,*** wormstekig; **II** *v.i.* **1** (*v. wijn*) zuur worden; **2** (*v. spijs*) bedorven smaken; **3** (*v. dobber*) open neergaan; ***— au vent,*** (*sch.*) met de kop in de wind gaan, in de wind opvaren; ***— du nez,*** (*vl.*) met de kop vooruit omlaag gaan, over de kop gaan; ***— des deux,*** het paard de sporen geven; ***vol (en) pique,*** duikvlucht *v.(m.)*; **III** *v.pr.*, ***se —,*** **1** zich prikken; **2** (*v. wijn*) zuur worden; **3** (*v. hout*) wormstekig worden; **4** (*v. boek, plaat, spiegel*) vlekken krijgen; **5** boos worden; ***se — au jeu,*** het niet opgeven, volharden; ***se — de qc.,*** zich op iets laten voorstaan; ***se — d'honneur,*** er een eer in stellen; ***se — le nez,*** zich bedrinken.

piquet [pikè] *m.* **1** piket *o.*; **2** (*mil.*) tentpaal, piketpaal *m.*; **3** piketspel *o.*; ***être de —,*** (*mil.*) piketwacht hebben; ***mettre au —,*** (*v. leerling*) in de hoek zetten; ***planter le —,*** zijn tent opslaan; (*fig.*) zich vestigen; ***assurer le — de grève,*** (bij staking) posten; ***lever le —,*** opbreken; ***faire un cent de —,*** een partijtje piketten (piket spelen).
piquetage [pikta:j] *m.* (het) afpalen *o.*
piqueter [pikté] **I** *v.t.* **1** afpalen; **2** spikkelen; **3** (*mil.*) met piketpalen voorzien; **II** *v.i.* (*bij staking*) posten.
piquette [pikèt] *f.* zure wijn *m.*
piqueur [pikœ:r] **I** *m.* **1** (*jacht*) pikeur *m.*; **2** paardenafrichter, rijmeester *m.*; **3** steenbikker *m.*; **4** (*in mijn*) koolhakker *m.*; **5** (*spoorw.*) baanvakmeester, baanopzichter *m.*; ***— d'assiettes,*** klaploper *m.*; **II** *adj.* kunnende steken.
piqueuse [pikö:z] *f.* **1** machinestikster *v.*; **2** (*tn.*) pneumatische hamer *m.*
piquier [pikyé] *m.* spiesdrager *m.*
piquoir [pikwa:r] *m.* steeknaald *v.*(*m.*).
piqûre [pikü:r] *f.* **1** steek *m.*; **2** (*v. speld, enz.*) prik *m.*; **3** stiksel *o.*, stiknaad *m.*; **4** wormgaatje *o.*; **5** (*in fietsband*) punctuur *v.*; **6** (*gen.*) (geringe) inspuiting *v.*; ***des —s de mouches,*** vliegepikkels *mv.*
Pirange [pirã:j] Piringen *o.*
pirate [pirat] *m.* **1** zeerover *m.*; **2** (*fig.*) afzetter *m.*
pirater [piraté] *v.i.* zeeroof plegen.
piraterie [piratri] *f.* **1** zeeroverij *v.*; **2** (*fig.*) afzetterij *v.*; **3** letterdieverij *v.*, plagiaat *o.*
pire [pi:r] **I** *adj.* **1** erger, slechter; **2** (*met lidw.*) ergste, slechtste; ***il n'est — eau que l'eau qui dort,*** stille waters hebben diepe gronden; **II** *s. m.*, ***le —,*** het ergste, het slechtste; ***mettre les choses au —,*** het ergste er van denken, — veronderstellen.
Pirée [piré] *m.* Piraeus *m.*
piriforme [pirifòrm] *adj.* peervormig.
pirogue [piròˑg] *f.* prauw *v.*(*m.*).
piroguier [pirògyé] *m.* prauwvoerder *m.*
pirouette [pirwèt] *f.* **1** draaitolletje *o.*; **2** omdraaiing *v.* (op één voet); **3** (*fig.*: *in politiek*) omzwaaiing *v.*
pirouetter [pirwèté] *v.i.* **1** omdraaien (op één voet), ronddraaien; **2** (*fig.*) er omheen draaien.
pis [pi] **I** *adj. et adv.* **1** erger, slechter; **2** (*met lidw.*) het ergst, het slechtst; ***c'est encore — que je ne pensais,*** het is nog erger dan ik dacht; ***au — aller,*** in het ergste geval; ***qui — est,*** wat erger is; ***tant —,*** des te erger; ***de mal en —,*** steeds erger, van kwaad tot erger; ***de — en —,*** hoe langer hoe erger; ***tant —!*** 't kan me niet schelen; ***dire — que pendre de qn.,*** iem. erg zwart maken, iemands doopceel lichten; **II** *s., m.* het ergste; de ergste; **III** *m.* uier *m.*
pis-aller [pizalé] *m.* oplossing *m.* bij gebrek aan [beter.
Pisan [pizã] **I** *m.* bewoner *m.* van Pisa; **II** *adj.*, ***p—,*** van (*of* uit) Pisa.
pisciculteur [pisikültœ:r] *m.* viskweker *m.*
pisciculture [pisikültü:r] *f.* visteelt *v.*(*m.*).
pisciforme [pisifòrm] *adj.* visvormig.
piscine [pisin] *f.* **1** (*oudh.*) visvijver *m.*; **2** zweminrichting *v.*, (overdekt) zwembad *o.*; **3** (*kath.*) doopvont *v.*(*m.*).
piscivore [pisivò:r] *adj.* visetend.
Pise [pi:z] *f.* Pisa *o.*
pisé [pizé] *m.* stampaarde *v.*(*m.*).
piser [pizé] *v.t.* (aarde) stampen.
pissat [pisa] *m.* pi(e)s *m.* (van dier).
pissement [pismã] *m.* het wateren, het pissen *o.*
pissenlit [pisãˑli] *m.* **1** (*Pl.*) paardebloem *v.*(*m.*); **2** (*fam.*: *v. kind*) bedwateraar *v.-m.*
pisser [pisé] *v.i. et v.t.* wateren.
pisseur [pisœ:r] *m.* iem. die veel watert.
pisseux [pisö] *adj.* **1** urineachtig; **2** urinekleurig.
pissoter [pisòté] *v.i.* vaak wateren. [*v.*(*m.*).
pissotière [pisòtyè:r] *f.* openbare waterplaats
pistache [pistaʃ] *f.* groene amandel, pimpernoot *v.*(*m.*); ***— de terre,*** aardnoot, olienoot *v.*(*m.*); ***prendre une —,*** zich een roes (aan)drinken.
pistachier [pistaʃyé] *m.* groene-amandelboom *m.*
piste [pist] *f.* **1** (*v. wild, dief, enz.*) spoor *o.*; **2** renbaan *v.*(*m.*); **3** (*v. circus*) arena *v.*(*m.*); **4** ijsbaan *v.*(*m.*); **5** fietsbaan *v.*(*m.*); ***— cyclable,*** rijwielpad *o.*; ***— sonore,*** geluidsspoor *o.*; ***— d'envol,*** startbaan; ***— d'atterrissage,*** landingsbaan; ***un tour de —,*** een ronde; ***être à la — de, suivre à la —,*** op het spoor volgen; (*fig.*) in de voetstappen treden van.
pister [pisté] *v.t.* **1** beloeren; **2** volgen.
pisteur [pistœ:r] *m.* runner *m.* (voor hotelgasten).
pistil [pistil] *m.* (*Pl.*) stamper *m.*
pistole [pistòl] *f.* **1** (*oude munt*) pistool *v.*; **2** (*in gevangenis*) pistole *v.*
pistolet [pistòlè] *m.* **1** (*wapen*) pistool *o.*; **2** tekenmal *m.*; **3** mijnwerkersboor *v.*(*m.*); **4** broodje, kadetje *o.*; ***— fourré,*** belegd broodje *o.*
piston [pistõ] *m.* **1** (*v. pomp*) zuiger *m.*; **2** (*muz.*), zuigerstang *v.*(*m.*); piston *m.*; **3** (*fig.*) kruiwagen *m.*, voorspraak *v.*(*m.*); ***cornet à —,*** klephoorn *m.*; ***fusil à —,*** percussiegeweer *o.*
pistonnage [pistòna:j] *m.* protectie *v.*, (het) voorthelpen *o.*
pistonner [pistòné] *v.t.* voorthelpen.
pitance [pitã:s] *f.* rantsoen *o.*, portie *v.*; ***maigre —,*** schrale kost *m.*
pitchpin [pitʃpẽ] *m.* pitchpine *m.*
piteux [pitö] *adj.*, **piteusement** [pitöˑzmã] *adv.* erbarmelijk, jammerlijk, deerniswaardig.
pithécanthrope [pitékãˑtròp] *m.* aapmens *m.*
pitié [pityé] *f.* medelijden, mededogen *o.*; ***prendre en —,*** medelijden krijgen met; ***sans —,*** meedogenloos; ***digne de —,*** beklagenswaardig; ***c'est —,*** het is jammer, 't is treurig; ***ce serait grand- —,*** het zou erg jammer zijn; ***cela fait —,*** 't is erbarmelijk; ***par —,*** uit medelijden; ***par —!*** om godswil! in 's hemelsnaam!; ***il faut mieux faire envie que —,*** beter benijd dan beklaagd.
piton [pitõ] *m.* **1** ringschroef *v.*(*m.*); **2** (*pop.*) kokkerd, neus *m.*
pitoyable(ment) [pitwayaˑbl(emã)] *adj.* (*adv.* **1** medelijdend, vol medelijden; **2** erbarmelijk, slecht; **3** jammerlijk, deerniswekkend.
pitre [pitr] *m.* hansworst, paljas, clown *m.*
pitrerie [pitreri] *f.* hansworsterij *v.*
pittoresque [pitòrèsk] *adj.* **1** schilderachtig; **2** tekenend, typisch; ***style —,*** beeldende stijl *m.*
pittoresquement [pitòrèskemã] *adv.* schilderachtig.
pituitaire [pitẅitè:r] *adj.* slijm—; ***membrane —,*** neusslijmvlies *o.*
pituite [pitẅit] *f.* slijm, snot *o. en m.*
pituiteux [pitẅitö] *adj.* slijmig, slijmerig.
pityriasis [pitiryazis] *m.* zemeluitslag *m.*
pivert, picvert [pivè:r] *m.* specht *m.*
pivoine [pivwan] **I** *f.* (*Pl.*) pioenroos *v.*(*m.*); **II** *m.* (*Dk.*) bloedvink *m. en v.*
pivot [pivo] *m.* **1** spil *v.*(*m.*); **2** as, taats *v.*(*m.*); **3** (*Pl.*) penwortel, hartwortel *m.*; **4** (*fig.*) hoofddrijfveer *v.*(*m.*), grondslag *m.*
pivoter [pivòté] *v.i.* **1** om een spil draaien; **2** (*mil.*) zwenken, draaien; **3** (*Pl.*) recht naar beneden groeien.
Pizarre [piza:r] *m.* Pizarro *m.*

placage [plaka:j] *m.* **1** (het) maken *o.* van oplegwerk; **2** opgelegd houtwerk, fineerwerk *o.*; **3** (*mil.*) (het) aanbrengen van zoden, plakwerk *o.*
plaçage [plasa:j] *m.* **1** (het) plaatsen *o.*; **2** staangeld *o.*
placard [plaka:r] *m.* **1** muurkast, vaste kast *v.*(*m.*); **2** aanplakbiljet *o.*; **3** (*gesch.*) plakkaat *o.*; **4** (*drukk.*) strook, onopgemaakte drukproef *v.*(*m.*); **5** (*pop.*) pleister *v.*(*m.*).
placarder [plakardé] *v.t.* **1** aanplakken; **2** (*fig.*) hekelen.
place [plas] *f.* **1** plaats *v.*(*m.*); **2** betrekking *v.*; post *m.*, ambt *o.*; **3** beurs *v.*(*m.*); ***— forte,*** vesting *v.*; ***— publique,*** plein *o.*; ***voiture de —,*** huurrijtuig *o.*; ***— d'armes,*** exercitieveld, exercitieterrein *o.*; ***— assise,*** zitplaats; ***— debout,*** staanplaats; ***payer demi-—,*** half geld betalen; ***céder la —,*** het opgeven; heengaan; ***ne pas tenir en —,*** niet kunnen stilzitten, rust noch duur hebben; ***remettre qn. à sa —,*** iem. op zijn nummer zetten; ***faire — à qn.,*** voor iem. uit de weg gaan; ***faire — nette,*** zijn woning ontruimen; ***faire la —,*** (*H.*) stadsreiziger zijn, een plaats bezoeken als stadsreiziger; ***par —s,*** hier en daar; ***tenir — de qn.,*** iem. vervangen; ***tenir de la —,*** zich op de voorgrond stellen; ***tenir sa —,*** zich staande houden; voor zijn taak berekend zijn; ***sur notre —,*** (*H.*) hier ter beurze; ***sur votre —,*** (*H.*) ten uwent; ***avoir du crédit sur la —,*** krediet op de beurs hebben; ***une personne en —,*** een hooggeplaatst persoon; ***faute de —,*** wegens plaatsgebrek; ***se faire —,*** zich ruimte verschaffen, zich een weg banen.
placement [plasmã] *m.* **1** plaatsing *v.*, (het) plaatsen *o.*; **2** (*v. geld*) belegging *v.*, (het) beleggen *o.*; **3** belegd geld *o.*; **4** verkoop, aftrek *m.*; ***— de tout repos, — de père de famille,*** solide geldbelegging; ***bureau de —,*** verhuurkantoor *o.*; ***d'un — facile,*** (*H.*) gemakkelijk te verkopen.
placenta [plasẽ·ta] *m.* placenta *v.*(*m.*); **1** nageboorte *v.*; **2** zaadkoek *m.*
placer [plasé] **I** *v.t.* **1** plaatsen; **2** (*v. stoel, enz.*) zetten; **3** (*v. boek, enz.*) leggen; **4** (*v. geld*) beleggen; **5** (*H.*: *v. waren*) aan de man brengen, verkopen; **6** (*v. persoon*) aanstellen, een betrekking bezorgen; **7** (*sp.*) een bepaalde plaats geven; ***— un mot,*** een woord in het midden brengen; ***— une citation,*** een aanhaling te pas brengen; **II** *v.pr.*, ***se —,*** **1** zich plaatsen; plaats nemen; gaan staan; gaan zitten; **2** een betrekking vinden; **3** in dienst treden, zich verhuren; **4** uitgezet (*of* belegd) worden; **5** (*sp.*) (tweede, derde, enz.) aankomen; ***se — bien,*** veel aftrek vinden; **III** *s.* [-sèr] *m.* goudvindplaats *v.*(*m.*), goudbedding *v.*
placet [plasè] *m.* verzoekschrift, smeekschrift *o.*
placeur [plasœ:r] *m.* **1** plaatsaanwijzer, schouwburgsuppoost *m.*; **2** dienstbodenverhuurder *m.*
placide(ment) [plasi·d(mã)] *adj.* (*adv.*) rustig, kalm vreedzaam.
placidité [plasidité] *f.* rustigheid, kalmte *v.*
placier [plasyé] *m.* **1** handelsreiziger, stadsreiziger *m.*; **2** plaatsaanwijzer *m.*
plafond [plafõ] *m.* **1** zoldering *v.*, plafond *o.*; **2** (*vl.*) maximum (vlieg)hoogte *v.*, hoogtegrens *v.*(*m.*); **3** wolkenbank *v.*(*m.*); **4** (*v. kanaal*) bodembreedte *v.*; ***bas de —,*** laag van verdieping; ***il est bas de —,*** hij timmert niet hoog.
plafonnage [plafòna:j] *m.* plafonnering *v.*
plafonner [plafòné] **I** *v.t.* plafonneren, van een zoldering voorzien; **II** *v.i.*, (*vl.*) op de hoogtegrens vliegen, de maximumhoogte bereiken.
plafonneur [plafònœ:r] *m.* stukadoor, plafondwerker, plafonneerder *m.*
plafonnier [plafònyé] *m.* plafondlamp *v.*(*m.*).
plage [pla:j] *f.* strand *o.*
plagiaire [plajyè:r] *m.* letterdief *m.*
plagiat [plajya] *m.* letterdieverij *v.*, plagiaat *o.*
plagier [plajyé] **I** *v.t.* naschrijven; **II** *v.i.* plagiaat plegen.
plaid [plè] *m.* reisdeken *v.*(*m.*), plaid *m.*
plaidable [plèda·bl] *adj.* verdedigbaar.
plaidant [plèdã] *adj.* pleitend, procesvoerend.
plaider [plèdé] **I** *v.i.* **1** pleiten; **2** procederen, een proces voeren; **II** *v.t.* bepleiten; ***— le faux pour savoir le vrai,*** door een leugen achter de waarheid trachten te komen; **III** *v.pr.* ***se —,*** verdedigd worden; voorkomen (voor 't gerecht).
plaideur [plèdœ:r] *m.*, **plaideuse** [plèdö:z] *f.* pleiter *m.*, pleitster *v.*
plaidoirie [plèdwari] *f.* pleidooi *o.*, verdediging *v.*
plaidoyer [plèdwayé] *m.* pleidooi *o.*, verdediging *v.*; pleitrede *v.*(*m.*).
plaie [plè] *f.* **1** wonde *v.*(*m.*); **2** (*v. Egypte, enz.*). plaag *v.*(*m.*); **3** (*v. boom*) beschadigde plek *v.*(*m.*); ***— d'argent n'est pas mortelle,*** geldverlies kan men wel te boven komen; ***rouvrir une —,*** een wonde weer openrijten.
plaignant [plènã] **I** *adj.* klagend; **II** *s. m.*, ***—e,*** *f.* aanklager *m.*; aanklaagster *v.*
plain [plẽ] **I** *adj.* **1** effen, vlak; **2** (*v. stof*) glad; ***de —-pied,*** gelijkvloers; (*fig.*) zonder hinderpalen, vanzelf; **II** *s. m.* **1** open zee *v.*(*m.*); **2** (*v. looier*) kalkput *m.*, kalkbad *o.*
plain*-chant* [plẽšã] *m.* gregoriaans gezang *o.*
plaindre* [plẽ:dr] **I** *v.t.* **1** beklagen; **2** betreuren; **3** ongaarne missen, — geven; ***être à —,*** te beklagen zijn; ***il ne plaint pas sa peine,*** hij weet van aanpakken, hij ziet niet tegen wat werk op; ***ne pas — ses mots,*** niet spaarzaam zijn met zijn woorden; **II** *v.pr.* ***se —,*** klagen; jammeren; ***se — de,*** **1** klagen; **2** zich beklagen over; **3** een klacht indienen; ***se — à qn. de qc.,*** bij iem. over iets klagen.
plaine [plè·n] *f.* vlakte *v.*
plainte [plẽ:t] *f.* **1** klacht; jammerklacht *v.*(*m.*); **2** aanklacht *v.*(*m.*); ***porter —,*** een aanklacht indienen.
plaintif [plẽ·tif] *adj.* **1** klagend, jammerend; **2** klaaglijk.
plaintivement [plẽ·ti·vmã] *adj.* klagend, op klagende toon, met klagende stem.
plaire* [plè:r] **I** *v.i.* **1** behagen, bevallen, aanstaan; **2** believen; ***s'il vous plaît,*** als 't u belieft; ***tant qu'il vous plaira,*** zoveel u maar wilt; ***comme il vous plaira,*** zoals u wilt; ***plaît-il ?*** wat zegt u ? ***plaise à Dieu que,*** God geve, dat; ***à Dieu ne plaise que,*** God verhoede dat; **II** *v.pr.* ***se — (à),*** **1** behagen scheppen (in), er een genoegen in vinden (om); **2** graag zijn (te); **3** (*v. planten*) gedijen, tieren; ***vous êtes-vous plu à Bruxelles ?*** is het u te Brussel bevallen ?
plaisamment [plèzamã] *adv.* vermakelijk, grappig.
plaisance [plèzã:s] *f.* lust—, plezier—; ***jardin de —,*** lusthof *m.*; ***bateau de —,*** plezierboot *m. en v.*; ***maison de —,*** lusthuis, buitengoed *o.*
Plaisance [plèzã:s] *f.* Piacenza *o.*
plaisant [plèzã] **I** *adj.* **1** vermakelijk, grappig, koddig; **2** aardig, bevallig; **3** (*ong.*) belachelijk, bespottelijk; **II** *s. m.* grappenmaker *m.*; ***le —,*** het grappige, het vermakelijke; ***un mauvais —,*** een flauwe grappenmaker.
plaisanter [plèzã·té] **I** *v.i.* schertsen, gekscheren, gekheid maken; ***vous plaisantez !*** dat meent u niet; ***je ne plaisante pas,*** ik meen het ernstig; ***il ne plaisante pas là-dessus,*** daarmee is het

hem ernst, hij spot er niet mee; **II** *v.t.* bespotten, voor de gek houden.

plaisanterie [plèză'tri] *f.* **1** scherts *v.(m.)*; geestigheid, aardigheid *v.*; **2** spot *m.*, spotternij *v.*; ***mauvaise —,*** flauwe aardigheid; ***— à part,*** alle gekheid op een stokje, zonder gekheid; ***par —,*** uit de grap, voor de aardigheid; ***il entend la —,*** hij kan goed tegen een grapje; ***cela passe la —,*** dat gaat te ver.

plaisantin [plèză'tẽ] *m.* flauwe grappenmaker *m.*

plaisir [plèzi:r] *m.* **1** genoegen; vermaak, plezier *o.*; **2** welbehagen *o.*; goedvinden *o.*; **3** dienst *m.*, bewijs *o.* van vriendschap; ***le bon —,*** de willekeur *v.(m.)*; ***car tel est notre bon —,*** dat wil ik nu eenmaal; ***— des sens,*** zingenot *o.*; ***faire —,*** genoegen doen; ***à bon —,*** naar welgevallen; ***à —,*** **1** naar believen, naar hartelust; **2** met vermaak; **3** opzettelijk, moedwillig; **4** (*v. verhaal, enz.*) verzonnen, verdicht; ***menus —s,*** zakgeld *o.*, kleine uitgaven *mv.* voor ontspanning; ***par —,*** voor zijn genoegen; als tijdverdrijf; ***prendre — à,*** er vermaak in scheppen om; ***avec —,*** met genoegen; ***au —!*** tot genoegen! ***homme de —,*** pretmaker *m.*; ***bête à faire —,*** ongelooflijk dom, aartsdom.

plamer [plamé] *v.t.*, (*v. huiden*) ploten.

plan [plă] **I** *adj.* vlak, effen; ***angle —,*** vlakke hoek; **II** *s. m.* **1** vlak *o.*; **2** (*v. stad, enz.*) plattegrond *m.*; **3** (*v. werk*) plan, ontwerp *o.*; **4** (*vl.*) dek *o.*; ***premier —,*** voorgrond *m.*; ***second —,*** achtergrond *m.*; ***— incliné,*** hellend vlak; ***— vertical,*** verticale doorsnede *v.(m.)*, opstand *m.*; ***gros —,*** close-up *m.*; ***— porteur,*** (*vl.*) draagvlak; ***— stabilisateur,*** (*vl.*) zweefvlak, stabilisatievlak; ***— de sustension,*** (*vl.*) vleugel; ***— de queue,*** (*vl.*) staartvlak; ***demeurer en —,*** blijven steken; ***laisser en —,*** in de steek laten; ***— de campagne,*** oorlogsplan, plan voor de veldtocht; (*fig.*) werkprogram *o.*

planage [plana:j] *m.* het glad, plat of effen maken.

planaire [planè:r] *f.* platworm *m.*

planche [plă:ʃ] *f.* **1** plank *v.(m.)*; **2** (school)bord *o.*; **3** graveerplaat *v.(m.)*; **4** afdruk *m.*, gravure *v.(m.)*; **5** (*tuinb.*) bed, tuinbed *o.*; **6** (***— de lard***), zijde *v.(m.)* spek *o.*; ***jours de —,*** ligdagen; ***faire la —,*** op de rug zwemmen; (*gymn.*) de plank maken; ***— de salut,*** reddingsplank *v.(m.)*, redmiddel *o.*; ***— à repasser,*** strijkplank; ***— à couteaux,*** slijpplank; ***brûler les —s,*** met vuur spelen.

planchéiage [plăʃéya:j] *m.* bevloering *v.* (met planken). [(met planken).

planchéier [plăʃéyé] *v.t.* beplanken, bevloeren

planchéieur [plăʃéyœ:r] *m.* vloerenlegger *m.*

plancher [plă'ʃé] *m.* **1** vloer, planken vloer *m.*; **2** houten zoldering *v.*; **3** (*v. schuit*) dek *o.*; ***le — des vaches,*** de vaste wal *m.*

planchette [plă'ʃèt] *f.* **1** plankje *o.*; **2** (*v. landmeter*) meettafeltje *o.*; **3** schuifplankje *o.*

plançon [plă'sõ] *m.* (*Pl.*) stek *m.*, loot *v.(m.)*.

plan-concave* [plăkõ'ka:v] *adj.* plathol.

plan-convexe* [plăkõ'vèks] *adj.* platbol.

plancton, plankton [plă'ktõ] *m.* plankton *o.*

plane [plan] **I** *f.* **1** haalmes, trekmes *o.*; **2** strijkhout *o.*; **II** *m.* plataan *m.*; ***faux —,*** ahorn, esdoorn *m.*

planéité [planéyté] *f.* het glad, plat of effen zijn.

planement [planmă] *m.* (het) zweven *o.*

planer [plané] **I** *v.i.* **1** zweven; **2** (*v. blik*) weiden; ***vol plané,*** zweefvlucht *v.(m.)*; **II** *v.t.* **1** effenen, effen maken, glad maken; **2** (*v. graveerplaat*) polijsten.

planétaire [planétè:r] **I** *adj.* planeet—, van de planeten; ***système —,*** planetenstelsel *o.*; ***année —,*** omlooptijd *m.* van een planeet; **II** *s. m.* planetarium *o.*

planète [planèt] *f.* **1** dwaalster, planeet *v.(m.)*; **2** (*fig.*) gesternte *o.*; ***— inférieure,*** binnenplaneet; ***— supérieure,*** buitenplaneet.

planétisation [planétiza'syõ] *f.* planetisering *v.*

planétoïde [planétoi'd] *f.* kleine planeet *v.(m.)*.

planeur [planœ:r] *m.* **1** planeerder *m.*; **2** polijster *m.*; **3** (*vl.*) zweeftoestel, zweefvliegtuig *o.*; **4** zweefvlieger *m.*; **5** (***oiseau —***), zweefvogel *m.*

planèze [planè:z] *f.* lavaplateau *o.* tegen zijde van vulkaan.

planificateur [planifikatœ:r] *m.* planner *m.*

planification [planifika'syõ] *f.* planning *v.*

planifier [planifyé] *v.t.* plannen, volgens een bepaald plan leiden; ***économie planifiée,*** geleide economie *v.*

planimètre [planimè'tr] *m.* vlaktemeter *m.*

planimétrie [planimétri] *f.* vlakke meetkunde *v.*

planisme [planizm] *m.* plan-economie *v.*

planisphère [planisfè:r] *m.* wereldkaart; hemelkaart *v.(m.)*.

planitude [planitü'd] *f.* vlakheid *v.*

plankton, *voir* ***plancton.***

planquer [plă'ké] **I** *v.t.* verbergen, wegstoppen; **II** *v.pr.* ***se —,*** zich schuilhouden; onderduiken.

plant [plă] *m.* **1** aanplanting *v.*, plantsoen *o.*; **2** stekje *o.*, loot *v.(m.)*; plantgoed *o.*; **3** (*v. asperges, enz.*) bed *o.* [*v.*

plantage [plă'ta:j] *m.* (het) planten *o.*, aanplanting

plantain [plă'tẽ] *m.* (*Pl.*) weegbree *v.(m.)*.

plantaire [plă'tè:r] *adj.* de voetzool betreffend; ***nerf —,*** voetzoolzenuw *v.(m.)*.

plantation [plă'ta'syõ] *f.* **1** aanplanting *v.*; **2** plantsoen *o.*; **3** (*in kolonie*) onderneming, plantage *v.*

plante [plă:t] *f.* **1** plant *v.(m.)*; **2** (*v. voet*) zool *v.(m.)*.

planter [plă'té] **I** *v.t.* **1** planten; **2** (*v. tuin*) beplanten; aanleggen; **3** (*v. aardappelen, enz.*) poten, verbouwen; **4** (*v. paal*) in de grond steken; **5** plaatsen, zetten; oprichten; ***— sa tente,*** zijn tenten opslaan; ***— qc. au nez de qn.,*** iem. iets onder de neus wrijven; ***— un chou à qn.,*** iem. een kool stoven; ***aller — ses choux,*** buiten gaan wonen; ***être bien planté sur ses jambes,*** stevig op zijn benen staan; ***— un soufflet sur la joue de qn.,*** iem. een klap (*of* oorveeg) geven; ***— là qn.,*** iem. in de steek laten; **II** *v.pr.*, ***se —,*** **1** geplant worden; **2** gepoot worden; **3** gaan staan; **4** zich vestigen.

planteur [plă'tœ:r] *m.* planter *m.*

planteuse [plă'tö:z] *f.* pootmachine *v.*

plantigrade [plă'tigra'd] *m.* (*Dk.*) zoolganger *m.*

plantoir [plă'twa:r] *m.* pootstok *m.*, pootijzer *o.*

planton [plă'tõ] *m.* (*mil.*) oppasser, ordonnans *m.*; ***être de —,*** **1** dienst hebben; **2** (*fig.*) ergens moeten blijven staan.

plantule [plă'tül] *f.* (*Pl.*) kiemplantje *o.*

plantureux [plă'türö] *adj.*, **plantureusement** [plă'türö'zmă] *adv.* **1** (*v. eetmaal*) overvloedig; **2** (*v. stijl, vormen*) weelderig; **3** (*v. grond*) vruchtbaar; **4** gezond en sterk.

planure [planü:r] *f.* spaander *m.*, krul *v.(m.)*.

plaque [plak] *f.* **1** (*v. metaal*) plaat *v.(m.)*; **2** naamplaatje, naambordje *o.*; **3** fietsplaat(je) *v.(m.)* (*o.*); **4** (*gen.*) plek *v.(m.)*; **5** (*v. ridderorde*) ster, ordeplaat *v.(m.)*; ***— sensible, — photographique,*** gevoelige plaat; ***— commémorative,*** gedenkplaat; ***— tournante,*** (*spoorw.*) draaischijf *v.(m.)*; ***— de couche,*** kolfplaat; ***— de gazon,*** graszode *v.(m.)*; ***— indicatrice,*** straatnaambord *o.*; ***— de ceinturon,*** koppelplaat; ***— de cheminée,***

schoorsteenplaat; **— *de propreté*,** (glazen) deurplaat; **— *de blindage*,** pantserplaat.
plaqué [plaké] **I** *adj.* opgelegd; **II** *s. m.* **1** opgelegd goudwerk (*of* zilverwerk), pleet; fineerwerk *o.*; **2** (*fig.*) namaak *m.*; ***en —***, pleet—.
plaquemine [plakmin] *f.* dadelpruim *v.(m.)*.
plaquer [plaké] **I** *v.t.* **1** beleggen (met een dunne laag), platteren; **2** (met hout) fineren; **3** (*sp.*) tegen de grond slaan; **— *d'or*,** vergulden; **— *d'argent*,** verzilveren; **— *un accord*,** (*muz.*) een akkoord aanslaan; **— *qn.*,** iem. laten zitten, iem. in de steek laten; **— *qc. au nez de qn.*,** iem. iets onder de neus wrijven; **— *un baiser sur la joue*,** een kus op de wang drukken; **II** *v.i.* sluiten, aansluiten; **III** *v.pr.*, ***se —***, neervallen, languit vallen.
plaquette [plakèt] *f.* **1** schijfje, sneetje *o.*; **2** (vierkante) gedenkplaat *v.(m.)*, gedenkpenning *m.*; **3** (*fig.*) (dun) boekje *o.*
plaqueur [plakœ:r] *m.* platteerder; fineerder *m.*
plasma [plasma] *m.* plasma *o.*
plastic [plastik] *m.* bep. soort springstof *v.(m.)*.
plasticité [plastisité] *f.* **1** kneedbaarheid, vormbaarheid *v.*; **2** aanschouwelijkheid *v.*
plastifiant [plastifyã] *m.* plasticeermiddel *o.*
plastifier [plastifyé] *v.t.* plasticeren.
plastique [plastik] **I** *adj.* **1** kneedbaar; **2** beeldend, plastisch; **3** van plastic; ***arts —s***, beeldende kunsten; ***argile —***, boetseerklei *v.(m.)*; ***matière —***, plastic *o.*; **II** *s. f.* beeldhouwkunst, boetseerkunst, plastiek *v.*; **III** *m.* plastic *o.*
plastron [plastrõ] *m.* **1** borstharnas *o.*; **2** (*bij schermen*) (lederen) borstlap *m.*; **3** (*v. kledingstuk*) borst *v.(m.)*; **4** borstleer; schootsvel *o.*; **5** (*v. schildpad*) borstschild *o.*; **6** brede das *v.(m.)*, plastron *o. en m.*; **7** (*v. vogel*) borstvlek *v.(m.)*; **8** (*fam.*) mikpunt *o.* (van spotternij).
plastronner [plastròné] **I** *v.t.* van een borstlap (borstleer, enz.) voorzien; **II** *v.i.* een hoge borst opzetten.
plastronneur [plastrònœ:r] *m.* geurmaker, praalhans *m.*
plat [pla] **I** *adj.* **1** plat, effen; **2** (*v. land, enz.*) vlak; **3** (*v. vaartuig*) platboomd; **4** (*v. stijl*) alledaags; **5** laag bij de grond; **6** (*v. wijn*) verschaald; **7** (*v. gelaat*) zonder uitdrukking; ***calme —***, windstilte *v.*; ***rimes —es***, gepaard rijm *o.*; ***cheveux —s***, sluik haar *o.*; ***vaisselle —e***, zilveren vaatwerk *o.*; ***vin —***, verschaalde wijn *m.*; ***à — ventre***, plat op de buik; ***avoir le ventre —***, honger hebben; ***tomber à —***, languit op de grond vallen; **II** *s., m.* **1** (*v. sabel, enz.*) plat *o.*; **2** (het) vlakke *o.*; **3** (*v. roeispaan*) blad *o.*; **4** (*fig.*) (het) alledaagse *o.*; (het) geesteloze *o.*; **5** schotel *m. en v.*; **6** gerecht *o.*; **7** (*sch.*) bak *m.*; ***à —***, plat; (*v. band*) lek, slap; (*fig.*) op, bek af; ***avec le — de la main***, met de vlakke hand; ***œuf sur le —***, spiegelei *o.*; ***— de côtes***, klapstuk *o.*; ***mettre les pieds dans le —***, ongemanierd zijn gang gaan, niets ontzien; ***servir à qn. un — de sa façon, — de son métier***, iem. een poets bakken; ***faire du — à qn.***, iem. lekker maken; iem. het hof maken; ***il aime les petits —s***, 't is een lekkerbek.
platanaie [platanè] *f.* plataanbosje *o.*; platanenlaan *v.(m.)*.
platane [platan] *m.* plataan *m.*; ***faux —***, ahorn *m.*
platanées [platané] *f.pl.* plataanachtigen *mv.*
plat*-bord* [plabò:r] *m.* (*sch.*) potdeksel; schampdek, dolboord *o.*
plate [plat] *f.* **1** (*sp.*) vlakke baan *v.(m.)* (voor wedrennen); **2** plat bootje *o.*, platboomde vissersboot *m. en v.*
plateau [plato] *m.* **1** presenteerblad, theeblad, koffieblad *o.*; **2** (*v. balans*) schaal *v.(m.)*; **3** hoogvlakte *v.*, vlak hoogland *o.*; **4** (*Pl.*) bolschijf *v.(m.)*; **5** smalle vluchtheuvel *m.*; ***— électrique***, elektriseerschijf *v.(m.)*; ***— de chat***, kattebak *m.*; ***— tournant***, draaischijf *v.(m.)*.
plate*-bande* [platbã:d] *f.* **1** smal tuinbed *o.*; **2** rand *m.*, omlijsting *v.*; **3** (*om zuil*) band *m.*; ***marcher sur les —s—s de qn.***, onder iemands duiven schieten, iem. in het vaarwater zitten.
platée [platé] *f.* **1** schotel(vol) *m. en v.*; **2** (*v. gebouw*) grondmuur *m.*
plate*-forme* [platfòrm] *f.* **1** plat dak; plat *o.*; **2** (*v. tram*) balkon *o.*; **3** terras *o.*; **4** (*v. kanon*) bedding *v.*; **5** steiger *m.*; **6** standplaats *v.(m.)* (van machinist op locomotief); **7** politiek partijprogram *o.*; ***— électorale***, verkiezingsprogramma *o.*
plate*-longe* [platlõ:j] *f.* spanriem *m.*
platement [platmã] *adv.* plat, platweg, ronduit.
platerie [platri] *f.* plat aardewerk *o.*
platin [platẽ] *m.* bij eb droogvallende zandbank *v.(m.)* of strook strand *o.*
platinage [platina:j] *m.* het platineren *o.*
platine [platin] **I** *f.* **1** plaat; slotplaat *v.(m.)*; **2** geweerslot *o.*; **3** (*spoorw.*) stootplaat *v.(m.)*; **4** (*v. drukpers*) degel *m.*; **5** (*v. roeiriem*) blad *o.*; **6** (*pop.*) tong *v.(m.)*; ***avoir une bonne —***, niet op zijn mondje gevallen zijn; **II** *m.* platina *o.*; **III** *adj.* platinakleurig.
platiner [platiné] *v.t.* **1** platineren, met een platinalaagje overdekken; **2** platinakleurig maken.
platinifère [platinifè:r] *adj.* platinahoudend.
platinite [platinit] *f.* bep. legering *v.* van nikkel en ijzer.
platitude [platitü'd] *f.* **1** platheid, laagheid *v.*; **2** platte uitdrukking *v.*; **3** (*v. wijn*) verschaaldheid *v.*
Platon [platõ] *m.* Plato *m.*
platonicien [platònisyẽ] **I** *adj.* Platonisch; **II** *s. m.* aanhanger *m.* van Plato.
platonique [platònik] *adj.* **1** platonisch, niet zinnelijk; **2** (*fig.*) theoretisch; zonder gevolgen.
platonisme [platònizm] *m.* **1** platonisme *o.*, stelsel *o.* van Plato; **2** (*v. liefde*) platonisch karakter *o.*
plâtrage [pla'tra:j] *m.* **1** bepleistering *v.*; **2** pleisterwerk *o.*; **3** (het) kalken *o.* (van de grond); **4** (*v. wijn*) klaring *v.*; **5** (*fig.*) schijnschoon *o.*
plâtras [pla'tra] *m.* **1** kalkpuin *o.*; **2** stuk *o.* muurkalk; **3** (*fig.*) slecht bouwmateriaal *o.*
plâtre [pla:tr] *m.* **1** gips, pleister *o.*; **2** gipsafgietsel, gipsen beeld *o.*; **3** pleisterkalk *m.*; **4** (*gen.*) gipsverband *o.*; **5** (*fam.*) blanketsel *o.*; **6** (*pop.*) geld, spie *o.*, poen *m.*; ***battre qn. comme —***, iem. duchtig afrossen; ***essuyer les —s***, een nieuw(gebouwd) verblijf betrekken.
plâtré [pla'tré] *adj.* van gips, gipsen.
plâtrer [pla'tré] **I** *v.t.* **1** bepleisteren; **2** (*v. grond*) kalken, met kalk bemesten; **3** (*v. wijn*) klaren; **4** (*fig.*) maskeren, bewimpelen, wegmoffelen; **5** (*v. gezicht*) blanketten; ***réconciliation plâtrée***, schijnbare verzoening *v.*; **II** *v.pr.* ***se —***, **1** bepleisterd worden; **2** zijn ware gevoelens verbergen; **3** zich blanketten.
plâtrerie [pla'treri] *f.* pleisterwerk, gipswerk *o.*
plâtreux [pla'trö] *adj.* **1** gipshoudend; **2** gipsachtig, pleisterachtig.
plâtrier [pla'tri(y)é] *m.* **1** gipsbrander *m.*; **2** pleisterwerker, gipswerker; stukadoor *m.*
plâtrière [pla'tri(y)è:r] *f.* **1** gipsgroeve, pleistergroeve *v.(m.)*; **2** gipsbranderij, kalkbranderij *v.*
plâtroir [pla'trwa:r] *m.* pleistertroffel *m.*
plausibilité [plo'zibilité] *f.* aannemelijkheid, geloofwaardigheid, waarschijnlijkheid *v.*
plausible(ment) [plo'zi'bl(emã)] *adj.* (*adv.*) aannemelijk, geloofwaardig, waarschijnlijk.

pléban [plébã], **plébain** [plébẽ] *m.* plebaan *m.* (pastoor van kathedrale kerk).
plèbe [plè:b] *f.* plebs, gepeupel *o.*
plébéien [plébéyẽ] **I** *m.* plebejer *m.*; **II** *adj.* plebejisch, laag; burgerlijk.
plebiscitaire [plébisitè:r] **I** *adj.* van de volksstemming; **II** *s. m.* voorstander *m.* van een volksstemming. [bisciet *o.*
plébiscite [plébisit] *m.* volksstemming *v.*, ple-
plectre [plèktr] *m.* **1** (*muz.*) plectrum *o.* (ivoren staafje om de lier te bespelen); **2** mandolinepingel, tangent *v.(m.)*.
pléiade [pléya·d] *f.* **1** (*sterr.*) zevengesternte *o.*; **2** groep *v.(m.)* van zeven dichters (in Frankrijk in de 16e eeuw); **3** (*fig.*) uitgelezen groep *v.(m.)*.
plein [plẽ] **I** *adj.* **1** vol; **2** gevuld; **3** (*v. band, enz.*) massief; **4** (*drukk.*: *v. zetsel*) gedrongen; **5** (*v. bladzijde*) geheel bedrukt; **6** (*fig.*) volledig; **7** (*wap.*) van één kleur; **8** (*v. dieren*) drachtig; ***en —e mer,*** in volle zee; ***en —e activité,*** in volle werkzaambeid; ***en — jour,*** op klaarlichte dag; ***en — hiver,*** in 't hartje van de winter; ***en —e terre,*** (*tuinb.*) in vrije grond; ***en — visage,*** vlak in 't gezicht; ***à —e bouche,*** gretig; ***à —s bords,*** boordevol, vol tot aan de rand; ***à —e gorge,*** luidkeels; ***— comme un œuf,*** tjokvol; ***— de jours,*** der dagen zat; ***être en —e moisson,*** midden in de oogst zijn; ***école de — air,*** openluchtschool *v.(m.)*; ***il est —,*** hij heeft zijn buikje vol; hij is dronken; ***avoir — le dos de qc.,*** meer dan genoeg van iets hebben; ***donner —(s) pouvoir(s) à qn.,*** iem. volmacht geven; ***porter —,*** (*sch.*) alle zeilen op hebben; ***chanter à —s poumons,*** uit volle borst zingen; ***il y en a tout —,*** 't is er in overvloed; ***avoir le cœur —,*** een overkropt gemoed hebben; **II** *s. m.* **1** (het) volle *o.*; **2** volheid *v.*; **3** volledigheid *v.*; **4** (*in haven*) hoogtij *o.*; **5** (*v. letter*) neerhaal *m.*; ***à —,*** ten volle; op volle kracht; ***faire son — de charbon,*** (*v. schip*) kolen innemen; ***faire le — (d'essence),*** benzine tanken; ***j'en ai mon —,*** ik heb er genoeg van, ik heb er mijn bekomst van; ***les courses battent leur —,*** de wedrennen zijn in volle gang; ***la mer bat son —,*** de zee is op zijn hoogste punt; ***frapper en —,*** raak slaan; **III** *prép.* vol; ***il a de l'argent — ses poches,*** hij heeft zijn zakken vol geld; (*fam.*) ***— de, tout — de,*** veel.
plein-air [plè·nè:r] *m.* openlucht *v.(m.)*.
pleinement [plè·nmã] *adv.* **1** ten volle, volkomen; **2** volop.
plein-vent [plè·vã] *m.* hoogstammige boom, vrijstaande boom *m.*
plénier [plényé] *adj.* **1** volledig, volkomen; **2** (*v. vergadering*) voltallig; ***indulgence plénière,*** (*kath.*) volle aflaat *m.*
plénipotentiaire [plénipòtã·syè:r] **I** *adj.* gevolmachtigd; **II** *s. m.* gevolmachtigde *m.*
plénitude [plénitü·d] *f.* **1** volheid *v.*; **2** volledigheid *v.*; ***dans la — de ses facultés,*** bij zijn volle verstand.
pléonasme [pléònazm] *m.* overtollig woord *o.*, overtollige uitdrukking *v.*, pleonasme *o.*
pléonastique [pléònastik] *adj.* overtollig, pleonastisch.
plésiosaure [plézyòsò:r] *m.* (fossiele) reuzenhagedis *v.(m.)*.
pléthore [plétò:r] *f.* **1** (*gen.*) volbloedigheid *v.*; **2** (*fig.*) overvloed *m.*; overvoerde markt *v.(m.)*.
pléthorique [plétòrik] *adj.* **1** volbloedig; **2** (*fig.*) overvoerd.
pleur [plœ:r] *m.* traan *m. en v.*; ***être tout en —s,*** in tranen baden; ***essuyer les —s,*** troosten.
pleural [plœ·ral] *adj.* het borstvlies betreffend.
pleurard [plœ·ra:r] **I** *m.* huilebalk *m.*; **II** *adj.* huilerig.
pleure-misère [plœ·remizè:r] *m.* iem. die altijd steen en been klaagt *m.*
pleurer [plœ·ré] **I** *v.i.* **1** wenen, schreien, huilen; **2** (*v. oog*) tranen; **3** (*v. kaas*) zweten; **4** (*v. wijnstok*) druipen, druppelen; ***— à chaudes larmes,*** hete tranen schreien; ***— comme un veau,*** tranen met tuiten huilen; ***— de qc.,*** iets betreuren; ***— sur qn.,*** iem. bewenen; iem. beklagen; **II** *v.t.* bewenen, wenen over; betreuren.
pleurésie [plœ·rézi] *f.* borstvliesontsteking *v.*, pleuris *v.(m.) en o.*
pleurétique [plœ·rétik] **I** *adj.* aan pleuris lijdend; pleuritisch; **II** *s. m.* pleurislijder *m.*
pleureur [plœ·roe:r] **I** *m.* huilebalk *m.*; **II** *adj.* **1** huilerig; **2** wenend, jammerend; ***saule —,*** treurwilg *m.*
pleureuse [plœ·rö:z] *f.* **1** (*oud.*) klaagvrouw *v.*; **2** (*op hoed*) treurveer, lang afhangende krulveer *v.(m.)*.
pleureux [plœ·rö] *adj.* huilerig.
pleurite [plœ·rit] *f.* droge pleuris *v.(m.) en o.*
pleurnichard [plœrniʃa:r] *m.* huilebalk, griener *m.*
pleurnicher [plœrniʃé] *v.i.* grienen, dreinen.
pleurnicherie [plœrniʃri] *f.* gegrien, gedrein *o.*
pleurnicheur [plœrniʃœ:r] **I** *adj.* grienerig, dreinend, huilerig; **II** *s. m.* dreiner, drenzer *m.*
pleuronecte [plœrònèkt] *m.* (*Dk.*) schol, platvis *m.*
pleuropneumonie [plœròpnœmòni] *f.* longontsteking *v.* met pleuris. [*m.*
pleutre [plö:tr] *m.* lammeling; laffe kerel, lafaard
pleutrerie [plö·treri] *f.* lamlendigheid; lafheid *v.*
pleuvasser [plœ·va·sé] *v.imp.* motregenen.
pleuviner [plœviné] *v.imp.* motregenen.
pleuvoir* [plœvwa:r] *v.imp.* regenen; ***— à verse, — à torrents,*** stortregenen; ***il pleut des hallebardes,*** het regent bakstenen.
plèvre [plè:vr] *f.* borstvlies *o.*
plexiforme [plèksifòrm] *adj.* vlechtvormig.
plexiglas [plèksigla] *m.* als glas zo doorzichtig kunsthars *o. en m.*
plexus [plèksüs] *m.* zenuwknoop *m.*, zenuwstreng *v.(m.)*.
pli [pli] *m.* **1** vouw, plooi *v.(m.)*; **2** rimpel *m.*; **3** omslag *m. en o.*, brief *m.*; **4** (*kaartsp.*) slag, trek *m.*; ***faux —,*** kreukel *v.(m.)*; ***— recommandé,*** aangetekende brief; ***— de service,*** dienstbrief; ***sous ce —,*** hierbij ingesloten; ***— de terrain,*** terreinplooi *v.(m.)*; ***mise en —s,*** watergolf *v.(m.)*; ***prendre un —,*** een gewoonte aannemen; ***cela ne fait pas un —,*** dat gaat als gesmeerd.
pliable [pli(y)a·bl] *adj.* **1** opvouwbaar; **2** plooibaar.
pliage [pli(y)a:j] *m.* (het) vouwen, (het) plooien *o.*
pliant [pli(y)ã] **I** *adj.* **1** buigzaam; **2** opvouwbaar; **3** (*fig.*) gedwee, toegevend; ***table —e,*** klaptafel *v.(m.)*; ***appareil —,*** klapcamera *v.(m.)*; **II** *s. m.* vouwstoel(tje) *m.* (*o.*).
plie [pli] *f.* (*Dk.*) bot *m.*; ***— franche,*** schol *m.*
plié [pli(y)é] *m.* (*bij dansen*) kniebuiging *v.*
plier [pli(y)é] **I** *v.t.* **1** vouwen; **2** (*v. krant, enz.*) toevouwen, dichtvouwen; **3** (*v. linnen, enz.*) opvouwen; **4** (*v. stok, knie*) buigen; **5** (*fig.*) doen toegeven, doen zwichten; **6** gewennen; ***— bagage,*** zijn biezen pakken; **II** *v.i.* **1** buigen, doorbuigen; **2** (*fig.*) toegeven, zwichten; **3** (*mil.*) terrein verliezen, wijken; ***— sous,*** bezwijken onder; **III** *v.pr.* ***se —,*** **1** buigen, zich krommen; **2** toegeven; **3** zich schikken, zich richten (naar).

plieur [pli(y)œ:r] *m.* vouwer *m.*
plieuse [pli(y)ö:z] *f.* vouwmachine *v.*
Pline [plin] *m.* Plinius *m.*
plinthe [plẽ:t] *f.* plint *v.(m.).*
plioir [pliwa:r] *m.* vouwbeen, vouwmes *o.*
plissage [plisa:j] *m.* **1** (het) plooien *o.*; **2** plissering *v.*
plissé [plisé] **I** *adj.* geplooid, geplisseerd; **II** *s. m.* plooisel *o.*
plissement [plismã] *m.* **1** (het) plooien *o.*; **2** (*v. aarde*) plooiing *v.*
plisser [plisé] **I** *v.t.* **1** plooien; **2** (*v. stof*) plisseren; **II** *v.pr.* ***se* —, 1** plooien krijgen; **2** geplooid worden; **3** rimpelen.
plisseuse [plisö:z] *f.* plisseermachine *v.*
plissure [plisü:r] *f.* **1** plooiing *v.*; **2** plooisel *o.*
pliure [pli(y)ü:r] *f.* (manier *v.(m.)* van) vouwen *o.* van de vellen van een boek.
ploc [plòk] *m.* **1** koehaar *o.*; **2** wolafval *o. en m.*
ploiement [plwa(y)mã] *m.* het plooien, het buigen *o.*
plomb [plõ] *m.* **1** lood *o.*; **2** (*sch.*) dieplood *o.*; **3** schroot *o.*; **4** jachthagel *m.*; **5** (*el.*) zekering *v.*; **6** (*op pakket*) loodje *o.*; ***un sommeil de* —,** een zeer zware slaap *m.*; ***soleil de* —,** drukkende hitte *v.*; ***à* —,** loodrecht; ***fil à* —,** schietlood *o.*; **— *en feuilles*,** bladlood; ***mine de* —, 1** potlooderts *o.*; **2** kachelglans *m.*; ***c'est du* — *sur l'estomac*,** dat ligt loodzwaar op de maag; ***n'avoir ni poudre ni* —,** in 't geheel niets hebben; ***avoir du* — *dans l'aile*,** aan de rand van het graf staan; ***poser les* —*s*,** verzegelen.
plombage [plõ'ba:j] *m.* **1** (het) solderen *o.* met lood; **2** (*v. tand*) (het) plomberen *o.*; **3** plombeersel *o.*; **4** loodkleur *v.(m.).*
plombagine [plõ'bajin] *f.* potlooderts, grafiet *o.*
plombé [plõ'bé] *adj.* **1** met lood; **2** loodkleurig; **3** in lood gevat.
plombée [plõ'bé] *f.* **1** (*aan visnet*) ballast *m.*; **2** stok *m.* met lood, ploertendoder *m.*
plomber [plõ'bé] **I** *v.t.* **1** met lood bedekken, — solderen; **2** (*v. pakket*) van een loden zegel voorzien, plomberen; **3** (*v. tand*) vullen, plomberen; **4** (*v. net*) met lood bezwaren; **5** (*v. grond*) vaststampen, vasttreden; **II** *v.i.* **1** een loodkleur aannemen, een loodkleurige tint krijgen; **2** zwaar wegen; ***teint plombé*,** loodkleurige tint.
plomberie [plõ'bri] *f.* loodgieterij *v.*
plombeur [plõ'bœ:r] *m.* plombeerder *m.*
plombier [plõ'byé] *m.* loodgieter *m.*
plombières [plõ'byè:r] *f.* ijs *o.* met vruchten.
plombifère [plõ'bifè:r] *adj.* loodhoudend.
plonge [plõ:j] *f.* het duiken *o.*
plongeant [plõ'jã] *adj.* **1** duikend; **2** van boven naar beneden (gaand); ***feu* —,** (*mil.*) plongeervuur *o.*
plongée [plõ'jé] *f.* **1** (het) duiken *o.*; **2** (*v. borstwering*) val *m.*, helling *v.*; **3** duikbeweging *v.*; **4** blik *m.* in de laagte; ***naviguer en* —,** onder water varen; ***rester en* —,** onder water blijven.
plongement [plõ'jmã] *m.* (het) duiken *o.*
plongeoir [plõ'jwa:r] *m.* springplank, duikplank *v.(m.).*
plongeon [plõ'jõ] *m.* **1** duiking, duikeling *v.*; **2** (*Dk.*) duiker *m.*, duikeend *v.(m.)*; **3** duiktoren *m.*; **4** diepe buiging *v.*; ***gouvernail de* —,** (*vl.*) hoogteroer *o.*; ***faire le* —, 1** duiken; **2** er van doorgaan, uitknijpen; **3** (*bij examen*) zakken; **4** (*fig.*) over de kop gaan.
plonger [plõ'jé] **I** *v.t.* **1** indopen, indompelen; **2** (*v. mes*) ploffen, steken; **3** storten in; **— *dans la misère*,** in de ellende storten; ***plongé dans ses pensées*,** in gedachten verzonken; **II** *v.i.* **1** duiken, onderduiken; **2** (*sch.*) diep liggen; **3** buigen, bukken; **— *dans l'avenir*,** in de toekomst zien, een blik in de toekomst slaan; **III** *v.pr.* ***se* —, 1** duiken; **2** (*v. zon*) wegduiken; **3** zich onderdompelen; ***se* — *dans*,** zich storten in; zich verdiepen in; zich overgeven aan.
plongeur [plõ'jœ:r] *m.* **1** duiker *m.*; **2** duikervogel *m.*; **3** (*in restaurant*) spoeler, vatenwasser *m.*; **4** (*in papierfabriek*) schepper *m.*
plot [plo] *m.* (*el.*) contactblok *o.*
ploutocrate [plutòkrat], *voir* ***plutocrate.***
ployable [plwaya'bl] *adj.* buigbaar.
ployage [plwaya:j] *m.* het buigen.
ployant [plwayã] *adj.* **1** buigzaam; **2** gebogen.
ployer [plwayé] **I** *v.t.* **1** buigen, krommen; **2** toevouwen; opvouwen; **3** (*fig.*) doen overhellen; **— *le dos*,** zich onderwerpen; **II** *v.i.* **1** buigen; **2** (*fig.*) zwichten; **3** (*voor vijand*) wijken; **III** *v.pr.*, ***se* —, 1** zich buigen; **2** toegeven; ***se* — *à*,** zich voegen naar; zich schikken in.
pluche [plüʃ], *voir* ***peluche.***
pluie [plẅi] *f.* regen *m.*; **— *d'orage*,** onweersbui *v.(m.)*; **— *battante*,** slagregen; **— *fine*,** motregen; ***le temps est à la pluie*,** het weer staat naar regen, het weer is regenachtig; ***faire la* — *et le beau temps*,** veel invloed hebben, alles te zeggen hebben; ***parler de la* — *et du beau temps*,** over koetjes en kalfjes praten; ***être à couvert de la* —,** zijn schaapjes op het droge hebben; ***après la* — *le beau temps*,** na regen komt zonneschijn.
plumage [plüma:j] *m.* gevederte *o.*
plumail [plüma'y] *m.* veren stoffer *m.*
plumaison [plümè'zõ] *f.* het plukken (v. veren).
plumard [plüma:r] *m.* **1** veren stoffer *m.*; **2** (*pop.*) mandje, bed *o.*
plumasseau [plümaso] *m.* **1** vederbezempje *o.*; **2** (*v. pijl*) penneschacht *v.(m.).*
plumasserie [plümasri] *f.* verenhandel *m.*
plume [plüm] *f.* **1** veer, pluim *v.(m.)*; **2** pen *v.(m.)*; ***à la* —,** pentekening *v.*; **— *à réservoir*,** vulpenhouder *m.*; ***homme de* —,** schrijver *m.*; ***guerre de* —,** pennestrijd *m.*; ***nom de* —,** schuilnaam *m.*, pseudoniem *o.*; **— *de ronde*,** rondschriftpen; ***poids* —,** (*sp.*) vedergewicht (*ong.* 55 kg.); ***avoir une belle* —,** een goede hand van schrijven hebben; ***jeter la* — *au vent*,** het op 't toeval laten aankomen; ***perdre ses* —*s*,** kaal worden; ***quitter la* —,** uit de veren komen; ***il est au poil et à la* —,** hij is van alle markten thuis; ***la belle* — *fait le bel oiseau*,** de kleren maken de man; ***arracher une* — *de l'aile de qn.*,** iem. een veer uit zijn staart trekken.
plumeau [plümo] *m.* **1** veren stoffer *m.*; **2** dekbed *o.*
plumée [plümé] *f.* **1** (*v. vogel*) (het) plukken *o.*; **2** pen *v.(m.)* vol.
plumer [plümé] *v.t.* plukken.
plumet [plümè] *m.* vederbos *m.*; pluim *v.(m.)*; ***avoir son* —,** aangeschoten zijn, een roes aanhebben; ***rabattre le* — *à qn.*,** iem. de mond snoeren.
plumetis [plümti] *m.* borduurwerk *o.* met bolgewerkte figuren.
plumeur [plümœ:r] *m.* vogelplukker *m.*
plumeux [plümö] *adj.* vederachtig, met veren bedekt.
plumier [plümyé] *m.* **1** pennebakje *o.*, pennedoos *v.(m.)*; **2** griffelkoker *m.*
plumitif [plümitif] *m.* **1** (*recht*) minuut *v.(m.)* (origineel van akte); **2** (*pop.*) pennelikker, klerk *m.*
plumule [plümül] *f.* **1** donsveertje *o.*; **2** zaadpluisje *o.*

plupart [plüpa:r] *f.*, *la —,* het merendeel, de meeste(n); *la — des élèves,* de meeste leerlingen; *la — du temps,* meestal, meestentijds, in de meeste gevallen; *pour la —,* merendeels.
plural [plüral] *adj.*, *vote —,* meervoudig stemrecht *o.*
pluraliser [plürali·zé] *v.t.* meervoudig maken.
pluralité [pluralité] *f.* **1** veelheid *v.*; **2** (*gram.*) meervoud *o.*; **3** meerderheid *v.*; *— des voix,* meerderheid van stemmen.
pluricellulaire [plürisèlülè:r] *adj.* meercellig.
pluriel [plüryèl] **I** *adj.* meervoudig; **II** *s. m.* meervoud *o.*
pluriflore [plü·riflò:r] *adj.* (*Pl.*) veelbloemig.
plus [plü, plüs] *adv. et s., m.* meer; *— petit,* kleiner; *le — petit,* de kleinste; *tout au —,* op zijn hoogst; *d'autant —,* zoveel te meer; *— ou moins,* min of meer; *il ne viendra —,* hij zal niet meer komen; *il n'a — rien,* hij heeft niets meer; *de —, bien —,* bovendien; *une fois de —,* voor de zoveelste maal, alweer; *il a trois ans de — que son frère,* hij is drie jaar ouder dan zijn broer; *on ne peut — heureux,* overgelukkig, allergelukkigst; *le — possible,* zoveel mogelijk; *le — tôt possible,* zo spoedig mogelijk; *le — tôt sera le mieux,* hoe eer, hoe beter; *de — en —,* hoe langer hoe meer; *sans — de façon,* zonder verdere complimenten; *je ne le connais pas — que vous,* ik ken hem evenmin als u; *il n'avait — que dix francs,* hij had nog maar tien frank; *rien de —,* niets méér; verder niets; *qui — est,* wat erger is, bovendien; *c'est tout au — s'il a assez,* hij heeft nauwelijks genoeg; *un peu —, il était perdu,* het scheelde weinig of hij was verloren; *il est — que temps,* het is hoog tijd; *avec du — ou du moins,* met geringe verschillen; *il a 50 ans au —,* hij is hoogstens vijftig; *le signe —,* (*wisk.*) het plusteken.
plusieurs [plüzyœ:r] **I** *adj.* verscheidene, verschillende, vele; **II** *pron. ind.* velen; *un ou —,* een of meer.
plus-offrant* [plüzòfrã] *m.* meestbiedende *m.*
plus-que-parfait* [plüskeparfè] *m.* voltooid verleden tijd *m.*
plus-value* [plüvalü] *f.* **1** overwaarde, meerwaarde *v.*; **2** waardevermeerdering *v.*; **3** overschot *o.*, hogere ontvangst *v.*; **4** bijslag *m.* op loon.
Plutarque [plütark] *m.* Plutarchus *m.*
plutocrate [plütòkrat] *m.* kapitalist, geldaristocraat, plutocraat *m.*
plutocratie [plütòkrasi] *f.* geldheerschappij, geldaristocratie, plutocratie *v.*
Pluton [plütõ] *m.* Pluto *m.*
plutonien [plütònyẽ] *adj.* plutonisch, vulkanisch.
plutonium [plütònyòm] *m.* plutonium *o.*
plutôt [plüto] *adv.* liever, eerder; *voyez —!* kijk maar eens!
pluvial [plüvyal] **I** *adj.*, *eau —e,* regenwater *o.*; **II** *s. m.* (*kath.*) pluviale *o.*
pluvier [plüvyé] *m.* (*Dk.*) pluvier, regenvogel *m.*
pluvieux [plüvyö] *adj.* regenachtig.
pluviner [plüviné] *v.i.* zachtjes regenen.
pluviomètre [plüvyòmè·tr] *m.* regenmeter *m.*
pluviôse [plüvyo:z] *m.* (*gesch.*) regenmaand *v.*(*m.*) (5e maand v. republikeinse kalender).
pluviosité [plüvyozité] *f.* regenachtigheid *v.*
pneu [pnö] *m.* **1** luchtband; fietsband *m.*; **2** (*fam.*) fiets *m. en v.*
pneumatique [pnömatik] **I** *adj.* pneumatisch, lucht—; *machine —,* luchtpomp *v.*(*m.*); *bandage —,* luchtband *m.*; *carte —,* stadstelegramformulier *o.*; *coussin —,* luchtkussen *o.*; **II** *s. m.* luchtband *m.*; **III** *s. f.* leer *v.*(*m.*) van de gassen, pneumatiek *v.*
pneumologie [pnõmòlòji] *f.* leer *v.*(*m.*) van de longziekten *v.*(*m.*).
pneumonie [pnömòni] *f.* longontsteking *v.*
pneumonique [pnömònik] *adj.* lijdend aan longontsteking.
pneumothorax [pnõmotòraks] *m.* operatief stilleggen *o.* van een aangetaste long.
Pô *m.* Po *v.*
pochable [pòʃa·bl] *adj.* gemakkelijk in de zak te stoppen. [*v.*(*m.*).
pochade [pòʃa·d] *f.* (*v. schilderij*) vluchtige schets
pochard [pòʃa:r] *m.* dronkaard, zuiplap *m.*
pocharder [pòʃardé] **I** *v.i.* zuipen; **II** *v.pr.*, *se —,* zich bedrinken, zich bezuipen.
poche [pòʃ] *f.* **1** zak *m.*; **2** (*v. dier*) buidel *m.*; **3** (*v. vogel*) krop *m.*; **4** etterzak *m.*; **5** (*in grond*) inzinking *v.*; **6** (*tn.*) gietlepel *m.*; **7** soeplepel, pollepel *m.*; **8** (*Dk.*) lepelaar *m.*; *payer de sa —,* uit zijn beurs betalen, uit zijn eigen zak betalen; *il a des —s sous les yeux,* zijn ogen zijn gezwollen; *faire des —s,* opbollen, opzwellen; *mettre la main à la —,* betalen; *y être de sa —,* er geld bijleggen, er geld bij inschieten.
pochée [pòʃé] *f.* zak *m.* vol.
pocher [pòʃé] **I** *v.t.* **1** (*v. oog*) blauw slaan; **2** (*v. schilderij*) vluchtig schetsen; *œil poché* (*au beurre noir*), blauwgeslagen oog; **II** *v.i.* opbollen.
pochetée [pòʃté] *f.* **1** zak *m.* vol; **2** (*fig.*) uil *m.*; stommiteit *v.*
pochette [pòʃèt] *f.* **1** zakje *o.*; **2** tasje *o.*; **3** (*— de compas*), (zak)passerdoos *v.*(*m.*); **4** (*v. vulpenhouder, tekengerei*) etui *o.*; *— de soie,* zijden zakdoekje *o.*
pochoir [pòʃwa:r] *m.* sjabloon *v.*(*m.*).
pochon [pòʃõ] *m.* **1** pollepel *m.*; **2** inktmop *v.*(*m.*); **3** stomp (op het oog), opstopper *m.*
pochonner [pòʃòné] *v.t.* een opstopper geven (aan).
podagre [pòda·gr] **I** *adj.* lijdend aan podagra; **II** *s. m.* voetjichtlijder, lijder *m.* aan podagra; **III** *s. f.* voetjicht *v.*(*m.*), podagra, pootje *o.*
podestat [pòdèsta] *m.* podesta *m.*
podium [pòdyòm] *m.* steunmuurtje *o.*
podomètre [pòdòmè·tr] *m.* schredenteller, afstandswijzer *m.*
poêle [pwal] **I** *m.* **1** kachel *v.*(*m.*); **2** lijkkleed *o.*; **3** troonhemel *m.*; **4** trouwsluier *m.*; *— à feu continu,* vulkachel; **II** *f.* braadpan, koekepan *v.*(*m.*); *tenir la queue de la —,* het heft in handen hebben.
poêlée [pwalé] *f.* pan *v.*(*m.*) vol.
poêlerie [pwalri] *f.* **1** potten en pannen *mv.*; **2** kachelsmederij *v.*
poêlier [pwalyé] *m.* kachelsmid *m.*
poêlon [pwalõ] *m.* pannetje *o.*
poème [pòè:m] *m.* **1** gedicht *o.*; **2** operatekst *m.*, libretto *o.*; *— épique,* heldendicht; *— didactique,* leerdicht; *— en prose,* dichterlijk proza; *— musical,* muzikale tekst.
poésie [pòézi] *f.* **1** dichtkunst, poëzie *v.*; **2** gedicht *o.*; **3** dichterlijke taal *v.*(*m.*); *— macaronique,* kolderpoëzie; *manquer de —,* laag bij de grond blijven.
poète [pòè:t] *m.* dichter *m.*; *femme —,* dichteres *v.*
poétesse [pòétès] *f.* dichteres *v.*
poétique [pòétik] **I** *adj.* dichterlijk, poëtisch; **II** *s. f.* poëtica *v.*, dichtleer *v.*(*m.*).
poétiquement [pòétikmã] *adv.* dichterlijk, op dichterlijke wijze.
poétiser [pòéti·zé] **I** *v.t.* verdichten, dichterlijk voorstellen; **II** *v.i.* dichten.
pognon [pòñõ] *m.* (*pop.*) spie *v.*(*m.*), geld *o.*

pogrom(e) [pògròm] *m.* pogrom *m.*
poids [pwa] *m.* **1** gewricht *o.*; **2** zwaarte *v.*; last *m.*; **3** (*fig.*) belang, gewicht; aanzien *o.*; **4** (— ***public***), (stads)waag *v.*(*m.*); — ***brut,*** bruto gewicht; — ***net,*** netto gewicht; — ***constaté,*** uitgeleverd gewicht; — ***spécifique,*** soortelijk gewicht; — ***et mesures,*** maten en gewichten; ***bon* —,** stille uitslag *m.*; — ***coq,*** (*sp.*) bantamgewicht; — ***plume,*** (*sp.*) vedergewicht; — ***leger,*** (*sp.*) lichtgewicht; — ***mouche,*** (*sp.*) vlieggewicht; — ***mi-moyen*** (*sp.*) weltergewicht; ***avoir deux — et deux mesures,*** met twee maten meten; ***être de* —,** het volle gewicht hebben; ***faire* —,** gewicht in de schaal leggen, meetellen; ***vendre au* —,** bij 't gewicht verkopen; ***homme de* —,** man van aanzien, — van gewicht; ***courbé sous le — des ans,*** onder de last van de jaren gebukt; ***mettre du — à qc.,*** gewicht aan iets hechten; ***cela pèse son* —,** dat weegt; ***donner du — à ses paroles,*** zijn woorden kracht bijzetten; ***cela m'ôte un — de dessus la poitrine,*** dat neemt mij een pak van 't hart.
poignant [pwañã] *adj.* **1** (*v. smart, enz.*) grievend, schrijnend; **2** ontroerend, aangrijpend, pakkend.
poignard [pwaña:r] *m.* dolk *m.*; ***couteau* —,** dolkmes *o.*; ***avoir le — dans le cœur,*** diep bedroefd zijn.
poignarder [pwañardé] *v.t.* met een dolk doorsteken.
poigne [pwañ] *f.* kracht *v.*(*m.*) in de handen, forse greep *m.*; ***avoir de la* —,** stevige knuisten hebben.
poignée [pwañé] *f.* **1** hand *v.*(*m.*) vol; **2** (*v. sabel, enz.*) handvat *o.*; **3** (*v. deur*) kruk *v.*(*m.*); — ***de main,*** handdruk *m.*; ***à —s,*** met handen vol; (*fig.*) in overvloed.
poignet [pwañè] *m.* **1** handgewricht *o.*, pols *m.*; **2** boord *m.* (van mouw).
poil [pwal] *m.* haar *o.* (op lichaam; v. dier, plant, stof); ***à —s,*** met haar op de tanden; ***chien à — long,*** langharige hond *m.*; ***à contre-—,*** tegendraads; ***monter à —,*** zonder zadel rijden; ***—follet,*** vlashaar; ***ne pas avoir un — de sec,*** geen droge draad aan 't lijf hebben; ***avoir du*** (*ou* ***un***) ***— dans la main,*** een broertje dood hebben aan werken, lui zijn; ***il a du — au nez,*** (*pop.*) hij heeft haar op zijn tanden; ***faire le — à qn.,*** iem. de loef afsteken; iem. een loer draaien; iem. de mantel uitvegen; ***se mettre à* —,** zich spiernaakt uitkleden; ***coucher le — à qn.,*** iem. vleien; ***de tout* —,** van allerlei slag.
poileux [pwalö] *adj.* harig.
poilu [pwalü] **I** *adj.* **1** harig, behaard, ruig; **2** (*fig.*) flink; **II** *s. m.* **1** soldaat *m.*; **2** flinke kerel, mannetjesputter *m.*
poinçon [pwẽ'sõ] *m.* **1** priem *m.*; **2** (*v. graveur*) stift *v.*(*m.*); **3** doorslag, drevel *m.*; **4** (*drukk.*) patrijs *m.*; **5** (munt)stempel, keurstempel *m.*; **6** (*bouwk.*) makelaar *m.*, dakstoelspits *v.*(*m.*).
poinçonnage [pwẽ'sòna:j], **poinçonnement** [pwẽ'sònmã] *m.* (het) stempelen *o.*, stempeling *v.*
poinçonner [pwẽ'sòné] **I** *v.t.* **1** (*v. munt, enz.*) stempelen; **2** (*v. gewicht*) ijken; **3** (*v. kaartje*) knippen; **4** doorslaan, ponsen; **II** *v.i.*, (*v. werkloze*) stempelen.
poinçonneur [pwẽ'sònœ:r] *m.* kaartjesknipper *m.*
poinçonneuse [pwẽ'sònö:z] *f.* doorslagmachine; ponsmachine *v.*
poindre* [pwẽ:dr] *v.i.* (*v. dag*) aanbreken, gloren.
poing [pwẽ] *m.* vuist *v.*(*m.*); ***dormir à —s fermés,*** zeer vast slapen, slapen als een os; ***coup de* —,** vuistslag *m.*; ***se ronger les —s,*** zich opvreten, zich staan te verbijten; ***montrer le — à qn.,*** iem. (met de vuist) dreigen.
point [pwẽ] **I** *m.* **1** punt *o.*, stip *v.*(*m.*); **2** (*aan einde van zin*) punt *v.*(*m.*) *en o.*; **3** (*bij 't naaien, breien*) steek *m.*; **4** (*v. schoenen, handschoenen*) nummer *o.*; **5** kantwerk *o.*, kant *m.*; **6** (*in riem*) gaatje *o.*; **7** (*fig.*) stekende pijn *v.*(*m.*); **8** graad *m.*, punt *o.*; **9** tijdstip, ogenblik *o.*; **10** vlekje *o.*; — ***d'exclamation,*** uitroepteken *o.*; — ***d'interrogation,*** vraagteken *o.*; ***deux —s,*** dubbele punt *v.*(*m.*) *en o.*; — ***virgule,*** kommapunt *v.*(*m.*) *en o.*; ***—s suspensifs, —s de suspension,*** gedachtepunten, enige puntjes; — ***d'intersection,*** snijpunt; — ***d'attouchement,*** raakpunt; — ***croisé,*** kruissteek; — ***de chaînette,*** kettingsteek; — ***noué,*** knoopsteek; — ***de surjet,*** overhandse steek; —***-arrière,*** averechtse steek; — ***de marque,*** merksteek; — ***d'appui,*** steunpunt *o.*; — ***de suture,*** (*gen.*) hechting *v.*; — ***d'ébullition,*** kookpunt; — ***de congélation,*** vriespunt; — ***de fusion,*** smeltpunt; ***le — du jour,*** de dageraad, het aanbreken van de dag; ***au plus haut* —,** in de hoogste mate; ***à tous les —s de vue,*** in alle opzichten; — ***de contact,*** aanrakingspunt; — ***de départ,*** uitgangspunt; — ***de côté,*** steek *m.* in de zij; — ***d'honneur,*** punt van eer; eergevoel *o.*; — ***d'orgue,*** orgelpunt; ***arriver à* —,** juist op tijd —, juist van pas komen; ***à ce —, à tel — que,*** zo zeer dat; ***les —s cardinaux,*** de hoofdwindstreken; ***oublier ses —s cardinaux,*** de kluts kwijt raken; ***être mal en* —,** er slecht aan toe zijn; ***mettre les choses au* —,** precies zeggen, waar het op staat; ***mettre les —s sur les i,*** de puntjes op de i zetten; ***le — capital,*** de hoofdzaak; ***nous y mettrons un* —,** wij zullen er een speldje bij steken; ***venir au* —,** ter zake komen; — ***de partage,*** (*spoorw.*) hoogste punt; ***rendre des —s à qn.,*** iem. (punten) voorgeven; (*fig.*) iem. overtreffen, iem. de baas zijn; ***mettre un — final à,*** voorgoed een eind maken aan; ***tout vient à — à qui sait attendre,*** de tijd baart rozen; ***il commença un éloge en trois —s,*** hij begon een lofrede in optima forma; ***pour un —, Martin perdit son âne,*** kleine oorzaken hebben grote gevolgen; **II** *adv.*, (***ne* —**), niet; — ***du tout,*** volstrekt niet; ***peu ou* —,** weinig of niets; ***ni peu ni* —,** hoegenaamd niets.
pointage [pwẽ'ta:j] *m.* **1** (*mil.*: *v. geschut*) (het) richten *o.*; **2** (het) aantekenen *o.*; **3** (*v. stemmen, enz.*) telling *v.*; **4** (*sch.*) uitzetting *v.* van 't bestek.
pointal [pwẽ'tal] *m.* (*bouwk.*) stutbalk *m.*
pointe [pwẽ:t] *f.* **1** (*v. speld, enz.*) punt *m.*; **2** (*v. toren*) spits *v.*(*m.*); **3** (*v. schip*) neus *m.*; **4** graveernaald, radeernaald *v.*(*m.*); **5** draadnagel *m.*; **6** (*v. dier*) stekel *m.*; **7** (*v. paard*) zijsprong *m.*; **8** (*fig.*) geestigheid, aardigheid *v.*; **9** (het) fijne *o.* (van geestigheid); **10** prikkel *m.*; prikkeling *v.*; — ***sèche,*** droge etsnaald *v.*(*m.*); — ***de terre,*** landtong *v.*(*m.*); — ***d'asperge,*** aspergekopje *o.*; ***les heures de* —,** de spitsuren; ***à la — du jour,*** bij het krieken van de dag; ***sur la — du pied,*** op de tenen; ***avoir une — de vin,*** een lichte roes aanhebben; ***pousser sa* —,** doorzetten; ***tailler en* —,** aanpunten; ***se terminer en* —,** spits toelopen.
pointeau [pwẽ'to] *m.* stelschroef *v.*(*m.*).
pointer [pwẽ'té] **I** *v.t.* **1** (*v. geschut*) richten; **2** (*v. namen, enz.*) aantekenen; **3** (*v. stemmen*) tellen; **4** (*v. potlood*) aanpunten; **5** (*v. oor*) spitsen; **6** (*sch.*: *v. kaart*) punteren; **7** (*muz.*: *v. noot*) met een punt verlengen; **8** (*sp.*) aantekenen, opnemen; **9** (*v. werkloze*) stempelen; **10** (*drukk.*) op punctuur drukken; **II** *v.i.* **1** (*v. plant*) uitkomen, ontkiemen; **2** (*v. dag*) aanbreken; **3** (*v. paard*) steigeren; **4** (*v. vogel*) opstijgen, opschieten.
pointeur [pwẽ'tœ:r] *m.* **1** (*mil.*) richter *m.* (van

't geschut); 2 (stem)opnemer, stemmenteller *m.*
pointillage [pwẽ'tiya:j] *m.* 1 stippeling *v.*; 2 stippelwerk, punteerwerk *o.*
pointille [pwẽ'ti'y] *f.* 1 spitsvondigheid, haarkloverij *v.*; 2 gevit *o.* [stippeltekening *v.*
pointillé [pwẽ'tiyé] *m.* 1 stippellijn *v.(m.)*; 2
pointillement [pwẽ'tiymã] *m.* (het) stippelen *o.*
pointiller [pwẽ'tiyé] I *v.t.* stippelen, punteren; II *v.i.* haarkloven, vitten.
pointillerie [pwẽ'tiyri] *f.* vitterij, kibbelarij *v.*
pointilleux [pwẽ'tiyö] *adj.* vitterig; kittelorig.
pointilliste [pwẽ'tiyist] *m.* schilder die het pointillisme beoefent.
pointu [pwẽ'tü] *adj.* 1 puntig, spits, scherp; 2 (*fig.*: *v. karakter*) prikkelbaar.
pointure [pwẽ'tü:r] *f.* 1 (*v. schoenen, handschoenen*) maat *v.(m.)*, nummer *o.*; 2 (*drukk.*) punctuur *v.*
poire [pwa:r] *f.* 1 peer *v.(m.)*; 2 peervormige bal *m.* (lamp *v.(m.)*, parel *v.(m.)*, enz.); 3 (*pop.*) naïeveling *m.*; **— *d'angoisse,*** wrange peer; bittere pil *v.(m.)*; **— *à couteau,*** handpeer; **— *de table,*** tafelpeer; **— *tapée,*** gedroogde peer; ***entre la — et le fromage,*** aan het dessert; ***partager*** (*ou* ***couper***) ***la — en deux,*** het verschil delen; ***une — pour la soif,*** een appeltje voor de dorst; ***en —,*** peervormig.
poiré [pwa'ré] *m.* perendrank, perenwijn *m.*
poireau, porreau [pwa'ro, pòro] *m.* 1 (*Pl.*) prei *v.(m.)*; 2 wrat *v.(m.)*; ***faire le —,*** staan wachten, staan schilderen.
poireauter [pwaroté] *v.i.* staan wachten.
poirée [pwa'ré] *f.* (*Pl.*) snijbiet, witte biet *v.(m.)*.
poirier [pwaryé] *m.* pereboom *m.*
pois [pwa] *m.* 1 erwt *v.(m.)*; 2 (*op stof, enz.*) stip *v.(m.)*, moesje *o.*; ***petit —,*** doperwt; ***— cassés,*** spliterwten; ***— mange-tout,*** peulerwt; ***— chiches, — gris,*** capucijners, grauwe erwten; ***— sans cosse,*** peulen; ***— de senteur,*** welriekende lathyrus *m.*, pronkerwt *v.(m.)*; ***rendre — pour fève,*** met gelijke munt betalen; ***manger des — chauds,*** met de mond vol tanden staan; ***aller et venir comme trois — dans une marmite,*** geen ogenblik rust hebben.
poison [pwa'zõ] *m.* vergift *o.*
poissard [pwasa:r] *adj.* viswijfachtig; ***langage —,*** viswijventaal *v.(m.)*.
poissarde [pwasard] *f.* viswijf *o.*
poisse [pwas] *f.* pech *m.*; ellende *v.(m.)*.
poisser [pwasé] I *v.t.* 1 pekken, bepekken; 2 vuil maken; kleverig maken; 3 (*pop.*) inpikken, gappen, stelen; II *v.i.* kleverig zijn.
poisseur [pwasœ:r] *m.* (*arg.*) verklikker *m.*
poisseux [pwasö] *adj.* kleverig.
poissillon [pwasiyõ] *m.* visje *o.*
poisson [pwasõ] *m.* vis *m.*; ***— doré, — rouge,*** goudvis; ***— d'eau douce,*** zoetwatervis; ***— d'avril,*** aprilgrap *v.(m.)*; ***il est comme un — dans l'eau,*** hij is op zijn gemak, — in zijn element; ***ni chair ni —,*** geen vlees en geen vis; ***la sauce vaut mieux que le —,*** het bijkomende is beter dan de zaak zelf; ***— sans boisson est poison,*** vis wil zwemmen.
poissonnaille [pwasòna'y] *f.* katvis *m.*
poissonnerie [pwasònri] *f.* vishandel *m.*; vishal *v.(m.)*.
poissonneux [pwasònö] *adj.* visrijk.
poissonnier [pwasònyé] *m.* vishandelaar, visverkoper *m.*
poissonnière [pwasònyè:r] *f.* 1 visvrouw, visverkoopster *v.*; 2 vispan *v.(m.)*, visketel *m.*
Poitevin [pwatvẽ] I *m.* bewoner *m.* van Poitou; — van Poitiers; II *adj.*, *p—*, uit Poitou, — Poitiers.
poitrail [pwatra'y] *m.* 1 (*v. paard*) borst *v.(m.)*; 2 borstriem *m.*
poitrinaire [pwatrinè:r] I *adj.* teringachtig; II *s. m.* teringlijder, borstlijder *m.*
poitrine [pwatrin] *f.* borst *v.(m.)*; ***avoir une bonne —,*** goede longen hebben; ***frapper la —,*** zijn schuld bekennen; ***— de veau,*** kalfsborststuk *o.*
poitrinière [pwatrinyè:r] *f.* (*v. paard*) borstriem *m.*
poivrade [pwavra'd] *f.* pepersaus *v.(m.)*.
poivre [pwa:vr] *m.* peper *m.*; ***— long,*** Spaanse peper; ***— et sel,*** peper- en zoutkleurig; ***cher comme —,*** peperduur.
poivré [pwa'vré] *adj.* 1 gepeperd; 2 peperduur.
poivrer [pwa'vré] *v.t.* peperen.
poivrier [pwa'vri(y)é] *m.* 1 peperstruik *m.*; 2 peperbus *v.(m.)*.
poivrière [pwa'vri(y)è:r] *f.* 1 peperbus *v.(m.)*; 2 peper- en zoutvaatje *o.*; 3 peperplantage *v.*; 4 (*bouwk.*) wachttorentje *o.*
poivron [pwa'vrõ] *m.* Spaanse peper *m.*
poivrot [pwa'vro] *m.* dronkaard *m.*
poix [pwa] *f.* pek, pik *o. en m.*; ***— minérale,*** aardpek, aardhars *o. en m.*; ***— de Judée,*** asfalt *o.*; ***— sèche,*** vioolhars; ***avoir la — aux doigts,*** lange vingers hebben.
poix-résine [pwarézin] *f.* harpuis *o.*
poker [pòkè:r] *m.* poker *o.*
polacre [pòlakr] *f.* polakker *m.*, middellandsezeeschip met vierkante zeilen.
polaire [pòlè:r] *adj.* van de polen, pool—; ***étoile —,*** poolster *v.(m.)*; ***cercle —,*** poolcirkel *m.*
polarimètre [pòlarimè'tr] *m.* polarimeter *m.* (om draaiing van het polarisatievlak van licht te meten).
polarisateur [pòlarizatœ:r] *adj.* polariserend.
polarisation [pòlarizα'syõ] *f.* polarisatie *v.*
polariser [pòlari'zé] *v.t.* polariseren, polariteit meedelen.
polariseur [pòlarizœ:r] *m.* polarisator *m.*
polarité [pòlarité] *f.* polariteit, poolaantrekking *v.* van de magneet.
polder [pòldè:r] *m.* polder *m.*
pôle [po:l] *m.* pool *v.(m.)*; ***élévation du —,*** poolshoogte *v.*; ***— austral, — sud, — antarctique,*** zuidpool; ***— arctique, — boréal, — nord,*** noordpool; ***— d'un aimant,*** magneetpool.
pôlée [po:lé] *f.* (*Bourgogne*) feestmaal bij druivenoogst.
polémique [pòlémik] I *adj.* polemisch; II *s. f.* polemiek *v.*, twistgeschrijf *o.*
polémiser [pòlémi'zé] *v.i.* polemiseren, een pennestrijd voeren.
polémiste [pòlémist] *m.* polemicus *m.*
polémologie [polémòlòji] *f.* krijgskunde *v.*
polenta [polènta] *f.* polenta, Italiaanse maïzenapap *v.(m.)*.
poli [pòli] I *adj.* 1 glad, gepolijst; 2 (*fig.*) beleefd, wellevend; 3 (*v. volk*) beschaafd; 4 (*v. stijl*) zorgvuldig, gekuist; II *s. m.* 1 glans, luister *m.*; 2 polijsting *v.*
police [pòlis] *f.* 1 politie *v.*; 2 orde, tucht *v.(m.)*; 3 (*v. verzekering*) polis *v.(m.)*; ***bonnet de —,*** (*mil.*) politiemuts, kwartiermuts *v.(m.)*; ***faire la —,*** toezicht houden; de tucht handhaven; drillen; ***simple —,*** rechtspraak van de politierechter; ***salle de —,*** (*mil.*) strafkamer voor licht arrest; ***— d'incendie,*** brandpolis; ***— de chargement,*** cognossement *o.*; ***— d'abonnement,*** contractpolis; ***— ouverte, — flottante,*** open polis, doorlopende polis.
policer [pòlisé] *v.t.* beschaven.

polichinelle [pòlisinèl] *m.* hanswo rst, potsenmaker *m.*; ***secret de —***, publiek geheim.
policier [pòlisyé] **I** *m.* politieman, politiebeambte *m.*; **II** *adj.* van de politie, politie—; ***roman —***, detectiveroman *m.*; ***chien —***, politiehond *m.*; ***mesure policière***, politiemaatregel *m.*
policlinique [pòliklinik] *f.* polikliniek *v.*
poliment [pòlimã] *adv.* beleefd; beschaafd. [*v.*
poliomyélite [pòlyomyéli't] *f.* kinderverlamming
polir [pòli:r] *v.t.* **1** polijsten, slijpen; **2** (*v. haar*) gladstrijken; **3** (*fig.*) beschaven.
polissable [pòlisa'bl] *adj.* polijstbaar, te polijsten.
polissage [pòlisa:j] *m.* polijsting *v.*
polisseur [pòlisœ:r] *m.* polijster *m.*
polissoir [pòliswa:r] *m.* **1** polijststeen *m.*; **2** bruineerstaal *o.*; **3** polijsthout *o.*
polissoire [pòliswa:r] *f.* **1** wrijfborstel *m.*; **2** (*tn.*) poleerschijf *v.*(*m.*); **3** poetszak *m.*
polisson [pòlisõ] **I** *m.* **1** straatjongen *m.*; **2** rakker *m.*, ondeugd *m.-v.*; **3** gemene kerel *m.*; **II** *adj.* **1** baldadig; **2** snaaks, guitig; **3** gemeen.
polissonner [pòlisòné] *v.i.* rakkeren, guitenstreken uithalen.
polissonnerie [pòlisònri] *f.* **1** kwajongensstreek *m.* en *v.*; **2** (*ong.*) schuine mop *v.*(*m.*).
polissure [pòlisü:r] *f.* **1** polijsting *v.*; **2** glans *m.*
politesse [pòlitès] *f.* **1** beleefdheid, hoffelijkheid *v.*; **2** beschaafdheid *v.*; ***brûler la — à qn.***, iem. plotseling verlaten; ***faire une — à qn.***, iem. een dienst bewijzen.
politicaillerie [pòlitika'yri] *f.* politiek gedoe *o.*
politicien [pòlitisyẽ] *m.* politieker, (beroeps)politicus *m.*
politique [pòlitik] **I** *adj.* **1** staatkundig; **2** handig, listig, sluw, politiek; ***économie —***, staathuishoudkunde *v.*; ***sciences —s***, staatswetenschappen; **II** *s. m.* **1** staatsman *m.*; **2** politicus *m.*; **3** sluwerd *m.*; **III** *f.* **1** politiek, staatkunde, staatswetenschap *v.*; **2** staatsmanskunst *v.*; **3** sluwheid *v.*
politiquement [pòlitikmã] *adv.* politiek; staatkundig; listig, sluw.
politiquer [pòlitiké] *v.i.* over politiek praten.
politiqueur [pòlitikœ:r] *m.* politieke tinnegieter *m.*
politiser [pòlitizé] *v.t.* verpolitieken, een politiek karakter geven aan.
polka [pòlka] *f.* polka *m.* en *v.*
polker [pòlké] *v.i.* de polka dansen, polkeren.
pollen [pòlèn] *m.* (*Pl.*) stuifmeel *o.*
pollineux [pòlinö] *adj.* stuifmeelachtig.
pollinique [pòlinik] *adj.* het stuifmeel betreffend.
pollinisation [pòliniza'syõ] *f.* (*Pl.*) bestuiving *o.*
pollochon [pòlòsõ] *m.* (*arg.*) peluw *v.*(*m.*).
polluer [pòlüé] *v.t.* bevlekken, bezoedelen.
pollution [pòlüsyõ] *f.* bevlekking, bezoedeling *v.*
polo [pòlo] *m.* **1** (*sp.*) polo *o.* (*soort balspel*); **2** gebreide muts *v.*(*m.*) (zonder rand).
Pologne [pòlòñ] *f.* Polen *o.*
polonais [pòlònè] **I** *adj.* Pools; **II** *s. m.*, ***P—***, **1** Pool *m.*; **2** (*pop.*) uitsmijter *m.*; **3** (*taal*) Pools *o.*
polonaise [pòlònè:z] *f.* Poolse (nationale) dans *m.*, polonaise *v.*
poltron [pòltrõ] **I** *m.* lafaard *m.*; **II** *adj.* lafhartig.
poltronnerie [pòltrònri] *f.* lafhartigheid *v.*
polyandre [pòli(y)ã:dr] *adj.* veelmannig.
polyandrie [pòli(y)ã'dri] *f.* veelmannerij *v.*
polyanthe [pòli(y)ã:t] *adj.* veelbloemig.
polyarchie [pòli(y)arsi] *f.* veelhoofdige regering *v.*
polychrome [pòlikròm] *adj.* veelkleurig.
polychromie [pòlikròmi] *f.* veelkleurigheid *v.*
polyclinique [pòliklinik] *f.* polikliniek *v.*
polycopie [pòlikòpi] *f.* **1** (het) hectograferen *o.*; **2** gehectografeerde afdruk *m.*
polycopier [pòlikòpyé] *v.t.* hectograferen.
polycopiste [pòlikòpist] *m.* hectograaf *m.*
polyculture [pòlikültür] *f.* het naast elkaar verbouwen van verschillende gewassen in een streek. [veelvlak *o.*
polyèdre [pòli(y)è:dr] **I** *adj.* veelvlakkig; **II** *s.*, *m.*
polyédrique [pòli(y)édrik] *adj.* veelvlakkig.
polygame [pòligam] **I** *adj.* (*Pl.*) veeltelig; **II** *s. m.* polygaam *m.*
polygamie [pòligami] *f.* veelwijverij *v.*
polygamique [pòligamik] *adj.* polygaam.
polyglotte [pòliglòt] **I** *adj.* **1** (*v. werk*) veeltalig; **2** (*v. persoon*) vele talen sprekend; **II** *s. m.* polyglot *m.*, iem. die vele talen kent.
polygonal [pòligònal] *adj.* veelhoekig.
polygone [pòligòn] **I** *m.* **1** veelhoek *m.*; **2** (*mil.*) oefenterrein, artillerieschietterrein *o.*; **II** *adj.* veelhoekig.
polygraphe [pòligraf] *m.* schrijver *m.* over veel onderwerpen.
polygyne [pòlijin] *adj.* (*Pl.*) veelstijlig.
polymathe [pòlimat] *m.* alzijdig geleerde; veelweter *m.* [weterij *v.*
polymathie [pòlimati] *f.* veelzijdige kennis; veel-
polymère [pòlimè:r] *m.* door polymerisatie gevormde scheikundige verbinding *v.*, polymeer *m.*
polymérisation [pòlimériza'syõ] *f.* polymerisatie *v.*, verbinding van meer moleculen van eenzelfde stof tot één grotere molecule.
Polymnie [pòlimni] *f.* Polyhymnia *v.* (*muze*).
polymorphe [pòlimòrf] *adj.* veelvormig.
polymoteur [pòlimòtœ:r] *adj.* met meerdere motoren.
Polynésie [pòlinézi] *f.* Polynesië *o.*
Polynésien [pòlinézyẽ] **I** *m.* Polynesiër *m.*; **II** *adj.* ***p—***, Polynesisch.
polynôme [pòlino:m] *m.* veelterm *m.*
polype [pòlip] *m.* (*gen.*) poliep *v.*(*m.*), vleesuitwas *m.* en *o.*
polypétale [pòlipétal] *adj.* (*Pl.*) veelbladig.
polypeux [pòlipö] *adj.* poliepachtig.
polyphage [pòlifa:j] *adj.* allesetend.
polyphasé [pòlifazé] *adj.* (*el.*) meerfasig.
polyphone [pòlifòn] *adj.* (*muz.*) veelstemmig.
polyphonie [pòlifòni] *f.* (*muz.*) veelstemmigheid *v.*
polyphonique [pòlifònik] *adj.* veelstemmig.
polyphylle [pòlifil] *adj.* veelbladig.
polypier [pòlipyé] *m.* poliepenstok *m.*
polypode [pòlipòd] **I** *adj.* veelpotig; **II** *s. m.* (*Pl.*) veelvoet *m.*, eikvaren *v.*(*m.*).
polypore [pòlipò:r] *m.* boomzwam *v.*(*m.*).
polyptère [pòliptè:r] *adj.* veelvinnig.
polysépale [pòlisépal] *adj.* (*Pl.*) veelkelkbladig.
polystyle [pòlistil] *adj.* veelzuilig.
polysyllabe [pòlisila'b] **I** *adj.* veellettergrepig; **II** *s. m.* veellettergrepig woord *o.* [pig.
polysyllab(iq)ue [pòlisilab(ik)] *adj.* veellettergre-
polytechnicien [pòlitèknisyẽ] *m.* leerling *m.* van een technische hogeschool.
polytechnique [pòlitèknik] **I** *adj.* polytechnisch; ***école —***, technische hogeschool; **II** *s. f.* technische hogeschool *v.*(*m.*).
polythéisme [pòlitéizm] *m.* veelgodendom *o.*
polythéiste [pòlitéist] **I** *adj.* polytheïstisch; **II** *s. m.* veelgodendienaar, aanhanger *m.* van het veelgodendom.
polytone [pòlitòn] *adj.* in veel toonaarden.
polytric [pòlitrik] *m.* haarmos *o.*
polyurie [pòlyüri] *f.* (*gen.*) pisvloed.
polyvaccin [pòlivaksẽ] *m.* tegen meer ziekten werkzame vaccine *v.*(*m.*).
polyvalent [pòlivalã] *adj.* polyvalent, veelwaardig.

pomacé [pòmasé] *adj.* appelachtig.
Poméranie [pòmérani] *f.* Pommeren *o.*
Poméranien [pòméranyẽ] **I** *m.* Pommer *m.*; **II** *adj.*, ***p—,*** Pommers.
pomiculteur [pòmiküItœ:r] *m.* appelkweker *m.*
pomiculture [pòmiküItü:r] *f.* appelkwekerij *v.*
pomifère [pòmifè:r] *adj.* appeldragend.
pomiforme [pòmifòrm] *adj.* appelvormig.
pommade [pòma'd] *f.* **1** (*gen.*) zalf *v.*(*m.*); **2** (*voor haar, enz.*) pommade *v.*(*m.*); **3** ophemeling, pluimstrijkerij *v.*; ***jeter de la — à qn.,*** iem. honig om de mond smeren; ***être dans la —,*** in de pekel zitten.
pommader [pòmadé] *v.t.* **1** met pommade besmeren; **2** (*fig.*) vleien, honig om de mond smeren.
pommard [pòma:r] *m.* vermaarde bourgognewijn *m.*
pomme [pòm] *f.* **1** appel *m.*; **2** knop *m.*; **3** (*v. sla*) krop *m.*; ***— de terre,*** aardappel *m.*; ***— de terre farineuse,*** afkoker *m.*; ***—s nature,*** gekookte aardappels; ***—s soufflées,*** gebakken aardappels; ***— de pin,*** pijnappel; ***— d'Adam,*** adamsappel; ***— à couteau,*** handappel; ***— à cuire,*** stoofappel; ***— d'arrosoir,*** sproeikegel, sproeier *m.*; ***— d'amour,*** tomaat *v.*(*m.*); ***emporter la —,*** de prijs behalen, de palm wegdragen; ***— de discorde,*** twistappel; ***mettre toutes ses —s dans le même panier,*** al zijn geld in één onderneming steken.
pommé [pòmé] **I** *adj.* **1** rond; **2** volmaakt, goed geslaagd; ***chou —,*** sluitkool *v.*(*m.*); ***laitue —e,*** kropsla *v.*(*m.*); **II** *s. m.* appelwijn, cider *m.*
pommeau [pòmo] *m.* (*v. stok, degen, enz.*) knop *m.*
pommelé [pòmlé] *adj.* schimmelkleurig; ***cheval gris —,*** appelschimmel *m.*; ***ciel —,*** lucht *v.*(*m.*) vol schapenwolkjes.
pommeler*, *se —* [s(e)pòmlé] *v.pr.* **1** (*v. paard*) appelgrauw worden; **2** (*v. lucht*) met schapenwolkjes betrekken.
pommelle [pòmèl] *f.* rooster *m. en o.* (voor goten).
pommer [pòmé] *v.i.* **1** (*v. kool*) sluiten; **2** (*v. sla*) kroppen.
pommeraie [pòmrè('y)] *f.* appelboomgaard *m.*
pommette [pòmèt] *f.* **1** appeltje *o.*; **2** knopje *o.* **3** jukbeen *o.*; **4** (*v. pistool*) dekplaatje *o.*
pommier [pòmyé] *m.* **1** appelboom *m.*; **2** appelpan, braadpan *v.*(*m.*) voor appels.
pomologie [pòmòlòji] *f.* ooftkunde *v.*
pomologique [pòmòlòjik] *adj.*, ***agriculture —,*** ooftbouw *m.*
pomologue [pòmòlò:g] *m.* ooftkundige *m.*
Pomone [pòmòn] *f.* Pomona *v.*
pompadour [põ'padu:r] *adj.* (*v. stof*) gebloemd, met bonte bloemen. [*o.*
pompage [põ'pa:j] *m.* het pompen, het oppompen
pompe [põ:p] *f.* **1** pomp *v.*(*m.*); **2** staatsie *v.*, praal, pracht *v.*(*m.*); **3** (*v. mes, slot*) veer *v.*(*m.*); **4** hoogdravende stijl *m.*; ***— à incendie,*** brandspuit *v.*(*m.*); ***— à essence,*** benzinepomp; ***— aspirante,*** zuigpomp; ***— d'épuisement,*** lenspomp; ***— foulante,*** perspomp; ***— à pneumatique,*** fietspomp; ***— à bras,*** handpomp; ***— funèbre,*** lijkstaatsie; ***employé des —s funèbres,*** lijkbidder *m.*
Pompée [põ'pé] *m.* Pompejus *m.*
pomper [põ'pé] **I** *v.t.* **1** oppompen; **2** opzuigen; **II** *v.i.* **1** pompen; **2** (*pop.*) pimpelen, zuipen; **3** (*op school*) blokken, vossen.
pompette [põ'pèt] *adj.* aangeschoten.
pompeux [põ'pö] *adj.*, **pompeusement** [põ'pö'zmã] *adv.* **1** schitterend, prachtig, statig; **2** (*v. stijl*) hoogdravend, gezwollen.
pompier [põ'pyé] *m.* **1** pompenmaker *m.*; **2** brandweerman, brandspuitgast *m.*; **3** (kleermaker) pompier *m.*; **4** (*op school*) blokker *m.*
pompiste [põ'pist] *m.* **1** houder *m.* van een benzinepomp; **2** pompbediende *m.*
pompon [põ'põ] *m.* **1** (*mil.*: *op sjako*) pompon *m.*; **2** kwastje *o.*; **3** (*fig.*) prullig sieraad *o.*; ***avoir le —,*** de kroon spannen, uitsteken boven anderen.
pomponner [põ'pòné] **I** *v.t.* **1** met kwastjes versieren; **2** (*fig.*) opschikken, opdirken; **II** *v.pr.* ***se —,*** zich opdirken.
ponant [pònã] *m.* (*oud*) het westen *o.*
ponçage [põ'sa:j] *m.* (het) afpuimen, (het) polijsten *o.* met puimsteen.
Ponce [põ:s] *m.* Pontius *m.* [puimsteen *m.*
ponce [põ:s] *f.* **1** sponszakje *o.*; **2** (***pierre —***),
ponceau [põ'so] **I** *m.* **1** klaproos *v.*(*m.*); **2** bruggetje *o.*; **3** (*v. riool*) doorlaat *m.*; **4** helrode kleur *v.*(*m.*), hoogrood *o.*; **II** *adj.* helrood, hoogrood.
poncer [põ'sé] *v.t.* **1** afpuimen, met puimsteen polijsten; **2** (*v. tekening*) sponsen. [*m.*
ponceur [põ'sœ:r] *m.* **1** polijster *m.*; **2** calqueerder
ponceux [põ'sö] *adj.* puimsteenachtig.
poncho [põ'ʃo] *m.* poncho *m.*, Zuidam. dekenmantel met gat in 't midden voor hoofd.
poncif [põ'sif] **I** *m.* **1** sponsblad *o.*, doorgeprikte tekening *v.*; **2** (*fig.* : *stijl*) cliché *o.*, gemeenplaats, vaste formule *v.*(*m.*); **II** *adj.* banaal, alledaags, afzaagd. [ning *v.*
poncis [põ'si] *m.* sponsblad *o.*, doorgeprikte teke-
ponction [põ'ksyõ] *f.* **1** prik, steek *m.*; **2** (*gen.*) punctie *v.* [heid *v.*
ponctualité [põ'ktwalité] *f.* stiptheid, nauwkeurig-
ponctuation [põ'ktwa'syõ] *f.* interpunctie *v.*, (het) plaatsen *o.* van leestekens; ***signe de —,*** leesteken *o.*
ponctuel(lement) [põ'ktwèl(mã)] *adj.* (*adv.*) stipt, nauwkeurig.
ponctuer [põ'ktwé] *v.t.* **1** (*in zin*) de leestekens plaatsen, interpungeren; **2** stippelen, met punten tekenen; **3** (*muz.*) fraseren, de rusten krachtig aanduiden; **4** (*fig.*) onderstrepen.
pondaison [põdè'zõ] *f.* **1** het leggen *o.*; **2** legtijd *m.*
pondérabilité [põ'dérabilité] *f.* weegbaarheid *v.*
pondérable [põ'déra'bl] *adj.* weegbaar.
pondérateur [põ'dératœ:r] *adj.* het evenwicht bewarend.
pondération [põ'déra'syõ] *f.* **1** (*nat.*) evenwicht *o.*; **2** evenwichtsleer *v.*(*m.*); **3** (*fig.*) bezadigdheid *v.*
pondéré [põ'déré] *adj.* **1** in evenwicht; **2** (*fig.*) evenwichtig; kalm, bezadigd.
pondérer [põ'déré] *v.t.* in evenwicht houden.
pondeuse [põ'dö:z] *f.* (*ou adj.*: ***poule —***), leghen *v.*
pondoir [põ'dwa:r] *m.* **1** legplaats *v.*(*m.*), leghok, legnest *o.*; **2** legboor *v.*(*m.*).
pondre [põ:dr] *v.t.* **1** (*v. ei*) leggen; **2** (*fig.*) voortbrengen, maken; ***voilà qui est bien pondu,*** dat is een mooi stuk werk.
poney [pònè] *m.* pony *m.* [vlokzijde.
pongé [põ'gé] *m.* lichte stof *v.*(*m.*) van linnen en
pont [põ] *m.* **1** brug *v.*(*m.*); **2** (*sch.*) scheepsdek *o.*; ***— arrière,*** (*auto*) achteras *v.*(*m.*) met overbrengingsmechaniek; ***— de bateaux,*** schipbrug; ***— à bascule,*** wipbrug; ***— dormant, — fixe,*** vaste brug; ***— à radeaux,*** vlotbrug; ***— suspendu,*** kettingbrug, hangbrug; ***— transbordeur,*** zweefbrug; ***— tournant,*** draaibrug; ***— de fortune,*** noodbrug; ***— aérien,*** luchtbrug; ***faux —,*** tussendek *o.*; ***— des embarcations,*** sloependek; ***les —s et chaussées,*** de Waterstaat; ***faire un — à qn.,*** iem. tegemoet komen, het iem. gemakkelijk maken; ***faire le —,*** verlof hebben tot de volgende zon- of feestdag; ***— aux ânes,*** ezelsbrug; ***jeter***

***un* —, een brug slaan; *couper dans le* —,** er inlopen, in de val lopen.
pontage [põ'ta:j] *m.* bruggenbouw *m.*
pont*-arrière [põ'taryè:r] *m.* achterdek *o.*
ponte [põ:t] **I** *f.* **1** (het) leggen *o.* (v. eieren); **2** legtijd *m.*; **II** *m.* **1** (*in omberspel*) ponto *v.*; **2** speler *m.* tegen de bankier.
ponté [põ'té] *adj.* (*sch.*) van een dek voorzien; ***bateau* —,** zolderschuit *v.*(*m.*).
pontée [põ'té] *f.* deklading *v.*
ponter [põ'té] **I** *v.t.* van een dek voorzien; **II** *v.i.* **1** tegen de bankier spelen; **2** (*pop.*) afdokken.
pontet [põ'tè] *m.* **1** bruggetje *o.*; **2** zadelboog *m.*
Pont-Euxin [põ'töksẽ] *m.* Zwarte Zee *v.*(*m.*).
pontier [põ'tyé] *m.* brugwachter *m.*
pontife [põ'tif] *m.* hogepriester, opperpriester *m.*; ***le souverain* —,** de paus *m.*
pontifical [põ'tifikal] **I** *adj.* **1** hogepriesterlijk; **2** pontificaal; bisschoppelijk; pauselijk; **II** *s. m.* pontificaal *o.*; ***les États pontificaux,*** de Kerkelijke Staat. [priester; **2** pontificaal.
pontificalement [põ'tifikalmã] *adv.* **1** als hoge-
pontificat [põ'tifika] *m.* **1** hogepriesterschap, opperpriesterschap *o.*; **2** pontificaat *o.*, pauselijke waardigheid *v.*; **3** duur *m.* van een pauselijke regering.
pontifier [põ'tifyé] *v.i.* **1** als hogepriester (*of* opperpriester) dienst doen; **2** (*fig.*, *ong.*) plechtig optreden, gewichtig doen, orakelen.
pont-l'évêque [põ'tlévèk] *m.* bep. vette kaas *m.*
pont*-levis [põ'l(e)vi] *m.* ophaalbrug *v.*(*m.*).
ponton [põ'tõ] *m.* ponton *m.*; — ***volant,*** gierpont *v.*(*m.*).
pontonage [põ'tòna:j] *m.* bruggeld *o.*
ponton*-allège* [põ'tõalè:j] *m.* lichter *m.*
ponton*-grue* [põ'tõgrü] *m.* drijvende kraan *v.*(*m.*). [mastbok *m.*
ponton*-mâture* [põ'tõ'ma'tü:r] *m.* drijvende
pontonnier [põ'tònyé] *m.* **1** brugwachter *m.*; **2** (*mil.*) pontonnier *m.* [dedek *o.*
pont*-promenade* [põ'pròmna'd] *m.* promena-
pontuseau [põ'tü'zo] *m.* waterlijn *v.*(*m.*) in papier.
pool [pu:l] *m.* **1** pool *m.*, consortium *o.*; **2** voetbalpool *m.*
pope [pòp] *m.* pope, Russisch priester *m.*
popeline [pòplin] *f.* popeline *o. en m.*, halfzijden stof *v.*(*m.*).
poplité [pòplité] *adj.* de knieboog betreffend.
popote [pòpòt] *f.* **1** soldatensoepketel *m.*; **2** (*fam.*) keuken *v.*(*m.*), pot *m.*; ***faire la* —,** koken, de pot koken.
populace [pòpülas] *f.* gepeupel, grauw, janhagel *o.*
populacier [pòpülasyé] *adj.* gemeen.
populage [pòpüla:j] *m.* (*Pl.*) dotterbloem *v.*(*m.*).
populaire [pòpülè:r] *adj.* **1** populair, door 't volk bemind; **2** voor allen genaakbaar, door iedereen verstaanbaar; **3** volks—; ***quartier* —,** volkswijk *v.*(*m.*). [maken *o.*
popularisation [pòpülariza'syõ] *f.* (het) populair
populariser [pòpülari'zé] *v.t.* **1** bij 't volk bemind maken; **2** (*v. wetenschap, enz.*) vulgariseren, onder het volk brengen, voor iedereen verstaanbaar maken. [*v.*
popularité [pòpülarité] *f.* populariteit, volksgunst
population [pòpüla'syõ] *f.* bevolking *v.*; — ***active,*** beroepsbevolking *v.*
populeux [pòpülö] *adj.* volkrijk, dicht bevolkt.
populiste [pòpülist] **I** *adj.* die het volk verdedigt; ***parti* —,** volkspartij *v.*; **II** *s. m.* lid *o.* van de volkspartij.
poquet [pòkè] *m.* zaaikuiltje *o.* [vlees *o.*
porc [pò:r, pòrk] *m.* **1** varken, zwijn *o.*; **2** varkens-
porcelaine [pòrselè:n] *f.* **1** porselein *o.*; **2** (*Dk.*) porseleinschelp *v.*(*m.*).
porcelainier [pòrselènyé] **I** *m.* **1** porseleinfabrikant *m.*; **2** porseleinverkoper *m.*; **II** *adj.*, ***industrie porcelainière,*** porseleinnijverheid *v.*; porseleinhandel *m.*
porcelet [pòrselè] *m.* varkentje *o.*
porcelle [pòrsèl] *f.* (*Pl.*) biggenkruid *o.*
porc*-épic* [pòrképik] *m.* stekelvarken *o.*
porche [pòrʃ] *m.* **1** (*v. kerk, enz.*) portaal *o.*; **2** overdekte ingang *m.*
porcher [pòrʃé] *m.* varkenshoeder *m.*
porcherie [pòrʃeri] *f.* zwijnestal *m.*
porcin [pòrsẽ] *adj.* van varkens; ***race* —*e*,** varkensras *o.*
pore [pò:r] *m.* porie *v.*
poreux [pòrö] *adj.* poreus.
porion [pòryõ] *m.* mijnopzichter *m.* [*m.*
pornographe [pòrnògraf] *m.* onzedelijk schrijver
pornographie [pòrnògrafi] *f.* pornografie, vuilschrijverij *v.* [fisch.
pornographique [pòrnògrafik] *adj.* pornogra-
porosité [pòro'zité] *f.* poreusheid *v.*
porphyre [pòrfi:r] *m.* porfier *o.*
porphyrique [pòrfi'rik] *adj.* porfierachtig.
porphyroïde [pòrfiròi'd] *adj.* op porfier lijkend.
porracé [pòrasé] *adj.* preiachtig; lichtgroen.
porreau, poireau [pòro, pwa'ro] *m.* prei *v.*(*m.*).
porrigo [pòrigo] *m.* (*gen.*) hoofdzeer *o.*; uitslag *m.*
port [pò:r] *m.* **1** haven *v.*(*m.*); **2** (*v. schip*) laadvermogen *o.*; **3** (*v. zending*) vracht *v.*(*m.*), port *o. en m.*; **4** (het) dragen *o.*; **5** houding *v.*(*m.*), postuur *o.*; — ***d'attache,*** haven van herkomst; — ***marchand,*** — ***de commerce,*** handelshaven; — ***militaire,*** oorlogshaven; — ***franc,*** vrijhaven; — ***aérien,*** luchthaven; — ***de refuge,*** — ***de relâche,*** noodhaven; ***droits de* —,** havengelden *mv.*; — ***payé, franc de* —,** franco; (***permis de***) — ***d'armes,*** **1** jachtakte *v.*(*m.*); **2** verlof *o.* om een wapen te dragen; ***arriver à bon* —,** behouden aankomen; ***échouer au* —,** in 't zicht van de haven stranden; — ***de voix,*** (*muz.*) portamento *o.*
portable [pòrta'bl] *adj.* draagbaar.
portage [pòrta:j] *m.* (het) dragen *o.*
portail [pòrta'y] *m.* **1** hoofdingang *m.*; **2** portaal *o.*
portant [pòrtã] **I** *adj.* dragend; ***bien* —,** gezond, welvarend; ***à bout* —, 1** van zeer nabij; **2** (*fig.*) in 't gezicht, op de man af; ***l'un* — *l'autre,*** door elkander gerekend; **II** *s. m.* **1** hengsel, handvatsel *o.*; **2** stut *m.* (van een coulisse).
portatif [pòrtatif] *adj.* **1** draagbaar; **2** (*v. boek*) in handig formaat; ***autel* —,** (*kath.*) draagaltaar, reisaltaar; veldaltaar *o.*; ***force portative,*** draagkracht *v.*(*m.*).
porte [pòrt] *f.* **1** deur *v.*(*m.*); **2** poort *v.*(*m.*); — ***cochère,*** koetspoort; — ***roulante,*** — ***à coulisse,*** schuifdeur; — ***vitrée,*** glazen deur; — ***coupée,*** halve deur; — ***croisée,*** glazen balkondeur; — ***matelassée,*** tochtdeur; ***défendre sa* —,** voor niemand thuis zijn; ***à la* —, *aux* —*s de*,** dichtbij; ***habiter* — *à* —,** vlak naast elkaar wonen; ***trouver* — *close,*** voor een gesloten deur komen; ***aller de* — *en* —,** van huis tot huis gaan; ***refuser sa* — *à qn.*,** iem. zijn huis ontzeggen; ***prendre la* —,** zijn biezen pakken, zich terugtrekken; ***mettre la clef sous la* —,** met de noorderzon vertrekken; ***entre deux* —*s*,** in de gauwigheid; ***enfoncer une* — *ouverte,*** een open deur intrappen; onnut werk verrichten; onderstelde hinderpalen overwinnen; ***la* (*Sublime*) *P*—,** de (Verheven) Porte *v.*, Turkije *o.*
porté [pòrté] *adj.*, *voir* ***porter.***

porte-aéronefs [pòrtaéronèf] *m.* vliegdekschip *o.*
porte-à-faux [pòrtafo], ***en —***, overhangend.
porte-affiches [pòrtafiʃ] *m.* aanplakbord *o.*
porte-aiguilles [pòrtégẅi'y] *m.* **1** naaldenkoker *m.*; **2** naaldenboekje *o.*
porte-allumettes [pòrtalümèt] *m.* lucifersstandaard *m.*
porte-amarre [pòrtama:r] *m.* vuurpijl *m.* met reddingslijn.
porte-antenne [pòrtantèn] *m.* antennemast *m.*
porte-assiette* [pòrtasyèt] *m.* tafelmatje *o.*
porte-avions [pòrtavyõ] *m.* vliegtuigmoederschip, vliegdekschip *o.*
porte-bagages [pòrtbaga:j] *m.* bagagedrager *m.*
porte-baïonnette [pòrtbayònèt] *m.* (*mil.*) bajonetdrager *m.*
porte-balai(s) [pòrtbalè] *m.* borstelhouder *m.*
porteballe [pòrtbal] *m.* marskramer *m.*
porte-balles [pòrtbal] *m.* (*tennis*) ballenmandje, ballenrek, ballennet *o.*
porte-bannière(*) [pòrtbanyè:r] *m.* banierdrager *m.*
porte-bicyclette(s) [pòrtbisiklèt] *m.* fietsstander *m.*
porte-billets [pòrtbiyè] *m.* zakportefeuille *m.*
porte-bonheur [pòrtbònœ:r] *m.* mascotte *v.*(*m.*), voorwerp *o.* dat geluk aanbrengt.
porte-bouquet* [pòrtbukè] *m.* bloemenvaasje *o.*
porte-bouteilles [pòrtbutè'y] *m.* flessenrek *o.*
porte-cannes [pòrtkan] *m.* wandelstokkenstander *m.*
porte-cartouches [pòrtkartuʃ] *m.* patroongordel *m.*
porte-cendres [pòrtsã:dr] *m.* asbakje *o.*
porte-chapeaux [pòrtʃapo] *m.* hoedenkapstok *m.*
porte-cigare* [pòrtsiga:r] *m.* sigarepijpje *o.*
porte-cigares [pòrtsiga:r] *m.* sigarenkoker *m.*
porte-cigarette* [pòrtsigarèt] *m.* sigarettepijpje *o.*
porte-cigarettes [pòrtsigarèt] *m.* sigarettenkoker *m.*
porte-clefs [pòrtklé] *m.* **1** sleutelring *m.*; **2** sleutelrek *o.*; **3** sleuteldrager, cipier *m.*
porte-couteau [pòrtkuto] *m.* messelegger *m.*
porte-crayon [pòrtkrèyõ] *m.* **1** potloodhouder *m.*; **2** potlood *o.*; **3** tekenpen *v.*(*m.*).
porte-croix [pòrtkrwa] *m.* (*kath.*) kruisdrager *m.*
porte-dais [pòrt(e)dè] *m.* baldakijndrager *m.*
porte-dîner(s) [pòrtdi'né] *m.* etensdrager *m.*; etensbus *v.*(*m.*).
porte-drapeau(*) [pòrtdrapo] *m.* vaandeldrager *m.*
portée [pòrté] *f.* **1** draagwijdte *v.*; **2** bereik *o.*; **3** (*v. dieren*) dracht *v.*(*m.*); **4** (*fig.*) strekking, betekenis *v.*; **5** (*muz.*) notenbalk *m.*; **6** (*v. brug*) spanning *v.*; **7** (*v. wagen, enz.*) draagvermogen *o.*; **8** (*v. vruchtboom*) opbrengst *v.*; ***à —***, onder schot; binnen bereik; ***à longue —***, verdragend, verreikend; ***à la — de la main***, met de hand te bereiken; ***à une — de fusil***, op geweerschotsafstand; ***hors de la — des balles***, buiten schot; ***c'est au-dessus de sa —***, dat gaat boven zijn krachten; — boven zijn begrip; ***cela passe la — de notre intelligence***, dat gaat ons verstand te boven; ***d'une haute —***, hoogst belangrijk, van grote betekenis, van een grote draagwijdte.
porte-embrasse* [pòrtã'bras] *m.* gordijnknop *m.*
porte-enseigne [pòrtã'sèñ] *m.* vaandeldrager *m.*
porte-épée [pòrtépé] *m.* degenriem, degenkoppel *m.*
porte-éponge(s) [pòrtépo:j] *m.* sponsenet *o.*
porte-étendard(*) [pòrtétã'da:r] *m.* standaarddrager *m.*
porte-étrier(s) [pòrtétri(y)é] *m.* stijgbeugelriem *m.*
portefaix [pòrt(e)fè] *m.* kruier, pakdrager, sjouwerman *m.*
porte*-fenêtre* [pòrtf(e)nè:tr] *f.* openslaande glazen deur *v.*(*m.*).
portefeuille [pòrtefœ'y] *m.* **1** brieventas *v.*(*m.*), portefeuille *m.*; **2** (*H.*) effectenbezit *o.*; **3** ministerambt *o.*; **4** (*pop.*) bed *o.*
porte-flambeau(*) [pòrtflã'bo] *m.* fakkeldrager, toortsdrager *m.*
porte-fleurs [pòrtflœ:r] *m.* bloemenvaasje *o.*, bloemenstander *m.*
porte-fusain [pòrtfüzẽ] *m.* tekenpen *v.*(*m.*).
porte-fusils [pòrtfüsi] *m.* geweerrek *o.*
porte-huile [pòrtẅi'l] *m.* oliespuitje *o.*
porte-lanterne [pòrtlã'tèrn] *m.* lantaarndrager *m.*
porte-lettres [pòrtlètr] *m.* brieventas *v.*(*m.*).
porte-liqueurs [pòrtlikœ:r] *m.* likeurstel *o.*
porte-malheur [pòrtmalœ:r] *m.* ongeluksbode *m.*
portemanteau [pòrtmã'to] *m.* **1** kapstok *m.*; **2** valies *o.*; **3** (*v. ruiter*) mantelzak *m.*; **4** (*sch.*) davit(s) *m.*(*mv.*).
porte-masse [pòrtmas] *m.* pedel, stafdrager *m.*
portement [pòrtmã] *m.*, ***— de croix***, kruisdraging *v.*
porte-mine [pòrtmin] *m.* vulpotlood *o.*
porte-mines [pòrtmin] *m.*, ***navire —***, mijnenlegger *m.*
porte-monnaie [pòrtmònè] *m.* portemonnaie *m.*, beurs *v.*(*m.*).
porte-montre [pòrtmõ:tr] *m.* horlogestandaard, horlogehanger *m.*
porte-musique [pòrtmüzik] *m.* muziekkastje *o.*; muziekportefeuille *m.*
porte-or [pòrtò:r] *m.* goudbeurs *v.*(*m.*).
porte-page [pòrtpa:j] *m.* (*drukk.*) paginapapier *o.*
porte-papier [pòrtpapyé] *m.* papierhouder *m.*
porte-parapluies [pòrt(e)paraplẅi] *m.* paraplustander, paraplubak *m.*
porte-parole [pòrt(e)paròl] *m.* woordvoerder; tolk *m.*
porte-pelle [pòrt(e)pèl] *m.* haardstel *o.*
porte-pipe(s) [pòrt(e)pip] *m.* pijpenrek *o.*
porte-plume [pòrt(e)plüm] *m.* penhouder *m.*; ***— à réservoir***, vulpenhouder.
porte-pompe [pòrt(e)põ:p] *m.* (*aan fiets*) pompklem *v.*(*m.*).
porte-queue [pòrtkö] *m.* sleepdrager *m.*
porter [pòrté] **I** *v.t.* **1** dragen; torsen; **2** brengen; **3** rondbrengen, bezorgen; **4** (*v. blik*) richten; **5** (*fig.*) verdragen; **6** inhouden, bevatten; **7** (*op lijst*) inschrijven; **8** (*v. haat, vriendschap*) toedragen; **9** (*v. slag*) toebrengen; **10** (*v. rente*) opbrengen; ***— témoignage***, getuigenis afleggen; ***— un jugement sur***, een oordeel vellen over; ***— plainte***, een klacht indienen; ***— la parole***, het woord voeren; ***— atteinte à***, aanranden, te kort doen; ***— envie à qn.***, iem. benijden; ***— aux nues***, tot in de wolken verheffen; ***il porte bien la bière***, hij kan goed bier verdragen; ***il porte bien son âge***, hij draagt zijn jaren met ere, hij is nog kras voor zijn leeftijd; ***— toute sa barbe***, een volle baard dragen; ***— l'oreille basse***, de oren laten hangen; ***— le deuil***, in de rouw zijn; ***— un titre***, een titel voeren; ***— un candidat***, een kandidaat voorstellen; ***— bonheur***, geluk aanbrengen; ***— qn. sur ses épaules***, genoeg van iem. krijgen; ***— les armes***, soldaat zijn, dienen; ***— l'arme***, (*mil.*) 't geweer schouderen; ***— lunettes***, een bril dragen, brillen; ***— en compte***, in rekening brengen; ***— à compte nouveau***, op nieuwe rekening boeken; ***— en dépense***, bij de uitgaven boeken; ***il ne le portera pas loin***, hij zal het niet lang maken; ***tout porte à le croire***, er is alle reden om het te geloven; ***— qn. dans son cœur***, veel van iem. houden; ***porté disparu***, opgegeven als vermist; **II** *v.i.* **1** dragen; **2** (*v. gewicht*) drukken; **3** (*v. schot, enz.*) treffen; **4** (*fig.*) raak zijn, doel treffen, effect sorteren; **5** inslaan; ***— loin***, (*v. geweer, enz.*) ver dragen; ***une voix qui porte bien***, een omvang-

rijke stem; ***ombre portée,*** slagschaduw *v.(m.)*; ***être porté d'amitié pour,*** vriendschap voelen voor; ***aussi loin que la vue peut —,*** zo ver het oog reikt; ***— à la tête,*** naar het hoofd stijgen; ***sa tête a porté,*** hij heeft zijn hoofd gestoten; ***ça a porté,*** die was raak; ***— sur les nerfs,*** zenuwachtig maken; ***c'est très bien porté,*** dat staat erg gekleed; ***être porté à qc.,*** zich tot iets aangetrokken gevoelen; **III** *v.pr.*, ***se —,*** **1** gedragen worden; **2** zich begeven (***à, vers,*** naar); **3** zich richten (***sur,*** op); **4** optreden als; ***se — accusateur,*** als beschuldiger optreden; ***se — candidat,*** zich kandidaat stellen; zich verkiesbaar stellen: ***se — bien,*** het goed maken, gezond zijn; ***se — au secours de qn.,*** iem. te hulp snellen; ***se — caution,*** borg blijven; ***se — en avant,*** oprukken, opmarcheren; ***cela ne se porte plus,*** dat wordt niet meer gedragen, dat is uit de mode; ***se — malade,*** zich ziek melden; ***se — à des excès,*** tot gewelddaden overgaan, zich aan buitensporigheden overgeven.

porte-rame [pòrtram] *m.* roeidol *m.* [*v.(m.)*.

porte-revolver [pòrtrévòlvè:r] *f.* draaideur

porterie [pòrteri] *f.* (*in klooster*) portierskamertje *o.*

porte-sabre [pòrtsa:br] *m.* sabeldrager *m.*, sabelkoppel *m. en v.*

porte-savon [pòrtsavõ] *m.* zeepbakje *o.*

porte-serviettes [pòrtsèrvyèt] *m.* handdoekenrekje *o.* [*m.*

porte-tapisserie [pòrtetapisri] *m.* gordijnhanger

porteur [pòrtœ:r] *m.* **1** drager *m.*; **2** (*aan station*) kruier, witkiel *m.*; **3** (*v. paspoort, enz.*) houder *m.*; **4** (*v. effecten*) toonder *m.*; **5** (*v. kranten*) bezorger *m.*; ***au —,*** aan toonder; ***chaise à —s,*** draagstoel *m.*; ***— de contraintes,*** gerechtsbode *m.*

porte-vaisselle [pòrtvèsèl] *m.* keukenrek *o.*

porte-veine [pòrtvè'n] *m.* (*fam.*) mascotte *v.(m)*.

porte-vent [pòrtvã] *m.* (*v. orgel, enz.*) windpijp *v.(m.)*.

porte-verge [pòrtvèrj] *m.* pedel *m.*

porte-vêtement [pòrtvè'tmã] *m.* klerenhanger, knaap *m.*

porte-voix [pòrtvwa] *m.* **1** (scheeps)roeper *m.*; **2** (*fig.*) spreekbuis *v.(m.)*.

portier [pòrtyé] *m.* portier *m.*

portière [pòrtyè:r] *f.* **1** portierster *v.*; **2** (*v. rijtuig*) portier *o.*; **3** deurgordijn *o. en v.(m.)*; **4** (*v. schipbrug*) doorlaat *m.*

portillon [pòrtiyõ] *m.* **1** zijhekje *o.*; **2** deurtje *o.*

portion [pòrsyõ] *f.* **1** deel *o.*; **2** aandeel *o.*; portie *v.*; **3** rantsoen *o.*

portioncule [pòrsyõ'kül] *f.* **1** (klein) deeltje *o.*; **2** ***P—,*** (*kath.*) Portioncula *v.* [erfenis.

portionnaire [pòrsyònè:r] *m.-f.* deelhebber *m.* in

portique [pòrtik] *m.* **1** (overdekte) zuilengang *m.*, portiek *v.*; **2** stelling *v.*, waaraan de gymnastiekwerktuigen hangen.

portland [pòrtlã] *m.* portlandcement *o. en m.*

porto [pòrto] *m.* portwijn *m.*

portrait [pòrtrè] *m.* **1** beeltenis *v.*, portret *o.*; **2** (*fig.*) evenbeeld *o.*

portraitiste [pòrtrètist] *m.* portretschilder *m.*

portraiturer [pòrtrètüré] *v.t.* een portret maken, konterfeiten.

port-salut [pòrtsalü] *m.* bep. Franse kaas *m.*

portuaire [pòrtwè:r] *adj.* haven—, een haven betreffend.

portugais [pòrtügè] **I** *adj.* Portugees; **II** *s. m.*, ***P—,*** **1** Portugees *m.*; **2** (het) Portugees *o.*

Portugal [pòrtügal] *m.* Portugal *o.*

portulan [pòrtülã] *m.* portulaan *m.*, middeleeuwse kust- en havenbeschrijving *v.*

portune [pòrtün] *f.* roskamkrab *v.(m.)*.

posage [po'za:j] *m.* (het) zetten, (het) leggen *o.*

pose [po:z] *f.* **1** (het) leggen; (het) zetten *o.*; **2** (het) aanbrengen *o.*; **3** (*dominospel*) (het) aanzetten *o.*; **4** (*mil.*: *v. schildwachten*) (het) uitzetten *o.*; **5** (*voor schilder, fotograaf*) (het) poseren *o.*; **6** (*v. gordijnen*) (het) ophangen *o.*; **7** houding *v.*, stand *m.*; **8** gemaaktheid, aanstellerij *v.*; vertoon *o.*; ***temps de —,*** (*fot.*) belichtingstijd *m.*; ***faire des —s,*** zich aanstellen; ***prendre une —,*** een houding aannemen; ***la — de la première pierre,*** de eerstesteenlegging *v.*

posé [po'zé] **I** *adj.* bedaard, rustig, bezadigd; ***voix —e,*** vaste stem, geschoolde stem; ***il a un air —,*** hij heeft iets voornaams; ***— que,*** aangenomen dat; **II** *s. m.* (*fot.*) tijdopname *v.(m.)*.

posément [po'zémã] *adv.* bedaard, bezadigd, op bedachtzame wijze. [*m.*

posemètre [po'zmè'tr] *m.* (*fot.*) belichtingsmeter

poser [po'zé] **I** *v.t.* **1** leggen; zetten; **2** aanbrengen; **3** (*v. dominosteen*) aanzetten; **4** (*v. damschijf, schaakstuk*) verzetten; **5** (*mil.*: *v. schildwacht*) uitzetten; **6** (*v. leiding, enz.*) aanleggen; **7** (*v. tand*) inzetten; **8** (*v. vraag*) stellen; **9** (*v. wapens*) neerleggen; **10** onderstellen; **11** (*v. gordijnen*) ophangen; **12** (*v. raadsel*) opgeven; ***— une formule,*** een formule opstellen; ***— en principe,*** als beginsel aannemen; ***— les fondements,*** de grondslagen leggen; ***cela ne (vous) pose pas,*** dat staat niet gekleed; ***— un lapin à qn.,*** iem. voor gek laten wachten; weggaan zonder te betalen; **II** *v.i.* **1** (*voor schilder, enz.*) poseren; **2** zich aanstellen, voornaam doen; ***faire — qn.,*** iem. voor de gek houden; ***— sur,*** rusten op; **III** *v.pr.* ***se —,*** **1** zich neerzetten; **2** (*v. vogels*) neerstrijken; **3** (*v. vliegtuig*) neerkomen; **4** (*v. vraagstuk*) zich voordoen, zich opdringen; ***se — en,*** zich opwerpen als; ***se bien —,*** zich een goede positie verwerven, zich een voordelige betrekking verschaffen.

poseur [po'zœ:r] **I** *adj.* aanstellerig; **II** *s. m.* **1** (*v. vloer, enz.*) legger *m.*; **2** (*v. gas, enz.*) aanlegger *m.*; **3** plaatser, steller *m.*; **4** aanstellerig mens, aansteller *m.*

positif [po'zitif] **I** *adj.* **1** zeker, werkelijk; **2** (*v. feit*) stellig; **3** (*el., wisk., wet.*) positief; **4** (*gram.*) stellend, in de stellende trap; **5** (*v. wet*) geschreven; ***c'est —,*** dat is uitgemaakt; **II** *s.m.* **1** (het)zekere, (het) vaststaande *o.*; **2** klein orgel, kamerorgel *o.*; **3** (*gram.*) stellende trap *m.*; **4** (*fot.*) positief *o.*; ***tenir au —,*** aan 't praktische hechten, geen idealist zijn.

position [po'zisyõ] *f.* **1** plaatsing, stelling *v.*; **2** plaats *v.(m.)*, ligging *v.*; **3** (*mil.*) stelling, positie *v.*; **4** (*sterr.*) stand *m.*; **5** betrekking, positie *v.*; ***prendre — pour,*** stelling nemen voor; ***dans une — intéressante,*** in gezegende omstandigheden; ***lampe de —,*** zijlicht *o.*

position*-clef [po'zisyõ'klé] *f.* sleutelpositie *v.*

positivement [po'ziti'vmã] *adv.* stellig; positief.

positivisme [po'zitivizm] *m.* positivisme *o.*, ervaringswijsbegeerte *v.*

positiviste [po'zitivist] **I** *adj.* positivistisch; **II** *s.m.* positivist *m.*, aanhanger *m.* van het positivisme.

Posnanie [pòznani] *f.* Posen *o.*

posologie [po'zòlòji] *f.* doseringsleer *v.(m.)*.

possédé [pòsédé] *m.* bezetene *m.*

posséder [pòsédé] **I** *v.t.* **1** bezitten; **2** (*v. taal, enz.*) beheersen; ***— le secret de qn.,*** iemands geheim kennen; ***— son âme en paix,*** zijn ziel in lijdzaamheid bezitten, gemoedsrust smaken; **II** *v.pr.* ***se —,*** zich beheersen, meester van zichzelf zijn; ***ne pas se — de joie,*** buiten zichzelf zijn van vreugde.

possesseur [pòsèsœ:r] *m.* bezitter *m.*

possessif [pòsèsif] **I** *adj.* bezittelijk; **II** *s. m.* bezittelijk voornaamwoord *o.*

possession [pòsèsyõ] *f.* **1** bezit *o.*; bezitting *v.*; **2** bezetenheid *v.*; ***prendre — de,*** in bezit nemen; ***prise de —,*** inbezitneming *v.*; ***— de soi-même,*** zelfbeheersing *v.*

possessoire [pòsèswa:r] **I** *adj.*, ***action —,*** (*recht*) bezitsvordering *v.*; **II** *s. m.* bezitrecht *o.*

possibilité [pòsibilité] *f.* mogelijkheid *v.*

possible [pòsi˙bl] **I** *adj.* **1** mogelijk; uitvoerbaar; **2** gebeurlijk; ***le mieux —,*** zo goed mogelijk; ***autant que —, le plus —,*** zoveel mogelijk; **II** *s. m.* (het) mogelijke *o.*; ***au —,*** aller—, uiterst; ***faire son —,*** zijn best doen.

postal [pòstal] *adj.* post—; ***carte —e,*** briefkaart *v.*(*m.*); ***colis —,*** postpakket *o.*; ***virement —,*** postgiro *m.*; ***union —e universelle,*** wereldpostvereniging.

postaliser [pòstali˙zé] *v.t.* per post verzenden.

postcommunion [pòstkòmünyõ] *f.* (*kath.*) postcommunie *v.*, misgebed *o.* na de H. Communie.

postdate [pòstdat] *f.* latere dagtekening *v.*

postdater [pòstdaté] *v.t.* later dagtekenen.

postdiluvien [pòstdilüvyẽ] *adj.* (van) na de zondvloed.

poste [pòst] **I** *f.* **1** post *v.*(*m.*), posterij *v.*; **2** postkantoor *o.*; ***— aux lettres,*** brievenpost; ***— aérienne,*** luchtpost; ***— par —,*** per omgaande, per kerende post; ***— restante,*** op 't postkantoor blijvend (om afgehaald te worden); ***aller un train de —,*** zeer snel lopen; in haast iets doen; **II** *m.* **1** betrekking *v.*, plaats *v.*(*m.*), ambt *o.*; **2** aangewezen standplaats *v.*(*m.*); **3** (*mil.*) post; wachtpost *m.*; **4** wachthuis *o.*; **5** (***— de T.S.F.***), radiostation *o.*; **6** radiotoestel *o.*; ***— d'alarme,*** brandmelder *m.*; ***— d'écoute,*** (*mil.*) luisterpost; ***— téléphonique,*** telefoontoestel *o.*; ***— émetteur,*** zendstation *o.*; zender *m.*; ***— émetteur de télévision,*** televisiezender *m.*; ***— récepteur,*** ontvangstation *o.*; ***— de secours,*** hulppost *m.*; ***— de pilotage,*** (*vl.*) plaats voor de bestuurder.

poste*-contrôle [pòstkõ˙tro:l] *m.* controlepost *m.*

poster [pòsté] **I** *v.t.* **1** plaatsen; **2** (*v. wachten*) uitzetten; **3** posten, op de post doen; **II** *v.pr.* ***se —,*** **1** post vatten; **2** zich plaatsen.

postérieur [pòstéryœ:r] **I** *adj.* **1** achterste, achter—; **2** (*tijd*) later (dan); volgend (op); **II** *s. m.* achterste *o.*

postérieurement [pòstéryœ˙rmã] *adv.* later.

postériorité [pòstéryòrité] *f.* latere tijd *m.*, latere dagtekening *v.*

postérité [pòstérité] *f.* nageslacht *o.*, nakomelingen *mv.*

postface [pòstfas] *f.* nabericht, naschrift *o.*

posthume [pòstüm] *adj.* **1** (*v. kind*) na 's vaders dood geboren; **2** (*v. werk*) nagelaten, postuum; **3** na de dood uitgegeven.

postiche [pòstiʃ] **I** *adj.* **1** bijgevoegd, bijkomend; **2** (*v. haar*) onecht, vals; **3** geveinsd, voorgewend; ***bras —,*** kunstarm *m.*; **II** *s. m.* **1** vals haar *o.*; **2** bedrog *o.*

posticheur [pòstiʃœ:r] *m.* **1** haarwerker *m.*; **2** (*pop.*) bedrieger *m.*

postier [pòstyé] **I** *adj.* van de posterijen; **II** *s. m.* **1** postbeambte *m.*; **2** postpaard *o.*

postillon [pòstiyõ] *m.* **1** postiljon, postrijder *m.*; **2** voorrijder *m.*; **3** (*aan vliegertouw*) verklikker *m.*; ***— d'amour,*** liefdebode *m.*

postlude [pòstlü˙d] *m.* (*muz.*) naspel *o.*

postopératoire [pòstòpératwa:r] *adj.* van na de operatie; ***traitement —,*** nabehandeling *v.*

postposer [pòstpo˙zé] *v.t.* achteraan plaatsen.

postposition [pòstpo˙zisyõ] *f.* achtervoeging *v.*

postscolaire [pòstskòlè:r] *adj.*, ***enseignement —,*** herhalingsonderwijs *o.*

post-scriptum [pòstskriptòm] *m.* (*pl.* : ***des —***) naschrift *o.*

postulant [pòstülã] *m.* **1** sollicitant *m.*; **2** (*kath.*) postulant *m.*

postulat [pòstüla] *m.* postulaat *o.*

postulateur [pòstülatœ:r] *m.* aanvrager *m.*

postulation [pòstüla˙syõ] *f.* sollicitatie *v.*

postuler [pòstülé] **I** *v.t.* aanvragen; postuleren; **II** *v.i.* solliciteren.

posture [pòstü:r] *f.* **1** houding *v.*; **2** (*fig.*) toestand *m.*; ***se mettre en mauvaise —,*** zich in een lelijk parket brengen; zich op glad ijs wagen.

pot [po] *m.* **1** pot *m.*; **2** (*voor bier, melk, enz.*) kan *v.*(*m.*); **3** vleesketel, vleespot *m.*; ***— à eau,*** waterkan *v.*(*m.*), lampet *o.*; ***— d'échappement,*** (*v. motor*) knalpot; ***— à feu,*** (*v. kachel*) vuurpot; ***— de grès,*** keulse pot; ***— de chambre,*** waterpot; ***découvrir le — aux roses,*** achter het geheim komen, het geheim ontdekken; ***tourner autour du —,*** draaien als de kat om de hete brij; er omheen draaien; ***payer les —s cassés,*** het gelag betalen; ***tomber dans le — au noir,*** in de klem geraken; tegen de lamp lopen; ***cela fait bouillir le —,*** daarvan moet de schoorsteen roken; ***sourd comme un —,*** zo doof als een kwartel; ***les —s fêlés durent longtemps,*** krakende wagens lopen het langst; ***renverser le — au lait,*** de mensen in hun verwachtingen teleurstellen; ***faire petit —,*** het maar schraaltjes hebben.

potabilité [pòtabilité] *f.* drinkbaarheid *v.*

potable [pòta˙bl] *adj.* **1** drinkbaar; **2** (*fig.*) bruikbaar, geschikt; ***or —,*** vloeibaar goud; ***eau —,*** drinkwater *o.*; ***c'est —,*** dat kan er mee door.

potache [pòtaʃ] *m.* (*fam.*) schooljongen, gymnasiast *m.*

potachoir [pòtaʃwa:r] *m.* (*fam.*) gym *o.*

potage [pòta:j] *m.* soep *v.*(*m.*); ***— printanier,*** groentesoep; ***pour tout —,*** alles bijeen, alles te zamen genomen; ***pour renfort de —,*** tot overmaat van ramp.

potager [pòtajé] **I** *adj.*, ***jardin —,*** moestuin *m.*; ***herbes potagères,*** moeskruiden *mv.*; **II** *s. m.* **1** moestuin *m.*; **2** keukenfornuis *o.*

potamot [pòtamo] *m.* (*Pl.*) fonteinkruid *o.*

potard [pòta:r] *m.* (*pop.*) pillendraaier *m.*

potasse [pòtas] *f.* potas *v.*(*m.*), kali *m.*

potasser [pòtasé] *v.i.* (*fam.*) blokken, vossen.

potassique [pòtasik] *adj.* potasachtig; potashoudend, kalihoudend.

potassium [pòtasyòm] *m.* kalium *o.*

pot-au-feu [pòtofö] **I** *m.* **1** soepketel *m.*; **2** soepvlees *o.*; **3** (*fam.*) bekrompen mens *m.*; **II** *adj.* kleinburgerlijk.

pot-aux-roses [pòtoro:z] *m.* het fijne van de zaak.

pot-bouille [po˙buy] *f.* kokkerellen *o.*; (*pop.*, burgerpot *m.*

pot*-de-vin [pòdvẽ] *m.* steekpenning *m.*

pote [pòt] **I** *adj.* stijf, (*v. hand, been*) opgezwollen; **II** *s. m.* (*pop.*) vrind *m.*

poteau [pò˙to] *m.* **1** paal; staak *m.*; **2** (*bouwk.*) stijl *m.*, lijst *v.*(*m.*), post *m.*; ***— indicateur,*** wegwijzer *m.*; ***— d'amarrage,*** dukdalf *m.*; ***— d'arrivée,*** (*sp.*) eindpaal *m.*; ***— de départ,*** (*sp.*) afrijpaal *m.*; ***— de but,*** (*sp.*) doelpaal *m.*; ***— cornier,*** (*bouwk.*) hoekstijl *m.*; ***A au —!*** weg met A!

poteau*-frontière [pòtofrõ˙tyè:r] *m.* grenspaal *m.*

poteau*-réclame [pòtoréklam] *m.* reclamezuil *v.*(*m.*).

potée [pòté] *f.* pot *m.* vol, kan *v.*(*m.*) vol.

potelé [pòtlé] *adj.* mollig, poezelig.
potelet [pòtlè] *m.* paaltje *o.*
potence [pòtã:s] *f.* **1** galg *v.(m.)*; **2** (*voor lantaarn, enz.*) paal *m.*; **3** meetstok *m.*
potentat [pòtã·ta] *m.* **1** potentaat, machthebber *m.*; **2** (*fig.*) despoot *m.*
potentiel [pòtã·syèl] **I** *adj.* **1** potentieel; **2** (*taalk.*) voorwaardelijk; **3** (*gen.*) na enige tijd werkend; **II** *s. m.* **1** potentiaal *m.*; **2** voorwaardelijke wijs *v.(m.)*.
potentille [pòtã·tiy] *f.* (*Pl.*) ganzerik *m.*
potentiomètre [pòtã·syòmè·tr] *m.*, (*el.*) potentiometer *m.*, meetapparaat voor spanningsverschillen.
poterie [pòtri] *f.* **1** aardewerk *o.*; **2** pottenbakkerij *v.*; **3** aarden buizen *mv.*
poterne [pòtèrn] *f.* poterne, sluippoort *v.(m.)*.
potiche [pòtiʃ] *f.* (Japanse) porseleinen vaas *v.(m.)*.
potier [pòtyé] *m.* **1** pottenbakker *m.*; **2** handelaar *m.* in aardewerk; — ***d'étain,*** tinnegieter *m.*
potin [pòtẽ] *m.* **1** kopermengsel *o.*; **2** (*fam.*) kletspraatje *o.*; **3** herrie *v.(m.)*, lawaai, kabaal *o.*
potiner [pòtiné] *v.i.* (*fam.*) kletsen, kwaadspreken.
potinier [pòtinyé] **I** *adj.* praatziek, babbelziek; kwaadsprekend; **II** *s. m.* kletser *m.*, kletskous *v.(m.)*.
potion [pòsyõ] *f.* drankje *o.*
potiron [pòtirõ] *m.* pompoen *m.*
pot*-pourri* [popu·ri] *m.* **1** hutspot, gestampte pot *m.*; **2** (*fig.*) samenraapsel *o.*; **3** (*muz.*) potpourri *m. en o.*
potron-jaquet [pòtrõ·jakè], **potron-minet** [pòtrõ·minè] *m.*, ***dès —,*** bij het krieken van de dag.
pou [pu] *m.* (*pl.* : ***poux***) luis *v.(m.)*.
pouacre [pwakr] *adj.* smerig, vuil.
pouah! [pwa] *ij.* ba! foei!
poubelle [pubèl] *f.* vuilnisbak *m.*
pouce [pus] *m.* duim *m.*; — ***du pied,*** grote teen *m.*; ***compter sur le —,*** op zijn vingers tellen; ***manger sur le —,*** uit het vuistje eten; ***donner le coup de — à,*** **1** de laatste hand leggen aan; **2** worgen; ***jouer du —,*** opdokken, over de brug komen; ***mettre les —s,*** toegeven, zich gewonnen geven; ***serrer les —s à qn.,*** iem. de duimschroeven aanzetten; ***se mordre les —s,*** spijt (*of* berouw) hebben; ***lire du —,*** doorbladeren; ***tourner les —s,*** werkeloos blijven; ***manger sur le —,*** staande eten.
Poucet [pusè] *m.* ***Petit —,*** kleinduimpje *o.*
poucettes [pusèt] *f.pl.* duimschroeven *mv.*
poucier [pusyé] *m.* **1** duimeling *m.*; **2** (*v. klink*) drukker *m.*
pou-de-soie [putswa] *m.* niet-glanzende zijde *v.(m.)*.
pouding [pudẽg] *m.* pudding *m.*
poudingue [pudẽ:g] *m.* puddingsteen *o.*
poudre [pu:dr] *f.* **1** poeder *o. en m.*; **2** stof *o.*; **3** kruit, buskruit *o.*; — ***d'or,*** stofgoud *o.*; — ***de café,*** gemalen koffie *m.*; ***sucre en —,*** poedersuiker *m.*; ***tabac en —,*** snuif *m.*; — ***effervescente,*** bruispoeder; — ***à lever,*** bakpoeder; — ***de lait,*** melkpoeder; — ***dentifrice,*** tandpoeder; ***jeter de la — aux yeux de qn.,*** iem. zand in de ogen strooien; ***tirer sa — aux moineaux,*** zijn kruit op de mussen verschieten; veel moeite doen voor een gering resultaat; ***mettre le feu aux —s,*** de lont in het kruit steken; ***prendre la — d'escampette,*** het hazepad kiezen; ***il n'a pas inventé la —,*** hij heeft het buskruit niet uitgevonden; ***la conspiration des P—s,*** (*gesch.*) het Buskruitverraad.
poudre*-éclaire [pudréklè:r] *f.* magnesiumpoeder *o. en m.*
poudrer [pudré] *v.t.* poederen.
poudrerie [pudreri] *f.* **1** buskruitfabriek *v.*; **2** kruitmagazijn *o.*
poudrette [pudrèt] *f.* mestpoeder *o. en m.*
poudreuse [pudrö:z] *f.* **1** pulverisator *m.*; **2** kaptafel *v.(m.)*.
poudreux [pudrö] *adj.* stoffig, bestoven.
poudrier [pudri(y)é] *m.* **1** zandkoker *m.*; **2** kruitmaker *m.*; **3** poederdoos *v.(m.)*.
poudrière [pudri(y)è:r] *f.* **1** kruitmagazijn *o.*; **2** kruithoorn *m.*; **3** poeierdoos *v.(m.)*.
poudrin [pudrẽ] *m.* stofsneeuw, jachtsneeuw *v.(m.)*.
poudroiement [pudrwamã] *m.* (het) bestuiven *o.*; opdwarreling *v.*
poudroyer [pudrwayé] **I** *v.i.* stuiven, als stof opdwarrelen; **II** *v.t.* **1** doen verstuiven; **2** tot stof maken; **3** met stof bedekken.
pouf! [puf] **I** *ij.* pof! pats! ***faire —,*** knallen; ***faire un —,*** met de noorderzon vertrekken; failliet gaan; **II** *s. m.* **1** poef *m.*; **2** reclame *v.(m.)*, bluf *m.*
pouffer [pufé] *v.i.* proesten; — ***de rire,*** stikken van 't lachen.
pouillard [puya:r] *m.* jonge patrijs *m. en v.*, jonge fazant *m.*
Pouille [pu·y] *f.* Apulië *o.*
pouiller [puyé] *v.t.* luizen, vlooien.
pouillerie [puyri] *f.* (*pop.*) **1** grote armoede *v.(m.)*; **2** smeerboel *m.*; **3** gierigheid *v.*
pouilles [pu·y] *f.pl.*, ***chanter — à qn.,*** iem. de huid vol schelden.
pouilleux [puyö] *adj.* **1** luizig, vol luizen; **2** (*fig.*) vuil.
poulailler [pulayé] *m.* **1** poelier *m.*; **2** kippenhok *o.*; **3** (*in schouwburg*) engelenbak *m.*, schellinkje *o.*
poulain [pulẽ] *m.* **1** veulen *o.*; **2** (*v. brouwers*) schrootladder *v.(m.)*; **3** (*fig.*) favoriet *m.*
poulaine [pulè:n] *f.* (*sch.*) scheepssnavel *m.*; ***souliers à la —,*** tuitschoenen *mv.*
poularde [pulard] *f.* jong gemest hoen *o.*
poule [pul] *f.* **1** kip, hen *v.*; **2** (*spel*) inzet, pot *m.*; **3** (*sp.*) inleggeld *o.*; **4** derde quadrillefiguur *v.(m.) en o.*; — ***d'Inde,*** kalkoense hen; — ***d'eau,*** waterhoen *o.*; — ***sauvage,*** hazelhoen *o.*; — ***de bruyère,*** korhoen *o.*; — ***mouillée,*** bangerd, lafaard *m.*; ***chair de —,*** kippevel *o.*; ***se coucher comme les —s,*** met de kippen op stok gaan; ***tuer la — aux œufs d'or,*** de kip met de gouden eieren slachten; ***quand les —s auront des dents,*** als de kalveren op 't ijs dansen.
poulet [pulè] *m.* **1** kuiken *o.*, jonge kip *v.*; **2** braadkip *v.*; **3** schatje *o.*, lieveling *m.*; **4** minnebriefje *o.*
poulette [pulèt] *f.* **1** jonge hen, jonge kip *v.*; **2** liefje *o.*; ***sauce —,*** blanke saus *v.(m.)*.
pouliche [puliʃ] *f.* merrieveulen *o.*
poulichon [puliʃõ] *m.* jong veulen *o.*
poulie [puli] *f.* **1** katrol *v.(m.)*; **2** cilindertrommel *v.(m.)*; **3** (*v. auto*) overbrenging *v.*
poulier [pulyé] *v.t.* met een katrol ophijsen.
pouliner [puliné] *v.i.* een veulen werpen.
poulinière [pulinyè:r] *f.* fokmerrie *v.*
poulot [pulo] *m.*, **poulotte** [pulòt] *f.* schat, lieveling *v.-m.*
poulpe [pulp] *m.* **1** inktvis *m.*; **2** koppotig weekdier *o.*
pouls [pu] *m.* pols *m.*; polsslag *m.*; ***tâter le — à qn.,*** **1** iem. de pols voelen; **2** (*fig.*) iem. uithoren; iem. polsen.
poumon [pumõ] *m.* long *v.(m.)*; ***à pleins —s,*** uit volle borst; luidkeels.
poupard [pupa:r] **I** *m.* **1** bakerkind *o.*; **2** dikkerd *m.*; **II** *adj.* **1** dik, mollig; **2** (*v. gezicht*) bolwangig.
poupart [pupa:r] *m.* taskrab *v.(m.)*.
poupe [pup] *f.* achtersteven *m.*, achterschip *o.*;

avoir le vent en —, voor de wind zeilen; (*fig.*) voorspoed hebben.
poupée [pupé] *f.* **1** pop *v.*(*m.*); **2** (*voor hoeden*) mutsebol *m.*; **3** kostuumpop *v.*(*m.*); **4** lapje *o.* om een vinger; ***faire sa — de qc.,*** geheel opgaan in iets.
poupiette [pu'pyèt] *f.*, *voir* ***paupiette.***
poupin [pupẽ] **I** *adj.* popperig, fatterig; **II** *s. m.* [fat *m.*
poupon [pupõ] *m.* **1** baby *m.*; **2** (mollig) kindje *o.*
pouponnière [pupònyè:r] *f.* **1** zuigelingenafdeling *v.*; **2** crèche *v.*(*m.*); **3** babybox *m.*
poupoule [pupul] *f.* (*fam.*) liefje, schatje *o.*
pour [pu:r] **I** *prép.* **1** voor, in de plaats van; **2** voor, in ruil voor, tegen; **3** als, tot; **4** als, bij wijze van; **5** (*richting*) naar; **6** voor, ten gunste van; **7** voor; ***on le prend souvent — son frère,*** men ziet hem vaak voor zijn broer aan; ***vous me prenez — un autre,*** u hebt de verkeerde voor; ***ce sera — dimanche,*** dat is voor zondag; ***je vous donnerai dix francs — ce livre,*** ik geef u tien frank voor dat boek; ***— arme il porte un bâton,*** als wapen draagt hij een stok; ***— toute réponse,*** als enig antwoord; ***trop malade — sortir,*** te ziek om uit te gaan; ***— l'amour de Dieu,*** om de liefde Gods; ***parler — qn.,*** een goed woordje voor iem. doen; ***s'inquiéter — qn.,*** zich over iem. ongerust maken; ***grand — son âge,*** groot voor zijn leeftijd; ***prendre — exemple,*** tot voorbeeld nemen; ***trois — cent,*** drie percent, drie ten honderd; ***en être — sa peine,*** vergeefse moeite doen; ***en être — son argent,*** er zijn geld bij inschieten; ***il a été puni — avoir menti,*** hij is gestraft omdat hij gelogen heeft; ***— quelle raison?*** om welke reden? ***partir — Paris,*** naar Parijs vertrekken; ***donner qc. — certain,*** iets stellig verzekeren, iets als zeker mededelen; ***prendre — un honnête homme,*** als een eerlijk man aanzien; ***laisser — mort,*** voor dood laten liggen; ***mot — mot,*** woord voor woord; ***— toujours,*** voor altijd; ***— ce qui le regarde,*** wat hem aangaat, wat hem betreft; ***— être pauvre, il n'en est pas moins heureux,*** al is hij arm, hij is toch gelukkig; ***cela n'est pas fait — le rassurer,*** dat zal hem niet geruststellen; ***un député — dix mille habitants,*** een afgevaardigde op de 10.000 inwoners; ***en avoir — son argent,*** waar voor zijn geld krijgen; ***en être quitte — la peur,*** met de schrik vrijkomen; ***cela n'est pas — m'arrêter,*** dat zal mij niet tegenhouden; ***il a fait cela — son ami,*** hij heeft dat voor zijn vriend gedaan; ***— ainsi dire,*** om zo te zeggen; ***coiffeur — dames,*** dameskapper *m.*; ***il n'y a que lui — faire cela,*** hij alleen kan zo iets doen; ***il n'en a plus — trois jours,*** hij zal het geen drie dagen meer uithouden; ***— que,*** opdat; ***— peu qu'il travaille,*** zo hij al werkt, hoe weinig hij ook werkt; **II** *s. m.* (het) voor *o.*; ***le — et le contre,*** het voor en tegen.
pourboire [purbwa:r] *m.* fooi *v.*(*m.*), drinkgeld *o.*
pourceau [purso] *m.* varken, zwijn *o.*
pour-cent [pursã] *m.* percent(age) *o.*
pourcentage [pursã'ta:j] *m.* percentage *o.*
pourchas [purʃa] *m.* jacht *v.*(*m.*); streven *o.*
pourchasser [purʃasé] *v.t.* **1** najagen; **2** (*fig.*) hardnekkig streven naar.
pourchasseur [purʃasœ:r] *m.* najager *m.*
pourfendeur [purfã'dœ:r] *m.* ijzervreter; snoever [*m.*
pourlécher [purléʃé] *v.t.* aflikken.
pourparlers [purparlé] *m.pl.* besprekingen *mv.*
pourparleur [purparlœ:r] *m.* onderhandelaar *m.*
pourpier [purpyé] *m.* (*Pl.*) postelein *m.*
pourpoint [purpwẽ] *m.* wambuis *o.*
pourpre [purpr] **I** *f.* **1** (het) purper *o.*; **2** purperrode kleur *v.*(*m.*); **3** purperen mantel *m.*, purperen kleed *o.*; **4** kardinalaat *o.*; **II** *m.* **1** purper(rood) *o.*; **2** (*gen.*) scharlakenkoorts, purperkoorts *v.*(*m.*); **III** *adj.* purperkleurig, purperrood, purperen.
pourpré [purpré] *adj.* purperkleurig, purperrood; ***fièvre —e,*** netelroos *v.*(*m.*).
pourprier [purpri(y)é] *m.* (*Dk.*) purperslak *v.*(*m.*).
pourpris [purpri] *m.* **1** omheining *v.*; **2** woning *v.*
pourquoi [purkwa] **I** *adv. et conj.* waarom, om welke reden; ***c'est —, voilà —,*** daarom; **II** *s. m.* (het) waarom *o.*
pourri [puri] **I** *adj.* verrot; ***été —,*** natte zomer; ***temps —,*** vochtig weer; **II** *s. m.* rotheid *v.*; ***sentir le —,*** bedorven ruiken.
pourridié [puridyé] *m.* wortelziekte *v.* van wijnstok. [stok.
pourrir [puri:r] **I** *v.i.* **1** verrotten, bederven; **2** wegrotten; ***— dans un cachot,*** in een kerker smachten; — wegkwijnen; ***— dans un emploi,*** in een betrekking beschimmelen, te lang in een betrekking blijven; **II** *v.t.* **1** doen verrotten; **2** bederven; **III** *v.pr.* ***se —,*** rotten; bederven.
pourrissage [purisa:j] *m.* (*v. papierlompen*) (het) rotten *o.*
pourrissoir [puriswa:r] *m.* gistkuip *v.*(*m.*) (voor papierlompen).
pourriture [puritü:r] *f.* **1** verrotting *v.*; **2** bederf *o.*; **3** (*v. vrucht*) rotte plek *v.*(*m.*); ***— d'hôpital,*** hospitaalkoorts *v.*(*m.*); ***tomber en —,*** beginnen te rotten; wegrotten.
poursuite [purswit] *f.* **1** vervolging *v.*; **2** (*v. ambt, enz.*) najaging *v.*, (het) najagen *o.*; **3** voortzetting *v.*; ***entamer des —s,*** een proces beginnen, een vervolging instellen. [*m.*
poursuiteur [purswitœ:r] *m.* (*sp.*) achtervolger
poursuivant [purswivã] **I** *m.* **1** vervolger *m.*; **2** (*recht*) aanklager, eiser *m.*; **II** *adj.* aanhoudend; ***la partie —e,*** de aanklagende partij *v.*
poursuiveur [purswivœ:r] *m.* vervolger *m.*
poursuivre* [purswi:vr] **I** *v.t.* **1** vervolgen; **2** (*bij spel, enz.*) nalopen; **3** (*v. werk*) voortzetten; **4** (*v. ambt*) najagen; **5** (*fig.*) nastreven, aansturen op; **6** nazetten; ***— de,*** vervolgen met, lastig vallen met; **II** *v.pr.* ***se —,*** voortgezet worden, voortduren.
pourtant [purtã] *adv.* evenwel, niettemin, toch.
pourtour [purtu:r] *m.* **1** omtrek *m.*; **2** (*v. koor, schouwburg, enz.*) omloop *m.*
pourvoi [purvwa] *m.*, (*recht*) hoger beroep *o.*; ***— en grâce,*** verzoek *o.* om gratie.
pourvoir* [purvwa:r] **I** *v.i.* voorzien (*à*, in); **II** *v.t.* **1** (*v. post*) bezetten; **2** voorzien (van); toerusten (met); **3** (*v. dochter*) uithuwelijken; **III** *v.pr.* ***se —,*** **1** zich voorzien (van); **2** (*v. vrouw*) trouwen; ***se — en cassation,*** zich in cassatie voorzien, in cassatie gaan; ***se — en grâce,*** een verzoek om gratie indienen.
pourvoyeur [purvwayœ:r] *m.* leverancier *m.*
pourvu que [purvüke] *conj.* mits; als ... maar.
poussa(h) [pusa] *m.* **1** duikelaartje *o.*; **2** dikzak *m.*
poussade [pusa'd] *f.* geduw, gedrang *o.*
pousse [pus] *f.* **1** (*v. boom*) loot *v.*(*m.*); **2** (*v. haar, planten*) (het) groeien *o.*; **3** (*v. paard*) dampigheid *v.*
poussé [pusé] *m.* (*muz.*) opstreek *v.*(*m.*).
pousse-café [puskafé] *m.* poesje, afzakkertje *o.*
pousse-cailloux [puskayu] *m.* (*fam.*) infanterist *m.*
poussée [pusé] *f.* **1** drukking *v.*; **2** (*tn., nat.*) druk *m.*; ***— fébrile,*** (*gen.*) verhoging van temperatuur.
pousse-pousse [puspus] *m.* riksja *m.*
pousser [pusé] **I** *v.t.* **1** duwen, stoten; **2** drukken;

3 (*Pl.*: *v. loot*) schieten; **4** (*v. kreet*) slaken, uitstoten; **5** (*v. wagen, enz.*) voortduwen; **6** (*v. kudde*) voortdrijven; **7** (*v. prijs, bod*) opdrijven; **8** (*sch.*: *v. sloep*) afzetten; **9** (*fig.*) aanzetten, aansporen; **10** voorthelpen, vooruithelpen; **11** (*v. zaak*) doorzetten; **12** (*v. deur*) openduwen; dichtduwen; ***— qn. de questions,*** iem. met vragen bestoken; ***— le feu,*** het vuur oppoken; — opporren; ***— la plaisanterie trop loin,*** de scherts te ver drijven; ***— une colle à qn.,*** iem. een strikvraag opgeven; ***— sa fortune,*** trachten verder te komen; ***en — une,*** een liedje zingen; **II** *v.i.* **1** duwen, stoten; drukken; **2** voorwaarts gaan; **3** (*v. tanden*) doorkomen; **4** (*v. wijn*) gisten; **5** (*v. paard*) dampig zijn; **6** uitbotten, kiemen; **7** hoger bieden; ***il pousse jusqu'à dire que,*** hij gaat zover te zeggen dat; ***— la roue,*** een handje helpen; ***— au large,*** het ruime sop kiezen, in zee steken; ***— jusqu'à Paris,*** tot Parijs doorreizen, — doorrijden; ***— à rire,*** doen lachen; **III** *v.pr.* ***se —,*** **1** elkaar verdringen; zijn fortuin maken, zich vooruitwerken.

poussette [pusèt] *f.* **1** kinderwagentje, wandelwagentje *o.*; **2** duwtje *o.*

poussier [pusyé] *m.* gruis, stof *o.* (van kolen); ***— de paille,*** stroafval *o. en m.*

poussière [pusyè:r] *f.* stof *o.*; ***enlever la —,*** afstoffen; ***soulever beaucoup de —,*** veel stof opjagen; ***réduire en —,*** fijnmaken; geheel vernietigen; ***— de diamant,*** diamantpoeder *o. en m.*; ***il fait de la —,*** het stuift.

poussiéreux [pusyérö] *adj.* stoffig.

poussif [pusif] *adj.* **1** (*v. persoon*) kortademig; **2** (*v. paard*) dampig.

poussin [pusẽ] *m.* kuiken *o.*; ***une poule n'y retrouverait pas ses —s,*** daar kan geen kip uit wijs worden.

poussinière [pusinyè:r] *f.* **1** kuikenhok *o.*; **2** broedmachine *v.*

poussoir [puswa:r] *m.* drukknop *m.* (van repetitiehorloge).

poutrage [putra:j] *m.* balkwerk *o.*

poutre [putr] *f.* balk *m.*

poutrelle [putrèl] *f.* balkje *o.*

pouture [putü:r] *f.* stalbemesting *v.*

pouvoir* [puvwa:r] **I** *v.t.* **1** kunnen, vermogen; **2** mogen; ***n'en — plus,*** uitgeput zijn, doodop zijn, niet meer kunnen; ***on ne peut plus heureux,*** overgelukkig; ***je n'y puis rien,*** ik kan er niets aan doen; dat is mijn schuld niet; ***si on peut dire!*** hoe kan men 't zeggen; **II** *v.pr.* ***se —,*** mogelijk zijn; ***cela se peut,*** dat is mogelijk, dat kan zijn; ***cela ne se peut pas,*** dat kan niet; **III** *s. m.* **1** vermogen *o.*, kracht *v.(m.)*; **2** macht *v.(m.)*, gezag *o.*; **3** invloed *m.*; **4** staatsmacht *v.(m.)*; **5** regering *v.*, bewind *o.*; **6** (*recht*) bevoegdheid *v.*; ***— temporel,*** wereldlijke macht; ***— suprême,*** oppermacht; ***les —s,*** (*v. gezant, enz.*) de geloofsbrieven *mv.*; ***de tout son —,*** uit alle macht, zoveel hij kan; ***rester au —,*** (*v. minister*) aanblijven, aan de regering blijven; ***être au —,*** aan 't bewind zijn; ***plein(s) —(s),*** volmacht *v.(m.)*; ***— éclairant,*** lichtsterkte *v.*

pouzzolane [putzòlan] *f.* pozzolana, vulkanische tufsteen *o. en m.*

pragmatique [pragmatik] *adj.* pragmatiek, werkdadig, algemeen nuttig; ***sanction —,*** (*gesch.*) pragmatieke sanctie.

Prague [pra˙g] *f.* Praag *o.*

praguois [pragwa] *adj.* uit Praag.

praire [prè:r] *f.* soort mossel *v.(m.)*.

prairial [prè˙ryal] *m.*, (*gesch.*) weidemaand *v.(m.)* (9e maand v. de republ. kalender).

prairie [prè˙ri] *f.* **1** weide *v.(m.)*; weiland *o.*; **2** grasvlakte, prairie *v.*

praline [pralin] *f.* suikerboon, suikeramandel *v.(m.)*.

praliner [praliné] *v.t.* in suiker laten branden, in suiker bruin bakken.

prame [pram] *f.* (*sch.*) praam *v.(m.)*.

prao [prao] *m.* prauw *v.(m.)*.

praticabilité [pratikabilité] *f.* **1** uitvoerbaarheid *v.*; **2** bruikbaarheid *v.*; **3** begaanbaarheid *v.*

praticable [pratika˙bl] **I** *adj.* **1** (*v. plan*) uitvoerbaar; **2** (*v. middel*) bruikbaar; **3** (*v. weg*) begaanbaar; **4** (*v. schouwburgdecor*) werkelijk, nietgeschilderd; ***peu —,*** (*v. karakter*) onhandelbaar; **II** *s. m.* (*toneel*) pratikabel, niet geschilderd voorwerp *o.*

praticien [pratisyẽ] *m.* **1** praktizijn, rechtsgeleerde *m.*; **2** praktizerend geneesheer *m.*; **3** man *m.* van ervaring.

pratiquant [pratikã] *adj.* praktizerend.

pratique [pratik] *f.* **1** toepassing *v.*; **2** uitoefening *v.*; **3** praktijk *v.(m.)*; **4** klant *m.*; **5** klandizie *v.*; **6** ervaring, oefening *v.*; **7** omgang *m.*, verkeer *o.*; **8** gebruik *o.*; ***libre —,*** (*sch.*) vrije lading en ontscheping; ***mettre en —,*** toepassen, in toepassing brengen; ***terme de —,*** rechtsterm *m.*; ***homme de —,*** rechtsgeleerde, jurist *m.*; ***une drôle de —,*** een rare klant *m.*; ***la — des vertus,*** de beoefening der deugden.

pratique(ment) [pratik(mã)] *adj.* (*adv.*) praktisch.

pratiquer [pratiké] **I** *v.t.* **1** beoefenen; **2** toepassen, in praktijk brengen; **3** uitoefenen; uitvoeren; **4** (*v. opening, enz.*) maken, aanbrengen; **5** (*v. weg*) aanleggen; **6** (*v. middel*) gebruiken; **7** omgaan met, verkeren met; ***— sa religion,*** zijn godsdienstplichten waarnemen; ***— la perte de qn.,*** iemands ondergang bewerken; **II** *v.i.* **1** praktizeren; **2** zijn godsdienstplichten waarnemen; **III** *v.pr.*, ***se —,*** **1** gedåan worden; **2** gebeuren; **3** gebruikelijk zijn.

pré [pré] *m.* weiland *o.*; ***aller sur le —,*** duelleren.

préachat [préaʃa] *m.* **1** voorkoop *m.*; **2** vooruitbetaling *v.*

préacheter [préaʃté] *v.t.* **1** vóór de veiling kopen; **2** vooruitbetalen.

préalable [préala˙bl] *adj.* voorlopig, voorafgaand; ***au —,*** vooraf, te voren; ***question —,*** beslissing om een voorstel van de dagorde af te voeren.

préalablement [préala˙blemã] *adv.* vooraf, te voren.

préambule [préã˙bül] *m.* **1** voorrede *v.(m.)*, inleiding *v.*; **2** (*v. wet*) considerans *v.(m.)*; **3** omhaal *m.*; ***sans —,*** zonder inleiding.

préau [préo] *m.* **1** kleine weide *v.(m.)*; **2** (*v. gevangenis, klooster*) binnenplaats *v.(m.)*; **3** (*v. school*) overdekte speelplaats *v.(m.)*.

préavertir [préavèrti:r] *v.t.* van te voren waarschuwen.

préavis [préavi] *m.* **1** preadvies *o.*; **2** voorafgaande kennisgeving *v.*; **3** opzegging *v.*

préaviser [préavi˙zé] **I** *v.t.* van te voren bericht zenden; **II** *v.i.* preadvies uitbrengen.

prébende [prébã:d] *f.* (*kath.*) prebende, prove *v.(m.)*.

prébendier [prébã˙dyé] *m.* provenier *m.*

précaire [prékè:r] **I** *adj.* **1** (*v. inkomsten, enz.*) onzeker, onbestendig; **2** (*v. bezit*) tijdelijk; **3** (*v. gezondheid*) wankelend; **II** *s. m.* opzegbaar leen, precario *o.*

précairement [prékè˙rmã] *adv.* onzeker, op een onzekere wijze.

précarité [prékarité] *f.* onzekerheid *v.*

précaution [préko˙syõ] *f.* **1** voorzorg *v.(m.)*; behoedzaamheid *v.*; **2** voorzorgsmaatregel *m.*; ***avec —,*** voorzichtig.

précautionner [préko'syòné] I *v.t.* waarschuwen; II *v.pr.* **se —,** op zijn hoede zijn, voorzorgsmaatregelen nemen.
précautionneux [préko'syònö] *adj.* voorzichtig.
précédemment [présédamã] *adv.* te voren, vroeger.
précédent [présédã] I *adj.* vorig, voorgaand; II *s. m.* vroeger geval, precedent *o.*; **sans —,** zonder voorbeeld.
précéder [présédé] *v.t.* voorgaan, vooratgaan.
précepte [présèpt] *m.* voorschrift *o.*, regel *m.*
précepteur [présèptœ:r] *m.* huisonderwijzer, huisleraar, opvoeder *m.*
préceptoral [présèptòral] *adj.* de huisleraar betreffend.
préceptorat [présèptòra] *m.* huisleraarschap *o.*
précession [présèsyõ] *f.* (*astr.*) processie *v.*, langzame beweging van de aardas, waardoor de nachteveningen vervroegen.
préchantre [préʃã'tr] *m.* (*in kerk*) voorzanger *m.*
prêche [prè:ʃ] *m.* (*prot.*) preek *v.*(*m.*), predikatie *v.*
prêcher [prè'ʃé] I *v.t.* 1 prediken; 2 verkondigen; 3 aanbevelen, aanraden; aanmanen tot; **— dans le désert,** in de woestijn preken; **— le carême,** (*kath.*) de vastenpreken houden; II *v.i.* 1 prediken, preken; 2 vermaningen uitdelen; **— d'exemple,** zelf het voorbeeld geven; **— pour sa paroisse,** in zijn eigen voordeel praten.
prêcheur [prè'ʃœ:r] I *m.* zedenprediker *m.*; **frère —,** predikheer, dominicaan *m.*; II *adj.* prekerig.
prêchi-prêcha [prèʃiprèʃa] *m.* geklets, gezwam *o.*
précieuse [présyö:z] *f.* (*gesch.*) precieuse; fijn beschaafde vrouw *v.*
précieusement [présyö'zmã] *adv.* met zorg, zorgvuldig.
précieux [présyö] *adj.* 1 kostbaar, kostelijk; 2 dierbaar; 3 (*v. stijl*) verfijnd, gekuist, gekunsteld; **pierres précieuses,** edelgesteenten *mv.*
préciosité [présyo'zité] *f.* verfijndheid *v.* in manieren en taal.
précipice [présipis] *m.* afgrond *m.*, steile helling *v.*
précipitamment [présipitamã] *adv.* haastig, met overhaasting *v.*
précipitation [présipita'syõ] *f.* 1 haast *v.*(*m.*), overhaasting *v.*; 2 nederstorting *v.*; 3 neerslag *m.*
précipité [présipité] I *adj.* overhaast, overijld; II *s. m.* neerslag *m.*, precipitaat *o.*
précipiter [présipité] I *v.t.* 1 neerstorten; 2 neerwerpen, in een diepte werpen; 3 (*scheik.*) neerslaan, doen bezinken; 4 (*v. pas*) verhaasten, versnellen; II *v.pr.* **se —,** 1 zich werpen, zich storten; 2 zich neerstorten; 3 (*scheik.*) neerslaan, zich afzetten; 4 zich overhaasten, zich overijlen; 5 (*v. gebeurtenissen*) elkaar snel opvolgen; 6 (*fig.*) zich storten in; **se — au devant de qn.,** iem. tegemoet snellen.
précis [prési] I *adj.* 1 nauwkeurig, stipt, precies, juist; 2 (*v. stijl*) beknopt, bondig; II *s. m.* kort begrip, overzicht *o.*
précisément [présizémã] *adv.* nauwkeurig, juist, precies.
préciser [prési'zé] I *v.t.* nauwkeurig omschrijven; scherp omlijnen; juist bepalen; II *v.i.* zich duidelijk uitdrukken; de puntjes op de i zetten; III *v.pr.*, **se —,** juist worden; zich scherper aftekenen.
précision [prési'zyõ] *f.* 1 nauwkeurigheid, juistheid *v.*; 2 beknoptheid, bondigheid *v.*; **balance de —,** gevoelige balans *v.*(*m.*); **— de tir,** trefzekerheid *v.*; **des —s,** bijzonderheden *mv.*
précité [présité] *adj.* voornoemd, bovengemeld.
précoce [prékòs] *adj.* 1 vroegrijp; 2 vroegtijdig; 3 (*v. groenten, seizoen*) vroeg; 4 voorbarig; 5 vroeg ontwikkeld, voorlijk.
précocement [prékòsmã] *adv.* vroeg, vroegtijdig.
précocité [prékòsité] *f.* 1 vroegrijpheid *v.*; 2 voorbarigheid *v.*; 3 vroege ontwikkeling, voorlijkheid *v.*
précolombien [prékòlõ'byẽ] *adj.* de Amerikaanse geschiedenis vóór Columbus betreffend.
précompter [prékõ'té] *v.t.* van te voren aftrekken.
préconcevoir [prékõ'sevwa:r] *v.t.* vooruit opvatten.
préconçu [prékõ'sü] *adj.* vooruit opgevat; **idée —e,** vooroordeel *o.*
préconisation [prékònizα'syõ] *f.* 1 (*v. bisschop*) bevoegdverklaring *v.*; 2 (*fig.*) aanprijzing, aanbeveling, ophemeling *v.*
préconiser [prékòni'zé] *v.t.* 1 (*v. bisschop*) bevoegd verklaren; 2 (*fig.*) aanprijzen, aanbevelen, ophemelen.
préconiseur [prékònizœ:r] *m.* ophemelaar *m.*
précordial [prékòrdyal] *adj.*, **douleur —e,** pijn in de hartstreek.
précurseur [prékürsœ:r] I *m.* voorloper, voorbode *m.*; II *adj.*, **signe —,** voorteken *o.*
prédécès [prédésè] *m.* vooroverlijden *o.*
prédécesseur [prédésèsœ:r] *m.* voorganger *m.*
prédestination [prédèstinα'syõ] *f.* voorbeschikking, uitverkiezing, predestinatie *v.*
prédestiné [prédèstiné] *m.* voorbestemde, uitverkorene *m.*
prédestiner [prédèstiné] *v.t.* voorbeschikken, uitverkiezen, voorbestemmen.
prédéterminer [prédétèrminé] *v.t.* vooraf bepalen.
prédicament [prédikamã] *m.* categorie *v.*
prédicant [prédikã] I *m.* dominee *m.*; II *adj.* prekend; **ton —,** preektoon *m.*
prédicat [prédika] *m.* (naamwoordelijk deel van 't) gezegde *o.*; **— nominal,** predikaatsnomen *o.*
prédicateur [prédikatœ:r] *m.* 1 prediker; predikant *m.*; 2 kanselredenaar *m.*
prédicatif [prédikatif] *adj.* als naamwoordelijk deel van 't gezegde—, als predikaat gebruikt.
prédication [prédikα'syõ] *f.* prediking *v.*, preek *v.*(*m.*).
prédicativement [prédikati'vmã] *adv.* predikatief, als predikaat.
prédiction [prédiksyõ] *f.* voorzegging, voorspelling *v.*
prédilection [prédilèksyõ] *f.* voorliefde *v.*; **plat de —,** lievelingsgerecht *o.*
prédire* [prédi:r] *v.t.* voorspellen, voorzeggen.
prédisposé [prédispo'zé] *adj.* erfelijk belast; aanleg hebbend voor, vatbaar voor.
prédisposer [prédispo'zé] *v.t.* ontvankelijk maken (*à*, voor).
prédisposition [prédispozisyõ] *f.* 1 (*voor vak, enz.*) aanleg *m.*; 2 (*voor ziekte*) vatbaarheid *v.*; 3 voorbeschiktheid *v.*
prédominance [prédòminã:s] *f.* overheersing *v.*; overwicht *o.*
prédominant [prédòminã] *adj.* overheersend, overwegend.
prédominer [prédòminé] *v.i.* 1 overheersen, de overhand hebben; 2 op de voorgrond treden.
prééminence [prééminã:s] *f.* voorrang *m.*; overhand *v.*(*m.*).
prééminent [prééminã] *adj.* uitstekend, bij uitstek, voornaamst.
préemption [préã'psyõ] *f.* voorkoop *m.*; naasting *v.*
préétablir [préétabli:r] *v.t.* vooraf vaststellen.
préexistence [préègzistã:s] *f.* (het) vóórbestaan *o.*
préexister [préègzisté] *v.i.* vooraf bestaan, vóórbestaan.
préfabriqué [préfabriké] *adj.* geprefabriceerd, prefab; **maison —e,** montagewoning *v.*
préface [préfas] *f.* 1 voorrede *v.*(*m.*), voorbericht *o.*; 2 (*fig.*) inleiding *v.*; 3 (*v. de Mis*) prefatie *v.*

préfacer [préfasé] *v.t.* van een voorrede voorzien, de (*of* een) voorrede schrijven voor.
préfectoral [préfèktòral] *adj.* van de prefect; ***administration —e,*** prefectuur *v.*
préfecture [préfèktü:r] *f.* prefectuur *v.*; ***— maritime,*** marine-stelling *v.*; ***— de police,*** hoofdcommissariaat van politie in Parijs.
préférable [préféra·bl] *adj.* verkieslijk.
préférablement [préférablemã] *adv.* liever, bij voorkeur.
préféré [préféré] **I** *m.* lieveling *m.*; **II** *adj.* lievelings—.
préférence [préférã:s] *f.* **1** voorkeur *v.*(*m.*); **2** (*recht*) recht *o.* van voorrang; ***de —,*** bij voorkeur; ***de — à,*** boven; ***donner à qn. la — sur,*** iem. de voorkeur geven boven; ***par —,*** bij voorkeur.
préférentiel [préférã·syèl] *adj.* voorkeur(s)—.
préférer [préféré] *v.t.* de voorkeur geven aan, prefereren; ***— à,*** verkiezen boven; ***je préfère ne rien demander,*** ik vraag liever niets.
préfet [préfè] *m.* prefect *m.*; gouverneur *m.* van Frans departement; ***— de police*** (*In Parijs*) hoofd *o.* van politie.
préfète [préfèt] *f.* vrouw van een prefect.
préfiguration [préfigüra·syõ] *f.* voorvorm *m.*
préfigurer [préfigüré] *v.t.* een voorvorm (*of* eerste vorm) zijn van.
préfinir [préfini:r] *v.t.* een termijn vaststellen.
préfix [préfiks] *adj.* vooraf bepaald.
préfixe [préfiks] *m.* voorvoegsel *o.*
préfixer [préfiksé] *v.t.* vooraf bepalen.
préfixion [préfiksyõ] *f.* het vaststellen van een termijn.
préfloraison [préflòrè·zõ] *f.* (*Pl.*) bloemplooiing *v.*
préfoliation [préfòlya·syõ] *f.* (*Pl.*) bladplooiing *v.*
préglaciaire [préglasyè:r] *adj.* van voor de ijstijd.
prégnant [préñã] *adj.* drachtig.
préhenseur [préã·sœ:r] *adj.* grijpend.
préhensible [préã·si·bl] *adj.* grijpbaar.
préhensile [préã·sil] *adj.* kunnende grijpen, grijp—.
préhension [préã·syõ] *f.* (het) grijpen *o.*; ***organe de —,*** grijporgaan *o.*
préhistoire [préistwa:r] *f.* voorhistorische geschiedenis *v.*
préhistorique [préistòrik] *adj.* voorhistorisch.
préjudice [préjüdis] *m.* nadeel *o.*, schade *v.*(*m.*); ***au — de,*** ten nadele van; ***sans — de,*** onverminderd, behoudens.
préjudiciable [préjüdisya·bl] *adj.* nadelig, schadelijk.
préjudiciel [préjüdisyèl] *adj.* (*recht*) vooraf (vóór de hoofdzaak) te beslissen.
préjudicier [préjüdisyé] *v.i.*, ***— à,*** benadelen, nadelig zijn, schaden.
préjugé [préjüjé] *m.* **1** vooroordeel *o.*; **2** voorafgaand vonnis *o.*
préjuger [préjüjé] *v.t.* **1** vooruit (voorbarig, *of* voorlopig) oordelen; **2** vooraf vonnissen; **3** vermoeden, veronderstellen, gissen.
prélart [préla:r] *m.* (*sch.*) presenning *v.*(*m.*); geteerd zeildoek *o. en m.*; wagendek *o.*
prélasser, se — [s(e)préla·sé] *v.pr.* een deftige houding aannemen; een hoge borst zetten.
prélat [préla] *m.* kerkvoogd, prelaat *m.*
prélature [prélatü:r] *f.* **1** prelaatschap *o.*, waardigheid *v.* van prelaat; **2** (*in abdij*) prelaatskwartier *o.*
prèle, prêle [prè:l] *f.* (*Pl.*) paardestaart *m.*
prélecture [prélèktü:r] *f.* (*drukk.*) eerste correctie *v.*
prélegs [prélèg] *m.* vooruitvermaking *v.*
préléguer [prélégé] *v.t.* vooruit vermaken.
prélèvement [prélè·vmã] *m.* **1** (het) afnemen; (het) afhouden *o.*; **2** (*v. geld*) (het) opnemen *o.*; **3** opgenomen som *v.*(*m.*); **4** afschrijving *v.*; ***— sur le capital,*** kapitaalsheffing *v.*; ***— de sang,*** bloedproef *v.*(*m.*).
prélever [prél(e)vé] *v.t.* **1** afnemen; afhouden; **2** (*v. geld*) opnemen; **3** (*v. monster*) nemen, trekken; **4** (*v. rechten*) heffen.
préliminaire [prélimìnè:r] **I** *adj.* voorafgaand, inleidend; **II** *s. m.* **1** inleiding *v.*, toebereidsel *o.*; **2** voorlopige afspraak *v.*(*m.*); ***—s de paix,*** voorlopige vredesvoorwaarden *mv.*
préliminairement [prélimìnè·rmã] *adv.* vooraf.
prélire [préli:r] *v.t.* (*v. drukproef*) vooraf corrigeren, vooraf lezen.
prélude [prélü·d] *m.* **1** (*muz.*) preludium *o.*; **2** (*fig.*) voorspel *o.*
préluder [prélüdé] *v.i.* (*muz.*) preluderen, een voorspel uitvoeren; ***— à qc.,*** iets inleiden.
prématuré(**ment**) [prématüré(mã)] *adj.* (*adv.*) **1** (*v. vrucht, enz.*) vroegrijp; **2** (*v. dood, enz.*) vroegtijdig; **3** (*v. oordeel, enz.*) voorbarig; **4** ontijdig; **5** overijld.
prématurité [prématürité] *f.* **1** vroegrijpheid *v.*; **2** vroegtijdigheid *v.*; **3** voorbarigheid *v.*; **4** ontijdigheid *v.*
préméditation [préméditα·syõ] *f.* voorbedachtheid *v.*; ***avec —,*** met voorbedachten rade.
préméditer [prémédité] *v.t.* vooraf beramen.
prémentionné [prémã·syòné] *adj.* voormeld.
prémices [prémis] *f.* **1** eerstelingen *mv.*; **2** (*fig.*) voorsmaak *m.*
premier [premyé] **I** *adj.* **1** eerste; **2** oorspronkelijk, grond—; **3** vroegere, vorige; ***la première jeunesse,*** de prille jeugd; ***matières premières,*** grondstoffen *mv.*; ***le — venu,*** de eerste de beste; ***dans son — état,*** in zijn oorspronkelijke toestand; ***ouvrier de la première heure,*** pionier *m.*; ***nombre —,*** priemgetal, ondeelbaar getal *o.*; **II** *s. m.* **1** eerste *m.*; voornaamste *m.*; **2** eerste verdieping *v.*; ***jeune —,*** (*toneel*) jonge minnaar, eerste minnaar *m.*; ***le — de l'an,*** nieuwjaarsdag *m.*; ***arriver bon —,*** met een goede voorsprong het eerst aankomen; ***le — arrivé chausse les bottes,*** die 't eerst komt, 't eerst maalt; ***première de change,*** prima wissel *m.*
premièrement [premyè·rmã] *adv.* ten eerste, eerst, in de eerste plaats.
premier*-né* [premyéné] *m.* eerstgeborene *m.*
prémilitaire [prémilitè·r] *adj.* aan de militaire dienst voorafgaand.
prémisse [prémis] *f.* eerste stelling *v.* van een sluitrede.
prémolaire [prémòlè:r] *f.* voorste kies *v.*(*m.*).
prémonition [prémònisyõ] *f.* **1** eerste waarschuwing *v.*; **2** voorgevoel *o.*
prémonitoire [prémònitwa:r] *adj.* waarschuwend; vooraf aankondigend.
prémontré [prémõ·tré] *m.* premonstratenzer, witheer, norbertijn *m.*
prémunir [prémüni:r] *v.t.* beveiligen.
prenable [prena·bl] *adj.* neembaar.
prenant [prenã] *adj.* **1** nemend, ontvangend; ***voix —e,*** boeiende stem *v.*(*m.*); **2** grijpend; ***queue —e,*** grijpstaart *m.*
prénatal [prénatal] *adj.* de geboorte voorafgaand.
prendre* [prã:dr] **I** *v.t.* **1** nemen; **2** grijpen, pakken; **3** wegnemen; **4** opnemen; **5** (*v. stad*) innemen; **6** (*v. land*) veroveren; **7** (*v. weg*) nemen, volgen, inslaan; **8** eten; drinken; gebruiken; **9** (*v. gewoonte, enz.*) aannemen; **10** (*v. geneesmiddel*) nemen, innemen; **11** meenemen; **12** betrappen, verrassen; **13** (*aan station, enz.*) afhalen; **14** (*v. vis*) vangen; ***— à part,*** ter zijde nemen; ***— qn. par son faible,*** iem. in zijn zwak tasten; ***— le mors aux dents,***

op hol slaan; (*fig.*) driftig worden; — ***au sérieux,*** ernstig opvatten; — ***à cœur,*** ter harte nemen; — ***à témoin,*** tot getuige nemen; — ***les devants,*** vooruit lopen; — ***la place de qn.,*** iemands plaats innemen; ***le — de haut,*** een hoge toon aanslaan; — ***du goût pour,*** smaak krijgen in; ***le — autrement,*** het anders opvatten; ***le — en mauvaise part,*** het kwalijk nemen; ***il l'a pris très mal,*** hij heeft het zeer kwalijk genomen; — ***de l'âge,*** oud worden; — ***du corps,*** dik worden; — ***femme,*** trouwen; — ***l'air,*** weggaan; — ***le voile,*** in 't klooster gaan; — ***de l'avance,*** een voorsprong krijgen; — ***qn. dans ses filets,*** iem. in zijn netten weten te krijgen; — ***en grippe,*** een hekel krijgen; — ***qn. au mot,*** iem. aan zijn woord houden; — ***le taureau par les cornes,*** de koe bij de horens vatten; — ***racine,*** wortel schieten; — ***qn. par le cœur,*** op iemands gemoed werken; — ***un parti,*** een besluit nemen; — ***son parti,*** zich schikken: — ***son élan,*** een aanloop nemen; — ***son vol,*** wegvliegen; — ***patience,*** geduld oefenen; — ***le large,*** het ruime sop kiezen; (*fig.*) heengaan, zijn biezen pakken; — ***la mouche,*** opvliegen; — ***sur le fait,*** op heterdaad betrappen; — ***sa revanche,*** zich wreken; ***à tout —,*** alles saamgenomen; alles wel beschouwd; ***c'est à — ou à laisser,*** graag of niet; ***pour qui me prenez-vous?*** waar ziet u mij voor aan?; ***je vous y prends,*** daar heb ik je (te pakken); **II** *v.i.* **1** (*spel*) nemen; **2** (*v. vla, saus, enz.*) dik worden, stijf worden; **3** (*v. melk*) stremmen; **4** bevriezen; **5** (*v. kleur, inkt*) vatten, houden; **6** wortel schieten; **7** ingang vinden; **8** slagen, succes hebben; **9** indruk maken; **10** (*v. lijm*) hechten; ***qu'est-ce qui lui prend?*** wat scheelt hem? ***cela ne prend pas,*** die vlieger gaat niet op, dat lukt niet; — ***à la peau,*** de huid aantasten; — ***à travers champs,*** dwars door het veld gaan; — ***à droite,*** rechts afslaan; — ***à la gorge,*** in de keel prikkelen; de keel onaangenaam aandoen; ***il vous en prendra mal,*** het zal u slecht bekomen; — ***au souffleur,*** (*toneel*) op de souffleur spelen; **III** *v.pr.*, ***se —,*** **1** elkaar nemen; **2** zich vasthouden, zich vastklemmen; **3** (*v. vloeistoffen*) dik worden, stollen; **4** bevriezen; **5** blijven haken; beklemd raken; ***se — à,*** beginnen te; ***se — à crier,*** beginnen te roepen; ***se — aux cheveux,*** elkaar in het haar vliegen; ***se — au piège,*** in de strik lopen; ***se — de paroles,*** ruzie krijgen; ***se — pour,*** zich houden voor; ***se — d'amitié pour qn.,*** vriendschap voor iem. opvatten; ***ils ne savaient comment s'y —,*** zij wisten niet, hoe zij dat moesten aanleggen.

preneur [prenœ:r] *m.* **1** nemer *m.*; **2** afnemer *m.*; **3** bieder *m.*; **4** huurder *m.*; **5** (*v. koffie, enz.*) gebruiker *m.*; — ***de tabac,*** snuiver *m.*; ***trouver —,*** een koper vinden.

prénom [prénõ] *m.* voornaam *m.* [genoemd.

prénommé [prénòmé] *adj.* voornoemd; boven-

prénommer [prénòmé] *v.t.* een voornaam geven.

prénuptial [prénüpsyal] *adj.* aan het huwelijk voorafgaand.

préoccupant [préòküpã] *m.* vorige bewoner *m.*

préoccupation [préòküpa'syõ] *f.* beslommering; bezorgdheid *v.*

préoccuper [préòküpé] **I** *v.t.* **1** (*v. persoon*) bezorgd maken, met zorgen vervullen; **2** (*v. geest*) geheel in beslag nemen; **II** *v.pr.*, ***se — de,*** **1** bezorgd zijn over, zich bezorgd maken over; **2** voortdurend streven naar.

préopinant [préòpinã] *m.* vorige spreker *m.*

préordination [préòrdina'syõ] *f.* voorbeschikking *v.*

préordonner [préòrdòné] *v.t.* voorbeschikken.

prépaiement [prépè(y)mã] *m.* vooruitbetaling *v.*

préparateur [préparatœ:r] *m.* **1** voorbereider *m.*; **2** (*in laboratorium*) amanuensis *m.*; **3** (*in apotheek*) bediende *m.*

préparatifs [préparatif] *m.pl.* toebereidselen *mv.*

préparation [prépara'syõ] *f.* **1** voorbereiding *v.*; **2** (*v. spijzen, geneesmiddel*) bereiding, toebereiding *v.*; **3** (*voor examen*) opleiding *v.*; **4** (*voor tekening*) aanzet *m.*; **5** preparaat *o.*; ***sans —,*** onvoorbereid.

préparatoire [préparatwa:r] **I** *adj.* voorbereidend; **II** *s. m.* voorbereiding *v.*; **III** *s. f.* voorbereidingsklasse *v.*

préparer [préparé] **I** *v.t.* **1** voorbereiden; **2** (*v. spijzen*) bereiden, toebereiden, klaarmaken; **3** (*voor examen*) opleiden, klaarmaken; — ***un examen,*** studeren voor een examen; — ***ses malles,*** zijn koffers pakken; — ***les voies à,*** de weg banen voor; **II** *v.pr.* ***se —,*** **1** zich voorbereiden; zich gereedmaken; **2** in aantocht zijn, op til zijn; opkomen; ***un orage se prépare,*** er komt een onweer op.

prépondérance [prépõ'dérã:s] *f.* overwicht *o.*; overmacht *v.*(*m.*).

prépondérant [prépõ'dérã] *adj.* **1** overwegend, overheersend; **2** (*v. klasse*) heersend; **3** (*v. stem*) beslissend.

préposé [prépo'zé] **I** *m.* beambte, ambtenaar *m.*; **II** *adj.*, — ***à,*** belast met, aangesteld bij.

préposer [prépo'zé] *v.t.* plaatsen (voor); aanstellen (bij); met het toezicht belasten (over).

prépositif [prépo'zitif] *adj.* als voorzetsel dienend.

préposition [prépo'zisyõ] *f.* voorzetsel *o.*

prépotence [prépòtã:s] *f.* overwicht *o.*

préraphaélite [prérafaélit] *m.* aanhanger *m.* van het preraphaelisme (19e-eeuwse schilderschool).

prérogative [prérògati:v] *f.* voorrecht *o.*; — ***parlementaire,*** **1** parlementaire onschendbaarheid *v.*; **2** recht *o.* van initiatief.

près [prè] **I** *adv.* dichtbij; nabij, op korte afstand; ***à beaucoup —,*** op verre na niet, op lange na niet; ***à cela —,*** behalve dat, dat uitgezonderd; ***à dix francs —,*** op tien frank na; ***regarder de —,*** van nabij bezien; ***suivre de —,*** op de voet volgen; ***serrer de —,*** in 't nauw drijven, het vuur aan de schenen leggen; ***de — et de loin,*** van heinde en ver; ***il n'y regarde pas de si —,*** hij neemt het zo nauw niet; ***regarder de — à la dépense,*** op de kleintjes letten; ***ni de — ni de loin,*** in 't geheel niet; ***à peu —,*** bijna; **II** *prép.* bij; — ***de l'école,*** bij de school; — ***de mourir,*** op het punt van te sterven; ***être — de ses pièces,*** erg gierig zijn, op zijn geld zitten. [o.

présage [préza:j] *m.* **1** voorteken *o.*; **2** vermoeden

présager [prézajé] *v.t.* **1** voorspellen; **2** vermoeden.

pré*-salé* [présalé] *m.* **1** zoute weide *v.*(*m.*) (aan de zee); **2** beste schapevlees *o.*

présanctifié [présã'ktifyé] *adj.* (*v. hostie*) op voorhand gewijd; ***messe des —s,*** (*kath.*) mis *v.*(*m.*) zonder consecratie (op Goede Vrijdag).

presbyopie [prèzbiopi] *f.* verziendheid *v.* (door ouderdom). [ziende *m.*

presbyte [prèzbit] **I** *adj.* verziend; **II** *s., m.* ver-

presbytéral [prèzbitéral] *adj.* priesterlijk.

presbytère [prèzbitè:r] *m.* pastorie *v.*

presbytérianisme [prèzbitéryanizm] *m.* presbyteriaanse leer *v.*(*m.*).

presbytérien [prèzbitéryẽ] **I** *adj.* presbyteriaans; **II** *s. m.* presbyteriaan *m.* [heid *v.*

presbytie [prèzbisi] *f.* presbytisme *o.*, verziend-

prescience [présyã:s] *f.* voorkennis *v.*

prescient [présyã] *adj.* vooruitwetend.

prescriptible [prèskripti'bl] *adj.* verjaarbaar.

prescription [prèskripsyõ] *f.* **1** (*v. wet*) voorschrift *o.*; **2** (*v. dokter*) recept *o.*; **3** (*recht*) verjaring *v.*
prescrire* [prèskri:r] **I** *v.t.* **1** voorschrijven; **2** (*recht*) laten verjaren; **3** (*fig.*) in 't vergeetboek doen geraken; **II** *v.i.* verjaren; **III** *v.pr.* ***se* —, 1** zich tot plicht stellen; **2** (*recht*) verjaren.
préséance [préséã:s] *f.* voorrang *m.*
présence [prézã:s] *f.* tegenwoordigheid; aanwezigheid *v.*; ***— d'esprit,*** tegenwoordigheid van geest; ***jeton de* —, 1** presentiepenning *m.*; **2** presentiegeld *o.*; ***mettre en* —,** samenbrengen; tegenover elkaar stellen; ***faire acte de* —, 1** aanwezig zijn; **2** ergens even komen (beleefdheidshalve).
présent [prézã] **I** *adj.* **1** tegenwoordig; **2** aanwezig; ***être — à,*** bijwonen, aanwezig zijn bij; ***la —e (lettre),*** deze brief *m.*, dit schrijven *o.*; ***par la —e (lettre),*** bij deze; ***il n'est pas* —,** hij is verstrooid; ***à* —,** thans, nu; **II** *s. m.* **1** (het) tegenwoordige *o.*; (het) heden *o.*; **2** (*gram.*) tegenwoordige tijd *m.*; **3** geschenk *o.*; ***les —s,*** de aanwezigen; ***faire — de,*** schenken.
présentable [prézã'ta'bl] *adj.* toonbaar.
présentateur [prézã'tatœ:r] *m.* **1** voorsteller *m.*; **2** aanbieder *m.*; **3** omroeper *m.*
présentation [prézã'ta'syõ] *f.* **1** (*v. personen*) voorstelling *v.*; **2** aanbieding; overreiking *v.*; **3** (*drukk.*) verzorging, aankleding *v.*; ***payer à* —,** bij aanbieding betalen; ***la P—,*** de Opdracht *v.*(*m.*) (in de tempel).
présentatrice [prézã'tatris] *f.* omroepster *v.*
présentement [prézã'tmã] *adv.* tegenwoordig, dadelijk.
présenter [prézã'té] **I** *v.t.* **1** aanbieden; **2** (*v. persoon*) voorstellen; **3** (*v. kandidaat, voor betrekking*) voordragen; **4** (*v. spreker*) inleiden; **5** (*v. kaartje*) tonen; **6** (*v. geweer*) presenteren; **7** overhandigen, overreiken; **8** (*v. voordeel*) bieden; **9** (*v. moeilijkheid*) opleveren; ***— au baptême,*** ten doop houden; ***— le dos à qn.,*** iem. de rug toekeren; **II** *v.pr.* ***se* —, 1** zich vertonen; **2** zich voorstellen; **3** zich aanbieden; zich aanmelden; **4** zich voordoen; ***se — aux élections,*** zich kandidaat stellen.
préservateur [prézèrvatœ'r] *adj.* voorbehoedend, beschermend.
préservatif [prézèrvatif] **I** *adj.* voorbehoedend; **II** *s. m.* voorbehoedmiddel *o.*
préservation [prézèrva'syõ] *f.* voorbehoeding, beveiliging, bescherming *v.*
préserver [prézèrvé] *v.t.* behoeden; beschutten; ***— de,*** beschermen tegen, behoeden voor.
présidence [prézidã's] *f.* **1** voorzitterschap *o.*; **2** presidentschap *o.* [*bliek*) president *m.*
président [prézidã] *m.* **1** voorzitter *m.*; **2** (*v. repu-*
présidente [prézidã:t] *f.* **1** presidente *v.*; **2** presidentsvrouw *v.* [presidentieel.
présidentiel [prézidã'syèl] *adj.* van de president,
présider [prézidé] **I** *v.t.* (*v. vergadering*) voorzitten, leiden; **II** *v.i.* **1** als voorzitter optreden; **2** leiden, de leiding hebben bij; **3** (*v. gedachte*) voorzitten.
présomptif [prézõ'ptif] *adj.* vermoedelijk.
présomption [prézõ'psyõ] *f.* **1** vermoeden *o.*, verdenking *v.*; **2** inbeelding, verwaandheid *v.*, eigenwaan *m.* [moedelijk.
présomptivement [prézõ'pti'vmã] *adv.* ver-
présomptueux [prézõ'ptwö] *adj.*, **présomptueusement** [prézõ'ptwö'zmã] *adv.* verwaand.
presque [prèske] **I** *adv.* bijna; **II** *adj.*, ***la — certitude,*** bijna de zekerheid, aan zekerheid grenzende waarschijnlijkheid *v.*; ***à la — unanimité,*** met bijna algemene stemmen.
presqu'île [prèski:l] *f.* schiereiland *o.*
pressage [prèsa:j] *m.* (het) persen *o.*
pressant [prèsã] *adj.* **1** dringend; **2** (*v. betoog*) klemmend; **3** (*v. pijn*) hevig.
presse [près] *f.* **1** gedrang *o.*; **2** (*v. zeelieden*) pressing *v.*, (het) pressen *o.*; **3** pers; drukpers *v.*(*m.*); **4** (*fig.*) aandrang *m.*; **5** haast *v.*(*m.*); ***— à copier,*** kopieerpers *v.*(*m.*); ***— mécanique,*** snelpers; ***— à main,*** handpers; ***— à rogner,*** snoeimachine *v.*; ***— rotative,*** rotatiepers; ***la — périodique,*** de dagbladpers; ***sous* —,** ter perse; ***sortir de la* —,** van de pers komen; ***avoir une bonne* —,** een goede pers hebben, gunstig beoordeeld worden (door de pers); ***il n'y a pas de* —,** er is geen haast bij; ***jours de* —,** dagen van grote drukte.
pressé [prèsé] *adj.* **1** dringend, spoedeisend; **2** gehaast; ***c'est* —,** er is haast bij.
presse-bouchons [prèsbuſõ] *m.* kurkmachine *v.*
presse-citron(s) [prèssitrõ] *m.* citroenpers *v.*(*m.*).
presse-fruits [prèsfrwi] *m.* fruitpers *v.*(*m.*).
pressement [prèsmã] *m.* druk *m.*, drukking *v.*
pressentiment [présã'timã] *m.* voorgevoel *o.*
pressentir* [présã'ti:r] *v.t.* **1** een voorgevoel hebben van; **2** polsen.
presse-papiers [prèspapyé] *m.* presse-papier *m.*
presse-purée [prèspüré] *m.* pureezeef *v.*(*m.*).
presser [prèsé] **I** *v.t.* **1** persen; **2** uitpersen; uitwringen; **3** samendringen; **4** (*v. vijand, enz.*) op de hielen zitten, in 't nauw drijven; **5** (*v. zeelieden*) pressen; **6** (*v. vertrek*) verhaasten, bespoedigen; **7** (*v. pas*) versnellen; **8** tot spoed aanzetten; ***— de questions,*** met vragen bestormen, — overstelpen; ***— son écriture,*** dicht in elkaar schrijven; ***— le payement,*** op betaling aandringen; **II** *v.i.* dringend zijn, spoed vereisen; ***le temps presse,*** de tijd dringt; ***cela ne presse pas,*** er is geen haast bij; **III** *v.pr.* ***se* —, 1** elkaar verdringen; **2** zich haasten.
presseur [prèsœ:r] *m.* perser *m.*
pression [prèsyõ] *f.* **1** persing *v.*; **2** druk *m.*, drukking *v.*; **3** (*fig.*) dwang, drang *m.*; ***— atmosphérique,*** luchtdruk *m.*; ***— artérielle,*** bloeddruk *m.*; ***bouton à* —,** drukknoopje *o.*; ***sous* —,** onder druk; onder stoom.
pressis [prèsi] *m.* uitgeperst sap *o.* [pers).
pressoir [prèswa:r] *m.* pers *v.*(*m.*) (wijnpers, olie-
pressurage [prèsüra:j] *m.* **1** (het) uitpersen *o.*; **2** afpersing *v.*; ***vin de* —,** perswijn *m.*
pressurer [prèsü'ré] *v.t.* **1** persen, uitpersen; **2** uitknijpen; **3** (*fig.: v. volk*) uitzuigen; **4** afpersen.
pressuriser [prèsüri'zé] *v.t.* op normale spanning houden. [heid *v.*
prestance [prèstã:s] *f.* deftig voorkomen *o.*, deftig-
prestant [prèstã] *m.*, (*muz.*) prestant *m.*, hoofdregister *o.* [leveren.
prestataire [prèstatè:r] *m.* wie een prestatie moet
prestation [prèsta'syõ] *f.* **1** levering *v.*; **2** prestatie; dienstverlening *v.*; **3** uitkering *v.* uit verzekeringskas; ***— de serment,*** eedaflegging *v.*; ***—s en nature,*** leveringen in natura.
preste(ment) [prèst(emã)] *adj.* (*adv.*) vlug, gezwind; handig.
prestesse [prèstès] *f.* vlugheid, gezwindheid *v.*; handigheid *v.* [*m.*
prestidigitateur [prèstidijitatœ:r] *m.* goochelaar
prestidigitation [prèstidijita'syõ] *f.* (het) goochelen *o.*; goochelkunst *v.*
prestige [prèsti:j] *m.* **1** begoocheling, verblinding *v.*; **2** bekoring, betovering *v.*, zinsbedrog *o.*; **3** aanzien, gezag, zedelijk overwicht *o.*
prestigieux [prèstijyö] *adj.* **1** verblindend, begoochelend; **2** toverachtig; **3** aanzienlijk, machtig.

prestissimo [prèstisimo] *adv.* (*muz.*) zeer snel.
presto [prèsto] *adv.* (*muz.*) snel.
présumable [prézüma'bl] *adj.* vermoedelijk.
présumé [prézümé] *adj.* vermoedelijk.
présumer [prézümé] **I** *v.t.* **1** vermoeden, veronderstellen; **2** menen, geloven; **II** *v.i.*, ***— trop de,*** overschatten; een te hoge dunk hebben van.
présupposer [présüpo'zé] *v.t.* vooronderstellen.
présupposition [présüpozisyõ] *f.* vooronderstelling *v.*
présure [prézü:r] *f.* stremsel *o.*; leb *v.*(*m.*).
présurer [prézuré] *v.t.* doen stremmen.
prêt [prè] **I** *adj.* **1** klaar, gereed; **2** bereid; **II** *s. m.* **1** lening *v.*; **2** geleende som *v.*(*m.*); **3** soldij *v.*; **4** (*op loon*) voorschot *o.*; ***— gratuit,*** renteloos voorschot; ***— sur titres,*** prolongatie *v.*; ***— sur gages,*** verpanding *v.*; ***— à la grosse,*** bodemerijbrief *m.*; ***— à usage,*** bruikleen *o.* en *m.*
pretantaine [prétã'tè:n] *f.*, ***courir la —,*** rondslenteren, rondzwerven; op avonturen uitgaan.
prêté [prè'té] **I** *adj.* geleend; **II** *s. m.*, ***un — rendu,*** leer om leer.
prétendant [prétã'dã] *m.* **1** pretendent *m.*; **2** aanzoeker, vrijer *m.*
prétendre [prétã'dr] **I** *v.t.* **1** beweren, verzekeren; **2** verlangen, willen; ***— la main de qn.,*** naar iemands hand dingen; ***un prétendu ami,*** een zogenaamde vriend; **II** *v.i.*, ***— à,*** **1** dingen naar; **2** aanspraak maken op; ***— à l'esprit,*** geestig willen zijn.
prétendu [prétã'dü] **I** *adj.* vermeend, zogenaamd; **II** *s. m.*, ***—e*** *f.* aanstaande, verloofde *m.-v.*
prétendument [prétã'dümã] *adv.* naar men beweert.
prête-nom* [prè'tnõ] *m.* stroman *m.*
pretentaine, *voir* ***pretantaine.***
prétentieux [prétã'syö] *adj.*, **prétentieusement** [prétã'syö'zmã] *adv.* **1** aanmatigend, verwaand; **2** (*v. taal*) gezocht.
prétention [prétã'syõ] *f.* **1** aanmatiging, verwaandheid *v.*; **2** aanspraak *v.*(*m.*), vordering *v.*; **3** gekunsteldheid *v.*; ***avoir la — d'être qc.,*** zich inbeelden iets te zijn.
prêter [prè'té] **I** *v.t.* **1** lenen, uitlenen; **2** verlenen, verschaffen; **3** toeschrijven, toedichten; wijten; ***— serment,*** de eed afleggen, zweren; ***— sur gage,*** belenen; ***— attention à,*** zijn aandacht schenken aan; ***on ne prête qu'aux riches,*** men noemt geen koe bont of er is een vlekje aan; men is slechts hulpvaardig wanneer men een wederdienst kan verwachten; ***— le flanc,*** zich blootgeven; ***— l'oreille,*** het oor lenen; ***— main-forte à,*** te hulp komen; **II** *v.i.* **1** lenen; **2** (*v. stof, enz.*) rekken, meegeven; ***— à,*** aanleiding geven tot; **III** *v.pr.*, ***se — à,*** **1** zich lenen tot; **2** zich schikken naar; **3** geschikt zijn voor.
prétérit [prétéri(t)] *m.* (*gram.*) verleden tijd *m.*
préteur [prétœ:r] *m.* (*gesch.*) pretor *m.*
prêteur [prè'tœ:r] *m.* lener, geldschieter *m.*; ***— sur gage,*** pandnemer *m.*
prétexte [prétèkst] *m.* voorwendsel *o.*; ***prendre — de qc.,*** iets als voorwendsel gebruiken.
prétexter [prétèksté] *v.t.* voorwenden.
prétoire [prétwa:r] *m.* rechtszaal *v.*(*m.*); rechtbank *v.*(*m.*).
prétorien [prétòryẽ] **I** *adj.* van de pretor; **II** *s. m.* soldaat *m.* van de keizerlijke lijfwacht.
prêtraille [prè'tra'y] *f.* (*ong.*) priestervolkje, papengespuis *o.*
prêtre [prè:tr] *m.* priester *m.*
prêtresse [prè'três] *f.* priesteres *v.*
prêtrise [prè'tri:z] *f.* priesterschap *o.*
préture [prétü:r] *f.* (*gesch.*) pretorschap *o.*, ambt *o.* van pretor.
preuve [prœ:v] *f.* **1** bewijs *o.*; **2** bewijsmiddel; bewijsstuk *o.*; **3** (*v. vriendschap, enz.*) blijk *o.*; **4** (*rek.*) proef *v.*(*m.*); **5** proefglaasje, reageerbuisje *o.*; ***donner — de,*** bewijzen; ***faire ses —s,*** **1** zijn sporen verdienen; **2** de toets doorstaan.
preux [prö] **I** *adj.* moedig, dapper; **II** *s. m.* **1** held *m.*; **2** ridder *m.*
prévaloir* [prévalwa:r] **I** *v.i.* de overhand hebben; zegevieren; **II** *v.pr.* ***se — de,*** zich laten voorstaan op.
prévaricateur [prévarikatœ:r] **I** *adj.* ontrouw, plichtvergeten; **II** *s. m.* plichtverzaker *m.*
prévarication [prévarika'syõ] *f.* (*v. rechter, ambtenaar*) ontrouw *v.*(*m.*); plichtverzaking *v.*
prévariquer [prévariké] *v.i.* zijn plicht verzaken.
prévenance [prévnã:s] *f.* voorkomendheid, beleefdheid *v.*
prévenant [prévnã] *adj.* voorkomend, beleefd.
prévenir* [prévni:r] *v.t.* **1** (*v. persoon*) voor zijn, komen voor; **2** (*v. ongeluk, enz.*) voorkomen, verhoeden; **3** verwittigen, waarschuwen; **4** voorinnemen; **5** (*v. tegenwerping*) uit de weg ruimen, ondervangen.
préventif [prévã'tif] **I** *adj.* voorbehoedend; ***loi préventive,*** beschermende wet; ***détention préventive,*** voorlopige hechtenis *v.*, voorarrest *o.*; **II** *s. m.* voorbehoedmiddel *o.*
prévention [prévã'syõ] *f.* **1** vooringenomenheid *v.*, vooroordeel *o.*; **2** beschuldiging *v.*, aanklacht *v.*(*m.*); **3** preventieve hechtenis *v.*; voorarrest *o.*
préventivement [prévã'ti'vmã] *adv.* voorlopig.
préventorium [prévã'toriòm] *m.* consultatiebureau (waar men ook ter observatie kan worden opgenomen).
prévenu [prévnü] **I** *adj.* **1** verwittigd; **2** bevooroordeeld; **3** beschuldigd; **II** *s. m.* beschuldigde *m.*
prévision [prévizyõ] *f.* **1** vooruitzicht *o.*; **2** gissing *v.*, vermoeden *o.*; ***en — de,*** met het oog op, in het vooruitzicht van.
prévoir* [prévwa:r] *v.t.* vooruitzien, voorzien.
prévôt [prévo] *m.* **1** (*gesch.*) provoost *m.*; **2** domproost *m.*; **3** officier-commissaris *m.*; ***— d'armes,*** schermmeester *m.*
prévôtal [prévo'tal] *adj.*, ***tribunal —,*** provoostrechtbank *v.*(*m.*).
prévôté [prévo'té] *m.* provoostschap *o.*
prévoyance [prévwayã:s] *f.* **1** voorziening *v.*, voorzorg *v.*(*m.*); **2** voorzichtigheid, bedachtzaamheid *v.*; ***— sociale,*** sociale voorzorg *v.*(*m.*); ***— routière,*** wegenwacht.
prévoyant [prévwayã] *adj.* vooruitziend; bedachtzaam.
prie-Dieu [pridyö] *m.* bidstoel *m.*, bidbank *v.*(*m.*).
prier [pri(y)é] **I** *v.t.* **1** bidden; **2** verzoeken, smeken; **3** uitnodigen; ***je vous prie,*** als 't u belieft; ***je vous en prie,*** ik bid u er om; ga uw gang; geen dank; **II** *v.i.* bidden.
prière [pri(y)è:r] *f.* **1** gebed *o.*; **2** bede *v.*(*m.*); verzoek *o.*; ***à la — de,*** op verzoek van; ***— de ne pas fumer,*** verzoeke niet te roken; ***faire sa —,*** bidden.
prieur [pri(y)œ:r] *m.*, ***—e*** *f.* prior *m.*, —in *v.*
prieural [pri(y)œ'ral] *adj.* van de prior.
prieuré [pri(y)œ'ré] *m.* **1** priorschap *o.*; **2** priorij *v.*
prima donna [primadòna] *f.* (*pl.* : ***prime donne***) eerste zangeres, prima donna *v.*
primaire [primè:r] *adj.* **1** eerst, aanvangs—; **2** (*aardk.*) primair; ***école —,*** lagere school *v.*(*m.*); ***enseignement —,*** lager onderwijs *o.*; ***inspecteur —,*** schoolopziener *m.* bij het lager onderwijs; ***nombre —,*** priemgetal, ondeelbaar getal *o.*
primat [prima] *m.* primaat *m.*
primates [primat] *m.pl.* (*Dk.*) primaten *mv.*, hoogste zoogdierenorde (mensen en apen).

primatie [primasi] *f.* primaatschap *o.*

primauté [primo'té] *f.* **1** voorrang *m.*; **2** (*spel*) voorhand *v.*(*m.*).

prime [prim] **I** *adj.* **1** eerste; **2** (*stelk.*) met accent; ***a* — (*a'*),** a accent; ***de — abord,*** bij de eerste aanblik, op het eerste ogenblik; ***de — saut,*** dadelijk; ***la — jeunesse,*** de allereerste jeugd, de prille jeugd *v.*(*m.*); **II** *s. f.* **1** premie *v.*; **2** (*kath.*) prime *v.*(*m.*); **3** opgeld *o.*; **4** (*sterr.*) eerste maanstand *m.*; **5** (*schermen*) eerste positie *v.*; ***faire —,*** opgeld doen, zeer gezocht zijn; ***— d'assurance,*** verzekeringspremie *v.*; ***— d'engagement,*** (*mil.*) handgeld *o.*; ***marché à —,*** premie-affaire *v.*(*m.*); ***— à l'exportation,*** uitvoerpremie *v.*

primé [primé] *adj.* bekroond.

primer [primé] **I** *v.t.* **1** overtreffen, de voorrang hebben boven, de loef afsteken; **2** een premie toekennen aan; **3** (*v. grond*) omwerken; ***la force prime le droit,*** macht gaat boven recht; **II** *v.i.* **1** de eerste zijn; **2** de baas zijn, zijn haan koning laten kraaien.

primerose [primro:z] *f.* stokroos *v.*(*m.*).

primesautier [primso'tyé] *adj.* spontaan, ongekunsteld; oorspronkelijk, fris.

primeur [primœ:r] *f.* **1** eerste tijd *m.*; **2** eerste genot *o.*; **3** nieuwheid, versheid *v.*; ***dans sa —,*** in 't begin; in zijn eerste nieuwheid; (*v. boek*) dadelijk na 't verschijnen; ***pois de —,*** vroege erwten; ***avoir la — de qc.,*** het eerste genot van iets hebben; het eerste iets vernemen (*of* weten); ***—s,*** vroege groenten (en vruchten). [mula veris *v.*(*m.*).

primevère [primvè:r] *f.* (*Pl.*) sleutelbloem, pri-

primitif [primitif] **I** *adj.* **1** (*v. toestand*) oorspronkelijk, eerste, oudste; **2** (*v. zeden, enz.*) primitief; **3** (*v. huisvesting, enz.*) al te eenvoudig, weinig gerieflijk; ***la primitive Église,*** de oudste Christenkerk *v.*(*m.*); ***l'homme —,*** de oermens *m.*; ***couleurs primitives,*** hoofdkleuren *mv.*; ***temps —s,*** hoofdtijden, grondtijden *mv.*; ***mot —,*** grondwoord, stamwoord *o.*; ***peuple —,*** oervolk *o.*; **II** *s. m.* oorspronkelijke mens *m.*; ***les —s,*** (*kunst*) de primitieven *mv.* [lijk, oorspronkelijk; **2** primitief.

primitivement [primiti'vmã] *adv.* **1** aanvanke-

primo [primo] *adv.* ten eerste, in de eerste plaats.

primogéniture [primojénitü:r] *f.* eerstgeboorte *v.*; (***droit de —***), eerstgeboorterecht *o.*

primordial [primòrdyal] *adj.* **1** oudste, allereerst; **2** eerste, voornaamste.

primordialement [primòrdyalmã] *adv.* aanvankelijk. [heid *v.*

primordialité [primòrdyalité] *f.* oorspronkelijk-

primulacées [primülasé] *f.* sleutelbloemigen *mv.*

prince [prẽ:s] *m.* **1** prins *m.*; **2** vorst *m.*; ***— de l'Église,*** kerkvorst *m.*; ***— royal, — impérial,*** kroonprins *m.*; ***— héritier,*** erfprins *m.*; ***— du sang,*** prins van den bloede; ***en —,*** vorstelijk; ***être bon —,*** zeer edelmoedig zijn. [*m.*

prince*-consort* [prẽ'skõ'sò:r] *m.* prins-gemaal

princeps [prẽ'sèps] *adj.*, ***édition —,*** oorspronkelijke uitgave *v.*(*m.*), eerste druk *m.*

prince*-évêque* [prẽ'sévè:k] *m.* prins-bisschop *m.*

prince*-régent* [prẽ'sréjã] *m.* prins-regent *m.*

princesse [prẽ'sès] *f.* **1** prinses *v.*; **2** vorstin *v.*; ***— royale, — impériale,*** kroonprinses *v.*; ***haricots —s,*** prinsessenbonen *mv.*; ***aux frais de la —,*** (*pop.*) op kosten van de baas; uit de staatsruif.

princier [prẽ'syé] *adj.* **1** prinselijk; **2** vorstelijk.

princièrement [prẽ'syè'rmã] *adv.* vorstelijk.

principal [prẽ'sipal] **I** *adj.* voornaamste, eerste; ***proposition —e,*** hoofdzin *m.*; **II** *s. m.* **1** voornaamste *o.*, hoofdzaak *v.*(*m.*); **2** hoofdsom *v.*(*m.*); kapitaal *o.*; **3** (*v. college*) directeur; rector *m.*; **4** (*recht*) hoofdzaak *v.*(*m.*); hoofdpunt *o.*; **5** (*H.*) principaal, lastgever *m.*; ***— et intérêts,*** kapitaal en rente.

principale [prẽ'sipal] *f.* hoofdzin *m.*

principalement [prẽ'sipalmã] *adv.* voornamelijk, hoofdzakelijk.

principauté [prẽ'sipo'té] *f.* **1** vorstelijke waardigheid *v.*; **2** vorstendom *o.*; **3** prinsdom *o.*; ***la — de Liège,*** het prinsbisdom Luik.

principe [prẽ'sip] *m.* **1** beginsel *o.*; **2** oorzaak *v.*(*m.*), grond *m.*; **3** stelregel *m.*; grondbeginsel *o.*; **4** bestanddeel *o.*; ***dans le —,*** in den beginne, oorspronkelijk; ***le — d'Archimède,*** de wet van Archimedes; ***ferme sur les —s,*** beginselvast; ***— vital,*** levensbeginsel; ***les premiers —s,*** de eerste beginselen; ***en —,*** in beginsel, principieel; ***par —,*** uit beginsel; ***sans —s,*** gewetenloos; beginselloos; ***le — hédonistique,*** het economisch beginsel.

printanier [prẽ'tanyé] *adj.* **1** van de lente; lente—, voorjaars—; **2** (*fig.*) jeugdig; ***vert —,*** lichtgroen. [***au —,*** in de lente.

printemps [prẽ'tã] *m.* lente *v.*(*m.*), voorjaar *o.*;

priodonte [priodõ't] *m.* gordeldier *o.*

priorat [pri(y)òra] *m.* priorschap *o.* [rangs—.

prioritaire [priòritè:r] *adj.* met voorrang, voor-

priorité [pri(y)òrité] *f.* voorrang *m.*, prioriteit *v.*; ***action de —,*** preferent aandeel *o.*; ***— d'hypothèque,*** voorrang *m.* van hypotheek; ***route à —,*** voorrangsweg *m.*

pris [pri] *adj.* **1** genomen; **2** gevangen; **3** bezet; **4** (*v. vijver, enz.*) dichtgevroren; **5** bevangen; ***— de vin,*** beschonken; ***un mot — du latin,*** een woord aan 't Latijn ontleend; ***taille bien —e,*** goed gevormde gestalte.

prise [pri:z] *f.* **1** (het) nemen; (het) vatten; (het) grijpen *o.*; **2** vangst *v.*, buit *m.*; **3** (*v. stad*) inneming *v.*; **4** (*v. schip*) (het) prijs maken *o.*; **5** prijsschip *o.*; **6** (*v. wild*) (het) vangen *o.*; **7** vat *m.*, houvast *o.*; **8** twist, strijd *m.*; ***— de corps,*** inhechtenisneming *v.*; lijfsdwang *m.*; gijzeling *v.*; ***— d'eau,*** watervang *m.*; waterwerken *mv.*; ***— de possession,*** bezitneming *v.*; ***— de terre,*** (*el.*) aardleiding *v.*; ***— de courant,*** stopcontact *o.*; ***— directe,*** (*v. auto*) directe aandrijving *v.*; ***— de vol,*** (*vl.*) opstijging *v.*; ***— de tabac,*** snuifje *o.*; ***lâcher —,*** loslaten; ***avoir — sur qn.,*** vat hebben op iem.; ***être aux —s,*** slaags zijn; twisten, vechten; ***être aux —s avec,*** te kampen hebben met; ***— à partie,*** kibbelarij *v.*; ***— de vue,*** opname, foto *v.*(*m.*); ***— de vues,*** filmopname *v.*(*m.*), verfilming *v.*; ***— de voile,*** intrede *v.*(*m.*) in het klooster; ***— sténographique,*** stenogram *o.*; ***— d'assaut,*** bestorming *v.*; ***tenir qn. sous sa —,*** iem. in zijn macht hebben; ***donner — à la critique,*** tot kritiek aanleiding geven.

prisée [pri'zé] *f.* schatting, taxatie *v.*

priser [pri'zé] **I** *v.t.* **1** schatten, taxeren; **2** (*fig.*) op prijs stellen, waarderen; **3** opsnuiven; **II** *v.*; snuiven.

priseur [pri'zœ:r] *m.* **1** schatter *m.*; **2** snuiver *m.*

prismatique [prizmatik] *adj.* prismatisch.

prisme [prizm] *m.* kantzuil *v.*(*m.*), prisma *o.*

prismé [prizmé] *adj.* prismatisch.

prison [prizõ] *f.* **1** gevangenis *v.*; **2** gevangenisstraf *v.*(*m.*); ***mettre en —,*** gevangen zetten.

prisonnier [prizònyé] *m.* gevangene *m.*; ***— de guerre,*** krijgsgevangene *m.*; ***faire —,*** (*mil.*) gevangen nemen; ***se constituer —,*** **1** (*mil.*) zich gevangen geven; **2** zich aangeven (*of* zich aanmelden) bij de politie; ***se rendre —,*** zich gevangen laten nemen, zich gevangen geven.

privatif [privatif] I *adj.* 1 ontnemend; 2 (*taalk.*) ontkennend; II *s. m.* ontkennend voorvoegsel *o.*
privation [privɑ'syõ] *f.* 1 beroving *v.*; 2 ontzegging *v.*; 3 ontbering *v.*, gebrek *o.*; ***vivre de —s,*** aan alles gebrek lijden, een leven vol ontbering lijden; ***— de sortie,*** huisarrest *o.*
privativement [privati'vmã] *adv.* (*oud*) uitsluitend.
privauté [privo'té] *f.* gemeenzaamheid, vrijpostigheid *v.*
privé [privé] I *adj.* 1 (*v. persoon*) ambteloos; 2 (*v. belang, persoon*) privaat; 3 (*v. bezit, eigendom, school, leven*) particulier; 4 (*v. dier*) tam; ***conseil —,*** geheime raad *m.*; ***sous seing —,*** onderhands; ***leçon —e,*** privaatles *v.*(*m.*); ***de son autorité —e,*** op eigen gezag; II *s. m.* 1 particulier leven *o.*; 2 privaat *o.*
privément [privémã] *adv.* als ambteloos burger, als particulier; ***vivre —,*** ambteloos zijn.
priver [privé] I *v.t.* 1 beroven; 2 ontrieven; ***je ne vous prive pas?*** ik ontrief u toch niet? ***privé de raison,*** redeloos; ***privé de vie,*** levenloos; II *v.pr.*, ***se — de,*** zich onthouden van; zich ontzeggen.
privilège [privilè:j] *m.* voorrecht *o.*; privilege *o.*
privilégié [priviléjyé] *adj.* 1 (*v. persoon*) bevoorrecht; 2 (*v. aandeel*) preferent.
privilégier [priviléjyé] *v.t.* bevoorrechten, een voorrecht verlenen (aan).
prix [pri] *m.* 1 prijs *m.*; 2 waarde, verdienste *v.*; 3 beloning *v.*; ***au — de,*** ten koste van; ***au — où est le beurre,*** in deze dure tijd; ***de —,*** kostbaar, van waarde; ***— fait,*** vaste prijs; bedongen prijs; ***— fort,*** genoteerde winkelprijs; ***à vil —,*** tegen spotprijs, spotgoedkoop; tegen lage prijs; ***dernier —,*** laagste prijs, naaste prijs; ***grand —,*** 1 eerste prijs; 2 winnaar van de eerste prijs; ***à — réduits,*** tegen verminderde prijzen; ***— marchand,*** kostende prijs; ***— de revient,*** inkoopsprijs; ***— de fabrique,*** fabrieksprijs; ***— imposé,*** verplichte (verkoop)prijs; ***— de faveur,*** uitzonderingsprijs; ***mettre à —,*** inzetten; ***mise à —,*** inzet *m.*; ***à — d'argent,*** voor geld, tegen betaling, als men maar betaalt; ***à — d'or,*** zeer duur, peperduur; ***à tout —,*** tot elke prijs, het koste wat het wil; ***c'est dans mes —,*** dat kan ik betalen, dat is onder het bereik van mijn beurs; ***c'est hors de —,*** dat is niet te betalen; ***faire des — à qn.,*** het met iem. op een akkoordje gooien; ***mettre le — à qc.,*** iets behoorlijk betalen; ***— de Rome,*** studiebeurs voor een verblijf te Rome; ***— courant,*** prijscourant *m.*
probabilisme [pròbabilizm] *m.* probabilisme *o.*, theologische leer *v.*(*m.*) volgens welke elke daad of elke leer die steunt op een ernstige reden gerechtvaardigd is.
probabilité [pròbabilité] *f.* waarschijnlijkheid *v.*; ***calcul des —s,*** kansrekening, waarschijnlijkheidsrekening *v.*; ***— du tir,*** trefkans *v.*(*m.*).
probable(ment) [pròba'bl(emã)] *adj.* (*adv.*) waarschijnlijk.
probant [pròbã] *adj.* overtuigend; steekhoudend.
probatif [pròbatif] *adj.* bewijzend.
probation [pròbɑ'syõ] *f.* (*in klooster*) proeftijd *m.*
probatoire [pròbatwa:r] *adj.* bewijzend; ***acte —,*** tentamen *o.*
probe [prò'b] *adj.* rechtschapen, eerlijk.
probité [pròbité] *f.* rechtschapenheid, eerlijkheid *v.*
problématique(ment) [pròblématik(mã)] *adj.* (*adv.*) twijfelachtig, onzeker, problematisch.
problème [pròblè:m] *m.* 1 vraagstuk *o.*; 2 (*fig.*) raadsel *o.*
proboscide [pròbòsi'd] *f.* (*Dk.*) slurf *v.*(*m.*), snuit *m.*
proboscidien [pròbòsidyẽ] *m.* (*Dk.*) snuitdier *o.*
procédé [pròsédé] *m.* 1 handelwijze *v.*(*m.*), manier *v.*(*m.*) (van doen); 2 (*tn.*) methode; behandeling *v.*; 3 (*bilj.*) pomerans *v.*(*m.*); ***manquer de —s,*** geen manieren kennen, niet weten hoe het hoort.
procéder [pròsédé] *v.i.* te werk gaan, handelen; ***— contre,*** procederen tegen, in rechten vervolgen; ***— à,*** overgaan tot; ***— de,*** voortkomen uit, voortspruiten uit; ***— par ordre,*** de zaken geregeld behandelen, methodisch te werk gaan; ***manière de —,*** handelwijze *v.*(*m.*).
procédure [pròsédü:r] *f.* rechtspleging *v.*
procédurier [pròsédüryé] *adj.* pleitziek.
procès [pròsè] *m.* rechtsgeding, proces *o.*; ***faire un — à qn.,*** iem. een proces aandoen; ***faire le — à qn.,*** iem. beschuldigen, iem. ter verantwoording roepen; ***dresser (un) —-verbal,*** procesverbaal opmaken.
processif [pròsèsif] *adj.* pleitziek.
procession [pròsèsyõ] *f.* 1 processie *v.*; 2 (*fig.*) optocht *m.*; 3 (*godgel.*) voortkoming *v.* (van de H. Geest uit de Vader en de Zoon).
processionnaire [pròsèsyònè:r] *adj.*, ***chenille —,*** processierups *v.*(*m.*).
processionnel [pròsèsyònèl] *adj.* van een processie.
processionnellement [pròsèsyònèlmã] *adv.* in processie, processiegewijs.
processus [pròsèsüs] *m.* 1 (*v. orgaan*) verlenging, voortzetting *v.*; 2 proces *o.*, ontwikkeling *v.*
procès-verbal* [pròsèvèrbal] *m.* 1 (*recht*) procesverbaal *o.*; 2 (*v. vergadering*) notulen *mv.*
prochain [pròʃẽ] I *adj.* 1 (*v. plaats*) naburig, nabijgelegen; 2 (*v. tijd*) aanstaand, (eerst)volgend; 3 (*fig.*) voor de hand liggend; ***la semaine —e,*** de volgende (*of* aanstaande) week; ***son départ est —,*** zijn vertrek is nabij; II *s. m.* naaste, evenmens *m.*
prochainement [pròʃènmã] *adv.* eerstdaags.
proche [pròʃ] I *adj.* 1 (*v. buren, bloedverwanten*) naast; 2 (*v. plaats*) dichtbij, nabijgelegen; 3 (*v. tijd*) nabij; II *adv.* dichtbij; ***de — en —,*** allengs, hoe langer hoe meer, hand over hand; ***ici —,*** hier dichtbij; III *prép.*, ***— de,*** 1 dicht bij, kort bij; 2 op het punt van; IV *s. m.pl.*, ***—s,*** naastbestaanden, naaste bloedverwanten *mv.*
Proche-Orient [pròʃòryã] *m.*, ***le —,*** het nabije Oosten.
proclamation [pròklamɑ'syõ] *f.* bekendmaking, afkondiging, proclamatie *v.*
proclamer [pròklamé] I *v.t.* 1 bekendmaken, afkondigen; 2 uitroepen; 3 (*fig.*) verbreiden, uitbazuinen; ***— roi,*** tot koning uitroepen; II *v.pr.* ***se —,*** zich uitroepen tot; zich uitgeven voor.
proclitique [pròklitik] *adj.* (*gram.*) proclitisch.
proclivité [pròklivité] *f.* overhelling *v.* naar voren.
proconsul [pròkõ'sül] *m.*, (*gesch.*) proconsul *m.*
proconsulat [pròkõ'süla] *m.* (*gesch.*) proconsulaat *o.*
procréateur [pròkréatœ:r] *adj.* voortbrengend.
procréation [pròkréɑ'syõ] *f.* voortbrenging, voortteling *v.*
procréer [pròkréé] I *v.t.* voortbrengen, telen, verwekken; II *v.pr.* ***se —,*** 1 zich voortplanten; 2 voortgebracht worden.
procurateur [pròküratœ:r] *m.* (*gesch.*) procurator, Romeins landvoogd *m.*
procuration [pròkürɑ'syõ] *f.* volmacht *v.*(*m.*); ***par —,*** bij volmacht.
procurer [pròküré] I *v.t.* verschaffen, bezorgen; II *v.pr.* ***se —,*** zich aanschaffen.

procureur [pròkürœ:r] *m.* **1** gevolmachtigde *m.*; **2** (*Ned.*) officier van justitie; (*Belg.*) procureur (des Konings) *m.*; **— *général,*** procureur-generaal *m.* [overdadig.
prodigalement [pròdigalmã] *adv.* kwistig, mild;
prodigalité [pròdigalité] *f.* verkwisting, verspilling *v.*, overdaad *v.*(*m.*). [kind *o.*
prodige [pròdi:j] *m.* wonder *o.*; ***enfant* —,** wonder-
prodigieux [pròdijyö] *adj.*, **prodigieusement** [pròdijyö'zmã] *adv.* **1** verbazend, ontzettend; **2** buitengewoon, wonderlijk.
prodigue [pròdi:g] **I** *adj.* **1** verkwistend; **2** kwistig, mild; ***l'Enfant* —,** de verloren Zoon; **— *de,*** kwistig met; **II** *s. m.* verkwister *m.*
prodiguement [pròdigmã] *adv.* **1** verkwistend; **2** kwistig, mild.
prodiguer [pròdigé] **I** *v.t.* **1** verkwisten, doorbrengen; **2** kwistig zijn met; **3** (*v. gezondheid*) niet ontzien; **— *ses soins à,*** zijn zorgen wijden aan; **— *sa vie,*** zijn leven in de waagschaal stellen; **II** *v.pr.* ***se* —, 1** verkwist worden; **2** zich niet ontzien; zich geheel geven; **3** overal tegelijk zijn.
prodrome [pròdròm] *m.* **1** inleiding *v.*; **2** (*gen.: v. ziekte*) voorloper *m.*, voorteken *o.*; **3** (*v. ramp*) voorbode *m.*
producteur [pròdüktœ:r] **I** *m.* **1** voortbrenger; producent *m.*; **2** (*v. film*) produktieleider *m.*; **II** *adj.* voortbrengend, producerend.
productible [pròdükti'bl] *adj.* produceerbaar.
productif [pròdüktif] *adj.* **1** voortbrengend; **2**; winstgevend; **3** vruchtbaar.
production [pròdüksyõ] *f.* **1** (*handeling*) voortbrenging *v.*; **2** (*H., film*) produktie *v.*; **3** voortbrengsel, produkt *o.*; **4** opbrengst, produktie *v.*; **5** (*v. stukken*) overlegging, indiening *v.*
productivité [pròdüktivité] *f.* **1** voortbrengend vermogen *o.*; **2** vruchtbaarheid *v.*
produire* [pròdẅi:r] **I** *v.t.* **1** voortbrengen; **2** opleveren; **3** (*v. geld*) opbrengen; **4** (*v. winst*) afwerpen; **5** (*v. stukken*) overleggen, indienen; **6** (*v. bewijzen, redenen*) aanvoeren; **7** (*v. kwaad, koorts*) veroorzaken; **8** (*v. getuige*) bijbrengen; **II** *v.i.* **1** vruchten dragen; **2** (*recht*) zijn bewijzen overleggen; **III** *v.pr.* **1** voortgebracht worden; **2** plaats hebben, gebeuren; **3** zich vertonen, zich laten zien; **4** (*toneel*) optreden; ***se — dans le monde,*** in de wereld komen.
produit [pròdẅi] *m.* **1** opbrengst *v.*; **2** voortbrengsel *o.*; **3** (*wisk., scheik.*) uitkomst *v.*, produkt *o.*; **—*s chimiques,*** scheikundige produkten.
proéminence [pròéminã:s] *f.* **1** (het) uitsteken *o.*; **2** uitstek *o.*; verhevenheid *v.*
proéminent [pròéminã] *adj.* vooruitstekend.
profanateur [pròfanatœ:r] **I** *m.* schender, heiligschenner *m.*; **II** *adj.* schendend, ontwijdend, heiligschennend.
profanation [pròfana'syõ] *f.* **1** schending, ontheiliging, ontwijding, heiligschennis *v.*; **2** (*fig.*) misbruik, verkeerd gebruik *o.*
profanatoire [pròfanatwa:r] *adj.* heiligschennend.
profane [pròfan] **I** *adj.* **1** ongewijd; **2** (*v. handeling*) ontheiligend, ontwijdend; **3** (*v. vermaak, enz.*) werelds; **4** (*v. schrijver, muziek, enz.*) profaan; **5** (*in wetenschap, enz.*) oningewijd; **II** *s. m.* **1** oningewijde leek *m.*; **2** (het) wereldlijke *o.*
profaner [pròfané] *v.t.* **1** schenden, ontwijden, ontheiligen; **2** (*v. gave, talent*) misbruiken.
proférer [pròféré] *v.t.* uiten, uitbrengen, uitspreken. [kloosterling *m.*
profès [pròfè] **I** *adj.* geprofest; **II** *s. m.* geprofest
professer [pròfèsé] **I** *v.t.* **1** belijden; **2** beoefenen, uitoefenen; **3** onderwijzen, doceren; **II** *v.i.* onderwijs geven, les geven, doceren.
professeur [pròfèsœ:r] *m.* **1** leraar *m.*; **2** professor *m.*; **3** (*sp.*) beroepsspeler *m.*; **— *de faculté,*** hoogleraar; **— *titulaire,*** gewoon hoogleraar *m.*; **— *chargé de cours,*** buitengewoon hoogleraar; **— *agrégé,*** privaatdocent *m.*; ***chaire de* —,** leerstoel *m.*
profession [pròfèsyõ] *f.* **1** openlijke verklaring, bekentenis *v.*; **2** (*v. geloof, enz.*) belijdenis *v.*; **3** (*v. kloosterling*) professie *v.*, aflegging *v.* van kloostergeloften; **4** beroep; vak *o.*; ***de* —,** beroeps—; ***faire — de,*** belijden; ***joueur de* —,** beroepsspeler *m.*; ***ivrogne de* —,** aartsdronkaard *m.*; **— *des armes,*** soldatenstand; wapenhandel *m.*
professionnal [pròfèsyònal] *m.* beroepsspeler *m.*
professionnel [pròfèsyònèl] **I** *adj.* beroeps—, ambachts—, vak—; ambts—; ***devoir* —,** ambtsplicht *m.*; ***secret* —,** beroepsgeheim *o.*; ***enseignement* —,** vakonderwijs, beroepsonderwijs *o.*; **II** *s. m.* **1** vakman *m.*; **2** (*sp.*) beroepsspeler *m.* (beroepsrijder, beroepsbokser, enz.).
professoral [pròfèsòral] *adj.* leraars—; hoogleraars—; professoraal. [professor.
professoralement [pròfèsòralmã] *adv.* als een
professorat [pròfèsòra] *m.* **1** leraarschap *o.*; **2** hoogleraarsambt, professoraat *o.*
profil [pròfil] *m.* **1** profiel, zijaanzicht *o.*; **2** (*v. gebouw, enz.*) verticale doorsnede *v.*(*m.*); ***de* —,** van ter zijde, in profiel; **— *en travers,*** dwarsprofiel *o.*; **— *fuyant,*** wijkend profiel.
profilé [pròfilé] *m.* doorsnede *v.*(*m.*).
profiler [pròfilé] **I** *v.t.* **1** van ter zijde afbeelden; **2** in doorsnede tekenen; ***ligne profilée,*** stroomlijn *v.*(*m.*); **II** *v.pr.* ***se* — (*sur*),** zich aftekenen (tegen).
profit [pròfi] *m.* **1** nut, voordeel *o.*; **2** (*H.*) winst *v.*; ***mettre à* —,** gebruik maken van; zich ten nutte maken; ***tirer — de,*** voordeel trekken uit; ***au — de,*** ten bate van; ***compte des —s et pertes,*** winst- en verliesrekening *v.*; **—*s,*** (*v. bediende, enz.*) verval *o.*, bijverdiensten *mv.*
profitable(ment) [pròfita'bl(emã)] *adj.* (*adv.*) voordelig, nuttig.
profitant [pròfitã] *adj.* voordelig, profijtelijk.
profitard [pròfita:r] *m.* oweeër *m.*
profiter [pròfité] *v.i.* **1 — *de,*** voordeel hebben van; gebruik maken van; **2** zich ten nutte maken; **3** (*v. boom, enz.*) wassen, gedijen, tieren; **4 — *à,*** nuttig zijn, dienstig zijn; **5** te stade komen; **6** ten goede komen; **7 — *sur,*** winnen op, verdienen op; **— *sur qn.,*** iem. voorbijstreven.
profiteur [pròfitœ:r] *m.* **1** gebruiker *m.*; **2** klaploper *m.*; **— *de guerre,*** oweeër *m.*
profond [pròfõ] **I** *adj.* **1** diep; **2** diepzinnig; **3** ondoorgrondelijk, geheimzinnig; **4** (*v. geluid*) zeer laag; **5** (*fig.*) zeer groot, buitengewoon; **6** (*v. duisternis*) dicht; **7** (*v. rust*) volmaakt; **II** *s. m.* grond *m.*; diepte *v.*; ***le plus — de,*** het diepste van.
profondément [pròfõ'démã] *adv.* **1** diep; **2** (*slapen*) vast; **3** (*groeten*) nederig, diep.
profondeur [pròfõ'dœ:r] *f.* **1** diepte *v.*; **2** dikte; hoogte *v.*; **3** (*fig.*) diepzinnigheid *v.*; **4** verborgenheid, ondoorgrondelijkheid *v.*; ***gouvernail de* —,** hoogtestuur *o.*
profus [pròfü] *adj.* **1** overvloedig; **2** kwistig.
profusément [pròfü'zémã] *adv.* **1** overvloedig, in overvloed; **2** overdadig, rijkelijk; kwistig.
profusion [pròfü'zyõ] *f.* **1** (grote) overvloed *m.*, overdadigheid *v.*; **2** verkwisting, verspilling *v.*; ***à* —,** overvloedig, in overvloed; ***avec* —,** kwistig.
progéniture [pròjénitü:r] *f.* kroost *o.*, afstammelingen *mv.*, nakomelingschap *v.* [kaken.
prognathe [prògnat] *adj.* met vooruitstekende

prognathisme [prògnatizm] *m.* het vooruitsteken *o.* van de kaken.
prognose [prògno:z] *f.* (*gen.*) prognose *v.*
prognostique [prògnòstik] *adj.* (*gen.*) vooruit aanduidend.
programmation [prògramα'syõ] *f.* programmering *v.*
programme [prògram] *m.* **1** programma *o.*; **2** (*v. school*) leerplan *o.*; **3** partijprogram *o.*; **— *prévu,*** tijdschema *o.*
progrès [prògrè] *m.* **1** voortgang; vooruitgang *m.*; **2** vordering *v.*; ***faire des —,*** vorderingen maken; ***être en —,*** vooruitgaan; ***le mal fait du —,*** het kwaad breidt zich uit.
progresser [prògrèsé] *v.i.* vorderen, vooruitgaan.
progressif [prògrèsif] *adj.* **1** voortgaand, voorwaarts; **2** (geleidelijk) toenemend; **3** (*v. belasting*) trapsgewijze stijgend, — opklimmend, progressief.
progression [prògrèsyõ] *f.* **1** vooruitgang; voortgang *m.*; **2** (geleidelijke) toename *v.*(*m.*), — opklimming *v.*; **3** (*wisk.*) reeks *v.*(*m.*); **— *arithmétique,*** rekenkundige reeks; **— *croissante,*** opklimmende reeks; **— *décroissante,*** afdalende reeks.
progressiste [prògrèsist] **I** *adj.* vooruitstrevend; **II** *s. m.* man van vooruitgang, progressist *m.*
progressivement [prògrèsi'vmã] *adv.* **1** geleidelijk, achtereenvolgens; **2** opklimmend, progressief.
prohiber [pròibé] *v.t.* verbieden; ***temps prohibé,*** **1** (*v. jacht, enz.*) verboden tijd *m.*; **2** (*kath.*) besloten tijd *m.*
prohibitif [pròibitif] *adj.* **1** verbiedend; **2** (*v. invoerrecht, enz.*) prohibitief; ***droits —s,*** beschermende rechten, die zo hoog zijn, dat invoer onmogelijk wordt.
prohibition [pròibisyõ] *f.* verbod *o.*
prohibitionnisme [pròibisyònizm] *m.* stelsel *o.* van verbodswetten, prohibitiestelsel *o.*
prohibitionniste [pròibisyònist] *m.* voorstander *m.* van verbodswetten; — van hoge beschermende rechten.
proie [prwa] *f.* **1** prooi *v.*(*m.*); **2** buit *m.*; ***oiseau de —,*** roofvogel *m.*; ***être en — à,*** ten prooi zijn aan; blootgesteld zijn aan.
projecteur [pròjèktœ:r] *m.* zoeklicht *o.*
projectif [pròjèktif] *adj.* projecterend, voortstuwend.
projectile [pròjèktil] *m.* **1** werptuig *o.*; **2** projectiel *o.*
projection [pròjèksyõ] *f.* **1** (het) werpen *o.*; **2** worp *m.*; **3** (*meetk.*) projectie *v.*; **4** (*v. stoom, enz.*) uitwerping *v.*; **5** (**— *lumineuse***) lichtbeeld *o.*; **— *animée,*** kinoprojectie, projectie van levende beelden; **— *fixe,*** projectie van stilstaande beelden.
projecture [pròjèktü:r] *f.* **1** (*bouwk.*) uitstek *o.*; **2** (*Pl.*) uitsteeksel *o.*
projet [pròjè] *m.* **1** ontwerp, concept *o.*; **2** plan, voornemen *o.*; **— *de loi,*** wetsontwerp *o.*; ***homme à —s,*** plannenmaker *m.*
projeter [pròʃté] **I** *v.t.* **1** (*v. voorwerp*) werpen, slingeren; **2** (*v. wortels*) schieten; **3** (*v. arm*) uitstrekken; **4** (*meetk.: op scherm*) projecteren; **5** ontwerpen, beramen, plannen maken voor, zich voornemen; **— *un film,*** een film afdraaien; **II** *v.pr.*, ***se —,*** **1** vooruitspringen, uitsteken; **2** (*v. schaduw*) vallen; **3** (*v. wortel*) indringen.
prolapsus [pròlapsüs] *m.* (*gen.*) verzakking *v.*
prolation [pròlα'syõ] *f.* toonverlenging *v.*
prolégomènes [pròlégòmè:n] *m.pl.* prolegomena *mv.*; inleiding *v.*
prolétaire [pròlétè:r] *m.* proletariër *m.*
prolétariat [pròlétarya] *m.* proletariaat *o.*, volksklasse *v.*
prolétarien [pròlétaryẽ] *adj.* proletarisch.
prolifération [pròliférα'syõ] *f.* celdeling *v.*
prolifère [pròlifè:r] *adj.* door celdeling nieuw weefsel (*of* orgaan) vormend.
proliférer [pròliféré] *v.i.* zich vermenigvuldigen.
prolificité [pròlifisité] *f.* vruchtbaarheid *v.*
prolifique [pròlifik] *adj.* vruchtbaar, zich snel vermenigvuldigend.
prolixe(ment) [pròliks(emã)] *adj.* (*adv.*) langdradig, wijdlopig, omslachtig.
prolixité [pròliksité] *f.* langdradigheid, wijdlopigheid, omslachtigheid *v.*
prologue [pròlò'g] *m.* voorspel *o.*, proloog *m.*; voorrede *v.*(*m.*).
prolongateur [pròlõ'gatœ:r] *m.* verlengstekker *m.*
prolongation [pròlõ'gα'syõ] *f.* verlenging *v.*
prolonge [pròlõ:j] *f.* **1** (*spoorw.*) veiligheidstouw *o.*; **2** (*mil.*) legerwagen, ammunitiewagen *m.*; **3** (*voor truck*) koppelstang *v.*(*m.*).
prolongé [pròlõ'jé] *adj.* **1** verlengd; **2** langdurig; **3** lang.
prolongement [pròlõ'jmã] *m.* **1** (*handeling*) verlenging *v.*; **2** verlengstuk *o.*; ***dans le — de,*** (*meetk.*) in het verlengde van.
prolonger [pròlõ'jé] **I** *v.t.* **1** verlengen, langer maken; **2** (*v. straat, weg*) doortrekken; **3** langer doen duren, rekken; **II** *v.pr.* ***se —,*** **1** verlengd worden; **2** voortgezet worden; **3** aanhouden, voortduren; **4** zich uitstrekken.
promenade [pròmna'd] *f.* **1** wandeling *v.*; **2** wandelweg *m.*, wandeldreef *v.*(*m.*); **— *à bicyclette,*** fietstochtje *o.*; **— *à cheval,*** rit *m.* (te paard); **— *en voiture,*** rijtoer *m.*; **— *en bateau,*** boottocht *m.*; **— *sur l'eau,*** roeitochtje *o.*
promenade*-conférence* [pròmna'dkõ'férã's] *f.* rondleiding *v.*
promener [pròmné] **I** *v.t.* **1** leiden, geleiden; **2** rondleiden; **— *un enfant,*** met een kind wandelen; **— *qn.,*** iem. met mooie beloften afschepen; iem. aan 't lijntje houden; **— *la main sur,*** de hand laten glijden over; **— *ses regards sur,*** zijn blikken laten gaan (*of* laten weiden) over; **II** *v.pr.* ***se —,*** **1** wandelen; **2** dwalen, ronddolen; ***se — de long en large,*** op en neer lopen; ***envoyer (se) — qn.,*** iem. afschepen, iem. de laan uitsturen; ***allez vous —!*** loop naar de drommel!
promeneur [pròmnœ:r] *m.* **1** wandelaar *m.*; **2** begeleider, rondleider *m.*
promenoir [pròmnwa:r] *m.* **1** (overdekte) wandelplaats *v.*(*m.*), wandelgalerij *v.*; **2** (*in schouwburg*) galerij *v.*
promesse [pròmès] *f.* belofte *v.*; **— *de mariage,*** trouwbelofte.
Prométhée [pròmété] *m.* Prometheus *m.*
prometteur [pròmètœ:r] **I** *m.* belover *m.*; **II** *adj.* veelbelovend, vol beloften.
promettre* [pròmètr] **I** *v.t.* beloven, toezeggen; **— *monts et merveilles,*** gouden bergen beloven; ***chose promise, chose due,*** belofte maakt schuld; **II** *v.i.* beloven; ***cela promet,*** dat belooft wat; dat ziet er veelbelovend uit; ***la terre promise,*** het beloofde land; **III** *v.pr.* ***se —,*** **1** verwachten, rekenen op; **2** zich voornemen, van plan zijn.
promis [pròmi] *m.*, **—e** *f.* verloofde *m.-v.*
promiscuité [pròmiskwité] *f.* vermenging *v.*
promission [pròmisyõ] *f.*, ***terre de —,*** land *o.* van belofte.
promontoire [pròmõ'twa:r] *m.* voorgebergte *o.*; kaap *v.*(*m.*).
promoteur [pròmòtœ:r] *m.* aanlegger, bevorderaar *m.*, stuwkracht *v.*(*m.*).
promotion [pròmo'syõ] *f.* bevordering, promotie *v.*; ***de la même —,*** van hetzelfde jaar.
promouvoir* [pròmuvwa:r] *v.t.* bevorderen (tot).
prompt [prõ] *adj.* **1** vlug, gezwind, snel; **2** spoedig, onverwijld; **3** voortvarend; **4** oplopend, kort

aangebonden; **— *à la réplique,*** slagvaardig; **— *à s'irriter,*** driftig; **— *à croire,*** lichtgelovig; ***il a la main —e,*** hij slaat er spoedig op.
promptement [prõ'tmã] *adv.* spoedig, snel.
promptitude [prõ'titü:d] *f.* vlugheid, vaardigheid, gezwindheid *v.*; **— *à croire,*** lichtgelovigheid *v.*
promulgation [pròmülga'syõ] *f.* **1** afkondiging, bekendmaking *v.*; **2** (*v. decreet*) uitvaardiging *v.*
promulguer [pròmülgé] *v.t.* **1** bekendmaken, afkondigen; **2** uitvaardigen.
prône [pro:n] *m.* **1** zondagspreek *v.(m.)*; **2** zedenpreek *v.(m.)*; ***faire le —,*** preken. [preken.
prôner [pro'né] **I** *v.t.* prijzen, ophemelen; **II** *v.i.*
prôneur [pro'nœ:r] *m.* lofredenaar *m.*
pronom [prònõ] *m.* voornaamwoord *o.*
pronominal(ement) [prònòminal(mã)] *adj.* (*adv.*) **1** voornaamwoordelijk; **2** (*v. werkwoord*) wederkerend.
prononçable [prònõ'sa'bl] *adj.* uit te spreken.
prononcé [prònõ'sé] **I** *adj.* **1** (*v. trekken*) scherp, sterk sprekend; **2** (*v. voornemen, plan*) vast, vast omlijnd; **3** (*v. tongval, enz.*) duidelijk uitkomend, geprononceerd; **II** *s. m.* (*recht*) uitspraak *v.(m.)*.
prononcer [prònõ'sé] **I** *v.t.* **1** uitspreken; **2** uitdrukken; **3** (*v. redevoering*) houden; **4** (*v. vonnis*) vellen, wijzen; **5** (*v. gelofte*) afleggen; **6** (*mil.: v. aanval, offensief*) krachtig inzetten; **II** *v.i.* **1** uitspraak doen; **2** zijn mening zeggen; **III** *v.pr.* ***se —,*** **1** uitgesproken worden; **2** zich openbaren, merkbaar worden; **3** zich uitspreken, zijn gevoelen zeggen, zijn mening zeggen.
prononciation [prònõ'sya'syõ] *f.* uitspraak *v.(m.)*.
pronostic [prònòstik] *m.* **1** voorspelling *v.*; **2** (*gen.*) prognose *v.*; **3** voorteken *o.*
pronostiquer [prònòstiké] *v.t.* **1** voorspellen; **2** (*gen.*) de prognose opmaken van.
pronostiqueur [prònòstikœ:r] *m.* voorspeller *m.*
pronunciamiento [pronunsyamyẽntò] *m.* militaire opstand *m.* in Spanje.
propagande [pròpagã:d] *f.* propaganda *v.(m.)*.
propagandiste [pròpagã'dist] *m.* propagandamaker, voorvechter *m.*
propagateur [pròpagatœ:r] *m.* **1** voortplanter *m.*; **2** (*v. denkbeelden*) verbreider *m.*
propagation [pròpaga'syõ] *f.* **1** voortplanting *v.* (des geloofs); **2** (*v. denkbeelden*) verbreiding *v.*; **3** (*v. ziekte*) overbrenging *v.*; **4** uitbreiding *v.*; **5** vermenigvuldiging *v.*
propager [pròpajé] *v.t.* **1** voortplanten (ook *v. licht, geluid*); **2** verbreiden; **3** overbrengen; **4** uitbreiden; **5** vermenigvuldigen.
propane [pròpan] *m.* propaan *o.*
propédeutique [pròpédötik] *adj.* propaedeutisch; voorbereidend.
propension [pròpã'syõ] *f.* neiging, geneigdheid *v.*
propergol [pròpèrgòl] *m.* stuwstof *v.(m.)*.
prophète [pròfè:t] *m.* profeet *m.*; **— *de malheur,*** ongeluksprofeet *m.*; ***il a été bon —,*** hij heeft juist gezien, zijn voorspelling is uitgekomen; ***nul n'est — en son pays,*** een profeet wordt in zijn eigen land niet geëerd.
prophétesse [pròfétès] *f.* profetes *v.*
prophétie [pròfési] *f.* voorspelling, profetie *v.*
prophétique(ment) [pròfétik(mã)] *adj.* (*adv.*) profetisch, voorspellend.
prophétiser [pròféti'zé] *v.t.* voorspellen.
prophylactique [pròfilaktik] **I** *adj.* voorbehoedend; **II** *s. m.* voorbehoedend middel *o.*
prophylaxie [pròfilaksi] *f.* (*gen.*) voorkoming *v.* (van ziekten).
propice [pròpis] *adj.* **1** genadig; **2** (*v. omstandigheid*) gunstig; **3 — *à,*** geschikt voor.
propitiateur [pròpisyatœ:r] *m.* verzoener *m.*
propitiation [pròpisya'syõ] *f.* verzoening *v.*; ***sacrifice de —,*** zoenoffer *o.*
propitiatoire [pròpisyatwa:r] *adj.* verzoenend.
propolis [pròpòlis] *f.* maagdenwas *m. en o.*
proportion [pròpòrsyõ] *f.* **1** evenredigheid, verhouding *v.*; **2** afmeting, grootte *v.*; **3** (*wisk.*) evenredigheid *v.*; ***règle de —,*** regel van drieën; ***à — que,*** naarmate; ***à — (de),*** naar verhouding (tot); ***en — de,*** in evenredigheid met; in verhouding tot; ***toute — gardée,*** naar verhouding, in zijn betrekkelijkheid.
proportionnalité [pròpòrsyònalité] *f.* evenredige verhouding *v.*
proportionné [pròpòrsyòné] *adj.* geëvenredigd.
proportionnel [pròpòrsyònèl] *adj.* evenredig; ***nombre —,*** verhoudingsgetal *o.*; ***moyenne —le,*** middelevenredige *v.(m.)*. [*v.(m.)*.
proportionnelle [pròpòrsyònèl] *f.* evenredige
proportionnellement [pròpòrsyònèlmã] *adv.* evenredig, in evenredigheid; vergelijkenderwijs.
proportionnément [pròpòrsyònémã] *adv.* in evenredigheid (met).
proportionner [pròpòrsyòné] **I** *v.t.* in (juiste) verhouding brengen (tot), evenredig maken (met), afmeten (naar); **— *sa dépense à son revenu,*** de tering naar de nering zetten; **II** *v.pr.* ***se — à,*** zich schikken naar, zich richten naar, zich regelen naar.
propos [pròpo] *m.* **1** besluit, voornemen *o.*; **2** (*v. gesprek*) onderwerp *o.*; **3** gesprek *o.*; uiting *v.*; **4** praatje *o.*; ***à ce —,*** bij deze gelegenheid, in verband hiermede, nu wij het daar toch over hebben; ***à — de,*** naar aanleiding van; ***à —,*** raak, ter snede; van pas, te rechter tijd; toepasselijk, passend, geschikt; ***à —!*** zeg eens! wat ik zeggen wilde! dat is waar ook! ***arriver à —,*** juist van pas komen; ***juger à — de,*** het raadzaam achten om; ***à tout —,*** bij elke gelegenheid, ieder ogenblik; ***à quel — ?*** naar aanleiding waarvan ? ***à — de rien,*** om niets; **— *d'antichambre,*** dienstbodenpraatjes, bediendenpraatjes; **— *injurieux,*** scheldwoorden; **— *de table,*** tafelgesprekken; ***de — délibéré,*** met voorbedachten rade; ***hors de —, mal à —,*** te onpas, ongelegen, ontijdig; ***tenir de méchants — sur,*** kwaadspreken van.
proposable [pròpoza'bl] *adj.* voor te stellen.
proposant [pròpo'zã] *m.* **1** voorsteller *m.*; **2** (*prot.*) proponent *m.*
proposer [pròpo'zé] **I** *v.t.* **1** voorstellen; voorslaan; **2** (*v. onderwerp*) opgeven; **3** (*v. prijs, beloning*) uitloven; **4** (*v. geld*) aanbieden; **5** (*voor ambt*) voordragen; **6** (*v. vraagstuk*) opwerpen; **7** (*als voorbeeld*) stellen; **— *la santé de qn.,*** een dronk instellen op iemands gezondheid; **II** *v.i.* **1** voornemens zijn, een plan vormen; **2** wikken; ***l'homme propose et Dieu dispose,*** de mens wikt, God beschikt; **III** *v.pr.* ***se —,*** **1** zich aanbieden; **2** zich voornemen, van zin zijn.
proposition [pròpo'zisyõ] *f.* **1** voorstel *o.*; **2** aanbod *o.*; **3** (*wisk., wijsb.*) stelling *v.*; **4** (*gram.*) zin; volzin *m.*; **5** (***liste de —s***), voordracht *v.(m.)*; **— *de loi,*** wetsvoorstel *o.*; ***pains de —,*** toonbroden *mv.*; **— *principale,*** hoofdzin *m.*; **— *subordonnée,*** bijzin *m.*; **— *adverbiale,*** bijwoordelijke bijzin; **— *adjective, — relative,*** bijvoeglijke bijzin.
propre [pròpr] **I** *adj.* **1** eigen; **2** (*v. betekenis*) eigenlijk; **3** (*v. woord*) juist; **4** bruikbaar, dienstig; **5** schoon, zindelijk; ***nom —,*** eigennaam *m.*; ***expression —,*** passende uitdrukking *v.*; ***il n'est — à rien,*** hij is voor niets geschikt, hij deugt nergens toe; ***qui est — à tout, n'est — à rien,***

twaalf ambachten, dertien ongelukken; ***déclarer — au service,*** (*mil.*) goedkeuren; **II** *s. m.* **1** (het) kenmerkende, (het) eigenaardige *o.*; **2** eigenschap *v.*; **3** eigendom *m. en o.*; ***avoir en —,*** in eigendom bezitten; ***c'est du —!*** dat is wat moois! ***le — du temps,*** (*kath.*) het proprium van de tijd.

propre*-à-rien [pròpraryẽ] *m.* man van niks, onnut *m.*

proprement [pròpremã] *adv.* **1** eigenlijk; **2** juist, precies; **3** netjes, zindelijk.

propret [pròprè] *adj.* **1** keurig, netjes; **2** kraakzindelijk.

propreté [pròpreté] *f.* zindelijkheid *v.*

propriétaire [pròpri(y)étè:r] *m.-f.* **1** eigenaar *m.*, —nares *v.*; **2** huisbaas, huiseigenaar *m.*; ***— foncier,*** grondbezitter *m.*

propriété [pròpri(y)été] *f.* **1** eigendom *m.*; **2** bezitting *v.*, eigendom *o.*; **3** eigenschap *v.*; **4** juistheid, gepastheid *v.*; **5** (*v. woord*) eigenlijke betekenis *v.*; ***— littéraire,*** auteursrecht *o.*; ***— foncière,*** grondbezit *o.*; ***nue —,*** blote eigendom; ***— mobilière,*** grondbezit *o.*

propulser [pròpülsé] *v.t.*, (*tn.*) voortbewegen, voortstuwen, voortdrijven.

propulseur [pròpülsœ:r] *m.* **1** drijfkracht *v.(m.)*; **2** schroef *v.(m.)*; propeller *m.*; cilinder *m.*

propulsif [pròpülsif] *adj.* voortbewegend, voortstuwend; ***force propulsive,*** stuwkracht *v.(m.)*.

propulsion [pròpülsyõ] *f.* voortdrijving *v.*; ***— par réacteurs,*** raketaandrijving *v.*

propylée [pròpilé] *m.* voorhal *v.(m.)*, voorhof *o.*

prorata [pròrata] *m.*, ***au — de,*** naar verhouding van, naar rato van.

prorogatif [pròrògatif] *adj.* verdagend, uitstellend.

prorogation [pròròga·syõ] *f.* verdaging *v.*; uitstel *o.*

proroger [pròròjé] *v.t.* verdagen; uitstellen.

prosaïque(ment) [pròzaik(mã)] *adj.* (*adv.*) prozaïsch.

prosaïser [pròzai·zé] *v.t.* prozaïsch maken.

prosaïsme [pròzaizm] *m.* **1** prozaïsch karakter *o.*; **2** nuchterheid; alledaagsheid *v.*

prosateur [pròzatœ:r] *m.* prozaschrijver *m.*

proscénium [pròsényòm] *m.* voortoneel *o.*

proscription [pròskripsyõ] *f.* **1** vogelvrijverklaring *v.*; **2** verbanning *v.*; **3** (*v. gebruik*) afschaffing *v.*

proscrire* [pròskri:r] *v.t.* **1** vogelvrij verklaren; **2** verbannen; **3** afschaffen.

proscrit [pròskri] **I** *adj.* vogelvrij verklaard; verbannen; **II** *s. m.* **1** vogelvrijverklaarde *m.*; **2** banneling, balling *m.*

prose [pro:z] *f.* proza *o.*; ***mettre en —,*** in proza overbrengen.

prosecteur [pròsèktœ:r] *m.* prosector *m.*

prosélyte [pròzélit] *m.* nieuwbekeerde, bekeerling, proseliet *m.*

prosélytisme [pròzélitizm] *m.* bekeringsijver, geloofsijver *m.*; (*ong.*) proselietenmakerij *v.*

prosimiens [prosimyẽ] *m.pl.* (*Dk.*) halfapen *mv.*

prosodie [pròzòdi] *f.* prosodie *v.*

prosodique [pròzòdik] *adj.* prosodisch.

prosopopée [pròzòpòpé] *f.* persoonsverbeelding *v.*

prospecter [pròspèkté] *v.i.* **1** mijnbouwonderzoekingen doen; **2** goud zoeken.

prospecteur [pròspèktœ:r] *m.* **1** mijnbouwonderzoeker *m.*; **2** goudzoeker *m.*; **3** tussenpersoon, acquisiteur *m.*

prospection [pròspèksyõ] *f.* **1** het zoeken naar delfstoffen; **2** acquisitie *v.*

prospectus [pròspèktüs] *m.* prospectus *o.*

prospère [pròspè:r] *adj.* **1** voorspoedig; **2** gunstig; **3** (*v. handel, enz.*) bloeiend.

prospérer [pròspéré] *v.i.* **1** (*v. persoon*) voorspoed hebben; **2** (*v. zaken, enz.*) bloeien, gedijen.

prospérité [pròspérité] *f.* voorspoed *m.*; welvaart *v.(m.)*; bloei *m.* [*v.(m.)*.

prostate [pròstat] *f.* prostaat *m.*, voorstanderklier

prostatite [pròstatit] *f.* prostaatontsteking *v.*

prosternation [pròstèrna·syõ] *f.*, **prosternement** [pròstèrnemã] *m.* voetval *m.*, nederknieling *v.*

prosterner, *se —* [s(e)pròstèrné] *v.pr.* nederknielen, zich ter aarde werpen.

prosthèse [pròstè:z] *f.* (*taalk.*) voorvoeging *v.*

prosthétique [pròstétik] *adj.* (*taalk.*) voorgevoegd.

prostituée [pròstitwé] *f.* lichtekooi *v.*

prostituer [pròstitwé] **I** *v.t.* **1** aan ontucht prijsgeven; **2** voor geld veil hebben; **II** *v.pr.* ***se —,*** **1** zich aan ontucht overgeven; **2** (*fig.*) zich verlagen; zich vergooien.

prostitution [pròstitüsyõ] *f.* prostitutie *v.*

prostration [pròstra·syõ] *f.* **1** krachteloosheid *v.*; **2** diepe neerslachtigheid *v.*

prostré [pròstré] *adj.* **1** krachteloos; **2** diep terneergeslagen.

prostrer [pròstré] *v.t.* terneerslaan.

protagoniste [pròtagònist] *m.* **1** voorvechter *m.*; **2** (*fig.*) hoofdpersoon *m.*

prote [pròt] *m.* drukkerijvoorman *m.*

protecteur [pròtèktœ:r] **I** *m.* **1** beschermer *m.*; **2** begunstiger, beschermheer *m.*; **3** (*gesch.*) protector *m.*; **II** *adj.* beschermend; ***système —,*** protectionisme *o.*

protection [pròtèksyõ] *f.* **1** bescherming *v.*; **2** steun, bijstand *m.*; **3** (*mil.*) dekking *v.*; ***— des sites,*** behoud *o.* van natuurschoon; ***avoir des —s,*** protectie hebben, kruiwagens hebben.

protectionnisme [pròtèksyònizm] *m.* beschermend stelsel *o.*

protectionniste [pròtèksyònist] **I** *m.* voorstander van 't beschermend stelsel, protectionist *m.*; **II** *adj.* protectionistisch.

protectorat [pròtèktòra] *m.* **1** protectoraat *o.*; **2** beschermheerschap *o.*

Protée [pròté] *m.* Proteus *m.*

protégé [pròtéjé] *m.* beschermeling *m.*

protège-col [pròtèjkòl] *m.* boordbeschermer *m.*; halsdoek *m.*

protège-mine [pròtèjmin] *m.* puntbeschermer *m.*

protège-pointe [pròtèjpwẽ:t] *m.* puntbeschermer *m.*

protéger [pròtéjé] *v.t.* **1** beschermen; **2** (*v. kandidaat*) aanbevelen; **3** (*v. leger, trein*) dekken.

protéine [pròtéin] *f.* eiwitstof *v.(m.)*.

protéique [pròtéik] *adj.* **1** van vorm wisselend; **2** proteïne—.

protestant [pròtèstã] **I** *adj.* protestants, hervormd; **II** *s. m.* protestant, hervormde *m.*

protestantisme [pròtèstã·tizm] *m.* protestantisme *o.*, protestantse leer *v.(m.)*.

protestataire [pròtèstatè:r] **I** *adj.* protesterend; **II** *s. m.-f.* protesterende *m.-v.*

protestation [pròtèsta·syõ] *f.* **1** protest *o.*; tegenspraak *v.(m.)*; **2** verzet *o.*; **3** betuiging, verzekering *v.*; ***— d'amitié,*** vriendschapsbetuiging *v.*

protester [pròtèsté] **I** *v.t.* (*v. wissel*) protesteren; **II** *v.i.* protesteren; protest aantekenen; ***— contre,*** zich verzetten tegen, opkomen tegen; ***— d'incompétence,*** zich beroepen op de onbevoegdheid van de rechter; ***— de son innocence,*** verklaren dat men onschuldig is, zijn onschuld betuigen; ***— de nullité,*** ongeldig verklaren, verklaren dat men een akte voor ongeldig houdt.

protêt [pròtè] *m.*, (*H.*: *v. wissel*) protest *o.*; — *faute de payement*, protest van non-betaling.
prothèse [pròtè:z] *f.* kunstmatige aanzetting *v.* (van ledematen); — *dentaire*, (het) inzetten *o.* van kunsttanden. [fend.
prothétique [pròtétik] *adj.* een prothese betref-
protides [pròti'd] *m.pl.* eiwitstoffen *mv.*
protocolaire [pròtòkòlè:r] *adj.* van 't protocol, protocollair.
protocole [pròtòkòl] *m.* **1** formulierboek *o.*; **2** (*v. vergadering, enz.*) protocol *o.*; notulen *mv.*; **3** etiquette *v.*(*m.*); plichtplegingen *mv.*; *le chef du* —, de opperceremoniemeester *m.* [denis *v.*
protohistoire [pròtòistwa:r] *f.* vroegste geschie-
protohistorique [pròtòistòrik] *adj.* tot de vroegste geschiedenis behorend.
proton [pròtõ] *m.* proton *o.*, positief atoomkerndeeltje *o.*
protonotaire [pròtònòtè:r] *m.* protonotarius *m.*
protoplasme [pròtòplasm] *m.* protoplasma *o.*
prototype [pròtòtip] *m.* **1** oervorm *m.*; **2** voorbeeld, model *o.*; **3** (*tn.*) standaard *m.*
protoxyde [pròtòksi'd] *m.* oxydule *o.*
protozoaire [pròtòzòè:r] *m.* protozoön, eencellig oerdiertje *o.*; infusiediertje *o.*
protubérance [pròtübérã:s] *f.* **1** uitwas *m. en o.*, knobbel *m.*; **2** (*sterr.*: *v. zon*) protuberans *v.*
protubérant [pròtübérã] *adj.* uitstekend, uitspringend.
protuteur [pròtütœ:r] *m.* toeziende voogd *m.*
proue [pru] *f.* (*sch.*) voorsteven *m.*
prouesse [pruès] *f.* **1** heldendaad *v.*(*m.*); heldenfeit *o.*; **2** dapperheid *v.*
prouvable [pru'va'bl] *adj.* bewijsbaar.
prouver [pruvé] *v.t.* **1** bewijzen; **2** aantonen, getuigen van.
provenance [pròvnã:s] *f.* **1** oorsprong *m.*, herkomst *v.*; **2** (uitgevoerd) produkt *o.*; *de — étrangère*, buitenlands, uitheems.
provenant [pròvnã] *adj.* **1** voortspruitend; **2** afkomstig, herkomstig.
provençal [pròvã'sal] **I** *adj.* Provencaals; **II** *s.*, *m.*, *P—*, Provencaal *m.*
provende [pròva:d] *f.* **1** proviand *m. en o.*; **2** (*landb.*) (gemengd) veevoeder *o.*
provenir* [pròvni:r] *v.i.* **1** voortkomen, voortspruiten (*de*, uit); **2** afkomstig zijn (*de*, van).
provenu [pròvnü] *m.* opbrengst; winst *v.*
proverbe [pròvèrb] *m.* spreekwoord *o.*; *les P—s*, (*Bijb.*) de Spreuken *mv.*; *passer en* —, spreekwoordelijk worden.
proverbial(ement) [pròvèrbyal(mã)] *adj.* (*adv.*) spreekwoordelijk.
providence [pròvidã:s] *f.* **1** voorzienigheid *v.*; **2** (*fig.*) beschermengel, reddende engel *m.*
providentiel [pròvidã'syèl] *adj.* (als) door de Voorzienigheid beschikt; *la main —le*, de hand van de Voorzienigheid.
providentiellement [pròvidã'syèlmã] *adv.* (als) door een beschikking van de Voorzienigheid; op wonderbare wijze.
provignage [pròviña:j], **provignement** [pròviñemã] *m.* het vermenigvuldigen van wijnstokken door loten. [door loten.
provignée [pròviñé] *v.i.* zich vermenigvuldigen
provin [pròvẽ] *m.* te poten loot *v.*(*m.*).
province [pròvẽ:s] *f.* **1** provincie *v.*; **2** (*gesch.*: *v. Romeinen*) wingewest *o.*; *les P—s Unies*, de Verenigde Nederlanden; *il vient de la* —, hij komt van buiten.
provincial [pròvẽ'syal] **I** *adj.* **1** provinciaal; **2** kleinsteeds; **II** *s. m.* **1** provinciebewoner, buitenman *m.*; **2** (*kath.*: *v. kloosterorde*) provinciaal *m.*
provincialisme [pròvẽ'syalizm] *m.* gewestelijke uitdrukking *v.*
proviseur [pròvizœ:r] *m.* (*v. lyceum*) rector *m.*
provision [pròvi'zyõ] *f.* **1** voorraad *m.*; **2** (*H.*) provisie *v.*; makelaarsloon *o.*; **3** (*voor wissel*) dekking *v.*; *faire ses —s*, inkopen doen; *faire — de*, inslaan, opdoen; *par* —, voorlopig, bij voorbaat; *jugement par* —, voorlopige uitspraak *v.*(*m.*).
provisionnel(lement) [pròvizyònèl(mã)] *adj.* (*adv.*) voorlopig, provisioneel.
provisoire [pròvizwa:r] **I** *adj.* **1** voorlopig; **2** tijdelijk, waarnemend; **II** *s. m.* (het) voorlopige *o.*; voorlopige toestand *m.*
provisoirement [pròvizwa:rmã] *adv.* voorlopig.
provisorat [pròvizòra] *m.* (*v. lyceum*) rectoraat *o.*
provocant [pròvòkã] *adj.* **1** uitdagend, tartend; **2** prikkelend, aanhitsend.
provocateur [pròvòkatœ:r] **I** *adj.* uitdagend; uitlokkend; **II** *s.m.* **1** uitdager *m.*; **2** aanstoker, aanhitser *m.*; *agent* —, betaald opruier *m.*
provocation [pròvòka'syõ] *f.* uitdaging, tarting *v.*
provoquer [pròvòké] *v.t.* **1** uitdagen, tarten; **2** aanhitsen, prikkelen; **3** (*gen.*) opwekken, verwekken; **4** uitlokken; **5** veroorzaken, teweegbrengen; **6** (*v. geestverschijning*) oproepen.
proxénète [pròksénèt] *m.-f.* koppelaar *m.*, —ster *v.*
proximité [pròksimité] *f.* nabijheid *v.*; — *du sang*, bloedverwantschap *v.*; *à — de*, nabij, niet ver van, in de buurt van.
proyer [prwayé] *m.* grauwgors *v.*(*m.*).
prude [prü'd] *adj.* preuts. [lijk.
prudemment [prüdamã] *adv.* voorzichtig, wijse-
prudence [prüdã:s] *f.* voorzichtigheid, bedachtzaamheid *v.*, beleid *o.*; *avec* —, voorzichtig, wijselijk; — *est mère de sûreté*, voorzichtigheid is de moeder van de wijsheid, — van de porseleinkast.
Prudent [prüdã] *m.* Prudens *m.* [beleidvol.
prudent [prüdã] *adj.* voorzichtig, bedachtzaam,
pruderie [prüdri] *f.* preutsheid *v.*
prud'homme [prüdòm] *m.* **1** rechtschapen man *m.*; **2** lid *o.* van de arbeidsraad; *conseil des —s*, arbeidsraad *m.*
prudhommesque [prüdòmèsk] *adj.* kleinburgerlijk, banaal.
pruine [prẅin] *f.* rijp *m.*, waas *o.* op vruchten.
pruiné [prẅiné] *adj.* met rijp.
prune [prün] *f.* **1** pruim *v.*(*m.*); **2** (*mil.*) blauwe boon *v.*(*m.*); — *d'Alger*, pruimedant *v.*(*m.*); — *de Monsieur*, grote, blauwe pruim; *avoir sa* —, (*fam.*) hem om hebben; *ce n'est pas pour des —s*, 't is niet voor niemendal, 't is niet zonder reden.
pruneau [prüno] *m.* **1** gedroogde pruim *v.*(*m.*); **2** pruim *v.*(*m.*) tabak.
prunelaie [prünlè('y)] *f.* pruimeboomgaard *m.*
prunelée [prünlé] *f.* pruimenjam, pruimengelei *m. en v.*
prunelle [prünèl] *f.* **1** sleepruim *v.*(*m.*); **2** oogappel *m.*; *jouer de la* —, lonkjes geven.
prunellier [prünèlyé] *m.* sleedoorn *m.*
prunier [prünyé] *m.* pruimeboom *m.*
prurigineux [prürijinö] *adj.* jeukend.
prurigo [prürigo] *m.* jeukende huiduitslag *m.*
prurit [prüri] *m.* jeuking *v.*
pruritant [prüritã] *adj.* jeukend.
pruriteux [prüritö] *adj.* jeukend.
Prusse [prüs] *f.* Pruisen *o.*
prussiate [prüsyat] *m.* blauwzuurzout *o.*
prussien [prüsyẽ] **I** *adj.* Pruisisch; **II** *s.*, *m.* *P—*, Pruis *m.*
prussique [prüsik] *adj.*, *acide* —, blauwzuur *o.*

prytanée [pritané] *m.* officiersopleidingschool *v.*(*m.*) te La Flèche.
psalliote [psalyot] *m.* kampernoelie *v.*(*m.*).
psalmique [psalmik] *adj.* psalm—.
psalmiste [psalmist] *m.* psalmdichter, psalmist *m.*
psalmodie [psalmòdi] *f.* **1** psalmgezang *o.*; **2** (*fig.*) eentonige dreun *m.*, — voordracht *v.*(*m.*).
psalmodier [psalmòdyé] **I** *v.i.* psalmen zingen, psalmodiëren; **II** *v.t.* eentonig opdreunen, — voordragen.
psaltérion [psaltéryõ] *m.* (*muz.*) psalter *o.*
psaume [pso:m] *m.* psalm *m.*
psautier [pso'tyé] *m.* **1** psalmboek *o.*; **2** (*Dk.*: *v. herkauwers*) boekpens *v.*(*m.*).
pseudo— [psödò] onecht, vals, voorgewend.
pseudonyme [psödònim] **I** *m.* pseudoniem *o.*, schuilnaam *m.*; **II** *adj.* onder een schuilnaam (verschenen).
psittacidés [psitasidé] *m.pl.* (*Dk.*) papegaaiachtige *mv.*
psittacisme [psitasizm] *m.* napraterij *v.*
psittacose [psitako:z] *f.* papegaaieziekte *v.*
psora [psòra] *f.* (*gen.*) schurft *v.*(*m.*) *en o.*
psorique [psòrik] *adj.* schurftig.
psychanalyse [psikanali:z] *f.* psychoanalyse *v.*
psyché [psiʃé] *f.* **1** grote draaispiegel *m.*; **2** psyche, ziel *v.*(*m.*).
psychiatre [psikya'tr] *m.* psychiater, arts *m.* voor zielsziekten.
psychiatrie [psikyatri] *f.* psychiatrie *v.*, leer *v.*(*m.*) van de zielsziekten.
psychiatrique [psikyatrik] *adj.* psychiatrisch.
psychique [psiʃik] *adj.* de ziel betreffend; ziels—, psychisch; ***phénomène* —,** bewustzijnsverschijnsel *o.*
psychologie [psikòlòji] *f.* zielkunde, psychologie *v.*
psychologique(ment) [psikòlòjik(mã)] *adj.* (*adv.*) zielkundig, psychologisch; ***le moment* —,** het juiste (*of* geschikte) ogenblik.
psychologiste [psikòlòjist], **psychologue** [psikòlò'g] *m.* zielkundige, psycholoog *m.*
psychopathie [psikòpati] *f.* zielsziekte *v.*
psychopathique [psikòpatik] *adj.* psychopathisch.
psychose [psiko:z] *f.* zielsziekte; psychose *v.*; **— *guerrière*,** oorlogspsychose *v.*; **— *collective*,** massasuggestie *v.*
psychotechnie [psikòtèkni] *f.* psychotechniek *v.*
psychotechnique [psikòtèknik] *adj.* psychotechnisch.
psychothérapie [psikòtérapi] *f.* genezing *v.* van de zielsziekten.
psychromètre [psikròmè'tr] *m.* vochtigheidsmeter, waterdampmeter *m.*
psylle [psil] **I** *f.* (*Dk*) aardvlo *v.*(*m.*); **II** *m.* slangenbezweerder *m.*
ptérodactyle [ptérodaktil] *m.* (voorhistorische) pterodactylus *m.*
Ptolémée [ptolémé] *m.* Ptolemaeus *m.*
ptomaïne [ptòmain] *f.* lijkenvergif *o.*
ptôse [pto'z] *f.* ingewandsverzakking *v.*
ptyaline [ptialin] *f.* ptyaline *v.*, ferment *o.* van het speeksel.
puamment [pw̃amã] *adv.* **1** stinkend; **2** onbeschaamd.
puant [pw̃ã] *adj.* **1** stinkend; **2** (*fig.*) onbeschaamd; ***boule* —e,** stinkbom *v.*(*m.*); ***bête* —e,** stinkdier *o.*
puanteur [pw̃ã'tœ:r] *f.* stank *m.*
puantise [pwã'ti'z] *f.* iets stinkends.
pubère [pübè:r] *adj.* huwbaar.
puberté [pübèrté] *f.* huwbaarheid *v.*
pubescence [pübèsã:s] *f.* donzigheid *v.*
pubescent [pübèsã] *adj.* donzig, harig.
pubien [pübyẽ] *adj.* schaam—.
pubis [pübis] *m.* schaambeen *o.*
publiable [püblya'bl] *adj.* publiceerbaar.
public [püblik] **I** *adj.* (*f.* : ***publique***) **1** openbaar, publiek; **2** (*v. belang, enz.*) algemeen; ***fonctionnaire* —,** staatsambtenaar *m.*; ***droit* —,** staatsrecht *o.*; ***place publique*,** plein *o.*; ***la vie publique*,** het politieke leven; **II** *s. m.* publiek *o.*; ***en* —,** in het openbaar.
publicable [püblika'bl] *adj.* publiceerbaar.
publicain [püblikẽ] *m.* (*Bijb.*) tollenaar *m.*
publication [püblika'syõ] *f.* **1** afkondiging, bekendmaking *v.*; **2** uitgave *v.*(*m.*); **3** uitgegeven werk *o.*; **— *des bans*,** huwelijksafkondiging *v.*, ondertrouw *m.*
publiciste [püblisist] *m.* **1** publicist, schrijver *m.* over politiek; **2** journalist, persman *m.*
publicitaire [püblisitè:r] *adj.* reclame—.
publicité [püblisité] *f.* **1** (*v. vergadering, enz.*) openbaarheid *v.*; **2** reclame *v.*(*m.*); **3** (het) adverteren *o.*; **— *lumineuse*,** lichtreclame *v.*(*m.*); ***frais de* —,** advertentiekosten *mv.*; ***office de* —,** advertentiebureau *o.*
publier [übli(y)é] *v.t.* **1** (*v. feiten, enz.*) openbaar maken, bekend maken; **2** (*v. wet*) afkondigen; **3** (*v. boek*) uitgeven; **— *à son de trompe*, — *sur les toits*,** rondbazuinen, van de daken verkondigen.
publique, *voir* ***public.***
publiquement [püblikmã] *adv.* openlijk, in 't openbaar.
puce [püs] **I** *f.* vlo *v.*(*m.*); ***avoir la* — *à l'oreille*,** **1** ongerust zijn, gejaagd zijn; **2** op zijn hoede zijn, goed uitkijken; ***secouer les —s à qn.*,** iem. een rammeling geven, iem. afrossen; ***mettre la — à l'oreille à qn.*,** iem. achterdochtig maken; iem. ongerust maken; **II** *adj.* donkerbruin.
pucelage [püsla:j] *m.* maagdom *m.*
pucelle [püsèl] *f.* maagd *v.*, jong meisje *o.*; ***la P— d'Orléans*,** de Maagd van Orleans, Jeanne d'Arc.
puceron [püsrõ] *m.* bladluis *v.*(*m.*); **— *de mer*,** strandvlo *v.*(*m.*).
puche [pü:ʃ] *f.* garnalennet *o.*
pucier [püsyé] *m.* (*arg.*) bed, nest *o.*
pudding [pudẽ'g] *m.* pudding *m.*
puddler [püdlé] *v.t.* (*tn.*) puddelen, ruw ijzer tot smeedijzer maken.
pudeur [püdœ:r] *f.* **1** eerbaarheid; kuisheid *v.*; **2** schaamte *v.*, schaamtegevoel *o.*; **3** schroomvalligheid, verlegenheid *v.*
pudibond [püdibõ] *adj.* bedeesd; preuts.
pudibonderie [püdibõ'dri] *f.* overdreven bedeesdheid; preutsheid *v.*
pudicité [püdisité] *f.* eerbaarheid, kuisheid *v.*
pudique(ment) [püdik(mã)] *adj.* (*adv.*) eerbaar, zedig, kuis.
puer [pw̃é] **I** *v.i.* stinken; **II** *v.t.* ruiken (*of* stinken) naar.
puériculture [pw̃érikültü:r] *f.* kinderzorg *v.*(*m.*).
puéril [pw̃éril] *adj.* **1** kinderachtig; **2** kinderlijk.
puérilement [pw̃érilmã] *adv.* kinderachtig.
puérilité [pw̃érilité] *f.* **1** kinderachtigheid *v.*; **2** kinderachtig gezegde *o.*
puerpéral [pw̃èrpéral] *adj.*, ***fièvre* —e,** kraamkoorts *v.*(*m.*).
puff [püf] *m.* blufferige reclame *v.*(*m.*); zwendelarij *v.*
puffiste [püfist] *m.* blufferige reclamemaker *m.*
pugilat [püjila] *m.* vuistgevecht *o.*
pugiliste [püjilist] *m.* vuistvechter, bokser *m.*
pugilistique [püjilistik] *adj.* boksers—, boks—.
pugnace [pügnas] *adj.* strijdlustig.
pugnacité [pügnasité] *f.* vechtlust *m.*
puîné [pw̃iné] *adj.* later geboren, jonger; ***frère* —,** jongere broeder *m.*
puis [pw̃i] *adv.* **1** daarna, vervolgens; **2** bovendien; ***et* — ?** en toen? en wat nu nog? en wat zou dat dan nog?
puisage [pw̃iza:j] *m.* (het) putten *o.*
puisard [pw̃iza:r] *m.* zinkput *m.*

puisatier [pwizatyé] *m.* putdelver *m.*
puisement [pwizmã] *m.* (het) putten *o.*
puiser [pwizé] *v.t. et v.i.* **1** putten; scheppen; **2** ontlenen; **3** (*spel*) kopen; vissen; — ***à la source,*** uit de bron putten; — ***dans le plat,*** toetasten.
puisette [pwizèt] *f.* scheplepel *m.*
puiseur [pwizœ:r] *m.* putter *m.*
puisoir [pwizwa:r] *m.* scheplepel *m.*
puisque [pwiske] *conj.* daar, aangezien.
puissamment [pwisamã] *adv.* **1** machtig; **2** (*fig.*) geweldig, buitengewoon.
puissance [pwisã:s] *f.* **1** macht *v.(m.)*; **2** vermogen *o.*; **3** mogendheid *v.*; **4** (*v. wind, enz.*) kracht *v.(m.)*; — ***motrice,*** beweegkracht *v.(m.)*; ***élévation à une —,*** (*wisk.*) machtsverheffing *v.*; — ***acoustique,*** acoustieke sterkte *v.*
puissant [pwisã] **I** *adj.* **1** machtig; **2** krachtig; **3** dik, zwaarlijvig; **4** fors, sterk; **II** *s. m.* machthebber *m.*; ***les —s,*** de machtigen *mv.*
puits [pwi] *m.* **1** put *m.*; **2** mijnschacht *v.(m.)*; — ***à chaînes,*** (*sch.*) kettingbak *m.*; — ***d'aérage,*** luchtkoker *m.*, luchtschacht *v.(m.)*; ***un — de science,*** een zeer geleerd man, een wonder van geleerdheid.
pullulation [pülüla'syõ] *f.* **1** snelle vermenigvuldiging; voortwoekering *v.*; **2** gekrioel *o.*
pulluler [pülülé] *v.i.* **1** sterk vermenigvuldigen; **2** voortwoekeren; **3** krioelen, wemelen.
pulmonaire [pülmònè:r] **I** *adj.* long—; ***affection —,*** longaandoening *v.*; **II** *s. f.* (*Pl.*) longkruid *o.*
pulmonique [pülmònik] **I** *adj.* aan longtering lijdend; **II** *s. m.-f.* longlijder *m.*, —es *v.*
pulpe [pülp] *f.* **1** vruchtvlees *o.*; **2** pulp *v.(m.)*; **3** brij *m.*; — ***cérébrale,*** hersenmerg *o.*
pulper [pülpé] *v.t.* tot brij (*of* moes) maken.
pulpeux [pülpö] *adj.* **1** (*Pl., Dk.*) vlezig; **2** brijig.
pulsateur [pülsatœ:r] *adj.* kloppend.
pulsatif [pülsatif] *adj.* (*v. pijn*) kloppend.
pulsation [pülsa'syõ] *f.* klopping *v.*, polsslag *m.*
pultacé [pültasé] *adj.* brijachtig, brijig.
pulvéracé [pülvérasé] *adj.* (*Pl.*) stoffig.
pulvérin [pülvérẽ] *m.* **1** pankruit *o.*; **2** (*bij waterval*) stofregen *m.*; **3** meelpoeder *o. en m.*
pulvérisable [pülvériza'bl] *adj.* gemakkelijk fijn verdeelbaar, tot pulver te herleiden.
pulvérisateur [pülvérizatœ:r] *m.* **1** verstuiver *m.*; **2** odeurspuit *v.(m.)*; **3** inhalatietoestel *o.*; **4** (*landb.*) stuifsproeier *m.*
pulvérisation [pülvériza'syõ] *f.* **1** vergruizing, vermaling, fijnwrijving *v.*; **2** verstuiving *v.*; **3** vernietiging *v.*
pulvériser [pülvéri'zé] *v.t.* **1** vergruizen, vermalen, fijnwrijven; **2** verstuiven; **3** (*fig.*) vernietigen.
pulvérulence [pülvérülã:s] *f.* poedervorm *m.*
pulvérulent [pülvérülã] *adj.* **1** poedervormig; **2** met poeder (*of* stof) bedekt.
puma [püma] *m.* (*Dk.*) poema *m.*
punaise [pünè:z] *f.* **1** (*Dk.*) wandluis *v.(m.)*; **2** punaise *v.*, spijkertje *o.*
punch [põ:ʃ] *m.* punch, pons *m.*
punctiforme [põ'ktifòrm] *adj.* puntvormig.
punique [pünik] *adj.* Punisch; ***foi —,*** trouweloosheid *v.*
punir [püni:r] *v.t.* straffen; bestraffen.
punissable [pünisa'bl] *adj.* strafbaar.
punisseur [pünisœ:r] **I** *m.* wreker, straffer *m.*, straffende hand *v.(m.)*; **II** *adj.* straffend, wrekend.
punitif [pünitif] *adj.* straf—; ***expédition —ive,*** strafexpeditie *v.*
punition [pünisyõ] *f.* **1** straf *v.(m.)*; **2** bestraffing *v.*; — ***corporelle,*** lijfstraf *v.(m.)*.
punitionnaire [pünisyònè:r] *m.* gestrafte, gestraft soldaat *m.*
pupe [pü:p] *f.* pop *v.(m.)* van insekt.
pupillaire [püpilè:r] *adj.* oogappel—, van de oogappel.
pupillarité [püpilarité] *f.* minderjarigheid *v.*
pupille [püpil] **I** *f.* oogappel *m.*, pupil *v.(m.)*; **II** *m.-f.* **1** pupil, minderjarige wees *m.-v.*; **2** beschermeling *m.*
pupitre [püpitr] *m.* lessenaar *m.*
pur [pü:r] *adj.* **1** zuiver, onvervalst; **2** (*v. drank, glas, enz.*) helder; **3** (*v. hemel*) helder, onbewolkt; **4** (*v. geweten*) rein; **5** (*v. geluk*) onvermengd; **6** (*v. hart*) onbedorven; **7** (*wap.: v. kleur*) effen; **8** (*v. stijl*) gekuist; **9** (*v. leven, naam*) onbevlekt; **10** (*v. toeval*) louter; — ***sang,*** volbloed; ***en —e perte,*** zonder enig nut, tevergeefs, vruchteloos; ***promesse —e et simple,*** onvoorwaardelijke belofte *v.*
purée [püré] *f.* brij *m.*, moes *o.*; — ***de pois,*** erwtensoep *v.(m.)*; — ***de pommes,*** aardappelpuree *v.*; ***être dans la —,*** in de ellende zitten, in dalles zitten.
purement [pü'rmã] *adv.* **1** zuiver; **2** enkel, alleen; **3** rein; — ***et simplement,*** enkel en alleen, zuiver en alleen, zonder meer.
pureté [pü'rté] *f.* **1** zuiverheid *v.*; **2** reinheid *v.*; **3** helderheid *v.*; **4** gekuistheid *v.*; **5** reinheid, onbedorvenheid *v.*
purgatif [pürgatif] **I** *adj.* afvoerend, purgerend; **II** *s. m.* purgeermiddel *o.*
purgation [pürga'syõ] *f.* **1** afvoering, zuivering *v.*; **2** purgeermiddel *o.*; **3** (*v. straf*) (het) uitzitten *o.*
purgatoire [pürgatwa:r] *m.* vagevuur *o.*
purge [pürj] *f.* **1** (*v. hypotheek*) afdoening, aflossing, doorhaling *v.*; **2** (*v. goederen*) reiniging, ontsmetting *v.*; **3** purgeermiddel *o.*; ***robinet de —,*** aftapkraan *v.(m.)*; afblaaskraan *v.(m.)*.
purgeoir [pürjwa:r] *m.* filtreerbassin *o.*
purger [pürjé] **I** *v.t.* **1** zuiveren; **2** bevrijden van; **3** een purgeermiddel geven; **4** (*v. hypotheek*) aflossen; doorhalen; **5** (*v. straftijd*) uitzitten; **6** (*tn.*) aftappen; **7** uitwissen, rechtvaardigen; — ***une offense,*** een belediging goedmaken; — ***la contumace,*** na een vonnis bij verstek in persoon verschijnen; **II** *v.i.* zuiveren, purgeren; **III** *v.pr.* ***se —,*** **1** een purgeermiddel innemen; **2** gezuiverd worden; **3** zich rechtvaardigen.
purgeur [pürjœ:r] *m.*, ***robinet —,*** afblaaskraan *v.(m.)*.
purifiant [pürifyã] *adj.* zuiverend.
purificateur [pürifikatœ:r] **I** *adj.* zuiverend; **II** *s., m.* zuiveraar *m.*
purification [pürifika'syõ] *f.* zuivering *v.*; ***la P—,*** Maria-Lichtmis *m.*
purificatoire [pürifikatwa:r] *m.* kelkdoekje *o.*
purifier [pürifyé] *v.t.* zuiveren, reinigen.
puriforme [pürifòrm] *adj.* etterachtig.
Purim [pürim] *m.* purimfeest *o.*
purin [pürẽ] *m.* aalt *m.*, mestgier *v.(m.)*.
puriner [püriné] *v.t.* gieren.
purisme [pürizm] *m.* purisme *o.*, overdreven (zucht naar) taalzuiverheid *v.*
puriste [pürist] **I** *m.* taalzuiveraar, purist *m.*; **II** *adj.* puristisch.
puritain [püritẽ] **I** *adj.* puriteins; **II** *s. m.* puritein *m.*
puritanisme [püritanizm] *m.* **1** leer *v.(m.)* van de puriteinen; **2** (*fig.*) grote strengheid *v.* van levensopvatting.
purot [püro] *m.* gierput *m.*
purotin [püròtẽ] *m.* (*pop.*) armoedzaaier *m.*
purpura [pürpüra] *m.* scharlakenkoorts *v.(m.)*.

purpurin [pürpürẽ] *adj.* purperkleurig.
purpurine [pürpürin] *f.* meekrabrood *o.*
pur-sang [pürsã] *m.* volbloed paard *o.* [*als adjectief: twee woorden*].
purulence [pürülã:s] *f.* ettering *v.*
purulent [pürülã] *adj.* etterend, etterachtig.
pus [pü] *m.* etter *m.*
pusillanime(ment) [püzilanim(mã)] *adj.* (*adv.*) kleinmoedig, blode, laf. [blohartigheid.
pusillanimité [püzilanimité] *f.* kleinmoedigheid,
pustule [püstül] *f.* puistje, zweertje *o.*
pustuleux [püstülö] *adj.* puistig.
putatif [pütatif] *adj.* vermeend, gewaand.
putativement [pütati'vmã] *adv.* op vermeende gronden; in de mening van echtheid.
putois [pütwa] *m.* (*Dk.*) bunzing *m.*
putréfactif [pütréfaktif] *adj.* rotting bevorderend.
putréfaction [pütréfaksyõ] *f.* verrotting, rotting *v.*, bederf *o.*
putréfier [pütréfyé] **I** *v.t.* doen verrotten, tot rotting doen overgaan; **II** *v.pr.* ***se* —,** rotten, verrotten, bederven.
putrescence [pütrèsã:s] *f.* rotting *v.*
putrescent [pütrèsã] *adj.* rottend.
putrescible [pütrèsi'bl] *adj.* voor verrotting vatbaar. [*v.*(*m.*).
putride [pütri'd] *adj.* rottig; ***fièvre* —,** rotkoorts
putridité [püdridité] *f.* rotheid *v.*
puy [pẅi] *m.* bergtop; berg *m.* [*m.*
puzzle [pœzl] *m.* legdoos, legkaart *v.*(*m.*), puzzel
pygargue [pigarg] *m.* visarend *m.*
pygmée [pigmé] *m.* dwerg *m.*; dwergmens *m.*
pygméen [pigméẽ] *adj.* dwergachtig.
pyjama [pijama] *m.* pyjama *m.*
pylône [pilo:n] *m.* **1** rechthoekige toren *m.*; voorhal *v.*(*m.*); **2** (*tel.*) ijzeren pijler *m.*; **3** (*vl.*) lichtmast *m.*
pylore [pilò:r] *m.* onderste maagopening *v.*, portier *o.*
pyorrhée [piòré] *f.* ettering *v.*
pyrale [piral] *f.* lichtmot *v.*(*m.*) (wijnstokparasiet).
pyramidal [piramidal] *adj.* **1** piramidevormig, piramidaal; **2** reusachtig, kolosaal.
pyramide [pirami'd] *f.* **1** piramide *v.*, spitszuil *v.*(*m.*); **2** (*fig.*) stapel *m.*
Pyrénées [piréné] *f.pl.* Pyreneeën *mv.*
pyrèthre [pirè:tr] *m.* pyrethrum *o.*, kwijlwortel *m.*
pyrex [pirèks] ***de* —,** vuurvast.
pyrique [pirik] *adj.* het vuur betreffend, vuur—.
pyrite [pirit] *f.* pyriet, zwavelkies *o.*
pyritifère [piritifè:r] *adj.* pyriethoudend.
pyrograver [piògravé] *v.t.* branden (in hout, leer).
pyrogravure [piògravü:r] *f.* houtbrandkunst *v.*
pyrolé [piròlé] *f.* (*Pl.*) wintergroen *o.*
pyromètre [piròmè'tr] *m.* pyrometer *m.*
pyrophorique [piròfòrik] *adj.* zelfontbrandend.
pyrosis [piròzis] *m.* pyrose, branderigheid *v.* in de maag.
pyrosphère [piròsfè:r] *f.* het inwendige der aarde.
pyrotechnie [piròtèkni] *f.* vuurwerkkunst *v.*
pyrotechnique [piròtèknik] *adj.* pyrotechnisch.
pyroxène [piròksè:n] *m.* kiezelzout *o.*
pyrrhonisme [pironizm] *m.* scepticisme *o.*
Pythagore [pitagò:r] *m.* Pythagoras *m.*
pythie [piti] *f.* pythia, Apollo-priesteres *v.* (te Delphi).
pythien [pityẽ] *adj.* Pythisch.
pythique [pitik] *adj.* Pythisch.
python [pitõ] *m.* python *m.*, reuzenslang *v.*(*m.*).
pythonisse [pitònis] *f.* priesteres *v.* van Apollo; profetes, waarzegster *v.*
pyxide [piksid] *f.* (*Pl.*) doosvrucht *v.*(*m.*).

Q

Q *m.* q *v.*(*m.*).
quadragénaire [kwadrajénè:r] **I** *adj.* veertigjarig; **II** *s. m.* veertigjarige *m.*
quadragésimal [kwadrajézimal] *adj.* veertigdaags; tot de grote vasten behorend.
quadragésime [kwadrajézim] *f.*, ***dimanche de la* —,** Quadragesima *m.*, eerste zondag in de vasten.
quadrangle [k(w)adrã:gl] *m.* vierhoek *m.*
quadrangulaire [k(w)adrã'gülè:r] *adj.* vierhoekig.
quadrant [k(w)adrã] *m.* kwadrant *o.*, kwartcirkel *m.*
quadratique [kwadratik] *adj.* vierkant.
quadrature [k(w)adratü:r] *f.* kwadratuur *v.*, herleiding (van een oppervlak) tot een vierkant ter berekening van de oppervlakte.
quadrette [k(w)adrèt] *f.* balspelploeg *v.*(*m.*) van vier man. [*m.*
quadrichromie [k(w)adrikromi] vierkleurendruk
quadricycle [k(w)adrisikl] *m.* vierwieler *m.*
quadriennal [k(w)adri(y)ènal] *adj.* **1** vierjarig; **2** vierjaarlijks.
quadriflore [k(w)adriflò:r] *adj.* vierbloemig.
quadrifolié [k(w)adrifòlyé] *adj.* vierbladig.
quadrige [k(w)adri:j] *m.* vierspan *o.*
quadrijumeaux [k(w)adrijümo] *adj.*, ***tubercules* —,** knobbeltjes *pl.* in het verlengde merg, ten getale van vier.
quadrilatéral [k(w)adrilatéral] *adj.* vierzijdig.
quadrilatère [k(w)adrilatè:r] **I** *m.* vierhoek *m.*; **II** *adj.* vierzijdig.
quadrillage [kadriya:j] *m.* geruit patroon *o.*
quadrille [kadri'y] **I** *f.* **1** afdeling ridders (in toernooi); **2** groep van vier ruiters bij het carrouselrijden; **II** *m.* **1** (*muz., dans, kaartsp.*) quadrille *m. en v.*; **2** (*in stof*) ruitje *o.*
quadrillé [kadriyé] *adj.* geruit. [delen.
quadriller [kadriyé] *v.t.* in ruiten (vakken) ver-
quadrillion [kwadrilyõ] *m.* 1000 biljoen.
quadrilobé [kwadrilòbé] *adj.* (*Pl.*) vierlobbig.
quadrimoteur [k(w)adrimòtœ:r] *adj.* viermotorig.
quadrinôme [kwadrino:m] *m.* (*algebra*) vierterm *m.* [bladen.
quadripétale [kwadripétal] *adj.* met vier bloem-
quadrisyllabe [kwadrisila'b] *m.* vierlettergrepig woord *o.*
quadrisyllabique [kwadrisilabik] *adj.* vierlettergrepig.
quadrivium [kwadrivyòm] *m.* quadrivium *o.*, de vier hogere kunsten in de middeleeuwen; rekenkunde, muziek, meetkunde, sterrenkunde.
quadrumane [k(w)adrüman] **I** *adj.* vierhandig; **II —s** *m.pl.* vierhandigen *mv.*
quadrupède [k(w)adrüpè'd] **I** *adj.* viervoetig; **II** *s. m.* viervoetig dier *o.*
quadruplan [kwadrüplã] *m.* vierdekker *m.*
quadruple [k(w)adrüpl] **I** *adj.* viervoudig; **II** *s. m.* viervoud *o.*

quadruplement [k(w)adrüplemã] *m.* verviervuldiging *v.* [digen.
quadrupler [k(w)adrüplé] *v.t. et v.i.* verviervou-
quai [kè, ké] *m.* **1** kade, kaai *v.(m.)*; **2** kaaimuur *m.*; **3** (*v. station*) perron *o.*; ***droit de —,*** kaaigeld *o.*; ***mettre à —,*** lossen.
quaiage [kèya:j, kéya:j] *m.* kaaigeld *o.*
quaker [kwékr] *m.* (*f.* : ***—esse***) kwaker *m.*
quakerisme [kwékrizm] *m.* leer *v.(m.)* (geloof *o.*, levenswijze *v.(m.)*) van de kwakers. [len.
qualifiable [kalifya'bl] *adj.* bepaalbaar, te betite-
qualificateur [kalifikatœ:r] *m.* (*gesch.*) geloofsonderzoeker *m.*
qualificatif [kalifikatif] **I** *adj.* bepalend; ***adjectif —,*** bijvoeglijk naamwoord; **II** *s. m.* bijvoeglijk naamwoord *o.*
qualification [kalifika'syõ] *f.* betiteling, benaming, aanduiding *v.* van een hoedanigheid.
qualifié [kalifyé] *adj.* **1** bepaald; **2** (*v. arbeider*) geschoold; **3 *— pour,*** bevoegd tot, geschikt voor; ***vol —,*** diefstal met verzwarende omstandigheden.
qualifier [kalifyé] **I** *v.t.* **1** bestempelen, betitelen; **2** een hoedanigheid toekennen; **3** (*taalk.*) bepalen; **4** noemen, de titel geven van; **II** *v.pr.* ***se — (de),*** zich uitgeven voor, zich noemen.
qualitatif [kalitatif] *adj.* wat de hoedanigheid betreft, kwalitatief; ***analyse qualitative,*** onderzoek naar de aard van de bestanddelen.
qualité [kalité] *f.* **1** eigenschap *v.*; **2** (goede) hoedanigheid *v.*; **3** bevoegdheid *v.*; **4** titel *m.*; ***homme de —,*** man van aanzien, aanzienlijk man; ***en sa — de,*** in zijn hoedanigheid van; ***avoir — pour,*** bevoegd zijn om.
quand [kã] **I** *conj.* **1** als, wanneer, toen; **2** (*met cond.*) al, zelfs al(s); ***— même,*** al, zelfs al; **II** *adv.* wanneer? ***— même,*** in elk geval, toch.
quanta [kwã'ta] *m.pl.* **I** *pl.* van ***quantum***; **II *théorie des —,*** quantentheorie *v.*
quant à [kã'ta] *prép.* wat betreft.
quant-à-moi [kã'tamwa], **quant-à-soi** [kã'taswa] *m.* gevoel *o.* van eigenwaarde; ***prendre (garder ou tenir) son —,*** een deftige houding aannemen, waardig blijven, zijn fatsoen houden.
quantes [kã:t] *adj.*, ***toutes et — fois,*** telkens en telkens.
quantième [kã'tyèm] *m.* zoveelste, hoeveelste *m.*; ***quel — avons-nous?*** de hoeveelste hebben wij?
quantitatif [kã'titatif] *adj.*, **quantitativement** [kã'titati'vmã] *adv.* wat de hoeveelheid betreft, kwantitatief; ***analyse quantitative,*** onderzoek naar de hoeveelheid van bestanddelen.
quantité [kã'tité] *f.* **1** hoeveelheid *v.*; **2** (*wisk.*) grootheid *v.*; ***— de gens,*** een menigte mensen, zeer veel mensen.
quantum [kwã'tòm] *m.* quantum *o.*
quarantaine [karã'tèn] *f.* **1** veertigtal *o.*; **2** tijd *m.* van veertig dagen; **3** veertigjarige leeftijd *m.*; **4** (*sch.*) quarantaine *v.(m.)*; **5** (*kath.*) quadrageen *v.(m.)*; ***sept ans et sept —s,*** zeven jaren en zeven quadragenen; ***la sainte —,*** de vastentijd *m.*; ***faire la —,*** quarantaine houden.
quarante [karã:t] *n.card.* veertig; ***prière de — heures,*** veertigurengebed *o.*; ***les —,*** de veertig leden van de Franse Academie; ***il s'en moque comme de l'an —,*** hij geeft er geen zier om.
quarantenaire [karã'tnè:r] **I** *adj.* **1** veertigjarig; **2** quarantaine—; ***mesures —s,*** quarantainemaatregelen *mv.*; **II** *s. m.* (*sch.*) quarantaineplaats *v.(m.)*.
quarantième [karã'tyèm] **I** *n.ord.* veertigste; **II** *s. m.* veertigste (gedeelte) *o.*
quart [ka:r] *m.* **1** vierde, vierdedeel, kwart *o.*; **2** (*oud*) vierendeel *o.*; **3** kwart liter, kilo, enz.; **4** (*sch.*) wacht *v.(m.)*; ***— de cercle,*** kwadrant *o.*; ***— d'heure,*** kwartier *o.*; ***— de soupir,*** (*muz.*) 1/16 maat rust; ***il est le —,*** het is kwart (vóór 3, 4, enz.); ***l'homme de —,*** (*sch.*) de wacht *m.*; ***être de —,*** (*sch.*) wacht hebben; ***les trois —s du temps,*** meestentijds; ***passer un mauvais — d'heure,*** een benauwd ogenblik doorbrengen; ***le — d'heure de Rabelais,*** het ogenblik van betalen; ***le tiers et le —,*** deze en gene; ***médire du tiers et du —,*** van Jan en alleman kwaadspreken. [wild zwijn *o.*
quartan(ier) [kartã, kartanyé] *m.* vierjarig
quartaut [karto] *m.* kwartokshoofd *o.* (78 l).
quarte [kart] **I** *f.* **1** (*muz.*) kwart *v.(m.)*; **2** (*bij schermen*) kwart *v.(m.)*, 4e paradeslag *m.*, 4e wering *v.*; **II** *adj.*, ***fièvre —,*** derdedaagse koorts *v.(m.)*.
quartenier [kartenyé] *m.* (*sch.*) kwartiermeester *m.*
quarteron [karterõ] *m.* **1** vierendeel *o.* van een pond; **2** (*fig.*) handjevol *o.*
quartette [kwartèt], **quartetto** [kwartèto] *m.* klein kwartet, quartetto *o.*
quartettiste [kwartètist] *m.* kwartetspeler *m.*
quartier [kartyé] *m.* **1** vierde deel, kwart *o.*; **2** (*v. maan, soldaten*) kwartier *o.*; **3** (*v. stad*) wijk *v.(m.)*; **4** (*v. jaar*) kwartaal *o.*; **5** (*v. schoen*) hielstuk *o.*; **6** (*spek*) zij(de) *v.(m.)*; **7** (*v. wapenschild*) veld, vlak *o.*; **8** (*v. grond*) stuk *o.*, lap *m.*; ***— de roche,*** rotsblok *o.*; ***— populeux,*** volksbuurt *v.(m.)*; ***— général,*** (*mil.*) hoofdkwartier *o.*; ***— maritime,*** havenwijk *v.(m.)*; ***bas —,*** achterbuurt *v.(m.)*; ***sans —,*** zonder genade; ***faire (ou donner) —,*** (*mil.*) kwartier geven.
quartier*-maître* [kartyémè:tr] *m.* (*sch.*) kwartiermeester *m.*
quarto [kwarto] *adv.* ten vierde.
quartz [kwarts] *m.* kwarts *o.*, kwartssteen *m.*; ***— hyalin,*** bergkristal *o.*
quartzeux [kwartsö] *adj.* kwartsachtig.
quartzifère [kwartsifè:r] *adj.* kwartshoudend.
quasi [kazi] *adv.* bijna, nagenoeg.
quasi-certitude [kazisèrtitü'd] *f.* bijna volkomen zekerheid *v.* [tract *o.*
quasi-contrat* [kazikõ'tra] *m.* stilzwijgend con-
quasi-délit* [kazidéli] *m.* onopzettelijk misdrijf *o.*
quasiment [kazimã] *adv.* (*fam.*) bijna, nagenoeg, zo goed als.
Quasimodo [kazimòdo] *f.* Beloken Pasen *m.*, eerste zondag *m.* na Pasen.
quassia [kwasya] *m.* bitterhout *o.*
quassier [kwasyé] *m.* bitterhoutboom, kwassieboom *m.* [vierde.
quater [kwatèr] *adv.* voor de vierde maal; ten
quaternaire [kwatèrnè:r] *adj.* **1** (*aardk.*) quartair; **2** uit vier (elementen, getallen) samengesteld.
quaterne [katèrn] *m.* quaterne *v.*, vier nummers op een rij (in lottospel).
quaterné [kwaterné] *adj.* vier aan vier geplaatst.
quaternion [k(w)atèrnyõ] *m.* (*drukk.*) katern *v.(m.) en o.*
quatorze [katòrz] *n.card.* veertien; ***le — février,*** de veertiende februari.
quatorzième [katòrzyèm] **I** *n.ord.* veertiende; **II** *s. m.* veertiende (deel) *o.*
quatorzièmement [katòrzyèm(m)ã] *adv.* ten veertiende.
quatrain [katrẽ] *m.* vierregelig vers *o.*
quatre [kat(r)] *n.card.* vier; ***le — septembre,*** de vierde september; ***Henri —,*** Hendrik de Vierde; ***un de ces — matins,*** eerstdaags; ***à —,*** met

zijn vieren; ***en —***, in vieren; ***par —!*** (*mil.*) met vieren!; ***descendre*** (*of* ***monter***) ***l'escalier — à —***, de trap afvliegen (*of* opvliegen); ***dire à qn. ses — vérités***, iem. ongezouten de waarheid zeggen; ***à — pas d'ici***, hier vlakbij; ***je le lui dirai en — (mots)***, ik zal het hem kort en bondig zeggen; ***de — sous***, van weinig waarde; ***ne pas y aller par — chemins***, er geen doekjes om winden; ***se mettre en — pour***, alle mogelijke moeite doen voor (iets); door 't vuur gaan voor (iem.).

quatre-bandes [kadbã·d] *m.* (*bilj.*) stoot *m.* over vier banden.

Quatre-Cantons [kat(re)kã˙tõ], ***lac des —***, *m.* Vierwoudstedenmeer *o.* [blad *o.*

quatre-feuilles [kat(re)fœ˙y] *m.* (*bouwk.*) vier-

quatre-fleurs [kat(re)flœ·r] *f.pl.* kruidenthee *m.*

quatre-huit [katrewit] *m.* (*muz.*) vierachtstenmaat *v.*(*m.*). [stuk *o.*

quatre-mains [katremẽ] *m.* vierhandig piano-

quatre-mâts [kat(re)ma] *m.* viermaster *m.*

quatre-quarts [kat(re)ka:r] *m.* gebak *o.* met gelijke delen meel, boter, suiker en eieren.

quatre-saisons [kat(re)sèzõ] *f.* bep. soort kleine aardbeien; ***marchand des —***, groenteboer *m.*

quatre-temps [katr(e)tã] *m.* quatertemper *m.*

quatre-vingt-dix [kat(re)vẽ˙dis] *n. card.* negentig. [negentigste.

quatre-vingt-dixième [kat(re)vẽ˙dizyèm] *n.ord.*

quatre-vingtième [kat(re)vẽ˙tyèm] *n. ord. et s. m.* tachtigste (deel *o.*).

quatre-vingts [kat(re)vẽ] *n.card.* tachtig.

quatrième [katri(y)èm] **I** *n.ord.* vierde; **II** *s. m.* **1** vierdedeel *o.*; **2** vierde verdieping *v.*; ***— au roi***, *f.* (*kaartsp.*) vierkaart *v.*(*m.*) van de heer; ***habiter au —***, op de vierde verdieping wonen; ***faire sa —***, in de vierde klas (*of* het vierde studiejaar) zitten.

quatrièmement [katri(y)èm(m)ã] *adv.* ten vierde.

quatriennal [katri(y)ènal] *adj.* vierjarig, vierjaarlijks.

quatuor [kwatwò·r] *m.* **1** (*muz.*) kwartet *o.*; **2** (*bij domino*) vier *v.*(*m.*); ***— à cordes***, strijkkwartet; ***— à vent***, blaaskwartet.

quayage [kéya:j, kèya:j] *m.* kaaigeld *o.*

que [ke] **I** *pr.rel.* die *v.-m.*, dat *o.*, die *mv.*; ***advienne — pourra***, er gebeure wat wil; ***ce —***, hetgeen, wat; ***— je sache***, voor zover ik weet; **II** *pr.int.* wat? ***— dites-vous?*** wat zegt u?; ***— sert-il de courir?*** waartoe dient het te lopen? **III** *adv.*, ***— de livres!*** wat een boeken! ***— de gens!*** hoeveel volk! ***— de fois!*** hoe dikwijls! ***que n'êtes-vous venu hier!*** waarom bent u gisteren niet gekomen! **IV** *conj.* dat; (*in de plaats van andere voegwoorden*) omdat, opdat, of, voordat, toen; ***ne ... —***, slechts, maar; ***depuis —***, sedert; ***à peine ... —***, nauwelijks ... of; ***je crois — oui***, ik geloof van wel; ***plus — vous***, meer dan u; ***plus — jamais***, meer dan ooit; ***si j'étais — de vous***, als ik u was.

quel, quelle [kèl] *pr.int.* welk(e); wie; wat, wat voor een; ***—le heure est-il?*** hoe laat is het? ***—s que soient vos projets***, welke ook uw plannen mogen zijn; ***—les que soient les difficultés***, hoe groot de moeilijkheden ook mogen zijn; ***— est cet homme?*** wie is die man? ***— homme est-ce?*** wat voor een man is het?

quelconque [kèlkõ:k] *pr. ind.* een of ander; om het even welk; ***un point —***, een willekeurig punt; ***c'était —***, het was doodgewoon, niets bijzonders; ***il est —***, hij is zeer middelmatig, hij timmert niet hoog.

quelque [kèlk(e)] **I** *pr.ind.* **1** (*enk.*) enig, een of ander; **2** (*meerv.*) ***—s***, enige, sommige; ***— chose***, iets; ***— part***, ergens; ***— jour***, de een of andere dag, eens; ***soixante et —s francs***, ruim zestig frank; ***— part qu'il soit***, waar hij ook is; **II** *adv.* ongeveer; ***— cent livres***, ongeveer honderd boeken; ***— riche qu'il soit***, hoe rijk hij ook moge zijn; ***— peu***, een weinig; **III** *adv.* al, hoe; ***— habiles qu'ils soient***, hoe handig zij ook zijn.

quelquefois [kè(l)k(e)fwa] *adv.* soms, somtijds.

quelqu'un [kè(l)kœ̃] *pr.ind.* iemand; een (van); ***— de ses amis***, een van zijn vrienden; ***ce —***, de bewuste *m.*; ***il est devenu —***, hij heeft naam gemaakt; ***il se croit —***, hij verbeeldt zich heel wat, hij doet nogal gewichtig; *plur.*: ***quelques-uns, —unes***, enige(n), sommige(n).

quémandage [kémã˙da:j] *m.* gebedel *o.*

quémander [kémã˙dé] *v.t.* bedelen om, verzoeken.

quémandeur [kémã˙dœ:r] *m.* bedelaar, lastig aanzoeker *m.*

qu'en-dira-t-on [kã˙diratõ] *m.* praatjes *mv.*

quenelle [kenèl] *f.* balletje *o.* vlees (in pastei of soep).

quenotte [kenòt] *f.* tandje, melktandje *o.*

quenouille [kenu˙y] *f.* **1** spinrokken *o.*; **2** (*v. baldakijn*) pijler *m.*; ***tomber en —***, op de vrouwelijke linie overgaan. [eiser) te innen.

quérable [kéra˙bl] *adj.* (*recht*) (door de schuld-

quercitron [kèrsitrõ] *m.* Amerikaanse verfeik *m.*

querelle [k(e)rèl] *f.* geschil *o.*, twist *m.*, ruzie *v.*, krakeel *o.*; ***chercher — à***, ruzie zoeken met; ***il y a — entre eux***, ze hebben ruzie; ***— d'Allemagne***, ruzie om niets.

quereller [k(e)rèlé] **I** *v.i.* twisten, krakelen; **II** *v.t.* bekijven; twist zoeken met; **III** *v.pr.* ***se — (avec qn.)***, twisten, ruzie maken (met iem.).

querelleur [k(e)rèlœ:r] **I** *m.* twistzoeker *m.*; **II** *adj.* twistziek. [laten halen.

quérir* [kéri:r] *v.t.*, ***aller —***, halen; ***envoyer —***,

questeur [kwèstœ:r] *m.* **1** (*gesch.*) quaestor *m.*; **2** penningmeester, thesaurier *m.*

question [kèstyõ] *f.* **1** vraag *v.*(*m.*); **2** vraagstuk *o.*, kwestie *v.*; **3** foltering *v.*, pijnbank *v.*(*m.*); ***la — n'est pas là, ce n'est pas là la —***, daar gaat het niet om, daar zit het niet in; ***cela ne fait pas —***, dat lijdt geen twijfel; ***il est — de***, er is sprake van om; ***mettre en —***, in twijfel trekken; ***mettre à la —***, op de pijnbank leggen, folteren; ***poser la — de cabinet***, de kabinetskwestie stellen; ***poser la — de confiance***, een motie van vertrouwen uitlokken; ***la personne en —***, de bewuste persoon.

questionnaire [kèstyòné:r] *m.* **1** vragenlijst *v.*(*m.*); **2** vragenboek *o.*; **3** (*gesch.*) folteraar *m.*

questionner [kèstyòné] *v.t.* ondervragen.

questionneur [kèstyònœ:r] *m.* vraagal, (lastig) vrager *m.* [quaestor.

questure [kwèstü:r] *f.* quaestuur *v.*; ambt *o.* van

quête [kè:t] *f.* **1** geldinzameling *v.*, collecte *v.*(*m.*); **2** opsporing *v.*, (het) zoeken *o.*; ***être en — de***, op zoek zijn naar; ***faire la —***, geld inzamelen, collecteren; ***bourse de —***, kerk(e)zakje *o.*

quêter [kè˙té] **I** *v.t.* **1** zoeken naar; **2** (*v. wild, enz.*) opsporen; **3** inzamelen, collecteren; **II** *v.i.* collecteren.

quêteur [kè˙tœ:r] **I** *m.* inzamelaar, collectant *m.*; **II** *adj.*, ***frère —***, bedelmonnik *m.*

quetsche [kwètsj] *f.* (*Pl.*) kwets *v.*(*m.*).

queue [kö] *f.* **1** staart *m.*; **2** (*v. vrucht, bloem*) steel *m.*; **3** (*v. pan*) handvat *o.*, steel *m.*; **4** (*v. japon*) sleep *m.*; **5** (*v. biljart*) keu *v.*(*m.*), biljartstok *m.*; **6** (*v. vliegtuig*) staartvlak *o.*; ***faire —***, achter elkaar gaan staan, queue maken; ***prendre la —, se mettre à la —***, achteraan gaan staan; ***à la —***

leu leu, achter elkaar, op een rij; ***piano à —,*** vleugel *m.*; ***faire fausse —,*** (*bilj.*) ketsen; ***tenir la — de la poêle,*** het heft in handen hebben; ***finir en — de poisson,*** op een sisser uitlopen, uitgaan als een nachtkaars.

queue*-d'aronde [ködarõ·d] *f.* (*tn.*) zwaluwstaart *m.*

queue*-de-morue [ködmòrü] *f.* platte kwast *m.* (van schilder, enz.).

queue*-de-pie [ködpi] *f.* (*fam.*) rokkostuum *o.*

queue*-de-rat [ködra] *f.* (*tn.*) **1** ruimvijl *v.*(*m.*); **2** houten snuifdoos *v.*(*m.*).

queue*-de-renard [ködrena:r] *v.* **1** (*Pl.*) doddegras *o.*; **2** vossestaart *m.* [*m.*

queue*-de-souris [kötsuri] *f.* (*Pl.*) muizestaart

queue*-rouge* [köruj] *m.* pias, paljas *o.*

queuter [kö·té] *v.i.* (*bilj.*) doorduwen, biljarderen, (2 ballen met één stoot).

queux [kö] *m.* **1** slijpsteen *m.*; **2** ***maître —,*** kok *m.*

qui [ki] **I** *pr.int.* wie; ***— vous amène?*** wat brengt u hier? wat voert u hierheen? ***c'était à — m'offrirait ses services,*** als om strijd boden ze mij hun diensten aan; ***à — mieux mieux,*** om strijd, om het hardst; ***— plus — moins,*** sommigen meer, anderen minder; ***— vive?*** werda? ***être sur le — vive,*** op zijn hoede zijn; **II** *pr.rel.* die, dat, wat; ***ce —,*** wat; ***comme — dirait,*** als het ware; ***voilà — est beau,*** dat is mooi; ***le voilà — vient,*** daar komt hij.

quia [kŵia] *adv.*, ***être à —,*** met de mond vol tanden staan; ***mettre à —,*** tot zwijgen brengen.

quiche [kiʃ] *f.* dikke spekpannekoek *m.*

quiconque [kikõ:k] *pr.ind.* wie ook, alwie.

quidam [kidã] *m.* (een) zeker iemand.

quiétisme [kwiétizm] *m.* quiëtisme *o.*, leer *v.*(*m.*) van de volkomen berusting.

quiétiste [kwiétist] **I** *m.* quiëtist, aanhanger *m.* van het quiëtisme; **II** *adj.* quiëtistisch.

quiétude [k(w)iétü·d] *f.* gemoedsrust; rust *v.*(*m.*).

quignon [kiñõ] *m.* homp *m.* (brood).

quillage [kiya:j] *m.* havengeld, kielgeld *o.*

quille [ki:y] *f.* **1** (*sch.*) kiel *v.*(*m.*); **2** kegel *m.*; ***jeu de —s,*** kegelspel *o.*; ***jouer aux —s,*** kegelen; ***jouer des —s,*** (*fam.*) benen maken; ***être reçu comme un chien dans un jeu de —s,*** zeer slecht ontvangen worden.

quillé [kiyé] *adj.* gekield.

quiller [kiyé] **I** *v.i.* **1** de kegels weer opzetten; **2** gooien om te zien wie het eerst zal kegelen; **II** *v.t.* (vruchten) afgooien.

quillier [kiyé] *m.* kegelplaat *v.*(*m.*).

quillon [kiyõ] *m.* arm *m.* (van degenkruis).

quina [kina] *m.* kina *m.*

quinaire [kinè:r] *adj.* vijftallig, door 5 deelbaar; ***nombre —,*** getal dat door 5 deelbaar is.

quinaud [kino] *adj.* beschaamd, beteuterd.

quinauderie [kinodri] *f.* gezochte, weeïge stijl *m.*

quincaille [kẽ·ka·y] *f.* (koper- en) ijzerwaren *mv.*

quincaillerie [kẽ·kayri] *f.* **1** ijzerwaren *mv.*; **2** ijzerwinkel *m.*; **3** (*fig.*) blikwinkel *m.* (ridderorden). [slager *m.*

quincaillier [kẽ·kayé] *m.* ijzerkramer; koper-

quinconce [kẽ·kõ:s] *m.*, ***arbres en —,*** bomen geplant in groepen van vijf (als de ogen op een dobbelsteen).

quinconcial [kẽ·kõ·syal] *adj.* in groepen van vijf.

quindécagone [kŵẽ·dékagòn] *m.* vijftienhoek *m.*

quindécennal [kŵẽ·désénal] *adj.* vijftienjarig.

quindigitaire [kŵẽ·dijitè:r] *adj.* vijfvingerig.

quine [kin] *m.* **1** kien, rij van 5 nummers bij lotto; **2** (*bij dobbelspel*) twee vijven *mv.*; ***avoir un — à la loterie,*** (*fig.*) een lot uit de loterij hebben.

quinine [kinin] *f.* kinine *v.*(*m.*).

quininisme [kininizm] *m.* kininevergiftiging *v.*

quinquagénaire [kŵẽ·kwajénè:r] **I** *adj.* vijftigjarig; **II** *s.*, *m.-f.* vijftigjarige *m.-v.*

Quinquagésime [kŵẽ·kwajézim] *f.* Quinquagesima *m.*, zondag *m.* vóór de vasten.

quinquennal [k(w)ẽ·k(ŵ)ènal] *adj.* **1** vijfjarig; **2** vijfjaarlijks.

quinquet [kẽ·kè] *m.* petroleumlamp *v.*(*m.*).

quinquina [kẽ·kina] *m.* **1** kina *m.*; kinabast *m.*; **2** kinaboom *m.* [Vijfde.

quint [kẽ] *adj.* vijfde; ***Charles Q—,*** Karel de

quintaine [kẽ·tè·n] *f.* **1** (*bij spelen*) steekpaal *m.*; **2** (*fig.*) mikpunt *o.*

quintal [kẽ·tal] *m.* centenaar *m.* (100 pond of 50 kg); ***— métrique,*** 100 kg.

quinte [kẽ:t] *f.* **1** (*muz.*) kwint *v.*(*m.*); **2** (*bij kaartsp.*) vijfkaart *v.*(*m.*), reeks van vijf kaarten van dezelfde kleur; **3** (*bij dominospel*) vijf *v.*(*m.*); **4** hoestbui *v.*(*m.*); **5** (*fig.*) gril, kuur *v.*(*m.*); ***fausse —, — diminuée,*** (*muz.*) kleine kwint; ***— juste, — naturelle,*** reine kwint; ***avoir — et quatorze,*** gewonnen spel hebben.

quintefeuille [kẽ·tfœ·y] *f.* (*Pl.*) vijfvingerkruid *o.*

quintessence [kẽ·tèsã:s] *f.* kwintessens *v.*(*m.*), (het) beste, (het) voornaamste *o.*

quintessencier [kẽ·tèsã·syé] *v.t.* **1** (het) beste (*of* de kwintessens) uit iets halen; **2** (*fig.*) haarkloven, ziften.

quintette [kŵẽ·tèt] *m.* kwintet *o.*

quinteux [kẽ·tö] *adj.* nukkig, wispelturig, grillig.

Quintilien [kŵẽ·tilyẽ] *m.* Quintilianus *m.*

quintillion [kẽ·tilyõ] *m.* triljoen *o.*

quinto [kŵẽ·to] *adv.* ten vijfde. [vijfvoud *o.*

quintuple [k(ŵ)ẽ·tüpl] **I** *adj.* vijfvoudig; **II** *s. m.*

quintupler [k(ŵ)ẽ·tüplé] *v.t.* vervijfvoudigen.

quinzaine [kẽ·zè·n] *f.* **1** vijftiental *o.*; veertien dagen *mv.*, twee weken *mv.*; ***remettre*** (*ou* ***ajourner***) ***à —,*** 14 dagen uitstellen.

quinze [kẽ·z] *n.card.* vijftien; ***le — septembre,*** de vijftiende september; ***d'aujourd'hui en —,*** vandaag over veertien dagen.

quinzième [kẽ·zyèm] *n.ord.* vijftiende.

quinzièmement [kẽ·zyèm(m)ã] *adv.* ten vijftiende. [gissing *v.*

quiproquo [kipròko] *m.* misverstand *o.*, ver-

Quirinal [kŵirinal] *m.* Quirinaal *o.*

quittance [kitã:s] *f.* kwitantie *v.*, kwijtbrief *m.*, kwijting *v.*; ***donner —,*** **1** kwitantie geven, kwiteren; **2** (*fig.*) kwijtschelden.

quittancer [kitã·sé] *v.t.* kwiteren, voor voldaan tekenen.

quitte [kit] *adj.* niets schuldig; ***— à,*** op gevaar af van; ***— de,*** ontslagen van, vrij van; ***— et libre,*** (*v. eigendom*) vrij en onbezwaard; ***en être — pour,*** er af komen met, vrijkomen met; ***— ou double,*** **1** (*spel*) kiet of dubbel; **2** (*fig.*) alles of niets; ***je ne le tiens pas encore —,*** hij is nog niet van mij af.

quitter [kité] **I** *v.t.* **1** verlaten; weggaan van; **2** (*v. kleren, enz.*) uittrekken, uitdoen; **3** (*gewoonte, rouw*) afleggen; **4** (*spel*) opgeven; ***— la vie*** (*ou* ***le monde***), uit het leven (*of* de wereld) scheiden; ***— le monde*** (*ou* ***le théâtre, etc.***) de wereld (het toneel, enz.) vaarwel zeggen; ***— le lit,*** opstaan; ***le fleuve a quitté son lit,*** de stroom is buiten zijn oevers getreden; ***— la partie,*** de partij gewonnen geven, het veld ruimen; ***ne pas — qn. des yeux,*** de ogen niet van iem. afwenden; iem. in het oog houden; ***— qn. d'une dette,*** iem. een schuld kwijtschelden; **II** *v.i.* **1** heengaan; **2** loslaten; **3** (*v. vruchten*) afvallen.

quitus [kwitüs] *m.* kwitantie *v.*, decharge *v.(m.)*, goedkeuring *v.* van financieel beheer.
qui-vive ? [kivi:v] *ij.* wie daar? (*mil.*) werda? ***être sur le —,*** op zijn hoede zijn.
quoailler [kwa'yé] *v.i.* (*v. paarden*) steeds met de staart slaan.
quoi [kwa] **I** *pr.int.* wat? ***à — bon?*** waartoe dient het? ***— de plus agréable?*** is er iets aangenamers? **II** *pr.rel.*, ***c'est en — il a raison,*** daarin heeft hij gelijk; ***il a de —,*** hij zit er warmpjes in; ***il n'a pas de — vivre,*** hij heeft het nodige niet om van te leven; ***il n'y a pas de — vous inquiéter,*** er is geen reden om u ongerust te maken; ***il y a de —,*** er is wel reden voor; (***il n'y a***) ***pas de —,*** geen dank, niets te danken; ***— qu'il en soit,*** hoe het ook zij; ***voilà de — il s'agit,*** ziedaar, waarover het gaat; **III** *ij.* hoe! wat! hè!
quoique [kwak(e)] *conj.* (al)hoewel, ofschoon.
quolibet [kòlibè] *m.* kwinkslag *m.*, woordspeling, spotternij *v.*
quorum [kòròm] *m.* quorum *o.*, vereist aantal leden om wettig besluit te nemen. [*o.*
quote*-part* [kòtpa:r] *f.* aandeel, evenredig deel
quotidien [kòtidyẽ] **I** *adj.* **1** dagelijks; **2** alledaags; **II** *s. m.* dagblad *o.*
quotidiennement [kòtidyènmã] *adv.* dagelijks.
quotient [kòsyã] *m.* **1** quotiënt *o.*, uitkomst *v.* (van deling); **2** kiesdeler *m.*
quotité [kòtité] *f.* (evenredig) bedrag *o.*, bepaalde som *v.(m.)*; aandeel *o.* (van ieder); ***— disponible,*** (*v. erfenis*) beschikbaar gedeelte *o.*; ***impôt de —,*** hoofdelijke omslag *m.*

R

R [è:r] *m.* r *v.(m.)*.
ra [ra] *m.* (korte) roffel *m.*
rabâchage [raba'ʃa:j] *m.* gezanik, gezeur *o.*
rabâcher [raba'ʃé] *v.t. et v.i.* zaniken, zeuren; herkauwen.
rabâcheur [raba'ʃœ:r] *m.* zanik, zeurpot *m.*
rabais [rabè] *m.* **1** korting *v.*; **2** prijsvermindering *v.*, afslag *m.*; ***vendre au —,*** tegen verminderde prijzen verkopen; ***adjuger au —,*** aan de laagste inschrijver gunnen.
rabaissement [rabè'smã] *m.* vermindering *v.*
rabaisser [rabè'sé] **I** *v.t.* **1** lager plaatsen; lager hangen; **2** (*v. prijs*) verminderen; **3** (*v. leerling*) terugplaatsen; **4** (*fig.*) vernederen, verlagen, kleineren; ***— la voix,*** zachter spreken; ***— son vol,*** **1** lager vliegen; **2** (*fig.*) een toontje lager zingen; ***— le caquet*** (*ou* ***le ton***) ***de qn.,*** iem. een toontje lager doen zingen; **II** *v.pr.* ***se —,*** zich vernederen, zich verlagen.
rabaisseur [rabè'sœ:r] *m.* afkammer *m.*
raban [rabã] *m.* (*sch.*) sjorring *v.*
rabane [raban] *f.* raffiaweefsel *o.*
rabat [raba] *m.* **1** bef *v.(m.)*; **2** (*jacht*) klopjacht, drijfjacht *v.(m.)*; **3** (*v. pet*) neerslaande rand *m.*; **4** (*v. tas*) overslag *m.*
rabat-eau [rabato] *m.* spatlap *m.* [breker *m.*
rabat-joie [rabajwa] *m.* vreugdebederver, spel-
rabattage [rabata:j] *m.* **1** afknotting *v.*; **2** (*v. wol*) (het) noppen *o.*; **3** (*v. wild*) (het) opdrijven *o.*
rabattement [rabatmã] *m.* **1** (het) neerslaan *o.*; **2** (*recht*) opheffing *v.*
rabatteur [rabatœ:r] *m.* **1** (*jacht*) drijver *m.*; **2** (*in mijn*) houwer *m.*
rabattoir [rabatwa:r] *m.* kloofbeitel *m.*
rabattre* [rabatr] **I** *v.t.* **1** neerslaan; **2** (*v. naad, vouw*) gladstrijken; **3** (*v. wild*) opdrijven; **4** (*v. prijs*) afdoen; **5** (*v. wol*) noppen; ontharen; **6** (*v. boom*) afknotten, aftoppen; **7** (*v. kleur*) temperen; **8** (*v. marmer*) polijsten; **9** (*v. trots*) fnuiken; ***— le caquet à qn.,*** iem. de mond snoeren, iem. een toontje lager doen zingen; **II** *v.i.* verminderen; matigen; ***— à gauche,*** links afslaan; **III** *v.pr.* ***se —,*** **1** neerslaan; **2** (*v. vogels*) neerstrijken; **3** (*v. storm*) afdrijven; ***se — sur,*** (*mil.*) terugtrekken op; ***se — sur la politique,*** plotseling over politiek praten, het gesprek op de politiek brengen.
rabattu [rabatü] *adj.* omgeslagen, omgebogen.
rabbi(n) [rabi, rabẽ] *m.* rabbijn *m.*; ***grand —,*** opperrabbijn *m.*
rabbinat [rabina] *m.* waardigheid *v.* (ambt *o.*) van rabbijn.
rabbinique [rabinik] *adj.* rabbijns.
rabdomancie [rabdòmã'si] *f.* roedewichelarij *v.*
rabdomancien [rabdòmã'syẽ] *m.* roedewichelaar, wichelroedeloper *m.*
rabelaisien [rab(e)lèzyẽ] *adj.* (als) van Rabelais.
rabêtir [rabè'ti:r] **I** *v.t.* dom(mer) maken; **II** *v.i.* dommer worden.
rabibocher [rabibòʃé] *v.t.* (*fam.*) **1** herstellen, oplappen; **2** verzoenen.
rabiole [rabyòl] *f.* knolraap *v.(m.)*.
rabiot [rabyo] *m.* **1** restje, overschotje *o.*; **2** bijverdienste *v.*, buitenkansje *o.*
rabique [rabik] *adj.* van de hondsdolheid.
râble [ra:bl] *m.* **1** (*v. haas, ree, enz.*) rugstuk *o.*; **2** vuurhaak *m.*, rakelijzer *o.*
râblé [ra'blé], **râblu** [ra'blü] *adj.* **1** met brede rug; **2** (*fig.*) sterk (*of* fors) gebouwd.
râblure [ra'blü:r] *f.* (*sch.*) kielsponning *v.*
rabonnir [rabòni:r] **I** *v.t.* verbeteren, beter maken; **II** *v.i.* beter worden.
rabot [rabo] *m.* **1** schaaf *v.(m.)*; **2** kalkkloet *m.*; roerstok *m.*; **3** blokschroef *v.(m.)*; ***passer le — sur,*** **1** wat bijschaven; **2** wat verbeteren; polijsten, beschaven.
rabotage [rabòta:j] *m.* (het) schaven *o.*
rabote [rabòt] *f.* appelbol *m.*
raboter [rabòté] *v.t.* **1** schaven; **2** (*fig.*) polijsten.
raboteur [rabòtœ:r] *m.* schaver *m.*
raboteuse [rabòtö:z] *f.* schaafmachine *v.*
raboteux [rabòtö] *adj.* **1** ongeschaafd; **2** hobbelig, ongelijk, oneffen.
rabougri [rabugri] *adj.* mismaakt, onvolgroeid.
rabougrir [rabugri:r] **I** *v.t.* niet tot groei laten komen, de groei belemmeren; **II** *v.i. et v.pr.* ***se —,*** **1** niet uitgroeien, klein blijven; **2** verschrompelen, ineenkrimpen, kwijnen.
rabougrissement [rabugrismã] *m.* **1** dwerggroei *m.*; **2** verschrompeling *v.*
rabouiller [rabuyé] *v.t.*, (*v. water*) vertroebelen.
rabouillère [rabuyè:r] *f.* konijnehol *o.*
rabouilloir [rabuywa:r] *m.* plonsstok *m.*
raboutir [rabuti:r], **rabouter** [rabuté] *v.t.* aan elkaar naaien, aan elkaar zetten.
raboutissage [rabutisa:j] *m.* aaneenvoeging *v.*
rabrouer [rabrué] *v.t.* afsnauwen, toeblaffen.
rabroueur [rabruœ:r] *m.* snauwer, lomperd *m.*
raca! [raka] *ij.* snert! weg!

racage [raka:j] *m.* (*sch.*) rak *o.*
racahout [rakau] *m.* meelmengsel *o.* van salepwortel, cacao, eikel, aardappelmeel enz.
racaille [raka'y] *f.* janhagel, uitschot, grauw *o.*
raccommodable [rakòmòda'bl] *adj.* verstelbaar.
raccommodage [rakòmòda:j] *m.* **1** (het) verstellen *o.*; **2** verstelwerk *o.*; lapwerk *o.* [*v.*
raccommodement [rakòmòdmã] *m.* verzoening
raccommoder [rakòmòdé] **I** *v.t.* **1** herstellen, verstellen; **2** verzoenen; **II** *v.pr.* ***se — avec,*** zich verzoenen met.
raccommodeur [rakòmòdœ:r] *m.* versteller *m.*
raccord [rakò:r] *m.* **1** vereniging, verbinding, samenvoeging *v.*; **2** verbindingsstuk *o.*
raccordement [rakòrdemã] *m.* vereniging, verbinding, samenvoeging *v.*
raccorder [rakòrdé] *v.t.* **1** verenigen, verbinden, samenvoegen; **2** opnieuw stemmen.
raccourci [rakursi] **I** *adj.* verkort; ***à bras —s,*** uit alle macht, met inspanning van alle krachten; **II** *s. m.* **1** verkorting *v.*, verkorte vorm *m.*; **2** uittreksel *o.*; samenvatting *v.*; ***en —,*** in 't kort, beknopt.
raccourcir [rakursi:r] **I** *v.t.* **1** verkorten; afkorten; **2** (*v. arm*) buigen; intrekken; **3** (*v. kleed, enz.*) inkorten; ***— les ailes,*** kortwieken; **II** *v.i. et v.pr.* ***se —,*** **1** korter worden; **2** (*v. stoffen*) inkrimpen.
raccourcissement [rakursismã] *m.* **1** verkorting *v.*; **2** inkorting *v.*
raccoutrer [rakutré] *v.t.* verstellen, oplappen.
raccoutumer, se — [s(e)rakutümé] (*à*), *v.pr.* (zich) weer wennen (aan).
raccroc [rakro] *m.* **1** meevaller *m.*; **2** (*bilj.*) beest *o.*; ***coup de —,*** gelukkige stoot (*of* slag) *m.*
raccrocher [rakròʃé] **I** *v.t.* weer ophangen; **2** (*v. persoon*) aanklampen; **3** terugkrijgen; **4** door een toeval verkrijgen; **5** (*v. tel.*) weer aan de haak hangen; **II** *v.i.* **1** (*bij spel*) boffen; **2** (*bilj.*) een beest maken; **III** *v.pr.* ***se — à,*** zich vastklampen aan.
race [ras] *f.* **1** ras *o.*; **2** geslacht *o.*; **3** afkomst *v.*; ***— de vipères,*** addergebroed *o.*; ***chien de —,*** rashond *m.*; ***une méchante —,*** een slecht volkje *o.*
racé [rasé] *adj.* **1** van goed ras; **2** rasecht.
racème [rasèm] *m.* (*Pl.*) tros *m.*
racémiforme [rasémifòrm] *adj.* trosvormig.
racer [rasé] *v.i.* het ras voortplanten.
raceur [rasœ:r] *m.* fokdier *o.*
rachat [raʃa] *m.* **1** terugkoop *m.*; **2** afkoop *m.*; **3** aflossing *v.*; **4** dekkingsinkoop *m.*
Rachecourt [raʃ(e)ku:r] Roesig *o.*
rachetable [raʃta'bl] *adj.* **1** terugkoopbaar; **2** aflosbaar; **3** afkoopbaar.
racheter* [raʃté] *v.t.* **1** terugkopen; **2** afkopen; **3** vrijkopen; **4** aflossen; **5** boeten voor; **6** goedmaken.
racheux [raʃö] *adj.* knoestig, moeilijk te polijsten.
rachidien [raʃidyẽ] *adj.* ruggegraats—.
rachis [raʃis] *m.* **1** ruggegraat *v.(m.)*; **2** (*Pl.*) centrale as *v.(m.)*.
rachitique [raʃitik] **I** *adj.* aan Engelse ziekte lijdend; **II** *s. m.* lijder *m.* aan Engelse ziekte. [*v.*
rachitis(me) [raʃitis, raʃitizm] *m.* Engelse ziekte
racial [rasyal] *adj.* rassen—, van het ras.
racinal [rasinal] *m.* grondbalk *m.*
racine [rasin] *f.* **1** wortel *m.*; **2** oorsprong *m.*; uitgangspunt *o.*; ***prendre —,*** **1** wortel schieten; **2** (*op bezoek*) blijven plakken; ***— carrée,*** vierkantswortel; ***— cubique,*** derdemachtswortel.
racinement [rasinemã] *m.* het wortel schieten *o.*
raciner [rasiné] **I** *v.i.* wortel schieten; **II** *v.t.* (note)bruin verven.
racineux [rasinö] *adj.* wortelvormig.
racinien [rasinyẽ] *adj.* (als) van Racine, in de trant van Racine.
racique [rasik] *adj.* stam—; van het ras; ***sentiment —,*** stamgevoel *o.* [*v.(m.)*.
racisme [rasizm] *m.* rassenpolitiek *v.*; rassenleer
raciste [rasist] *m.* voorstander *m.* van rassenscheiding, nationalist *m.* [krabben *o.*
raclage [rakla:j] *m.* afschrapping *v.*, (het) af-
racle [rakl] *f.* krabber *m.*, schraapijzer *o.*
raclée [raklé] *f.* rammeling *v.*, pak *o.* slaag.
racler [raklé] *v.t.* **1** afschrappen, afkrabben; **2** (*v. maat*) afstrijken; **3** (*fig.*) krassen op (viool); ***se — la gorge,*** de keel schrapen.
raclerie [rakleri] *f.* gekras *o.*
raclette [raklèt] *f.* schraapijzer *o.*, krabber *m.*
racleur [raklœ:r] *m.* krasser *m.* [scheermes *o.*
racloir [raklwa:r] *m.* **1** schraapijzer *o.*; **2** (*pop.*)
racloire [raklwa:r] *f.* strijkstok *m.*
raclure [raklü:r] *f.* afschraapsel, schaafsel *o.* [*o.*
racolage [rakòla:j] *m.* (het) werven, (het) ronselen
racoler [rakòlé] *v.t.* aanwerven, ronselen, werven (door list of geweld).
racoleur [rakòlœ:r] *m.* ronselaar; zielverkoper *m.*
racontage [rakõ'ta:j], **racontar** [rakõ'ta:r] *m.* praatje *o.*
raconter [rakõ'té] *v.t.* vertellen, verhalen; zeggen; ***en — de belles,*** dwaze geschiedenissen vertellen.
raconteur [rakõ'tœ:r] *m.* verteller *m.*; praatvaar *m.*
racornir [rakòrni:r] **I** *v.t.* doen verharden, hard maken; **II** *v.pr.*, ***se —,*** **1** verharden; **2** (*fig.*) verschrompelen.
racornissement [rakòrnismã] *m.* **1** hardwording *v.*; **2** verschrompeling *v.*
Racour [raku:r] Raatshoven *o.*
racquérir [rakéri:r] *v.t.* terugkrijgen; herwinnen.
racquitter, se — [s(e)rakité] *v.pr.* zijn schade inhalen.
radar [radar] *m.* radar *m.*
radariste [radarist] *m.* radarspecialist *m.*
rade [ra'd] *f.* rede *v.(m.)*; ***en — de,*** op de rede van.
rade*-abri* [radabri] *f.* beschutte rede, vluchthaven *v.(m.)*.
radeau [rado] *m.* **1** vlot *o.*; **2** houtvlot *o.*; ***— de fortune,*** noodvlot *o.*; ***pont de —x,*** vlotbrug *v.(m.)*.
rader [radé] *v.t.* **1** op de rede brengen; **2** (*v. maat*) gladstrijken. [straaldier *o.*
radiaire [radyè:r] **I** *adj.* straalvormig; **II** *s. m.*
radial [radyal] *adj.* straalvormig; stralend; ***couronne —e,*** stralenkroon *v.(m.)*.
radialement [radyalmã] *adv.* straalsgewijze.
radian [radyã] *m.* (*v. hoek*) radiaal *m.*
radiance [radyã:s] *f.* straling *v.*
radiant [radyã] *adj.* uitstralend.
radiateur [radyatœ:r] *m.* **1** verwarmingstoestel *o.*; **2** (*v. auto*) radiator, afkoeler *m.*
radiation [radyɑ'syõ] *f.* **1** uitstraling; afstraling *v.*; **2** doorhaling, doorschrapping *v.*, royement *m.*
radical [radikal] **I** *adj.* **1** wortel—; **2** (*fig.*) grondig; volkomen; **3** (*politiek*) radicaal; **4** (*wisk.*) van de wortel; **5** (*v. maatregel*) afdoend; **II** *s. m.* **1** stam *m.*, wortelwoord *o.*; **2** (*wisk.*) wortelteken *o.*; **3** (*scheik.*) radicaal *o.*; **4** (*in politiek*) radicaal *m.*
radicalement [radikalmã] *adv.* grondig, volkomen, radicaal.
radicalisme [radikalizm] *m.* leer *v.(m.)* (*of* stelsel *o.*) van de radicalen.
radicant [radikã] *adj.* met bijwortels.
radication [radikɑ'syõ] *f.* (*Pl.*) wortelschieting *v.*
radicelle [radisèl] *f.* haarworteltje *o.*
radicule [radikül] *f.* wortelkiem *v.(m.)*.
radié [radyé] **I** *adj.* straalvormig; straal—; **II** *s. m.* straaldiertje *o.*
radier [radyé] **I** *m.* sluisbedding, sluisfundering *v.*; **II** *v.i.* stralen; **III** *v.t.* schrappen.

radiesthésie [radièstézi] *f.* bronnenvinding; uitstralingswaarneming *v.* [wichelroede *v.(m.)*.
radiesthésique [radièstézik] *adj.*, ***pendule* —,**
radieux [radyö] *adj.* **1** stralend; **2** schitterend.
radifère [radifè:r] *adj.* radiumhoudend.
radin [radẽ] *adj.* (*pop.*) gierig.
radio [radyo] **I** *m.* **1** radiotelegram *o.*; **2** marconist *m.*; **II** *f.* **1** radio *m.*; **2** röntgenonderzoek *o.*; ***passer à la* —,** doorgelicht worden.
radio-actif [radyòaktif] *adj.* radioactief.
radio-activité [radyòaktivité] *f.* radioactiviteit *v.*
radiocommunication [radyòkòmünika'syõ] *f.* **1** radioverbinding *v.*; **2** draadloos telegram *o.*
radioconducteur [radyòkõ'düktœ:r] *m.* coherer *m.*
radiodiffusé [radyòdifü'zé] *adj.* radio—.
radiodiffuser [radyòdifü'zé] *v.t.* uitzenden (door de radio).
radiodiffusion [radyòdifüzyõ] *f.* **1** radio-omroep *m.*; **2** radiouitzending *v.*
radio-électricité [radyòélèktrisité] *f.* de Hertzse golven betreffend onderdeel *o.* van de fysica.
radio-électrique [radyòélèktrik] *adj.* de Hertzse golven betreffend. [ding *v.*
radio-émission [radyòémisyõ] *f.* radiouitzen-
radiogoniomètre [radyògònyòmè'tr] *m.* (*T. S. F.*) richtingzoeker *m.*
radiogramme [radyògram] *m.* **1** röntgenfoto *v.(m.)*; **2** radiogram *o.*
radiographe [radyògraf] *m.* röntgenoloog *m.*
radiographie [radyògrafi] *f.* röntgenfotografie *v.*
radiographier [radyògrafyé] *v.t.* radiograferen; doorlichten.
radiographique [radyògrafik] *adj.* met X-stralen opgenomen; ***examen* —,** röntgenonderzoek.
radioguidage [radyògida:j] *m.* draadloze besturing *v.* [„binnenpraten".
radioguider [radyògidé] *v.t.* draadloos besturen;
radiojournal [radyòjurnal] *m.*, (radio) nieuwsberichten *mv.*
radiolaire [radyòlè:r] *m.* raderdiertje, straaldiertje *o.* [*v.*
radiologie [radyòlòji] *f.* (*gen.*) stralingstoepassing
radiologique [radyòlòjik] *adj.* röntgenologisch.
radiologiste [radyòlòjist], **radiologue** [radyòlò:g] *m.* röntgenoloog *m.*
radiomètre [radyòmè'tr] *m.* radiometer *m.*
radiophare [radyòfa:r] *m.* radiobaken *o.*
radiophone [radyòfòn] *m.* draadloze telefoon *m.*
radiophonie [radyòfòni] *f.* draadloze telefonie *v.*
radiophonique [radyòfònik] *adj.* radio—; ***pièce* —,** luisterspel, hoorspel *o.*
radioscoper [radyòskòpé] *v.t.* (*gen.*) doorlichten.
radioscopie [radyòskòpi] *f.* (*gen.*) röntgenonderzoek.
radiosignalisation [radyòsiñaliza'syõ] *f.* per radio aangeven *o.* van vaar- of vliegroute.
radiosondage [radyòsõ'da:j] *f.* meteorologische waarneming *v.* met peilingsballon.
radiotélégramme [radyòtélégram] *m.* radiogram, draadloos telegram *o.* [telegrafie *v.*
radiotélégraphie [radyòtélégrafi] *f.* draadloze
radiotélégraphist [radyòtélégrafist] *m.* radiotelegrafist, marconist *m.* [fonie *v.*
radiotéléphonie [radyòtéléfòni] *f.* draadloze tele-
radiothérapie [radyòtérapi] *f.* geneeswijze *v.(m.)* door middel van X-stralen.
radis [radi] *m.* radijs *v.(m.)*; **— *noir*,** rammenas *v.(m.)*; ***ne pas avoir un* —,** geen cent hebben.
radium [radyòm] *m.* radium *o.*
radiumthérapie [radyòmtérapi] *f.* geneeswijze *v.(m.)* met radium, behandeling *v.* —.
radius [radyü's] *m.* spaakbeen *o.*
radoire [radwa:r] *f.* strijkhout *o.*
radotage [radòta:j] *m.* gebazel, geklets *o.*
radoter [radòté] *v.i.* bazelen, kletsen.
radoterie [radòtri] *f.* gebazel *o.*, onzin *m.*
radoteur [radòtœ:r] *m.* kletser *m.*
radoub [radu(b)] *m.* (*sch.*) kalfatering *v.*; ***bassin de* —,** droogdok *o.*
radouber [radubé] **I** *v.t.* **1** (*v. schip*) kalfateren; **2** (*v. net*) herstellen; **II** *v.pr.* ***se* —,** weer opknappen.
radoucir [radusi:r] **I** *v.t.* verzachten; **II** *v.pr.* ***se* —,** zachter worden.
radoucissement [radusismã] *m.* verzachting *v.*
rafale [rafal] *f.* **1** rukwind, windstoot *m.*; **2** (*fig.*) storm *m.*; **3** (*mil.*) vuurlaag *v.(m.)*; **— *de neige*,** sneeuwbui *v.(m.)*.
rafalé [rafalé] *adj.* **1** door een rukwind overvallen; **2** (*fig.*) door tegenspoed geteisterd.
raffermir [rafèrmi:r] **I** *v.t.* weer bevestigen; versterken; **II** *v.pr.* ***se* —,** steviger worden.
raffermissement [rafèrmismã] *m.* bevestiging *v.*; versterking *v.*
raffinage [rafina:j] *m.* raffinering, zuivering *v.*
raffiné [rafiné] *adj.* **1** geraffineerd, gezuiverd; **2** verfijnd; **3** geslepen; doortrapt.
raffinement [rafinmã] *m.* **1** verfijning *v.*; **2** spitsvondigheid *v.*; gezochtheid *v.*; **3** doortraptheid *v.*; **— *de cruauté*,** verfijnde wreedheid *v.*
raffiner [rafiné] **I** *v.t.* **1** (*v. suiker, enz.*) zuiveren, raffineren; **2** (*v. smaak, enz.*) verfijnen; **3** (*v. staal*) affineren; **II** *v.i.* haarkloven; **— *sur*,** kieskeurig zijn in; **— *dans*,** uitmunten in.
raffinerie [rafinri] *f.* raffinaderij *v.*
raffineur [rafinœ:r] *m.* raffinadeur *m.*
raffoler [rafòlé] *v.i.* verzot zijn (***de***, op).
raffut [rafü] *m.* herrie *v.(m.)*, kabaal *o.*
raffûter [rafüté] *v.t.* **1** (*v. hoed, enz.*) weer opmaken; opknappen; **2** weer scherpen.
rafio [rafyo] *m.* (roei)bootje *o.*
rafistoler [rafistòlé] *v.t.* **1** verstellen, oplappen; **2** samenflansen.
rafle [rafl] *f.* **1** (*v. druiventros*) rist *v.(m.)*; **2** razzia *v.(m.)*; **3** plundering *v.*; **4** steeknet, visnet *o.*; ***faire* — *sur*,** alles wegkapen.
rafler [raflé] **I** *v.t.* alles wegkapen; **II** *v.i.* (*bij het dobbelen*) dubbel gooien.
rafraîchir [rafrèʃi:r] **I** *v.t.* **1** verfrissen; **2** (*v. geheugen, enz.*) opfrissen; **3** (*v. vloeistof*) verversen; **4** (*v. haar*) bijknippen; **5** (*v. grond*) (opnieuw) omwerken; **6** (*v. kleur*) ophalen; **II** *v.i.* koel worden; **III** *v.pr.* ***se* —, 1** zich verfrissen; **2** iets gebruiken; **3** koeler (frisser) worden.
rafraîchissant [rafrèʃisã] *adj.* **1** (*v. drank*) verkoelend, verfrissend; **2** (*v. regen*) verkwikkend.
rafraîchissement [rafrèʃismã] *m.* **1** verkoeling, verfrissing *v.*; **2** verkwikking *v.*; **3** verversing *v*;. **4** (het) omwerken *o.*; **5** (*v. kleur*) (het) ophalen *o.*; **—s,** verversingen *mv.*
rafraîchisseur [rafrèʃisœ:r] *m.* luchtbevochtiger, verstuiver *m.*
rafraîchissoir [rafrèʃiswa:r] *m.* koeler, koelbak *m.*, koelvat *o.*
ragaillardir [ragayardi:r] **I** *v.t.* opvrolijken; **II** *v.pr.* ***se* —,** weer vrolijk worden.
rage [ra:j] *f.* **1** (honds)dolheid *v.*; **2** woede *v.(m.)*, razernij *v.*; **— *de dents*,** hevige kiespijn *v.(m.)*; ***faire* —, 1** (*v. storm, enz.*) woeden, razen; **2** in de mode zijn; **3** geweldig (*of* oorverdovend) lawaai maken.
rageant [ra'jã] *adj.* (*pop.*) vervelend, rottig.
rager [rajé] *v.i.* razen, tieren, te keer gaan.
rageur [rajœ:r] **I** *m.* driftkop, woedend mens *m.*;

II *adj.* **1** woedend, razend; **2** (*v. persoon*) driftig; **3** (*v. karakter*) opvliegend.
rageusement [rajö'zmã] *adv.* razend, woedend, als een razende. [jas *m. en v.*
raglan [raglã] *m.* jas zonder schoudernaad, raglan-
ragot [rago] **I** *adj.* ineengedrongen, kort en dik; **II** *s. m.* **1** dikkerd *m.*; **2** jong wild zwijn *o.*; **3** (*fam.*) kletspraatje *o.*; ***faire des —s,*** roddelen.
ragoter [ragòté] **I** *v.i.* kwaadspreken; **II** *v.t.* brommen tegen.
ragoût [ragu] *m.* **1** ragoût *m.*, vlees *o.* (*of* vis *m.*) met gekruide saus; **2** (*fig.*) prikkeling *v.*
ragoûtant [ragutã] *adj.* **1** de eetlust prikkelend; smakelijk; **2** aanlokkelijk.
ragoûter [raguté] *v.i.* **1** de eetlust weer opwekken; **2** prikkelen; aanlokken. [haken.
ragrafer [ragrafé] *v.t.* weer vasthaken, weer toe-
ragrandir [ragrã'di:r] *v.t.* weer vergroten.
ragréer [ragréé] *v.t.* herstellen, opknappen.
raguer [ragé] *v.t.* afslijten, afschuren.
raguet [ragè] *m.* kleine kabeljauw *m.*
rahat-lokoum [rahatlokum] *m.* bep. soort oosters suikergoed *o.*
rai [rè] *voir* ***rais.***
raid [rèd] *m.* **1** inval *m.*; **2** (*sp.*) afstandsrit *m.*; **3** (*vl.*) (afstands)vlucht *v.*(*m.*); ***— pédestre,*** wandeltocht *m.*
raide [rè'd] **I** *adj.* **1** (*v. boord, enz.*) stijf; **2** (*v. ledematen*) stram; **3** (*v. helling, trap*) steil; **4** (*v. houding*) stug, onbuigzaam; **5** (*v. touw*) strak; ***elle est —, celle-là!*** dat is sterk! dat is kras! **II** *adv.*, ***— mort,*** morsdood; ***mener —,*** krachtig aanpakken; ***frapper —,*** flink erop losslaan; ***monter —,*** steil naar boven gaan; ***tuer —,*** morsdood slaan.
raideur [rè'dœ:r] *f.* **1** stijfheid *v.*; **2** stramheid *v.*; **3** steilheid *v.*; **4** stugheid, onbuigzaamheid *v.*; **5** strakheid *v.*
raidillon [rè'diyõ] *m.* steil pad *o.*
raidir [rè'di:r] **I** *v.t.* **1** stijf maken; **2** (*v. touw, ketting*) spannen; **3** (*sch.*) aanhalen; **II** *v.i. et v.pr.* ***se —,*** **1** stijf worden; **2** verstijven; **3** (*fig.*) zich schrap zetten.
raidissement [rè'dismã] *m.* **1** (het) stijf worden *o.*; **2** verstijving *v.*; **3** 't zich schrap zetten *o.*
raidisseur [rè'disœ:r] *m.* draadspanner *m.*
raie [rè] *f.* **1** streep, lijn *v.*(*m.*); **2** (*in haar*) scheiding *v.*; **3** voor *v.*(*m.*); **4** (*Dk.*) rog *m.*
raifort [rèfò:r] *m.* rammenas *v.*(*m.*).
raiguiser [régwi'zé] *v.t.* opnieuw slijpen.
rail [ra'y] *m.* spoorstaaf, rail *v.*(*m.*).
railler [ra'yé] **I** *v.t.* bespotten, voor de gek houden; **II** *v.i.* spotten, schertsen; **III** *v.pr.* ***se —*** (***de***), spotten (met).
raillerie [ra'yri] *f.* spotternij *v.*, scherts *v.*(*m.*); ***entendre —,*** scherts kunnen verdragen; ***entendre la —,*** goed kunnen schertsen; ***— à part,*** alle gekheid op een stokje.
railleur [ra'yœ:r] **I** *adj.* schertsend, spottend; **II** *s. m.* spotter, spotvogel *m.*
railleusement [ra'yö'zmã] *adv.* spottend.
rainer [rè'né] *v.t.* een sponning maken in; groeven.
rainette [rènèt] *f.* **1** (*Dk.*) boomkikvors *m.*; **2** (*Pl.*) renet *v.*(*m.*).
rainoire [rè'nwa:r] *f.* sponningschaaf *v.*(*m.*).
rainure [rè'nü:r] *f.* groef, sponning *v.*(*m.*).
raire [rè:r], **réer** *v.i.* (*v. hert*) burlen, schreeuwen.
rais [rè] *m.* **1** straal *m.*; **2** spaak *v.*(*m.*).
raisin [rè'zẽ] *m.* **1** druif *v.*(*m.*); **2** bep. papierformaat *o.* (50 × 65 cm); ***— noir,*** blauwe druif; ***— sec,*** rozijn *v.*(*m.*); ***— de Corinthe,*** krent *v.*(*m.*); ***— des bois,*** bosbes, blauwbes *v.*(*m.*).
raisiné [rè'ziné] *m.* druivengelei *m. en v.*
raison [rè'zõ] *f.* **1** reden *v.*(*m.*); **2** rede *v.*(*m.*), verstand *o.*; **3** grond *m.*, oorzaak *v.*(*m.*); **4** verhouding, evenredigheid *v.*; **5** rekenschap, verantwoording *v.*; ***avoir —,*** gelijk hebben; ***à — de,*** in verhouding tot; met de snelheid van; tegen (de prijs van); ***à tort ou à —,*** te recht of ten onrechte; ***à plus forte —,*** te meer, met des te meer recht; ***avoir — de qn.,*** iem. de baas zijn, iem. overwinnen; ***entendre —,*** voor rede vatbaar zijn; ***perdre la —,*** het verstand verliezen; ***mariage de —,*** huwelijk *o.* uit berekening; ***— sociale,*** firma *v.*(*m.*), handelsnaam *m.*; ***demander — de,*** voldoening eisen voor; ***demander la —,*** naar de reden vragen; ***avoir des —s avec qn.,*** ongenoegen met iem. hebben; ***donner — à,*** gelijk geven aan; ***se faire une —,*** zich in 't onvermijdelijke schikken; ***se rendre à la —,*** voor rede vatbaar zijn, naar rede luisteren; ***parler —,*** verstandig spreken; ***hors de —,*** onbillijk; ***manquer de —,*** onverstandig zijn; ***avoir toute sa —,*** goed bij zijn verstand zijn; ***mettre à la —,*** tot rede brengen; ***en — de,*** **1** met het oog op, wegens; **2** naar verhouding van; ***comme de —,*** zoals de billijkheid eist; natuurlijk; ***plus que de —,*** meer dan behoorlijk is; ***non sans —,*** terecht, niet zonder reden; ***— d'être,*** reden van bestaan; ***—s de famille,*** familieomstandigheden *mv.*
raisonnable(ment) [rè'zòna'bl(emã)] *adj.* (*adv.*) **1** redelijk; **2** verstandig; **3** (*v. prijs, enz.*) billijk; **4** behoorlijk.
raisonné [rè'zòné] *adj.* beredeneerd.
raisonnement [rè'zònmã] *m.* **1** redenering *v.*; **2** (*rek.*) beredenering *v.*; **3** bewijsgrond *m.*; ***faire des —s à perte de vue,*** honderd uit redeneren.
raisonner [rè'zòné] **I** *v.i.* **1** redeneren; **2** het verstand gebruiken, oordelen; **II** *v.t.* **1** beredeneren; **2** tot rede brengen; overtuigen; **3** (*sch.*) praaien; ***— politique,*** over politiek praten.
raisonneur [rè'zònœ:r] *m.* **1** redeneerder *m.*; **2** praatjesmaker; tegenstribbelaar *m.*
raja(h) [raja] *m.* radja *m.*
rajeunir [rajœni:r] **I** *v.t.* **1** verjongen, jonger maken; **2** voor jonger aanzien; **II** *v.i.* jonger worden; weer jong worden; **III** *v.pr.* ***se —,*** **1** zich voor jonger uitgeven; **2** zich een jeugdiger voorkomen geven.
rajeunissement [rajœnismã] *m.* verjonging *v.*
rajouter [rajuté] *v.t.* weer bijvoegen.
rajuster [rajüsté] *v.t.* **1** herstellen; **2** weer in orde brengen; **3** (*fig.*) met elkaar verzoenen.
râle [ra:l] *m.* **1** gereutel *o.*; **2** (*Dk.*) riethoen *o.*, ral *m.*
râlement [ra'lmã] *m.* gereutel *o.*
ralentir [ralã'ti:r] **I** *v.t.* **1** vertragen; **2** inhouden; **II** *v.i. et v.pr.* ***se —,*** **1** langzamer gaan; **2** afnemen; ***film au ralenti,*** vertraagde film *m.*; ***moteur au ralenti,*** stationair draaiende motor; ***tourner au ralenti,*** vertraagd opnemen, vertragen; ***grève ralenti,*** langzaam-aan-actie *v.*
ralentissement [ralã'tismã] *m.* **1** vertraging *v*; **2** vermindering *v.*; **3** verflauwing, verslapping *v.*
ralentisseur [ralã'tisœ:r] *m.* (*tn.*) vertrager *m.*
râler [ra'lé] *v.i.* **1** reutelen; **2** (*pop.*) pingelen.
râleur [ra'lœ:r] *m.* **1** reutelaar *m.*; **2** (*pop.*) pingelaar *m.*
râleux [ra'lö] *adj.* vrekkig.
ralingue [ralẽ'g] *f.* (*sch.*; *v. zeil*) lijk *o.*
ralinguer [ralẽ'gé] **I** *v.t.* de lijken naaien aan; **II** *v.i.* (*v. zeil*) slaan in de wind.
ralliement [ralimã] *m.* verzameling, hereniging *v.*; ***point de —,*** verzamelplaats *v.*(*m.*); ***mot de —,*** **1** wachtwoord *o.*; **2** (*fig.*) leus *v.*(*m.*); ***signe de —,***

herkenningsteken *o.*; ***sonner le —,*** verzamelen blazen.
rallier [ralyé] **I** *v.t.* **1** weer verzamelen, herenigen; **2** (*fig.*) tot overeenstemming brengen; — ***tous les suffrages, — toutes les voix,*** alle stemmen op zich verenigen; — ***qn. à,*** iem. overhalen tot; **II** *v.pr.* ***se —,*** **1** zich weer verenigen, zich herenigen; **2** (*fig.*) zich aansluiten (bij), overgaan (tot); onderschrijven.
rallonge [ralõ:j] *f.* verlengstuk *o.*; tafelblad *o.*; ***table à —s,*** uittrektafel *v.(m.).*
rallongement [ralõ˙jmã] *m.* verlenging *v.*
rallonger [ralõ˙jé] **I** *v.t.* **1** verlengen, een stuk zetten aan; **2** (*v. tafel*) uittrekken; **3** (*v. kledingstuk*) uitleggen; **II** *v.pr.* ***se —,*** langer worden.
rallumer [ralümé] **I** *v.t.* **1** weer aansteken; **2** (*v. twist, strijd*) weer doen ontbranden; **3** (*v. geestdrift*) weer doen opleven; **II** *v.pr.* ***se —,*** **1** weer aangaan; **2** weer ontbranden; **3** weer opleven.
rallye [rali] *m.* sterrit, rally *m.*
rallye*-automobile [ralio˙tòmòbil] *m.* autorally [*m.*
ramadan [ramadã] *m.* ramadan *m.*, mohammedaanse vastenmaand.
ramage [rama:j] *m.* **1** (*v. vogel*) gekweel, gezang *o.*; **2** (*v. kind*) gekeuvel *o.*; **3** (*op stof*) bloemwerk *o.*, bloemen *mv.*
ramagé [ramajé] *adj.* met loofwerk versierd.
ramager [ramajé] *v.i.* kwelen.
ramaigrir [ramègri:r] **I** *v.t.* weer mager doen worden; **II** *v.i.* weer vermageren.
ramaigrissement [ramègrismã] *m.* vermagering [*v.*
ramas [ramɑ] *m.* **1** samenraapsel *o.*; **2** rommel *m.*; **3** (het) sprokkelen *o.*
ramasse [ramɑ:s] *f.* bergslede *v.(m.).*
ramassé [ramɑ˙sé] *adj.* ineengedrongen.
ramasse-couverts [ramɑ˙skuvè:r] *m.* afneembak [*m.*
ramasse-miettes [ramɑ˙smyèt] *m.* tafelschuier *m.* en blikje *o.*
ramasse-monnaie [ramɑ˙smònè] *m.* betaalmatje *o.*
ramasser [ramɑ˙sé] **I** *v.t.* **1** bijeenbrengen, verzamelen; **2** (*v. de grond*) oprapen; **3** (*v. hout*) sprokkelen; **4** (*v. appels, eieren*) rapen; **5** (*v. misdadiger*) inrekenen; **6** (*v. ziekte, slagen*) oplopen; **7** (*v. krachten, moed, enz.*) verzamelen; **8** (*beurs*) uit de markt nemen; ***se faire —,*** zich laten pakken, — inrekenen; **II** *v.pr.* ***se —,*** **1** zich verzamelen; **2** zich ineenrollen, ineenkrimpen; **3** (*fig.*) zijn krachten verzamelen.
ramasseur [ramɑ˙sœ:r] *m.* verzamelaar, inzamelaar, ophaler *m.*
ramassis [ramɑ˙si] *m.* samenraapsel, zootje *o.*
rambarde [rã˙ba(r)d] *f.* (*sch.*) reling *v.(m.).*
rame [ram] *f.* **1** (*v. bonen, erwten*) rijs *o.*, staak *m.*; **2** roeiriem *m.*, roeispaan *v.(m.)*; **3** (*v. spoorwagens*) rij, reeks *v.(m.)*; **4** (*v. papier*) riem *m.*; ***faire force de —s,*** uit alle macht roeien.
rameau [ramo] *m.* **1** takje *o.*, twijg *m.*; **2** (*v. wetenschap*) afdeling *v.*; **3** (*v. zenuwen, aders*) vertakking *v.*; **4** (*v. geslacht*) zijlinie *v.*, zijtak *m.*; **5** (*v. gebergte*) uitloper *m.*; ***dimanche des R—x,*** Palmzondag.
ramée [ramé] *f.* loof; bladerdak *o.*
ramender [ramã˙dé] *v.t.* **1** weer verbeteren; **2** opnieuw bemesten; **3** opnieuw vergulden; **4** (*oud*), (*v. waren*) afslaan.
ramener [ramné] *v.t.* **1** terugbrengen; **2** terugvoeren; **3** herleiden (*à*, tot); **4** (*fig.: v. vertrouwen, enz.*) herstellen, doen herleven, doen terugkeren; — ***chez soi,*** naar huis brengen; — ***tout à soi,*** alles naar zich zelf afmeten.
ramequin [ramkẽ] *m.* kaasgebakje *o.*
ramer [ramé] **I** *v.i.* **1** roeien; **2** (*fig.*) zwoegen, zich uitsloven; **II** *v.t.* **1** (*v. bonen, erwten*) met rijshout (*of* staken) stutten; **2** (*v. laken*) spannen.
ramereau [ramro] *m.* jonge houtduif *v.(m.).*
rameur [ramœ:r] *m.* roeier *m.*
rameux [ramö] *adj.* getakt, met takken.
ramier [ramyé] *m.* **1** (*Dk.*) ringduif, houtduif *v.(m.)*; **2** takkenbos *m.*
ramifère [ramifè:r] *adj.* met vertakkingen.
ramification [ramifikɑ˙syõ] *f.* vertakking *v.*
ramifier, se — [s(e)ramifyé] *v.pr.* zich vertakken.
ramille [rami˙y] *f.* twijgje *o.*
ramoindrir [ramwẽ˙dri:r] *v.t. et v.i.* weer verminderen.
ramolli [ramòli] *m.* sufferd *m.*
ramollir [ramòli:r] *v.t.* **1** zacht (*of* week) maken; **2** (*fig.*) verslappen, ontzenuwen.
ramollissant [ramòlisã] *adj.* **1** week makend; **2** (*v. geneesmiddel*) verzachtend.
ramollissement [ramòlismã] *m.* **1** verweking *v.*; **2** verwekelijking *v.*; **3** verzachting *v.*
ramonage [ramòna:j] *m.* (het) schoorsteenvegen *o.*
ramoner [ramòné] *v.t.* (de schoorsteen) vegen.
ramoneur [ramònœ:r] *m.* schoorsteenveger *m.*
ramonure [ramònü:r] *f.* schoorsteenroet *o.*
rampant [rã˙pã] *adj.* **1** kruipend; **2** (*bouwk.*) hellend; **3** (*wap.*) klimmend; **4** (*fig.*) kruiperig.
rampe [rã˙p] *f.* **1** trapleuning *v.*; **2** (*v. weg*) helling *v.*; **3** (*v. toneel*) voetlicht *o.*; **4** (*v. station*) laadperron *o.*; ***la fièvre de la —,*** de plankenkoorts *v.(m.)*; ***affronter les feux de la —,*** voor het voetlicht komen; ***lâcher la —,*** sterven, het hoekje omgaan.
rampement [rã˙pmã] *m.* (het) kruipen.
ramper [rã˙pé] *v.i.* **1** kruipen; **2** (*v. plant*) slingeren.
ramponneau [rã˙pòno] *m.* duikelaar *m.* (*speelgoed*).
ramure [ramü:r] *f.* **1** (*v. hert*) gewei *o.*; **2** (*v. boom*) takken *mv.*
rancart [rã˙ka:r] *m.* rommelkast *v.(m.)*; ***mettre au —,*** op zij zetten, op stal zetten, afdanken.
rance [rã:s] **I** *adj.* ranzig; **II** *s. m.*, ***sentir le —,*** ranzig ruiken.
ranche [rã:ʃ] *f.* sport *v.(m.)* (v. kraanladder).
rancher [rã˙ʃé] *m.* kraanladder *v.(m.).*
rancidité [rã˙sidité] *f.* ranzigheid *v.*
rancio [rã˙syo] *m.* **1** oude likeurachtige wijn *m.*; **2** (*van oude cognac*) zachtheid *v.*
rancir [rã˙si:r] *v.i.* ranzig worden.
rancissure [rã˙sisü:r] *f.* ranzigheid *v.*
rancœur [rã˙kœ:r] *f.* wrok, wrevel *m.*
rançon [rã˙sõ] *f.* losgeld *o.*; ***mettre à —,*** brandschatten.
rançonnage [rã˙sòna:j] *m.* knevelarij, afzetterij *v.*
rançonnement [rã˙sònmã] *m.* het vorderen *o.* van een losgeld; (*fig.*) afzetterij *v.*
rançonner [rã˙sòné] *v.t.* **1** brandschatten; **2** (*fig.*) afzetten.
rançonneur [rã˙sònœ:r] *m.* knevelaar, afzetter *m.*
rancune [rã˙kün] *f.* wrok *m.*; ***garder — à qn.,*** wrok voeden tegen iem., iem. een kwaad hart toedragen; ***sans —!*** even goeie vrienden!
rancuneux [rã˙künö] *adj.* wrevelig.
rancunier [rã˙künyé] **I** *adj.* vol wrok, haatdragend; **II** *s. m.* haatdragend mens *m.*
randonnée [rã˙dòné] *f.* **1** (*jacht*) omweg *m.*; **2** tocht *m.*; zwerftocht *m.*; **3** vliegtocht *m.*; **4** afstandsrit *m.*
rang [rã] *m.* **1** rij *v.(m.)*; **2** rang, stand *m.*; **3** (*mil.*) gelid *o.*; **4** (*drukk.*) zetbok *m.*; ***mettre au — de,*** rekenen tot, gelijkstellen met; ***mettre sur le même —,*** op één lijn plaatsen; ***se mettre sur les —s,*** mededingen (naar); ***rompre les —s,*** (*mil.*) inrukken; ***serrer les —s,*** (*mil.*) de gelederen sluiten; ***prendre —,*** zijn plaats innemen; ***garder son —,*** zijn plaats behouden; ***rester dans le —,*** soldaat blijven; ***placer par — de taille,*** naar de

grootte plaatsen; ***parler à son —,*** op zijn beurt spreken.
rangé [rã'jé] *adj.* **1** (*v. leven*) geregeld, ordelijk; **2** (*v. persoon*) oppassend.
rangée [rã'jé] *f.* rij, reeks *v.(m.)*.
rangement [rã'jmã] *m.* **1** rangschikking, ordening *v.*; **2** opruiming *v.*
ranger [rã'jé] **I** *v.t.* **1** schikken, in orde brengen; **2** (*v. kamer*) opruimen; **3** opbergen; **4** (*mil.*) in het gelid plaatsen; **5** (*v. auto*) parkeren; ***— la côte,*** (*sch.*) dicht langs de kust varen; ***— en bataille,*** in slagorde scharen; ***— à la raison,*** tot rede brengen; **II** *v.pr.* ***se —,*** **1** zich scharen; **2** plaats maken, op zij gaan; **3** zich onderwerpen; **4** een degelijk mens worden, een meer geregeld leven gaan leiden; ***se — du côté de qn.,*** iemands partij kiezen; ***se — à l'avis de qn.,*** iemands mening delen, iem. bijvallen.
rangeur [rã'jœ:r] *m.* rangschikker *m.*
rani [rani] *f.* vrouw *v.* van een radja.
ranimation [ranima'syõ], **réanimation** [réanima'syõ] *f.* (het) doen herleven *o.*
ranimer [ranimé] **I** *v.t.* **1** doen herleven; **2** verlevendigen; **3** (*v. moed, enz.*) aanwakkeren; **4** (*v. kleur*) opfrissen; **5** opbeuren; **6** (*v. vuur*) weer oprakelen; **II** *v.pr.* ***se —,*** **1** herleven; **2** (*v. bewusteloze*) bijkomen; **3** (*fig.: v. geestdrift, enz.*) opleven.
ranule [ranül] *f.* (*gen.*) kikvorsgezwel *o.*
ranz [rã(:s)] *m.*, ***(— des vaches),*** (Zwitsers) koeherderslied *o.*
Raoul [raul] *m.* Rudolf, Roel *m.*
raout [raut] *m.* deftige avondreceptie *v.*
rapace [rapas] **I** *adj.* **1** roofzuchtig; **2** (*fig.*) hebzuchtig; **II** *s. m.* roofvogel *m.*
rapacité [rapasité] *f.* **1** roofzucht *v.(m.)*; **2** hebzucht *v.(m.)*.
râpage [ra'pa:j] *m.* (het) raspen *o.*
rapatriement [rapatrimã] *m.* **1** terugkeer *m.* naar het vaderland; **2** verzoening *v.*
rapatrier [rapatri(y)é] **I** *v.t.* **1** naar 't vaderland terugzenden; **2** verzoenen; **II** *v.pr.* ***se —,*** **1** naar 't vaderland terugkeren; **2** zich met elkaar verzoenen.
râpe [ra:p] *f.* **1** rasp *v.(m.)*; **2** grove vijl *v.(m.)*; **3** (*v. druiventros*) rist *v.(m.)*.
râpé [ra'pé] **I** *adj.* kaal, afgedragen; **II** *s. m.* **1** nawijn *m.*; **2** (fijne) snuif *m.*; **3** geraspte suiker *m.*
râper [ra'pé] *v.t.* **1** raspen; **2** vijlen; **3** (*v. snuif*) malen; **4** (*fig.*) afkrassen.
rapetasser [raptasé] *v.t.* oplappen; verstellen.
rapetissement [raptismã] *m.* verkleining *v.*
rapetisser [raptisé] **I** *v.t.* verkleinen, verkorten; **II** *v.i.* kleiner worden.
râpeur [ra'pœ:r] *m.* rasper *m.*
râpeux [ra'pö] *adj.* ruw.
raphaélesque [rafaélèsk] *adj.* als van (*of* naar) Raphael.
raphia [rafya] *m.* raffia *m. en o.*
rapiat [rapya] **I** *adj.* schraperig, vrekkig; **II** *s. m.* vrek *m.*
rapiaterie [rapyatri] *f.* inhaligheid *v.*
rapide [rapi'd] **I** *adj.* **1** snel, vlug; **2** (*v. water*) snelstromend; **3** (*v. helling*) steil; **4** (*v. stijl*) bondig, levendig; **5** (*v. middel*) snelwerkend; **II** *s. m.* **1** sneltrein *m.*; **2** stroomversnelling *v.*
rapidement [rapi'dmã] *adv.* snel, vlug, schielijk.
rapidité [rapidité] *f.* **1** snelheid, vlugheid *v.*; **2** steilheid *v.*
rapiéçage [rapyésa:j], **rapiécement** [rapyésmã] *m.* (het) verstellen *o.*
rapiécer [rapyésé] *v.t.* verstellen.
rapiéceter* [rapyésté] *v.t.* oplappen.
rapière [rapyè:r] *f.* rapier *o.*
rapin [rapẽ] *m.* **1** schildersleerling *m.*; **2** (*ong.*) kladschilder *m.*
rapine [rapin] *f.* roof *m.*, plundering *v.*
rapiner [rapiné] *v.t. et v.i.* roven, plunderen.
rapineur [rapinœ:r] *m.* plunderaar *m.*
raplatir [raplati:r] *v.t.* weer plat maken.
rapointir [rapwẽ'ti:r] *v.t.* weer aanpunten.
rappareiller [raparèyé] *v.t.* (ontbrekende voorwerpen) aanvullen.
rapparier [raparyé] *v.t.* weer paren, bijeenvoegen.
rappel [rapèl] *m.* **1** (het) terugroepen *o.*, terugroeping *v.*; **2** (*mil.*) appèl, verzamelsein *o.*; **3** opendoekje *o.*; ***— de compte,*** (*H.*) aanvulling *v.* van betaling; ***— de lumière,*** (*op schilderij*) lichtverdeling *v.*; ***lettre de —,*** terugroepingsbrief *m.*; ***— à l'ordre,*** (het) tot de orde roepen *o.*, berisping *v.* door de voorzitter; ***— au règlement,*** verwijzing *v.* naar het reglement.
rappeler [raplé] **I** *v.t.* **1** terugroepen; **2** opnieuw oproepen; **3** herinneren, doen denken aan; ***— à l'ordre,*** tot de orde roepen; **II** *v.pr.* ***se —,*** zich herinneren.
rappliquer [raplikė] *v.t.* weer aanbrengen.
rapport [rapò:r] *m.* **1** verslag, relaas *o.*; rapport *o.*; **2** verband *o.*, overeenstemming *v.*; **3** verhouding, betrekking *v.*, omgang *m.*; **4** terugbrenging *v.*, teruggave *v.(m.)*; **5** oprisping *v.*; **6** opbrengst *v.*; ***maison de —,*** huurhuis *o.*; ***en plein —,*** (*v. vruchtboom*) volop dragend; ***mettre en — avec qn.,*** met iem. in aanraking brengen; ***venir au —,*** (*mil.*) op het rapport komen; ***pièces de —,*** samenhorende stukken; ***—s de commerce,*** handelsbetrekkingen *mv.*; ***— de cause à effet,*** causaal verband; ***au — de,*** volgens; ***en — avec,*** in overeenstemming met, overeenkomstig; ***par — à,*** met betrekking tot; in vergelijking met; ***sous le — de,*** wat betreft; ***sous tous les —s,*** in alle opzichten.
rapportage [rapòrta:j] *m.* (het) klikken *o.*
rapporter [rapòrté] **I** *v.t.* **1** terugbrengen; **2** opbrengen, opleveren; **3** (*v. reis*) meebrengen; **4** (*jacht*) apporteren; **5** overbrengen, verklikken; **6** (*v. besluit, bepaling*) intrekken; herroepen; **7** (*v. tekst*) aanhalen; ***pièces rapportées,*** aangezette stukken; **II** *v.i.* **1** (*jacht*) apporteren; **2** (*geld*) opbrengen; **3** klikken; **4** (*v. spijs*) opbreken, oprispingen veroorzaken; **5** een rapport maken; **III** *v.pr.* ***se —,*** bij elkaar passen; overeenstemmen; ***se — à,*** **1** betrekking hebben op; **2** overeenkomen met; ***s'en — à qn.,*** iets aan iem. overlaten, zich op iem. verlaten.
rapporteur [rapòrtœ:r] *m.* **1** verslaggever *m.*; **2** klikker, verklikker *m.*; **3** (*meetk.*) graadboog *m.*
rapprendre [raprã:dr] *v.t.* opnieuw leren.
rapprochement [rapròʃmã] *m.* **1** samenbrenging *v.*; **2** toenadering *v.*; **3** vergelijking *v.*
rapprocher [rapròʃé] **I** *v.t.* **1** (*v. stoel, enz.*) naderbij brengen, naderbij plaatsen; **2** (*v. personen*) samenbrengen, bij elkaar brengen; verzoenen; **3** vergelijken; **4** (*v. afstand*) verminderen, korter doen schijnen; **II** *v.pr.*, ***se —,*** naderbij komen, naderen.
rapproprier [rapròpriyé] *v.t.* weer in orde maken.
rapprovisionner [rapròvizyòné] *v.t.* herbevoorraden.
rapsodie [rapsòdi] *f.* rapsodie *v.*; mengelmoes *o. en v.(m.)*.
rapsodiste [rapsòdist] *m.* rapsodieënmaker *m.*
rapt [rapt] *m.* schaking, ontvoering *v.*; roof *m.*
râpure [ra'pü:r] *f.* raspsel, schraapsel *o.*
raquetier [raktyé] *m.* racketsmaker *m.*
raquette [rakèt] *f.* **1** racket *o.*; **2** sneeuwschoen *m.*; **3** (*Pl.*) raketcactus *m.*
rare [ra:r] *adj.* **1** zeldzaam, schaars; **2** (*v. lucht*) ijl; dun; **3** dun (gezaaid); ***un des —s visiteurs,***

een van de weinige bezoekers; ***il est — que,*** het gebeurt zelden dat.
raréfaction [raréfaksyõ] *f.* **1** (*v. gassen*) verdunning *v.*; **2** (*v. voorraad*) vermindering *v.*; **3** (*v. kapitaal*) (het) schaarser worden *o.*
raréfiable [raréfya'bl] *adj.* verdunbaar, te verdunnen.
raréfiant [raréfyã] *adj.* verdunnend.
raréfier [raréfyé] **I** *v.t.* verdunnen; **II** *v.pr.* ***se —,*** dunner worden, ijler worden.
rarement [ra'rmã] *adv.* zelden.
rareté [ra'rté] *f.* **1** zeldzaamheid, schaarsheid *v.*; **2** (*v. lucht*) dunheid, ijlheid *v.*; **3** rariteit *v.*
rarissime [ra'risim] *adj.* uiterst zeldzaam, hoogst zeldzaam.
ras [ra] **I** *adj.* **1** (*v. haar*) kort, kort geknipt; **2** (*v. kin*) kaal, glad; **3** (*v. veld*) vlak, open; ***à poil —,*** kortharig; ***faire table —e,*** schoon schip maken; ***en —e campagne,*** in 't open veld; **II** *s. m.* (*stof*) ras *o.*; ***— de marée,*** vloedgolf *v.*(*m.*); ***au — de,*** gelijk met; ***verser à — de bord,*** boordevol schenken.
rasade [ra'za'd] *f.* boordevol glas *o.*
rasage [ra'za:j] *m.* (het) scheren *o.* (v. stoffen).
rasant [ra'zã] *adj.* **1** rakelings gaand langs; **2** (*fig.*) vervelend, saai; **3** (*mil.*) bestrijkend, horizontaal; ***tir —,*** (*mil.*) horizontaal vuur; ***vol —,*** scheervlucht.
rascasse [raskas] *f.* (*Dk.*) zeeduivel, bep. middellandse-zeevis *m.*
rasement [razmã] *m.* slechting, sloping *v.*
rase-mottes [razmòt], (***en***) **—,** scheerlings, in scheervlucht.
raser [ra'zé] **I** *v.t.* **1** scheren; **2** slechten, slopen, met de grond gelijkmaken; **3** strijken langs, even raken; **4** (*v. maat*) afstrijken; **5** (*fam.*) vervelen; ***— à contrepoil,*** opscheren; ***— de près,*** glad scheren; **II** *v.pr.* ***se —,*** **1** zich scheren; **2** dicht langs de grond kruipen; **3** (*fam.*) zich vervelen.
raseur [ra'zœ:r] *m.* **1** scheerder *m.* (v. stoffen); **2** (*fig.*) vervelend mens *m.*, zaag *v.*(*m.*).
rasibus [ra'zibü's] *adv.* (*pop.*) rakelings.
rasoir [ra'zwa:r] *m.* **1** scheermes *o.*; **2** (*fig.*) vervelend mens *m.*, zaag *v.*(*m.*); ***— mécanique, — de sûreté,*** veiligheidsscheermes *o.*; ***— électrique,*** elektrisch scheerapparaat *o.*; ***cuir à —,*** aanzetriem *m.*
rassade [rasa'd] *f.* glazen kraal *v.*(*m.*).
rassasiant [rasazyã] *adj.* voedzaam.
rassasiement [rasazimã] *m.* verzadiging *v.*
rassasier [rasazyé] **I** *v.t.* verzadigen; **II** *v.pr.* ***se —,*** zich verzadigen.
rassemblement [rasã'blemã] *m.* **1** verzameling *v.*; **2** samenscholing *v.*, oploop *m.*; ***sonner le —,*** (*mil.*) verzamelen blazen.
rassembler [rasã'blé] **I** *v.t.* **1** verzamelen; bijeenbrengen; **2** (*mil.*) aantreden; **3** (*v. moed*) bijeenrapen; **II** *v.pr.* ***se —,*** **1** bijeenkomen, samenkomen, zich verzamelen; **2** samenscholen.
rasseoir [raswa:r] **I** *v.t.* **1** weer neerzetten; **2** weer vastzetten; **3** (*fig.*: *v. gedachten*) ordenen; **II** *v.pr.* ***se —,*** weer gaan zitten.
rasséréner [rasérénè] **I** *v.t.* **1** ophelderen; **2** opvrolijken; **II** *v.pr.* ***se —,*** **1** opheideren, opklaren; **2** weer opgeruimd worden.
rassis [rasi] *adj.* **1** (*v. brood*) oudbakken; **2** (*v. vlees*) bestorven; **3** (*v. grond*) onbeploegd, niet omgeploegd; **4** (*v. mens*) bezadigd, gematigd.
rassortiment [rasòrtimã] *m.* nieuwe sortering *v.*; nieuwe voorraad *m.* [voorzien.
rassortir [rasòrti:r] *v.t.* van een nieuwe sortering
rassoter [rasòté] *v.t.* het hoofd op hol brengen.
rassurant [rasü'rã] *adj.* geruststellend.
rassurer [rasü'ré] **I** *v.t.* **1** geruststellen; **2** weer vastmaken; **II** *v.pr.* ***se —,*** **1** zich geruststellen, moed scheppen; **2** (*v. weer*) opklaren.
rasta(**quouère**) [rasta(kwè:r)] *m.* (*fam.*) vreemde snoeshaan *m.* (royaal, maar met dubieuze middelen).
rat [ra] *m.* **1** rat *v.*(*m.*); **2** gierigaard *m.*; **3** gril, kuur *v.*(*m.*); ***— de bibliothèque,*** boekenwurm *m.*; ***— d'église,*** pilaarbijter *m.*; ***— des champs,*** veldrat *v.*(*m.*); ***— d'hôtel,*** hoteldief *m.*; ***avoir des —s,*** kuren krijgen; ***il a des —s dans la tête,*** hij is niet pluis in zijn bovenkamer; ***il lui prend un —,*** hij krijgt een kuur; ***avoir les —s au ventre,*** rammelen van de honger; ***sentir un —,*** lont ruiken, onraad merken.
rata [rata] *m.* (*pop.*) ratjetoe *m. en o.*, stamppot *m.*
ratafia [ratafya] *m.* ratafia *m.*, vruchtenbrandewijn *m.*
ratage [rata:j] *m.* (het) ketsen; (het) mislukken *o.*
rataplan [rataplã] *m.* tromgeroffel *o.*
ratatiné [ratatiné] *adj.* gerimpeld, verschrompeld.
ratatiner, se — [s(e)ratatiné] *v.pr.* ineenkrimpen, verschrompelen. [stamppot *m.*
ratatouille [ratatu'y] *f.* ratjetoe *m. en o.*, poespas,
rate [rat] *f.* **1** milt *v.*(*m.*); **2** wijfjesrat *v.*(*m.*); ***décharger sa —,*** zijn gemoed lucht geven, zijn gal uitspuwen; ***dilater la —,*** aan het lachen brengen; ***ne pas se fouler la —,*** zich niet overwerken, zich niet druk maken.
raté [raté] **I** *adj.* **1** geketst; **2** mislukt; **II** *s. m.* **1** ketsing *v.*; ketsschot *o.*; **2** mislukking *v.*; **3** mislukkeling *m.*
râteau [ra'to] *m.* hark *v.*(*m.*).
râtelage [ra'tla:j] *m.* (het) aanharken *o.*
râtelée [ra'tlé] *f.* een hark vol (hooi of bladeren).
râteler* [ra'tlé] *v.t.* harken.
râtelier [ra'telyé] *m.* **1** (*in stal*) ruif, krib *v.*(*m.*); **2** (*voor geweren, fietsen, enz.*) rek *o.*; **3** gebit, vals gebit *o.*; ***manger à deux —s,*** van twee wallen eten.
ratelle [ratèl] *f.* miltvuur *o.* [blad.
râtelures [ra'tlü:r] *f.pl.* bijeengeharkt hooi *of*
rater [raté] **I** *v.i.* **1** (*v. geweer*) ketsen; **2** (*v. motor*) weigeren; **3** (*fig.*) mislukken; **II** *v.t.* **1** missen; **2** niet slagen in.
ratiboiser [ratibwa'zé] *v.t.* ontfutselen, stelen.
ratier [ratyé] *m.* (*Dk.*) rattenvanger *m.* (hond).
ratière [ratyè:r] *f.* ratteval *v.*(*m.*).
ratification [ratifika'syõ] *f.* bekrachtiging *v.*
ratifier [ratifyé] *v.t.* bekrachtigen.
ratillon [ratiyõ] *m.* ratje *o.*
ratin [ratẽ] *m.* rattenvergift *o.*
ratiner [ratiné] *v.t.* krullen, ratineren.
ratineuse [ratinö:z] *f.* ratineermachine *v.*
ratiocination [rasyòsina'syõ] *f.* redenering *v.*
ratiociner [rasyòsiné] *v.i.* redeneren.
ration [ra'syõ] *f.* rantsoen *o.*, portie *v.* [v.
rationalisation [rasyònaliza'syõ] *f.* rationalisatie
rationaliser [rasyònali'zé] *v.t. et v.i.* rationaliseren.
rationalisme [rasyònalizm] *m.* rationalisme *o.*
rationaliste [rasyònalist] **I** *m.* rationalist *m.*; **II** *adj.* rationalistisch.
rationalité [rasyònalité] *f.* **1** meetbaarheid *v.*; **2** rationaliteit *v.*
rationnel(**lement**) [rasyònèl(mã)] *adj.* (*adv.*) **1** rationeel, op de rede gegrond; **2** (*wisk.*) meetbaar; **3** theoretisch.
rationnement [rasyònmã] *m.* rantsoenering *v.*
rationner [rasyòné] *v.t.* rantsoeneren.
Ratisbonne [ratisbòn] *f.* Regensburg *o.*
ratissage [ra'tisa:j] *m.* **1** (het) harken *o.*; **2** (het) afschrabben *o.*

ratisse [rα'tis], ***faire* —,** uitsliepen; ***(je t'en)* —,** sliep uit!
ratisser [rα'tisé] *v.t.* **1** aanharken; **2** afschrapen, afschaven; **3** (*fig.*) stelen, plunderen.
ratissette [rα'tisèt] *f.* (*tn.*) krabijzer *o.*
ratissoire [rα'tiswa:r] *f.* schoffel *v.(m.).*
ratissure [rα'tisü:r] *f.* afschraapsel *o.*
ratites [ratit] *m.pl.* (*Dk.*) struisvogelachtigen *mv.*
raton [ratõ] *m.* **1** ratje *o.*; **2** wasbeer *m.*
rattachement [rataʃmã] *m.* **1** (het) vasthechten *o.*; **2** (het) vastbinden *o.*; **3** aansluiting *v.*; **4** (*b. v. Saargebied*) hereniging *v.*
rattacher [rataʃé] **I** *v.t.* **1** weer vastmaken; **2** vasthechten; **3** verbinden; **— *à*,** (*fig.*) in verband brengen met; **II** *v.pr.*, ***se* — *(à)*, 1** in verband staan met; **2** zich vastklampen aan.
rattaquer [rataké] *v.t.* weer aanvallen.
rat*-taupe* [rato:p] *m.* veenmol *m.*
ratteindre [ratẽ:dr] *v.t.* (weer) inhalen.
ratteler [ratlé] *v.t.* weer inspannen.
rattraper [ratrapé] **I** *v.t.* **1** achterhalen; **2** inhalen; **3** terugkrijgen; **4** weer vangen; ***si je le rattrape!*** als ik hem nog eens te pakken krijg! **II** *v.pr.* ***se* —, 1** zijn schade inhalen; **2** (*bij spel*) het verlies goedmaken; **3** zich vasthouden, zich vastgrijpen; ***se* — *sur*,** zich schadeloosstellen door; ***tout se rattrape*,** alles komt terecht.
raturage [ratüra:j] *m.* (het) doorhalen *o.*
rature [ratü:r] *f.* **1** doorhaling *v.*; **2** afschrapsel *o.*
raturer [ratü'ré] *v.t.* **1** doorhalen, schrappen; **2** afschrappen.
raucité [ro'sité] *f.* heesheid; schorheid *v.*
rauque [ro:k] *adj.* hees; schor.
rauquer [ro'ké] *v.i.* schor brullen.
ravage [rava:j] *m.* verwoesting *v.*; ***les* —*s du temps*,** de tand des tijds.
ravageant [ravajã] *adj.* verwoestend.
ravager [ravajé] *v.t.* **1** verwoesten, vernielen; **2** (*door pokken*) schenden; **3** (*door hartstocht*) verteren.
ravageur [ravajœ:r] **I** *m.* verwoester, vernieler *m.*; **II** *adj.* verwoestend.
ravalement [ravalmã] *m.* **1** (*v. muur, enz.*) bepleistering *v.*; **2** (*v. bomen*) (het) toppen, (het) knotten *o.*; **3** (*fig.*) vernedering *v.*; **4** verlaging *v.*; geringschatting *v.*
ravaler [ravalé] **I** *v.t.* **1** weer inslikken; **2** bepleisteren; **3** (*v. boom*) toppen, knotten; **4** vernederen; **5** verlagen; geringschatten; **II** *v.pr.*, ***se* —,** zich verlagen.
ravaleur [ravalœ:r] *m.* stukadoor *m.*
ravaudage [ravo'da:j] *m.* **1** (*v. kousen*) (het) stoppen *o.*; **2** verstelwerk *o.*; **3** knoeiwerk *o.*; **4** geklets, gewauwel *o.*
ravauder [ravo'dé] **I** *v.t.* **1** stoppen; **2** verstellen; lappen; **3** (iem.) uitmaken; **II** *v.i.* **1** knoeien; **2** kletsen, wauwelen.
ravauderie [ravo'dri] *f.* **1** lapwerk *o.*; **2** vodderij *v.*; **3** praatjes *mv.*
ravaudeur [ravo'dœ:r] *m.* **1** lapper, versteller *m.*; **2** knoeier *m.*; **3** wauwelaar *m.*
ravaudeuse [ravo'dö:z] *f.* stopster *v.*
rave [ra:v] *f.* raap *v.(m.)*; ***petite* —,** radijs *v.(m.).*
ravenelle [ravnèl] *f.* muurbloem *v.(m.).*
ravet [ravè] *m.* kakkerlak *m.*
ravi [ravi] *adj.* verrukt, dolblij.
ravier [ravyé] *m.* schaaltje *o.* (voor hors-d'œuvre).
ravière [ravyè:r] *f.* rapenveld *o.*
ravigote [ravigòt] *f.* pikante saus *v.(m.).*
ravigoter [ravigòté] **I** *v.t.* verkwikken, opfrissen; **II** *v.pr.* ***se* —,** weer bijkomen.
ravilir [ravili:r] *v.t.* verlagen.
ravilissement [ravilismã] *m.* verlaging *v.*
ravin [ravẽ] *m.* ravijn *o.*, bergkloof *v.(m.)*; holle weg *m.*
ravine [ravin] *f.* bergkloof *v.(m.).*
ravinement [ravinmã] *m.* wegspoeling, ondergraving *v.*
raviner [raviné] *v.t.* uithollen.
ravioli [ravyòli] *m.pl.* pikante deegkoekjes met gehakt vlees en geraspte kaas, met saus opgediend.
ravir [ravi:r] **I** *v.t.* **1** ontrukken; **2** ontroven; **3** (*fig.*) verrukken; ***à* —,** verrukkelijk.
raviser, se — [s(e)ravi'zé] *v.pr.* zich bedenken, van gedachte veranderen.
ravissant [ravisã] *adj.* verrukkelijk, betoverend.
ravissement [ravismã] *m.* **1** verrukking, vervoering *v.*; **2** schaking, ontvoering *v.*, roof *m.*
ravisseur [ravisœ:r] *m.* schaker, ontvoerder *m.*
ravitaillement [ravitα'ymã] *m.* **1** levensmiddelenvoorziening *v.*; **2** (*mil.*) proviandering *v.*
ravitailler [ravitα'yé] **I** *v.t.* **1** van levensmiddelen voorzien; **2** (*mil.*) van proviand voorzien; **II** *v.pr.*, ***se* —,** nieuwe voorraad opdoen, proviand innemen.
ravitailleur [ravitα'yœ:r] *m.* proviandschip *o.*
raviver [ravi'vé] **I** *v.t.* **1** verlevendigen; **2** (*v. ijver*) aanwakkeren; **3** (*v. krachten*) opwekken; **4** (*v. vuur*) oprakelen; **5** (*v. kleur*) opfrissen; **6** (*v. metaal*) afbijten; **7** (*v. wond*) weer openen, openrijten; **II** *v.pr.* ***se* —, 1** levendiger worden; **2** weer opleven.
ravoir [ravwa:r] **I** *v.t.* weer krijgen, terugkrijgen; **II** *v.pr.* ***se* —,** weer op zijn verhaal komen.
rayé [rèyé] *adj.* **1** (*v. stof*) gestreept; **2** (*v. loop*) getrokken.
rayement [rèymã] *m.* **1** doorhaling *v.*, royement *o.*; **2** liniëring *v.*
rayer [rèyé] *v.t.* **1** doorhalen, schrappen; **2** liniëren, lijnen trekken op; **3** krassen; ***rayez cela de vos papiers*,** reken daar maar niet op.
rayère [rèyè:r] *f.* lichtgat *o.* (in toren).
rayon [rèyõ] *m.* **1** straal *m.*; **2** (*v. wiel*) spaak *v.(m.)*; **3** (*v. winkel, enz.*) afdeling *v.*; **4** boekenplank *v.(m.)*; **5** kastplank *v.(m.)*; **6** honigraat *v.(m.)*; **7** (*vl.*) actieradius *m.*, vliegbereik *o.*; ***— lumineux*,** lichtkring *m.*; ***— de lumière*,** lichtstraal; ***— calorique*,** warmtestraal; ***— cathodique*,** kathodestraal; ***— d'action*,** (*mil.*) operatiegebied *o.*; ***— de défense*,** (*mil.*) verdedigingsgordel *m.*; ***dans un — de cinq lieues*,** vijf uur in de omtrek.
rayonnage [rèyòna:j] *m.* de plankenruimte in een boekenkast of bureau.
rayonnant [rèyònã] *adj.* **1** stralend; **2** (*v. warmte*) uitstralend; **3** (*fig.*) schitterend; ***style* —,** late spitsbogestijl *m.*
rayonne [rèyòn] *f.* kunstzijde *v.(m.).*
rayonné [rèyòné] **I** *adj.* gestraald; **II** *s. m.* straaldier *o.*
rayonnement [rèyònmã] *m.* **1** straling *v.*; **2** uitstraling *v.*; **3** (*fig.*) opgetogenheid *v.*
rayonner [rèyòné] **I** *v.i.* **1** stralen; **2** uitstralen; **3** schitteren; **II** *v.t.* **1** (*v. warmte*) uitstralen; **2** van planken voorzien.
rayure [rèyü:r] *f.* **1** (*op stof, enz.*) streep *v.(m.)*; **2** (*in vuurwapen*) groef *v.(m.)*; **3** kras *v.(m.)*; **4** doorhaling *v.*
raz [rα] *m.* snelle stroom *m.* (in een zeeëngte); ***— de marée*,** vloedgolf *v.(m.).*
razzia [ra(d)zya] *f.* strooptocht *m.*, razzia *v.(m.).*
razzier [rα(d)zyé] *v.i.* een razzia houden.
ré [ré] *m.*, (*muz.*) re *v.(m.).*
réa [réa] *m.* blokschijf *v.(m.).*
réabonner, se — [s(e)réabòné] *v.pr.* zich weer abonneren.
réaccoutumer [réakutümé] *v.t.* weer gewennen.

réacteur [réaktœ:r] I *m.* 1 straalmotor *m.*; 2 (kern)reactor *m.*; II *adj.* reactionair. [o.
réactif [réaktif] I *adj.* reagerend; II *s. m.* reagens
réaction [réaksyõ] *f.* 1 terugwerking, reactie *v.*; 2 terugslag *m.*; 3 (*scheik.*) reactie *v.*; 4 (*gen.*) uitwerking *v.*; ***chasseur à —,*** straaljager *m.*; ***moteur à —,*** straalmotor *m.*; ***propulsion à —,*** straalaandrijving *v.*
réactionnaire [réaksyònè:r] *adj.* (*et s. m.*) reactionair (*m.*). [teruglopen.
réactionner [réaksyòné] *v.i.* (*H.*: *v. koersen*)
réadaptation [réadaptɑ˙syõ] *f.* 1 nieuwe aanpassing *v.*; 2 reclassering *v.*
réadapter [réadapté] *v.t.* reclasseren.
réadjudication [réadjüdikɑ˙syõ] *f.* 1 herbesteding *v.*; 2 nieuwe toewijzing *v.*
réadjuger [réadjüjé] *v.t.* opnieuw toewijzen.
réadmettre [réadmètr] *v.*. weer toelaten.
réadmission [réadmisyõ] *f.* nieuwe toelating *v.*
réaffirmer [réafirmé] *v.t.* opnieuw verzekeren.
réagir [réaji:r] *v.i.* 1 terugwerken; 2 (*scheik.*) reageren; ***— contre,*** ingaan tegen.
réajuster [réajüsté] *v.t.* 1 weer in orde brengen; 2 (*v. lonen*) weer aanpassen.
réal [réal] *m.* reaal *m.*
réalisable [réaliza˙bl] *adj.* 1 te verwezenlijken; 2 (*H.*) te realiseren. [een plan).
réalisateur [réalizatœ:r] *m.* uitvoerder *m.* (van
réalisation [réalizɑ˙syõ] *f.* 1 verwezenlijking; uitvoering *v.*; 2 werkstuk *o.*; 3 (*H.*) realisatie, tegeldemaking *v.*; 4 (***— de bénéfice***), winstneming *v.*
réaliser [réali˙zé] I *v.t.* 1 verwezenlijken, uitvoeren; tot stand brengen; 2 (*H.*: *v. effecten*) realiseren, tegeldemaken; 3 (*v. winst*) behalen; 4 (*fam.*) begrijpen, zich rekenschap geven van; II *v.i.* winst nemen; III *v.pr.* ***se —,*** verwezenlijkt worden; in vervulling gaan.
réalisme [réalizm] *m.* realisme *o.*
réaliste [réalist] I *m.* realist *m.*; II *adj.* realistisch.
réalité [réalité] *f.* werkelijkheid, wezenlijkheid, realiteit *v.*; ***en —,*** in werkelijkheid, inderdaad.
réanimation [réanimɑ˙syõ], *voir* ***ranimation.***
réapparaître* [réaparè˙tr] *v.i.* weer verschijnen.
réapparition [réaparisyõ] *f.* wederverschijning *v.*
réappel [réapèl] *m.*, (*recht*) tweede beroep *o.*
réappeler [réaplé] *v.i.* opnieuw beroep aantekenen.
réapposer [réapo˙zé] *v.t.* weder aanhechten.
réapprovisionnement [réapròvizyònemã] *m.* aanvulling *v.* van de voorraad.
réapprovisionner [réapròvizyòné] I *v.t.* opnieuw provianderen; II *v.pr.* ***se —,*** nieuwe voorraad opdoen.
réarmement [réarmemã] *m.* herbewapening *v.*
réarmer [réarmé] *v.t.* herbewapenen.
réassigner [réasiñé] *v.t.* opnieuw dagvaarden.
réassortiment [réasòrtimã] *m.* nieuwe sortering *v.*
réassortir [réasòrti:r] *v.t.* van een nieuwe sortering voorzien.
réassurance [réasürã:s] *f.* herverzekering *v.*
réassurer [réasüré] *v.t.* herverzekeren.
réatteler [réatlé] *v.t.* weer aanspannen.
rebaisser [r(e)bè˙sé] *v.t.* weer neerlaten.
rebaptisant [r(e)batizã] *m.* wederdoper *m.*
rebaptisation [r(e)batizɑ˙syõ] *f.* wederdoop *m.*
rebaptiser [r(e)bati˙zé] *v.t.* opnieuw dopen; herdopen. [mig; 2 terugstotend.
rébarbatif [rébarbatif] *adj.* 1 stuurs, nors, grim-
rebâtir [r(e)bɑ˙ti:r] *v.t.* weer opbouwen.
rebattre [r(e)batr] *v.t.* 1 opnieuw slaan; 2 (*v. matras*) uitkloppen; 3 (*fig.*) weer herhalen; ***sujet rebattu,*** afgezaagd onderwerp *o.*; ***chemin rebattu,*** 1 veel begane weg *m.*; 2 (*fig.*) oude sleur *m.*

rebec [r(e)bèk] *m.* oude driesnarige viool *v.*(*m.*).
Rébecca [rébèka] *f.* Rebekka *v.*
Rebecq-Rognon [rebèkròñõ] Roosbeek *o.*
rebelle [r(e)bèl] I *adj.* 1 oproerig; muitziek; 2 (*v. kind, enz.*) weerspannig, weerbarstig; 3 (*v. kwaal, koorts*) hardnekkig; ***les esprits —s,*** de gevallen engelen; II *s. m.* oproerling, muiter, rebel *m.*
rebeller, se — [ser(e)bèlé] *v.pr.* 1 oproer maken, opstaan; 2 (*v. kind, enz.*) zich verzetten.
rébellion [rébèlyõ] *f.* 1 oproer *o.*, opstand *m.*; 2 verzet *o.*
rebéquer, se — [ser(e)béké] *v.pr.* 1 brutaal antwoorden; 2 tegenspreken.
rebiffe [r(e)bif] *f.* (*pop.*) weerstand *m.*, verzet *o.*, (het) tegenstribbelen *o.*; ***faire de la —,*** tegenstribbelen, zich verzetten.
rebiffer, se — [ser(e)bifé] *v.pr.* tegenspartelen, zich verzetten.
rebindaines [r(e)bẽdèn] *adj.*, ***à jambes —,*** met de benen in de lucht.
reblanchir [r(e)blã˙ʃi:r] I *v.t.* 1 opnieuw witten; 2 (*v. linnen*) opnieuw bleken; II *v.i.* weer wit worden.
reboisement [r(e)bwa˙zmã] *m.* herbebossing *v.*
reboiser [r(e)bwa˙zé] *v.t.* (weer) bebossen.
rebombé [r(e)bõ˙bé] *adj.* met sterke ronding.
rebond [r(e)bõ] *m.* 1 terugstuit *m.*; 2 (*v. tennisbal*) opsprong *m.*
rebondi [r(e)bõ˙di] *adj.* dik, rond, bol.
rebondir [r(e)bõ˙di:r] *v.i.* 1 terugstuiten; 2 weer opspringen; 3 (*v. kogel*) aanslaan.
rebondissement [r(e)bõ˙dismã] *m.* weeromstuit *m.*, (het) terugspringen *o.*
rebord [r(e)bò:r] *m.* 1 rand, richel *m.*; 2 (*v. kleed*) omslag *m.*; 3 trottoirband *m.*
rebordé [r(e)bò˙rdé] *adj.* met opstaande rand.
reborder [r(e)bò˙rdé] *v.t.* 1 weer omzomen; 2 van een opstaande rand voorzien.
reboucher [r(e)buʃé] *v.t.* 1 weer dichtmaken, weer dichtstoppen; 2 (*v. gat*) weer stoppen; 3 weer dichtkurken.
rebours [r(e)bu:r] *m.* 1 (*v. stof, enz.*) tegenstreek *v.*(*m.*); 2 tegengestelde, tegendeel *o.*; ***à —,*** 1 tegen de draad, tegendraads; 2 (*fig.*) averechts, verkeerd; ***prendre tout à —,*** alles verkeerd aanpakken; ***esprit à —,*** dwarskop *m.*
rebouter [r(e)buté] *v.t.* 1 weer hechten; 2 (*v. gebroken been*) zetten.
reboutonner [r(e)butòné] *v.t.* weer toeknopen.
rebras [r(e)bra] *m.* 1 (*v. handschoen*) armstuk *o.*; 2 (*v. mouw*) opslag *m.*
rebrider [r(e)bri˙dé] *v.t.* weer optomen.
rebroussement [r(e)brusmã] *m.* 1 (het) opstrijken *o.*; 2 (het) opkammen *o.*; ***point de —,*** keerpunt *o.*; ***gare de —,*** kopstation *o.*
rebrousse-poil *adv.*, ***à —,*** [ar(e)bruspwal] I tegen de draad in, tegen de vleug; 2 (*fig.*) averechts, verkeerd.
rebrousser [r(e)brusé] I *v.t.* 1 tegen de draad opstrijken; 2 (*v. haar*) tegen de vleug opkammen; ***— chemin,*** (op zijn schreden) terugkeren; II *v.i.* terugkrabbelen, (van iets) terugkomen.
rebuffade [r(e)büfa˙d] *f.* 1 barse weigering *v.*; 2 ruwe bejegening *v.*; 3 afsnauwing *v.*; ***essuyer une —,*** afgesnauwd worden. [stoten.
rebuffer [r(e)büfé] *v.t.* ruw afwijzen, voor 't hoofd
rébus [rébüs] *m.* rebus *m.*, figuurraadsel *o.*
rebut [r(e)bü] *m.* 1 afval *o. en m.*; uitschot *o.*; 2 onbestelbaar poststuk *o.*; ***mettre au —,*** afkeuren; ***— de la société,*** uitvaagsel, grauw *o.*
rebutant [r(e)bütã] *adj.* 1 terugstotend; 2 (*v. werk*) ontmoedigend.
rebuter [r(e)büté] *v.t.* 1 ruw afwijzen; terugstoten;

2 afkeuren, verwerpen; 3 afschrikken; ***se laisser —,*** zich laten ontmoedigen.
recacheter [r(e)kaʃté] *v.t.* opnieuw verzegelen.
récalcitrant [rékalsitrã] **I** *adj.* weerbarstig, weerspannig, koppig; **II** *s. m.* tegenstribbelaar *m.*
récalcitrer [rékalsitré] *v.i.* tegenstribbelen.
recaler [r(e)kalé] **I** *v.t.* **1** gladschaven; **2** (*bij examen*) afwijzen, laten zakken; **3** weer er bovenop helpen; opknappen; ***se faire —,*** (*bij examen*) zakken; **II** *v.pr.* ***se —,*** er weer bovenop komen.
récapitulatif [rékapitülatif] *adj.* samenvattend, recapitulerend; ***tableau —,*** tabellarisch overzicht *o.*
récapitulation [rékapitüla'syõ] *f.* samenvatting, korte herhaling *v.*
récapituler [rékapitülé] *v.t.* samenvatten, in 't kort herhalen.
recarreler [r(e)karlé] *v.t.* opnieuw bevloeren; (*v. oude schoenen*) verzolen.
recasser [r(e)ka'sé] *v.t.* **1** weer breken; **2** (*v. grond*) weer omwerken.
recauser [r(e)ko'zé] *v.i.* nog wel eens praten.
recéder [r(e)sédé] *v.t.* weer afstaan.
recel [r(e)sèl] *m.* heling *v.*
recèlement [r(e)sèlmã] *m.* heling *v.*
recéler [r(e)sélé] *v.t.* **1** helen; **2** verbergen; **3** (*fig.*) bevatten, in zich sluiten; **4** achterhouden, verzwijgen.
receleur [reslœ:r] *m.* heler *m.*
récemment [résamã] *adv.* onlangs, kort geleden.
recensement [r(e)sã'smã] *m.* **1** volkstelling *v.*; **2** (*v. stemmen*) opneming *v.*
recenser [r(e)sã'sé] *v.t.* (*v. stemmen*) tellen, opnemen.
recenseur [r(e)sã'sœ:r] *m.* volksteller *m.*
recension [r(e)sã'syõ] *f.* kritische tekstuitgave *v.(m.).*
récent [résã] *adj.* **1** nieuw, pas gebeurd; **2** (*v. herinnering, spoor*) vers.
recépage [r(e)sépa:j] *m.* korte snoeiing *v.*
recéper [r(e)sépé] *v.t.* kort snoeien.
récépissé [résépisé] *m.* ontvangbewijs, recepis *o.*
réceptacle [résèptakl] *m.* **1** vergaarplaats *v.(m.)*; **2** verzamelplaats *v.(m.)*; **3** (*Pl.*) bloembodem *m.*
récepteur [résèptœ:r] **I** *m.* **1** ontvangtoestel *o.*; **2** telefoonhoorn *m.*; **II** *adj.* opnemend; ontvangend; ***poste —,*** ontvangstation *o.*
réceptif [résèptif] *adj.* ontvankelijk.
réception [résèpsyõ] *f.* **1** ontvangst *v.*; **2** officiële ontvangst, receptie *v.*; **3** (*bij examen*) toelating *v.*; **4** ontvangkamer *v.(m.)*; **5** (*v. goederen*) aanneming *v.*; overname *v.(m.)*; ***accusé de —,*** bericht van ontvangst; ***commission de —,*** keuringscommissie *v.*; ***accuser —,*** de ontvangst berichten.
réceptionner [résèpsyòné] *v.t.* goederen bij ontvangst keuren.
réceptivité [résèptivité] *f.* **1** ontvankelijkheid *v.*; **2** (*gen.*) vatbaarheid *v.*
recette [r(e)sèt] *f.* **1** ontvangst *v.*; **2** ontvangerskantoor *o.*; **3** recept *o.*; **4** (*v. levering*) keuring *v.*; ***garçon de —,*** geldloper, incasseerder, kantoorloper *m.*; ***faire —,*** de kas stijven, veel geld inbrengen.
recevabilité [res(e)vabilité] *f.* ontvankelijkheid *v.*
recevable [res(e)va'bl] *adj.* ontvankelijk.
receveur [res(e)vœ:r] *m.* **1** ontvanger *m.*; **2** (*v. tram, bus*) conducteur, ontvanger *m.*; ***— des postes,*** directeur *m.* van een hulppostkantoor.
receveuse [res(e)vö:z] *f.* **1** conductrice *v.*; **2** ontvangster *v.*
recevoir [res(e)vwa:r] **I** *v.t.* **1** ontvangen; krijgen; **2** (*v. lid*) aannemen; **3** (*v. examinandus*) toelaten; **4** onthalen; **5** (*v. telegram*) opnemen; ***cela ne reçoit pas de contradiction,*** dat lijdt geen tegenspraak; ***être reçu docteur,*** promoveren; ***— son compte,*** zijn bekomst krijgen; **II** *v.i.* **1** ontvangen, krijgen; **2** bezoeken ontvangen.
réchampir [réʃã'pi:r] *v.t.* goed doen uitkomen.
rechange [r(e)ʃã:j] *m.* **1** verwisseling *v.*; **2** (*H.*) herwissel *m.*; ***linge de —,*** schoon linnen; ***pièce de —,*** wisselstuk *o.*; ***partie de —,*** reservedeel *o.*
rechanger [r(e)ʃã'jé] **I** *v.t.* weer verwisselen; **II** *v.pr.* ***se —,*** zich weer verkleden.
rechanter [r(e)ʃã'té] *v.t.* **1** overzingen; **2** (*fam.*) herhalen.
rechapage [r(e)ʃapa:j] *f.* (het) coveren, van een nieuw loopvlak voorzien *o.*
rechaper [r(e)ʃapé] *v.t.* coveren, van een nieuw loopvlak voorzien.
réchappé [réʃapé] **I** *adj.* ontsnapt; **II** *s. m.* ontsnapte *m.*
réchapper [réʃapé] **I** *v.i.* **1** ontkomen, ontsnappen; **2** (*v. zieke*) er weer bovenop komen; ***en —,*** er het leven afbrengen; **II** *v.t.* redden.
rechargement [r(e)ʃarjemã] *m.* **1** herlading *v.*; **2** (*v. weg*) nieuwe bestrating, nieuwe begrinting *v.*
recharger [r(e)ʃarjé] *v.t.* **1** opnieuw laden; **2** weer aanvallen; **3** (*v. pijp*) opnieuw stoppen; **4** (*el.*) bijvullen, naladen; **5** (*v. weg*) opnieuw bestraten, opnieuw begrinten.
rechasser [r(e)ʃa'sé] *v.t.* **1** terugjagen, terugdrijven; **2** (*v. bal*) terugkaatsen.
réchaud [réʃo] *m.* komfoor *o.*; ***— électrique,*** kookplaat *v.(m.)*; ***— à alcool,*** spiritüslichtje *o.*; ***— à gaz,*** gaskomfoor *o.*
réchauffage [réʃo'fa:j] *m.* **1** opwarming *v.*; **2** (*tn.*) voorverhitting *v.*
réchauffé [réʃo'fé] *m.* opgewarmde kost *m.*
réchauffement [réʃo'fmã] *m.* **1** opwarming *v.*; **2** verwarming *v.*; **3** nieuwe (verse) mest *m.*
réchauffer [réʃo'fé] *v.t.* **1** opwarmen; **2** (*v. ijver, enz.*) aanwakkeren, aanvuren; **3** (*tn.*) voorverwarmen.
réchauffoir [réʃo'fwa:r] *m.* bordenwarmer *m.*
rechaussement [r(e)ʃo'smã] *m.* aanaarding *v.*
rechausser [r(e)ʃo'sé] *v.t.* **1** weer schoeien; **2** (*v. boom, enz.*) (weer) aanaarden.
rêche [rè:ʃ] *adj.* **1** (*bij 't aanvoelen*) ruig, ruw; **2** (*v. smaak*) scherp, wrang; **3** (*fig.*) bars, stug.
recherche [r(e)ʃèrʃ] *f.* **1** opsporing, nasporing *v.*; **2** onderzoek *o.*; **3** gezochtheid *v.*; **4** (*v. stijl*) gekunsteldheid *v.*; ***être à la — de,*** zoeken naar; ***sans —,*** ongekunsteld.
recherché [r(e)ʃèrʃé] **I** *adj.* gezocht; **II** *s. m.* gezochtheid *v.*, (het) gezochte *o.*
rechercher [r(e)ʃèrʃé] *v.t.* **1** (*v. schuldige*) opsporen; **2** (*v. oorzaak*) nasporen; **3** uitvorsen; **4** onderzoeken; **5** streven naar; ***— qn.,*** omgang met iem. zoeken.
rechercheur [r(e)ʃèrʃœ:r] *m.* onderzoeker *m.*
rechigné [r(e)ʃiñé] *adj.* zuur, knorrig, gemelijk.
rechigner [r(e)ʃiñé] *v.i.* **1** zuur kijken, een zuur gezicht zetten; **2** tegenstribbelen, tegenspartelen.
rechute [r(e)ʃüt] *f.* **1** (het) terugvallen *o.* (in fout); **2** (*v. zieke*) instorting *v.*; hernieuwde aanval *m.*
rechuter [r(e)ʃüté] *v.i.* (*v. zieke*) (weer) instorten.
récidive [résidi'v] *f.* terugval *m.* in het kwaad, herhaling *v.* van een misdrijf, recidive *v.(m.).*
récidiver [résidi'vé] *v.i.* **1** in dezelfde fout vervallen; **2** hetzelfde misdrijf begaan; **3** (*v. zieke*) weer instorten; **4** (*fam.*) nog eens overdoen.
récidiviste [résidivist] *m.* herhalingsmisdadiger, recidivist *m.*
récidivité [résidivité] *f.* **1** (het) weer plegen *o.* (van een misdrijf); **2** (*v. ziekte*) neiging *v.* om terug te keren.

récif [résif] *m.* klip *v.*(*m.*).
récipé [résipé] *m.* recept *o.*
récipiendaire [résipyã'dè:r] *m.* recipiendus, aan te nemen persoon *m.* (als lid).
récipient [résipyã] *m.* **1** (*tn.*) ontvanger *m.*, vat *o.*; **2** (*v. luchtpomp*) klok *v.*(*m.*); **— *à huile,*** (*tn.*) oliebak *m.*
réciprocité [résipròsité] *f.* wederkerigheid *v.*
réciproque [résipròk] **I** *adj.* **1** wederzijds, onderling; **2** (*gram.*) wederkerig; **3** (*wisk.*) omgekeerd; **II** *s. f.* omgekeerde *o.*; ***rendre la — à qn.,*** **1** iem. een wederdienst bewijzen; **2** iem. met gelijke munt betalen, iem. gelijk met gelijk vergelden.
réciproquement [résipròkmã] *adv.* wederzijds; wederkerig.
réciproquer [résipròké] *v.t.* wedervergelden, wederkerigheid bewijzen.
récit [rési] *m.* **1** verhaal *o.*; **2** (*muz.*) solo *m. en o.*, alleenzang *m.*; **3** recitatief *o.*
récital [résital] *m.* (*pl.* : **—s**) **1** soloconcert *o.*, solovoordracht *v.*(*m.*); **2** voordrachtavond *m.*
récitateur [résitatœ:r] *m.* voordrager, declamator [*m.*
récitatif [résitatif] *m.* recitatief *o.*
récitation [résita'syõ] *f.* (het) opzeggen *o.*, opzegging; voordracht *v.*(*m.*).
réciter [résité] *v.t.* **1** opzeggen; **2** voordragen.
réclamant [réklamã] *m.* klager; eiser *m.*
réclamation [réklama'syõ] *f.* **1** klacht, reclame *v.*(*m.*); **2** vordering, terugvordering *v.*; opeising *v.*
réclame [réklam] *f.* **1** aanprijzing *v.*, reclame *v.*(*m.*); **2** (*drukk.*) klapper *m.*; ***— lumineuse,*** lichtreclame *v.*(*m.*).
réclamer [réklamé] **I** *v.t.* **1** terugvorderen; opeisen; **2** (*v. hulp*) inroepen; **3** (*v. zorgen*) vereisen, noodzakelijk maken; **II** *v.i.* **1** reclameren, klachten indienen; **2** opkomen (tegen); **3** protesteren.
reclassement [r(e)klasmã] *m.* **1** herclassificatie *v.*, (het) weer indelen *o.*; herkansing *v.*; **2** (het) wederopheffen *o.*
reclasser [r(e)klasé] *v.t.* **1** opnieuw indelen; **2** wederopheffen, reclasseren.
reclouer [r(e)klué] *v.t.* weer vastspijkeren.
reclure [r(e)klü:r] *v.t.* streng opsluiten.
reclus [r(e)klü] **I** *adj.* opgesloten; **II** *s. m.* kluizenaar *m.*
réclusion [réklü'zyõ] *f.* **1** opsluiting *v.*; **2** eenzame opsluiting *v.*, tuchthuisstraf *v.*(*m.*).
réclusionnaire [réklü'zyònè:r] *m.* tot eenzame opsluiting veroordeelde *m.*
récognition [rékògnisyõ] *f.* erkenning *v.*
recoiffer [r(e)kwafé] *v.t.* opnieuw kappen.
recoin [r(e)kwẽ] *m.* schuilhoek *m.*; verborgen plekje *o.*; ***coins et —s,*** hoekjes en gaatjes.
récolement [rékòlmã] *m.* inventaris *m.*
récoler [rékòlé] *v.t.* verifiëren.
récollection [rékòlèksyõ] *f.* **1** overpeinzing *v.*; **2** (*kath.*) recollectie *v.*
recollement [r(e)kòlmã] *m.* (het) weer lijmen *o.*
recoller [r(e)kòlé] **I** *v.t.* **1** weer lijmen; **2** verzoenen; **II** *v.pr.* ***se —,*** **1** beter worden, er weer bovenop komen; **2** zich (weer) verzoenen.
récollet [rékòlè] *m.* franciscaan, minderbroeder *m.*; (*Z.N.*) recollect *m.*
recolliger, se — [ser(e)kòli'jé] *v.pr.* tot zichzelf inkeren.
récolte [rékòlt] *f.* **1** (het) oogsten *o.*; oogst *m.*; **2** (*v. aardappelen*) (het) rooien *o.*; ***faire la —,*** oogsten.
récolter [rékòlté] *v.t.* oogsten, inoogsten.
recommandable [r(e)kòmã'da'bl] *adv.* aanbevelenswaardig.
recommandation [r(e)kòmã'da'syõ] *f.* **1** aanbeveling *v.*; **2** raadgeving, aansporing *v.*; **3** (*v. brief, enz.*) aantekening *v.*
recommander [r(e)kòmã'dé] **I** *v.t.* **1** aanbevelen; **2** aanraden, op het hart drukken; **3** (*v. brief*) aantekenen; **II** *v.pr.* ***se —,*** **1** zich aanbevelen; **2** aanbeveling verdienen; ***se — de qn.,*** zich op iem. beroepen.
recommencement [r(e)kòmã'smã] *m.* herhaling [*v*
recommencer [r(e)kòmã'sé] *v.t. et v.i.* weer beginnen; ***— de plus belle,*** nog erger beginnen.
récompense [rékõ'pã:s] *f.* beloning *v.*; ***en — de,*** tot loon (*of* beloning) voor.
récompenser [rékõ'pã'sé] *v.t.* belonen.
recomposer [r(e)kõ'po'zé] *v.t.* **1** weer samenvoegen, weer samenstellen; **2** (*drukk.*) opnieuw zetten.
recomposition [r(e)kõ'pozisyõ] *f.* **1** wedersamenstelling *v.*; **2** (het) opnieuw zetten *o.*
recompter [r(e)kõ'té] *v.t.* overtellen.
réconciliable [rékõ'silya'bl] *adj.* verzoenbaar.
réconciliateur [rékõ'silyatœ:r] **I** *m.* bemiddelaar, vredestichter *m.*; **II** *adj.* bemiddelend, verzoenend.
réconciliation [rékõ'silya'syõ] *f.* verzoening *v.*
réconcilier [rékõ'silyé] **I** *v.t.* **1** verzoenen; **2** tot overeenstemming brengen; **3** (*v. kerk*) herwijden; **II** *v.pr.* ***se —,*** zich (met elkaar) verzoenen;
recondamner [r(e)kõdã'né] *v.t.* opnieuw veroordelen.
reconduction [r(e)kõ'düksyõ] *f.* (*v. huur, pacht*) vernieuwing, verlenging *v.*
reconduire* [r(e)kõ'dwi:r] *v.t.* **1** terugbrengen; **2** (naar huis) geleiden; **3** (*v. bezoeker*) uitlaten; uitgeleide doen; ***— à la frontière,*** over de grens zetten.
reconduite [r(e)kõ'dwit] *f.* uitgeleide *o.*
réconfort [rékõ'fò:r] *m.* troost *m.*
réconfortant [rékõ'fòrtã] **I** *adj.* **1** versterkend; **2** (*fig.*) troostend; **II** *s. m.* versterkend middel *o.*
réconforter [rékõ'fòrté] *v.t.* **1** versterken; **2** (*fig.*) troosten, opbeuren.
reconnaissable [r(e)kònèsa'bl] *adj.* herkenbaar.
reconnaissance [r(e)kònèsã:s] *f.* **1** herkenning *v.*; **2** erkenning *v.*; **3** verkenning *v.*; **4** erkentelijkheid, dankbaarheid *v.*; **5** bekentenis *v.*; **6** schuldbewijs *o.*; ***— du mont-de-piété,*** lommerdbriefje *o.*
reconnaissant [r(e)kònèsã] *adj.* dankbaar, erkentelijk.
reconnaître* [r(e)kònè:tr] **I** *v.t.* **1** herkennen; **2** erkennen; **3** verkennen; **4** dankbaar (*of* erkentelijk) zijn voor; **5** toekennen; **II** *v.pr.* ***se —,*** **1** elkaar herkennen; **2** zijn weg terugvinden; **3** tot inkeer komen; zich oriënteren; **4** tot zich zelf komen, tot bezinning komen; ***je ne m'y reconnais plus,*** ik kan er geen wijs meer uit worden.
reconquérir [r(e)kõ'kéri:r] *v.t.* heroveren.
reconquête [r(e)kõ'kè:t] *f.* herovering *v.*
reconsidérer [r(e)kõ'sidéré] *v.t.* opnieuw bezien.
reconsolidation [r(e)kõ'sòlida'syõ] *f.* versteviging *v.*
reconsolider [r(e)kõ'sòlidé] *v.t.* weer verstevigen.
reconstituant [r(e)kõ'stitwã] **I** *adj.* versterkend; **II** *s. m.* versterkend middel *o.*
reconstituer [r(e)kõ'stitwé] *v.t.* **1** weer samenstellen; **2** herstellen.
reconstitution [r(e)kõ'stitüsyõ] *f.* **1** wedersamenstelling *v.*; **2** herstelling *v.*; **3** wederoprichting *v.*
reconstruction [r(e)kõ'strüksyõ] *f.* **1** wederopbouw *m.*; **2** verbouwing *v.*; **3** (*v. ministerie*) nieuwe samenstelling; gedeeltelijke vernieuwing *v.*
reconstruire* [r(e)kõ'strwi:r] *v.t.* **1** weder opbouwen, heropbouwen; **2** verbouwen; **3** (*v. machine*) ombouwen; **4** opnieuw samenstellen; gedeeltelijk vernieuwen.
recontinuer [r(e)kõ'tinwé] *v.t.* weer vervolgen.

reconvention [r(e)kõ˙vã˙syõ] *f.* (*recht*) tegeneis *m.*
reconventionnel [r(e)kõ˙vã˙syònèl] *adj.* (*recht*) reconventioneel, de tegeneis betreffend.
reconversion [r(e)kõ˙vèrsyõ] *f.* omschakeling *v.* (*bv.* van oorlogs- op vredesindustrie); omscholing *v.*
reconvertir [r(e)kõ˙vèrtir] **I** *v.t.* omscholen; **II** *v.pr.* ***se —,*** omgeschoold worden.
recopier [r(e)kòpyé] *v.t.* (opnieuw) overschrijven.
recoquillement [r(e)kòkiymã] *m.* **1** kronkeling *v.*; **2** (het) omkrullen *o.*
recoquiller [r(e)kòkiyé] **I** *v.t.* omkrullen; oprollen; **II** *v.pr.* ***se —,*** **1** kronkelen; **2** omkrullen; ombuigen.
record [r(e)kò:r] *m.* record *o.*; ***battre un —,*** een record verbeteren (*of* slaan); ***détenir un —,*** een record houden; ***établir un —,*** een record maken (*of* vestigen).
recorder [r(e)kò:rdé] **I** *v.t.* **1** (*v. racket*) opnieuw bespannen; **2** overleren; **3** repeteren; **II** ***se —,*** *v.pr.* **1** zich herinneren; **2** overlèggen.
recordman [r(e)kò:rman] *m.* recordhouder *m.*
recorriger [r(e)kòrijé] *v.t.* weer verbeteren.
recoucher [r(e)kuʃé] **I** *v.t.* **1** weer neerleggen; **2** weer naar bed brengen; **II** *v.pr.* ***se —,*** weer naar bed gaan. [aaneenhechten.
recoudre* [r(e)ku:dr] *v.t.* **1** weer aannaaien; **2** (*fig.*)
recouler [r(e)kulé] *v.t.* opnieuw gieten.
recoupage [r(e)kupa:j] *m.* **1** (het) weer snijden, (het) weer knippen *o.*; **2** (het) versnijden *o.*
recoupe [r(e)kup] *f.* **1** (*v. gras, enz.*) tweede snede *v.*(*m.*); **2** steengruis *o.*; **3** zemelmeel *o.*; **4** (*v. stoffen, enz.*) afknipsel *o.*; **5** metaalafval *o. en m.*
recoupement [r(e)kupmã] *m.* verifiëring *v.* aan de hand van verschillende bronnen.
recouper [r(e)kupé] *v.t.* **1** weer snijden; **2** (*v. wijn*) versnijden; **3** verifiëren aan de hand van verschillende bronnen; uitkienen.
recoupette [r(e)kupèt] *f.* zemelmeel *o.*
recourbé [r(e)kurbé] *adj.* gebogen; omgebogen.
recourber [r(e)kurbé] **I** *v.t.* ombuigen; verbuigen; **II** *v.pr.* ***se —,*** zich krommen.
recourbure [r(e)kurbü:r] *f.* kromming *v.*
recourir* [r(e)kuri:r] (*à*), *v.i.* **1** zijn toevlucht nemen (tot); **2** zich wenden (tot).
recours [r(e)ku:r] *m.* **1** toevlucht *m.*; **2** verhaal *o.*, eis *m.* tot schadevergoeding; **3** (*recht*) beroep *o.*; **4** (*H.* : *bij wissel*) regres *o.*; ***— en grâce,*** verzoek *o.* om gratie; ***avoir — à,*** zijn toevlucht nemen tot; ***avoir — contre,*** verhaal hebben op; ***sans —,*** onherroepelijk; ***en dernier —,*** in laatste instantie.
recouvrable [r(e)kuvra˙bl] *adj.* inbaar, te innen.
recouvrage [r(e)kuvra:j] *m.* (het) overtrekken *o.*
recouvrement [r(e)kuvremã] *m.* **1** bedekking; overdekking *v.*; **2** overtrek *o. en m.*; **3** (het) terugkrijgen *o.*; **4** inning, invordering, incassering *v.*; **5** (*v. krachten*) herstel *o.*; ***bureau de —,*** incasseringskantoor *o.*
recouvrer [r(e)kuvré] *v.t.* **1** herkrijgen, terugkrijgen, terugbekomen; **2** innen, incasseren, invorderen.
recouvrir* [r(e)kuvri:r] **I** *v.t.* **1** (geheel) bedekken; **2** (*v. huis*) dekken; **3** (*met stof*) overtrekken; **4** (*fig.*) bemantelen, bewimpelen; **II** *v.pr.* ***se —,*** (*v. lucht*) betrekken.
recracher [r(e)kraʃé] *v.t.* uitspuwen.
récréatif [rékréatif] *adj.* genoeglijk, vermakelijk, ontspannings—.
recréation [r(e)kréa˙syõ] *f.* herschepping *v.*
récréation [rékréa˙syõ] *f.* **1** vermaak *o.*; **2** ontspanning, uitspanning, recreatie *v.*; **3** (*op school*) speeltijd *m.*, speelkwartier *o.*; **4** (*in klooster*) vrije tijd *m.*
recréer [r(e)kréé] *v.t.* herscheppen.
récréer [rékréé] **I** *v.t.* ontspannen; **II** *v.pr.* ***se —,*** zich ontspannen.
recrépir [r(e)krépi:r] *v.t.* **1** weer bepleisteren, witten; **2** (*fig.*) met een vernisje bedekken; ***— son visage,*** zich blanketten.
recrépissage [r(e)krépisa:j] **1** (het) overwitten *o.*; **2** (het) verbloemen *o.* [diepen.
recreuser [r(e)krö˙zé] *v.t.* opnieuw uitgraven; uit-
récrier, se — [s(e)rékri(y)é] *v.pr.* **1** het uitschreeuwen; een kreet slaken; **2** luid protesteren; in verzet komen (tegen).
récrimination [rékrimina˙syõ] *f.* tegenbeschuldiging *v.*, verwijt *o.* [inbrengen.
récriminer [rékriminé] *v.i.* een tegenbeschuldiging
récrire [rékri:r] *v.t.* **1** overschrijven; **2** terugschrijven; **3** (*v. boek, hoofdstuk*) omwerken.
recroiser [r(e)krwazé] *v.t.* weer tegenkomen.
recroître* [rekrwa:tr] *v.i.* weer groeien.
recroqueviller, se — [ser(e)kròkviyé] *v.pr.* ineenkrimpen, verschrompelen.
recru [r(e)krü] *adj.* bekaf, uitgeput.
recrû [r(e)krü] *m.* (*v. hout*) aangroei *m.*
recrudescence [r(e)krüdèsã:s] *f.* **1** (*v. koorts, enz.*) toeneming *v.*; **2** (*v. ziekte*) verergering *v.*; nieuwe aanval *m.*
recrudescent [r(e)krüdèsã] *adj.* verergerend.
recrue [r(e)krü] *f.* rekruut *m.*
recrutement [r(e)krütmã] *m.* aanwerving, rekrutering *v.*; ***conseil de —,*** militieraad *m.*
recruter [r(e)krüté] *v.t.* aanwerven, rekruteren.
recruteur [r(e)krütœ:r] *m.* werver *m.*
recta [rèkta] *adv.* precies, stipt.
rectal [rèktal] *adj.* van de endeldarm.
rectangle [rèktã:gl] **I** *adj.* rechthoekig; **II** *s. m.* rechthoek *m.*
rectangulaire [rèktã˙gülè:r] *adj.* rechthoekig.
recteur [rèktœ:r] *m.* rector *m.* [vatbaar.
rectifiable [rèktifya˙bl] *adj.* voor verbetering
rectificatif [rèktifikatif] *adj.* verbeterend.
rectification [rèktifika˙syõ] *f.* **1** rechtmaking *v.*; **2** verbetering *v.*; **3** zuivering *v.* (door distillatie).
rectifier [rèktifyé] *v.t.* **1** recht maken; **2** verbeteren; **3** zuiveren (door distillatie).
rectiligne [rèktiliñ] *adj.* rechtlijnig.
rectite [rèktit] *f.* endeldarmontsteking *v.*
rectitude [rèktitü˙d] *f.* **1** rechtheid *v.*; **2** oprechtheid; rechtschapenheid *v.*; **3** (*v. oordeel*) juistheid *v.*
recto [rèkto] *m.* voorzijde *v.*(*m.*) (van een plan); rechterbladzijde *v.*(*m.*) (van een boek).
rectoral [rèktòral] *adj.* rectoraal, van de rector.
rectorat [rèktòra] *m.* rectoraat *o.*, waardigheid *v.* van rector.
rectoverso [rèktovèrso] *m.* (***impression***) ***—,*** (*drukk.*) schoon- en weerdruk *m.*
rectrice [rèktris] **I** *f.* **1** rectrix, directrice *f.*; **2** stuurpen *v.*(*m.*); **II** *adj.* (be)sturend, richtend; ***penne —,*** stuurpen *v.*(*m.*).
rectum [rᵉktòm] *m.* endeldarm *m.*
reçu [resü] **I** *adj.* ontvangen; **II** *s. m.* ontvangbewijs *o.*; ***au — de,*** bij de ontvangst (*of* het ontvangen) van.
recueil [r(e)kœ˙y] *m.* verzameling *v.*; bundel *m.*
recueillement [r(e)kœymã] *m.* **1** stille overpeinzing, bespiegeling *v.*; **2** plechtige stilte *v.*
recueilli [r(e)kœyi] *adj.* ingetogen, in overpeinzing, ernstig.
recueillir* [r(e)kœyi:r] **I** *v.t.* **1** inzamelen, verzamelen; **2** (*v. vruchten*) plukken; **3** (*v. woorden*) opvangen; **4** (*v. stemmen*) opnemen; **5** (*v. rede, enz.*) samenvatten; **6** (*v. erfenis*) aanvaarden; **7** (*v. gedachten*) op één punt vestigen; ***— ses forces,*** zijn

krachten verzamelen; **II** *v.pr.* ***se —*, 1** tot zich zelf inkeren; **2** zijn gedachten verzamelen.
recuire* [r(e)kẅi:r] *v.t.* **1** opkoken; opbraden; opbakken; **2** (*v. staal*) harden; **3** (*v. ijzer*) ontlaten, uitgloeien. [*v.*; **2** ontlating, uitgloeiing *v.*
recuit [r(e)kẅi] *m.*, **recuite** [r(e)kẅit] *f.* **1** harding
recul [r(e)kül] *m.* **1** achterwaartse beweging *v.*, (het) achteruitgaan, (het) achteruitlopen *o.*; **2** (*H.*: *v. koers*) (het) teruglopen *o.*; **3** (*v. prijs*) daling *v.*; **4** (*v. kanon*) terugstoot, —loop *m.*; **5** (*sp.*) uitloop *m.*; ***mouvement de —***, achterwaartse beweging *v.*; ***donner un effet de —***, (*bilj.*) trekken.
reculade [r(e)küla·d] *f.* (het) terugdeinzen *o.*; teruggang *m.*; ***faire une —***, terugkrabbelen.
reculé [r(e)külé] *adj.* verwijderd, ver afgelegen; ***les temps les plus —s***, de vroegste tijden.
reculer [r(e)külé] **I** *v.i.* **1** terugdeinzen; **2** terugwijken; **3** (*v. prijzen*) teruglopen; **4** (*v. geweer, enz.*) terugslaan, terugspringen; ***— pour mieux sauter***, achteruitgaan om een aanloop te nemen; (*fig.*) een klein voordeel opgeven om later een groter te verkrijgen; **II** *v.t.* **1** (*v. stoel, enz.*) achteruitschuiven; **2** (*v. datum*) verschuiven; **3** (*v. betaling*) uitstellen; **4** (*v. grenzen*) uitbreiden, uitzetten.
reculons, *à —* [ar(e)külõ] *adv.* achterwaarts; ***aller à —***, achteruitgaan.
récupérateur [réküpératœ:r] *m.* regenerator *m.*
récupération [réküpéra·syõ] *f.* herkrijging *v.*
récupérer [réküpéré] **I** *v.t.* **1** herkrijgen, terugkrijgen; **2** (*scheik.*: *v. bijprodukten*) terugwinnen; **II** *v.pr.* ***se —***, zich schadeloos stellen.
récurage [rékürа:j] *m.* (het) schoonmaken *o.*
récurer [réküré] *v.t.* schoonmaken, schuren.
récurrent [rékürã] *adj.* **1** teruggaand; **2** terugkerend.
récusable [réküza·bl] *adj.* wraakbaar; betwistbaar.
récusation [réküza·syõ] *f.* wraking, verwerping *v.*
récuser [réküzé] **I** *v.t.* wraken; verwerpen; **II** *v.pr.* ***se —*, 1** zich onbevoegd verklaren; **2** (*recht*) zich verschonen.
rédacteur [rédaktœ:r] *m.* opsteller; redacteur *m.*; ***— en chef***, hoofdredacteur *m.*
rédaction [rédaksyõ] *f.* **1** (het) opstellen *o.*; **2** opstel *o.*; **3** (*v. dagblad*) redactie *v.*; **4** redactiebureau *o.*
rédactionnel [rédaksyònèl] *adj.* redactioneel, van de redactie. [muuruitsteeksel *o.*
redan, redent [r(e)dã] *m.* **1** bep. vestingwerk *o.*; **2**
reddition [rèdisyõ] *f.* **1** teruggave *v.*(*m.*); **2** (*v. vesting*) overgave *v.*(*m.*); **3** (*v. rekening*) overlegging *v.*
redemander [red(e)mã·dé] *v.t.* **1** nog eens vragen; **2** terugvragen. [maker *m.*
Rédempteur [rédã·(p)tœ:r] *m.* Verlosser, Zalig-
Rédemption [rédã·(p)syõ] *f.* **1** Verlossing, Zaligmaking *v.*; **2** vrijkoping *v.*
rédemptoriste [rédã·(p)tòrist] *m.* redemptorist *m.*
redescendre [r(e)dèsã:dr] **I** *v.i.* weer naar beneden komen; **II** *v.t.* **1** weer naar beneden brengen; **2** weer afvaren.
redevable [red(e)va·bl] *adj.* **1** schuldig; **2** verschuldigd; ***être — de qc. à qn.***, iem. iets te danken hebben.
redevance [red(e)vã:s] *f.* **1** verschuldigd bedrag *o.*; bijdrage *v.*(*m.*); **2** cijns *m.*
redevenir [r(e)devni:r] *v.i.* weer worden.
redevoir [red(e)vwa:r] *v.t.* nog schuldig blijven.
rédhibition [rédibisyõ] *f.* koopvernietiging.
rédhibitoire [rédibitwa:r] *adj.* koopvernietigend.
rédiger [rédijé] *v.t.* **1** opstellen; **2** (*v. akte*) opmaken; **3** redigeren.
rédimer [rédimé] *v.t.* afkopen, vrijkopen.
redingote [r(e)dẽ·gòt] *f.* geklede jas *m. en v.*
redire* [r(e)di:r] **I** *v.t.* herzeggen, herhalen; **II** *v.i.* aanmerking maken op; ***trouver à — à tout***, op alles wat te zeggen hebben. [**2** verklikker *m.*
rediseur [r(e)dizœ:r] *m.* **1** herhaler, naprater *m.*;
redite [r(e)dit] *f.* (nodeloze) herhaling *v.*
redondance [r(e)dõ·dã:s] *f.* wijdlopigheid *v.*
redondant [r(e)dõ·dã] *adj.* wijdlopig.
redonder [r(e)dõ·dé] *v.i.* overtollig zijn; ***— de***, (te) vol zijn van.
redonner [r(e)dòné] **I** *v.t.* teruggeven; weer geven; **II** *v.i.* (*mil.*) weer aanvallen; ***— dans le piège***, weer in de val lopen.
redorer [r(e)dòré] *v.t.* weer vergulden.
redoublé [r(e)dublé] *adj.* verdubbeld, versterkt; ***pas —***, versnelde pas *m.*
redoublement [r(e)dublemã] *m.* **1** verdubbeling *v.*; **2** toename *v.*(*m.*); **3** (*schermen*) herhaalde aanval *m.*
redoubler [r(e)dublé] **I** *v.t.* **1** verdubbelen; **2** versterken, vermeerderen; **3** (*v. kleding*) opnieuw voeren; ***— sa classe***, in een klasse blijven zitten, niet overgaan; **II** *v.i.* **1** verdubbelen; **2** toenemen, sterker worden; ***— de zèle***, met dubbele ijver werken.
redoutable [r(e)duta·bl] *adj.* geducht, ontzaglijk.
redoute [r(e)dut] *f.* kleine schans *v.*(*m.*); ***— blindée***, blokhuis *o.*
redouter [r(e)duté] *v.t.* duchten, vrezen.
redressement [r(e)drèsmã] *m.* **1** (het) weer recht maken *o.*; **2** wederoprichting *v.*; **3** herstel *o.*; **4** (*radio*) gelijkrichting *v.*; ***appareil à —***, gelijkrichter *m.*; ***maison de —***, verbeteringsgesticht *o.*
redresser [r(e)drèsé] **I** *v.t.* **1** (weer) recht maken; **2** weer opheffen; **3** weer oprichten; **4** verbeteren; herstellen; **5** (*v. fout, vergissing*) goedmaken; **6** (*el.*) gelijkrichten; **7** (*fig.*) terechtwijzen; **II** *v.pr.*, ***se —*, 1** zich weer oprichten; **2** zich herstellen; **3** opgericht worden.
redresseur [r(e)drèsœ:r] *m.*, (***— de courant***), gelijkrichter *m.*; ***— de torts***, dolende ridder *m.*
redû [redü] **I** *adj.* nog verschuldigd; **II** *s. m.* het nog verschuldigde *o.*
réducteur [rédüktœ:r] **I** *adj.* reducerend, herleidend; **II** *s. m.* (*scheik.*) reductor *m.*
réductibilité [rédüktibilité] *f.* herleidbaarheid *v.*
réductible [rédükti·bl] *adj.* **1** herleidbaar; **2** (*recht*) verminderbaar; **3** (*H.*: *beurs*) converteerbaar; ***— à néant***, vernietigbaar.
réductif [rédüktif] *adj.* herleidend, reducerend.
réduction [rédüksyõ] *f.* **1** vermindering, reductie *v.*; **2** verkleining *v.*; **3** herleiding *v.*; **4** (*gen.*: *v. ledematen*) (het) zetten *o.*; **5** (*v. uitgaven*) verlaging, beperking *v.*; **6** (*H.*) korting *v.*; **7** (*v. rente*) conversie *v.*; **8** (*wijsb.*) terugvoering *v.*
réduire* [rédẅi:r] **I** *v.t.* **1** terugbrengen, herleiden; **2** (*v. kosten, enz.*) verminderen; **3** (*gen.*) zetten; **4** (*v. tekening, enz.*) verkleinen; **5** (*v. vloeistof*) indampen, inkoken; ***— à sa plus simple expression***, tot de eenvoudigste vorm herleiden; (*fig.*) zoveel mogelijk verkorten; ***—en cendres***, in de as leggen; ***— au silence***, tot zwijgen brengen; ***— en poudre***, fijnwrijven; tot poeder vermalen; ***— sa dépense***, zich bekrimpen; ***— en servitude***, tot onderwerping brengen; **II** *v.pr.* ***se —*, 1** zich laten herleiden; **2** beperkt worden; **3** (*gen.*) gezet worden; **4** zich bekrimpen; ***se — en***, veranderen in; overgaan tot.
réduit [rédẅi] *m.* **1** klein verblijf; vertrekje *o.*; **2** eenzaam hoekje *o.*; **3** (*mil.*) verborgen schans *v.*(*m.*), reduit *o.*; **4** (*fig.*) laatste toevluchtsoord *o.*; ***à prix —s***, tegen verminderde prijzen.

réduplicatif [rédüplikatif] *adj.* 1 verdubbelend; 2 (*gram.*) herhaling aanduidend. [herhaling *v.*
réduplication [rédüplikɑ'syõ] *f.* verdubbeling *v.*;
réédification [réédifikɑ'syõ] *f.* wederopbouw *m.*
réédifier [réédifyé] *v.t.* wederopbouwen, wederoprichten.
rééditer [réédité] *v.t.* 1 (*v. boek*) opnieuw uitgeven; 2 (*fig.*: *v. praatje, enz.*) weer verspreiden, weer in omloop brengen.
réédition [réédisyõ] *f.* nieuwe uitgave *v.*(*m.*).
rééducation [réédükɑ'syõ] *f.* heropvoeding *v.*; **— professionnelle,** herscholing *v.*
rééduquer [réédüké] *v.t.* 1 herscholen; 2 (*van verlamde ledematen*) opnieuw oefenen.
réel [réèl] I *adj.* 1 werkelijk, wezenlijk; 2 (*recht*) zakelijk; II *s. m.*, **le —,** (de) werkelijkheid *v.*
réélection [réélèksyõ] *f.* herkiezing *v.*
rééligibilité [réélijibilité] *f.* herkiesbaarheid *v.*
rééligible [réélijiˑbl] *adj.* herkiesbaar.
réélire* [rééli:r] *v.t.* herkiezen.
réellement [réèlmã] *adv.* werkelijk, wezenlijk.
réemballer [rééã'balé] *v.t.* weer inpakken.
réensemencer [rééãsmãsé] *v.t.* opnieuw bezaaien.
réer [réé], *voir* **raire.**
réescompte [rééskõ:t] *m.* herdiscontering *v.*
réescompter [rééskõ'té] *v.t.* herdisconteren.
réestimer [réèstimé] *v.t.* herschatten.
réévaluation [réévalŵɑ'syõ] *f.* revaluatie *v.*
réévaluer [réévalŵé] *v.t.* herwaarderen.
réexpédier [réè(k)spédyé] *v.t.* weer verzenden; doorzenden.
réexpédition [réè(k)spédisyõ] *f.* doorzending; terugzending *v.* [*m.*
réexportation [réè(k)spòrtɑ'syõ] *f.* wederuitvoer
réexporter [réè(k)spòrté] *v.t.* weer uitvoeren.
réfaction [réfaksyõ] *f.* (*H.*) korting, rafactie *v.*
réfactionner [réfaksyòné] *v.t.* (*H.*) rafactie geven op.
refaire* [r(e)fè:r] I *v.t.* 1 overdoen; 2 overmaken; 3 herstellen; 4 hernieuwen; **— ses dents,** nieuwe tanden krijgen; ***c'est à* —,** dat is geheel mislukt; dat moet overgedaan worden; **— *qn.*,** iem. beetnemen, iem. erin laten vliegen; II *v.pr.* **se —,** 1 een andere vorm aannemen; 2 (*v. zieke*) op zijn verhaal komen, weer op krachten komen; 3 (*H.*; *spel*) zijn verlies herstellen, het verlorene terugverdienen (*of* terugwinnen); 4 iets eten (*of* drinken), de inwendige mens versterken.
refait [r(e)fè] I *m.* 1 (*v. hert*) nieuw gewei *o.*; 2 (*spel*) gelijk spel *o.*, over te spelen partij *v.*; II *adj.* (*pop.*) bedrogen.
réfection [réfèksyõ] *f.* 1 herstelling *v.*; 2 hernieuwing *v.*; 3 verkwikking, lafenis *v.*
réfectionner [réfèksyòné] *v.t.* herstellen.
réfectoire [réfèktwa:r] *m.* refter *m.*
refend [r(e)fã] *m.* (het) kloven *o.*; ***bois de* —,** kachelhout; overlangs gezaagd hout *o.*; ***mur de* —,** binnenmuur *m.* [langs doorzagen.
refendre [r(e)fã'dr] *v.t.* 1 opnieuw kloven; 2 over-
référé [réfé'ré] *m.* kort geding *o.*; ***juger en* —,** in kort geding uitspraak doen.
référence [référã's] *f.* 1 verwijzing *v.*; 2 stalenboek *o.*; 3 **—s,** *pl.* referentiën *mv.*, getuigenissen *mv.*; aanbevelingen *mv.*; ***ouvrages de* —,** naslagwerken; ***— bibliographique,*** literatuurverwijzing; ***— de page,*** paginaverwijzing *v.*
référendaire [référã'dè:r] *m.* referendaris *m.*
référendum [référẽ'dòm] *m.* referendum *o.*, volksstemming *v.*
référent [référã] *m.* inleider *m.*
référer [référé] I *v.t.* 1 toeschrijven (aan); 2 vergelijken (met); II *v.i.*, ***en — à,*** verslag doen aan; III *v.pr.*, ***se — à, s'en — à,*** 1 zich beroepen op; 2 zich houden aan; 3 betrekking hebben op.
refermer [r(e)fèrmé] I *v.t.* weer sluiten, weer dichtdoen; II *v.pr.* **se —,** weer dichtgaan.
réfléchi [réflé'ʃi] *adj.* 1 doordacht, weloverlegd; 2 bedachtzaam; 3 (*v. werkwoord*) wederkerend.
réfléchir [réflé'ʃi:r] I *v.t.* 1 (*v. licht, geluid, enz.*) terugkaatsen; 2 bedenken; II *v.i.* nadenken; ***donner à* —,** te denken geven, stof tot nadenken geven; III *v.pr.* **se —,** 1 teruggekaatst worden; 2 zich weerspiegelen.
réfléchissant [réflé'ʃisã] *adj.* weerkaatsend.
réfléchissement [réflé'ʃismã] *m.* terugkaatsing *v.*
réflecteur [réflèktœ:r] *m.* reflector, lichtspiegel, lichtkaatser *m.* [ling *v.*
reflet [r(e)flè] *m.* 1 weerschijn *m.*; 2 (*fig.*) afspiege-
refléter [r(e)flété] I *v.t.* 1 (*v. licht*) terugkaatsen; 2 (*fig.*) weerspiegelen; 3 weergeven; II *v.pr.* **se —,** 1 weerkaatst worden, teruggekaatst worden; 2 zich weerspiegelen; 3 een weerschijn werpen (op).
refleurir [r(e)floe'ri:r] *v.i.* 1 opnieuw bloeien; 2 (*fig.*) herleven, weer opbloeien.
réflexe [réflèks] I *adj.* 1 (*v. straal*) teruggekaatst; 2 (*v. beweging*) onbewust; ***mouvement* —,** reflexbeweging *v.*; II *s. m.* onbewuste handeling, reflexbeweging *v.* [kaatsbaar.
réflexible [réflèksi'bl] *adj.* terugkaatsbaar, weer-
réflexion [réflèksyõ] *f.* 1 terugkaatsing *v.*; weerschijn *m.*; 2 weerspiegeling *v.*; 3 overdenking, overpeinzing *v.*; 4 opmerking *v.*; ***par* —,** bij weeromstuit; ***toute — faite,*** alles wel beschouwd, alles wel overwogen; ***sans* —,** ondoordacht, zonder overleg; ***à la* —,** bij nadere overweging.
refluer [r(e)flüé] *v.i.* terugvloeien.
reflux [r(e)flü] *m.* 1 eb *v.*(*m.*); 2 (*v. menigte*) (het) aftrekken *o.*, teruggaande beweging *v.*
refondre [r(e)fõ:dr] *v.t.* 1 (*v. metaal*) hersmelten, omsmelten; 2 (*v. beeld*) hergieten; 3 (*v. boek, tekst*) omwerken.
refonte [r(e)fõ:t] *f.* 1 omsmelting *v.*; 2 hergieting *v.*; 3 omwerking *v.*; 4 (*v. oud papier*) verwerking *v.*
reforger [r(e)fò:rjé] *v.t.* hersmeden.
réformable [réfòrma'bl] *adj.* hervormbaar, herstelbaar; verbeterbaar.
réformateur [réfòrmatœ:r] I *adj.* hervormend; II *s. m.* hervormer *m.*
réformation [réfòrmɑ'syõ] *f.* 1 hervorming *v.*; 2 (*gesch.*) reformatie, hervorming *v.*
réformatoire [réfòrmatwa:r] *adj.* hervormend.
réforme [réfòrm] *f.* 1 hervorming *v.*; 2 reformatie, kerkhervorming *v.*; 3 verandering, verbetering *v.*; 4 (*mil.*) afdanking; afkeuring *v.*; ***mettre à la* —,** (*mil.*) afdanken, afkeuren, uit de dienst ontslaan (wegens lichaamsgebreken); ***congé de* —,** ontslag *o.* met pensioen; ***cheval de* —** reformpaard *o.*
réformé [réfòrmé] I *adj.* 1 hervormd; 2 (*mil.*) afgedankt; II *s. m.* hervormde *m.*
reformer [r(e)formé] *v.t.* 1 opnieuw vormen; 2 opnieuw opstellen.
réformer [réfòrmé] I *v.t.* 1 hervormen; 2 veranderen, verbeteren; 3 (*mil.*) afdanken; 4 (*v. geld*) ommunten; 5 (*v. misbruik*) afschaffen; 6 (*v. uitgaven*) verminderen; II **se —,** *v.pr.* zijn leven beteren.
réformiste [réfòrmist] I *m.* voorstander *m.* van hervorming; II *adj.* hervormingsgezind.
refouiller [r(e)fuyé] *v.t.* 1 weer doorzoeken; 2 (*beeldh.*) uitbeitelen.
refouler [r(e)fulé] *v.t.* 1 terugdringen; 2 (*v. vijand*) terugdrijven; 3 (*v. water*) opstuwen, doen terugvloeien; 4 (*v. rook*) terugslaan, neerslaan; 5 (*v. tranen*) inhouden, bedwingen; 6 (*v. gas*) terugper-

sen; **7** (*v. gevoelen*) onderdrukken; **8** (*wijsb.*) verdringen; ***— au courant,*** tegen de stroom opvaren.
refouleur [r(e)fulœ:r] *m.* perspomp *v.(m.).*
réfractaire [réfraktè:r] **I** *adj.* **1** vuurvast; **2** onwillig, weerspannig; **II** *s. m.* weerspannige *m.*; dienstweigeraar *m.*
réfracter [réfrakté] *v.t.* (*v. stralen*) breken.
réfractif [réfraktif] *adj.* straalbrekend.
réfraction [réfraksyõ] *f.* straalbreking *v.*
refrain [r(e)frẽ] *m.* refrein; keerrijm *o.*
réfrangibilité [réfrã'jibilité] *f.* (*v. lichtstralen*) breekbaarheid *v.*
réfrangible [réfrã'ji'bl] *adj.*, (*v. lichtstralen*) breekbaar.
refrènement [r(e)frènmã] *m.* beteugeling *v.*
refréner [r(e)frénê] *v.t.* beteugelen.
réfrigérant [réfrijérã] **I** *adj.* verkoelend; afkoelend; ***beurrier —,*** boterkoeler *m.*; **II** *s. m.* **1** (*scheik.*) koelvat, koelapparaat, koeltoestel *o.*; **2** verkoelend (genees)middel *o.*
réfrigérateur [réfrijératœ:r] *m.* koelcel *v.(m.).*
réfrigératif [réfrijératif] *adj.* verkoelend.
réfrigération [réfrijéra'syõ] *f.* afkoeling *v.*; ***appareil de —,*** koelapparaat *o.*
réfrigérer [réfrijéré] *v.t.* afkoelen.
réfringence [réfrẽ'jã:s] *f.* vermogen *o.* tot straalbreking.
réfringent [réfrẽ'jã] *adj.* straalbrekend.
refrogné [r(e)fròñé] *adj.* stuurs, nors.
refrognement [r(e)froñmã] *m.* stuursheid, norsheid *v.*
refrogner [r(e)fròñé] *v.t.*, (***— son visage***) *et v.pr.*, ***se —,*** nors kijken, een stuurs gezicht zetten.
refroidir [r(e)frwa'di:r] **I** *v.t.* **1** verkoelen, koud maken; **2** (*fig.*) bekoelen; **II** *v.i.* **1** koud worden; **2** verkoelen, verflauwen; **III** *v.pr.* ***se —,*** **1** kou vatten; **2** koud worden.
refroidissement [r(e)frwadismã] *m.* **1** verkoeling *v.*; **2** (*tn.*) afkoeling *v.*; **3** verkoudheid *v.*; **4** (*fig.*) bekoeling, verflauwing *v.*
refroidisseur [r(e)frwadisœ:r] *m.* koeler, koelbak *m.*, koeltoestel *o.*
refuge [r(e)fü'j] *m.* **1** schuilplaats *v.(m.)*; **2** toevluchtsoord *o.*; **3** (*v. persoon*) toevlucht *v.(m.)*, toeverlaat *m.*; **4** (*op straat*) vluchtheuvel *m.*; **5** (*voor daklozen*) asiel *o.*
réfugié [réfüjyé] *m.* **1** vluchteling *m.*; **2** uitgeweken *m.*
réfugier, se — [s(e)réfüjyé] *v.pr.* vluchten, de wijk nemen, uitwijken.
refuite [r(e)fwit] *f.* **1** schuilhoek *m.*; schuilplaats *v.(m.)*; **2** (*v. opgejaagd wild*) list *v.(m.)*; **3** (*fig.*) uitvlucht *v.(m.).*
refus [r(e)fü] *m.* **1** weigering *v.*; weigerend antwoord *o.*; **2** afwijzing *v.*; ***cela n'est pas de —,*** dat sla ik niet af, daar zeg ik niet neen op.
refusé [r(e)füzé] **I** *adj.* geweigerd; **II** *s. m.* afgewezene *m.*
refuser [r(e)füzé] **I** *v.t.* **1** weigeren; **2** afslaan; afwijzen; ***— sa porte à qn.,*** iem. niet willen ontvangen, iem. de deur ontzeggen; ***être refusé,*** (*bij examen*) afgewezen worden; ***je ne refuse que les coups de bâton,*** ik sla niets af dan vliegen; **II** *v.i.* **1** weigeren; **2** (*v. vuurwapen*) niet afgaan, ketsen; **3** (*v. mes*) niet snijden; **4** (*v. wind*) krimpen, schralen; **5** (*v. schip*) niet naar 't roer luisteren; **III** *v.pr.* ***se — qc.,*** zich iets ontzeggen, zich iets onthouden; ***se — à faire qc.,*** weigeren iets te doen.
refuseur [r(e)füzœ:r] *m.* weigeraar *m.*; ***à bon demandeur bon —,*** vragen staat vrij en weigeren daarbij.
réfutable [réfüta'bl] *adj.* weerlegbaar.
réfutation [réfüta'syõ] *f.* weerlegging *v.*
réfuter [réfüté] *v.t.* weerleggen.
regagner [r(e)gañé] *v.t.* **1** terugwinnen, herwinnen; **2** (*v. tijd*) inwinnen; **3** (*v. verlies, enz.*) inhalen; ***— sa place,*** weer naar zijn plaats gaan; ***— son domicile,*** naar huis terugkeren.
regaillardir [r(e)gayardi:r] *v.t.*, *voir* ***ragaillardir.***
regain [r(e)gẽ] *m.* **1** nagras *o.*; nagroen *o.*; **2** (*fig.*) verjonging; herleving, wederopleving *v.*; ***— de vitalité,*** hernieuwde levenskracht *v.(m.)*; ***donner un — d'énergie,*** nieuwe moed geven.
régal [régal] *m.* (*pl.* : **—s**) **1** gastmaal, feestmaal *o.*; **2** lekkernij *v.*; **3** traktatie *v.*; ***un — pour les yeux,*** een feest voor de ogen.
régalade [régala'd] *f.* **1** traktatie *v.*; **2** vrolijk vuurtje, knappend vuurtje *o.*
régalant [régalã] *adj.* prettig.
régale [régal] **I** *m.* (*v. orgel*) regaal *o.*; **II** *f.* (*gesch.*) koninklijk recht *o.*; **III** *adj.*, ***eau —e,*** koningswater *o.*
régalement [régalmã] *m.* egalisatie *v.*
régaler [régalé] **I** *v.t.* **1** onthalen, trakteren; ***— qn. de coups,*** iem. een pak slaag toedienen; **2** egaliseren; **II** *v.pr.* ***se —,*** **1** zich te goed doen; smullen; **2** elkaar trakteren.
régalien [régalyẽ] *adj.*, ***droit —,*** koninklijk recht *o.*
regard [r(e)ga:r] *m.* **1** blik *m.*; **2** aandacht *v.(m.)*; **3** kijkgat *o.*; **4** (*achter in auto*) raampje *o.*; ***au — de,*** ten opzichte van, ten aanzien van; ***droit de —,*** recht *o.* van toezicht; ***des yeux sans —,*** zielloze ogen; ***abaisser les —s,*** de ogen neerslaan; ***attirer les —s,*** de aandacht trekken; ***d'un seul —,*** met één oogopslag; ***en —,*** daartegenover, daarnaast; ***— d'égoût,*** rioolmond *m.*
regardant [r(e)gardã] **I** *adj.* **1** nauwkeurig toekijkend; **2** zuinig, op de penning; **II** *s. m.* toeschouwer, toekijker, omstander *m.*
regarder [r(e)gardé] **I** *v.t.* **1** bekijken, bezien, aanzien, kijken naar; **2** bedenken; beschouwen; **3** betreffen, raken; **4** (*v. kamer, enz.*) uitzien op; ***— qc. de près,*** iets van nabij bekijken; ***— le nord,*** op het noorden liggen; ***se faire —,*** de aandacht trekken; ***cela ne vous regarde pas,*** dat gaat u niet aan; ***il ne regarde rien,*** hij ontziet niets; ***— le vide,*** in de ruimte staren, strak voor zich uit kijken; **II** *v.i.* letten op; in 't oog houden; ***y — à deux fois,*** zich tweemaal bedenken; ***— à la dépense,*** op de kleintjes letten; ***il ne regarde pas à la dépense,*** hij ziet niet op de kosten; ***il n'y regarde pas de si près,*** hij kijkt zo nauw niet; ***— à sa montre,*** op zijn horloge kijken; ***— derrière soi*** omzien; **III** *v.pr.* ***se —,*** **1** elkaar aankijken, elkaar aanzien; **2** (*in spiegel*) zich bekijken; **3** (*v. huizen, enz.*) tegenover elkaar staan.
regarnir [r(e)garni:r] *v.t.* opnieuw stofferen.
régate [régat] *f.* **1** roeiwedstrijd *m.*; **2** zeilwedstrijd *m.*; **3** (*v. das*) zelfbinder *m.*
regazonner [r(e)gazòné] *v.t.* weer met graszoden beleggen.
regel [r(e)jèl] *m.* nieuwe vorst *m.*, (het) opnieuw invallen *o.* van de vorst.
regeler [rej(e)lé] *v.i.* weer vriezen.
régence [réjã:s] *f.* regentschap *o.*; ***la R—,*** het regentschap van Philippe d'Orléans (1715-1723), gedurende de minderjarigheid van Lodewijk XV.
régénérateur [réjénératœ:r] **I** *m.* hersteller *m.*; **II** *adj.* herstellend.
régénération [réjénéra'syõ] *f.* **1** herstel *o.*; **2** hervorming *v.*; **3** hernieuwing *v.*; **4** wedergeboorte; wederopleving *v.*
régénérer [réjénéré] **I** *v.t.* **1** herstellen; **2** hervormen; **3** verbeteren; **4** hernieuwen, doen opleven; **II** *v.pr.* ***se —,*** **1** weder aangroeien; **2** herboren worden.

régénérescence [réjénérèsã:s] *f.* vernieuwing, herschepping *v.*
régent [réjã] *m.* **1** regent *m.*; **2** bestuurder *m.*; **3** (*Z.N.*) leraar, regent *m.*; **4** (*v. bank*) lid *o.* van de raad van bestuur.
régenter [réjã'té] **I** *v.i.* onderwijs geven; **II** *v.t.* naar zijn hand zetten, de baas spelen over.
régicide [réjisi'd] *m.* **1** koningsmoord *m. en v.*; **2** koningsmoordenaar *m.*
régie [réji] *f.* **1** (*admin., toneel*) regie *v.*; **2** beheer *o.* van goederen; **3** (*sp.*) spelleiding *v.*; **4** kantoor *o.* van de regie; ambtenaren *mv.* van de regie; ***exploiter en —,*** in eigen beheer exploiteren; ***— municipale,*** gemeentebeheer.
regimber [r(e)jẽ'bé] *v.i.* **1** (*v. paard, enz.*) achteruitslaan; **2** (*fig.*) tegenstribbelen, zich verzetten.
régime [réjim] *m.* **1** regeringsvorm *m.*; **2** inrichting *v.*, wezen; stelsel *o.*; **3** (*gen.*) leefregel *m.*, dieet *o.*; **4** statuut *o.*; **5** (*v. motor*) toerental *o.*; **6** (*v. bananen*) rist *v.*(*m.*), tros *m.*; **7** (*gram.*) voorwerp *o.*; ***— direct,*** lijdend voorwerp; ***— indirect,*** meewerkend (*of* belanghebbend) voorwerp; ***— des eaux,*** irrigatiestelsel *o.*; ***— féodal,*** leenstelsel *o.*; ***Ancien R—,*** regeringsvorm vóór 1789; ***mettre au —,*** op dieet stellen; ***— de communauté,*** gemeenschap van goederen; ***— dotal,*** huwelijksvoorwaarden *mv.*; ***— familial,*** gezinsverpleging *v.*; ***mettre au — sec,*** droogleggen.
régiment [réjimã] *m.* regiment *o.*
régimentaire [réjimã'tè:r] *adj.* regiments—.
Régine [réjin] *f.* Regina *v.*
reginglette [r(e)jẽ'glèt] *f.* vogelknip *v.*(*m.*).
région [réjyõ] *f.* **1** streek *v.*(*m.*); **2** gewest *o.*; **3** (*fig.*) gebied *o.*, kring *m.*, sfeer *v.*(*m.*); ***les hautes —s,*** de hogere sferen *mv.*
régional [réjyònal] **I** *adj.* gewestelijk; **II** *s. m.* provinciaal (*of* gewestelijk) blad *o.*
régionalisme [réjyònalizm] *m.* streven *o.* naar decentralisatie, regionalisme *o.*
régionaliste [réjyònalist] *m.* **1** aanhanger *m.* van het regionalisme; **2** kenner *m.* van de gewestelijke zeden, gebruiken, enz.
régionalité [réjyònalité] *f.* gewestelijkheid *v.*, gewestelijk karakter *o.*, eigenaardigheid *v.* van de streek.
régir [réji:r] *v.t.* **1** regeren; **2** (*v. financiën, enz.*) besturen; beheren.
régisseur [réjisœ:r] *m.* **1** bestuurder, beheerder *m.*; **2** rentmeester *m.*; **3** (*v. schouwburg*) regisseur *m.*
registre [r(e)jistr] *m.* **1** register *o.*; **2** (*muz.*) registerstang *v.*(*m.*); **3** regelaar, demper *m.*; ***— à souche,*** stamregister; ***— matricule,*** stamboek *o.*; ***— d'hôtel,*** vreemdelingenboek *o.*; ***tenir — de,*** aantekening houden van; ***tenir — de tout,*** niets vergeten, alles onthouden.
réglable [réglabl] *adj.* verstelbaar.
réglage [régla:j] *m.* **1** regeling *v.*; **2** (*v. papier*) liniëring *v.*; **3** (*v. viool*) (het) stemmen *o.*; **4** (*v. geschut*) (het) stellen *o.*; **5** (*v. auto*) regeling *v.* van gastoevoer; ***— du tir,*** (*mil.*) vuurregeling *v.*
règle [rè'gl] *f.* **1** liniaal *v.*(*m.*) *en o.*; **2** regel *m.*, richtsnoer *o.*; **3** voorschrift *o.*; **4** orde, regelmaat *v.*(*m.*); ***— de conduite,*** gedragslijn *v.*(*m.*); ***être en —,*** in orde zijn; ***en bonne —,*** volgens gebruik; ***en — générale,*** in 't algemeen; ***— à calcul,*** rekenliniaal, schuifliniaal; ***— brisée, — de charpentier,*** duimstok *m.*; ***— de société,*** gezelschapsrekening *v.*; ***sans —,*** ongeregeld; ***les quatre —s,*** de vier hoofdbewerkingen; ***dans les —s,*** volgens de regelen van de kunst.
réglé [réglé] *adj.* **1** gelinieerd; **2** geregeld; ordelijk; ***c'est une affaire —e,*** dat is afgedaan.
règle*-équerre* [rè'glékè:r] *f.* winkelhaak *m.*
règlement [règlemã] *m.* **1** regeling *v.*; **2** reglement *o.*; **3** bepaling, verordening *v.*, voorschrift *o.*; **4** (*v. zaak*) afwikkeling *v.*; ***— de compte,*** afrekening *v.*
réglementaire [réglemã'tè:r] *adj.* voorgeschreven, overeenkomstig de voorschriften.
réglementation [réglemã'ta'syõ] *f.* regeling, reglementering *v.*
réglementer [réglemã'té] *v.t.* reglementeren.
régler [réglé] **I** *v.t.* **1** regelen; **2** (*v. papier*) liniëren; **3** (*v. rekening*) vereffenen; **4** (*v. twist*) beslechten, bijleggen; **5** (*v. radio*) afstemmen; **6** (*v. uurwerk*) gelijkzetten; **II** *v.pr.* ***se —,*** **1** geregeld worden; **2** zich schikken (naar), zich richten (naar); ***se — sur,*** een voorbeeld nemen aan.
réglet [réglè] *m.* **1** (*bouwk.*) lijst *v.*(*m.*); **2** filet *m.*
réglette [réglèt] *f.* liniaaltje *o.*
régleur [réglœ:r] *m.* **1** linieerder *m.*; **2** lijnpen *v.*(*m.*), lijnentrekker *m.*
régleuse [réglö:z] *f.* linieermachine *v.*
réglisse [ré'glis] *f.* zoethout *o.*; ***bois de —,*** zoethout *o.*; ***bâton de —,*** pijp *v.*(*m.*) drop; ***jus de —,*** drop *v.*(*m.*) *en o.*
régloir [réglwa:r] *m.* **1** liniaal *v.*(*m.*) *en o.* voor notenbalken; **2** linieerplaat *v.*(*m.*).
réglure [réglü:r] *f.* liniëring *v.*
régnant [rèñã] *adj.* **1** regerend, heersend; **2** overheersend.
Regnaud [rèño] *m.* Reinoud *m.*
règne [rèñ] *m.* **1** regering *v.*; **2** heerschappij *v.*; ***le — végétal,*** het plantenrijk.
régner [rèñé] *v.i.* **1** regeren; **2** heersen; **3** zich uitstrekken (langs), lopen (langs); **4** in zwang zijn.
regonfler [r(e)gõ'flé] **I** *v.t.* weer opblazen; weer oppompen; **II** *v.i.* weer opzwellen.
regorger [r(e)gòrjé] **I** *v.i.* overvloeien, overlopen; ***— de,*** overvol zijn van; ***— de monde,*** stampvol zijn; ***— de santé,*** kerngezond zijn; **II** *v.t.* teruggeven.
regouler [r(e)gulé] *v.t.* afsnauwen.
regratter [r(e)graté] **I** *v.t.* **1** (*v. muur, enz.*) afkrabben, afbikken; **2** (*fig.*) polijsten; **II** *v.i.* afdingen, afpingelen.
regrattier [r(e)gratyé] *m.* **1** uitdrager *m.*; **2** tussenhandelaar *m.*; **3** sjacheraar *m.*
regréér [regréé] *v.t.* (*sch.*) weer optuigen.
régressif [régrèsif] *adj.* **1** teruggaand, achteruitgaand; **2** terugwerkend.
régression [régrèsyõ] *f.* **1** achterwaartse beweging *v.*; **2** teruggang *m.*; **3** achteruitgang *m.*
régressivement [régrèsi'vmã] *adv., voir régressif.*
regret [r(e)grè] *m.* spijt *v.*(*m.*), leedwezen, berouw *o.*; ***à —,*** ongaarne, met tegenzin; ***avoir — de,*** het betreuren dat; ***être aux —s de,*** betreuren; ***laisser des —s,*** betreurd worden.
regrettable [r(e)grèta'bl] *adj.* betreurenswaardig, jammer.
regretter [r(e)grèté] *v.t.* **1** betreuren, spijt hebben van; **2** terugverlangen naar; ***je regrette que,*** het spijt mij, dat; ***il est à — que,*** het is jammer, dat.
regrèvement [r(e)grè'vmã] *m.* belastingverhoging *v.*
regrimper [r(e)grẽ'pé] **I** *v.i.* weer klimmen; **II** *v.t.* weer beklimmen.
regrouper [r(e)grupé] *v.t.* hergroeperen.
régularisation [régülariza'syõ] *f.* **1** regeling *v.*; **2** (*v. rivier*) normalisatie *v.*
régulariser [régülari'zé] *v.t.* **1** regelen, in orde brengen; **2** (*v. rivier*) normaliseren.
régularité [régülarité] *f.* **1** regelmatigheid *v.*, regelmaat *v.*(*m.*); **2** geregeldheid *v.*

régulateur [régülatœ:r] I *m.* 1 regelaar *m.*; 2 regelingstoestel *o.*, regulator *m.*; 3 (*Z.N.*) hangklok *v.*(*m.*); — ***de vitesse,*** snelheidsregelaar *m.*; II *adj.* regelend.
régulation [régüla'syõ] *f.* regeling *v.*
régule [régül] *m.* wrijvingwerende legering *v.*
régulier [régülyé] I *adj.* 1 regelmatig; 2 geregeld; 3 (*v. leven*) ordelijk; 4 (*v. geestelijke*) regulier; ***prêtre —,*** ordesgeestelijke *m.*; II *s. m.* 1 soldaat *m.* van de geregelde troepen; 2 regulier priester, ordesgeestelijke *m.*
régulièrement [régülyè'rmã] *adv.* regelmatig; geregeld.
régurgiter [régürjité] *v.t.* oprispen.
réhabilitation [réabilita'syõ] *f.* 1 eerherstel *o.*, rehabilitatie *v.*; 2 (*in rechten, enz.*) herstelling *v.*
réhabiliter [réabilité] I *v.t.* in eer herstellen, rehabiliteren; II *v.pr.* ***se —,*** 1 zijn eer herkrijgen; 2 (*fig.*) de achting herwinnen.
réhabituer [réabitwé] *v.t.* weer gewennen.
rehaussement [re(h)o'smã] *m.* verhoging *v.*
rehausser [re(h)o'sé] *v.t.* 1 verhogen; 2 (*v. muur, enz.*) ophogen; 3 (*v. kleur, enz.*) beter doen uitkomen; 4 verheffen, prijzen; 5 luister bijzetten.
rehaut [re(h)o] *m.* (*in schilderkunst*) hoogsel, licht *o.*
réimportation [réẽ'pòrta'syõ] *f.* wederinvoer *m.*
réimporter [réẽ'pòrté] *v.t.* (*H.*) wederinvoeren.
réimposer [réẽ'pozé] *v.t.* opnieuw belasten.
réimposition [réẽ'pozisyõ] *f.* 1 (*v. schatting*) wederoplegging *v.*; 2 nieuwe belasting *v.*; 3 (*drukk.*) nieuwe opmaking *v.*
réimpression [réẽ'prèsyõ] *f.* herdruk *m.*
réimprimer [réẽ'primé] *v.t.* herdrukken.
rein [rẽ] *m.* nier *v.*(*m.*); ***— mobile, — flottant,*** losse nier, wandelende nier; ***les —s,*** de lendenen; ***se casser les —s,*** de nek breken; ***avoir les —s solides,*** rijk zijn, machtig zijn; ***se ceindre les —s,*** de lendenen omgorden, zich ten strijde aangorden; ***se donner un tour de —s,*** zich verrekken.
réincarcérer [réẽ'karséré] *v.t.* weer in de gevangenis zetten.
réincarnation [réẽ'karna'syõ] *f.* wedervleeswording, reïncarnatie *v.*
réincorporer [réẽ'kòrpòré] *v.t.* opnieuw inlijven.
reine [rè:n] *f.* koningin *v.*; ***la — des nuits,*** de maan.
Reine [rè:n] *f.* Regina *v.*
reine*-claude* [rè'nklo:d] *f.* groene pruim *v.*(*m.*).
reine*-des-bois [rè'ndébwa] *f.* lievevrouwebedstro *o.*
reine*-marguerite* [rè'nmargerit] *f.* Chinese sterrebloem *v.*(*m.*).
reine*-mère* [rè'nmè:r] *f.* koningin-moeder *v.*
reinette [rènèt] *f.* renet *v.*(*m.*).
réinscrire* [réẽ'skri:r] *v.t.* weer inschrijven.
réinstallation [réẽ'stala'syõ] *f.* herstel *o.* in ambt.
réinstaller [réẽ'stalé] I *v.t.* 1 in ambt herstellen; 2 opnieuw inrichten; II *v.pr.* ***se —,*** zich opnieuw inrichten.
réintégration [réẽ'tégra'syõ] *f.* herstelling *v.* in 't bezit, (het) weder in 't bezit stellen *o.* (van).
réintégrer [réẽ'tégré] *v.t.* 1 in 't bezit herstellen; 2 weer aanstellen; 3 zich weer begeven naar; ***— sa demeure,*** zijn woning weer betrekken.
réintroduire* [réẽ'tròdwi:r] *v.t.* weer binnenleiden; weer invoeren.
réinviter [réẽ'vité] *v.t.* opnieuw uitnodigen.
réitératif [réitératif] *adj.* herhalend.
réitération [réitéra'syõ] *f.* herhaling *v.*
réitérer [réitéré] *v.t.* herhalen.
reître [rè:tr] *m.* plompe kerel *m.*; ***vieux —,*** ouwe rot *m.*
rejaillir [r(e)jayi:r] *v.i.* 1 opspatten; 2 stuiten, terugspringen; 3 (*v. eer*) afstralen; 4 neerkomen (***sur,*** op).
rejaillissant [r(e)jayisã] *adj.* opspringend, opspuitend.
rejaillissement [r(e)jayismã] *m.* 1 (het) terugspringen; (het) opspatten *o.*; 2 (*fig.*) terugslag *m.*
rejet [r(e)jè] *m.* 1 (het) terugwerpen *o.*; 2 afkeuring, verwerping *v.*; 3 (*Pl.*) nieuwe scheut *m.*, nieuwe spruit, jonge loot *v.*(*m.*); 4 (*v. bijen*) jonge zwerm *m.*
rejetable [r(e)jta'bl] *adj.* verwerpelijk.
rejeter [r(e)jté] I *v.t.* 1 (*v. bal, enz.*) terugwerpen, terugslaan; 2 wegwerpen; 3 (*v. aanbod, enz.*) afwijzen, verwerpen; ***— la faute sur qn.,*** iem. de schuld geven; ***— un travail sur qn.,*** iem. werk op de hals schuiven; ***— des pousses,*** nieuwe loten schieten; II *v.i.* nieuwe loten schieten; III *v.pr.* ***se —,*** achterover leunen; ***se — en arrière,*** zich achterover werpen; ***se — la faute,*** elkaar de schuld geven; ***se — sur,*** 1 zich beroepen op; 2 terugkomen op.
rejeton [r(e)jtõ] *m.* 1 (*Pl.*) spruit, loot *v.*(*m.*); twijg *m.*; 2 (*fig.*) telg, afstammeling *m.*
rejetonner [r(e)jtòné] *v.i.* (*Pl.*) nieuwe loten schieten.
rejoindre* [r(e)jwẽ:dr] I *v.t.* 1 weer samenvoegen, verenigen; 2 inhalen, achterhalen; 3 zich voegen bij; 4 (*v. buizen*) verbinden; ***— son régiment,*** zich naar zijn regiment begeven; II *v.pr.* ***se —,*** 1 weer bij elkaar komen; 2 elkaar inhalen.
rejointoyer [r(e)jwẽ'twayé] *v.t.* (*bouwk.*) opnieuw voegen, opvoegen.
rejouer [rejwé] *v.t.* overspelen, nog eens spelen.
réjoui [réjwi] *adj.* vrolijk, blij, opgeruimd.
réjouir [réjwi:r] I *v.t.* verblijden, verheugen, opvrolijken; II *v.pr.* ***se —*** zich verheugen (***de,*** over).
réjouissance [réjwisã:s] *f.* 1 vreugde, blijdschap, vrolijkheid *v.*; 2 vreugdebetoon *o.*, feestvreugde *v.*; 3 (*bij slager*) been *o.*, toegift *v.*(*m.*); ***des —s publiques,*** openbare feestelijkheden, volksvermaken. [vermakelijk.
réjouissant [réjwisã] *adj.* verblijdend, verheugend,
relâchant [r(e)la'ʃã] I *adj.* laxerend; II *s. m.* laxeermiddel *o.*
relâche [r(e)la:ʃ] I *m.* 1 (het) ophouden *o.*; 2 verpozing, ontspanning *v.*; ***sans —,*** onophoudelijk, zonder ophouden; ***on fait —,*** (*toneel*) er wordt niet gespeeld; II *f.* 1 (*sch.*) aanloophaven *v.*(*m.*); 2 noodhaven *v.*(*m.*); ***faire —,*** (een haven) aandoen, binnenlopen.
relâché [r(e)la'ʃé] *adj.* 1 loslijvig; 2 (*v. zeden*) los; 3 losbandig, ongebonden; 4 slordig.
relâchement [r(e)la'ʃmã] *m.* 1 loslijvigheid *v.*; 2 (*v. zeden*) losheid *v.*; 3 (*v. geest*) ontspanning *v.*; 4 (*v. tucht*) verslapping *v.*; 5 (*v. ijver*) verflauwing *v.*; 6 (*v. vriendschap*) verkoeling *v.*; 7 (*v. temperatuur*) (het) zachter worden *o.*
relâcher [r(e)la'ʃé] I *v.t.* 1 (*v. touw*) ontspannen; losser maken; 2 (*v. gevangene*) vrijlaten, loslaten; 3 (*v. tucht*) laten verslappen; 4 (*v. saus*) dunner maken; II *v.i.* 1 verslappen; verflauwen; 2 (*sch.*) binnenlopen, aandoen; ***— du prix,*** afslaan, wat van de prijs laten vallen; III *v.pr.* ***se —,*** 1 (*v. geest*) zich ontspannen; 2 (*v. tucht*) verslappen; 3 (*v. ijver*) verflauwen; 4 (*v. zeden*) losser worden; 5 (*v. weer*) zachter worden; 6 (*v. knoop, enz.*) losgaan.
relais [r(e)lè] *m.* 1 (*v. diligence, postpaarden*) pleisterplaats, wisselplaats *v.*(*m.*); 2 (*v. fort*) berm *m.*; 3 aangeslibde grond *m.*; 4 (*el.*) overdrager *m.*, relais *o.*; ***cheval de —,*** wisselpaard *o.*; ***course de —,*** (*sp.*) estafetteloop *m.*; ***habits de —,*** kleren om te verwisselen.

relaisser [r(e)lè'sé] *v.t.*, (*v. wild*) afjagen.
relancer [r(e)lã'sé] *v.t.* **1** (*v. bal*) terugkaatsen; **2** (*v. steen, enz.*) terugwerpen; **3** (*v. wild*) weer opjagen; **4** (*fig.*) nalopen (met verzoek), lastig vallen; **5** afsnauwen, bits bejegenen; **6** (*v. motor*) weer op gang brengen.
relaps [r(e)laps] **I** *adj.* afvallig; **II** *s. m.* afvallige *m.*
rélargir [rélarji:r] *v.t.* verwijden, verruimen.
rélargissement [rélarjismã] *m.* verwijding *v.*
relater [r(e)laté] *v.t.* **1** verhalen; **2** (*v. feit*) vermelden.
relatif [r(e)latif] **I** *adj.* betrekkelijk; ***— à,*** betrekking hebbend op; **II** *s. m.* betrekkelijk voornaamwoord *o.*
relation [r(e)la'syõ] *f.* **1** betrekking *v.*; **2** verhouding *v.*; **3** omgang *m.*, verkeer *o.*; **4** verhaal *o.*; bericht *o.*; ***—s d'affaires,*** handelsrelaties *mv.*; ***avoir — à,*** betrekking hebben op; ***avoir de belles —s,*** goede relaties hebben, voorname kennissen hebben; ***être en — avec,*** in betrekking staan met.
relativement [r(e)lati'vmã] *adv.* betrekkelijk; ***— à,*** met betrekking tot.
relativisme [r(e)lativizm] *m.* relativiteitsleer *v.*(*m.*).
relativité [r(e)lativité] *f.* betrekkelijkheid; relativiteit *v.*
relaver [r(e)lavé] *v.t.* opnieuw wassen.
relaxation [r(e)laksa'syõ] *f.* **1** (*v. gevangene*) vrijlating *v.*; **2** (*v. spieren, enz.*) verslapping *v.*
relaxe [r(e)laks] *f.* **1** invrijheidstelling *v.*; **2** ontspanningstijd *m.*
relaxer [r(e)laksé] **I** *v.t.* **1** vrijlaten; **2** (doen) verslappen; **II** *v.pr.* ***se —,*** de zorgen opzij zetten.
relayer [r(e)lèyé] **I** *v.t.* **1** aflossen, vervangen; **2** (*el.*) aftakken; **3** (*radio*) heruitzenden; **II** *v.i.* van paarden verwisselen; **III** *v.pr.* ***se —,*** elkaar aflossen.
relayeur [r(e)lèyœ:r] *m.* verhuurder *m.* van wisselpaarden.
relégation [r(e)léga'syõ] *f.* verbanning *v.*
reléguer [r(e)légé] **I** *v.t.* verbannen; deporteren; ***— au second plan,*** op de achtergrond plaatsen; ***— en province,*** naar de provincie overplaatsen; **II** *v.pr.* ***se —,*** zich terugtrekken.
relent [r(e)lã] *m.* **1** muffe smaak *m.*; **2** muffe reuk *m.*; **3** (*fig.*) ouwe kost *m.*; ***sentir le —,*** muf ruiken.
relevailles [rel(e)va'y] *f.pl.* kerkgang *m.*
relève [r(e)lè:v] *f.* **1** aflossing *v.*; **2** (***troupes de —***), aanvullingstroepen *mv.*
relevé [rel(e)vé] **I** *adj.* **1** (*v. gevoelens*) verheven; **2** (*v. positie*) voornaam, aanzienlijk; **3** (*v. stijl*) hoogdravend; **4** (*v. saus*) pikant; **5** (*v. tred*) fier; **II** *s. m.* **1** overzicht *o.*, staat *m.*; **2** (*v. rekening*) opgave *v.*(*m.*), uittreksel *o.*; **3** (*recht*) herstelling *v.*; **4** tussengerecht *o.*; **5** (*v. afdruk*) opname *v.*(*m.*).
relevée [rel(e)vé] *f.* namiddag *m.*
relève-jupe [r(e)lè'vjüp] *m.* rokophouder *m.*
relèvement [r(e)lè'vmã] *m.* **1** wederoprichting *v.*; **2** ophoging *v.*; **3** (*v. prijs, krediet*) verhoging *v.*; **4** (nauwkeurige) opsomming *v.*; **5** (*sch.*) opneming, peiling *v.*; **6** (*na ziekte*) wederopkomen *o.*; **7** (*fig.*) opbeuring *v.*; ***— de prix,*** opslag *m.*, prijsverhoging *v.*
relever [rel(e)vé] **I** *v.t.* **1** weer oprichten, weer opheffen; **2** overeind zetten; **3** (*v. schip*) afbrengen, weer vlot maken; **4** (*kap v. auto, enz.*) opslaan; **5** (*v. tekening*) doen uitkomen, opwerken; **6** (*v. steek; net*) ophalen; **7** (*v. persoon, wacht*) aflossen; **8** (*v. moed*) opbeuren; **9** (*v. belofte, ambt, enz.*) ontheffen; **10** (*v. woord, enz.*) de aandacht vestigen op; **11** (*v. uitdaging*) aannemen; ***— sa condition,*** zijn positie verbeteren; ***— un reproche,*** op een verwijt ingaan; ***— le gant,*** de handschoen oprapen; **II** *v.i.* **1** (*v. ziekte, enz.*) opstaan, beter worden; **2** afhankelijk zijn (van); ondergeschikt zijn aan; **3** deel uitmaken van, behoren tot; ***ne — que de soi-même,*** zijn eigen heer en meester zijn; ***il n'en relèvera pas,*** hij zal er niet van bovenop komen; **III** *v.pr.* ***se —,*** **1** weer opstaan; **2** (*v. ziekte*) herstellen; **3** er weer bovenop komen; **4** elkaar aflossen; ***se — de,*** te boven komen.
releveur [rel(e)vœ:r] **I** *adj.* opheffend; **II** *s. m.* **1** opheffende spier *v.*(*m.*), opheffer *m.*; **2** meteropnemer *m.*
reliage [relya:j] *m.* (het) kuipen *o.*
relief [r(e)lyèf] *m.* **1** reliëf, hoogsel *o.*; **2** (*v. bodem*) verhevenheid *v.*; **3** (*fig.*) glans, luister *m.*, aanzien *o.*; ***mettre en —,*** doen uitkomen; ***—s,*** kliekjes, restjes *mv.*; ***bas-—,*** halfverheven beeldwerk *o.*; ***haut-—,*** verheven beeldwerk *o.*
relier [r(e)lyé] *v.t.* **1** (*v. boek*) inbinden; **2** (*door spoorweg, gang, enz.*) verbinden; **3** (*v. vaten*) kuipen.
relieur [r(e)lyœ:r] *m.* boekbinder *m.*
religieusement [r(e)lijyö'zmã] *adv.* **1** godsdienstig; **2** stipt, nauwgezet.
religieux [r(e)lijyö] **I** *m.*, **religieuse** [r(e)lijyö:z] *f.*, kloosterling *m.*; kloosterzuster, non *v.*; **II** *adj.* **1** godsdienstig; **2** vroom, godvruchtig; **3** stipt, nauwgezet; ***année religieuse,*** kerkelijk jaar *o.*; ***habit —,*** ordekleed *o.*; ***communauté religieuse,*** kloosterorde *v.*(*m.*); ***silence —,*** eerbiedige stilte *v.*
religion [r(e)lijyõ] *f.* **1** godsdienst *m.*; **2** geloof *o.*, vroomheid *v.*; ***entrer en —,*** in het klooster gaan; ***nom de —,*** kloosternaam *m.*; ***la — des morts,*** de verering van de doden; ***avoir de la —,*** godsdienstig zijn; ***surprendre la — de qn.,*** van iemands goede trouw misbruik maken; ***éclairer la — de qn.,*** iem. inlichten, iem. de schellen van de ogen doen vallen.
religiosité [r(e)lijyo'zité] *f.* godsdienstigheid *v.*
relimer [r(e)limé] *v.t.* overvijlen, bijvijlen.
reliquaire [r(e)likè:r] *m.* relikwieënkast *v.*(*m.*).
reliquat [r(e)lika] *m.* **1** overschot *o.*; **2** (*v. rekening*) saldo, overschot *o.*; **3** (*v. ziekte*) overblijfsel, nawee *o.*
relique [r(e)lik] *f.* relikwie *v.*
relire* [r(e)li:r] *v.t.* **1** (*v. boek*) herlezen; **2** (*v. brief, enz.*) overlezen.
reliure [r(e)lyu:r] *f.* **1** (het) inbinden *o.*; **2** boekbindersvak *o.*; **3** (*v. boek*) band *m.*
relocation [r(e)lòka'syõ] *f.* wederverhuring *v.*
relouer [r(e)lwé] *v.t.* **1** weer huren; **2** onderhuren.
reluire* [r(e)lẅi:r] *v.i.* **1** blinken; **2** schitteren; ***tout ce qui reluit n'est pas or,*** 't is al geen goud wat er blinkt.
reluisant [r(e)lẅisã] *adj.* **1** blinkend; **2** (*v. stoffen, enz.*) glanzend; **3** (*fig.*) schitterend; ***ce n'est pas —,*** dat is niet schitterend.
reluquer [r(e)lüké] *v.t.* begluren.
reluqueur [r(e)lükœ:r] *m.* gaper *m.*
remâchement [r(e)ma'ʃemã] *m.* gepieker *o.*
remâcher [r(e)ma'ʃé] *v.t.* **1** herkauwen; **2** (*fig.*) (nog eens) overdenken.
remaillage [r(e)ma'ya:j], *voir* ***remmaillage.***
rémanence [rémanã:s] *f.* (*v. materie*) blijvende verandering *v.*
remaniable [r(e)manya'bl] *adj.* veranderbaar.
remaniement, remaniment [r(e)manimã] *m.* omwerking *v.*
remanier [r(e)manyé] *v.t.* omwerken.
remanieur [r(e)manyœ:r] *m.* omwerker, verbeteraar *m.*
remariage [r(e)marya:j] *m.* hertrouw *m.*
remarier [r(e)maryé] **I** *v.t.* weer uithuwelijken; **II** *v.pr.* ***se —,*** hertrouwen.

remarquable(ment) [r(e)marka'bl(emã)] *adj.* (*adv.*) opmerkelijk, merkwaardig.
remarque [r(e)mark] *f.* **1** opmerking *v.*; **2** aanmerking *v.*; ***digne de* —,** opmerkenswaardig.
remarquer [r(e)marké] **I** *v.t.* **1** opmerken; **2** aanmerken; **3** waarnemen; onderscheiden; ***faire* —,** opmerkzaam maken op; ***se faire* —, 1** de aandacht trekken; **2** zich onderscheiden, uitblinken.
remballer [rã'balé] *v.t.* weer inpakken.
rembarquement [rã'barkemã] *m.* wederinscheping *v.*
rembarquer [rã'barké] **I** *v.t.* weer inschepen; **II** *v.pr.* ***se* —,** zich weer inschepen.
rembarrer [rã'ba'ré] *v.t.* **1** (ruw) terugdringen; **2** (*fig.*) de mond snoeren; **3** afschepen.
rembellir [rã'bèli:r] *v.t.* nog mooier maken.
remblai [rã'blè] *m.* **1** ophoging; aanaarding *v.*; aarden dam *m.*; **2** aangebrachte aarde *v.*(*m.*).
remblaver [rã'blavé] *v.t.* weer bezaaien.
remblavure [rã'blavu:r] *f.* tweede bezaaiing *v.*
remblayage [rã'blèya:j] *m.* ophoging, aanaarding *v.*
remblayer [rã'blèyé] *v.t.* ophogen, aanaarden.
remboîtement [rã'bwatmã] *m.* (*gen.*) (het) weer ineenvoegen, (het) weer (in 't lid) zetten *o.*
remboîter [rã'bwaté] *v.t.* weer ineenvoegen, weer in 't lid zetten.
rembouger [rã'bujé] *v.t.* bijvullen (*met vloeistof*).
rembourrage [rã'bura:j] *m.*, **rembourrement** [rã'burmã] *m.* **1** opvulsel *o.*; **2** (*handeling*) opvulling *v.*
rembourrer [rã'buré] *v.t.* opvullen.
rembourrure [rã'burü:r] *f.* opvulsel *o.*
remboursable [rã'bursa'bl] *adj.* **1** terugbetaalbaar; **2** aflosbaar.
remboursement [rã'bursemã] *m.* **1** terugbetaling *v.*; **2** aflossing *v.*; **3** rembours, verrekenbedrag *o.*; ***contre* —,** onder rembours; ***colis contre* —,** verrekenpakket *o.*
rembourser [rã'bursé] **I** *v.t.* **1** terugbetalen; **2** aflossen; **3** (*v. schuldeiser*) betalen; **— *qn. de ses frais*,** iem. zijn onkosten vergoeden; **II** *v.pr.* ***se* —,** zich zelf betalen.
rembranesque [rã'branèsk] *adj.* rembrandtiek.
rembrunir [rã'brüni:r] **I** *v.t.* **1** bruin maken; **2** (*fig.*) verduisteren; versomberen; **II** *v.pr.* ***se* —,** (*v. weer, gezicht*) somber worden, betrekken.
rembrunissement [rã'brünismã] *m.* verduistering; versombering *v.*
rembucher [rã'büʃé] **I** *v.t.* wild met speurhond tot zijn leger volgen; **II** *v.i.* (*v. wild*) terugkeren naar zijn leger.
remède [r(e)mè'd] *m.* **1** middel, geneesmiddel *o.*; **2** (*fig.*) hulpmiddel; redmiddel *o.*; ***porter — à*,** genezen; **— *de bonne femme*,** huismiddeltje *o.*; kwakzalversmiddel *o.*; ***il n'y a pas de — à cela*,** daar is niets tegen te doen, daar is geen kruid voor gewassen; ***sans* —,** ongeneeslijk.
remédiable [r(e)médya'bl] *adj.* herstelbaar, te verhelpen.
remédier [r(e)médyé] *v.i.* **(*à*), 1** verhelpen; **2** (*v. behoefte*) voorzien (in).
remembrement [r(e)mã'bremã] *m.* ruilverkaveling *v.*
remémoratif [r(e)mémòratif] *adj.* ter herdenking.
remémorer [r(e)mémòré] *v.t.* herinneren; herdenken.
remener [remné] *v.t.* terugbrengen.
remerciement, remercîment [r(e)mèrsimã] *m.* dankbetuiging *v.*, dank *m.*; ***faire ses —s à qn.*,** iem. zijn dank betuigen, iem. bedanken.
remercier [r(e)mèrsyé] *v.t.* **1** danken, bedanken; **2** beleefd weigeren, bedanken; **3** (*v. bediende, enz.*) afdanken, ontslaan.
réméré [rémé'ré] *m.* recht *o.* van terugkoop; ***vente à* —,** verkoop met recht van wederinkoop.
remettant [r(e)mètã] *m.*, (*v. wissel*) remittent *m.*
remetteur [r(e)mètœ:r] *m.*, (*v. wissel*) remittent *m.*
remettre* [r(e)mètr] **I** *v.t.* **1** weer op zijn plaats zetten (leggen, hangen, enz.); **2** herstellen; **3** overhandigen, ter hand stellen; **4** (*v. geld*) overmaken; **5** toevertrouwen; **6** (*v. ruit*) inzetten; **7** (*v. straf*) kwijtschelden; **8** (*v. zonde*) vergeven; **9** uitstellen; **10** herkennen, zich herinneren; **11** verzoenen; **— *qn. chez lui*,** iem. thuis brengen; **— *qn. sur le chemin*,** iem. op de goede weg helpen; **— *les esprits*,** de gemoederen tot bedaren brengen; **— *qn. dans ses droits*,** iem. in zijn rechten herstellen; **— *la partie*,** de partij onbeslist laten; **— *au net*,** in 't net schrijven; **— *sa charge*,** zijn ambt neerleggen; **II** *v.pr.* ***se* —, 1** weer bedaren; **2** weer gaan zitten (*of* liggen); **3** (*v. ziekte, schrik*) herstellen; **4** (*v. weder*) weer beter worden; **5** uitgesteld worden; ***se — au travail*,** weer aan 't werk gaan; ***se — en route*,** zich weer op weg begeven; ***se — d'accord*,** het weer eens worden; ***s'en — à qn.*,** zich op iem. verlaten; ***s'en — à la décision de qn.*,** de beslissing aan iem. overlaten.
remeubler [r(e)mœ'blé] **I** *v.t.* opnieuw meubileren; **II** ***se* —,** *v.pr.* nieuwe meubels kopen.
Remi [r(e)mi] *m.* Remigius *m.*
rémige [rémi:j] *f.* slagpen *v.*(*m.*).
réminiscence [réminisã:s] *f.* **1** flauwe herinnering *v.*; **2** (*muz., lett.*) reminiscentie *v.*
remisage [r(e)mi'za:j] *m.* **1** (*v. voertuigen*) stalling *v.*; **2** (*v. fietsen, enz.*) berging *v.*; bergplaats *v.*(*m.*).
remise [r(e)mi:z] *f.* **1** afgifte, overhandiging *v.*; **2** (*v. geld*) overmaking *v.*; **3** geldzending *v.*; **4** korting *v.*; **5** commissieloon *o.*, provisie *v.*; **6** (*v. schuld, straf*) gedeeltelijke kwijtschelding *v.*; **7** uitstel *o.*; vertraging *v.*; **8** koetshuis *o.*, remise *v.*; **— *à neuf*,** restauratie *v.*; ***contre — de*,** tegen afgifte van; ***voiture de* —,** huurrijtuig *o.*; **— *à l'heure*,** (*v. uurwerk*) (het) gelijkzetten *o.*
remiser [r(e)mi'zé] *v.t.* **1** (*v. rijtuig*) stallen; **2** (*v. fiets*) bergen, opbergen; **3** (*fig.*) afdanken; **4** (*v. persoon*) op zijn plaats zetten.
remisier [r(e)mi'zyé] *m.* (*H.*: *op de beurs*) hoekman, beursagent *m.*
rémissibilité [rémisibilité] *f.* verschoonbaarheid, vergefelijkheid *v.*
rémissible [rémisi'bl] *adj.* verschoonbaar, vergeeflijk.
rémission [rémisyõ] *f.* **1** (*v. zonde*) vergeving, vergiffenis *v.*; **2** (*v. straf*) kwijtschelding *v.*; **3** (*v. ziekte*) verbetering, vermindering *v.*; ***sans* —,** meedogenloos.
rémittent [rémitã] *adj.* (*gen.*: *v. koorts, enz.*) afnemend, nu en dan bedarend.
remmaillage [rã'ma'ya:j] *m.* (het) mazen *o.*
remmailler [rã'ma'yé] *v.t.* mazen.
remmailloter [rã'ma'yòté] *v.t.* weer inbakeren.
remmener [rã'mné] *v.t.* weer meenemen.
rémois [rémwa] **I** *adj.* uit Reims; **II** *s. m.*, ***R*—,** bewoner *m.* van Reims.
rémolade, *voir* ***rémoulade.***
remole [r(e)mòl] *f.* draaikolk *m. en v.*
remontage [r(e)mõ'ta:j] *m.* **1** (*v. rivier*) (het) opvaren *o.*; **2** (*v. uurwerk*) (het) opwinden *o.*; **3** (*tn.*) (het) opnieuw monteren *o.*
remontant [r(e)mõ'tã] **I** *adj.* **1** stijgend, klimmend; **2** (*Pl.*) nabloeiend; **II** *s.m.* **1** nabloeier *m.*; **2** opwekkend middel *o.*, stimulans *m.*
remonte [r(e)mõ:t] *f.* **1** (*sch.*) (het) opvaren *o.*; **2** (*mil.*) remonte *v.*(*m.*); ***en* —,** tegen de stroom in.
remonte-pente [r(e)mõ:tpã:t] *m.* skilift *m.*
remonter [r(e)mõ'té] **I** *v.i.* **1** weer naar boven

gaan; **2** rijzen, weer in de hoogte gaan; **3** (**— *en voiture***), weer instappen; **4** (*v. rivier*) opvaren, stroomopwaarts varen; **5** (*v. wind*) krimpen; **6** (*v. kleren*) opkruipen; **— *à***, opklimmen tot, dagtekenen van; **— *sur l'eau,*** (*fig.*) er weer bovenop komen; **II** *v.t.* **1** (weer) naar boven brengen (*of* dragen, halen); **2** (*v. uurwerk*) opwinden; **3** (*tn.*: *v. machine, enz.*) weer ineenzetten, weer monteren; **4** (*v. muur*) ophogen, hoger optrekken; **5** (*v. rijdier*) weer bestijgen; **6** (*v. viool*) van nieuwe snaren voorzien; **— *la scène,*** naar de achtergrond (van het toneel) gaan; **— *le moral*** (*ou* ***le courage***) ***à qn.,*** iem. moed inspreken, iem. weer nieuwe moed geven; **III** *v.pr.* ***se* —**, **1** zich opnieuw inrichten; **2** er weer bovenop komen; weer op zijn verhaal komen; ***se* — *la tête,*** zich weer opwinden.

remontoir [r(e)mõ'twa:r] *m.* **1** opwindwerk, opwindmechanisme *o.*; **2** (***montre à* —**), remontoir(horloge) *o.*

remontrance [r(e)mõ'trã:s] *f.* **1** vermaning, waarschuwing *v.*; **2** tegenwerping *v.*, tegenbetoog *o.*

remontrant [r(e)mõ'trã] **I** *m.* remonstrant *m.*; **II** *adj.* remonstrants.

remontrer [r(e)mõ'tré] **I** *v.t.* **1** weer tonen; **2** voor ogen houden, onder 't oog brengen; **II** *v.i.*, ***en — à qn.,*** iem. een lesje geven; ***c'est Gros-Jean qui veut en — à son curé,*** het kuiken wil wijzer zijn dan de hen.

rémora [rémòra] *m.* remora, zuigvis *m.*

remordre [r(e)mòrdr] **I** *v.t.* weer bijten; **II** *v.i.* weer beginnen.

remords [r(e)mò:r] *m.* wroeging *v.*, berouw *o.*

remorquage [r(e)mòrka:j] *m.* (het) slepen *o.*

remorque [r(e)mòrk] *f.* **1** (het) slepen *o.*; **2** sleeptouw *o.*, sleeptros *m.*; **3** aanhangwagen *m.*; **— *automobile,*** motorsleepboot *m. en v.*; ***voiture de* —**, aanhangwagen, bijwagen *m.*; ***prendre à la* —**, op sleeptouw nemen.

remorquer [r(e)mòrké] *v.t.* **1** (*sch.*) slepen, op sleeptouw hebben; **2** (*v. wagen*) voorttrekken; **3** (*v. persoon*) meenemen, introduceren; **4** (*fig.*) op sleeptouw nemen.

remorqueur [r(e)mòrkoe:r] *m.*, (***bateau* —**), sleepboot *m. en v.*

remorqueuse [r(e)mòrkö:z] *f.* rangeerlocomotief [*v.*(*m.*).

remoudre* [r(e)mu:dr] *v.t.* weer malen.

rémoudre* [rému:dr] *v.t.* (opnieuw) slijpen.

remouiller [r(e)muyé] *v.t.* weer nat maken; **— *l'ancre,*** weer het anker uitwerpen.

rémoulade [rémula'd] *f.* gekruide mayonaise *v.*

rémouleur [rémulœ:r] *m.* scharenslijper *m.*

remous [r(e)mu] *m.* **1** (*v. schip*) zog, kielwater *o.*; **2** draaikolk *m. en v.*, wieling, tegenstroming *v.*; **3** (*vl.*) luchtkolk *m. en v.*; **4** (*v. de zee*) (het) koken *o.*; **5** (*fig.*) verwarring *v.*

rempaillage [rã'pa'ya:j] *m.* (het) matten *o.*

rempailler [rã'pa'yé] *v.t.* (*v. stoel*) matten.

rempailleur [rã'pa'yœ:r] *m.* stoelenmatter *m.*

rempaqueter [rã'pakté] *v.t.* opnieuw inpakken.

remparer [rã'pa'ré] *v.t.* omwallen.

rempart [rã'pa:r] *m.* **1** (*mil.*) wal *m.*, bolwerk *o.*; **2** (*fig.*) borstwering *v.*, schild *o.*

rempiéter [rã'pyété] *v.t.* (*v. kous*) aanbreien.

rempiler [rã'pilé] **I** *v.t.* weer opstapelen; **II** *v.i.* (*mil., arg.*) bijtekenen.

remplaçable [rã'plasa'bl] *adj.* vervangbaar.

remplaçant [rã'plasã] *m.* plaatsvervanger *m.*

remplacement [rã'plasmã] *m.* **1** (*mil.*) plaatsvervanging *v.*; **2** vervanging *v.*; **3** (*v. geld*) nieuwe belegging *v.*; **— *d'un frère,*** broederdienst *m.*; ***produit de* —**, surrogaat *o.*

remplacer [rã'plasé] **I** *v.t.* **1** vervangen; **2** (*v. geld*) opnieuw beleggen; **II** *v.pr.* ***se* —**, **1** vervangen kunnen worden; **2** elkaar vervangen.

remplage [rã'pla:j] *m.* **1** opvulling; aanvulling *v.*; **2** (*in muur*) opvulsel *o.*

rempli [rã'pli] *m.* **1** opnaaisel *o.*; **2** (het) opvullen *o.*; ***faire un — à,*** innemen.

remplier [rã'pli(y)é] *v.t.* innemen.

remplir [rã'pli:r] **I** *v.t.* **1** vullen; **2** opvullen; aanvullen; **3** (*v. put, gracht*) dempen; **4** (*v. formulier*) invullen; **5** (*v. ambt*) bekleden, waarnemen; **6** (*v. belofte*) houden, gestand doen; **7** (*v. verplichting*) nakomen; **8** (*v. tijd*) goed besteden; **9** aanvullen, voltallig maken; **— *l'attente,*** aan de verwachting voldoen; **II** *v.pr.* ***se* —**, **1** zich vullen; **2** vol lopen; **3** vervuld worden; **4** (*fam.*) zich volstoppen.

remplissage [rã'plisa:j] *m.* **1** (het) vullen *o.*; **2** (het) opvullen; (het) aanvullen *o.*; **3** vulsel, opvulsel *o.*; **4** bladvulling *v.*; **5** (*muz.*) middenstem *v.*(*m.*); **6** (*sch.*) vulhout *o.*; ***terre de* —**, stortgrond *m.*

remplisseuse [rã'plisö:z] *f.* vulinrichting *v.* (voor [flessen).

remploi [rã'plwa] *m.* (*v. geld*) wederbelegging *v.*

remployer [rã'plwayé] *v.t.* **1** weder gebruiken; **2** weer in dienst nemen; **3** (*v. geld*) weer beleggen.

remplumer [rã'plümé] **I** *v.t.* van nieuwe veren voorzien; **II** *v.pr.* ***se* —**, **1** nieuwe veren krijgen; **2** (*na ziekte, enz.*) er weer bovenop komen.

rempocher [rã'pòʃé] *v.t.* weer in de zak steken.

remporter [rã'pòrté] *v.t.* **1** weer terugbrengen; **2** (*v. prijs, overwinning*) behalen.

rempotage [rã'pòta:j] *m.* verpotting *v.*, (het) verpotten *o.*

rempoter [rã'pòté] *v.t.* verpotten.

remprunter [rã'prœ'té] *v.t.* opnieuw lenen.

remuable [r(e)mwa'bl] *adj.* beweegbaar.

remuage [r(e)mwa:j] *m.* **1** (*v. hooi, enz.*) (het) omkeren *o.*; **2** (*v. koren, wijn*) (het) verschieten *o.*

remuant [r(e)mwã] *adj.* **1** (*v. geest*) onrustig; **2** (*v. kind*) woelig, beweeglijk.

remue-ménage [r(e)müména:j] *m.* **1** wanorde *v.*(*m.*), drukte *v.*; **2** verhuisdrukte *v.*; **3** (*fig.*) onrust, opschudding *v.*

remuement, remûment [r(e)mümã] *m.* **1** beweging, verplaatsing *v.*; **2** opschudding *v.*; **3** (*v. grond*) omwerking *v.*

remuer [r(e)mwé] **I** *v.t.* **1** bewegen; **2** (*v. meubel, enz.*) verplaatsen; **3** (*v. hoofd*) schudden; **4** (*v. kussen*) opschudden; **5** (*v. grond*) omwerken, omspitten; **6** (*v. hooi, enz.*) omzetten; **7** (*v. drank, saus*) omroeren; **8** (*v. koren, wijn*) verschieten; **9** (*v. kwestie*) aanroeren, bespreken; **10** ontroeren; **— *ciel et terre,*** hemel en aarde bewegen; **— *la queue,*** kwispelstaarten; ***ne — ni pied ni patte,*** geen vin verroeren; **— *l'argent à la pelle,*** in het geld zwemmen, bulken van 't geld; **— *une affaire,*** een zaak weer ter sprake brengen; **II** *v.i.* **1** zich bewegen; verroeren; **2** onrustig zijn, woelig zijn; **3** (*fig.*) een hand uitsteken; **III** *v.pr.* ***se* —**, **1** zich bewegen; **2** moeite doen, zich moeite geven; **3** de handen uit de mouw steken.

remueur [r(e)mwœ:r] *m.* **1** korenverschieter *m.*; **2** woelgeest *m.*; **— *d'écus,*** rijkaard *m.*; **— *d'idées,*** groot denker *m.*

remugle [r(e)mü:gl] *m.* (*oud*) muffe lucht *v.*(*m.*).

remûment [r(e)mümã] *voir* ***remuement.***

rémunérateur [rémünératœ:r] *adj.* winstgevend, lonend.

rémunération [rémünéra'syõ] *f.* vergoeding, [beloning *v.*

rémunérer [rémünéré] *v.t.* vergelden, belonen.

renâcler [r(e)na'klé] *v.i.* **1** snuiven; **2** de neus optrekken (***sur,*** voor); **3** terugkrabbelen; **— *à,*** terugschrikken voor.

renâcleur [r(e)na'klœ:r] *m.* bangerik *m.*

renaissance [r(e)nèsã:s] *f.* wedergeboorte *v.*; *R—*, Renaissance *v.*
renaissant [r(e)nèsã] *adj.* herlevend.
renaître* [r(e)nè:tr] *v.i.* **1** herboren worden; **2** herleven; opleven; *— de ses cendres*, uit zijn as verrijzen; *— au bonheur*, weer gelukkig worden; *— à la vie*, tot het leven terugkeren; van een zware ziekte opkomen.
Renaix [r(e)nè] Ronse *o.*
rénal [rénal] *adj.* nier—, de nieren betreffend; *affection —e*, nierziekte *v.*
renard [r(e)na:r] *m.* **1** vos *m.*; **2** (*fig.*) werkwillige, onderkruiper *m.*; *— argenté*, zilvervos *m.*; *— bleu, — polaire*, poolvos *m.*; *le — prêche aux poules*, het is de vos die de passie preekt; *un vieux —*, een loze vos; een sluwerd; *se confesser au —*, bij de duivel te biecht gaan; *agir en —*, listig zijn.
renarde [r(e)nard] *f.* wijfjesvos *m.*
renardeau [r(e)nardo] *m.* jonge vos *m.*
renarder [r(e)nardé] *v.i.* listen gebruiken, sluw te werk gaan.
renardier [r(e)nardyé] *m.* vossejager *m.*
renardière [r(e)nardyè:r] *f.* vossehol *o.*
rencaissage [rã·kè·sa:j], **rencaissement** [rã·kè·smã] *adj.* (het) weer in bakken zetten, weer in kisten doen.
rencaisser [rã·kè·sé] *v.t.* weer in kisten doen (*v. sinaasappels bv.*); weer in bakken zetten.
renchaîner [rã·ʃè·né] *v.t.* weer aan de ketting leggen. [alles de neus optrekken.
renchéri [rã·ʃéri] *adj.* waanwijs; *faire le —*, voor
renchérir [rã·ʃéri:r] **I** *v.t.* duurder maken; **II** *v.i.* **1** duurder worden, opslaan; **2** hoger bieden; *— sur*, overtreffen, nog verder gaan dan.
renchérissement [rã·ʃérismã] *m.* prijsverhoging *v.*, opslag *m.*
rencogner [rã·kòñé] **I** *v.t.* in een hoek duwen; *— ses larmes*, zijn tranen bedwingen; **II** *v.pr.*, *se —*, in een hoek kruipen, zich in een hoek verbergen.
rencontre [rã·kõ:tr] *f.* **1** ontmoeting *v.*; **2** toeval *o.*; **3** (*mil.*) treffen *o.*; **4** (*sp.*) match *m. en v.*, ontmoeting *v.*; **5** tweegevecht, duel *o.*; **6** (*beurs*) rescontre *v.(m.)*, afrekening, verrekening *v.*; **7** vernuftige inval *m.*; *faire une bonne —*, een goede vondst doen; *aller à la — de qn.*, iem. tegemoet gaan; *— de deux trains*, botsing *v.*; *— de deux voyelles*, samenstoting *v.* van twee klinkers; *selon la —*, al naar het valt; *en toute —*, bij elke gelegenheid; *par —*, toevallig.
rencontrer [rã·kõ·tré] **I** *v.t.* **1** ontmoeten; **2** aantreffen, vinden; **3** (*v. vijand*) stoten op; **4** (*fig.*) gissen, raden; **II** *v.i.*, *— juste*, de spijker op de kop slaan; **III** *v.pr. se —*, **1** elkaar ontmoeten; **2** (*v. treinen, enz.*) op elkaar lopen, tegen elkaar botsen; **3** (*v. data*) samenvallen; **4** voorkomen; **5** aangetroffen worden, gevonden worden; *comme cela se rencontre*, dat treft goed.
rendement [rã·dmã] *m.* **1** opbrengst *v.*; **2** (*v. machine*) nuttig effect *o.*; **3** (*sp.*) voorgift *v.(m.)*.
rendez-vous [rã·dévu] *m.* **1** afspraak *v.(m.)*; **2** plaats *v.(m.)* van samenkomst; *donner — à*, tot een samenkomst bescheiden; *se donner —*, afspreken; *prendre —*, een afspraak maken; *sur —*, volgens afspraak.
rendormir* [rã·dòrmi:r] **I** *v.t.* weer doen inslapen; **II** *v.pr. se —*, weer in slaap vallen.
rendosser [rã·dòsé] *v.t.* **1** (*v. kledingstuk*) weer aantrekken; **2** (*H.*: *v. wissel*) weer endosseren.
rendre [rã·dr] **I** *v.t.* **1** teruggeven; **2** weergeven; **3** beantwoorden, vergelden; **4** overgeven; **5** (*v. winst, enz.*) opleveren, opbrengen; **6** (*v. vonnis*) vellen; **7** (*sp.*) voorgeven; *— l'âme*, de geest geven; *— grâce*, danken, dankzeggen; *— la justice*, recht spreken; *— la pareille*, met gelijke munt betalen; *— responsable*, verantwoordelijk stellen; *— malade*, ziek maken; *— service à qn.*, iem. een dienst bewijzen; *— visite à qn.*, iem. bezoeken; *— les armes*, de wapens neerleggen; *— témoignage*, getuigenis afleggen; *— le dernier soupir*, de laatste adem uitblazen; *— compte*, rekenschap geven; *— de la monnaie*, geld teruggeven; *— le bien pour le mal*, kwaad met goed vergelden; **II** *v.i.* **1** teruggeven; **2** winst afwerpen, voordeel opleveren; **3** (*v. grond, enz.*) opbrengen; **4** meegeven, veren; *— sur 100 francs*, van 100 fr teruggeven; *le moteur ne rend pas*, de motor hapert; **III** *v.pr.*, *se —*, **1** zich overgeven; zich onderwerpen; **2** (*fig.*) toegeven, zwichten; *se — à*, zich begeven naar, gaan naar; *se — à discrétion*, zich op genade of ongenade overgeven; *se — maître de*, zich meester maken van; *se — à une invitation*, van een uitnodiging gebruik maken, aan een uitnodiging gehoor geven; *se — aux ordres de qn.*, aan iemands bevelen gevolg geven, overeenkomstig iemands bevelen handelen; *se — à l'avis de qn.*, zich naar iemands mening schikken; *cela ne se rend pas facilement*, dat is moeilijk weer te geven (*of* te vertalen).
rendu [rã·dü] **I** *adj.* **1** vermoeid, doodop; **2** aangekomen; **II** *s. m.* (*kunst*) wijze van weergeven, weergave *v.(m.)*; *c'est un prêté pour un —*, hij krijgt zijn trekken wel thuis.
renduire [rã·dwi:r] *v.t.* weer insmeren.
rendurcir [rã·dürsi:r] **I** *v.t.* harden, verharden; harder maken; **II** *v.pr. se —*, harder worden, verharden.
rendurcissement [rã·dürsismã] *m.* verharding *v.*
René [r(e)né] *m.* Reinier, Renaat *m.*
rêne [rè:n] *f.* leidsel *o.*, teugel *m.*; *fausses —s*, opzetteugel *m.*; *prendre la cinquième —*, zich vastgrijpen aan de manen.
renégat [r(e)néga] *m.* **1** (*v. geloof*) afvallige *m.*; **2** overloper *m.*
rêner [rè·né] *v.t.* de teugel aanleggen.
renfermé [rã·fèrmé] **I** *adj.* (*v. persoon*) gesloten; **II** *s. m.* **1** eenzelvig persoon *m.*; **2** mufheid, dufheid *v.*; *sentir le —*, muf (*of* duf) ruiken.
renfermer [rã·fèrmé] **I** *v.t.* **1** (weer) opsluiten; **2** weer opbergen; **3** bevatten, behelzen; **4** (*fig.*: *v. gedachten, enz.*) verbergen; **II** *v.pr. se —*, zich opsluiten; *se — en soi-même*, in zich zelf gekeerd zijn; *se — dans*, zich beperken tot, zich bepalen tot; *se — dans le silence*, het stilzwijgen bewaren.
renflammer, se — [s(e)rã·flamé] *v.pr.* weer ontvlammen.
renflement [rã·flemã] *m.* zwelling; verdikking *v.*
renfler [rã·flé] **I** *v.i.* **1** zwellen, opzwellen; **2** (*v. deeg*) rijzen; **II** *v.t.* **1** doen zwellen; **2** (*v. ballon*) weer opblazen, weer vullen; **3** (*fig.*) opblazen.
renflouer [rã·flué] *v.t.* **1** weer vlot maken; **2** (*fig.*) weer op de been helpen, er weer bovenop helpen.
renfoncement [rã·fõ·smã] *m.* **1** diepte; holte *v.*; **2** (*v. straat, kust*) inham *m.*; **3** (*v. regel*) (het) laten inspringen *o.*
renfoncer [rã·fõ·sé] *v.t.* **1** dieper inslaan; **2** (*v. regel*) laten inspringen; **3** (*v. huis*) achter de rooilijn plaatsen; **4** (*fig.*: *v. tranen, enz.*) onderdrukken, bedwingen.
renforçage [rã·fòrsa:j] *m.* (*v. kleur*) versterking *v.*
renforçateur [rã·fòrsatœ:r] *m.* **1** (*fot.*) versterkingsbad *o.*; **2** (*v. luidspreker*) versterker, geluidversterker *m.*
renforcement [rã·fòrs(e)mã] *m.* versterking *v.*

renforcer [rã'fòrsé] *v.t.* **1** versterken; **2** (*v. muur*) steunen; ***sot renforcé,*** driedubbele zot, gek in folio.
renforcir [rã'fòrsi:r] **I** *v.t.* versterken; **II** *v.i.* sterker worden, aansterken.
renformir [rã'fòrmi:r] *v.t.*, (*v. muur*) herstellen.
renformis [rã'fòrmi] *m.* herstelling *v.* (van een muur).
renfort [rã'fò:r] *m.* **1** versterking *v.*; **2** (*sch.*: *v. zeil*) stootlap *m.*; **3** (*fig.*) vermeerdering *v.*; ***cheval de —,*** bijpaard *o.*; ***à grand — de,*** met behulp van; met veel.
renfrogné [rã'fròñé] *adj.* nors, stuurs.
renfrogner, *se —* [s(e)rã'fròñé] *v.pr.* zuur kijken, stuurs kijken, een nors gezicht zetten.
rengagé [rã'gajé] *m.* (*mil.*) soldaat *m.* die heeft bijgetekend.
rengagement [rã'ga'jmã] *m.* nieuwe dienstneming *v.*; (het) bijtekenen *o.*
rengager [rã'ga'jé] **I** *v.t.* **1** weer in dienst nemen; **2** (*v. gevecht, proces*) weer beginnen; **3** weer verpanden; **II** *v.pr.* ***se —,*** **1** weer dienst nemen; **2** (*mil.*) bijtekenen.
rengaine [rã'gè:n] *f.* **1** oude deun *m.*; **2** afgezaagd gezegde *o.*; ***c'est toujours la même —,*** het is altijd 't oude liedje!
rengainer [rã'gè'né] *v.t.* **1** (*v. sabel*) weer in de schede steken; **2** (*fam.*: *v. woorden, enz.*) voor zich houden; **3** (*v. tranen*) onderdrukken.
rengorgement [rã'gòrjmã] *m.* opgeblazenheid *v.*
rengorger, *se —* [s(e)rã'gòrjé] *v.pr.* **1** een hoge borst zetten; **2** (*v. pauw*) pronken.
rengraisser [rã'grè'sé] **I** *v.t.* weer dik maken; **II** *v.i.* weer dik worden.
rengrener [rã'grené], **rengréner** [rãgréné] *v.t.* (*v. tandraderen*) doen ineengrijpen.
reniable [renya'bl] *adj.* loochenbaar.
reniement, renîment [renimã] *m.* **1** verloochening *v.*; **2** afzwering *v.*
renier [renyé] *v.t.* **1** verloochenen; **2** afzweren.
renieur [renyœ:r] *m.* verloochenaar *m.*; ontkenner *m.*
reniflement [reniflemã] *m.* **1** opsnuiving *v.*; **2** gesnuif *o.*
renifler [reniflé] **I** *v.i.* snuiven; ***— sur,*** de neus optrekken voor; **II** *v.t.* **1** opsnuiven; **2** bespioneren; ***— l'eau,*** (*v. schoen*) water trekken.
renifleur [reniflœ:r] *m.* snuiver *m.*
réniforme [rénifòrm] *adj.* niervormig.
renîment [renimã] *voir* ***reniement.***
rénitence [rénitã:s] *f.* **1** (*v. gezwel*) hardheid *v.*; **2** weerstand, tegenstand *m.*
rénitent [rénitã] *adj.* **1** (*v. gezwel*) hard; **2** weerspannig.
renne [rèn] *m.* rendier *o.*
renom [r(e)nõ] *m.* naam *m.*, faam *v.*(*m.*), bekendheid *v.*; vermaardheid *v.*; ***de —,*** vermaard, befaamd; ***de mauvais —,*** berucht.
renommé [r(e)nòmé] *adj.* beroemd, vermaard.
renommée [r(e)nòmé] *f.* beroemdheid, vermaardheid *v.*; ***apprendre par la —,*** bij geruchte vernemen; ***bonne — vaut mieux que ceinture dorée,*** een goede naam is meer waard dan rijkdom.
renommer [r(e)nòmé] *v.t.* weer benoemen; ***se faire —,*** zich beroemd maken.
renonce [r(e)nõ:s] *f.* (*kaartsp.*) renonce *v.*; ***faire une —,*** renonceren, niet bekennen.
renoncement [r(e)nõ'smã] *m.* verloochening *v.*, afstand *m.*; verzaking *v.*; ***— à soi-même,*** zelfverloochening *v.*
renoncer [r(e)nõ'sé] **I** *v.i.* **1** (*kaartsp.*) niet bekennen; **2** ***—*** (***à***), afstand doen (van), afzien (van); **3** (*wereld, toneel*) vaarwel zeggen; **4** (aan zonde) verzaken; ***j'y renonce,*** ik geef het op; **II** *v.t.* verloochenen, verzaken.
renonciataire [r(e)nõ'syatè:r] *m.-f.* persoon te wiens behoeve afstand wordt gedaan.
renonciateur [r(e)nõ'syatœ:r] *m.* die afstand doet; boedelverzaker *m.*
renonciation [r(e)nõ'syɑ'syõ] *f.* afstand *m.*, verzaking *v.*
renonculacées [r(e)nõ'külasé] *f.pl.* ranonkelachtigen *mv.*
renoncule [r(e)nõ'kül] *f.* ranonkel *v.*(*m.*); boterbloem *v.*(*m.*).
renouée [r(e)nwé] *f.* duizendknoop *m.*
renouement, renoûment [r(e)numã] *m.* wederaanknoping; hervatting *v.*
renouer [r(e)nwé] *v.t.* **1** weer vastbinden; **2** (*v. vriendschap, betrekkingen*) weer aanknopen; **3** (*v. draad v. gesprek*) weer opvatten; **4** (*gen.*) zetten.
renoûment [r(e)numã], *voir* ***renouement.***
renouveau [r(e)nuvo] *m.* **1** voorjaar *o.*, lente *v.*(*m.*); **2** (*fig.*) nieuwe bloeitijd *m.*; ***— religieux,*** godsdienstige opleving *v.*; ***— d'énergie,*** hernieuwde geestkracht *v.*(*m.*).
renouvelable [r(e)nuvla'bl] *adj.* hernieuwbaar.
renouveler* [r(e)nuvlé] *v.t.* **1** hernieuwen; **2** (*v. overeenkomst, enz.*) vernieuwen; **3** (*v. twist, proces*) hervatten; **4** (*v. herinnering*) opfrissen; **5** (*v. gebruik*) weer in zwang brengen; **6** (*v. voorschrift*) weer invoeren; ***— l'air,*** luchten; ***— son bail,*** zijn contract verlengen.
renouvellement [r(e)nuvèlmã] *m.* **1** hernieuwing *v.*; **2** vernieuwing *v.*; **3** hervatting *v.*; ***— de l'année,*** jaarwisseling *v.*; ***— de l'air,*** luchtverversing *v.*; ***avec un — de zèle,*** met vernieuwde ijver.
rénovateur [rénòvatœ:r] **I** *m.* vernieuwer; hervormer *m.*; **II** *adj.* vernieuwend.
rénovation [rénòvɑ'syõ] *f.* vernieuwing; hernieuwing *v.*
rénover [rénòvé] *v.t.* vernieuwen; verjongen.
renseignement [rã'sèñmã] *m.* inlichting *v.*; ***aller aux —s,*** inlichtingen inwinnen.
renseigner [rã'sèñé] **I** *v.t.* inlichten; **II** *v.pr.* ***se —,*** inlichtingen inwinnen; ***se — (sur),*** inlichtingen inwinnen (over).
rentabilité [rã'tabilité] *f.* rentabiliteit *v.*, (het) rendabel zijn *o.*
rentable [rã'ta'bl] *adj.* **1** rentegevend; **2** lonend, rendabel; **3** winstgevend; **4** produktief.
rentamer [rã'tamé] *v.t.* weer beginnen, weer opvatten.
rente [rã:t] *f.* **1** rente *v.*(*m.*), interest *m.*; **2** jaargeld *o.*; ***— viagère,*** lijfrente *v.*(*m.*); ***— foncière,*** grondrente; ***—s (sur l'État),*** staatsfondsen *mv.*; ***vivre de ses —s,*** rentenieren; ***avoir des —s,*** een vast inkomen hebben.
renter [rã'té] *v.t.* **1** een jaarlijks inkomen (*of* een jaargeld) verzekeren; **2** (*v. kous*) aanbreien.
rentier [rã'tyé] *m.* rentenier *m.*
rentière [rã'tyè:r] *f.* rentenierster *v.*
rentoilage [rã'twala:j] *m.* verdoeking *v.*
rentoiler [rã'twalé] *v.t.* verdoeken.
rentoileur [rã'twalœ:r] *m.* verdoeker *m.*
rentrage [rã'tra:j] *m.* (het) binnenhalen *o.*
rentraire* [rã'trè:r] *v.t.* (onzichtbaar) stoppen.
rentraiture [rã'trè'tü:r] *f.* stopnaad *m.*
rentrant [rã'trã] **I** *m.* **1** (*sp.*) invaller *m.*; **2** inspringende hoek *m.*; **II** *adj.* (*v. hoek*) inspringend.
rentrayage [rã'trèya:j] *m.* het (onzichtbaar) stoppen *o.*
rentré [rã'tré] *adj.* **1** (*v. woede*) ingehouden; **2** (*v. ogen*) diepliggend; **3** (*v. mond*) ingevallen; **4** (*gen.*) naar binnen geslagen; **5** (*v. verdriet*) opgekropt.
rentrée [rã'tré] *f.* **1** (*v. school, beurs*) heropening *v.*; **2** (*v. lessen*) hervatting *v.*; **3** (*v. oogst*) (het) bin-

nenhalen *o.*; **4** (*v. geld*) (het) binnenkomen *o.*, incassering *v.*; **5** (*v. toneelspeler*) (het) wederoptreden *o.*; **6** (*muz.*; *v. partij*) (het) invallen *o.*; (*v. thema*) herhaling *v.*; **7** (*v. regel*) het laten inspringen; ***faire sa —,*** weer optreden; ***faire des —s,*** gelden invorderen.

rentrer [rã'tré] **I** *v.i.* **1** weer binnenkomen; **2** thuiskomen; **3** naar huis gaan; terugkeren; **4** (*v. geld*) inkomen, binnenkomen; **5** (*gen.*) naar binnen slaan; **6** (*muz.*) invallen, inzetten; **7** (*v. school*) weer beginnen; **8** (*v. toneelspeler*) weer optreden; **9** in elkaar passen, in elkaar schuiven; **10** (*fig.*) deel uitmaken (van), behoren (tot); ***cela rentre dans ses attributions,*** dat behoort tot zijn bevoegdheid; ***— en soi-même,*** tot zichzelf inkeren; ***— dans ses droits,*** zijn rechten terugkrijgen; ***— dans ses fonds,*** zijn geld terugkrijgen; ***— dans le silence,*** weer stil worden; ***— en grâce,*** weer in genade aangenomen worden; ***— sous terre,*** van schaamte wegkruipen; ***— bredouille,*** platzak thuiskomen; **II** *v.t.* **1** binnenbrengen; **2** (*v. oogst, enz.*) binnenhalen; **3** (*v. tranen, enz.*) inhouden verbergen; **4** (*v. regel*) laten inspringen; ***— le corps,*** rechtop staan.

renvelopper [rã'vlòpé] *v.t.* weer inwikkelen.

renversable [rã'vèrsa'bl] *adj.* omzetbaar.

renversant [rã'vèrsã] *adj.* verbazend, verbazingwekkend, erg vreemd; ***c'est —,*** daar valt men van om.

renverse, *à la —* [alarã'vèrs] achterover.

renversé [rã'vèrsé] *adj.* omgekeerd; ***le monde —,*** de verkeerde (*of* omgekeerde) wereld.

renversement [rã'vèrsemã] *m.* **1** omkering *v.*; **2** (*v. regering, enz.*) omverwerping *v.*; **3** (*muz.*) omzetting *v.*; **4** (*v. schrijfmachine; el.*) omschakeling *v.*; **5** (*v. getij*) kentering *v.*; **6** (*fig.*) omwenteling *v.*

renverser [rã'vèrsé] **I** *v.t.* **1** omkeren; **2** omstoten, omwerpen; **3** (*v. troon*) omverwerpen; **4** (*v. vloeistof*) morsen; **5** (*v. schrijfmachine; el.*) omschakelen; **6** (*v. onderneming*) doen mislukken; ***— la vapeur,*** tegenstoom geven; ***— en courant,*** omverlopen; ***— la tête à qn.,*** iemands hoofd op hol brengen; **II** *v.i.* **1** omvallen; **2** overkoken; **3** (*v. getij*) omslaan; **III** *v.pr.* ***se —,*** **1** achterovervallen, omvallen; **2** achteroverleunen; **3** (*v. getij*) kenteren.

renvider [rã'vidé] *v.t.* (weer) opwinden.

renvoi [rã'vwa] *m.* **1** terugzending *v.*; **2** (het) wegzenden *o.*; **3** (*v. troepen, enz.*) afdanking *v.*; **4** (*v. geluid, warmte*) terugkaatsing *v.*; **5** (*v. bal*) (het) terugslaan *o.*; **6** verdaging *v.*, uitstel *o.*; **7** (*in boek*) verwijzing *v.*; **8** verwijzingsteken *o.*; **9** (*tn.*: *v. beweging*) overbrenging *v.*; **10** oprisping *v.*

renvoyer* [rã'vwayé] *v.t.* **1** terugzenden; **2** naar huis zenden; **3** afdanken; **4** wegsturen; **5** (*naar ander adres*) doorzenden, nazenden; **6** (*v. geluid, warmte*) terugkaatsen; **7** (*v. bal*) terugkaatsen, terugslaan; **8** uitstellen, verdagen; ***— qn. des fins de la plainte,*** iem. van rechtsvervolging ontslaan; ***— aux assises,*** naar het assisenhof verwijzen; ***— qn. bien loin,*** niets met iem. te maken willen hebben.

réoccupation [réòküpa'syõ] *f.* wederbezetting *v.*

réoccuper [réòküpé] *v.t.* weer bezetten.

réorganisateur [réòrganizatœ:r] **I** *m.* hervormer *m.*; **II** *adj.* reorganiserend, reorganisatie—.

réorganisation [réòrganiza'syõ] *f.* reorganisatie; wederinrichting *v.*

réorganiser [réòrgani'zé] *v.t.* reorganiseren; weer inrichten, opnieuw inrichten.

réouverture [réuvèrtü:r] *f.* heropening *v.*

repaire [r(e)pè:r] *m.* **1** hol *o.*, schuilplaats *v.*(*m.*); **2** (*v. dieren*) hol *o.*; leger, nest *o.*

repaître* [r(e)pè:tr] **I** *v.t.* **1** (*v. dieren*) voeden, voederen; **2** (*fig.*) paaien; **3** verlustigen; ***— ses yeux de,*** zijn ogen te gast laten gaan aan; **II** *v.i.* grazen, weiden; **III** *v.pr.* ***se —,*** **1** zich voeden, zich verzadigen; **2** (*fig.*) zich verlustigen; ***se — de chimères,*** zich met hersenschimmen paaien.

répandre [répã:dr] **I** *v.t.* **1** storten, uitgieten; **2** (*v. bloed*) vergieten; **3** (*v. tranen*) plengen; **4** (*v. warmte, geur*) verspreiden; **5** (*v. gerucht, nieuwtje*) verbreiden; rondstrooien; **6** (*v. geld*) uitdelen; **7** vrijgevig zijn met; **II** *v.pr.* ***se —,*** **1** gestort worden; **2** overlopen; **3** zich verspreiden; **4** zich verbreiden; **5** veel uitgaan; ***se — en injures,*** beginnen te schelden, beledigingen uitbraken; ***se — en plaintes,*** in klachten uitbarsten.

répandu [répã'dü] *adj.* verspreid; verbreid; ***un médecin —,*** een bekend arts.

réparable [répara'bl] *adj.* herstelbaar.

reparaître* [r(e)parè:tr] *v.i.* weer verschijnen.

réparateur [réparatœ:r] **I** *m.* hersteller *m.*; **II** *adj.* **1** herstellend; **2** (*v. slaap*) verkwikkend.

réparation [répara'syõ] *f.* **1** herstel *o.*; **2** herstelling *v.*; **3** eerherstel *o.*; **4** voldoening *v.*; **5** (*in geld*) vergoeding *v.*; **6** herstelbetaling *v.*; ***commission des —s,*** herstelcommissie *v.*

réparatoire [réparatwa:r] *adj.*, ***prière —,*** boetgebed *o.*

réparer [réparé] *v.t.* **1** herstellen; **2** (*v. schade*) vergoeden; **3** voldoening geven voor; **4** (*v. smaad*) uitwissen.

reparler [r(e)parlé] *v.i.* weer spreken; ***— de,*** terugkomen op.

repartager [r(e)partajé] *v.t.* opnieuw verdelen.

repartie [r(e)parti] *f.* snedig antwoord *o.*; ***esprit de —,*** gevatheid *v.*; ***prompt à la —,*** slagvaardig

repartir* [r(e)parti:r] **I** *v.t.* (vaardig, vlug) antwoorden; **II** *v.i.* weer vertrekken.

répartir [réparti:r] *v.t.* **1** verdelen; **2** (*v. belastingen*) omslaan.

répartiteur [répartitœ:r] *m.* **1** ambtenaar *m.* die de belastingen omslaat; **2** (*el.*) schakelbord *o.*

répartition [répartisyõ] *f.* **1** verdeling *v.*; **2** (*v. belasting*) omslag *m.*; ***impôt de —,*** hoofdelijke omslag; ***— individuelle,*** personele verdeling; ***— en masse,*** functionele verdeling.

repas [r(e)pa] *m.* maaltijd *m.*, maal *o.*; ***faire un bon —,*** goed eten.

repassage [r(e)pa'sa:j] *m.* **1** herhaalde overvaart *v.*(*m.*); **2** (*v. mes, enz.*) (het) slijpen *o.*; **3** (*v. linnen*) (het) strijken *o.*; **4** (*v. horloge*) (het) nazien *o.*

repasse [r(e)pa:s] *f.* grof meel *o.*

repasser [r(e)pa'sé] **I** *v.i.* **1** opnieuw doorgaan (*of* overgaan; voorbijgaan); **2** nog eens terugkomen; ***passer et —,*** heen en weer gaan; **II** *v.t.* **1** (*v. berg*) weer overtrekken; **2** (*v. zee*) weer overvaren; **3** weer overreiken; **4** (*v. mes, enz.*) slijpen, aanzetten; **5** (*v. linnen*) strijken; **6** (*v. les*) nog eens overlezen, herhalen; **7** (*v. horloge, rekening*) nazien; ***fer à —,*** strijkijzer *o.*

repasseur [r(e)pa'sœ:r] *m.* slijper, scharenslijper *m.*

repasseuse [r(e)pa'sö:z] *f.* **1** strijkster *v.*; **2** strijkmachine *v.*

repavage [r(e)pava:j], **repavement** [r(e)pavemã] *m.* (het) opnieuw bestraten *o.*, nieuwe bestrating *v.*

repaver [r(e)pavé] *v.t.* opnieuw bestraten; opnieuw plaveien.

repêchage [r(e)pè'ʃa:j] *m.* (*fam.*) (het) nog een kans geven *o.*

repêcher [r(e)pè'ʃé] *v.t.* **1** weer opvissen; **2** (*fig.*) redden.

repeindre* [r(e)pẽ'dr] *v.t.* overschilderen.

repenser [r(e)pã'sé] *v.i.* **1** terugdenken (aan); **2** overleggen.

repentance [r(e)pã'tã:s] *f.* (*oud*) berouw *o.*

repentant [r(e)pã'tã] *adj.* boetvaardig, berouwvol.

repenti [r(e)pã'ti] *adj.* berouwvol.

repentir*, se — [ser(e)pã'ti:r] *v.pr.* berouw hebben (*de*, over); spijt hebben (*de*, van); ***il s'en repentira,*** 't zal hem rouwen.
repentir [r(e)pã'ti:r] *m.* **1** berouw *o.*; **2** (*v. schilderij*) overgeschilderde plek *v.*(*m.*); **3** hangende haarlok *v.*(*m.*).
repérage [r(e)péra:j] *m.* (het) aanbrengen *o.* van kentekens; (*bij kleurendruk*) het sluiten *o.*
repercer [r(e)pèrsé] *v.t.* (*v. juwelen*) openwerken.
répercussif [répèrküsif] *adj.* (*gen.*) naar binnen slaand; een terugslag hebbend op andere weefsels of organen.
répercussion [répèrküsyõ] *f.* **1** terugkaatsing *v.*; **2** (*fig.*) terugslag *m.*; **3** (*gen.*: *v. ziekte*) terugdrijving *v.*, (het) naar binnen slaan *o.*
répercuter [répèrküté] **I** *v.t.* **1** terugkaatsen; **2** (*gen.*) terugdrijven; **II** *v.pr.* ***se —,*** teruggekaatst worden.
reperdre [r(e)pèrdr] **I** *v.t.* **1** opnieuw verliezen; **2** weer op een dwaalspoor brengen; **II** *v.pr.* ***se —,*** **1** opnieuw wegraken; **2** weer op een dwaalspoor komen.
repère [r(e)pè:r] *m.* **1** merkteken *o.*; merkstreep *v.*(*m.*); **2** (*wisk.*) hulpgetal *o.*; **3** (*fig.*) richtpunt *o.*; ***point de —,*** richtpunt, herkenningsteken *o.*; (*v. waterstand*) aanwijzer *m.*
repérer [r(e)péré] *v.t.* **1** merken, tekenen; **2** (*pop.*) in de gaten hebben; ***— le tir,*** het vizier stellen; ***— une batterie,*** de plaats van een batterij vaststellen (*of* ontdekken).
répertoire [répèrtwa:r] *m.* **1** register, zaakregister, repertorium *o.*; **2** (*op boek*) klapper *m.*; **3** (*v. wetteksten, enz.*) verzameling *v.*, verzamelwerk *o.*; **4** (*toneel*) repertoire *o.*
répertorier [répèrtòryé] *v.t.* in een register inschrijven.
repeser [repezé] *v.t.* herwegen.
répétailler [répéta'yé] *v.t.* tot vervelens toe herhalen.
répéter [répété] **I** *v.t.* **1** herhalen; **2** nazeggen, napraten; **3** oververtellen; **4** (*v. rol*) instuderen, repeteren; **5** (*recht*) terugvorderen, terugeisen; **II** *v.pr.* ***se —,*** **1** herhaald worden; **2** herhaaldelijk (*of* dikwijls) gebeuren; **3** (*v. schrijver, spreker*) in herhalingen vervallen.
répétiteur [répétitœ:r] *m.* repetitor *m.*
répétition [répétisyõ] *f.* **1** herhaling *v.*; **2** herhalingsles *v.*(*m.*); **3** (*toneel*) repetitie *v.*; ***mettre en —,*** in studie nemen; ***fusil à —,*** repeteergeweer *o.*; ***montre à —,*** repetitiehorloge *o.*
repeuplement [r(e)pœplmã] *m.* wederbevolking *v.*
repeupler [r(e)pœplé] *v.t.* weder bevolken.
repiquage [r(e)pika:j] *m.* **1** (*v. plant*) (het) verspenen *o.*; **2** (*drukk.*) (het) opdrukken *o.*
repiquer [r(e)piké] **I** *v.t.* **1** overstikken; **2** (*v. weg*) herstellen, gelijkmaken; **3** (*v. plant*) verpoten; **4** (*drukk.*) opdrukken, indrukken; **II** *v.i.* (*fam.*) opnieuw beginnen.
répit [répi] *m.* **1** uitstel, respijt *o.*; **2** (*fig.*) verademing, verpozing *v.*; ***sans —,*** onophoudelijk.
replacement [r(e)plasmã] *m.* herplaatsing *v.*
replacer [r(e)plasé] *v.t.* **1** weer op zijn plaats zetten (*of* leggen); **2** (*v. schilderij, enz.*) weer ophangen; **3** (*v. persoon*) weer aanstellen.
replanter [r(e)plã'té] *v.t.* weer planten, overplanten.
replâtrage [r(e)pla'tra:j] *m.* **1** overpleistering *v.*; **2** vergoelijking *v.*; **3** schijnbare verzoening *v.*
replâtrer [r(e)pla'tré] *v.t.* **1** overpleisteren; **2** vergoelijken; **3** (*v. vriendschap, enz.*) oplappen.
replet [r(e)plè] *adj.* (*f.* : ***replète*** [r(e)plèt]) dik, gezet, zwaarlijvig.
replète, *voir* ***replet.***
réplétif [réplétif] *adj.* vullend.
réplétion [réplésyõ] *f.* **1** gezetheid, zwaarlijvigheid *v.*; **2** maagoverlading *v.*
repli [r(e)pli] *m.* **1** plooi *v.*(*m.*); **2** (verborgen) vouw *v.*(*m.*); **3** (*in voorhoofd*) rimpel *m.*; **4** kronkeling *v.*, bocht *v.*(*m.*); **5** golving *v.*; ***les —s du cœur,*** de verborgen schuilhoeken van het hart.
repliable [r(e)pli(y)a'bl] *adj.* opvouwbaar.
repliement [r(e)plimã] *m.* **1** (het) opvouwen *o.*; **2** (*mil.*) (het) terugtrekken *o.*
replier [r(e)pli(y)é] **I** *v.t.* **1** vouwen, opvouwen; **2** (*v. lichaam*) buigen; **3** (*mil.*) doen terugtrekken; **II** *v.pr.* ***se —,*** **1** zich kronkelen; **2** (*mil.*) terugtrekken; ***se — sur soi-même,*** tot zichzelf inkeren.
réplique [réplik] *f.* **1** antwoord *o.*; **2** wederantwoord *o.*, repliek *v.*; **3** (*muz.*) herhaling *v.* van het thema; **4** (*toneel*) wacht *v.*(*m.*); **5** (*v. kunstwerk*) tweede exemplaar *o.*; ***donner la — à qn.,*** iem. het antwoord niet schuldig blijven, iem. van repliek dienen.
répliquer [répliké] **I** *v.t.* **1** antwoorden; **2** weder antwoorden, repliceren; **II** *v.i.* tegenspreken; ***il n'y a rien à — à cela,*** daar is niets tegen in te brengen.
reploiement [r(e)plwaymã] *m.*, *voir* ***repliement.***
replonger [r(e)plõ'jé] **I** *v.t.* **1** weer indompelen; weer onderdompelen; **2** (*fig.*) weder storten (in); **II** *v.i.* weer onderduiken; **III** *v.pr.* ***se —*** (***dans***) **1** zich weer storten (in); **2** zich opnieuw verdiepen (in); **3** weer vervallen (tot).
reployer [r(e)plwayé] *v.t.*, *voir* ***replier.***
repolir [r(e)pòli:r] *v.t.* **1** overpolijsten; **2** (*fig.*) bijvijlen.
répondant [répõ'dã] *m.* **1** (*kath.*) misdienaar *m.*; **2** (*recht*) borg *m.*; **3** (*aan universiteit*) promovendus, verdediger *m.* van een proefschrift.
répondre [répõ:dr] **I** *v.t.* **1** antwoorden; **2** beantwoorden; **3** (*de mis*) dienen; **II** *v.i.* **1** antwoorden, een antwoord geven; **2** bescheid geven; ***— à un besoin,*** in een behoefte voorzien; ***— à une invitation,*** aan een uitnodiging gehoor geven; ***— au nom de M.,*** luisteren naar de naam M.; ***— à côté,*** een ontwijkend antwoord geven; ***— de qn.,*** voor iem. instaan; ***— par un refus,*** een weigerend antwoord geven; ***— pour qn.,*** voor iem. borg blijven; **III** *v.pr.* ***se —,*** **1** elkaar antwoorden; **2** overeenstemmen; **3** symmetrisch zijn.
repondre [r(e)põ'dr] *v.i. et v.t.* (*v. vogels*) weer leggen.
répons [répõ] *m.* responsorie *v.*
réponse [répõ:s] *f.* **1** antwoord *o.*; **2** (*muz.*) hervatting *v.* van het thema in een andere ligging; ***avoir — à tout,*** altijd een antwoord klaar hebben, nooit om een antwoord verlegen zijn; ***laisser sans —,*** onbeantwoord laten.
repopulation [r(e)pòpüla'syõ] *f.* herbevolking *v.*
report [r(e)pò:r] *m.* **1** (*v. bedrag*) (het) overdragen *o.*; **2** (*boven kolom*) transport *o.*; **3** prolongatie *v.*; **4** prolongatiepremie *v.*, prolongatierente *v.*(*m.*).
reportage [r(e)pòrta:j] *m.* **1** reporterswerk *o.*; **2** reportage, journalistiek *v.*
reporter [r(e)pòrtœ:r] *m.* reporter, dagbladverslaggever *m.*
reporter [r(e)pòrté] **I** *v.t.* **1** terugbrengen; **2** overbrengen; **3** (*bij optelling, boekh.*) transporteren; **4** (*v. zitting*) verdagen; **II** *v.pr.*, ***se —*** (***à***), zich terugdenken (in), zich (in gedachte) verplaatsen.
repos [r(e)po] *m.* **1** rust *v.*(*m.*); **2** (*bij lezen, zang*) rust *v.*(*m.*), rustpunt *o.*; **3** rustplaats *v.*(*m.*); **4** slaap *m.*; **5** (trap)portaal *o.*; ***le champ de —,*** de dodenakker *m.*; ***demeurer en —,*** rustig blijven; ***de tout —,*** (*v. effecten, enz.*) zeer soliede; ***sans —,*** rusteloos; ***il n'a ni — ni cesse,*** hij heeft rust noch duur.
reposant [r(e)po'zã] *adj.* **1** rust gevend; **2** (*v. landschap*) rustig; **3** (*v. slaap, enz.*) verkwikkend.

reposé [r(e)po'zé] *adj.* 1 rustig; 2 (*v. wijn*) bezonken; 3 (*v. kleur*) fris; ***à tête —e,*** kalm, rustig, bedaard.
reposée [r(e)po'zé] *f.* (*v. wild*) leger *o.*
repose-pied(s) [r(e)po'zpyé] *m.* voetsteuntje *o.*, fietsstepje *o.*
reposer [r(e)po'zé] I *v.t.* 1 (*v. boek, enz.*) neerleggen; 2 (*v. hoofd*) laten rusten; ***— la vue,*** rust verschaffen aan de ogen; ***reposez armes!*** in rust 't geweer! II *v.i.* 1 rusten; 2 uitrusten; 3 liggen; ***laisser —,*** 1 (*v. wijn, enz.*) laten bezinken; 2 (*v. grond*) braak laten liggen; ***— sur,*** steunen op; III *v.pr.* ***se —,*** rusten, uitrusten; ***se — sur qn.,*** zich op iem. verlaten, op iem. vertrouwen.
repose-tête [r(e)po'ztè:t] *m.* hoofdsteuntje *o.*
reposoir [r(e)po'zwa:r] *m.* 1 rustplaats *v.(m.)*; 2 (*kath.*) rustaltaar *o.*
repoussant [r(e)pusã] *adj.* terugstotend.
repoussé [r(e)pusé] I *adj.* (*v. zilver, enz.*) gedreven; II *s. m.* gedreven werk *o.*
repousser [r(e)pusé] I *v.t.* 1 terugstoten; 2 terugdrijven, terugslaan; 3 (*v. slag*) afweren; 4 (*fig.*) afwijzen; weigeren, verwerpen; 5 (*Pl.*: *v. loten*) schieten; 6 (*v. metaalwerk*) drijven; 7 (*v. leer*) opwerken; II *v.i.* 1 (*v. geweer*) stoten, terugstoten; 2 (*Pl.*) weer uitlopen, weer beginnen te groeien; 3 (*fig.*) afstoten, tegenstaan.
repoussoir [r(e)puswa:r] *m.* 1 (*tn.*) doorslag, drevel *m.*, drijfijzer *o.*; 2 (*fig.*) contrast *o.*; 3 (*v. schilderij*) donkere partij *v.* (op de voorgrond).
répréhensibilité [répréã'sibilité] *f.* laakbaarheid *v.*
répréhensible(ment) [répréã'si'bl(emã)] *adj.* (*adv.*) laakbaar, berispelijk, afkeurenswaardig.
répréhensif [répréã'sif] *adj.* berispend, afkeurend.
répréhension [répréã'syõ] *f.* berisping, afkeuring *v.*, blaam *v.(m.)*.
reprendre* [r(e)prã:dr] I *v.t.* 1 weer nemen; terugnemen; 2 hervatten; 3 hernemen; antwoorden; 4 berispen; 5 verstellen, stoppen; 6 (*v. plaats*) weer innemen; 7 (*v. voorstel, amendement*) overnemen; 8 (*v. bediende, enz.*) weer in dienst nemen; ***— le chemin de,*** terugkeren naar; ***— son chemin,*** zijn weg vervolgen; ***— ses sens,*** weer bijkomen; ***— haleine,*** weer op adem komen; ***— le dessus,*** er weer bovenop komen; ***la fièvre l'a repris,*** hij heeft weer een aanval van koorts gehad; ***on ne m'y reprendra plus!*** dat zal mij niet weer gebeuren! II *v.i.* 1 weer beginnen; 2 weer wortel schieten; 3 (*na ziekte*) weer opknappen; 4 (*v. koude*) weer invallen; 5 (*v. mode*) weer in zwang komen; 6 (*v. handel*) weer opleven; III *v.pr.* ***se —,*** 1 zich herstellen; 2 (*na vergissing*) het gezegde verbeteren, zijn woorden verbeteren; ***se — à,*** weer beginnen te; ***se — à l'espérance,*** weer hoop krijgen; ***se — à la vie,*** weer opleven, weer lust in 't leven krijgen.
représailles [r(e)préza'y] *f.pl.* vergelding *v.*; wraakneming *v.*, weerwraak *v.(m.)*; ***user de —,*** weerwraak nemen; met gelijke munt betalen.
représentable [r(e)prézã'ta'bl] *adj.* vertoonbaar.
représentant [r(e)prézã'tã] *m.* 1 vertegenwoordiger *m.*; 2 volksvertegenwoordiger *m.*
représentatif [r(e)prézã'tatif] *adj.* vertegenwoordigend.
représentation [r(e)prézã'ta'syõ] *f.* 1 vertegenwoordiging *v.*; 2 opvoering, voorstelling *v.*; 3 afbeelding *v.*; 4 vertoon, (het) ophouden *o.* van stand; ***— nationale,*** volksvertegenwoordiging *v.*; ***— exclusive,*** alleenvertegenwoordiging *v.*; ***maison de —,*** commissiezaak *v.(m.)*.
représentativement [r(e)prézã'tati'vmã] *adv.* vertegenwoordigend.
représenter [r(e)prézã'té] I *v.t.* 1 vertegenwoordigen; 2 opvoeren, voorstellen, vertonen; 3 afbeelden; 4 onder het oog brengen; II *v.i.* 1 zijn stand ophouden; 2 een deftig voorkomen hebben; III *v.pr.* ***se —,*** 1 zich voorstellen; 2 (*bij verkiezing*) zich weer kandidaat stellen; 3 zich verbeelden, zich voor de geest halen.
répressif [réprèsif] *adj.* beteugelend; onderdrukkend.
répression [réprèsyõ] *f.* beteugeling *v.*; onderdrukking *v.*
réprimable [réprima'bl] *adj.* te beteugelen.
réprimande [réprimã'd] *f.* berisping, terechtwijzing *v.*, verwijt *o.*
réprimander [réprimã'dé] *v.t.* berispen.
réprimer [réprimé] *v.t.* beteugelen; onderdrukken.
repris [r(e)pri] *m.*, ***— de justice,*** recidivist *m.*, oude bekende *m.* van de justitie.
reprisage [r(e)priza:j] *m.* (het) stoppen *o.*
reprise [r(e)pri:z] *f.* 1 herneming *v.*; 2 hervatting, herhaling *v.*; 3 (*mil.*) herovering *v.*; 4 (*H.*: *v. zaak*) overname *v.(m.)*; 5 (*v. toneelstuk*) wederopvoering *v.*; 6 (*v. handel*) herleving *v.*; 7 stop *m.*, herstelling *v.*; 8 (*muz.*) herhaling *v.*, herhaald gedeelte *o.*; 9 (*bij schermen*) uitval *m.*; ***— perdue,*** onzichtbaar gestopte plaats; ***à trois —s,*** driemaal; ***à plusieurs —s,*** herhaaldelijk; ***— économique,*** economisch herstel *o.*
repriser [r(e)pri'zé] *v.t.* stoppen, verstellen.
repriseuse [r(e)pri'zö:z] *f.* verstelnaaister *v.*
réprobateur [répròbatœ:r] *adj.* afkeurend.
réprobation [répròba'syõ] *f.* afkeuring *v.*, blaam *v.(m.)*; veroordeling *v.*
réprobatrice [répròbatris] *adj.* afkeurend, veroordelend.
reprochable [r(e)pròʃa'bl] *adj.* berispelijk.
reproche [r(e)pròʃ] *m.* verwijt *o.*, berisping *v.*; ***sans —,*** onberispelijk; ***faire des —s à qn.,*** iem. verwijten maken.
reprocher [r(e)pròʃé] I *v.t.* 1 verwijten; 2 (*recht*: *v. getuigen*) wraken; II *v.pr.* ***se —,*** 1 zich verwijten, zich een verwijt maken van; 2 zich (*of* elkaar) misgunnen.
reproducteur [r(e)pròdüktœ:r] I *adj.* 1 voortbrengend; 2 nabootsend, weergevend; II *s. m.* fokdier *o.*
reproductible [r(e)pròdükti'bl] *adj.* 1 voortteelbaar; 2 kopieerbaar, reproduceerbaar.
reproductif [r(e)pròdüktif] *adj.* voorttelend.
reproduction [r(e)pròdüksyõ] *f.* 1 voortplanting, voortteling *v.*; 2 nabootsing *v.*; 3 namaking *v.*; 4 nadruk *m.*, reproduktie *v.*; 5 herhaling *v.*
reproductrice [r(e)pròdüktris] *adj.* voorttelend.
reproduire* [r(e)pròdẅi:r] I *v.t.* 1 voorttelen, voortplanten; 2 nabootsen; 3 namaken; 4 nadrukken, reproduceren; 5 verveelvoudigen; 6 (*v. klank*) weergeven; 7 (*v. tekst*) overnemen; II *v.pr.* ***se —,*** 1 zich voortplanten; 2 weer verschijnen, zich weer vertonen; 3 (*v. verschijnsel, enz.*) zich weer voordoen.
réprouvable [répruva'bl] *adj.* verwerpelijk.
réprouvé [répruvé] *m.* 1 verworpeling; verstoteling *m.*; 2 verdoemde *m.*
réprouver [répruvé] *v.t.* 1 verwerpen, veroordelen; 2 afkeuren.
reprouver [r(e)pruvé] *v.t.* opnieuw bewijzen.
reps [rèps] *m.* rips *o.*, geribde stof *v.(m.)*.
reptation [rèpta'syõ] *f.* (het) kruipen *o.*
reptatoire [rèptatwa:r] *adj.* kruipend.
reptile [rèptil] I *adj.* kruipend; II *s. m.* reptiel, kruipend dier *o.*
repu [r(e)pü] *adj.* verzadigd.
républicain [répüblikẽ] I *adj.* republikeins; II *s. m.* republikein *m.*
républicanisme [répüblikanizm] *m.* republikeinse leer *v.(m.)*.
republier [r(e)pübli(y)é] *v.t.* weer uitgeven.

république [répüblik] *f.* republiek *v.*; gemenebest *o.*

répudiation [répüdya·syõ] *f.* **1** verstoting *v.*; **2** (*fig.*) verloochening *v.*; **3** (*v. betaling*) afwijzing *v.*

répudier [répüdyé] *v.t.* **1** verstoten; **2** verloochenen, verwerpen; **3** afwijzen.

repue [r(e)pü] *f.* (het) zich verzadigen *o.*; — ***franche,*** gratis maal *o.*

répugnance [répüñã:s] *f.* **1** weerzin, afkeer *m.*; **2** tegenzin *m.*

répugnant [répüñã] *adj.* weerzinwekkend, terugstotend.

répugner [répüñé] *v.i.* **1** een afkeer hebben, tegenzin hebben; **2** strijdig zijn (met), strijden (met); **3** tegenstaan, afkeer inboezemen, tegen de borst stuiten; ***cela répugne au sens commun,*** dat druist in tegen het gezond verstand.

répulsif [répülsif] *adj.* **1** terugstotend; afstotend; **2** (*v. kracht*) terugdrijvend.

répulsion [répülsyõ] *f.* **1** afstoting *v.*; **2** tegenzin, afkeer *m.*

réputation [répüta·syõ] *f.* **1** naam *m.*, faam *v.*(*m.*), reputatie *v.*; **2** goede naam *m.*; ***se faire une —,*** naam maken; ***connaître qn. de —,*** iem. van naam (*of* bij gerucht) kennen

réputé [répüté] *adj.* bekend, beroemd.

réputer [répüté] *v.t.* achten, houden voor, aanzien voor.

requérable [r(e)kéra·bl] *adj.* persoonlijk invorderbaar.

requérant [r(e)kérã] **I** *adj.* eisend; **II** *s. m.* eiser *m.*

requérir* [r(e)kéri:r] *v.t.* **1** verzoeken; **2** eisen; **3** (*recht*) een eis instellen.

requête [r(e)kè:t] *f.* **1** eis *m.*, verzoek *o.*; **2** verzoekschrift, rekest *o.*; ***à la — de,*** ten verzoeke van.

requiem [rékwièm] *m.* **1** requiem *o.*; **2** requiemmis, zwarte mis *v.*(*m.*).

requin [r(e)kẽ] *m.* haai *m.*; ***— de la Bourse,*** beursschuimer *m.*; ***conducteur du —,*** loodsmannetje *o.*

requinquer, se — [ser(e)kẽ·ké] *v.pr.* (*fam.*) **1** zich opdoffen; **2** (*na ziekte*) opknappen.

requis [r(e)ki] *adj.* vereist.

réquisition [rékizisyõ] *f.* **1** (*recht*) verzoek *o.*, vordering *v.*; **2** eis *m.*; **3** (*mil.*) opeising, rekwisitie *v.*; ***mettre en —,*** in beslag nemen, opvorderen.

réquisitionnaire [rékizisyònè:r] *m.* (*mil.*) opgeroepen soldaat *m.*

réquisitionnement [rékizisyònmã] *m.* (op)vordering, beslaglegging *v.*

réquisitionner [rékizisyòné] *v.t.* opeisen, opvorderen.

réquisitoire [rékizitwa:r] *m.* (*recht*) eis *m.*, requisitoir *o.*

rescapé [rèskapé] *m.* geredde, overlevende *m.*

rescindant [rèsẽ·dã] *adj.* (*recht*) vernietigend.

rescindement [rèsẽ·dmã] *m.* nietigverklaring *v.*

rescinder [rèsẽ·dé] *v.t.* (*recht*) vernietigen, nietig verklaren.

rescision [rèsizyõ] *f.* (*recht*) vernietiging, nietigverklaring *v.*

rescisoire [rèsizwa:r] *adj.* (*recht*) nietigverklarend.

rescousse *f.* ***à la —*** [alarèskus] help!; ***venir à la —,*** helpen.

rescrit [rèskri] *m.* rescript *o.*

réseau [rézo] *m.* **1** net *o.*; **2** netwerk *o.*; **3** (*drukk.*) raster *o.* *en m.*; ***— de chemins de fer,*** spoorwegnet *o.*; ***— de fils de fer barbelés,*** prikkeldraadversperring *v.*

résection [résèksyõ] *f.* (*gen.*) afsnijding, wegsnijding *v.*

réséda [rézéda] *m.* reseda *v.*(*m.*).

réséquer [résèké] *v.t.* (*gen.*) afsnijden, afzetten, wegnemen.

réservation [rézèrva·syõ] *f.* voorbehoud *o.*

réserve [rézèrv] *f.* **1** voorbehoud *o.*; **2** terughouding, omzichtigheid, bescheidenheid *v.*; **3** (*v. troepen, geld, enz.*) reserve *v.*(*m.*); **4** (*recht*) wettelijk erfdeel *o.*; **5** (*aardr.*) reservaat *o.*; ***mettre en —,*** ter zijde leggen; ***— or,*** goudvoorraad *m.*; ***avoir en —,*** in voorraad hebben; ***faire des réserves,*** **1** enig voorbehoud maken; **2** geld overleggen; ***à la — de,*** met uitzondering van; ***sans —,*** zonder voorbehoud; ***parler sans —,*** vrijuit spreken; ***avec —,*** behoedzaam; ***se tenir sur la —,*** zich voorzichtig uitlaten; een afwachtende houding aannemen; ***sous toutes —s,*** onder (alle) voorbehoud.

réservé [rézèrvé] *adj.* **1** terughoudend, gereserveerd; **2** omzichtig, behoedzaam; **3** voorbehouden; **4** (*v. plaats*) besproken; ***tous droits —s,*** alle rechten voorbehouden.

réserver [rézèrvé] **I** *v.t.* **1** voorbehouden; **2** (*v. plaats*) bespreken; **3** (*v. onthaal, verrassing*) bereiden; **4** (*v. onderwerp*) aanhouden; **5** besparen, wegleggen; ***— bon accueil à une traite,*** een wissel honoreren; **II** *v.pr.* ***se —,*** **1** zich voorbehouden; **2** voor zich zelf bestemmen; **3** zijn krachten sparen; **4** zich nog niet uitspreken, zijn oordeel (*of* mening) opschorten; ***se — pour le dîner,*** zijn eetlust bewaren voor het diner.

réserviste [rézèrvist] *m.* reservist *m.*

réservoir [rézèrvwa:r] *m.* **1** vergaarbak *m.*; **2** waterbak *m.*, waterbekken *o.*; ***— de la bile,*** galblaas *v.*(*m.*); ***bateau —,*** tankschip *o.*; ***— d'essence,*** benzinereservoir *o.*, autotank *m.*

résidant [rézidã] *adj.* residerend, woonachtig; ***membre —,*** gewoon lid (tegenover : corresponderend lid).

résidence [rézidã:s] *f.* **1** verblijf *o.*, woonplaats *v.*(*m.*); **2** residentie *v.*, hofstad *v.*(*m.*); **3** residentswoning *v.*; **4** ambt *o.* van resident; ***fixer sa — à B.,*** te B. gaan wonen; ***être tenu*** (*ou* ***astreint***) ***à la —,*** verplicht zijn te wonen waar men zijn ambt uitoefent.

résident [rézidã] *m.* **1** (*in kolonie*) resident *m.*; **2** diplomatiek agent, zaakgelastigde *m.*

résidentiel [rézidã·syèl] *adj.*, ***quartier —,*** woonwijk *v.*(*m.*).

résider [rézidé] *v.i.* **1** verblijf houden, wonen; **2** (*fig.: v. moeilijkheid, enz.*) bestaan (in); **3** (*v. hoop, enz.*) gevestigd zijn (op).

résidu [rézidü] *m.* overschot, bezinksel, overblijfsel *o.*

résiduaire [rézidwè:r] *adj.* een bezinksel vormend; ***eaux —s,*** afvalwateren *mv.*

résiduel [rézidwèl] *adj.* overblijvend, achterblijvend (als bezinksel).

résignation [réziña·syõ] *f.* **1** gelatenheid, berusting *v.*; **2** (*v. recht, enz.*) afstand *m.*; **3** (*v. ambt*) nederlegging *v.*

résigné [réziñé] *adj.* gelaten; berustend.

résigner [réziñé] **I** *v.t.* **1** (*v. recht*) afstand doen van; **2** (*v. ambt*) neerleggen; **II** *v.pr.* ***se —*** (***à***), zich schikken (in), berusten (in); zich onderwerpen (aan).

résiliable [rézilya·bl] *adj.* opzegbaar.

résiliation [rézilya·syõ] *f.*, **résiliement** [rézilimã] *m.* **1** opzegging *v.*; **2** (*recht: v. contract, enz.*) vernietiging *v.*

résilier [rézilyé] *v.t.* **1** opzeggen; **2** vernietigen, verbreken.

résille [rézi·y] *f.* haarnetje *o.*

résine [rézin] *f.* hars *o.* *en m.*; ***— liquide,*** terpentijn *m.*; ***arbre à —,*** pijnboom *m.*

résineux [rézinö] **I** *adj.* harsachtig; harshoudend; ***électricité résineuse,*** negatieve elektriciteit, harselektriciteit *v.*; **II** *s. m. pl.* naaldbomen, harsachtige bomen.

résinifère [rézinifè:r] *adj.* harshoudend.

résipiscence [rézipisã:s] *f.*, ***venir à —,*** tot inkeer komen, berouw krijgen.

résistance [rézistã:s] *f.* **1** weerstand *m.*; **2** tegenstand *m.*, verzet *o.*; **3** weerstandsvermogen *o.*; **4** uithoudingsvermogen *o.*; **5** (*v. lichamen*) ondoor-

dringbaarheid *v.*; — ***au feu,*** vuurvastheid *v.*; — ***passive,*** lijdelijk verzet *o.*; ***pièce de —,*** hoofdschotel *m.*
résistant [rézistã] *adj.* **1** stevig; **2** duurzaam; **3** (*v. spijzen*) machtig, zwaar.
résister [rézisté] *v.i.* **1** weerstaan; **2** weerstand bieden, tegenstand bieden; **3** bestand zijn (tegen); — ***à l'eau,*** waterdicht zijn; — ***au couteau,*** moeilijk te snijden zijn.
résolu [rézòlü] *adj.* besloten, vastberaden.
résoluble [rézòlü'bl] *adj.* oplosbaar.
résolument [rézòlümã] *adv.* vastberaden, stout.
résolutif [rézòlütif] *adj.* oplossend, ontbindend.
résolution [rézòlüsyõ] *f.* **1** oplossing *v.*; **2** ontbinding *v.*; **3** besluit *o.*; **4** vastberadenheid, standvastigheid *v.*; **5** motie *v.*; ***manque de —,*** besluiteloosheid *v.*; ***homme de —,*** vastberaden man; ***prendre une —,*** een besluit nemen.
résolvant [rézòlvã] **I** *adj.* oplossend; **II** *s. m.* oplossend middel *o.*
résonance [rézònã:s] *f.* weergalm, weerklank *m.*; ***caisse*** (*ou* ***chambre***) ***de —,*** klankbodem *m.*
résonateur [rézònatœ:r] *m.* resonator *m.*
résonnant [rézònã] *adj.* weerklinkend, weergalmend.
résonnement [rézònmã] *m.* (het) weerklinken, (het) weergalmen *o.*
resonner [r(e)sòné] *v.i.* nog eens bellen.
résonner [rézòné] *v.i.* weerklinken, weergalmen.
résorber [rézòrbé] *v.t.* opslorpen, (weer) opzuigen.
résorption [rézòrpsyõ] *f.* opslorping, opzuiging *v.*
résoudre* [rézu'dr] **I** *v.t.* **1** oplossen; **2** ontbinden; **3** besluiten, beslissen; **4** (*v. contract*) vernietigen; **II** *v.pr.* ***se —,*** **1** zich oplossen; **2** (*v. gezwel*) slinken; ***se — à faire qc.,*** besluiten iets te doen.
respect [rèspè(k)] *m.* ontzag *o.*, eerbied *m.*; — ***humain,*** menselijk opzicht *o.*; ***tenir en —,*** in bedwang houden; ***manquer de — à,*** zich oneerbiedig tonen jegens, zich oneerbiedig gedragen tegenover; ***sauf votre —,*** met uw welnemen; ***mes —s chez vous,*** de groeten thuis.
respectabilité [rèspèktabilité] *f.* eerbiedwaardigheid, achtenswaardigheid *v.*
respectable [rèspèkta'bl] *adj.* eerbiedwaardig, achtenswaardig.
respecter [rèspèkté] **I** *v.t.* **1** eerbiedigen; **2** (*v. gevoelens, enz.*) ontzien, rekening houden met, eerbiedigen; **II** *v.pr.* ***se —,*** zich (*of* elkaar) respecteren.
respectif [rèspèktif] *adj.* onderscheiden; respectief, wederzijds.
respectivement [rèspèkti'vmã] *adv.* onderscheidenlijk, respectievelijk.
respectueusement [rèspèktwö'zmã] *adv.* eerbiedig, met eerbied.
respectueux [rèspèktwö] *adj.* eerbiedig; ***acte —,*** akte *v.*(*m.*) van eerbied.
respirable [rèspira'bl] *adj.* in te ademen.
respirateur [rèspiratœ:r] **I** *adj.* van de ademhaling, ademhalings—; ***organes —s,*** ademhalingsorganen *mv.*; **II** *s. m.* ademhalingstoestel *o.*, respirator *m.*
respiration [rèspira'syõ] *f.* ademhaling *v.*
respiratoire [rèspiratwa:r] *adj.* van de ademhaling, de ademhaling betreffend; ***voies —s,*** luchtwegen *mv.*; ***organes —s,*** ademhalingsorganen *mv.*; ***masque —,*** rookmasker *o.*
respirer [rèspiré] **I** *v.i.* **1** ademen, ademhalen; **2** weer op adem komen; herleven; **3** uitblazen; **II** *v.t.* **1** inademen; **2** opsnuiven; **3** (*fig.*) getuigen van, ademen; — ***la santé,*** kerngezond zijn.
resplendir [rèsplã'di:r] *v.i.* schitteren, glinsteren, flonkeren.
resplendissant [rèsplã'disã] *adj.* schitterend.
resplendissement [rèsplã'dismã] *m.* schittering *v.* [lijkheid *v.*
responsabilité [rèspõ'sabilité] *f.* verantwoorde-
responsable [rèspõ'sa'bl] *adj.* verantwoordelijk.
responsif [rèspõ'sif] *adj.* een antwoord bevattend.
responsorial [rèspõ'sòryal] *m.* responsorie *v.*
resquille [rèskiy] *f.* (het) wederrechtelijk van iets profiteren *o.*; flessentrekkerij *v.*
resquiller [rèskiyé] *v.i. et v.t.* wederrechtelijk van iets profiteren; binnengaan zonder betaling.
resquilleur [rèskiyœ:r] *m.* flessentrekker *m.*
ressac [r(e)sak] *m.* branding *v.*
ressaigner [r(e)sè'ñé] **I** *v.t.* weer aderlaten; **II** *v.i.* weer bloeden.
ressaisir [r(e)sè'zi:r] **I** *v.t.* weer vatten, weer grijpen; **II** *v.pr.* ***se —,*** **1** zich zelf weer meester worden; **2** (*v. beurs*) zich herstellen.
ressasser [r(e)sa'sé] *v.t.* **1** (*v. meel*) overzifteN, nogmaals ziften; **2** (*fig.*) herkauwen, tot vervelens toe herhalen.
ressasseur [r(e)sa'sœ:r] *m.* zaniker, zeurpiet *m.*
ressaut [r(e)so] *m.* **1** (*v. gebouw*) uitstek, vooruitspringend deel *o.*; **2** (*fig.*) plotselinge overgang *m.*; **3** stoot, opsprong *m.*
ressauter [r(e)so'té] *v.i.* uitsteken, uitspringen.
ressayer [rèsèyé] *v.t.* opnieuw proberen.
ressemblance [r(e)sã'blã:s] *f.* gelijkenis *v.*
ressemblant [r(e)sã'blã] *adj.* gelijkend.
ressembler [r(e)sã'blé] **I** *v.i.* gelijken (op); ***cela lui ressemble,*** dat is weer iets van hem; **II** *v.pr.* ***se —,*** op elkaar gelijken; ***qui se ressemble, s'assemble,*** soort zoekt soort.
ressemelage [r(e)sèmla:j] *m.* verzoling *v.*
ressemeler* [r(e)sèmlé] *v.t.* verzolen.
ressemer [res(e)mé] *v.t.* **1** weer zaaien; **2** (*v. veld*) weer bezaaien.
ressentiment [r(e)sã'timã] *m.* **1** wrok *m.*; **2** nawee, nagevoel *o.*
ressentir* [r(e)sã'ti:r] **I** *v.t.* **1** (sterk) gevoelen; **2** (*v. wrok, haat*) koesteren; — ***de la joie,*** verheugd zijn; **II** *v.pr.* ***se — de,*** de gevolgen ondervinden van; ***sa santé s'en ressentira,*** zijn gezondheid zal er onder lijden; ***il s'en ressentira,*** het zal hem berouwen.
resserre [r(e)sè:r] *f.* bergplaats *v.*(*m.*).
resserré [r(e)sè'ré] *adj.* **1** weggesloten; **2** (*v. dal*) nauw, eng; **3** beperkt, bekrompen; **4** (*gen.*) hardlijvig.
resserrement [r(e)sè'rmã] *m.* **1** samentrekking *v.*; **2** beklemming *v.*; **3** verstopping *v.*; **4** (*fig.*: *v. geld*) schaarste *v.*; — ***d'esprit,*** bekrompenheid, kleingeestigheid *v.*
resserrer [r(e)sè'ré] **I** *v.t.* **1** weer wegbergen; **2** (nauwer) toehalen, aantrekken; **3** (*fig.*) enger begrenzen; **4** (*v. tekst*) bekorten, inkorten; **5** (*gen.*) verstoppen; **6** (*v. behoeften*) inkrimpen; — ***sa vie,*** bekrompener leven; **II** *v.pr.* ***se —,*** **1** samentrekken; **2** inkrimpen; **3** (*v. hart, enz.*) ineenkrimpen; **4** (*v. geld*) schaars worden.
resservir* [r(e)sèrvi:r] **I** *v.t.* weer opdienen; **II** *v.i.* weer dienen.
ressort [r(e)sò:r] *m.* **1** veer *v.*(*m.*); **2** veerkracht *v.*(*m.*); **3** drijfveer, geheime beweegreden *v.*(*m.*); **4** rechtsgebied *o.*; **5** rechtsmacht *v.*(*m.*), jurisdictie *v.*; **6** bevoegdheid *v.*; — ***à spirale,*** — ***à boudin,*** spiraalveer, schroefveer; — ***à lames,*** bladveer; — ***de rappel,*** contraveer; ***faire —,*** veren; ***faire jouer tous les —s,*** alle middelen in 't werk stellen; ***il a du —,*** hij heeft veel wilskracht, hij is veerkrachtig; ***il manque de —,*** er zit geen fut in hem, hij bezit geen veerkracht; ***cela n'est pas de***

mon **—,** dat behoort niet tot mijn bevoegdheid; *en dernier* **—,** in laatste instantie.
ressortir* [r(e)sòrti:r] *v.i.* **1** weer uitgaan; **2** uitkomen, op de voorgrond treden, in 't oog vallen; ***faire* —,** doen uitkomen; **— *de*,** blijken; voortvloeien (uit); ***il ressort de là*,** daaruit volgt; **— *à*, 1** bedragen; **2** tot de rechtsbevoegdheid behoren van, ressorteren onder; **3** (*fig.*) behoren bij.
ressortissant [r(e)sòrtisã] **I** *adj.* onderhorig; **II** *s. m.* onderhorige *m.*; onderdaan *m.*
ressouder [r(e)sudé] *v.t.* **1** weer solderen; overwellen; **2** (*fig.*) weer aaneenhechten. [*v.*
ressoudure [r(e)sudür] *f.* overwelling, overlassing
ressource [r(e)surs] *f.* **1** hulpbron *v.(m.)*; **2** hulpmiddel *o.*; **3** uitweg *m.* redmiddel *o.*; **4** (*vl.*) (het) optrekken na een duikvlucht; **—*s*,** geldmiddelen *mv.*; ***un homme de* —,** een vindingrijk man, iem. die voor alles raad weet; ***faire — de tout*,** alles te gelde maken; ***il est perdu sans* —,** hij is onherroepelijk (*of* reddeloos) verloren.
ressouvenance [r(e)suvnã:s] *f.* vage herinnering *v.*
ressouvenir*, *se* — [ser(e)suvni:r] *v.pr.* zich herinneren; ***il s'en ressouviendra*,** dat zal hem heugen.
ressuage [r(e)swa:j] *m.* (het) uitwasemen *o.*
ressuer [r(e)swé] *v.i.* (uit)zweten, uitwasemen.
ressusciter [rèsüsité, résüsité] **I** *v.t.* **1** uit de dood opwekken; **2** (*fig.*) doen herleven; **II** *v.i.* **1** verrijzen, opstaan (uit de dood); **2** (*fig.*) herleven.
ressuyer [rèswiyé] *v.t.* weer afdrogen.
restant [rèstã] **I** *adj.* overblijvend, overig; ***lettre poste* —*e*,** brief, die aan 't postkantoor wordt afgehaald; **II** *s. m.* **1** overschot, overblijfsel *o.*; **2** restant *o.*, rest *v.(m.)*.
restaurant [rèstòrã] **I** *adj.* hartsterkend, verkwikkend; **II** *s. m.* **1** versterkend middel *o.*; **2** restauratie *v.*, eethuis *o.*
restaurateur [rèstòratœ:r] *m.* **1** hersteller *m.*; **2** restauratiehouder *m.*
restauration [rèstòrɑ'syõ] *f.* **1** herstelling *v.*, herstel *o.*; **2** herstel *o.* van krachten; **3** herstel *o.* op de troon, restauratie *v.*
restaurer [rèstòré] **I** *v.t.* **1** herstellen; **2** versterken; **3** weer op de troon brengen; **4** (*v. kunst, lett.*) weer tot bloei brengen; **II** *v.pr.* ***se* —, 1** iets gebruiken, de inwendige mens versterken; **2** zijn krachten herstellen.
reste [rèst] *m.* **1** overblijfsel *o.*; **2** overschot *o.*; **3** rest *v.(m.)*; **—*s*,** restjes, kliekjes *mv.*; ***les —s de qn.*,** het stoffelijk overschot van iem.; ***il a de l'argent de* —,** hij heeft geld te over; ***être en* —, 1** nog iets schuldig zijn; **2** het antwoord schuldig blijven; **3** (*fig.*) onderdoen, achterstaan; ***il n'est jamais en* —,** hij is nooit om een antwoord verlegen; ***ne pas demander son* —,** er haastig van doorgaan; ***donner à qn. son* —,** iem. afrossen; ***au* —, *du* —,** overigens, bovendien.
rester [rèsté] *v.i.* **1** blijven; **2** overblijven, overschieten; **3** verblijf houden, wonen; **— *court*,** blijven steken; ***en — là*,** het daarbij laten; **— *sur une note*,** (*muz.*) een noot aanhouden; ***où en sommes-nous restés?*** waar zijn we gebleven? ***reste à savoir si*,** de vraag is nog of, het staat te bezien of; **— *sur le champ de bataille*,** sneuvelen; ***y* —,** blijven steken; **— *longtemps à faire qc.*,** lang werk hebben met iets, lang doen over iets.
restituable [rèstitwa'bl] *adj.* **1** terug te geven; **2** te vergoeden.
restituer [rèstitwé] *v.t.* **1** teruggeven; **2** (*v. kosten, enz.*) vergoeden; **3** (*v. tekst, plan*) herstellen.
restitution [rèstitüsyõ] *f.* **1** teruggave, restitutie *v.*; **2** herstel *o.*, herstelling *v.*; **— *anonyme*,** gewetensgeld *o.*
restreindre* [rèstrẽ:dr] **I** *v.t.* beperken; inkorten; **II** *v.pr.* ***se* —,** zich bekrimpen, zijn uitgaven beperken; ***se — à*,** zich beperken tot.
restreint [rèstrẽ] *adj.* beperkt.
restrictif [rèstriktif] *adj.* beperkend.
restriction [rèstriksyõ] *f.* **1** beperking *v.*; **2** voorbehoud *o.*, beperkende bepaling *v.*; **— *mentale*,** innerlijk voorbehoud; ***sans* —,** zonder voorbehoud.
restringent [rèstrẽ'jã] **I** *adj.* samentrekkend; **II** *s. m.* samentrekkend middel *o.*
résultant [rézültã] *adj.* volgend (uit), voortvloeiend (uit). [resultante *v.(m.)*.
résultante [rézültã:t] *f.* samengestelde kracht,
résultat [rézülta] *m.* **1** (*v. handeling, enz.*) gevolg *o.*; **2** (*v. wedstrijd*) uitslag *m.*; **3** (*v. principe*) uitvloeisel *o.*; **4** (*wisk.*) uitkomst *v.*; **— *final*,** einduitslag *m.*; slotsom *v.(m.)*; ***en* —,** ten slotte.
résulter [rézülté] (***de***) *v.i.* voortvloeien, voortspruiten (uit).
résumé [rézümé] *m.* korte inhoud *m.*; overzicht *o.*; samenvatting *v.*; ***en* —,** kortom, om kort te gaan.
résumer [rézümé] **I** *v.t.* **1** samenvatten; **2** kort herhalen; **II** *v.pr.* ***se* —, 1** zijn woorden in 't kort herhalen; **2** samengevat kunnen worden.
résurgence [rézürjã:s] *f.* het weer te voorschijn komen van een onderaardse rivier.
résurrection [rézürèksyõ] *f.* **1** opstanding, verrijzenis *v.*; **2** herleving *v.*
retable [r(e)ta'bl], **rétable** [réta'bl] *m.* altaarstuk, altaarblad *o.*
rétablir [rétabli:r] **I** *v.t.* **1** herstellen; **2** weer instellen, weer invoeren; **II** *v.pr.* ***se* —, 1** herstellen, genezen; **2** hersteld worden.
rétablissement [rétablismã] *m.* **1** herstelling *v.*; **2** herstel *o.*, genezing *v.*; **3** wederinvoering, wederoprichting *v.*
retaille [r(e)tɑ'y] *f.* **1** afsnijdsel *o.*, snipper *m.*; **2** (*v. molensteen*) groef *v.(m.)*.
retailler [r(e)tɑ'yé] *v.t.* opnieuw snijden.
rétamage [rétama:j] *m.* (het) opnieuw vertinnen *o.*
rétamer [rétamé] *v.t.* **1** weer vertinnen; **2** opknappen.
rétameur [rétamœ:r] *m.* vertinner *m.*; **— *de casseroles*,** ketellapper *m.*
retaper [r(e)tapé] *v.t.* **1** schoonmaken; **2** weer opmaken; **3** (*bij examen*) laten zakken.
retard [r(e)ta:r] *m.* **1** vertraging *v.*; uitstel *o.*; **2** (*v. uurwerk*) (het) achterlopen *o.*; ***intérêts de* —,** achterstallige renten; ***être en — de payer*,** achterstallig zijn, nalatig zijn in 't betalen; ***être en* —, 1** te laat komen, te laat zijn; **2** (*v. uurwerk*) achter zijn; ***sans* —,** onverwijld, zonder uitstel; ***apporter du — à qc.*,** een zaak op de lange baan schuiven.
retardataire [r(e)tardatè:r] *m.* achterblijver *m.*
retardateur [r(e)tardatœ:r] *adj.* vertragend.
retardation [r(e)tardɑ'syõ] *f.*, **retardement** [r(e)tardemã] *m.* vertraging *v.*; ***bombe à retardement*,** tijdbom *v.(m.)*. [terlijke *m.*
retardé [r(e)tardé] **I** *adj.* achterlijk; **II** *s. m.* ach-
retarder [r(e)tardé] **I** *v.t.* **1** uitstellen; **2** opschorten; **3** (*v. uurwerk*) achteruitzetten; **II** *v.i.* **1** (*v. uurwerk*) achterlopen; **2** achterlijk zijn.
reteindre* [r(e)tẽ'dr] *v.t.* opnieuw verven, oververven.
retendoir [r(e)tã'dwa:r] *m.* (*muz.*) stemsleutel *m.*
retendre [r(e)tã:dr] *v.t.* weer spannen.
retenir* [ret(e)ni:r] **I** *v.t.* **1** terughouden, tegenhouden; **2** vasthouden; **3** (*v. bedrag*) afhouden; **4** (*v. plaats*) bespreken; **5** (*v. adem, tranen*) inhouden; **6** onthouden; **7** laten schoolblijven; **8** (*v. datum*) afspreken, bepalen; ***être retenu au lit*,** het bed moeten houden; **— *sa langue*,** zijn tong in be-

dwang houden, de mond houden; — ***l'attention,*** de aandacht op zich gevestigd houden; ***je vous retiens!*** ik zal u in de gaten houden! **II** *v.pr.* ***se —,*** **1** zich vasthouden, zich vastklemmen; **2** zich weerhouden; **3** (*fig.*) zich inhouden, zich beheersen, zich matigen.

rétenteur [rétã˙tœ:r] *adj.* terughoudend.

rétention [rétã˙syõ] *f.* **1** (het) ophouden *o.*; **2** (*gen.*) opstopping *v.*; **3** (*recht: v. pand*) terughouding *v.*; **4** (het) achterhouden *o.*; **5** (het) onthouden *o.*; ***faire la —,*** (*bij optelling*) onthouden; ***droit de —,*** retentierecht *o.*

rétentionnaire [rétã˙syònè:r] *m.* houder *m.* van een onderpand.

retentir [r(e)tã˙ti:r] *v.i.* **1** weergalmen, weerklinken; **2** (*v. kanon*) bulderen.

retentissant [r(e)tã˙tisã] *adj.* **1** (*v. kreet*) luid, schel; **2** (*fig.*) opzienbarend.

retentissement [r(e)tã˙tismã] *m.* **1** weerklank, weergalm *m.*; **2** terugslag *m.*; **3** (*fig.*) ophef *m.*, opzien *o.*, opschudding *v.*; ***avoir du —,*** opzien baren.

retenu [ret(e)nü] *adj.* **1** ingetogen, bescheiden; **2** terughoudend; **3** (*v. plaats*) besproken.

retenue [ret(e)nü] *f.* **1** (het) tegenhouden *o.*; **2** (het) achterhouden *o.*; **3** (*op salaris*) korting *v.*, aftrek *m.*; **4** (het) schoolblijven *o.*; **5** ingetogenheid, bescheidenheid *v.*; ***mettre en —,*** laten schoolblijven.

rétiaire [résyè:r] *m.* retiarius, met net en drietand gewapende gladiator *m.*

réticence [rétisã:s] *f.* **1** verzwijging, achterhouding *v.*; **2** (*stijl*) reticentie *v.* (afbreking van de rede, waarbij hetgeen zou moeten volgen, te denken wordt gelaten).

réticent [rétisã] *adj.* terughoudend.

réticulaire [rétikülè:r] *adj.* netvormig.

réticule [rétikül] *m.* **1** net(je) *o.*; **2** damestasje *o.*; **3** (*v. kijker*) dradenkruis *o.*

réticulé [rétikülé] *adj.* netvormig, ruitsgewijs, met ruitjes.

rétif [rétif] *adj.* weerspannig, koppig.

rétiforme [rétifòrm] *adj.* netvormig.

rétine [rétin] *f.*, (*v. oog*) netvlies *o.*

rétinite [rétinit] *f.* netvliesontsteking *v.*

retirable [r(e)tira˙bl] *adj.* terugneembaar.

retiration [r(e)tira˙syõ] *f.* (*drukk.*) weerdruk.

retiré [r(e)tiré] *adj.* **1** (*v. plaats*) afgelegen; **2** (*v. leven*) afgezonderd, ingetogen.

retirer [r(e)ti˙ré] **I** *v.t.* **1** terugtrekken; **2** terugnemen; **3** (*van 't vuur*) afnemen; **4** (*v. schoenen, enz.*) uittrekken; **5** (*v. koopwaren*) betrekken; **6** (*v. pand*) inlossen; **7** (*v. wissel*) buiten omloop brengen; **8** (*v. woord*) intrekken; — ***de l'école,*** van school afnemen; — ***de l'eau,*** uit het water halen; — ***de la misère,*** uit de armoede helpen; — ***de l'abîme,*** uit de afgrond redden; **II** *v.pr.* ***se —,*** **1** zich terugtrekken; **2** zich verwijderen; heengaan; **3** (*v. stoffen*) krimpen, inkrimpen; **4** (*v. getij*) vallen, aflopen; ***se — à la campagne,*** buiten gaan leven (*of* wonen); ***se — des affaires,*** zich uit de zaken terugtrekken, zijn zaken aan kant doen.

rétiveté, rétivité [rétivité] *f.* koppigheid *v.*

retombée [r(e)tõ˙bé], **retombe** [r(e)tõ˙b] *f.* (*v. gewelf*) aanloop *m.*

retomber [r(e)tõ˙bé] (***sur***) *v.i.* **1** weer (*of* opnieuw) vallen; **2** terugvallen; **3** (*v. haar*) neerhangen; **4** (*v. zieke*) weer instorten; **5** (*fig.*) weer vervallen (in); **6** neerkomen (op), toegeschreven worden (aan); — ***malade,*** weer ziek worden; ***faire — le rideau,*** het gordijn laten zakken.

retondre [r(e)tõ˙dr] *v.t.* overscheren.

retordage [r(e)tòrda:j], **retordement** [r(e)tòrdemã] *m.* twijning *v.*

retorderie [r(e)tòrdri] *f.* twijnderij *v.*

retordeur [r(e)tòrdœ:r] *m.* twijnder *m.*

retordre [r(e)tòrdr] *v.t.* **1** opnieuw uitwringen; **2** twijnen; ***donner du fil à —,*** last bezorgen.

rétorquer [rétòrké] *v.t.* (iemands argumenten) tegen hem zelf keren.

retors [r(e)tò:r] *adj.* **1** gedraaid; **2** getwijnd; **3** slim, geslepen, listig, doortrapt.

rétorsif [rétòrsif] *adj.* iemands eigen bewijsvoering tegen hem kerend.

rétorsion [rétòrsyõ] *f.* **1** (het) keren *o.* (v. bewijsvoering); **2** (*recht*) vergelding *v.*

retouche [r(e)tuʃ] *f.* verbetering, bijwerking *v.*

retoucher [r(e)tuʃé] *v.t.* opwerken, bijwerken.

retoucheur [r(e)tuʃœ:r] *m.* (*fot.*) retoucheur *m.*

retour [r(e)tu:r] *m.* **1** terugkomst *v.*, terugkeer *m.*; **2** terugzending *v.*; **3** terugtocht *m.*; **4** verandering *v.*, ommekeer *m.*; **5** (*v. fortuin*) wisselvalligheid *v.*; **6** (*H.*) terugvracht *v.*(*m.*); **7** uitvlucht *v.*(*m.*), omweg *m.*; **8** (*v. weg*) bocht *v.*(*m.*); **9** (*fig.*) vergelding *v.*; wederdienst *m.*; wederliefde *v.*; — ***de conscience,*** gewetenswroeging *v.*; ***le — d'âge,*** het keren van de jaren; ***un — vers*** (*ou* ***sur***) ***le passé,*** een terugblik op 't verleden; ***faire un — sur soi-même,*** tot zich zelf inkeren; ***des tours et —s,*** listen en lagen; ***chargement de —,*** retourlading *v.*; ***billet d'aller et —, coupon de —,*** retourkaartje *o.*; ***par — du courrier,*** per omgaande; ***bon —,*** wel thuis; ***il est sur le —,*** hij begint oud te worden; ***sans —,*** onherroepelijk, voor altijd; ***il est parti sans esprit de —,*** hij is voorgoed vertrokken; ***devoir du — à qn.,*** iem. dank verschuldigd zijn; ***avoir de fâcheux —s,*** vol grillen zitten, dwaze invallen hebben; — ***à l'envoyeur,*** terug aan afzender; ***en — de,*** in ruil voor.

retournage [r(e)turna:j] *m.* (*v. kleren enz.*) (het) keren *o.*

retourne [r(e)turn] *f.* gekeerde kaart *v.*(*m.*).

retournement [r(e)turnemã] *m.* omkering *v.*

retourner [r(e)turné] **I** *v.t.* **1** omkeren, omdraaien; **2** terugzenden; **3** (*v. grond*) omspitten; **4** (*v. jas, enz.*) keren; **5** (*v. sla*) aanmaken; **6** (*v. hooi*) omzetten; **7** (*v. kaart*) keren; **II** *v.i.* terugkeren; — ***chez soi,*** naar huis gaan; ***il ne sait pas de quoi il retourne,*** hij weet niet wat er aan de hand is, — wat er gaande is; — ***sur qc.,*** op iets terugkomen; **III** *v.pr.* ***se —,*** **1** zich omkeren; **2** omkijken, omzien; **3** (*v. paraplu*) omslaan; **4** (*v. boot*) omkantelen, omslaan; ***le temps de se —,*** de tijd om op verhaal te komen; ***il sait toujours se —,*** hij weet er zich altijd wel uit te draaien; ***s'en —,*** weggaan, heengaan; ***s'en — comme on est venu,*** onverrichter zake terugkeren.

retracer [r(e)trasé] *v.t.* **1** weer (opnieuw) tekenen; **2** (*fig.*) afschilderen.

rétractable [rétrakta˙bl] *adj.* herroepbaar, opzegbaar.

rétractation [rétrakta˙syõ] *f.* **1** herroeping *v.*; **2** intrekking *v.*

rétracter [rétrakté] *v.t.* **1** (*v. nagels, enz.*) intrekken; **2** (*v. woorden, enz.*) herroepen.

rétractif [rétraktif] *adj.* samentrekkend.

rétractile [rétraktil] *adj.* intrekbaar.

rétractilité [rétraktilité] *f.* intrekbaarheid *v.*

rétraction [rétraksyõ] *f.* **1** intrekking *v.*; **2** (*gen.*) samentrekking *v.*

retrait [r(e)trè] **I** *adj.* **1** teruggetrokken; **2** (*v. koren*) verschrompeld; **3** (*v. hout*) geslonken; **II** *s. m.* **1** (*door hitte*) samentrekking, inkrimping *v.*; **2** (*v. geld bij spaarbank*) terugbetaling *v.*; **3** (*v. voorstel*) intrekking *v.*; **4** (*recht*) uitwinning *v.*; — ***d'emploi,*** ontslag *o.*; ***en —,*** inspringend, achter de rooilijn.

retraitant [r(e)trètã] *m.* (*kath.*) deelnemer *m.* aan een retraite.
retraite [r(e)trèt] *f.* **1** (het) terugtrekken *o.*; **2** terugtocht *m.*; **3** taptoe *m.*; **4** (*kath.*) retraite *v.*(*m.*); **5** (*H.*) herwissel *m.*; **6** afzondering *v.*; **7** schuilplaats; rustplaats *v.*(*m.*); **8** pensioen *o.*; ***maison de —,*** rusthuis *o.*; ***pension de —,*** pensioen *o.*; ***mettre à la —,*** pensioneren; ***mise à la —,*** pensionering *v.*; ***caisse de —,*** pensioenfonds *o.*, pensioenkas *v.*(*m.*); ***— aux flambeaux,*** fakkeloptocht *m.*; ***battre en —,*** **1** terugkrabbelen; **2** (*mil.*) terugtrekken; ***vivre dans la —,*** afgezonderd leven.
retraité [r(e)trèté] **I** *adj.* gepensioneerd; **II** *s. m.* gepensioneerde *m.*
retraiter [r(e)trèté] *v.t.* pensioneren, op pensioen stellen.
retranchement [r(e)trã·ʃmã] *m.* **1** inkorting, vermindering *v.*; **2** (*v. tekst, enz.*) weglating, uitlating *v.*; schrapping *v.*; **3** (*v. misbruik, enz.*) afschaffing *v.*; **4** (*mil.*) verschansing *v.*
retrancher [r(e)trã·ʃé] **I** *v.t.* **1** afsnijden, besnoeien; **2** verminderen, beperken; **3** doorhalen, schrappen; **4** (*mil.*) verschansen; **5** (*v. som*) aftrekken; **II** *v.i.* bezuinigen; **III** *v.pr.* ***se —,*** **1** (*mil.*) zich verschansen; **2** zich bekrimpen, zich in zijn uitgaven beperken; **3** (*fig.*) zich verschuilen (achter voorwendsel); ***se — à,*** zich beperken tot.
retranscrire [r(e)trã·skri:r] *v.t.* **1** weer overschrijven; **2** opnieuw bewerken.
retransmettre* [r(e)trã·smètr] *v.t.* heruitzenden.
retransmission [r(e)trã·smisyõ] *f.* heruitzending *v.*
retravailler [r(e)trava·yé] *v.t.* omwerken.
retraverser [r(e)travèrsé] *v.t.* weer oversteken.
rétrécir [rétrési:r] **I** *v.t.* **1** doen inkrimpen; **2** nauwer maken; **3** (*bij 't breien*) minderen; **4** (*fig.*) bekrompen maken; ***rétréci,*** bekrompen, enghartig; **II** *v.i. et v.pr.* ***se —,*** **1** nauwer worden, smaller worden; **2** (*v. stof*) krimpen.
rétrécissement [rétrésismã] *m.* **1** vernauwing *v.*; **2** inkrimping *v.*; **3** (*v. stof*) krimp *m.*
retremper [r(e)trã·pé] **I** *v.t.* **1** weer dompelen (in); **2** (*v. metaal*) opnieuw harden; **3** (*v. wil*) opnieuw stalen; nieuwe kracht geven; **II** *v.pr.* ***se —,*** zich weer stalen, nieuwe kracht opdoen.
rétribuer [rétribwé] *v.t.* **1** (*v. dienst, enz.*) belonen, betalen; **2** bezoldigen.
rétribution [rétribüsyõ] *f.* **1** beloning, betaling *v.*; **2** bezoldiging *v.*; ***— scolaire,*** schoolgeld *o.*
rétro [rétro] *m.* (*bilj.*) trekbal *m.*
rétroactif [rétròaktif] *adj.* terugwerkend; ***effet —,*** terugwerkende kracht.
rétroaction [rétròaksyõ] *f.* terugwerking *v.*
rétroactivité [rétròaktivité] *f.* terugwerkende kracht *v.*(*m.*).
rétroagir [rétròaji:r] *v.i.* terugwerkende kracht hebben.
rétrocéder [rétròsédé] *v.t.* weer afstaan.
rétrocession [rétròsèsyõ] *f.* wederafstand *m.*
rétrocessionnaire [rétròsèsyònè:r] *m.* persoon voor wie weer afstand wordt gedaan.
rétrofusée [rétròfü·zé] *f.* remraket *v.*(*m.*).
rétrogradation [rétrògrada·syõ] *f.* **1** achteruitgang, teruggang *m.*; **2** (*mil.*) terugstelling, degradatie *v*
rétrograde [rétrògra·d] **I** *adj.* **1** (*v. beweging*) achterwaarts; **2** (*v. geest*) achterlijk; **3** (*fig.*) ouderwets, reactionair; **II** *s. m.* reactionair *m.*
rétrograder [rétrògradé] **I** *v.i.* **1** achteruitlopen, achteruitgaan; **2** (*v. wind*) krimpen; **II** *v.t.* **1** achteruitzetten; **2** (*v. ambtenaar, mil.*) terugstellen.
rétrogressif [rétrògrèsif] *adj.* teruggaand; teruggang veroorzakend.
rétrogression [rétrògrèsyõ] *f.* teruggang *m.*
rétropédalage [rétròpédala:ʒ] *m.* (het) terugtrappen *o.*; ***frein à —,*** terugtraprem *v.*(*m.*).
rétropédaler [rétròpédalé] *v.i.* **1** terugtrappen; **2** achteruitfietsen.
rétrospectif [rétròspéktif] *adj.* terugblikkend, retrospectief.
rétrospection [rétròspèksyõ] *f.* terugblik *m.*
retroussement [r(e)trusmã] *m.* **1** opstroping *v.*, (het) opstropen *o.*; **2** (het) opschorten *o.*
retrousser [r(e)trusé] *v.t.* **1** (*v. mouwen*) opstropen; **2** (*v. rok*) opbinden, opschorten; **3** (*v. haar, snor*) opstrijken; ***nez retroussé,*** wipneus *m.*
retroussis [r(e)trusi] *m.* opgeslagen rand *m.*; opslag *m.*
retrouver [r(e)truvé] **I** *v.t.* **1** weervinden, terugvinden; **2** terugkrijgen; ***— la santé,*** zijn gezondheid herkrijgen; ***aller — qn.,*** iem. gaan opzoeken; **II** *v.pr.* ***se —,*** **1** elkaar terugvinden; **2** zijn weg terugvinden; ***je ne m'y retrouve pas,*** ik word er niet wijs uit.
rétroviseur [rétròvi·zœ:r] *m.* (*v. auto*) achteruitkijkspiegel *m.*
rets [rè] *m.* **1** net *o.* (voor vogels); **2** (*fig.*) valstrik *m.*; ***donner dans les —,*** in de val lopen.
réunification [réünifika·syõ] *f.* hereniging *v.*
réunifier [réünifyé] *v.t.* herenigen.
réunion [réünyõ] *f.* **1** vereniging *v.*; **2** verbinding; samenvoeging *v.*; **3** hereniging *v.*; **4** vergadering *v.*; **5** (*sp.*) wedstrijd *m.*; ***la R—,*** het eiland Reunion.
réunir [réüni:r] **I** *v.t.* **1** verenigen; **2** (*v. delen*) samenvoegen; **3** (*v. oevers, enz.*) verbinden; **4** herenigen; **5** verzoenen; **6** verzamelen, samenbrengen; **II** *v.pr.* ***se —,*** **1** (*v. personen*) bijeenkomen, vergaderen; **2** (*v. zaken en personen*) samenkomen; **3** verenigd worden.
réussi [réüsi] *adj.* **1** goed uitgevallen; **2** (*v. feest, enz.*) geslaagd.
réussir [réüsi:r] **I** *v.i.* **1** slagen, gelukken; **2** (*v. planten, enz.*) tieren, gedijen; ***il n'y réussira pas,*** het zal hem niet gelukken; ***mal —,*** geen succes hebben; **II** *v.t.* **1** goed uitvoeren; **2** (*v. schotel*) goed klaarmaken; ***il réussit tout ce qu'il fait,*** hij brengt er altijd alles goed van af.
réussite [réüsit] *f.* **1** afloop *m.*; **2** gelukkige uitslag, goede afloop *m.*; ***faire une —,*** de kaart leggen; patience spelen.
revaccination [r(e)vaksina·syõ] *f.* herinenting *v.*
revacciner [r(e)vaksiné] *v.t.* herinenten.
revalider [r(e)vali·dé] *v.t.* weer geldig maken.
revaloir [r(e)valwa:r] *v.t.* vergelden, betaald zetten.
revalorisation [r(e)valòriza·syõ] *f.* revalorisatie *v.*, herwaardering.
revaloriser [r(e)valòri·zé] *v.t.* opnieuw de waarde bepalen van.
revanchard [r(e)vã·ʃa:r] *m.* (*fam.*) iemand die steeds op weerwraak bedacht is.
revanche [r(e)vã:ʃ] *f.* vergelding *v.*, weerwraak *v.*(*m.*); ***prendre sa —,*** zich wreken; ***j'aurai ma —,*** dat zal ik hem (*of* hun) betaald zetten; ***en —,*** daarentegen.
revancher, se — [ser(e)vã·ʃé] *v.pr.* **1** zich wreken; **2** vergelden, betaald zetten.
rêvasser [rè·va·sé] *v.i.* dromen, peinzen; soezen.
rêvasserie [rè·va·sri] *f.* dromerij *v.*, gemijmer, gesoes *o.*
rêvasseur [rè·va·sœ:r] *m.* dromer, mijmeraar *m.*
rêve [rè:v] *m.* **1** droom *m.*; **2** (*fig.*) droombeeld *o.*; ***faire un —,*** dromen; ***un mauvais —,*** een nare droom; ***c'est mon —,*** dat is mijn ideaal; ***— éveillé,*** dagdroom *m.*
revêche [r(e)vè:ʃ] *adj.* **1** stug, hard; **2** (*v. persoon*) onhandelbaar, stug, nors; **3** (*v. smaak: vrucht, enz.*) wrang.

réveil [révè:y] *m.* 1 (het) ontwaken *o.*; 2 wekker *m.*; 3 (*mil.*) reveille *v.*(*m.*); 4 (*fig.*) opleving *v.*; ***le — du jour,*** de dageraad *m.*
réveille-matin [révè'ymatẽ] *m.* 1 wekker *m.*; 2 (*Pl.*) kroontjeskruid *o.*
réveiller [révèyé] I *v.t.* 1 wakker maken, wekken; 2 (*fig.*) opwekken, verlevendigen; 3 (*v. eetlust*) weer prikkelen; II *v.pr.* ***se —,*** wakker worden, ontwaken.
réveilleur [révèyœ:r] *m.* porder *m.*
réveillon [révèyõ] *m.* nachtelijke maaltijd *m.* (in kerstnacht of oudejaarsnacht).
réveillonner [révèyòné] *v.i.* een nachtelijk feestmaal houden.
révélateur [révélatœ:r] I *adj.* openbarend; II *s. m.* 1 openbaarder *m.*; 2 (*fot.*) ontwikkelaar *m.*; ontwikkelbad *o.*
révélation [révéla'syõ] *f.* 1 openbaring *v.*; 2 (*v. geheim*) onthulling *v.*
révéler [révélé] I *v.t.* 1 openbaren; 2 (*v. geheim*) onthullen; 3 (*v. foto*) ontwikkelen; II *v.pr.* ***se —,*** 1 zich openbaren; aan de dag komen; 2 (*fig.*) zich doen kennen (als), zich ontpoppen (als).
revenant [rev(e)nã] I *adj.* innemend; II *s. m.* spook *o.*
revenant*-bon* [rev(e)nã'bõ] *m.* buitenkansje *o.*
revendeur [r(e)vã'dœ:r] *m.* 1 wederverkoper *m.*; 2 opkoper, uitdrager *m.*
revendicatif [r(e)vã'dikatif] *adj.* veel eisen stellend, veel grieven hebbend.
revendication [r(e)vã'dika'syõ] *f.* eis *m.*; opvordering *v.*
revendiquer [r(e)vã'diké] *v.t.* eisen, aanspraak maken op; opvorderen.
revendre [r(e)vã:dr] *v.t.* weer verkopen; ***en — à qn.,*** iem. te slim af zijn; ***avoir à —,*** in overvloed hebben.
revenez-y [rev(e)nézi] *m.* terugkeer *m.*; ***il n'y a pas de —,*** dat kan men maar eens doen; ***cela a un goût de —,*** dat smaakt naar meer.
revenir* [rev(e)ni:r] I *v.i.* 1 terugkomen, weerkomen; 2 (*v. spijzen*) opbreken, oprispen; 3 (*v. ziekte*) herstellen, beter worden; ***cela ne vous revient pas,*** dat komt u niet toe; ***— de ses erreurs,*** zijn dwalingen laten varen; ***son nom ne me revient pas,*** zijn naam schiet mij niet te binnen; ***— à son travail,*** zijn werk hervatten; ***il ne revient pas facilement,*** hij blijft steeds bij zijn mening, hij geeft niet gemakkelijk toe; ***— sur sa promesse,*** zijn belofte niet nakomen; ***cela me revient à vingt francs,*** dat komt mij op 20 fr.; ***revenons à nos moutons,*** om op ons onderwerp terug te komen; ***— à soi,*** weer tot zich zelf komen, bijkomen; ***j'en suis revenu,*** daar ben ik van teruggekomen; ***j'en reviens toujours là,*** daarop kom ik maar steeds terug; ***je n'en reviens pas,*** ik kan het nog niet begrijpen, ik ben nog niet van mijn verbazing bekomen; ***n'y revenez pas,*** probeer het niet weer; ***— sur l'eau,*** weer boven water komen; weer opduiken; ***il est revenu de loin,*** hij is ver heen geweest, hij heeft het mooi opgehaald; ***cela revient au même,*** dat komt op hetzelfde neer; ***faire —,*** 1 (*v. vlees*) doen opkomen; 2 (*v. groenten*) wellen; 3 (*v. persoon*) weer bijbrengen; ***j'en suis revenu sur son compte,*** ik heb een andere mening over hem gekregen; ***on revient toujours à ses premières amours,*** oude liefde roest niet; II *v.pr.* ***s'en revenir,*** terugkeren (van waar men kwam), terugkomen.
revente [r(e)vã:t] *f.* wederverkoop *m.*
revenu [rev(e)nü] *m.* 1 inkomen *o.*, rente *v.*(*m.*); 2 (*v. hert*) nieuw gewei *o.*; ***— clair et net,*** zuiver inkomen; ***—s casuels,*** bijverdiensten *mv.*
revenue [rev(e)nü] *f.* jong hout *o.*
rêver [rè'vé] I *v.i.* 1 dromen; 2 mijmeren; 3 suffen; 4 ijlen; ***— tout éveillé,*** zitten suffen; ***on croit —,*** 't is niet te geloven; II *v.t.* 1 dromen van; 2 haken naar, vurig wensen; III ***se —,*** *v.pr.* zich ... wanen.
réverbération [révèrbéra'syõ] *f.* (*v. licht*) terugkaatsing *v.*
réverbère [révèrbè:r] *m.* 1 straatlantaarn *v.*(*m.*); 2 lichtscherm *o.*; 3 reflector *m.*
réverbérer [révèrbéré] *v.t.* (*v. licht*) terugkaatsen.
reverdir [r(e)vèrdi:r] *v.i.* 1 weer groen worden; 2 opnieuw jong worden.
révéremment [révéramã] *adj.* eerbiedig.
révérence [révérã:s] *f.* 1 eerbied *m.*, ontzag *o.*; 2 buiging *v.*; ***sa R—,*** Zijn Eerwaarde; ***faire une —,*** een dienaar maken; ***sauf —,*** met uw verlof; ***tirer sa — à qn.,*** 1 iem. groeten, afscheid van iem. nemen; 2 (*fig.*) iem. beleefd bedanken.
révérenciel [révérã'syèl] *adj.* eerbiedig, vol eerbied.
révérencieux [révérã'syö] *adj.*, **révérencieusement** [révérã'syö'zmã] *adv.* eerbiedig; overbeleefd.
révérend [révérã] I *adj.* eerwaard; II *s. m.* eerwaarde *m.*
révérendissime [révérã'disim] *adj.* hoogeerwaard, doorluchtig.
révérer [révéré] *v.t.* eerbiedigen; vereren.
rêverie [rè'vri] *f.* 1 dromerij, mijmering *v.*; 2 overpeinzing *v.*, gepeins *o.*
revers [r(e)vè:r] *m.* 1 keerzijde *v.*(*m.*), achterkant *m.*; 2 (*v. hand*) rug *m.*; 3 (*v. kledingstuk*) opslag *m.*; 4 (*v. laars*) kap *v.*(*m.*); 5 (*sp.*: *tennis*) backhander, slag *m.* met de rug van de hand; 6 (*fig.*) tegenspoed, tegenslag *m.*; ***— de fortune,*** financieel nadeel *o.*; ***prendre à —,*** in de rug aanvallen.
reversement [r(e)vèrsemã] *m.* overdracht *v.*(*m.*) van geldsbedrag aan andere kas.
reverser [r(e)vèrsé] *v.t.* 1 weer inschenken; 2 (*v. bedrag*) overdragen.
reversi(s) [r(e)vèrsi] *m.* bep. kaartspel *o.* waarbij wint wie minste slagen heeft.
réversibilité [révèrsibilité] *f.* 1 overdraagbaarheid *v.*; 2 omzetbaarheid *v.*
réversible [révèrsi'bl] *adj.* 1 overdraagbaar; 2 omkeerbaar; omschakelbaar; ***guidon —,*** omzetbaar stuur *o.*; ***lit —,*** opklapbed *o.*
réversion [révèrsyõ] *f.* (*recht*) terugkeer *m.*
reversoir [r(e)vèrswa:r] *m.* stuwdam *m.*
revêtement [r(e)vè'tmã] *m.* 1 bekleding *v.*; 2 (*v. vesting*) bemanteling *v.*; 3 (*v. dijk, muur*) schoeiing *v.*
revêtir* [r(e)vè'ti:r] I *v.t.* 1 bekleden; 2 bedekken; 3 (*v. muur, dijk*) beschoeien; 4 bestrijken (***de,*** met); 5 bepantseren; 6 (*v. handtekening*) voorzien (van); 7 (*v. kleed*) aantrekken; II *v.pr.* ***se — de,*** 1 (*v. kleren, enz.*) aantrekken, aandoen; 2 (*fig.*) zich hullen in; 3 (*v. vorm, gestalte*) aannemen.
rêveur [rè'vœ:r] I *m.* dromer *m.*; II *adj.* dromerig.
rêveusement [rè'vö'zmã] *adv.* dromerig.
revient [r(e)vyẽ] *m.*, ***prix de —,*** kostprijs *m.*
revigorer [r(e)vigòré] *v.t.* nieuwe kracht geven.
revirement [r(e)vi'rmã] *m.* 1 (*v. schip*) (het) over stag gaan *o.*, omwending *v.*; 2 (*fig.*) kentering *v.*, ommekeer *m.*; 3 (*v. geld*) overschrijving *v.*
revirer [r(e)vi'ré] *v.i.* 1 weer wenden, over stag gaan; 2 (*fig.*) van mening veranderen.
revisable [r(e)vi'za'bl] *adj.* te herzien.
reviser [r(e)vi'zé] *v.t.* 1 (*v. proces*) herzien; 2 (*v. rekening, enz.*) nazien; 3 (*drukk.*) revideren, herzien; 4 (*motor*) reviseren.
reviseur [r(e)vi'zœ:r] *m.* herziener, revisor *m.*
revision [r(e)vi'zyõ], **révision** [révi'zyõ] *f.* 1 herziening, revisie *v.*; 2 (*muz.*) moderne bewerking *v.*;

conseil de —, (*mil.*) 1 keuringscommissie *v.*; 2 hoog militair gerechtshof *o.*
revisionniste [r(e)vizyònist] *m.* voorstander *m.* van herziening.
revivification [r(e)vivifika'syõ] *f.* 1 herleving *v.*; 2 verlevendiging *v.*; 3 (*v. kleur*) wederopfrissing *v.*
revivifier [r(e)vivifyé] *v.t.* 1 doen herleven; 2 verlevendigen; 3 (*v. kleur*) weer opfrissen.
reviviscence [r(e):vivisãs] *f.* herleving, wederopleving *v.*
revivre* [r(e)vi:vr] I *v.i.* 1 herleven, weer opleven; 2 vernieuwd worden, tot nieuwe bloei geraken; ***faire —,*** 1 doen herleven, weer doen opleven; 2 (*v. recht*) weer doen gelden; 3 (*v. kleur, herinnering*) weer opfrissen; ***faire — qn.,*** iem. nieuwe moed geven; II *v.t.* nog eens doorleven.
révocabilité [révòkabilité] *f.* 1 herroepbaarheid *v.*; 2 afzetbaarheid *v.*
révocable [révòka'bl] *adj.* 1 herroepbaar; 2 afzetbaar. [zetting *v.*
révocation [révòka'syõ] *f.* 1 herroeping *v.*; 2 af-
révocatoire [révòkatwa:r] *adj.* herroepend.
revoici [r(e)vwasi] *adv.*, ***me —,*** hier ben ik weer.
revoilà [r(e)vwala] *adv.*, ***le —,*** daar is hij weer; ***le — malade,*** nu is hij alweer ziek.
revoir*[r(e)vwa:r] I *v.t.* 1 weerzien, terugzien; 2 nazien; herzien; ***au plaisir de vous —,*** tot ziens; II *v.pr.* ***se —,*** elkaar weerzien; III *s. m.* weerzien *o.*; ***au —,*** tot ziens, tot weerziens.
revoler [r(e)vòlé] *v.i.* terugvliegen.
revolin [r(e)vòlẽ] *m.* (*sch.*) rukwind, valwind *m.*
révoltant [révòltã] *adj.* 1 weerzinwekkend, aanstotelijk; 2 (*v. onrecht*) schreeuwend, schandelijk.
révolte [révòlt] *f.* opstand *m.*, oproer *o.*
révolté [révòlté] I *adj.* oproerig, in opstand; II *s. m.* opstandeling, oproerling *m.*
révolter [révòlté] I *v.t.* 1 in opstand brengen, aan 't muiten brengen; 2 (*fig.*) verontwaardigen; 3 geweldig tegenstaan; II *v.pr.* ***se —,*** 1 in opstand komen; 2 verontwaardigd worden.
révolu [révòlü] *adj.* 1 verstreken; 2 volbracht, voleindigd; ***il a soixante ans —s,*** hij is volle zestig jaar. [buitenwaarts omgekruld.
révolutif [révòlütif] *adj.* 1 omwentelend; 2 (*Pl.*)
révolution [révòlüsyõ] *f.* 1 omdraaiing, wenteling *v.* (om een as); 2 (*v. jaargetijden, enz.*) kringloop, omloopstijd *m.*; 3 ommekeer *m.*, algehele verandering *v.*; 4 omwenteling, revolutie *v.*
révolutionnaire [révòlüsyònè:r] I *adj.* omwentelingsgezind, revolutionair; II *s. m.* omwentelingsgezinde, voorstander van omwenteling, revolutionair *m.* [revolutionaire wijze.
révolutionnairement [révòlüsyònè'rmã] *adv.* op
révolutionner [révòlüsyòné] *v.t.* 1 (*v. land*) in opstand brengen; 2 (*v. persoon*) van streek brengen, in de war brengen.
revolver [révòlvè:r] *m.* revolver *m.*
révoquer [révòké] *v.t.* 1 (*v. bevel, enz.*) herroepen, intrekken; 2 (*v. ambtenaar*) ontslaan, afzetten; ***— en doute,*** in twijfel trekken.
revoyure [r(e)vwayü:r], ***à la —*** (*pop.*) tot kijk!
revue [r(e)vü] *f.* 1 (*v. papieren, enz.*) (het) overzien, (het) nazien, (het) doorlopen *o.*; 2 (*mil.*) wapenschouwing, parade *v.*; 3 tijdschrift *o.*; 4 (*toneel*) revue *v.*(*m.*); ***passer en —,*** 1 (*mil.*) inspecteren; 2 (*fig.*) de revue laten passeren; ***être de la —,*** achter het net vissen.
revuiste [r(e)vwist] *m.* revueschrijver *m.*
révulser [révülsé] *v.t.* (*gen.*) afleiden; ***traits révulsés,*** ontstelde gelaatstrekken.
révulsif [révülsif] I *adj.* afleidend; II *s. m.* afleidend middel *o.*
révulsion [révülsyõ] *f.* (*gen.*) afleiding *v.*
rez [ré] *prép.* gelijk met.
rez-de-chaussée [ré'tʃo'sé] *m.* 1 begane grond *m.*; 2 verdieping *v.* gelijkvloers; ***le — du journal,*** de plaats voor het feuilleton.
rhabillage [rabiya:j], **rhabillement** [rabiymã] *m.* (het) opknappen; (het) herstellen *o.*
rhabiller [rabiyé] I *v.t.* 1 opknappen, herstellen; 2 weer kleden; 3 (*fig.*) vergoelijken, in orde brengen; II *v.pr.* ***se —,*** zich weer aankleden.
rhagade [raga'd] *f.* kloof *v.*(*m.*) in de huid.
rhapsod—, *voir* ***rapsod—.***
rhénan [rénã] I *adj.* van de Rijn; Rijnlands; II *s. m.* Rijnlander, bewoner *m.* van de Rijnprovincie.
Rhénanie [rénani] *f.* Rijnland *o.*
rhéomètre [réòmè'tr] *m.* stroomsterktemeter *m.*
rhéostat [réòsta] *m.* reostaat, stroomsterkteregelaar *m.*
rhéteur [rétœ:r] *m.* 1 (*gesch.*) leraar *m.* in de welsprekendheid; 2 hoogdravend redenaar *m.* [pen.
Rhétiques [rétik] *adj.*, ***Alpes —s,*** Rhetische Al-
rhétoricien [rétòrisyẽ] *m.* 1 beoefenaar *m.* van de welsprekendheid; 2 leerling *m.* van de retorica.
rhétorique [rétòrik] *f.* 1 retorica *v.*; 2 leer *v.*(*m.*) van de welsprekendheid; 3 (*ong.*) woordenpraal, woordenkraam *v.*(*m.*); ***figure de —,*** redekunstige figuur; ***chambre de —,*** rederijkerskamer *v.*(*m.*).
Rhin [rẽ] *m.* Rijn *m.*
rhinalgie [rinalji] *f.* neuspijn *v.*(*m.*).
rhingrave [rẽ'gra:v] *m.* rijngraaf *m.*
rhinite [rinit] *f.* neusverkoudheid *v.*
rhinocéros [rinòsérò's] *m.* neushoorn, rinoceros *m.*
rhinologie [rinòlòji] *f.* leer *v.*(*m.*) van de neusziekten. [gie *v.*
rhinoplastie [rinòplasti] *f.* plastische neuschirur-
rhizome [rizo'm] *m.* (*Pl.*) wortelstok *m.*
rhizophore [rizòfò:r] *m.* (*Pl.*) mangrove, wortelboom *m.* [***—ne,*** Rhônestreek *v.*(*m.*).
rhodanien [ròdanyẽ] *adj.* van de Rhône; ***région***
Rhodes [rò'd] *f.* Rhodes *o.*
Rhode-Sainte-Agathe Sint-Agatha-Rode *o.*
Rhode-Saint-Pierre Sint-Pieters-Rode *o.*
Rhodésie [rò'dézi] *f.* Rhodesia *o.*
rhodésien [rò'dézyẽ] *adj.* Rhodesisch.
rhodien [rò'dyẽ] *adj.* van, uit Rhodos.
rhodium [ròdyòm] *m.* platina-achtig metaal *o.*
rhododendron [ròdòdẽ'drõ] *m.* (*Pl.*) rododendron *m.*
rhombe [rõ:b] *m.*, (*meetk.*) ruit *v.*(*m.*).
rhombiforme [rõ'bifòrm] *adj.* ruitvormig.
rhomboèdre [rõ'bòè:dr] *m.* lichaam *o.* met ruitvormige vlakken.
rhomboïdal [rõ'bòidal] *adj.* ruitvormig.
Rhône [ro:n] *m.* Rhône *v.*
rhubarbe [rübarb] *f.* rabarber *v.*(*m.*).
rhum [ròm] *m.* rum *m.*
rhumatisant [rümatizã] I *adj.* lijdend aan reumatiek; II *s. m.* reumatieklijder *m.*
rhumatismal [rümatizmal] *adj.* reumatisch.
rhumatisme [rümatizm] *m.* reumatiek *v.*; ***— articulaire,*** gewrichtsreumatiek.
r(h)umb [rõ:b] *m.* kompasstreek *v.*(*m.*).
rhume [rüm] *m.* verkoudheid *v.*; ***— de cerveau,*** neusverkoudheid, verkoudheid in 't hoofd; ***— des foins,*** hooikoorts *v.*(*m.*); ***— de poitrine,*** borstverkoudheid.
rhumé [ròmé] *adj.* met rum.
rhum(m)erie [ròmri] *f.* rumstokerij *v.*
riant [riyã] *adj.* 1 lachend; 2 (*v. uitzicht*) vrolijk; 3 lieflijk, bekoorlijk.
ribambelle [ribã'bèl] *f.* rij *v.*, rist *v.*(*m.*), zwerm *m.*
ribaud [ribo] *m.* losbandig persoon *m.*

riberme [ribèrm] *m.* rijsberm *m.*
riblage [ribla:j] *m.* losbandig leven *o.*
ribleur [riblœ:r] *m.* boemelaar, straatslijper *m.*
riblon(s) [riblõ] *m.(pl.)* oud-ijzer *o.*
ribordage [ribòrda:j] *m.* **1** averij *v.* door aanvaring; **2** schadeloosstelling *v.* na aanvaring.
ribote [ribòt] *f.* (*pop.*) smulpartij; zuiperij *v.*
riboter [ribòté] *v.i.* smullen; zuipen.
riboteur [ribòtœ:r] *m.* smulpaap; zuiper *m.*
ribouis [ribwi] *m.* (*pop.*) schoen *m.*
ribouldingue [ribuldẽ:g] *f.* (*pop.*) fuif *v.(m.)*.
ribouler [ribulé] *v.i.* (*arg.*) lonken.
ricanement [rikanmã] *m.* hoongelach, gegrijns *o.*
ricaner [rikané] *v.t.* honend lachen, spotlachen, grijnzen.
ricaneur [rikanœ:r] *m.* grijnzer, spotter *m.*
ric-à-rac [rikarak], **ric-à-ric** [rikarik] *adv.* (*v. betalen*) prompt, tot op de laatste cent.
richard [riʃa:r] *m.* rijkaard *m.*; ***R— Cœur de Lion,*** Richard Leeuwenhart.
riche [riʃ] **I** *adj.* **1** rijk; vermogend; **2** overvloedig, ruim voorzien; **3** kostbaar; **4** prachtig; **5** (*v. taal*) woordenrijk; ***faire —,*** rijk staan, een rijke indruk maken; ***il est — à millions,*** hij is schatrijk; **II** *s. m.* rijke *m.*; ***le mauvais —,*** de rijke vrek *m.*; ***nouveau —,*** oweeër.
richelieu [riʃelyö] *m.* lage veterschoen *m.*
richement [riʃmã] *adv.* rijk; rijkelijk.
richesse [riʃès] *f.* **1** rijkdom *m.*; **2** overvloed *m.*; **3** vruchtbaarheid *v.*; **4** kostbaarheid *v.*; **5** (*v. metalen*) gehalte *o.*
richissime [riʃisim] *adj.* zeer rijk, schatrijk.
ricin [risẽ] *m.* (*Pl.*) wonderboom *m.*; ***huile de —,*** ricinusolie, wonderolie *v.(m.)*.
ricocher [rikòʃé] *v.i.* **1** terugspringen; weer opspringen; **2** (*v. kogel*) aanslaan.
ricochet [rikòʃè] *m.* (het) terugspringen *o.*; opstuit *m.*; ***faire des —s,*** terugspringen, ricocheren; ***par —,*** niet rechtstreeks, zijdelings.
rictus [riktü·s] *m.* grijns, grijnslach *m.*
ride [ri·d] *f.* **1** rimpel *m.*; **2** rimpeling *v.*
ridé [ridé] *adj.* gerimpeld.
rideau [rido] *m.* **1** gordijn *o. en v.(m.)*; **2** (*toneel*) scherm *o.*, gordijn *o. en v.(m.)*; ***— de fer,*** ijzeren gordijn; ***— de fumée,*** rookgordijn; ***— métallique,*** rolscherm, rolluik *o.*; ***— de cheminée,*** haardplaat *v.(m.)*; ***former —,*** het uitzicht belemmeren; ***— à 8 heures,*** aanvang 8 uur, de voorstelling begint om 8 uur.
ridelle [ridèl] *f.* wagenladder *v.(m.)*.
ridement [ridmã] *m.* rimpeling *v.*
rider [ridé] *v.t.* rimpelen.
ridicule [ridikül] **I** *adj.* belachelijk, bespottelijk; **II** *s. m.* **1** (het) belachelijke *o.*; **2** damestasje *o.*; ***tourner en —,*** belachelijk maken; ***le — tue,*** het belachelijke maakt onmogelijk; ***tomber dans le —,*** zich belachelijk voordoen.
ridiculement [ridikülmã] *adv.* belachelijk, bespottelijk.
ridiculiser [ridikülizé] *v.t.* belachelijk maken.
ridiculité [ridikülité] *f.* belachelijkheid *v.*
rien [ryẽ] **I** *pron. ind.* **1** iets; **2** (*met* ***ne*** *en ww.*) niets; ***y a-t-il — de plus agréable?*** is er iets aangenamer? ***cela ne sert à —,*** dat dient tot niets, dat is volkomen nutteloos; ***il n'en est —,*** daarvan is geen woord waar; ***en moins de —,*** in minder dan geen tijd; ***— de —,*** in 't geheel niets, hoegenaamd niets; ***comme si de — n'était,*** alsof er niets gebeurd was; ***nous n'y sommes pour —,*** wij hebben er part noch deel aan; ***— du tout,*** in 't geheel niets, volstrekt niets; ***ne pas — que,*** niet alleen; ***on n'a — pour —,*** voor wat, hoort wat; ***se réduire à —,*** op niets uitlopen; ***il fait — froid,*** (*fam.*) het is geen beetje koud; ***ce n'est — gentil,*** dat is niks aardig; **II** *s. m.* **1** kleinigheid *v.*, bagatel *v.(m.) en o.*; **2** nietigheid *v.*; ***en un — de temps,*** in minder dan geen tijd; ***un homme de —,*** een man van niets; een man van lage afkomst; ***au-dessous de —,*** beneden alles; ***un — de vinaigre,*** een scheutje azijn; ***au moindre —,*** bij 't minste, bij 't geringste; ***partir sans — dire,*** vertrekken zonder iets te zeggen; ***s'amuser à des —s,*** zijn tijd verbeuzelen.
rieur [ryœ:r] **I** *adj.* lacherig, lachziek; **II** *s. m.* **1** lacher *m.*; **2** (*Dk.*) spotvogel *m.*
Riffain [rifẽ] *m.* Riffbewoner, bewoner *m.* van de kust van Marokko.
riflard [rifla:r] *m.* **1** roffelschaaf *v.(m.)*; **2** grove vijl (ijzervijl) *v.(m.)*; **3** (*pop.*) oude paraplu *m.*, spuit *v.(m.)*.
rifler [riflé] *v.t.* **1** met de roffelschaaf bewerken; **2** (*v. ijzer*) opvijlen; **3** (*fig.*) wegkapen.
rifloir [riflwa:r] *m.* kromme vijl *v.(m.)*.
rigaudon [rigòdõ] *m.* (ouderwetse) vlugge dans *m.*
rigide(ment) [riji·d(mã)] *adj.* (*adv.*) **1** stijf, strak; **2** (*fig.*) streng; onwrikbaar.
rigidifier [rijidifyé] *v.t.* strak maken, stijf maken.
rigidité [rijidité] *f.* **1** stijfheid, strakheid *v.*; **2** (*fig.*) strengheid; onwrikbaarheid *v.*
rigodon, *voir* **rigaudon.**
rigolade [rigòla·d] *f.* pret, lol *v.(m.)*.
rigole [rigòl] *f.* **1** greppel, groef *v.(m.)*; **2** riool *o. en v.(m.)*; ***— souterraine,*** draineerbuis *v.(m.)*.
rigoler [rigòlé] **I** *v.t.* van greppels voorzien; **II** *v.i.* pret hebben, lol maken.
rigoleur [rigòlœ:r] **I** *m.* pretmaker *m.*; **II** *adj.* prettig, lollig.
rigolo [rigòlo] **I** *adj.* prettig, lollig; grappig; **II** *s. m.* **1** leuke vent, lollig heer *m.*; **2** valse sleutel *m.*
rigorisme [rigòrizm] *m.* al te grote strengheid *v.*
rigoriste [rigòrist] **I** *m.* aanhanger *m.* van een grote strengheid; **II** *adj.* overdreven streng.
rigoureusement [rigurö·zmã] *adv.* **1** streng; **2** stipt.
rigoureux [rigurö] *adj.* **1** streng; **2** (*v. betaling, betekenis*) stipt; **3** (*v. koude*) nijpend.
rigueur [rigœ:r] *f.* **1** strengheid *v.*; **2** stiptheid *v.*; **3** (*v. klimaat*) ruwheid, strengheid *v.*; ***la — du sort,*** de hardheid van het lot; ***user de — à l'égard de qn.,*** iem. streng behandelen; ***terme de —,*** uiterste termijn *m.*; ***à la —,*** desnoods, als 't nodig is; in 't ergste geval; ***à la dernière —,*** met de uiterste gestrengheid.
rillettes [riyèt] *f.pl.* varkensgehakt *o.*
rimaille [rima·y] *f.* rijmelarij *v.*
rimailler [rima·yé] *v.i.* rijmelen.
rimailleur [rima·yœ:r] *m.* rijmelaar *m.*
rimaye [rimè] *f.* gletsjerspleet *v.(m.)*.
rime [rim] *f.* rijm *o.*; ***— masculine,*** staand rijm; ***— féminine,*** slepend rijm; ***— riche,*** vol rijm; ***—s croisées,*** gekruist rijm; ***cela n'a ni — ni raison,*** dat raakt kant noch wal, dat is ongerijmd.
rimer [rimé] *v.t. et v.i.* rijmen; ***cela ne rime à rien,*** dat lijkt nergens naar.
rimeur [rimœ:r] *m.* rijmer *m.*
rinçage [rẽ·sa:j] *m.* spoeling, reiniging *v.*
rinceau [rẽ·so] *m.* (*bouwk.*) lofwerk *o.*
rince-bouche [rẽ·sbuʃ] *m.* spoelkommetje *o.*
rince-bouteilles [rẽ·sbutèy] *m.* flessenspoeler *m.*
rince-doigts [rẽ·sdwa] *m.* vingerkom *v.(m.)*.
rincée [rẽ·sé] *f.* **1** regenbui, stortbui *v.(m.)*; **2** (*pop.*) pak *o.* slaag, dracht *v.(m.)* slagen.
rincer [rẽ·sé] **I** *v.t.* **1** spoelen; afspoelen; **2** doorhalen, uitschelden, uitfoeteren; **3** afrossen; **4** (*pop.*) blut spelen, uitplunderen; **II** *v.pr.* ***se — la bouche,***

zijn mond spoelen; ***se — l'œil,*** zijn ogen de kost geven, zijn ogen te gast laten gaan.
rinceur [rẽ'sœ:r] *m.* flessenspoeler *m.*
rinceuse [rẽ'sö:z] *f.* spoelmachine *v.*
rinçoir [rẽ'swa:r] *m.* spoelkom *v.(m.).*
rinçure [rẽ'sü:r] *f.* spoelwater, afwaswater *o.*
ring [rẽ'g] *m.* (*sp.*) **1** boksring, worstelring *m.*; **2** groep wedders bij paardenrennen. [pook *m.*
ringard [rẽ'ga:r] *m.* vuurhaak *m.*, stookijzer *o.*,
rioter [ryòté] *v.i.* giechelen.
rioteur [ryòtœ:r] *m.* lachebek *m.*
ripage [ripa:j] *m.* (het) afkrabben *o.* [brassen.
ripaille [ripɑ'y] *f.* braspartij, slemperij *v.*; ***faire —,***
ripailler [ripɑ'yé] *v.i.* brassen.
ripailleur [ripɑ'yœ:r] *m.*, (*fam.*) slokop *m.*
ripe [rip] *f.*, (*tn.*) krasser *m.*
riper [ripé] *v.t.* **1** (*tn.*) afkrabben; **2** (*sch.*: *v. anker*) laten slieren.
ripopée [ripòpé] *f.* **1** spoelwijn *m.*; **2** (*fig.*) mengelmoes *o. en v.(m.).*
riposte [ripòst] *f.* **1** gevat antwoord *o.*; **2** (*schermen*) tegenstoot *m.*; **3** (*boksen*) snel teruggegeven slag *m.*; ***être prompt à la —,*** slagvaardig zijn, altijd een antwoord klaar hebben.
riposter [ripòsté] *v.i.* **1** gevat (*of* snedig) antwoorden; **2** (*schermen*) een tegenstoot toebrengen; **3** (*boksen*) snel een slag teruggeven.
ripuaire [ripŵè:r] *adj.* Ripuarisch (aan de oevers van de Rijn wonend).
riquiqui [rikiki] *m.* **1** sterke drank *m.*; **2** nietig *of* pietluttig iemand *m.*
rire* [ri:r] **I** *v.i.* **1** lachen; **2** schertsen; spotten; **3** zich vermaken, pret hebben; ***— aux éclats,*** schaterlachen; ***— jaune,*** lachen als een boer die kiespijn heeft; ***— dans sa barbe,*** in zijn vuistje lachen; ***— à gorge déployée,*** luidkeels lachen; ***vous me faites —,*** ik moet er om lachen; ***— sous cape,*** in zijn vuistje lachen; ***— comme un bossu,*** zich een bult lachen; ***vous voulez —,*** dat meent u niet; ***c'est pour —,*** 't is om te lachen, 't is maar voor de grap; ***— de qn.,*** iem. uitlachen; ***— au nez de qn.,*** iem. in het gezicht uitlachen; ***tel qui rit vendredi, dimanche pleurera,*** 't kan verkeren; ***rira bien qui rira le dernier,*** wie 't laatst lacht, lacht 't best; **II** *v.pr.* ***se — de,*** spotten met; **III** *s. m.* lach *m.*, gelach *o.*; ***fou —,*** onbedaarlijk gelach *o.*, onbedaarlijke lachbui *v.(m.)*; ***bon —,*** gulle lach.
ris [ri] *m.* **1** lach *m.*; **2** zwezerik *m.*; **3** (*sch.*) reef *o.*
risée [ri'zé] *f.* **1** gelach *o.*; **2** voorwerp *o.* van spot.
riser [ri'zé] *v.t.*, (*sch.*) reven.
risette [ri'zèt] *f.* **1** (kinder)lachje *o.*; **2** (*sch.*) rimpeling *v.* (v. de golven); ***faire — à qn.,*** lachen tegen iem. [kend.
risible(ment) [rizi'bl(emã)] *adj.* (*adv.*) lachwek-
risotto [risòtò] *m.* saffraanrijst *m.* met boter en geraspte kaas.
risquable [riska'bl] *adj.* te wagen.
risque [risk] *m.* gevaar, risico *o.*; ***à vos —s et périls,*** (*H.*) voor uw risico; ***— de l'employeur,*** werkgeversrisico; ***—s de guerre,*** oorlogsmolest *o.*; ***au — de,*** op gevaar af van; ***à tout —,*** op goed geluk; ***— d'incendie,*** brandgevaar *o.*; ***—s sociaux,*** bestaansrisico's *mv.*; ***il faut en courir le —,*** men moet het er maar op wagen.
risquer [riské] **I** *v.t.* wagen, riskeren; ***— de,*** gevaar lopen om (te); ***— le tout pour le tout,*** alles op het spel zetten; ***qui ne risque rien, n'a rien,*** wie niet waagt, die niet wint; **II** *v.pr.* ***se —,*** zich wagen.
risque-tout [risktu] *m.* waaghals *m.*
rissole [risòl] *f.* pasteitje, soort croquetje *o.*
rissoler [risòlé] *v.t.* bruin bakken.
ristorne [ristòrn] *f.* (*H.*) ristorno *v.*
ristourne [risturn] *f.* **1** opzegging *v.* van een zeeassurantiepolis; **2** vermindering *v.* van de verzekeringssom; **3** gedeeltelijke teruggave *v.(m.)* van ontvangen gelden, ristorno *v.*; **4** (*bij huur*) sleutelgeld *o.*
ristourner [risturné] **I** *v.t.* (*v. zeeassurantiepolis*) opzeggen; **II** *v.i.* sleutelgeld betalen.
rit(e) [rit] *m.* **1** ritueel *o.*; **2** ritus *m.* (kerkelijke gebruiken en ceremonieel). [thema *o.*
ritournelle [riturnèl] *f.* (*muz.*) ritornel, herhalings-
rituel [ritŵèl] **I** *adj.* ritueel, volgens de ritus; **II** *s. m.* rituaal, kerkelijk ceremonieboek *o.*
rivage [riva:j] *m.* **1** oever *m.*; **2** strand *o.*; **3** (*dicht.*) streek *v.(m.).*
rival [rival] **I** *m.* **1** mededinger *m.*; **2** medeminnaar *m.*; ***sans —,*** zonder weerga, ongeëvenaard; **II** *adj.* mededingend, wedijverend.
rivaliser [rivali'zé] *v.i.* wedijveren.
rivalité [rivalité] *f.* **1** wedijver *m.*; mededinging *v.*; **2** naijver *m.*; ***entrer en — avec,*** wedijveren met.
rive [ri:v] *f.* **1** oever *m.*; **2** rand *m.*; **3** ovenrand *m.*; ***pain de —,*** plaatbrood *o.*
rivelaine [ri'vlè'n] *f.* mijnwerkershouweel *o.*
rivelet [rivlè] *m.* beekje *o.*
rivement [ri'vmã] *m.* (*tn.*) het (vast) klinken *o.*
river [ri'vé] *v.t.* **1** (*tn.*) klinken, vastklinken; **2** (*fig.*) vastmaken; ***— dans la tête,*** vast inprenten, inhameren; ***— son clou à qn.,*** iem. de mond snoeren; ***être rivé à sa place,*** als vastgenageld staan.
riverain [rivrẽ] **I** *m.* oeverbewoner *m.*; **II** *adj.* langs de oever wonend.
rivet [rivè] *m.* klinknagel, klinkbout *m.*
rivetage [rivta:j] *m.* (*tn.*) (het) klinken *o.*
riveter [rivté] *v.t.* (*tn.*) klinken, vastklinken.
riveur [rivœ:r] *m.* (*tn.*) klinker *m.*
riveuse [rivö:z] *f.* (*tn.*) klinkmachine *v.*
rivière [rivyè:r] *f.* **1** rivier *v.(m.)*; **2** diamanten halssnoer *o.*; ***les petits ruisseaux font les grandes —s,*** vele kleintjes maken een groot.
rivièrette [rivyérèt] *f.* riviertje *o.*
rivoir [rivwa:r] *m.* (*tn.*) klinkhamer *m.*
rivulaire [rivülè:r] *adj.* (*Pl.*) in beken groeiend.
rivure [rivü:r] *f.* (*tn.*) **1** klinknaad *m.*; **2** (het) klinken *o.*; **3** scharnierpen *v.(m.).*
rixdale [riksdal] *f.* rijksdaalder *m.*
rixe [riks] *f.* ruzie *v.*, krakeel *o.*, twist *m.*
riz [ri] *m.* rijst *m.*; ***— au lait,*** rijstebrij *m.*
rizerie [rizri] *f.* rijstpellerij *v.*
riziculture [rizikültü:r] *f.* rijstcultuur *v.*
rizière [rizyè:r] *f.* rijstveld *o.*, sawa *m.*
riz-pain-sel [ripẽ'sèl] *m.* (*mil.*) bijnaam voor administratief kader. [rob *v.(m.).*
rob [rò'b] *m.* **1** (*kaartsp.*) robber *m.*; **2** (*v. vruchten*)
robe [rò'b] *f.* **1** japon *m.*, jurk *v.(m.)*; **2** (*v. professor, rechter*) toga *v.(m.)*; **3** (*v. sigaar*) dekblad *o.*; **4** (*v. vrucht*) schil *v.(m.)*; bast *m.*; **5** (*v. worst*) darm *m.*; **6** (*v. paard*) kleur *v.(m.)*; ***homme de —,*** **1** rechter *m.*; **2** advocaat *m.*; ***les gens de —,*** de rechterlijke macht; ***— de chambre,*** kamerjapon; ***— de nuit,*** nachtjapon *m.*; nachthemd *o.*; ***— de ville,*** wandeljapon; ***pommes de terre en — de chambre,*** aardappelen met schil; ***Dieu donne la — selon le froid,*** God geeft kracht naar kruis.
rober [ròbé] *v.t.* voorzien van een dekblad.
Robert [ròbè:r] *m.* Robrecht, Robertus *m.*
robin [ròbẽ] *m.* rechtsgeleerde *m.*
robine [ròbin] *f.* Zuidfrans kanaal *o.*
robinet [ròbinè] *m.* kraan *v.(m.)*, kraantje *o.*; ***— d'incendie,*** brandkraan *v.(m.).*

robinetier [ròbintyé] *m.* kranenmaker *m.*
robinetterie [ròbinètri] *f.* kranenfabriek *v.*
robinier [ròbinyé] *m.* boomsoort *v.*(*m.*) *en o.* waartoe de acacia behoort.
robinson [ròbẽ'sõ] *m.* grote paraplu *m.*, spuit *v.*(*m.*).
roboratif [ròbòratif] *adj.* versterkend.
robot [ròbò] *m.* robot *m.*
robre [ròbr] *m.* (*kaartsp.*) robber *m.*
robuste [ròbüst] *adj.* **1** fors, stevig; **2** (*v. maag, enz.*) sterk; **3** (*fig.*: *v. geloof*) onwankelbaar.
robustesse [ròbüstès] *f.* **1** forsheid, stevigheid *v.*; **2** sterkte *v.*; **3** onwankelbaarheid *v.*
roc [ròk] *m.* rots *v.*(*m.*); rotssteen *o. en m.*
rocade [ròka'd] *f.* (*mil.*) strategische (spoor)weg *m.* evenwijdig met vuurlinie lopend.
rocaille [ròkɑ'y] *f.* grotwerk, schelpwerk *o.*; ***jardin de* —,** rotstuin *m.*
rocailleux [ròkɑ'yö] *adj.* **1** rotsachtig, stenig; **2** (*fig.*: *v. stijl*) stroef.
rocambole [ròkã'bòl] *f.* **1** (*Pl.*) Spaans knoflook *o. en m.*; **2** (*fig.*) prul *o.*, vod *o. en v.*(*m.*); **3** afgezaagde mop *v.*(*m.*).
rocambolesque [ròkã'bòlèsk] *adj.* fantastisch.
Roch [ròk] *m.* Rochus *m.*
roche [ròʃ] *f.* **1** rots *v.*(*m.*); **2** klip *v.*(*m.*); ***— noire,*** basalt *o.*; ***— calcaire,*** kalkrots; ***cristal de —,*** bergkristal *o.*; ***eau de —,*** bergwater *o.*; ***de la vieille —,*** van de oude stempel; ***clair comme de l'eau de —,*** glashelder.
rocher [ròʃé] *m.* **1** rots *v.*(*m.*); **2** rotsbeen *o.*; **3** steile kust *v.*(*m.*); ***parler aux —s,*** voor dove oren spreken.
rochet [ròʃè] *m.* **1** (*kath.*) roket *v.*, wit kort koorhemd *o.*; **2** (*tn.*) spoel *v.*(*m.*); **3** ratelboor *v.*(*m.*); ***roue à —,*** palrad *o.*
rocheux [ròʃö] *adj.* rotsachtig; ***Montagnes Rocheuses,*** Rotsgebergte *o.*
rochier [ròʃyé] *m.* hondshaai *m.*
rocking-chair* [ròkingtʃè:r] *m.* schommelstoel *m.*
Rocklenge [ròklã:g] (*sur Geer*), Rukkelingen *o.* (aan de Jeker).
Rocklange-Looz Rukkelingen-Loon *o.*
rococo [ròkòko] **I** *m.* rococostijl *m.*; **II** *adj.* verouderd, ouderwets.
rodage [ròda:j] *m.* (het) passlijpen; (het) polijsten *o.*; ***en —,*** (*v. auto*) wordt ingereden.
rôdailler [rodɑ'yé] *v.i.* slenteren.
roder [ròdé] *v.t.* **1** afslijpen, polijsten; **2** (*v. auto*) inrijden.
rôder [ro'dé] *v.i.* **1** rondzwerven; **2** rondsluipen; **3** (*v. voorwerp*) rondslingeren.
rôdeur [ro'dœ:r] *m.* zwerver; landloper *m.*
rodoir [ròdwa:r] *m.* slijpijzer *o.*
Rodolphe [ròdòlf] *m.* Rudolf *m.*
rodomont [ròdòmõ] *m.* pocher, snoever *m.*
rodomontade [ròdòmõ'ta'd] *f.* pocherij, snoeverij *v.*
rogations [rògɑ'syõ] *f.pl.* kruisdagen *mv.*; kruisprocessie *v.*
rogatoire [rògatwa:r] *adj.* verzoekend.
rogaton [rògatõ] *m.* **1** vod *o. en v.*(*m.*), prul *m.*; **2** kletspraatje *o.*; **3 —s,** kliekjes, restjes *mv.*
Roger [ròjé] *m.* Rutger *m.*
Roger Bontemps [ròjébõ'tã] *m.* vrolijke Frans *m.*
rognage [ròña:j], *voir* ***rognement.***
rogne [ròñ] *f.* **1** schurft *v.*(*m.*) *en o.*; **2** (*pop.*) slecht humeur *o.*
rognement [ròñmã] *m.* (het) afsnijden *o.*; besnoeiing *v.*
rognepied [ròñpyé] *m.* (*v. hoefsmid*) veegmes *o.*
rogner [ròñé] **I** *v.t.* **1** (*v. boek, papier*) afsnijden; **2** besnoeien; **3** (*v. munt*) snoeien; ***— les ailes,*** kortwieken; **II** *v.pr.* ***se — les ongles,*** zijn nagels afknippen.
rogneur [ròñœ:r] *m.* **1** afsnijder *m.*; **2** (*v. munten*) snoeier *m.*
rogneux [roñö] *adj.* schurftig.
rognoir [ròñwa:r] *m.* (af)snijmachine *v.*
rognon [ròñõ] *m.* (*v. dier*) nier *v.*(*m.*).
rognonnade [ròñòna'd] *f.* **1** kalfsnierstuk *o.*; **2** (het) gemopper, gepruttel *o.*
rognonner [ròñòné] *v.i.* brommen, pruttelen.
rognure [ròñü:r] *f.* afsnijdsel, afknipsel *o.*, snippers *mv.*
rogomme [rògòm] *m.* (*pop.*) sterke drank *m.*; ***voix de —,*** grogstem *v.*(*m.*).
rogue [rò'g] **I** *adj.* **1** hooghartig, laatdunkend, trots; **2** bars; **II** *s. f.* viskuit *v.*(*m.*).
rogué [rò'gé] *adj.* met kuit, vol.
roguerie [rò'gri] *f.* laatdunkendheid *v.*, trotse overmoed *m.*
roi [rwa] *m.* **1** koning *m.*; **2** (*kaartsp.*) heer *m.*; ***les R—s mages,*** de drie wijzen uit het Oosten, de drie koningen; ***la fête*** (*ou* ***le jour***) ***des R—s,*** Driekoningen *m.*; ***le — du bal,*** de held van 't bal; ***le — du jour,*** de zon; ***Le — Très Chrétien,*** de koning van Frankrijk; ***Le — Catholique,*** de koning van Spanje; ***morceau de —,*** uitgelezen gerecht *o.*; ***pour le — de Prusse,*** voor niets; ***le — n'est pas son cousin,*** hij is de koning te rijk.
roide *adj., voir* ***raide.***
roitelet [rwatlè] *m.* **1** koninkje *o.*; **2** (*Dk.*) winterkoninkie *o.*
Roland [ròlã] *m.* Roeland *m.*
rôle [ro:l] *m.* **1** lijst *v.*(*m.*), register *o.*; **2** rol *v.*(*m.*); ***le — des contributions,*** het kohier van de belastingen; ***premier —,*** hoofdrol *v.*(*m.*); ***— d'équipage,*** (*sch.*) monsterrol, scheepsrol; ***à tour de —,*** om beurten, beurtelings.
rôler [ro'lé] **I** *v.t.* (*v. tabak*) rollen; **II** *v.i.* (*recht*) rollen schrijven.
rôlet [ro'lè] *m.* rolletie *o.*; ***être au bout de son —,*** ten einde raad zijn.
rollier [ròlyé] *m.* (*Dk.*) blauwe gaai *m.*; scharrelaar *m.*
romain [ròmẽ] **I** *adj.* **1** Romeins; **2** Rooms; **II** *s. m.* **1** romeinletter *v.*(*m.*); **2 *R—,*** Romein *m.*
romaine [ròmèn] *f.* **1** unster *v.*(*m.*), weeghaak *m.*; **2** soort kropsla; bindsla, roomse latuw *v.*(*m.*).
romaïque [ròmaik] **I** *adj.* Nieuwgrieks; **II** *s. m.* het Nieuwgrieks *o.*
roman [ròmã] **I** *m.* roman *m.*; ***— de mœurs,*** zedenroman; ***— policier,*** detectiveroman; ***— à clef*** sleutelroman; **II** *adj.* Romaans.
romance [ròmã:s] *f.* romance *v.*(*m.*).
romancé [ròmã'sé] *adj.* in romanvorm.
romancero [ròmã'séro] *m.* bundel *m.* Spaanse (heroïsche of aangrijpende) verzen.
romanche [ròmã:ʃ] *adj.* Rheto-Romaans.
romancier [ròmã'syé] *m.* romanschrijver *m.*
romand [ròmã] *adj.*, ***la Suisse —e,*** Frans Zwitserland *o.*
romanesque [ròmanèsk] **I** *adj.* romantisch, avontuurlijk; romanachtig; ***ouvrage non —,*** nonfictionboek *o.*; **II** *s. m.* romanesk persoon *m.*
romanesquement [ròmanèskemã] *adv.* romanesk.
roman*-feuilleton* [ròmã'fœytõ] *m.* feuilletonroman *m.*
roman*-fleuve* [ròmã'flœ:v] *m.* romancyclus *m.*
romanichel [ròmaniʃèl] *m.* zigeuner *m.*
romaniser [ròmani'zé] **I** *v.t.* verlatijnsen; **II** *v.i.* rooms worden.
romaniste [ròmanist] *m.* **1** beoefenaar *m.* van de Romaanse talen; **2** kenner *m.* van het Romeinse recht; **3** roomsgezinde *m.*
romantique [ròmã'tik] **I** *adj.* romantisch; **II** *s. m.* schrijver (*of* aanhanger) *m.* van de romantische school.
romantisme [ròmã'tizm] *m.* romantiek *v.*
romarin [ròmarẽ] *m.* (*Pl.*) rosmarijn *m.*
rombière [rõ'byè:r] *f.* (*arg.*) oud wijf *v.*

Rome [ròm] *f.* Rome *o.*; — ***n'a pas été bâtie en un jour,*** Keulen en Aken zijn niet op één dag gebouwd.

rompement [rõ'pmã] *m.* (het) boeken *o.*; — ***de tête,*** hoofdbreken *o.*

rompre* [rõ'pr] **I** *v.t.* **1** breken; **2** verbreken; **3** (*v. dijk, linie, enz.*) doorbreken; **4** (*v. kamp*) opbreken; **5** (*v. weiland*) scheuren; **6** (*v. gesprek, enz.*) afbreken; — ***charge,*** (*sch.*) beginnen te lossen; — ***le coup,*** de stoot opvangen; — ***un coup,*** een slag afweren; — ***la paille,*** vriendschap sluiten; — ***le pas,*** uit de pas raken; — ***les rangs,*** (*mil.*) de gelederen verbreken; inrukken; — ***la tête à qn.,*** aan iemands hoofd malen; — ***vif,*** (*gesch.*) radbraken; ***à tout —,*** in de hoogste mate, uitbundig, daverend; **II** *v.i.* **1** breken; **2** verbroken worden; — ***avec qn.,*** met iem. breken; — ***en visière à qn.,*** iem. openlijk het hoofd bieden; iem. openlijk aanvallen; **III** ***se —,*** *v.pr.* (af)breken, gebroken worden; ***se — à,*** zich wennen aan.

rompu [rõ'pü] *adj.* gebroken; ***à bâtons —s,*** te hooi en te gras, met horten en stoten; — ***de fatigue,*** doodmoe, bekaf; — ***à,*** bedreven, bekwaam in; — ***aux affaires,*** in de zaken bedreven, ervaren; ***parler à propos —s,*** van de hak op de tak springen.

romsteck [ròmstèk] *m.* biefstuk *m.*

ronce [rõ:s] *f.* **1** braamstruik *m.*; **2** (*fig.*) moeilijkheid, zwarigheid *v.*; ***—s artificielles,*** prikkeldraad *o.*; — ***de noyer,*** wortelnotehout.

ronceraie [rõ'srè] *f.* braambos(je) *o.*

ronceux [rõ'sö] *adj.* **1** vol braamstruiken; **2** (*v. hout*) gevlamd.

ronchon [rõ'ʃõ] *m.* (*pop.*) brompot *m.*

ronchonnement [rõ'ʃònemã] *m.* (*pop.*) gemopper *o.*

ronchonner [rõ'ʃòné] *v.i.* (*pop.*) brommen.

ronchonneur [rõ'ʃònœ:r] *m.* brompot *m.*

roncier [rõ'syé] *m.*, **roncière** [rõ'syè:r] *f.* braambosje *o.*, groep *v.*(*m.*) braamstruiken.

rond [rõ] **I** *adj.* **1** rond; **2** (*fig.*) rondborstig; **3** (*pop.*) aangeschoten, dronken; ***bourse —e,*** goedgevulde beurs; ***une fortune —e,*** een aardig fortuintje; ***compte —,*** rond getal; ***écriture —e,*** rondschrift *o.*; **II** *s. m.* **1** cirkel *m.*; **2** kring *m.*, kringetje *o.*; **3** (*v. worst, enz.*) schijfje, plakje *o.*; **4** (*in bos*) open plek *v.*(*m.*); — ***de serviette,*** servetring *m.*; — ***de table,*** tafelmatje *o.*; ***il n'a pas un*** (*ou* ***le***) ***—,*** hij heeft geen rooie duit; ***en —,*** in 't rond, in een kring.

rondache [rõ'daʃ] *f.* rondas *v.*(*m.*), rond schild *o.*

rond*-de-cuir [rõ'dekẅi:r] *m.* **1** ringvormig leren kussen, zitkussen *o.*; **2** (*fam.*) scheldnaam voor ambtenaar of kantoorbediende, pennelikker *m.*

ronde [rõ:d] *f.* **1** ronde *v.*(*m.*); rondgang *m.*; **2** rondzang *m.*; **3** rondedans *m.*; **4** rondschrift *o.*; **5** (*muz.*) hele noot *v.*(*m.*); ***la — de nuit,*** de Nachtwacht *v.*(*m.*); ***à la —,*** in 't rond; in de omtrek; ieder op zijn beurt.

rondeau [rõ'do] *m.* **1** (*gedicht*) rondeel *o.*; **2** (*muz.*) rondo *o.*

rondel [rõ'dèl] *m.* (*gedicht*) rondeel *o.*

rondelet [rõ'dlè] *adj.* **1** rondachtig; **2** kort en dik; **3** (*v. bedrag*) aardig.

rondelle [rõ'dèl] *f.* **1** rond plaatje *o.*; **2** schijfje *o.*; **3** ring; gummiring *m.*; **4** (*Pl.*) mansoor *o.*; — ***de beurre,*** schijfje boter.

rondement [rõ'dmã] *adv.* **1** vlug, zonder dralen; **2** (*v. aanpakken*) flink; **3** (*fig.*) zonder omwegen, recht op de man af.

rondeur [rõ'dœ:r] *f.* **1** rondheid *v.*; **2** (*fig.*) rondborstigheid, oprechtheid *v.*; **3** (*v. volzin*) afgerondheid *v.*

rondier [rõ'dyé] *m.* waaierpalm *m.*

rondin [rõ'dẽ] *m.* **1** rond brandhout *o.*; **2** geschilde sparrestam *m.*; **3** knuppel *m.*

rondouillard [rõ'duya:r] *adj.* weelderig (rond).

rond*-point* [rõ:pwẽ] *m.* rond plein *o.* (waarop verschillende straten of lanen uitkomen).

ronéotyper [ronéòtipé] *v.t.* stencilen.

ronflant [rõ'flã] *adj.* **1** snorkend; brommend; **2** (*v. kachel*) snorrend; **3** (*fig.*: *v. stijl, enz.*) gezwollen, hoogdravend.

ronflement [rõ'flemã] *m.* **1** gesnork *o.*; **2** geronk *o.*; **3** gebulder *o.*

ronfler [rõ'flé] *v.i.* **1** snorken; **2** snorren; **3** (*v. geschut*) bulderen.

ronfleur [rõ'flœ:r] *m.* snorker *m.*

rongeant [rõ'jã] *adj.* knagend.

rongement [rõ'jmã] *m.* geknaag *o.*

ronger [rõ'jé] *v.t.* **1** knagen aan, afbijten; **2** (*v. roest, zuren*) wegvreten, uitbijten; — ***ses ongles,*** zijn nagels afbijten; — ***son frein,*** zich verbijten, zijn spijt verbergen; ***rongé des vers,*** wormstekig; ***la maladie le ronge,*** de ziekte ondermijnt hem; ***l'envie le ronge,*** hij wordt door nijd verteerd.

rongeur [rõ'jœ:r] **I** *adj.* **1** knagend; **2** verterend; **II** *s. m.* knaagdier *o.*

ronron [rõ'rõ], **ronronnement** [rõ'rònmã] *m.* (*v. kat*) gespin *o.*

ronronner [rõ'ròné] *v.i.* spinnen.

roque [ròk] *m.* (*schaaksp.*) rokade *v.*

roquefort [ròkfò:r] *m.* roquefortkaas *m.* (soort van schapekaas).

roquentin [ròkã'tẽ] *m.* oude gek *m.*

roquer [ròké] *v.i.* (*schaaksp.*) rokeren.

roquet [ròkè] *m.* keffer *m.*

roquette [ròkèt] *f.* **1** (*Pl.*) raket *v.*(*m.*), rakettekruid *o.*; **2** raket *v.*(*m.*).

rosace [ro'zas] *f.* (*bouwk.*) rozet *v.*(*m.*).

rosacées [ro'zasé] *f.pl.* (*Pl.*) roosachtigen *mv.*

rosage [ro'za:j] *m.* (*Pl.*) rododendron *m.*

rosaire [ro'zè:r] *m.* rozenkrans *m.*

Rosalie [ro'zali] *f.* **1** Rosalie, Roosje *v.*; **2** (*mil.*) bajonet *v.*(*m.*).

rosarium [rozaryòm] *m.* rozentuin *m.*

rosat [ro'za] *adj.* rozen—; ***huile —,*** rozenolie *v.*(*m.*).

rosâtre [ro'za'tr] *adj.* rozekleurig, rozeachtig.

rosbif [ròsbif] *m.* rosbief *m.*

rose [ro:z] **I** *f.* **1** (*Pl.*) roos *v.*(*m.*); **2** (*bouwk.*) rozet *v.*(*m.*); **3** (*diamant*) roosje *o.*; ***à l'eau de —,*** zoetsappig; krachteloos; ***essence de —s,*** rozenolie *v.*; ***—s et miel,*** rozegeur en maneschijn; — ***trémière,*** stokroos; — ***de Gueldre,*** sneeuwbal *m.*, Gelderse roos; — ***de Notre-Dame,*** pioenroos; — ***des Alpes,*** alpenroos; — ***des vents,*** windroos; ***voir tout en —,*** alles rooskleurig inzien; ***un teint de lis et de —s,*** een kleur als melk en bloed; ***découvrir le pot aux —s,*** een geheim ontdekken; ***être sur des —s,*** op rozen wandelen; ***il n'y a pas de —s sans épines,*** geen rozen zonder doornen; **II** *adj.* **1** rooskleurig, roze; **2** blozend, fris; — ***chair,*** vleeskleurig.

rosé [ro'zé] **I** *adj.* bleekrood, roze; **II** *s. m.* lichtrode wijn *m.*

roseau [ro'zo] *m.* riet *o.*; — ***des étangs,*** lisdodde *v.*(*m.*); — ***des sables,*** helm *v.*(*m.*).

rosée [ro'zé] *f.* dauw *m.*

roselier [rozlyé] *adj.* begroeid met riet.

roselière [rozlyè:r] *f.* rietveld.

roséole [ro'zéòl] *f.* (*gen.*) rodehond *m.*

roser [ro'zé] *v.t.* roze tinten, rozerood maken.

roseraie [ro'zrè] *f.* rozengaarde *v.*(*m.*), rosarium *o.*

rosette [ro'zèt] *f.* **1** roosje *o.*; **2** rozet *v.*(*m.*); **3** rode inkt *m.*; **4** rood krijt *o.*

roseur [ro'zœ:r] *f.* roze kleur *v.*(*m.*).

rosier [ro'zyé] *m.* rozestruik, rozeboom *m.*; — ***nain,*** struikroos; —***-tige,*** stamroos; — ***grimpant,*** klimroos.

rosière [ro'zyè:r] *f.* **1** rozenmaagd *v.*; **2** (*Dk.*) grondel *m.*

rosiériste [ro'zyérist] *m.* rozenkweker *m.*

rosir [ro'zi:r] **I** *v.t.* roze maken; **II** *v.i.* roze worden.

Rosoux-Crenwick [rosu'krẽ'vik] Roost-Krenwik *o.*

rossard [ròsa:r] *m.* (*pop.*) **1** (*v. paard*) knol *m.*; **2** luilak *m.*; **3** mispunt *o.*

rosse [ròs] **I** *f.* **1** (*v. paard*) knol *m.*; **2** gemene kerel, smeerlap *m.*; **3** (*v. vrouw*) kreng *o.*; **II** *adj.* **1** gemeen; **2** vals.

rossée [ròsé] *f.* rammeling *v.*, pak *o.* slaag.

rosser [ròsé] *v.t.* afrossen.

rosserie [ròsri] *f.* **1** hatelijkheid *v.*; **2** gemene streek *m. en v.*

rossignol [ròsiñòl] *m.* **1** nachtegaal *m.*; **2** bootmansfluitje *o.*; **3** loper, opensteker *m.* voor sloten; **4** (*fam.*) winkeldochter *v.* (onverkoopbaar artikel).

rossignoler [ròsiñòlé] *v.i.* kwelen als een nachtegaal.

rossinante [ròsinã] *f.* rossinant *m.*

rostral [ròstral] *adj.* snavelvormig.

rostre [ròstr] *m.* **1** snaveltje *o.*; **2** scheepssneb *v.*(*m.*).

rostré [ròstré] *adj.* snavelvormig.

rot [ro] *m.* oprisping *v.*, boer *m.*

rôt [ro] *m.* gebraad *o.*

rotacé [ròtasé] *adj.* radvormig.

rotang [ròtã] *m.* rotan *o. en m.*

rotangle [ròtã'gl] *m.* (*Dk.*) rietvoorn *m.*

rotarien [ròtaryẽ] *m.* lid *o.* van een rotaryclub, rotarian *m.*

rotateur [ròtatœ:r] **I** *adj.* draaiend; ***muscle —,*** draaispier *v.*(*m.*); **II** *s. m.* raderdiertje *o.*

rotatif [ròtatif] *adj.* draaiend, ronddraaiend; ***presse rotative,*** rotatiepers *v.*(*m.*).

rotation [ròta'syõ] *f.* **1** draaiing, omwenteling *v.*; **2** (***— des cultures***), wisselbouw *m.*; **3** beurtvaart *v.*(*m.*).

rotative [ròtatif] *f.* rotatiepers *v.*(*m.*).

rotatoire [ròtatwa:r] *adj.* draaiend, draai—; ***mouvement —,*** draaibeweging *v.*

rote [ròt] *f.* **1** rota *v.* (hoogste gerechtshof in de kath. Kerk); **2** harpachtig muziekinstrument *o.*

roter [ròté] *v.i.* boeren, een boer laten.

rôti [ro'ti] *m.* gebraad, gebraden vlees *o.*

rôtie [ro'ti] *f.* snede *v.*(*m.*) geroosterd brood, toost *m.*

rotifère [ròtifè:r] *m.* raderdiertje *o.*

rotin [ròtẽ] *m.* rotan *o. en m.*; ***meuble en —,*** rotanmeubel *o.*

rôtir [ro'ti:r] *v.t.* **1** braden, roosteren; **2** (*v. koffie*) branden; **3** verzengen, verschroeien; — ***le balai,*** fuiven, aan de zwier zijn; een los leven leiden.

rôtissage [ro'tisa:j] *m.* (het) braden, (het) roosteren *o.*

rôtisserie [ro'tisri] *f.* gaarkeuken *v.*(*m.*).

rôtissoire [ro'tiswa:r] *f.* braadpan *v.*(*m.*).

rotocalco [ròtòkalkò] *m.* offset *m.*

rotogravure [ròtògravü:r] *f.* rasterdiepdruk *m.*

rotonde [ròtõ'd] *f.* rotonde *v.*(*m.*), rondbouw *m.*, ronde hal *v.*(*m.*).

rotondité [ròtõ'dité] *f.* **1** rondheid *v.*; **2** (*fig.*) gezetheid *v.*

rotor [ròtò:r] *m.* (*tn.*) rotor *m.*

rotulaire [ròtülè:r] *adj.* radvormig.

rotule [ròtül] *f.* **1** knieschijf *v.*(*m.*); **2** (*tn.*) (kogel)-scharnier *o.*

roture [ròtü:r] *f.* **1** burgerstand *m.*; **2** (de) burgermensen *mv.*, burgerluidjes *mv.*

roturier [ròtüryé] **I** *adj.* burgerlijk; **II** *s. m.* (*ong.*) burgerman *m.*

rouage [rwa:j] *m.* raderwerk *o.*

rouan [ruã] *m.* (*Dk.*) rode schimmel *m.*

Rouanda, *voir* ***Ruanda.***

Roubaix [rubè] *m.* Robaais *o.*

roubine, *voir* ***robine.***

roublard [rubla:r] **I** *adj.* gewiekst, uitgeslapen; **II** *s. m.* slimme vogel, loze vos *m.*

roublardise [rublardi:z] *f.* gewiekstheid *v.*

rouble [ru'bl] *m.* roebel *m.*

rouchi [ruʃi] *m.* Noordfrans dialect *o.*

roucoulement [rukulmã] *m.* gekir *o.*

roucouler [rukulé] *v.i.* kirren.

roue [ru] *f.* wiel, rad *o.*; — ***dentée,*** — ***d'engrenage,*** tandrad; — ***de direction,*** stuurrad; — ***à chenilles,*** (*v. tank, enz.*) kettingwiel; — ***volante,*** vliegwiel; — ***à rencontre,*** schakelrad; — ***libre,*** freewheel; — ***motrice,*** drijfwiel; — ***de rechange,*** reservewiel; — ***hydraulique,*** waterrad; ***pousser à la —,*** een handje helpen; ***servir comme une cinquième —,*** het vijfde wiel aan de wagen zijn, geheel overbodig zijn.

roué [rwé] **I** *adj.* **1** geradbraakt; **2** doodmoe, doodop; **3** gewiekst, uitgeslapen; **II** *s. m.* **1** slimme vogel *m.*; **2** galgebrok *m.*

rouelle [rwèl] *f.* schijfje *o.*; — ***de veau,*** kalfsschijf *v.*(*m.*).

Rouen [rwã] *m.* Rouaan *o.*

rouennais [rwanè] *adj.* van Rouaan.

rouennerie [rwanri] *f.* bonte katoenen stof *v.*(*m.*).

rouer [rwé] *v.t.* radbraken; — ***de coups,*** afrossen.

rouerie [ruri] *f.* **1** geslepenheid *v.*; **2** foefje *o.*

rouet [rwè] *m.* **1** spinnewiel *o.*; **2** (*tn.*: *v. katrol*) schijf *v.*(*m.*).

rouette [rwèt] *f.* bindteen *v.*(*m.*).

rouf [ruf] *m.* (*sch.*) roef *v.*(*m.*).

rouflaquette [ruflakèt] *f.* (*fam.*) **1** tochtlatje *o.*; **2** spuuglokje *o.*

rouge [ru:j] **I** *adj.* **1** rood; **2** (*v. ijzer*) gloeiend; **3** rossig; **II** *adv.*, ***se fâcher tout —,*** rood worden van woede; **III** *s. m.* **1** (het) rood *o.*, rode kleur *v.*(*m.*); **2** blanketsel *o.*; **3** (*politiek*) rode (socialist) *m.*; ***chauffer au —,*** roodgloeiend maken; ***bâton de —,*** lippenstift *v.*(*m.*); **IV** *s. f.* **1** (*bilj.*) rode bal *m.*; **2** (*kaartsp.*) rode kaart *v.*(*m.*).

rougeâtre [ruja'tr] *adj.* roodachtig.

rougeaud [rujo] *adj.* **1** hoogrood; **2** (*v. persoon*) roodwangig.

rouge*-gorge* [ru'jgòrj] *m.* roodborstje *o.*

rougeole [rujòl] *f.* **1** mazelen *mv.*; **2** (*Pl.*) dolik, wilde weit *v.*(*m.*).

rougeoleux [rujòlö] *adj.* de mazelen hebbend.

rougeoyer [rujwayé] *v.i.* rood glanzen.

rouge*-queue* [ru'jkö] *m.* roodstaartje *o.*

rouget [ru'jè] *m.* (*Dk.*) knorhaan *m.* (vis).

rougeur [rujœ:r] *f.* **1** roodheid *v.*; **2** (*op wangen*) blos *m.*

rougir [ruji:r] **I** *v.t.* rood maken, rood kleuren; **II** *v.i.* **1** rood worden; **2** blozen; **3** zich schamen; **4** (*v. ijzer*) gloeien.

roui [rwi] *m.* (*v. vlas, hennep*) roting *v.*, (het) roten *o.*

rouille [ru'y] *f.* **1** roest *m. en o.*; **2** brand *m.* (in koren); — ***de cuivre,*** kopergroen *o.*

rouiller [ru'yé] **I** *v.t.* doen roesten; **II** *v.i. et v.pr.* ***se —,*** roesten, verroesten.

rouilleux [ruyö] *adj.* roestkleurig.

rouillure [ruyü:r] *f.* **1** roestigheid *v.*; **2** roestvorming *v.*

rouir [rwi:r] *v.t. et v.i.* roten.

rouissage [rwisa:j] *m.* (het) roten *o.*

rouissoir [rwiswa:r] *m.* rootplaats *v.*(*m.*).

roulade [rula'd] *f.* **1** tuimeling *v.*; **2** (*muz.*) loopje *o.*, triller *m.*

roulage [rula:j] *m.* **1** (het) rollen *o.*; **2** (*v. fiets*) (het) lopen *o.*; **3** vervoer *o.* per as.

roulaison [rulèzõ] *f.* suikerbereiding *v.*
roulant [rulã] *adj.* rollend, op rolletjes; ***chaise —e,*** rolstoel *m.*; ***escalier —,*** roltrap *m.*; ***presse —e,*** rotatiepers *v.(m.)*; ***matériel —,*** rollend materieel *o.*
rouleau [rulo] *m.* **1** rol *v.(m.)*; **2** (*v. geldstukken*) rolletje *o.*; **3** (*v. kaart*) rolstok *m.*; — ***encreur,*** inktrol *v.(m.)*; ***être au bout de son —,*** uitgepraat zijn.
rouleau*-buvard* [rulo·büva:r] *m.* vloeirol *v.(m.).*
rouleau*-compresseur* [rulo·kõ·prèsœ:r] *m.* stoomwals *v.(m.).*
roulée [rulé] *f.* (*pop.*) pak slaag.
roulement [rulmã] *m.* **1** (het) rollen *o.*; **2** roffel *m.*; **3** geratel *o.*; **4** (*v. geld*) omloop *m.*, circulatie *v.*; **5** afwisseling *v.*; toerbeurt *v.(m.)*; — ***à billes,*** (*tn.*) kogellager, kogelkussen *o.*; — ***de tambour,*** tromgeroffel *o.*; ***fonds de —,*** bedrijfskapitaal *o.*
rouler [rulé] **I** *v.t.* **1** rollen; **2** (*v. papier, enz.*) oprollen; **3** opwinden; **4** wentelen; **5** (*v. persoon*) bedotten, bedriegen; **6** rollen pletten; — ***sa bosse,*** veel reizen en trekken; — ***sa voix,*** loopjes maken; — ***les*** (*ou* ***ses***) ***yeux,*** met de ogen rollen; **II** *v.i.* **1** rollen; **2** (*v. rijtuig, fiets, enz.*) lopen; **3** (*sch.*) slingeren; **4** (*v. donder*) rollen, rommelen; **5** rondzwerven, rondlopen; — ***sur,*** betrekking hebben op, handelen over; **III** *v.pr.* ***se —,*** **1** zich rollen, zich wentelen; **2** schudden van 't lachen, zich krom lachen.
Roulers [rulèrs] *m.* Roeselare *o.*
roulette [rulèt] *f.* **1** rolletje *o.*; **2** (*voor kind*) rolwagen, loopwagen *m.*; **3** (*spel*) roulette *v.(m.)*; ***cela marche comme sur des —s,*** dat gaat van een leien dakje; ***patin à —,*** rolschaats *v.(m.).*
rouleur [rulœ:r] *m.* **1** los werkman *m.*; **2** (*sch.*) schommelschip *o.*; **3** kruier *m.*; **4** (*vl.*) grondtoestel *o.*
roulier [rulyé] *m.* voerman, vrachtrijder *m.*; ***par le —,*** per as.
roulière [rulyè:r] *f.* voermanskiel *m.*
roulis [ruli] *m.* (*v. schip*) (het) slingeren *o.*, slingering *v.*
rouloir [rulwa:r] *m.* rolhout *o.*; rolstok *m.*
roulon [rulõ] *m.* sport *v.(m.)* (v. ladder, enz.).
roulotte [rulòt] *f.* woonwagen, kermiswagen *m.*; — ***fluviale,*** woonschip *o.*
roulottier [rulòtyé] *m.* woonwagenbewoner *m.*
roulure [rulü:r] *f.* **1** (het) ineenrollen *o.*; **2** (*pop.*) slet *v.*
Roumain [rumẽ] **I** *m.* Roemeen *m.*; **II** *adj.* ***r—,*** Roemeens.
Roumanie [rumani] *f.* Roemenië *o.*
Roumélie [ruméli] *f.* Roemelië *o.*
roumi [rumi] *m.* Arabische naam voor christen.
round [raund] *m.* (*sp., boksen*) ronde *v.(m.).*
roupie [rupi] *f.* **1** (*munt*) ropij *v.(m.)*; **2** druppel *m.* aan de neus.
roupieux [rupyö] **I** *adj.* met een druipneus; **II** *s. m.* druipneus *m.*
roupiller [rupi(y)é] *v.i.* dommelen.
roupillon [rupiyõ] *m.* slaapje *o.*
rouquet [rukè] *m.* rammelaar *m.* (haas).
rouquin [rukẽ] *m.* rooie, roodkop *m.*
roure, *voir* ***rouvre.***
rouscailler [ruskɑ·yé] *v.i.* tegensputteren.
rouspétance [ruspétã:s] *f.* (het) tegenstribbelen.
rouspéter [ruspété] *v.i.* tegenstribbelen.
rouspéteur [ruspétœ:r] *m.* tegenstribbelaar, mopperaar *m.*
roussâtre [rusɑ·tr] *adj.* rossig.
rousse [rus] **I** *voir* ***roux***; **II** *s. f.* (*arg.*) politie *v.*
rousseau [ruso] *m.* roodharige *m.*
rousselé [ruslé] *adj.* sproetig, met zomersproeten.
rousselet [ruslè] *m.* suikerpeer *v.(m.).*
rousserolle [rusròl] *f.* (*Dk.*) rietlijster *v.(m.)*, rietzanger *m.*
roussette [rusèt] *f.* (*Dk.*) **1** hondshaai *m.*; **2** vliegende hond *m.*
rousseur [rusœ:r] *f.* roodheid, rossigheid *v.*; ***taches de —,*** sproeten *mv.*
roussi [rusi] *m.* branderige geur *m.*, branderige lucht *v.(m.)*; ***sentir le —,*** aangebrand ruiken.
roussin [rusẽ] *m.* **1** (*arg.*) klabak *m.*; **2** zwaar paard; — ***d'Arcadie,*** grauwtje *o.* (ezel).
roussir [rusi:r] **I** *v.t.* **1** zengen, verzengen, schroeien; **2** rossig maken; **II** *v.i.* **1** verzengen; **2** rossig worden.
roussissement [rusismã] *m.* (het) schroeien *o.*
routage [ruta:j] *m.* (*v. post*) sorteren *o.*
routailler [rutɑ·yé] *v.t.* met speurhonden nazitten.
route [rut] *f.* **1** weg *m.*; **2** (*v. rivier, enz.*) loop *m.*; **3** (*sterr.*) baan *v.(m.)*; **4** (*sch.*) koers *m.*; — ***nationale,*** rijksweg; ***faire — avec,*** met iem. meegaan, samen reizen met; ***faire fausse —,*** **1** een verkeerde weg inslaan, verdwalen; **2** (*fig.*) zich vergissen; ***feuille de —,*** **1** reispas *m.*; **2** geleibiljet *o.*; **3** verlofpas *m.*; **4** marsorder *v.(m.) en o.*; ***en cours de —,*** onderweg.
router [ruté] *v.t.* naar de bestemming leiden.
routier [rutyé] **I** *m.* **1** (*sp.*) wielrenner *m.*; **2** reisboek *o.*; **3** (*v. padvinders*) voortrekker *m.*; ***vieux —,*** ouwe rot *v.(m.)*; **II** *adj.* ***carte routière,*** wegenkaart, autokaart *v.(m.).*
routin [rutẽ] *m.* smal recht bospad *o.*
routine [rutin] *f.* **1** geoefendheid, vaardigheid *v.* door gewoonte verkregen; **2** (*ong.*) sleur *m.*
routiné [rutiné] *adj.* geroutineerd, geoefend, bedreven.
routinier [rutinyé] *adj.* routine—; ***esprit —,*** routinegeest *m.*
routoir [rutwa:r] *m.* rootplaats *v.(m.).*
rouvieux, roux-vieux [ruvyö] **I** *m.* natte schurft *v.(m.) en o.* (v. paarden en honden); **II** *adj.* schurftig.
rouvraie [ruvrè] *f.* steeneikenbos *o.*
rouvre [ru:vr], **roure** [ru:r] *m.* steeneik *m.*
rouvrir* [ruvri:r] **I** *v.t.* **1** heropenen; **2** (*fig.: v. wonde*) weer openrijten; **II** *v.pr.* ***se —,*** weer opengaan.
roux [ru] **I** *adj.* (*f.*: ***rousse*** [rus]) rossig, rood; ***lune rousse,*** aprilmaan *v.(m.)*; **II** *s. m.* rossige, roodharige *m.*
rowing [ròwẽ·g] *m.* roeien *o.*
royal [rwayal] *adj.* **1** koninklijk; **2** vorstelijk, edel; ***prince —,*** kroonprins *m.*; ***tigre —,*** koningstijger *m.*
royale [rwayal] *f.* sikje *o.* op onderlip.
royalisme [rwayalizm] *m.* koningsgezindheid *v.*
royaliste [rwayalist] **I** *adj.* koningsgezind; **II** *s. m.* koningsgezinde *m.*
royaume [rwayo:m] *m.* koninkrijk *o.*; ***le — de Dieu,*** het rijk van God; ***le — des morts,*** de onderwereld; ***le — des taupes,*** het kerkhof.
royauté [rwayo·té] *f.* koningschap *o.*; koninklijke waardigheid *v.*
ru [rü] *m.* beekje *o.*
ruade [rwa·d] *f.* **1** (het) achteruitslaan *o.* (v. paard); **2** (*fig.*) plotselinge uitval *m.*; grofheid *v.*
Ruanda, Rouanda [rwã·da] *m.* Rwanda *o.*
ruban [rübã] *m.* **1** lint *o.*; **2** band *m.*; **3** lintje *o.*, decoratie *v.*; ***le — rouge,*** het lint van het Legioen van Eer; ***le — bleu,*** de blauwe wimpel *m.*; ***scie à —,*** lintzaag *v.(m.)*; ***mètre à —,*** meetband *m.*
rubaner [rübané] *v.t.* **1** van lint voorzien; **2** (*v. leer, enz.*) tot repen snijden.
rubanerie [rübanri] *f.* **1** lintweverij *v.*; **2** linthandel *m.*

rubanier [rübanyé] *m.* lintwever *m.*
rubéfaction [rübéfaksyõ] *f.* (het) rood worden *o.* (van de huid).
rubéfier [rübéfyé] *v.t.* rood maken.
rubéole [rübéòl] *f.* (*gen.*) rodehond *m.*
rubescent [rübèsã] *adj.* roodachtig.
rubiacées [rübyasé] *f.pl.* (*Pl.*) meekrapachtigen [*mv.*
Rubicon [rübikõ] *m.* Rubicon *m.*; ***passer le —,*** (*fig.*) een beslissende stap doen.
rubicond [rübikõ] *adj.* hoogrood.
rubiette [rübyèt] *f.* roodborstje *o.*
rubigineux [rübijinö] *adj.* **1** roestig; **2** roestkleurig.
rubis [rübi] *m.* **1** robijn *o. en m.*; **2** (*in horloge*) steentje *o.*; ***payer — sur l'ongle,*** tot de laatste cent betalen.
rubrique [rübrik] *f.* **1** roodaarde *v.(m.)*, rode oker *m.*; **2** (*v. boek, tijdschrift, enz.*) rubriek *v.*; **3** (*kath.*) rubriek *v.*, voorschrift *o.* omtrent de liturgische gebeden en handelingen; **4** (*toneel*) spelaanwijzing *v.*; **5** list *v.(m.)*, kunstgreep *m.*
ruche [rüʃ] *f.* **1** bijenkorf *m.*; **2** plooisel *o.*, geplooide strook *v.(m.)*.
ruchée [rüʃé] *f.* **1** korf *m.* vol; **2** bijenzwerm *m.*
rucher [rüʃé] **I** *m.* bijenstal *m.*; **II** *v.t.* **1** plooien; **2** in een korf opvangen.
rude [rü·d] *adj.* **1** (*bij aanvoelen*) ruw; niet glad; **2** (*v. toon*) bars; **3** (*v. smaak*) wrang; **4** (*v. wind*) fel, vinnig; **5** (*v. storm*) hevig; **6** (*v. klimaat*) streng; **7** (*v. werk*) hard; **8** (*v. werker*) stoer; **9** (*v. tegenstrever*) geducht; **10** (*v. aanval*) hevig, onstuimig; **11** (*v. weg*) hobbelig; **12** (*v. slag, schok*) hard; **13** (*v. beproeving*) zwaar; **14** (*v. persoon*) nors, onvriendelijk; ruw; ***c'est —,*** dat is kras; ***il est — au travail,*** hij weet van aanpakken; ***il en a vu de —s,*** hij heeft het hard te verantwoorden gehad.
rudement [rü·dmã] *adv.* **1** ruw; **2** bars; **3** hard, zwaar; **4** (*fam.*) geducht, erg, verbazend; ***y aller —,*** de zaak krachtig aanvatten.
rudéral [rüdéral] *adj.* op ruïnes groeiend.
rudesse [rüdès] *f.* **1** ruwheid *v.*; **2** barsheid *v.*; **3** wrangheid *v.*; **4** vinnigheid *v.*; *voir* ***rude.***
rudiment [rüdimã] *m.* eerste beginsel *o.* (van wetenschap).
rudimentaire [rüdimã·tè:r] *adj.* **1** in ontwikkeling achtergebleven; **2** in beginsel aanwezig.
rudoiement [rüdwamã] *m.* ruwe bejegening *v.*
rudoyer [rüdwayé] *v.t.* ruw bejegenen.
rue [rü] *f.* **1** straat *v.(m.)*; **2** (*Pl.*) ruit *v.(m.)*; ***cela court les —s,*** dat is algemeen bekend; ***dans la —,*** op straat; ***en pleine —,*** midden op de straat; ***vieux comme les —s,*** zo oud als de weg van Kralingen.
ruée [rwé] *f.* **1** woeste aanval *m.*; **2** stormloop *m.*
ruelle [rwèl] *f.* **1** steegje, straatje *o.*; **2** ruimte tussen bed en muur.
ruer [rwé] **I** *v.i.* (*v. paard*) achteruitslaan; **II** *v.pr.* ***se — sur,*** **1** zich (onstuimig) werpen op, woest aanvallen; **2** (*fig.*) storm lopen op.
rufian [rüfyã], **rufien, ruffian** *m.* schoft, gemene kerel *m.*
rugine [rüjin] *f.* beenvijl *v.(m.)*.
rugir [rüji:r] *v.i.* **1** (*v. wild dier*) brullen; **2** (*v. wind*) huilen, loeien.
rugissement [rüjismã] *m.* **1** gebrul *o.*; **2** geloei *o.*
rugosité [rügo·zité] *f.* ruwheid *v.*; oneffenheid *v.*
rugueux [rügö] *adj.* **1** ruw; oneffen; **2** (*v. vers*) hobbelig.
ruine [rwin] *f.* **1** bouwval, puinhoop *m.*, ruïne *v.*; **2** (*v. gebouw*) instorting *v.*, verval *o.*; **3** (*v. handel, enz.*) ondergang *m.*; **4** (*fig.*) verderf *o.*, ondergang *m.*; ***tomber en —,*** in puin vallen, instorten; ***menacer —,*** op invallen staan.
ruine-maison [rwinmè·zõ] *m.* verkwister *m.*
ruiner [rwiné] **I** *v.t.* **1** verwoesten, tot puin maken; **2** te gronde richten, in 't verderf storten; **3** (financieel) ruïneren; **4** (*v. balk*) inkerven; **II** *v.pr.* ***se —,*** **1** vervallen, te gronde gaan; **2** zich ruïneren.
ruineux [rwinö] *adj.*, **ruineusement** [rwinö·zmã] *adv.* ruïnerend, verderfelijk.
ruinure [rwinü:r] *f.* inkerving *v.*
ruisseau [rwiso] *m.* **1** beek *v.(m.)*; **2** (straat)goot *v.(m.)*; **3** (*fig.*: *v. bloed, enz.*) stroom *m.*; ***les petits —x font les grandes rivières,*** vele kleintjes maken een groot.
ruisselant [rwislã] *adj.* **1** zacht stromend; **2** (*fig.*) druipend.
ruisseler* [rwislé] *v.i.* **1** zacht stromen; **2** druipen; **3** (*v. orgel*) zacht ruisen.
ruisselet [rwislè] *m.* beekje *o.*
ruissellement [rwisèlmã] *m.* **1** (het) stromen *o.*; **2** (het) druipen *o.*
rumb [rõ:b] *m.* kompasstreek *v.(m.)*; ***— du vent,*** windstreek *v.(m.)*.
rumen [rümèn] *f.* pens *v.(m.)*.
rumeur [rümœ:r] *f.* **1** rumoer; geraas *o.*; **2** gerucht *o.*; ***la — publique,*** de openbare mening *v.*; ***mettre en —,*** in opschudding brengen.
ruminant [rüminã] **I** *adj.* herkauwend; **II** *s. m.* herkauwend dier *o.*
rumination [rüminɑ·syõ] *f.* herkauwing *v.*
ruminer [rüminé] *v.t.* **1** herkauwen; **2** (*fig.*) rijpelijk overwegen, overpeinzen.
rumsteck [ròmstèk] *m.* biefstuk *m.*
runes [rün] *f.pl.* runen *mv.*
runique [rünik] *adj.* runen—; ***écriture —,*** runenschrift *o.*
ruolz [rwòls] *m.* **1** nieuwzilver *o.*; **2** (*fig.*) onecht goed *o.*, namaak *m.*
rupestre [rüpèstr] *adj.* rots—, op rotsen groeiend.
rupin [rüpẽ] *adj.* (*pop.*) rijk.
rupteur [rüptœ:r] *m.* (*el.*) stroom(ver)breker *m.*
ruptile [rüptil] *adj.* (*Pl.*) openspringend.
rupture [rüptü:r] *f.* **1** breuk *v.(m.)*; **2** (het) verbreken *o.*; **3** (*v. dijk*) doorbraak *v.(m.)*; **4** (het) openbreken *o.*; **5** (*v. onderhandelingen*) (het) afbreken *o.*; **6** (*el.*: *v. zekering*) (het) doorbranden *o.*; **7** onenigheid *v.*, vriendschapsbreuk *v.(m.)*; ***— d'attelage,*** loskoppeling *v.*; ***être en — de ban,*** de aangewezen woonplaats verlaten; (*fig.*) er van doorgaan.
rural [rüral] **I** *adj.* **1** landelijk; **2** van 't platteland; ***économie —e,*** landhuishoudkunde *v.*; ***loi —e,*** landbouwwet *v.(m.)*; ***commune —e,*** plattelandsgemeente *v.*; **II** *s. m.* boer; buitenmens *m.*
Ruremonde [rü·rmõ:d] *f.* Roermond *o.*
ruse [rü:z] *f.* list *v.(m.)*, sluwheid *v.*; ***— de guerre,*** krijgslist.
rusé [rü·zé] *adj.* listig, sluw, geslepen.
ruser [rü·zé] *v.i.* list gebruiken.
rush [rüʃ] *m.* onstuimige laatste inspanning *v.*
Russe [rüs] **I** *m.-f.* Rus *m.*; Russin *v.*; **II** *adj.*, ***r—,*** Russisch.
Russeignies [rüsèñi] Rozenaken *o.*
Russie [rüsi] *f.* Rusland *o.*; ***— Blanche,*** Wit-Rusland *o.*
russifier [rüsifyé] *v.t.* Russisch maken.
Russon [rüsõ] Rutten *o.*
russophile [rüsòfil] *adj.* Russischgezind, pro-Russisch.
russophobe [rüsòfò·b] *adj.* anti-Russischgezind.
rustaud [rüsto] **I** *adj.* **1** boers; **2** lomp, ruw; **II** *s. m.* lomperd, boerenkinkel *m.*
rusticité [rüstisité] *f.* **1** landelijkheid *v.*; **2** landelijke eenvoud *m.*; **3** lompheid, ruwheid *v.*; **4** (*v. plant, dier*) gehardheid *v.*
rustique [rüstik] **I** *adj.* **1** landelijk, rustiek; **2** een-

voudig, ongekunsteld; **3** ruw, lomp; **4** (*v. uiterlijk*) boers; **5** (*v. plant*) gehard; ***art* —,** huisvlijt *v.(m.)*; ***danse* —,** boerendans *m.*; ***travaux* —s,** veldarbeid *m.*; ***vie* —,** landleven *o.*; **II** *s. m.* **1** (het) landelijke *o.*; **2** boerse stijl, rustieke stijl *m.*
rustiquement [rüstikmã] *adv.* rustiek.
rustiquer [rüstiké] *v.t.* **1** ruw bewerken; **2** in boerse stijl bouwen.
rustre [rüstr] **I** *adj.* lomp, boers; vlegelachtig; **II** *s. m.* lomperd, boerenkinkel *m.*
rustrerie [rüstreri] *f.* boersheid, lompheid *v.*
rut [rüt] *m.* **1** bronstigheid *v.*; **2** bronsttijd *m.*
rutabaga [rütabaga] *m.* Zweedse knolraap *v.(m.)*.
rutacées [rütasé] *f.pl.* ruitachtige planten *mv.*
Ruthène [rütèn] **I** *m.* Roetheen *m.*; **II** *adj.* Roetheens.
ruthénium [rüténуòm] *m.* platina-achtig metaal *o.*
rutilant [rütilã] *adj.* helrood.
rutiler [rütilé] *v.i.* helrood schijnen.
rwandais [rwã'dè] *adj.* Rwandees, uit Rwanda.
rythme [ritm] *m.* ritmus *m.*, ritme *o.*; ***— de travail,*** werktempo *o.*
rythmé [ritmé] *adj.* ritmisch.
rythmer [ritmé] *v.t.* ritmeren.
rythmique [ritmik] **I** *adj.* ritmisch; **II** *s. f.* ritmiek *v.*, leer *v.(m.)* van de maatsoorten.

S

S [ès] *m. et f.* s *v.(m.)*.
sa [sa] *pr. poss.* zijn; haar.
Saardam [sardam] *m.* Zaandam *o.*
Saba [saba] *m.* Scheba *o.*
sabbat [saba] *m.* **1** sabbat *m.*; **2** heksendans, heksensabbat *m.*; **3** geraas, leven, kabaal *o.*
sabbatique [sabatik] *adj.* van de Sabbat; ***repos* —,** sabbatrust *v.(m.)*; ***année* —,** sabbatjaar *o.*
sabéisme [sabéizm] *m.* sterrenaanbidding *v.*
sabelle [sabèl] *f.* (*Dk.*) kokerzandworm *m.*
Sabin [sabẽ] *m.*, **—e** *f.* Sabijn *m.*, Sabijnse *v.*; ***l'enlèvement des —es,*** de Sabijnse maagdenroof.
sabir [sabi:r] *m.* koeterwaals *o.*
sablage [sa'bla:j] *m.* bezanding *v.*
sable [sa'bl] *m.* **1** zand *o.*; **2** (*Dk.*) sabeldier *o.*; **3** sabelbont *o.*; **4** (*gen.*) niergruis *o.*; ***les* —s,** de zandvakte *v.*; ***— mouvant,*** drijfzand; ***— volant,*** stuifzand; ***grain de* —,** zandkorreltje *o.*; ***le marchand de —, l'homme au —,*** Klaas Vaak; ***avoir du — dans les yeux,*** vaak (*of* slaap) hebben.
sablé [sa'blé] **I** *adj.* met zand bestrooid; **II** *s. m.* zandkoekje *o.*, zandtaart *v.(m.)*.
sabler [sa'blé] *v.t.* **1** met zand bestrooien; **2** (*pop.*) drinken, naar binnen slaan; **3** (*tn.*) zandstralen; **4** (*tn.*) in zand gieten.
sablerie [sa'bleri] *f.* zandvormerij *v.*
sableux [sa'blö] *adj.* zandig, zanderig.
sablier [sa'bli(y)é] *m.* **1** zandloper *m.*; **2** zandbakje *o.*; **3** zandstrooier *m.*
sablière [sa'bli(y)è:r] *f.* **1** zandgroeve *v.(m.)*; zandkuil *m.*; **2** (*bouwk.*) rib *v.(m.)*; **3** (*v. tram*) zandstrooiwagen *m.*
sablon [sa'blõ] *m.* schuurzand *o.*
sablonner [sa'blòné] *v.t.* met zand schuren.
sablonneux [sa'blònö] *adj.* zandachtig, zandig.
sablonnier [sa'blònyé] *m.* **1** zandman, zandverkoper *m.*; **2** Klaas Vaak *m.*
sablonnière [sa'blònyè:r] *f.* zandgroeve *v.(m.)*, [zandkuil *m.*
sabord [sabò:r] *m.* (*sch.*) geschutpoort *v.(m.)*; ***— de charge,*** laadpoort *v.(m.)*.
sabordage [sabòrda:j], **sabordement** [sabòrdemã] *m.* (het) treffen *o.* onder de waterlijn.
saborder [sabòrdé] *v.t.* treffen onder de waterlijn.
sabot [sabo] *m.* **1** klomp *m.*; **2** (*v. paard*) hoef *m.*; **3** drijftol *m.*; **4** remschoen *m.*; **5** knoeier, slechte werkman *m.*; ***en* —s,** op klompen; ***dormir comme un* —,** slapen als een os; ***je te vois venir avec tes gros* —s,** ik heb u wel in de gaten.
sabotage [sabòta:j] *m.* **1** moedwillige vernieling, sabotage *v.*; **2** klompenmakerij *v.*
saboter [sabòté] **I** *v.i.* klossen, lawaai maken met klompen; **II** *v.t.* **1** moedwillig vernielen, saboteren; **2** (*v. werk*) afraffelen; **3** doen mislukken.
saboterie [sabòtri] *f.* klompenmakerij *v.*
saboteur [sabòtœ:r] *m.* **1** saboteerder *m.*; **2** knoeier *m.*; **3** klosser *m.*
sabotier [sabòtyé] *m.* klompenmaker *m.*
sabotière [sabòtyè:r] *f.* **1** klompendans *m.*; **2** klompenmaakster *v.*
sabouler [sabulé] *v.t.* **1** door elkaar schudden, door elkaar rammelen; **2** duchtig doorhalen, de mantel uitvegen.
sabre [sa'br] *m.* sabel *m.*; ***— au clair,*** met getrokken sabel; ***coup de* —,** sabelhouw *m.*; ***avaleur de —s,*** degenslikker *m.*
sabre*-baïonnette* [sa'brebayònèt] *m.* sabelbajonet *v.(m.)*.
sabrer [sa'bré] *v.t.* **1** neersabelen; **2** (*v. werk*) afknoeien, afraffelen; **3** afkeuren, afkammen.
sabretache [sa'bretaʃ] *f.* (*mil.*) sabeltas *v.(m.)*.
sabreur [sa'brœ:r] *m.* **1** houwdegen, ijzervreter *m.*; **2** knoeier *m.*
sac [sak] *m.* **1** zak *m.*; **2** ransel *m.*; **3** tas, boekentas *v.(m.)*; **4** boetekleed *o.*; **5** plundering *v.*; **6** (*pop.*) bankbiljet *o.* van 1000 frank; ***— alpin,*** rugzak, ransel *m.*; ***— à main,*** dameshandtasje *o.*; ***— à emplettes,*** boodschappentas; ***— à terre,*** zandzak; ***— à vin,*** dronkaard; ***— à papier !,*** drommels!; ***— de couchage,*** slaapzak; ***— de nuit, — de voyage,*** reiszak; ***— touriste,*** rugzak; ***— perdu,*** (*H.*) met inbegrip van zak; ***avoir le* —,** er warmpjes inzitten, schijven hebben; ***course en* —,** zaklopen; ***vider son* —,** alles zeggen wat men op 't hart heeft, alles opbiechten; ***l'affaire est dans le* —,** de zaak is afgedaan; ***le fond du* —,** geheime stukken; ***donner son — à qn.,*** iem. de bons geven; ***frapper sur le — pour que l'âne le sente,*** iem. een aanmerking maken, die voor een ander bestemd is; ***mettre dans le même* —,** over één kam scheren; ***mettre à* —,** plunderen, uitplunderen; ***ils sortent du même* —,** ze zijn met één sop overgoten; ***prendre qn. la main dans le* —,** iem. op heterdaad betrappen; ***prendre son — et ses quilles,*** zijn biezen pakken; ***— au dos,*** met de ransel op de rug, in dienst; ***— à ouvrage,*** werktasje *o.*
saccade [saka'd] *f.* ruk, stoot, schok *m.*; ***par* —s,** met horten en stoten.
saccadé [sakadé] *adj.* hortend, stotend.
saccader [sakadé] *v.t.* (*een paard*) aan de toom rukken.
saccage [saka:j] *m.* **1** plundering *v.*; **2** vernieling *v.*
saccager [sakajé] *v.t.* **1** plunderen; **2** verwoesten; **3** (*fig.*; *v. lade, enz.*) overhoop halen.
saccageur [sakajœ:r] *m.* plunderaar *m.*
sacchareux [sakarö] *adj.* suikerachtig; suikerbevattend.

saccharifère [sakarifè:r] *adj.* suikerhoudend.
saccharification [sakarifikɑ'syõ] *f.* versuikering *v.*, omzetting *v.* in suiker.
saccharifier [sakarifyé] *v.t.* in suiker omzetten.
saccharimètre [sakarimè'tr] *m.* suikermeter *m.*
saccharin [sakarẽ] *adj.* suikerachtig, suiker—.
saccharine [sakarin] *f.* sacharine *v.(m.)*.
sacchariné [sakariné] *adj.* suikerhoudend, sacharinehoudend.
saccharol [sakaròl] *m.* (naam voor) als bindmiddel gebruikte suiker.
saccharomyces [sakaròmis] *m.pl.* suikergisting teweegbrengende champignons *mv.*
saccharose [sakaro:z] *m.* (wetensch. naam voor) riet- en bietsuiker *m.*
sacerdoce [sasèrdòs] *m.* **1** priesterschap *o.*; **2** geestelijkheid *v.*
sacerdotal [sasèrdòtal] *adj.* priesterlijk.
sachant [saʃã] *part. pr. de* ***savoir,*** wetend.
sachée [saʃé] *f.* zak *m.* vol.
sachem [saʃèm] *m.* lid *o.* van de stamraad bij Noordamerikaanse indianen.
sachet [saʃè] *m.* zakje *o.*; ***— de parfums,*** reukkussentje *o.*; ***bleu en —,*** zakjesblauw.
sacoche [sakòʃ] *f.* **1** (leren) tas *v.(m.)*; **2** geldtas *v.(m.)*; **3** gereedschapstas *v.(m.)*; **4** zadeltas *v.(m.)*.
sacramentaire [sakramã'tè:r] *m.* sacramentarium, sacramentboek *o.*
sacramental [sakramã'tal] *adj.* sacramenteel.
sacramentaux [sakramã'to] *m.pl.* (*kath.*) sacramentaliën *mv.*
sacramentel [sacramã'tèl] *adj.* sacramenteel.
sacre [sakr] *m.* **1** wijding, zalving *v.*; **2** inhuldiging, inzegening *v.*; **3** (*Dk.*) sakervalk *m. en v.*
sacré [sakré] *adj.* **1** gewijd; gezalfd; **2** heilig; **3** (*pop.*; *vóór 't subst.*) verwenst; ***livres —s,*** gewijde boeken; ***éloquence —e,*** kanselwelsprekendheid *v.*; ***feu —,*** heilig vuur *o.*; ***le — collège,*** het kardinalencollege.
Sacré-Cœur [sakrékœ:r] *m.* het Heilig Hart.
sacrement [sakremã] *m.* **1** sacrament *o.*; **2** (*fam.*) huwelijk *o.*; ***fréquenter les —s,*** tot de heilige sacramenten naderen; ***le saint —,*** de H. Eucharistie *v.*; ***muni des —s de l'Église,*** voorzien van de laatste heilige sacramenten, voorzien van de genademiddelen van onze Moeder de H. Kerk.
sacrer [sakré] **I** *v.t.* **1** (*v. bisschop*) wijden; **2** (*v. koning*) zalven; **II** *v.i.* razen, vloeken.
sacrificateur [sakrifikatœ:r] *m.* offeraar, offerpriester *m.*; ***grand —,*** hogepriester *m.*
sacrificatoire [sakrifikatwa:r] *adj.* offer—.
sacrifice [sakrifis] *m.* **1** offerande *v.(m.)*, offer *o.*; **2** opoffering *v.*, offer *o.*; ***le saint —,*** het heilig misoffer *o.*; ***— expiatoire,*** zoenoffer *o.*; ***— humain,*** mensenoffer; ***faire le — de,*** opofferen; ***faire un —,*** een offer brengen.
sacrifier [sakrifyé] **I** *v.t.* **1** offeren; **2** opofferen; ten offer brengen; **II** *v.i.* offeren; ***à des prix sacrifiés,*** tegen spotprijs; **III** *v.pr.* ***se —,*** zich opofferen.
sacrilège [sakrilè:j] **I** *m.* **1** heiligschennis *v.*; **2** heiligschenner *m.*; **II** *adj.* heiligschennend; godslasterlijk.
sacripant [sakripã] *m.* deugniet *m.*
sacristain [sakristẽ] *m.* koster *m.*
sacristi! [sakristi] *ij.* sapperloot!
sacristie [sakristi] *f.* sacristie *v.*
sacristine [sakristin] *f.* kosteres *v.*
sacro-saint [sakròsẽ] *adj.* allerheiligst.
sacrum [sakròm] *m.* heiligbeen *o.*
sadique [sadik] **I** *adj.* sadistisch, wreed-wellustig; **II** *s.*, *m.* sadist *m.*
sadisme [sadizm] *m.* sadisme *o.*
sadiste [sadist] *m.* sadist *m.*
safran [safrã] *m.* saffraan *m.*; ***— bâtard,*** bastaardsaffraan *m.*, saffloer *o.*
safrané [safrané] *adj.* **1** saffraanachtig; **2** saffraankleurig.
safraner [safrané] *v.t.* met saffraan bereiden; met saffraan kleuren.
safre [safr] *m.* smaltblauw *o.*
saga [saga] *f.* (Skandinaafse) saga *v.(m.)*.
sagace [sagas] *adj.* scherpzinnig.
sagacité [sagasité] *f.* scherpzinnigheid *v.*
sagaie [sagè], **zagaie** *f.* assegaai *v.(m.)*.
sage [sa:j] **I** *adj.* **1** wijs, verstandig; **2** braaf, ingetogen; **3** (*v. kind*) zoet; **II** *s. m.* wijze *m.*; ***— comme une image,*** heel zoet.
sage*-femme* [sa'jfam] *f.* vroedvrouw *v.*
sagement [sa'jmã] *adv.* wijselijk, verstandig.
sagesse [sajès] *f.* **1** wijsheid *v.*; **2** braafheid, ingetogenheid *v.*; **3** zoetheid *v.*; **4** wereldwijsheid *v.*; **5** geleerdheid, kunde *v.*; ***prix de —,*** prijs voor goed gedrag; ***agir avec —,*** met beleid handelen.
sagette [sajèt] *f.* (*Pl.*) pijlkruid *o.*
Sagittaire [sajitè:r] **I** *m.* (*sterr.*) Schutter *m.*; **II** *s—, f.* (*Pl.*) pijlkruid *o.*
sagittal [sajital] *adj.* pijlvormig.
sagitté [sajité] *adj.* (*Pl.*) pijlvormig.
sagou [sagu] *m.* sago *m.*
sagouier [saguyé], **sagoutier** [sagutyé] *m.* sagopalm *m.*
sagouin [sagwẽ] *m.* **1** (*Dk.*) gestreepte meerkat *v.(m.)*; **2** (*fig.*) vuilpoes, smeerpoes *v.(m.)*.
Sahara [sa(h)ara] *m.* Sahara, woestijn *v.(m.)*.
saharien [saharyẽ] *adj.* van de Sahara.
saie [sè, sè'y] *f.* saai *o. en m.*
saignant [sèñã] *adj.* **1** bloedend; **2** bloederig; **3** (*v. vlees*) rood, niet doorbakken.
saignée [sèñé] *f.* **1** aderlating *v.*; **2** armplooi, plooi *v.(m.)* tussen boven- en benedenarm; **3** afwateringsgeul, greppel *v.(m.)*; ***faire une —,*** aderlaten.
saignement [sèñmã] *m.* bloeding *v.*; ***— de nez,*** neusbloeding *v.*
saigner [sèñé] **I** *v.i.* bloeden; ***— du nez,*** **1** uit de neus bloeden; **2** (*fig.*) niet durven; **II** *v.t.* **1** aderlaten, bloed aftappen; **2** (*v. rubberboom*) aftappen; **3** (*v. grond, moeras, enz.*) afwateren, droog doen lopen; greppels aanbrengen in; **4** (*fig.*) laten bloeden, geld afzetten; **III** *v.pr.* ***se —,*** zich bloed aftappen; ***se — aux quatre veines,*** zich de grootste moeite geven, zich de grootste opofferingen getroosten.
saigneur [sèñœ:r] *m.* **1** aderlater *m.*; **2** slachter *m.*
saigneux [sèñö] *adj.* bloederig, bebloed.
saillant [sɑ'yã] **I** *adj.* **1** (voor)uitspringend, uitstekend; **2** (*v. blindenschrift*) bovenop liggend; **3** (*v. kenmerk*) treffend, in 't oog vallend; **II** *s. m.* **1** (*mil.*) saillant *m. en o.*; **2** (*bouwk.*) uitstekend gedeelte *o.*
saillie [sɑ'yi] *f.* **1** uitsteeksel, uitstek *o.*; **2** inval *m.*, gril, kuur *v.(m.)*; **3** aardige inval, geestige zet *m.*; **4** bespringing, dekking *v.*; ***mettre en —,*** doen uitkomen; ***en —,*** vooruitspringend, uitstekend.
saillir* [sɑ'yi:r] *v.i.* vooruitsteken, uitsteken, uitspringen.
sain [sẽ] *adj.* gezond; ***— et sauf,*** gezond en wel; heelhuids.
saindoux [sẽ'du] *m.* reuzel *m.*
sainement [sènmã] *adv.* **1** gezond; **2** (*fig.*) verstandig.
sainfoin [sènfwẽ] *m.* Spaanse klaver *v.(m.)*.
saint [sẽ] **I** *adj.* **1** heilig; **2** gewijd; ***la semaine —e,*** de Goede Week, de Stille Week; ***jeudi —,*** Witte Donderdag; ***vendredi —,*** Goede Vrijdag; ***la Terre S—e,*** het Heilig Land; ***enterrer en terre —e,*** in gewijde grond begraven; ***toute la —e journée,*** de godganse dag; **II** *s. m.* heilige *m.*;

un petit —, een heilig boontje; *le — des —s*, het heilige der heiligen; *c'est un — qu'on ne chôme plus*, die heeft afgedaan, die is niet meer in tel; *ne savoir à quel — se vouer*, ten einde raad zijn, geen uitweg meer weten.
Saint-Amand [sẽ'tamã] Sint-Amands *o.*
Saint-André [sẽ'tã'dré] **1** *m.* Sint-Andries *m.*; *croix de —*, X-vormig kruis; **2** (*lez-Bruges*) Sint-Andries *o.* (bij Brugge).
Saint-Antoine [sẽ'tã'twa:n], *feu —*, roos, kwaadaardige erisypelas *v.(m.)*.
saint-augustin [sẽ'tògüstẽ] *m.* (*drukk.*: letter) [augustijn *m.*
Saint-Barthélemy [sẽ'bartélemi] **I** *m.* H. Bartholomeus *m.*; **II** *f.* Bartholomeusnacht *m.*, Bloedbruiloft *v.(m.)*.
saint-bernard* [sẽ'bèrna:r] *m.* sint-bernardshond *m.*
saint-crépin [sẽ'krépẽ] *m.* schoenmakersgereedschap *o.*; *tout son —*, al zijn hebben en houden.
saint-cyrien* [sẽ'siryẽ] *m.* leerling *m.* van de militaire academie van St. Cyr.
Saint-Denis-Westrem Sint-Denijs-Westrem *o.*
sainte*-barbe* [sẽ:dbarb] *f.* (*sch.*) kruitkamer *v. (m.)*.
Sainte-Croix [sẽ'tkrwa] Sint-Kruis *o.*
Sainte-Hélène [sẽ'télèn] *f.* Sint-Helena *o.*
Sainte-Marguerite [sẽ'tmargerit] Sint-Margriet *o.*
saintement [sẽ'tmã] *adv.* heilig.
Saintes [sẽ't] Sint-Renelde *o.*
Saint-Esprit [sẽ'tèspri] *m.* de Heilige Geest.
sainteté [sẽ'tté] *f.* heiligheid *v.*; *Sa S—*, Zijne Heiligheid.
saint-frusquin [sẽ'früskẽ] *m.*, *tout son —*, al zijn hebben en houden, al zijn spullen.
Saint-Gall [sẽ'gal] *m.* Sint-Gallen *o.* (*Zwits.*)
Saint-Genois [sẽ:jenwa] Sint-Denijs *o.*
Saint-Georges [sẽ'jòrj] Sint-Joris *o.*
Saint-Gilles [sẽ'ji:l] *m.* Sint-Gillis *o.*
Saint-Gilles-Waas Sint-Gillis-Waas *o.*
Saint-Guy [sẽ'gi] *m.*, *danse de —*, sint-vitusdans *m.*
saint-honoré* [sẽ'tònòré] *m.* **1** roomtaart *v.(m.)*; **2** (*mil.*) kuch, brood *o.*
Saint-Jacques-Capelle Sint-Jacobs-Kapelle *o.*
Saint-Jamais [sẽ'jamè] *f.* sint-juttemis *v.(m.)*.
Saint-Jean [sẽ'jã] **1** *m.* de H. Johannes *m.*; **2** Sint-Jan *o.*
Saint-Jean d'Acre [sẽ'jã'dakr] *m.* Accra; Ptolemaïs *o.*
Saint-Jean-Geest Sint-Jans-Geest *o.*
Saint-Jean-in-Erimo Sint-Jan-in-Eremo *o.*
Saint-Job-in-'t-Goor Sint-Job-in-'t-Goor *o.*
Saint-Josse-ten-Noode Sint-Joost-ten-Node *o.*
Saint-Laurent [sẽ'lo'rã] Sint-Laureins *o.*
Saint-Léonard [sẽ'léòna:r] Sint-Lenaarts *o.*
saint-lundi [sẽ'lœ̃'di] *f.*, *fêter la —*, maandag houden.
Saint-Marin [sẽ'marẽ] *m.* San Marino *o.*
Saint-Michel [sẽ'mišèl] Sint-Michiels *o.*
Saint-Nicolas [sẽ'nikòla] *m.* **1** Sint-Niklaas *o.* (*stad*); **2** sinterklaas *m.*
saint-office [sẽ'tòfis] *m.* (*kath.*) Romeinse congregatie *v.* die waakt over de zuiverheid van het Geloof.
Saint-Paul [sèntpo:l] Sint-Pauwels *o.*
saint-père [sẽ'pè:r] *m.* Heilige Vader *m.*
Saint-Pierre-Capelle Sint-Pieters-Kapelle *o.*
Saint-Remy-Geest [sẽ'remigé:st] Sint-Remigius-Geest *o.*
Saint-Riquiers [sẽ'rikèrs] Sint-Rijkers.
saint-siège [sẽ'syè:j] *m.* Heilige Stoel *m.*
saint-simonien* [sẽ'simònyẽ] **I** *adj.* saint-simonistisch; **II** *s., m.* aanhanger *m.* van het saint-simonisme.
saint-simonisme [sẽ'simònizm] *m.* sociaal-utopische leer *v.(m.)* van Saint-Simon.
Saint-Sylvestre [sẽ'silvèstr] *f.* oudejaarsavond *m.*
Saint-Trond [sẽ'trõ] *m.* Sint-Truiden *o.*
saint-tronnaire [sẽ'trònè:r] **I** *adj.* Sint-Truidens; **II** *s. m.* *S—*, Sint-Truidenaar *m.*
saisi [sè'zi] *m.* schuldenaar *m.* op wiens goederen beslag is gelegd.
saisie [sè'zi] *f.* beslag *o.*, beslaglegging *v.*; *— mobilière*, beslag op roerend goed; *— immobilière*, beslag op onroerende goederen.
saisie*-arrêt* [sè'ziarè] *f.* beslag op gelden, — op salaris, derdenbeslag *o.*
saisie*-brandon* [sè'zibrã'dõ] *f.* beslag *o.* op veldgewassen en vruchten.
saisie*-exécution* [sè'ziègzéküsyõ] *f.* gerechtelijke verkoop *m.*
saisie*-gagerie* [sè'zigajri] *f.* pandbeslag *o.*
saisie*-revendication* [sè'zirvã'dika'syõ] *f.* voorlopig beslag *o.* op roerende goederen.
saisine [sè'zin] *f.* (*sch.*) seizing, sjorring *v.*
saisir [sè'zi:r] **I** *v.t.* **1** grijpen, pakken; **2** beslag leggen op, in beslag nemen; **3** zich meester maken van; **4** (*fig.*) begrijpen, vatten; **5** (*sch.*) seizen; **6** (*v. kou, schrik*) bevangen; *— le tribunal d'une affaire*, een zaak bij de rechtbank aanhangig maken; **II** *v.pr.* *se —*, aangegrepen worden; *se — de*, zich meester maken van.
saisissable [sè'zisa'bl] *adj.* voor beslaglegging vatbaar.
saisissant [sè'zisã] **I** *adj.* **1** aangrijpend; **2** (*v. koude*) doordringend; **II** *s. m.* beslaglegger *m.*
saisissement [sè'zismã] *m.* **1** bevangenheid *v.* (door koude); **2** ontsteltenis *v.*, schrik *m.*, ontroering *v.*
saison [sè'zõ] *f.* **1** jaargetijde, seizoen *o.*; **2** (geschikte) tijd *m.*; *la nouvelle —*, het voorjaar *o.*, de lente *v.(m.)*; *la — des pluies*, de regentijd; *de —*, van pas; *hors de —*, ontijdig, te onpas.
saisonnier [sè'zònyé] *adj.* seizoen—; *travail —*, seizoenarbeid *m.*
sajou [saju] *m.* (*Dk.*) rolstaartaap *m.*
saké [saké], **saki** [saki] *m.* rijstwijn *m.*
salabre [sala'br] *m.* schepnet *o.*
salace [salas] *adj.* wellustig.
salade [sala'd] *f.* salade, sla *v.(m.)*; *— russe*, **1** huzarensla; **2** (*fig.*) warboel *m.*, mengelmoes *o. en v.(m.)*; *quelle — !* wat 'n hutspot !
saladier [saladyé] *m.* **1** slabak *m.*; **2** slamand *v.(m.)*, vergiet *o.*; **3** (*mil.*) loopgravenhelm *m.*
saladière [saladyè:r] *f.* (*pop.*) gevangenwagen *m.*
salage [sala:j] *m.* (het) zouten *o.*
salaire [salè:r] *m.* **1** loon *o.*; **2** beloning, vergelding *v.*; *— à la pièce*, stukloon *o.*; *— d'appoint*, bijverdienste *v.*
salaison [salè'zõ] *f.* **1** inzouting *v.*; **2** ingezouten spijzen *mv.*, pekelvlees *o.*
salamalec [salamalèk] *m.* diepe buiging *v.*; *—s*, plichtplegingen *mv.*
salamandre [salamã:dr] *f.* salamander *m.*
Salamanque [salamã:k] *f.* Salamanca *o.*
salami [salami] *m.* zultworst, plokworst *v.(m.)*.
salangane [salã'gan] *f.* klipzwaluw *v.(m.)*.
salanque [salã:k] *f.* zoutmoeras *o.*
salant [salã] *adj.* zout—; *lac —*, zoutmeer *o.*; *marais —*, zoutmoeras *o.*
salariat [salarya] *m.* **1** loondienst *m.*; **2** loontrekkenden *mv.*
salarié [salaryé] **I** *adj.* bezoldigd, loontrekkend; **II** *s. m.* loontrekker *m.*
salarier [salaryé] *m.* bezoldigen, salariëren.
salaud [salo] **I** *m.* vuilpoes *v.(m.)*, vuilik *m.*; **II** *adj.* vuil, smerig.
sale [sa'l] *adj.* **1** vuil, smerig; **2** gemeen, slecht, lelijk.

salé [salé] **I** *adj.* **1** zout, gezouten; **2** peperduur; (*v. rekening*) gepeperd; **3** schuin, gewaagd; ***lac —,*** zoutmeer *o.*; **II** *s. m.* gezouten varkensvlees, pekelvlees *o.*; ***petit —,*** vers pekelvlees *o.*
salep [salèp] *m.* salep *v.*(*m.*).
saler [salé] *v.t.* **1** zouten; **2** inzouten; **3** (*fig.*: *v. rekening*) peperen; **4** afzetten; **5** een standje geven.
Salerne [salèrn] *f.* Salerno *o.*
salernitain [salèrnitẽ] *adj.* van, uit Salerno.
saleron [salrõ] *m.* zoutvaatje *o.*
salésien [salézyẽ] *m.* salesiaan *m.*
saleté [salté] *f.* **1** vuilheid *v. en o.*; **2** vuil *o.*, vuilnis *v. en o.*; **3** gemene taal *v.*(*m.*), vuile praat *m.*
saleur [salœ˙r] *m.* inzouter *m.*
salicaire [salikè:r] *f.* (*Pl.*) kattestaart *m.*
salicine [salisin] *f* salicine *v.*(*m.*).
salicorne [salikòrn] *f.* (*Pl.*) zeekraal *v.*(*m.*).
saliculture [salikültü:r] *f.* zoutwinning *v.*
salicylate [salisilat] *m.* salicylaat, salicylzuur zout *o.*
salicyle [salisil] *f.* salicyl *o.*
salicylique [salisilik] *adj.*, ***acide —,*** salicylzuur *o.*
Salien [salyẽ] *m.* Saliër *m.*
salière [salyè:r] *f.* zoutvaatje *o.*; ***— double,*** peper- en zoutvaatje *o.*
salifère [salifè:r] *adj.* zouthoudend.
salifiable [salifya˙bl] *adj.* zoutvormend.
salifier [salifyé] *v.t.* in zout omzetten.
saligaud [saligo] *m.* smeerpoes *v.*(*m.*).
salignon [saliñõ] *m.* zoutklomp *m.*
salin [salẽ] *adj.* zoutachtig, zilt.
salinage [salina:j] *m.* zoutwinning *v.*
saline [salin] *f.* **1** zoutmijn *v.*(*m.*); **2** zoutpan *v.*(*m.*).
salinier [salinyé] *m.* zoutfabrikant *m.*
salinité [salinité] *f.* zoutgehalte *o.*
salique [salik] *adj.* Salisch; ***loi —,*** Salische wet *v.*(*m.*).
salir [sali:r] **I** *v.t.* **1** vuilmaken; **2** (*fig.*) bezoedelen; **II** *v.pr.* ***se —,*** **1** zich vuilmaken; **2** vuil worden; **3** (*fig.*) zich bezoedelen.
salissant [salisã] *adj.* **1** (*v. werk, enz.*) vuil, vuilmakend; **2** smettelijk.
salisson [salisõ] *m.* vuilpoes *v.*(*m.*).
salissure [salisü:r] *f.* vuil *o.*, vuiligheid *v.*
salivaire [salivè:r] *adj.*, ***glandes —s,*** speekselklieren *mv.*
salivation [salivɑ˙syõ] *f.* speekselafscheiding *v.*
salive [sali:v] *f.* speeksel *o.*
saliver [sali˙vé] *v.i.* kwijlen, speeksel afscheiden.
salle [sal] *f.* **1** zaal *v.*(*m.*); **2** kamer *v.*(*m.*); ***— à manger,*** eetkamer; huiskamer; ***— d'attente,*** wachtkamer; ***— d'audience,*** rechtszaal; ***— de bains,*** badkamer; ***— de danse,*** danszaal; ***— des appareils,*** (*tel.*) schakelzaal; ***— des actes,*** aula *v.*(*m.*); ***— des coffres,*** safe-inrichting *v.*; ***— de composition,*** (*drukk.*) zetterij *v.*; ***— des pas perdus,*** vóórhal *v.*(*m.*); ***— de police,*** politiekamer; ***— des ventes,*** verkooplokaal *o.*
salmiac [salmyak] *m.* ammoniakzout, ammoniumchloride *o.*, salmiak *m.*
salmigondis [salmigõ˙di] *m.* mengelmoes *o. en v.*(*m.*), poespas *m.*
salmis [salmi] *m.* ragoût *m.* van gebraden wild (of gevogelte).
salmoculture [salmokültü:r] *f.* zalmteelt *v.*(*m.*).
salmonidés [salmònidé] *m.pl.* zalmachtigen *mv.*
saloir [salwa:r] *m.* **1** vleeskuip *v.*(*m.*); **2** inmaakpot *m.*
Salomon [salòmõ] *m.* Salomo(n) *m.*; ***îles —,*** Salomon-eilanden.
salon [salõ] *m.* **1** ontvangkamer *v.*(*m.*), salon *m. en o.*; **2** tentoonstelling *v.*; ***— de l'automobile,*** automobieltentoonstelling; ***— de dégustation,*** proeflokaal *o.*; ***fréquenter les —s,*** in de grote wereld verkeren; ***ensemble de —,*** bankstel *o.*
Salonique [salònik] *f.* Saloniki *o.*
saloniquiste [salònikist] *adj.* van, uit Saloniki.
salonnier [salònyé] *m.* kunstcriticus *m.*
salopard [salopa:r] *m.* (*pop.*) **1** smeerpoes *v.*(*m.*); **2** smeerlap, schoft *m.*
salope [salòp] *f.* slons *v.*, vuilpoes *v.*(*m.*).
saloper [salòpé] *v.t.* (*v. werk*) verknoeien.
saloperie [salòpri] *f.* **1** vuilheid, gemeenheid *v.*; **2** knoeiwerk, prulwerk *o.*
salopette [salòpèt] *f.* **1** werkbroek *v.*(*m.*); **2** werkjas *m. en v.*; **3** (*v. kinderen*) morsjurk *v.*(*m.*), schortje *o.*
salpêtrage [salpè˙tra:j] *m.* salpetervorming *v.*
salpêtre [salpè:tr] *m.* **1** salpeter *m. en o.*; **2** (*fig.*) opgewonden standje, vaatje buskruit *o.*
salpêtrer [salpè˙tré] *v.t.* met salpeter bedekken.
salpêtrerie [salpè˙treri] *f.* salpeterfabriek *v.*
salpêtreux [salpè˙trö] *adj.* salpeterachtig.
salpêtrière [salpè˙tri(y)è:r] *f.* salpeterfabriek *v.*
salsepareille [salseparè˙y] *f.* (*Pl.*) salsaparilla *v.*(*m.*).
salsifis [salsifi] *m.* **1** schorseneer *v.*(*m.*); **2** (*Pl.*) boksbaard *m.*
salsugineux [salsüjinö] *adj.* verzilt door de zee.
saltimbanque [saltẽ˙bã:k] *m.* **1** kunstenmaker *m.*; **2** (*fig.*) kwakzalver *m.*
salubre(ment) [salü˙br(emã)] *adj.* (*adv.*) gezond, heilzaam (voor de gezondheid).
salubrité [salübrité] *f.* gezondheid *v.*; ***— publique,*** volksgezondheid *v.*
saluer [salwé] *v.t.* **1** groeten; **2** begroeten; **3** (*mil.*) salueren, groeten; ***aller — qn.,*** zijn opwachting bij iem. gaan maken.
salure [salü:r] *f.* ziltheid *v.*
salut [salü] *m.* **1** groet *m.*; **2** begroeting *v.*; **3** (*mil.*) (het) aanslaan *o.*; saluut *o.*; **4** heil *o.*, redding *v.*; **5** zaligheid *v.*; **6** (*kath.*) lof *o.*; ***rendre à qn. son —,*** iem. teruggroeten; ***un léger —,*** een knikje; ***un profond —,*** een diepe buiging; ***l'armée du —,*** het leger des heils; ***le — public,*** het algemeen welzijn.
salutaire(ment) [salütè˙r(mã)] *adj.* (*adv.*) heilzaam.
salutation [salütɑ˙syõ] *f.* begroeting *v.*; groet *m.*; ***la — angélique,*** het Ave Maria, het weesgegroet; ***mes sincères —s,*** met hartelijke groeten.
salutiste [salütist] *m.* heilsoldaat *m.*
salvage [salva:j] *m.*, ***droit de —,*** bergloon *o.*
salvateur [salvatœ:r] *adj.* reddend, heil brengend.
salve [salv] *f.* salvo *o.*; ***— d'applaudissements,*** donderende toejuichingen *mv.*, daverend applaus *o.*
samare [samar] *f.* (*Pl.*) gevleugelde dopvrucht *v.*(*m.*) (*bv. van es of iep*).
Samarie [samari] *f.* Samaria *o.*
Samaritain [samaritẽ] *m.* Samaritaan *m.*; ***le bon —,*** de barmhartige Samaritaan.
Sambre [sã:br] *f.* Samber *v.*
sambuc [sã˙bük] *m.* (*Pl.*) vlier *m.*
sambucé [sã˙büké] *adj.* (*Pl.*) vlierachtig.
samedi [samdi] *m.* zaterdag *m.*; ***le —,*** des zaterdags; ***— saint,*** zaterdag in de Goede Week, zaterdag voor Pasen.
samourai [samurai] *m.* samourai *m.*, oude Japanse krijger *m.*
samovar [samòva:r] *m.* samovar *m.*, Russische theeketel *m.*
Samson [sã˙sõ] *m.* Simson *m.*
sanatorium [sanatòryòm] *m.* herstellingsoord, sanatorium *o.*
sanctifiant [sã˙ktifyã] *adj.* heiligmakend; heiligend.
sanctificateur [sã˙ktifikatœ:r] *m.* heiligmaker *m.*
sanctification [sã˙ktifikɑ˙syõ] *f.* **1** (*v. ziel*) heiligmaking *v.*; **2** (*v. zondag, enz.*) heiliging *v.*
sanctifier [sã˙ktifyé] *v.t.* **1** heilig maken; **2** heiligen.

sanction [sã'ksyõ] *f.* **1** bekrachtiging *v.*; **2** goedkeuring, bevestiging *v.*; **3** sanctie *v.*; ***— pénale,*** straf *v.(m.)*, strafbedreiging *v.*
sanctionner [sã'ksyòné] *v.t.* **1** bekrachtigen; **2** goedkeuren, bevestigen, staven. [ligst.
sanctissime [sã'ktisim] *adj.* zeer heilig, allerhei-
sanctuaire [sã'ktẅè:r] *m.* **1** heiligdom *o.*; **2** (*in joodse tempel*) heilige *o.* der heiligen; **3** (*kath.*) sanctuarium *o.*
sanctus [sã'ktüs] *m.* (*kath.*) Sanctus *o.*
sandal [sã'dal] *m.* sandelhout *o.*
sandale [sã'dal] *f.* sandaal *v.(m.)*.
sandalier [sã'dalyé] *m.* sandalenmaker *m.*
sandaraque [sã'darak] *f.* sandrak *o.*
sandre [sã:dr] *m.* (*Dk.*) zander, snoekbaars *m.*
sandwich [sã'dwi(t)ʃ] *m.* (*pl.* : ***—es***) sandwich *m.*
sang [sã] *m.* **1** bloed *o.*; **2** (*fig.*) geslacht, ras *o.*; ***baptême du —,*** doopsel *o.* van het bloed; ***coup de —,*** bloeduitstorting, beroerte *v.*; ***à — chaud,*** warmbloedig; ***avoir le — chaud,*** opvliegend zijn; ***bon — ne peut mentir,*** het bloed kruipt waar het niet gaan kan; de appel valt niet ver van de boom; ***se faire du mauvais —,*** zich ergeren, zich boos maken; ***avoir le — glacé,*** door schrik aangegrepen zijn; ***c'est dans le —,*** dat zit in de familie, dat zit hem in 't bloed; (***cheval***) ***pur —,*** volbloed paard; ***suer — et eau,*** **1** in doodsangst verkeren, water en bloed zweten; **2** zich uitsloven; ***bon —!*** sakkerloot! genadige hemel!
sang-froid [sã'frwa] *m.* koelbloedigheid *v.*; ***de —,*** in koelen bloede.
sanglade [sã'gla'd] *f.* harde zweepslag *m.*
sanglant [sã'glã] *adj.* **1** bloedig; **2** (*fig.*) grievend, bijtend, wreed. [riem *m.*
sangle [sã:gl] *f.* **1** singel; riem, band *m.*; **2** draai-
sangler [sã'glé] **I** *v.t.* **1** (*v. paard*) singelen; **2** rijgen, insnoeren; **3** striemen, zwiepen; **4** (*fig.*) doorhalen; **II** *v.pr.* ***se —,*** zich insnoeren.
sanglier [sã'gli(y)é] *m.* wild zwijn *o.*
sanglon [sã'glõ] *m.* kleine zadelriem *m.*
sanglot [sã'glo] *m.* snik *m.*
sangloter [sã'glòté] *v.i.* snikken.
sang-mêlé [sã'mèlé] *m.* halfbloed *m.*
sangsue [sã'sü] *f.* bloedzuiger *m.*
sanguification [sã'gifika'syõ] *f.* bloedvorming *v.*
sanguin [sã'gẽ] *adj.* **1** bloed—; **2** volbloedig, bloedrijk; **3** bloedrood; **4** (*v. temperament*) sanguinisch; ***vaisseaux —s,*** bloedvaten *mv.*; ***orange —e,*** bloedsinaasappel *m.*
sanguinaire [sã'ginè:r] *adj.* bloeddorstig.
sanguine [sã'gin] *f.* **1** rood krijt *o.*; **2** met rood krijt gemaakte tekening *v.*; **3** bloedsteen *m.*; **4** bloedsinaasappel *m.*
sanguinole [sã'ginòl] *f.* bloedperzik *v.(m.)*.
sanguinolent [sã'ginòlã] *adj.* bloederig, met bloed vermengd.
sanhédrin [sanédrẽ] *m.* sanhedrin, hoog gerechtshof *o.* (van de joden). [kruid *o.*
sanicle [sanikl], **sanicule** [saniküll] *v.* (*Pl.*) heel-
sanie [sani] *f.* ettervocht *o.*
sanieux [sanyö] *adj.* etterig. [gezondheids—.
sanitaire [sanitè:r] *adj.* de gezondheid betreffend,
sans [sã] *prép.* zonder; ***— doute,*** wellicht, waarschijnlijk; ***— aucun doute,*** zeker, beslist; ***— cesse,*** onophoudelijk; ***— cela, — quoi,*** anders; ***— le vouloir,*** onwillekeurig; ***— âge,*** waarvan de leeftijd niet te bepalen is.
sans-abri [sã'zabri] *m.* dakloze *m.*
sans-cœur [sã'kœ:r] *m.* ongevoelig (*of* harteloos) mens, onmens *m.*
sanscrit [sã'skri] *m.* Sanskriet *o.*
sans-culotte* [sã'külòt] *m.* sansculotte *m.*
sans-culottide* [sã'külòti'd] *f.* aanvullingsdag *m.* van de republikeinse kalender. [bestje *o.*
sans-dent* [sã'dã] *f.* tandeloze vrouw *v.*, oudje,
sans-domicile [sã'dòmisil] *m.* dakloze *m.*
sans-façon [sã'fasõ] *m.* ongegeneerdheid, ongedwongenheid *v.*
sans-fil [sã'fil] *m.* draadloos bericht *o.*
sans-filiste* [sã'filist] *m.* radioliefhebber *m.*
sans-foyer [sã'fwayé] *m.* dakloze *m.*
sans-gêne [sã'jè:n] *m.* ongegeneerdheid *v.*
sans-le-sou [sã'lsu] *m.* arme drommel, armoedzaaier *m.*
sans-logis [sã'lòji] *m.* dakloze *m.*
sansonnet [sã'sònè] *m.* spreeuw *m. en v.*
sans-parti [sã'parti] *m.* partijloze *m.* [loze *m.*
sans-patrie [sã'patri] *m.* vaderlandloze; staat-
sans-souci [sã'susi] *m.* **1** zorgeloosheid *v.*; **2** zieltje-zonder-zorg *o.*
sans-travail [sã'trava'y] *m.* werkloze *m.*
santal [sã'tal] *m.* sandelhout *o.*
santaline [sã'talin] *f.* sandelrood *o.*
santé [sã'té] *f.* **1** gezondheid *v.*; **2** geneeskundige dienst *m.*; (*mil.*) gezondheidsdienst *m.*; ***être en bonne —,*** goed gezond zijn; ***meilleure —!*** beterschap!; ***il n'a pas de —,*** hij steekt niet in een gezond vel, hij is ongezond; ***vous en avez une —,*** (*pop.*) je durft nogal wat! jij bent ook niet voor de poes!
santoline [sã'tòlin] *f.* cipressekruid *o.*
santon [sã'tõ] *m.* gekleurd kleipoppetje *o.*
santonine [sã'tònin] *f.* (*Pl.*) wormkruid *o.*
sanve [sã:v] *f.* (*Pl.*) wilde mosterd *m.*
saoul, *voir* **soûl.**
sapajou [sapaju] *m.* **1** (*Dk.*) rolstaartaap *m.*; **2** (*fig.*) mormel *o.* [*v.(m.)*.
sape [sap] *f.* **1** ondermijning *v.*; **2** (*mil.*) sappe
sapement [sapmã] *m.* ondermijning *v.*
sapèque [sapèk] *f.* kleine Chinese munt *v.(m.)*.
saper [sapé] *v.t.* ondermijnen, ondergraven.
saperde [sapèrd] *f.* (*Dk.*) boktor *v.(m.)*.
sapeur [sapœ:r] *m.* sappeur *m.*
sapeur*-aérostier* [sapœ:raéròstyé] *m.* soldaat *m.* van de luchtvaartafdeling.
sapeur*-conducteur* [sapœ:rkõ'düktœ:r] *m.* geniesoldaat *m.* van de spoorwegbrigade.
sapeur*-pompier* [sapœ:rpõ'pyé] *m.* brandweerman *m.*
saphique [safik] *adj.* **1** van Sappho; **2** saffisch.
saphir [safi:r] *m.* saffier *m.*
saphirine [safirin] *f.* blauwe agaat *m.*
saphirique [safirik] *adj.* saffierachtig. [kelijk.
sapide [sapi'd] *adj.* smakend, smaak hebbend, sma-
sapidité [sapidité] *f.* smakelijkheid *v.*
sapientiaux [sapyã'syo] *adj.pl.*, ***les livres —,*** (*Bijb.*) de boeken der wijsheid.
sapin [sapẽ] *m.* **1** spar *m.*; **2** sparrehout, dennehout, vurehout *o.*; ***— blanc,*** zilverspar, zilverden *m.*; ***— rouge,*** grenehout *o.*
sapine [sapin] *f.* **1** vuren plank *v.(m.)*; vuren balk *m.*; **2** stellage *v.*
sapinette [sapinèt] *f.* Canadese den *m.*
sapinière [sapiniyè:r] *f.* sparrenbos, mastbos *o.*
saponacé [sapònasé] *adj.* zeepachtig.
saponaire [sapònè:r] *f.* (*Pl.*) zeepkruid *o.*
saponé [sapòné] *adj.* zeephoudend.
saponière [sapònyè:r] *f.* houtzeep *v.(m.)*.
saponification [sapònifika'syõ] *f.* verzeping *v.*
saponifier [sapònifyé] **I** *v.t.* doen verzepen; **II** *v.i. et v.pr.* ***se —,*** verzepen.
saponine [sapònin] *f.* houtzeepbast *m.*
saporifique [sapòrifik] *adj.* smaakgevend.
sapristi [sapristi] *ij.* sakkerloot! drommels!

saprophyte [sapròfit] *f.* (*Pl.*) op (rottend) afval levend organisme *o.*
saquebute [sakbüt] *f.* schuiftrompet, bazuin *v.*(*m.*).
saquer [saké] *v.t.* (*pop.*) de laan uitsturen, aan de dijk zetten.
sar [sar] *m.* zeewier *o.*
sarabande [sarabã:d] *f.* **1** sarabande *v.*(*m.*) (*dans*); **2** muziek *v.* voor de sarabande.
saragossain [saragòsẽ] *adj.* van, uit Saragossa.
sarbacane [sarbakan] *f.* **1** blaaspijp *v.*(*m.*); **2** (*tn.*) glasblazerspijp *v.*(*m.*).
sarcasme [sarkazm] *m.* sarcasme *o.*, bijtende spot, bittere spot *m.* [sarcastisch.
sarcastique [sarkastik] *adj.* spottend, bijtend,
sarcelle [sarsèl] *f.* (*Dk.*) taling *m.*
sarclage [sarkla:j] *m.* (het) wieden *o.*
sarcler [sarklé] *v.t.* wieden.
sarcleur [sarklœ:r] *m.* wieder *m.*
sarcloir [sarklwa:r] *m.* wiedijzer *o.*, schoffel *v.*(*m.*).
sarclure [sarklü:r] *f.* wiedgras, uitgewied onkruid *o.*
sarcocarpe [sarkòkarp] *m.* vruchtvlees *o.*
sarcome [sarko:m] *m.* vleesuitwas *m. en o.*
sarcophage [sarkòfa:j] *m.* sarcofaag *m.*, stenen doodkist *v.*(*m.*) (van de Oudheid).
sarcopte [sarkòpt] *m.* schurftmijt *v.*(*m.*).
sarcotique [sarkòtik] *adj.* (*gen.*) wondgenezing bevorderend.
Sardaigne [sardèñ] *f.* Sardinië *o.*
sarde [sard] **I** *adj.* Sardinisch; **II** ***S—***, *s.*, *m.-f.* Sardiniër *m.*, Sardinische *v.*
sardine [sardin] *f.* **1** (*Dk.*) sardientje *o.*; **2** (*mil.*) onderofficiersstreep *v.*(*m.*).
sardinerie [sardinri] *f.* sardientjesinmakerij *v.*
sardinier [sardinyé] *m.* **1** sardientjesvisser *m.*; **2** sardienenvissersschuit *v.*(*m.*).
sardoine [sardwan] *f.* sardonyx *m. of o.*
sardonique [sardònik], **sardonien** [sardònyẽ] *adj.* sardonisch, grijnzend, bitter; ***rire* —,** schampere lach *m.*
sargasse [sargas] *f.* bruine tropische zeewier *o.*; ***mer des —s,*** Sargassozee.
sargue [sarg] *m.* zeebrasem *m.*
sarigue [sari·k] *m.-f.* buidelrat *v.*(*m.*). [*v.*(*m.*).
sarment [sarmã] *m.* wijnrank, wijngaardrank
sarmenteux [sarmã·tö] *adj.* met veel (wijn)ranken.
saronide [saròni·d] *m.* druïde *m.*
Sarracénique [sarasénik] *adj.* Saraceens.
sarrasin [sarasẽ] **I** *m.* **1** boekweit *v.*(*m.*); **2** ***S—,*** Saraceen *m.*; **II** *adj.* Saraceens.
sarrasine [sarasin] *f.* valpoort *v.*(*m.*).
sarrau, sarrot [saro] *m.* kiel, boerenkiel *m.*
Sarre [sa:r] *f.* **1** Saar *v.*; **2** Saargebied *o.*; ***bassin de la —,*** Saarbekken *o.*
Sarrebruck [sa:rbrük] Saarbrücken *o.*
sarrebruckois [sa:rbrükwa] *adj.* uit Saarbrücken.
Sarreguemines [sa:rgemin] *f.* Saargemünd *o.*
sarrette [sarèt] *f.* (*Pl.*) zaagblad *o.*
sarriette [saryèt] *f.* (*Pl.*) bonekruid *o.*
Sarrois [sarwa] **I** *m.* Saarlander *m.*; **II** (**s—**) *adj.* Saarlands, uit het Saargebied.
sarrot, *voir* ***sarrau.***
sart [sar] *m.* zeewier *o.*
sas [sɑ] *m.* **1** sas *o.*, sluiskolk *v.*(*m.*); **2** zeef *v.*(*m.*), teems *m.*; ***écluse à —,*** schutsluis; ***passer au gros —,*** niet zo nauw kijken.
sasse [sas] *f.* (*sch.*) hoosvat *o.*
sassement [sasmã] *m.* (het) ziften *o.*
sasser [sasé] *v.t.* **1** ziften; **2** (*sch.*) schutten; ***— et resasser,*** wikken en wegen.
sasseur [sasœ:r] *m.* **1** zifter *m.*; **2** zeeftoestel *o.*
Satan [satã] *m.* duivel, satan *m.*
satané [satané] *adj.* satans, duivels; vervloekt.
satanique [satanik] *adj.* duivelachtig, satanisch.
satellite [satèlit] *m.* **1** (*sterr.*) bijplaneet, maan *v.*(*m.*); **2** volgeling, trawant *m.*; **3** ***— (artificiel)*** kunstmaan.
satiété [sasyété] *f.* verzadiging *v.*; ***(jusqu')à —*** tot vervelens toe, tot men er beu van wordt.
satif [satif] *adj.* gezaaid; zaai—.
satin [satẽ] *m.* satijn *o.*; ***de —,*** **1** satijnen; **2** zacht als satijn.
satinade [satina·d] *f.* halfsatijn *o.*
satinage [satina:j] *m.* (het) satineren *o.*
satiné [satiné] **I** *adj.* **1** gesatineerd; **2** zacht als satijn; **II** *s. m.* satijnglans *m.*
satiner [satiné] *v.t.* **1** satineren; **2** glanzen.
satinette [satinèt] *f.* satinet *o.*
satineur [satinœ:r] *m.* satineerder *m.*
satire [sati:r] *f.* satire *v.*(*m.*), hekeldicht *o.*
satirique [satirik] **I** *adj.* satirisch, hekelend; **II** *s. m.* satiricus, hekeldichter *m.*
satiriser [satiri·zé] *v.t.* hekelen.
satisfaction [satisfaksyõ] *f.* **1** tevredenheid, voldoening *v.*; **2** genoegdoening *v.*; ***donner —,*** voldoening schenken; ***donner — à qn.,*** iem. genoegdoening geven; aan iemands verzoek voldoen; ***— des besoins,*** behoeftebevrediging.
satisfactoire [satisfaktwa:r] *adj.* voldoening gevend; ***œuvre —,*** werk ter voldoening (voor de zonden).
satisfaire* [satisfè:r] **I** *v.t.* **1** voldoen, bevredigen; **2** tevreden stellen; **3** (*v. tegenstander*) voldoening geven; **4** (*v. schuldeiser*) voldoen, afbetalen; **5** (*v. oor*) strelen; **II** *v.i.* **1** voldoen aan, nakomen, vervullen; **2** (*v. bevel*) opvolgen; **III** *v.pr.* ***se —,*** **1** zich voldoening verschaffen; **2** zich zelf genoeg zijn.
satisfaisant [satisfezã] *adj.* **1** voldoend, bevredigend; **2** toereikend.
satisfait [satisfè] *adj.* voldaan, tevreden.
satisfecit [satisfésit] *m.* bewijs *o.* van voldoening.
satrape [satrap] *m.* (*gesch.*) satraap *m.*
satrapie [satrapi] *f.* (*gesch.*) gebied *o.* van een satraap. [baarheid *v.*
saturabilité [satürabilité] *f.* (*scheik.*) verzadig-
saturable [satüra·bl] *adj.* verzadigbaar.
saturateur [satüratœ:r] *m.* verdamper *m.*
saturation [satüra·syõ] *f.* verzadiging *v.*
saturer [satüré] *v.t.* verzadigen (**de**, met).
saturnales [satürnal] *f.pl.* **1** saturnaliën *mv.*; **2** (*fig.*) slemppartijen *mv.*; ongebondenheid *v.*
Saturne [satürn] *m.* Saturnus *m.*
saturnie [satürni] *f.* nachtpauwoog *m.*
saturnien [satürnyẽ] *adj.* saturnisch.
saturnin [satürnẽ] *adj.* lood—.
saturnisme [satürnizm] *m.* loodvergiftiging *v.*
satyre [sati:r] **I** *m.* sater, bosgod *m.*; **II** *f.* saterspel *o.* [saterdicht *o.*
satyrique [satirik] *adj.* sater—; ***poème —,***
sauce [so:s] *f.* **1** saus *v.*(*m.*); **2** doezelkrijt *o.*; **3** (*fig.*) standje *o.*; **4** (*pop.*) regen *m.*; ***— blanche,*** blanke saus, botersaus; ***— ravigote,*** pikante saus; ***— longue,*** dunne saus; ***être dans la —,*** in de pekel (penarie, *of* verlegenheid) zitten; ***bon à toutes —s,*** voor alles te gebruiken; ***il n'est que d'appétit,*** honger is de beste saus.
saucée [so·sé] *f.* (*pop.*) regenbui, saus *v.*(*m.*).
saucer [so·sé] *v.t.* **1** indopen, sausen, in de saus dopen; **2** doornat maken; **3** een standje geven.
saucier [so·syé] *m.* sausenbereider *m.*
saucière [so·syè:r] *f.* sauskom *v.*(*m.*).
saucisse [so·sis] *f.* **1** braadworst, saucijs *v.*(*m.*); **2** (*mil.*) observatieballon *m.*; ***— viennoise,*** knakworstje *o.*; ***il n'attache pas ses chiens avec des***

—s, hij is zeer gierig; hij gooit het niet over de balk.
saucisson [so'sisõ] *m.* **1** dikke worst, gekruide worst; rookworst *v.(m.)*; **2** (*mil.*) kruitworst *v.(m.)*; **3** luchttorpedo *v.(m.)*.
sauf [so:f] **I** *adj.* behouden, veilig; ***avoir la vie sauve,*** er heelhuids afkomen, het leven er afbrengen; ***l'honneur est —,*** de eer is gered; **II** *prép.* behoudens, behalve, uitgezonderd; ***— erreur et omission,*** (*H.*) vergissing en weglating voorbehouden; ***— votre respect,*** met uw welnemen.
sauf-conduit* [so'fkõdwi] *m.* vrijgeleide *o.*
sauge [so:j] *f.* (*Pl.*) salie *v.(m.)*.
sauger [so'jé] *m.* wilde pereboom *m.*
saugrenu [so'grenü] *adj.* ongerijmd, dom.
Saul [sòl] *m.* Saulus *m.* (later Paulus).
Saül [saül] *m.* Saul *m.*
saulaie [so'lè] *f.* wilgenbos(je) *o.*
saule [so:l] *m.* wilg *m.*; ***— pleureur,*** treurwilg.
saulée [so'lé] *f.* rij *v.(m.)* wilgen.
saumâtre [soma:tr] *adj.* zilt, brak.
saumon [so'mõ] **I** *m.* **1** (*Dk.*) zalm *m.*; **2** gieteling *m.*; **3** blok *o.* lood; schuitje *o.* tin; **II** *adj.* zalmkleurig.
saumoné [so'mòné] *adj.* zalmachtig; ***truite —e,*** zalmforel *v.(m.)*.
saumoneau [so'mòno] *m.* zalmpje *o.*, jonge zalm [*m.*
saumurage [so'müra:j] *m.* (het) pekelen *o.*
saumure [so'mü:r] *f.* **1** pekel *m.*; **2** gezouten vis *m.*
saumurer [so'müré] *v.t.* pekelen.
saunage [so'na:j] *m.* **1** zoutzieden *o.*, zoutbereiding *v.*; **2** zouthandel *m.*
sauner [so'né] *v.i.* zoutzieden.
saunerie [so'nri] *f.* zoutziederij *v.*
saunier [so'nyé] *m.* zoutzieder *m.*
saunière [so'nyè:r] *f.* zoutbak *m.*
saupiquet [so'pikè] *m.* pikante saus *v.(m.)*.
saupoudrer [so'pudré] *v.t.* **1** bestrooien (***de,*** met); **2** (*fig.*) doorspekken (met).
saupoudroir [so'pudrwa:r] *m.* strooier *m.*
saur [sò:r] *adj.*, ***hareng —,*** bokking *m.*
saure [sò:r] *adj.* (*v. paard*) donkergeel.
saurer [sòré] *v.t.* (*v. vis, enz.*) roken.
sauret [sòrè] *adj.* ***hareng —,*** bokking *m.*
sauriens [sòryẽ] *m.pl.* hagedisachtigen *mv.*
saurin [sòrẽ] *m.* verse bokking *m.*
sauris [sòri] *m.* pekel *m.* [kingroken *o.*
saurissage [sòrisa:j] *m.* (het) roken, (het) bok-
saurisserie [sòrisri] *f.* (bokking)rokerij *v.*
saurisseur [sòrisœ:r] *m.* (bokking)roker *m.*
saussaie [so'sè] *f.* wilgenbos(je) *o.*
saut [so] *m.* **1** sprong *m.*; **2** (*v. rivier*) val *m.*; **3** (*muz.*) overgang, sprong *m.*; ***— de lit,*** ochtendjapon *m.*; ***au — de lit,*** bij het opstaan; ***de plein —,*** plotseling; ***faire le —,*** **1** de sprong wagen, eindelijk tot iets besluiten; **2** er van door gaan; **3** bankroet gaan; ***— en longueur,*** vertesprong; ***— en hauteur,*** hoogtesprong; ***faire un — dans l'inconnu*** (*ou* ***dans les ténèbres***), een sprong in het duister wagen, iets gewaagds ondernemen; ***— périlleux,*** salto mortale, gewaagde sprong; ***triple —,*** hink-stap-sprong; ***— de mouton,*** haasje-over *o.*
saut*-de-loup [so'dlu] *m.* diepe sloot *v.(m.)* rondom buitengoed. [*en o.*
saut*-de-mouton [so'dmutõ] *m.* autoviaduct *m.*
saute [so:t] *f.*, ***— de vent,*** plotseling omlopen (*of* uitschieten) *o.* van de wind; ***— d'humeur,*** plotselinge verandering van humeur, humeurigheid *v.*
sauté [so'té] *m.* gesauteerd vlees of gevogelte *o.*
sautée [so'té] *f.* sprong *m.*
saute-mouton [so'tmutõ] *m.*, ***jouer à —,*** haasje-over springen.
sauter [so'té] **I** *v.i.* **1** springen; **2** (*v. wind*) omlopen; ***— en l'air,*** in de lucht vliegen; ***— aux yeux,*** in het oog springen; ***— à la gorge de qn.,*** iem. naar de keel vliegen; ***— aux nues,*** driftig worden; ***— à la corde,*** touwtje springen; ***— de branche en branche,*** van de hak op de tak springen; ***— au cou de qn.,*** iem. om de hals vallen; ***faire —,*** **1** doen springen; **2** in de lucht laten vliegen; **3** (*v. deur, slot*) forceren; ***faire — par la fenêtre,*** uit het venster werpen; ***faire — un bouton,*** een knoop afrukken; ***faire — le crâne à qn.,*** iem. voor de kop schieten; ***se faire — la cervelle,*** zich een kogel door het hoofd jagen; **II** *v.t.* **1** overspringen, springen over; **2** overslaan; **3** braden, sauteren; **4** (*v. hooi*) keren, omkeren; ***— le pas,*** de beslissende stap doen; ***— le bâton,*** door de zure appel heenbijten. [pertje *o.*
sautereau [so'tro] *m.* (*v. piano*) springertje, wip-
sauterelle [so'trèl] *f.* **1** sprinkhaan *m.*; **2** vogelknip *v.(m.)*; **3** verstelbare winkelhaak *m.*; **4** (*mil.*) bommenwerper *m.*
sauterie [so'tri] *f.* danspartijtje *o.* [wijn *m.*
sauternes [so'tèrn] *m.* bekende witte bordeaux-
saute-ruisseau [so'trwiso] *m.* jongste bediende, loopjongen *m.* (op kantoor).
sauteur [so'tœ:r] **I** *m.* **1** springer *m.*; **2** (*fig.: v. persoon*) weerhaan *m.*; **II** *adj.* springend; ***écureuil —,*** vliegende eekhoorn *m.*
sautillant [so'tiyã] *adj.* huppelend.
sautillement [so'ti'ymã] *m.* gehuppel, (het) huppelen *o.*
sautiller [so'tiyé] *v.i.* huppelen.
sautoir [so'twa:r] *m.* **1** over de borst gekruist halsdoekje *o.*; **2** (*gymn.*) springplank *v.(m.)*; **3** braadpan *v.(m.)*; ***en —,*** kruiselings.
sauvage [so'va:j] **I** *adj.* **1** wild; **2** (*v. streek*) woest; **3** (*v. karakter*) schuw, eenkennig; **4** (*v. persoon*) eenzaam levend; **5** onbeschaafd; **II** *s. m.* **1** wilde *m.*; **2** eenzelvig mens *m.* ['t wild.
sauvagement [so'va'jmã] *adv.* wild, woest, in
sauvageon [so'vajõ] *m.* **1** wildeling, ongeënte boom *m.*; **2** robbedoes *m.-v.*, natuurkind *o.*
sauvagerie [so'vajri] *f.* **1** wildheid *v.*; **2** woestheid *v.*; **3** schuwheid *v.*
sauvagesse [so'vajès] *f.* wilde vrouw *v.*
sauvagin [so'vajẽ] *adj.* met de smaak of de geur van een wilde watervogel.
sauvegarde [so'vgard] *f.* **1** bescherming *v.*; **2** instandhouding *v.*; **3** waarborg *m.*; **4** (*sch.*) zorglijn *v.(m.)*; **5** (*mil.*) vrijgeleide *o.*
sauvegarder [so'vgardé] *v.t.* **1** beschermen; **2** behartigen; **3** waarborgen.
sauve-qui-peut [so'vkipö] *m.* algemene (ordeloze) vlucht *v.(m.)*.
sauver [so'vé] **I** *v.t.* **1** redden; **2** verlossen; **3** (*v. goederen*) bergen, in veiligheid brengen; **4** (*godsd.*) zalig maken; ***— les apparences,*** de schijn bewaren (*of* redden); ***— qc. à qn.,*** iem. iets besparen; **II** *v.pr.* ***se —,*** **1** vluchten; **2** zich redden, zich in veiligheid stellen; **3** zalig worden; **4** (*v. melk*) overkoken; ***je me sauve,*** ik ben weg; ik maak, dat ik wegkom; ***se — de qn.,*** iem. ontwijken.
sauvetage [so'vta:j] *m.* redding *v.*; ***bouée de —,*** reddingboei *v.(m.)*; ***échelle de —,*** brandladder *v.(m.)*; ***prime de —,*** bergloon *o.*; ***droit de —,*** strandrecht *o.*
sauveteur [so'vtœ:r] **I** *m.* **1** redder *m.*; **2** man *m.* van de reddingsbrigade; **II** *adj.*, ***bateau —,*** reddingboot *m. en v.*
sauvette [so'vèt] *f.* krijgertje; ***à la —,*** haastjerepje; ***vendeur à la —,*** leurder zonder vergunning.
sauveur [so'vœ:r] **I** *m.* **1** redder, bevrijder *m.*;

2 S—, Heiland, Verlosser, Zaligmaker *m.*; **II** *adj.* reddend.
savamment [savamã] *adv.* **1** geleerd, op geleerde wijze; **2** (*fig.*) met kennis van zaken; ***— préparé,*** handig voorbereid.
savane [savan] *f.* savanne *v.*(*m.*), grasvlakte *v.*
savant [savã] **I** *adj.* **1** geleerd; **2** kundig, knap; **3** (*v. dier*) gedresseerd; **4** (*v. berekening*) ingewikkeld; ***les armes —es,*** (*mil.*) de technische wapens *mv.*; **II** *s. m.* geleerde *m.*
savantasse [savã·tas] *m.* schijngeleerde *m.*
savantissime [savã·tisim] *adj.* zeer geleerd, razend knap.
savarin [savarẽ] *m.* tulband *m.* (gebak).
savate [savat] *f.* **1** versleten schoen *m.*, slof *m.*; **2** knoeiwerk *o.*; **3** (*fam.*) onhandig werkman *m.*; ***traîner la —,*** armoede lijden.
savetier [savtyé] *m.* **1** schoenlapper *m.*; **2** (*pop.*) knoeier *m.*
saveur [savœ:r] *f.* **1** smaak *m.*; **2** (*fig.*) geestigheid *v.*, pit *o. en v.*(*m.*); ***plein de —,*** (*v. verhaal, enz.*) sappig, pittig.
Savoie [savwa] *f.* Savoye *o.*; ***gâteau de —,*** moskovisch gebak *o.*
savoir* [savwa:r] **I** *v.t.* **1** weten; **2** kennen; **3** vernemen, te weten komen; **4** kunnen (geleerd hebben); ***que sais-je?*** wat weet ik ervan? ***je ne saurais vous le dire,*** ik zou het u niet kunnen zeggen; ***il en sait long,*** hij weet er heel wat van; hij weet er van mee te praten; ***un je ne sais qui,*** een zeker iemand; ***— son monde, — vivre,*** zijn wereld kennen; ***à —,*** namelijk, te weten; ***la question est de — si,*** de vraag is of; ***que je sache,*** voor zover ik weet; ***faire —,*** doen weten, mededelen; ***—, c'est pouvoir,*** kennis is macht; ***— gré,*** dank weten; **II** *v.pr.* ***se —,*** bekend worden; ***tout se sait,*** er blijft niets verborgen in de wereld; **III** *s., m.* kunde, kennis, wetenschap *v.*
savoir-faire [savwa·rfè:r] *m.* handigheid, bedrevenheid, bekwaamheid *v.*
savoir-vivre [savwa·rvi:vr] *m.* wellevendheid *v.*
savoisien [savwazyẽ] **I** *adj.* uit Savoye; **II** *s. m.* Savoyaard *m.*
savon [savõ] *m.* **1** zeep *v.*(*m.*); **2** stuk *o.* zeep; **3** inzeping *v.*; **4** zeepsop *o.*; **5** (*fig.*) standje *o.*, uitbrander *m.*; ***— noir, — vert,*** groene zeep; ***— à barbe,*** scheerzeep.
savonnage [savòna:j] *m.* **1** (het) inzepen *o.*; **2** wassing *v.*; **3** kleine was *m.*; **4** standje *o.*, uitbrander *m.*
savonner [savòné] **I** *v.t.* **1** met zeep wassen (*of* reinigen); **2** inzepen; **3** (*fig.*) een uitbrander geven; **II** *v.i.* (*v. zeep*) schuimen; **III** *v.pr.* ***se —,*** zich inzepen.
savonnerie [savònri] *f.* zeepziederij, zeepfabriek *v.*
savonnette [savònèt] *f.* **1** zeepballetje *o.*; **2** stuk *o.* zeep; **3** scheerkwastje *o.*; **4** zeepdoosje *o.*
savonneux [savònö] *adj.* zeepachtig, zeep—.
savonnier [savònyé] **I** *m.* **1** zeepzieder, zeepfabrikant *m.*; **2** (*Pl.*) zeepboom *m.*; **II** *adj.* zeep—.
savourer [savuré] *v.t.* **1** langzaam (met aandacht) proeven; **2** innig genieten van.
savoureusement [savurö·zmã] *adv.* met smaak, smakelijk.
savoureux [savurö] *adj.* smakelijk, lekker.
Savoyard [savwaya:r] **I** *m.* **1** Savoyaard *m.*; **2** ***s—,*** schoorsteenveger *m.*; **II** *adj.* uit Savoye.
saxatile [saksatil] *adj.*, ***plante —,*** rotsplant *v.*(*m.*).
Saxe [saks] **I** *f.* Saksen *o.*; **II** ***s—,*** *m.* Saksisch porselein *o.*
saxhorn [saksòrn] *m.* saxhoorn *m.*
saxifrage [saksifra:j] *m.* (*Pl.*) steenbreek *v.*(*m.*).
Saxon [saksõ] **I** *m.* Sakser *m.*; **II** *adj.* ***s—,*** Saksisch.
saxophone [saksòfòn] *m.* saxofoon *m.*
saxophoniste [saksòfònist] *m.* saxofoonblazer *m.*
sayette [sèyèt] *f.* saai *o. en m.*
saynète [sènèt] *f.* toneelstukje *o.* voor 2 of 3 personen.
sbire [sbi:r] *m.* gerechtsdienaar *m.*; (*pop.*) smeris *m.*
scabieuse [skabyö:z] *f.* (*Pl.*) schurftkruid *o.*
scabieux [skabyö] *adj.* schurftachtig, schurftig.
scabreux [skabrö] *adj.* **1** ruw; **2** (*v. weg*) hobbelig; **3** (*fig.*: *v. verhaal, enz.*) aanstotelijk, aanstoot gevend, ergerlijk; **4** (*v. onderneming*) hachelijk, moeilijk; gevaarlijk.
scabrosité [skabrozité] *f.* **1** ruwheid *v.*; **2** hobbeligheid *v.*; **3** hachelijkheid, moeilijkheid *v.*; **4** ergerlijkheid *v.*
scaferlati [skafèrlati] *m.* tweede keus kerftabak *m.*
scalde [skald] *m.* skald *m.*
scalène [skalè:n] *adj.* ongelijkzijdig.
scalp(e) [skalp] *m.* scalp *m.*
scalpel [skalpèl] *m.* ontleedmes *o.*
scalper [skalpé] *v.t.* scalperen.
scandale [skã·dal] *m.* schandaal *o.*, ergernis *v.*, aanstoot *m.*
scandaleux [skã·dalö] *adj.*, **scandaleusement** [skã·dalö·zmã] *adv.* schandalig, ergerlijk, aanstotelijk.
scandaliser [skã·dali·zé] **I** *v.t.* ergeren, aanstoot geven; **II** *v.pr.* ***se —,*** zich ergeren, aanstoot nemen.
scander [skã·dé] *v.t.* scanderen.
Scandinave [skã·dina:v] **I** *m.* Scandinaviër *m.*; **II** *adj.* ***s—,*** Scandinavisch.
Scandinavie [skã·dinavi] *f.* Scandinavië *o.*
scansion [skã·syõ] *f.* scandering, ritmische verdeling *v.*
scaphandre [skafã:dr] *m.* **1** zwemgordel *m.*; **2** duikerpak *o.*; duikertoestel *o.*
scaphandrier [skafã·dri(y)é] *m.* duiker *m.*
scapin [skapẽ] *m.* intrigant *m.*
scapulaire [skapülè:r] **I** *m.* **1** (*kath.*) scapulier *o. en m.*; **2** (*gen.*) schouderdraagband *m.*; **II** *adj.* schouder—; ***muscle —,*** schouderspier *v.*(*m.*).
scarabée [skarabé] *m.* kever *m.*, tor *v.*(*m.*).
scaramouche [skaramuʃ] *m.* in 't zwart geklede komiek *m.*
scarificateur [skarifikatœ:r] *m.* **1** (*gen.*) kerfmes *o.*; **2** meseg(ge) *v.*(*m.*).
scarification [skarifika·syõ] *f.* (*gen.*) insnijding inkerving *v.*
scarifier [skarifyé] *v.t.* **1** (*gen.*) inkerven van de huid; **2** grond losmaken.
scarlatine [skarlatin] *s. f. et adj.*, ***(fièvre —),*** roodvonk *v.*(*m.*) *en o.* [*v.*(*m.*).
scarole [skaròl], **escarole** [èskaròl] *f.* andijvie
scatologie [skatòlòji] *f.* vuilschrijverij *v.*
sceau [so] *m.* **1** zegel *o.*; **2** zegelafdruk *m.*; **3** (*fig.*) stempel *m.*; kenmerk *o.*; ***garde des —x,*** grootzegelbewaarder *m.*, minister *m.* van justitie.
scélérat [séléra] **I** *m.* schurk, schelm, booswicht *m.*; **II** *adj.* schurkachtig, snood.
scélérate [sélérat] *f.* feeks *v.*; ***la petite —!*** die kleine heks!
scélératesse [sélératès] *f.* schurkachtigheid, snoodheid *v.*; schelmstuk *o.*
scellage [sèla:j] *m.* verzegeling *v.*
scellé [sèlé] *m.* gerechtelijk zegel *o.*; ***apposer les —s sur,*** verzegelen; ***lever les —s,*** ontzegelen.
scellement [sèlmã] *m.* **1** (*bouwk.*) inmetseling *v.*; **2** verzegeling *v.*
sceller [sèlé] *v.t.* **1** zegelen, verzegelen; **2** (*fig.*) bezegelen; **3** (*bouwk.*) inmetselen; vastmetselen; **4** (*v. pannen*) vaststrijken.

scénario [sénaryo] *m.* **1** toneelschikking *v.*; **2** (*v. film*) tekst *m.*; ontwerp *o.*; draaiboek *o.*
scénariste [sénarist] *m.* scenario-ontwerper *m.*
scène [sè:n] *f.* **1** toneel *o.*; **2** plaats *v.*(*m.*) van handeling; **3** schouwspel *o.*; **4** toneelkunst *v.*; **5** standje *o.*; ***entrer en —,*** opkomen; ***paraître sur la —,*** optreden; ***mettre en —,*** ten tonele voeren; ***metteur en —,*** toneelleider *m.*; ***la — se passe à A.,*** het stuk speelt te A.; ***la première — du pays,*** de grootste schouwburg van 't land; ***— de ménage,*** huiselijke twist *m.*
scénique [sénik] *adj.* toneelmatig; toneel—.
scénographie [sénògrafi] *f.* toneelschilderkunst, decoratieschilderkunst *v.*
scepticisme [sèptisizm] *m.* twijfelzucht *v.*(*m.*), scepticisme *o.*
sceptique [sèptik] **I** *adj.* twijfelend, sceptisch; **II** *s. m.* twijfelaar, scepticus *m.*
sceptre [sèptr] *m.* **1** scepter *m.*; **2** koninklijke macht *v.*(*m.*), heerschappij *v.*
schabraque [ʃabrak] *f.* zadeldek *o.*
Schaerbeek Schaarbeek *o.*
Schaffhouse [ʃafuz] *f.* Schaffhausen *o.*
schah, shah [ʃa] *m.* sjah *m.* (v. Perzië).
schako [ʃako] *m.* sjako *m.*
scheik, cheik [ʃèk] *m.* sjeik *m.*
schelem [ʃlèm] *m.* (*kaartsp.*) slem *o. en m.*
schelling [ʃ(è)lẽ] *m.* shilling *m.*
schéma [ʃéma] *m.* schema *o.*, schets *v.*(*m.*).
schématique(ment) [ʃématik(mã)] *adj.* (*adv.*) schematisch.
schématiser [ʃémati'zé] *v.t.* schematisch voorstellen.
schème [ʃèm] *m.*, *voir* ***schéma.***
schérif [ʃérif] *m.*, *voir* ***chérif.***
scherzo [skèrdzo] *m.* (*muz.*) scherzo *o.*
Schéveningue [ʃé'venẽ:g] Scheveningen *o.*
schibboleth [ʃibolèt] *m.* schibbolet *o.*
schiedam [ski:dam] *m.* (Hollandse) jenever *m.*
schismatique [ʃismatik] **I** *m.* scheurmaker *m.*; **II** *adj.* scheurmakend, afvallig.
schisme [ʃizm] *m.* schisma *o.*, scheuring *v.*
schiste [ʃist] *m.* schilfersteen, leisteen *o. en m.*
schisteux [ʃistö] *adj.* schilferig, leisteenachtig.
schizomycète [skizòmisè:t] *m.* splijtzwam *v.*(*m.*).
schizophrénie [skizòfrèni] *f.* schizofrenie *f.*
schlague [ʃla:g] *f.* dracht *v.*(*m.*) stokslagen.
schlick [ʃlik] *m.* smeltklaar erts *o.*
schlitte [ʃlit] *f.* houtslee *v.*(*m.*).
schlitter [ʃlité] *v.t.* op sleden vervoeren.
schlitteur [ʃlitœ:r] *m.* houtsleder *m.*
schnaps [snaps] *m.* (*pop.*) borrel, cognac, brandewijn *m.*
schnick [ʃnik] *m.* (*pop.*) slechte cognac, slechte brandewijn *m.*
schooner [ʃunè:r] *m.* schoener *m.*
sciage [sya:j] *m.* (het) zagen *o.*; ***bois de —,*** zaaghout *o.*
scialytique [syalitik] geen schaduwen werpend.
sciant [syã] *adj.* (*pop.*) zagend, vervelend.
sciatique [syatik] **I** *adj.* de heup betreffend, heup—; **II** *s. f.* heupjicht, ischias *v.*(*m.*).
scie [si] *f.* **1** zaag *v.*(*m.*); **2** (*Dk.*) zaagvis *m.*; **3** gezanik *o.*; **4** afgezaagde mop *v.*(*m.*); ***— à cadre, — montée,*** spanzaag; ***— à ruban,*** lintzaag; ***— à main,*** handzaag; ***— circulaire,*** cirkelzaag; ***— anglaise, — à découper,*** figuurzaag.
sciemment [syamã] *adv.* willens en wetens, voorbedachtelijk, welbewust.
science [syã:s] *f.* **1** wetenschap *v.*; **2** kennis *v.*; ***avoir la — infuse,*** de wijsheid in pacht hebben; ***les —s et les arts,*** kunsten en wetenschappen; ***savoir de — certaine,*** met zekerheid weten; ***cela passe ma —,*** dat gaat mijn verstand te boven; ***docteur ès —s,*** doctor in de wis- en natuurkunde; ***la faculté des —s,*** de wis- en natuurkundige faculteit.
scientifique(ment) [syãtifik(mã)] *adj.* (*adv.*) wetenschappelijk.
scientisme [syã'tizm] *m.* **1** positivisme *o.*; **2** christian science.
scier [syé] *v.t.* **1** zagen; **2** doorzagen; ***— le dos à qn.,*** iem. dodelijk vervelen; ***— le boyau,*** op de viool krassen.
scierie [siri] *f.* houtzagerij *v.*; zaagmolen *m.*
scieur [syœ:r] *m.* **1** zager *m.*; **2** (*fig.*) vervelende vent, zaniker *m.*
scieuse [syö:z] *f.* cirkelzaag *v.*(*m.*).
scindement [sẽ'dmã] *m.* splitsing *v.*
scinder [sẽ'dé] *v.t.* verdelen, splitsen.
scintillant [sẽ'tiyã] *adj.* fonkelend.
scintillation [sẽ'tiya'syõ], **scintillement** [sẽ'tiymã] *f.* fonkeling, flikkering *v.*
scintiller [sẽ'tiyé] *v.i.* fonkelen, flikkeren.
sciographie [syògrafi] *f.* **1** schaduwleer *v.*(*m.*); **2** schaduwtekening *v.*
scion [syõ] *m.* loot, spruit, twijg *v.*(*m.*).
Scipion [sipyõ] *m.* Scipio *m.*
scirpe [sirp] *m.* (*Pl.*) bies *v.*(*m.*).
scissile [sisil] *adj.* splijtbaar.
scission [sisyõ] *f.* scheuring; verdeeldheid *v*
scissionnaire [sisyònè:r] *m.* scheurmaker *m*
scissipare [sisipa:r] *adj.* zich door splijting voortplantend.
scissure [sisü:r] *f.* spleet, kloof *v.*(*m.*).
sciure [syü:r] *f.* zaagsel *o.*
sclérème [sklérè:m] *m.* huidverharding *v.*
sclérose [skléro:z] *f.* **1** (*v. weefsels, enz.*) verharding *v.*; **2** (*v. aders*) verkalking *v.*
sclérotique [sklérotik] *f.* hard oogvlies *o.*
scolaire [skòlè:r] *adj.* school—; ***année —,*** schooljaar *o.*
scolarité [skòlarité] *f.* **1** schooltijd *m.*, leerjaren *mv.*; **2** schoolplichtige leeftijd *m.*; **3** schoolbezoek *o*
scolastique [skòlastik] **I** *adj.* **1** (*v. onderwijs*) schools; **2** (*v. wijsbegeerte*) scholastisch; **II** *s. f.* scholastische wijsbegeerte, scholastiek *v.*; **III** *s. m* scholasticus *m.*
scoliaste [skòlyast] *m.* scholiast, annotateur *m* van klassieke schrijvers.
scolie [skòli] **I** *f.* verklarende noot *v.*(*m.*) (bij Griekse of Latijnse schrijvers); **II** *m.* (*bij wisk stelling*) opmerking *v.*
scoliose [skòlyo:z] *f.* ruggegraatsverkromming *v*
scolopendre [skòlòpã:dr] *f.* **1** (*Pl.*) steenvaren *v.*(*m.*); **2** (*Dk.*) duizendpoot *m.*
scombéroïdes [skõ'béroi'd] *m.pl.* (*Dk.*) makreelachtigen *mv.*
scombre [skõ:br] *m.* (*Dk.*) makreel *m.*
sconse [skõ's] *m.* stinkdier *o.*, skunk *m.* (*als bont:* *o.*)
scooter [skutœ:r] *m.* scooter *m.*
scootériste [skutœrist] *m.* scooterrijder *m.*
scope [skòp] *m.* radarscherm *o.*
scops [skòps] *m.* ransuil *m.*
scorbut [skòrbü] *m.* scheurbuik *m. en o.*
scorbutique [skòrbütik] **I** *adj.* lijdend aan scheurbuik; **II** *s. m.* scheurbuiklijder *m.*
score [skor] *m.* (*sp.*) score *m.*, stand *m.* (van de doelpunten)
scorie [skòri] *f.* metaalslak *v.*(*m.*).
scorification [skòrifika'syõ] *f.* vorming *v.* van (metaal)slakken.
scorifier [skòrifyé] *v.t.* verslakken, in metaalslakken omzetten.
scorpion [skòrpyõ] *m.* schorpioen *m.*
scorsonère [skòrsònè:r] *f.* schorseneer *v.*(*m.*).
scout [skut] *m.* padvinder *m.*
scoutisme [skutizm] *m.* padvinderij *v.*
scribe [skri'b] *m.* **1** schriftgeleerde *m.*; **2** schrijver, afschrijver *m.*; **3** (*ong.*) kladschrijver *m.*

scribouillard [skribuya:r] *m.* pennelikker *m.*
scripteur [skriptœ:r] *m.* pauselijk schrijver *m.*
script-girl* [skriptgœ'l] *f.* (*film*) script-girl *v.*, assistente van de regisseur.
scriptural [skriptüral] *adj.* schriftuur—; ***science —e,*** schriftuurkunde *v.*
scrofulaire [skròfülè:r] *f.* (*Pl.*) helmkruid, klierkruid *o.* [(*mv.*).
scrofule(s) [skròfül] *f.*(*pl.*) kliergezwel(len) *o.*
scrofuleux [skròfülö] **I** *adj.* klierachtig; **II** *s. m.* klierlijder *m.*
scrupule [skrüpül] *m.* **1** angstvalligheid; nauwgezetheid *v.*; **2** gewetensbezwaar *o.*; **3** scrupel *o.*, gewicht *o.* van 20 grein; ***se faire des —s,*** gemoedsbezwaren hebben; ***dépourvu de —s,*** gewetenloos; ***vaincre un —,*** over een gewetensbezwaar heenstappen.
scrupuleux [skrüpülö] *adj.*, **scrupuleusement** [skrüpülö'zmã] *adv.* **1** angstvallig; nauwgezet; **2** kieskeurig.
scrutateur [skrütatœ:r] **I** *m.* **1** onderzoeker, navorser *m.*; **2** stemopnemer *m.*; **II** *adj.* onderzoekend, vorsend.
scruter [skrüté] *v.t.* onderzoeken, navorsen.
scrutin [skrütẽ] *m.* **1** stemming *v.*; **2** (*fig.*) stembus *v.*(*m.*); ***aller au —,*** naar de stembus gaan; ***second tour de —,*** herstemming *v.*; ***dépouiller le —,*** de stembriefjes tellen.
scrutiner [skrütiné] *v.i.* stemmen.
sculpter [skülté] *v.t.* beeldhouwen; ***— le bois,*** in hout snijden.
sculpteur [skültœ:r] *m.* beeldhouwer *m.*; ***— sur bois,*** houtsnijder *m.*
sculptural [skültüral] *adj.* de beeldhouwkunst betreffend; ***art —,*** beeldhouwkunst *v.*; ***formes —es,*** volle vormen.
sculpture [skültü:r] *f.* **1** beeldhouwkunst *v.*; **2** beeldhouwwerk *o.*
scutellaire [skütèlè:r] **I** *adj.* schildvormig; **II** *s. f.* glidkruid *o.*
scutiforme [skütifòrm] *adj.* schildvormig.
Scythe [sit] **I** *s. m.* Scyth *m.*; **II** *adj.*, ***s—,*** Scytisch.
se [se] *pr.pers.* **1** zich; **2** elkander, elkaar.
séance [séã:s] *f.* **1** zitting, vergadering *v.*; **2** les *v.*(*m.*); ***faire une longue — à table,*** lang aan tafel blijven; ***— tenante,*** op staande voet; ***— d'études,*** studiebijeenkomst *v.*
séant [séã] **I** *adj.* **1** betamelijk, passend, voegzaam; **2** (*recht*) zitting houdend; ***ce n'est pas —,*** dat betaamt niet; **II** *s. m.* **1** zittende houding *v.*; **2** zitvlak *o.*; ***sur son —,*** recht overeind.
seau [so] *m.* **1** emmer *m.*; **2** (*v. pomp*) hart *o.*; ***— hygiénique,*** toiletemmer, wastafelemmer; ***— à charbon,*** kolenemmer; ***— à rafraîchir,*** koelbak *m.*; ***il pleut à —x,*** het stortregent, het water valt met emmers uit de hemel.
sébacé [sébasé] *adj.* talkachtig; ***glandes —es,*** talkklieren *mv.*
Sébastien [sébastyẽ] *m.* Sebastiaan *m.*
sébeste [sébèst] *m.* zwarte borstbes *v.*(*m.*).
sébestier [sébèstyé] *m.* borstbesseboom *m.*
sébile [sébil] *f.* **1** houten bakje *o.*; **2** centenbakje *o.*
séborrhée [sébòré] *f.* hoofdzeer *o.*, berg *o. en m.*
sébum [sébòm] *m.* talg *m.*
sec [sèk] **I** *adj.* (*f.* : **sèche** [sèʃ]) **1** droog; **2** schraal; **3** dor, verdord; **4** (*v. vruchten*) gedroogd; **5** (*v. geluid*) kort afgebroken, scherp; **6** (*v. antwoord*) bars, kort; **7** (*v. wijn, chocola*) niet-zoet; **8** (*v. land*) drooggelegd, droog; ***argent —,*** gereed geld; ***coup —,*** **1** tik *m.*; **2** (*bilj.*) schampstoot *m.*; ***perte sèche,*** zuiver verlies *o.*; ***être —,*** **1** platzak zijn; **2** met de mond vol tanden staan; ***parler d'un ton —,*** kortaf spreken; **II** *adv.* **1** droog; **2** kortaf; bits; ***mettre à —,*** **1** droogleggen; **2** leegdrinken; **3** (*fig.*) plunderen, uitkleden; ***nettoyer à —,*** chemisch reinigen; ***demeurer —,*** het antwoord schuldig blijven; ***boire —,*** **1** wijn zonder water drinken; **2** flink drinken, pooien, 'm lusten; **III** *s. m.* **1** droogte *v.*; **2** (het) droge *o.*; **3** droog weer *o.*; ***être au —,*** droog zitten; ***mettre au —,*** **1** op een droge plaats opbergen; **2** (*v. dieren*) op droog voeder zetten; ***en cinq —(s),*** in drie tellen; in één, twee, drie.
sécable [séka'bl] *adj.* deelbaar.
sécant [sékã] *adj.* snij—.
sécante [sékã:t] *f.* snijlijn, secans *v.*(*m.*).
sécateur [sékatœ:r] *m.* snoeimes *o.*
sécession [sésèsyõ] *f.* afscheiding *v.*; ***guerre de —,*** Amerikaanse slavenoorlog *m.*
séchage [séʃa:j] *m.* **1** (het) drogen *o.*; **2** (*v. mout*) (het) eesten *o.*
sèche [sè'ʃ] **I** *voir* ***sec***; **II** *s. f.* **1** zandplaat *v.*(*m.*); **2** *voir* ***seiche.***
sèche-cheveux [sèʃʃevö] *m.* haardroger *m.*
sèchement [sèʃmã] *adv.*, ***répondre —,*** kortaf, bits antwoorden.
sécher [séʃé] **I** *v.t.* **1** drogen; **2** afdrogen; **3** (*v. mout*) eesten; **4** droogleggen, droogmaken; **5** (*pop.*) leegdrinken; ***— l'école,*** spijbelen; ***— un examen,*** voor een examen zakken; **II** *v.i.* **1** droog worden; **2** verdrogen, verdorren, uitdrogen; **3** (*v. grond*) opdrogen; ***— d'ennui,*** vergaan van verveling; **III** *v.pr.* ***se —,*** **1** zich afdrogen; **2** uitdrogen, verdrogen; **3** verdorren.
sécheresse [séʃrès] *f.* **1** droogte *v.*; **2** schraalheid *v.*; **3** dorheid *v.*; **4** gevoelloosheid, ongevoeligheid; liefdeloosheid *v.*; **5** koelheid; barsheid *v.*
sécherie [séʃri] *f.* drogerij *v.*, droogplaats, droogkamer *v.*(*m.*).
sécheur [séʃœ:r] *m.*, **sécheuse** [séʃö:z] *f.* droogtoestel *o.*, droogmachine *v.*
séchoir [séʃwa:r] *m.* **1** droogplaats, droogkamer *v.*(*m.*), drogerij *v.*; **2** droogrek *o.*; **3** (*voor mout*) eest *m.*; ***— à cheveux,*** haardroogmachine *v.*; ***— électrique,*** föhn *m.*
second [ségõ, zgõ] **I** *adj.* tweede; andere; ***sans —,*** weergaloos; ***une —e fois,*** nog eens; ***—e vue,*** helderziendheid *v.*; ***— à,*** onderdoend voor; **II** *s. m.* **1** (de) tweede *m.*; **2** tweede verdieping *v.*; **3** (*muz.: in duet*) tweede partij *v.*; **4** eerste officier *m.*; ***capitaine en —,*** plaatsvervangend kapitein.
secondaire(ment) [segõ'dè:r(mã), zgõdè:r(mã)] *adj.* (*adv.*) **1** ondergeschikt, bijkomstig; **2** (*v. onderwijs, school*) middelbaar; **3** (*gen.*) bijkomend.
seconde [segõ'd, zgõ'd] *f.* **1** seconde *v.*(*m.*); **2** (*v. lyceum, trein, enz.*) tweede klasse *v.*; **3** tweede drukproef *v.*(*m.*), revisie *v.*; **4** (*bij schermen*) tweede positie, tweede wering *v.*; **5** (*muz.*) interval *o.* van een hele noot, secunde *v.*(*m.*); ***— de change,*** (*H.*) secundawissel *m.*; ***à la —,*** op de minuut.
secondement [segõ'dmã, zgõ'dmã] *adv.* ten tweede.
seconder [segõ'dé, zgõ'dé] *v.t.* helpen, bijstaan.
sécot [séko] *adj.* schraal, mager.
secouement, secoûment [s(e)kumã] *m.* schudding *v.*
secouer [s(e)kwé] **I** *v.t.* **1** schudden; **2** afschudden; **3** uitschudden; **4** (*fig.*) hevig aangrijpen; **5** (*v. gedachte*) van zich afzetten; **6** (*v. persoon*) wakker schudden; ***— les oreilles,*** er zich niets van aantrekken; er niet van willen horen; **II** *v.pr.* ***se —,*** **1** zich afschudden; **2** (*fig.*) zich vermannen.
secoûment, *voir* ***secouement.***
secourable [s(e)kura'bl] *adj.* hulpvaardig, behulpzaam, gedienstig.
secourir* [s(e)kuri:r] *v.t.* helpen, bijstaan; ondersteunen.

secours [s(e)ku:r] *m.* hulp *v.(m.)*, bijstand *m.*, ondersteuning *v.*; ***au —!*** help! ***appeler au —,*** om hulp roepen; ***issue de —,*** nooduitgang *m.*; ***roue de —,*** reservewiel *o.*; ***les — de la Religion,*** de troostmiddelen (*of* genademiddelen) van de H. Kerk.

secousse [s(e)kus] *f.* **1** schok, stoot *m.*; **2** schudding *v.*; ***par —s,*** met horten en stoten; ***— de tremblement de terre,*** aardschok *m.*; ***ne pas ficher une —,*** geen steek uitvoeren; ***se donner une —,*** flink aanpakken.

secret [s(e)krè] **I** *adj.* (*f.*: ***secrète*** [s(e)krèt]) **1** geheim, verborgen; **2** bedekt, heimelijk; **3** achterhoudend; gesloten; ***il n'est pas —,*** hij kan niet zwijgen, hij kan zijn mond niet houden; **II** *s. m.* **1** geheim *o.*; **2** geheimhouding *v.*; **3** geheimzinnigheid *v.*; **4** geheime opsluiting *v.*; ***— professionnel,*** ambtsgeheim; ***— de polichinelle,*** publiek geheim; ***il est dans le —,*** hij weet er van; ***en grand —,*** in vertrouwen; ***serrure à —,*** patentslot *o.*

secrétaire [s(e)krétè:r] *m.* **1** geheimschrijver, secretaris *m.*; **2** schrijfkast, schrijftafel *v.(m.)*; **3** (*Dk.*) secretarisvogel *m.*; ***— général,*** secretaris-generaal *m.*

secrétairerie [s(e)krétè'r(e)ri] *f.* (*v. gezantschap, enz.*) secretarie *v.*, secretariaat *o.*, kanselarij *v.*

secrétariat [s(e)krétarya] *m.* **1** secretarisambt *o.*; **2** secretarie *v.*, secretariaat *o.*

secrète [s(e)krèt] **I** *voir* ***secret***; **II** *s. f.* (*kath.*) secreta *v.* (stil gebed in de mis voor de prefatie).

secrètement [s(e)krètmã] *adv.* heimelijk, in 't geheim.

sécréter [sékrété] *v.t.* afscheiden, uitscheiden.

sécréteur [sékrétœ:r] *adj.* afscheidend, uitscheidings—.

sécrétion [sékrésyõ] *f.* **1** afscheiding, uitscheiding *v.*; **2** uitgescheiden vloeistof *v.(m.)*.

sécrétoire [sékrétwa:r] *adj.* afscheidings—.

sectaire [sèktè:r] **I** *m.* **1** aanhanger van een sekte, sektaris *m.*; **2** drijver, dweper *m.*; **II** *adj.* sektarisch. [drijverij *v.*

sectarisme [sèktarizm] *m.* sektengeest *m.*; geest-

sectateur [sèktatœ:r] *m.* aanhanger, volgeling *m.*

secte [sèkt] *f.* sekte, gezindte *v.*

secteur [sèktœ:r] *m.* **1** sector *m.*; **2** (*v. agent, enz.*) wijk *v.(m.)*; **3** (*el.*) stroomnet *o.*

section [sèksyõ] *f.* **1** doorsnijding *v.*, (het) doorsnijden *o.*; **2** (*bouwk.*) doorsnede *v.(m.)*; **3** (*meetk.*) snijvlak *o.*; **4** (*v. gemeente*) wijk *v.(m.)*; **5** (*mil, tram*) sectie *v.*; **6** (*v. werk, enz.*) afdeling *v.*; ***— de vote,*** stembureau *o.*; ***— de chemin de fer,*** baanvak *o.*

sectionnement [sèksyònmã] *m.* verdeling *v.* in wijken (secties).

sectionner [sèksyòné] *v.t.* verdelen in secties; indelen.

séculaire [sékülè:r] *adj.* **1** honderdjarig; **2** eeuwenoud; ***fête —,*** eeuwfeest *o.*

sécularisation [sékülariza'syõ] *f.* verwereldlijking, secularisatie *v.*

séculariser [sékülari'zé] *v.t.* verwereldlijken, in handen van leken brengen, seculariseren.

sécularité [sékülarité] *f.* **1** wereldlijke rechtspraak *v.(m.)*; **2** seculiere stand *m.*

séculier [sékülyé] *adj.* **1** wereldlijk; **2** (*v. priester*) seculier, in de wereld (*nl.* niet in klooster) levend; ***le bras —,*** de wereldlijke macht, het wereldlijk gerecht.

secundo [segõ'do] *adv.* ten tweede. [v.

sécurité [sékürité] *f.* **1** gerustheid *v.*; **2** veiligheid

sédatif [sédatif] **I** *adj.* pijnstillend, bedarend; **II** *s. m.* pijnstillend (*of* bedarend) middel *o.*

sédentaire [sédã'tè:r] *adj.* **1** (*v. leven*) zittend; **2** (*v. persoon*) huiselijk; **3** (*v. stam, volk*) met vaste woonplaats, niet van woonplaats veranderend; ***oiseau —,*** standvogel *m.*

sédentarité [sédãtarité] *f.* stilzitten *o.*, zittend leven *o.*

sédiment [sédimã] *m.* bezinksel, neerslag *o.*

sédimentaire [sédimã'tè:r] *adj.* bezinkings—, door bezinking ontstaan.

sédimentation [sédimã'ta'syõ] *f.* bezinking, aanslibbing *v.*

séditieusement [sédisyö'zmã] *adv.* oproerig.

séditieux [sédisyö] **I** *adj.* oproerig, woelziek; **II** *s., m.* oproerling *m.*

sédition [sédisyõ] *f.* oproer *o.*, opstand *m.*

séducteur [sédüktœ:r] **I** *m.* verleider *m.*; **II** *adj.* verleidend, verleidelijk.

séduction [sédüksyõ] *f.* **1** verleiding *v.*; **2** verlokking, bekoring *v.*; **3** (*v. aanbod, enz.*) verleidelijkheid *v.*; **4** omkoping *v.*

séduire* [sédẅi:r] *v.t.* **1** verleiden; **2** verlokken; **3** bekoren; **4** omkopen.

séduisant [sédẅi'zã] *adj.* **1** verleidelijk; **2** aantrekkelijk; **3** bekoorlijk.

sédum [sédòm] *m.* vetkruid *o.*

segment [sègmã] *m.* **1** segment *o.*; **2** (*v. insekt*) lid *o.*, ring *m.* [staande.

segmentaire [sègmãtè:r] *adj.* uit segmenten be-

segmentation [sègmã'ta'syõ] *f.* verdeling *v.* in segmenten.

segmenter [sègmã'té] *v.t.* in segmenten verdelen.

ségrégatif [ségrégatif] *adj.* afscheidend, losmakend.

ségrégation [ségréga'syõ] *f.* afzondering, scheiding; ontmenging *v.*; ***— raciale,*** apartheid *v.*

séguedille [sègdi'y] *f.* seguidilla, Spaanse dans *m.*

seiche, sèche [sèʃ] *f.* inktvis *m.*

séide [séi'd] *m.* dweepziek volgeling *m.*

seigle [sè'gl] *m.* rogge *v.(m.)*; ***pain de —,*** roggebrood *o.*

seigneur [sèñœ:r] *m.* heer *m.*; ***Notre-S—,*** Onze Heer (Jezus-Christus); Ons Heer (de H. Hostie); ***à tout — tout honneur,*** ere wie ere toekomt.

seigneuriage [sèñœrya:j] *m.* muntrecht *o.*

seigneurial [sèñœ'ryal] *adj.* heerlijk; ***terre —e,*** (*gesch.*) heerlijkheid *v.*, riddergoed *o.*

seigneurie [sèñœ'ri] *f.* heerlijkheid *v.*

seille [sè'y] *f.* houten emmer *m.*

seillon [sèyõ] *m.* houten bakje *o.*

sein [sẽ] *m.* **1** boezem *m.*; **2** borst *v.(m.)*; **3** (*fig.*) schoot *m.*; **4** (*sch.: v. zeil*) buik *m.*; ***au — de,*** te midden van; ***élire dans son —,*** uit zijn midden kiezen.

seine, senne [sè:n] *f.* sleepnet, treknet *o.*

seing [sẽ] *m.* handtekening *v.*; ***acte sous — privé,*** onderhandse akte *v.(m.)*.

séisme [séizm] *m.* aardschok *m.*, aardbeving *v.*

séismique [séizmik] *etc.*, *voir* ***sismique, etc.***

seize [sè:z] *n.card.* **1** zestien; **2** zestiende.

seizième [sè'zyèm] **I** *adj.* zestiende; **II** *s. m.* zestiende (deel) *o.*

seizièmement [sè'zyèm(m)ã] *adv.* ten zestiende, in de zestiende plaats.

séjour [séju:r] *m.* **1** verblijfplaats *v.(m.)*; **2** verblijf, oponthoud *o.*; ***le — céleste,*** de hemel; ***le — infernal,*** de onderwereld.

séjourner [séjurné] *v.i.* **1** verblijven, verblijf houden, vertoeven; **2** (*v. water*) stilstaan.

sel [sèl] *m.* **1** zout *o.*; **2** (*fig.*) geestigheid *v.*, pit *o. en v.(m.)*; ***— gemme,*** klipzout; ***— digestif,*** zuiveringszout; ***— d'Epsom,*** Engels zout, bitterzout; ***plaisanterie au gros —,*** grove aardigheid *v.*; ***— volatil, des —s,*** vlugzout *o.*

sélacien [sélasyẽ] *adj.* (*Dk.*) met kraakbenige huid (bv. haai, rog).
select [sélèkt] *adj.* uitgelezen, uitgezocht.
sélecteur [sélèktœ:r] *m.* (*el.*) uitzoeker *m.*
sélectif [sélèktif] *adj.* **1** teeltkeus—; **2** (*radio*) selectief.
sélection [sélèksyõ] *f.* **1** keuze *v.*(*m.*); **2** teeltkeus *v.*(*m.*); **3** (*v. rassen, zaden*) veredeling *v.*
sélectionner [sélèksyòné] *v.t.* **1** door teeltkeus veredelen; **2** na proeven uitkiezen.
sélectivité [sélèktivité] *f.* selectiviteit, afstemscherpte *v.*
sélénien [sélényẽ] *m.* maanbewoner *m.*
sélénite [sélénit] *m.-f.* maanbewoner *m.*, —bewoonster *v.*
séléniteux [sélénitö] *adj.* met zwavelzure kalk.
sélénium [sélényòm] *m.* selenium *o.*
sélénographie [sélénògrafi] *f.* maanbeschrijving *v.*
self [sèlf] *m.* (*tn.*) zelf-inductie *v.* [*v.*
self-induction [sèlfẽ·düksyõ] *f.*, (*el.*) zelf-inductie
sellage [sèla:j] *m.* zadeling *v.*, (het) zadelen *o.*
selle [sèl] *f.* **1** zadel *m. of o.*; **2** stoelgang *m.*, ontlasting *v.*; **3** bankje, krukje *o.*; ***cheval de —,*** rijpaard *o.*; ***remettre en —,*** weer op de been helpen, er weer bovenop helpen; ***être bien en —,*** vast in de zadel zitten.
seller [sèlé] **I** *v.t.* zadelen; **II** *v.pr.* ***se —,*** (*v. grond*) hard worden.
sellerie [sèlri] *f.* **1** zadelmakerij *v.*; **2** tuigkamer, zadelkamer *v.*(*m.*); **3** (het) zadelmaken *o.*
sellette [sèlèt] *f.* **1** bankje *o.* (*v. beschuldigden, schoenpoetser, enz.*); **2** kantoorkrukje *o.*; ***être sur la —,*** ondervraagd worden; onder het mes zijn; ***mettre sur la —,*** **1** lang uithoren; **2** duchtig de les lezen.
sellier [sèlyé] *m.* zadelmaker *m.*
selon [s(e)lõ] *prép.* volgens, naar; ***c'est —,*** dat hangt er van af; ***— que,*** *conj.* naar gelang.
Seltz [sèlts] *m.*, ***eau de —,*** spuitwater *o.*
semaille(**s**) [s(e)ma·y] *f.*(*pl.*) **1** (het) zaaien *o.*; **2** zaaitijd *m.*
semaine [s(e)mè:n] *f.* **1** week *v.*(*m.*); **2** weekloon, weekgeld *o.*; **3** weekoverzicht *o.*; ***en —,*** op werkdagen, in de week; ***être de —,*** de week hebben; ***la — sainte,*** de Goede Week, de Stille Week.
semainier [s(e)mè·nyé] **I** *m.* die de week heeft *m.*; **II** *adj.* wekelijks, week—.
semaison [s(e)mè·zõ] *f.* zaaitijd *m.*
sémantique [sémã·tik] **I** *f.* betekenisleer *v.*(*m.*); **II** *adj.* van de betekenisverandering.
sémaphore [sémafò:r] *m.* **1** kusttelegraaf *m.*; **2** (*spoorw.*) seinpaal, signaalarm *m.*
semblable [sã·bla·bl] **I** *adj.* **1** gelijk, gelijkaardig, gelijkvormig; **2** zulk, dergelijk; **3** (*wisk.*) gelijkvormig; **II** *m.* **1** gelijke *o.*, weerga *v.*(*m.*); **2** evenmens, naaste *m.* [gelijks.
semblablement [sã·bla·blemã] *adv.* evenzo, ins-
semblant [sã·blã] *m.* schijn *m.*; ***faire — de,*** doen alsof, voorwenden; ***ne faire — de rien,*** niets laten merken.
sembler [sã·blé] *v.i. et v.imp.* schijnen; voorkomen, lijken; ***il me semble,*** mij dunkt; ***si bon vous semble,*** zo u wilt, als u het goed vindt; ***que vous en semble ?*** wat dunkt u er van ?
semé [s(e)mé] *adj.* bezaaid.
séméiologie [séméyòlòji], **séméiotique** [séméyòtik] *f.* leer *v.*(*m.*) van de ziektesymptomen.
semelle [s(e)mèl] *f.* **1** zool *v.*(*m.*); **2** (*v. fundering, enz.*) onderlaag *v.*(*m.*); **3** (*v. aanbeeld*) blok *o.*; **4** (*v. schaats*) hout *o.*; **5** (*v. autoband*) hiel *m.*; ***battre la —,*** te voet gaan; ***ne pas reculer d'une —,*** geen duimbreed wijken.
semence [s(e)mã:s] *f.* **1** zaad *o.*; **2** (*v. diamant, parels*) gruis *o.*; **3** (tapijt)spijkertje *o.* [*o.*
semen-contra [sémènkõ·tra] *m.* (*Pl.*). wormkruid
semer [s(e)mé] *v.t.* **1** zaaien; **2** bezaaien; **3** (*v. geld, enz.*) uitdelen; **4** (*v. geruchten, enz.*) uitstrooien, rondstrooien; **5** in de steek laten; ***— clair,*** dun zaaien; ***— sur le sable,*** nutteloos werk verrichten; ***— l'effroi,*** schrik verspreiden.
semestre [s(e)mèstr] *m.* **1** halfjaar, semester *o.*; **2** halfjaarlijks traktement *o.*; **3** verlof *o.* van zes maanden.
semestriel [s(e)mèstri(y)èl] *adj.* halfjaarlijks.
semestriellement [s(e)mèstri(y)èlmã] *adv.* om het half jaar, om de zes maanden, halfjaarlijks.
semeur [s(e)mœ:r] *m.* **1** zaaier *m.*; **2** (*fig.*) verspreider, verbreider *m.* [*v.*
semeuse [s(e)mö:z] *f.* **1** zaaister *v.*; **2** zaaimachine
semi-circulaire [s(e)misirkülè:r] *adj.* halfrond, halfcirkelvormig.
semi-consonne* [s(e)mikõ·sòn] *f.* halve medeklinker *m.* [sneltrein *m.*
semi-direct [s(e)midirèkt] *adj.* ***train —,*** half-
semi-double [s(e)midubl] *adj.*, (*kath.*) halfdubbel.
sémillant [sémiyã] *adj.*, (*v. kind*) levenslustig; (*v. geest*) fonkelend. [lijks, tweewekelijks.
semi-mensuel [s(e)mimãsẘèl] *adj.* halfmaande-
séminaire [séminè:r] *m.* seminarie *o.*
séminal [séminal] *adj.* zaad—.
séminariste [séminarist] *m.* seminarist *m.*
sémination [sémina·syõ] *f.* zaadverstuiving *v.*
semi-officiel [s(e)miòfisyèl] *adj.* officieus.
semis [s(e)mi] *m.* **1** zaaiing *v.*; **2** zaadbed *o.*; **3** zaailing *m.*; **4** aanplant *m.*
Sémite [sémit] *m.* Semiet *m.*
sémitique [sémitik] *adj.* Semitisch.
semi-ton* [s(e)mitõ] *m.* (*muz.*) halve toon *m.*
semi-voyelle* [s(e)mivwayèl] *f.* halfklinker *m.*
semoir [s(e)mwa:r] *m.* **1** zaaizak *m.*; **2** zaaimachine *v.*
semonce [s(e)mõ:s] *f.* vermaning, berisping *v.*; ***verte —,*** schrobbering *v.*
semoncer [s(e)mõ·sé] *v.t.* berispen, vermanen.
semoule [s(e)mul] *f.* griesmeel *o.*
semper virens [sẽpèrvi·rẽs] *m.* heel het jaar door bladeren dragende plant *v.*(*m.*).
sempiternel [sẽ·pitèrnèl] *adj.* **1** altijddurend, eeuwig; **2** zeer oud, stokoud.
sempiternellement [sẽ·pitèrnèlmã] *adv.* eeuwig en altijd, tot in het oneindige. [*v.*(*m.*).
sénat [séna] *m.* senaat *m.*; (*N.N.*) Eerste Kamer
sénateur [sénatœ:r] *m.* senator *m.*; senaatslid *o.*; lid *o.* van de Eerste Kamer.
sénatorial [sénatòryal] *adj.* senatoren—; senaats—; ***élection —e,*** senaatsverkiezing *v.*
sénatus-consulte* [sénatüskõ·sült] *m.* senaatsbesluit *o.*
séné [séné] *m.* (*Pl.*) senebladen *mv.*
sénéchal [sénéʃal] *m.* (*gesch.*) drost, drossaard *m.*
sénéchaussée [sénéʃo·sé] *f.* rechtsgebied *o.* van een drossaard.
séneçon [sén(e)sõ] *m.* (*Pl.*) kruiswortel *m.*
sénégalais [sénégalè] **I** *adj.* Senegalees; **II** *s. m.* ***S—,*** Senegalees *m.*
Sénégambie [sénégã·bi] *f.* Senegambië *o.*
Sénèque [sénèk] *m.* Seneca *m.*
senestre [senèstr] *adj.* links.
sénevé [sènvé, sénvé] *m.* mosterdplant *v.*(*m.*); mosterdzaad *o.* [seniel, kinds.
sénile [sénil] *adj.* van ouderdom, ouderdoms—;
sénilité [sénilité] *f.* ouderdomszwakte *v.*
Senne [sèn] *f.* Zenne *v.*
senne, *voir* ***seine.***

sénonais [sénònè] *adj.* uit Sens.

sens [sã:s] *m.* **1** zin *m.*; **2** zintuig *o.*; **3** verstand *o.*; **4** mening *v.*, gevoelen *o.*; **5** betekenis *v.*; **6** richting *v.*; zijde *v.(m.)*, kant *m.*; ***bon —, — commun,*** gezond verstand; ***— critique,*** kritische geest *m.*; ***avoir le — du beau,*** gevoel hebben voor het schone; ***cela tombe sous les —,*** dat spreekt vanzelf, dat ligt voor de hand; ***à mon —,*** naar mijn mening; ***perdre l'usage de ses —,*** bewusteloos worden; ***reprendre ses —,*** weer tot bewustzijn komen; ***à double —,*** dubbelzinnig; ***dans le — de la longueur,*** in de lengte; ***en tous —,*** in alle richtingen; ***— unique,*** eenrichtingsverkeer *o.*; ***— interdit,*** verboden inrit; ***— dessus dessous,*** 't onderste boven; ***— devant derrière,*** 't achterste voor; ***— machine*** (*of* ***de fabrication***), (*v. papier*) looprichting; ***— travers,*** (*v. papier*) dwarsrichting.

sensation [sãsɑ'syõ] *f.* **1** gewaarwording *v.*, gevoel *o.*, indruk *m.*; **2** opzien *o.*, opschudding, sensatie *v.*; ***faire —,*** opzien baren.

sensationnel [sãsasyònèl] *adj.* opzienbarend, sensatiemakend. [wijs.

sensé(ment) [sã'sé(mã)] *adj.* (*adv.*) verstandig,

sensibilisateur [sã'sibilizatœ:r] *adj.* (*fot.*) gevoeligmakend.

sensibilisation [sã'sibilizɑ'syõ] *f.* (*fot.*) (het) gevoelig maken *o.* [maken.

sensibiliser [sã'sibili'zé] *v.t.* (*fot.*, *gen.*) gevoelig

sensibilité [sã'sibilité] *f.* **1** gevoeligheid *v.*; **2** vatbaarheid *v.* voor gevoelsindrukken; ***fausse —,*** overdreven sentimentaliteit.

sensible [sã'si'bl] *adj.* **1** waarneembaar; **2** (*v. verschil, enz.*) merkbaar; **3** gevoelig; **4** lichtgeraakt; **5** (*v. vorderingen, verlies, enz.*) aanzienlijk, belangrijk; ***toucher au point —,*** het tere punt aanraken.

sensiblement [sã'si'blemã] *adv.* **1** merkbaar; **2** aanmerkelijk; **3** gevoelig; **4** innig, levendig.

sensiblerie [sã'si'bleri] *f.* overgevoeligheid, overdreven gevoeligheid *v.*

sensitif [sã'sitif] **I** *adj.* **1** gevoelig; **2** vatbaar voor indrukken; ***vie sensitive,*** gevoelsleven *o.*; **II** *s. m.* gevoelsmens *m.*

sensitive [sã'siti:v] *f.* (*Pl.*) kruidje-roer-mij-niet *o.*

sensitivité [sã'sitivité] *f.* gevoeligheid *v.*

sensitivomoteur [sã'sitivòmòtœ:r] *adj.* sensomotorisch.

sensoriel [sã'sòryèl] *adj.* zintuiglijk.

sensorium [sã'sòryòm] *m.* sensorium *v.*, zetel *m.* der gewaarwordingen.

sensualisme [sã'sŵalizm] *m.* **1** zinnelijkheid *v.*; zingenot *o.*; **2** (*wijsb.*) sensualisme *o.*

sensualité [sã'sŵalité] *f.* zinnelijkheid *v.*

sensuel [sã'sŵèl] **I** *adj.* zinnelijk; **II** *s. m.* zinnelijk mens *m.*

sente [sã:t] *f.* (voet)pad *o.*

sentence [sã'tã:s] *f.* **1** spreuk, zinspreuk *v.(m.)*; **2** (*recht*) uitspraak *v.(m.)*; vonnis *o.*

sentencieux [sã'tã'syö] *adj.*, **sentencieusement** [sã'tã'syö'zmã] *adv.* **1** vol spreuken, spreukrijk; in spreuken; **2** (*v. toon*) deftig, gemaakt; ***parler d'un ton —,*** veel spreuken gebruiken.

senteur [sã'tœ:r] *f.* geur, reuk *m.*; ***eau de —,*** reukwater *o.*; ***pois de —,*** welriekende lathyrus *m.*

senti [sã'ti], ***bien —,*** diep gevoeld.

sentier [sã'tyé] *m.* voetpad, pad *o.*

sentiment [sã'timã] *m.* **1** gevoel *o.*; **2** gewaarwording *v.*; **3** bewustzijn, besef *o.*; **4** mening *v.*, denkwijze *v.(m.)*, oordeel *o.*; ***avoir le — du beau,*** zin (*of* gevoel) hebben voor het schone; ***— du devoir,*** plichtsbesef; ***il a le — des affaires,*** hij heeft aanleg voor de handel; ***avoir le — de sa force,*** zich van zijn kracht bewust zijn; ***prendre qn. par le —,*** op het gevoel van iem. werken; ***perdre le —,*** het bewustzijn verliezen.

sentimental(ement) [sã'timã'tal(mã)] *adj.* (*adv.*) sentimenteel, overdreven gevoelig.

sentimentalisme [sã'timãtalizm] *m.* overdreven gevoeligheid *v.*

sentimentalité [sã'timã'talité] *f.* overgevoeligheid, sentimentaliteit *v.*

sentine [sã'tin] *f.* **1** (*sch.*) welput, durk *m.*; **2** (*fig.*) poel *m.*; broeinest *o.*

sentinelle [sã'tinèl] *f.* schildwacht *m.*; ***— perdue,*** (*mil.*) verloren post, uiterste wachtpost *m.*; ***faire —,*** op schildwacht staan; ***relever qn. de —,*** iem. aflossen.

sentir* [sã'ti:r] **I** *v.t.* **1** voelen; gevoelen; **2** ruiken; ruiken aan; **3** ruiken naar; smaken naar; **4** (*fig.*) zwemen naar, verraden; ***— le brûlé,*** aangebrand ruiken; — smaken; ***je ne puis le —,*** ik kan hem niet luchten; ***paroles bien senties,*** gevoelvolle woorden; **II** *v.i.* rieken; stinken; ***— mauvais,*** kwalijk rieken; **III** *v.pr.* ***se —,*** **1** zich gevoelen; **2** gevoel van eigenwaarde hebben; ***ne pas se — de joie,*** buiten zich zelf van vreugde zijn; ***se — de,*** de gevolgen bespeuren (*of* ondervinden) van.

seoir* [swa:r] *v.i.* **1** passen, betamen; **2** (*v. kleding, enz.*) zitten, staan; **3** gelegen zijn.

sep [sèp] *m.* ploeghout *o.*

sépale [sépal] *m.* kelkblad *o.*

séparabilité [séparabilité] *f.* scheidbaarheid *v.*

séparable [sépara'bl] *adj.* scheidbaar.

séparateur [séparatœ:r] *m.* afscheidingstoestel *o.*

séparatif [séparatif] *adj.* scheidend; ***mur —,*** scheidsmuur *m.*

séparation [séparɑ'syõ] *f.* **1** scheiding *v.*; **2** afscheiding *v.*; **3** beschot *o.*; ***mur de —,*** scheidsmuur *m.*; ***— de biens,*** scheiding van goederen; ***— de corps,*** scheiding van tafel en bed.

séparatisme [séparatizm] *m.* geest *m.* van afscheiding, separatisme *o.*

séparatiste [séparatist] **I** *m.* voorstander van afscheiding, separatist *m.*; **II** *adj.* separatistisch.

séparé(ment) [séparé(mã)] *adj.* (*adv.*) afzonderlijk, gescheiden.

séparer [séparé] **I** *v.t.* **1** scheiden; **2** afscheiden; **3** delen; splitsen; **II** *v.pr.* ***se —,*** **1** scheiden, van elkaar scheiden; **2** zich splitsen; ***se — de,*** zich afscheiden van, zich losmaken van.

sépia [sépya] *f.* **1** (*Dk.*) inktvis *m.*; **2** sepia *v.(m.)* (inkt van de inktvis); **3** sepiatekening *v.*

seps [sèps] *m.* slanghagedis *v.(m.)*.

sept [sèt] *n.card.* **1** zeven; **2** (*in datum*) zevende.

septante [sèptã] *n.card.* (*veroud. en B.*) zeventig; ***les S—,*** de Septuaginta *mv.*

septembre [sèptã'br] *m.* september *m.*, herfstmaand *v.(m.)*.

septembrisades [sèptã'brisa'd] *f.pl.* (*gesch.*) Septembermoorden *mv.* (te Parijs in 1792).

septénaire [sèpténè:r] *adj.* **1** zeventallig; **2** zevenjarig; ***nombre —,*** zeven.

septennal [sèptènal] *adj.* zevenjarig.

septennat [sèptèn(n)a] *m.* septennaat *o.*, 7 jaar durende regeringsmacht (in Fr. na 1873).

septentrion [sèptã'tri(y)õ] *m.* noorden *o.*

septentrional [sèptã'tri(y)ònal] *adj.* noordelijk; ***les septentrionaux,*** de noordelijke volken.

septicémie [sèptisémi] *f.* sepsis *v.*, bloedbederf *o.*

septième [sètyèm] **I** *adj.* zevende; **II** *s. m.* zevende (deel) *o.*; **III** *s. f.* **1** zevende klasse *v.*; **2** (*muz.*) septime *v.(m.)*, zevende toonsafstand *m.*

septièmement [sètyèm(m)ã] *adv.* ten zevende.

Septime [sèptim] *m.* Septimus *m.*
septimo [sèptimo] *adv.* ten zevende.
septique [sèptik] *adj.* bederf bevorderend, rotting veroorzakend.
septuagénaire [sèptẃajénè:r] **I** *adj.* zeventigjarig; **II** *s. m.-f.* zeventigjarige *m.-v.*
septuagésime [sèptẃajézim] *f.* Septuagesima *m.*, (3e zondag vóór de vasten).
septuor [sèptẃò:r] *m.* (*muz.*) septet *o.*
septuple [sèptüpl] **I** *m.* zevenvoud *o.*; **II** *adj.* zevenvoudig.
septupler [sèptüplé] **I** *v.t.* verzevenvoudigen; **II** *v.i.* verzevenvoudigd worden.
sépulcral [sépülkral] *adj.* van het graf—; ***voix —e,*** grafstem *v.(m.).*
sépulcre [sépülkr] *m.* graf *o.*; ***—s blanchis,*** (*Bijb.*) gepleisterde graven, huichelaars.
sépulture [sépültü:r] *f.* **1** begrafenis *v.*; **2** begraafplaats *v.(m.)*; grafstede *v.(m.).*
séquanais [sékwanè] *adj.* van de Seine.
séquelle [sékèl] *f.* **1** (*fam.*) aanhang *m.*; **2** nasleep *m.*; **3** (*gen.*) ***—s,*** naziekte *v.*, naverschijnselen (v. ziekte) *mv.*
séquence [sékã:s] *f.* **1** (*kath.*) sequens *v.(m.)*, sequentie *v.*; **2** (*kaartsp.*) volgkaart *v.(m.)*, reeks *v.(m.)* kaarten van dezelfde kleur.
séquestration [sékèstraˑsyõ] *f.* **1** beslag *o.* op goederen; **2** opsluiting, vrijheidsberoving *v.*
séquestre [sékèstr] *m.* **1** beslagneming; bewaring *v.* door derden; **2** goed *o.* waarop beslag gelegd is; **3** bewaarder *m.* van betwist goed; **4** dwangbeheer, dwangtoezicht *o.*; ***mettre en —,*** in bewaarderhand stellen.
séquestrer [sékèstré] *v.t.* **1** in bewaring stellen, beslag leggen op, sequestreren; **2** opsluiten; **3** afzonderen.
sequin [s(e)kẽ] *m.* zecchine *v.* (*Ital. munt*).
séquoia [sékòya] *m.* sequoia, Amerikaanse reuzenconifeer *m.* (tot 130 m).
sérac [sérak] *m.* gletsjerblok *o.*
sérail [séraˑy] *m.* **1** serail, paleis *o.* van de Turkse sultan; **2** harem *m.*
séran [sérã] *m.* hekel *m.*
sérancer [sérãˑsé] *v.t.* (*v. vlas*) hekelen.
séranceur [sérãˑsœ:r] *m.* hekelaar *m.*
sérapéum [sérapéòm] *m.* Serapistempel *m.* in Egypte.
séraphin [sérafẽ] *m.* serafijn *m.*
séraphique [sérafik] *adj.* serafijns; engelachtig.
serbe [sèrb] **I** *adj.* Servisch; **II** *s.m.* ***S—,*** Serviër *m.*
Serbie [sèrbi] *f.* Servië *o.*
serein [s(e)rẽ] **I** *adj.* **1** (*v. lucht*) helder, onbewolkt; **2** (*fig.*: *v. gelaat, enz.*) kalm, rustig; **3** blijmoedig, vrolijk; ***goutte —e,*** (*gen.*) zwarte staar *v.(m.)*; **II** *s. m.* avonddauw *m.*
sérénade [sérénaˑd] *f.* avondmuziek, serenade *v.*
sérénissime [sérénisim] *adj.* doorluchtig.
sérénité [sérénité] *f.* **1** (*v. lucht*) helderheid *v.*; **2** kalmte *v.*, rust *v.(m.)*; **3** blijmoedigheid, opgeruimdheid *v.*
séreux [sérö] *adj.* waterachtig.
serf [sèrf] **I** *m.* lijfeigene *m.*; **II** *adj.* lijfeigen, onvrij.
serfouette [sèrfwèt] *f.* klein tuinhouweel *o.*
serfouir [sèrfwi:r] *v.t.* met tuinhouweel omwerken.
serge [sèrj] *f.* serge *v.(m.)*, saai *o. en m.*
sergé [sèrjé] *m.* op serge lijkende stof *v.(m.).*
sergent [sèrjã] *m.* sergeant *m.*; ***— de ville,*** politieagent *m.*
sergent*-fourrier* [sèrjãfuryé] *m.* (*mil.*) foerier *m.*
sergent*-major* [sèrjãmajò:r] *m.* (*mil.*) sergeant-majoor *m.*

serger [sèrjé], **sergier** [sèrjyé] *m.* **1** sergewever; sergefabrikant *m.*; **2** sergekoopman *m.* [del *m.*
sergerie [sèrjeri] *f.* **1** sergeweverij *v.*; **2** sergehan-
sergette [sèrjèt] *f.* dunne serge *v.(m.).*
sergier, *voir* ***serger.***
sergot [sèrgo] *m.* (*pop.*) diender *m.*
séricicole [sérisikòl] *adj.* zijde—; ***industrie —,*** zijdeïndustrie *v.*
sériciculture [sérisikültü:r] *f.* zijdeteelt *v.(m.).*
séricigène [sérisijè:n] *adj.* zijdevoortbrengend; ***bombyx —,*** zijdevlinder *m.*; ***glande —,*** spinklier *v.(m.).*
série [séri] *f.* reeks; rij *v.(m.)*; ***fabrication en —,*** massaproduktie *v.*; ***fabriquer en —,*** naar eenzelfde model bewerken; ***article en —,*** standaardartikel *o.*; ***hors —,*** van bijzondere maten; waarvan de sortering onvolledig is; ***fins de —,*** restanten *mv.* [verdelen.
sérier [séryé] *v.t.* in reeksen plaatsen; in reeksen
sérieusement [séryöˑzmã] *adv.* ernstig, in ernst.
sérieux [séryö] **I** *adj.* **1** ernstig; **2** (*v. persoon*) solide; **3** (*v. kleding*) deftig; **4** (*v. handelszaak*) betrouwbaar; **II** *s. m.* **1** ernst *m.*; **2** (het) ernstige *o.*; ***garder son —,*** ernstig blijven, zich goedhouden; ***prendre au —,*** ernstig opvatten; ***se prendre au —,*** zich zelf heel gewichtig vinden.
sérigraphie [sérigrafi] *f.* zeefdruk *m.*
serin [s(e)rẽ] **I** *m.* **1** sijsje *o.*; (***— des Canaries***), kanarievogel *m.*; **2** (*fig.*) uilskuiken *o.*; **II** *adj.* ***jaune —,*** kanariegeel. [kauwen.
seriner [s(e)riné] *v.t.* (*fig.*) gedurig herhalen, voor-
serinette [s(e)rinèt] *f.* muziekdoos *v.(m.)* om kanaries te leren zingen.
seringa(t) [s(e)rẽˑga] *m.* boerenjasmijn, wilde jasmijn *v.(m.).*
seringage [s(e)rẽˑga:j] *m.* bespuiting *v.*
seringue [s(e)rẽ:g] *f.* **1** spuit *v.(m.)*; injectiespuitje *o.*; **2** (*fig.*: *pop.*) zeurkous *v.(m.)*, vervelend mens *m.*; **3** (*mil.*: *sl.*) spuit *v.(m.)*, geweer *o.*
séringuer [s(e)rẽˑgé] *v.t.* **1** bespuiten; **2** inspuiten.
serment [sèrmã] *m.* **1** eed *m.*; **2** vloek *m.*; ***prêter —,*** een eed afleggen; ***déférer le — à qn.,*** iem. de zuiveringseed opleggen; ***faire —,*** een eed doen, zweren; ***faux —,*** valse eed; ***— professionnel,*** ambtseed *m.*
sermon [sèrmõ] *m.* **1** preek *v.(m.)*, sermoen *o.*; **2** vermaning *v.*; ***le — sur la Montagne,*** de Bergrede *v.(m.).*
sermonnaire [sèrmònè:r] **I** *m.* **1** sermoenenschrijver *m.*; **2** sermoenenbundel *m.*, verzameling *v.* van preken; **II** *adj.* preek—; ***style —,*** preektoon, preektrant *m.*; ***éloquence —,*** kanselwelsprekendheid *v.*
sermonner [sèrmòné] **I** *v.t.* vermanen, de les lezen; **II** *v.i.* preken.
sermonneur [sèrmònœ:r] *m.* zedenpreker *m.*
sérosité [séroˑzité] *f.* (opeenhoping *v.* van) waterachtig lichaamsvocht *o.* [met serum.
sérothérapie [sérotérapi] *f.* (*gen.*) behandeling *v.*
sérotine [sérotin] *f.* vleermuis *v.(m.).* [ting *v.*
sérovaccination [séròvaksinaˑsyõ] *f.* seruminen-
serpe [sèrp] *f.* **1** snoeimes *o.*; **2** hakmes *o.*
serpent [sèrpã] *m.* **1** slang *v.(m.)*; **2** boosaardig mens *m.*; helleveeg *v.*; **3** (*muz.*, *blaasinstrument*) serpent *o.*; **4** serpentblazer *m.*; ***— à lunettes,*** brilslang; ***— à sonnettes,*** ratelslang; ***— de verre,*** hazelworm *m.*
serpentaire [sèrpãˑtè:r] **I** *f.* slangekruid *o.*; **II** *m.* secretarisvogel *m.*
serpentant [sèrpãˑtã] *adj.* slingerend, kronkelend.
serpente [sèrpã:t] *f.* **1** wijfjesslang *v.(m.)*; **2** slangepapier *o.*

serpenteau [sèrpã'to] *m.* **1** slangetje *o.*; **2** voetzoeker *m.*; **3** (*Pl.*) aflegger *m.*
serpentement [sèrpã'tmã] *m.* gekronkel *o.*
serpenter [sèrpã'té] *v.i.* kronkelen.
serpentiforme [sèrpã'tifòrm] *adj.* slangvormig.
serpentin [sèrpã'tẽ] **I** *m.* **1** spiraalbuis *v.*(*m.*); **2** serpentine *v.*; **II** *adj.*, ***marbre —***, serpentijnmarmer *o.*
serpentine [sèrpã'tin] *f.* serpentijnsteen *o. en m.*
serpette [sèrpèt] *f.* snoeimes *o.*
serpillière [sèrpiyè:r] *f.* **1** paklinnen *o.*; **2** linnen voorschoot *m. en o.*; **3** zwabber *m.*
serpolet [sèrpòlè] *m.* (*Pl.*) wilde tijm *m.*
serrage [sèra:j] *m.* (het) aanhalen *o.*, (het) aandraaien *o.*; (het) remmen *o.*, (het) toetrekken *o.*; (het) spannen *o.*
serre [sè:r] *f.* **1** (*v. roofvogel*) klauw *m.*; **2** broeikas, serre *v.*(*m.*); **3** (*v. druiven, enz.*) (het) persen *o.*; **4** bewaarplaats *v.*(*m.*); ***— chaude,*** broeikas *v.*(*m.*); ***un fruit de — chaude,*** (*fig.*) een kasplantje *o.*
serré [sèré] *adj.* **1** (*v. weefsel, enz.*) dicht; **2** dicht op elkaar; opeengedrongen; **3** (tussen twee dingen) beklemd; **4** (*v. stijl*) bondig, gedrongen; **5** (*v. betoog*) klemmend; **6** (*v. schouders*) smal; **7** (*v. zeef*) fijn; **8** (*v. spel*) gesloten; **9** (*v. verhoor*) scherp; **10** gierig, schriel; ***à intervalles —s,*** kort na elkaar; ***argumentation —e,*** klemmend betoog, betoog waar geen speld tussen te krijgen is; ***en rangs —s,*** in gesloten gelederen; ***avoir le ventre —,*** hardlijvig zijn; ***les dents —es,*** met opeengeklemde tanden; ***style —,*** bondige stijl; ***mentir —,*** liegen alsof het gedrukt staat.
serre-bouchon* [sè'rbuʃõ] *m.* beugelsluiting *v.*
serre-bras [sè'rbra] *m.* armverband *o.*
serre-écrou [sè'rékru] *m.* moersleutel *m.*
serre-fil(s) [sè'rfil] *m.* draadklem *v.*(*m.*).
serre-file [sè'rfil] *m.* **1** (*mil.*) gelidsluiter *m.*; **2** (*fig.*) beksluiter *m.*
serre-frein(s) [sè'rfrẽ] *m.* (*tn.*) remmer *m.*
serre-joint(s) [sè'rjwẽ] *m.* (*tn.*) klemhaak *m.*, klemschroef *v.*(*m.*), sergeant *m.*
serre-livres [sè'rli'vr] *m.* boekensteun *m.*
serrement [sè'rmã] *m.* **1** (het) drukken *o.*; **2** drukking; beklemming *v.*; ***— de main,*** handdruk *m.*; ***j'eus un — de cœur,*** mijn hart kromp ineen.
serrément [sèrémã] *adv.* bekrompen, schriel, gierig.
serre-nez [sè'rné] *m.* neuspranger *m.*
serre-pantalon [sè'rpã'talõ] *m.* broekenstrekker *m.*
serre-papiers [sè'rpapyé] *m.* **1** papierkast *v.*(*m.*); **2** papierdrukker *m.*
serre-pouces [sè'rpus] *m.* duimschroef *v.*(*m.*).
serrer [sè'ré] **I** *v.t.* **1** opbergen, wegsluiten, wegbergen; **2** knellen, klemmen; **3** (*v. hand*) drukken; **4** samensnoeren, vastbinden; **5** aanschroeven; **6** strakker aanhalen; **7** (*v. zeilen*) vastmaken; **8** (*v. tanden*) op elkaar klemmen; ***— les freins,*** remmen; ***— les rangs,*** de gelederen sluiten; ***— qn. de près,*** iem. op de hielen zitten; ***— la muraille,*** vlak langs de muur gaan; ***— la terre,*** dicht langs de wal varen; ***— le vent,*** dicht bij de wind houden; ***— le cœur,*** het hart doen ineenkrimpen; **II** *v.pr.* ***se —,*** **1** dicht bij elkaar gaan zitten, opschikken; **2** zich inrijgen; **3** (*fig.*: *v. hart*) ineenkrimpen.
serre-tête [sè'rtè:t] *m.* **1** hoofddoek *m.*; **2** koptelefoon *m.*; **3** valhelm *m.*
serrette [sèrèt], *voir* ***sarrette.***
serrure [sè'rü:r] *f.* slot *o.*; ***— à combinaison,*** letterslot; ***— à secret,*** geheim slot; ***— à double tour,*** nachtslot.
serrurerie [sèrür(e)ri] *f.* **1** slotenmakerij *v.*; **2** slotenmakerswerk *o.*
serrurier [sèrüryé] *m.* slotenmaker *m.*
sertir [sèrti:r] *v.t.* **1** (*v. edelstenen*) zetten, vatten; **2** (*v. blikje*) dichtsolderen.
sertissage [sèrtisa:j] *m.* (het) zetten *o.*
sertisseur [sèrtisœ:r] *m.* zetter *m.*
sertissure [sèrtisü:r] *f.* **1** zetting *v.*; **2** dichtsoldering *v.*
sérum [séròm] *m.* **1** wei *v.*(*m.*); **2** serum *o.*
servage [sèrva:j] *m.* lijfeigenschap, horigheid *v.*
serval [sèrval] *m.* tijgerkat *v.*(*m.*).
servant [sèrvã] **I** *adj.* dienend; ***frère —,*** lekebroeder *m.*; ***fonds —,*** (*recht*) dienstbaar erf; **II** *s. m.* **1** kanonnier *m.*; **2** (***— de messe***), misdienaar *m.*; ***les —s,*** (*mil.*) de bedieningsmanschappen.
servante [sèrvã:t] *f.* **1** dienstbode *v.*; **2** dienares *v.*; **3** dientafeltje *o.*; dienbak *m.*; **4** (*tn.*) staande schroef *v.*(*m.*).
serveur [sèrvœ:r] *m.* **1** bediende, tafelknecht *m.*; kelner *m.*; **2** (*sp.*) serverende speler, server *m.*
serveuse [sèrvö:z] *f.* kelnerin, dienster *v.*
serviabilité [sèrvyabilité] *f.* dienstvaardigheid *v.*
serviable [sèrvya'bl] *adj.* dienstvaardig, gedienstig.
service [sèrvis] *m.* **1** dienst *m.*; **2** bediening *v.*; **3** krijgsdienst *m.*; **4** dienstgebouw *o.*; **5** servies, tafelgereedschap *o.*; **6** (*bij maaltijd*) gang *m.*, gerecht *o.*; **7** (*sp.*) (het) serveren, (het) uitslaan *o.*; ***être de —,*** dienst hebben, de week hebben; ***— divin,*** godsdienstoefening *v.*; ***— funèbre,*** lijkdienst *m.*; ***— de fumeur(s),*** rookstel *o.*; ***— à liqueurs,*** likeurstel *o.*; ***— à poisson,*** visbestek *o.*; ***billet de —,*** vrijbiljet *o.*; ***mise en —,*** ingebruikneming *v.*; ***— de presse,*** recensie-exemplaar *o.*; ***faire le —,*** (*sp.* : *tennis*) uitslaan; ***faire son — militaire,*** dienen; ***prendre (du) —,*** in dienst gaan, dienst nemen; ***rendre un mauvais — à qn.,*** iem. een ondienst bewijzen; ***qu'y a-t-il pour votre —?*** wat is er van uw dienst?
serviette [sèrvyèt] *f.* **1** servet *o.*; **2** (***— de toilette***) handdoek *m.*; **3** aktentas *v.*(*m.*); ***— à thé,*** vingerdoekje *o.*; ***— hygiénique,*** maandverband *o.*
serviette*-éponge* (sèrvyètépò:j] *f.* badhanddoek *m.*
servile(ment) [sèrvil(mã)] *adj.* (*adv.*) **1** slaafs; **2** gemeen, laag.
servilisme [sèrvilizm] *m.* kruiperigheid, slaafse onderdanigheid *v.*
servilité [sèrvilité] *f.* slaafsheid *v.*
servir* [sèrvi:r] **I** *v.t.* **1** dienen; **2** van dienst zijn; **3** in dienst zijn van; **4** bedienen; **5** (*v. kaarten*) geven; **6** (*v. bal: tennis, enz.*) uitslaan; **7** (*voetb.*) uitschoppen; **8** (*v. eten*) opdienen; **9** (*v. jaargeld, rente*) uitbetalen, uitkeren; **10** (*v. vuurwerk*) afsteken; ***la table est servie,*** de tafel is gedekt; ***en quoi puis-je vous —?*** wat kan ik voor u doen? waarmee kan ik u van dienst zijn? ***— qn. de son crédit,*** iem. met zijn invloed helpen; **II** *v.i.* dienen; ***— à table,*** de tafel dienen; ***— à boire à qn.,*** iem. inschenken; ***— à,*** dienen tot; dienstig zijn voor; ***— de,*** dienen tot, de rol vervullen van; **III** *v.pr.* ***se —,*** **1** zich bedienen; **2** opgediend worden; ***se — chez,*** zijn waren betrekken van; ***se — de,*** gebruiken, zich bedienen van.
serviteur [sèrvitœ:r] *m.* dienaar *m.*; ***—!*** dank u wel!
servitude [sèrvitü'd] *f.* **1** dienstbaarheid, slavernij *v.*; **2** (*recht*) servituut *o.*, erfdienstbaarheid *v.*; **3** (*fig.*) slaafsheid *v.*; ***réduire en —,*** onderwerpen; tot slaaf maken, in slavernij brengen.
servograissage [sèrvogrèsa:j] *m.* automatische smering *v.*
servomoteur [sèrvomòtœ:r] *m.* motorregelaar, hulpmotor, servomotor, bedieningsmotor *m.*

servostat [sèrvosta] *m.* servostaat, bedieningsautomaat *m.*
ses [sè] *pr.poss.* zijne, hare.
sésame [sézam] *m.* sesamkruid *o.*
séséli [sézéli] *m.* (*Pl.*) bergeppe *v.*(*m.*).
sessile [sèsil] *adj.* (*Pl.*) ongesteeld, zittend.
session [sèsyõ] *f.* zitting *v.*, zittingstijd *m.*
set [sè(t)] *m.* (*tennis*) set *m.*
sétacé [sétasé] *adj.* borstelachtig.
sétachromie [sétakròmi] *f.* zeefdruk *m.*
séteux [sétö] *adj.* borstelachtig.
setier [setyé] *m.* (*oude maat voor:*) **1** mud *o. en v.*(*m.*) (*ong. 156 l*); **2** (*vloeistof*) halve liter; ***demi —***, kwart liter.
séton [sétõ] *m.* watje *o.* om wond open te houden; ***plaie en —***, onderhuidse wond *v.*(*m.*).
setter [sètœr] *m.* setter *m.*, Engelse jachthond *m.*
seuil [sœ'y] *m.* **1** drempel, dorpel *m.*; **2** (*fig.*) aanvang *m.*; ***au — de***, aan de vooravond van.
seul [sœl] **I** *adj.* **1** alleen; **2** enig, enkel; ***— à —***, onder vier ogen; ***ça va —***, dat gaat van zelf; ***rire tout —***, in zich zelf lachen, in zijn eentje lachen; **II** *s. m.* één enkel mens *m.*; ***—e de change***, solawissel.
seulement [sœlmã] *adv.* **1** alleen; **2** slechts, maar; ***— dans deux heures***, pas (*of* eerst) over twee uren.
seulet [sœlè] *adj.* heel alleen, moederziel alleen.
sève [sè:v] *f.* **1** (plante)sap *o.*; **2** (*fig.*) levenskracht, veerkracht *v.*(*m.*); pit *o. en v.*(*m.*).
sévère [sévè:r] *adj.* **1** streng, gestreng; **2** (*v. verwijt*) scherp; **3** (*v. waarheid*) ernstig; **4** (*v. verlies*) zwaar.
sévérité [sévérité] *f.* **1** gestrengheid *v.*; **2** ernst *m.*; **3** soberheid *v.*
sévices [sé'vis] *m.pl.* mishandeling *v.*
sévillan [sèviyã] *adj.* uit Sevilla.
Séville [sèvil] Sevilla *o.*
sévir [sé'vi:r] *v.i.* **1** streng te werk gaan; **2** (*v. ziekte*) woeden; **3** (*v. crisis*) heersen.
sevrer [sevré] **I** *v.t.* **1** spenen; **2** beroven (van); **II** *v.pr.* ***se — de***, zich ontzeggen; zich onthouden.
sèvres [sè:vr] *m.* porselein *o.* uit Sèvres.
sexagénaire [sèksajénè:r] **I** *adj.* zestigjarig; **II** *s. m.* zestigjarige *m.*
sexagésimal [sèksajézimal] *adj.* zestigdelig.
Sexagésime [sèksajézim] *f.* Sexagesima *m.*, tweede zondag *m.* vóór de vasten.
sexe [sèks] *m.* **1** geslacht *o.*, kunne *v.*(*m.*), sekse *v.*; **2** geslachtsdelen *mv.*
sexennal [sèksènal] *adj.* **1** zesjaarlijks; **2** zesjarig.
sextant [sèkstã] *m.* **1** sextant *m.*; **2** (*meetk.*) zesde deel *o.* van een cirkel.
sexte [sèkst] *f.* (*kath.*) sext *v.*(*m.*) (derde van de vier kleine uren van het breviergebed).
sexto [sèksto] *adv.* ten zesde.
sextuor [sèkstẅò:r] *m.* (*muz.*) sextet *o.*
sextuple [sèkstüpl] **I** *adj.* zesvoudig; **II** *s. m.* zesvoud *o.*
sextupler [sèkstüplé] *v.t.* verzesvoudigen.
sexualité [sèksẅalité] *f.* geslachtelijkheid, seksualiteit *v.*
sexué [sèksẅé] *adj.* geslachtelijk onderscheiden.
sexuel [sèksẅèl] *adj.* geslachts—, seksueel.
seyant [sèyã] *adj.* (*v. kleren*) goed staand; goed zittend.
shah, schah [ʃa] *m.* sjah *m.* (v. Perzië).
shako [ʃako] *m.* (*mil.*) sjako *m.*
shampooing [ʃãpwẽ] *m.* shampoo *m.*, hoofdwassing *v.*
shérif [ʃérif] *m.* sheriff *m.*
shintoïsme [ʃẽ'tòizm] *m.* shintoisme *o.*, Japanse godsdienst *m.*
shirting [ʃœ'tẽ] *m.* fijne katoen *o. en m.*
shoot [ʃut] *m.* (*sp.*, *wetb.*) (het) schieten *o.*
shooter [ʃuté] *v.i.* (*sp.*: *voetb.*) schieten.
short [ʃòr(t)] *m.* **1** short *v.*; **2** korte film *m.*
shrapnell [ʃrapnèl] *m.* (*mil.*) granaatkartets *v.*(*m.*).
shunt [ʃœt] *m.* (*el.*) parallelschakeling *v.*
shunter [ʃœté] *v.t.* (*el.*) parallel schakelen.
si [si] **I** *conj.* **1** als, indien, zo; **2** of; ***comme —***, alsof; ***— ce n'est***, behalve, tenzij, tenware; ***— tant est que***, als 't waar is, dat; ***tout au plus —***, hoogstens dat; ***avec des — on mettrait Paris dans une bouteille***, as is verbrande turf; als de lucht invalt, zijn alle mussen dood; **II** *adv.* **1** zo; **2** (*na ontkenning*) ja, jawel, zeker; ***— fait***, wel zeker; ***— bien que***, zodat; ***— riche qu'il soit***, hoe rijk hij ook zij; **III** *s. m.* (*muz.*) si *v.*(*m.*); ***— bémol***, Bes.
Siam [syam] *m.* Siam *o.*
Siamois [syamwa] **I** *m.* Siamees *m.*; **II** *adj.*, ***s—***, Siamees, Thailands; ***les frères —***, de Siamese tweelingen.
Sibérie [sibéri] *f.* Siberië *o.*
Sibérien [sibéryẽ] **I** *m.* Siberiër *m.*; **II** *adj.*, ***s—***, Siberisch.
sibilant [sibilã] *adj.* (*gen.*) piepend, fluitend.
sibylle [sibil] *f.* sibille, profetes, waarzegster *v.*
sibyllin [sibilẽ] *adj.* **1** sibillijns; **2** (*fig.*) onbegrijpelijk.
sic [sik] *adv.* woordelijk.
sicaire [sikè:r] *m.* sluipmoordenaar *m.*
siccatif [sikatif] **I** *adj.* opdrogend; **II** *s. m.* droogmiddel, opdrogend middel *o.*
siccité [siksité] *f.* droogheid, droogte *v.*
Sicile [sisil] *f.* Sicilië *o.*
Sicilien [sisilyẽ] **I** *m.* Siciliaan *m.*; **II** *adj.*, ***s—***, Siciliaans.
sicilienne [sisilyèn] *f.* Siciliaanse dans *m.*
sicle [sikl] *m.* sikkel *m.* (oude munt).
sidecar [sidkar] *m.* zijspanwagen *m.*
sidéral [sidéral] *adj.* van de sterren, sterren—; ***année —e***, sterrejaar *o.*
sidération [sidéra'syõ] *f.* **1** (*astrol.*) invloed *m.* van de sterren op de mens; **2** zenuwschok *m.*
sidéré [sidéré] *adj.* aan de grond genageld, verbijsterd.
sidérer [sidéré] *v.t.* (door schrik) verlammen.
sidérité [sidérité] *f.* ijzerspaat *o.*
sidérographie [sidérògrafi] *f.* staalgraveerkunst *v.*
sidérolithique [sidéròlitik] *adj.* rijk aan ijzererts.
sidérose [sidéro:z] *f.* ijzerspaat *o.*
sidérurgie [sidérürji] *f.* ijzerbewerking *v.*; ijzerindustrie *v.*
sidérurgique [sidérürjik] *adj.* van de ijzerindustrie; ***industrie —***, ijzerindustrie *v.*
sidi [sidi] *m.* (*Afr.*: heer), (*fam.*) in Frankrijk woonachtige Noordafrikaan *m.*
siècle [syèkl] *m.* **1** eeuw *v.*(*m.*); **2** wereld *v.*(*m.*); **3** eeuwigheid *v.*; ***vivre dans le —***, in de wereld leven; ***quitter le —***, in een klooster gaan; ***être de son —, vivre avec son —***, met zijn tijd meegaan; ***le — futur***, het toekomstig leven; ***dans tous les —s des —s***, van eeuwigheid tot eeuwigheid.
siège [syè:j] *m.* **1** stoel; zetel *m.*; **2** (*v. stoel, enz.*) zitting *v.*; **3** (*v. rijtuig*) bok *m.*; **4** (*mil.*) beleg *o.*, belegering *v.*; **5** fietszadel *m. of o.*; ***bain de —***, zitbad *o.*; ***le Saint S—***, de Heilige Stoel; ***— principal***, hoofdkantoor *o.*; ***— social***, (*v. firma, maatschappij*) hoofdkantoor *o.*, zetel *m.*; ***— pliant***, vouwstoel *m.*; ***faire le — de***, belegeren.
siéger [syé'jé] *v.i.* **1** zitting houden; **2** zetelen; ***c'est là que siège le mal***, daar zit het kwaad.

sien [syẽ] *pr.poss.* zijn; haar; ***un — ami,*** een van zijn vrienden, een vriend van hem; ***les —s,*** de zijnen.
sierra [ʃèra] *f.* (*Spaans*) bergketen *v.(m.)*.
sieste [syèst] *f.* siësta *v.(m.)*, middagslaapje *o.*
sieur [syœ:r] *m.* (*in akten, enz.*) heer *m.*; ***notre — A.,*** onze firmant A.
sifflant [siflã] *adj.* fluitend, sissend.
sifflante [siflã:t] *f.* sisklank *m.*
sifflement [siflemã] *m.* **1** gefluit, gesis *o.*; **2** (*v. wind*) gehuil *o.*; **3** (*v. borst*) gepiep *o.*
siffler [siflé] **I** *v.i.* **1** fluiten, sissen; **2** (*v. wind*) huilen; **3** (*v. borst*) piepen; **II** *v.t.* **1** (*v. deuntje; hond*) fluiten; **2** (*v. persoon, stuk*) uitfluiten.
sifflet [siflè] *m.* **1** fluitje *o.*; **2** gefluit *o.*; ***coup de —,*** gefluit *o.*; stoot *m.* op de fluit.
siffleur [siflœ:r] *m.* fluiter *m.*
sifflotement [siflòtmã] *m.* zacht gefluit *o.*
siffloter [siflòté] *v.i. et v.t.* zacht fluiten.
sigillaire [sijilè:r] *adj.* zegel—.
sigillation [sijilɑ˙syõ] *f.* zegeling *v.*
sigillé [sijilé] *adj.* verzegeld, van een zegel voorzien.
sigillographie [sijilògrafi] *f.* zegelkunde *v.*
sigisbée [sijisbé] *m.* vriend *m.* van de vrouw des huizes.
sigle [si˙gl] *m.* beginletter *v.(m.)* (als verkorting van een woord).
sigma [sigma] *m.* sigma *v.(m.)*, Griekse *s*.
sigmoïde [sigmòi˙d] *adj.* in de vorm van een sigma.
signal [siñal] *m.* **1** sein, signaal *o.*; **2** teken *o.*; ***— d'arrêt,*** stoplicht *o.*; ***— d'appel,*** (*tel.*) oproepsignaal; ***— de branchement,*** wisselsignaal; ***— d'alarme,*** alarmsein; ***drapeau —,*** signaalvlag.
signalé [siñalé] *adj.* uitstekend; opmerkelijk, buitengewoon.
signalement [siñalmã] *m.* signalement *o.*
signaler [siñalé] **I** *v.t.* **1** seinen; aankondigen; **2** het signalement geven van; **3** (*bij politie, enz.*) aanwijzen; **4** kenmerken; **5** opmerkzaam maken op; **II** *v.pr.* ***se —,*** zich onderscheiden.
signalétique [siñalétik] *adj.* signalements—, beschrijvend.
signaleur [siñalœ:r] *m.* **1** signaalgever *m.*; **2** seinwachter *m.*
signalisateur [siñali˙zatœ:r] *m.* **1** bediener *m.* van een signaalpost; **2** (*v. auto*) richtingwijzer *m.*
signalisation [siñalizɑ˙syõ] *f.* **1** (het) seinen *o.*; **2** seinwezen *o.*; ***poste de —,*** seinpost *m.*; ***— routière,*** verkeerstekens, verkeersborden *mv.*
signataire [siñatè:r] *m.* ondertekenaar *m.*
signature [siñatü:r] *f.* **1** ondertekening *v.*; **2** handtekening *v.*; **3** (*drukk.*) signatuur *v.*
signe [siñ] *m.* **1** teken *o.*; **2** kenteken; merkteken *o.*; **3** wenk *m.*; **4** (*op huid*) moedervlek *v.(m.)*; ***le — de la croix,*** het kruisteken; ***— de ponctuation,*** leesteken; ***— précurseur,*** voorteken; ***— de tête,*** hoofdknik *m.*, knikje *o.*; ***faire — à qn.,*** iem. een teken geven.
signer [siñé] **I** *v.t.* **1** tekenen; **2** ondertekenen; **3** merken, stempelen; **II** *v.pr.* ***se —,*** een kruis maken.
signet [siñè] *m.* bladwijzer *m.*, lintje *o.* (in boek, als leesteken); ***— de l'éditeur,*** uitgeversmerk *o.*
significatif [siñifikatif] *adj.* **1** veelbetekenend; **2** kenmerkend.
signification [siñifikɑ˙syõ] *f.* **1** betekenis *v.*, zin *m.*; **2** gerechtelijke aanzegging, betekening *v.*
signifier [siñifyé] *v.t.* **1** betekenen, beduiden; **2** te kennen geven; te verstaan geven; **3** gerechtelijk aanzeggen, betekenen.
sil [sil] *m.* okeraarde *v.(m.)*.
silence [silã:s] *m.* **1** stilzwijgen *o.* (niets zeggen); **2** stilte *v.* (geen geluid); **3** stilzwijgendheid *v.* (gewoonte); **4** (*muz.*) rust *v.(m.)*; ***imposer — à,*** **1** het stilzwijgen opleggen; **2** de mond snoeren; **3** (*v. hartstocht*) tot zwijgen brengen; ***passer sous —,*** stilzwijgend voorbijgaan; ***réduire au —,*** **1** het zwijgen opleggen; **2** (*mil.*) tot zwijgen brengen; ***garder le —,*** zich stil houden; ***il se fit un —,*** het werd stil.
silencieusement [silã˙syö˙zmã] *adv.* stil, in stilte.
silencieux [silã˙syö] **I** *adj.* **1** stilzwijgend; **2** stil; **3** (*v. motor*) geruisloos, zacht; **II** *s. m.* **1** geluiddemper, knalpot *m.*; **2** (*v. revolver*) slagdemper *m.*
silène [silè:n] *m.* **1** (*Pl.*) silene *v.(m.)*; **2** (*Dk.*) silenevlinder *m.*
Silésie [silézi] *f.* Silezië *o.*
Silésien [silézyẽ] **I** *m.* Silezïër *m.*; **II** *adj.*, ***s—,*** Silezisch.
silex [silèks] *m.* vuursteen *m.* [*v.(m.) en o.*
silhouette [silwèt] *f.* schaduwbeeld *o.*, silhouet
silhouetter [silwèté] **I** *v.t.* **1** het schaduwbeeld maken van; **2** (*fig.*) schetsen; **II** *v.pr.* ***se —,*** zich aftekenen.
silicate [silikat] *m.* kiezelzuurzout *o.*
silice [silis] *f.* kiezelaarde *v.(m.)*; ***— pure,*** kwarts *o.*
siliceux [silisö] *adj.* kiezelachtig; kiezelhoudend.
silicique [silisik] *adj.*, ***acide —,*** kiezelzuur *o.*
silicium [silisyòm] *m.* silicium *o.*
silicone [silikòn] *f.* silicon *o.*
silicule [silikül] *f.* (*Pl.*) hauwtje *o.*
siliculeux [silikülö] *adj.* peuldragend, hauwtjes dragend.
silique [silik] *f.* (*Pl.*) hauw *v.(m.)*.
siliqueux [silikö] *adj.* hauwdragend.
sillage [siya:j] *m.* **1** zog, kielwater *o.*; **2** (*v. schip*) vaart *v.(m.)*, gang *m.*; **3** mijnader *v.(m.)*; ***faire un bon —,*** (*sch.*) een flinke vaart hebben; ***entraîner dans son —,*** meesleuren.
siller [siyé] *v.i.* de golven klieven.
sillet [siyè] *m.*, (*v. viool enz.*) zadel *m. of o.*
sillon [siyõ] *m.* **1** voor, ploegvoor *v.(m.)*; **2** groef *v.(m.)*, rimpel *m.*; ***— de lumière,*** lichtstraal *m. en v.*
sillonné [siyòné] *adj.* **1** doorploegd; **2** gegroefd, gerimpeld.
sillonner [siyòné] *v.t.* **1** doorploegen; **2** (*v. golven*) klieven; **3** rimpelen.
Silly [sili] Opzullik *o.*
silo [silo] *m.* silo *m.*, graanbergplaats *v.(m)*.; ***mettre en —,*** inkuilen.
silure [silü:r] *m.* (*Dk.*) meerval *m.*
silurien [silüryẽ] *adj.* (*geol.*) silurisch.
simagrée [simagré] *f.* **1** gemaaktheid, gemaakte houding *v.*; **2** grimas(sen) *v.(m.)* (*mv.*); ***faire des —s,*** zich aanstellen.
simarre [sima:r] *f.* toga *v.(m.)*.
simien [simyẽ] *adj.* aapachtig.
simiesque [simyèsk] *adj.* aapachtig.
similaire [similè:r] *adj.* gelijksoortig, soortgelijk, dergelijk.
similarité [similarité] *f.* gelijksoortigheid, gelijkenis *v.*
simili [simili] **I** *m.* imitatie *v.*; **II** *adj.* (*in samenst.*) gelijk—.
similicuir [similikwi:r] *m.* kunstleder *o.*
similigravure [similigravü:r] *f.* autotypie *v.*, rastercliché *o.*
similimarbre [similimarbr] *m.* kunstmarmer *o.*
similitude [similitü˙d] *f.* **1** gelijkenis *v.*; **2** (*meetk.*) gelijkvormigheid *v.*
similor [similò:r] *m.* halfgoud *o.*
simoniaque [simònyak] **I** *adj.* schuldig aan simonie; **II** *s. m.* iem. die zich aan simonie heeft schuldig gemaakt.

simonie [simòni] *f.* simonie *v.*, handel *m.* in geestelijke goederen of zaken.

simoun [simun] *m.* samoem *m.* (hete wind in de [woestijn).

simple [sẽ:pl] **I** *adj.* **1** eenvoudig; **2** (*scheik.*: *v. blad, enz.*) enkelvoudig; **3** (*v. bloem, boekhouden, enz.*) enkel; **4** (*v. houding, stijl*) natuurlijk, onopgesmukt; **5** dom, onnozel; ***corps —,*** (*scheik.*) enkelvoudig lichaam, element *o.*; ***— employé,*** gewoon beambte *m.*; ***— soldat,*** gemeen soldaat *m.*; ***billet —,*** (kaartje *o.*) enkele reis *v.*(*m.*); **II** *s. m.* **1** (het) eenvoudige *o.*; **2** eenvoudig mens *m.*; **3** (*mil.*) gemeen soldaat *m.*; **4** geneeskrachtig kruid *o.*; **5** enkelspel *o.*

simplement [sẽ:plemã] *adv.* **1** eenvoudig; **2** enkel, alleen, slechts.

simplet [sẽ˙plè] *adj.* heel eenvoudig, al te een-[voudig.

simplicité [sẽ˙plisité] *f.* **1** eenvoud *m.*; **2** eenvoudigheid *v.*; **3** onnozelheid *v.*; **4** ongedwongenheid, ongekunsteldheid *v.*; **5** argeloosheid *v.*

simplifiable [sẽ˙plifya˙bl] *adj.* vereenvoudigbaar.

simplificateur [sẽ˙plifikatœ:r] *adj.* vereenvoudigend.

simplification [sẽ˙plifika˙syõ] *f.* vereenvoudiging [*v.*

simplifier [sẽ˙plifyé] *v.t.* vereenvoudigen.

simplisme [sẽ˙plizm] *m.* eenzijdigheid *v.*

simpliste [sẽ˙plist] *adj.* simplistisch; eenzijdig.

simulacre [simülakr] *m.* nabootsing *v.*, schijn *m.*; ***— d'attaque,*** schijnaanval *m.*; ***— de combat,*** spiegelgevecht *o.*

simulateur [simülatœ:r] *m.* **1** veinzer *m.*; **2** simu-[lant *m.*

simulation [simüla˙syõ] *f.* **1** veinzerij *v.*; **2** simulatie *v.*; (het) voorwenden *o.*

simulé [simülé] *adj.* **1** geveinsd; **2** voorgewend, vals; ***combat —,*** spiegelgevecht *o.*; ***contrat —,*** schijncontract *o.*; ***compte —,*** (*H.*) gefingeerde rekening *v.*; ***facture —e,*** pro-formafactuur *v.*

simuler [simülé] *v.t.* **1** veinzen; **2** voorwenden; simuleren.

simultané [simültané] *adj.* gelijktijdig.

simultanéité [simültané(y)ité] *f.* gelijktijdigheid [*v.*

simultanément [simültanémã] *adv.* tegelijkertijd.

sinanthrope [sinantròp] *m.* sinanthropus *m.*, in China ontdekte fossiele primaat *m.*

sinapisé [sinapi˙zé] *adj.* (*v. geneesmiddelen*) bereid met mosterdzaad.

sinapisme [sinapizm] *m.* mosterdpleister *v.*(*m.*).

sincère(ment) [sẽ˙sè:r(mã)] *adj.* (*adv.*) **1** oprecht, openhartig; ongeveinsd; **2** echt.

sincérité [sẽ˙sérité] *f.* **1** oprechtheid, openhartigheid *v.*; **2** (*v. tekst, handtekening, enz.*) echtheid *v.*

sinciput [sẽ˙sipü(t)] *m.* kruin *v.*(*m.*) van 't hoofd.

sindon [sẽ˙dõ] *m.* lijkwade *v.*(*m.*) (van Jezus).

sinécure [sinékü:r] *f.* sinecuur *v.*(*m.*), bezoldigd ambt *o.* met weinig of geen werk.

singe [sẽ:j] *m.* **1** aap *m.*; **2** naäper *m.*; **3** tekenaap *m.*; **4** (*mil.*) (taai) vlees *o.* in blik; ***payer en monnaie de —,*** naar zijn geld laten fluiten.

singer [sẽ˙jé] *v.t.* naäpen.

singerie [sẽ˙jri] *f.* **1** apenkooi *v.*(*m.*); **2** apekuur *v.*(*m.*); **3** naäperij *v.*

singesque [sẽ˙jèsk] *adj.* aapachtig.

singesse [sẽ˙jès] *f.* apin *v.*, wijfjesaap *m.*

singeur [sẽ˙jœ:r] *m.* naäper *m.*

single [sẽ˙gl] *m.* (*tennis*) single *m.*, enkelspel *o.*

singleton [sẽ˙gletõ] *m.* (*kaartsp.*) slechts één kaart van een kleur.

singulariser [sẽ˙gülari˙zé] **I** *v.t.* onderscheiden (door iets ongewoons), zonderling maken; **II** *v.pr.*, ***se —,*** zich onderscheiden (door zonderling gedrag).

singularité [sẽ˙gülarité] *f.* **1** eigenaardigheid, bijzonderheid *v.*; **2** zonderlingheid *v.*; **3** (*gramm.*) enkelvoudigheid *v.*

singulier [sẽ˙gülyé] **I** *adj.* **1** eigenaardig; **2** zonderling; **3** enkelvoudig; ***combat —,*** tweegevecht *o.*; **II** *s. m.* (*gramm.*) enkelvoud *o.*

singulièrement [sẽ˙gülyè˙rmã] *adv.* **1** zonderling, op vreemde wijze; **2** bijzonder; **3** erg, zeer.

sinistre [sinistr] **I** *adj.* **1** onheilspellend; **2** somber, dreigend; **3** noodlottig, rampzalig; **4** (*v. kreet*) akelig; **II** *s. m.* **1** onheil *o.*, ramp *v.*(*m.*); **2** (verzekerde) schade *v.*(*m.*).

sinistré [sinistré] **I** *adj.* door een ramp getroffen; geteisterd; ***région —e,*** noodgebied *o.*; **II** *s. m.* getroffene *m.* (door een ramp).

sino-indien [sinòẽ˙dyẽ] *adj.* Chinees-Indisch.

sino-japonnais [sinòjapònè] *adj.* Chinees-Japans.

sinologie [sinòlòji] *f.* kennis *v.* van het Chinees.

sinologue [sinòlò˙g] *m.* kenner *m.* van het Chinees.

sinon [sinõ] *conj.* **1** zo niet, anders; **2** behalve, tenzij.

sinople [sinò˙pl] *m.* (*wap.*) sinopel, groen *o.*

sinué [sinw̃é] *adj.* (*Pl.*) met gegolfde rand, gegolfd.

sinuer [sinw̃é] *v.i.* zich slingeren.

sinueux [sinw̃ö] *adj.* bochtig, kronkelend.

sinuosité [sinw̃o˙zité] *f.* bocht *v.*(*m.*), kronkeling *v.*

sinus [sinüs] *m.* **1** (*meetk.*) sinus *m.*; **2** (*gen.*) holte *v.*

sinusite [sinüzit] *f.* ontsteking *v.* van een (lucht)-[holte.

Sion [syõ] *m.* **1** Sitten *o.* (*Zwits.*); **2** Zion *o.* (*Jeruzalem*).

sionisme [syònizm] *m.* zionisme *o.*

sioniste [syònist] **I** *m.* zionist *m.*, aanhanger *m.* van het zionisme; **II** *adj.* zionistisch.

siphon [sifõ] *m.* **1** hevel *m.*; **2** spuitfles *v.*(*m.*); **3** fles *v.*(*m.*) spuitwater; ***baromètre à —,*** hevelbarometer *m.*

siphonner [sifòné] *v.t.* hevelen.

sire [si:r] *m.* Sire *m.*; ***pauvre —,*** arme stakker *m.*

sirène [sirè:n] *f.* **1** sirene *v.*; **2** (*sch.*) misthoorn *m.*; **3** (*v. auto*) toeter *m.*, sirene *v.*(*m.*).

siréniens [sirényẽ] *m.pl.* (*Dk.*) zeekoe-achtigen *mv.*

Sirius [siryüs] *m.* (*sterr.*) Sirius *m.*, hondsster [*v.*(*m.*).

siroco [siròko] *m.* sirocco *m.* (hete Z. O. wind).

sirop [siro] *m.* siroop, stroop *v.*(*m.*).

sirotage [siròta:j] *m.* geslurp *o.*

siroter [siròté] *v.t.* **1** slurpen, opslurpen; **2** (*fig.*) met kleine teugen genieten.

sirupeux [sirüpö] *adj.* **1** stroperig, stroopachtig; **2** (*fig.*) langdradig.

sis [si] *adj.* gelegen.

sisal [sizal] *m.* sisal *m.*

sismique [sizmik] *adj.* aardbevings—; ***secousse —,*** aardschok *m.*; ***ligne —,*** bevingslijn *v.*(*m.*).

sismogramme [sizmògram] *m.* grafische voorstelling *v.* van een aardbeving.

sismographe [sizmògraf] *m.* seismograaf *m.*, toestel *o.* dat aardschokken optekent.

sismologie [sizmòlòji] *f.* aardbevingskunde, seismologie *v.*

sismologue [sizmòlò˙g] *m.* aardbevingskundige *m.*

sison [sizõ] *m.* (*Pl.*) steeneppe *v.*(*m.*).

sistre [sistr] *m.* (*muz.*) sister *m.*, (Oudegyptisch) rammelinstrument *o.*

site [sit] *m.* **1** ligging *v.*; **2** oord *o.*, plek *v.*(*m.*); ***angle de —,*** schootshoek *m.*

sitiologie [sityòlòji] *f.* leer *v.*(*m.*) van de voedingsmiddelen.

sitiomanie [sityòmani] *f.* ziekelijke vraatzucht [*v.*(*m.*).

sitôt [sito] *adv.* zo gauw, zo spoedig; ***de —,*** binnenkort; ***pas de —,*** vooreerst niet; ***— que,*** zodra.

sittelle [sitèl] *f.* (*Dk.*) boomklever, blauwe specht *m.*

situation [sitw̃a˙syõ] *f.* **1** (*v. huis, enz.*) ligging *v.*;

2 (*v. lichaam*) houding *v.*; 3 (*v. zaken*) stand *m.*; 4 (geldelijke) toestand *m.*; 5 betrekking, positie *v.*; ***état de —,*** 1 kasverslag *o.*; 2 opgave *v.*(*m.*) van de voorraden; ***sauver la —,*** uitkomst brengen, de situatie redden; ***l'homme de la —,*** de rechte man op de rechte plaats.
situé [sitwé] *adj.* gelegen; ***être —,*** liggen.
situer [sitwé] *v.t.* plaatsen, zetten, leggen.
six [sis; *vóór medeklinker:* si] *n.card.* 1 zes; 2 zesde; ***partager en —,*** in zessen verdelen.
sixain [sizẽ] *m.* 1 zesregelig vers *o.*; 2 (*muz.*) sextole *v.*
six-huit [sizwit] *m.* 1 6/8 maat *v.*(*m.*); 2 stuk *o.* in 6/8 maat.
sixième [sizyèm] I *n.ord.* zesde; II *s. m.* 1 zesde deel *o.*; 2 zesde verdieping *v.*; III *s. f.* 1 zesde klasse *v.*; 2 (*kaartsp.*) zeskaart *v.*(*m.*).
sixièmement [sizyèm(m)ã] *adv.* ten zesde.
six-jours [siju:r] *m.pl.* (*sp.*) zesdaagse *v.*(*m.*).
six-quatre-deux [siskatdö], ***à la —,*** in een vloek en een zucht.
sixte [sikst] *f.* 1 (*muz.*) sext *v.*(*m.*), interval *o.* van zes noten; 2 (*schermen*) zesde houding, zesde positie *v.*
Sixte [sikst] *m.* Sixtus *m.*
sizain [sizẽ], *voir* ***sixain.***
sizerin [si'zrẽ] *m.* (*Dk.*) barmsijsje *o.*
skating [skétẽ(g)] *m.* 1 rolschaatsbaan *v.*(*m.*); 2 (het) rolschaatsen *o.*
sketch [skètʃ] *m.* (*pl.* : ***—es***) sketch, korte eenakter *m.*
ski [ski] *m.* sneeuwschaats *v.*(*m.*), ski *m.*; ***faire du —,*** skiën.
skier [ski(y)é] *v.i.* skiën.
skieur, skier [skyœ:r] *m.* skiloper *m.*
skiff [skif] *m.* (*sp.*) skiff *m.*
skunks *m.*, *voir* ***sconse.***
slalom [slalòm] *m.* (*sp.*) slalom *m.*
Slave [sla:v] I *m.* Slaaf *m.*; II *adj.* ***s—,*** Slavisch.
slavisme [slavizm] *m.* Slavische beweging *v.*
Slavon [slavõ] *m.* Slavoniër *m.*
sleeping [slipẽ(g)] *m.* slaapwagen *m.*
Slesvig [slèsvig] *m.* Sleeswijk *o.*
slip [slip] *m.* zwembroekje; kort onderbroekje *o.*
slogan [slogã] *m.* slogan, slagzin *m.*
sloop [slup] *m.* (*sch.*) kotter, logger *m.*, eenmastbootje *o.*
sloughi [slugi] *m.* Arabische hazewind *m.*
Slovaque [slòvak] I *m.* Slowaak *m.*; II *adj.*, ***s—,*** Slowaaks.
Slovaquie [slòvaki] *f.* Slowakije *o.*
Slovène [slòvè:n] I *m.* Sloween *m.*; II *adj.*, ***s—,*** Sloweens.
Sluse [slü:z] Sluizen *o.* (Limburg).
smala(h) [smala] *f.* 1 tentdorp *o.* (van de Arabieren); 2 (*fig.*) grote familie *v.*; ***toute la —,*** de hele bende.
smalt [smalt] *m.* kobaltglas *o.*, smalt *v.*(*m.*).
smaragdin [smaragdẽ] *adj.* smaragdgroen.
smille [smi'y] *f.* bikhamer *m.*
smiller [smiyé] *v.t.* bikken.
smoking [smokẽ(g)] *m.* smoking *m.*
Smyrne [smirn] *f.* Smyrna *o.*
snob [snòb] *m.* 1 geurmaker, parvenu *m.*; 2 aansteller *m.*
snobisme [snòbizm] *m.* 1 geurmakerij *v.*; 2 dwaze bewondering *v.* voor al wat nieuw is; 3 aanstellerij *v.*
sobre(ment) [sò'br(emã)] *adj.* (*adv.*) 1 matig; 2 sober, karig; 3 gematigd, bescheiden; ***— de louanges,*** spaarzaam met loftuitingen; ***être — en paroles,*** weinig spreken.
sobriété [sòbri(y)été] *f.* 1 matigheid *v.*; 2 soberheid *v.*
sobriquet [sòbrikè] *m.* bijnaam, spotnaam *m.*
soc [sòk] *m.* ploegschaar *v.*(*m.*).
sociabilité [sòsyabilité] *f.* gezelligheid *v.*
sociable(ment) [sòsya'bl(emã)] *adj.* (*adv.*) 1 gezellig; 2 aangenaam (*of* gemakkelijk) in de omgang; 3 maatschappelijk.
social [sòsyal] *adj.* 1 maatschappelijk, sociaal; 2 gezellig (levend); 3 (*Pl.*) gemeenschappelijk groeiend; ***capital —,*** maatschappelijk kapitaal *o.*; ***raison —e,*** firma, handelsfirma *v.*(*m.*).
sociale [sòsyal] *f.* socialistische maatschappij *v.*
socialisation [sòsyaliza'syõ] *f.* socialisatie *v.*
socialiser [sòsyali'zé] *v.t.* socialiseren, tot algemeen eigendom maken.
socialisme [sòsyalizm] *m.* socialisme *o.*
socialiste [sòsyalist] I *m.* socialist *m.*; II *adj.* socialistisch.
sociétaire [sòsyétè:r] *m.-f.* lid *o.*
sociétariat [sòsyétarya] *m.* lidmaatschap *o.*
société [sòsyété] *f.* 1 maatschappij, samenleving *v.*; 2 omgang *m.*, gezelschap *o.*; 3 vereniging *v.*, genootschap *o.*; vennootschap *v.*; ***— anonyme,*** naamloze vennootschap; ***— commerciale,*** handelsvereniging; ***— coopérative de consommation,*** coöperatieve verbruiksvereniging; ***— en nom collectif,*** vennootschap onder firma; ***— de contrôle,*** holding maatschappij; ***— en commandite,*** commanditaire vennootschap; ***la haute —,*** de hogere standen, de grote wereld; ***la — de Jésus,*** de sociëteit Jesu; ***la — des Nations,*** de Volkenbond.
sociologie [sòsyòlòji] *f.* sociologie *v.*, maatschappijleer *v.*(*m.*), wetenschap *v.* van de maatschappelijke verschijnselen.
sociologique [sòsyòlòjik] *adj.* sociologisch.
sociologue [sòsyòlò'g], **sociologiste** [sòsyòlòjist] *m.* socioloog *m.*, kenner *m.* van de sociologie.
socle [sòkl] *m.* onderstel, voetstuk *o.*
socque [sòk] *m.*, (houten) overschoen *m.*
socquette [sòkèt] *f.* sokje *o.*
Socrate [sòkrat] *m.* Socrates *m.*
socratique [sòkratik] *adj.* Socratisch.
soda [sòda] *m.* sodawater, spuitwater *o.*
sodalité [sòdalité] *f.* broederschap *v.*
sodé [sòdé] *adj.* sodahoudend.
sodique [sòdik] *adj.* natronhoudend.
sodium [sòdyòm] *m.* natrium *o.*
Sodome [sòdòm] *f.* Sodoma *o.*
sodomie [sòdòmi] *f.* sodomie *v.*
sœur [sœ:r] *f.* 1 zuster *v.*; 2 non *v.*; ***trois —s,*** drie gezusters; ***— converse,*** lekezuster; ***— de charité,*** liefdezuster; ***les neuf S—s,*** de negen Muzen.
sœurette [soe'rèt] *f.* zusje *o.*
sofa, sopha [sòfa] *m.* sofa *m.*, rustbank *v.*(*m.*).
soffite [sòfit] *m.* met vakken en rozetten versierd plafond *o.*
soi [swa] *pr.pers.* zich; zich zelf; ***chez —,*** thuis; ***amour de —,*** eigenliefde *v.*; ***aller de —,*** van zelf spreken; ***revenir à —,*** weer tot zichzelf komen.
soi-disant [swadizã] I *adj.* zogenaamd, voorgewend; II *adv.* zogenaamd, naar men beweert.
soie [swa] *f.* 1 zijde *v.*(*m.*); 2 borstel *m.*, stijf haar *o.*; 3 (*v. hond*) lang haar *o.*; 4 (*v. degen, enz.*) angel *m.*
soierie [swari] *f.* 1 zijdehandel *m.*; 2 zijdeweverij, zijdefabriek *v.*; ***—s,*** zijden stoffen.
soif [swaf] *f.* dorst *m.*; ***avoir — de,*** dorsten naar.
soiffard [swafa:r], **soiffeur** [swafœ:r] *m.* drinkebroer, nathals *m.*
soiffer [swafé] *v.i.* zuipen.
soigné [swañé] *adj.* goed verzorgd; netjes, in de [puntjes.

soigner [swañé] *v.t.* 1 verzorgen; oppassen; verplegen; 2 zorgen voor, zorg dragen voor; 3 (*gen.*) behandelen; 4 (*v. verzekering*) bezorgen; ***il faut — cela,*** daar moet je wat aan doen; ***— qn.,*** 1 iem. onder handen nemen; 2 iem. afranselen.
Soignes [swañ], ***forêt de —,*** Zoniënbos *o.*
soigneur [swañœ:r] *m.* 1 verzorger *m.*; 2 (*sp.*) secondant *m.*
soigneusement [swañö'zmã] *adv.* 1 zorgvuldig, met zorg; 2 stipt, oplettend.
soigneux [swañö] *adj.* 1 zorgvuldig; 2 zorgzaam; 3 stipt, accuraat; ***— de,*** bezorgd voor.
Soignies [swañi] *m.* Zinnik *o.*
soin [swẽ] *m.* 1 zorg *v.(m.)*; 2 zorgvuldigheid *v.*; 3 oplettendheid, nauwkeurigheid *v.*; ***avoir*** (*ou* ***prendre***) ***— de,*** zorgen voor, zorg dragen voor; ***aux bons —s de,*** door tussenkomst van, per adres; ***—s médicaux,*** geneeskundige behandeling *v.*; ***donner des —s à,*** verzorgen; ***avec —,*** zorgvuldig; ***être en — de,*** zich ongerust maken over.
soir [swa:r] *m.* 1 avond *m.*; 2 namiddag *m.*; ***ce —,*** vanavond; ***le —, au —,*** 's avonds; ***cinq heures du —,*** vijf uur 's namiddags; ***la classe du —,*** de namiddagles *v.(m.)*.
soirée [swa'ré] *f.* 1 avond *m.* (als tijdsduur); 2 avondpartij *v.*; avondje *o.*; ***— musicale,*** muziekavond; ***— dansante,*** danspartij.
soiriste [swa'rist] *m.* verslaggever *m.* van een avondfeest, — avondvoorstelling.
soissons [swasõ] *m.* witte boon *v.(m.)*.
soit [swa, swat] I *ij.* het zij zo! nu, goed! ***ainsi —-il,*** amen; II *conj.* hetzij; ***— l'un, — l'autre,*** hetzij de een, hetzij de andere; ***— que,*** hetzij (dat); ***tant — peu,*** een weinig, enigszins.
soixantaine [swasã'tèn] *f.* zestigtal *o.*; ***il frise la —,*** hij loopt naar de zestig.
soixante [swasã:t] *n.card.* zestig; ***—-dix,*** zeventig; ***— et onze,*** eenenzeventig; ***faire du — à l'heure,*** (met een vaart van) 60 km per uur rijden.
soixante-quinze [swasã'tkẽ:z] I *n.card.* vijfenzeventig; II *s. m.* kanon *o.* van 75 mm.
soixantième [swasã'tyèm] I *adj.* zestigste; II *s. m.* zestigste deel *o.*
soja, soya [sòja] *m.* soja *m.*; sojaboon *v.(m.)*.
sol [sòl] *m.* 1 grond, bodem *m.*; 2 (*muz.*) sol *v.(m.)*; ***— dièse,*** Gis; ***— bémol,*** Ges.
solaire [sòlè:r] *adj.* zonne—; ***cadran —,*** zonnewijzer *m.*; ***système —,*** zonnestelsel *o.*
solan(ac)ée [sòlan(as)é] *f.* (*Pl.*) nachtschade *v.(m.)*; ***—s,*** familie van de nachtschaden, nachtschade-achtigen.
solarium [solaryòm] *m.* zonnekuurbad *o.*
soldanelle [sòldanèl] *f.* (*Pl.*) 1 zeewinde *v.(m.)*; 2 alpenklokje *o.*
soldat [sòlda] *m.* soldaat; krijgsman *m.*; ***— de marine,*** marinier *m.*; ***— de la liberté,*** strijder *m.* voor de vrijheid.
soldatesque [sòldatèsk] I *f.* soldatenbende, soldateska *v.(m.)*; II *adj.* soldaten—.
solde [sòld] I *f.* soldij *v.*; ***— de congé,*** verlofstraktement *o.*; ***être à la — de,*** in dienst zijn van, betaald worden door; II *m.* 1 (*v. rekening*) saldo *o.*; 2 overschot, restant, ramsjgoed *o.*; ***— créditeur,*** creditsaldo, batig saldo; ***— débiteur,*** debet-saldo, nadelig saldo; ***— bénéficiaire,*** winstsaldo; ***— déficitaire,*** nadelig saldo; ***pour —,*** voor afrekening; ***—s,*** 1 restanten *mv.*, ramsjpartij *v.*; 2 opruiming *v.* (*of* uitverkoop *m.*) van restanten.
solder [sòldé] I *v.t.* 1 bezoldigen; 2 betalen, vereffenen; 3 (*v. goederen*) opruimen, verramsjen; 4 (*fig.* : *v. straftijd*) uitzitten; II *v.pr.* ***se —,*** sluiten; ***se — par un bénéfice,*** met een winst sluiten; ***se — en déficit,*** met een deficit (*of* tekort) sluiten.
soldeur [sòldœ:r] *m.* handelaar (*of* koopman) *m.* in ongeregelde goederen.
sole [sòl] *f.* 1 (*Dk.*) tong *v.(m.)*; 2 (*v. dier*) hoornzool, voetzool *v.(m.)*; 3 (*v. bouwland*) slag *m.*
soléaire [sòléè:r] *adj.* kuit—; ***muscle —,*** kuitspier *v.(m.)*.
solécisme [sòlésizm] *m.* fout, taalfout *v.(m.)*.
soleil [sòlè'y] *m.* 1 zon *v.(m.)*; 2 (*kath.*) monstrans *m. en v.*; 3 zonlicht *o.*; 4 (*Pl.*) zonnebloem *v.(m.)*; 5 bep. papierformaat *o.* (60 × 80 cm); ***grand —,*** (69 × 100 cm); ***il fait du —,*** de zon schijnt; ***coup de —,*** zonnesteek *m.*; ***— artificiel,*** hoogtezon; ***le grand —,*** (*gymn.*) de reuzenzwaai *m.*; ***ôte-toi de mon —,*** ga uit het licht; ***entre deux —s,*** tussen zonsopgang en zonsondergang.
solen [sòlèn] *m.* (*Dk.*) messchelp *v.(m.)*.
solennel(lement) [sòlanèl(mã)] *adj.* (*adv.*) 1 plechtig; 2 feestelijk; 3 deftig, gewichtig. [*v.*
solennisation [sòlaniza'syõ] *f.* plechtige viering
solenniser [sòlani'zé] *v.t.* plechtig vieren.
solennité [sòlanité] *f.* 1 plechtigheid *v.*; 2 deftigheid, gewichtigheid, voornaamheid *v.*
solénoïde [sòlénòi'd] *m.* solenoïde *v.*, bep. soort elektromagneet *m.*
Soleure [sòlœ:r] *f.* Solothurn *o.* (*Zwitserl.*).
solfatare [sòlfata:r] *f.* solfatara *v.*, terrein waaruit zwaveldampen opstijgen.
solfège [sòlfè:j] *m.* 1 zangoefening *v.* (op noten); 2 boek *o.* met zangoefeningen; 3 zangles *v.(m.)*.
solfier [sòlfyé] *v.t.* (*muz.*) 1 zingende de noten noemen; 2 van 't blad zingen.
solidaire [sòlidè:r] *adj.* 1 solidair, onderling verbonden, saamhorig; 2 (*v. machinedelen*) met elkaar verbonden.
solidairement [sòlidè'rmã] *adv.* 1 solidair, uit saamhorigheid; 2 hoofdelijk; ***— responsables,*** hoofdelijk, solidair aansprakelijk.
solidariser [sòlidari'zé] I *v.t.* solidair maken; II *v.pr.* ***se —,*** zich solidair verklaren.
solidarité [sòlidarité] *f.* 1 solidariteit, saamhorigheid *v.*; gemeenschapsgevoel *o.*, lotsverbondenheid *v.*; 2 wederzijdse verantwoordelijkheid *v.*
solide [sòli'd] I *adj.* 1 (*nat.*) vast, niet vloeibaar; 2 (*v. gestel, touw, enz.*) stevig, sterk; 3 (*v. vriendschap, enz.*) hecht, duurzaam; 4 (*v. vriend*) beproefd; 5 (*v. kennis*) degelijk; 6 (*v. firma*) solide; ***angle —,*** standhoek *m.*; II *s. m.* 1 (*nat.*) vast lichaam *o.*; 2 (*meetk.*) lichaam *o.*
solidement [sòli'dmã] *adv.* 1 stevig; 2 hecht, duurzaam; 3 deugdelijk, grondig.
solidification [sòlidifika'syõ] *f.* (het) vast worden, (het) stollen *o.*, stolling *v.*
solidifier [sòlidifyé] I *v.t.* vast maken, doen stollen; II *v.pr.* ***se —,*** vast worden, stollen.
solidité [sòlidité] *f.* 1 vastheid, dichtheid *v.*; 2 stevigheid, sterkte *v.*; 3 hechtheid, duurzaamheid *v.*; 4 degelijkheid; betrouwbaarheid *v.*; 5 soliditeit *v.*
soliloque [sòlilòk] *m.* alléénspraak *v.(m.)*.
soliloquer [sòlilòké] *v.i.* in zichzelf praten, een alleenspraak houden.
solin [sòlẽ] *m.* (*bouwk.*) 1 vak *v.* (tussen twee balken); 2 opvulling *v.* (tussen balken, pannen, enz.). [hoevig dier *o.*
solipède [sòlipè'd] I *adj.* éénhoevig; II *s. m.* éénsoliste
soliste [sòlist] *m.-f.* solist(e) *m.* (*v.*).
solitaire [sòlitè:r] I *adj.* 1 eenzaam; 2 afgezonderd; 3 (*v. plaats*) afgelegen; ***ver —,*** lintworm *m.*; ***humeur —,*** eenzelvigheid *v.*; II *s. m.* 1 kluizenaar *m.*; 2 solitairspel *o.*; 3 alleen gezette diamant *m.*
solitairement [sòlitè'rmã] *adv.* eenzaam, alleen.

solitude [sòlitü˙d] *f.* **1** eenzaamheid *v.*; **2** afzondering *v.*; **3** eenzame plaats *v.(m.)*, wildernis, woestenij *v.*
solive [sòli:v] *f.* bint *o.*, dwarsbalk *m.*
soliveau [sòlivo] *m.* **1** (*bouwk.*) balkje *o.*, kinderbint *o.*; **2** onbruikbaar mens *m.*
sollicitation [sòlisita˙syõ] *f.* **1** verzoek, aanzoek *o.*; **2** dringende aanbeveling *v.*; **3** sollicitatie *v.*
solliciter [sòlisité] *v.t.* **1** aanzoeken, dringend verzoeken (om); **2** dingen naar; **3** aanzetten, drijven tot; **4** (*gen.*) opwekken, prikkelen; **5** (*v. aandacht*) trekken; **6** (*v. nieuwsgierigheid*) gaande maken; **7** (*v. betrekking*) solliciteren naar.
solliciteur [sòlisitœ:r] *m.* verzoeker, aanzoeker *m.*
sollicitude [sòlisitü˙d] *f.* zorg *v.(m.)*, bezorgdheid *v.*
solo [sòlo] *m.* solo *m.*; alleenzang *m.*; alleenspel *o.*
solstice [sòlstis] *m.* zonnestilstand *m.*
solubiliser [sòlübili˙zé] *v.t.* oplosbaar maken.
solubilité [sòlübilité] *f.* oplosbaarheid *v.*
soluble [sòlü˙bl] *adj.* oplosbaar; ***verre —,*** waterglas *o.*
solution [sòlü˙syõ] *f.* oplossing *v.*; ***— de continuité,*** onderbreking, gaping *v.*
solutionner [sòlüsyòné] *v.t.* oplossen.
solvabilité [sòlvabilité] *f.* **1** (*H.*) vermogen *o.* om te betalen; solvabiliteit *v.*; **2** (*recht*) gegoedheid *v.*
solvable [sòlva˙bl] *adj.* solvent, in staat om te betalen.
solvant [sòlvã] *m.* oplosmiddel *o.*
Somalie [sòmali] *f.* Somaliland *o.*
somalien [sòmalyẽ] *adj.* Somalisch, uit Somaliland.
sombre(ment) [sõ:br(emã)] *adj.* (*adv.*) **1** donker, duister; **2** (*v. karakter, enz.*) somber, zwaarmoedig.
sombrer [sõ˙bré] **I** *v.i.* **1** (*sch.*) zinken, vergaan; **2** (*fig.*) geheel ten onder gaan; verloren gaan; **3** (*v. stem*) gevoileerd worden; **II** *v.t.* (*muz.*: *v. stem*) dempen.
sombrero [sõ˙bréro] *m.* sombrero, Spaanse zonnehoed *m.* (met brede rand).
sommaire [sòm(m)è:r] **I** *adj.* **1** beknopt, kort; **2** (*v. rechtspleging*) summier; **3** eenvoudig, primitief; **4** globaal; ***exécution —,*** parate executie *v.*; **II** *s. m.* korte inhoud *m.*, overzicht *o.*, inhoudsopgave *v.(m.)*.
sommairement [sòm(m)è˙rmã] *adv.* beknopt, in 't kort; in grote trekken.
sommation [sòma˙syõ] *f.* **1** dagvaarding *v.*; **2** aanmaning *v.*; **3** (*mil.*) opeising *v.*; ***lettre de —,*** eis tot betaling; ***— respectueuse,*** akte *v.(m.)* van eerbied.
somme [sòm] **I** *f.* **1** som *v.(m.)*; **2** bedrag *o.*; ***bête de —,*** lastdier *o.*; ***en —, — toute,*** alles te zamen genomen, in één woord; trouwens; **II** *m.* slaap *m.*; dutje *o.*; ***ne faire qu'un —,*** aan één stuk doorslapen.
sommeil [sòmè˙y] *m.* **1** slaap *m.*; **2** slaperigheid *v.*; ***— de plomb,*** zware slaap; ***dormir d'un profond —,*** vast slapen.
sommeiller [sòmèyé] *v.i.* sluimeren, dutten.
sommelier [sòm(e)lyé] *m.* **1** spijsverzorger; voorraadverzorger *m.*; **2** keldermeester, bottelier *m.*; **3** wijnkelner *m.*
sommellerie [sòmèlri] *f.* **1** ambt *o.* van keldermeester, — van proviandmeester; **2** provisiekamer *v.(m.)*; **3** wijnkelder *m.*
sommer [sòmé] *v.t.* **1** dagvaarden; **2** (tot betaling) aanmanen; **3** (*mil.*) opeisen; **4** (*wisk.*) optellen, samentellen.
sommet [sòmè] *m.* **1** top *m.*; **2** kruin *v.(m.)*; **3** (*v. toren*) spits *v.(m.)*; **4** (*fig.*) toppunt *o.*; **5** (*meetk.*) hoekpunt *o.*
sommier [sòmyé] *m.* **1** paardeharen matras *v.(m.)* *en o.*; **2** (*v. orgel*) luchtzak *m.*; **3** (*boven deur, enz.*) dwarsbalk *m.*; **4** (*v. klok*) draagbalk *m.*; **5** lastdier *o.*; **6** (*v. ontvanger*) register, hoofdregister, grootboek *o.*; ***— élastique,*** springverenmatras; staaldraadmatras.
sommité [sòmité] *f.* **1** uiterste top *m.*; hoogste punt *o.*, spits *v.(m.)*; **2** (*v. tak*) eindknop *m.*; **3** (*fig.*) sommiteit *v.*, aanzienlijk persoon *m.*
somnambule [sòmnã˙bül] *m.-f.* **1** slaapwandelaar(ster) *m.* (*v.*); **2** helderziende *m.-v.*
somnambulisme [sòmnã˙bülizm] *m.* **1** (het) slaapwandelen *o.*; **2** helderziendheid *v.*
somnifère [sòmnifè:r] **I** *adj.* slaapverwekkend; **II** *s. m.* slaapmiddel *o.*
somnolence [sòmnòlã:s] *f.* slaperigheid *v.*; slaapdronkenheid *v.*
somnolent [sòmnòlã] *adj.* slaperig, dommelig.
somnoler [sòmnòlé] *v.i.* dommelen, dutten.
somptuaire [sõ˙ptẘè:r] *adj.* de uitgaven betreffend; ***loi —,*** wet tegen de weelde.
somptueux [sõ˙ptẘö] *adj.*, **somptueusement** [sõ˙ptẘö˙zmã] *adv.* weelderig; weids; prachtig.
somptuosité [sõ˙ptẘozité] *f.* weelderigheid *v.*, weelde, pracht, praal *v.(m.)*.
son [sõ] **I** *pr.poss.* zijn; haar; ***faire — droit,*** in de rechten studeren; ***il possède — français,*** hij heeft het Frans onder de knie; **II** *s.m.* **1** geluid *o.*; **2** (*muz.*) klank, toon *m.*; **3** zemelen *mv.*; ***au — des cloches,*** onder klokgelui; ***au — des trompettes,*** met trompetgeschal; ***au — du tambour,*** met tromgeroffel; ***annoncer au — du tambour,*** aan de grote klok hangen; ***boule de —,*** (*mil.*) kommiesbrood *o.*; ***taché de —,*** sproetig.
sonate [sònat] *f.* sonate *v.(m.)*.
sonatine [sònatin] *f.* kleine sonate *v.(m.)*, sonatine *v.*
sondage [sõ˙da:j] *m.* **1** (het) peilen *o.*; **2** (het) sonderen *o.*; **3** (***— du terrain***), (grond)boringen *mv.*, grondonderzoek *o.*; ***— aérien,*** hoogtebepaling *v.* (van uit een vliegtuig).
sonde [sõ:d] *f.* **1** dieplood, peillood *o.*; **2** (*voor kleine diepten*) peilstok *m.*; **3** (*voor wond*) tentijzer *o.*, sonde *v.(m.)*; **4** (*v. douane*) sondeerijzer *o.*; ***— à fromage,*** kaasboor *v.(m.)*.
Sonde [sõ:d] *f.* Soenda *o.*; ***archipel de la —,*** Soenda-eilanden, Indische archipel.
sonder [sõ˙dé] *v.t.* **1** peilen; **2** (*v. kaas*) aanboren; **3** (*fig.*) onderzoeken, doorgronden; **4** (*v. persoon*) polsen; ***— le terrain,*** het terrein verkennen, poolshoogte nemen.
sondeur [sõ˙dœ:r] *m.* **1** loder, peiler *m.*; **2** onderzoeker, navorser *m.*
sondeuse [sõ˙dö:z] *f.* peiltoestel *o.*
songe [sõ:j] *m.* droom *m.*; ***tout — est mensonge,*** dromen zijn bedrog; ***mal d'autrui n'est que —,*** aan een andermans zeer hinkt men niet.
songe-creux [sõ˙zkrö] *m.* dromer, mijmeraar; suffer *m.*; leeghoofd *o. en m.-v.*
songer [sõ˙jé] *v.i.* **1** mijmeren; suffen; **2** denken; **3** bedenken; ***j'y songe,*** dat is waar ook! ***vous n'y songez pas?*** dat meent u toch niet?
songerie [sõ˙jri] *f.* dromerij *v.*, gemijmer *o.*
songeur [sõ˙jœ:r] **I** *m.* dromer, mijmeraar *m.*; **II** *adj.* dromerig, mijmerend.
sonique [sonik] *adj.* geluids-, sonisch, van het geluid.
sonnaille [sòna˙y] *f.* **1** klokje, belletje *o.* (*v.* vee); **2** geklingel *o.*
sonnailler [sòna˙yé] **I** *m.* beldrager, belhamel *m.*; **II** *v.i.* voortdurend bellen, klingelen.
sonnaillerie [sòna˙yri] *f.* geklingel, gebengel *o.*
sonnant [sònã] *adj.* **1** klinkend; **2** (*v. klok*) slaand; ***espèces —es,*** klinkende munt; ***à trois heures —es,*** klokslag drie uur.
sonner [sòné] **I** *v.i.* **1** klinken; **2** luiden; **3** (*v. klok*)

slaan; 4 (*v. telefoon*) gaan; — ***du cor,*** op de hoorn blazen; ***faire —,*** 1 rammelen met; laten klinken; 2 (*fig.*) de nadruk leggen op; doen uitkomen; II *v.t.* 1 (*v. klok*) luiden; 2 (*v. meid, enz.*) bellen, schellen; 3 (*v. noot*) aanslaan; 4 (*tel.*) opbellen; — ***la retraite,*** de aftocht blazen; — ***les demies,*** (*v. klok*) de halve uren slaan; ***il a quarante ans bien sonnés,*** hij is al over de veertig.

sonnerie [sònri] *f.* 1 (*v. klokken*) gelui; gebeier *o.*; 2 klokkenspel *o.*; 3 (*v. uurwerk*) slagwerk *o.*; 4 (*mil.*) trompetsignaal *o.*; — ***électrique,*** elektrische bel *v.*(*m.*).

sonnet [sònè] *m.* sonnet, klinkdicht *o.*

sonnette [sònèt] *f.* 1 bel, schel *v.*(*m.*); 2 (*tn.*) heitoestel *o.*, heimachine *v.*; — ***d'alarme,*** brandschel; ***serpent à —s,*** ratelslang *v.*(*m.*).

sonnettiste [sònètist] *m.* sonnettendichter *m.*

sonneur [sònœ:r] *m.* 1 klokluider *m.*; 2 heier *m.*; 3 (— *de cor*), hoornblazer *m.*

sonnez [sòné] *m.* (*spel*) twee zessen *mv.*, dubbele zes *v.*(*m.*).

sonomètre [sònòmè·tr] *m.* klankmeter, toonmeter [*m.*

sonore [sònò:r] *adj.* 1 helderklinkend; duidelijk; 2 (*v. medeklinker*) stemhebbend; 3 (*v. huis, kamer*) gehorig; 4 welluidend; 5 geluids—; ***onde —,*** geluidsgolf *v.*(*m.*); ***film —,*** klankfilm, geluidsfilm *m.*; ***salle —,*** zaal *v.*(*m.*) met goede akoestiek.

sonoriser [sònòri·zé] *v.i.* 1 (*v. medeklinker*) stemhebbend maken; 2 een klankfilm maken van.

sonorité [sònòrité] *f.* 1 helderheid, klankrijkheid *v.*; 2 gehorigheid *v.*; 3 welluidendheid *v.*; 4 goede akoestiek *v.*

sopha [sòfa], *voir* ***sofa.***

Sophie [sòfi] *f.* Sofie, Sophia *v.*

sophisme [sòfizm] *m.* drogreden *v.*(*m.*), sofisme *o.*

sophiste [sòfist] *m.* drogredenaar, sofist *m.*

sophistication [sòfistikα·syõ] *f.* vervalsing *v.*

sophistique [sòfistik] *adj.* spitsvondig; bedrieglijk misleidend; sofistisch.

sophistiquer [sòfistiké] I *v.t.* vervalsen; II *v.i.* sofistisch (*of* spitsvondig) redeneren, drogredenen verkopen.

sophistiqueur [sòfistikœ:r] *m.* 1 vervalser *m.*; 2 drogredenaar *m.*

Sophocle [sòfòkl] *m.* Sophocles *m.*

soporatif [sòpòratif], **soporifère** [sòpòrifè:r], **soporifique** [sòpòrifik] I *adj.* 1 slaapverwekkend; 2 vervelend; II *s. m.* slaapmiddel *o.*

soprano [sòprano] *m.* sopraan *v.*(*m.*).

soquette [sòkèt] *f.* ski-sokje *o.*

sorbe [sòrb] *f.* 1 sorbepeer *v.*(*m.*); 2 lijsterbes *v.*(*m.*).

sorbet [sòrbè] *m.* sorbet *m.*

sorbetière [sòrbetyè:r] *f.* ijsemmer *m.*

sorbier [sòrbyé] *m.* lijsterbesseboom *m.*

Sorbonne [sòrbòn] *f.* Sorbonne, universiteit *v.* te Parijs.

sorcellerie [sòrsèlri] *f.* toverij, hekserij *v.*

sorcier [sòrsyé] *m.* tovenaar, heksenmeester *m.*; ***ce n'est pas —,*** dat is zo'n kunst niet.

sorcière [sòrsyè:r] *f.* toverheks *v.*

sordide(ment) [sòrdi·d(mã)] *adj.* (*adv.*) 1 vuil, smerig; 2 (*v. woning*) armzalig; 3 onooglijk; 4 gierig; vrekkig, schraperig.

sordidité [sòrdidité] *f.* 1 vuilheid *v.*; 2 armzaligheid *v.*; 3 onooglijkheid *v.*; 4 gierigheid, vrekkigheid, schraperigheid *v.*

sore [sò:r] *m.* (*Pl.*) sporenhoopje *o.* [*v.*(*m.*).

sorgho [sòrgo] *m.* zorgzaad *o.*, Indiaanse gierst

sorguer [sòrgé] *v.i.* (*arg.*) maffen, slapen.

sorite [sòrit] *f.* kettingrede *v.*(*m.*).

Sorlingues [sòrlẽ:g] *f.pl.* Scilly-eilanden *mv.*

sornette [sòrnèt] *f.* praatje *o.*, beuzelarij *v.*; ***conter des —s à qn.,*** iem. iets wijsmaken, iem. kletspraatjes verkopen.

sororal [sòròral] *adj.* zusterlijk.

sort [sò:r] *m.* 1 lot *o.*; 2 noodlot *o.*; 3 toeval *o.*; 4 hekserij, toverij *v.*; ***jeter un — sur*** (***à***), betoveren; ***tirer au —,*** loten; ***assurer le — de qn.,*** voor iemands toekomst zorgen; ***le — des armes,*** het geluk van de wapenen; ***le — en est jeté,*** de teerling is geworpen, het is beslist.

sortable [sòrta·bl] *adj.* 1 aannemelijk, passend, geschikt; 2 waarmee men voor de dag kan komen.

sortant [sòrtã] I *adj.* 1 aftredend; 2 (*v. loterijnummer*) uitkomend, uitgeloot; 3 (*fig.*) goed in 't oog vallend; II *s. m.* 1 aftredende *m.*; 2 heengaande *m.*; ***entrants et —s,*** in- en uitgaanden.

sorte [sòrt] *f.* 1 soort *v.*(*m.*) *en o.*; 2 manier, wijze *v.*(*m.*); ***de la —,*** op die manier; ***toute — de,*** allerlei; ***de — que, en — que,*** zodat, zodanig dat; ***en quelque —,*** in zekere zin, om zo te zeggen; ***faites en — d'arriver à temps,*** zorg er voor, dat je op tijd bent.

sorti [sòrti] *adv.* uit, buiten.

sortie [sòrti] *f.* 1 uitgang *m.*; 2 (het) uitgaan *o.*; 3 uitval *m.*; 4 (*v. goederen*) uitvoer *m.*; 5 (*v. luchtschip*) vlucht *v.*(*m.*); ***examen de —,*** eindexamen *o.*; ***jour de —,*** uitgaansdag *m.*; ***droits de —,*** uitvoerrechten *mv.*; ***à la — de,*** bij het verlaten van; bij het uitgaan van; ***se ménager une —,*** een achterdeurtje voor zich openhouden.

sortilège [sòrtilè:j] *m.* hekserij *v.*, tovermiddel *o.*

sortir* [sòrti:r] I *v.i.* 1 uitgaan; 2 uitkomen; 3 naar buiten gaan; 4 (*uit haven*) uitlopen; — ***des rails,*** (*v. trein*) ontsporen; — ***de maladie,*** van een ziekte opstaan; — ***de table,*** van tafel komen (*of* opstaan); — ***de la règle,*** een uitzondering vormen; — ***de*** (***la***) ***mesure,*** (*muz.*) uit de maat raken; — ***du ton,*** vals zingen; — ***de son sujet,*** van zijn onderwerp afdwalen; — ***de charge,*** zijn ambt neerleggen; — ***d'embarras,*** zich uit de moeilijkheid redden; — ***du lit,*** opstaan; — ***de bonne famille,*** van goeden huize zijn; — ***de son caractère,*** buiten zich zelf geraken; — ***de la convention,*** zich niet aan de afspraak houden; ***cela m'est sorti de la tête,*** dat is me door het hoofd gegaan; ***il ne sort pas de là,*** hij gaat daar niet van af; ***je sors de chez lui,*** ik kom juist bij hem vandaan; ***sors d'ici!*** eruit! maak dat je wegkomt! ***il n'a fait qu'entrer et —,*** hij is maar even hier geweest; ***d'où sortez-vous?*** 1 waar komt u vandaan? 2 (*fig.*) weet je dan nergens van? II *v.t.* 1 buiten zetten; 2 naar buiten brengen (*of* halen); 3 uitgaan met (kinderen, paard, enz.); 4 (*v. gedachte*) uiten; 5 (*v. voorstel, enz.*) te berde brengen; 6 voor de dag komen met, op de proppen komen met; 7 (*v. regel*) laten uitspringen; — ***son effet,*** effect sorteren; III *s. m.* 1 (het) uitgaan *o.*; 2 (het) einde *o.*; ***au — du lit,*** bij het opstaan.

sosie [sozi] *m.* dubbelganger *m.*; alter ego *m. of v.*

sot [so] I *adj.* (*f.* : ***sotte*** [sòt]) 1 dwaas, gek, zot; 2 dom, onnozel; 3 verlegen, onthutst; ***rester tout —,*** beteuterd staan te kijken; II *s. m.* zot, gek, dwaas *m.*; ***triple —,*** driedubbel overgehaalde ezel *m.*

sotie [sòti] *f.* sotternie *v.*, satiriek kluchtspel *o.*

sot-l'y-laisse [sòlilè:s] *m.* heerlijk hapje *o.*, staartstukje *o.* van gevogelte.

sotte, *voir* ***sot.***

sottement [sòtmã] *adv.* dwaas, dwaselijk, dom.

sottise [sòti:z] *f.* 1 dwaasheid, gekheid *v.*; 2 domme streek *m. en v.*; 3 grofheid, belediging *v.*

sottisier [sòtizyé] *m.* moppenverzameling *v.*

sou [su] *m.* stuiver *m.*; ***un petit —,*** een halve stuiver; ***cent* —*s,*** vijf frank; ***n'avoir pas le* —, *ne pas avoir le* — *vaillant,*** geen cent bezitten, geen rooie duit hebben; ***avoir des —s,*** duiten hebben, geld hebben; ***avoir le — du franc,*** vijf percent krijgen; ***de quatre —s,*** armoedig, armzalig; ***pour quatre —s,*** voor een appel en een ei; ***mettre — à*** (*ou* ***sur***) **—,** cent voor cent sparen, potten; ***un — amène l'autre,*** veel kleintjes maken een grote.

Souabe [swa·b] **I** *f.* Zwaben *o.*; **II** *m.* Zwaab *m.*; **III** *adj.*, **s—,** Zwabisch.

soubassement [subɑ·smã] *m.* grondmuur, onderbouw *m.*

soubresaut [subreso] *m.* **1** (het) opspringen *o.*; **2** sprong *m.*; **3** zenuwtrekking; stuiptrekking *v.*

soubrette [subrèt] *f.* kamenier *v.*

souche [suʃ] *f.* **1** boomstronk, boomstomp *m.*; **2** (*in register*) stok *m.*; **3** (*fig.*) stamvader *m.*; **4** stam *m.*, afkomst *v.*; **5** lomperd, botterik *m.*; ***faire* —,** een familie stichten, nakomelingen hebben. [bouwsteen *m.*

souchet [suʃè] *m.* **1** (*Pl.*) cipergras *o.*; **2** brosse

souchon [suʃõ] *m.* stronkje; boomstompje *o.*

souci [susi] *m.* **1** zorg *v.*(*m.*), bezorgdheid *v.*; **2** kommer *m.*, verdriet *o.*; **3** (*Pl.*) goudsbloem *v.*(*m.*); ***— des marais,*** dotterbloem *v.*(*m.*); ***prendre — de,*** **1** zorgen voor; **2** zich bezorgd maken over; ***sans* —,** onbezorgd, zonder zorg.

soucier, *se* — [sesusyé] (***de***) *v.pr.* bezorgd zijn, zich bekommeren (over); ***je ne me soucie pas de sortir,*** ik heb geen zin om uit te gaan; ***je m'en soucie comme un poisson d'une pomme,*** ik geef er geen zier om. [(om).

soucieux [susyö] *adj.* bezorgd (over); bekommerd

soucoupe [sukup] *f.* **1** schoteltje *o.* (onder kop); **2** vliegende schijf *v.*(*m.*).

soudable [suda·bl] *adj.* soldeerbaar.

soudage [suda:j] *m.* soldering *v.*, (het) solderen *o.*

soudain(ement) [sudẽ(sudènmã)] *adj.* (*adv.*) plotseling, eensklaps. [heid *v.*

soudaineté [sudènté] *f.* (het) plotselinge *o.*, snel-

Soudan [sudã] *m.* Soedan *m.*

Soudanais [sudanè] **I** *m.* Soedanees *m.*; **II s —,** *adj.* Soedanees.

soudard [suda:r] *m.* (*ong.*) (ruw) soldaat, sabelsleper *m.*

soude [su·d] *f.* **1** (*Pl.*) loogkruid *o.*; **2** soda *m. en v.*; ***sel de* —,** watervrije soda; ***de* —,** natrium—.

souder [sudé] **I** *v.t.* **1** solderen; **2** lassen; **3** verbinden, samenvoegen; ***fer à* —,** soldeerbout *m.*; **II** *v.pr.* ***se* —, 1** gesoldeerd worden; **2** zich laten solderen; **3** (*fig.*) samengroeien; vergroeien.

soudeur [sudœ:r] *m.* soldeerder *m.*; ***— autogène,*** autogeenlasser *m.*

soudier [sudyé] *m.* sodafabrikant *m.*

soudière [sudyè:r] *f.* sodafabriek *v.*

soudoir [sudwa:r] *m.* soldeerbout *m.*

soudoyer [sudwayé] *v.t.* bezoldigen, betalen.

soudure [sudü:r] *f.* **1** soldeersel *o.*; **2** soldering *v.*; **3** soldeernaad *m.*; **4** aaneenhechting *v.*; **5** (*gen.*) vergroeiing *v*

soue [su] *f.* varkenshok *o.*

soufflage [sufla:j] *m.* **1** (het) glasblazen *o.*; **2** (*v. straatstenen*) (het) ophogen *o.*

souffle [sufl] *m.* **1** (het) blazen *o.*; **2** adem, ademtocht *m.*; **3** windje, zuchtje, koeltje *o.*; **4** (*v. wind*) (het) suizen *o.*; **5** ingeving, inspiratie *v.*; ***à bout de* —,** buiten adem; ***manquer de* —, 1** kortademig zijn; **2** (*fig.*) bezieling missen; ***n'avoir plus qu'un — de vie,*** zieltogen, op sterven liggen.

soufflé [suflé] **I** *adj.* **1** gerezen; **2** (*v. medeklinker*) stemloos; **3** (*v. papier*) donzig, fluwelig; ***omelette —e,*** schuimomelet *v.*(*m.*); **II** *s. m.* luchtig gerezen gebak *o.*; soes *v.*(*m.*).

soufflement [sufləmã] *m.* **1** geblaas, (het) blazen *o.*; **2** (*fig.*) (het) wegkapen *o.*

souffler [suflé] **I** *v.i.* **1** blazen; **2** ademen, ademhalen; **3** waaien; **4** weer op adem komen, uitblazen; **5** snuiven, hijgen; **6** (*op school*) voorzeggen; ***ne pas oser* —,** geen mond durven opendoen; **II** *v.t.* **1** blazen; **2** aanblazen; **3** opblazen; **4** wegblazen; **5** voorzeggen; inblazen; **6** (weg)kapen, ontfutselen, afhandig maken; **7** (*v. plaveisel*) ophogen; **8** (*v. kaars*) uitblazen; **9** (*v. orgel*) trappen; ***— la discorde,*** tweedracht zaaien; ***— le froid et le chaud,*** met twee monden spreken, uit twee pannen bakken; ***ne pas — mot,*** geen stom woord zeggen; ***— n'est pas jouer,*** (*bij dammen*) blazen geldt niet voor zet.

soufflerie [sufləri] *f.* **1** (*v. orgel*) blaaswerk *o.*; **2** (*v. smidse, enz.*) gezamenlijke blaasbalgen *mv.*

soufflet [suflè] *m.* **1** blaasbalg *m.*; **2** (*v. harmonika, camera*) balg *m.*; **3** (*v. rijtuig*) kap *v.*(*m.*); **4** (*v. trein*) harmonikadoorgang *m.*; **5** oorveeg *v.*(*m.*); ***valise à —*(s),** harmonikakoffer *m.*

souffleter* [sufləté] *v.t.* **1** een oorveeg geven; **2** (*fig.*) een slag in 't gezicht geven, beledigen.

soufflette [suflèt] *f.* luchtblaas *v.*(*m.*).

souffleur [suflœ:r] *m.* **1** blazer, glasblazer *m.*; **2** orgeltrapper *m.*; **3** (*toneel*) souffleur, voorzegger *m.* [luchtblaas *v.*(*m.*).

soufflure [suflü:r] *f.*, (*in glas, metaal, verflaag*)

souffrance [sufrã:s] *f.* **1** lijden *o.*; **2** leed *o.*, smart *v.*(*m.*); **3** toelating, vergunning *v.*; **4** uitstel *o.*, opschorting *v.*; ***en* —, 1** (*v. brief; spoorw.*) onbestelbaar; **2** (*v. bagage*) onafgehaald; **3** (*v. factuur, wissel*) onbetaald; **4** (*v. schip*) over tijd; ***laisser en* —,** verwaarlozen, verzuimen; onafgedaan laten.

souffrant [sufrã] *adj.* **1** lijdend; **2** ongesteld; ***l'Église —e,*** de lijdende Kerk *v.*(*m.*) (de zielen in 't vagevuur).

souffre-douleur [sufrdulœ:r] *m.* **1** zondebok *m.*; **2** (*v. plagerij, enz.*) mikpunt *o.*

souffreteux [sufretö] **I** *adj.* **1** ziekelijk, sukkelend; **2** behoeftig; **II** *s. m.* lijder, sukkelaar *m.*

souffrir* [sufri:r] **I** *v.t.* **1** lijden; **2** toelaten, dulden; **3** toestaan, veroorloven; **4** verdragen, uithouden; ***bien — la fatigue,*** goed tegen de vermoeienis kunnen; ***cela ne souffre pas de délai,*** dat lijdt geen uitstel; ***je ne peux le* —,** ik kan hem niet uitstaan; **II** *v.i.* **1** lijden, pijn hebben; **2** verdriet hebben; ***— des dents,*** tandpijn hebben; ***— de la tête,*** hoofdpijn hebben; ***il souffre de la poitrine,*** hij heeft het aan de longen; **III** *v.pr.* ***se* —,** elkaar van weerskanten verdragen. [*o.*

soufrage [sufra:j] *m.* zwaveling *v.*, (het) zwavelen

soufre [sufr] *m.* zwavel *m.*; ***— natif,*** gedegen zwavel.

soufré [sufré] *adj.* **1** gezwaveld; **2** zwavelkleurig.

soufrer [sufré] *v.t.* zwavelen.

soufreur [sufrœ:r] *m.* zwavelaar *m.*

soufrière [sufri(y)è:r] *f.* zwavelgroeve, zwavelmijn *v.*(*m.*).

soufroir [sufrwa:r] *m.* zwavelkamer *v.*(*m.*).

souhait [swè] *m.* wens *m.*; verlangen *o.*; ***à* —,** naar wens.

souhaitable [swèta·bl] *adj.* wenselijk.

souhaiter [swèté] *v.t.* **1** wensen; **2** toewensen; **3** verlangen (naar).

souillard [suya:r] *m.* **1** watergat *o.* in een steen; **2** gootsteen *m.* [wild zwijn.

souille [suy] *f.* modderwentelplek *v.*(*m.*) van

souiller [suyé] **I** *v.t.* **1** vuil maken; bemorsen; **2** (*fig.*) bezoedelen; **II** *v.pr.* ***se* —,** zich bevlekken.

souillon [suyõ] *m.* **1** smeerpoes *v.(m.)*, slons *v.*; **2** (*in keuken*) vatenwasster, meid *v.* voor 't vaatwerk.
souillonner [suyòné] *v.t.* bevuilen, bemorsen.
souillure [suyü:r] *f.* **1** bemorsing, bezoedeling *v.*; **2** (*fig.*) smet, vlek *v.(m.)*.
souk [suk] *m.* (*Afr.*) markt *v.(m.)*.
soûl [su, sul] **I** *adj.* **1** verzadigd; **2** (*pop.*) zat, dronken; **II** *s. m.* bekomst; ***— comme une grive,*** stomdronken; ***tout son —,*** zoveel men lust, naar hartelust; ***dormir tout son —,*** flink uitslapen.
soulageant [sulajã] *adj.* verkwikkend, verlichtend.
soulagement [sulajmã] *m.* **1** verlichting; verzachting *v.*; **2** opbeuring, verkwikking *v.*; **3** (*v. machine*) ontlasting *v.*
soulager [sulajé] **I** *v.t.* **1** verlichten; verzachten; **2** opbeuren, verkwikken; **3** (*v. nood, ellende*) lenigen; **4** (*v. machinedeel*) ontlasten; **II** *v.pr.* ***se —,*** **1** zijn hart uitstorten; **2** zich ontlasten.
soûlard [sula:r] *m.* (*pop.*) dronkaard, dronkelap *m.*
soulaud [sulo] *m.*, *voir* ***soûlard.***
soûler [sulé] **I** *v.t.* **1** verzadigen; **2** dronken, zat maken; **II** *v.pr.* ***se —,*** **1** zich overeten; **2** zich dronken drinken.
soûlerie [sulri] *f.* zuiperij, zuippartij *v.*
soulèvement [sulè'vmã] *m.* **1** oplichting, opbeuring *v.*; **2** opstand *m.*, oproer *o.*; **3** verontwaardiging *v.*
soulever [sulvé] **I** *v.t.* **1** opheffen, oplichten, optillen; **2** (*v. schip*) lichten; **3** (*v. stof, enz.*) opjagen; **4** (*fig.*: *v. vraag*) opwerpen; **5** (*v. protest*) uitlokken; **6** (*v. volk*) oproerig maken; ***— le cœur,*** misselijk maken; **II** *v.pr.* ***se —,*** **1** zich verheffen; **2** zich oprichten; opstaan; **3** (*v. golven*) opbruisen; **4** (*fig.*) oproerig worden, in opstand komen; opstaan.
soulier [sulyé] *m.* (lage) schoen *m.*; ***être dans ses petits —s,*** niet op zijn gemak zijn, in de knel zitten; ***mettre les pieds dans tous les —s,*** van alles beproeven.
soulignement [suliñmã] *m.* **1** onderstreping *v.*; **2** (*fig.*) aandikking *v.*, (het) doen uitkomen *o.*
souligner [suliñé] *v.t.* **1** onderstrepen; **2** aandikken, doen uitkomen, de aandacht speciaal vestigen op.
soulographier [sulògrafyé] *v.t.* (*pop.*) dronken voeren.
soulte [sut] *f.* (*bij ruil enz.*) bijbetaling *v.*
soumettre* [sumètr] **I** *v.t.* **1** onderwerpen; **2** voorleggen; **II** *v.pr.* ***se —,*** zich onderwerpen; ***se — ou se démettre,*** buigen of barsten.
soumis [sumi] *adj.* **1** onderworpen; **2** gedwee, volgzaam.
soumission [sumisyõ] *f.* **1** onderwerping *v.*; **2** gedweeheid, volgzaamheid *v.*; **3** onderdanigheid, onderworpenheid *v.*; **4** (*bij aanbesteding*) inschrijving *v.*
soumissionnaire [symisyònè:r] *m.* inschrijver; aannemer *m.*
soumissionner [sumisyòné] *v.t.* inschrijven, aannemen.
soupape [supap] *f.* ventiel *o.*, klep *v.(m.)*; ***— de sûreté,*** veiligheidsklep; ***— d'admission,*** inlaatklep; ***— d'échappement,*** uitlaatklep; ***— de purge,*** afblaasventiel *o.*
soupçon [supsõ] *m.* **1** argwaan *m.*, verdenking *v.*, achterdocht *v.(m.)*; **2** vermoeden *o.* gissing *v.*; **3** beetje *o.*; schijntje *o.*; ***concevoir des —s,*** argwaan krijgen.
soupçonner [supsòné] *v.t.* **1** verdenken; **2** gissen, vermoeden.
soupçonneux [supsònö] *adj.* achterdochtig, wantrouwend.
soupe [sup] *f.* soep *v.(m.)*; ***— grasse,*** vleessoep; ***— maigre,*** magere soep; ***— au lait,*** melkpap *v.(m.)*; ***trempé comme une —,*** doornat; ***s'emporter comme une — au lait,*** opvliegen als buskruit; ***mesurer la — à sa bouche,*** de tering naar de nering zetten.
soupé [supé] *m.*, *voir* ***souper II.***
soupente [supã:t] *f.* **1** (*v. rijtuig*) hangriem *m.*; **2** insteekkamer *v.(m.)*; **3** vliering *v.*; **4** hangbalk *m.*
souper [supé] **I** *v.i.* het avondeten gebruiken, souperen; ***j'en ai soupé,*** (*fam.*) ik heb er meer dan genoeg van; **II** *s. m.* avondeten, souper *o.*
soupèsement [supè'zmã] *m.* (het) op de hand wegen *o.*
soupeser [supezé] *v.t.* met (*of* op) de hand wegen.
soupeur [supœ:r] *m.* soupeerder *m.*
soupière [supyè:r] *f.* soepterrine *v.*
soupir [supi:r] *m.* **1** zucht *m.*; **2** (*muz.*) kwart *o.* rust; ***demi-—,*** achtste rust; ***rendre le dernier —,*** de laatste adem uitblazen.
soupirail [supira'y] (*pl.* : ***soupiraux***) **1** keldergat *o.*; **2** (*in gewelf*) luchtgat *o.*; **3** (*in ijs*) wak *o.*
soupirant [supirã] **I** *adj.* zuchtend, smachtend; **II** *s. m.* aanbidder *m.*
soupirer [supiré] **I** *v.i.* **1** zuchten; **2** klagen; ***— après, — vers,*** verlangen naar, smachten naar; **II** *v.t.* **1** (*v. smart, enz.*) uitzuchten; **2** (*v. verzen, enz.*) uitboezemen, zuchtend uitbrengen.
souple(ment) [supl(emã)] *adj.* (*adv.*) **1** buigzaam, soepel; **2** lenig; **3** (*fig.*) handelbaar, gedwee, volgzaam.
souplesse [suplès] *f.* **1** buigzaamheid, soepelheid *v.*; **2** lenigheid *v.*; **3** handelbaarheid, gedweeheid, volgzaamheid *v.*
souquenille [sukni'y] *f.* **1** lange kiel; koetsierskiel *m.*; **2** versleten plunje *v.(m.)*.
souquer [suké] **I** *v.t.* stevig aanhalen; **II** *v.i.* stevig trekken.
source [surs] *f.* **1** bron *v.(m.)*; **2** (*fig.*) oorsprong *m.*, bron *v.(m.)*; ***couler de —,*** talrijk en ongedwongen komen; ***prendre sa —,*** ontspringen; ***prendre sa — dans, tirer sa — de,*** voortspruiten uit, zijn oorsprong vinden in, afkomstig zijn van; ***tenir de bonne —,*** van goeder hand (*of* uit de beste bron) weten.
sourcier [sursyé] *m.* bronnenzoeker, roedeloper *m.*; ***baguette de —,*** wichelroede *v.(m.)*.
sourcil [sursi] *m.* wenkbrauw *v.(m.)*.
sourcilier [sursilyé] *adj.* van de wenkbrauwen, wenkbrauw—; ***arcade sourcilière,*** wenkbrauwboog *m.*
sourciller [sursiyé] *v.i.* de wenkbrauwen fronsen; ***sans —,*** zonder blikken of blozen; ***ne pas —,*** geen spier vertrekken.
sourcilleux [sursiyö] *adj.* trots, steil.
sourd [su:r] **I** *adj.* **1** doof; **2** gedempt; **3** (*v. medeklinker*) stemloos; **4** (*v. kleur*) dof; **5** (*fig.*) heimelijk, verborgen; ***— comme un pot,*** zo doof als een kwartel; ***une rumeur —e,*** een vaag gerucht; ***lanterne —e,*** dievenlantaarn; ***faire la —e oreille,*** zich doof houden; **II** *s. m.* dove *m.*; ***crier comme un —,*** uit alle macht schreeuwen; ***frapper comme un —,*** er maar op los slaan; ***il n'est pire — que celui qui ne veut pas entendre,*** wat baten kaars en bril als de uil niet zien en wil; er zijn geen erger doven, dan die niet horen willen.
sourdaud [surdo] *adj.* hardhorig.
sourdement [surdemã] *adv.* **1** dof; **2** heimelijk, in 't verborgen; ***se propager —,*** aanwoekeren.
sourdine [surdin] *f.* **1** (*muz.*) demper *m.*, sourdine, sordino *v.*; **2** (*mil.*) doffe trompet *v.(m.)*; ***en —,*** **1** gedempt, zachtjes; **2** heimelijk, in stilte, stiekem; **3** (*muz.*) con sordino.
sourd*-muet* [su'rmwè] **I** *adj.* doofstom; **II** *s. m.* doofstomme *m.*

sourdre [surdr] *v.i.* **1** opwellen; **2** ontstaan.
souriant [suryã] *adj.* glimlachend.
souriceau [suriso] *m.* jonge muis *v.(m.)*.
souricière [surisyè:r] *f.* **1** muizeval *v.(m.)*; **2** valstrik *m.*; ***se jeter dans la —,*** in de val lopen.
souriquois [surikwa] *adj.* van de muizen; ***le peuple —,*** (het) muizenvolkje *o.*
sourire* [suri:r] **I** *v.i.* **1** glimlachen; **2** toelachen; **3** bevallen, aanstaan; **II** *s. m.* glimlach *m.*; ***envoyer un — à qn.,*** iem. toelachen; ***avoir le —,*** vriendelijk kijken.
souris [suri] **I** *m.* glimlach *m.*; **II** *f.* muis *v.(m.)*; ***— de montagne,*** springmuis; ***— des champs,*** veldmuis; ***yeux de —,*** kraaloogjes *mv.*; ***on entendrait trotter une —,*** men zou een speld horen vallen; ***on le ferait cacher dans un trou de —,*** hij is zo bang als een wezel; ***gris de —,*** muiskleurig, muisvaal; ***— qui n'a qu'un trou est bientôt prise,*** wie maar één uitweg heeft, loopt spoedig vast.
sournois [surnwa] **I** *adj.* **1** geniepig, gluipend; **2** (*v. ziekte*) verraderlijk; **II** *s. m.* gluiper, geniepigerd *m.*
sournoisement [surnwa·zmã] *adv.* in 't geniep.
sournoiserie [surnwa·zri] *f.* **1** geniepigheid *v.*; **2** geniepige streek *m. en v.*
sous [su] *prép.* onder; ***— clef,*** achter slot; ***mettre — enveloppe,*** in een omslag steken; ***— les verrous,*** achter slot; ***— peu,*** binnenkort; ***— peine de,*** op straffe van; ***passer — silence,*** stilzwijgend voorbijgaan.
sous-affermer [suzafèrmé] *v.t.* **1** onderverhuren, onderverpachten; **2** onderhuren, onderpachten.
sous-affluent* [suzaflẅã] *m.* bijrivier *v.(m.)* van een zijrivier.
sous-affréter [suzafrété] *v.t.* onderbevrachten.
sous-agent* [suzajã] *m.* sub-agent *m.*
sous-aide* [suzè·d] *m.* medehelper *m.*
sous-alimentation* [suzalimãtɑ·syõ] *f.* ondervoeding *v.*
sous-amendement* [suzamã·dmã] *m.* subamendement *o.*
sous-amender [suzamã·dé] *v.t.* subamenderen.
sous-arbrisseau* [suzarbriso] *m.* halve heester *m.*
sous-bail* [subɑ·y] *m.* onderhuurcontract *o.*
sous-bailleur* [subɑyœ:r] *m.* onderverhuurder *m.*
sous-bibliothécaire* [subibliòtékè:r] *m.* onderbibliothecaris *m.*
sous-bois [subwɑ] *m.* bosgezicht *o.*
sous-cape* [sukap] *f.* (*v. sigaar*) onderdekblad *o.*
sous-chef* [suʃèf] *m.* **1** onderchef *m.*; **2** tweede kok *m.*
sous-clavier* [suklavyé] *adj.* onder het sleutelbeen.
sous-commissaire* [sukòmisè:r] *m.* ondercommissaris *m.*
sous-commission* [sukòmisyõ] *f.* subcommissie *v.*
sous-consommation* [sukõ·sòmɑ·syõ] *f.* onderconsumptie *v.*
sous-costal* [sukòstal] *adj.* onder de ribben, onderribs—.
souscripteur [suskriptœ:r] *m.* **1** intekenaar *m.*; **2** ondertekenaar *m.*
souscription [suskripsyõ] *f.* **1** intekening *v.*; **2** ondertekening *v.*; **3** (*op lening*) inschrijving *v.*; **4** ingeschreven som, bijdrage *v.(m.)*; **5** (*v. brief*) onderschrift *o.*
souscrire* [suskri:r] **I** *v.t.* **1** intekenen op; **2** ondertekenen; **3** inschrijven voor; **4** (*H.*) tekenen; **II** *v.i.* **1** intekenen; **2** zijn handtekening plaatsen; **3** (*fig.*) onderschrijven, goedkeuren.
sous-cutané* [sukütané] *adj.* onderhuids.
sous-développé* [sudévlòpé] *adj.* onderontwikkeld.
sous-diacre* [sudyakr] *m.* subdiaken *m.*
sous-directeur* [sudirèktœ:r] *m.* onderdirecteur *m.*
sous-dominante* [sudòminã:t] *f.* (*muz.*) onderdominant *v.*, kwart *o.* boven de grondtoon.
sous-entendre [suzãtã:dr] *v.t.* **1** stilzwijgend bedoelen; **2** (*gram.*) niet uitdrukken, weglaten, verzwijgen.
sous-entendu* [suzãtã·dü] *m.* bijbedoeling, bedekte toespeling *v.*
sous-entente* [suzã·tã:t] *f.* bijbedoeling *v.*
sous-épidermique* [suzépidèrmik] *adj.* onderhuids.
sous-estimer [suzèstimé] *v.t.* onderschatten.
sous-évaluer [suzévalẅé] *v.t.* onderschatten.
sous-exposer [suzèkspo·zé] *v.t.*, (*fot.*) onderbelichten.
sous-exposition* [suzèkspozisyõ] *f.* (*fot.*) onderbelichting *v.*
sous-ferme* [sufèrm] *f.* onderpacht *v.(m.)*.
sous-fermier* [sufèrmyé] *m.* onderpachter *m.*
sous-fifre* [sufifr] *m.* iem. met een heel ondergeschikt baantje.
sous-fréter [sufrété] *v.t.* onderbevrachten.
sous-garant* [sugarã] *m.* tweede borg *m.*
sous-gorge [sugòrj] *f.* (*v. paard*) keelriem *m.*
sous-jacent* [sujasã] *adj.* onderliggend.
sous-jupe* [sujüp] *f.* onderjurk *v.(m.)*.
sous-lieutenant* [sulyötnã] *m.* tweede luitenant *m.*
sous-locataire* [sulòkatè:r] *m.* onderhuurder *m.*
sous-location* [sulòkɑ·syõ] *f.* onderhuur *v.(m.)*.
sous-louer [sulwé] *v.t.* **1** onderverhuren; **2** onderhuren.
sous-loueur* [sulwœ:r] *m.* onderverhuurder *m.*
sous-main [sumẽ] *m.* onderlegger *m.*; ***en —,*** heimelijk, stilletjes.
sous-marin* [sumarẽ] **I** *adj.* onderzees; ***guerre —e,*** duikbotenoorlog *m.*; **II** *s. m.* onderzeeër *m.*, duikboot *m. en v.*
sous-maxillaire* [sumaksilè:r] *adj.* onder de onderkaak gelegen.
sous-mentonnière* [sumã·tònyè:r] *f.* kinketting, stormketting *m. en v.*
sous-multiple* [sumültipl] *m.* **1** (*wisk.*) factor *m.*; **2** (*v. maten, enz.*) onderdeel *o.*
sous-nutrition* [sunütrisyõ] *f.* ondervoeding *v.*
sous-œuvre* [suzœ:vr], ***en —,*** uitgevoerd aan de onderbouw, terwijl de bovenbouw wordt gestut.
sous-officier* [suzòfisyé] *m.* onderofficier *m.*
sous-ordre* [suzòrdr] *m.* **1** ondergeschikte *m.*; **2** ondergeschiktheid *v.*; ***en —,*** ondergeschikt.
sous-pied* [supyé] *m.* **1** voetriem *m.*; **2** slobkous *v.(m.)*.
sous-plat* [supla] *m.* onderlegmatje *o.*
sous-pose* [supo:z] *f.* (*fot.*) onderbelichting *v.*
sous-préfecture* [supréfèktü:r] *f.* onderprefectuur *v.*
sous-préfet* [supréfè] *m.* onderprefect *m.*
sous-production* [suprodüksyõ] *f.* onderproduktie *v.*
sous-produit* [suprodẅi] *m.* bijprodukt *o.*
sous-secrétaire* [suskrétè:r] *m.*, ***— d'État,*** secretaris generaal, onderstaatssecretaris *m.*
sous-seing* [susẽ] *m.* onderhandse akte *v.(m.)*.
sous-signature* [susiñatü:r] *f.* tweede ondertekening *v.*
soussigné [susiñé] *m.* ondergetekende *m.*
sous-sol* [susòl] *m.* **1** ondergrond *m.*; **2** (*in huis*) souterrain *o.*
sous-tangente* [sutãjã:t] *f.* (*meetk.*) onderraaklijn *v.(m.)*.
sous-tendante* [sutã·dã:t] *f.* koorde *v.(m.)* (van boog).
sous-tendre [sutã:dr] *v.t.* onderspannen.

sous-titre* [suti:tr] *m.* ondertitel, tweede titel *m.*
soustraction [sustraksyõ] *f.* **1** (*rek.*) aftrekking *v.*; **2** ontvreemding, ontroving, verduistering *v.*
soustraire* [sustrè:r] **I** *v.t.* **1** aftrekken; **2** ontvreemden; **3** onttrekken; **II** *v.pr.* ***se —,*** **1** zich onttrekken (aan); **2** onttrokken worden.
sous-traitant* [sutrè'tã] *m.* onderaannemer *m.*
sous-traité* [sutrè'té] *m.* onderaanneming; onderaanbesteding *v.*
sous-ventrière* [suvã'tri(y)è:r] *f.* buikriem *m.*
sous-verge* [suvèrj] *m.* **1** bijpaard *o.*; **2** (*fam.*) adjunct-chef *m.*
sous-vêtements [suvètmã] *m.pl.* ondergoed *o.*
soutache [sutaʃ] *f.* tresband, oplegsel *o.*
soutacher [sutaʃé] *v.t.* met tresband versieren.
soutage [suta:j] *m.* (het) bunkeren *o.*
soutane [sutan] *f.* soutane *v.*(*m.*), priestertoog *m.*
soutanelle [sutanèl] *f.* **1** kort priesterkleed *o.*; **2** misdienaarskleed *o.*
soute [sut] *f.* (*sch.*) bergplaats *v.*(*m.*), ruim *o.*
soutenable [sutna'bl] *adj.* **1** houdbaar, verdedigbaar; **2** draaglijk.
soutenance [sutnã:s] *f.* verdediging *v.* (van proefschrift); (***—de thèse***), promotie *v.*
soutenant [sutnã] *m.* verdediger (van proefschrift), respondent *m.*
soutènement [sutènmã] *m.* steun *m.*; ***mur de —,*** schoormuur, steunmuur *m.*
souteneur [sutnœ:r] *m.* souteneur *m.*
soutenir* [sutni:r] **I** *v.t.* **1** steunen, ondersteunen; **2** (*bouwk.*) schragen; schoren; **3** (*v. ouders, familie*) onderhouden; **4** (*v. proefschrift, recht*) verdedigen; **5** (*v. stand, enz.*) ophouden; **6** (*v. aanval*) doorstaan; **7** (*v. bewering*) staande houden; **8** (*v. lichaam, moed*) sterken; **9** (*v. gesprek*) gaande houden; ***— l'accusation,*** als aanklager optreden; **II** *v.pr.* ***se —,*** **1** zich staande houden; **2** zich goedhouden; **3** (*v. kleur*) niet verschieten; **4** elkander steunen; **5** verdedigd kunnen worden.
soutenu [sutnü] *adj.* **1** aanhoudend; **2** (*muz.*) aangehouden, gedragen, sostenuto; **3** (*v. stijl*) gebonden, deftig; **4** (*v. pas, tred*) stevig, ferm; **5** (*v. pogingen*) onafgebroken; **6** (*v. markt, koers*) willig, prijshoudend; **7** (*v. aandacht, belangstelling*) onverflauwd.
souterrain [sutèrẽ] **I** *adj.* **1** onderaards; **2** (*v. geleiding, spoorweg, enz.*) ondergronds; **3** heimelijk, verborgen; **II** *s. m.* **1** onderaardse gang *m.*; **2** onderaards gewelf *o.*; **3** (*in huis*) kelderverdieping *v.*, souterrain *o.*; **4** stationstunnel *m.*
soutien [sutyẽ] *m.* **1** steun *m.*; **2** ondersteuning *v.*; **3** stut, schoor *m.*; **4** steunpilaar *m.*; ***— de famille,*** kostwinner *m.*
soutien*-gorge [sutyẽ'gòrj] *m.* bustehouder *m.*
soutier [sutyé] *m.* tremmer *m.*
soutirage [sutira:j] *m.* **1** aftapping *v.*; **2** aftroggeling, afpersing *v.*
soutirer [sutiré] *v.t.* **1** aftappen; **2** aftroggelen, afpersen.
soutireur [sutirœ:r] *m.* aftapper *m.*
souvenance [suvnã:s] *f.* (*oud*) herinnering *v.*
souvenir* [suvni:r] **I** *m.* **1** herinnering *v.*; **2** (*aan dode*) gedachtenis *v.*, aandenken *o.*; **3** gedenkschrift *o.*; **II** *v.pr.* ***se — de,*** zich herinneren; ***je m'en souviendrai,*** ik zal het (hem) betaald zetten; **III** *v.imp.*, ***vous souvient-il?*** weet u 't nog? herinnert u u nog?
souvent [suvã] *adv.* dikwijls, vaak; ***le plus —,*** [meestal.
souverain [suvrẽ] **I** *adj.* **1** opperst, hoogst; **2** oppermachtig, onbeperkt; **3** (*v. middel*) onfeilbaar, afdoend; **4** (*v. vonnis*) onherroepelijk; **5** (*v. minachting*) diepst; **6** (*v. volk, vorst*) soeverein; ***le — pontife,*** de paus *m.*; **II** *s. m.* **1** vorst, soeverein *m.*; **2** (*Eng. munt*) sovereign *m.*
souverainement [suvrènmã] *adv.* **1** in de hoogste mate, uiterst; **2** onbeperkt; **3** zonder appèl.
souveraineté [suvrènté] *f.* **1** oppergezag *o.*, opperheerschappij *v.*; **2** soevereiniteit *v.*, opperste staatsmacht *v.*(*m.*).
soviet [sòvyèt] *m.* sovjet *m.*, raad *m.* van soldaten en arbeiders.
soviétique [sòvyétik] *adj.* van de sovjets, sovjet—; ***gouvernement —,*** sovjetregering *v.*
soviétiser [sòvyéti'zé] *v.t.* onder sowjetbestuur brengen.
soya, soja [sòya] *m.* soja *m.*; sojaboon *v.*(*m.*).
soyeux [swayö] **I** *adj.* zijdeachtig; zacht als zijde; **II** *s. m.* zijdehandelaar; zijdefabrikant *m.*
spacieux [spasyö] *adj.*, **spacieusement** [spasyö'zmã] *adv.* ruim, wijd.
spadassin [spadasẽ] *m.* **1** voorvechter *m.*; **2** vechtersbaas *m.*
spadice [spadis] *m.* (*Pl.*) bloeikolf *v.*(*m.*).
spadille [spadi'y] *m.* (*omberspel*) schoppenaas *m. of o.*
spaghetti [spagèti] *m* spaghetti *m.*
spahi [spai] *m.* spahi *m.*
spalt [spalt] *m.* spaltsteen *m.*
sparadrap [sparadra] *m.* kleefpleister *v.*(*m.*).
spardeck [spardèk] *m.* (*sch.*) spardek *o.* (ononderbroken van voor tot achter).
spare [spa:r] *m.* (*Dk.*) zeebrasem *m.*
spargoule [spargul] *f.* (*Pl.*) spurrie *v.*(*m.*).
sparklet [sparklèt] *m.* koolzuurhuls *v.*(*m.*) voor spuitwater.
spart(e) [spart] *m.* sparto-gras *o.*
Sparte [spart] *f.* Sparta *o.*
sparterie [sparteri] *f.* vlechtwerk *o.*
Spartiate [sparsyat] **I** *m.* Spartaan *m.*; **II** *adj.*, ***s—,*** Spartaans.
spasme [spazm] *m.* kramp *v.*(*m.*), kramptrekking *v.*
spasmodique(ment) [spazmòdik(mã)] *adj.* (*adv.*) krampachtig.
spasmologie [spazmòlòji] *f.* leer *v.*(*m.*) van de [kramppijnen.
spath [spat] *m.* spaat *o.*
spathe [spat] *f.* (*Pl.*) bloemschede *v.*(*m.*).
spatial [spasyal] *adj.* van de ruimte, ruimtelijk.
spatule [spatül] *f.* **1** spatel *v.*(*m.*); **2** (*Dk.*) lepelaar *m.*
spatulé [spatülé] *adj.* spatelvormig.
speaker [spikœ:r] *m.* **1** (*v. radio*) omroeper *m.*; **2** (*v. Kamer*) spreker *m.*
spécial [spésyal] *adj.* bijzonder, speciaal; ***études —es,*** vakstudie *v.*; ***train —,*** extratrein *m.*
spécialement [spésyalmã] *adv.* in 't bijzonder, voornamelijk.
spécialisation [spésyalizɑ'syõ] *f.* specialisering *v.*
spécialiser [spésyali'zé] **I** *v.t.* nauwkeurig aanduiden, in bijzonderheden aangeven; **II** *v.pr.* ***se —,*** zich op een bepaald vak (*of* op een onderdeel van een vak) toeleggen.
spécialiste [spésyalist] *m.* specialist *m.*, specialiteit *v.*, vakman *m.*
spécialité [spésyalité] *f.* **1** specialiteit *v.* (v. vak of persoon); **2** (***— pharmaceutique***), patentgeneesmiddel *o.*; ***se faire une — de,*** zich speciaal toeleggen op.
spécieux [spésyö] *adj.*, **spécieusement** [spésyö'zmã] *adv.* **1** schoonschijnend; **2** (*v. voorwendsel*) gezocht.
spécification [spésifikɑ'syõ] *f.* nauwkeurige opgave *v.*(*m.*), afzonderlijke aanduiding, specificatie *v.*
spécificité [spésifisité] *f.* specifiek karakter *o.*
spécifier [spésifyé] *v.t.* afzonderlijk aanduiden, specificeren.

spécifique [spésifik] **I** *adj.* **1** bijzonder; **2** speciflek; **3** (*v. gewicht, enz.*) soortelijk; **II** *s. m.* speciaal geneesmiddel *o.*
spécimen [spésimèn] **I** *m.* **1** proef *v.(m.)*, staal *o.*; **2** (*v. boek, enz.*) proeve *v.(m.)* van bewerking; ***— du démarcheur,*** reisexemplaar *o.*; dummy *m.*; **II** *adj.* ***numéro —,*** proefnummer *o.*
spéciosité [spésyozité] *f.* gezochtheid *v.*; schijn *m.* van waarheid.
spectacle [spèktakl] *m.* **1** schouwspel *o.*; **2** aanblik *m.*; **3** vertoning, toneelvoorstelling *v.*; **4** schouwburg *m.*; ***salle de —,*** schouwburgzaal *v.(m.)*; ***pièce à —,*** spektakelstuk *o.*; ***aller au —,*** naar de komedie gaan.
spectaculaire [spèktakülè:r] *adj.* **1** toneel—, toneelachtig; **2** opzienbarend.
spectateur [spèktatœ:r] *m.* toeschouwer *m.*
spectral [spèktral] *adj.* **1** spookachtig; **2** van het spectrum, spectraal; ***analyse —e,*** spectraalanalyse *v.*
spectre [spèktr] *m.* **1** spook *o.*; **2** (*nat.*) spectrum *o.*; **3** (*fig.*) schrikbeeld *o.*
spectroscope [spèktròskòp] *m.* spectroscoop *m.*, toestel *o.* om het spectrum te onderzoeken.
spectroscopie [spèktròskòpi] *f.* spectraalanalyse *v.*, onderzoek *o.* van spectra.
spectroscopique [spèktròskòpik] *adj.* spectroscopisch.
spéculaire [spékülè:r] *adj.* spiegelend, weerkaatsend; ***écriture —,*** spiegelschrift *o.*
spéculateur [spékülatœ:r] *m.* **1** bespiegelaar *m.*; **2** (*H.*) speculant *m.*
spéculatif [spékülatif] *adj.* **1** bespiegelend, beschouwend; **2** (*H.*) speculatief.
spéculation [spékülα·syõ] *f.* **1** bespiegeling, beschouwing *v.*; **2** (*H.*) speculatie *v.*; ***faire des —s,*** speculeren.
spéculativement [spékülati·vmã] *adv.* in theorie.
spéculer [spékülé] *v.i.* **1** bespiegelingen houden; wijsgerig denken; **2** speculeren.
spéculum [spékülòm] *m.* (*gen.*) spiegel *m.*
speech [spitʃ] *m.* toespraak *v.(m.)*.
spéléologie [spéléòlòji] *f.* speleologie, grottenkunde *v.*
spéléologique [spéléòlòjik] *adj.* grotkundig.
spéléologue [spéléòlò·g] *m.* speleoloog, wetenschappelijk grotonderzoeker *m.*
spergule [spèrgül] *f.* (*Pl.*) spurrie *v.(m.)*.
spermaceti [spèrmaseti] *m.* walschot *o.*
spermatique [spèrmatik] *adj.* zaad—; ***canal —,*** zaadleider *m.*; ***animaux —s,*** zaaddiertjes *mv.*
spermatologie [spèrmatòlòji] *f.* zaadleer *v.(m.)*.
spermatozoïde [spèrmatòzòi·d] *m.* zaaddiertje *o.*
sperme [spèrm] *m.* sperma, dierlijk zaad *o.*
sphacèle [sfasèl] *m.* (*gen.*) koudvuur *o.*
sphénoïdal [sfénòidal] *adj.* wigvormig, van het wiggebeen.
sphénoïde [sfénòi·d] **I** *adj.* wigvormig; **II** *s. m.* **(os —)** wiggebeen *o.*
sphère [sfè:r] *f.* **1** bol *m.*; **2** aardbol, wereldbol *m.*; **3** hemelsfeer *v.(m.)*; **4** sfeer *v.(m.)*; **5** werkkring *m.*; ***les —s officielles,*** de officiële kringen; ***cela est hors de sa —,*** dat ligt buiten zijn bereik.
sphéricité [sférisité] *f.* bolvorm *m.*, bolrondheid *v.*
sphérique [sférik] *adj.* bolvormig, bolrond.
sphéroïdal [sféròidal] *adj.* bijna bolrond, afgeplat bolvormig.
sphéroïde [sféròi·d] *m.* afgeplatte bol *m.*
sphéroïdique [sféròidik] *adj.* afgeplat bolvormig.
sphex [sfèks] *m.* sluipwesp *v.(m.)*.
sphincter [sfẽ·ktè:r] *m.* sluitspier *v.(m.)*.
sphinx [sfẽ:ks] *m.* **1** sfinx *m.*; **2** raadselachtig mens *m.*; **3** (*Dk.*) pijlstaartvlinder *m.*; ***— gazé,*** meekrapvlinder.
sphragistique [sfrajistik] *f.* zegelkunde *v.*
sphygmographe [sfigmògraf] *m.* toestel *o.* om polsslag te meten.
spic [spik] *m.* (*Pl.*) grote lavendel, spijk *v.(m.)*.
spica [spika] *m.* (*gen.*) kruisvormig verband, korenaarverband *o.*
spicifère [spisifè:r] *adj.* (*Pl.*) aardragend.
spiciforme [spisifòrm] *adj.* aarvormig.
spicilège [spisilè:j] *m.* verzameling *v.* documenten.
spicule [spikül] *m.* skeletdeeltje *o.* van een spons.
spider [spidè:r] *m.* dickey-seat *m.*
spiegel [spigèl] *m.* mangaanstaal *o.*
spinal [spinal] *adj.* van de ruggegraat; ***moelle —e,*** ruggemerg *o.*
spinelle [spinèl] *f.* bleekrode robijn *m.*
spinescent [spinèsã] *adj.* stekelachtig.
spinifère [spinifè:r] *adj.* stekeldragend, doornig.
spiniforme [spinifòrm] *adj.* doornvormig, spits.
spinozisme [spinòzizm] *m.* leer *v.(m.)* van Spinoza.
spinoziste [spinòzist] *m.* aanhanger *m.* van Spinoza.
spinule [spinül] *f.* doorntje *o.*
spiral [spiral] **I** *adj.* spiraalvormig; **II** *s. m.* spiraalveer *v.(m.)*.
spirale [spiral] *f.* spiraal *v.(m.)*; ***en —,*** spiraalvormig.
spiralé [spiralé] *adj.* spiraalvormig.
spirante [spirã:t] *f.* wrijvingsgeluid *o.*
spire [spi:r] *f.* winding; schroefwinding *v.*; ***en —,*** schroefvormig.
Spire [spi:r] *f.* Spiers *o.*
spirée [spiré] *f.* (*Pl.*) spirea *m.*
spirille [spiril] *m.* spiril, spiraalvormige bacterie *v.*
spirite [spirit] **I** *m.* spiritist *m.*; **II** *adj.* spiritistisch.
spiritisme [spiritizm] *m.* spiritisme *o.*, leer *v.(m.)* van de spiritisten.
spiritualisation [spiritẘalizα·syõ] *f.* vergeestelijking *v.*
spiritualiser [spiritẘali·zé] *v.t.* vergeestelijken.
spiritualiste [spiritẘalist] **I** *m.* spiritualist *m.*; **II** *adj.* spiritualistisch.
spiritualité [spiritẘalité] *f.* onstoffelijkheid *v.*
spirituel [spiritẘèl] **I** *adj.* **1** onstoffelijk; **2** (*v. gezag, leiding*) geestelijk; **3** geestig, vol geest, vernuftig; ***concert —,*** concert van gewijde muziek, kerkconcert *o.*; ***valeurs —les,*** cultuurwaarden *mv.*; **II** *s. m.* (het) geestelijke *o.*
spiritueux [spiritẘö] **I** *adj.* geestrijk, alcoholisch; **II** *s. m.* sterkedrank *m.*
spirogyre [spiròji:r] *m.* groene alge *v.(m.)*.
spiroïdal [spiròidal] *adj.* spiraalvormig.
spiromètre [spiromè·tr] *m.* spirometer *m.*, om longcapaciteit te meten.
Spitzberg [spitzbè:r] *m.* Spitsbergen *o.*
splanchnique [splã·knik] *adj.* ingewands—.
splanchnologie [splã·knòlòji] *f.* ingewandsleer *v.(m.)*.
spleen [splin] *m.* levensmoeheid, lusteloosheid *v.*; ***— tropical,*** tropenwee *o.*
splendeur [splã·dœ:r] *f.* **1** glans, luister *m.*; **2** (*fig.*) pracht, praal *v.(m.)*.
splendide(ment) [splã·did(mã)] *adj.* (*adv.*) **1** luisterrijk, prachtig; **2** glansrijk.
splénétique [splénétik] *adj.* aan het spleen lijdend.
splénique [splénik] *adj.* de milt betreffend, milt—.
splénite [splénit] *f.* miltontsteking *v.*
spoliateur [spòlyatœ:r] **I** *m.* plunderaar, berover *m.*; **II** *adj.* plunderend, berovend.
spoliation [spòlyα·syõ] *f.* **1** plundering *v.*, roof *m.*; **2** beroving *v.*
spolier [spòlyé] *v.t.* plunderen, beroven.
spondaïque [spõ·daik] *adj.* spondeïsch.

spondée [spõ'dé] *m.* spondeus *m.*, versvoet *m.* van twee lange lettergrepen.
spongiaires [spõ'jyè:r] *m.pl.* sponsachtigen *mv.*
spongiculture [spõ'jikültü:r] *f.* sponsenkwekerij *v.*
spongieux [spõ'jyö] *adj.* sponsachtig.
spongiforme [spõ'jifòrm] *adj.* sponsvormig.
spongiosité [spõ'jyo'zité] *f.* sponsachtigheid *v.*
spongite [spõ'jit] *f.* sponssteen *m.*
spontané [spõ'tané] *adj.* **1** spontaan, vrijwillig, uit eigen beweging; **2** zonder uitwendige oorzaak ontstaan.
spontanéité [spõ'tanéité] *f.* **1** spontaneïteit, vrijwilligheid *v.*; **2** ongekunsteldheid *v.*
spontanément [spõ'tanémã] *adv.* **1** spontaan; **2** van zelf.
Sporades [spòra'd] *f.pl.* Sporaden *mv.*, Sporadische eilanden *mv.*
sporadicité [spòradisité] *f.* sporadisch karakter *o.*
sporadique(ment) [spòradik(mã)] *adj.* (*adv.*) **1** verspreid, sporadisch; **2** (*v. ziekte*) niet epidemisch, zich hier en daar openbarend.
sporange [spòrã:j] *m.* (*Pl.*) sporenhouder *m.*
spore [spò:r] *f.* (*Pl.*) spore *v.*(*m.*).
sporifère [spòrifè:r] *adj.* (*Pl.*) sporendragend.
sporozoaires [spòròzòè:r] *m.pl.* ééncellige diertjes *mv.* [doen.
sport [spò:r] *m.* sport *v.*(*m.*); ***faire du —,*** aan sport
sportif [spòrtif] *adj.* sportief, sport—; ***journal —,*** sportblad *o.*; ***être —,*** aan sport doen.
sportsman [spòrtsman] *m.* (*pl.* : ***sportsmen***) sportliefhebber *m.*
sporulation [spòrüla'syõ] *f.* (*Pl.*) voortplanting *v.* door sporen.
sporule [spòrül] *f.* (*Pl.*) spoortje *o.* [*v.*(*m.*).
spot [spò] *m.* op doek geprojecteerde lichtvlek
sprat [sprat] *m.* sprot *m.*
sprint [sprint] *m.* (*sp.*) sprint *m.*
sprinter [sprintœ:r] *m.* (*sp.*) sprinter *m.*
spume [spüm] *f.* (*gen.*) schuim *o.*
spumescent [spümèsã], **spumeux** [spümö] *adj.* schuimachtig, schuimend.
sputation [spüta'syõ] *f.* (het) spuwen *o.*
squale [skwal] *m.* haai *m.*; **—s,** *pl.* haaiachtigen *mv.*
squame [skwam] *f.* schub *v.*(*m.*), schilfer *m.*
squameux [skwamö] *adj.* schubbig, schilferig.
squamifère [skwamifèr] *adj.* geschubd.
squamule [skwamül] *f.* schubje *o.*
square [skwè:r] *m.* plantsoen, plein (met bomen) *o.*
squelette [skelèt] *m.* geraamte, skelet *o.*
squelettique [skelètik] *adj.* skeletachtig.
squirr(h)e [ski:r] *m.* hard kankergezwel *o.*
squirreux [ski'rö] *adj.* kankergezwelachtig.
stabilisateur [stabilizatœ:r] *m.* (*vl.*) stabilisator *m.*, richtstuur *o.*
stabilisation [stabiliza'syõ] *f.* stabilisatie *v.*
stabiliser [stabili'zé] *v.t.* stabiliseren; (*v. munt*) op een vaste koers terugbrengen.
stabilité [stabilité] *f.* **1** stabiliteit *v.*; **2** duurzaamheid, bestendigheid *v.*; **3** stevigheid, onwankelbaarheid *v.*; **4** onwrikbaarheid, standvastigheid *v.*; **5** (*vl.*) zweefvermogen *o.*
stable [sta'bl] *adj.* **1** duurzaam, bestendig; **2** stevig, onwankelbaar; **3** onwrikbaar, standvastig; **4** (*nat.*, *tn.*) stabiel.
stabulation [stabüla'syõ] *f.* stalling *v.*
stabuler [stabülé] *v.t.* op stal zetten.
stade [sta'd] *m.* **1** (*sp.*) stadion *o.*; **2** stadium *o.*, periode *v.*, tijdperk *o.*
stadiomètre [stadyomè'tr] *m.* afstandsmeter *m.*
staff [staf] *m.* staff *o.*, soort metselspecie *v.*(*m.*).
stage [sta:j] *m.* **1** proeftijd, voorbereidingstijd *m.*; **2** (*v. advocaat*) oefentijd *m.*
stagiaire [stajyè:r] **I** *adj.* **1** de proeftijd betreffend; **2** op proef dienend; **II** *s. m.* jong advocaat *m.* (in proeftijd).
stagiat [stajya] *m.* proeftijd *m.*
stagnant [stagnã] *adj.* **1** (*v. water*) stilstaand; **2** (*H.*: *v. beurs, zaken*) gedrukt; **3** (*v. toestand*) onveranderd.
stagnation [stagna'syõ] *f.* **1** (*v. water*) stilstand *m.*; **2** (*fig.*) stremming *v.*; **3** (*H.*) slapte, malaise *v.*
stagner [stagné] *v.i.* stilstaan.
stalactite [stalaktit] *f.* stalactiet, afhangende druipsteen *m.*
stalagmite [stalagmit] *f.* stalagmiet *m.*
stalle [stal] *f.* **1** (*in kerk*) koorstoel *m.*; **2** (*in schouwburg*) stalle *v.*(*m.*), zitplaats *v.*(*m.*) achter het orkest.
staminal [staminal] *adj.* van de meeldraden.
staminé [staminé] *adj.* (*Pl.*) met meeldraden.
stance [stã:s] *f.* couplet *o.*, strofe *v.*(*m.*).
stand [stã:d] *m.* **1** (*op tentoonstelling*) stand *m.*; **2** (*sp.*) tribune *v.*(*m.*); **3** (***— de tir***) schietbaan *v.*(*m.*).
standard [stã'dard] *m.* **1** model *o.*; **2** telefooncentrale *v.*(*m.*); ***— de vie,*** levensstandaard.
standardisation [stã'dardiza'syõ] *f.* **1** (het) maken volgens een bepaald model *o.*; **2** (*fig.*) (het) eenvormig maken, standaardiseren *o.*
standardiser [stã'dardi'zé] *v.t.* **1** bewerken (*of* maken) volgens een vast model; **2** (*fig.*) eenvormig maken, standaardiseren. [*m.*(*v.*).
standardiste [standardist] *m.-f.* telefonist(e)
Stanislas [stanisla:s] *m.* Stanislaus *m.*
stannifère [stanifè:r] *adj.* tinhoudend.
star [star] *f.* filmster *v.*(*m.*). [*mv.*
starie [stari], **estarie** [èstari] *f.* (*sch.*) ligdagen
starter [startœ:r] *m.* (*sp.*) starter *m.*
stase [sta:z] *f.* stilstand *m.* in de (bloeds)omloop.
stathouder [statudè:r] *m.* stadhouder *m.*
stathoudérat [statudéra] *m.* stadhouderschap *o.*
station [sta'syõ] *f.* **1** oponthoud *o.*; **2** stand *m.*; **3** (*sterr.*: *v. planeet*) schijnbare stilstand *m.*; **4** (*v. taxi's, rijtuigen*) standplaats *v.*(*m.*); **5** (*spoorw., radio*) station *o* ; **6** (*kath.*: *v. kruisweg*) statie *v.*; ***— balnéaire,*** badplaats *v.*(*m.*); ***— climatérique,*** luchtkuuroord *o.*; ***— centrale (d'électricité),*** elektrische centrale *v.*(*m.*); ***— de l'Avent,*** adventspreken *mv.*; ***— estivale,*** zomerverblijf *o.*; ***— de quarantaine,*** quarantaineplaats *v.*(*m.*).
stationnaire [stasyònè:r] **I** *adj.* **1** stilstaand; **2** (*v. toestand*) onveranderd; **3** (*v. temperatuur, enz.*) bestendig; **4** (*v. planeet*) schijnbaar stilstaand; ***rester —,*** stationair blijven; niet verder komen; **II** *s. m.* wachtschip *o.*
stationnement [stasyònmã] *m.* **1** (het) stilstaan *o.*; **2** (het) blijven staan *o.*; **3** (*v. auto's*) (het) parkeren *o.*; **4** standplaats *v.*(*m.*); parkeerterrein *o.*; **5** (*aan station*) stoptijd *m.*; ***taxe de —,*** parkeerbelasting *v.*; ***lampe de —,*** parkeerlicht *o.*; ***en —,*** geparkeerd.
stationner [stasyòné] *v.i.* **1** stilstaan; **2** (*v. voertuig*) blijven staan; parkeren.
station*-service [sta'syõsèrvis] *f.* (benzine) pompstation *o.*; laadstation *o.*
statique [statik] **I** *adj.* statisch; **II** *s. f.* evenwichtsleer *v.*(*m.*), statica *v.*
statisticien [statistisyẽ] *m.* statisticus *m.*, beoefenaar *m.* van de statistiek.
statistique [statistik] **I** *f.* statistiek *v.*; **II** *adj.* statistisch.
stator [statò:r] *m.* (*tn.*) stator *m.*, vast gedeelte waarin de motor ronddraait.
statoréacteur [statoréaktœ:r] *m.* (*tn.*) statoreac-

tor *m.*, straalmotor zonder bewegende delen.

statuaire [statŵè:r] **I** *m.* beeldhouwer, standbeeldenmaker *m.*; **II** *f.* beeldhouwkunst, standbeeldenkunst *v.*; **III** *adj.*, ***marbre* —,** marmer *o.* voor standbeelden.

statue [statü] *f.* standbeeld *o.*; **— *assise*,** zittend beeld *o.*; **— *de sel*,** (*Bijb.*) zoutpilaar *m.*

statuer [statŵé] **I** *v.t.* vaststellen, verordenen; **II** *v.i.*, **— *sur*,** uitspraak doen over (*of* omtrent).

statuette [statŵèt] *f.* beeldje *o.*

statufier [statüfyé] *v.t.* (*fam.*) een standbeeld oprichten voor.

stature [statü:r] *f.* **1** lichaamsgrootte *v.*; **2** gestalte *v.*, postuur *o.*

statut [statü] *m.* **1** statuut *o.*, verordening *v.*; **2** regeling *v.*, rechtsverband *o.*; **— *scolaire*,** schoolwetgeving *v.*

statutaire(ment) [statütè:r(mã)] *adj.* (*adv.*) volgens (*of* overeenkomstig) de statuten, statutair.

stayer [sté:yœr] *m.* (*sp.*) stayer *m.*

steamer [stimœ:r] *m.* stoomboot *m. en v.*, stoomschip *o.* [talk *m.*

stéarine [stéarin] *f.* stearine *v.(m.)*, gezuiverde

stéarinerie [stéarinri] *f.* stearinefabriek *v.*

stéarique [stéarik] *adj.*, ***acide* —,** stearinezuur *o.*; ***bougie* —,** stearinekaars *v.(m.)*.

stéatite [stéatit] *f.* speksteen *o. en m.*

stéatome [stéato:m] *m.* (*gen.*) vetgezwel *o.*

stéatose [stéato:z] *f.* (*gen.*) vervetting *v.*

Steenkerque Steenkerke *o.* [*m.*

steeple-chase* [stipltʃé:s] *m.* (*sp.*) steeple-chase

stéganographie [stéganògrafi] *f.* geheimschrift *o.*

stégomyie [stégomii] *f.* gelekoortsmug *v.(m.)*.

stèle [stè:l] *f.* zuilvormig gedenkteken *o.*; grafzuil *v.(m.)*.

stellaire [stèlè:r] **I** *adj.* **1** van de sterren; **2** stervormig; ***lumière* —,** sterrenlicht *o.*; **II** *s. f.* (*Pl.*) sterrekruid *o.*

stelléridés [stèléridé] *m.pl.* (*Dk.*) zeesterren *mv.*

stencil [stènsil] *m.* stencil *o. en m.*; ***tirer au* —,** stencilen.

sténodactylo(graphe) [sténòdaktilo(-ògraf)] *m.-f.* stenotypist(e) *m.* (*v.*).

sténogramme [sténògram] *m.* stenogram *o.*

sténographe [sténògraf] *m.* snelschrijver, stenograaf *m.* [grafie *v.*

sténographie [sténògrafi] *f.* snelschrift *o.*, steno-

sténographier [sténògrafyé] *v.t.* in snelschrift schrijven, in kortschrift optekenen, stenograferen.

sténographique(ment) [sténògrafik(mã)] *adj.* (*adv.*) stenografisch.

sténose [sténo:z] *f.* vernauwing *v.*

sténotype [sténòtip] *f.* kortschriftmachine *v.*

sténotypie [sténòtipi] *f.* machinestenografie *v.*

sténotypiste [sténòtipist] *m.-f.* machinestenograaf *m.*

stentor [stã'tò:r] *m.*, ***voix de* —,** stentorstem, krachtige (*of* forse) stem *v.(m.)*.

steppe [stèp] *f. et m.* steppe *v.(m.)*.

stepper [stèpé] *v.i.* vlug draven.

stercoraire [stèrkòrè:r] *m.* (*Dk.*) mestkever *m.*

stère [stè:r] *m.* stère *v.(m.)*, kubieke meter *m.*

stéréochimie [stéréòʃimi] *f.* stereochemie *v.*, leer *v.(m.)* van de moleculenbouw. [misch.

stéréochimique [stéréoʃimik] *adj.* stereoche-

stéréographie [stéréògrafi] *f.* stereografie *v.*, perspectivisch tekenen *o.* [fisch.

stéréographique [stéréògrafik] *adj.* stereogra-

stéréométrie [stéréòmétri] *f.* stereometrie *v.*; berekening *v.* van de inhoud van de lichamen.

stéréométrique [stéréòmétrik] *adj.* stereometrisch.

stéréophonie [stéréòfòni] *f.* stereofonie *v.*

stéréophonique [stéréòfònik] *adj.* stereofonisch; ***grammophone* —,** stereogrammofoon *m.*; ***disque* —,** stereoplaat *v.(m.)*. [fotografie *v.*

stéréophotographie [stéréòfòtògrafi] *f.* stereo-

stéréoradioscopie [stéréoradiòskòpi] *f.* röntgenstereoscopie *v.*

stéréoscope [stéréòskòp] *m.* stereoscoop *m.*

stéréoscopique [stéréòskòpik] *adj.* stereoscopisch. [leer *v.(m.)*.

stéréotomie [stéréòtòmi] *f.* lichamendoorsnede-

stéréotypage [stéréòtipa:ʒ] *m.* (het) stereotyperen, (het) drukken *o.* met vaste letters.

stéréotype [stéréòtip] **I** *adj.* **1** met vaste lettervormen gedrukt; **2** (*fig.*) geijkt, onveranderlijk, stereotiep; **II** *m.* stereotiepplaat *v.(m.)*.

stéréotyper [stéréòtipé] *v.t.* stereotyperen, met vaste clichés drukken.

stéréotypie [stéréòtipi] *f.* **1** plaatletterdruk *m.*; **2** stereotypeerinrichting *v.*

stérer [stéré] *v.t.* (*v. hout*) per stère meten.

stérile [stéril] *adj.* **1** onvruchtbaar; **2** (*v. erts*) arm; **3** vrij van bacteriën, steriel; **4** (*fig.*) nutteloos, ijdel, vruchteloos. [*o.*

stérilisateur [stérilizatœ:r] *m.* sterilisatietoestel

stérilisation [sterilizɑ'syõ] *f.* onvruchtbaarmaking; sterilisering *v.* [kiemvrij.

stérilisé [stérili'zé] *adj.* gesteriliseerd, ziekte-

stériliser [stérili'zé] *v.t.* **1** onvruchtbaar maken; **2** ziektekiemvrij maken.

stérilité [stérilité] *f.* **1** onvruchtbaarheid *v.*; **2** nutteloosheid, ijdelheid *v.*

sterlet [stèrlè] *m.* kleine steur *m.*

sterling [stèrlẽ(g)] *m.*, ***livre* —,** pond sterling *o.*

sterne [stèrn] *f.* zeezwaluw *v.(m.)*.

sternum [stèrnòm] *m.* borstbeen *o.*

sternutation [stèrnütɑ'syõ] *f.* (het) niezen *o.*

sternutatoire [stèrnütatwa:r] **I** *m.* niesmiddel *o.*; **II** *adj.* nies—; ***poudre* —,** niespoeder *o.*

stéthoscope [stétòskòp] *m.* stethoscoop *m.*

steward [styuward] *m.* steward *m.*

stibié [stibyé] *adj.* antimoniumhoudend.

stigmate [stigmat] *m.* **1** litteken *o.* (v. wonde); **2** wondteken, stigma *o.* (v. de wonden van Christus); **3** brandmerk *o.*; **4** (*fig.*) schandvlek *v.(m.)*; **5** (*Pl.*) stempel *m.*; **6** (*Dk.*: *v. insekt*) ademhalingsopening *v.* [dragend.

stigmatifère [stigmatifè:r] *adj.* (*Pl.*) stempel-

stigmatisation [stigmatizɑ'syõ] *f.* **1** (het) brandmerken *o.*, brandmerking *v.*; **2** stigmatisatie *v.*

stigmatisé(e) [stigmati'zé] *m.* (*f.*) gestigmatiseerde *m.-v.*

stigmatiser [stigmati'zé] *v.t.* **1** brandmerken; **2** schandvlekken, aan de kaak stellen; **3** stigmatiseren.

stil-de-grain [stildegrẽ] *m.* schijtgeel *o.*

stillation [stilɑ'syõ] *f.* afdruppeling *v.*; doorsijpeling *v.*

stilligoutte [stiligut] *m.* druppelteller *m.*

stimulant [stimülã] **I** *adj.* prikkelend; **II** *s. m.* **1** (*gen.*) stimulans *m.*, prikkelend middel *o.*; **2** (*fig.*) prikkel *m.* drijfveer *v.(m.)*.

stimulateur [stimülatœ:r] *adj.* prikkelend, opwekkend.

stimulation [stimülɑ'syõ] *f.* prikkeling, opwekking, aansporing *v.*

stimule [stimül] *m.* (*Pl.*) stekeltje, doorntje *o.*

stimuler [stimülé] *v.t.* **1** aansporen, aanzetten, aanwakkeren; **2** (*gen.*) prikkelen.

stimulus [stimülüs] *m.* prikkel, stimulans *m.*

stipe [stip] *m.* niet vertakte stam *m.* of stengel *m.* (v. palm).

stipendiaire [stipã·dyè:r] *adj.* bezoldigd.
stipendier [stipã·dyé] *v.t.* bezoldigen.
stipulation [stipüla·syõ] *f.* beding *o.*, bepaling, voorwaarde *v.*
stipule [stipül] *f.* (*Pl.*) steunblaadje *o.*
stipuler [stipülé] *v.t.* bedingen, bepalen, vaststellen.
stock [stòk] *m.* **1** voorraad *m.*; **2** (stam)kapitaal *o.*
stockage [stòka:j] *m.* (*H.*) (het) opslaan *o.* (v. voorraad).
stocker [stòké] *v.t.* (*H.*; *v. voorraad*) opslaan.
stockeur [stòkœ:r] *m.* hamsteraar *m.*
stockfisch [stòkfiʃ] *m.* stokvis *m.*
stockiste [stòkist] *m.* (*H.*) depothouder, dealer *m.*
stoïcien [stòisyẽ] **I** *m.* stoïcijn *m.*; **II** *adj.* stoïcijns.
stoïcisme [stòisizm] *m.* **1** leer *v.*(*m.*) van Zeno; **2** onbewogenheid, koelbloedigheid *v.* (vooral in smart). [onbewogen.
stoïque(ment) [stòik(mã)] *adj.* (*adv.*) stoïcijns;
stole [stòl] *f.* stola *v.*(*m.*). [loper *m.*
stolon [stòlõ] *m.* (*Pl.*) wortelspruit *v.*(*m.*), uit-
stomacal [stòmakal] *adj.* **1** van de maag, maag—; **2** maagversterkend.
stomachique [stòmaʃik] **I** *adj.* maagversterkend; **II** *s. m.* maagversterkend middel *o.*
stomate [stomat] *m.* (*Pl.*) huidmondje *o.*
stomatite [stòmatit] *f.* mondontsteking *v.*
stomatologie [stomatòlòji] *f.* leer *v.*(*m.*) van de mond- en tandziekten.
stomatologist [stomatòlòjist] *m.* specialist *m.* voor mondziekte.
stomatoscope [stomatòskòp] *m.* mondklem *v.*(*m.*).
stop [stòp] **I** *ij* halt! stop!; **II** *m.*, ***faire du — (de l'auto etc.)***, liften; ***en auto-—***, liftend.
stoppage [stòpa:j] *m.* **1** (*v. machine, enz.*) (het) stopzetten *o.*; **2** (*v. stof*) (het) stoppen *o.*; **3** verstelinrichting *v.*
stopper [stòpé] *v.t. et v.i.* **1** stoppen, (doen) stilhouden; **2** (*v. machine*) stopzetten; **3** (*v. stof*) stoppen.
stoppeur [stòpœ:r] *m.* fijnstopper *m.*
store [stò:r] *m.* rolgordijn, ophaalgordijn *o. en v.*(*m.*); ***— métallique,*** (ijzeren) rolluik *o.*
strabique [strabik] *adj.* (*gen.*) scheel, loens.
strabisme [strabizm] *m.* scheelheid, loensheid *v.*
stramoine [stramwa:n] *f.* doornappel *m.*
strangulation [strã·güla·syõ] *f.* **1** worging *v.*; **2** (*fig.*) vernauwing *v.*
stranguler [strã·gülé] *v.t.* worgen.
strapontin [strapõ·tẽ] *m.* klapstoeltje *o.*
Strasbourg [strasbu:r] *m.* Straatsburg *o.*
strasbourgeois [strasbu·rjwa] *adj.* Straatsburgs.
stras(s) [stras] *m.* **1** valse diamant *m.*; **2** (*fig.*) schijnbare schittering *v.*
stratagème [stratajè:m] *m.* **1** krijgslist *v.*(*m.*); **2** (*fig.*) kunstgreep *m.*, list *v.*(*m.*).
strate [strat] *f.* (*geol.*) sedimentlaag *v.*(*m.*).
stratège [stratè:j] *m.* strateeg, veldheer *m.*
stratégie [straté·ji] *f.* krijgskunde, strategie *v.*
stratégique [straté·jik] *adj.* krijgskundig, strategisch. [dige *m.*
stratégiste [straté·jist] *m.* strateeg, krijgskun-
stratification [stratifika·syõ] *f.* **1** laagsgewijze ligging *v.*; **2** laag *v.*(*m.*).
stratifier [stratifyé] *v.t.* in lagen leggen, laagsgewijze leggen.
stratigraphie [stratigrafi] *f.* (*geol.*) kennis *v.* van de gelaagdheid.
stratosphère [stratòsfè:r] *f.* stratosfeer, hogere luchtlaag *v.*(*m.*).
stratosphérique [stratòsférik] *adj.* stratosfeer—, tot de hogere luchtlagen behorende.
stratostat [stratòsta] *m.* stratosfeerballon *m.*
stratus [stratü·s] *m.* streepvormige wolk *v.*(*m.*).
streptocoque [strèptokòk] *m.* streptokok *m.*, bep. bacterie *v.*
streptomycine [strèptomisin] *f.* geneesmiddel *o.* tegen infectieziekten.
strette [strèt] *f.* (*muz.*) stretta *v.*
striation [stria·syõ] *f.* streping *v.*
strict(ement) [strikt(emã)] *adj.* (*adv.*) **1** strikt; **2** stipt, nauwkeurig; **3** (*v. plicht, persoon*) streng.
stridence [stridã:s] *f.* schril geluid *o.*
strident [stridã] *adj.* (*v. geluid*) snijdend, scherp, schel, doordringend.
strideur [stridœ:r] *f.* schril, doordringend geluid *o.*
stridulant [stridülã] *adj.* sjirpend.
striduler [stridülé] *v.i.* sjirpen.
strie [stri] *f.* streep, groef *v.*(*m.*).
strié [stri(y)é] *adj.* gegroefd, geribd.
strier [stri(y)é] *v.t.* strepen.
strigidés [strijidé] *m.pl.* nachtroofvogels *mv.*
striure [stri(y)ü:r] *f.* strepen *mv.*
strix [striks] *m.* uil, kerkuil *m.*
strobile [stròbil] *m.* (*Pl.*) kegelvrucht *v.*(*m.*).
strobiliforme [stròbilifòrm] *adj.* kegelvormig.
strontium [strõ·syòm] *m.* strontium *o.*
strophe [stròf] *f.* strofe *v.*(*m.*), couplet *o.*
structural [strüktüral] *adj.* van de bouw, van de samenstelling.
structure [strüktü:r] *f.* **1** structuur *v.*, bouw *m.*; **2** samenstelling *v.*; **3** schikking, ordening *v.*
strume [strüm] *f.* kliergezwel *o.*
strumeux [strümö] *adj.* klierachtig.
strychnine [striknin] *f.* strychnine *v.*(*m.*).
stuc [stük] *m.* pleisterkalk *m.*, gips *o.*
stucage [stüka:j] *m.* stukadoorwerk *o.*
stucateur [stükatœ:r] *m.* stukadoor *m.*
studieux [stüdyö] *adj.*, **studieusement** [stüdyö·zmã] *adv.* **1** leergierig; **2** vlijtig, ijverig; ***lampe studieuse,*** studeerlamp *v.*(*m.*).
studio [stüdyo] *m.* **1** (*v. schilder, enz.*) atelier *o.*; **2** filmatelier *o.*; **3** (*v. radio*) spreekcel *v.*(*m.*).
stupéfaction [stüpéfaksyõ] *f.* **1** ontsteltenis, verstomming *v.*; **2** verdoving, bedwelming *v.*
stupéfait [stüpéfè] *adj.* verbaasd, ontzet, verstomd.
stupéfiant [stüpéfyã] **I** *adj.* **1** verbazend, ontzettend; **2** (*gen.*) verdovend; **II** *s. m.* verdovend middel *o.*
stupéfier [stüpéfyé] *v.t.* **1** verbazen, ontstellen; **2** verdoven.
stupeur [stüpœ:r] *f.* **1** verbazing, ontzetting, verstomming *v.*; **2** verdoving, bedwelming *v.*
stupide(ment) [stüpi·d(mã)] *adj.* (*adv.*) **1** dom, stompzinnig; **2** (*nieuw*) verdoofd.
stupidité [stüpidité] *f.* onwetendheid, domheid *v.*
stupre [stüpr] *m.* **1** schanddaad *v.*(*m.*); **2** schending *v.*
stuquer [stüké] *v.t.* stukadoren.
style [stil] *m.* **1** stijl *m.*; **2** schrijfstift *v.*(*m.*); **3** (*fam.*) manier, wijze *v.*(*m.*); **4** tijdrekening *v.*; ***— à bille,*** ball-point *v.*(*m.*); ***changer de —,*** een andere toon aanslaan; ***de grand —,*** van groot formaat; ***en —,*** stijlvol.
styler [stilé] *v.t.* **1** stileren; **2** africhten.
stylet [stilè] *m.* **1** kleine dolk *m.*, stilet *o.*; **2** (*gen.*) peilnaald, sonde *v.*(*m.*).
styliser [stili·zé] *v.t.* stileren. [goede stijl.
styliste [stilist] *m.* stilist *m.*, schrijver *m.* met een
stylistique [stilistik] *f.* stijlleer *v.*(*m.*), stilistiek *v.*
stylite [stilit] *m.* zuilheilige *m.*
stylobathe [stilòbat] *m.* (*archit.*) onderstuk *o.* van een zuilenrij.

stylo(graphe) [stilò(graf)] *m.* vulpenhouder *m.*, vulpen *v.(m.)*.
stylographique [stilògrafik] *adj.* vulpen—; ***encre —,*** vulpeninkt *m.* [*v.(m.)*.
stypticité [stiptisité] *f.* samentrekkende kracht
styptique [stiptik] **I** *adj.* (*gen.*) samentrekkend, bloedstelpend; **II** *s. m.* bloedstelpend middel *o.*
Styrie [stiri] *f.* Stiermarken *o.*
su [sü] *m.* (het) weten *o.*; ***au — de,*** met medeweten van; ***au vu et au — de tout le monde,*** openlijk.
suaire [swè:r] *m.* lijkkleed *o.*; zweetdoek *m.*; ***le saint —,*** de H. Zweetdoek.
suant [swã] *adj.* zwetend, zweterig.
suave(ment) [swa:v(mã)] *adj.* (*adv.*) **1** liefelijk, zacht; **2** minzaam; **3** zoetklinkend.
suavité [swa·vité] *f.* **1** liefelijkheid, zachtheid *v.*; **2** fijne geur *m.*, geurigheid *v.*; **3** zoetklinkendheid *v.*
subaigu [sübègü] *adj.* (*gen.*) half-acuut.
subalpin [sübalpẽ] *adj.* aan de voet van de Alpen (gelegen).
subalterne [sübaltèrn] **I** *adj.* ondergeschikt; **II** *s. m.* ondergeschikte *m.*
subalternité [sübaltèrnité] *f.* ondergeschiktheid *v.*
subconscience [süpkõ·syã:s] *f.* onderbewustzijn *o.*
subconscient [süpkõ·syã] **I** *adj.* onderbewust; **II** *s., m.* (het) onderbewustzijn *o.*
subcutané [sübkütané] *adj.* onderhuids.
subdiviser [sübdivi·zé] *v.t.* onderverdelen.
subdivisible [sübdivizi·bl] *adj.* onderverdeelbaar.
subdivision [sübdivizyõ] *f.* **1** onderverdeling *v.*; **2** onderafdeling *v.* [evenaar.
subéquatorial [sübékwatòryal] *adj.* onder de
subéreux [sübérö] *adj.* kurkachtig.
subir [sübi:r] *v.t.* **1** (*v. straf, wijziging, enz.*) ondergaan; **2** (*v. gevolgen, enz.*) dragen; **3** (*v. examen*) afleggen; **4** doorstaan, lijden; ***— qn.,*** iem. dulden, iemands tegenwoordigheid dulden; ***— un interrogatoire,*** verhoord worden; ***— la question,*** gefolterd worden, op de pijnbank gelegd worden; ***— un examen,*** examen doen, een examen afleggen. [eensklaps.
subit(ement) [sübi(tmã)] *adj.* (*adv.*) plotseling;
subito [sübito] *adv.* plotseling.
subjectif [sübjèktif] **I** *adj.* **1** subjectief, persoonlijk; **2** van het onderwerp; ***proposition subjective,*** onderwerpszin *m.*; **II** *s. m.* (het) subjectieve, (het) persoonlijke *o.*
subjection [sübjèksyõ] *f.* zelfondervraging *v.*
subjective [sübjèkti:v] *f.* (*gram.*) onderwerpszin *m.*
subjectivement [sübjèkti·vmã] *adv.* op persoonlijke wijze.
subjectivité [sübjèktivité] *f.* subjectiviteit *v.*, persoonlijk karakter *o.*
subjonctif [sübjõ·ktif] **I** *adj.* aanvoegend; **II** *s. m.* aanvoegende wijs *v.(m.)*.
subjugation [sübjüga·syõ] *f.* onderwerping *v.*
subjuguer [sübjügé] *v.t.* **1** onderwerpen, onder 't juk brengen; **2** (*fig.*) bedwingen; beheersen.
sublimation [süblima·syõ] *f.* (*scheik.*) overhaling, vervluchtiging, sublimatie *v.*
sublime [süblim] **I** *adj.* **1** verheven, hoogstaand; **2** (*fam.*) prachtig, heerlijk; **II** *s. m.* (het) verhevene *o.*
sublimé [süblimé] *m.* sublimaat *o.*
sublimer [süblimé] *v.t.* vervluchtigen, doen verdampen, sublimeren.
subliminal [subliminal] *adj.* onderbewust.
sublimité [süblimité] *f.* verhevenheid *v.*
sublingual [süblẽ·gwal] *adj.* onder de tong gelegen.
sublunaire [sublüne:r] *adj.* ondermaans.
submergement [sübmèrjemã] *m.* overstroming *v.*
submerger [sübmèrjé] *v.t.* **1** overstromen, onder water zetten; **2** onderdompelen; **3** doen zinken.
submersible [sübmèrsi·bl] **I** *adj.* overstroombaar; **II** *s. m.* duikboot *m.* en *v.*
submersion [sübmèrsyõ] *f.* **1** overstroming *v.*; **2** onderdompeling *v.*; **3** verzinking *v.*, (het) zinken *o.*; ***mort par —,*** dood door verdrinking.
subodorer [sübòdòré] *v.t.* de lucht krijgen van, ruiken. [heid *v.*
subordination [sübòrdina·syõ] *f.* ondergeschikt-
subordonné [sübòrdòné] *adj.* ondergeschikt; ***proposition —e,*** bijzin, afhankelijke zin *m.*
subordonner [sübòrdòné] *v.t.* ondergeschikt maken.
subornation [sübòrna·syõ] *f.* **1** (*tot kwaad, enz.*) verleiding, aansporing *v.*; **2** (*v. getuigen, enz.*) omkoping *v.*
suborner [sübòrné] *v.t.* **1** verleiden, aansporen (tot kwaad); **2** omkopen. [koper *m.*
suborneur [sübòrnœ:r] *m.* **1** verleider *m.*; **2** om-
subrécargue [sübrékarg] *m.* supercarga *m.*, opzichter *m.* van de lading.
subreptice [sübrèptis] *adj.* bedrieglijk, listig, heimelijk; ***édition —,*** nadruk *m.*
subreption [sübrèpsyõ] *f.* bedrog *o.*
subrogation [sübròga·syõ] *f.* vervanging, plaatsvervanging *v.*
subrogatoire [sübrògatwa:r] *adj.* plaatsvervangend. [*m.*
subrogé [sübròjé] *adj.*, ***— tuteur,*** toeziende voogd
subroger [sübròjé] *v.t.* vervangen, in eens anders plaats stellen, substitueren.
subséquemment [süpsékamã] *adv.* vervolgens.
subséquent [süpsékã] *adj.* volgend, nakomend.
subside [süpsi·d] *m.* **1** subsidie *v.* en *o.*, toelage *v.(m.)*; bijdrage *v.(m.)*; **2** bijstand *m.*; **3** ondersteuning *v.*, steungeld *o.*
subsidiaire [süpsidyè:r] *adj.* ondersteunend, versterkend, helpend; ***caution —,*** nadere borgstelling *v.*
subsidiairement [süpsidyè·rmã] *adv.* ter vervanging, in geval van nood, subsidiair.
subsistance [süpsistã:s] *f.* **1** (levens)onderhoud, bestaan *o.*; **2** levensmiddelen *mv.*, levensbehoeften *mv.*; **3** (*mil.*) intendance *v.(m.)*; ***—s,*** leeftocht *m.*
subsistant [süpsistã] *adj.* overblijvend, voortbestaand.
subsister [süpsisté] *v.i.* **1** bestaan, leven; **2** blijven bestaan, voortbestaan; **3** van kracht blijven, nog van kracht zijn.
substance [süpstã:s] *f.* **1** zelfstandigheid *v.*; **2** stof *v.(m.)*, wezen *o.*; **3** kracht, kern *v.(m.)*, pit *o.* en *v.(m.)*; **4** hoofdzaak *v.(m.)*, (het) wezenlijke *o.*; ***en —,*** in hoofdzaak; in 't kort.
substantiel [süpstã·syèl] *adj.* **1** wezenlijk; **2** (*v. uiteenzetting, enz.*) zakelijk; **3** (*v. voedsel*) krachtig, voedzaam.
substantiellement [süpstã·syèlmã] *adv.* in hoofdzaak; wezenlijk. [*o.*
substantif [süpstã·tif] *m.* zelfstandig naamwoord
substantivement [süpstã·ti·vmã] *adv.* (*gram.*) zelfstandig, als zelfstandig naamwoord.
substituer [süpstitwé] *v.t.* **1** in de plaats stellen (*à*, voor), vervangen; **2** (*v. kind*) verwisselen, onderschuiven.
substitut [süpstitü] *m.* **1** plaatsvervanger, substituut *m.*; **2** (*nieuw*) surrogaat *o.*
substitution [süpstitüsyõ] *f.* **1** plaatsvervanging, subsitutie *v.*; **2** verwisseling, onderschuiving *v.*
substruction [süpstrüksyõ] *f.* onderbouw *m.*
substructure [süpstrüktü:r] *f.* grondslag *m.*
subterfuge [süptèrfü:j] *m.* uitvlucht *v.(m.)*.
subterrané [süptèrané] *adj.* ondergronds.

subtil(ement) [süptil(mã)] *adj.* (*adv.*) 1 (*v. gehoor, gezicht*) scherp; 2 (*v. geest*) scherpzinnig; 3 teer, fijn, bros; 4 (*v. goochelaar, enz.*) handig, behendig; 5 (*v. stijl*) gezocht, spitsvondig; 6 (*v. vergif*) snelwerkend.
subtilisation [süptiliza'syõ] *f.* verdunning *v.*
subtiliser [süptili'zé] I *v.t.* 1 vervluchtigen; verdunnen; 2 afhandig maken, behendig ontfutselen; II *v.i.* muggeziften, spitsvondig redeneren.
subtilité [süptilité] *f.* 1 scherpte *v.*; 2 scherpzinnigheid *v.*; 3 teerheid; fijnheid *v.*; 4 handigheid, behendigheid *v.*; 5 spitsvondigheid *v.*; 6 (*v. vergif*) snelle werking *v.*
subtropical [süptròpikal] *adj.* subtropisch.
subulé [sübülé] *adj.* priemvormig.
suburbain [sübürbẽ] *adj.* dicht bij de stad gelegen (*of* wonend); van de voorsteden.
subvenir* [sübveni:r] (*à*), *v.i.* voorzien (in); bijstaan, ondersteunen.
subvention [sübvã'syõ] *f.* bijdrage, toelage *v.*(*m.*), subsidie *v. en o.*
subventionner [sübvã'syòné] *v.t.* subsidiëren, een subsidie verlenen aan.
subversif [sübvèrsif] *adj.* omverwerpend, vernietigend.
subversion [sübvèrsyõ] *f.* omverwerping, vernietiging *v.*
subvertir [sübvèrti:r] *v.t.* omverwerpen.
suc [sük] *m.* 1 sap, vocht *o.*; 2 (*fig.*) pit *o. en v.*(*m.*), merg *o.*
succédané [süksédané] I *adj.* vervangend; II *s. m.* 1 vervangingsmiddel *o.*; 2 surrogaat *o.*
succéder [süksédé] (*à*) I *v.i.* 1 volgen op, opvolgen; 2 erven van; II *v.pr.* ***se —,*** elkaar opvolgen.
succès [süksè] *m.* 1 uitslag, afloop *m.*; 2 goede uitslag, gelukkige afloop *m.*, succes *o.*; ***avoir du —,*** slagen, succes hebben; ***mauvais —,*** mislukking *v.*
successeur [süksèsœ:r] *m.* opvolger *m.*
successible [süksèsi'bl] *adj.* erfgerechtigd, bevoegd om te erven, — om op te volgen.
successif [süksèsif] *adj.* opeenvolgend, achtereenvolgend; ***droits —s,*** successierechten *mv.*
succession [süksèsyõ] *f.* 1 opeenvolging *v.*, reeks *v.*(*m.*); 2 (erf)opvolging *v.*; 3 nalatenschap, erfenis *v.*; 4 erfrecht *o.*; ***droit de —,*** successierecht *o.*; ***guerre de la —,*** successieoorlog *m.*; ***ordre de —,*** volgorde *v.*(*m.*).
successivement [süksèsi'vmã] *adv.* achtereenvolgens, na elkander.
successoral [süksèsòral] *adj.* successie—.
succin [süksẽ] *m.* barnsteen *o. en m.*
succinct [süksẽ(:kt)] *adj.* 1 bondig, beknopt; 2 beperkt, bescheiden; 3 (*v. maaltijd*) sober, weinig overvloedig.
succinctement [süksẽ't(e)mã] *adv.* in het kort, beknopt.
succion [süksyõ] *f.* zuiging, opzuiging *v.*
succomber [sükõ'bé] *v.i.* 1 bezwijken; 2 het onderspit delven; 3 omkomen, het afleggen.
succulence [sükülã:s] *f.* 1 sappigheid *v.*; 2 smakelijkheid *v.*
succulent [sükülã] *adj.* 1 sappig; 2 smakelijk.
succursale [sükürsal] *f.* 1 bijkantoor, hulpkantoor *o.*, bijbank *v.*(*m.*), filiaal *o.*; 2 bijkerk *v.*(*m.*).
sucement [süsmã] *m.* (het) zuigen *o.*
sucer [süsé] *v.t.* 1 zuigen, opzuigen; 2 (*fig.*) uitzuigen.
sucette [süsèt] *f.* 1 fopspeen *v.*(*m.*), dotje *o.*; 2 lolly *m.*; ***aimer la —,*** van de fles houden.
suceur [süsœ:r] *m.* 1 zuiger *m.*; 2 uitzuiger *m.*; 3 (*v. stofzuiger*) zuigermond *m.*
suçoir [süswa:r] *m.* 1 (*Pl., Dk.*) zuignapje *o.*; 2 zuigleer *o.*
suçon [süsõ] *m.* 1 fopspeen *v.*(*m.*), dotje *o.*; 2 suikerstok *m.*; lolly *m.*
suçoter [süsòté] *v.t.* sabbelen op.
sucrage [sükra:j] *m.* (het) suikeren *o.*
sucrate [sükrat] *m.* suikerstof *v.*(*m.*).
sucre [sükr] *m.* suiker *m.*; ***— de betterave(s),*** beetwortelsuiker; ***— de canne,*** rietsuiker; ***— candi,*** kandijsuiker; ***— cristallisé,*** korrelsuiker; ***— mécanique,*** klontjessuiker; ***— râpé,*** geraspte suiker; ***— bis,*** bruine suiker; ***— en poudre,*** poedersuiker; ***— en morceaux,*** klontjessuiker; ***— d'orge,*** zuurstok *m.*; ***pain de —,*** suikerbrood; ***— brut*** (*ou* ***roux,*** *ou* ***de premier jet***), ruwe suiker; ***être tout — et tout miel,*** suikerzoet zijn; poeslief zijn; ***casser du — sur le dos*** (*ou* ***sur la tête***) ***de qn.,*** kwaad spreken van iem.; ***être dans le —,*** er bovenop zijn.
sucré [sükré] *adj.* 1 gesuikerd, met suiker; 2 (*fig.*) suikerzoet; ***eau —e,*** suikerwater *o.*; ***faire la —e,*** gemaakt vriendelijk doen.
sucrer [sükré] *v.t.* 1 suikeren; 2 (*v. taart*) met suiker bestrooien; ***— le café,*** suiker in de koffie doen.
sucrerie [sükreri] *f.* suikerraffinaderij, suikerfabriek *v.*; ***—s,*** suikergoed *o.*
sucrier [sükri(y)é] I *m.* 1 suikerpot *m.*; 2 suikerraffinadeur, suikerfabrikant *m.*; II *adj.* suiker—; ***industrie sucrière,*** suikerindustrie *v.*
sucrière [sükri(y)è:r] *f.* suikerstrooier *m.*
sucrin [sükrẽ] *s. m.* (*et adj.*), (***melon —***), suikermeloen *m. en v.*
sud [sü'd] I *m.* zuiden *o.*; ***vent du —,*** zuidenwind *m.*; II *adj.* zuidelijk, zuid—.
sud-africain [südafrikẽ] *adj.* Zuidafrikaans.
sudation [süda'syõ] *f.* (het) zweten *o.*; ***bain de —,*** zweetbad *o.*
sud-est [südèst] I *m.* zuidoosten *o.*; II *adj.* zuidoostelijk.
Sudètes [südè't] *m.pl.* Sudeten *mv.*
sudorifère [südòrifère] *adj.* zweetafscheidend.
sudorifique [südòrifik] I *adj.* zweetverwekkend; ***remède —,*** zweetmiddel *o.*; II *s. m.* zweetmiddel *o.*
sudoripare [südòripa:r] *adj.* zweetafscheidend; ***glande —,*** zweetklier *v.*(*m.*).
sud-ouest [südwèst] I *m.* zuidwesten *o.*; II *adj.* zuidwestelijk.
Suède [swè'd] *f.* Zweden *o.*; ***peau de —,*** Zweeds leder *o.*; ***gants de —,*** suèdehandschoenen *mv.*
Suédois [swédwa] I *m.* 1 Zweed *m.*; 2 ***s—,*** (het) Zweeds *o.*; II *adj.*, ***s—,*** Zweeds.
suée [swé] *f.* 1 (het) zweten *o.*; 2 angstzweet *o.*
suer [swé] I *v.i.* 1 zweten; 2 (*v. muur*) uitslaan; ***faire — qn.,*** 1 iem. dood vervelen; 2 iem. lastig vallen; 3 iem. geld afpersen; II *v.t.* uitzweten; ***— l'ennui,*** erg vervelend zijn; ***— la misère,*** er doodarm uitzien; ***— la joie,*** vreugde afstralen; ***sa figure sue le vice*** (*ou* ***le crime***), de ondeugd (*of* de misdaad) staat op zijn gezicht te lezen.
suette [swèt] *f.* zweetkoorts *v.*(*m.*).
sueur [swœ:r] *f.* zweet *o.*; ***en —,*** bezweet; ***à la — de son front,*** in het zweet zijns aanschijns.
Suèves [swè:v] *m.pl.* Sueven *mv.*
suffire* [süfi:r] I *v.i.* 1 voldoen; 2 voldoende zijn, toereikend zijn; ***cela me suffit,*** dat is genoeg voor mij; ***il ne peut — à la besogne,*** hij kan het werk niet af; ***à chaque jour suffit sa peine,*** elke dag heeft genoeg aan zijn eigen kwaad; II *v.pr.* ***se —,*** in zijn eigen onderhoud voorzien, zich kunnen bedruipen.
suffisamment [süfizamã] *adv.* voldoende, genoeg.
suffisance [süfizã:s] *f.* 1 toereikendheid *v.*; 2 zelfgenoegzaamheid, verwaandheid *v.*; ***avoir sa — de,***

genoeg hebben van; ***manger à sa —,*** zijn genoegen eten.
suffisant [süfizã] *adj.* **1** voldoende, toereikend; **2** (*fig.*) zelfgenoegzaam, verwaand.
suffixe [süfiks] *m.* achtervoegsel *o.*
suffocant [süfòkã] *adj.* stikkend, verstikkend; ***il fait une chaleur —e,*** het is snikheet.
suffocation [süfòka·syõ] *f.* **1** verstikking *v.*; **2** (hevige) benauwdheid *v.*
suffoquer [süfòké] **I** *v.t.* **1** verstikken; smoren; **2** (*fig.*) verstomd doen staan; **II** *v.i.* stikken.
suffragant [süfragã] *m.* **1** plaatsvervanger *m.*; **2** hulpprediker *m.*; **3** suffragaanbisschop *m.*
suffrage [süfra:j] *m.* **1** (*bij verkiezing, enz.*) stem *v.*(*m.*); **2** stemrecht *o.*; **3** goedkeuring *v.*, bijval *m.*; ***menus —s,*** **1** korte gebeden *mv.*; **2** (*fig.*) kleinigheden *mv.*; kleine gunsten *mv.*; ***— universel,*** algemeen stemrecht; ***enlever tous les —s,*** algemeen bijval vinden.
suffragette [süfrajèt] *f.* kiesrechtvrouw *v.*, voorstandster *v.* van vrouwenkiesrecht.
suffusion [süfü·zyõ] *f.* onderhuidse bloeduitstorting *v.*
suggérer [sügjéré] *v.t.* **1** (*v. denkbeeld, enz.*) ingeven, inblazen, aan de hand doen; **2** (*v. vraag*) doen opkomen.
suggestible [sügjèsti·bl] *adj.* vatbaar voor inblazingen.
suggestif [sügjèstif] *adj.* suggestief, wat te denken geeft, gedachten opwekkend.
suggestion [sügjèstyõ] *f.* suggestie, ingeving, inblazing *v.*
suggestionner [sügjèstyòné] *v.t.* suggereren, onder suggestie brengen.
suggestivement [sügjèsti·vmã] *adv.* suggestief.
suicide [sẘisi·d] *m.* **1** zelfmoord *m. en v.*; **2** zelfmoordenaar *m.*
suicidé [sẘisidé] *m.* zelfmoordenaar *m.*
suicider, se — [sesẘisidé] *v.pr.* zelfmoord plegen.
suie [sẘi] *f.* roet *o.*
suif [sẘif] *m.* **1** talk *m.*, smeer *o. en m.*; **2** kaarsvet *o.*; **3** (*fig.*: *pop.*) uitbrander *m.*; ***chandelle de —,*** vetkaars *v.*(*m.*).
suiffer [sẘifé] *v.t.* met vet insmeren, smeren, vetten.
suiffeux [sẘifö] *adj.* talkachtig.
suint [sẘẽ] *m.* wolvet *o.*; ***laine en —,*** ongewassen wol *v.*(*m.*).
suintement [sẘẽ·tmã] *m.* doorsijpeling *v.*
suinter [sẘẽ·té] *v.i.* doorsijpelen, doorzweten.
suintine [sẘẽ·tin] *f.* wolvet *o.*
Suisse [sẘis] **I** *f.* Zwitserland *o.*; **II** *s. m.* **1** Zwitser *m.*; **2** lid *o.* van de pauselijke paleiswacht; **3** kerkeknecht, suisse *m.*; **4** portier *m.*; ***petit —,*** roomkaasje *o.*; **III** *adj.*, **s—,** Zwitsers.
suite [sẘit] *f.* **1** gevolg *o.*; **2** vervolg *o.*; voortzetting *v.*; **3** opeenvolging *v.*, reeks *v.*(*m.*); **4** aaneenschakeling *v.*, verband *o.*, samenhang *m.*; **5** uitwerking *v.*; **6** (*muz.*) suite *v.*(*m.*); ***donner — à,*** gevolg geven aan; ***sans —,*** onsamenhangend; ***faire — à,*** volgen op; ***voiture de —,*** volgrijtuig *o.*; ***deux jours de —,*** twee dagen achtereen; ***attendons la —,*** laten we maar afwachten; ***traîner à sa —,*** met zich brengen, na zich slepen; ***à la — de, par — de,*** tengevolge van; ***à la — l'un de l'autre,*** achter elkaar; ***tout de —,*** dadelijk, terstond, onverwijld; ***par la —,*** later; ***par —,*** bijgevolg; ***par — de,*** tengevolge van; ***et ainsi de —,*** enzovoort; ***esprit de —,*** doorzettingsvermogen *o.*; ***avoir l'esprit de —,*** consequent handelen.
suitée [sẘité] *adj.* met haar veulen.
suivant [sẘi·vã] **I** *adj.* volgend; **II** *prép.* **1** volgens; overeenkomstig; **2** langs, in de richting van; **3** in verhouding tot; ***— que,*** *conj.* naar gelang; naarmate; **III** *s. m.* **1** volgeling *m.*; **2** begeleider *m.*
suivante [sẘi·vã] *f.* kamenier *v.*; kamermeisje, dienstmeisje *o.*
suivi [sẘi·vi] *adj.* **1** (*v. tekst, enz.*) samenhangend; **2** onafgebroken, aanhoudend; **3** (*v. vergelijking*) doorgevoerd; **4** (*v. schouwburg, enz.*) druk bezocht; **5** (*v. verkeer*) geregeld.
suivre* [sẘi:vr] **I** *v.t.* **1** volgen; **2** opvolgen; **3** (*v. weg*) vervolgen; **4** (*v. partij*) aanhangen; **5** zich schikken naar, gehoor geven aan; ***— des cours,*** college lopen; ***— la mode,*** met de mode meedoen; ***— des yeux,*** nakijken, met de blik volgen; ***— la côte,*** (*sch.*) langs de kust varen; bij de kust aanhouden; ***— les traces de qn.,*** in iemands voetstappen treden; **II** *v.i.* volgen; ***faire —,*** nazenden; ***à —,*** wordt vervolgd; ***ce qui suit,*** het volgende; ***comme suit,*** als volgt, in deze woorden; **III** *v.pr.*, ***se —,*** **1** op elkaar volgen, na elkaar komen; **2** (*v. redenering*) samenhangen.
sujet [süjè] **I** *adj.* **1** onderworpen; afhankelijk; **2** onderhevig; blootgesteld; **3** verslaafd; **4** geneigd; ***— à mentir,*** leugenachtig; ***être — à se tromper,*** zich kunnen vergissen; ***— à caution,*** onbetrouwbaar; **II** *s. m.* **1** onderdaan *m.*; **2** onderwerp *o.*; **3** reden *v.*(*m.*), aanleiding *v.*, grond *m.*; **4** (*v. waarneming*) voorwerp *o.*; ***mauvais —,*** losbol, slechte kerel *m.*; ***bon —,*** braaf mens; ***donner — à,*** aanleiding geven tot; ***au — de,*** naar aanleiding van; met betrekking tot; ***à ce —, sur ce —,*** daaromtrent; ***à son —,*** te zijnen opzichte.
sujétion [süjésyõ] *f.* **1** onderwerping *v.*; **2** onderdanigheid *v.*; **3** onderworpenheid, afhankelijkheid *o.*
sulfamide [sülfami·d] *m.* sulfapreparaat *o.* (tegen infectieziekten).
sulfatage [sülfata:j] *m.* (*v. wijngaard*) besproeiing *v.* met sulfaten.
sulfate [sülfat] *m.* zwavelzuur zout, sulfaat *o.*
sulfater [sülfaté] *v.t.* met sulfaat behandelen.
sulfhydrique [sülfidrik] *adj.*, ***acide —,*** zwavelwaterstof *v.*(*m.*).
sulfite [sülfit] *m.* zwaveligzuur zout, sulfiet *o.*
sulfurage [sülfüra:j] *m.* zwaveling *v.*, (het) zwavelen *o.*
sulfure [sülfü:r] *m.* sulfide *o.*
sulfurer [sülfüré] *v.t.* zwavelen, met zwavel behandelen.
sulfureux [sülfürö] *adj.* zwavelhoudend.
sulfurique [sülfürik] *adj.*, ***acide —,*** zwavelzuur *o.*
sulfurisé [sülfüri·zé] *adj.* met zwavelzuur bewerkt; ***papier —,*** vetvrij papier *o.*
sulky [sœlki] *m.* sulky *f.*, 2-wielig wagentje voor harddraverijen.
sultan [sültã] *m.* **1** sultan *m.*; **2** reukkussentje *o.*; **3** met zijde bekleed mandje *o.* (voor kant of diamanten).
sultanat [sültana] *m.* sultanaat *o.*
sultane [sültan] *f.* **1** hoofdvrouw *v.* van een sultan; **2** diamanten haarspeld *v.*(*m.*); **3** (*Dk.*) sultanshoen *o.*
Sumatra [sümatra] *f.* Sumatra *o.*
summum [sòmòm] *m.* toppunt, hoogste punt *o.*
Sund [sunt], ***le —,*** de Sont.
sunlight [sœnlayt] *m.* (*bij filmopname*) sterke projector *m.*
sunna [süna], **soun(n)a** [suna] *f.* **1** mohammedaanse wetsvoorschriften *mv.*; **2** mohammedaanse orthodoxie *v.*
sunnite [sünit] *m.* sunniet, orthodoxe mohammedaan *m.*
supé [süpé] *adj.* (*sch.*) vastgezogen in de modder.
superbe [süpèrb] **I** *adj.* **1** prachtig; **2** heerlijk,

verheven, groots; **3** trots, hovaardig; **4** (*v. weer*) schitterend; **II** *s. m.* trotsaard, hoogmoedige *m.*
supercherie [süperʃ(e)ri] *f.* bedrog *o.*, list *v.(m.)*, listige streek *m. en v.*
superdividende [süpèrdividã'd] *m.* superdividend, extradividend *o.*
supère [süpè:r] *adj.* (*Pl.*) bovenstandig.
superfétation [süpèrféta'syõ] *f.* overbodigheid, overtolligheid *v.*
superfétatoire [süpèrfétatwa:r] *adj.* overbodig, overtollig.
superficialité [süpèrfisyalité] *f.* oppervlakkigheid [*v.*
superficie [süpèrfisi] *f.* **1** oppervlak *o.*, buitenzijde *v.(m.)*; **2** oppervlakte *v.*; **3** oppervlakkigheid *v.*
superficiel(lement) [süpèrfisyèl(mã)] *adj.* (*adv.*) oppervlakkig; niet diepgaand.
superfin [süpèrfẽ] *adj.* zeer fijn, extrafijn.
superflu [süpèrflü] **I** *adj.* **1** overbodig, overtollig; **2** onnodig, onnut; **II** *s. m.* **1** (het) overtollige *o.*; **2** overvloed *m.*
superfluité [süpèrflüité] *f.* overtolligheid *v.*
superforteresse [süpèrfòrterès] *f.* superfort *o.*, zware Amerikaanse strategische bommenwerper *m.*
supérieur [süpéryœ:r] **I** *adj.* **1** hoger; **2** bovenste, boven—; **3** uitstekend, uitmuntend; ***officier —,*** hoofdofficier *m.*; ***— en nombre,*** overmachtig; ***enseignement —,*** hoger onderwijs *o.*; **II** *s. m.* **1** meerdere *m.*; **2** (*v. klooster*) overste *m.*
supérieure [süpéryœ:r] *f.* kloosteroverste *v.*
supérieurement [süpéryœ'rmã] *adv.* **1** voortreffelijk, uitstekend; **2** buitengewoon; in de hoogste mate.
supériorité [süpéryòrité] *f.* **1** meerderheid *v.*; **2** overwicht *o.*; **3** grotere voortreffelijkheid *v.*
superlatif [süpèrlatif] **I** *adj.* **1** overtreffend; **2** in de hoogste graad; **II** *s. m.* overtreffende trap, superlatief *m.*
superlativement [süpèrlati'vmã] *adv.* in de hoogste mate, in de hoogste graad.
super-marché* [süpèrmarʃé] *m.* supermarkt *v.(m.)*, zelfbedieningswinkel *m.*
supernational [süpèrnasyònal] *adj.* supranationaal.
superovarié [süpèròvaryé] *adj.* (*Pl.*) met bovenstandig vruchtbeginsel.
superphosphate [süpèrfòsfat] *m.* superfosfaat *o.*
superposer [süpèrpo'zé] *v.t.* boven elkaar plaatsen.
superposition [süpèrpo'zisyõ] *f.* opelkaarplaatsing *v.*
supersonique [süpèrsonik] *adj.* supersonisch, sneller dan het geluid.
superstitieusement [süpèrstisyö'zmã] *adv.* bijgelovig.
superstitieux [süpèrstisyö] **I** *adj.* bijgelovig; ***croyance superstitieuse,*** bijgeloof *o.*; **II** *s. m.* bijgelovige *m.*
superstition [süpèrstisyõ] *f.* bijgeloof *o.*
superstructure [süpèrstrüktü:r] *f.* bovenbouw *m.*
supin [süpẽ] *m.* (*gram.*) supinum *o.*
supinateur [süpinatœ:r] *m.* supinator *m.*, voorarmspier *v.(m.)*.
supination [süpina'syõ] *f.* (*v. hand*) buitenwaartskering *v.* met handpalm boven.
supplantateur [süplã'tatœ:r] *m.* onderkruiper *m.*
supplantation [süplã'ta'syõ] *f.* **1** verdringing, onderkruiping *v.*; **2** (*scheik.*) vervanging *v.*
supplanter [süplã'té] *v.t.* **1** verdringen, de voet lichten; **2** (*scheik.*) vervangen.
suppléance [süpléã:s] *f.* (plaats)vervanging *v.*
suppléant [süpléã] **I** *adj.* plaatsvervangend; waarnemend; **II** *s. m.* plaatsvervanger *m.*
suppléer [süpléé] **I** *v.t.* **1** (*v. ontbrekende*) aanvullen, bijvoegen; **2** (*v. bedrag*) bijpassen; **3** vervangen; **II** *v.i.*, ***— à,*** **1** vergoeden; goed maken; **2** voorzien (in); ***— au manque,*** het gebrek verhelpen.
supplément [süplémã] *m.* **1** aanvulling *v.*; **2** (*v. boek*) bijlage *v.(m.)*, aanhangsel *o.*; **3** (*v. krant*) bijblad, bijvoegsel *o.*; **4** (*bij salaris*) toeslag *m.*; **5** (*meetk.*) supplement *o.*; **6** (*voor een hogere rang*) bijslag *m.*; **7** (*bij menu*) extra-schotel *m.*; ***— d'instruction,*** (*recht*) nader onderzoek *o.*; ***— de travail,*** overwerk *o.*
supplémentaire [süplémã'tè:r] *adj.* aanvullend, aanvullings—; ***angle —,*** (*meetk.*) supplementshoek *m.*; ***ligne —,*** (*muz.*) hulplijn *v.(m.)*.
supplétif [süplétif] *adj.* aanvullend.
supplétoire [süplétwa:r] *adj.* aanvullend, suppletoir.
suppliant [süpli(y)ã] **I** *adj.* smekend; **II** *s. m.* smeker *m.*
supplication [süplika'syõ] *f.* smeekbede *v.(m.)*, verzoek *o.*
supplice [süplis] *m.* **1** foltering, kwelling *v.*; **2** (*gesch.*) lijfstraf *v.(m.)*; **3** doodstraf *v.(m.)*; **4** strafplaats *v.(m.)*; ***le — éternel,*** de eeuwige (helle)pijn *v.(m.)*; ***— de la croix,*** kruisiging *v.*, kruisdood *m.*; ***être au —,*** (*fig.*) **1** op de pijnbank liggen; **2** op hete kolen zitten; ***mettre au —,*** kwellen, folteren.
supplicié [süplisyé] *m.* **1** terechtgestelde *m.*; **2** gefolterde *m.*
supplicier [süplisyé] *v.t.* **1** terechtstellen; **2** (*fig.*) folteren, kwellen.
supplier [süpli(y)é] *v.t.* smeken.
supplique [süplik] *f.* smeekschrift *o.*
support [süpò:r] *m.* **1** steun *m.*; **2** steunsel *o.*; **3** onderstel *o.*; **4** stander *m.*; **5** fietshanger *m.*; **6** pijler *m.*; **7** (*fot.*) afdrukpapier *o.*; **8** (*wap.*) schildhouder *m.*; ***— de drapeau,*** vaandelstoel *m.*
supportable(ment) [süpòrta'bl(emã)] *adj.* (*adv.*) draaglijk, te verdragen.
support*-chaussette* [süpò:rʃosèt] *m.* sokophouder *m.*
supporter [süpòrté] **I** *v.t.* **1** steunen, schragen, dragen; **2** verdragen, uithouden; **3** (*v. pijn, enz.*) verduren; **4** (*fig.*) dulden; ***— le feu,*** vuurvast zijn; ***— la lessive,*** wasecht zijn; ***— le froid,*** tegen de kou kunnen, bestand zijn tegen de kou; **II** [süpòrtœ:r] *m.* (*sp.*) supporter *m.*
supposable [süpo'za'bl] *adj.* veronderstelbaar.
supposé [süpo'zé] *adj.* **1** verzonnen; **2** (*v. naam*) aangenaam, gefingeerd; **3** (*v. testament*) vervalst; ***cela —,*** in die veronderstelling; ***— que,*** *conj.* ondersteld, dat.
supposer [süpo'zé] *v.t.* **1** onderstellen, veronderstellen; **2** vermoeden, gissen; ***— qc. à qn.,*** iem. iets toedichten (*of* toeschrijven).
suppositif [süpo'zitif] *adj.* onderstellend.
supposition [süpo'zisyõ] *f.* **1** onderstelling *v.*; **2** vermoeden *o.*, gissing *v.*; **3** (*v. effecten, enz.*) vervalsing *v.*; **4** verdichting *v.*
suppositoire [süpo'zitwa:r] *m.* zetpil *v.(m.)*.
suppôt [süpo] *m.* handlanger *m.*; ***— de Bacchus,*** drinkebroer *m.*
suppression [süprèsyõ] *f.* **1** afschaffing *v.*; **2** opheffing, intrekking *v.*; **3** (*v. woord*) weglating, uitlating *v.*; **4** onderdrukking *v.*
supprimer [süprimé] *v.t.* **1** afschaffen; **2** (*v. wet, verordening*) opheffen, intrekken; **3** (*v. woord*) weglaten uitlaten; **4** onderdrukken; **5** (*v. vijand*) uit de weg ruimen.
suppurant [süpürã] *adj.* etterend.
suppuratif [süpüratif] *adj.* ettervormend.
suppuration [süpüra'syõ] *f.* ettering *v.*
suppurer [süpüré] *v.i.* etteren, zweren.
supputation [süpüta'syõ] *f.* berekening, raming, schatting *v.*

supputer [süpüté] *v.t.* berekenen, ramen, schatten.

supramondain [süpramõ'dẽ] *adj.* bovenaards.

supranaturalisme [süpranatüralizm] *m.* **1** bovennatuurlijk karakter *o.*; **2** geloof *o.* aan het bovennatuurlijke.

suprasensible [süprasã'si'bl] *adj.* bovenzinnelijk.

supraterrestre [süpratèrèstr] *adj.* bovenaards.

suprématie [süprémasi] *f.* **1** meerderheid, voortreffelijkheid *v.*; **2** oppergezag *o.*, oppermacht *v.*(*m.*).

suprême [süprè:m] **I** *adj.* **1** opperste, hoogst; **2** uiterst, laatst; ***l'Être* —,** het Opperwezen; ***l'heure* —,** het stervensuur; ***volonté* —,** uiterste wil; **II** *s. m.* (*v. gerecht*) (het) fijnste *o.*

sur [sü:r] **I** *prép.* **1** op; **2** aan; bij; om; ***Boulogne — Seine,*** Boulogne aan de Seine; ***— terre et — mer,*** te water en te land; ***juger — l'apparence,*** oordelen naar de schijn; ***fermer la porte — soi,*** de deur achter zich sluiten; ***— le coup de trois heures,*** klokslag drie uur; ***donner — le jardin,*** uitkomen (*of* uitzien) op de tuin; ***avoir — soi,*** bij zich hebben, in zijn zak hebben; ***— le champ,*** terstond; ***— l'heure,*** dadelijk, op staande voet; ***— ce,*** daarop, daarna; en nu; ***— ces entrefaites,*** intussen; ***un — dix,*** een op de tien; ***crier — les toits,*** van de daken verkondigen; ***— le soir,*** tegen de avond; ***un jour — deux,*** om de andere dag; ***se régler —,*** zich schikken naar; ***il est toujours — les livres,*** hij zit steeds met zijn neus in de boeken; **II** *adj.* zurig, rins.

sûr [sü:r] **I** *adj.* **1** zeker; **2** vast; **3** veilig, zonder gevaar; **4** betrouwbaar, onbedrieglijk; **5** (*v. weer*) bestendig; **6** (*v. smaak*) onfeilbaar, fijn; ***port* —,** behouden haven *v.*(*m.*); ***à coup* —,** zeker, ongetwijfeld; ***être — de qn.,*** op iem. aan kunnen; **II** *adv.* zeker, ongetwijfeld; ***pour* —,** zeker, zonder twijfel; **III** *s. m.* (het) zekere *o.*; ***prendre le plus —,*** het zekere voor het onzekere nemen.

surabondamment [sürabõ'damã] *adv.* overvloedig, ten overvloede.

surabondance [sürabõ'dã:s] *f.* grote overvloed *m.*; ***— de population,*** overbevolking *v.*

surabondant [sürabõ'dã] *adj.* **1** (zeer) overvloedig; **2** overtollig.

surabonder [sürabõ'dé] *v.i.* in overvloed zijn.

suractivité [süraktivité] *f.* verhoogde werkzaamheid *v.* [hyperacuut.

suraigu [sürègü] *adj.* **1** (*muz.*) zeer hoog; **2** (*gen.*)

surajouter [sürajuté] *v.t.* nog bijvoegen. [*v.*

suralimentation [süralimã'ta'syõ] *f.* overvoeding

suralimenter [süralimã'té] *v.t.* overvoeden.

suranné [sürané] *adj.* **1** verjaard; **2** verouderd, ouderwets.

suranner [sürané] *v.i.* **1** verjaren; **2** verouderen.

surarmement [sürarmemã] *m.* overdreven bewapening *v.*

surate [sürat] *f.* hoofdstuk *o.* van de koran.

surbaissé [sürbè'sé] *adj.* (*bouwk.*) gedrukt, ingebogen; ***voûte —e,*** korfgewelf *o.*; ***arc —,*** korfboog *m.*

surbaissement [sürbè'smã] *m.* indrukking, inbuiging *v.* [inbuigen.

surbaisser [sürbè'sé] *v.t.* (*bouwk.*) indrukken,

surboum [sürbum] *m.* surprise-party *v.*

surcapitalisation [sürkapitaliza'syõ] *f.* (het) overkapitaliseren *o.*

surcharge [sürʃarj] *f.* **1** (*v. gewelf, as, enz.*) overbelasting *v.*; **2** (*met werk, enz.*) overlading *v.*; **3** (*voor reisgoed*) overvracht *v.*(*m.*); **4** overwicht *o.*; **5** (*v. postzegel*) opdruk *m.*; **6** (*over woord*) overschrijving *v.*; **7** overwerk, bijkomend zetwerk *o.*

surcharger [sürʃarjé] *v.t.* **1** overladen; **2** overbelasten; **3** overdrukken; van een opdruk voorzien; ***être surchargé d'affaires,*** tot over de oren in 't werk zitten.

surchauffage [sürʃo'fa:j] *m.*, **surchauffe** [sürʃo'f] *f.* oververhitting *v.*

surchauffer [sürʃo'fé] *v.t.* oververhitten.

surchauffeur [sürʃo'fœ:r] *m.* oververhittingstoestel *o.*

surchoix [sürʃwa] *m.* fijnste kwaliteit *v.*

surcivilisé [sürsivili'zé] *adj.* overbeschaafd.

surclasser [sürklasé] *v.t.* (*sp.*) verpletterend verslaan, overspélen. [samengesteld.

surcomposé [sürkõ'po'zé] *adj.* (*gram.*) dubbel

surcontrer [sürkõ'tré] *v.t.* (*kaartsp.*) redoubleren.

surcoter [sürkòté] *v.t.* **1** (*H.*) te hoog noteren; **2** te hoge cijfers geven aan.

surcouper [sürkupé] *v.t.* overtroeven.

surcroissance [sürkrwa'sã:s] *f.* te sterke groei *m.*

surcroît [sürkrwa] *m.* vermeerdering, toeneming *v.*; ***pour — de malheur,*** tot overmaat van ramp; ***par —,*** bovendien, op de koop toe.

surdent [sürdã] *f.* overtand *m.*, tand waar geen plaats voor is.

surdi-mutité [sürdimütité] *f.* doofstomheid *v.*

surdité [sürdité] *f.* doofheid *v.*

surdos [sürdo] *m.* (*v. paard*) rugriem *m.*

sureau [süro] *m.* vlier(boom) *m.*

surélévation [süréléva'syõ] *f.* verhoging *v.*

surélever [sürélvé] *v.t.* verhogen.

surelle [sürèl] *f.* (*Pl.*) zuring *v.*

sûrement [sü'rmã] *adv.* **1** zeker; **2** veilig.

suréminent [süréminã] *adj.* zeer uitstekend.

surenchère [sürã'ʃè:r] *f.* hoger bod *o.*

surenchérir [sürã'ʃéri:r] *v.i.* hoger bieden.

surenchérissement [sürã'ʃérismã] *m.* **1** (het) hoger bieden *o.*; **2** prijsopdrijving *v.*

surenchérisseur [sürã'ʃérisœ:r] *m.* **1** hoger biedende *m.*; **2** opbieder *m.*

surentraîner [sürã'trèné] *v.t.*, (*sp.*) overtrainen.

surestarie [sürèstari] *f.* **1** overligdagen *mv.*; **2** overliggeld *o.*

surestimation [sürèstima'syõ] *f.* overschatting, te hoge schatting *v.* [schatten.

surestimer [sürèstimé] *v.t.* overschatten, te hoog

suret [sürè] *adj.* zuurachtig, zurig.

sûreté [sü'rté] *f.* **1** zekerheid *v.*; **2** veiligheid *v.*; **3** betrouwbaarheid *v.*; **4** onfeilbaarheid *v.*; **5** waarborg *m.*, pand *o.*; **6** (*v. hand, enz.*) vastheid *v.*; ***la S—,*** de veiligheidsdienst *m.*; ***— de tir,*** trefzekerheid *v.*; ***donner des —s,*** zekerheid verschaffen, borg blijven; ***serrure de —,*** veiligheidsslot *o.* [*v.*(*m.*).

surette [sürèt] *f.* **1** paklinnen *o.*; **2** klaverzuring

surévaluer [sürévalwé] *v.t.* te hoog schatten.

surexcitable [sürèksita'bl] *adj.* overprikkelbaar.

surexcitation [sürèksita'syõ] *f.* overprikkeling; overspanning *v.* [spannen.

surexciter [sürèksité] *v.t.* overprikkelen; over-

surexposer [sürèkspo'zé] *v.t.* (*fot.*) overbelichten.

surexposition [sürèkspozisyõ] *f.* (*fot.*) overbelichting *v.*

surface [sürfas] *f.* **1** oppervlakte *v.*; **2** buitenzijde *v.*(*m.*); **3** (*fig.*) uiterlijk *o.*, schijn *m.*; ***— plane,*** plat vlak *o.*; ***— latérale,*** zijoppervlak *o.*; ***— courbe,*** gebogen vlak *o.*; ***— de l'eau,*** waterspiegel *m.*; ***— de la page,*** (*drukk.*) bladspiegel *m.*; ***homme sans —,*** onbeduidend man *m.*; ***dévotion de —,*** schijnvroomheid *v.*

surfaire* [sürfè:r] *v.t.* **1** overvragen; **2** overschatten. [bovenriem *m.*

surfaix [sürfè] *m.* (*v. paardetuig*) oversingel,

surfin [sürfẽ] *adj.* zeer fijn.
surfusion [sürfüzyõ] *f.* (het) vloeibaar blijven bij een temperatuur beneden het stollingspunt.
surgelé [sürjelé] *adj.* diepvries—.
surgeon [sürjõ] *m.* **1** (*Pl.*) wortelscheut *m.*; **2** (*fig.*) telg, afstammeling *m.*
surgir [sürji:r] *v.i.* **1** opkomen; **2** opduiken; **3** (*aan gezichteinder*) opdoemen; **4** (*fig.*; *v. moeilijkheden, enz.*) ontstaan; **5** opwellen; ***faire* —,** in 't leven roepen.
surhabité [sürabité] *adj.* (*v. huis*) overbevolkt.
surhaussé [sür(h)o'sé] *adj.* (*v. boog*) verhoogd.
surhaussement [sür(h)o'smã] *m.* ophoging *v.*
surhausser [sür(h)o'sé] *v.t.* ophogen, verhogen.
surhomme [süròm] *m.* Übermensch *m.*
surhumain [sürümẽ] *adj.* bovenmenselijk.
surimposer [sürẽ'po'zé] *v.t.* te hoog belasten.
surimposition [sürẽ'pozisyõ] *f.* te hoge belasting *v.*
surimpression [sürẽprèsyõ] *f.* overkopiëring *v.* van een filmband, over elkaar filmen.
surin [sürẽ] *m.* (*arg.*) dolk *m.*
Surinam [sürinam] *m.* Suriname *o.*
suriner [süriné] *v.t.* (*arg.*) doodsteken.
surintendance [sürẽ'tã'dã:s] *f.* oppertoezicht *o.*
surintendant [sürẽ'tã'dã] *m.* oppertoeziener, superintendent *m.*
surinvestissement [sürẽ'vèstismã] *m.* overinvestering *v.*
surir [süri:r] *v.i.* zuur worden.
surirritation [süririta'syõ] *f.* overprikkeling *v.*
surjet [sürjè] *m.* overnaad, overhandse naad *m.*; ***coudre en* —,** overhands naaien.
surjeter [sürjeté] *v.t.* overhands naaien.
sur-le-champ [sürlešã] *adv.* dadelijk, terstond, op staande voet.
surlendemain [sürlã'dmẽ] *m.* tweede dag *m.* daarna.
surlonge [sürlõ:j] *f.* lendestuk *o.*
surlouer [sürlwé] *v.t.* te hoog verhuren.
surmenage [sürmena:j] *m.* **1** (*op school*) overlading *v.*; **2** (*door werk*) overspanning *v.*
surmener [sürmené] **I** *v.t.* (*met werk*) overladen, afbeulen; **II** *v.pr.* ***se* —,** zich overwerken.
surmontable [sürmõ'ta'bl] *adj.* overkomelijk.
surmonter [sürmõ'té] **I** *v.t.* **1** stijgen boven, zich verheffen boven; **2** te boven komen, overwinnen; **II** *v.pr.* ***se* —,** zich beheersen.
surmoulage [sürmula:j] *m.* naar een afgietsel genomen afgietsel *o.*
surmouler [sürmulé] *v.t.* afgietsel nemen naar een afgietsel.
surmulet [sürmülè] *m.* (*Dk., vis*) knorhaan *m.*
surmulot [sürmülo] *m.* rioolrat *v.*(*m.*).
surnager [sürnajé] *v.i.* **1** bovendrijven; **2** (*fig.*) voortbestaan, blijven bestaan, voortduren.
surnaturel [sürnatürèl] **I** *adj.* bovennatuurlijk; **II** *s. m.* (het) bovennatuurlijke *o.*
surnaturellement [sürnatürèlmã] *adv.* op bovennatuurlijke wijze.
surnom [sürnõ] *m.* bijnaam *m.*
surnombre [sürnõ'br] *m.* overtal *o.*; ***en* —,** boventallig, te veel.
surnommé [sürnòmé] *adj.* bijgenaamd.
surnommer [sürnòmé] *v.t.* een bijnaam geven aan.
surnuméraire [sürnüméré:r] **I** *adj.* boven 't gewone getal; overtollig; **II** *s. m.* onbezoldigd ambtenaar; surnumerair *m.*
suroffre [süròfr] *f.* hoger bod *o.*
suroffrir [süròfri:r] *v.t.* hoger bieden op.
suroît [sürwa] *m.* zuidwester *m.*
suroxydation [süròksida'syõ] *f.* peroxydatie *v.*
suroxyde [süròksi'd] *m.* peroxyde *o.*
suroxyder [süròksidé] *v.t.* met peroxyde behandelen.
surpassable [sürpa'sa'bl] *adj.* overtrefbaar.
surpasser [sürpa'sé] **I** *v.t.* **1** uitsteken boven; groter zijn dan; **2** overtreffen; ***cela me surpasse,*** daar staat mijn verstand bij stil, dat gaat mijn verstand te boven; **II** *v.pr.* ***se* —,** zich zelf overtreffen.
surpaye [sürpè'y] *f.* toeslag *m.*
surpayer [sürpèyé] *v.t.* te duur betalen.
surpeuplement [sürpœplmã] *m.* overbevolking *v.*
surpeupler [sürpœplé] *v.t.* overbevolken.
surplaner [sürplané] *v.t.* zweven boven.
surplis [sürpli] *m.* koorhemd, superplie *o.*
surplomb [sürplõ] *m.* overhelling *v.*
surplomber [sürplõ'bé] **I** *v.i.* overhangen, overhellen; **II** *v.t.* hangen over.
surplus [sürplü] *m.* overschot, teveel *o.*; ***au* —,** bovendien, voor 't overige.
surpoids [sürpwa] *m.* overwicht *o.*, doorslag *m.*
surpopulation [sürpòpüla'syõ] *f.* overbevolking *v.*
surprenant [sürprenã] *adj.* verrassend, verbazend.
surprendre* [sürprã'dr] *v.t.* **1** verrassen; **2** (*v. vijand*) overvallen; **3** (*v. dief*) betrappen; **4** (*v. brief*) onderscheppen; **5** verwonderen, verbazen; **— *la bonne foi de qn.,*** iem. misleiden, iem. verschalken.
surprime [sürprim] *f.* bijpremie, verhoogde premie *v.*
surprise [sürpri:z] *f.* **1** verrassing *v.*; **2** overrompeling *v.*; **3** verwondering, verbazing *v.*; ***prendre par* —,** overrompelen; ***guerre de* —s,** guerilla-oorlog *m.*
surproduction [sürpròdüksyõ] *f.* overproduktie *v.*
surproduire* [sürpròdẅi:r] *v.t.* teveel produceren.
surréalisme [süréalizm] *m.* surrealisme *o.*
surréaliste [süréalist] **I** *adj.* surrealistisch; **II** *s. m.* surrealist *m.*
surremise [sür(r)emi:z] *f.*, (*H.*) verhoogde premie *v.*; extra-korting *v.*
surrénal [sürénal] *adj.* boven de nieren gelegen.
sursaturation [sürsatüra'syõ] *f.* oververzadiging *v.*
sursaturer [sürsatüré] *v.t.* oververzadigen.
sursaut [sürso] *m.* plotselinge schok *m.*, (het) plotseling opspringen *o.*; ***se réveiller en* —,** wakker schrikken; ***avoir un* —,** opschrikken.
sursauter [sürso'té] *v.i.* opspringen, een schok krijgen.
surséance [sürséã:s] *f.* uitstel *o.*, opschorting *v.*
sursemer [sürsemé] *v.t.* nazaaien, overzaaien.
surseoir* [sürswa:r] *v.t. et v.i.*, (*d*), uitstellen, opschorten.
sursis [sürsi] *m.* uitstel *o.*, opschorting *v.*; ***condamnation avec* —,** voorwaardelijke veroordeling met proeftijd; **— *d'incorporation,*** uitstel van militaire dienst.
sursitaire [sürsitè:r] *m.* iemand die uitstel heeft gekregen (van straf of van militaire dienst).
sursolide [sürsòli'd] *m.* vierde macht *v.*(*m.*).
surtare [sürta:r] *f.* (*H.*) supertarra *v.*(*m.*).
surtaxe [sürtaks] *f.* **1** verhoogde rechten *mv.*; **2** te hoge aanslag *m.*; **3** (*post*) strafport *o. en m.*
surtaxer [sürtaksé] *v.t.* **1** een verhoogd recht heffen op; **2** te hoog aanslaan; **3** met strafport belasten.
surtension [sürtã'syõ] *f.* (*el.*) overbelasting *v.* van het net.
surtout [sürtu] **I** *adv.* vooral, bovenal; **II** *s. m.* **1** overjas *m. en v.*; **2** (*op tafel*) middenstuk *o.*, vruchtenkorf, bloemkorf *m.*
survaleur [sürvalœ:r] *f.* overwaarde *v.*
surveillance [sürvèyã:s] *f.* toezicht *o.*; ***en* —,** onder toezicht; **— *de frontière,*** grensbewaking *v.*
surveillant [sürvèyã] *m.* **1** opzichter, bewaker *m.*; **2** studiemeester *m.*

surveille [sürvè'y] *f.* dag *m.* vóór vorige dag.
surveiller [sürvèyé] **I** *v.t.* **1** toezicht houden op, letten op; **2** waken over; **3** zorgen voor; **II** *v.pr.* ***se —,*** zich in acht nemen; op zijn tellen passen.
survenance [sürvenã:s] *f.* onvoorziene komst *v.(m.).*
survenant [sürvenã] *m.* onverwachte gast *m.*
survendre [sürvã:dr] *v.t.* te duur verkopen.
survenir* [sürveni:r] *v.t.* plotseling komen; overkomen, gebeuren.
survente [sürvã:t] *f.* verkoop *m.* boven de waarde.
survenue [sürvenü] *f.* onverwachte komst *v.(m.).*
survie [sürvi] *f.* **1** overleving *v.*, (het) overleven *o.*; **2** onsterfelijkheid *v.*, voortbestaan *o.* na de dood.
survivance [sürvivã:s] *f.* **1** overleving *v.*; **2** (het) voortbestaan *o.*; **3** recht *o.* van opvolging.
survivant [sürvivã] **I** *adj.* overlevend; **II** *s. m.* langstlevende *m.*; overlevende *m.*
survivre* [sürvi:vr] *(à), v.i.* overleven.
survol [sürvòl] *m.* *(vl.)* vlucht *v.(m.)* boven *of* over.
survoler [sürvòlé] *v.t.* overvliegen, vliegen boven.
survoltage [sürvòlta:j] *m.* *(el.)* **1** te hoge spanning *v.*; **2** verhoging *v.* van de voltage.
survolter [sürvòlté] *v.t.* *(el.)* de spanning verhogen.
sus [sü] *adv.* op, bovenop; ***en —,*** daarenboven; ***en — de,*** boven, behalve; ***courir — à qn.,*** op iem. aanstormen.
susceptibilité [süsèptibilité] *f.* **1** vatbaarheid *v.*; **2** lichtgeraaktheid, prikkelbaarheid *v.*
susceptible [süsèpti'bl] *adj.* **1** vatbaar; **2** lichtgeraakt, prikkelbaar.
susception [süsèpsyõ] *f.* opneming *v.*, (het) ontvangen *o.*
suscitation [süsita'syõ] *f.* aansporing *v.*
susciter [süsité] *v.t.* **1** verwekken, doen ontstaan; **2** berokkenen, aanrichten.
suscription [süskripsyõ] *f.* opschrift *o.*; adres *o.*
susdit [süzdi] *adj.* voornoemd.
sus-dominante* [süzdòminã:t] *f.* *(muz.)* bovendominant *v.(m.).*
sus-énoncé [süsénõ'sé] *adj.* bovengenoemd, bovenbedoeld.
susmentionné [süsmã'syòné] *adj.* bovengemeld.
susnommé [süsnòmé] *adj.* voornoemd, bovengenoemd.
suspect [süspè] *adj.* verdacht.
suspecter [süspèkté] *v.t.* verdenken.
suspendre [süspã:dr] *v.t.* **1** ophangen; **2** *(v. ambtenaar, enz.)* schorsen; **3** *(v. betalingen, enz.)* staken; **4** *(v. vonnis)* uitstellen; **5** *(v. dagblad)* verbieden.
suspendu [süspã'dü] *adj.* **1** hangend; **2** zwevend; **3** weifelend, aarzelend; **4** geschorst; ***pont —,*** hangbrug *v.(m.)*; ***chemin de fer —,*** luchtspoorweg *m.*; ***être — aux lèvres de qn.,*** aan iemands lippen hangen.
suspens [süspã] *adj.* geschorst; ***en —,*** **1** hangend; zwevend; **2** *(fig.)* aarzelend, besluiteloos; ***tenir qn. en —,*** iem. in de onzekerheid laten.
suspense [süspã:s] **I** *f.* schorsing *v.*; **II** *m.* suspense *m.*
suspensif [süspã'sif] *adj.* *(recht)* opschortend.
suspension [süspã'syõ] *f.* **1** ophanging *v.*; **2** schorsing *v.*; **3** staking *v.*; **4** uitstel *o.*; **5** *(v. gedachte)* afbreking *v.*; **6** onzekerheid, besluiteloosheid *v.*; **7** hanglamp *v.(m.)*; ***points de —,*** afbrekingsteken *o.*, gedachtenpunten *mv.*
suspensoir [süspã'swa:r] *m.* draagband *m.*; breukband *m.*
suspente [süspã:t] *f.* hangtouw *o.*
suspicion [süspisyõ] *f.* verdenking *v.*, argwaan *m.*
susrelaté [süsrelaté] *adj.* bovenvermeld.

sustentation [süstã'ta'syõ] *f.* **1** voeding *v.*, onderhoud *o.*; **2** *(vl.)* ondersteuning *v.*
sustenter [süstã'té] *v.t.* voeden, onderhouden.
susurration [süzüra'syõ] *f.* geruis, gesuis, geritsel *o.*
susurrer [süzüré] *v.i.* ruisen, suizen, ritselen.
suture [sütü:r] *f.* **1** *(v. wond)* (het) naaien *o.*; **2** hechting *v.*, naad *m.*
suturer [sütüré] *v.t.* *(gen.)* naaien, hechten.
suzerain [süzrẽ] **I** *adj.* opper—, suzerein; **II** *s. m.* opperleenheer *m.*
suzeraineté [süzrènté] *f.* opperheerschappij, suzereiniteit *v.*
svastika [zvastika] *m.* swastika *v.(m.)*, hakenkruis *o.*
svelte [zvèlt] *adj.* slank.
sveltesse [zvèltès] *f.* slankheid *v.*
swing [swiñ] *m.* **1** zijdelingse vuiststoot *m.*; **2** *(jazz)* swing *m.*; ***faire du —,*** swingen.
sybarite [sibarit] *m.* verwijfd genotzoeker *m.*
sycomore [sikòmò:r] *m.* *(Pl.)* **1** Egyptische vijgeboom *m.*; **2** ahorn *m.*
sycophante [sikòfã:t] *m.* verklikker *m.*
syllabaire [sil(l)abè:r] *m.* spelboekje *o.*
syllabe [sil(l)a'b] *f.* lettergreep *v.(m.).*
syllabique [sil(l)abik] *adj.* syllabisch, van de lettergrepen.
syllabisation [sil(l)abiza'syõ] *f.* verdeling *v* in lettergrepen.
syllabiser [sil(l)abi'zé] *v.t.* verdelen in lettergrepen.
syllabus [sil(l)abüs] *m.* **1** *(kath.)* syllabus *m.*; **2** samenvatting *v.*
syllepse [sil(l)èps] *f.* syllepsis *v.*
syllogisme [sil(l)òjizm] *m.* sluitrede *v.(m.).*
sylphe [silf] *m.*, **sylphide** [silfi'd] *f.* **1** luchtgeest *m.*; **2** *(Dk.)* dagvlinder *m.*; ***taille de —,*** dun middel *o.*
sylvain [silvẽ] *m.* bosgeest, bosgod *m.*
sylvestre [silvèstr] *adj.* bos—, woud—; in 't bos groeiend.
Sylvestre [silvèstr] *m.* Sylvester *m.*
sylvicole [silvikòl] *adj.* bosbouw—.
sylviculteur [silvikültœ:r] *m.* bosbouwkundige *m.*
sylviculture [silvikültü:r] *f.* bosbouw *m.*
sylvinite [silvinit] *f.* bep. meststof *v.(m.)* uit de Elzas.
symbiose [sẽ'byo:z] *f.* symbiose *v.*, heilzame samenleving van ongelijksoortige organismen.
symbole [sẽ'bòl] *m.* zinnebeeld, symbool *o.*; ***le S— des Apôtres,*** de twaalf artikelen van het geloof.
symbolique [sẽ'bòlik] **I** *adj.* zinnebeeldig, symbolisch; **II** *s. f.* symboliek *v.*
symbolisation [sẽ'bòliza'syõ] *f.* zinnebeeldige voorstelling *v.*
symboliser [sẽ'bòli'zé] *v.t.* zinnebeeldig voorstellen.
symbolisme [sẽ'bòlizm] *m.* symbolisme *o.*
symboliste [sẽ'bòlist] **I** *m.* symbolist *m.*; **II** *adj.* symbolistisch.
symétrie [simétri] *f.* symmetrie, gelijkmatigheid, evenredigheid *v.*
symétrique(ment) [simétrik(mã)] *adj.* *(adv.)* symmetrisch, evenredig.
symétriser [simétri'zé] *v.t.* symmetrisch maken.
sympathie [sẽ'pati] *f.* medegevoel *o.*; sympathie *v.*
sympathique [sẽ'patik] *adj.* **1** medegevoelend, sympathiek; **2** *(muz.)* samenklinkend; ***encre —,*** sympathische inkt *m.*
sympathiser [sẽ'pati'zé] *v.i.* sympathiseren, een onderlinge overeenstemming gevoelen.
symphonie [sẽ'fòni] *f.* symfonie *v.*
symphonique(ment) [sẽ'fònik(mã)] *adj.* *(adv.)* symfonisch.
symphorine [sẽ'fòrin] *f.* *(Pl.)* sneeuwbes *v.(m.).*

symphyse [sẽˈfi:z] *f.* vrijwel onbeweeglijke beenverbinding *v.* [tisch.
symptomatique [sẽˈptòmatik] *adj.* symptoma-
symptomatologie [sẽˈptòmatòlòji] *f.* leer *v.(m.)* van de symptomen.
symptôme [sẽˈto:m] *m.* **1** symptoom, ziekteteken *o.*; **2** (*fig.*) kenteken, verschijnsel *o.* [*v.(m.)*.
synagogue [sinagòˈg] *f.* synagoge, jodenkerk
synalèphe [sinalè:f] *f.* samentrekking (ineensmelting) *v.* van twee lettergrepen.
synallagmatique [sinal(l)agmatik] *adj.* (*v. contract*) wederzijds (ver)bindend.
synchrone [sẽˈkròn] *adj.* gelijktijdig.
synchronique [sẽˈkrònik] *adj.* synchronistisch, gelijktijdig voorgevallen; ***tableau* —,** synchronistische tijdtafel.
synchronisation [sẽˈkrònizaˈsyõ] *f.* (*v. uurwerk, enz.*) synchronisme *o.*; (*v. film*) synchronisering *v.*
synchroniser [sẽˈkròniˈzé] *v.t.* **1** (*v. uurwerken*) gelijk doen lopen; **2** (*v. radio*) gelijktijdig afstemmen; **3** (*v. film*) van mechanische muzikale begeleiding voorzien.
synchronisme [sẽˈkrònizm] *m.* gelijktijdigheid, samenbrenging *v.* van gelijktijdige gebeurtenissen.
synclinale [sẽklinal] *f.* (*geol.*) plooidal *o.*
syncope [sẽˈkòp] *f.* **1** (*gen.*) flauwte, bezwijming *v.*; **2** (*taalk.*) weglating *v.* van een letter in 't midden van een woord; **3** (*muz.*) syncope *v.(m.)*.
syncoper [sẽˈkòpé] **I** *v.t.* **1** (*taalk.*) samentrekken; **2** (*fig.*) van verbazing doen verstommen; **II** *v.i.* (*muz.*) syncoperen.
syncrétisme [sẽˈkrétizm] *m.* syncretisme *o.*, samensmelting *v.* van verschillende stelsels.
syndic [sẽˈdik] *m.* **1** gemachtigde; rechtskundig adviseur *m.*; **2** (*in faillissement*) curator *m.*; **3** (*in Zwitserl.*) burgemeester *m.*; ***les* —*s des Drapiers*,** de Staalmeesters (schilderij van Rembrandt).
syndical [sẽˈdikal] *adj.* verenigings—, syndicaats—, syndicaal; ***chambre* —*e*,** vakvereniging *v.*
syndicalisme [sẽˈdikalizm] *m.* vakverenigingsbeweging *v.*; vakverenigingswezen *o.*
syndicaliste [sẽˈdikalist] **I** *m.* vakverenigingslid *o.*, georganiseerde *m.*; **II** *adj.* van de vakvereniging, syndicalistisch.
syndicat [sẽˈdika] *m.* vakvereniging *v.*, syndicaat *o.*; **— *industriel*,** nijverheidsbond *m.*; **— *patronal*,** werkgeversvereniging *v.*; **— *d'initiative*,** vereniging voor (*of* tot bevordering van het) vreemdelingenverkeer.
syndicataire [sẽˈdikatè:r] **I** *adj.* syndicaal; **II** *s. m.-f.* syndicaatslid *o.*
syndiqué [sẽˈdiké] *m.* lid *o.* van 't vakverbond, aangeslotene *m.* bij een vakvereniging.
syndiquer [sẽˈdiké] **I** *v.t.* **1** tot een syndicaat verenigen; **2** in een vakvereniging bijeenbrengen; **II** *v.pr.* ***se* —,** zich bij een vakvereniging aansluiten.
syndrome [sẽˈdro:m] *m.* (*gen.*) geheel *o.* van de symptomen die een ziekte kenmerken.
synecdoche [sinègdòʃ], **synecdoque** [sinègdòk] *f.* synecdoche *v.(m.)*, troop *m.* van de gedeeltelijke aanduiding.
synérèse [sinérè:z] *f.* samentrekking *v.* van twee lettergrepen tot één.
syngnathe [sẽˈgnat] *m.* (*Dk.*) naaldvis *m.*
synodal [sinòdal] *adj.* synodaal.
synode [sinòˈd] *m.* synode, kerkvergadering *v.* (v. provincie of bisdom).
synodique [sinòdik] *adj.* **1** synodaal; **2** (*sterr.*) synodisch.
synonyme [sinònim] **I** *adj.* gelijkbetekenend, zinverwant; **II** *s. m.* gelijkbetekenend (*of* zinverwant) woord, synoniem *o.*
synonymie [sinònimi] *f.* zinverwantschap *v.*
synonymique [sinònimik] **I** *adj.* de synoniemen betreffend; **II** *s. f.* leer *v.(m.)* van de synoniemen.
synoptique [sinòptik] **I** *adj.* met één blik te overzien, overzichts—, synoptisch; ***tableau* —,** overzichtstabel *v.(m.)*, tabellarisch overzicht *o.*; **II** *s. m.*, ***les* —*s*,** *m.pl.* de synoptische evangeliën *mv.*
synoviale [sinòvyal] *f.* gewrichtsholte *v.*
synovie [sinòvi] *f.* gewrichtsvocht *o.*; ***épanchement de* —,** (*gen.*) leewater *o.*
syntaxe [sẽˈtaks] *f.* leer van de woordvoeging, leer *v.(m.)* van de zinsbouw, syntaxis *v.*
syntaxique [sẽˈtaksik] *adj.* syntactisch.
synthèse [sẽˈtè:z] *f.* synthese *v.*; samenvatting *v.* tot een geheel.
synthétique [sẽˈtétik] *adj.* **1** verbindend, samenstellend; **2** door samenstelling verkregen; kunstmatig, synthetisch.
synthétiquement [sẽˈtétikmã] *adv.* langs de weg van samenstelling, synthetisch.
synthétiser [sẽˈtétiˈzé] *v.t.* **1** samenvatten; **2** kunstmatig vormen.
syntonisation [sẽˈtònizaˈsyõ] *f.* (*rad.*) afstemming *v.*
syntoniser [sẽˈtòniˈzé] *v.t.* (*rad.*) afstemmen.
syphilis [sifilis] *f.* syfilis *v.(m.)*.
syphilitique [sifilitik] **I** *adj.* syfilitisch; **II** *s. m.* syfilislijder *m.*
syriaque [siriak] *adj.* Oudsyrisch, Aramees *o.*
Syrie [siri] *f.* Syrië *o.*
Syrien [siryẽ] **I** *m.* Syriër *m.*; **II** *adj.*, ***s*—,** Syrisch.
syringe [sirẽ:j], **syrinx** [sirẽ:ks] *f.* pansfluit *v.(m.)*.
syrphe [sirf] *m.* zweefvlieg, hommelvlieg *v.(m.)*.
systématique(ment) [sistématik(mã)] *adj.* (*adv.*) stelselmatig, systematisch.
systématiser [sistématiˈzé] *v.t.* stelselmatig rangschikken, systematiseren.
système [sistè:m] *m.* stelsel, systeem *o.*; **— *de conduite*,** gedragslijn *v.(m.)*; **— *de sécurité*,** veiligheidsinrichting *v.*; ***esprit de* —,** systematische geest *m.*; **— *nerveux*,** zenuwstelsel *o.*; **— *solaire*,** zonnestelsel *o.*; ***le* — *D*,** (*arg.*: *mil.*) het systeem om er zich maar door te slaan, het zich maar zien te redden. [slagaderen.
systole [sistòl] *f.* samentrekking *v.* van hart en
syzygie [siziji] *f.* (*astron.*) conjunctie *of* oppositie *v.* van een planeet met de zon.

T

T [té] *m.* t *v.(m.)*.
ta [ta] *pr.poss.* uw, je, jouw.
tabac [taba] *m.* tabak *m.*; **— *à chiquer*,** pruimtabak; **— *à fumer*,** rooktabak; **— *à priser*, — *en poudre*,** snuif(tabak); ***prendre du* —,** snuiven; ***bureau* (*ou débit*) *de* —,** tabakswinkel; ***passer à* —,** afranselen, mishandelen; ***il y aura du* —,** er zullen klappen vallen; ***c'est le même* —,** 't is één pot nat.
tabaculture [tabakültü:r] *f.* tabakscultuur *v.*; tabaksteelt *v.(m.)*. [*o.*; rookhol *o.*
tabagie [tabaji] *f.* rookkamer *v.(m.)*, rookvertrek

tabagisme [tabajizm] m. nicotinevergiftiging v.
tabarin [tabarẽ] m. hansworst, potsenmaker m.
tabarinade [tabarina'd] f. hansworsterij v.
tabatier [tabatyé] m. 1 tabaksbewerker m.; 2 tabaksverkoper m.
tabatière [tabatyè:r] f. snuifdoos v.(m.); *fenêtre à —,* klapvenster, schuin dakvenstertje o.
tabellaire [tabèlè:r] adj. tabellarisch.
tabellion [tabèlyõ] m. (fam.) notaris m.
tabernacle [tabèrnakl] m. 1 tabernakel o. en m.; 2 (fig.) heiligdom o.; *fête des —s,* loofhuttenfeest o.
tabès [tabès] m. (gen.) (uit)tering v.; *— dorsal,* ruggemergtering v.
tabis [tabi] m. tabijn o., gewaterde (of moirézijden) taf m. en o.
tablature [tablatü:r] f. (muz.) tablatuur, aanwijzing v. van de noten door letters of cijfers; *donner de la — à qn.,* iem. harde noten te kraken geven; het iem. moeilijk maken; iem. de handen vol geven; *entendre la —,* van wanten weten.
table [ta'bl] f. 1 tafel v.(m.); 2 tabel v.(m.), register o.; 3 (aardr.) platte berg m., platte rots v.(m.); *— à rallonges,* uittrektafel v.(m.); *— de communion,* communiebank v.(m.); *— d'autel,* altaarblad o.; *la sainte —,* de tafel des Heren; *— à ouvrage,* werktafeltje o.; *— de jeu,* speeltafel(tje); *— de nuit,* nachtkastje, nachttafeltje o.; *— à manger,* eetkamertafel; *chemin de —,* tafelloper m.; *dîner par petites —s,* (in restaurant) aan afzonderlijke tafeltjes eten; *— d'hôte,* open tafel; *—s tournantes,* tafeldans m.; *— alphabétique,* alfabetische lijst v.(m.) register o.; *— des matières,* inhoud m., inhoudsopgave v.(m.); *— d'harmonie,* (muz.) klankbodem m.; *— ronde,* gespreksgroep v.(m.); *aimer la —,* van lekker eten houden; *mettre (ou dresser) la —,* de tafel dekken; *faire — rase,* schoon schip maken; *avoir la — et le logement,* vrij kost en inwoning hebben.
tableau [tablo] m. 1 schilderij o. en v.; 2 bord, schoolbord o.; 3 (v. leden, enz.) lijst v.(m.); 4 tabel v.(m.); 5 beschrijving v., tafereel o.; *— d'affichage,* aanplakbord o.; *— de distribution,* (vl.) schakelbord o.; *— d'avancement,* ranglijst v.(m.); *— de la maladie,* (gen.) ziektebeeld o.; *— de service,* dienstregeling v.; *— vivant,* levende beeldengroep v.(m.).
tableautin [tablotẽ] m. 1 schilderijtje o.; 2 (fig.) schetsje o.
tablée [tablé] (sur) f. tafel v.(m.) vol mensen.
tabler [tablé] v.i. staat maken (op).
tabletier [tabletyé] m. kunstdraaier m.
tablette [tablèt] f. 1 plankje o.; 2 (v. venster, lessenaar, enz.) blad o.; 3 (v. chocolade) tablet v.(m.) en o., plak v.(m.); *rayez cela de vos —s,* reken daar maar niet op; *mettez cela sur vos —s,* neem er terdege nota van!; *être sur les —s de qn.,* bij iem. in een slecht blaadje staan.
tabletterie [tablètri] f. kunstdraaiwerk o.; kunstschrijnwerk o.
tablier [tabli(y)é] m. 1 voorschoot m. en o., schort v.(m.) en o.; 2 (v. smid) schootsvel o.; 3 haardplaat v.(m.); 4 (v. brug) vloer m., dek o.; *rendre son —,* zijn dienst opzeggen.
tabou [tabu] adj. taboe, heilig, onaantastbaar.
tabouret [taburè] m. 1 krukje, (piano)stoeltje o.; 2 voetenbankje o.; 3 (Pl.) boerenkers v.(m.); *— électrique, — isolant,* isolatiebankje o.
tabourin [taburẽ] m. gek m. (draaibare schoorsteenkap).
tabulaire [tabülè:r] adj. tabellarisch, tafel—.
tabulateur [tabülatœ:r] m. (v. schrijfmachine) kolommenindeler m.
tabulation [tabüla'syõ] f. indeling v. in kolommen.
tac [tak] m. 1 schurft v.(m.) en o. (v. dieren); 2 tik m. (v. degen); *riposter du — au —,* dadelijk pareren.
tacet [tasèt] m. (muz.) rust, pauze v.(m.); *faire le —,* 1 rusten; 2 (fig.) zwijgen.
tachant [taʃã] adj. (v. stoffen) afgevend; smettelijk.
tache [taʃ] f. 1 vlek v.(m.); 2 (fig.) smet v.(m.); *— de vin,* 1 wijnvlek; 2 (gen.) moedervlek; *—s de rousseur,* sproeten mv.; *— d'huile,* olievlek; *— originelle,* erfzonde v.(m.); *faire —,* in een gezelschap uit de toon vallen; *faire — d'huile,* zich ongemerkt uitbreiden, langzaam verder doordringen.
tâche [ta'ʃ] f. taak v.(m.); *prendre à —,* op zich nemen, zich tot taak stellen; *travail à la —,* stukwerk o.; *à chaque jour suffit sa —,* men moet niet te veel ineens ondernemen.
tacher [taʃé] I v.t. vlekken, bevlekken, bezoedelen; II v.pr. *se —,* vlekken krijgen, zich vuil maken.
tâcher [ta'ʃé] v.i. trachten, pogen, proberen; *— que,* zorgen dat; *— à,* streven naar.
tâcheron [ta'ʃrõ] m. stukwerker m.
tacheter* [taʃté] v.t. vlekken; *tacheté,* gevlekt; *— de rouge,* met rode spikkels.
tacheture [taʃtü:r] f. spikkel m., spikkeling v.
tachycardie [takikardi] f. versnelde hartslag m.
tachymètre [takimè'tr] m. snelheidsmeter m.
tacite(ment) [tasit(mã)] adj. (adv.) stilzwijgend.
Tacite [tasit] m. Tacitus m.
taciturne [tasitürn] adj. zwijgend, stilzwijgend, zwijgzaam; *Guillaume le T—,* Willem de Zwijger.
taciturnité [tasitürnité] f. stilzwijgendheid v.
tacot [tako] m. (fam.) rammelkast v.(m.), karretje o., enz.
tact [takt] m. 1 tastzin m., tastvermogen o.; 2 fijn gevoel o., tact m.; *manquer de —,* onhandig zijn.
tac-tac [taktak] m. tiktak m., getik o.
tacticien [taktisyẽ] m. tacticus, krijgskundige m.
tactile [taktil] adj. tastbaar, voelbaar; *nerfs —s,* tastzenuwen mv.
tactique [taktik] f. tactiek, krijgskunst v.
tadorne [tadòrn] m. (Dk.) bergeend v.(m.).
taenia m., voir *ténia.*
taffetas [tafta] m. taf m. en o.; *— d'Angleterre,* Engelse pleister v.(m.).
tafia [tafya] m. suikerbrandewijn m.
Tage [ta:j] m. Taag m.
tagète [tajèt] m. (Pl.) afrikaantje o.
taïaut, tayaut [tayo] ij. (jacht) kreet om de honden aan te sporen.
taie [tè] f. 1 kussensloop v.(m.) en o.; 2 witte vlek v.(m.) (op het oog).
taïga [taiga] f. coniferenwoud o. aan rand van een toendra.
taillable [taya'bl] adj. schatplichtig, belastbaar.
taillade [taya'd] f. 1 snede v.(m.); 2 insnijding, inkerving v.
taillader [tayadé] v.t. snijden, kerven.
tailladin [tayadẽ] m. schijfje o. citroen of sinaasappel.
taillanderie [tayã'dri] f. gereedschapswinkel m.
taillandier [tayã'dyé] m. ijzerkramer m.; gereedschapssmid m.
taillant [tayã] m. (v. mes) scherp o., snede v.(m.).
taille [ta'y] f. 1 gestalte v.; 2 grootte v.; 3 figuur v.(m.) en o., middel o.; 4 bovenlijf o.; 5 (het) snijden, (het) hakken o.; 6 (v. boom) (het snoeien) o.; 7 (v. diamant) (het) slijpen o.; 8 (het) haarknippen o.; 9 (v. degen) scherp o., snede v.(m.); 10 (gen.) snede, steensnede v.(m.); 11 hakhout o.;

12 kerfstok *m.*; ***pierre de —,*** hardsteen *o. en m.*; ***gravure en — douce,*** kopergravure *v.(m.)*; ***gravure en — dure,*** staalgravure *v.(m.)*; ***— sur bois,*** houtsnede *v.(m.)*; ***un homme de sa —,*** een man van zijn slag; ***être de — à faire qc.,*** mans genoeg zijn om iets te doen; ***ils sont de la même —,*** ze zijn even groot; ***être de forte —,*** zwaar gebouwd zijn.

taille-crayon [ta'ykrèyõ] *m.* potloodslijper *m.*

taille*-douce* [ta'ydus] *f.* kopergravure *v.(m.)*; ***en —,*** diepdruk—.

taille-mer [ta'ymè:r] *m.* **1** (*sch.*) scheg *v.(m.)*; **2** (*Dk.*) bruine zeemeeuw *v.(m.)*.

taille-ongles [ta'yõ:gl] *m.* nagelknipper *m.*

taille-pain [ta'ypẽ] *m.* broodmes *o.*

tailler [ta'yé] *v.t.* **1** snijden; snoeien; **2** (*v. steen*) houwen; **3** (*v. diamant*) slijpen; **4** (*v. potlood*) aanpunten; ***— en plein drap,*** uit een groot stuk laken snijden; (*fig.*) er met de grove bijl inhakken; ***— une bavette,*** een praatje maken; ***— de l'ouvrage à qn.,*** iem. de handen vol werk geven; ***cote mal taillée,*** **1** verkeerd omgeslagen belasting *v.*; **2** (*fig.*) globale (*of* ruwe) berekening *v.*; **3** schikking *v.*, vergelijk *o.*

taillerie [ta'yri] *f.* slijperij *v.*

tailleur [ta'yœ:r] *m.* **1** kleermaker *m.*; **2** (*bij spel*) bankhouder *m.*; ***— de diamants,*** diamantslijper *m.*; ***— de pierres,*** steenhouwer *m.*; ***costume —,*** mantelpak *o.*

tailleuse [ta'yö:z] *f.* kleermaakster *v.*

taillis [ta'yi] *m.* kreupelhout; hakhout *o.*

tailloir [ta'ywa:r] *m.* **1** hakbord *o.*; **2** (*bouwk.*) dekstuk *o.* van kapiteel.

tain [tẽ] *m.* verfoeliesel *o.*; ***glace sans —,*** spiegel- [glas *o.*

taire* [tè:r] **I** *v.t.* verzwijgen, geheimhouden; **II** *v.pr.* ***se —,*** zwijgen; ***faire —,*** tot zwijgen brengen, het zwijgen opleggen.

Taïti [taiti] *m.* Tahiti *o.*

talc [talk] *m.* talk *m.*

talcaire [talkè:r], **talcique** [talsik] *adj.* talkach- [tig.

talent [talã] *m.* **1** talent *o.*, begaafdheid *v.*, aanleg *m.*; **2** (*oude munt*) talent *o.*; ***homme de —,*** talentvol man.

talentueux [talã'twö] *adj.* (*fam.*) talentvol.

taler [talé] *v.t.*, (*v. vruchten*) kneuzen.

taleth, taled [talè'd] *m.* joodse gebedssluier *m.*

talion [talyõ] *m.* wedervergelding *v.*; ***la loi du —,*** de wet van oog om oog en tand om tand, de lynchwet.

talisman [talismã] *m.* talisman *m.*

talitre [tali:tr] *m.* strandvlo *v.(m.)*.

tallage [tala:j] *m.* (*Pl.*) **1** (het) uitstoelen *o.*; **2** de wortelloten *mv.*

talle [tal] *f.* (*Pl.*) wortelscheut *m.*

taller [talé] *v.i.* (*Pl.*) wortellotenschieten, uitstoe- [len.

Talmud [talmü'd] *m.* talmud *m.* (wetboek van de joden).

talmudique [talmüdik] *adj.* talmudisch, de talmud betreffend.

talmudiste [talmüdist] *m.* **1** talmudkenner *m.*; **2** aanhanger *m.* van de talmud.

taloche [talòʃ] *f.* (*fam.*) oorveeg *v.(m.)*.

talocher [talòʃé] *v.t.* een draai om de oren geven.

talon [talõ] *m.* **1** hiel, hak *m.*; **2** (*v. register, couponblad, enz.*) talon *m.*; **3** (*kaartsp.*) stok *m.*; **4** (*v. brood, enz.*) laatste korst *v.(m.)*; **5** (*v. viool*) slof *m.*; ***tourner les —s,*** de hielen lichten, vluchten; ***on n'aime que ses —s,*** men ziet hem liever gaan dan komen.

talonnade [talòna'd] *f.* gestamp *o.* (*bij dans*).

talonner [talòné] *v.t.* **1** op de hielen zitten, vervolgen; **2** aansporen, aanzetten.

talonnette [talònèt] *f.* hielstukje *o.*

talonnière [talònyè:r] *f.* (*v. sandalen*) hielleer *o.*

talpack [talpak] *m.* kolbak *m.*

talquer [talké] *v.t.* talken.

talqueux [talkö] *adj.* talkachtig, talksteenachtig.

talus [talü] *m.* glooiing, helling *v.*, talud *o.*; ***en —,*** glooiend.

taluter [talüté] *v.t.* glooiend aanleggen.

talweg, *voir* ***thalweg.***

tamandua [tamã'dwa] *m.* miereneter *m.*

tamanoir [tamanwa:r] *m.* miereneter *m.*

tamarin [tamarẽ] *m.* (*Pl.*) tamarinde *v.(m.)*.

tamarinier [tamarinyé] *m.* tamarindeboom *m.*

tamaris, tamarix [tamari] *m.* tamarisk *m.*

tambouille [tã'bu'y] *f.* (*arg.*) keuken *v.(m.)*.

tambour [tã'bu:r] *m.* **1** trom, trommel *v.(m.)*; **2** trommelslager, tamboer *m.*; **3** (*in oor*) trommelholte *v.*; **4** borduurraam *o.*; **5** tochtportaal *o.*; ***porte à —,*** dubbele deur, tochtdeur *v.(m.)*; ***— de basque,*** tamboerijn *m.*; ***— de cuivre,*** keteltrom, pauk *v.(m.)*; ***mener qn. — battant,*** iem. narijden; ***sans — ni trompette,*** met stille trom.

tambourin [tã'burẽ] *m.* tamboerijn *m.*

tambourinaire [tã'burinè:r] *m.* Provençaalse trommelslager *m.*

tambourinement [tã'burinmã] *m.* getrommel *o.*

tambouriner [tã'buriné] **I** *v.i.* trommelen; **II** *v.t.* rondbazuinen.

tambourineur [tã'burinœ:r] *m.* trommelslager *m.*

tambour*-maître* [tã'burmè:tr] *m.* korporaal-tamboer *m.*

tambour*-major* [tã'burmajò:r] *m.* tamboer- [majoor *m.*

tamier [tamyé], **taminier** [taminyé] *m.* (*Pl.*) smeerwortel *m.*

tamis [tami] *m.* teems *m.*, zeef *v.(m.)*; ***impression au —,*** nauwkeurig onderzoeken; ***impression à —,*** zeefdruk *m.*

tamisage [tamiza:j] *m.* (het) zeven, (het) ziften *o.*

Tamise [tami:z] **I** *f.* (*rivier*) Theems *v.*; **II** *m.* (*gemeente*) Temse *o.*

tamiser [tami'zé] *v.t.* **1** zeven, ziften; **2** (*v. licht*) dempen; laten doorvallen.

tamiserie [tami'zri] *f.* ziftenfabriek, ziftenma- [kerij *v.*

tamiseur [tami'zœ:r] *m.* zever *m.*

tamisier [tami'zyé] *m.* ziftenmaker, ziftenfabri- [kant *m.*

tampon [tã'põ] *m.* **1** (*v. hout*) stop *m.*; **2** (*v. linnen, enz.*) prop *v.(m.)*; **3** (*v. stro*) wis *v.(m.)*; **4** (*v. spoorwagens*) buffer *m.*; **5** inktkussen, stempelkussen *o.*; **6** (*mil.*; *arg.*) ordonnans *m.*; ***État —,*** bufferstaat *m.*

tampon*-buvard* [tã'põ'büvar] *m.* vloeirol *v.(m.)*.

tamponnement [tã'pònmã] *m.* **1** (het) dichtstoppen *o.*; **2** botsing *v.* (van treinen).

tamponner [tã'pòné] *v.t.* **1** dichtstoppen (met prop); **2** botsen tegen, aanrijden.

tamponneur [tã'pònœ:r] *adj.*, ***train —,*** aanrij- [dende trein.

tamponnoir [tã'pònwa:r] *m.* werktuig *o.* om dicht te stoppen.

tam-tam* [tamtam] *m.* **1** tamtam *m.*, gong *m.*; [**2** (*fig.*) drukte *v.*, herrie *v.(m.)*.

tan [tã] *m.* gemalen schors, run *v.(m.)*.

tanaisie [tanè'zi] *f.* (*Pl.*) boerenwormkruid *o.*

tancer [tã'sé] *v.t.* doorhalen, een standje geven.

tanche [tã:ʃ] *f.* zeelt *v.(m.)*.

tandem [tã'dèm] *m.* **1** tweespan *o.* (achter elkaar); **2** (*fiets*) tandem *m.*

tandis que [tã'dik(e)] *conj.* terwijl.

tangage [tã'ga:j] *m.* (*v. schip*) (het) stampen *o.*

tanganyikais [tã'ganyikè] *adj.* van, uit Tanganyika.

tangence [tã'jã:s] *f.* (*meetk.*: *v. lijnen*) aanraking *v.*; ***point de —,*** raakpunt *o.*

tangent [tã'jã] *adj.* rakend.

tangente [tã'jã:t] *f.* **1** raaklijn *v.(m.)*; **2** tangens

v.(m.); ***prendre la —, s'échapper par la —,*** zich behendig er uit redden, behendig ontglippen.
tangentiel [tã'jã'syèl] *adj.* de raaklijn betreffend.
Tanger [tã'jé] *m.* Tanger *o.*
tangibilité [tã'jibilité] *f.* tastbaarheid *v.*
tangible [tã'ji'bl] *adj.* tastbaar.
tango [tã'go] *m.* tango *m.*
tangue [tãg] *f.* als bemesting gebruikt zeeslijk *o.*
tanguer [tã'gé] *v.i.* (*v. schip*) stampen, stoten.
tangueur [tã'gœ:r] *adj.* erg stampend.
tanière [tanyè:r] *f.* hol *o.* (*v. dier*).
tanin [tanẽ] *m.* looistof *v.(m.)*, looizuur *o.*
tank [tank] *m.* tank *m.*, pantserauto *m.*
tanker [tã'kœ:r] *m.* (*sch.*) tanker *m.*
tankiste [tãkist] *m.* tanksoldaat *m.*
tannage [tana:j] *m.* (het) looien *o.*
tannant [tanã] *adj.* tot looien geschikt.
tannate [tanat] *m.* looizuur zout *o.*
tanne [tan] *f.* **1** vlek *v.(m.)* (op gelooide huid); **2** (*gen.*) vetpuistje *o.*
tanné [tané] **I** *adj.* **1** gelooid; **2** tanig, getaand, gebruind (door de zon); **II** *s. m.* taankleur *v.(m.)*.
tanner [tané] *v.t.* **1** looien; **2** tanen, bruinen; **3** (*pop.*) afrossen; **4** (*fam.*) erg vervelen.
tannerie [tanri] *f.* leerlooierij *v.*
tanneur [tanœ:r] *m.* leerlooier *m.*
tannique [tanik] *adj.* looistof bevattend.
tant [tã] *adv.* **1** zoveel; **2** (*v. tijd*) zolang; **3** (*v. afstand*) zover; **4** (*v. graad*) zozeer; ***soixante et — d'années,*** over de zestig jaar; ***— mieux,*** des te beter; ***— pis,*** des te erger; ***— bien que mal,*** zo goed en zo kwaad als 't gaat; ***— soit peu,*** een beetje, een weinig; ***— s'en faut,*** het scheelt heel wat; ***si — est que,*** als het waar is dat, gesteld dat; ***— y a que,*** zoveel is zeker, dat; ***en — que,*** **1** voorzover; **2** in zijn hoedanigheid van; ***— que,*** zolang als; zover als; ***il n'en fallait pas —,*** dat deed de deur dicht.
Tantale [tã'tal] *m.* Tantalus *m.*
tantaliser [tã'tali'zé] *v.t.* doen watertanden, doen smachten.
tante [tã:t] *f.* tante *v.*; ***ma —,*** (*pop.*) ome Jan, de lommerd; ***— à la mode de Bretagne,*** verre bloedverwante (nicht).
tantet [tã'tè], **tantinet** [tã'tinè] *m.* klein beetje *o.*
tantième [tã'tyèm] **I** *adj.* zoveelste; **II** *s. m.* **1** zoveelste deel *o.*; **2** tantième, winstaandeel *o.*
tantôt [tã'to] *adv.* **1** zoëven; **2** straks, aanstonds; ***pas plus tard que —,*** zo pas nog; ***—...—...*** (*herhaald*), nu eens..., dan weer.
taon [tã] *m.* horzel *v.(m.)*.
tapage [tapa:j] *m.* rumoer, lawaai *o.*; ***faire du —,*** leven maken; ***— nocturne,*** burengerucht *o.*
tapageur [tapajœ:r] **I** *m.* lawaaimaker *m.*; **II** *adj.* **1** lawaaierig, luidruchtig; **2** (*v. kleur, enz.*) schreeuwerig, opzichtig.
tapageusement [tapajö'zmã] *adv.* lawaaierig, luidruchtig.
tape [tap] *f.* **1** klap, tik *m.*; **2** (*in vat*) prop, zwik *v.(m.)*; **3** (*fig.*) klap, tegenvaller *m.*
tapé [tapé] *adj.*, ***bien —,*** (*v. gezegde, antwoord*) raak, snedig; ***c'est —,*** dat is kranig, die zit.
tape-à-l'œil [tapalœ'y] *adj.* in 't oog lopend, opzichtig.
tapecu(l) [tapkü] *m.* **1** wip(plank) *v.(m.)*; **2** (*v. rijtuig, enz.*) rammelkast *v.(m.)*.
tapée [tapé] *f.* zwerm, troep, hoop *m.*
tape-marteau* [tapmarto] *m.* kniptor *v.(m.)*.
taper [tapé] **I** *v.t.* **1** slaan, tikken; **2** (*aan deur*) kloppen; **3** (*met prop, zwik*) stoppen; **II** *v.i.* **1** kloppen, slaan; **2** (*v. zon*) branden; **3** (*fig.*) kwaadspreken; ***— du pied,*** met de voet stampen; ***— à la machine,*** typen, tikken.
tapette [tapèt] *f.* **1** tikje, klapje *o.*; **2** mattenklopper; kleerklopper *m.*
tapeur [tapœ:r] *m.* **1** (*radio*) afklopper *m.*; **2** (*pop.*) geldlener *m.*
tapin [tapẽ] *m.* (*pop.*) trommelslager *m.*
tapinois [tapinwa] *m.*, ***en —,*** stilletjes, in 't geheim.
tapioca [tapyòka] *m.* tapioca *m.*
tapir [tapi:r] **I** *m.* (*Dk.*) tapir *m.*; **II** ***se —*** [s(e)tapi:r] *v.pr.* zich verbergen, wegschuilen.
tapis [tapi] *m.* **1** tapijt; vloerkleed *o.*; **2** (*bilj.*) laken *o.*; ***mettre sur le —,*** te berde brengen; ***— vert,*** **1** groene tafel *v.(m.)*; **2** speeltafel *v.(m.)*; speelhuis *o.*; **3** grastapijt *o.*; **4** groot grasveld *o.*
tapis-brosse* [tapibròs] *m.* **1** deurmat *v.(m.)*; **2** dik kleed *o.*
tapisser [tapisé] *v.t.* **1** behangen; **2** bekleden.
tapisserie [tapisri] *f.* **1** tapijtwerk *o.*, muurbekleding *v.* (v. tapijten); **2** borduurwerk *o.*; **3** behangerswerk *o.*; **4** behangsel *o.*; ***faire —,*** (*op bal*) blijven zitten, muurbloem zijn.
tapissier [tapisyé] *m.* **1** behanger *m.*; **2** tapijtwerker *m.*
tapissière [tapisyè:r] *f.* meubelwagen *m.*
tapon [tapõ] *m.* prop *v.(m.)* (v. linnen).
tapotage [tapòta:j], **tapotement** [tapòtmã] *m.* (het) getrommel, getik *o.*
tapoter [tapòté] *v.t.* **1** tikken (op); **2** (*v. deuntje, enz.*) trommelen; ***— du piano,*** op de piano trommelen.
tapoteur [tapòtœ:r] *m.* trommelaar *m.*
taque [tak] *f.* haardplaat *v.(m.)*.
taquer [také] *v.t.* in de vorm dresseren, (de drukvorm) aankloppen.
taquet [takè] *m.* klamp, klos *m.*
taquin [takẽ] **I** *adj.* **1** plaagziek; **2** plagerig; **II** *s. m.* plaaggeest *m.*
taquinement [takinmã] *adv.* plagerig.
taquiner [takiné] *v.t.* plagen.
taquinerie [takinri] *f.* plagerij *v.*
taquoir [takwa:r] *m.* (*drukk.*) klophout *o.*, klopplank *v.(m.)*.
tarabiscot [tarabisko] *m.* **1** lijstschaaf *v.(m.)*; **2** (*in lijst*) uitholling *v.*
tarabiscoter [tarabiskòté] *v.t.* **1** met de lijstschaaf bewerken; uithollen; **2** (*fig.*) opsmukken, te mooi maken.
tarabuster [tarabüsté] *v.t.* hinderen; kwellen.
tarare [tara:r] **I** *ij.* larie! gekheid! **II** *s. m.* wanmolen *m.*
tararer [tararé] *v.t.* wannen.
tarasconnade [taraskòna'd] *f.* opsnijderij *v.*
tarasque [tarask] *f.* pop *v.(m.)* van een monsterlijk dier uit Tarascon.
taraud [taro] *m.* (*tn.*) schroefboor *v.(m.)*.
taraudage [taroda:j] *m.* uitboring *v.*
tarauder [taro'dé] *v.t.* uitboren.
taraudeuse [tarodö:z] *f.* tapmachine *v.*
tard [ta:r] *adv.* laat; ***il se fait —,*** het wordt laat; ***au plus —,*** ten laatste; ***sur le —,*** eerst laat; ***mieux vaut — que jamais,*** beter laat dan nooit.
tarder [tardé] **I** *v.i.* dralen, talmen; ***il ne tardera pas à venir,*** hij zal spoedig komen; **II** *v.imp.*, ***il lui tarde de revoir ses parents,*** hij verlangt er (sterk) naar zijn ouders weer te zien.
tardif [tardif] *adj.* **1** laat; **2** langzaam, traag; **3** achterlijk.
tardiflore [tardiflò:r] *adj.* (*Pl.*) laatbloeiend.
tardigrade [tardigra'd] **I** *adj.* langzaam voortgaand, langzaam lopend; **II** *s. m.* (*Dk.*) luiaard, traagganger *m.*
tardillon [tardiyõ] *m.* nakomertje *o.*
tardivement [tardi'vmã] *adv.* laat.

tardiveté [tardi'vté] *f.* (*v. plant, enz.*) achterlijkheid, late ontwikkeling *v.*
tare [ta:r] *f.* **1** (*H.*) tarra *v.*(*m.*); **2** (*fig.*) fout *v.*(*m.*), gebrek *o.* [berucht.
taré [ta'ré] *adj.* **1** beschadigd, bedorven; **2** (*fig.*)
Tarente [tarã:t] *f.* Taranto *o.*
tarentelle [tarã'tèl] *f.* tarantella *v.*(*m.*), dans *m.*
tarentule [tarã'tül] *f.* tarantula *v.*(*m.*) (spin).
tarer [ta'ré] *v.t.* **1** beschadigen, bederven; **2** de tarra bepalen van.
taret [tarè] *m.* paalworm *m.*
targette [tarjèt] *f.* (*v. deur, enz.*) knip *v.*(*m.*).
targuer, se — [s(e)targé] (*de*) *v.pr.* pochen, snoeven (op).
targui [targi] *adj. et s. m.*; *singulier de* ***Touareg.***
tarière [taryè:r] *d.* **1** zwikboor *v.*(*m.*); **2** (*v. insekt*) legboor *v.*(*m.*).
tarif [tarif] *m.* tarief *o.*; prijslijst *v.*(*m.*).
tarifaire [tarifè:r] *adj.* tarief—, volgens het tarief; ***loi —,*** tariefwet *v.*(*m.*).
tarifer [tarifé] *v.t.* tariferen, de prijzen (*of* het tarief) vaststellen.
tarification [tarifika'syõ] *f.* vaststelling *v.* van de prijzen.
tarin [tarẽ] *m.* (*Dk.*) sijsje *o.*
tarir [tari:r] **I** *v.t.* **1** (*v. bron, enz.*) doen uitdrogen (*of* opdrogen); **2** (*v. hulpmiddelen, enz.*) uitputten; **II** *v.i.* **1** opdrogen, uitdrogen; **2** uitgeput raken; **3** ophouden; ***ne pas — sur qc.,*** niet uitgepraat raken over iets.
tarissable [tarisa'bl] *adj.* opdroogbaar; uitputtelijk.
tarissement [tarismã] *m.* **1** opdroging *v.*; **2** uitputting *v.*
tarlatane [tarlatan] *f.* tarlatan *o.* (neteldoek).
tarot [taro] *m.* op de achterzijde in grauwe vakken bedrukte speelkaart *v.*(*m.*).
taroté [taròté] *adj.* met grauwe vakken op de rug bedrukt.
Tarquin [tarkẽ] *m.* Tarquinius *m.*
tarse [tars] *m.* voetwortel *m.*
tarsien [tarsyẽ] *adj.* de voetwortel betreffend.
tarsier [tarsyé] *m.* spookdier *o.* (halfaap). [*m.*
tartan [tartã] *m.* Schotse geruite stof *v.*(*m.*); plaid
tartane [tartan] *f.* (*sch.*) tartaan *v.*(*m.*).
Tartare [tarta:r] *m.* **1** Tartarus *m.*; onderwereld *v.*(*m.*); **2** Tartaar *m.*
tartare [tarta:r] *adj.* Tartaars; ***sauce à la —,*** pikante saus, mosterdsaus *v.*(*m.*).
tarte [tart] *f.* taart *v.*(*m.*).
tartelette [tartelèt] *f.* taartje *o.*
tartine [tartin] *f.* **1** boterham *m. en v.*; **2** (*fig.*) preek *v.*(*m.*), langdradig verhaal *o.*
tartiner [tartiné] *v.i.* zaniken.
tartrate [tartrat] *m.* zout *o.* van wijnsteenzuur.
tartre [tartr] *m.* **1** wijnsteen *m.*; **2** (*tn.*) ketelsteen *m.*; **3** tandsteen *m.*, tandkalk *m.*
tartreux [tartrö] *adj.* wijnsteenachtig.
tartrique [tartrik] *adj.*, ***acide —,*** wijnsteenzuur *o.*
tartufe [tartüf] *m.* huichelaar, schijnheilige *m.*
tartuferie [tartüfri] *f.* schijnheiligheid *v.*
tartufier [tartüfyé] *v.t.* bedriegen.
tas [ta] *m.* **1** hoop, stapel *m.*; **2** menigte *v.*; **3** klein (draagbaar) aanbeeld *o.*; ***mettre en —,*** opstapelen; ***dans le —,*** op goed geluk, blindelings; ***prendre sur le —,*** op heterdaad betrappen.
tasse [ta:s] *f.* **1** kopje *o.*; **2** (*v. bedelaar*) centenbakje *o.*; ***boire une —,*** kopje-onder gaan, bijna verdrinken.
Tasse, le — [leta:s] *m.* Tasso *m.*
tasseau [ta'so] *m.* klamp *m. en v.*
tassement [ta'smã] *m.* **1** (het) zetten *o.*, inzakking *v.*; **2** (*v. grond*) (het) inklinken, (het) vastkloppen *o.*
tasser [ta'sé] **I** *v.t.* **1** ophopen, opstapelen; **2** dicht opeendringen; **II** *v.i.* (*v. planten*) vol worden, uitgroeien; **III** *v.pr.* ***se —,*** **1** inzakken; verzakken; **2** (*v. muur, gebouw*) zich zetten.
tassette [ta'sèt] *f.* (*v. harnas*) dijstuk *o.*
Tatars [tata:r], **Tartares** *m.pl.* Tartaren *mv.*
tâte-au-pot [ta'topo] *m.* potkijker, Jan Hen *m.*
tâtement [ta'temã] *m.* betasting *v.*
tâte-poule [ta'tpul], *voir* ***tâte-au-pot.***
tâter [ta'té] **I** *v.t.* **1** betasten, bevoelen; **2** onderzoeken, op de proef stellen; **3** polsen; ***— le pouls à qn.,*** **1** iem. de pols voelen; **2** (*fig.*) iem. aan de tand voelen; ***— le terrain,*** het terrein verkennen, poolshoogte nemen; ***— à un mets,*** van een gerecht proeven; **II** *v.i.* **1** tasten, voelen; **2** proeven; **III** *v.pr.* ***se —,*** **1** zijn krachten beproeven; **2** bij zichzelf overleggen.
tâteur [ta'tœ:r] *m.* weifelaar *m.*
tâte-vin [ta'tvẽ] *m.* steekhevel *m.*
tatillon [ta'tiyõ] **I** *m.* pietlut, zeurkous *m.*; **II** *adj.* pietluttig, peuterig.
tatillonner [ta'tiyòné] *v.i.* zeuren.
tâtonnement [ta'tònmã] *m.* (het) rondtasten *o.*; (het) weifelend handelen *o.*
tâtonner [ta'tòné] *v.i.* **1** tasten, rondtasten; **2** (*fig.*) weifelen, aarzelen.
tâtons, à — [ata'tõ] *adv.* al tastend, op de tast.
tatou [tatu] *m.* gordeldier *o.*
tatouage [tatwa:j] *m.* tatoeëring *v.*
tatouer [tatwé] *v.t.* tatoeëren.
tatouille [tatu:y] *f.* (*pop.*) pak *o.* slaag.
taudis [to'di] *m.* hok, krot *o.*
taule [to'l] *f.* (*arg.*) **1** huis *o.*; **2** petoet *m.*
taupe [to:p] *f.* **1** mol *m.*; **2** kortzichtig mens *m.*; **3** gluiperd *m.*; ***travail de —,*** ondermijningswerk, ondergravingswerk.
taupé [to'pé] *adj.* op mollevel lijkend.
taupe*-grillon* [to'pgriyõ] *m.* veenmol *m.*
taupier [to'pyé] *m.* mollenvanger *m.*
taupière [to'pyè:r] *f.* molleval *v.*(*m.*).
taupin [to'pẽ] *m.* **1** (*Dk.*) springkever *m.*, kniptor *v.*(*m.*); **2** (*mil.*) genist *m.* [hoop *m.*
taupinée [topiné], **taupinière** [topinyè:r] *f.* molstaure [tò:r] *f.* vaars *v.*
taureau [tòro] *m.* stier *m.*; ***course*** (*ou* ***combat***) ***de —x,*** stieregevecht *o.*; ***prendre le — par les cornes,*** de koe bij de horens vatten.
Tauride [tòri'd] *f.* Tauris *v.*
taurillon [tòriyõ] *m.* jonge stier *m.*, stierkalf *o.*
tauromachie [tòròmaʃi] *f.* stieregevecht *o.*
tautochrone [to'tòkron] *adj.* van gelijke duur.
tautogramme [to'tògram] *m.* gedicht *o.* waarvan alle regels met dezelfde letter beginnen.
tautologie [to'tòlòji] *f.* nodeloze herhaling, tautologie *v.* [loos herhaald.
tautologique [to'tòlòjik] *adj.* tautologisch, nodetaux [to] *m.* **1** vastgestelde prijs *m.*; **2** interest *m.*; **3** (*v. effecten*) koers *m.*; **4** (*v. belasting*) aanslag *m.*; ***— d'escompte,*** disconto(voet); ***— d'émission,*** koers van uitgifte; ***— d'intérêt,*** rentevoet *m.*; ***— du papier,*** wisselkoers *m.*
tavaïol(**l**)**e** [tavai(y)òl] *f.* doopdoek *m.*
tavelage [tavla:j] *m.* (*v. vruchten*) (het) plekjes hebben *o.*
taveler [tavlé] *v.t.* (be)spikkelen.
tavelure [tavlü:r] *m.* **1** spikkeling *v.*; **2** bep. fruitboomziekte *v.* [kroeg, taveerne *v.*(*m.*).
taverne [tavèrn] *f.* **1** koffiehuis *o.*; **2** (*vroeger*)
tavernier [tavèrnyé] *m.* herbergier *m.*
taxateur [taksatœ:r] *m.* schatter, taxeerder *m.*

taxation [taksa'syõ] *f.* schatting, taxatie, waardebepaling *v.*
taxe [taks] *f.* **1** vastgestelde prijs *m.*; tarief *o.*; **2** belasting *v.*; **— *des lettres*,** briefport *o. en m.*; **— *de séjour*,** vreemdelingenbelasting, hotelbelasting *v.*; **— *de transmission*,** omzetbelasting *v.*; (*B.*) overdrachttaks *v.*(*m.*).
taxer [taksé] *v.t.* **1** schatten, taxeren; **2** de prijs vaststellen; **3** (*in belasting*) aanslaan; **4** (*fig.*) **— *de*,** beschuldigen van.
taxi [taksi] *m.* **1** taxi *m.*; **2** (*mil., arg.*) vliegmachine *v.*
taxi*-avion* [taksiavyõ] *m.* luchttaxi *m.*
taxidermie [taksidèrmi] *f.* (het) opzetten *o.* van dieren.
taxidermiste [taksidèrmist] *m.* dierenopzetter *m.*
taximètre [taksimè'tr] *m.* **1** taximeter, afstandsmeter *m.*; **2** huurrijtuig *o.* (met taximeter).
taylorisme [télòrizm] *m.* tayloıstelsel *o.*
Tchad [tʃa'd] *m.* Tsaad, Tsjaad *v.*
tchadien [tʃa'dyẽ] *adj.* Tsjadisch, uit Tsjaad.
tchécoslovaque [tʃékòslòvak] **I** *adj.* Tsjechoslovaaks; **II** *s. m.*, ***T—*,** Tsjechoslovaak *m.*
Tchécoslovaquie [tʃékòslòvaki] *f.* Tsjechoslovakije *o.*
Tchèque [tʃèk] **I** *m.* Tsjech *m.*; **II** *adj.*, ***t—*,** Tsjechisch.
tchéquiste [tʃékist] *m.* lid *o.* van de tsjeka.
tchernozium [tʃèrnozyòm] *m.* vruchtbare zwarte Russische grond *m.*
te [te] *pr.pers.* je, u.
té [té] *m.* **1** tekenhaak *m.*; **2** T-verband *o.*; **3** voorwerp (gang, enz.) in T-vorm.
technicien [tèknisyẽ] *m.* technicus, vakman *m.*
technicité [tèknisité] *f.* technisch karakter *o.*
technique [tèknik] **I** *adj.* technisch; ***terme* —,** vakterm, kunstterm *m.*; **II** *s. f.* techniek *v.*
technologie [tèknòlòji] *f.* bedrijfsleer *v.*(*m.*), technologie *v.*
technologique [tèknòlòjik] *adj.* **1** technologisch; **2** (*v. termen, woordenboek, enz.*) technisch.
technologue [tèknòlò'g] *m.* technoloog *m.*
teck, tek [tèk] *m.* teakhout *o.*
tectonique [tèktònik] *f.* wetenschap *v.* van de aardstructuur.
tectrices [tèktris] *f.pl.* (*Dk.*) dekveren *mv.*
te Deum [tédéòm] *m.* Te Deum *o.*
tégument [tégümã] *m.* **1** (*Dk.*) bekleedsel *o.*, bedekking *v.*; **2** (*v. plant*) hulsel *o.*
tégumentaire [tégümã'tè:r] *adj.* bedekkend.
teigne [tèñ] *f.* **1** mot *v.*(*m.*); **2** (*gen.*) hoofdzeer *o.*; **3** boomkanker *m.*; **4** kleefkruid *o.*
teigneux [tèñö] *adj.* schurftig.
teille [tè'y], **tille** *f.* hennepschil *v.*(*m.*).
teiller [tèyé], **tiller** *v.t.* (*v. vlas, hennep*) schillen.
teindre* [tẽ:dr] *v.t.* (*v. stoffen*) verven.
teint [tẽ] *m.* gelaatskleur, tint *v.*(*m.*); ***bon* —, *grand* —,** kleurhoudend, wasecht.
teinte [tẽ:t] *f.* **1** kleur, tint *v.*(*m.*), schakering *v.*; **2** glimp, schijn *m.*; **3** (*v. spot, enz.*) zweem *m.*; ***demi-—*,** halftint.
teinter [tẽ'té] *v.t.* tinten, kleuren.
teinture [tẽ'tü:r] *f.* **1** verf *v.*(*m.*); **2** (het) verven *o.*; **3** kleur *v.*(*m.*); **4** (*gen.*) tinctuur *v.*(*m.*); **5** (*fig.*) tintje, vernisje *o.*, oppervlakkige kennis *v.*
teinturerie [tẽ'tür(e)ri] *f.* ververij *v.* (*v. stoffen*).
teinturier [tẽ'türyé] *m.* **1** verver *m.*; **2** (*fam.*) helper *m.*
tel [tèl] *pr.ind.* zodanig, zulk (een), dergelijk; **— *est mon avis*,** dat is mijn mening; **— *que*,** zoals, evenals; **— *quel*, 1** middelmatig, zo zo; **2** onveranderd; ***monsieur un* —,** mijnheer die en die; **— *père*, — *fils*,** de appel valt niet ver van de boom.
télautographie [télòtògrafi] *f.* beeldtelegrafie *v.*
télécommande [télékòmã:d] *f.* afstandsbesturing, afstandsbediening *v.*
télécommander [télékòmã'dé] *v.t.* van op een afstand besturen.
télécommunication [télékòmünika'syõ] *f.* telecommunicatie *v.*
téléférique [téléférik] *m.* luchtkabelspoorweg *m.*
télégramme [télégram] *m.* telegram, draadbericht *o.*; **— *multiple*,** telegram met meerdere adressen; **— *chiffré*,** telegram in cijferschrift.
télégraphe [télégraf] *m.* telegraaf *m.*; **— *aérien*,** luchttelegraaf; **— *militaire*,** veldtelegraaf.
télégraphie [télégrafi] *f.* telegrafie *v.*; **— *sans fil*,** draadloze telegrafie *v.*
télégraphier [télégrafyé] *v.t.* telegraferen.
télégraphique(ment) [télégrafik(mã)] *adj.* (*adv.*) telegrafisch; ***adresse* —,** telegramadres *o.*; ***fil* —,** telegraafdraad *m.*
télégraphiste [télégrafist] *m.* **1** telegrafist *m.*; **2** telegrambesteller *m.*
téléguidé [télégidé] *adj.* (uit de verte) geleid; ***engin* —,** geleid projectiel *o.*
téléimprimeur [téléẽ'primœ:r] *m.* telex *m.*
Télémaque [télémak] *m.* Telemachus *m.*
télémètre [télémè'tr] *m.* afstandsmeter *m.*
télémétrie [télémé'tri] *f.* afstandsmeting *v.*
téléobjectif [téléòbjèktif] *m.* telelens *v.*(*m.*).
téléologie [téléòlòji] *f.* leer *v.*(*m.*) van de doelmatigheid.
télépathie [télépati] *f.* telepathie, geestesgemeenschap *v.* op afstand.
télépathique [télépatik] *adj.* telepathisch.
téléphérage [téléféra:j] *m.* vervoer per transportkabel, kabelvervoer *o.*
téléphérer [téléféré] *v.t.* per kabel vervoeren.
téléphérique [téléférik] *adj.*, ***câble* —,** transportkabel *m.*
téléphone [téléfòn] *m.* telefoon *m.*; ***coup de* —,** telefoongesprek *o.*; **— *privé*,** huistelefoon.
téléphoner [téléfòné] *v.t. et v.i.* telefoneren.
téléphonie [téléfòni] *f.* telefonie *v.*, telefoonwezen *o.*; **— *sans fil*,** draadloze telefonie.
téléphonique(ment) [téléfònik(mã)] *adj.* (*adv.*) telefonisch, telefoon—.
téléphoniste [téléfònist] *m.-f.* telefonist(e) *m.* (*v.*).
téléphotographie [téléfòtògrafi] *f.* fotografie *v.* op grote afstand; (het) fotograferen *o.* met breed gezichtsveld.
télépointeur [télépwẽtœ:r] *m.* richttoestel *o.*
télescopage [télèskòpa:j] *m.* (*v. treinen bij botsing*) (het) ineenschuiven *o.*; **— *en série*,** kettingbotsing *v.*
télescope [télèskòp] *m.* telescoop, sterrekijker *m.*
télescoper [télèskòpé] *v.t. et v.pr.*, ***se* —,** in elkaar schuiven (v. treinen).
télescopique [télèskòpik] *adj.* **1** telescopisch; **2** alleen door de telescoop waar te nemen.
téléski [téléski] *m.* skilift *m.*
téléspectateur [téléspèktatœ:r] *m.* televisiekijker *m.*, bezitter van een televisietoestel.
télétypiste [télétipist] *m.* telexist *m.*
téléviser [télévi'zé] *v.t.* per televisie uitzenden.
téléviseur [télévizœ:r] *m.* televisietoestel *o.*
télévision [télévizyõ] *f.* televisie *v.*
tellement [tèlmã] *adv.* zo, zodanig, dermate.
tellière [tèlyè:r] *m.* middelgroot modelpapier *o.*, (34 × 44 cm).
tellure [tèlü:r] *m.* tellurium *o.* (metaal).
tellurien [tèlüryẽ], **tellurique** [tèlürik] *adj.* van de aarde.
téméraire(ment) [téméré:r(mã)] **I** *adj.* (*adv.*) gewaagd, vermetel, roekeloos; **II** *s. m.* waaghals *m.*; ***Charles le T—*,** Karel de Stoute.

témérité [témérité] *f.* vermetelheid, onbezonnenheid, roekeloosheid *v.*
témoignage [témwaña:j] *m.* **1** getuigenis *o. en v.*; **2** blijk, bewijs *o.*; ***porter —,*** getuigenis afleggen; ***rendre — de,*** getuigen van.
témoigner [témwañé] **I** *v.t.* **1** getuigen (van); **2** betuigen; **II** *v.i.* getuigen, getuigenis afleggen.
témoin [témwẽ] *m.* **1** getuige *m.*; **2** (*bij duel*) secondant *m.*; **3** (*fig.*) bewijs, teken *o.*; ***prendre à —,*** tot getuige nemen; ***— à charge,*** getuige ten laste; ***— à décharge,*** getuige ter ontlasting; ***— oculaire,*** ooggetuige.
tempe [tã:p] *f.* slaap *m.* (v. het hoofd).
tempérament [tã'péramã] *m.* **1** temperament *o.*, (gemoeds)gesteldheid *v.*, aard *m.*; **2** (*muz.*) temperatuur *v.*; **3** bemiddeling *v.*, middenweg *m.*, schikking *v.*; ***avoir un — violent,*** opvliegend van aard zijn; ***vente à —,*** verkoop op afbetaling.
tempérance [tã'pérã:s] *f.* matigheid *v.*
tempérant [tã'pérã] **I** *adj.* matig; **II** *s. m.* matig persoon *m.*; afschaffer *m.*
température [tã'pératü:r] *f.* temperatuur *v.*, warmtegraad *m.*; ***avoir de la —,*** verhoging hebben.
tempéré [tã'péré] *adj.* gematigd, getemperd.
tempérer [tã'péré] *v.t.* matigen, temperen, verzachten.
tempête [tã'pè:t] *f.* storm *m.*; ***le vent souffle en —,*** het stormt; ***passer en —,*** voorbijstormen.
tempêter [tã'pè'té] *v.t.* uitvaren, te keer gaan, razen.
tempêteur [tã'pè'tœ:r] *m.* bulderaar *m.*
tempétueux [tã'pétwö] *adj.* stormachtig, onstuimig.
temple [tã:pl] *m.* **1** tempel *m.*; **2** kerk *v.*(*m.*); **3** (*v. vrijmetselaars*) logegebouw *o.*; ***l'ordre du T—,*** de orde van de tempeliers.
templier [tã'pli(y)é] *m.* tempelheer, tempelier *m.*
temporaire(ment) [tã'pòrè:r(mã)] *adj.* (*adv.*) tijdelijk, voorlopig. [slaapbeen *o.*
temporal [tã'pòral] *adj.* van de slapen; ***os —,***
temporel [tã'pòrèl] **I** *adj.* **1** tijdelijk; **2** (*v. macht*) wereldlijk; ***proposition —le,*** bijzin van tijd; **II** *s. m.* **1** (het) tijdelijke *o.*; **2** wereldlijke macht *v.*(*m.*). [**2** wereldlijk.
temporellement [tã'pòrèlmã] *adv.* **1** tijdelijk;
temporisateur [tã'pòrizatœ:r] **I** *m.* talmer, draler *m.*; **II** *adj.* talmend, dralend.
temporisation [tã'pòriza'syõ] *f.* uitstel, getalm *o.*
temporiser [tã'pòri'zé] *v.i.* uitstellen, talmen, dralen, tijd winnen.
temps [tã] *m.* **1** tijd *m.*; **2** weer *o.*; **3** tempo *o.*, maat *v.*(*m.*); ***à —,*** **1** bijtijds; **2** tijdelijk; ***en son —,*** te zijner tijd; ***par le — qui court,*** tegenwoordig; ***prendre son —,*** zich niet haasten, het geschikte ogenblik uitkiezen; ***dans le —,*** indertijd; ***en — et lieu,*** bij tijd en wijle, bij gelegenheid; ***en — utile,*** te bekwamer tijd; ***entre —,*** onderwijl; ***faire son —,*** zijn tijd uitdienen; ***cela a fait son —,*** (*fig.*) dat heeft uitgediend, dat is verouderd; ***être de son —,*** met zijn tijd meegaan; ***se donner du bon —,*** het er van nemen; ***cela n'aura qu'un —,*** dat zal maar van korte duur zijn; ***Quatre —,*** (*kath.*) quatertemper *m.*; ***il fait beau —,*** het is mooi weer; ***gros —,*** zwaar weer; ***— d'arrêt,*** pauze *v.*(*m.*); ***— de pose,*** (*fot.*) belichtingsduur *m.*; ***de — à autre, de — en —,*** van tijd tot tijd; ***mesure à trois —,*** (*muz.*) driedelige maat; ***en deux — et trois mouvements,*** in een vloek en een zucht; ***à quelque — de là,*** enige tijd daarna; ***entre —,*** intussen; ***il n'est que —,*** het is hoog tijd; ***il n'est plus —,*** het is te laat; ***qui a —, a vie,*** tijd gewonnen, veel gewonnen; ***— de demoiselle,*** zoel weer met betrokken lucht.
tenable [t(e)na'bl] *adj.* houdbaar; verdedigbaar.
tenace [t(e)nas] *adj.* **1** taai; **2** vasthoudend; **3** volhardend, koppig.
ténacité [ténasité] *f.* **1** taaiheid *v.*; **2** vasthoudendheid *v.*; **3** volharding, koppigheid *v.*
tenaille(s) [t(e)na'y] *f.*(*pl.*) nijptang *v.*(*m.*).
tenailler [t(e)nayé] *v.t.* (*fig.*) kwellen, folteren.
tenancier [t(e)nã'syé] *m.* **1** pachter *m.*; **2** houder *m.* (v. speelhuis, enz.).
tenant [t(e)nã] **I** *adj.* ***séance —e,*** staande de vergadering; op staande voet; **II** *s. m.* ***d'un seul —,*** aan één stuk; ***les —s et les aboutissants,*** **1** (*v. land, enz.*) de aangrenzende erven; **2** (*v. zaak*) het fijne; wat er aan vastzit.
tendance [tã'dã:s] *f.* **1** strekking; neiging *v.*; **2** streven *o.*, stroming *v.*; ***roman à —,*** strekkingsroman, tendensroman *m.*; ***en bonne —,*** (*H.*: *v. markt*) willig; ***— d'esprit,*** geestesrichting *v.*
tendancieux [tã'dã'syö] *adj.* tendentieus, met een bepaalde strekking of bedoeling.
tendant [tã'dã] (*à*), strekkend (tot), beogend.
tendelet [tã'dlè] *m.* (*op boot*) zonnetent *v.*(*m.*).
tendelle [tã'dèl] *f.* lijsternet *o.*
tender [tãdè:r] *m.* (*spoorw.*) tender, kolenwagen *m.*
tenderie [tã'dri] *f.* jacht *v.*(*m.*) met strikken.
tendeur [tã'dœ:r] *m.* **1** strikkenzetter *m.*; **2** (*voor ijzerdraad*) draadspanner *m.*; **3** (*v. vliegtuig*) spandraad *m.*; **4** (*voor broek, racket, enz.*) rektoestel *o.*; **5** (*v. spoorwagen*) koppelschroef *v.*(*m.*); ***— de courroie,*** riemspanner *m.*; ***— de tapisseries,*** behanger *m.*
tendineux [tã'dinö] *adj.* peesachtig. [*v.*(*m.*).
tendoir [tã'dwa:r] *m.* **1** spanstok *m.*; **2** drooglat
tendon [tã'dõ] *m.* pees *v.*(*m.*).
tendre [tã:dr] **I** *v.t.* **1** spannen, rekken, uitrekken; **2** uitstrekken; **3** toesteken, aanreiken; **4** behangen; ***— à sa fin,*** ten einde lopen; ***— l'oreille,*** de oren spitsen, scherp toeluisteren; ***— la main,*** **1** de hand reiken (*of* toesteken); **2** een handje helpen, de helpende hand reiken; **3** bedelen; ***— le linge,*** het wasgoed op de lijn hangen; **II** *v.i.*, (*à*), **1** strekken (tot); **2** beogen, bedoelen; **3** neiging hebben (tot), op weg zijn (om); ***cela tend à disparaître,*** dat is op weg om te verdwijnen; **III** *adj.* **1** zacht, week; mals; **2** teer, tenger, zwak; **3** teder, gevoelig; teerhartig; **4** (*v. brood*) vers; **5** (*v. woorden*) liefdevol; ***bleu —,*** lichtblauw; ***l'âge —,*** de aanvallige leeftijd; ***la plus — enfance, l'âge le plus —,*** de prilste jeugd; ***être — aux mouches,*** lichtgeraakt zijn.
tendrement [tã'dremã] *adv.* teder, teer.
tendresse [tã'drès] *f.* **1** tederheid *v.*; **2** gevoeligheid *v.*; **3** teerhartigheid *v.*; **4** liefde *v.*
tendreté [tã'dreté] *f.* malsheid *v.*
tendron [tã'drõ] *m.* **1** jonge scheut *m.*, loot *v.*(*m.*); **2** (*fig.*) jong meisje, bakvisje *o.*
tendue [tã'dü] *f.* (het) spannen *o.* van strikken.
ténèbres [ténè:br] *f.pl.* duisternis *v.*; ***les T—,*** (*kath.*) de donkere metten *mv.*; ***— cimmériennes,*** Egyptische duisternis.
ténébreux [ténébrö] *adj.*, **ténébreusement** [ténébrö'zmã] *adv.* **1** donker, duister; **2** sluiks, verdacht.
ténébrion [ténébri(y)õ] *m.* meeltor *v.*(*m.*).
tenettes [t(e)nèt] *f.pl.* tangetje *o.*
teneur [t(e)nœ:r] **I** *f.* **1** (*v. brief, enz.*) inhoud *m.*, bewoordingen *mv.*; **2** gehalte *o.*; ***à haute(s) —(s),*** met hoog gehalte; **II** *m.* houder *m.*; ***— de livres,*** boekhouder *m.*
ténia [ténya] *m.* lintworm *m.*

tenir* [t(e)ni:r] **I** *v.t.* **1** houden, vasthouden; **2** in zijn macht hebben; bezet houden; **3** (*v. maat*) inhouden, (kunnen) bevatten; **4** (*v. ruimte*) innemen, beslaan; **— *boutique,*** een winkel hebben; **— *compte de qc.,*** rekening met iets houden; **— *à bail,*** pachten; **— *son rang,*** zijn stand ophouden; **— *la barre,*** sturen, aan 't roer staan; **— *un pari,*** een weddenschap aannemen; **— *le piano,*** de pianopartij vervullen; **— *un rôle,*** (*toneel*) een rol spelen; **— *tête à,*** het hoofd bieden aan; ***nous le tenons honnête homme,*** wij houden hem voor een eerlijk man; ***de qui tenez-vous cette nouvelle?*** van wie hebt u dat nieuws (gehoord)? ***il faut le — à quatre,*** hij is niet te houden; **— *qn. en respect,*** iem. in bedwang houden; **— *à honneur,*** een eer stellen in; **— *le coup,*** het uithouden; **— *la plume,*** de pen voeren; **— *ses engagements,*** zijn verplichtingen nakomen; **— *sa promesse,*** zijn belofte gestand doen; ***mieux vaut — que courir,*** hebben is hebben, en krijgen is de kunst; **II** *v.i.* **1** houden, vastzitten; **2** bestand zijn; **3** het uithouden; **4** **— *à,*** gesteld zijn op, gehecht zijn aan; **5** **— *de,*** aarden naar; **6** **— *pour,*** het houden met; trouw blijven aan; **— *à son opinion,*** stijf bij zijn mening volharden; ***je n'y tiens plus,*** **1** ik kan het niet langer uithouden; **2** het kan mij nu niet meer schelen; ***cela tient du prodige,*** dat lijkt wel een wonder, dat grenst aan het wonderbaarlijke; ***en — pour,*** verliefd zijn op; **III** *v.pr.* ***se —,*** **1** zich vasthouden; **2** zich ophouden, zich bevinden; **3** blijven bij, zich houden aan; **4** (*v. vergadering, enz.*) gehouden worden; ***se bien —,*** zich goed houden; ***se — coi,*** zich stil (*of* koest) houden; ***on ne sait pas à quoi s'en —,*** men weet niet waar men zich aan te houden heeft; ***se — debout,*** staan; ***se — droit,*** recht staan, rechtop zitten; ***il ne s'en tiendra pas là,*** hij zal het daarbij niet laten blijven; **IV** *v.imp.*, ***à quoi cela tient-il?*** waaraan is dat te wijten? ***il ne tient qu'à lui,*** het hangt slechts van hem af; ***qu'à cela ne tienne,*** laat dat geen bezwaar zijn.

tennis [tènis] *m.* tennisspel *o.*; tennisveld *o.*; ***cour(t) de —,*** tennisveld *o.*; ***jouer au —,*** tennissen; **— *de table,*** tafeltennis.

tenon [t(e)nõ] *m.* **1** (*tn.*) pin, pen *v.*(*m.*), tap *m.*; **2** (*v. bajonet*) haft *o.*

ténor [ténò:r] *m.* tenor *m.* (tenorstem; tenorzanger).

ténoriser [ténòri'zé] *v.i.* hoog zingen.

tenseur [tã'sœ:r] *m.* strekspier *v.*(*m.*).

tensif [tã'sif] *adj.* spannend.

tension [tã'syõ] *f.* **1** spanning *v.*; **2** spankracht *v.*(*m.*); **— *d'esprit,*** geestesinspanning *v.*; ***haute —,*** (*el.*) hoogspanning *v.*; **— *artérielle,*** bloeddruk *m.*

tentaculaire [tã'takülè:r] **I** *adj.* met vangarmen, met voelhorens; **II** *s. m.* vangarm; voelhoorn *m.*

tentacule [tã'takül] *m.* vangarm; voelhoorn *m.*

tentant [tã'tã] *adj.* aanlokkend, verleidelijk.

tentateur [tã'tatœ:r] **I** *m.* verleider *m.*; **II** *adj.* verleidend.

tentation [tã'ta'syõ] *f.* **1** verleiding, verzoeking *v.*; **2** (*kath.*) bekoring *v.*

tentative [tã'tati:v] *f.* poging *v.*

tente [tã:t] *f.* **1** tent *v.*(*m.*); **2** (*voor wond*) wiek *v.*(*m.*); **3** (vogel)net *o.*

tente*-abri* [tã:tabri] *f.* (lichte) veldtent *v.*(*m.*).

tenter [tã'té] *v.t.* **1** pogen, beproeven; **2** verleiden, verlokken; **3** aanlokken, aantrekken; **4** (*kath.*) bekoren; **— *des efforts,*** pogingen aanwenden; ***cela ne me tente pas,*** daar voel ik niets voor; **— *la fortune,*** een kans wagen, zijn fortuin beproeven.

tentoir [tã'twa:r] *m.* spanstok *m.*

tenture [tã'tü:r] *f.* behang(sel) *o.*

ténu [ténü] *adj.* dun, fijn.

tenu [t(e)nü] *adj.*, ***bien —,*** goed onderhouden; ***être — à,*** verplicht zijn tot; ***à l'impossible nul n'est —,*** nood breekt wet.

tenue [t(e)nü] *f.* **1** (het) houden *o.*; **2** (*mil.*) kleding *v.*, tenue, uniform *o. en v.*(*m.*); **3** manieren *mv.*, gedrag *o.*; **4** (*v. huis, enz.*) onderhoud *o.*, inrichting *v.*; **5** (*v. alcohol, enz.*) gehalte *o.*; **6** (*muz.*) aangehouden toon *m.*; **— *des livres,*** boekhouden *o.*; **— *léopard,*** camouflagetenue *o. en v.*(*m.*); ***d'une seule —,*** achtereen; ***avoir une bonne —,*** **1** zich behoorlijk voordoen; **2** (*H.*) prijshoudend zijn.

ténuiflore [ténẘiflò:r] *adj.* (*Pl.*) kleinbloemig, met kleine bloemen.

ténuité [ténẘité] *f.* **1** dunheid, fijnheid *v.*; **2** kleinigheid *v.*

tenure [tenü:r] *f.* (*gesch.*) leenroerigheid *v.*

tépidité [tépidité] *f.* lauwheid *v.*

ter [tè:r] *adv.* driemaal.

tératologie [tératòlòji] *f.* (*biol.*) leer *v.*(*m.*) van de monsters en abnormaliteiten.

tercet [tèrsè] *m.* drieregelige strofe *v.*(*m.*), terzine *v.*

térébenthine [térébã'tin] *f.*, (***essence de —***), terpentijn *m.*

térébinthe [térébẽ:t] *m.* terpentijnboom *m.*

térébrant [térébrã] **I** *adj.* doorborend; **II** *s. m.* boorwesp *v.*(*m.*).

térébration [térébra'syõ] *f.* doorboring *v.*

Térence [térã:s] *m.* Terentius *m.*

tergal [tèrgal] *adj.* de rug betreffend.

tergiversateur [tèrjivèrsatœ:r] *m.* weifelaar *m.*

tergiversation [tèrjivèrsa'syõ] *f.* draaierij *v.*, uitvlucht *v.*(*m.*).

tergiverser [tèrjivèrsé] *v.t.* draaien, uitvluchten zoeken.

terme [tèrm] *m.* **1** (*v. ruimte*) einde *o.*, grens *v.*(*m.*); **2** (*v. tijd*) termijn *m.*; **3** uitdrukking *v.*, woord *o.*, term *m.*; **4** (*v. vergelijking*) lid *o.*; ***livraison à —,*** termijnlevering *v.*; ***les —s d'une fraction,*** teller en noemer van een breuk; ***le — propre,*** de geijkte (*of* juiste) uitdrukking *v.*; ***payer son —,*** zijn huur betalen; ***avant —,*** ontijdig, vroegtijdig; ***mettre un — à,*** een einde maken aan; ***aux —s du contrat,*** volgens de bepalingen (*of* bewoordingen) van de overeenkomst; **— *de palais,*** stadhuisterm *m.*; ***opérations à —,*** (*H.*) termijnzaken *mv.*; ***emprunter à long —,*** op lange termijn lenen; ***marché à —,*** termijnmarkt *v.*(*m.*); ***être en bons —s avec qn.,*** op goede voet staan met iem.

terminable [tèrmina'bl] *adj.* te beëindigen.

terminaison [tèrminè'zõ] *f.* **1** (*gram.*) uitgang *m.*; **2** (*v. ziekte*) afloop *m.*; **3** (*v. zenuw*) uiteinde *o.*

terminal [tèrminal] *adj.* eind—, aan het eind staand, het uiteinde vormend; ***formule —e,*** (*v. brief*) slotformule *v.*(*m.*).

terminer [tèrminé] **I** *v.t.* **1** eindigen; afmaken; voltooien; **2** (*v. rede*) besluiten; **3** (*v. ruimte; tuin, enz.*) begrenzen, afsluiten; **II** *v.pr.*, ***se —,*** eindigen; ***se — par,*** (*gram.*) uitgaan op; ***se — en pointe,*** in een punt uitlopen, spits toelopen.

terminologie [tèrminòlòji] *f.* terminologie *v.*

terminologique [tèrminòlòjik] *adj.* terminologisch.

terminus [tèrminüs] *m.* eindpunt *o.*; ***gare —,*** eindstation; kopstation *o.*

termite [tèrmit] *m.* witte mier *v.*(*m.*), termiet *m.*

termitière [tèrmityè:r] *f.* termietennest *o.*

Termonde [tèrmõ:d] *f.* Dendermonde *o.*

ternaire [tèrnè:r] *adj.* driedelig; drietallig.

terne [tèrn] **I** *adj.* dof, mat; **II** *s. m.* **1** (*bij loterij of* *lottospel*) groep *v.*(*m.*) van drie uitgekomen en bezette nummers; **2** (*fig.*) lot *o.* uit de loterij, bof *m.*

ternir [tèrni:r] **I** *v.t.* **1** (*v. kleur, spiegel, enz.*) dof maken; **2** (*v. stof*) ontglanzen; **3** (*fig.*) bezoedelen; bekladden; **II** *v.pr.* ***se* —, 1** dof worden; **2** (*fig.*: *v. roem, enz.*) tanen.

ternissure [tèrnisü:r] *f.* **1** dofheid, matheid *v.*; **2** (*fig.*) smet *v.*(*m.*).

terracotta [tèrakòta] *f.* terracotta *v.*(*m.*) *en o.*

terrage [tèra:j] *m.* **1** aanaarding *v.*; **2** (*v. suiker*) (het) witmaken *o.*

terrain [tèrẽ] *m.* **1** terrein, veld *o.*; **2** grond, bodem *m.*; **3** (*fig.*) gebied, terrein *o.*; ***— à bâtir,*** bouwgrond *m.*, bouwterrein *o.*; ***— d'aviation,*** vliegterrein *o.*; ***— d'atterrissage,*** (*vl.*) landingsplaats *v.*(*m.*); ***étudier le —,*** poolshoogte nemen, het terrein verkennen; ***gagner du —,*** veld winnen, vooruitkomen; ***ménager le —,*** behoedzaam te werk gaan.

terral [tèral] *m.* (*sch.*) landwind *m.*

terrasse [tèras] *f.* **1** terras, plat dak *o.*; **2** deel *o.* van het trottoir voor de cafébezoekers; **3** ophoging *v.*, aardwal *m.*; **4** (*v. schilderij*) voorgrond *m.*; ***en —,*** terrasvormig.

terrassement [tèrasmã] *m.* **1** (het) ophogen, (het) aanaarden *o.*, aanaarding *v.*; **2** grondwerk *o.*; **3** (*mil.*) aarden wal *m.*

terrasser [tèrasé] *v.t.* **1** ophogen, aanaarden; **2** op de grond (*of* ter aarde) werpen; **3** terneerslaan.

terrassier [tèrasyé] *m.* grondwerker, polderwerker *m.*

terre [tè:r] *f.* **1** aarde *v.*(*m.*); **2** grond, bodem *m.*; **3** (*zeev.*) land *o.*; **4** streek, landstreek *v.*(*m.*); **5** landgoed *o.*; ***la — ferme,*** de vaste wal; ***— colorante,*** aardverf *v.*(*m.*); ***— cuite,*** terracotta *v.*(*m.*) *en o.*; terracotta beeldje *o.*; ***— glaise,*** leem *o. en m.*, pottenbakkersaarde; ***— grasse,*** leem; ***— jaune,*** gele oker *m.*; ***— à modeler,*** boetseerklei *v.*(*m.*); ***— végétale,*** teelaarde; ***porter en —,*** begraven, ter aarde bestellen; ***raser la —,* 1** (*vl.*) langs de grond vliegen; **2** (*sch.*) dicht langs de kust varen; **3** (*fig.*) laag bij de grond blijven; ***la T— Sainte,*** het Heilig Land; ***bien avant dans la —,*** diep landwaarts in; ***faire perdre — à qn.,*** iem. in 't nauw drijven; ***qui — a, guerre a,*** veel koeien, veel moeien.

terré [tè'ré] *adj.* met aarde bedekt.

terreau [tè'ro] *m.* teelaarde *v.*(*m.*).

Terre-de-Feu [tè'rdefö] *f.* Vuurland *o.*

terrement [tè'rmã] *m.* aanaarding, ophoging *v.*

terre-neuvas [tè'rnœva] *m.*, *voir* ***terre-neuvien.***

Terre-Neuve [tè'rnœ:v] *f.* Newfoundland *o.*; ***t—,*** *m.* Newfoundlandse hond *m.*

terre-neuvien* [tè'rnœvyẽ], **terre-neuvier*** [tè'rnœvyé] *m.* **1** kabeljauwvisser bij Newfoundland, Newfoundlandvaarder *m.*; **2** vaartuig *o.* (v. Newfoundlandvaarder).

terre-noix [tèrnwa] *f.* aardkastanje *v.*(*m.*).

terre-plein* [tèrplẽ] *m.* **1** ophoging *v.*; **2** (ongeplaveid) pleintje *o.*; **3** aarden wal *m.*; ***— central,*** middenberm *m.*

terrer [tèré] **I** *v.t.* **1** aanaarden; **2** dempen; **3** met aarde bedekken; **4** (*v. suiker*) witmaken (met kleiaarde dekken); **II** *v.i.* (*v. konijn, vos, enz.*) in een hol wonen; **III** *v.pr.* ***se* —, 1** zich in de grond verbergen; **2** (*fig.*) wegkruipen, zich verschuilen.

terrestre [tèrèstr] *adj.* aards; ***animal —,*** landdier *o.*; ***globe —,*** aardbol *m.*

terreur [tèrœ:r] *f.* schrik *m.*, ontsteltenis, ontzetting *v.*; ***la T—,*** het Schrikbewind.

terreux [tèrö] *adj.* **1** aardachtig; **2** aardkleurig; **3** vol aarde, met aarde vermengd.

terrible(ment) [tèri'bl(emã)] *adj.* (*adv.*) verschrikkelijk, vreselijk; ontzettend; ***enfant —,*** flapuit *m.*

terrien [tèryẽ] *m.* grondbezitter, landbezitter, grondeigenaar *m.*

terrier [tèryé] *m.* **1** (*v. dier*) hol, leger *o.*; **2** (*hond*) terrier *m.*

terrifiant [tèrifyã] *adj.* schrikwekkend.

terrifier [tèrifyé] *v.t.* schrik aanjagen, verschrikken. [*m.*

terri(l) [tèri(l)] *m.* (*bij mijn*) steenhoop, afvalberg

terrine [tèrin] *f.* aarden schotel *m.*, teil *v.*(*m.*).

terrinée [tèriné] *f.* schotel *m.* vol.

terrir [tèri:r] *v.i.* aan land gaan (om eieren te leggen).

territoire [tèritwa:r] *m.* grondgebied, gebied *o.*

territorial [tèritòryal] **I** *adj.* tot het grondgebied behorend, territoriaal; ***armée —e,*** landweer *v.*(*m.*); **II** *s. m.* landweerman *m.*; ***puissance —e,*** landmogendheid *v.*

terroir [tèrwa:r] *m.* grond, bodem *m.*; ***goût du —,* 1** eigenaardige bijsmaak *m.*; **2** (*fig.*) lokale kleur *v.*(*m.*).

terroriser [tèròri'zé] *v.t.* **1** een schrikbewind voeren over, aan een schrikbewind onderwerpen; **2** schrik aanjagen.

terrorisme [tèròrizm] *m.* schrikbewind *o.*

terroriste [tèròrist] **I** *adj.* terroristisch, schrikaanjagend; **II** *s. m.* aanhanger (*of* voorstander) van een schrikbewind *m.*

tertiaire [tèrsyè:r] **I** *adj.* (*aardk.*) tertiair, van de derde formatie; **II** *s.* **1** *m.* tertiair tijdperk *o.*; tertiaire formatie *v.*; **2** *m.-f.* tertiaris *m.-v.*, lid *o.* van de derde orde.

tertio [tèrsyo] *adv.* ten derde.

tertre [tèrtr] *m.* heuveltje *o.*, hoogte *v.*, terp *m.*

Tertullien [tèrtülyẽ] *m.* Tertullianus *m.*

tes [tè, té] *pr.poss.* je, jouw, uw.

Tessin [tèsẽ] *m.* Ticino *o.*

tesson [tèsõ] *m.* scherf *v.*(*m.*).

test [tèst] *m.* **1** (*v. dier*) schelp, schaal *v.*(*m.*); **2** (*Pl.*) zaadhulsel *o.*; **3** proef *v.*(*m.*), test *m.*; ***— de performance,*** vaardigheidsproef *v.*(*m.*).

testacé(s) [tèstasé] *m.*(*pl.*) schelpdier(en), pantserdier(en) *o.*(*mv.*).

testament [tèstamã] *m.* **1** uiterste wil *m.*, laatste wilsbeschikking *v.*, testament *o.*; **2** (*Bijb.*) verbond, testament *o.*

testamentaire [tèstamã'tè:r] *adj.* testamentair, bij testament.

testateur [tèstatœ:r] *m.* erflater *m.*

tester [tèsté] **I** *v.i.* zijn testament maken, zijn goed vermaken; **II** *v.t.* onderwerpen aan een test, testen.

testicule [tèstikül] *m.* testikel, teelbal *m.*

testimonial [tèstimònyal] *adj.* getuigenis gevend; ***preuve —e,*** getuigenbewijs *o.*

têt [tè] *m.* **1** (*v. dier*) schaal, schelp *v.*(*m.*); **2** (*v. schildpad, enz.*) pantser *o.*; **3** (*scheik.*) schoteltje *o.* van vuurvaste aarde.

tétanie [tétani] *f.* (*gen.*) stijfkramp *v.*(*m.*).

tétanique [tétanik] **I** *adj.* stijfkramp—, krampachtig; **II** *s. m.* lijder *m.* aan stijfkramp.

tétanos [tétano:s] *m.* stijfkramp, klem *v.*(*m.*), tetanus *m.*

têtard [tèta:r] *m.* **1** larve *v.*(*m.*) van kikvors, dikkop *m.*; **2** afgeknotte boom; knotwilg *m.*

tête [tè:t] *f.* **1** hoofd *o.*; kop *m.*; **2** top *m.*, spits *v.*(*m.*); **3** (*fig.*) verstand *o.*; ***mauvaise —,*** driftkop, dwarskop; ***— carrée,*** stijfkop; ***un homme de***

—, een verstandig man; ***un coup de —***, een onbezonnen streek; **— *éventée***, halve gek; **— *de linotte***, onbedachtzaam mens, kip zonder kop; **— *de loup***, raagbol *m.*; **— *de ligne***, (*spoorw.*) kopstation *o.*; **— *de pont***, bruggehoofd *o.*; ***à — reposée***, kalm, rustig; ***à —***, onder vier ogen; ***avoir la — chaude***, gauw driftig zijn; ***avoir la — froide***, koelbloedig zijn, berekend zijn; ***j'en donnerais ma — à couper***, ik zou er mijn hoofd onder verwedden; ***il a la — fêlée***, er loopt bij hem een streepje door, hij heeft een slag van de molen weg; ***faire sa —***, zich een air geven; ***en faire à sa —***, zijn eigen zin doen; ***avoir la — près du bonnet***, kort aangebonden zijn; ***en avoir par-dessus la —***, er meer dan genoeg van hebben; ***il a des dettes par-dessus la —***, hij zit tot over de oren in de schuld; ***n'avoir plus la — à soi***, de kluts kwijt zijn; ***perdre la —***, de kluts kwijt raken, het hoofd verliezen; ***se jeter dans qc. la — la première***, zich hals over kop in iets storten; ***risquer sa —***, zijn leven wagen; ***laver la — à qn.***, iem. de oren wassen; ***ce sont deux —s dans un bonnet***, het zijn twee handen op één buik.

tête-à-queue [tètakö] *m.* een halve slag om.

tête-à-tête [tè'tatè:t] *m.* **1** onderhoud *o.* onder vier ogen; **2** theeservies *o.* voor twee personen.

tête-bêche [tètbèʃ] *adj.* omgekeerd naast elkaar.

têtebleu! [tètblö] *ij.* verdorie! drommels!

tête*-de-loup [tètdlu] *f.* ragebol *m.*

tête-de-nègre [tè'tdenè:gr] *adj.* zwartbruin, heel donker bruin.

tétée, tetée [tété] *f.* (*v. baby*) teug *m. en v.*

téter, teter* [tété] *v.t.* zuigen (bij).

têtière [tè'tyè:r] *f.* **1** mutsje *o.* (voor pasgeboren kind); **2** (*v. paard*) hoofdstel; kopstuk *o.*; **3** (*v. bed*) hoofdeinde *o.*; **4** antimakassar *m.*

tétin [tétẽ] *m.* tepel *m.*

tétine [tétin] *f.* **1** uier *m.*; **2** speen *v.(m.)*.

téton [tétõ] *m.* (*fam.*) borst *v.(m.)*.

tétracorde [tétrakòrd] *m.* (*muz.*) **1** viersnarige lier *v.(m.)*; **2** viertonige toonladder *v.(m.)*, gamma *v.(m.) en o.* van vier tonen.

tétradactyle [tétradaktil] *adj.* viervingerig.

tétraèdre [tétraè:dr] *m.* (regelmatig) viervlak *o.*

tétragone [tétragòn] **I** *adj.* vierhoekig; **II** *s. m.* vierhoek *m.*

tétralogie [tétralòji] *f.* tetralogie *v.*, cyclus *m.* van vier treurspelen.

tétrapode [tétrapò'd] *adj.* vierpotig.

tétraptère [tétraptè:r] *adj.* viervleugelig.

tétrarchat [tétrarka] *m.* (*gesch.*) tetrarchaat *o.*, waardigheid *v.* van viervorst. [trarchie *v.*

tétrarchie [tétrarʃi] *f.* viervorstendom *o.*, te-

tétrarque [tétrark] *m.* viervorst, tetrarch *m.*

tétras [tétra:s] *m.* korhaan *m.* [grepig.

tétrasyllab(iqu)e [tétrasil(l)a'b(ik)] *adj.* vierletter-

tette [tèt] *f.* tepel *m.*

tette-chèvre [tètʃè:vr] *m.* geitemelker *m.*

têtu [tètü] **I** *adj.* koppig, stijfhoofdig; **II** *s. m.* (*tn.*) (breek)hamer, steenhouwershamer *m.*

teuf-teuf [tœftœf] *m.*, (*fam.*) tuf-tuf *m.*, auto *m.*

teutomane [tötòman] **I** *adj.* overdreven Duitsgezind; **II** *s., m.* overdreven bewonderaar *m.* van de Duitsers. [zindheid *v.*

teutomanie [tötòmani] *f.* overdreven Duitsge-

Teuton [tö'tõ] *m.* Teutoon *m.*; (*fam.*) mof *m.*

teutonique [tötònik] *adj.* Teutonisch; ***l'Ordre T—***, (*gesch.*) de Duitse Orde.

texte [tèkst] *m.* **1** tekst *m.*; **2** soort drukletter *v.(m.)*; ***petit —***, brevierletter; ***en petit —***, in kleine druk; ***fournir — à***, aanleiding geven tot; ***revenir à son —***, op zijn onderwerp terugkomen.

textile [tèkstil] **I** *adj.* weefbaar; weef—; textiel—; ***industrie —***, weefindustrie; ***plante —***, vezelplant *v.(m.)*; **II** *s. m.* **1** geweven stof *v.(m.)*; **2** textielnijverheid *v.*

textuel(lement) [tèkstwèl(mã)] *adj.* (*adv.*) woordelijk, letterlijk.

texture [tèkstü:r] *f.* **1** (*v. stoffen*) weefsel *o.*; **2** (*v. drama, enz.*) samenhang, bouw *m.*; **3** (*v. huid, enz.*) bouw *m.*

thaïlandais [tailã'dè] **I** *adj.* Thailands; **II** *s. m.* Thailander *m.*

Thaïlande [tailã:d] *f.* Thailand *o.*

thalle [tal] *m.* thallus *m.*, groeiorgaan *o.* van algen etc. [*mv.*

thallophytes [talòfit] *m.pl.* (*Pl.*) thallusplanten

thalweg [talvèg] *m.* diepste dallijn *v.(m.)*.

thaumaturge [tomatürj] *m.* wonderdoener *m.*

thaumaturgie [tomatürji] *f.* wonderdoenerij *v.*

thé [té] *m.* **1** thee *m.*; **2** theepartij *v.*; **3** theevisite *v.(m.)*; ***faire du —***, thee zetten.

théâtral [téa'tral] *adj.* **1** toneelmatig; **2** het toneel betreffend; **3** (*fig.*) op effect berekend, theatraal; ***art —***, toneelspeelkunst *v.*; ***représentation —e***, toneelvoorstelling *v.*

théâtralement [téa'tralmã] *adv.* theatraal.

théâtre [téa:tr] *m.* **1** theater *o.*, schouwburg *m.*; **2** toneelkunst, toneelspeelkunst *v.*; **3** alle toneelstukken van een schrijver; **4** (*fig.*) schouwtoneel, terrein *o.*; **— *de verdure***, openluchttheater; **— *de foire***, kermistent *v.(m.)*; **— *de marionettes***, poppenspel *o.*; ***le — de la guerre***, het oorlogsterrein; ***coup de —***, plotselinge (dramatische) wending.

théâtreuse [téa'trö:z] *f.* (*ong.*) (tweederangs toneelspeelster *v.*

thébaïde [tébai'd] *f.* kluis *v.(m.)*, afgezonderd verblijf *o.*; eenzaamheid *v.* [Thebaans.

Thébain [tébẽ] **I** *m.* Thebaan *m.*; **II** *adj.*, ***t—***,

thébaïque [tébaik] *adj.* opium—.

thébaïsme [tébaizm] *m.* opiumvergiftiging *v.*

Thèbes [tè'b] *f.* Thebe *o.*

théerie [téri] *f.* theeplantage *v.*

théier [téyé] *m.* theeboom *m.*

théière [téyè:r] *f.* theepot, trekpot *m.*

théiforme [té(y)ifòrm] *adj.* theeachtig.

théine [té(y)in] *f.* theïne *v.(m.)*.

théisme [té(y)izm] *m.* theïsme *o.* (geloof aan 't bestaan van God).

théiste [té(y)ist] **I** *m.* theïst *m.*; **II** *adj.* theïstisch.

thématique [tématik] *adj.* thematisch.

thème [tè:m] *m.* **1** onderwerp *o.*, stof *v.(m.)*, thema *o.*; **2** vertaling *v.* (in vreemde taal), thema *v.(m.) en o.*; **3** (onderwerp voor) opstel *o.*; **4** (*muz.*) thema, melodisch motief *o.*

Thémis [témis] *f.* Themis, de Gerechtigheid *v.*; ***les prêtres de —***, de rechters.

thénar [téna:r] *m.* muis *v.(m.)* (van de hand).

théocratie [téòkrasi] *f.* godsregering, theocratie *v.*; priesterheerschappij *v.* [theocratisch.

théocratique(ment) [téòkratik(mã)] *adj.* (*adv.*)

théodicée [téòdisé] *f.* theodicee *v.*, godsleer *v.(m.)* op natuurlijke grondslag.

théodolite [téòdòlit] *m.* theodoliet *m.*, bep. hoekmeetinstrument *o.* [Dorus *m.*

Théodore [téòdò:r] *m.* Theodorus, Theo(door),

Théodose [téòdo:z] *m.* Theodosius *m.*

théogonie [téògòni] *f.* (*mythol.*) afstamming en opeenvolging van de goden.

théologal [téòlògal] **I** *adj.*, ***vertu —e***, goddelijke deugd *v.(m.)*; **II** *s. m.* leraar *m.* in de godgeleerdheid.

théologie [téòlòji] *f.* godgeleerdheid, theologie *v.*
théologien [téòlòjyẽ] *m.* godgeleerde, theoloog *m.*
théologique(ment) [téòlòjik(mã)] *adj.* (*adv.*) theologisch, godgeleerd.
théorème [téòrè:m] *m.* theorema *o.*, stelling *v.*
théoricien [téòrisyẽ] *m.* theoreticus *m.*
théorie [téòri] *f.* **1** theorie *v.*, leer *v.*(*m.*); **2** bespiegeling *v.*; **3** (*v. personen*) rij *v.*(*m.*); **— *du pansement,*** verbandleer *v.*(*m.*).
théorique(ment) [téòrik(mã)] *adj.* (*adv.*) theoretisch.
théoriser [téòri'zé] *v.i.* theoretiseren.
théosophe [téòzòf] *m.* theosoof *m.*
théosophie [téòzòfi] *f.* theosofie *v.*
théosophique [téòzòfik] *adj.* theosofisch.
thérapeute [térapœt] *m.* therapeut, geneeskundige *m.*
thérapeutique [térapö'tik] **I** *f.* therapie, ziektebehandeling, geneeskunde *v.*; **II** *adj.* therapeutisch.
Thérèse [térè:z] *f.* Theresia, Treesje *v.*
thermal [tèrmal] *adj.* (*v. bron*) warm; ***saison —e,*** badseizoen *o.*
thermes [tèrm] *m.pl.* warme baden *mv.*
thermidor [tèrmidò:r] *m.* thermidor *m.*, warmtemaand *v.*(*m.*) (11e maand van de Fr. republ. kalender).
thermie [tèrmi] *f.* bep. warmte-eenheid *v.*
thermique [tèrmik] *adj.* warmte—.
thermocautère [tèrmòko'tè:r] *m.* cauterisatie-instrument *o.* met een gloeiende platinadraad.
thermodynamique [tèrmòdinamik] *f.* thermodynamica *v.*
thermo-électricité [tèrmòélèktrisité] *f.* elektriciteit *v.* door warmte opgewekt.
thermo-électrique [tèrmòélèktrik] *adj.* thermoelektrisch; ***pile —,*** thermozuil *v.*(*m.*).
thermogène [tèrmòjè'n] *adj.* warmtegevend.
thermomètre [tèrmòmè'tr] *m.* thermometer, warmtemeter *m.*; ***— médical,*** koortsthermometer *m.*
thermométrie [tèrmòmé'tri] *f.* warmtemeting *v.*
thermométrique [tèrmòmétrik] *adj.*, ***échelle —,*** thermometerschaal *v.*(*m.*); ***hauteur —,*** thermometerstand *m.*
thermonucléaire [tèrmònüklé è:r] *adj.* thermonucleair.
thermoplastique [tèrmòplastik] **I** *f.* thermoplastiek *v.*; **II** *adj.* thermoplastisch.
thermopropulsion [tèrmòpropülsyõ] *f.* voortstuwing *v.* door straalmotor.
Thermopyles [tèrmòpil] *f.pl.* Thermopylen *mv.*
thermos [tèrmòs] *m.* thermosfles *v.*(*m.*).
thermoscope [tèrmòskòp] *m.* thermoscoop, warmteaantoner *m.*
thermostat [tèrmòsta] *m.* thermostaat *m.*
thermothérapie [tèrmòtérapi] *f.* geneeswijze *v.*(*m.*) door warmte.
thésaurisation [tézòriza'syõ] *f.* (het) opeenhopen (*of* oppotten) *o.* van geld. [potten.
thésauriser [tézòri'zé] *v.i.* geld opeenhopen,
thésauriseur [tézòri'zœ:r] *m.* potter *m.*
thèse [tè:z] *f.* **1** thesis, stelling *v.*; **2** proefschrift *o.*, dissertatie *v.*; ***passer sa —,*** promoveren; ***soutenir sa —,*** zijn proefschrift verdedigen, promoveren; ***pièce à —,*** stuk met bepaalde strekking; ***en — générale,*** in 't algemeen genomen.
Thésée [tézé] *m.* Theseus *m.*
Thessalie [tèsali] *f.* Thessalië *o.*
théurgie [téürji] *f.* tovenarij *v.* (met behulp van geesten).
théurgiste [téürjist] *m.* tovenaar, wichelaar *m.*
Thiaumont [tiomõ] Diedenberg *o.*
Thibaud [tibo] *m.* Theobald *m.*
thibaude [tibo:d] *f.* grof (koehaar)weefsel *o.* voor tapijtvoering.
Thierry [tyèri] *m.* Diederik, Dirk *m.*
thlaspi [tlaspi] *m.* (*Pl.*) boerenkers *v.*(*m.*).
Thomas [tòma] *m.* Thomas *m.*
thomisme [tòmizm] *m.* thomisme *o.*, leer *v.*(*m.*) van de H. Thomas van Aquino.
thomiste [tòmist] *m.* aanhanger *m.* van het thomisme.
thon [tõ] *m.* tonijn *m.*
thonier [tònyé] *m.* tonijnenvisser *m.* [Zee.
thonine [tònin] *f.* tonijn *m.* uit de Middellandse
thoracique [tòrasik] *adj.* van de borst, borst—; ***cage —,*** borstkas *v.*(*m.*).
thoracoplastie [tòrakòplasti] *f.* (*gen.*) wegnemen *o.* van een of meer ribben bij bep. longoperatie.
thorax [tòraks] *m.* **1** borst *v.*(*m.*); borstholte *v.*; **2** (*v. insekt*) borststuk *o.*
Thrace [tras] **I** *f.* Thracië *o.*; **II** *m.* Thraciër *m.*
thrène [trè:n] *f.* klaagzang *m.*
thrombose [trõ'bo:z] *f.* trombose, verstopping *v.* door verdikking van 't bloed.
Thurgovie [türgòvi] *f.* Thurgau *o.*
thuriféraire [türiférè:r] *m.* **1** wierookvatdrager, wieroker *m.*; **2** (*fig.*) vleier *m.*
Thuringe [türẽ:j] *f.* Thuringen *o.*
thuya, thuia [tüya] *m.* (*Pl.*) thuja, levensboom *m.*
thyade [ti(y)a'd] *f.* bacchante *v.*
thym [tẽ] *m.* (*Pl.*) tijm *m.*
thymus [tẽmüs] *m.* thymusklier *v.*(*m.*).
thyroïde [tiròi'd] *adj.* schildvormig, schild—; ***glande —,*** schildklier *v.*(*m.*).
thyrse [tirs] *m.* **1** thyrsus, Bacchusstaf *m.*; **2** (bloem)tuil *m.*
tiare [tya:r] *f.* tiara, pauselijke kroon *v.*(*m.*).
Tibère [tibè:r] *m.* Tiberius *m.*
Tibériade [tibérya'd] *f.* Tiberias *o.*
Tibet [tibè] *m.* Tibet *o.* [betaan *m.*
tibétain [tibétẽ] **I** *adj.* Tibetaans; **II** *s. m.* Ti-
tibi [tibi] *m.* boordeknoopje *o.*
tibia [tibya] *m.* scheenbeen *o.*
tibial [tibyal] *adj.* scheenbeen—.
Tibre [ti:br] *m.* Tiber *m.*
tic [tik] *m.* **1** zenuwtrekking *v.* (vooral in 't gelaat); **2** (*fig.*) vreemde gewoonte *v.*, zonderling aanwensel *o.*
ticket [tikè] *m.* **1** biljet, kaartje *o.*; **2** toegangsbewijs *o.*; ***— d'entrée,*** perronkaartje *o.*
tic-tac [tiktak] *m.* tiktak *m.*, getik *o.*
tictaquer [tiktaké] *v.i.* tikken.
tiède(ment) [tyè'd(mã)] *adj.* (*adv.*) lauw.
tiédeur [tyédœ:r] *f.* lauwheid *v.*
tiédir [tyédi:r] **I** *v.i.* **1** lauw worden; **2** (*fig.*) verkoelen; **II** *v.t.* afkoelen.
tiédissement [tyédismã] *m.* verflauwing *v.*
tien(ne) [tyẽ(tyèn)] *pr.poss.* je; uw; ***un — parent,*** een van je bloedverwanten; ***un — ami,*** een vriend van je; ***le —,*** het uwe; ***les —s,*** de uwen, je (*of* uw) familie, je (*of* uw) bloedverwanten ***tu fais des —nes,*** je haalt weer eens dwaze streken uit.
tiens [tyẽ] *ij.* **1** kijk! zo! hoor eens! **—, —!** zo, zo; wel, wel; **2** *m.*, ***un — vaut mieux que deux tu l'auras,*** één vogel in de hand is beter dan tien in de lucht.
tierce [tyèrs] **I** *f.* **1** (*muz.*) terts *v.*(*m.*); **2** (*kath.*) tertia *v.*; **3** (*kaartsp.*) driekaart *v.*(*m.*), derde *m.*; **4** (*bij schermen*) derde parade *v.* rechts; **5** derde drukproef *v.*(*m.*), slotrevisie *v.*; ***— majeure*** **1** (*muz.*) grote terts; **2** (*kaartsp.*) derde *m.* van aas, heer, vrouw; ***— mineure,*** (*muz.*) kleine terts;

— basse, derde van negen, acht, zeven; **II** *adj.*, *voir* **tiers.**
tiercé [tyèrsé] *adj.* driedelig.
tiercelet [tyèrselè] *m.* (*Dk.*) tarsel, tersel *m.*, mannetje van bep. roofvogels.
tiercement [tyèrsemã] *m.* **1** (*v. grond*) derde omspitting *v.*; **2** (*v. prijs*) verhoging *v.* met een derde.
tiercer [tyèrsé] *v.t.* **1** (*v. grond*) voor de derde maal omspitten; **2** (*v. prijs*) met een derde verhogen; **3** (*v. schuld*) tot een derde terugbrengen.
tierciaire [tyèrsyè:r] *m.-f.* (*kath.*) tertiaris *m.-v.*, derde-ordelid *o.*
tiers [tyè:r] **I** *adj.* (*f.*: **tierce** [tyèrs]) derde; **— arbitre,** derde scheidsrechter, opperscheidsrechter *m.*; ***une tierce personne,*** een derde (persoon); ***fièvre tierce,*** anderdaagse koorts *v.*(*m.*); **— ordre,** (*kath.*) derde orde *v.*(*m.*); ***déposer en main tierce,*** aan een derde toevertrouwen; **II** *s. m.* **1** derde, derde persoon *m.*; **2** derde, derde deel *o.*; ***médire du — et du quart,*** van Jan en alleman kwaadspreken; **— état,** derde stand.
tiers-ordre [tyèrzòrdr] *m.* (*kath.*) derde orde *v.*(*m.*); ***membre du —,*** derde-ordeling, tertiaris *m.*
tiers-point* [tyè·rpwẽ] *m.* **1** top *m.* van gelijkzijdige driehoek *of* van spitsboog; **2** driekante vijl *v.*(*m.*).
tige [ti:j] *f.* **1** steel, stengel *m.*; **2** (*v. zuil, sleutel, enz.*) schacht *v.*(*m.*); **3** (*v. as*) tap *m.*; **4** (*v. kous*) been *o.*; **5** (*v. thermometer*) buis *v.*(*m.*); **6** (*v. machine*) stang *v.*(*m.*); **7** (*fig.*: *v. geslacht*) stamvader *m.*; **8** oorsprong *m.*, bron *v.*(*m.*). [kiem.
tigelle [tijèl] *f.* (*Pl.*) stengeltje *o.* van de vrucht-
tigette [tijèt] *f.* versierde zuilschacht *v.*(*m.*).
tignasse [tiñɑ:s] *f.* **1** pruik *v.*(*m.*); **2** ongekamde haarbos *m.*
tigre [ti:gr] *m.* **1** tijger *m.*; **2** (*fig.*) wreed mens *m.*; **3** ***T—,*** (*rivier*) Tigris *m.*; **— noir,** jaguar *m.*; **— chasseur,** jachtluipaard *m.*; ***chien —,*** gevlekte hond, tijgerhond *m.*
tigré [tigré] *adj.* getijgerd.
tigre*-chat* [tigreʃa] *m.* tijgerkat *v.*(*m.*).
tigre*-loup* [tigrelu] *m.* hyena *v.*(*m.*).
tigresse [tigrès] *f.* tijgerin *v.*
tigridie [tigridi] *f.* (*Pl.*) tijgerlelie *v.*(*m.*).
tilbury [tilbüri] *m.* licht tweewielig rijtuig *o.*, tilbury *m.*
tilde [tild] *m.* (*drukk.*) tilde *v.*(*m.*).
tiliacées [tilyasé] *f.pl.* (*Pl.*) linde-achtigen *mv.*
tillac [tiyak] *m.* (*sch.*) bovendek, opperdek *o.*
tille [ti·y], **teille** *f.* **1** (*Pl.*) hennepschil *v.*(*m.*); **2** (*v. boot*) vooronder *o.*; **3** (*tn.*) bijlhamer *m.*
tillée [tiyé] *f.* mosbloempje *o.* [vlas).
tiller [tiyé], **teiller** *v.t.* schillen (van hennep of
tilleul [tiyœl] *m.* **1** linde *v.*(*m.*), lindeboom *m.*; **2** lindebloesem *m.*; **3** aftreksel *o.* (*of* thee *m.*) van lindebloesem.
timbale [tẽ·bal] *f.* **1** (*muz.*) pauk *v.*(*m.*); **2** metalen (drink)beker *m.*; kroes *m.*; **3** pasteivormpje *o.*
timbalier [tẽ·balyé] *m.* paukenist, paukenslager *m.*
timbrage [tẽ·bra:j] *m.* **1** (het) zegelen *o.*; **2** (het) stempelen *o.*; ***dispensé du —,*** frankering bij abonnement.
timbre [tẽ·br] *m.* **1** zegel *o. of m.*; **2** zegelkantoor *o.*; **3** stempel *m.*; **4** postmerk *o.*; **5** tafelschel *v.*(*m.*); **6** (*v. muziekinstrument*) klank *m.*; **7** (*v. uurwerk*) klokje *o.*; ***droit de —,*** zegelrecht *o.*; **— *à date,*** datumstempel; **— *de dimension,*** formaatzegel; **— *de quittance,*** kwitantiezegel; ***exempt du —,*** vrij van zegel; ***dispensé du —,*** frankering *v.* bij abonnement; ***il a le — fêlé,*** hij heeft een slag van de molen weg; ***il a le — brouillé,*** hij is niet pluis in zijn bol.
timbré [tẽ·bré] *adj.* **1** gezegeld; **2** gestempeld; **3** (*fam.*) gek, getikt.
timbre*-avion* [tẽ·bravyõ] *m.* luchtpostzegel *m.*
timbre*-épargne [tẽbréparñ] *m.* spaarzegel *m.*
timbre*-poste [tẽ·brpòst] *m.* postzegel *m.*
timbre*-prime [tẽ·brprim] *m.* rabatzegel *m.*
timbre*-quittance [tẽ·brkitã:s] *m.* plakzegel, kwitantiezegel *m.*
timbrer [tẽ·bré] *v.t.* **1** zegelen; **2** stempelen.
timbre*-rabais [tẽ·br(e)rabè] *m.* rabatzegel *m.*
timbre*-retraite [tẽ·br(e)retrèt] *m.* rentezegel *m.*
timbre*-taxe [tẽ·brtaks] *m.* portzegel *m.*
timbreur [tẽ·brœ:r] **I** *m.* stempelaar *m.*; **II** *adj.*, ***appareil —,*** stempeltoestel *o.*
timbre*-vignette* [tẽ·brviñèt] *m.* sluitzegel *m.*
timbrophile [tẽ·bròfil] *m.* postzegelverzamelaar *m.*
timide(ment) [timi·d(mã)] *adj.* (*adv.*) **1** verlegen, bedeesd, vreesachtig; **2** (*fig.*: *v. poging*) schuchter.
timidité [timidité] *f.* **1** verlegenheid, bedeesheid, vreesachtigheid *v.*; **2** schuchterheid *v.*
timon [timõ] *m.* **1** dissel(boom) *m.*; lamoen *o.*; **2** (*sch.*) roerpen *v.*(*m.*); stuur *o.*; **3** (*fig.*) roer *o.*
timonerie [timònri] *f.* (*sch.*) **1** (het) sturen *o.*; **2** stuurplecht *v.*(*m.*).
timonier [timònyé] *m.* roerganger *m.*
timoré [timòré] *adj.* beschroomd, angstvallig.
tin [tẽ] *m.* (*sch.*) stapelblok *o.*
tinctorial [tẽ·ktòryal] *adj.* verf—; ***matières —es,*** verfstoffen, kleurstoffen *mv.*
tine [tin] *f.* tobbe, kuip *v.*(*m.*).
tinette [tinèt] *f.* botervaatje *o.*
tintamarre [tẽ·tama:r] *m.* leven, rumoer, geraas *o.*
tintement [tẽ·tmã] *m.* **1** (*v. klok*) (het) luiden *o.*; (het) kleppen *o.*; **2** (*v. sleutels*) gerammel *o.*; **—*s d'oreilles,*** suizingen in de oren.
tinter [tẽ·té] **I** *v.t.* luiden; **II** *v.i.* **1** luiden, klinken; **2** (*v. oren*) tuiten.
tintinnabuler [tẽ·tinabülé] *v.i.* klingelen.
tintouin [tẽ·twẽ] *m.* **1** getuit *o.* in de oren; **2** last, soesa *m.*; ***donner du —,*** hoofdbrekens (*of* kopzorg) bezorgen.
tipule [tipül] *f.* langpootmug *v.*(*m.*).
tique [tik] *f.* teek *v.*(*m.*).
tiquer [tiké] *v.i.* **1** (*v. paard*) kribbebijten; **2** (*fig.*) 't land hebben.
tiqueté [tikté] *adj.* gespikkeld.
tiqueture [tiktü:r] *f.* spikkeling *v.*
tiqueur [tikœ:r] *m.* kribbebijter *m.*
tir [ti:r] *m.* **1** (het) schieten *o.*; **2** schietbaan *v.*(*m.*); **3** schietoefening *v.*; **4** schiettent *v.*(*m.*); ***salon de —,*** schiettent; **— *de barrage,*** (*mil.*) spervuur, gordijnvuur *o.*; **— *à la cible,*** (het) schijfschieten *o.*
tirade [tira·d] *f.* tirade *v.*, woordenreeks; verzenreeks *v.*(*m.*); ***tout d'une —,*** in één adem.
tirage [tira:j] *m.* **1** (*v. loterij*) trekking *v.*; **2** (*v. schoorsteen*) trek *m.*; **3** (*v. metaal; paarden, enz.*) (het) trekken *o.*; **4** jaagpad *o.*; **5** (*v. boek, enz.*) (het) afdrukken *o.*; **6** oplaag *v.*(*m.*); **— *au sort,*** loting *v.*; **— *à part,*** overdruk *m.*
tiraillement [tiraymã] *m.* **1** (het) heen en weer trekken *o.*; **2** (*fig.*) onenigheid *v.*, geharrewar *o.*; **— *d'esprit,*** besluiteloosheid *v.*; **—*s d'estomac,*** maagkrampen *mv.*
tirailler [tira·yé] **I** *v.t.* **1** heen en weer trekken; **2** heen en weer slingeren; **3** lastig vallen; ***se faire —,*** zich lang laten noden; **II** *v.i.* (*mil.*) in verspreide vechtorde vuren, ongeregeld vuren, tirailleren.
tirailleur [tirayœ:r] *m.* soldaat, optredend (*of* vurend) in de verspreide vechtorde, tirailleur *m.*
tirant [tirã] *m.* **1** (*v. beurs*) koord *o. en v.*(*m.*); **2** (*v.*

laars) trekker *m.*; **3** (*v. schoen*) riempje *o.*; **4** (*vl.*) trekstang *v.*(*m.*); **5** (*in vlees*) pees *v.*(*m.*); **6** (*v. leiboom*) hoofdtak *m.*; **7** (*in dak*) hanebalk *m.*; ***— d'eau,*** (*sch.*) diepgang *m.*

tirasse [tiras] *f.* treknet, sleepnet *o.* (voor vogels).

tirasser [tirasé] *v.t.* (vogels) vangen met het treknet.

tire [ti:r] *f.* (het) trekken *o.*; ***vol à la —,*** zakkenrollerij *v.*; ***voleur à la —,*** zakkenroller *m.*; ***à — d'aile,*** pijlsnel, klapwiekend.

tiré [tiré] **I** *adj.* (*v. gezicht*) vermagerd, vermoeid; ***— à quatre épingles,*** om door een ringetje te halen; **II** *s. m.* (*H.*: *v. wissel*) betrokkene *m.*

tire-au-flanc [ti·roflã] *m.* (*fam.*) lijntrekker *m.*

tire-auto [ti·ro·to] *m.* sleepstang *v.*(*m.*).

tire-balle* [ti·rbal] *m.* kogeltrekker *m.*, kogeltang *v.*(*m.*).

tire-bonde* [ti·rbõ·d] *m.* spontrekker *m.*

tire-botte* [ti·rbòt] *m.* laarzetrekker *m.*

tire-bouchon* [ti·rbuʃõ] *m.* kurketrekker *m.*; ***en —,*** spiraalvormig.

tire-bouton* [ti·rbutõ] *m.* knopehaakje *o.*

tire-braise [ti·rbrè:z] *m.* kolenkrabber *m.*, ovenijzer *o.*

tire-cartouche* [ti·rkartuʃ] *m.* patroontrekker *m.*

tire-d'aile [ti·rdèl] *m.*, ***à —,*** klapwiekend, pijlsnel.

tire-dent* [ti·rdã] *m.* tandentrekker *m.*

tire-feu [ti·rfö] *m.* (*v. kanon*) treklijn *v.*(*m.*).

tire-fond [ti·rfõ] *m.* **1** (*v. kuiper*) bodemtrekker *m.*; **2** schroefhout *m.*; **3** kogeltang *v.*(*m.*).

tire-larigot [ti·rlarigo] *m.*, ***boire à —,*** drinken als een tempelier.

tire-ligne* [ti·rliñ] *m.* trekpen *v.*(*m.*).

tirelire [ti·rli:r] *f.* spaarpot *m.*

tirelirer [ti·rli·ré] *v.i.* tierelieren.

tire-l'œil [ti·rlœy] *m.* middel *o.* om de aandacht te trekken.

tire-pavé [ti·rpavé] *m.* zuigleer *o.*

tire-pied* [ti·rpyé] *m.* spanriem *m.*

tire-point(e) [ti·rpwẽ] *m.* priem *m.*

tirer [tiré] **I** *v.t.* **1** trekken; **2** aantrekken; ophalen; **3** uittrekken; **4** (*v. wild*) schieten; **5** (*v. kanon, enz.*) afvuren, afschieten; **6** drukken, afdrukken; **7** (*v. bier, wijn*) aftappen; ***— les rideaux,*** de gordijnen dichttrekken; ***— la porte,*** de deur toetrekken; ***— une vache,*** een koe melken; ***— la langue,*** zijn tong uitsteken; ***— une copie de,*** een afschrift maken van; ***— les parties d'une partition,*** de partijen van een partituur uitschrijven; ***— une épreuve,*** (*drukk.*) een proef trekken; ***— l'eau,*** (*v. schoenen, enz.*) water trekken; ***— sa bourse,*** zijn beurs te voorschijn halen; ***— son chapeau à qn.,*** zijn hoed voor iem. afnemen; ***— l'œil,*** de aandacht trekken; ***— les larmes des yeux à qn.,*** iem. tot tranen bewegen; ***— vanité de qc.,*** trots zijn op iets; ***— vengeance de qc.,*** zich over iets wreken; ***— douze pieds d'eau,*** een diepgang hebben van twaalf voet; ***— qn. d'affaire,*** iem. uit de verlegenheid redden; ***— son origine de,*** zijn oorsprong hebben in; ***— les vers du nez à qn.,*** iem. behendig uithoren; ***— qn. en plâtre,*** van iem. een gipsafbeelding maken; ***— le diable par la queue,*** moeite hebben om rond te komen, armoe lijden; ***— qc. en longueur,*** iets rekken, iets op de lange baan schuiven; ***ce mot est tiré du latin,*** dit woord is afgeleid uit het Latijn; **II** *v.i.* **1** (*v. paard, schoorsteen, enz.*) trekken; **2** schieten, vuren; **3** gespannen staan; ***— juste,*** raak schieten; ***— au sort,*** loten; ***— au flanc,*** lijntrekken; ***— sur qn.,*** (*H.*) op iem. een wissel trekken; ***— sur sa pipe*** (*of* ***son cigare***), aan zijn pijp (*of* zijn sigaar) trekken; ***— sur le bleu,*** naar het blauw zwemen; **III** *v.pr.* ***se —,*** **1** getrokken worden; **2** gedrukt worden; ***se — d'affaire,*** zich (er uit) redden; ***il s'en est tiré avec une amende de 100 francs,*** hij is er met een boete van 100 fr. afgekomen.

tire-racine* [ti·rrasin] *m.* worteltang *v.*(*m.*).

tirerie [tir(e)ri] *f.* geschiet *o.*

tire-sou* [ti·rsu] *m.* woekeraar *m.*; gierigaard *m.*

tiret [tirè] *m.* streepje *o.*; koppelteken *o.*

tiretaine [tirtèn] *f.* tiereteiu *o.*

tirette [tirèt] *f.* **1** trekkoord, gordijnkoord *o.* *en* *v.*(*m.*); **2** (*v. rok*) schuif *v.*(*m.*); **3** treksluiting *v.*

tire-vieille [ti·rvyè·y] *f.* valreeptouw *o.*

tireur [tirœ:r] *m.* **1** schutter *m.*; **2** (*H.*: *v. wissel*) trekker *m.*; ***— de bourse,*** zakkenroller *m.*; ***— d'armes,*** schermer *m.*

tireuse [tirö:z] *f.*, ***— de cartes,*** kaartlegster *v.*

Tirlemont [tirlemõ] *m.* Tienen *o.*

Tirlemontois [tirlemõ·twa] **I** *m.* Tienenaar *m.*; **II** *adj.*, ***t—,*** Tiens. [*v.*(*m.*).

tiroir [tirwa:r] *m.* **1** lade *v.*(*m.*); **2** stoomschuif

tiroir*-caisse* [tirwa·rkè:s] *m.* geldlade, toonbanklade *v.*(*m.*).

tisane [tizan] *f.* (kruiden)aftreksel, drankje *o.*; ***— de champagne,*** lichte champagne.

tison [tizõ] *m.* **1** stuk half verkoold brandhout *o.*; **2** (*fig.*) stokebrand *m.*; ***— de discorde,*** stokebrand; ***— d'enfer,*** helleveeg *v.*, galgebrok *m.-v.*

tisonné [tizòné] *adj.* zwart gevlekt.

tisonner [tizòné] *v.t.* **1** oppoken, poken in; **2** (*fig.*) aanwakkeren, aanblazen.

tisonnier [tizònyé] *m.* pook *m.*, haardijzer *o.*

tissage [tisa:j] *m.* **1** (het) weven *o.*; **2** weverij *v.*

tisser [tisé] *v.t.* weven.

tisserand [tisrã] *m.* wever *m.*

tisseranderie [tisrã·dri] *f.* **1** weversbedrijf *o.*; **2** handel *m.* in geweven goederen.

tisserin [tisrẽ] *m.* wevervogel *m.*

tisseur [tisœ:r] *m.* wever *m.*

tissu [tisü] **I** *m.* weefsel *o.*; ***— métallique,*** metaalgaas *o.*; ***un — de mensonges,*** een aaneenschakeling *v.* van leugens; **II** *adj.* geweven.

tissu*-éponge* [tisüépõ:j] *m.* badstof *v.*(*m.*).

tissure [tisü:r] *f.* weefsel *o.*, wijze *v.*(*m.*) van weven.

titan [titã] *m.* titan, reus *m.*

titane [titan] *m.* titanium *o.*

titanesque [titanèsk], **titanique** [titanik] *adj.* titanisch, reusachtig.

Tite [tit] *m.* Titus *m.*

Tite-Live [titli:v] *m.* Titus Livius *m.*

titi [titi] *m.* Parijse straatjongen *m.*

Titien *m.*, ***le —*** [l(e)tisyẽ] Titiaan *m.*

titillation [titila·syõ] *f.* kitteling; prikkeling *v.*

titiller [titiyé] *v.t.* kittelen; prikkelen.

titrage [titra:j] *m.* bepaling *v.* van het gehalte, (het) titreren *o.*

titre [titr] *m.* **1** titel *m.*; **2** betiteling *v.*; **3** opschrift *o.*; **4** aanspraak *v.*(*m.*); **5** (*v. goud, enz.*) gehalte *o.*; **6** (*H.*: *beurs*) effect, stuk *o.*; **7** (*fig.*) recht *o.*; ***à quel — ?*** met welk recht? ***— courant,*** sprekende kopregels *mv.*; ***— de noblesse,*** adelbrief *m.*, adeldomsbewijs *o.*; ***— de rente,*** inschrijving *v.* op 't Grootboek; schuldbewijs *o.*; ***professeur en —,*** gewoon hoogleraar *m.*; ***à — de don,*** bij wijze van gift; ***à — gracieux,*** gratis; ***à juste —,*** met recht, met goede grond; ***à — provisoire,*** voorlopig; ***à — d'essai,*** bij wijze van proef; ***faire valoir ses —s,*** zijn aanspraken laten gelden; ***faux —,*** Franse titel.

titré [titré] *adj.* met een titel, voornaam.

titrer [titré] *v.t.* **1** een titel geven aan; **2** het gehalte bepalen van, titreren.

titubant [titübã] *adj.* waggelend, zwaaiend.
titubation [titübɑ'syõ] *f.* waggeling *v.* (bij het gaan).
tituber [titübé] *v.i.* waggelen.
titulaire [titülè:r] **I** *adj.* **1** titulair; **2** (*v. hoogleraar*) gewoon; ***membre —,*** werkend lid; ***évêque —,*** titulair-bisschop; **II** *s. m.* **1** titularis, titelvoerder *m.*; **2** (*v. aandeel op naam*) houder *m.*; ***— de compte,*** rekeninghouder *m.* [*v.*
titularisation [titülarisɑ'syõ] *f.* vaste aanstelling
titulariser [titülari'zé] *v.t.* vast benoemen.
toast [tòst] *m.* **1** heildronk, toost *m.*; **2** geroosterd brood *o.*
toaster [tòsté] *v.i.* toosten, een heildronk instellen.
Tobie [tòbi] *m.* Tobias *m.*
toboggan [tòbògã] *m.* **1** slee, glijslee *v.*(*m.*); **2** roetsjbaan *v.*(*m.*).
toc [tòk] **I** *m.* **1** tikje *o.*; **2** namaak *m.* (*vals goud, valse juwelen, enz.*); ***du —,*** kitsch *m.*; **II** *ij.* tik, tak.
tocade, *voir* ***toquade.***
tocante [tòkã:t] *f.* (*pop.*) horloge *o.*
tocard [tòka:r] **I** *adj.* (*arg.*) lelijk, flauw; **II** *s. m.* **1** slecht renpaard *o.*; **2** outsider *m.*
tocsin [tòksẽ] *m.* alarmklok, brandklok, stormklok *v.*(*m.*); ***sonner le —,*** (*fig.*) alarm maken; alles in rep en roer zetten.
toc-toc [tòktòk] *m.* geklop, (het) kloppen *o.*
toge [tò:j] *f.* toga *v.*(*m.*).
togolais [tògòlè] *adj.* Togolees, van, uit Togo.
tohu-bohu [tò(h)übò(h)ü] *m.* warboel *m.*, verwarring *v.*; roezemoes *m.*, druk gewoel *o.*
toi [twa] *pr.pers.* jij, gij, je, jou, u.
toile [twal] *f.* **1** linnen; lijnwaad *o.*; **2** linnen doek *m.*; **3** doek *o.*, schilderij *o. en v.*; **4** (*v. toneel*) gordijn *o. en v.*(*m.*), scherm *o.*; ***— cirée,*** wasdoek *o. en m.*; ***— imprimée,*** gedrukt katoen *o. en m.*; ***— métallique,*** metaalgaas *o.*; ***— d'araignée,*** spinneweb *o.*; ***— d'emballage,*** paklinnen *o.*; ***— à sacs,*** zaklinnen *o.*; ***— perdue,*** (*H.*) zak inbegrepen; ***— à l'émeri,*** schuurlinnen *o.*
toilerie [twalri] *f.* **1** linnenhandel *m.*; **2** linnenweverij, linnenfabriek *v.*
toilette [twalèt] *f.* **1** toilettafel, kaptafel *v.*(*m.*); **2** kleding *v.*; kleed *o.*; **3** opschik *m.*; **4** (het) aankleden, (het) kappen *o.*; ***marchande*** (*ou* ***revendeuse***) ***à la —,*** koopvrouw in oude kleren, uitdraagster *v.*; ***faire la*** (***dernière***) ***— d'un mort,*** een dode afleggen; ***aimer la —,*** van mooie kleren houden. [kant *m.*; **2** linnenkoopman *m.*
toilier [twalyé] *m.* **1** linnenwever; linnenfabri-
toise [twa:z] *f.* **1** vadem *m.*; **2** (*voor personen*) meetstok *m.*, maat *v.*(*m.*); ***long d'une —,*** (*fig.*) ellenlang; ***mesurer les personnes à sa —,*** anderen naar zichzelf afmeten.
toisé [twa'sé] *m.* opmeting *v.*
toiser [twa'sé] *v.t.* **1** opmeten; **2** beoordelen, schatten; ***— qn.,*** iem. van het hoofd tot de voeten opnemen.
toiseur [twa'zœ:r] *m.* (af)meter *m.*
toison [twa'zõ] *f.* **1** vacht *v.*(*m.*); **2** (*fig.*) haardos *m.*; ***la — d'or,*** het gulden vlies.
toit [twa] *m.* dak *o.*; ***— à porcs,*** varkenshok *o.*; ***crier sur les —s,*** van de daken verkondigen.
toiture [twatü:r] *f.* dak *o.*, dakbedekking *v.*
tokay, tokai [tòké] *m.* tokayer(wijn) *m.*
Tolbiac [tòlbyak] *m.* Zülpich *o.*
tôle [to:l] *f.* plaatijzer *o.*
tolédan [tòlédã] *adj.* van Toledo.
Tolède [tòlè'd] *f.* Toledo *o.* [draaglijk, duldbaar.
tolérable(ment) [tòléra'bl(emã)] *adj.* (*adv.*)
tolérance [tòlérã:s] *f.* **1** verdraagzaamheid *v.*; **2** toegevendheid *v.*; **3** vergunning *v.*

tolérant [tòlérã] *adj.* verdraagzaam; inschikkelijk.
tolérer [tòléré] *v.t.* **1** verdragen; dulden; **2** toelaten.
tôlerie [to'lri] *f.* **1** fabriek *v.* van plaatijzer; **2** handel *m.* in plaatijzer; ***—s,*** blikwaren *mv.*
tolet [tòlè] *m.* (*sch.*) dol *m.*, roeipen *v.*(*m.*).
tôlier [to'lyé] *m.* plaatijzersmeder *m.*
tollé [tòlé] *m.* kreet *m.* van verontwaardiging.
tolu [tòlü] *m.* bep. Zuidam. reukkers *o. en m.*
toluène [tòlwèn] *m.* bep. oplosmiddel *o.*
tomahawk [tòmaòk] *m.* strijdbijl *v.*(*m.*).
tomaison [tòmèzõ] *f.* deelnummer *o.* (van meerdelig boekwerk).
tomate [tòmat] *f.* tomaat *v.*(*m.*).
tombal [tõ'bal] *adj.*, ***pierre —e,*** grafsteen *m.*, zerk *v.*(*m.*).
tombant [tõ'bã] *adj.* **1** vallend; **2** (*v. haar*) afhangend; ***à la nuit —e,*** bij het vallen van de avond.
tombe [tõ:b] *f.* **1** grafsteen *m.*; **2** graf *o.*
tombeau [tõ'bo] *m.* **1** graf *o.*; **2** graftombe *v.*(*m.*), grafmonument *o.*; ***être aux portes du —,*** aan de rand van het graf staan, met één voet in 't graf staan.
tombée [tõ'bé] *f.* **1** (het) vallen *o.*; **2** neerslag *m.*; ***— de grêle,*** hagelbui *v.*(*m.*); ***— de neige,*** sneeuwval *m.*; ***à la — de la nuit,*** bij het vallen van de avond.
tombelle [tõ'bèl] *f.* hunebed *o.*
tomber [tõ'bé] **I** *v.i.* **1** vallen; **2** afvallen; **3** uitvallen; **4** (*v. haar, kleed*) neerhangen; **5** (*v. wind*) bedaren, gaan liggen; **6** ineenvallen, ineenzakken; **7** (*fig.*) het afleggen, bezwijken; **8** in duigen vallen; mislukken; ***— dans le piège,*** in de val lopen; ***— dans le ridicule,*** zich belachelijk maken; ***— dans l'erreur,*** zich vergissen, dwalen; ***— aux pieds*** (*ou* ***aux genoux***) ***de qn.,*** zich aan iemands voeten werpen; ***— des nues,*** verbaasd staan te kijken; ***— d'accord,*** het eens worden; ***— malade,*** ziek worden; ***— en désuétude,*** in onbruik raken; ***— en ruine,*** vervallen; ***— en pièces,*** uiteenvallen; ***vous tombez bien,*** u komt juist van pas; u treft het goed; ***— juste,*** de spijker op de kop slaan; ***— sous le sens,*** vanzelf spreken; ***— sous les lois de,*** afhankelijk worden van; ***— sur qn.,*** **1** iem. te lijf gaan; **2** (*fig.*) iem. tegen het lijf lopen; ***cela n'est pas tombé dans l'oreille d'un sourd,*** dat was aan geen dove gezegd; ***la foudre est tombée sur le clocher,*** de bliksem is ingeslagen in de kerktoren; ***il nous est tombé sur les bras,*** hij is plotseling op ons dak gevallen; ***laisser — le feu,*** het vuur laten uitgaan; ***laisser —,*** **1** laten vallen; **2** (*fig.*) links laten liggen; geen acht slaan op; ***laisser — une querelle,*** een twist opgeven; ***faire — la conversation sur,*** het gesprek brengen op; ***faire — des difficultés,*** moeilijkheden uit de weg ruimen; ***— de fièvre en chaud mal,*** van de wal in de sloot raken; **II** *v.t.* **1** (*sp.*; *worstelen*) leggen, neerwerpen; **2** (*fig.*) overwinnen; ten val brengen; **III** *s. m.* (het) vallen *o.*; ***le — du jour,*** het vallen van de avond.
tombereau [tõ'bro] *m.* **1** stortkar, tuimelkar *v.*(*m.*); **2** vuilniskar *v.*(*m.*).
tomberelle [tõ'brèl] *f.* groot vogelnet *o.*
tombeur [tõ'bœ:r] *m.* **1** omverwerper *m.*; **2** (*sp.*) worstelaar *m.*, die zijn tegenstander legt.
tombola [tõ'bòla] *f.* tombola *m.*
tome [tòm] *m.* deel *o.* (van een boekwerk).
tomenteux [tomã'tö] *adj.* (*Pl.*) donzig.
tomer [tòmé] *v.t.* **1** (*v. boek*) in (boek)delen splitsen; **2** het deel aanduiden op (op vel of titelblad).
tomme [tòm] *f.* bep. Franse vette kaassoort *v.*(*m.*) *en o.*

ton [tõ] I *pron.poss.* uw, je, jouw; II *s. m.* 1 toon *m.*; 2 (*muz.*) toonaard *m.*; 3 toonhoogte *v.*; 4 (*v. werk*) stijl *m.*, karakter *o.*, toon *m.*; 5 (*schild.*) kleur *v.*(*m.*), toon *m.*; **— majeur,** (*muz.*) majeur toonaard; **— mineur,** mineur toonaard; **changer de —,** 1 een andere toon aanslaan; 2 (*muz.*) in een andere toonschaal overgaan; **transposer d'un —,** een toon hoger (of lager) transponeren; **prendre le —,** (*muz.*) de „la" overnemen; **marquer le —,** de toon aangeven; **monté de —,** opgeschroefd; **se donner un —,** gewichtig doen; **avoir bon —,** goede manieren hebben; **c'est de bon —,** dat staat deftig; **hausser le —,** luider spreken; **faire baisser le — à qn.,** iem. een toontje lager doen zingen; **baisser le —,** 1 zachter spreken; 2 (*fig.*) een toontje lager zingen; **se mettre au — de qn.,** iem. nadoen, zich naar iem. schikken; **si vous le prenez sur ce —-là,** als je zo begint, als je zo'n toon aanslaat; **c'est le — qui fait la chanson** (**ou la musique**), 't hangt er van af *hoe* iets gezegd wordt.
tonal [tònal] *adj.* tonaal, van de toon(aard).
tonalité [tònalité] *f.* 1 (*muz.*) toonaard *m.*; toongehalte *o.*, tonaliteit *v.*; 2 (*v. schilderij*) kleurschakering *v.*; grondkleur *v.*(*m.*).
tonca [tõ'ka] *m.* tonkaboon *v.*(*m.*).
tondage [tõ'da:j] *m.* (*v. laken*) (het) scheren *o.*
tondaille [tòndα'y] *f.* (het) schapenscheren *o.*
tondaison [tõ'dè'zõ] *f.* 1 (*v. schapen*) (het) scheren *o.*; 2 scheertijd *m.*; 3 scheerwol *v.*(*m.*).
tondeur [tõ'dœ:r] *m.* scheerder *m.*
tondeuse [tõ'dö:z] *f.* 1 (*voor laken, schapen*) scheermachine *v.*; 2 (*voor haar*) tondeuse, haarknipmachine *v.*; 3 grasmaaimachine *v.*
tondre [tõ:dr] *v.t.* 1 (*v. laken, schapen*) scheren; 2 (*v. haar, gras*) kort knippen; **— (sur) un œuf,** op een cent doodblijven, op alles uitzuinigen; **— qn. sur le peigne,** iem. er kaal af doen komen; **se laisser — la laine sur le dos,** zich de kaas van het brood laten eten.
tondu [tõ:dü] I *adj.* geschoren; geknipt; II *s. m.* kaalkop; iem. met kort geknipt haar *m.*
Tongres [tõ:gr] *f.* Tongeren *o.*
tongrois [tõ'grwa] *adj.* Tongers, uit Tongeren.
tonicité [tònisité] *f.* (*v. spierweefsels*) veerkracht *v.*(*m.*), spanning *v.*
tonifiant [tònifyã] *adj.* (*gen.*) versterkend.
tonification [tònifikα'syõ] *f.* versterking *v.*
tonifier [tònifyé] *v.t.* versterken.
tonique [tònik] I *adj.* versterkend; **accent —,** klemtoon *m.*; **note —,** (*muz.*) grondtoon *m.*; II *s. m.* versterkend middel, tonicum *o.*; III *s. f.* 1 (*muz.*) grondtoon *m.*, tonica *v.*; 2 lettergreep *v.*(*m.*) met de klemtoon.
tonitruant [tònitrüã] *adj.* donderend, daverend, [bulderend.
tonka [tõ'ka], *voir* **tonca.**
Tonkin [tõ'kẽ] *m.* Tonkin *o.*
Tonkinois [tõ'kinwa] I *m.* Tonkinees *m.*; II *adj.* **t—,** Tonkinees.
tonlieu [tõ'lyö] *m.* marktgeld *o.*
tonnage [tòna:j] *m.* 1 tonnenmaat *v.*(*m.*); 2 (**droit de —**) tonnegeld *o.*; 3 laadvermogen *o.*; **— réel,** (*v. wagen*) draagvermogen *o.*
tonnant [tònã] *adj.* donderend, daverend.
tonne [tòn] *f.* 1 ton *v.*(*m.*); 2 boei, tonneboei *v.*(*m.*); **— de registre,** registerton *v.*(*m.*).
tonneau [tòno] *m.* 1 ton *v.*(*m.*), vat *o.*; 2 tonnespel *o.*; 3 drinkebroer *m.*; 4 (*vl.*) zijdelingse omwenteling *v.*; **— d'arrosage,** sproeiwagen *m.*; **— de jauge,** registerton; **du même —,** van hetzelfde kaliber.
tonnelet [tònlè] *m.* tonnetje, vaatje *o.*
tonnelier [tòn(e)lyé] *m.* kuiper *m.*
tonnelle [tònèl] *f.* 1 priëel *o.*; 2 patrijzennet *o.*; 3 tongewelf *o.*, rondboog *m.*
tonnellerie [tònèlri] *f.* 1 kuiperij *v.*, kuiperswerkplaats *v.*(*m.*); 2 kuipersvak *o.*
tonner [tòné] I *v.imp.* donderen; II *v.i.* uitvaren, bulderen, donderen.
tonnerre [tònè:r] *m.* 1 donder *m.*; 2 (*bij vergelijking*) bliksem *m.*; 3 (*v. geweer, kanon*) kamer, buskruitkamer *v.*(*m.*); **voix de —,** donderende stem; **toutes les fois qu'il tonne, le — ne tombe pas,** blaffende honden bijten niet.
tonsillaire [tõ'sil(l)è:r] *adj.* amandel—, van de amandelen; **angine —,** amandelontsteking *v.*
tonsure [tõ'sü:r] *f.* 1 tonsuur, kruinschering *v.*; 2 (geschoren) kruin *v.*(*m.*).
tonsuré [tõ'süré] *adj.* met geschoren kruin.
tonsurer [tõ'süré] *v.t.* (iem.) de kruin scheren.
tonte [tõ:t] *f.* 1 (*v. schapen*) (het) scheren *o.*; 2 scheertijd *m.*; 3 scheerwol *v.*(*m.*).
tontine [tõ'tin] *f.* 1 onderlinge lijfrenteverzekering *v.* (voor de langstlevenden); 2 lijfrente *v.*(*m.*).
tonton [tõ'tõ] *m.* (*fam.*) ome *m.*
tonture [tõ'tü:r] *f.* 1 (*v. laken*) (het) scheren *o.*; 2 (*v. heg*) (het) snoeien *o.*; 3 scheerwol *v.*(*m.*); 4 (*sch.*) zeeg *v.*(*m.*).
tonus [to'nü:s] *m. voir* **tonicité.**
topaze [tòpa:z] *f.* topaas *m.* (*en o.*).
tope! [tòp] *ij.* top! aangenomen! goed!
toper [tòpé] *v.i.* aannemen, toeslaan, de handslag geven; **topez-là,** de hand erop!
topette [tòpèt] *f.* flesje, monsterflesje *o.*
topinambour [tòpinã'bu:r] *m.* (*Pl.*) aardpeer *v.*(*m.*).
topique [tòpik] I *adj.* 1 plaatselijk; 2 uitwendig; 3 (*fig.*; *v. betoog, enz.*) ter zake dienend, zakelijk, passend; **lieu —,** algemeen argument *o.*; gemeenplaats *v.*(*m.*); II *s. m.* 1 uitwendig plaatselijk geneesmiddel *o.*; 2 gemeenplaats *v.*(*m.*).
topo [tòpo] *m.* (*fam.*) 1 plan *o.*, schets *v.*(*m.*); 2 redevoering *v.*
topographe [tòpògraf] *m.* plaatsbeschrijver *m.*
topographie [tòpògrafi] *f.* plaatsbeschrijving, plaatsbepaling *v.*
topographique(ment) [tòpògrafik(mã)] *adj.* (*adv.*) plaatsbeschrijvend, topografisch.
toponymie [tòpònimi] *f.* kennis van de aardrijkskundige namen, plaatsnaamkunde *v.* [manie *v.*
toquade, tocade [tòka'd] *f.* dwaze gril *v.*(*m.*),
toquante [tòkã:t] *f.* (*arg.*) horloge *o.*
toquard, *voir* **tocard.**
toque [tòk] *f.* 1 baret *v.*(*m.*); 2 (*v. kok*) muts *v.*(*m.*); 3 rond dameshoedje *o.*; 4 doctorsmuts *v.*(*m.*); 5 (*mil.*) kwartiermuts *v.*(*m.*).
toqué [tòké] I *adj.* half gek, van Lotje getikt; **— de,** mal op, verkikkerd op; II *s. m.* halve gek *m.*
toquer [tòké] *v.pr.* **se — de,** verkikkerd worden op.
toquet [tòkè] *m.* kleine baret *v.*(*m.*), mutsje *o.*
torche [tòrʃ] *f.* 1 toorts, fakkel *v.*(*m.*); 2 (**— de paille**), strowis *v.*(*m.*).
torche-nez [tòrʃené] *m.* neuspranger *m.*
torche-pot* [tòrʃepo] *m.* (*Dk.*) blauwspecht, boomklever *m.*
torcher [tòrʃé] *v.t.* 1 afvegen, afwissen; 2 (*fam.*) afrossen, afdrogen, een rammeling geven; **bien torché,** keurig; **une lettre bien torchée,** een brief die op poten staat; **il peut s'en — le bec,** dat is geen spek voor zijn bek.
torchère [tòrʃè:r] *f.* 1 toortshouder *m.*; 2 luchter *m.*
torchette [tòrʃèt] *f.* 1 wislap *m.*, vaatdoekje *o.*; 2 kleine strowis *v.*(*m.*).

torchis [tòrʃi] *m.* mortel *m.* van leem en kort stro.
torchon [tòrʃõ] *m.* **1** wrijflap, vaatdoek *m.*; **2** (vloer)dweil *m.*; **3** strowis *v.(m.)*; **4** (*fam.*) slons *v.*, vuilpoes *v.(m.)*; ***le — brûle,*** het is hommeles, de poppen zijn aan het dansen.
torchonner [tòrʃòné] *v.t.* **1** afvegen, schoonmaken (met doek, vaatdoek); **2** (*v. werk*) afknoeien.
torcol [tòrkòl] *m.* (*Dk.*) draaihals *m.*
tordage [tòrda:j] *m.* (het) twijnen *o.*
tordant [tòrdã] *adj.* (*pop.*) oerkomisch, om je dood te lachen.
tord-boyaux [tòrbwayo] *m.* (*pop.*) foezel *m.*, gemeen soort cognac of brandewijn.
tordeur [tòrdœ:r] *m.* twijnder *m.*
tordeuse [tòrdö:z] *f.* **1** twijnmachine *v.*; **2** (*Dk.: rups*) bladroller *m.*
tord-nez [tò'rné] *m.*, *voir* ***torche-nez.***
tordoir [tòrdwa:r] *m.* **1** (*voor wasgoed*) wringmachine *v.*; **2** (*voor garen*) twijnmachine *v.*; **3** (*voor touwen*) spanstok *m.*
tordre [tòrdr] **I** *v.t.* **1** wringen; **2** (*v. zijde, garen*) twijnen; **3** (*fig.*) verdraaien; ***— le cou à qn.,*** iem. de hals omdraaien; **II** *v.pr.* ***se —,*** zich wringen, zich draaien, zich krommen; ***se — le pied,*** zijn voet verstuiken; ***se — de rire,*** zich een kriek lachen, zich een bochel lachen.
tordu [tòrdü] *adj.* verwrongen, verdraaid, scheef.
tore [tò:r] *m.* voetring *m.* (van zuil).
toréador [tòréadò:r] *m.* stierenbevechter, torero *m.*
toréer [tòréé] *v.t.* stieren bevechten.
toreutique [tòrœtik] *f.* hout-, of ivoorsnijkunst *v.*
torgn(i)ole [tòrñòl] *f.* (*pop.*) opstopper *m.*
toril [tòril] *m.* stierenhok *o.* bij de arena.
tormentille [tòrmã'ti'y] *f.* (*Pl.*) tormentil *v.*
tornade [tòrna'd] *f.* tornado *v.(m.)*.
toron [tòrõ] *m.* streng *v.(m.)* kabelgaren.
torpédo [tòrpédo] *f.* open auto *m.*
torpeur [tòrpœ:r] *f.* verdoving, verstijving *v.*
torpide [tòrpi'd] *adj.* gevoelloos, verdoofd.
torpillage [tòrpiya:j] *m.* torpedering *v.*
torpille [tòrpi'y] *f.* **1** (*mil.*) torpedo *v.(m.)*; **2** (*Dk.*) sidderrog *m.*; ***— aérienne,*** luchttorpedo; ***— dormante,*** grondmijn *v.(m.)*; ***— flottante,*** drijvende mijn; ***— automatique, — mécanique,*** schoktorpedo *v.(m.)*.
torpiller [tòrpiyé] *v.t.* **1** torpederen; **2** (*fig.: pop.*) doen mislukken. [**2** torpedist *m.*
torpilleur [tòrpiyœ:r] *m.* **1** torpedoboot *m. en v.*;
torque [tòrk] *f.* **1** rolletje *o.* pruimtabak; **2** geelkoperdraad *m.*
torréfacteur [tòréfaktœ:r] *m.* **1** trommel *v.(m.)* om koffie te branden, koffiebrander *m.* (*machine*); **2** (*voor cichorei*) roostermachine *v.*
torréfaction [tòréfaksyõ] *f.* **1** (het) branden *o.*; **2** (*v. cichorei*) (het) roosteren *o.*
torréfier [tòréfyé] *v.t.* **1** (*v. koffie*) branden; **2** roosteren.
torrent [tòrã] *m.* **1** bergstroom *m.*; **2** (*fig.*) vloed, stortvloed *m.*; ***céder au —,*** met de stroom meegaan.
torrentiel [tòrã'syèl] *adj.*, ***pluie —le,*** stortregen *m.*
torrentueux [tòrã'twö] *adj.* **1** onstuimig, wild, bruisend; **2** (*fig.: v. leven*) stormachtig.
torride [tòri'd] *adj.* **1** (*v. hitte*) gloeiend, verzengend; **2** (*v. luchtstreek*) heet.
tors [tòrs] *adj.* gedraaid, gewrongen; ***jambes —es,*** kromme benen; ***colonne —e,*** slangenzuil *v.(m.)*. [**2** wrong *m.*
torsade [tòrsa'd] *f.* **1** gedraaide franje *v.(m.)*;
torse [tòrs] *m.* **1** (*v. persoon, beeld*) romp *m.*; **2** (*kunst*) torso *m.*; **3** (*tn.*) spiraalhout *o.*
torser [tòrsé] *v.t.* (spiraalvormig) draaien.
torsion [tòrsyõ] *f.* **1** (het) wringen, (het) draaien *o.*; **2** gedraaidheid *v.*; **3** (*in darm*) kronkel *m.*
tort [tò:r] *m.* **1** ongelijk *o.*; **2** nadeel, onrecht *o.*; ***avoir —,*** ongelijk hebben; ***faire — à,*** onrecht aandoen; benadelen; ***réparer ses —s,*** de aangedane schade herstellen; ***se mettre dans son —,*** een domheid begaan; ***à — ou à raison,*** terecht of ten onrechte; ***à — et à travers,*** in het wild, onbezonnen.
torticolis [tòrtikòli] *m.* stijve nek *m.*
tortillage [tòrtiya:j] *m.* **1** (het) ineendraaien *o.*; **2** verwarde uitdrukkingswijze *v.(m.)*; **3** draaierij *v.*
tortillard, tortillart [tòrtiya:r] *m.* krom gegroeide boom *m.*
tortille [tòrti:y] *f.* slingerpad, kronkelpad *o.*
tortillé [tòrtiyé] *adj.* gedraaid.
tortillement [tòrti'ymã] *m.* **1** draaiing, kronkeling *v.*; **2** (*fig.*) draaierij *v.*
tortiller [tòrtiyé] **I** *v.t.* **1** draaien, wringen; **2** (*pop.*) schransen; **II** *v.i.* draaien, uitvluchten zoeken, zich met draaierijen ophouden; **III** *v.pr.* ***se —,*** zich kronkelen.
tortillère [tòrtiyè:r] *f.* slingerpad *o.*
tortillon [tòrtiyõ] *m.* **1** ineengedraaide doek *m.*; **2** haarwrong *m.*
tortillonner [tòrtiyòné] *v.t.* ineendraaien.
tortionnaire [tòrsyònè:r] **I** *adj.* **1** folter—; **2** (*fig.*) ondraaglijk; ***appareil —,*** foltertuig *o.*; **II** *s. m.* beul *m.*
tortis [tòrti] *m.* snoer *o.*, streng *v.(m.)*.
tortu [tòrtü] *adj.* krom, scheef.
tortue [tòrtü] *f.* **1** schildpad *v.(m.)*; **2** (*gesch.*) schilddak, stormdak *o.*; ***à pas de —,*** als een slak, met een slakkegang; ***tête de veau à la —,*** kalfskop met tomatensaus.
tortuer [tòrtwé] **I** *v.t.* **1** krom buigen; **2** kronkelen; **II** *v.pr.* **1** krom worden; **2** zich kronkelen.
tortueux [tòrtwö] *adj.*, **tortueusement** [tòrtwö'zmã] *adv.* **1** kronkelend, slingerend, bochtig; **2** (*fig.*) slinks, niet recht door zee.
tortuosité [tòrtwo'zité] *f.* **1** kromming, bochtigheid *v.*; **2** slinksheid, draaierij *v.*
torture [tòrtü:r] *f.* foltering, pijniging *v.*; ***mettre à la —,*** op de pijnbank leggen, pijnigen; ***instrument de —,*** marteltuig *o.*
torturer [tòrtüré] *v.t.* **1** folteren, pijnigen; **2** (*fig.: v. tekst, zin*) verdraaien.
torve [tòrv] *adj.* (*v. blik*) dreigend, woest.
toscan [tòskã] **I** *adj.* Toscaans; **II** *s. m.*, ***T—,*** Toscaner, inwoner *m.* van Toscana.
tôt [to] *adv.* vroeg; ***le plus — sera le mieux,*** hoe eer hoe beter; ***avoir — fait de,*** spoedig klaar zijn met; ***plus —,*** vroeger; ***au plus —,*** zo spoedig mogelijk.
total [tòtal] **I** *adj.* gans, geheel, totaal; **II** *s. m.* geheel, totaal *o.*; ***au —,*** over het geheel genomen.
totalement [tòtalmã] *adv.* geheel, totaal.
totalisateur [tòtalizatœ:r] *m.* telmachine *v.*, totalisator *m.*
totalisation [tòtaliza'syõ] *f.* (het) optellen *o.*
totaliser [tòtali'zé] *v.t.* optellen.
totalitaire [tòtalitè:r] *adj.* totalitair.
totalitarisme [tòtalitarizm] *m.* totalitair regime *o.*
totalité [tòtalité] *f.* geheel, gezamenlijk bedrag *o.*
totem [tòtèm] *m.* totem *m.* [verering *v.*
totémisme [tòtémizm] *m.* totemisme *o.*, totem-
toto [tòto] *m.* **1** (*pop.*) luis *v.(m.)*; **2** Jantje, Pietje.
toton [tòtõ] *m.* draaitolletje *o.*
touage [twa:j] *m.* **1** sleepdienst *m.*; **2** sleeploon *o.*
touaille [twa'y] *f.* rolhanddoek *m.*
Touareg [tuarèg] *m.pl.* Toearegs, berbervolk uit de Sahara.

toubib [tubib] *m.* (*mil.*) dokter *m.*
toucan [tukã] *m.* (*Dk.*) pepervreter, toekan *m.*
touchant [tuʃã] **I** *adj.* roerend, aandoenlijk, treffend; **II** *prép.* aangaande, betreffende.
touchau, toucheau [tuʃo] *m.* toetsnaald *v.*(*m.*).
touche [tuʃ] *f.* **1** (*muz.*) aanslag *m.*; **2** (*v. piano, enz.*) toets *m.*; **3** (*v. viool*) greep *v.*(*m.*); **4** (*v. schilder*) streek, penseelstreek *v.*(*m.*); **5** aanraking *v.*; **6** (*fig.*: *lett.*) stijl *m.*; **7** (*mil.*) treffer *m.*; **8** (*sp.*: *voetbal*) buitenlijn *v.*(*m.*); ***pierre de —,*** toetssteen *m.*; ***manque de —,*** **1** (*bilj.*) misstoot *m.*; **2** (*fig.*) misslag *m.*
touche-à-tout [tuʃatu] *m.* albedil, bemoeial *m.*
toucher [tuʃé] **I** *v.t.* **1** raken, aanraken; **2** (*v. instrument*) bespelen; **3** (*v. goud, enz.*) toetsen; **4** (*v. haven*) aandoen; **5** (*v. onderwerp*) aanroeren; **6** (*v. geld*) ontvangen, innen, beuren; **7** aangaan, betreffen; **8** (*gen.*) aanstippen; **9** (*fig.*) roeren, ontroeren, aandoen; indruk maken op; ***— le rivage,*** landen; ***— un écueil,*** op een klip stoten; ***— le fond,*** stranden; ***cela ne me touche en rien,*** dat gaat mij helemaal niet aan; ***il ne me touche de rien,*** hij is mij geheel vreemd; ***cela me touche de près,*** dat gaat mij zeer ter harte; ***— qn. de près,*** met iem. nauw verwant zijn; ***votre lettre ne l'a pas touché,*** uw brief heeft hem niet bereikt; ***je lui en ai touché un mot,*** ik heb hem er met een enkel woord over gesproken; **II** *v.i.* **1** raken aan; **2** grenzen aan; **3** (*v. schip*) op een klip stoten; ***— au but,*** het doel nabij zijn; ***— à sa fin,*** zijn einde nabij zijn; ***— dans la main à qn.,*** iem. de hand op iets geven; ***touchez là!*** sla toe! de hand er op! ***il a l'air de ne pas y —,*** hij ziet er uit, of hij geen tien kan tellen; ***dire qc. sans avoir l'air d'y —,*** iets onnozel weg (*of* langs zijn neus weg) zeggen; ***— juste,*** de vinger op de wonde plek leggen; **III** *v.pr.*, ***se —,*** **1** elkaar aanraken; **2** aan elkaar grenzen; **IV** *s. m.* **1** gevoel *o.*, tastzin *m.*; **2** (*v. pianist, enz.*) aanslag *m.*; ***doux au —,*** zacht aanvoelend.
touchette [tuʃèt] *f.* toetsje *o.*
toucheur [tuʃœ:r] *m.* **1** veedrijver *m.*; **2** kwakzalver *m.* (die geneest door aanraking).
toue [tu] *f.* **1** (het) slepen *o.* (met een ketting); **2** veerschuit *v.*(*m.*).
touée [twé] *f.* **1** (het) slepen *o.*; **2** sleepketting *m.*; **3** tros *m.*
touer [twé] *v.t.* **1** (*sch.*) verhalen; **2** overhalen (met [pont).
toueur [twœ:r] *m.* sleepboot, kettingboot *m. en v.*
touffe [tuf] *f.* **1** bos *m.*, bosje *o.*, bundel *m.*; **2** (*v. bomen*) groep *v.*(*m.*); **3** (*v. borstel*) haar *o.*
touffer [tufé] *v.i.* in bosjes groeien.
touffeur [tufœ:r] *f.* hete walm, hete damp *m.*
touffu [tufü] *adj.* **1** dicht (begroeid); **2** (*fig.*; *v. stijl*) zwaar, log.
touiller [tuyé] *v.t.* **1** roeren; **2** (*v. dominostenen*) [wassen.
toujours [tuju:r] *adv.* **1** altijd, steeds; **2** nog altijd; **3** inmiddels, ondertussen; ***— est-il,*** zoveel is zeker; ***faites —,*** ga je gang maar; ***c'est — autant de fait,*** dat is alvast gedaan; ***nous nous arrangerons —,*** we zullen er wel wat op vinden.
Toulousain [tulusẽ] *m.* inwoner *m.* van Toulouse.
toundra [tundra] *f.* toendra *v.*(*m.*).
toupet [tupè] *m.* **1** kuif, haarlok *v.*(*m.*); **2** (*fig.*) driestheid, onbeschaamdheid, brutaalheid *v.*; ***faux —,*** pruik *v.*(*m.*); ***il a du —!*** hij durft nogal!
toupie [tupi] *f.* **1** tol, priktol *m.*; **2** (*pop.*) kersepit *v.*(*m.*), kop *m.*; ***— d'Allemagne,*** bromtol; ***— hollandaise,*** draaitol.
toupiller [tupiyé] *v.i.* draaien als een tol; heen en weer drentelen.
toupillon [tupiyõ] *m.* kuifje, haarlokje; bosje *o.*
tour [tu:r] **I** *f.* **1** toren *m.*; **2** (*v. schaaksp.*) kasteel *o.*; ***— de Babel,*** **1** toren van Babel; **2** (*fig.*) Babylonische spraakverwarring *v.*; ***la — de Londres,*** de Tower; **II** *m.* **1** (*v. wiel, enz.*) draaiing, wenteling, omwenteling *v.*; **2** (*v. weg, rivier*) bocht *v.*(*m.*), kronkeling *v.*; **3** omvang, omtrek *m.*; **4** wandeling *v.*, uitstapje *o.*; **5** rondreis; reis *v.*(*m.*) om; **6** toer *m.*, kunstje, kunststukje *o.*; **7** beurt *v.*(*m.*); **8** (*v. zin*) wending *v.*; **9** (*in muur*) draaikast *v.*(*m.*); **10** (*v. schroef*) slag *m.*; **11** streek *m. en v.*, poets *v.*(*m.*); **12** (*fig.*) wending *v.*; **13** voorstellingswijze *v.*(*m.*), inkleding *v.*; ***— de cheminée,*** schoorsteenvalletje *o.*; ***— d'adresse,*** handigheid *v.*, handige toer *m.*; ***donner un — de clef,*** de sleutel omdraaien; ***fermé à double —,*** op het nachtslot; ***— à —,*** beurtelings; ***en un — de main,*** in een ommezien, in een handomdraai; ***second — de scrutin,*** tweede stemming *v.*; ***prendre un mauvais —,*** een ongunstige wending nemen; ***à — de bras,*** uit alle macht; ***un — de passe-passe,*** een goocheltoer; ***— de force,*** krachttoer; stoute daad; ***— de phrase,*** zinswending; ***jouer un — à qn.,*** iem. een poets bakken; ***fait au —,*** mooi gevormd; ***il a plus d'un — dans sa gibecière,*** hij is voor één gat niet te vangen.
touraille [turaˑy] *f.* (*brouwerij*) **1** eest, droogvloer *m.*; **2** op de eest gedroogde gerstekorrels *mv.*
touraillon [turaˑyõ] *m.* (*brouwerij*) bostel *v.*(*m.*).
Tourangeau [turãˑjo] *m.* inwoner *m.* van Tours *of* la Touraine; (*fem.*: ***Tourangelle***).
tourbage [turba:j] *m.* **1** (het) turfsteken *o.*, vervening *v.*; **2** veenderij *v.*
tourbe [turb] *f.* **1** turf *m.*; **2** (*ong.*) hoop *m.*, menigte *v.*; janhagel *o.*; ***— noire,*** harde turf; ***— fibreuse, — mousseuse,*** zachte turf.
tourbe-litière [turbelityè:r] *f.* turfstrooisel *o.*
tourber [turbé] *v.i.* turf steken.
tourbeux [turbö] *adj.* turfachtig.
tourbier [turbyé] *m.* **1** turfgraver, turfsteker, veenarbeider *m.*; **2** veenbaas, turfboer *m.*
tourbière [turbyè:r] *f.* **1** veenderij, turfmakerij *v.*; **2** veenland *o.*
tourbillon [turbiyõ] *m.* **1** wervelwind, dwarrelwind *m.*; **2** (*in water*) draaikolk *m. en v.*; **3** (*v. rook, stof*) wolk *v.*(*m.*), dwarreling *v.*; **4** (*fig.*) maalstroom *m.*
tourbillonnant [turbiyònã] *adj.* dwarrelend.
tourbillonnement [turbiyònmã] *m.* dwarreling *v.*
tourbillonner [turbiyòné] *v.i.* dwarrelen.
tourd [tu:r] *m.* (*Dk.*) (groene) lipvis *m.*
tourelé [turlé] *adj.* van torens voorzien; gekanteeld.
tourelle [turèl] *f.* **1** torentje, hoektorentje *o.*; **2** (*mil.*) koepel *m.*; ***— d'observation,*** uitkijktoren *m.*
touret [turè] *m.* **1** wieltje *o.*; **2** spinnewiel *o.*; **3** (*v. boot*) roeipen *v.*(*m.*), dol *m.*; **4** rondsel *o.*
tourette [turèt] *f.* (*Pl.*) torenkruid *o.*
tourie [turi] *f.* mandefles *v.*(*m.*).
tourier [turyé] *adj. et s. m.*, (***frère***) ***—,*** broeder portier *m.*; (***sœur***) ***tourière,*** zuster portierster *v.*
tourillon [turiyõ] *m.* **1** draaibout *m.*, spil *v.*(*m.*); **2** (*v. machine*) tap *m.*
touring club [turẽˑgklœb] *m.* **1** toeristenbond *m.*; **2** fietsclub *v.*(*m.*).
Tourinnes-la-Grosse [turinlagròs] Deurne *o.* [(*Brabant*).
tourisme [turizm] *m.* toerisme *o.*; reiswezen *o.*; vreemdelingenverkeer *o.*
touriste [turist] *m.* toerist, plezierreiziger *m.*; (*sp.*) trekker *m.*
touristique [turistik] *adj.* toeristisch, toeristen—; ***société —,*** reisvereniging *v.*

tourlourou [turluru] *m.* (*pop.*) infanterist, piot *m.*
tourmaline [turmalin] *f.* toermalijn *o.*
tourment [turmã] *m.* **1** foltering, kwelling *v.*; **2** zielesmart *v.*(*m.*); hartzeer *o.*; **3** angst *m.*
tourmentant [turmã'tã] *adj.* kwellend, plagend.
tourmente [turmã:t] *f.* **1** (voorbijgaande) storm *m.*; **2** (*fig.*) beroering *v.*, storm *m.*; **— de neige,** sneeuwjacht *v.*(*m.*).
tourmenté [turmã'té] *adj.* **1** gekweld; **2** (*v. trekken, houding*) verwrongen; **3** (*v. stijl*) gewrongen; **4** (*v. landschap*) woest; **5** (*v. kustlijn*) verbrokkeld.
tourmenter [turmã'té] **I** *v.t.* **1** folteren, kwellen, pijnigen; **2** (*fig.*) plagen, verontrusten; **3** (*v. stijl*) verwringen, verdraaien, geweld aandoen; **4** (*v. schip*) heen en weer slingeren; **II** *v.pr.* **se —, 1** zich verontrusten, zich ongerust maken; **2** zich afwerken, zich erg inspannen, zich afbeulen; **3** (*v. hout*) krom trekken. [achtig.
tourmenteux [turmã'tö] *adj.* onstuimig, storm-
tourmentin [turmã'tẽ] *m.* (*Dk.*) stormvogel *m.*
tournage [turna:j] *m.* **1** (op draaibank) het draaien; **2** (*v. film*) het afdraaien.
Tournai [turnè] *m.* Doornik *o.*
tournailler [turnɑ'yé] *v.i.* heen en weer draaien.
tournaisien [turnèzyẽ] **I** *adj.* Doorniks; **II** *s. m.* ***T—,*** inwoner *m.* van Doornik.
tournant [turnã] **I** *adj.* draaiend; ***pont* —,** draaibrug *v.*(*m.*); ***tables* —es,** tafeldans *m.*; ***mouvement* —,** (*mil.*) omtrekkende beweging *v.*; **II** *s. m.* **1** (*v. weg, rivier*) bocht *v.*(*m.*); **2** (*v. straat*) hoek *m.*; **3** (*in leven, geschiedenis*) keerpunt *o.*; **4** draaibord *o.*; **5** (*fig.*) omweg *m.*, slinks middel *o.*
tournasser [turnasé] *v.t.* (*pottenbakker*) draaien, op draaischijf vormen. [*m.*
tournasseur [turnasœ:r] *m.* (*pottenbakker*) draaier
tourne [turn] *f.* **1** (*spel*) gekeerde troefkaart *v.*(*m.*); **2** (*v. wijn*) verschaling *v.*, (het) verschalen *o.*
tourné [turné] *adj.* **1** gedraaid; **2** zuur geworden; ***bien* —,** welgemaakt, goed gebouwd; ***mal* —,** mismaakt. [zetijzer *o.*
tourne-à-gauche [turnago:ʃ] *m.* wringijzer,
tournebouler [turnebulé] *v.t.* het hoofd op hol brengen. [spitdraaier *m.*
tournebroche [turnebròʃ] *m.* **1** draaispit *o.*; **2**
tourne-disque* [turnedisk] *m.* platenspeler *m.*
tournedos [turnedo] *m.* (in plakken) gesneden ossehaas *m.*
tournée [turné] *f.* **1** rondreis; inspectiereis *v.*(*m.*); **2** uitstapje *o.*; **3** (*pop.*) rondje *o.*; **4** pak *o.* slaag; **5** (*bij 't ploegen*) gang *m.* [bladkeerder *m.*
tourne-feuille* [turnefœ'y] *m.* (*v. muziekboek*)
tournemain [turn(e)mẽ] *m.*, ***en un* —,** in een ommezien, in een handomdraaien.
tournement [turnemã] *m.* draaiing *v.*; **— *de tête,*** duizeling *v.*
Tourneppe [turnèp] *m.* Dworp *o.*
tourner [turné] **I** *v.t.* **1** draaien; **2** (*v. hoofd*) omdraaien; **3** (*v. blad*) omkeren, omslaan; **4** (*v. toneel*) filmen, opnemen; **5** (*v. film*) afdraaien; **6** (*mil.: v. vesting, enz.*) omtrekken; **7** (*v. moeilijkheid*) ontwijken; **8** (*fig.*) wenden, keren; **— *le dos à qn.,*** iem. de rug toekeren; **— *la tête,*** omkijken, het hoofd omwenden (*of* omdraaien); **— *en ridicule,*** belachelijk maken; **— *ses souliers,*** zijn schoenen scheef lopen; **— *qn. à son gré,*** iem. naar zijn hand zetten; **— *les choses à son profit,*** de dingen in zijn voordeel uitleggen; **II** *v.i.* **1** draaien; **2** veranderen; **3** (*v. melk*) zuur worden, bederven; **4** (*v. wijn*) verschalen; ***mal* —, 1** (*v. zaak*) slecht aflopen; verkeerd lopen; **2** (*v. persoon*) de verkeerde (*of* slechte) weg opgaan; **— *à tout vent,*** met alle winden meedraaien; **— *autour du pot,*** draaien als de kat om de hete brij; **— *autrement,*** anders lopen, een andere wending nemen; **— *à droite,*** naar rechts afslaan; **— *au froid,*** koud beginnen te worden; **— *de l'œil,*** van zichzelf vallen; ***la tête me tourne,*** ik word duizelig.
tournerie [turneri] *f.* **1** draaierij *v.*, draaierswerkplaats *v.*(*m.*); **2** draaierswerk *o.*
tournesol [turnesòl] *m.* **1** (*Pl.*) zonnebloem *v.*(*m.*); **2** (*scheik.*) lakmoes *o.*
tournette [turnèt] *f.* **1** haspel *m.*; **2** (*v. pottenbakker*) draaischijf *v.*(*m.*); **3** (*voor eekhoorn*) draaikooi *v.*(*m.*).
tourneur [turnœ:r] **I** *m.* kunstdraaier *m.*; **II** *adj.* draaiend.
tournevent [turn(e)vã] *m.* (*op schoorsteen*) draaikap *v.*(*m.*), gek *m.*
tournevire [turnevi:r] *f.* kabelaring *v.*(*m.*).
tournevis [turnevis] *m.* schroevedraaier *m.*
tourniole [turnyòl] *f.* (*gen.*) omloop *m.*
tourniquet [turnikè] *m.* **1** draaikruis, draaihek *o.*; **2** (*spel*) draaibord *o.*; **3** (*gen.*) aderpers *v.*(*m.*); schroefverband *o.*; **— *d'arrosage,*** tuinsproeier, wentelsproeier *m.*
tournis [turni] *m.* (*bij schapen*) draaiziekte *v.*
tournoi [turnwa] *m.* **1** steekspel, tornooi *o.*; **2** (*bilj., schaken, enz.*) wedstrijd *m.*
tournoiement, tournoiment [turnwamã] *m.* draaiing *v.*; **— *de tête,*** duizeling, duizeligheid *v.*
tournoyant [turnwayã] *adj.* draaiend, dwarrelend.
tournoyer [turnwayé] *v.i.* **1** draaien; dwarrelen; **2** draaien, uitvluchten zoeken.
tournure [turnü:r] *f.* **1** (*v. zaak*) wending *v.*; **2** (*gram.*) zinswending *v.*; **3** (*tn.*) draaiafval *o. en m.*, draaisel *o.*; **4** (*fig.*) houding *v.*, manier *v.*(*m.*) van doen; ***avoir bonne* —,** flink gebouwd zijn.
touron [turõ] *m.* amandelkoekje *o.*
tourte [turt] *f.* **1** (gevulde) pastei *v.*(*m.*); **2** (*fig.*) uilskuiken *o.*, stommerik *m.*
tourteau [turto] *m.* **1** rond brood *o.*; ronde koek *m.*; **2** (**— *de lin***), lijnkoek *m.*; **— *de colza,*** raapkoek *m.*
tourtereau [turtero] *m.* jonge tortelduif *v.*(*m.*); (*fig.*) ***des* —x,** verliefd paartje *o.*
tourterelle [turterèl] *f.* tortelduif *v.*(*m.*). [*m.*
tourtière [turtyè:r] *f.* taartpan *v.*(*m.*); pasteivorm
tous 1 [tu] *pron.adj.* alle; **2** [tu:s] *pron.subs.* allen.
touselle [tuzèl] *f.* vroege tarwe *v.*(*m.*).
Toussaint *f.*, ***la* —** [latusẽ] Allerheiligen *m.*
tousser [tusé] *v.i.* hoesten; kuchen; ***faire* —,** (*arg.*) laten dokken. [gehoest *o.*
tousserie [tusri] *f.* hoestbui *v.*(*m.*), langdurig
tousseur [tusœ:r] *m.* hoester; kucher *m.*
toussotement [tusòtmã] *m.* gekuch *o.*
toussoter [tusòté] *v.i.* kuchen.
tout [tu; *devant voyelle:* tut] **I** *pron.adj.*, (*enk.*) **1** geheel, gans; **2** ieder, elk; (*meerv.*) alle; **— *le village,*** het ganse dorp; **—*e la ville,*** de gehele stad; **— *homme,*** ieder mens; ***tous les hommes,*** alle mensen; **— *le monde,*** iedereen; ***en* —*e liberté,*** in volle vrijheid; ***à* —*e vapeur,*** met volle kracht; ***à* —*e bride,*** met losse teugel; ***à* —*es jambes,*** zo hard als men kan, uit alle macht; ***pour* —*e réponse,*** als enig antwoord; **—*es les semaines,*** iedere week, wekelijks; ***tous les ans,*** jaarlijks; ***somme* —*e,*** alles bijeengenomen; ***pas du* —,** in 't geheel niet; **II** *pron.subst.* **1** alles; **2** geheel; ***à* — *prendre,*** alles wel beschouwd; ***c'est* — *dire,*** dat zegt genoeg; ***s'ennuyer comme* —,** zich erg (*of* dodelijk) vervelen; ***en* —,** in 't geheel; **III** *adv.* **1** geheel; **2** zeer, erg; **— *heureux,*** zeer tevreden; **— *enfant, il accompagnait son père au bois,*** reeds als kind ging hij met zijn vader naar het bos; ***sa vie* — *entière,*** zijn gehele leven; **— *riches***

qu'ils soient, hoe rijk zij ook zijn; ***dire — net***, onomwonden zeggen; ***une étoffe — laine***, een zuiver wollen stof; ***c'est — autre chose***, dat is heel wat anders; ***c'est — un***, dat is net eender, dat komt op hetzelfde neer; ***— à coup***, plotseling, eensklaps; ***— d'un coup***, ineens; ***— à fait***, geheel en al; ***— de même***, toch; ***— de suite***, dadelijk; ***— au plus***, ten hoogste; ***— en larmes***, in tranen badend; ***des vêtements — faits***, gemaakte kleren; ***— en chantant***, al zingende; **IV** *s. m.* **1** geheel *o.*; **2** hoofdzaak *v.(m.)*; ***du — au —***, geheel en al; ***le — est de réussir***, de hoofdzaak is te slagen; ***risquer le — pour le —***, alles op het spel zetten.

tout-à-l'égout [tutalégu] *m.* spoelinrichting *v.*, spoelstelsel *o.*

tout-beau! [tubo] *ij.* kalm! stil wat!

tout-blanc [tublã] *m.* (*Pl.*) witte narcis *v.(m.)*.

toute*-épice* [tutépis] *f.* (*Pl.*) juffertje in 't groen, nigellezaad *o.*

toutefois [tutfwa] *adv.* evenwel, echter, toch.

toute-présence [tutprézã:s] *f.* alomtegenwoordigheid *v.*

toute-puissance [tutpẅisã:s] *f.* **1** almacht *v.(m.)*; **2** (*fig.*) aleenheerschappij *v.*

toutou [tutu] *m.* (*fam.*) hondje *o.*

tout-puissant [tu(t)pẅisã] (*au pluriel:* tout-puissants, toutes-puissantes) *adj.* almachtig; ***le T—-P—***, de Almachtige *m.*

tout-venant [tuvnã] *m.* gruis en grove kolen door elkaar.

toux [tu] *f.* hoest *m.*; ***accès de —***, hoestbui; ***— convulsive***, kramphoest.

toxicité [tòksisité] *f.* giftigheid *v.*

toxicologie [tòksikòlòji] *f.* leer *v.(m.)* van de vergiften, toxicologie *v.*

toxicologiste [tòksikòlòjist], **toxicologue** [tòksikòlò:g] *m.* toxicoloog, vergiftenkenner *m.*

toxicomanie [tòksikòmani] *f.* verslaafdheid *v.* aan bedwelmende middelen. [*v.(m.)*.

toxine [tòksin] *f.* uitgescheiden giftstof, toxine

toxique [tòksik] **I** *adj.* vergiftig; ***gaz —***, gifgas *o.*; **II** *s. m.* vergift *o.*

toxiqué [tòksiké] *m.* vergiftigde *m.*

trabe [trab] *f.* **1** (*sch.*) ankerstok *m.*; **2** (*wap.*) vaandelstok *m.*

trabée [trabé] *f.* (*gesch.*) staatsiekleed *o.* (van de Romeinen).

trac [trak] *m.* **1** (*v. dier: jacht*) spoor *o.*; **2** (*v. lastdier*) gang *m.*; **3** (*pop.*) angst *m.*, bangheid *v.*; ***avoir le —***, **1** in de rats zitten; **2** (*v. toneelspeler*) plankenkoorts hebben.

traçage [trasa:j] *m.* tracering *v.*

traçant [trasã] *adj.* (*Pl.*) **1** (*v. stengel*) kruipend; **2** (*v. wortel*) spreidend; **3** ***balle —e***, lichtspoorkogel *m.*

tracas [traka] *m.* drukte, beslommering *v.*, last *m.*

tracassant [trakasã] *adj.* last bezorgend.

tracasser [trakasé] *v.t.* kwellen, plagen, lastig vallen, verontrusten.

tracasserie [trakasri] *f.* **1** plagerij *v.*; **2** last *m.*, drukte *v.* [bemoeiziek.

tracassier [trakasyé] *adj.* plagerig, plaagziek;

tracassin [trakasẽ] *m.* (*fam.*) onrustigheid *v.*

trace [tras] *f.* **1** spoor; voetspoor *o.*, voetstap, indruk *m.*; **2** merk, teken; litteken *o.*; **3** (*meetk.*) snijpunt *o.* (met projectievlak); **4** (*v. oude beschaving, enz.*) overblijfsel *o.*; ***marcher sur les —s de qn.***, iem. navolgen, iemands voetstappen drukken.

tracé [trasé] *m.* **1** schets *v.(m.)*, ontwerp *o.*; **2** (*v. weg, spoorlijn, enz.*) (ontworpen) richting *v.*, lijn *v.(m.)*; ***— d'alignement***, ontworpen rooilijn *v.(m.)*.

tracement [trasmã] *m.* (het) ontwerpen; (het) aftekenen *o.*

tracer [trasé] *v.t.* **1** schetsen, ontwerpen; **2** (*v. lijn*) trekken; **3** (*v. schets*) tekenen; **4** (*v. letters*) schrijven; **5** (*fig.*: *v. tafereel, enz.*) beschrijven, schilderen; **6** (*v. methode*) voorschrijven; **7** (*v. te volgen weg*) aangeven, aanwijzen.

traceret [trasrè] *m.* traceerijzer *o.*

traceur [trasœ:r] *m.* ritser, afsteker *m.*

trachéal [trakéal] *adj.* luchtpijp—, van de luchtpijp.

trachée [traʃé] *f.* **1** luchtpijp *v.(m.)*; **2** (*v. insekt*) luchtbuis *v.(m.)*, trachee *v.*; **3** (*Pl.*) luchtvat *o.*

trachée*-artère* [traʃéartè:r] *f.* luchtpijp *v.(m.)*.

trachéen [trakẽẽ] *adj.* **1** van de luchtpijp; **2** door luchtbuizen (ademend).

trachéite [trakéit] *f.* (*gen.*) luchtpijpontsteking *v.*

traçoir [traswa:r] *m.* **1** graveerstift, graveernaald *v.(m.)*; **2** vorentrekker *m.*

tract [trakt] *m.* vlugschriftje, traktaatje *o.*

tractation [traktɑ'syõ] *f.* onderhandeling *v.*

tracté [trakté] *adj.* getrokken door een tractor.

tracteur [traktœ:r] *m.* tractor, voorspanwagen, motorwagen *m.*

traction [traksyõ] *f.* **1** (het) trekken *o.*; **2** (*bij spoorw.*) tractie *v.*; ***— mécanique***, machinale beweegkracht *v.(m.)*; ***— aérienne***, (*v. tram*) bovengrondse geleiding; ***— souterraine***, (*el.*) ondergrondse geleiding.

tractoire [traktwa:r] *adj.* trek—.

tradition [tradisyõ] *f.* **1** overlevering, traditie *v.*; **2** (*recht*) overdracht *v.(m.)*; terhandstelling *v.*

traditionalisme [tradisyònalizm] *m.* op de overlevering gegrond geloof, traditionalisme *o.*

traditionaliste [tradisyònalist] *m.* **1** aanhanger van de overlevering, traditionalist *m.*; **2** kenner van de volksoverleveringen, folklorist *m.*

traditionnel [tradisyònèl] *adj.* op overlevering gegrond, door overlevering voortgeplant, traditioneel.

traditionnellement [tradisyònèlmã] *adv.* volgens de overlevering.

traducteur [tradüktœ:r] *m.* vertaler *m.*

traduction [tradüksyõ] *f.* **1** vertaling, overzetting *v.*; **2** (*fig.*) vertolking, uiting *v.*; **3** (*v. stenogram*) (het) uitwerken *o.*

traduire* [tradẅi:r] **I** *v.t.* **1** vertalen, overbrengen; **2** (*v. stenogram*) uitwerken; **3** (*fig.*: *v. gevoelens, enz.*) vertolken, uitdrukken; ***— en justice***, voor de rechtbank dagen, in rechten betrekken; **II** *v.pr.* ***se —***, **1** vertaald worden; **2** (*fig.*) zich uiten, zich openbaren.

traduisible [tradẅizi'bl] *adj.* vertaalbaar.

trafic [trafik] *m.* **1** handel *m.*, verkeer *o.*; **2** koopwarenvervoer *o.* (op spoor); **3** oneerlijke handel *m.*, geknoei *o.*; **4** wegverkeer *o.*; ***route à grand —***, drukke verkeersweg; ***— d'armes***, wapensmokkelarij *v.* [raar *m.*

trafiquant [trafikã] *m.* **1** handelaar *m.*; **2** sjache-

trafiquer [trafiké] **I** *v.i.* **1** handel drijven; **2** sjacheren; **II** *v.t.* verhandelen.

trafiqueur [trafikœ:r] *m.* sjacheraar *m.*

tragacanthe [tragakã:t] *f.* (*Pl.*) dragant *v.(m.)*, boksdoorn *m.*

tragédie [trajédi] *f.* **1** treurspel *o.*, tragedie *v.*; **2** (*fig.*) treurige gebeurtenis *v.*, tragisch voorval *o.*

tragédien [trajédyẽ] *m.* treurspeler *m.*

tragi-comédie* [trajikòmédi] *f.* blijeindigend treurspel *o.*

tragi-comique* [trajikòmik] *adj.* tragikomisch.

tragique [trajik] **I** *adj.* **1** tragisch, treurig; **2** (*fig.*) noodlottig; **II** *s. m.* **1** treurspeldichter *m.*; **2** (het)

tragische *o.*; **3** (het) tragische genre *o.*; ***prendre qc. au* —,** iets al te ernstig opnemen, van de somberste zijde beschouwen.
tragiquement [trajikmã] *adv.* tragisch, treurig.
tragule [tragül] *m.* dwerghert *o.*
trahir [trai:r] *v.t.* **1** verraden; **2** schenden, verloochenen; **3** (*v. vertrouwen*) beschamen, misbruik maken van; **4** (*v. eed*) breken; **5** (*v. woorden, gedachten, tekst*) onjuist weergeven.
trahison [traizõ] *f.* verraad *o.*; ***haute* —,** hoogverraad *o.* [sleepnet *o.*
traille [tra·y] *f.* **1** gierpont *v.(m.)*; **2** trawlnet,
train [trẽ] *m.* **1** (spoor)trein *m.*; **2** (*mil.*) trein, tros *m.*; **3** gang *m.*, vaart, snelheid *v.*; **4** drukte *v.*, leven, lawaai *o.*; **5** (*v. bedienden, enz.*) stoet *m.*, gevolg *o.*; **6** (*v. vaartuigen*) sleep *m.*; **7** (*v. rijtuig, wagen, machine*) onderstel *o.*; **8** (*fig.*: *v. de dingen*) gang, loop *m.*; **— *de voyageurs*,** personentrein; **— *direct*,** doorgaande trein; **— *express*,** sneltrein; **— *omnibus*,** stoptrein, boemeltrein; **— *spécial*,** extratrein; **— *supplémentaire*,** volgtrein, voortrein; **— *sanitaire*,** hospitaaltrein; **— *de marchandises*,** goederentrein; **—*-surprise*,** vraagtekentrein; (*B.*) verrassingstrein; **— *de bois*,** houtvlot; ***le* — *journalier*,** de dagelijkse sleur; ***aller bon* —,** een goede vaart hebben; ***aller son petit* —,** op een sukkeldrafje voortgaan; ***aller son* —,** zijn gang gaan; ***aller un* — *d'enfer*,** in razende vaart rijden; ***mener grand* —,** op grote voet leven; ***mener un* — *d'enfer*, 1** als een dolle rijden; **2** (*fig.*) er maar op los leven; ***être en* —, 1** aan de gang zijn; **2** in de stemming zijn; op dreef zijn; ***être dans le* —,** op de hoogte zijn; ***être en* — *de faire qc.*,** bezig zijn met iets; ***mettre en* —,** aan de gang zetten; ***à fond de* —,** in volle vaart; **— *d'atterrissage*,** (*vl.*) landingsgestel *o.*; ***par le* —,** met de trein.
traînage [trẽ·na:j] *m.* **1** (het) slepen *o.*; **2** (*v. ballon*) sleepvaart *v.(m.)*.
traînailler [trẽ·nayé] *v.t.* voortslepen; **— *sur ses devoirs*,** met zijn huiswerk zaniken.
traînant [trẽ·nã] *adj.* **1** slepend; **2** langdradig, gerekt. [laar *m.*
traînard [trẽ·na:r] *m.* **1** achterblijver *m.*; **2** treuze-
traînasse [trẽ·nas] *f.* **1** sleepnet *o.* (voor vogels); **2** (*Pl.*) varkensgras *o.*
traînasser [trẽ·nasé] **I** *v.t.* slepende houden; **II** *v.i.* treuzelen, talmen.
traîne [trẽ·n] *f.* **1** (het) slepen *o.*; **2** (*v. japon*) sleep *m.*; **3** sleepnet *o.*; **4** sleeptouw *o.*; **5** sprokkelhout *o.*; ***laisser à la* —,** slepende houden; ***avoir à la* —,** (*v. kleren, enz.*) laten slingeren.
traîneau [trẽ·no] *m.* **1** slede, arreslee *v.(m.)*; **2** sleepnet *o.*
traînée [trẽ·né] *f.* (*v. licht, zand, enz.*) streep *v.(m.)*; **— *de poudre*, 1** (*mil.*) loopvuur *o.*; **2** (*fig.*) lopend vuurtje *o.*
traîne-misère [trẽ·nmizè:r] *m.* armoedzaaier *m.*
traîner [trẽ·né] **I** *v.t.* **1** slepen, voortslepen; trekken; **2** (*v. zaak*) slepende houden, rekken; op de lange baan schuiven; **3** (*v. persoon*) aan 't sleeptouw houden; **— *le boulet*,** een blok aan 't been hebben; een kommervol bestaan voortslepen; **— *la jambe*, 1** met moeite lopen; **2** (*fig.*) voortsukkelen; **— *dans la boue*,** door 't slijk sleuren; **— *une vie languissante*,** een kwijnend bestaan leiden; **— *en longueur*,** slepende houden, rekken; **— *sa voix*,** temerig (*of* langgerekt) spreken; **— *après soi*,** na zich slepen; ten gevolge hebben; **II** *v.i.* **1** (*v. kleed, enz.*) slepen; neerhangen; **2** (*v. voorwerp*) slingeren, niet op zijn plaats liggen; **3** lang duren; **4** kwijnen, sukkelen; ***cette nouvelle traîne partout*,** dat nieuwtje wordt overal verteld; **III** *v.pr.* ***se* —, 1** kruipen, voortkruipen; **2** zich voortslepen.
traînerie [trẽ·nri] *f.* getalm, getreuzel *o.*
traîneur [trẽ·nœ:r] *m.* **1** sleper *m.*; **2** achterblijver *m.*; **— *de sabre*,** sabelsleper, vechtjas *m.*
train*-exposition* [trẽ·èkspozisyõ] *m.* tentoonstellingstrein *m.*
trainglot, tringlot [trẽ·glo] *m.* treinsoldaat *m.*
train*-poste [trẽ·pòst] *m.* posttrein, mailtrein *m.*
traintrain [trẽ·trẽ] *m.* sukkelgangetje *o.*; sleur *m.*; ***aller son petit* —,** kalmpjes voortgaan.
traire* [trè:r] *v.t.* **1** melken; **2** (*fig.*) geld afzetten.
trait [trè] **I** *m.* **1** (*v. gelaat, karakter, enz.*) trek *m.*; **2** pijl *m.*; **3** teug *m. en v.*, dronk *m.*; **4** teken, blijk *o.*; **5** (*aan rijtuig*) streng *v.(m.)*, trekriem *m.*; **6** (*v. pen, penseel*) streep, streek *v.(m.)*; **7** (*muz.*) loopje *o.*; **8** (*kath.*) tractus *m.*; ***avoir* — *à*,** betrekking hebben op; **— *d'esprit*,** geestige zet, inval *m.*; ***cheval de* —,** trekpaard *o.*; **— *de plume*,** pennestreek *v.(m.)*; **— *d'union*,** verbindingsstreepje *o.*; **— *du vent*,** windrichting *v.*; **— *de lumière*,** lichtstraal *m. en v.*; ***ce fut un* — *de lumière*,** daar ging mij (*of* hem) een licht op; ***partir comme un* —,** als een pijl uit een boog vertrekken; ***tout d'un* —,** in eens; aan één stuk; ***peindre à grands* —*s*,** in grote (*of* krachtige) trekken schilderen; ***cliché*(*au*) —,** lijncliché *o.*; **II** *adj.* getrokken; ***or* —,** gouddraad *m.*
traitable [trèta·bl] *adj.* handelbaar.
traitant [trètã] *adj.* behandelend; ***médecin* —,** behandelende geneesheer *m.*
traite [trèt] *f.* **1** (het) melken *o.*; **2** tocht *m.*, traject *o.*, rek *m.*; **3** (*H.*) wissel(brief) *m.*; **— *à vue*,** zichtwissel *m.*; **— *en l'air*,** schoorsteenwissel; **— *à courte échéance*,** kortzichtwissel; **— *à longue échéance*,** langzichtwissel; **— *des noirs*,** slavenhandel *m.*; ***faire* — *sur*,** trekken op; ***d'une* —,** aan één stuk door.
traité [trèté] *m.* **1** verdrag *o.*; **2** handleiding *v.*; handboek *o.*; **— *de commerce*,** handelsverdrag; **— *de paix*,** vredesverdrag *o.*
traitement [trètmã] *m.* **1** behandeling *v.*; **2** traktement, salaris *o.*; **— *d'attente*,** wachtgeld *o.*; **— *initial*,** aanvangssalaris, begintraktement *o.*; ***suivre un* —,** een kuur volgen, onder behandeling zijn.
traiter [trèté] **I** *v.t.* **1** behandelen, bejegenen; **2** onthalen; trakteren; **3** (*v. onderwerp*) handelen over; **4** (**— *de***), uitmaken (voor); **5** (*H.*: *aan beurs*) verhandelen; **— *qn. de haut en bas*,** uit de hoogte op iem. neerzien; **— *qc. par-dessous la jambe*,** zich met de Franse slag van iets afmaken; **II** *v.i.* **1** onderhandelen (***de***, over); **2** handelen over.
traiteur [trètœ:r] *m.* restauratiehouder, gaarkok *m.*
traître [trè:tr] *m.*, **traîtresse** [trè·très] *f.* **I** verrader *m.*, verraadster *v.*; ***en* —,** verraderlijk; **II** *adj.* verraderlijk, trouweloos, vals; ***pas un* — *mot*,** geen stom woord.
traîtreusement [trè·trö·zmã] *adv.* verraderlijk.
traîtrise [trè·tri·z] *f.* verraad *o.*; verraderlijke streek *m. en v.*
Trajan [trajã] *m.* Trajanus *m.*
trajectoire [trajèktwa:r] *f.* (*v. kogel, planeet, enz.*) baan *v.(m.)*.
trajet [trajè] *m.* **1** traject *o.*, afstand *m.*; **2** overtocht *m.*, overvaart *v.(m.)*; reis *v.(m.)*; **3** (afgelegde) weg *m.* [*o. en m.*
tralala [tralala] *m.* drukte *v.*, omhaal *m.*, poeha
tram [tram] *m.* tram *m.* [schakelnet *o.*
tramail [trama·y], **trémail** [tréma·y] *m.* (*pl.*: **—s**)

trame [tram] *f.* **1** (*v. weefsel*) inslag *m.*; **2** (*drukk.*) raster *o. en m.*; **3** (*v. toneelstuk*) opzet *m.*; **4** levensdraad *m.*; **5** komplot *o.*, samenzwering *v.*; ***impression à — de soi,*** zeefdruk *m.*

tramer [tramé] **I** *v.t.* **1** (*bij 't weven*) inslaan, inschieten; **2** (*v. komplot, enz.*) beramen, smeden; **II** *v.pr.*, ***se —*** **1** ingeslagen worden; **2** beraamd worden; ***il se trame qc.,*** er wordt iets gebrouwen.

traminot [tramino] *m.* trampersoneelslid *o.*

tramontane [tramõ'tan] *f.* **1** noorden *o.*; **2** noordenwind *m.*; **3** noordster, poolster *v.(m.)*; ***perdre la —,*** van zijn stuk raken.

tramway [tramwé] *m.* tram *m.*

tranchant [trã'ʃã] **I** *adj.* **1** snijdend, scherp; **2** (*fig.: v. kleur, enz.*) scherp afstekend; **3** (*v. toon, woord*) bits, scherp; **II** *s. m.* scherp *o.*; ***à deux —s,*** tweesnijdend.

tranche [trã:ʃ] *f.* **1** (*v. vlees, brood*) snede *v.(m.)*; **2** (*v. worst, appel, enz.*) schijf *v.(m.)*; **3** (*v. ham*) plak *v.(m.)*; **4** (*v. marmer*) blad *o.*; **5** (*v. munt*) rand *m.*; **6** (*tn.*) smidsbeitel *m.*; **7** (*v. lening*) gedeelte *o.*; **8** (*rek.: v. cijfers*) groep *v.(m.)*; ***doré sur —,*** verguld op snee; ***— unie,*** gladde snede; ***— de tête,*** kopsnede *v.(m.)*; ***une — de vie,*** een greep uit het leven.

tranchée [trã'ʃé] *f.* **1** (*tn.*) uitgraving *v.*; **2** (*voor kabel*) geul *v.(m.)*; **3** (*mil.*) loopgraaf *v.(m.)*; **4** (*gen.*) **—s**, *pl.* buikpijn *v.(m.)*, koliek *o. en v.*

tranchée*-abri* [trã'ʃéabri] *f.* beschuttingsloopgraaf *v.(m.)*.

tranchefile [trã'ʃfil] *f.* **1** (*v. boek*) kapitaalbandje *o.*; **2** (*v. schoen*) besteeksel *o.*, binnennaad *m.*

tranche-gazon [trã'ʃgazõ] *m.* zodensteker *m.*

tranchelard [trã'ʃla:r] *m.* spekmes *o.*

tranchement [trã'ʃmã] *m.* (het) snijden *o.*

tranche-montagne* [trã'ʃmõ'tañ] *m.* snoever, pocher *m.*

trancher [trã'ʃé] **I** *v.t.* **1** afsnijden; **2** doorsnijden; **3** (*met bijl*) afhakken, afslaan; **4** (*v. marmer, enz.*) zagen; **5** (*fig.: v. moeilijkheid, enz.*) beslissen, doorhakken, een eind maken aan; ***— le mot,*** het kind bij zijn naam noemen, zeggen waar het op staat; ***couleurs tranchées,*** scherp afstekende (*of* schrille) kleuren; **II** *v.i.* **1** snijden; **2** (*v. kleuren, enz.*) sterk afsteken; ***— du grand seigneur,*** de grote heer uithangen; ***— dans le vif,*** krachtige maatregelen nemen; er het mes in zetten.

tranchet [trã'ʃè] *m.* **1** schoenmakersmes *o.*; **2** snijbeitel *m.*

trancheuse [trã'ʃö:z] *f.* snijmachine *v.*

tranchoir [trã'ʃwa:r] *m.* hakbord, snijbord *o.*

tranquille(ment) [trã'kil(mã)] *adj.* (*adv.*) **1** stil, kalm, rustig; **2** (*v. gemoed, enz.*) gerust **3** op zijn gemak. [**2** kalmerend.

tranquillisant [trã'kilizã] *adj.* **1** geruststellend;

tranquilliser [trã'kili'zé] **I** *v.t.* **1** geruststellen; **2** kalmeren; **II** *v.pr.*, ***se —,*** **1** zich geruststellen; **2** kalmeren, bedaren.

tranquillité [trã'kilité] *f.* **1** stilte, kalmte *v.(m.)*, rust *v.(m.)*; **2** gerustheid *v.*; ***— d'âme,*** gemoedsrust *v.(m.)*.

transaction [trã'zaksyõ] *f.* **1** (minnelijke) schikking *v.*; vergelijk *o.*; **2** verdrag *o.*, overeenkomst *v.*; ***chiffres des —s,*** omzet *m.*

transactionnellement [trã'zaksyònèlmã] *adv.* bij wijze van schikking.

transafricain [trã'zafrikẽ] *adj.* dwars door Afrika. [de Alpen.

transalpin [trã'zalpẽ] *adj.* aan gene zijde van

transatlantique [trã'zatlã'tik] **I** *adj.* transatlantisch; **II** *s. m.* oceaanstomer *m.*, transatlantische boot, grote stoomboot *m. en v.* op Amerika.

transbordement [trã'zbòrdemã] *m.* overscheping, overlading *v.* (in ander schip).

transborder [trã'zbòrdé] *v.t.* overladen.

transbordeur [trã'zbòrdœ:r] *m.* **1** overhaal *m.*, overzetpont *v.(m.)*; **2** (*spoorw.*) rollend platform *o.*; **3** (***pont —***), zweefbrug *v.(m.)*. [kasisch.

transcaucasien [trã'skòka'zyẽ] *adj.* transkau-

transcendance [trã'sã'dã:s] *f.* **1** overwicht *o.*, meerderheid *v.*; **2** voortreffelijkheid, uitstekendheid *v.*; **3** (*wijsb.*) bovenzinnelijkheid *v.*

transcendant [trã'sã'dã] *adj.* **1** uitstekend; voortreffelijk; **2** bovenzinnelijk; ***géométrie —e,*** hogere meetkunde *v.*

transcendantal [trã'sã'dã'tal] *adj.* transcendent(aal), bovenzinnelijk.

transcontinental [trã'skõ'tinã'tal] *adj.* dwars door het vasteland.

transcripteur [trã'skriptœ:r] *m.* overschrijver *m.*

transcription [trã'skripsyõ] *f.* **1** overschrijving *v.*; **2** afschrift *o.*; **3** (*muz.*) overzetting, transcriptie, bewerking *v.*

transcrire* [trã'skri:r] *v.t.* **1** overschrijven, afschrijven; **2** overzetten; **3** (*muz.*) transponeren, bewerken, arrangeren.

transe(s) [trã:s] *f.(pl.)* **1** angst *m.*, benauwdheid *v.*; **2** (*v. medium*) trance *v.(m.)*.

transept [trã'sèpt] *m.* kruisbeuk, dwarsbeuk *m.*

transférable [trã'sféra'bl] *adj.* overdraagbaar.

transfèrement [trã'sfè'rmã] *m.* **1** overbrenging *v.*; **2** overdracht *v.(m.)*.

transférer [trã'sféré] *v.t.* **1** overbrengen; **2** overdragen; **3** (*v. zaak, kantoor, enz.*) verplaatsen.

transfert [trã'sfè:r] *m.* **1** (het) overbrengen *o.*; **2** overdracht *v.(m.)*; **3** (*v. zaak, enz.*) overbrenging, verplaatsing *v.*

transfiguration [trã'sfigüra'syõ] *f.* transfiguratie, verheerlijking *v.* (van Christus).

transfigurer [trã'sfigüré] **I** *v.t.* **1** veranderen, herscheppen; **2** verheerlijken; **II** *v.pr.* ***se —,*** verheerlijkt worden.

transformable [trã'sfòrma'bl] *adj.* vervormbaar.

transformateur [trã'sfòrmatœ:r] *m.* (*el.*) transformator, omvormer *m.*

transformation [trã'sfòrma'syõ] *f.* **1** omvorming, herschepping *v.*; **2** gedaanteverwisseling *v.*; **3** (*wisk.*) vervorming *v.*; herleiding *v.*; **4** (*aan kleed, enz.*) verandering *v.*

transformer [trã'sfòrmé] *v.t.* **1** vervormen, herscheppen; **2** (*v. kleed*) veranderen; **3** (*v. grondstoffen*) bewerken; **4** (*fig.*) geheel veranderen.

transformisme [trã'sfòrmizm] *m.* (*biol.*) evolutieleer *v.(m.)* (van Lamarck).

transformiste [trã'sfòrmist] **I** *m.* aanhanger *m.* van de evolutieleer; **II** *adj.* evolutie—.

transfuge [trã'sfü:j] *m.* **1** overloper, deserteur *m.*; **2** (*fig.*) afvallige, overloper *m.*

transfuser [trã'sfüzé] *v.t.* **1** overgieten; **2** (*v. bloed*) overtappen.

transfusion [trã'sfüzyõ] *f.* **1** overgieting *v.*, (het) overgieten *o.*; **2** overtapping, (bloed)transfusie *v.*

transgresser [trã'zgrèsé] *v.t.* overtreden.

transgresseur [trã'zgrèsœ:r] *m.* overtreder *m.*

transgressif [trã'zgrèsif] *adj.* overtredend.

transgression [trã'zgrèsyõ] *f.* **1** overtreding *v.*; **2** (*v. zee*) (het) buiten de oevers treden *o.*

transhumance [trã'sümã:s] *f.* (*v. vee*) het overbrengen van en naar de bergweiden.

transhumer [trã'sümé] (*v. vee*) **I** *v.i.* gaan grazen op de bergweiden; **II** *v.t.* van en naar de bergweide overbrengen.

transi [trã'si] *adj.* **1** verstijfd, verkleumd; **2** (*fig.*) beschroomd, schuchter, onhandig.

transiger [trã'zijé] *v.i.* **1** een schikking treffen, tot een vergelijk komen; in der minne schikken; **2** (*fig.*) schipperen; het niet zo nauw nemen; **— *sur qc.*,** over iets onderhandelen.
transir [trã'si:r] **I** *v.t.* **1** (*v. kou*) doen verkleumen; **2** (*v. schrik*) doen verstijven; **II** *v.i.* verkleumen; verstijfd zijn. [stijving *v.*
transissement [trã'sismã] *m.* verkleuming; ver-
transit [trã'zit] *m.* (*H.*) doorvoer *m.*, transito *o.*; ***acquit de —,*** uitslagbiljet *o.* voor doorvoer (zonder rechten); ***droits de —,*** doorvoerrechten *mv.*
transitaire [trã'zitè:r] *adj.* doorvoer—, transito—; ***commerce —,*** doorvoerhandel *m.*
transiter [trã'zité] *v.t.* (*v. goederen*) doorvoeren.
transitif [trã'zitif] *adj.* **1** (*v. werkw.*) overgankelijk; **2** overgangs—.
transition [trã'zisyõ] *f.* overgang *m.*
transitivement [trã'ziti'vmã] *adv.* overgankelijk.
transitoire [trã'zitwa:r] *adj.* **1** voorbijgaand, tijdelijk; **2** overgangs—; ***mesure —,*** overgangsmaatregel *m.*
transitoirement [trã'zitwa'rmã] *adv.* tijdelijk; bij wijze van overgangsmaatregel.
Transjordanie [trã'sjòrdani] *f.* Transjordanië *o.*
transjuran [trã'sjüran] *adj.* aan gene zijde van de Jura.
translatif [trã'slatif] *adj.* (*recht*) overdragend; ***acte —,*** akte *v.*(*m.*) van overdracht.
translation [trã'sla'syõ] *f.* **1** overbrenging *v.*; **2** (*recht*) overdracht *v.*(*m.*); **3** (*v. bisschop*) verplaatsing *v.*; **4** (*wisk.*) verschuiving *v.*
translucide [trã'slüsi'd] *adj.* doorschijnend. [*v.*
translucidité [trã'slüsidité] *f.* doorschijnendheid
transmarin [trã'smarẽ] *adj.* overzees.
transmetteur [trã'smètœ:r] **I** *m.* **1** (*tel.*) spreektoestel *o.*; **2** (*tel.*) seingever *m.*; overbrengingstoestel *o.*; **II** *adj.* overbrengend; ***poste —,*** zendstation *o.*
transmettre* [trã'smètr] **I** *v.t.* **1** (*v. bevel, mededeling, enz.*) overbrengen; **2** (*v. recht*) overdragen; **3** (*v. brief, enz.*) overhandigen, ter hand stellen; **4** (*tel.*) overseinen; **5** (*v. geluid, enz.*) voortplanten, verder verspreiden; **6** (*v. naam*) doen voortleven; **II** *v.pr.* ***se —,*** **1** overgedragen worden; **2** zich voortplanten.
transmigration [trã'smigra'syõ] *f.* landverhuizing, volksverhuizing *v.*; ***— des âmes,*** zielsverhuizing *v.*; ***la — de Babylone,*** de Babylonische ballingschap *v.*
transmigrer [trã'smigré] *v.i.* verhuizen.
transmissibilité [trã'smisibilité] *f.* **1** overdraagbaarheid *v.*; **2** overerfelijkheid *v.*
transmissible [trã'smisi'bl] *adj.* **1** overdraagbaar; **2** overerfelijk.
transmission [trã'smisyõ] *f.* **1** overdracht *v.*(*m.*); **2** overbrenging *v.*; **3** overseining *v.*; **4** voortplanting *v.*; ***arbre de —,*** drijfstang *v.*(*m.*); ***courroie de —,*** drijfriem *m.* [derbaar.
transmuable [trã'smwa'bl] *adj.* omzetbaar, veran-
transmuer [trã'smwé] *v.t.* omzetten, veranderen.
transmutabilité [trã'smütabilité] *f.* veranderbaarheid *v.*
transmutable [trã'smüta'bl] *adj.* veranderbaar.
transmutation [trã'smüta'syõ] *f.* omzetting, verandering *v.*; ***— des valeurs,*** waardeverandering *v.*
transmuter [trã'smüté] *v.t.* omzetten. [de Po.
transpadan [trã'spadã] *adj.* aan gene zijde van
transparaître* [trã'sparè:tr] *v.i.* **1** doorschijnen; **2** (*fig.*) doorschemeren.
transparence [trã'sparã:s] *f.* **1** doorzichtigheid *v.*; **2** doorschijnendheid *v.*; **3** (*v. huid*) dunheid *v.*
transparent [trã'sparã] **I** *adj.* doorzichtig; doorschijnend; **II** *s. m.* transparant *m.*
transpercement [trã'spèrsemã] *m.* doorboring *v.*
transpercer [trã'spèrsé] *v.t.* doorboren, doorsteken, dringen door.
transpiration [trã'spira'syõ] *f.* **1** uitwaseming *v.*; **2** (het) zweten *o.*; **3** zweet *o.*
transpirer [trã'spiré] *v.i.* **1** uitwasemen; **2** zweten, transpireren; **3** (*fig.*) uitlekken, ruchtbaar worden. [overplanting *v.*
transplantation [trã'splãta'syõ] *f.* verplanting,
transplanter [trã'splã'té] *v.t.* verplanten, overplanten. [*v.*(*m.*).
transplantoir [trã'splãtwa:r] *m.* verpootschop
transpolaire [trã'spolè:r] *adj.* via de (noord)pool, over de pool gaande.
transport [trã'spò:r] *m.* **1** vervoer, transport *o.*; **2** (*v. kracht*) overbrenging *v.*; **3** (*mil.*) transportschip *o.*; **4** (*H.*) overschrijving *v.*; **5** (*v. recht*) afstand *m.*, overdracht *v.*(*m.*); **6** vervoering, verrukking, opgetogenheid *v.*; **7** (*v. vreugde, enz.*) opwelling *v.*; **8** (*v. gramschap, enz.*) uitbarsting *v.*; **9** (*gen.*) (***— au cerveau***), ijlhoofdigheid *v.*; vlaag *v.*(*m.*) van ijlkoorts (*of* waanzin); ***frais de —,*** vracht *v.*(*m.*); ***commissionnaire de —,*** vervrachter *m.*; ***—s fluviaux,*** riviertransport *o.*
transportable [trã'spòrta'bl] *adj.* vervoerbaar.
transportation [trã'spòrta'syõ] *f.* (het) overbrengen *o.* (naar strafkolonie), deportatie *v.*
transporté [trã'spòrté] **I** *adj.* verrukt, in vervoering; **II** *s. m.* gedeporteerde *m.*
transporter [trã'spòrté] **I** *v.t.* **1** vervoeren; **2** overbrengen; **3** (*v. recht*) overdragen; **4** (*H.*: *in boekh.*) overschrijven; **5** (*fig.*) in verrukking brengen, in vervoering brengen; **II** *v.pr.* ***se —,*** **1** zich begeven (naar); **2** (*fig.*) zich verplaatsen (in de geest).
transporteur [trã'spòrtœ:r] *m.* **1** expediteur, transportondernemer *m.*; **2** transportband *m.*; ***— aérien,*** transportkabel *m.*
transposable [trã'spoza'bl] *adj.* **1** verplaatsbaar; **2** (*muz.*) te transponeren.
transposer [trã'spo'zé] *v.t.* **1** verplaatsen, verzetten; **2** (*muz.*) transponeren.
transposition [trã'spozisyõ] *f.* **1** verplaatsing *v.*; **2** (*v. woordorde*) omzetting *v.*; **3** (*muz.*) transpositie, overzetting *v.* in een andere toon.
transpyrénéen [trã'spirénéẽ] *adj.* over de Pyreneeën gelegen.
transrhénan [trã'srénã] *adj.* overrijns, over de Rijn gelegen.
transsaharien [trã'saaryẽ] *adj.* dwars door de Sahara gaande.
transsibérien [trã'sibéryẽ] **I** *adj.* transsiberisch; **II** *s. m.* transsiberische spoorweg *m.*, spoorweg door Siberië.
transsubstantiation [trã'süpstã'sya'syõ] *f.* (*kath.*) transsubstantiatie *v.* (verandering van brood en wijn in het lichaam en bloed van Christus).
transsudation [trã'süda'syõ] *f.* doorzweting; doorsijpeling *v.*
transsuder [trã'südé] *v.i.* doorzweten.
transtévérin [trã'stévérẽ] *adj.* aan de andere zijde van de Tiber.
Transvaal [trã'zval] *m.* Transvaal *o.*
Transvalien [trã'zvalyẽ] **I** *m.* Transvaler *m.*; **II** *adj.*, ***t—,*** Transvaals.
transvasement [trã'zva'zmã] *m.* overgieting, overtapping *v.* [pen.
transvaser [trã'zva'zé] *v.t.* overgieten, overtap-
transversal(ement) [trã'zvèrsal(mã)] *adj.* (*adv.*)

dwars, overdwars; ***rue —e,*** dwarsstraat *v.(m.)*; ***ligne —e,*** dwarslijn *v.(m.)*.
transversale [trã'zvèrsal] *f.* **1** (*meetk.*) dwarslijn *v.(m.)*; **2** (*mil.*) dwarsverbinding *v.*; **3** (*sp.*) lat *v.(m.)*.
transverse [trã'svèrs] *adj.* dwars, schuin.
transvider [trã'zvidé] *v.t.* overschenken, overgieten.
Transylvanie [trã'silvani] *f.* Transsylvanië, [Zevenburgen *o.*
trapèze [trapè:z] *m.* **1** trapezium *o.*; **2** zweefrek *o.*
trapéziste [trapézist] *m.* **1** trapezekunstenaar, trapezeacrobaat *m.*; **2** zweefrekwerker *m.*
trapézoïdal [trapézòidal] *adj.* trapezevormig.
trapézoïde [trapézòi'd] **I** *m.* trapezium waarvan de opstaande zijden elkander kruisen *o.*; **II** *adj.* trapeziumvormig.
trappe [trap] *f.* **1** valluik *o.*; **2** (*v. schoorsteen*) schuif *v.(m.)*; **3** (*voor wild*) val *v.(m.)*, wolfskuil *m.*; ***la T—,*** de trappistenorde *v.(m.)*.
trappeur [trapœ:r] *m.* trapper, pelsdierjager *m.*
trappiste [trapist] *m.* trappist *m.*
trappon [trapõ] *m.* kelderluik *o.*
trapu [trapü] *adj.* kort en dik, ineengedrongen.
traque [trak] *f.* klopjacht, drijfjacht *v.(m.)*.
traquenard [trakna:r] *m.* **1** val *v.(m.)*; **2** (*fig.*) strik, valstrik *m.*; **3** (*v. paard*) drieslag *m.*
traquer [traké] **I** *v.t.* **1** (*v. bos*) afjagen; **2** (*v. wild*) opjagen, achtervolgen; **3** (*fig.*) nazitten, achternazitten; **II** *v.i.* bang zijn, in de rats zitten.
traquet [trakè] *m.* **1** bunzingval *v.(m.)*; **2** (*Dk.*) zwartkeeltje *o.*
traqueur [trakœ:r] *m.* drijver *m.*
traumatique [tro'matik] *adj.* traumatisch, wond-—, door een wond ontstaan; ***fièvre —,*** wondkoorts *v.(m.)*. [veroorzaakte stoornis *v.*
traumatisme [tro'matizm] *m.* door verwonding
traumatologie [tro'matòlòji] *f.* wondleer *v.(m.)*.
travail [travay] *m.* (*pl.* : ***travaux***) **1** arbeid *m.*, werk *o.*; **2** bewerking *v.*; **3** (*pl.* : —***s***) hoefstal *m.*; **4** (*mil.*) schanswerk, vestingwerk *o.*; ***— des champs,*** veldarbeid; ***travaux forcés,*** dwangarbeid; ***travaux publics,*** openbare werken; ***— à la pièce, — à la tâche,*** stukwerk; ***— à la journée,*** loonwerk; ***— à domicile,*** huisarbeid; ***assistance par le —,*** werkverschaffing *v.*; ***— de l'enfantement,*** barensweeën *mv.*; ***sans —,*** werkeloos.
travaillé [travayé] *adj.* **1** gekweld, geobsedeerd; **2** doorwrocht.
travailler [travayé] **I** *v.t.* **1** bearbeiden, bewerken; **2** (*v. paard*) inrijden; **3** instuderen; **4** kwellen, verontrusten; **5** (*v. wijn*) vervalsen; **6** bewerken, ophitsen, opruien; **II** *v.i.* **1** werken; **2** (*v. kleur*) verschieten; **3** (*v. drank*) gisten; **4** (*v. hout*) trekken, werken; ***faire — son capital,*** zijn kapitaal niet renteloos laten liggen; **III** *v.pr.* ***se —,*** zich moeite geven, zich inspannen; ***se — l'esprit,*** zich het hoofd breken.
travailleur [travayœ:r] **I** *m.* **1** arbeider, werkman *m.*; **2** werker *m.*; ***— intellectuel,*** hoofdarbeider *m.*; **II** *adj.* arbeidzaam.
travailleuse [travayö:z] *f.* werktafeltje *o.*; naaimand *v.(m.)*.
travailliste [travayist] **I** *m.* lid *o.* van de Labourpartij; **II** *adj.* van de Labourpartij; ***parti —,*** Labourpartij *v.*
traveau [travo] *m.* balkje *o.*
travée [travé] *f.* **1** (*v. boog, tussen brugpijlers*) spanning *v.*; **2** ruimte, tussenruimte *v.* (*tussen balken, rijen banken, enz.*); **3** (*in kerk, schouwburg*) bovengalerij *v.*
travelling [trèvelẽ(g)] *m.* (*film*) onderstel *o.* om de camera tijdens opname zonder schokken te kunnen verplaatsen.
travers [travè:r] *m.* **1** dwarste, breedte *v.*; **2** (*v. schip*) zijde *v.(m.)*; **3** (*tn.*) dwarsstuk, dwarshout *o.*; **4** (*fig.*: *in karakter, enz.*) verkeerdheid *v.*, gebrek *o.*; **5** gril, kuur *v.(m.)*; ***— de doigt,*** vingerbreedte *v.*; ***regard de —,*** schuine blik *m.*; ***regarder de —,*** **1** van ter zijde aanzien; **2** (*fig.*) boos aankijken; ***avaler de —,*** zich verslikken; ***prendre qc. de —,*** iets verkeerd opnemen; ***au — des obstacles,*** dwars door de hindernissen heen; ***au — du jour,*** tegen het licht; ***donner dans le —,*** van de rechte weg afwijken; ***à —,*** midden door...; ***à tort et à —,*** door dik en dun; ***en —,*** overdwars.
traversable [travèrsa'bl] *adj.* overvaarbaar, over te steken.
traverse [travèrs] *f.* **1** zijweg *m.*; **2** (*v. spoorw.*) dwarsligger *m.*; **3** (*mil.*) dwarswal *m.*; **4** dwarsstreep *v.(m.)*; **5** (*v. venster*) dwarslat *v.(m.)*; **6** (*bouwk.*) kruisbalk *m.*; **7** (*fig.*) tegenspoed, tegenvaller *m.*; **8** beletsel *o.*, hinderpaal *m.*; ***se mettre à la —,*** dwarsbomen; ***essuyer des —s,*** hinderpalen ontmoeten.
traversée [travèrsé] *f.* **1** overtocht *m.*, overvaart *v.(m.)*; **2** (het) oversteken *o.*; **3** (*bouwk.*: *v. plafond, enz.*) doorvoering *v.*; ***— de voie,*** (*v. spoorw.*) kruispunt *o.*; kruiswissel *m.*
traverser [travèrsé] **I** *v.t.* **1** (*v. straat*) overgaan; **2** (*v. rivier, zee, straat*) oversteken; **3** (*v. bos, woestijn*) doortrekken, (dwars) gaan door; **4** (*v. land*) doorreizen, doortrekken; **5** (*v. plank, enz.*) doorboren; **6** (*fig.*) tegenwerken, dwarsbomen; ***— l'esprit,*** (*v. gedachte*) opkomen; door het hoofd gaan; **II** *v.i.* **1** oversteken; **2** (*v. paard*) overschenkelen; **III** *v.pr.* ***se —,*** **1** elkaar dwarsbomen (*of* tegenwerken); **2** (*v. paard*) overschenkelen, traverseren.
traversier [travèrsyé] *adj.* dwars—; ***flûte traversière,*** dwarsfluit *v.(m.)*; ***barque traversière,*** overzetboot *m. en v.*
traversin [travèrsẽ] *m.* **1** peluw *v.(m.)*; **2** (*v. vat*) dwarshout *o.*; **3** (*v. balans*) hefboom *m.*; **4** kruisbalk *m.*
traversine [travèrsin] *f.* dwarsplank *v.(m.)*.
travertin [travèrtẽ] *m.* Italiaanse kalksteen *o. en m.* [meerd bal *o.*
travesti [travèsti] *adj.* verkleed; ***bal —,*** gekostu-
travestir [travèsti:r] *v.t.* **1** verkleden; **2** (*fig.*) anders inkleden, verdraaien; **3** (*lett.*) in boertige vorm omwerken, een parodie maken van.
travestissement [travèstismã] *m.* verkleding *v.*
travestisseur [travèstisœ:r] *m.* maker *m.* van parodieën.
traviole [travyòl], ***de —,*** (*pop.*) scheef, verkeerd.
travon [travõ] *m.* draagbalk, schoorbalk *m.*
trayage [trèya:j] *m.* (het) melken *o.*
trayeur [trèyœ:r] *m.* melker *m.* [*v.*
trayeuse [trèyö:z] *f.* **1** melkster *v.*; **2** melkmachine
trayon [trèyõ] *m.* speen, tepel *m.* (v. uier).
trébuchage [trébüʃa:j] *m.* (het) wegen *o.* op een goudschaal.
trébuchant [trébüʃã] **I** *adj.* **1** struikelend; **2** (*v. munt*) volwichtig; **II** *s. m.* licht overwicht *o.*
trébuchement [trébüʃmã] *m.* struikeling *v.*
trébucher [trébüʃé] *v.i.* **1** struikelen; **2** (*v. schaal*) doorslaan; **3** (*fig.*) een misstap begaan.
trébuchet [trébüʃè] *m.* **1** goudschaaltje *o.*; muntschaal *v.(m.)*; **2** vogelknip, til *v.(m.)*; **3** (*gesch.*) katapult *m.*
tréfilage [tréfila:j] *m.* (het) draadtrekken *o.*
tréfiler [tréfilé] *v.t.* (draad)trekken.
tréfilerie [tréfilri] *f.* draadtrekkerij *v.*
tréfileur [tréfilœ:r] *m.* draadtrekker *m.*
trèfle [trèfl] *m.* **1** klaver *v.(m.)*; **2** klaverblad *o.*;

3 (*kaartsp.*) klaveren *v.*(*m.*); ***as de —,*** klaver(en)aas *m. of o.*
tréflé [tréflé] *adj.* klaverbladvormig.
tréflier [tréfli(y)é] *m.* (*Dk.*) putter *m.*, distelvink *m. en v.*
tréflière [tréfli(y)è:r] *f.* klaverveld *o.*
tréfonds [tréfõ] *m.* **1** ondergrond *m.*; **2** (*fig.*) (het) diepste, verborgenste *o.*
treillage [trèya:j] *m.* latwerk, traliewerk *o.*
treillager [trèyajé] *v.t.* van traliewerk (*of* latwerk) voorzien.
treille [trè'y] *f.* **1** wijnstok *m.* (langs latwerk); **2** prieel *o.* (met wingerd begroeid); **3** wijngaard *m.*; ***le jus de la —,*** de wijn, het edele druivenat.
treillis [trèyi] *m.* **1** latwerk; traliewerk, rasterwerk *o.*; **2** grof (gekeperd) linnen, dril *o.*; **3** (*in beton*) vlechtwerk *o.*
treillisser [trèyisé] *v.t.* van traliewerk voorzien.
treize [trè:z] *n.card.* **1** dertien; **2** (*in data, enz.*) dertiende.
treizième [trè'zyèm] **I** *n.ord.* dertiende; **II** *s. m.* dertiende deel *o.*
treizièmement [trè'zyèm(m)ã] *adv.* ten dertiende.
tréma [tréma] *m.* deelteken *o.*
trémail [tréma'y], **tramail** [trama'y] *m.* schakelnet *o.*
trémat [tréma] *m.* **trémate** [trémat] *f.* (*in rivier*) zandbank *v.*(*m.*).
tremblaie [trã'blè] *f.* bos *o.* van trilpopulieren (*of* ratelpopulieren).
tremblant [trã'blã] **I** *adj.* **1** bevend, sidderend; **2** (*v. licht*) flikkerend; **II** *s. m.* **1** trilnaald *v.*(*m.*); **2** (*muz.*; *v. orgel*) tremulant *m.*
tremble [trã:bl] *m.* trilpopulier *m.*
tremblé [trã'blé] *adj.* **1** (*v. lijn, enz.*) golvend; **2** bevend, trillend; **3** (*v. schrift*) beverig; ***son —,*** (*muz.*) triltoon *m.*
tremblement [trã'blemã] *m.* **1** beving, trilling *v.*; **2** rilling, siddering *v.*; **3** (*muz.*) triller, triltoon, tremulant *m.*; **4** (*fam.*) rommel *m.*; ***tout le —,*** de hele santekraam; ***— de terre,*** aardbeving *v.*
trembler [trã'blé] *v.i.* **1** beven; **2** rillen, sidderen; **3** (*v. kou*) bibberen; **4** (*muz.*) trillen; **5** vrezen, beangst zijn.
tremblette [trã'blèt] *f.* trilgras *o.*
trembleur [trã'blœ:r] **I** *adj.* bevend; **II** *s. m.* **1** bangerd, durfniet *m.*; **2** kwaker *m.*; **3** ratelschel *v.*(*m.*).
tremblotant [trã'blòtã] *adj.* **1** beverig; **2** trillend, dansend.
tremblote [trã'blòt] *f.* (*pop.*) bibberatie *v.*
tremblotement [trã'blòtmã] *m.* **1** bibbering *v.*; **2** beving, trilling *v.*; **3** flikkering *v.*
trembloter [trã'blòté] *v.i.* **1** bibberen; **2** (*v. licht*) flikkeren, dansen; **3** beven, trillen.
trémie [trémi] *f.* **1** molentrechter, tremel *m.*; **2** ertsbak *m.*
trémière [trémyè:r] *adj.*, ***rose —,*** stokroos *v.*(*m.*).
trémolo [trémòlo] *m.* **1** (*muz.*) triller *m.*, tremolo *m.*; **2** trilling *v.* (in de stem).
trémoussement [trémusmã] *m.* **1** (het) schudden *o.*; **2** (het) dansen *o.*; ***— des ailes,*** geklapwiek *o.*
trémousser [trémusé] **I** *v.i.* **1** (*v. vogel*) huppelen; **2** klapwieken; **II** *v.pr.* ***se —,*** **1** zich vlug bewegen; heen en weer lopen; **2** druk in de weer zijn; **3** dansen en springen.
trempage [trã'pa:j] *m.* **1** (*tn.*) weking, doorweking *v.*; **2** (*drukk.*) bevochtiging *v.*, (het) vochten *o.* (v. papier).
trempe [trã:p] *f.* **1** (het) vochten *o.*; **2** (*v. metaal*) harding *v.*, (het) harden *o.*; **3** hardheid *v.*; **4** (*in brouwerij*) beslag *o.*; **5** (*fig.*) flinkheid *v.*, kracht *v.*(*m.*); wilskracht *v.*(*m.*), karakter *o.*; ***d'une forte —,*** van grote geestkracht (*of* wilskracht); ***un homme de sa —,*** een man van zijn slag; ***mettre en —,*** in de week zetten; ***recevoir une —,*** (*pop.*) een pak slaag (*of* een rammeling) krijgen.
trempé [trã'pé] *adj.* **1** doorweekt, doornat; **2** (*fig.*) gehard, geestkrachtig; degelijk.
tremper [trã'pé] **I** *v.t.* **1** weken; **2** bevochtigen; **3** (*v. wijn, enz.*) met water aanlengen; **4** indopen; **5** (*v. staal*) harden; **6** (*v. brood*) soppen; **7** (*fig.*) harden, verharden, sterken; ***— son vin,*** water in zijn wijn doen; **II** *v.i.* **1** weken, te weken liggen; **2** (*fig.*) medeplichtig zijn (aan), betrokken zijn in.
trempette [trã'pèt] *f.* **1** indoping *v.* van brood; **2** sneetje *o.* brood om in te dopen; ***faire la —,*** **1** (zijn brood) soppen; **2** (*fam.*) pootje baden, even baden.
tremplin [trã'plẽ] *m.* **1** springplank *v.*(*m.*); **2** (*fig.*) (***— électoral***) verkiezingsleus *v.*(*m.*).
trémulation [trémüla'syõ] *f.* (*gen.*) (lichte) beving *v.*
trench-coat* [trènʃko:t] *m.* regenjas *m. en v.*
trentain [trã'tẽ] *m.* **1** (*kath.*) dertig zielmissen *mv.*; **2** (*sp.*) dertig punten *mv.*
trentaine [trã'tèn] *f.* **1** dertigtal *o.*; **2** dertigjarige leeftijd *m.*; ***il a dépassé la —,*** hij is over de dertig.
trente [trã:t] *n.card.* **1** dertig; **2** (*in datum*) dertigste; ***— et quarante,*** soort kaartspel (hazardspel) *o.*
trente-et-un [trã'téœ̃] *n.card.* eenendertig; ***se mettre sur son —,*** zich op zijn paasbest kleden, zich in pontificaal steken.
trentenaire [trã'tnè:r] *adj.* dertigjarig.
trente-six [trã'tsis] *n.card.* zesendertig; ***— choses,*** een hoop dingen; ***— fois,*** honderd keer.
trentième [trã'tyèm] **I** *n.ord.* dertigste; **II** *s. m.* dertigste deel *o.*
trentin [trãtẽ] *adj.* van Trente, Tridentijns.
trépan [trépã] *m.* **1** schedelboor *v.*(*m.*); **2** schedelboring *v.*; **3** (*tn.*) drilboor *v.*(*m.*).
trépanation [trépana'syõ] *f.* schedelboring *v.*
trépaner [trépané] *v.t.* **1** met de schedelboor opereren, de schedel doorboren, trepaneren; **2** (*v. mijn*) aanboren.
trépas [trépa] *m.* overlijden *o.*, dood *m. en v.*; ***aller de vie à —,*** overlijden.
trépassé [trépa'sé] *m.* overledene *m.*; ***fête*** (*ou* ***jour***) ***des T—s,*** Allerzielen *m.*
trépasser [trépa'sé] *v.i.* overlijden, sterven.
trépidation [trépida'syõ] *f.* beving, trilling; schudding *v.*
trépider [trépidé] *v.i.* **1** beven, trillen, schudden; **2** (*v. machine*) daveren.
trépied [trépyé] *m.* drievoet *m.*
trépignement [trépiñmã] *m.* getrappel; gestampvoet, gestamp *o.*
trépigner [trépiñé] *v.i.* trappelen; stampvoeten.
trépointe [trépwẽ:t] *f.* tussen twee dikkere stukken leer genaaide dunne leren rand *m.*
très [trè] *adv.* zeer, erg, heel.
Très-Haut [trèo] *m.*, ***le —,*** de Allerhoogste *m.*
trésor [trézò:r] *m.* **1** schat *m.*; **2** schatkist *v.*(*m.*); **3** schatkamer *v.*(*m.*); ***bon du —,*** schatkistbiljet *o.*; ***le trésor public,*** de staatskas; ***obligation du —,*** schatkistpromesse *v.*
trésorerie [trésòr(e)ri] *f.* **1** thesaurie *v.*; **2** schatkamer *v.*(*m.*); **3** geldelijk beheer *o.*
trésorier [trézòryé] *m.* **1** schatmeester, thesaurier *m.*; **2** penningmeester *m.*
trésorière [trézòryè:r] *f.* penningmeesteres *v.*
trésorier*-payeur* [trézòryépèyœ:r] *m.* rijksbetaalmeester *m.*
tressage [trèsa:j] *m.* (het) vlechten *o.*
tressaillement [trèsaymã] *m.* **1** huivering, rilling *v.*; **2** ontsteltenis *v.*

tressaillir* [trèsayi:r] *v.i.* **1** huiveren, rillen; **2** opschrikken, opspringen.
tressauter [trèso'té] *v.i.* opspringen.
tresse [très] *f.* **1** vlecht *v.(m.)*; **2** (*v. Chinees*) staart *m.*; **3** (*tn.*) draadbundel *m.*
tresser [trèsé] *v.t.* vlechten.
tresseur [trèsœ:r] *m.* vlechter; haarvlechter *m.*
tréteau [tréto] *m.* **1** schraag *v.(m.)*; **2** stellage *v.*; **3** (*pop.*) knol *m.*, paard *o.*
treuil [trœ'y] *m.* **1** windas *o.*, lier *v.(m.)*; **2** katapult *m.* (voor zweefvliegtuigen); **3** kabelwagen *m.* (voor kabelballons).
trêve [trè:v] *f.* **1** wapenstilstand *m.*, bestand *o.*; **2** (*fig.*) rust *v.(m.)*, verpozing *v.*; ***— de Dieu,*** godsvrede *m.*; ***sans —,*** onophoudelijk; ***faire — à,*** ophouden met; ***— de railleries !*** geen gekheid meer ! ***cela ne me donne pas de —,*** dat laat mij geen ogenblik rust.
Trèves [trè:v] *m.* Trier *o.*
tri [tri] *m.* **1** sortering *v.*, (het) sorteren, (het) uitzoeken *o.*; **2** soort omberspel *o.*; ***faire le —,*** (*kaartsp.*) de trek halen.
triade [tri(y)a'd] *f.* drietal *o.*
triage [tri(y)a:j] *m.* **1** sortering, schifting *v.*, (het) sorteren *o.*; **2** (*spoorw.*: *v. wagons*) verdeling *v.*; ***gare de —,*** rangeerstation *o.*
triandre [tri(y)ã:dr] *adj.* (*Pl.*) driehelmig.
triangle [tri(y)ã:gl] *m.* **1** driehoek *m.*; **2** (*muz.*) triangel *m.*; ***— équilatéral,*** gelijkzijdige driehoek; ***— isocèle,*** gelijkbenige driehoek; ***— rectangle,*** rechthoekige driehoek.
triangulaire(ment) [tri(y)ã'gülè:r(mã)] *adj.* (*adv.*) driehoekig.
triangulation [tri(y)ã'güla'syõ] *f.* triangulatie, aarddriehoeksmeting *v.*
trianguler [tri(y)ã'gülé] *v.t.* trianguleren, opmeten.
trias [tria:s] *m.* (*geol.*) Trias *m. en o.*
triasique [tria'zik] *adj.* uit het Trias, trias—.
tribord [tribò:r] *m.* (*sch.*) stuurboord.
tribu [tribü] *f.* stam, volksstam *m.*
tribulation [tribüla'syõ] *f.* wederwaardigheid, beproeving *v.*, tegenspoed *m.*, kwelling *v.*
tribun [tribœ̃] *m.* **1** (volks)tribuun, volksredenaar *m.*; **2** volksmenner *m.*
tribunal [tribünal] *m.* rechtbank *v.(m.)*; ***— d'arbitrage,*** scheidsgerecht *o.*; ***— des prises,*** prijsgerecht, prijzenhof *o.*; ***— de la pénitence,*** biechtstoel *m.*; ***— de première instance,*** kantongerecht *o.*; (*B.*) rechtbank van eerste aanleg.
tribunat [tribüna] *m.* **1** tribunaat *o.*; **2** ambt *o.* van tribuun.
tribune [tribün] *f.* **1** spreekgestoelte *o.*; **2** (*voor toeschouwers, enz.*) galerij *v.*, tribune *v.(m.)*; ***éloquence de la —,*** parlementaire welsprekendheid *v.*; ***la — sacrée,*** de kansel *m.*
tribut [tribü] *m.* **1** schatting *v.*, cijns *m.*; **2** tol *m.*; ***payer le — à la nature,*** de tol aan de natuur betalen.
tributaire [tribütè:r] *adj.* schatplichtig, cijnsplichtig; ***rivière —,*** zijrivier *v.(m.)*.
tricar [trika:r] *m.* motordriewieler *m.*
tricennal [trisènal] *adj.* dertigjarig.
tricentenaire [trisã'tnè:r] **I** *adj.* driehonderdjarig; **II** *s. m.* driehonderdjarige gedenkdag *m.*
tricéphale [triséfal] *adj.* driehoofdig.
triceps [trisèps] *m.* driehoofdige spier *v.(m.)*.
trichard [triʃa:r] *m.* (*fam.*) bedrieger *m.*
triche [triʃ] *f.* (*fam.*) bedrog *o.*; ***à la —,*** door bedrog.
tricher [triʃé] **I** *v.t.* bedriegen; **II** *v.i.* **1** vals spelen; **2** bedrog plegen, knoeien.
tricherie [triʃri] *f.* bedriegerij *v.*, bedrog *o.*, knoeierij *v.*
tricheur [triʃœ:r] *m.* **1** bedrieger *m.*; **2** valse speler *m.*
trichine [triʃin] *f.* trichine *v.(m.)*, haarworm *m.*
trichineux [triʃinö] *adj.* trichineus, met trichinen.
trichinose [trikino:z] *f.* trichinose, ziekte *v.* door trichinen veroorzaakt.
trichrome [trikròm] *adj.* driekleurig.
trichromie [trikròmi] *f.* driekleurendruk *m.*
trick [trik] *m.* (*kaartsp.*) trek *m.*
triclinium [triklinyòm] *m.* (*gesch.*) Romeinse eetzaal *v.(m.)*.
tricoises [trikwa:z] *f.pl.* nijptang *v.(m.)*.
tricolor [trikòlò:r] *m.* **1** driekleurige amarant *v.(m.)*; **2** driekleurige anjelier *v.(m.)*.
tricolore [trikòlò:r] *adj.* driekleurig.
tricon [trikõ] *m.* (*spel*) drie gelijke kaarten *mv.*
tricorne [trikòrn] *m.* steek *m.*
tricot [triko] *m.* **1** breiwerk *o.*; **2** gebreid goed *o.*; borstrok *m.*; kamizool *o.*; trui *v.(m.)*; ***— de flanelle,*** flanellen onderhemd *o.*; ***faire du —,*** breien.
tricotage [trikòta:j] *m.* **1** (het) breien *o.*; **2** breiwerk *o.*
tricoter [trikòté] **I** *v.t.* **1** breien; **2** (*v. kant*) klossen; **II** *v.i.* **1** breien; **2** trippelen, dribbelen; ***— des jambes,*** (*fam.*) benen maken.
tricoteur [trikòtœ:r] *m.* breier *m.*
tricoteuse [trikòtö:z] *f.* **1** breister *v.*; **2** breimachine *v.*
tricouni [trikuni] *m.* zoolspijker *m.* voor bergschoen.
trictrac [triktrak] *m.* **1** triktrakbord *o.*; **2** triktrakspel *o.*
tricuspide [triküspi'd] *adj.* driepuntig.
tricycle [trisikl] *m.* driewieler *m.*
tridactyle [tridaktil] *adj.* (*Dk.*) drievingerig, drietenig.
trident [tridã] *m.* drietand *m.*
tridenté [tridã'té] *adj.* drietandig.
triduum [tridüòm], **triduo** [tridüo] *m.* triduum *o.*, driedaagse godsvruchtoefening *v.*
trièdre [tri(y)è:dr] *adj.* drievlakkig; ***angle —,*** drievlakshoek *m.*
triennal [tri(y)ènal] *adj.* **1** driejaarlijks; **2** driejarig.
triennalité [tri(y)ènalité] *f.* driejarigheid *v.*, driejarige duur *m.*
triennat [tri(y)èna] *m.* driejarige ambtsbekleding *v.*
trier [tri(y)é] *v.t.* uitzoeken, sorteren; ***— sur le volet,*** met zorg uitkiezen (*of* uitzoeken).
Trieste [tri(y)èst] *f.* Triëst *o.*
triestin [tri(y)èstẽ] *adj.* van, uit Triëst.
trieur [tri(y)œ:r] *m.* sorteerder *m.*
trieuse [tri(y)ö:z] *f.* **1** sorteerster *v.*; **2** sorteermachine *v.*
triflore [triflor] *adj.* (*Pl.*) driebloemig.
trifolié [trifòlyé] *adj.* (*Pl.*) driebladig.
trifouiller [trifuyé] *v.i.* (*pop.*) snuffelen, rommelen.
trifurcation [trifürka'syõ] *f.* (*v. weg*) driesprong *m.*
trigle [trigl] *m.* (*Dk.*) knorhaan *m.*
triglotte [triglòt] *adj.* drietalig.
triglyphe [triglif] *m.* (*bouwk.*) driesnede *v.(m.)*.
trigone [trigòn] *adj.* driehoekig.
trigonocéphale [trigònòséfal] *m.* (zeer giftige) slang *v.(m.)* met driehoekige kop.
trigonométrie [trigònòmétri] *f.* driehoeksmeting, trigonometrie *v.*; ***— rectiligne,*** vlakke driehoeksmeting; ***— sphérique,*** boldriehoeksmeting.
trigonométrique [trigònòmétrik] *adj.* trigonometrisch.
trijumeau [trijümo] **I** *adj.*, ***nerf —,*** drievoudige zenuw; **II** *s. m.* (*pl.*), **—(x),** drieling(en) *m.* (*mv.*).
trilatéral [trilatéral] *adj.* driezijdig.
trilingue [trilẽ:g] *adj.* drietalig, in drie talen.
trille [tri:y] *m.* (*muz.*) triller *m.*
trillion [trilyõ] *m.* biljoen *o.*
trilobé [trilòbé] *adj.* (*Pl.*) drielobbig.

trilobites [trilòbit] *m.pl.* fossiele schaaldieren *mv.* uit primaire aardlagen.
trilogie [trilòji] *f.* trilogie *v.*
trimard [trima:r] *m.* (*pop.*) **1** weg *m.*, straat *v.*(*m.*); **2** zwerver *m.*
trimarder [trimardé] *v.i.* (*pop.*) zwerven, tippelen.
trimardeur [trimardœ:r] *m.* zwerver, landloper *m.*
trimbalage [trẽ'bala:j], **trimbalement** [trẽ'balmã] *m.* (het) meeslepen, (het) heen en weer slepen *o.*
trimbaler [trẽ'balé] *v.t.* meeslepen.
trimensuel [trimã'sẅèl] *adj.* driemaal per maand verschijnend.
trimer [trimé] *v.i.* ploeteren, sloven.
trimestre [trimèstr] *m.* kwartaal, trimester *o.*
trimestriel [trimèstri(y)èl] *adj.* driemaandelijks.
trimètre [trimè'tr] *m.* driemeter *m.*, drievoetig vers *o.*
trimeur [trimœ:r] *m.* ploeteraar, zwoeger *m.*
trimoteur [trimòtœ:r] **I** *adj.* (*vl.*) driemotorig; **II** *s. m.* driemotorig vliegtuig *o.*
tringle [trẽ:gl] *f.* **1** roede, gordijnroede *v.*(*m.*); **2** teugel *m.*, lat *v.*(*m.*); **3** (*bouwk.*) lijst *v.*(*m.*); **4** slaglijnstreep *v.*(*m.*); **5** (*v. bliksemafleider, enz.*) stang *v.*(*m.*); ***se mettre la* —,** de buikriem nauwer toehalen.
tringler [trẽ'glé] *v.t.* met een slaglijn aftekenen.
tringlette [trẽ'glèt] *f.* roetje *o.*, kleine roede *v.*(*m.*).
trinqlot, trainglot [trẽ'glo] *m.* (*mil.*) treinsoldaat *m.*
trinitaire [trinitè:r] *m.* trinitariër *m.*
trinité [trinité] *f.* drieëenheid *v.*; ***T*—,** Drievuldigheid *v.*; ***la T*—,** Drievuldigheidszondag *m.*; ***île de la T*—,** Trinidad.
trinôme [trino:m] *m.* drieterm *m.*
trinquer [trẽ'ké] *v.i.* **1** klinken (met de glazen); **2** (*pop.*) slaag krijgen; **3** er inlopen, het kind van de rekening zijn.
trinquet [trẽ'kè] *m.* (*sch.*) fokkemast *m.*
trinquette [trẽ'kèt] *f.* (*sch.*) kluiffok *v.*(*m.*).
trio [tri(y)o] *m.* trio *o.*
triode [trio'd] *f.* triode *v.*, elektronenbuis *v.*(*m.*) met drie elektroden.
triolet [tri(y)òlè] *m.* **1** triool, driedelige notengroep *v.*(*m.*); **2** (*lett.*) achtregelig couplet *o.*; **3** (*Pl.*) witte klaver *v.*(*m.*).
triomphal [tri(y)õ'fal] *adj.* zege—, triomf—; zegepralend; ***char* —,** zegekar *v.*(*m.*); ***entrée* —*e*,** triomfantelijke intocht *m.*
triomphalement [tri(y)õ'falmã] *adv.* in triomf, triomfantelijk, zegevierend.
triomphant [tri(y)õfã] *adj.* zegepralend, zegevierend.
triomphateur [tri(y)õ'fatœ:r] *m.* overwinnaar *m.*; zegevierend veldheer *m.*
triomphe [tri(y)õ:f] *m.* **1** zege, zegepraal *v.*(*m.*); **2** zegetocht *m.*; ***en* —,** triomferend; ***arc de* —,** **1** erepoort *v.*(*m.*); **2** triomfboog *m.*
triompher [tri(y)õ'fé] *v.i.* zegepralen, zegevieren, overwinnen.
tripaille [tripa'y] *f.* dierlijke ingewanden *mv.*
triparti(te) [triparti(t)] *adj.* **1** in drieën verdeeld; **2** drieledig, uit drie partijen samengesteld; ***gouvernement* —,** drieledige regering.
tripartisme [tripartizm] *m.* regeringsstelsel *o.* dat op samenwerking van drie politieke partijen steunt.
tripartition [tripartisyõ] *f.* verdeling *v.* in drieën.
tripatouillage [tripatuya:j] *m.* geknoei *o.*
tripatouiller [tripatuyé] *v.i.* knoeien.
tripatouilleur [tripatuyœ:r] *m.* knoeier *m.*
tripe [trip] *f.* **1** (*v. vee*) darm *m.*, ingewand *o.*; **2** (*als spijs*) pens *v.*(*m.*); **3** (*v. sigaar*) binnenwerk *o.*; ***— de velours,*** trijp *o.*
triperie [tripri] *f.* verkoopplaats *v.*(*m.*) van darmen en ingewanden.
tripette [tripèt] *f.*, ***cela ne vaut pas* —,** dat is geen cent waard.
triphasé [trifa'zé] *adj.* driefazig.
triphtongue [triftõ:g] *f.* drieklank *m.*
tripier [tripyé] *m.* pensverkoper, afvalverkoper *m.*
triplace [triplas] *adj.* met drie plaatsen.
triplan [triplã] *m.* (*vl.*) driedekker *m.*
triple [tripl] **I** *adj.* drievoudig, driedubbel; **II** *s. m.* drievoud *o.*; ***en* —,** in triplo.
triplement [triplemã] **I** *adv.* drievoudig, driedubbel, driewerf; **II** *s. m.* verdrievoudiging *v.*
tripler [triplé] *v.t. et v.i.* verdrievoudigen.
triplette [triplèt] *f.* fiets *m. en v.* voor drie personen.
triplicata [triplikata] *m.* derde afschrift *o.*; ***en* —,** in triplo.
Triplice [triplis] *f.* Drievoudig Verbond *o.*, Driebond *m.*
triplicité [triplisité] *f.* drievoudigheid *v.*
triplique [triplik] *f.* derde verweerschrift *o.*
tripode [tripò'd] *m.* driepoot *m.*
Tripoli [tripòli] *m.* Tripolis *o.* (*stad*).
tripoli [tripòli] *m.* **1** poetspoeder *o. en m.*, metaalglans *m.*, tripelaarde *v.*(*m.*); **2** (*pop.*) foezel *v.*(*m.*) (slechte jenever).
tripolir [tripòli:r] *v.t.* (met tripel) poetsen.
tripolitain [tripòlitẽ] **I** *adj.* Tripolitaans, van Tripolis; **II** *s. m.*, ***T*—,** Tripolitaan *m.*
Tripolitaine [tripòlitèn] *f.* Tripoli *o.* (*land*).
triporteur [tripòrtœ:r] *m.* bestelfiets *m. en v.*, driewieler *m.*
tripot [tripo] *m.* speelhuis, speelhol *o.*
tripotage [tripòta:j] *m.* **1** geknoei, gekonkel *o.*; **2** mengelmoes *o. en v.*(*m.*), poespas *m.*; ***— de Bourse,*** beurszwendel *m.*
tripotée [tripòté] *f.* **1** rammeling *v.*, pak *o.* slaag; **2** hoop *m.*, massa *v.*(*m.*).
tripoter [tripòté] *v.i.* **1** morsen; **2** (*fig.*) knoeien, konkelen; **3** speculeren, gokken, zich met (beurs)-zwendel bezighouden.
tripoteur [tripòtœ:r] *m.* knoeier, gokker, beunhaas *m.*
tripotier [tripòtyé] *m.* **1** speelhuishouder *m.*; **2** knoeier *m.*
triptyque [triptik] *m.* **1** (*v. schilderij*) triptiek *v.*, drieluik *o.*; **2** (*voor auto's*) triptiek *v.*, driedelig document (paspoort) *o.*
trique [trik] *f.* (*pop.*) knuppel *m.*
triqueballe [trikbal] *f.* mallejan *m.*
triquer [triké] *v.t.* **1** afrossen; knuppelen; **2** (*v. hout*) sorteren.
triquet [trikè] *m.* **1** (*bij kaatssp.*) slaghout *o.*, (smalle) kaatsplank *v.*(*m.*); **2** leidekkersstellage *v.*
triquètre [trikè:tr] *adj.* drievlakkig.
trirème [trirè:m] *f.* (*gesch.*) galei *v.*(*m.*) met drie roeibanken.
trisaïeul(e) [trizayœl] *m.* (*f.*) betovergrootvader *m.*, —moeder *v.*
trisannuel [trizanẅèl] *adj.* driejaarlijks.
trisection [trisèksyõ] *f.* (*meetk.*) verdeling *v.* in drieën (in drie gelijke delen).
trisme [trism] *m.* (*gen.*) mondklem *v.*(*m.*).
trisse [tris] *f.* (*sch.*) tros *m.*
tri(s)syllabe [trisil(l)a'bl] **I** *adj.* drielettergrepig; **II** *s. m.* drielettergrepig woord *o.*
tri(s)syllabique [trisil(l)abik] *adj.* drielettergrepig.
triste(ment) [trist(emã)] *adj.* (*adv.*) **1** droevig; **2** bedroefd, treurig; **3** somber, triestig; **4** ellendig, armzalig; ***—ment célèbre,*** maar al te berucht; ***— à faire pleurer,*** om bij te huilen.
tristesse [tristès] *f.* **1** droefheid *v.*; **2** droefgeestigheid *v.*; **3** neerslachtigheid *v.*
triton [tritõ] *m.* **1** (*myth.*) zeegod, titon *m.*; **2** (*Dk.*)

watersalamander *m.*; **3** (*Greg. muz.*) interval *o.* van drie tonen.
trituration [tritüra'syõ] *f.* (het) fijnwrijven, (het) fijnmaken *o.*, verbrijzeling, vermaling *v.*
triturer [tritüré] *v.t.* **1** fijnwrijven, verbrijzelen, (ver)malen; **2** (*fig.*: *v. werk*) voorkauwen.
triumvir [tri(y)òmvi:r] *m.* (*gesch.*) drieman *m.*
triumvirat [tri(y)òmvira] (*gesch.*) driemanschap *o.*
trivalent [trivalã] *adj.* (*scheik.*) driewaardig.
trivalve [trivalv] *adj.* driekleppig.
trivial(ement) [trivyal(mã)] *adj.* (*adv.*) **1** plat; **2** alledaags, doodgewoon, afgezaagd.
trivialiser [trivyali'zé] *v.t.* alledaags maken.
trivialité [trivyalité] *f.* **1** platheid, gemeenheid *v.*; **2** platte uitdrukking *v.*; **3** alledaagsheid *v.*
troc [tròk] *m.* **1** ruiling, verwisseling *v.*; **2** ruilhandel *m.*
trocart [tròka:r] *m.* (*gen.*) instrument *o.* om puncties te verrichten.
trochaïque [tròkaik] *adj.* trocheïsch.
trochanter [tròkã'tè:r] *m.* (*anat.*) dijbeenuitsteeksel *o.*
trochée [tròʃé] **I** *m.* trocheus *m.* (versvoet van een lange en een korte lettergreep); **II** *f.* (*Pl.*) grondloot *v.*(*m.*).
trochet [tròʃè] *m.* (*v. vruchten, bloemen*) tros, bos, bundel *m.*
trochile [tròkil] *m.* kolibrie *m.*
troène [tròè:n] *m.* (*Pl.*) liguster *m.*
troglodyte [tròglòdit] *m.* **1** holbewoner *m.*; **2** chimpansee *m.*; **3** winterkoninkje *o.*
trogne [tròñ] *f.* tronie *v.*
Trognée [tròñé] Truielingen *o.*
trognon [tròñõ] *m.* **1** (*v. kool*) stronk *m.*; **2** (*v. appel*) klokhuis *o.*; **3** (*pop.*) kop *m.*, kersepit *v.*(*m.*).
Troie [trwa] *f.* Troje *o.*
troïka [tròika] *f.* trojka *v.*(*m.*).
trois [trwa] *n.card.* **1** drie; **2** (*in datum, enz.*) derde.
trois-étoiles [trwazétwal], ***Monsieur —,*** meneer X.
trois-huit [trwawit] *m.* (*muz.*) drieachtstenmaat *v.*(*m.*).
troisième [trwazyèm] **I** *n.ord.* derde; **II** *s. m.* **1** derde (deel) *o.*; **2** derde verdieping *v.*; **3** derde man *m.*; ***— de change,*** tertiawissel *m.*; **III** *s. f.* derde klasse *v.*
troisièmement [trwazyèm(m)ã] *adv.* ten derde.
trois-mâts [trwama] *m.* **1** (*sch.*) driemaster *m.*; **2** (*mil.*) soldaat *m.* met drie armstrepen.
trois-ponts [trwapõ] *m.* **1** (*sch.*) driedekker *m.*; **2** ***T—P—,*** Dreibrücken *o.*
trois-quarts [trwaka:r] *m.* **1** (*tn.*) driekantige vijl *v.*(*m.*); **2** (*muz.*) driekwartsmaat *v.*(*m.*); **3** driekwartviool *v.*(*m.*); **4** (*sp.*) zijspeler *m.*
trois-quatre [trwakatr] *m.* (*muz.*) driekwartsmaat *v.*(*m.*).
trois-six [trwasis] *m.* sterke spiritus *m.*
trôle [tro:l] *f.* (het) rondventen *o.* van eigen werk; ***ouvrier à la —,*** werkman *m.* die eigengemaakte voorwerpen (*of* meubelen) verkoopt.
trôler [tro'lé] **I** *v.t.* meeslepen; **II** *v.i.* rondslenteren.
trôleur [tro'lœ:r] *m.* rondventer, leurder *m.*
trolley [tròlè] *m.*, (*v. el. tram.*) trolley *m.*, stroomafnemer, beugel *m.*
trombe [trò:b] *f.* hoos *v.*(*m.*), wervelwind *m.*; ***— marine,*** waterhoos *v.*(*m.*); ***passer comme une —,*** voorbijstuiven.
trombidion [trõ'bidyõ] *m.* herfstmijt *v.*(*m.*); ***— soyeux,*** geluksspin *v.*(*m.*).
trombine [trõbi:n] *f.* (*pop.*) gezicht *o.*
tromblon [trõ'blõ] *m.* **1** (*oud*) donderbus *v.*(*m.*); **2** (*aan modern geweer*) granaatwerper *m.*; **3** machinegeweer *o.*
trombone [trõ'bòn] *m.* (*muz.*) **1** trombone *v.*(*m.*); **2** trombonist *m.*
tromboniste [trõ'bònist] *m.* trombonist, tromboneblazer *m.*
trompe [trõ:p] *f.* **1** jachthoorn *m.*; **2** (*v. auto*) toeter *m.*; **3** (grote) trompet *v.*(*m.*); **4** (*v. olifant*) slurf, tromp *v.*(*m.*), snuit *m.*; **5** (*v. insekt*) zuigsnuit *m.*; ***— de brume,*** (*sch.*) misthoorn *m.*; ***— d'Eustache,*** (*in oor*) buis van Eustachius, Eustachiaanse buis *v.*(*m.*); ***publier à son de —,*** uitbazuinen.
trompe-la-faim [trõ'plafẽ] *m.* middel *o.* om de honger te stillen.
trompe-l'œil [trõ'plœ'y] *m.* **1** (*v. schilderij*) oogbedrieger *m.*; **2** (*fig.*) bedrieglijke schijn *m.*, zinsbedrog *o.*
tromper [trõ'pé] **I** *v.t.* **1** bedriegen; misleiden; **2** (*v. hoop, verwachting*) teleurstellen; **3** (*v. berekening, enz.*) verijdelen; **4** (*v. tijd*) verdrijven, doden; **5** (*v. waakzaamheid, enz.*) verschalken; ***— l'attente,*** tegenvallen, niet aan de verwachting beantwoorden; ***— l'ennui,*** de verveling verdrijven; ***— la vigilance,*** de waakzaamheid verschalken; ***— la faim,*** de honger voorlopig stillen; ***— sa douleur,*** afleiding zoeken voor zijn smart; **II** *v.pr.* ***se —,*** **1** zich vergissen; **2** elkaar bedriegen; ***se — d'adresse,*** aan het verkeerde adres zijn; de verkeerde voorhebben; ***ils se ressemblent à s'y —,*** zij lijken sprekend op elkaar.
tromperie [trõ'pri] *f.* bedrog *o.*, bedriegerij *v.*
trompeter* [trõ'pèté] **I** *v.i.* trompetten; op de trompet blazen; **II** *v.t.* uitbazuinen, rondbazuinen, ruchtbaar maken.
trompette [trõ'pèt] **I** *f.* **1** trompet *v.*(*m.*); **2** (*Bijb.*) bazuin *v.*(*m.*); ***nez en —,*** wipneus *m.*; ***queue en —,*** krulstaart *m.*; ***déloger sans tambour ni —,*** met de stille trom vertrekken; ***sans —,*** met stille trom; **II** *m.* trompetter *m.*
trompettiste [trõ'pètist] *m.* trompetblazer *m.*
trompeur [trõ'pœ:r] **I** *m.* bedrieger *m.*; **II** *adj.* bedrieglijk; ***à —, — et demi,*** de bedrieger bedrogen.
trompeusement [trõ'pö'zmã] *adv.* op bedrieglijke wijze.
tronc [trõ] *m.* **1** (*v. boom*) stam *m.*; **2** (*v. lichaam*) romp *m.*; **3** offerblok *o.*; offerbus *v.*(*m.*); **4** (*v. geslacht*) stamboom *m.*; ***— de cône,*** afgeknotte kegel *m.*
tronche [trõ:ʃ], **tronce** [trõ:s] *f.* **1** blok hout *o.*; dikke stomp *m.*; **2** (*arg.*) kop *m.*
tronchet [trõ'ʃè] *m.* kuipersblok *o.*
Tronchiennes [trõ'ʃyèn] *m.* Drongen *o.*
tronçon [trõ'sõ] *m.* **1** stomp *m.*; **2** (*v. boom*) tronk *m.*; **3** (*v. vis*) moot *v.*(*m.*); **4** (*v. paardestaart*) pit *v.*(*m.*).
tronconique [trõ'kònik] *adj.* in de vorm van een afgeknotte kegel.
tronçonner [trõ'sòné] *v.t.* in stukken (moten, enz.) verdelen.
trône [tro:n] *m.* troon *m.*; ***discours du —,*** troonrede *v.*(*m.*).
trôner [tro'né] *v.i.* **1** tronen; **2** (*fig.*) heersen.
tronquer [trõ'ké] *v.t.* **1** afknotten; **2** (*v. beeld, waarheid, telegram*) verminken; **3** (*v. tekst, enz.*) besnoeien, verkorten.
trop [tro, trò; *devant voyelle* tròp] *adv.* te; te veel; ***de —,*** te veel; ***par —,*** al te veel; ***c'en est —,*** dat is al te erg, dat gaat te ver; ***je ne sais — comment,*** ik weet niet goed hoe; ***il ne met —,*** hij overdrijft.
trope [tròp] *m.* troop *m.*, oneigenlijke uitdrukking *v.*
trophée [tròfé] *m.* **1** zegeteken *o.*, tropee *v.*; **2** wapenrek *o.*
trophique [tròfik] *adj.* de voeding betreffend, voedings—.
trophologie [tròfòlòji] *f.* voedingsleer *v.*(*m.*).
tropical [tròpikal] *adj.* tropisch.
tropique [tròpik] **I** *m.* keerkring *m.*; ***— du Cancer,*** kreeftskeerkring; ***— du Capricorne,*** steenboks-

keerkring; ***sous les —s,*** in de tropen; **II** *adj.* tropisch; ***année —,*** tropisch jaar.
troposphère [tròpòsfè:r] *f.* troposfeer *v.(m.)*, onderste dampkringlaag *v.(m.)* (ong. 11 km).
trop-plein* [tròplẽ] *m.* **1** (het) overtollige *o.*; overvloed *m.*; **2** (*tn.*) overloop(pijp *v.(m.)*) *m.*; **3** (*fig.*) overmaat *v.(m.)*.
troquer [tròké] *v.t.* ruilen; ***— son cheval borgne contre un aveugle,*** van de regen in de drop komen.
troqueur [tròkœ:r] *m.* ruiler *m.*
trot [tro] *m.* draf *m.*; ***aller au —,*** draven; ***grand —,*** gestrekte draf; ***petit —,*** korte draf.
trotte [tròt] *f.* eind *o.* weegs, loop *m.*
trotte-menu [tròtmenü] *adj.* (*plur.: invar.*) trippelend; ***la gent —,*** het muizenvolkje *o.*
trotter [tròté] **I** *v.i.* **1** draven; **2** trippelen; ***cela me trotte par la tête,*** dat speelt mij door het hoofd; **II** *v.t.* laten draven; **III** *v.pr.*, ***se —,*** (*pop.*) hem smeren, ervandoor gaan.
trotterie [tròtri] *f.* geloop, gedraaf *o.*
trotteur [tròtœ:r] **I** *m.* draver, harddraver *m.*; **II** *adj.*, ***(aiguille) trotteuse,*** secondewijzer *m.*; ***jupe trotteuse,*** voetvrije rok *m.*
trottin [tròtẽ] *m.* loopjongen *m.*; loopmeisje *o.*
trottiner [tròtiné] *v.i.* trippelen.
trottinette [tròtinèt] *f.* autoped, step *m.*
trottoir [tròtwa:r] *m.* (verhoogd) voetpad *o.*, stoep *m. en v.*; ***faire le —,*** op de baan lopen.
trou [tru] *m.* **1** (*in muur, kleren, enz.*) gat *o.*; **2** (*in grond*) holte *v.*, kuil *m.*; **3** (*v. naald*) oog *o.*; **4** (*v. muis*) hol *o.*; **5** (*in ijs*) (***— d'eau***) wak *o.*; **6** (*fig.: v. dorp, stadje*) nest *o.*, negerij *v.*; **7** leemte, gaping *v.*; ***— d'homme,*** (*v. stoomketel*) mangat *o.*; ***— de loup,*** wolfskuil *m.*; ***— d'eau,*** waterkuil *m.*; wak *o.* (in het ijs); ***— du souffleur,*** souffleurshokje *o.*; ***rester dans son —,*** eenzelvig leven; ***faire son — dans le monde,*** zijn weg maken (*of* het ver brengen) in de wereld; ***boire comme un —,*** onverzadelijk zijn; drinken als een tempelier; ***faire un — à la lune,*** met de noorderzon vertrekken; ***autant de —s, autant de chevilles,*** hij weet overal een mouw aan te passen, hij is voor één gat niet te vangen. [zanger *m.*
troubadour [trubadu:r] *m.* troubadour, minne-
troublant [trublã] *adj.* **1** storend, verwarrend; **2** ontroerend.
trouble [tru'bl] **I** *m.* **1** verwarring *v.*, wanorde *v.(m.)*; **2** stoornis *v.*; **3** onrust *v.(m.)*, beroering *v.*; **4** onenigheid *v.*; ***—s,*** *pl.* onlusten *mv.*, volksoproer *o.*; ***—s atmosphériques,*** luchtstoringen *mv.*; ***mettre le — dans,*** verwarring stichten in; ***le Conseil des T—s,*** de Raad van Beroerten; **II** *adj.* **1** (*v. water, wijn*) troebel; **2** (*v. glas*) beslagen; **3** (*v. lucht*) bewolkt, nevelig; **4** (*v. blik*) dof, beneveld; **5** (*fig.*) verward; ***avoir la vue —,*** niet klaar zien.
troublé [trublé] *adj.* **1** vertroebeld; **2** in de war; niet goed bij 't hoofd.
trouble-fête [trublefè:t] *m.-f.* vreugdeverstoorder, rustverstoorder, brekespel *m.*
troubler [trublé] **I** *v.t.* **1** troebel maken; **2** storen, verstoren, verontrusten; **3** in de war brengen, beroeren; **4** (*v. geest*) benevelen; **II** *v.pr.* ***se —,*** **1** troebel worden; **2** vertroebelen; **3** (*v. lucht*) bewolkt worden, betrekken; **4** (*v. geest, verstand*) in de war raken; **5** zich ongerust maken; **6** ontroeren; ***ma vue se trouble,*** het schemert mij voor de ogen.
troué [trué] *adj.* kapot, met een gat (*of* gaten) er in.
trouée [trué] *f.* **1** (*in haar, bos, enz.*) opening *v.*; **2** (*mil.: in gelederen, enz.*) bres *v.(m.)*; **3** (*aan grens*) wijde toegang *m.*, invalspoort *v.(m.)*; ***faire une — dans les rangs ennemis,*** door de vijandelijke gelederen heen breken, een bres in de vijandelijke gelederen maken (*of* schieten).
trouer [trué] *v.t.* doorboren; een gat maken in.
troufion [trufiõ] *m.* (*pop.*) gewoon soldaat *m.*
trouille [tru'y] *f.* (*pop.*) angst *m.*
troupe [trup] *f.* **1** troep *m.*; **2** bende *v.(m.)*, hoop *m.*; **3** (*v. toneelspelers*) gezelschap *o.*, troep *m.*; **4** (*v. vogels, enz.*) vlucht *v.(m.)*, zwerm *m.*; ***les —s,*** het krijgsvolk *o.*; ***en —,*** troepsgewijs; in gesloten gelid; ***chef de —,*** (*v. padvinders*) troepleider *m.*
troupeau [trupo] *m.* kudde *v.(m.)*.
troupier [trupyé] *m.* (*fam.*) soldaat *m.*
trousse [trus] *f.* **1** bundel *m.*, pak *o.*; **2** (*v. paard*) staartriem *m.*; **3** (***— de médecin***), instrumententas *v.(m.)*; **4** (*fot.*) stel *o.* lenzen; ***— de voyage,*** reisnecessaire *m.*; ***avoir qn. à ses —s,*** achtervolgd worden door iem.; ***être aux —s de qn.,*** iem. op de hielen zitten.
trousseau [truso] *m.* **1** (sleutel)bos *m.*; **2** (*v. kleren, enz.*) pakje, bundeltje *o.*; **3** uitzet *m. en o.*
trousse-queue [truskö] *m.* staartriem *m.*
troussequin [truskẽ] *m.*, (*v. zadel*) zadelboog *m.*
trousser [trusé] **I** *v.t.* **1** opschorten, oplichten; opnemen; **2** (*v. staart*) opbinden; **3** (*v. broek*) omslaan; **4** (*v. mouwen*) opstropen; **5** (*v. zaak*) vlug afdoen, snel afmaken; ***— bagage,*** zich wegpakken, zich uit de voeten maken; **II** *v.pr.* ***se —,*** zijn kleren opnemen.
troussis [trusi] *m.* opnaaisel *o.*
trouvable [truva'bl] *adj.* vindbaar, te vinden.
trouvaille [truva'y] *f.* vondst *v.*
trouver [truvé] **I** *v.t.* **1** vinden; **2** (*v. persoon*) opzoeken; **3** treffen, aantreffen; **4** menen, oordelen; ***aller — qn.,*** iem. gaan bezoeken; ***— bon,*** goedkeuren, goedvinden; ***— mauvais,*** afkeuren, kwalijk nemen; ***— toujours à redire,*** altijd iets aan te merken hebben; ***— du plaisir à,*** genoegen scheppen in; **II** *v.pr.* ***se —,*** **1** zich bevinden; **2** gevonden worden, aangetroffen worden; **3** elkaar vinden; ***se — mal,*** onwel worden; ***cela se trouve bien,*** dat komt goed uit; ***je m'en suis bien trouvé,*** ik heb er mij goed bij bevonden; ***se — heureux,*** zich gelukkig voelen; ***il se trouve,*** er is; er zijn; ***il se trouva,*** het gebeurde; het bleek.
trouvère [truvè'r] *m.* middeleeuws dichter *m.*
trouveur [truvœ:r] *m.* vinder *m.*
troyen [trwayẽ] **I** *adj.* Trojaans; **II** *s. m.*, ***T—,*** Trojaan *m.*
truand [trwã] *m.* (middeleeuws) vagebond *m.*
truandaille [trwã'da'y] *f.* (middeleeuws) bedelvolk *o.* [volk *o.*
truanderie [trwã'dri] *f.* **1** bedelarij *v.*; **2** bedel-
truble [trü'bl] *f.* schepnet *o.*, totebel *v.(m.)*.
trubleau [trüblo] *m.* schepnetje *o.*
trublion [trüblyõ] *m.* onrustzaaier, agitator *m.*
truc [trük] *m.* **1** kunstgreep *m.*, handigheid *v.*, truc *m.*; **2** (*spoorw.*) open goederenwagen *m.*; ***avoir*** (*ou* ***connaître***) ***le —,*** het kunstje (*of* de foefjes) kennen; ***débiner le —,*** de boel verklappen.
trucage, truquage [trüka:j] *m.* (handige) namaak *m.*
trucheman, truchement [trüʃmã] *m.* tolk *m.*
trucider [trüsidé] *v.t.* (*fam.*) vermoorden, van kant maken. [*v.*
truculence [trükülã:s] *f.* geweldigheid, woestheid
truculent [trükülã] *adj.* geweldig, woest.
truelle [trüèl] *f.* **1** truweel *o.*, troffel *m.*; **2** (zilveren) visschep *v.(m.)*; ***— à gâteau,*** taartschep *v.(m.)*.
truellée [trüèlé] *f.* troffel *m.* vol. [neus *m.*
truffe [trüf] *f.* **1** truffel *v.(m.)*; **2** (*pop.*) jenever-

truffer [trüfé] *v.t.* met truffels toebereiden; — *de,* doorspekken met. [zoeker *m.*
truffier [trüfyé] **I** *adj.* truffel—; **II** *s. m.* truffel-
truffière [trüfyè:r] *f.* truffelveld *o.*
truie [trẅi] *f.* zeug *v.*; — *de mer,* (*vis*) zeeduivel *m.*
truisme [trẅizm] *m.* waarheid *v.* als een koe.
truite [trẅit] *f.* forel *v.*(*m.*); — *saumonée,* zalmforel *v.*(*m.*).
truité [trẅité] *adj.* bruin of rood gespikkeld.
trumeau [trümo] *m.* **1** runderschenkel *m.*; **2** (*bouwk.*) penant *o.*; **3** penantspiegel *m.*
truquage [trüka:j] *voir* ***trucage.***
truquer [trüké] **I** *v.t.* **1** namaken; **2** (*v. documenten, enz.*) vervalsen; **II** *v.i.* trucs gebruiken.
truqueur [trükœ:r] *m.* bedrieger *m.*
trusquin [trüskẽ] *m.* ritshout *o.*
trust [trœst] *m.* (*H.*) trust *m.*, samensmelting *v.* van ondernemingen.
truster [trœsté] *v.t.* in een trust verenigen, in een trust omzetten.
trypanosome [tripanozo:m] *m.* slaapziekte verwekkend infusiediertje *o.*
trypsine [tripsin] *f.* trypsine *v.*(*m.*), eiwit splitsend ferment *o.*
tsar [tsa:r] *m.* tsaar, keizer (v. Rusland) *m.*
tsarévitch [tsarévitʃ] *m.* tsarevitsj, troonopvolger *m.* (in Rusland).
tsarien [tsaryẽ] *adj.* tsaristisch.
tsarine [tsarin] *f.* tsarina, keizerin (v. Rusland) *v.*
tsarisme [tsarizm] *m.* tsarendom *o.*
tsé-tsé [tsétsé] *m.* tseetseevlieg *v.*(*m.*).
tsigane, *voir* ***tzigane.***
tu [tü] *pron.pers.* jij, je, gij, u.
tuable [tẅa˙bl] *adj.* slachtbaar, te doden.
tuage [tẅa:j] *m.* (het) slachten *o.*
tuant [tẅã] *adj.* **1** dodelijk; **2** (*fig.*) afmattend, vervelend.
tub [tœb] *m.* **1** badkuip *v.*(*m.*); **2** sponsbad *o.*
tuba [tüba] *m.* (*muz.*) tuba *m.*
tubage [tüba:j] *m.* **1** het voorzien *o.* van buizen(stelsel); **2** (*gen.*) het aanbrengen van een adembuis in de keel, *of* van hevelbuis in de maag.
tube [tü˙b] *m.* **1** buis, pijp *v.*(*m.*); **2** koker *m.*; **3** (*fam.*) hoge hoed *m.*; — *digestif,* darmkanaal *o.*; — *à essais,* reageerbuisje *o.*; — *de couleur,* verftube *v.*(*m.*); — *d'échappement,* uitlaatpijp *v.*(*m.*); — *d'oxygène,* zuurstofcilinder *m.*; — *de soie,* rolletje *o.* zijde.
tuber [tübé] *v.t.* met buizen voorzien.
tubéracé [tübérasé] **I** *adj.* truffelachtig; **II** *s.*, —*s, f.pl.* truffelachtigen *mv.*
tubercule [tübèrkül] *m.* **1** (*Pl.*) knol *m.*; **2** (*Dk., ontleedk.*) knobbel *m.*; **3** (*gen.*) tuberkel *m.*
tuberculeux [tübèrkülö] **I** *adj.* **1** knobbelig; **2** (*gen.*) tuberculeus; **II** *s. m.* tuberculoselijder *m.*
tuberculine [tübèrkülin] *f.* tuberculine *v.*(*m.*) (serum tegen tuberculose).
tuberculose [tübèrkülo:z] *f.* tuberculose *v.*
tubéreuse [tübérö:z] *f.* (*Pl.*) tuberoos *v.*(*m.*).
tubéreux [tübérö] *adj.* knolvormig.
tubériforme [tübérifòrm] *adj.* tuberkelvormig.
tubérosité [tübéro˙zité] *f.* knobbel *m.*, uitwas *m. en o.*, gezwel *o.*
Tubingue [tübẽ:g] *f.* Tubingen *o.*
Tubize [tübi˙z] *m.* Tubeke *o.*
tubulaire [tübülè:r] *adj.* buisvormig, pijpvormig.
tubule [tübül] *m.* buisje *o.*
tubulé [tübülé] *adj.* **1** met buizen; **2** buisvormig.
tubuleux [tübülö] *adj.* buisvormig.
tubulure [tübülü:r] *f.* buisopening *v.*, buis *v.*(*m.*).
tudesque [tüdèsk] *adj.* **1** Germaans, Duits; **2** (*fig.*) ruw.
tue-chien [tüʃyẽ] *m.* (*Pl.*) herfsttijloos *v.*(*m.*).
tue-mouches [tümuʃ] *m.* **1** (*Pl.*) vliegenzwam *v.*(*m.*); **2** vliegenpapier *o.*
tuer [tẅé] **I** *v.t.* **1** doden; **2** doodschieten; doodslaan; doodsteken; **3** slachten; **4** (*fig.*) te gronde richten; **5** bederven, vernietigen; **6** vermoeien; *tué à l'ennemi,* gevallen op het veld van eer; *il est à* —, hij is onuitstaanbaar; — *le ver,* (*pop.*) een pierenverschrikkertje nemen; **II** *v.pr. se* —, **1** zich doden; zelfmoord plegen; **2** elkaar doden; **3** zich afbeulen; *se* — *à travailler,* zich doodwerken; *je me suis tué à le lui dire,* ik heb het hem herhaaldelijk (*of* onophoudelijk) gezegd, ik heb het hem uit den treure herhaald.
tuerie [türi] *f.* **1** slachting *v.*; **2** slachtbank, slachtplaats *v.*(*m.*).
tue-tête [tutè:t], *crier à* —, luidkeels (*of* uit alle macht) schreeuwen.
tueur [tẅœ:r] *m.* **1** doder, slachter, loonslachter *m.*; **2** (massa)moordenaar *m.*
tue-vent [tüvã] *m.* windscherm *o.*
tuf [tüf] *m.* **1** tufsteen *o. en m.*; **2** (*fig.*) grond *m.* (v. karakter).
tufacé [tüfasé] *adj.* tufachtig, tufhoudend.
tuffeau [tüfo] *m.* tufkrijt *o.*
tufier [tüfyé] *adj.* tufsteenachtig.
tuile [tẅil] *f.* **1** (dak)pan *v.*(*m.*); **2** tichel *m.*; **3** (*fam.*) tegenvaller *m.*
tuileau [tẅilo] *m.* scherf *v.*(*m.*) van een dakpan (*of* van een tichel).
tuiler [tẅilé] *v.t.* met pannen dekken.
tuilerie [tẅilri] *f.* pannenbakkerij *v.*; *les T—s,* de Tuilerieën *mv.*
tuilier [tẅilyé] *m.* pannenbakker *m.*
tulipe [tülip] *f.* tulp *v.*(*m.*). [kweker *m.*
tulipier [tülipyé] *m.* **1** tulpeboom *m.*; **2** tulpen-
tulle [tül] *m.* tule *v.*(*m.*).
tullerie [tülri] *f.* **1** tulefabriek *v.*; **2** tulehandel *m.*
tuméfaction [tüméfaksyõ] *f.* opzwelling *v.*, gezwel *o.*
tuméfier [tüméfyé] **I** *v.t.* doen zwellen; **II** *v.pr., se* —, opzwellen.
tumescence [tümèsã:s] *f.* (op)zwelling *v.*
tumescent [tümèsã] *adj.* opzwellend.
tumeur [tümœ:r] *f.* gezwel *o.*, tumor *m.*
tumulaire [tümülè:r] *adj.* graf—; *pierre* —, grafsteen *m.*
tumulte [tümült] *m.* **1** rumoer, geraas *o.*, opschudding *v.*; **2** drukte *v.*, gewoel *o.*; *en* —, in verwarring.
tumultuaire [tümültẅè:r] *adj.* rumoerig, oproerig.
tumultueux [tümültẅö] *adj.*, **tumultueusement** [tümültẅö˙zmã] *adv.* onstuimig, rumoerig; woelig.
tumulus [tümülü:s] *m.* grafheuvel *m.*
tungstène [tœ̃˙gstè˙n] *m.* wolfram *o.*
tunicelle [tünisèl] *f.* korte witte tunica *v.*
tuniciers [tünisyé] *m.pl.* manteldieren *mv.*
tunique [tünik] *f.* **1** (*gesch.*) tunica *v.*; **2** tuniek *v.*; **3** (*v. bisschop*) opperkleed *o.*; **4** (*v. subdiaken*) dalmatiek *v.*; **5** (*Pl.*) vlies *o.*; (*v. bol*) rok *m.*, schub *v.*(*m.*).
tuniqué [tüniké] *adj.* (*Pl.*) gerokt, met hulsel.
Tunisie [tünizi] *f.* Tunis *o.* (*land*).
tunisien [tünizyẽ] **I** *adj.* van Tunis, Tunesisch; **II** *s. m. T—,* Tunesiër, bewoner *m.* van Tunis.
tunnel [tünèl] *m.* tunnel *m.*
turban [türbã] *m.* **1** tulband *m.*; **2** (*Pl.*) Turkse lelie *v.*(*m.*).
turbidité [türbidité] *f.* troebelheid *v.*
turbin [türbẽ] *m.* (*pop.*) werk *o.*
turbinage [türbina:j] *m.* turbinewerking *v.*

turbine [türbin] *f.* turbine *v.*; schroefrad *o.*
turbiné [türbiné] *adj.* tolvormig.
turbiner [türbiné] *v.i.* (*pop.*) werken, zwoegen, ploeteren. [generator *m.*
turbo-alternateur* [türbòaltèrnatœ:r] *m.* turbo-
turbot [türbo] *m.* tarbot *m.*
turbotière [türbòtyè:r] *f.* (vis)pan *v.*(*m.*).
turbotin [türbòtẽ] *m.* kleine tarbot *m.*
turbulemment [türbülamã] *adv.* onstuimig, woelig, uitgelaten.
turbulence [türbülã:s] *f.* onstuimigheid, woeligheid, uitgelatenheid *v.*
turbulent [türbülã] *adj.* onstuimig, woelig, uitgelaten, rumoerig, roerig.
Turc [türk] (*fém.* : ***Turque*** [türk]) **I** *m.* Turk *m.* (Turkse *v.*); ***le Grand —***, de Sultan *m.*; ***tête de —***, **1** kop *o.* van Jut; **2** zondebok *m.*; ***t—***, *m.* engerling *m.* (larve van de meikever); **II** *adj.*, ***t—***, Turks.
Turco [türko] **I** *m.* Algerijns infanterist *m.*; **II** *adj.*, ***t—***, turks—. [***t—***, Turkomans.
Turcoman [türkòmã] **I** *m.* Turkoman *m.*; **II** *adj.*
turelure [türlü:r] *f.* refrein *o.*; vervelend gezeur *o.*; ***c'est toujours la même —***, 't is altijd dezelfde deun.
turf [türf] *m.* **1** renbaan *v.*(*m.*); **2** wedrennen *mv.*; **3** paardensport *v.*(*m.*).
turfiste [türfist] *m.* bezoeker *m.* van de renbaan, liefhebber *m.* van de rensport.
turgescence [türjèsã:s] *f.* (*gen.*) opzwelling *v.*
turgescent [türjèsã] *adj.* opgezwollen.
Turin [türẽ] *m.* Turijn *o.*
turinois [türinwa] *adj.* Turijns.
turion [türyõ] *m.* (*Pl.*) wortelspruit *v.*(*m.*).
Turkestan [türkèstã] *m.* Turkestan *o.*
turlupin [türlüpẽ] *m.* hansworst, platte grappenmaker *m.*
turlupinade [türlüpina·d] *f.* hansworsterij, platte aardigheid *v.*
turlupiner [türlüpiné] *v.i.* voor hansworst spelen.
turlut [türlü] *m.* (*Dk.*) wulp *m.*
turlutaine [türlütèn] *f.* (*fam.*) stokpaardje *o.*
turlututu! [türlütütü] *ij* (*fam.*) morgen brengen!
turne [türn] *f.* (*pop.*: *v. huis*) krot, hok *o.*
turnep(s) [türnèp] *m.* bep. knolraap *v.*(*m.*).
turpitude [türpitü·d] *f.* **1** schande *v.*(*m.*); **2** laagheid, gemeenheid *v.*
turque [türk] *adj.*, *voir* ***Turc.***
turquerie [türkeri] *f.* **1** wreedheid, barbaarsheid *v.*; **2** vrekkigheid *v.*
turquet [türkè] *m.* **1** Turkse tarwe *v.*(*m.*), maïs *m.*; **2** (*Dk.*) turks hondje *o.*
Turquie [türki] *f.* Turkije *o.*; ***blé de —***, Turkse tarwe *v.*(*m.*), maïs *m.* [leiblauw.
turquin [türkẽ] *adj.*, (***bleu —***), donkerblauw,
turquoise [türkwa:z] *f.* turkoois *o.* of *m.*
tussilage [tüsila:j] *m.* (*Pl.*) klein hoefblad *o.*
tussor(e) [tüsò:r] *m.* tussorzijde *v.*(*m.*).
tutélaire [tütélè:r] *adj.* beschermend; ***ange —***, beschermengel *m.*
tutelle [tütèl] *f.* **1** voogdij *v.*; **2** voogdijschap *o.*; **3** (*fig.*) bescherming *v.*; hoede *v.*(*m.*); ***hors de —***, mondig; ***être tenu en —***, als een onmondige behandeld worden.
tuteur [tütœ:r] *m.*, **tutrice** [tütris] *f.* **1** voogd *m.*, voogdes *v.*; **2** (*v. plant*) leistok *m.*; ***subrogé —***, toeziende voogd.
tuteurage [tütœra:j] *m.* (*v. plant*) steunen, van een leistok voorzien *o.*
tuteurer [tütœré] *v.t.* (*v. plant*) steunen, van een leistok voorzien.
tutoiement, tutoîment [tütwamã] *m.* (het) tutoyeren, (het) toespreken met jij en jou.
tutoyer [tütwayé] *v.t.* tutoyeren, toespreken met jij en jou.
tutti [tuti] *m.* (*muz.*) door alle uitvoerenden uitgevoerd gedeelte *o.* [achterste *o.*
tutu [tütü] *m.* **1** balletrokje *o.*; **2** (*fam.*) bips *v.*,
tuyau [twiyo] *m.* **1** buis, pijp *v.*(*m.*); **2** stengel, halm *m.*; **3** (*v. veer, pen*) schacht *v.*(*m.*); **4** (*in muts, enz.*) neep, pijpplooi *v.*(*m.*); **5** (*bij wedden, speculeren*) vertrouwelijke inlichting *v.*, tip *m.*; **6** (*op school*) smokkelpapiertje, spiekpapiertje *o.*; ***— d'arrosage***, tuinslang, sproeislang *v.*(*m.*); ***— alimentaire***, (*tn.*) voedingspijp *v.*(*m.*); ***— acoustique***, spreekbuis *v.*(*m.*); ***— de l'oreille***, gehoorbuis *v.*(*m.*); ***dire dans le — de l'oreille***, influisteren, in het oor fluisteren.
tuyau*-siphon* [twiyo·sifõ] *m.* hevelbuis *v.*(*m.*).
tuyautage [twiota:j] *m.* buizenstelsel *o.*
tuyauter [twio·té] *v.t.* **1** met pijpplooien voorzien, pijpplooien maken in; **2** inlichten, een tip geven.
tuyauterie [twiyo·tri] *f.* **1** buizenfabriek *v.*; **2** buizenstelsel *o.*; **3** (*v. gas, water, enz.*) leiding *v.*
tuyère [twiyè:r] *f.* **1** afblaaspijp *v.*(*m.*); **2** (*v. oven*) blaasgat *o.*
tympan [tẽ·pã] *m.* **1** trommelvlies *o.*; **2** trommelholte *v.*; **3** (*drukk.*) persraam, timpaan *o.*; **4** scheprad *o.*; **5** (*fig.*) oor *o.*
tympanal [tẽ·panal] *adj.* van het trommelvlies.
tympanique [tẽ·panik] *adj.* de trommelholte betreffend; ***membrane —***, trommelvlies *o.*
tympaniser [tẽ·pani·zé] *v.t.* uitjouwen, sarren.
tympanisme [tẽ·panizm] *m.*, **tympanite** [tẽ·panit] *f.* trommelzucht *v.*(*m.*).
tympanon [tẽ·panõ] *m.* (*muz.*) hakkebord *o.*
type [tip] *m.* **1** type *o.*; **2** drukletter *v.*(*m.*); **3** model *o.*, gietvorm *m.*; **4** grondvorm *m.*; **5** zinnebeeld *o.*; ***— courant***, (*tn.*) standaardtype *o.*
typer [tipé] *v.t.* **1** typeren; **2** (met schrijfmachine) tikken.
typha [tifa] *m.* (*Pl.*) lisdodde *v.*(*m.*).
typhique [tifik] **I** *adj.* tyfusachtig, tyfus—; **II** *s. m.* tyfuslijder *m.*
typhlite [tiflit] *f.* blindedarmontsteking *v.*
typhoïde [tifòi·d] **I** *adj.* tyfeus; ***fièvre —***, tyfus *m.*; **II** *s. f.* tyfus *m.* [lijder *m.*
typhoïque [tifòik] **I** *adj.* tyfus—; **II** *s. m.* tyfus-
typhon [tifõ] *m.* wervelstorm, tyfoon *m.*
typhus [tifü:s] *m.* **1** vlektyfus *m.*; **2** veepest, runderpest *v.*(*m.*); ***— abdominal***, buiktyfus; ***— des tropiques***, gele koorts *v.*(*m.*).
typique [tipik] *adj.* **1** typisch, kenmerkend; **2** zinnebeeldig; **3** origineel.
typochromie [tipòkromi] *f.* kleurendruk *m.*
typographe [tipògraf] *m.* (*fam.*: ***typo***) letterzetter, typograaf *m.*
typographie [tipògrafi] *f.* **1** boekdrukkunst, typografie *v.*; **2** drukkerij *v.* [typografisch.
typographique(ment) [tipògrafik(mã)] *adj.* (*adv.*)
typomètre [tipòmè·tr] *m.* (*drukk.*) cicerolatje *o.*
typtologie [tiptòlòji] *f.* (*bij spiritisten*) kloptaal *v.*(*m.*).
Tyr [ti:r] *m.* Tyrus *o.* (*in Phenicië*).
tyran [tirã] *m.* tiran, dwingeland *m.*
tyranneau [tirano] *m.* (*fam.*) kleine dwingeland *m.*
tyrannicide [tiranisi·d] *m.* **1** tirannenmoord *m.* en *v.*; **2** tirannenmoordenaar *m.*
tyrannie [tirani] *f.* dwingelandij, tirannie *v.*
tyrannique(ment) [tiranik(mã)] *adj.* (*adv.*) tiranniek, willekeurig.
tyranniser [tirani·zé] *v.t.* tiranniseren, verdrukken, als een dwingeland regeren over.
tyrien [tiryẽ] **I** *adj.* van Tyrus; **II** *s. m.*, ***T—***, Tyriër *m.*

Tyrol [tiròl] *m.* Tyrol *o.*
tyrolien [tiròlyẽ] **I** *adj.* Tyrools; **II** *s. m.*, *T—*, Tyroler *m.*
tyrolienne [tiròlyèn] *f.* **1** Tyroolse *v.*; **2** jodellied *o.*; **3** Tyroolse dans *m.*
tyrrhénien [tirényẽ] *adj.* Tyrrheens.
tzar [tsa:r], *voir* ***tsar.***
tzigane [tsigan] **I** *m.-f.* zigeuner *m.*; zigeunerin *v.*; **II** *adj.* zigeuners.

U

U [ü] *m.* **1** (*letter*) u *v.*(*m.*); **2** (*sch.*) U-boot *m. en v.*, onderzeeër *m.*; ***en —***, u-vormig.
ubac [übak] *m.* in de schaduw gelegen berghelling [v.
Ubien [übyẽ] *m.* Ubiër *m.*
ubiquiste [übikwist] **I** *m.* alomtegenwoordige, iem. die overal tegelijk is, die overal thuis is; **II** *adj.* alomtegenwoordig.
ubiquité [übikwité] *f.* alomtegenwoordigheid *v.*
Uccle [ükl] Ukkel *o.*
udomètre [üdòmè'tr] *m.* regenmeter *m.*
Uganda, Ouganda [ugã'da] *m.* Oeganda *o.*
ugandais, ougandais [ugã'dè] *adj.* Oegandees.
uhlan, hulan [ülã] *m.* ulaan, lansier *m.*
ukase [üka:z] *m.* oekaze *v.*(*m.*), keizerlijk bevelschrift *o.*
Ukraine [ükrèn] *f.* Oekraine *v.*
Ukrainien [ükrènyẽ] **I** *m.* Oekrainer *m.*; **II** *adj.*, *u—*, Oekrains.
ulcération [ülséra'syõ] *f.* verzwering *v.*
ulcère [ülsè:r] *m.* zweer, etterwond *v.*(*m.*).
ulcéré [ülséré] *adj.* **1** zwerend; **2** (*fig.*) verbitterd; ***un cœur —***, een diep gewond hart; ***une conscience —e***, een door berouw gekweld geweten.
ulcérer [ülséré] **I** *v.t.* **1** doen zweren; **2** verbitteren; **II** *v.pr.* ***s'—***, verzweren. [zweren.
ulcéreux [ülsérö] *adj.* etterend, zweerachtig, vol
uléma [üléma] *m.* mohammedaans schrift- en wetgeleerde *m.*
ulex [ülèks] *m.* (*Pl.*) gaspeldoorn *m.*
ulmacée [ülmasé] *f.* olmachtige *v.*(*m.*).
ulmaire [ülmè:r] *f.* (*Pl.*) spirea *m.*
Ulric [ülrik] *m.* Ulrich *m.*
Ulrique [ülrik] *f.* Ulrika *v.*
ulster [ülstè:r] *m.* ulster *m.*
ultérieur [ültéryœ:r] *adj.* **1** (*v. tijd: nieuws, enz.*) later, nakomend; (*besprekingen*) verder, nader; **2** (*v. plaats*) aan gene zijde.
ultérieurement [ültéryœ'rmã] *adv.* later; verder.
ultimatum [ültimatòm] *m.* ultimatum *o.*
ultime [ültim], **ultième** [ültyèm] *adj.* laatste.
ultimo [ültimo] *adv.* ten laatste.
ultra [ültra] *m.* extremist (in politiek), overdreven partijman, drijver *m.*
ultra-correct [ültrakòrèkt] *adj.* uiterst correct.
ultra-court [ültrakur] *adj.* ultrakort.
ultramarin [ültramarẽ] *adj.* overzees.
ultramicroscope [ültramikròskòp] *m.* ultramicroscoop, zeer sterke microscoop *m.*
ultra-moderne [ültramòdèrn] *adj.* allermodernst.
ultramontain [ültramõ'tẽ] **I** *adj.* ultramontaans; aan gene zijde van de bergen (*of* van de Alpen); **II** *s. m.* ultramontaan *m.*, voorstander *m.* van het oppergezag van de paus. [koningsgezind.
ultraroyaliste [ültrarwayalist] *adj.* overdreven
ultra-sensible [ültrasã'si'bl] *adj.* hypergevoelig.
ultra-son* [ültrasõ] *m.* niet meer hoorbare geluidstrilling *v.*
ultraviolet [ültravyòlè] *adj.* ultraviolet.
ululation [ülüla'syõ] *f.*, **ululement** [ülülmã] *m.* (het) huilen, gehuil, (het) schreeuwen *o.* [wen.
ululer [ülülé] *v.i.* (*v. nachtvogels*) huilen, schreeu-
Ulysse [ülis] *m.* Ulysses *m.*
umbre [œ̃:br] *m.* ombervis *m.*
un [œ̃], **une** [ün] *art.ind. et n. de nombre*, een; ***— à —***, een voor een; ***— jour***, op zekere dag, eens; ***de deux jours l'—***, om de andere dag; ***c'est tout —***, dat is precies hetzelfde; dat is net eender; dat gaat in één moeite door; ***pas —***, geen enkel; ***comme pas —***, als geen ander; ***l'— l'autre***, elkander; ***l'— et l'autre***, beide(n); ***l'— dans l'autre***, door elkaar (gerekend); ***— jour ou l'autre***, te eniger tijd; ***ne faire ni une ni deux***, geen ogenblik aarzelen.
unanime(ment) [ünanim(mã)] *adj.* (*adv.*) eenparig, eenstemmig, eensgezind.
unanimité [ünanimité] *f.* eenparigheid, eenstemmigheid, eensgezindheid *v.*; ***à l'—***, met algemene stemmen.
unciforme [œ̃'sifòrm] *adj.* haakvormig.
unguis [õ'gwis] *m.* (*anat.*) traanbeentje *o.*
uni [üni] **I** *adj.* **1** (*v. zee, schors*) glad; **2** (*v. oppervlak, stof*) effen; **3** (*fig.*) gelijkmatig, ongestoord; eensgezind, eendrachtig; (*v. stijl*) eenvoudig; verbonden, verenigd; ***le Royaume U—***, het Verenigd Koninkrijk; ***les mains —es***, hand in hand; **II** *s. m.* effenheid *v.*
uniate [üniat] (*v. grieks-katholieken*) **I** *adj.* geünieerd (met Rome); **II** *s. m.* geünieerde.
unicellulaire [ünisèlülè:r] *adj.* ééncellig.
unicolore [ünikòlò:r] *adj.* eenkleurig.
unicorne [ünikòrn] *m.* éénhoorn *m.*
unicotylédone [ünikòtilédòn] *adj.* eenzaadlobbig.
unième [ünyè:m] *adj.*, (*alleen in samenstellingen*) ***trente et —***, eenendertigste.
unification [ünifika'syõ] *f.* vereniging (tot een geheel), eenwording *v.*
unifier [ünifyé] *v.t.* verenigen, eenheid brengen in, tot één geheel maken.
uniflore [ünifló:r] *adj.* eenbloemig.
unifolié [ünifòlyé] *adj.* eenbladig.
uniforme [ünifòrm] **I** *adj.* **1** gelijkvormig, eenvormig; **2** (*v. beweging*) eenparig; **3** (*v. tarief*) uniform; **4** (*ong.*) eentonig; **II** *s. m.* uniform *o. en v.*(*m.*); dienstkleding *v.*
uniformément [ünifòrmémã] *adv.* eenvormig; op gelijke wijze; (*nat.*) eenparig. [v.
uniformisation [ünifòrmiza'syõ] *f.* uniformering
uniformiser [ünifòrmi'zé] *v.t.* uniform (*of* eenvormig) maken.
uniformité [ünifòrmité] *f.* gelijkvormigheid, gelijkheid; eenparigheid *v.*
unijambiste [ünijã'bist] *m.-f.* iemand met één been. [eenzijdig.
unilatéral(ement) [ünilatéral(mã)] *adj.* (*adv.*)
unilingue [ünilẽ:g] *adj.* eentalig.
unilinguisme [ünilẽ'gizm] *m.* eentaligheid *v.*
unimane [üniman] *adj.* éénhandig.
uniment [ünimã] *adv.* **1** effen, glad; **2** gelijkmatig; **3** eenvoudig; gewoonweg; ***tout —***, heel eenvoudig, doodeenvoudig.
uninominal [ününòminal] *adj.* over één naam; ***scrutin —***, stemming over één persoon.

union [ünyõ] *f.* **1** vereniging, samenvoeging *v.*; **2** verbond *o.*; **3** huwelijk *o.*; **4** eendracht *v.(m.)*; **— *douanière,*** tolunie *v.*; ***l'— fait la force,*** eendracht maakt macht; ***l'— sacrée,*** de godsvrede (tussen de partijen).
unioniste [ünyònist] *m. (et adj.)* unionist(isch).
unipersonnel [ünipèrsònèl] *adj. (gram.)* onpersoonlijk.
unipétal [ünipétal] *adj. (Pl.)* eenbladig.
unipolaire [ünipolè:r] *adj.* eenpolig.
unique [ünik] *adj.* **1** enig; **2** *(fig.)* onvergelijkelijk, enig; ***école —,*** eenheidsschool *v.(m.)*; ***sens —,*** eenrichtingsverkeer *o.*
uniquement [ünikmã] *adv.* alleen, enkel.
unir [üni:r] **I** *v.t.* verenigen; verbinden; effen maken, glad maken; **II** *v.pr.* ***s'—,*** zich verenigen.
unisexué [ünisèkswé] *adj. (Pl.)* éénslachtig.
unisson [ünisõ] *m.* **1** *(muz.)* eenstemmigheid *v.*; **2** *(fig.)* overeenstemming *v.*; ***être à l'—,*** *(muz.)* harmoniëren; ***se mettre à l'— de,*** zich schikken naar.
unissonnant [ünisònã] *adj.* gelijkklinkend.
unitaire [ünitè:r] **I** *m.* unitariër *m.*; **II** *adj.* naar eenheid strevend.
unitarien [ünitaryẽ] **I** *m.* unitariër *m.*; **II** *adj.* unitarisch.
unitarisme [ünitarizm] *m.* leer *v.(m.)* van de unitariërs.
unité [ünité] *f.* eenheid *v.*
univalve [ünivalv] *adj. (Dk.)* eenschalig.
univers [ünivè:r] *m.* heelal *o.*, wereld *v.(m.)*.
universaliser [ünivèrsali'zé] *v.t.* algemeen maken.
universalité [ünivèrsalité] *f.* algemeenheid *v.*; (het) geheel *o.*
universaux [ünivèrso] *m.pl.* universalia *mv.*
universel [ünivèrsèl] *adj.* **1** algemeen; alomvattend; **2** *(v. persoon)* alzijdig, algemeen ontwikkeld; **3** *(v. erfgenaam)* universeel; ***exposition —le,*** wereldtentoonstelling *v.*
universellement [ünivèrsèlmã] *adv.* algemeen, overal, universeel.
universitaire [ünivèrsitè:r] *m.* onderwijzer *(of* leraar) *m.* bij 't openbaar onderwijs (in Frankrijk).
université [ünivèrsité] *f.* **1** hogeschool *v.(m.)*, universiteit *v.*; **2** het onderwijzend personeel (in Frankrijk).
upas [üpɑ:s] *m.* oepas, Javaans pijlgif *o.*
Upsal(a) [üpsala] *f.* Upsala *o.*
upsilon [üpsilòn] *m.* ypsilon *v.(m.)*.
urane [üran] *m.* uraniumoxyde *o.*
Uranie [ürani] *f.* Urania *v.* (muze v. de sterrenkunde).
uranifère [üranifè:r] *adj.* uraniumhoudend.
uranique [üranik] *adj.* van uranium; ***acide —,*** uraanzuur *o.*
uranium [üranyòm] *m.* uranium *o.*
uranographie [üranògrafi] *f.* hemelbeschrijving, beschrijving *v.* van de sterrenhemel.
uranométrie [üranòmétri] *f.* hemelmeetkunde *v.*
urate [ürat] *m.* uraat, urinezuur zout *o.*
urbain [ürbẽ] **I** *adj.* steeds, stedelijk; **II** *s. m.* stedeling *m.*
Urbain [ürbẽ] *m.* Urbanus *m.*
urbanisme [ürbanizm] *m.* stedebouw *m.*; ***d'—,*** planologisch.
urbaniste [ürbanist] *m.* stedebouwkundige *m.*
urbanité [ürbanité] *f.* beleefdheid, wellevendheid *v.*
urbicole [ürbikòl] *adj.* in een stad wonend.
ure, *voir* ***urus.***
urée [üré] *f.* ureum *o.*, urinestof *v.(m.)*.
urémie [ürémi] *f. (gen.)* ophoping *v.* van gifstoffen die de urine moest uitscheiden.
uretère [ürtè:r] *m.* urineleider *m.*
urètre [ürè:tr] *m.* urethra *v.(m.)*, urinelozingskanaal *o.*
urgence [ürjã:s] *f.* dringende noodzakelijkheid *v.*; ***il y a —,*** het is spoedeisend, het is dringend nodig; ***d'—,*** met spoed, dringend; ***en cas d'—,*** in geval van nood.
urgent [ürjã] *adj.* dringend, spoedeisend, hoogdringend.
urinaire [ürinè:r] *adj.* de urine betreffend; ***voies —s,*** urinewegen.
urinal [ürinal] *m.* urineerfles *v.(m.)*.
urine [ürin] *f.* urine *v.(m.)*.
uriner [üriné] *v.i.* wateren.
urineux [ürinö] *adj.* urineachtig.
urinoir [ürinwa:r] *m.* waterplaats *v.(m.)*.
urique [ü'rik] *adj.*, ***acide —,*** urinezuur *o.*
urne [ürn] *f.* urn, vaas *v.(m.)*; ***— électorale,*** stembus *v.(m.)*; ***aller aux —s,*** ter stembus gaan.
urodèles [üròdè:l] *m.pl. (Dk.)* salamanderachtigen *mv.*
urolithe [üròlit] *m.* blaassteen *m.*
urologie [üròlòji] *f.* kennis *v.* van de urinewegen.
uropygienne [üròpigyèn] *adj.*, ***glande —,*** *(bij vogels)* vetklier *v.(m.)* aan stuit, om veren glad te strijken.
uroscopie [üròskòpi] *f.* urineonderzoek *o.*
ursin [ürsẽ] *adj.* van een beer.
Ursule [ürsül] *f.* Ursula *v.*
ursuline [ürsülin] *f.* ursuline *v.*
urticacées [ürtikasé] *f.pl. (Pl.)* netelachtigen *mv.*
urticaire [ürtikè:r] *f. (gen.)* netelkoorts *v.(m.)*.
urticant [ürtikã] *adj.* stekend.
urtication [ürtikɑ'syõ] *f. (van netels, enz.)* steek *m.*
urubu [ürübü] *m.* kleine, zwartrode Amerikaanse gier *m.*
uruguayen [ürüg(w)éẽ] *adj.* Uruguaans, uit Uruguay.
urus [ürüs], **ure** [ür] *m.* oeros *m.*
us [üs] *m.pl.* gebruiken *mv.*; ***les — et coutumes,*** de zeden en gewoonten.
usage [üza:j] *m.* **1** gebruik *o.*; **2** gewoonte *v.*; **3** genot, nut *o.*; **4** *(recht)* vruchtgebruik *o.*; ***à l'— de,*** ten dienste van; ***d'—,*** gebruikelijk; ***il est d'—,*** het is gebruikelijk; ***— du monde,*** goede manieren, hoffelijkheid; ***faire — de,*** gebruiken, gebruik maken van; ***c'est dans l'—,*** dat is zo het gebruik; ***hors d'—,*** **1** niet meer in gebruik; **2** *(v. schoenen, kleren, enz.)* versleten.
usagé [üzajé] *adj.* **1** gebruikt; **2** *(v. kleren)* gedragen.
usager [üzajé] **I** *m.* gebruiker *m.*; **II** *adj.* gebruiks—.
usance [üzã:s] *f. (H.)* uso *o. (v. wissels)*.
usé [üzé] *adj.* **1** versleten; **2** oud, afgezaagd; **3** afgeleefd.
user [üzé] **I** *v.i.* *(de)* gebruiken, gebruik maken van; ***— de patience,*** geduld gebruiken; ***— d'indulgence,*** toegeeflijk zijn; ***en — mal avec qn.,*** iem. slecht behandelen; **II** *v.t.* **1** verbruiken; **2** *(kleren, enz.)* verslijten, afdragen; ***— ses yeux,*** zijn ogen bederven; **III** *v.pr.* ***s'—,*** slijten; afslijten; uitgeput raken; **IV** *s. m.* gebruik *o.*; ***cette étoffe est d'un bon —,*** deze stof houdt zich goed in 't gebruik.
usine [üzin] *f.* fabriek *v.*; ***— à gaz,*** gasfabriek; ***— génératrice, — centrale,*** elektrische centrale.
usinier [üzinyé] **I** *m.* fabrikant, grootfabrikant *m.*; **II** *adj.* fabrieks—.
usité [üzité] *adj.* gebruikelijk, in zwang.
ustensile [üstã'sil] *m.* gereedschap (voor keuken, enz.), huishoudelijk artikel *o.*
usuel [üzwèl] *adj.* gebruikelijk, gewoon; ***objets —s,*** gebruiksvoorwerpen; ***la langue —le,*** de omgangstaal *v.(m.)*.
usuellement [üzwèlmã] *adv.* gewoonlijk.
usufructuaire [üzüfrüktwè:r] *adj.*, ***droit —,*** recht *o.* van vruchtgebruik.
usufruit [üzüfrwi] *m.* vruchtgebruik *o.*

usufruitier [üzüfrẅityé] I *m.* vruchtgebruiker *m.*; II *adj.* ten laste van de vruchtgebruiker.
usuraire [üzürè:r] *adj.* woekerachtig; woeker—; ***intérêt* —,** woekerrente *v.*(*m.*).
usurairement [üzürè·rmã] *adv.* woekerachtig, met woeker.
usure [üzü:r] *f.* **1** woeker *m.*; **2** slijtage *v.*
usurier [üzüryé] *m.* woekeraar *m.*
usurpateur [üzürpatœ:r] *m.* overweldiger; onrechtmatige bezitter *m.*
usurpation [üzürpɑ·syõ] *f.* overweldiging; onrechtmatige toeëigening (*of* inbezitneming) *v.*
usurper [üzürpé] I *v.t.* overweldigen; zich wederrechtelijk toeëigenen; II *v.i.* inbreuk maken (op).
ut [üt] *m.* (*muz.*) ut, do *v.*(*m.*).
utérin [ütérẽ] *adj.* van moederszijde; ***frère* —,** halfbroeder.
utérus [ütérüs] *m.* baarmoeder *v.*(*m.*).
utile [ütil] I *adj.* nuttig; dienstig; bruikbaar; ***en temps* —,** te bekwamer tijd, te zijner tijd; II *s. m.* (het) nuttige *o.*
utilement [ütilmã] *adv.* nuttig, op nuttige wijze.
utilisable [ütiliza·bl] *adj.* bruikbaar.
utilisation [ütilizɑ·syõ] *f.* gebruik *o.*, aanwending, tennuttemaking *v.*
utiliser [ütili·zé] *v.t.* gebruiken, aanwenden, benutten, ten nutte maken.
utilitaire [ütilitè:r] I *adj.* nut beogend; II *s. m.* utiliteitsmens, die vooral naar het nut of voordeel vraagt *m.*
utilitairement [ütilitè·rmã] *adv.* volgens de beginselen van de nuttigheidsleer.
utilitarisme [ütilitarizm] *m.* nuttigheidsleer *v.*(*m.*), utilitarisme *o.*
utilité [ütilité] *f.* nut *o.*, nuttigheid *v.*; **—s,** *f.pl.*, (*toneel*) ondergeschikte rollen; **— *économique,* — *subjective,*** nut, gebruikswaarde; **— *marginale,* — *finale,*** grensnut.
utopie [ütòpi] *f.* **1** Utopia *o.*, ideale toekomststaat, denkbeeldige volmaakte staat *m.*; **2** hersenschim *v.*(*m.*), utopie *v.*
utopique [ütòpik] *adj.* hersenschimmig, utopisch.
utopiste [ütòpist] *m.* utopist *m.*
Utrecht [ütrèk] *m.* Utrecht *o.*
utriculaire [ütrikülè:r] I *f.* blaasjeskruid *o.*; II *adj.* blaasvormig. [(*Pl.*) beker *m.*
utricule [ütrikül] *m.* **1** cel *v.*(*m.*), vakje *o.*; **2**
uvaire [üvè:r] *adj.* druifvormig. [kuur *v.*(*m.*).
uval [üval] *adj.* van druiven; ***cure* —e,** druiven-
uvée [üvé] *f.* druifvlies *o.* (van het oog).
uviforme [üvifòrm] *adj.* druifvormig.
uvulaire [üvülè:r] *adj.* huig—, van de huig, de huig betreffend.
uvule [üvül] *f.* huig *v.*(*m.*).

V

V [vé] *m.* v *v.*(*m.*).
va! [va] *ij.* ga door; loop heen! zeg! **— *donc!*** loop heen! ***idiot,* —!** jij uilskuiken! **— *t'en,*** ga heen.
vacance [vakã:s] *f.* **1** vacature *v.*, vacante plaats *v.*(*m.*); **2** (het) openstaan *o.* van een ambt; **—s,** vakantie *v.*; ***partir en* —s,** met vakantie gaan.
vacancier [vakã·syé] *m.* vakantieganger *m.*
vacant [vakã] *adj.* **1** (*v. plaats, opvolging*) open, vacant; **2** (*v. troon*) onbezet.
vacarme [vakarm] *m.* geraas, lawaai *o.*
vacation [vakɑ·syõ] *f.* vacatie *v.*, tijd *m.* (door advocaten, enz.) aan iets besteed; **—s,** vacatiegelden *mv.*; ***chambre des* —s,** vakantiekamer.
vaccin [vaksẽ] *m.* koepokstof; entstof *v.*(*m.*).
vaccinal [vaksinal] *adj.* pok—, koepok—; ***bouton* —,** pokzweertje *o.*
vaccinateur [vaksinatœ:r] I *adj.* inentings—; II *s. m.* inenter, vaccinateur *m.*
vaccination [vaksinɑ·syõ] *f.* inenting, koepokinenting *v.*
vaccine [vaksin] *f.* **1** koepokken *mv.*; **2** koepokinenting *v.*; ***fausse* —,** waterpokken.
vacciner [vaksiné] *v.t.* inenten.
vaccinifère [vaksinifè:r] *adj.* pokstofdragend.
vache [vaʃ] I *f.* **1** koe *v.*; **2** rundvlees *o.*; **3** rundleer *o.*; **— *à lait,* — *laitière,*** melkkoe; **— *marine,*** zeekoe; ***manger de la* — *enragée,*** honger, gebrek lijden; ***parler français comme une* — *espagnole,*** het Frans radbraken; II *adj.* (*pop.*) gemeen.
vacher [vaʃé] *m.* koehoeder, koeherder *m.*
vacherie [vaʃri] *f.* **1** koestal *m.*; **2** melkerij *v.*; **3** (*pop.*) gemene streek *m. en v.*
vachette [vaʃèt] *f.* rundsleer *o.* van jonge koe.
vaciet [vasiè] *m.* bosbes *v.*(*m.*).
vacillant [vasilã] *adj.* **1** flikkerend; **2** wankelend; **3** weifelend, besluiteloos; **4** (*v. magneetnaald*) onrustig.
vacillation [vasilɑ·syõ] *f.* **1** (*v. licht*) flikkering *v.*; **2** wankeling *v.*; **3** weifeling, besluiteloosheid *v.*
vacillatoire [vasilatwa:r] *adj.* **1** wankelend; **2** weifelend; **3** twijfelend, onzeker.
vaciller [vasilé] *v.i.* **1** (*v. lamp*) flikkeren; **2** waggelen, wankelen; **3** weifelen, besluiteloos zijn; **4** (*v. magneetnaald*) onrustig zijn.
vacuité [vakẅité] *f.* ledigheid *v.*
vacuole [vakẅòl] *f.* **1** ruimte *v.*, blaasje *o.*; **2** (*v. kaas*) oogje *o.*; **3** cel *v.*(*m.*).
vacuum [vaküòm] *m.* (het) ledige *o.*
vade-mecum [vadémékòm] *m.* zakboekje, handboekje, vademecum *o.*
vadrouille [vadru·y] *f.* zwabber *m.*; ***aller en* —,** op zwier gaan.
vadrouiller [vadruyé] *v.i.* pierewaaien, aan de zwabber zijn. [*m.*
vadrouilleur [vadruyœ:r] *m.* zwabber, boemelaar
va-et-vient [vaévyẽ] *m.* **1** (het) heen-en-weergaan, (het) heen-en-weergeloop *o.*; **2** veerpontje *o.*; **3** (*sch.*) reddingstouw *o.*; **4** (*tn.*) doordraaiend scharnier *o.*; **5** (*el.*) hotelschakelaar *m.*
vagabond [vagabõ] I *m.* landloper, vagebond *m.*; II *adj.* **1** zwervend; **2** (*fig.*: *v. verbeelding, enz.*) ronddwalend.
vagabondage [vagabõ·da:j] *m.* landloperij *v.*
vagabonder [vagabõ·dé] *v.i.* **1** zwerven; **2** (*fig.*) ronddwalen.
vagin [vajẽ] *m.* schede, vagina *v.*(*m.*).
vaginal [vajinal] *adj.* van de schede. [deren).
vagir [vaji:r] *v.i.* schreeuwen (v. pasgeboren kin-
vagissement [vajismã] *m.* geschreeuw *o.*
vagon [vagõ], *voir* ***wagon.***
vague [va·g] I *f.* golf *v.*(*m.*); **— *d'assaut,*** (*mil.*) aanvalsgolf; **— *de chaleur,*** hittegolf; II *m.* **1** lege ruimte *v.*; **2** vaagheid *v.*; **3** (het) onbepaalde *o.*; **4** onbestemdheid *v.*, (het) onbestemde *o.*; ***avoir du* — *à l'âme,*** zich onvoldaan voelen; ***laisser qc. dans le* —,** niet nader op iets ingaan;

III *adj.* **1** (*v. licht, voorgevoel, enz.*) vaag; **2** (*v. gevoel*) onbepaald; **3** (*v. verlangen*) onbestemd; ***terrain —,*** onbebouwd terrein; ***goutte —,*** vliegende jicht; ***un — musicien,*** een stuk musicus; ***nerf —,*** zwervende zenuw.
vaguement [vagmã] *adv.* vaag.
vaguemestre [vagmèstr] *m.* sergeant-facteur *m.*
vaguer [vagé] *v.i.* zwerven, ronddolen, ronddwalen.
vaigrage [vègra:j] *m.* (*sch.*) wegering *v.*
vaigre [vè:gr] *f.* (*sch.*) weger *m.*
vaigrer [vè'gré] *v.t.* (*sch.*) wegeren.
vaillamment [vɑyamã] *adv.* dapper.
vaillance [vɑyã:s] *f.* dapperheid *v.*
vaillant [vɑyã] *adj.* dapper, moedig; ***n'avoir pas un sou —,*** geen cent bezitten.
vain [vẽ] *adj.* **1** ijdel, ongegrond; **2** vergeefs, vruchteloos; **3** beuzelachtig; **4** verwaand; ***—s mots,*** lege woorden, holle klanken; ***en —,*** *adv.* tevergeefs.
vaincre* [vẽ:kr] **I** *v.t.* **1** overwinnen; **2** overtreffen; **3** (*v. angst, enz.*) te boven komen; **II** *v.pr.* ***se —,*** zichzelf overwinnen.
vaincu [vẽ'kü] **I** *adj.* overwonnen; **II** *s. m.* overwonnene *m.*
vainement [vènmã] *adv.* tevergeefs.
vainqueur [vẽ'kœ:r] **I** *m.* overwinnaar *m.*; **II** *adj.* zegevierend, overwinnend.
vair [vè:r] *m.* **1** wit met grijs bont *o.*; **2** (*wap.*) vair *o.*
vairon [vè'rõ] **I** *m.* (*Dk.*) riviergrondel *m.*; **II** *adj.* (*v. paard*) glasogig.
vaisseau [vèso] *m.* **1** (groot) schip *o.*; **2** (*v. kerk of zaal*) schip *o.*; **3** vat *o.*; ***— sanguin,*** bloedvat; ***— de guerre,*** oorlogsschip; ***— de ligne,*** linieschip; ***— fanal,*** lichtschip; ***capitaine de —,*** kapitein-ter-zee; ***le V— fantôme,*** de Vliegende Hollander *m.*
vaisseau*-amiral* [vèso'amiral] *m.* admiraalsschip *o.*
vaisseau*-école* [vèso'ékòl] *m.* opleidingsschip *o.*
vaisseau*-fantôme* [vèso'fã'to:m] *m.* spookschip *o.*
vaisseau*-hôpital* [vèso'òpital] *m.* hospitaalschip *o.*
vaisseau*-réservoir* [vèso'résèrvwa:r] *m.* tankschip *o.*
vaisselier [vèselyé] *m.* buffet *o.*, kast *v.*(*m.*) voor vaatwerk.
vaisselle [vèsèl] *f.* vaatwerk *o.*; ***faire la —,*** de afwas doen; ***— plate,*** zilveren vaatwerk.
vaissellerie [vèsèlri] *f.* vaatwerk, keukengerei *o.*, potten en pannen *mv.*
val [val] *m.* dal *o.*; ***par monts et par vaux,*** door berg en dal.
valabilité [valabilité] *f.* geldigheid *v.*; geldigheidsduur *m.*
valable(ment) [vala'bl(emã)] *adj.* (*adv.*) **1** geldig; **2** gangbaar; **3** aannemelijk.
Valachie [valaʃi] *f.* Walachije *o.*
Valais [valè] *m.* Wallis *o.* (in Zwitserland).
Valaisan [valèzã] **I** *m.* inwoner *m.* van Wallis; **II** *adj.*, ***v—,*** van Wallis.
Valaque [valak] **I** *m.* Walachijer *m.*; **II** *adj.*, ***v—,*** Walachijs.
Valaquie [valaki] *f.* Walachije *o.*
valence [valã:s] *f.* **1** (*scheik.*) valentie *v.*; **2** soort sinaasappel *m.*; **3** ***V—,*** Valencia *o.*
valencien [valã'syẽ] *adj.* uit Valencia.
valenciennes [valã'syèn] *f.* valenciennekant *m.*
valériane [valéryan] *f.* (*Pl.*) valeriaan *v.*(*m.*), speerkruid *o.*
valérianelle [valéryanèl] *f.* veldsla *v.*(*m.*).
valésien [valézyẽ] *adj.* uit het huis van Valois.
valet [valè] *m.* **1** knecht *m.*; **2** (*in kaartsp.*) boer *m.*; **3** (*tn.*) klemhaak *m.*; ***— de pied,*** lakei *m.*; ***— de chambre,*** huisknecht; ***— de ferme,*** boerenknecht; ***— d'écurie,*** stalknecht; ***— d'établi,*** (*tn.*) klemhaak *m.*; ***une âme de —,*** een ogendienaar.
valetage [valeta:j] *m.* knechtschap *o.*, dienstbaarheid *v.*
valetaille [valtɑ'y] *f.* (*ong.*) bediendenvolk *o.*
valeter* [valté] *v.i.* de gedienstige spelen.
valétudinaire [valétüdinè:r] *adj.* ziekelijk, kwijnend, sukkelend.
valeur [valœ:r] *f.* **1** waarde *v.*; **2** moed *m.*, dapperheid *v.*; **3** (*v. woorden, enz.*) betekenis *v.*; **4** bedrag *o.*, geldswaarde *v.*; **5** (*muz.*) duur *m.*; ***— déclarée,*** aangegeven waarde; ***— locative,*** huurwaarde; ***bourse des —s,*** effectenbeurs *v.*(*m.*); ***—s mobilières,*** geldswaardige papieren; ***—s à lots,*** premiefondsen; ***— en compte,*** (*H.*) waarde in rekening; ***— reçue,*** (*H.*) waarde genoten; ***— vénale, — marchande,*** marktwaarde; ***— d'échange,*** ruilwaarde; ***être en —,*** (*H.*) **1** hoog (in prijs) staan; **2** goed renderen; ***mettre en —,*** produktief maken; ***le mot de —,*** het woord waar het op aankomt.
valeureux [valœrö] *adj.*, **valeureusement** [valœrö'zmã] *adv.* moedig, dapper.
validation [validɑ'syõ] *f.* geldigverklaring *v.*
valide(ment) [vali'd(mã)] *adj.* (*adv.*) **1** gezond, krachtig; **2** weerbaar; **3** geldig, van kracht.
valider [validé] *v.t.* geldig maken, geldig verklaren.
validité [validité] *f.* geldigheid *v.*
valise [vali:z] *f.* valies *o.*, handkoffer *m.*
valkyrie, walkyrie [valkiri] *f.* Walkure *v.*
vallée [valé] *f.* vallei *v.*(*m.*), dal *o.*; ***la — de larmes,*** het aardse tranendal.
vallon [valõ] *m.* klein dal *o.*
vallonné [valòné] *adj.* heuvelachtig.
vallonnement [valònmã] *m.* (*v. terrein, enz.*) golving *v.*
vallonner [valòné] *v.i. et v.pr.*, ***se —,*** golven, heuvelachtig zijn.
valoir* [valwa:r] **I** *v.i.* **1** waard zijn; **2** kosten; **3** gelden; **4** gelijk zijn aan; ***cela vaut mieux,*** dat is beter; ***cela vaut le coup,*** dat is de moeite waard; ***ne pas — cher, ne pas — grand-chose,*** niet veel zaaks zijn; ***faire —,*** **1** (iem.) ophemelen; **2** (*verdiensten, enz.*) doen uitkomen; **3** (*koopwaar*) aanprijzen; **4** (*zijn recht*) laten gelden; **5** (*grond, kapitaal*) produktief maken; **6** (*v. grond, enz. ook:*) ontginnen, exploiteren; ***faire — ses talents,*** met zijn talenten woekeren; ***à — sur mon compte,*** (*H.*) in mindering op mijn rekening; ***tant vaut l'homme, tant vaut la terre,*** het komt op de mens zelf aan; ***cela ne vaut pas la peine,*** dat is de moeite niet waard; ***vaille que vaille,*** zo goed en zo kwaad als 't gaat, het ga zo 't wil; ***se faire —,*** zich laten gelden; **II** *v.t.* bezorgen, berokkenen; ***cela vous vaudra une semonce,*** dat zal u een uitbrander bezorgen; **III** *v.pr.*, ***se —,*** evenveel waard zijn, tegen elkaar opwegen; ***cela se vaut,*** dat is lood om oud ijzer; ***ils se valent,*** ze zijn aan elkaar gewaagd.
valon, à — [avalõ] *adv.* stroomaf, met de stroom mee; ***aller à —,*** afdrijven.
valorisation [valòrizɑ'syõ] *f.* valorisatie, waardebepaling *v.*
valoriser [valòri'zé] *v.t.* valoriseren.
valse [vals] *f.* **1** wals *m. en v.*; **2** (*pop.*) rammeling *v.*
valser [valsé] *v.i.* walsen; ***faire — l'argent,*** het geld laten rollen.
valseur [valsœ:r] *m.* walser *m.*
valve [valv] *f.* **1** (*v. weekdier*) schaal, schelp *v.*(*m.*); **2** (*Pl.*: *v. doosvrucht*) klep *v.*(*m.*); **3** (*v. fiets*) ventiel *o.*
valvule [valvül] *f.* **1** (*in slagader, enz.*) klep *v.*(*m.*), klapvlies *o.*; **2** kleine schaal *v.*(*m.*).
vampire [vã'pi:r] *m.* **1** vampier *m.*; **2** (*fig.*) uitzuiger, afzetter *m.*

vampirique [vã'pirik] *adj.* vampierachtig.
vampirisme [vã'pirizm] *m.* 1 vampierachtige aard *m.*; 2 (*fig.*) uitzuigerij; knevelarij *v.*
van [vã] *m.* 1 wan *v.*(*m.*); 2 gesloten wagen *m.* voor vervoer van renpaarden.
vanadium [vanadyòm] *m.* vanadium *o.*; ***acier au —***, vanadiumstaal *o.*
vandale [vã'dal] *m.* vandaal, barbaar, vernieler *m.*
vandalisme [vã'dalizm] *m.* baldadigheid *v.*, vernielzucht *v.*(*m.*).
vandoise [vã'dwaz] *f.* (*Dk.*) pijlkarper *m.*
vanesse [vanès] *f.* (*Dk.*), (*vlinder*) dagpauwoog *m.*
vanille [vani'y] *f.* vanille *v.*(*m.*).
vanillé [vaniyé] *adj.* met vanille; ***sucre —***, vanillesuiker *m.*
vaniller [vaniyé] *v.t.* met vanille kruiden.
vanillier [vaniyé] *m.* (*Pl.*) vanilleplant *v.*(*m.*).
vanilline [vanilin, vaniyin] *f.* vanillestof *v.*(*m.*).
vanillon [vaniyõ] *m.* vanillestokje *o.*
vanité [vanité] *f.* 1 ijdelheid, verwaandheid *v.*; 2 nietigheid *v.*; ***tirer — de qc.***, trots zijn op iets, zich op iets beroemen; ***soit dit sans —***, in alle bescheidenheid gezegd.
vaniteusement [vanitö'zmã] *adv.* ijdel.
vaniteux [vanitö] I *adj.* ijdel, verwaand; II *s. m.* ijdel, verwaand persoon *m.*
vannage [vana:j] *m.* 1 (het) wannen *o.*; 2 het totale aantal sluisdeuren van een machine-installatie.
vanne [van] *f.* sluisdeur *v.*(*m.*).
vanneau [vano] *m.* (*Dk.*) kievit *m.*
vannelle [vanèl] *f.* sluisdeurtje *o.*
vanner [vané] *v.t.* wannen; (*fig.*) ***vanné, adj.*** 1 doodop, uitgeput; 2 geruïneerd.
vannerie [vanri] *f.* 1 mandenmakerij *v.*; 2 mandewerk *o.*
vannette [vanèt] *f.* kleine wan *v.*(*m.*).
vanneur [vanœ:r] *m.* korenwanner *m.*
vanneuse [vanö:z] *f.* wanmolen *m.*
vannier [vanyé] *m.* mandenmaker *m.*
vannures [vanü:r] *f.pl.* kaf *o.*
vantail [vanta'y] *m.* (*pl.*: ***vantaux***) 1 (*v. deur of venster*) vleugel *m.*; 2 (*v. drieluik*) paneel *o.*
vantard [vã'ta:r] I *adj.* snoevend, grootsprekend; II *s. m.* snoever, grootspreker *m.*
vantardise [vã'tardi:z] *f.* snoeverij *v.*, grootspraak *v.*(*m.*), pocherij *v.*
vanter [vã'té] I *v.t.* roemen, prijzen, ophemelen; II *v.pr.* ***se — de***, zich beroemen op, prat gaan op; ***se — de faire qc.***, zich sterk maken iets te doen.
vanterie [vã'tri] *f.* grootspraak *v.*(*m.*).
vanteur [vã'tœ:r] *m.* grootspreker *m.*
va-nu-pieds [vanüpyé] *m.* schooier, bedelaar, vagebond *m.*
vapeur [vapœ:r] I *f.* 1 (*v. water, enz.*) damp *m.*; 2 (*in machine*) stoom *m.*; ***bateau à —***, stoomboot *m. en v.*; ***machine à —***, stoommachine *v.*; ***à toute —***, 1 met volle stoom; in volle vaart; 2 (*fig.*) met volle kracht; ***—s***, opstijgingen naar 't hoofd, vapeurs *mv.*; humeurigheid *v.*; II *m.* stoomboot *m. en v.*
vaporeux [vapòrö] I *adj.* 1 dampig; 2 (*v. lucht*) nevelig; 3 (*v. licht*) wazig; 4 (*v. weefsel*) luchtig; 5 (*fig.*; *v. stijl*) wazig, duister; II *s. m.* (*v. stijl, enz.*) wazigheid *v.*
vaporisateur [vapòrizatœ:r] *m.* vaporisator *m.*, verdampingstoestel, verstuivingstoestel *o.*
vaporisation [vapòriza'syõ] *f.* 1 verdamping *v.*; 2 verstuiving *v.*
vaporiser [vapòri'zé] I *v.t.* 1 (door warmte) doen verdampen; 2 (*reukwater, enz.*) doen verstuiven; II *v.pr.* ***se —***, 1 verdampen; 2 verstuiven.

vaquer [vaké] *v.i.* 1 open staan, vacant zijn; 2 (*v. rechtbank*) vakantie hebben; ***— à***, zich bezighouden met.
vaquois [vakwa] *m.* (*Pl.*) pandanus *m.*
varan [varã] *m.* (*Dk.*) leguaan *m.*
varangue [varã:g] *f.* (*sch.*) wrang *v.*(*m.*).
varappe [varap] *f.* rotsbeklimming *v.*
varec(h) [varèk] *m.* (*Pl.*) zeewier, zeegras *o.*
vareuse [varö:z] *f.* 1 trui *v.*(*m.*); 2 boezeroen *m. en o.*, kiel *m.*; 3 jekker *m.*
variabilité [varyabilité] *f.* veranderlijkheid *v.*
variable [varya'bl] I *adj.* veranderlijk; II *s. m.*, ***le baromètre est au —***, de barometer staat op veranderlijk; III *s. f.* (*wisk.*) veranderlijke grootheid *v.*
variant [varyã] *adj.* veranderlijk, wispelturig.
variante [varyã:t] *f.* variante, andere lezing *v.* (van een tekst).
variation [varya'syõ] *f.* 1 verandering, afwisseling *v.*; 2 (*in verklaring*) afwijking *v.*; 3 (*v. magneetnaald*; *muz.*; *sterr.*) variatie *v.*; ***calcul des —s***, differentieelrekening *v.*
varice [varis] *f.* aderspat, spatader *v.*(*m.*); ***bas à —***, gummikousen, spataderkousen.
varicelle [varisèl] *f.* waterpokken *mv.*
varicocèle [varikòsè:l] *f.* (*gen.*) aderbreuk *v.*(*m.*).
varié [varyé] *adj.* afwisselend.
varier [varyé] I *v.t.* 1 veranderen; 2 afwisselen; 3 (*muz.*) variëren; II *v.i.* 1 veranderen; 2 afwisselen; 3 veranderlijk zijn; 4 ***— sur***, van mening verschillen omtrent.
variété [varyété] *f.* 1 verandering *v.*; 2 afwisseling *v.*; 3 verscheidenheid *v.*; 4 (*v. mening*) verschil *o.*; 5 (*Pl.*; *tuinb.*, *enz.*) variëteit *v.*; ***—s***, mengeling *v.*, allerlei *o.*
variolaire [varyòlè:r] *adj.* pokachtig.
variole [varyòl] *f.* pokken *mv.*
variolé [varyòlé] *adj.* pokdalig.
varioleux [varyòlö] I *adj.* pokken—; ***épidémie varioleuse***, pokkenepidemie *v.*; II *s. m.* pok(ken)lijder *m.*
variolique [varyòlik] *adj.* pokachtig; ***pustule —***, pokpuist *v.*(*m.*).
variqueux [varikö] I *adj.* aderspattig, spataderachtig; II *s. m.* lijder *m.* aan aderspatten (*of* spataders).
varlet [varlè] *m.* (*gesch.*) edelknaap *m.*
varlope [varlòp] *f.* (*tn.*) rijschaaf, roffelschaaf *v.*(*m.*), voorloper *m.*
varloper [varlòpé] *v.t.* roffelen, met de voorloper schaven.
varlopeuse [varlòpö:z] *f.* schaafmachine *v.*
varron [varõ] *m.* osseteeklarve *v.*(*m.*).
Varsovie [varsòvi] *f.* Warschau *o.*
Varsovien [varsòvyẽ] I *m.* bewoner *m.* van Warschau; II *adj.*, ***v—***, van Warschau.
vasard [va'za:r] I *m.* modderbank *v.*(*m.*); II *adj.* modderig.
vasculaire [vaskülè:r], **vasculeux** [vaskülö] *adj.* van de bloedvaten, vaat—; ***tissu —***, vaatweefsel *o.*
vase [va:z] I *m.* 1 vaas *v.*(*m.*); 2 vat *o.*; 3 (*v. tulp, enz.*) kelk *m.*; ***—s sacrés***, gewijde vaten; ***— de nuit***, waterpot *m.*; ***— poreux***, poreuze pot; ***—s communicants***, communicerende vaten; II *f.* slijk, slib *o.*
vasé [va'zé] *adj.* beslikt, bemodderd.
vaseline [vazlin] *f.* vaseline *v.*(*m.*).
vaseux [va'zö] *adj.* 1 slijkerig, modderig; 2 (*fig.*) sufferig.
vasier [va'zyé] *adj.*, ***bateau —***, modderschuit *v.*(*m.*).
vasière [va'zyè:r] *f.* modderpoel *m.*

vasistas [vazistɑ:s] *m.* raampje (in deur, enz.), kijkvenstertje *o.*
vaso-constricteur* [vasòkõ˙striktœ:r] *adj.* vaatvernauwend.
vaso-dilatateur* [vasòdilatatœ:r] *adj.* vaatverwijdend.
vaso-moteur* [vasòmòtœ:r] *adj.* (*v. zenuwen*) vasomotorisch.
vason [vazõ] *m.* kleiklomp *m.*
vasque [vask] *f.* (rond) bekken *o.* (van fontein).
vassal [vasal] *m.*, **—e** *f.* vazal, leenman *m.*, —vrouw *v.*
vassalité [vasalité] *f.* leenplichtigheid *v.*
vasselage [vasla:j] *m.* leenmanschap *o.*; ***droit de —,*** leenrecht *o.*
vaste [vast] *adj.* **1** groot, uitgestrekt; **2** ruim; **3** (*v. kennis, enz.*) uitgebreid, veelzijdig.
vastité [vastité] *f.* uitgestrektheid *v.*
Vatican [vatikã] **I** *m.* Vatikaan *o.*; **II** *adj.*, ***v—,*** van het Vatikaan; ***la cité —e,*** Vaticaanstad *v.*(*m.*).
vaticinateur [vatisinatœ:r] *m.* waarzegger, ziener *m.*
vaticination [vatisinɑ˙syõ] *f.* waarzegging *v.*
vaticiner [vatisiné] *v.i.* waarzeggen, profeteren.
va-tout [vatu] *m.* **1** gehele inzet; worp *m.* waarop men al zijn geld waagt; **2** (*fig.*) laatste proefneming *v.*; ***jouer son —,*** alles op het spel zetten, alles op één kaart zetten.
Vaud [vo] *m.* Waadtland *o.*
vau-de-route, ***à —*** [avodrut] hals-over-kop.
vaudeville [vo˙dvil] *m.* vaudeville *m.*, klucht *v.*(*m.*), toneelstukje *o.* met zang.
vaudevillesque [vo˙dvilèsk] *adj.* vaudevilleachtig.
vaudevilliste [vo˙dvilist] *m.* vaudevilleschrijver *m.*
vaudois [vodwa] **I** *adj.* Waadtlands, uit Waadtland; **II** *s. m.*, ***V—,*** Waadtlander *m.*
vau-l'eau, ***à —*** [avolo] *adv.* met de stroom mee, voor de stroom af; ***aller à —,*** mislukken, naar de haaien gaan.
vaurien [vo˙ryẽ] *m.* deugniet *m.*
vautour [vo˙tu:r] *m.* **1** (*Dk.*) gier *m.*; **2** (*fig.*) schraper, schraapzuchtig mens *m.*
vautrer, ***se —*** [s(e)vo˙tré] *v.pr.* **1** zich wentelen; **2** zich uitstrekken.
vau-vent [vovã], ***à —*** (*jacht*) met de wind in de rug.
vavassal [vavasal] *m.* (*gesch.*) achterleenman *m.*
vavasserie [vavasri] *f.* achterleen *o.*
vavasseur [vavasœ:r] *m.* achterleenman *m.*
va-vite [vavit], ***fait à la —,*** afgeraffeld.
veau [vo] *m.* **1** kalf *o.*; **2** kalfsvlees *o.*; **3** kalfsleer *o.*; **4** (*fig.*) uilskuiken *o.*; ***— marin,*** zeekalf; ***tuer le — gras,*** het gemeste kalf slachten; ***pleurer comme un —,*** tranen met tuiten huilen; ***— de lait,*** zoogkalf.
vecteur [vèktœ:r] **I** *m.* vector *m.*; **II** *adj.*, ***rayon —,*** (*meetk.*) voerstraal *m.*
vécu [vékü] *adj.* doorleefd; uit het leven gegrepen.
Véda [véda] *m.* veda *m.*, heilig boek *o.* van de Indiërs.
vedette [v(e)dèt] *f.* **1** ruiterwacht *v.*(*m.*); **2** (*mil.*) uitkijktorentje *o.*; **3** (*sch.*) observatiejacht; wachtschip *o.*; **4** kopstuk *o.* (van partij); ***— de l'écran,*** filmster *v.*; ***— automobile,*** rondvaartboot *m.* *en v.*; ***mettre en —,*** **1** (*drukk.*) groot drukken, met vette letters drukken; **2** op de voorgrond plaatsen; ***en —,*** **1** bovenaan, in 't oog vallend; **2** (*fig.*) vooraanstaand.
védique [védik] *adj.* de veda's betreffend.
védisme [védizm] *m.* primitieve hindoegodsdienst *m.*
végétabilité [véjétabilité] *f.* groeikracht *v.*(*m.*).
végétal [véjétal] **I** *adj.* plantaardig, plant—, planten—; ***lait —,*** latex *o.* *en m.*; ***règne —,*** plantenrijk *o.*; ***beurre —,*** plantenboter *v.*(*m.*); ***terre —e,*** teelaarde *v.*(*m.*); **II** *s. m.* plant *v.*(*m.*), gewas *o.*
végétarien [véjétaryẽ] **I** *adj.* vegetarisch; **II** *s. m.* vegetariër *m.*
végétarisme [véjétarizm] *m.* vegetarisme *o.*, (het) eten van uitsluitend plantaardig voedsel.
végétatif [véjétatif] *adj.* vegetatief, de groei betreffend; ***principe —,*** groeikracht *v.*(*m.*).
végétation [véjétɑ˙syõ] *f.* **1** groei, plantengroei *m.*; **2** plantenwereld *v.*(*m.*); **3** (het) groeien *o.*; **4** (*gen.*) (vlezig) uitwas *m. en o.*, woekering *v.*
végéter [véjété] *v.i.* **1** (*v. plant*) groeien; **2** (*fig.*) vegeteren, een planteleven leiden.
veglione [vègliòn] *m.* avondfeest, nachtfeest *o.*, maskerade *v.*
véhémence [véémã:s] *f.* **1** hevigheid *v.*; **2** heftigheid *v.*, vuur *o.*
véhément(ement) [véémã(˙tmã)] *adj.* (*adv.*) **1** hevig; **2** heftig, vurig.
véhiculaire [véikülè:r] *adj.*, ***langue —,*** voertaal, onderwijstaal *v.*(*m.*).
véhicule [véikül] *m.* **1** vervoermiddel *o.*; **2** voertuig *o.*; **3** (*v. trillingen, enz.*) middel *o.* tot voortplanting.
véhiculer [véikülé] *v.t.* vervoeren.
Vehme [vè:m] *f.* veemgericht *o.*
veille [vè:y] *f.* **1** (het) waken, (het) nachtwaken *o.*; **2** nachtwacht *v.*(*m.*); **3** de vorige dag *m.*; ***à la — de,*** aan de vooravond van; (*fig.*) op het punt om; ***la — de son départ,*** de dag vóór zijn vertrek; ***la — de Noël,*** kerstavond *m.*; ***la — (du jour) de l'an,*** oudejaarsavond *m.*; ***état de —,*** wakende toestand *m.*; ***—s,*** **1** slapeloze nachten; **2** nachtelijke studiën.
veillée [vèyé] *f.* **1** (het) waken *o.* (bij zieke of overledene); **2** (*in dorpen*) avondbijeenkomst *v.*; ***faire la —,*** opblijven, gezellig bijeen blijven; ***contes de la —,*** winteravondvertellingen *mv.*
veille-lait [vè˙ylè] *m.* melkkoker *m.*
veiller [vèyé] **I** *v.i.* **1** waken, opblijven; **2** wakker zijn; **3** 's nachts werken, overwerk verrichten; ***— à qc.,*** toezien op, opletten op, een wakend oog houden op; ***— à ce que,*** (*met Subj.*) er voor waken dat; **II** *v.t.*, ***— qn.,*** bij iem. waken.
veilleur [vèyœ:r] *m.* waker *m.*; ***— de nuit,*** nachtwaker *m.*, nachtwacht *v.*(*m.*).
veilleuse [vèyö:z] *f.* **1** waakster *v.*; **2** nachtlampje, nachtpitje *o.*; **3** (*v. gasbrander, enz.*) waakvlam *v.*(*m.*).
veillotte [vèyòt] *f.* **1** hooiopper *m.*; **2** (*Pl.*) herfsttijloos *v.*(*m.*).
veinard [vèna˙r] *m.* geluksvogel, boffer *m.*
veine [vèn] *f.* **1** ader *v.*(*m.*); **2** geluk *o.*; ***avoir de la —,*** geluk hebben, boffen; ***être en —,*** **1** (*v. dichter, enz.*) op dreef zijn; **2** (*bij spel*) geluk hebben; ***il n'a pas de sang dans les —s,*** hij heeft geen hart in het lijf.
veiné [vèné] *adj.* geaderd.
veiner [vèné] *v.t.* aderen.
veineux [vènö] *adj.* **1** (*v. bloed*) aderlijk; **2** geaderd, aderrijk; ***système —,*** aderstelsel *o.*
veinule [vènül] *f.* adertje *o.*
vélage [véla˙j] *m.* (het) kalven *o.*
vélaire [vélè˙r] *adj.* het zachte gehemelte betreffend; ***consonne —,*** medeklinker met behulp van het zacht gehemelte uitgesproken.
vêlement [vè˙lmã] *m.* (het) kalven *o.*
vêler [vè˙lé] *v.i.* kalven.

vélin [vélẽ] *m.* velijn; fijn perkament *o.*; ***papier —,*** velijnpapier *o.*
vélique [vélik] *adj.* de zeilen betreffend.
vélites [vélit] *m.pl.* (*in Romeins leger*) licht voetvolk *o.*
velléitaire [vèléitè·r] **I** *adj.* met een slappe wil; **II** *s. m.* slappeling *m.*
velléité [vèléité] *f.* **1** zwakke wil *m.*; **2** lust *m.*, neiging, aanvechting *v.*; ***avoir des —s de,*** lust hebben om.
vélo [vélo] *m.* fiets *m. en v.*
vélocipède [vélòsipè·d] *m.* rijwiel *o.*, fiets *m. en v.*
vélocipédie [vélòsipédi] *f.* **1** wielersport *v.*(*m.*); **2** rijwielindustrie *v.*
vélocipédique [vélòsipédik] *adj.* rijwiel—, wielrijders—; ***sport —,*** wielersport *v.*(*m.*); ***ligue—,*** wielrijdersbond *m.*
vélocipédiste [vélòsipédist] *m.* wielrijder *m.*
vélocité [vélòsité] *f.* snelheid *v.*
vélo-club* [vélòklüb] *m.* fietsclub *v.*(*m.*).
vélodrome [vélòdro·m] *m.* wielerbaan *v.*(*m.*).
vélomoteur [vélòmòtœ:r] *m.* bromfiets *m. en v.*
velours [v(e)lu:r] *m.* **1** fluweel *o.*; **2** verkeerde woordverbinding *v.* (*s* voor *t*); ***— d'Utrecht,*** trijp *o.*; ***— de coton,*** velveteen *o.*; ***— à côtes,*** geribd fluweel; ***— d'Espagne,*** soort blauw fluweel.
velouté [v(e)luté] **I** *adj.* **1** fluweelachtig; **2** (*v. huid, perzik, enz.*) donzig; **3** (*v. pruimen, enz.*) berijpt; **II** *s. m.* **1** (het) fluwelige *o.*; **2** (het) donzige *o.*; **3** bandfluweel *o.*; **4** fluweelpapier.
velouter [v(e)luté] *v.t.* fluwelig maken, donzig maken.
velouteux [v(e)lutö] *adj.* fluweelachtig; donzig.
veloutier [v(e)lutyé] *m.* fluweelwever *m.*
veloutine [v(e)lutin] *f.* zijdefluweel *o.*
velu [velü] *adj.* harig, ruig; behaard.
vélum [vélòm] *m.* velum *o.* (**1** voorhangsel van tabernakel; **2** kelkkleedje).
velvetine [vèlvetin] *f.* velveteen, katoenfluweel *o.*
velvote [vèlvòt] *f.* (*Pl.*) vlasleeuwebek *m.*
venaison [venè·zõ] *f.* wild, wildbraad *o.*
vénal [vénal] *adj.* **1** te koop, koopbaar; **2** omkoopbaar; ***valeur —e,*** verkoopsprijs *m.*; ***charge —e,*** veil ambt *o.*
vénalité [vénalité] *f.* veilheid, omkoopbaarheid *v.*
venant [v(e)nã] **I** *adj.* komend; ***bien —,*** (*v. kind, enz.*) goed groeiend, goed aankomend; **II** *s. m.*, ***à tout —,*** aan de eerste de beste; ***les allants et —s,*** de gaande en komende man.
Venceslas [vènsèslas] *m.* Wenceslaus *m.*
vendable [vã·da·bl] *adj.* verkoopbaar.
vendange [vã·dã:j] *f.* **1** wijnoogst, druivenoogst *m.*; **2** tijd *m.* van de wijnoogst.
vendangeoir [vã·dã·jwa:r] *m.* wijnlezersmand *v.*(*m.*), rugkorf *m.* (voor de wijnoogst).
vendanger [vã·dã·jé] **I** *v.t.* (druiven) lezen, inzamelen; **II** *v.i.* **1** de wijnoogst doen; **2** (*fig.*) flink verdienen.
vendangette [vã·dã·jèt] *f.* lijster *v.*(*m.*).
vendangeur [vã·dã·jœ:r] *m.* druivenlezer, wijnoogster *m.*
Vendéen [vã·déẽ] **I** *m.* Vendeeër *m.*; **II** *adj.*, ***v—,*** Vendees, uit de Vendee.
vendémiaire [vã·démyè:r] *m.* eerste maand van de Franse republikeinse kalender.
venderesse [vã·drès] *f.* (*recht*) verkoopster *v.*
vendetta [vẽ·dèta] *f.* (*op Corsica*) vendetta, bloedwraak *v.*(*m.*).
vendeur [vã·dœ:r] *m.* **1** verkoper *m.*; **2** winkelbediende *m.*; ***— de fumée,*** opsnijder *m.*
vendre [vã:dr] **I** *v.t.* **1** verkopen; **2** (*pop.*) verraden; ***— qc. cent francs,*** iets voor honderd frank verkopen; ***— la mèche,*** het geheim verklikken; ***— à l'amiable,*** onderhands verkopen; ***à —,*** te koop; **II** *v.pr.* ***se —,*** **1** verkocht worden; **2** zich laten omkopen.
vendredi [vã·dredi] *m.* vrijdag *m.*; ***— saint,*** Goede Vrijdag.
venelle [v(e)nèl] *f.* steegje *o.*; ***enfiler la —,*** het hazepad kiezen.
vénéneux [vénénö] *adj.* vergiftig (van planten).
vénénifère [vénénifè:r] *adj.* gifhoudend.
vénénosité [vénénozité] *f.* giftigheid *v.*
vener [v(e)né] *v.t.*, ***faire — la viande,*** het vlees laten besterven.
vénérabilité [vénérabilité] *f.* eerwaardigheid *v.*
vénérable [vénéra·bl] *adj.* eerwaardig, eerbiedwaardig.
vénérateur [vénératœ:r] *m.* vereerder *m.*
vénération [vénéra·syõ] *f.* verering *v.*
vénérer [vénéré] *v.t.* vereren.
vénerie [vénri] *f.* **1** jacht *v.*(*m.*) (met windhonden); **2** jachthuis *o.*; **3** jachtstoet *m.*
vénérien [vénéryẽ] *adj.* venerisch.
Vénétie [vénési] *f.* Venetië *o.* (*provincie*).
venette [v(e)nèt] *f.* vrees *v.*(*m.*), angst *m.*; ***avoir la —,*** in de rats zitten.
veneur [v(e)nœ:r] *m.* jager *m.*; ***grand —,*** opperjachtmeester *m.*
vénézuélien [vénézwélyẽ] **I** *adj.* Venezolaans; **II** *s. m.*, ***V—,*** Venezolaan *m.*
vengeance [vã·jã:s] *f.* **1** wraak *v.*(*m.*); **2** wraakgierigheid *v.*; wraakzucht *v.*(*m.*); ***crier —,*** om wraak roepen.
venger [vã·jé] **I** *v.t.* wreken; **II** *v.pr.* ***se — de qc.,*** zich wreken over iets.
vengeresse, *voir* ***vengeur.***
vengeur [vã·jœ:r] (*f.* : ***vengeresse*** [vã·j(e)rès]) **I** *m.* wreker *m.*; **II** *adj.* wrekend.
véniel [vényèl] *adj.* licht, vergeeflijk; ***péché —,*** dagelijkse zonde *v.*(*m.*); ***faute —le,*** licht vergrijp *o.*
venimeux [v(e)nimö] *adj.* **1** vergiftig (van dieren); **2** (*fig.*) venijnig; **3** (*v. kritiek, enz.*) boosaardig; lasterend.
venimosité [v(e)nimo·zité] *f.* giftigheid *v.*
venin [v(e)nẽ] *m.* (dierlijk) gif, venijn *o.*; (*fig.*) ***jeter son —,*** zijn gal uitspuwen.
venir* [v(e)ni:r] *v.i.* komen; ***faire —,*** laten komen; ontbieden; ***— à ses fins,*** zijn doel bereiken; ***bien —,*** (*v. kind*) goed groeien; ***— à une succession,*** erven; ***— chercher,*** komen halen; ***faire — à la raison,*** tot rede brengen; ***en — à,*** **1** zover komen dat; **2** overgaan tot; ***en — aux gros mots,*** aan het schelden raken; ***en — aux mains,*** handgemeen worden; ***en — à la force,*** geweld gebruiken; ***il faut en — là,*** daartoe moet het komen; ***se faire bien — de qn.,*** een wit voetje bij iem. weten te krijgen; ***je vous vois —,*** ik begrijp waar je heen wilt; ***cela lui vient de son père,*** dat heeft hij van zijn vader; ***il vient de partir,*** hij is zo juist vertrokken; ***on vous a vu —,*** ze hebben u beetgehad; ***qu'il y vienne,*** laat hij het maar eens proberen; ***la barbe lui vient,*** hij krijgt een baard; ***à —,*** toekomstig; ***où veut-il en — ?*** wat is zijn bedoeling ? ***vient de paraître,*** pas verschenen; ***d'où vient que... ?*** hoe komt het dat... ? ***vient toujours qui vient tard,*** beter laat dan nooit.
Venise [v(e)ni:z] *f.* Venetië *o.* (*stad*).
Vénitien [vénisyẽ] **I** *m.* Venetiër *m.*; **II** *adj.*, ***v—,*** Venetiaans; ***fête —ne,*** gondelfeest *o.*, gondeltocht *m.*; ***lanterne —ne,*** lampion *m.*
vent [vã] *m.* **1** wind *m.*; **2** lucht *v.*(*m.*); ***avoir — debout,*** (*sch.*) de wind tegen hebben; ***avoir — arrière,*** de wind achter hebben; ***avoir le — et***

la marée, wind en tij mee hebben; ***coup de —,*** windstoot *m.*; ***serrer le —,*** (*sch.*) scherp bij de wind zeilen; ***côté du —,*** (*sch.*) loefzijde *v.*(*m.*); ***coté sous le —,*** (*sch.*) lijzijde *v.*(*m.*); ***il fait du —,*** het waait; ***fusil à —,*** windbuks *v.*(*m.*); ***instrument à —,*** blaasinstrument *o.*; ***prendre le —,*** eens poolshoogte nemen; ***avoir des —s,*** last van winden hebben; ***avoir — de qc.,*** van iets de lucht krijgen; ***les quatre —s (du ciel),*** de vier windstreken; ***aller contre — et marée,*** door dik en dun gaan; ***tourner à tout —,*** met alle winden meedraaien; ***regarder de quel côté vient le —,*** **1** kijken uit welke hoek de wind waait; **2** zijn tijd verbeuzelen; ***selon le — la voile,*** men moet de tering naar de nering zetten.

vente [vã:t] *f.* **1** verkoop *m.*; **2** verkoping, veiling *v.*; **3** aftrek *m.*, debiet *o.*; ***— aux enchères,*** openbare verkoping, veiling; ***— à l'amiable,*** onderhandse verkoop; ***— à réméré,*** verkoop met recht van wederinkoop; ***— au comptant,*** verkoop à contant; ***— exclusive,*** alleenverkoop; ***mettre en —,*** te koop zetten; ***être de bonne —,*** gerede aftrek vinden; ***— à découvert,*** blanco-verkoop; ***— par soumission,*** verkoop bij inschrijving; ***— pour liquidation,*** uitverkoop wegens liquidatie; ***hors de —,*** **1** niet te koop; **2** onverkoopbaar, zonder aftrek.

venteaux [vã'to] *m.pl.* kleppen *mv.*

vente-location [vã'tlòka'syõ] *f.* huurkoop *m.*

venter [vã'té] *v.imp.* waaien; ***— dur,*** hard waaien.

venteux [vã'tö] *adj.* winderig.

ventilateur [vã'tilatœ:r] *m.* luchtververser, ventilator *m.*

ventilation [vã'tila'syõ] *f.* luchtverversing, ventilatie *v.*

ventiler [vã'tilé] *v.t.* **1** luchten, de lucht verversen; **2** (*recht*) schatten (van verkochte voorwerpen).

ventis [vã'ti] *m.pl.* omgewaaide bomen *mv.*

ventôse [vã'to:z] *m.* zesde maand *v.*(*m.*) van de Fr. republikeinse kalender.

ventosité [vã'to'zité] *f.* winderigheid *v.* (in de ingewanden).

ventouse [vã'tu:z] *f.* **1** (*gen.*) laatkop *m.*; **2** luchtgat, trekgat, tochtgat *o.*

ventral [vã'tral] *adj.* buik—; ***région —e,*** buikstreek *v.*(*m.*).

ventre [vã:tr] *m.* buik *m.*; ***faire —,*** uitpuilen; ***prendre du —,*** dik worden, een buikje krijgen; ***avoir qc. dans le —,*** flink zijn; ***avoir le — dur,*** hardlijvig zijn; ***aller — à terre,*** in vliegende vaart lopen (rijden, enz.); ***il peut se brosser le —,*** hij krijgt niets te eten, hij kan op een houtje bijten; ***mettre le cœur au — à qn.,*** iem. een hart onder de riem steken; ***faire rentrer les paroles dans le — à qn.,*** iem. dwingen zijn woorden in te trekken; ***— affamé n'a point d'oreilles,*** een hongerige maag luistert niet naar rede.

ventrebleu [vã'treblö] *ij.* drommels!

ventrée [vã'tré] *f.* (*v. dier*) worp *m.*

ventre-saint-gris [vã'tresẽ'gri] *ij.* wat duivekater!

ventricule [vã'trikül] *m.* **1** holte (in het lichaam) *v.*; **2** kamer *v.*(*m.*) (van het hart).

ventrière [vã'tri(y)è:r] *f.* **1** (*v. paard*) buikriem *m.*; **2** buikband *m.*

ventriloque [vã'trilòk] *m.* buikspreker *m.*

ventriloquie [vã'trilòki] *f.* buikspreekkunst *v.*, (het) buikspreken *o.*

ventripotent [vã'tripòtã] *adj.* dikbuikig. [*m.*

ventru [vã'trü] **I** *adj.* dikbuikig; **II** *s. m.* dikbuik

venu [v(e)nü] **I** *adj.* gekomen; ***bien —,*** welkom; **II** *s. m.*, ***le premier —,*** de eerste de beste; ***nouveau —,*** nieuw aangekomene, nieuweling *m.*

venue [v(e)nü] *f.* **1** komst, aankomst *v.*; **2** wasdom, groei *m.*, ontwikkeling *v.*; ***d'une belle —,*** mooi gevormd, goed ontwikkeld; ***tout d'une —,*** overal even dik, lang en smal.

Vénus [vénü:s] *f.* **1** Venus *v.*; **2** Venusbeeld *o.*; **3** (*sterr.*) venus, avondster *v.*(*m.*).

vénusté [vénüsté] *f.* bekoring, elegantie *v.*

vêpres [vè:pr] *f.pl.* vesper *v.*(*m.*); ***après — complies,*** alles op zijn tijd.

ver [vè:r] *m.* **1** worm *m.*; **2** (*in kaas, vlees*) made *v.*(*m.*); ***— blanc,*** engerling *m.*; ***— luisant,*** glimworm *m.*; ***— de terre,*** aardworm *m.*; ***— à soie,*** zijdeworm *m.*; ***— rongeur,*** knagend verdriet *o.*, wroeging *v.*; ***— solitaire,*** lintworm *m.*; ***tirer à qn. les —s du nez,*** iem. behendig uithoren.

véracité [vérasité] *f.* waarachtigheid, waarheidsliefde *v.*

véranda [vérã'da] *f.* veranda *v.*(*m.*); ***— vitrée,*** serre *v.*(*m.*).

vératre [vératr] *m.* (*Pl.*) nieskruid *o.*

verbal [vèrbal] *adj.* **1** mondeling; **2** van een werkwoord, werkwoordelijk; ***forme —e,*** vorm van het werkwoord.

verbalement [vèrbalmã] *adv.* mondeling.

verbalisateur [vèrbali'zatœ:r] *m.* verbalisant *m.*

verbalisation [vèrbaliza'syõ] *f.* bekeuring, verbalisering *v.*

verbaliser [vèrbali'zé] *v.i.* bekeuren, proces-verbaal opmaken (tegen).

verbe [vèrb] *m.* werkwoord *o.*; ***le V— s'est fait chair,*** het Woord is vlees geworden; ***avoir le — haut,*** **1** luid spreken; **2** een hoge toon aanslaan.

verbération [vèrbéra'syõ] *f.* trilling *v.*

verbeux [vèrbö] *adj.* woordenrijk.

verbiage [vèrbya:j] *m.* woordenvloed *m.*, omhaal *m.* van woorden.

verbiager [vèrbya'jé] *v.i.* kletsen, babbelen.

verbiageur [vèrbya'jœ:r] *m.* praatjesmaker *m.*

verbosité [vèrbo'zité] *f.* woordenrijkheid *v.*, woordenvloed *m.*

ver*-coquin* [vè'rkòkẽ] *m.* **1** wijngaardrups *v.*(*m.*); **2** (*bij schapen*) hoofdworm, draaiworm *m.*; **3** draaiziekte *v.*

verdage [vèrda:j] *m.* groenbemesting *v.*

verdâtre [vèrda:tr] *adj.* groenachtig.

verdelet [vèrdelè] **I** *adj.* **1** groenachtig; **2** (*v. wijn*) zuurachtig, wrang; **3** (*v. grijsaard*) nog flink, kras; **II** *s. m.* (*Dk.*) geelgors *v.*(*m.*).

verdet [vèrdè] *m.* kopergroen, koperacetaat *o.*

verdeur [vèrdœ:r] *f.* **1** (*v. hout*) groenheid *v.*; **2** (*v. fruit*) onrijpheid *v.*; **3** (*v. wijn*) wrangheid *v.*; **4** (*v. grijsaard*) krasheid, jeugdigheid *v.*

verdict [vèrdikt] *m.* uitspraak *v.*(*m.*) (van de jury).

verdier [vèrdyé] *m.* (*Dk.*) groenvink *m. en v.*

verdir [vèrdi:r] **I** *v.t.* groen maken; **II** *v.i.* groen worden.

verdissement [vèrdismã] *m.* (het) groen worden *o.*

verdoiement [vèrdwaymã] *m.* (het) groen worden *o.*

verdoyant [vèrdwayã] *adj.* **1** groenend; **2** groenachtig.

verdoyer [vèrdwayé] *v.i.* groenen, groen worden.

verdunisation [vèrdüniza'syõ] *f.* waterzuivering *v.* door toevoeging van kleine hoeveelheid chloor.

verdure [vèrdü:r] *f.* **1** (*v. weiden, bossen*) (het) groen *o.*; **2** (*v. bomen, enz.*) gebladerte, loof, lover *o.*; **3** groenten *mv.*; ***tapis de —,*** grastapijt *o.*

verdurette [vèrdürèt] *f.* groen borduursel *o.*

verdurier [vèrdüryé] *m.* groenteboer *m.*

véreux [vérö] *adj.* **1** wormstekig; **2** (*v. zaak*) verdacht, niet erg zuiver; **3** bedorven.

verge [vèrj] *f.* **1** roede *v.(m.)*; **2** (*v. anker*) schacht *v.(m.)*; **3** mannelijk lid *o.*; ***la — de Moïse,*** de staf van Mozes; ***— de piston,*** zuigerstang *v.(m.)*; ***passer par les —s,*** spitsroeden lopen; ***gouverner avec une — de fer,*** met ijzeren hand regeren.
vergé [vèrjé] *adj.* **1** (*v. papier*) geribd; **2** (*v. weefsel*) gestreept.
vergée [vèrjé] *f.* roede *v.(m.)* (oude agrarische maat).
vergeoise [vèrjwa:z] *f.* **1** bastaardsuiker *m.*; **2** suikerbroodvorm *m.*
verger [vèrjé] **I** *v.t.* met de roede meten; **II** *m.* boomgaard *m.*
vergeron [vèrjerõ] *m.* korte roede *v.(m.)*.
vergeter* [vèrj(e)té] *v.t.* afborstelen, uitkloppen; ***vergeté,*** (*wap.*) gestreept.
vergetier [vèrj(e)tyé] *m.* borstelmaker *m.*
vergette [vèrjèt] *f.* **1** kleerborstel, kleerklopper *m.*; **2** (*v. trom*) spansnoer *o.*; **3** (*wap.*) streep *v.(m.)*.
vergetures [vèrjetü:r] *f.pl.* striemen *mv.*
vergeure [vèrjü:r] *f.* **1** (*bij papierfabricage*) vormdraden *mv.*; **2** (*in papier*) strepen *mv.*
verglacer [vèrglasé] *v.imp.* ijzelen; ***route verglacée,*** beijzelde weg.
verglas [vèrgla] *m.* ijzel *m.*; ***il fait du —,*** het ijzelt.
vergne [vèrñ], **verne** [vèrn] *m.* (*Pl.*) (zwarte) elzeboom, els *m.*
vergogne [vèrgòñ] *f.* schaamte *v.*; ***sans —,*** schaamteloos.
vergogneux [vèrgòñö] *adj.* beschaamd, schaamachtig.
vergue [vèrg] *f.* (*sch.*) ra *v.(m.)*.
véridicité [véridisité] *f.* **1** waarachtigheid *v.*; **2** waarheidsliefde *v.*
véridique [véridik] *adj.* **1** (*v. verhaal*) waar, waarachtig; **2** (*v. persoon*) waarheidslievend.
véridiquement [véridikmã] *adv.* naar waarheid.
vérifiable [vérifya'bl] *adj.* na te gaan, controleerbaar.
vérificateur [vérifikatœ:r] *m.* controleur, verificateur *m.*; ***— des poids et mesures,*** ijkmeester *m.*
vérificatif [vérifikatif] *adj.* ter verificatie.
vérification [vérifika'syõ] *f.* **1** (het) nazien *o.*; **2** onderzoek *o.* (naar de echtheid); **3** (het) ijken *o.*; ***— des pouvoirs,*** onderzoek van de geloofsbrieven.
vérifier [vérifyé] **I** *v.t.* **1** (*v. rekening, enz.*) nazien; **2** (*v. geloofsbrieven, enz.*) onderzoeken; **3** bevestigen, staven; **4** (*v. maten en gewichten*) ijken; **II** *v.pr.* ***se —,*** bewaarheid worden.
vérin [vérẽ] *m.* (*tn.*) vijzel *m.*, kelderwinde *v.(m.)*.
vérisme [vérizm] *m.* (*in kunst*) uiterste realisme *o.*
véritable [vérita'bl] *adj.* **1** (*v. verhaal*) waar; **2** (*v. kunstenaar; voortbrengsel*) echt, waarachtig.
véritablement [vérita'blemã] *adv.* werkelijk.
vérité [vérité] *f.* **1** waarheid *v.*; **2** werkelijkheid *v.*; ***dire ses —s à qn.,*** iem. de les lezen, iem. (flink) de waarheid zeggen; ***à la —,*** wel is waar; ***en —,*** voorwaar; ***en —?*** waarlijk? werkelijk? ***il n'y a que la — qui offense,*** verdiende verwijten kwetsen het meest, de waarheid hoort niemand graag; ***une — de M. de la Palisse,*** een waarheid als een koe.
verjus [vèrjü] *m.* **1** sap *o.* van onrijpe druiven; **2** onrijpe druif *v.(m.)*.
verjuter [vèrjüté] *v.t.* met zuur druivensap toebereiden.
vermée [vèrmé] *f.* bos *m.* wormen, peur *v.(m.)*.
vermeil [vèrmè'y] **I** *adj.* **1** hoogrood, kersrood; **2** blozend; **II** *s. m.* verguld zilver *o.*
vermicelier [vèrmisèlyé] *m.* vermicellifabrikant *m.*
vermicel(le) [vèrmisèl] *m.* vermicelli *m.*
vermicellerie [vèrmisèlri] *f.* vermicellifabriek *v.*
vermicide [vèrmisi'd] **I** *adj.* wormendodend; **II** *s. m.* middel *o.* tegen wormen.
vermiculaire [vèrmikülè:r] *adj.* wormvormig, wormachtig.
vermiculé [vèrmikülé] *adj.* (*v. versieringen, enz.*) wormvormig.
vermiculures [vèrmikülü:r] *f.pl.* wormvormige versieringen *mv.*
vermiforme [vèrmifòrm] *adj.* wormvormig.
vermifuge [vèrmifü:j] *m.* wormmiddel, wormkruid *o.*
vermille [vèrmi'y] *f.* peur *v.(m.)*.
vermiller [vèrmiyé] *v.i.* wroeten.
vermillon [vèrmiyõ] *m.* **1** vermiljoen *o.*; **2** rode kleur *v.(m.)*.
vermillonner [vèrmiyòné] **I** *v.t.* met vermiljoen kleuren; **II** *v.i.* (*v. dier*) naar wormen zoeken.
vermine [vèrmin] *f.* **1** ongedierte *o.*; **2** (*fig.*) gespuis *o.*
vermineux [vèrminö] *adj.* worm—.
vermisseau [vèrmiso] *m.* wormpje *o.*
vermivore [vèrmivò:r] *adj.* wormenetend, zich met wormen voedend.
vermouler, se — [s(e)vèrmulé] *v.pr.* wormstekig worden.
vermoulu [vèrmulü] *adj.* wormstekig; vermolmd.
vermoulure [vèrmulü:r] *f.* wormstekigheid; vermolming *v.*
vermout(h) [vèrmut] *m.* vermout *m.*
vernaculaire [vèrnakülè:r] **I** *adj.* inheems; **II** *s. m.* inheemse taal *v.(m.)*.
vernal [vèrnal] *adj.* tot de lente behorend, lente—; ***point —,*** (*sterr.*) lentepunt *o.*
vernation [vèrna'syõ] *f.* (*Pl.*) bladplooiing *v.* (in de knop).
verne, *voir* ***vergne.***
vernier [vèrnyé] *m.* nonius, graadaflezer *m.*
vernir [vèrni:r] *v.t.* **1** vernissen; **2** verlakken; **3** verglazen; ***souliers vernis,*** verlakte schoenen, lakschoenen.
vernis [vèrni] *m.* **1** vernis *o. en m.*; **2** lak *o. en m.*; **3** glazuur *o.*; ***des —,*** lakschoenen; ***— gras,*** olievernis.
vernissage [vèrnisa:j] *m.* **1** (het) vernissen *o.*; **2** (het) verlakken *o.*; **3** (het) verglazen *o.*; **4** dag *m.* vóór de officiële opening van een tentoonstelling.
vernisser [vèrnisé] *v.t.* **1** vernissen; **2** verglazen, glazuren.
vernisseur [vèrnisœ:r] *m.* **1** vernisser *m.*; **2** verglazer, glazuurder *m.*
vernissure [vèrnisü:r] *f.* vernissing; verglazing *v.*
vérole [véròl] *f.* syfilis *v.(m.)*; ***petite —,*** pokken *mv.*; ***petite — volante,*** waterpokken; ***marqué de la petite —,*** van de pokken geschonden, pokdalig.
vérolé [véròlé] *adj.* **1** syfilitisch; **2** pokdalig.
vérolette [véròlèt] *f.* waterpokken *mv.*
véronais [vérònè] *adj.* van Verona, Veronees.
véronal [véronal] *m.* veronal *o. en m.*
Vérone [véròn] *f.* Verona *o.*
véronique [véronik] *f.* **1** (*Pl.*) ereprijs *m.*; **2** ***V—,*** Veronica *v.*
verraille [vèra'y] *f.* klein glaswerk *o.*
verrat [vèra] *m.* (*varken*) beer *m.*
verre [vè:r] *m.* glas *o.*; ***— ardent,*** brandglas; ***— à boire,*** drinkglas; ***— à vin,*** wijnglas; ***— de vin,*** glas wijn; ***— de couleur,*** gekleurd glas; ***— à vitres,*** vensterglas; ***— grossissant,*** vergrootglas; ***— mat,*** matglas; ***— opale,*** melkglas; ***— soluble,*** waterglas; ***— lenticulaire,*** lens *v.(m.)*; ***— de contact,*** contactlens *v.(m.)*; ***— compris, avec le —,*** (*H.*) de fles inbegrepen; ***boire dans un —,*** uit een glas drinken; ***papier de —,*** schuurpapier *o.*; ***mettre sous —,*** in een lijstje zetten; ***petit —,*** **1** glaasje *o.*; **2** borrel *m.*; ***peinture sur —,*** (het) glasschilderen *o.*

verré [vèré] *adj.* **1** met glasgruis bedekt; **2** met glasachtige glans; ***papier —,*** schuurpapier *o.*
verrée [vèré] *f.* glas *o.* vol.
verrerie [vèr(e)ri] *f.* **1** glasblazerij *v.*; **2** (het) glasblazen *o.*; **3** glaswerk *o.*
verrier [vèryé] **I** *m.* **1** glasblazer *m.*; **2** glashandelaar *m.*; **3** glasmand *v.(m.)*; **II** *adj.*, ***peintre —,*** schilder op glas.
verrière [vèryè:r] *f.* **1** spoelkom *v.(m.)* (voor glazen); **2** geschilderd raam *o.*; **3** glazen deur *v.(m.)*; **4** groot raam *o.*
verrillon [vèriyõ] *m.* glasharmonica *v.*
verrine [vèrin] *f.* *(voor planten)* glasraam *o.*, glazen klok (*of* stolp) *v.(m.)*.
verroterie [vèròtri] *f.* glazen sieraden *mv.*, glazen snuisterijen *mv.*
verrou [vèru] *m.* grendel *m.*; ***pousser le —, mettre le —,*** de deur grendelen; ***tirer le —,*** de grendel wegschuiven; ***sous les —s,*** achter slot en grendel.
verrouiller [vèruyé] **I** *v.t.* **1** grendelen; **2** gevangen zetten; **II** *v.pr.* ***se —,*** zich opsluiten.
verrucaire [vèrükè:r] *f.* (*Pl.*) kankerkruid *o.*
verrucosité [vèrüko·zité] *f.* wrattige uitwas *m. en o.*
verrue [vèrü] *f.* wrat *v.(m.)*. [wratten.
verruqueux [vèrükö] *adj.* **1** wratachtig; **2** vol
vers [vè:r] **I** *m.* vers *o.*, versregel *m.*; —, *pl.* poëzie *v.*; ***— blancs,*** rijmloze verzen; ***grand —,*** alexandrijn *m.*; ***— libre,*** vrij vers; ***en —,*** op rijm, in verzen; ***mettre en —,*** berijmen, in rijm overbrengen; **II** *prép.* naar, in de richting van; ***— le milieu du 19ᵉ siècle,*** omstreeks het midden van de 19ᵉ eeuw; ***— minuit,*** tegen middernacht; ***— Noël,*** om Kerstmis; (*Z.N.*) rond Kerstmis.
versable [vèrsa·bl] *adj.* topzwaar.
versage [vèrsa:j] *m.* **1** uitlading *v.*, (het) legen *o.*; **2** (*v. braakland*) (het) omleggen *o.*
versant [vèrsã] **I** *m.* (*v. berg of heuvel*) helling *v.*; **II** *adj.* (*v. rijtuig*) topzwaar.
versatile [vèrsatil] *adj.* ongestadig, wispelturig.
versatilité [vèrsatilité] *f.* ongestadigheid, wispelturigheid *v.*
verse [vèrs] *f.* (het) neerslaan *o.* (van het koren); ***il pleut à —,*** het stortregent, het regent dat het giet.
versé [vèrsé] *adj.* bedreven, ervaren, geoefend.
Verseau [vèrso] *m.* (*sterr.*) Waterman *m.*
versement [vèrs(e)mã] *m.* storting *v.*; ***effectuer un —,*** geld storten; ***sans — obligatoire,*** premievrij.
verser [vèrsé] **I** *v.t.* **1** gieten; **2** schenken, inschenken; **3** (*v. geld*) storten; **4** (*inhoud van kar, enz.*) uitstorten; **5** (*v. voertuig*) doen omkantelen, omwerpen; **6** (*v. planten, koren*) neerslaan, tegen de grond slaan; **7** (*v. stukken, enz.*) overleggen; **8** (*in archief*) plaatsen; **9** (*licht*) verspreiden; **10** (*bloed*) doen vloeien, vergieten; **11** (*mil.*: *bij de artillerie, enz.*) indelen; **12** (*fig.*: *leed, enz.*) uitstorten; ***— l'argent à pleines mains,*** met geld gooien; **II** *v.i.* **1** schenken; **2** (*v. rijtuig*) omvallen; **3** (*v. koren*) neerslaan; ***— à boire,*** inschenken; (*fig.*) ***— dans,*** vervallen tot.
verset [vèrsè] *m.* (*in bijbel*) vers *o.*
verseur [vèrsœ:r] *m.* **1** schenker, kelner *m.*; **2** schenkkurk *v.(m.)*.
versicolore [vèrsikòlo:r] *adj.* **1** van kleur wisselend; **2** veelkleurig.
versicule(t) [vèrsikül(è)] *m.* versje *o.*
versificateur [vèrsifikatœ:r] *m.* verzenmaker *m.*
versification [vèrsifika·syõ] *f.* **1** versbouw *m.*; **2** leer *v.(m.)* van de versbouw.
versifier [vèrsifyé] **I** *v.t.* berijmen, op rijm zetten; **II** *v.i.* verzen maken.
version [vèrsyõ] *f.* **1** vertaling *v.* (uit vreemde taal in moedertaal); **2** wijze *v.(m.)* van voorstelling, lezing *v.* [*v.(m.)*.
verso [vèrso] *m.* (*v. blad*) keerzijde, ommezijde
versoir [vèrswa:r] *m.* strijkbord *o.* (van een ploeg).
verste [vèrst] *f.* werst, Russische mijl *v.(m.)* (1070 m).
vert [vè:r] **I** *adj.* **1** groen; **2** (*v. groenten*) vers; **3** (*v. fruit*) onrijp; **4** (*v. erwten*) jong; **5** (*v. wijn*) te jong, nog zurig, wrang; **6** (*v. grijsaard*) jeugdig, kras; **7** (*v. berisping*) scherp; ***langue —e,*** dieventaal *v.(m.)*; ***une —e réprimande,*** een flinke uitbrander *m.*; ***le tapis —,*** de groene tafel; ***— émeraude,*** smaragdgroen; **II** *s. m.* **1** (het) groen *o.*; **2** onrijpheid *v.*; **3** weidevoeder, gras *o.*; ***mettre au —,*** de wei in sturen; ***se mettre au —,*** onderduiken; ***— clair,*** lichtgroen; ***— naissant,*** bleekgroen; ***laisser sur le —,*** ongebruikt laten; ***employer le — et le sec,*** van alles partij trekken; geen middel onbeproefd laten; ***manger son blé en —,*** zijn inkomsten verteren voor men ze ontvangen heeft; ***prendre qn. sans —,*** iem. verrassen, iem. onverwachts overvallen.
vert*-de-gris [vè·rdegri] *m.* **1** kopergroen *o.*; **2** basisch koperacetaat *o.* [bedekt.
vert-de-grisé [vè·rdegri·zé] *adj.* met kopergroen
verte [vèrt] *f.* (*pop.*) glaasje *o.* absint.
vertébral [vèrtébral] *adj.* wervel—; ***colonne —e,*** wervelkolom, ruggegraat *v.(m.)*.
vertèbre [vèrtè·br] *f.* wervel *m.*
vertébré [vèrtébré] **I** *adj.* gewerveld; **II** *s. m.* gewerveld dier *o.* [tig.
vertement [vèrtemã] *adv.* ter dege, scherp, duch-
verterelle [vèrterèl] *f.* grendelkram *v.(m.)*.
vertex [vèrtèks] *m.* kruin, hoofdkruin *v.(m.)*.
vertical [vèrtikal] *adj.* loodrecht, verticaal.
verticale [vèrtikal] *f.* loodlijn *v.(m.)*.
verticalement [vèrtikalmã] *adv.* loodrecht, verticaal.
verticalité [vèrtikalité] *f.* loodrechte tand *m.*
verticille [vèrtisil] *m.* (*Pl.*) krans *m.* (v. bladeren om stengel of tak). [plaatst.
verticillé [vèrtisilé] *adj.* (*Pl.*) kransgewijs ge-
vertige [vèrti:j] *m.* **1** duizeling, duizeligheid *v.*; **2** (*fig.*) dwaasheid; zinsverbijstering *v.*; ***avoir le —,*** duizelig zijn; ***cela donne le —,*** **1** daarvan wordt men duizelig; **2** (*fig.*) daarvan duizelt men.
vertigineusement [vèrtijinö·zmã] *adv.* duizelingwekkend, met duizelingwekkende vaart (*of* snelheid).
vertigineux [vèrtijinö] *adj.* **1** duizelingwekkend; **2** onderhevig aan duizelingen.
vertigo [vèrtigo] *m.* **1** (*v. paard*) kolder *m.*; **2** (*fig.*) kuur, gril *v.(m.)*.
vertu [vèrtu] *f.* **1** deugd *v.(m.)*; **2** eerbaarheid *v.*; **3** kracht *v.(m.)*, werking *v.*, vermogen *o.*; ***en — de,*** krachtens, uit kracht van.
vertubleu [vèrtüblö], **vertuchou** [vèrtüʃu] *ij.* wel drommels! sapperloot.
vertueusement [vèrtwö·zmã] *adv.* **1** deugdzaam; **2** eerbaar.
vertueux [vèrtwö] **I** *adj.* deugdzaam; eerbaar; **II** *s. m.* deugdzame *m.* [kussentje *o.*
vertugadin [vèrtügadẽ] *m.* onder de rok gedragen
verve [vèrv] *f.* **1** (*v. redenaar, enz.*) vuur *o.*, gloed *m.*, geestdrift *v.(m.)*; **2** (*v. causeur*) geestigheid *v.*; ***être en —,*** op dreef zijn. [*v.(m.)*.
verveine [vèrvèn] *f.* (*Pl.*) ijzerkruid *o.*, verbena
verveux [vèrvö] **I** *m.* (*visv.*) fuik *v.(m.)*; **II** *adj.* geestdriftig, gloedvol.

vésanie [vézani] *f.* zielsziekte, krankzinnigheid *v.*
vesce [vès] *f.* (*Pl.*) wikke *v.*(*m.*).
vesceron [vèsrõ] *m.* (*Pl.*) vogelwikke *v.*(*m.*).
vésical [vézikal] *adj.* blaas—, van de blaas; ***calcul* —,** blaassteen *m.*
vésicant [vézikã] **I** *adj.* blaartrekkend; **II** *s. m.* blaartrekkend middel *o.*, trekpleister *v.*(*m.*).
vésication [vézika'syõ] *f.* blaartrekking *v.*
vésicatoire [vézikatwa:r] **1** *adj.* blaartrekkend; **II** *s. m.* trekpleister *v.*(*m.*). [vormig.
vésiculaire [vézikülè:r] *adj.* blaarachtig, blaasjes-
vésicule [vézikül] *f.* blaartje, blaasje *o.*
vesou [vezu] *m.* suikerrietsap *o.*
vespasienne [vèspazyèn] *f.* waterplaats *v.*(*m.*).
vespéral [vèspéral] **I** *adj.* avond—; **II** *s. m.* vesperale, vesperboek *o.*
vespertilion [vèspèrtilyõ] *m.* (*Dk.*) grootoorvleermuis *v.*(*m.*).
vespidés [vèspidé] *m.pl.* (*Dk.*) wespachtigen *mv.*
vesse [vès] *f.* veest, zachte wind *m.*
vesse*-de-loup [vèzdelu] *f.* (*Pl.*) wolfsveest *m.*
vesser [vèsé] *v.i.* een wind laten.
vessie [vèsi] *f.* blaas *v.*(*m.*); ***— natatoire,*** zwemblaas; ***prendre des —s pour des lanternes,*** de maan voor een Edammer kaas aanzien.
vessigon [vèsigõ] *m.* (*v. paarden*) kniegal *v.*(*m.*).
vestale [vèstal] *f.* Vestaalse maagd *v.*
veste [vèst] *f.* buis, jasje *o.*; ***retourner sa —,*** zijn rokje omkeren; ***remporter une —,*** zakken (voor examen). [plaats *v.*(*m.*).
vestiaire [vèstyè:r] *m.* kleedkamer, klederbewaar-
vestibule [vèstibül] *m.* **1** woonhuis, (voor)portaal *o.*, vestibule *m.*; **2** (*v. oor*) voorhof *o.*
vestige [vèsti:j] *m.* **1** spoor, voetspoor *o.*; **2** (*v. stad, beschaving, enz.*) overblijfsel *o.*
vestimentaire [vèstimã'tè:r] *adj.* kleren—.
veston [vèstõ] *m.* colbert *o. en m.*, jas *m. en v.*, (colbert)jasje *o.*; ***complet —,*** colbertkostuum *o.*
Vésuve [vézü:v] *m.* Vesuvius *m.*
vêtement [vè'tmã] *m.* kledingstuk *o.*; ***—s,*** kleren *mv.*: ***—s de dessous,*** ondergoed *o.*
vétéran [vétérã] *m.* **1** veteraan, oudgediende *m.*; **2** (*op school*) zittenblijver *m.*; **3** (*sp.*) senior *m.*
vétérance [vétérã:s] *f.* veteraanschap *o.*
vétérinaire [vétérinè:r] **I** *m.* veearts *m.*; **II** *adj.* veeartsenij—; ***art —, médecine —,*** veeartsenijkunde, diergeneeskunde *v.*; ***école —,*** veeartsenijschool *v.*(*m.*).
vétillard [vétiya:r] **I** *adj.* peuterig, pietluttig; **II** *s. m.* haarklover, beuzelachtige vent *m.*
vétille [véti'y] *f.* beuzeling, nietigheid, kleinigheid *v.*
vétiller [vétiyé] *v.i.* **1** beuzelen, zich met kleinigheden bezighouden; **2** vitten; **3** krenterig zijn.
vétillerie [vétiyri] *f.* beuzelarij *v.*
vétilleur [vétiyœ:r] *m.* beuzelaar, haarklover *m.*
vétilleux [vétiyö] *adj.* **1** pietluttig; **2** netelig, lastig.
vêtir* [vè'ti:r] **I** *v.t.* **1** kleden, aankleden; **2** (*v. kleren*) aantrekken; **II** *v.pr.* ***se —,*** zich kleden.
vétiver, vétyver [vétivè:r] *m.* vetiver, Indisch gras *o.* met welriekende wortels.
veto [véto] *m.* (*pl.* : ***des —***) veto *o.*; ***mettre son — à,*** zijn veto uitspreken over. [(gekleed).
vêtu [vè'tü] *adj.* gekleed; ***— de blanc,*** in het wit
vêture [vè'tü:r] *f.* (*in klooster*) kleding *v.*
vétuste [vétüst] *adj.* oud, vervallen.
vétusté [vétüsté] *f.* (*v. gebouw, enz.*) ouderdom *m.*
vétyver, *voir* ***vétiver.***
veuf [vœf] **I** *m.* weduwnaar *m.*; **II** *adj.*, ***— de,*** beroofd van; ***homme —,*** weduwnaar *m.*
veule [vö:l] *adj.* laks, lamlendig, krachteloos.

veulerie [vö'lri] *f.* laksheid, lamlendigheid, krachteloosheid *v.* [schap *o.*
veuvage [vœ'va:j] *m.* weduwnaarschap, weduw-
veuve [vœ:v] *f.* weduwe *v.*
vexant [vèksã] *adj.* plagend, kwellend; ergerlijk.
vexateur [vèksatœ:r] **I** *adj.* plagend, lastig; **II** *s. m.* plager *m.* [larij *v.*
vexation [vèksa'syõ] *f.* plagerij, kwelling; kneve-
vexatoire [vèksatwa:r] *adj.* **1** kwellend, lastig, hinderlijk; **2** drukkend.
vexer [vèksé] **I** *v.t.* **1** plagen, kwellen; **2** drukken; **3** (*fig.*) kwetsen, beledigen; **II** *v.pr.* ***se —,*** zich ergeren. [**2** begaanbaarheid *v*
viabilité [vya'bilité] *f.* **1** levensvatbaarheid *v.*;
viable [vya'bl] *adj.* levensvatbaar.
viaduc [vyadük] *m.* viaduct *m. en o.*, boogbrug *v.*(*m.*), overbrugging *v.*
viager [vyajé] *adj.* levenslang; ***rente viagère,*** lijfrente *v.*(*m.*); ***mettre*** (*ou* ***placer***) ***sa fortune en —,*** voor zijn vermogen een lijfrente kopen.
viagèrement [vyajè:rmã] *adv.* levenslang.
viande [vyã:d] *f.* vlees *o.*; ***— frigorifiée,*** bevroren vlees; ***— de conserve,*** verduurzaamd vlees; ***— fumée,*** rookvlees; ***— noire,*** wild *o.*; ***— grosse,*** rund- of schapevlees; ***menue —,*** gevogelte, wild; ***— blanche,*** wit vlees (*v. kip, enz.*); ***— de carême,*** vis *m.*; ***— creuse,*** schrale kost *m.*; ***il n'est — que d'appétit,*** honger is de beste saus.
viander [vyã'dé] *v.i.* (*v. wilde dieren*) weiden, grazen. [*v.*(*m.*).
viandis [vyã'di] *m.* (*v. wilde dieren*) weiplaats
viatique [vyatik] *m.* reisgeld *o.*; ***le saint V—,*** de Heilige Teerspijze, de sacramenten van de stervenden.
vibord [vibò:r] *m.* (*sch.*) boordplank *v.*(*m.*).
vibrant [vibrã] *adj.* **1** trillend; **2** (*fig.*: *v. toespraak, enz.*) gloedvol.
vibrateur [vibratœ:r] *m.* vibrator *m.*
vibratile [vibratil] *adj.* trillend, kunnende trillen; ***cils —s,*** trilharen.
vibration [vibra'syõ] *f.* trilling *v.*; ***en —,*** trillend; ***être en —,*** trillen.
vibratoire [vibratwa:r] *adj.* trillend, trillings—; ***mouvement —,*** trilling *v.*
vibrer [vibré] *v.i.* trillen, vibreren.
vibreur [vibrö:r] *m.* zoemer *m.*
vibrion [vibri(y)õ] *m.* (*Dk.*) vibrioon *v.*(*m.*).
vibrisse [vibris] *f.* neushaar *o.*
vicaire [vikè:r] *m.* **1** plaatsbekleder *m.*; **2** (*in parochie*) onderpastoor, kapelaan *m.*; ***— de Jésus-Christ,*** stedehouder van Christus; ***— général,*** vicaris-generaal; ***— apostolique,*** apostolisch vicaris.
vicairie [vikè'ri] *f.* bijkerk *v.*(*m.*).
vicarial [vikaryal] *adj.*, ***fonctions —es,*** **1** onderpastoorsambt *o.*; **2** vicarisambt *o.*
vicariat [vikarya] *m.* **1** vicariaat *o.*, ambt *o.* van vicaris; **2** onderpastoorsambt *o.*
vice [vis] *m.* **1** ondeugd *v.*(*m.*); **2** (*v. lichaam, werk, enz.*) gebrek *o.*; **3** onvolmaaktheid *v.*; ***— de forme,*** (*recht*) vormgebrek.
vice-amiral* [visamiral] *m.* vice-admiraal *m.*
vice-amirauté* [visamiroté] *f.* vice-admiraalschap *o.* [*m.*
vice-chancelier* [visʃã'selyé] *m.* onderkanselier
vice-consul* [viskõ'sül] *m.* vice-consul *m.*
vice-consulat* [viskõ'süla] *m.* vice-consulaat *o.*
Vicence [visã:s] *f.* Vicenza *o.* [jaarlijks.
vicennal [visènal] *adj.* **1** twintigjarig; **2** twintig-
vice-présidence* [visprézidã:s] *f.* ondervoorzitterschap *o.* [*m.*
vice-président* [visprézidã] *m.* ondervoorzitter

vice-recteur* [visrèktœ:r] *m.* onderdirecteur, conrector *m.*
vice-reine* [visrèn] *f.* onderkoningin *v.*
vice-roi* [visrwa] *m.* onderkoning *m.* [o.
vice-royauté* [visrwayo'té] *f.* onderkoningschap
vicésimal [visézimal] *adj.*, ***système* —,** twintigtallig stelsel *o.*
vice versa [visévèrsa] *adv.* over en weer, heen en terug.
vichy [viʃi] *m.* van 2-kleurige draden geweven katoen *o. en m.*
vichyssois [viʃiswa] *adj.* uit Vichy.
viciable [visya'bl] *adj.* aan bederf onderhevig.
viciation [visya'syõ] *f.* bederf, (het) bederven *o.*
vicié [visyé] *adj.* bedorven.
vicier [visyé] **I** *v.t.* **1** (*v. lucht; smaak*) bederven; **2** (*v. akte, enz.*) ongeldig maken; **II** *v.pr.* ***se* —,** bederven.
vicieux [visyö] *adj.*, **vicieusement** [visyö'zmã] *adv.* **1** (*v. taal, enz.*) gebrekkig, verkeerd; **2** (*v. uitdrukking*) foutief; **3** (*recht, v. contract, enz.*) ongeldig; **4** (*v. karakter*) slecht, verdorven; **5** (*v. neiging*) kwaad; ***cercle* —,** redenering in een kringetje; moeilijkheid waarin men steeds moet terugvallen.
vicinal [visinal] *adj.* buurt—; ***chemin* —,** dorpsweg *m.*; ***chemin de fer* —,** buurtspoorweg *m.*
vicinalité [visinalité] *f.* verbinding *v.* tussen dorpen; ***chemin de grande* —,** hoofdweg *m.* (tussen dorpen).
vicissitude [visisitü'd] *f.* **1** wisselvalligheid *v.*; **2** wederwaardigheid *v.*; **3** lotswisseling *v.*
vicomtal [vikõ'tal] *adj.* burggrafelijk.
vicomte [vikõ:t] *m.* burggraaf *m.*
vicomté [vikõ'té] *m.* burggraafschap *o.* (waardigheid en landgoed).
vicomtesse [vikõ'tès] *f.* burggravin *v.*
victime [viktim] *f.* **1** slachtoffer *o.*; **2** offer, offerdier *o.*
victimer [viktimé] *v.t.* tot slachtoffer maken.
victoire [viktwa:r] *f.* overwinning *v.*, zege, zegepraal *v.*(*m.*); ***chanter* —,** victorie kraaien.
victoria [viktòrya] *f.* (*rijtuig*) victoria *v.*
victoriale [viktòryal] *f.* (*Pl.*) zwaardlelie *v.*(*m.*).
victorieux [viktòryö] *adj.*, **victorieusement** [viktòryö'zmã] *adv.* overwinnend, zegevierend; ***preuve victorieuse,*** overtuigend bewijs *o.*
victuailles [viktẘa'y] *f.pl.* levensmiddelen *mv.*
vidage [vida:j] *m.* (het) ledigen, (het) ruimen *o.*
vidame [vidam] *m.* (*gesch.*) vidame *m.*, wereldlijk vertegenwoordiger van een bisschop en diens legeraanvoerder *m.*
vidange [vidã:j] *f.* **1** (het) ruimen *o.*, ruiming *v.*; **2** (*v. vat*) (het) niet vol zijn *o.*; **3** (*v. auto*) olieverversing *v.*; ***le tonneau est en* —,** het vat is niet meer vol; **—*s*,** vuiligheid *v.*
vidanger [vidã'jé] *v.t.* ruimen, ledigen.
vidangeur [vidã'jœ:r] *m.* putruimer; putjesschepper *m.*
vide [vi'd] **I** *adj.* **1** ledig, leeg; **2** luchtledig; ***— de sens,*** zinledig; **II** *s. m.* **1** ledige ruimte *v.*, ledige plaats *v.*(*m.*); **2** luchtledige *o.*; **3** (*v. vermaken, enz.*) ijdelheid, nietigheid *v.*; **4** leemte; gaping *v.*; ***— barométrique,*** vacuum *o.* van Torricelli; ***frapper à* —,** in de lucht slaan; naast het ijzer (op het aambeeld) slaan; ***laisser un grand* —,** een grote leegte achterlaten; ***regarder dans le* —,** wezenloos staren; ***le nettoyage par le* —,** het stofzuigen; ***faire le* —,** leegpompen, luchtledig maken; ***à* —,** *adv.* ledig, onbezet; ***train roulant à* —,** ledige trein; ***frein à* —,** vacuumrem *v.*(*m.*); ***corde à* —,** (*muz.*) losse snaar *v.*(*m.*).
vide-bouteille* [vi'dbutè'y] *m.* optrekje, landhuisje *o.*
vide-citron* [vi'dsitrõ] *m.* citroenpers *v.*(*m.*).
videlle [vidèl] *f.* **1** vruchtenboor *v.*(*m.*); **2** (*v. bakker*) deegmes, deegraadje *o.*
vide-poches [vi'tpòʃ] *m.* schaal *v.*(*m.*) *of* kistje *o.* voor kleine voorwerpen.
vide-pomme [vi'dpòm] *m.* appelboor, klokhuisboor *v.*(*m.*).
vider [vi'dé] **I** *v.t.* **1** ledigen, leeg maken; **2** (*v. glas, enz.*) uitdrinken; **3** (*v. fles*) uitschenken; **4** (*v. vis, wild*) uithalen, schoonmaken; **5** (*v. vat*) aftappen; **6** (*v. put*) ruimen; **7** (*v. riool*) spuien; **8** (*v. sleutel*) uitvijlen; **9** (*fig.*) regelen, beëindigen; ***— les lieux,*** de plaats ruimen, de woning ontruimen; ***— une querelle,*** een twist beslechten; ***— des pois,*** erwten peulen; **II** *v.pr.*, ***se* —, 1** leeg lopen, leeg worden; **2** (*fig.*) beslecht worden, uitgemaakt worden.
videur [vidœ:r] *m.* lediger *m.*
vidimer [vidimé] *v.t.* voor eensluidend afschrift verklaren, bekrachtigen.
vidimus [vidimü:s] *m.* eensluidend afschrift *o.*
vidual [vidẘal] *adj.* weduw—; ***état* —,** weduwstaat *m.*
viduité [vidẘité] *f.* weduwstaat *m.*, weduwschap *o.*
vie [vi] *f.* **1** leven *o.*; **2** levensonderhoud *o.*; **3** (*fam.*) leven, lawaai *o.*; ***la — chère,*** de dure tijd; ***train de* —,** levensstandaard *m.*; ***la — moyenne,*** de gemiddelde levensduur *m.*; ***avoir la — dure,*** een taai leven hebben; ***faire bonne —, mener joyeuse* —,** een vrolijk leventje leiden; ***gagner sa* —,** zijn kost verdienen; ***jamais de la* —,** nooit in der eeuwigheid; ***à* —,** levenslang; ***sans* —,** levenloos; ***qui a temps a* —,** tijd gewonnen, veel gewonnen.
Viège [vyè:j] *f.* Visp *o.* (Zwitserland).
vieil [vyèy] *adj.* oud.
vieillard [vyèya:r] *m.* grijsaard, oud man *m.*; **—*s*,** oude mensen.
vieille [vyèy] **I** *voir* ***vieux***; **II** *s. f.* oude vrouw *v.*, oudje *o.*
vieillerie [vyèyri] *f.* **1** oude rommel *m.*, oud prul *o.*; **2** (*fig.*) ouderwetse denkbeelden *mv.*
vieillesse [vyèyès] *f.* ouderdom *m.*
vieillir [vyèyi:r] **I** *v.i.* **1** oud worden; **2** verouderen; **II** *v.t.* oud maken.
vieillissement [vyèyismã] *m.* **1** (het) oud worden *o.*; **2** veroudering *v.*
vieillot [vyèyo] **I** *adj.* (*f.*: ***vieillotte*** [vyèyòt]) oudachtig, ouwelijk; **II** *s. m.* oud mannetje *o.*
vieillotte, *voir* ***vieillot.***
vielle [vyèl] *f.* (*muz.*) lier *v.*(*m.*); ***— organisée,*** draaiorgel *o.*
vieller [vyèlé] *v.i.* op de lier spelen.
vielleur [vyèlœ:r] *m.* liereman *m.*
Vienne [vyèn] *f.* Wenen *o.* [Weens.
Viennois [vyènwa] **I** *m.* Wener *m.*; **II** *adj.*, ***v*—,**
vierge [vyèrj] **I** *f.* maagd *v.*; ***la* (*sainte*) *V*—,** de Heilige Maagd; **II** *adj.* **1** maagdelijk, rein; **2** (*v. zilver*) gedegen; ***terre* —,** ongerepte grond; ***forêt* —,** oerwoud, maagdelijk woud; ***vigne* —,** wilde wingerd; ***cire* —,** maagdenwas *m. en o.*; ***les îles V—s,*** de Virginische eilanden.
Viet-nam [vyètnam] *m.* Viëtnam *o.*
vietnamien [vyètnamyẽ] **I** *adj.* Viëtnamees; **II** *s. m.* Viëtnamees *m.*
vieux [vyö] **I** *adj.* (***vieil*** [vyèy] devant une voyelle; *f.*: ***vieille*** [vyèy]) oud; ***— garçon,*** vrijgezel *m.*; ***se faire* —,** oud worden; ***être plus — que son âge,*** ouder lijken dan men is; ***il ne fera pas de — os,*** hij zal niet oud worden; ***— comme le monde***

(*comme les chemins, comme les rues*), zo oud als de weg naar Kralingen; — *avant l'âge*, oud voor de tijd; **II** *s. m.* ouwe *m.*; *mon* —, ouwe jongen *m.*; *un — de la vieille*, een veteraan, een van de oude garde.
vieux-catholique* [vyökatòlik] *adj. et s. m.* oud-katholiek (*m.*).
Vieux-Héverlé Oud-Heverlee *o.*
vieux-neuf [vyönœf] *m.* modern-antiek, pseudo-antiek *o.*
vif [vif], **vive** [vi:v] **I** *adj.* **1** levend; **2** (*v. verbeelding, kleur, enz.*) levendig; **3** (*v. verstand*) vlug, helder; **4** (*v. kou*) vinnig; **5** (*v. lucht*) prikkelend; scherp; **6** (*v. woord*) scherp; **7** driftig; **8** bebendig, vlug; *chaux vive*, ongebluste kalk *m.*; *eau vive*, welwater, bronwater *o.*; *les vives eaux*, het springtij *o.*; *de vive force*, met geweld; *de vive voix*, mondeling; *le roc* —, de kale, naakte rots; *en termes un peu —s*, in enigszins krasse bewoordingen; *il est — comme la poudre*, hij is net een vaatje buskruit; **II** *s. m.* **1** levende *m.*; **2** levend vlees *o.*; **3** (het) levende *o.*; *pris sur le* —, naar het leven getekend; *couper dans le* —, in het levende vlees snijden; *entrer dans le — de la question*, tot het hart van de kwestie doordringen; *piquer au* —, grieven, kwetsen.
vif-argent [vifarjã] *m.* kwik, kwikzilver *o.*
vigie [viji] *f.* **1** (*sch.*) uitkijk *m.*; **2** (*in zee*) blinde klip *v.*(*m.*); **3** (*spoorw.*) uitkijkraam *o.*
vigilamment [vijilamã] *adv.* waakzaam.
vigilance [vijilã:s] *f.* waakzaamheid *v.*
vigilant [vijilã] *adj.* waakzaam.
vigile [vijil] *f.* vigilie *v.* (**1** dag vóór feestdag; **2** nachtwake met gebed).
vigne [viñ] *f.* **1** (*Pl.*) wijnstok *m.*; **2** wijngaard *m.*; *feuille de* —, (*beeldh.*) vijgeblad *o.*; — *de Judée*, (*Pl.*) bitterzoet *o.*; — *vierge*, wilde wingerd *m.*; *être dans les —s du Seigneur*, dronken zijn.
vigneau [viño] *m.* alikruik *v.*(*m.*).
vigneron [viñrõ] *m.* wijngaardenier *m.*
vignette [viñèt] *f.* vignet *o.*
vignettiste [viñètist] *m.* vignettekenaar *m.*
vignoble [viñò˙bl] **I** *m.* wijnberg *m.*, wijnland *o.*; **II** *adj.*, *pays* —, wijnland *o.*
vignon [viñõ] *m.* (*Pl.*) stekelbrem *m.*
vignot [viño] *m.* alikruik *v.*(*m.*).
vigogne [vigòñ] *f.* **1** (*Dk.*) vicunnia *v.*, Peruaans schaap *o.*; **2** vigognewol *v.*(*m.*).
vigoureux [vigurö] *adj.*, **vigoureusement** [vigurö˙zmã] *adv.* krachtig, sterk.
vigueur [vigœ:r] *f.* kracht *v.*(*m.*); *être en* —, van kracht zijn; *entrer en* —, in werking treden.
viguier [vigyé] *m.* (*gesch.*) landrechter *m.* (in Zuid-Frankrijk vóór 1789).
vil [vil] *adj.* **1** laag, gemeen; **2** gering; *à — prix*, voor een spotprijs.
vilain [vilẽ] **I** *adj.* **1** (*weer, handelwijze, enz.*) lelijk, slecht; **2** gemeen; **3** (*gesch.*) onadellijk; *un — homme*, een gemene kerel; **II** *s. m.* **1** lelijkerd *m.*; **2** gemene kerel *m.*; **3** schurk *m.*; **4** vrek *m.*; — *enrichi ne connaît parent ni ami*, als niet komt tot iet, kent iet zich zelven niet.
vilainement [vilènmã] *adv.* lelijk; schandelijk.
vilainerie [vilènri] *f.* gemene streek *m. en v.*
vilayet [vilayè] *m.* Turkse provincie *v.*
vilebrequin [vilbrekẽ] *m.* borstboor *v.*(*m.*).
vilement [vilmã] *adv.* laag, gemeen.
vilenie [vil(e)ni] *f.* **1** laagheid, gemeenheid *v.*; **2** gierigheid *v.*
vileté [vilté] *f.* **1** goedkoopte *v.*; **2** laagheid, gemeenheid *v.*; **3** geringe waarde *v.*
vilipender [vilipã˙dé] *v.t.* minachten, door het slijk sleuren.
villa [vila] *f.* villa *v.*(*m.*).
village [vila:j] *m.* dorp *o.*
villageois [vilajwa] **I** *m.* dorpeling, dorpsbewoner *m.*; **II** *adj.* dorps, dorp—.
villanelle [vilanèl] *f.* **1** soort herderslied *o.*; **2** boerendans *m.*
ville [vil] *f.* stad *v.*(*m.*); — *forte*, versterkte stad, vesting *v.*; — *frontière*, grensstad; — *marchande*, handelsstad; *à la* —, in de stad (niet op het land); *en* —, in de stad (niet thuis); *dîner en* —, uit eten gaan; *toilette de* —, wandeltoilet *o.*
villégiateur [viléjyatœ:r] *m.* zomergast *m.*
villégiature [viléjyatü:r] *f.* **1** vakantieverblijf *o.* buiten; **2** (*v. dorp, stad*) zomerverblijfplaats *v.*(*m.*).
villette [vilèt] *f.* stadje *o.*
villeux [vilö] *adj.* (*v. rups, enz.*) harig, behaard.
villosité [vilo˙zité] *f.* **1** harigheid, behaardheid *v.*; **2** behaarde plek *v.*(*m.*).
Vilvorde [vilvò˙rd] Vilvoorde *o.*
vimaire [vimè:r] *f.* **1** windschade *v.*(*m.*); **2** belediging *v.*
vin [vẽ] *m.* wijn *m.*; — *bourru*, wrange wijn; — *doux*, mostwijn; — *reposé*, belegen wijn; — *sec*, niet zoete wijn; — *mousseux*, schuimwijn; — *du cru*, landwijn; *grands —s*, fijne wijnen; *entre deux —s*, aangeschoten; *être pris de* —, dronken zijn; *avoir le — gai*, een vrolijke dronk over zich hebben; *quand le — est tiré, il faut le boire*, wie a zegt, moet ook b zeggen; die gescheept is, moet varen; *à bon — point d'enseigne*, goede wijn behoeft geen krans.
vinage [vina:j] *m.* alcoholisering *v.*, (het) toevoegen *o.* van alcohol aan wijn.
vinaigre [vinè:gr] *m.* azijn *m.*; — *aromatisé*, kruidenazijn; — *de bois*, houtazijn; *sel de* —, Engels vlugzout *o.*; *temps de* —, (*sch.*) stormachtig weer *o.*; *donner du* —, (*bij het touwtje springen*) steeds sneller draaien.
vinaigrer [vinègré] *v.t.* **1** met azijn toebereiden; **2** zuur maken.
vinaigrerie [vinègreri] *f.* azijnfabriek *v.*
vinaigrette [vinègrèt] *f.* azijnsaus *v.*(*m.*).
vinaigrier [vinègri(y)é] *m.* **1** azijnmaker *m.*; **2** azijnhandelaar *m.*; **3** azijnfles *v.*(*m.*).
vinaire [vinè:r] *adj.* wijn—.
vinasse [vina:s] *f.* slappe wijn *m.*
Vincent [vẽ˙sã] *m.* Vincentius *m.*
vindas [vẽ˙da:s] *m.* **1** kaapstander *m.*, windas *o.*; **2** zweefmolen *m.*
vindicatif [vẽ˙dikatif] *adj.*, **vindicativement** [vẽ˙dikati˙vmã] *adv.* wraakzuchtig; *justice vindicative*, straffende gerechtigheid *v.*
vindicte [vẽ˙dikt] *f.* eis *m.* van bestraffing, vervolging *v.* van misdaden; — *publique*, volkswraak *v.*(*m.*); — *légale*, wettelijke bestraffing *v.*
vinée [viné] *f.* wijnoogst *m.*
viner [viné] *v.t.* wijn alcoholiseren, alcohol toevoegen.
vinette [vinèt] *f.* (*Pl.*) berberis, zuurbes *v.*(*m.*).
vineux [vinö] *adj.* **1** wijnachtig; **2** wijnrood; **3** (*v. wijn*) krachtig, zwaar; **4** wijnrijk; *région vineuse*, wijnstreek *v.*(*m.*).
vingt [vẽ; *en liaison*: vẽ˙t] *n.card.* **1** twintig; **2** (*in data*) twintigste.
vingtaine [vẽ˙tèn] *f.* twintigtal *o.*
vingt-et-un [vẽ˙téœ̃] *m.* (*kaartsp.*) banken *o.*
vingtième [vẽ˙tyèm] *n.ord.* twintigste.
vingtuple [vẽ˙tüpl] *m.* twintigvoud *o.*
vingtupler [vẽ˙tüplé] *v.t.* vertwintigvoudigen, met twintig vermenigvuldigen.
vinicole [vinikòl] *adj.* **1** wijnbouwend; **2** de wijnbouw betreffend, wijnbouw—; *région* —, wijnbouwstreek *v.*(*m.*).
viniculture [vinikültü:r] *f.* wijnbouw *m.*

vinifère [vinifè:r] *adj.* wijnvoortbrengend.
vinification [viniflka'syõ] *f.* wijnbereiding *v.*
vinosité [vino'zité] *f.* wijngehalte *o.*
Vintimille [vẽ'timi'y] *f.* Vintimiglia *o.*
viol [vyòl] *m.* verkrachting, schending *v.*
violable [vyòla'bl] *adj.* schendbaar.
violacé [vyòlasé] **I** *adj.* paarsachtig; **II** *s. f.* **—es,** (*Pl.*) vioolachtigen *mv.*
violat [vyòla] *adj.*, ***miel* —,** violenhonig *m.*
violateur [vyòlatœ:r] *m.* **1** overtreder *m.*; **2** verkrachter, schender *m.*
violation [vyòla'syõ] *f.* **1** overtreding *v.*; **2** verkrachting; schending *v.*; ***— de domicile,*** huisvredebreuk *v.*(*m.*).
violâtre [vyòla:tr] *adj.* violetachtig, paarsachtig.
viole [vyòl] *f.* altviool *v.*(*m.*).
violemment [vyòlamã] *adv.* **1** gewelddadig, met geweld; **2** hevig; **3** heftig.
violence [vyòlã:s] *f.* **1** geweld *o.*; **2** hevigheid *v.*; **3** heftigheid *v.*; ***faire — à qn.,*** iem. geweld aandoen; ***faire — à un texte,*** een tekst verdraaien; ***douce —,*** zachte dwang *m.*, zacht geweld *o.*
violent [vyòlã] *adj.* **1** (*v. middel, enz.*) geweldig; **2** (*v. dood*) gewelddadig; **3** (*v. wind; begeerte*) hevig; **4** (*v. karakter*) heftig, onstuimig.
violenter [vyòlã'té] *v.t.* geweld aandoen, door geweld dwingen. [schenden.
violer [vyòlé] *v.t.* **1** overtreden; **2** verkrachten;
violet [vyòlè] **I** *adj.* violet, paars; **II** *s. m.* paarse kleur *v.*(*m.*), (het) paars *o.*
violette [vyòlèt] *f.* (*Pl.*) viooltje *o.*
violier [vyòlyé] *m.* violier *v.*(*m.*).
violiste [vyòlist] *m.* altvioolspeler *m.*
violon [vyòlõ] *m.* **1** viool *v.*(*m.*); **2** vioolspeler *m.*; **3** (*pop.*) arrestantenlokaal *o.*, bak *m.*; ***— d'Ingres,*** liefhebberij *v.*, hobby *m.*
violoncelle [vyòlõ'sèl] *m.* **1** violoncel *v.*(*m.*), cello *m.*; **2** violoncelspeler, violoncellist *m.*
violoncelliste [vyòlõ'sèlist] *m.* violoncelspeler, cellist *m.* [krassen.
violoner [vyòlòné] *v.i.* fiedelen, op een viool
violoneux [vyòlònö] *m.* (*fam.*) vedelaar *m.*
violoniste [vyòlònist] *m.* vioolspeler, violist *m.*
viorne [vyòrn] *f.* (*Pl.*) sneeuwbal *m.*
vipère [vipè:r] *f.* adder *v.*(*m.*); ***langue de —,*** lastertong *v.*(*m.*).
vipereau [vipro] *m.* jonge adder *v.*(*m.*).
vipéridés [vipéridé] *m.pl.* adderachtigen *mv.*
vipérin [vipérẽ] *adj.* adder—, slangen—; ***langue —e,*** lastertong *v.*(*m.*).
vipérine [vipérin] *f.* (*Pl.*) slangekruid *o.*
virage [vira:j] *m.* **1** (*v. weg, met auto*) draai *m.*, bocht *v.*(*m.*); **2** (het) draaien, (het) keren *o.*; **3** (*v. schip*) wending *v.*; **4** (*v. foto*) (het) kleuren *o.*; ***bain de —,*** kleurbad *o.*; ***phare de —,*** bermlamp *v.*(*m.*).
virago [virago] *f.* manwijf *o.*
virée [viré] *f.* wending, zwenking *v.*
virelai [virlè] *m.* virelai *v.*(*m.*), oud-Frans liedje met twee rijmen en een refrein.
virement [vi'rmã] *m.* **1** wending, zwenking *v.*; **2** verrekening, vereffening *v.*; **3** (*H.*) overschrijving *v.*; ***compte de —,*** girorekening *v.*; ***service des —s postaux,*** postgirodienst *m.*
virer [vi'ré] **I** *v.i.* **1** draaien, wenden; **2** (*v. schip, troepen*) zwenken; **3** (*v. foto*) kleuren; **4** (*v. stoffen*) verkleuren; ***— de bord,*** (*sch. en fig.*) over stag gaan; ***— au cabestan,*** (*sch.*) in het spil lopen; **II** *v.t.* **1** draaien, wenden; **2** (*v. bedrag*) overschrijven, gireren; **3** (*v. foto*) kleuren.
vireur [virœ:r] *m.* **1** tornwiel *o.*; **2** (*in papierfabriek*) viltafnemer *m.*
vireux [virö] *adj.* **1** (*v. planten*) vergiftig; **2** stinkend, walglijk.
virevaude [virvo:d] *m.* draaikolk *m.*
vireveau [virvo] *m.* gangspil *o.*
virevolte [virvòlt] *f.* snelle wending, zwenking *v.*
virevolter [virvòlté] *v.i.* in de rondte draaien.
Virgile [virjil] *m.* Vergilius *m.*
virginal [virjinal] *adj.* maagdelijk.
virginité [virjinité] *f.* maagdom *m.*, maagdelijkheid *v.* [punt komma.
virgule [virgül] *f.* komma *v.*(*m.*) *of o.*; ***point et —,***
viridité [viridité] *f.* groenheid *v.*, groene kleur.
viril(ement) [viril(mã)] *adj.* (*adv.*) **1** mannelijk; **2** (*fig.*) manmoedig.
viriliser [virili'zé] *v.t.* mannelijker maken, stalen.
virilité [virilité] *f.* **1** mannelijkheid *v.*; **2** mannelijke leeftijd *m.*; **3** manmoedigheid, mannelijke kracht *v.*(*m.*).
viro-fixage [viròfiksa:j] *m.* kleurfixeerbad *o.*
virole [viròl] *f.* **1** (*om hecht*) beslagring *m.*; **2** (*om paal*) kopring *m.*; **3** (*om geweer*) stormring *m.*
viroler [viròlé] *v.t.* van een ring voorzien.
virtualité [virtwalité] *f.* virtualiteit *v.*, vermogende kracht *v.*(*m.*).
virtuel(lement) [virtwèl(mã)] *adj.* (*adv.*) **1** virtueel; **2** feitelijk, praktisch, inderdaad.
virtuose [virtwo:z] *m.-f.* virtuoos *m.*, voortreffelijk kunstenaar *m.*, kunstenares *v.*
virtuosité [virtwo'zité] *f.* virtuositeit, kunstvaardigheid *v.*
virulence [virülã:s] *f.* **1** giftigheid, kwaadaardigheid *v.*; **2** (*fig.*) heftigheid *v.*
virulent [virülã] *adj.* **1** (*v. vergift, enz.*) kwaadaardig; **2** (*fig.*; *v. satire, enz.*) heftig, vinnig, bijtend.
virus [vi'rü:s] *m.* smetstof *v.*(*m.*), virus *o.*
vis [vis] *f.* schroef *v.*(*m.*); ***— ailée, — à ailettes,*** vleugelschroef; ***— de pression,*** klemschroef; ***— femelle,*** moerschroef; ***— hollandaise,*** vijzel *v.*(*m.*); ***— d'Archimède,*** schroef van Archimedes, tonmolen *m.*; ***fermer à —,*** dichtschroeven; ***escalier à —,*** wenteltrap *m.*; ***serrer la — à qn.,*** iem. de schroef aanzetten.
visa [viza] *m.* visum, visa *o.*
visage [viza:j] *m.* gezicht, aangezicht, gelaat *o.*; ***changer de —,*** verschieten, van kleur verschieten, verkleuren (rood worden; bleek worden); ***avoir bon —,*** er goed uitzien; ***faire bon — à qn.,*** iem. vriendelijk bejegenen, — ontvangen; ***trouver — de bois,*** voor een gesloten deur komen, niemand thuis treffen; ***à — découvert,*** openlijk, met open vizier.
vis-à-vis [vizavi] **I** *adv.* tegenover; **II** *prép.*, **— de,** **1** tegenover; **2** jegens; **III** *s. m.* persoon, die tegenover iem. zit. [wanden.
viscéral [viséral] *adj.* ingewands—, van de inge-
viscère [visè:r] *m.* ingewand *o.*
viscose [visko:z] *f.* viscose *v.*(*m.*).
viscosité [visko'zité] *f.* **1** kleverigheid *v.*; **2** slijm *o. en m.* (van vis).
Visé [vi'zé] Wezet *o.*
visée [vi'zé] *f.* **1** (het) mikken *o.*; **2** bedoeling *v.*, oogmerk, doelwit *o.*; ***porter ses —s trop haut,*** verder willen springen dan zijn stok lang is.
viser [vi'zé] **I** *v.t.* **1** mikken op; **2** op het oog hebben; **3** viseren, voor gezien tekenen; **4** (*v. tekst*) aanhalen; **II** *v.i.* **1** mikken; **2** beogen; ***— à l'effet,*** jacht maken op effect. [vizier *o.*
viseur [vizœ:r] *m.* **1** (*fot.*) zoeker *m.*; **2** (*mil.*)
visibilité [vizibilité] *f.* zichtbaarheid *v.*
visible [vizi'bl] *adj.* **1** zichtbaar; **2** (*v. vergissing, enz.*) klaarblijkelijk; ***monsieur n'est pas —,*** mijnheer is niet te spreken.

visiblement [vizi'blemã] *adv.* 1 zichtbaar; 2 klaarblijkelijk.
visière [vizyè:r] *f.* 1 (*v. helm, geweer*) vizier *o.*; 2 (*v. pet*) klep *v.*(*m.*). [baar *m.*
Visigoth [vizigo] *m.* 1 West-Got *m.*; 2 (*fig.*) bar-
vision [vizyõ] *f.* 1 (het) zien *o.*; 2 droomgezicht *o.*; 3 (*v. profeten, enz.*) visioen *o.*, verschijning *v.*; 4 (*fig.*) hersenschim *v.*(*m.*); 5 (*v. film*) keuring *v.*
visionnaire [vizyònè:r] I *adj.* ingebeeld, hersenschimmig; II *s. m.* ziener, geestenziener *m.*
visir, *voir* ***vizir.***
visitandine [vizitã'din] *f.* zuster *v.* van de visitatie.
Visitation [vizita'syõ] *f.* Visitatie *v.* [tatrice *v.*
visitatrice [visitatris] *f.* (*van kloosterorde*) visi-
visite [visit] *f.* 1 bezoek *o.*; 2 (*v. museum, enz.*) bezichtiging *v.*; 3 (*v. douane*) onderzoek *o.*; ***— domiciliaire,*** huiszoeking *v.*; ***— médicale,*** geneeskundig onderzoek *o.*; ***passer à la —,*** op 't spreekuur komen; ***rendre — à qn.,*** iem. een bezoek brengen; ***rendre sa — à qn.,*** iem. een tegenbezoek brengen; ***faire —,*** op bezoek gaan; ***faire une — à*** (*ou* ***chez***) ***qn.,*** iem. een bezoek brengen.
visiter [visité] *v.t.* 1 bezoeken; 2 bezichtigen; 3 onderzoeken, nazien.
visiteur [visitœ:r] *m.* 1 bezoeker *m.*; 2 bezichtiger *m.*; 3 (*v. douane*) visiteur *m.*; 4 (*v. kloosterorde*) visitator *m.*
vison [vizõ] *m.* (*Dk.*) Amerikaanse marter *m.*
visqueux [viskö] *adj.* kleverig, slijmerig; viskeus.
vissage [visa:j] *m.* (het) aanschroeven, (het) vastschroeven *o.*
visser [visé] *v.t.* 1 schroeven; 2 vastschroeven; ***il est vissé à sa chaise,*** hij is niet weg te krijgen.
visserie [visri] *f.* schroevenfabriek *v.*
Vistule [vistül] *f.* Weichsel *v.*
visu, *de —* [dévizü] *adv.* met eigen ogen.
visuel [vizwèl] *adj.* gezichts—; ***angle —,*** gezichtshoek *m.*; ***champ —,*** gezichtsveld *o.*
vital [vital] *adj.* levens—; ***question —e,*** levenskwestie *v.*; ***principe —,*** levensbeginsel *o.*
vitaliser [vitali'zé] *v.t.* leven inblazen.
vitalité [vitalité] *f.* levenskracht *v.*(*m.*).
vitamine [vitamin] *f.* vitamine *v.*(*m.*).
vite [vit] *adv.* snel, vlug; ***parler trop —,*** te gauw praten; ***au plus —,*** zo gauw mogelijk.
vitellin [vitèlẽ] *adj.* van de eierdooier.
vitellus [vitèlü's] *m.* voedingsinhoud *m.* (van ei).
vitesse [vitès] *f.* snelheid, vlugheid *v.*; ***grande —,*** (*spoorw.*) 1 ijlgoed *o.*; 2 ijlgoederendienst *m.*; ***petite —,*** 1 vrachtgoed *o.*; 2 vrachtgoederendienst *m.*; ***à grande —,*** snellopend; ***à une grande —,*** met grote snelheid; ***changement de —,*** (*v. fiets*) versnellingsnaaf *v.*(*m.*); ***bicyclette à trois —s,*** fiets met drie versnellingen; ***— initiale,*** aanvangssnelheid; ***— d'envol,*** (*vl.*) snelheid bij het opstijgen; ***— d'atterrissage,*** snelheid bij de landing; ***— kilométrique,*** rijsnelheid *v.*; ***— de libération,*** ontsnappingssnelheid *v.* [wijnindustrie *v.*
viticole [vitikòl] *adj.* wijnbouwend; ***industrie —,***
viticulteur [vitikültœ:r] *m.* wijnbouwer *m.*
viticulture [vitikültü:r] *f.* wijnbouw *m.*
vitrage [vitra'j] *m.* 1 (het) inzetten *o.* van ruiten; 2 glaswerk *o.* (van ruit, deur, enz.); 3 glazen deur *v.*(*m.*); 4 vitrage *v.*(*m.*) *en o.* (gordijnstof).
vitrail [vitra'y] *m.* (*pl.* : ***vitraux***) geschilderd raam; kerkraam *o.*
vitre [vitr] *f.* ruit, vensterruit *v.*(*m.*); ***verre à —s,*** vensterglas *o.*; ***casser les —s,*** de ruiten ingooien.
vitré [vitré] *adj.* 1 glazen, van glas voorzien; 2 glasachtig; ***toit —,*** glazen dak *o.*; ***porte —e,*** glazen deur *v.*(*m.*); ***humeur —e,*** (*v. oog*) glasachtig vocht *o.*
vitrer [vitré] *v.t.* van glasruiten voorzien.
vitrerie [vitreri] *f.* 1 glazenmakersvak *o.*; 2 glazenhandel *m.* [glaasd.
vitreux [vitrö] *adj.* 1 glasachtig, glazig; 2 ver-
vitrier [vitriyé] *m.* glazenmaker *m.*
vitrifiable [vitrifya'bl] *adj.* verglaasbaar.
vitrification [vitrifika'syõ] *v.* verglazing *v.*
vitrifier [vitrifyé] *v.t.* verglazen.
vitrine [vitrin] *f.* 1 (glazen) uitstalkast *v.*(*m.*); 2 winkelruit *v.*(*m.*), uitstalraam *o.*
vitriol [vitri(y)òl] *m.* vitriool *o. en m.*, zwavelzuur *o.*; ***— blanc,*** zinksulfaat; ***— bleu,*** kopersulfaat; ***— vert,*** ijzersulfaat *o.*
vitriolé [vitri(y)òlé] *adj.* vitrioolhoudend.
vitrioler [vitri(y)òlé] *v.t.* met vitriool werpen naar, vitriool in 't gezicht gooien.
vitrioleur [vitri(y)òlœ:r] *m.* vitrioolwerper *m.*
vitriolique [vitri(y)òlik] *adj.* vitrioolachtig.
vitrosité [vitro'zité] *f.* glasachtigheid *v.*
vitupération [vitüpéra'syõ] *f.* afstraffing *v.*
vitupérer [vitüpéré] *v.t.* (*vieux*) berispen, uitvaren tegen; laken.
vivace [vivas] *adj.* 1 levenskrachtig, vol levenskracht; 2 (*v. plant*) overblijvend; 3 (*v. herinnering, enz.*) blijvend; 4 (*v. vooroordeel*) taai, ingeworteld; 5 (*muz.*) levendig; ***fleur —,*** doorbloeier *m.*
vivacité [vivasité] *f.* 1 levendigheid *v.*; 2 (*v. gevoelens, hartstochten*) hevigheid *v.*, gloed *m.*; ***— d'esprit,*** vlugheid *v.* van begrip; ***— du teint,*** frisse gelaatskleur *v.*(*m.*).
vivandier [vivã'dyé] *m.* zoetelaar, marketenter *m.*
vivandière [vivã'dyè:r] *f.* marketentster *v.*
vivant [vivã] I *adj.* 1 levend; 2 levendig, druk; ***en*** (*ou* ***de***) ***son —,*** bij zijn leven; ***lui —,*** zolang hij leeft; II *s. m.* levende *m.*; ***bon —,*** vrolijke klant *m.*; ***du — de,*** bij het leven van.
vivarium [vivaryòm] *m.* terrarium *o.*
vivat ! [vivat] I *ij.* vivat ! hoera ! II *s. m.* juichkreet *m.*
vive [vi:v] *f.* (*Dk.*) pieterman *m.*
vive-la-joie [vi'vlajwa] *m.* vrolijke Frans *m.*
vivement [vi'vmã] *adv.* 1 (*stappen*) snel, vlug; 2 (*ontroerd*) hevig; 3 levendig.
viveur [vivœ:r] *m.* pretmaker, fuiver *m.*
vivier [vivyé] *m.* visvijver *m.*
vivifiant [vivifyã] *adj.* 1 (*v. genade*) levendmakend; 2 (*v. lucht, enz.*) opwekkend; 3 bezielend.
vivification [vivifika'syõ] *f.* 1 verlevendiging *v.*; 2 (*theol.*) levendmaking *v.*
vivifier [vivifyé] *v.t.* 1 verlevendigen; 2 levend maken; 3 opwekken, bezielen.
vivipare [vivipa:r] *adj.* (*s. m.*) levendbarend (dier *o.*).
vivisecteur [vivisèktœ:r] *m.* die proeven neemt op levende dieren *m.*
vivisection [vivisèksyõ] *f.* vivisectie *v.*, (het) nemen *o.* van proeven op levende dieren.
vivoter [vivòté] *v.i.* armoedig leven, stil voortleven, door het leven sukkelen.
vivre* [vi:vr] I *v.i.* 1 leven; 2 bestaan; 3 (*in hotel, enz.*) wonen; ***apprendre à — à qn.,*** iem. mores leren; ***— de régime,*** op diëet staan; ***il a beaucoup vécu,*** hij heeft veel meegemaakt; ***il fait cher —,*** het leven is duur; ***— de ménage,*** zuinig leven; ***savoir —,*** zijn wereld verstaan; ***être difficile à —,*** lastig, ongemakkelijk zijn; ***se laisser —,*** onbezorgd voortleven; ***— de l'air du temps,*** van de wind leven; ***qui vivra verra,*** de tijd zal 't leren; komt tijd, komt raad; ***— vieux,*** oud worden, lang leven; ***— au jour le jour,*** van de hand in de tand leven; ***il fait bon — et ne rien savoir,*** wat niet weet, dat niet deert; II *v.t.* be-

leven, doorleven; ***un roman vécu,*** een doorleefde roman; **III** *s. m.* onderhoud, levensonderhoud *o.*; ***le — et le vêtement,*** kost en kleren; ***le — et le couvert,*** kost en inwoning; ***—s,*** levensmiddelen *mv.*; ***couper les —s à qn.,*** iem. de leeftocht afsnijden, geen geldelijke steun meer geven aan.
vivrier [vivri(y)é] **I** *m.* die de levensmiddelen levert *m.*; **II** *adj.*, ***bâtiment —,*** (*v. vloot*) proviandschip *o.* [vizier *m.*
vizir, visir [vizi:r] *m.* vizier *m.*; ***grand —,*** groot-
vlan! [vlã] *ij.* flap! klets!
vocable [vòka'bl] *m.* woord *o.*; ***sous le — de,*** (*v. kerk*) toegewijd aan.
vocabulaire [vòkabülè:r] *m.* **1** woordenlijst *v.*(*m.*); **2** (*v. taal*) woordenschat *m.*
vocal(ement) [vòkal(mã)] *adj.* (*adv.*) **1** stem—; **2** (*v. gebed, muziek*) vocaal, door de stem voortgebracht; ***cordes —es,*** stembanden *mv.*
vocalique [vòkalik] *adj.* de klinkers betreffend; ***consonne —,*** stemhebbende medeklinker *m.*
vocalisateur [vòkalizatœ:r] *m.* die goed kan vocaliseren; coloratuurzanger *m.*
vocalisation [vòkaliza'syõ] *f.* **1** (*muz.*) (het) zingen *o.* op één klinker; **2** (*taalk.*) vocalisering *v.*
vocalise [vòkali:z] *f.* **1** zangoefening *v.* op één klinker; **2** triller *m.*, loopje *o.*, coloratuur *v.*
vocaliser [vòkali'zé] **I** *v.i.* **1** zingen op één klinker; **2** trillers, enz. maken bij het zingen; **II** *v.t.* (*taalk.*) tot een klinker doen overgaan.
vocalisme [vòkalizm] *m.* vocaalstelsel *o.*
vocaliste [vòkalist] *m.* zanger, zangkunstenaar *m.*
vocatif [vòkatif] *m.* vocatief *m.*, naamval *m.* van de aangesproken persoon.
vocation [vòka'syõ] *f.* **1** roeping *v.*; **2** (bijzondere) aanleg *m.*; ***la — d'Abraham,*** de uitverkiezing van Abraham.
voceratrice [vòtʃératritʃe] *f.* klaagster *v.* bij een overledene (o. a. op Corsika).
vocero [votʃéro] *m.* Corsikaanse lijkzang *m.*
vociférations [vòsiféra'syõ] *f.pl.* geschreeuw, gehuil, gescheld *o.*
vociférer [vòsiféré] **I** *v.i.* schreeuwen, razen, tieren, schelden; **II** *v.t.* uitbrullen, uitbraken.
vodka [vòdka] *f.* wodka *m.*
vœu [vö] *m.* **1** gelofte *v.*; **2** wens *m.*; verlangen *o.*; ***prononcer ses —x,*** zijn geloften afleggen; ***faire — de,*** zich heilig voornemen om; ***mes meilleurs —x,*** mijn beste wensen.
vogue [vò'g] *f.* **1** zwang *m.*, mode *v.*(*m.*); **2** opgang *m.*, succes *o.*; **3** (*v. roeiboot*) vaart *v.*(*m.*); ***être en —,*** in zwang zijn; ***le livre en —,*** het boek van de dag; ***avoir la —,*** de toeloop hebben.
voguer [vògé] *v.i.* varen; ***— à pleines voiles,*** **1** alle zeilen bijhebben; **2** (*fig.*) flink opschieten; geluk hebben; ***vogue la galère!*** het ga zoals 't wil! laat er van komen wat wil!
voici [vwasi] *prép.* **1** ziehier; hier is, hier zijn; **2** (*bij het aangeven van iets*) alsjeblieft; ***en — bien d'une autre,*** weer wat nieuws; ***me —,*** hier ben ik; ***le livre que —,*** dit boek hier; ***— trois ans,*** nu drie jaar geleden.
voie [vwa] *f.* **1** weg *m.* **2** spoor *o.*; **3** spoorbaan *v.*(*m.*); **4** (*v. kar, of rijtuig*) spoorwijdte *v.*; **5** middel *o.*; **6** (*v. hout*) vracht *v.*(*m.*); ***— ferrée,*** spoorweg *m.*; ***— auxiliaire,*** (*v. spoorweg*) hulplijn *v.*(*m.*); ***— aérienne,*** (*vl.*) luchtlijn *v.*(*m.*); ***par la — des airs,*** per vliegtuig; ***par — de mer,*** over zee; ***par — de terre,*** over land; ***— publique,*** openbare weg; ***les —s respiratoires,*** de luchtwegen; ***les —s digestives,*** de spijsverteringskanalen *mv.*; ***— lactée,*** (*sterr.*) melkweg *m.*; ***— d'eau,*** (*sch.*) lek *o.*; ***chercher sa —,*** zijn weg zoeken, nog niet weten wat men wil; ***être en — de guérison,*** aan de beterhand zijn; ***être en — de préparation,*** in voorbereiding zijn; ***— d'évitement,*** rangeerspoor; ***— de formation,*** zijspoor; ***— de triage,*** wisselspoor; ***—s et moyens,*** wegen en middelen; ***—s de droit,*** rechtsmiddelen; ***—s de fait,*** feitelijkheden, geweld; ***être toujours par — et par chemin,*** altijd op de been zijn; ***mettre qn. sur la —,*** iem. op weg helpen; ***préparer les —s à qn.,*** iem. zijn taak vergemakkelijken.
voilà [vwala] *prép.* **1** ziedaar; daar is, daar zijn; **2** (*bij het aangeven van iets*) alsjeblieft; ***me —,*** daar ben ik; ***t'y —,*** nu ben je er achter; ***nous y —!*** nu zijn we er! ***— tout,*** dat is alles; ***— trois ans,*** het is nu drie jaar geleden; ***le —,*** daar is hij; ***le — qui vient,*** daar komt hij; ***— qui est fait,*** dat is afgedaan; ***en — assez,*** genoeg daarvan; ***en — une bonne!*** die is goed!
voilage [vwala:j] *m.* belegsel *o.* van doorzichtige stof.
voile [vwal] **I** *m.* **1** sluier *m.*; **2** (*v. joodse tempel*) voorhang *m.*; **3** (*fig.*) dekmantel *m.*; ***le — du palais,*** het zachte gehemelte; ***prendre le —,*** de sluier aannemen, in 't klooster gaan; ***tirer le — sur,*** met de mantel van de liefde bedekken; **II** *f.* **1** zeil *o.*; **2** zeilschip *o.*; ***mettre à la —,*** onder zeil gaan; ***faire —,*** zeilen; ***mettre toutes —s dehors,*** alle zeilen bijzetten; (*fig.*) ***il a du vent dans les —s,*** het gaat hem voor de wind.
voilé [vwalé] *adj.* **1** gesluierd (*ook v. foto*); **2** (*v. lucht*) betrokken, bedekt; **3** (*v. stem, enz.*) gedempt, dof; **4** (*v. wiel*) verbogen; **5** (*v. hout*) krom getrokken.
voiler [vwalé] **I** *v.t.* **1** sluieren; **2** (*v. licht*) bedekken; **3** (*v. schip*) van zeilen voorzien; **4** (*fig.: v. waarheid*) bemantelen, bewimpelen; **II** *v.pr.* ***se —,*** **1** zich sluieren; **2** (*v. lucht*) betrekken; **3** (*v. wiel*) verbogen worden; **4** (*v. hout*) krom trekken.
voilerie [vwalri] *f.* zeilmakerij *v.*
voilette [vwalèt] *f.* kleine sluier *m.*, voile *m.*
voilier [vwalyé] **I** *m.* **1** zeilmaker *m.*; **2** zeilschip *o.*, zeiler *m.*; **3** zeilvliegtuig *o.*; **4** (*v. vogel*) vlieger *m.*
voilure [vwalü:r] *f.* zeilwerk *o.*
voir* [vwa:r] **I** *v.t.* **1** zien; **2** bezoeken, omgaan met; **3** inzien, begrijpen; ***— un médecin,*** een dokter raadplegen; ***faire — qc.,*** iets tonen; ***il faudra —, c'est ce qu'il faudra —,*** dat staat nog te bezien; ***aller — qn.,*** iem. gaan bezoeken; ***— qc. d'un bon œil,*** iets met genoegen zien; ***— qc. d'un mauvais œil,*** iets niet gaarne zien, met weerzin aanzien; ***— noir,*** alles somber inzien; ***— rouge,*** woedend worden; ***— faux,*** een verkeerde kijk op iets hebben, iets verkeerd inzien; ***— juste,*** een juiste kijk op iets hebben; ***— de loin,*** ver vooruitzien; ***je le vois venir,*** ik doorzie hem, ik doorzie zijn bedoelingen; ***être bien*** (*ou* ***mal***) ***vu,*** goed (*of* slecht) aangeschreven staan; ***— tout en beau,*** alles van de gunstige kant bekijken; ***voyons!*** **1** laten we eens zien; **2** kom, kom; ***je n'y vois goutte,*** ik kan niets meer zien; ***je n'y vois que du feu,*** ik begrijp er geen steek van; ***il n'a rien à — là-dedans,*** hij heeft er niets mee te maken, hij heeft er zich niet mee te bemoeien; **II** *v.pr.* ***se —,*** **1** elkaar bezoeken, met elkaar omgaan; **2** te zien zijn; ***cela se voit souvent,*** dat ziet men dikwijls.
voire [vwa:r] *adv.* ja zelfs.
voirie [vwa'ri] *f.* **1** opzicht *o.* over de wegen; **2** wegennet *o.*; **3** asbelt *m. en v.*, vuilnisplaats *v.*(*m.*).
voisin(e) [vwazẽ (vwazin)] **I** *m.* (*f.*) buur, buurman *m.*; buurvrouw *v.*; **II** *adj.* **1** naburig; **2** (*v. perceel, enz.*) aangrenzend; **3** dicht bij; ***pays — de la Belgique,*** aan België grenzend land.

voisinage [vwazina:j] *m.* **1** buurt *v.(m.)*; **2** (*v. stad, enz.*) nabijheid *v.*; **3** nabuurschap *v.*; **4** buren *mv.*; ***nous n'avons pas de —,*** wij hebben geen buren; ***grand clocher mauvais —,*** met grote heren is 't kwaad kersen eten.
voisiner [vwaziné] *v.i.* **1** buren zijn; **2** buurschap houden, met de buren omgaan. [baar.
voiturable [vwatüra·bl] *adj.* met wagens berijd-
voiturage [vwatüra:j] *m.* vervoer *o.* per as.
voiture [vwatü:r] *f.* **1** rijtuig *o.*; **2** voertuig *o.*; **3** wagen *m.*, auto *m.*; **4** vracht *v.(m.)*, vervoer *o.*; ***— à bras,*** handkar *v.(m.)*; ***— d'enfant,*** kinderwagen; ***— motrice,*** motorwagen; ***— de remorque,*** aanhangwagen; ***— de place,*** stationerend huurrijtuig; ***— suspendue,*** rijtuig op veren; ***en —!*** instappen! ***changer de —,*** overstappen; ***les ouvriers de la —,*** de transportarbeiders; ***lettre de —,*** vrachtbrief *m.*
voiture*-école* [vwatü·rékòl] *f.* lesauto *m.*
voiture*-poste [vwatü·rpòst] *f.* (*v. trein*) postrijtuig *o.*
voiturer [vwatüré] *v.t.* (per as) vervoeren.
voiture*-radio [vwatü·rradyò] *f.* geluidswagen *m.*
voiture*-réclame [vwatü·rrékla:m] *f.* reclamewagen *m.* [ratiewagen *m.*
voiture*-restaurant* [vwatü·rrèstòrã] *f.* restau-
voiturette [vwatürèt] *f.* **1** kleine auto *m.*; **2** wagentje, rijtuigje *o.*; ***— à remorque latérale,*** zijspanwagen *m.*
voiturier [vwatüryé] **I** *m.* voerman, vrachtrijder *m.*; **II** *adj.*, ***entreprise voiturière,*** vervoeronderneming *v.*; ***route voiturière,*** karreweg *m.*
voiturin [vwatürẽ] *m.* huurkoetsier *m.*
voïvode [vòivò·d], **voïévode** [vòyévò·d] *m.* burgerlijk of militair hoogwaardigheidsbekleder *m.* in de Balkan en Polen.
voïvodie [vòivòdi], **voïévodie** [vòyévòdi] *f.* bewind *o.* van een voïvode.
voix [vwa] *f.* **1** stem *v.(m.)*; **2** uitspraak *v.(m.)*, mening *v.*; **3** (*gram.*) vorm *m.*; ***— passive,*** lijdende vorm; ***la — publique,*** de openbare mening; ***mettre aux —,*** in stemming brengen; ***à — basse,*** zachtjes, fluisterend; ***à haute —,*** luid, hardop; ***aller aux —,*** tot stemming overgaan; ***donner de la —,*** (*v. jachthond*) aanslaan; ***chanter à pleine —, donner toute sa —,*** uit volle borst zingen; ***il n'y a qu'une — sur son compte,*** er is maar één roep over hem; ***à deux —,*** (*muz.*) tweestemmig; ***de vive —,*** mondeling; ***être en —,*** bij stem zijn; ***sans —,*** sprakeloos; ***faire la grosse —,*** dreigen, opspelen.
vol [vòl] *m.* **1** (het) vliegen *o.*, vlucht *v.(m.)*; **2** vlucht *v.(m.)*, zwerm *m.*; **3** diefstal, roof *m.*; **4** (het) gestolene *o.*; ***à — d'oiseau,*** in vogelvlucht; ***de haut —,*** **1** (*v. vogel*) hoogvliegend; **2** (*fig.*) voornaam; eersterangs—; ***prendre son —,*** **1** opvliegen, wegvliegen; **2** (*vl.*) opstijgen; ***— à voile,*** zweefvlucht *v.(m.)*, (het) zweefvliegen *o.*; ***— plané,*** zweefvlucht *v.(m.)* (bij het dalen); ***— arrêté,*** vlucht met stopgezette motor; ***— en piqué,*** duikvlucht; ***— de reconnaissance,*** verkenning(svlucht); ***prendre au —,*** in de vlucht grijpen; ***— à la tire,*** zakkenrollerij *v.*; ***— à main armée,*** struikroverij *v.*; ***— qualifié,*** diefstal met verzwarende omstandigheden; ***— à l'étalage,*** winkeldiefstal *m.* [vastig.
volage [vòla:j] *adj.* **1** wispelturig; **2** onstand-
volaille [vòla:y] *f.* **1** gevogelte *o.*; **2** hoen *o.*, vogel *m.* (om te eten).
volant [vòlã] **I** *adj.* **1** vliegend; **2** los, beweeglijk; ***feuille —e,*** los blad *o.*; ***pont —,*** gierpont *v.(m.)*; ***échafaudage —,*** hangende steiger *m.*; **II** *s. m.* **1** (*v. machine*) vliegwiel *o.*; **2** (*v. auto*) stuur *o.*; **3** (*v. windmolen*) wiek, molenwiek *v.(m.)*; **4** (*speelgoed*) pluimbal *m.*; **5** (*v. klok*) galmende slag *m.*; **6** (*aan rok*) strook *v.(m.)*, volant *m.*; ***être au —,*** (*v. auto*) aan 't stuur zitten, chaufferen; ***jouer au —,*** raketten; ***— de direction,*** stuur *o.* (van auto).
volatil [vòlatil] *adj.* vluchtig; ***sel —,*** vlugzout *o.*
volatile [vòlatil] *m.* vogel *m.*; gevleugeld dier *o.*
volatilisable [vòlatiliza·bl] *adj.* vluchtig.
volatilisation [vòlatiliza·syõ] *f.* verdamping *v.*
volatiliser [vòlatili·zé] **I** *v.t.* verdampen; **II** *v.pr.*, ***se —,*** **1** vervliegen, vervluchtigen; **2** (*fig.*: *fam.*) gaan vliegen.
volatilité [vòlatilité] *f.* vluchtigheid *v.*
volatille [vòlati·y] *f.* klein gevogelte *o.*
vol-au-vent [vòlovã] *m.* vis—, vleespastei *v.(m.)*, vol-au-vent *m.*
volcan [vòlkã] *m.* vulkaan, vuurspuwende berg *m.*
volcanique [vòlkanik] *adj.* vulkanisch, vuurspuwend.
volcanisé [vòlkani·zé] *adj.* van vulkanische aard.
volcanisme [vòlkanizm] *m.* vulkanisme *o.*
volcanite [vòlkanit] *f.* vulkaniet *o.*
vole [vòl] *f.*, (*in omber- of quadrillespel*) vole *v.*, (het) halen *o.* van al de slagen; ***faire la —,*** groot slem maken.
volée [vòlé] *f.* **1** vlucht *v.(m.)*, (het) vliegen *o.*; **2** vlucht *v.(m.)*, zwerm *m.*; **3** (*v. schoten*) salvo *o.*; **4** pak *o.* slaag; **5** (*v. klok*) slingering *v.*; **6** (*v. rijtuig*) evenaar *m.*; ***fermer la porte à la —,*** de deur dichtsmijten; ***saisir à la —,*** in de vlucht grijpen; ***sonner à toute —,*** uit alle macht luiden; ***prendre sa —,*** **1** wegvliegen; **2** (*fig.*) de vleugels uitslaan; ***la haute —,*** de grote wereld.
voler [vòlé] **I** *v.i.* vliegen, snel lopen, enz.; ***— en éclats,*** uit elkaar springen; ***faire — de la poussière,*** stof opjagen; ***— de ses propres ailes,*** op eigen wieken drijven; **II** *v.t.* **1** stelen, ontstelen; **2** bestelen; (*fig.*) ***il ne l'a pas volé,*** dat heeft hij verdiend; ***bien volé ne profite jamais,*** gestolen goed gedijt niet.
volereau [vòlro] *m.* diefje *o.*
volerie [vòlri] *f.* **1** dieverij *v.*; **2** diefstal *m.*
volet [vòlè] *m.* **1** luik, vensterblind *o.*; **2** (*kath.*) kelkdeksel *o.*; **3** (*voor zaad, enz.*) sorteerplankje *o.*; **4** (*v. waterrad*) schepbord *o.*; **5** (*sch.*) draagbaar kompas *o.*
voleter* [vòlté] *v.i.* fladderen.
volettement [vòlètmã] *m.* gefladder *o.*
voleur [vòlœ:r] *m.*, **voleuse** [vòlö:z] *f.* dief *m.*, dievegge *v.*; ***— de grand(s) chemin(s),*** straatrover, struikrover *m.*; ***au —!*** houdt de dief! ***venir comme un —,*** als een dief in de nacht komen aansluipen.
Volga [vòlga] *m.* Wolga *v.*
Volhynie [vòlini] *f.* Wolhynië *o.*
volière [vòlyè:r] *f.* grote vogelkooi *v.(m.)*.
volige [vòli:j] *f.* panlat *v.(m.)*.
volitif [vòlitif] *adj.* van de wil.
volition [vòlisyõ] *f.* wilsuiting *v.*
volontaire [vòlõ·tè:r] **I** *adj.* **1** vrijwillig; **2** willekeurig; **3** (*v. karakter*) eigenzinnig; ***incendie —,*** brandstichting *v.*; **II** *s. m.* vrijwilliger *m.*
volontairement [vòlõ·tè·rmã] *adv.* vrijwillig.
volontariat [vòlõ·tarya] *m.* vrijwillige dienst *m.*
volonté [vòlõ·té] *f.* **1** wil *m.*; **2** wilskracht *v.(m.)*; ***bonne —,*** goede wil; ***mauvaise —,*** kwaadwilligheid *v.*; ***dernières —s,*** uiterste wilsbeschikking *v.*; ***faire ses quatre —s,*** zijn eigen zin volgen; ***faire les quatre —s de qn.,*** iemands nukken involgen; ***à —,*** **1** naar believen, naar welgevallen; **2** naar verkiezing.

volontiers [vòlõ'tyé] *adv.* **1** gaarne, graag; **2** licht, gemakkelijk; ***on croirait — que,*** men zou licht geloven dat; ***plus —,*** liever; ***le plus —,*** het liefst.
volt [vòlt] *m.* (*el.*) volt *m.*
voltage [vòlta:j] *m.* (*el.*) spanning *v.*, voltage [*v. en o.*
voltaïque [vòltaik] *adj.* Oppervoltanees, uit Opper-Volta.
voltaire [vòltè:r] *m.* hoge leuningstoel *m.*
voltairianisme [vòltè'ryanizm] *m.* richting *v.* van Voltaire.
voltairien [vòltè'ryẽ] **I** *adj.* Voltairiaans, (als) van Voltaire; **II** *s. m.* aanhanger *m.* van Voltaire.
voltamètre [vòltamè'tr] *m.* voltameter *m.*
voltampère [vòltã'pè:r] *m.* (*el.*) voltampère *m.*; (*bij gelijkstroom* =) watt *m.*
volte [vòlt] *f.* **1** (*bij paardrijden*) volte *v.*(*m.*), kringwending *v.*; **2** (*bij schermen*) (het) snel van plaats veranderen *o.*, zwenking *v.* (om te pareren).
volte-face [vòltefas] *f.* **1** halve draai *m.*; **2** (*fig.*: *in politiek, enz.*) ommekeer *m.*; ***faire —,*** **1** rechtsomkeert maken; **2** (*fig.*) omdraaien, van mening veranderen. [wijken.
volter [vòlté] *v.i.* **1** zwenken; **2** (*bij schermen*) uit-
voltige [vòlti:j] *f.* **1** slappe koord *o.* (van kunstenmakers); **2** oefening *v.* op het slappe koord; **3** kunsten *mv.* op het paard; ***— au trapèze,*** trapezekunst *v.*
voltigement [vòlti'jmã] *m.* **1** (het) voltigeren *o.*; **2** (het) fladderen *o.*
voltiger [vòltijé] *v.i.* **1** voltigeren, kunsten maken te paard; **2** op het slappe koord werken; **3** fladderen.
voltigeur [vòltijœ:r] *m.* **1** koorddanser *m.*, kunstenaar *m.* op het slappe koord; **2** (*mil.*) soldaat: tirailleur *m.* [ter *m.*
voltmètre [vòltmè'tr] *m.* voltmeter, galvanome-
volubile [vòlübil] *adj.* slinger—; ***plante —,*** slingerplant *v.*(*m.*). [*v.*(*m.*).
volubilis [vòlübilis] *m.* (*Pl.*) winde, klokjeswinde
volubilité [vòlübilité] *f.* **1** radheid *v.* van tong; bespraaktheid; **2** beweeglijkheid; vlugheid *v.* van wenden.
volume [vòlüm] *m.* **1** boekdeel *o.*; **2** inhoud *m.*, grootte *v.*; **3** (*meetk.*: *v. stem*) omvang *m.*; ***prendre du —,*** in omvang toenemen.
volumineux [vòlüminö] *adj.* **1** omvangrijk; **2** (*v. boek*) lijvig; **3** uit veel boekdelen bestaand.
volupté [vòlüpté] *f.* **1** wellust *m.*; **2** genot *o.*
voluptuaire [vòlüptwè:r] *adj.* weelde—; ***dépense —,*** (*recht*) weelde-uitgave, uitgave *v.*(*m.*) voor weelde. [lustig; **2** wulps.
voluptueusement [vòlüptwö'zmã] *adv.* **1** wel-
voluptueux [vòlüptwö] **I** *adj.* **1** wellustig; **2** wulps; **II** *s. m.* wellusteling *m.*
volute [vòlüt] *f.* **1** (*Dk.*) rolschelp *v.*(*m.*); **2** (*bouwk.*) krul *v.*(*m.*).
voluter [vòlüté] *v.i.* spiralen vormen.
volutier [vòlütyé] *m.* rolslak *v.*(*m.*).
volvarion [vòlvaryõ] *m.* kogeldiertje *o.*
volve [vòlv] *f.* **1** eivlies *o.*; **2** (*v. paddestoelen*) beurs *v.*(*m.*).
vomer [vòmè:r] *m.* **1** ploegschaarbeen *o.*; **2** (*Dk.*) klompvis *m.*
vomi [vòmi] *m.* **1** (het) braken *o.*; **2** braaksel *o.*
vomique [vo'mik] *adj.*, ***noix —,*** braaknoot *v.*(*m.*).
vomiquier [vo'mikyé] *m.* braaknoteboom *m.*
vomir [vo'mi:r] **I** *v.t.* **1** overgeven, braken; **2** uitbraken; ***— des injures,*** scheldwoorden uitbraken; ***— feu et flammes,*** vuur en vlam spuwen; **II** *v.i.* overgeven, braken; ***envie de —,*** misselijkheid *v.*
vomissement [vo'mismã] *m.* **1** (het) braken *o.*, braking *v.*; **2** braaksel *o.*
vomissure [vo'misü:r] *f.* braaksel *o.*
vomitif [vo'mitif] **I** *adj.* braking verwekkend; **II** *s. m.* braakmiddel *o.*
vomiturition [vo'mitürisyõ] *f.* **1** misselijkheid, neiging tot braken; loze braking *v.*; **2** (het) herhaald opgeven *o.*
vorace [vòras] *adj.* vraatzuchtig.
voracité [vòrasité] *f.* vraatzucht *v.*(*m.*).
vorticelle [vòrtisèl] *f.* infusiediertje *o.*
vos [vo] *pron.poss.*, (*mv. van* ***votre***) uw, uwe; jouw, jullie.
Vosges [vo:j] *m.pl.* Vogezen *mv.*
vosgien [vo:jyẽ] **I** *adj.* uit de Vogezen; **II** ***V—,*** *s. m.* bewoner *m.* van de Vogezen.
votant [vòtã] **I** *adj.* stemmend; stemgerechtigd; **II** *s. m.* stemmer *m.*
votation [vòta'syõ] *f.* stemming *v.*
vote [vòt] *m.* **1** stem *v.*(*m.*); **2** stemming *v.*; ***bulletin de —,*** stembriefje *o.*; ***le — des femmes,*** het vrouwenkiesrecht *o.*; ***donner son —,*** stemmen, zijn stem uitbrengen.
voter [vòté] **I** *v.i.* stemmen, zijn stem uitbrengen; **II** *v.t.* **1** (*v. wet*) aannemen; **2** (*v. krediet*) toestaan.
votif [vòtif] *adj.* volgens gelofte; ***messe votive,*** votiefmis *v.*(*m.*).
votre [vòtr] *pron. poss.* uw; jouw, jullie.
vôtre [vo:tr] *pron.poss.*, ***le —, la —, les —s,*** de uwe, het uwe; de uwe, de uwen; ***vous y avez mis du —,*** **1** u hebt er wat persoonlijks ingelegd; **2** je hebt er wat bij gefantaseerd; ***je suis des —s,*** **1** ik behoor tot uw partij; **2** ik doe mee, ik zal van de partij zijn; ***tout —,*** geheel de uwe.
vouer [vwé] **I** *v.t.* wijden, toewijden; ***— une haine éternelle à qn.,*** iem. een eeuwige haat zweren; **II** *v.pr.* ***se —,*** zich wijden; ***ne savoir à quel saint se —,*** geen raad meer weten.
vouge [vu:j] *m.* snoeimes *o.*
vouloir* [vulwa:r] **I** *v.t.* willen; ***— du bien à qn.,*** het goed met iem. menen; iem. goed gezind zijn; ***en — à qn.,*** **1** iem. iets kwalijk nemen; **2** boos zijn op iem.; ***que voulez-vous ?*** wat wilt u er aan doen ! ***qu'est-ce que cela veut dire ?*** wat betekent dat ? ***Dieu le veuille !*** God geve het ! ***que me veut-il ?*** wat moet hij van mij hebben ? ***je veux bien,*** 't is goed, dat neem ik aan; ***je n'en veux pas,*** ik wil het niet hebben; ***s'en — de qc.,*** zich iets verwijten, spijt over iets gevoelen; **II** *s. m.* wil *m.*; ***bon —,*** goede wil; ***mauvais —,*** boos opzet.
voulu [vulü] *adj.* gewild, gewenst.
vous [vu] *pron.pers.* gij, u; jij, jullie; ***— autres,*** jullie (in tegenstelling met: wij); ***de — à moi,*** onder ons; ***votre livre à —,*** uw eigen boek.
vousseau [vuso], **voussoir** [vuswa:r] *m.* (*bouwk.*) gewelfsteen *m.*
voussoyer [vuswayé], *voir* ***vouvoyer.***
voussure [vusü:r] *f.* welving *v.*
voûte [vut] *f.* gewelf *o.*
voûté [vuté] *adj.* **1** gewelf; **2** krom, gebogen; ***être —,*** een kromme rug hebben; ***dos —,*** hoge rug *m.*
voûter [vuté] **I** *v.t.* overwelven; **II** *v.pr.* ***se —,*** **1** zich welven; **2** krom worden, zich krommen.
vouvoyer [vuvwayé] *v.t.* met ***vous*** aanspreken.
voyage [vwaya:j] *m.* **1** reis *v.*(*m.*); **2** tocht *m.*; **3** reisbeschrijving *v.*; ***partir*** (*ou* ***aller***) ***en —,*** op reis gaan; ***— d'agrément,*** plezierreis.
voyager [vwayajé] *v.i.* reizen; ***qui veut — loin, ménage sa monture,*** zachtjes aan, dan breekt het lijntje niet.
voyageur [vwayajœ:r] **I** *m.* **1** reiziger *m.*; **2** (*v. trein*) passagier *m.*; ***train de —s,*** passagierstrein; ***— de commerce,*** handelsreiziger; **II** *adj.* **1** reis—;

2 reislustig; ***commis* —**, handelsreiziger; ***oiseau* —**, trekvogel *m.*; ***pigeon* —**, postduif *v.(m.)*.
voyant [vwayã] **I** *adj.* **1** (*v. kleren*) opzichtig; **2** (*v. kleur*) hel; **3** (*v. persoonlijkheid*) opvallend; **II** *s. m.* **1** ziener *m.*; **2** (*v. landmeter*) kijkbordje *o.*
voyelle [vwayèl] *f.* klinker *m.*
voyer [vwayé] **I** *m.* opzichter van wegen; rooimeester *m.*; **II** *adj.* weg—; ***agent* —**, opzichter van wegen.
voyou [vwayu] *m.* **1** straatjongen *m.*; **2** straatslijper *m.*; **3** ploert *m.*
voyoucratie [vwayukrasi] *f.* rapaille *o.*
vrac [vrak] *m.*, ***en* —**, los, onverpakt; ***marchandises en* —**, stortgoederen *mv.*; ***charger en* —**, (*sch.*) met stortgoederen laden.
vrai [vrè] **I** *adj.* **1** waar; **2** echt; **—?** heus? ***pas* —?** niet waar? ***pas* —!** dat is niet mogelijk; ***il est* —**, weliswaar; **II** *s. m.* (het) ware *o.*; waarheid *v.*; ***dire* —**, de waarheid zeggen; ***à* — *dire***, eerlijk gezegd; ***être dans le* —**, het bij 't rechte eind hebben.
vraiment [vrèmã] *adv.* waarlijk, werkelijk.
vraisemblable(ment) [vrèsã'bla'bl(emã)] *adj.* (*adv.*) waarschijnlijk. [*v.*
vraisemblance [vrèsã'blã:s] *f.* waarschijnlijkheid
vrille [vri'y] *f.* **1** fretboor *v.(m.)*; **2** (*Pl.*) hechtrankje *o.*; ***en* —**, spiraalvormig; ***des yeux en* —**, doordringende oogjes; ***escalier en* —**, wenteltrap *m.*; ***descendre en* —**, (*vl.*) in spiraal neerdalen.
vrillée [vri'yé] *f.* (*Pl.*) akkerwinde *v.(m.)*.
vriller [vri'yé] **I** *v.t.* doorboren; **II** *v.i.* (*vl.*) in spiraal opstijgen. [*v.(m.)*.
vrillette [vriyèt] *f.* (*Dk.*) boorkever *m.*, kloptor
vrillon [vriyõ] *m.* boortje *o.*, kleine boor *v.(m.)*.
vrombir [vrõ'bi:r] *v.i.* **1** (*v. insekt*) gonzen; **2** (*v. motor*) ronken. [gezoem *o.*
vrombissement [vrõ'bismã] *m.* geronk *o.*;
vu [vü] **I** *adj.* gezien; ***être bien* —**, in aanzien zijn, geacht worden; ***être mal* —**, niet gaarne gezien worden; slecht aangeschreven staan; ***ni* — *ni connu***, daar kraait geen haan naar; **II** *prép.* gezien, gelet op, met het oog op; **III** *conj.*, **— *que***, aangezien; **IV** *s. m.* **1** (het) zien *o.*, inzage *v.(m.)*; **2** (*recht: v. vonnis*) beweegreden, considerans *v.(m.)*; ***au* — *et au su de tout le monde***, in het openbaar.
vue [vü] *f.* **1** gezicht, gezichtsvermogen *o.*; **2** uitzicht, vergezicht *o.*; **3** blik *m.*; **4** aanblik *m.*; **5** plan *o.*, bedoeling *v.*, voornemen *o.*; ***avoir* — *sur***, uitzien op; ***avoir la* — *basse***, **1** bijziend zijn; **2** (*fig.*) kortzichtig zijn; ***avoir la* — *longue***, vèrziend zijn; ***connaître de* —**, van aanzien kennen; ***donner dans la* —**, (*fig.*) bekoren, in 't oog vallen; ***à* — *d'œil***, zienderogen, zichtbaar; ***à perte de* —**, zo ver het oog reikt; ***en* — *de***, **1** met het oog op; **2** ten aanschouwen van; ***perdre de* —**, uit het oog verliezen; ***traite à* —**, (*H.*) zichtwissel *m.*; ***payable à* —**, (*H.*) betaalbaar op zicht; ***à huit jours de* —**, (*H.*) met acht dagen zicht; ***garder à* —**, in 't oog houden, streng bewaken; ***avoir en* —**, op het oog hebben, beogen; ***être en* —**, **1** zichtbaar zijn, in 't oog vallen; **2** (*fig.*) een vooraanstaande positie bekleden; ***un homme en* —**, een voornaam (*of* vooraanstaand) man; ***jouer à* —**, (*muz.*) van het blad spelen; ***le don de double* —**, de gave van helderziendheid; ***la* — *ne coûte rien***, kijken kost niets.
Vulcain [vülkẽ] *m.* Vulkanus *m.*
vulcanien [vülkanyẽ] *adj.* vulkanisch.
vulcanisation [vülkaniza'syõ] *f.* vulcanisatie *v.*
vulcaniser [vülkani'zé] *v.t.* vulcaniseren, met zwavel doordringen.
vulcanisme [vülkanizm] *m.* vulkanisme *o.*, leer *v.(m.)* volgens welke de aarde is ontstaan uit een gloeiende massa.
vulcanite [vülkanit] *f.* eboniet *o.*
vulgaire [vülgè:r] **I** *adj.* **1** gewoon; **2** alledaags; **3** gemeen, laag, plat; ***langue* —**, volkstaal *v.(m.)*; ***l'ère* —**, de gewone tijdrekening; **II** *s. m.* **1** (het) volk, (het) gemeen *o.*; **2** (de) grote hoop *m.*
vulgairement [vülgè'rmã] *adv.* gemeen, plat, vulgair; ***comme on dit* —**, zoals men dat gemeenzaam uitdrukt.
vulgarisateur [vülgarizatœ:r] *m.* populair schrijver over wetenschappelijke onderwerpen, vulgarisator *m.*
vulgarisation [vülgariza'syõ] *f.* vulgarisatie, verbreiding *v.* (van denkbeelden, wetenschap) onder het volk.
vulgariser [vülgari'zé] *v.t.* verbreiden, voor het volk verstaanbaar maken.
vulgarité [vülgarité] *f.* alledaagsheid; platheid, gemeenheid *v.*
vulgate [vülgat] *f.* Vulgaat *v.(m.)*, latijnse vertaling *v.* van de H. Schrift.
vulnérabilité [vülnérabilité] *f.* kwetsbaarheid *v.*
vulnérable [vülnéra'bl] *adj.* kwetsbaar.
vulnéraire [vülnérè:r] **I** *adj.* wondhelend; ***plante* —**, wondkruid *o.*; **II** *s. f.* (*Pl.*) wondkruid *o.*; **III** *s. m.* wondzalf *v(m.)*.
vulnération [vülnéra'syõ] *f.* operatiewond *v.(m.)*.
vulpin [vülpẽ] **I** *adj.* vosachtig; **II** *s. m.* (*Pl.*) vossestaart *m.*
vultueux [vültẅö] *adj.* rood gezwollen.
Vyve-Saint-Bavon Sint-Baafs-Vijve *o.*
Vyve-Saint-Éloi Sint-Eloois-Vijve *o.*

W

W [dubl(e)vé] *m.*, w *v.(m.)*.
Wagner [vagnè:r] *m.* Wagner *m.*
Wagnérien [vagnéryẽ] **I** *m.* Wagneriaan *m.*; **II** *adj.*, ***w*—**, Wagneriaans.
Wagnérisme [vagnérizm] *m.* systeem *o.* van Wagner.
Wagnériste [vagnérist] *m.* Wagneriaan *m.*
wagon [vagõ] *m.* spoorwagen, wagon *m.*; **— *à bascule***, kipwagen; **— *à bestiaux***, beestenwagen; **— *charbonnier***, kolenwagen; **— *à marchandises***, goederenwagen; **— *frigorifique***, koelwagen.
wagon*-citerne* [vagõsitèrn] *m.* tankwagen *m.*
wagon*-couloir* [vagõkulwa:r] *m.* wagen *m.* van een D-trein. [portwagen *m.*
wagon*-écurie* [vagõéküri] *f.* paardentrans-
wagon*-frein* [vagõfrẽ] *m.* remwagen *m.*
wagon*-grue* [vagõgrü] *m.* kraanwagen *m.*
wagon*-lit* [vagõli] *m.* slaapwagen *m.*
wagonnet [vagõnè] *m.* wagentje *o.*, zandwagen *m.* op rails; **— *basculant***, kipwagentje *o.*; **— *d'inspection***, lorrie *v.* [der *m.*
wagonnier [vagònyé] *m.* wagenvoerder; rangeer-
wagon*-poste [vagõpòst] *m.* postwagen *m.*
wagon*-réservoir* [vagõrézèrvwa:r] *m.* tankwagen *m.*

wagon*-restaurant* [vagõrèstòrã] *m.* restauratiewagen *m.*
wagon*-salon* [vagõsalõ] *m.* salonrijtuig *o.*
Wahal [vaal] *m.* Waal *v.*
walkyrie, valkyrie [valkiri] *f.* Walkure *v.*
wallace [valas] *f.*, (***fontaine* —**), openbare drinkfontein *v.*(*m.*). [Waals.
Wallon [walõ] *m.* **I** *m.* Waal *m.*; **II** *adj.*, ***w*—,**
Wallonie [walòni] *f.* Wallonië *o.*
Wamont [wamõ] Waasmont *o.*
wapiti [wapiti] *m.* wapitihert *o.*
Waremme [warèm] *m.* Borgworm *o.*
Warneton [warntõ] Waasten *o.*
warrant [warã, varã] *m.* (*H.*) ceel, pakhuisceel *v.*(*m.*) *en o.*, warrant *v.*
warranté [warã'té, varã'té] *adj.* door een warrant gedekt. [dekken.
warranter [warã'té, varã'té] *v.t.* door een warrant
Warsage [warsa:j] *m.* Weerst *o.*
water-ballast* [watèrbalast] *m.* ballasttank *m.*
water-closet* [watèrklòzèt] *m.* watercloset *o.*
wateringue [vatrẽ:g] *f.* afwatering *v.*; waterschap *o.*
Watermael-Boitsfort Watermaal-Bosvoorde *o.*
waterproof [watœ'rpruf] *m.* (waterdichte) regenmantel *m.*
watt [wat] *m.* (*el.*) watt *m.*
wattheure [watœ:r] *m.* (*el.*) wattuur *o.*
wattman [watman] *m.* (*pl.*: ***wattmen***) wagenbestuurder *m.* (v. elektrische tram).
wattmètre [watmè'tr] *m.* (*el.*) wattmeter *m.*
Wauthier-Braine [wo'tyébrèn] *m.* Woutersbrakel *o.*
Wavre [wa:vr] *m.* Waver *o.*
Wavre-Notre-Dame [wa:vr(e)nòtr(e)dam] *m.* Onze-Lieve-Vrouw-Waver *o.*
Wavre-Sainte-Catherine [wa:vr(e)sẽ'tkatrin] *m.* Sint-Katelijne-Waver *o.*
weber [vébè:r] *m.* (*tn.*) weber *m.*, praktische eenheid van magnetische flux.
week-end* [wikènd] *m.* weekeinde, weekend *o.*
Weert-Saint-Georges [wèrtsẽ'jòrj] *m.* Sint-Joris-Weert *o.*
we(h)rgeld [wé'rgèld] *m.* (*gesch.*) overeenkomst *v.* tussen een schuldige en (de ouders van) zijn slachtoffer.
West-Frise [wèstfri'z] *f.* West-Friesland *o.*
Westphalie [wès(t)fali] *f.* Westfalen *o.*; ***traité de* —**, vrede van Munster, Westfaalse vrede *m. en v.*
Westphalien [wès(t)falyẽ] **I** *m.* Westfaler *m.*; **II** *adj.*, ***w*—,** Westfaals.
wharf [warf] *m.* laad-en-lospier *m.*
whisky [wiski] *m.* whisky *m.*
whist [wist] *m.* whist *o.*
whister [wisté] *v.i.* whisten.
whisteur [wistœ:r] *m.* whistspeler *m.*
wigwam [wigwam] *m.* wigwam *m.*
Wihogne [wihò'ñ] Nudorp *o.*
Wilhelmine [vilèlmin] *f.* Wilhelmina *v.*
Winghe-Saint-Georges [wiñesẽ'jòrj] *m.* Sint-Joris-Winge *o.*
Winkel-Sainte-Croix [wiñkèlsẽ'tkrwa] *m.* Sint-Kruis-Winkel *o.*
Winkel-Saint-Eloi [wiñkèlsẽ'telwa] *m.* Sint-Eloois-Winkel *o.*
Wisigoths [visigo] *m.pl.* West-Goten *mv.*
Wissembourg [visã'bu:r] *m.* Weissenburg *o.*
wolfram [vòlfram] *m.* wolfra(a)m *o.* [luwe *o.*
Woluwe-Saint-Lambert Sint-Lambrechts-Wo-
Woluwe-Saint-Pierre Sint-Pieters-Woluwe *o.*
Wurtemberg [vürtã'bè:r] *m.* Wurtemberg *o.*
Wurtembergeois [vürtã'bèrjwa] **I** *m.* Wurtemberger *m.*; **II** *adj.*, ***w*—,** Wurtembergs.
wurtzbourgeois [vürtsburjwa] *adj.* Würzburger.
wyandotte [wyã'dòt] *f.* wyandotte *v.*(*m.*), zwaar kipperas.

X

X [iks] *m.* x (de letter x) *v.*(*m.*); krukje *o.*; ***jambes en* —,** X-benen; ***rayons* —,** X-stralen.
Xanthippe [[gzã'tip] *f.* **1** Xantippe *v.*; **2** (*fig.*) helleveeg *v.*
Xavier [gzavyé] *m.* Xaverius *m.*
xénomane [ksénòman] *adj.* bijzonder ingenomen met al wat uit het buitenland komt.
xénomanie [ksénòmani] *f.* bijzondere voorliefde *v.* voor 't buitenland.
xénon [ksénõ] *m.* xenon *o.*, in zeer geringe hoeveelheid in de lucht voorkomend edelgas.
xénophilie [ksénòfili] *f.* voorliefde *v.* voor vreemdelingen.
xénophobe [ksénòfò'b] *m.* vreemdelingenhater *m.*
xénophobie [ksénòfòbi] *f.* vreemdelingenhaat *m.*
Xénophon [ksénòfõ] *m.* Xenophon *m.* [*v.*(*m.*).
xéranthème [ksérã'tè:m] *m.* (*Pl.*) strobloem
xérasie [ksérazi] *f.* (het) uitdrogen *o.* van het haar.
Xérès [ksérè:s] *m.* Jeres *m.*; sherry *m.*
xérophtalmie [kséròftalmi] *f.* (*gen.*) droge oogontsteking *v.*
xérus [ksérüs] *m.* palmeekhoorn *m.*
Xerxès [gzèrksè:s] *m.* Xerxes *m.*
xiphias [ksifya:s] *m.* zwaardvis *m.*
xiphoïde [ksifòi'd] *adj.* zwaardvormig.
xylène [ksilè:n] *m.* xyleen, xylol *o.*, dimethylbenzeen. [veur *m.*
xylographe [ksilògraf] *m.* houtsnijder, houtgra-
xylographie [ksilògrafi] *f.* houtsnijkunst *v.*
xylol [ksilòl] *m.* xylol *o.*, dimethylbenzeen.
xylolithe [ksilòlit] *f.* xyloliet *o.*, houtsteen *o. en m.* [houtworm *m.*
xylophage [ksilòfa:j] **I** *adj.* houtetend; **II** *s. m.*
xylophone [ksilòfòn] *m.* xylofoon *m.*

Y [igrèk] *m.* y (de letter y) *v.*(*m.*).
y [i] *adv. et pron.* er, daar; erheen, ernaartoe; eraan, erop, erover, ertoe, enz.; ***il* — *a*,** er is, er zijn; geleden; ***il* — *a trois semaines*,** drie weken geleden; ***ça* — *est!*** daar heb je het! ***j'*— *suis*,** ik heb het begrepen; ***allez-*—,** ga je gang.
yacht [yak, yòt] *m.* (*sch.*) jacht *o.*; **— *de plaisance*,** plezierjacht.

yachting [yòtẽ(:g)] *m.* zeilsport *v.(m.)*.
yachtman [yòtman] *m.* zeiler *m.*; ***casquette de —,*** zeilpet *v.(m.)*. 1
ya(c)k [yak] *m.* jak *m.* (buffel in Thibet).
yankee [yã˙ki] **I** *m.* Yankee, Amerikaan *m.*; **II** *adj.*, ***y—,*** Amerikaans.
yaourt [yaurt] *m.* yoghurt *m.*
yard [yard] *m.* yard *m.* (Engelse maat). [sabel *m.*
yatagan [yatagã] *m.* jatagan *m.*, kromme Turkse
yearling [yoerlẽ˙(g)] *m.* één jaar oud raspaard *o.*
yèble [yè˙bl] *f.* wilde vlier *m.*
yéménite [yéménit] *adj.* Jemenitisch, uit Jemen.
yen [yèn] *m.* yen *m.*, Japanse munt (100 sen).
yeuse [yö:z] *f.* groene eik, steeneik *m.*
yeux [yö], *voir* ***œil.***
yiddish [yidiʃ] *m.* jiddisch *o.*
ylang-ylang, ilang-ilang [ilañilañ] *m.* ilang-ilang *o.*, reukwater van Filippijnse orchidee.
yod [yòd] *m.* jod *v.*
yog(h)i [yogi] *m.* Hindoes asceet *m.*
yog(h)ourt [yògurt] *m.* yoghurt *m.*
yole [yòl] *f.* jol *v.(m.)*.
yoleur [yòlœ:r] *m.* jolleman *m.*
Yougoslave [yugòsla:v] **I** *m.* Joegoslaviër *m.*; **II** *adj.*, ***y—,*** Yoegoslavisch.
Yougoslavie [yugòslavi] *f.* Joego-Slavië *o.*
youler [yulé] *v.i.* jodelen.
youpin [yupẽ], **youtre** [yu:tr] *m.* (*ong.*) smous, jood *m.*
youtrerie [yutreri] *f.* (*ong.*) jodenstreek *m. en v.*; woekerhandel *m.*
youyou [yuyu] *m.* (lichte) roeiboot, Chinese rivierboot *m. en v.*
yo-yo [yoyo] *m.* jojo *m.*
ypérite [ipérit] *f.* yperiet, mosterdgas *o.*
Yperlée [ipèrlé] *m.* Ieperlee *m.*
yponomeute [ipònòmö:t] *f.* schubvleugelig insekt.
ypréau [ipréo] *m.* (*Pl.*) witte populier *m.*
Ypres [ipr] *m.* Ieper *o.*
yprois [iprwa] *adj.* Iepers.
yquem [ikèm] *m.* bep. witte wijn *m.* (Château d'Y-quem).
Yser [izè:r] *m.* IJzer *m.*
Yseult [izö] *f.* Isolde *v.*
ysopet [isòpè] *m.* (fabel)verzameling *v.*
Yssel [isèl] *m.* IJsel *m.*
yttrium [itriòm] *m.* yttrium *o.*, zeldzaam aardmetaal. [*v.(m.)*.
yucca [yuk(k)a] *m.* (*Pl.*) yuca *m.*, adamsnaald
Yves [i:v] *m.* Ivo *m.*
Yvetot [i˙vto] *m.* Yvetot *m.*
Yvette [ivèt] *f.* Yvonne *v.*
Yvon [ivõ] *m.* Ivo *m.*
Yvonne [ivòn] *f.* Yvonne *v.*

Z

Z [zèd] *m.* z *v.(m.)*; ***être fait comme un —,*** zo krom als een hoepel zijn.
zabelle [zabèl] *f.* **1** sabeldier *o.*; **2** sabelbont *o.*
Zacharie [zakari] *m.* Zacharias *m.*
Zachée [zaʃé] *m.* Zacheus *m.*
zagaie, sagaie [zagè] *f.* assagaai *v.(m.)* (werpspies).
zain [zẽ] *adj.* (*v. paard*) effenkleurig.
Zambèze [zã˙bè:z] *m.* Zambezi (land en stroom).
Zanzibar [zã˙ziba:r] *m.* Zanzibar *o.*
Zanzibarite [zã˙zibarit] **I** *m.* bewoner *m.* van Zanzibar; **II** *adj.*, ***z—,*** van Zanzibar.
Zaza [zaza] *f.* Bets *v.*
Zébédée [zébédé] *m.* Zebedeus *m.*
zébrage [zébra:j] *m.* streping *v.*
zèbre [zèbr] *m.* zebra, Kaapse ezel *m.*; ***courir comme un —,*** lopen als een haas.
zébré [zébré] *adj.* gestreept.
zébrer [zébré] *v.t.* strepen, strepen trekken in, gestreept maken.
zébrure [zébrü:r] *f.* (regelmatige) streping *v.*
zébu [zébü] *m.* zeboe, bultos, Indische buffel *m.*
zée [zé] *m.* (*Dk.*) zonnevis *m.*
Zélandais [zélã˙dè] **I** *m.* Zeeuw *m.*; **II** *adj.* ***z—,*** Zeeuws.
Zélande [zélã:d] *f.* Zeeland *o.*; ***la Nouvelle-—,*** Nieuw-Zeeland.
zélateur [zélatœ:r] *m.*, **zélatrice** [zélatris] *f.* ijveraar *m.*, —ster *v.*
zèle [zèl] *m.* ijver *m.*; ***— religieux,*** godsdienstijver; ***faire du —,*** al te ijverig zijn, zich al te ijverig betonen; ***mettre son — à,*** zich beijveren om.
zélé [zélé] **I** *adj.* ijverig, vol ijver; (*op school*) vlijtig; **II** *s. m.* ijverig man, van (dienst)ijver blakend persoon *m.*
zélote [zélòt] *m.* ijveraar; zeloot *m.*
zélotisme [zélòtizm] *m.* (het) ijveren *o.* voor iets, overdreven (godsdienst)ijver *m.*
zend [zẽ:d] *m.* zend *o.*, oude Indo-europese taal.
zénith [zénit] *m.* zenit, toppunt *o.*
zénithal [zénital] *adj.* het zenit betreffend; ***point —,*** zenitpunt *o.*
Zénon [zénõ] *m.* Zeno *m.*
zénonique [zénònik] *adj.* volgens de leer van Zeno, stoïcijns.
zénonisme [zénònizm] *m.* leer *v.(m.)* van Zeno.
zénoniste [zènònist] *m.* aanhanger *m.* van Zeno.
zéolite [zéòlit] *f.* schuimsteen *o. en m.*
zéphire, zéphyr(e) [zéfi:r] *m.* zefier, zachte wind *m.*, koeltje *o.*
zéphyrien [zèfiryẽ] *adj.* zefierachtig, licht als zefier.
zeppelin [zèplẽ] *m.* zeppelin *m.*
zéro [zéro] *m.* **1** nul *v.(m.)*; **2** (*v. thermometer*) nulpunt *o.*; **3** (*fig.*) niets; ***un vrai —,*** een (grote) nul.
zérotage [zéròta:j] *m.* nulpuntbepaling *v.*
zest! [zèst] *ij.* jawel! fut!
zeste [zèst] *m.* **1** binnenschot *o.* (van noot); **2** buitenste schil *v.(m.)* (van sinaasappel of citroen); **3** (*fig.*) sikkepit *v.(m.)*; ***cela ne vaut pas un —,*** dat is geen cent (*of* geen sikkepit) waard.
zester [zèsté] *v.t.* dun schillen.
zesteuse [zèstö:z] *f.* schilmachine *v.*
Zétrud-Lumay [zétrüdlumè] Zittert-Lummen *o.*
Zeus [(d)zö:z] *m.* Zeus *m.*
zézaiement, zézayement [zézèmã] *m.* (het) lispelen *o.*, lispelende uitspraak *v.(m.)* van j, g en ch (als z). [als z.
zézayer [zézèyé] *v.i.* lispelen; j, g of ch uitspreken
zibeline [ziblin] *f.* **1** sabeldier *o.*; **2** sabelbont *o.*
zieuter [zyöté] *v.t.* (*pop.*) aankijken, beloeren.
zig(ue) [zi˙g] *m.* (*pop.*) kameraad *m.*; ***un bon —,*** een goeie vent, een goeie knul.
zigouiller [ziguyé] *v.t.* (*arg.*) doodsteken.
zigzag [zigzag] *m.* zigzag *m.*, zigzaglijn *v.(m.)*; ***en —,*** zigzagsgewijs.
zigzaguer [zigzagé] *v.i.* zigzagsgewijs lopen, zwaaien, slingeren.

zinc [zẽ:k] *m.* **1** zink *o.*; **2** (*pop.*) toonbank *v.*(*m.*) (v. kroeg) *v.*(*m.*); ***sur le* —,** aan de toonbank.
zincifère [zẽ˙kifè:r] *adj.* zinkhoudend.
zincisme [zẽ˙kizm] *m.* zinkvergiftiging *v.*
zincographie [zẽ˙kògrafi] *v.* zinklichtdruk *m.*, zinkografie *v.*
zingage [zẽ˙ga:j] *m.* zinkbedekking, bekleding met zink; galvanisering *v.*
zingaro [zẽgaro] *m.* zigeuner *m.*
zinguer [zẽ˙gé] *v.t.* met zink bekleden, verzinken; galvaniseren.
zinguerie [zẽ˙gri] *f.* **1** zinkhandel *m.*; **2** zinkfabriek *v.*
zingueur [zẽ˙gœ:r] *m.* zinkwerker *m.*
zinnia [zinya] *m.* (*Pl.*) zinnia *v.*(*m.*).
zinzolin [zẽ˙zòlẽ] *adj.* (*et s. m.*) violetrood, roodachtig paars (*o.*).
zircon [zirkõ] *m.* zirkoon *m.* (*als stof*: *o.*), bep. halfedelsteen (zirconiumsilicaat *o.*).
zirconium [zirkònyòm] *m.* zirconium *o.*, bep. zacht metaal.
zist [zist] *m.*, ***entre le — et le zest,*** zo zo, noch goed noch slecht; besluiteloos.
zizanie [zizani] *f.* **1** (*verouderd*) onkruid *o.*; **2** (*fig.*) tweedracht *v.*(*m.*), twist *m.*; ***semer la* —,** tweedracht zaaien.
zizi [zizi] *m.* (*Dk.*) heggevink *m. en v.*
zloty [zlòti] *m.* zloty *v.*(*m.*).
zoanthe [zòã:t] *m.* straaldier *o.*
zodiacal [zòdyakal] *adj.* van de dierenriem, zodiakaal.
zodiaque [zòdyak] *m.* dierenriem *m.*
zoïle [zòil] *m.* bediller, nijdig (*of* onbillijk) criticus, zoïlus *m.*
zona [zòna] *m.* (*gen.*) gordelroos *v.*(*m.*).
zonal [zònal] *adj.* met gekleurde dwarsstrepen.
zone [zo:n] *f.* aardgordel *m.*, (aard)streek, zone *v.*(*m.*); **— *frontière,*** grensstrook *v.*(*m.*); ***la — glaciale,*** de koude luchtstreek; **— *résidentielle,*** woonwijk *v.*(*m.*); **— *industrielle,*** fabriekswijk *v.*(*m.*); **— *de salaire,*** salarisklasse *v.*
zonier [zo˙nyé] *m.* zonebewoner *m.* (van militaire zone, grenszone, enz.).
zoo [zòò] *m.* (*fam.*) dierentuin *m.*
zoographie [zòògrafi] *f.* dierenbeschrijving *v.*
zoolâtre [zòòlɑ˙tr] *m.* dierenaanbidder *m.*
zoolâtrie [zòòlɑ˙tri] *f.* dierenaanbidding *v.*
zoolithe [zòòlit] *m.* versteend dier *o.*
zoologie [zòòlòji] *f.* dierkunde *v.*
zoologique [zòòlòjik] *adj.* dierkundig, zoologisch; ***jardin* —,** dierentuin *m.*
zoologiste [zòòlòjist], **zoologue** [zòòlò:g] *m.* dierkundige *m.*
zoophyte [zòòfit] *m.* zoöfiet *m.*, plantdier *o.*, dierplant *v.*(*m.*).
zootechnie [zòòtèkni] *f.* praktische dierkunde *v.* ter verbetering van de huisdiersoorten.
zoothérapie [zòòtérapi] *f.* diergeneeskunde *v.*
zootomie [zòòtòmi] *f.* dierontleedkunde.
Zoroastre [zòròastr] *m.* Zoroaster *m.*
zostère [zòstèr] *f.* (*Pl.*) zeegras *o.*
zouave [zwa:v] *m.* zoeaaf *m.*
Zoulou [zulu] **I** *m.* Zoeloe *m.*; **II** *adj.*, ***z*—,** Zoeloes.
zozoter [zòzòté], *voir* ***zézayer.***
zut [züt] *ij.* (*pop.*) loop rond! stik! **— *à lui,*** ik heb maling aan hem.
Zwingle [zwẽ:gl] *m.* Zwingli *m.*
zyeuter [zyöté] *v.t.* (*pop.*) aankijken, beloeren.
zygoma [zigòma] *m.* jukbeen *o.*
zygomatique [zigòmatik] *adj.* van het jukbeen, jukbeen-; ***muscle* —,** jukbeenspier *v.*(*m.*).
zymase [zimɑ:z] *f.* scheikundige gistetof *v.*(*m.*).
zymologie [zimòlòji] *f.* gistingsleer *v.*(*m.*), kennis *v.* van de giststoffen.
zymosimètre [zimòzimè˙tr] *m.* gistingsmeter *m.*
zymotique [zimòtik] *adj.* gistings—; ***méthode* —,** gistingsmethode *v.*

MEEST GEBRUIKTE FRANSE AFKORTINGEN

A

A 1 *(nat.)* ampère, *ampère* ; 2 *(scheik.)* argon, *argon.*
A. Altesse, *Hoogheid.*
Å *(nat.)* ångstroem, *ångstroem* (0,000.000.1 mm).
a are, *are* (100 m^2).
A.B.A. Académie des Beaux-Arts.
Abd. *(bijbel)* Abdias, *Abdias.*
A.C. ante Christum, *voor Christus.*
Ac *(scheik.)* actinium, *actinium.*
a.c. année courante, *in het lopende jaar.*
a.c.i. assuré contre l'incendie, *verzekerd tegen brand.*
Act. *(bijbel)* Actes des Apôtres, *Handelingen (der apostelen).*
A.D. anno Domini (en l'an de grâce), *in het jaar des Heren.*
adr.tél. adresse télégraphique, *telegramadres.*
A.-E.F. Afrique-Équatoriale française, *Frans equatoriaal Afrika.*
A.F. 1 Académie française ; 2 Action Française.
Ag *(scheik.)* argent, *zilver.*
Agg. *(bijbel)* Aggée, *Aggeus, Haggai.*
Ah *(nat.)* ampèreheure, *ampère-uur.*
A.I. Altesse impériale, *keizerlijke hoogheid.*
A.J. auberge de la jeunesse, *jeugdherberg.*
Al *(scheik.)* aluminium, *aluminium.*
A.M. arts et métiers *(vakscholen).*
Am *(scheik.)* américum, *americum.*
Am. *(bijbel)* Amos, *Amos.*
a.m. 1 ante méridiem, *vóór de middag;* 2 assurances mutuelles, *onderlinge verzekering.*
a m/c à mon compte, *op mijn rekening.*
anc. ancien, *voormalig, voorheen.*
A.-O.F. Afrique-Occidentale française, *Frans West-Afrika.*
A.P. 1 agence postale, *postagentschap ;* 2 assistance publique, *burgerlijk armbestuur, (Belg.) openbare onderstand.*
Apoc. *(bijbel)* Apocalypse de saint Jean, *Openbaring.*
apr. après, *na.*
A.R. 1 autoroute, *snelweg ;* 2 aller et retour, *vice versa ;* 3 Altesse royale, *koninklijke hoogheid.*
arrt. arrondissement, *arrondissement.*
Art. article, *artikel.*
A.S. Altesse sérénissime, *doorluchtigheid.*
As *(scheik.)* arsenic, *arsenicum.*
A.S.P. *(H.)* accepté sans protêt, *zonder protest geaccepteerd.*
Ass. Association, *vereniging.*
Asse assurance, *verzekering.*
A.T. *(bijbel)* Ancien Testament, *Oude Testament.*
At *(scheik.)* astatinium, *astatinium.*
Atm *(nat.)* atmosphère, *atmosfeer.*
Au *(scheik.)* or, *goud.*
Av. *(H.)* avoir, *credit.*
av. avenue, *laan.*
avdp. avoirdupoids, *avoirdupoids* (Engels pounds en ouncesstelsel).

B

B 1 *(nat.)* bougie nouvelle, candela, *candela;* 2 *(scheik.)* bore, *borium.*
b *(nat.)* bar, hectopièze, *bar.*
B.A. 1 Beaux-Arts ; 2 bombe atomique, *atoombom.*
Ba *(scheik.)* baryum, *barium.*
B.a.m. brevet d'aptitude militaire, *bewijs van voorgeoefendheid.*
Bar. *(bijbel)* Baruch, *Baruch.*
B.C.G. Vaccin bilié Calmette-Guérin, *antituberculosevaccin.*
Bd. boulevard, *boulevard.*
Be *(scheik.)* beryllium, *beryllium.*
Bé breveté, *gepatenteerd.*
B.e. brevet élémentaire, *getuigschrift dat men lager onderwijs heeft genoten ;* (v. onderwijzers) *onderwijzersakte.*
B.F. 1 Banque de France ; 2 basse fréquence, *laagfrequent.*
Bi *(scheik.)* bismuth, *bismut.*
Bk *(scheik.)* berkélium, *berkelium.*
B.N. Bibliothèque nationale.
B.O. bulletin officiel.
B^{on} baron, *baron.*
B^{onne} baronne, *baronesse.*
Bould. boulevard, *boulevard.*
B.P.F. Bon pour francs.
Br *(scheik.)* brome, *broom.*
B.S. brevet supérieur, *hoofdakte* (v. onderwijzers), *getuigschrift dat men middelbaar onderwijs heeft genoten.*
B.s.g.d.g. breveté sans garantie du gouvernement, *gepatenteerd zonder regeringswaarborg.*
B.S.P. brevet sportif populaire, *sportbrevet.*
bt. brut, *bruto.*
Bté breveté, 1 gediplomeerd ; 2 gepatenteerd.

C

C 1 *(Romeins cijfer)* cent, *honderd;* 2 *(scheik.)* carbone, *koolstof;* 3 *(nat.)* coulomb, *coulomb.*
°C degré centésimal, *graden Celsius.*
c. 1 centime, *centiem ;* 2 centimètre, *centimeter ;* 3 centigrade, *centigraad ;* 4 compte, *conto, rekening.*
Ca *(scheik.)* calcium, *calcium.*
C.A. 1 corps d'armée, *legerkorps ;* 2 certificat d'aptitude.
ca centiare, *centiare* (m^2).
c.-à-d. c'est-à-dire, *dat wil zeggen.*
caf coût, assurance, fret, *kosten, verzekering, vracht (c.i.f.).*

cah. cahier, *kohier*.
cal *(nat.)* calorie, microthermie, *calorie*.
Cant. *(bijbel)* Cantique des Cantiques, *Hooglied*.
C.A.P. Certificat d'aptitude professionnelle, *vakdiploma*.
Cb *(scheik.)* columbium, *columbium*.
C.C. Code civil, *burgerlijk wetboek*.
c/c compte courant, *rekening-courant*.
C.C.P. Compte chèques postaux, *postcheque- en girodienst*.
C.D. Corps diplomatique.
Cd *(scheik.)* cadmium, *cadmium*.
cd *(nat.)* candela, bougie nouvelle, *candela*.
C.D.U. Centre de documentation universitaire.
Ce *(scheik.)* cérium, *cerium*.
C.E.C.A. Communauté européenne du charbon et de l'acier, *Kolen- en staalgemeenschap (K.S.G.)*.
C.F. **1** Chemins de Fer ; **2** Comédie française ; **3** Collège de France.
Cf *(scheik.)* californium, *californium*.
cf. conférez, reportez-vous à... pour comparer, *men vergelijke*.
C.F.F. Chemins de Fer Fédéraux suisses, *Zwitserse spoorwegen*.
C.F.L. Chemins de Fer luxembourgeois, *Luxemburgse spoorwegen*.
C.F.T.C. Confédération française des travailleurs chrétiens, *Frans Christelijk vakverbond*.
cg centigramme, *centigram*.
cgr centigrade, *centigraad*.
C.G. croix de guerre.
C.G.S. C G S -stelsel van maateenheden in natuurkunde en techniek, gebaseerd op centimeter, gram en secunde.
C.G.T. Confédération générale du travail, *Algemeen vakverbond*.
Ch. chapitre, *hoofdstuk*.
ch *(nat.)* cheval-vapeur, *paardekracht* (pk).
C.I. carte d'identité, *persoonsbewijs, identiteitskaart*.
Cie Compagnie, *maatschappij, vennootschap*.
cion commission, *commissie*.
Cl *(scheik.)* chlore, *chloor*.
cl centilitre, *centiliter*.
Cm *(scheik.)* curium, *curium*.
cm centimètre, *centimeter*.
cm^2 centimètre carré, *vierkante centimeter*.
cm^3 centimètre cube, *kubieke centimeter*.
c/m *(H.)* cours moyen, *koersgemiddelde*.
c/n *(H.)* **1** compte nouveau, *nieuwe rekening, saldo nul* ; **2** cours nul, *koers nul*.
C.O. certificat d'origine, *bewijs van herkomst*.
Co **1** *(scheik.)* cobalt, *kobalt*; **2** *(H.)* compagnie, *compagnie*.
c/o compte ouvert, *open(staande) rekening*.
Col. *(bijbel)* Épître aux Colossiens, *brief aan de Kolossenzen*.
C^{on} canton, *kanton (afdeling van arrondissement)*.
Cor. *(bijbel)* Épître aux Corinthiens, *Brief aan de Korinthiërs*.
cp. *zie* cf.
C.P. code pénal, *wetboek van strafrecht*.
cpt. comptant, *contant*.
cpte compte, *rekening*.
c.q.f.d. ce qu'il fallait démontrer, *hetgeen moest worden bewezen* (q.e.d.).
C.R. **1** code de la route, *wegenverkeersreglement* ; **2** Croix-Rouge, *Rodekruis* ; **3** Colis postaux, *postpakketten*.
Cr *(scheik.)* chrome, *chroom*.
cr. crédit, *credit*.
C.R.F. Croix-Rouge française, *Franse Rodekruis*.
C.R.S. Compagnies républicaines de sécurité, *Franse staatsveiligheidstroepen*.
crt. courant, *courant*.
C.S. **1** centre de secours, *hulppost* ; **2** Conseil de Sécurité, *Veiligheidsraad*.
Cs *(scheik.)* césium, *caesium*.
cs cours, *koers*.
csn *(nat.)* centisthène, *10 newton*.
Ct. commandant, *commandant*.
ct. courant, *courant*.
Cte **1** Comte, *graaf* ; **2** *(H.)* compte, *rekening*.
Ctesse Comtesse, *gravin*.
C.U. Centre universitaire.
Cu *(scheik.)* cuivre, *koper*.
c.v. cheval-vapeur, *paardekracht* (pk).
c/v cette ville, *hier ter stede*.

D

D **1** *(Romeins cijfer)* 500; **2** angle droit, *rechte hoek* ; **3** *(scheik.)* deutérium, *zware waterstof* ; **4** départ, *vertrek*.
d **1** dies, jours, *dagen* ; **2** degré, *graad, graden*.
D.A. *(H.)* documents contre acceptation, *documenten tegen accept*.
Dan. *(bijbel)* Daniel, *Daniel*.
D.A.T. Défense aérienne du territoire, *Franse luchtafweer*.
dB *(nat.)* décibel, *decibel*.
D.B. Division blindée, *pantserdivisie*.
D.C.A. défense contre avions, *luchtafweer*.
D.D.T. insecticide puissant, *insektendodend middel* (DDT).
déb. *(H.)* débit, *debet*.
Dép(t). département, *departement*.
D.E.S. diplôme d'Études Supérieures.
Deut. *(bijbel)* Deutéronome, *Deuteronomium*.
dg décigramme, *decigram*.
dgr décigrade, *decigraad*.
D.I. division d'infanterie, *infanteriedivisie*.
div. dividende, *dividend*.
dl décilitre, *deciliter*.
dm décimètre, *decimeter*.
dm^2 décimètre carré, *vierkante decimeter*.
dm^3 décimètre cube, *kubieke decimeter*.
D.M. docteur en médecine, *doctor in de geneeskunde*.
D^o dito, ce qui a été dit, *dito*.
D.P. *(H.)* documents contre payement, *documenten tegen betaling*.
D.P.L.G. diplômé par le gouvernement, *met staatsdiploma*.
dpz *(nat.)* décipièze, millibar, *millibar*.

Dr. 1 docteur, *doctor* ; 2 directeur, *directeur* ; 3 *(H.)* débiteur, *debiteur*
dr.c. *(H.)* dernier cours, *laatste koers.*
D.S.T. Direction de la surveillance du territoire, *Franse contraspionagedienst.*
dt *(H.)* doit, *debet.*
Dy *(scheik.)* dysprosium, *dysprosium.*
dyn *(nat.)* dyne, *dyne.*
δ dioptrie, *dioptrie* (D).

E

E. 1 Est, *oost(en)* ; 2 Excellence, *Excellentie* ; 3 Éminence, *eminentie.*
E *(scheik.)* einsteinium, *einsteinium.*
e.à p. *(H.)* effet à payer, *te betalen wissel.*
e.à r. *(H.)* effet à recevoir, *te innen wissel.*
E.C. état civil, *burgerlijke stand.*
Eccl. *(bijbel)* Ecclésiaste, (Joodse bijbel) Qohéleth, *Ecclesiastes, Prediker.*
Eccli. *(bijbel)* Ecclésiastique, (naar het Grieks) Ben Sirach, *Ecclesiasticus, boek van Jezus Sirach.*
Éch^{on} *(H.)* échantillon, *monster.*
E.C.S. *(H.)* échantillons commerciaux, *handelsmonsters.*
éd. édition, *uitgave.*
E.D.F. Électricité de France, *Franse elektriciteitsmaatschappij.*
Ém. Éminence, *Eminentie.*
E.N.S. École Normale Supérieure.
env. environ, *ongeveer.*
E.P. enseignement primaire, *lager onderwijs.*
Eph. *(bijbel)* Épître aux Éphésiens, *brief aan de Efeziërs.*
Er *(scheik.)* erbium, *erbium.*
E.S. enseignement secondaire, *middelbaar onderwijs.*
esc, escte escompte, *disconto.*
Esdr. *(bijbel)* Esdras, *Esdras, Ezra.*
est. *(H.)* estampillé, *afgestempeld.*
Esth. *(bijbel)* Esther, *Esther.*
E.T. enseignement technique, *technisch onderwijs.*
etc. et caetera, et le reste, *enzovoort.*
Eu *(scheik.)* europium, *europium.*
E.V. en ville, *hier ter stede.*
Ex. *(bijbel)* Exode, *Exodus.*
ex. 1 exemple, *voorbeeld* ; 2 *(H.)* exercice, *boekjaar.*
ex.att. *(H.)* exercice attaché, *inclusief boekjaar.*
Exc. Excellence, *Excellentie.*
Exod. *(bijbel)* Exode, *Exodus.*
Ez. *(bijbel)* Ézéchiel, *Ezechiel, Ezekiël.*

F

F 1 *(scheik.)* fluor, *fluor* ; 2 *(nat.)* farad, *farad* ; 3 frère, *broeder, frater.*
°F degré fahrenheit, *graden Fahrenheit.*
f. 1 franc, *frank* ; 2 *(gramm.)* féminin, *vrouwelijk* ; 3 *(muz.)* forte, *forte.*
fab. *(H.)* franco à bord, *franco-boord.*
f.a.c. *(H.)* franc d'avarie commune, *vrij van averij-grosse.*
F.A.S. *(H.)* franco le long du navire, *vrij langszij.*
F.B. franc belge, *Belgische frank.*
F.C. 1 franc congolais, *Kongolese frank* ; 2 football club, *voetbalclub.*
F^{co} franco, *franco.*
f.ct. *(H.)* fin courant, *einde maand.*
F.D. Faculté de droit, *juridische faculteit.*
Fe *(scheik.)* fer, *ijzer.*
F.F. franc français, *Franse frank.*
f.f. faisant fonction de, *waarnemend.*
F.F.I. Forces françaises de l'Intérieur, *de gezamenlijke binnenlandse strijdkrachten die in 1944 deelnamen aan de strijd tegen de Duitse bezetting.*
F.F.L. Forces françaises libres, *de door generaal de Gaulle na de wapenstilstand van 1940 georganiseerde strijdkrachten, om de strijd aan de zijde der Geallieerden voort te zetten.*
fg *(nat.)* frigorie, *frigorie.*
fl. florin(s), *gulden(s).*
F.L. Franc luxembourgeois, *Luxemburgse frank.*
Fm *(scheik.)* fermium, *fermium.*
f^{o} folio, *folio.*
fob. *(H.)* free on board, *franco-boord.*
f.p. *(H.)* fin prochain, *einde volgende maand.*
Fr *(scheik.)* francium, *francium.*
fr. franc, *frank.*
fre facture, *faktuur.*
fr^{o} franco, *franco.*
frs. francs, *franken.*
F.S. 1 franc suisse, *Zwitserse frank* ; 2 faire suivre, *nazenden* ; 3 Faculté des sciences, *wis- en natuurkundige faculteit.*

G

G giga-, *giga-, miljard maal* (x10^{9}).
g gramme, *gram.*
Ga *(scheik.)* gallium, *gallium.*
G.A. groupe d'armées, *legergroep.*
gal général, *algemeen, generaal.*
Gal. *(bijbel)* Épître aux Galates, *brief aan de Galaten.*
G.C. grand-croix, *grootkruis.*
Gd *(scheik.)* gadolinium, *gadolinium.*
G.D.F. Gaz de France, *Franse gasmaatschappij.*
Ge *(scheik.)* germanium, *germanium.*
Gen. *(bijbel)* Genèse, *Genesis.*
gf *(nat.)* gramme-force, gramme-poids, *gramkracht.*
G.M.P. Gouvernement militaire de Paris, *militair gezag te Parijs.*
G.M.T. Greenwich mean time, temps moyen de Greenwich, *middelbare Greenwichtijd.*
G.O. grand-officier, *grootofficier.*
gp *(nat.)* gramme-poids, gramme-force, *gramkracht.*
G.P. télégramme adressé poste restante, *telegram poste restante.*
G.P.R. télégramme adressé poste restante recommandé, *aangetekend telegram poste-restante.*
G.Q.G. Grand quartier général, *Algemeen hoofdkwartier.*
Gs *(nat.)* gauss, *gauss.*
G.V. grande vitesse, *ijlgoed.*

H

H 1 *(nat.)* henry, *henry* ; 2 *(scheik.)* hydrogène, *waterstof.*
h heure, *uur.*
ha hectare, *hectare* (10.000 m^2).
Hab. *(bijbel)* Habaquq, *Habakuk.*
H.B.M. habitation à bon marché, *goedkope flat(bouw).*
H.C. hors concours, *buiten mededinging.*
H.E. École des Hautes Études.
He *(scheik.)* hélium, *helium.*
Hebr. *(bijbel)* Épître aux Hébreux, *Brief aan de Hebreeën.*
H.F. haute fréquence, *hoogfrequent.*
Hf *(scheik.)* hafnium, *hafnium.*
Hg *(scheik.)* mercure, *kwikzilver.*
hg hectogramme, *hectogram.*
hl hectolitre, *hectoliter.*
H.L.M. habitation à loyer modéré, *flat(bouw) van middenprijs.*
hm hectomètre, *hectometer.*
Ho *(scheik.)* holmium, *holmium.*
HP horse-power, cheval-puissance, *paardekracht.*
hpz *(nat.)* hectopièze, bar, *bar.*
H.T. haute tension, *hoogspanning.*
hW *(nat.)* hectowatt, *hectowatt.*
hWh *(nat.)* hectowattheure, *hectowattuur.*
Hz *(nat.)* hertz, *hertz.*

I

I 1 *(Romeins cijfer)* 1; 2 *(scheik.)* iode, *jodium.*
Ib., ibid. ibidem, au même endroit, *ibidem, op dezelfde plaats, op dezelfde bladzijde.*
Id. idem, le même, *idem, hetzelfde.*
I.F.O.P. Institut français de l'opinion publique, *Franse Gallup-instituut.*
I.G. Inspection générale.
I.J. interprète juré, *beëdigd vertaler.*
Il *(scheik.)* illinium, *illinium.*
I.M. in memoriam.
imp. *(H.)* impayé, *onbetaald.*
In *(scheik.)* indium, *indium.*
In-4° In-quarto, en quatre, *kwarto.*
In-8° In-octavo, en huit, *octavo.*
I.N.R.I. Jésus de Nazareth, roi des Juifs, *Jezus van Nazareth, koning der Joden.*
int. *(H.)* intérêt, *interest, rente.*
Ir *(scheik.)* iridium, *iridium.*
Is. *(bijbel)* Isaïe, *Isaias, Jesaja.*

J

J 1 *(nat.)* joule, *joule* ; 2 *(scheik.)* iode, *jodium.*
j jour, *dag.*
Jac. *(bijbel)* Épître de saint Jacques, *brief van Jacobus, Jakobus.*
J.-C. Jésus-Christ, *Christus.*
jce *(H.)* jouissance, *genot.*
... j/d ...jours de date, *...dagen dato.*
Jer. *(bijbel)* Jérémie, *Jeremia(s).*
Jo. *(bijbel)* saint Jean l'Évangéliste, *Joannes, Johannes.*
J.O. Journal officiel, *staatscourant.*
Joan. *(bijbel)* saint Jean l'Évangéliste, *Joannes, Johannes.*
Jon. *(bijbel)* Jonas, *Jona(s).*
Jos. *(bijbel)* Josué, *Josue, Jozua.*
Jud. *(bijbel)* Juges, *Rechters, Richteren.*
Judae *(bijbel)* Épître de saint Jude, *brief van Judas.*
... j/v ...jours de vue, *...dagen na zicht.*

K

K *(scheik.)* potassium, *kalium.*
k kilo-, *kilo-, duizendmaal* (x10^3).
kcal *(nat.)* kilocalorie, millithermie, *kilocalorie.*
kg kilogramme, *kilogram.*
kgf *(nat.)* kilogramme-force, kilogramme-poids, *kilogramkracht.*
kgm *(nat.)* kilogrammètre, *kilogrammeter.*
kgp *(nat.)* kilogramme-poids, kilogramme-force, *kilogramkracht.*
km kilomètre, *kilometer.*
km² kilomètre carré, *vierkante kilometer.*
Kr *(scheik.)* krypton, *krypton.*
kV *(nat.)* kilovolt, *kilovolt.*
kVA *(nat.)* kilovoltampère, *kilovoltampère.*
kW *(nat.)* kilowatt, *kilowatt.*
kWh *(nat.)* kilowattheure, *kilowattuur.*

L

L 1 *(Romeins cijfer)* 50 ; 2 *(botanie)* Linné, *Linnaeus.*
l litre, *liter.*
La *(scheik.)* lanthanium, *lanthaan.*
l.c. loco citato, lieu cité, *op de aangehaalde plaats.*
l/c *(H.)* leur compte, *hun rekening.*
l/cr. *(H.)* lettre de crédit, *kredietbrief.*
Lev. *(bijbel)* Lévitique, *Leviticus.*
Li *(scheik.)* lithium, *lithium.*
lib. *(H.)* libéré, *volgestort.*
LL.AA. Leurs Altesses, *Hunne* (of *Hare*) *Hoogheden.*
LL.EEm. Leurs Éminences, *Hunne Eminenties.*
LL.MM. Leurs Majestés, *Hunne* (of *Hare*) *Majesteiten.*
L.Q. lege quaeso, *lees a.u.b.*
L.T. télégramme lettre, *brief telegram.*
Lu *(scheik.)* lutécium, *lutecium.*
lu *(nat.)* lumen nouveau, *lumen* (lm).
Luc. *(bijbel)* Évangile selon Luc, *Lucas, Lukas.*
lx *(nat.)* lux nouveau, *lux.*

M

M 1 *(Romeins cijfer)* 1000 ; 2 méga-, *mega-, miljoen maal* (x10^6).
M. monsieur, *mijnheer.*
m 1 mètre, *meter* ; 2 minute, *minuut* ; 3 milli-, *milli-, een duizendste maal* (x 10^{-3}).
m. 1 mois, *maand* ; 2 *(gramm.)* masculin, *mannelijk.*
m² mètre carré, *vierkante meter.*
m³ mètre cube, *kubieke meter.*

Ma *(scheik.)* masurium, *masurium.*

mA *(nat.)* milliampère, *milliampère.*

Mach. *(bijbel)* Macchabées, *Macchabeeën, Makkabeeën.*

Mad. madame, *mevrouw.*

M^{al} maréchal, *maarschalk.*

Mal. *(bijbel)* Malachie, *Malachias, Malechi.*

Marc *(bijbel)* Évangile selon Marc, *Marcus.*

Matth. *(bijbel)* Évangile selon Matthieu, *Mattheus.*

mb *(nat.)* millibar, décipièze, *millibar.*

m/c. *(H.)* mon compte, *mijn rekening.*

Md marchand, *koopman.*

... m/d *(H.)* ... mois de date, *... maanden na dato.*

Me **1** *(titel v. advocaat of notaris)* Maître, *meester;* **2** *(scheik.)* mendelevium, *mendelevium.*

Mg *(scheik.)* magnésium, *magnesium.*

mg milligramme, *milligram.*

Mgr. Monseigneur, *monseigneur.*

mk mark, *mark.*

Mich. *(bijbel)* Michée, *Micheas, Micha, Mikeas.*

Mis marquis, *markies.*

M^{ise} marquise, *markiezin.*

mise *(H.)* marchandise, *goederen.*

ml millilitre, *milliliter.*

Mlle mademoiselle, *(me)juffrouw.*

MM. messieurs, *(mijne) heren.*

mm millimètre, *millimeter.*

mm^2 millimètre carré, *vierkante millimeter.*

mm^3 millimètre cube, *kubieke millimeter.*

Mme Madame, *mevrouw.*

Mn *(scheik.)* manganèse, *mangaan.*

mn minute, *minuut.*

Mo *(scheik.)* molybdène, *molybdeen.*

m/o. *(H.)* mon ordre, *aan eigen order.*

Mon maison, *firma, huis.*

M.R. Majesté Royale, *koninklijke majesteit.*

M^r monsieur, *mijnheer, de heer.*

M^{rs} messieurs, *(mijne) heren.*

Mrs Mistress, madame, *mevrouw.*

ms. manuscrit, *manuscript, handschrift.*

mss. manuscrits, *manuscripten, handschriften.*

mth *(nat.)* millithermie, *kilocalorie* (kcal).

m/tte *(H.)* ma traite, *mijn wissel.*

mV *(nat.)* millivolt, *millivolt.*

... m/v. ... mois de vue, *... maanden na zicht.*

Mx *(nat.)* maxwell, *maxwell.*

mx *(H.)* au mieux, *zo voordelig mogelijk.*

mµ millimicro- (= nano-), *millimicro- (= nano-), een miljardste maal* ($x10^{-9}$).

MΩ *(nat.)* mégohm, *megohm.*

µ micro-, *mikro-, een miljoenste maal* ($x10^{-6}$).

µA *(nat.)* microampère, *mikroampère.*

µb *(nat.)* microbar, barye, *mikrobar.*

µF *(nat.)* microfarad, *mikrofarad.*

µg microgramme, *mikrogram.*

µm micron, *mikrometer, mikron.*

µth *(nat.)* microthermie, *calorie.*

µµ micromicro- (= pico-), *mikromikro (= piko-), een biljoenste maal* ($x10^{-12}$).

N

N **1** *(scheik.)* azote, *stikstof ;* **2** *(nat.)* newton, *newton.*

N. **1** Nord, *noord(en) ;* **2** anonyme, *anoniem ;* **3** *(H.)* nominal, *nominal.*

n nano-, *nano-, een miljardste maal* ($x10^{-9}$).

n. *(gramm.)* neutre, *onzijdig.*

$\overset{\circ}{n}1$ *(nat.)* neutron, *neutron.*

Na *(scheik.)* sodium, *natrium.*

Nah. *(bijbel)* Nahum, *Nahum.*

Nb *(scheik.)* niobium, *niobium.*

N.B. nota bene, notez bien, *let wel.*

n/c. notre compte, *onze rekening.*

Nd *(scheik.)* néodymiuun, *neodymium.*

N.-D. Notre-Dame, *Onze-Lieve-Vrouw.*

Ne *(scheik.)* néon, *neon.*

N.-E. Nord-est, *noordoost.*

n.est. *(H.)* non estampillé, *niet (af)gestempeld.*

nég. **1** *(H.)* négociable, *verhandelbaar ;* **2** négociant, *handelaar.*

Neh. *(bijbel)* Néhémie, *Nehemia(s), 2e boek van Esdras (Ezra).*

N.F. nouveau franc, *nieuwe Franse frank.*

N.F.C. *(H.)* nouvelle feuille de coupons, *nieuw couponblad.*

Ngt négociant, *handelaar.*

Ni *(scheik.)* nickel, *nikkel.*

N.-N.-E. Nord-nord-est, *noordnoordoost.*

N.-N.-O. Nord-nord-ouest, *noordnoordwest.*

N^o numéro, *nummer.*

N.-O. Nord-ouest, *noordwest.*

nom. nominatif, *op naam.*

Np *(scheik.)* neptunium, *neptunium.*

N.R.F. Nouvelle Revue française.

N.S. Notre Seigneur, *Onze Heer.*

N.S.J.-C. Notre Seigneur Jésus-Christ.

n/sr. notre sieur, *onze heer X.*

N.T. *(bijbel)* Nouveau Testament, *Nieuwe Testament.*

Nt **1** *(scheik.)* niton, radon, *niton, radon;* **2** négociant, *handelaar.*

Num. *(bijbel)* Nombres, *Numeri.*

n/v. notre ville, *hier ter stede.*

O

O *(scheik.)* oxygène, *zuurstof.*

O. Ouest, *west(en).*

o/ *(H.)* à l'ordre de, *aan de order van.*

o.a. ouvrier auxiliaire, *hulparbeider.*

Oe *(nat.)* oersted, *oersted.*

off. *(beurs)* offert, *laten.*

O.M. Outre-mer, *overzee(s).*

o/m/m. *(H.)* à l'ordre de moi-même, *aan eigen order.*

O.N.U. Organisation des Nations Unies, *Organisatie der Verenigde Naties* (U.N.O.).

op. cit. opere citato, *in het aangehaalde boek.*

Os *(scheik.)* osmium, *osmium.*

Os. *(bijbel)* Osée, *Osee, Hosea.*

O.T.A.N. Organisation du Traité de l'Atlantique Nord, *Noordatlantische verdragsorganisatie* (NAVO, NATO).

O.T.A.S.E. Organisation du Traité de l'Asie du Sud-Est, *Zuidoostaziatische verdragsorganisatie* (ZOAVO).

Ω *(nat.)* ohm, *ohm.*

P

P 1 *(scheik.)* phosphore, *fosfor;* 2 père, *pater ;* 3 *(op wissel)* protesté, *geprotesteerd.*
p pico-, *piko-, een biljoenste maal* ($x10^{-12}$).
p. 1 page, *bladzijde ;* 2 par, *door;* 3 pour, *voor ;* 4 pair, *paar ;* 5 prime, *premie ;* 6 *(muz.)* piano, *piano.*
Pa *(scheik.)* protoactinium, *protoactinium.*
P.A. 1 pour ampliation, *voor gelijkluidend afschrift ;* 2 poste aérienne, par avion, *per luchtpost.*
Par. *(bijbel)* Paralipomènes, Chroniques, *Kronieken.*
Pb *(scheik.)* plomb, *lood.*
P.B. Père blanc, *witte pater (missionaris van Afrika).*
P.C. 1 poste de commandement, *commandopost ;* 2 télégramme avec accusé de réception télégraphique, *telegram met telegrafisch bericht van ontvangst.*
p.c. 1 pour cent, *procent ;* 2 *(beurs)* pas côté, *incourant, niet ter beurze genoteerd.*
p/c. *(H.)* pour compte, *voor rekening.*
P.C.B. physique-chimie-biologie (certificat universitaire).
P.C.C. pour copie conforme, *voor eensluidend afschrift.*
P^ce^ prince, *prins.*
p^ce^ pièce, *stuk.*
P.C.N. certificat d'études physiques, chimiques, sciences naturelles.
P.C.P. télégramme avec accusé de réception postal, *telegram met ontvangstbevestiging door de post.*
P.D. port dû, *verschuldigd porto.*
Pd *(scheik.)* palladium, *palladium.*
P. et P. profits et pertes, *winst en verlies.*
Petr. *(bijbel)* Épître de saint Pierre, *brief van Petrus.*
p.ex. par exemple, *bijvoorbeeld.*
p.f. pour féliciter, *als gelukwens.*
p.f.s.a. pour faire ses adieux, *ten afscheid.*
p.f.v. pour faire visite, *om een bezoek af te leggen.*
P.G. prisonnier de guerre, *krijgsgevangene.*
p.g.c.d. plus grand commun diviseur, *grootst gemene deler.*
Phil. *(bijbel)* Épître aux Philippiens, *brief aan de Filippenzen.*
Philem. *(bijbel)* Épître à Philémon, *brief aan Philemon.*
p.i. par intérim, *ad interim.*
P.J. Police judiciaire, *gerechtelijke politie.*
P.L.M. Paris-Lyon-Méditerranée, *spoorlijn Parijs-Marseille.*
Pm *(scheik.)* prométhium, *promethium.*
P.M. Préparation militaire, *militaire opleiding vóór de werkelijke diensttijd.*
p.m. post méridiem, *na de middag.*
P.M.U. Pari mutuel urbain, *plaatselijke toto.*
p^n^ prochain, *(eerst)volgende.*
Po *(scheik.)* polonium, *polonium.*
p.o. par ordre, *per order.*
P.P. 1 port payé, *portvrij, franco ;* 2 préfecture de police.
p.p. par procuration, *per procuratie.*
P.p.c. pour prendre congé, *ten afscheid.*
p.pon. par procuration, *per procuratie.*
Pr *(scheik.)* praséodymium, *praseodymium.*
pr. 1 prochain, *aanstaande, (eerst)volgende ;* 2 prime, *premie.*
P.R. poste restante, *poste restante.*
p.r. pour remercier, *om te bedanken.*
Prés. président, *president, voorzitter.*
Prov. *(bijbel)* Proverbes, *Spreuken.*
Ps. *(bijbel)* Psaume(s), *psalm(en).*
P.-S. Post-scriptum, *postscriptum, naschrift.*
P.S.V. Pilotage sans visibilité, *blindvliegen.*
Pt *(scheik.)* platine, *platina.*
P.T.T. Postes, télégraphes et téléphones, *posterijen, telegrafie, telefonie.*
P.V. petite vitesse, *vrachtgoed.*
P.-V. procès-verbal (contravention), *proces-verbaal (bekeuring).*
pz *(nat.)* pièze, *centibar.*
π *(wisk.)* signe représentant le rapport du périmètre du cercle à son diamètre, *verhoudingsgetal tussen omtrek en middellijn van een cirkel* (pl. m. 3, 1416).

Q

Q.G. Quartier général, *hoofdkwartier.*
q.m. quintal métrique, 100 *kg.*

R

R *(op uurwerk)* retarder, *langzamer.*
r. 1 reçu, *ontvangen ;* 2 rue, *straat ;* 3 recommandé, *aangetekend.*
Ra *(scheik.)* radium, *radium.*
R.A.T.P. Régie autonome des transports parisiens, *gemeentelijke dienst voor openbaar vervoer te Parijs.*
Rb *(scheik.)* rubidium, *rubidium.*
R.C. registre du commerce, *handelsregister.*
R.D. 1 rive droite, *rechteroever ;* 2 route départementale, *provinciale weg ;* 3 radiodiffusion, *radio-omroep.*
Rd 1 révérend, *weleerwaarde;* 2 *(scheik.)* radon, *radon.*
Re *(scheik.)* rhénium, *rhenium.*
Reg. *(bijbel)* Livre des Rois, *Koningen ;* I en II Reg. = Samuel, III en IV Reg. = I en II Koningen.
remb. *(H.)* remboursable, *terugbetaalbaar.*
rep. *(H.)* report, *transport, (B.) overgebracht.*
R.F. République française, *de Franse republiek.*
R.G. rive gauche, *linkeroever.*
Rh *(scheik.)* rhodium, *rhodium.*
R.I. régiment d'infanterie, *regiment infanterie.*
R.N. route nationale, *rijksweg.*
ro recto, *recto.*
Rom. *(bijbel)* Épître aux Romains, *brief aan de Romeinen.*
R.P. 1 révérend père, *eerwaarde pater ;* 2. réponse payée, *met betaald antwoord ;* 3 représentation proportionnelle, *evenredige vertegenwoordiging.*

RR.PP. révérends pères, *eerwaarde paters.*

R.S.V.P. répondez, s'il-vous-plaît, *antwoord wordt verwacht.*

R.T.F. Radiodiffusion-Télévision française, *Franse radio en televisie-omroep.*

Ru *(scheik.)* ruthénium, *ruthenium.*

S

S **1** sud, *zuid(en)* ; **2** *(scheik.)* soufre, *zwavel* ; **3** Saint, *Sint, heilige.*

s seconde, *secunde.*

s. signé, *ondertekend.*

S.A. **1** société anonyme, *naamloze vennootschap* ; **2** Son Altesse, *Zijne* (of *Hare*) *Hoogheid.*

S.A.I. et R. Son Altesse Impériale et Royale (le prince), *Zijne keizerlijke en koninklijke Hoogheid (de prins).*

Sap. *(bijbel)* Sagesse, *Boek der Wijsheid.*

S.A.R. Son Altesse Royale, *Zijne* (of *Hare*) *koninklijke Hoogheid.*

S.A.R.L. Société à responsabilité limitée.

S.A.S. Son Altesse Sérénissime, *Zijne doorluchtigheid.*

Sb *(scheik.)* antimoine, *stibium, antimoon.*

s.b.f. *(H.)* sauf bonne fin, *onder gewoon voorbehoud.*

s/c. son compte, *op zijn rekening.*

S.D. sauf dimanche, *behalve zondags.*

s.d. sans date, *zonder datum, zonder jaartal.*

Se *(scheik.)* sélénium, *selenium.*

S.E. **1** Sud-est, *zuidoost* ; **2** sauf erreur, *behoudens vergissingen* ; **3** Son Éminence (le cardinal), *Zijne Eminentie (de kardinaal).*

S.Em. Son Éminence, *Zijne Eminentie.*

S.E. ou O. sauf erreur ou omission, *behoudens vergissingen of weglatingen.*

S.Exc. Son Excellence (le ministre), *Zijne Excellentie (de minister).*

S.F. sans frais, *kosteloos.*

S.G. Sa Grandeur, *Zijne Hoogwaardige Excellentie (de bisschop).*

s.g. selon grandeur, *volgens grootte.*

S.G.D.G. sans garantie du gouvernement, *zonder regeringswaarborg.*

S.I. **1** service inclus, *inclusief bedieningsgeld* ; **2** Syndicat d'Initiative, *V.V.V.*

Si *(scheik.)* silicium, *silicium.*

s.i. *(H.)* sans intérêt, *renteloos.*

s.l. **1** *(H.)* sans lest, *zonder ballast* ; **2** sans lieu, *zonder plaats.*

s.l.n.d. sans lieu ni date, *zonder jaartal of plaats.*

Sm *(scheik.)* samarium, *samarium.*

S.M. Sa Majesté, *Zijne* (of *Hare*) *Majesteit.*

S.M.T.C. Sa Majesté très chrétienne (roi de France).

Sn *(scheik.)* étain, *tin.*

sn *(nat.)* sthène, 1000 *newton.*

S.N.C.B. Société nationale des chemins de fer belges, *Nationale Maatschappij der Belgische Spoorwegen* (N.M.B.S.).

S.N.C.F. Société nationale des chemins de fer français, *Nationale Franse Spoorwegmaatschappij.*

S.O. Sud-ouest, *zuidwest(en).*

s.o. sauf omission, *behoudens weglatingen.*

s/o. *(H.)* son ordre, *zijn order.*

Soph. *(bijbel)* Sophonie, *Sofonias, Zefanja.*

S.O.S. appel télégraphique de détresse, *noodsein van schepen.*

S.-P. Saint-Père, *de Heilige Vader (de paus).*

S.P.Q.R. le Sénat et le peuple romain, *de senaat en het volk van Rome.*

S.P.R.L. société de personnes à responsabilité limitée, *(B.) personenvennootschap met beperkte aansprakelijkheid (P.V.B.A.).*

S.R. Secours routier, *Wegenwacht.*

Sr *(scheik.)* strontium, *strontium.*

Sr. Sieur, *de heer.*

S.R.F. Secours routier français, *Franse Wegenwacht.*

SS. Saints, *de heilige (mv.).*

S.S. Sa Sainteté, *Zijne Heiligheid (de paus).*

ss, s/s steamship, navire à vapeur, *stoomschip.*

s/S sur Seine.

S.S.E. Sud-sud-est, *zuidzuidoost.*

S.S.O. Sud-sud-ouest, *zuidzuidwest.*

s.s.p. sous seing privé, *onderhands.*

St. saint, *heilige.*

Ste sainte, *heilige (vr).*

Sté société, *maatschappij.*

suiv. suivant, *volgens, overeenkomstig.*

s.v. **1** *(H.)* sans valeur, *zonder waarde* ; **2** sub voce, *zie onder het woord.*

s.v.p. s'il vous plaît, *alstublieft.*

T

T tera-, *tera-, een biljoen maal* ($x10^{12}$)

T/ *(H.)* traite, *wissel.*

t tonne, *ton.*

t. tome, *deel.*

T.A. téléphone automatique, *automatisch telefoonnet.*

Ta *(scheik.)* tantale, *tantalium.*

t.à t. tout à toi, *geheel de uwe.*

t.à v. tout à vous, *geheel de uwe.*

Tb *(scheik.)* terbium, *terbium.*

T.C. **1** télégramme avec collationnement, *gecollationeerd telegram* ; **2** tout compris, *alles inbegrepen.*

Te *(scheik.)* tellure, *tellurium.*

Tél. téléphone, *telefoon.*

tf *(nat.)* tonne-force, tonne-poids, *tonkracht.*

Th *(scheik.)* thorium, *thorium.*

th *(nat.)* thermie, *warmteëenheid, om één ton water één graad te verwarmen.*

Thess. *(bijbel)* Épître aux Thessaloniciens, *Brief aan de Thessalonicenzen.*

Thren. *(bijbel)* Lamentations de Jérémie, *klaagliederen van Jeremia(s).*

Ti *(scheik.)* titane, *titanium.*

Tim. *(bijbel)* Épître à Timothée, *Brief aan Timotheus.*

T.I.R. Transit international routier, *internat. wegverkeer.*

Tit. *(bijbel)* Épître à Tite, *Brief aan Titus.*

Tl *(scheik.)* thallium, *thallium.*

Tm *(scheik.)* thulium, *thulium.*
T.M. télégramme multiple, *meervoudig telegram.*
Tob. *(bijbel)* Tobie, *Tobias.*
T.O.E. théâtre d'opérations extérieures, *terrein der buiten Frankrijk gevoerde krijgsverrichtingen.*
T.O.-M. territoires d'outre-mer, *Franse overzeese gebiedsdelen.*
tp *(nat.)* tonne-poids, tonne-force, *tonkracht.*
T.Q. tel quel, *in dezelfde toestand, zoals het is.*
Tr. traite, *wissel.*
tr tour (= 4 D), 360°.
T.R. **1** tarif réduit, *verminderd tarief* ; **2** télégramme adressé télégraphe restant, *telegram telegraaf restant.*
T.S. tarif spécial, *speciaal tarief.*
T.S.F. télégraphie sans fil, *draadloze telegrafie ; radio.*
T.S.V.P. tournez, s'il vous plaît, *zie ommezijde* (z.o.z.).
t.t. transfert télégraphique, *telegrafische overmaking.*
T.U. téléphone urbain, *stadstelefoon.*
tx tonneaux, *ton.*

U

U *(scheik.)* uranium, *uranium, uraan.*
U.K. United Kingdom, Royaume-Uni de Grande-Bretagne et d'Irlande du Nord, *Verenigd koninkrijk (van Groot-Brittannië en Noord-Ierland).*
UNESCO United Nations Educational, Scientific and Cultural Organisation, *Organisatie van de Verenigde Naties voor opvoeding, wetenschap en cultuur.*
U.R.S.S. Union des républiques socialistes soviétiques, *Unie van socialistische sowjetrepublieken* (U.S.S.R.).
U.S.A. United States of America, *Verenigde Staten van Amerika.*

V

V **1** *(Romeins cijfer)* 5 ; **2** *(nat.)* volt, *volt* ; **3** *(scheik.)* vanadium, *vanadium.*
v. voir, voyez, *zie.*
V.A. Votre Altesse, *Uwe Hoogheid.*
val. *(H.)* valeur, *waarde.*
Var. variante, *variant, afwijkende lezing.*
VC *(nat.)* voltcoulomb, *voltcoulomb.*
v/c. *(H.)* votre compte, *uw rekening.*
V.E. Votre Éminence, *Uwe Eminentie.*
V.Ex. Votre Excellence, *Uwe Excellentie.*
V.G. Votre Grandeur.
Vg *(scheik.)* virginium, *virginium.*
virt *(H.)* virement, *overschrijving.*
V.M. Votre Majesté, *Uwe Majesteit.*
Vo verso, *verso, achterzijde.*
vol. volume, *deel.*
V.S. Votre Sainteté, *Uwe Heiligheid.*
Vte **1** vicomte, *burggraaf, jonkheer* ; **2** *(h.)* vente, *verkoop.*
Vve veuve, *weduwe.*
v/v. votre ville, *ten uwent.*
VV.MM. Vos Majestés, *Uwe Majesteiten.*

W

W **1** *(scheik.)* tungstène, *wolfraam;* **2** *(nat.)* watt, *watt.*
Wb *(nat.)* weber, *weber.*
W.-C. water-closet, *w.c.*
Wh wattheure, *wattuur.*

X

X **1** *(Romeins cijfer)* 10 ; **2** anonyme, *anoniem* ; **3** *(scheik.)* xénon, *xenon.*
Xe *(scheik.)* xénon, *xenon.*
X.P. *(op telegram)* express payé, *expressbestelling betaald.*

Y

Y *(scheik.)* yttrium, *yttrium.*
Yb *(scheik.)* ytterbium, *ytterbium.*

Z

Zach. *(bijbel)* Zacharie, *Zacharia(s), Zakarias.*
Zn *(scheik.)* zinc, *zink.*
Zr *(scheik.)* zirconium, *zirkonium.*

TEKENS

. le point, *de punt.*
, la virgule, *de komma.*
; le point-virgule, *de kommapunt.*
? le point d'interrogation, *het vraagteken.*
! le point d'exclamation, *het uitroepteken.*
: les deux points, *de dubbele punt.*
... les points de suspension, *het beletselteken.*
« » les guillemets, *de aanhalingstekens.*
( ) les parenthèses, *haakjes.*
[ ] les crochets, *vierkante haakjes.*
— le tiret, *het gedachtestreepje.*
+ plus, *plus, en.*
— moins, *min.*
× multiplié par, *maal.*
: divisé par, *gedeeld door.*
= égale, *is.*
> plus grand que, *groter dan.*
< plus petit que, *kleiner dan.*
≠ différent de, *niet gelijk aan.*
∞ infini, *oneindig.*
$\sqrt{}$ racine de, *(vierkants)wortel van.*
$\sqrt[n]{}$ racine n[ième] de, *n-de wortel uit.*
& et, *en.*
$ Dollar, *dollar.*
£ Livre sterling, *pond sterling.*
§ paragraphe, *paragraaf.*

ENKELE GRAMMATICALE EN SPELLINGMOEILIJKHEDEN IN HET FRANS

WOORDAFBREKINGEN

Woorden met méér dan één klinker kunnen worden afgebroken tussen twee lettergrepen.

Bv. *U - ti - li - té, mai - son, di - vi - ser.*

Opmerkingen :

1. Men mag niet afbreken tussen twee klinkers.

   Bv. *Théâ - tre, agréa - ble, poê - me.*

2. Van twee op elkaar volgende medeklinkers gaat de eerste naar het voorafgaande, de tweede naar het volgende woorddeel.

   Bv. *pos - ses - sif, ter - re, per - son - ne.*

   Uitgezonderd :

   a. **gn** wordt niet gescheiden;

      bv. *pei - gner, compa - gnons, li - gne.*

   b. **ch, ph, th** worden niet gescheiden;

      bv. *a - chat, gra - phée, a - thénée.*

   c. **l** en **r** worden niet van de voorafgaande klinker gescheiden, behalve in de combinaties fr, rt, tl, ll, rr;

      bv. *a - près, aima - ble, pa - trie.*

      maar wel : *At - las, Ar - lon, Ul - rich.*

3. Van meer dan twee op elkaar volgende medeklinkers gaat gewoonlijk de laatste naar het volgende woorddeel, met inachtneming echter van de hierboven onder 2 a/c genoemde uitzonderingen.

   Bv. *conjonc - tion, circons - tance.*
   maar : *démons - tratif, an - thologie, pam - phlet.*

4. Men mag nooit zodanig afbreken dat een regel eindigt met een apostrof.
   Bv. *l'é - lève, aujour - d'hui, lors - qu'il.*

MEERVOUDSVORMING

Als regel wordt het meervoud van een zelfstandig naamwoord gevormd door **toevoeging van een s** aan het enkelvoud.

Bv. *un livre, des livres; un jour, des jours.*

Uitzonderingen :

1. Woorden op **s, x** of **z** blijven onveranderd.

   Bv. *un mois, des mois; un prix, des prix; un nez, des nez.*

2. Woorden op **au, eau** of **eu** krijgen een **x.**

   Bv. *un château, des châteaux; le jeu, les jeux; le tuyau, les tuyaux.*

3. Woorden op **al** veranderen **al** in **aux.**

   Bv. *le canal, les canaux; le journal, les journaux.*

   Uitgezonderd : **aval, bal, cal, carnaval, chacal, choral, festival, mistral, narval, nopal, pal, récital, régal,** die een **s** krijgen.

4. De navolgende zeven woorden op **ail** veranderen **ail** in **aux** :
un bail, des **baux**; *du corail, des* **coraux**; *un émail, des* **émaux**; *un soupirail, des* **soupiraux**; *un travail, des* **travaux**; *un vantail, des* **vantaux**; *un vitrail, des* **vitraux.**
Het meervoud van het woord **ail** is **aulx.**
De meeste woorden op **ail** krijgen echter **ails.**

Bv. *un camail, des camails; un rail, des rails; un gouvernail, des gouvernails.*

5. De navolgende zeven woorden op **ou** krijgen een **x** in plaats van een **s** :

le bijou, les **bijoux**; *le caillou, les* **cailloux**; *le chou, les* **choux**; *le genou, les* **genoux**; *le hibou, les* **hiboux**; *le joujou, les* **joujoux**; *le pou, les* **poux.**
De meeste woorden op **ou** krijgen echter een **s.**

Bv. *un fou, des fous; le verrou, des verrous.*

Opmerkingen :

1. **aïeul** wordt **aïeuls** in de betekenis van *grootouders* van vaders- of moederszijde; **aïeux** betekent *voorouders, voorvaderen.*

2. **ciel** wordt **cieux,** maar **ciels** voor de hemels van een *ledikant* (*des ciels de lit*) of een *schilderij* (*des ciels de tableau*).

3. **œil** wordt **yeux,** maar **œils** in figuurlijke betekenissen zoals *œils-de-bœuf, œils-de-perdrix, œils-de-chat.*

4. **Eigennamen** krijgen als regel geen meervoudsuitgang.

Bv. *de Janssens, les Janssen; de Bossuets, les Bossuet; nous avons six Pierre dans la famille.*

Uitgezonderd wanneer zij tot een soortnaam gaan worden.

Bv. *les Rembrandts du musée national; les Corneilles sont nés à Rouen.*

5. **Vreemde woorden** volgen, voorzover zij verfranst zijn, de algemene regel.

Bv. *un piano, des pianos; un agenda, des agendas; un bifteck, des biftecks.*

Uitgezonderd : un carbonaro, des **carbonari**; *un condottiere, des* **condottieri**; *un lazzarone, des* **lazzaroni**; *un gentleman, des* **gentlemen** (etc.); *un maximum, des* **maxima** of **maximums**; *un sportsman, des* **sportsmen.**

Onveranderd blijven : *un ave, des* **ave**; *un ex-voto, des* **ex-voto**; *un in-folio, des* **in-folio**; *un pater, des* **pater**; *un veto, des* **veto**; *un extra, des* **extra**; *un post-scriptum, des* **post-scriptum**; *un pick-up, des* **pick-up.**

6. **Samengestelde woorden** die als één woord worden geschreven, volgen de algemene regel.

Bv. *un pourboire, des pourboires; un portefeuille, des portefeuilles.*

Uitgezonderd : monsieur, **messieurs**; *madame,* **mesdames**; *mademoiselle,* **mesdemoiselles**; *monseigneur,* **messeigneurs**; *bonhomme,* **bonshommes**; *gentilhomme,* **gentilshommes.**

In samengestelde woorden met een verbindingsstreepje wordt de plaats van de meervouds-s bepaald door de betekenis of de aard van het woord. Men raadplege bij twijfel het woordenboek, waar het deel dat de s aanneemt met een * is aangegeven. Woorden waar het sterretje bij ontbreekt, blijven onveranderd. Het werkwoord, bijwoord en voorzetsel blijven altijd onveranderd.

Bv. *des casse-noisettes, des passe-partout, des arcs-en-ciel.*

Het zelfstandig naamwoord en het bijvoeglijk naamwoord nemen alleen de meervoudsvorm aan, wanneer zij een meervoudige betekenis hebben.

Bv. *des timbres-poste, des chefs-lieux, des coffres-forts, des chefs-d'œuvre.*

Het bijvoeglijk naamwoord **grand-** blijft altijd onveranderd.

Bv. *des grand-mères.*

7. **Bijvoeglijke naamwoorden** volgen de algemene regel.

Bv. *un homme travailleur, des hommes travailleurs.*

Uitgezonderd :

a. woorden op **s** of **x** blijven in het meervoud onveranderd;

Bv. *un mur épais, des murs épais.*

b. woorden op **eau** krijgen een **x**;

Bv. *un nouveau livre, de nouveaux livres.* Eveneens: *hébreu, hébreux* (vr. *hébraïque*).

c. de meeste woorden op **al** veranderen **al** in **aux**;

Bv. *un château féodal, des châteaux féodaux; salut amical, des saluts amicaux.*

Uitgezonderd : banal wordt **banals**, *fatal* wordt **fatals**, *glacial* wordt **glacials**, *naval* wordt **navals**, *boréal* wordt **boréals.**

Opmerking. De bijvoeglijke naamwoorden **automnal, final, frugal, natal, patronal, papal, pénal** en **vénal** worden vrijwel niet gebruikt in het mannelijk meervoud.

SAMENSTELLINGEN (COMPLÉMENT DÉTERMINATIF)

In plaats van samenstellingen, die men in het Nederlands bijna onbeperkt kan vormen, gebruikt het Frans liever twee door een voorzetsel verbonden zelfstandige naamwoorden.
Geeft het tweede woord een nadere bepaling van het doel of het gebruik van het eerste woord, dan gebruikt men het voorzetsel **à.**

Bv. *un verre à vin, une machine à écrire, une machine à coudre, un sac à main, une voiture à cheval.*

Geeft het tweede woord een speciale eigenschap van het eerste woord aan, of tot welke ruimere soort het behoort, dan gebruikt men het voorzetsel **de.**

Bv. *la tour d'église, une porte de maison, le livre d'enfant.*

Het voorzetsel **de** wordt eveneens gebruikt na : **ville, pays, île, mois** en **titre.**

Bv. *la ville de Paris,* de stad Parijs; *le pays de France,* het land Frankrijk; *l'île de Corse,* het eiland Corsika; *le mois de mai,* de maand mei; *le titre de docteur,* de dokterstitel.

Afhankelijk van de betekenis neemt het tweede woord al dan niet het meervoud aan.

Bv. *des fruits à noyau,* kernvruchten (pruim, perzik); *des fruits à pépins,* pitvruchten (appel, peer); *des habits de femme,* vrouwenkleding; *une réunion des femmes,* een vrouwenvereniging; *un baril d'huile,* een olievaatje; *un baril d'olives,* een vaatje olijven; *un marchand de papier,* een papierhandelaar; *un marchand de peaux,* een huidenhandelaar.

Opmerkingen :

1. Om het eerste woord nadrukkelijk te bepalen als behorend tot een zeer bepaalde persoon of zaak, wordt het voorzetsel **de** vergezeld van het **bepalend lidwoord.**

Bv. *la porte de la maison,* de deur van een bepaald huis; *le livre de l'enfant,* het boek van een bepaald kind; in tegenstelling tot : *la porte de maison,* de huisdeur; *le livre d'enfant,* het kinderboek.

2. In gevallen waarin het duidelijk om een hoeveelheid of om de inhoud gaat, is het voorzetsel **de** te beschouwen als **article partitif.**

Bv. *un verre de vin,* een glas wijn; *un sac de blé,* een zak koren; *une voiture de blé,* een wagen graan.

HET LIDWOORD

In tegenstelling tot het Nederlands gebruikt men in het Frans in de navolgende gevallen een lidwoord :

1. Voor een **door een eigennaam gevolgde titel** of naam van beroep.

Bv. professor Daudet, *le professeur Daudet;* notaris Debré, *le notaire Debré.*

Uitgezonderd voor **vreemde beleefdheidstitels** en voor de titels **Monsieur, Madame, Mademoiselle** en **maître.**

Bv. mevrouw Barlot, *Madame Barlot;* Miss Lewis, *Miss Lewis;*
doch dit verandert niets aan de algemene regel bij :
mijnheer de graaf, *Monsieur le Comte;* professor Daudet, *Monsieur le professeur Daudet;*

uitgezonderd :

Mevrouw de **weduwe** Barlot, *Madame* **Veuve** *Barlot.*

2. Bij de beschrijving van iemands **uiterlijk** (door middel van het ww. *avoir*).

Bv. hij had blond haar, blauwe ogen, *il avait les cheveux blonds, les yeux bleus etc.*

3. Voor een zelfstandig naamwoord in een **algemene zin** gebruikt.

Bv. katten zijn huisdieren, *les chats sont des animaux domestiques;* koffie is een geliefkoosde drank, *le café est une boisson favorite.*

4. In **breukgetallen.**

Bv. Zij vormen 3/4 van de bevolking, *ils forment les trois quarts de la population.*

5. In tal van **uitdrukkingen,** zoals

Bv. *faire la guerre, savoir le français, aimer le vin, avoir mal aux dents, être le bienvenu, c'est la fête, c'est l'été, faire la paix, avoir le temps, le vent du nord, du sud, la gare de l'Est.* (*Uitz. vent d'est, vent d'ouest,* enzovoort).

6. Voor de meeste namen van **provincies, landen** en **werelddelen.**

Bv. Normandië, *la Normandie;* Frankrijk, *la France;* Amerika, *l'Amérique.*

Uitgezonderd :

1. **na** het voorzetsel **en.**

Bv. in Frankrijk, *en France.*

2. behoudens voor mannelijke namen van vooral buiten Europa gelegen landen, **na** het voorzetsel **de** indien :

a. een **richting** wordt uitgedrukt.

Bv. de trein naar (of uit) Frankrijk, *le train de France;* bij zijn terugkeer uit Frankrijk, *à son retour de France.*

b. na woorden als **roi, empereur, comte, royaume, comté** enz.

Bv. de koningin van Nederland, *la reine de Hollande;* de prins van Oranje, *le prince d'Orange;* het koninkrijk België, *le royaume de Belgique*
Maar: de keizer van Japan, *l'empereur* **du** *Japon* (mannelijk) ; de keizer van Indië, *l'empereur* **des** *Indes* (meervoud).

c. na de naam van een produkt.

Bv. Noors hout, *du bois de Norvège*
maar: Mexicaanse olie, *de l'huile* **du** *Mexique* (mann.), Nederlands aardgas, *gaz naturel* **des** *Pays-Bas* (mv.).

7. Voorafgegaan door **de** als **article partitif.** Zie onder.

In tegenstelling tot het Nederlands gebruikt men in het Frans **geen lidwoord :**

1. *Na* het voorzetsel **en.**

Bv. in de openlucht, *en plein air;* in de zomer, *en été.*

Uitgezonderd: **en l'absence de qn, en l'honneur de qn, en l'an 1965, tirer en l'air.**

2. Bij **bijstellingen.**

Bv. Arles, de hoofdstad van de Provence, *Arles, capitale de la Provence.*

3. Bij namen van **vorsten.**
   Bv. Lodewijk de Veertiende, *Louis quatorze.*
4. Als het als gezegde gebruikte zelfstandig naamwoord een **nationaliteit aanduidt.**
   Bv. Hij is een Zwitser, *il est Suisse.*
   maar: **c'est** *un Suisse* ; *il est un* **grand** *Suisse.*

ARTICLE PARTITIF

Het gebruik van het article partitif weerspiegelt in de taal de grondige afkeer die de van huis uit zo rationele Fransman heeft voor vaagheden. Wat voor een Nederlander onbepaald is, is voor een Fransman slechts een afgebakend deel van een grotere hoeveelheid. Om een onbepaalde hoeveelheid of een onbepaald aantal uit te drukken, gebruikt het Frans daarom het voorzetsel **de** plus **het bepalend lidwoord,** al dan niet samengetrokken. Deze vorm heet **delend lidwoord.**

Bv. hij drinkt wijn, *il boit du vin;* hij leest buitenlandse kranten, *il lit des journaux étrangers;* lucifers, *des allumettes.*

Het delend lidwoord wordt vervangen door **de** :

1. Na een zelfstandig naamwoord of bijwoord dat een **hoeveelheid uitdrukt.**
   Bv. meer geld, *plus d'argent;* teveel tijd, *trop de temps;* veel jongens, *beaucoup de garçons;* een paar dagen, *peu de jours;* een dozijn dozen, *une douzaine de boîtes;* genoeg boter, *assez de beurre;* geen discussie, *pas de discussions.*

   Uitgezonderd na **la plupart** en **bien** (*de meesten, zeer veel* of *heel wat*).

   Bv. *la plupart des gens; bien de l'argent.*
2. Na een **ontkennend werkwoord,** behalve être en verdere koppelwerkwoorden.
   Bv. ik heb geen boeken, *je n'ai pas de livres* ; dat zijn geen boeken, *ce ne sont pas des livres.*
3. Indien het zelfstandig naamwoord wordt voorafgegaan door een bijvoeglijk naamwoord.
   Bv. goede wijn, *du bon vin;* mooie vrouwen, *de belles femmes;* grote steden, *de grandes villes.*

   Uitgezonderd wanneer beide één begrip vormen :

   Bv. schoonmoeders, *des belles-mères;* meisjes, *des jeunes filles;* kleinkinderen, *des petits-enfants.*
   maar : kleine kinderen, *de petits enfants.*

Het article partitif **valt weg** :

1. Na een bijvoeglijk naamwoord of werkwoord dat door het voorzetsel **de** wordt gevolgd.
   Bv. *plein de pommes de terre; remplir de pommes de terre.*
2. na **sans** :
   Bv. *arriver sans argent, sans livres.*
3. na **avec,** indien hierdoor een **manier** wordt uitgedrukt.
   Bv. *avec grâce, avec courage.*
4. in oude **vaste uitdrukkingen,** vooral na de werkwoorden **avoir** en **faire** :
   Bv. *avoir faim, avoir pitié, avoir soin,* enz.; *faire pitié, faire attention,* enz.; *prendre congé, prendre feu, prendre plaisir,* enz.

BIJVOEGLIJK NAAMWOORD

Het bijvoeglijk naamwoord richt zich in getal en geslacht naar het zelfstandig naamwoord waar het bijhoort.

Bv. *la belle femme, les belles femmes.*

Opmerkingen :

1. Slaat het bijvoeglijk naamwoord op **meer dan één zelfstandig naamwoord,** dan krijgt het de meervouds-s.

Bv. *Mon père et mon frère sont grands.*

2. Hebben de zelfstandige naamwoorden waar het op slaat een **verschillend geslacht,** dan houdt het bijvoeglijk naamwoord de mannelijke vorm.

Bv. *Mon frère et ma sœur sont grands.*

3. **Nu** en **demi** blijven onveranderd wanneer zij met een verbindingsstreepje aan het zelfstandig naamwoord voorafgaan.

Bv. *nu-pieds, nu-tête, une demi-brigade.*

demi blijft achter een zelfstandig naamwoord in het meervoud toch enkelvoud, maar neemt wel het geslacht van het zelfstandig naamwoord over.

Bv. *deux heures et demie, deux jours et demi.*

wanneer het de helft van een eenheid betekent, wordt demi behandeld als een mannelijk zelfstandig naamwoord.

Bv. *deux demis font un entier.*

wanneer het een half uur betekent, als een vrouwelijk zelfstandig naamwoord.

Bv. *Cette horloge sonne les heures et les demies.*

4. In **samengestelde bijvoeglijke naamwoorden** zoals *nu-propriétaires, nouveau-nés, clair-semés, court-vêtus,* dient het eerste gedeelte beschouwd te worden als bijwoord, dus als onveranderlijk ; eveneens het tweede gedeelte van samenstellingen zoals *gagne-petit, trotte-menu.*
Indien het tweede bijvoeglijk naamwoord of deelwoord als een zelfstandig naamwoord wordt beschouwd, dan is er *wel* overeenkomst van getal en geslacht.

Bv. *Une nouvelle mariée, des nouveaux venus, les premiers-nés.*
Volgens de Académie moet men schrijven : **des enfants mort-nés.**

5. **Bijwoordelijk gebruikte bijvoeglijke naamwoorden** zijn onveranderlijk (zie onder **bijwoord,** opmerking 6).

Bv. *cette dame parle haut; certains artistes chantent juste.*

Het bijvoeglijk naamwoord kan nooit bijwoordelijk worden gebruikt na de koppelwerkwoorden **être, devenir, sembler, paraître,** enz.

Bv. *Ces fruits sont chers.*

6. Bepaalde bijvoeglijke naamwoorden die een **kleur** aanduiden blijven onveranderd.

Bv. *des cheveux châtain clair; une barbe bleu cendre; des robes gris perle.*

Hetzelfde is het geval bij bepaalde naamwoorden die een kleur aanduiden.

Bv. *des gants paille; une redingote marron; des robes puce,* etc.

De **plaats van het bijvoeglijk naamwoord** wordt niet bepaald door de betekenis ervan, maar door het oogmerk waarmee het gebruikt wordt : ter *onderscheiding* komt het *achter* het zelfstandig naamwoord, als *versiering ervoor.*

Bv. *un fruit vert* (er zijn ook gele, rode appels) ; *une verte prairie* (een wei is onder normale omstandigheden nu eenmaal groen) ; *un homme brave* (er zijn ook laffe, althans niet zo dappere mannen) ; *un brave soldat* (een soldaat is gewoonlijk dapper).

Opmerkingen :

1. **Altijd na** het zelfstandig naamwoord komen bijvoeglijke naamwoorden die een fysieke eigenschap (dus ook kleuren) of een nationaal of godsdienstig onderscheid uitdrukken.

Bv. *une musique douce, une table carrée, un roman français, une église réformée.*

2. Staat er **meer dan één bijvoeglijk naamwoord** bij een zelfstandig naamwoord, dan komt het kortste meestal voor het zelfstandig naamwoord. Dit is trouwens bijna altijd het geval met **bon, mauvais, méchant, beau**; **grand, petit, joli, gros**; **jeune, vieux, habile, sot**; **vaste, vilain, digne, haut.**

3. Enkele bijvoeglijke naamwoorden verschillen in bepaalde combinaties van betekenis, al naar zij voor of achter een zelfstandig naamwoord staan.

Bv. *un grand homme* (belangrijk man), *un homme grand* (man van 1.90 m); *une grande dame* (voorname dame), *une dame grande* (dame van 1.80 m); *un petit homme* (man van 1.60 m), *un homme petit* (kleingeestig); *un brave homme* (braaf mens), *un homme brave* (dapper man); *différentes choses* (verscheidene dingen), *des choses différentes* (verschillende dingen); *son propre fils* (zijn eigen zoon), *son fils propre* (goed gewassen); *le pauvre homme* (stakker), *l'homme pauvre* (zonder geld); *un certain sourire* (een bepaalde glimlach), *un sourire certain* (zekere, overtuigde).

Het **vrouwelijk van een bijvoeglijk naamwoord** wordt als regel gevormd door toevoeging van een **toonloze e** achter het mannelijk.

Bv. *Un élève bavard, une élève bavarde; un grand bâtiment, une grande maison.*

Uitzonderingen :

1. Bijvoeglijke naamwoorden op een **stomme e** blijven onveranderd.

Bv. *un homme modeste, une femme modeste; un travail facile, une tâche facile.*

2. Bijvoeglijke naamwoorden op **er** veranderen **er** in **ère.**

Bv. *altier, altière; léger, légère; fier, fière.*

3. Bijvoeglijke naamwoorden op **x** veranderen **x in se.**

Bv. *heureux, heureuse; peureux, peureuse; sérieux, sérieuse.*

Uitgezonderd : doux wordt **douce,** *faux* wordt **fausse,** *roux* wordt **rousse,** *vieux* wordt **vieille.**

4. De meeste bijvoeglijke naamwoorden op **eur** of **teur** die afgeleid zijn van een tegenwoordig deelwoord door verandering van *ant* in *eur* veranderen **eur** in **euse.**

Bv. *un ami trompeur, une apparence trompeuse.*

Uitgezonderd : enchanteur, **enchanteresse**; *vengeur,* **vengeresse.**

5. De bijvoeglijke naamwoorden op **teur** die *niet* zijn afgeleid van een tegenwoordig deelwoord veranderen **teur** in **trice** (zie ook opmerking 5 hieronder).

Bv. *un juge accusateur, une lettre accusatrice; un comité directeur, une association directrice.*

6. De bijvoeglijke naamwoorden op **f** veranderen **f** in **ve.**

Bv. *vif, vive; neuf, neuve.*

7. De bijvoeglijke naamwoorden op **el, eil, et, en, on** verdubbelen de laatste letter alvorens de toonloze e aan te nemen.

Bv. *cruel, cruelle; pareil, pareille; coquet, coquette; ancien, ancienne; bon, bonne.*

Uitgezonderd : complet, **complète**; *concret,* **concrète**; *discret,* **discrète**; *inquiet,* **inquiète**; *replet,* **replète**; *secret,* **secrète.**

8. De bijvoeglijke naamwoorden op **gu** krijgen een **trema** op de toonloze e.

Bv. **aigu, aiguë.**

Opmerkingen :

Een aantal bijvoeglijke naamwoorden wijken af van de algemene regel :

1. nul, **nulle**; gentil, **gentille**; sot, **sotte**; vieillot, **vieillotte**; bellot, **bellotte**; pâlot, **pâlotte**; bas, **basse**; gras, **grasse**; gros, **grosse**; las, **lasse**; épais, **épaisse**; exprès, **expresse.**

2. beau, **belle**; nouveau, **nouvelle**; fou, **folle**; mou, **molle**; vieux, **vieille.**

3. public, **publique** ; caduc, **caduque** ; turc, **turque** ; grec, **grecque** ; franc (Frankisch), **franque.**

4. blanc, **blanche** ; franc, **franche** (doch franc (Frankisch), zie onder 3) ; sec, **sèche** ; frais, **fraîche** ; malin, **maligne** ; bénin, **bénigne** ; oblong, **oblongue** ; long, **longue** ; tiers, **tierce** ; favori, **favorite** ; coi, **coite** ; jumeau, **jumelle** ; hébreu, **hébraïque** ; paysan, **paysanne.**

5. enchanteur, **enchanteresse** ; vengeur, **vengeresse** ; pécheur, **pécheresse** ; inventeur, **inventeresse** ; persécuteur, **persécutrice.**

BIJWOORD

Terwijl er in het Nederlands vrijwel geen verschil in spelling bestaat tussen bijwoorden en bijvoeglijke naamwoorden, maakt men in het Frans een scherp onderscheid. De meeste bijwoorden van hoedanigheid worden gevormd door plaatsing van de uitgang **-ment** achter het bijvoeglijke naamwoord.

Bv. *sage, sagement; rare, rarement; brave, bravement.*

Opmerkingen :

1. Eindigt het bijvoeglijk naamwoord op een medeklinker, dan gaat men uit van de vrouwelijke vorm.

Bv. *heureux, heureusement; cordial, cordialement.*

Uitgezonderd : gentil, **gentîment.**

2. De bijvoeglijke naamwoorden op **-ant** en **-ent** vormen het bijwoord op**-amment** en **-emment.**

Bv. *constant, constamment; prudent, prudemment.*

Uitgezonderd : **lentement, présentement, véhémentement.**

3. Een **é** voor de uitgang **ment** krijgen : **aveuglément, commodément, communément, conformément, confusément, énormément, expressément, immensément, obscurément, opiniâtrément, précisément, profondément, uniformément.**

4. Onregelmatig zijn ook : **bien, mal** ; **gaîment** of **gaiement, impunément, traîtreusement, assidûment, crûment. Vite** blijft onveranderd, evenals **volontiers.**

5. **Zeer** is **très** indien het voor een bijvoeglijk naamwoord of een bijwoord staat :

Bv. *très bien, très poli;*

na een werkwoord is het **beaucoup**

Bv. *il me plaît beaucoup.*

Zeer veel is niet *très beaucoup*, maar **beaucoup, bien, énormément de.**

Bv. Ik heb zeer veel vrienden, *j'ai énormément d'amis;* Hij werkt zeer veel, *Il travaille énormément.*

6. **Bijwoordelijk gebruikte bijvoeglijke naamwoorden** vindt men in uitdrukkingen als : *acheter, vendre, coûter, payer* **cher** ; *sonner, chanter, jouer* **faux** ; *chanter, deviner* **juste** ; *refuser, arrêter, rapporter* **net** ; *demeurer, rester, couper* **court** ; *sentir, frapper* **fort** ; *parler, voir* **clair** ; *travailler, piocher* **dur** ; *parler, lire, voler, monter* **haut** ; enz.

WERKWOORD

Het werkwoord richt zich naar getal en persoon van zijn onderwerp.

Opmerkingen :

1. Bij **meer dan één onderwerp** in het enkelvoud **zonder** het voegwoord **et** kan het werkwoord enkelvoud of meervoud zijn :

a. **meervoud,** indien alle onderwerpen gezamenlijk beschouwd worden,

Bv. *L'ambition, l'amour, l'avarice, la haine tiennent, comme un forçat, notre esprit à la chaîne.*

b. **enkelvoud,** indien elk onderwerp eigenlijk afzonderlijk wordt beschouwd,

Bv. *Une seule parole, un sourire gracieux, un seul regard suffit.*

2. Zijn de onderwerpen **verbonden door** het voegwoord **et,** dan staat het werkwoord in het meervoud.

3. Indien de onderwerpen in een **verschillende persoon** staan, dan richt het werkwoord zich naar de persoon die de voorrang heeft. De 1e persoon heeft voorrang boven de 2e, de 2e boven de 3e.

Bv. *Son père, sa mère et moi, nous sommes du même avis. Toi et moi, nous nous portons bien.*

4. Indien de onderwerpen verbonden zijn door het voegwoord **ou of ni,** dan kan het werkwoord enkelvoud of meervoud zijn :

a. **meervoud,** indien beide onderwerpen bijdragen, of kunnen bijdragen, tot de door het werkwoord uitgedrukte handeling,

Bv. *Ni l'or ni la grandeur ne nous rendent heureux. Le temps ou la mort sont nos remèdes.*

b. **enkelvoud,** indien er sprake is van handelingen die los van elkaar worden beschouwd, of die elkaar uitsluiten, mits de onderwerpen van *gelijke persoon* zijn :

Bv. *Ni mon grenier ni mon armoire ne se remplit à babiller.*
Notre perte ou notre salut n'est pas une affaire qui vous intéresse.
Lui ou son frère sera élu président.
Maar : *Lui ou toi serez élu président.*

5. Zijn de onderwerpen **onbepaalde wijzen,** dan staat het werkwoord gewoonlijk in het meervoud.

Bv. *Se coucher tôt et se lever matin sont de bonnes habitudes.*

6. Is het onderwerp een **verzamelnaam** gevolgd door een bepaling, dan staat het werkwoord in het enkelvoud of het meervoud, al naargelang de nadruk valt op de verzamelnaam of op de samenstellende delen.

Bv. *Une foule de personnes assistait à cette séance. Un nombre infini d'oiseaux faisaient résonner les bocages de leurs chants.*

7. Na de uitdrukking **plus d'un** staat het werkwoord meestal in het enkelvoud.

Bv. *Plus d'un de ces hommes était à plaindre.*

AVOIR EN ÊTRE

De wederkerige werkwoorden worden vervoegd met **être,** de andere met **avoir.**

Bv. Ik heb gewandeld, *je me suis promené;* ik heb me vergist, *je me suis trompé;* hij is gevlucht, *il a fui;* hij heeft gegeten, *il a mangé.*

Uitzonderingen :

1. Met **être** worden vervoegd : **aller, venir, arriver, partir, demeurer, entrer, sortir, naître, mourir, tomber,** enz. (alle zijn werkwoorden van **beweging**).

Bv. *je suis allé voir mon ami; je suis sorti.*

2. Al naargelang ze een **gebeurtenis** of een **toestand** uitdrukken, worden de navolgende werkwoorden vervoegd met **avoir** of met **être** : **accourir, cesser, descendre, disparaître, émigrer, grandir, monter, paraître, passer, rester, résulter, enz.**

Bv. *Ce roman a paru hier. Ce roman est paru depuis plusieurs mois.*

Het werkwoord **être** heeft dan de functie van **koppelwerkwoord.**

PASSIEF. WORDEN

Het passief wordt gevormd door het hulpwerkwoord **être**.

Bv. ik word bemind, *je suis aimé;* ik ben bemind, *j'ai été aimé;* ik zal bemind worden, *je serai aimé.*

Opmerkingen :

1. Het passief wordt, vooral in de omgangstaal, soms vervangen door :

a. **reflexieve constructie** (bij gewoonte)

Bv. *cela se dit souvent; cela se vend partout; cela se voit tous les jours.*

b. omschrijving in het actief door gebruik van **on**

Bv. *ce soir on danse; on parle français; on l'a beaucoup aimé chez nous.*

FUTURUM

In het Frans gebruikt men het futurum, indien een handeling nog moet plaats hebben.

Bv. je zult zien dat hij het niet doet, *tu verras qu'il ne le fera pas.*

Opmerking :

Het futurum wordt, vooral in de omgangstaal, bij een nabij gebeuren omschreven door **aller**.

Bv. ik zal het je zeggen, *je vais te le dire.*

TEGENWOORDIG DEELWOORD

Om de gelijktijdigheid van twee handelingen uit te drukken, of het middel en de manier waarop, gebruikt het Frans gaarne het tegenwoordig deelwoord ; indien dit wordt voorafgegaan door **en**, spreekt men van een gerundium-constructie.
Bij een gerundiumconstructie hebben hoofd- en bijzin hetzelfde onderwerp, bij het tegenwoordig deelwoord wordt het onderwerp gevormd door het zelfstandig naamwoord of voornaamwoord van de hoofdzin dat er het dichtst bij staat.

Bv. *Je les ai vus en allant à l'école*, terwijl *ik* naar school ging. *Je les ai vus allant à l'école*, terwijl *zij* naar school gingen.

Het Nederlands gebruikt voor tegenwoordig-deelwoordconstructies bij voorkeur : een betrekkelijk voornaamwoord of een van de voegwoorden : **toen, terwijl, daar, omdat** ; en voor gerundiumconstructies een van de voegwoorden : **als, wanneer, indien** (*en travaillant bien*) ; **ofschoon, hoewel, al** (*tout en reconnaissant vos services*) ; of een als zelfstandig naamwoord gebruikte **infinitief met voorzetsel** (*en jouant*, bij het spelen, onder het spelen, tijdens het spelen).

Opmerking :

Gesubstantiveerde tegenwoordige deelwoorden en verbale adjectieven hebben soms een afwijkende spelling. Bv.

deelwoord	*zelfst. nw.*	*deelwoord*	*bijv. nw.*
fabriquant	fabricant	différant	différent
intriguant	intrigant	négligeant	négligent
extravaguant	extravagant	excellant	excellent
adhérant	adhérent	équivalant	équivalent
présidant	président	divergeant	divergent
résidant	résident	vaquant	vacant
affluant	affluent	suffoquant	suffocant
expédiant	expédient	fatiguant	fatigant
		convainquant	convaincant

VERLEDEN DEELWOORD

1. Het verleden deelwoord zonder hulpwerkwoord komt in geslacht en getal overeen met het woord waar het bijhoort.

Bv. *Elle se sentait épuisée. A peine écloses, ces fleurs se fanent.*

2. Vervoegd met **être** komt het verleden deelwoord overeen met het **onderwerp.**

Bv. *Elle est partie ce matin. Nous sommes revenus samedi.*

3. Vervoegd met **avoir** komt het verleden deelwoord overeen met het eraan **voorafgaande lijdend voorwerp**; staat het lijdend voorwerp achter het verleden deelwoord, of is er geen lijdend voorwerp, dan blijft het deelwoord onveranderd.

Bv. *Les livres que j'ai lus. Les marchandises qu'il a achetées. On les a récompensés.*
Maar : *J'ai lu ces livres. Nous avons acheté des marchandises. Ils ont bien travaillé.*

Wanneer achter het door een lijdend voorwerp voorafgegaan deelwoord een **onbepaalde wijs** staat, dient men op te letten of het lijdend voorwerp afhankelijk is van het deelwoord of van de onbepaalde wijs. In het eerste geval dient het deelwoord overeen te komen in geslacht en getal; in het andere geval blijft het onveranderd.

Bv. *Les enfants que j'ai entendus chanter. Les arbres que j'ai vus fleurir.*
Maar : *Les mélodies que j'ai entendu chanter. Les arbres que j'ai vu planter.*

Het deelwoord **fait** is altijd onveranderlijk voor een onbepaalde wijs :

Bv. *Cette femme, je l'ai fait venir.*

4. Het verleden deelwoord van **wederkerige werkwoorden** komt overeen met het onderwerp, juist als bij être.

Bv. *Elle s'est repentie de ses fautes. Ils se sont emparés d'une grande somme.*

Bij wederkerige werkwoorden die slechts toevallig als zodanig gebruikt worden komt het deelwoord overeen met het eraan voorafgaande lijdend voorwerp.

Bv. *Ils se sont vus hier. Les livres que nous nous sommes procurés. Ils se sont attribué de grands avantages.*

5. De verleden deelwoorden **approuvé, attendu, ci-inclus, ci-joint, excepté, y compris, non compris, ôté, passé, supposé, vu, ouï** blijven onveranderd wanneer ze zonder hulpwerkwoord voor het zelfstandig naamwoord en aan het begin van de zin staan.

Bv. *Approuvé l'écriture ci-dessus. Non compris la somme de... Excepté les enfants. Passé cette heure.*

Maar : *Les enfants exceptés; les pièces ci-jointes; la somme de... non comprise.*

Zelfs midden in een zin zijn ze voor een zelfstandig naamwoord zonder lidwoord nog onveranderlijk,

Bv. *Vous trouverez ci-joint copie du procès,*

doch indien het zelfstandig naamwoord wordt voorafgegaan door een lidwoord of een bijvoeglijk naamwoord, nemen ze geslacht en getal van het zelfstandig naamwoord over.

Bv. *Vous trouverez ci-jointe la copie du procès.*

6. Indien het verleden deelwoord wordt voorafgegaan door het voornaamwoord **en,** in een partitieve betekenis, dan blijft het als regel onveranderd.

Bv. *Voici des roses, j'en ai cueilli pour vous.*

Wordt het verleden deelwoord voorafgegaan door **le peu** gevolgd door een voorwerp, dan volgt het het geslacht en getal van *le peu* of van het voorwerp daarvan.

Bv. *Le peu de nourriture que vous avez pris ne vous a pas suffi.*

Wordt het verleden deelwoord voorafgegaan door een **verzamelnaam met bepaling,** dan bepaalt de betekenis van de zin, of het deelwoord zich richt naar de verzamelnaam of naar de bepaling.

Bv. *Une foule d'hommes que j'ai vue* of *vus...*

Opmerkingen :

1. **Coûté, pesé, couru, vécu** en **valu** hebben soms een overgankelijke en soms een onovergankelijke betekenis. In het laatste geval blijven ze uiteraard onveranderd.

Bv. *Les cent francs* (bep. v. hoeveelheid) *que cette caisse a coûté. Les larmes que ce travail m'a coûtées. Les trente kilogrammes* (bep. v. hoeveelheid) *que cette caisse a pesé. La caisse que nous avons pesée. Les cent francs que ce travail a valu. Les éloges que ce travail a valus. Les dangers que j'ai couru. Les cent mètres que j'ai couru. Les aventures que j'ai vécues. Les dix années que j'ai vécu à Paris.*

2. Bij **empêcher, prier, supplier** is het voorwerp van de persoon lijdend voorwerp (*je* les *en empêche*), terwijl het bij de Nederlandse equivalenten meewerkend voorwerp is (ik belet het *hun*). Men lette hierop bij het gebruik van het voltooid deelwoord.

Bv. *Je les en ai empêchés.*

3. Let op het **onveranderd** deelwoord in constructies als: *qu'il a régné, qu'il a duré, marché* etc. ; in *deux mois que...*

INDICATIEF EN SUBJONCTIEF

De indicatief wordt gebruikt :

1. Na werkwoorden die **een spreken** of **een denken (dire, affirmer, penser, croire, se douter, espérer)** of een **waarneming (voir, prévoir, apprendre,** enz.) uitdrukken en **bevestigend** worden gebruikt.

Bv. *Je crois, je pense, je suppose qu'il a raison. J'ai appris qu'il est malade.*

2. Na werkwoorden of onpersoonlijke uitdrukkingen die een **zekerheid** of **waarschijnlijkheid** uitdrukken (**il est certain, il est évident, il paraît, il est probable, il est vraisemblable,** enz.), wanneer de hoofdzin **bevestigend** is.

Bv. *Il était évident que cela arriverait. Il est probable qu'il pleuvra demain.*

3. *Na werkwoorden die een* **beslissing** uitdrukken (**arrêter, décider, décréter, résoudre, stipuler,** enz.).

Bv. *Nous avons résolu qu'on prendra le premier bateau en partance. Il a ordonné que la troupe partira demain à cinq heures.*

4. Na de voegwoorden van reden **parce que, puisque, vu que, attendu que, comme.**

Bv. *Il a été puni parce qu'il a manqué à ses devoirs.*

5. Na de voegwoorden van vergelijking **comme, de même que, ainsi que, plus que, moins que, plutôt que, selon que, suivant que, à mesure que, à proportion que,** enz.

Bv. *Selon que vous serez puissant ou misérable*
Les jugements de cour vous rendront blanc ou noir (La Fontaine, VIII, 1).

6. Na de voegwoorden van tijd **quand, lorsque, comme, pendant que, durant que, tandis que ; après que, dès que, aussitôt que, sitôt que, depuis que.**

Bv. *Comme il rentrait chez lui, son ami arriva en courant. Après qu'il eut prononcé ces paroles, il s'éloigna.*

7. Na de voegwoorden van gevolg **de manière que, de façon que, de sorte que, en sorte que,** wanneer het een zeker feit of een reeds verkregen resultaat betreft.

Bv. *Il a travaillé de manière qu'il a réussi.*

8. Na **si** en **où**.

Bv. *S'il fait beau, je sortirai. J'irai où vous voudrez.*

De subjonctief wordt gebruikt :

1. Na werkwoorden die een **twijfel** of **ontkenning** uitdrukken (**douter, nier, contester, disconvenir, dissimuler,** enz.).

Bv. *Je doute qu'on puisse prendre cette mesure rigoureuse. Elle niait énergiquement que son frère eût pu commettre ce crime.*

Opmerking. Indien die werkwoorden **ontkennend** worden gebruikt, gebruikt men de indicatief wanneer men het feit als zeker wil aangeven.

Bv. *Je ne doute pas que vous avez le droit de prétendre à cette place.*

2. Na werkwoorden die een **wil** of **wens** uitdrukken (**vouloir, désirer, souhaiter, ordonner, exiger, aimer, aimer mieux, préférer, demander, permettre, consentir, approuver, tolérer, souffrir, trouver bon, trouver mauvais, désapprouver, valoir mieux, mériter, défendre, empêcher, avoir soin, prendre garde, éviter,** enz.). Dus ook na : **c'est assez, beaucoup, trop, trop peu.**

Bv. *Je veux que vous fassiez ce travail. Nous préférons qu'il vienne demain. Empêchez qu'il ne fasse cette sottise. C'est assez qu'il ait dit cela.*

Opmerking. De werkwoorden **dire, écrire, téléphoner, prétendre, entendre** enz. hebben ook de subjonctief wanneer zij een wil uitdrukken.

Bv. *Écrivez-lui qu'il vienne immédiatement.*

3. Na werkwoorden of uitdrukkingen die een **gemoedsbeweging** uitdrukken (**se réjouir, s'étonner, se plaindre, s'affliger, craindre, avoir peur, être content, être surpris,** enz.).

Bv. *Je suis ravi que vous soyez de retour. Il est étonnant que vous ne sachiez pas cela.*

4. Na werkwoorden of onpersoonlijke uitdrukkingen die een **noodzakelijkheid** of een **mogelijkheid** uitdrukken (**il faut, il est nécessaire, il convient, il importe, il est juste, il se peut, il est possible, il est impossible, il est temps,** enz.).

Bv. *Il faut qu'il parte. Il est juste que vous soyez récompensé.*

5. Na **que** indien de bijzin voor de hoofdzin staat.

Bv. *Que vous ayez raison, je le reconnais volontiers.*

6. Na **ontkennende of vragende** werkwoorden, wanneer men een **twijfel** of **ontkenning** wil uitdrukken van de kant van de spreker.

Bv. *Pensez-vous vraiment que son ami soit coupable? Je ne pense pas qu'il soit coupable.*

7. Na de voegwoorden van tijd **avant que, en attendant que, jusqu'à ce que.**

Bv. *Écoute ce récit avant que tu ne répondes. Lisez en attendant que je revienne.*

8. Na de voegwoorden van doel **afin que, pour que, de crainte que, de peur que.**

Bv. *Pardonnez à vos ennemis, pour que Dieu vous pardonne aussi. Lisez afin que vous vous instruisiez.*

9. Na de voegwoorden van toegeving **bien que, quoique, encore que, soit que.**

Bv. *Il n'est pas content quoiqu'il soit arrivé à son but. Bien que vous ayez refusé de le recevoir, il est entré.*

10. Na de voegwoorden van voorwaarde **à condition que, posé que, en cas que, de peur que, pour peu que, pourvu que, à moins que.**

Bv. *Il n'en fera rien, à moins que vous le lui ordonniez. Ce jeune homme peut réussir, pourvu qu'il ne soit pas malade avant son examen.*

Opmerking : na **à condition que** *mag eveneens de indicatief gebruikt worden.*

11. Na de voegwoorden van gevolg **de manière que, de façon que, de sorte que, sans que ; assez... pour que, trop... pour que, trop peu... pour que.** Na **si... que, tel... que, tellement... que, tant ... que,** wanneer de hoofdzin **ontkennend** is.

Bv. *Parlez de manière qu'on vous comprenne. Il est parti sans qu'on s'en aperçoive.*

NE IN PLAATS VAN NE ... PAS

1. In uitdrukkingen met een van de woorden **nul, nullement, aucunement, ni, guère, jamais, plus rien, aucun, personne, point**, ook in elliptische zinnen.

Bv. *Nul n'est prophète dans son pays. Je n'en doute aucunement. Il ne faut être ni prodigue ni avare.*

2. Na de **vragende** voornaamwoorden **qui** en **que** met bevestigende betekenis.

Bv. *Qui n'est sans défaut? Que ne ferais-je pour mon ami?*

3. Na **que** met de bijwoordelijke betekenis **pourquoi pas.**

Bv. *Que n'êtes-vous venu?*

4. Na **depuis que,** na **voici, voilà que,** en na **il y a... que** als het werkwoord in een voltooide tijd staat.

Bv. *Il y a trois mois que je ne l'ai vu.*

5. In **bijvoeglijke en gevolgaanduidende bijzinnen** die van een ontkennende hoofdzin afhankelijk zijn.

Bv. *Il n'y a pas de bureau de tabac où l'on ne vende des timbres. Il n'est pas si bête qu'il ne réussisse à faire ce travail.*

De beide ontkenningen neutraliseren elkaar en geven een bevestigende betekenis aan het geheel.

6. Na het **voegwoord que** dat de vormen **avant que, sans que, à moins que** vervangt.

Bv. *Ne venez pas que je ne vous appelle.*

In de volgende gevallen is de weglating van pas **facultatief :**

7. Met de werkwoorden **cesser, oser, pouvoir, il n'importe.**

Bv. *Je n'oserais vous le dire. Je ne peux le faire.*

Indien **savoir** de **betekenis** heeft **van pouvoir** is de weglating verplicht.

Bv. *Je ne saurais le dire.*

8. Achter **si** (indien).

Bv. *Il a réussi, si je ne me trompe.*

9. In sommige **oude uitdrukkingen.**

Bv. *n'importe; n'empêche; qu'à cela ne tienne; à Dieu ne plaise.*

GEBRUIK VAN NE ALS VERSTERKING

De indruk van vrees, twijfel, ontkenning door de hoofdzin uitgedrukt, wordt versterkt door dit **ne**, zonder andere ontkennende term.

1. Na werkwoorden die **een vrees** uitdrukken, mits bevestigend gebruikt.

Bv. *Je crains qu'il (ne) vienne,...* dat hij komt.

Evenzo na de voegwoorden **de crainte que, de peur que.**

2. Na werkwoorden die **een twijfel of ontkenning** uitdrukken, mits ontkennend gebruikt.

Bv. *Je ne doute pas, je ne nie pas qu'il (ne) vienne.*

3. Na werkwoorden die **een verhindering** uitdrukken, na bevestigende zowel als ontkennende hoofdzin.

Bv. *Cela a empêché qu'il (ne) vienne. Cela n'a pas empêché qu'il (ne) vienne.*

4. Na een vergelijkende **trap van ongelijkheid (plus, moins, autre, autrement).**
Bv. *Il est plus riche que vous (ne) croyez. Il est autrement riche que vous (ne) croyez.*

5. Na het werkwoord **s'en falloir.**
Bv. *Il s'en faut de beaucoup qu'il (n')ait réussi.*

Opmerking

Na het werkwoord **défendre** laat men **ne** als versterking weg.

GEBRUIK VAN EEN KOMMA

1. Geen komma

a. *voor betrekkelijke voornaamwoorden*, behalve wanneer zij een bijvoeglijke bijzin inleiden die niet noodzakelijk is voor het goede begrip van de gehele zin.

Bv. *Celui qui dit cela se trompe. C'est un livre dont tout le monde parle.*
Maar : *Ce livre, dont tout le monde parle, est très bien écrit.*

b. voor de *voegwoorden que* en *si*, behalve bij een herhaling wanneer men niet *et* of *ou* gebruikt.

Bv. *Je dis qu'il est là. Je te demande s'il est là.*
Maar : *Je dis qu'il est là, qu'il t'attend et qu'il te recevra très bien.*

2. Zelden een komma

voor *si, comme si* en de voegwoorden van tijd of van doel.

Bv. *J'irai si tu veux. Je partirai quand il reviendra.*

3. Altijd een komma

na een bijwoordelijke bepaling of een bijwoordelijke bijzin, wanneer deze *voor* het werkwoord staat.

Bv. *En Belgique, il pleut souvent. Si tu veux, j'irai. Quand il reviendra, je partirai.*

VERVOEGING REGELMATIGE WERKWOORDEN

Parler	**Finir**	**Dormir**	**Recevoir**	**Rendre**

Participe présent

parl **ant**	fin *iss* **ant**	dor *m* **ant**	rec *ev* **ant**	ren *d* **ant**

Participe passé

parl **é**	fin **i**	dor *m* **i**	reç **u**	ren *d* **u**

INDICATIF

Présent

je parl **e**	fin *i* **s**	dor **s**	reç *oi* **s**	ren *d* **s**
tu parl **es**	fin *i* **s**	dor **s**	reç *oi* **s**	ren *d* **s**
il parl **e**	fin *i* **t**	dor **t**	reç *oi* **t**	ren *d*
ns parl **ons**	fin *iss* **ons**	dor *m* **ons**	rec *ev* **ons**	ren *d* **ons**
vs parl **ez**	fin *iss* **ez**	dor *m* **ez**	rec *ev* **ez**	ren *d* **ez**
ils parl **ent**	fin *iss* **ent**	dor *m* **ent**	reç *oiv* **ent**	ren *d* **ent**

Imparfait

je parl **ais**	fin *iss* **ais**	dor *m* **ais**	rec *ev* **ais**	ren *d* **ais**
tu parl **ais**	fin *iss* **ais**	dor *m* **ais**	rec *ev* **ais**	ren *d* **ais**
il parl **ait**	fin *iss* **ait**	dor *m* **ait**	rec *ev* **ait**	ren *d* **ait**
ns parl **ions**	fin *iss* **ions**	dor *m* **ions**	rec *ev* **ions**	ren *d* **ions**
vs parl **iez**	fin *iss* **iez**	dor *m* **iez**	rec *ev* **iez**	ren *d* **iez**
ils parl **aient**	fin *iss* **aient**	dor *m* **aient**	rec *ev* **aient**	ren *d* **aient**

Passé défini *ou* Passé simple

je parl **ai**	fin **is**	dor *m* **is**	reç **us**	ren *d* **is**
tu parl **as**	fin **is**	dor *m* **is**	reç **us**	ren *d* **is**
il parl **a**	fin **it**	dor *m* **it**	reç **ut**	ren *d* **it**
ns parl **âmes**	fin **îmes**	dor *m* **îmes**	reç **ûmes**	ren *d* **îmes**
vs parl **âtes**	fin **îtes**	dor *m* **îtes**	reç **ûtes**	ren *d* **îtes**
ils parl **èrent**	fin **irent**	dor *m* **irent**	reç **urent**	ren *d* **irent**

Passé indéfini *ou* Passé composé

j'ai parlé	j'ai fini	j'ai dormi	j'ai reçu	j'ai rendu

Plus-que-parfait

j'avais parlé	j'avais fini	j'avais dormi	j'avais reçu	j'avais rendu

Passé antérieur

j'eus parlé	j'eus fini	j'eus dormi	j'eus reçu	j'eus rendu

Futur (simple) *ou* Futur du Présent

je parl *e* **rai**	fin *i* **rai**	dor *mi* **rai**	rec *ev* **rai**	ren *d* **rai**
tu parl *e* **ras**	fin *i* **ras**	dor *mi* **ras**	rec *ev* **ras**	ren *d* **ras**
il parl *e* **ra**	fin *i* **ra**	dor *mi* **ra**	rec *ev* **ra**	ren *d* **ra**
ns parl *e* **rons**	fin *i* **rons**	dor *mi* **rons**	rec *ev* **rons**	ren *d* **rons**
vs parl *e* **rez**	fin *i* **rez**	dor *mi* **rez**	rec *ev* **rez**	ren *d* **rez**
ils parl *e* **ront**	fin *i* **ront**	dor *mi* **ront**	rec *ev* **ront**	ren *d* **ront**

Futur antérieur

j'aurai parlé	j'aurai fini	j'aurai dormi	j'aurai reçu	j'aurai rendu

CONDITIONNEL *ou* FUTUR DU PASSÉ

Présent

je parl *e* **rais**	fin *i* **rais**	dor *mi* **rais**	rec *ev* **rais**	ren *d* **rais**
tu parl *e* **rais**	fin *i* **rais**	dor *mi* **rais**	rec *ev* **rais**	ren *d* **rais**
il parl *e* **rait**	fin *i* **rait**	dor *mi* **rait**	rec *ev* **rait**	ren *d* **rait**
ns parl *e* **rions**	fin *i* **rions**	dor *mi* **rions**	rec *ev* **rions**	ren *d* **rions**
vs parl *e* **riez**	fin *i* **riez**	dor *mi* **riez**	rec *ev* **riez**	ren *d* **riez**
ils parl *e* **raient**	fin *i* **raient**	dor *mi* **raient**	rec *ev* **raient**	ren *d* **raient**

Passé

j'aurais parlé	j'aurais fini	j'aurais dormi	j'aurais reçu	j'aurais rendu

SUBJONCTIF

Présent

que je parl **e**	fin *iss* **e**	dor *m* **e**	reç *oiv* **e**	ren *d* **e**
que tu parl **es**	fin *iss* **es**	dor *m* **es**	reç *oiv* **es**	ren *d* **es**
qu'il parl **e**	fin *iss* **e**	dor *m* **e**	reç *oiv* **e**	ren *d* **e**
que ns parl **ions**	fin *iss* **ions**	dor *m* **ions**	rec *ev* **ions**	ren *d* **ions**
que vs parl **iez**	fin *iss* **iez**	dor *m* **iez**	rec *ev* **iez**	ren *d* **iez**
qu'ils parl **ent**	fin *iss* **ent**	dor *m* **ent**	reç *oiv* **ent**	ren *d* **ent**

Passé

que j'aie parlé	que j'aie fini	que j'aie dormi	que j'aie reçu	que j'aie rendu

IMPÉRATIF

parl **e**	fin **is**	dor **s**	reç *oi* **s**	ren *d* **s**
parl **ons**	fin *iss* **ons**	dor *m* **ons**	rec *ev* **ons**	ren *d* **ons**
parl **ez**	fin *iss* **ez**	dor *m* **ez**	rec *ev* **ez**	ren *d* **ez**

Werkwoorden op **-cer** veranderen voor de klinkers a en o de **c** in **ç**.

Bv. *Nous lançons la balle.*

Werkwoorden op **-ger** krijgen voor a en o een **e na de g**.

Bv. *Partageons notre pain avec les pauvres.*

Werkwoorden met een **toonloze e** in de voorlaatste lettergreep en die **niet** eindigen **op l of t** veranderen voor een toonloze lettergreep de **e** in een open **è**.

Bv. *Je sèmerai des marguerites dans mon jardin. Je ramène ces bœufs à l'étable.*

Werkwoorden met een **gesloten é** in de voorlaatste lettergreep veranderen voor een toonloze lettergreep die **é** in een **open è**, *behalve in de futur en de conditionnel.*

Bv. *Il répète souvent les mêmes phrases.*
Maar : *Cet acteur répétera son rôle devant une élite d'auditeurs.*

Werkwoorden op **-oyer** en **-uyer** veranderen voor een toonloze e de **y** in een **i**.

Bv. *Le cantonnier nettoiera tous les jours les rues.*

Werkwoorden op **-ayer** kunnen voor een toonloze e de **y** ofwel behouden **ofwel** veranderen in **i**.

Bv. *Je paye mes dettes.* Of : *Je paie mes dettes.*

Werkwoorden op **-eyer** behouden de **y** voor een toonloze e.

Bv. *Cette personne grasseye quand elle parle.*

Werkwoorden op **-yer** en **-ier** hebben de eigenaardigheid **yi** of **ii** te behouden in de 1e en 2e persoon meervoud van de o.v.t. en van de subj. prés.

Bv. *Il est nécessaire que vous payiez toutes vos dettes. Nous criions fort hier pour nous faire entendre.*

DE HULPWERKWOORDEN AVOIR EN ÊTRE

AVOIR	**ÊTRE**

Participe présent

ayant	étant

Participe passé

eu	été

INDICATIF

Présent

j'ai	je suis
tu as	tu es
il a	il est
ns avons	ns sommes
vs avez	vs êtes
ils ont	ils sont

Imparfait

j'avais	j'étais
tu avais	tu étais
il avait	il était
ns avions	ns étions
vs aviez	vs étiez
ils avaient	ils étaient

Passé défini *ou* Passé simple

j'eus	je fus
tu eus	tu fus
il eut	il fut
ns eûmes	ns fûmes
vs eûtes	vs fûtes
ils eurent	ils furent

Passé indéfini *ou* Passé composé

j'ai eu	j'ai été

Plus-que-parfait

j'avais eu	j'avais été

Passé antérieur

j'eus eu	j'eus été

Futur (simple) *ou* Futur du Présent

j'aurai	je serai
tu auras	tu seras
il aura	il sera
ns aurons	ns serons
vs aurez	vs serez
ils auront	ils seront

Futur antérieur

j'aurai eu	j'aurai été

CONDITIONNEL *ou* FUTUR DU PASSÉ

Présent

j'aurais	je serais
tu aurais	tu serais
il aurait	il serait
ns aurions	ns serions
vs auriez	vs seriez
ils auraient	ils seraient

Passé

j'aurais eu	j'aurais été

SUBJONCTIF

Présent

que j'aie	que je sois
que tu aies	que tu sois
qu'il ait	qu'il soit
que ns ayons	que ns soyons
que vs ayez	que vs soyez
qu'ils aient	qu'ils soient

Passé

que j'aie eu	que j'aie été

IMPÉRATIF

aie	sois
ayons	soyons
ayez	soyez

FRANSE ONREGELMATIGE WERKWOORDEN

A. MET REGELMATIGE AFGELEIDE TIJDEN

TWEEDE VERVOEGING

Infinitif	*Part. prés.*	*Part. passé*	*Ind. prés.*	*Passé déf.*
assaillir	assaillant	assailli	j'assaille tu assailles il assaille ns assaillons	j'assaillis
evenzo : **tressaillir**				
bouillir	bouillant	bouilli	je bous tu bous il bout ns bouillons	je bouillis
couvrir	couvrant	couvert	je couvre tu couvres il couvre ns couvrons	je couvris
evenzo : **ouvrir, rouvrir, entrouvrir, recouvrir, découvrir, offrir, souffrir**				
dormir	dormant	dormi	je dors tu dors il dort ns dormons	je dormis
evenzo : **endormir, s'endormir, se rendormir**				
haïr	haïssant	haï	je hais tu hais il hait ns haïssons	je haïs
mentir	mentant	menti	je mens tu mens il ment ns mentons	je mentis
evenzo : **démentir**				
partir	partant	parti	je pars tu pars il part ns partons	je partis
evenzo : **repartir, départir, se départir** (*doch* **répartir** *is regelmatig, volgens* **finir**)				
se repentir	se repentant	repenti	je me repens tu te repens il se repent ns ns repentons	je me repentis
sentir	sentant	senti	je sens tu sens il sent ns sentons	je sentis
evenzo : **pressentir, ressentir, consentir**				
servir	servant	servi	je sers tu sers il sert ns servons	je servis
evenzo : **desservir, resservir**				
sortir	sortant	sorti	je sors tu sors il sort ns sortons	je sortis
evenzo : **ressortir**, *behalve in de betekenis van* (effect) sorteren.				
fuir	fuyant	fui	je fuis tu fuis il fuit ns fuyons	je fuis
evenzo : **s'enfuir**				
vêtir	vêtant	vêtu	je vêts tu vêts il vêt ns vêtons	je vêtis
evenzo : **revêtir, dévêtir**				

Infinitif	*Part. prés.*	*Part. passé*	*Ind. prés.*	*Passé déf.*
		DERDE VERVOEGING		
pleuvoir	pleuvant	plu	il pleut	il plut
surseoir	sursoyant	sursis	je sursois ns sursoyons	je sursis
		VIERDE VERVOEGING		
battre	battant	battu	je bats tu bats il bat ns battons	je battis
evenzo : **abattre, combattre, rabattre, débattre, s'ébattre**				
circoncire	circoncisant	circoncis	je circoncis tu circoncis il circoncit ns circoncisons	je circoncis
craindre	craignant	craint	je crains tu crains il craint ns craignons	je craignis
evenzo : **astraindre, atteindre, ceindre, contraindre, déteindre, empreindre, enfreindre, épreindre, éteindre, étreindre, feindre, geindre, joindre** (en samenstellingen), **oindre, peindre** (en samenstellingen), **plaindre, restreindre, reteindre, teindre**				
conduire	conduisant	conduit	je conduis tu conduis il conduit ns conduisons	je conduisis
evenzo : al de ww. op **-uire,** *behalve* **luire, reluire** *en* **nuire,** *die als Part. passé* lui, relui *en* nui *hebben*				
conclure	concluant	conclu	je conclus tu conclus il conclut ns concluons	je conclus
evenzo : **exclure**				
confire	confisant	confit	je confis tu confis il confit ns confisons	je confis
coudre	cousant	cousu	je couds tu couds il coud ns cousons	je cousis
evenzo : **découdre, recoudre**				
connaître	connaissant	connu	je connais tu connais il connaît ns connaissons	je connus
evenzo : **paraître** (en alle samenstellingen), **repaître** en alle samenstellingen van **connaître**				
naître	naissant	né	je nais tu nais il naît ns naissons	je naquis
evenzo : **renaître**				
croire	croyant	cru	je crois tu crois il croit ns croyons	je crus
croître	croissant	crû	je croîs tu croît il croît ns croissons	je crûs
evenzo : **accroître, décroître, recroître,** *doch het accent circonflexe* (*dat bij* **croître** *voorkomt op alle vormen die verwarring zouden kunnen geven met* **croire**) *hier slechts op de uitgang* **-oît** *en op de vormen die bij elk werkwoord een accent circonflexe hebben.*				

Infinitif	*Part. prés.*	*Part. passé*	*Ind. prés.*	*Passé déf.*
écrire	écrivant	écrit	j'écris tu écris il écrit ns écrivons	j'écrivis
evenzo : **circonscrire, décrire, inscrire, prescrire, proscrire, réinscrire, souscrire, transcrire**				
lire	lisant	lu	je lis tu lis il lit ns lisons	je lus
evenzo : **relire, élire, réélire**				
maudire	maudissant	maudit	je maudis tu maudis il maudit ns maudissons	je maudis
mettre	mettant	mis	je mets tu mets il met ns mettons	je mis
evenzo : alle samenstellingen van **mettre**				
moudre	moulant	moulu	je mouds tu mouds il moud ns moulons	je moulus
evenzo : **remoudre, émoudre, rémoudre**				
plaire	plaisant	plu	je plais tu plais il plaît ns plaisons	je plus
evenzo : **complaire, déplaire, se plaire à**				
résoudre	résolvant	résolu *en* résous	je résous tu résous il résout ns résolvons	je résolus
evenzo : **absoudre, dissoudre,** doch zonder Passé déf. en als Part. passé *: absous* (v. *absoute*), *dissous* (v. *dissoute*)				
rire	riant	ri	je ris tu ris il rit ns rions	je ris
evenzo : **sourire**				
rompre	rompant	rompu	je romps tu romps il rompt ns rompons	je rompis
evenzo : **corrompre, interrompre**				
suffire	suffisant	suffi	je suffis tu suffis il suffit ns suffisons	je suffis
suivre	suivant	suivi	je suis tu suis il suit ns suivons	je suivis
evenzo : **poursuivre, s'ensuivre**				
taire	taisant	tu	je tais tu tais il tait ns taisons	je tus
vaincre	vainquant	vaincu	je vaincs tu vaincs il vainc ns vainquons	je vainquis
evenzo : **convaincre**				
vivre	vivant	vécu	je vis tu vis il vit ns vivons	je vécus
evenzo : **revivre, survivre**				

B. MET ONREGELMATIGE AFGELEIDE TIJDEN

EERSTE VERVOEGING

Infinitif	*Part. prés.*	*Part. passé*	*Ind. prés.*	*Passé déf.*
acheter *Fut.* : j'achèterai *Cond.* : j'achèterais	achetant *Subj. prés.* : j'achète tu achètes il achète ns achetions vs achetiez ils achètent	acheté	j'achète tu achètes il achète ns achetons vs achetez ils achètent	j'achetai
evenzo : **becqueter, breveter, crocheter, étiqueter, racheter.** *Men vergelijke* **jeter.**				
aller *Fut.* : j'irai *Cond.* : j'irais	allant *Subj. prés.* : j'aille tu ailles il aille ns allions vs alliez ils aillent	allé *Impératif* : va allons allez	je vais tu vas il va ns allons vs allez ils vont	j'allai
evenzo : **s'en aller**				
appeler *Fut.* : j'appellerai *Cond.* : j'appellerais	appelant *Subj. prés.* : j'appelle tu appelles il appelle ns appelions vs appeliez ils appellent	appelé	j'appelle tu appelles il appelle ns appelons vs appelez ils appellent	j'appelai
evenzo : **amonceler, atteler, bosseler, botteler, canneler, carreler, chanceler, chapeler, cordeler, créneler, décheveler, denteler, dételer, ensorceler, épeler, étinceler, ficeler, greneler, grommeler, se grumeler, javeler, morceler, museler, niveler, oiseler, panteler, râteler, renouveler, ressemeler, ruisseler.** *Men vergelijke* **geler.**				
envoyer *Fut.* : j'enverrai *Cond.* : j'enverrais *evenzo* : **renvoyer**	envoyant	envoyé	j'envoie tu envoies il envoie ns envoyons	j'envoyai
espérer *Fut.* : j'espérerai *Cond.* : j'espérerais	espérant *Subj. prés.* : j'espère tu espères il espère ns espérions vs espériez ils espèrent	espéré	j'espère tu espères il espère ns espérons vs espérez ils espèrent	j'espérai
evenzo : alle ww. met in de laatste lettergreep van de stam een **é**.				
geler *Fut.* : je gèlerai *Cond.* : je gèlerais	gelant *Subj. prés.* : je gèle tu gèles il gèle ns gelions vs geliez ils gèlent	gelé	je gèle tu gèles il gèle ns gelons vs gelez ils gèlent	je gelai
evenzo : **agneler, bourreler, celer, ciseler, dégeler, démanteler, écarteler, harceler, marteler, modeler, peler, se pommeler.** *Men vergelijke* **appeler.**				
jeter *Fut.* : je jetterai *Cond.* : je jetterais	jetant *Subj. prés.* : je jette tu jettes il jette ns jetions vs jetiez ils jettent	jeté	je jette tu jettes il jette ns jetons vs jetez ils jettent	je jetai

Infinitif	*Part. prés.*	*Part. passé*	*Ind. prés.*	*Passé déf.*
evenzo : **aiguilleter, banqueter, baqueter, bretteler, briqueter, cacheter, caqueter, cliqueter, colleter, coqueter, déchiqueter, empaqueter, feuilleter, fureter, haleter, marqueter, moucheter, mugueter, paqueter, parqueter, pocheter, rapiéceter, souffleter, tacheter, trompeter, voleter.** *Ook* **épousseter,** *behalve fut. en cond. :* j'épousseterai(s). *Men vergelijke* **acheter.**				

TWEEDE VERVOEGING

Infinitif	*Part. prés.*	*Part. passé*	*Ind. prés.*	*Passé déf.*
acquérir	acquérant	acquis	j'acquiers	j'acquis
Fut. :	*Subj. prés. :*		tu acquiers	
j'acquerrai	j'acquière		il acquiert	
Cond. :	tu acquières		ns acquérons	
j'acquerrais	il acquière		vs acquérez	
	ns acquérions		ils acquièrent	
	vs acquériez			
	ils acquièrent			
evenzo : **requérir, s'enquérir de, conquérir**				
courir	courant	couru	je cours	je courus
Fut. : je courrai			tu cours	
Cond. : je courrais			il court	
			ns courons	
evenzo : **accourir, concourir, discourir, encourir, parcourir, recourir, secourir**				
cueillir	cueillant	cueilli	je cueille	je cueillis
Fut. : je cueillerai			tu cueilles	
Cond. : je cueillerais			il cueille	
evenzo : **accueillir, recueillir**			ns cueillons	
faillir	(faillant)	failli	il faut	je faillis
Fut. : je faudrai *of* je faillirai				
Cond. : je faudrais *of* je faillirais				
Faillir *komt slechts voor in de* Passé défini *en in de samengestelde tijden*				
mourir	mourant	mort	je meurs	je mourus
Fut. :	*Subj. prés. :*		tu meurs	
je mourrai	je meure		il meurt	
Cond. :	tu meures		ns mourons	
je mourrais	il meure		vs mourez	
	ns mourions		ils meurent	
	vs mouriez			
	ils meurent			
saillir	saillant	sailli	il saille	il saillit
Fut. : il saillera				
Cond. : il saillerait				
in andere bet. dan de bouwkundige bet. (voor)uitsteken *is* **saillir** *regelmatig.*				
tenir	tenant	tenu	je tiens	je tins
Fut. :	*Subj. prés. :*		tu tiens	
je tiendrai	je tienne		il tient	
Cond. :	tu tiennes		ns tenons	
je tiendrais	il tienne		vs tenez	
	ns tenions		ils tiennent	
	vs teniez			
	ils tiennent			
evenzo : **appartenir, contenir, détenir, entretenir, maintenir, obtenir, retenir, soutenir, s'abstenir**				
venir	venant	venu	je viens	je vins
Fut. :	*Subj. prés. :*		tu viens	
je viendrai	je vienne		il vient	
Cond. :	tu viennes		ns venons	
je viendrais	il vienne		vs venez	
	ns venions		ils viennent	
	vs veniez			
	ils viennent			
evenzo : **circonvenir, convenir, contrevenir (à), devenir, disconvenir, intervenir, parvenir, prévenir, provenir, revenir, subvenir, survenir, se souvenir, se ressouvenir**				

Infinitif	*Part. prés.*	*Part. passé*	*Ind. prés.*	*Passé déf.*
		DERDE VERVOEGING		
asseoir *Fut.* : j'assiérai *of* j'assoirai *Cond.* : j'assiérais *of* j'assoirais	asseyant *of* assoyant	assis	j'assieds tu assieds il assied ns asseyons *of* j'assois enz.	j'assis
mouvoir	mouvant *Subj. prés.* : je meuve tu meuves il meuve ns mouvions vs mouviez ils meuvent	mû (mue, mus, mues)	je meus tu meus il meut ns mouvons vs mouvez ils meuvent	je mus
evenzo : **émouvoir, promouvoir**				
pourvoir *Fut.* : je pourvoirai *Cond.* : je pourvoirais *evenzo* : **dépourvoir**	pourvoyant	pourvu	je pourvois tu pourvois il pourvoit ns pourvoyons	je pourvus
pouvoir *Fut.* : je pourrai *Cond.* : je pourrais	pouvant *Subj. prés.* : je puisse tu puisses il puisse ns puissions vs puissiez ils puissent	pu	je peux (puis-je) tu peux il peut ns pouvons vs pouvez ils peuvent	je pus
prévoir *Fut* : je prévoirai *Cond.* : je prévoirais	prévoyant	prévu	je prévois tu prévois il prévoit ns prévoyons	je prévis
savoir *Fut.* : je saurai *Cond.* : je saurais	sachant *Imparfait* : je savais	su *Impératif* : sache sachons sachez	je sais tu sais il sait ns savons vs savez ils savent	je sus
valoir *Fut.* : je vaudrai *Cond.* : je vaudrais	valant *Subj. prés.* : je vaille tu vailles il vaille ns valions vs valiez ils vaillent	valu	je vaux tu vaux il vaut ns valons vs valez ils valent	je valus
evenzo : **équivaloir, prévaloir** (met Subj. : *que je prévale*)				
voir *Fut.* : je verrai *Cond.* : je verrais	voyant	vu	je vois tu vois il voit ns voyons	je vis
evenzo : **entrevoir, revoir**. *Men vergelijke* **pourvoir, prévoir**.				
vouloir *Fut.* : je voudrai *Cond.* : je voudrais	voulant *Subj. prés.* : je veuille tu veuilles il veuille ns voulions vs vouliez ils veuillent	voulu *Impératif* : veux voulons voulez *of* : veuille veuillez	je veux tu veux il veut ns voulons vs voulez ils veulent	je voulus

Infinitif	*Part. prés.*	*Part. passé*	*Ind. prés.*	*Passé déf.*

VIERDE VERVOEGING

Infinitif	*Part. prés.*	*Part. passé*	*Ind. prés.*	*Passé déf.*
boire	buvant *Subj. prés :* je boive tu boives il boive ns buvions vs buviez ils boivent	bu	je bois tu bois il boit ns buvons vs buvez ils boivent	je bus
dire	disant	dit	je dis tu dis il dit ns disons [*vgl.* maudire] vs dites ils disent	je dis

evenzo : **contredire, dédire, interdire, médire, prédire, redire** (*behalve* **redire** *hebben deze samenstellingen in de* Indic. prés. : vous -disez)

Infinitif	*Part. prés.*	*Part. passé*	*Ind. prés.*	*Passé déf.*
faire *Fut. :* je ferai *Cond. :* je ferais	faisant *Subj. prés. :* je fasse tu fasses il fasse ns fassions vs fassiez ils fassent	fait	je fais tu fais il fait ns faisons vs faites ils font	je fis

evenzo : **contrefaire, défaire, refaire, satisfaire, surfaire**

Infinitif	*Part. prés.*	*Part. passé*	*Ind. prés.*	*Passé déf.*
prendre	prenant *Subj. prés. :* je prenne tu prennes il prenne ns prenions vs preniez ils prennent	pris	je prends tu prends il prend ns prenons vs prenez ils prennent	je pris

evenzo : **apprendre, comprendre, déprendre, désapprendre, entreprendre, reprendre, surprendre, s'éprendre, se méprendre**

C. ONVOLLEDIGE WERKWOORDEN

TWEEDE VERVOEGING

férir *komt slechts voor in de uitdrukking :* sans coup férir

Infinitif	*Part. prés.*	*Part. passé*	*Ind. prés.*	*Passé déf.*
gésir	gisant *Imparfait :* je gisais tu gisais, enz.	—	il gît ns gisons vs gisez ils gisent	—

andere vormen komen niet voor

Infinitif	*Part. prés.*	*Part. passé*	*Ind. prés.*	*Passé déf.*
issir	—	issu	—	—

komt slechts voor in de Part. passé

Infinitif	*Part. prés.*	*Part. passé*	*Ind. prés.*	*Passé déf.*
ouïr	—	ouï		—

komt slechts voor in de Part. passé (j'ai ouï dire)

quérir *komt slechts voor in de Infinitif, na de ww.* aller, venir *en* envoyer

DERDE VERVOEGING

Infinitif	*Part. prés.*	*Part. passé*	*Ind. prés.*	*Passé déf.*
apparoir	—	—	il appert	—
choir *Fut. :* je choirai *of* je cherrai *Cond. :* je choirais *of* je cherrais	—	chu	je chois tu chois il choit (*geen meervoud*)	je chus

Infinitif	*Part. prés.*	*Part. passé*	*Ind. prés.*	*Passé déf.*
déchoir *Fut. :* je décherrai *Cond. :* je décherrais	— *Imparfait :* je déchoyais *Subj. prés. :* je déchoie	déchu	je déchois tu déchois il déchoit ns déchoyons vs déchoyez ils déchoient	je déchus
échoir *Fut. :* il écherra *Cond. :* il écherrait *heeft geen Imparfait*	échéant *Subj. prés. :* il échoie	échu	il échoit *of* il échet ils échoient *of* ils échéent	il échut
falloir *Fut. :* il faudra *Cond. :* il faudrait	— *Imparfait :* il fallait *Subj. prés.* il faille	fallu	il faut	il fallut
messeoir *Fut. :* il messiéra	messéant *Subj. prés :* il messeye	—	il messied ils messeyent	—
seoir (*zitting hebben, gelegen zijn*)	séant	sis	je sieds ns seyons	—
seoir (*betamen*) *Fut. :* il siéra	seyant *of* séant *Subj. prés. :* il siée	—	il sied	—

VIERDE VERVOEGING

Infinitif	*Part. prés.*	*Part. passé*	*Ind. prés.*	*Passé déf.*
braire	brayant	—	il brait ils braient	—
bruire	— *Imparfait :* il bruissait ils bruissaient *Subj. prés. :* il bruisse ils bruissent	—	il bruit ils bruissent	—
clore *Fut. :* je clorai *Cond. :* je clorais *evenzo :* **déclore, enclore**	— *Subj. prés. :* je close	clos	je clos tu clos il clôt (*geen meervoud*)	—
éclore *Fut. :* il éclora ils écloront *Cond. :* il éclorait ils écloraient	— *Subj. prés. :* il éclose ils éclosent	éclos	il éclôt ils éclosent	—
forfaire	—	forfait	il forfait	—
méfaire	—	méfait	—	—
frire	—	frit	je fris tu fris il frit (*geen meervoud*)	—
paître	paissant	—	je pais tu pais il paît ns paissons	—
poindre *Fut. :* il poindra *Cond. :* il poindrait	poignant	—	il point (*geen meervoud*)	—
traire	trayant	trait	je trais tu trais il trait ns trayons	—

evenzo : **abstraire, distraire, extraire, rentraire, soustraire**

OVERZICHT VAN ONTSTAAN EN ONTWIKKELING VAN HET FRANS

1. OORSPRONG EN GEBOORTE VAN HET FRANS

De huidige Franse taal doet zich aan ons voor als het resultaat van een lange historische ontwikkeling. In die ontwikkeling heeft ongetwijfeld de *Keltische taal* een zekere plaats, doch veel méér berust zij op de *Latijnse taal* zoals die, vooral na 50 v. Chr., tot de geest van de bewoners van het ons nu bekende Frankrijk toegang vond.

Reeds vóór genoemde datum in Zuid-Frankrijk gesproken, vond het Latijn zijn verspreiding door Frankrijk dank zij de veroverende Romeinse legergroepen. Die verspreiding deed zich voor in tweeërlei vorm : die van het *klassiek Latijn*, uitgedragen door landsbestuur, justitie, schoolwezen en ten dele door de Kerk, welke laatste tevens een ruime plaats gaf aan het zogenaamde *vulgair Latijn* of *volkslatijn*, dat de soldaat, de ambachtsman, de kleine handelaar, de boer, kortom de minder geletterden of ongeletterden tot hun dagelijkse omgangstaal hadden gemaakt.

Deze laatste taal — in volle fonetische ontwikkeling — werd langs tussenvormen als die van de *Gallo-Romeinse taal* in enkele eeuwen tot een voorname factor van éénwording, zodat wij met recht kunnen zeggen dat de invallende Germanen in de vijfde eeuw een over Zuid-, Zuidwest- en West-Europa verspreide taal op hun weg vonden, die wij met *Romaanse taal* betitelen en die zich tot vele, onderscheidene vormen zal ontwikkelen als daar zijn het Frans, het Italiaans, het Portugees, het Spaans, het Roemeens, het Rheto-Romaans.

Als wij ons hier tot het Frans-Romaans beperken, zien wij in de streken die later het huidige Frankrijk zullen vormen, woordvorm en woordvorming evenals zinsbouw aan grote verandering onderhevig, om van uitspraak, accentuatie en ritme maar niet te spreken. De Romaanse taal vertoont in tegenstelling tot het Latijn een analytisch karakter, waaraan zich *Germaanse invloeden* komen toevoegen. Het Gallo-Romeins, eenmaal tot Romaanse taal geworden, vertoont drie vormen, die elkaar in de wordingsgeschiedenis van het Frans vele eeuwen lang zullen bestrijden : de *langue d'oc*, de *langue d'oïl* en het *Frans-Provençaals*, in de schoot van welke talen wij ons dan weer talloze *dialecten* moeten denken, die elkaar met wisselende kansen bestrijden. De invloed van het Keltisch schijnt bij deze ontwikkeling nauwelijks een rol gespeeld te hebben. Één feit staat als een paal boven water : vanaf de negende eeuw heeft de *Romaanse taal*, ook wel *Gallo-Romaanse taal* genoemd, althans voor de streek die het huidige Frankrijk omvat, een vorm gekregen, welke haar verscheiden doet zijn van de taal, in omliggende landen en streken gebruikt. De verenigde bisschoppen, in concilie te Tours bijeen (anno 816), verklaren de Gallo-Romaanse taal tot de kerkelijke taal, daar deze alleen gesproken en begrepen wordt door de hun onderhorige bevolking. De ten noorden van de Loire gebruikelijke taal wordt tot voertaal geproclameerd. En daarmede is de *Franse taal* dan definitief geboren. Een hernieuwde studie van het Latijn, onder impuls van het Hof bewerkstelligd, schept of verhecht het stramien van het ten troon geheven Frans. De eerste Oudfranse geschriften zien het licht. En in de volgende eeuwen zal het Frans zich uitstrekken tot heel een koninkrijk, tot alle klassen der maatschappij, tot alle domeinen van het maatschappelijk leven. Intussen blijft er in intellectuele kringen een nauwe binding met het Latijn bestaan, die zich eerst in de zestiende eeuw geheel gewonnen zal geven, terwijl prozaschrijvers en dichters hun voordeel zullen doen met deze verwantschap met het Latijn, als het betreft een precisering van de zin der woorden en hun onderlinge binding in grammaticale structuur.

2. ONTWIKKELING VAN HET FRANS

De belangstelling voor de jonggeboren taal is groot en zal zich van de elfde tot de zestiende eeuw op vele plaatsen, en met name ook in Engeland, stelselmatig uitbreiden. Normandische elementen zullen zich in de Engelse taal een grote plaats veroveren en een *Anglo-normandische taal* doen ontstaan, die zich ver verwijdert van de Franse taal dier zelfde eeuwen. Het Frans zal zich echter als tweede taal handhaven en die plaats tot in onze dagen behouden. De Franse taal zal moedertaal zijn of worden van het eigenlijke Frankrijk, een deel van België en Luxemburg, Romaans Zwitserland.

Nederzettingen en koloniën zullen zich over de wereld spreiden, zodat in onze jaren gezegd kan worden, dat er naast het moederland nog negentig miljoen mensen het Frans als dagelijkse omgangstaal gebruiken. En deze laatsten zijn over de hele wereld verspreid, zodat het kan gebeuren, dat bij de *Verenigde Naties* vijfendertig delegaties het Frans als voertaal kozen (Het Engels telt er nauwelijks meer). Mochten politieke invloeden terugwijken, de oude culturele invloeden liepen niet terug en van deze laatste omstandigheid geniet de taal zijn grote voordelen terwijl Franse enclaves over de gehele wereld worden gevonden.

De Renaissance schonk het Frans de volle kans en droeg er veel toe bij het Frans en de Franse cultuur te doen profiteren van een onvergetelijke ontmoeting met Italië en de nieuw-ontdekte wijsheid der Ouden. Als de Hervormingsgedachte het Frans ook zijn plaats geeft in de gedachtenstrijd, blijkt deze taal bereids geschikt voor weergave van iedere technische, wetenschappelijke en filosofische gedachte. Onder leiding van een Malherbe, een Guez de Balzac, een Vaugelas, een Boileau en de grote klassieke kunstenaars kent het Frans een ongehoorde verfijning en het zeventiende-eeuwse Europa opent de poort voor de achttiende-eeuwse opbloei van het Frans als universele taal, geroepen om de nieuw-geboren filosofische gedachten over de wereld te verspreiden. De *Encyclopédie* en het *Discours sur l'universalité de la langue française* vormen aan de vooravond van de Revolutie de sprekende getuigenis van het aanzien van Franse taal en gedachtenleven. Met de Romantiek zal het godsdienstig element opnieuw zijn plaats vinden in de Franse geestesgeschiedenis.

De vele dragers van het Franse culturele leven hebben de pioniers van voorgaande eeuwen goeddeels vervangen in de eens van Frankrijk politiek afhankelijke landen. De roem van Frankrijk is er slechts door gegroeid en verrijkt uit het amalgama van taalvorming te voorschijn getreden.

GEÏLLUSTREERD TECHNISCH BIJVOEGSEL

SUPPLÉMENT TECHNIQUE ILLUSTRÉ

Een aantal van de illustraties in dit technisch bijvoegsel zijn ons welwillend ter beschikking gesteld door:

FORD MOTOR COMPANY, Antwerpen
(de illustratiebladzijden I en II, over de auto);

N.V. SABENA, Brussel
(de illustratiebladzijden III en IV, over het vliegtuig);

BELL TELEPHONE MAN. Co, Antwerpen
(de illustratiebladzijde VI, over radio en televisie).

Les documents qui illustrent certaines planches de ce supplément technique illustré ont été aimablement mis à notre disposition par:

FORD MOTOR COMPANY *à* Anvers
(pour les planches I et II sur l'auto);

S. A. SABENA *à* Bruxelles
(pour les planches III et IV sur l'avion);

BELL TELEPHONE MAN. Co *à* Anvers
(pour la planche VI: La T.S.F. et la Télévision).

Printed in Belgium

I. — DE AUTO. 1. Het chassis en het koetswerk.

II. — DE AUTO. 2. De motor.
3. De carburator.

III. — HET VLIEGTUIG. 1. Het casco.

IV. — HET VLIEGTUIG. 2. Instrumentenbord.
3. Straalmotor.

— HELIKOPTER.

V. — DE PAKKETBOOT.

VI. — RADIO EN TELEVISIE. 1. Radiotoestel.
2. T.V. ontvanger.

VII. — RAKETTEN EN KUNSTMANEN.

VIII. — HET ATOOM.

I. — L'AUTO. 1. Le châssis et la carrosserie.

II. — L'AUTO. 2. Le moteur.
3. Le carburateur.

III. — L'AVION. 1. Le corps.

IV. — L'AVION. 2. Le tableau de bord.
3. Réacteur.

— HÉLICOPTÈRE.

V. — LE PAQUEBOT.

VI. — LA T.S.F. ET LA TÉLÉVISION. 1. Le récepteur de T.S.F.
2. Récepteur de Télévision.

VII. — FUSÉES ET SATELLITES ARTIFICIELS.

VIII. — L'ATOME.

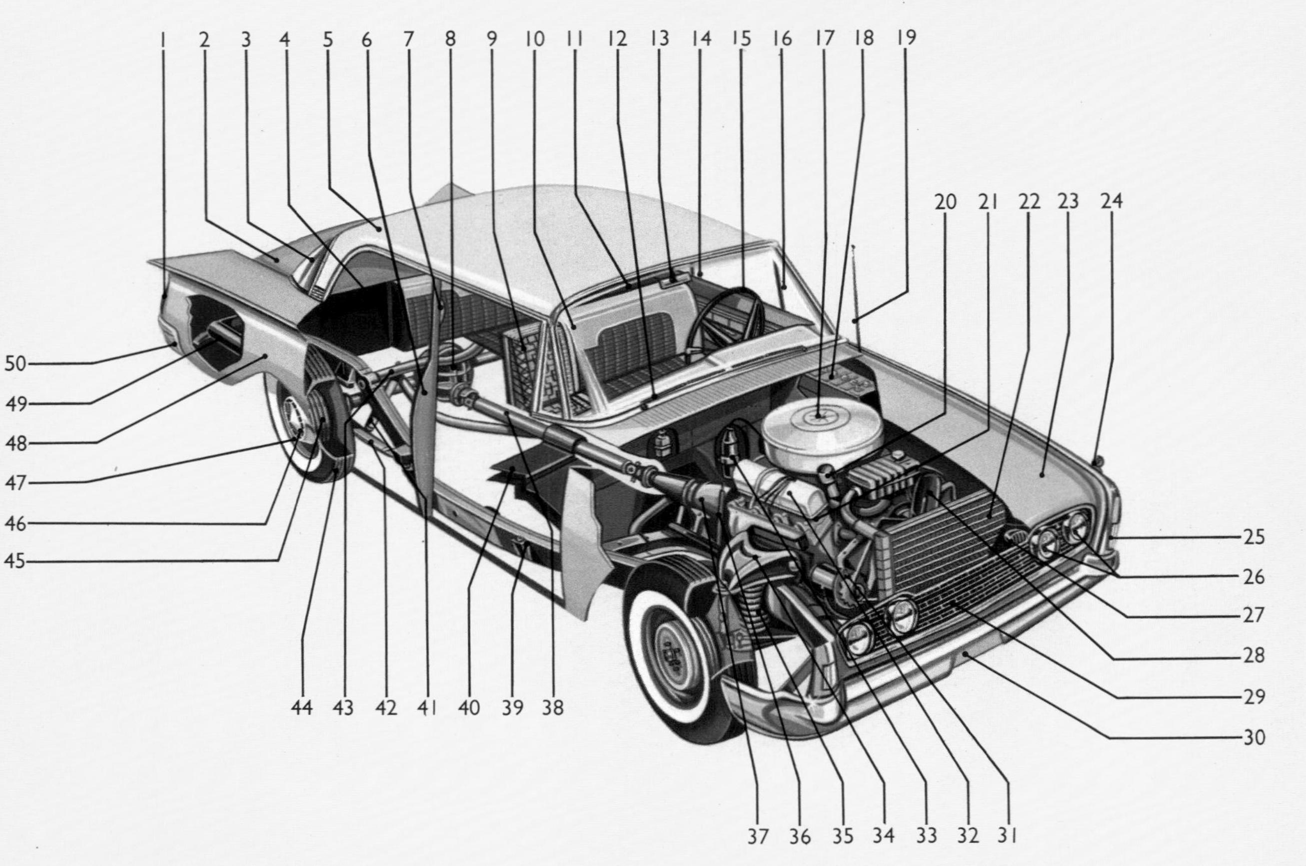
1
2
3
4
5
6
7
8
9
10
11
12
13
14
15
16
17
18
19
20
21
22
23
24
25
26
27
28
29
30
31
32
33
34
35
36
37
38
39
40
41
42
43
44
45
46
47
48
49
50

DE AUTO

1. HET CHASSIS EN HET KOETSWERK

1. Achterlicht, stoplicht, achteruitrijlamp
2. Kofferdeksel
3. Achterruit
4. Koffer
5. Dak
6. Middenstijl
7. Binnenverlichting
8. Achteras
9. Zitplaats, zetel
10. Zetelovertrek
11. Voorruit
12. Ruitewisser
13. Achteruitkijkspiegel
14. Grendelknop
15. Stuurwiel
16. Ventilatieruitje
17. Luchtfilter
18. Batterij
19. Antenne
20. Olievuldop
21. Motor
22. Radiator
23. Motorkap
24. Spatbordversiering
25. Stadslicht en richtingaanwijzer
26. Koplamp of schijnwerper
27. Hoorn, toeter
28. Ventilator
29. Radiatorrooster
30. Bumper
31. Dynamo
32. Tuimelaarsdeksel
33. Ontstekingsspoel
34. Schommelarm
35. Schroefveer
36. Oliepeilstaaf
37. Automatische versnellingsbak
38. Cardanas
39. Koetswerksteun
40. Vloer
41. Schokdemper
42. Half-elliptische achterveer
43. Dwarsligger
44. Band
45. Remtrommel
46. Wieldop of wielkap
47. Wiel
48. Spatbord
49. Uitlaatpijp
50. Achterbumper

L'AUTO

1. LE CHÂSSIS ET LA CARROSSERIE

1. Feu arrière, feu stop, phare de recul
2. Couvercle du coffre
3. Lunette ou lucarne arrière
4. Coffre
5. Pavillon
6. Montant central
7. Éclairage intérieur
8. Pont arrière
9. Banquette
10. Garniture de siège
11. Pare-brise
12. Essuie-glace
13. Rétroviseur
14. Poussoir de verrouillage
15. Volant
16. Déflecteur
17. Filtre d'air
18. Batterie
19. Antenne
20. Bouchon de remplissage d'huile
21. Moteur
22. Radiateur
23. Capot
24. Ornement d'aile
25. Feu de position et indicateur de direction
26. Phare
27. Avertisseur
28. Ventilateur
29. Grille du radiateur ou calandre
30. Pare-chocs
31. Génératrice
32. Cache-culbuteurs
33. Bobine d'allumage
34. Bras de suspension
35. Ressort à boudin
36. Jauge d'huile
37. Boîte automatique
38. Arbre de transmission
39. Support de carrosserie
40. Plancher ou soubassement
41. Amortisseur
42. Ressort semi-elliptique
43. Traverse
44. Pneu
45. Tambour de frein
46. Enjoliveur de roue
47. Roue
48. Aile
49. Tuyau d'échappement
50. Pare-chocs arrière

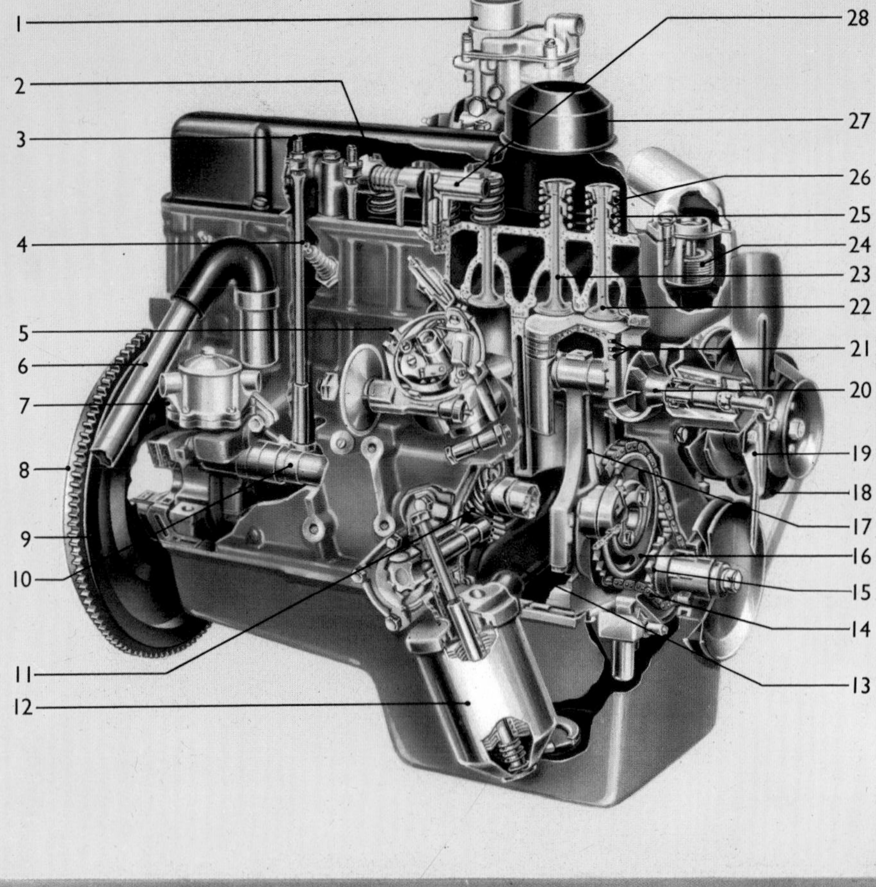

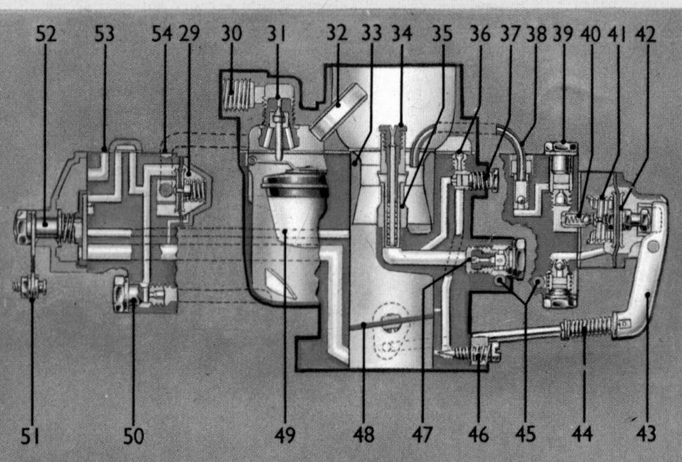
52 53 54 29 30 31 32 33 34 35 36 37 38 39 40 41 42
51 50 49 48 47 46 45 44 43

DE AUTO

2. DE MOTOR

1. Carburator, vergasser
2. Tuimelaar
3. Instelschroef voor klepspeling
4. Bougie
5. Stroomverdeler
6. Krukkastverluchting
7. Benzinepomp
8. Vliegwieltandkrans
9. Vliegwiel
10. Nokkenas
11. Aandrijftandwiel voor oliepomp en stroomverdeler
12. Oliefilter
13. Krukas
14. Distributieketting
15. Krukastandwiel
16. Nokkenastandwiel
17. Drijfstang
18. Dynamo
19. Ventilator
20. Waterpomp
21. Zuigerveren
22. Uitlaatklep
23. Inlaatklep
24. Thermostaat
25. Klepsteeloliekering
26. Klepveer
27. Olievuldop en verluchtingskap
28. Tuimelaarsas

3. DE CARBURATOR

29. Startluchtventiel
30. Benzinetoevoer
31. Vlotternaaldventiel
32. Ventilatie van vlotterkamer
33. Venturi
34. Luchtdoseur
35. Sproeierhoed met emulsiebuis
36. Stationair luchtsproeier
37. Stationair loopsproeier
38. Sproeierbuis
39. Pompsproeier
40. Pompventiel
41. Membraanveer
42. Pompmembraan
43. Pomphefboom
44. Verbindingsstang met drukveer en splitpenregeling
45. Benzinetoevoer
46. Regelschroef van stationair loopmengsel
47. Hoofdsproeier en hoofdsproeierhouder
48. Gasklep
49. Vlotter
50. Startsproeier
51. Starthefboom
52. Starter draaischuif
53. Luchtinlaatopening
54. Startluchtinlaat uit vlotterkamer

L'AUTO

2. LE MOTEUR

1. Carburateur
2. Culbuteur
3. Vis de réglage du jeu de soupape
4. Bougie
5. Distributeur
6. Reniflard
7. Pompe d'essence
8. Couronne du volant
9. Volant
10. Arbre à cames
11. Entraînement de la pompe d'huile et du distributeur
12. Filtre d'huile
13. Vilebrequin
14. Chaîne de distribution
15. Pignon de vilebrequin
16. Pignon de l'arbre à cames
17. Bielle
18. Génératrice
19. Ventilateur
20. Pompe d'eau
21. Segments de piston
22. Soupape d'échappement
23. Soupape d'admission
24. Thermostat
25. Bourrage de queue de soupape
26. Ressort de soupape
27. Chapeau de remplissage d'huile et reniflard
28. Axe des culbuteurs

3. LE CARBURATEUR

29. Soupape d'air de démarrage
30. Conduite de carburant
31. Pointeau de flotteur
32. Ventilation de la cuve de flotteur
33. Venturi
34. Prise d'air
35. Tube d'émulsion et chapeau
36. Gicleur d'air de ralenti
37. Gicleur de ralenti
38. Tube d'injection
39. Gicleur de pompe
40. Soupape de pompe
41. Ressort de membrane
42. Membrane de pompe
43. Levier de pompe
44. Axe avec ressort de poussée et réglage par goupille fendue
45. Conduite d'essence
46. Vis de réglage du mélange de ralenti
47. Gicleur principal et porte-gicleur
48. Papillon des gaz
49. Flotteur
50. Gicleur de démarrage
51. Levier de démarrage
52. Tiroir du dispositif de démarrage
53. Ouverture d'admission d'air
54. Admission d'air de démarrage dans la chambre de flotteur

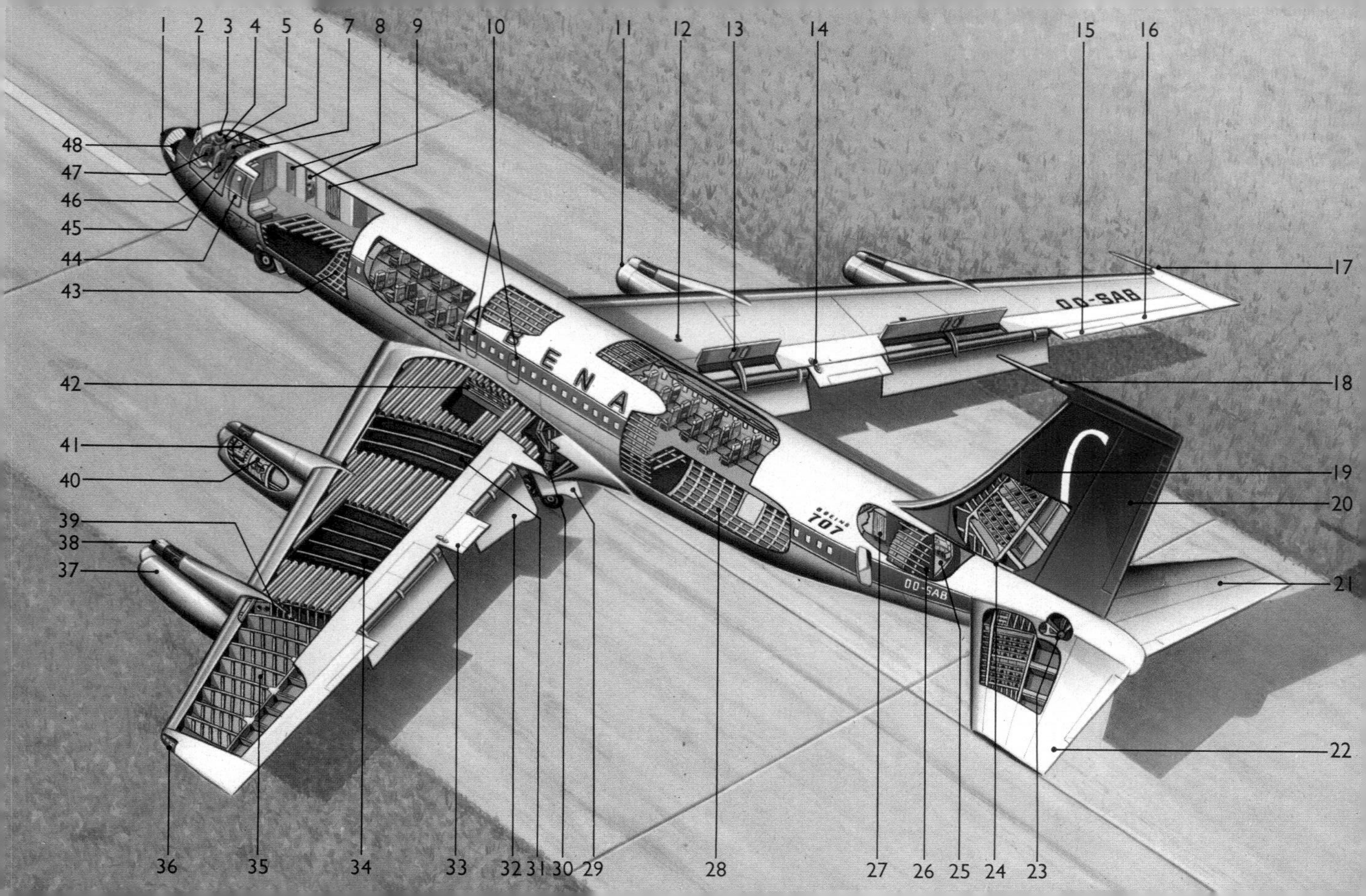

1
2
3
4
5
6
7
8
9
10
11
12
13
14
15
16
17
18
19
20
21
22
23
24
25
26
27
28
29
30
31
32
33
34
35
36
37
38
39
40
41
42
43
44
45
46
47
48
OO-SAB
BENA
BOEING
707
OO-SAB

HET VLIEGTUIG

1. HET CASCO

(Boeing 707 Intercontinental)

1. Radarneus
2. Windscherm
3. Instrumentenbord
4. Radiotafel
5. Stuurknuppel
6. Zetel van de tweede piloot
7. Tafel van de boordingenieur
8. Toilet
9. Keuken
10. Nooduitgangen
11. Luchtinlaat van de JT-4-A
12. Stop van de benzinetanks
13. Wormvijzels van de spoilers
14. Torsieschaar van het binnenrolroer
15. Compensatietab
16. Buitenrolroer (lage snelheid)
17. Navigatielicht
18. Antenne V.H.F.
19. Antenne V.O.R.
20. Richtingsroer
21. Bestuurbaar stabilo
22. Hoogteroer
23. Torsieschaar van het bestuurbaar stabilo
24. Verbinding staartvlakken/romp
25. Toilet
26. Achterwand van de luchtdrukcabine
27. Achterkeuken
28. Bagageruim
29. Intradosremklep
30. Been van de linkerbogie
31. Binnentank
32. Binnenklep
33. Binnenrolroer (hoge snelheid)
34. Buitentank
35. Brandstofreserves
36. Navigatielicht
37. Halve openslaande podbedekking
38. Luchtinlaat van de luchtdruk turbocompressor
39. Podstijl
40. Pratt & Whitney JT-4-A straalturbine
41. Olietank
42. Rompbrandstoftank
43. Bagageruim
44. Voorste cabinedeur
45. Zetel van de boordingenieur
46. Zetel van de navigator
47. Zetel van de gezagvoerder
48. Radarantenne

L'AVION

1. LE CORPS

(Boeing 707 Intercontinental)

1. Radar de nez
2. Pare-brise
3. Panneau d'instruments de vol
4. Pupitre radio
5. Manche à balai
6. Siège copilote
7. Pupitre du mécanicien de bord
8. Toilette avant
9. Cuisine avant
10. Sorties de secours
11. Prise d'air du moteur JT-4-A
12. Bouchons de remplissage des réservoirs
13. Verin de spoiler
14. Articulation d'aileron interne
15. Tab de compensation
16. Aileron externe (basse vitesse)
17. Feu de navigation
18. Antenne V.H.F.
19. Antenne V.O.R.
20. Gouvernail de direction
21. Empennage asservi
22. Gouvernail de profondeur
23. Articulation de l'empennage
24. Attache dérive/fuselage
25. Toilette arrière
26. Paroi arrière de la cabine pressurisée
27. Cuisine arrière
28. Soute arrière
29. Volet d'intrados
30. Jambe principale du boggie gauche
31. Réservoir interne
32. Volet sustentateur
33. Aileron interne (haute vitesse)
34. Réservoir externe
35. Réserve de carburant
36. Feu de position
37. Demi-coquille relevable
38. Prise d'air du turbocompresseur de pré-surisation
39. Nervure d'attache du pod-moteur
40. Turboréacteur Pratt & Whitney JT-4-A
41. Réservoir d'huile
42. Réservoir de fuselage
43. Soute avant
44. Porte avant
45. Siège du mécanicien de bord
46. Siège du navigateur
47. Siège du pilote
48. Antenne radar

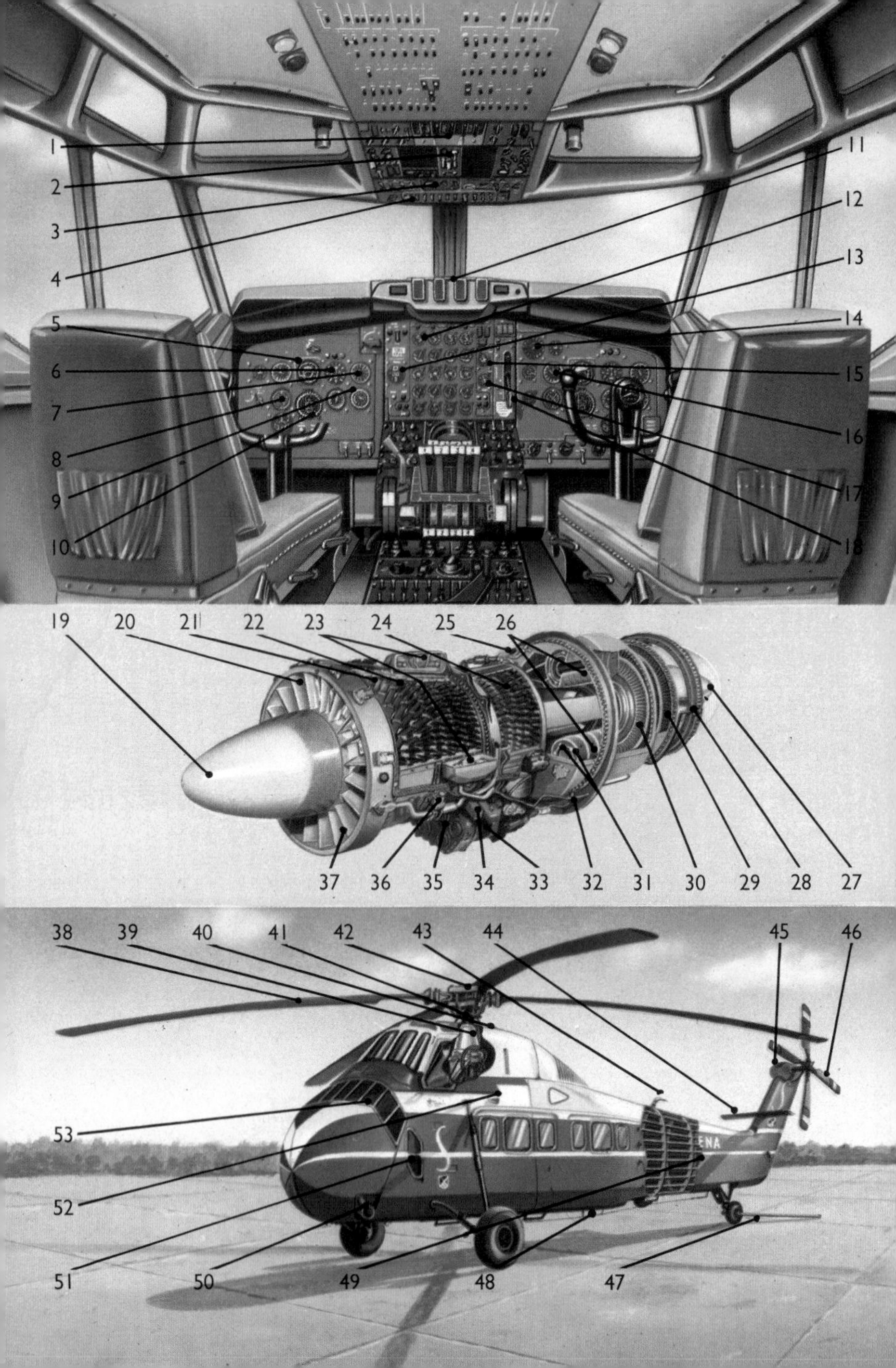
1
2
3
4
5
6
7
8
9
10
11
12
13
14
15
16
17
18
19
20
21
22
23
24
25
26
27
28
29
30
31
32
33
34
35
36
37
38
39
40
41
42
43
44
45
46
47
48
49
50
51
52
53

HET VLIEGTUIG

2. INSTRUMENTENBORD

(Boeing 707 Intercontinental)

1. Starthandels voor motoren
2. Bediening van zuurstofsysteem voor passagiers
3. Bediening van ijsbestrijding op de vleugels
4. Elektrische bediening van: schijnwerpers, navigatielichten, bergruimte voor landingsgestel [,,flight director''
5. Kunstmatige horizon en aanwijzer van de
6. Hoogtemeter
7. Machmeter
8. ADF (Radiokompas)-aanwijzer
9. VOR/RMI (Magnetische Radio-aanwijzer)
10. Aanwijzer van de afwijking van de koers
11. Verlichte brandsignalen voor: achterste bagageruim, motoren, bergruimte voor hoofdlandingsgestel [(P.7.)
12. Drukaanwijzer bij uitgang van turbine
13. Positie van de stuurorganen
14. Buitentemperatuur (statisch)
15. Positie van buitenboord-flaps
16. Aanwijzer van aerodynamische snelheid
17. Positie van binnenboord-flaps
18. Bedieningshefboom van landingsgestel

3. STRAALMOTOR

(Boeing 707 Intercontinental)

19. Luchtinlaatkegel
20. Inlaatcarter met vaste schoepen
21. Draaiende schoep
22. Compressor lage druk
23. Olietank
24. Compressor hoge druk
25. Luchtinlaat voor verluchting van de cabine
26. Verbrandingskamer
27. Uitlaatkegel
28. Uitlaatpijp
29. Turbine lage druk
30. Turbine hoge druk
31. Injectoren
32. Ontstekingsbougie
33. Regelaar van brandstof
34. Toerenteller
35. Tandwieldoos voor bediening van onderdelen [ding
36. Openings- en sluitingsklep voor ijsbestrij-
37. Vaste richtschoep

HELIKOPTER

(Sikorsky S.58)

38. Hoofd-rotorbladen
39. Voornaamste tandwieldoos
40. Navigatielicht
41. Verstelstang van de pas der rotorbladen
42. Kop van de hoofdrotor
43. Omni-directionele radio-antenne
44. Stabilisator
45. Pyloon
46. Bladen van staartrotor
47. Dissel
48. Radio-antenne (zenden en ontvangen)
49. Staartstuk
50. Uitlaatpijp
51. Openingen voor luchtuitlaat
52. Verluchtingsbek voor cabine
53. Luchtinlaatopeningen

L'AVION

2. LE TABLEAU DE BORD

(Boeing 707 Intercontinental)

1. Commande de démarrage des moteurs
2. Commande du système d'oxygène pour les passagers
3. Commande de dégivrage des ailes
4. Commande d'éclairage des phares et feux de navigation, logement des trains
5. Horizon artificiel et flight director indicator
6. Altimètre
7. Machmètre
8. Indicateur ADF (Radio compas)
9. VOR/RMI (Indicateur Radio Magnétique)
10. Indicateur de déviation de route
11. Avertisseurs lumineux d'incendie: dans la cale arrière, dans les moteurs, dans les logements des trains principaux [(P.7.)
12. Indicateur de pression de sortie turbine
13. Position des gouvernes
14. Température extérieure (statique)
15. Position des flaps extérieurs
16. Indicateur de vitesse aérodynamique
17. Position des flaps intérieurs
18. Levier de commande des trains

3. RÉACTEUR

(Boeing 707 Intercontinental)

19. Dôme d'entrée d'air
20. Carter d'entrée à aubes fixes
21. Ailette
22. Compresseur basse pression
23. Réservoir d'huile
24. Compresseur haute pression [de l'avion
25. Prise d'air pour la ventilation de la cabine
26. Chambre de combustion
27. Cône d'échappement
28. Tuyère d'échappement
29. Turbine basse pression
30. Turbine haute pression
31. Injecteurs
32. Bougie d'allumage
33. Régulateur de combustible
34. Tachymètre
35. Boîte d'engrenages des commandes accessoires [givrage
36. Soupape d'ouverture et de fermeture du dé-
37. Aube

HÉLICOPTÈRE

(Sikorsky S.58)

38. Pales de rotor principal
39. Boîte d'engrenages principale
40. Feu de navigation
41. Bielle de variation de pas
42. Tête de rotor principal
43. Antenne radio omnidirectionnelle
44. Stabilisateur
45. Pylône
46. Pales de rotor arrière
47. Barre de remorquage au sol
48. Antenne radio (émission et réception)
49. Cône de queue
50. Tuyau d'échappement
51. Bouches de sortie d'air
52. Bouche de ventilation cabine
53. Bouches d'entrée d'air

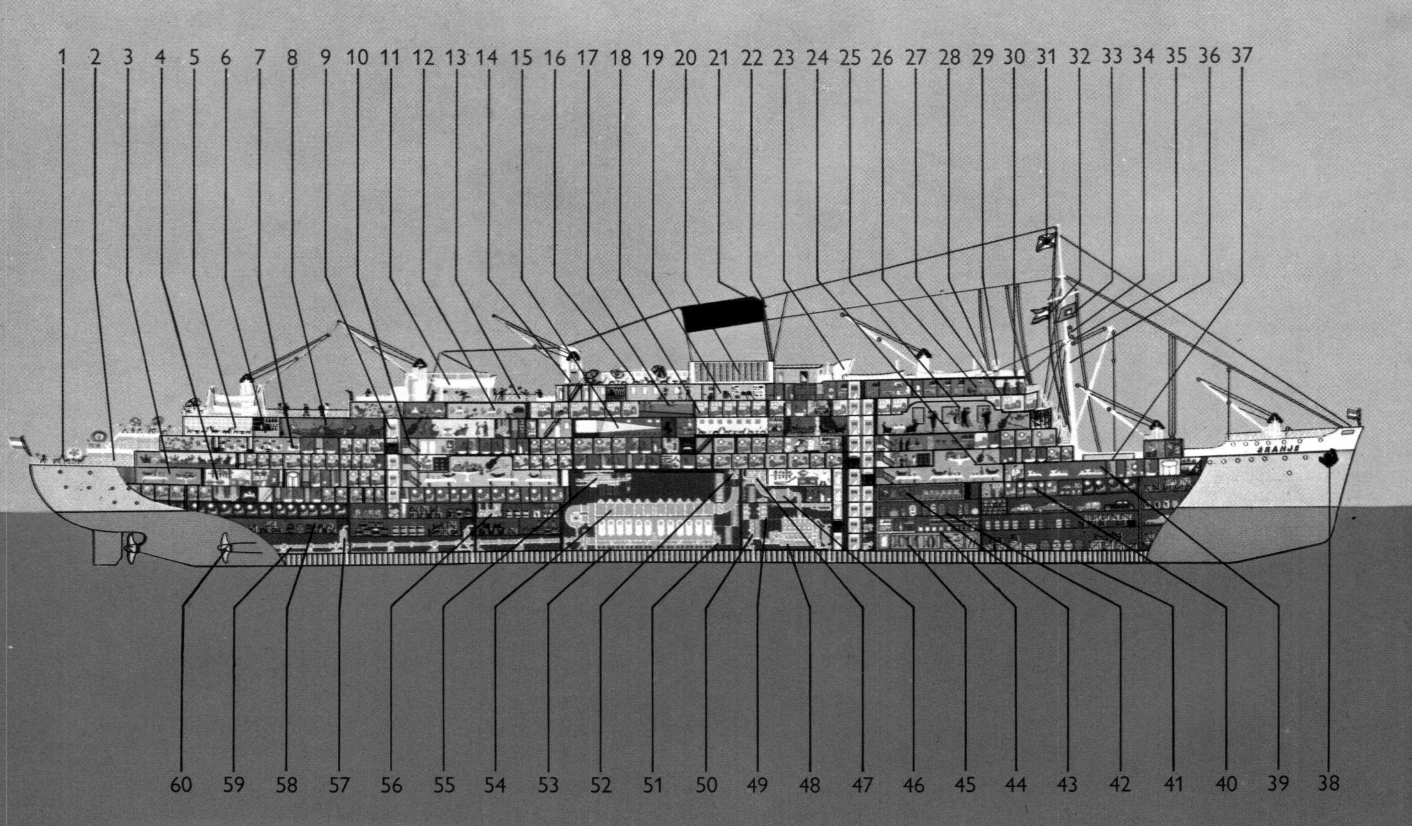
1 2 3 4 5 6 7 8 9 10 11 12 13 14 15 16 17 18 19 20 21 22 23 24 25 26 27 28 29 30 31 32 33 34 35 36 37
ORANJE
60 59 58 57 56 55 54 53 52 51 50 49 48 47 46 45 44 43 42 41 40 39 38

DE PAKKETBOOT

1. Zonnedek
2. Wandeldek
3. Eetsalon
4. Kombuis of keuken
5. Veranda
6. Bar
7. Hospitaal
8. Rooksalon
9. Lift
10. Trappenhuis
11. Reddingboot
12. Kinderkamer
13. Sportdek
14. Elektrische laadkraan
15. Bioscoop
16. Lido
17. Zwembad
18. Hutten
19. Telegraaf
20. Ventilatie-jaloezieën
21. Achter-toplicht
22. Antenne
23. Luchtkoker
24. Eetsalon met orkestbalkon
25. Muzieksalon
26. Zithut kapitein
27. Commandobrug
28. Radio-richtingzoeker
29. Radar
30. Standaard-kompas
31. Maatschappijvlag
32. Postvlag
33. Vertrekvlag (Blue-Peter)
34. Voor-toplicht
35. Sirene
36. Voormast
37. Dek voor bemanning
38. Anker
39. Eetplaats voor bemanning
40. Hutten van de bemanning
41. Dubbele bodem met olie- en watertanks
42. Bagageruim
43. Bergplaats groenten
44. Proviandruim
45. Koelruimen
46. Uitlaatgassenketel van de hulpmotoren
47. Machinekamerleidingen
48. Vijf hulpmotoren van 6 cilinders
49. Instrumentenbord van de machinekamer
50. Schakelbord
51. Bedieningspaneel van de hoofdmotoren
52. Kraan
53. Motorenfundatie
54. Drie hoofdmotoren van 12 cilinders
55. Loopkraan van de machinekamer
56. Ventilatoren
57. Afvaltanks
58. Laadruimen
59. Schroefas en astunnel
60. Schroef

LE PAQUEBOT

1. Solarium
2. Pont-promenade
3. Salle à manger
4. Cambuse ou cuisine
5. Véranda
6. Bar
7. Hôpital
8. Fumoir
9. Ascenseur
10. Cage d'escalier
11. Canot de sauvetage
12. Nursery
13. Pont de sport
14. Grue de chargement électrique
15. Cinéma
16. Lido
17. Bassin de natation
18. Cabines
19. Télégraphe
20. Jalousies de ventilation
21. Feu de tête-arrière
22. Antenne
23. Tube d'aérage
24. Salle à manger avec balcon d'orchestre
25. Salle de musique
26. Salon du capitaine
27. Passerelle de commande
28. Radiogoniomètre
29. Radar
30. Compas étalon
31. Pavillon de compagnie
32. Pavillon postal
33. Pavillon de départ (Blue-Peter)
34. Feu de tête de mât - avant
35. Sirène
36. Mât d'avant
37. Pont de l'équipage
38. Ancre
39. Réfectoire de l'équipage
40. Cabines de l'équipage
41. Double-fond avec réservoirs d'huile et d'eau
42. Cale aux bagages
43. Stockage de légumes
44. Cale de vivres
45. Cales frigorifiques
46. Réservoir des gaz d'échappement des mo-[teurs auxiliaires
47. Conduites de la chambre des machines
48. Cinq moteurs auxiliaires à 6 cylindres
49. Tableau d'instruments de la chambre des machines
50. Tableau de distribution
51. Panneau de service des moteurs principaux
52. Grue
53. Assise des moteurs
54. Trois moteurs principaux à 12 cylindres
55. Pont roulant de la chambre des machines
56. Ventilateurs
57. Réservoir des déchets
58. Cales de chargement
59. Arbre d'hélice et tunnel de l'arbre
60. Hélice

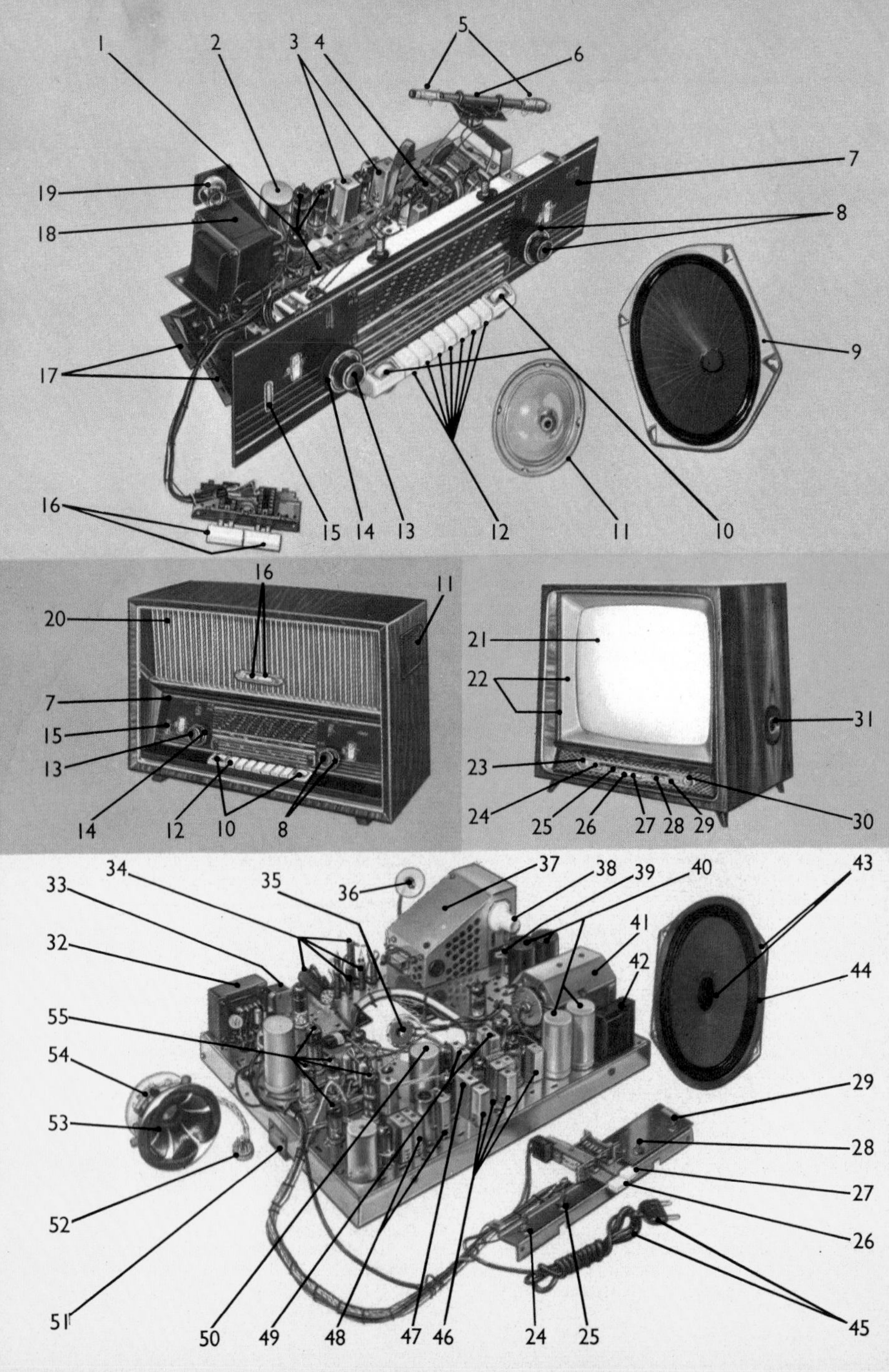
1
2
3
4
5
6
7
8
9
10
11
12
13
14
15
16
17
18
19
20
21
22
23
24
25
26
27
28
29
30
31
32
33
34
35
36
37
38
39
40
41
42
43
44
45
46
47
48
49
50
51
52
53
54
55

RADIO EN TELEVISIE

1. RADIOTOESTEL

1. Elektronenbuis (Radiobuis)
2. Elektrolytische condensator
3. A.M.- en F.M.-middenfrequentiespoelen
4. F.M.-eenheid
5. Midden- en langegolf antennespoelen
6. Ferriet-kern
7. Afstemschaal
8. F.M.- en A.M.-afstemknoppen
9. Ellipsvormige luidspreker
10. Regeling bas- en scherpe tonen
11. Hogetoon-luidspreker (tweeter)
12. Bedieningsklavier
13. Klanksterkteregelaar
14. Regeling ferriet-antenne
15. Afstemoog
16. Toetsschakelaars (spraak - muziek)
17. Uitgangstransformatoren
18. Voedingstransformator
19. Netaanpassingsstekker
20. Klankbord

2. T.V. ONTVANGER

21. Beeldbuis - 110°
22. Afdekraam en beschermruit
23. Veiligheidsslot
24. Fijnafstemmingsregelaar
25. Contrastregelaar
26. Netschakelaar (druktoets)
27. Toonschakelaar (druktoets)
28. Toonregelaar
29. Klanksterkteregelaar
30. Elektronisch oog
31. Kanaalkiezer
32. Verticale uitgangstransformator
33. Blokkeertransformator
34. Glazuur-weerstanden
35. Verbindingsstuk voor beeldbuisvoet
36. Anode-verbinding (Z.H.S.) van beeldbuis
37. Horizontale tijdbasis-eenheid
38. Klinkhuis voor Z.H.S.-gelijkrichter
39. Relais voor Standaardomschakeling
40. Elektrolytische condensators
41. Kanaalkiezer
42. Smoorspoel
43. Luidspreker (konus en wieg)
44. Viltband
45. Netsnoer en -stekker
46. Zuigkringspoelen
47. Filterspoelen
48. Middenfrequentiespoelen (beeld)
49. Middenfrequentiespoelen (klank)
50. Discriminatorspoel
51. Metalen raam (chassis)
52. Verbindingsstekker van afbuigspoelen
53. Afbuigspoelen
54. Correctiemagneet
55. Televisiebuizen

T.S.F. ET TÉLÉVISION

1. LE RÉCEPTEUR DE T.S.F.

1. Tube électronique (tube radio)
2. Condensateur électrolytique
3. Bobines moyenne fréquence A.M. et F.M.
4. Unité F.M.
5. Bobines d'antenne ondes moyennes et [longues
6. Noyau ferrite
7. Cadran
8. Syntonisation F.M. et A.M.
9. Haut-parleur elliptique
10. Réglage des sons graves et aigus
11. Haut-parleur sons aigus (tweeter)
12. Clavier de commande
13. Contrôle de volume sonore
14. Réglage de l'antenne ferrite
15. Œil magique
16. Boutons poussoir (parole - musique)
17. Transformateurs de sortie
18. Transformateur d'alimentation
19. Carrousel (adaptation au réseau)
20. Baffle

2. RÉCEPTEUR DE TÉLÉVISION

21. Tube image - 110°
22. Masque et vitre de protection
23. Serrure de sécurité
24. Bouton de réglage fin
25. Bouton de réglage du contraste
26. Interrupteur réseau (bouton poussoir)
27. Commutateur de tonalité (bouton poussoir)
28. Bouton de réglage de la tonalité
29. Bouton pour le contrôle du volume sonore
30. Œil électronique
31. Sélecteur de canaux
32. Transformateur de sortie verticale
33. Transformateur de blocage
34. Résistances vitrifiées
35. Connecteur pour tube cathodique
36. Connecteur anodique pour tube cathodique
37. Unité base de temps horizontale
38. Douille pour redresseur THT
39. Relais pour la commutation de standards
40. Condensateurs électrolytiques
41. Sélecteur de canaux
42. Bobine d'arrêt
43. Haut-parleur (cône et berceau)
44. Bande feutrée
45. Cordon d'alimentation et fiche réseau
46. Circuits bouchon
47. Bobines de filtrage
48. Bobines moyenne fréquence (image)
49. Bobines moyenne fréquence (son)
50. Discriminateur
51. Châssis
52. Raccord des bobines de déviation
53. Bobines de déviation
54. Aimant de correction
55. Tubes électroniques

1
2
3
4
5
IV
III
II
I
13
12
11
10
9
8
7
6
14
15
18
18
18
18
18
16
16
17
A
B
C

RAKETTEN EN KUNSTMANEN

A. DE DUITSE RAKET V2

Deze raket was een vóór-astronautische verwezenlijking van professor Dr. Wernher von Braun.

1. Ruimte voor springstoffen
2. Ruimte voor instrumenten
3. Houder voor alcohol
4. Houder voor vloeibare zuurstof
5. Brandkamer

B. AMERIKAANSE VIERTRAPSRAKET

De raket „Juno" voor het lanceren van de eerste Amerikaanse kunstmaan, de „Explorer I"

6. Stabilisatievlakken
7. Brandstofhouder
8. Breukplaats
9. Controlekop
10. Tweede brandtrap
11. Derde brandtrap
12. Vierde brandtrap
13. Kunstmaan „Explorer I"

C. SOVJETRAKET

Sovjetraket voor het lanceren van de eerste kunstmaan ter wereld, de „Spoetnik I"

14. Kop waarin de satelliet zich bevindt
15. De „Spoetnik I"
16. Pompen
17. Brandkamer
18. Houders voor brandstoffen

FUSÉES ET SATELLITES ARTIFICIELS

A. LA FUSÉE ALLEMANDE V2

Cette fusée était une réalisation pré-astronautique du professeur Dr. Wernher von Braun.

1. Emplacement pour la charge explosive
2. Emplacement pour les instruments
3. Réservoir d'alcool
4. Réservoir d'oxygène liquide
5. Chambre de combustion

B. FUSÉE AMÉRICAINE A QUATRE ÉTAGES

La fusée „Junon" pour le lancement du premier satellite artificiel des Américains, „Explorer I".

6. Plans de stabilisation
7. Réservoir de combustibles
8. Section de séparation
9. Tête de contrôle
10. Deuxième étage de combustion
11. Troisième étage de combustion
12. Quatrième étage de combustion
13. Satellite artificiel „Explorer I"

C. FUSÉE SOVIÉTIQUE

La fusée soviétique pour le lancement du premier satellite artificiel au monde, le „Spoutnik I".

14. Tête contenant le satellite
15. Le „Spoutnik I"
16. Pompes
17. Chambre de combustion
18. Réservoirs de combustibles

I

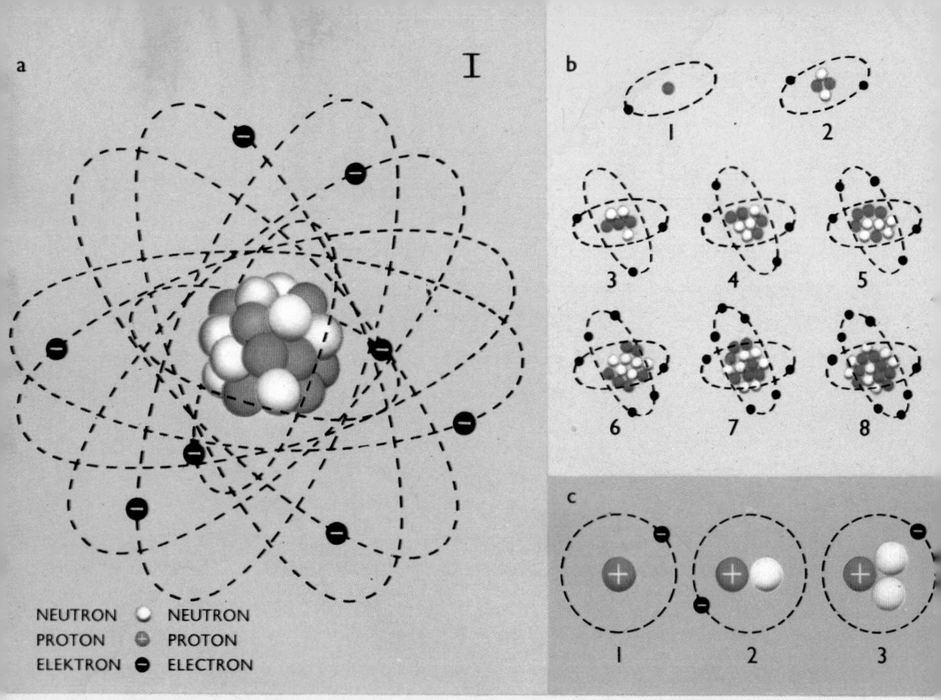

a

NEUTRON NEUTRON
PROTON PROTON
ELEKTRON ELECTRON

b

1 2
3 4 5
6 7 8

c

1 2 3

II

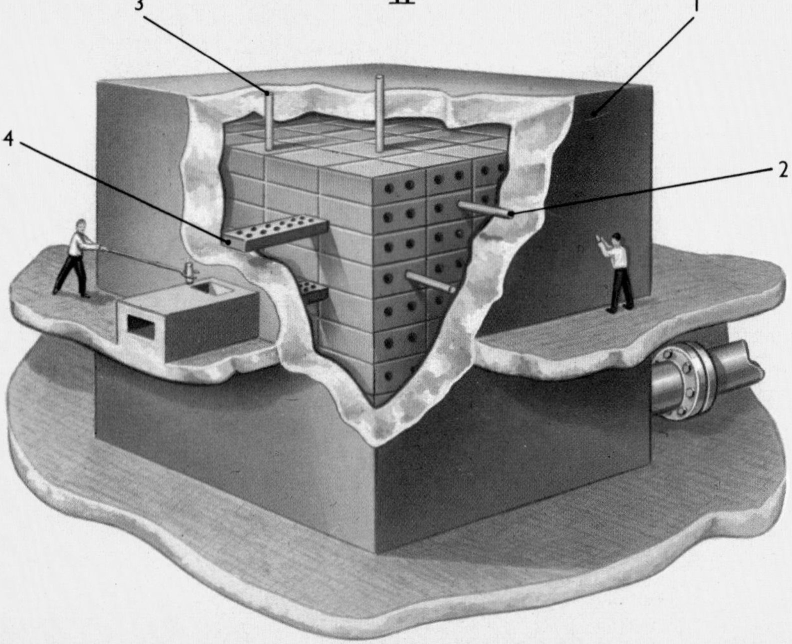

1
2
3
4

HET ATOOM

I. SAMENSTELLING VAN HET ATOOM

a) Het atoom, kleinste deeltje van elk element, is samengesteld uit een kern van protonen en neutronen, waarrond de elektronen in verschillend aantal hun banen beschrijven. Elk element heeft een eigen aantal protonen, dat het atoomnummer aanduidt. Waterstof is het element met het kleinste atoomnummer, daar ze slechts één proton bezit, terwijl b.v. zuurstof het atoomnummer 8 heeft.

Neutron (neutraal)
Proton (positief)
Elektron (negatief)

b) Samenstelling van de atomen der elementen met het atoomnummer 1 tot 8.

1. Waterstof
2. Helium
3. Lithium
4. Beryllium
5. Borium
6. Koolstof
7. Stikstof
8. Zuurstof

c) Drie soorten van waterstof: zonder neutron, met één neutron en met twee neutronen.

1. Gewone waterstof
2. Deuterium
3. Tritium

II. KERNREACTOR

Bij kernsplijting van U^{235} valt de kern uiteen door het binnendringen van een vrij neutron, waarbij tevens 2 tot 3 neutronen met grote snelheid weggeslingerd worden. Om een voortgaande splijting zoals bij de atoombom te vermijden, moet het proces zodanig geregeld worden dat uit elke splijting precies een enkel neutron vrijblijft, voor het inleiden van de volgende reactie, terwijl de overige neutronen door de omringende stoffen opgeslorpt worden. Deze regeling geschiedt door regelstaven uit cadmium, die op een bepaalde diepte in het inwendige van de reactor geschoven worden. De snelheid waarmede de neutronen de kern verlaten, moet geremd worden door het botsen tegen de kernen van de zogenaamde moderatoren, zoals grafiet, zwaar water en beryllium.

1. Betonnen muur
2. Uraniumstaven
3. Cadmiumstaven
4. Grafietstaven

Kernreactors kunnen energie voortbrengen en uranium omzetten in plutonium.

L'ATOME

I. COMPOSITION DE L'ATOME

a) L'atome, la plus petite unité de chaque élément, se compose d'un noyau de protons et de neutrons, autour desquels circulent les électrons en nombre différent. Chaque élément a son propre nombre de protons, indiqué par son numéro atomique. Le numéro atomique de l'hydrogène est un, parce que cet élément ne possède qu'un seul proton ; le numéro atomique de l'oxygène est huit.

Neutron (neutre)
Proton (positif)
Électron (négatif)

b) Structure de l'atome des éléments avec le numéro atomique 1 à 8.

1. Hydrogène
2. Hélium
3. Lithium
4. Béryllium ou glucinium
5. Bore
6. Carbone
7. Azote
8. Oxygène

c) Trois espèces d'hydrogène: sans neutron, avec un neutron et avec deux neutrons.

1. Hydrogène simple.
2. Deutérium.
3. Tritium.

II. RÉACTEUR NUCLÉAIRE (ATOMIQUE)

Pendant la fission de l'atome d'U^{235} le noyau se décompose par la pénétration d'un neutron libre et en même temps 2 ou 3 neutrons s'éloignent à grande vitesse. Afin d'éviter que la fission se multiplie sans cesse, il faut la régler de façon qu'à chaque réaction seulement un neutron reste libre pour déclencher la réaction suivante, pendant que les matières environnantes absorbent les autres neutrons. Cette régulation est assurée par des barres de cadmium, enfoncées à une certaine profondeur dans l'intérieur du réacteur. En sortant du noyau les neutrons ont une vitesse trop grande que l'on diminue par des collisions avec les noyaux des modérateurs, comme le graphite, l'eau lourde et le béryllium.

1. Mur en béton
2. Barres d'uranium
3. Barres de cadmium
4. Barres de graphite

Les réacteurs peuvent produire de l'énergie et transmuter l'uranium en plutonium.

SEINE-MARIT.
Dieppe
Neufchâtel
Yvetot
le Havre
Bolbec
Rouen
Cherbourg
Valognes
Bayeux
Caen
Pt l'Évêque
Lisieux
CALVADOS
St Lô
Coutances
MANCHE
Falaise
Vire
Avranches
Mortain
Flers
Argentan
ORNE
Alençon
Domfront
EURE
Évreux
Bernay
Louviers
Elbeuf
Dreux
Chartres
EURE-ET-LOIR
Nogent le Rotrou
Mortagne au Perche
Mamers
Châteaudun
Morlaix
Lannion
Guingamp
St Brieuc
Dinan
St Malo
Brest
FINISTÈRE
CÔTES-DU-NORD
Loudéac
Châteaulin
Quimper
Quimperlé
Pontivy
Ploermel
MORBIHAN
Lorient
Vannes
Fougères
ILLE-ET-VILAINE
Rennes
Vitré
Montfort
Redon
Châteaubriant
Mayenne
MAYENNE
Laval
Château-Gontier
le Mans
SARTHE
St Calais
la Flèche
Segré
MAINE-ET-LOIRE
Angers
Baugé
Saumur
Vendôme
Blois
LOIR-ET-CHER
Romorantin
Tours
INDRE-ET-LOIRE
Chinon
Loches
LOIRE-ATLANTIQUE
St Nazaire
Ancenis
Nantes
Paimbœuf
Cholet
Thouars
Bressuire
Loudun
la Roche-s/-Yon
VENDÉE
les Sables-d'Olonne
Fontenay-le-Comte
DEUX-SÈVRES
Parthenay
Niort
Melle
Châtellerault
VIENNE
Poitiers
Montmorillon
Civray
INDRE
Châteauroux
le Blanc
la Rochelle
I. d'Oleron
Rochefort
St Jean d'Angély
Ruffec
Confolens
Bellac
HAUTE-VIENNE
Limoges
Rochechouart
St Yrieix
CHARENTE-MARIT.
Marennes
Saintes
CHARENTE
Cognac
Angoulême
Jonzac
Barbezieux
Nontron
Royan
Ribérac
Périgueux
DORDOGNE
Sarlat
Bergerac
Lesparre-Médoc
Blaye
Libourne
Bordeaux
GIRONDE
La Réole
Langon
Bazas
Marmande
Villeneuve
LOT-ET-GARONNE
Agen
Nérac
Cahors
TARN-ET-GARONNE
Moissac
Castelsarrasin
LANDES
Mont-de-Marsan
Dax
St Sever
Condom
GERS
Lectoure
Auch
Mirande
Toulouse
HAUTE-GARONNE
Muret
Lombez
Bayonne
Orthez
Pau
Bses PYRÉNÉES
Mauléon
Oloron Ste Marie
Tarbes
Argelès
Bagnères de Bigorre
HTES PYRÉNÉES
St Gaudens
St Girons
Pamiers
ARIÈGE
Andorre
FLOUQUET-DUFOUR